Chemie

10., völlig überarbeitete Auflage

Herausgeber:
Jürgen Falbe
Manfred Regitz

Band 1	**A – Cl**	1996
Band 2	**Cm – G**	1997
Band 3	**H – L**	1997
Band 4	**M – Pk**	1998
Band 5	**Pl – S**	1998
Band 6	**T–Z**	1999

Lebensmittelchemie
1995

Naturstoffe
1997

Lacke und Druckfarben
1997

**Biotechnologie
und Gentechnik**
1999

Umwelt
1999

Xi  Reizend	Xn  Gesundheits-schädlich	T Giftig	T+  Sehr Giftig	Radioaktiv	N  Umweltgefährlich

Lsm.	Lösemittel	sek.	sekundär
MAK	Maximale Arbeitsplatz-Konzentration	Selbsteinst.	Klassifizierung in WGK gemäß Konzept zur Selbsteinstufung des VCI
max.	maximal	sog.	sogenannt(e)
Meth.	Methode	Subl.	Sublimation
MHK	minimale Hemmkonzentration	subl.	sublimiert
MIK	Maximale Immissions-Konzentration	Synth.	Synthese
		Syst.	System
min	Minute	SZ	Säure-Zahl
mind.	mindestens	Tab.	Tabelle
Mio.	Million	Tabl.	Tabletten
Modif.	Modifikation	teilw.	teilweise
mol.	molekular	Temp.	Temperatur
Mol.	Molekül	tert.	tertiär
M_R	relative mol(ekul)are Masse (Molmasse)	TH	Technische Hochschule
		Tl.	Teil, Teile
Mrd.	Milliarde	TRGS	Technische Regeln für Gefahrstoffe
Nachw.	Nachweis	TRK	Technische Richtkonzentration
n	Brechungsindex	TU	Technische Universität
neg.	negativ	u.	und
od.	oder	Univ.	Universität
Oxid.	Oxidation	unlösl.	unlöslich
p.o.	peroral, per os	v.a.	vor allem
pos.	positiv	Vak.	Vakuum
ppb	parts per billion = 10^{-9}	Verb.	Verbindung
ppm	parts per million = 10^{-6}	verd.	verdünnt
ppt	parts per trillion = 10^{-12}	Verf.	Verfahren
Präp.	Präparat	Verl.	Verlag
prim.	primär	Verw.	Verwendung
qual.	qualitativ	vgl. (Vgl.)	vergleiche, Vergleich(e)
quant.	quantitativ	VO	Verordnung
®	Marke, Warenzeichen	Vol.	Volumen
Red.	Reduktion	Vork.	Vorkommen
Rp	verschreibungspflichtig	VZ	Verseifungszahl
S	spanische Bezeichnung	wäss.	wäßrig
S.	Seite	WGK	Wasser-Gefährdungs-Klasse
s	Sekunde	WHO	World Health Organization
s. (S.)	siehe	Zers.	Zersetzung
s.c.	subcutan	*	als Stichwort in diesem Werk behandelt
Schmp.	Schmelzpunkt (Fusionspunkt)		
Sdp.	Siedepunkt (Kochpunkt)	°C	Grad Celsius

RÖMPP LEXIKON

Chemie

10., völlig überarbeitete Auflage

Herausgeber

Prof. Dr. Jürgen Falbe
Prof. Dr. Manfred Regitz

Bearbeitet von

Dr. Eckard Amelingmeier
Dr. Michael Berger
Dr. Uwe Bergsträßer
Dr. Helmut Blome
Prof. Dr. Alfred Blume
Prof. Dr. Henning Bockhorn
Prof. Dr. Peter Botschwina
Dr. Jörg Falbe
Dr. Jürgen Fink
Dr. Hans-Jochen Foth
Dr. Burkhard Fugmann
Prof. Dr. Susanne Grabley
Dr. Ubbo Gramberg
Prof. Dr. Hermann G. Hauthal
PD Dr. Hans-Wolfgang Helb
Dr. Heinrich Heydt
Dr. Claudia Hinze
Dr. Kurt Hussong
Cornelia Imming

PD Dr. Peter Imming
Dr. Martin Jager
Dr. Margot Janzen
Prof. Dr. Claus Klingshirn
Dr. Herbert Lamp
Dr. Susanne Lang-Fugmann
Prof. Dr. Michael Lindemann
Dr. Gisela Lück
Dr. Thomas Neumann
Dr. Gustav Penzlin
Dr. Reinhard Philipp
Dr. Matthias Rehahn
Dr. Karsten Schepelmann
Prof. Dr. Eberhard Schweda
Prof. Dr. Helmut Sitzmann
PD Dr. Ralf Thiericke
Dr. Christa Wagner-Klemmer
Dr. Bernd Weber
Dr. Gotthelf Wolmershäuser

Georg Thieme Verlag
Stuttgart · New York

Redaktion:
Dr. Martina Bach
Ute Rohlf
Dr. Barbara Frunder
Dr. Susanne Dieterich
Georg Thieme Verlag
Rüdigerstraße 14
70469 Stuttgart

Übersetzungen:
Karina Gobbato
Jean-Louis Servant
Dr. Salvatore Venneri

Zolltarif-Codenummern:
Karl Kettnaker

Grafik:
Hanne Haeusler
Kornelia Wagenblast
Ruth Hammelehle

Einbandgestaltung: Dominique Loenicker

Die Deutsche Bibliothek – CIP-Einheitsaufnahme

Römpp-Lexikon Chemie / Hrsg.: Jürgen Falbe ;
Manfred Regitz. Bearb. von Eckard Amelingmeier ... –
Stuttgart ; New York : Thieme.
9. Aufl. u.d.T.: Römpp-Chemie-Lexikon
Bd. 6. T–Z / [Red.: Martina Bach ... Übers.:
Karina Gobbato ...]. – 10., völlig überarb. Aufl. – 1999

1.–5. Auflage (1947–1962) Dr. H. Römpp
6. Auflage (1966) Dr. E. Ühlein
7. u. 8. Auflage (1972/1979) Dr. O.-A. Neumüller
9. Auflage (1992) Prof. Dr. J. Falbe u. Prof. Dr. M. Regitz

© 1999 Georg Thieme Verlag
Rüdigerstraße 14, D-70469 Stuttgart
Printed in Germany

Gesamtherstellung:
Konrad Triltsch GmbH
Graphischer Betrieb, Würzburg

Gedruckt auf Permaplan, archivierfähiges Werkdruckpapier aus chlorfrei gebleichtem Zellstoff von Gebrüder Buhl Papierfabriken, Ettlingen.

In diesem Lexikon sind zahlreiche Gebrauchs- und Handelsnamen, Marken, Firmenbezeichnungen sowie Angaben zu Vereinen und Verbänden, DIN-Vorschriften, Codenummern des Zolltarifs, MAK- und TRK-Werten, Gefahrklassen, Patenten, Herstellungs- und Anwendungsverfahren aufgeführt. Alle Angaben erfolgten nach bestem Wissen und Gewissen. Herausgeber und Verlag machen ausdrücklich darauf aufmerksam, daß vor deren gewerblicher Nutzung in jedem Falle die Rechtslage sorgfältig geprüft werden muß.

Das Werk, einschließlich aller seiner Teile, ist urheberrechtlich geschützt. Jede Verwertung außerhalb der engen Grenzen des Urheberrechtsgesetzes ist ohne Zustimmung des Verlages unzulässig und strafbar. Das gilt insbesondere für Vervielfältigungen, Übersetzungen, Mikroverfilmungen und die Einspeicherung und Verarbeitung in elektronischen Systemen.

ISBN 3-13-735110-3 (Band 6)
ISBN 3-13-107830-8 (Band 1–6)

1 2 3 4 5 6

Nachwort zur 10. Auflage

mit einem Wort des Dankes an alle Beteiligten

Die rasante und anhaltende Entwicklung der Chemie und anderer Chemie-geprägter Wissenschaften war für den Start der 10. Auflage des Chemielexikons RÖMPP im Herbst des Jahres 1996 verantwortlich. 38 Autoren, deren überwiegender Teil schon an der Bearbeitung der Vorgängerauflage beteiligt war, haben ihre Kompetenz und Erfahrung auch in diese Auflage eingebracht und den vorgesehenen Produktionsprozeß der 6 Bände exakt eingehalten. Auf etwa 5300 Seiten mit ca. 44.000 Eintragungen und mehr als 9000 Neuaufnahmen von Stichworten – natürlich unter Verzicht auf überkommenes oder veraltetes Wissen – wird aktuellen Entwicklungen Rechnung getragen. Manche Anregungen der Nutzer der 9. Auflage, die wir gerne entgegengenommen haben, sind in die aktuelle Version eingearbeitet worden.

Mit dem Erscheinen dieser Auflage wird dem gedruckten Werk eine elektronische Version in Form einer CD-ROM zur Seite gestellt. Besondere Aufmerksamkeit haben Verlag und Herausgeber all denjenigen entgegengebracht, die sich auf das Kernfach Chemie konzentrieren. Mit der 4-bändigen Paperback-Ausgabe RÖMPP KOMPAKT-Basislexikon Chemie (22.000 Eintragungen auf 2.800 Seiten) wird viel Wissen zu moderatem Preis angeboten.

Natürlich haben uns zahlreiche Rezensionen der 10. Auflage erreicht, aus denen wir auszugsweise zitieren:

– Schon ein Blick in den ersten Band zeigt, wie eingehend die Überarbeitung durch die Herausgeber und ihre 38 Mitarbeiter erfolgt ist, wieviel Neues aus Wissenschaft und Technik einzuarbeiten ist und Altes, in den sieben Jahren Überholtes entfernt werden konnte.
  – **Deutsche Lebensmittel-Rundschau, 02/97**

– Der Verflechtung Europas bzw. der Globalisierung des Wissensaustausches wurde entsprochen, da EG-Bestimmungen und Stichwortübersetzungen in europäischen Sprachen wieder eingeflossen sind bzw. Internet-Adressen ergänzt wurden. Als wohltuend erweisen sich auch diesmal die aktualisierten Angaben über Primärliteratur, die leicht die Vervollständigung und Erweiterung der unter einem Stichwort angegebenen Daten ermöglicht.
  – **Die Nahrung – Food, 02/97**

– Der „Römpp" beeindruckt in jeder Beziehung durch die Fülle der Stichworte, die den Stand der organischen und anorganischen Chemie in Theorie und Praxis angemessen widerspiegeln, ohne Randgebiete zu vernachlässigen; durch die umfassenden wie verständlichen Definitionen und die Anreicherung mit Struktur-, Summenformeln, Gefahrstoffkennzeichnung und erläutenden Skizzen. Gelungen ist der lexikalische Brückenschlag vom akademischen Elfenbeinturm zur anwender- und gewinnorientierten Chemiewirtschaft.
  – **Gefährliche Ladung, 11/97**

– Auch wenn man Besitzer der 9. Auflage des „Römpp" ist, lohnt sich die Anschaffung der 10. Auflage für jeden Naturwissenschaftler und alle diejenigen, die sich mit der Chemie und deren Grenzgebieten befassen müssen oder wollen, d.h. Politiker, Journalisten, oder Juristen. Wer schnell knappe, präzise und aktuelle Informationen über den Stand der Wissenschaft und der praktischen Anwendung sucht, ist mit diesem konkurrenzlosen Nachschlagewerk bestens bedient.
  – **Colloid & Polymer Science, 10/97**

– Neben allem, was es über den „RÖMPP" noch zu sagen gäbe, nur noch eines: In einer Zeit, in der immer mehr deutsche Verlage dazu übergehen (müssen?), Fachbücher in englischer Sprache zu verlegen (was für viele Schwierigkeiten hinsichtlich der Merkfähigkeit mit sich bringt), darf es als geradezu außergewöhnliche Leistung bezeichnet werden, daß der „RÖMPP" auch in seiner 10. Auflage die Muttersprache beibehalten hat. Dies sei zugleich als Dank an Redaktion und Verlag weitergereicht. Wir dürfen stolz sein, ein solches Werk zu besitzen!
  – **Wiss. Nachrichten, 03/97**

Sie bestätigen uns Aktualität, Anwenderfreundlichkeit und Nähe zu unseren Lesern. Dies ist auch Verpflichtung für uns, die Erfolgsgeschichte dieses Standardwerkes in die Zukunft fortzuschreiben. Wir hoffen sehr, daß die im Nachwort zur 9. Auflage gemachte „Aussage", Es gibt immer noch einen besseren „RÖMPP", auch in der 10. Auflage realisiert werden konnte.

Wir bedanken uns sehr herzlich beim Autorenteam für die hingebungsvolle Arbeit und reibungslose Kooperation. Dreh- und Angelpunkt ihrer Arbeit war die RÖMPP-Redaktion im Thieme Verlag, die eine rasche Umsetzung gewährleistet hat. Unser besonderer Dank gilt Frau Dr. E. Hillen, Leiterin des Chemieverlages und Frau Dr. M. Bach, der Programmleiterin des Werkes aber auch allen weiteren Mitarbeiterinnen der Redaktion. Sie haben Autoren und Herausgebern ein Maximum an Verständnis und Hilfsbereitschaft entgegengebracht. Uneingeschränkte Anerkennung gilt auch dem Thieme Verlag für seine schon sprichwörtliche Generosität und sein Verständnis für unsere Probleme, mit denen das Entstehen dieser Auflage begleitet wurde.

Düsseldorf
im Mai 1999

Prof. Dr. J. Falbe

Kaiserslautern
im Mai 1999

Prof. Dr. M. Regitz

Hinweise für die Benutzung

Alphabet
Im Römpp Chemie Lexikon folgt die Einordnung der Stichwörter dem ABC der DIN-Norm 5007: 1962-11, d.h. Umlaute werden wie ae, oe, ue behandelt. Griechische Buchstaben gehen den lateinischen, klein geschriebene den Großbuchstaben voraus (*Beisp.*: rh, rH, Rh, RH). Bei Eigennamen werden Adelsprädikate u. ähnliche Namensbestandteile im allgemeinen bei der Einordnung unberücksichtigt gelassen. Vorsilben wie primär-, cis-, endo- u. dgl. werden in der alphabetischen Einordnung der Stammverbindungen zunächst übergangen; sie werden ebenso wie α- (alpha), o- (ortho), N- (Stickstoff) u. dgl. als Sortiermerkmale erst innerhalb der Einzelwörter wirksam. Ziffern bleiben bei der Einreihung eines Stichworts zunächst ebenfalls unberücksichtigt.

Schreibweise
Als Schreibweise der Fachbegriffe wird jeweils die derzeit im wissenschaftlichen Schrifttum gebräuchlichste gewählt. Wird ein Wort mit k oder z nicht an der erwarteten Stelle gefunden, so sehe man unter c nach und umgekehrt, das gleiche gilt für Ä.- bzw. Ö- und E-Schreibweise.

Abkürzungen
Die in der aufgeführten Zusammenstellung nicht enthaltenen Abkürzungen sind im Buch an den betreffenden Stellen des Alphabets erläutert. Wird ein Stichwort im darauffolgenden Text wiederholt, so ist als Abkürzung vielfach nur der Anfangsbuchstabe (also etwa A., B. usw.) od. ein geläufiges Akronym (z.B. GDCh) eingesetzt. Die adjektivische Endung „isch" ist häufig abgekürzt und durch einen Punkt ersetzt worden.

Marken (Warenzeichen) und Bezugsquellen
Im Chemie Lexikon sind die eingetragenen Marken nach bestem Wissen mit dem nachgestellten Symbol ® gekennzeichnet. Fehlt dieser Hinweis, so kann daraus *nicht* geschlossen werden, daß die betreffende Bezeichnung im Sinne der Warenzeichen- und Markenschutz-Gesetzgebung als frei zu betrachten wäre und daher von jedermann benutzt werden dürfte. Umgekehrt können aus der irrtümlichen Kennzeichnung einer Benennung mit ® in diesem Werk keine Schutzrechte abgeleitet werden.
Die 10. Auflage des Chemie Lexikons nennt Bezugsquellen nur für eingetragene *Marken *(®). Lieferanten- und Herstellerverzeichnisse für andere Chemikalien befinden sich bei den Stichworten *Bezugsquellenverzeichnisse u. *Chemikalien.

Literaturzitate
Die im Stichworttext zu einem speziellen Aspekt der Abhandlung erwähnten Fremdzitate sind mit einem Index versehen und im zugehörigen Literaturteil (z.B. *Lit.*[1]) aufgeführt; anschließend folgen in alphabetischer Ordnung diejenigen Zitate, die sich mit dem besprochenen Begriff insgesamt beschäftigen (*allg.:*). Die Zitierweise erfolgt in Anlehnung an Chemical Abstracts Service. Herausgeberwerke sind unter dem Personennamen aufgenommen u. nicht unter dem Sachtitel, da dieser meist nicht so einprägsam ist (Landolt-Börnstein statt: Zahlenwerte und Funktionen...). Bei mehr als zwei Autoren ist zumeist nur der erste mit dem Zusatz „et al." aufgeführt.

Codenummern des Zolltarifs
Bei der Mehrzahl der chemischen Verbindungen bzw. Waren finden sich am Schluß des Literaturteils die *kursiv* gesetzte, in eckige Klammern eingeschlossene und mit *HS* gekennzeichnete Angabe des Codes der Nomenklatur des im Januar 1988 in Kraft getretenen Harmonisierten Systems zur internationalen Bezeichnung und Codierung von Waren. Die Angaben erfolgen nach bestem Wissen und Gewissen, aber ohne Gewähr.

Gefahrenklassen
Für den Transport *gefährlicher Güter auf der Straße, auf Schienen-, Wasser- u. Luftwegen existieren eine Reihe von Bestimmungen (s.a. das Stichwort *Transportbestimmungen). In der BRD sind die wichtigsten dieser Bestimmungen die GGVE (Gefahrgutverordnung Eisenbahn = Verordnung über die innerstaatliche und grenzüberschreitende Beförderung gefährlicher Güter mit Eisenbahnen) und die GGVS (Gefahrgutverordnung Straßen = Verordnung über die innerstaatliche und grenzüberschreitende Beförderung gefährlicher Güter auf Straßen). Allen gemeinsam ist die Einteilung der Güter in sog. Gefahrklassen. Die hier ebenfalls nach bestem Wissen u. Gewissen, aber ohne Gewähr gemachten Angaben der Gefahrenklassen finden sich am Ende des Literaturteils, ggf. hinter der CAS-Nr., in eckige Klammern eingeschlossen u. durch *G* gekennzeichnet.

MAK- und TRK-Werte
Die im Chemie Lexikon gemachten Angaben über die Einstufung giftiger Stoffe und Zubereitungen nach der *Gefahrstoffverordnung wie *MAK-, *BAT-, *TRK-Wert sowie LD_{50} (s. Letale Dosis), nach oraler Gabe, erfolgen nach bestem Wissen und Gewissen. Soweit zugänglich wurden auch wichtige Umweltparameter wie Wasser-Gefährdungs-Klasse (*WGK), Angaben zur *biologischen Abbaubarkeit und *Lipid-Löslichkeit aufgenommen.

Häufig zitierte Werke

ACHEMA-Jahrb. **1988**, 2172	Achema-Jahrbuch 88, Frankfurt: DECHEMA 1988 (hier Nr. 2172 des Teiles „Wer weiß über was Bescheid?"; analog **1991** für die Ausgabe 91 bzw. **1994** für die Ausgabe 1994; erscheint alle 3 Jahre)
Analyt.-Taschenb. **5**, 100	Analytiker-Taschenbuch, Berlin: Springer seit 1980 (hier Bd. 5, S. 100)
ApSimon **1**, 100	ApSimon (Hrsg.), The Total Synthesis of Natural Products, Bd. 1–9, New York: Wiley 1973–1992 (hier Bd. 1, S. 100)
Arzneimittelchemie II, 100	Schröder et al., Arzneimittelchemie (3 Bd.), Stuttgart: Thieme 1976 (hier Bd. II, S. 100)
ASP	Dinnendahl u. Fricke (Hrsg.), Arzneistoffprofile, Basisinformation über arzneiliche Wirkstoffe im Auftrag der Arbeitsgemeinschaft für Pharmazeutische Information (API), Loseblattsammlung, das Werk ist alphabetisch geordnet; Stammlieferung 1982 mit 1.–11. Ergänzungslieferung Januar 1996
Barton-Ollis **1**, 100	Barton u. Ollis, Comprehensive Organic Chemistry, Vol. 1–6, Oxford: Pergamon Press 1979 (hier Bd. 1, S. 100)
Batzer **3**, 100	Batzer, Polymere Werkstoffe, Bd. 1–3, Stuttgart: Thieme 1984/1985 (hier Bd. 3, S. 100)
Bauer et al. (2.), S. 100	Bauer, Garbe u. Surburg, Common Fragrance and Flavour Materials – Preparations, Properties and Uses, 2. Aufl., Weinheim: VCH Verlagsges. 1990 (hier S. 100)
Beilstein E IV **7**, 5000	Beilsteins Handbuch der Organischen Chemie, 4. Aufl., Berlin: Springer seit 1918 (hier 4. Ergänzungswerk, Bd. 7, 1969, S. 5000; analog E III/IV **17** für das 3./4. u. E V **17/11** für das 5. Ergänzungswerk)
Belitz-Grosch (4.), S. 100	Belitz u. Grosch, Lehrbuch der Lebensmittelchemie, 4. Aufl., Berlin: Springer 1992 (hier S. 100)
Blaue Liste, S. 100	Blaue Liste, Inhaltsstoffe kosmetischer Mittel (Hrsg.: Fiedler et al.), Aulendorf: Editio Cantor 1989 (hier S. 100)
Brauer **1**, 100	Brauer, Handbuch der Präparativen Anorganischen Chemie, Bd. 1–2, Stuttgart: Enke 1960, 1962 [hier Bd. 1, S. 100; analog (3.) für die 3. Aufl. 1975–1981; Nachfolgewerk ab 1996 s. Herrmann-Brauer]
Braun-Dönhardt, S. 100	Braun u. Dönhardt, Vergiftungsregister, Stuttgart: Thieme 1975 (hier S. 100)
Braun-Frohne (5.), S. 100	Braun (Hrsg.), Heilpflanzen-Lexikon für Ärzte und Apotheker, 4. Aufl., Stuttgart: Fischer 1981 [hier S. 100; analog Braun-Frohne (5.) für die 5. Aufl. 1987 bzw. Braun-Frohne (6.) für die 6. Aufl. 1994]
Büchner et al. (2.), S. 100	Büchner et al., Industrielle Anorganische Chemie, 2. Aufl., Weinheim: VCH Verlagsges. 1986 (hier S. 100).
Büchner et al., S. 100	Büchner et al., Industrial Inorganic Chemistry, Weinheim: VCH Verlagsges. 1988 (hier S. 100)
Carey-Sundberg, S. 100	Carey u. Sundberg, Organische Chemie, Weinheim: VCH Verlagsges. 1995 (hier S. 100)
Compr. Polym. Sci. **5**, 100	Allen u. Bevington, Comprehensive Polymer Science, Vol. 1–7, Oxford: Pergamon Press 1989 (hier Bd. 5, S. 100)
Cowie, S. 100	Cowie, Chemie u. Physik der synthetischen Polymeren, Braunschweig-Wiesbaden: F. Vieweg Verlagsges. 1997 (hier S. 100)
Crueger-Crueger (3.), S. 100	Crueger u. Crueger, Biotechnologie-Lehrbuch der angewandten Mikrobiologie, 3. Aufl., München: Oldenbourg 1989 (hier S. 100)
DAB **1997**	Deutsches Arzneibuch, 10. Ausgabe, mit Ergänzungen (Stand: 4. Ergänzung 05/1995), Frankfurt: Govi 1991 (analog DAB **10/1** für die 1. Ergänzung der 10. Ausgabe; analog Komm. **10** für den Kommentar zur 10. Ausgabe; alphabetisch); analog DAB 1997 für die 11. Aufl. (Loseblatt-

	sammlung), Stuttgart u. Eschborn: Deutscher Apotheker-Verl. und Govi-Verl. 1997
Deer et al. (2.), S. 100	Deer, Howie u. Zussmann, An Introduction to the Rock Forming Minerals, 2. Aufl., Harlow (England): Longman Scientific & Technical 1992 (hier S. 100)
Domininghaus (5.), S. 100	Domininghaus, Die Kunststoffe u. ihre Eigenschaften, 5. Aufl., Berlin: Springer 1988 (hier S. 100)
Ehrhart-Ruschig, S. 100	Ehrhart u. Ruschig, Arzneimittel, Weinheim: Verl. Chemie 1968 [hier S. 100; analog (2.) **1** für Bd. 1 der 2. Aufl., Bd. 1–5, 1972]
Elias, S. 100	Elias, Makromoleküle, 4. Aufl., Basel: Hüthig u. Wepf 1981 [hier S. 100; analog Elias (5.) **1**, 100 für Bd. 1 der 5. Aufl., 2 Bd., 1990/1992]
Elsevier **14**, 100	Elsevier's Encyclopaedia of Organic Chemistry, Series III: Carboisocyclic Condensed Compounds (Bd. 12, 13 u. 14 mit Teilbänden u. Supplementen), Amsterdam: Elsevier 1940–1954, Berlin: Springer 1954–1969 [hier Bd. 14 (1949) S. 100; analog 14 S, S. 5000 S für Supplement 14]
Encycl. Gaz, S. 100	Encyclopédie des gaz (L'Air Liquide, Hrsg.), Amsterdam: Elsevier 1976 (hier S. 100)
Encycl. Polym. Sci. Eng. **7**, 100	Mark et al., Encyclopedia of Polymer Science and Engineering, New York: Wiley-Interscience 1985–1990 (hier Bd. 7, 1987, S. 100)
Encycl. Polym. Sci. Technol. **12**, 230	Mark, Gaylord u. Bikales, Encyclopedia of Polymer Sciences and Technology (18 Bd.), New York: Wiley-Interscience 1964–1978 (hier Bd. 12, 1971, S. 230; analog **S 1**, 100 für Supplement 1, 1977, S. 100; analog **S 2**, 1978)
Farm	Farm Chemicals Handbook, 37841 Enclid Ave., Meister Publishing Co., Willoughby, Ohio 44094 (erscheint jährlich in aktualisierter Aufl.)
Florey **6**, 100	Florey u. Brittain (Hrsg.), Analytical Profiles of Drug Substances and Excipients (23 Bd.), New York: Academic Press 1972–1992 (hier Bd. 6, S. 100)
Forth et al. (6.), S. 100	Forth, Henschler u. Rummel (Hrsg.), Allgemeine und spezielle Pharmakologie u. Toxikologie, 6. Aufl., Mannheim: BI Wissenschaftsverl. 1992 [hier S. 100; analog (7.) für die 7. Aufl. 1996 Spektrum Verlag]
Fries-Getrost, S. 100	Fries u. Getrost, Organische Reagenzien für die Spurenanalyse, Darmstadt: Merck 1975 (hier S. 100)
Giftliste	Roth u. Daunderer, Giftliste (mit Ergänzungen), Landsberg: ecomed seit 1981
Gildemeister **3a**, 100	Gildemeister u. Hoffmann, Die ätherischen Öle, 4. Aufl. (7 Bd. u. Teilbände), Berlin: Akademie-Verl. 1956–1968 (hier Bd. 3a, 1960, S. 100)
Gmelin	Gmelins Handbuch der Anorganischen Chemie, 8. Aufl., Weinheim: Verl. Chemie seit 1922, Berlin: Springer seit 1974
Gräfe, S. 100	Gräfe, Biochemie der Antibiotika, Heidelberg: Spektrum Akadem. Verl. 1992 (hier S. 100)
Hager (4.) **7b**, 100	Hagers Handbuch der Pharmazeutischen Praxis (List u. Hörhammer, Hrsg.), 4. Aufl., 1967–1989; Bruchhausen et al., 5. Aufl., 9 Bd., Berlin: Springer 1993–1995 [hier Bd. 7b, S. 100; analog (5.), S. 100 für die 5. Aufl.]
Handbook **56**, F 50	Handbook of Chemistry and Physics, Boca Raton: CRC Press (hier 56. Aufl., 1975, Abschnitt F, S. 50; analog 66. Aufl., 1985)
Hassner-Stumer, S. 100	Hassner u. Stumer, Organic Syntheses Based on Name Reactions and Unnamed Reactions, Oxford: Pergamon Press 1994 (hier S. 100)
Helwig-Otto II/100	Arzneimittel. Ein Handbuch für Ärzte und Apotheker, 9. Aufl., 1998, Stuttgart: Wissenschaftliche Verlagsges. (hier Bd. II/100)
Herrmann-Brauer **1**, 100	Herrmann u. Brauer, Synthetic Methods of Organometallic and Inorganic Chemistry, Vol. 1–8, Stuttgart: Thieme 1996 (hier Band 1, S. 100)
Holleman-Wiberg (101.), S. 100	Holleman u. Wiberg, Lehrbuch der Anorganischen Chemie, 101. Aufl., Berlin: de Gruyter 1995 (hier S. 100)
Hommel, Nr. 100	Hommel, Handbuch der gefährlichen Güter, 12. Aufl., Berlin: Springer 1997 (Loseblattsammlung)
Houben-Weyl **5/1a**, 100	Houben u. Weyl, Methoden der organischen Chemie, 4. Aufl., Stuttgart: Thieme seit 1952 (hier Bd. 5, Teilband 1a, 1970, S. 100; analog **E2** für den Erweiterungsband 2, 1982)
Hutzinger **1A**, 100	Hutzinger (Hrsg.), The Handbook of Environmental Chemistry, Berlin: Springer seit 1980 (hier Bd. 1A, 1980, S. 100)

Häufig zitierte Werke

Janistyn (3.) **1**, 100	Janistyn, Handbuch der Kosmetika und Riechstoffe, 3. Aufl., 3 Bd., Heidelberg: Hüthig 1978 (hier Bd. 1, S. 100)
Karrer, Nr. 100	Karrer et al., Konstitution und Vorkommen der organischen Pflanzenstoffe (exklusive Alkaloide), Basel: Birkhäuser 1958 (Hauptwerk), 1977 (Ergänzungs-Bd. 1), 1981 (Ergänzungs-Bd. 2/1), 1985 (Ergänzungs-Bd. 2/2) (hier Nr. 100)
Katritzky et al. **4**, 100	Katritzky, Meth-Cohn u. Rees, Comprehensive Organic Group Transformation, Vol. 1–7, Oxford: Elsevier Science 1995 (hier Bd. 4, S. 100)
Katritzky-Rees (2.) **1**, 100	Katritzky u. Rees, Comprehensive Heterocyclic Chemistry, 2. Aufl., Vol. 1–9, Oxford: Pergamon Press 1996 (hier Bd. 1, S. 100)
Kirk-Othmer (2.) **17**, 100	Kirk-Othmer (Hrsg.), Encyclopedia of Chemical Technology, 24 Bd., 2. Aufl., New York: Interscience 1963–1972; 3. Aufl., 26 Bd., New York: Wiley 1978–1984; 4. Aufl. seit 1992 [hier Bd. 17, S. 100; analog **S** für das Supplement; analog (3.) **1** für Bd. 1 der 3. Aufl. bzw. (4.) **1** für Bd. 1 der 4. Aufl.]
Kleemann-Engel (2.), S. 100	Kleemann u. Engel, Pharmazeutische Wirkstoffe, 2. Aufl., Stuttgart: Thieme 1982 (hier S. 100)
Knippers (6.), S. 100	Knippers, Molekulare Genetik, 6. Aufl., Stuttgart: Thieme 1995 (hier S. 100)
Korte (3.), S. 100	Korte, Lehrbuch der Ökologischen Chemie, Grundlagen u. Konzepte für die ökologische Beurteilung von Chemikalien, 3. Aufl., Stuttgart: Thieme 1992 (hier S. 100)
Krafft, S. 100	Krafft, Große Naturwissenschaftler, Düsseldorf: VCI 1986 (hier S. 100)
Kürschner (15.), S. 100	Kürschners Deutscher Gelehrten-Kalender, Berlin: de Gruyter (hier 15. Aufl., 1986, S. 100; analog 12. Aufl., 1976; 14. Aufl., 1983; 16. Aufl., 1992; 17. Aufl., 1998)
Laue-Plagens, S. 100	Laue u. Plagens, Namen- u. Schlagwortreaktionen in der Organischen Synthese, Stuttgart: Teubner 1995 (hier S. 100)
Lechner et al., S. 100	Lechner, Gehrke u. Nordmeier, Makromolekulare Chemie, Basel: Birkhäuser 1993 (hier S. 100)
Lexikon der Naturwissenschaftler, S. 100	Lexikon der Naturwissenschaftler, Heidelberg: Spektrum Akad. Verlag 1996.
Luckner (3.), S. 100	Luckner, Secondary Metabolism in Microorganisms, Plants and Animals, 3. Aufl., Berlin: Springer 1990 (hier S. 100)
MAK-Werte-Liste 1996	Deutsche Forschungsgemeinschaft, Senatskommission zur Prüfung gesundheitsschädlicher Arbeitsstoffe (Hrsg.), MAK- u. BAT-Werte-Liste 1996, Weinheim: VCH Verlagsges. 1996
Manske **11**, 100	The Alkaloids, Chemistry and Pharmacology, 51 Bd. bis 1998, Hrsg.: Manske u. Holmes, Bd. 1–4; Manske, Bd. 5–16; Manske u. Rodrigo, Bd. 17; Rodrigo, Bd. 18–20; Brossi, Bd. 21–40; Brossi u. Cordell, Bd. 41; Cordell, Bd. 42–44; Cordell u. Brossi, Bd. 45, New York: Academic Press seit 1950 (hier Bd. 11, S. 100)
March (4.), S. 100	March, Advanced Organic Chemistry, 4. Aufl., New York: Wiley 1992 (hier S. 100)
Martindale (29.), S. 100	Martindale, The Extra Pharmacopoeia (Reynolds, Hrsg.), 29. Aufl., London: The Pharmaceutical Press 1989 [hier S. 100; analog (30.) für die 30. Aufl. von 1993; analog (31.) für die 31. Aufl. 1997]
McKetta **24**, 100	McKetta, Encyclopedia of Chemical Processing and Design, New York: Dekker seit 1976 (hier Bd. 24, 1986, S. 100)
Merck-Index (12.), Nr. 1328	The Merck Index, An Encyclopedia of Chemicals, Drugs, and Biologicals, 12. Aufl., Whitehouse Station, N.J.: Merck & Co., Inc. 1996 (hier Nr. 1328)
Methodicum Chimicum **1**, 100	Methodicum Chimicum (Korte, Hrsg.), Bd. 1, 4–8, Stuttgart: Thieme 1976 (hier Bd. 1, S. 100)
Mutschler (7.), S. 100	Arzneimittelwirkungen. Lehrbuch der Pharmakologie und Toxikologie, 7. Aufl., Stuttgart: Wissenschaftliche Verlagsges. 1996 (hier S. 100)
Nachmansohn, S. 100	Nachmansohn u. Schmid, Die große Ära der Wissenschaft in Deutschland 1900–1933. Stuttgart: Wissenschaftliche Verlagsges. 1988 (hier S. 100)
Negwer (6.), Nr. 100	Negwer, Organic-Chemical Drugs and their Synonyms, 6. Aufl., Berlin: Akademie-Verl. 1987; New York: VCH Publishers 1987 [hier Nr. 100; auch Angabe der Seitenzahl möglich; analog (7.) für die 7. Aufl. 1994]

Neufeldt, S. 100	Neufeldt, Chronologie der Chemie 1800–1980, Weinheim: Verl. Chemie 1987 (hier S. 100)
Nicolaou, S. 100	Nicolaou u. Sorensen, Classics in Total Synthesis, Weinheim: VCH Verlagsges. 1996 (hier S. 100)
Odian (3.), S. 100	Odian, Principles of Polymerization, 3. Aufl., New York: J. Wiley & Sons, Inc. 1991 (hier S. 100)
Ohloff, S. 100	Ohloff, Riechstoffe u. Geruchssinn, Berlin: Springer 1990 (hier S. 100)
Organikum (20.), S. 100	Organikum, 20. Aufl., Weinheim: Wiley-VCH 1999 (hier S. 100)
Paquette **1**, 100	Paquette, Encyclopedia of Reagents for Organic Synthesis, Vol. 1–8, Chichester: Wiley 1995 (hier Bd. 1, S. 100)
Pelletier **1**, 100	Pelletier (Hrsg.), Alkaloids, Chemical and Biological Perspectives, New York: Wiley 1983, Oxford: Pergamon 1994 (hier Bd. 1, S. 100)
Perkow	Perkow, Wirksubstanzen der Pflanzenschutz- und Schädlingsbekämpfungsmittel, Berlin: Parey seit 1971 (Loseblattwerk)
Pesticide Manual	The Pesticide Manual, A World Compendium (Incorporating the Agrochemical Handbook) (Worthing u. Hance, Hrsg.), 10. Aufl., Farnham: The British Crop Protection Council 1994
Pharm. Biol. **2**, 100	Pharmazeutische Biologie (Bd. 2–4), Stuttgart: Fischer [hier Bd. 2, 1980, S. 100); analog (2.) **3** bzw. (3.) **2** für die 2. bzw. 3. Aufl. 1984, 1985]
Ph. Eur. **1997**	Deutsche Ausgabe des Europäischen Arzneibuch, 3. Ausgabe 1997, Stuttgart u. Eschborn: Deutscher Apotheker-Verl. u. Govi-Verl. 1997
Pötsch, S. 100	Pötsch, Lexikon bedeutender Chemiker, Leipzig: VEB Bibliograph. Institut 1988 (hier S. 100)
Poggendorff **7b/3**, 100	Poggendorff, Biographisch-literarisches Handwörterbuch der exakten Naturwissenschaften, Leipzig: Barth seit 1863, Berlin: Akademie-Verl. (hier Bd. 7b, Teil 3, 1988, S. 100)
Präve et al. (4.), S. 100	Präve et al., Handbuch der Biotechnologie, 4. Aufl., München: Oldenburg 1994 (hier S. 100)
Ramdohr-Strunz, S. 100	Ramdohr u. Strunz, Klockmann's Lehrbuch der Mineralogie, 16. Aufl., Stuttgart: Enke 1978 (hier S. 100)
R.D.K. (3.), S. 100	Roth, Daunderer u. Kormann (Hrsg.), Giftpflanzen, Pflanzengifte, 3. Aufl., Landsberg: ecomed 1988 [hier S. 100; analog (4.) für die 4. Aufl. von 1994]
Rehm-Reed (2.) **1**, 100	Rehm et al., Biotechnology: a Multi-Volume Comprehensive Treatise, 2. Aufl., 12. Bd., Weinheim: VCH Verlagsges. seit 1992 (hier Bd. 1, S. 100; analog Rehm et al., Biotechnologie, 1. Aufl., 10 Bd., Weinheim: VCH Verlagsges. 1981)
Rippen	Rippen, Handbuch Umweltchemikalien, Landsberg: ecomed seit 1984
Römpp Lexikon Biotechnologie, S. 100	Dellweg, Schmidt u. Trommer (Hrsg.), Römpp Lexikon Biotechnologie, Stuttgart: Thieme 1992 (hier S. 100)
Römpp Lexikon Lacke u. Druckfarben, S. 100	Zorll (Hrsg.), Römpp Lexikon Lacke u. Druckfarben, Stuttgart: Thieme 1998 (hier S. 100)
Römpp Lexikon Lebensmittelchemie, S. 100	Eisenbrandt u. Schreier (Hrsg.), Römpp Lexikon Lebensmittelchemie, Stuttgart: Thieme 1995 (hier S. 100)
Römpp Lexikon Naturstoffe, S. 100	Steglich, Fugmann u. Lang-Fugmann (Hrsg.), Römpp Lexikon Naturstoffe, Stuttgart: Thieme 1997 (hier S. 100)
Römpp Lexikon Umwelt, S. 100	Hulpke, Koch u. Wagner (Hrsg.), Römpp Lexikon Umwelt, Stuttgart: Thieme 1993 (hier S. 100)
Roth u. Kormann, S. 100	Roth u. Kormann, Duftpflanzen – Pflanzendüfte, Landsberg: ecomed 1997 (hier S. 100)
Sax (8.), Nr. 100	Lewis (Hrsg.), Sax's Dangerous Properties of Industrial Materials, 8. Aufl., 3 Bd., New York: Van Nostrand Reinhold 1992 (hier Nr. 100; auch Angabe der Seitenzahl möglich)
Scheuer I **1**, 100	Scheuer, Marine Natural Products – Chemical and Biological Perspectives, Bd. 1–5, New York: Academic Press 1978–1983 (hier Bd. 1, S. 100)
Scheuer II **1**, 100	Scheuer, Bioorganic Marine Chemistry, 6 Bd., Berlin: Springer 1987–1992 (hier Bd. 1, S. 100)
Schlee (2.), S. 100	Schlee, Ökologische Biochemie, 2. Aufl., Berlin: Springer 1992 (hier S. 100)
Schlegel (7.), S. 100	Schlegel, Allgemeine Mikrobiologie, 7. Aufl., Stuttgart: Thieme 1992 (hier S. 100)
Schormüller, S. 100	Schormüller, Lehrbuch der Lebensmittelchemie, Berlin: Springer 1974 (hier S. 100)

Schröcke-Weiner, S. 100	Schröcke u. Weiner, Mineralogie, Berlin: de Gruyter 1981 (hier S. 100)
Schweppe, S. 100	Schweppe, Handbuch der Naturfarbstoffe. Vorkommen, Verwendung, Nachweis, Landsberg: ecomed 1992 (hier S. 100)
Skeist, S. 100	Skeist, Handbook of Adhesive, 2. Aufl., New York: Van Nostrand Reinhold 1977 (hier S. 100)
Snell-Ettre **18**, 100	Snell u. Hilton (ab Band 8: Snell u. Ettre), Encyclopedia of Industrial Chemical Analysis (20 Bd.), New York: Interscience 1966–1975 (hier Bd. 18, 1973, S. 100)
Strube **2**, 100	Strube, Der historische Weg der Chemie, Leipzig: Grundstoffindustrie 1986 (hier Bd. 2, S. 100)
Strube et al., S. 100	Strube et al., Geschichte der Chemie, Berlin: Dtsch. Verl. der Wissenschaften 1986 (hier S. 100)
Stryer (5.), S. 100	Stryer, Biochemie, 5. Aufl., Heidelberg: Spektrum der Wissenschaft Verlagsges. 1990 (hier S. 100)
Stryer 1996, S. 100	Stryer, Biochemie, Übersetzung der 4. amerikan. Aufl. (1995), Heidelberg: Spektrum Akadem. Verl. 1996 (hier S. 100)
Synthetica **2**, 100	Jonas et al., Synthetica Merck, 2 Bd., Darmstadt: Merck 1969, 1974 (hier Bd. 2, 1974, S. 100)
Tieke, S. 100	Tieke, Makromolekulare Chemie, Weinheim: Wiley-VCH 1997 (hier S. 100)
The International Who's Who, S. 100	The International Who's Who, 62. Aufl., London: Europe Publications 1998 (hier S. 100)
Trost-Fleming **3**, 100	Comprehensive Organic Synthesis, Vol. 1–9, New York: Pergamon Press 1991 (hier Vol. 3, S. 100)
Turner **1**, 100	Turner bzw. Turner u. Aldrige, Fungal Metabolites, Bd. 1 u. 2, London: Academic Press 1971, 1983 (hier Bd. 1, S. 100)
Ullmann (3.) **7**, 100	Ullmanns Enzyklopädie der Technischen Chemie, 3. Aufl., München: Urban und Schwarzenberg 1951–1970; 4. Aufl., Weinheim: Verl. Chemie 1972–1984; 5. Aufl. in Englisch, 1985–1995; 6. Aufl. als electronic release auf CD, 1998 [hier Bd. 7 der 3. Aufl., S. 100; analog **E** für den Ergänzungs-Bd.; analog (4.) für die 4. Aufl. bzw. (5.) für die 5. (englische) Aufl., z.B. Ullmann (5.) **A12**, 100 bzw. (6.) für die 6. Aufl.]
Voet-Voet (2.), S. 100	Voet u. Voet, Biochemie, Weinheim: VCH Verlagsges. 1992; 2. Aufl., Chichester: Wiley 1995 [hier S. 100; analog (2.) für die 2. Aufl.]
Weissberger **14/3**, 100	Weissberger (Hrsg.), The Chemistry of Heterocyclic Compounds, New York: Interscience seit 1950 (hier Bd. 14, Teil 3, 1962, S. 100)
Weissermel-Arpe (4.), S. 100	Weissermel u. Arpe, Industrielle organische Chemie, 4. Aufl., Weinheim: VCH Verlagsges. 1994 (hier S. 100)
Wer ist wer, S. 100	Wer ist wer? Das Deutsche Who's Who, 36. Ausgabe, Lübeck: Schmidt-Römhild 1998/99 (hier S. 100)
Who's Who in America, S. 100	Who's Who in America, 52. Ausgabe, New Providence (USA): Marquis Who's Who 1998 (hier S. 100).
Who's Who in the World, S. 100	Who's Who in the World, 15. Ausgabe, New Providence (USA): Marquis Who's Who 1998 (hier S. 100)
Wichtl (3.), S. 100	Wichtl, Teedrogen, 3. Aufl., Stuttgart: Wissenschaftliche Verlagsges. mbH 1997 (hier S. 100)
Wilkinson-Stone-Abel **1**, 100; II **1**, 100	Wilkinson, Stone u. Abel, Comprehensive Organometallic Chemistry, Vol. 1–9, Oxford: Pergamon Press 1981; II 1995 (hier Bd. 1, 1981, S. 100; analog II, Bd. 1, 1995, S. 100)
Winnacker-Küchler (3.) **6**, 100	Winnacker u. Küchler, Chemische Technologie, 3. Aufl., 7 Bd., München: Hanser 1970–1975 [hier Bd. 6, 1973, S. 100; analog (4.) für die 4. Aufl., 1981–1986]
Wirkstoffe iva (2.), S. 100	Industrieverband Agrar e.V. (Hrsg.), Wirkstoffe in Pflanzenschutz- u. Schädlingsbekämpfungsmitteln. Physikalisch-chemische u. toxikologische Daten, 2. Aufl., München: BLV Verlagsges. 1990 (hier S. 100)
Zechmeister **35**, 100	Zechmeister (Hrsg.), Fortschritte der Chemie organischer Naturstoffe, Berlin: Springer seit 1938 (hier Bd. 35, S. 100)
Zipfel, C 100	Zipfel, Lebensmittelrecht, Kommentar der gesamten Lebensmittel- u. weinrechtlichen Vorschriften sowie des Arzneimittelrechts, München: Becksche Verlagsbuchhandlung, Loseblattsammlung, Neuausgabe seit 1982 [hier Kommentar 100 zum Lebensmittelrecht; analog A (Text zum Lebensmittelrecht), D (Text u. Kommentar zum Arzneimittelgesetz)]

T

ϑ, θ (theta). 8. Buchstabe im *griechischen Alphabet (im Dtsch. übliche Form: ϑ; im Angloamerikan.: θ); Symbol für physikal.-chem. Größen: Bragg- od. Glanzwinkel (auch Θ, s. Kristallstrukturanalyse), ebener Winkel (im sphär.-polaren u. zylindr. Koordinatensyst.), Kontaktwinkel (auch α, s. Benetzung), Streuwinkel (s. Streuung), Oberflächenbedeckungsgrad bei *Adsorption, *Celsius-*Temperatur (auch t), reduzierte Temp. T/T_k (auch τ, s. kritische Größen), relative Vol.-Änderung (Vol.-Verformung $\Delta V/V_0$). Die mittelfrequenten Theta-, ϑ- od. Zwischenwellen (4–8 Hz) sind in der *Elektroenzephalographie typ. für halbwache Zustände.

Θ (Theta). Großschreibform von *ϑ, θ; Symbol für physikal.-chem. Größen: molare Elliptizität [Θ] (s. optische Aktivität), mol. *Quadrupolmoment, abs. u. charakterist. *Temperaturen [meist T; Beisp.: *Curie-Temperatur (Θ_C, T_C), Zündtemp. der *Kernfusion (Θ, Θ-*Pincheffekt), Flory- od. *Theta-Temperatur (Θ, T_Θ)].

τ (tau). 19. Buchstabe im *griechischen Alphabet; Symbol für Tauon (ein *Elementarteilchen; irreführende, alte Bez.: *Triton) u. physikal.-chem. Größen: Durchlässigkeit für elektromagnet. u. akust. Wellen (auch T, s. Transmission), mittlere *Lebensdauer od. *Relaxations-Zeit, chem. Verschiebung (veraltet; s. NMR-Spektroskopie; $\tau = 10 - \delta$), Schubspannung (s. Newtonsche u. Nichtnewtonsche Flüssigkeiten), Dicke von *dünnen Schichten u. *Grenzflächen (auch δ od. t), *Taupunkt. Bei *Histidin ist τ *Lokant für die tele-Position (N-Atom 1). Gebogene Bananen- od. τ-Bindungen formuliert man unter *Hybridisierung von σ- u. π-Orbitalen z. B. für *kleine Ringe (z. B. Cyclopropan), *Mehrzentrenbindungen (z. B. in *Boranen) u. *Doppelbindungen.

t. a) Symbol für Tritium-Kern (*Triton, $^3H^+$; s. Kernreaktionen) u. für *top-(= truth-)Quark bei *Elementarteilchen. – b) Kursives t ist chem. Abk. für *tert- (Beisp.: tert-*Butyl... = t-C_4H_9, tBu od. Bu^t), für *trans-*Stereochemie, z. B. an Ringsyst. (vgl. r), u. für *Tritium in Bez. *tritiierter Verbindungen im *Boughton-System (Beisp.: Ethan-1-d-2-t, TCH_2CH_2D). – c) Symbol der Einheit *Tonne (1 t = 1000 kg) u. Abk. für *Troy bei angloamerikan. Einheiten. – d) Symbol für physikal.-chem. Größen: *Celsius-*Temperatur (auch ϑ), Dicke von *dünnen Schichten u. *Grenzflächen (auch δ od. τ), elektrochem. *Überführungszahl, *Zeit (z. B. *Halbwertszeit, HWZ = $t_{1/2}$ od. $T_{1/2}$).

T. a) Symbol für das Wasserstoff-Isotop *Tritium (besser: ^3H), für elektron. *Triplett-*Terme der Mol. u. Atome, für *Threonin (IUPAC/IUB-Regel 3AA-1) u. Ribosylthymin (od. *Thymidin; Regel N-3.2) in Ein-Buchstaben-Notationen der *Aminosäuren bzw. *Nucleoside, für trifunktionell vernetzende Silicat-Gruppen in allg. Formeln für *Silicone. – b) Kursives T zeigt tetraedr. Komplexgeometrie an; meist tetraedr.-tetrakoordiniert: (T-4)-. – c) Abk. für Tri..., Tetra... od. ...terephthalat in Kurzbez. für Polymere u. Weichmacher. – d) Symbol der *SI-*Einheit *Tesla; SI-Vorsatzzeichen für Tera... (10^{12}) vor Einheitensymbolen. – e) Symbol für physikal.-chem. Größen: Durchlässigkeit für akust. u. elektromagnet. Wellen (auch τ, s. Transmission), kinet. Energie (auch E_k, K), *Isospin-Quantenzahl, *absolute Temperatur, spektroskop. Wellenzahl-*Term, Zeit (z. B. Schwingungsdauer, *Relaxations-Zeit; meist t). Kurzz. für *Tesla. – f) Kurzz. für *giftig (toxisch; T+ = sehr giftig) in *Gefahrensymbolen der *Gefahrstoffverordnung.

2,4,5-T.

Common name für (2,4,5-Trichlorphenoxy)essigsäure, $C_8H_5Cl_3O_3$, M_R 255,48, Schmp. 153–156°C (94%ig), LD_{50} (Ratte oral) 500 mg/kg (GefStoffV), MAK 10 mg/m³, von Amchem Products Inc. 1944 eingeführtes selektives system. *Herbizid zur Kontrolle von Büschen u. Bäumen auf Nichtkulturland od. zur Kulturvorbereitung. In anderen Kulturen auch mit niedriger Dosierung im Gemisch mit anderen Herbiziden wie *2,4-D. 2,4,5-T wird durch Kondensation der Natriumsalze der Chloressigsäure u. des 2,4,5-Trichlorphenols hergestellt. Bei hohen Temp. kann die Einwirkung von Alkali auf 2,4,5-Trichlorphenol zur Bildung von geringen Mengen 2,3,7,8-Tetrachlordibenzo-p-dioxin führen. In der BRD besteht für 2,4,5-T ein vollständiges Anw.-Verbot als Pflanzenschutzmittel. – $E = F = I = S$ 2,4,5-T

Lit.: Beilstein E IV **6**, 973 ▪ Farm ▪ Perkow – *[HS 2918 90; CAS 93-76-5; G 3]*

T₃, T₄ s. 3,3′,5-Triiod-L-thyronin bzw. L-Thyroxin.

T 4 s. Hexogen.

Ta. Chem. Symbol für das Element *Tantal.

TA. 1. Abk. für *Technische Anleitung, s. a. die folgenden Stichwörter. – 2. Abk. für Techn. Ausschuß (s. VDI). – 3. Kurzz. (nach Data Processing Key of the European Textile Characterization Law) für Triacetylcellulose (s. Celluloseacetat). – 4. Abk. für *Technikfolgenabschätzung.

TA Abfall (Techn. Anleitung Abfall, „TA Sonderabfall"). Die in zwei Teilschritten am 01.10.1990 u. 01.04.1991 in Kraft getretene zweite allg. Verwaltungsvorschrift zum *Abfallgesetz (TA Abfall, Teil 1) [1] ist eine techn. Anleitung zur Lagerung, chem./physikal., biolog. Behandlung, Verbrennung u. Ablagerung von besonders überwachungsbedürftigen Abfällen (s. Sonderabfall). Sie legt bundeseinheitlich die techn., organisator. u. administrativen Anforderungen an die *Abfallentsorgung bes. überwachungsbedürftiger Abfälle nach dem Stand der Technik fest. Zentrale Forderungen sind hierbei die Lenkung von Abfallströmen in für den jeweiligen Abfall geeignete Entsorgungsanlagen sowie die Zulässigkeit einer Abfallablagerung nur noch für weitestgehend inertisierte, ggf. vorbehandelte Abfälle.
Als Verwaltungsvorschrift richtet sich die TA A. prim. an die Vollzugsbehörden, die die gestellten Anforderungen in die Praxis umsetzen sollen (z. B. im Rahmen der Neuzulassung von Entsorgungsanlangen, durch nachträgliche Anordnungen u. Auflagen bei bestehenden Anlagen, durch Steuerung der Abfallströme u. Überwachung der Entsorgungsbetriebe); mittelbar sind jedoch auch Abfallerzeuger u. -entsorger betroffen.
Die TA A. setzt sich aus einem Haupttext u. einer Reihe von Anhängen zusammen u. enthält u. a. folgende Regelungsbereiche:
– Zulassung von *Abfallentsorgungsanlagen,
– Zuordnung von Abfällen zu Entsorgungsverf. u. -anlagen,
– Anforderungen an Organisation u. Personal von Abfallentsorgungsanlagen sowie an Information u. Dokumentation,
– Anforderungen an *Zwischenlager, Abfallbehandlungsanlagen (chem./physikal./biolog. Behandlungsanlagen, Sonderabfallverbrennungsanlagen), oberird. u. untertägige *Deponien,
– Anforderungen an Altanlagen.
In den Anhängen sind Anforderungen an Genehmigungsunterlagen von Abfallentsorgungsanlagen, Probenahme u. Analysenverf., der Katalog der bes. überwachungsbedürftigen Abfälle mit den zugehörigen Entsorgungshinweisen sowie Zuordnungswerte u. Detailregelungen für die oberird. Deponierung enthalten.
Schwerpunkte der TA A.: *Festlegung des Entsorgungsstandards in der BRD:* Durch konkrete Anforderungen an Planung, Errichtung, techn. Ausstattung, Anlagenbetrieb u. Organisation von Zwischenlagern, Abfallbehandlungsanlagen (mit Ausnahme von Versuchsanlagen) u. Deponien wird der Entsorgungsstandard entsprechend dem Stand der Technik vereinheitlicht u. verbindlich vorgeschrieben. Insbes. für oberird. Deponien werden umfangreiche Regelungen getroffen; u. a. müssen mehrere unabhängig voneinander wirksame Barrieren geschaffen werden, um die Freisetzung u. Ausbreitung von Schadstoffen zu verhindern (Multibarrierenkonzept).
Steuerung von Abfallströmen: Die TA A. trifft für jede Abfallart anhand deren Abfallschlüssel (s. Abfallkatalog) eine vorläufige formale Zuordnung zu einem bestimmten Entsorgungsweg. Die endgültige Zuordnung erfolgt jedoch im Einzelfall aufgrund der konkreten Abfalleigenschaften u. der Zulassung der Abfallentsorgungsanlage im *Entsorgungsnachweis-Verfahren. Neben der formalen Zuordnung von Abfallarten zu Entsorgungswegen legt die TA A. stoffbezogene Kriterien für die Zuordnung von Abfällen zu bestimmten Entsorgungswegen fest (z. B. Konsistenz, Heizwert, organ. Anteil).
Zulässigkeit oberird. Ablagerung: Die Zulässigkeit der oberird. Deponierung eines Abfalls wird an eine Reihe von Kriterien geknüpft (z. B. Eluierbarkeit, Festigkeit, Glühverlust), um sicherzustellen, daß nur noch solche Abfälle deponiert werden, die sich weitgehend inert verhalten u. weder ausgasen, noch in erheblichem Umfang Schadstoffe auswaschen lassen. Alle weiteren techn. Maßnahmen zur Deponiesicherung (z. B. geolog. Barriere, Dichtungssyst.) haben nur noch zusätzlich vorsorgenden Charakter, d. h. der Abfall selbst soll die wirksamste Barriere gegen eine Schadstoff-Freisetzung sein. Soweit Abfälle die Zuordnungskriterien für oberird. Deponien nicht erfüllen, müssen sie entweder vorbehandelt (z. B. durch chem.-physikal. od. therm. Behandlung) od. untertägig deponiert werden. – *E* technical instructions for the disposal of hazardous waste – *F* instruction techniques sur les déchets – *I* norma amministrativa sui rifiuti tecnici, direttiva tecnica concernente l'eliminazione dei rifiuti – *S* instrucciones técnicas sobre residuos
Lit.: [1] Zweite allg. Verwaltungsvorschrift zum Abfallgesetz (TA Abfall) vom 12.03.1991 (GMBl. 1991, S. 139, 469).
allg.: Müll-Handbuch, Loseblatt-Sammlung, Lfg. 3/96, Kz. 8003, Berlin: E. Schmidt.

Taaffeit. $Mg_3Al_8BeO_{16}$; erst 1945 von dem Dubliner Gemmologen Count Taaffe (Name!) entdecktes seltenes Edelstein-Mineral. T. krist. hexagonal, Struktur s. *Lit.*[1]. H. 8, D. 3,61. Durchsichtig bis durchscheinend; überwiegend hell violettrot, auch grauviolett, rot od. farblos; leicht mit *Spinell zu verwechseln. T. kann Zink (bis >4% ZnO), Eisen, Mangan, Chrom u. Gallium als Verunreinigungen enthalten (vgl. *Lit.*[2]); zur Kathodo-*Lumineszenz bei Cr-haltigem rotem u. altrosa-farbigem T. s. *Lit.*[3].
Vork.: Als Geröll in Sri Lanka (Ceylon). In der Provinz Hunan/VR China, in Australien u. Ost-Sibirien. – $E = I$ taaffeite – *F* taafféite – *S* taaffeíta
Lit.: [1] Neues Jahrb. Mineral. Monatsh. **1983**, 393–402. [2] Z. Dtsch. Gemmol. Ges. **38**, 89–94 (1989). [3] Z. Dtsch. Gemmol. Ges. **42**, 151–154 (1993).
allg.: Anthony et al., Handbook of Mineralogy, Vol. III, S. 546, Tucson (Arizona): Mineral Data Publishing 1997 ▪ Eppler, Praktische Gemmologie (5.), S. 430, Stuttgart: Rühle-Diebener 1994 ▪ Mineral. Mag. **29**, 765–772 (1951) ▪ Mineral. Rec. **22**, 343–347 (1991). – *[CAS 12004-87-4]*

Tabak. ***Botanik u. T.-Anbau:*** Unter T. versteht man die T.-Pflanze, ihre Anbaubestände, ihre getrockneten u. fermentierten Blätter (Rohtabak), unbearbeitet u. bearbeitet, sowie die aus ihr hergestellten *Tabakwaren* (*Zigaretten, *Zigarren, Zigarillos, *Stumpen, *Kanaster, Rauch-, *Kau- u. *Schnupftabak). Auch die Abfallprodukte der T.-Pflanze wie Blüten, Nachtabak, Stengel sowie Rippen, T.-Abfälle u. T.-Staub, die bei der Verarbeitung entstehen, werden lebensmittel- u. steuerrechtlich als T. bezeichnet.
Pflanzensystemat. gehört die wärmeliebende, in Mittel- u. Südamerika heim. T.-Pflanze, die einen großen

Reichtum an *Alkaloiden (*Tabak-Alkaloide) aufweist, zur Familie der *Solanacen (Nachtschattengewächse) u. in die Untergattungen *Nicotiana tabacum* (Rotblüher) u. *Nicotiana rustica* (Gelbblüher), letzterer auch als Bauern-T. bezeichnet. *N. tabacum* bildet die Grundlage für das Weltsortiment, *N. rustica* für den russ. *Machorka*. Bei *N. tabacum* ist zu unterscheiden zwischen T.-Typ u. -Sorte. Wichtige T.-Typen sind – meist benannt nach ihrem Hauptanbaugebiet – Virginia, Kentucky, Maryland, Brasil, Paraguay, Java, Sumatra u. Orienttabak. Burley-T. ist nach einem Pflanzer gleichen Namens aus Ohio benannt. Sog. Zier-T. gehören zur Untergattung *N. petunioides*. Aus ihren Blüten lassen sich Duftstoffe isolieren, die in der Parfüm-Ind. Verw. finden; synthet. T.-Noten setzen sich aus zahlreichen Riechstoffen zusammen [1].
Der T.-Samen enthält das für Speisezwecke geeignete *Tabaksamenöl. T. wird in Gebieten von 60° nördlicher bis 40° südlicher Breite angebaut. Hauptanbaugebiete von *N. tabacum* sind: USA, Kanada, Mexico, Antillen, Brasilien, Paraguay, Simbabwe, Mittelmeer- u. Balkanländer, Polen, GUS u. Indonesien. In der BRD wird T. in Baden-Württemberg, Rheinland-Pfalz, Bayern, Niedersachsen, Schleswig-Holstein u. in der Uckermark angebaut. *N. rustica* in der GUS (Machorka), West-Indien u. Mexiko.
Die Anzucht erfolgt in keimfreien Frühbeeten Mitte März, die Auspflanzung Ende April bis Anfang Mai. Essentielle Nährstoffe für T. sind: Stickstoff, Phosphor, Kalium, Calcium u. Magnesium; an *Spurenelementen: Bor, Mangan, Zink, Kupfer u. Molybdän. Die Höhe der Stickstoff-Düngung muß der Bodenaktivität (Nitrifizierung) u. der Anbausorte angepaßt werden: zu hohe Stickstoff-Gaben führen zu erhöhten Nitrat-, Eiweiß- u. Alkaloid-Gehalten im Roh-T. u. erhöhen die Rauchkomponenten wie z.B. Kondensat, *Nicotin u. TSNA (s. Tabakrauch). Die Alkaloide werden in der Wurzel gebildet.
Eine wichtige Pflegemaßnahme im T.-Anbau ist das Entfernen der Blütenstände (Köpfen) u. unerwünschter Seitentriebe (der sog. Geizen). Damit wird eine gleichmäßigere Reifung der Bestände erreicht, die Standfestigkeit erhöht u. ein Mehrertrag erzielt. Allerdings wird der Nicotin-Gehalt etwas erhöht. Die wichtigsten epidem. *Tabakkrankheiten* sind: *Tabakmosaikvirus (TMV), Tabakrippenbräune (Y-Virus), sog. Mischvirusinfektionen u. Blauschimmel (*Peronospora tabacina* Adam), der mit *Fungiziden auf der Basis von *Dithiocarbamaten bekämpft wird. Zahlreiche tier. Schädlinge im Bereich der Wurzel (z.B. Drahtwürmer, Erdraupen, Engerlinge, *Nematoden) u. der Blätter (z.B. *Heuschrecken, Blattwanzen, *Blattläuse, Raupen) erfordern, vornehmlich in südlichen Ländern, bes. Pflanzenschutzmaßnahmen. Dadurch entstehen *Rückstände von *Pflanzenschutzmitteln auf dem Rohtabak, deren Höhe in der BRD durch die Rückstands-Höchstmengen-VO, § 5 [2], begrenzt ist.
Technologie: Bei der *Ernte* unterscheidet man zwischen Einzelblatt- u. Ganzpflanzenernte. Bei ersterer nimmt man die Blätter entsprechend ihrem Reifegrad von unten nach oben ab. Diese Erntestufen werden als Grumpen (primings), Sandblatt (lugs), Hauptgut (leaves) u. Obergut (tips) bezeichnet. Zur Trocknung werden die Blätter in Handarbeit, meist jedoch maschinell auf Schnüre gereiht (eingenäht) u. als sog. Bandeliere in Schuppen aufgehängt. Bei der Ganzpflanzenernte werden die geköpften Pflanzen, von denen meist Grumpen u. Sandblatt von Hand vorgeerntet werden, bei einem mittleren Reifegrad abgehackt, auf Stäbe gespießt u. zum Trocknen aufgehängt.
Blattweise werden Virginia u. Orient-T., als Ganzpflanzen vielfach Burley u. Zigarren-T. (Kentucky etc.) geerntet. Allerdings setzen sich immer mehr teil- od. bei Virginia vollmechanisierte Ernteverf. durch. Für letztere ist die Anw. von Geizenhemmern nach dem Entfernen der Blütenstände u. von *Herbiziden erforderlich.
Bei der Ernte enthalten die T.-Blätter ca. 90% Wasser. Durch die *Trocknung* wird dieser Wassergehalt je nach Sorte auf ca. 20–25% reduziert, u. zwar durch Lufttrocknung (air-cured, typ. für Burley- u. Zigarren-T.), Sonnentrocknung (sun-cured, typ. für Orient- u. Machorka-T.), Heißlufttrocknung (flue-cured, typ. für Virginia-T.), od. Feuertrocknung (fire-cured, typ. für Kentucky). Während der Lufttrocknung finden Abbauprozesse (*Kohlenhydrate, *Proteine, *Nicotin) u. die Farb-Bildung von hellbraun bis dunkelbraun statt. Trocknungsdauer ca. 4–8 Wochen. Die Heißlufttrocknung verläuft in 3 Hauptphasen, nämlich Vergilbung, Farbfixierung (gelb) mit Blattrocknung u. Rippentrocknung; Trocknungsdauer 80–120 h. Für Virginia-T. wird meist das Bulk-curing-Verf. (vollautomat. Trocknungsanlage) angewendet. Heißlufttrockneter Virginia u. häufig die unteren Blattstufen von Burley werden einem maschinellen Prozeß zur Egalisierung, Farbfixierung, Konditionierung u. Entkeimung unterzogen. Hierzu durchlaufen diese T. spezielle Redry-Anlagen mit Erhitzungs- (bis 90 °C), Abkühl- u. Wiederbefeuchtungszonen in einer Behandlungszeit von 30–120 min je nach T.-Art. Unmittelbar nach dieser Behandlung wird der T. in Kisten, Ballen od. Fässer zu einer Art Nachreife (*Fermentation*, häufig auch als *Aging* bezeichnet) verpackt, zunächst in klimatisierten Räumen gehalten u. danach noch ½ bis 2 a gelagert.
Luftgetrocknete T. werden im allg. intensiver fermentiert. Hierbei ist zu unterscheiden zwischen natürlicher Selbsterwärmung (exotherme Fermentation, auch als Naturfermentation bezeichnet) u. künstlicher Fermentation in der Kammer (endotherme Fermentation). Zur Naturfermentation wird der T. in großen Haufen od. Stapeln (bis zu 8000 kg) mit einem Wassergehalt von 14–23% zusammengebracht. Die allmählich einsetzende Selbsterwärmung wird überwacht, u. bei Erreichen einer gewünschten Temp. zwischen 50 u. 60 °C wird der Stapel umgeschlagen. Dieser Vorgang wird mehrmals wiederholt, bis keine weitere Erwärmung mehr erfolgt (Fermentationsdauer bis 6 Monate). Zur Kammerfermentation wird T. in eine Kammer gebracht, deren Raumluft hinsichtlich Temp. u. Feuchtigkeit reguliert werden kann (Fermentationsdauer bis 4 Wochen). Die natürliche Fermentation beginnt ab Temp. >10 °C. Diese ist Restenzym-Aktivitäten, mikrobiol. u. chem. Reaktionen zuzuschreiben. Während der Fermentation wird *Sauerstoff verbraucht, dafür entstehen *Kohlendioxid u. Wasser. Der O_2-Verbrauch

u. die CO_2- u. H_2O-Bildung sind ein Maß für die Fermentationsaktivität. Das Eiweiß wird in niedermol. Verb. wie *Amide, *Aminosäuren, *Ammoniak u. *Carbonsäuren gespalten; der pH wird leicht alkalisch. Spezielle Bakterien können einen Nicotin-Abbau bis zu 70% durchführen. Abhängig von der Fermentationsaktivität beträgt der Gew.-Schwund je nach T.-Art 5–20%. Die bei der Fermentation entstehenden *Phlobaphene sind für die braune Farbe des T. verantwortlich. Das Aging führt zur Bildung spezif. Aromastoffe (s. unten u. vgl. Tabakrauch), die kapillargaschromatograph. nachgewiesen werden können. Die in Kisten, Fässern od. Ballen verpackten, getrockneten u. fermentierten T. sollen in sauberen, kühlen u. gut belüfteten Räumen gelagert werden. Zur Erhaltung einer T.-Feuchte von 12% ist bei einer Temp. unter 20 °C eine relative Luftfeuchtigkeit von 65 ± 5% erforderlich. Lagerschäden können durch Schimmelpilze u. Insektenbefall (z. B. durch T.-Motte u. T.-Käfer) auftreten.

Zusatzstoffe u. rechtliche Beurteilung: Unter der sog. *Tabakaufbereitung* werden alle Arbeiten vor der eigentlichen Tabakwaren-Herst. verstanden, wie Entstauben, Feuchten, Entrippen, Soßieren, Schneiden, Rösten, Aromatisieren, Mischen etc. Diese Arbeiten werden vollmechan. durchgeführt. Bei der Herst. der verschiedenen T.-Erzeugnisse kann aus verarbeitungstechn. Gründen u. zur Feuchthaltung u. Verbesserung der Glimmeigenschaften nicht auf den Einsatz von *Zusatzstoffen verzichtet werden.

Die Tabak-VO[3] regelt die diesbezügliche Verw. von Feuchthaltemitteln (*Glycerin, 1,2-*Propandiol, 1,3-*Butandiol, *Triethylenglykol, Orthophosphorsäure, hydrierter *Glucose-Sirup), Klebe-, Haft- u. Verdickungsmitteln [*Schellack, *Gummi arabicum, *Gelatine, *Alginsäure u. *Alginate, Johannisbrotkernmehl (s. Johannisbrotbaum) u. *Guar-Mehl, *Polyvinylacetat u. Copolymerisate mit anderen Vinylestern von C_3- bis C_{18}-Carbonsäuren od. Ethylen, wäss. Lsg. von *Polyvinylalkohol sowie bes. *Cellulose u. deren Ether u. Ester], Weiß- u. Flottbrandmitteln (Aluminiumsalze, *Ammonium-, Magnesium-, Titanoxide, Natrium-, Kalium- u. Calciumsalze von *Carbonsäuren u. *Salpetersäure), *Konservierungsmittel für Zigarettennahtleim u. T.-Folie, Stoffen für Filter, Mundstücke u. Hüllblätter für *Zigaretten u. *Zigarren, von *Farbstoffen für Zigarettenpapier, Deckblatt, T.-Folie u. Kunstumblatt von Zigarren, für Kau- u. Roll- sowie Schnupftabak.

Bei der Herst. von T.-Erzeugnissen können dem T. zur Aromatisierung Geruchs- u. Geschmacksstoffe, sog. Soßen od. Flavour zugesetzt werden (Zucker-Lsg., *Honig, Gewürz- u. Fruchtextrakte, *Vanillin u. a. nach der Aromen-VO[4] zugelassene Stoffe). Vom „flavouring" zu unterscheiden ist das „casing", der Zusatz spezieller Würzstoffe natürlichen Ursprungs. Zum Schutz der Gesundheit werden ausdrücklich verboten: *Agaricinsäure, Birkenteeröl, *Wacholderteeröl, *Campher(öl), *Safrol, *Thujon, Bittersüßstengel, Engelsüßwurzelstock, Poleyminze, *Quassia-Holz, Quillajarinde, Rainfarn- u. Rautenkraut, Sassafrasholz, *Cumarin, Tonkabohne, Vanillwurzelkraut, Steinklee, Waldmeister u. andere. Die Verw. von Farbstoffen bei T.-Produkten muß deutlich kenntlich gemacht werden. Das Tabaksteuergesetz[5] definiert die einzelnen T.-Waren u. gibt deren Verpackung vor. Heutzutage werden vermehrt techn. Extraktionsverf. zur Entfernung des *Nicotins (*Entnicotinisierungsverf.*) durch Behandlung mit *Ammoniak u. Wasserdampf, hauptsächlich jedoch durch *Destraktion mit überkrit. Kohlendioxid eingesetzt. Das hierbei anfallende Nicotin wird in Form von Nicotinsulfat zur *Schädlingsbekämpfung verwendet. Mittels dieser Verf. werden auch die Rauchkondensate vermindert u. die Füllfähigkeit verbessert, eine Entwicklung, die angesichts des Trends zur „leichten Zigarette" erwünscht ist. Da solche Behandlungen jedoch meist auch das Aroma reduzieren, ist man bestrebt, den Verlust durch Aromatisierung des T. mit natürlichen od. synthet. Aromastoffen auszugleichen. Von verschiedenen Firmen werden zu diesem Zweck vorgefertigte Aromamischungen mit entsprechenden Geschmacksrichtungen angeboten[6].

Tabakchemie u. -biochemie: Rauchfertiger T. enthält etwa 12–14% Wasser; in der Trockensubstanz findet man je nach Herkunft 7–16% *Cellulose, 2–7% *Stärke, 0-22% niedermol. Kohlenhydrate, 1% Gerbsäure (s. Tannine), 9–25% Aschesubstanzen (bes. Calcium- u. Kalium-Verb.), 1% Fett, 7–25% organ. Säuren (z. B. 3,65% *Citronensäure, 2,35% *Oxalsäure, 8,8% *Äpfelsäure), 3,5–20% Proteine, 7–12% *Pektine, *Polyphenole, *Flavone, *Pigmente wie *Carotinoide, *etherische Öle, *Paraffine, *Sterine, 2,5–8% Wachse u. Harze u. 0,6–5,5% Nicotin. Neben diesem weitaus häufigsten Tabak-Alkaloid finden sich im T. noch kleine Mengen von anderen Alkaloiden (s. Tabak-Alkaloide). Weitere T.-Inhaltsstoffe, auch von T.-Samen, s. *Lit.*[7]. Zur Zusammensetzung rauchloser T.-Produkte (Schnupf-T., Kau-T. u. Mund-T., sog. „snuff") u. zu deren Gehalt an T.-spezif. *Nitrosaminen s. *Lit.*[8]. Eine toxikol. Bewertung dieser Produkte gibt *Lit.*[9]. Die EG-Kommission plant in einer Änderungsrichtlinie zur Richtlinie 622/89 ein generelles Verbot für Mund-T. (angefeuchtete T. zum Lutschen) wie es in Irland u. Großbritannien bereits vollzogen ist. T. enthält z. T. beträchtliche Mengen an Schwermetallen, v. a. *Cadmium. T.-Asche kann bis zu 0,5% *Lithium enthalten.

T.-Aroma: Unterschieden werden muß zwischen dem eigentlichen *Tabakaroma*, das durch Lsm.-Extraktion od. Wasserdampfdest. aus T.-Blättern (Ausbeute ca. 0,03%) isoliert werden kann, u. dem Aroma des T.-Rauchs, der wahrscheinlich mehr als 3900 Bestandteile enthält. Die typ. Aromaträger gehören hauptsächlich den Gruppen der Alkohole, Phenole, Ester, Lactone, Säuren, Aldehyde, Ketone u. Kohlenwasserstoffe an, auch Furane, Pyrrole, Pyridine, Pyridazine u. a. Heterocyclen sind stark vertreten[1]. Ein größerer Teil dieser Aromastoffe (v. a. Carotinoid-Abbauprodukte wie *Damascenone u. *Damascone) liegt in der T.-Pflanze glykosid. gebunden vor u. wird erst im Verlaufe der Herst. generiert[10,11]. Viele der Inhaltsstoffe haben neben ihrer organolept. auch verschiedene pharmakolog. Wirkungen, die sich allerdings erst beim Inhalieren des T.-Rauchs manifestieren. Aus den unter *Tabakrauch geschilderten Gründen geht unzweifelhaft hervor, daß Rauchen gesundheitsschädlich ist –

was übrigens schon der Leibarzt Ludwigs XIV. 1699 feststellte. Daß sich die Rauchgewohnheiten wegen der Aufklärung über gesundheitliche Schädigungen – z. B. durch warnende Aufschriften auf Zigarettenverpackungen in den letzten Jahren geändert haben, ist der Abb. zu entnehmen. Der Zigarettenkonsum ist, nach einem Maximum um die Mitte der 70iger Jahre, heute rückläufig.

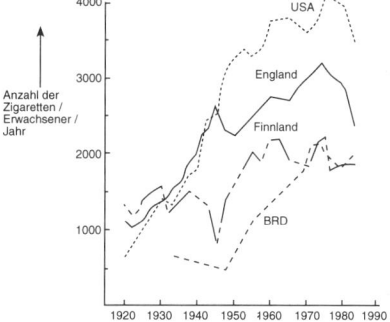

Abb.: Zigarettenkonsum in England, Finnland, BRD u. den USA zwischen 1920 u. 1990 (jeweils Zigaretten pro Erwachsener u. Jahr).

In der Statistik nicht enthalten sind die selbstgedrehten Zigaretten – 1985 immerhin ca. 270/Einwohner. Nach der Nationalen Verzehrstudie rauchen derzeit von 35 Mio. befragten Bundesbürgern (weiblich) (1995): 10,8 Mio. insgesamt, davon 1,3 Mio. gelegentlich u. 9,5 Mio. regelmäßig. Unter den männlichen Bundesbürgern rauchen (1995) von 37,7 Mio. Befragten: 7,0 Mio. insgesamt, davon 1,2 Mio. gelegentlich u. 5,8 Mio. regelmäßig. Über Hilfsmittel, die dem Raucher die Aufgabe seiner Rauchgewohnheiten erleichtern sollen, s. Tabakentwöhnungsmittel.

Verw.: Zur Verw. gelangt der T. in Form von *Tabakwaren* (nicht zu verwechseln mit *Rauchwaren), d.h. von Zigaretten, Stumpen u. Zigarren, als in Streifen geschnittener Rauch- od. Pfeifen-T., wobei man Feinschnitt (<1,3 mm Breite), Krüllschnitt (1,4–2,25 mm), Mittelschnitt (2,25–3,5 mm) u. Grobschnitt (>3,5 mm) unterscheidet, als Kau-T. (stark „gesoßtes", mit Deckblatt versehenes T.-Erzeugnis in Rollen-, Stangen-, Würfel- od. Plattenform) u. als Schnupf-T. (s. Tabak-VO[3]). Alle T.-Erzeugnisse bestehen aus Mischungen verschiedener Sorten u. Herkünfte. Zur Mechanisierung der Herst. war die Zigarette am besten geeignet (Strangmaschinen); ihr folgten die Zigarren- u. Rauchtabak-Herstellung. Von 1977 bis 1990 verminderte sich in der BRD bei Zigaretten der Gehalt an Kondensat (gemeinhin „Teer" genannt) um ca. 15% u. der an Nicotin um ca. 26% (s. Zigaretten) ähnliche Entwicklungen sind in vielen anderen Ländern (z. B. USA, Schweiz) zu beobachten. War der Anteil der Filterzigaretten am Gesamtzigaretten-Konsum in der BRD zwischen 1954 u. 1970 schon von 5% auf 85% gestiegen, so liegt er inzwischen noch höher. Problemat. ist beim Konsum von Filterzigaretten die Tatsache, daß diese intensiver u. länger inhaliert werden, um den Nicotin-Bedarf zu decken. Dies hat zwangsläufig eine hohe Belastung mit Schadstoffen zur Folge. Gleiches gilt für sog. „leichte Zigaretten".

Im Jahre 1997 wurden in der BRD ca. 181 Mrd. Zigaretten produziert.

Geschichte: Der Brauch des T.-Rauchens war in Mittelamerika zu Kolumbus Zeiten (1492) bereits bekannt; die zum Rauchen benutzten Pflanzenrohre hießen in der Eingeborenensprache „tabago", woher sich der Name T. ableiten dürfte, nach anderer Version von einer karib. Insel Tabago od. Tobago. Aus Amerika wurde die T.-Pflanze nach Spanien u. Portugal importiert u. im Jahre 1559 von dem Diplomaten Jean Nicot, dem zu Ehren die Pflanze *Nicotiana* genannt wurde, in Paris eingeführt. In Europa wurde T. zunächst nur geschnupft od. (seit Ende des 16. Jh.) in Pfeifen, später auch in Zigarren, geraucht. Mitte des 17. Jh. kam das T.-Kauen auf, Anfang des 19. Jh. auch das Zigarettenrauchen (Spanien, Italien, Frankreich). Die Kriege in Europa, bes. der Krimkrieg u. der 1. Weltkrieg, trugen zur weiteren Verbreitung insbes. der Zigaretten bei. Der Schnupf-T. kam wahrscheinlich durch die Hugenotten nach Deutschland; die erste dtsch. Fabrik wurde um 1700 von dem Elsässer Nicolaus Bernhard in Offenbach errichtet. Die erste Zigarettenfabrik in Deutschland entstand 1862. Näheres zur Geschichte des T.-Genusses s. *Lit.*[12]

Wirtschaftliche Aspekte: 1997 wurden in der BRD Zigaretten im Wert von 64,9 Mrd. DM produziert u. 1410 Mrd. Zigaretten verbraucht, das sind 1718 Stück Zigaretten je Einwohner. Die Tabak-Steuereinnahmen (netto) betrugen 1997 21 Mrd. DM, darunter 20 Mrd. DM für Zigaretten. 1995 betrug die Welternte 6,450 Mio. t. Den weitaus größten Anteil hatte dabei die VR China mit 2,369 Mio. t, gefolgt von den USA mit 0,603 Mio. t. – *E* tobacco – *F* tabac – *I* tabacco – *S* tabaco

Lit.: [1] Ohloff. [2] Rückstands-Höchstmengenverordnung vom 1.9.1994 in der Fassung vom 7.3.1996 (BGBl. I, S. 455). [3] Tabak-VO vom 20.12.1977 in der Fassung vom 29.10.1991 (BGBl. I, S. 2053). [4] Aromen-VO vom 22.12.1981 in der Fassung vom 20.12.1993 (BGBl. I, S. 2304). [5] Tabaksteuergesetz vom 13.12.1979 in der Fassung vom 12.7.1996 (BGBl. I, S. 962). [6] H+R Contact **32**, 3–6 (1982); **37**, 16–19 (1986). [7] Kirk-Othmer (4.) **1**, 1084; **18**, 206. [8] Food Chem. Toxicol. **29**, 65–68 (1991). [9] Cancer Res. **51**, 4388–4394 (1991). [10] Chem. Mikrobiol. Technol. Lebensm. **11**, 148–154 (1988). [11] Z. Lebensm. Unters. Forsch. **188**, 512–516 (1989). [12] Dragoco Rep. **25**, 139–156 (1979).

allg.: Amtliche Sammlung von Untersuchungsverfahren nach § 35 LMBG. Band 4: Allgemeiner Teil, Tabakerzeugnisse, Berlin: Beuth Loseblattsammlung 1984 ■ Annu. Rev. Med. **37**, 21–32 (1986) ■ Annu. Rev. Public Health **7**, 127–150 (1986); **8**, 441–468 (1987) ■ Baratta, Der Fischer Weltalmanach 98, S. 1065, Frankfurt am Main: Fischer Taschenbuch Verl. GmbH 1997 ■ Chambers et al., Toxic Interfaces of Neurones. Smoke and Genes, Berlin: Springer 1986 ■ Dtsch. Forschungsanstalt für Luft- u. Raumfahrt (Hrsg.), Die Nationale Verzehrstudie (3.), S. 74–79, Bremerhaven: Wirtschaftsverl. 1991 ■ Environmental Tobacco Smoke, Washington: Nat. Academy Press 1987 ■ Gassner (Hrsg.), Mikroskopische Untersuchungen pflanzlicher Lebensmittel (5.), S. 248–254, Stuttgart: Fischer 1989 ■ Hoffmann u. Harris, Mechanisms in Tobacco Carcinogenesis (Banbury Rep. 23), Cold Spring Harbor: CSH Lab. 1986 ■ IARC Sci. Publ. **81** (1987); **105** (1990) ■ Lee, Misclassification of Smoking Habits and Passive Smoking, Berlin: Springer 1988 ■ Pomerleau u. Pomerleau, Nicotine Replacement, New York: Liss 1988 ■ Rosenberg, Smoking and Reproductive Health, Littleton: PSG 1987 ■ Smoking and Health, New York: Wiley 1986 ■ Thomassen et al. (Hrsg.), Biology,

Toxicology and Carcinogenesis of Respiratory Epithelium, London: Talyor u. Francis 1990 ▪ Ullmann (5.) **A27**, 123 ▪ Wald et al., UK Smoking Statistics, Oxford: Univ. Press 1988 ▪ Zechmeister **34**, 1–80 ▪ Zipfel, C 100 *3*, 15; C 443 *5*, 9. – *Zeitschriften:* Beiträge zur Tabakforschung. – *Organisationen:* s. Zigaretten. – *[HS 2401..]*

Tabak-Alkaloide. Sammelbez. für die zu den Solanaceen-Alkaloiden zu rechnenden Alkaloide aus *Tabakpflanzen* (Gattung *Nicotiana* vgl. Tabak).

Nicotellin (1)

Cotinin (2)

Myosmin (3)

Anatabin (4)

Poikilin (5)

Tab.: Daten ausgewählter Tabak-Alkaloide.

	Summenformel	M_R	Schmp. [°C]	Drehwert (H_2O)	CAS
1	$C_{15}H_{11}N_3$	233,26	147–148		494-04-2
2	$C_{10}H_{12}N_2O$	176,21	Öl	$[\alpha]_D^{20}$ –12,8°	486-56-6
3	$C_9H_{10}N_2$	146,19			532-12-7
4	$C_{10}H_{12}N_2$	160,21	Öl	$[\alpha]_D^{17}$ –177,8°	581-49-7
5	$C_9H_{12}N_2O$	164,20			71278-11-0

Struktur u. Vork.: Alle T.-A. enthalten einen Pyridin-Ring; sie werden deshalb gelegentlich auch als *Pyridin-Alkaloide* bezeichnet. Fast alle T.-A. sind 3-Pyridyl-Derivate. Hauptalkaloid ist *Nicotin, das von einer Reihe von Nebenalkaloiden wie Nornicotin (vgl. Nicotin), *Anabasin, Cotinin, *Nicotyrin, *Nicotellin* u.a. begleitet wird (vgl. Tab.).
Physiologie u. Biosynth.: Die T.-A. werden wie die *Tropan-Alkaloide in der Wurzel gebildet u. über den Saftstrom in die oberird. Teile der Pflanze transportiert u. gespeichert. In einigen Tabaksorten wird während des Transports in den Sproß ein Teil des Nicotins zu Nornicotin demethyliert.
In verschiedenen *Nicotiana*-Arten ist Nicotin nicht als Hauptalkaloid aufzufinden, sondern wird enzymat. zu Nornicotin abgebaut. Durch Einkreuzen dieser Arten können Nicotin-arme Tabaksorten gezüchtet werden, die Nornicotin u. Anabasin als Hauptalkaloide enthalten. Biogenet. entstehen T.-A. aus Nicotinsäure u. einem Pyrrolidin- od. Piperidin-Baustein. Die analyt. Bestimmung der T.-A. im Tabakrauch kann gaschromatograph. erfolgen, weitere Bestimmungsmeth. finden sich in DIN 10241–10243: 1982-02. Die T.-A., insbes. Nicotin, Nornicotin u. Anabasin, haben insektizide u. aphizide Wirkungen. Sie wurden in Form von Tabakbrühe schon Mitte des 18. Jh. gegen Pflanzenschädlinge eingesetzt. Zur Pharmakologie u. Toxikologie der T.-A. s. Nicotin. – *E* tobacco alkaloids – *F* alcaloïdes du tabac – *I* alcaloidi del tabacco – *S* alcaloides del tabaco
Lit.: IARC Monogr. **37**, 71 (1985); **38**, 109 (1986) ▪ Kirk-Othmer (4.) **1**, 1052 ▪ R. D. K. (4.), S. 516ff., 863ff. ▪ Sem. Hop. **65**, 2424–2432 (1989) (Pharmakologie) ▪ Synthesis **1977**, 242 f. ▪ Ullmann (5.) **A1**, 360 ▪ Zechmeister **34**, 1–80 ▪ vgl. a. Anabasin, Nicotin, Nicotyrin.

Tabakaroma s. Tabak.

Tabakentwöhnungsmittel. Bez. für solche Stoffe natürlicher od. synthet. Herkunft, die dem Raucher den Entschluß, den *Tabak-Genuß od. evtl. *Nicotin-Abusus einzuschränken bzw. ganz aufzugeben, erleichtern sollen. Derartige T. wirken entweder auf direkter pharmakolog. Basis wie z. B. *Atropin od. *Lobelin, die, vor dem Zigarettenkonsum eingenommen, mehrstündige Unlustgefühle im Raucher hervorrufen sollen, od. sie vergällen den Genuß, indem sie zusammen mit Tabakrauch einen widerwärtigen Geschmack auf der Zunge hervorrufen. Derartige in Tabl.-, Kaugummi- u. Pastillenform od. als Rachen- u. Mundspülmittel angebotenen T. enthalten üblicherweise Silber- od. Cobalt-Salze, Gerbstoffe sowie Vitamine der B-Gruppe; auch Kupfer-Salze sollen wirksam sein. Zur Unterdrückung der Entzugserscheinungen wird Nicotin (5–20 mg/d) als Kaugummi (Nicorette®), Pflaster (Nicotinell TTS®, nicofrenon® 10/20/30) od. Nasenspray (Nicorette Nasal-Spray®) eingesetzt. Nicht zu den T. im engeren Sinne gehören Ersatzstoffe in der Art von Kaugummi, Süßholz (Lakritze), Ingwer, Pfefferminze u. dgl., die psycholog. Hilfestellung („Ersatzhandlung") bieten. – *E* tobacco deterrents – *F* produits dissuassifs du tabac – *I* agente disassuefacente al tabacco – *S* agentes desacostumbradores del tabaco
Lit.: Dtsch. Apoth. Ztg. **125**, 946 (1985) ▪ Goodman u. Gilman, The Pharmacological Basis of Therapeutics, S. 565f., New York: McGraw-Hill 1996 ▪ Wiss. Aktionskreis Tabakentwöhnung (Hrsg.), Gesundheitsberatung zur Tabakentwöhnung, Stuttgart: G. Fischer 1992.

Tabakmosaikvirus (TMV). Ein mechan. übertragbares Einzelstrang-RNA-Virus, das auf *Tabak die sog. Blattfleckenkrankheit hervorruft u. das auch in allen Zigaretten nachweisbar ist. Wegen seiner Größe (Länge ca. 300 nm, Außendurchmesser 18 nm, Innendurchmesser 4 nm, M_R 39 400 000) ist das bereits 1892 entdeckte, röhrenförmig gebaute TMV seit den 30er Jahren ein viel untersuchtes Studienobjekt der Virologie u. *Molekularbiologie, insbes. der *Rezeptor-Forschung.
Das TMV besteht aus einer einzigen RNA-Helix (ca. 5% des Gew.), die aus ca. 6300 Nucleotiden besteht. An der RNA-Helix sind ca. 2100 ident. Protein-Untereinheiten befestigt, die jeweils aus einer Polypeptid-Kette (M_R 17 500, reich an Asparaginsäure, Glutaminsäure, Serin u. Threonin) bestehen u. zusammen das *Capsid bilden (vgl. Abb. 1 bei Viren). – *E* tobacco mosaic virus – *F* virus mosaïque du tabac – *I* virus del mosaico del tabaco – *S* virus mosaico del tabaco
Lit.: Adv. Virus Res. **26**, 1 (1981) ▪ J. Virol. **71**, 8316–8320 (1997) ▪ Naturwissenschaften **68**, 145 (1981) ▪ van Regenmortel u. Fraenkel-Conrat, The Plant Viruses, Bd. 2, New York: Plenum 1986 ▪ Stryer 1996, S. 93 f.

Tabakrauch. Bez. für das *Aerosol, das beim Abbrand des *Tabaks entsteht. Man unterscheidet beim Rauchen von *Zigaretten, *Zigarren u. Pfeifentabak den sog. *Hauptstromrauch*, der vom Raucher in den Mund eingesogen wird, u. den *Nebenstromrauch*, der in der angelsächs. Lit. als „environmental tobacco smoke (ETS)" bezeichnet wird. Die zur Bildung des Nebenstromrauchs beitragenden Rauchströme sind der Abb. 1 zu entnehmen.

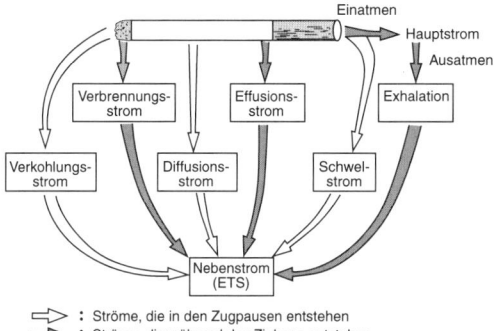

Abb. 1: An der Bildung des Nebenstromrauches beteiligte Prozesse[1].

In den Rauchpausen setzt sich der *Nebenstromrauch* aus dem im Bereich der Glutzone entstehenden Verkohlungsstrom (E side stream), dem im Bereich des Mundstückes (Filter) emittierten Schwelstrom (E smoulder stream) u. dem durch das Papier nach außen gelangenden Diffusionsstrom (E diffusion stream) zusammen. Während des Rauchens kommen zu diesen Emissionen noch der Verbrennungsstrom (E glow stream), der Effusionsstrom (E effusion stream) u. die durch die Lungen gefilterte Exhalation (E blow stream) hinzu. Beim Verrauchen von Tabak ist zwischen 3 Prozessen zu unterscheiden: der reinen *Verbrennung, der *Schwelung u. der Dest. unzersetzt überdestillierender Tabakinhalts- u. -aromastoffe. Art u. Menge des beim Verrauchen des *Tabaks in der Glutzone entstehenden *Rauches ist vom Ausgangsmaterial u. dessen chem. u. physikal. Beschaffenheit, der Sauerstoff-Zufuhr, den Strömungsbedingungen u. der Glutzonentemp. abhängig. In der *Glutzone* des verrauchten Tabaks herrscht im äußeren Bereich durch Sauerstoff- u. Luftzufuhr eine oxidierende Atmosphäre, hier entstehen im Sog (Zug) Temp. von 880–920 °C u. zwischen den Zügen von 800–830 °C (nach anderen Angaben bis 1100 °C bzw. 950 °C). Bei der *Zigarre liegen die Temp. zwischen 580 u. 660 °C, bei der Pfeife zwischen 420 u. 500 °C. Dabei findet eine vollständige Verbrennung des Tabaks statt. Im Inneren des Glutkegels liegen dagegen reduzierende Bedingungen vor, woraus eine unvollständige Verbrennung mit der Bildung ungesätt. organ. Verb., Kondensations- u. Polymerisationsprodukte resultiert. Hinter dem Glutkegel befindet sich die Rauchbildungszone, in der Tabak ohne Luft- u. Sauerstoff-Zufuhr unter Bildung eines Rauchaerosols therm. zersetzt wird (*Pyrolyse). Die Temp. liegen zwischen 200–600 °C je nach Entfernung von der Glutzone. In der Verdampfungs- u. Dest.-Zone verdampfen niedrig siedende Stoffe u. gehen direkt in den Rauch über, bzw. das beim Verrauchen des Tabaks freiwerdende Wasser transportiert diese Stoffe, wie *Nicotin u. *etherische Öle, in den Rauch. Physikal. gesehen besteht das Rauchaerosol aus einer fest-flüssigen Partikelphase, einer kondensierbaren Gasdampfphase u. einer Gasphase. Die Partikelkonz. im T. liegt zwischen 10^7 u. 10^{10} Partikeln/mL Rauch, die Partikelgröße zwischen 0,1 u. 1,0 µm, in ihrem Hauptbereich (Maximum) zwischen 0,1 u. 0,4 µm. Der Partikelphasenanteil beträgt 5–10%. Bei der Rauchniederschlagung (*Rauchkondensat*) ballen sich kleine Partikeln zu größeren zusammen. Der gleiche Vorgang findet beim Auftreffen von Partikeln auf Tabakfasern od. Filtermaterialien statt. Die Prozesse, die zur Aerosol-Bildung im Nebenstromrauch beitragen, sind in Abb. 2 zusammengefaßt.

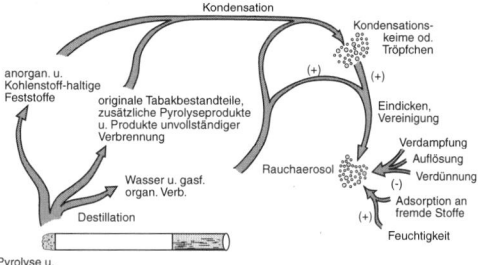

Abb. 2: Mechanismen der Aerosol-Bildung im Nebenstromrauch[1]. (+) Vergrößerung bzw. (–) Verringerung der Partikelgröße des Rauchaerosols.

Zusammensetzung: Heute rechnet man mit mehr als 3900, nach Schätzungen des Verbandes der Zigaretten-Ind. sogar mit über 12 000 einzelnen Stoffen im T., also sehr viel mehr als im Aroma des Tabaks. Dabei ist die *Gasphase* des T. relativ einfach zusammengesetzt: ca. 73% Stickstoff, 10% Sauerstoff, 9,5% Kohlendioxid, 4,2% Kohlenmonoxid, 1% Wasserstoff, 0,6% Edelgase, 0,16% Blausäure, 0,03% Ammoniak, 0,02% Stickstoffoxide u. Spuren von Schwefelwasserstoff u. organ. Verbindungen. Demgegenüber findet sich der Hauptteil der Inhaltsstoffe in der Kondensatphase, die häufig umgangssprachlich „Teer" genannt wird. Der Kondensat-Gehalt der Zigaretten in der BRD lag 1975 zwischen ca. 9 u. 25 mg mit Extremwerten von 2 u. 30,9 mg, 1990 lag er als Folge der Tendenz zur „leichten Zigarette" durchschnittlich bei 12,2 mg. Die Tabak-VO (s. Tabak) gebietet die Angabe des Kondensat- u. Nicotin-Gehaltes pro Zigarette auf der Verpackung, wodurch der Raucher eine Vergleichsmöglichkeit erhält. Zur Diskussion über den präventivmedizin. Sinn dieser Angaben u. zu Änderungen im Rahmen der EG-Harmonisierungen s. Zigaretten. Die Zusammensetzung des T. in der *Partikel-* u. der *Gas/Dampfphase* ist in Tab. 1 aufgeschlüsselt. Eine ausführlichere Zusammenstellung der chem. Inhaltsstoffe des T. (Stand 1986) findet man in Lit.[2]. Danach enthält der T. Alkane, Alkene u. Alkine (ca. 80), aromat. Kohlenwasserstoffe (ca. 100), Alkohole (ca. 25), Carbonyl-Derivate (ca. 45), Säuren (ca. 55), Ester (ca. 270), Phenole u. Phenolether (ca. 55), Alkaloide u. a. Stickstoffbasen

Tabakrauch

Tab. 1: Überblick über Rauchinhaltsstoffe.

Stoffgruppe	[%]	Partikelphase Hauptvertreter	Gas-/Dampfphase Hauptvertreter
Wasser	10–20		
Säuren	8–13	Essigsäure, Ameisensäure, Propionsäure	Ameisensäure
Alkohole	5–9	Methanol, Ethanol, Glycerin, Glykole	Methanol, Ethanol
Aldehyde u. Ketone	7–10	Aceton, 2-Butanon, Acrolein, Propionaldehyd	Formaldehyd, Acetaldehyd, Acrolein, 2-Butanon
Alkaloide	6–8	Nicotin, Nornicotin, Anabasin, Myosmin	
aliphat. Kohlenwasserstoffe	3–5	n- u. iso-Alkane (C_{31}, C_{32}, C_{33}), Alkene (C_5, C_{10}, C_{20})	Methan, Ethan, Propan, Butan, Ethylen, Acetylen, Propylen, Buten
aromat. Kohlenwasserstoffe	1	Chrysen, Benzo[a]pyren, Benzo[j]fluoranthen	Benzol, Toluol
Phenole	1–4	Phenol, Kresole, 2,4- u. 2,5-Xylenol	Phenol
Sterine	0,5–1	Stigmasterin, Sitosterine	
Ester	1	Ethylacetat, Ethylvalerat, Allylhexanoat	Alkylformiate, Alkylacetate
Amine	1	prim. u. sek. aliphat. Amine, Piperidin, Pyridin, Pyrrolidin	Ethylamin, Methylamin, Dimethylamin

Tab. 2: Konz. an biolog. aktiven Komponenten im Hauptstromrauch einer filterlosen Zigarette (außer TSNA u. PAH; s. dazu Tab. 5 u. 6).

Rauchinhaltsstoff	Konz./Zigarette
Gesamtmenge	15–40 mg
Kohlenmonoxid	10–23 mg
Nicotin	1,0–2,3 mg
Acetaldehyd	0,5–1,2 mg
Essigsäure	0,1–1,0 mg
Aceton	100–250 µg
Methanol	90–180 µg
Stickoxide	100–600 µg
Ameisensäure	80–600 µg
Cyanwasserstoff	400–500 µg
Hydrochinon	110–300 µg
Brenzcatechin	100–360 µg
Ammoniak	50–130 µg
Benzol	20–50 µg
Acrolein	60–100 µg
Phenol	60–140 µg
Crotonaldehyd	10–20 µg
Formaldehyd	70–100 µg
Pyridin	16–40 µg
3-Methylpyridin	20–36 µg
o-Kresol	14–30 µg
m- u. p-Kresol	40–80 µg
3- u. 4-Methylbrenzcatehin	31–45 µg
Carbazol	1 µg
2-Nitropropan	0,2–2,2 µg
2-Naphthylamin	1,7–22 ng
4-Aminobiphenyl	2,4–4,6 ng
o-Toluidin	32–160 ng
Maleinsäureanhydrid	vorhanden
Dimethylmaleinsäureanhydrid	vorhanden
Bernsteinsäureanhydrid	vorhanden
Cumarin	vorhanden
Hydrazin	32–43 ng
Urethan	20–38 ng
Vinylchlorid	1,3–16 ng

(ca. 100) u. v. a. Verb., selbst Peroxide, Sterine, Terpene, Aminosäuren, Proteine, Pflanzenschutzmittel-Rückstände u. deren Metaboliten (Tab. 1).

Tab. 3: Metall-Gehalte im Zigarettenrauch.

Metall	Konz. µg/Zigarette	Metall	Konz. µg/Zigarette
Na	1,3	Ag	0,0012
K	70	Au	0,00002
Cs	0,0002	Zn	0,12–1,21
Mg	0,070	Cd	0,007–0,35
Sc	0,0014	Hg	0,004
La	0,0018	Al	0,22
Cr	0,004–0,069	Pb	0,017–0,98
Mn	0,003	As	0,012–0,022
Fe	0,042	Sb	0,052
Co	0,0002	Bi	0,004
Ni	0,0–0,51	Se	0,001–0,063
Cu	0,19	Te	0,006

Tab. 4: Polonium-210 Verteilung (Angaben in pCi/g Tabak) in Tabakrauch, Asche u. Filter.

	filterlose Zigarette	Filterzigarette
Zigarette (Total)	0,411	0,403
Hauptstromrauch	0,091 (22,2%)	0,061 (15,1%)
Nebenstromrauch	0,100 (24,5%)	0,133 (32,9%)
Asche	0,191 (46,7%)	0,157 (38,8%)
Filter	–	0,055 (13,7%)

Einen weiteren Überblick über Rauchinhaltsstoffe mit tox. Relevanz geben die Tab. 2 bis 4.

Die in Tab. 3 aufgeführten Metalle wurden bisher im T. nachgewiesen. Bes. der Cadmium-Gehalt von Zigarettenrauch führt zu einer signifikant höheren Cadmium-Belastung des Rauchers im Vergleich zum Nichtraucher.

Tabak u. T. enthalten die Radioelemente *Radium-226 u. -228, *Thorium-228 u. *Polonium-210, das ca. 99%

der α-Aktivität des T. liefert. Daneben konnte als β-Strahler Kalium-40 (ca. 0,1–0,16 pCi/Zigarette) nachgewiesen werden (s. Tab. 4). Der Rauch jeder Zigarette belastet die Lunge mit 0,0024–0,012 mrem, wobei es sich um ein spezif. auf ^{210}Pb zurückzuführendes Problem handelt.[4].

30–35% des im Tabak enthaltenen Nicotins verbrennen in der Glutzone, 40% gelangen in den Nebenstromrauch u. 25–30% in den ungefilterten Hauptstromrauch. Vom Nicotin im Hauptstromrauch verbleiben bei filterlosen Zigaretten 8–9% im Tabakstummel (30% relativ) u. bei Filterzigaretten 12–20% im Filter (40–70% relativ), so daß nur 14–20% des Tabak-Nicotins bei filterlosen Zigaretten u. 5–12% bei Filterzigaretten in die Mundhöhle des Rauchers gelangen. Von diesem Anteil wird beim Inhalieren (Lungenzug) ca. 90% resorbiert, beim Einsaugen nur in den Mundraum (Paffen) jedoch lediglich ca. 5%. Die 1990 in der BRD gerauchten Filterzigaretten enthielten durchschnittlich 0,86 mg gegenüber 1,44 mg Nicotin 1961, d. h. 0,043–0,103 mg gelangen in den Mund des Rauchers u. werden beim Inhalieren in die Lunge fast vollständig resorbiert. Das Nicotin ist für die typ. *Herz- u. *Kreislauf-Wirkung verantwortlich, die allerdings relativ rasch wieder abklingt. Das Absinken der Körpertemp. unmittelbar nach der Nicotin-Aufnahme läßt sich mit *flüssigen Kristallen, z. B. an den Fingern, sichtbar machen. Die HWZ des Nicotins im menschlichen Organismus beläuft sich auf nur ca. 2 h, wodurch der *Sucht-Charakter des Tabakkonsums mitbestimmt wird. Unfreiwillige Mitraucher nehmen gezwungenermaßen (durch *Passivrauchen*) ebenfalls erhebliche Alkaloid-Mengen auf.

Toxikolog. Bewertung: Schon lange ist bekannt, daß Rauchen (*Aktivrauchen*) die Gesundheit auf Dauer schädigt. Welche Komponenten des T. im einzelnen die je nach Rauchgewohnheiten, Tabakkonsum u. konstitutioneller Veranlagung etc. in unterschiedlicher Stärke beobachtbaren Effekte hervorrufen, ist noch nicht völlig geklärt. Für die bei Rauchern statist. erhöhte Anfälligkeit gegen *Arteriosklerose, Koronarerkrankungen u. Herz-Infarkt läßt sich ein Zusammenhang mit dem Tabakverbrauch ebenso herstellen wie für die Neigung zu *Magen- u. *Darm-Erkrankungen, wobei beide Wirkungen dem Nicotin selbst, z. T. auch dem Kohlenmonoxid zugeschrieben werden. Auch die Reduzierung des Körpergew. von Neugeborenen u. die Zunahme von Frühgeburten wird bei Nicotin-Zufuhr während der Schwangerschaft beobachtet. Bei Raucherinnen setzt die Menopause früher ein. Zur pharmakolog. Wirkung des *Nicotins sowie zur akuten Nicotin-Vergiftung u. chron. Schäden durch Rauchen s. *Lit.*[5]. Das häufigere Auftreten von Erkrankungen des Rachenraumes u. insbes. von *Bronchitiden (*Raucherhusten*) wird mit den Phenol-, Säuren-, Aldehyd- u. Keton-Anteilen des T. in Verb. gebracht; *Acrolein u. *Blausäure hemmen die Regeneration des Flimmerepithels im Respirationstrakt u. inhibieren die Leukocyten-Bildung. Der Speichel von Rauchern enthält vermehrt Thiocyanate. Zur Wirkung des T. u. v. a. des Nebenstromrauches auf das Immunsystem s. *Lit.*[1]. Seit dem Erscheinen des sog. *Terry-Reports* (Smoking and Health, Publ. 1103, Washington: US Dept. Health, Educ. Welfare 1964) u. a. Berichten ist gesichert, daß das Zigarettenrauchen zu statist. signifikant erhöhtem Auftreten von Lungenkrebs führt. Auch im Bereich von Kehlkopf, Mundhöhle, Speiseröhre, Blase u. Pankreas bilden sich im Vgl. zu Nichtrauchern weit häufiger Tumore[3]. Bestandteile des T. führen u. a. zu einer spezif. Punktmutation des Tumorsuppressorgens p53 u. damit zu dessen Funktionsuntüchtigkeit. Dem Verlust dieses Gens kommt eine wesentliche Bedeutung für die Krebsentstehung zu[5]. Als *Carcinogene im T. kommen in erster Linie die in Tab. 5 u. 6 genannten polycycl. aromat. Kohlenwasserstoffe (*PAH) u. tabakspezif. *Nitrosamine (TSNA) sowie andere N-Nitroso-Verb. in Frage[6–8].

Daneben spielen sicherlich Cocarcinogene, Schwermetalle, radioaktive Elemente u. aromat. Amine eine Rolle.

Zur Analytik der TSNA s. *Lit.*[9,10]. Einen exzellenten Überblick zum Thema TSNA geben *Lit.*[11,12].

Auch die endogenen Nitrosierungsraten sind beim Raucher aufgrund der höheren Belastung mit Nitrosamin-Vorstufen höher als beim Nichtraucher[13]. Unklar ist noch, welchen Beitrag *Radikale, die während des Rauchvorgangs gebildet werden können (man rechnet mit 10^{14} freien Sauerstoff-Radikalen/Zug), zur Krebsentstehung leisten. Übrigens wurde 1985 ein Kapitel *Passivrauchen* in Abschnitt III B der MAK-Liste aufgenommen, denn der Nebenstromrauch gelangt ungefiltert in die Umgebung[14,15]. Begleiterscheinungen des Rauchens sind ein gegenüber Nichtrauchern er-

Tab. 5: Ausgewählte polycycl. aromat. Kohlenwasserstoffe (PAH) im Tabakrauch (Angaben in µg/100 Zigaretten).

PAH	Hauptstromrauch	Nebenstromrauch
Anthanthren (Dibenzo[cd,jk]pyren)	0,2–2,2	3,9
Anthracen	2,3–23,5	
Benz[a]anthracen	0,4–7,6	
Benzo[b]fluoranthen	0,4–2,2	
Benzo[a]fluoren	4,1–18,4	75
Benzo[b]fluoren	2	
Benzo[g,h,i]perylen	0,3–3,9	9,8
Benzo[c]phenanthren	vorhanden	
Benzo[a]pyren	0,5–7,8	2,5–19,9
Benzo[e]pyren	0,2–2,5	13,5
Chrysen	0,6–9,6	
Dibenz[a,h]anthracen	0,4	
Dibenzo[a,j]anthracen	1,1	4,1
Fluoranthen	1–27,2	126
Indeno[1,2,3-cd]pyren	0,4–2,0	
1-Methylchrysen	0,3	
2-Methylchrysen	0,12	
3-Methylchrysen	0,61	
Perylen	0,3–0,5	3,9
Phenanthren	8,5–62,4	
Pyren	5–27	39–101
Triphenylen	vorhanden	
Heterocyclen		
Carbazol	100	
Dibenz[a,h]acridin	0,01	
Dibenzo[a,j]acridin	0,27	
7H-Dibenzo[c,g]carbazol	0,07	
3-Methyl-3H-imidazo-[4,5-f]chinolin-2-amin [IQ]	0,26	

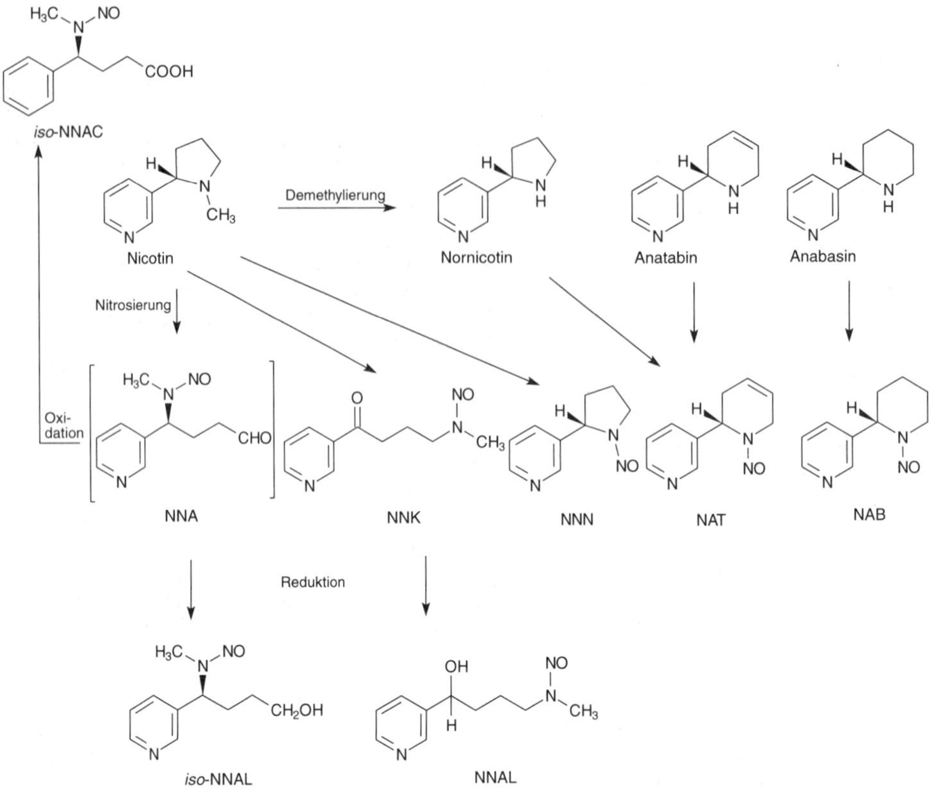

Abb. 3: Einige Tabak-Alkaloide u. die durch Nitrosierung hervorgegangenen TSNA[11].

Tab. 6: Nitrosamine u. Tabak-spezif. Nitrosamine (TSNA) im Tabakrauch (Angaben in ng/Zigarette).

Nitrosamin	Burley-Tabak	Staub-tabak	schwarzer französ. Tabak
N-Nitrosodimethylamin	11–180	0,5–13,2	29–143
N-Nitrosoethylmethylamin	9,1–13	>0,1	2,7–12
N-Nitrosodiethylamin	4–25	1,8	0,6–6
N-Nitrosodipropylamin	n.n.	n.n.	n.n.
N-Nitrosodibutylamin	n.n.	n.n.	n.n.
1-Nitrosopyrrolidin	52–76	6,2	25–110
1-Nitrosopiperidin	9	n.n.	n.n.
N-Nitrosodiethanolamin	2–90	n.n.	n.n.
N'-Nitrosonornicotin (NNN)	3700	620	590
N'-Nitrosonicotinketon (NNK)	320	420	220
N'-Nitrosoanatabin (NAT)	4600	410	200
N'-Nitrosoanabasin (NAB)			n.n.–150

n.n. = nicht nachweisbar

höhter *Grundumsatz u. ein geringeres Körpergew., das jedoch im Fall abrupten Nicotin-Entzugs – ggf. unter Verw. von *Tabakentwöhnungsmitteln – auch ohne zusätzliche Kalorienzufuhr im allg. um 5% zunimmt, was möglicherweise auf bestimmten, bei Rauchern erhöhten Enzym-Aktivitäten beruht.
Um den Schadstoffgehalt des T. zu vermindern, wurden Zigarettenspitzen u. Filterzigaretten entwickelt, in deren Mundstück Filtermaterialien aus Cellulose(acetaten), Polyethylen, Krepp- od. anderes Papier, ggf. auch Aktivkohle (s. Tabak-VO, S. 4368) einen Teil des Nicotins u. des „Teers" aus dem Hauptstrom entfernen sollen, ohne dabei wesentliche Aromaanteile zurückzuhalten. Die Wirksamkeit der heutigen Zigarettenfilter beträgt in Abhängigkeit vom Zugwiderstand 40 bis 70% für die Partikelphase u. ca. 80% für Phenole (selektiv). Gasdampfphasen-Bestandteile werden bis zu 85% durch Aktivkohle filtriert. Die Red. des Nicotins im Tabak läßt sich prinzipiell zwar auch durch Extraktionsmaßnahmen am fermentierten Tabak erreichen, doch gehen hier auch Aromastoffe verloren; andererseits bleiben unerwünschte Teer-bildende Stoffe erhalten. Zweckmäßiger ist die Züchtung neuer Tabaksorten, die neben wenig Nicotin u. Nebenalkaloiden natürliche Resistenz (Vermeidung von Pflanzenschutzmittelrückständen) u. weniger Kondensat-Bildung aufweisen; *Beisp.* ist die Einkreuzung Nornicotin-bildender *Nicotiana*-Arten (vgl. Tabak). Vor einigen Jahren wurden Versuche unternommen, eine Zigarette mit weniger als 0,03% Nicotin im Rauch zu entwickeln. Daneben wurden Zigaretten entwickelt, denen 20–25% synthet. Stoffe auf der Basis von (ggf. teiloxidierten) Polysacchariden zugemischt werden; *Beisp.* für solche *Tabakersatzstoffe:* Cytrel (Celanese), NSM (New Smoking Material, ICI), RCN (Bayer-Reemtsma). Tabakwaren aus solchen teilsynthet. Tabaken bedürfen im allg. einer zusätzlichen Aromatisierung. Auch Versuche, durch Zumischen anorgan. od. organ.

Stoffe zum Tabak, die Zusammensetzung des T. zu steuern, sind ohne Erfolge geblieben. Außerdem hat sich gezeigt, daß extrem Nicotin-arme Produkte nur eine geringe Akzeptanz beim Verbraucher haben. Am besten durchgesetzt haben sich Filterzigaretten mit mittleren Nicotin- u. Kondensat-Werten (ca. 0,7 mg Nicotin, 12–14 mg Kondensat). – *E* tobacco smoke – *F* fumée de tabac – *I* fumo di tabacco – *S* humo de tabaco

Lit.: [1] Crit. Rev. Toxicol. **20**, 369–395 (1990). [2] IARC Monogr. **38**, 83-126 (1986). [3] IARC Monogr. **38**, 127–375 (1986). [4] J. Am. Med. Assoc. **257**, 2169 (1987). [5] Mutschler (7.). [6] J. Agric. Food Chem. **39**, 209–213 (1991). [7] J. Agric. Food Chem. **39**, 207 f. (1991). [8] Lebensmittelchemie **44**, 50–52 (1990). [9] Carcinogenesis **10**, 1511–1517 (1989). [10] J. Assoc. Off. Anal. Chem. **73**, 783–789 (1990). [11] Crit. Rev. Toxicol. **21**, 235–312 (1991). [12] IARC Sci. Publ. **105** (1991). [13] Mutat. Res. **238**, 255–267 (1990). [14] Senatskommission der DFG zur Prüfung gesundheitsschädlicher Arbeitsstoffe (Hrsg.), Maximale Arbeitsplatzkonzentraton u. biologische Arbeitsstofftoleranzwerte, Weinheim: VCH Verlagsges. 1991. [15] Henschler (Hrsg.), Toxikologische Arbeitsmedizinische Begründung der MAK-Werte, Passivrauchen am Arbeitsplatz, Weinheim: VCH Verlagsges., Loseblattsammlung; Stand: 16. Lieferung 1990.

Tabaksamenöl. Aus den Samen des *Tabaks kann man mit 30–36% Ausbeute ein *Nicotin-freies Öl pressen, das nach der Raffination (Behandlung der Bitterstoffe mit Natronlauge, anschließende Filtration des heißen Öls durch Bleicherden) ähnlich wie Erdnuß- u. Sesamöl schmeckt u. in gewöhnlichen Mengen unschädlich ist. T. hat die D. 0,92–0,93, VZ 186–198, SZ 0,5–17 u. enthält ca. 70% *Linolsäure, 16–20% *Ölsäure, 7–9% gesätt. Säuren, nach *Lit.*[1] jedoch nur 15% Linolsäure neben 32% Palmitin- u. 25% Ölsäure. Von 1 ha Tabak könnte man – wenn für die Tabak-Gewinnung die Blüten nicht vor der Ernte entfernt würden – ca. 1 t Tabaksamen ernten, die etwa 330 L Speiseöl u. 670 kg Ölkuchen geben. Die Ölkuchen können an Großvieh verfüttert werden. Die Tabaksamen sind Nicotin-frei, dagegen enthalten sie das Vitamin *Nicotinsäureamid in erheblichen Mengen. – *E* tobacco seed oil – *F* huile de graines de tabac – *I* olio dei semi di tabacco – *S* aceite de semilla de tabaco

Lit.: [1] Schormüller, S. 715. – [HS 1515 90]

Tabalon® (Rp). Schmerz- u. Rheumatabl. mit *Ibuprofen. **B.:** HMR.

Tabasco® s. Paprika.

Tabellenwerke. Als solche seien hier (strenggenommen zu den *Nachschlagewerken gehörende) Zusammenstellungen von physikal. *Konstanten u. a. Stoffgrößen (sog. harte Daten) verstanden, die zur Charakterisierung u. *Identifizierung von Stoffen dienen können od. Auskunft über deren Einsatzmöglichkeiten geben. Für die Verarbeitung u. Präsentation von experimentell ermittelten Daten in T. haben CODATA, *IUPAC u. *NSRDS Empfehlungen erarbeitet, die z. B. in den von diesen Organisationen herausgegebenen Serien, die teilw. auch T. kurz referieren, publiziert werden. Die folgende kurze Zusammenstellung umfaßt vorwiegend Werke der *chemischen Literatur, die den Gesamtbereich der Chemie (auch wenn der Titel eine Einschränkung ausdrückt) erfassen u. auch eine gewisse Vollständigkeit hinsichtlich der Stoffgrößen anstreben. Neben vielbändigen T., die in der Regel nur in Bibliotheken zur Verfügung stehen können, existieren zahlreiche ein- od. zweibändige Werke dieser Art, die den größten Teil der Angaben enthalten, die in der täglichen Labor- u. Betriebspraxis evtl. benötigt werden; letztere werden im Dtsch. meist als *Taschenbücher*, im Engl. als *Handbooks* bezeichnet (vgl. aber Handbücher). Die Zusammenstellung enthält im allg. keine T., die lediglich als Rechenhilfen (v. a. für die analyt. Praxis, vgl. hierzu Mathematik u. Stöchiometrie) gedacht sind, sowie keine T., die nur ganz bestimmte Eigenschaften (z. B. Schmp., Spektren) od. ausgewählte Verb. (-Klassen) erfassen; letztere sind bei den betreffenden Sachstichwörtern aufgeführt. Weitere Angaben über T. findet man in *Lit.*[1]. Informationen aus Spezialgebieten können natürlich auch in Datenbanken abgefragt werden. – *E* tabular compilations, handbooks – *F* tables de données – *I* compilazione tabellare – *S* trabajos de tablas, manuales

Lit.: [1] Kirk-Othmer (3.) **13**, 284 ff.

allg.: Angus, Guide for the Preparation of Thermodynamic Tables and Correlations of the Fluid State (CODATA Bull. 51), Oxford: Pergamon 1983 ▪ Antelman, The Encyclopedia of Chemical Electrode Potentials, New York: Plenum 1982 ▪ Bard et al., Standard Potentials in Aqueous Solution, New York: Dekker 1985 ▪ Barin, Thermochemical Data of Pure Substances, Weinheim: VCH-Verlagsges. 1995 ▪ Bockhoff, Nuclear Data for Science and Technology, Dordrecht: Reidel 1983 ▪ Broul et al., Solubility in Inorganic Two-component Systems, Amsterdam: Elsevier 1981 ▪ Budavari et al., The Merck Index, London: Chapman & Hall 1996 ▪ Daubert u. Danner, Data Compilation: Tables of Properties of Pure Compounds (mehrbändig), New York: AIChE (seit 1985) ▪ Dechema Chemistry Data Series, Frankfurt: DECHEMA (seit 1977) ▪ Fischbeck u. Fischbeck, Formulas, Facts and Constants, Berlin: Springer 1987 ▪ Flindt, Biologie in Zahlen, Stuttgart: Fischer 1995 ▪ Garvin et al., CODATA Thermodynamic Tables, Berlin: Springer 1987 ▪ Gieck, Technische Formelsammlung, Heilbronn: Gieck 1995 ▪ Green u. Maloney, Perry's Chemical Engineers Handbook, New York: McGraw-Hill 1984 ▪ *Handbook ▪ Hinz, Thermodynamic Data for Biochemistry and Biotechnology, Berlin: Springer 1986 ▪ Horvath, Conversion Tables of Units for Science and Engineering, London: Macmillan 1986 ▪ Howard u. Meylan, Handbook of Physical Properties of Organic Chemicals, Boca Raton: CRC Press 1996 ▪ International Critical Tables ▪ IUPAC Chemical Data Series, Oxford: Pergamon (seit 1974) ▪ Knacke, Kubaschweski u. Hesselmann, Thermochemical Properties of Inorganic Substances (2 Bd.), Berlin: Springer 1991 ▪ *Landolt-Börnstein ▪ Lide, CRC Handbook of Chemistry and Physics, Boca Raton: CRC Press 1997 ▪ Martell, Critical Stability Constants, New York: Plenum Press, 1982–1989 ▪ Palik, Handbook of Optical Constants of Solids, New York: Academic Press 1985 ▪ Radzig u. Smirnov, Reference Data on Atoms, Molecules, and Ions, Berlin: Springer 1985 ▪ Rauscher et al., Chemische Tabellen u. Rechentafeln für die analytische Praxis, Frankfurt: Deutsch 1996 ▪ Saxena u. Surendra, Thermodynamic Data on Oxides and Silicates, Berlin: Springer 1993 ▪ Schweitzer, Corrosion Resistance Tables, New York: Dekker 1986 ▪ Sitzmann, Normalwerte, München: Marseille 1986 ▪ Smith u. Srivasta, Thermodynamic Data for Pure Compounds (2 Bd.), Amsterdam: Elsevier 1986 ▪ Sorbe, Sicherheitstechnische Kenndaten chemischer Stoffe, Landsberg: ecomed (seit 1983) ▪ Sources of Thermodynamic Data on Mesogens, New York: Gordon & Breach 1984 ▪ Stephenson u. Malanowski, Handbook of the Thermodynamics of Organic Compounds, Barking: Elsevier Appl. Sci. Publ. 1987 ▪ Verschueren, Handbook of Environmental Data on Organic Chemicals, London: van Nostrand Reinhold 1996 ▪ Weast u. Astle, CRC Handbook of Data on Organic Compounds, Boca Raton: CRC Press 1985 ▪ Woods u. Garrels, Thermodynamic Values

Tabernanthin [11- bzw. 13-Methoxyibogamin („biogenet." bzw. spezif. Numerierung)].

$C_{20}H_{26}N_2O$, M_R 310,44, Nadeln od. durchscheinende Blättchen, Schmp. 211–212°C, $[\alpha]_D^{25}$ –35° ($CHCl_3$), lösl. in Methanol, Chloroform. *Indol-Alkaloid aus *Tabernanthe iboga* (Apocynaceae) u. a. *Tabernanthe*- sowie *Tabernaemontana*-Arten mit geringer antibakterieller Wirkung sowie blutdrucksenkenden Eigenschaften. – *E* = *F* tabernanthine – *I* = *S* tabernantina
Lit.: Beilstein EV **23/12**, 283 ▪ Eur. J. Pharmacol. **140**, 303 (1987) ▪ R. D. K. (4.), S. 688 ▪ Tetrahedron Lett. **37**, 8289 (1996) ▪ s. a. Iboga-Alkaloide. – *[CAS 83-94-3]*

Tabersonin s. Aspidosperma-Alkaloide.

Tabletten (von latein.: tabuletta = Täfelchen). *Definitionen:* Nach Arzneibuch sind T. „feste, verschieden geformte Arzneizubereitungen, die aus feinkrist., gepulverten od. granulierten Arzneistoffen in der Regel unter Zusatz von Füll-, Binde-, Spreng-, Gleitmitteln od. anderen Hilfsstoffen durch Pressen hergestellt werden. Der Zusatz von Farbstoffen, Geschmackskorrigentien u. Stabilisatoren ist zulässig. Die als Zusatz verwendeten Stoffe müssen physiolog. unbedenklich sein u. dürfen die Inhaltsstoffe der T. nicht nachteilig beeinflussen". Die T. sind meist als kreisrunde od. ovale Scheiben (Plätzchen, Pastillen), Täfelchen, Zylinder, Kugeln (*Pillen), Kugelabschnitte usw. gestaltet. Sie wiegen zwischen 0,006 u. 1 g u. haben einen Durchmesser von 5–16 mm.
Anw.: Nach der Anw.-Weise unterscheidet man: T. mit Wirkung im od. über den Magen-Darm-Trakt; im od. über den Mundraum (Lingual-, Sublingual- bzw. Buccal-T., die sich auf od. unter der Zunge bzw. Backentasche auflösen sollen, Lutsch- u. Kau-T.); Brause-T. (mit Wirkstoff zusammen komprimiertes *Brausepulver); T. zur Herst. von Lsg. z. B. zur Injektion od. T. zur Implantation od. zum Einlegen in Gewebe, Augen u. Vagina; Retard-T. mit verzögerter Wirkstoff-Freigabe. *Dragées sind mit einem Überzug versehene T. (Mantel-T., lackierte od. Film-T.).
Herst.: Die T.-Herst. erfolgt in T.-Pressen. Wichtigste Typen sind die Exzenter- u. die Rundläuferpressen (produzieren bis zu 5000 bzw. ca. 1 Mio./h). Das Pulver wird entweder direkt verpreßt, meist aber vorher granuliert, um das Fließ- u. Haftverhalten zu verbessern. Dazu verwendet man verschiedene Hilfsstoffe, die teilw. auch die Dosierbarkeit u. die pharmakokinet. Eigenschaften verbessern sowie produktionstechn. Vorteile verschaffen sollen. Als Füllstoffe u. Trockenbindemittel für T. dienen u. a. Lactose, Saccharose, Mannit, Sorbit, mikrokrist. Cellulose, Stärke, Calciumhydrogenphosphat u. Polyglykole. Geeignete Bindemittel für die Granulierung sind Stärke, Alginate, Polyvinylpyrrolidon u. bes. Carboxymethylcellulose. Derartige Bindemittel dürfen jedoch die Wirkung der *Tablettensprengmittel nicht beeinflussen. Geeignete Gleitmittel sind z. B. Stärke, Talkum u. Siliciumdioxid. Als Schmiermittel bei der maschinellen T.-Herst. sind Magnesiumstearat u. ä. Metallseifen brauchbar. Die erwähnten Tablettierhilfsstoffe können ggf. mehrere Eigenschaften in sich vereinigen.
Prüfung: Bei der Gütekontrolle der T. wird das Aussehen, die Bruchfestigkeit, Gew.-Abweichung, Zerfallszeit, Löslichkeit u. Keimfreiheit geprüft. Daneben wird die Magensaftresistenz bei dünndarmlösl. T. kontrolliert. Die Herst. von T. ist nicht nur für die pharmazeut. Ind. von Bedeutung, sondern auch in der Süßwaren-Ind., bei Süßstoffen, Düngemitteln, im Haushalt usw. u. allg. in der chem. Technologie als ein Verf. der Preßagglomeration, z. B. in der Metallurgie u. Katalysatoren-Ind. (*Pellets). – *E* tablets – *F* tablettes [comprimées], comprimés – *I* compresse, pastiglie, tavolette – *S* tabletas, comprimidos
Lit.: Hager (5.) **2**, 938–974 ▪ Kirk-Othmer (3.) **17**, 277–282 ▪ Pharm. Unserer Zeit **6**, 131–149 (1977); **7**, 115–126 (1978) ▪ Ph. Eur. 1997 u. Komm. ▪ Sucker et al., Pharmazeutische Technologie, Stuttgart: Thieme 1991 ▪ Ullmann (4.) **18**, 156 ff.; (5.) **B 2**, 7–31.

Tablettensprengmittel (Zerfallhilfsmittel). Bez. für die Hilfsstoffe, die für den raschen Zerfall von *Tabletten in Wasser od. Magensaft u. für die Freisetzung der Pharmaka in resorbierbarer Form sorgen. Je nach Wirkungsmechanismus handelt es sich um Substanzen, die die Porosität der Komprimate erhöhen u. ein großes Adsorptionsvermögen für Wasser besitzen (Stärke, Cellulose-Derivate, Alginate, Dextrane, quervernetztes Polyvinylpyrrolidon u. a.), od. um Gas entwickelnde Substanzen für Brausetabl. (z. B. Natriumhydrogencarbonat u. Citronen- od. Weinsäure), sowie um Hydrophilierungsmittel, die für die Benetzung der Komprimatpartikel sorgen (Polyethylenglykolsorbitanfettsäureester u. a.). – *E* tablet disintegrants – *F* désagrégeants de comprimés – *I* disintegrante di compresse – *S* disgregantes de tabletas
Lit.: s. Tabletten.

Tablettieren. Unter T. versteht man die Formung eines Stoffes zu Tabletten. Die Herst. erfolgt in speziellen T.-Maschinen mit Hilfe von Exzenter- u. Rundlaufpressen. Je nach Anw.-Gebiet werden der Tabl.-Mischung Hilfsstoffe wie Füll-, Binde-, Gleit- u. andere Zusatzmittel zugesetzt. Das Haupteinsatzgebiet von Tabl. findet sich im Arzneimittelsektor. Auch Katalysatoren werden häufig in Tabl.-Form verwendet. – *E* tableting – *F* fabrication de comprimés – *I* pastigliare – *S* fabricación de tabletas (comprimidos)
Lit.: Bauer, Pharmazeutische Technologie, Stuttgart: Thieme 1986 ▪ Ullmann (5.) **A19**, 251; **B2**, 7–34.

Tabtoxin (Wildfeuer-Toxin).

$C_{11}H_{19}N_3O_6$, M_R 289,29, sehr instabile, hygroskop. Nadeln, die unter Ringöffnung das biolog. inaktive δ-Lactam Isotabtoxin bilden. T. ist ein hochgiftiges β-Lactam-Phytotoxin, das von dem Tabak-pathogenen Bakterium *Pseudomonas tabaci* produziert wird. Dieses Bakterium verursacht die Wildfeuer-Krankheit von Tabak-Pflanzen, die zu hohen Verlusten bei der Tabakernte führt. T. blockiert in der Wirtspflanze die Glutamin-Synthetase des photorespirator. Stickstoff-Kreislaufs u. führt zu einer Ammoniak-Anreicherung in der Pflanze, wodurch sie zugrunde geht. Die Giftwirkung geht nicht von T. selbst aus, sondern von *Tabtoxinin* ($C_7H_{14}N_2O_5$, M_R 206,20) das durch Hydrolyse des T. durch eine Aminopeptidase erzeugt wird. – *E* tabtoxin – *F* tabtoxine – *I* tabtossina – *S* tabtoxina

Lit.: Helv. Chim. Acta **73**, 476 (1990) ▪ J. Chem. Soc. Chem. Commun. **1983**, 1049; **1985**, 1549 ▪ J. Med. Chem. **32**, 165–170 (1989) ▪ Stud. Org. Chem. (Amsterdam) **25**, 219–242 (1986) ▪ Tetrahedron **40**, 3695 (1984); **42**, 3097–3110 (1986). – *[CAS 40957-90-2 (T.); 40957-88-8 (Tabtoxinin)]*

Tabun. Deckname für einen zu den *Nervengasen* zählenden *Kampfstoff, 1936 in Deutschland von G. *Schrader entwickelt, wurde im 2. Weltkrieg hergestellt, jedoch nicht eingesetzt; US-Code: GA. Systemat. Name: Dimethylphosphoramidocyansäureethylester (*P*-Cyano-*N,N*-dimethylphosphonamidsäureethylester), $C_5H_{11}N_2O_2P$, M_R 162,13.

Farblose bis bräunliche Flüssigkeit mit fruchtigem, bei Erhitzen bittermandelartigem Geruch, D. 1,073 (bei 25 °C), Schmp. –50 °C, Sdp. 246 °C, mäßig lösl. in Wasser, gut Lipoid-lösl., etwas weniger giftig als *Sarin; zur Wirkungsweise s. dort. T. war der erste als *Nervengas* mit Acetylcholinesterase-hemmender Wirkung entwickelte Kampfstoff. – *E = F = I = S* tabun

Lit.: s. Kampfstoffe u. Sarin. – *[CAS 77-81-6; G 2]*

TAC. 1. Kurzz. (nach ASTM) für *Triallylcyanurat. – 2. Abk. für Time Averaging Computer, s. CAT. – 3. Abk. für Triacetylcellulose, s. Celluloseacetat.

Tacalciol s. Tachysterine.

Tacalcitol (Rp).

Internat. Freiname für das synthet. Vitamin-D_3-Analogon (24*R*)-1α,24-Dihydroxycholecalciferol, $C_{27}H_{44}O_3$, M_R 416,64, λ_{max} (C_2H_5OH) 265 nm. T. wurde 1976 u. 1977 von Teijin patentiert u. ist von Hermal (Curaderm®) gegen Psoriasis im Handel. – *E = F = S* tacalcitol – *I* tacalcitolo

Lit.: Europ. J. Dermatol. **3**, 255–261 (1993) ▪ Martindale (31.), S. 1059f. ▪ Merck-Index (12.), Nr. 9187. – *[CAS 57333-96-7]*

Tacharanit s. Tobermorit.

Tachenius (Tachen, Tackenius), Otto (Anfang des 17. Jh. bis ca. 1700), Arzt, Chemiker u. Naturforscher in Lemgo, Danzig, Königsberg, Venedig. Im Hauptwerk „Hippocrates Chymicus" (1666) beschreibt er, daß Salze aus Alkali u. „Säurerest" zusammengesetzt sind, daß Quarz (Kieselsäure) eine Säure ist, sich die Säuren in ihrer Stärke unterscheiden, Seife das Salz einer öligen Säure ist, Blei bei der Umwandlung in Mennige um etwa $^1/_{10}$ seines Gew. zunimmt. T. warnte vor der Aufbewahrung von Getränken in Kupfergefäßen u. soll erstmals dest. Wasser verwendet haben.

Lit.: Pötsch, S. 415 f.

Tachhydrit (Tachyhydrit). $CaCl_2 \cdot 2MgCl_2 \cdot 12H_2O$ od. $CaMg_2Cl_6 \cdot 12H_2O$. Trigonal (Kristallklasse $\bar{3}$-C_{3i}) kristallisierendes, glasglänzendes, wachs- bis honiggelbes, hygroskop., sehr leicht in Wasser lösl. Mineral, H. 2, D. 1,66. Zur Struktur s. *Lit.*[1].

Vork.: In *Kalisalz-Lagern (z.B. Vienenburg/Harz, Staßfurt) als störende Beimengung. Gesteinsbildend in Salzlagern der Kreide (*Erdzeitalter) entlang der Küste Südamerikas. – *E = F* tachydrite – *I* tacheoidrite – *S* taquihidrita

Lit.: [1] Acta Crystallogr. Sect. B **36**, 2734–2739 (1980). *allg.:* Anthony et al., Handbook of Mineralogy, Vol. III, S. 547, Tucson (Arizona): Mineral Data Publishing 1997 ▪ Gmelin, Syst.-Nr. **27**, Mg, Tl. A, 1952, S. 68 f. ▪ J. Appl. Cryst. **12**, 481 f. (1979) ▪ Schröcke-Weiner, S. 336. – *[CAS 12194-70-6]*

Tachmalcor® (Rp). Dragées mit dem *Antiarrhythmikum Detajmiumbitartrat. *B.:* Arzneimittelwerk Dresden.

Tachmalin. Synonym für *Ajmalin.

Tach(y)... [Tach(o)...]. Von griech.: tachýs = schnell (táchos = Schnelligkeit) abgeleitetes Fremdwortteil; *Beisp.:* benachbarte Stichwörter, Tachometer, Tachykardie (überhöhte Herzfrequenz). – *E = F* tach(y)... – *I* tach(i)... – *S* taqu(i)...

Tachyhydrit s. Tachhydrit.

Tachykardie s. Tach(y)...

Tachykinine [von *Tach(y)...; Abk.: TK]. Sammelbez. für *Oligopeptide (meist 10–12 Aminosäure-Reste) mit der Carboxy-terminalen Aminosäure-Sequenz Phe-Xaa-Gly-Leu-Met-NH_2, die aus verschiedenen Tierspezies als *Gewebshormone u. *Neuropeptide isolierbar sind u. sich durch ihre bes. rasch einsetzende *Kinin-Wirkung auszeichnen: Sie stimulieren die glatte Muskulatur, senken den Blutdruck u. fördern Speichel- u. Tränenfluß. Zur Beteiligung an der Schmerzempfindung s. *Lit.*[1]. Zu den Vertretern zählen *Eledoisin, das Eledoisin-verwandte Peptid, *Kassinin, *Physalaemin, *Neurokinin A (NKA, *Substanz K*), Neurokinin B, *Substanz P u. *Uperolein. Als Aminoterminal verlängerte Derivate von NKA existieren *Neuropeptid K* (NPK, 36 Aminosäure-Reste) u. *Neuropeptid γ* (NP γ, 21 Aminosäure-Reste).

In vivo entstehen die T. durch proteolyt. Spaltung aus *Polyproteinen, den *Präprotachykininen* (PPT, 112–130 Aminosäure-Reste) u. üben ihre Wirkungen durch Bindung an membranständige *Rezeptoren aus, von denen bei Säugetieren 3 Typen bekannt sind (NK_1 bis NK_3), die zur 7-Transmembranhelix-Familie der *G-Protein-gekoppelten Rezeptoren gehören. – *E* tachykinins – *F* tachykinines – *I* tachichinine – *S* taquiquininas

Tachylit   **4378**

Lit.: [1] Nature (London) **392**, 390–394 (1998).
allg.: Int. J. Biochem. Cell. Biol. **28**, 721–738 (1996).

Tachylit. Grünlichschwarzes bis schwarzes, in Säuren leicht lösl., weitgehend undurchsichtiges Gesteinsglas mit der chem. Zusammensetzung von *Basalten. Als T. kann man die glasigen Randpartien der Pillows in Kissenlaven (*Lava) ansehen (z. B. Aci Castello/Sizilien). – *E* = *F* tachylite – *I* tachilite – *S* taquilita
Lit.: Dietrich u. Skinner, Die Gesteine u. ihre Mineralien, S. 191, Thun: Ott 1984.

Tachyphylaxie. Von *Tach(y)... u. griech.: phylaxis = Schutz, Bewachung abgeleitete Bez. für den rasch eintretenden Wirkungsverlust bei wiederholten Gaben eines Wirkstoffs in kurzen Zeitabständen. Die z. B. bei einigen *Sympath(ik)omimetika zu beobachtende T. kann auch durch Dosissteigerung nicht ausgeglichen werden. Eine sich langsamer entwickelnde T. nennt man Toleranz. – *E* tachyphylaxis – *F* tachyphylaxe – *I* tachifilassi – *S* taquifilaxis
Lit.: Goodman u. Gilman, The Pharmacological Basis of Therapeutics, S. 123, 130, New York: McGraw-Hill 1996.

Tachysterine.

(6E) - Form   (6E) - Form

Gemeinsame Bez. für T.$_2$ (C$_{28}$H$_{44}$O, M$_R$ 396,63) u. T.$_3$ (*Tacalciol*, C$_{27}$H$_{44}$O, M$_R$ 384,62). Beide Öle liegen in einer (6E)- u. (6Z)-Form vor, lösl. in organ. Lsm. außer Methanol. Die (6Z)-Formen von T. werden auch als Prävitamin D$_2$ bzw. D$_3$ od. Procalciferol D$_2$ u. D$_3$ bezeichnet. Die T. werden aus *Ergosterin, *Lumisterin* (= 9β,10α-Ergosterin, C$_{28}$H$_{44}$O, M$_R$ 396,63) od. aus Provitamin D$_2$ bzw. D$_3$ durch photochem. Isomerisierungen gebildet. – *E* tachysterols – *F* tachystérols – *I* tachisteroli – *S* taquisteroles
Lit.: Beilstein E IV **6**, 4404 ▪ Merck-Index (12.), Nr. 9198 ▪ Nuhn, Naturstoffchemie (3.), Stuttgart: Hirzel 1997 ▪ Tetrahedron **16**, 146 (1961) ▪ Zechmeister **27**, 131–157. – *Synth.:* J. Chem. Soc. C **1971**, 2352 ▪ J. Chem. Soc. Chem. Commun. **1975**, 858 ▪ s.a. Calciferole, Vitamin D. – *[HS 2906 19; CAS 115-61-7 ((6E)-T.$_2$); 21307-05-1 ((6Z)-T.$_2$); 17592-07-3 ((6E)-T.$_3$)]*

Tack s. Tackifier.

Tackifier (Klebrigmacherharze). Bez. für polymere Zusatzstoffe für *Elastomere, die deren *Autohäsion (*Tack*, Eigenklebrigkeit, Selbsthaftung) erhöhen, so daß sie nach kurzem leichten Andruck fest auf Oberflächen haften (zu Definition u. Bestimmung von Tack s. *Lit.*[1,2]). Um das zu erreichen, müssen T. eine relativ niedrige Molmasse (ca. 200–2000 g/mol) bei breiter Molmassenverteilung[2], eine *Glasübergangstemperatur, die oberhalb der der Elastomeren liegt, u. eine ausreichende Verträglichkeit mit diesen besitzen. Breit eingesetzte T. sind u. a. *Harze, Terpen-Oligomere,

Cumaron-Indenharze, aliphat. petrochem. Harze u. modifizierte *Phenol-Harze[2]. – *E* tackifiers – *F* colles – *I* tackifier – *S* colas
Lit.: [1] Adhes. Age **26**, Nr. 11, 34–38; Nr. 12, 24–28 (1983).
[2] Satas, Handbook of Pressure-Sensitive Adhesion Technology, 2. Aufl., S. 38–60, New York: van Nostrand Reinhold 1989.
allg.: Adhes. Age **30**, Nr. 7, 19–23 (1987) ▪ Rubber Chem. Technol. **61**, 448–469 (1988).

Taconit s. gebänderte Eisensteine.

tac-Promotor s. Hybrid-Promotoren.

Tacrin (Rp).

Internat. Freiname für das *Parasympath(ik)omimetikum 1,2,3,4-Tetrahydro-9-acridinamin, C$_{13}$H$_{14}$N$_2$, M$_R$ 198,26, oktaedr. Krist., Schmp. 183–184 °C. Verwendet wird meist das Hydrochlorid, Schmp. 283–284 °C. T. ist ein *Cholin-Esterase-Hemmer mit ähnlichen Wirkungen wie *Neostigmin. Es ist von Parke Davis (Cognex®) gegen die *Alzheimersche Krankheit im Handel. – *E* = *F* tacrine – *I* = *S* tacrina
Lit.: Beilstein E V **22/10**, 480 ▪ Clin. Toxicol. **16**, 269–281 (1980) ▪ Martindale (31.), S. 1427f. ▪ Pharm. Ind. **49**, 380 (1987). – *[HS 2933 90; CAS 321-64-2 (T.); 1684-40-8 (Hydrochlorid)]*

Tacrolimus. Internat. Freiname für das Immunsuppressivum *FK506. T. wurde 1986 von Fujisawa (Prograf®) patentiert.

Tactit s. Skarn.

Taddole (α,α,α′,α′-Tetraaryl-1,3-dioxolan-4,5-dimethanole).

R^1, R^2 z.B.: R^1 = R^2 = H
R^1 = C(CH$_3$)$_3$, R^2 = H
R^1 = R^2 = CH$_3$
R^1—R^2 = —(CH$_2$)$_5$—
R^3 = Aryl

T. haben sich als Hilfsstoffe für die Anw. der verschiedensten Meth. zur Herst. enantiomerenreiner Verb. bewährt. Im Gegensatz zu anderen breit anwendbaren chiralen Liganden wie z. B. den Binaphthyl-Derivaten sind die T. sehr stabil u. leicht zugänglich; die Herst. enantiomerenreiner T. erfolgt ausgehend von (+)- od. (−)-*Weinsäure über die entsprechenden 1,3-Dioxolan-4,5-dicarboxylate, die wiederum mit überschüssiger Aryl-Grignard-Verb. zu den entsprechenden T. umgesetzt werden. Eine ausführliche Beschreibung der Herst. u. Verw. einer Vielzahl von T. gibt *Lit.*[1]. – *E* = *F* taddols – *I* taddoli – *S* taddoles
Lit.: [1] Chimia **45**, 238ff. 1991.
allg.: Angew. Chem. **109**, 2785 (1997) ▪ Paquette **3**, 2028.

TAED s. Bleichaktivatoren.

Taenit s. Meteoriten.

Tätowierung (von tahit.: tatau = Zeichen, Malerei). Beim Tätowieren werden in der *Haut durch zahlreiche Nadelstiche u. nachheriges Einreiben unlösl. Pigmente u. a. Pulver (Tusche, Tinte, Ruß, Zinnober, Asche, Schießpulver, Berliner Blau u. dgl.) haltbare Figuren hervorgerufen. Die eingeriebenen Stoffe heilen in die Haut ein u. können im Laufe der Zeit allmählich wieder verschwinden, wenn der Farbstoff lösl. ist. Zur Toxikologie der Farbstoffe s. Lit.[1]. Die Entfernung von T. kann auf mechan. Wege durch Abschleifen, z. B. mit Speisesalz als Schleifmittel, od. Abfräsen der Haut od. chem., z. B. mit H_2O_2 od. $KMnO_4$ versucht werden[2]; beim Einsatz von Laserstrahlen entstehen leicht Narben. – *E* tattoo(ing) – *F* tatouage – *I* tatuaggio – *S* tatuaje

Lit.: [1] Med. Welt **38**, 1253–1257 (1987). [2] Hautarzt **41**, 149–150 (1990).

allg.: Z. Ärztl. Fortbild. **84**, 339–341 (1990).

Tätte (Langmilch). Fadenziehendes, lang haltbares *Sauermilch-Erzeugnis, das v. a. in Skandinavien getrunken wird. Durch Einlegen von Fettkraut (*Pinguicula vulgaris*) gelangen mesophile Mikroorganismen der Gattung *Streptococcus* (z. B. *Streptococcus cremoris*) u. *Leuconostoc* in die *Milch. Bei niedrigen Gärtemp. sondern diese Schleimsubstanzen ab, die die fadenziehende Struktur der T. hervorrufen. T. wird entweder direkt konsumiert od. zu *Käse verarbeitet. – *E* = *I* = *S* taette

Lit.: Belitz-Grosch (4.), S. 474 ■ Renner (Hrsg.), Nährwerttabellen für Milch u. Milchprodukte, Gießen: Renner, Loseblattsammlung ab 1986, Stand: 1991. – [HS 0403 90]

TAF. Abk. für TBP-assoziierten Faktor, s. TATA-bindendes Protein.

Tafelkreide s. Schulkreide.

Tafelleim s. Leime.

Tafelsalz s. Natriumchlorid u. Speisesalz.

Tafel-Umlagerung. Von Tafel 1907 aufgefundene, als Nebenreaktion ablaufende Gerüstumlagerung bei der elektrolyt. Red. (Blei-Kathode, alkohol. H_2SO_4) von substituierten *Acetessigestern.

– *E* Tafel rearrangement – *F* réarrangement de Tafel – *I* trasposizione di Tafel – *S* transposición de Tafel

Lit.: Houben-Weyl **5/1a**, 280, 471 ■ Krauch u. Kunz, Reaktionen der Organischen Chemie, 6. Aufl., S. 6, Heidelberg: Hüthig 1997.

Tafelwässer. T. werden aus *Mineral-, *Trink- u./od. *Meerwasser unter Zusatz von Alkali- u. Erdalkali-Carbonaten bzw. -Chloriden hergestellt. Bei der Klassifizierung u. rechtlichen Beurteilung von T. ist neben den unter Mineralwasser gemachten Angaben zu berücksichtigen, daß für T. die gleichen Grenzwerte für chem. Stoffe gelten, wie für Trinkwasser (s. Mineral- u. Tafelwasser-VO[1], Trinkwasser-VO[2]). Produktionszahlen (BRD 1990): 91,7 Mio. Liter; s. Mineralwasser u. Trinkwasser. – *E* table waters – *F* eaux de table – *I* acque da tavola – *S* aguas de mesa

Lit.: [1] Mineral- u. Tafelwasser-VO vom 1.8.1984 in der Fassung vom 27.4.1993 (BGBl. I, S. 512, 527). [2] Trinkwasser-VO vom 22.5.1986 in der Fassung vom 26.2.1993 (BGBl. I, S. 278).

allg.: Belitz-Grosch (4.), S. 893. – [HS 2201 10]

Tafil® (Rp). Tabl. mit *Alprazolam, einem *1,4-Benzodiazepin gegen Angstzustände. *B.:* Pharmacia & Upjohn.

Taft-Gleichung. Von R. W. Taft jr. (geb. 1922) entwickelte sog. *lineare *freie* (od. Gibbs-) *Energie-Beziehung* (LFEB), mit der sich – über die entsprechenden *Reaktionsgeschwindigkeiten bzw. die *chemischen Gleichgewichte – säure- u. basenkatalysierte Esterbildungen u. -hydrolysen, Solvolysen, Säure- u. Basenstärken miteinander vergleichen u. auf die Einflüsse evtl. vorhandener *Substituenten untersuchen lassen. Die T.-G. erfaßt elektron. (polare, ρ^* u. σ^*) u. ster. (E_S), ggf. auch Resonanz-Einflüsse (E_R) der Mol.-*Struktur auf die *Aktivierungsenergien:

$$\lg (k/k_0) = \rho^* \sigma^* + E_S (+ E_R),$$

wobei k die Reaktionsgeschw.-Konstante der betreffenden Substanz bzw. k_0 die der Referenzsubstanz (z. B. mit einer Methyl- anstelle einer anderen funktionellen Gruppe) ist. Wie in der *Hammett-Gleichung sind ρ^* eine Reaktionskonstante u. σ^* eine Substituentenkonstante, deren jeweiliger Wert nach Taft in eine Polaritätsskale eingeordnet werden kann; ρ^* u. σ^* werden gelegentlich auch *Taft-Konstanten* genannt. Die Taft-Beziehung ist bes. bei Struktur-Wirkungs-Betrachtungen (vgl. QSAR u. Hansch-Analyse) von Nutzen. – *E* Taft equation – *F* équation de Taft – *I* equazione di Taft – *S* ecuación de Taft

Lit.: Chem. Unserer Zeit **19**, 197–208 (1985) ■ Prog. Phys. Org. Chem. **16**, 1–236 (1987) ■ Shorter, Correlation Analysis of Organic Reactivity, Chichester: Res. Studies Press 1982 ■ Top. Curr. Chem. **114**, 119–157 (1983).

Taft-Konstanten s. Taft-Gleichung.

D-Tagatose (D-*lyxo*-2-Hexulose).

$C_6H_{12}O_6$, M_R 180,16, Schmp. 134–136 °C, $[\alpha]_D^{20}$ −2,3° (c 2,2/H_2O) leicht lösl. in Wasser. Seltene, mit *Sorbose epimere Ketohexose aus Pflanzengummen, bes. des trop. Baumes *Sterculia sefigera*. T. kann auch aus *Lactose in hocherhitzter Milch entstehen. Die Synth. erfolgt durch alkal. Isomerisierung von D-*Galactose od. durch Oxid. von D-Altrit mit *Acetobacter suboxydans*, zur stereoselektiven Synth. s. Lit.[1]. – *E* = *F* D-tagatose – *I* D-tagatosio – *S* D-tagatosa

Lit.: [1] Chem. Lett. **1982**, 1169.

allg.: Angew. Chem., Int. Ed. Engl. **31**, 56 (1992) (Synth.) ■ Adv. Carbohydr. Chem. Biochem. **42**, 15 (1984) ■ Beilstein E IV **1**, 4414 ■ Carbohydr. Res. **274**, 197 (1995) (Synth.) ■ Karrer, Nr. 620 ■ Merck-Index (12.), Nr. 9202 ■ Nuhn, Naturstoffchemie (3.), Stuttgart: Hirzel 1997. – [HS 294000; CAS 87-81-0 (D-T.); 512-20-9 (α-D-T.); 17598-82-2 (L-T.)]

Tagebau. Bez. für Bergwerke, bei denen der Abbau unter freiem Himmel stattfindet. Die an der Erdoberfläche liegenden *Lagerstätten werden durch riesige Schaufelrad- u. Schürfkübelbagger treppenförmig in sog. Strossen abgebaut od. durch Sprengung gelöst. Zu den Rohstoffen, die im T. gewonnen werden, gehören Steine u. Erden, Braunkohle, Phosphat, Bauxit, Kupfer-, Eisen- u. Titanerze. – *E* surface mining, strip mining – *F* mine à ciel ouvert – *I* industria mineraria a cielo aperto – *S* mina a cielo abierto

Lit.: DeVore et al., Symposium on Surface Mining, Hydrology, Sedimentology and Reclamation (7 Bd.), Lexington, KY: OES Publications 1979–1985 ▪ Kennedy, Surface Mining, Littleton, CO: Soc. Mining, Metallurgy, Exploration 1990.

Tagescremes s. Hautpflegemittel.

Tagesleuchtfarben. Bez. für Anstrichstoffe u. als *optische Aufheller eingesetzte Textilhilfsmittel, die bei Tage v. a. im Sonnenlicht, bei Nacht unter der Einwirkung von ultraviolettem Licht leuchten. Die erhöhte Leuchtkraft beruht auf der Fähigkeit der T., nicht nur die Eigenfarbe zu zeigen, sondern auch die im Tageslicht enthaltenen Anteile an ultraviolettem in sichtbares Licht umzuwandeln u. dadurch die Lichtwirkung zu verstärken. Signalflaggen mit T. sollen auf eine ca. 50% weitere Entfernung wahrnehmbar, Flugzeuge mit T.-Anstrichen besser sichtbar sein (Vermeidung von Zusammenstößen). Chem. handelt es sich bei den T. meist um *Leuchtpigmente u. feinpulverisierte organ. Gläser (Polyvinylchlorid, Aminoplaste u. dgl.), die mit fluoreszierenden Farbstoffen (Rhodamin, Fluorescein u. dgl.) gefärbt sind; zur Wirkungsweise vgl. Fluoreszenz u. Leuchtstoffe.

Verw.: In *Reflexfolien, zum Pigmentieren von Sicherheits- u. Warnanstrichfarben, Kunststoffen u. zum Bedrucken von Textilien; s. a. optische Aufheller. – *E* daylight-fluorescent dyes – *F* colorants à fluorescence de jour – *I* coloranti fluorescenti diurni – *S* colorantes de fluorescencia diurna

Lit.: Kirk-Othmer (4.) **15**, 584–607 ▪ Römpp Lexikon Lacke u. Druckfarben, S. 549 ▪ Ullmann (4.) **17**, 459–473; (5.) **A 11**, 279–291.

Tagestonnen s. tato.

Tagetes. Zu den Asteraceae gehörende Gattung von einjährigen, in Südamerika, Mexiko u. Afrika heim. Pflanzen, die in Europa als Zierpflanzen (Afrikan. Ringelblume, Samtblume, Studentenblume) angebaut werden. Wegen ihres Reichtums an Carotinoiden wurden Blütenextrakte zur Verfälschung von Fruchtgetränken auf Orangenbasis herangezogen, außerdem zum Tuchfärben (z. B. Indien) u. als Zusatz zum Hühnerfutter zur Dotterfärbung. Ether. Öle für die Parfümerie gewinnt man aus *T. minuta* u. *T. erecta*; letztere enthält z. B. ca. 32% (+)-*Limonen, 25,6% *Ocimen, 12,7% Linalylacetat (s. Linalool), 9,8% (–)-*Linalool, 6,2% Tageton u. 2,4% Nonanal. Je 100 kg Frischpflanzen geben nur etwa 10 g Tagetesöl. Aus den Blüten kann Helenien gewonnen werden; die Polyacetylen-Fraktion wirkt nematizid. – *E* tagetes, marigold – *F* tagète, oeillit d'Inde – *I* tageti – *S* clavel de las indias, clavelon

Lit.: Franke, Nutzpflanzenkunde, 6. Aufl., S. 462, Stuttgart: Thieme 1997.

Tagging (von engl. tag = Etikett, Anhänger). Bez. für Analysen- u. Identifizierungsverf., deren Prinzip darauf beruht, daß nicht direkt zu identifizierende Sub-

stanzen od. *Gene mit einem „tag" verknüpft werden, das leicht u. spezif. identifiziert werden kann.

1. gene t.: Verf. zur Analyse u. zum *Klonieren von Genen, die nicht direkt identifizierbar sind. Hierbei wird ein Gen mit einem zweiten Gen od. auch nur mit einer anderen, fremden, jedoch leicht identifizierbaren DNA-Sequenz als „tag" verknüpft. Mit einer für das „tag" spezif. Sonde (s. Gensonden) kann dann der ihm benachbarte Bereich gesucht, isoliert u. analysiert werden. T. von Genen wird meist durch *Insertion von bekannten *Transposonen in od. in die Nähe der gesuchten Gene verursacht; man spricht dann auch von *Transposon-tagging.* Die DNA des Transposons wird später für die Identifizierung des markierten Gens eingesetzt.

*2. t. in der *kombinatorischen Synthese:* Durch kombinator. Synth. erzeugte Substanzbibliotheken werden mit tag-Mol. eindeutig codiert. Diese tags sind einfach zu analysieren, z. B. chem. inerte Halogenarene mittels *Gaschromatographie. Durch die Analyse der tags können die in einem anschließenden *(Wirkstoff-) Screening der Bibliothek gefundenen aktiven Substanzen leicht identifiziert werden [1].

3. Derivatisierung von chem. Verb.: Im weiteren Sinne bezeichnet man auch die Derivatisierung von zu analysierenden Substanzen mit Reagenzien zu Verb., die mittels HPLC, GC-MS od. RIA analysiert werden können, als *t.-Techniken* [2]. – *E = I* tagging – *S* marcación

Lit.: [1] J. Med. Chem. **37**, 1233–1251 (1994). [2] J. Chromatogr. Biomed. Appl. **671**, 91–112 (1995).

Tagilit s. Pseudomalachit.

Tagonis® (Rp). Filmtabl. mit dem *Antidepressivum *Paroxetin-Hydrochlorid. *B.:* Janssen-Cilag.

TAGU. Abk. für *Tetra*acetyl*g*lykol*ur*il, einen *Bleichaktivator ohne Marktbedeutung.

Taiguinsäure s. Lapachol.

Tailing (von engl.: tail = Schwanz, Schweif; fig = Schwanz-, unteres Ende). Bez. für das Anhängen von Desoxyribonucleotiden an die 3'-Enden von *DNA durch das Enzym *terminale Desoxyribonucleotidyltransferase*, einer speziellen *Polymerase, die keine Matrize benötigt. – *E = I* tailing

Lit.: Nucleic Acids Res. **23**, 1271–1272 (1995); **24**, 1789–1791 (1996) ▪ Stryer 1996, S. 394.

Tainton-Verfahren s. Zink (Herst.).

Takata-Reaktion (Takata-Ara-Reaktion). Nach den japan. Pathologen M. Takata u. K. Ara benannte Reaktion zur Untersuchung des Eiweiß-Gehaltes von Serum od. *Liquor. Bei Vermehrung der Globuline mit gleichzeitiger Albumin-Verminderung (z. B. infolge eines chron. Leberschadens) tritt in mit $NaCl/Na_2CO_3$-Lsg. verd. Serum auf Zugabe von Sublimat-Lsg. ($HgCl_2$) Trübung od. Flockung, bei Verw. des sog. *Takata-Reagenzes* (0,5%ige $HgCl_2$-Lsg. +0,02%ige Neufuchsin-Lsg.) auch ein blauvioletter Niederschlag ein. – *E* Takata reaction – *F* réaction de Takata – *I* reazione di Takata – *S* reacción de Takata

Takeda. Kurzbez. für die 1781 gegr. japan. Firma Takeda Chemical Industries Ltd., 3–6, Dosho-machi, 2-

chome, Chuo-Ku, Tokyo 103-8668, Japan. *Daten (1998)*: 16 443 Beschäftigte, 6,4 Mrd. $ Umsatz. *Produktion*: Holzschutzmittel, Konservierungsmittel, Pharmazeutika, Chemikalien zur Wasserreinhaltung, Aktivkohle. *Vertretung* in der BRD: Takeda Pharma GmbH, Viktoriaallee 3–5, 52066 Aachen, Takeda Europe GmbH, 20095 Hamburg.

Taktische Polymere s. Taktizität.

Taktizität (von griech.: taktós = geordnet, vgl. Taxis). Nach IUPAC[1] versteht man unter T. „die Regelmäßigkeit, mit der die konfigurativen Repetiereinheiten in der Hauptkette eines *Makromoleküls aufeinanderfolgen". Die T. beschreibt somit die relative *Stereoisomerie von Makromol., für die *Natta et al. schon in den 50er Jahren (vgl. *Lit.*[2]) Definitionen vorgeschlagen hatten, die von der *Konfiguration der als chiral od. prochiral gebaut betrachteten Bausteine ausgehen. Schon früh hatte man nämlich erkannt, daß z. B. bei regiospezif. *Polymerisationen (s. Kopf/Schwanz-Polymerisation) monosubstituierter *Vinylmonomerer H$_2$C=CH–A (A≠H) jedes tert. C-Atom in der resultierenden *Polymer-Kette als (pro)chirales Zentrum aufgefaßt werden kann. Grundlage hierfür ist, daß die Längen x u. y der an jedem tert. C-Atom gebundenen zwei Rest-Ketten lediglich im Falle der zentralen Wiederholungseinheit u. bei gleichen Endgruppen R^1 u. R^2 ident., ansonsten aber verschieden sind (s. Abb. 1).

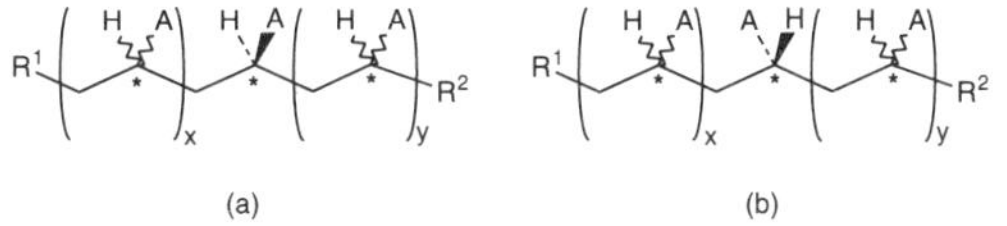

Abb. 1: Enantiomere Konfigurationen polymerisierter Vinylmonomerer.

Die beiden möglichen enantiomeren (spiegelbildlichen) Konfigurationen (a) u. (b) sind damit nur unter Aufbrechen einer chem. Bindung ineinander überführbar, nicht aber durch Drehung um Einfachbindungen (s. Rotation). Die aus einer solchen Vinylpolymerisation resultierenden Makromol. kann man daher gemäß der in ihnen vorliegenden Abfolge relativer Konfigurationen unterteilen in *isotakt.*, *syndiotakt.* u. *ataktische*. Dazu „schreitet" man die Kette von einem Ende her in einer Richtung ab u. stellt die relative Konfiguration eines jeden angetroffenen (pseudo)asymmetr. Kettenatoms relativ zum vorangegangenen fest. Von *Isotaktizität* spricht man dann, wenn die hierbei festgestellte relative Konfiguration aller (pseudo)asymmetr. Kettenatome stets die gleiche ist, d. h. die Kette aus nur einer einzigen konfigurativen Repetiereinheit aufgebaut ist (s. isotaktische Polymere); in der Fischer-Projektion (c) sind bei diesen Polymeren die Substituenten A daher immer auf der gleichen Seite angeordnet. In der Praxis erkennt man diesen Fall z. B. bei der T.-Analyse durch *NMR-Spektroskopie daran, daß die Ketten ausschließlich aus isotakt. *Triaden (f) bestehen (s. Abb. 2).

Von *Syndiotaktizität* spricht man dagegen, wenn die relative Konfiguration aufeinander folgender (pseudo)asymmetr. Kettenatome jeweils gerade entgegengesetzt ist, d. h. die Kette alternierend aus zwei ver-

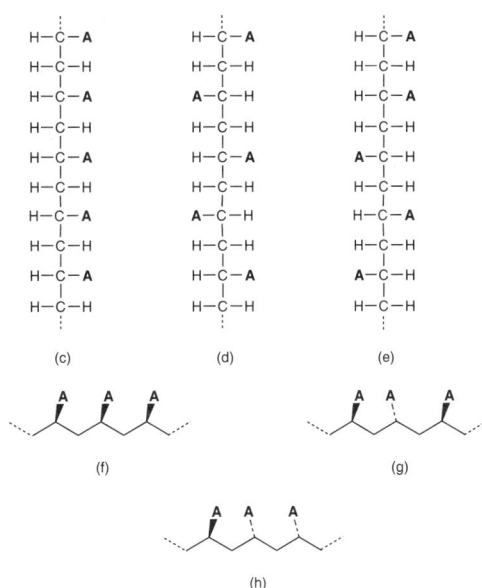

Abb. 2: Kettenausschnitte isotakt. (c), syndiotakt. (d) u. atakt. (e) Vinylpolymerer (Darst. in der Fischer-Projektion) u. isotakt. (f), syndiotakt. (g) u. heterotakt. (h) Triaden (Darst. in der Natta-Projektion).

schiedenen konfigurativen Repetiereinheiten aufgebaut ist. In der Fischer-Projektion (d) sind bei syndiotakt. Polymeren die Substituenten A alternierend angeordnet; bei der Taktizitätsanalyse stellt man fest, daß die Ketten nur aus syndiotakt. Triaden (g) bestehen. Bei *atakt.* Polymeren schließlich sind die verschiedenen konfigurativen Repetiereinheiten entlang der Kette zufällig angeordnet. Die Taktizitätsanalyse zeigt neben iso- u. syndiotakt. Triaden zusätzlich einen charakterist. Anteil heterotakt. Triaden (h).

Neben diesen Reinformen takt. Polymerer kennt man zahlreiche Zwischenformen, die v. a. durch *Koordinationspolymerisation erhalten werden. So kann die Stereoregularität einer isotakt. Kette z. B. durch gelegentlichen „falschen" Einbau von Monomereinheit gestört sein (i). Das Ausmaß solcher Fehlstellen kann durch den Anteil syndio- u. heterotakt. Triaden im ansonsten nur aus isotakt. Triaden bestehenden Polymer quantifiziert werden. Einen anderen Spezialfall stellen die erst in jüngerer Zeit gut zugänglichen *Stereoblockpolymere* dar, die aufgrund ihrer Kettenstruktur z. T. hochinteressante Materialeigenschaften zeigen. Die Makromol. können hier z. B. aus mehreren isotakt. *Stereoblöcken* entgegengesetzter relativer Konfiguration bestehen (k). Die mittlere Länge der einzelnen Blöcke kann hier z. B. über den Anteil heterotakt. Triaden (h) quantifiziert werden. In wieder anderen Stereoblockpolymeren können sich z. B. isotakt. mit (l) syndiotakt. od. (m) atakt. Blöcken abwechseln (s. Abb. 3, S. 4382).

Einen weiteren Spezialfall stellen die sog. *hemitakt. Polymere* dar. Von *Hemitaktizität* spricht man, wenn die Makromol. zwei hinsichtlich ihrer stereochem. Sequenz zu unterscheidende, chem. aber ident. Sorten (pseudo)asymmetr. Kettenatome enthalten, die einan-

Taktizität

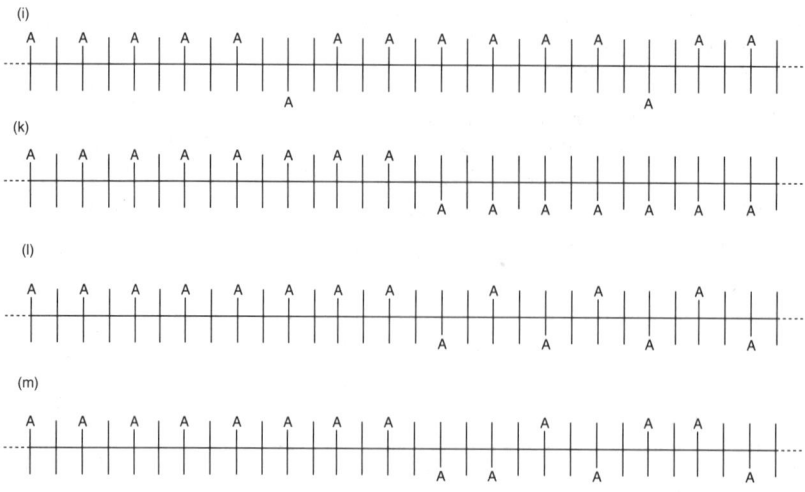

Abb. 3: Einige Spezialfälle takt. Polymerer; zur Erläuterung s. Text.

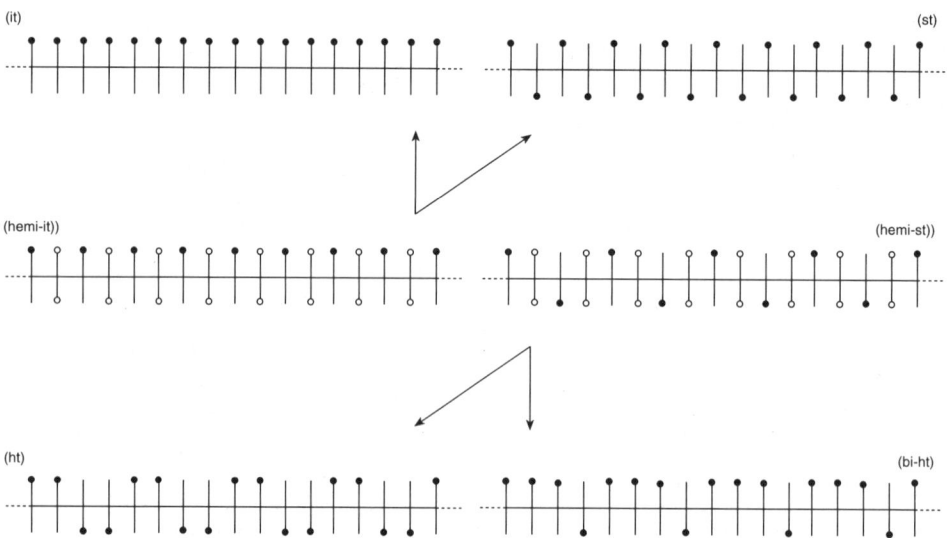

Abb. 4: Schemat. Darst. von Ausschnitten aus isotakt. (it), syndiotakt. (st), hemi-isotakt. (hemi-it), hemi-syndiotakt. (hemi-st), heterotakt. (ht) u. bi-heterotakt. (bi-ht) Ketten. Substituenten exakt definierter räumlicher Anordnung sind durch schwarze Punkte gekennzeichnet, solche beliebiger Konfiguration durch offene Kreise.

der in den Ketten abwechseln u. von denen nur eines hinsichtlich seiner relativen Konfiguration exakt definiert ist, das andere jedoch eine zufällige Stereosequenz aufweist. Folglich ist nur eine Hälfte der (pseudo)asymmetr. Kettenatome takt. (hemi = halb), die andere ataktisch. Entsprechend unterscheidet man zwischen hemi-isotakt. (hemi-it) u. hemi-syndiotakt. (hemi-st) Polymeren. Hemi-isotakt. Polymere gehen in isotakt. (it) bzw. syndiotakt. (st) über, wenn die zunächst undefinierte zweite Hälfte der (pseudo)asymmetr. Kettenatome ihrerseits eine isotakt. Sequenz gleicher bzw. entgegengesetzter relativer Konfiguration aufweist. Hingegen resultieren aus hemi-syndiotakt. Polymeren entweder heterotakt. Polymere (ht), falls die zunächst undefinierten Stereozentren eine syndiotakt. Abfolge erhalten. Weisen diese hingegen eine isotakt. Ordnung auf, so resultieren aus den hemi-syndiotakt. Polymeren die sog. bi-heterotakt. Polymere (bi-ht) (s. Abb. 4).

Die Analyse der Stereostruktur von Polymeren wird komplizierter, wenn man von den bisher besprochenen, sog. *monotakt. Polymeren* mit nur einem chem. unterscheidbaren Stereoisomerie-Zentrum je Grundbaustein auf *ditakt. Polymere* übergeht. Solche Makromol. entstehen z. B. durch die Polymerisation von 1,2-disubstituierten Ethylen-Derivaten A–HC = CH–B mit $A \neq B \neq H$ (z. B.: $A = CH_3$, $B = C_2H_5$: Penten-2). Hier ist jedes C-Atom der Ketten (pseudo)asymmetr. u. die konstitutive Repetiereinheit besitzt zwei chem. unterschiedliche Stereoisomerie-Zentren. In diesem Fall können die takt. Polymere prinzipiell vier verschiedene Konfigurationen besitzen, da für jedes der beiden asymmetr. Kettenatome je zwei Anordnungen möglich sind. Sind beide Bausteine entweder nur isotakt. od. nur syndiotakt., so resultieren entweder diisotakt. od. aber disyndiotakt. Polymere (s. Abb. 5).

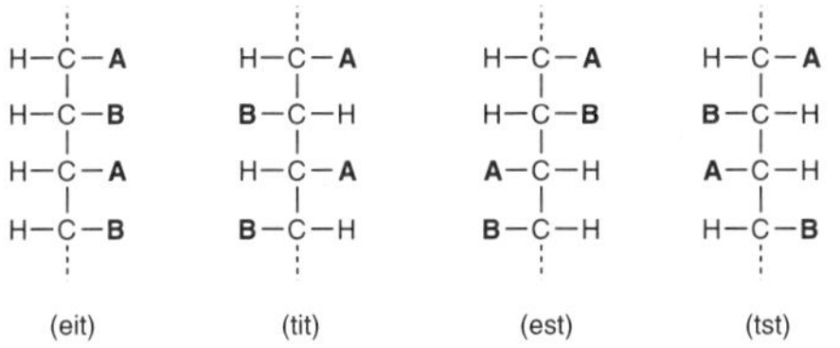

```
H—C—A      H—C—A      H—C—A      H—C—A
H—C—B      B—C—H      H—C—B      B—C—H
H—C—A      H—C—A      A—C—H      A—C—H
H—C—B      B—C—H      B—C—H      H—C—B
 (eit)      (tit)      (est)      (tst)
```

Abb. 5: Schemat. Darst. (Fischer-Projektion) der vier Konfigurationen eines ditakt. Polymers; eit = *erythro*-di-isotakt., tit = *threo*-di-isotakt., est = *erythro*-di-syndiotakt., tst = *threo*-di-syndiotaktisch.

Polymere mit gleicher Abfolge der Grundbausteine in der Fischer-Projektion werden in Analogie zu der bei niedermol. Verb. üblichen Nomenklatur als *erythro*-, solche mit abwechselnder Folge als *threo*-Polymere bezeichnet. Diese Unterschiede rühren von der Stereochemie der Ausgangsverb. her: Ist das Monomere *cis*-substituiert, so resultiert die *threo*-Form, im Falle der *trans*-Substitution dagegen die *erythro*-Form. Einen Spezialfall dieser ditakt. Polymere stellen solche dar, die durch Polymerisation von Doppelbindungen ungesätt. Ringe entstehen. Auch hier können, wie für das Polycyclohexen in Abb. 6 gezeigt, vier Grenzfälle unterschieden werden.

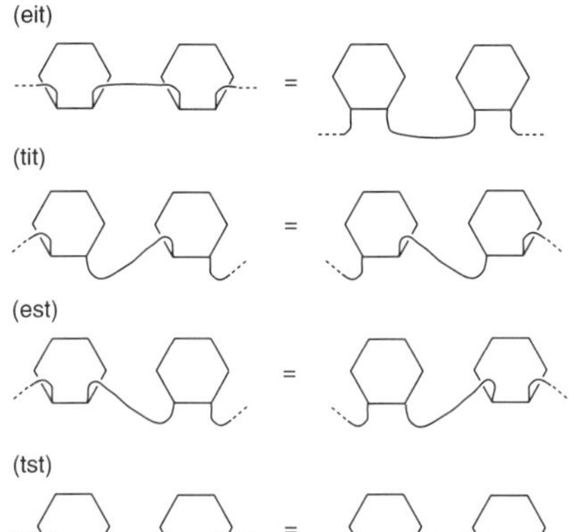

(eit)

(tit)

(est)

(tst)

Abb. 6: Schemat. Darst. (Fischer-Projektion) der vier möglichen Konfigurationen des ditakt. Polycyclohexens: eit = *erythro*-di-isotakt., tit = *threo*-di-isotakt., est = *erythro*-di-syndiotakt., tst = *threo*-di-syndiotaktisch.

Bei der Polymerisation von Acetylen od. der 1,4-Verknüpfung von 1,3-Dienen (z. B. Butadien, Isopren) unter Erhalt von Polymeren mit Mehrfachbindungen in der Hauptkette können *cis*- (od. Z-) bzw. *trans*- (od. E-) Isomere entstehen (s. Abb. 7).
Diese Art der Isomerie bezeichnet man auch als *geometr. Isomerie* u. die Polymere definierter geometr. Isomerie als *cis*- bzw. *trans*-taktisch. Ein Beisp. für ein *cis*-takt. Polymer ist der *Naturkautschuk; *trans*-takt. Polymere sind hingegen z. B. Balata od. *Guttapercha; die so strukturierten *Kautschuke bezeichnet man auch als *Stereokautschuke* (s. Polybutadiene). Generell entstehen takt. Polymere durch stereospezif. Polymerisationen.

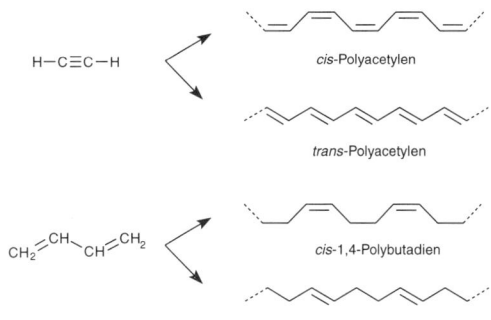

Abb. 7: Mögliche Produkte bei der Polymerisation von Acetylen u. Butadien.

Eine experimentelle Bestimmung der jeweils vorliegenden Taktizität ist z. B. mit Hilfe der IR-Spektroskopie u. NMR-Spektroskopie möglich – in Einzelfällen, wie bei Fluor-haltigen Polymeren auch mittels ^{19}F-NMR-Spektroskopie. Da takt. Polymere im Gegensatz zu atakt. kristallisieren können, ist auch der Einsatz der Röntgenstrukturanalyse zur Bestimmung der T. möglich. Höhere Kristallinität der Kunststoffe als Folge ausgeprägter T. der Polymeren ist verantwortlich für größere Steifheit, Härte, Formbeständigkeit u. Wärmeleitfähigkeit u. für die Abnahme der spezif. Wärme, der Transparenz u. des Schmelzbereichs. – *E* tacticity – *F* tacticité – *I* tatticità – *S* tacticidad
Lit.: [1]Pure Appl. Chem. **53**, 733–752 (1981). [2]Makromol. Chem. **38**, 13–26 (1960).
allg.: Batzer **1**, 644ff. ■ Chem. Unserer Zeit **9**, 25–32 (1975) ■ Cowie, S. 140ff. ■ Elias (5.) **1**, 136–151, 200–203 ■ Encycl. Polym. Sci. Eng. **10**, 197–202 ■ Encycl. Polym. Sci. Technol. **13**, 13–122 ■ Houben-Weyl **14/2**, 933f., 938f. ■ Metanomski, Compendium of Macromolecular Nomenclature, S. 29–35, Oxford: Blackwell Sci. Publ. 1991.

Taktosole s. Kolloidchemie, S. 2212.

TA Lärm (Techn. Anleitung Lärm). Die TA L. enthält Vorschriften zum Schutz vor Lärm u. ist maßgebend zur Erfassung u. Beurteilung von Geräuschemissionen aus Gewerbe u. Industrie. Die 1968 erlassene Verwaltungsvorschrift[1] stützte sich ursprünglich auf die *Gewerbeordnung u. gilt nach § 66 Abs. 2 *Bundes-Immissionsschutzgesetz fort. Sie richtet sich an Behörden u. ist zur Antragsprüfung bei Errichtung einer *genehmigungsbedürftigen Anlage, Veränderung der Betriebsstätte u. wesentlicher Veränderung des Betriebs sowie bei nachträglichen Anforderungen anzuwenden. Die TA L. definiert Lärm als „Schall (Geräusch), der Nachbarn od. Dritte stören (gefährden, erheblich benachteiligen od. erheblich belästigen) kann od. stören würde". Sie enthält Meßvorschriften zur Ermittlung von Geräusch-*Emissionen u. -*Immissionen sowie Immissions-Richtwerte, aufgeschlüsselt nach der Gebietsnutzung (s. Tab. S. 4384). Vom Länderausschuß Immissionsschutz wurde 1995 eine Musterverwaltungsvorschrift zur Ermittlung, Beurteilung u. Verminderung von Geräuschimmissionen (Musterverwaltungsvorschrift Lärm) verabschiedet, die auch Regelungen für nicht genehmigungsbedürftige Anlagen vorsieht[2].

Talaromycine

Tab.: Immissionsrichtwerte der TA Lärm in dB(A).

	tags	nachts
mit der Anlage baulich verbundene Wohnungen	40	30
Kurgebiete, Krankenhäuser	45	35
reine Wohngebiete	50	35
vorwiegend Wohngebiete	55	40
Wohnungen u. Gewerbebetriebe	60	45
vorwiegend Gewerbebetriebe	65	50
nur Gewerbe u. Ind.		70

– *E* technical regulations to control noise – *F* instructions techniques sur le bruit – *I* norma amministrativa sul rumore – *S* instrucciones técnicas sobre ruidos
Lit.: [1] 4. Allg. VwV über genehmigungsbedürftige Anlagen nach § 16 der Gewerbordnung – GewO. Technische Anleitung zum Schutz gegen Lärm (TA Lärm) vom 16.7.1968, Beilage BAnz. Nr. 137 (1968). [2] Bundesratsdrucksache 254/98, S. 42–49 (1998).
allg.: Beck Texte in dtv, Bundes-Immissionsschutzgesetz (2.), S. 415–437, München: C. H. Beck/dtv 1995 ▪ Christ u. Fischer, Lärmminderung an Arbeitsplätzen (4.), Berlin: Schmidt 1998 ▪ Maue, 0 Dezibel + 0 Dezibel = 3 Dezibel (7.), Berlin: E. Schmidt 1999. – *Internet-Adresse:* http://www.umweltrecht.de/recht/laerm/tlaer_gs.htm

Talaromycine. Gruppe epimerer Spiroketale aus Kulturen von *Talaromyces stipitatus*. $C_{12}H_{22}O_4$, M_R 230,30, Öle. T. gehören zu den *Mykotoxinen u. verfügen über antibiot. Eigenschaften.

T. A

Tab.: CAS-Nummern der Talaromycine.

		CAS
T. A		83720-10-9
T. B	3-Epimer	83780-27-2
T. C	4-Epimer	89885-86-9
T. D	3,6-Diepimer	111465-43-1
T. E	3,4-Diepimer	111465-42-0
T. F	6-Epimer	111465-44-2
T. G	4,6-Diepimer	

Aufgrund der interessanten Struktur u. der Analogie zu der Spiroketal-Teilstruktur z. B. der *Milbemycine u. *Avermectine sind T. Zielmol. zahlreicher enantioselektiver Synth.[1]. – *E* talaromycins – *F* talaromycines – *I* talaromicine – *S* talaromicinas
Lit.: [1] Agric. Biol. Chem. **51**, 565–571 (1987); Carbohydr. Res. **205**, 293–304 (1990); Chem. Pharm. Bull. **41**, 946 (1993); J. Chem. Soc. Chem. Commun. **1987**, 906 f.; J. Chem. Soc. Perkin Trans. 1 **1990**, 1415–1421; J. Org. Chem. **54**, 1157–1161 (1989); **56**, 2476–2481 (1991); Tetrahedron **43**, 45–58 (1987); Tetrahedron Lett. **30**, 985–988 (1989).
allg.: Justus Liebigs Ann. Chem. **1987**, 333–336 ▪ Tetrahedron Lett. **28**, 1619–1622 (1987).

Talbot, William Henry Fox (1800–1877), engl. Erfinder u. Privatgelehrter. *Arbeitsgebiete:* Entzifferung der Keilschrift, Integralrechnung, Kalotypien (s. Photographie, *Geschichte*).

Lit.: Arnold, William Henry Fox Talbot. Pioneer of Photography and Man of Science, London: Hutchinson Benham 1977 ▪ Lexikon der Naturwissenschaftler, S. 391 ▪ Neufeldt, S. 33 ▪ Pötsch, S. 416.

Talcid®. Kautabl. u. Suspension mit *Hydrotalcit gegen Sodbrennen, Hyperacidität, Gastritis. *B.:* Bayer/Vital.

Talcum s. Talk.

Taleranol s. Zearalenon.

Talfurol®-Marken. *T. KLS*, synthet. Lederweichmacher auf der Basis von Carbonsäureamid-Derivaten; *T. SKS*, Lederfettungsmittel aus einem Gemisch von chlorierten, hochmol. Alkanen u. kationaktiven Stickstoff-Verbindungen. *B.:* Dr. Th. Böhme KG.

Talg. 1. Feste, körnig-krist., durch Spuren von Carotinoiden gelbe Fettmasse, die zur menschlichen Ernährung ungeeignet ist. Ähnlich wie pflanzliche Fette enthalten tier. T. überwiegend Fettsäuren mit gerader Anzahl von Kohlenstoff-Atomen. Bei tier. Fetten spielen jedoch auch Fettsäuren mit ungerader C-Zahl eine Rolle, insbes. Pentadecan- (C_{15}) u. Margarinsäure (C_{17}). Während die ungesätt. Fettsäuren in pflanzlichen Fetten nahezu ausschließlich in der *cis*-Form vorliegen, setzt sich der Ölsäure-Anteil im *Rindertalg etwa zu gleichen Tl. aus *cis*- u. *trans*-Isomeren zusammen. Characterist. für die tier. Herkunft des Fettes ist der Gehalt an einfach- u. mehrfachverzweigten Fettsäuren (z. B. Tetramethylhexadecansäure, Phytonsäure). Diese in ihrer Gesamtmenge bis zu 5% ausmachenden isomeren, homologen u. auch in der Lage ihrer Doppelbindungen abweichenden Fettsäuren weisen gegenüber pflanzlichen Ölen auf einen wesentlich komplexeren Bildungsmechanismus hin. Andere Fett-Inhaltsstoffe, wie z. B. *Tocopherole, Kohlenwasserstoffe, Alkohole u. Phosphatide bilden das *Unverseifbare.
Im Fettgewebe der Tiere finden sich Zellen mit bes. Fähigkeit zur Fett-Bildung durch Umformung von Kohlenhydraten. Sie steuern in einzelnen Fällen die Fett-Zusammensetzung verschiedener Organe des gleichen Tieres. Hinzu kommt, daß das Depotfett der Tiere maßgeblich durch das Nahrungs- u. Viehfutterfett beeinflußt wird. So ist die grobe Zusammensetzung eines im Handel befindlichen Tierfetts das Resultat mehrerer Einflußgrößen aus Tierart, Rasse, Gewinnung, Ernährung u. Provenienz.
Unter den techn. T. kommt dem Rinder-T. eine bes. Bedeutung zu. Bereits in frühen Kulturen wurde auch die erste techn. Verw. in Form von Seifen, Salben u. Beleuchtungsmitteln erschlossen. Tab. 1 gibt eine Übersicht über die Zusammensetzung von Rinder-T. u. Schweineschmalz.
Heute stellt Rinder-T. einen wichtigen Rohstoff für die Herst. von chem. Zwischenprodukten wie *Fettsäuren od. *Fettalkoholen dar.
Das wesentliche Kriterium zur Trennung der Speisefette von techn. T. ist die *Säurezahl der unraffinierten Talge. Um die Verw. von minderwertigen T. für Ernährungszwecke auszuschließen, verbietet die Lebensmittelgesetzgebung in den meisten Ländern eine entsäuernde Raffination od. Bleicherdebehandlung.

Tab. 1: Zusammensetzung von Rindertalg u. Schweineschmalz.

Fettsäure-Komponente	Rindertalg [Gew.-%]	Schweineschmalz [Gew.-%]
Laurinsäure	0,5	–
Myristinsäure	3	1
Pentadecansäure	1	–
Palmitinsäure	25	28
Palmitoleinsäure	3	3
Margarinsäure	2	2
Stearinsäure	19	13
Ölsäure	40	46
Linolsäure	4	6
Linolensäure	1	1
Behensäure	1	–
Iodzahl	40–48	53–57
Verseifungszahl	190–200	190–202
Schmp. [°C]	40–48	33–46

Die Klassifizierung von T. ist in Tab. 2 wiedergegeben.
1 ffa entspricht dabei 1% free fatty acid (ca. SZ = 2). Die Klassifizierung wird bei Verschiffung durchgeführt; Ankunftsanalysen liegen infolge enzymat. Nachsäuerung erfahrungsgemäß deutlich höher.

Tab. 2: Klassifizierung von Talgen.

Gruppe	Fettsäure-Gehalt [ffa]
techn. Rindertalg	2
US fancy-tallow	4
US bleachable fancy tallow	6
US special tallow	10
US Talg A	15
Knochenfette, Klausenöle	10–18

Herst.: Die techn. Gewinnung von Rinder-T. erfolgt nach zwei Prinzipien, dem *Trockenschmelzverf.* u. dem *Naßschmelzverfahren*. Letzteres ergibt bessere Ausbeuten, arbeitet schonender u. setzt sich daher zunehmend durch. Beim Naßschmelzverf. werden ungenießbare Schlachthausabfälle mechan. grob zerkleinert u. mit Dampf auf 90 °C erhitzt. Hierbei werden Enzyme zerstört, sterilisiert u. das Fett dem Gewebe entzogen. Die prakt. fettfreien Grieben werden mit Dekantierzangen vom sog. Leimwasser getrennt, aus dem das Fett durch Kühlung abgeschieden wird. Diese schonende Meth. beeinflußt SZ u. Geruch des T.-Fettes prakt. nicht.
Rinder-T., der aus Auslaß- bzw. Schmelzanlagen gewonnen wird, ist in der Regel durch Polyolefine in sehr feinteiliger Form verunreinigt. Das Polymermaterial stammt aus Polyethylen- od. anderen Kunststoffbeuteln, die verwendet werden, wenn das ausgelassene bzw. geschmolzene Tierfett gesammelt wird. Zur Entfernung der Polymer-Feinteile wird der T. bei einer Temp. oberhalb seines Schmp. mit einem Lsm. in Kontakt gebracht, das nur das Fett löst. Die Lsg. wird filtriert, das Lsm. abdest. u. wieder verwendet.
Die USA sind mit Abstand das wichtigste Erzeugerland u. der größte Exporteur für Talge. Die aus diesem Lande stammenden Qualitäten sind maßgebend u. preisbindend für den gesamten Weltmarkt. Im internat. Handel spielt kanad. T. mit gleichfalls guten Qualitäten ebenfalls eine Rolle, ebenso Hammel-T. aus Australien u. Neuseeland. Die T.-Produktion macht etwa 25 bis 30% der Weltproduktion an Fetten u. Ölen aus. 2. Als T. bezeichnet man auch das von den Talgdrüsen der *Haut abgesonderte Sekret, das mit Hautpartikeln zusammen auch als Kopfschuppen (s. Schuppen) oft störend in Erscheinung tritt (s. Sebum). Übermäßige T.-Produktion ist die Ursache der *Akne. – *E* 1. tallow, 2. sebum – *F* 1. suif, 2. sébum – *I* 1. sego, 2. sebo – *S* 1., 2. sebo
Lit. (zu 1.): s. Fette u. Öle.

Talgfettalkohole, -amine, -säuren. Trivialbez. für die Gemische der *Fettalkohole bzw. *Fettamine u. *Fettsäuren mit 14, 16 u. 18 C-Atomen.

Talgsumach s. Sumach.

Talin. Protein (M_R 270000) des Membranskeletts (s. Cytoskelett), das an *Vinculin, u. an die cytoplasmat. Seite von *Integrinen bindet. T. ist damit eines der Proteine, die für die Ausbildung von Fokalkontakten (s. Adhärenz-Verbindungen) verantwortlich sind, an denen die intrazellulären *Actin-haltigen *Streß-Fasern mit der *extrazellulären Matrix verbunden sind, u. spielt bei der Zell-Wanderung eine Rolle. Zur Regulation der Vinculin-Bindung durch *Phosphoinositide s. *Lit.*[1]. Es besteht Sequenz-Ähnlichkeit zu *Bande 4.1, dem Protein *Ezrin* (auch *Cytovillin* od. *p81* genannt) aus den *Mikrovilli des Dünndarms, zu den Proteinen *Radixin* u. *Moesin*, die ebenfalls Cytoskelett-Strukturen mit der Plasmamembran verbinden, zu dem Tumor-Suppressor-Protein *Merlin* (Schwannomin, Nf2)[2], bei dessen Ausfall Hirntumoren auftreten können, sowie zu einigen Tyrosin-spezif. *Protein-Phosphatasen (Bande-4.1-Superfamilie). – *E* talin – *F* taline – *I* = *S* talina

Lit.: [1] Nature (London) **381**, 531–535 (1996). [2] Nature Genet. **18**, 354–359 (1998). *allg.*: Alberts et al., Molekularbiologie der Zelle, 3. Aufl., S. 1129, 1131, 1177, Weinheim: VCH Verlagsges. 1995 ▪ J. Muscle Res. Cell Motil. **17**, 1–5 (1996).

Talin® s. Thaumatin.

Talinolol (Rp).

Internat. Freiname für den β-*Adrenozeptoren-Blocker (±)-1-{4-[3-(*tert*-Butylamino)-2-hydroxypropoxy]phenyl}-3-cyclohexylharnstoff, $C_{20}H_{33}N_3O_3$, M_R 363,50, Schmp. 142–144 °C, λ_{max} (c 0,001/C_2H_5OH) 245, 291 nm; LD_{50} (Maus oral) 593, (Maus i.p.) 74,7, (Maus i.v.) 25,0 mg/kg. wurde 1975, 1976, 1977 von Ciba Geigy patentiert u. ist von Asta Medica/AWD (Cordanum®) zur Behandlung von Hypertonie, Angina pectoris u. tachykarden Arrhythmien im Handel. – *E* = *F* = *S* talinolol – *I* talinololo

Lit.: Curr. Med. Res. Opin. **13** (6), 325–342 (1995) ▪ Hager (5.) **9**, 767f. ▪ Martindale (31.), S. 952 ▪ Merck-Index (12.), Nr. 9208. – [HS 2924 21; CAS 57460-41-0]

Talit(ol) [Altrit(ol)]. Trivialbez. für den *Zuckeralkohol der Aldohexose *Talose (Altrose, zur Struktur s. Kohlenhydrate), der formal durch Red. der Aldehyd-

Funktion zur CH$_2$OH-Gruppe erhalten wird. – $E = F$ talitol – I talitolo

Talk (der T., das Talkum, Talcum). Mg$_3$[(OH)$_2$/Si$_4$O$_{10}$] od. 3 MgO · 4 SiO$_2$ · H$_2$O; zu den *Dreischicht-(2:1-)* *Phyllosilicaten (vgl. Abb. 3 bei Silicate) gehörendes Mineral, dessen dichtere Aggregate *Speckstein heißen; zur Struktur u. den triklinen u. monoklinen Polytypen (*Polymorphie) s. Bailey (*Lit.*) u. *Lit.*[1,2]. T. bildet durchsichtige bis undurchsichtige, überwiegend farblose, weiße od. hellgrüne, vollkommen spaltbare Massen, H. 1, D. 2,7, die aus blättrig-krist., schuppigen, perlmuttglänzenden Aggregaten bestehen. T. ist hydrophob (fühlt sich fettig an), wasserunlösl. u. widersteht Säureangriffen. Für eine typ. T.-Masse wird folgende Zusammensetzung angegeben: 61% SiO$_2$, 31% MgO, 5% H$_2$O, 1,4% Al$_2$O$_3$, 1,1% FeO, 0,3% CaO, 0,1% CO$_2$; an weiteren Spurenelementen können Mn, Ti, Cr, Ni, Na u. K anwesend sein; OH kann z. T. durch F ersetzt sein (s. *Lit.*[3]); T. mit 75 Mol.-% F-Substitution für OH können aus Xero-*Gelen synthetisiert werden[4,5]. Zur therm. Entwässerung von T. s. *Lit.*[6]. Zur Stabilität von T. bei hohen Drücken s. *Lit.*[7]; oberhalb von ~5 GPa Druck u. 710 °C wandelt sich T. in die sog. *10 Å-Phase*, Mg$_3$[(OH)$_2$/Si$_4$O$_{10}$] · x H$_2$O, um[7,8]. Das Nickel-Analogon von T. heißt *Willemseit*; ein dem T. verwandtes Mineral ist *Pyrophyllit.

Vork.: T. entsteht durch hydrothermale Umwandlung ultrabas. bis bas. Magnesium-reicher Gesteine (z.B. *Peridotite) v. a. durch niedriggradige Regional-*Metamorphose – z.B. als Bestandteil der *Talkschiefer* in den Alpen – od. bei der Umwandlung von *Dolomiten od. *Quarziten durch Magnesium-*Metasomatose. Wirtschaftlich bedeutende *T.-Lagerstätten* in umgewandelten ultrabas. *Gesteinen gibt es in Finnland, Kanada u. Vermont/USA. In Dolomit-Gesteinen liegen z.B. die Lagerstätten von Göpfersgrün in Bayern, Steiermark/Österreich (Rabenwald u. Lassing), Pinerolo/Italien, Luzenac/Frankreich, Haicheng/VR China sowie von Texas, Kalifornien, Montana u. New York/USA. Auch heute noch werden häufig aus den T.-haltigen Gesteinsbrocken die T.-Stücke möglichst sorgfältig mit der Hand ausgelesen. Weitere Vork.: In hydrothermalen submarinen Bildungen sowie in Gesteinen der *Hochdruckmetamorphose (in *Weißschiefer* aus T. u. *Kyanit; in *Eklogiten in China[9]).

Verw.: Sehr vielfältig; in Feinkeramik u. Elektrokeramik; in der Farben-, Papier- u. Feuerfest-Ind.; in der chem. Ind. (Träger für Schädlingsbekämpfungsmittel, Füllstoff für Kunststoffe); für die Herst. von Steatit (*Speckstein) u. Schneiderkreide. Sehr reiner, *Asbest-freier T. in Arzneimitteln u. Kosmetika[10].

Arbeitsschutz (s. a. *Lit.*[11]): Beim Umgang mit T. kann es zu *Silicose-ähnlichen Erkrankungen (*Talkose*), Bronchitis u. erhöhtem Tuberkulose-Risiko kommen, weshalb seit 1987 für T.-Feinstaub eine MAK von 2 mg/m^3 gilt. Außerdem muß bei der Verarbeitung u. Anw. von T. aus *Tremolit-haltigen Lagerstätten (z.B. in Californien), auf die Anwesenheit von *Asbest geprüft werden. Einatmen von T.-haltigem Staub (aus Pudern) kann bei Kindern zu Lungenreizungen u. Atembeschwerden führen[10]. – *E* talc, talcum – *F* talc – *I* = *S* talco

Lit.: [1] Z. Kristallogr. **156**, 177–186 (1981). [2] Ceramics **37**, 145 ff. (1993). [3] Contrib. Mineral. Petrol. **97**, 305–312 (1987). [4] Chem. Mater. **7**, 2277–2283 (1995). [5] Phys. Chem. Miner. **23**, 418–431 (1996). [6] Am. Mineral. **79**, 692–699 (1994). [7] Am. Mineral. **80**, 998–1003 (1995). [8] Am. Mineral. **66**, 576–585 (1981). [9] Mineral. Mag. **59**, 93–102 (1995). [10] Ind. Miner. (London) **335**, 52–63 (1995). [11] Guthrie u. Mossman (Hrsg.), Health Effects of Mineral Dusts (Reviews in Mineralogy, Vol. 28), S. 387 f., Washington (D. C.): Mineralogical Society of America 1993.

allg.: Am. Ceram. Soc. Bull. **5**, 818 ff. (1992) ▪ Bailey (Hrsg.), Hydrous Phyllosilicates (Reviews in Mineralogy, Vol. 19) (2.), S. 225–294, Washington (D. C.): Mineralogical Society of America 1991 ▪ DAB **7**, 925 f.; **7/1**, 19; **9**, 1350 f. ▪ Deer et al., S. 327–331 ▪ Gross u. Braun, Toxic and Biomedical Effects of Fibers, Asbestos, Talc, ..., Park Ridge: Noyes 1984 ▪ IARC Monogr. **42**, 185–224 (1987) ▪ Industrieminerale (Untersuchung über Angebot u. Nachfrage mineral. Rohstoffe XIX), S. 571–639, Hannover: BA Geowiss. Rohstoffe u. Basel: Prognos AG 1986 ▪ Pohl, Lagerstättenlehre (2.), S. 295–300, Stuttgart: Schweizerbart 1992 ▪ Schröcke-Weiner, S. 807–811. – [HS 2526 10, 2526 20; CAS 14807-96-6]

Talkschiefer s. Talk.

Talkum s. Talk.

Tallate. Trivialbez. für die *Metallseifen aus *Tallöl-Fettsäuren.

Tallharz s. Tallöl.

Tallöl. Von schwed.: tall = Kiefer abgeleitete Bez. für das wichtigste Nebenprodukt bei der Erzeugung von Sulfat-Zellstoff (s. Cellulose, S. 637) durch Aufschluß von harzreichen Holzarten (Fichte, Kiefer) nach dem Sulfat-Prozeß. Aus der dabei beim Eindampfen der sog. *Schwarzlauge* anfallenden *T.-Seife* (*E* tall-oil soap) wird durch Ansäuern das *Roh-T.* (*E* crude tall-oil) als dunkelbraune, übelriechende (wegen Schwefel-Verb.), zähflüssige Masse in einer Menge von ca. 35 kg/t Zellstoff gewonnen. T. wird in den USA zu den *Naval Stores gerechnet.

T. ist eine Mischung aus Fettsäuren, *Harzsäuren, sog. *Oxysäuren* (u. a. oxidierten Harz- u. Fettsäuren), u. a. unverseifbaren Komponenten. Seine Zusammensetzung schwankt in Abhängigkeit von der Art des verarbeiteten Holzes u. dessen geograph. Herkunft stark: 15–55% Fettsäuren, ca. 20–65% Harzsäuren, 1–8% Oxysäuren u. 6–30% andere unverseifbare Komponenten bei einer SZ von ca. 90–160. Durch Dest. wird T. in Vorlauf u. *Tallpech*, die überwiegend verbrannt werden, sowie in Fettsäuren u. *Tallharz* fraktioniert. Die *T.-Fettsäuren* bestehen zu mind. 97% (1. Qualität) bzw. 67% (bei einem Harzsäure-Anteil von 25–30%) aus Fettsäuren (Gew.-% bezogen auf Gesamtmenge der Fettsäuren in Klammern): Linolsäure u. konjugierte C$_{18}$-Fettsäuren (45–65), Ölsäure (25–45), 5,9,12-Octadecatriensäure (5–12) u. gesätt. Fettsäuren (1–3). *Tallharz* ist zusammengesetzt aus *Abietinsäure (30–43%), Dehydroabietinsäure (21–35%), *Palustrinsäure (8–12%) sowie in Mengen von jeweils ca. 2–7% Dihydroabietinsäure, Neoabietinsäure, Pimar- u. Isopimarsäure neben 8–18% anderen Harzsäuren.

Verw.: *T.-Fettsäuren*: Vielfach wie Fettsäuren von anderer Provenienz; überwiegend als Rohstoff für nicht vergilbende Lacke; zur Herst. waschaktiver Substanzen, als Sammler bei der Flotation von Mineralien u. zur Herst. von chem. Zwischenprodukten.

Tallharz: Vielfach wie Balsam- u. Wurzelharz, denen es in der Zusammensetzung weitgehend entspricht; zur Herst. von Harzleimen für die Papier-Ind., als Emulgator bei der *Kautschuk-Synth. u. als Rohstoff für Druckfarben u. Klebstoffe.

Tallpech: Für Asphalt-Emulsionen, als Kernbindemittel, Gummi-Weichmacher u. -Regeneriereröl. – *E* tall oil – *F* tallol – *I* tallolio – *S* talol

Lit.: Tappi J. **73**, Nr. 9, 175–180 (1990) ▪ Ullmann (5.) A **9**, 59, 62 ▪ Zinkel u. Russell, Naval Stores, S. 158–199, 346–439, New York: Pulp Chemicals Association 1989. – [HS 3803 00]

Tallöl-Fettsäuren s. Tallöl.

Tallpech s. Tallöl.

talo-. Kursiv gesetztes Präfix zur Kennzeichnung einer bestimmten Konfiguration bei *Kohlenhydraten, vgl. Aldohexosen. – *E* = *F* = *I* = *S* talo-

D-Talose (Kurzz.: D-Tal).

$C_6H_{12}O_6$, M_R 180,16. Die *Aldohexose D-T. kommt in der α-D-Pyranose-Form (a) {Krist., Schmp. 133–134 °C, $[\alpha]_D^{20}$ +68 →+21° (H_2O)}, in der β-D-Pyranose-Form (b) {Schmp. 120–121 °C, $[\alpha]_D^{20}$ +13 →+21° (H_2O)}, in der α-D-Furanose-Form (c) (Sirup) u. in der β-D-Furanose-Form (d) (Sirup) vor. Von allen Formen sind Glykoside beschrieben. D-T. ist in Wasser u. siedendem Ethanol lösl., unlösl. in Diethylether u. Benzol. D-T. reduziert Fehlingsche Lsg., wird von Hefen nicht vergoren u. ist ein Bestandteil des Antibiotikums *Hygromycin B. – *E* = *F* D-talose – *I* D-talosio – *S* D-talosa

Lit.: Aust. J. Chem. **28**, 1541 (1975) ▪ Beilstein E IV **1**, 4344 ▪ Bull. Chem. Soc. Jpn. **62**, 2701 (1989) ▪ Karrer, Nr. 3238 ▪ Nuhn, Naturstoffchemie (3.), Stuttgart: Hirzel 1997 ▪ Proc. Natl. Acad. Sci. USA **87**, 6684 (1990) ▪ Science **220**, 749 (1983) (Synth.). – [CAS 728281-7; 2595-98-4 (a); 7283-11-6 (b); 51076-04-1 (c); 41847-63-6 (d)]

Talsaclidin (WAL 2014-FU, Rp).

Internat. Freiname für das *Parasympath(ik)olytikum (Muscarin-Agonist) (*R*)-3-(2-Propinyloxy)-1-azabicyclo[2.2.2]octan, $C_{10}H_{15}NO$, M_R 165,23. T. wurde 1988 von Boehringer Ingelheim patentiert u. soll als Cholinergikum in Form des Fumarats zur unterstützenden Therapie bei Morbus Alzheimer in den Handel kommen. – *E* = *F* talsaclidine – *I* = *S* talsaclidina

Lit.: DE 381659 (21.01. 1988); Erf.: Walther et al. ▪ Drug Dev. Res. **40**, 473–480 (1997) ▪ Life Sci. **52**, 473–480 (1993); **60**, 977–984 (1997). – [CAS 147025-54-5 (T.-fumarat)]

Talso®/-Uno. Kapseln mit Sabalfrucht-Extrakt (10:1) gegen Miktionsbeschwerden bei benigner Prostatahyperplasie im Stadium I bis II. *B.:* Sanofi Winthrop.

TA Luft [Techn. Anleitung (zur Reinhaltung der) Luft]. Die 1974 erlassene *Technische Anleitung ist eine VwV, die das *Bundes-Immissionsschutzgesetz konkretisiert u. die allg. Anforderungen des BImSchG in konkrete Grenzwerte, Berechnungs-, Meß- u. a. Anweisungen umsetzt. Wie die *TA Lärm ist sie für *genehmigungsbedürftige Anlagen anzuwenden. In ihren Regelbereich fallen u. a. Anlagen der chem. Ind., der Eisen- u. Stahlerzeugung, der Glas- u. Nahrungsmittelherst., Raffinerien u. Zementwerke. Fachlich gliedert sich die TA L. in 3 Bereiche:

1. *Allg. Vorschriften zur Luftreinhaltung:* Dieser Teil enthält u. a. Definitionen wichtiger Begriffe, Genehmigungsgrundsätze, (Höhen-)Bestimmungen für die Ableitung von Abgasen über Schornsteine, Immissionswerte (s. Immissionsgrenzwerte) sowie Verf., Bedingungen u. Bereiche zur Ermittlung von Immissionen. In dazu gehörigen Anhängen sind u. a. genehmigbare *Immissions-Zusatzbelastungswerte genannt u. die Ausbreitungsrechnung für betriebliche Emissionen festgelegt.

2. *Begrenzung u. Feststellung der *Emissionen:* Festgelegt werden hier Anforderungen, Ermittlungs- u. Meßverf., Emissions-Grenzwerte (Beisp. s. Tab.) u. Überwachungsverf. für wesentliche Technik-Bereiche, z. B. bestimmte Arbeitsvorgänge wie Transport, Be- u. Entladen, Umfüllen, Lackieren; Einrichtungen wie Pumpen, Verdichter, Flanschverb.; Anlagen wie Feuerungsanlagen, Gasturbinen sowie Anlagen zur Herst. z. B. von anorgan. Chemikalien, von organ. Chemikalien, von Kunststoffen u. Chemiefasern od. Rußen. Emissions-Grenzwerte sind für Dämpfe, Gase u. Stäube von einer Vielzahl von organ. (Anhang E) u. anorgan. Stoffen u. Stoffgruppen vorgeschrieben. Die Anhänge nennen außerdem VDI-Richtlinien zu Prozeß-, Gasreinigungstechniken (Anhang F) u. zur Emissionsmeßtechnik (Anhang G).

3. *Anforderungen an Altanlagen:* Hier finden sich Vorschriften für nachträgliche Anordnungen zum Schutz u. zur Vorsorge gegen schädliche Umwelteinwirkungen. Nach diesen Anordnungen sollen *Altanlagen nach unterschiedlichen Übergangsfristen den jeweili-

Tab.: Emissions-Grenzwerte der TA Luft.

krebserzeugende Stoffe (s. MAK-Werte)	Wert [mg/m^3]
Klasse I, z. B. Asbest, Benzo[*a*]pyren	0,1
Klasse II, z. B. Nickel-Staub	1
Klasse III, z. B. Benzol, Hydrazin	5
Staub je nach Massenstrom u. Inhaltsstoffen	0,2–150
Phosgen	1
Chlor	5
anorgan. Chlor-Verb.	30
NO$_x$	500
organ. Verb. je nach Stoff in Anhang E	20–150

gen *Stand der Technik für Neuanlagen einhalten, für die neue Emissionsgrenzwerte festgelegt wurden. Dabei werden nach dem *Vorsorgeprinzip Auflagen für genehmigungspflichtige Anlagen so formuliert, daß die Anforderungen um so schärfer werden, je höher das Risikopotential eingestuft wurde. – *E* technical instructions on air quality control – *F* instructions techniques sur l'aire – *I* norma amministrativa sull'area – *S* instrucciones técnicas sobre el aire
Lit.: 1. Allg. VwV zum Bundes-Immissionsschutzgesetz (Technische Anleitung zur Reinhaltung der Luft – TA Luft) vom 27.2.1986, GMBl. S. 95, berichtigt S. 202 (1986) ▪ Beck Texte in dtv, Bundes-Immissionsschutzgesetz (2.), S. 323–414, München: C. H. Beck/dtv 1995 ▪ Henseler-Ludwig, Vorschriften zur Reinhaltung der Luft, Köln: Bundesanzeiger Verlagsges. 1991 ▪ Jost, Die neue TA Luft, Augsburg: WEKA 1990 ▪ Schiegl u. Schörling, TA Luft (2.), Landsberg: ecomed 1995 ▪ Vogl et al. (Hrsg.), Handbuch des Umweltschutzes (3.), II-2.5.1, Landsberg: ecomed, Loseblatt-Sammlung seit 1992 (Stand 1998). – *Internet-Adresse:* http://www.umweltrecht.de/recht/luft/bimschg/vwv/ta_luft/ta_ges.htm

talvosilen® (Rp). Tabl., Saft, Suppositorien u. Kapseln mit *Paracetamol u. *Codein-phosphat gegen Schmerzen. *B.:* bene-Arzneimittel.

Tamarillo s. Tomaten.

Tamarinden. In den Tropen heim. immergrüner, bis 25 m hoher Baum *Tamarindus indica* (Schmetterlingsblütler; von arab. tamar hindi = ind. Dattel) mit bis zu 17 cm langen u. 3 cm breiten Hülsenfrüchten. Die harten Samen werden zu T.-Kernmehl verarbeitet, das 65% Polysaccharide, 15–20% Protein u. 6% Öl enthält. Das T.-Gummi aus 1,4-glykosid. verknüpfter Glucose sowie Galactose, Arabinose u. Xylose bildet Gele u. eignet sich deshalb als *Pektin-Ersatz. Medizin. Anw. als mildes Abführmittel findet das aus den Früchten gewonnene T.-Mus. Dieses enthält 39% Wasser, ca. 12% Säuren, ca. 8% Kaliumhydrogentartrat, 30–40% Invertzucker, 6% Rohfaser u. 2,1% Mineralstoffe. Die Wilde T. (*Leucaena leucocephala*) gehört zur Familie der Mimosaceen u. enthält in den Blättern das Alkaloid *Mimosin. Da es bei Weidetieren Afrikas u. Amerikas giftig wirkt, können die Blätter nur zu geringen Anteilen im Futtergemisch verfüttert werden. Mit Hilfe von Knöllchenbakterien bindet die Wilde T. 100–500 kg Stickstoff pro ha u. Jahr. – *E* tamarinds – *F* tamarins – *I* tamarindi – *S* tamarindos
Lit.: Franke, Nutzpflanzenkunde, 6. Aufl., S. 262f., 405f. (Wilde T.), Stuttgart: Thieme 1997. – *[HS 081090]*

Tamaron®. System. Insektizid gegen zahlreiche beißende, minierende u. saugende Schädlinge in vielen Kulturen wie Baumwolle, Tabak, Gemüse, Kartoffeln u. a.; T. hat akarizide Nebenwirkungen. *B.:* Bayer.

Tambocor® (Rp). Tabl. u. Ampullen mit *Flecainidacetat gegen Herzrhythmusstörungen. *B.:* 3 M Medica.

TAME. Von *tert*-A*myl*methylether abgeleitete Bez. für die Verb.

$$H_3C-CH_2-\underset{\underset{CH_3}{|}}{\overset{\overset{CH_3}{|}}{C}}-OCH_3$$

$C_6H_{14}O$, M_R 102,18, die petrochem. mittels „TAME-Prozeß"[1] gewonnen werden u. als *Antiklopfmittel dienen kann. – *E* = *I* = *S* TAME

Lit.: [1] Erdoel, Kohle, Erdgas, Petrochem. **38**, 209–212 (1985). – *[G 3]*

Tamm, Igor Evgenievich (1895–1971), Prof. für Physik, Moskau. *Arbeitsgebiete:* Quantentheorie, akust. Schwingungen, Elementarteilchenphysik, Wechselwirkung von Photonen u. Elektronen, Halbleiter, Feldtheorie der Kernkräfte, thermonucleare Reaktionen, Plasmaphysik. Er vermutete 1932 unabhängig von W. *Heisenberg die Existenz von Atomen im Atomkern. 1937 formulierte er mit I. M. *Frank eine theoret. Deutung der *Čerenkov-Strahlung; hierfür erhielt er den Nobelpreis für Physik 1958 (zusammen mit Čerenkov u. I. M. Frank).
Lit.: Lexikon der Naturwissenschaftler, S. 391 ▪ Neufeldt, S. 186.

Tammann, Gustav Heinrich Johann Apollon (1861–1938), Prof. für Chemie, Dorpat u. Göttingen. *Arbeitsgebiete:* Theorie des Kristallzustandes, isotrope u. anisotrope Stoffe, Glaszustand, therm. Analyse von Leg., Struktur des Wassers, Einkrist., Mischkrist. u. intermetall. Verb., Reaktionen zwischen festen Stoffen, Eutektika, Rekristallisation, Metallhärtung, gegenseitige Löslichkeit der Metalle, Entwicklung eines Hochtemp.-Ofens. T. gilt als Begründer der modernen Metallkunde u. der Thermoanalyse.
Lit.: Lexikon der Naturwissenschaftler, S. 391 ▪ Pötsch, S. 416.

Tammann-Regel. Nach G. H. J. A.* Tammann (1861–1938) setzt die Selbstdiffusion in Krist. etwa bei 50% der absoluten Schmelztemp. ein, die Selbstdiffusion an der Oberfläche bei 30%. – *E* Tammann's rule – *F* règle de Tammann – *I* regola di Tammann – *S* reglas de Tammann

Tamol-Marken®. Kondensationsprodukt aus Naphthalinsulfonsäure u. Formaldehyd. Diese Produktklasse verfügt über ausgezeichnete dispergierende u. stabilisierende Eigenschaften. Sie wird daher in den verschiedensten Branchen als Hilfsmittel eingesetzt; in der Papier-Ind. als Färbereihilfsmittel; bei der Herst. von Reinigungsmitteln; in der chem. und techn. Ind.; bei der Kautschuksynth. u. Latexverarbeitung; in der Farbstoff- u. Füllstoffproduktion als Mahlhilfsmittel; zur Verflüssigung von Beton. Bes. vielseitig ist die Anwendungsbreite in der Leder-Industrie. Hier werden Kondensationsprodukte sowohl von Naphtalinsulfonsäure als auch Phenolsulfonsäure mit Formaldehyd eingesetzt. Abhängig von der Zusammensetzung sowie Kondensations- u. Neutralisierungsgrad wirken sie als: Neutralisationsmittel; Gerbereihilfsmittel, synthet. Gerbstoffe u. Färbereihilfsmittel. *B.:* BASF.

Tamoxifen (Rp).

Internat. Freiname für das Cytostatikum u. Antiestrogen (Z)-2-[4-(1,2-Diphenyl-1-butenyl)phenoxy]-N,N-dimethylethylamin, $C_{26}H_{29}NO$, M_R 371,53, Schmp. 96–98 °C. Verwendet wird meist das Hydrogencitrat, $C_{32}H_{37}NO_8$, M_R 563,70, Schmp. 140–142 °C, LD_{50} (Maus i.v.) 62,5, (Maus i.p.) 200, (Maus oral)

>3000 mg/kg. T. wurde 1966, 1967 u. 1985 von I. C. I. (Nolvadex®, Zeneca) patentiert u. ist als Generikum gegen Mammacarcinom in der Postmenopause im Handel. – *E* tamoxifen – *F* tamoxifène – *I* tamossifene – *S* tamoxifeno

Lit.: ASP ■ Hager (5.) **9**, 770 ff. ■ Martindale (31.), S. 600 f. ■ Ph. Eur. **1997** u. Komm. – *[HS 2922 19; CAS 10540-29-1 (T.); 54965-24-1 (Hydrogencitrat)]*

Tampons (von französ.: tampon = Stöpsel, Pfropf). Bez. für Gazestreifen od. Wattebäusche (auch aus *Viskosefasern), die zum Ausfüllen von Körperöffnungen u. Aufsaugen von Körperflüssigkeiten dienen, z. B. intravaginal während der *Menstruation od. zum Offenhalten von Operationsöffnungen. T. sind oft mit einem Zugfaden versehen. – *E* = *F* tampons – *I* tamponi – *S* tapones

Lit.: Hager (4.) **7a**, 935 ■ Lenzinger Ber. **48**, 29–36 (1980) ■ Ph. Eur. **1997** u. Komm. (Tamponae medicatae).

Tampositorien® H. Suppositorien mit Tamponeinlage; enthält *Hamamelis-Destillat gegen *Hämorrhoiden. *B.*: Produpharm Lappe.

Tamsulosin (Amsulosin; Rp).

Internat. Freiname für den selektiven α_1-Rezeptor-Antagonisten (–)-(*R*)-5-{2-[2-(2-Ethoxyphenoxy)ethylamino]-propyl}-2-methoxybenzolsulfonamid, $C_{20}H_{28}N_2O_5S$, M_R 408,52. Verwendet wird das Hydrochlorid, Schmp. 228–230 °C, $[\alpha]_D^{24}$ –4,0° (c 0,35/CH_3OH); LD_{50} (Ratte oral) 650, (Ratte s.c.) 347, (Ratte i.v.) 70 mg/kg. T. wurde 1981 u. 1987 von Yamanouchi (OMNIC®) patentiert u. ist auch von Boehringer Ingelheim (Alna®) gegen benigne Prostatahyperplasie im Handel. – *E* tamsulosin, amsulosin – *F* tamsulosine – *I* tamsulosina – *S* tamsulosín

Lit.: Drugs **52**, 883–898 (1996) ■ Martindale (31.), S. 952 ■ Merck-Index (12.), Nr. 9217 ■ Pharm. Ztg. **143**, 1746–1754 (1998). – *[CAS 106133-20-4 (T.); 106463-17-6 (Hydrochlorid)]*

Tamuc (Rp). Granulat mit *Acetylcystein gegen starke Schleimsekretion bei Erkrankungen der Luftwege. *B.*: TAD.

TAN. Abk. für *1-(2-Thiazolylazo)-2-naphthol.

TAN 1057A, TAN 749C s. Sperabilline.

Tanabe-Sugano-Diagramme. Von Tanabe u. Sugano[1] eingeführte Diagramme zur zusammenfassenden Beschreibung der Termenergien verschiedener elektron. Zustände von Übergangsmetallkomplexen. – *E* Tanabe-Sugano diagrams – *F* diagrammes de Tanabe et Sugano – *I* diagrammi di Tanabe e Sugano – *S* diagramas de Tanabe-Sugano

Lit.: [1] J. Phys. Soc. Jpn. **9**, 753, 766 (1954).
allg.: Haberditzl, Quantenchemie – Ein Lehrgang, Bd. 4: Komplexverbindungen, Heidelberg: Hüthig 1979 ■ Huheey, Anorganische Chemie (2.), Berlin: de Gruyter 1995 ■ König u. Kremer, Ligand Field Diagrams, New York: Plenum 1977 ■ Kutzelnigg, Einführung in die Theoretische Chemie, Bd. 2, 2. Aufl., Weinheim: VCH Verlagsges. 1994 ■ Schläfer u. Gliemann, Einführung in die Ligandenfeldtheorie, 2. Aufl., Frankfurt: Akademische Verlagsges. 1980.

Tanaceton s. Thujon.

Tandem-Enzym s. β-D-Fructose-2,6-bisphosphat.

Tandem-MS (MS/MS). Bez. für eine Massenspektrometer-Konfiguration mit einer Ionenquelle u. zwei Tandem-Massen-Analysatoren, zwischen denen sich eine Reaktionszone in Form einer Gas-Stoß-Zelle (Kollisionszelle) befindet; die Beschreibung des T.-MS als zwei Massenspektrometer in Serie ist daher unkorrekt. Die Abb. veranschaulicht den schemat. Aufbau eines Tandem-MS.

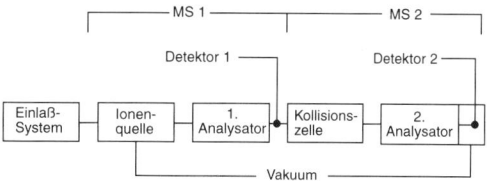

Abb.: Schemat. Aufbau eines Tandem-MS.

Ein T.-MS ist also die Kopplung von zwei Massenspektrometer-Analysatoren in Serie mit typischerweise einer Gas-Stoß-Zelle als Interface, welches die Möglichkeit bietet, ein durch den ersten Analysator ausgewähltes Ion zu fragmentieren. Die durch den ersten Analysator ausgewählten Ionen werden also in der Reaktionszone fragmentiert u. bilden dabei charakterist. Produkt-Ionen, die vom zweiten Analysator analysiert u. detektiert werden. Somit ist die T.-MS eine Alternative zur Gaschromatographie bei der Untersuchung von Substanzgemischen.

Die erste T.-MS, die Untersuchung metastabiler Ionen, wurde mit doppelfokussierenden Sektorfeldgeräten durchgeführt (MIKES, Abk. für *E* mass-analysed *i*on *ki*netic *e*nergy *s*pectrometry, Bez. für Experimente an metastabilen Ionen mit doppelfokussierenden Sektorfeldgeräten mit umgekehrter Geometrie, d. h. der elektr. Sektor folgt dem magnet. Sektor. Die Reaktionszone kann sich zwischen Ionenquelle u. dem ersten Sektor u./od. zwischen den beiden Sektoren befinden. Das Vorläufer-Ion wird durch den Magnetsektor ausgewählt u. die Fragment- od. Produkt-Ionen durch den elektr. Sektor analysiert). Leistungsfähigere Geräte auf der Basis von Multisektor-, Tripel-Quadrupol- u. Sektorfeld-Quadrupol-Hybridgeräten wurden entwickelt. MS/MS-Experimente sind auch mit *Ion-Trap-Detektoren u. FT-Zyklotron-Resonanz-Instrumenten möglich. Die T.-MS bietet Vorteile bei der strukturellen Charakterisierung organ. Verb., bei der Identifizierung von Komponenten in Gemischen u. bei der Spurenanalytik. Sie ist daher wohl etabliert in der organ. Chemie u. in den pharmazeut. u. Biowissenschaften. – *E* tandem mass spectrometry – *F* spectrométrie de masse en tandem – *I* spettrometria di massa tandem – *S* espectroscopia de tándem

Lit.: Bush, Glish u. McLuckey, Mass Spectrometry/Mass Spectrometry – Techniques and Applications of Tandem Mass Spectrometry, Weinheim: VCH Verlagsges. 1990 ■ Rollins u. Scriven, Tandem Mass Spectrometry, Manchester: Fisons 1992 ■ Townshend, Encyclopedia of Analytical Science, Bd. **5**, S. 2932–2939, San Diego: Academic Press 1995.

Tandem-Reaktion. Bez. aus der organ. Synthesechemie für Reaktionen, die sequentiell, d. h. ohne die Iso-

Abb.: Beisp. für Tandem-Reaktionen: a) Tandem-*Diels-Alder-Reaktion – *En-Synthese – Diels-Alder-Reaktion; – b) Tandem-Carbonyl-Ylid-Erzeugung – 1,3-dipolare Cycloaddition; – c) Tandem-*Beckmann-Umlagerung – *Sakurai-Reaktion.

lierung von Zwischenprodukten ablaufen. Dieses Prinzip wird von der Natur in bewundernswerter Weise angewendet, wobei Alkaloide, Terpene, Steroide usw. *effizient* u. *selektiv* synthetisiert werden. Dieses Ziel wird in der organ. Synth. ebenfalls angestrebt. Daneben zeichnen sich T.-R. auch dadurch aus, daß sie die Umwelt weniger belasten als Synth. mit definierten Zwischenstufen, da die Menge der benötigten Lösemittel u. der gebildeten Abfallstoffe deutlich vermindert ist. Die T.-R. gehören zu den *Eintopfreaktionen. Neben der T.-R. im eigentlichen Sinne, für die auch die Bez. *Domino-* od. *Kaskaden-Reaktion* häufig in der Lit. zu finden sind, unterscheidet man konsekutive Reaktionen, bei denen nach Abschluß einer Reaktionssequenz das nicht isolierte Zwischenprodukt mit einem weiteren Reagenz zum Endprodukt umgesetzt wird. T.-R. dagegen beschreiben mehrere nacheinander ablaufende Transformationen ohne Zugabe weiterer Reagenzien, wobei die nachfolgende Reaktion an einer zuvor gebildeten Funktionalität zwangsläufig erfolgt. Idealerweise sollten die Reaktionsschritte vergleichbare Reaktionsgeschw. besitzen od. zumindestens bei einer einheitlichen Temp. ablaufen. Durch T.-R. lassen sich leicht bicycl. u. polycycl. Ringsyst. – auch mit Heteroatomen – aufbauen; s. die Beisp. in der Abb. u. in der zitierten Literatur. – *E* tandem reaction – *F* réactions tandem – *I* reazioni tandem – *S* reacciones tándem

Lit.: Angew. Chem. **104**, 1269 (1992); **105**, 137 (1993) ▪ Chem. Rev. **96**, 3, 115, 137, 167, 177, 195, 223 (1996) ▪ Ho, Tandem Reactions in Organic Synthesis, New York: Wiley 1992 ▪ J. Org. Chem. **60**, 6643 (1995) ▪ Nachr. Chem. Tech. Lab. **40**, 1133 (1992); **45**, 1181 (1997) ▪ Org. React. **38**, 225 (1989) ▪ Tetrahedron **51**, 13 103 (1995); **52**, 11 385 (1996) ▪ Top. Curr. Chem. **189**, 121 (1997) ▪ Waldmann, Organic Synthesis Highlights II, S. 193, Weinheim: VCH Verlagsges. 1995.

Tang. Bez. für die derben Formen der *Algen, insbes. der Braunalgen aus den Ordnungen Fucales u. Laminariales [s. Blasentang u. vgl. Fuc(o)…]. – *E* seaweed – *F* tang – *I* fuco – *S* algas, oscuras

Tangelo s. Citrusfrüchte.

Tangerinen (bezeichnet nach dem marokkan. Hafen Tanger). Zu den *Citrusfrüchten gehörende, meist kernlose Kleinstmandarinen *Citrus tangerina* der Sorte *C. reticulata*, die in den USA, Japan, Israel, Argentinien u. Brasilien angebaut werden. Bei der Analyse von T.-Schalenöl wurden siebzehn flüchtige Substanzen aufgefunden, z. B. γ-*Elemen, die α- u. β-*Sinensale sowie Thymolmethylether. – *E* tangerines – *F* tangérines – *I* tangerini – *S* tangerinas

Lit.: Franke, Nutzpflanzenkunde, 6. Aufl., S. 291 f., Stuttgart: Thieme 1997. – *[HS 0805 20]*

Tangit®. Spezialklebstoffsyst. auf der Basis von *Tetrahydrofuran u. *PVC für hochfeste Verb. von Materialien aus PVC-U (hart), PVC-C u. ABS/ASA; bes. Zulassung für Trinkwasser- u. Abwasserleitungen. *B.:* Henkel.

Tanigan®. Synthet. Gerbstoffe auf der Basis von Kondensationsprodukten ein- od. mehrwertiger Phenole mit Formaldehyd, teilw. in Mischkondensation mit Naphthalinsulfonsäuren od. a. hochmol. Sulfonsäuren, ferner Kondensationsprodukt von Naphthalinsulfonsäuren u. Formaldehyd. Zur vegetabil. Gerbung u. Nachgerbung von Chromledern, als Spezialgerbstoffe für die C-RFP- u. RFD-Verf., als Weißgerbstoffe etc. *B.:* Bayer.

Tankyrase s. Telomere (2.).

Tannacomp®. Filmtabl. mit Tannin-albuminat u. *Ethacridin-lactat gegen Durchfall, Gastroenteritis u. dgl. *B.:* Knoll.

Tannasen (Tannin-Acylhydrolasen, EC 3.1.1.20). Tannin-spaltende Enzyme der Hydrolasen-Gruppe, vorwiegend in Schimmelpilzen (*Aspergillus*-Arten) anzu-

treffen, spalten Ester-Bindungen in *Tanninen. Die Verw. von T. wurde in den USA zur Hydrolyse des dunklen Tannin-Proteinkomplexes im Bier diskutiert; die T. bewirken hierdurch eine Aufhellung der Bierfarbe. Weitere mögliche Verw. zur Herst. von kalt-lösl. Instant-Tee. – $E = F$ tannases – I tannasi – S tanasas
Lit.: Adv. Appl. Microbiol. **44**, 215–260 (1997).

Tannate. Bez. für gerbsaure Salze, s. Tannine.

Tannen(nadel)öle s. Fichten- und Kiefernnadelöle.

Tanner, Widmar (geb. 1938), Prof. für Zellbiologie u. Pflanzenphysiologie, Univ. Regensburg. *Arbeitsgebiete:* Stofftransport durch Membranen, Biosynth. u. Funktion von Glykoproteinen.
Lit.: Kürschner (16.), S. 3720 ▪ Wer ist wer, S. 1432.

Tannin s. Tannine.

Tannin-Acylhydrolasen s. Tannasen.

Tannine. Von latein.: tannare = gerben abgeleiteter Gruppenname für eine Reihe von natürlichen *Polyphenolen sehr vielfältiger Zusammensetzung, die aufgrund ihrer Abstammung von *Gallussäure häufiger als *Gallotannine* bezeichnet werden. Das sog. *Tannin* (Gallusgerbsäure, Gerbsäure, Tanninsäure) bildet ein amorphes Pulver od. glänzende, kaum gefärbte, lockere Massen (D. 1,35) von schwachem, eigenartigem Geruch u. zusammenziehendem Geschmack (vgl. Adstringentien), das in 1 Tl. Wasser (kolloidale Lsg., saure Reaktion) od. 2 Tl. Alkohol u. in Glycerin leicht lösl., in Benzol, Chloroform u. Ether unlösl. ist. Beim Erhitzen tritt Bräunung, bei ca. 210 °C Zers. in Pyrogallol u. Kohlendioxid ein. Fehlingsche Lsg. u. ammoniakal. Silbersalz-Lsg. werden reduziert. Wäss. T.-Lsg. geben mit Eisenchlorid-Lsg. blauschwarze, tintenartige Niederschläge (vgl. Eisengallustinte), die bei Zusatz von verd. Schwefelsäure gelbbraun werden. Auch andere Schwermetalle werden als unlösl. Chelate gefällt. Die chem. Zusammensetzung der T. ist je nach Herkunft (aus Eichen- od. Kastanienholz, Divi-Divi, Sumach, Myrobalanen, Trillo, Valonea od. aus pflanzlichen *Gallen) sehr unterschiedlich. Beispielsweise ist das türk. T. (aus den Zweiggallen der kleinasiat. Eichenart *Quercus infectoria*, Aleppogallen) etwas anders aufgebaut als das von *Rhus*-Arten (Sumach) stammende chines. od. japan. Tannin. Nach Emil *Fischer u. K. *Freudenberg stellen T. Gemische von Stoffen vom Typ der Pentadigalloylglucose ($C_{76}H_{52}O_{46}$, M_R 1701,22) dar. An die Stelle der Digallussäure kann auch die *Gallussäure, ggf. sogar Digalloylgallussäure treten. Durch oxidative Kupplung der Galloyl-Reste in β-1,2,3,4,6-Pentagalloyl-D-glucose entstehen T. mit 4,4′,5,5′,6,6′-Hexahydroxydiphenoyl-Resten u. deren Folgeprodukte in großer struktureller Vielfalt.

Pentadigalloylglucose

Durch verd. Schwefelsäure (z. B. durch 3tägiges Erhitzen mit 5%iger Schwefelsäure bei 100 °C) kann man die *Depsid- u. die Ester-Bindungen der T. hydrolysieren; es bilden sich dann Glucose u. Gallussäure. Dieselbe Zerlegung wird von den Schimmelpilzen *Aspergillus niger* u. *Penicillium glaucum* durch das ausgeschiedene Enzym *Tannase (EC 3.1.1.20) schon bei 20 °C ausgeführt.

Die T. wirken stark gerbend (s. Gerberei) u. adstringierend, was ihre schon jahrtausendealte Verw. für die *Leder-Bereitung erklärt. Die Gallo-T. bilden zusammen mit den sich von der *Ellagsäure ableitenden Glykosiden die große Gruppe der sog. „hydrolysierbaren" pflanzlichen *Gerbstoffe, die auch als *Pyrogallolgerbstoffe* (enthalten 1,2,3-Trihydroxyaryl-Reste) den „nichthydrolysierbaren, kondensierten" *Catechin- od. *Pyrocatechin-Gerbstoffen* gegenübergestellt werden; Näheres s. bei Gerbstoffe. Zum mikrobiellen Abbau von T. s. *Lit.*[1]. Im engl. u. französ. Sprachgebrauch werden als „tannins" nicht nur die Gallo-T., sondern Gerbstoffe allg. verstanden. Die T. gerben nicht nur tier. Häute, sondern können auch am lebenden Organismus leichte, meist günstige „Gerbwirkungen" hervorrufen: Wundflächen u. katarrhal. entzündete Häute der Verdauungsorgane schrumpfen unter dem Einfluß der T. etwas, so daß die starken Absonderungen nachlassen. Die Permeabilität der Hautkapillaren wird durch T. herabgesetzt. T. fällt bereits in 0,5%iger Lsg. tier. Leim (Gelatine-Lsg.) aus; viele Schwermetalle u. Alkaloide mit Ausnahme von Morphin werden von T.-Lsg. ebenfalls ausgefällt, was zur Therapie bei entsprechenden Vergiftungen ausgenutzt werden kann. T. finden sich u. a. auch in Bier, Rotwein u. Tee; sie rufen dessen bitteren Geschmack hervor, wenn dieser zu lange gezogen hat. Durch Milchzugabe kann man diesen Bittergeschmack mildern, weil die T. mit Milcheiweiß eine unlösl. Verb. bilden. Der hohe T.-Gehalt z. B. in *Sorghum beeinträchtigt durch Protein-Fällung dessen Verw. als Futtermittel.

Verw.: Als Gerbmittel zum Gerben von Häuten, als Adstringens bei Durchfall (hohe T.-Dosen können allerdings das Gegenteil bewirken), als Antiseptikum u. Hämostyptikum (Blutstillungsmittel), in der Textilfärberei als Beizmittel für kation. Farbstoffe (*T.-Farbstoffe*) u. in der Tintenfabrikation, als chem. Reagenz, zur Fruchtsaft-, Bier- u. Weinklärung (*T.-Schönung*), zur Herst. von Gallussäure u. Pyrogallol, als Rostumwandler, zur Behandlung von Kesselwasser, in der Photographie, zur Koagulation in der Gummiproduktion, in Klebstoffen[2] usw. – $E = F$ tannins – I tannini – S taninos

Lit.: [1] ACS Symp. Ser. **399**, 559 (1989); J. Sci. Ind. Res. **45**, 232–243 (1986). [2] ACS Symp. Ser. **385**, 155–171 (1989).
allg.: Chem. Pharm. Bull. **38**, 861–865, 2424–2428 (1990) ▪ Chem. Soc. Rev. **26**, 111–126 (1997) ▪ Dtsch. Apoth. Ztg. **138**, 1265–1274 (1998) ▪ Farm. Tijdschr. Belg. **66**, 34–43 (1989) (*Tee*) ▪ Haslam, Vegetable Tannins Revisited, Cambridge: Cambridge University Press 1989 ▪ Hemingway u. Karchesy (Hrsg.), Chemistry and Significance of Condensed Tannins, New York: Plenum 1989 ▪ Heterocycles **30**, 1195–1218 (1990) ▪ Pharm. Biol. (3.) **2**, 250–259; **4**, 366 f. ▪ Prog. Clin. Biol. Res. **280**, 123–134 (1988) (*Wein*) ▪ Pure Appl. Chem. **54**, 2465–2478 (1982) ▪ Sax (7.), S. 3163 f. ▪ Tetrahedron **53**, 5951 (1997) ▪ Winnacker-Küchler (3.) **5**, 551–557 ▪ Zechmeister **13**, 70–136; **41**, 1–46, 47–76. – *Analytik*: J. Chem. Ecol. **15**, 1795–1810 (1989) ▪ J. Nat. Prod. **52**, 1–31, 665 (1989) ▪ Pure Appl. Chem. **61**, 357–360 (1989) ▪ s. a. Gerbstoffe. – [HS 3201 90; CAS 1401-55-4]

Tanninsäure s. Tannine.

Tannit®-Marken. *T. 560* – synthet. Kombinationsgerbstoff auf der Basis eines Phenolsulfonsäure-Kondensationsprodukts; *T. AK* – synthet. Austauschgerbstoff ebenfalls auf der Basis eines Phenolsulfonsäure-Kondensats mit Zusatz an kation. Harzen; *T. AKN* – Neutralisationsgerbstoff, der neben einem Phenolsulfonsäure-Kondensat substituierte Amine enthält; *T. LP1* – Austauschgerbstoff, modifiziertes Phenolaldehyd-Kondensat mit hochmol. kation. Amid-Verb.; *T. LSW* ist ein Produkt zur Verbesserung der Weichheit u. Reißfestigkeit von Leder auf der Basis langkettiger Alkanole mit Ethylenoxid-Addukten. ***B.:*** Dr. Th. Böhme KG.

Tannolact®. Puder, Creme u. Badezusatz mit Phenolsulfonsäure-Phenol-Harnstoff-Methanal-Kondensationsprodukt (ein synthet. *Gerbstoff) bei entzündlichen u. juckenden Hauterkrankungen u. Wunden. ***B.:*** Galderma.

Tannosynt®. Badezusatz, Creme, Puder u. Lsg. mit einem synthet. *Gerbstoff gegen nässende Dermatosen, Verbrennungen u. Ekzeme im Genitoanalbereich. ***B.:*** Hermal.

Tansanit. Nach dem ersten Fundort in Tansania (1967) benannter, flächenreicher Edelstein; Vanadium-haltige Abart von *Zoisit. H. 6,5–7, D. 3,35, krist. orthorhomb.; zur Struktur s. *Lit.*[1], Untersuchung von T. mit *Neutronenbeugung s. *Lit.*[2]. Die wertvollsten T. sind kornblumenblau (ggf. mit *Saphiren zu verwechseln), doch gibt es auch violette, braune, grüne u. farblose Steine, von denen die beiden ersteren durch Erhitzen auf 400–500 °C in die blaue Form umgewandelt werden können; zu Nachahmungen für T. s. *Lit.*[3]. – ***E = I*** tanzanite – ***F*** tansanite – ***S*** tanzanita

Lit.: [1] Z. Kristallogr. **185**, 617 (1988). [2] Z. Kristallogr. **179**, 305–321 (1987). [3] Gems & Gemology **32**, 270–276 (1996). *allg.:* Aufschluß **20**, 57–63 (1969) ▪ Eppler, Praktische Gemmologie (5.), S. 325 ff., Stuttgart: Rühle-Diebener 1994 ▪ Z. Dtsch. Gemmol. Ges. **19**, 103–115 (1970) ▪ s. a. Edelsteine u. Schmucksteine, Zoisit. – [HS 7103 10; CAS 51434-46-9]

Tantal (chem. Symbol Ta). Metall. Element der 5. Gruppe des Periodensyst., Ordnungszahl 73, Atomgew. 180,9479. Als anisotopes Element besteht Ta zu 99,988% aus dem Isotop ^{181}Ta u. zu 0,012% aus ^{180}Ta; daneben kennt man noch künstliche Isotope (^{156}Ta bis ^{186}Ta) mit HWZ zwischen 5,3 ms u. ca. 1,8 a. In seinen Verb. tritt Ta in den Oxid.-Stufen –3, –1, 0, +1, +2, +3, +4 u. +5 auf, wobei letztere am beständigsten u. am häufigsten ist. Ta krist. kub.-raumzentriert; es ist ein Platin-graues, hartes, sehr zähes, elast., dehnbares, polierbares Metall, das man walzen u. schmieden kann. D. 16,6, Schmp. 3020 °C, Sdp. ca. 5534 °C (geschmolzenes Ta ist die am höchsten siedende, bei Normaldruck noch existenzfähige Flüssigkeit), H. 6–6,5, MAK-Wert 5 mg/m^3. Ta ist ein unedles Metall, doch überzieht es sich an der Luft mit einer schützenden Oxidschicht; oberhalb 300 °C oxidiert es schnell. Ta ist wegen seiner Oxidschicht gegen chem. Angriffe außerordentlich widerstandsfähig; es wird nur von Flußsäure, heißer rauchender Schwefelsäure, heißem Chlor, Fluor, Schwefel u. geschmolzenen Alkalihydroxiden angegriffen. Da Ta gleichzeitig einen hohen Schmp. hat, kann es Platin in manchen Fällen ersetzen. Ta ist chem. dem *Niob so ähnlich, daß die Verschiedenheit der beiden Elemente lange nicht erkannt wurde. Die Oxide der Elemente V, Nb u. Ta reagieren sauer u. werden auch als saure Erden od. *Erdsäuren* bezeichnet. Zum spurenanalyt. Nachw. von Ta, auch neben Nb, mittels *N-Benzoyl-N-phenylhydroxylamin, Phenylarsonsäure od. *Phenylfluoron s. *Lit.*[1]. Über eine einfache polarograph. Simultanbestimmung von Ta u. Nb berichtet Berge[2]. Verunreinigungen in Ta lassen sich durch Aktivierungsanalyse[3] bestimmen.

Vork.: Ta gehört zu den seltenen Elementen; man schätzt seinen Anteil an der obersten, 16 km dicken Erdkruste auf 2,1 ppm. Damit steht es in der Häufigkeitsliste der Elemente zwischen Xenon u. Zinn; es ist somit seltener als Argon, Blei od. Brom u. mehr als 10mal seltener als Niob, doch häufiger als Arsen od. Molybdän. Man findet Ta in den verschiedensten, über die ganze Welt verstreuten Lagerstätten mit Niob vergesellschaftet in *Niobaten u. *Tantalaten. Hauptförderländer sind Kanada, Australien u. Brasilien. Daneben gibt es Produktionen mit noch nicht ausgeschöpftem Potential in China, einigen afrikan., südamerikan. u. südostasiat. Ländern. *Tantalit als (prakt. nie rein vorkommendes) Endglied der *Columbit-Reihe enthält 53–84% Ta$_2$O$_5$. Weitere Ta-Mineralien sind *Tapiolit, Wodginit, Thoreaulit, Mikrolith (s. Pyrochlor), Strüverit sowie die Reihe der radioaktiven Komplexerze (u. a. Ta-*Euxenit). Wichtige Ta-Reserven sind die Ta-haltigen Zinn-Schlacken, mit dem Ursprung vornehmlich in Thailand u. Malaysia. Die Produktion von Ta in der westlichen Welt aus prim. u. sek. Rohstoffen belief sich 1995 auf ca. 820 t Ta-Metall, davon wurden 640 t als Pulver u. 90 t als Draht für Kondensatoren verwendet u. 90 t zu Formteilen verarbeitet.

Herst.: Die Aufarbeitung der Ta-Erze erfolgt durch Aufschluß auf naßchem. Weg mit Flußsäure, mit Hilfe von Salzschmelzen od. durch Chlorierung. Zur Trennung des Ta von Nb benutzte man früher ein Verf. nach *Marignac; heute wird überwiegend die Flüssig-Flüssig-Extraktion mit Methylisobutylketon od. die Dest. der Pentachloride eingesetzt. Die Gewinnung des reinen Metalls erfolgt aus den Ta-Chloriden bzw. -Fluoriden durch Red. mit geschmolzenem od. gasf. Natrium, selten durch Schmelzflußelektrolyse; Näheres zu Erzaufschluß, Nb/Ta-Trennung u. Metall-Herst. s. bei Winnacker-Küchler u. Kirk-Othmer (*Lit.*), zur Laboratoriumsherst. von reinem Ta s. *Lit.*[4]. Das bei der Red. anfallende Ta-Pulver kann durch Sintern im Hochvak., durch Schmelzen im Lichtbogen, bes. aber durch Elektronenstrahl-Zonenschmelzen gereinigt u. kompaktiert werden. Die Gewinnung von Ta in Form von FeNbTa [vgl. Ferroniob(tantal)] geschieht überwiegend aus den Erzen durch *Aluminothermie.

Verw.: Ta wird im chem. Apparatebau als korrosionsfester Werkstoff für Behälterauskleidungen, Wärmetauscher u. Pumpenteile verwendet. Ein großer Anteil wird in der Elektronik zur Herst. von Ta-Elektrolyt-Kondensatoren eingesetzt. Weitere Anw. findet das Metall zur Herst. von Spinndüsen, Laborgeräten u. von Kathoden in Röntgen- u. Elektronenröhren. In der Chirurgie dient Ta als Werkstoff für Knochennägel, Knochenersatzstücke, Gelenkimplantate, Klammern, Kieferschrauben u. a. Instrumente[5]. Ta/Nb-Leg. wer-

den als Hochtemp.-feste Komponenten im Triebwerkbau eingesetzt, Ta/W-Leg. mit Hf-, Zr- u./od. Nb-Zusätzen werden in der Raumfahrt verwendet. TaC dient zur Herst. von Hartmetallen, Ta_2O_5 zur Herst. von opt. Gläsern, Glaskeramik u. elektrotechn. Bauteilen.
Geschichte: 1802 trennte A. G. Ekeberg (1767 – 1813) aus Columbit-ähnlichen finn. Mineralien das Oxid eines neuen Elementes ab, das er Ta nannte, weil das äußerst beständige Oxid (Ta_2O_5) mit Säuren kein Salz bildet u. daher unter der Säure „schmachten muß u. seinen Durst nicht löschen kann, wie Tantalus in der Unterwelt". Den Beweis für die Verschiedenheit von Ta u. Niob konnten erst 1846 H. *Rose u. 1866 *Marignac erbringen. Von Rose stammt auch der Name Niob nach Niobe, der Tochter des Tantalus. Die erste Isolierung des Elements gelang im Jahre 1903 durch Bolton. Zur Geschichte der Ta-Entdeckung s. Weeks[6]. – *E* tantalum – *F* tantale – *I* tantalio – *S* tantalio, tántalo

Lit.: [1] Fries-Getrost, S. 338f. [2] *Z. Chem.* **27**, 416f. (1987). [3] *Pure Appl. Chem.* **54**, 787 – 806 (1982); Townshend, Encyclopedia of Analytical Science, S. 5097 ff., London: Academic Press 1995. [4] Brauer (3.) **3**, 1439f. [5] Rabenseifner, Tantal u. Niob als Implantatwerkstoff, Stuttgart: Enke 1986. [6] *J. Chem. Educ.* **1968**, 344 – 351.
allg.: DECHEMA-Monogr. **76**, 9 – 22, 81 – 90 (1974) ■ Gmelin, Syst.-Nr. 50, Ta, 1969 – 1973 ■ *J. Min. Met. Mat. Soc.* **41**, 33 – 39 (1989) ■ Kirk-Othmer (4.) **23**, 658 – 679 ■ Ullmann (5.) **A 26**, 71 – 83 ■ Winnacker-Küchler (4.) **4**, 518 – 523. – *[HS 8103 10, 8103 90; CAS 7440-25-7]*

Tantalate(V). Bez. für Salze, die sich von Oxosäuren des 5-wertigen Tantals ableiten. Man unterscheidet Meta-T. der allg. Formel M^ITaO_3 u. Ortho-T. der allg. Formel $M^I_4Ta_2O_7$ (M^I = einwertiges Metallion); auch T. der Zusammensetzung $M^I_8Ta_6O_{19}$ sind bekannt, ebenso wie Isopolytantalate. Die T. enthalten keine isolierten Tantalat-Ionen, sondern sind als Doppeloxide mit Perowskit-Struktur anzusehen. – *E* = *F* tantalates(V) – *I* tantalati (V) – *S* tantalatos(V)

Lit.: Brauer (3.) **3**, 1469f., 1776f. ■ Kirk-Othmer (3.) **22**, 561 f.

Tantalit. $(Fe^{2+},Mn^{2+})Ta_2O_6$ od. $(Fe^{2+},Mn^{2+})(Ta,Nb)_2O_6$, mit Ta > Nb. Prakt. nie rein vorkommendes Endglied einer lückenlosen Mischkrist.-Reihe mit *Niobit* $(Fe,Mn)Nb_2O_6$; die Glieder dieser Reihe werden als *Columbit* bezeichnet. Zur Nomenklatur u. Abgrenzung der Minerale *Ferrotantalit* u. *Manganotantalit* (beide rhomb., Kristallklasse mmm-D_{2h}, mit Columbit-Struktur) u. *Tapiolit* im sog. Columbit-Viereck, s. *Lit.*[1], zur Struktur von T. s. *Lit.*[2,3]. Ordnungs-Unordnungs-Zustände in der Kationen-Verteilung (*Lit.*[3]) resultieren aus der variablen Zusammensetzung, an der außer Fe, Mn u. Ta noch Nb, Mg u. etwas Sn, Ti u. Sc beteiligt sein können. *Yttro-T.* hat die Zusammensetzung $(Y,U,Fe^{2+})(Ta,Nb)O_4$. Zur Mischungslücke zwischen T. u. Tapiolit (Verwachsungen von Ferro-T. u. Ferrotapiolit, *Lit.*[1,4]) s. *Lit.*[5], zur Synth. von T. s. *Lit.*[6]. (Columbit-)T. kann bedeutende Mengen Uran aufnehmen u. schließt Blei fast vollständig aus; daher ist das Mineral zur geolog. *Altersbestimmung nach der *Blei-Methode geeignet[7].
Die Tantal-reichen, bergbausprachlich als T. bezeichneten Glieder bilden rotbraune u. braune bis schwarze, z. T. pechartig glänzende, eingewachsene rhomb. Krist. od. derbe Massen mit braunem bis schwarzem Strich. H. 6, D. bis 8,1; T. ist ein wichtiges Tantal-Erz, das von Säuren nicht angegriffen wird.
Vork.: In Granit-*Pegmatiten u. daraus hervorgegangenen *Seifen. Wirtschaftlich wichtig sind u. a. Tanco am Bernic Lake/Kanada (Mangano-T.), Greenbushes u. Pilbara/Australien sowie die Zinn-Seifen von Thailand u. Malaysia, in denen T. als Beiprodukt gewonnen wird. Weitere Vork.: In Zwiesel/Bayern, Amelia/Virginia/USA (Mangano-T.), Brasilien, Zaire, Nigeria u. Skandinavien (Ferro-T. in Moss/Norwegen). – *E* = *F* = *I* tantalite – *S* tantalita

Lit.: [1] *Am. Mineral.* **80**, 613 – 619 (1995). [2] *Can. Mineral.* **14**, 540 – 549 (1976). [3] *Neues Jahrb. Mineral. Monatsh.* **1985**, 372 – 378. [4] *Mineral. Petrol.* **41**, 53 – 63 (1989). [5] *Can. Mineral.* **30**, 587 – 596 (1992). [6] *J. Cryst. Growth* **91**, 141 – 146 (1988). [7] *Mineral. Petrol.* **57**, 243 – 260 (1996).
allg.: Anthony et al., Handbook of Mineralogy, Vol. III, S. 193 (Ferro-T.), 346 (Mangano-T.), 617 (Yttro-T.), Tucson (Arizona): Mineral Data Publishing 1997 ■ *Bull. Minéral.* **108**, 499 – 532 (1985) ■ Ramdohr-Strunz, S. 541 ■ s. a. Tantal, Columbit. – *[HS 2615 90; CAS 12178-48-2]*

Tantal-Legierungen. T.-L. werden aufgrund ihrer hohen Schmp. für therm. hochbeanspruchte Bauteile der Luft- u. Raumfahrt eingesetzt. Von Vorteil hierfür sind auch die guten Festigkeitskennwerte bei hohen Temp. (bis 1600 °C) u. die gute Schweißbarkeit u. Verformbarkeit. Beisp. für derartige Werkstoffe sind Leg. mit 8 – 10 % W u. 2 – 3 % Hf. Daneben finden T.-L. ebenso wie *Tantal zunehmend Anw. im Chemieapparatebau, da sie sich durch eine mit unlegiertem Ta vergleichbare hohe Beständigkeit in einer Vielzahl von Angriffsmitteln wie Mineralsäuren, trockenem u. feuchtem Chlor u. Brom, Chromsäure u. einigen Metallschmelzen auszeichnen. Nicht verwendbar sind T.-L. lediglich in alkal. Lsg., Flußsäure, Flußsäure-Salpetersäure-Gemischen, Fluoriden, Oleum u. Schwefeltrioxid. Ta-Nb-Leg. (meist 40 % Nb) u. Ta-W-Leg. (höhere Festigkeit, jedoch geringere Zähigkeit; max. 10 % W) haben auch wegen ihres im Vgl. zu Ta geringeren Preises eine gewisse Bedeutung erlangt. Wegen des hohen Preises werden T.-L. häufig als Auskleidungen od. in Form von Sprengplattieren auf kostengünstigeren Grundwerkstoffen wie Stahl verwendet. T.-L. neigen ebenso wie Ta zur Aufnahme von Wasserstoff u. in deren Folge zur *Wasserstoffversprödung. Die Herst. von Bauteilen aus T.-L. erfolgt teilw. auf dem Wege der *Pulvermetallurgie. Tantal als Leg.-Element findet sich sowohl in Hochtemperaturleg. für Turbinen u. Brenner (Superleg.) als auch in *Stählen. – *E* tantalum alloys – *F* alliages de tantale – *I* leghe di tantalio – *S* aleaciones de tántalo

Lit.: Gräfen (Hrsg.), Lexikon Werkstofftechnik, S. 1005, Düsseldorf: VDI-Verl. 1993 ■ Ullmann (5.) **A 26**, 77 ff.

Tantal-Verbindungen. a) *Tantalpentachlorid*, $TaCl_5$, M_R 358,21. Hellgelbe Krist., D. 3,68, Schmp. 215,9 °C, Sdp. 232,9 °C, wird als Chlorierungsmittel bei organ. Synth. verwendet. – b) *Tantalpentoxid* (Ditantalpentoxid, „Tantalsäure", Tantalsäureanhydrid), Ta_2O_5, M_R 441,89. Weißes Pulver, wird zur Herst. von Spezialgläsern, Kondensatoren u. als Katalysator bei organ. Synth. verwendet. – c) *Tantalcarbid*, TaC, M_R 192,96.

Messinggelbes Pulver, D. 14,5, Schmp. 3985 °C, Sdp. ca. 5500 °C, H. >9. TaC nimmt wenig Wärme auf u. bleibt auch bei starker Reibung kühl, es ist chemikalienresistent, wird aber von HNO_3/HF-Mischungen u. oxidierenden Salzschmelzen leicht angegriffen; beim Erhitzen an der Luft wird es bei 800 °C rasch oxidiert. Als *Hartstoff dient TaC v. a. als Zusatz zu Wolframcarbid-*Hartmetallen, z. B. für Schneidlegierungen. Gleiche Anw. haben auch die bis zu hohen Temp. sehr widerstandsfähigen Tantalboride u. -nitride gefunden. – *E* tantalum compounds – *F* composés de tantale – *I* composti di tantalio – *S* compuestos de tántalo

Lit.: Acc. Chem. Res. **12**, 98ff. (1979) ▪ Angew. Chem. **97**, 355f. (1985) ▪ Brauer (3.) **3**, 1440ff., 1451–1460, 1466–1476 ▪ Chem.-Ztg. **95**, 934 (1971) ▪ Houben-Weyl **13/7**, 371–374 ▪ Kirk-Othmer (4.) **23**, 672ff. ▪ Pure Appl. Chem. **52**, 729–732 (1980) ▪ Ullmann (5.) **A 5**, 66, 69f. ▪ Winnacker-Küchler (4.) **4**, 603f. ▪ s. a. Tantal. – *[HS 282739; CAS 7721-01-9 (a); 1314-61-0 (b); 12070-06-3 (c)]*

Tantazole.

Tantazol B

Die aus einer Bodenprobe von Hawaii stammende Blaualge *Scytonema mirabile* bildet in Kultur ungewöhnliche oxidationsempfindliche Oligothiazolyloxazol-Alkaloide, die T., z. B. *T. B* {$C_{25}H_{34}N_6O_2S_4$, M_R 578,85, Öl, $[\alpha]_D$ –94° ($CHCl_3$)}. T. wirken cytotoxisch. – *E* = *F* = *S* tantazoles – *I* tantazoli

Lit.: Antiviral. Chem. & Chemother. **3**, 189 (1992) ▪ Nachr. Chem. Tech. Lab. **43**, 347 (1995) ▪ Synlett **1996**, 1168. – *[CAS 129895-76-7 (T. B)]*

Tantum® Verde (Rp). Lsg. u. Spray mit *Benzydaminhydrochlorid gegen Entzündungen im Mund- u. Rachenraum. *B.:* Solvay-Arzneimittel.

TAP (*Transporter des Antigen-Processing*). Zu den *ABC-Transporter-Proteinen gehörende Membranproteine, die zelleigene *Peptide (*Selbst-Peptide*) ins *endoplasmatische Retikulum (ER) transportieren, wobei *Adenosin-5'-triphosphat (ATP) zu *Adenosin-5'-diphosphat hydrolysiert wird. Die Selbst-Peptide stammen aus dem Abbau zelleigener *Proteine durch das *Proteasom (s. a. Proteasen), binden im ER an *Histokompatibilitäts-Antigene der Klasse I u. werden zusammen mit diesen an der Zelloberfläche dem *Immunsystem dargeboten. Diese Präsentierung (s. a. Antigene) ist wichtig, damit gegen das Selbst reaktive Zellen des Immunsyst. erkannt u. ausgeschaltet werden können u. dadurch sichergestellt wird, daß in Zukunft nur gegen Fremd-Antigene vorgegangen wird.
Der funktionelle Transporter ist ein Hetero-Dimer aus den Proteinen TAP1 (M_R 81 000) u. TAP2 (M_R 75 000), die beide je sechs Membran-durchspannende α-Helices (s. Helix) u. eine ATP-bindende cytoplasmat. Domäne besitzen. Die Gene der TAP-Proteine liegen im Genom in der Nähe derjenigen der Histokompatibilitäts-Antigene. – *E* = *F* = *I* = *S* TAP

Lit.: Annu. Rev. Biochem. **65**, 769–799 (1996) ▪ Biospektrum **4**, Nr. 1, 23–29; Nr. 2, 42 (1998) ▪ Immunol. Today **19**, 580–585 (1998).

Tapeten. Ebenso wie die Bez. *Teppiche u. das französ. tapisserie aus pers.: taffeta (von taftan = weben) über griech.: tapetion (Verkleinerungsform von tapes = Teppich, Decke) abgeleitete Bez. für Wandbekleidungen, die in früheren Zeiten aus Leder od. textilen Geweben (Gobelins, Seidentapeten) bestanden. Die heutigen T. sind im allg. bedruckte Papierbahnen genormter Breite, die ggf. mit Hilfe von Kunststoff-Beschichtungen od. -Imprägnierungen waschfest gemacht werden können. Für spezielle Effekte werden auf Papier od. Styropor Beläge aus Glasseide, Jute, Metallfolien, Kork, Holz, Gras u. a. aufkaschiert. – *E* tapestry, wallpapers – *F* papiers peints – *I* tappezzerie, carte da parati – *S* papeles pintados

Lit.: Scholz et al., Baustoffkenntnis (13.), Düsseldorf: Werner 1995 ▪ Ullmann (5.) **A 1**, 257f.

Tapetenrohpapier s. Papier, S. 3113.

Tapetra®. Pulverförmige, in Wasser anzusetzende Streich- u. Spachtelmakulatur zur Untergrundvorbehandlung bei Tapezierarbeiten. *B.:* Henkel.

TAPI s. 1,1,1-Triacetoxy-1,1-dihydro-1,2-benziodoxol-3(1*H*)-on.

Tapioka. Aus der Sprache der brasilian. Tupi-Indianer stammende Bez. für partiell verkleisterte *Maniok-*Stärke. T. besteht aus 17–22% *Amylose u. 78–83% *Amylopektin. T. wird als *Verdickungsmittel in der Lebensmittel-Ind. verwendet; s. a. Maniok, Sago u. Stärke. Über optimale Bedingungen zum Fritieren eines Crackers aus T. (Keropak), eines bekannten Snacks in Malaysia, berichtet *Lit.*[1]. Hinweise zur Emulgierfähigkeit oxidierter T.-Stärke sind *Lit.*[2] zu entnehmen. Es wird angenommen, daß diese Eigenschaft auf die elektrostat. Abstoßung der nach Oxid. entstandenen Carboxy-Gruppen der Stärke-Ketten zurückzuführen ist. – *E* = *F* = *I* = *S* tapioca

Lit.: [1] Int. J. Food Sci. Technol. **31**, 249–256 (1996). [2] J. Jpn. Soc. Food Sci. Technol. **43**, 880–886 (1996).
allg.: Heiss (Hrsg.), Lebensmitteltechnologie (5.), Berlin: Springer 1996 ▪ Herrmann, Exotische Lebensmittel (2.), S. 97, Berlin: Springer 1987 ▪ Zipfel, C 303 B II.7; C 370 9, 17. – *[HS 110814; CAS 9005-25-8]*

Tapiolit. (Fe^{2+},Mn^{2+})(Ta,Nb)$_2$O$_6$, mit Fe>Mn u. Nb$_2$O$_5$ < 10%; Formel des Endglieds *Ferro-T.*: FeTa$_2$O$_6$. Neben *Tantalit leicht zu übersehendes Tantal-Erzmineral. Schwarze bis braunschwarze, stark glänzende, tetragonale Krist., Kristallklasse 4/mmm-D$_{4h}$, H. 6, D. 7,3–8,0. Struktur, Kristallchemie u. chem. Analysen s. *Lit.*[1]. T. hat das *Kristallgitter eines Trirutils[2] u. die Zusammensetzung von Tantalit (vgl. Columbit). Zur Mischungslücke zwischen T. u. Tantalit s. *Lit.*[3].
Vork. (*Ferro-T.*): In oft Li-reichen Granit-*Pegmatiten, z. B. in Eräjärvi/Finnland (Mangano-T. nur hier), Marokko, Australien, Maine u. South Dakota/USA. In *Seifen. Als Entmischungsprodukt in *Kassiterit (Zinnstein). – *E* = *F* = *I* tapiolite – *S* tapiolita

Lit.: [1] Can. Mineral. **34**, 631–647 (1996). [2] Acta Crystallogr., Sect. **A 51**, 514–519 (1995). [3] Can. Mineral. **30**, 587–596 (1992).
allg.: Anthony et al., Handbook of Mineralogy, Vol. III, S. 194 (Ferro-T.), 347 (Mangano-T.), Tucson (Arizona): Mineral Data Publishing 1997 ▪ Ramdohr-Strunz, S. 533 ▪ s. a. Tantalit, Columbit. – *[CAS 1310-29-8]*

TAPPI. Abk. für *Technical Association of the Pulp and Paper Industry*, P.O. Box 105113, Norcross, Atlanta, GA 30092, USA. – INTERNET-Adresse: http://www.TAPPI.org

TAPSO. 2-Hydroxy-3-[2-hydroxy-1,1-bis(hydroxymethyl)ethylmethylamino]-1-propansulfonsäure als biolog. Puffer, $pK_a = 7{,}6$ (25 °C), pH-Bereich 7,0–8,2. *B.*: Serva; Sigma.

Taq-Polymerase. DNA-abhängige *DNA-Polymerase (EC 2.7.7.7) aus dem thermophilen Bakterium *Thermus aquaticus*. Das Enzym findet wegen seiner hohen Stabilität u. Hitzebeständigkeit weite Anw. in der Molekulargenetik, so bei der DNA-Sequenzierung nach dem Kettenabbruchverf. nach Sanger u. der *polymerase chain reaction (PCR) zur Amplifizierung von DNA [1], sowie dem genet. *foot print* [2] (s. Footprint-Analyse unter DNA-Protein-Wechselwirkung bei Desoxyribonucleinsäuren). Bei der PCR muß das Enzym wegen seiner Thermostabilität auch bei hohen Cyclenzahlen nur anfänglich einmal (u. nicht bei jedem Cyclus erneut) zugesetzt werden [3]. Weitere Vorteile sind die fast fehlende 3′-Exonuclease-Aktivität [1] sowie eine noch recht hohe Genauigkeit bei der Bildung des neuen DNA-Stranges (2×10^{-4} Fehler pro Base v. Replikationscyclus [4]). – *E* Taq polymerase – *F* polymérase Taq – *I* Taq polimerasi – *S* polimerasa Taq

Lit.: [1] Proc. Natl. Acad. Sci. USA **85**, 9436–9440 (1988). [2] Nature (London) **338**, 277 (1989). [3] Nucl. Acids Res. **16**, 10915 (1988). [4] Proc. Natl. Acad. Sci. USA **86**, 9253–9257 (1989). *allg.*: Biochem. Biophys. Res. Commun. **238**, 113–118 (1997) ■ Römpp Lexikon Biotechnologie, S. 753 ■ Stryer 1996, S. 139.

TAR. Abk. für therm. Abgas- od. Abluftreinigung, s. thermische Gasreinigung.

Tara. 1. Aus dem Italien. (aus arab.: tarh = Abzug) übernommene Bez. für das Gew. der Verpackung einer Ware. – 2. Getrocknete Schote des in Kenia kultivierten Baumes *Caesalpinia spinosa* (Schmetterlingsblütler), die zur Gewinnung von *Tanninen dienen. – *E = F* 1. tare, 2. tara – *I = S* 1., 2. tara

Taranakit. $H_6(K,NH_4)_3Al_5[PO_4]_8 \cdot 18 H_2O$. Gelblichbraune bis milchweiße, hexagonale, feine Nadeln u. tonartige, pulverige bis kompakte od. knollige Massen, D. 2,06–2,12. Verschiedene Struktur-Vorschläge u. Formel-Angaben s. *Lit.*[1–3]

Vork.: Am Kontakt von Guano mit Ton, z.B. in Taranaki/Neuseeland (Name!), u. in Höhlen, u.a. in Frankreich, Italien (u.a. Apulien[3]) u. Virginia/USA. Kalium- u. Ammonium-T. entstehen ggf. auch im Boden unter dem Einfluß von Phosphat-Düngemitteln. – *E = F = I* taranakite – *S* taranakita

Lit.: [1] Am. Mineral. **60**, 331–334 (1975). [2] Am. Mineral. **61**, 329ff. (1976). [3] Am. Mineral. **76**, 1722–1727 (1991). *allg.*: J. Phys. Chem. **65**, 1609–1616 (1961) ■ Nriagu u. Moore (Hrsg.), Phosphate Minerals, S. 114f., 178, 184, Berlin: Springer 1984 ■ Ramdohr-Strunz, S. 645. – *[CAS 21444-84-8]*

Taraxacum s. Löwenzahn.

Taraxastan, Taraxasterin, Taraxeran, Taraxerin, s. Triterpene.

TAREX®. Eingetragene Marke der *Bayer AG, Abk. für *thermische (Ab)gasreinigung explosibler Gasgemische. Das Verf. wurde von der Bayer AG zusammen mit der Firma KEU (Kleinewefers Energie u. Umwelttechnik) GmbH, Krefeld entwickelt; über 40 Anlagen wurden von den Entwicklungspartnern gebaut. Das Verf. kombiniert eine Vielzahl verbrennungstechn. (z.B. Verbrennung im hochturbulenten Drallstrom), sicherheitstechn. (z.B. Flüssigkeitstauchverschlüsse, Flammensiebe, rückzündungsfreie Eindüsung der Gase in die Brennkammer) u. energietechn. (Regelung) Maßnahmen, die eine sichere *Verbrennung der organ. Bestandteile explosionsfähiger *Abgase, zusammen mit flüssigen Rückständen, ermöglichen. TAREX®-Anlagen sind – soweit sinnvoll – mit Wärmetauscher u. Abluftreinigung ausgestattet (s. Abb.). *Lit.*: VDI Ber. **730**, 25 ff. (1989).

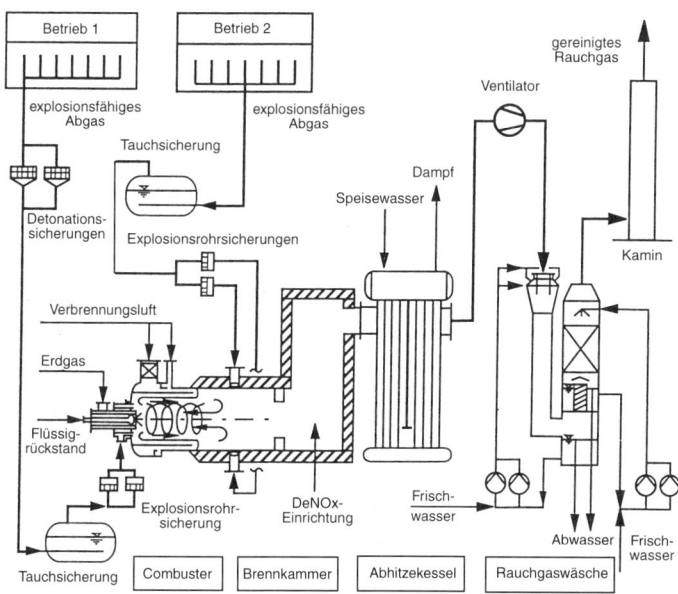

Abb.: Verfahrensfließbild des TAREX®-Verfahrens.

Target. Aus dem Engl. (= Ziel) übernommene Bez. aus der Kernphysik. Man spricht von einem T. als einem Stoff, den man der Einwirkung von (gebündelter) *Teilchen- od. elektromagnet. *Strahlung aussetzt. Typ. *Kernreaktionen, die bei einem Beschuß von T. auftreten, sind: Emission von *Brems- od. *Röntgenstrahlung, Emission von Teilchen, z. B. von *Neutronen (bes. mit Beryllium als T.), *Paarbildung (s. die Abb. bei Kernreaktionen), *Einfang-Prozesse, z. B. bei der *Ionenimplantation od. der Bildung von *Quasiatomen od. *Transuranen. – *E* target – *F* cible – *I* bersaglio – *S* blanco

Target® (Rp). Gel mit *Felbinac zur Behandlung schmerzhafter, entzündlicher Erkrankungen des Bewegungsapparates sowie von Weichteilverletzungen durch stumpfe Traumen u. Sportverletzungen. *B.:* Whitehall Much.

Tarichatoxin s. Tetrodotoxin.

Tarivid® (Rp). Filmtabl. u. Infusionslsg. mit *Ofloxacin, einem synthet. Gyrasehemmer, gegen Infektionen. *B.:* HMR.

Tarnung s. Mischkristalle u. Maskierung.

Taro. In Südostasien heim. u. in trop. Gegenden vielfach kultiviertes, mancherorts auch *Eddo* genanntes Knollengewächs *Colocasia esculenta* var. *antiquorum* (Araceae). Die bis zu 4 kg schweren weißen, grauen, rötlichen od. violetten Wurzelknollen enthalten ca. 73% Wasser, 23% Stärke, 1,9% Protein u. 0,2% Fett, daneben relativ viel K sowie Ca, P, Fe, Vitamin A, B u. C, außerdem Schleimstoffe u. Saponine. Die T.-Knollen dienen der einheim. Bevölkerung als wichtiges, allerdings erst nach längerem Kochen od. Rösten bekömmliches Nahrungsmittel. Die jungen, Calciumoxalat-haltigen Blätter werden als Gemüse verzehrt. Die ausdauernde Sumpfpflanze benötigt humose, tiefgründige Böden u. feuchtwarmes Klima. Die Weltproduktion betrug 1994 5,8 Mio. t, mit Schwerpunkten in China (1,36), Nigeria (1,3) u. Ghana (1,27 Mio. t). – *E* taro, cocoyams – *F* = *I* = *S* taro

Lit.: Franke, Nutzpflanzenkunde, 6. Aufl., S. 78 f., Stuttgart: Thieme 1997. – [HS 0706 90]

Tartarus. Von latein.: tartarus = Weinstein abgeleitete latein. Apotheker-Bez. für verschiedene *Tartrate, d. h. Salze der *Weinsäure, z. B. T. depuratus = Weinstein (s. Kaliumhydrogentartrat), T. emetus = T. stibiatus = *Brechweinstein, T. natronatus = Seignettesalz [s. Kaliumnatrium-(*R,R*)-tartrat].

Tartrate. Bez. für Ester u. Salze der *Weinsäure; wenn nur ein H-Atom der beiden Carboxy-Gruppen durch organ. Reste od. Metallatome ersetzt ist, spricht man von *sauren* od. *Hydrogen-T.* (früher: B.-T.). Die DL-T. nannte man lange Zeit *Racemate*, bis dieser Begriff den heutigen Bedeutungsinhalt erhielt (s. dort u. optische Aktivität). Oftmals werden T. synthetisiert, um mit diesen eine *Racemattrennung vornehmen zu können. In Einzelstichwörtern behandelte T. sind *Kaliumhydrogentartrat, *Kaliumnatrium-(*R,R*)-tartrat, *Natriumtartrat u. *Brechweinstein, s. a. Tartarus. – *E* = *F* tartrates – *I* tartrati – *S* tartratos

Lit.: Kirk-Othmer (3.) **13**, 114–118 ▪ s. a. Racemattrennung u. Weinsäure.

Tartrazin [4,5-Dihydro-5-oxo-1-(4-sulfophenyl)-4-(4-sulfophenylhydrazono)-1*H*-pyrazol-3-carbonsäure-Trinatriumsalz, Hydrazingelb, C.I. 19140, C.I. Acid Yellow 23, C.I. Food Yellow 4; EG-Nr.: E 102].

$C_{16}H_9N_4Na_3O_9S_2$, M_R 534,39. Orangegelbes Pulver, in Wasser mit gelber, in konz. Schwefelsäure mit orangegelber Farbe lösl., gibt auf Schafwolle reine, lichtechte, leuchtend gelbe Färbungen. T. gehört in den USA zu den drei wichtigsten Lebensmittelfarbstoffen. Es wird auch zum Herstellen kosmet. Mittel u. als Indikator (farblos-gelb) für die Absorptionstitration von Silber mit Halogeniden verwendet. T. wird verdächtigt, allerg. Reaktionen zu verursachen. – *E* = *F* tartrazine – *I* = *S* tartrazina

Lit.: Beilstein E IV **25**, 1757 ▪ Kirk-Othmer (4.) **5**, 27; **6**, 896, 956 ▪ Zollinger, Color Chemistry (2.), S. 428, Weinheim: VCH Verlagsges. 1991. – [HS 3204 12; CAS 1934-21-0]

Tartronsäure (Hydroxymalonsäure).

$C_3H_4O_5$, M_R 120,06. Farblose Krist., subl. bei 110–120 °C, Schmp. 160 °C (Zers., decarboxyliert), in Wasser u. Alkohol leichtlösl., in Ether schwerlöslich. T. wird durch Oxid. von Glycerin mit Kaliumpermanganat hergestellt. Der Name soll an *Weinsäure (latein.: acidum tartaricum) erinnern, weil deren Dinitrat durch Luftoxid. etwas T. bildet. – *E* tartronic acid – *F* acide tartronique – *I* acido tartronico – *S* ácido tartrónico

Lit.: Beilstein E IV **3**, 1120 ▪ Merck-Index (12.), Nr. 9240 ▪ Ullmann (5.) **A 13**, 508, 511. – [HS 2918 19; CAS 80-69-3]

Taschenbatterien. Bez. für *Trockenelemente* bzw. galvanische Elemente, die in Taschenlampen, Taschenrechnern, Blitzgeräten, Taschenradios, Filmkameras usw. eingesetzt werden. T. sind als Einzelzellen in verschieden genormten Größen (Mono-, Baby-, Mignon-, Micro- u. Ladyzelle) od. als Flachbatterien mit mehreren hintereinandergeschalteten Elementen (eigentliche *Batterien) im Handel. Die Einzelzellen liefern etwa 1,5 V u. dementsprechend die Duplexzelle 3 V, die normale Flachbatterie (3 Zellen) 4,5 V u. der Transistorblock (6 Zellen) 9 V. *Vorteile* der T.: Lange Lagerungsfähigkeit, Fixierbarkeit des Elektrolyten in Gel-Form, daher auch in nicht ortsfesten Batterien verwendbar. *Nachteile*: Relativ hoher innerer Widerstand, Ansteigen des inneren Widerstands bei fortschreitender Entladung, Abfall der Klemmenspannung während des Betriebs (bei Betriebsunterbrechungen weniger fühlbar).

Die bekannteste Form ist das 1866 von Leclanché entwickelte sog. *Leclanché-Element*. Bei diesem auch

Tab.: Typ. Daten von Taschenbatterien[1].

	Zellspannung [V]	Energiedichte [W·h/kg]	Leistungsdichte [W/kg]	Energiedichte [W·h/L]	Anzahl der Aufladecyclen
Primärelemente					
Leclanché (Zn/MnO$_2$)	1,5	105	20	225	–
Alkali (Zn/MnO$_2$)	1,5	140	25	370	–
Li/CF$_x$	2,7	300	80	500	–
Li/MnO$_2$	2,8	300	75	600	–
Li/SOCl$_2$	3,6	380	100	750	–
Sekundärelemente (Akkumulatoren)					
Pb/Säure	2,0	40	150	80	800
Ni/Zn	1,7	50	200	100	300
Ni/Cd	1,2	20	180	32	1000
Ni/Fe	1,35	25	60	55	1100
Ag$_2$O$_2$/Zn	1,5	100	≥600	200	100

heute noch weit verbreiteten *Primärelement* tauchen ein Zink-Stab u. ein Kohlestab in einen Elektrolyten aus einer 10–20%igen Ammoniumchlorid-Lsg.; der Kohlestab steht in einer Tonzelle od. einem Beutel. Zwischen Kohlestab u. Tonzelle befindet sich fester Braunstein als *Depolarisator, der den sich bildenden Wasserstoff (der sonst einen stromhemmenden *Polarisations-Strom hervorrufen würde, vgl. Überspannung) zu Wasser oxidiert. Das elektrochem. Syst. läßt sich darstellen als: (−)Zn | NH$_4$Cl ~ 10% | MnO$_2$ | Kohle(+). Um die Tonzelle zu sparen, kann man die Kohleelektrode auch aus (beispielsweise) 40 Tl. Braunstein, 55 Tl. Gaskohle u. 5 Tl. Schellack herstellen, die unter hohem Druck zusammengepreßt werden[2].

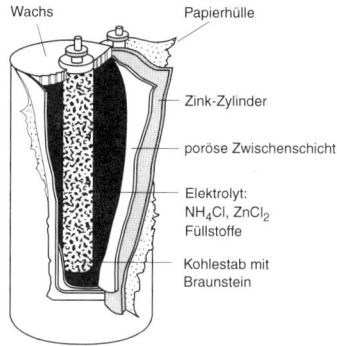

Abb. 1: Trockenbatterie nach dem Prinzip des Leclanché-Elements.

Heutige *Trockenbatterien* sind nach dem Prinzip des Leclanché-Elements gebaut (s. Abb. 1), doch wird hier anstelle der wäss. NH$_4$Cl-Lsg. ein aufsaugender Stoff (Stärkebrei, Weizenmehl, Tragant, Carboxymethylcellulose, Polyvinylalkohol u. dgl.) verwendet, der mit der NH$_4$Cl-Lsg. durchtränkt ist, so daß man das Element in jeder beliebigen Lage halten u. befördern kann. Man kann die elektrochem. Reaktionen im Leclanché-Element wie folgt formulieren:

$$Zn + 2\,MnO_2 + 2\,NH_4Cl \rightleftharpoons [Zn(NH_3)_2]Cl_2 + 2\,MnOOH$$

Am Minus-Pol (bei Batterien als *Anode bezeichnet) bilden sich Zn-Ionen (Oxid.: Zn → Zn^{2+} + 2e$^−$). Am Plus-Pol (bei Batterien als *Kathode bezeichnet) werden H-Ionen entladen (reduziert) u. von dem als Depolarisator wirkenden *Mangandioxid zu H$_2$O oxidiert $(2\,MnO_2 + 2\,H^+ + 2\,e^- \rightarrow Mn_2O_3 + H_2O)$.

Als Brutto-Gleichung findet man auch oft die Formulierung:

$$Zn + 2\,MnO_2 + H_2O \rightarrow Mn_2O_3 \cdot H_2O + ZnO$$
$$od.\ Zn + 2\,MnO_2 + 2\,H_2O \rightarrow 2\,MnOOH + Zn(OH)_2.$$

Heute gebräuchliche alkal. T. sind *Alkali-Mangandioxid-Zellen* (Markenbez. *Alkaline*); sie besitzen herkömmliche Elektroden, aber einen Alkali-Elektrolyten. Um die Leistungsdichte u. die Effektivität zu steigern, ist die Zink-Anode (Minus-Pol) als Pulver in dem Elektrolyten Kaliumhydroxid enthalten (s. Abb. 2). Die Kathode (Plus-Pol) ist eine hochkomprimierte Mischung aus sehr reinem Mangandioxid u. Graphit. Die Abdichtung ist techn. sehr aufwendig, damit die Zelle auch dann noch sicher bleibt, wenn sie vorschriftswidrig eingesetzt wird. Die elektrochem. Reaktionen sind ähnlich denen der Säurezellen.

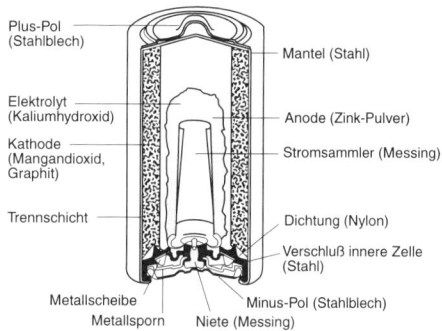

Abb. 2: Aufbau einer Alkali-Batterie.

Die heute für bes. kleine Geräte benötigten *Knopfzellen* bestehen meist aus Zn(Hg)/KOH/HgO-Elementen, in denen dünne Plättchen aus gepreßtem amalgamiertem Zink-Pulver die Anode u. gelatinierte KOH-Lsg. den Elektrolyten bilden, der durch ein Diaphragma von der aus Graphit u. Quecksilberoxid als Depolarisator bestehenden Kathode getrennt ist (s. Abb. 3, S. 4398). Die elektrochem. Reaktion in Knopfzellen dieser Zusammensetzung kann als Zn + HgO + H$_2$O → Zn(OH)$_2$ + Hg zusammengefaßt werden. Die Zellen geben eine sehr verläßliche Spannung von 1,35 V u. werden deshalb auch als Standard-Referenzzellen eingesetzt. Sie

Taschenfilter

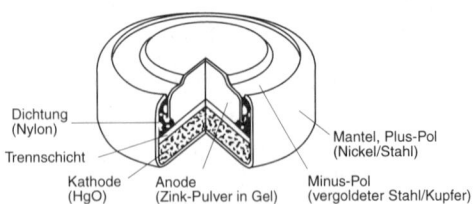

Abb. 3: Knopfzelle: Quecksilberoxid/Zink.

haben eine etwa 8fach höhere Energiedichte als die Leclanché-Zelle (Faktor 4 gegenüber der Alkali-Mangandioxid-Zelle). Andere Knopfbatterien sind z. B. Quecksilber-Cadmium- od. Silberoxid-Zink-Zellen. Neuere Entwicklungen sind Lithium-Festelektrolytzellen (s. Lithium-Batterien), die wegen ihrer hohen Energiedichte, Zuverlässigkeit u. langen Lebensdauer bes. für Herzschrittmacher geeignet sind. Die Knopfzellen können in außerordentlich kleinen Abmessungen konstruiert werden. Sie finden in Geräten mit geringem Stromverbrauch Verw., z. B. in Taschenrechnern, Armbanduhren, Hörhilfen, Blitzleuchten, Spielzeugen, Kameras usw. Verbrauchte T. sind kein Hausmüll sondern *Sonderabfall u. sollen dem *Recycling zugeführt werden; aus 1,9 t T. können 238 kg Hg, 8,5 kg Cd, 6,2 kg Ni, 300 kg Zn sowie Co u. a. Metalle zurückgewonnen werden.

Bei den aufladbaren Zellen (*Sekundärelemente*, s. a. Akkumulatoren) ist die Nickel/Cadmium-Zelle zu einer sehr populären transportablen Energiequelle geworden. Aufgrund des gewickelten u. gekapselten Aufbaus (s. Abb. 4) wurde eine hohe Energiedichte erreicht. Die elektrochem. Reaktionen sind komplex; einfach geschrieben, wird dreiwertiges Nickel während der Entladung in zweiwertiges Nickel umgewandelt:

$$2\,NiOOH + H_2O + e^- \rightarrow Ni + Ni(OH)_2 + OH^-,$$

wobei Wasser verbraucht wird u. ein Hydroxid-Ion ent-

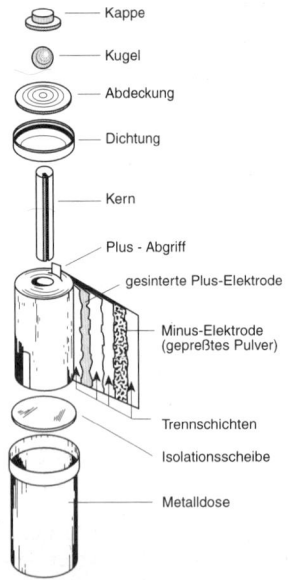

Abb. 4: Aufbau einer Nickel/Cadmium-Zelle.

steht, das mit der Cadmium-Elektrode reagiert:

$$Cd + 2\,OH^- \rightarrow Cd(OH)_2 + 2\,e^-.$$

Der Elektrolyt ist Kaliumhydroxid. – ***E*** pocket batteries, dry cells – ***F*** piles sèches (de poche) – ***I*** batterie secche – ***S*** pilas secas (de bolsillo)

Lit.: [1] Schumm, Batteries, in Encyclopedia of Physical Science and Technology, S. 487–506, Vol. 2, New York: Academic Press 1992. [2] Raaf, Chemie des Alltags, Stuttgart: Franckh 1985.
allg.: Crompton, Small Batteries, Bd. 2, London: Macmillan 1983 ■ Dey, Lithium Batteries, Pennington: Electrochem. Soc. 1984 ■ Kiehne et al., Batterien (3.), Grafenau: Expert 1988 ■ Kirk-Othmer (4.) **3**, 963–1121 ■ Owens, Batteries for Implantable Biomedical Devices, New York: Plenum 1986 ■ Vincent et al., Modern Batteries, London: Arnold 1984 ■ s. a. galvanische Elemente.

Taschenfilter s. Tuchfilter.

TAS-Diagramm s. Vulkanite.

Tashiro-Indikator. Mischindikator für die Maßanalyse, schlägt von violett (sauer) über grau nach grün (alkal.) um, enthält 0,03%ige alkohol. Methylrot-Lsg. u. 0,1%ige Methylenblau-Lösung. *B.:* Riedel.

TA Siedlungsabfall (Techn. Anleitung Siedlungsabfall „TA Si"). Die am 01.06.1993 in Kraft getretene dritte allg. Verwaltungsvorschrift zum *Abfallgesetz (TA Siedlungsabfall) [1] ist eine techn. Anleitung zur Verwertung, Behandlung u. sonstigen Entsorgung von *Siedlungsabfällen. Wie bei der für die Entsorgung bes. überwachungsbedürftiger Abfälle geltenden *TA Abfall handelt es sich bei der TA S. um eine Verwaltungsvorschrift, d. h. sie richtet sich prim. an die Vollzugsbehörden u. lediglich mittelbar an Abfallerzeuger bzw. -entsorger. Der Anwendungsbereich der TA S. umfaßt Siedlungsabfälle, also vorwiegend Hausmüll, hausmüllähnliche Gewerbeabfälle, Bauabfälle u. Klärschlämme, so daß sich die Anforderungen schwerpunktmäßig auf die kommunale *Abfallentsorgung auswirken. Darüber hinaus ist die TA S. anwendbar auf diejenigen produktionsspezif. u. bes. überwachungsbedürftigen Abfälle (s. Sonderabfall), die aufgrund ihrer Eigenschaften wie Siedlungsabfälle entsorgt werden können. Zentrales Anliegen der TA S. ist die weitestmögliche Durchsetzung der stofflichen Verwertung von Siedlungsabfällen u. die Sicherstellung der umweltverträglichen Entsorgung verbleibender Restabfälle unter bundeseinheitlichen Standards; insbes. soll eine Abfallablagerung nur noch für weitestgehend inertisierte, d. h. im Regelfall vorbehandelte Abfälle zulässig sein.

Die TA S. setzt sich aus einem Haupttext sowie Anhängen zusammen u. umfaßt u. a. folgende Regelungsbereiche:

– Zulassung von *Abfallentsorgungsanlagen,

– Zuordnung von Abfällen zu Entsorgungsverf. (insbes. zur Ablagerung),

– Anforderungen an die stoffliche Verwertung u. Schadstoffentfrachtung von Abfällen (Anforderungen an die Getrennthaltung von Abfällen, Anforderungen an Kompostierungs- u. Vergärungsanlagen),

– Anforderungen an Organisation u. Personal von Abfallentsorgungsanlagen sowie an die Information u. Dokumentation,

– Anforderungen an *Zwischenlager, Behandlungsanlagen u. *Deponien,
– Anforderungen an Altanlagen.
In den Anhängen sind Anforderungen an Probenahme u. Analyseverf., Zuordnungskriterien für Deponien sowie Regelungen zur Deponiegasbehandlung bei Altdeponien enthalten. Zusätzlich hat das Bundesumweltministerium ergänzende Empfehlungen zur TA S. veröffentlicht, die sich insbes. an die entsorgungspflichtigen Körperschaften richten [2].
Schwerpunkte der TA S.: Verwertung von Bioabfällen: Von den Regelungen zur Getrenntsammlung u. Verwertung der unterschiedlichen unter dem Siedlungsabfall-Begriff subsumierten Abfallarten sind v. a. biolog. abbaubare organ. Abfälle betroffen, die künftig in deutlich stärkerem Umfang als bisher getrennt erfaßt u. durch *Kompostierung od. *Vergärung verwertet werden sollen.
Zulässigkeit oberird. Ablagerung: Um die langfristig umweltverträgliche Ablagerung von Abfällen zu gewährleisten u. Schadstoff-Freisetzungen (Deponiegas, Sickerwasser) bedingt durch Reaktionen u. Zers. von Abfällen in der Deponie zu vermeiden, dürfen Siedlungsabfälle grundsätzlich nur noch in weitgehend mineralisierter bzw. stabilisierter Form deponiert werden. Abfälle, welche die Eingangskriterien für die Deponie (z. B. Organikanteil) nicht einhalten, müssen vorbehandelt werden. In der Praxis bedeutet dies, daß künftig Haus- u. Sperrmüll, hausmüllähnliche Gewerbeabfälle sowie nicht verwertbare Bioabfälle bzw. Klärschlämme nicht mehr unbehandelt abgelagert werden können.
Anforderungen an Deponien: In Anlehnung an die *TA Abfall werden auch bei der TA S. umfangreiche Anforderungen an Deponien gestellt. Wie bei Sonderabfalldeponien müssen auch bei Deponien für die Ablagerung von Siedlungsabfällen mehrere unabhängig voneinander wirksame Barrieren geschaffen werden, um die Freisetzung u. Ausbreitung von Schadstoffen zu verhindern (*Multibarrierenkonzept*). Die TA S. unterscheidet zwei Deponieklassen, die Deponieklasse I („Mineralstoffdeponie") mit hohen Anforderungen an den Inertisierungsgrad der abzulagernden Abfälle u. die Deponieklasse II mit geringeren Anforderungen an die Abfälle, jedoch höheren Anforderungen an Deponiestandort u. -abdichtung. – *E* technical instructions for the disposal of urban waste – *F* instruction technique concernant le traitement des déchets d'habitat – *I* direttiva tecnica concernente l'eliminazione dei rifiuti residenziali – *S* instrucciones técnicas para la eliminación de desechos urbanos
Lit.: [1] Dritte allg. Verwaltungsvorschrift zum Abfallgesetz vom 14.05.1993 (Bundesanzeiger Nr. 99a vom 29.05.1993). [2] Bundesanzeiger Nr. 99 vom 29.05.1993, S. 4968.
allg.: Müller, Schmitt-Gleser, Handbuch der Abfallentsorgung, Loseblattsammlung, Teil II-3.1, Erg. Lfg. 4/95, Landsberg: ecomed ■ Müll-Handbuch, Loseblattsammlung, Lfg. 2/95, Kz. 1438, Berlin: E. Schmidt.

Tasmanit. Ein in Tasmanien vorkommender *Ölschiefer aus der Permzeit, der vorwiegend aus verkohlten Blütenstaubkörnern von ausgestorbenen Windblütlern besteht. – $E = F = I$ tasmanite – S tasmanita

TA Sonderabfall s. TA Abfall.

Tastsinn s. Haut.

TATA. Abk. für Tumor-assoziierte Transplantations-Antigene, s. Tumor-Antigene.

TATA-bindendes Protein (TATA-Box-bindendes Protein, TBP). Im Zellkern lokalisierter allg. *Transkriptionsfaktor (TF) bei *Eukaryonten, der vor Beginn der *Transkription an die in den *Promotor-Regionen vorhandene Sequenz „TATA" (TATA-Box; T = Thymin, A = Adenin) der *Desoxyribonucleinsäuren (DNA) bindet. Zusammen mit den *TBP-assoziierten Faktoren* (TAF) bildet er den Komplex TFIID. Dadurch ermöglicht das TBP die Bindung der RNA-*Polymerase II u. trägt zur Initiation der Transkription bei. Zusätzlich werden weitere (allg. u. Gen-spezif.) TF benötigt. Das TBP besteht aus einer Polypeptidkette mit zweizähliger Quasisymmetrie; beim Binden an die DNA-Doppelhelices werden diese teilw. entwunden u. stark gebogen. – *E* TATA-binding protein – *F* protéine fixant le TATA – *I* proteina TATA-legante – *S* proteína fijadora del TATA
Lit.: Alberts et al., Molekularbiologie der Zelle, 3. Aufl., S. 497, Weinheim: VCH Verlagsges. 1995 ■ Cell **91**, 13 ff. (1997) ■ Trends Biochem. Sci. **21**, 327–335 (1996).

TATA-Box s. Hogness-Box.

TATA-Box-bindendes Protein s. TATA-bindendes Protein.

tato. Abk. für t/d (Tagestonnen). Die Abk. wird häufig im Zusammenhang mit Produktion od. Verbrauch von Stoffen verwendet.

Tatum, Edward Lawrie (1909–1975), Prof. für Biochemie u. Genetik, Rockefeller-Univ., New York. *Arbeitsgebiete:* Genetik, Morphogenese, Vererbungslehre. Er zeigte experimentell, daß jede biochem. Reaktion bzw. jedes Enzym durch ein Gen kontrolliert wird (1940/1941 Aufstellung der Ein-Gen-Ein-Enzym-Hypothese). 1958 erhielt er zusammen mit J. *Lederberg u. G. W. *Beadle den Nobelpreis für Physiologie od. Medizin.
Lit.: Annu. Rev. Genet. **13**, 1–6 (1979) ■ Lexikon der Naturwissenschaftler, S. 391 ■ Pötsch, S. 417.

tau s. τ (vor Buchstabe t).

Tau s. Taupunkt u. τ.

Taube, Henry (geb. 1915), Prof. für Anorgan. Chemie, Univ. Chicago u. Palo Alto (Kalifornien). *Arbeitsgebiete:* Photochemie, Komplex-Ionen, Redoxreaktionen, radikal. Oxidantien, anorgan. Reaktionsmechanismen, Elektronenübertragungsprozesse; Nobelpreis für Chemie 1983.
Lit.: Chem. Eng. News **44**, Nr. 48, 19 f. (1966) ■ Chem. Labor Betr. **35**, 8, 11 (1984) ■ Lexikon der Naturwissenschaftler, S. 392 ■ Pötsch, S. 417 ■ Spektrum Wiss. **1983**, Nr. 12, 15 f. ■ Who's Who in the World, S. 1401.

Taubenzecken. Als T. werden die zur Gattung *Argas* gehörigen Zecken-Arten *A. reflexus* u. *A. polonicus* bezeichnet. Sie werden damit beide zur Familie der Lederzecken (Argasidae) gezählt, bei der u. a. in bezug auf das Rückenschildchen (Scutum) ein Geschlechtsdimorphismus besteht. Die T. leben tagsüber verborgen in Ritzen (meist von Dachböden, Taubenschlägen,

Hühnerställen) u. sind weltweit verbreitet. Die Larven halten sich im Gefieder von Tauben auf. T. treten ganzjährig auf. Sie sind durch einen eiförmigen, dorsoventral abgeflachten Körper gekennzeichnet. Weibchen können bis 1,1 cm, Männchen bis 0,8 cm lang werden. Im Entwicklungscyclus treten drei Stadien auf: Die Larven weisen drei Beinpaare auf, Nymphen u. Adulte dagegen vier. Letztere saugen etwa einmal im Monat nachts Blut auf ihren Wirten (auch Mensch!), verlassen diese aber bereits nach einer halben Stunde wieder. Adulte können bis zu 0,3 mL Blut bei einem Saugakt aufnehmen, so daß ein Massenbefall bei kleinen Haustieren zu einem bedeutenden Blutverlust führen kann. Larven bleiben dagegen bis zu 10 d auf ihrem Wirt. Alle drei Stadien des Entwicklungscyclus saugen mehrfach Blut. Die Entwicklungsgeschw. ist temperaturabhängig u. kann sich vom Schlüpfen der Larven aus den Eiern über drei Monate bis zu drei Jahren erstrecken. Die Fähigkeit hungern zu können ist bei Lederzecken beachtlich: In unbewohnten Taubenschlägen haben T. schon länger als drei Jahre überlebt!
Erkrankungen: Bei Tauben treten eine starke Mattigkeit, Blutarmut, Flugunfähigkeit, evtl. Tod durch generelle Schwächung auf. Beim Menschen wird der Stich erst bemerkt, wenn nach Stunden der Juckreiz mit Quaddelbildung beginnt. Die Stichstelle zeigt dann häufig münzgroße Hämorrhagien mit Gefahr von Sekundärinfektionen.
Bekämpfung: Regelmäßige Stallreinigung, Versiegelung von Ritzen u. a. Versteck-Möglichkeiten. Chem. Bekämpfung durch Desinfektion des Bodens bzw. der Sandbäder mit Kontaktinsektiziden (*Carbaryl, *Carbamat, *Propoxur, *Cyfluthrin, *Cypermethrin u. a.) bzw. Besprühen, Bepudern od. Betupfen der Tiere (morgens) mit Propoxur, Bromocyclen od. *Tetrachlorvinphos. – *E* pigeon tick
Lit.: Dönges, Parasitologie, 2. Aufl., Stuttgart: Thieme 1988 ▪ Mehlhorn u. Mehlhorn, Zecken, Milben, Fliegen, Schaben, 2. Aufl., Berlin: Springer 1992 ▪ Mehlhorn u. Piekarski, Grundriß der Parasitenkunde, 5. Aufl., Stuttgart: Fischer 1998 ▪ Wehner u. Gehring, Zoologie, 23. Aufl., Stuttgart: Thieme 1995.

Taubes Gestein. Für die Metall-Gewinnung nicht nutzbares Gestein, das gemeinsam mit nutzbaren *Erzen – u. a. in *Gängen – auftritt u. oft zusammen mit diesen abgebaut werden muß. – *E* barren ground – *F* roche stérile – *I* roccia sterile – *S* roca estéril

Taubnessel s. Nesselpflanzen.

Tauchbrenner (Tauchbrennerverdampfer). T. werden in Anlagen zur Vorkonzentrierung von wäss. Lsg. eingesetzt. Ein Anw.-Gebiet umfaßt Verf., bei denen schon während des Eindampfprozesses Salze auskristallisieren können. *Beisp.:* Das Eindampfen salzhaltiger Schwefelsäure.
Bei diesem Verf. besteht der T. aus einem Stahlkessel mit einer aufgesetzten Brennkammer, in der ein Brennstoff (Gas, Öl) verbrannt wird. Die Rauchgase (ca. 1500 °C) gelangen über ein getauchtes Rohr in den mit Schwefelsäure gefüllten Verdampferkessel (Vorteil: keine korrosionsanfälligen Heizflächen). Das ständig austretende Gas sorgt für einen Umpumpeffekt, wodurch einerseits die gebildeten Salze in der Schwebe

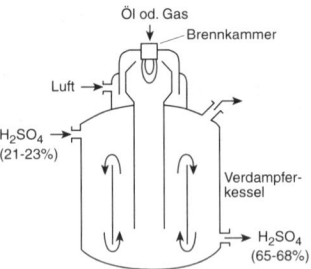

Abb.: Tauchbrenner zum Eindampfen salzhaltiger Schwefelsäure.

gehalten u. ausgetragen werden, andererseits die Stoffaustauschfläche zwischen Flüssigkeit u. Rauchgas derart erhöht wird, daß die Verdampfung des Wassers bereits ca. 10–15 K unterhalb des Sdp. der Schwefelsäure erfolgt. – *E* dip burner – *F* brûleur à immersion – *I* bruciatore ad immersione – *S* quemador de inmersión
Lit.: Ullmann (5.) **A25**, 686 ▪ Winnacker-Küchler (4.) **2**, 64.

Tauchfilter. T. gehören zu den Filterapparaten, deren Elemente in die Trübe eingetaucht werden. Die Filterelemente bestehen meist aus Rahmen, die ein- od. beidseitig mit Filtermittel bedeckt sind. Das Filtrat fließt durch die Hohlräume der Rahmen od. wird abgepumpt. – *E* dip filter – *F* filtre à immersion – *I* filtro ad immersione – *S* filtro de inmersión
Lit.: Ullmann (4.) **2**, 175.

Tauchfiltration. Im Labormaßstab häufig verwendete Filtrationsmeth., die auch als inverse Filtration bezeichnet wird u. bes. für kleine u. luftempfindliche Reaktionsansätze (z. B. zur *Umkristallisation) geeignet ist. Ein mit einer Glassinterplatte versehenes Glasrohr wird in die zu filtrierende Lsg. eingetaucht (s. Filter) u. mit einem Auffanggefäß für das Lsm. verbunden. Durch Anlegen eines Unterdrucks an diese Filterröhre od. eines Überdrucks an das Reaktionsgefäß, kann das Lsm. abgetrennt werden u. der feste Rückstand verbleibt im Reaktionskolben. – *E* immersion filtration – *F* filtration par immersion – *I* filtrazione a immersione – *S* filtración por inmersión
Lit.: Leonard et al., Praxis der Organischen Chemie, S. 182, Weinheim: VCH Verlagsges. 1996.

Tauchhärtung. Abschrecken vergütbarer *Stähle in Bädern mit vorgegebener Temp. im Rahmen der Härtung (s. Härtung von Stahl). Als Bäder dienen Salzschmelzen, Öle od. Wasser mit zunehmender Abschreckwirkung. T. gewährleistet das rasche Erreichen einer gleichmäßigen Endtemp. u. damit eine hohe Gleichmäßigkeit der erstrebten Härtung. – *E* immersion hardening – *F* trempe par immersion – *I* tempra per immersione – *S* temple por inmersión
Lit.: s. Härten.

Tauchlacke s. elektrophoretische Lackierung, Kapsellacke, Schutzhäute.

Tauchlampen s. Quecksilberdampflampen.

Tauchnetzmethode. Standardisierte Meth. zur Bestimmung des Netzvermögens von *Tensiden: Ein kreisförmiges Baumwolläppchen wird mit Hilfe einer Tauchpinzette in eine 1%ige Tensid-Test-Lsg. eingebracht. Durch Benetzen der Fasern durch die Tensid-

Lsg. werden anhaftende Luftbläschen verdrängt u. der Auftrieb kompensiert; das Läppchen sinkt zu Boden. Die Zeit, die zwischen Eintauchen u. Niedersinken vergeht, wird als *Netzzeit* bezeichnet. Sog. *Rapidnetzer*, beispielsweise *Dodecylbenzolsulfonat, weisen Netzzeiten unter 10 s auf. – *E* dip wetting method – *F* méthode du pouvoir mouillant par immersion – *I* metodo ad immersione reticolare – *S* método del poder mojante por inmersión
Lit.: DIN EN 1772-9: 1995.

Tauchstrahlbelüfter (Freistrahlbelüfter). Ein zur Begasung von Fermentationslsg. od. Abwasser eingesetztes Belüftungssyst., bei dem im Gasraum oberhalb der begasenden Flüssigkeit eine Düse angeordnet ist, durch die umgepumpte Flüssigkeit in Form eines Tauch- od. Freistrahls mit hoher Geschw. (8–12 m/s) in die Flüssigkeitsoberfläche eingetragen wird.
Anw.: Ursprünglich zur Belüftung hochbelasteter Abwässer u. später v. a. zur Belüftung stark schäumender Fermentationsmedien, da der Flüssigkeitsstrahl zusätzlich noch eine intensive mechan. Schaumzerstörung bewirkt. – *E* plunging jet aerator, free jet aerator – *F* aéroéjecteur hydraulique par immersion ou à jet libre – *I* aeratore ad immersione o ad azione – *S* aeroeyector hidráulico por inmersión o de chorro libre
Lit.: Römpp Lexikon Biotechnologie, S. 753.

Taukurve. Der Sdp. einer idealen Mischung zweier Flüssigkeiten mit unterschiedlichem Sdp. ist von der Zusammensetzung der flüssigen Phase abhängig, die sich bei jeder Temp. von der der Dampfphase unterscheidet. In der Dampfphase reichert sich die niedriger siedende, in der flüssigen Phase die höher siedende Komponente an. Der Sdp. einer Mischung bestimmter Zusammensetzung liegt auf der *Siedekurve*, die Zusammensetzung der Dampfphase wird durch den Punkt auf der *Taukurve* angegeben, der durch die entsprechende Isotherme (s. Abb.) mit dem Sdp. verbunden ist. Für ideale Mischungen kann der Verlauf der Siede- u. Taukurve mit Hilfe der Gesetze von *Raoult* (*Raoultsche Gesetze) u. *Dalton* berechnet werden.

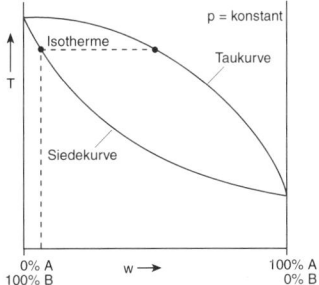

Abb.: Siede- u. Taukurve einer idealen Mischung.

– *E* dew point curve – *F* courbe de point de rosée – *I* curva di rugiada – *S* curva de punto de rocío

Taumelkolbenpumpe. Ventillose Dosierpumpe zur Förderung aller Medien. Die Pumpe besitzt einen Taumelkolben, der zugleich rotiert u. pumpt u. dessen Hub durch Verschwenken des Zylinders verändert werden kann. Der Durchfluß ist stufenlos regelbar u. kann auch in umgekehrter Richtung betrieben werden. – *E* tumbler plunger pump – *I* pompa a pistone oscillante

Taumelzentrifuge. Mit *Siebzentrifugen* kann ein Filterkuchen kontinuierlich ausgetragen werden. Eine Möglichkeit des Kuchentransports wird in der *Schwingsiebzentrifuge* realisiert, in der der Siebkorb rotiert u. von einer orthogonalen Schwingung überlagert wird. Ähnlich geschieht dies bei der T., bei der Siebkorb eine oszillierende Taumelbewegung (hervorgerufen durch exzentr. Lagerung) erfährt. – *E* tumble centrifuge – *F* centrifuge oscillante – *I* centrifuga a rotazione oscillante – *S* centrífuga oscilante
Lit.: Ullmann (4.) **2**, 210 ▪ Winnacker-Küchler (4.) **1**, 71.

Tau-Proteine s. Mikrotubulus-assoziierte Proteine.

Taupunkt. Als T. bezeichnet man die Temp. τ, bei der in einem Gas/Dampf-Gemisch das Gas mit dem Dampf gerade gesätt. ist; unterhalb von τ tritt *Kondensation ein. Beim Syst. Luft/Wasserdampf ist der T. erreicht, wenn die *relative Luftfeuchtigkeit 100% beträgt; bei Abkühlung unter τ schlägt sich der *Wasserdampf als *Nebel, *Reif, Tau od. *Regen nieder (in Meßgeräten z. B. auf einem gekühlten Spiegel). Auf der Bestimmung des T. beruht die Funktionsweise einer bestimmten Form von *Hygrometern [1]. Der Begriff des T. kann auf beliebige *Mehrstoffsyst.* angewandt werden. Bei Einstoffsyst. spricht man statt von T. vom *Kondensationspunkt* (s. Kondensation), der ident. mit dem *Siedepunkt ist. – *E* dew point – *F* point de rosée – *I* punto di rugiada – *S* punto de rocío
Lit.: [1] Kohlrausch, Praktische Physik 1, S. 400, Stuttgart: Teubner 1996.
allg.: DIN 4108-1: 1981-08; 4108-2 u. -3: 1995-11 ▪ McKetta **10**, 136 ff. ▪ Winnacker-Küchler (4.) **1**, 536 f.

Taupunkthygrometer s. Hygrometer.

Taupunkt-Korrosion. Bei Unterschreitung des *Taupunktes können Wasser od. Säuren auf Metalloberflächen kondensieren u. zu örtlichen Schäden führen. Diese insbes. in Verbrennungsanlagen auftretende *Korrosion wird als T.-K. bezeichnet. – *E* dew point corrosion – *F* corrosion de point de rosée – *I* corrosione sotto il punto di rugiada – *S* corrosión de punto de rocío
Lit.: s. Korrosion.

Tauride. Bez. für anion. Tenside vom Typ der Acylaminoalkansulfonate, die durch Umsetzung von Fettsäurechloriden mit *N*-Methyltaurin erhalten werden.

$$R-\overset{O}{\underset{\|}{C}}-\underset{CH_3}{N}-CH_2-CH_2-SO_3X$$

X = Alkalimetall

T. wurden bereits von den IG Farben unter der Bez. Igepon® T hergestellt. Als Fettsäure-Komponente findet Ölsäure od. Kokosfettsäure Verwendung. T. verhalten sich in ihrem Schaum- u. Emulgiervermögen wie Seifen, sind jedoch weniger härteempfindlich u. dermatolog. gut verträglich. – *E* taurides – *I* tauridi
Lit.: J. Am. Oil. Chem. Soc. **39**, 477 (1962); **48**, 657 (1971).

Taurin (2-Aminoethansulfonsäure).

$$H_3\overset{+}{N}-CH_2-CH_2-SO_2-O^-$$

$C_2H_7NO_3S$, M_R 125,14, farblose Säulen, Schmp. 300 °C (Zers.), lösl. in Wasser, unlösl. in Alkohol u. Diethylether. Im Organismus entsteht T. aus *Cystein, in der

Galle ist es an Cholsäure als Amid gebunden (*Taurocholsäure). T. kommt in fast allen Säugetier-Arten intrazellulär u. im Blutplasma in relativ hohen Konz. vor; im Plasma kann es nach Streßsituationen zu einer Abnahme kommen. Die Aufnahme im Darm [1] u. die Ausscheidung durch die Niere [2] tragen zur T.-Bilanz bei. T. ist wichtig für die Calcium-Regulation, Osmoregulation, Entgiftung, wirkt antioxidativ, stabilisiert *Membranen, stimuliert die *Glykolyse u. *Gluconeogenese. Für verschiedene Organe übt es Schutzfunktionen aus, z. B. Herz [3], Gefäße [4], Niere [2]. Die Bedeutung der T.-Zufuhr mit der Nahrung wird in zahlreichen Übersichtsarbeiten diskutiert (vgl. allg. *Lit.*); wahrscheinlich ist T. für einige Säuger essentiell, bes. im heranwachsenden Organismus.

Mono-, Di- u. Trimethyl-T. wurden in Rotalgen u. Riesenkieselschwämmen nachgewiesen. T. ist ein Zwischenprodukt bei der Herst. von Farbstoffen, Arzneipräp., Reinigungsmitteln usw. u. wird gegen Gallensteine sowie Schimmel angewendet. T. wurde 1824 von Gmelin erstmals aus *Ochsengalle hergestellt; der Name T. ist von griech.: tauros = Stier hergeleitet, da beim Kochen von Ochsengalle mit Säure T. (aus der Taurocholsäure) abgespalten wird. – *E = F* taurine – *I = S* taurina

Lit.: [1] Eur. J. Clin. Invest. **27**, 873–880 (1997). [2] Amino Acids **11**, 1–13 (1996). [3] Gen. Pharmacol. **30**, 451–463 (1998). [4] Med. Hypoth. **46**, 89–100 (1996).
allg.: Clin. Nutrit. **16**, 103–108 (1997) ▪ Huxtable u. Michalk, Taurine in Health and Disease, New York: Plenum 1994 ▪ Lombardini et al., Taurine, Nutritional Value and Mechanisms of Action, New York: Plenum 1992. – *[HS 2921 19; CAS 107-35-7]*

Taurocholsäure [2-(3α,7α,12α-Trihydroxy-5β-cholan-24-oylamino)-ethansulfonsäure; von griech.: tauros = Stier u. chole = Galle].

$C_{26}H_{45}NO_7S$, M_R 515,69. Farblose Krist., Schmp. ca. 125 °C (Zers.), in Wasser u. Alkohol leicht löslich. T. ist eine opt. aktive Verb., die bes. reichlich in Dorsch- u. Hundegalle, aber auch in Menschen- u. Rindergalle enthalten ist. Als Amid (*Cholsäuretaurid*) kann T. durch Erwärmen mit starken Säuren in *Taurin u. *Cholsäure gespalten werden. Sie zählt zu den *Gallensäuren u. wirkt emulgierend auf Blutfette sowie regulierend auf die Zusammensetzung des Pankreassafts. Neben T. sind auch andere *Konjugate des Taurins mit Cholansäure-Derivaten bekannt, z. B. mit *Desoxy-, *Chenodesoxy- u. *Lithocholsäure. – *E* taurocholic acid – *F* acide taurocholique – *I* acido taurocolico – *S* ácido taurocólico
Lit.: Beilstein E IV **10**, 2078.

Taurolidin (Rp).

Internat. Freinamen für das bakterizid wirkende Chemotherapeutikum 4,4′-Methylenbis(tetrahydro-1,2,4-thiadiazin-1,1-dioxid), $C_7H_{16}N_4O_4S_2$, M_R 284,35, Schmp. 154–158 °C, LD_{50} (Maus i.p.) 1,5, (Maus i.v.) 2,0, (Maus oral) 2,5 g/kg. T. wurde 1966 u. 1969 von Ed. Geistlich Söhne patentiert u. ist von HMR (Taurolin®) im Handel. – *E = F* taurolidine – *I = S* taurolidina
Lit.: ASP ▪ Hager (5.) **9**, 779 f. ▪ Martindale (31.), S. 284. – *[HS 2934 90; CAS 19388-87-5]*

Tauryl... Nach IUPAC-Regel C-641.7 zulässige Bez. für den von *Taurin abgeleiteten Acyl-Rest $-SO_2-CH_2-CH_2-NH_2$; systemat. Bez.: 2-Aminoethansulfonyl... od. 2-Aminoethylsulfonyl... (vgl. Methansulfonyl...). – *E = F* tauryl... – *I = S* tauril...

Tausendfüß(l)er s. Arthropoden.

Tausendgüldenkraut. Auf der nördlichen Erdhalbkugel weitverbreitete, rosa blühende, 15–40 cm hohe Pflanze (*Centaurium minus* Moench, syn. *C. erythraea* Rafn., Gentianaceae), deren Heilwirkung schon im Altertum bekannt war. Ihren botan. Namen erhielt sie nach dem Zentauren Chiron, der der griech. Sage zufolge Wunden mit T. heilte. Das zur Blütezeit gesammelte Kraut enthält *Bitterstoffe vom Typ der Seco-*Iridoid-Glykoside, z. B. *Swertiamarin* ($C_{16}H_{22}O_{10}$, M_R 374,34), *Swerosid* ($C_{16}H_{22}O_9$, M_R 358,35, s. Abb.) u. *Gentiopikrin, Flavone, Harz u. geringe Mengen der sehr bitteren (Bitterwert nach DAB 1997 ca. 4 Mio.) Secoiridoide, Centapikrin u. Desacetylcentapikrin. T. wirkt durch seinen Bitterstoff-Gehalt als *Stomachikum u. wird in der Volksmedizin auch als Roborans gegeben.

R = H : Swerosid
R = OH : Swertiamarin

CH_2 O-β-D-Glucopyranosyl

– *E* (European) centaury – *F* petite centaurée – *I* centaurea minore – *S* centaura menor
Lit.: Bundesanzeiger 122/06.07.1988 u. 50/13.03.1990 ▪ DAB **1997** u. Komm. ▪ Hager (5.) **4**, 756–763 ▪ Wichtl (3.), S. 141 ff. – *[HS 1211 90; CAS 17388-39-5 (Swertiamarin); 14215-86-2 (Swerosid)]*

Tautomerasen s. Isomerasen.

Tautomere s. Tautomerie.

Tautomerie. Von griech.: to auton meros = der gleiche Anteil abgeleitete, 1883 von Laar eingeführte Bez. für eine spezielle Erscheinungsform der *Isomerie, bei der eine Substanz in zwei miteinander im Gleichgew. stehenden Mol.-Formen vorliegen kann, die sich reversibel ineinander umlagern können. Dieser als chem. Reaktion zu betrachtende Vorgang wird durch den für Gleichgew. üblichen Doppelpfeil (⇌) symbolisiert. Die beiden *Isomeren (*Tautomere*) unterscheiden sich lediglich in der Position einer beweglichen Gruppe u. in der Lage einer Doppelbindung:

$$G-X-Y=Z \rightleftharpoons X=Y-Z-G,$$

wobei X, Y u. Z üblicherweise C, N, P, O, S sind u. G eine einwertige *elektrofuge od. *nucleofuge Gruppe. Im allg. verlaufen die tautomeren Umwandlungen *kationotrop* (im Falle eines *Protons als wandernde Gruppe G spricht man auch von *Prototropie*), doch sind auch *anionotrope* Umlagerungen denkbar (unter Wanderung einer neg. geladenen Gruppe, z. B. Chlorid-, Hydroxid- od. Acetat-Ion). Die Einstellung des *chemischen Gleichgewichts zwischen den beiden Formen erfolgt im allg. schnell; wird die eine Form aus dem Gemisch durch eine chem. Reaktion entfernt, so wird sie aus der zweiten Form sofort nachgebildet, bis bei der Reaktion das gesamte Ausgangsmaterial verbraucht ist. In bes. gelagerten Fällen lassen sich die Tautomeren getrennt isolieren – früher sprach man in diesem Fall der T. von *Desmotropie*.

Ein in der organ. Chemie bes. wichtiger Fall der prototropen T. ist die *Keto-Enol-Tautomerie*; bei Carbonyl-Verb. mit aciden Wasserstoff-Atomen in α-Position liegt ein chem. Gleichgew. zwischen Keto- u. Enol-Form (od. *aci*-Form) vor, wobei meistens die Keto-Form stabiler ist. Aceton liegt z. B. nur zu 0,00025% in der Enol-Form vor. Letztere kann aber durch die Ausbildung einer intramol. *Wasserstoff-Brückenbindung begünstigt sein, so z. B. bei *Acetylaceton (s. Keto-Enol-Tautomerie).

Sehr gut untersucht ist auch die Keto-Enol-T. des Acetessigesters; Näheres s. dort u. bei Keto-Enol-Tautomerie (Abb. 1 b). Relativ häufig tritt Keto-Enol-T. bei Phenolen auf, insbes. bei Polyphenolen wie Phloroglucin, bei heterocycl. Phenolen vom Typ der Cyanursäure u. bei Hydroxychinonen u. Chinolen (s. Chinone). Bei Phenolen ist die Bildung des Keto-Tautomeren meist dadurch benachteiligt, daß dabei *Desaromatisierung eintritt.

Weitere Beisp. für *prototrope* T. sind die Imin-Enamin-, die Lactam-Lactim- u. die Harnstoff-Isoharnstoff-T., die Bildung von Oximen aus Nitroso-Verb. u. die der *aci*-Form bei Nitro-Verbindungen (s. die Abb. dort) u. a. sog. Pseudosäuren, die T. bei Triazolen, Pyrimidinen, Purinen u. allg. bei heterocycl. Verb.; Beisp., z. T. mit Abb. der Tautomeren, findet man bei zahlreichen weiteren Einzelstichwörtern, u. a. bei Cyansäure, Enolen, Formamidinsulfinsäure, Hydroxamsäuren, Reduktonen, Thioharnstoff, Trioseredukton, α-Tropolon, Uracil. In dem allg. Schema G–X–Y=Z ⇌ X=Y–Z–G kann die Doppelbindung durch einen Ring ersetzt sein; eine solche Form der T. stellt die – u. a. für die *Mutarotation verantwortliche – sog. *Ring-Ketten-T*. bei Monosachariden vom Typ der Glucose u. Fructose dar (s. die Abb. 2 bei Kohlenhydrate), die gelegentlich auch als Übergangsform zwischen *Protonen-* u. *Valenz-T*. aufgefaßt wird. Letztere wird hier als *Valenzisomerie behandelt. Als T. wird manchmal auch eine Protonenwanderung zum Nachbaratom angesehen; *Beisp.*: Cyanwasserstoff/Isocyanwasserstoff od. Phosphonsäure/Phosphorige Säure (sog. *dyad. T.*, von griech.: dyas = Zweiheit). – *E* tautomerism – *F* tautomérie – *I* tautomeria – *S* tautomería

Lit.: Acc. Chem. Res. **14**, 210–217 (1981) ▪ Adv. Quantum Chem. **18**, 85–130 (1986) ▪ Minkin, Molecular Design of Tautomeric Compounds, Dordrecht: Reidel 1987.

Tautomycetin s. Tautomycin.

Tautomycin.

$C_{41}H_{66}O_{13}$, M_R 766,97, amorphes, gelbliches Pulver, Schmp. 42–43 °C, $[\alpha]_D^{20}$ +3,4° (CHCl₃). Nicht wie früher vermutet als Tautomerengemisch, sondern als Gemisch des cycl. Anhydrids der freien Dicarbonsäure vorliegendes Polyether-Antibiotikum aus Kulturen von *Streptomyces griseochromogenes* mit Wirkung gegen Pilze u. Gram-neg. Bakterien. Das antifung. wirksame *Tautomycetin* {$C_{33}H_{50}O_{10}$, M_R 606,75, gelbes Harz, $[\alpha]_D^{20}$ +19,4° (CHCl₃)} hat eine acycl., Sauerstoff-ärmere ungesätt. Alkohol-Komponente bei gleichem Carbonsäure-Teil. – *E* tautomycin – *F* tautomycine – *I* = *S* tautomicina

Lit.: Isolierung: J. Antibiot. **40**, 907 (1987); **41**, 932 (1988); **43**, 809 (1990). – *Biosynth. (abs. Konfiguration)*: J. Chem. Soc., Perkin Trans. 1 **1993**, 617; **1995**, 2399. – *Synth.*: J. Org. Chem. **60**, 5048 (1995); **62**, 387 (1997) ▪ Stud. Nat. Prod. Chem. **18**, 269 (1996) ▪ Tetrahedron **52**, 13 363 (1996); **53**, 5083, 5103, 5123 (1997). – [*HS 2941 90; CAS 109946-35-2 (T.); 119757-73-2 (Tautomycetin)*]

Tautozonal s. Millersche Indizes.

Tavegil®. Ampullen, Sirup, Tabl. u. Gel mit *Clemastin-fumarat gegen allerg. Erkrankungen u. Juckreiz. *B.*: Novartis.

Tavor® (Rp). Tabl., Tabs u. Ampullen mit *Lorazepam gegen Angstzustände u. Neurosen. *B.*: Wyeth Pharma.

Taxane.

Tab.: Daten von Taxanen.

	Taxin A 2	Taxin B 3	Taxusin 4
Summenformel	$C_{35}H_{47}NO_{10}$	$C_{33}H_{45}NO_8$	$C_{28}H_{40}O_8$
M_R	641,76	583,72	504,62
Aussehen	Krist.	amorph	Krist.
Schmp. [°C]	204–206	115	126
$[\alpha]_D$ (CHCl₃)	–140°	+116,9°	+93,6°
CAS	1361-49-5	1361-51-9	19605-80-2

Gruppe von *Diterpenoiden mit dem Taxan-Grundgerüst **1**, die aus Eibenarten (*Taxus* spp.) isoliert wurden u. u. a. für deren Giftigkeit verantwortlich sind. Sämtliche Teile der Pflanze mit Ausnahme des roten Samenmantels enthalten giftige Taxane. Meist sind die T. mit 3-Amino-3-phenylpropionsäuren verestert u. reagieren deshalb Alkaloid-artig. Eine solche Gesamtfraktion wird als *Taxin* bezeichnet. Ihre cardiotox. Wirkung ist u. a. auf Taxin B zurückzuführen, aus dem Taxin zu etwa 30–40% besteht; LD_{50} (Maus) 20 mg/kg (Taxin). Daneben wurden einige Substanzen gefunden, die aufgrund ihrer hervorragenden Wirksamkeit gegen verschiedene Krebsformen große Aufmerksamkeit erregt haben, so z. B. *Taxol. Taxin A läuft in der Lit. auch unter dem (falschen) Namen Toxin-A. – $E = F$ taxanes – I taxani – S taxanos

Lit.: ACS Symp. Ser. **583** (Taxane Anticancer Agents) (1995) ▪ Angew. Chem. **107**, 1886 (1995) ▪ Atta-ur-Rahman (Hrsg.), Studies in Natural Products Chemistry, Bd. 11, S. 3–69, Amsterdam: Elsevier 1992 ▪ Chemtracts **11**, 16–22 (1998) (Taxusin) ▪ Contemp. Org. Synth. **1**, 47–75 (1994) ▪ Exp. Opin. Ther. Pat. **8**, 571–586 (1998) (Review Patente) ▪ J. Am. Chem. Soc. **116**, 1597 (1994); **118**, 9186 (1996); **120**, 5203, 5213 (1998) (Taxusin) ▪ J. Org. Chem. **60**, 7215 (1995) ▪ Nachr. Chem. Tech. Lab. **37**, 172 ff. (1989) ▪ Nature (London) **367**, 630 (1994) ▪ Org. Prep. Proc. Int. **23**, 465–543 (1991) ▪ Pharmacochem. Libr. **22**, 55–101 (1995) ▪ Pharm. Unserer Zeit **19**, 30 f. (1990) ▪ Phytochemistry **27**, 1534 (1988) ▪ Tetrahedron **46**, 4907–4924 (1990) ▪ Zechmeister **61**, 1–206. – *[CAS 1605-68-1(1)]*

Taxanoide s. Taxoide.

Taxatalk®. Sehr weißer, reiner Talk mit ausgeprägter Plättchenstruktur als Füllstoff. *B.:* Langer & Co.

Taxien s. Taxis.

Taxifolin s. Silybin.

Taxigen (von *Taxis u. *...gen). Von Robinson (*Lit.*) geprägte Bez. für die Eigenschaft von Stoffen, die Ausbildung von Strukturen in flüssigem *Wasser zu verstärken; *Beisp.:* Lithiumbromid u. die zwitterion. Puffer *CAPS u. *HEPES. Lsg. von t. Stoffen erhöhen die Denaturierungstemp. von Makromolekülen. *Gegensatz:* *chaotrop. – E taxigenic – F taxigène – I tassigeno – S taxígeno

Lit.: Naturwissenschaften **65**, 438 f. (1978).

Taxilan® (Rp). Ampullen, Tabl., Dragées, Tropfen mit *Perazin-dimalonat gegen endogene u. symptomat. Psychosen. *B.:* Promonta.

Taxine s. Taxane.

Taxiphyllin s. cyanogene Glykoside.

Taxis (Plural: Taxien). Von griech.: taxis = Anordnung, Einrichtung abgeleitete Bez. 1. für Ordnung, Syst. (vgl. Taxonomie u. Taktizität) u. 2. für durch äußere Faktoren ausgelöste Orientierungsbewegungen frei beweglicher Organismen, z. B. von Algen, Bakterien, Flagellaten u. a. Mikroorganismen, aber auch von Leukocyten im Blut od. von Höheren Organismen. Man unterscheidet pos. u. neg. T., je nachdem, ob die Bewegung zum Auslösefaktor hin od. von diesem weg stattfindet.
Eine Einteilung der T. ist nach der Quelle des *Reizes (in Klammern) möglich: *Phototaxis (Licht; s. a. Photobiologie), *Thermotaxis* (Wärme), *Chemotaxis (Reizstoffe), *Galvanotaxis* (elektr. Strom), *Magneto*taxis (Erdmagnetfeld; als Sensoren dienen *Magnetit-Krist.), *Rheo-* bzw. *Aerotaxis* (Wasser- bzw. Luftströmungen), *Geotaxis* (Erdschwerkraft). Eine ungerichtete Fluchtbewegung ist die *Phobotaxis.* Bei Höheren Tieren, die Informationen von mehreren Sinnesorganen (*Rezeptoren) empfangen u. verarbeiten können (vgl. Sinnesphysiologie), kennt man Topo-, Tropo-, Meno-, Telo- u. Klinotaxis. Bei ortsfesten Organismen (Pflanzen) spricht man nicht von T., sondern von *Nastien u. *...tropismus. – $E = S$ taxis – F taxie – I tassi, tassia, tattismo

Lit.: Strasburger, Lehrbuch der Botanik, 34. Aufl., Stuttgart: Fischer 1998.

Taxodion [11-Hydroxy-7,9(11),13-abietatrien-6,12-dion].

$C_{20}H_{26}O_3$, M_R 314,42, goldgelbe Blättchen, Schmp. 115–116 °C, $[\alpha]_D^{25}$ +56° ($CHCl_3$). Abietan-Diterpen mit *Chinonmethid-Struktur aus Sumpfzypressen (*Taxodium distichum*) u. *Salvia*-Arten mit Antitumor-Wirkung, vgl. a. Abietinsäure. – $E = F = I$ taxodione – S taxodiona

Lit.: Can. J. Chem. **65**, 775 (1987) ▪ J. Org. Chem. **59**, 5445 (1994) ▪ Justus Liebigs Ann. Chem. **1989**, 677–686 ▪ Synlett **1994**, 335 ▪ Tetrahedron **49**, 6277 (1993); **50**, 9229 (1994). – *[CAS 19026-31-4]*

Taxogene s. Telomerisation.

Taxoide (Taxanoide). Synonym für *Taxane, gebräuchliche Bez. für bestimmte tetracycl. Diterpene u. Diterpenoide mit Taxan-artigem Gerüst. Streng genommen sind nur die durch Sauerstoff funktionalisierten Taxane als T. zu bezeichnen. – E taxoids – F taxo(des – I taxoidi – S taoxoides

Lit.: Chem. Pharm. Bull. **45**, 1205 (1997) ▪ Heterocycles **46**, 241–258, 727–764 (1997) ▪ Tetrahedron Lett. **38**, 7587 (1997) ▪ Zechmeister **61**, 1 f.

Taxol (Taxol A, Paclitaxel®).

$R^1 = CO—CH_3$, $R^2 = C_6H_5$: Taxol
$R^1 = H$, $R^2 = OC(CH_3)_3$: Taxotere

$C_{47}H_{51}NO_{14}$, M_R 853,92, Nadeln, Schmp. 213–216 °C, $[\alpha]_D$ –49° (CH_3OH), LD_{50} (Hund p.o.) ca. 9 mg/kg, lösl. in Methanol, kaum lösl. in Wasser. Tetracycl. Diterpen vom *Taxan-Typ, das zu ca. 0,01–0,033% in der Rinde u. in geringer Menge in den Nadeln der pazif. Eibe *Taxus brevifolia* (v. a. Oregon, Washington, südwestliches Kanada) vorkommt. T. wurde in reiner Form erstmals 1971 isoliert. T. u. verwandte Verb. wie das synthet. Derivat *Taxotere*[1] {Docetaxel®, $C_{43}H_{53}NO_{14}$, M_R 807,89, Krist., Schmp. 232 °C, $[\alpha]_D^{20}$ –36° (C_2H_5OH)} besitzen sehr gute Wirksamkeit gegen verschiedene

Tumorformen, z. B. maligne Melanome od. Brustkrebs. Bei Eierstockkrebs wurde die höchste bekannte Ansprechrate für ein Chemotherapeutikum beobachtet. T. greift in die Zellteilung ein. Die Aktivität beruht auf der Stabilisierung der Mikrotubuli, wodurch u. a. die Bildung der Mitosespindel verhindert wird. Daher wirkt T. cytotox., bes. gegenüber sich schnell reproduzierendem Gewebe. Weiterhin werden die Zellbewegung, der langsame Transport von Tubulin, Actin u. Polypeptiden in Axonen, der intrazelluläre Transport von Steroiden, die Immunaktivität von τ-MAP (*Mikrotubulus-assoziierte Proteine) in Neuronen u. die Proteinsekretion aus mehreren Zellarten gehemmt. T. ist seit 1992 in den USA u. seit 1995 in der BRD als Medikament zur Behandlung von fortgeschrittenen Krebsarten (insbes. Ovarialcarcinomen) zugelassen. Eine weitere in Prüfung befindliche Indikation für T. sind Restenosen (Gefäß-Verschlüsse) nach Angioplastie. Der hohe klin. Bedarf (1997: ca. 200–300 kg) u. die schlechte Verfügbarkeit (für 1 kg T. müßten 3000 pazif. Eiben gefällt werden) löste ein 22 Jahre währendes Wettrennen um die Totalsynth. aus, das erst 1994 beendet wurde. Es wurden mehrere Totalsynth.[2] sowie einige Semisynth.[3] beschrieben, die von Baccatin III bzw. 10-Desacetylbaccatin III (aus Nadeln der kultivierbaren europ. Eibe *T. baccata*) ausgehen (Gehalt 0,2–0,5%). Um den Bedarf zu decken, wird außerdem *T. brevifolia* in Feldkulturen angebaut od. T. aus Pflanzenzellkulturen gewonnen[4]. T. wird in geringen Mengen (50–1000 ng/L) auch von mit *Taxus* u. a. Coniferen assoziierten endophyt. Pilzen, wie *Taxomyces andreanae* (20–50 ng/L Kultur) u. *Pestalotiopsis microspora* (aus *Taxus wallachiana* isoliert, 60–70 µg/L Kultur) produziert[5]. Aufgrund der schlechten Wasserlöslichkeit von T. wurden einige ebenfalls sehr wirksame, aber besser verabreichbare T.-Analoga entwickelt[6]. Die T.-Biosynth. verläuft ausgehend von Geranylgeranyldiphosphat über Taxa-4,11-dien (Ringschlüsse zum Basis-Tricyclus, Taxadien-Synthase) u. Taxa-4(20),11-dien-5-ol[7]. – *E* taxol – *F* taxole(s) – *I* taxolo, tassolo – *S* taxol(es)

Lit.: [1] Neue Arzneimittel **43**, 33 f. (1996); Tetrahedron Lett. **35**, 105, 2349, 3063 (1994); Pharm. Unserer Zeit **27**, 235 (1998). [2] Chemtracts **11**, 16, 23 (1998); Chem. Lett. **1998**, 1; J. Am. Chem. Soc. **116**, 1597, 1599 (1994); **117**, 624–659 (1995); **118**, 2843–2859, 9186 f., 10752 (1996); **120**, 5203, 5213 (1998); J. Chem. Soc., Perkin Trans. 1 **1997**, 3501; J. Med. Chem. **40**, 236 (1997); J. Org. Chem. **60**, 7209–7223 (1995); Angew. Chem. **107**, 1886, 2247–2259 (1995); Nature (London) **367**, 630 (1994). [3] J. Am. Chem. Soc. **110**, 5917, 6558 (1988); J. Org. Chem. **56**, 1681 (1991); Tetrahedron **48**, 6985 (1992); Bioorg. Med. Chem. Lett. **2**, 295 (1992); Tetrahedron Lett. **33**, 5185 (1992). [4] J. Chem. Soc., Perkin Trans. 1 **1996**, 845. [5] Science **260**, 154, 214 (1993); Microb. **142**, 435 (1996). [6] J. Med. Chem. **32**, 788 (1989). [7] Angew. Chem. **109**, 2284 (1997); Planta Med. **63**, 291 (1997); Dewick, Medicinal Natural Products, S. 186 f., Chichester: Wiley 1997.
allg.: Acc. Chem. Res. **26**, 160 (1993) ▪ Beilstein E V, **18/5**, 622 ▪ Manske **39**, 195; **50**, 509–536. – *Isolierung:* J. Nat. Prod. **49**, 665 (1986); **50**, 9 (1987); **53**, 1 (1990). – *Pharmakolog. Wirkung:* Alkaloids (N. Y.) **25**, 10 (1985) ▪ Angew. Chem. **107**, 2910 (1995) ▪ Drugs **55**, 5 (1998) ▪ Sax (8.), TAH 775. – *Reviews:* ACS Symp. Ser. **583** (Taxane Anticancer Agents) (1995) ▪ Angew. Chem. **103**, 428 (1991); **106**, 38–65, 1011 (1994) ▪ Dtsch. Apoth. Ztg. **134**, 3389–3400 (1994) ▪ Farina, The Chemistry and Pharmacology of Taxol and its Derivates, Amsterdam: Elsevier 1995 ▪ Med. Res. Rev. **18**, 299–314, 315–331

(1998) (Entwicklung) ▪ Nachr. Chem. Tech. Lab. **37**, 172 (1989) ▪ Org. Prep. Proc. Int. **23**, 465–543 (1991) ▪ Suffness (Hrsg.), Taxol: Science and Applications, Boca Raton: CRC Press 1995. – *[CAS 33069-62-4 (T.); 114977-28-5 (Taxotere)]*

Taxonomie. Von *Taxis u. griech.: onoma = Name abgeleitete Bez. für ein Forschungsgebiet der *Biologie, das sich mit der meist hierarch. Einordnung (Klassifikation) der Organismen in biolog. Syst. befaßt (*Systematik*). Als taxonom. Merkmale können morpholog., etholog. (Verhalten) u. chem. Unterschiede dienen. Letztere werden von der *Chemotaxonomie erfaßt, in der v. a. das Muster sek. Stoffwechselprodukte für die Zuordnung wichtig ist. Neue Forschungsergebnisse können Änderungen in der T. u. der Nomenklatur zur Folge haben. – *E* taxonomy – *F* taxonomie – *I* tassonomia, sistematica – *S* taxonomía

Lit.: Bezzel u. Prinzinger, Ornithologie, Stuttgart: Ulmer 1990 ▪ Goldstein u. Etzler, Chemical Taxonomy, Molecular Biology, and Function of Plant Lectins, New York: Liss 1983 ▪ Sibley, Ahlquist u. Monroe, A Classification of the Living Birds of the World Based on DNA-DNA Hybridization Studies, Auk 105, 409–423, Washington D. C.: American Ornithologists' Union 1988 ▪ s. a. Chemotaxonomie.

Taxotere s. Taxol.

Taxus-Alkaloide. Bezeichnungsweise für *Taxan- u. *Taxol-Derivate, die Stickstoff-Atome enthalten. – *E* taxus alkaloids – *S* alcoloides del taxus
Lit.: Manske **39**, 195–238.

Taxusin s. Taxane.

Taxuspine (Taxuspinane).

T. A

T. B

T. D

T. E

*Taxoide Diterpene aus Eiben-Arten (*Taxus* sp.) mit unterschiedlichen Ringstrukturen: Die T. A, J, M, O u. Q sind tricycl. mit Benz[*f*]azulen-Ringstruktur, T. B weist einen zentralen 10-gliedrigen Ring auf (isoliert aus *T. cuspidata*, *T. chinensis* u. *T. spicata*). Das *Taxan-Gerüst des *Taxols weisen die T. D, E, F, G, K, L, N, P, R, S u. T auf; die T. E u. N rechnen zur Taxoid-Gruppe der Baccatine (anellierter Oxetan-Ring an Position 4 u. 5) u. werden aus verschiedenen Eiben-Arten isoliert (*T. canadensis*, *T. baccata*, *T. cuspidata*, *T. chinensis*, *T. mairei*, *T. brevifolia*, *T. media*, *T. walliachiana*, *T. yunnanensis*). Es sind bisher über 20 T. bekannt.

Tab.: Daten ausgewählter Taxuspine.

T.	Summen-formel	M_R	Schmp. [°C]	$[\alpha]_D^{20}$ (CHCl$_3$)	CAS
A	$C_{42}H_{48}O_{11}$	728,84	amor-phes Pulver	−3°	157374-28-2
B	$C_{35}H_{42}O_{10}$	622,71		−41°	157414-05-6
D	$C_{39}H_{48}O_{13}$	724,8			166990-12-1
E	$C_{31}H_{40}O_{11}$	588,65		−17°	165074-73-7

– *E* taxuspins – *F* = *I* taxuspine – *S* taxuspinas

Lit.: *Isolierung*: Experientia **51**, 592 (1995) ▪ J. Nat. Prod. **58**, 934 (1995) ▪ Phytochemistry **48**, 857 (1998) ▪ Tetrahedron **50**, 7401 (1994); **51**, 5971 (1995); **52**, 2337, 5391, 12 159 (1996). – *Synth.*: Chem. Pharm. Bull. **45**, 1205 (1997) ▪ J. Am. Chem. Soc. **118**, 2843 (1996).

Taylor, Joseph Hooton (geb. 1941), Prof. für Astrophysik, Univ. Massachusetts, Amherst; Univ. Princeton, N. Y. *Arbeitsgebiete*: Pulsare, allg. Relativitätstheorie. Er erhielt 1993 zusammen mit seinem Doktoranden R. A. Hulse den Nobelpreis für Physik für die Entdeckung u. Untersuchung eines Doppelpulsars, der zur Bestätigung der allg. Relativitätstheorie herangezogen wurde.
Lit.: Lexikon der Naturwissenschaftler, S. 392.

Taylor, Richard Edward (geb. 1929), Prof. für Physik, Stanford University, Palo Alto (Kalifornien). *Arbeitsgebiete*: Kernphysik, Elementarteilchen. Er erhielt 1990 zusammen mit J. I. Friedman u. H. W. *Kendall den Nobelpreis für Physik für die Bestätigung des Quarkmodells bei stark wechselwirkenden Elementarteilchen durch Erforschung der Elektronenstreuung an Protonen u. Neutronen.
Lit.: Lexikon der Naturwissenschaftler, S. 392.

Tazaroten (Rp).

Von der WHO vorgeschlagener internat. Freiname für das Antipsoriatikum Ethyl-6-[(4,4-dimethyl-thiochroman-6-yl)ethinyl]nicotinat, $C_{21}H_{21}NO_2S$, M_R 351,47. T. ist ein Rezeptor-selektives Retinoid zur top. Anw. bei Plaque-Psoriasis u. wurde 1988 u. 1992 von Allergan (Zorac®) patentiert. – *E* = *I* tazaroten – *F* tazarotène – *S* tazarotén

Lit.: Br. J. Dermatol. **135**, Suppl. 49, 1–36 ▪ J. Am. Acad. Dermatol. **37**, Suppl. 2, 1–40 ▪ Merck-Index (12.), Nr. 9249 ▪ Pharm. Ztg. **142**, 2792–2796 (1997). – [CAS 118292-40-3]

Tazobactam (Rp).

Internat. Freiname für den β-Lactamase-Hemmer 10-(1*H*-1,2,3-Triazol-1-yl)-penicillansäure-1,1-dioxid, $C_{10}H_{12}N_4O_5S$, M_R 300,30, pK_a 2,1. Verwendet wird das Natriumsalz, Schmp. 170 °C (Zers.). T. wurde 1984 u. 1985 von Taiho patentiert u. ist in Kombination mit *Piperacillin-Natrium von Lederle (Tazobac®) im Handel. – *E* = *F* = *I* = *S* tazobactam
Lit.: Hager (5.) **9**, 782–785 ▪ Martindale (31.), S. 284 ▪ Merck-Index (12.), Nr. 9251. – [CAS 89786-04-9 (T.); 89785-84-2 (Natriumsalz)]

Tb. Chem. Symbol für das Element *Terbium.

Tb I 698. Abk. für ein 1946 von *Domagk, Behnisch, *Mietzsch u. Schmidt bei Bayer entdecktes *Tuberkulostatikum aus *p*-(Acetylamino)-benzaldehyd-thiosemicarbazon (Freiname: *Thioacetazon), das lange Zeit als *Conteben* im Handel war. Dieses u. andere *Thiosemicarbazone* (Tb II, Tb III, Tb V, Tb VI = *Solvoteben*) haben neben der tuberkulostat. auch eine entzündungshemmende Wirkung; die Tuberkelbazillen erleiden morpholog. Veränderungen u. verlieren ihre Anfärbbarkeit.
Lit.: s. Tuberkulose.

TBA. 1. Abk. für *2-Thiobarbitursäure. – 2. Abk. für *Tetrabutylammonium-Salze.

***p*-TBBA.** Abk. für *4-*tert*-Butylbenzoesäure.

TBBPA. Abk. für *Tetrabrombisphenol A.

TBG s. Thyroid-Hormone.

TBHQ s. *tert*-Butylhydrochinon.

TBP. 1. Abk. für *Tributylphosphat. – 2. Abk. für *TATA-bindendes Protein.

TBPA. 1. Kurzz. für *Tetrabromphthalsäureanhydrid; – 2. Abk. für Thyroxin-bindendes Präalbumin, s. Thyroid-Hormone.

TBS. Abk. für *Tribromsalan u. *Tetrapropylenbenzolsulfonat.

TBTO. Abk. für Tributylzinnoxid, s. Zinn-organische Verbindungen.

Tc. Chem. Symbol für das Element *Technetium.

T_c. Abk. für krit. Temp. bzw. Sprung-Temp., s. Hochtemperatur-Supraleiter u. Supraleitung.

TC. 1. Abk. für *E total carbon*, s. TOC. – 2. Abk. für Technical Committee (*ISO). – 3. In den USA Abk. für toxic concentration.

TCA. Engl. Abk. für *Trichloressigsäure; Abk. für 2,4,6-Trichloranisol (s. Weinaroma).

TCA-Na (TCA). Cl_3C-COONa. Common name für Natriumtrichloracetat, $C_2Cl_3NaO_2$, M_R 185,32, gelbliches Pulver, Zers. bei 165–200 °C, LD_{50} (Ratte oral) 3200–5000 mg/kg, von DuPont u. Dow

1947 eingeführtes selektives system. *Herbizid zur Anw. vor der Aussaat bzw. dem Pflanzen gegen Ungräser im Raps-, Futter- u. Zuckerrüben-, Spargel- u. Zuckerrohranbau sowie auf Nichtkulturland. – *E* TCA, TCA-sodium – *F* TCA, trichloroacétate de sodium – *I* ICA, tricloroacetato di sodio – *S* TCA, tricloroacetato de sodio
Lit.: Beilstein E IV **2**, 512 ▪ Farm ▪ Perkow ▪ Pesticide Manual. – *[HS 291540; CAS 650-51-1]*

TCBI. Abk. für *N,2,6-Trichlor-1,4-benzochinon-4-imin.

TCC. 1. Abk. für *Trichlorisocyanursäure; – 2. Abk. für *Triclocarban; – 3. s. Thermofor-Verfahren.

TCD. Abk. für *Tricyclo[5.2.1.0^{2,6}]deca*-3,8-dien (nicht nach den IUPAC-Regeln gebildeter Name für *Dicyclopentadien, Formel u. Daten s. dort; IUPAC: 3a,4,7,7a-Tetrahydro-1*H*-4,7-methanoinden), dessen Derivate, z.B. TCD-Alkohole od. TCD-Keton, als Lsm. Verw. finden. TCD-Derivate werden ferner eingesetzt als Ester- od. Copolymerisationskomponenten z.B. für Weichmacher, lineare Polyester, Schmiermittel, Riechstoffe. – *E = F = I = S* TCD
Lit.: s. Dicyclopentadien. – *[HS 290219]*

TCDD. 1. Mehrdeutige Abk. für Tri- u. Tetrachlor*dibenzo*[1,4]*dioxin*(e). – 2. Meistens Abk. für *2,3,7,8-Tetrachlor*dibenzo*[1,4]*dioxin*, s. Dioxine.

TCDF. Mehrdeutige Abk. für Tri- u. Tetrachlor*dibenzofuran*(e), s. Dioxine.

TCDT. Mehrdeutige Abk. für Tri- u. Tetrachlor*dibenzothiophen*(e), den Schwefel-Analoga zu *TCDF.

TCE. Abk. für *1,1,2,2-Tetrachlorethan.

TCEF. Nach DIN 7723: 1987-12 Kurzz. für Trichlorethylphosphat als Weichmacher.

TCF. Nach DIN 7723: 1987-12 Kurzz. für *Trikresylphosphat als Weichmacher.

TCL$_0$. Abk. für *E toxic concentration low*, die niedrigste bekannte Konz. eines Stoffes in einem Umweltmedium, durch die ein tox. Effekt od. ein anderer Schaden bei Mensch od. Tier verursacht wird.
Lit.: Streit, Ökotoxikologie (2.), S. 761, Weinheim: VCH Verlagsges. 1994.

TCNE. Abk. für *Tetracyanoethylen.

TCNQ. Abk. für *7,7,8,8-Tetracyano-1,4-chinodimethan.

TCP. Abk. für 2,4,5-*Trichlorphenol.

TCP-Harze. Abk. für *Tetrachlorphthalat-Harze.

TCR. Engl. Abk. für T-Zell-Rezeptor, s. Immunsystem, S. 1894.

Tct. Abk. für Tinctura, s. Tinkturen.

TD. 1. Abk. für die radiolog. *Tiefendosis*, womit die Strahlendosis in einem Gewebe in Abhängigkeit von seiner Lage, der Strahlenart u.a. angegeben wird. – 2. Abk. für die pharmazeut. *Tagesdosis*, die empir. ermittelte, therapeut. sinnvolle Arzneidosis pro Tag.

T$_D$. Schmelztemp. von *Desoxyribonucleinsäuren, d.h. die Temp., bei der 50% der Doppelstränge einer Probe dissoziiert vorliegen.

TD$_{50}$. Abk. für *tumorigene Dosis*, das ist die tägliche *Dosis, bei der 50% der Versuchstiere nach lebenslanger Aufnahme Tumoren entwickeln.

TDC. Abk. für *E total dissolved carbon*, gesamter gelöster Kohlenstoff, Summe aus *DOC u. dem gelösten anorgan. Kohlenstoff, z.B. Carbonat.

TDI. Abk. für *Toluoldiisocyanate.

TDL$_0$. Abk. für *E toxic dose low*, die niedrigste bekannte Dosis, die nach Applikation an Mensch od. Tier eine tox. Wirkung od. einen anderen Schaden verursacht; Angabe in mg/kg Körpergewicht.
Lit.: Streit, Ökotoxikologie (2.), S. 761, Weinheim: VCH Verlagsges. 1994.

TDP. Abk. für Ribosylthymin-5′-diphosphat (Ribothymidin-5′-diphosphat), gelegentlich inkorrekt statt dTDP für Thymidin-5′-diphosphat, vgl. Thymidinphosphate.

Te. Chem. Symbol für das Element *Tellur.

TE. 1. Abk. für *Trübungseinheit*; wird z.B. bei der Zellzahlbestimmung verwendet (Bestimmung der Bakterientoxizität in *Pseudomonas putida*-Suspensionen[1]). – 2. Abk. für *E toxicity equivalency* = *Toxizitätsäquivalent, s.a. Toxizitätsäquivalenzfaktor.
Lit.: [1] DIN 10712: 1996-02.

TEA. Abk. für *Tetraethylammonium-Salze, Triethanolamin (s. 2,2′,2″-Nitrilotriethanol), Triethylaluminium (s. Aluminium-organische Verbindungen) u. *Triethylamin.

TEAE-Cellulose. Abk. für [2-(Triethylammonio)ethyl]-cellulose, s. Cellulose-Ionenaustauscher.

Teakholz (von malai.: tekka). Strohgelbes bis lederbraunes, Gerbstoff-freies Harzöl-haltiges Holz des in Java, Burma u. Thailand beheimateten Teakbaumes *Tectona grandis* (bis 40 m hoch; Verbenaceae, Eisenkrautgewächse). T. ist hart, gut bearbeitbar, spaltbar, elast., wenig schwindend, dauerhaft, Kieselsäure-haltig, sehr widerstandsfähig gegen pflanzliche u. tier. Holzschädlinge, erreicht höhere Festigkeitswerte als alle europ. Hölzer u. wird als Bauholz für Schiffe, Wagen, Möbel, Fußböden usw. verwendet. T. enthält außer Cellulose (ca. 45%), Lignin (ca. 30%) u. Pentosanen (ca. 13%) noch über 40 Inhaltsstoffe, z.B. bis 5% Kautschuk, ferner *Lapachol, Desoxylapachol, α-Dehydrolapachon, Tectol, Tectochinon (*2-Methylanthrachinon) u.a., wobei der Kautschuk-Gehalt für den hohen Abnutzungswiderstand des T., der Gehalt an Desoxylapachol für das Auftreten von Ekzemen beim Arbeiten mit T. verantwortlich sein soll. Aus den Samen von *T. grandis* erhält man ein Öl (T.-Öl), das die Glyceride von 11% Palmitin-, 10% Stearin-, 2,3% Arachidin-, 0,2% Myristin-, 29,5% Öl-, 46% Linol- u. 0,4% Linolensäure enthält. Der Ölgehalt verleiht dem T. seine Wasserbeständigkeit u. Immunität gegen den Angriff von Insekten, insbes. *Termiten. T. soll schon vor 6000 Jahren aus Indien nach Babylon u. dem Jemen gebracht worden sein. Noch heute existieren in Indien Holzkonstruktionen, die vor 2000 Jahren errichtet wurden. Ein dem T. ähnliches Holz ist *Afrormosia. – *E* teakwood – *F* bois de teck – *I* legno di teak, tek – *S* madera de teca

Lit.: Franke, Nutzpflanzenkunde, 6. Aufl., S. 432, Stuttgart: Thieme 1997. – *[HS 4407 29]*

TEA-Laser. Abk. für *E transversal excited atmospheric pressure* (transversal angeregter Atmosphärendruck-)Laser. Häufig verwendete techn. Bauform eines *Gas-Lasers, bes. des CO_2-Lasers. – *E* tea laser – *I* laser a eccitazione trasversa – *S* láser tea (presión atmosférica excitada transversalmente)

TeBB s. PBB.

Tebbe-Grubbs-Reagenzien. Methylenierungsreagenzien mit deren Hilfe Carbonyl-Verb., ebenso wie bei der *Wittig-Reaktion u. deren Varianten, in terminale Alkene überführt werden können. Die T.-G.-R. stellen Komplexe des Titanocendichlorids mit Trimethylaluminium dar u. besitzen für die Methylenierung von ster. anspruchsvollen Ketonen od. auch Carbonsäureestern gegenüber der Wittig-Reaktion beträchtliche Vorteile.

Das eigentliche Reagenz wird mit Hilfe einer Lewis-Base, z. B. einem tert. Amin, in Freiheit gesetzt, das mit der Carbonyl-Verb. reagiert.

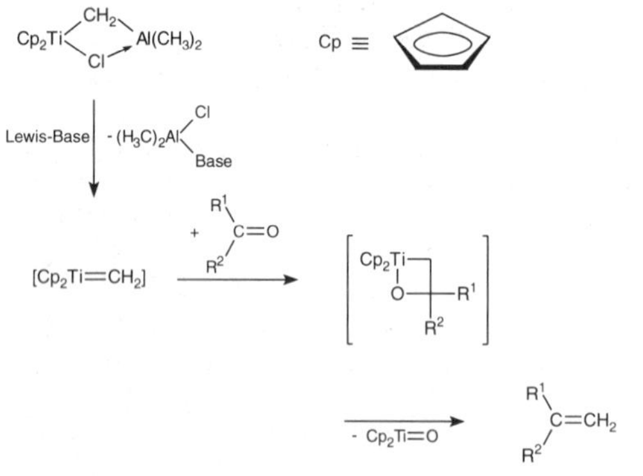

– *E* Tebbe-Grubbs reagents – *F* réactifs de Tebbe et Grubbs – *I* reattivi di Tebbe-Grubb – *S* reactivos de Tebbe-Grubbs

Lit.: Synthesis **1991**, 165–167 ▪ s. a. Titan-organische Verbindungen.

TeBDE s. PBDE.

Tebesium® (Rp). Ampullen mit *Isoniazid, Dragées u. Lacktabl. mit zusätzlichem Vitamin B_6, gegen Tuberkulose. *B.:* Hefa Pharma.

TEBG s. Sexualhormone, Testosteron.

Tebonin®. Filmtabl. u. Tropfen mit *Ginkgo-Extrakt gegen Durchblutungsstörungen. *B.:* Schwabe.

Tebuconazol.

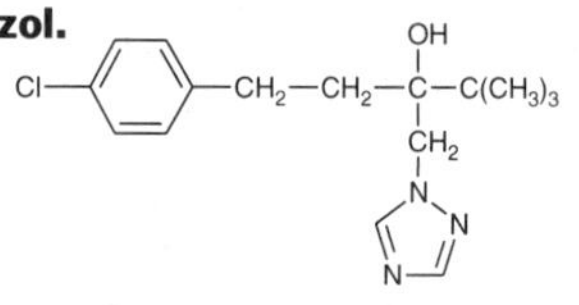

Common name für (*RS*)-1-(4-Chlorphenyl)-4,4-dimethyl-3-(1*H*-1,2,4-triazol-1-ylmethyl)pentan-3-ol, $C_{16}H_{22}ClN_3O$, M_R 307,82, Schmp. 102,4 °C, LD_{50} (Ratte oral) >5000 mg/kg (männlich), 3900 mg/kg (weiblich), von Bayer 1988 eingeführtes system. *Fungizid mit protektiver, kurativer u. eradikativer Wirkung gegen eine Vielzahl pilzlicher Krankheitserreger in zahlreichen Kulturen. Anw. als Spritz- u. Beizmittel. – *E* tebuconazole – *F* tébuconazol – *I* tebuconazolo – *S* tebuconazol

Lit.: Farm ▪ Perkow ▪ Pesticide Manual ▪ Wirkstoffe iva. – *[CAS 107534-96-3; G 9]*

Tebufenozid.

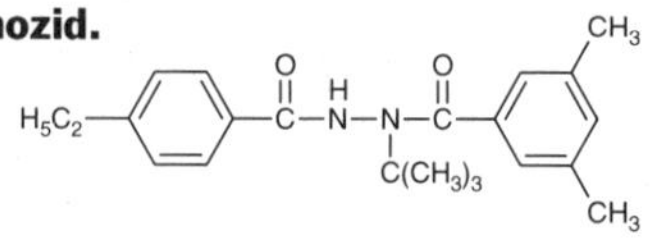

Common name für 3,5-Dimethylbenzoesäure-*N*-*tert*-butyl-*N*'-(4-ethoxybenzoyl)hydrazid, $C_{22}H_{28}N_2O_2$, M_R 352,47, Schmp. 188,5–190 °C, LD_{50} (Ratte oral) >5000 mg/kg, von Rohm & Haas Mitte der 90er Jahre eingeführtes *Insektizid v. a. gegen Lepidopteren-Larven im Obst-, Gemüse- u. Weinanbau. T. ähnelt dem häutungsbeschleunigenden Hormon *Ecdyson. Es beschleunigt die Häutung u. stört dadurch die Metamorphose. – *E* = *I* tebufenozide – *F* tébufénocide – *S* tebufenosida

Lit.: Farm ▪ Perkow ▪ Pesticide Manual. – *[CAS 112410-23-8]*

Tebufenpyrad.

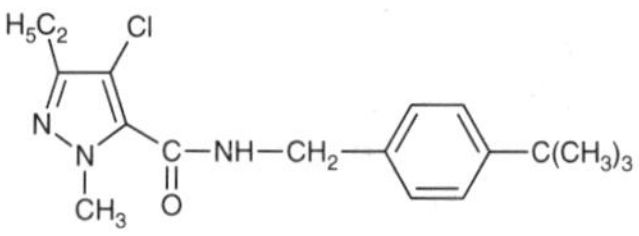

Common name für *N*-(4-*tert*-butylbenzyl)-4-chlor-3-ethyl-1-methyl-1*H*-pyrazol-5-carboxamid, $C_{18}H_{24}ClN_3O$, M_R 333,86, Schmp. 61–62 °C, LD_{50} (Ratte oral) 595 mg/kg (männlich), 997 mg/kg (weiblich), von Mitsubishi Mitte der 90er Jahre eingeführtes, nicht system. *Akarizid mit Kontakt- u. Fraßgiftwirkung gegen verschiedene Milben im Obst-, Gemüse-, Hopfen-, Zierpflanzen- u. Weinanbau. – *E* tebufenpyrad – *F* tébufenpyrad – *I* = *S* tebufenpirad

Lit.: Farm ▪ Perkow ▪ Pesticide Manual. – *[CAS 119168-77-3]*

Tebupirimfos.

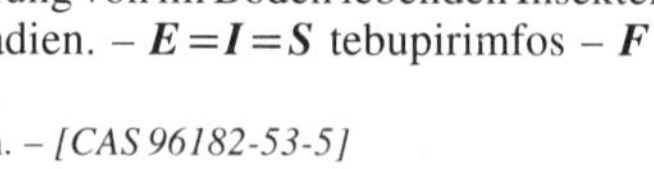

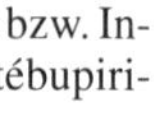

Common name für (±)-*O*-(2-*tert*-Butyl-5-pyrimidinyl)-*O*-ethyl-*O*-isopropylthiophosphat, $C_{13}H_{23}N_2O_3PS$, M_R 318,37, gelbe bis braune Flüssigkeit, Sdp. 90 °C (Zers.), LD_{50} (Ratte oral) 1,8–3,6 mg/kg, von Bayer Mitte der 90er Jahre eingeführtes *Insektizid, v. a. zur Bekämpfung von im Boden lebenden Insekten bzw. Insektenstadien. – *E* = *I* = *S* tebupirimfos – *F* tébupirimifos

Lit.: Farm. – *[CAS 96182-53-5]*

Tebuthiuron.

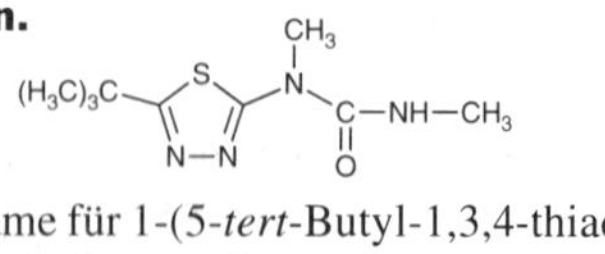

Common name für 1-(5-*tert*-Butyl-1,3,4-thiadiazol-2-yl)-1,3-dimethylharnstoff, $C_9H_{16}N_4OS$, M_R 228,31, Schmp. 161,5–164 °C, LD_{50} (Ratte oral) 644 mg/kg (WHO), von Eli Lilly & Co. 1974 eingeführtes breitwirksames *Herbizid gegen Unkräuter, Ungräser u. Gehölze auf Nichtkulturland ohne Baumbewuchs, sowie zur Gehölzbekämpfung auf Weiden. Einsatz auch

im Zuckerrohranbau. – *E* tebuthiuron – *F* tébuthiuron – *I* tebutiurone – *S* tebutiurona
Lit.: Farm ■ Perkow ■ Pesticide Manual. – *[HS 2934 90; CAS 34014-18-1]*

TeCB s. PCB.

Technetium (chem. Symbol Tc). Radioaktives, metall. Element der 7. Gruppe des Periodensyst., Ordnungszahl 43. Tc ist ein nur künstlich herstellbares Schwermetall (griech.: technetos = künstlich). Man kennt die Isotope u. Isomere ^{90}Tc – ^{111}Tc mit HWZ zwischen 0,30 s (^{111}Tc) u. 4,2 · 10^6 a (^{98}Tc); von bes. Bedeutung sind der β-Strahler ^{99}Tc (HWZ 2,14 · 10^5 a) u. der γ-Strahler ^{99m}Tc (HWZ 6,049 h). Silbern glänzendes Metall, D. 11,5, Schmp. 2172 °C, Sdp. 4877 °C, tritt in den Oxid.-Stufen –3 in [Tc(CO)$_4$]$^{3-}$, –1 z. B. in [Tc(CO)$_5$]$^-$ sowie 0 bis +7 auf, ähnelt chem. dem *Rhenium mehr als dem *Mangan. So ist z. B. die bei Mn sehr beständige Oxid.-Stufe +2 bei Tc u. Re eher ungewöhnlich. Tc ist unlösl. in Salzsäure, lösl. in Königswasser, verd. od. konz. Salpetersäure u. konz. Schwefelsäure; es wird von Chlor kaum angegriffen. In Sauerstoff verbrennt es zu Tc$_2$O$_7$, von dem sich die Pertechnetate (s. Technetium-Verbindungen) ableiten. Ausführliche Abhandlungen über die Chemie des Tc finden sich in *Lit.*[1].

Vork.: In der Erdkruste entsteht Tc in winzigen Mengen als radioaktives Spaltprodukt beim Zerfall von ^{238}U, wie in der Pechblende von Katanga 1961 erstmals nachgewiesen wurde. Tc muß auch beim *Oklo-Phänomen entstanden sein[2]. Tc bildet sich ferner bei der Einwirkung von Neutronen (als Sekundärteilchen der *kosmischen Strahlung) auf Molybdän-Minerale. In einigen Sternspektren findet man Tc-Linien.

Herst.: Das längstlebige Isotop ^{98}Tc ist nicht in wägbaren Mengen verfügbar. Im Kilogramm-Maßstab fällt das Isotop ^{99}Tc in Reaktoren bei der Spaltung von ^{235}U mit therm. Neutronen an (Ausbeute 6%; ein Reaktor mit einer Leistung von 100 MW produziert ca. 4 g ^{99}Tc täglich). Vor der Wiederaufarbeitung der Kernbrennstoffe muß es abgetrennt werden[2]. Andere Tc-Isotope werden durch Einwirkung von Neutronen, Deuteronen, Protonen od. α-Teilchen auf das dem Tc im Periodensyst. benachbarte Element Molybdän erhalten, z. B.

$$^{96}_{42}\text{Mo} + ^{2}_{1}\text{D} \rightarrow ^{97}_{43}\text{Tc} + ^{1}_{0}\text{n}$$

Bes. die Gewinnung des techn. wichtigen Isotops ^{99m}Tc ist von Bedeutung; diese kann z. B. mit Hilfe der sog. Tc-99m-Generatorsäule erfolgen. Das Radionuklidpaar ^{99}Mo/^{99m}Tc läßt sich aus der Spaltprodukt-Lsg. durch Adsorption an Aluminiumoxid abtrennen. Durch selektive Elution (fachsprachlich „Melken" genannt) gewinnt man danach das reine Isotop (>99,99%) in Form von Natriumpertechnetat (NaTcO$_4$). ^{99m}Tc wird in Form der Muttersubstanz ^{99}Mo in den Handel gebracht; Näheres zu Herst., Eigenschaften u. Verw. von ^{99m}Tc, z. B. in der *Nuklearmedizin u. der *Szintigraphie, s. *Lit.*[3].

Verw.: Neben dem Einsatz in *Radiopharmazeutika sind für ^{99}Tc verschiedene Anw. denkbar: Tc ist in Form des Pertechnetat-Ions ein starker Korrosionsinhibitor für Eisen u. Stahl. Die inhärente Radioaktivität steht jedoch einer breiten Anw. entgegen. Tc ist ein bemerkenswerter Katalysator für zahlreiche chem. Prozesse, z. B. für die Alkoholdehydrierung. Als β-Strahler ist ^{99}Tc zur Eichung von β-Detektoren geeignet. Tc ist auch für die Herst. von Hochtemp.-Thermoelementen u. in der Supraleitfähigkeitstechnik von Interesse (Sprungtemp. 7,77 K).

Geschichte: Das von *Mendelejew mit seinen chem. Eigenschaften vorhergesagte Element 43 glaubte man irrtümlich 1877 als Davyum, 1896 als Lucium u. 1908 als Nipponium entdeckt zu haben. W. *Noddack, I. Tacke u. O. Berg fanden 1925 in Fraktionen von aufgearbeiteten Uran-haltigen Erzen röntgenspektroskop. Hinweise auf ein neues Element, die sie als Nachw. des von ihnen gesuchten Eka-Mangans interpretierten; aufgrund neuerer krit. Untersuchungen könnte es sich um ein Isotop (Ordnungszahl 43) aus der damals noch nicht bekannten Kernspaltung gehandelt haben[4]. Erst 1937 wurde das Element 43 von Perrier u. *Segrè künstlich erhalten, als sie im Zyklotron von Berkeley Molybdän-Metall mit energiereichen Deuteronen beschossen. Der Name Masurium (nach der Landschaft Masuren, der Heimat I. Tackes) wurde 1949 zugunsten von T. aufgegeben, da die spektroskop. glaubhaft gemachte Existenz dieses Elementes in der Natur nicht durch präparative Reinherst. bewiesen worden war; s. a. *Lit.*[5]. – *E* technetium – *F* technétium – *I* tecnezio – *S* tecnecio

Lit.: [1] Top. Curr. Chem. **176**, 1 – 301 (1996). [2] Chem. Ztg. **110**, 215 – 231 (1986). [3] Chem. Ztg. **114**, 123 – 127 (1990); Isotopenpraxis **26**, 115 – 118, 122ff. (1990). [4] Chem. Ztg. **112**, 373 – 378 (1990). [5] Isotopenpraxis **24**, 445 – 448 (1988); Nucl. Phys. **A 503**, 178 – 182; **A 505**, 352 – 360 (1989).
allg.: Brauer (3.) **3**, 1597 – 1606 ■ Desmet u. Myttenaere, Technetium in the Environment, London: Appl. Sci. Publ. 1986 ■ Ph. Eur. 1997, 1683 – 1701 ■ Gmelin, Syst.-Nr. 69 – 70, Tc (Masurium)/Rhenium 1941 ■ Kirk-Othmer (4.) **20**, 871 – 906 ■ Radiochim. Acta **63**, 1 – 226 (1993) ■ Ullmann (5.) **A 8**, 483 – 489; **A 22**, 521 ff. ■ Wilding et al. (Hrsg.), The Behavior of Technetium in Terrestrial and Aquatic Environs, New York: Pergamon 1989 ■ Winnacker-Küchler (3.) **2**, 623 f.; **4**, 666 – 669. – *[HS 2844 40; CAS 14133-76-7 (^{99}Tc); 7440-26-8 (^{98}Tc); G 7]*

Technetium-Verbindungen. Von *Technetium sind salzartige u. komplexe Verb. erhältlich, z. B. *Technetiumheptoxid* (Tc$_2$O$_7$, M$_R$ 308,00, blaßgelbe, stark hygroskop. Krist.), *Technetiumdioxid* (TcO$_2$, M$_R$ 130,00, schwarz, D. 6,9), *Technetiumdisulfid* (TcS$_2$, M$_R$ 162,12, isomorph mit ReS$_2$), *Technetiumtetrachlorid* (TcCl$_4$, M$_R$ 239,81, kleine, blutrote Krist.), *Technetiumhexafluorid* (TcF$_6$, M$_R$ 211,99, goldgelbe Krist.). *Pertechnetiumsäure* ist eine starke Säure, von der zahlreiche Salze (*Pertechnetate*) bekannt sind, z. B. Kaliumpertechnetat (KTcO$_4$), Silberpertechnetat (AgTcO$_4$), Ammoniumpertechnetat (NH$_4$TcO$_4$) als bevorzugtes Ausgangsmaterial zur Herst. von Tc-Metall u. Natriumpertechnetat (NaTcO$_4$), das in der Radiodiagnostik prakt. Bedeutung erlangt hat. Zur Koordinationschemie des Tc s. *Lit.*[1].

Die Abb. zeigt einen Neutralkomplex des fünfwertigen ^{99m}Tc, der aus Na^{99m}TcO$_4$-Lsg. u. einem Reagenziengemisch (Markierungsbesteck, auch Kit genannt) beim Vermischen gebildet wird. Nach intravenöser Injektion überwindet der Komplex die Blut-Hirn-Schranke u. erlaubt mittels Emissionstomographie die Aufnahme diagnost. wertvoller Abb. des menschlichen Gehirns[2]. – *E* technetium compounds – *F* composés de technétium – *I* composti di tecnezio – *S* compuestos de tecnecio

Lit.: [1] Polyhedron **8**, 1683–1688 (1989); Transition Met. Chem. (London) **15**, 411–416 (1990). [2] Angew. Chem. **106**, 2349–2358 (1994).
allg.: s. Technetium. – *[G 7]*

Technicolor®-Verfahren s. Farbphotographie.

Technik (von griech.: techne = Kunst, Kunstfertigkeit, Kunststück). Im ursprünglichen Sinn bedeutet T. die Nutzbarmachung rational gewonnener naturwissenschaftlicher Erkenntnisse für die zivilisator. Bedürfnisse der Menschen, d.h. T. umfaßt das schöpfer. Schaffen von Erzeugnissen, Vorrichtungen u. Verf. unter Anw. empir. bekannter u. naturwissenschaftlich begründeter Erkenntnisse. Im engeren Sinn ist T. die Fertigkeit, die Erzeugung von Stoffen u. Gütern immer Anw.-bezogener u. wirtschaftlicher zu gestalten. Schwerpunkte der letzten Jahrzehnte liegen auf den Gebieten Automatisierungs-T., Regelungs- u. Informations-T., sowie Meß-, Förder-, Verkehrs-, Energie- u. Kunststoff-Technik. Die T. im engeren Sinn ist also eine „angewandte Wissenschaft". Über die chem. T. s. chemische Technologie, Industrielle Chemie, Technische Chemie u. Verfahrenstechnik sowie Laboratorium. – *E* technique, technical sciences – *F* sciences techniques, technique – *I* tecnica – *S* técnica, ciencias aplicadas

Lit.: Klemm, Geschichte der Technik, Stuttgart: Teubner 1998.

Techniker. Allg. Berufsbezeichnung. Einen Überblick über das Berufsbild des T. in den verschiedensten Bereichen (z.B. Agrartechnik, Bau, Chemie, Lacke u. Farben, Maschinenbau, Physik, Textiltechnik, Umweltschutz etc.) gibt die von der Bundesanstalt für Arbeit in Nürnberg herausgegebene Broschüre „Beruf aktuell". Eine detaillierte Beschreibung eines Berufsbildes entnimmt man den entsprechenden Blättern zur Berufskunde (z.B. *Chemotechniker: 2-I D 20). – *E* technician – *F* technicien – *I* tecnico – *S* técnico

Technikfolgen-Abschätzung. Die T.-A. befaßt sich mit dem Abschätzen von Risiken, die von (neuen) Technologien ausgehen können. Die Folgen können auf ökolog., sozialem, eth. od. medizin. Gebiet liegen. Im Brennpunkt der öffentlichen Diskussion stehen u. a. die Nutzung der *Kernenergie, die *Bio- u. *Gentechnologie[1] sowie die *chemische u. *pharmazeutische Industrie. Im Bereich der Biotechnologie sind insbes. für die Freisetzung von gentechn. veränderten Organismen (s. gentechnische Freilandexperimente, Gentechnik-Gesetz) umfangreiche Szenarien u. Modelle für eine Gefährdungs- u. Risikoabschätzung entwickelt worden; eine Risikoabschätzung umfaßt hier folgende Schritte:
1. Die Identifizierung des Risikos (Art u. Quelle des Risikos, Wirkungsmechanismen, mögliche neg. Folgen etc.);
2. die Beschreibung u. Charakterisierung der Risikoquelle (Typ, Ausmaß u. Größenordnung, Zeitverlauf, Wahrscheinlichkeit der Freisetzung von tox. Substanzen u. Energien);
3. die Expositionsbeurteilung (Messung od. Abschätzung der Intensität, Häufigkeit od. Dauer einer Exposition von Mensch u. Umwelt durch biolog. Agens);
4. die Dosis-Wirkungsanalyse (Beziehungen zwischen biolog. Agens u. Schäden an Mensch u. Umwelt);
5. die Risikobeurteilung (integrierte Beurteilung von Risikoquelle, Exposition u. Dosis-Wirkung auf die Gesundheit, Sicherheit u. Umweltgefährdung).
Für die einzelnen Schritte müssen im Rahmen einer Risikoanalyse geeignete, möglichst quantifizierbare Modelle entwickelt werden. – *E* technology assessment – *F* évaluation des conséquences de l'emploi de la technique – *I* valutazione delle conseguenze di nuove tecnologie – *S* evaluación tecnológica (de las consecuencias)

Lit.: [1] Kelves u. Hood (Hrsg.), Der Supercode – Die genetische Karte des Menschen, insel taschenbuch 1721, Frankfurt am Main u. Leipzig: Insel Verl. 1995 ▪ Römpp Lexikon Biotechnologie, S. 754.

Technikum. Versuchseinrichtung (Gebäude), in der chem. u. techn. Prozesse in einem Maßstab durchgeführt werden können, der sich deutlich von dem im *Laboratorium unterscheidet. Versuche im T. bilden u.a. die Zwischenstufe beim *Upscaling* (s. Verfahrensentwicklung) zwischen Labor u. Produktion; s.a. chemische Laboratorien, Pilot Plant, Technische Chemie. – *E* pilot plant – *I* istituto tecnico – *S* planta experimental (piloto)

Technische Anleitungen (TA). Bez. für Verwaltungsvorschriften, die unmittelbar nur für die betreffenden Behörden verbindlich sind. Da TA allg. Verwaltungspraxis sind, kann jeder Anlagenbetreiber feststellen, welche konkreten Forderungen die Behörde voraussichtlich (für *genehmigungsbedürftige Anlagen) an ihn richten wird. Nach einem Urteil des Bundesverwaltungsgerichts[1] kommt (ausgesprochen für die *TA Luft) der TA die Bedeutung eines antizipierten Sachverständigengutachtens zu. Das hat zur Folge, daß Anforderungen von Behörden, die sich an diesen TA orientieren, nur im Einzelfall bei Vorliegen bes. Umstände angegriffen werden können. Mittlerweile werden TA Luft u. *TA Lärm als „normkonkretisierende" Verwaltungsvorschriften aufgefaßt, d.h. sie entfalten Außenverbindlichkeit[2]. – *E* technical instructions – *F* instructions techniques – *I* istruzioni tecniche – *S* instrucciones técnicas

Lit.: [1] BVerwGE **55**, 250 (S. 256). [2] BVerwGE **72**, 300 (S. 320f.); DVBl. **1995**, 516f.

Technische Biochemie s. Biotechnologie.

Technische Chemie. Teilgebiet der Chemie, das sich mit der Durchführung von chem. Prozessen im techn. Maßstab befaßt. Die bes. Aufgaben der T. C. sind die Entwicklung neuer techn. Verf. u. die Verbesserung bestehender. Hierbei wird in der Regel zurückgegriffen auf: 1. Die Ermittlung u. möglichst quant. Erfassung aller Einflußgrößen, die das chem.-physikal. Geschehen in den einzelnen Stufen eines chem. Verf. bestimmen u. die ggf. zum Störfall (s. Störfall-Verordnung) führen könnten. – 2. Erarbeiten von Meth., die der Übertragung von experimentellen Ergebnissen – v. a. der *präparativen Chemie u. der *Synthese – aus dem *Laboratoriums-Maßstab über die Erprobung im *Technikum u. die Weiterentwicklung in der *Pilot Plant zu großtechn. Verf. der *Chemischen Industrie dienen (Dimensionsanalyse, Modelltheorie). – 3. Ausrichten der techn. Lsg. auf das wirtschaftliche Optimum (*Optimierung).

An den Techn. Hochschulen gliedert sich die Ausbildung im Studienfach T. C. häufig in die beiden Teilgebiete *Chem. Reaktionstechnik* u. *Verfahrenstechnik, die sich in zunehmendem Maße der Grundlagen der Mathematik, Informatik sowie der Meß- u. Regelungstechnik bedienen. Eine eindeutige Abgrenzung der T. C. gegenüber der *Chem. Technik*, *Chemischen Technologie, *Industriellen Chemie, dem *Chemie-Ingenieurwesen u. der *Verfahrenstechnik, selbst gegenüber der *Angewandten Chemie, ist nur schwer möglich. – *E* technical chemistry – *F* chimie technique – *I* chimica tecnica – *S* química técnica
Lit.: s. Verfahrenstechnik.

Technische Gase s. Industriegase.

Technische Harze. Übergreifende, nicht streng definierbare gebräuchliche Bez. insbes. für *synthetische Harze, die techn. breit eingesetzt werden. Eine Differenzierung der t. H. hinsichtlich der chem. Zusammensetzung u. Anw. ist im allg. nicht üblich; zu Herst., Eigenschaften, Verw. u. Lit. der t. H. s. synthetische Harze u. einzelne Harztypen, z. B. Epoxidharze, Formaldehyd-Harze, Phenol-Harze, (ungesättigte) Polyesterharze, Kohlenwasserstoff-Harze. – *E* technical resins – *F* résines industrielles (techniques) – *I* resine tecniche – *S* resinas industriales (técnicas)

Technische Informationsbibliothek (TIB). Die 1959 unter Beteiligung der DFG gegr. TIB mit Sitz in 30167 Hannover, Welfengarten 1 b ist räumlich u. organisator. mit der 1831 gegr. Univ.-Bibliothek (UB) der Univ. Hannover verbunden u. bildet mit ihr die zentrale Fachbibliothek der BRD für Technik u. Ingenieurwissenschaften sowie deren Grundlagenwissenschaften, v. a. Mathematik, Physik, Informatik u. Chemie. Sie erwirbt laufend die gesamte fachlich relevante Lit. aus aller Welt u. in allen Sprachen. Neben der Verlagslit. stehen insbes. Zeitschriften u. *Graue Literatur im Vordergrund. Die Leistungen der UB/TIB umfassen neben der Ausleihe u. der Anfertigung von Kopien auf kostenpflichtige Direktbestellung auch den Nachw. von Übersetzungen aus den Ostsprachen. Der Bibliotheksbestand kann sowohl mittels CD-ROM als auch online recherchiert werden. In der „elektron. Bibliothek" der UB/TIB werden außerdem digitalisierte Volltexte unter Berücksichtigung der lizenzrechtlichen Vereinbarungen im Internet bereitgestellt. Bestellungen u. Anfragen sind auch über Datenbanken wie DIALOG, DIMDI, STN u. a. möglich. INTERNET-Adresse: http://www.tib.uni-hannover.de

Technische Kunststoffe (Techno-Kunststoffe). Bez. für *Kunststoffe, die aufgrund ihres Eigenschaftsprofils von den *Massenkunststoffen einerseits u. den *Hochleistungskunststoffen andererseits abgegrenzt werden können. Gegenüber den Massenkunststoffen weisen t. K. verbesserte mechan. Eigenschaften wie z. B. höhere Elastizitätsmodul (s. Elastizität u. Spannungs-Dehnungs-Diagramm) u./od. größere *Schlagzähigkeiten auf. T. K. werden daher auch als diejenigen Kunststoffe definiert, die Dimensionsstabilität u. charakterist. mechan. Eigenschaften auch oberhalb von 100 °C u. unterhalb von 0 °C beibehalten. Vielfach werden sie für Konstruktionszwecke (tragende Teile) eingesetzt, weshalb t. K. auch *Konstruktionswerkstoffe* genannt werden. Zu den t. K. gerechnet werden u. a. die *Polyamide, *Polycarbonate, *Polyacetale, *Polyester, *Polymethacrylate, modifizierte Polyphenylenether (s. Polyarylether) sowie auf diesen Kunststoffen basierende Polyblends (s. Polymer-Blends). Zu den vielen Anw.-Möglichkeiten der t. K. s. die einzelnen Kunststoffe u. die *Literatur*. – *E* engineering plastics, performance plastics, technical plastics – *F* plastiques techniques – *I* materie sintetiche tecniche – *S* plásticos técnicos
Lit.: Elias (5.) **2**, 431 ▪ Kunststoffe **80**, 252–258 (1990).

Technische Mikrobiologie s. industrielle Mikrobiologie.

Technische Regeln... (TR). Vom Bundesministerium für Arbeit u. Sozialordnung erarbeitete Vorschriften, deren Einhaltung die *Arbeitssicherheit gewährleisten u. der *Unfallverhütung dienen soll, z. B. beim Umgang mit Druckbehältern (*TRB*), *Druckgasen (*TRG* s. Druckgasdosen, Druckgaskartuschen u. Druckgasflaschen), *brennbaren Flüssigkeiten (*TRbF*), Gefahrstoffen (*Technische Regeln für Gefahrstoffe, *TRGS*), biolog. Arbeitsstoffen (Techn. Regeln für biolog. Arbeitsstoffe, *TRBA*) usw. Die T. R. können vom Dtsch. Informationszentrum für Techn. Regeln (DITR im DIN, Burggrafenstr. 6, 10787 Berlin) u. vom Beuth-Verl. (Berlin), manche auch vom Heymanns-Verl. (Köln) bezogen werden.

Technische Regeln für Gefahrstoffe (TRGS). Die TRGS geben den Stand der sicherheitstechn., arbeitsmedizin., hygien. sowie arbeitswissenschaftlichen Anforderungen an Gefahrstoffe hinsichtlich Inverkehrbringen u. Umgang wieder. Sie werden vom *Ausschuß für Gefahrstoffe* (AGS) beim Bundesministerium für Arbeit u. Sozialordnung aufgestellt u. der Entwicklung angepaßt. Die TRGS werden im Bundesarbeitsblatt od. im Bundesgesundheitsblatt bekanntgegeben. Durch die TRGS werden insbes. die in der *Gefahrstoffverordnung genannten Regeln u. Erkenntnisse näher bestimmt u., soweit es an einschlägigen Rechtsvorschriften fehlt, unmittelbare Pflichten des Arbeitgebers begründet. *Beisp.:* TRGS 402 (Ermittlung u. Beurteilung der Konz. gefährlicher Stoffe in Arbeitsbereichen), TRGS 514 (Lagern sehr giftiger u. giftiger Stoffe in Verpackungen u. ortsbeweglichen Behältern), TRGS 519 (Asbest; Abbruch-, Sanierungs- od. Instandhaltungsarbeiten). Eine zentrale Rolle haben die techn. Regeln der 900-Reihe (Arbeitsplatzgrenzwerte u. Stoffbewertungen) inne. Eine praxisgerechte Aufbereitung u. Zusammenfassung der stoffspezif. Regelungen dieser techn. Regel in einer Tab. in Verb. mit den von der EU eingestuften Stoffen findet sich in den BIA-Reports[1].

Lit.: [1] Hauptverband der gewerblichen Berufsgenossenschaften (Hrsg.), BIA-Reports „Gefahrstoffliste" und „Grenzwertliste", Sankt Augustin.
allg.: Weinmann u. Thomas, Gefahrstoffverordnung mit Chemikaliengesetz, Köln: Heymanns ab 1986.

Technische Richtkonzentration (TRK). TRK-Werte sind Arbeitsschutzrichtwerte für die zu treffenden Schutzmaßnahmen u. die meßtechn. Überwachung beim Umgang mit krebserzeugenden u. krebsverdächtigen Stoffen. Unter der TRK eines gefährlichen Stoffes versteht man diejenige Konz. als Gas, Dampf od. Schwebstoff in der Luft, die nach dem Stand der Technik erreicht werden kann (§ 15 Abs. 6 Gefahrstoffverordnung) u. die als Anhaltspunkt für die zu treffenden Schutzmaßnahmen u. die meßtechn. Überwachung am Arbeitsplatz heranzuziehen ist. Die Einhaltung der TRK am Arbeitsplatz soll das Risiko einer Beeinträchtigung der Gesundheit vermindern, vermag dieses jedoch nicht vollständig auszuschließen.
Die TRK orientiert sich an den techn. Gegebenheiten u. den Möglichkeiten der techn. Prophylaxe unter Heranziehung arbeitsmedizin. Erfahrungen im Umgang mit dem gefährlichen Stoff u. toxikolog. Erkenntnisse. Da bei Einhaltung der TRK das Risiko einer Beeinträchtigung der Gesundheit nicht vollständig auszuschließen ist, sind durch fortgesetzte Verbesserungen der techn. Gegebenheiten u. der techn. Schutzmaßnahmen Konz. anzustreben, die möglichst weit unterhalb der TRK liegen. TRK-Werte werden durch den *Ausschuß für Gefahrstoffe* (AGS) beim Bundesministerium für Arbeit u. Sozialordnung unter Beteiligung der Sozialpartner, der Aufsichtsbehörden, der Wissenschaft u. unabhängiger Inst. aufgestellt. Aus arbeitsmedizin. Gründen sollen die TRK-Werte im Betrieb unterschritten werden. Außerdem erfolgt eine stufenweise Herabsetzung durch Anpassung an den jeweiligen Stand der techn. Entwicklung u. der analyt. Möglichkeiten. Die meßtechn. Überwachung (Arbeitsbereichüberwachung) erfolgt gemäß der TRGS (*Technische Regeln für Gefahrstoffe) 402 (Ermittlung u. Beurteilung der Konz. gefährlicher Stoffe in der Luft in Arbeitsbereichen). Erläuterungen zur Grenzwertfestlegung sowie die Grenzwerte finden sich in den BIA-Reports [1].
Lit.: [1] Hauptverband der gewerblichen Berufsgenossenschaften (Hrsg.), BIA-Reports „Gefahrstoffliste" u. „Grenzwertliste", Sankt Augustin.
allg.: TRGS 102 „Technische Richtkonzentration (TRK) für gefährliche Stoffe", u. a. in Weinmann u. Thomas, Köln: Heymanns ab 1986 ▪ TRGS 900 „MAK-Werte", Heidelberg: Jedermann, jährlich ▪ s. a. Gefahrstoffverordnung.

Technischer Überwachungsverein s. TÜV.

Technisches Eisen. Sammelbez. für Roheisen u. *Stahl.

Technische Streckgrenze. Bez. für einen ausgezeichneten Punkt im *Spannungs-Dehnungs-Diagramm von *Kunststoffen, bei dem ein Prüfkörper (z. B. Normstab) im *Zugversuch eine bleibende Dehnung von 0,2% erreicht (bei Stahl: s. Streckgrenze). – *E* technical yield strength – *F* limite technique d'étirement – *I* resistenza allo snervamento tecnico – *S* lémite de estricción o de fluencia técnica

Technische Thermoplaste s. Thermoplaste.

Techno-Kunststoffe s. Technische Kunststoffe.

Technologie. Lehre von der Entwicklung der *Technik in ihren gesellschaftlichen Zusammenhängen. Da die Technik an sich vielfältig ist, umfaßt auch die T. viele Gebiete. Die *mechan. T.* z. B. befaßt sich mit den mechan. Verf. zur Behandlung von Roh-, Werk- u. Baustoffen wie Mischen, Zerkleinern, Sieben, Filtrieren usw. Die *therm. T.* ist zuständig für Prozesse, die mit der Zu- od. Abführung von Wärme verbunden sind, wie Verdampfen, Kondensieren, Destillieren usw. Die *chem. T.* behandelt die techn. Verf., die der Durchführung von chem. Reaktionen dienen. Weitere Beisp. für T.-Gebiete sind *Biotechnologie, *Lebensmitteltechnologie u. Pharmazeut. Technologie. – *E* technology – *F* technologie – *I* tecnologia – *S* tecnología
Lit.: s. chemische Technologie u. Verfahrenstechnik.

Technomelt®. *Schmelzklebstoffe für die Verpackungs-Ind. zum Verschließen von Faltschachteln, zur Palettensicherung; zur Herst. von Spiralhülsen, Papier- u. PE-Säcken; zum Etikettieren; in der graph. Ind., Formular-Herst.; zur Kaschierung von Karton auf Polystyrol u. Steinwolle, von PE/Nonwoven, bzw. Fluff/Tissue-Fixierungen; zur Herst. von Zigarettenfiltern; zur Herst. von techn. Filtern; zur Formklebung in der Gießerei; als Primer für PE-ummantelte Stahlrohre; zur Herst. von Isoliermaterialien; Haftschmelzklebstoffe zur Beschichtung von Papier, Metallpapier, Gewebe u. Folien zur Herst. von Dekorfolien, Heftpflastern, Expreßguttaschen od. permanent haftenden Etiketten. Sticks zur Montage od. als Montagehilfe. *B.:* Henkel.

Techno-Thermoplaste. Nicht exakt definierte Sammelbez. für *Thermoplaste, die eine für Konstruktionszwecke geeignete Kombination von Eigenschaften (z. B. Steifigkeit, Reißfestigkeit, Schlagzähigkeit) aufweisen u. diese auch bei höheren Temp., bei Bewitterung, im Kontakt mit Chemikalien u. bei mechan. Beanspruchung beibehalten. T.-T. werden meist mit *Füllstoffen ausgerüstet, insbes. mit kurzen Glasfasern, wodurch D., Elastizitätsmodul (s. Elastizität), Reißfestigkeit u. Wärmeformbeständigkeit heraufgesetzt, Schwindung u. Reißdehnung dagegen erniedrigt werden. – *E* technoplastics – *F* technoplastiques – *I* sostanze tecnotermoplastiche – *S* tecnoplásticos
Lit.: Elias (5.) **2**, 442 ff.

Technotray®. Polymerisationsgerät für techn. Kunststoffe in der Histologie u. Metallographie. *B.:* Heraeus Kulzer GmbH & Co. KG.

Technovit®. Kunststoffe auf der Basis von Methylmethacrylat als Universalhilfsmittel in der Veterinärmedizin sowie als Einbettmaterial für Schliffeinbettungen in der Histologie u. in der Materialprüfung. *B.:* Heraeus Kulzer GmbH.

Teclu-Brenner. Von Nicolaus Teclu (Prof. für Chemie, Wien, 1839–1916) erfundener Universalgasbrenner, dessen Mischrohr (Röhre, in der Luft u. Stadtgas gemischt werden) unten kegelförmig erweitert ist. Die Regulierung der Gaszufuhr erfolgt durch eine seitlich angebrachte Schraube, während die Luftzufuhr mit einer drehbaren Platte eingestellt werden kann. Es lassen sich Temp. erreichen, wie sie auch von Ge-

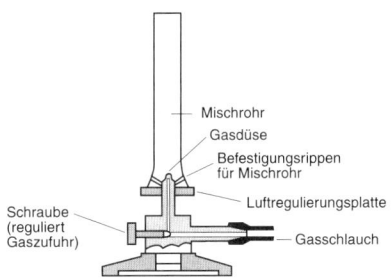

Abb.: Teclu-Brenner.

bläsebrennern erzielt werden. – *E* Teclu burner – *F* bec Teclu – *I* bruciatore Teclu, becco di Teclu – *S* mechero de Teclu

Lit.: s. Brenner

Tect(o)... Von latein.: tectum = Dach, Decke od. *Tectona grandis* (s. Teakholz) abgeleitete Silbe in chem. Handels- u. Trivialbez.; s. a. Tekt(o)... – *E* tect(o)... – *F* = *S* tecto... – *I* tett(o)...

Tectochinon, Tectol s. Teakholz.

Tee. Nach den Leitsätzen[1] stammt T. ausschließlich aus Blättern, Blattknospen u. zarten Stielen des T.-Strauches (*Camellia sinensis* Linnaeus, O. Kuntze), die nach den üblichen Verf. wie Welken, Rollen, Fermentieren, Zerkleinern u. Trocknen bearbeitet werden. Daneben kennen die Leitsätze aromatisierten T., T.-ähnliche Erzeugnisse (s. Tee-Ersatz), T.-Extrakte u. Kombinationen dieser Erzeugnisse. Zutaten u. *Zusatzstoffe sind bis auf die Verw. von Aromen, *Fruchtsäften, aromagebenden Trinkbranntweinen u. *Natriumhydroxid bzw. Rieselhilfsmitteln (nur für T.-Extrakte) nicht üblich. Die Beschaffenheitsmerkmale der einzelnen T.-Sorten sind dem Abschnitt I C, die Bez. u. bes. Angaben dem Abschnitt I D bzw. II A u. B der Leitsätze[1] zu entnehmen. Danach ist *Schwarzer T.* ein fermentierter T., dessen Blätter nach den üblichen Verf. (s. bei Technologie) bearbeitet wurden. *Oolong-Tee ist ein halbfermentierter T., dessen Blätter nach Welken u. Rollen nur die Hälfte der sonst üblichen Zeit fermentiert u. anschließend getrocknet werden. *Grüner T.* ist ein unfermentiertes Erzeugnis, dessen Blätter blanchiert, gerollt u. unter Erhalt der natürlichen Blattfarbstoffe getrocknet werden. Grüner T. liefert helle, klare, bitter schmeckende Aufgüsse, die in Japan u. China (Haupterzeugerländer) mit Orangen-, Rosen- od. Jasminblüten aromatisiert werden. Für die Qualität des grünen T. spielt der Erntezeitpunkt eine entscheidende Rolle; die beste Qualität läßt sich im April u. Mai erzielen.

Botanik: Von den beiden Arten *Camellia sinensis* (*Thea sinensis*) u. *Thea assamica* werden v. a. Hybriden der letzteren Art weltweit kultiviert, während *Thea sinensis* hauptsächlich in China u. Japan angebaut wird. Der T.-Strauch ist in Ostindien beheimatet; er wird heute in großem Umfang in China, Japan, Sri Lanka, Indien, Pakistan, Indonesien, Taiwan, Ostafrika u. Südamerika angebaut. In der Wildnis wächst der T.-Strauch zu einem bis zu 15 m hohen Baum heran; in den T.-Kulturen läßt man ihn nur 60–150 cm hoch werden, um die Blätter bequemer ernten zu können.

Der aus Samen, zunehmend auch aus Setzlingen gezogene T.-Strauch liefert nach 4–5 a die erste Ernte; er kann im Durchschnitt 60–70 a lang genutzt werden. Das Pflücken der weißlich behaarten Blattknospen (pekko = Silberhaar, zu chines.: pek = weiß u. ho = unten; daher die Bez. *Pekoe* für verschiedene T.-Sorten) u. jüngsten Blätter erfolgt je nach Lage u. klimat. Verhältnissen 8–9 Monate im Jahr od. das ganze Jahr hindurch alle 8–10 d. Wie in anderen landwirtschaftlichen Kulturen gibt es auch bei der T.-Ernte Bestrebungen, die sehr mühevolle u. arbeitsaufwendige manuelle Ernte zu mechanisieren.

Technologie: Die technolog. Aufbereitungsschritte des T. finden im Gegensatz zum *Kaffee in den Erzeugerländern statt. Die *orthodoxe Produktion* umfaßt die Schritte *Welken* (12–18 h in Welktunneln, Verminderung des Feuchtigkeitsgehaltes um 30%), Rollen, Fermentieren, Trocknen u. Sortieren. Beim *Rollen* werden die Zellwände des T.-Blattes durch gegeneinander kreisende Metallplatten aufgebrochen u. das anschließend erhaltene verklumpte Blatt („ballbreaker") abgesiebt. Der Feinanteil („1. Dhool") geht direkt in die *Fermentation, während der Rest noch ein zweites u. drittes Mal gerollt u. gesiebt wird („2. u. 3. Dhool"). Im Verlauf der ca. 2–3 stündigen *Fermentation*, die von Oxid.- u. Gärungsprozessen des beim Rollen ausgetretenen Zellsaftes begleitet ist, verfärbt sich das T.-Blatt kupferrot. Das *Coffein wird in eine besser wasserlösl. Form gebracht u. der Gerbstoff-Gehalt vermindert. Auf dem Höhepunkt der Fermentation wird das T.-Blatt für 20–22 min (85–88°C) *getrocknet* (Feuchtigkeit ca. 6%). Durch *Sortieren* über Siebe unterschiedlicher Maschenweite erhält man *Blatt-T., Broken-T., Fannings* u. *Dust*. Neben der beschriebenen orthodoxen Herstellungsweise ist die *CTC-Produktion* (von *E* Crushing, Tearing, Curling = Zerbrechen, Zerreißen, Rollen), die erheblich schneller verläuft u. hauptsächlich Fannings liefert, etabliert[2].

Handelssorten: Die Handelssorten von Schwarzem Tee werden unterschieden in *(Flowery) Orange Pekoe* (Blattknospen u. die beiden jüngsten, silberbehaarten Blätter mit gelblichweißen Spitzen[3], *Pekoe* (die dritten Blätter), *Pekoe Souchong* (die vierten bis sechsten Blätter), außerdem *Broken* (gebrochene od. geschnittene Blätter der obigen Sorten), *Fannings* (Blattbruch u. Flaum ohne Stengel u. Stiele, bes. für Aufgußbeutel), *Dust* (T.-Staub) u. *Ziegel-T.* (mit Bindemitteln in Formen gepreßter T.-Staub). Die höchstwertigen Sorten stammen aus Darjeeling am Himalaja u. dem Hochland von Sri Lanka. Durch Mischungen entstehen die verschiedenen Geschmacksrichtungen (Chines., Russ., Ostfries. T.), die auch den Wasserverhältnissen angepaßt sein müssen – die *Härte des Wassers hat einen erheblichen Einfluß auf die Qualität des T.-Aufgusses. Wie Kaffee wird auch T. zu *Instant-Produkten verarbeitet. Beliebt sind sog. *Aroma-T.*, die, im Gegensatz zu den oben erwähnten Geschmackssorten, Mischungen von Schwarzem T. mit fruchtig-herben bis süß-exot. Aromazusätzen sind; *Beisp.*: *Bergamottöl (Earl Grey), Mango, Passionsfrucht, Schwarze Johannisbeere, Vanille, Kirsche, Orange, Apfel od. Zitrone. In Südamerika wird statt des Schwarzen T. der ebenfalls Coffein-haltige *Mate bevorzugt. Ein Cof-

fein-freier T. ist der in Südafrika beliebte *Rooibos-Tee* (zur Aroma-Zusammensetzung s. *Lit.*[4]), der aus einer Leguminose gewonnen wird.
Chemie, Physiologie u. Toxikologie: Die chem. Zusammensetzung der T.-Blätter schwankt je nach Herkunft u. Behandlung beträchtlich; im Durchschnitt enthält Schwarzer T. 18,9% *Catechine u. Catechin-Gerbstoffe, 16,6% *Proteine, 2,7% Coffein, 10,2% andere Stickstoff-Verb., 4,6% Oligosaccharide, 0,6% *Stärke, 11,9% *Pektin, 7,9% *Cellulose u. 6,1% *Lignin. Frische Blätter weisen im wesentlichen die gleiche Zusammensetzung auf, enthalten jedoch mehr *Catechine (26%), weniger Stickstoff-Verb. (8,7%, bei gleichem Coffein-Gehalt) sowie 0,8% *Inosit. Außerdem sind in T. noch relativ viel *Oxalsäure u. a. Fruchtsäuren enthalten, ferner *Spurenelemente, darunter bes. viel Mangan, Kalium u. Fluor. T.-Blätter gehören zu den Fluor-reichsten Pflanzenprodukten, die vom Menschen genutzt werden. In den *Polyphenol-Gerbstoffen finden sich neben den zu 80% vorhandenen Catechinen [Hauptbestandteil Galloyl-(-)-epigallocatechin] noch Flavonol-Glykoside (von *Quercetin, *Kaempferol, Myricetin), Leukoanthocyane (in frischen Blättern), *Depside (insbes. Theogallin = Galloylchinasäure), das orangerote *Theaflavin u. rotbraune *Thearubigene, die v. a. die Farbe u. den strengen Geschmack des T. bewirken[5–7].

T. ist in der Lage, größere Mengen an *Eisen zu binden und kann u. U. die Ursache für Eisen-Mangelerscheinungen sein. Begleitstoffe des Coffeins sind neben anderen *Purinen *Theobromin u. *Theophyllin; letzteres wird für die diuret. Wirkung des T. verantwortlich gemacht. Außerdem enthält T. freie *Aminosäuren, z. B. N^5-Ethylglutamin (*Theanin), u. verschiedene flüchtige Amine. Außer *Oxalsäure finden sich im T. auch *Bernstein-, *Äpfel-, *Gallus- u. *Pektinsäuren sowie β-*Carotin, *Lutein, α-*Cryptoxanthin, *Violaxanthin u. a. *Carotinoide. Eine Reihe von flüchtigen Substanzen ist für das *Tee-Aroma verantwortlich. Die anregende Wirkung des T. beruht auf seinem Gehalt an – früher in Unkenntnis seiner Identität auch *Thein* genanntem – Coffein, das beim Aufbrühen schon in den ersten 2 min in Lsg. geht, während die eher beruhigend wirkenden *Gerbstoffe den Blättern erst bei längerem Stehen entzogen werden. Daher kommt es, daß T., der längere Zeit „gezogen" hat, die Magennerven u. die Darmperistaltik beruhigt. Der durchschnittliche Coffein-Gehalt einer Tasse Schwarzen T. beträgt 40 mg (27–67 mg), der einer Tasse Kaffee 100 mg (64–176). Eine Übersicht über die Inhaltsstoffe im T.-Aufguß gibt die Tabelle.

Die Tannine des T. (v. a. Galloyl-epigallocatechin) werden für dessen antimutagene/antioxidative Wirkung verantwortlich gemacht[9–11]; zur Antitumoraktivität von frischen grünen T.-Blättern s. *Lit.*[12]. Eine bisher sämtliche publizierten Daten berücksichtigende Bewertung des T.-bedingten Carcinogeneserisikos beim Menschen ist *Lit.*[8] zu entnehmen. Danach wird für T. eine „inadequate evidence" formuliert, die dahingehend zu interpretieren ist, daß die verfügbaren Studien keinen Schluß auf eine kausale Assoziation zwischen T.-Konsum u. Carcinogeneserisiko zulassen. Zur antibakteriellen Wirkung von Tee s. *Lit.*[13]. Anga-

Tab.: Inhaltsstoffe des Tee-Aufgusses (Schwarzer Tee), Angaben in % des Trockengewichtes[8].

Galloyl-epigallocatechin	4,6	Malonsäure	0,02
Epigallocatechin	1,1	Bernsteinsäure	0,1
Galloyl-epicatechin	3,9	Äpfelsäure	0,3
Epicatechin	1,2	Aconitsäure	0,01
Flavonol-Glycoside	Spuren	Citronensäure	0,8
Bisflavanole	Spuren	Lipide	4,8
Theaflavine	2,6	Monosaccharide	6,9
Theaflavinsäure	Spuren	Pektin	0,2
Thearubigene	35,9	Polysaccharide	4,2
Coffein	7,6	Peptide	6,0
Theobromin	0,7	Theanin	3,6
Theophyllin	0,3	andere Aminosäuren	3,0
Gallussäure	1,2	Kalium	4,8
Chlorogensäure	0,2	andere Mineralien	4,7
Oxalsäure	1,5	flüchtige Komponenten	0,01

ben zum Fettsäure-Spektrum u. zum Aluminium-Gehalt (bis 3% der Trockensubstanz von T.-Blättern) finden sich in *Lit.*[14,15]. Die Belastung von T. mit Organochlorpestiziden (v. a. diese werden gefunden, da sie in den Anbauländern noch verwendet werden, *Beisp.*: *DDT, *Lindan, *Hexachlorbenzol u. *Dieldrin) sind zwar rückläufig[16], verlangen aber weiterhin eine strenge Kontrolle (s. Rückstands-Höchstmengen-VO[17]). Der Übergang in den T.-Aufguß schwankt in weiten Grenzen u. hängt entscheidend von der Lipophilie des untersuchten Pestizides ab[16].
Analytik: Auf qualitätsbestimmende Parameter im T. ist entsprechend den *Methoden nach § 35 LMBG (L. 47.00-1 bis 7) zu untersuchen. Zum Nachw. von Schwermetallen u. zum Übergang dieser in den T.-Aufguß (30–40%) s. *Lit.*[18,19].
Geschichte: Der T.-Strauch wurde schon in vorchristlicher Zeit in China u. Japan kultiviert[2].
Produktions- u. Verbrauchszahlen: Produktionszahlen 1995 (in 10^3 t): Indien: 715, VR China: 614, Kenia: 245, Türkei: 135, Japan: 86. Verbrauchszahlen 1985–87 (in 10^3 t): Indien: 430,0, Großbritannien: 160,0, Japan: 120, BRD: 15,4. Verarbeitete T.-Menge (einschließlich T.-ähnliche Erzeugnisse, BRD 1990): 15450 t; s. a. Tee-Aroma, Teesamenöl, Theaflavine, Thearubigene, Theanin u. Tee-Ersatz. – *E* tea – *F* thé – *I* tè – *S* té

Lit.: [1]Leitsätze für Tee, teeähnliche Erzeugnisse, deren Extrakte u. Zubereitungen, abgedruckt in: Beckscher Textausgaben Lebensmittelrecht, Bd. 2, Anhang 2/95, Loseblattsammlung, Stand 1.7.91, München: Beck. [2]Der Lebensmittelkontrolleur **4**, H. 4, 8–12 (1989). [3]Bundesgesundheitsblatt **31**, 397 (1988). [4]J. Agric. Food Chem. **33**, 249–254 (1985). [5]Z. Lebensm. Unters. Forsch. **192**, 526–529 (1991). [6]Lebensmittelchemie **45**, 32 f. (1991). [7]Lebensmittelchemie **43**, 58 f. (1989). [8]IARC (Hrsg.), IARC Monographs Vol. 51, Coffee, Tea, Mate, Methylxanthines and Methylglyoxal, S. 207–271, Lyon: IARC 1991. [9]J. Food Protect. **57**, 54–58 (1994); J. Agric. Food Chem. **44**, 3426–3431 (1996); Carcinogenesis **10**, 1003–1008 (1989). [10]Lancet **349**, 360 f. (1997). [11]Mutat. Res. **210**, 1–8 (1989). [12]J. Herbs, Spices, Medicinal Plants **3**, 59–69 (1995); Carcinogenesis **12**, 1527–1530 (1991); Chem. Ind. (London) **1991**, 603. [13]FEMS Microbiol. Lett. **152**, 169–174 (1997). [14]Food Add. Contam. **7**, 101–107 (1990). [15]J. Agric. Food Chem. **39**, 1159–1162 (1991). [16]Food Add. Contam. **8**, 497–500 (1991). [17]Rückstands-Höchstmengenverordnung vom 1.9.1994 in der Fassung vom 7.3.1996 (BGBl. I, S. 455).

[18] Pharm. Ztg. **132**, 633–638 (1987). [19] J. Food Sci. **53**, 181–184 (1988).
allg.: Auswertungs- u. Informationsdienst für Ernährung, Landwirtschaft u. Forsten (Hrsg.), Kaffee, Tee, Kakao, Bonn: AID 1985 ▪ Baratta, Der Fischer Weltalmanach 98, S. 1065, Frankfurt am Main: Fischer Taschenbuch Verl. 1997 ▪ Bärtels, Farbatlas Tropenpflanzen, S. 338, Stuttgart: Ulmer 1993 ▪ Belitz-Grosch (4.), S. 861–868 ▪ Charalambous (Hrsg.), Handbook of Food and Beverage Stability, S. 665–683, London: Academic Press 1986 ▪ Food Rev. Int. **5**, 317–414 (1989) ▪ Frede (Hrsg.), Taschenbuch für Lebensmittelchemiker u. -technologen, Bd. 1, S. 449–453, Berlin: Springer 1991 ▪ Heiss (Hrsg.), Lebensmitteltechnologie (4.), S. 371–376, Berlin: Springer 1991 ▪ Int. J. Food Sci. Technol. **25**, 339–343, 344–349 (1990) ▪ Lindner, Toxikologie der Nahrungsmittel (4.), S. 80–87, Stuttgart: Thieme 1990 ▪ Schröder, Kaffee, Tee, Kardamom, Stuttgart: Ulmer 1991 ▪ Wichtl (3.) ▪ Wilson u. Clifford, Tea: Cultivation to Consumption, London: Chapman & Hall 1992 ▪ Zipfel, C 100 *1*, 48; *14*, 18. – *Zeitschriften:* Tea, Tea and Coffee Trade Journal. – *Organisationen:* Comité Européen du Thé, P. O. B. 1191, Rotterdam; Dtsch. Teebüro, Gotenstraße 21, 20097 Hamburg; International Tea Committee, 5 High Timber Street, London EC4V 3NH. – *[HS 0902..]*

Tee-Aroma. Die für das T.-A. charakterist. flüchtigen Stoffe, von denen bisher über 400 Verb. identifiziert wurden, werden im Verlaufe des *Fermentations-Prozesses bei der Herst. von *Tee gebildet. Dabei entstehen unter der katalyt. Wirkung der *Phenol-Oxidasen durch Luftoxid. zunächst oxidierte Flavonole (s. Flavonoide), die ihrerseits andere im Tee enthaltene Verb. oxidieren, z. B. die Aminosäuren *Valin, *Leucin u. *Phenylalanin zu den entsprechenden Aldehyden Isobutyr-, Isovaler- u. Phenylacetaldehyd; bes. letzterer ist ein charakterist. T.-A.-Bestandteil. Acycl. u. cycl., ungesätt. u. gesätt. Carbonyl-Verb. bilden die Hauptgruppe der Inhaltsstoffe des T.-A. neben *Alkoholen, *Carbonsäuren, *Lactonen u. geringen Mengen an Terpenen, Estern sowie therm. gebildeten Stoffen wie *Furan-Derivaten u. *Pyrazinen. Aus *Carotinoiden werden terpenoide Carbonyl-Verb. wie β-*Jonon gebildet. Wichtige Geruchsträger des T.-A. sind offenbar auch Spiro-Verb. (s. Theaspirane). Einen Überblick über die Hauptaromastoffe von Schwarzem u. Grünem Tee geben die Tab. 1 u. 2.

In Erweiterung zu den in Tab. 2 aufgeführten Aromastoffen gehören entsprechend *Lit.*[1] zu den wirksamsten Aromastoffen in Grünem Tee nach Aromaextrakt-Verdünnungsanalyse (Z)-1,5-Octadien-3-on ($C_8H_{12}O$, M_R

Tab. 1: Hauptaromastoffe von Schwarzem Tee (Darjeeling).

Aromastoffe	Konz. [mg/kg]	sensor. Eindruck
Linalool-oxide	23	erdig, blattartig
Linalool	18	blumig
Geraniol u. Benzylalkohol	7,5	blumig
Salicylsäuremethylester	5,5	metall., blumig
cis-3-Hexen-1-ol	4,2	grün
2-Phenylethanol	3,3	blumig, gegoren
trans-2-Hexenal	2,5	grün, fettig
Hexanal	1,7	grün, fettig
1-Penten-3-ol	1,6	intensiv grün
trans-2-Penten-1-ol	1,3	grün, fruchtig
Phenylacetaldehyd	1,3	süß, grün (Hyazinthe)
trans,trans-2,4-Heptadienal	1,2	ölig, fettig
trans-2-Hexen-1-ol	1,2	blattartig

Tab. 2: Aromastoffe von Japan. Grünem Tee (Angaben in % der flüchtigen Verb.)

Aromastoff	[%]
Geraniol	17,9
Linalool-oxide	16,1
Linalool	9,5
Nerolidol	8,8
cis-Jasmon	7,5
2-Hydroxy-2,6,6-trimethylcylcohexanon	7,0
β-Jonon	5,5
Benzylalkohol	4,7
Hexansäure-cis-3-hexenylester	3,5
5,6-Epoxy-β-jonon	2,7
1-Penten-3-ol	2,7
α-Terpineol	2,2
cis-3-Hexen-1-ol	2,0
Acetylpyrrol	1,8
2-Phenylethanol	1,3
cis-2-Penten-1-ol	1,1
Pentanol	0,7
2,5-Dimethylpyrazin	0,6

124,18, Geruch: metall., geraniumartig), *Sotolon, 3-Methyl-2,4-nonandion ($C_{10}H_{18}O_2$, M_R 170,25), (Z)-3-Hexenal, β-*Damascenon, (Z)-4-Heptenal ($C_7H_{12}O$, M_R 112,17) u. (E,Z)-2,6-Nonadienal. – *E* tea flavo(u)r – *F* arome du thé – *I* aroma del tè – *S* aroma del té
Lit.: [1] Guth et al., in Schreier u. Winterhalter (Hrsg.), Progress in Flavor Precursor Studies, S. 401–407, Carol Stream (USA): Allured 1993.
allg.: Agric. Biol. Chem. **54**, 1023–1028 (1990) ▪ Belitz-Grosch (4.), S. 220, 865 ▪ Koryo **193**, 59–74 (1997) ▪ Ohloff ▪ s. a. Theaspirane u. Tee.

Teebaumöl s. Teesamenöl.

TEEE. Kurzz. (nach ASTM) für *thermoplastische Elastomere mit Ether- u. Ester-Gruppen.

Tee-Ersatz. Ältere Bez. für die nach den Leitsätzen[1] als teeähnliche od. aromatisierte teeähnliche Erzeugnisse benannten Produkte, die *nicht* aus Teilen der Pflanze *Camellia sinensis* Limaeus (Teestrauch) hergestellt werden.
Herst.: Nach Trocknung u. evtl. *Fermentation allein od. in Mischung aus den Blättern, Blüten, Früchten od. Schalen von Pflanzen (z. B. Kamillen-, Pfefferminz-, Lindenblätter, Apfel-, Orangenschalen, Hagebutten, Malven, Fenchel).
Rechtliche Beurteilung: Als Verkehrsbez. ist die Art der verwendeten Pflanze, auch in Verb. mit dem Wort „Tee", anzugeben. Die Verw. von *Zusatzstoffen ist unüblich. Auf eine Aromatisierung ist, auch bei Verw. von Sammelbez. (z. B. Kräutertee), hinzuweisen. Die allg. Mindestanforderungen bezüglich Wassergehalt, Gesamtasche, Salzsäure-lösl. Asche u. *etherischen Ölen sind den Leitsätzen[1] (Kapitel I C. 3) zu entnehmen. Spezielle Beschaffenheitsmerkmale für bestimmte teeähnliche Erzeugnisse (z. B. Fenchel- od. Kamillentee) sind in Kapitel II B zu finden.
Physiolog. Wirkung: Aufgrund des *Gerbstoff-Gehaltes können teeähnliche Erzeugnisse einen dem *Tee ähnlichen Geschmack aufweisen, wirken aber nicht anregend, da sie kein *Coffein enthalten. Dienen *Heilpflanzen (z. B. Kamille) zur Herst. von teeähnlichen Erzeugnissen, können diese als *Phytopharmaka

betrachtet werden, obgleich sie rechtlich weiterhin als *Lebensmittel einzustufen sind. Zur Abgrenzung zwischen Lebensmitteln u. Arzneimitteln s. *Lit.*².
Die Untersuchung von teeähnlichen Erzeugnissen ist gemäß den *Methoden nach § 35 LMBG (L 47.00-1 bis 7) durchzuführen. 1995 wurden in der BRD 21 800 t teeähnliche Erzeugnisse produziert; s. Tee. – *E* tea substitute – *F* succédané de thé – *I* surrogato di tè – *S* sucedáneo de té

Lit.: ¹Leitsätze für Tee, teeähnliche Erzeugnisse, deren Extrakte u. Zubereitungen, abgedruckt in: Becksche Textausgaben; Lebensmittelrecht, Bd. 2, Anhang 2/95, München: Beck Loseblattsammlung, Stand 1.7.1991. ²Dtsch. Lebensm. Rundsch. **84**, 171–176 (1988).
allg.: Belitz-Grosch (4.), S. 861–869 ▪ Vollmer et al., Lebensmittelführer (2.), Bd. 1, Stuttgart: Thieme 1995 ▪ Zipfel, C 61 *14*, 31; C 100 *14*, 18.

Teelöffel. Grobe Mengenangabe, die bei Flüssigkeiten etwa 5 mL entspricht.

Teepilz s. Kombucha.

Teer (indogerman. Wurzel: deru = Baum). Flüssiges bis halbfestes, tiefschwarzes od. braunes Produkt, das bei der trockenen *Destillation von Steinkohle, Braunkohle, Holz, Torf u. a. fossilen Brennstoffen entsteht u. in erster Linie aus Kohlenwasserstoff-Gemischen besteht. Die chem. Zusammensetzung ist je nach Herkunft sehr unterschiedlich. Die wirtschaftlich größte Bedeutung haben der *Steinkohlenteer u. der *Braunkohlenteer, während Ur-T., Holz-T., aus Knochen bei der Herst. von Knochenkohle gewonnener T., Torf-T., Schiefer-T. u. a. techn. nur geringe Bedeutung haben, wohl aber für spezielle, z. B. hautmedizin. Zwecke (*T.-Präp.*, z. B. *Teerseifen*); s. a. Pix u. Kreosot. T.-Produkte sind wegen ihres carcinogenen Potentials (MAK-Liste, Gruppe III A 1, s. a. Gruppe V d) nur unter bes. Vorsichtsmaßnahmen zu verarbeiten.
Je nach Herkunft werden die verschiedenen bei der Dest. erhältlichen Fraktionen unterschiedlichen Siedebereichen zugeordnet, dementsprechend uneinheitlich ist auch die Benennung bei verschiedenen T.-Arten, vgl. Kirk-Othmer, Winnacker-Küchler u. Ullmann (*Lit.*). *T.-Öle* sind ölige Flüssigkeiten, die bei der fraktionierten Dest. von Steinkohlen-T. entstehen (sie machen etwa 30% des Roh-T. aus) u. – nach Abtrennung der als Chemierohstoffe wichtigen einzelnen Aromaten u. Heterocyclen – als Heizöl, zur Holzkonservierung, Rußgewinnung, als Bestandteil von Straßenteer- u. Bautenschutzmitteln Verw. finden. *T.-Peche* sind Rückstände der Dest. von Steinkohlen-T., s. a. Pech. *T.-Emulsionen* in Wasser, denen zur Stabilisierung Emulgatoren beigemengt sind, werden u. a. als Bindemittel im Straßenbau, als Anstrichmittel für Dachanstriche, zum Bautenschutz u. dgl. verwendet.
Umgangssprachlich u. im Laborjargon werden mit T. fast alle schwärzlichen Produkte bezeichnet, die bei *Schwelung od. Dest. organ. Substanzen entstehen, wie z. B. auch die Kondensate von *Tabakrauch oder die bei Laboratoriumsdest. verbleibenden Rückstände (Pech, „Harze", „Gammel"). – *E* tar – *F* goudron – *I* catrame – *S* brea, alquitrán

Lit.: Kirk-Othmer (4.) **23**, 679–717 ▪ Ullmann (4.) **22**, 411–446; (5.) **A 26**, 91–127 ▪ Winnacker-Küchler (4.) **5**, 472–491, 646 f.

Teeremulsionen s. Teer.

Teerentferner. Die handelsüblichen Mittel zur Entfernung der *Teer-Flecke von Auto-Karosserien sind im allg. Lsm.-Gemische, die Autolacke nicht angreifen, mit einem Zusatz von Emulgatoren. Dieser ermöglicht das Abwaschen der Rückstände mit Wasser. Zur Entfernung von Teerflecken aus Textilien sind diverse *Fleckentfernungsmittel erhältlich. – *E* tar removers – *F* détacheurs de goudron – *I* eliminante di catrame – *S* eliminadores de alquitrán

Teerfarbstoffe. Histor. Bez. für solche organ. *Farbstoffe, die ursprünglich aus im *Steinkohlenteer enthaltenen Verb. synthetisiert wurden. Bes. Verdienste um die Entwicklung der T. haben sich Sir W. H. *Perkin mit der Synth. des ersten T. (*Mauvein), *Runge u. A. W. von *Hofmann erworben. Die Entdeckung der T. gab der chem. Ind. in der zweiten Hälfte des 19. Jh. einen beträchtlichen Aufschwung; viele der heutigen Chemie-Großunternehmen sind aus (Teer-)Farbenfabriken hervorgegangen; vgl. a. Farbstoffe (Geschichte). – *E* coal tar dyes – *F* colorants dérivés des goudrons – *I* coloranti al catrame – *S* colorantes del alquitrán
Lit.: Bayer Farben Revue **22**, 16–21 (1972).

Teeröle, Teerpech s. Teer.

Teersande s. Ölsande.

Teerseifen. Antisept. wirkende, medizin. *Seifen mit Zusätzen von *Holzteer zur Behandlung von Ekzemen, Schuppen u. a. Hautleiden. – *E* tar soaps – *F* savon au goudron – *I* saponi al catrame – *S* jabón de brea

Teesamenöl. Dem *Olivenöl ähnliches fettes Öl, das aus den Samen von *Thea sasanqua* (Sasanqua-Öl) u. *Thea japonica* n. (Tsubaki-Öl) gewonnen wird u. als Speiseöl (v. a. in Japan), in der Kosmetik u. zu techn. Zwecken (Schmiermittel) verwendet wird.
Herst.: Durch Pressen u. Extrahieren der getrockneten, gemahlenen u. gedämpften Teesamen.
Zusammensetzung: Die Hauptfettsäuren des T. sind *Palmitin- (16%), *Öl- (60%) u. *Linolensäure (22%). Der Gesamtsterin-Gehalt ist sehr gering, wobei als Hauptsterin Δ^7-*Stigmasterin (50% der Gesamtsterine) identifiziert werden konnte¹.
Toxikologie: Die Preßrückstände können aufgrund des hohen *Saponin-Gehaltes nicht in der Tierernährung verwendet werden.
Analytik: IZ: 85, VZ: 192, Erstarrungspunkt: −5 bis −10 °C. Eine Verfälschung von Olivenöl mit T. ist bis zu einer Konz. von 5% über die Fitelson-Reaktion (Farbreaktion auf Sterine mit *Schwefelsäure u. *Essigsäureanhydrid) od. anhand des *Phytosterin-Spektrums nachweisbar. Von T. zu unterscheiden ist das Teebaumöl, das *etherische Öl des austral. Teebaums (*Melaleuca alternifolia*, Malvaceae), das nicht zu Speisezwecken dient, sondern aufgrund seines frischen Geruchs u. seiner antibiot. Eigenschaften (enthält bis zu 40% Terpinen-4-ol) in der Parfümerie u. Kosmetik verwendet wird²; zur *Toxikologie des Teebaumöls s. *Lit.*³. Weltjahresproduktion an T. (1993): 150 000 t⁴. Haupterzeugerländer sind China, Japan u. Indien. – *E* tea-seed oil, tea tree oil – *F* huile de semences de thé – *I* olio dei semi di tè – *S* aceite de semillas de té

Lit.: [1] Fat. Sci. Technol. **91**, 23–27 (1989). [2] J. Agric. Food Chem. **38**, 1657–1661 (1990). [3] Food Chem. Toxicol. **26**, 407 (1988). [4] Fat. Sci. Technol. **95**, 23–27 (1994).
allg.: Belitz-Grosch (4.), S. 585, 602 ▪ Ullmann (5.) **A 10**, 288; **A 11**, 242. – [HS 1515 90; CAS 68647-73-4]

TEF. Abk. für *E toxicity (toxic) equivalency factor* = *Toxizitätsäquivalenzfaktor.

Teflon®. *Polytetrafluorethylen (PTFE), das, 1938 von R. J. Plunkett bei DuPont entwickelt, seit 1941 hergestellt u. seit 1943 unter der Marke vertrieben wird. Die 1958 entwickelten T.-*FEP-Typen sind Thermoplaste, die als Granulat u. Folien geliefert u. auf Spritzguß- u. Strangpreßmaschinen verarbeitet werden können. 1957 kamen PTFE-Chemiefasern, 1961 3–60 mm dicke Endlosfäden aus T.-FEP für techn. Gewebe u. 1972 T.-Typen auf Perfluoralkoxy-Basis (PFA) mit größerer Steifigkeit u. Temp.-Beständigkeit auf den Markt. *B.:* DuPont.

Teflon®-Mikropulver. Marke von DuPont für ein speziell modifiziertes PTFE, das sich zur Einarbeitung in verschiedenste Syst. (Beschichtungen, Kunststoffe, Gummi, Druckfarben, etc.) eignet. *B.:* Erbslöh.

Teflubenzuron.

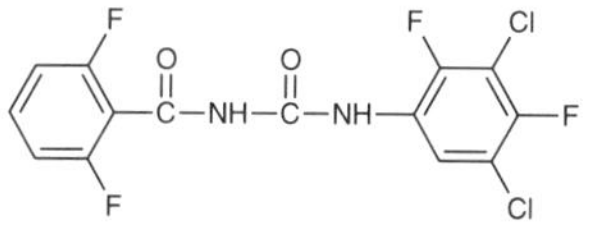

Common name für 1-(3,5-Dichlor-2,4-difluorphenyl)-3-(2,6-difluorbenzoyl)harnstoff, $C_{14}H_6Cl_2F_4N_2O_2$, M_R 381,11, Schmp. 222,5 °C, LD_{50} (Ratte oral) >5000 mg/kg, von Celamerck 1984 eingeführtes nichtsystem. *Insektizid aus der Gruppe der Chitin-Synthesehemmer mit Fraßgiftwirkung v. a. gegen Käfer- u. Schmetterlingslarven im Obst-, Gemüse-, Wein-, Mais- u. Ackerbau u. im Forst sowie gegen Fliegen- u. Mückenlarven im Hygienebereich. – *E* teflubenzuron – *F* téflubenzuron – *I* teflubenzurone – *S* teflubenzurona
Lit.: Farm ▪ Perkow ▪ Pesticide Manual ▪ Wirkstoffe iva. – [CAS 83121-18-0]

Tefluran.

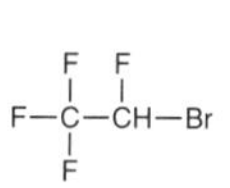

Internat. Freiname für 2-Brom-1,1,1,2-tetrafluorethan, C_2HBrF_4, M_R 180,92, ein nicht-entzündliches, nichtexplosives Gas, Sdp. 8 °C. T. wurde 1961 von Dow patentiert u. als *Inhalationsnarkotikum verwendet. – *E* teflurane – *F* téflurane – *I = S* teflurano
Lit.: Ullmann (5.) **A 2**, 292. – [HS 2903 46; CAS 124-72-1]

Tefluthrin.

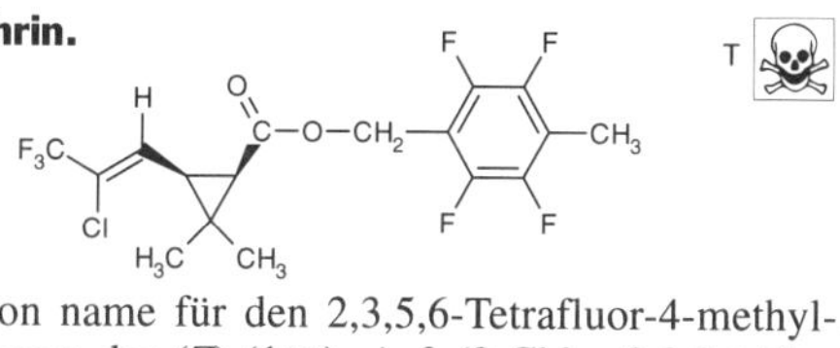

Common name für den 2,3,5,6-Tetrafluor-4-methylbenzylester der (Z)-(1RS)-cis-3-(2-Chlor-3,3,3-trifluorprop-1-enyl)-2,2-dimethylcyclopropancarbonsäure, $C_{17}H_{14}ClF_7O_2$, M_R 418,73, Schmp. 44,6 °C, LD_{50} (Ratte oral) ca. 22 mg/kg (WHO), von ICI (jetzt Zeneca) 1986 eingeführtes *Insektizid aus der Gruppe der synthet. Pyrethroide v. a. mit Kontaktgift-, aber auch Atemgiftwirkung gegen Bodenschädlinge (Coleopteren, Lepidopteren, Dipteren) im Mais- u. Zuckerrübenanbau u. Hygieneschädlinge. – *E* tefluthrin – *F* téfluthrine – *I* tefluthrina – *S* teflutrín
Lit.: Farm ▪ Perkow ▪ Pesticide Manual. – [CAS 79538-32-2; G 6.1]

Tefose®. Polyglykol-Palmitostearat zur Verw. als Emulgatoren für Kosmetika, Marke von Gattefossé. *B.:* Erbslöh.

Tefzel®. Copolymerisat aus Ethylen u. Tetrafluorethylen als Hochtemp.-beständiger Thermoplast, der im Spritzguß- u. Extrusionsverf. verarbeitet werden kann. *B.:* DuPont.

TEG. Abk. für *Triethylenglykol.

Tegafur (Rp).

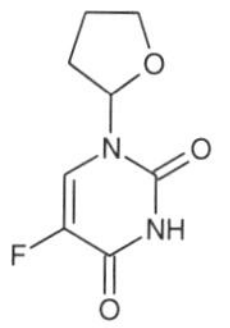

Internat. Freiname für das *Cytostatikum (±)-5-Fluor-1-(tetrahydro-2-furyl)uracil, $C_8H_9FN_2O_3$, M_R 200,16. T. bildet Krist., Schmp. 164–165 °C, λ_{max} (C_2H_5OH) 270 nm ($A^{1\%}_{1cm}$ 44), leicht lösl. in heißem Wasser, Alkohol u. DMF, unlösl. in Ether; LD_{50} (Maus oral) 900, (Maus i.p.) 750 mg/kg. Es ist u. a. in Österreich (Ftoralon® Cehasol) im Handel. – *E = F = I = S* tegafur
Lit.: ASP ▪ Hager (5.) **9**, 786f. ▪ Martindale (31.), S. 602. – [HS 2934 90; CAS 17902-23-7]

TEGEWA. Abk. für den 1951 gegr. Verband der Textilhilfsmittel-, Lederhilfsmittel-, Gerbstoff- u. Waschrohstoff-Ind., mit Sitz in 60329 Frankfurt a. M., Karlstr. 21, der die Wahrnehmung u. Förderung der allg., ideellen u. wirtschaftlichen Interessen dieser Ind.-Zweige zur Aufgabe hat.
Lit.: Nachr. Chem. Techn. Lab. **34**, 679 (1986).

Tegin®. Emulgatoren vom Typ O/W aus partiellen Estern des Glycerins, des Ethylenglykols od. des 1,2-Propandiols mit natürlichen Fettsäuren. *B.:* Goldschmidt.

Teginacid®. Emulgatoren vom Typ O/W aus Glycerinmono-distearaten mit Zusatz nichtion. Polyglykolfettalkoholether. *B.:* Goldschmidt.

Tego®. Aus dem Firmennamen Th. Goldschmidt abgeleitete Marke für eine Vielzahl der unterschiedlichsten Produkte dieser Firma, auch als anlautender Wortbestandteil in zusammengesetzten Handelsnamen (s. Tegin®, Teginacid®). Einzelne T.-Typen sind z. B. Gleitlagerwerkstoffe (auf Sn-, Pb- od. Cu-Basis), Flußmittel, Silicontrennmittel, -schmier- u. -gleitpasten, Desinfektionsmittel, T.-Reinzinnpulver für die Sinter-Ind., Verzinnungen; vgl. a. die folgenden Stichwörter. *B.:* Goldschmidt.

Tego® Antifoam. Entschäumkonzentrat auf der Basis von Siliconen u. organ. modifizierten Siloxanen für die Entschäumung von wäss. u. nichtwäss. Medien. Einsatzgebiete z. B. Herst. schaumarmer Kühlschmierstoffkonzentrate, Wasch-, Reinigungsmittel, Polymerdispersionen, Fermentationen, Pharmazie. *B.:* Goldschmidt.

Tego® Betain. Amphotere Tenside für bes. milde Haar- u. Hautreinigungspräp. wie Shampoos, Schaum- u. Duschbäder, Intim- u. Kinderpflegemittel. *B.:* Goldschmidt.

Tego®-Care. Nichtion., wachsartiger Emulgator für kosmet. O/W-Cremes mit ungewöhnlich breitem Anwendungsspektrum. Hohe Wärme- u. Kältebelastbarkeit der auf seiner Basis hergestellten Cremes. *B.:* Goldschmidt.

Tegodor®. Wäss. Lsg. mit Benzalkoniumchlorid, Glutar- u. Formaldehyd zur Flächendesinfektion u. Hautpilzprophylaxe. *B.:* Goldschmidt.

Tegol® 2000. Oberflächenaktives Desinfektionsmittel auf der Basis mikrobizider Amphotenside; bes. geeignet zum Einsatz in der Nahrungsmittel-Industrie. *B.:* Goldschmidt.

Tegomuls®. Hilfsstoffe (z.T. Emulgatoren) für die Nahrungsmittel-Ind.; partielle Fettsäureester des Glycerins mit Monoester-Gehalten von 50–90%, z.T. umgesetzt mit Genußsäuren E 471, 472a, 475. *B.:* Goldschmidt.

Tego®-Pearl. Feinteilige Dispersionen von Ethylenglykoldistearat in wäss. Tensid-Lsg., kalt verarbeitbar, als Perlglanzgeber. *B.:* Goldschmidt.

Tegopren®. Organomodifiziertes Siloxan mit ausgeprägter Oberflächen-, Grenzflächenaktivität in wäss. u. organ. Systemen. *B.:* Goldschmidt.

Tego® Silikonacrylat RC. Strahlenhärtbare (UV- u. Elektronenstrahlen), klebstoffabweisende Trennbeschichtungen für die Herst. von Selbstklebeprodukten, wie z.B. Etiketten u. Klebebändern. *B.:* Goldschmidt.

Tegosioxin®. Polysiloxane zur Zellregulierung bei der Herst. von zelligen Elastomerteilen u.a. Kunststoff-Schäumen. *B.:* Goldschmidt.

Tegosivin®. Siloxan/Silan-Bautenschutzkonzentrat zur Hydrophobierung u. Imprägnierung von Beton, Mauerwerk, Putz u. Sandstein. *B.:* Goldschmidt.

Tegostab®. Polyalkylenglykol-Polysiloxane als Schaumstabilisatoren für Kunststoff-Schäume, insbes. Polyurethan-Schäume. *B.:* Goldschmidt.

Tegretal® (Rp). Tabl. u. Suspension mit *Carbamazepin gegen Epilepsien. *B.:* Novartis.

Teichdünger s. Düngemittel u. Mineralfutter.

Teichmannsche Kristalle, Teichmann-Test s. Hämoglobin.

Teichomycin s. Teicoplanin(e).

Teichonsäuren. Von griech.: teichos = Mauer, Wand abgeleitete Bez. für polymere Phosphorsäurediester als Membran- u. Zellwand-Bestandteile Gram-pos. *Bakterien, die 40–60% der Zellwand ausmachen können. Es handelt sich bei den T. um Kettenmol., in denen Phosphorsäure als Bindeglied fungiert, entweder verestert mit 8–50 Mol. Glycerin (dessen freie OH-Gruppe mit D-Alanin verestert sein kann) od. mit Ribit, dessen Hydroxy-Gruppen in 2,3,4-Stellung glykosid. mit N-Acetylglucosamin-Resten u. Ester-artig mit D-Alanin verknüpft sein können. Darüber hinaus können die T. über Phosphorsäure mit Muraminsäuren (s. Murein) vernetzt sein. Glycerin-haltige T. wurden aus *Lactobacillus casei*, Ribit-haltige aus *Bacillus subtilis* u. *Staphylococcus aureus* isoliert. Die T. sind wasserlösl. u. lassen sich mit verd. Säuren aus den Zellen od. Zellwänden extrahieren. Aus den Zellwänden von *B. subtilis* neben den T. isolierte, z.B. N-Acetylgalactosamin u. Glucuronsäure enthaltende *Polysaccharide wurden *Teichuronsäuren* genannt. – *E* teichoic acids – *F* acides teichoïques – *I* acidi teicoici – *S* ácidos teicoicos

Lit.: Adv. Polymer Sci. **79**, 139 (1986) ▪ Duckworth, in Sutherland (Hrsg.), Surface Carbohydrates of the Procaryotic Cell, S. 177–208, London: Academic Press 1979 ▪ New Compr. Biochem. **27**, 187 (1994).

Teichuronsäuren. Aus den Zellwänden (daher Name von griech.: teichos = Wand) Gram-pos. (s. Gram-Färbung) Bakterien isolierbare *Polysaccharide, die *Uronsäuren (z.B. D-*Glucuronsäure od. N-Acetyl-D-mannosaminuronsäure) enthalten. T. sind entweder direkt od. über *Oligosaccharide (*linkage units*) mit dem Peptidoglykan (*Murein) der Zellwand verbunden. – *E* teichuronic acids – *F* acides teichuroniques – *I* acidi teicuronici – *S* ácidos teicurónicos

Teicoplanin(e) (Teichomycin). Gemisch verschiedener Glykopeptid-Antibiotika aus *Actinoplanes teichomyceticus*, strukturverwandt mit *Vancomycin. Das aus dem Gemisch gewonnene T. A$_2$ (Targocid®)

Tab.: Die 5 Komponenten von Teicoplanin A$_2$.

	Summenformel	M_R	CAS
T. A$_2$-1	$C_{88}H_{95}Cl_2N_9O_{33}$	1877,66	91032-34-7
T. A$_2$-2	$C_{88}H_{97}Cl_2N_9O_{33}$	1879,68	91032-26-7
T. A$_2$-3	$C_{88}H_{97}Cl_2N_9O_{33}$	1879,68	91032-36-9
T. A$_2$-4	$C_{89}H_{99}Cl_2N_9O_{33}$	1893,71	91032-37-0
T. A$_2$-5	$C_{89}H_{99}Cl_2N_9O_{33}$	1893,71	91032-38-1

R = CO—(CH$_2$)$_2$—CH=CH—(CH$_2$)$_4$—CH$_3$: T. A$_2$-1 (Z)
    CO—(CH$_2$)$_6$—CH(CH$_3$)—CH$_3$: T. A$_2$-2
    CO—(CH$_2$)$_8$—CH$_3$: T. A$_2$-3
    CO—(CH$_2$)$_6$—CH(CH$_3$)—C$_2$H$_5$: T. A$_2$-4
    CO—(CH$_2$)$_7$—CH(CH$_3$)—CH$_3$: T. A$_2$-5

besteht aus fünf Komponenten, die durch unterschiedliche Fettsäuren verestert sind, Hauptkomponente ist T. A_2-2.

T. sind amorphe Pulver, die sich >250 °C zersetzen. Sie sind aktiv gegen Gram-pos. Bakterien u. ähneln Vancomycin in ihrer Wirkung. Sie können zur Therapie schwerer Infektionen eingesetzt werden (z.B. postoperative Sepsis), wenn β-Lactam-Antibiotika nicht anwendbar sind (Keimresistenz, Allergien). T. wurde 1988 zugelassen, ist in Europa, aber nicht in den USA auf dem Markt. T. u. Vancomycin inhibieren die *Murein-Synth. der Bakterien-Zellwand. – *E* teicoplanin(s) – *F* téicoplanine(s) – *I* teicoplanina – *S* teicoplanina(s)

Lit.: Arzneimitteltherapie **9**, 331–334 (1991) (Review) ▪ Drugs **40**, 449–486 (1990); **47**, 823 (1994) ▪ Infektion (München) **22**, 430 (1994) ▪ J. Antibiot. (Tokyo) **37**, 615, 988 (1984); **44**, 1444–1451 (1991) (Biosynth.); **48**, 1292 (1995) ▪ Merck-Index (12.), Nr. 9269 ▪ Nagarajan (Hrsg.), Glycopeptide Antibiotics, S. 273, New York: Dekker 1994 ▪ Sax (8.), TAI 400. – [HS 2941 90; CAS 61036-64-4 (T. A_2)]

Teig. Gemenge aus *Mehl (z.B. Getreidemehl, Maismehl), Wasser sowie weiteren Rezepturbestandteilen, dem fakultativ *Teiglockerungsmittel zugesetzt werden können. Durch Verrühren od. Verkneten (*Anteigen*) erhält man eine weiche, halbfeste bis halbflüssige (viskoelast.) Masse, die im lebensmittelchem. Sinne als T. bezeichnet wird. Von der Struktur her ist der T. ein Schaum aus nicht miteinander kommunizierenden Gaszellen, die zunächst durch das Einschlagen von Luft entstanden u. durch die Wirkung der Gärgase vergrößert worden sind[1]. Die zeitlich genau abgestimmte Reihenfolge von T.-Bereitung, T.-Ruhe, T.-Teilung, Wirken, Zwischen- u. Endgare wird als *T.-Führung* bezeichnet (s. Tab.).

Tab.: Gärführung biolog. gelockerter Teige.

Teigbereitung	Teilen Wiegen Wirken	Formgebung	Einschieben in den Ofen	Backvorgang
Teiggare (Teigruhe) 10…30 min	Zwischengare 5…10 min	Stückgare (Endgare) 20…50 min	Ofengare (Ofentrieb) 5…10 min	

Zwischen Hefe-T. (direkte, indirekte T.-Führung) u. *Sauerteigen (mehrstufige Führung, reduzierte Führung) bestehen bezüglich der T.-Führung erhebliche Unterschiede. Bei der T.-Herst. kommt es zu einem Aneinanderhaften von Mehlpartikeln über hydratisierte Protein-Stränge, die beim Kneten gedehnt u. zu Filmen ausgezogen werden. Diese Filme bilden in optimal entwickelten T. *Membranen aus, die jedoch beim „Überkneten" wieder zerstört werden. Vorgänge dieser Art lassen sich mit dem Raster-*Elektronenmikroskop beobachten[2]. Beim Weizenmehl führt das Kneten zur Bildung des *Klebers, der für die elast. Eigenschaft des T. verantwortlich ist. An diesem Vorgang sind *Prolamine, *Gluteline, Lipide u. *Pentosane beteiligt. Ausführlich wird in *Lit.*[1,3–5] auf die Chemie u. Technologie der T.-Bereitung eingegangen.

In der Technik wird die Bez. *T.* u. der Begriff *Anteigen* vielfach im Zusammenhang mit Pigmenten, Druckfarben, Bindemitteln u. zahlreichen anderen Feststoffen verwendet. Hier wie bei den Brot- u. ähnlichen T. spielt die *Rheologie eine wichtige Rolle in der techn. Verarbeitung. – *E* dough, batter – *F* pâte – *I* = *S* pasta

Lit.: [1] Weipert, Tscheuschner u. Windhab, Rheologie der Lebensmittel, S. 342 ff., 352 ff., Hamburg: Behr 1993. [2] Z. Lebensm. Unters. Forsch. **190**, 401–409 (1990). [3] Tscheuschner, Grundzüge der Lebensmitteltechnik, S. 345 ff., Hamburg: Behr 1996. [4] Klingler, Grundlagen der Getreidetechnologie, S. 151–157, 281, Hamburg: Behr 1995. [5] Ternes, Naturwissenschaftliche Grundlagen der Lebensmittelzubereitung, S. 569, 624, Hamburg: Behr 1994.

allg.: Belitz-Grosch (4.), S. 600, 651–659 ▪ Osteroth (Hrsg.), Taschenbuch für Lebensmittelchemiker u. -technologen, Bd. 2, S. 151–192, Berlin: Springer 1991 ▪ Ullmann (5.) **A 4**, 339, 344. – [HS 1901 20]

Teiglockerungsmittel (Backtriebmittel). Bei der *Teig-Herst. verwendete Mittel chem. (*Backpulver), biolog. (Hefe, *Sauerteig) od. physikal. Natur (Wasserdampf), die durch Gasentwicklung (v. a. Kohlendioxid) die gewünschte lockere, poröse Konsistenz der *Backwaren hervorrufen.

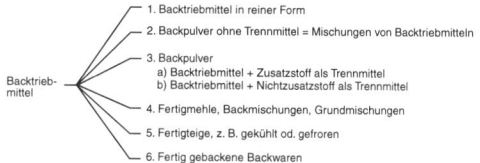

Abb.: Angebotsformen (1.–3.) u. Verw. (4.–6.) von Backtriebmitteln.

Die Teiglockerung von Weizenteigen für feine Backwaren wird durch den Zusatz von Backtriebmitteln (s. Backpulver), wie z.B. *Ammoniumhydrogencarbonat, Hirschhornsalz (Gemisch aus Ammoniumhydrogencarbonat u. Ammoniumcarbonat) od. *Pottasche (Kaliumcarbonat) hervorgerufen, während zur Lockerung von Weizenteigen für Brote eher obergärige *Hefen der Gattung *Saccharomyces cerevisiae* verwendet werden. Roggenteige lassen sich durch *Sauerteig-Gärung lockern. Weitere umfangreiche Erläuterungen zu T. sind *Lit.*[1,2] zu entnehmen. Nach *Lit.*[3] soll der Zusatz von Gluconaten zum Brotteig dessen spezif. Vol. sowie die Teigstabilität erhöhen.

Rechtliche Beurteilung: Bei der Verw. von chem. T. sind die Maßgaben der Anlagen 1 u. 2 der Zusatzstoff-Zulassungs-VO[4] sowie die Richtlinie für Backtriebmittel[5] zu berücksichtigen. – *E* leavening agents – *F* agents de fermentation panaire – *I* agenti lievitanti – *S* agente leudante

Lit.: [1] Ternes, Naturwissenschaftliche Grundlagen der Lebensmittelzubereitung, S. 560–564, Hamburg: Behr 1994. [2] Tscheuschner, Grundzüge der Lebensmitteltechnik, S. 278, Hamburg: Behr 1996. [3] J. Appl. Glycosci. **43**, 187–194 (1996). [4] Zusatzstoff-Zulassungs-VO vom 22.12.1981 i.d.F. vom 8.3.1996 (BGBl. I, S. 278). [5] Zipfel, C 309.

allg.: Belitz-Grosch (4.), S. 651 ▪ Frede (Hrsg.), Taschenbuch für Lebensmittel-Chemiker u. -Technologen, Bd. 1, S. 25, Berlin: Springer 1991 ▪ Ullmann (5.) **A 4**, 344–350 ▪ Zipfel, C 120 2, 51; C 309. – [HS 2102 30]

Teigwaren. Nach § 1, Absatz 1 der Teigwaren-VO[1] handelt es sich bei T. um kochfeste Erzeugnisse, die aus Weizengrieß od. Weizenmehl (höchste Ausmahlung 70%) mit od. ohne Eiern ohne Anw. eines Gärod. Backverf. hergestellt werden. Weitere Schritte im

Verlauf der Herst. sind das Formen (meist durch Extruder, s. Extrudieren) u. Trocknen. Eine Unterscheidung von T. ist nach der Verw. von Eiern (Eier-T. mit mind. 3 Eier/kg Mehl, eifreie T.), nach der Art des verwendeten Weizenrohstoffs (Grieß-T., Hartgrieß-T., Mehl-T.) u. nach der äußeren Form (*Nudeln, *Makkaroni, *Spätzle, *Spaghetti) möglich. *T. bes. Art* sind Milch-T., Gemüse-T., *Kleber-T., *Lecithin-T., Vollkorn-T., Graumehl-T. u. Roggen-Teigwaren. Die Anforderungen an diese Erzeugnisse sind § 2 der Teigwaren-VO[1] zu entnehmen. Einen Überblick über die Herst. von T. mittels kontinuierlicher Extrusionsverf. gibt *Lit.*[2,3]; zur konventionellen Herst. s. Abb. 1.

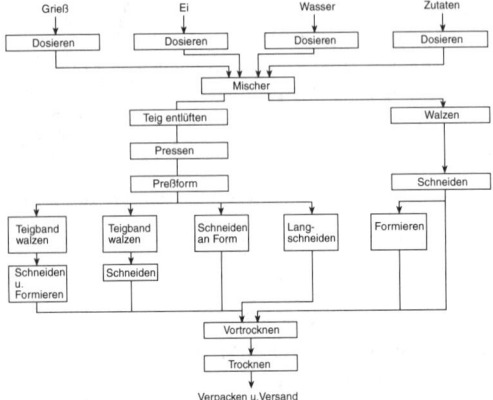

Abb. 1: Technologie der Teigwaren-Herstellung.

Der Herst.-Prozeß wird durch eine zweistufige Trocknung, die zu Wassergehalten zwischen 11 u. 13% führt, abgeschlossen. Zur Herst. von Instant-T. s. *Lit.*[4].
Analytik: Der hygien. Status von Eier-T. gab in der Vergangenheit häufiger Anlaß zu Bedenken, die v. a. auf die Verarbeitung angebrüteter bzw. verdorbener Eier zurückzuführen waren[5]. Die Verw. solcher Eier ist analyt. über den Gehalt an 3-Hydroxybuttersäure u. am Säurespektrum der T. erkennbar[6] (s. Methode nach § 35 LMBG L 22.02/04-2). Der Eigehalt von T. läßt sich aus dem *Cholesterin-Gehalt berechnen, wobei als Berechnungsgrundlage 200 mg Cholesterin pro Ei angenommen werden[7] (s. Methode nach § 35 LMBG L 22.02/04-1). Verfälschungen von Hartweizen-Mahlerzeugnissen mit Weichweizen sind elektrophoret. nachweisbar[8]. Mikrobiol. Warn- u. Richtwerte für T. sind *Lit.*[9] zu entnehmen. Zu einzelnen Produktgruppen wie Nudeln s. dort u. *Lit.*[10,11].

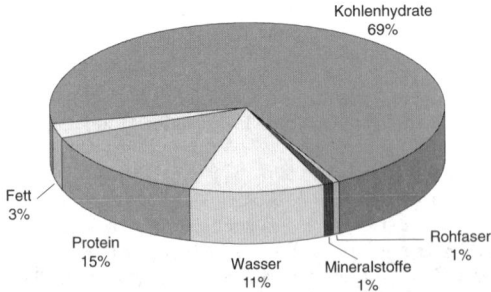

Abb. 2: Durchschnittliche Zusammensetzung von Teigwaren.

Wie aus der durchschnittlichen Zusammensetzung von T. zu entnehmen ist, sind T. eine gute Quelle für *Kohlenhydrate u. pflanzliche *Proteine.
Der *physiologische Brennwert beträgt 1550 kJ/100 g T. nehmen beim Kochen das 2- bis 3-fache des Trockengew. an Wasser auf. 1997 wurden in der BRD 226 147 t Eier enthaltende T. im Wert von 548 Mio. DM u. 73 026 t keine Eier enthaltende T. im Wert von 110 Mio. DM hergestellt. – *E* farinaceous products – *F* pâtes alimentaires – *I* paste alimentari – *S* pastas alimenticias

Lit.: [1] Teigwaren-VO vom 12. 11. 1934 i. d. F. vom 17. 12. 1993 (BGBl. I, S. 2288). [2] Getreide Mehl Brot **45**, 156–159 (1991). [3] Ternes, Naturwissenschaftliche Grundlagen der Lebensmittelzubereitung, S. 595–601, Hamburg: Behr 1994. [4] Klingler, Grundlagen der Getreidetechnologie, S. 278, Hamburg: Behr 1995. [5] Getreide Mehl Brot **43**, 216–222 (1989). [6] Dtsch. Lebensm. Rundsch. **85**, 183 f. (1989). [7] Bundesgesundheitsblatt **31**, 394 (1988). [8] Getreide Mehl Brot **45**, 27–31 (1991). [9] Dtsch. Lebensm. Rundsch. **84**, 127 f. (1988). [10] Fleischwirtschaft **70**, 952, 954 (1990). [11] Lebensm. Markt **1990**, Nr. 7, 8, 14–17.
allg.: Belitz-Grosch (4.), S. 644, 645 ■ Dtsch. Lebensm. Rundsch. **87**, 183 ff. (1991) ■ Lorenz u. Kulp (Hrsg.), Handbook of Cereal Science and Technology, S. 763–792, New York: Dekker 1991 ■ Heiss (Hrsg.), Lebensmitteltechnologie (5.), Berlin: Springer 1996 ■ Osteroth (Hrsg.), Taschenbuch für Lebensmittelchemiker u. -technologen, S. 171–179, Berlin: Springer 1991 ■ Ullmann (4.) **12**, 266 ■ Zipfel, C 310. – [HS 1902..]

Teilalbinismus (partieller *Albinismus). Teilw. Ausfall von Pigmenten bei Tieren, so daß z. B. bei Vögeln weiße Gefiederteile, Sprenkelungen od. Scheckung des Gefieders auftreten. Die Kontrolle des T. erfolgt wahrscheinlich durch rezessive Gene, evtl. aber auch durch physiolog. Faktoren. Das vermehrte Auftreten von T. bei Amseln u. Haussperlingen in Stadtgebieten basiert wohl auf Inzucht-Phänomenen dieser austauscharmen Populationen. – *E* partial albinism – *F* albinisme partiel – *I* albinismo parziale – *S* albinismo parcial
Lit.: Bezzel u. Prinzinger, Ornithologie, Stuttgart: Ulmer 1990.

Teilchen (Korpuskel, Partikel; Plural: Korpuskeln, Partikeln). 1. Im *mikrophysikal. Sinne* Bez. für alle Elementarteilchen einschließlich der Photonen u. imaginären T. wie den Quarks, Partonen u. Tachyonen, in erweitertem Sinne auch für Atomkerne, Atome, Mol. u. Ionen, deren physikal. Eigenschaften z. T. nur im Rahmen der Quantentheorie beschrieben werden können. Die meisten T. unterliegen der Reflexion, Refraktion, Beugung od. Streuung, denn man kann ihnen – mit Ausnahme der Photonen – sowohl eine Ruhemasse als auch eine Wellenlänge zuordnen (*Teilchen-Welle-Dualismus*, vgl. Strahlung). Aus kosm. Strahlung u. solaren Kernreaktionen stammend sind solche T. allgegenwärtig.
2. Im *makrophysikal. Sinne* bezeichnet man mit T. sehr kleine, aus vielen Mol. od. Formeleinheiten zusammengesetzte Körper wie etwa Staub od. Schwebstoffe in Gasen u. Flüssigkeiten (*partikuläre Materie*); $6,022 \cdot 10^{23}$ (Avogadro-Konstante) ident. T. sind ein *Mol, die Grundeinheit der Stoffmenge. Die Anzahl der T. in einer Stoffportion läßt sich mittels ihrer kolligativen Eigenschaften bestimmen. Die *Kolloidchemie beschäftigt sich mit den Eigenschaften u. dem Verhalten

der in feinster Zerteilung vorliegenden T., während die *T.-Analyse* die gröberen Partikeln erfaßt. Sie werden z. B. hinsichtlich ihrer Größe (*T.-Größe*, s. Korngrößen), Zahl, Körnungsstufen u. der morpholog. Erscheinung untersucht, wobei meist physikal. Meth. zur Anw. kommen wie etwa die opt. Verf. der Mikroskopie, Elektronenmikroskopie, Lichtstreuung od. die mechan. Verf. der Siebanalyse, der Sedimentationsanalyse, der Bestimmung der Schüttdichte, der Oberfläche usw. Eine Gegenüberstellung der opt. u. der mechan. u. Sedimentationsmeth. zur Messung u. Abtrennung von T. findet man in *Lit.*[1]. Eigenschaften u. Verhalten makrophysikal. T. spielen in vielen techn. Bereichen innerhalb der mechan. Verfahrenstechnik eine bedeutende Rolle wie beim Zerkleinern u. Kompaktieren, z. B. in der Pulvermetallurgie, im Wirbelschichtverf., bei Pigmenten, Farbstoffen, Füllstoffen u. a. dispersen Syst. sowie auch in Fragen der Luftreinhaltung u. des Umweltschutzes. – *E* 1. particles, 2. particulate matter – *F* 1., 2. particules – *I* 1. particelle, 2. materia parcellizzata – *S* 1., 2. partículas

Lit.: [1] Handbook **66**, F-238.
allg.: (*zu 1.*): Dorn (Hrsg.), Theory of Elementary Particles, Weinheim: Wiley-VCH 1998 ▪ Gausterer u. Lang (Hrsg.), Computing Particle Properties, Berlin: Springer 1998 ▪ Ho-Kim u. Pham, Elementary Particles and Their Introductions, Berlin: Springer 1998 ▪ Schwarz, A Tour of the Subatomic Zoo, Berlin: Springer 1992 ▪ s. a. Elementarteilchen, Strahlung, Teilchenbeschleuniger, Zählrohre. – (*zu 2.*): Andersen, Small Particles and Inorganic Clusters, Berlin: Springer 1997 ▪ Phys. Bl. **49**, 403 (1993) ▪ s. a. Aerosole, Korngröße, Pulver, Reinraumtechnik, Staub.

Teilchenbeschleuniger (Partikelbeschleuniger, Beschleuniger). Bez. für Vorrichtungen, die mit Hilfe von elektr. u./od. magnet. Feldern geladenen Teilchen wie *Elektronen, *Protonen, ihren Antiteilchen (s. Antimaterie), α-Teilchen od. *Schwerionen hohe kinet. Energie verleihen. Ungeladene Teilchen wie Neutronen u. Photonen lassen sich hierdurch nicht beschleunigen. Strahlen schneller Neutralteilchen, z. B. von Wasserstoff-Atomen, werden erzeugt, indem Ionen beschleunigt werden u. der Ionenstrahl dann in einer Dampfzone, meist Cäsium-Dampf, neutralisiert wird. Der Neutralisierungsgrad ist stark von der Teilchenenergie abhängig (z. B. $H^+ \rightarrow H$: E = 5 keV 90%; E = 20 keV 82%; E = 50 keV 55%; E = 100 keV 20%). Der verbleibende Ionenstrahl wird durch elektr. od. magnet. Felder abgelenkt u. in einem Ionensumpf vernichtet. Schnelle Neutralteilchen werden eingesetzt, um Fusionsplasmen für die kontrollierte *Kernfusion aufzuheizen (s. a. JET); man erreicht Teilchenströme, die 100 A u. Energien von über 100 keV (*Lit.*[1]) entsprechen. Teilchen der Masse m u. Ladung e_0 erhalten beim Durchlaufen der Spannung U einen Energiegewinn von $\frac{1}{2} m v^2 = e_0 U$, der bei niedrigen Geschw. in kinet. Energie $\frac{1}{2} m v^2$ umgewandelt wird, wobei v die Geschw. der Teilchen ist. Nähert sich v der Lichtgeschw. c, so ist für die relativist. Masse $m = m_0/\sqrt{1 - v^2/c^2}$ zu setzen, worin m_0 die *Ruhemasse bedeutet. Bei den Atomkernen betragen die Bindungsenergien mehrere MeV je *Nukleon. *Kernreaktionen benötigen somit Energien von etwa gleicher Größenordnung. Mit Hilfe der T. kann man die als Geschosse für *Kernumwandlungen geeigneten Teilchen auf genügend hohe Bewegungsenergie bringen, um mit ihnen unter beeinflußbaren Bedingungen Kernreaktionen auszulösen. Im Prinzip ist jede Elektronenröhre (Röntgenröhre, Rundfunkröhre, Oszillograph) ein Elektronenbeschleuniger, doch schließt man diese Geräte im allg. Sprachgebrauch heute nicht mehr in den Begriff T. ein. Ein T. besteht aus einer – häufig gepulst arbeitenden – Elektronen-, Positronen-, Protonen- od. Ionenquelle u. einer Anordnung, die ein – je nach dem Typ des Beschleunigers elektrostat. od. -dynam. – Feld erzeugt, welches die Teilchen auf die gewünschte Energie beschleunigt. Konstruktiv eng damit verbunden ist das Vak.-Rohr, in dem die Teilchen laufen, ohne durch *Stoßprozesse mit Gasmol. ihre Energie wieder zu verlieren. Zur Untersuchung von Kernreaktionen od. *Elementarteilchen wird der Teilchenstrahl auf ein normalerweise festes *Target gelenkt, das von geeigneten Detektoren wie *Blasenkammern, *Zählrohren, *Szintillationszählern, *Wilson-Kammern umgeben ist, um die Elementarereignisse zu beobachten u. zu registrieren[2]. Für Anw. in der Strahlenchemie geeignete Elektronenbeschleuniger haben ein aus Vak.-dichten Metallfolien (Titan od. Aluminium) bestehendes sog. Elektronenfenster, durch das die Elektronen den T. verlassen können. Wegen des Auftretens hochenerget. *Strahlung während des T.-Betriebs (elektromagnet. Strahlung entsteht bei der Bewegung geladener Teilchen, *ionisierende Strahlung als *Bremsstrahlung beim Auftreffen der Teilchen auf das Target) sind umfangreiche Maßnahmen zum *Strahlenschutz notwendig.

Der konstruktiv aufwendigste Teil eines T. ist die Beschleunigungsstrecke. Hier unterscheidet man *Linearbeschleuniger* (Geradeausbeschleuniger) u. *Zirkularbeschleuniger* (Kreis- od. Ringbeschleuniger). Die Beschleunigung in elektr. Feldern erfolgt durch einmaliges od. mehrmaliges Durchlaufen der Spannung U. Diese wird entweder elektrostat. (*elektrostat. Beschleuniger*) erzeugt od. durch Hochspannungstransformatoren mit Gleichrichtung, wobei im allg. die Spannung durch eine Kaskadenschaltung (*Kaskadenbeschleuniger*) vervielfacht wird. In *Tandembeschleunigern* wird die Spannung zweimal ausgenutzt, indem die zu beschleunigenden Teilchen nach dem ersten Durchlaufen der Spannung umgeladen werden. In *Elektronen- u. Ionen-Hochfrequenz-Linearbeschleunigern* sowie bei Kreisbeschleunigern wird eine Wechselspannung mehrmals durchlaufen. Ein *Linearbeschleuniger* (*Wanderwellenbeschleuniger*) für Elektronen ist nach DIN 6814-6: 1989-09 ein Elektronenbeschleuniger, in dem Elektronen innerhalb eines Hohlleiters durch eine fortlaufende elektr. Welle beschleunigt werden. Ein bes. leistungsstarker Mikrowellen-Linearbeschleuniger (*E linac*) für Elektronen u. Positronen ist der Stanford Linear Accelerator (SLAC) mit einer Beschleunigungsstrecke von 3 km Länge u. einer Energie von 34 GeV. Im Sommer 1987 ging der Stanford Linear Collider mit 100 GeV in Betrieb u. war bei der Messung der Masse u. der Lebensdauer des Z^0-Teilchens sehr erfolgreich[3]. Linearbeschleuniger werden v. a. in der Schwerionenforschung eingesetzt, u. a. zur Herst. superschwerer Elemente[4]; *Beisp.:* HILAC (Heavy-Ion Linear Accelerator, Berkeley, 1957) u.

UNILAC (Universal Linear Accelerator, Darmstadt, 1975, 4,76 GeV). Bei Elektronen (e⁻), Protonen (p), *Positronen (e⁺) u. Antiprotonen (p̄) werden mittlere Energien mit Zirkularbeschleunigern erreicht. Bei diesen werden die Teilchen durch magnet. Felder auf eine Spiral- od. Kreisbahn geführt u. bei jedem Umlauf erneut beschleunigt. Spiral-T. sind die *Zyklotrons, Kreis-T. die *Synchrotrons (russ.: Phasotrons), bei denen die Teilchen durch supraleitende Elektromagnete u. Quadrupole so exakt geführt werden können, daß innerhalb des mehrere Kilometer langen Ringrohrs die Teilchen selbst nach mehreren hunderttausend Umläufen auf 1 mm zentriert bleiben. Manche T.-Anlagen besitzen sog. *Speicherringe*, in denen bereits beschleunigte Teilchen „gesammelt" u. auf Abruf bereitgehalten werden, wenn Experimente mit bes. hoher Teilchendichte ausgeführt werden sollen. Zu den bekannteren Forschungseinrichtungen dieser Art gehören (in Klammern die möglichen Reaktionen, die erreichbare Energie u. das Jahr der Inbetriebnahme): Bei *DESY in Hamburg: Petra (e⁻e⁺, 47 GeV, 1978) u. Hera (e⁻p, 300 GeV, 1990, Umfang: 6,3 km); bei *CERN: SppS (pp̄, 900 GeV, 1981) u. *LEP (e⁻e⁺, 200 GeV, 1989, Umfang: 27 km); bei Fermilab in Chicago, USA: Tevatron (pp̄, 1,8 TeV, Lit.[5]); in Novosibirsk, Rußland: VEPP-4 (e⁻e⁺, 14 GeV, 1978); bei KEK, Tsukuba, Japan: Tristan (e⁻e⁺, 70 GeV, 1986). Der geplante texan. Superbeschleuniger SSC (Superconducting Supercollider, pp̄, 20 TeV, 1989, Umfang: 87 km) wurde vom amerikan. Kongreß nicht genehmigt[6]. Der Energiebereich zwischen 500 u. 1000 GeV ist bei Elektronen u. Positronen wegen der *Synchrotronstrahlung nicht mehr mit Speicherringen, sondern nur noch mit einem Paar gegeneinander gerichteter Linearbeschleuniger zugänglich. Eine entsprechende Anlage, TESLA genannt, mit supraleitenden Resonatoren mit sehr hohen Feldgradienten u. integriertem Röntgen-Laser soll bis 2010 in Hamburg bei DESY gebaut werden[7], geplante Länge: 30 km. Ein weiterer Elektronenlinearbeschleuniger, genannt ELBE, wird seit 1998 im Forschungszentrum Rossendorf bei Dresden gebaut. Die Anlage ist als Freier-Elektronen-Laser zur Erzeugung hoher Strahlintensitäten im infraroten Spektralgebiet ausgelegt[8].

Mit bes. Namen belegte T. sind z. B. *Mikrotrons* [mit *Zyklotrons verwandte Kreisbeschleuniger für Elektronen (<30 MeV Energie)], *Smokatrons* [T. für Protonen u. schwere Ionen, die im Kollektiv mit Elektronen (in „Elektronenwolken" eingebettet) beschleunigt werden], *Pelletrons* (eine spezielle Ausführung des *Van-de-Graaff-Generators), *Betatrons* (Rheotrons, Elektronenschleudern; Elektronenbeschleuniger, in denen Elektronen auf kreisförmige Bahnen durch ein elektr. Wechselfeld auf eine Endenergie von max. 500 MeV beschleunigt werden).

T. gehören zu den wichtigsten Instrumenten der Hochenergiephysik. Die Erzeugung von *Antimaterie, von *Quasiatomen, neuen *Elementarteilchen wie den verschiedenen *Myonen u. *Mesonen, die Herst. der *Transurane u. bes. der *Transactinoide, die Untersuchung des Aufbaus der *Nukleonen, der Wechselwirkung z. B. der *Hadronen u. die Suche nach *Quarks sind erst mit der Entwicklung leistungsfähiger T. möglich geworden. Mit T. lassen sich „gezielt" Radionuklide erzeugen, die *Neutronen einheitlicher Energie od. *Positronen emittieren; demgegenüber überstreichen die von *Reaktoren ausgesandten Neutronen einen sehr breiten Energiebereich. Die Abb. zeigt die mit den verschiedenen T. in den letzten Jahren erzielten Energien. Mit der nächsten Generation von T. beschäftigt sich Lit.[9].

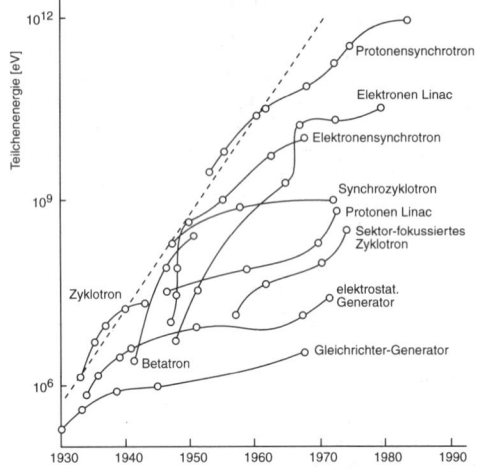

Abb.: Teilchenenergien, die in den letzten Jahren mit den verschiedenen Teilchenbeschleunigern erreicht wurden; die eingezeichnete Gerade stellt einen exponentiellen Anstieg dar[9].

Verw.: Wenn auch T. in erster Linie (kostspielige) Instrumente der *Kernphysik u. Elementarteilchenphysik sind, so geht ihre Bedeutung doch viel weiter, zumal viele ihrer Anw. auf der durch Abbremsung energiereicher Elektronen entstehenden harten *Röntgenstrahlung (*Bremsstrahlung) beruhen. So finden T. als Strahlenquellen für *ionisierende Strahlung immer häufiger Anw. in Technik, Chemie, Medizin u. teilw. auch in der Lebensmittelkonservierung. Heute sind bereits zahlreiche kommerzielle Geräte – insbes. Van-de-Graaff-Generatoren (1–5 MeV) u. Linearbeschleuniger (3–24 MeV) – im Einsatz, z. B. für die Lackhärtung, für die Vernetzung von Polyolefinen u. die Pfropfpolymerisation u. a. Prozesse der angewandten *Strahlenchemie, für die *Konservierung u. Strahlensterilisation[9]. Auch bes. Fragestellungen der theoret. organ. Chemie lassen sich mit T. untersuchen, z. B. *Ionen-Molekül-Reaktionen od. *schnelle Reaktionen durch *Pulsradiolyse mit Elektronenbeschleunigern (1–20 MeV). Mit Hilfe von Schwerionenbeschleunigern lassen sich die Eigenschaften von Werkstoffen durch sog. *Ionenimplantation verändern. Für die *Geochronologie ist die Kombination von T. mit der Massenspektroskopie (vgl. auch ICR-Spektroskopie) nützlich. Für Strukturuntersuchungen bes. nützlich ist die *Synchrotron-Strahlung. Beim medizin. Einsatz von T. im Rahmen der Tumortherapie werden neben β⁻-Strahlen (6 MeV) u. Grammastrahlen in Zukunft auch Strahlen schwerer Ionen, z. B. Kohlenstoff-Ionen, eingesetzt. Der Vorteil liegt in einer besser zu kontrollierenden Tiefenwirkung der Strahlung[10].

Geschichte: Der erste T. wurde 1932 von *Cockroft u. *Walton entwickelt; mit diesem Kaskadengenerator konnte Lithium durch 400 keV-Protonen in α-Teilchen umgewandelt werden ($^7_3$Li + $^1_1$p → 2 $^4_2$He). Das Zyklotronprinzip wurde bereits 1930 von *Lawrence publiziert; das Gerät selbst wurde bis 1933 von seinem Schüler M. S. Livingston entwickelt. Das Cosmotron in Brookhaven war 1952 das erste Protonensynchrotron mit Energien >1 GeV; es war bis 1966 in Betrieb. – *E* particle accelerators – *F* accélérateurs de particules – *I* acceleratore di particelle – *S* aceleradores de partículas

Lit.: [1] Phys. Unserer Zeit **22**, 119 (1991). [2] Spektrum Wiss. **1991**, Nr. 10, 110; Phys. Bl. **47**, 521, 837 (1991). [3] Sci. Am. **1989**, Nr. 10, 36. [4] Phys. Bl. **40**, 124 (1984). [5] Spektrum Wiss. **1991**, Nr. 5, 64. [6] Phys. Unserer Zeit **25**, 18 (1994). [7] Phys. Bl. **54**, 219 (1998). [8] Phys. Bl. **54**, 342 (1998). [9] Sci. Am. **1989**, Nr. 3, 34; Phys. Unserer Zeit **21**, 117 (1990); **22**, 165 (1991). [10] Phys. Unserer Zeit **29**, 152 (1998); Phys. Bl. **54**, 104 (1998). *allg.:* Heagney, Heagney u. Maier, Targets for Particle Accelerators, in Encyclopedia of Applied Physics, Vol. 20, S. 473–497, Weinheim: Wiley-VCH 1997 ■ Scharf, Biomedical Particle Accelerators, Berlin: Springer 1997 ■ Wiedemann, Particle Accelerator Physics I u. II, Berlin: Springer 1993, 1995 ■ s. a. Zyklotron, Synchrotron, Elementarteilchen, Schwerionen, Kernphysik.

Teilchendetektoren s. Zählrohre, Szintillationszähler, Blasen- u. Wilson-Kammern.

Teilchendichte s. Vakuum.

Teilchengröße s. Korngröße, Sedimentationsanalyse.

Teilchenmasse. Die atomphysikal. Einheit der Masse für die Angabe von T. ist die *atomare Masseneinheit* u (s. Atomgewicht).

Teilchenzähler s. Zählrohre.

Teilhard de Chardin, Marie-Joseph Pierre (1881–1955), Prof. für Paläontologie u. Anthropologie am Inst. Catholique, Paris; Theologe u. Philosoph. Neben seinen naturwissenschaftlichen Entdeckungen wie z. B. der Mitentdeckung des Sinanthropus (homo erectus pekinensis) versuchte er in seinen umfangreichen philosoph. Werken die Evolution u. den christlichen Schöpfungsglauben miteinander zu vereinen. Dies führte sowohl von kirchlicher als auch von naturwissenschaftlicher Seite zu krit. Einwänden.
Lit.: Lexikon der Naturwissenschaftler, S. 392.

Teilkristallinität s. Polymerkristalle.

Teilstrukturen s. Partialstrukturen u. Markush-Formeln.

Teilsynthese s. Synthese.

Teinochemie (von griech.: teinein = spannen, strecken). Bez. für dasjenige Teilgebiet der *Physikalischen Chemie, insbes. der *Mechanochemie, das sich mit der Erzeugung von mechan. Energie durch chem. Reaktionen befaßt; *Beisp.:* Herst. von bei Zugabe von Salzsäure od. Natronlauge *(teinochem. aktive Substanzen)* kontraktions- bzw. dehnungsfähigen Arbeitsmodellen für *Muskeln aus Polyacrylsäure u. Polyvinylalkohol. Andere Modelle bedienen sich des Kollagens (s. Collagene), das unter der Einwirkung von Salzlsg. imstande ist, Dilatationen u. Kontraktionen auszuführen. – *E* teinochemistry – *F* teinochimie – *I* teinochimica – *S* teinoquímica

Lit.: Adv. Polymer Sci. **82**, 1–46 (1987) ■ Annu. Rev. Biophys. Biophys. Chem. **15**, 119–163 (1986) ■ s. a. Muskel u. Mechanochemie.

Tekaol (Tekaöl). Bez. für ein durch Extraktion mit Aceton gereinigtes *Standöl, heute nur noch von histor. Interesse.
Lit.: Ullmann (4.) **23**, 448 f.

Tekhelet s. Purpur.

Tekt... s. Tekt(o)...

Tektine. Bez. für eine Gruppe von Proteinen (M_R 46000–57000), die nach Extraktion der *Tubuline aus den *Mikrotubuli von Flagellen (Geißeln) als Filamente isoliert werden können u. auch in Centriolen (s. Abb. bei Zellen) nachgewiesen wurden. Die *Keratine der *intermediären Filamente ergeben immunchem. Kreuzreaktion mit den Tektinen. – *E* tektins – *F* tectines – *I* tectine – *S* tectinas
Lit.: Meth. Cell Biol. **47**, 373–380 (1995).

Tektite. Von griech.: tēktós = schmelzbar abgeleitete Bez. für dem *Obsidian ähnliche Glaskörper, jedoch mit anderer chem. Zusammensetzung (vgl. *Lit.*[1]): 68–86% SiO_2, 8–21% Al_2O_3 u. unterschiedliche Mengen von Fe, Mg, Ca, Na, K u. Ti sowie <0,02% H_2O (s. *Lit.*[2]). T. sind hellgrüne bis dunkelflaschengrüne bis schwarze, glasartig durchsichtige bis durchscheinende, oft von Schlieren u. Bläschen durchzogene, unregelmäßig splittrige od. brocken-, scheiben-, hantel-, tropfen-, kugel- od. wulstförmige durchschnittlich einige cm große u. bis etwa 800 g schwere Glaskörper mit Grübchen, Furchen u. Rillen auf den Oberflächen. H. 6–7, D. 2,34–2,46; Schmp. bei 1200–1400 °C. Die blockigen bis klumpigen, geschichteten *Muong-Nong-T.* (darunter ein 12,8 kg schwerer T.) aus Thailand[3,4] bestehen aus winzigen (<1 mm) gerundeten, zusammengepreßten u. verschweißten Glas-Partikeln. *Impact-Gläser* werden im Gegensatz zu den T. am Ort ihrer Entstehung gefunden.
Charakterist. für die T. ist ihr – namengebendes – Vork. in sog. *Streufeldern*: Australasiat. Streufeld (von Südostasien über Australien bis weit in den Ind. Ozean; Länge ca. 10000 km) mit schwarzen *Australiten* (Alter ca. 0,7 Mio. a), *Billitoniten, Indochiniten, Javaniten* u. *Philippiniten*; das Streufeld der nordamerikan. T. [von Georgia (*Georgia-T.*) u. Texas (*Bediasite*) bis in den Golf von Mexiko; Alter 34,2 Mio. a]; das Streufeld der Elfenbeinküste in Afrika (*Ivorite*; Alter ca. 1,1 Mio. a; s. *Lit.*[5]; Herkunft aus dem gleichalten Bosumtwi-*Meteoriten-Krater in Ghana) u. das eigentlich aus 2 Teilfeldern in Böhmen u. in Mähren bestehende 150 km große Streufeld der öfters zu Edelsteinen verschliffenen dunkel flaschengrünen *Moldavite* (Alter 15 Mio. a; s. *Lit.*[6–8]); Neufunde von Moldaviten wurden in Österreich[9] u. in der Lausitz[10] gemacht. Weitere T.-Fundstellen sind die Ostsahara im Südwesten von Ägypten („*lyb. Wüstenglas*", als oft kiloschwere, hellgelb bis grünlichgelb durchscheinende, bis zu 98% SiO_2 bestehende Glasmassen, Alter 28,5 Mio. a; s. *Lit.*[11–13]) u. der Zhamanshin-Meteoritenkrater in Kasachstan (*Zamanshinite* u. *Irghizite*; s. *Lit.*[14]); ähnliche T. gibt es vom Aouelloul-Meteoritenkrater in Marokko. Zu den Impact-Gläsern zählt das hell- bis dunkelgrüne *Darwin-Glas*[15] (z. T. schleifwürdig[16]) aus Tasmanien. Zu allen Vork. auf dem Land, mit Ausnahme der Moldavite, kennt man auch *Mikro-T.* aus der benachbarten Tiefsee, das sind weni-

ger als 1 mm große Glaskügelchen, die in bestimmten Schichten der Meeressedimente u. daraus gezogenen Bohrkernen vorkommen.
Aufgrund von *Altersbestimmungen u. geochem. Kriterien (z. B. Spurenelement-Verhältnisse wie K/Sc, Ba/Rb, La/Yb u. Th/Sm, bestimmte *Isotopen-Verhältnisse) herrscht heute die Ansicht vor, daß T. Erstarrungsprodukte von Schmelzen darstellen, die durch den Aufprall von *Meteoriten auf Erdgestein (z. B. Tonsteine, Sandsteine, Grauwacken, Lößböden) entstanden u. fontänenartig in die Luft geschleudert worden sind; zu weiteren Theorien zur T.-Entstehung s. *Lit.*[17,18]. Ein Vgl. der Strontium- u. Neodym-Isotopen-Zusammensetzung von Moldaviten mit Sanden aus dem Nördlinger Ries belegt die gemeinsame Abstammung[19,20]. Zur *Verwitterung von T. s. *Lit.*[21]. Rückschlüsse auf den Ursprungsort von T. ermöglicht ggf. die Bor-Isotopen-Zusammensetzung[22]. Zur Geochemie der T. s. *Lit.*[23].
Es wird heute ein Zusammenhang zwischen dem Beginn von geolog. Epochen u. dem Zeitpunkt T.-bildender Kollisionen vermutet. Ein Beisp. sind die in Sedimenten der Kreide/Tertiär-Grenze (Massensterben vor 65 Mio. Jahren durch einen Meteoriten-Einschlag) in Beloc/Haiti gefundenen T.-ähnlichen Glaskügelchen[24,25], die mit dem vermutlichen Einschlagkrater, dem Chicxulub-Krater in Mexiko, in Verb. gebracht werden[26]. – *E* tektites – *F* tectites – *I* tectiti – *S* tectitas

Lit.: [1] Annu. Rev. Earth Planet. Sci. **14**, 323–350 (1986). [2] Meteoritics Planet. Sci. **32**, 211–216 (1996). [3] Nature (London) **319**, 663ff. (1986). [4] Geochim. Cosmochim. Acta **56**, 1033–1064 (1992). [5] Geochim. Cosmochim. Acta **61**, 1745–1772 (1997). [6] Lapis **10**, Nr. 22–26 (1985). [7] Geochim. Cosmochim. Acta **51**, 1425–1443 (1987). [8] Meteoritics Planet. Sci. **32**, 493–502 (1997). [9] Meteoritics **23**, 325–332 (1988). [10] Chem. Erde **56**, 498–510 (1996). [11] J. Non-cryst. Solids **67**, 593–619 (1984). [12] Compt. Rend. Acad. Sci., Paris **322**, 839–845 (1996). [13] Geochim. Cosmochim. Acta **61**, 1953–1959 (1997). [14] Meteoritics **16**, 171–184 (1981). [15] Geochim. Cosmochim. Acta **54**, 1463–1474 (1990). [16] Gemmology (Z. Dtsch. Geol. Ges.) **46**, 7–12 (1997). [17] Meteoritics **29**, 72–78 (1994). [18] Chem. Erde **56**, 458–474 (1996). [19] Chem. Erde **44**, 107–121 (1985). [20] Earth Planet. Sci. Lett. **60**, 155–177 (1982). [21] Nature (London) **357** (6379), 573–576 (1992). [22] Geochim. Cosmochim. Acta **59**, 613–624 (1995). [23] Tectonophysics **171**, 405–422 (1990). [24] Nature (London) **349** (6309), 482–487 (1991); **353** (6347), 839–842 (1991). [25] Meteoritics **30**, 182–198 (1995). [26] Nature (London) **364** (6435), 325ff. (1993).
allg.: Von Rétyi u. Aumann, Meteorite – Boten aus dem Weltall, S. 90–98, Coburg: Naturkunde-Museum 1996 ▪ s. a. Meteoriten.

Tekt(o)... a) Von griech.: téktōn = Bauhandwerker (tektonikê = Baukunst) od. tēktós = geschmolzen, schmelzbar abgeleiteter Fremdwortteil; *Beisp.:* benachbarte Stichwörter, Architekt (Baumeister), *Eutektikum. – b) Dtsch. Form von *Tect(o)...; *Beisp.:* *Detektor. – *E* = *F* = *S* tect(o)... – *I* tett(o)...

Tektonik. Bez. für das Teilgebiet der *Geologie, das sich mit allen Gesichtspunkten der Gesteins-Verformung (Deformation) in der Lithosphäre der *Erde befaßt. Die wichtigsten Arbeitsgrundlagen der T. sind geophysikal. u. geolog. Karten (s. Geologie), Profile (einschließlich Bohrprofile) u. Diagramme (statist. Diagramme, Blockdiagramme usw.). Aus den grundlegenden Arbeiten werden v. a. mit den Meth. der *Strukturgeologie tekton. Modelle* entwickelt (Strukturmodelle, kinemat. u. dynam. Modelle).
Arbeitsgebiet der *Geodynamik* ist u. a. die Interpretation moderner u. vergangener Großstrukturen der Erde (Zonen mit Erdbeben, Vulkantätigkeit od. Bewegungen der Erdoberfläche) anhand der Theorie der *Plattentektonik. Die *Mikro-T.* untersucht anhand von *Dünnschliffen die Mechanismen von Gesteins-Deformation u. -*Metamorphose. Zur T. in Salzstöcken s. *Lit.*[1]. – *E* tectonics – *F* tectonique – *I* tettonica – *S* tectónica

Lit.: [1] Spektrum Wiss. **1987**, Nr. 10, 76–86.
allg.: Eisbacher, Einführung in die Tektonik (2.), Stuttgart: Enke 1996 ▪ Paschier u. Trouw, Microtectonics, Berlin: Springer 1996 ▪ Ramsay u. Huber, The Techniques of Modern Structural Geology, Vol. I u. II, London: Academic Press 1983 u. 1987 ▪ Suppe, Principles of Structural Geology, Englewood Cliffs (N. J.): Prentice Hall 1985 ▪ Twiss u. Moores, Structural Geology, New York: Freeman 1992 ▪ Van der Pluijm u. Marshak, Earth Structure, Berkshire (UK): WCB/McGraw-Hill 1997.

TEL. Engl. Abk. für Tetraethylblei, s. Bleitetraethyl.

Teldane® (Rp). Tabl. u. Suspension mit *Terfenadin gegen Allergien. *B.:* HMR.

Telechele s. telechel(isch)e Polymere.

Telechel(isch)e Polymere (Telechele). Von griech.: tēle = fern, weit u. chēlē = Klaue, Kralle, Hummerschere abgeleitete Bez. für niedermol. *Makromoleküle od. *Oligomere mit reaktiven Endgruppen, z. B. Hydroxy-, Carboxy-, Amino-, Isocyanat-, Epoxid- od. Vinyl-Gruppen; *Beisp.:* *Polyglykole, NCO- od. OH-terminierte *Polyurethane od. OH- od. COOH-terminierte *Polybutadiene. Als Bausteine für Polymer-Synth. verwendete t. P. werden *makromol. Monomere*, *Makromonomere* od. *Makromere* genannt. Zu Herst. u. Verw. der t. P. s. Makromonomere u. Telomerisation. – *E* telechelic polymers – *F* polymères téléchéliques – *I* polimeri telechelici – *S* polímeros telechélicos

Lit.: Adv. Polym. Sci. **76**, 129–175 (1986); **81**, 167–223 (1986) ▪ Encycl. Polym. Sci. Eng. **16**, 494–532 ▪ Harris u. Spinell, Reactive Oligomers (ACS Symposium Ser. 282), Washington: ACS 1985 ▪ s. a. Makromonomere u. Telomerisation.

Teleocidine.

Name	R	Epimer
T. B-1	H	16S,19R
T. B-2	H	16R,19S
T. B-3	H	16S,19R
T. B-4	H	16R,19R
(Olivoretin D)		
Olivoretin A	CH_3	16R,19R
Olivoretin B	CH_3	16R,19S

T. A-1
[Epimer mit (*S*)-Seitenkette: T. A-2]

Tab.: Daten von Teleocidinen.

Name	Summen-formel	M_R	Schmp. [°C]	CAS
T. A-1	$C_{27}H_{39}N_3O_2$	437,62		70497-14-2
T. A-2	$C_{27}H_{39}N_3O_2$	437,62		102209-77-8
T. B-1	$C_{28}H_{41}N_3O_2$	451,65	153–155	95044-71-6
T. B-2	$C_{28}H_{41}N_3O_2$	451,65	203–204	95189-05-2
T. B-3	$C_{28}H_{41}N_3O_2$	451,65	160–162	95189-06-3
T. B-4	$C_{28}H_{41}N_3O_2$	451,65	230–232	11032-05-6
Olivoretin A	$C_{29}H_{43}N_3O_2$	465,68	251–253	90297-52-2
Olivoretin B	$C_{29}H_{43}N_3O_2$	465,68		90599-27-2

T. sind *Indol-Alkaloide aus Bakterien (Actinomyceten, Eubacteriaceae), die eine kleine Gruppe tox. Naturstoffe bilden. Es sind dies T. A-1, A-2, B-1, B-2, B-3 u. B-4, die aus *Streptomyces mediocidicus* isoliert wurden. Die T. A tragen eine terpenoide, offene Seitenkette, die bei den T. B zum Ring geschlossen ist. Das wichtigste T. ist T. A-1 (*Lyngbyatoxin A*) aus dem marinen Cyanobakterium *Lynbya majuscula*. Es bewirkt Kontaktdermatiden u. ist sehr giftig. T. A-1 weist tumorpromovierende Eigenschaften schon in geringen Konz. auf. Die T. sind cocarcinogen u. durch ihre hydrophoben Eigenschaften gut membrangängig. – *E* teleocidins – *F* téléocidines – *I* teleocidine – *S* teleocidinas

Lit.: Chem. Pharm. Bull. **30**, 3457 (1982); **32**, 354, 358, 3774, 4233 (1984); **34**, 4883 (1986) ▪ Pure Appl. Chem. **54**, 1919 (1982). – *Biosynth.:* Tetrahedron **46**, 2773–2788 (1990).

Teleskopeffekt s. Spannungs-Dehnungs-Diagramm.

Telfast® (Rp). Tabl. mit dem *Antiallergikum Fexofenadin (s. Terfenadin). *B.:* HMR.

Telinit s. Macerale.

Tellane s. Tellur-organische Verbindungen u. Tellurwasserstoff.

Teller, Edward (geb. 1908), Prof. für Physik, Univ. Washington, Chicago, California Radiation Laboratory, Senior Research Fellow am Hoover Institut, Stanford, CA. *Arbeitsgebiete:* Kernphysik, kosm. Strahlung, Magnetohydrodynamik, Entwicklung der Wasserstoffbombe, Quantenchemie mehratomiger Mol. (Jahn-Teller-Effekt, BET-Meth.).
Lit.: Krafft, S. 62, 112 ▪ Lexikon der Naturwissenschaftler, S. 393 ▪ Who's Who in America (52.), S. 4291.

Tellertest. Bez. für ein praxisnahes Prüfverf. zur Bewertung der Reinigungswirkung von manuellen *Geschirrspülmitteln. Kriterium ist die auf den Produkteinsatz bezogene Anzahl gereinigter Teller. Dazu werden genormte Teller od. quadrat. Platten auf reproduzierbare Weise mit pflanzlichen u. tier. Fetten angeschmutzt u. mit Bürsten in einem geeigneten Apparat bei 45 od. 50 °C gereinigt. Neben der visuellen Abmusterung der Teller wird die Veränderung des Schaumbilds als Maß für die Erschöpfung der Spülflotte – ggf. photometr. – erfaßt. Eine spezielle Form des T. ist als sog. *Miniplate-Test* ausgebildet. Zur Bewertung des Leistungsspektrums von maschinellen Geschirrspülmitteln ist eine wesentlich komplexere Methodik mit verschiedenen Arten von Testschmutz erforderlich. – *E* plate test

Lit.: Kosswig u. Stache (Hrsg.), Die Tenside, S. 313–314, München: Hanser 1993 ▪ SÖFW-J. **121**, 944 ff. (1995); **124**, 702–713; 1022–1034 (1998).

Tellur (chem. Symbol Te). Zu den *Halbmetallen gehörendes Element aus der 16. Gruppe des Periodensyst., Atomgew. 127,60, Ordnungszahl 52. Te ist ein Mischelement mit den natürlichen Isotopen (Häufigkeit in Klammern) 120 (0,09%), 122 (2,59%), 123 (0,91%), 124 (4,79%), 125 (7,12%), 126 (18,93%), 128 (31,70%), 130 (33,87%); die Isotope 123 u. 130 sind radioaktiv mit allerdings – in Anbetracht des Weltalters von $2 \cdot 10^{10}$ a – unvorstellbar langen HWZ (10^{13} bzw. 10^{21} a). Außerdem kennt man noch künstliche Isotope zwischen ^{108}Te u. ^{138}Te mit HWZ zwischen 1,4 s (^{138}Te) u. 119,7 d (^{123m}Te). Etwa die Hälfte der im Gefolge des Tschernobyl-Störfalls (1986) in die BRD eingefallenen Radioaktivität stammte von ^{132}Te (HWZ 78,2 h).

In seinen Verb. tritt Te ebenso wie die anderen Chalkogene S u. Se meist in den Oxid.-Stufen −2, +2, +4 u. +6 auf, wobei die Te^{4+}-Verb. am häufigsten u. beständigsten sind. Man kennt aber auch die Oxid.-Stufen +1 (TeI) u. +3 ($[Te\{N[Si(CH_3)_3]_2\}_2]^+$) sowie Werte zwischen 0 u. +1, z. B. ¼ (Te_8^{2+}), ½ (Te_4^{2+}) u. +⅔ (Te_6^{4+}). Das elementare, hexagonal-rhomboedr. kristallisierende Te ist silberweiß, metall. glänzend, spröde (H. 2,3), leicht pulverisierbar, D. 6,25, Schmp. 449 °C, Sdp. 1390 °C. Die Dämpfe sind goldgelb u. bestehen bis etwa 2000 °C aus Te_2-Molekülen. Amorphes Te entsteht bei der Kondensation von Te_2-Dämpfen an mit flüssiger Luft gekühlten Flächen; es wandelt sich schon bei 25 °C in die hexagonal kristallisierende Form um.

Beim Schmelzen dehnt sich Te noch etwas aus; es hat aber ähnlich wie Wasser dicht oberhalb des Schmp. ein Vol.-Minimum. Te leitet den elektr. Strom etwa 100 000mal schwächer als Silber u. ist ein *Halbleiter. Te-Einkrist. besitzen gute photoelektr. Eigenschaften u. hohe Piezowiderstands- u. -elektrizitätswerte. Beim Erhitzen an der Luft verbrennt Te mit blauer, grüngesäumter Flamme zu Tellurdioxid (s. Telluroxide); beim Erhitzen mit Schwefel entstehen Lsg., aus denen sich beim Abkühlen auf 105–110 °C ein *Eutektikum mit 94–98 Gew.-% S abscheidet. Von Salzsäure wird Te nicht angegriffen, dagegen bildet es mit Chlor *Tellurchloride. Te ist in konz. Salpetersäure, Schwefelsäure u. Alkalilaugen löslich.

Physiologie: Te ist in kleinen Mengen wesentlich weniger giftig als Selen, da es als unlösl. Element die Darmwand nicht passieren kann, u. Te-Verb. im Körper leicht zu Te reduziert werden; MAK-Wert 0,1 mg/m³. Versehentlich eingenommenes Tellurdioxid verleiht der Atemluft einen Knoblauchgeruch, der ggf. monatelang anhält (Bildung von Dimethyltellur). Größere Mengen eingenommener Te-Verb. rufen Magen-Darm-Störungen hervor; lösl. Verb. werden durch die Haut resorbiert. Chron. Schäden sind nicht bekannt.

Nachw.: Te-Verb. zeigen eine grüne Flammenfärbung. Auf einem in die Flamme gehaltenen, kühleren Gegenstand schlägt sich schwarzes Te nieder; in konz. Schwefelsäure löst sich dieses mit roter Farbe. Red.-Mittel (auch Schwefelwasserstoff) scheiden aus Te-Verb. amorphes Te ab. Mit Natriumdiethyldithiocarb-

Tellurac®

amat od. mit Thioharnstoff bildet Te gelb gefärbte Verb., die auch zur photometr. Bestimmung herangezogen werden können [1]; für Spurenbestimmungen mittels katalyt. Polarographie s. *Lit.*[2].

Vork.: Te gehört zu den seltensten Elementen; man schätzt seinen Anteil an der obersten, 16 km dicken Erdrinde auf 10 ppb, womit Te in der Häufigkeitsliste der Elemente zwischen Ru u. Pd liegt u. damit häufiger als Au u. seltener als Ag vorkommt. Man findet Te nur an wenigen Orten in größeren Mengen, so z. B. gediegen in Begleitung von Gold u. Silber in Siebenbürgen, ferner als Blättererz od. Blättertellur (s. Nagyagit), Tellurocker od. Tellurit (sehr kleine, rhomb., gelbliche bis grauweiße Krist. aus TeO_2, D. 5,9, aus Siebenbürgen od. Colorado), Tellurschwefel (rötliches, japan. Mineral mit 0,17% Te), *Hessit, Calaverit, Altait, *Sylvanit, Coloradoit, Melonit, *Petzit u. *Tetradymit.

Herst.: Man gewinnt Te in der Hauptsache aus dem Anodenschlamm der Kupfer-Raffination, in dem es als Nebenprodukt bei der Extraktion der Edelmetalle anfällt. Ein weiteres Ausgangsmaterial ist die sog. Alkalisalz-Schlacke der Blei-Raffination. Der getrocknete Anodenschlamm bzw. die Schlacken werden mit Soda u. Salpeter geschmolzen, wobei sich Selenate u. Tellurate bilden, die mit Wasser ausgelaugt werden. Bei der Neutralisation mit H_2SO_4 fällt TeO_2 aus, das abgetrennt u. mit NaOH als Na_2TeO_3 wieder in Lsg. gebracht wird. Die Elektrolyse liefert 99,8%iges Metall, das durch Vak.-Dest., erneute Elektrolyse od. durch Zonenschmelzen weiter gereinigt werden kann; zur Herst. von Te u. Te-Verb. im Laboratorium s. *Lit.*[3]. Te kommt in Form von Tabl., Barren, Stangen, Pulver od. als Ferrotellur u. Tellurkupfer in den Handel. Hochreines Te hat einen Reinheitsgrad von mind. 99,999%. Die Weltproduktion betrug 1994 294 t. Haupterzeugerländer der westlichen Welt (Angaben in t für 1994, soweit bekannt) sind Europa (112), die USA u. Canada (46), Asien (60), Südamerika (4); ferner wird Te in Australien u. in der ehem. UdSSR hergestellt.

Verw.: Die Hauptmenge (75%) an metall. Te wird in der Eisen- u. Nichteisen-Metallurgie zur Verbesserung der Bearbeitbarkeit u. zur Erhöhung der Temp.-Beständigkeit, der Härte u. der Korrosionsfestigkeit verwendet, z. B. in Stählen, Automaten-Kupfer-Leg., Blei-Leg. u. dgl.; Ferrotellur dient als Kohlenstoff-Stabilisator in Gießereien. Einzelne Te-Präp. werden gelegentlich in der Photographie, Keramik u. Medizin (Lepramittel) gebraucht, Bismuttellurid u. a. *Telluride in thermoelektr. Geräten u. in der Halbleitertechnik. Anw. findet Te auch in Trockengleichrichtern, Thermoelementen, γ-Strahlen- od. Infrarotdetektoren (Bi-Sb-Se-Te, Bi_2Te_3, PbTe) od. in sog. Gas-Metall-Lasern.

Geschichte: Te wurde schon 1782 in Gold-haltigen, siebenbürg. Erzen von Müller von Reichenstein (s. Franz Müller) gefunden (u. unabhängig von diesem 1789 von Kitaibel) u. von *Klaproth 1798 als Element erkannt. Dieser benannte es nach latein.: tellus = Erde; das später entdeckte, verwandte Selen wurde nach dem Mond (griech.: selene) benannt. – $E = F$ tellurium – I tellurio – S teluro

Lit.: [1] Fries-Getrost, S. 340ff. [2] Int. J. Environ. Anal. Chem. **14**, 73–80 (1983). [3] Brauer (3.) **1**, 427–441. –

allg.: Braun-Dönhardt, S. 363 ▪ Friberg et al. (Hrsg.), Handbook on the Toxicity of Metals (2.), Vol. II, S. 532–548, Amsterdam: Elsevier 1986 ▪ Gmelin, Syst.-Nr. 11, Te, 1940, Erg.-Bd. A 1, 2, B 1–3, 1976–1983, Erg.-Werk Bd. 12, Tl. 2, 1973 ▪ Herrmann-Brauer **4** ▪ Houben-Weyl **E 12 b** ▪ Kirk-Othmer (4.) **23**, 782–809 ▪ *Landolt-Börnstein N. S. 3/763 ▪ Snell-Ettre **17**, 580–607 ▪ Ullmann (5.) **A 26**, 177–187 ▪ Winnacker-Küchler (4.) **4**, 4f., 497f. – *[HS 2804 50; CAS 13494-80-9]*

Tellurac®. Vulkanisationsbeschleuniger auf der Basis von Diethyldithiocarbamat. *B.:* Erbslöh; Vanderbilt.

Tellurate. Bez. für Salze der Oxosäuren des *Tellurs. Die *Tellurate(IV)* enthalten die folgenden Anionen: TeO_3^{2-} (*Tellurite*, Salze der *Tellurigen Säure*, s. Tellurdioxid unter *Telluroxide), $Te_2O_5^{2-}$, $Te_4O_9^{2-}$; die *Tellurate(VI)* enthalten die Anionen TeO_5^{4-}, $Te_4O_{13}^{2-}$, $(TeO_4)^{2n-}$ bzw. $HTeO_4^-$ [*Meta-T.(VI)*], $Te_2O_7^{2-}$ [*Di-T.(VI)*], TeO_6^{6-} bzw. $H_4TeO_6^{2-}$ [*Ortho-T.(VI)*]. – $E = F$ tellurates – I tellurati – S teluratos

Lit.: s. Tellur.

Tellurchloride. (a) *Tellur(II)-chlorid*, $TeCl_2$, M_R 198,51. Schwarzgrüne bis schwarzgraue, feste Massen, D. 7,05, Schmp. 209 °C, Sdp. 328 °C, wird von Wasser, Säuren u. Alkalien zersetzt. – (b) *Tellur(IV)-chlorid*, $TeCl_4$, M_R 269,41. Weiße, krist., hygroskop. Masse, D. 3,26, Schmp. 225 °C, Sdp. 380 °C (orangerote Dämpfe), hydrolysiert mit Wasser zu Tellurdioxid (TeO_2). Es wird durch Erhitzen von Te im Chlor-Strom erhalten u. dient zum Chlorieren u. Oxychlorieren von Olefinen, wobei intermediär Additionsverb. entstehen. – E tellurium chlorides – F chlorures de tellurium – I cloruri di tellurio – S cloruros de teluro

Lit.: s. Tellur. – *[HS 2812 10; CAS 10025-71-5 (a); 10026-07-0 (b); G 6.1]*

Tellurdioxid s. Telluroxide.

Telluride. Bez. für eine Reihe von Verb., die sich formal von *Tellurwasserstoff abzuleiten scheinen, denen jedoch häufig eine nichtstöchiometr. Zusammensetzung zugrunde liegt. Als *Chalkogenide treten die T. auch Mineral-bildend auf, s. die Beisp. bei Tellur. Techn. Bedeutung haben z. B. Ferrotellur u. Tellurkupfer (s. Tellur), ferner T. der Zusammensetzung Bi-Sb-Se-Te, Bi_2Te_3, PbTe, $AgTe_3$ u. a. in der Supraleiter- u. Halbleitertechnik u. für thermoelektr. Elemente. Quecksilber-Zink- u. -Cadmium-T. finden Verw. in Infrarot-Detektoren u. elektron. Schaltelementen. – E tellurides – F tellulures – I tellururi – S teluluros

Lit.: Angew. Chem. **100**, 781–794 (1988) ▪ Brice u. Capper (Hrsg.), Properties of Mercury Cadmium Telluride, London: INSPEC, Institute of Electrical Engineers 1987 ▪ *Landolt-Börnstein N. S. 3/14b 1, 2 ▪ Phys. Quantum Electron **13**, 299–353 (1989) ▪ Schierstedt, Herstellung u. Charakterisierung von Cadmium-Tellurid-Feldeffekttransistoren, Diss., Univ. Würzburg 1993 ▪ s. a. Tellur.

Tellurige Säure s. Tellurdioxid unter *Telluroxide.

Tellurit s. Tellur (Vork.).

Tellurite s. Tellurate(IV).

Tellurocker s. Tellur (Vork.).

Tellur-organische Verbindungen. Die erste T.-o. V. wurde bereits 1840 von F. Wöhler hergestellt *(Diethyltellur)*. Ihre Eigenschaften u. ihr Einsatz als synthet. wertvolle Reagenzien in der organ. Synth. wurden erst ab 1970 intensiv untersucht. Tellur kann, wie auch die niedrigeren Homologen Selen u. Schwefel, verschiedene Koordinationen u. Wertigkeiten realisieren, so daß mehrere verschiedene Strukturtypen T.-o. V. existieren, wobei die Stabilität zu höherer Wertigkeit hin abnimmt. Für die Nomenklatur der T.-o. V. gibt es eine IUPAC-Empfehlung [1], wobei Anlehnungen an die Nomenklatur der Schwefel-Verb. gemacht werden; z. B. Tellurole u. Tellurophene als Te-Analoga der Thiole bzw. Thiophene. In cycl. Te-Verb. werden die systemat. Namen mit Tellura... gebildet.

Tab.: Tellur-organische Verbindungen.

R—Te—H	Tellurole	R—Te—R	Tellane
R—Te—OH	Tellurensäuren		
R—Te(=O)—OH	Tellurinsäuren	R—Te(=O)—R	Diorganotelluroxide
		Te (ring)	Tellurophen
R—Te(=O)(=O)—OH	Telluronsäuren		

Die am besten untersuchten T.-o. V. sind die Diorganotellur-Verb. des Typs R^1–Te–R^2; man erhält sie z. B. durch Alkylierung von Dinatriumtellurid mit Alkylhalogeniden:

$$\text{Te} \xrightarrow{+ \text{Na} / \text{NH}_3} \text{Na}_2\text{Te} \xrightarrow[-2\text{NaX}]{+ 2\text{R-X}} \text{R—Te—R}$$

T.-o. V., die das γ-aktive Isotop ^{123}Te enthalten, werden als Therapeutika u. in bildgebenden Verf. in der Medizin eingesetzt [2,3] u. Tellurafulvalene werden im Hinblick auf organ. Leiter untersucht [4]. Eine der unangenehmsten Eigenschaften von T.-o. V. ist ihr widerwärtiger Geruch (kakosmophore Stoffe), der ihre Herst. u. Verw. einschränkt. Der amerikan. TLV-Wert (*Threshold limit value*) beträgt <0,01 mg/m^3 (berechnet als Tellur). – *E* organotellurium compounds – *F* composés telluro-organiques – *I* composti organotellurici, composti organici di tellurio – *S* compuestos organotelúricos

Lit.: [1] Leigh, Nomenclature of Inorganic Chemistry, Recommendations 1990, IUPAC, Oxford: Blackwell Sci. Publ. 1990. [2] Radiotracers Med. Appl. **1**, 263 (1983). [3] Kirk-Othmer (4.) **16**, 88; **20**, 859. [4] Aldrichim. Acta **18**, 73 (1985).
allg.: Acc. Chem. Res. **18**, 274ff. (1985) ■ Adv. Heterocycl. Chem. **63**, 2ff. (1995) ■ Houben-Weyl **9**, 917ff.; **E 12 b** ■ Kirk-Othmer (3.) **22**, 671 f.; (4.) **23**, 782 f. ■ Patai, The Chemistry of Organic Selenium and Tellurium Compounds (2 Bd.), Chichester: Wiley 1986 ■ Petragnani, Tellurium in Organic Synthesis, San Diego: Academic Press 1994 ■ Russ. Chem. Rev. **64**, 491 (1995) ■ Sulfur Reports **9**, 359–391 (1990) ■ Synthesis **1983**, 824–827; **1986**, 1–30; **1991**, 793–919 ■ Ullmann (5.) **A 26**, 183 ■ Weissberger **53** ■ s. a. Tellur.

Telluroxide. (a) *Tellurdioxid*, TeO_2, M_R 159,60. Farblose, tetragonale, Oktaeder-ähnliche Krist., D. 6,02, Schmp. 733 °C, Sdp. 1245 °C. TeO_2 färbt sich beim Erwärmen gelb; aus der Schmelze erstarrt es in rhomb. Nadeln, D. 5,75. Man erhält TeO_2 durch Oxid. von Te mit Salpetersäure bei 400 °C. TeO_2 reagiert lebhaft mit Al, Zn, Cd u. Ce unter Bildung von Te u. dem betreffenden Metalloxid. TeO_2 kommt in der Natur als *Tellurit* vor. In Wasser löst sich TeO_2 nur sehr schwer, die Lsg. reagiert schwach sauer u. enthält *Tellurige Säure*. In Säuren u. starken Alkalilaugen löst sich TeO_2 leichter; im letzteren Fall entstehen Tellurite, im ersteren Te^{4+}-Salze. – (b) *Tellurige Säure*, H_2TeO_3, in freiem Zustand nicht bekannt, zerfällt beim Erwärmen in TeO_2 u. Wasser. Ihre Salze heißen *Tellurite* [s. a. Tellurate(IV)]. – (c) *Tellurtrioxid*, TeO_3, M_R 175,60. Die α-Form bildet ein gelbes, amorphes Pulver, D. 5,08, die β-Form liegt in Gestalt grauer Krist. vor, D. 6,21, zerfällt beim Erhitzen unter Bildung von TeO_2 u. O_2 u. ist unlösl. in Wasser. TeO_3 entsteht durch Entwässern von *Tellursäure u. zersetzt sich oberhalb 400 °C erst zu Te_2O_5, dann zu TeO_2. – *E* tellurium oxides – *F* oxydes de tellurium – *I* ossidi di tellurio – *S* óxidos de teluro
Lit.: s. Tellur. – [HS 2811 29; CAS 7446-07-3 (a); 10049-23-7 (b); 13451-18-8 (c)]

Tellursäuren. Oxosäuren des Tellurs(VI), von denen sich verschiedene Anionen (s. Tellurate) ableiten. Im allg. versteht man unter T. die sog. *Ortho-T.*, H_6TeO_6, M_R 229,64. Farblose, schwere, monokline (D. 3,071) od. kub. (D. 3,17) Krist., in Wasser leicht lösl.; die Lsg. schmeckt nicht sauer, sondern süßlich-metall. u. leitet den Strom schlecht. T. ist also im Gegensatz zur Schwefelsäure eine sehr schwache Säure u. wirkt stark oxidierend. Die Salze der T. heißen *Tellurate(VI); es gibt hier eine Reihe von sauren Salzen, Komplexverb., Heteropolysäuren usw. Erhitzt man T. auf über 220 °C, so spaltet sie Tellurtrioxid [s. Telluroxide (c)] ab, das bei Rotglut unter Sauerstoff-Entwicklung in Tellurdioxid übergeht. Die Herst. erfolgt durch Oxid. von Tellur mit HNO_3/CrO_3, $HClO_3$, $KMnO_4$ od. H_2O_2. – *E* telluric acids – *F* acides telluriques – *I* acidi tellurici – *S* ácidos telúricos
Lit.: s. Tellur. – [HS 2811 19; CAS 7803-68-1; G 6.1]

Tellursilber s. Hessit.

Tellurtrioxid s. Telluroxide.

Tellurwasserstoff (Tellan). H_2Te, M_R 129,62. Farbloses, giftiges, unangenehm wie *Arsenwasserstoff riechendes, leicht kondensierbares Gas, D. 5,81 g/L u. 2,560 g/cm^3 (am Sdp.), Schmp. –49 °C, Sdp. –2 °C, in Wasser leicht lösl., bei Luftzutritt erfolgt Zersetzung. Mit Luftsauerstoff reagiert H_2Te schon bei Zimmertemp. unter Te-Abscheidung; auch unter Lichteinfluß wird Te ausgeschieden. Beim Entzünden verbrennt H_2Te mit bläulicher Flamme zu Tellurdioxid u. Wasserdampf. Die Salze von H_2Te heißen *Telluride. – *E* hydrogen telluride – *F* tellulure d'hydrogène – *I* acido idrotellurico – *S* teluluro de hidrógeno
Lit.: Encycl. Gaz, S. 947–950 ■ s. a. Tellur. – [CAS 7783-09-7; G 2]

Tellurwismut s. Tetradymit.

Telmisartan (BIBR 277, Rp).

Internat. Freiname für das *Antihypertonikum, ein Angiotensin-II-Rezeptorantagonist, 4'-[(1,4'-Dimethyl-2'-propyl[2,6'-bi-1*H*-benzimidazol]-1'-yl)methyl]-[1,1'-biphenyl]-2-carbonsäure, $C_{33}H_{30}N_4O_2$, M_R 514,63, Schmp. 261–263 °C. T. wurde 1995 von Thomae patentiert, die Markteinführung ist von Glaxo Wellcome u. Boehringer Ingelheim Ende 1998 geplant. – *E* telmisartane – *F* telmisartan – *I* = *S* telmisartano
Lit.: Br. J. Pharmacol. **110**, 245–252 (1993) ▪ J. Med. Chem. **36**, 4040–4051 (1993) ▪ Resuscitation **35**, 61–68 (1997). – [CAS 144701-48-4]

Telogene s. Telomerisation.

Telomerasen s. Telomere (2.).

Telomere. 1. s. Telomerisation.
2. In der Biologie Bez. für die Endstücke der *eukaryontischen *Chromosomen. Die T. enthalten neben Proteinen (z. B. dem Telomeren-bindenden Protein[1]) *Desoxyribonucleinsäuren (DNA) mit repetitiver Basen-Sequenz. Bei der Chromosomen-Verdopplung (*Replikation) bedürfen sie spezieller *Enzyme, der *Telomerasen*, die *Ribonucleinsäure (RNA) als essentiellen Bestandteil aufweisen, welche der telomer. DNA teilw. komplementär ist. Telomerasen besitzen die enzymat. Aktivität von *reversen Transcriptasen u. benutzen die mitgeführte RNA als Matrize, um die telomer. DNA zu restaurieren. Unvollständige Reproduktion der T. beeinträchtigt die Stabilität der Chromosomen u. soll einer der Gründe des *Alterns der Zellen sein[2]. Einer Hypothese zufolge bestimmt die Länge der T. die Lebensspanne der Zellen. Zelluläre Expression (Produktion) von Telomerase stabilisiert die T. u. ermöglicht fortgesetzte Zellteilung[3]; so wird Telomerase auch in einigen Krebsarten verstärkt exprimiert[4]. Deshalb wird der Einsatz von Telomerase-Inhibitoren gegen Krebs erwogen[5]. Die Aktivität der Telomerase wird wahrscheinlich durch das T.-spezif. DNA-bindende Protein *TRF1* u. die *Tankyrase* reguliert, ein Enzym mit Homologie zu *Ankyrin, das durch mehrfache *ADP-Ribosylierung von TRF1 dessen Bindung an die telomere DNA inhibiert[6]. Zur Rolle der T. bei der homologen Rekombination s. *Lit.*[7]. – *E* telomeres – *F* télomères – *I* telomeri – *S* telómeros

Lit.: [1]Cell **95**, 963–974 (1998). [2]Curr. Biol. **8**, R178–R181 (1998); Bioessays **20**, 977–984 (1998). [3]Proc. Soc. Exp. Biol. Med. **214**, 99–106 (1997); Science **283**, 154 f. (1999). [4]Bull. Cancer **84**, 1123–1133 (1997). [5]Expert Opin. Ther. Pat. **8**, 1567–1586 (1998). [6]Science **282**, 1395 ff., 1484–1487 (1998). [7]Nachr. Chem. Tech. Lab. **46**, 650 f. (1998).
allg.: (zu 2.): Blackburn u. Greider, Telomeres, Cold Spring Harbor: CSH Laboratory Press 1996 ▪ Cell. Mol. Life Sci. **54**, 32–49 (1998) ▪ Chadwick u. Cardew, Telomeres and Telomerase, Chichester: Wiley 1997 ▪ Crit. Rev. Biochem. Mol. Biol. **33**, 297–336 (1998) ▪ Proc. Natl. Acad. Sci. USA **95**, 9078–9081 (1998) ▪ Science **279**, 334 f., 349–352; **281**, 1818 f. (1998) ▪ Trends Plant Sci. **3**, 126–130 (1998).

Telomerisation. Bez. für ein Verf. der *Polymerisation, bei dem ein (Lsm.-)Mol. AB, das sog. *Telogen*, mit n Mol. eines ethylen. ungesätt. *Monomeren M, im Falle der T. *Taxogen* genannt, unter Bildung eines *Oligomeren od. *Polymeren mit relativ niedriger Molmasse, dem *Telomeren*, reagiert. Dieses enthält als Endgruppen die Fragmente des Telogens:

$$AB + nM \rightarrow A(M)_nB$$
Telogen Taxogen Telomer

Üblicherweise wird die T. als *Lösungspolymerisation in Lsm. mit hoher Übertragungskonstante (s. Mayo-Gleichung) unter radikal. Initiierung mit Peroxiden durchgeführt. Im Falle der T. von Ethylen (s. Abb.; R^2 = H)[1] in Tetrachlorkohlenstoff verläuft die Reaktion nach folgenden Mechanismen[2]:

$$R^1\cdot + a\ H_2C=CH-R^2 \longrightarrow R^1\!\!\left[CH_2-\underset{R^2}{CH}\right]_{a-1}\!\!CH_2-\underset{R^2}{\dot{C}H}$$

$$\xrightarrow{+CCl_4} R^1\!\!\left[CH_2-\underset{R^2}{CH}\right]_{a-1}\!\!CH_2-\underset{R^2}{CH}-Cl + \cdot CCl_3$$

$$\cdot CCl_3 + b\ H_2C=CH-R^1 \longrightarrow Cl_3C\!\!\left[CH_2-\underset{R^1}{CH}\right]_{b-1}\!\!CH_2-\underset{R^1}{\dot{C}H}$$

$$\xrightarrow{+CCl_4} Cl_3C\!\!\left[CH_2-\underset{R^1}{CH}\right]_{b-1}\!\!CH_2-\underset{R^1}{CH}-Cl + \cdot CCl_3$$

Es resultieren Telomere mit funktionellen Endgruppen, sog. *Telechele*. Bei der radikal. gestarteten T. fungieren als Telogene im allg. aliphat. Halogen-Verb., Mercaptane, Alkohole (z. B. Isopropanol) od. Kohlenwasserstoffe (Cyclohexan), wobei die beiden zuletzt genannten Substanzklassen vorwiegend bei T. Einsatz finden, die mit γ-Strahlen initiiert werden. Eine umfangreiche tabellar. Übersicht über bei der T. verwendete Telogene, Taxogene u. Initiatoren sowie über die Verw. der Telomeren gibt *Lit.*[3]. Bei den Telogenen handelt es sich im allg. um solche Verb., die auch bei anderen Polymerisationen als *Reglersubstanzen od. Regler eingesetzt werden. Fungieren die Telogene bei der T. auch als Lsm., werden sie also in hoher Konz. eingesetzt, fallen Telomere mit bes. niedriger Molmasse (Oligomere) an. Die Begriffe T. u. Telomere werden daher gelegentlich (unzulässig) mit den Begriffen *Oligomerisation u. Oligomere gleichgesetzt. Die T. kann auch anion., kation. od. durch Übergangsmetall-Verb. initiiert werden[3].

Verw.: Die bei der T. resultierenden Telomere haben breite Anw. gefunden, z. B. als Bausteine (*Makromonomere, Makromere) für Polymer-Synth. unter Nutzung der funktionellen Endgruppen der Telechele, als Weichmacher für Polymere, in Klebstoffen zur Erhöhung der Haftfestigkeit, in lichthärtenden Beschichtungsmassen[4], zur Herst. von Tensiden (*Fluortenside) od. (Fluor-haltigen) öl- u. wasserabweisenden Beschichtungen für Glas u. a. (s. a. *Lit.*[3]). – *E* telomerization – *F* télomérisation – *I* telomerizzazione – *S* telomerización

Lit.: [1]US. P. 2440800 (10. 4. 1942), DuPont, Erf.: Hanford u. Joice. [2]Batzer **1**, 50 f. [3]Encycl. Polym. Sci. Eng. **16**, 533–554. [4]Congress FATIPEC **17**, 71 ff. (1984).
allg.: Compr. Polym. Sci. **3**, 185–193 ▪ Elias (5.), S. 481 ▪ Houben-Weyl **14/1**, 776 f., 1074 f. ▪ Starks, Free Radical Telomerization, Orlando: Academic Press 1974 ▪ Top. Curr. Chem. **91**, 29–74 (1980).

Telon®. Marke für Säurefarbstoffe zum Färben von Polyamidfasern, auch im Gemisch mit Wolle (T.-echt), u. zum Bedrucken von Polyamid (T.-echt u. T.-licht). *B.*: Bayer.

Telophase s. Mitose.

TEM. 1. Abk. für Transmissions-*Elektronenmikroskop. – 2. s. Tretamin.

Temafloxacin (Rp).

Internat. Freiname für den *Gyrase-Hemmer (±)-1-(2,4-Difluorphenyl)-6-fluor-1,4-dihydro-7-(3-methyl-1-piperazinyl)-4-oxo-3-chinolincarbonsäure, $C_{21}H_{18}F_3N_3O_3$, M_R 417,39. Verwendet wurde das Hydrochlorid, Schmp. >300 °C. T. wurde 1985 von Abott patentiert u. in den Handel gebracht, aber bald nach der Markteinführung wegen schwerwiegender Nebenwirkungen wie Leber- u. Nieren-Funktionsstörungen sowie anaphylakt. Reaktionen weltweit vom Markt genommen. – *E* temafloxacin – *F* témafloxacine – *I* = *S* temafloxacina

Lit.: Hager (5.) **9**, 790 f. ▪ Martindale (31.), S. 285. – *[CAS 108319-06-8 (T.); 105784-61-0 (Hydrochlorid)]*

Temazepam (Rp; BtMVV, Anlage III).

Internat. Freiname für den *Tranquilizer (±)-7-Chlor-1,3-dihydro-3-hydroxy-1-methyl-5-phenyl-2*H*-1,4-benzodiazepin-2-on, $C_{16}H_{13}ClN_2O_2$, M_R 300,74, Krist., Schmp. 119–121 °C, λ_{max} (CH$_3$OH) 230, 314 nm ($A^{1\%}_{1cm}$ 1080, 76), pK_a 1,6; prakt. unlösl. in Wasser, leicht lösl. in Chloroform. Lagerung: lichtgeschützt u. dicht verschlossen. T. wurde 1965 von American Home Products patentiert u. ist als Generikum im Handel. – *E* = *I* = *S* temazepam – *F* témazépam

Lit.: ASP ▪ Drugs **21**, 321–340 (1981) ▪ Hager (5.) **9**, 791 ff. ▪ Martindale (31.), S. 737 ▪ Ph. Eur. **1997** u. Komm. – *[HS 2933 90; CAS 846-50-4]*

TEMED. Abk. für *N,N,N′,N′-*Tetramethylethylendiamin.

Temgesic® (Btm). Ampullen u. Sublingualtabl. mit *Buprenorphin-hydrochlorid (ein synthet. *Morphin-Derivat) gegen schwerste Schmerzzustände nach Operationen, bei Tumoren usw. *B.*: Boehringer Mannheim.

Temin, Howard Martin (1934–1994), Prof. für Onkologie, Univ. Wisconsin, Madison. *Arbeitsgebiete:* Molekularbiologie, Tumorviren, Entdeckung der Transkription von Virus-RNA in Provirus-DNA durch die Reverse Transkriptase. Hierfür erhielt er den Nobelpreis für Physiologie od. Medizin 1975 zusammen mit D. *Baltimore u. R. *Dulbecco.

Lit.: Lexikon der Naturwissenschaftler, S. 393.

Temocillin (Rp).

Internat. Freiname für das halbsynthet., injizierbare *Penicillin 6β-[(*RS*)-2-Carboxy-2-(3-thienyl)-acetamido]-6α-methoxypenicillansäure, $C_{16}H_{18}N_2O_7S_2$, M_R 414,45. Verwendet wird meist das Dinatriumsalz. T. wurde 1976 von Beecham patentiert. – *E* temocillin – *F* témocilline – *I* temocillina – *S* temocilina

Lit.: Drugs **29**, Suppl. 5, 1–243 (1985) ▪ Hager (5.) **9**, 793–797 ▪ Martindale (31.), S. 285. – *[HS 2941 10; CAS 66148-78-5 (T.); 61545-06-0 (Dinatriumsalz)]*

Temoe Lawak (Temoe Lewak, Temu Lawak). Indones. Name für das Rhizom der dort heim. *Ingwer-Pflanze *Curcuma xanthorrhiza* Roxburgh (Javan. Gelbwurz; Zingiberaceae). Deren choleret. Wirkung basiert auf dem Gehalt an ether. Öl (3–12%) mit hauptsächlich Sesquiterpenen, insbes. *Xanthorrhizol*, $C_{15}H_{22}O$, M_R 218,33. Die beiden Farbstoffe *Curcumin u. Demethoxycurcumin haben ausgeprägte Wirkung als *Cholagoga.

Xanthorrhizol

– *E* = *F* = *I* = *S* temoe lawak

Lit.: Bundesanzeiger 122/06.07.1988 u. 164/01.09.1990 ▪ DAB **1997** u. Komm. ▪ Hager (5.) **4**, 1096 ff., 1101 f. ▪ Wichtl (3.), S. 185 ff. – *[CAS 30199-26-9 (Xanthorrhizol)]*

Tempeh s. Sojabohnen.

Temperafarben. Von latein.: temperare = mischen zu italien.: tempera = Auflösungsmittel, abgeleitete Bez. für Künstler-Farbmittel, die durch Aufschlämmen natürlicher od. künstlicher anorgan. Pigmente in O/W-Emulsionen entstehen. Als Öle kommen bes. Leinöl, Mohnöl, Nußöl u. dgl. in Frage; die Emulsionen werden im allg. mit Schutzkolloiden aus Hühnereiweiß od. Eigelb (*Eitempera*), *Casein (*Caseintempera*), *Gummi arabicum (*Gummitempera*) od. synthet. Produkten stabilisiert u. durch phenol. u.a. Konservierungsmittel geschützt. Die bereits im Altertum bekannte Maltechnik mit T. erlebte ihre Blütezeit in der Frührenaissance. – *E* tempera, distempera – *F* couleurs à détrempe – *I* colori a tempera – *S* colores de temperas

Lit.: Gatz (Hrsg.), Lexikon der Anstrichtechnik (10.), Bd. 1, München: Callwey 1994 ▪ Römpp Lexikon Lacke u. Druckfarben, S. 338 ▪ Ullmann (4.) **15**, 175 f.; (5.) **A 3**, 148.

Temperatur (von latein.: temperare = mischen, mildern, sich mäßigen). Eine physikal. *Grundgröße* (s. Basiseinheiten), die den Wärmezustand eines *Stoffes bzw. eines *thermodynamischen Systems beschreibt. Demgegenüber stellt die *Wärme eine Form der *Energie dar. Über die *Hauptsätze der Thermodynamik hängt die T. mit zahlreichen Eigenschaften der Stoffe zusammen, wie z.B. mit Druck, Vol., Strahlungsemission, elektr. Leitfähigkeit, Lage chem. Gleichgewichte. Die Abhängigkeitsfaktoren nennt man die jeweiligen *T.-Koeffizienten*. Die T. wird in den *Einheiten der verschiedenen *Temperaturskalen gemessen, s.a. Temperaturmessung. Als *Grundeinheit der *thermodynam. T.* (allg. Symbol: T) gilt das *Kelvin (Kurzz. K; s.a. absolute Temperatur), in der *Celsius-Temperatur-Skale (allg. Symbol t, auch ϑ) auch das Grad Celsius (°C). T.-Differenzen sind jedoch immer in Kelvin anzugeben (die entsprechende Angabe in °C hat den gleichen Wert). Nach der kinet. Gastheorie (vgl. Gasgesetze) kann man die T. auch definieren aus der mittleren kinet. Energie ($\bar{E}_{kin}$) von 1 Mol sich statist. u. ungerichtet bewegender Teilchen (6,022 · 10^{23}, s. Avogadro-Konstante; R = allg. Gaskonstante):

$$T = 2/3 \, (\bar{E}_{kin}/R) \cdot 6,022 \cdot 10^{23}.$$

Die T. in ihrer Funktion als Maß für den Wärmezustand eines *Systems ist für alle physikal., chem. u. biochem. Prozesse von fundamentaler Bedeutung. In der *Chemie* z. B. beeinflußt sie die *Reaktionsgeschwindigkeit chem. Reaktionen (*Arrheniussche Gleichung, RGT- od. *van't-Hoff-Regel, s. a. Kinetik). T. werden gemessen, wenn exotherme od. endotherme Reaktionen ablaufen, man spricht von *Thermodynamik, *Thermochemie, *Hoch- u. *Tieftemperaturchemie usw. Wegen ihres beherrschenden Einflusses auf das Reaktionsgeschehen stellt die T. einen der wesentlichsten Faktoren in der Wirtschaftlichkeitsbeurteilung chem. Verf. dar. Beisp. für die Bedeutung der T. in der *Physik* sind aus dem Alltagsleben (z.B. *Schmelzen des Eises od. von Fetten, *Sieden des Wassers) in so großer Zahl bekannt, daß hier nicht darauf eingegangen zu werden braucht. Außer in den geläufigen Bedeutungen kennt man T. auch in zahlreichen zusammengesetzten Begriffen wie z. B. Charakterist. od. Debye-T., Curie-T., Effektive T., Farb-T., Innere T., Kinet. T., Krit. T., Néel-T., Reduzierte T., Wahre T., aber auch Stockpunkt, Pourpoint, Glasübergangs-T., Ceiling- u. Floor-T., Inversions-T., Boyle-T., Flory- od. Θ-T., die z. T. in Einzelstichwörtern behandelt sind.

In der *Biologie* spielt die T. z. B. bei den Warmblütern als sog. *Körpertemperatur eine sehr wichtige Rolle. Die durch den *Stoffwechsel (Verbrennungsvorgänge) aufrechterhaltene Körper-T. von ca. 37 °C muß innerhalb sehr enger Grenzen konstant bleiben (Thermo-*Regulation). Beim Menschen, der *Wärme u. *Kälte über bestimmte *Rezeptoren in der Haut wahrnimmt, bezeichnet man T.-Erhöhungen über 38 °C als *Hyperthermie od. (bei patholog. Ursachen) als *Fieber, ein Absinken unter 36 °C als *Hypothermie. Stoffe, die eine Erhöhung der Körpertemp. bewirken, nennt man *Pyrogene, solche, die das Gegenteil bewirken, *Antipyretika. Mikroorganismen können *Thermophilie od. *Psychrophilie zeigen, aber auch Wirbeltiere können sich extremen T. anpassen[1]. Selbstverständlich spielt die T. auch bei Keimung, Wachstum, Blüten- u. Fruchtentwicklung von Pflanzen eine wesentliche Rolle.

Die tiefsten bisher gemessenen T. liegen bei 12 μK (Lit.[2]), Atome in der Gasphase lassen sich durch *Laser-*Strahlung auf T. von 1 μK abkühlen[3] – der *abs. Nullpunkt* (0 K = – 273,15 °C) läßt sich nach dem Nernstschen Wärmetheorem (s. Hauptsätze) bekanntlich nicht erreichen. Eine Zusammenstellung sehr hoher T.-Werte findet man unter *Hochtemperaturchemie. Fortschritte in der Erzeugung hoher T. spiegeln die folgenden Angaben wider: 4000 K (1914, Kohlesubl. im Lichtbogen), 7000 K (1930, Lichtbogen-T.), 50 000 K (1955, Funken, Drahtexplosionen), $10^5 - 10^6$ K (1957, magnet. kontrahierte Plasmen), $10^7 - 10^8$ K (1970, Laser-Plasmen); s. a. die hier folgenden Stichwörter sowie diejenigen unter Heiz..., Kälte..., Thermo..., Wärme..., ferner Infrarotstrahlung u. Wien-Gesetz. – *E* temperature – *F* température – *I*=*S* temperatura

Lit.: [1] Umschau **83**, 119–123 (1983). [2] Spektrum Wiss. **1990**, Nr. 2, 72–81. [3] Phys. Unserer Zeit **22**, 88 ff. (1991).
allg.: Kirk-Othmer (4.) **23**, 809–832 ▪ Kohlrausch, Praktische Physik 1, S. 305 ff., Stuttgart: Teubner 1996.

Temperaturbehandlung. Bez. für Verf., bei denen ein Werkstoff definierten Aufheiz- u. anschließend Abkühlvorgängen unterworfen wird, um bestimmte Materialeigenschaften wie Härte, Elastizität, Zähigkeit usw. gezielt zu beeinflussen. Die T. führt im allg. zu Änderungen der Materialstruktur, z. B. der Kristallstruktur (s. Härtung von Stahl). Bei polymeren Stoffen (s. Härtung von Kunststoffen) kann eine T. die *Vernetzung noch vorhandener reaktiver Gruppen auslösen. Im weiteren Sinn stellen auch therm. Meth. der *Sterilisation unterschiedlicher Stoffe, z. B. Lebens- u. Arzneimittel (s. a. Pasteurisierung), T.-Verf. dar. – *E* thermal treatment – *F* traitement thermique – *I* trattamento termico – *S* tratamiento térmico

Temperaturbeständigkeit s. Hitzebeständigkeit.

Temperaturindikatoren s. Temperaturmessung.

Temperaturklassen s. Zündgruppen.

Temperaturkoeffizient s. Temperatur(messung).

Temperaturlacke, Temperaturmeßfarben, Temperaturmeßlacke s. Temperaturmessung.

Temperaturleitfähigkeit (Temperaturleitzahl, Symbol a). Als T. bezeichnet man das Verhältnis von *Wärmeleitfähigkeit* λ u. spezif. isobare Wärmekapazität c_p bezogen auf die Dichte ρ

$$a = \frac{\lambda}{\rho \cdot c_p},$$

Einheit: m²/s bzw. cm²/s; s. a. Wärmeübertragung. – *E* thermal diffusivity – *F* diffusivité thermique – *I* diffusività termica – *S* difusividad térmica

Temperaturmessung. Zur T. können grundsätzlich alle Eigenschaften der Stoffe herangezogen werden, die sich in eindeutiger u. meßbarer Weise mit der *Temperatur ändern (d. h. einen *Temp.-Koeff.* haben), so z. B. die Wärmeausdehnung, der elektr. Widerstand, das thermoelektr. Potential, das Spektrum emittierter Strahlung, Schmelzverhalten von Stoffen usw. Heute sind Temp.-Meßgeräte der verschiedensten Konstruktionen u. Wirkungsweisen im Handel. Voraussetzung für ihre Brauchbarkeit ist, daß sie im Falle der Berührung mit dem Körper, dessen Temp. gemessen werden soll, selbst nur eine geringe Wärmemenge aufnehmen, im Idealfall sogar berührungslos arbeiten. Die bekanntesten Temp.-Meßgeräte sind die *Thermometer; wichtige Temp.-Aufnahmevorrichtungen sind *Thermoelemente, *Thermistoren u. Strahlungsempfänger (s. Pyrometrie u. Thermographie). Die im folgenden angegebenen Anw.-Bereiche der Meßgeräte sind als Näherungswerte anzusehen:

Flüssigkeitsglasthermometer –200 °C bis 625 °C,
Flüssigkeitsfederthermometer –55 °C bis 500 °C,
Gasfederthermometer –260 °C bis 800 °C,
Metallausdehnungsthermometer –70 °C bis 600 °C,

Thermopaare –200 °C bis 1600 °C,
*Widerstandsthermometer –200 °C bis 1000 °C,
Pyrometer 600 °C bis 3500 °C.
Weitere Details s. Lit.[1]. Die aufgeführten Geräte werden vorzugsweise zur T. im chem. Laboratorium verwendet, Pyrometer auch bei der T. in der Industrie. Spezielle Vorrichtungen zur T. im Inneren von Brennöfen u. dgl. sind *Temp.-Meßkörper* nach Art der *Segerkegel od. bes. geformter Schmelzkörper aus Metall-Leg., deren Niederschmelzen od. andere Verformung eine für jede Zusammensetzung typ. Temp. anzeigt. Aufwendiger ist die T. bei tiefen Temp., wobei man mit der sog. *Rauschthermometrie*, dem *Josephson- od. dem *Mößbauer-Effekt* (s. Mößbauer-Spektroskopie) arbeiten kann.
Die T. an Oberflächen von Maschinen, Rohrleitungen, Apparaten u. Anlagen läßt sich oft in einfacher u. rascher Weise mit *Schmelzkörpern* od. *Temp.-Meßstreifen* vornehmen; letztere enthalten Indikator-Punkte, die bei Überschreiten einer bestimmten Temp. schwarz in Erscheinung treten. Ähnliche Anw. finden *Temp.-Lacke*, die beim Erreichen bzw. Überschreiten einer bestimmten Temp. entweder irreversibel trüb od. klar durchsichtig werden. Auch sog. *Temp.-Meßfarben*, deren Farben sich bei einer bestimmten Temp. infolge chem. Reaktionen, Kristallwasserabgabe u. dgl. in charakterist. Weise (ir)reversibel ändern, befinden sich im Handel. Sie gelangen in Form von Temp.-anzeigenden Kreiden, Flüssigkeiten, Tabl. od. Signierstiften zur Anw. u. dienen z. B. zur T. bei chem. Reaktoren, Großleistungsröhren, Bremstrommeln, Rumpfspitzen u. Tragflächen bei Düsenjägern, Luftkanälen u. anderen. Diesen Temp.-Meßfarben liegen meist Cu-, Co-, Ni-, Cr-, V-, Mo- od. U-Salze zugrunde; es gibt solche, die nur einen einzigen Farbumschlag zeigen, andere wechseln bei steigender Temp. die Farben mehrmals. Techn. in dieser Weise ausnutzbar sind die folgenden irreversibel reagierenden Verb.:
$Ni(NH_4)PO_4 \cdot 6 H_2O$ (hellgrün → grau: ~120 °C),
$Cu(CNS)_2 \cdot 2$ Pyridin (grün → gelb: ~135 °C, gelb → schwarz: ~220 °C),
$(NH_4)_3PO_4 \cdot 12 MoO_3$ (gelb → schwarz: 140–160 °C),
$Co(NH_4)PO_4 \cdot H_2O$ (purpurrot → tiefblau: ~140 °C, tiefblau → grau: ~500 °C),
NH_4VO_3 (weiß → braun: ~150 °C, braun → schwarz: ~170 °C),
$[Co(NH_3)_6]PO_4$ (gelb → blau: ~200 °C),
$(NH_4)_2U_2O_7$ (gelb → grau: ~200 °C),
$[Co(NH_3)_6](C_2O_4)_3$ (gelb → violett: ~215 °C, violett → braun: 250–270 °C, braun → schwarz: 320–350 °C),
$Mn(NH_4)P_2O_7$ (violett → weiß: ~400 °C).
Die Verb. $Co(NO_3)_2 \cdot 2$ Hexamethylentetramin $\cdot 10 H_2O$ schlägt bei 75 °C reversibel von rosa nach purpur um; s. a. Thermochromie. Von den *flüssigen Kristallen haben für die T. die sog. *cholester. Phasen* Bedeutung erlangt, da sie auf Temp.-Änderungen mit leuchtenden Farbänderungen reagieren. Diese sog. *Temp.-Indikatoren* dienen u. a. zur Messung der Hauttemp. in der Medizin (Beisp.: Abkühlungseffekte an den Fingerspitzen von Rauchern, Fiebermessung, lokale Überwärmung bei malignen Tumoren), zur zerstörungsfreien T. bei gedruckten Schaltkreisen, Metallklebestellen u. zur Überwachung techn. Prozesse. Mit den auch in Sprayform applizierbaren flüssigen Krist., Temp.-Meßfarben u. -lacken läßt sich so in einfacher Weise eine *Thermotopographie* (*Topothermographie*),

d. h. eine Veranschaulichung des Temp.-Verlaufs auf größeren Flächen erreichen. Meist ist in Laboratorium u. Betrieb mit der T. auch die *Temp.-Regelung* verbunden. Diese besteht in der Erfassung der Ist-Temp. durch T.-Geräte mit elektr. Anschlüssen (Widerstandsthermometer, Kontaktthermometer, Thermoelemente, Thermopaare etc.) u. der Regelung (Näheres s. dort) der zu- od. abzuführenden *Wärme; s. a. Thermostaten u. Kalorimetrie. Mechan. Temp.-Regler können bis ca. 600 °C, elektr. Geräte bis ca. 1800 °C eingesetzt werden. – *E* temperature measurement – *F* mesure de la température – *I* termometria – *S* medición de la temperatura

Lit.: [1] Kohlrausch, Praktische Physik 1, Stuttgart: Teubner 1996.
allg.: Dougherty, Temperature Control Techniques and Instrumentation, in Encyclopedia of Applied Physics, Vol. 20, S. 539–562, Weinheim: Wiley-VCH 1997 ∎ s. a. Temperatur.

Temperatursensitive Mutanten (ts-Mutanten). Bez. für *Mutationen, deren Phänotyp sich nur bei bestimmten restriktiven Temp. ausprägt. Sie beruhen meist auf veränderten Protein-Strukturen, die im Vgl. zum *Wildtyp schon bei niedrigeren Temp. denaturieren; sie sind temperatursensitiv. Es gibt aber auch kältelabile ts-Mutationen. Betrifft die Mutation ein für das Überleben essentielles Protein, so spricht man von *ts-Letalmutanten*. Dabei kann es sich auch um Funktionen im Zellcyclus handeln, die die Vermehrung bei bestimmten Temp. verhindern (*ts-Zellcyclus-Mutanten*)[1]. T. M. werden häufig verwendet, um essentielle Gene zu identifizieren. Weitere wichtige Anw. betreffen temperatursensitive Regulator-Proteine in *Vektoren (s. a. Klonieren). Ein Beisp. ist die c1857-Mutation des Lambda-Repressors. Kurzzeitige Temp.-Erhöhung von 30 °C auf ca. 40 °C inaktiviert den Repressor u. löst den Übergang vom *lysogenen Status* zum *lyt. Cyclus* aus. Über derartige Syst. kann die *Genexpression klonierter Fremdgene gesteuert werden, wenn sie an einen *Promotor gekoppelt sind, der von einem temperatursensitiven Regulator-Protein kontrolliert wird. – *E* temperature sensitive mutants – *F* mutants sensibles à la température – *I* mutanti temperatura-sensibili, mutanti termosensibili – *S* mutantes termosensibles

Lit.: [1] Nature (London) **327**, 31–35 (1987).
allg.: Proc. Natl. Acad. Sci. USA **94**, 6826–6830 (1997).

Temperaturskalen. Bez. für die durch *Fundamentalpunkte* (Fixpunkte) festgelegten *Skalen von Temp.-Werten. Nach *SI u. dem Gesetz über *Einheiten im Meßwesen ist für die Messung von *Temperaturen u. Temp.-Differenzen (s. a. Temperaturmessung) die *thermodynam. Kelvin-T.* (TKTS) mit der Einheit *Kelvin (Kurzz.: K) verbindlich. Die thermodynam. T. beruht auf dem 2. u. 3. *Hauptsatz der Thermodynamik (vgl. absolute Temperatur). Sie ist im Gegensatz zu den früheren, *relativen T. (s. unten) nicht von Materieeigenschaften abhängig. Für die Praxis verbindlich ist seit 1990 die *Internat. T.* (ITS-90). Sie löste die sog. *Internat. prakt. T.* von 1968 (IPTS-68) ab. Gegenüber den früheren T. erstreckt sich die ITS-90 bei tiefen Temp. bis zu 0,65 K. Allg. stimmt sie erheblich besser mit den thermodynam. Temp. überein u. ist genauer u. besser reproduzierbar als die IPTS-68. Da sie ferner in einigen Temp.-Bereichen alternative Definitionen besitzt, läßt sich die ITS-90 leichter anwenden. In Tab. 1 ist aufgeführt, welche Gesetzmäßigkeit für die Definition der ITS-90 verwendet wurde u. in welchem Temp.-Bereich diese jeweils mit welcher Unsicherheit einsetzbar ist.

Tab. 1: Verwendete Gesetzmäßigkeit, Einsatzbereich u. Leistungsfähigkeit für einige Primärthermometer.

physikal. Gesetzmäßigkeit	Einsatz-bereich [K]	Unsicher-heit [mK]
ideales Gasgesetz $T = T_0 \cdot p/p_0$ ($p \to 0$)	2,4–1350	0,3–10
Schallgeschw. in einem Gas $a = \sqrt{(C_p/C_v) R_0 \cdot T/M}$ ($p \to 0$)	2–20	0,3–1
mittlere Rauschspannung eines elektr. Widerstandes $\langle u^2 \rangle = 4 \cdot k \cdot T \cdot R \cdot \Delta f$	3–1100	0,3–100
spektrale Strahlungsdichte eines Schwarzen Körpers $\dfrac{L_\lambda(T)}{L_\lambda(T_r)} = \dfrac{\exp[c_2/(\lambda T_r)] - 1}{\exp[c_2/(\lambda T)] - 1}$	700–2500	200–2500
Gesamtstrahlung $L = \sigma \cdot T^4$	220–420	0,5–2

Tab. 2: Die definierenden Fixpunkte der ITS-90.

Nr.	T_{90} [K]	t_{90} [°C]	Substanz	Zustand*
1	3–5	–270,15 bis –268,15	He	V
2	13,8033	–259,3467	e-H$_2$[1])	TP
3	17	–256,15	e-H$_2$ (od. He)	V (od. G)
4	20,3	–252,85	e-H$_2$ (od. He)	V (od. G)
5	24,5561	–248,5939	Ne	TP
6	54,3584	–218,7916	O$_2$	TP
7	83,8058	–189,3442	Ar	TP
8	234,3156	–38,8344	Hg	TP
9	273,16	0,01	H$_2$O	TP
10	302,9146	29,7646	Ga	M
11	429,7485	156,5985	In	F
12	505,078	231,928	Sn	F
13	692,677	419,527	Zn	F
14	933,473	660,323	Al	F
15	1234,93	961,78	Ag	F
16	1337,33	1064,18	Au	F
17	1357,77	1084,62	Cu	F

* Zustand: V: Darst. durch Temp.-Dampfdruck-Beziehung; TP: Tripelpunkt; G: Darst. durch Gasthermometer; M: Schmp. (Temp. beim Druck von 101325 Pa); F: Erstarrungspunkt;
[1]) e-H$_2$: Gleichgew.-Wasserstoff, in dem Para- u. Ortho-Wasserstoff in einem (Temp.-abhängigen) Gleichgew. stehen.

In der Tab. 2 sind die definierten Fixpunkte der ITS-90 zusammengestellt.
Für den Temp.-Bereich 0,65 K bis 5 K wird die Dampfdruckgleichung von ^{3}He od. ^{4}He verwendet. 1997 schlug die *Physikalisch-Technische Bundesanstalt vor, die derzeit gültige T. im Tiefstbereich auf der Basis eines Polynoms auszudehnen, das den ^{3}He-Schmelzdruck zwischen 0,00088 K u. 1 K beschreibt[1]. Temp.-Differenzen sollen in Kelvin, können aber auch heute noch in „Grad Celsius" (°C) angegeben werden.
Bei der Aufstellung der *Celsius-T. wurden – wie bei anderen, heute nicht mehr zugelassenen T. – als Fundamentalpunkte der *Eispunkt* (EP) bzw. der *Tripelpunkt* (TP) des Wassers u. sein *Dampfpunkt* (DP) gewählt. Der *Fundamentalabstand* zwischen diesen Punkten wurde jedoch in unterschiedlicher Weise unterteilt. Im Falle der T. von *Réaumur* ist der Fundamentalabstand zwischen Eispunkt u. Dampfpunkt des Wassers in 80 °R (EP = 0 °R, DP = 80 °R) unterteilt, im Falle der von *Celsius* (EP = 0 °C, DP = 100 °C) u. *Kelvin* (EP = 273,15 K, DP = 373,15 K) in 100 °C bzw. 100 K (die beiden letztgenannten T. werden deshalb auch als *centesimale T.* zusammengefaßt), im Falle der T. von *Fahrenheit* (EP = 32 °F, DP = 212 °F, s. Fahrenheit-Temperatur-Skale) u. *Rankine* (EP = 491,67 °R, TP = 491,682 °R, DP = 671,67 °R, Symbol früher „Rank" statt „R", auch „deg R" üblich) in 180 °F bzw. 180 °R. In den T. von Celsius u. Kelvin sowie in denen von Fahrenheit u. Rankine sind die Temp.-Einheiten jeweils gleich; sie unterscheiden sich jeweils nur in der Festlegung des Nullpunktes: Bei den T. von Kelvin u. Rankine liegt der Skalennullpunkt jeweils beim abs. Nullpunkt, bei Celsius u. Réaumur beim EP, während er im Falle der Fahrenheit-Skale durch eine Kältemischung aus Salmiak u. Eis gegeben ist (–17,78 °C). Zwischen den T. von Kelvin u. Rankine gilt die Beziehung: 1 K = 9/5 °R. Zur Umrechnung: x °C = (9/5 x + 32) °F u. y °F = 5/9(y–32) °C; x °C = 4/5 x °R u. y °R = 5/4 y °C (°R = Grad Réaumur). °C wird oft mit „Centigrad" übersetzt. – *E* temperature scales – *F* échelles de température – *I* scale di temperatura, graduazioni termometriche, scale termiche – *S* escalas de temperatura

Lit.: [1] Phys. Unserer Zeit **28**, 226 (1997); PTB news, **1997**, Nr. 1.
allg.: Phys. Bl. **46**, 360 (1990) ▪ Metrologia **27**, 3 (1990) ▪ Phys. Unserer Zeit **22**, 13–19 (1991) ▪ s. a. Temperatur.

Temperatursprung-Methode. Bez. für eine Meth. zur Untersuchung der *Reaktionsmechanismen *schneller Reaktionen. Man nutzt hierbei die *Relaxation chem. Syst. aus, indem man die „langsame" Wiedereinstellung eines *chemischen Gleichgewichts untersucht, nachdem man es zuvor durch kurzzeitige Erhitzung – innerhalb von Mikrosekunden – in Unordnung gebracht hat. Als untersuchbare Parameter eignen sich die elektr. Leitfähigkeit, das Spektrum, der Druck etc. Die T.-M. läßt sich auch auf die Untersuchung von Enzym-Reaktionen anwenden[1]. – *E* temperature jump method – *F* méthode du saut de température – *I* metodo del salto di temperatura – *S* método del salto de temperatura

Lit.: [1] Chem. Unserer Zeit **17**, 59–64 (1983).
allg.: Atkins, Physikalische Chemie, S. 831, Weinheim: VCH Verlagsges. 1996 ▪ s. a. Relaxation, schnelle Reaktionen.

Temperaturstrahlung s. Infrarotstrahlung, Plancksche Strahlungsformel, Strahlung u. Wärme.

Temperente Phagen. Im Gegensatz zu den *virulenten *Phagen, nach deren Eindringen in eine Bakterienzelle sofort eine Neusynth. u. Freisetzung (*Lyse*) von *Viren-Partikeln einsetzt (*lyt. Cyclus*), Bez. für Bakteriophagen mit einem *lysogenen Cyclus*, bei dem der

Wirt nicht zerstört wird: Nach Eindringen in die Wirtszelle wird die Phagen-DNA als Prophage ins Bakterien-Genom integriert u. mit diesem repliziert od. als Prophagen-Plasmid vermehrt (*Lysogenie*). Bakterien mit einem Prophagen werden als *lysogene Bakterien* bezeichnet. Die Integration ins Wirts-Genom kann spezif. erfolgen (z. B. *Lambda-Phage) od. an beliebiger Stelle (z. B. Phage Mu). Unter bestimmten Bedingungen (*Induktion*, u. a. durch UV- u. ionisierende Strahlung, Temp.-Schock, Mitomycin C) od. seltener spontan kommt es zur Aktivierung des Prophagen mit Ausschneiden der Phagen-DNA aus dem Wirts-Genom u. Übergang in den lyt. Cyclus. In seltenen Fällen verläuft diese Excision der Phagen-DNA aus dem Wirts-Genom nicht korrekt, so daß Teile des Wirts-Genoms mit in den Phagen verpackt werden. Bei Neuinfektion einer Bakterienzelle wird dieses Stück des Bakterien-Genoms mit übertragen (*Transduktion*). – *E* temperate phages – *F* phages tempérés – *I* fagi temperati – *S* fagos temperados (atenuados)

Lit.: Knippers (7.), S. 85 f. ■ Stryer 1996, S. 1003.

Temperente Viren s. Viren.

Temperguß. Unter T. od. *schmiedbarem Guß* versteht man einen Eisen-Kohlenstoff-Gußwerkstoff, der durch den Wärmebehandlungsschritt des *Temperns nachbehandelt wird, um die Schmiede-Eigenschaften u. Werkstoffzähigkeit zu verbessern. Die Wärmebehandlung erfolgt durch *Glühen in Temperöfen, entweder in Ggw. Sauerstoff-abgebender Minerale (*Eisenoxide) unter Bildung von *Weißem T.*, wobei der Kohlenstoff-Gehalt in oberflächennahen Bereichen durch Oxid. vermindert wird, od. in neutraler Umgebung (Quarzsand) ohne wesentliche Verringerung des Kohlenstoff-Gehaltes unter Bildung von *Schwarzem Temperguß*. Der in Form von Fe_3C (Eisencarbid, Zementit) abgebundene Kohlenstoff wird als Folge des Temperprozesses in Form von *Temperkohle* frei. Beim Bruch zeigt Weißer T. in Randzonen eine hell-glitzernde Bruchfläche, der Restbruch ist wie beim Schwarzen T. matt-dunkel. Aufgrund seiner guten Zähigkeitseigenschaften wird T. für höher beanspruchte Teile im Maschinen- u. Fahrzeugbau verwendet. – *E* malleable iron casting – *F* fonte malléable – *I* ghisa malleabile, ghisa temperata – *S* fundición maleable

Lit.: Gräfen (Hrsg.), Lexikon Werkstofftechnik, S. 1010, Düsseldorf: VDI-Verl. 1993 ■ Ullmann (5.) A 25, 132 ■ s. a. Eisen, Gußeisen, Gießerei.

Temperkohle s. Temperguß.

Tempern. Im allg. Sinne bedeutet T. das Erhitzen eines Stoffes über einen längeren Zeitraum hinweg. Dadurch können Spannungen im Kristallgefüge u. Risse, wie sie bei Heißverformung u. anschließendem raschen Abkühlen (*Abschrecken) entstehen, beseitigt werden. T. wird im Eisenhüttenwesen, in der Glas- u. Kunststofftechnik angewendet. – *E* tempering, annealing – *F* recuire – *I* malleabilizzazione – *S* recocido

Lit.: DIN 17014: 1988-08 ■ Encycl. Polym. Sci. Technol. **2**, 138–150 ■ Kirk-Othmer **13**, 323–331; (3.) **15**, 334–338 ■ s. a. Temperguß

Tempil® N (Rp). Kapseln mit *Diphenylpyralin-hydrochlorid, *Metamfepramon u. *Acetylsalicylsäure, *T. 200/400* Trinktabl. mit *Ibuprofen gegen fieber- u. schmerzhafte Erkältungskrankheiten. *B.:* Temmler Pharma.

Template-Effekt. Von *E* template = Schablone, *Matrix abgeleitete Bez. für das Phänomen, daß zahlreiche organ. Reaktionen in Ggw. von Metall-Ionen (wahrscheinlich aus ster. Gründen infolge vorübergehender koordinativer Bindungsbildung) einen andersartigen, häufig einfacheren Verlauf nehmen als in Abwesenheit derselben. Der aus der Komplexchemie bekannte T.-E. ist bes. ausgeprägt bei der Synth. von *makrocyclischen Verbindungen, *Kronenethern u. verwandten Systemen. So lassen sich *Catenane [1] od. *Rotaxane [2] mit Hilfe des T.-E. einfach herstellen, wenn in einem genügend großen Ring ein Metall-Ion koordiniert wird, das über weitere Koordinationsstellen einen zweiten Liganden fixieren kann; z. B.:

– *E* template effect – *F* effet matrice – *I* effetto sagoma, effetto stampo – *S* efecto molde

Lit.: [1] J. Am. Chem. Soc. **106**, 3043 (1984). [2] Synthesis **1998**, 339.

allg.: Acc. Chem. Res. **13**, 170 ff. (1980) ■ Angew. Chem. **106**, 389 (1994) ■ Spektrum Wiss. **1987**, Nr. 11, 50 ■ Vögtle, Supramolekulare Chemie (2.), Stuttgart: Teubner 1992.

Templat-Polymerisation. Alternative Bez. für *Matrizenpolymerisation.

Temporäre Härte. Veraltete Bez. für die *Carbonathärte* des Wassers (s. Härte des Wassers).

Temporäre Schutzlacke s. Schutzhäute.

Temporärkleber. Textildruck-*Klebstoffe, die beim Film- u. Rouleauxdruck zum Befestigen der zu bedruckenden Ware auf Tischen bzw. Druckdecken dienen u. nach jedem Druckvorgang erneuert werden. Es handelt sich um Kautschuk od. Polymere auf der Basis von Vinyl-Verbindungen. – *E* temporary adhesives – *F* adhésifs temporaires – *I* adesivi temporanei – *S* adhesivos temporales

Tenascine (TN). Familie eng verwandter Calcium-bindender *Glykoproteine der *extrazellulären Matrix von embryonalem u. Krebsgewebe sowie in heilenden Wunden. Am besten untersucht ist TN C (Tenascin, *Cytotactin, Hexabrachion,* J1), bestehend aus 6 durch *Disulfid-Brücken verbundenen Untereinheiten mit M_R je 190000–250000. In jeweils bestimmten sich wiederholenden Bereichen zeigt die Aminosäure-Sequenz Ähnlichkeit mit *Fibronectin bzw. mit *epidermalem Wachstumsfaktor. Funktion ist wahrscheinlich die Regulation von Zell-Haftung, -Wanderung u. -Wachstum in wachsenden u. regenerierenden Epithelien. Die Fibronectin-ähnlichen Domänen falten sich unter Zug reversibel auf u. verleihen den TN mol. Elastizität [1]. Zur Rolle der TN beim gerichteten Wachstum von Nervenfasern (Axonen) s. *Lit.*[2]. – *E* tenascins – *F* ténascines – *I* tenascine – *S* tenascinas

Lit.: [1] Nature (London) **393**, 181–185 (1998). [2] Cell Tissue Res. **290**, 331–341 (1997).
allg.: Perspect. Dev. Neurobiol. **2**, 3–132 (1994) ▪ Progr. Neurobiol. **49**, 145–168 (1996) ▪ Shrestha u. Mori, Tenascin. An Extracellular Matrix Protein in Cell Growth, Adhesion and Cancer, Berlin: Springer 1997.

Teneretic® (Rp). Filmtabl. mit *Atenolol u. *Chlortalidon gegen Hypertonie. *B.*: Zeneca.

Tenidap (Rp).

Internat. Freiname für das nichtsteroidale *Antiphlogistikum, ein *Cyclooxygenase-Hemmer, (Z)-5-Chlor-2,3-dihydro-3-[hydroxy(2-thienyl)methylen]-2-oxo-1H-indol-1-carboxamid, $C_{14}H_9ClN_2O_3S$, M_R 320,75, Schmp. 230 °C (Zers.). Verwendet wird das Natriumsalz, Schmp. 237–238 °C u. das Benzathin-Salz als Depotform für Injektionen. T. wurde 1985 von Pfizer patentiert u. ist zur Zeit in der klin. Prüfung. – *E* = *I* = *S* tenidap
Lit.: Drugs **53**, 337–348 (1997) ▪ Lancet **346**, 481–485 (1995) ▪ Martindale (31.), S. 99 f. ▪ Merck-Index (12.), Nr. 9290. – *[CAS 120210-48-2 (T.); 119784-94-0 (Natriumsalz)]*

Tenifer®. Marke für Salze u. für ein Verf. zur Härtung von Stählen durch Nitricarborieren. Die Werkstücke werden in eine 580 °C heiße Schmelze aus Carbonaten u. Cyanaten gebracht. Dabei bildet sich Eisennitrid in der Metalloberfläche. *B.*: Houghton Durferrit GmbH.

Teniposid (Rp).

Internat. Freiname für ein halbsynthet. *Podophyllotoxin-Derivat $C_{32}H_{32}O_{13}S$, M_R 656,65, Schmp. 242–246 °C, $[\alpha]_D^{20}$ –107° (c 0,5/CHCl$_3$/CH$_3$OH 9+1), λ_{max} (CH$_3$OH) 283 nm ($A_{1cm}^{1\%}$ 64,1), pK$_a$ 10,3; unlösl. in Wasser. T. wird als *Cytostatikum verwendet. T. wurde 1968 u. 1970 von Sandoz patentiert u. ist von Bristol Myers Squibb (VM 26-Bristol®) gegen Lymphome im Handel. – *E* = *I* teniposide – *F* téniposide – *S* teniposido
Lit.: Florey **19**, 575–600 ▪ Hager (5.) **9**, 797 f. ▪ Martindale (31.), S. 602. – *[HS 2934 90; CAS 29767-20-2]*

Tennant, Smithson (1761–1815), Prof. für Chemie, Univ. Cambridge. *Arbeitsgebiete:* Mineralogie, Entdeckung des Diamants als Modif. von Kohlenstoff, Einwirkung von KNO$_3$ auf Au u. Pt, Entdeckung von Os u. Ir im Rohplatin, Herst. von Weinsäure, Citronensäure, Oxalsäure.
Lit.: Lexikon der Naturwissenschaftler, S. 393 ▪ Neufeldt, S. 4 ▪ Pötsch, S. 418.

Tennantit s. Fahlerze.

Tenneco. Kurzbez. für die 1943 gegr. Tenneco Management Co., Greenwich, CT 06831 mit den Geschäftsbereichen Kraftfahrzeuge, Verpackung. *Daten* (1997): ca. 50000 Beschäftigte, ca. 7,2 Mrd. $ Umsatz.; *Tochterges.:* *Albright u. Wilson.

Tenorit. CuO. Monoklines, stahlgraues bis schwarzes, muschelig-uneben brechendes Mineral, Kristallklasse 2/m-C$_{2h}$; Struktur s. *Lit.*[1]. Selten papierdünne Krist., z. B. als Subl.-Produkt vulkan. Gase am Vesuv u. Ätna. Meist erdige, feinkörnige od. derbe Massen mit schwarzem Strich; H. 3–4, D. 6,4–6,5.
Vork.: Als Verwitterungs- bzw. Oxid.-Produkt anderer Kupfer-Erze, oft zusammen mit *Chalkosin u. *Cuprit; *Beisp.*: Cornwall/England, Provinz Shaba/Zaire, Tsumeb/Namibia, Bisbee in Arizona u. Lake Superior/USA. S. a. Kupferoxide. – *E* = *I* tenorite – *F* ténorite – *S* tenorita
Lit.: [1] Acta Crystallogr. Sect. B **26**, 8–15 (1970).
allg.: Anthony et al., Handbook of Mineralogy, Vol. III, S. 556, Tucson (Arizona): Mineral Data Publishing 1997 ▪ Gmelin, Syst.-Nr. **60**, Cu, Tl. A, 1955, S. 172 ▪ Ramdohr-Strunz, S. 500 ▪ Schröcke-Weiner, S. 352 f. – *[HS 2603 00; CAS 1317-92-6]*

Tenormin® (Rp). Ampullen u. Filmtabl. mit *Atenolol gegen funktionelle Herz-Kreislauf-Beschwerden, Hypertonie, Angina pectoris. *B.*: Zeneca.

Tenox®. Gruppe von Antioxidantien; *T. BHA* auf der Basis von Butylmethylphenol, *T. PG* auf der Basis von Propylgallat u. *T. TBHQ* auf der Basis von *tert*-Butylhydrochinon. *B.*: Krahn.

Tenoxicam (Rp).

Internat. Freiname für das nichtsteroidale *Antirheumatikum 4-Hydroxy-2-methyl-*N*-(2-pyridyl)-2*H*-thieno[2,3-*e*]-1,2-thiazin-3-carboxamid-1,1-dioxid, $C_{13}H_{11}N_3O_4S_2$, M_R 337,37, Krist., Schmp. 209–213 °C (Zers.), λ_{max} (CHCl$_3$) 275, 345 nm ($A_{1cm}^{1\%}$ 243, 607), pK$_{a1}$ 1,07, pK$_{a2}$ 5,34. T. zählt zur Gruppe der *Oxicame. Durch Hemmung der *Prostaglandin-Synth. wirkt es schmerz- u. entzündungshemmend. Es hat eine sehr lange HWZ (70–90 h), was die Gefahr der Kumulation in sich birgt. T. wurde 1976 von Hoffmann-La Roche (Tilcotil®) patentiert u. ist auch von Solvay Arzneimittel (Liman®) im Handel. – *E* = *I* = *S* tenoxicam – *F* ténoxicam
Lit.: ASP ▪ Drugs **34**, 289–310 (1987) ▪ Florey **22**, 431–460 ▪ Hager (5.) **9**, 798 ff. ▪ Martindale (31.), S. 100 ▪ Ph. Eur. **1997**, Komm u. Suppl. **1999**. – *[HS 2934 90; CAS 59804-37-4]*

Tensid-Aggregate s. Tenside (Abb. 5).

Tensid-Analytik s. Tenside (Abb. 4).

Tenside. Von latein.: tensio = Spannung abgeleitete Bez. für Verb., welche die *Grenzflächenspannung herabsetzen; der Begriff T. geht auf E. Götte zurück. T. sind amphiphile (bifunktionelle) Verb. mit mind. einem hydrophoben u. einem hydrophilen Molekülteil (s. Abb. 1). Der hydrophobe Rest ist zumeist eine – möglichst lineare – Kohlenwasserstoff-Kette mit acht bis 22 Kohlenstoff-Atomen. Spezielle T. haben auch (Dimethyl-)Siloxan-Ketten od. perfluorierte Kohlenwasserstoff-Ketten als hydrophoben Molekülteil. Der hydrophile Rest ist entweder eine neg. od. pos. elektr. geladene (hydratisierbare) od. eine neutrale polare Kopfgruppe. Grenzflächenaktive *Betaine od. Aminosäure-T. (amphotere od. zwitterion. T.) tragen neg. u. pos. geladene Gruppen in *einem* Molekül. Basiseigenschaften der T. sind die orientierte *Adsorption an *Grenzflächen sowie die Aggregation zu *Micellen u. die Ausbildung von lyotropen Phasen (s. flüssige Kristalle).

hydrophob   hydrophil

Abb. 1: Schemat. Bau von Tensiden.

Einteilung: T. werden nach der Art ihrer hydrophilen Kopfgruppen in Klassen eingeteilt (Tab. 1 unten). Abhängig von ihrer wirtschaftlichen Bedeutung unterscheidet man bei T. auch großtonnagige Produkte (*Commodities*) u. in geringeren Mengen am Markt befindliche *Spezial-T.*, die zumeist in bes. Einsatzgebieten od. in Kombination mit Commodities als sog. *Co-T.* verwendet werden. Etwa sechs großtechn. hergestellte T. gelten heute als Commodities (Tab. 2); in Tab. 2 sind die wichtigsten Bausteine dafür genannt. Das kommerziell wichtigste T. überhaupt ist das lineare *Alkylbenzolsulfonat (LAS), das aufgrund seines Preis-/Leistungsverhältnisses, seiner ökolog. Sicherheit u. der bei seinem techn. Einsatz gesammelten mehr als 30jährigen Erfahrung *das* Basis-T. (das sog. *workhorse*) für *Waschmittel u. viele *Reiniger darstellt. LAS mit dem sog. Euro Cut als Rohstoff ist ein Homologen- u. Isomerengemisch mit der durchschnittlichen Alkylkettenlänge $C_{11,6}$. In Abb. 2 sind die Formeln für ein Isomerengemisch mit der Alkylkettenlänge C_{12} dargestellt. Die Edukte u. die wichtigsten Synthesetechnologien sind in Tab. 3 (S. 4436) zusammengefaßt.

Tab. 2: Tenside als Commodities.

Anionics (Natriumsalze)	Nonionics
Seifen	Fettalkylpolyethylenglykolether (Fettalkoholethoxylate, FAE)
lineare Alkylbenzolsulfonate (LAS)	Alkylphenolpolyethylenglykolether (APEO)
Fettalkylpolyethylenglykolethersulfate (FAES)	
Fettalkylsulfate (AS, FAS)	
Bausteine u. Edukte	
Fettsäuren, Fettalkohole	Fettalkohole, auch Oxo- od. Ziegler-Alkohole
	Alkylphenole
Paraffine (Alkane), Benzol, lineares Alkylbenzol (LAB)	Ethylenoxid
Schwefeltrioxid, Natronlauge	

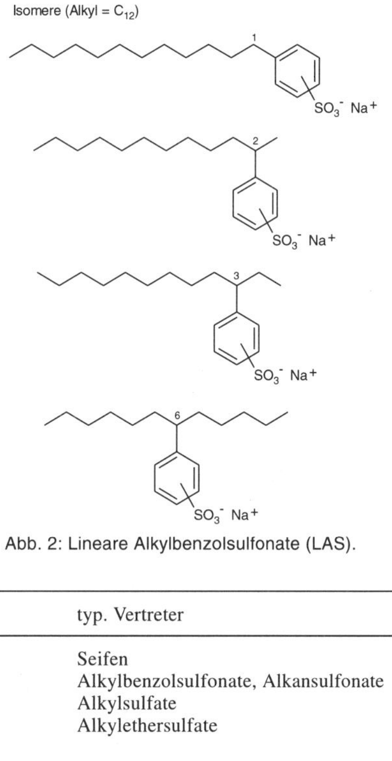

Abb. 2: Lineare Alkylbenzolsulfonate (LAS).

Tab. 1: Tensid-Klassen.

Klasse	hydrophile Gruppe	typ. Vertreter
anion. T. (Anionics)[1]	$-COO^-$ $-SO_3^-$ $-OSO_3^-$ $-(CH_2-CH_2-O)_x-SO_3^-$ (x = 1 bis 4)	Seifen Alkylbenzolsulfonate, Alkansulfonate Alkylsulfate Alkylethersulfate
nichtionogene T. (Nonionics, Niotenside)[2]	$-(CH_2-CH_2-O)_x-$ (x = 2 bis 20) (ggf. modifizierte) Zucker	Fettalkoholethoxylate, Alkylphenolethoxylate Sorbitanfettsäureester, Alkylpolyglucoside (APG), N-Methylglucamide (GA)
kation. T. (Kationics)[3]	$>\!\overset{+}{N}\!<$ $-\overset{+}{N}H_3$	quartäre Ammonium-Verb. mit einer od. zwei hydrophoben Gruppen, Salze langkettiger prim. Amine
amphotere T. (Ampho-T., Amphoterics)[4]	$-\overset{+}{N}-(CH_2)_y-COO^-$ (y = 2 od. 3) $>\!N\rightarrow O$	N-(Acylamidoalkyl)betaine Amin-N-oxide
Blockcopolymere[2,5,6]	$-(CH_2-CH_2-O)_x-[(EO)_x]$ in $(EO)_x(PO)_y(EO)_x$ (x, y > 10)	schaumarme T. (PO = Propylenoxid)
Polyelektrolyte[5,6]		Komplexbildner, Flockungsmittel

Tab. 3: Techn. Verf. für die Herst. von Alkylbenzolsulfonaten.

Edukte: Benzol, Euro Cut C_{10}- bis C_{13}-n-Paraffin, $\varnothing\ C_{11,6}$ (alternativ: Ethylen für die Aufbaureaktion zu n-Olefinen)
Alkylierung von Benzol mit n-Olefinen (im Gemisch mit n-Paraffinen nach deren partieller Dehydrierung od. Einsatz von Ziegler-Olefinen) zu linearem Alkylbenzol (LAB):

A – HF als Katalysator
B – $AlCl_3$ als Katalysator (Chlorparaffine als Edukt)
C – $AlCl_3$ als Katalysator (n-Olefine als Edukt)
D – heterogener, acider Katalysator im Festbett

Die Routen B bis D bringen einen größeren Anteil von 2-Phenylalkanen als A (bis 29%) im LAB → erhöht die Löslichkeit des Fertigprodukts LAS. Anteil Dialkyltetraline im LAB: Route B = 9%; D < 0,5%.
Sulfonierung von LAB mit SO_3 im Fallfilm-Röhrenreaktor u. anschließende Neutralisation mit Natronlauge.

Tab. 4: Moderne Spezial-Tenside (Co-Tenside).

Im techn. Einsatz (Auswahl)
- Paraffinsulfonate – (sek.) *Alkansulfonate (SAS)
- *Olefinsulfonate (im wesentlichen nur in Japan)
- Methylestersulfonate (MES) – Natriumsalze der α-Sulfofettsäureester (s. Estersulfonate)
- Alkylpolyglucoside (APG)
- Fettsäure-N-methylglucamide (FAGA, GA)
- Endgruppenverschlossene Ethoxylate
- Cocoamidopropylbetaine (CAPB)
- *Esterquats ⇒ Weichspülerformulierungen

Anw. od. Grundlagenforschung (Auswahl)[6]
- Narrow-range-Ethoxylate (NRE)
- Methylesterethoxylate (MEE)
- Gemini-T. (in α- od. β-Stellung überbrückte „monomere" T.)
- Bolaform-T. (in α- u. ω-Stellung hydrophil funktionalisierte T.)

Moderne Spezial-T. sind in Tab. 4 zusammengestellt. Im techn. Einsatz sind etwa acht davon, wobei eine nahezu unüberschaubare Vielfalt struktureller Abwandlungen u. Angebotsformen den Markt bestimmt. In Tab. 4 sind auch einige Beisp. für solche T. aufgenommen, die sich noch in anwendungstechn. Prüfung, also in einer Premarketing-Phase, befinden, wie Nonionics mit enger Molmasseverteilung (*Narrow-range-Ethoxylate – NRE, in Japan teilw. auf dem Markt) od. Methylesterethoxylate (MEE), od. Gegenstand der Grundlagenforschung sind. Dazu gehören beispielsweise *Gemini- u. *Bolaform-Tenside.
*Esterquats haben das biolog. schwer abbaubare Distearyl(=Dioctadecyl)dimethylammoniumchlorid (DSDMAC, DODAC) als Weichspülerwirkstoff abgelöst. Die beiden Ester-Gruppen werden als sog. Sollbruchstellen im Abwasserpfad leicht hydrolysiert, was den biolog. Abbau begünstigt.
Die jährliche Weltproduktion an T. (ohne Seife) beträgt gegenwärtig etwa 8 Mio. t, davon 2,6 Mio. t LAS. Anionics u. Nonionics sind mit einem Anteil von 56 bzw. 35% die wichtigsten T.-Klassen. Die Anteile der Kationics u. der Amphoterics betragen 7 bzw. 2 Prozent.
Eigenschaften u. Wirkungsweise: T. reichern sich in wäss. Lsg. an der Grenzfläche Flüssigkeit/Luft (E liquid phase/vapor phase, L/V) an u. bewirken eine charakterist. Abhängigkeit der Oberflächenspannung σ von der Konz. c (Abb. 3). Gleiches trifft sinngemäß für die orientierte Adsorption an der Flüssig-flüssig-Grenzfläche zu (Abb. 3). Nach Überschreiten einer für das jeweilige T. charakterist. Konz., der *krit. Micell-Bildungskonz.* (s. Micellen; c_M, auch als cmc od. c.m.c. abgekürzt), kommt es in der Volumenphase zur Ausbildung von – prim. kugelförmigen – Molekülaggregaten, den Micellen.

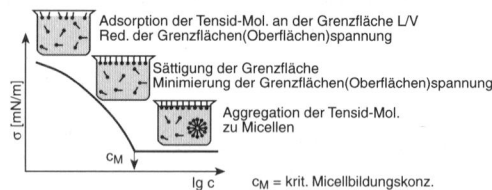

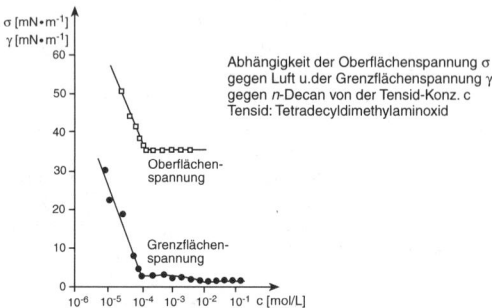

Abb. 3: Konzentrationsabhängigkeit der Oberflächen- bzw. Grenzflächenspannung.

Meth. zur Bestimmung von c_M-Werten sind in Abb. 4 zusammengefaßt.

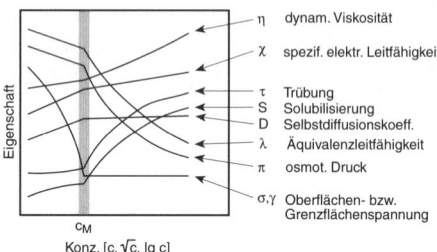

Abb. 4: Meth. zur Bestimmung von c_M-Werten durch Konz.-abhängige Erfassung physikal. Eigenschaften amphiphiler Systeme.

Typ. Werte für die Oberflächen- bzw. Grenzflächenspannung u. die krit. Micell-Bildungskonz. sind in Tab. 5 (S. 4437) aufgeführt. In dieser Tab. ist auch ein Beisp. für den Platzbedarf zu finden, den T.-Mol. in der Grenzfläche benötigen.
Bei schwer lösl. – ion. – T. tritt die Auflösung in Wasser bei einer charakterist. Temp. durch direkte Micellbildung ein (*Krafft-Punkt).
Die Alltagserfahrung lehrt, daß hydrophobe (niederenerget.) Oberflächen durch Wasser schlecht benetzt werden (Tautropfen auf Blättern, Regen auf „imprägnierter" Kleidung), das Wasser „perlt ab". Hydrophile (hochenerget.) Oberflächen wie Glas sind immer von einem Feuchtigkeitsfilm bedeckt; es bilden sich keine Tropfen, es sei denn, das Glas ist „fettig" (u. damit wie-

Tab. 5: Typ. Werte für die Oberflächen- bzw. Grenzflächenspannung u. die krit. Micell-Bildungskonzentration.

σ- u. γ-Werte

Tenside	Oberflächenspannung σ [mN · m^{-1}]	Grenzflächenspannung γ [mN · m^{-1}]
Kohlenwasserstoff-T.	25 bis 40	gegen „Öl":
Silicon-T.	15 bis 25	10^{-3} bis 10
Perfluor-T.	15 bis 25	(unpolar)

c_M-Werte u. Platzbedarf a

Tensidklasse	krit. Micellbildungskonz. c_M [mol · L^{-1}]	Platzbedarf a [nm^2]
Anionics	10^{-2} bis 10^{-4}	0,5
Nonionics	10^{-3} bis 10^{-6}	

der hydrophob). Ein Wassertropfen, allg. jeder Flüssigkeitstropfen, bildet auf einem Festkörper einen charakterist. Randwinkel Θ aus, dessen Größe ein Maß für die Benetzung ist. Dieser Randwinkel (auch Kontakt- od. Netzwinkel genannt), die Grenzflächenspannung des Festkörpers gegen Luft γ_s bzw. gegen die Flüssigkeit γ_{sw} u. die Oberflächenspannung der Flüssigkeit γ_w (σ_w) sind in der *Youngschen Gleichung* verknüpft (Abb. 5). Der Randwinkel ist experimentell gut zugänglich. Ein Randwinkel von 180° bedeutet keine Benetzung, ein Randwinkel von 0° das Spreiten der Flüssigkeit.

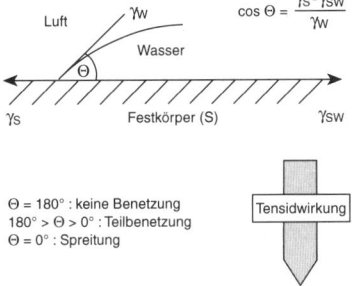

$\Theta = 180°$: keine Benetzung
$180° > \Theta > 0°$: Teilbenetzung
$\Theta = 0°$: Spreitung

Abb. 5: Youngsche Gleichung.

Benetzen u. Umnetzen sind Grundvoraussetzungen für den Wasch- u. Reinigungsprozeß. Je nach dem Volumenbedarf u. den Querschnittsflächen von hydrophobem u. hydrophilem Rest sowie in Abhängigkeit von der Konz. bilden T. in wäss. Lsg. auch stäbchen- od. scheibchenförmige Micellen u. schließlich flüssigkrist. Phasen (Abb. 6). Anisometr. Micellen u. lyotrope Phasen bestimmen das – im Hinblick auf die Anw. von T. sehr wichtige – rheolog. Verhalten der Lösung. So findet man Strukturviskosität, viskoelast. Verhalten, das immer auch mit Strömungsdoppelbrechung gekoppelt ist, u. verschiedene scherinduzierte Phänomene. Eine Reihe von T. zeigt in wäss. Lsg. Fließgrenzen (kub. Phasen → *Brummgele od. bestimmte lamellare Phasen).

Kaum eine T.-Klasse bietet so viele Variationsmöglichkeiten wie die Nonionics. So können sowohl die Kettenlänge u. – in gewissen, v. a. von der ökolog. Ver-

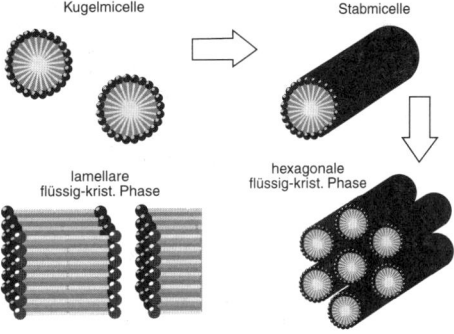

Abb. 6: Tensid-Aggregate.

träglichkeit her bestimmten Grenzen – die Struktur des hydrophoben Molekülteils als auch die mittlere Zahl der Ethylenoxid-Einheiten pro Mol. u. deren Verteilung durch die Wahl der Edukte bzw. durch die Reaktionsbedingungen bei der Ethoxylierung eingestellt werden. Die unterschiedlichen Ethoxylate lassen sich nach dem Konzept der hydrophil-lipophilen Balance nach HLB-Werten (s. HLB-System) ordnen, die ihrerseits ein erstes Auswahlkriterium für den Einsatz der „richtigen" Nonionics darstellen (Tab. 6).

Tab. 6: HLB-Werte u. typ. Anwendungsbeispiele.

HLB-Wert	Verhalten in Wasser	Anw.	geeignete Tenside
0–3	unlösl.	Entschäumer, Dispergatoren von Feststoffen von Öl, Rückfetter	Glycerintri-, di- u. -monooleat
3–6	unlösl., dispergierbar	W/O-Emulgatoren, Coemulgatoren	Glycerinmonostearate, C_{12}- bis C_{18}-Fettalkoholethoxylate (2 EO)
6–8	milchig, dispergierbar	Netzmittel, W/O-Emulgatoren	C_{12}-/C_{14}-Kokosfettalkoholethoxylate (2 u. 3 EO)
8–10	milchig trüb bis transluzent lösl.	Netzmittel	C_{12}-/C_{14}-Kokosfettalkoholethoxylate (4 EO)
10–13	transluzent bis klar lösl.	O/W-Emulgatoren, Wasch- u. Reinigungsmittel	C_{16}-/C_{18}-Talgfettalkoholethoxylate (12 EO), Isotridecanolethoxylate (8 EO)
13–15	klar lösl.	O/W-Emulgatoren, Wasch- u. Reinigungsmittel	C_9-/C_{11}-Oxoalkoholethoxylate (9 EO), C_{16}-/C_{18}-Talgfettalkoholethoxylate (15 EO)
>15	klar lösl.	Solubilisatoren, Reinigungsmittel	C_{16}-/C_{18}-Talgfettalkoholethoxylate (30 EO)

Eine bes. faszinierende T.-Wirkung besteht in der Bildung von *Mikroemulsionen[7]; die tägliche Erfahrung lehrt, daß sich Wasser u. Öl nicht mischen. Gibt man zu vergleichbaren Mengen von Wasser u. Öl ein geeignetes Amphiphil, so entstehen spontan thermodynam. stabile, makroskop. homogene (isotrope), fluide Mischungen mit teilw. weiten Zustandsbereichen. Aus den genannten drei Komponenten bilden sich Mikroemulsionen nur dann, wenn das Amphiphil ein T. aus der Klasse der Nonionics (außer APG) od. ein ion. T. mit *zwei* hydrophoben Gruppen ist. Der Einsatz ion. T. mit *einer* hydrophoben Gruppe od. von APG in Mikroemulsionen erfordert zusätzlich ein Co-T., z. B. mittelkettige Alkohole od. Amine. Prinzipielle Unterschiede zwischen herkömmlichen Emulsionen („Makroemulsionen") u. Mikroemulsionen sind in Tab. 7 dargestellt.

Tab. 7: Makroemulsionen u. Mikroemulsionen.

Kriterium	Makroemulsion	Mikroemulsion
Stabilität	kinet.	thermodynam.
Teilchengröße	1 bis 80 μm	10 bis 200 nm[*)]

[*)] unter Voraussetzung des Tröpfchenmodells

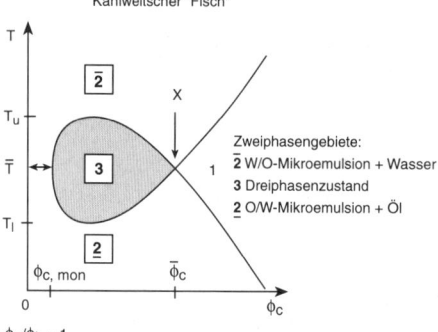

Abb. 7: Mikroemulsionen-Phasenprisma u. Kahlweitscher „Fisch" (nach Sottmann u. Strey, s. *Lit.*[8]).

Die Adsorption der T. an der Grenzfläche zwischen Wasser u. Öl führt zu einer extremen Erniedrigung der Grenzflächenspannung ($<10^{-4}$ mN · m^{-1}). Neben Tröpfchenstrukturen (O/W- u. W/O-Mikroemulsionen) treten auch fluktuierende Domänenstrukturen auf. Die Phasengleichgew. in Mikroemulsionen lassen sich am besten in einem sog. *Phasenprisma* mit der Temp. als Ordinate darstellen. Geeignete – senkrechte – Schnitte, deren Form nach M. Kahlweit gelegentlich als „Fisch" bezeichnet wird, veranschaulichen die Zustandsbereiche (Abb. 7)[8].

Die Reagenzgläser in Abb. 7 zeigen die typ. Variation der Phasenvolumina. Die schraffiert dargestellte Phase ist jeweils die Mikroemulsion. $\underline{2}$ ist die O/W-Mikroemulsion mit überschüssiger Ölphase, $\overline{2}$ die W/O-Mikroemulsion mit überschüssiger Wasserphase, 3 der Dreiphasenzustand. T_β ist die untere krit. Temp. des binären Wasser/Tensid-Syst., T_u u. T_l bezeichnen die obere bzw. untere krit. Temp. für das Dreiphasengebiet, T_α ist die obere krit. Temp des binären Öl/Tensid-Systems. X ist der Kreuzungspunkt, bei dem das dreiphasige auf das einphasige Gebiet trifft. Φ_a/Φ_b bezeichnet das Volumenverhältnis von Wasser u. Öl, Φ_c steht für die T.-Konzentration. $\Phi_{c,mon}$ ist die bei der Temp. $\overline{T}$ monomer in Wasser u. Öl gelöste Menge des Tensids.

Synergismus u. Verw.: Die unter anwendungstechn. Gesichtspunkten an T. zu stellenden Anforderungen sind in Tab. 8 (S. 4439) aufgelistet.

Es ist einleuchtend, daß in einer sehr großen Zahl von Anwendungsfällen das Anforderungsprofil nicht von einem T. erfüllt werden kann. Deshalb setzt man seit langem T.-Kombinationen ein, die zudem synergist. Wirkungen zeigen. Unter Synergismus versteht man einen nachweisbar größeren Effekt im Leistungsprofil einer mind. binären Mischung, als den additiven Anteilen der beteiligten Komponenten entsprechen würde. Synergismus tritt nicht nur zwischen – strukturell unterschiedlichen – T. auf, sondern auch zwischen T. u. a. funktionellen Inhaltsstoffen von Formulierungen. Wirkungsrichtungen sind geringerer spezif. T.-Einsatz bei gleichem Gebrauchswert, Gebrauchswerterhöhung bei gleichem od. sinkendem T.-Einsatz u. die Erschließung neuer T.-Wirkungen, bes. im industriellen Bereich.

Synergismus kann man z. B. als Minimum der c_M-Werte (Mischmicellen), als Maximum der Randwinkelerniedrigung od. der Solubilisierung u. über kalorimetr. Untersuchungen erfassen u. modellieren. Synergist. Wirkungen von T.-Kombinationen wurden früher empir. gefunden u. teilw. seit langem genutzt. Geradezu klass. Beisp. sind bei Waschmitteln die noch heute gültige Kombination von LAS u. Nonionics, bei Handgeschirrspülmitteln die Kombination von Alkansulfonaten od. Alkylsulfaten u. Alkylethersulfaten, für die inzwischen vielfältige Alternativen bestehen. Heute bemüht man sich, synergist. Wirkungen bes. von polynären Syst., wie sie in modernen Wasch- u. Reinigungsmitteln typ. sind, vorherzusagen.

Bei einem Gesamtmarkt von 1,9 Mio. t T. in Westeuropa (1997) gehen mit 54% der größte Anteil nach wie vor in die Wasch- u. Reinigungsmittel, 10% in den sog. I&I-Bereich (vorrangig *i*nstitutionelle u. *i*ndustrielle

Tab. 8: Anforderungen an Tenside. Generell: Günstiges Preis-/Leistungsverhältnis, vollständige u. rasche biolog. Abbaubarkeit, günstige ökotoxikolog. Eigenschaften.

Eigenschaft	Wirkungsrichtung	geeignete Tenside (Beisp.)
hohes Synergiepotential mit T. u. anderen Inhaltsstoffen, z. B. Soil-release-Polymeren	Leistungsprofil Einsparung von T. verbesserte Formulierungen	lineares Alkylbenzolsulfonat (LAS), Fettalkoholethoxylate, Fettalkoholethersulfate, Alkylpolyglucoside
hohe Netzwirkung	Verstärkung der Reinigungs-Leistung; gutes Ablaufverhalten, schnelles Trocknen	kürzerkettige Sulfonate
Schäumvermögen	*hoch*: Manuelle Geschirrspülmittel, Shampoos, Duschbäder	Fettalkoholethersulfate
	niedrig: Maschinenreiniger	endgruppenverschlossene Fettalkoholethoxylate
gute Löslichkeit	Konzentrate leicht herstellbar Reduzierung von od. Verzicht auf Lösungsvermittler (Hydrotrope)	Alkansulfonate
günstiges Kälteverhalten	niedrige Trübungspunkte	Alkansulfonate
Elektrolytverträglichkeit	Calcium-Ionen-Toleranz	Nonionics
chem. Stabilität gegen Alkalien Säure Chlor	Formulierungen mit sehr niedrigen u. sehr hohen pH-Werten sowie mit Oxid.-Mitteln (einschließlich Hypochlorit) möglich	Sulfonat-T. Chlor: Amin-N-oxide

Tab. 9: Industrieller Einsatz von Tensiden (Auswahl).

Einsatzgebiet	Beisp.
Reiniger	Hochdruckreiniger, Kraftfahrzeugreiniger, Metallreiniger, Produkte für die maschinelle Flaschenreinigung, alkal. Rostlöser, Molkereireiniger, Reiniger für Fleischereien
Prozeßchemikalien für die Emulsionspolymerisation	Vinylchlorid, Acrylsäureester, Acrylnitril, Butadien, Styrol
Textil- u. Lederhilfsmittel	Netzen, Waschen, Abkochen, Beuchen, Bleichen, Entschlichten, Nachseifen, Walken
Additive für Lacke u. Farben	Netzen, Entschäumen, gleichmäßige Filmbildung (Verlaufmittel)
Antistatika für Kunststoffe	Ausrüsten von Poly(styrol), Styrol-Copolymeren, Poly(vinylchlorid)
verbesserte Ausbringung von Öl aus Lagerstätten (EOR – enhanced oil recovery)	Verringern der Kapillarkräfte in den Poren der Lagerstätte, „Mobilisierung" des Öls

Reiniger), 9% in die Kosmetik, 8% in Textil- u. Lederhilfsmittel u. 19% in „sonstige" Anw. (Quelle: CONDEA). Auf industriellem Gebiet sind Wachstumspotentiale vorhanden. Beisp. für den industriellen T.-Einsatz sind in Tab. 9 zusammengestellt.

Analytik: Die wichtigsten Aufgaben bei der Analytik von T. sind deren Bestimmung als Rohstoffe u. in Formulierungen („Bulk"-Analytik) sowie die Spurenanalytik in Umweltmatrices, wie Abwasser, stehenden u. fließenden Gewässern, Gewässersedimenten, Klärschlämmen u. Böden, u. bei der Überwachung von Rechtsvorschriften od. beim biolog. Abbau[9,10]. Nachdem über viele Jahre nur eine mit aufwendigen Trennungsgängen[11] verbundene Gruppenbestimmung von T.-Klassen als Summenparameter, z.B. durch *Zweiphasentitration[12] möglich war, können heute durch Anw. modernster Kopplungstechniken v.a. in Verb. mit Hochleistungsflüssigchromatographie (*HPLC) od. *Ionenchromatographie u. *Massenspektrometrie, aber auch durch *Dünnschichtchromatographie od. *Kapillarelektrophorese einzelne T.-Homologe u. -Isomere erfaßt werden. Die Spurenanalytik von T. setzt eine sorgfältige *Probenvorbereitung u. -anreicherung voraus.

Produktsicherheit u. Umwelt: Von den wirtschaftlich wichtigen T. geht keine Gefahr für die Umwelt aus. Dies wird durch sorgfältige retrospektive Risikoabschätzungen für seit langem im Einsatz befindliche Produkte u. durch umfassende Risikoabschätzungen für „neue" T. wie Alkylpolyglucoside zweifelsfrei belegt. Folgerichtig stehen T. auch nicht mehr so im Mittelpunkt der Umweltdiskussion wie noch vor einigen Jahren. Dennoch wird mit vielfältigen Initiativen daran gearbeitet, verbleibende Probleme (gute biol. Abbaubarkeit *aller* schaumarmen T., Ausschluß eventueller estrogener Wirkungen der – in geringem Umfang – techn. noch eingesetzten Alkylphenolethoxylate bzw. deren Metaboliten) zu lösen (Tab. 10, S. 4440). Zu Life Cycle Inventories von T. u. Vorprodukten s. *Lit.*[13].

Trends: Die heutigen Commodities bringen auch nach der Jahrhundertwende die Basisleistung für die wichtigsten T.-Anwendungen Gründe sind das günstige Preis-Leistungs-Verhältnis, die langjährige Produkterfahrung u. ökolog. Sicherheit sowie die globale Verfügbarkeit („electronic supply chain management"). „Neue" Commodities sind nicht in Sicht. Mit Com-

Tab. 10: Tenside – Produktsicherheit u. Umwelt.

Risikoabschätzung

Quotient $\frac{PEC}{PNEC} \ll 1$ (retrospektiv u. für alle neuen Produkte)

PEC – predicted environmental concentration
PNEC – predicted no-effect concentration

Bestimmung von PEC (Voraussetzung für die experimentelle Bestimmung – leistungsfähige Spurenanalytik):
- Rechenmodelle (Eingangsgrößen: Freigesetzte T.-Menge, Eliminierungsrate durch biolog. Abbau od. Sorption in der Kläranlage, Wasserführung)
- aktuelles europ. Projekt – GREAT-ER (Geography-referenced Regional Exposure Tool for European Rivers)
- Monitoring (punktuelle Werte).

Bestimmung von PNEC:
- Untersuchung der aquat. Toxizität in verschiedenen Organismen-Hierarchien
- Festlegung von hohen Sicherheitsfaktoren.

In Problemfällen bevorzugter Weg: *Freiwilliger Verzicht* der Ind. auf bestimmte Inhaltsstoffe.

Beisp.:
- Verzicht auf den Einsatz von Alkylphenolethoxylaten in Wasch- u. Reinigungsmitteln (Bestätigung durch zeitabhängige Konzentrationsprofile in Gewässersedimenten)
- Substitution des schwer abbaubaren Weichspülerwirkstoffs Distearyldimethylammoniumchlorid durch Esterquats.

Quelle:
GDCh-Beratergremium für Altstoffe (BUA): Von den für Waschmittel eingesetzten wichtigsten T. geht keine Gefahr für die Umwelt aus (1997).

modities u. Spezial-T. stehen heute zwischen 15 u. 20 T. in zahlreichen strukturellen u. Angebotsvarianten kommerziell zur Verfügung.
Innovationen sind hinsichtlich der Produktentwicklung bei der weiteren Erschließung synergist. Wirkungen zu erwarten, auch zwischen T. u. a. funktionellen Inhaltsstoffen (bessere Nutzung des Vorhandenen – more from less), bei der Synth. neuer – z. B. auch bifunktioneller – Spezial-T. mit maßgeschneiderten Eigenschaften u. der Entwicklung intelligenter Formulierungen für Leistungsprofile, z. B. bei niedrigeren Temp., sowie der Modellierung von polynären Syst. u. Simulation von T.-Wirkungen.
Die Technologie rückt mehr u. mehr in den Vordergrund (Trend zu World-scale-Anlagen, neue Angebotsformen wie „trockene" Anionics). Produktsicherheit u. Umweltverträglichkeit werden – wenn auch in kleineren Schritten – weiter verbessert. – *E* surfactants (weniger üblich: surface active agents) – *F* agents tensio-actifs, agents de surface, surfactifs – *I* tensioattivi – *S* agentes tensioactivos (de superficie)
Lit.: [1] Stache (Hrsg.), Anionic Surfactants – Organic Chemistry, New York: Dekker 1996. [2] van Os (Hrsg.), Nonionic Surfactants – Organic Chemistry, New York: Dekker 1998. [3] Richmond (Hrsg.), Cationic Surfactants – Organic Chemistry, New York: Dekker 1990; Rubingh u. Holland (Hrsg.), Cationic Surfactants – Physical Chemistry, New York: Dekker 1991. [4] Lomax (Hrsg.), Amphoteric Surfactants, 2. Aufl., New York: Dekker 1996. [5] Piirma (Hrsg.), Polymeric Surfactants, New York: Dekker 1992; Bailey Jr. u. Koleske (Hrsg.), Alkylene Oxides and Their Polymers, New York: Dekker 1991; Nace (Hrsg.), Nonionic Surfactants – Polyoxyalkylene Block Copolymers, New York: Dekker 1996. [6] Holmberg (Hrsg.), Novel Surfactants, New York: Dekker 1998. [7] Bourrel u. Schechter (Hrsg.), Microemulsions and Related Systems: Formulation, Solvency, and Physical Properties, New York: Dekker 1988; Solans u. Kunieda (Hrsg.), Industrial Applications of Microemulsions, New York: Dekker 1996. [8] Tenside Surf. Det. **35**, 34–45 (1998). [9] Schmitt, Analysis of Surfactants, New York: Dekker 1992. [10] SÖFW J. **124**, 720–732 (1998). [11] Nachr. Chem. Tech. Lab. **43**, 1169–1176, 1176–1182 (1995). [12] Schulz, Titration von Tensiden u. Pharmaka, Augsburg: Verl. für chem. Industrie H. Ziolkowsky 1996. [13] Tenside Surf. Det. **32**, Nr. 2 u. 5 (1995).
allg.: Kosswig u. Stache (Hrsg.), Die Tenside, München: Hanser 1993 ▪ Ullmann (5.) **A 25**, 747–817.

Tensiometer. Gerät zur Messung der *Grenzflächenspannung.

Tensiomin® (Rp). Tabl. mit dem *ACE-Hemmer *Captopril gegen Bluthochdruck u. Herzinsuffizienz. *B.:* Thiemann.

Tensobon® (Rp). Tabl. mit *Captopril, auch zusammen mit *Hydrochlorothiazid (*T. comp., -mite*), gegen Bluthochdruck. *B.:* Schwarz Pharma.

Tensor. Begriff aus der *Mathematik, mit dem mehrkomponentige Größen beschrieben werden. Ein T. nullter Stufe ist ein *Skalar, wie z. B. die Energie, die Temp. od. die Zeit. Ein T. erster Stufe ist ein Vektor, z. B. der Ort $\vec{r} = (x, y, z)$ od. die Geschw. $\vec{v} = (v_x, v_y, v_z)$. Ein T. zweiter Stufe ist eine zweikomponentige *Matrix:

$$M = \begin{pmatrix} m_{11} & \cdots & m_{1b} \\ & \vdots & \\ m_{a1} & \cdots & m_{ab} \end{pmatrix}$$

Beisp. hierfür sind der Brechungsindex eines mehrachsigen Krist. od. das Trägheitsmoment eines mehratomigen Moleküls. Die Elemente in einem T. dritter Stufe haben entsprechend drei Indizes: t_{klm}. – *E* = *S* tensor – *F* tenseur – *I* tensore

Tensostad® (Rp). Tabl. mit dem *ACE-Hemmer *Captopril gegen Bluthochdruck u. Herzinsuffizienz. *B.:* Stada.

Tentoxin.

$C_{22}H_{30}N_4O_4$, M_R 414,50. Cycl. Peptid-Antibiotikum aus phytopathogenen Pilzen der Gattung *Alternaria*, z. B. *A. tenuis, A. alternata* u. *A. mali*. Neben T. wird auch die (*E*)-Form, Isotentoxin, isoliert. Die (Z)-Form ist phytotoxisch. Sie verursacht Chlorose in zahlreichen Wildkräutern durch Hemmung des Energie-Transportes (Photophosphorylierung) in Chloroplasten u. hemmt die Chloroplasten-Entwicklung. T. könnte als *Herbizid (z. B. im Sojabohnen- u. Maisanbau) verwendet werden, jedoch ist die von *Alternaria* produzierte Menge zu gering für eine kommerzielle Anwendung. T. dient als Leitstruktur für Synthesearbeiten. – *E* tentoxin – *F* tentoxine – *I* tentossina – *S* tentoxina
Lit.: Agric. Biol. Chem. **54**, 2449 (1990) ▪ ACS Symp. Ser. **380**, 24–56 (1988) ▪ Physiol. Plant. **74**, 575–582 (1988) ▪

Tenuazonsäure [(*S*)-3-Acetyl-5-(*S*)-*sec*-butyl-tetramsäure].

$C_{10}H_{15}NO_3$, M_R 197,23, viskoses Öl od. blaßbraune Krist., Schmp. 74–75,5 °C, $[\alpha]_D^{20}$ –121° (CHCl₃), gut lösl. in organ. Lsm., wenig lösl. in Wasser. Phytotox. u. tremorgener Inhaltsstoff von *Alternaria tenuis*, *Aspergillus*- u. *Sphaeropsidales*-Arten, ist als Calcium- od. Magnesium-Komplex in *Phoma sorghina* enthalten. T. verursacht bei Pflanzen, die von T.-bildenden Pilzen befallen sind, Krankheiten durch Hemmung der Protein-Biosynth., z.B. Blattfäule u. Braunfleckenkrankheit bei Reis u. Tabak. T. wirkt insektizid u. hemmt das Wachstum bestimmter Krebszellen. Zu Struktur-Wirkungs-Beziehungen s. *Lit.*[1]. – *E* tenuazonic acid – *F* acide ténuazonique – *I* acido tenuazonico – *S* ácido tenuazónico

Lit.: [1] Phytochemistry **27**, 77–84 (1988).
allg.: Agric. Biol. Chem. **38**, 791 (1974); **50**, 2401 (1986) ▪ Beilstein E V **21/11**, 555 ▪ Cole u. Cox, Handbook of Fungal Toxic Metabolites, S. 488, New York: Academic Press 1981 ▪ Merck-Index (12.), Nr. 9294 ▪ Sax (8.), VTA 750 ▪ Turner **1**, 286; **2**, 368 f. – [*CAS 27778-66-1, 75652-74-3, 610-88-8 (Keto-Enol-Tautomere)*]

TEO. Kurzz. (nach ASTM) für auf *Olefinen basierende *thermoplastische Elastomere.

Teonanacatl s. Psilocybin.

TEPA. Abk. für a) *Tetraethylenpentamin („Tetren"); – b) „*N,N:N',N':N'',N''*-Triethylen*phosphorsäuretriamid" [1,1',1''-Phosphoryltrisaziridin, Tris(1-aziridinyl)phosphanoxid], $C_6H_{12}N_3OP$, M_R 173,15, Schmp. 41 °C, Sdp. 90–91 °C (31 hPa), LD₅₀ (Ratte, oral) 37 mg/kg, eine als *Cytostatikum wirkende alkylierende Verb.; Abb. vgl. Thiotepa.

Tephal®. Netz-, Wasch- u. Walkhilfsmittel für die Textilveredlung auf der Basis von Eiweißfettsäurekondensat in Kombination mit Fettalkoholethoxylaten, biolog. abbaubar. *B.:* Grünau.

Tephra s. pyroklastische Gesteine.

Tephrit. Feinkörniges, dunkelgraues, zu den Alkali-*Vulkaniten gehörendes bas. *magmatisches Gestein, das neben Plagioklas (s. Feldspäte) u. *Pyroxen noch *Nephelin als Hauptbestandteil enthält; andere wesentliche Bestandteile werden als Präfix vorangestellt, z.B. *Leucit-T.*; bei über 10% *Olivin-Gehalt nennt man das Gestein *Basanit*. T. sind oft blasenreich, häufig haben sie porphyr. *Gefüge, z.B. durch große Leucit-Einsprenglinge.

Vork.: Mehrorts in der Eifel, im Kaiserstuhl, in der Rhön, im Vogelsberg u. in den italien. Vulkan-Provinzen.

Verw.: Als Schotter, Splitt, Baustein u. zur Herst. von Mineralwolle u. Mühlsteinen (v.a. für Papiermühlen). – *E* tephrite – *F* téphrite – *I* tefrite – *S* tefrita

Lit.: MacKenzie, Donaldson u. Guilford, Atlas der magmatischen Gesteine in Dünnschliffen, S. 78, 129, Stuttgart: Enke 1989 ▪ Schumann, Der neue BLV Steine- u. Mineralienführer (4.), S. 250, München: BLV 1994 ▪ Wimmenauer, Petrographie der magmatischen u. metamorphen Gesteine, S. 126 f., 130 f., Stuttgart: Enke 1985 ▪ s.a. magmatische Gesteine.

Tephroit. $Mn_2[SiO_4]$; zu den Neso-*Silicaten gehörendes rhomb. Mineral (Kristallklasse mmm-D_{2h}), isotyp mit *Olivin; zur Struktur s. *Lit.*[1], zur Elektronendichte-Verteilung s. *Lit.*[2]; Untersuchung von T. mit *Neutronenbeugung s. *Lit.*[3]. T. bildet *Mischkristalle sowohl mit *Fayalit – mit dem intermediären Glied *Knebelit*, $(Mn,Fe)_2[SiO_4]$ – als auch mit Forsterit (*Olivin), $Mg_2[SiO_4]$ (Mg-Gehalte); er kann ferner bis über 1% ZnO enthalten. T. ist fleischrot bis aschgrau (griech.: tephros = aschefarbig) mit Glas- bis Fettglanz u. bildet meist derbe Massen od. eingewachsene Körner; H. 6, D. 3,87–4,15.

Vork.: In Eisen-Mangan-Lagerstätten u. von *Metamorphose betroffenen Mangan-reichen *Sedimenten, oft zusammen mit *Rhodonit; *Beisp.:* Pajsberg u. Långban/Schweden, Franklin in New Jersey/USA u. Iwate-Präfektur/Japan; gute Krist. von der Wessels Mine bei Kuruman/Südafrika. – *E* tephroite – *F* téphroïte – *I* tefroite – *S* tefroíta

Lit.: [1] Am. Mineral. **65**, 1263–1269 (1980). [2] Acta Crystallogr. Sect. B **37**, 513–518 (1981). [3] Phys. Chem. Miner. **19**, 46–51 (1992).
allg.: Anthony et al., Handbook of Mineralogy, Vol. II, Tl. 2, S. 785, Tucson (Arizona): Mineral Data Publishing 1995 ▪ Deer, Howie u. Zussman, Rock-Forming Minerals (2.), Vol. 1 A, Orthosilicates, S. 337–352, London: Longman 1982 ▪ Schröcke-Weiner, S. 663. – [*CAS 14987-02-1*]

Tephrosin. *Rotenoid aus der Derris-Wurzel (s. Derris-Präparate), *Tephrosia-*, *Lonchocarpus-* u. *Millettia*-Arten.

R^1 = OH, R^2 = H : Tephrosin
R^1 = H, R^2 = OH : α-Toxicarol
R^1 = R^2 = H : Deguelin
R^1 = R^2 = OH : 6-Hydroxytephrosin

Tab.: Daten von Tephrosin u. Derivaten.

	Konfiguration	Summenformel	M_R	CAS
Tephrosin	(7a*R*)-*cis*	$C_{23}H_{22}O_7$	410,42	76-80-2
	(7a*S*)-*cis*			110549-03-6
α-Toxicarol	(7a*S*)-*cis*	$C_{23}H_{22}O_7$	410,42	82-09-7
	(7a*R*)-*cis*			111057-92-2
	(±)-*trans*			123000-22-6
Deguelin	(7a*S*)-*cis*	$C_{23}H_{22}O_6$	394,42	522-17-8
	(7a*R*)-*cis*			110508-99-1
	(±)-*trans*			123000-18-0
6-Hydroxy-tephrosin	(7a*R*)-*cis*	$C_{23}H_{22}O_8$	426,42	72458-85-6
	(7a*S*)-*cis*			111058-84-5

T.: Schmp. 197,5–199,5 °C (Racemat); (7a*R*)-*cis*-Form: $[\alpha]_D^{23}$ –118° (Benzol). T. kommt insbes. in den Wurzeln von *Tephrosia purpurea* vor, die in der traditionellen Medizin auf Sri Lanka angewendet wird. Es wirkt als starkes Fischgift sowie gegen Nematoden u. Insekten. – *(7aS)-cis-α-Toxicarol:* grünlich-gelbe Blättchen od. Nadeln, Schmp. 125–127 °C, $[\alpha]_D^{20}$ –66°

(Benzol), $[α]_D$ +58° (Aceton), starkes Fischgift. – *(7aS)-cis-Deguelin:* gelbes Öl, $[α]_D^{20}$ –101° (Benzol), reizend, giftig beim Einatmen. Das *6-Hydroxytephrosin* besitzt starke antibakterielle Wirkung.
Toxikologie: Derris-Wurzel: LD_{50} (Maus p.o.) 350 mg/kg. – *E* tephrosin – *F* téphrosine – *I* = *S* tefrosina
Lit.: Beilstein E V **19/10**, 675 ▪ Fitoterapia **61**, 372 (1990) ▪ Harborne (Hrsg.), The Flavonoids, Bd. 3, S. 159–166, London: Chapman & Hall 1994 ▪ J. Chem. Soc., Perkin Trans. 1 **1989**, 204 f. (Synth.); **1992**, 1685–1697 (Biosynth.) ▪ J. Heterocycl. Chem. **24**, 845–852 (1987) ▪ Nat. Prod. Rep. **11**, 173–203 (1994) ▪ Phytochemistry **36**, 1523 (1997) ▪ Planta Med. **60**, 602 (1994) ▪ Zechmeister **43**, 98–109 ▪ Z. Naturforsch. Teil C **45**, 154–160 (1990). – *Pharmakologie:* Chem. Pharm. Bull. **41**, 1456 (1993) ▪ J. Nat. Prod. **56**, 690–698, 843–848 (1993).

Tepilta® (Rp). Suspension bzw. Tabl. mit *Oxetacain, Aluminiumhydroxid-Gel u. Magnesiumhydroxid bzw. -carbonat gegen akute u. chron. Gastritiden. *B.:* Wyeth.

Teppiche (von pers.: taftan = weben, s. Tapeten). Bez. für zu *Textilien zählende *Bodenbeläge od. Wandbehänge, die aus Wolle, Baumwolle, Kokos, Sisal, Haargarn, Chemiefasern, seltener aus Seide od. aus einer Kombination von diesen Textilfasern durch manuelles od. maschinelles Knüpfen od. Weben hergestellt werden. Der bisher älteste T. stammte aus dem 5.–3. Jh. vor Christus. Man unterscheidet bei den T. sog. *glatte T.* (*Beisp.:* Kelim, Gobelin), mit fester, grober Kette u. grobem (meist farbigem) Schuß gewebt, u. sog. *Flor-Teppiche.* Diese können geknüpft (*Knüpf-T.*, mit bis zu 450 000 Knoten/m², bei Seiden-T. bis 1 Mio. Knoten/m²), gewebt (*Web-Flor-T.* mit geschlossenen Schlingen, z.B. Bouclé-T., od. aufgeschnittenen Flornoppen, z.B. Velours-T.) od. genadelt sein. Letztere werden *Tufting-T.* (Nadelflor-T.) genannt. Bei diesen wird die Textilfaser (meist Polyamid, seltener Polyester- od. Polypropylen-Fasern) nach Nähmaschinenprinzip in ein fertiges Grundgewebe eingesetzt u. danach rückseitig mit Naturkautschuk- od. SB-Latices festgeklebt. Auch hier kennt man Bouclé- u. Velours-Varianten. Seit den 60er Jahren sind *Nadelfilz-Bodenbeläge* in Verw., d. h. übereinandergeschichtete, durch Vernadelung verfestigte u. schließlich bodenseitig mit *Polymerdispersionen beschichtete Faservliese. Nadelfilz- u. Nadelflor-T. rechnet man zu den *Textilverbundstoffen.* Da die beim Verlegen von T.-Böden eingesetzten Lsm.-haltigen Klebstoffe gesundheitlich nicht unbedenklich sind u. wegen Brennbarkeit der Lsm. mehrfach zu Brandunfällen geführt haben, werden zunehmend wasserbasierende Klebstoffe zur Verlegung von T.-Böden verwendet.
Wie bei anderen Textilien sind auch bei T. verschiedene Verf. der *Textilveredlung anwendbar, z.B. Färben, Textildrucken, Flammfestausrüsten (z.B. mit Aluminium- od. Titan-Verb.), antistat. Ausrüsten mit *Antistatika od. durch Einweben od. Einnadeln von Edelstahlfasern, Mottenfest- u. Soil-Release-Ausrüsten etc. Letzteres gelingt mit perfluorierten Verbindungen. Zur T.-Reinigung u. Teppichpflege s. Teppichpflegemittel. Pflege- u. Hygieneverhalten von vollsynthet. T. gestatten heute deren Verw. auch in Krankenhäusern, wozu eine mikrobizide Ausrüstung beitragen kann. – *E* carpets – *F* tapis – *I* tappeti, arazzi – *S* alfombras, tapices
Lit.: Rouette, Lexikon für Textilveredlung, Bd. 3, S. 2154–2165, Dülmen: Laumann-Verl. 1995 ▪ Ullmann (4.) **12**, 31–40; (5.) **A 11**, 263–270. – *Organisationen:* Deutsches Teppich-Forschungsinstitut e. V., 52080 Aachen.

Teppichkäfer s. Mottenbekämpfung u. Repellentien.

Teppichpflegemittel. Bei der Reinigung von *Teppichen werden lose Schmutzteilchen u. Staub durch Klopfen, Bürsten u. Saugen entfernt. Der Beseitigung einzelner Flecken dienen spezielle *Fleckentfernungsmittel (s. a. Fleckentfernung). Die vollflächige Grundreinigung lose verlegter bzw. abgepaßter Teppiche kann durch Naßwäsche mit schaumarmen Waschmitteln od. *Chemisch-Reinigen in entsprechend großen Spezialmaschinen erfolgen. Für die Reinigung vor Ort v. a. bei festverlegten Teppichböden werden folgende Verf. unterschieden:
1. *Shamponieren* mit Naßschaum: Hierbei wird eine verd. wäss. Reinigungslsg. schaumstarker Tenside ggf. mit Zusätzen von Schaumstabilisatoren u. „Anti-soil-Komponenten" (zur Verhinderung einer schnellen Wiederanschmutzung) mittels spezieller Teppichreinigungsgeräte mit rotierenden Bürstenscheiben unter starker Schaum-Bildung in den Teppichflor eingearbeitet. Ein Teil des schmutzbeladenen Schaums wird durch Wassersauger sofort wieder entfernt. Nach vollständigem Trocknen des stark durchfeuchteten Bodens werden die restlichen schmutztragenden Shampoo-Teilchen durch kräftiges Absaugen entfernt.
2. *Sprühextraktion:* Schaumarme Reinigungsmittel werden in hoher Verdünnung mit heißem Wasser (Steam-Vac-Verf.) od. kaltem Wasser (Hochdruck-Verf.) durch Düsen unter Druck in den Teppichflor eingepreßt u. durch einen benachbart angeordneten Düsenschlitz wieder abgesaugt. Die tiefenwirksame Durchflutung bewirkt weitgehend Schmutzentfernung.
Beide vorgenannte Verf. erfordern Spezialmaschinen u. sollten durch geschultes Personal durchgeführt werden. Wegen der starken Durchfeuchtung der Teppiche sind lange Trockenzeiten erforderlich (bis zu einigen Tagen).
3. *Trockenschaum-Reinigung:* Vorgefertigte konz. Tensid-Schäume werden aus Aerosol-Dosen od. mit Walzen-Shampoonier-Maschinen in den Teppich eingerieben. Nach dem Auftrocknen werden die schmutzbeladenen Schaumteilchen abgesaugt. Der Teppich wird dabei nur mäßig durchfeuchtet.
4. *Trockenpulver-Reinigung:* Mit Tensid-Lsm. u. weiteren Zusätzen wie geringen Mengen von Lsm. u. Duftstoffen getränkte saugfähige Träger-Pulver (meist auf Cellulose-Basis) werden in den Teppich eingebürstet u. nach kurzer Trockenzeit kräftig abgesaugt. Diese Meth. erfordert keine aufwendigen Geräte u. ist für den Laien am bequemsten anwendbar. – *E* carpet cleaning agents – *F* produits pour nettoyer tapis – *I* agenti curativi di tapeti – *S* productos para limpiar alfombras
Lit.: Falbe (Hrsg.), Surfactants in Consumer Products, S. 347–349, Berlin: Springer 1987 ▪ Ullmann (4.) **20**, 152 f. ▪ (5.) **A 7**, 144 ▪ Vollmer u. Franz, Chemie in Haus und Garten, Stuttgart: Thieme 1994 ▪ s. a. Teppiche.

TEQ. Abk. für *t*oxic *eq*uivalency (quantity) = *Toxizitätsäquivalent.

Tequila. Nach dem Dorf Tequila im mexikan. Staat Jalisco benannte *Spirituose.
Herst.: Der, nach dem Entfernen von Blättern u. Wurzeln verbleibende Strunk der immergrünen *Agave tequilana* (Maguey-Agave)[1] wird zerkleinert, erhitzt u. eingemaischt. Nach Vergären der *Maische wird destilliert u. auf einen Mindestalkohol-Gehalt von 38% vol eingestellt.
Rechtliche Beurteilung: Der Name T. ist als Herkunftsbez. zu verstehen, so daß T. aus dem mexikan. Staat Jalisco stammen *muß*. Nach einer, in Ermangelung einer Rechtsvorschrift, abgegebenen Stellungnahme des Schutzverbandes der dtsch. Spirituosen-Ind. e. V.[2] beträgt der Mindestalkohol-Gehalt 38% vol, obgleich auch höherprozentige Sorten im Handel sind (41–43% vol).
Zum genotox. Potential von T.-Extrakten *in vivo* s. *Lit.*[3]
Analytik: Zur gaschromatograph. *head-space-Analyse von T. s. *Lit.*[4]. 1994 wurden 33 Mio. L in Mexiko hergestellt; 70% gingen in den Export. – *E* tequila, mexican gin – *F* = *I* = *S* tequila
Lit.: [1] Bartels, Farbatlas Tropenpflanzen, S. 359, Stuttgart: Ulmer 1993. [2] Dtsch. Lebensm. Rundsch. **87**, 94 (1991). [3] Mutat. Res. **241**, 133–137 (1990). [4] Macherey u. Nagel (Hrsg.), Gas-Chromatographie 91, S. 75, Applikation 211, Düren 1991.
allg.: Herrmann, Exotische Lebensmittel (2.), S. 129, Berlin: Springer 1987. – [HS 220890]

Ter... *Multiplikationspräfix (von latein.: ter = dreimal), das drei ident. Ringsyst. zu *Ringsequenzen verknüpft; *Beisp.:* *Terphenyle, *2,2′:6′,2″-Terpyridin; vgl. ternär, tert- u. tertiär. – *E* = *F* = *I* = *S* ter...

Tera... (Symbol T). Von griech.: teras = Zeichen, Schreckbild (vgl. Teratogene) abgeleiteter Vorsatz zur Bez. des 10^{12}-fachen Betrages einer physikal. Einheit. Als Vorzeichen bei *gesetzlichen Einheiten zugelassen.

Terathane®. Polyetherglykole zur Verw. als Weichsegment in Polyurethan-Formulierungen für hochdynam. Gießteile, TPU u. Beschichtungen. *B.:* DuPont.

Teratogene (griech.: teras = Mißgeburt). Agenzien, die durch Schädigung von Embryonen kongenitale Fehlbildungen hervorrufen können. T. können theoret. in alle Phasen der Fortpflanzung schädigend einwirken. Zu bestimmten Zeiten der Embryonalentwicklung besteht allerdings eine bes. hohe Empfindlichkeit gegenüber exogenen teratogenen Noxen (*sensible Phasen*). Auch schädigen bestimmte T. bevorzugt bestimmte Organanlagen (*Organotropismus*). Der genaue Mechanismus der Entstehung von kongenitalen Fehlbildungen ist nicht bekannt. Er ist u. a. Gegenstand der *Teratologie*, der naturwissenschaftlich-medizin. Disziplin, die sich mit der Molekularbiologie, Toxikologie u. Pathologie der Entstehung von kongenitalen Fehlbildungen befaßt. Man nimmt an, daß die teratogene Wirkung durch Gen-Schädigung infolge von Chromosomen-Aberrationen, Mitose-Störungen u. durch Hemmung od. Störung der Nucleinsäure-Synth. zustande kommt. Man unterscheidet biolog., physikal. (ionisierende Strahlung) u. chem. T. *Biolog. Ursachen* von Fehlbildungen sind Infektionskrankheiten, die von der Mutter auf den Fetus übergreifen können, wie z. B. Röteln, Cytomegalie u. Toxoplasmose. *Ionisierende Strahlen* (Röntgenstrahlen, Neutronenstrahlen od. strahlende Isotope) führen bei Einwirkung von hohen Dosen wie bei therapeut. Bestrahlung, Atomkraftwerksunfällen u. Nuklearwaffeneinsatz zu strahleninduzierten Mißbildungen. Mit einem erhöhten Risiko für grobstrukturelle Abnormitäten od. Fehlfunktionen wird derzeit ab einer Dosis von 0,05 Gy (5 rd) gerechnet. *Chem. T.* sind zum einen Umweltgifte wie Farbstoffe, Lsm., Herbizide, Insektizide, Pestizide od. in verdorbenen Nahrungsmitteln gebildete Substanzen, z. B. *Mykotoxine, zum anderen Pharmaka wie *Cytostatika, *Androgene, *Retinoide, *Antiepileptika, *Alkohol sowie das nach der *Contergan®-Katastrophe aus dem Handel genommene Schlafmittel *Thalidomid. Listen teratogener Substanzen finden sich z. B. in Registry of Toxic Effects of Chemical Substances (RTECS, s. NIOSH). Eine DFG-Kommission überprüft gefährliche Arbeitsstoffe auf *fruchtschädigende Wirkung; die Prüfungsresultate werden in der Liste der *MAK-, *TRK- u. *BAT-Werte aufgeführt. Medikamente werden mit Hilfe von Tierversuchen auf teratogene Wirkungen untersucht. Da die Teratogenität von Spezies zu Spezies verschieden ist, sind Tierversuche nicht ohne Vorbehalte auf den Menschen übertragbar. So sind teratogene Wirkungen z. B. für Coffein u. Penicillin tierexperimentell gezeigt, beim Menschen aber nicht beobachtet worden. Umgekehrt erzeugt Thalidomid bei allen Tierarten außer bei der Ratte Mißbildungen. Daher schreibt das Arzneimittelgesetz die Prüfung an zwei verschiedenen Tierarten vor. Grundsätzlich muß eine medikamentöse Therapie während der Schwangerschaft unter sorgfältiger Risikoabschätzung erfolgen u. bei Einsatz nachgewiesenermaßen teratogener Medikamente eine wirksame Antikonzeption vorgenommen werden. – *E* teratogenes – *F* tératogènes – *I* teratogeni, agenti teratogeni – *S* teratógenos
Lit.: Kolb, Teratogens: Chemicals which cause Birth Defects, Amsterdam: Elsevier 1993 ▪ Riede u. Schaefer, Allgemeine u. spezielle Pathologie, S. 299–328, Stuttgart: Thieme 1995.

Teratogenese (griech.: teras = Mißgeburt). Bez. für die Entstehung von fetalen Mißbildung, z. B. infolge von teratogenen Agentien wie *Viren, ionisierender Strahlung u. chem. Substanzen. – *E* teratogenesis – *F* tératogénèse – *I* teratogenesi – *S* teratogénesis

Teratologie s. Teratogene.

Terazosin (Rp).

Internat. Freiname für den α_1-*Rezeptoren-Blocker u. das *Antihypertonikum (±)-1-(4-Amino-6,7-dimethoxy-2-chinazolinyl)-4-(tetrahydro-2-furoyl)piperazin, $C_{19}H_{25}N_5O_4$, M_R 387,44, Schmp. 272,6–274 °C, λ_{max} (CH_3OH) 247, 343 nm ($A_{1cm}^{1\%}$ 1230, 178), pK_a 7,1. Verwendet wird meist das T.-Hydrochlorid-Dihydrat, $C_{19}H_{26}ClN_5O_4 \cdot 2H_2O$, M_R 423,90, Schmp. 271–

Terbacil

274°C; LD_{50} (Ratte i.v.) 277 mg/kg, gut lösl. in Wasser. T. wurde 1977, 1979 u. 1981 von Abbott (Flotrin®, Heitrin®) patentiert. – *E* terazosin – *F* térazosine – *I* = *S* terazosina

Lit.: Am. J. Med. **80**, Suppl. 5 B, 1–105 (1986) ▪ Drugs **33**, 461–477 (1987) ▪ Florey **20**, 693–727 ▪ Hager (5.) **9**, 801 f. ▪ Martindale (31.), S. 952. – *[HS 2934 90; CAS 63590-64-7 (T.); 70024-40-7 (Hydrochlorid-Dihydrat)]*

Terbacil.

Common name für 3-*tert*-Butyl-5-chlor-6-methyluracil, $C_9H_{13}ClN_2O_2$, M_R 216,66, Schmp. 175–177°C, LD_{50} (Ratte oral) >5000 mg/kg (WHO), von DuPont 1965 eingeführtes selektives *Herbizid gegen Ungräser u. Unkräuter im Apfel-, Zitrus-, Pfirsich-, Wein-, Luzerne-, Spargel- u. Zuckerrohranbau. – *E* = *F* = *S* terbacil – *I* terbacile

Lit.: Farm ▪ Perkow ▪ Pesticide Manual. – *[HS 2933 59; CAS 5902-51-2; G 9]*

Terbinafin.

Internat. Freiname für das *Antimykotikum (*E*)-*N*-(6,6-Dimethyl-2-hepten-4-inyl)-*N*-methyl-1-naphthalinmethanamin, $C_{21}H_{25}N$, M_R 291,44. Verwendet wird meist das Hydrochlorid, Schmp. 195–198°C, LD_{50} (Maus oral) 4000, (Maus i.v.) 393 mg/kg. T. wurde 1981 von Sandoz (Lamisil®, Novartis) patentiert. – *E* = *F* terbinafine – *I* = *S* terbinafina

Lit.: ASP ▪ Hager (5.) **9**, 802 ff. ▪ Martindale (31.), S. 415 f. – *[HS 2921 49; CAS 91161-71-6 (T.); 78628-80-5 (Hydrochlorid)]*

Terbium (chem. Symbol Tb). Zu den *Seltenerdmetallen gehörendes Element, Ordnungszahl 65, Atomgew. 158,9254. Als *anisotopes Element tritt Tb in der Natur nur in Form des Isotops 159 auf. Man kennt jedoch künstliche Isotope ^{140}Tb – ^{165}Tb mit HWZ zwischen 0,30 s (^{142m}Tb) u. 180 a (^{158}Tb). In seinen Verb. tritt Tb in den Oxid.-Stufen +3 u. (seltener) +4 auf. Tb ist ein silbergraues, an der Luft verhältnismäßig beständiges Metall, D. 8,219, Schmp. 1356°C, Sdp. 3230°C. Es ist schmiedbar, duktil, läßt sich mit dem Messer schneiden. Tb tritt in zwei krist. Modif. auf, hexagonal (<1315°C) u. kub.-raumzentriert. Bei niedrigen Temp. wird Tb – ebenso wie Dysprosium u. Holmium – ferromagnet. u. zeigt dann bei gegebener Feldstärke eine höhere Magnetisierung als Eisen. In seinen chem. Eigenschaften entspricht Tb den anderen Seltenerdmetallen; es zeigt Anlaufen der frischen Schnittfläche u. Schutz vor weiterer Oxid. durch Ausbildung einer Oxid- bzw. Carbonat-Schicht, Pyrophorität sowie Löslichkeit in verd. Säuren.

Vork.: Überwiegend als Begleiter des *Yttriums, im *Xenotim sowie in komplexen Seltenerdmineralen wie *Euxenit u. *Gadolinit. Die geolog. Häufigkeit in der äußeren, 16 km dicken Erdkruste liegt mit etwa 0,8 ppm in der Nähe derjenigen von Iod.

Herst.: Techn. wird Tb aus *Monazit-Sand gewonnen, in dem es zu etwa 0,03% enthalten ist. Durch Ionenaustausch kann es von den übrigen Seltenerdmetallen abgetrennt u. rein erhalten werden. Tb-Metall wird auch durch metallotherm. Red. von Tb-Halogeniden bzw. Tb-Oxid gewonnen.

Verw.: Tb-Metall ist ohne nennenswerte techn. Bedeutung. Natriumterbiumborat eignet sich als Lasermaterial; es emittiert kohärentes Licht der Wellenlänge 546 nm. Von Interesse sind ggf. die katalyt. Eigenschaften, die Aktivatoreigenschaften in Leuchtstoffen bei UV- u. Elektronenstrahlanregung (grün in Yttriumphosphat- bzw. -silicat-Wirtsgittern bei hoher Stromdichte) sowie die Stabilisierung von ZrO_2 in Brennstoffzellen bei erhöhter Temperatur. Zum Einsatz von Tb(III)-Verb. als *Lumineszenz-Label u. biolog. Färbemittel s. *Lit.*[1].

Geschichte: Terbiumoxid wurde 1843 von *Mosander in den Yttererden entdeckt, die bei dem Ort Ytterby (Schweden) gefunden worden waren. Weitere Untersuchungen stammen von Delafontaine (Tb in Samarskit, 1878), de *Marignac (Tb im Gadolinit) u. Lecoq de *Boisbaudran (Tb in Holmiumerden); Näheres zur Geschichte der Tb-Entdeckung s. in *Lit.*[2]. – *E* = *F* terbium – *I* = *S* terbio

Lit.: [1] Chem. Rev. **82**, 541–552 (1982). [2] Pilgrim, Entdeckung der Elemente, S. 274–278, Stuttgart: Mundus 1950. *allg.:* s. Seltenerdmetalle. – *[HS 2805 30; CAS 7440-27-9]*

Terbium-Verbindungen. Von *Terbium sind zahlreiche salzartige u. komplexe Verb. bekannt, z. B. *Terbium(III)-oxid* (Tb_2O_3, M_R 365,85, weiße Massen), sog. *Terbiumoxid* (Tb_4O_7, M_R 747,70, schwarzes Pulver), *Terbium(III)-chlorid* [$TbCl_3$, M_R 265,28, als Hexahydrat farblose, zerfließende Krist., D. 4,35 (wasserfrei), Schmp. 588°C (wasserfrei)].

Terbium(III)-nitrat liegt als Hexahydrat [$Tb(NO_3)_3 \cdot 6 H_2O$, M_R 453,03], als Pentahydrat (M_R 435,02) od. als Tetrahydrat (M_R 417,00) in Form von farblosen, in Wasser lösl. Nadeln vor. – *E* terbium compounds – *F* composés de terbium – *I* composti di terbio – *S* compuestos de terbio

Lit.: s. Seltenerdmetalle. – *[HS 2846 90]*

Terbufos.

Common name für *S-tert*-Butylthiomethyl-*O*,*O*'-diethyldithiophosphat, $C_9H_{21}O_2PS_3$, M_R 288,41, Sdp. 69°C (1,3 Pa), LD_{50} (Ratte oral) 1,6 mg/kg, von American Cyanamid (jetzt American Home Products) 1974 eingeführtes system. *Insektizid u. *Nematizid mit Fraß- u. Kontaktgiftwirkung gegen unter- u. oberird. Schädlinge im Rüben-, Mais-, Sorghum-, Baumwoll- u. Bananenanbau. – *E* = *F* = *I* = *S* terbufos

Lit.: Farm ▪ Perkow ▪ Pesticide Manual ▪ Wirkstoffe iva. – *[HS 2930 90; CAS 13071-79-9; G 6.1]*

Terbumeton.

Common name für N^2-*tert*-Butyl-N^4-ethyl-6-methoxy-1,3,5-triazin-2,4-diyldiamin, $C_{10}H_{19}N_5O$, M_R

225,29, Schmp. 123–124 °C, LD$_{50}$ (Ratte oral) 483–651 mg/kg, von Geigy (jetzt Novartis) 1966 eingeführtes selektives Vor- u. Nachauflauf-*Herbizid gegen Ungräser u. Unkräuter im Zitrusanbau (ab 4. Jahr) sowie in Kombination mit *Terbuthylazin im Nachauflauf im Apfel-, Zitrus- u. Weinanbau u. im Forst. – *E* terbumeton – *F* terbuméton – *I* terbumetone – *S* terbumetona

Lit.: Farm ▪ Perkow ▪ Pesticide Manual ▪ Wirkstoffe iva. – [HS 2933 69; CAS 33693-04-8; G 6.1]

Terbutalin (Rp).

Internat. Freiname für das β_2-Sympathomimetikum u. Broncholytikum (±)-2-*tert*-Butylamino-1-(3,5-dihydroxyphenyl)-ethanol [5-(2-*tert*-Butylamino-1-hydroxyethyl)resorcin], $C_{12}H_{19}NO_3$, M_R 225,29, Krist., Schmp. 119–122 °C. Verwendet wird meist das Sulfat, Schmp. 246–248 °C, λ_{max} (0,1 M HCl) 276 nm ($A^{1\%}_{1cm}$ 67,6), pK$_{a1}$ 8,8, pK$_{a2}$ 10,1, pK$_{a3}$ 11,2. T. wurde 1968 u. 1976 von Draco patentiert u. ist als Generikum im Handel. – *E* = *F* terbutaline – *I* = *S* terbutalina

Lit.: ASP ▪ Florey **19**, 601–625 ▪ Hager (5.) **9**, 804–808 ▪ Martindale (31.), S. 1592 f. ▪ Ph. Eur. **1997** u. Komm. ▪ Ullmann (5.) **A 2**, 458. – [HS 2922 50; CAS 23031-25-6 (T.); 23031-32-5 (Sulfat)]

Terbuthylazin.

Common name für N^2-*tert*-Butyl-6-chlor-N^4-ethyl-1,3,5-triazin-2,4-diyldiamin, $C_9H_{16}ClN_5$, M_R 229,71, Schmp. 177–179 °C, LD$_{50}$ (Ratte oral) 2000 mg/kg, von Geigy (jetzt Novartis) 1966 eingeführtes Vorauflauf-*Herbizid mit breitem Wirkungsspektrum im Sorghum-, Citrus-, Mais-, Wein- u. Apfelanbau sowie im Forst u. auf Nichtkulturland; auch in Kombination mit *Terbumeton, ferner zusammen mit Bromfenoxim im Sommer- u. Wintergetreide. – *E* = *F* terbuthylazine – *I* = *S* terbutilazina

Lit.: Farm ▪ Perkow ▪ Pesticide Manual ▪ Wirkstoffe iva. – [HS 2933 69; CAS 5915-41-3; G 9]

Terbutryn.

Common name für N^2-*tert*-Butyl-N^4-ethyl-6-methylthio-1,3,5-triazin-2,4-diyldiamin, $C_{10}H_{19}N_5S$, M_R 241,35, Schmp. 104–105 °C, LD$_{50}$ (Ratte oral) 2000–2980 mg/kg, von Geigy (jetzt Novartis) 1966 eingeführtes selektives *Herbizid zur Vorauflauf-Anw. gegen Unkräuter u. Ungräser im Wintergetreide-, Zuckerrohr- u. Sonnenblumenanbau, zur Nachauflauf-Anw. im Maisanbau; in Kombination mit *Terbuthylazin zur Anw. im Erbsen- u. Kartoffelanbau. T. wird auch gegen Algen u. Wasserpflanzen in Wasserstraßen, Reservoirs u. Fischteichen eingesetzt. – *E* terbutryn – *F* terbutryne – *I* = *S* terbutrina

Lit.: Farm ▪ Perkow ▪ Pesticide Manual ▪ Wirkstoffe iva. – [HS 2933 69; CAS 886-50-0; G 9]

Terconazol (Rp).

Internat. Freiname für ein synthet. *Antimykotikum (±)-1-{4-[*cis*-2-(2,4-Dichlorphenyl)-2-(1*H*-1,2,4-triazol-1-ylmethyl)-1,3-dioxolan-4-yl-methoxy]phenyl}-4-isopropylpiperazin, $C_{26}H_{31}Cl_2N_5O_3$, M_R 532,48, Schmp. 126,3 °C. T. wurde 1978, 1979 u. 1980 von Janssen patentiert. – *E* = *F* terconazole – *I* terconazolo – *S* terconazol

Lit.: ASP ▪ Hager (5.) **9**, 808 f. ▪ Martindale (31.), S. 416 ▪ Ph. Eur. Suppl. **1998** u. **1999**. – [HS 2934 90; CAS 67915-31-5]

Terelit (Rp). Kapseln mit *Ambroxol- u. *Doxycyclin-hydrochlorid gegen Erkrankungen der Atemwege. *B.:* Farmasan.

Terephthalsäure (1,4-Benzoldicarbonsäure, TPS, TPA).

$C_8H_6O_4$, M_R 166,13. Farblose Nadeln, D. 1,51, subl. oberhalb 400 °C, in Wasser, Ether, Chloroform, Alkoholen unlösl., mäßig lösl. in siedendem Ethanol, besser in heißer konz. Schwefelsäure, in Pyridin, Dimethylsulfoxid, Dimethylformamid; LD$_{50}$ (Ratte oral) 18,8 g/kg.

Herst.: Zur T.-Herst. sind zahlreiche Verf. entwickelt worden, die allerdings nur teilw. praktiziert werden. Die großtechn. bedeutendste Route ist die Flüssigphasen-Oxid. des *p*-Xylols. Ohne bes. Vorkehrungen bleibt die Oxid. jedoch auf der Stufe der *p*-*Toluylsäure (4-Methylbenzoesäure) stehen. Um auch die zweite Methyl-Gruppe in die Carboxy-Gruppe zu überführen, wurden verschiedene Wege eingeschlagen. Man kann drei prinzipielle Möglichkeiten unterscheiden: 1. Die Carboxy-Gruppe der *p*-Toluylsäure wird mit Methanol in einer zusätzlichen Stufe verestert (Witten, Hercules, California Research) od. Methanol als Lsm. für die Oxid. verestert gleichzeitig (BASF, Montecatini u. Du Pont); danach wird auch die zweite Methyl-Gruppe oxidiert.

2. Zusammen mit dem Metallsalz-Katalysator (Mn od. Co) werden Cokatalysatoren od. Promotoren, z. B. organ. u. anorgan. Brom-Verb., verwendet (Amoco/Mid-Century u. IFP).

3. In einem Cooxid.-Prozeß wird eine Hilfssubstanz gleichzeitig mitoxidiert, die Hydroperoxide liefern kann. Als cooxidierbare Substanzen werden Acetaldehyd (Eastman-Kodak), Paraldehyd (Toray Industries) u. Methylethylketon (Mobil Oil u. Olin Mathieson) verwendet. Eine ausführliche Beschreibung dieser Verf. sowie weitere Herst.-Möglichkeiten findet man in Weissermel, Kirk-Othmer u. Ullmann (*Lit.*).

Verw.: Ebenso wie T.-dimethylester (Dimethylterephthalat, DMT) hauptsächlich zur Herst. von *Polyestern für Folien u. Synth.-Fasern, insbes. von Polyethylenterephthalat (PET). T. hat daher notwendigerweise das gleiche stürm. Wachstum mitgemacht, das dieser Polyester in zwei Jahrzehnten erlebt hat. Weitere Verw. findet T. zur Herst. von 1,4-Cyclohexandicarbonsäure durch Hydrierung; 2,5-Dianilino-T. dient als Ausgangsstoff für Chinacridon-Pigmente. – *E* terephthalic acid – *F* acide téréphtalique – *I* acido tereftalico – *S* ácido tereftálico

Lit.: Beilstein EIV **9**, 3301 ▪ Kirk-Othmer (4.) **18**, 1006 ff. ▪ Merck-Index (12.), Nr. 9306 ▪ Ullmann (4.) **22**, 519–528; (5.) A **26**, 193–204 ▪ Weissermel-Arpe (4.), S. 422–434. – *[HS 2917 36; CAS 100-21-0]*

Terephthalsäuredimethylester s. Dimethylterephthalat.

Terfemundin® (Rp). Tabl. u. Suspension mit dem *Antihistaminikum *Terfenadin. *B.:* Mundipharma.

Terfenadin (Rp).

HO-C(C₆H₅)(C₆H₅)-N-(CH₂)₃-CH(OH)-C₆H₄-C(CH₃)₃

Internat. Freiname für das *Antihistaminikum (±)-1-(4-*tert*-Butylphenyl)-4-[4-(α-hydroxybenzhydryl)piperidino]-1-butanol, $C_{32}H_{41}NO_2$, M_R 471,69, Schmp. 146,5–148,5 °C, λ_{max} (CH₃OH) 260 nm ($A^{1\%}_{1cm}$ 14), pK_b 4; LD_{50} (Maus oral) >2 g/kg. T. wurde 1973 u. 1975 von Richardson Merrell (Teldane®) patentiert u. ist als Generikum im Handel. Da bei Überdosierung, gleichzeitiger Einnahme von Azol-Antimykotika od. Makrolid-Antibiotika Herzrhythmusstörungen, in einigen Fällen mit letalem Ausgang, auftraten, wurde die Substanz 1998 wieder der Verschreibungspflicht unterstellt. Sein Metabolit Fexofenadin weist diese Nebenwirkungen nicht auf. – *E* terfenadine – *F* terfénadine – *I* = *S* terfenadina

Lit.: ASP ▪ Florey **19**, 627–662 ▪ Hager (5.) **9**, 809 ff. ▪ Martindale (31), S. 452 f. ▪ Ph. Eur. **1997** u. Komm. – *[HS 2933 39; CAS 50679-08-8]*

Terfium® (Rp). Tabl. u. Suspension mit dem *Antihistaminikum *Terfenadin. *B.:* Hexal.

Terizidon (Rp).

Internat. Freiname für das *Tuberkulostatikum (±)-4′-[*p*-Phenylenbis(methylidinnitrilo)]bis(3-isoxazolidinon), $C_{14}H_{14}N_4O_4$, M_R 302,28. T. ist ein *Antibiotikum mit 2 *Cycloserin-Anteilen im Mol., die als wirksame *Metaboliten im Organismus den Aufbau der Bakterienzellwand durch kompetitive Hemmung des Alanin-Einbaus stören. – *E* = *I* terizidone – *F* térizidone – *S* terizidona

Lit.: Hager (5.) **9**, 811 f. ▪ Martindale (31.), S. 285. – *[HS 2934 90; CAS 25683-71-0]*

Terlipressin (Rp).

Gly-Gly-Gly-Cys-Tyr-Phe-Gln-Asn-Cys-Pro-Lys-Gly-NH₂

Internat. Freiname für den *Vasokonstriktor *N*-[*N*-(*N*-Glycylglycyl)glycyl]-8-L-lysinvasopressin (TGLVP, Glycylpressin), $C_{52}H_{74}N_{16}O_{15}S_2$, M_R 1227,39. Verwendet wird das Acetat-Pentahydrat, $C_{54}H_{78}N_{16}O_{17}S_2 \cdot 5H_2O$, M_R 1377,50, $[\alpha]_D^{25}$ −82° (c 0,2/1 M CH₃COOH). T. (Glycylpressin, Ferring) wird gegen Uterus- u. Ösophagus-Blutungen angewandt; vgl. a. Vasopressin. – *E* terlipressin – *F* terlipressine – *I* terlipressina – *S* terlipresina

Lit.: ASP ▪ Hager (5.) **9**, 812 f. ▪ Martindale (31.), S. 1294. – *[HS 2934 90; CAS 14636-12-5]*

Term (von latein.: termini = französ.: terme = Grenze, Ende, Ziel). In Physik u. Chemie Kurzbez. für *Energie-T.*, d. h. für das Energieniveau, das ein Elektron innerhalb eines Atoms od. eines Mol. bzw. ein Nukleon innerhalb eines Kerns annehmen kann. Die Energiedifferenz zwischen dem Energiewert des *Grundzustandes u. dem eines (therm. od. photochem.) *Anregungs-Zustandes bezeichnet man als *T.-Energie*. Die verschiedenen Energieniveaus von Atomen, Ionen u. Mol. werden übersichtlich in Form eines sog. *T.-Schemas* dargestellt; *Beisp.:* Jabloński-Diagramm bei *Photochemie (Abb. 2).

Von *Spektral-T.* spricht man, wenn man statt der Energie E die Wellenzahl $\tilde{v}$ = E/(h · c) (h = Plancksches Wirkungsquantum, c = Lichtgeschw.) einsetzt. In der *Spektroskopie hat man zur Kennzeichnung der T. eine eigene Schreibweise entwickelt: Im Fall von *Atomen u. einatomigen Ionen* bildet man das *T.-Symbol* aus der Quantenzahl des Bahndrehimpulses L, des elektron. Spins S u. des Gesamtdrehimpulses J (s. Quantenzahlen) in der Form $^{2S+1}L_J$; für L = 0, 1, 2, 3, 4… benutzt man die Buchstaben S, P, D, F, G… (weitere T. der alphabet. Reihe folgend). *Beisp.:* Der Grundzustand des Lithiums ist $^2S_{1/2}$, der des Fe²⁺-Ions $^5D_4$. Zur T.-Beschreibung (linearer) *Mol.* benutzt man die entsprechenden griech. Großbuchstaben, Symbole Σ, Π, Δ, Φ…, mit dem die Projektion des Bahndrehimpulses Λ (z. B. Λ = 0, 1, 2…) auf die Kernverbindungsachse beschrieben wird. Die Projektion des Elektronenspins, Σ, wird ebenfalls in Form der Multiplizität 2Σ + 1 als Hochzahl angegeben u. die Projektion des Gesamtdrehimpulses Ω = |Λ + Σ| als Postskript. Als rechts stehende Superskripte bzw. Subskripte findet man die Symbole „+" od. „–" bzw. g (von *gerade*) od. u (von *ungerade*), die über die *Symmetrie der Mol. Aussagen machen (Näheres s. Molekülspektren). *Beisp.:* $^1\Delta_g$ u. $^1\Sigma_g$ sind zwei T. des *Singulett-Sauerstoffs, während dieser im Triplett-Grundzustand das Symbol $^3\Sigma_g^-$ hat. Aus der Multiplizität (s. dort weitere Beisp.) erkennt man, ob es sich um einen *Singulett-, Dublett-, *Triplett- usw. Zustand handelt; der Einfachheit halber begnügt man sich oft mit Schreibweisen wie $^1O_2$, $^3O_2$, für das zweiatomige Sauerstoff-Atom im *Singulett- bzw. Triplett-Zustand. Übergänge zwischen Energie-T. unterschiedlicher Multiplizität sind im allg. verboten (s. a. Spin). Durch *T.-Analyse* (Elektronenbzw. Kernspektroskopie) lassen sich Einblicke in die Struktur von Atomen, Mol. bzw. Kernen gewinnen. Beispielsweise kann man so bei Komplexen (s. Koordinationslehre) elektron. Wechselwirkungen zwischen Liganden u. dem Zentralatom erkennen (u. mit Hilfe der *Ligandenfeldtheorie erklären), weil energet. gleichwertige T. in solche mit unterschiedlicher Energie aufgespalten werden. Diese sog. *Folge-*, *Mulliken-* od. *Spalt-T.* erhalten aus der Gruppentheorie entlehnte Symbole wie t_{2g} u. e_g. – *E* term – *F* terme – *I* termine – *S* término

Termanalyse s. Term.

Ter Meulen s. ter Meulen.

Terminal (latein.: terminalis = grenz..., end...). a) Fachwort für „endständig", „End...", z. B. bei *Ketten u. *Seitenketten in Mol., bei (bio)chem. Reaktionsfolgen, Körper- u. Pflanzenteilen. – b) Engl. Bez. für Endpunkte, Schnitt- u. Verbindungsstellen, z. B. in Elektronik, Datenübermittlung u. Transportwesen. – $E = F = S$ terminal – I terminale

Termination. Von latein.: terminatio = Schluß, Beendigung, Begrenzung abgeleitete Bez. für die *Abbruchreaktion* zur Beendigung einer Reaktionssequenz, insbes. bei Kettenreaktionen; Beisp. s. dort. Bei *Radikalketten-Polymerisationen* wird die T. oftmals durch zugesetzte *Reglersubstanzen, bei *Telomerisationen durch Telogene vorgenommen, die als *Radikal-Fänger wirken. Zur Beendigung der Eiweiß-Biosynth. am *Ribosom sind im „Code-Lexikon" des *Genetischen Codes mehrere T.-Codons enthalten. – $E = F$ termination – I terminazione – S terminación

Terminationscodon s. Stop-Codon.

Terminator. Bei der *Transkription DNA-Sequenz, die durch die DNA-abhängige RNA-Polymerase als Signal erkannt u. zum Abbruch der mRNA-Synth. u. Freisetzung der gebildeten mRNA von der DNA-Matrize führt. Über T. u. die beteiligten Prozesse ist bei der eukaryont. RNA-Synth. relativ wenig bekannt. Die T. von Bakterien unterscheiden sich in ihrer Terminationseffizienz u. ihrer Abhängigkeit von Hilfsproteinen. Sie alle enthalten direkt vor dem Terminationspunkt eine Palindromsequenz, die neu synthetisierten RNA zur Bildung von Haarnadel-Strukturen (7 – 20 Basenpaare, s. Haarnadelschleife) führt. Bei der *einfachen (rho-unabhängigen) Termination* bestehen diese u. a. aus GC-reichen Regionen, gefolgt von U-Resten, die bei der Abtrennung der Polymerase von der DNA-Matrize mitwirken. Bei den *rho-abhängigen Termination* weisen die gebildeten Haarnadel-Bereiche keine gemeinsamen Strukturen auf, für die korrekte Ablösung ist ein Protein (rho-Faktor) erforderlich; s. a. Attenuator, Transkription u. Sigma-Faktor. – E terminator – F terminateur – I terminatore – S terminador

Lit.: Annu. Rev. Biochem. **55**, 339 (1986) ▪ Knippers (7.), S. 54 ▪ Lewin, Gene, S. 235 – 238, Weinheim: VCH Verlagsges. 1988 ▪ Stryer 1996, S. 891 ff.

Terminologie. Wissenschaft (griech.: ...logía = ...wissenschaft, ...lehre) der Fachwörter u. -begriffe (= Termini; latein.: terminus = Grenzmarkierung) u. ihrer Definition (latein.: definitio = Abgrenzung, Festlegung). Die T. befaßt sich mit dem Wortschatz (*Thesaurus, Vokabular, *Wörterbücher), Namensammlungen für Gegenstände eines Faches (*Nomenklatur), Verwandtschaft von Begriffen (*Synonyme), hierarch. Gliederung (*Klassifikation) u. Ordnungssyst. (Systematik, *Normung). Die Begriffe T. u. Nomenklatur werden oft wegen ihrer engen Beziehungen gleichgesetzt (*Lit.* zu chem. T. s. Nomenklatur). – E terminology – F terminologie – I terminologia – S terminología

Lit.: Beyer, Pharmazeutische u. medizinische Terminologie (4.), Stuttgart: Wissenschaftliche Verlagsges. 1996 ▪ Industrial Engineering Terminology, New York: Wiley 1984 ▪ McNaught u. Wilkinson, Compendium of Chemical Terminology („The Gold Book"), 2. Aufl., Oxford: Blackwell 1997 ▪ Nomenclature for Hazard and Risk Assessment in the Process Industries, Rugby: Inst. Chem. Eng. 1986 ▪ Rose, Quick Scientific Terminology, New York: Plenum 1988. – Viele Publikationen zu (genormter) T. erscheinen bei *ASTM (Philadelphia), Beuth (Berlin; s. DIN), Blackwell (Oxford; s. IUPAC) u. *ISO (Genf); s. a. Nomenklatur. – *Organisation:* International Information Center for Terminology (Infoterm), Wien (s. Spektrum Wiss. **1986**, Nr. 2, 26, 28).

Termiten (Isoptera). Eine vorwiegend in den Tropen vorkommende Ordnung sozialer, meist flügelloser u. blinder *Insekten mit mehr als 2000 Arten; Verwandlung unvollkommen (Hemimetabolie); nahe verwandt mit den Schaben. Die bis zu 2 cm langen T. sind meist weiß od. blaßgelb gefärbt, weshalb sie oft (fälschlich) als „Weiße Ameisen" bezeichnet werden. Sie ernähren sich vorzugsweise von Holz, u. ein Gemisch aus zerkautem Holz, Erde u. Kot bildet auch das Baumaterial für ihre sog. Galerien u. Termitenhügel, deren Bau von magnet., elektr., klimat. u. Mondphasen-Einflüssen bestimmt wird. Einige Arten legen in ihren Bauten Pilzgärten an. Den zur Eiweißsynth. benötigten Stickstoff erhalten T. durch Stickstoff-fixierende Darmbakterien, die zusammen mit Methan-produzierenden Bakterien u. Geißeltierchen (*Flagellaten) in *Symbiose mit den T. leben. Über die von T. an die Atmosphäre abgegebenen Mengen an CH_4, CO_2 u. H_2 herrscht keine Einigkeit. Man schätzt, daß >40% des ird. *Methans von T. stammen! Die bis zu 10 cm großen T.-Königinnen sollen wegen ihres Gehaltes an hochwertigem Eiweiß u. Fett von afrikan. Männern gern als Stärkungsmittel verzehrt werden. Für die Urbevölkerungen Afrikas u. Südamerikas stellten die T. ein wichtiges Nahrungsmittel dar. Ähnlich wie *Ameisen verständigen sich die T. durch Absonderung von *Pheromonen, aber auch Glykol-Verb. scheinen zu den spurbildenden Stoffen zu gehören. T.-Soldaten verfügen nicht nur über ein spezif. Alarmsekret, sondern auch über ein erstaunliches Arsenal chem. Waffen; die Kampfstoffe können je nach Art verspritzt, injiziert od. auf den Gegner, meist Ameisen, geschmiert werden. Man fand u. a. Terpentin-ähnliche, klebende Mischungen von Sesqui- od. Diterpenen in Monoterpenen, langkettige (C_{21}–C_{35}) Alkane u. Alkene, die gerinnungshemmend auf die Hämolymphe wirken sollen od. Kontaktgifte auf der Basis von Nitroalkenen, Vinylketonen, Ketoaldehyden etc.

Aufgrund ihrer Zahl u. Gefräßigkeit verursachen die T. an Holz, Gebäuden, Möbeln, Textilien u. Lebensmittelvorräten jährlich Schäden in Höhe von 400 – 500 Mio. DM, u. selbst Kunststoffe u. Synth.-Kautschuk sind vor ihnen nicht sicher. Zur direkten T.-Bekämpfung sind Pentachlorphenol u. auch Chloraromaten geeignet; auch das Vergasen mit Methylbromid wird praktiziert. Holz läßt sich mit *Holzschutzmitteln schützen, u. auch die Behandlung von Bauholz mit T.-abweisenden Substanzen (s. Insektenabwehrmittel) ist möglich. Man fand nämlich, daß *Saponine enthaltende Holzarten wie *Sandel- u. *Teakholz od. das Holz, aus dem die Innenräume der Maya-Tempel teilw. bestehen, T.-resistent sind. Zur selektiven Bekämpfung eignen sich bes. Molybdän- sowie Wolfram-Salze. – $E = F$ termites – I termiti – S termitas

Lit.: Jacobs u. Renner, Biologie u. Ökologie der Insekten, 3. Aufl., Stuttgart: Fischer 1998 ▪ s. a. Insekten.

Termitin s. Vitamin (T).

Termolekulare Reaktionen (trimolekulare Reaktionen). Bez. für eine sehr selten zu beobachtende *Elementarreaktion, die den Zusammenstoß von 3 Teilchen (*Dreierstoß*, s. a. Stoßprozesse) erfordert. Möglicherweise verlaufen sog. *Push-pull-Reaktionen als t. R., s. a. Molekularität. – E termolecular reactions – F réactions moléculaires – I reazioni termolecolari (trimolecolari) – S reacciones termoleculares

Lit.: Laidler, Kinetics (Chemistry), in Encyclopedia of Physical Science and Technology, S. 379–402, Vol. 8, New York: Academic Press 1992.

Termone (von latein. terminare = begrenzen u. griech. hormon = antreibend). Geschlechtsbestimmende Wirkstoffe einiger Protozoen, Algen u. Pilze, die im Gegensatz zu den *Sexualhormonen nicht die sek. Geschlechtsmerkmale, sondern das Geschlecht selbst beeinflussen. Man unterscheidet männlich bestimmende *Androtermone* u. weiblich bestimmende *Gynotermone*. Die T. wurden von R. *Kuhn u. Moewus in der Grünalge *Chlamydomonas eugametos* entdeckt, bei der z. B. Isorhamnetin (Quercetin-3′-methylether) als Gyno-T., 4-Hydroxy-β-cyclocitral u. Päonin als Andro-T. fungieren. – $E = F$ termones – I termoni – S termonas

Termschema, Termsymbole s. Term.

Ternär. Von latein.: terni = je drei, zu dritt abgeleitetes Adjektiv zur Bez. einer Zusammensetzung aus 3 Komponenten; *Beisp.:* folgende Stichwörter; vgl. binäre…, quaternär, tertiär u. Trimere. – E ternary – F ternaire – $I = S$ ternario

Ternäre Copolymerisate s. Terpolymere.

Ternäre Spaltung. Bez. für Kernspaltung, s. Kernreaktionen.

Ternäre Systeme. Allg. Bez. für *Dreistoffsyst.*, z. B. für Lsg. u. Gemische, die aus drei Komponenten bestehen. Die Zusammenhänge zwischen den Konz. der einzelnen Komponenten u. a. physikal. Parametern stellt man zweckmäßigerweise in Dreiecksdiagrammen (*Zustandsdiagramme) dar (s. Abb.). Aus dem Phasengesetz (*Gibbssche Phasenregel) ergibt sich die Zahl möglicher Phasen bzw. Freiheitsgrade. – E ternary systems – F systèmes ternaires – I sistemi ternari – S sistemas ternarios

Lit.: Atkins, Physikalische Chemie, S. 243 f., Weinheim: VCH Verlagsges. 1996 ▪ Barrow, Physikalische Chemie, S. II 245, Braunschweig: Vieweg 1984.

Ternäre Verbindungen (Drei-Komponenten-Verb.). T. V. bestehen z. B. aus 3 chem. Elementen (*Beisp.:* $SOCl_2$, HCN, $VOCl_3$) od. 3 Ionensorten (*Beisp.:* *Alaune, *Apatit, *Kaliumnatriumtartrat u. a. *Doppelsalze) od. 3 Molekülsorten (*Beisp.:* *Charge-transfer-Komplexe u. a. *Molekülverbindungen aus 3 Partnern) od. allg. 3 Teilchensorten (*Beisp.:* ternäre Metallkomplexe). Das mol. Verhältnis der 3 Bestandteile kann 1:1:1 sein od. anders ganzzahlig od. auch beliebig (ternäre *nichtstöchiometrische Verbindungen); *Beisp.:* viele *ternäre *Legierungen* (metall. Werkstoffe mit 3 Hauptkomponenten). – E ternary compounds – F composés ternaires – I composti ternari – S compuestos ternarios

Ternebleche. Flacherzeugnis (Blech) aus unlegiertem *Stahl mit einem durch Schmelztauchen hergestellten Blei-Überzug, dem aus Gründen besserer Haft- u. Beständigkeitseigenschaften ca. 8–15% Sn u. max. 3% Sb zulegiert sind. T. werden zur Herst. von Kraftstofftanks verwendet. – E lead coated sheet – F fer terne – I lamiera piombata – S chapa emplomada

Lit.: Verein Dtsch. Eisenhüttenleute (Hrsg.), Werkstoffkunde Stahl, Bd. 2, S. 116, Berlin: Springer 1985.

Terodilin.

$$CH_2-CH-NH-C(CH_3)_3$$
$$|$$
$$H_5C_6-CH-C_6H_5$$

Internat. Freiname für das *Parasympath(ik)olytikum (±)-N-tert-Butyl-4,4-diphenyl-2-butanamin, $C_{20}H_{27}N$, M_R 281,44, gelbe Flüssigkeit, Sdp. 130–132 °C (1,3 hPa). Verwendet wird meist das Hydrochlorid, Schmp. 178–180 °C, lösl. in Ethanol, wenig lösl. in Ether. T. wurde 1963 u. 1968 von AB Recip patentiert u. dient v. a. zur Behandlung von Inkontinenz der Blase. – E terodiline – F térodiline – $I = S$ terodilina

Lit.: Hager (5.) **9**, 813 f. ▪ Martindale (31.), S. 507. – [HS 292149; CAS 15793-40-5 (T.); 7082-21-5 (Hydrochlorid)]

Teroson. Kurzbez. für die 1898 als Teroson gegr. Henkel Teroson GmbH, mit Sitz in 69123 Heidelberg, eine 100%ige Tochterges. der *Henkel KGaA (seit 1991). *Daten* (1995): 820 Beschäftigte, 320 Mio. DM Umsatz. *Produktion:* Kleb. u. Dichtungsstoffe, multifunktionale Beschichtungen wie Lärm- u. Rostschutzmaterialien, Produkte für die Metalloberflächenbehandlung.

Teroson®. Dachmarke für Produkte für das Kfz-Handwerk u. den Handel: Kleb- u. Dichtstoffe für Karosserie od. Scheibe, auch Isocyanat-frei; Spezialklebstoffe für Ausstattung u. Zubehör; Dichtstoffe für Motor u. Gehäuse; Rostschutzmittel zum Schutz von Unterböden, steinschlaggefährdeten Bereichen u. Hohlräumen; ergänzende Rostschutzprodukte wie Schutzwachs, Zink-Spray, Rostschutzgrundierung u. Rostumwandler; selbstklebende Lärmschutzplatten u.

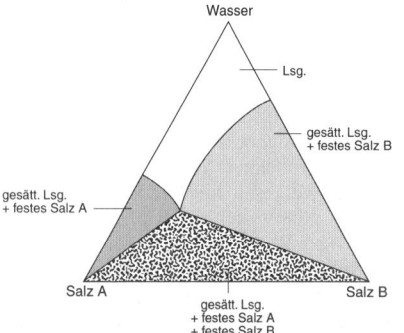

Abb.: Schemat. Zustandsdiagramm von Wasser als Lsm. u. zwei Salzen A u. B bei konstanter Temp. u. konstantem Druck.

Schalldämpfmatten; Spachtel für die Autoreparatur; Produkte zum Schmieren u. Rostlösen, Innen- u. Außenpflege; techn. Reiniger wie Bremsen/Kupplungsreiniger, Kaltreiniger, Scheibenreiniger, Felgenreiniger, Handreiniger. **B.:** Teroson.

Terpal®. Bioregulator auf der Basis von *Ethephon u. *Mepiquatchlorid (T. C auf Basis Ethephon u. *Chlormequatchloride) zur Halmfestigung u. gegen das Lagern von Getreide u. Flachs. **B.:** BASF.

Terpen-Harze. *Kohlenwasserstoff-Harze, die durch *Polymerisation von Terpenen, hauptsächlich α- od. β-Pinen, Dipenten od. *Limonen, gewonnen werden. Die Polymerisation dieser *Monomeren erfolgt kation. unter Initiierung mit Friedel-Crafts-Katalysatoren (s. Friedel-Crafts-Reaktion); zu Eigenschaften u. Verw. der T.-H. s. Kohlenwasserstoff-Harze. Zu den T.-H. werden auch *Copolymere aus Terpenen u. a. Monomeren (Styrol, α-Methylstyrol, Isopren) gerechnet, die u. a. als *Tackifier für *Haftklebstoffe u. Beschichtungsmaterialien Verw. finden[1]. – *E* terpene resins – *F* résines terpéniques – *I* resine terpeniche – *S* resinas terpénicas

Lit.: [1] Encycl. Polym. Sci. Eng. **7**, 772.

Terpen(oid)e. T. lassen sich formal als Polymerisationsprodukte des Kohlenwasserstoffs *Isopren auffassen. Nach der Anzahl der Isopren-Reste unterscheidet man Monoterpene (C_{10}), *Sesquiterpene (C_{15}), *Diterpenoide (C_{20}), *Sesterterpene (C_{25}), *Triterpene (C_{30}), *Tetraterpene (C_{40}) u. Polyterpene. Die *Steroide leiten sich von einer Gruppe von Triterpenen, den Methylsterinen ab.

Die **Biosynth.** der T. erfolgt gemäß der *Isopren-Regel. Aus den auf diese Weise gebildeten acycl. Kohlenwasserstoffen können durch Substitution, Oxid., Cyclisierungen, Umlagerungen usw. eine Vielzahl von Verb. gebildet werden; dementsprechend viele T. (>40 000 wurden bisher beschrieben) kommen in der Natur vor. Man versteht unter T. sowohl die Kohlenwasserstoffe als auch die sich davon ableitenden Alkohole, Ketone, Aldehyde u. Ester. Von T. abstammende Stickstoff-Verb., die Terpen-Alkaloide, werden zu den *Alkaloiden gerechnet u. bei den jeweiligen Einzelstichwörtern mitbesprochen. Es gibt auch natürlich vorkommende T., deren Struktur nicht mit der Isopren-Regel in Einklang steht, sog. irreguläre Terpene. Die Biosynth. geht bei den meisten Verb. von zwei C_5-Einheiten, dem *Isopentenylpyrophosphat* (IPP) u. dem *Dimethylallylpyrophosphat* (DMAPP) aus. Umlagerungen erzeugen untyp. Strukturen, z.B. die Chrysanthemyl-, Santolinyl- u. Artemisyl-Skelette. Die Biosynth. der T. haben bes. *Ružička, K. E. *Bloch, *Lynen u. *Cornforth aufgeklärt.

Nomenklatur: Für T. sind statt umständlicher *systematischer Namen *Trivialnamen u. bes. *halbsystematische Namen üblich [IUPAC-Regeln A-71 bis 75, F u. RF (=Revidierte Regeln F, voraussichtlich 1999 in Pure Appl. Chem. **71**); IUPAC/IUB-Regeln 3-S, Carot, Ret u. Pr (s. Nomenklatur)] ist unsystemat. traditionellen Numerierung der verzweigten Stammgerüste. Die Abb. zeigt Beisp. für acycl., mono-, bi- u. tricycl. Mono-T. mit 3- bis 6-gliedrigen Ringen. Eigene Namen haben auch viele höhere T.-Gerüste (Tab.) mit Unterschieden z. B. in Ringzahl u. -größe, Seitenkettenmuster od. Konfiguration. Neben (R)-/(S)- u. (E)-/(Z)-Symbolen sind zur Bez. der Konfiguration *endo...*/*exo...* u. *anti-*/*syn-*Bez. (bei bicycl. Mono-T.) od. α-/β-Bez. üblich (Unter- u. Oberseite gesätt.-kondensierter, nach festen Regeln abgebildeter T.-Ringsyst.). In Trivialnamen sind α-, β-, γ usw. meist Bez. für Gerüst-, Stellungs- od. Doppelbindungsisomere. Zur Bez. von Gerüstveränderungen gibt es viele spezielle Präfixe [s. Nomenklatur (letzter Abs.)]. Die Namensvielfalt der T. erklärt sich aus der langen Geschichte dieser parfümist. u. pharmazeut. wichtigen Verb.-Klasse, ihren vielen Isomeriemöglichkeiten, der Vielzahl der Organismen, von deren Namen T.-Namen abgeleitet wurden, u. der Neigung vieler T., durch Umlagerungen u. Ringöffnungen (z. B. bei gespannten Ringsyst.) neue Gerüste zu bilden.

Tab.: Halbsystemat. Namen wichtiger Terpen(oid)-Gerüste.

C-Gerüst	Terpen(oid)e
	C_{10}: *Monoterpene*
acycl.	*Geraniol, *Myrcen, *Ocimen, *Secologanin
monocycl.	Iridan (s. Iridoide), o-, m-Menthan (s. Menthene), *p-Menthan, *Menthol, *Menthon
bicycl.	*Bornan, Fenchan (s. Fenchol), *Caran, *Pinan, *Thujan
tricycl.	*Tricyclen
	C_{15}: *Sesquiterpene*
acycl.	*Farnesen, *Farnesol
monocycl.	*Bisabolen, *Curcumen, *Elemene, *Germacran, *Humulen, *Zingiberen; s. a. Irone, Jonone
bicycl.	*Cadinan, *Caryophyllen, *Driman, *Eremophilan, *Eudesman, *Guajan, *Selinan, *Trichothecen
tricycl.	*Cedren, *Coriolin, *Hirsuten, *Longifolen, *Modhephen, *Pleurotellol, *Triquinane
	C_{20}: *Diterpene*
acyl.	*Crocetin, *Geranylgeraniol, *Phytansäure, *Phytol
monocycl.	*Cembren, *Retinal, *Retinol, *Retinsäure
bicycl.	*Clerodan, *Ginkgolid, *Labdan
tricycl.	Abietan (s. Abietinsäure), Pimaran (s. Lävopimarsäure), *Pleuromutilin, *Quassin, Podocarpan (s. Podocarpinsäure), *Taxan
tetracycl.	*Gibberellan, Grayanotoxan, *Kauran, Tiglian (s. Phorbol)
	C_{25}: *Sesterterpene*
acycl.	*Variabilin
monocycl.	*Manoalid
tricycl.	*Ophiobolan
pentacycl.	*Retigeransäure
	C_{30}: *Triterpene*
acycl.	*Squalan, *Squalen
tricycl.	Ambran (s. Ambrein), *Calciferole
tetracycl.	Cucurbitan (s. Cucurbitacine), *Dammarene, *Lanostan, Onoceran, Tirucallan; s. a. Steroide
pentacycl.	*Friedelan, Lupan, *Oleanan, *Ursan
	C_{40}: *Tetraterpene* ≈ *Carotine* u. *Carotinoide*
acycl.	ψ,ψ-Carotin (*Lycopin, s. a. Phytoen)
monocyl.	β,ψ-Carotin (γ-*Carotin)
bicycl.	β,ε-Carotin (α-*Carotin), β,β-Carotin, (*β-Carotin, s. a. Peridinin), β,κ-Carotin, κ,κ-Carotin (s. Capsanthin)
	>C_{40}: *Polyterpene:* Polyprenole (s. Prenole)

β-Myrcen, β-Ocimen, p-Menthan, Thujan, Caran, Pinan, Bornan, Camphen, Tricyclen

Vork.: In der Pflanzenwelt sind T. weit verbreitet. Sie treten v. a. als Bestandteile der aus Blüten, Blättern, Früchten, Rinden u. Wurzeln gewinnbaren *etherischen Öle* – daher auch häufig in *Gewürzen – in Erscheinung, wobei junge Pflanzen im allg. größere Anteile an T.-Kohlenwasserstoffen, ältere an T.-Alkoholen u. a. Oxid.-Produkte enthalten. Eine nach Pflanzenfamilien gegliederte Aufstellung von T.-Vork. findet sich in *Lit.*[1]. Die in heißen Klimazonen von Nadelwäldern emittierten T.-Mengen (vgl. Fichten- u. Kiefernnadelöle u. Thujaöl) – schätzt man auf ca. 1 Mrd. t jährlich! Der Bestimmung von T.-Spuren in der Atmosphäre müssen bes. Anreicherungsverf. vorausgehen. Im tier. Organismus sind T. nur in geringen Mengen, z. B. als *Pheromone od. Abwehrstoffe anzutreffen. In Meeresorganismen werden zahlreiche halogenierte T. gebildet.

Verw.: Techn. wichtige T.-Kohlenwasserstoffe sind die Pinene, Limonen, Cymol, 3-Caren u. Camphen. Parfümist. u. als Geschmacksstoffe bedeutende, natürlicherweise oft in veresterter Form vorliegende T.-Alkohole sind Menthol, Citronellol, Geraniol, Nerol, Linalool u. Terpineol, während Borneol, Thujol, Sabinol, Myrtenol, Thymol, Verbenol, Fenchol, Piperitol nur spezielle Bedeutung besitzen. Perillaaldehyd, Phellandral, Citronellal, Citral u. Myrtenal sind T.-Aldehyde, Menthon, Piperiton, Pulegon, Carvon, Thujon, Umbellulon, Verbenon, Chrysanthenon, Fenchon u. Campher sind T.-Ketone. Seltener treten Chinone (Thymochinon), Epoxide (Cineol, Menthofuran, Linalooloxid, Rosenoxid) od. Peroxide wie Ascaridol od. Artemisinin auf. T. finden Verw. als Duft-, Riech- od. Gewürzstoffe in der Parfümerie-, Kosmetik- u. Lebensmittel-Ind., als Ausgangsstoffe für die Synth. von Vitaminen u. Pharmazeutika, zur Herst. von peroxid. Katalysatoren u. von T.-Harzen (vgl. Kohlenwasserstoff-Harze), die entweder aus Polymeren der Pinene od. aus Terpen-Phenol-Kondensationsprodukten (*Terpen-Phenol-Harze) bestehen, als T.-Lsm., bes. auf Basis von Dipenten (s. Limonen) u. Pinenen, als Ersatz für Fluorkohlenwasserstoffe u. halogenierte Lösemittel. Früher wurden auch polychlorierte T. (z. B. Toxaphen, s. Camphechlor) verwendet, dies ist heute jedoch aus ökolog. (kaum biolog. abbaubar) u. medizin. Gründen (Anreicherung im Fettgewebe) verboten. T. verfügen auch über pestizide u. allelopath. Wirkungen (s. Allelopathie) u. könnten in der Landwirtschaft Anw. finden[1].

Synth. von T. sind sowohl chem. als auch techn. von großem Interesse. T. verfügen über eine Vielzahl interessanter Eigenschaften, deshalb werden zahlreiche kostbare natürliche T. synthet. hergestellt, aber auch neuartige T. gewonnen u. bes. für Parfümzwecke verwendet. Als Grundstoffe für die T.-Synth. dienen leicht zugängliche T., z. B. aus *Holzterpentinöl. – *E* terpenes, terpenoids – *F* terpènes, terpenoïdes – *I* terpeni, terpenoidi – *S* terpenos, terpenoides

Lit.: [1] ACS Symp. Ser. **380**, Potential Use of Natural Products in Agriculture, S. 250–261, 318–334 (1988).
allg.: Connolly u. Hill (Hrsg.), Dictionary of Terpenoids (3 Bd.), London: Chapman & Hall 1992 ■ Dev, CRC Handbook of Terpenoids: Monoterpenoids (2 Bd.), Diterpenoids (4 Bd.), Boca Raton: CRC Press 1982, 1985 ■ Erman, Chemistry of the Monoterpenes (2 Bd.), New York: Dekker 1985 ■ Glasby, Encyclopedia of the Terpenoids, New York: Wiley 1982 ■ J. Nat. Prod. **54**, 1173–1246 (1991) ■ Kirk-Othmer (4.) **23**, 833–882 (Review) ■ Nuhn, Naturstoffchemie (3.), Stuttgart: Hirzel 1997 ■ Torssell (Hrsg.), Natural Product Chemistry (2.), S. 251–312, Kristianstad: Swedish Pharm. Soc. 1997 ■ Turner **1**, 214–279; **2**, 225–366 ■ Ullmann (5.) **A 11**, 154–180 ■ Zechmeister **33**, 73–230; **34**, 253–262; **36**, 24–127; **44**, 189–242. – *Analytik:* Coscia, CRC Handbook of Chromatography 1, Boca Raton: CRC Press 1984 ■ Swigar u. Silverstein, Monoterpenes, Infrared, Mass, ^{1}H-NMR, und ^{13}C-NMR Spectra, and Kovats Indices, Milwaukee: Aldrich 1981 ■ Verghese, Terpene Chemistry, New York: McGraw-Hill 1982. – *Biosynth.:* Acc. Chem. Res. **23**, 70–77 (1990) (irreguläre T.) ■ Basic Life Sci. **44**, 329–351 (1988) ■ Chem. Eng. News, 22. 9. **1997**, 7 ■ Science **227**, 1811, 1815, 1820 (1997) ■ Stud. Nat. Prod. Chem. **7**, 87–129 (1990). – *Synth.:* ApSimon **4**, 451–593; **7**, 275–454 ■ Top. Curr. Chem. **148**, 153–194 (1988) ■ Tse-Lok Ho, Carbocycle Construction in Terpene Synthesis, Weinheim: VCH Verlagsges. 1988.

Terpen-Phenol-Harze. Bez. (nach DIN 16916-1: 1981-06 u. ISO/TR 8244: 1988) für *Harze, die durch Säure-katalysierte Addition von Phenolen an Terpene od. Kolophonium hergestellt werden. T.-P.-H. sind weiche bis harte, neutrale, ölverträgliche Massen mit relativ hoher Lichtbeständigkeit. Sie sind lösl. in den meisten organ. Lsm. u. Ölen u. mischbar mit anderen Harzen, *Wachsen u. *Kautschuk sowie vielfältig modifizierbar.

Verw.: U. a. zur Herst. von Lacken, als *Tackifier für Kautschuk-Klebmassen u. Klebebänder, als Bindemittel für Druckfarben. – *E* terpene phenol resins – *F* résines de terpène-phénol – *I* resine terpenico-fenoliche – *S* resinas de terpeno-fenol

Lit.: Knop u. Pilato, Phenolic Resins, S. 296, Berlin: Springer 1985.

Terpentin. Aus angeritzten u. ggf. durch Aufbringen einer Schwefelsäure-Paste verletzten harzreichen Kiefernarten (hauptsächlich *Pinus palustris* in den USA, *P. silvestris* in Mitteleuropa u. Russland, *P. maritima* in Frankreich) ausfließendes u. eingesammeltes, zähflüssiges Harz (latein.: resina terebinthi), das eine mehr od. weniger verunreinigte Lsg. (*Balsam*) von 70–85% festen Harzbestandteilen (nach Vak.- od.

Wasserdampf-Dest. als *Kolophonium bezeichnet) in 30–15% flüchtigem *Terpentinöl darstellt. T. ist eine viskose, trübe, fast weiße od. weißgelbe Masse, die sich beim Erwärmen klärt u. beim Erkalten wieder trübt. Beim längeren Stehen entmischt es sich in eine untere trübe u. in eine obere klare Schicht. Der Geruch ist eigenartig harzig, der Geschmack bitter. Am Baum angetrocknetes Harz heißt Galipot (Scharrharz). In analoger Weise kann man aus *Lärchen Venezian. T. od. *Lärchenterpentin* gewinnen. – *E* turpentine, rosin, oleoresin, pine gum – *F* térébenthine – *I* = *S* trementina

Lit.: s. Natürliche Harze u. Terpentinöl. – [HS 1301 90; G 3]

Terpentinöl. Farbloses bis hellgelbes, angenehm riechendes, giftiges ether. Öl aus lebendem od. abgestorbenem Holz bzw. Harz von Kiefernarten (vgl. Fichten- u. Kiefernnadelöle), D. 0,853–0,867, Sdp. ca. 155–180°C, in Wasser unlösl., in Alkohol lösl. u. mit Benzol, Chloroform, Ether u. Ölen mischbar; FP. >32°C. Je nach Herkunft u. Gewinnungsprozeß enthält T. unterschiedliche Mengen an *Terpen(oid)en. Man unterscheidet hauptsächlich drei T.-Sorten: *Balsamterpentinöl* (*E* gum turpentine) wird aus *Terpentin (also dem *Balsam lebender Bäume) durch Vak.- od. Normaldruck-Dest. gewonnen, wobei *Kolophonium zurückbleibt. Zur Zusammensetzung derartiger T. s. Tabelle.

Tab.: Zusammensetzung von Terpentinöl unterschiedlicher Provenienz (Angaben in %).

	amerikan.	griech.	portugies.	sowjet.
2-Pinen	65,6	96,5	77,9	59,8
2(10)-Pinen	28,1	0,6	16,5	4,1
3-Caren	–	–	–	24,1
Camphen	1,7	0,9	1,2	1,4
Dipenten	3,2	1,0	3,1	3,7
p-Cymol	–	0,3	–	2,8
andere Terpene	1,4	0,7	1,3	4,1

Die anderen T.-Sorten stammen aus abgestorbenem Holz (u. werden deshalb manchmal auch als Holz-T. bezeichnet); es sei allerdings einschränkend gesagt, daß in der Lit. auch abweichende Angaben über die verschiedenen T.-Sorten zu finden sind. *Sulfatterpentinöl* (Zusammensetzung s. dort) fällt neben *Tallöl als Nebenprodukt der *Cellulose-Gewinnung nach dem Kraft-Verf. an. Aus dem rohen Sulfat-T. müssen die stinkenden Thiole durch Oxid. u. Fraktionierung entfernt werden. *Holzterpentinöl* (Zusammensetzung s. dort) wird v.a. in den USA zusammen mit *Pine Oil aus zerkleinerten *Stubben (daher auch Wurzel-T. genannt) od. dem aus diesem extrahierten Harz durch Wasserdampfdest. gewonnen. Die durch trockene Dest. u. anschließende Fraktionierung erhältlichen Produkte werden als *Kienöle od. *DDW-T.* (destructively distilled wood turpentine) bezeichnet.

T. wirkt hautreizend, narkot. u. nierenreizend, weshalb es früher als *Rubefaciens, zur *Reizkörpertherapie u. veterinärmedizin. als Carminativum gebraucht wurde; MAK 560 mg/m³. Geringe Mengen innerlich genommen od. durch Dämpfe eingeatmet verursachen Veilchengeruch des Urins („Malerkrankheit"). Die sog. T.-Allergie wird in Verb. gebracht mit dem Gehalt an *Caren u. α-*Pinen, denen eine *Ekzem-auslösende Wirkung zugeschrieben wird (vgl. MAK-Liste, Abschnitt VI c).

Verw.: Als Lsm. in der Lack-, Farben-, Bohnerwachs-, Schuhpflegemittel- u. v. a. Ind., zur Herst. von Holzlacken, als Quelle für Pinen u. Caren sowie andere Inhaltsstoffe, als Rohstoffe für Riechstoff-Synth., zur Herst. von Campher. Die Verharzung des T. in Schuhcremes u. Bohnerwachsen kann durch einen Zusatz von *Antioxidantien verhindert werden. In manchen Fällen kann statt T. auch *Terpentinöl-Ersatz eingesetzt werden. – *E* (oil of) turpentine, spirits of turpentine – *F* essence (huile) de térébenthine – *I* essenza di trementina – *S* esencia de trementina

Lit.: Hommel, Nr. 190 ▪ Kirk-Othmer (4.) **17**, 665 f. ▪ Ullmann (4.) **20**, 263 f.; **22**, 553–564; (5.) A **11**, 242 f.; A **24**, 469 ff.; A **27**, 267–280 ▪ s. a. Pine Oil. – [HS 3805 10; CAS 8006-64-2; G 3]

Terpentinöl-Ersatz. Farblose, brennbare, organ. Flüssigkeiten, die ähnliche Flüchtigkeit u. Lösungsfähigkeit für Harze, Wachse, Öle wie *Terpentinöl besitzen u. dieses daher ersetzen soll. Hierzu eignen sich v. a. hochsiedende Benzinsorten, die reich an aromat. u. ungesätt. Kohlenwasserstoffen sind (*Schwer- u. *Testbenzin), ferner Decalin u. Tetralin. Man verwendet T.-E. als Löse- u. Verdünnungsmittel (*Lackbenzin*) bei der Herst. von Ölfarben, Lackfarben, Lacken, Bohnermassen, Polituren, Schuhpflegemitteln usw.; der Benzin- bzw. Petroleumgeruch kann durch Zusatz von etwas ether. Öl überdeckt werden. – *E* turpentine substitutes, white spirits, solvent naphtha – *F* white-spirit, substitut d'essence de térébenthine – *I* sostituto dell'essenza di trementina – *S* sucedáneo (substituto) de la esencia de termentina

Lit.: Gatz (Hrsg.), Lexikon der Anstrichtechnik (10. Aufl.), Bd. 1, München: Callwey 1994 ▪ Ullmann (4.) **22**, 561; (5.) A **27**, 277. – [G 3]

Terpestacin.

Metabolit aus *Arthrinium* sp., $C_{25}H_{38}O_4$, M_R 402,57, Krist., Schmp. 172–173°C, $[\alpha]_D^{22}$ +26° (CHCl₃). T. zeigt Wirkung bei AIDS-Viren (Verhinderung der Syncytien-Bildung) u. Tumor-induzierenden Viren. – *E* terpestacin – *F* terpestacine – *I* = *S* terpestacina

Lit.: *Isolierung*: J. Antibiotics (Tokyo) **46**, 367 (1993); **51**, 602 (1998) ▪ Tetrahedron Lett. **34**, 493 (1993). – *Abs. Konfiguration, Biosynth.*: J. Org. Chem. **58**, 1875 (1993). – *Synth.*: Tetrahedron Lett. **39**, 1 (1998). – [CAS 146436-22-8]

Terphenylchinone. Gruppe von Farbstoffen Höherer Pilze, die sich biosynthet. von Arylbrenztraubensäuren (Dimerisierung) herleiten (vgl. a. Grevilline). Es

Terphenyle

entstehen zuerst farblose, sog. Leuko-Verb., die dann enzymat. mit Luftsauerstoff zu den Chinonen aufoxidiert werden. Die allg. Formel steht für den *p*-chinoiden Typ, es kommen auch *o*-Chinone vor.

T. sind typ. Inhaltsstoffe der *Boletales* u. werden biogenet. in weitere Farbstoffe umgewandelt, z. B. in *Badione u. *Pulvinsäure. *Beisp.* für T. sind *Atromentin, Flavomentine, Leucomelon, *Leucomentine, *Polyporsäure, Phlebiakauranol, Spiromentine, Telephorsäure. – *E* terphenylquinones – *F* terphénylquinones – *I* terfenilchinoni – *S* terfenilquinonas

Lit.: Zechmeister **51**, 4–32. – *Biosynth.:* Tetrahedron Lett. **28**, 4749 (1987). – *Synth.:* Justus Liebigs Ann. Chem. **1986**, 195–204; **1989**, 803–810.

Terphenyle. $C_{18}H_{14}$, M_R 230,31. Systemat. Bez. für die 3 Diphenylbenzole *o*-, *m*- u. *p*-T., von denen letzteres techn. am wichtigsten ist. Die 3 isomeren T. sind krist. Kohlenwasserstoffe mit hohem Siedepunkt. Sie lassen sich aus den hochsiedenden Anteilen der Pyrolyseprodukte des Benzols destillativ rein abscheiden.

	Schmp.	Sdp.
o-Terphenyl:	59°C,	332°C
m-Terphenyl:	87°C,	369°C
p-Terphenyl:	210°C,	383°C

p-T. ist in aromat. Lsm. in der Wärme etwas lösl., in anderen Lsm. prakt. nicht. Im Gegensatz dazu lösen sich *o*-T. u. *m*-T. in organ. Lsm. sehr leicht; MAK 5 mg/m^3 (einatembare Fraktion)[1]. Aufgrund der ausgezeichneten therm. Stabilität finden die T. hauptsächlich Verw. als Wärmeübertragungsmittel. So wird z. B. eine Mischung aus 2–10% *o*-T., 45–49% *m*-T., 25–35% *p*-T. u. 2–18% höhere Polyphenyle verwendet; der Sdp. dieser Mischung liegt bei 360°C. *p*-T. findet zusammen mit *Terrylen* in der Einzelmolekülspektroskopie (EMS) Verwendung. Das Syst. Terrylen in *p*.-T. eignet sich für die Anw. als mol. Informationsspeicher[3]. Die Verw. von polychlorierten T. (PCT) ist durch die Chemikalien-VerbotsVO geregelt[2]. – *E* terphenyls – *F* terphényles – *I* terfenili – *S* terfenilos

Lit.: [1] TRGS 900: Grenzwerte in der Luft am Arbeitsplatz, „Luftgrenzwerte". (Ausgabe Oktober 1996 in der Fassung vom Mai 1998). [2] Chemikalien-VerbotsVO vom 19. Juli 1996, BGBl. I 1996 S. 1151. [3] Chem. Unserer Zeit **31**, 251 (1997). *allg.:* Beilstein E IV **5**, 2478, 2480, 2843 ■ Synthesis **1983**, 467–469 ■ Ullmann (4.) **14**, 683 f.; (5.) **A 13**, 264 ■ Z. Chem. **24**, 233 f. (1984). – *[HS 2902 90; CAS 84-15-1 (o-T.); 92-06-8 (m-T.); 92-94-4 (p-T.)]*

Terpin (*p*-Menthan-1,8-diol). $C_{10}H_{20}O_2$, M_R 172,27. Monocycl. Monoterpen-Dialkohol mit *p-Menthan-Struktur, der in der Natur als *trans*- u. *cis*-Form vorkommt. „*trans*-T.", Schmp. 158–159°C, „*cis*-T.", Schmp. 104–105°C. Das „*cis*-T." liegt meist als Hydrat vor („*cis*-Terpin-Hydrat", Schmp. 118–119°C),

das als Expectorans Verw. findet. Das Vork. von T. beruht wahrscheinlich auf sekundärer Bildung aus γ-Terpineol [*p*-Menth-4(8)-en-1-ol]. T. kommt im chines. Sternanisöl (*Illicium verum*, Illiciaceae) vor.

trans-p-Menthan-1,8-diol „*cis*-Terpin"

cis-p-Menthan-1,8-diol „*trans*-Terpin"

– *E* terpin – *F* terpine – *I* terpina – *S* terpín

Lit.: Anal. Profiles Drug. Subst. **14**, 273 (1985) ■ Karrer, Nr. 321–323 ■ Merck-Index (12.), Nr. 9314. – *[HS 2906 19; CAS 80-53-5; 565-50-4 (trans-T.); 565-48-0 (cis-T.); 2451-01-6 (cis-T.-Hydrat)]*

Terpinen. $C_{10}H_{16}$, M_R 136,23, zitronenartig duftendes Öl, Bestandteil zahlreicher ether. Öle aus Gewürzpflanzen. T. ist die Bez. für ein Gemisch doppelt ungesätt. *p-Menthan-Derivate. Man unterscheidet (Daten s. Tab.):

Tab.: Daten von α-, β- u. γ-Terpinen.

Terpinen	Sdp. [°C]	CAS
α-T. (*p*-Mentha-1,3-dien)	173,7–174,8	99-86-5
β-T. (*p*-Mentha-1(7),3-dien)	173–174	99-84-3
γ-T. (*p*-Mentha-1,4-dien)	183	99-85-4

α-T. findet Verw. als Inhibitor der Selbstpolymerisation des Tetrafluorethylens u. kann durch photochem. Oxid. in *Ascaridol überführt werden. – *E = I* terpinene – *F* terpinène – *S* terpineno

Lit.: Beilstein E IV **5**, 435 ■ Food Cosmet. Toxicol. **14**, 873 (1976) ■ Gildemeister **3a**, 83–93 ■ Indian Perfum. **18**, 39, 53 (1974) ■ Karrer, Nr. 46, 47, 50 ■ Sax (8.), MCB 750, MLA 250.

Terpineole. $C_{10}H_{18}O$, M_R 154,24. Bez. für einige *p*-Menthenole. Man unterscheidet (Daten s. Tab.) α-T., β-T., γ-T. u. δ-T.:

Tab.: Daten zu Terpineole.

	Schmp. [°C]	Sdp. [°C]	CAS
α-T. (*p*-Menth-1-en-8-ol)	35	217–218	7785-53-7 ((+)-(*R*)-Form) 10482-56-1 ((−)-(*S*)-Form) 2438-12-2 (Racemat)
β-T. (*p*-Menth-8-en-1-ol)	32–33	212–215	138-87-4
γ-T. (*p*-Menth-4(8)-en-1-ol)	68–70		586-81-2
δ-T. (*p*-Menth-1(7)-en-8-ol)		Öl	7299-42-5

α-T. ([α]$_D^{20}$ +/−100,5°), das T. schlechthin, kommt in beiden enantiomeren Formen im ether. Öl verschiedener Pflanzen vor, z. B. in *Origanum-* (vgl. Majoran), *Artemisia-, Cinnamomum-, Juniperus-* u. *Mentha-*Arten, im *Pine-Oil, im *Ingweröl, im *Pomeranzenöl u. im *Zypressenöl. β-, γ- u. δ-T. sind ebenfalls in ether. Ölen enthalten. α-T. wird durch säurekatalysierte Hydratisierung von Pinen synthet. gewonnen. Hierbei wird als Zwischenprodukt *Terpin gebildet. β-T. duftet nach Hyazinthen u. entsteht auch aus Terpin durch wasserentziehende Mittel.

Verw.: Kommerzielles T., das überwiegend aus α-T. u. wenig β-T. besteht, hat einen lang anhaltenden Fliederduft u. wird zu Parfümzwecken verwendet. Das gleiche gilt für einige T.-Ester, bes. das Acetat. T. dient auch als Flotationsschäumer. – *E* = *S* terpineol – *F* terpinéol – *I* terpineolo

Lit.: Beilstein EIV 6, 251, 254 ■ Flavour Ind. 1, 617–621, 717–720, 791–793 (1970) ■ Gildemeister 3b, 55–87; 3d, 286–301 ■ Janistyn 2, 242 f. ■ Karrer, Nr. 299, 300, 301 ■ Naturwissenschaften 72, 211 (1985) ■ Parfüm. Kosmet. 67, 445–449 (1986) ■ Sax (8.), TBD 750 ■ Ullmann (5.) A 11, 170 ■ s. a. Terpen(oid)e. – *[HS 2906 14]*

Terpinolen [*p*-Mentha-1,4(8)-dien].

$C_{10}H_{16}$, M_R 136,23; Flüssigkeit, D. 0,862, Sdp. 183–185 °C, unlösl. in Wasser, lösl. in Alkohol u. Ether, Bestandteil vieler ether. Öle, z. B. von Citrus, Kiefern, Wacholder, Basilikum, Zypressen; Alarmpheromon von Termiten. T. entsteht aus α-*Terpineol od. Terpinhydrat durch Dehydratisierung mit Oxal- od. Phosphorsäure. T. wird für techn. Parfüms, Schuhpflegemittel, Möbelpolituren u. dgl. verwendet. – *E* = *I* terpinolene – *F* terpinolène – *S* terpinoleno

Lit.: Beilstein EIV 5, 437 ■ Gildemeister 3a, 75–79 ■ Food Cosmet. Toxicol. 14, 877 (1976) ■ Hommel, Nr. 1024 ■ J. Org. Chem. 39, 1322 (1974) (Synth.) ■ Perfum. Essent. Oil Rec. 58, 638–647 (1967) ■ Sax (8.), TBE 000. – *[HS 2902 19; CAS 586-62-9]*

Terpolymere (ternäre Copolymerisate). Bez. für *Copolymere, die durch gleichzeitige od. nacheinander ausgeführte *Copolymerisation von drei unterschiedlichen *Monomeren hergestellt werden. Im Vgl. zu der großen Vielfalt an *Bipolymeren sind T. selten. Bekannte, techn. wichtige T. sind u. a. *ABS, *EPDM, *MBS. – *E* terpolymers – *F* terpolymères – *I* terpolimeri – *S* terpolímeros

Terpolymerisation. *Polymerisation, bei der *Terpolymere gebildet werden.

Terprenin.

$C_{25}H_{26}O_6$, M_R 438,46, prismat. Krist., Schmp. 156 °C. *p*-Terphenyl-Derivat aus Kulturen von *Aspergillus candidus*. T. hemmt *in vitro* die Immunglobulin E-Bildung in humanen Lymphozyten (IC_{50} 0,18 nM) u. wird als Leitstruktur zur Synth. von Therapeutika gegen Asthma, atop. Dermatitis u. weitere allerg. Krankheiten untersucht. – *E* terprenin – *F* terprénine – *I* = *S* terprenina

Lit.: Angew. Chem. 110, 1015 ff. (1998); Int. Ed. Engl. 37, 973 (1998) (Synth.) ■ J. Antibiot. 51, 445 (1998) (Isolierung).

terpy. Nach IUPAC-Regel I-10.4.57 empfohlene Abk. für *2,2′:6′,2″-Terpyridin.

2,2′:6′,2″-Terpyridin [2,6-Di(2-pyridyl)pyridin, veraltet: 2,2′:6′,2″-Tripyridyl].

$C_{15}H_{11}N_3$, M_R 233,28. Krist., Schmp. 90–92 °C, zur kolorometr. Bestimmung von Fe u. Co. T. bildet mit zahlreichen Metallen Komplexe; als Ligand wird es oft mit terpy abgekürzt. – *E* = *F* 2,2′:6′,2″-terpyridine – *I* = *S* 2,2′:6′,2″-terpiridina

Lit.: Adv. Inorg. Chem. Radiochem. 12, 135–215 (1969); 30, 69–122 (1986) ■ Beilstein EIII/IV 26, 260 ■ Synthesis 1976, 1–24. – *[HS 2933 39; CAS 1148-79-4]*

Terra Control®. Polyvinylacetat zur Bodenbefestigung, zum Erosionsschutz u. zur Anspritzbegrünung. *B.:* Henkel.

Terracortril® (Rp). Salbe, Creme, Gel, Gel-Spritzampullen, Augensalbe u. -tropfen sowie Spray mit *Oxytetracyclin, *Hydrocortison u. *Polymyxin B gegen Ekzeme, entzündliche, infizierte od. infektionsgefährdete Dermatosen, bakterielle Konjunktivitis u. Keratitis u. bei Verbrennungen. *B.:* Pfizer.

Terra di Siena (Siena-Erde, Gebrannte Siena, Brauner *Ocker). Ein durch Eisenoxide bzw. Limonit (*Brauneisenerz) braun bis orange gefärbtes Pigment, das als eine Abart von *Bolus aufgefaßt werden kann. Mittlere Zusammensetzung: 25–75% Fe_2O_3, 10–20% Al_2O_3, 10–35% SiO_2, 15–20% Wasser. Eine typ. T. d. S. hat höhere Fe_2O_3-Gehalte (60%) als Ocker (10–55%), ansonsten ist die Grenze zwischen beiden Pigmenten nicht scharf definiert. D. 2,71–3,84. Beim Brennen wird die T. d. S. feuerrot (*Gebrannte Siena*).

Vork.: Führendes Erzeugerland ist Zypern, gefolgt von den USA (Virginia); das namengebende Vork. bei Siena in Italien hat nur noch histor. Bedeutung.

Verw.: Als sehr feinkörniges *Eisenoxid-Pigment zur Herst. von Malerfarben u. zur Farbtongebung. Zu diesem Zweck wird T. d. S. fein zermahlen u. in Leinöl aufgeschlämmt, Leinöl-Anteil 19–38%. T. wird in der Kunstmalerei u. im graph. Gewerbe sowie zum Beizen von Holz gebraucht; sie gehört zu den ältesten Malerfarben der Menschheit. Allerdings ist die T. d. S. in ei-

nigen ihrer Anw. durch durchsichtige synthet. Eisenoxide ersetzt worden. – *E* sienna – *F* terre de sienne – *I* terra di Siena – *S* tierra de Siena
Lit.: Harben u. Bates, Industrial Minerals, Geology and World Occurrence, S. 141–144, London: Industrial Minerals Division of Metal Bulletin Plc 1990 ▪ Ind. Miner. (London), Nr. **258**, 21–41 (1989) ▪ Winnacker-Küchler (3.) **2**, 169–171.

Terrakotta. Feinkeram. Erzeugnis, aus gelb od. rot brennendem Ton porös gebrannt u. unglasiert; s. keramische Werkstoffe. Aus T. können u. a. Tonpfeifen, Blumentöpfe, Wasserkühler, Bauornamente, kleine Statuen, Zellen für galvan. Elemente u. dgl. hergestellt werden. Die Kunst der T.-Skulptur ist im Mittelmeerraum seit ca. 500 v. Chr. verbreitet. Name von italien.: terra = Erde u. cotta = gekocht, gebrannt. – *E* terra cotta – *F* terre cuite – *I* terracotta – *S* terracota
Lit.: Kirk-Othmer (4.) **6**, 410.

Terramycin® (Rp). Salbe, Puder(spray), Vaginaltabl. u. Augensalbe mit *Oxytetracyclin u. *Polymyxin B gegen bakterielle Infektionen. **B.**: Pfizer.

Terrane s. Erde.

Terra sigillata. Rote, schön samtartig glänzende, feinere Töpferware des röm. Altertums. Der Name ist auf die siegelabdruckähnlichen Reliefverzierungen od. auf die erhabenen Schmuckfiguren (Sigillum) zurückzuführen. Nach Hofmann[1] wurde die t. s. von den Römern seit dem 1. Jh. v. Chr. hergestellt. Man überzog die Gefäße durch Tauchen od. Begießen mit einem Tonbrei, der beim nachherigen Brennen dicht sinterte. Die Farben sind Eisenoxide. – *E* = *I* = *S* terra sigillata – *F* argile sigillaire
Lit.: [1] Angew. Chem. **74**, 397–406 (1962).
allg.: Ullmann (4.) **23**, 327, 330.

Terra silicea s. Kieselgur.

Terrazzo. Bei der Herst. von fugenlosen T.-Fußböden wird Zement mit farbigen, schleifbaren Natursteinen (z. B. Marmor, Serpentin, rotem Kalksinter von Böttingen auf der Alb, schwarzen Arietenkalken vom Albrand od. gelben Kalken von Heidenheim in Korngrößen von Staubfeinheit bis 15 mm Durchmesser) vermischt, verstrichen u. nach dem Erstarren an der Oberfläche eben geschliffen u. geölt od. poliert, so daß ein buntscheckiges Gestein entsteht.
T.-Platten für Boden- od. Wandbeläge bestehen aus Grundplatten aus normalem Beton mit aufgepreßter T.-Schicht, nach dem Aushärten geschliffen u. poliert. T. dient auch als Werkstoff für z. B. Waschbecken, Badewannen etc. Beim Mosaik-T. werden die weißen od. bunten Steinstückchen von Hand in dem noch weichen Zement zu Figuren, Ornamenten u. dgl. zusammengesetzt u. der Boden nach der Erstarrung glattgeschliffen. Name von latein.: terra = Erde u. radere = schaben, schleifen. – *E* = *F* = *I* = *S* terrazzo
Lit.: Härig, Technologie der Baustoffe (13.), Karlsruhe: Müller 1996 ▪ Hiese, Baustoffkenntnis, 13. Aufl., Düsseldorf: Werner 1995.

Terrein [(4*S*,5*R*)-4,5-Dihydroxy-3-(*E*)-propenyl-2-cyclopenten-1-on].

$C_8H_{10}O_3$, M_R 154,17, Krist., Schmp. 127 °C, $[\alpha]_D$ +155° (H_2O), lösl. in Wasser, Ethanol, Aceton. Inhaltsstoff von *Aspergillus terreus* u. a. Fungi imperfecti. Biosynthet. handelt es sich um ein Pentaketid. T. wird über ein aromat. Zwischenprodukt durch oxidative Spaltung gebildet[1]. – *E* terrein – *F* terréine – *I* terreina – *S* terreína
Lit.: [1] J. Chem. Soc. Chem. Perkin Trans. 1 **1981**, 2570.
allg.: Angew. Chem. **102**, 65 f. (1990); **108**, 1645 ff. (1996) ▪ Beilstein E IV **8**, 1723 ▪ Biosci., Biotechnol., Biochem. **57**, 1208 (1993) ▪ Cole u. Cox, Handbook of Toxic Fungal Metabolites, S. 769, New York: Academic Press 1981 ▪ Tetrahedron: Asymmetry **1**, 237 (1990) ▪ Tetrahedron Lett. **22**, 4557 (1981). – [CAS 582-46-7]

Terrylen s. Terphenyle.

Terry-Report s. Tabakrauch (toxikolog. Bewertung).

tert-. Kursives *tert*- bezeichnet *tertiäre Alkyl-Reste; veraltet: *tert*.-; Abk.: *t*- (*tert*-Butyl: *t*-C$_4$H$_9$, *t*-Bu, *t*Bu od. Bu^t). IUPAC-Regeln A-2.25, C-205.1, R-9.1.19b.3, R-9.1.26b.3: nur für unsubstituiertes *tert*-*Butoxy..., *tert*-*Butyl... u. *tert*-*Pentyl... empfohlen. – *E* = *F* tert- – *I* terz- – *S* terc-

Tertatolol (Rp).

Internat. Freiname für den gegen *Hypertonie wirksamen Beta-Rezeptoren-Blocker (s. Adrenozeptoren) (±)-1-*tert*-Butylamino-3-thiochroman-8-yloxy-2-propanol, $C_{16}H_{25}NO_2S$, M_R 295,44, Krist., Schmp. 70–72 °C, pK_b 4,2. Verwendet wird meist das Hydrochlorid, Schmp. 180–183 °C, LD$_{50}$ (Maus i.p.) 120, (Maus i.v.) 37 mg/kg. T. wurde 1971 u. 1976 von Science Union et Cie. patentiert u. ist von Servier (Prenalex®) im Handel. – *E* = *F* = *S* tertatolol – *I* tertatololo
Lit.: Hager (5.) **9**, 814 ff. ▪ Martindale (31.), S. 952 f. – [HS 29340; CAS 34784-64-0 (T.); 33580-30-2 (Hydrochlorid)]

Terthienyle (Terthiophene). Gruppe von Verb., deren wichtigster Vertreter, das α-Terthienyl (**1**, 2,2′:5′,2″-Terthiophen, $C_{12}H_8S_3$, M_R 248,37, gelb-orange Krist., Schmp. 93–94 °C, lösl. in Ether, Aceton, unlösl. in Wasser) aus *Tagetes*-Arten u. a. Asteraceen isoliert wurde. α-Terthienyl u. Thiophen-haltige Acetylene, z. B. 4-(5-Penta-1,3-diinyl-2-thienyl)-3-butin-1-ol (**2**, $C_{13}H_{10}OS$, M_R 216,27), wirken als photoaktivierte Insektizide.

– *E* terthienyls – *F* terthiényles – *I* tertienili – *S* tertienilos
Lit.: ACS Symp. Ser. **387**, Insecticides of Plant Origin, 164–172 (1989); **443**, Synthesis and Chemistry of Agrochemicals II, 352–386 (1991) ▪ J. Heterocycl. Chem. **28**, 411–416 (1991) ▪ Pestic. Sci. **13**, 589 (1982) ▪ Phytochemistry **30**, 879 ff.

(1991) ▪ Recl. Trav. Chim. **115**, 119 (1996) ▪ Synthesis **1991**, 462 ▪ Zechmeister **56**, 87–170. – *[CAS 1081-34-1 (1); 1209-21-8 (2)]*

Tertiär (von latein.: tertiarius = dritter Art; Abk.: tert., *tert-*). a) Die dritte Neutralisationsstufe mehrbasiger Säuren hieß früher tert. Salz; *Beisp.:* tert. *Calciumphosphat $Ca_3(PO_4)_2$, Tri- od. tert. *Kaliumcitrat. – b) In der organ. Chemie nennt man z. B. *Alkohole u. Alkyl-Reste, *Amine u. *Amide t., wenn am α-C-Atom bzw. am N-Atom drei H-Atome durch organ. Reste R^1, R^2, R^3 substituiert sind (allg. Formeln: $R^1R^2R^3C$-OH, $-CR^1R^2R^3$, $NR^1R^2R^3$, R^1-CO-NR^2R^3); dasselbe gilt für *tert.* Kohlenstoff-, Stickstoff- u. a. Atome (gesätt. *Methin-Gruppen $R^1R^2R^3CH$, $NR^1R^2R^3$). Die seltenen Triacylamine $N(CO-R)_3$ als tert. Amide zu definieren, ist unüblich u. daher abzulehnen (IUPAC-Regel R-5.7.8.1, Fußnote 94). – c) Die *Tertiärstruktur* ist bei *Proteinen die räumliche Anordnung (*Konformation) des gesamten Mol., die bes. durch Bindungskräfte zwischen den Aminosäure-Seitenketten entsteht, z. B. *Disulfid-Brücken, ion. Anziehung, *Wasserstoff-Brückenbindung, *zwischenmolekulare Kräfte, *hydrophobe Bindung. – d) Das T., eine 65 bis 1,6 Mio. a zurückliegende geol. Epoche (s. Erdzeitalter), unterteilt man in Paläogen (Alt-T., Ende vor 23 Mio. a) u. Neogen (Jung-T.); vgl. primär, sekundär, quartär, ternär u. tert-. – *E* tertiary – *F* tertiaire – *I* terziario – *S* terciario

Tertiärstruktur s. Proteine.

Tertiarium. Histor. Lötleg. aus 2 Tl. Zinn u. 1 Tl. Blei.

Tervalent. Adjektiv mit der Bedeutung „drei verschiedene Valenzen habend"; der Begriff wird manchmal auch als Synonym für dreiwertig verwendet. – *E* tervalent – *F* trivalent – *I* tervalente – *S* trivalente

Terzolin®. Lsg. u. Creme mit dem *Antimykotikum *Ketoconazol. *B.:* Janssen-Cilag.

TES. 1. Abk. für 2-{[Tris(hydroxymethyl)methyl]-amino}-ethansulfonsäure, $(HO-CH_2)_3C-NH-CH_2-CH_2-SO_3H$, $C_6H_{15}NO_6S$, M_R 229,25, Schmp. 220 °C. Wirkt als zwitterion. *Puffer im Bereich pH 7,0–8,0. – 2. Kurzz. (nach ASTM) für auf *Styrol basierende *thermoplastische Elastomere. *Lit. (zu 1.):* Biochemistry **5**, 467 (1966). – *[HS 292219; CAS 7365-44-8]*

Tesco. Kurzbez. für die Tesco Chemiehandelsgesellschaft mbH, 40549 Düsseldorf. Vertrieb von aromat. Verb., Alkoholen, Lsm., u. a. Ind.-Chemikalien, Fruchtsäuren u. a. Lebensmittel-Zusatzstoffen.

Tesla (Kurzz. T). Nach dem amerikan. Physiker u. Elektrotechniker N. Tesla (1856–1943) benannte SI-Einheit der magnet. Flußdichte (Induktion), die definiert ist als 1 T = 1 Wb (*Weber)/1 m^2 = 1 V · s/m^2. Die früher gebräuchliche Einheit 1 Gauß (Gs) ist mit dem Tesla über 1 T = 10^4 Gs verknüpft.

TESLA. Bez. für einen *Teilchenbeschleuniger, der bei *DESY bis 2010 gebaut werden soll.

Tessenderlo. Kurzbez. für die 1919 gegr. Firma Tessenderlo Chemie SA, 1, Square Meeus, B-1040 Brüssel, eine Tochterges. der französ. Entreprise Minière et Chimique (*EMC). *Daten* (1994): ca. 5000 Beschäftigte, 43 Mrd. BF Umsatz. *Produktion:* Schwefel u. Salzsäure, Natriumsulfat, Dicalciumphosphat, Chlor, Natrium- u. Kaliumcarbonat, Benzylalkohol, Glycerin u. -Derivate, Ossein, Gelatine, MVC, PVC u. Verarbeitungen.

Test. Aus dem Engl. (von latein.: testatio = Zeugenaussage, Beweis u. testis = Zeuge) übernommenes Lehnwort mit der Bedeutung „Versuch, Untersuchung, Prüfung". Der Begriff T. meint also ein Verf., während das Wort *Probe* häufig einen Gegenstand meint (*Beisp.:* Waren-T. – Warenprobe). Man sollte daher nur Marsh-, Beilstein-, Gutzeit-, Doctor-T. etc. sagen, u. insofern ist es eigentlich unzulässig, in der chem. Analyse von *Vorproben zu sprechen. Chem. Schnell-T. kann man mit *Prüfröhrchen, *Teststäbchen u. -papieren (s. a. Reagenzpapiere) vornehmen. Typ. T.-Meth. findet man auch in der Werkstoffprüfung, in der Klin. Chemie (z. B. Leberfunktions-T.), Toxikologie (z. B. Prüfung auf carcinogene, mutagene u. teratogene Wirkungen), in der Ökologie u. Forens. Chemie (z. B. T. auf Doping-Mittel od. Rauschmittel). In der Pharmakologie u. der Schädlingsbekämpfung begegnet man oft dem Begriff *Screening, mit dem man großangelegte T. unter *Statistik-Gesichtspunkten umschreibt. In der *Biochemischen, insbes. der *Enzymatischen Analyse haben sich für bestimmte T. (eigentlich quant. Bestimmungen) Begriffe wie *Immunoassay u. *Radioimmunoassay eingebürgert. – *E* test, assay – *F* test, essai – *I* test, prova – *S* test, ensayo

Testan. Veralteter Name für *5α-Androstan.

Testbenzine. Bez. für raffinierte *Benzine mit Sdp. 130–220 °C u. einem nach *Abel-Pensky ermittelten FP. > 21 °C. Verw. als Löse- u. Verdünnungsmittel (z. B. als *Terpentinölersatz) in der Farben- u. Lack-Ind. u. auf dem Pflegemittelsektor; vgl. a. Schwerbenzin u. Benzin, S. 392. – *E* white spirits – *F* white-spirits, essences minérales – *I* benzine di prova – *S* gasolinas diluyentes, bencinas para lacas *Lit.:* DIN 51632: 1988-01. – *[HS 271000; G3]*

Testolacton (Rp).

Internat. Freiname für das *Androgen 17a-Oxa-D-homo-1,4-androstadien-3,17-dion (13-Hydroxy-3-oxo-13,17-seco-1,4-androstadien-17-säure-δ-lacton), $C_{19}H_{24}O_3$, M_R 300,38, Krist., Schmp. 218–219 °C, $[α]_D^{23}$ –45,6° (c 1,24/CHCl_3), $λ_{max}$ (C_2H_5OH) 242 nm ($A_{1cm}^{1\%}$ 526); sehr schwer lösl. in Wasser, lösl. in Ethanol u. Chloroform. Lagerung: vor Luft geschützt. T. wurde 1956 von Olin Mathieson patentiert u. ist von Bristol-Myers-Squibb (Fludestrin®) gegen Mammacarcinom im Handel. – *E* = *F* testolactone – *I* testolattone – *S* testolactona

Lit.: Beilstein E V **17/11**, 410 ▪ Florey **5**, 533–553 ▪ Hager (5.) **9**, 816ff. ▪ Martindale (31.), S. 602. – *[HS 293799; CAS 968-93-4]*

Testosteron (17β-Hydroxyandrost-4-en-3-on). $C_{19}H_{28}O_2$, M_R 288,43. Weiße bis gelblich-weiße Krist. od. krist. Pulver, Schmp. 155 °C, leicht lösl. in Chlo-

roform, Dioxan, Aceton u. Ethanol, lösl. in Benzol, wenig lösl. in Ether u. Pflanzenölen, fast unlösl. in Wasser.
Biolog. Bedeutung: T. ist das auf Veranlassung der *gonadotropen Hormone in den männlichen *Keimdrüsen (Hoden, latein.: testes, daher Name) gebildete männliche *Sexualhormon, das die Ausbildung der sek. Geschlechtsmerkmale des Mannes u. männlicher Tiere bewirkt. Es fördert die Entwicklung der Muskulatur, des Knochenbaus u. der roten Blutkörperchen, das Wachstum von Körper- u. Barthaaren, Kehlkopf u. Stimmbändern, Penis, Prostata u. Samenblase. Die Rolle des T. beim Kopfhaarwuchs bzw. bei der Glatzenbildung ist noch unklar. T. ist unerläßlich für die Funktion der akzessor. Geschlechtsdrüsen, für die Spermatogenese, für die Aufrechterhaltung von Potenz u. Libido u. – als anaboles Steroid – auch von Aktivität, Aggressivität, Dominanzverhalten [1], Spannkraft u. Leistungsfähigkeit. Kleine Mengen (ca. 0,3 mg/d) werden auch im Organismus der Frau produziert (beim Mann ca. 7 mg/d). Als wichtigstes *Androgen ist T. etwa zehnmal wirksamer als *Androsteron u. sechsmal wirksamer als Dehydroepiandrosteron (3β-Hydroxyandrost-5-en-17-on). Die chem. nahe verwandten *Estrogene wirken z. T. hemmend od. modulierend, z. T. synergist. auf die Androgene.
Metabolismus: Im Organismus entsteht T. über *Progesteron aus *Cholesterin. Im Blut wird T. durch das *T./Estradiol-bindende Globulin* (TEBG, auch: *Sexualhormon-bindendes Globulin*, SHBG, vgl. Sexualhormone) transportiert. Am Wirkort im Zellplasma wird T. durch eine von *Nicotinamid-Adenin-Dinucleotid(Phosphat) abhängige Testosteron- od. Steroid-5α-Reduktase zu *5α-Dihydrotestosteron* (DHT, *Androstanolon), der eigentlichen androgen wirksamen Form, metabolisiert, die an den *Androgen-Rezeptor* des Zellkerns bindet. Der Abbau erfolgt über Androsteron u. die Ausscheidung als D-Glucuronid od. als Sulfat. T.-Metaboliten wie das 5β-Epimere des Androsterons können als *Pyrogene das sog. *Steroid-Fieber* auslösen. Ein Teil des T. wird in *Estradiol umgewandelt.
Nachw.: Zu Nachw. u. Bestimmung des T. in Körperflüssigkeiten waren lange Zeit biolog. Meth. [z. B. der sog. Hahnen- od. Kapaunenkamm-Test, s. Hormone (Vork. u. Synth.)] üblich, die jedoch heute verdrängt worden sind von Meth. wie Dünnschichtchromatographie, Gaschromatographie, Doppelisotopenmeth. u. Fragmentographie, enzymat. sowie kombinierte Meth. wie kompetitive Protein-Bindung u. Radioimmunoassay.
Herst.: Die Isolierung des Hormons gelang *Laqueur 1935, der aus 100 kg Stierhoden 10 mg T. gewinnen konnte; im selben Jahr wurde die Konstitution durch *Butenandt u. *Ružička ermittelt, u. 1956 erreichte Johnson die Totalsynthese. Heute ist T. aus *Diosgenin in ca. 10 Stufen zugänglich, u. auch die techn. Totalsynth. erscheint aussichtsreich.

Verw.: Zur Therapie spezif. Mangelerscheinungen beim Mann, als Anabolikum, als Estrogen-Antagonist z. B. bei der Therapie von Mammakarzinomen etc. Da T. nur eine kurzfristige Wirkung besitzt, setzt man statt dessen meist T.-ester ein, wie T.-acetat, -propionat, -önanthat, -isobutyrat, -phenylacetat, -cipionat (-3-cyclopentylpropionat) usw. Anstelle von T. kommt auch 17-*Methyltestosteron zur Anwendung. Bei Nortestosteron (*Nandrolon) tritt dagegen die androgene gegenüber der anabolen Wirkung stark in den Hintergrund. Als synthet. Antiandrogen spielt *Cyproteron bei der Therapie männlicher Hypersexualität eine Rolle. Zur Geschichte des T. s. *Lit.*[2]. – *E = I* testosterone – *F* testostérone – *S* testosterona
Lit.: [1] Behavior. Brain Sci. **21**, 353 ff. (1998). [2] Spektrum Wiss. **1995**, Nr. 4, 82–88.
allg.: Beilstein E IV **8**, 974 f. ▪ J. Androl. **18**, 103–106 (1997) ▪ Karlson et al., Kurzes Lehrbuch der Biochemie, 14. Aufl., S. 280ff., 428 f., Stuttgart: Thieme 1994. – *[HS 293799; CAS 58-22-0]*

Testosteron/Estradiol-bindendes Globulin s. Sexualhormone u. Testosteron.

Testoviron® (Rp). Injektionslsg. mit *Testosteronpropionat gegen Hypogonadismus. T.-depot enthält das Enantat u. wird auch gegen aplast. u. renale Anämien, bei der Frau zur additiven Therapie bei progressivem Mammakarzinom in der Postmenopause eingesetzt. *B.:* Schering.

Testpapiere, Teststreifen s. Reagenzpapiere.

Teststäbchen. Eine Weiterentwicklung von *Reagenz- od. Testpapieren. Bei T. sind die *Indikatoren, *Reagenzien, *Puffer u. *Maskierungs-Substanzen auf Kunststoff-Folien gebunden. Die *spezifisch od. *selektiv mit Gasen, Flüssigkeiten, anorgan. Ionen od. organ. Substanzen reagierenden u. deren Anwesenheit durch Farbreaktionen anzeigenden T. eignen sich zur halbquant. Bestimmung, wozu mitgelieferte Farbvergleichsfelder dienlich sind. Die Auswertung mittels Reflexionsspektrometrie läßt eine quant. Analyse zu. Für medizin. Schnelltests wurde eine „Trockenchemie" (Lsm. ist allein das in der Körperflüssigkeit enthaltene Wasser) auf der Basis von Ames-Reagenzien u. a., im allg. auf enzymat. Analyse beruhenden *Diagnostika entwickelt. – *E* test sticks – *F* baguettes indicatrices – *I* strisce reattive – *S* varillas indicadoras
Lit.: Sonntag, Trockenchemie, Analytik mit trägergebundenen Reagenzien, Stuttgart: Thieme 1988 ▪ Ullmann (5.) A **14**, 145–147.

TET, TETA. Abk. für *Triethylentetramin.

Tetagam® (Rp). Injektionslsg. mit *Tetanus-Antitoxin zur Tetanusprophylaxe bei nicht od. unvollständig immunisierten Frischverletzten u. zur Therapie des klin. manifesten Tetanus. *B.:* Centeon Pharma.

Tetanie (griech.: tetanos = Spannung, Krampf). Anfallsweise auftretende Übererregbarkeit des Nervensyst., die sich in tonischen, meist schmerzhaften Krämpfen der Muskulatur u. Mißempfindungen äußert. Entsprechend der zentralen Rolle des Calciums bei der Entstehung der T. unterscheidet man die *hypocalcäm. T.*, bei der der Serumcalcium-Spiegel z. B. durch Hypoparathyreoidismus (s. Nebenschilddrüse) herabgesetzt ist, von der *normocalcäm. T.* mit normalem Calcium-Spiegel, die u. a. durch gesteigerte Atmung (Hyperventilation) od. Magnesium-Mangel entstehen kann. – *E* tetany – *F* tétanie, tétanisme – *I* = *S* tetania

Tetanol® (Rp). Injektionslsg. zur *Tetanus-Prophylaxe mit Tetanus-Adsorbat-Impfstoff (aktive Immunisierung). **B.**: Chiron/Behring.

Tetanus (Wundstarrkrampf, griech.: tetanos = Spannung, Krampf). Akute Infektionskrankheit, die durch das Gram-pos. anaerobe Stäbchenbakterium *Clostridium tetani* hervorgerufen wird u. zu schmerzhaft krampfartiger Muskelstarre u. U. des gesamten Körpers führt. Dabei ist das Bewußtsein ungetrübt. Die Verkrampfung der Schlund-, Kehlkopf- u. Zwerchfellmuskulatur kann in schweren Fällen zum Tode führen. Die Infektion erfolgt meist durch Verunreinigung von Wunden mit Erde, in der sich die Sporen der Erreger befinden. Die so in das Gewebe eingebrachten Sporen keimen aus, die Bakterien vermehren sich u. bilden ein *Toxin (Tetanospasmin)*, das die Krankheitserscheinungen verursacht. Das T.-Toxin wandert von der Infektionsstelle entlang der Nerven zum Rückenmark, wo es die Freisetzung von hemmenden *Neurotransmittern (Glycin u. γ-Aminobuttersäure) blockiert. Das Tetanospasmin ist das zweitstärkste bekannte bakterielle Gift. Es ist ein Protein mit einem M_R von 150000 u. besteht aus zwei Untereinheiten, von denen sich die eine (M_R 100000) an die Nervenzellmembran bindet u. die andere (M_R 50000) die eigentliche Toxinwirkung entfaltet. Die Behandlung besteht aus der chirurg. Entfernung des infizierten Wundgewebes, Antibiotikatherapie u. der passiven *Immunisierung mit Antikörpern gegen Tetanustoxin (Antitoxin). Zur Vorbeugung dient die nach dem Bundesseuchengesetz empfohlene aktive Immunisierung (Schutzimpfung) mit einem Formoltoxoid-Adsorbatimpfstoff. – *E* tetanus – *F* tétanos – *I* tetano – *S* tétano

Lit.: Brandis et al., Lehrbuch der Medizinischen Mikrobiologie, S. 535–538, Stuttgart: Fischer 1994.

Tetartoeder s. Kristallmorphologie.

TETD. Abk. für *Tetraethylthiuramdisulfid.

Tethexal (Rp). Filmtabl. mit dem *Muskelrelaxans *Tetrazepam bei schmerzreflektor. Muskelverspannungen. **B.**: Hexal.

Tetra. Jargonhafte Kurzbez. für a) Tetrachlormethan (s. Chlormethane); – b) *Tetraethylenglykol; – c) (1*H*-Tetrazol-5-ylazo)(1*H*-tetrazol-5-ylhydrazono)essigsäureethylester-Dinatriumsalz (Indikator für die *Komplexometrie); – d) *Tetragonopterinae* (Viereckflosser, eine trop. amerikan. Süßwasserfischfamilie). – *E* = *F* = *I* = *S* tetra

Tetr(a)... *Multiplikationspräfix in chem. u. allg. Bez., von griech.: tetr(a)... = vier..., téttares = vier; vgl. Tetrakis... – *E* = *I* = *S* tetr(a)... – *F* tétr(a)...

Tetraalkylammonium-Verbindungen. Sammelbez. für *quartäre Ammonium-Verbindungen [R₄N]⁺X⁻, in denen R = Alkyl-Reste sind. T.-V. wie die *Tetraethyl-, *Tetrabutyl- u. *Tetramethylammonium-Salze können als Lösungsvermittler bei der *Phasen-Transfer-Katalyse u. als Leitsalze bei der *Voltametrie dienen, andere als *Invertseifen u. *Kationtenside. – *E* tetraalkylammonium compounds – *F* composés de tétraalkylammonium – *I* composti di tetraalchilammonio – *S* compuestos de tetraalquilamonio

Lit.: s. die Textstichwörter.

3,3′,4,4′-Tetraaminobiphenyl (3,3′,4,4′-Biphenyltetramin).

$C_{12}H_{14}N_4$, M_R 214,27, Schmp. 173–176°C, Tafeln bzw. Blättchen, die sich an der Luft dunkel färben, lösl. in heißem Wasser. T. kann aus 3,3′-Dinitrobenzidin durch Red. mit Natriumdithionit hergestellt werden. Das *Tetrahydrochlorid*, $C_{12}H_{18}Cl_4N_4$, M_R 360,11, bildet als Dihydrat farblose bis rosafarbene nadelförmige Krist., Schmp. 342–345 °C (Zers.), schwer lösl. in organ. Lsm., lösl. in Wasser, die wäss. Lsg. ist zersetzlich.

Verw.: Als empfindliches Reagenz auf Selen (gelber Komplex), Chrom u. Vanadium sowie als Zwischenprodukt bei Synth. von Arzneimitteln, zur Herst. von Temp.-beständigen Fasern auf der Basis von Polybenzimidazol. – *E* 3,3′,4,4′-tetraaminobiphenyl – *F* 3,3′,4,4′-tétraaminobiphényle – *I* 3,3′,4,4′-tetraaminobifenile – *S* 3,3′,4,4′-tetraaminobifenilo

Lit.: Beilstein E III **13**, 530 ■ Fries-Getrost, S. 314–317 ■ Ullmann (4.) **8**, 357; (5.) **A 3**, 546. – [*HS 2921 59; CAS 91-95-2 (T.); 7411-49-6 (Tetrahydrochlorid)*]

Tetraaminoethylene. Sammelbez. für eine Klasse von Verb., die im allg. als *elektronenreiche Olefine* bezeichnet werden:

z. B. *Tetrakis(dimethylamino)-ethylen* R = CH_3, $C_{10}H_{24}N_4$, M_R 200,32, blaßgrünes, stark lichtbrechendes, fluoreszierendes Öl, Schmp. 0°C, Sdp. 30°C (1,3 Pa, ab 100°C Zers.). Die starken Elektronendonor-Eigenschaften der T.-Derivate befähigen diese zu einer Reihe ungewöhnlicher Reaktionen, insbes. zu Redox- u. Säure/Base-Reaktionen sowie zur Bildung von *Charge-transfer-Komplexen. So gibt das oben erwähnte T. mit *Tetracyanoethylen einen schwarzviolett gefärbten *Elektronen-Donator-Akzeptor-Komplex u. oxidiert sich an der Luft unter Emission eines fahlgrünen Leuchtens, das sogar zu Beleuchtungszwecken nutzbar ist. Elektronenreiche Olefine stehen im therm. Gleichgew. mit nucleophilen *Carbenen durch Spaltung der *C,C*-Doppelbindung. Dieses Reaktionsverhalten wurde v.a. an dem sog. *Wanzlick-Olefin* untersucht. – *E* tetraaminoethylenes – *F* tétraminoéthylènes – *I* tetraamminoetileni – *S* tetraaminoetilenos

Lit.: Angew. Chem. **80**, 809–822, 823–835 (1968); **84**, 1022–1031 (1972); **103**, 1733–1735 (1991) ■ Houben-Weyl **E 19 b**, 1793–1805. – [*CAS 996-70-31*]

Tetraamminkupfer(II)-Salze. Tiefblaue Salze des Kupfers mit dem komplexen Kation $[Cu(NH_3)_4]^{2+}$, das für die intensive Färbung verantwortlich ist; die blaue

Farbe ist ein empfindlicher Nachw. für Cu^{2+}-Ionen. T.-S. entstehen beim Behandeln von Cu(II)-Verb. mit einem Überschuß an Ammoniak u. können z. T. – wie etwa das Sulfat – als dunkelblaue, leicht wasserlösl. Kristallpulver isoliert werden. Lsg. des Tetraamminkupfer(II)-hydroxids werden wegen ihrer Eigenschaften, Cellulose zu lösen, als *Schweizers Reagenz zur Herst. von *Kupferseide verwendet. – *E* tetraamminecopper salts – *F* sels de tétraamine-cuivre(II) – *I* sali del rame tetramminico – *S* sales de tetramincobre(II)

Lit.: Brauer **2**, 899 ▪ Gmelin, Syst.-Nr. 60, Cu, Tl. B, 1958, S. 560–566 ▪ Ullmann (5.) **A 5**, 413 ff.; **A 7**, 586 f. – *[HS 2842 90]*

Tetraasteran (Pentacyclo[6.4.0.0^{2,7}.0^{4,11}.0^{5,10}]dodecan).

$C_{12}H_{16}$, M_R 160,26. Das zur Gruppe der *Asterane gehörende T. wurde von *Musso ausgehend von Cyclohexa-1,4-diencarbonsäureanhydrid hergestellt[1]. T. bildet farblose Krist., Schmp. 324–325 °C, die in Tetrachlormethan, Chloroform, Ethanol u. Pentan nur mäßig lösl. sind. Zur Synth. eines doppelten Asterans s. *Lit.*[2]. – *E* tetraasterane – *F* tétraastérane – *I* = *S* tetraasterano

Lit.: [1]Chem. Ber. **109**, 3781–3792 (1976). [2]Angew. Chem. **99**, 1036 f. (1987). – *[CAS 259-77-8]*

Tetra-Base s. 4,4′-Methylenbis(*N*,*N*-dimethylanilin).

Tetraboran(10) (Tetrabordecahydrid).
B_4H_{10}, M_R 53,32. Unangenehm riechendes Gas, Schmp. –120 °C, Sdp. 18 °C. T. entsteht in bis zu 95% Ausbeute bei der Thermolyse von Diboran(6), B_2H_6, bei einem Druck von 170 kPa zwischen zwei konzentr. Glasrohren, von denen das innere auf 120 °C geheizt u. das äußere auf –78 °C gekühlt wird („*Heiß-Kalt-Reaktor*"), u. bei der Hydrolyse von Magnesiumborid. T. zersetzt sich bei Raumtemp. in einigen Stunden (bei 100 °C rascher) zu anderen *Boranen. Reines T. entzündet sich nicht an Luft, wird jedoch durch Wasser zu Borsäure u. H_2 hydrolysiert. – *E* tetraborane(10) – *F* tétraborane(10) – *I* = *S* tetraborano(10)

Lit.: Gmelin, Syst.-Nr. 13, B, 1926, S. 61, Erg.-Bd. 1954, S. 116 f., Erg. Werk Bd. 52, 1978, S. 206–213, 3rd. Suppl., Vol. 1, 1987, S. 91–94 ▪ Pure Appl. Chem. **59**, 857–868 (1987) ▪ Top. Curr. Chem. **100**, 169–206 (1982) ▪ Ullmann (5.) **A 4**, 316 ff. ▪ s. a. Borane. – *[CAS 18283-93-7]*

Tetraborate. Bez. für Salze der hypothet. *Tetraborsäure mit dem Anion $B_4O_7^{2-}$ od. $[B_4O_5(OH)_4]^{2-}$, s. Borate. – *E* tetraborates – *F* tétraborates – *I* tetraborati – *S* tetraboratos – *[HS 2840 20]*

Tetrabordecahydrid s. Tetraboran(10).

Tetraborsäure. $H_2B_4O_7$, M_R 157,26. Die den Tetraboraten zugrunde liegende, in freiem Zustand nicht nachweisbare T. gehört zu den sog. *Polyborsäuren*, vgl. a. Borate. Entgegen landläufiger Meinung ist *Borax *kein Salz der T.*, sondern hat die Zusammensetzung $Na_2[B_4O_5(OH)_4] \cdot 8 H_2O$ u. wird nach IUPAC als Dinatrium-pentakis(μ-oxo)tetrahydroxotetraborat (2–) bezeichnet. – *E* tetraboric acid – *F* acide tétraborique – *I* acido tetraborico – *S* ácido tetrabórico

Lit.: Gmelin, Syst.-Nr. 13, B, 1926, S. 72, Erg.-Bd. 1954, S. 139, Erg. Werk Bd. 28, 1975, S. 49, 3rd. Suppl., Vol. 2, 1987, S. 62 ff., 164–168 ▪ Nachr. Chem. Tech. Lab. **35**, 610 f. (1987). – *[HS 2810 00; CAS 12228-79-4]*

Tetrabrombisphenol A [TBBPA, 4,4′-(1-Methylethyliden)bis(2,6-dibromphenol), 2,2-Bis(3,5-dibrom-4-hydroxyphenyl)propan].

$C_{15}H_{12}Br_4O_2$, M_R 543,87, farblose Krist., Schmp. 179 °C, in organ. Lsm., nicht aber in Wasser löslich. T. wird durch Bromierung von *Bisphenol A hergestellt u. dient als *Flammschutzmittel für Kunstharze u. Kunststoffe. – *E* tetrabromobisphenol A – *F* tétrabromobisphénol A – *I* tetrabromobisfenolo A – *S* tetrabromobisfenol A

Lit.: Beilstein E III **6**, 5462 ▪ Ullmann (5.) **A 4**, 414–417; **A 11**, 133, 134. – *[HS 2908 10; CAS 79-94-7]*

Tetrabrombrenzcatechin-bismut s. Bibrocathol.

1,1,2,2-Tetrabromethan (Acetylentetrabromid). Br_2CH–$CHBr_2$, $C_2H_2Br_4$, M_R 345,65. Gelbes, stark lichtbrechendes Öl mit Campherartigem Geruch, D. 2,964, Schmp. –1 °C, Sdp. 151 °C (72 hPa), unlösl. in Wasser, mischbar mit Alkohol, Chloroform, Ether, Anilin, Eisessig. Die Dämpfe wirken narkot.; T. kann Leber- u. Nierenschäden verursachen, MAK 1 ppm (MAK-Werte-Liste 1997); LD_{50} (Ratte oral) 1200 mg/kg; WGK 3 (Selbsteinst.); Verdacht auf krebserzeugende u. erbgutverändernde Wirkung. T. kann durch Bromierung von Acetylen hergestellt werden u. findet Verw. als *Schwerflüssigkeit zur Trennung von Mineralgemischen (Muthmanns Flüssigkeit), in der Mikroskopie, als Lsm. u. dergleichen. – *E* tetrabromoethane – *F* tétrabromoéthane – *I* = *S* tetrabromoetano

Lit.: Beilstein E IV **1**, 162 ▪ Hommel, Nr. 215 ▪ Kirk-Othmer (4.) **16**, 816 ▪ Merck-Index (12.), Nr. 9328. – *[HS 2903 30; CAS 79-27-6; G 6.1]*

2′,4′,5′,7′-Tetrabromfluorescein s. Eosin.

5,5′,7,7′-Tetrabromindigo [(*E*)-5,7,5′,7′-Tetrabrom-2,2′-bi-2*H*-indolyliden-3,3′(1*H*,1′*H*)-dion, C. I. Vat Blue 5, 73 065].

$C_{16}H_6Br_4N_2O_2$, M_R 577,85. Techn. wichtiges Brom-Derivat des Indigo, das durch Einwirkung von Brom auf Indigo in siedendem Nitrobenzol od. in Eisessig in Ggw. von wasserfreiem Natriumacetat erhalten wird. Der Farbton ist rotstichig blau u. leuchtend bei guten Echtheiten. – *E* 5,5′,7,7′-tetrabromoindigo – *F* 5,5′,7,7′-tétrabromoindigo – *I* 5,5′,7,7′-tetrabromoindaco – *S* 5,5′,7,7′-tetrabromoíndigo

Lit.: Beilstein E III/IV **24**, 1800 ▪ Winnacker-Küchler (3.) **4**, 267, 348; (4.) **7**, 23. – *[HS 3204 15; CAS 2475-31-2]*

Tetrabromkohlenstoff s. Tetrabrommethan.

3,3′,5,5′-Tetrabrom-*m*-kresolsulfonphthalein s. Bromkresolgrün.

Tetrabrommethan (Tetrabromkohlenstoff, Kohlenstofftetrabromid). CBr_4, M_R 331,65. Farblose, monokline Krist., D. 3,273, Schmp. 91 °C, Sdp. 189 °C, wenig lösl. in Wasser, lösl. in Alkohol, Ether, Chloroform. Schon sehr niedrige Dampfkonz. führen zum Tränen der Augen. Der Staub u. die Dämpfe reizen u. schädigen stark die Schleimhäute der Augen, der Atemwege u. der Lunge (bis hin zum Lungenödem). Kontakt mit dem festen Stoff od. der Flüssigkeit ruft sehr starke Reizung u. Verätzung der Augen sowie der Haut hervor; die Substanz wird auch über die Haut aufgenommen, MAK-Wert 1,4 mg/m^3 (TRGS 900) [1]; Herst. s. Beilstein (*Lit.*). T. läßt sich in Ggw. von Phosphanen zur Umwandlung von Alkoholen in Alkylbromide verwenden. – *E* tetrabromomethane – *F* tétrabromométhane – *I* = *S* tetrabromometano

Lit.: [1] TRGS 900: Grenzwerte in der Luft am Arbeitsplatz, „Luftgrenzwerte" (Ausgabe Oktober 1996 in der Fassung vom Mai 1998).
allg.: Beilstein E IV **1**, 85 ▪ Gmelin, Syst.-Nr. 14, C, Tl. D 2, S. 254–273 (1974) ▪ Hommel, Nr. 665 ▪ Ullmann (5.) **A 4**, 407. – *[HS 290369; CAS 558-13-4; G 6.1]*

3,3′,5,5′-Tetrabromphenolsulfonphthalein s. Bromphenolblau.

Tetrabromphthalsäureanhydrid (4,5,6,7-Tetrabrom-1,3-isobenzofurandion; Abk. TBPA).

$C_8Br_4O_3$, M_R 463,70. Farblose Nadeln, Schmp. 275–280 °C, unlösl. in Wasser u. Alkohol, mäßig lösl. in Nitrobenzol, wenig lösl. in Benzol u. a. organ. Lsm.; T. ist etwas augenreizend u. hautsensibilisierend, wenig toxisch.
Herst.: Techn. durch Bromierung von Phthalsäureanhydrid in rauchender Schwefelsäure (Oleum) in Ggw. von Eisen u. Iod als Katalysatoren.
Verw.: Vornehmlich als reaktives Flammschutzmittel für *ungesättigte Polyesterharze (Bildung von *Tetrabromphthalat-Harzen*) u. *Epoxidharze; als Intermediat für die Herst. anderer Flammschutzmittel wie z. B. Diallyltetrabromphthalat. od. Tetrabromphthalat-*Polyester [1]. – *E* tetrabromophtalic anhydride – *F* anhydride tétrabromophtalique – *I* anidride tetrabromoftalica – *S* anhídrido tetrabromoftálico
Lit.: [1] Ullmann (5.) **A 4**, 417.
allg.: Beilstein E V **17/11**, 265 f. ▪ Kirk-Othmer (3.) **10**, 391 f. – *[HS 291739; CAS 632-79-1]*

Tetrabutylammonium-Salze. Bez. für quartäre Ammonium-Verb. der allg. Formel: $[(H_3C–CH_2–CH_2–CH_2)_4N]^+X^-$ mit X = OH, Cl, Br, I, ClO_4, F usw., die in Wasser, Alkoholen, Benzol leicht lösl. sind u. z. T. in diesen Lsm. in den Handel kommen. (a) *Tetrabutylammoniumhydroxid* (TBAH, TBAOH, X = OH, $C_{16}H_{37}NO$, M_R 259,48, ätzend); WGK 2; – (b) *Tetrabutylammoniumchlorid* (TBAC, TBACl, X = Cl, $C_{16}H_{36}ClN$, M_R 277,92, Schmp. ca. 47–50 °C, hautreizend, hygroskop.); – (c) *Tetrabutylammoniumbromid* (TBAB, X = Br, $C_{16}H_{36}BrN$, M_R 322,38, Schmp. 103–104 °C, hautreizend, hygroskop.); – (d) *Tetrabutylammoniumiodid* (TBAC, TBACl, X = I, $C_{16}H_{36}IN$, M_R 369,38, Schmp. 145–148 °C, hautreizend, hygroskop.); – (e) *Tetrabutylammoniumperchlorat* (TBAP, X = ClO_4, $C_{16}H_{36}ClNO_4$, M_R 341,92, Schmp. 211–214 °C); – (f) *Tetrabutylammoniumfluorid* (TBAF, X = F, $C_{16}H_{36}FN$, M_R 315,52, hygroskop., Schmp. 62–63 °C). Die in organ. Lsm. gelösten T.-S. eignen sich für die *Phasen-Transfer-Katalyse, als nicht wäss. Lsm. für Anionenextraktionen, als Leitsalze für die *Voltammetrie, für Titrationen u. polarograph. u. coulometr. Bestimmungen, z. B. auch *Tetrabutylammoniumtetrafluoroborat* (g) (TBABF$_4$, X = BF$_4$, $C_{16}H_{36}BF_4N$, M_R 329,27, Schmp. 160–162 °C, hautreizend, hygroskop.). Das *Cyanotrihydridoborat* (h) (TBAC, TBABH$_3$CN, X = BH$_3$CN, $C_{17}H_{39}BN_2$, M_R 282,33, Schmp. 144–146 °C, hautreizend) ist ein selektiv wirkendes, mildes Hydrogenolyse- u. Red.-Mittel. – *E* tetrabutylammonium salts – *F* sels de tétra-butylammonium – *I* sali di tetrabutilammonio – *S* sales de tetrabutilamonio

Lit.: Angew. Chem. **89**, 521 (1977) (Review) ▪ Beilstein E IV **4**, 556–559 ▪ Keller, Phase-Transfer Reactions (3 Bd.), Stuttgart: Thieme 1986–1990 ▪ Paquette **7**, 4724–4735 ▪ s. a. quartäre Ammonium-Verbindungen, Phasen-Transfer-Katalyse. – *[HS 292390; CAS 2052-49-5 (a); 1112-67-0 (b); 1643-19-2 (c); 311-28-4 (d); 1923-70-2 (e); 429-41-4 (f); 429-42-5 (g); 43064-96-6 (h)]*

Tetrabutyltitanat s. Titansäureester.

Tetracain (Rp).

$H_3C–(CH_2)_3–NH–\text{C}_6\text{H}_4–CO–O–CH_2–CH_2–N(CH_3)_2$

Internat. Freiname für 2-(Dimethylamino)ethyl-(4-butylamino)benzoat, $C_{15}H_{24}N_2O_2$, M_R 264,4, weiße bis leicht gelbliche wachsartige Substanz, Schmp. 41–46 °C, pK_a 8,39, λ_{max} (CH_3OH) 310 nm (A$^{1\%}_{1cm}$ 970); in Wasser kaum, in Ether lösl., Lagerung: vor Licht u. Luft geschützt. Verwendet wird meist das Hydrochlorid, Schmp. 147–150 °C, LD$_{50}$ (Maus s.c.) 35, (Maus i.p.) 70, (Maus i.v.) 13 mg/kg. T. wurde 1932 von Winthrop, 1959 von Abbott patentiert u. ist als *Lokalanästhetikum im Handel. – *E* tetracaine – *F* tétracaïne – *I* tetracaina – *S* tetracaína
Lit.: ASP ▪ Beilstein E IV **14**, 1172 ▪ Florey **18**, 379–411 ▪ Hager (5.) **9**, 828–832 ▪ Martindale (31.), S. 1323 ▪ Ph. Eur. 1997 u. Komm. – *[HS 292249; CAS 94-24-6 (T.); 136-47-0 (Hydrochlorid)]*

Tetracalciumphosphat s. Calciumphosphate.

Tetracen s. Naphthacen.

Tetrachlor-1,4-benzochinon s. Chloranil.

Tetrachlorbenzole.

a   b   c

$C_6H_2Cl_4$, M_R 215,90, beständige, schwer brennbare Verb.: (a) *1,2,3,4-T.*, Schmp. 47,5 °C, Sdp. 254 °C, blutbildschädigend; LD$_{50}$ (Ratte oral) 1167 mg/kg, WGK 2 (Selbsteinst.); – (b) *1,2,3,5-T.*, Schmp. 51 °C, Sdp. 246 °C, hautreizend, blutbildschädigend; – (c) *1,2,4,5-T.*, Schmp. 141 °C, Sdp. 245 °C, hautreizend, blutbildschädigend; WGK 3. Alle 3 T. sind in Wasser unlösl., aber in vielen organ. Lsm. löslich.

Herst.: 1,2,3,4-T. u. 1,2,4,5-T. sind durch Chlorierung von Benzol erhältlich, 1,2,3,5-T. kann durch Chlorierung von 1,3,5-Trichlorbenzol hergestellt werden.

Verw.: Die T. finden Verw. in organ. Synthesen. Die Hydrolyse von 1,2,4,5-T. zu 2,4,5-Trichlorphenol, einem Zwischenprodukt für Pestizide, wurde wegen der Gefahr der Bildung von TCDD (s. Dioxine) weltweit fast völlig eingestellt. – *E* tetrachlorobenzenes – *F* tétrachlorobenzènes – *I* tetraclorobenzeni – *S* tetraclorobencenos

Lit.: Beilstein E IV **5**, 668 ▪ Kirk-Othmer (3.) **5**, 797 – 808; (4.) **6**, 89 ▪ Toxicol. Environ. Chem. **9**, 291 – 308 (1985) ▪ Ullmann (5.) A **6**, 330 – 340. – *[HS 290369; CAS 12408-10-5 (allg.); 634-66-2 (a); 634-90-2 (b); 95-94-3 (c); G 6.1]*

2,3,7,8-Tetrachlordibenzo[1,4]dioxin
(2,3,7,8-Tetrachlordibenzodioxin, 2,3,7,8-TCDD; unvollständige u. mehrdeutige Kurzbez. *Dioxin, polit. Bez. *Seveso-Dioxin). Von den 22 tetrachlorierten Dibenzodioxinen (TCDD, s. Dioxine) ist das 2,3,7,8-T. (Abb. s. Dioxine) eines der stabilsten, $C_{12}H_4Cl_4O_2$, M_R 321,95. Farblose Krist., Schmp. 305 – 307 °C, in Wasser unlösl., wenig lösl. in Methanol, besser in Chloroform u. Benzol. 2,3,7,8-T. ist gegen Säuren, Basen, Oxid.- u. Red.-Mittel sowie gegen Hitzeeinwirkung ziemlich beständig. Formel, Entstehung, Abbau, Wirkungen u. techn. Vermeidungsmaßnahmen s. Dioxine. Neuere Arbeiten zu Dioxinen betreffen u. a. ihre Entstehung[1,2], die Wirkung von 2,3,7,8-TCDD in Abhängigkeit von genet. Disposition u. Umweltfaktoren[3], seine Wirkung auf ökolog. Rezeptorgruppen[4] sowie Dioxine in Klärschlamm[5]. – *E* 2,3,7,8-tetrachlorodibenzo[1,4]dioxin – *F* 2,3,7,8-tétrachlorodibenzo[1,4]dioxine – *I* 2,3,7,8-tetraclorodibenzo[1,4]diossina – *S* 2,3,7,8-tetraclorodibenzo[1,4]dioxina

Lit.: [1]Chemosphere **35**, 1409 – 1422 (1997). [2]Chemosphere **36**, 1513 – 1522 (1998). [3]Ecotox. Environ. Safety **36**, 213 – 230 (1997). [4]Ecotox. Environ. Safety **39**, 155 – 163 (1998). [5]Crit. Rev. Environ. Sci. Techn. **27**, 1 – 86 (1997).

allg.: Ballschmiter u. Bacher, Dioxine – Chemie, Analytik, Vorkommen, Umweltverhalten und Toxikologie der halogenierten Dibenzo-p-dioxine und Dibenzofurane, Weinheim: VCH Verlagsges. 1996 ▪ Chemosphere **37**, 1627 – 2562 (Sonderband Chlorinated Dioxins and Related Compounds 1996, mehrere Artikel) (1998) ▪ Strubelt, Gifte in Natur und Umwelt, S. 183 – 198, Heidelberg: Spektrum 1996 ▪ s. a. Dioxine u. Seveso.

1,1,1,2- u. 1,1,2,2-Tetrachlordifluorethan
s. FCKW (R 112a u. R 112).

1,1,2,2-Tetrachlorethan
(TCE, Acetylentetrachlorid). $Cl_2CH-CHCl_2$, $C_2H_2Cl_4$ M_R 167,86. Nicht brennbare, farblose, schwere, bewegliche Flüssigkeit mit süßlichem Geruch, D. 1,5953, Schmp. –42,5 °C, Sdp. 146 °C, mischbar mit allen üblichen organ. Lsm., kaum lösl. in Wasser. Die Dämpfe sind schwerer als Luft u. sammeln sich daher leicht in Bodennähe an. T. ist die giftigste Verb. in der Reihe der *Chlorkohlenwasserstoffe (MAK 1 ppm, gilt als Stoff mit begründetem Verdacht auf krebserzeugendes Potential, Gruppe III B MAK-Werte-Liste 1997); LD$_{50}$ (Ratte oral) 800 mg/kg; WGK 3; Emissionsklasse I (TA Luft 3.1.7). T. ähnelt in seinen Eigenschaften dem Tetrachlormethan (s. Chlormethane) u. erzeugt Kopfschmerzen, Übelkeit, Schwindel sowie schwere Leber- u. Nierenschäden. Wegen seiner Fettlöslichkeit wird es auch leicht durch die Haut resorbiert; Aufnahme (auch über die Haut) von 3 – 4 mL führen zum Tod.

Herst.: Großtechn. durch Addition von Chlor an Acetylen od. durch katalysierte Chlorierung von Ethylen od. 1,2-Dichlorethan.

Verw.: Zwischenprodukt bei der Herst. anderer chlorierter Kohlenwasserstoffe (zurückgehende Bedeutung). Wegen der hohen Toxizität von T. darf dieses in Laboratorium u. Betrieb grundsätzlich weder als Reinigungs-, Entfettungs- u. Entlackungsmittel verwendet werden noch als Löse- u. Verdünnungsmittel für Anstrichstoffe, Klebstoffe, Fußboden- u. Schuhpflegemittel usw. Die Verw. von T. (bzw. das Anw.-Verbot) ist geregelt durch die *Gefahrstoffverordnung[1] sowie durch die Chemikalien-VerbotsVO[2]. – *E* 1,1,2,2-tetrachloroethane – *F* 1,1,2,2-tétrachloroéthane – *I* = *S* 1,1,2,2-tetracloroetano

Lit.: [1]Verordnung über gefährliche Stoffe vom 26. Oktober 1993, zuletzt geändert am 12. 6. 1998. [2]VO über Verbote u. Beschränkungen des Inverkehrbringens gefährlicher Stoffe, Zubereitungen u. Erzeugnisse nach dem Chemikaliengesetz vom 19. Juli 1996.

allg.: Atri, Chlorierte Kohlenwasserstoffe in der Umwelt 2, Stuttgart: Fischer 1985 ▪ Beilstein E IV **1**, 144 ▪ Hommel, Nr. 646 ▪ Kirk-Othmer (3.) **5**, 735 f.; (4.) **6**, 26 ▪ Merck-Index (12.), Nr. 9331 ▪ Ullmann (5.) A **6**, 257 – 259, 278 – 280, 307 – 309, 372. – *[HS 290319; CAS 79-34-5; G 6.1]*

Tetrachlorethylen
(Tetrachlorethen, Perchlorethylen, Per). $Cl_2C=CCl_2$, C_2Cl_4, M_R 165,83. Farblose, Chloroform-artig riechende, nicht brennbare Flüssigkeit, D. 1,624, Schmp. –23 °C, Sdp. 121 °C, in Wasser unlösl., mit den meisten organ. Lsm. mischbar. Die Dämpfe wirken betäubend u. reizen bei Konz. über 100 ppm die Augen u. die Atemwege. Kontakt mit der Flüssigkeit führt zu Reizung der Augen u. der Haut. Die Flüssigkeit wird auch über die Haut aufgenommen u. schädigt Leber u. Nieren; MAK 50 ppm, BAT-Werte 1 mg/L Blut bzw. 9,5 mL/m³ Alveolarluft (TRGS 900, 903); gilt als Stoff mit begründetem Verdacht auf krebserzeugendes Potential (Gruppe III B MAK-Werte-Liste (1997); WGK 3; Emissionsklasse II (TA Luft 3.1.7).

Herst.: Die älteren Herst.-Verf. basieren auf Acetylen u. dem daraus durch Chlor-Addition in Ggw. von $FeCl_3$ bei 70 – 85 °C erzeugten Tetrachlorethan, das nach Dehydrochlorierung das Trichlorethylen u. nach erneuter Chlorierung u. Dehydrochlorierung T. ergibt. Neuere Verf. gehen von 1,2-Dichlorethan aus, das in einer kombinierten Chlorierungs- u. Dehydrochlorierungsreaktion ein Gemisch von T. u. Trichlorethylen liefert. T. bildet sich neben Tetrachlorkohlenstoff auch bei Chlorolyse-Verf. von Propen od. Chlor-haltigen Rückständen.

Verw.: T. dient bevorzugt als Textilreinigungsmittel, als Extraktions- u. Lösemittel für tier. u. pflanzliche Fette u. Öle sowie als Entfettungsmittel in der Metall- u. Textilverarbeitung, zur Herst. von Fluor-Verb., zur azeotropen Trocknung, als Anthelmintikum. Die Verw.

in kosmet. Mitteln ist verboten. Die Jahresproduktion in der BRD lag 1990 bei 97 000 t. – *E* tetrachloroethylene – *F* tétrachloroéthylène – *I* tetracloroetilene – *S* tetracloroetileno

Lit.: Atri, Chlorierte Kohlenwasserstoffe in der Umwelt 1, Stuttgart: Fischer 1985 ▪ Beilstein E IV **1**, 715–718 ▪ Bliefert, Umweltchemie, S. 47, 131, 333, Weinheim: VCH Verlagsges. 1997 ▪ DIN 53978: 1992-07 (Tetrachlorethen, Anforderungen u. Prüfung) ▪ Emissionsbegrenzung von leichtflüchtigen Halogenkohlenwasserstoffen vom 10. Dez. 1990, BGBl. I, S. 2694 ▪ Hommel, Nr. 154 ▪ Kirk-Othmer (3.) **5**, 754–762; (4.) **6**, 50 ff. ▪ Kosmetik-VO vom 7. Oktober 1997, geändert 25. 6. 1998, Anl. 1 Nr. 314 ▪ Merck-Index (12.), Nr. 9332 ▪ Rippen ▪ Ullmann (4.) **9**, 459 f.; (5.) **A 2**, 341; **A 6**, 302–309, 373 f. ▪ Weissermel-Arpe (4.), S. 243 f. – *[HS 290323; CAS 127-18-4; G 6.1]*

Tetrachlorfluorethane s. FCKW (R 121 u. 121 a).

Tetrachlorkohlenstoff s. Chlormethane.

Tetrachlormethan s. Chlormethane.

Tetrachlorogold(III)-säure s. Gold-Verbindungen.

Tetrachloropalladium(II)-säure s. Palladium(II)-chlorid.

Tetrachlorphthalat-Harze (TCP-Harze). Ungesätt. *Polyester- u. *Epoxidharze, die unter Zusatz des Monomeren *Tetrachlorphthalsäureanhydrid hergestellt werden u. dadurch flammhemmende Eigenschaften besitzen; die entsprechenden Brom-haltigen Harze haben zwar eine erheblich bessere Feuerbeständigkeit, sind aber nur bei bes. hoher Reinheit des eingesetzten monomeren *Tetrabromphthalsäureanhydrids lichtunempfindlich. – *E* tetrachlorophtalic resins – *F* résines de tétrachlorophtalate – *I* resine tetracloroftalatiche – *S* resinas de tetracloroftalato

Tetrachlorphthalsäure s. Tetrachlorphthalsäureanhydrid.

Tetrachlorphthalsäureanhydrid.

$C_8Cl_4O_3$, M_R 285,90. Farblose, hautreizende Prismen od. Nadeln, Schmp. 256 °C (Subl.), Sdp. 371 °C, geht in heißem Wasser in *Tetrachlorphthalsäure* über $C_8H_2Cl_4O_4$ (M_R 303,92, Schmp. 98 °C, lösl. in Alkohol, Ether, Aceton, schwer lösl. in Benzol u. kaltem Wasser). T. erhält man durch direkte Chlorierung von Phthalsäureanhydrid in einem organ. Lösemittel. *Verw.:* Als flammhemmender Zusatz in Anstrichmitteln, Ausgangsprodukt zur Herst. von TCP-Harzen (s. Tetrachlorphthalat-Harze), Fungiziden, Gummi, Weichmachern, unentflammbaren Wachsen u. dgl., Schmiermittelbestandteil, Härtungskatalysator für Gießmassen aus Aminoplastharzen etc. – *E* tetrachlorophtalic anhydride – *F* anhydride tétrachlorophtalique – *I* anidride tetracloroftalica – *S* anhídrido tetracloroftálico

Lit.: Beilstein E V **17/11**, 260 ▪ Kirk-Othmer **S**, 482 f.; (3.) **10**, 388 ▪ Ullmann (5.) **A 11**, 130. – *[HS 291739; CAS 117-08-5]*

Tetrachlorsilan s. Siliciumchloride.

Tetrachlorvinphos.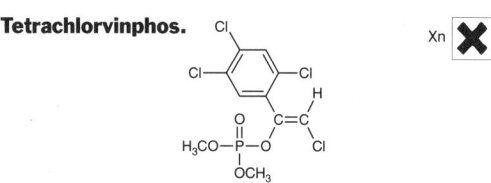

Common name für (Z)-[2-Chlor-1-(2,4,5-trichlorphenyl)vinyl]dimethylphosphat, $C_{10}H_9Cl_4O_4P$, M_R 365,96, Schmp. 94–97 °C, LD_{50} (Ratte oral) 4000 mg/kg (WHO), von Shell 1966 eingeführtes selektives nicht-system. *Insektizid mit Kontakt- u. Fraßgiftwirkung gegen Raupen u. Fruchtfliegen im Obst-, Gemüse-, Feldfrucht-, Reis-, Tabak- u. Baumwollanbau sowie im Forst. Auch gegen Hausfliegen in der Milchwirtschaft u. in Ställen, gegen Ektoparasiten an Geflügel sowie gegen Vorrats- u. Forstschädlinge. – *E = F* tetrachlorvinphos – *I = S* tetraclorvinfos

Lit.: Farm ▪ Perkow ▪ Pesticide Manual. – *[HS 291900; CAS 22248-79-9]*

Tetraconazol.

Common name für (±)-1-[2-(2,4-Dichlorphenyl)-3-(1,1,2,2-tetrafluorethoxy)propyl]-1*H*-1,2,4-triazol, $C_{13}H_{11}Cl_2F_4N_3O$, M_R 372,14, viskoses Öl, LD_{50} (Ratte oral) 1031–1250 mg/kg, von Agrimont (jetzt Isagro) 1989 eingeführtes *Saatgut-Behandlungsmittel u. Blatt-*Fungizid mit protektiver u. kurativer Wirkung zur Anw. im Getreide-, Zuckerrüben-, Wein-, Zierpflanzen-, Gemüse-, Kern- u. Steinobstanbau. – *E* tetraconazole – *F* tétraconazole – *I* tetraconazolo – *S* tetraconazol

Lit.: Perkow ▪ Pesticide Manual. – *[CAS 112281-77-3; G 9]*

Tetracont(a)... *Multiplikationspräfix in chem. Namen, von griech.: tet(ta)rákonta = vierzig. – *E = I = S* tetracont(a)... – *F* tétracont(a)...

Tetracos(a)... *Multiplikationspräfix in chem. Namen, von griech.: tettares-kai-eíkosi = vierundzwanzig. – *E = I = S* tetracos(a)... – *F* tétracos(a)...

Tetracosactid (Rp).

Ser-Tyr-Ser-Met-Glu-His-Phe-Arg-Trp-Gly-Lys-Pro-Val-Gly-Lys-Lys-Arg-Arg-Pro-Val-Lys-Val-Tyr-Pro

Internat. Freiname für das Hypophysenvorderlappenhormon α^{1-24}-Corticotropin, ein synthet. Polypeptid, $C_{136}H_{210}N_{40}O_{31}S$, M_R 2933,57, $[\alpha]_D^{20}$ −99° bis −109° (c 1/CH_3COOH 1%), λ_{max} (0,1 M HCl) 277 nm ($A_{1cm}^{1\%}$ 22), dessen Sequenz mit den ersten 24 (Name!) Aminosäuren des ACTH (*Corticotropin) übereinstimmt u. das dessen Wirkung besitzt. T. wurde 1966 von Ciba (Synacthen®, Novartis) patentiert u. ist gegen akute Schübe multipler Sklerose u. bes. Epilepsieformen im Handel. – *E = I* tetracosactide – *F* tétracosactide – *S* tetracosactida

Lit.: Hager (5.) **9**, 834 ff. ▪ Martindale (31.), S. 1294 ▪ Ph. Eur. 1997 u. Komm. – *[HS 293729; CAS 16960-16-0]*

Tetracosan. $H_3C–(CH_2)_{22}–CH_3$, $C_{24}H_{50}$, M_R 338,65. Farblose Krist., Schmp. 51,2 °C, Sdp. 391,3 °C, D.

0,7991 (unterkühlte Schmelze, 20 °C), in Ethanol wenig, in Ethern sehr gut lösl.; kommt im *Ozokerit (bes. Evenkit), in pflanzlichen *Wachsen, *Fetten u. Ölen vor. – *E* tetracosane – *F* tétracosane – *I* = *S* tetracosano
Lit.: Beilstein E IV **1**, 578 ▪ Karrer, Nr. 11 ▪ Ramdohr-Strunz, S. 799. – *[HS 2901 10; CAS 646-31-1]*

1-Tetracosanol s. Wachsalkohole.

Tetracosansäure (Lignocerinsäure). $H_3C–(CH_2)_{22}–COOH$, $C_{24}H_{48}O_2$, M_R 368,62, Krist., Schmp. 87,5–88 °C. T. kommt in Erdnußöl, Senföl, Holzteer, Insekten, Bakterienwachsen u. im *Kerasin (s.a. Sphingomyeline) vor. T. entsteht auch bei der Oxid. von Handelsparaffinen u. findet sich in kleinen Mengen (0,2–1%) in fast allen natürlichen Fetten. – *E* tetracosanoic acid – *F* acide tétracosanoïque – *I* acido tetracosanoico – *S* ácido tetracosanoico
Lit.: Beilstein E IV **2**, 1301 ▪ Justus Liebigs Ann. Chem. **1973**, 584 ▪ Karrer, Nr. 710. – *[HS 2915 90; CAS 557-59-5]*

(Z)-15-Tetracosensäure (Nervonsäure, Selacholeinsäure).

$H_3C—(CH_2)_7\underset{H}{\overset{}{C}}=\underset{H}{\overset{}{C}}(CH_2)_{13}—COOH$

$C_{24}H_{46}O_2$, M_R 366,64, Krist., Schmp. 40,5–41 °C, 44–45 °C. Einfach ungesätt. Fettsäure aus Fischölen, *Sphingomyelinen u. zusammen mit Hydroxytetracosensäuren aus *Cerebrosiden. Die *E*-Form ist synthet. zugänglich (Schmp. 66–67 °C). – *E* (Z)-15-tetracosenoic acid – *F* acide (Z)-15-tétracosénoïque – *I* acido (Z)-15-tetracosenoico – *S* ácido (Z)-15-tetracosenoico
Lit.: Beilstein E IV **2**, 1681 ▪ Biochim. Biophys. Acta **431**, 206 (1976) ▪ Lipids **11**, 157 (1976) (Isolierung). – *[CAS 506-37-6 ((Z)-15-T.); 14490-79-0 ((E)-15-T.)]*

7,7,8,8-Tetracyano-1,4-chinodimethan (Cyclohexa-2,5-dien-1,4-diylidenbismalononitril; engl. Abk. TCNQ).

$C_{12}H_4N_4$, M_R 204,19, Schmp. 287–289 °C (Zers.). Das Chinodimethan-Derivat TCNQ ist zur Bildung von *Charge-transfer-Komplexen insbes. mit aromat. Syst. befähigt, die z.T. beträchtliche elektr. Leitfähigkeit aufweisen. Beispielsweise mit *Tetrathiafulvalen (TTF) u. verwandten Verb. bildet es Verb., die hoch leitfähig sind. Viele solche sog. *eindimensionalen elektr. Leiter* mit TCNQ als Akzeptor zeigen metall. Leitfähigkeit – man spricht hier gelegentlich von *organ. Metallen*. Mit leicht radikal. dehydrierbaren Verb. (z.B. Aminosäuren, Thiolen, Thioamiden u. dgl.) reagiert TCNQ unter Ausbildung kolorimetr. auswertbarer Färbungen, was es als Reagenz für den Nachw. dieser Verb. auf Chromatogrammen geeignet macht. TCNQ dient auch zur Identifizierung von Alkali-, Erdalkali- u. a. Metallionen, insbes. für den einwertigen Zustand. – *E* 7,7,8,8-tetracyano-1,4-quinodimethane – *F* 7,7,8,8-tétracyano-1,4-quinodiméthane – *I* 7,7,8,8-tetraciano-1,4-chinodimetano – *S* 7,7,8,8-tetraciano-1,4-quinodimetano

Lit.: Acc. Chem. Res. **12**, 79 ff. (1979) ▪ Angew. Chem. **99**, 257–259, 332–339 (1987); **102**, 1493 f. (1990); **103** 1142 (1991) ▪ Chem. Unserer Zeit **20**, 1–10, 33–43 (1986) ▪ Spektrum Wiss. **1979**, Nr. 12, 62–71 ▪ Ullmann (5.) A **16**, 72; A **23**, 544. – *[CAS 1518-16-7]*

Tetracyanoethylen (TCNE, Ethentetracarbonitril). $(NC)_2C=C(CN)_2$, C_6N_4, M_R 128,09. Farbloses, krist. hygroskop., nach Blausäure riechendes, giftiges Pulver, Schmp. 198–200 °C, Sdp. 223 °C; WGK 2 (Selbsteinst.).
Herst.: Durch Entbromierung von Dibrommalonsäuredinitril mit Kupferstaub od. durch Oxid. von *Malonsäuredinitril mit S_2Cl_2 od. Cl_2. T. bildet mit aromat. Kohlenwasserstoffen intensiv gefärbte Lsg., z.B. gelbe mit Benzol, orangefarbene mit Xylol u. rote mit Mesitylen, was auf die Entstehung von *Charge-transfer-Komplexen zurückzuführen ist (vgl. a. Pi-Komplexe). Auch mit anderen Donatoren bildet T. *Elektronen-Donator-Akzeptor-Komplexe, z.B. mit *Tetraaminoethylenen. T. ist ein sehr Elektronen-armes Olefin u. wirkt infolgedessen stark elektrophil, wird also von nucleophilen Verb. (Methoxid, *N*-Methylanilin) u. Elektronen-reichen Olefinen leicht angegriffen. Es ist bes. gut zu *Cycloadditionen geeignet, wobei es entweder unter Bildung von Cyclobutan-Derivaten, Heterocyclen od. als Dienophil nach dem Prinzip der Diensynth. reagiert (s. Diels-Alder-Reaktion) – insbes. in letzterem Fall wird TCNE geradezu als Nachw.-Reagenz für dienoide Syst. benutzt. Infolge seines Elektronen-Mangels ist T. auch ein relativ starkes Oxid.-Mittel, das z.B. mit Iod-Ionen unter Bildung von Iod u. einem stabilen Radikal-Anion reagiert, od. das Cyclohexadiene zu aromat. Syst. dehydriert. – *E* tetracyanoethylene – *F* tétracyanoéthylène – *I* tetracianoetilene – *S* tetracianoetileno
Lit.: Angew. Chem. **99**, 257–259 (1987) ▪ Beilstein E IV **2**, 2450 f. ▪ Kirk-Othmer (3.) **7**, 359–361; (4.) **7**, 810 ▪ Merck-Index (12.), Nr. 9336 ▪ Synthesis **1986**, 249–284. – *[HS 2926 90; CAS 670-54-2; G 6.1]*

Tetracyclin. Internat. Freiname für das Antibiotikum 4-Dimethylamino-1,4,4a,5,5a,6,11,12a-octa-hydro-3,6,10,12,12a-pentahydroxy-6-methyl-1,11-dioxonaphthacen-2-carboxamid, $C_{22}H_{24}N_2O_8$, M_R 444,43. Das Trihydrat bildet gelbe, rhomb., lichtempfindliche Krist., Schmp. 170–175 °C (Zers.), $[\alpha]_D$ –239° (CH_3OH), lösl. in Alkohol, Aceton, Chloroform, Ethylacetat, wenig lösl. in Wasser, Benzol, Petrolether, in neutraler Lsg. beständig; in saurer u. alkal. weniger (amphoter). Mit einer Reihe organ. Verb. wie z.B. Glyoxal, Oxalsäure, Ascorbinsäure, Dimethylglyoxim, Barbitursäure, Bernsteinsäure, Glycin u. a. bildet T. Clathrat-ähnliche, in festem Zustand beständige Komplexe, mit Harnstoff ein gut krist. Addukt (Schmp. 143–146 °C), mit Methanol ein Addukt, das sich bes. zur Reinigung der Substanz eignet. Mit Metall-Ionen reagiert es unter Chelatisierung. T. bildet den Grundkörper der *Tetracycline*, von denen die therapeut. wichtigsten mit ihren internat. Freinamen u. Formeln wiedergegeben sind.

	R^1	R^2	R^3
Tetracyclin (1)	H	CH_3	H
Chlortetracyclin (2)	Cl	CH_3	H
Oxytetracyclin (3)	H	CH_3	OH
6-Desmethyl-tetracyclin (4)	H	H	H

Tab.: Auswahl natürlich vorkommender Tetracycline.

	Summenformel	M_R	CAS
1	$C_{22}H_{24}N_2O_8$	444,44	60-54-8
2	$C_{22}H_{23}ClN_2O_8$	478,89	57-62-5
3	$C_{22}H_{24}N_2O_9$	460,44	79-57-2
4	$C_{21}H_{22}N_2O_8$	430,41	987-02-0

Herst.: Durch Fermentation in Submerskulturen von ca. 20 *Streptomyces*-Arten (Tetracyclin, Chlortetracyclin, Oxytetracyclin, Demethylchlortetracyclin), auch über das so gewonnene Chlortetracyclin, aus dem es durch Cl-Abspaltung mittels katalyt. Hydrierung erstmals 1953 erhalten wurde. Durch systemat. Abwandlung der Substitution am *Naphthacen-Gerüst sind inzwischen eine Vielzahl von T.-Derivaten hergestellt worden, deren pharmakolog. wichtigste Vertreter im allg. unter eigenen Stichwörtern abgehandelt sind. Nach Cephalosporinen u. Penicillinen sind T. derzeit die meistgebrauchten Antibiotika.

Anw.: T. sind Breitbandantibiotika, die bei geringer Toxizität bakteriostat. Wirkung gegen Gram-pos. u. -neg. Bakterien, Rickettsien, Mycoplasmen, Leptospiren, Spirochäten, einige große Viren u. Protozoen zeigen. Zwischen verschiedenen T. besteht ausgeprägte Kreuzresistenz. Neben der human- u. veterinärmedizin. Anw. werden v. a. *Chlortetracyclin u. *Oxytetracyclin immer noch in vielen Ländern in großem Umfang als nutritive Antibiotika in der Geflügel- u. Schweinezucht eingesetzt, in einigen Ländern außerdem zur Konservierung von Fisch, Fleisch u. Geflügel. Wegen der Resistenz- u. Rückstandsproblematik ist der Einsatz für diese Zwecke in der BRD verboten.

Wirkungsmechanismus: T. sind Inhibitoren der Proteinsynthese. Angriffspunkt ist die 30S-Untereinheit des 70S *Ribosoms, wobei die Bindung von *Aminoacyl-tRNA an die ribosomale A-site gehemmt wird. Daneben bewirken T. eine Hemmung der Zellwand-Biosynth. sowie die Bildung von T.-Metall-Chelaten. Die Komplexierung mit Calcium in wachsenden Knochen u. Zähnen begründet die Kontraindikation bei Kindern u. Schwangeren.

Geschichte: Als erste Verb. der T.-Reihe wurde *Chlortetracyclin (*Aureomycin®) 1948 isoliert; zwei Jahre später folgte das *Oxytetracyclin (*Terramycin®). Um die Totalsynth. der T. haben sich bes. die Arbeitskreise um *Woodward u. Muxfeldt, später auch derjenige um *Barton verdient gemacht. – *E* tetracycline – *F* tétracycline – *I* = *S* tetraciclina

Lit.: Antimicrob. Agents Chemother. **38**, 637 ff. (1994) ▪ Appl. Microbiol. Biotechnol. **32**, 674–679 (1990) ▪ Behal, Hunter, in Vining u. Stuttard (Hrsg.), Genetics and Biochemistry of Antibiotic Production, S. 359–384, Boston: Butterworth-Heinemann 1995 ▪ Beilstein E IV **14**, 2629 ▪ DAB **10** (Monographie) ▪ Florey **8**, 101–137 ▪ Gräfe, S. 134–138 ▪ Hager (5.) **7**, 915 ff. ▪ Hlavka u. Boothe, The Tetracyclines, Heidelberg: Springer 1985 ▪ Hostalek u. Vanek, in Pape u. Rehm (Hrsg.), Biotechnology, Vol. 4, S. 393–429, Weinheim: VCH Verlagsges. 1986 ▪ J. Antibiot. **45**, 1892–1913 (1992); **47**, 545–555 (1994) ▪ J. Med. Chem. **37**, 184–188 (1994) ▪ Kirk-Othmer (4.) **3**, 331 ▪ Simon u. Stille, Antibiotika-Therapie in Klinik u. Praxis, New York: Schattauer 1989 ▪ Ullmann (5.) **A 2**, 516 ▪ Zechmeister **21**, 80–120. – [HS 2941 30]

Tetracyclo[...]... Präfix in systemat. Namen für verbrückte Ringsyst. (*Käfigverbindungen u. a. *polycyclische Verbindungen) mit 4 Ringen (IUPAC-Regel A-32, R-2.4.2.2); *Beisp. (*Abb. mit Numerierung): Tetracyclo[2.2.0.0^{2,6}.0^{3,5}]hexan (*Prisman; Abb. IV bei Benzol-Ring), Tetracyclo[3.2.0.0^{2,7}.0^{4,6}]heptan (*Quadricyclan), Tetracyclo[6.1.0.0^{2,4}.0^{5,7}]nonan (Abb. bei Trishomobenzole). Heteroatome in T.-Verb. benennt man mit *Austauschnamen (IUPAC-Regel B-14, R-2.4.2.2); *Beisp.*: 3,6,9-Trioxatetracyclo[6.1.0.0^{2,4}.0^{5,7}]nonan (Benzoltriepoxid); vgl. Bicyclo[...]... u. Tricyclo[...]... – *E* tetracyclo[...]... – *F* tétracyclo[...]... – *I* = *S* tetraciclo[...]...

Tetrade. Bez. für eine Untereinheit (Sequenz) aus vier *konstitutionellen Repetiereinheiten in einer *Polymer-Kette. Die Betrachtung von T. u. ihrer Häufigkeit besitzt wie auch die von Diaden (Sequenz aus zwei Repetiereinheiten) od. *Triaden v. a. bei der Bestimmung der Mikrostruktur eines Polymeren (*Taktizität, Sequenzanalyse bei *Copolymeren) durch z. B. die *NMR-Spektroskopie große Bedeutung. – *E* tetrad – *I* tetrade – *S* tétrada

Tetradec(a)... *Multiplikationspräfix in chem. Namen, von griech.: tettares-kaí-deka = vierzehn. – *E* = *I* = *S* tetradec(a)... – *F* tétradéc(a)...

Tetradecan. $H_3C-(CH_2)_{12}-CH_3$, $C_{14}H_{30}$, M_R 198,40. Aliphat. Kohlenwasserstoff mit unverzweigter Kohlenstoff-Kette, farblose Flüssigkeit. D. 0,766, Schmp. 6 °C, Sdp. 253 °C, unlösl. in Wasser, beliebig mischbar mit Alkohol, Ether u. Benzin. T. kommt in Erdöl vor u. findet Verw. in organ. Synth. u. als Bezugssubstanz für die Gaschromatographie. – *E* tetradecane – *F* tétradécane – *I* = *S* tetradecano

Lit.: Beilstein E IV **1**, 520 ▪ Ullmann (4.) **14**, 655; (5.) **A 13**, 229 f. – [HS 2901 10; CAS 629-59-4]

1-Tetradecanol (Myristylalkohol). $H_3C-(CH_2)_{13}-OH$, $C_{14}H_{30}O$, M_R 214,38. Das zu den *Fettalkoholen gehörende 1-T. bildet farblose Krist., D. 0,835, Schmp. 38 °C, Sdp. 264 °C, 167 °C (20 hPa), unlösl. in Wasser, lösl. in Ether, wenig lösl. in Alkohol. 1-T. findet Verw. als Cremezusatz zur Herst. von *Fettalkoholsulfaten, für Netzmittel u. kosmet. Präp., als Entschäumer, Fixateur etc. – *E* = *S* 1-tetradecanol – *F* 1-tétradécanol – *I* 1-tetradecanolo

Lit.: Beilstein E IV **1**, 1864 ▪ Ullmann (5.) **A 10**, 277 ff. (1987). – [HS 2905 19; CAS 112-72-1]

Tetradecansäure s. Myristinsäure.

Tetradecker-Verbindungen s. Sandwich-Verbindungen.

Tetradecyl... Bez. der Atomgruppierung $-(CH_2)_{13}-CH_3$ in chem. Namen (IUPAC-Regel A-1); alte Trivialbez.: *Myristyl...; dagegen benennt man vier *Decyl-Reste mit *Tetrakis(decyl)...*, s. Tetrakis... – *E* tetradecyl... – *F* tétradécyl... – *I* = *S* tetradecil...

Tetradifon.

Common name für (4-Chlorphenyl)-(2,4,5-trichlorphenyl)-sulfon, $C_{12}H_6Cl_4O_2S$, M_R 356,05, Schmp.

148–149°C, LD$_{50}$ (Ratte oral) >14 700 mg/kg (WHO), von N. V. Philips-Duphar (jetzt Solvay Duphar) 1954 eingeführtes nicht-system. *Akarizid gegen Sommereier u. Junglarven von Spinnmilben im Zitrus-, Kaffee-, Obst-, Wein-, Zierpflanzen-, Gemüse-, Baumwoll- u. Teeanbau. – *E* tetradifon – *F* tétradifon – *I* tetradifone – *S* tetradifona
Lit.: Beilstein EIV **6**, 1636 ▪ Farm ▪ Perkow ▪ Pesticide Manual. – *[HS 2930 90; CAS 116-29-0]*

Tetradymit (Tellurwismut). Bi$_2$Te$_2$S, nach *Lit.*[1] (Struktur u. Bindungsverhältnisse) besser Bi$_{14}$Te$_{13}$S$_8$. Zinnweiße bis stahlgraue, auf Spaltflächen metallglänzende, rasch dunkel anlaufende, trigonale Vierlings-Krist. (griech.: tetradymos = vierfach); meist aber blättrige, auf Papier abfärbende, weiche Aggregate. Kristallklasse $\bar{3}$m-D$_{3d}$, H. 1,5–2, D. 7,3. Zur *Mischkristall-Bildung zwischen Bi$_2$Te$_3$ u. Bi$_2$S$_3$ s. *Lit.*[2]; zur Kristallchemie u. Kristallographie von Mineralen der T.-Gruppe s. *Lit.*[3].
Vork.: Überwiegend zusammen mit anderen Telluriden u. Sulfiden, z. B. in den Karpathen, mehrorts in den westlichen USA, in Kanada u. Japan. – *E* tetradymite – *F* tétradymite – *I* tetradimite – *S* tetradimita
Lit.: [1] Am. Mineral. **60**, 994–997 (1975). [2] Am. Mineral. **52**, 161–170 (1967). [3] Am. Mineral. **76**, 257–265 (1991).
allg.: Anthony et al., Handbook of Mineralogy, Vol. I, S. 524, Tucson (Arizona): Mineral Data Publishing 1990 ▪ Ramdohr, Die Erzmineralien u. ihre Verwachsungen, S. 470ff., Berlin: Akademie 1975 (erzmikroskop. Beschreibung) ▪ Ramdohr-Strunz, S. 452 ▪ Schröcke-Weiner, S. 238 f. – *[CAS 1304-78-5]*

Tetraeder. Von griech.: tetra = vier u. hedra = Fläche abgeleitete Bez. für Vierflächner. Das von vier gleichseitigen Dreiecken begrenzte *regelmäßige* T. (T. im engeren Sinn, s. die Abb.) zählt zu den 5 platon. Körpern (s. platonische Moleküle).

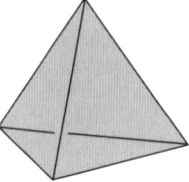

Das *T.-Modell* des vierbindigen Kohlenstoffs wurde 1874 unabhängig voneinander von van't Hoff u. *Le Bel aufgestellt u. ist eine der Grundlagen der *Stereochemie organ. Verb. (s. a. Chiralität, Konfiguration u. optische Aktivität). Eine theoret. Begründung des T.-Modells liefert die *Quantenchemie, insbes. die Valence-Bond-Methode; Näheres s. dort.
Tetraedr. Strukturen findet man nicht nur bei Verb. der 4. Hauptgruppe (weitere *Beisp.*: Kieselsäuren u. *Silicate), sondern auch bei zahlreichen Koordinationsverb. mit der *Koordinationszahl 4 (s. Koordinationslehre u. vgl. Tetrahedro-). Der weiße *Phosphor ist aus tetraedr. P$_4$-Einheiten aufgebaut. Das unsubstituierte *platonische Molekül Tetrahedran (Tricyclo[1.1.0.0^{2,4}]butan), C$_4$H$_4$, konnte bisher noch nicht synthetisiert werden, wohl aber sein 1,2,3,4-Tetra-*tert*-butyl-Derivat; Näheres s. platonische Kohlenwasserstoffe. – *E* tetrahedron – *F* tétraèdre – *I* = *S* tetraedro

Tetraederlücke. Begriff aus der Festkörperchemie. In einer dichtest gepackten Struktur gibt es zwei Arten von Lücken, in die Fremdatome eingebaut werden können, die T. u. Oktaederlücken. Eine T. liegt zwischen einem Dreieck von Atomen in einer Schicht u. einem darüber liegenden Atom der nächsten Schicht (s. die Abb.) u. Oktaederlücke zwischen jeweils zwei Dreiecken von Atomen zweier übereinander liegender Schichten. Ein Atom in einer T. somit hat vier nächste Nachbarn u. damit die *Koordinationszahl 4, ein Atom in einer Oktaederlücke hat sechs nächste Nachbarn u. damit die Koordinationszahl 6.

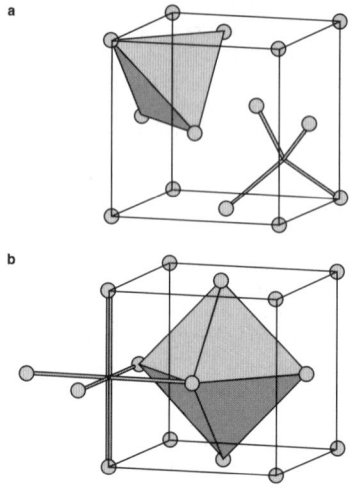

Abb.: Tetraederlücke (a) u. Oktaederlücke (b) in einer dicht gepackten Struktur (kub. dichteste Kugelpackung).

– *E* tetrahedral site, A site (position) – *F* site (position) A, site tétraédrique – *I* buco tetraedrico, sito tetraedrico – *S* posición A, sitio tetraédrico

Tetraedrit s. Fahlerze.

Tetraethoxysilan s. Ethylsilicate.

Tetraethylammonium-Salze. Bez. für quart. Ammonium-Verb. der allg. Formel [(H$_5$C$_2$)$_4$N$^+$X$^-$ mit X = OH, Cl, Br, I usw.
(a) *Tetraethylammoniumhydroxid* (X = OH, C$_8$H$_{21}$NO, M$_R$ 147,26): Das nur in wäss. Lsg. od. in Form seiner Hydrate (mit 4H$_2$O Schmp. 49–50°C, mit 6H$_2$O Schmp. 55°C, beim Sieden Zers.) bekannte Hydroxid ist eine sehr starke Base, die CO$_2$ aus der Luft absorbiert. Eine 10%ige wäss. Lsg. hat eine D. von 1,01, ist farb- u. geruchlos, bitter schmeckend, stark alkal., verursacht Verätzungen u. vermittelt ein seifiges Gefühl auf der Haut; WGK 2 (Selbsteinst.). Die Herst. erfolgt mit Silberoxid od. KOH in Methanol aus den T.-Halogeniden.
(b) *Tetraethylammoniumchlorid* (TEAC, TEACl, X = Cl, C$_8$H$_{20}$ClN, M$_R$ 165,71): Farblose, zerfließliche Krist., D. 1,08, leicht lösl. in Wasser, Ethanol, Chloroform u. Aceton, wenig lösl. in Benzol. Das Tetrahydrat bildet monoklin-prismat. Krist., D. 1,084, Schmp. 37°C, eine 10%ige wäss. Lsg. hat pH 6,48. Verw. als Phasentransfer-Katalysator.
(c) *Tetraethylammoniumbromid* (TEAB, TEABr, X = Br, C$_8$H$_{20}$BrN, M$_R$ 210,16): Farblose, zerfließliche Krist., die sich in Wasser, Ethanol, Chloroform, Aceton gut,

in Benzol dagegen nur wenig lösen; WGK 3, verboten in kosmet. Mitteln[1]. Verw. wie das Chlorid.

(d) *Tetraethylammoniumiodid* (X = I, $C_8H_{20}IN$, M_R 257,17): Weißgelbe Krist., D. 1,566, Schmp. ca. 320°C (Zers.), in Wasser u. Ethanol gut, in Chloroform wenig lösl., unlösl. in Ether; findet Verw. als Leitsalz bei polarograph. Bestimmungen. Die Tetraethylammonium-Halogensalze werden durch Umsetzung von Triethylamin mit dem jeweiligen Ethylhalogenid hergestellt. In der präparativen Chemie werden auch T.-S. mit den Anionen CN^-, OCN^-, SCN^- u. NO_2^- verwendet, z. B. Tetraethylammoniumcyanid zur Synth. von Nitrilen; vgl. auch die anderen Tetraalkylammonium-Verbindungen, z. B. Tetrabutyl- u. Tetramethylammonium-Salze. – *E* tetraethylammonium salts – *F* sels de tétraéthylammonium – *I* sali di tetraetilammonio – *S* sales de tetraetilamonio

Lit.: [1] Kosmetik-VO vom 7. Oktober 1997, zuletzt geändert 25.6.1998, Anlage 1, Nr. 61.
allg.: Beilstein EIV **4**, 331f. ▪ Merck-Index (12.), Nr. 9340–9342 ▪ s. a. quartäre Ammonium-Verbindungen. – [HS 292390; CAS 77-98-5 (a); 56-34-8 (b); 71-91-0 (c); 68-05-3 (d); G 8]

Tetraethylblei. Systemat. Name für *Bleitetraethyl.

1,1,2,2-O-Tetraethyl-1,2-dithiodiphosphat s. Sulfotep.

Tetraethylenglykol (Abk. TTEG). Trivialname für den auch häufig als *Tetraglykol* bezeichneten Bis[2-(2-hydroxyethoxy)-ethyl]ether; bevorzugter systemat. Name: 2,2′-[Oxybis(ethylenoxy)]diethanol,

$HO-(CH_2)_2-O-(CH_2)_2-O-(CH_2)_2-O-(CH_2)_2-OH$

$C_8H_{18}O_5$, M_R 194,23. Wasserklare, prakt. farb- u. geruchlose Flüssigkeit mit hoher Lichtbrechung u. geringer Flüchtigkeit, D. 1,128, Schmp. –6°C, Sdp. 328°C (198°C bei 19 hPa), weniger hygroskop. als Mono- u. Diethylenglykol, mit Wasser, Alkoholen, Ketonen u. Alkanolaminen in jedem Verhältnis, mit Ether nur beschränkt mischbar.
Herst.: Als Nebenprodukt bei der Synth. von Ethylenoxid u. Ethylenglykol od. aus Ethylenglykol u. Ethylenoxid.
Verw.: Weichmacher für Zellglas u. Nitrocellulose-Lacke, Trocknungsmittel für Erd- u. Ind.-Gas, Ausgangsstoff zur Herst. von Kunstharzen, Weichmachern u. Emulgatoren, Wärmeübertragungsflüssigkeit, Feuchthaltemittel für Kork usw., Löse- u. Schmiermittel für die Textilfärbung u. -bedruckung, Schmiermittel für Gummi, Extraktionsmittel für Aromaten, Bestandteil in Hydraulikölen usw. Für manche Zwecke sind, ähnlich wie bei den anderen niedermol. *Polyalkylenglykolen, auch die *Glykolether u. -ester einsetzbar. – *E* tetraethylene glycol – *F* tétraéthylèneglycol – *I* tetraetilenglicole – *S* tetraetilenglicol

Lit.: Beilstein EIV **1**, 2403 ▪ Hommel, Nr. 534 ▪ Kirk-Othmer (3.) **11**, 949, 951; (4.) **12**, 695 ff. ▪ Ullmann (5.) **A 10**, 108 ff. – [CAS 112-60-7]

Tetraethylenpentamin {Tetren, Bis[2-(2-aminoethylamino)ethyl]amin, 3,6,9-Triazaundecan-1,11-diamin, TEPA}.

$H_2N-(CH_2-CH_2-NH)_3-CH_2-CH_2-NH_2$,

$C_8H_{23}N_5$, M_R 189,31. Farblose bis gelbliche, viskose, hygroskop., alkal. reagierende Flüssigkeit, D. 0,998, Schmp. ca. –30°C, Sdp. 340°C (186–192°C bei 19 hPa), mischbar mit Wasser, Alkoholen, Benzol. T. wirkt stark ätzend, die Dämpfe reizen die Schleimhäute der Augen u. der Atemwege, Lungenödem möglich. T. entsteht beim Erhitzen von Diethylentriamin mit 1,2-Dichlorethan u. wäss. Ammoniak.
Verw.: Als Peroxid-Aktivator bei der Butadien-Polymerisation, zur Synth. von Textilhilfsmitteln, Amin- u. Amidharzen, für Ionenaustauscherharze, Lsm. für Schwefel, saure Gase, Harze u. Farbstoffe, Dispergiermittel in Motorölen. – *E* tetraethylenepentamine – *F* tétra-éthylènepentamine – *I* tetraetilpentammina – *S* tetraetilenpentamina

Lit.: Beilstein EIV **4**, 1244 ▪ Hommel, Nr. 899 ▪ Kirk-Othmer (4.) **8**, 74ff. ▪ Ullmann (5.) **A 2**, 28ff. ▪ s. a. Polyethylenimine. – [HS 292129; CAS 112-57-2; G 8]

Tetraethylsilicat s. Ethylsilicate.

Tetraethylthiuramdisulfid [TETD, Bis(diethylthiocarbamoyl)disulfid].

$$(H_5C_2)_2N-\overset{\overset{S}{\|}}{C}-S-S-\overset{\overset{S}{\|}}{C}-N(C_2H_5)_2$$

$C_{10}H_{20}N_2S_4$, M_R 296,54. Farblose Krist., Schmp. 70°C, lösl. in Ethanol, Aceton, Ether, Benzol, Chloroform, Schwefelkohlenstoff, unlösl. in Wasser. MAK 2 mg/m³ (gemessen als einatembarer Aerosolanteil); verboten in kosmet. Mitteln[1]. Die Reaktion mit nitrosierenden Agenzien kann zur Bildung des carcinogenen *N*-Nitrosodiethylamins führen[2]. Die Synth. aus Diethylamin u. Schwefelkohlenstoff verläuft über *N,N*-Diethyldithiocarbamat welches zu T. oxidiert wird.
Verw.: Wie andere *Thiurame als Vulkanisationsbeschleuniger für Natur- u. Synth.-Kautschuk; Zwischenprodukt für Arzneimittel, Pflanzenschutzmittel u. Farbstoffe. Unter dem internat. Freinamen *Disulfiram* dient T. zur Behandlung von chron. *Alkoholismus. T. hemmt durch Blockade der Aldehyd-Dehydrogenase die Umwandlung von Acetaldehyd in Essigsäure. Nach der Einnahme von Alkohol reichert sich daher bei Anwesenheit von T. Acetaldehyd im Organismus an. Die gebildete Menge an Acetaldehyd reicht jedoch nicht aus, um die nach der Einnahme von T. u. Ethanol auftretenden Symptome wie Schwindel, Kopfschmerzen, Brechreiz, Angstgefühl, Herzklopfen, Blutdruckabfall vollständig zu erklären. Es werden daher zusätzliche Mechanismen, insbes. die Bildung eines tox. Reaktionsproduktes, angenommen. Die infolge erheblicher Nebenwirkungen problemat. u. gefährliche u. deswegen kaum noch praktizierte Alkoholentwöhnung mit T. bleibt auf Fälle beschränkt, in denen der Kranke zu einer zuverlässigen Zusammenarbeit mit dem Arzt bereit u. fähig ist. – *E* tetraethylthiuram disulfide – *F* disulfure de tétraéthylthiurame – *I* disolfuro tetraetiluramico, tetraetiltiouram disolfuro – *S* disulfuro de tetraetiltiuram

Lit.: [1] Kosmetik-VO vom 7. Oktober 1997, zuletzt geändert 25.6.1998, Anlage 1, Nr. 162. [2] Maximale Arbeitsplatzkonzentrationen u. Biologische Arbeitsstofftoleranzwerte 1997, S. 53, Weinheim: VCH-Verlagsges. 1997.
allg.: Beilstein EIV **4**, 398 ▪ Braun-Dönhardt, S. 150f. ▪ Hager (5.) **7**, 1405 ▪ Mutschler (7.). – [HS 293090; CAS 97-77-8; G 6.1]

Tetrafluorethane, Tetrafluorethen s. Fluorkohlenwasserstoffe (R 134 u. R 134 a, R 1114).

Tetrafluorethylen (Perfluorethylen, TFE). $F_2C=CF_2$, C_2F_4, M_R 100,02. Farb- u. geruchloses, brennfähiges Gas, D. 1,515 (Flüssigkeit), Schmp. −142 °C, Sdp. −78,4 °C. In Ggw. von Sauerstoff verbrennt T. zu Tetrafluormethan u. Kohlendioxid u. bildet bei tiefen Temp. mit Sauerstoff zu heftigen Explosionen neigende Peroxide. Bei der Handhabung von T. ist große Vorsicht geboten, da es auch in Abwesenheit von Luftsauerstoff unter Druck bei Temp. oberhalb von −20 °C explosionsartig in Kohlenstoff u. Tetrafluormethan zerfallen kann. Bei unkontrollierter Durchführung der Polymerisation von T. zu Polytetrafluorethylen (PTFE) kann die stärker exotherme Zerfallsreaktion eingeleitet werden. Als Polymerisationsinhibitoren eignen sich Dipenten od. α-Pinen, die man dem verflüssigten T. während des techn. Reinigungsprozesses u. bei der Lagerung in Tanks (−30 °C) zufügt. In der Gasphase dimerisiert T. bei Temp. von ca. 300–500 °C zu Perfluorcyclobutan, bei 600 °C u. darüber entstehen u. a. Hexafluorpropen u. das hochtox. Perfluorisobuten.
Herst.: Die techn. Herst. des T. erfolgt durch Thermolyse von Chlordifluormethan unter Abspaltung von Chlorwasserstoff:

$$CHClF_2 \xrightarrow{\Delta} F_2C=CF_2 + 2\,HCl$$

Verw.: Zur Herst. von *Polytetrafluorethylen (PTFE), T.-Copolymeren, *Fluortensiden, u. *perfluorierten Verbindungen. – *E* tetrafluoroethylene – *F* tétrafluoroéthylène – *I* tetrafluoroetilene – *S* tetrafluoroetileno
Lit.: Beilstein E IV **1**, 698–700 ■ Encycl. Gaz, S. 387–391 ■ Kirk-Othmer (3.) **11**, 2–4; (4.) **11**, 622 f. ■ Moeschlin, Klinik u. Therapie der Vergiftungen, S. 453, Stuttgart: Thieme 1986 ■ Ullmann (4.) **11**, 641; (5.) **A 11** 360 f. ■ Weissermel-Arpe (4.), S. 245–246. – [HS 2903 30; CAS 116-14-3]

Tetrafluormethan s. Fluorkohlenwasserstoffe.

Tetrafluoroborate s. Fluoroborate.

Tetra-Gelomyrtol® (Rp). Kapseln mit Myrtol u. *Oxytetracyclin gegen Bronchitis u. Nebenhöhlenentzündung. **B.:** Pohl.

Tetraglykol s. Tetraethylenglykol.

Tetragonal s. Kristallsysteme.

Tetrahedran s. platonische Kohlenwasserstoffe.

tetrahedro-. Kursives *tetrahedro-* zeigt *Tetraeder-Geometrie der (Metall-)Atome in vierkernigen *Clustern an (IUPAC-Regel I-10.8.3.3); Bez. nach den *CEP-Regeln: $[T_d\text{-}(13)\text{-}\Delta^4\text{-}closo]$-; *Beisp.:* Tri-µ-carbonyl-1:$2\kappa^2C$;1:$3\kappa^2C$;2:$3\kappa^2C$-nonacarbonyl-1κ^2C, $2\kappa^2C$, $3\kappa^2C,4\kappa^3C$-*tetrahedro*-tetracobalt-(6 *Co–Co*) $[Co_4(CO)_{12}$, s. Cobaltcarbonyle]. Gegensatz: *quadro-*. – *E* tetrahedro- – *F* tétraédro- – *I* tetraedro... – *S* tetraedro-

Tetrahydridoborate s. Boranate.

1,2,3,4-Tetrahydro-acridinamin s. Tacrin.

Tetrahydrobiopterin (BH_4) s. Pteridine u. Phenylketonurie.

Tetrahydroborate s. Boranate.

Tetrahydrocannabinole (Abk. THC). $C_{21}H_{30}O_2$, M_R 314,47. Farblose, halluzinogene Öle aus *Haschisch u. Marihuana (*Cannabis sativa*). T. befinden sich bes. in den Blütenspitzen der weiblichen Pflanzen.

Δ^1-THC = Δ^9-THC
Δ^6-THC = $\Delta^{1(6)}$-THC = Δ^8-THC

Hauptdroge ist Δ^9-T., das in der (6aR,10aR)-Form {Sdp. 155–157 °C (6,65 Pa), $[\alpha]_D^{20}$ −156° (C_2H_5OH)} für die euphorisierende, halluzinogene Wirkung von Haschisch verantwortlich ist. Es verfügt auch über entspannende, schmerzstillende u. antiemet. Eigenschaften u. wird deshalb begleitend bei der Chemotherapie von Krebserkrankungen eingesetzt (Dronabinol, Marinol), ist auch ein sehr wirksames Antiasthmatikum u. reduziert den Augeninnendruck (Glaukomtherapie). Bei sehr hohen Dosierungen gehen die entspannenden angenehmen Eigenschaften verloren u. es kommt zu pan. Angstgefühlen u. Paranoidität. Chron. Anw. von T. führen zu einer mit Demotivierung einhergehenden Persönlichkeitsveränderung. Von Δ^9-T. sind auch das Enantiomere, das Racemat sowie die Diastereomeren synthetisiert worden. Anstelle der Bezeichnung Δ^9-T. findet man auch noch Δ^1-T. nach der 8-Phenoxymenthan-Bezifferung (s. Formelbilder). Von vergleichbarer Wirkung ist Δ^8-T. (Δ^6-T.). {Sdp. 175–178 °C (13,3 Pa), $[\alpha]_D^{27}$ −260° (C_2H_5OH)}. Weitere *Cannabinoide sind Δ^1-*Tetrahydrocannabidivarol* {$C_{19}H_{26}O_2$, M_R 286,40, $[\alpha]_D^{20}$ −128° ($CHCl_3$)}, dessen Pentyl-Seitenkette zur Propyl-Gruppe verkürzt ist, die Δ^1-*Tetrahydrocannabinolsäuren A* u. *B* ($C_{22}H_{30}O_4$, M_R 358,46), die am C-Atom 2 (= 4′) u. 4 (= 6′) eine Carboxy-Gruppe tragen u. Δ^1-Tetrahydrocannabidivarolsäure, die sich von Δ^1-Tetrahydrocannabidivarol nur hinsichtlich einer Carboxy-Gruppe in 2-Stellung unterscheidet. Die T. sind gemischten *biosynthet.* Ursprungs. Sie werden aus Geranylpyrophosphat u. einem Polyketid-Vorläufer gebildet. Der T.-Rezeptor (ein Polypeptid aus 473 Aminosäuren) ist bekannt. Durch Bindung an diese Rezeptoren im Hirnstamm wirken T. analget.[1]. – *E* tetrahydrocannabinols – *F* tétrahydrocannabinols – *I* tetraidrocannabinoli – *S* tetrahidrocannabinoles
Lit.: [1] Nachr. Chem. Tech. Lab. **38**, 1248 (1990); Nature (London) **395**, 381 (1998).
allg.: Beilstein EV **17/4**, 421–426 ■ J. Chem. Soc. Chem. Commun. **1989**, 1171 ff. ■ J. Org. Chem. **56**, 6865–6872 (1991) ■ Merck-Index (12.), Nr. 9349 ■ Sax (8.), TCM 000 – TCM 250 ■ Synlett **1991**, 553 f. ■ s. a. Cannabinoide, Haschisch u. Marihuana. – [HS 2932 90; CAS 1972-08-3 ((−)-trans; Δ^9-T.); 17766-02-8 ((+)-trans-Δ^9-T.); 3556-79-4 ((±)-trans-Δ^9-T.); 5957-75-5 ((−)-trans-Δ^8-T.); 31262-37-0 (Δ^1-Tetrahydrocannabidivarol)]

Tetrahydrofolsäure {*N*-[(6S)-5,6,7,8-Tetrahydropteroyl]-L-glutaminsäure, H_4Folat, veraltete Abk.: FH_4, THF}.

$C_{19}H_{23}N_7O_6$, M_R 445,43. Die in 5-, 6-, 7- u. 8-Stellung hydrierte *Folsäure übt im Organismus die Funktion eines Überträgers von *Ein-Kohlenstoff-Körpern* (C_1) innerhalb des Stoffwechsels aus u. wird auch als *Coenzym F* bezeichnet. Folgende, durch Art u. Position der gebundenen C_1-Einheit unterschiedene, natürlich vorkommende u. enzymat. ineinander umwandelbare Derivate der T. sind bekannt (s. Abb.).

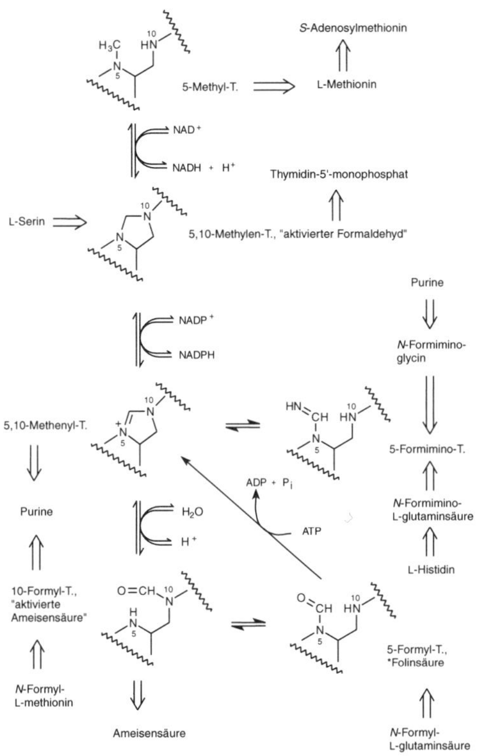

Abb.: 5- u./od. 10-substituierte Derivate der Tetrahydrofolsäure (Formeln ausschnitthaft). Die Abk. bedeuten: ADP: *Adenosin-5′-diphosphat, ATP: *Adenosin-5′-triphosphat, NAD(P)⁺ bzw. NAD(P)H: oxidierte bzw. reduzierte Formen von *Nicotinamid-Adenin-Dinucleotid(-Phosphat), P_i: anorgan. Phosphat. Die starken Pfeile verweisen auf Herkunft bzw. Verbleib der C_1-Einheiten.

Sie sind von bes. Bedeutung im Aminosäure- u. Purin-Stoffwechsel. Für andere Methyl-Übertragungen bei Biosynth. steht das aus L-Methionin entstehende *S*-*Adenosylmethionin als Donor zur Verfügung. T. bildet sich aus 7,8-Dihydrofolsäure (H_2Folat) unter Einwirkung von *Dihydrofolat-Reduktase* (EC 1.5.1.3). Da bei der Biosynth. der für die *Desoxyribonucleinsäuren wichtigen *Thymidinphosphate H_2Folat anfällt u. zu T. rückverwandelt werden muß, wirken Dihydrofolatreduktase-Hemmer (z.B. *Methotrexat) cytostatisch. Als *Antimetabolit des T. (Antifolat) hemmt 5,10-Didesaza-T. die Purin-Biosynthese. Zur diastereomerenreinen Totalsynth. s. *Lit.*[1]. – *E* tetrahydrofolic acid – *F* acide tétrahydrofolique – *I* acido tetraidrofolico – *S* ácido tetrahidrofólico

Lit.: [1] Methods Enzymol. **281**, 3 – 16 (1997).
allg.: Beilstein E V **26/18**, 9 ▪ Phytochemistry **45**, 437 – 452 (1997) ▪ Stryer 1996, S. 757 ff., 791 – 795.

Tetrahydrofuran (THF, Tetramethylenoxid, Oxolan).

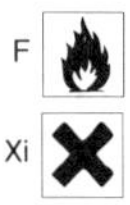

C_4H_8O, M_R 72,11. Farblose, Ether-ähnlich riechende, flüchtige, brennbare Flüssigkeit, D. 0,889, Schmp. –108 °C, Sdp. 66 °C, FP. –21,5 °C c. c., mit Wasser, Alkoholen, Ketonen, Estern, Ethern u. Kohlenwasserstoffen mischbar; das Azeotrop mit Wasser siedet bei 63,2 °C u. enthält 94,6% THF. Die Dämpfe – Verdunstungszahl 2,3 (Ether = 1) – wirken ähnlich wie bei diesem narkot., MAK 50 ppm (MAK-Werte-Liste 1997), 200 ppm (TRGS 900), WGK 1, Emissionsklasse II (TA Luft 3.1.7). Für die Trocknung im Laboratorium eignet sich die Behandlung mit KOH od. mit Butyllithium. T. löst viele Hochpolymere wie z.B. Polyvinylchlorid, Kautschuk, Polystyrol, Polyurethan. T. bildet wie Ether beim Stehen an der Luft Peroxide, die vor dem Destillieren erst zerstört werden müssen; es bildet explosible Gemische mit Luft im Konz.-Bereich zwischen 1,5 u. 12% THF. Techn. T. enthält ggf. Stabilisatoren wie *BHT. Bei der kation. ringöffnenden Polymerisation von T. entstehen *Polytetrahydrofurane, ausführliche Beschreibung s. *Lit.*[1].
Herst.: Durch Reppe-Synth. aus Acetylen u. Formaldehyd über *2-Butin-1,4-diol u. Butandiol. Andere Synth. gehen von dem bei der Chloropren-Herst. anfallenden 1,4-Dichlor-2-buten od. von Maleinsäureanhydrid aus. T. kann auch aus biolog. Material, z.B. aus Haferabfällen, durch Decarbonylierung des daraus gewonnenen *Furfurals u. Hydrierung in techn. Mengen hergestellt werden.
Verw.: Wichtiges Lsm. für viele Hochpolymere, wie z.B. PVC, Kautschuk, Buna S u. andere. Es dient zunehmend zur Herst. von Polytetrahydrofuranen, einem Zwischenprodukt für Polyurethane u. *Spandex-Fasern. Zur Gewinnung von Pyrrolidin (durch Umsatz mit NH_3) u. Tetrahydrothiophen (durch Umsatz mit H_2S an Al_2O_3-Kontakten bei 400 °C), als Reaktionsmedium für Grignard-Synth., $LiAlH_4$-Red. u. anion. Polymerisationen, als Löse- u. Extraktionsmittel etc. – *E* tetrahydrofuran – *F* tétrahydrofurane – *I* tetraidrofurano – *S* tetrahidrofurano

Lit.: [1] Kirk-Othmer (4.) **19**, 743 – 777.
allg.: Angew. Chem. **95**, 423 f. (1983) ▪ Beilstein E V **17/1**, 27 ▪ Hommel, Nr. 192 ▪ Merck-Index (12.), Nr. 9351 ▪ Synthesis **1995**, 115 f. ▪ Ullmann (4.) **12**, 20; (5.) **A 26**, 221 ▪ Weissermel-Arpe (4.), S. 111, 133, 401. – [HS 2932 11; CAS 109-99-9; G 3]

Tetrahydro-2-furanon. Regelwidrige Bez. für Dihydro-2(3H)-furanon, s. γ-Butyrolacton.

Tetrahydrofurfurylalkohol (Tetrahydro-2-furanmethanol, THFA).

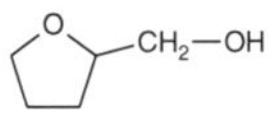

$C_5H_{10}O_2$, M_R 102,13. Klare, farblose, angenehm riechende, brennbare Flüssigkeit, D. 1,054, Schmp. <–80 °C, Sdp. 178 °C, FP. 74 °C, mit Wasser u. organ. Lsm. mischbar, Explosionsgrenzen in Luft 1,5 – 9,7%. Die Dämpfe führen zur Reizung der Augen, der Atemwege, der Lunge u. der Haut. Kontakt mit der Flüssigkeit bewirkt starke Reizung u. Schädigung der Augen u. der Haut; die Flüssigkeit kann auch über die

Haut aufgenommen werden; LD$_{50}$ (Ratte oral) 1600 mg/kg; WGK 2 (Selbsteinst.).
Herst.: Durch katalyt. Hydrierung von Furfurylalkohol.
Verw.: Lsm. für Chlorkautschuk, Celluloseester, Styrolharz, Schellack, Polyvinylacetat, zur Synth. hochsiedender Ester u. Ether, in der Papierchromatographie als Elutionsmittel, Zwischenprodukt bei organ. Synth., zur Herst. von Pharmazeutika. – *E* tetrahydrofuryl alcohol – *F* alcool tétrahydrofurfurylique – *I* alcool tetraidrofurfurilico – *S* alcohol tetrahidrofurfurílico
Lit.: Beilstein E V **17/3**, 115 ▪ Hommel, Nr. 900 ▪ Kirk-Othmer (3.) **11**, 502f., 520–522; (4.) **10**, 163 ▪ Merck-Index (12.), Nr. 9353 ▪ Ullmann (5.) **A 12**, 128ff. – *[HS 2932 13; CAS 97-99-4; G 9]*

Tetrahydroisochinolin-Alkaloide s. Isochinolin-Alkaloide.

Tetrahydrolipstatin s. Orlistat.

Tetrahydromethanopterin (5,6,7,8-Tetrahydromethanopterin, H$_4$MPT, 1-{4-{{(1R)-1-[(6S,7S)-2-Amino-1,4,5,6,7,8-hexahydro-7-methyl-4-oxo-6-pteridinyl]ethyl}amino}phenyl}-1-desoxy-5-*O*-{5-*O*-{[(1S)-1,3-dicarboxypropoxy]hydroxyphosphinyl}-α-D-ribofuranosyl}-D-ribit, *E* formaldehyde activation factor, FAF).

C$_{30}$H$_{45}$N$_6$O$_{16}$P, M$_R$ 776,69. Sauerstoff-empfindliches Pterin-Derivat, das aus Methanobakterien isoliert wurde[1] u. als *Coenzym bei der Red. von Kohlendioxid zu Methan (vgl. Methanogenese) mitwirkt, indem es von *N*-Formyl-*Methanofuran die Formyl-Gruppe auf die 5-Position übernimmt (katalysiert durch *Formylmethanofuran-T.-Formyltransferase*[1,2], EC 2.3.1.101). 5-Formyl-T. wird dann zu 5,10-Methenyl-T. cyclisiert (*Methenyl-T.-Cyclohydrolase*, EC 3.5.4.27) u. zu 5,10-Methylen-T. (*Methylen-T.-Dehydrogenase*[2], EC 1.5.99.9; Coenzym F$_{420}$ als Elektronen-Donor) u. weiter zu 5-Methyl-T. (*Methylen-T.-Reduktase*, ebenfalls mit Hilfe von *Coenzym F$_{420}$) reduziert, das die Methyl-Gruppe wiederum an *Coenzym M abgibt (Enzym: *T.-Methyltransferase*[3], EC 2.1.1.86). – *E* tetrahydromethanopterin – *F* tétrahydrométhanoptérine – *I* tetraidrometanopterina – *S* tetrahidrometanopterina
Lit.: [1] Structure **5**, 635–646 (1997). [2] Arch. Microbiol. **159**, 225–232 (1993). [3] Eur. J. Biochem. **226**, 465–472 (1994).
allg.: Biofactors **3**, 249–255 (1992) ▪ FEBS Lett. **314**, 440–444 (1992). – *[CAS 92481-94-2]*

1,2,3,4-Tetrahydronaphthalin s. Tetralin.

Tetrahydro-1,4-oxazin s. Morpholin.

Tetrahydropalmatin (Hindarin, Hyndarin, Gindarin, Rotundin).

(*S*)-Form

C$_{21}$H$_{25}$NO$_4$, M$_R$ 355,43, Krist., Schmp. 141–142 °C; pharmakolog. aktives (*S*)-Enantiomer: [α]$_D^{21}$ –291° (C$_2$H$_5$OH). Beide Enantiomeren des *Berberin-Alkaloids T. kommen in *Corydalis*-, *Stephania*-, *Berberis*-, *Coptis*- u. *Pachypodanthium*-Arten vor. Das (*S*)-Enantiomere ist als Sedativum u. Analgetikum mit *Papaverin-ähnlicher Wirkung in verschiedenen asiat. Ländern sowie in den USA in Gebrauch. – *E* tetrahydropalmatine – *F* tétrahydropalmatine – *I* tetraidropalmatina – *S* tetrahidropalmatina
Lit.: Struktur: Acta Crystallogr. Sect. C **49**, 1691 (1993). – Synth.: J. Chem. Soc. Perkin Trans. 1 **1997**, 2291 ▪ J. Org. Chem. **55**, 1932 (1990); **57**, 6716 (1992) ▪ Org. Prep. Proced. Int. **21**, 309 (1989). – *[CAS 10097-84-4 (Racemat); 483-14-7 ((S)-T.); 3520-14-7 ((R)-T.)]*

cis-**1,2,3,6-Tetrahydrophthalsäureanhydrid** s. 4-Cyclohexen-1,2–dicarbonsäureanhydrid.

Tetrahydropterine s. Pteridine.

Tetrahydropteroylglutaminsäure s. Tetrahydrofolsäure.

Tetrahydropyran (Pentamethylenoxid, Oxan, THP).

C$_5$H$_{10}$O, M$_R$ 86,13. Leichtbewegliche, unangenehm süßlich riechende, feuergefährliche Flüssigkeit, D. 0,881, Schmp. –49 °C, Sdp. 88 °C, lösl. in Wasser, mischbar mit Alkohol, Ether u. vielen organ. Lsm.; T. bildet beim Stehen an der Luft Peroxide, weshalb es stabilisiert in den Handel kommt; es kann durch katalyt. Hydrierung von Dihydropyran hergestellt werden.
Verw.: Als Lsm. für Grignard-Reaktionen in techn. Maßstab. Derivate des T. (z. B. Tetrahydropyranylether) entstehen durch Addition von Nucleophilen an Dihydropyran, vgl. Lit.[1]. – *E* tetrahydropyran – *F* tétrahydropyrane – *I* tetraidropirano – *S* tetrahidropirano
Lit.: [1] Houben-Weyl **6/4**, 12–70, 286–300.
allg.: Beilstein E V **17/1**, 64 ▪ Merck-Index (12.), Nr. 9356 ▪ Ullmann (5.) **A 12**, 130. – *[HS 2932 99; CAS 142-68-7; G 3]*

Tetrahydropyrrol s. Pyrrolidin.

Tetrahydrothiophen (Tetramethylensulfid, Thiolan, Thiophan, THT).

C$_4$H$_8$S, M$_R$ 88,18. Farblose Flüssigkeit mit unangenehmem Geruch, D. 0,9987, Schmp. –96 °C, Sdp. 121 °C, lösl. in Alkohol, Ether, Aceton, Benzol, unlösl. in Wasser. Die Dämpfe reizen die Augen, die Atemwege u. die Lunge sowie die Haut. Kontakt mit der Flüssigkeit bewirkt starke Reizung der Augen u. der Haut; die Flüssigkeit wird auch über die Haut aufgenommen; WGK 2 (Selbsteinst.).
Herst.: T. kann durch katalyt. Flüssigphasen-Hydrierung von Thiophen hergestellt werden od. aus Tetrahydrofuran u. Schwefelwasserstoff.
Verw.: T. findet Verw. als *Gasodorierungs-Mittel, als Zwischenprodukt für organ. Synth. u. als Lösemittel. – *E* tetrahydrothiophene – *F* tétrahydrothiophène – *I* tetraidrotiofene – *S* tetrahidrotiofeno

Lit.: Beilstein E V **17/1**, 36 ▪ Hommel, Nr. 626 ▪ Org. React. **6**, 410–468 (1951) ▪ Ullmann (4.) **23**, 218; (5.) **A 13**, 470. – *[HS 2934 90; CAS 110-01-0; G 3]*

Tetrahydrothiophen-1,1-dioxid s. Sulfolan.

Tetrahydroxyadipinsäuren s. Schleimsäure u. Zuckersäuren.

1,2,5,8-Tetrahydroxyanthrachinon s. Chinalizarin.

Tetrahydroxy-1,4-benzochinon (Tetrochinon, Tetrahydroxychinon; engl. Abk.: THQ).

$C_6H_4O_6$, M_R 172,09, als Dihydrat M_R 208,0. Blauschwarze Krist., die in durchfallendem Licht gelb erscheinen; wenig lösl. in Ether u. kaltem Wasser, lösl. in heißem Wasser u. Alkohol, reagiert wie eine starke, zweibas. Säure, Schmp. >300 °C. Das *Dinatriumsalz* ($C_6H_2Na_2O_6$, M_R 216,05, schwarze Krist.) wird ebenso wie T. selbst od. die verwandte *Rhodizonsäure als Indikator bei der volumetr. Sulfat-Bestimmung mittels $BaCl_2$-Lsg. bzw. bei der Ba- u. Sr-Bestimmung mit SO_4^{2-}-Lsg. verwendet. T. ist als universelles Entwicklungsreagenz für die Papierchromatographie von Kationen verwendbar. – *E* tetrahydroxy-1,4-benzoquinone, tetroquinone – *F* tétrahydroxy-1,4-benzoquinone – *I* tetraidrossi-1,4-benzochinone – *S* tetrahidroxi-1,4-benzoquinona

Lit.: Anal. Chim. Acta **1963**, 519–523 ▪ Beilstein E IV **8**, 3604 ▪ Fries-Getrost, S. 46f., 334f. ▪ Merck-Index (12.), Nr. 9385 ▪ Mikrochim. Acta **1962**, 254–264. – *[HS 2914 69; CAS 319-89-1]*

Tetrahydroxyflavone s. Fisetin, Luteolin u. Flavone.

Tetraiodmethan (Kohlenstofftetraiodid). CI_4, M_R 519,63. Rote Oktaeder, D. 4,32, Schmp. 171 °C (Zers.), unlösl. in kaltem Wasser, in heißem Wasser Zers., lösl. in Ether, CS_2 u. a. T. kann aus Tetrachlormethan u. Ethyliodid in Ggw. von $AlCl_3$ hergestellt werden. – *E* tetraiodomethane – *F* tétraiodométhane – *I* tetraiodometano – *S* tetrayodometano

Lit.: Beilstein E IV **1**, 98 ▪ Gmelin, Syst.-Nr. 14, C, Tl. D 2, 273–283, 1974 ▪ Merck-Index (12.), Nr. 1866. – *[HS 2903 30; CAS 507-25-5]*

3,5,3′,5′-Tetraiodphenolphthalein-Natrium s. Iodophthalein-Natrium.

3,3′,5,5′-Tetraiod-L-thyronin s. Thyroxin.

Tetraisopropyltitanat s. Titansäureester.

Tetraketide s. Polyketide.

Tetrakis... Von griech.: tetrákis = viermal abgeleitetes *Multiplikationspräfix zur Vervierfachung zusammengesetzter u. a. Namenteile, für die *Tetra... mehrdeutig sein kann (IUPAC-Regeln R-0.1.4.2, R-0.1.5.1, R-4.1); so vervierfachte Namenteile sollen in Klammern stehen; *Beisp.:* Tetrakis(decyl)-/Tetradecylsilan (4 C_{10}-Reste/C_{14}-Rest), Tetrakis(iodmethyl)-/Tetraiodmethylbenzol (4 CH_2I-Reste/1 CH_3- u. 4 I-Reste). – *E* tetrakis... – *F* tétrakis... – *I* tetrachis... – *S* tetrakis

Tetrakis(dimethylamino)-ethylen s. Tetraaminoethylene.

Tetralin®.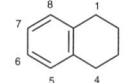

Marke der Fa. Henkel (Dehydag) für 1,2,3,4-Tetrahydronaphthalin, $C_{10}H_{12}$, M_R 132,20. Farblose Flüssigkeit von Naphthalin-artigem Geruch, D. 0,970, Schmp. –31 °C, Sdp. 207 °C, 79 °C (13 hPa), FP. 77 °C, unlösl. in Wasser, mischbar mit organ. Lsm., flüchtig mit Wasserdampf; die Dämpfe bilden im Konz.-Bereich 0,8–5,0% T. mit Luft explosible Gemische. Flüssiges T. bildet bei längerem Stehen an der Luft Peroxide, die beim Abdestillieren zur Explosion führen können; durch Zugabe von Antioxidantien, z. B. Hydrochinon, kann die Peroxid-Bildung verhindert werden. T. reizt Haut, Augen u. Schleimhäute u. wirkt in höheren Konz. narkotisch. Das durch katalyt. Hydrierung von Naphthalin zugängliche T. läßt sich im aromat. Ring (*ar-T.) nitrieren, sulfonieren u. zu *Decalin hydrieren. Durch $KMnO_4$ wird es zu *Phthalonsäure ($C_8H_6O_3$, M_R 150,13), durch HNO_3 zu Phthalsäure oxidiert, u. katalyt. Dehydrierung bei 200–300 °C führt zu Naphthalin. Hydroperoxidierung führt zum *1-T.-Hydroperoxid* ($C_{10}H_{12}O_2$, M_R 164,20), das über 1-*Tetralon in 1-Naphthol umgewandelt wird.

Verw.: Lsm. für Harze, Fette, Öle, Wachse, Schädlingsbekämpfungsmittel, als Terpentinöl-Ersatz in Lacken, Schuhcremes u. Bohnerwachs. T. wurde wegen seiner guten Löseeigenschaften für Naphthalin zu dessen Extraktion aus rohem Leuchtgas viel verwendet. Die Hauptmenge des T. wird zur Herst. von 1-Naphthol verbraucht. T. wirkt in Ggw. von Edelmetall-Katalysatoren als Wasserstoff-Donator für Synth.; eine bekannte Laborumeth. zur Herst. von HBr aus Br_2 bedient sich des T. als H-Lieferant (s. *Lit.*[1]). *B.:* Henkel (Dehydag).

Lit.: [1] Houben-Weyl **5/4**, 18.

allg.: Ethel Browning's Toxicity and Metabolism of Industrial Solvents (2.), Bd. 1, S. 143–152, Amsterdam: Elsevier 1987 ▪ Hommel, Nr. 981 ▪ Winnacker-Küchler (4.) **6**, 262f. – *[HS 2902 90]*

Tetralit s. Tetryl.

Tetralone.

1-T. 2-T.

Trivialname für Oxo-Derivate von *Tetralin®, $C_{10}H_{10}O$, M_R 146,19. *1-* od. *α-T.* [3,4-Dihydro-1(2H)-naphthalinon]: D. 1,0988, Schmp. 8 °C, Sdp. 129 °C (16 hPa); LD_{50} (Ratte oral) 810 mg/kg, WGK 2 (Selbsteinst.); – *2-* od. *β-T.* [3,4-Dihydro-2(1H)-naphthalinon]: D. 1,1055, Schmp. 18 °C, Sdp. 138 °C (21 hPa). 1-T. kann aus Benzol u. Bernsteinsäurehydrid erhalten werden, Synth. von 2-T. s. Beilstein (*Lit.*). Die T. sind farblose Flüssigkeiten, die als Zwischenprodukte z. B. für Synth. der Naphthole dienen. – *E* tetralones – *F* tétralones – *I* tetraloni – *S* tetralonas

Lit.: Beilstein E IV **7**, 1015, 1018 ▪ Ullmann (4.) **7**, 102. – *[HS 2914 39; CAS 529-34-0 (1-T.); 530-93-8 (2-T.); G 9]*

Tetramdura (Rp). Filmtabl. mit dem *Muskelrelaxans *Tetrazepam bei schmerzreflektor. Muskelverspannungen. *B.*: durachemie.

Tetramere [von *Tetr(a)... u. *Mer]. Bez. für Verb., die aus 4 Mol. eines Monomeren entstehen. Lineare T. erhält man meist durch *Oligomerisation als Gemisch mit anderen *Oligomeren; *Beisp.*: Tetrapropylen (s. Propen); selektive *Tetramerisation* ist hier sehr selten. Dagegen führt *Cyclooligomerisation oft gezielt zu cycl. T.; *Beisp.*: *Cyclooctatetraen (T. von *Acetylen)[1], *Tetraoxan (*Formaldehyd-T.), *Tetrapyrrole. – *E* tetramers – *F* tétramères – *I* tetrameri – *S* tetrámeros
Lit.: [1] March (4.), S. 873.

Tetramethoxyethylen.

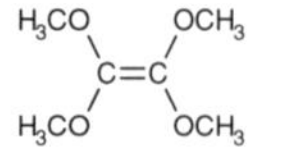

$C_6H_{12}O_4$, M_R 148,18, D. 1,0385, Sdp. 48 °C (2 kPa). T. wird aus (4-Chlorphenyl)dimethylorthoformiat u. Natriumhydrid hergestellt. Als sehr elektronenreiches Alken findet es vielfältige Verw. bei der Synth. organ. Verbindungen. – *E* tetramethoxyethylene – *F* tétraméthoxyéthylène – *I* tetrametossietilene – *S* tetrametoxietilene
Lit.: Helv. Chim. Acta **61**, 1784 (1978) ▪ Paquette **7**, 4799. – *[CAS 1069-12-1]*

Tetramethoxymethan s. Orthocarbonate.

Tetramethrin.

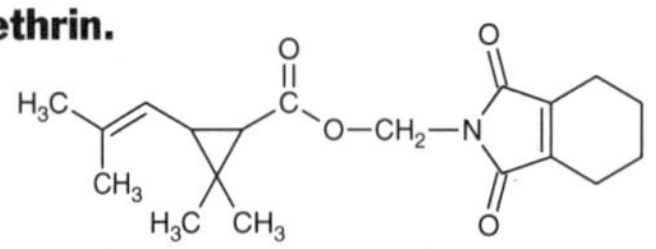

Common name für den Cyclohex-1-en-1,2-dicarboximidomethylester der (1*RS*,3*RS*;1*RS*,3*SR*)-2,2-Dimethyl-3-(2-methylprop-1-enyl)cyclopropancarbonsäure, $C_{19}H_{25}NO_4$, M_R 331,41, Schmp. 60–80 °C, LD_{50} (Ratte oral) >5000 mg/kg, von Sumitomo 1965 eingeführtes nicht-system. Kontakt-*Insektizid aus der Gruppe der synthet. Pyrethroide mit starker knockdown Wirkung gegen zahlreiche Hygieneschädlinge, oft in Kombination mit anderen Insektiziden od. *Synergisten. – *E* tetramethrin – *F* tétraméthrine – *I* = *S* tetrametrina
Lit.: Beilstein E V **21/10**, 129 ▪ Farm ▪ Perkow ▪ Pesticide Manual ▪ Wirkstoffe iva. – *[HS 2925 19; CAS 7696-12-0]*

Tetramethylammonium-Salze. Bez. für *quartäre Ammonium-Verbindungen der allg. Formel $[(H_3C)_4N]^+X^-$ mit X = OH, Br, I, Cl usw.
(a) *Tetramethylammoniumhydroxid* (TMAH, TMAOH, X = OH, $C_4H_{13}NO$, M_R 91,15). Als Pentahydrat farblose, zerfließliche, stark Ammoniak-ähnlich riechende Nadeln, Schmp. 63 °C, die sich in Wasser mit stark alkal. Reaktionen lösen u. aus der Luft rasch CO_2 absorbieren. Stäube u. Dämpfe führen zu starker Reizung bis hin zu Verätzung der Augen, der Atemwege, der Lunge sowie der Haut, Lungenödem möglich; WGK 2 (Selbsteinst.). Bei Dest. tritt Zers. in Trimethylamin u. Methanol ein; Verw. in organ. Synthesen.
(b) *Tetramethylammoniumbromid* (X = Br, $C_4H_{12}BrN$, M_R 154,06): Weißes, krist. Pulver, D. 1,56, Schmp. 230 °C (Zers.), lösl. (mit neutraler Reaktion) in Wasser, Alkohol, unlösl. in Ether u. Benzol; WGK 3. Verw. als Leitsalz bei der polarograph. Bestimmung von Alkali- u. Erdalkalimetallen; Phasentransfer-Katalysator.
(c) *Tetramethylammoniumiodid* (X = I, $C_4H_{12}IN$, M_R 201,6): Schwach gelbe Krist., D. 1,829, Zers. bei ca. 230 °C, wenig lösl. in Wasser u. Alkohol, unlösl. in Chloroform u. Ether. Findet Verw. zur Notfall-Desinfektion von Trinkwasser.
(d) *Tetramethylammoniumchlorid*, (X = Cl, $C_4H_{12}ClN$, M_R 109,61): dient als Katalysator, Inhibitor u. Zwischenprodukt; wird in der experimentellen Pharmakologie als Ganglien-erregende Substanz eingesetzt[1]; s. a. die anderen Tetraalkylammonium-Verbindungen wie Tetraethyl- u. Tetrabutylammonium-Salze; eine Übersicht über quart. Ammonium-Verb. gibt Kirk-Othmer (*Lit.*). – *E* tetramethylammonium salts – *F* sels de tétraméthylammonium – *I* sali tetrametilammonici – *S* sales de tetrametilamonio
Lit.: [1] Mutschler (7.).
allg.: Beilstein E IV **4**, 145 ▪ Hommel, Nr. 1011, 1018, 1021 ▪ Kirk-Othmer (4.) **20**, 739 ▪ Merck-Index (12.), Nr. 9363, 9364 ▪ Paquette **7**, 4801, 4803. – *[HS 2933 90; CAS 75-59-2 (a); 64-20-0 (b); 75-58-1 (c); 75-57-0 (d); G 8 (a); 6.1 (d)]*

3,3',5,5'-Tetramethylbenzidin (3,3',5,5'-Tetramethylbiphenyl-4,4'-diamin, TMB).

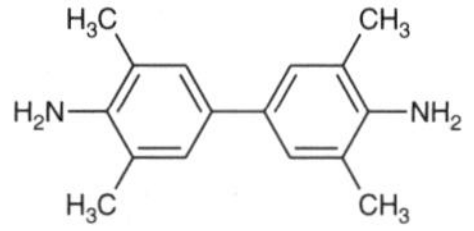

$C_{16}H_{20}N_2$, M_R 240,35. Farblose Krist., Schmp. 168–170 °C; WGK 2 (Selbsteinst.), die statt des carcinogenen *Benzidins zum Blutnachw. u. zur Peroxidase-Bestimmung verwendet werden können; zur Synth. s. Tetrahedron (*Lit.*). – *E* 3,3',5,5'-tetramethylbenzidine – *F* 3,3',5,5'-tétraméthylbenzidine – *I* 3,3',5,5'-tetrametilbenzidina – *S* 3,3',5,5'-tetrametilbencidina
Lit.: Anal. Biochem. **127**, 346–350 (1982) ▪ Tetrahedron **30**, 3299–3302 (1974). – *[HS 2921 59; CAS 54827-17-7]*

Tetramethylbenzole.

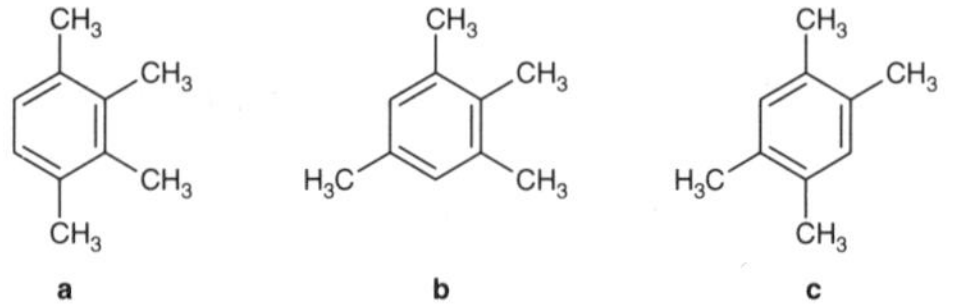

a   b   c

$C_{10}H_{14}$, M_R 134,21. Es gibt 3 isomere T. (s. Abb.), die gut lösl. sind in aromat. Kohlenwasserstoffen, Aceton, Ether u. Alkohol: (a) *1,2,3,4-T.* (*Prehniten*), farblose Flüssigkeit, D. 0,901, Schmp. –6,2 °C, Sdp. 205 °C, kommt u. a. im Steinkohlenteer vor. – (b) *1,2,3,5-T.* (*Isodurol*), farblose Flüssigkeit, D. 0,896, Schmp. –24 °C, Sdp. 198 °C, ist ein Erdölbestandteil. – (c) *1,2,4,5-T.* (*Durol*), farblose Krist., D. 0,888, Schmp. 79 °C, Sdp. 197 °C. Durol ist aus Teer gewinnbar od. über Pseudocumol (1,2,4-*Trimethylbenzol) herstellbar u. wird zu organ. Synth., z. B. von Pyromellit(h)säuredianhydrid, Polyestern, Weichmachern, Kunstharzen usw. verwendet. – *E* tetramethylbenz-

enes – *F* tétraméthylbenzènes – *I* tetrametilbenzeni – *S* tetrametilbencenos
Lit.: Beilstein E IV **5**, 1076 ▪ Merck-Index (12.), Nr. 3520, 5182 ▪ Ullmann (4.) **14**, 673; (5.) **A 13**, 254f., 273. – *[HS 2902 90; CAS 488-23-3 (a); 527-53-7 (b); 95-93-2 (c)]*

Tetramethylblei. (Abk. TML von *E* tetramethyllead). Systemat. Bez. für die unter *Bleitetramethyl behandelte Verbindung.

1,1,3,3-Tetramethylbutyl... s. *tert*-Octyl...

Tetra-N-methyl-4,4′-diaminodiphenylmethan s. 4,4′-Methylenbis-(*N*,*N*-dimethylanilin).

Tetramethyldiarsin s. Arsine.

Tetramethylen... Alte Bez. der Atomgruppierung –(CH$_2$)$_4$– (IUPAC-Regel A-4.2) in *Multiplikativnamen, Polymer- u. a. Namen (neue Regel R-2.5: Butan-1,4-diyl...; CAS: 1,4-Butandiyl...). Alte *T.-Bez.* (u. bevorzugte Namen): *Tetramethylen* (*Cyclobutan), *T.-chlorid* (*1,4-Dichlorbutan), *T.-diamin* (*Butan-1,4-diamin), *T.-glykol* (1,4-*Butandiol), *T.-imin* (*Pyrrolidin), *T.-oxid* (*Tetrahydrofuran), *T.-sulfid* (*Tetrahydrothiophen), *T.-sulfon* (*Sulfolan). In *T.-tetranitramin* (*Octogen) steht T. für 4 isolierte *Methylen-Brücken. Die Bez. für 4 Methylen-Reste ist dagegen *Tetrakis(methylen)...*, s. Tetrakis... – *E* tetramethylene... – *F* tétraméthylène – *I* tetrametilen... – *S* tetrametileno...

Tetramethylenglykole s. Polytetrahydrofurane.

N,N,N′,N′-Tetramethylethylendiamin [TMEDA, TEMED, 1,2-Bis(dimethylamino)-ethan]. (H$_3$C)$_2$N–CH$_2$–CH$_2$–N(CH$_3$)$_2$, C$_6$H$_{16}$N$_2$, M$_R$ 116,21. Farblose Flüssigkeit, schwacher Ammoniak-ähnlicher Geruch, mischbar mit vielen organ. Lsm. u. Wasser, D. 0,779, Schmp. –55°C, Sdp. 120–122°C. Die Dämpfe reizen die Augen, die Atemwege u. weniger stark die Haut, Kontakt mit der Flüssigkeit bewirkt Reizung der Augen u. der Haut; LD$_{50}$ (Ratte oral) 1580 mg/kg; WGK 2 (Selbsteinst.).
Herst.: T. kann u. a. aus Ethylendiamin mit wäss. Ameisensäure u. wäss. Formaldehyd hergestellt werden.
Verw.: T. findet Verw. in organ. Synth., als Katalysator für die Acrylamid-Polymerisation, als Ersatz für das krebserregende *Hexamethylphosphorsäuretriamid. – *E* N,N,N′,N′-tetramethylethylenediamine – *F* N,N,N′,N′-tétraméthyléthylènediamine – *I* N,N,N′,N′-tetrametiletilendiammina – *S* N,N,N′,N′-tetrametiletilendiammina
Lit.: Beilstein E IV **4**, 1172 ▪ Chem. Rev. **78**, 317 (1978) ▪ Hommel, Nr. 1199 ▪ Org. Prep. Proced. Int. **12**, 1 ff. (1980) ▪ Org. Synth. **65**, 52 (1987) ▪ Paquette **7**, 4811. – *[HS 2921 29; CAS 110-18-9; G 3]*

Tetramethylethylenglykol s. Pinakol.

Tetramethylharnstoff (engl. Abk.: TMU). (H$_3$C)$_2$N–CO–N(CH$_3$)$_2$, C$_5$H$_{12}$N$_2$O, M$_R$ 116,16. Farblose, angenehm riechende Flüssigkeit mit hohem Dipolmoment, D. 0,9687, Schmp. –1,2°C, Sdp. 177°C, mischbar mit allen üblichen organ. Lsm. u. Wasser; WGK 2 (Selbsteinst.); kann aus Phosgen u. Dimethylamin hergestellt werden (klass. Herst., weitere Herst. s. *Lit.*[1]).
Verw.: Als aprot., polares Lsm. u. Reaktionsmedium für basenkatalysierte Isomerisierungen, Alkylierungen, Acylierungen u. Kondensationsreaktionen, als Reagenz zur Denaturierung von Eiweiß. – *E* tetramethylurea – *F* tétraméthylurée – *I* = *S* tetrametilurea
Lit.: [1] Angew. Chem. **75**, 1059–1068 (1963); **91**, 560–564 (1979).
allg.: Beilstein E IV **4**, 225 ▪ Chem. Labor Betr. **33**, 501 f. (1982) ▪ Gesundheitsschädliche Arbeitsstoffe: toxikologisch-arbeitsmedizinische Begründung von MAK-Werten, Weinheim: Verl. Chemie 1972–1998 ▪ Merck-Index (12.), Nr. 9368 ▪ Tetrahedron Lett. **26**, 1713 (1985) ▪ Ullmann (4.) **12**, 509; (5.) **A 27**, 357. – *[HS 2924 10; CAS 632-22-4]*

2,2,6,6-Tetramethyl-3,5-heptandion (Trivialname: Dipivaloylmethan; Abk.: DPM). (H$_3$C)$_3$C–CO–CH$_2$–CO–C(CH$_3$)$_3$, C$_{11}$H$_{20}$O$_2$, M$_R$ 184,26. Farblose Flüssigkeit, D. 0,895, Schmp. –1°C, Sdp. 177°C. Das Enolat-Anion von DPM bildet mit *Seltenerdmetall-Ionen flüchtige Chelat-Komplexe, z. B. mit Eu [*Eu(DPM)$_3$], Pr [*Pr(DPM)$_3$], Dy, Ho, Yb u. a., die als *Verschiebungsreagenzien in der *NMR-Spektroskopie Bedeutung haben. – *E* 2,2,6,6-tetramethyl-3,5-heptanedione – *F* 2,2,6,6-tétraméthyl-3,5-heptanedione – *I* 2,2,6,6-tetrametil-3,5-eptandione – *S* 2,2,6,6-tetrametil-3,5-heptanodiona
Lit.: Beilstein E IV **1**, 3729 ▪ Burns et al., Inorganic Reaction Chemistry, Bd. 1, Chichester: Horwood 1980 ▪ Mineral.-Mag. **6**, 182–186 (1982) ▪ Young, Separation Procedures in Inorganic Analysis, High Wycombe: Griffin 1979 ▪ s. a. qualitative Analyse. – *[HS 2914 19; CAS 1118-71-4]*

3,7,11,15-Tetramethylhexadecansäure s. Phytansäure.

***meso*-2,6,10,14-Tetramethylpentadecan** s. Pristan.

N,N,N′,N′-Tetramethyl-*p*-phenylendiamin (Wursters Reagenz).

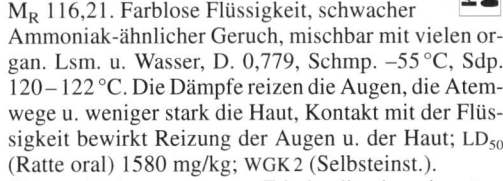

C$_{10}$H$_{16}$N$_2$, M$_R$ 164,25; farblose Blättchen, Schmp. 49–51°C, Sdp. 260°C, wenig lösl. in kaltem, besser lösl. in heißem Wasser, leicht lösl. in Alkohol, Ether, Chloroform, Petrolether. Das Hydrochlorid von T. wird als Reagenz auf *Osazone sowie in der Mikrobiologie als Testreagenz zur Klassifikation von Cytochromoxidase-positiven aerob. Mikroorganismen verwendet. – *E* N,N,N′,N′-tetramethyl-*p*-phenylenediamine – *F* N,N,N′,N′-tétraméthyl-*p*-phénylènediamine – *I* N,N,N′,N′-tetrametil-*p*-fenilendiammina – *S* N,N,N′,N′-tetrametil-*p*-fenilendiamina
Lit.: Beilstein E IV **13**, 107 ▪ Merck-Index (12.), 9367 ▪ s. a. Wurster-Salze. – *[HS 2921 59; CAS 100-22-1]*

Tetramethylpyrazin s. Ligustrazin.

Tetramethylsilan (TMS, Siliciumtetramethyl). Si(CH$_3$)$_4$, C$_4$H$_{12}$Si, M$_R$ 88,23. Farblose, brennbare, flüchtige Flüssigkeit, D. 0,648, Schmp. –102°C (α-T.), –99°C (β-T.), Sdp. 27°C, unlösl. in Wasser u. kalter, konz. H$_2$SO$_4$, lösl. in den meisten organ. Lsm.; WGK 1 (Selbsteinst.). TMS ist an Luft völlig stabil; die Dämpfe reizen geringfügig die Augen u. die Atemwege, in hohen Konz. narkot. Wirkung. T. kann durch Grignard-Reaktion von Siliciumtetrachlorid mit Methylmagnesiumchlorid hergestellt werden. Es dient in der *NMR-Spektroskopie als (innerer) Standard für die Ermitt-

***N,N,N′,N′*-Tetramethylthioniniumchlorid** s. Methylenblau.

Tetramethylthiuramdisulfid s. Thiram u. Thiurame.

Tetramisol. Internat. Freiname für die racem. Form einer anthelminth. wirksamen Verb., die hier unter *Levamisol behandelt wird. – *E* tetramisole – *F* tétramisole – *I* tetramisolo – *S* tetramisol

Tetramsäure (2,4-Pyrrolidindion); tautomere Form 1,5-Dihydro-4-hydroxy-2*H*-pyrrol-2-on).

$C_4H_5NO_2$, M_R 99,09, blaßgelber Feststoff, Schmp. >360 °C. T. ist die Stammverb. von verschiedenen T.-Derivaten, die bes. in Pilzen u. marinen Invertebraten vorkommen u. vielfältige biolog. Wirkung zeigen. Die meisten T. liegen an C-3 acyliert vor, z. B. *Tenuazonsäure u. α- u. β-*Cyclopiazonsäure. – *E* tetramic acid – *F* acide tétramique – *I* acido tetramico – *S* ácido tetrámico

Lit.: J. Chem. Soc., Perkin Trans. 1 **1993**, 2581 ▪ J. Het. Chem. **33**, 825 (1996). – *[CAS 37772-90-0 (Dion-Form); 503-83-3 (Enol-Form)]*

Tetranactin s. Nonactin.

Tetranatriumdiphosphat s. Natriumphosphate.

Tetranatrolith s. Natrolith.

Tetranitrol s. Erythrittetranitrat.

Tetranitromethan (TNM). $C(NO_2)_4$, CN_4O_8, M_R 196,04. Farblose Flüssigkeit, D. 1,6377, Schmp. 14 °C, Sdp. 126 °C, unlösl. in Wasser, lösl. in Alkohol u. Ether; in Ggw. von Verunreinigungen hochexplosiv. Die Dämpfe führen zu starker Reizung u. Schädigung der Augen, der Atemwege, der Lunge sowie der Haut, Lungenödem möglich. Kontakt mit der Flüssigkeit bewirkt sehr starke Reizung u. Schädigung der Augen u. der Haut. Der Blutfarbstoff wird verändert, Leber- u. Nierenschäden sind möglich; T. gilt als Stoff, der sich im Tierversuch eindeutig als krebserzeugend erwiesen hat (Gruppe III A 2 MAK-Werte-Liste 1997). T. zeigt mit Olefinen eine intensive Gelbfärbung durch Ausbildung von Charge-transfer-Komplexen u. ist daher zum Nachw. von Doppelbindungen geeignet.
Herst.: Durch Einwirken von Salpetersäure auf Acetylen mit Quecksilbernitrat als Katalysator od. durch Einleiten von Keten od. Essigsäureanhydrid in 100%ige Salpetersäure.
Verw.: In organ. Synth., Gemische von T. u. Kohlenwasserstoffen sind hochexplosiv u. können als Raketentreibstoffe dienen. Reines T. ist nur mit Initialzündern zur Explosion zu bringen. – *E* tetranitromethane – *F* tétranitrométhane – *I* = *S* tetranitrometano

Lit.: Beilstein E IV **1**, 107 ▪ Hommel, Nr. 982 ▪ Köhler u. Meyer, Explosivstoffe (9.), S. 289, Weinheim: Wiley VCH 1998 ▪ Ullmann (4.) **17**, 379 ff. – *[HS 2904 20; CAS 509-14-8; G 5.1]*

Tetraoxan.

Trivialname für 1,3,5,7-Tetroxocan (Tetraoxymethylen), $C_4H_8O_4$, M_R 120,12. T., cycl. Tetrameres des *Formaldehyds, ein krist., wasserlösl. Produkt vom Schmp. 112 °C, Sdp. 163–165 °C. T. kann zur Herst. von Polyacetal-Kunststoffen benutzt werden. – *E* tetraoxane – *F* tétraoxane – *I* tetraossano – *S* tetraoxano

Lit.: Beilstein E V **19/11**, 331 ▪ Ullmann (4.) **11**, 700; (5.) **A 11**, 646. – *[HS 2902 90; CAS 293-30-1]*

Tetraoxymethylen s. Tetraoxan.

Tetraphenylarsoniumchlorid. $(H_5C_6)_4As^+Cl^-$, $C_{24}H_{20}AsCl$, M_R 418,80. Als Hydrat farblose, giftige Krist., Schmp. 258–260 °C (verliert gesamtes Krist.-Wasser bei 100 °C), lösl. in Wasser u. Alkohol, wenig in Aceton, dient zur Bestimmung von Au, B, Mn, Os, Re, Te, Tl, Cd, Hg, Zn, Perchlorat, Periodat u. dgl. – *E* tetraphenylarsonium chloride – *F* chlorure de tétraphénylarsonium – *I* cloruro di tetrafenilarsonio – *S* cloruro de tetrafenilarsonio

Lit.: Beilstein E IV **16**, 1170 ▪ Merck-Index (12.), 9374. – *[HS 2931 00; CAS 507-28-8]*

Tetraphenylborat-Natrium s. Natriumtetraphenylborat.

1,1,4,4-Tetraphenyl-1,3-butadien (TPB) s. Szintillatoren.

Tetraphenylmethan. $(H_5C_6)_4C$, $C_{25}H_{20}$, M_R 320,41. Farblose Krist., Schmp. 285 °C, Sdp. 431 °C, sehr beständiger, nicht dissoziierender Kohlenwasserstoff. T. wird durch Friedel-Crafts-Alkylierung von Aniliniumchlorid mit Triphenylmethanol, anschließende Diazotierung u. reduktive Dediazonierung mit Phosphinsäure erhalten. Zu medizin. genutzten Tetraarylmethan-Derivaten s. *Lit.*[1]. – *E* tetraphenylmethane – *F* tétraphénylméthane – *I* = *S* tetrafenilmetano
Lit.: [1] Pharm. Unserer Zeit **12**, 135–144 (1983).
allg.: Angew. Chem. **98**, 1095 ff. (1986) ▪ Beilstein E IV **5**, 2741. – *[HS 2902 90; CAS 630-76-2]*

5,6,11,12-Tetraphenylnaphthacen s. Rubren.

Tetraphenylsilan s. Silicium-organische Verbindungen.

Tetraphosphan s. Phosphane.

Tetraphosphorhexafluorid s. Phosphorfluoride.

Tetraphosphortrisulfid s. Phosphorsulfide.

Tetrapropylen s. Propen.

Tetrapropylenbenzolsulfonat (Abk.: TPS).

$C_{18}H_{29}NaO_3S$, M_R 348,47. Trivialname für ein als *Aniontensid wirksames Alkylbenzolsulfonat aus einem Gemisch verschiedener Isomerer. Da der biolog. Abbau des in der Alkyl-Seitenkette stark verzweigten T. nur zu etwa 20–30% erfolgt, ist es schon in den 60er Jahren durch lineares *Alkylbenzolsulfonat ersetzt worden. – *E* tetrapropylenebenzene sulfonate – *F* sul-

fonate de tétrapropylène-benzène – *S* sulfonato de tetrapilenbenceno
Lit.: s. Alkylbenzolsulfonate. – *[CAS 11067-82-6]*

Tetrapropylenglykol s. Polypropylenglykole.

Tetrapropyltitanat s. Titansäureester.

Tetrapyrrole. Bez. für Naturfarbstoffe, die vier entweder ring- od. kettenförmig gebundene Pyrrol-Einheiten im Grundgerüst enthalten, z.B. *Chlorine, *Corrin, *Gallenfarbstoffe, *Phycobiline, *Porphyrine, die *Cobalamine u. *Corrinoide. Zur Nomenklatur der T. s. *Lit.*[1]. – *E* tetrapyrroles – *F* tétrapyrroles – *I* tetrapirroli – *S* tetrapirroles
Lit.: [1] Pure Appl. Chem. **59**, 779–832 (1987).
allg.: Arigoni, The Biosynthesis of the Tetrapyrrole Pigments, Ciba Found. Symp. **180**, New York: Wiley 1993 ▪ Buchler, Metal Complexes with Tetrapyrrole Ligands, Berlin: Springer 1987, 1989 ▪ Jordan, Biosynthesis of Tetrapyrroles, Amsterdam: Elsevier 1991.

Tetraquinane. Im weiteren Sinne Bez. für Verb. mit tetracycl. Grundgerüsten aus 4 anellierten Cyclopentan-Ringen, im engeren Sinne Bez. für Diterpenoide mit dem Dodecahydro-3-isopropyl-3a,5a,8-trimethyl-1*H*-dicyclopenta[*a,d*]pentalen-Gerüst, das erstmals in Form der *Crinipelline aus dem Pilz *Crinipellis stipitaria* (Agaricales) in der Natur aufgefunden wurde.

– *E* tetraquinanes – *F* tétraquinanes – *I* tetraquinane – *S* tetraquinanos
Lit.: Synthesis **1998**, 590 (Synth.).

Tetra-saar® (Rp) Filmtabl. mit dem *Muskelrelaxans *Tetrazepam bei schmerzreflektor. Muskelverspannungen. *B.*: Chephasaar.

Tetrasaccharide. $C_{24}H_{42}O_{21}$, M_R 666,56. Bez. für Oligosaccharide mit 4 Monosaccharid-Einheiten. *Beisp.*: *Stachyose, Lychnose [α-D-Galactopyranosyl-(1→1)-β-D-fructofuranosyl-α-D-galactopyranosyl-(1→6)-α-D-glucopyranosid] u. Secalose (aus 4-Fructose-Einheiten) sowie ein T. im *Sumach; vgl. a. Heparin. – *E* tetrasaccharides – *F* tétrasaccharides – *I* tetrasaccaridi – *S* tetrasacáridos
Lit.: Food Chem. **35**, 117–152 (1990) (Analytik) ▪ Karrer, Nr. 672f., 3361–3388, 5486–5490.

Tetraschwefeltetranitrid s. Schwefel-Stickstoff-Verbindungen.

Tetrasilan s. Silane.

Tetrasulfan s. Sulfane.

Tetrataenit s. Meteoriten.

Tetraterpene. Sammelbez. für aus 8 Isopren-Resten – meist nach der *Isopren-Regel – aufgebaute Naturstoffe der *Terpen(oid)-Reihe mit 40 Kohlenstoff-Atomen (*Terpenoide, Polyterpene*). Im allg. setzt man begrifflich T. u. *Carotinoide gleich, obwohl den letzteren auch Verb. mit weniger als 40 C-Atomen zugerechnet werden. – *E* tetraterpenes – *F* tétraterpènes – *I* tetraterpeni – *S* tetraterpenos
Lit.: Nuhn, Naturstoffchemie (3.), Stuttgart: Hirzel 1997 ▪ s. a. Carotinoide, Terpen(oid)e.

Tetrathiafulvalen (TTF).

Trivialname für 2-(1,3-Dithiol-2-yliden)-1,3-dithiol (2,2′-Bi-1,3-dithiolyliden). $C_6H_4S_4$, M_R 204,36. Eine gelbe, krist. Verb. (Schmp. 119 °C), die mit Elektronen-Akzeptoren *Charge-transfer-Komplexe bildet. Diese werden wegen ihrer teilw. beträchtlichen *elektrischen Leitfähigkeit u. Supraleitfähigkeit oft den *organ. Metallen* zugerechnet. Der bekannteste Komplexpartner des TTF ist TCNQ (*7,7,8,8-Tetracyano-1,4-chinodimethan). – *E* tetrathiafulvalene – *F* tétrathiafulvalène – *I* tetratiafulvalene – *S* tetratiafulvaleno
Lit.: Angew. Chem. **92**, 49–52 (1980); **97**, 968 (1985) ▪ Beilstein E V **19/11**, 380 ▪ Inorg. Chim. Acta **204**, 201 (1993) ▪ Katritzky-Rees **6**, 847 ff. ▪ Pure Appl. Chem. **59**, 999–1004 (1987) ▪ Synthesis **1976**, 489–514. – *[CAS 31366-25-3]*

Tetrathionate s. Polythionsäuren u. Kaliumtetrathionat.

Tetrazen. 1. Grundkörper der *Tetrazene. – 2. Trivialname für 4-(1*H*-Tetrazol-5-yl)-3-tetrazen-2-carboxamidin-Monohydrat

($C_2H_6N_{10}$, M_R 170,14), auch Tetracen genannt; die Struktur wurde durch Röntgenstrukturanalyse ermittelt[1]. T. bildet schwach gelbe, flockige Krist., unlösl. in Wasser, Alkohol, Ether, Benzol u. Tetrachlormethan. Es wird von siedendem Wasser unter Freigabe von 2 Mol. Stickstoff zersetzt u. kann unter Wasser od. wäss. Alkohol aufbewahrt werden. T. entsteht durch Reaktion von Natriumnitrit mit einem lösl. Salz von Aminoguanidin in Essigsäure.
T. ist ein explosionsgefährlicher Stoff[2] [Verpuffungspunkt: ca. 140 °C, Bleiblockausbauchung: 155 cm³/10 g, Schlagempfindlichkeit: 0,1 kpm = 1 Nm] u. ist in der Lage, andere, unempfindlichere Sprengstoffe zu sensibilisieren. So wird Bleiazid durch Zumischen von nur 5% T. gegen Stich u. Schlag sehr empfindlich, während andere Sprengstoffe durch Mischung mit T. bei Einwirkung von Wärme sehr heftig detonieren. T. findet Verw. als Bestandteil von stich-, schlag- u. wärmeempfindlichen Zündsätzen. – *E* = *I* tetrazene – *F* tétrazène – *S* tetrazeno
Lit.: [1] J. Chem. Soc. D **1971**, 2. [2] Bekanntmachung der explosionsgefährlichen Stoffe gemäß § 2, Abs. 6, Satz 2 des Sprengstoffgesetzes vom 3. Dezember 1986 (BAnz. vom 16. Dezember 1986, Nr. 233a).
allg.: Beilstein E III/IV **26**, 4102 ▪ Köhler u. Meyer, Explosivstoffe (9.), S. 291, Weinheim: Wiley VCH 1998 ▪ Ullmann (4.) **21**, 672; (5.) **A 10**, 156 ▪ s. a. Explosivstoffe, Initialsprengstoffe. – *[CAS 31330-63-9; G 1.1A]*

Tetrazene.

Gruppenbez. für einfach ungesätt., therm. labile Verb. mit einer Kette von 4 aneinander gebundenen Stickstoff-Atomen (cycl. zweifach ungesätt. Derivate sind die *Tetrazole). Der Grundkörper 2-*Tetrazen* (N_4H_4, M_R 60,059) wurde von Wiberg 1975 hergestellt u.

durch Photoelektronenspektroskopie als *trans*-2-T. aufgeklärt[1]. 2-T. ist bei −78 °C ein farbloser, fester, in Methylenchlorid wenig lösl. Stoff, der bei ca. 0 °C zu 75% in Stickstoff u. Hydrazin zerfällt u. zu 25% zu Ammoniumazid isomerisiert. Von *1-T*. ($HN=N-NH-NH_2$) leitet sich z. B. der *Initialsprengstoff *Tetrazen ab. Über aromat. substituierte 1-T. s. *Lit.*[2]. – *E* tetrazenes – *F* tétrazènes – *I* tetrazeni – *S* tetrazenos

Lit.: [1]Chem.-Ztg. **103**, 362 (1979). [2]Houben-Weyl **10/3**, 699–732.
allg.: Adv. Inorg. Chem. **30**, 1–68 (1986) ▪ Holleman-Wiberg (101.), S. 675–677. – *[G 1.1A]*

Tetrazepam (Rp; BtMVV, Anlage III).

Vorgeschlagener internat. Freiname für das als *Muskelrelaxans wirkende *1,4-Benzodiazepin 7-Chlor-5-(1-cyclohexenyl)-1-methyl-1*H*-1,4-benzodiazepin-2-(3*H*)-on, $C_{16}H_{17}ClN_2O$, M_R 288,78, gelbbraune Krist., Schmp. 144 °C, λ_{max} (CH_3OH) 226, 307 nm ($A_{1cm}^{1\%}$ 1020, 76); LD_{50} (Maus oral) 2000, (Maus i.p.) 415 mg/kg. T. wurde 1966, 1968 u. 1969 von Clin Byla patentiert u. ist als Generikum im Handel. – *E* = *I* = *S* tetrazepam – *F* tétrazépam

Lit.: ASP ▪ Hager (5.) **9**, 839ff. ▪ Krämer, Tetrazepam, Stuttgart: Thieme 1988 ▪ Martindale (31.), S. 738. – *[HS 2933 90; CAS 10379-14-3]*

Tetrazine. $C_2H_2N_4$, M_R 82,07. Bez. für 3 isomere heterocycl. Sechsringsyst. mit 4 Stickstoff-Atomen im Ring.

Die 3,6-disubstituierten 1,2,4,5-T. (*s*-T., *sym*-T.) sind ausgezeichnete Diene für Diels-Alder-Reaktionen mit inversem Elektronenbedarf (s. dort). 1,2,3,4-T. (*v*-T., *vic*-T.) u. 1,2,3,5-T. (*as*-T., *asym*-T.) sind nur in Form kondensierter Ringsyst. od. partiell hydrierter Derivate bekannt. Das *s*-T.-Gerüst liegt auch den *Verdazylen zugrunde. – *E* tetrazines – *F* tétrazines – *I* tetrazine – *S* tetrazinas

Lit.: Eicher u. Hauptmann, Chemie der Heterocyclen, S. 451, Stuttgart: Thieme 1994 ▪ Gilchrist, Heterocyclenchemie, S. 277, Weinheim: VCH Verlagsges. 1995 ▪ Houben-Weyl **E 9 c**, 853ff. ▪ Katritzky-Rees **3**, 531–572 ▪ Weissberger **10**, 138–249; **33**. – *[HS 2933 69; CAS 290-96-0 (s-T.); 290-42-6 (v-T.); 592-59-6 (as-T.)]*

Tetrazole. CH_2N_4, M_R 70,06. Systemat. Bez. für heterocycl. Fünfringverb. mit vier Stickstoff-Atomen u. zwei Doppelbindungen im Ring. Das gesätt. Derivat heißt *Tetrazolidin*. Je nach Lage der Doppelbindungen unterscheidet man 1*H*-, 2*H*- u. 5*H*-Tetrazol. 1*H*- u. 2*H*-Tetrazol (vgl. indizierten Wasserstoff) stehen miteinander im tautomeren Gleichgew., wobei ersteres überwiegt (s. Tautomerie). Beide können als Heteroaromaten aufgefaßt werden. 5*H*-T. ist nicht aromatisch.

Farblose Krist. vom Schmp. 156 °C; leicht lösl. in Wasser unter saurer Reaktion (pK_a = 4,89).

Heterocycl. Azide können die sog. *Azido-Tetrazolo-Isomerie* zeigen[1].

Azido-Tetrazolo-Isomerie

Techn. sind die T. wegen ihrer therm. Labilität von geringem Interesse; als kondensiertes T. hat das Pentamethylentetrazol (*Pentetrazol) als *Analeptikum medizin. Bedeutung erlangt. Dagegen haben die *Tetrazolium-Salze analyt. Verw. gefunden, insbes. *2,3,5-Triphenyl-2*H*-tetrazoliumchlorid, aber auch *Tetrazoliumblau u. *Tetrazolpurpur. – *E* = *S* tetrazoles – *F* tétrazoles – *I* tetrazoli

Lit.: [1]Synthesis **1973**, 123–136.
allg.: Adv. Heterocycl. Chem. **21**, 323–436 (1977) ▪ Benson, The High Nitrogen Compounds, New York: Wiley 1984 ▪ Eicher u. Hauptmann, Chemie der Heterocyclen, S. 212, Stuttgart: Thieme 1994 ▪ Gilchrist, Heterocyclenchemie, S. 306, Weinheim: VCH Verlagsges. 1995 ▪ Houben-Weyl **E 8 d**, 664 ▪ Katritzky-Rees **5**, 791–838 ▪ Russ. Chem. Rev. **63**, 797 (1994). – *[CAS 27988-97-2 (1H-T.)]*

Tetrazolidine s. Tetrazole.

Tetrazoliumblau [2,2′-(3,3′-Dimethoxybiphenyl-4,4′-diyl)bis(3,5-diphenyl-2*H*-tetrazolium)-dichlorid, Blaues Tetrazoliumchlorid, BTC].

$C_{40}H_{32}Cl_2N_8O_2$, M_R 727,67. Zitronengelbe Krist., Schmp. 265–270 °C (Zers.), lösl. in Alkoholen, Chloroform, wenig lösl. in Wasser, unlösl. in Ethylacetat, Aceton, Ether. T. bildet in Ggw. von Red.-Mitteln ein dunkelblaues *Formazan (vgl. 2,3,5-Triphenyl-2*H*-tetrazoliumchlorid). Diese Hydrogenolyse wird auch von hydrierenden Enzym-Syst. bewirkt, worauf die Verw. von T. zur Bestimmung der *Keimfähigkeit von Samen, zum histochem. Nachw. von *Dehydrogenasen in normalem u. cancerösem Gewebe u. als Nachw.-Mittel für reduzierende Corticosteroide bei der Dünnschichtchromatographie beruht. – *E* blue tetrazolium – *F* bleu de tétrazolium – *I* blu di tetrazolio – *S* azul de tetrazolio

Lit.: Beilstein E III/IV **26**, 1780 ▪ J. Immunol. Methods **40**, 89 (1981) ▪ Sci. Aliments **1**, 233 (1981). – *[HS 2933 90; CAS 1871-22-3]*

Tetrazoliumchlorid s. Tetrazoliumblau u. 2,3,5-Triphenyl-2*H*-tetrazoliumchlorid.

Tetrazoliumrot s. 2,3,5-Triphenyl-2*H*-tetrazoliumchlorid.

Tetrazolium-Salze. Bez. für farblose bis gelbliche, salzartige Verb., die sich vom *Tetrazolium-Kation* ableiten. Dieses wird im allg. als 2*H*-Tetrazol-3-ylium (vgl. Tetrazole) formuliert mit Substituenten in 2-, 3- u. 5-Stellung.

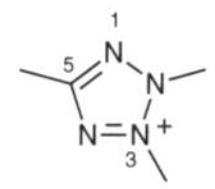

Die T.-S. entstehen aus den stark farbigen *Formazanen durch Dehydrocyclisierung u. gehen durch Red. wieder in diese über. Diese Reaktion bedingt die Verwendbarkeit von 2,3,5-Triphenyl-2H-tetrazoliumchlorid (Näheres s. dort), *Tetrazoliumblau, *Tetrazolpurpur u. a. T.-S. zum Nachw. von Hydrogenase-Syst., z. B. bei der *Keimfähigkeits-Prüfung an Sämereien usw. – *E* tetrazolium salts – *F* sels de tétrazolium – *I* sali di tetrazolio – *S* sales de tetrazolio
Lit.: Acta Histochem. Suppl. 85, 231 (1981) ▪ Altman, Tetrazolium Salts and Formazans, Stuttgart: Fischer 1976 ▪ Angew. Chem. 85, 485–493 (1973) ▪ s. a. Tetrazole.

Tetrazoliumviolett s. 2,3,5-Triphenyl-2H-tetrazoliumchlorid.

Tetrazolpurpur [2,2′-Bipheny-4,4′-diylbis-(3,5-diphenyl-2H-tetrazolium)-dichlorid, Neotetrazoliumchlorid, NTC].

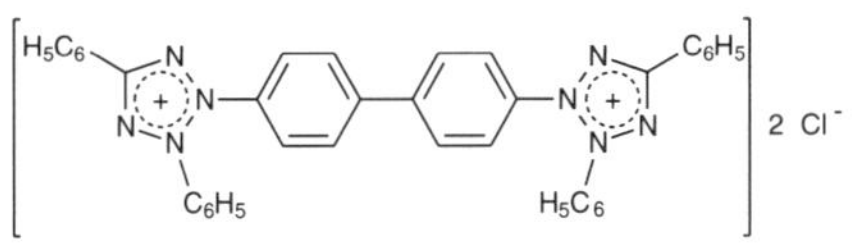

$C_{38}H_{28}Cl_2N_8$, M_R 667,62. Farblose Nadeln, Schmp. 230 °C (Zers.), lösl. in Wasser u. Alkohol, bildet bei Einwirkung reduzierender Gruppen u. Enzymsyst. ein dunkelviolettes *Formazan (vgl. 2,3,5-Triphenyl-2H-tetrazoliumchlorid).
Verw.: Zum Nachw. u. zur Bestimmung von *Dehydrogenasen in der Histo- u. Cytochemie u. Medizin, zur Anfärbung von Mikroorganismen u. pflanzlichen Objekten. – *E* neotetrazolium chloride – *F* chlorure de néotétrazolium – *I* cloruro di neotetrazolio – *S* cloruro de neotetrazolio
Lit.: s. Tetrazolium-Salze. – [HS 2933 90; CAS 298-95-3]

Tetrele s. Kohlenstoff-Gruppe u. Periodensystem.

Tetren s. Tetraethylenpentamin.

Tetrite. Sammelbezeichnung für vierwertige *Polyole der allg. Formel $HOCH_2$–$(CHOH)_2$–CH_2OH, die man zu den *Zuckeralkoholen rechnet; *Beisp.:* *Erythrit, *Threit. – *E* tetritols – *F* tétritols – *I* tetritoli – *S* tetritoles

Tetrodotoxin (TTX, Tarichatoxin, Spheroidin, Fugu-Gift, Maculotoxin).

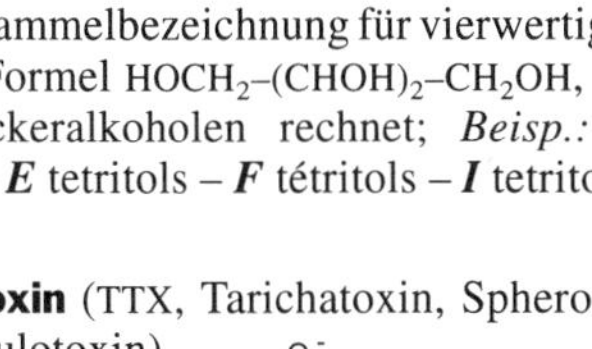

$C_{11}H_{17}N_3O_8$, M_R 319,27, Krist., die sich >200 °C ohne Zers. dunkel färben, lösl. in verd. Essigsäure, wenig lösl. in Wasser, Ethanol u. Ether. Alkal. Neurotoxin (pK_a 8,76), hauptsächlich aus den Ovarien u. der Leber von japan. Puffer-, Koffer- od. Kugelfischen (*Spheroides*-Arten, Tetraodontidae), aus Haut, Eiern, Muskeln u. Blut des kaliforn. Salamanders *Taricha torosa* u. a. Salamander- (vgl. Salamander-Alkaloide) sowie Frosch-Arten (z. B. *Atelopus*-Arten), aus austral. Tintenfischen (*Octopus maculosus*) u. der japan. Elfenbein-Schnecke (*Babylonia japonica*). T. gelangt als Stoffwechselprodukt des Bakteriums *Shewanella alga* über die Nahrungskette od. auf symbiont. Wege in die aufgezählten Organismen, wird also nicht von diesen selbst gebildet. T. ist äußerst giftig [LD_{50} (Mensch p.o.) ~10–15 μg/kg], weshalb die in Japan sehr gern gegessenen Tetraodontidae nur von sorgfältig ausgebildeten Fugu-Köchen zubereitet werden. Trotzdem kommt es zu zahlreichen teilw. tödlich verlaufenden Vergiftungen. Angeblich verursacht der geringe T.-Gehalt im zubereiteten Fugu ein angenehmes Kribbeln in den Extremitäten in Verbindung mit einem Wärmegefühl u. Euphorie. Erst oberhalb der letalen Dosis verschwindet das angenehme Gefühl. Der Tod tritt gewöhnlich durch Atemlähmung ein. T. blockiert die Natrium-Kanäle der Nervenzellmembranen u. ist neben Säugetieren auch für Reptilien, Amphibien, Vögel u. Fische toxisch. T. ist evtl. auch mit dem Zombie-Kult in der Karibik verbunden, in diesem Fall würde T. eine reversible Katalepsie bewirken. Jedoch gibt es hierfür noch keinen wissenschaftlichen Beweis. – *E* tetrodotoxin – *F* tétrodotoxine – *I* tetrodotossina – *S* tetrodotoxina
Lit.: ACS Symp. Ser. 262, Seafood Toxins, 333–416 (1984); 418, Marine Toxins, 78–86 (1990) ▪ Ann. N. Y. Acad. Sci. 479, 1–14, 24–31, 32–43, 52–67, 385–401 (1986) ▪ Beilstein E III/IV 27, 8206 ▪ Kao et al., Tetrodotoxin, Saxitoxin and the Molecular Biology of the Sodium Channel, New York: N. Y. Academy of Science 1986 ▪ Merck-Index (12.), Nr. 9832 ▪ Schweiz. Apoth.-Ztg. 128, Nr. 3, 55 (1990) ▪ Trends Biochem. Sci. 13, 76 f. (1988) ▪ Zechmeister 27, 322–339; 39, 1–62; 46, 159–230. – *Pharmakologie:* Bioact. Mol. 10, Mycotoxins Phycotoxins '88, 417–423 (1989) ▪ Pharm. Unserer Zeit 15, 8–17, 64 (1986); Sax (8.), Nr. FOQ 000. – *Synth.:* Pure Appl. Chem. 59, 399–406 (1987) ▪ Tetrahedron Lett. 28, 6485–6488 (1987); 29, 4127 f. (1988). – [HS 3002 90; CAS 4368-28-9]

...tetrol. Aus *Tetr(a)... u. *...ol gebildete Endung von Namen für chem. Verb., deren Stammgerüst 4 Hydroxy-Gruppen (–OH) als ranghöchste Gruppen trägt (IUPAC-Regeln C-2, R-5.5.1.1 u. CAS; Beilstein: ... tetraol); *Beisp.:* 1,2,3,4-Butantetrole (*Erythrit u. *Threit), Octadecan-, Nonadecan- u. Eicosan-1,2,3,4-tetrole[1]. – *E* = *S* ...tetrol – *F* ...tétrol – *I* ...tetrolo
Lit.: [1] Tetrahedron 29, 1595–1598 (1973).

Tetronal s. Sulfonal.

Tetronasin.

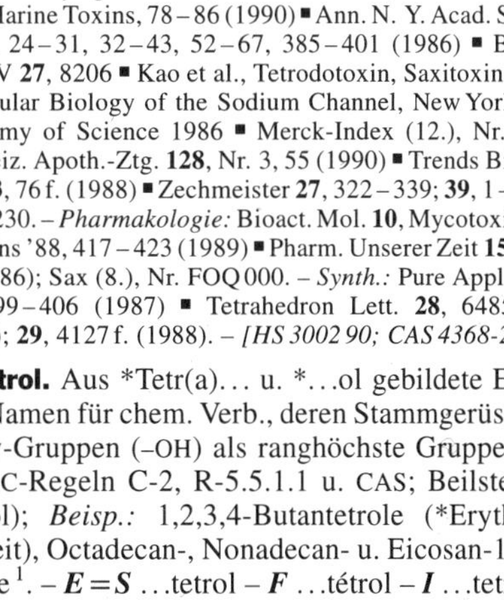

Tetronasin-Natriumsalz

T., $C_{35}H_{54}O_8$, M_R 602,80; Na-Salz: $C_{35}H_{53}NaO_8$, M_R 624,80, Krist., Schmp. 176–178 °C, $[\alpha]_D^{23}$ –82° (CH_3OH). Ca-ionophores Antibiotikum aus *Streptomyces longisporoflavus*, das als Futtermittelzusatz in der Tierernährung geprüft wird. – *E* tetronasin – *F* tétronasine – *I* tetronasina – *S* tetronasín

Lit.: Isolierung, Biosynth.: Tetrahedron Lett. **35**, 307, 311, 315, 319, 323 (1994); **37**, 3511, 3515, 3519 (1996). – *Synth.:* Farmaco **51**, 147–157 (1996) ▪ J. Chem. Soc., Perkin Trans. 1 **1998**, 2259–2276 ▪ J. Heterocycl. Chem. **33**, 1533 (1996). – *Struktur:* J. Chem. Soc., Chem. Commun. **1998**, 1893. – [HS 294190; CAS 75139-06-9 (T.); 75139-05-8 (Na-Salz)]

Tetronsäure [2,4(3H,5H)-Furandion, 3-Oxo-γ-butyrolacton; Tautomeres: 4-Hydroxy-2(5H)-furanon, 3-Hydroxy-2-buteno-4-lacton].

$C_4H_4O_3$, M_R 100,07. Farblose Krist., Schmp. 141 °C, leicht lösl. in warmem Wasser u. Alkohol, wenig lösl. in Ether, Chloroform, Ligroin, Benzol. In enolisierter Form (s. Formel) ist T. eine starke einbasige Säure, die mit $FeCl_3$ eine dunkelrote Färbung ergibt u. ein Oxim u. ein Phenylhydrazon bildet. T. ist der Grundkörper der *Ascorbinsäure u. der *Tetronsäuren*, die als Stoffwechselprodukte von Schimmelpilzen u. als Pflanzeninhaltsstoffe in Erscheinung treten; auch in *Variabilin ist eine T.-Gruppierung enthalten. Das *Butenolid T. ist ein nützlicher Baustein für organ. Synth., z. B. zur Synth. von Heterocyclen. Man beachte, daß auch die diastereoisomeren 2,3,4-Trihydroxybuttersäuren (Erythron- u. Threonsäure) mit der Sammelbez. T. bezeichnet werden. – *E* tetronic acid – *F* acide tétronique – *I* acido tetronico – *S* ácido tetrónico

Lit.: Beilstein E V **17/11**, 5 ▪ Chem. Rev. **76**, 625 ff. (1976) ▪ Heterocycl. Chem. **20**, 787 (1983) ▪ Q. Rev. (London) **14**, 292–315 (1960) ▪ Synthesis **1982**, 748 ff. – [HS 293229; CAS 4971-56-6]

Tetrosen. Bez. für *Monosaccharide mit 4 Kohlenstoff-Atomen u. der Bruttoformel $C_4H_8O_4$; *Beisp.:* *Erythrose u. *Threose. Von biochem. Bedeutung ist der Phosphatester Erythrose-4-phosphat, der als Zwischenprodukt im nichtoxidativen Zweig des *Pentosephosphat-Wegs auftritt. – *E* tetroses – *F* tétroses – *I* tetrosi – *S* tetrosas

Tetroxane. Allg. Bez. für Verb. mit heterocycl. Sechsring aus 4 Sauerstoff- u. 2 Kohlenstoff-Atomen; von Bedeutung sind nur 1,2,4,5-T. (*s*-T., „Keton-*Peroxide"); vgl. dagegen Tetraoxan. – *E* tetroxanes – *F* tétroxanes – *I* tetrossani – *S* tetroxanos

1,3,5,7-Tetroxocan s. Tetraoxan.

Tetroxoprim (Rp).

Internat. Freiname für das bakterizide Chemotherapeutikum, einen *Folsäure-Antagonisten, 5-[3,5-Dimethoxy-4-(2-methoxyethoxy)benzyl]-2,4-pyrimidindiamin, $C_{16}H_{22}N_4O_4$, M_R 334,37, Krist., Schmp. 153–156 °C, auch 160,1 °C angegeben; pK_b 8,25, LD_{50} (Ratte oral) 1357 mg/kg; gut lösl. in Chloroform, weniger in Wasser. T. wurde 1974 u. 1976 von Heumann patentiert. Es ist ein Analogon von *Trimethoprim, das ähnlich wie dieses oft zusammen mit *Sulfadiazin (Kombination: *Co-tetroxazin*, Sterinor®, Heumann) gegen Entzündungen u. Infektionen angewandt wird. – *E* = *I* tetroxoprim – *F* tétroxoprime – *S* tetroxoprima

Lit.: Hager (5.) **9**, 841 f. ▪ Martindale (31.), S. 289. – [HS 293359; CAS 53808-87-0 (T.); 73173-12-3 (Co-tetroxazin)]

Tetryl (CE, Methylpikrylnitramin, Nitramin, Pyrenit, Tetralit). Kurzbez. für *N*-Methyl-*N*,2,4,6-tetranitroanilin, $C_7H_5N_5O_8$, M_R 287,15 (Formel s. 2,4,6-Trinitrotoluol); gelblich feinkrist., D. 1,73, Schmp. 131 °C (Zers.), Verpuffung bei 185–195 °C, fast unlösl. in Wasser, schwer lösl. in Alkohol u. Ether, leichter lösl. in Benzol u. Aceton. T. ist giftig, färbt die Haut rot u. kann Dermatosen verursachen. MAK 1,5 mg/m³. Ferner besteht Verdacht auf krebserzeugendes Potential (MAK-Liste Gruppe III B).

Herst.: Nitrierung von Mono- od. Dimethylanilin mit Nitrier-Mischsäure bei ca. 50 °C u. Umkristallisieren des ausgeschiedenen u. ausgewaschenen Produkts aus Benzol od. Aceton, besser durch kontinuierliche Nitrierung von 2,4-Dinitro-*N*-methylanilin mit 98%iger Salpetersäure bei ca. 60 °C.

Verw.: Als brisanter Sprengstoff mit gutem Initiiervermögen (explosionstechn. Daten s. Explosivstoffe) für Zündladungen u. als Sekundärladung in Sprengkapseln u. elektr. Zündern, früher auch zusammen mit 2,4,6-Trinitrotoluol als Sprengladung in Granaten u. Torpedoköpfen. – *E* = *S* tetryl – *F* tétryl – *I* tetrile, tetralite

Lit.: Beilstein E III **12**, 1738 ▪ Kirk-Othmer (4.) **10**, 7, 16, 32, 34 ▪ Köhler u. Meyer, Explosivstoffe, 8. Aufl., Weinheim: VCH Verlagsges. 1995 ▪ Ullmann (4.) **21**, 670; (5.) **A 10**, 161 ▪ Winnacker-Küchler (4.) **7**, 381 ▪ s. a. Explosivstoffe. – [HS 292149; CAS 479-45-8; G 1.1D]

Tetryzolin.

Internat. Freinamen für den *Vasokonstriktor (±)-2-(1,2,3,4-Tetrahydro-1-naphthyl)-4,5-dihydro-1H-imidazol, $C_{13}H_{16}N_2$, M_R 200,27, Schmp. 117–119 °C. Verwendet wird das Hydrochlorid, Schmp. 256–257 °C (Zers.), λ_{max} (CH_3OH) 266, 273 nm ($A_{1cm}^{1\%}$ 16, 15,4). T. wurde 1958 von Pfizer (Tyzine®, Yxin®) patentiert u. ist als Generikum im Handel. – *E* tetryzoline – *F* tétryzoline – *I* = *S* tetrizolina

Lit.: Hager (5.) **9**, 842 f. ▪ Martindale (31.), S. 1593 f. – [HS 293329; CAS 84-22-0 (T.); 522-48-5 (Hydrochlorid)]

Teuber-Reaktion. Bez. für die Oxid. von Phenolen u. aromat. Aminen zu Chinonen mit Hilfe von *Fremys Salz. – *E* Teuber reaction – *F* réaction de Teuber – *I* reazione di Teuber – *S* reacción de Teuber

Lit.: Hassner u. Stumer, S. 382 ▪ Houben-Weyl **7/3 b**, 22–28 ▪ s. a. Fremys Salz.

Teufelsdreck s. Asa foetida.

Teufelsfinger s. Belemniten.

Teufelskralle s. Harpagosid.

Tevatron s. Teilchenbeschleuniger.

Tex (Kurzz.: tex). Nach DIN 1301-1: 1993-12 Einheit für die längenbezogene Masse von textilen Fasern u. Garnen sowie von Glasfasern. Es gilt 1 tex = 1 g/km = 1 mg/m. Je nach Feinheit des Materials werden auch die Einheiten dtex (decitex = 0,1 tex) z. B. für Strumpfgarn u. ktex (kilotex = 1000 tex) z. B. für Kabel verwendet. Mit dem früher als *Titer üblichen Maß *Denier* besteht folgender Zusammenhang: 1 tex = 9 den u. 1 den = 1/9 tex≈0,11 tex, also 1 dtex≈1 den. – $E = F = I = S$ tex

Texaco. Kurzbez. für den weltweit agierenden 1902 gegr. Mineralölkonzern Texaco Inc. mit Sitz in 2000 Westchester Ave., White Plains, N. Y. 10650 (USA). *Daten* (1997): ca. 29 300 Beschäftigte, ca. 47 Mrd. US $ Umsatz. *Produktion:* Erforschung, Förderung, Verarbeitung u. Vertrieb von Erdöl u. Erdgas, Motorkraftstoffe u. -additive, Schmieröle u. -fette, Korrosionsinhibitoren, Düsentreibstoffe, Petrochemikalien u. a.

Texaphor®. Antiabsetz-, Dispergier- u. Ausschwimmverhütungsmittel für den Einsatz in Lacken; Aufschlußmittel für organophile Bentonite; Dispergiermittel für hochkonz. Pigmentpasten. *B.:* Henkel.

Texapon®. Wasch-, Netz- u. Dispergiermittel aus Fettalkoholsulfonaten bzw. Fettalkoholestersulfaten auf natürlicher Basis mit verschiedenen Salz-bildenden Kationen od. in Gemischen mit anderen waschaktiven Stoffen zur Herst. von Shampoos, für Schaumbäder, Spül-, Wasch- u. Reinigungsmittel in Haushalt u. Gewerbe, Schaummittel in Zahnpasta u. -Pulvern. *B.:* Henkel.

Texapret® AM. Nichtion. Polyacrylat-Lsg. zum Füllen u. Versteifen von Textilgewebe u. Maschenware. *B.:* BASF.

Texin®. Anionaktive Basisemulgatoren für den Einsatz in nahezu allen *Emulsionspolymerisations-Verfahren. *B.:* Henkel.

Texogum®. Sortiment von Klebstoffen für den Textildruck auf der Basis von natürlichen u. synthet. Polymeren sowie Appreturmittel aus PVA. *B.:* Diamalt.

Textilausrüstung s. Textilfasern u. Textilveredlung.

Textilbleiche. Textilfasern können, bes. wenn sie aus natürlichen Rohstoffen gewonnen werden, Färbungen enthalten, die sich durch Wasch- u. Extraktionsprozesse nicht od. nur ungenügend entfernen lassen. Soll der Weißgrad des Textils erhöht werden, müssen die Fasern einer Bleiche unterzogen werden, um die enthaltenen Farbkörper zu zerstören. Die Bleiche kann oxidativ mit *Natriumhypochlorit (NaOCl), *Natriumchlorit (NaClO$_2$) bzw. *Wasserstoffperoxid (H$_2$O$_2$) od. reduktiv mit *Natriumdithionit (Na$_2$S$_2$O$_4$) bzw. *Formamidinsulfinsäure (Thioharnstoffdioxid) erfolgen. – E textile bleaching – F blanchiment textile – I candeggio tessile – S blanqueo textil
Lit.: Peter u. Rouette, Grundlagen der Textilveredelung, S. 143–146, Frankfurt/M.: Dtsch. Fachverl. 1989 ▪ Rouette, Lexikon für Textilveredlung, Bd. 1, S. 241–245, Dülmen: Laumann-Verl. 1995 ▪ Ullmann (4.) **23**, 25–29; (5.) A **26**, 251–264.

Textilchemie. Bez. für ein Teilgebiet der *Angewandten Chemie, dem man folgende Bereiche zurechnen kann: Die Chemie der Textilfasern einschließlich ihrer Gewinnung, Herst. u. Verarbeitung, die Textilveredlung einschließlich Entwicklung u. Verw. von Textilhilfsmitteln, Textilfärben u. -druck, die Chemie der Pflege von Textilien sowie die Textilprüfung. Das Studium der Textilchemie bringt – je nach Schulbereich u. Fachrichtung – Fachleute unterschiedlichen Ausbildungsgrades hervor. So gibt es den Hochschul-Textilchemiker (Ausbildung beispielsweise an der Univ. Stuttgart u. der TH Aachen), den Absolventen einer Fachhochschule (Ausbildung zum Textilingenieur z. B. an den Fachhochschulen Krefeld u. Reutlingen) od. einer Fachschule (Ausbildung zum Textiltechniker bzw. -meister z. B. in Reutlingen, Krefeld bzw. in Nordhorn). Textillaboranten werden nach dualem Syst. im Betrieb u. in der Berufsschule ausgebildet. Vgl. auch Chemie-Berufe. – E textile chemistry – F chimie textile – I chimica tessile – S química textil

Textildruck (Stoffdruck, früher: Zeugdruck). Bez. für die nach verschiedenen *Druckverfahren mögliche Herst. von Mustern auf *Textilien. Üblich sind der *Rouleauxdruck* (mit gravierten Kupferwalzen) u. der *Film-* od. *Schablonendruck* (s. Siebdruck), für Polyestergewebe auch der *Transferdruck.* Bei Gespinsten spricht man von *Kettdruck* u. *Vigoureuxdruck.* Die meist wäss. Druckpasten enthalten Farbstoffe od. Pigmente, Verdickungsmittel u. Chemikalien zum Fixieren der Färbemittel auf der Faser. Bes. T.-Techniken sind der Ätzdruck, der *Reservedruck (s. a. Batik) u. die Ätzreserve. – E textile printing – F impression textile – I stampa tessile, stampa dei tessuti – S estampación textil (de telas)
Lit.: Encyl. Polym. Sci. Eng. **5**, 256–263 ▪ Kirk-Othmer (4.) **8**, 729–737 ▪ Ullmann (4.) **22**, 565–634; (5.) A **26**, 489–552 ▪ Winnacker-Küchler (4.) **7**, 64–67.

Textilfärbung. Zum Färben von Fasern, Garnen, Geweben u. Maschenware benutzt man u. a. *Reaktiv-, *Direkt-, *Küpen-, *Schwefel-, *Dispersions-, *kationische u. Kupplungsfarbstoffe. Von der T.-Technik her unterscheidet man zwischen Auszieh- u. Kontinueverfahren. Beim Ausziehverf. macht man sich die *Substantivität des Farbstoffes zum jeweiligen Substrat zunutze. Gearbeitet wird bei bewegter Flotte, z. B. im Kreuzspulfärbeapparat, bei bewegter Ware, z. B. mit Haspelkufe, u. bei bewegter Ware u. Flotte, z. B. in der *Jet-Färberei. Das Kontinueverf. (s. a. Klotzen) ist gekennzeichnet durch den Einsatz des Foulards, der einen gleichmäßigen, kontinuierlichen Auftrag der Farbstoff-Flotte erlaubt. An das eigentliche Färben schließt sich ein Nachbehandlungsprozeß zur Erreichung der optimalen Echtheitseigenschaften einer Färbung an. Weitere Einzelstichworte s. Färben, Netzmittel, Carrier, Egalisiermittel u. Spinnfärbung. Synthesefasern werden oft während der Herst. durch *Spinnfärbung gefärbt. Zur Geschichte der T. s. Farbstoffe. – E textile dyeing – F teinture de produits textiles – I colorazione tessile – S teñido de productos textiles
Lit.: Kirk-Othmer (3.) **8**, 280–350 ▪ Rouette, Lexikon für Textilveredlung, Dülmen: Laumann-Verl. 1995 ▪ Ullmann (5.) A **9**, 78–80; A **26**, 420ff. ▪ Winnacker-Küchler (4.) **7**, 67–74 ▪ s. a. Färben, Farbstoffe.

Textilfasern (textile Faserstoffe). Sammelbez. für sämtliche *Fasern, die sich textil verarbeiten lassen. Gemeinsam ist ihnen eine im Vgl. zu ihrem Querschnitt große Länge sowie ausreichende Festigkeit u. Biegsamkeit. T. lassen sich nach Herkunft od. stofflicher Beschaffenheit in folgende Gruppen einteilen:

Textilfasern

Tab. 1: Übersicht über Textilfasern mit den entsprechenden Kurzzeichen.

Benennung der Fasern	Kurzeichen nach DIN 60001-4: 1991-08
Acetat	CA
Alfagras (Esparto)	AL
Alginat	ALG
Alpaka	WP
Angora	WA
Aramid	AR
Asbest	AS
Baumwolle	CO
Cupro	CUP
Elastan	EL
Elastodien	ED
Fiqué	FI
Flachs, Leinen	LI
Fluoro	PTFE
Glas	GF
Guanako	WU
Gummi	LA
Hanf	HA
Henequen	HE
Jute	JU
Kamel	WK
Kanin	WN
Kapok	KP
Kaschmir	WS
Kenaf	KE
Kohlenstoff	CF
Kokos	CC
Lama	WL
Manila (Abacá)	AB
Metall	MTF
Modacryl	MAC
Modal	CMD
Mohair	WM
Phormium (Neuseelandfaser)	NF
Polyacryl	PAN
Polyamid	PA
Polyester	PES
Polyethylen	PE
Polypropylen	PP
Polyvinylalkohol	PVAL
Polyvinylchlorid	CLF
Polyvinylidenchlorid	CLF
Ramie	RA
Rinderhaar	HR
Rosella	JS
Roßhaar	HS
Schurwolle	WV
Seide (Maulbeerseide)	SE
Sisal	SI
Sunn	SN
Triacetat	CTA
Tussahseide	ST
Urena	JR
Vikunja	WG
Viskose	CV
Wolle (Schafwolle)	WO
Yak	WY
Ziegenhaar	HZ

1. *Naturfasern* (vgl. DIN 60001-1: 1990-10): Bei diesen wird zwischen Fasern pflanzlicher, tier. u. mineral. Herkunft unterschieden; Näheres s. Naturfasern.
2. *Chemiefasern:* Diese früher Kunstfasern genannten Fasern lassen sich nach DIN 60001-1: 1988-10 in solche aus natürlichen u. synthet. *Polymeren sowie aus anorgan. Stoffen gruppieren; Näheres s. Chemiefasern.

Tab. 2: Ausgewählte Eigenschaften von Textilfasern.

Faserart	Dichte	H$_2$O-Aufnahme bei 21 °C [%]	Quellwert [%]
Wolle	1,32	15–17	40–45
Baumwolle	1,5–1,54	7–11	40–50
Seide	1,25	9–11	40–45
Cellulose	1,5–1,52	12–14	85–120
Triacetat	1,3	2–5	12–18
Polyamid 66	1,14	3,5–4,5	10–15
Polyamid 6	1,14	3,5–4,5	10–15
Polyester	1,38	0,3–0,4	3–5
Polyacryl	1,17–1,19	≈1	4–6
PVC	1,38	0–0,2	0
Polypropylen	0,9	0	0
Glasfaser	2,5	0	0

Alle T. sind mit genormten *Kurzzeichen* charakterisierbar. Diejenigen für Chemiefasern sind im wesentlichen mit den international vereinbarten Kurzz. für *Kunststoffe gleicher Zusammensetzung identisch. In Tab. 1 sind die Kurzz. für textile Faserstoffe nach DIN 60001-4: 1991-08 aufgelistet.

Techn. sind die T. u. a. durch ihre *Längs- u. Querschnittsformen* charakterisiert. Diejenigen von Naturfasern sind durch ihr Wachstum bedingt, während sie bei den industriell hergestellten Fasern gezielt beeinflußt werden können. DIN 60001-2: 1990-10 unterscheidet bei Naturfasern neben Spinn- u. Flockfasern noch bes. Faserformen wie z. B. Bourette, Flockenbast, Kämmlinge, *Linters, Schappe u. *Werg, bei Chemiefasern u. a. industriell hergestellten Fasern *Filament, *Monofil od. Draht, Kabel, glattes, texturiertes u. verwirbeltes Filamentgarn, *Flock, *Spinnfaser, Spinnband u. Borste. Der *Feinheitsgrad* von T. wurde früher als längenbezogene Masse in *Denier u. wird heute in *Tex angegeben. Zur Charakterisierung des *Gebrauchswertes* von T. dienen im wesentlichen folgende Eigenschaften, die mit geeigneten Textilprüfmethoden (s. Textilprüfung) ermittelt werden: Alterung, Anfärbbarkeit, Dichte, Querschnitt, Elastizitäts- od. Dehnungsmodul, elektr. Eigenschaften wie spezif. Widerstand u. elektrostat. Aufladbarkeit, Fäulniswiderstand, Knoten-, Schlingen-, Titer- u. Naßfestigkeit, Beständigkeit gegen Mikroorganismen, Insekten, Hitze, Licht u. Witterungseinflüsse, Reaktion auf Bleichmittel, organ. Lsm., Säuren u. Laugen, Reißdehnung mit Naßmodul u. Trockenfestigkeit, Überfärbeechtheit, Wasseraufnahme- bzw. -rückhaltevermögen u. Quellwert, Zugfestigkeit u. a. Eigenschaften. Tab. 2 zeigt einige dieser Eigenschaften einer Reihe ausgewählter Textilfasern.

Soweit die erwähnten Eigenschaften nicht ohnehin typ. für die einzelnen T.-Arten sind, lassen sie sich durch geeignete Maßnahmen der *Textilveredlung erzielen, wobei *Textilhilfsmittel zur Verw. gelangen. *Textilausrüstungs*-Mittel werden auch benötigt, um T. für die Herst. von *Textilien leichter verarbeitbar zu machen. Auf die Herst. u. Verarbeitung der einzelnen T.-Arten kann hier nicht eingegangen werden, ebensowenig auf die verschiedenen Meth. der Modifizierung von Eigenschaften, Oberflächen u. Querschnitten der Fasern. Derartige Gesichtspunkte sind im allg. in Einzelstichwörtern (z. B. *Texturierung, *Fixieren,

*Kräuseln, *Spinnen, Färben mit *Spinnfärbung u. *Textilfärbung etc.) od. bei den einzelnen T. behandelt. Verw. finden T. nicht nur im Bekleidungswesen (vgl. Textilien), sondern auch für *Teppiche, Bürsten- u. Seilerwaren, Netze, Einlagen für *Reifen, Filter u. a. techn. Zwecke, als Trägermaterial für Kunstleder u. a. Beschichtungsstoffe, zur *Faserverstärkung od. Herst. von *Vliesstoffen etc. Häufig erweisen sich hierbei Gemische verschiedener T.-Arten den Einkomponenten-T. überlegen.

Geschichte: Bis ins 19. Jh. benutzte man ausschließlich Naturfasern für die Herst. von Textilien. Die ersten Versuche, künstliche Fasern zu erzeugen, gehen auf die Franzosen Audemars (1855) u. Chardonnet (1884, s. Chardonnet-Seide) sowie den Engländer Swan (1885) zurück; ihnen gelang die Herst. von Fäden aus *Cellulosenitrat. *Klatte ließ 1913 die Herst. der ersten völlig synthet. Faser aus *Polyvinylchlorid patentieren. Entscheidende Impulse für die Entwicklung der T. gingen von *Staudinger, dem Begründer der *makromolekularen Chemie, aus. Im Jahre 1935 entdeckte *Carothers das *Nylon (PA 66) u. 1937/38 *Schlack das *Perlon® (PA 6), beides Fasern auf Polyamid-Basis. Seither ist eine Vielzahl von *Chemiefasern hinzugekommen, u. ein Ende der Entwicklung ist nicht abzusehen, wobei heute bes. Augenmerk auf die Herst. von T. mit speziellen Eigenschaften (z. B. hochtemperaturbeständige, flammfeste, elektr. leitende T. etc.) gerichtet wird.

Der Weltverbrauch an T. (in Mio. t) stieg von 38,2 (1990) auf 41,3 (1995) u. wird für 2000 auf 46,8 geschätzt (*Lit.*[1]). Die Abb. zeigt die Verteilung der Weltproduktion auf die verschiedenen T.-Arten für 1990 u. 1995.

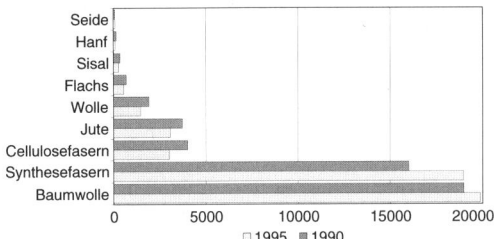

Abb.: Weltproduktion von Textilfasern in 1000 t (*Lit.*[2]).

– *E* textile fibers – *F* fibres textiles – *I* fibre tessili – *S* fibras textiles

Lit.: [1] Melliand Textilber. **1–2**, 21 (1998). [2] Melliand Textilber. **10**, 670 (1997).
allg.: Encycl. Polym. Sci. Eng. **3**, 200–226; **5**, 79–102; **6**, 647–755, 802–839 ■ Kirk-Othmer (4.) **10**, 539–744; **23**, 882–886 ■ Ullmann (5.) **A 10**, 480–655; **A 11**, 1–84 ■ Winnacker-Küchler (4.) **6**, 611–734.

Textilglas s. Glasfasern.

Textilhilfsmittel. Im weitesten Sinne Bez. für solche Chemikalien, die bei sämtlichen textilen Prozessen benötigt werden, u. zwar von der Gewinnung bzw. Herst. der *Textilfasern über deren Verarbeitung u. Veredlung (s. Textilveredlung) bis zur Konfektionierung sowie der Fertigwarenpflege (z. B. *Chemisch-Reinigen). T. erleichtern od. ermöglichen die Durchführung dieser Prozesse u. helfen dabei, Schäden an den Textilien zu vermeiden od. zu vermindern u. ihren Gebrauchswert (z. B. durch *Pflegeleicht-Ausrüstung) zu erhöhen. Eine scharfe Trennungslinie zwischen T. u. anderen in der Textil-Ind. alltäglich benutzten Chemikalien läßt sich allenfalls zwischen T. u. Farbstoffen ziehen, da erstere nicht direkt zur Farbgebung beitragen. Unter den Oberbegriff T. fallen insbes. die folgenden Erzeugnisse: *Antimikrobielle Ausrüstung, *Antistatika, *Appretur- u. Avivagemittel, *optische Aufheller, Beuch- u. Abkochhilfsmittel, Bleich- u. Oxid.-Mittel, Carbonisierhilfsmittel, Emulgiermittel, Entschlichtungsmittel, T. für die Färberei u. Druckerei wie Farbstofflösungs- u. -dispergiermittel, Färbe- u. Drucköle, Red.-Mittel, Egalisier- u. Durchfärbemittel, Farbstoffbindemittel usw., Faserschutzmittel, *Flammschutzmittel, Fraßschutzmittel (z. B. zur *Mottenbekämpfung), *Fungizide, kationaktive T., Knitter- u. Krumpffreimittel, Konservierungs- u. Fäulnisschutzmittel, *Mercerisier- u. Laugierhilfsmittel, Phobier- u. Imprägniermittel, *Quellfestmittel, *Schiebefestmittel, Schlichtemittel, *Schmälzmittel u. *Spulöle, *Stabilisatoren, *Steifungsmittel, Mittel für die Textilbeschichtung, Viskose- u. Spinnbad-Zusatzmittel, *Waschmittel. – *E* textile auxiliaries – *F* produits auxiliaires textiles – *I* ausiliari tessili – *S* productos auxiliares textiles

Lit.: s. Textilveredlung.

Textilien (von latein.: textilis = gewebt, gewirkt). Nach DIN 60000: 1969-01 Sammelbegriff für *Textilfasern, textile Halb- u. Fertigfabrikate u. daraus hergestellte Fertigwaren, zu denen man nicht nur die umgangssprachlich als T. bezeichneten Fabrikate der Bekleidungs-Ind., sondern auch Teppiche u. a. Heimtextilien sowie techn. Zwecken dienende textile Gebilde rechnet. Zu den textilen Halb- u. Fertigfabrikaten im Sinne dieser Norm zählen ungeformte Gebilde wie die sog. Flocken, linienförmige Gebilde wie Bindfäden, Garne, Leinen, Schnüre, Seile, Zwirne sowie flächenförmige u. raumfüllende Gebilde wie Filze, Gewebe, Vliesstoffe u. Watten. Die Verarbeitung vom Faserrohstoff bis zur textilen Fertigware umfaßt im wesentlichen folgende (im allg. als Einzelstichwörter behandelte) Bereiche:

a) Die Spinnverf. (s. Spinnen) dienen der *Faden-* u. *Garn-Bildung* aus Natur- u. Chemiefasern u. deren Mischungen (s. a. Fasern, Synthesefasern u. Textilfasern). Die Textur der Fasern u. Garne kann durch Texturierung modifiziert werden.

b) Aus den Garnen werden *textile Flächengebilde* erzeugt, u. zwar – entsprechend der Arbeitstechnik – z. B. durch Weben die Webwaren (Gewebe, Teppiche, Bobinets) mit ihrer klass. Gewebebindung von Kett- u. Schußfäden, durch Wirken u. Stricken die sog. Maschenwaren (Sammelbez. für Wirk- u. Strickwaren), durch Klöppeln die Spitzen, durch Nadeln die Filze, Nadelfilz- u. Nadelflorteppiche, die zusammen mit den Vliesstoffen zu den Textilverbundstoffen zu rechnen sind.

c) Garn- u. Stückwaren werden im Verlauf ihrer Verarbeitung diversen mechan. u. chem. *Veredlungsprozessen* (s. Textilveredlung) unterworfen, z. B. Kämmen (s. Kammgarn), *Beschwerung, *Imprägnierung,

Textilien

*Krumpffrei- u. *Knitterfestausrüstung, *Mercerisation, Färben u. Bedrucken, Metallisierung, *Texturierung usw., die der Verbesserung od. Modifizierung der natürlichen Eigenschaften der Fasern im Hinblick auf die spätere Verw. dienen sollen. Kriterien, nach denen der *Gebrauchswert* einer textilen Fertigware durch geeignete *Textilprüfungs-Meth. beurteilt wird, sind u. a.: Festigkeit gegenüber Zug- u. Berstkräften sowie gegen Scheuereinwirkung, Knittererholung in trockenem u. nassem Zustand u. damit verbunden das Wash-and-Wear-Verhalten, Widerstandsfähigkeit z. B. gegen elektrostat. Auflading, Entflammbarkeit od. Regeneinwirkung, Chlor-Retention, Anschmutzverhalten, Luftdurchlässigkeit, Gewebedichte, Filz- u. Krumpffreiheit, Quellfähigkeit, Hydrophilie, Hydrophobie u. Oleophobie, Glanz, Griff, Wasch-, Schweiß- u. Farbechtheit, Resistenz gegen mikrobielle Zers. usw.

Dem Wunsch des Verbrauchers nach einer zuverlässigen Beurteilung eines Kleidungsstückes soll das *Textilkennzeichnungsgesetz* in der Fassung vom 26. Juli 1986 Rechnung tragen. Dieses erlegt z. B. Herstellern u. Händlern die Angabe der Faserbestandteile auf deutlich sichtbaren Warenetiketten auf. So muß etwa eine Handelsbez. wie Dralon® durch die Angabe 100% Polyacryl bzw. ein Mischartikel durch dessen Rohstoffverhältnis (z. B. 55% Polyacryl, 45% Wolle) näher gekennzeichnet sein. Begriffe wie z. B. „Synthetics" od. „Chemiefasern" sind nach dem Gesetz ungenau u. damit unzulässig. Manche textilen Produkte lassen sich aufgrund von *RAL-Gütezeichen (*Beisp.*: Wollsiegel) qualitätsmäßig einstufen. Nicht gesetzlich geregelt (Ausnahme: Österreich) ist dagegen bisher die *Pflegekennzeichnung* von T.; sie erfolgt freiwillig. Die internat. vereinbarten Symbole für die Pflegebehandlung auf den Etiketten der T. werden von der „Arbeitsgemeinschaft Pflegekennzeichen für Textilien in der BRD", Frankfurt (Main), herausgegeben; sie geben Auskunft über die Behandlungsvorschriften für Waschen, Trocknen, Bügeln u. das *Chemisch-Reinigen. Die Zahlen im Waschbottich entsprechen den maximalen Waschtemperaturen. Seit Aug. 1991 ist die Pflegekennzeichnungsnorm ISO 3758 gültig.

Die Produktion u. Verarbeitung von *Textilfasern ist Aufgabe der *Textil-Ind.* mit ihren folgenden Hauptarbeitsbereichen: Spinnerei (Herst. von Garnen aus Natur- u. Chemiefasern), Weberei, Wirkerei u. Strickerei (Garnverarbeitung) u. Textilveredlung. Die Weiterverarbeitung (Konfektionierung) ist Sache der *Bekleidungsindustrie*. Die in der BRD überwiegend mittelständ. strukturierte Textil-Ind. meldete nach Jahren erheblicher Schrumpfung 1997 erstmals Anzeichen einer leichten Erholung, s. Tab. 1.

Für 1998 wird ein Umsatzzuwachs von 0,5–1,5% erwartet bei weiterem leichtem Rückgang der Beschäftigtenzahl um 2–3% (*Lit.*[1]). Während der Markt für Bekleidungs- u. Haushalts-T. prakt. gesättigt ist, erlangen sog. techn. T. steigende Bedeutung, wobei v. a. Fasern mit höherer Festigkeit u. Alterungs-, Hitze- od. Lichtbeständigkeit eingesetzt wurden. Techn. T. werden als Reifencord u. als sog. Geotextilien zur Befestigung von Straßen u. Wasserläufen verwendet; Spinnvliese u. Rovings aus Aramid-, Glas-, Bor- od.

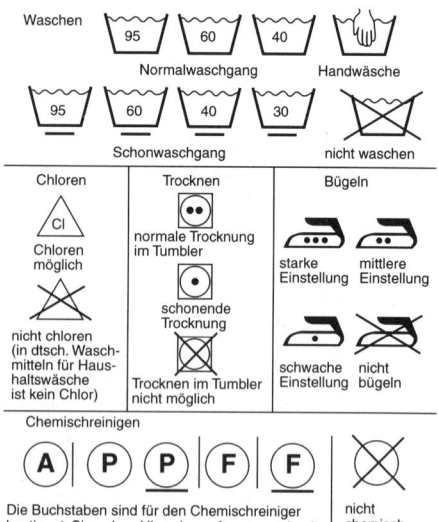

Abb.: Symbole für die Pflegebehandlung von Textilien.

Tab. 1: Strukturdaten der deutschen Textil-Ind. 1997 (*Lit.*[1]).

		± % gegen 1996
Anzahl der Betriebe	1295	−7,1
Anzahl der Beschäftigten	131 548	−5,4
Arbeitsstunden (Mio.)	143,8	−4
Produktion (1995 = 100)	92	+0,2
Umsatz (Mrd. DM)	31,7	+0,5
Exporte (Mrd. DM)	9,6	+8,4
Investitionen (Mrd. DM)	1,1	+2,0

Kohlenstoff-Fasern dienen zur Faserverstärkung von Kunststoffen. Weitere Einsatzgebiete für sog. Hochleistungsfasern sind die Herst. künstlicher Organe u. Knochenersatz, Luftfahrt, Boote, Umweltschutz, durchsichtige Dächer für Sporthallen u. a. mehr.

Geschichte: Die ältesten erhaltenen T. sind Leinengewebe aus dem ägypt. Fayum (ca. 4500 v. Chr.), in unseren Breiten sind es Reste von Wollkleidern aus jütländ. Mooren (11. bis 9. Jh. v. Chr.), u. in China war eine Seidenkultur bereits im 2. vorchristlichen Jahrtausend bekannt. Die Untersuchung (vgl. Kunstwerkprüfung), *Konservierung u. *Restaurierung altertümlicher T. erfordern natürlich bes. Umsicht. Mit dem Aufkommen eines organisierten Handwerks (Zünfte wie z. B. die Leineweberzunft), der Entstehung von Textilzentren (z. B. in Flandern od. Italien) u. eines blühenden Handels (man denke an den Tuchhandel der Medici, den Leinwandhandel der Fugger) entwickelte sich im Mittelalter ein T.-Gewerbe. Der entscheidende Umbruch erfolgte aber erst nach 1750 mit den großen Erfindungen der maschinellen Technik in Spinnerei u. Weberei. Dazu kam die Erschließung kolonialer Gebiete für die Schafzucht u. den Baumwollanbau. Wurde um 1800 der Faserbedarf in Europa u. Nordamerika zu 75% aus Wolle, zu 18% aus Leinen u. zu 4,5% aus Baumwolle (Nessel) gedeckt, so stieg im Laufe des 19. Jh. der Anteil der Baumwolle – sie war bereits vor der Zeitrechnung in Indien, Ägypten, Babylonien geschätzt – auf ca. 80% der Welt-Faserversorgung. Mit der Entdeckung der ersten künstlichen Fasern gegen Ende des 19. Jh. (s. Textilfasern) u. den großen Erfindungen auf dem *Synthesefaser-Gebiet (Nylon, Perlon, Trevira) wurde ein Grundstein für die heutige Bedeutung der *Chemiefaser gelegt. Die Anbauflächen für die Erzeugung von Naturfasern werden in Zukunft eher knapp werden, denn angesichts des bekannten Bevölkerungswachstums müssen agrar. Nutzflächen in erster Linie der Erzeugung von Nahrung dienen. Auch die Zahl der für die Wollerzeugung gezüchteten Schafe läßt sich lediglich in begrenztem Umfang vermehren. Der mit dem Bevölkerungszuwachs steigende Bedarf an Textilfasern wird daher den Anteil der Chemiefasern überproportional ansteigen lassen (s. Abb. bei Textilfasern). – $E = F = S$ textiles – I tessili

Lit.: [1] Melliand Textilber. **5**, 290 (1998).

allg.: ASTM Book of Standards, Vol. 07.01/02: Textiles, Philadelphia: ASTM (jährlich) ▪ Jerde, Encyclopedia of Textiles, New York: Facts on File 1992 ▪ Kirk-Othmer (4.) **23**, 882–951. – Organisationen u. Institute: Arbeitgeberkreis Gesamttextil im Gesamtverband der Textilindustrie in der BRD, 65760 Eschborn ▪ Bekleidungsphysiolog. Institut Hohenstein, 74357 Bönnigheim ▪ Deutscher Textilreinigungs-Verband (DTV), 53129 Bonn ▪ Deutsche Institute für Textil- u. Faserforschung Stuttgart, 73770 Denkendorf ▪ Deutsches Textilforschungszentrum Nord-West, 47798 Krefeld ▪ Textil- u. Bekleidungs-Berufsgenossenschaft, 86153 Augsburg ▪ Fédération Internationale Textile et Habillement (C. M. T.), Trierstraat 33, B-1040 Brüssel ▪ Gesamtverband der deutschen Textilveredlungsindustrie (TVI), 60596 Frankfurt ▪ Gesamtverband der Textilindustrie in der BRD (Gesamttextil), 65760 Eschborn ▪ Gewerkschaft Textil – Bekleidung, 40476 Düsseldorf ▪ Institut für Textil- u. Verfahrenstechnik, 73770 Denkendorf ▪ Öffentliche Prüfstelle u. Textilinstitut für die Vertragsforschung, 47798 Krefeld ▪ Verband der Textilhilfsmittel-, Lederhilfsmittel-, Gerbstoff- u. Waschrohstoffind. (TEGEWA), 60329 Frankfurt ▪ Verein der Textil-Chemiker u. Coloristen (VTCC), 60326 Frankfurt ▪ Verein Deutscher Färber; Vereinigung der Textilveredlungsfachleute (VDF), 60326 Frankfurt ▪ Verein Textildokumentation u. -Information (VTDI), 65760 Eschborn ▪ s. a. Chemiefasern.

Textilprüfung. Prüfung textiler Erzeugnisse (*Textilfasern, *Gewebe) auf chem., physikal., techn., physiolog. u. verwandte Qualitäten. Je nach den Anforderungen, die an gebrauchsfertige *Textilien gestellt werden, sind auch die Prüfkriterien unterschiedlich. So stehen etwa bei reiner Arbeitsbekleidung die Gesichtspunkte der Reiß- u. Scheuerfestigkeit eher im Vordergrund als bei Textilien, die mod. Erwartungen gerecht werden sollen, wo es also beispielsweise mehr auf Farbe, Glanz od. Griff der Ware ankommt. Die T. wird in Laboratorien der Textil-Ind. u. in speziellen Textilprüfanstalten (s. Textilien, Organisationen u. Institute) vorgenommen; sie umfaßt die Erkennung u. Beurteilung von Rohstoffen, die Kontrolle von Fabrikationsvorgängen u. die Prüfung der Fertigerzeugnisse. Die textile Ware wird mit Hilfe von Mikroskopie u. chem.-technolog. Untersuchungen beurteilt, wobei z. T. genormte Meth. angewandt werden [1]. Als Schnelltest für das Erkennen von Textilfasern können die folgenden Reaktionen dienen:

1. *Brandverhalten:* Wolle u. Casein-Fasern riechen nach brennendem Horn, Seide nach brennendem Eiweiß, Cellulose-Fasern nach verbranntem Papier, Polyamid- u. Polyester-Fasern schmelzen, bevor sie brennen, Fasern aus Polyacrylnitril hinterlassen harte, schwarze Kügelchen als Rückstand. Das Verf. ist bei Mischgewebe unzuverlässig, da z. B. ein Gewebe mit nur 5% Wolle noch nach Horn riecht u. in einem Wollgewebe mit 5% Cellulose-Fasern der Geruch von verbranntem Papier nicht mehr festzustellen ist.

2. *Trockene Destillation:* Erhitzt man die trockene Faser im Probierglas, so geben Wolle, Seide, Casein-Fasern, Polyamid-Fasern alkal. Dämpfe ab (Prüfung mit feuchtem Universalindikatorpapier), während Baumwolle, Bastfasern u. regenerierte Cellulose saure Dämpfe entwickeln. Bei Mischgeweben gibt es auch hier keine sicheren Ergebnisse.

3. *Löslichkeit:* Celluloseester-Fasern lösen sich in Aceton od. Chloroform, Polyamid-Fasern in konz. Ameisensäure, Polyamid 66 allein löst sich in heißer, Polyamid 6 allein in kalter 4,2 n Salzsäure, Fasern aus Polyacrylnitril lösen sich in kalter konz. Salpetersäure od. kochendem Dimethylformamid, Fasern aus Polyester in 1,2-Dichlorbenzol, Wolle in Kalilauge. Aufgrund der unterschiedlichen Löslichkeiten lassen sich auch Mischgewebe analysieren.

Für die Fasern charakterist. Eigenschaften, die sich zur Identifizierung eignen, sind desweiteren Dichte, Schmp., IR-Spektroskopie, Brechungsindex u. Doppelbrechung. Manche Faserarten lassen sich auch mit Hilfe von Farbstoffgemischen (sog. *Faserreagenzien) unterscheiden. Wolle läßt sich qual. mit der *Plumbat-Reaktion nachweisen. In sehr vielen Fällen wird das Mikroskop zur Fasererkennung benutzt.

Zur Beurteilung von textilen Flächengebilden werden im wesentlichen die folgenden Kriterien durch geeignete Meßmeth., die genormt sein können, ermittelt: Berstverhalten, Reiß-, Scheuer-, Biege- u. Schiebefestigkeit, Trocken- u. Naßknittererholung, Wash-and-Wear-Verhalten, Dimensionsstabilität, Wasseraufnahme- u. Wasserrückhaltevermögen, Hydrophobie- u. Oleophobieeffekt, Luftdurchlässigkeit, Festigkeitsverlust durch zurückgehaltenes Chlor (Chlor-Retention) u. *Textilhilfsmittel, die von der *Textilveredlung her im Gewebe verblieben sind, Kondensationsgrad des Gewebes nach einer Hochveredlung, Anschmutzverhalten u. Schmutzauswaschbarkeit, Widerstandsfähigkeit von Textilien gegen tier. Schädlinge u. Mikroorganismen, antibakterielle Wirksamkeit, Alterungsverhalten, Entflammungsverhalten, Widerstandsfähigkeit der Farbe von gefärbten od. bedruckten Textilwaren gegen Einwirkung von Licht, Wetter, Wasser, Schweiß, Waschverf. (Waschechtheit, Farbechtheit, Überfärbeechtheit, d. h. Beständigkeit gegen *Ausbluten, vgl. Farbstoffe, S. 1283), Verhalten gegenüber Lsm. (z. B. beim Chemisch-Reinigen) usw. Der T. kommt also nicht nur hinsichtlich der Ansprüche, die die Verbraucherschaft an gebrauchstüchtige Textilien stellt, eine bes. Bedeutung zu, sondern auch im Hinblick auf Hygiene, Arbeitsschutz u. Unfallverhütung. Zu den Aufgaben der T. in der Kriminalistik s. Lit.[2]. Die T. stellt sich somit als ein übergreifendes Arbeitsgebiet von *Textilchemie u. *makromolekularer Chemie, Textilphysik, Physiologie, Mikrobiologie u. a. Gebieten dar. – E textile testing – F essai des textiles – I prova dei tessili – S ensayo de textiles

Lit.: ¹Textilprüfung (DIN-Taschenbuch 16, 17, 124), Berlin: Beuth jährlich. ²Textilveredlung **26**, 2–9 (1991). *allg.:* ASTM Performance Standards for Textile Fabrics, Philadelphia: ASTM 1988 ▪ Encycl. Polym. Sci. Eng. **8**, 6–22 ▪ Kirk-Othmer (4.) **23**, 916–951 ▪ Ullmann (5.) **A 11**, 67–84.

Textilverbundstoffe. Sammelbez. für solche Erzeugnisse (*Textilien), die weder gewebt noch gestrickt od. gewirkt, sondern durch Verfestigung von Faservliesen entstanden sind. Zu den porösen T. gehören v. a. die *Vliesstoffe, aber auch *Filze, die Nadelfilz- u. Nadelflor-*Teppiche sowie kaschierte u. laminierte Textilien. – *E* spun bonded web, nonwoven textile fabrics – *F* textiles non-tissés – *I* compositi tessili – *S* tejidos no tejidos, telas no tejidas
Lit.: Encycl. Polym. Sci. Eng. **6**, 632–645; **10**, 204–253 ▪ Kirk-Othmer (4.) **6**, 595–605; **17**, 303–368 ▪ Ullmann (4.) **23**, 729–745; (5.) **A 10**, 562 f., 599 f.

Textilveredlung. Unter T., einem der Hauptgebiete der *Textilchemie, versteht man sämtliche textilen Arbeitsprozesse, die dazu dienen, *Textilien durch eine vorteilhafte Gestaltung ihrer äußeren Eigenschaften zu verschönern (z. B. durch Färben, Bleichen, Bedrucken, Mercerisieren usw.) sowie ihren Gebrauchswert zu steigern (z. B. durch Pflegeleicht-Ausrüstung, Knitterfestmachen, Krumpfechtausrüsten usw.). Die Anw. der zahlreichen Verf. der T. hängt von Zusammensetzung u. Form des textilen Rohstoffs u. seiner vorgesehenen Verw. ab. Die einzelnen Veredlungsarbeiten an Textilien werden in der *Flocke, d. h. im unversponnenen Zustand der Textilfaser, im *Garn u./od. an der Web-, Strick- u. Wirkware, also im Stück, vorgenommen. Die hierbei eingesetzten *Textilchemikalien*, bei denen es sich im allg. um anwendungsorientierte Stoffgemische handelt, bezeichnet man als *Textilhilfsmittel. Der Verbesserung der *Verarbeitbarkeit* der Flocken, Fasern (sowohl der Natur- als auch der Synthese- u. a. Chemiefasern), Faden u. Garne dienen die Spinn(bad)zusatzmittel, Mattierungsmittel, Faserschutz- u. -gleitmittel, *Antistatika, Carbonisierhilfsmittel, Schmälz- u. Schlichtemittel, *Spulöle, Garnbefeuchtungsmittel, *Mercerisier- u. Laugierhilfsmittel u. a.
Ein wichtiges Arbeitsgebiet der T. ist die Ausrüstung von Stückware (*Textilausrüstung*) mit Hilfe von *Appreturen, d. h. den eigentlichen Veredlungsmitteln. Veredlungsmaßnahmen wie z. B. das *Sengen*, das *Waschen* zur Entfernung von Präparations-, Schmälz- u. Schlichtemitteln (s. a. Beuchen u. Entschlichtung), das *Glätten* im Kalander werden bei allen Warenarten angewandt. Bei Cellulose-Waren zählt neben *Bleichen* u. *Mercerisation* v. a. die sog. *Hochveredlung* zu den wesentlichen T.-Maßnahmen. Unter dieser versteht man die Veredlung von Cellulose-Waren nach chem. Meth. (mit *Hochveredlungsmitteln); im Vordergrund steht die Verbesserung der Knittererholung (s. Knitterfest-Ausrüstung) u. Dimensionsstabilität (Krumpfechtheit, s. Krumpffrei-Ausrüstung) u. damit der Pflegeleicht-Eigenschaften (s. Pflegeleicht-Ausrüstung). Die Problematik der *Hochveredlung* – insbes. bei *Baumwolle – liegt darin, die mit einer Verbesserung der Pflegeleicht-Eigenschaften stets einhergehenden Festigkeitseinbußen in tragbaren Grenzen zu halten. Das gelingt z. B. durch Ausnutzung verfahrenstechn. Möglichkeiten od. durch die Beimischung von synthet. Fasern zur Baumwolle. Ein neuer Weg zur Erzielung einer hohen Knittererholung bei relativ geringen Festigkeitsverlusten kann mit der Hochveredlung von Baumwollgewebe aus flüssigem Ammoniak statt aus Wasser beschritten werden. Die wichtigsten Hochveredlungsverf. sind: Die *Trockenvernetzung* (hierher gehört z. B. das Permanent-Press-Verf.) bei weitgehend entquollenem (s. Quellung), d. h. trockenem Zustand der Cellulose-Fasern; die *Feuchtvernetzung* teilw. gequollener Fasern von bestimmter Restfeuchte; die *Naßvernetzung* von wassergequollenen Fasern. Gängige, z. T. durch Marken geschützte Bez. für hochveredelte, pflegeleicht ausgerüstete Cellulose-haltige Textilwaren u. Verf. sind z. B. Bügelfrei-Ausrüstung, *No Iron, *Rapid Iron, Everglaze, *Wash and Wear, Easy care, Drip-dry, Mini care, Cottonova, Super Cotton, Sanfor. Zur chem. Ausrüstung der *Wolle gehören v. a. die Behandlung mit *Filzfrei-Ausrüstungsmitteln* u. die *Permanentverformung* von Wollgewebe (Bügelfalten). Auf der Filztendenz der Wolle beruht der wichtige Prozeß des *Walkens* von Wolltuchen, eines Verf. zur Herst. von äußerst strapazierbaren, dichten, festen Geweben. Zur Krumpffrei-Ausrüstung von Wolle sind das IFP-, Bancora- u. ähnliche Verf. geeignet, bei denen die Schuppen der *Wolle (s. die Abb. dort) durch einen Polymerüberzug maskiert werden. Die Polyamid- od. Polyurethan-Filme bilden sich erst durch Polymerisation auf der Faser. In gewisser Weise als T.-Meth. kann man auch das *Carbonisieren ansehen, ein bes. Verf. zum Recycling von Wolle aus Reißwolle u. Mischgeweben mit Cellulose-Fasern. Bei der T. von *Seide spielen die Erschwerung (s. Beschwerung) mit Metallsalzen u. das Phosphatieren die größte Rolle. Wichtige Ausrüstungen bei textilen Flächengebilden aus *Synthesefasern sind u. a. das *Bleichen*, die Behandlung mit *opt. Aufhellern* u. das *Fixieren*; das früher Tempern genannte *Thermofixieren* führt durch Ausgleich der durch die Herst. herrührenden Spannungen innerhalb der Faser durch Hitzebehandlung u. rasches Abkühlen zur Dimensionsstabilität (s. a. Texturierung). Eine *weichmachende Ausrüstung* (mit *Griffvariatoren*) bringt einen weichen u. vollen Warengriff, die *Hydrophilausrüstung* eine Erhöhung des Wasseraufnahmevermögens, die *Soil-Release-Ausrüstung verbessert die Schmutzauswaschbarkeit, die *Antipilling-Ausrüstung verringert das sog. *Pillen der Gewebe, die *Antipicking-* u. *Antisnagging-Ausrüstungen* sollen die Herauslösung einzelner Fäden bzw. Garnschlaufen aus dem Geweberbund verhindern, die *Schiebefest-Ausrüstung* (s. Schiebefestmittel) wirkt gegen das Verschieben von Kett- u. Schußfäden, u. die permanente *antistatische Ausrüstung* wirkt der *elektrostatischen Aufladung der Fasern u. Gewebe entgegen. Wegen der im Vgl. mit Cellulose geringeren Anzahl u. Reaktionsfähigkeit der funktionellen Gruppen werden Chemikalien auf Synthesefasern häufig nur abgelagert, ohne eine chem. Bindung mit dem textilen Substrat einzugehen. Um hier permanente Effekte zu erzielen, müssen die Chemikalien in das Faserinnere diffundieren u. vom Substrat gelöst werden. Bei Fasermischungen sind die Veredlungsverf. so zu gestalten, daß die einzelnen Faserarten ihre optimalen Eigenschaften entfalten können.

Pauschal seien an weiteren, bei allen Faserarten anwendbaren Verf. der T. noch genannt: *Färben* (s. a. Textilfärbung), *Bedrucken* (s. Textildruck u. Reservierungsmittel), *Avivieren* (s. Avivage), *Metallisierung, Beflockung, Hydrophobierung, Oleophobierung, antimikrobielle* u. *fungizide Ausrüstung* (sog. *hygien.* Textilausrüstung, z. B. *Sanitized®-Verf.*, s. a. Mottenbekämpfung), *Flammfest-Ausrüstung* mit Hilfe von Flammschutzmitteln, *Beschichten* (Kaschieren) z. B. zur Herst. von Kunstleder u. wasserdichten Stoffen, Beschichten von Teppich-Auslegeware u. a. Textilverbundstoffen.

Geschichte: Schon vor unserer Zeitrechnung spielte das Veredeln von Textilien etwa in Form von Färben (z. B. mit *Purpur*) od. Glänzendmachen (z. B. durch Einweben von Goldfäden) eine große Rolle, doch kann man von T. im heutigen Sinne als einem Gebiet der Textilchemie erst seit dem Aufkommen der Chemiefasern, insbes. der Synthesefasern sprechen, u. seitdem man erkannt hat, daß sich wesentliche Fasereigenschaften unter Einwirkung von Textilhilfsmitteln in nahezu jedem gewünschten Sinne variieren lassen. – *E* textil finishing – *F* finissage textile – *I* raffinazione tessile, affinazione tessile – *S* acabado (ennoblecimiento) de textiles

Lit.: Encycl. Polym. Sci. Eng. **16**, 682–710 ▪ Kirk-Othmer (4.) **23**, 890–915 ▪ Peter u. Rouette, Grundlagen der Textilveredlung, Frankfurt: Dtsch. Fachverl. 1989 ▪ Rouette, Lexikon für Textilveredlung, Bd. 1–3, Dülmen: Laumann-Verl. 1995 ▪ Ullmann (4.) **23**, 1–102; (5.) **A 26**, 227–350 ▪ Winnacker-Küchler (4.) **7**, 142–144 ▪ Wissen kleidet: Textilveredlung u. was man darüber wissen sollte, Frankfurt: TVI 1991.

Textinit s. Macerale.

Textur (von latein.: textura = Gewebe, das Weben).
1. In der *Werkstoffkunde* versteht man unter T. im Gegensatz zur statist. Verteilung eine Richtungsorientierung von Krist. in einem metall. Werkstoff. T. entsteht entweder als Folge einer mechan. Einwirkung durch Ausrichten (Drehen) der Krist., z. B. beim Walzen von *Blechen* od. Ziehen von *Draht*, od. durch *Wärmebehandlung*, z. B. bei der Rekristallisation. Eine T. führt zur Entstehung eines anisotropen Verhaltens von richtungsabhängigen Eigenschaften (mechan., magnet. Eigenschaften u. a.), u. wird techn. gezielt eingesetzt. Andererseits kann das Vorliegen einer T. auch nachteilig sein, z. B. bei Verformungsprozessen.
2. In der *Textilchemie* bedeutet T. die richtungsgebundene Orientierung höherer Struktureinheiten von Makromol., wie sie sich bei *Textilfasern z. B. in Drehung, Wellung od. Kräuselung äußert. Die Entstehung derartiger T., die man bei Chemiefasern durch *Texturierung erreicht, verleiht den *Fasern, *Garnen u. *Geweben (*Textilien) erwünschte Eigenschaften wie Vol.-Zunahme, elast. Dehnung, erhöhte Feuchtigkeitsaufnahme, verbesserte Wärmeisolierung durch Lufteinschlüsse, flauschigen Griff etc.
3. In der *Petrographie* (Mineralogie) spricht man von T. bei der Betrachtung der räumlichen Anordnung von Mineralgemengteilen innerhalb eines Gesteins, z. B. bei dem Fließgefüge (Fluidal-T.) von *magmatischen Gesteinen.
4. Bei *Lebensmitteln* (*Nahrungsmitteln*) definiert man als T. diejenigen Eigenschaften, die auf den Gefügebau der Lebensmittel zurückgehen, durch Tast- u. Berührungssinne (vgl. Sinnesphysiologie) empfunden u. in mechan. od. rheolog. Fließeigenschaften ausgedrückt werden können. Die Messung dieser physikal. Eigenschaften, die z. B. beim Abbeißen u. Kauen von Brot u. a. Backwaren, Fleisch etc. empfunden werden, ist mit den Mitteln der *Rheologie möglich. Die ggf. mit Hilfe von *Zusatzstoffen beeinflußbare T. von Lebensmitteln ist von nahezu gleicher Bedeutung für deren Genußwert wie *Geruch u. *Geschmack – man spricht hier geradezu von „Psychorheologie". Aus diesem Grund bemüht man sich beispielsweise, den aus Sojabohnen u. a. pflanzlichen Eiweißquellen hergestellten Produkten eine fleischähnliche T. zu geben.
5. Im Möbelbau bezeichnet T. die Zeichnung (Maserung) von längsgeschnittenen Holz- u. Furnierflächen durch angeschnittene Jahrringe u. Markstrahlen. – *E = F* texture – *I* tessitura, tessuto – *S* textura, estructura

Lit. (zu *1.*): Gräfen (Hrsg.), Lexikon Werkstofftechnik, S. 101 ff., Düsseldorf: VDI-Verl. 1991 ▪ Stahl (Hrsg.), Werkstoffkunde, Bd. I, S. 278 ff., Bd. II, S. 504 ff., Berlin: Springer 1985. – (zu *2.*): s. Texturierung. – (zu *3.*): s. Mineralogie. – (zu *4.*): s. a. Ernährung, Lebensmittel u. Sensorik.

Textured vegetable proteins (TVP) s. Proteine, S. 3592.

Texturgarne s. Texturierung.

Texturierung. Bez. aus der *Textilchemie, unter der man die Erzeugung einer speziellen *Faser-*Textur durch maschinelle Behandlung von thermoplast. *Chemiefasern, insbes. *Synthesefasern in Form von *Filament-Garnen, versteht. T. nimmt man vor, um den Fasern bessere Haftung im Gespinstverband, erhöhte mechan. Beanspruchbarkeit, volleren Griff, d. h. größeres Vol. u. Bauschigkeit, sowie den daraus hergestellten *Textilien höhere Elastizität, Wärmeisolierungs- u. Feuchtigkeitsaufnahmevermögen zu verleihen. Die texturierten Garne (*Texturgarne*) dienen bes. zur Herst. elast. Bekleidungswaren, Trikoterzeugnisse für Unterwäsche u. Strümpfe etc., sowie von *Teppichen. Bei neueren Verf. werden *Verstrecken* der Garne u. die T. in einem Arbeitsprozeß durchgeführt (*Strecktexturierung*). Hauptsächlich werden Filamentgarne auf Polyamid- u. Polyester-Basis texturiert.

Bevorzugt wird heute das sog. *Falschdraht-Verfahren:* Der Faden wird im Durchlauf mit etwa 2000–3000 Drehungen/m versehen u. in diesem Zustand heiß fixiert. Nach dem Zurückdrehen bleibt in den einzelnen Filamenten die einfixierte Spiralstruktur erhalten. Permanent elast. Kräuselgarne (*Stretchgarne*) sind z. B. mit dem Helanca®-Verf. herstellbar. Bes. bei Teppichgarnen eingesetzt wird die *Stauchkräuselung,* bei der das Filamentgarn in einer beheizten Stauchkammer zickzackförmig zusammengepreßt u. in dieser Form therm. fixiert wird. Weitere Verf. des *Kräuselns* sind das *Kantenziehverf.* (Fäden werden über erhitzte Kanten gezogen u. unterliegen derart einer einseitigen Wärmeeinwirkung), die Stauchung durch Schlingenbildung beim seitlichen Anblasen mit warmer Luft od. Dampf (*Blasttexturierung* od. *Düsenblasverf.*, Taslan-Verf.) etc. Bei *Bikomponentenfasern entsteht die Kräuselung durch unterschiedliche Schrumpfcharakteristik der beiden Polymerkomponenten nach dem *Spinnen (*Spinntexturierung*). Von T. spricht man auch in nichttextilem Zusammenhang, wenn man Stoffen ein Gefüge od. eine Vorzugsrichtung aufzwingt; *Beisp.* s. bei Textur. – *E* texturing – *F* texturation – *I* testurizzazione – *S* texturación, texturizado

Lit.: Encycl. Polym. Sci. Eng. **6**, 825–827; **11**, 417–420 ■ Kirk-Othmer (4.) **10**, 676 f. ■ Ullmann (4.) **11**, 280–284, 310; (5.) **A 10**, 528–530, 543–550 ■ Winnacker-Küchler (4.) **6**, 662–667, 673 ■ s. a. Textilfasern u. Textilien.

TF. Abk. für *tissue factor.

TF 1 s. Myxomyceten-Farbstoffe.

TFA. Abk. für *Trifluoracetyl... (meist Tfa), *Trifluoressigsäure u. (Trifluoracetyl)aceton [1,1,1-Trifluor-2,4-pentandion; Abk. für den anion. Liganden (IUPAC-Regel I-10.4.5.7): (tfa)].

TFAA. Abk. für *Trifluoressigsäureanhydrid.

TFDD s. Dioxine (Aufnahme/Ausscheidung).

TFE. Abk. für *Tetrafluorethylen.

TFT-LCD-AM-Display s. LCD.

T_g (Tg) s. Glasübergangstemperatur.

TG. Abk. für *Thermogravimetrie.

T^3-Gesetz s. Wärme.

TGF. Abk. für *transformierende Wachstumsfaktoren.

TGL. Abk. für *Technische Normen, Gütevorschriften* u. *Lieferbedingungen*. Die TGL waren in der früheren DDR gültige Normen, die das „Amt für Standardisierung, Meßwesen u. Warenprüfung der DDR" möglichst im Einklang mit sowjet. Normen (GOST) herausgab. Heute gelten in der gesamten BRD die nat., europ. u. internat. Normen (s. Normung) nach *DIN, *CEN u. *ISO.

TGLVP. Abk. für *N*-[*N*-(*N*-Glycylglycyl)glycyl]-8-L-lysinvasopressin, s. Terlipressin.

TGS. Abk. für *Triglycin-Salze.

Th. Chem. Symbol für das Element *Thorium.

ThA, B, C,... s. Radioaktivität.

Thalamus s. Gehirn.

Thalasphere®. Sphären (0,2–800 μm) aus Rohstoffen marinen Ursprungs, in denen hydrophile od. hydrophobe Wirkstoffe verkapselt werden können. *B.:* Erbslöh.

Thalassämie (Mittelmeeranämie, griech.: thalassa = Meer u. aima = Blut). Im Mittelmeerraum u. in Vorderasien verbreitete autosomal-dominant erbliche Störung der *Hämoglobin-Synthese. Dabei wird entweder die β- (am häufigsten) od. die α-Kette des Globin-Anteils in ungenügender Menge produziert. Tritt die Anlage homozygot auf, ist eine schon im Kindesalter auftretende schwere *Anämie durch Zerfall der roten Blutkörperchen (Hämolyse) mit Milzvergrößerung u. Wachstumsverzögerung die Folge (*Thalassaemia major*), die oft früh zum Tode führt. Bei Heterozygotie nimmt die Krankheit einen leichteren Verlauf mit leichter Hämolyse (*T. minor*). Die Behandlung, die meist nur bei der Major-Form nötig ist, besteht aus Bluttransfusionen sowie *Deferoxamin, um der transfusionsbedingten Eisen-Überladung der Organe entgegenzuwirken. – *E* thalassemia – *F* thalassémie – *I* talassemia – *S* talasemia

Lit.: Begemann u. Rastetter, Klinische Hämatologie, Stuttgart: Thieme 1992.

Thales von Milet s. chemische Elemente.

Thalidomid (Rp).

Internat. Freiname für (±)-*N*-(2,6-Dioxo-3-piperidyl)phthalimid, $C_{13}H_{10}N_2O_4$, M_R 258,23. Farblose Nadeln, Schmp. 269–271 °C, wenig lösl. in Wasser, Alkoholen, Aceton, gut lösl. in Dioxan. Das 1954 synthetisierte T. war in der BRD in mehr als 20 Präp. (bekanntestes Präp. war *Contergan®) als wirksames *Schlafmittel u. *Sedativum sehr beliebt, bis bekannt wurde, daß es nach Einnahme von T. während der Schwangerschaft zu Mißbildungen an Gliedmaßen u. Wirbelsäure der Embryos gekommen war. Allerdings hatten Tierversuche keine Hinweise auf schädliche Nebenwirkungen gegeben – heute weiß man, daß Nagetiere, bes. Ratten, wenig od. nicht auf die *Teratogen-Eigenschaft des T. ansprechen. Nachdem sich 1961 herausgestellt hatte, daß T. für die Kindesmißbildung verantwortlich war, wurde der Vertrieb dieser Präp. 1962 eingestellt. Bei Untersuchungen zur Wirkungsweise von T. fand man nach *Racemattrennung, daß die beiden Enantiomeren zwar gleiche sedative Wirkung aufwiesen, daß aber nur das (S)-(–)-Isomere bei Mäusen teratogen wirkte[1]. Die Gabe von den (R)-Isomeren würde aber nichts nützen, da T. im Körper innerhalb von etwa 8 h racemisiert[2]. Zum mol. Mechanismus der Teratogenwirkung wurden verschiedene Theorien entwickelt; nach *Lit.*[3] soll *Arenoxid-Bildung die Ursache sein. Als Arzneimittel hat sich T. als recht janusköpfig erwiesen, denn nicht nur bei der Behandlung von Leprareaktionen (nicht der *Lepra selbst) ist es sehr nützlich, sondern aufgrund seiner antiphlogist. Wirkung auch gegen chron. Entzündungen der Haut u. der Schleimhäute, wenn andere Mittel (z. B. Corticosteroide) versagen[4]. T. ist zur Behandlung entzündlicher Prozesse bei Lepra in Gebrauch – wenn auch nicht in Europa; außerdem ist bei dieser Erkrankung Kontrazeption ohnehin angezeigt. – *E = F* thalidomide – *I* talidomide – *S* talidomida

Lit.: [1] Arzneim. Forsch. **29**, 1640 (1979). [2] Nature (London) **385**, 303 (1997). [3] Proc. Natl. Acad. Sci. USA **78**, 2545 (1981). [4] Prog. Med. Chem. **22**, 165–242 (1985).
allg.: Beilstein E V **22/13**, 224 ■ Ehrhart-Ruschig, S. 290 f. ■ Martindale, S. 1621 f. ■ Naturwissenschaften **69**, 191 f. (1982) ■ s. a. Teratogene. – [HS 2925 19; CAS 50-35-1]

Thalleiochin-Reaktion. Eine Nachw.-Reaktion für *Chinin, dessen Salzlsg. nach Zusatz von Brom- od. Chlorwasser u. einigen Tropfen Ammoniakwasser eine grüne Färbung annehmen (griech.: tháll(e)in-grünen). Als T.-R. bezeichnet man auch ganz allg. das Auftreten charakterist. Färbungen von *Alkaloiden nach Zugabe von Chloroform, Bromwasser u. Natriumhydroxid. – *E* thalleioquine reaction – *F* réaction de la thalléioquine – *I* reazione della talleiochina – *S* reacción de la taleioquina

Thalliierung s. Thallium-organische Verbindungen u. Thallium(III)-trifluoracetat.

Thallium (chem. Symbol Tl). Metall. Element, Ordnungszahl 81, Atomgew. 204,3833. Natürliche Isotope (Häufigkeit in Klammern): 203 (29,524%), 205 (70,476%); daneben sind noch zahlreiche künstliche Isotope u. Isomere (^{179}Tl – ^{210}Tl) mit HWZ zwischen 0,06 s (^{183m}Tl) u. 3,78 a (^{204}Tl) bekannt, von denen ^{201}Tl (HWZ 3,038 d) medizin. Verw. findet. In Übereinstimmung mit seiner Stellung im Periodensyst. (13. Gruppe unter *Gallium u. *Indium) tritt Tl in seinen Verb. in den Oxid.-Stufen +3 u. +1 auf, wobei die Tl(I)-Verb. wesentlich stabiler als die des dreiwertigen Tl sind. Tl hat große Ähnlichkeit mit Blei; es ist ein an frischen Schnittflächen weißglänzendes, an der Luft sofort grau anlaufendes Metall, D. 11,85, Schmp. 303,5 °C, Sdp. 1457±10 °C, H. 1,3. Tl existiert in zwei Modif.: α-Tl krist. hexagonal u. geht oberhalb 232,2 °C in β-Tl mit kub. Struktur über.

Tl wird von luftfreiem Wasser kaum angegriffen, oxidiert aber schnell an feuchter Luft, verbrennt bei höheren Temp. mit grüner Flamme zu Tl_2O u. löst sich in Alkohol unter Bildung eines schweren, gelblichen Öls (Thalliumalkoholat). In verd. Salpetersäure löst sich Tl leicht auf, dagegen wird Tl von Schwefelsäure u. Salzsäure wegen der Schwerlöslichkeit von Thallium(I)-sulfat bzw. -chlorid nur langsam angegriffen. Mit Halogenen verbindet sich Tl schon bei Zimmertemp., mit Schwefel, Selen u. Tellur reagiert es erst beim Erwärmen.

Nachw.: Tl erkennt man spektralanalyt. leicht am Auftreten einer intensiv grünen Linie; da Tl die nichtleuchtende Gasflamme grün färbt, wurde es 1861 von seinem Entdecker Crookes nach griech.: thallein = grünen benannt. Charakterist. ist auch das gelbe, in Wasser, Säuren, Ammoniak u. Kaliumcyanid unlösl., in Natriumthiosulfat dagegen lösl. Thallium(I)-iodid. Spurenanalyt. läßt sich Tl mit Brillantgrün, Rhodamin B, Dithizon, Oxin, Thionalid, Sulfosalicylsäure u. a. Reagenzien bestimmen[1]. Geeignete Meth. der instrumentellen Analyse für die Bestimmung von Tl in der Umwelt beschreibt *Lit.*[2].

Physiologie: Tl u. Tl-Verb. wirken stark tox., MAK-Wert (berechnet auf Tl): 0,1 mg/m^3. Wegen der Toxizität von Tl-Verb. müssen diese bei techn. Verw., z.B. als Rodentizide, blau gefärbt werden. Die LD von Tl-Verb. beträgt ca. 1 g, wobei bereits wenige mg schwere, schleichende Vergiftungen hervorrufen, die zu Haarausfall, Grauem Star, Nervenschwund, Sehstörungen, Wachstumshemmungen, Neuralgien u. Psychosen führen können; daher ist die frühere Verw. von Tl-Verb. in *Depilatorien aufgegeben worden. Im Organismus benutzt das Tl$^+$-Ion K$^+$-Transportkanäle (Ionenradien: Tl$^+$ 150 pm, K$^+$ 151 pm). Möglicherweise bilden sich im Körper langsam Tl^{3+}-Ionen u. zerstören die Mitochondrien. Die Oxid. von Tl$^+$ zu Tl^{3+} wurde in den Cristae der Mitochondrien von Hefezellen nachgewiesen. Die Giftwirkung von Tl$^+$ ist dennoch bis heute nicht vollständig gesichert. Tl$^+$ kann sogar in bestimmten Konz.-Bereichen als Ersatz für K$^+$ fungieren u. bestimmte Zellfunktionen aufrechterhal-

ten[3]. Die rasch resorbierten Tl-Verb. reichern sich bes. in Haut u. Haaren an, sie werden nur sehr langsam – die HWZ im Organismus beträgt 14 d – über die Nieren u. den Darm ausgeschieden u. wirken als Epithel- u. Nervengift, wobei sie degenerative Veränderungen der Haut, Schleimhäute u. peripheren Nervenbahnen hervorrufen. Außerdem kann Tl die Placenta passieren u. so als *Teratogen wirken. Einige Enzyme zeigen eine höhere Affinität zu Tl als zu Kalium. Auch eine Blockade der Thiol-Gruppen von Zellenzymen läßt sich nachweisen; die Behandlung mit Chelat-Bildnern ist wegen der 1-Wertigkeit von Tl wirkungslos; Näheres über Wirkungsmechanismus, Früh- u. Spätsymptome u. Therapie von Tl-Vergiftungen findet man in *Lit.*[4]. Beim Einsatz von *Berliner Blau gegen Tl-Vergiftungen wird eine Bindung von Tl$^+$-Ionen offenbar dadurch erreicht, daß der nicht resorbierbare, kolloidale Komplex an der Oberfläche Kalium-Ionen gegen Tl$^+$-Ionen austauscht[5]. Tl ist auch für viele Tiere, Pflanzen u. Mikroorganismen giftig; auf dem Wege über die *Nahrungskette kann es zur Vergiftung vieler Menschen beitragen, wie dies in Guayana geschah[6]. Manche Pflanzen, z. B. Grünkohl (nicht aber andere *Kohl-Sorten), reichern Tl aus dem Boden stark an. Bei Laubbäumen kann Tl Chlorophyll zerstören (vorzeitiger Laubfall).

Vork.: Tl gehört zu den seltenen Elementen mit einer mit Quecksilber u. Iod vergleichbaren Häufigkeit. Man schätzt seinen Anteil an der obersten, 16 km dicken Erdkruste auf nur 0,1 ppm. Es findet sich an vielen Punkten der Erde in sehr kleinen Konz., u. zwar tritt es meist als Begleiter von z. B. Zink, Kupfer, Eisen u. Blei auf. Tl-Minerale sind der seltene Crookesit u. der *Lorandit. In Tieren u. Pflanzen ist Tl ein regelmäßig vorkommendes *Spurenelement. Größere Tl-Mengen findet man im Flugstaub, der beim Rösten Tl-haltiger Kiese od. Blenden entsteht. Anfang der 90er Jahre schätzte man außerdem, daß die Rauchgase der Braunkohlekraftwerke der BRD jährlich ca. 1,7 t Tl enthalten, wovon ca. 95% zurückgehalten werden. Bes. gut untersucht worden ist der Tl-Ausstoß von Zementwerken, da seit 1979 bei Lengerich (Nordrhein-Westfalen) Tl-Vergiftungen an Pflanzen. Tieren beobachtet worden waren[7].

Herst.: Ausgangsmaterialien für die Tl-Gewinnung stellen die Flugstäube bzw. Zementationsrückstände der Blei- u. Zink-Gewinnung dar, aus deren wäss. Lsg. Tl angereichert wird, indem man es in Form von schwerlösl. Verb. wie z.B. Tl_2S, TlCl u. $Tl_2Cr_2O_7$ fällt. Nach Reinigung dieser Verb. durch Umfällen aus Schwefelsäure erhält man durch Red. mit Zink od. auf elektrolyt. Wege Tl-Metall; zur präparativen Herst. von Tl u. Tl-Verbindungen[8].

Verw.: Tl besitzt nur begrenzte techn. Bedeutung. Es dient zur Herst. IR-durchlässiger opt. Gläser u. zur Gewinnung von monochromat. grünem Licht. Tl-Amalgam eignet sich als Füllung von Kältethermometern u. als Schalter u. Verschlüsse bei arkt. Temp., denn eine Hg/Tl-Leg. (Eutektikum mit 8,7 Gew.-% Tl) gefriert erst bei –60 °C, reines Hg dagegen schon bei –38,87 °C. In Lagermetallen auf Pb-, Ag- u. Au-Basis erhöhen Tl-Zusätze die Deformations- u. Korrosionsbeständigkeit. Eine Leg. aus Pb, Sn u. Tl dient zur Herst. von Anoden für die Kupferelektrolyse, eine Leg. aus Ag u. Tl zur Herst. von elektr. Kontakten u. Tl-Amalgam mit 40% Tl zur Herst. von Thalamid-Elektroden. Teiloxidiertes Tl$_2$S (*Thallofid*) kann statt Selen in Photozellen eingesetzt werden. Mit Tl aktivierte Alkaliiodid-Einkristalle sind *Szintillatoren. ^{201}Tl-Diphosphat od. ^{201}Tl-Chlorid wird zur *Szintigraphie des Herzens verwendet[9]. Tl-Verb. (z. B. Tl$_2$SO$_4$) haben v. a. als Schädlingsbekämpfungsmittel (*Rodentizide) u. in Leuchtfarben Anw. gefunden. Tl ist auch Bestandteil von *Hochtemperatur-Supraleitern, z. B. des Syst. Tl-Ca/Ba-Cu-O mit Sprungtemp. bei 120 K (*Lit.*[10]). Über die Bedeutung von Tl-Verb. in der organ. Synth. s. *Lit.*[11] u. Thallium-organische Verbindungen.

Geschichte: Tl wurde nahezu gleichzeitig, jedoch unabhängig voneinander, 1861 von dem Engländer *Crookes u. 1862 von dem Franzosen Lamy spektralanalyt. im Bleikammerschlamm nachgewiesen. Heute wird Crookes die Entdeckung, Lamy dagegen die Erstisolierung des Elementes zugeschrieben. – *E = F* thallium – *I* tallio – *S* talio

Lit.: [1] Fries-Getrost, S. 343–349. [2] Analyt.-Taschenb. **4**, 443–446; Sager, Spurenanalytik des Thalliums, Stuttgart: Thieme 1986. [3] Marquardt u. Schäfer, Lehrbuch der Toxikologie, Mannheim: BI Wissenschaftsverlag 1994. [4] Braun-Dönhardt, S. 370f.; Sci. Total Environ. **71**, 411–418 (1988); Toxicol. Environ. Chem. **11**, 93–116 (1986). [5] Int. J. Biochem. **22**, 429–438 (1990). [6] Chem. Labor Betr. **39**, 79 (1988). [7] Hutzinger **3C**, 143–214; Winkler, Thalliumemissionen bei der Zementherstellung, Ursachen u. Minderungsmaßnahmen (LIS-Ber. 64), Essen: LIS 1986. [8] Brauer (3.) **2**, 873–889. [9] Goldschmid, Diagnostische Wertigkeit von Elektrokardiographie, Echokardiographie, Thallium-Szintigraphie (ECT) u. Angiographie bei coronarer Herzerkrankung, Herzinfarkt u. Herzwandaneurysma, Univ. Tübingen, Diss. 1993. [10] Nature (London) **332**, 138f. (1988); Stud. High Temp. Supercond. **3**, 369–380 (1989). [11] Pizey, Synthetic Reagents, Vol. 5, Ammonia, Iodinemonochloride, Thallium(III)acetate and Trifluoroacetate, Chichester: Horwood 1983; Synthetica **2**, 407–422.

allg.: Friberg et al. (Hrsg.), Handbook on the Toxicology of Metals (2.), Vol. II, S. 549–567, Amsterdam: Elsevier 1986 ▪ Gmelin, Syst.-Nr. 38, Tl, 1939, 1940 ▪ Houben-Weyl **4/1b**, 113–148 ▪ Kirk-Othmer (4.) **23**, 952–960 ▪ Merian (Hrsg.), Metals and Their Compounds in the Environment, Weinheim: VCH Verlagsges. 1990 ▪ Snell-Ettre **18**, 519–536 ▪ Thallium/International Programme on Chemical Safety, Genf: WHO 1996 ▪ Ullmann (5.) **A 26**, 607–619 ▪ Winnacker-Küchler (4.) **4**, 4, 484ff. ▪ Wystrcil et al., Zur Ökotoxikologie des Thalliums, Stuttgart: Ulmer 1987. – *[HS 8112 99; CAS 7440-28-0; G 6.1]*

Thalliumacetate. (a) *Thallium(I)-acetat*, H$_3$C–COOTl, C$_2$H$_3$O$_2$Tl, M$_R$ 263,43. Seidenglänzende, zerfließende, giftige Krist., D. 3,76, Schmp. 131 °C, lösl. in Wasser u. Alkohol. – (b) *Thallium(III)-acetat*, (H$_3$C–COO)$_3$Tl, C$_6$H$_9$O$_6$Tl, M$_R$ 381,52. Farblose, giftige Krist., die von Wasser sofort zersetzt werden, lösl. in Methanol, Benzol u. Schwefelkohlenstoff. Tl(III)-acetat findet in der organ. Synth. Verw. zur Einführung der Acetoxy-Gruppe, bei der Addition von aromat. Aminen an Alkene u. zur Oxid. von ungesätt. Verb. zu Aldehyden od. Ketonen, wobei *Thalliumorganische Verbindungen als Zwischenstufen auftreten (sog. *Oxythalliierung*). Zur Toxikologie u. MAK der T. s. Thallium. – *E* thallium acetates – *F* acétates de thallium – *I* acetati di tallio – *S* acetatos de talio

Lit.: Beilstein E IV **2**, 117 ▪ Chem. Rev. **84**, 249–276 (1984) ▪ Gmelin, Syst.-Nr. 38, Tl, 1940, S. 399–402 ▪ Kirk-Othmer (4.) **23**, 956 ▪ Pizey, Synthetic Reagents, Bd. 5: Ammonia, Iodinemonochloride, Thallium(III)acetate and Trifluoroacetate, Chichester: Horwood 1983. – *[CAS 563-68-8 (a); 2570-63-0 (b); G 6.1]*

Thallium(I)-bromid. TlBr, M$_R$ 284,29. Blaßgelbes, giftiges Kristallpulver, D. 7,5, Schmp. 460 °C, Sdp. 815 °C, wenig lösl. in Wasser; zur MAK s. Thallium. TlBr findet Verw. in der organ. Synth. zur Dehalogenierung u. zur Herst. *Thallium-organischer Verbindungen. TlBr wird – ggf. in Mischkrist. mit TlI od. TlCl – zur Herst. von opt. Fenstern, Prismen u. Linsen für die IR-Spektroskopie eingesetzt (s. KRS-5). – *E* thallium(I) bromide – *F* bromure de thallium(I) – *I* bromuro di tallio(I) – *S* bromuro de talio(I)

Lit.: Gmelin, Syst.-Nr. 38, Tl, 1940, S. 296–309 ▪ Spectrochim. Acta **19**, 285–291 (1963) ▪ s. a. Thallium. – *[HS 2827 59; CAS 7789-40-4; G 6.1]*

Thallium(I)-carbonat. Tl$_2$CO$_3$, M$_R$ 468,76. Glänzende, farblose Krist., D. 7,11, Schmp. 272 °C, wasserlösl., giftig (zur MAK s. Thallium), schmilzt zu dunkelgrauer Masse. T. dient zur Herst. künstlicher Edelsteine u. als Reagenz auf CS$_2$. – *E* thallium(I) carbonate – *F* carbonate de thallium(I) – *I* carbonato di tallio(I) – *S* carbonato de talio(I)

Lit.: Gmelin, Syst.-Nr. 38, Tl, 1940, S. 380–390 ▪ Kirk-Othmer (4.) **23**, 954 ▪ Ullmann (5.) **A 26**, 614 ▪ s. a. Thallium. – *[HS 2836 99; CAS 6533-73-9; G 6.1]*

Thalliumchloride. (a) *Thallium(I)-chlorid*, TlCl, M$_R$ 239,84. Weiße, in Wasser schwerlösl. Kristallwürfelchen, D. 7,0, Schmp. 427 °C, Sdp. 806 °C, die entstehen, wenn man zu einer Tl(I)-Salzlsg. verd. Salzsäure gibt. TlCl findet Verw. als Katalysator bei Chlorierungen u. in der *IR-Spektroskopie, vgl. Thalliumbromid. – (b) *Thallium(III)-chlorid*, TlCl$_3$, M$_R$ 310,74. Das Tetrahydrat bildet farblose, an feuchter Luft zerfließende Krist., die schon bei 37 °C schmelzen; die Lsg. reagiert wegen Hydrolyse stark sauer. TlCl$_3$, Schmp. 25 °C, entsteht aus TlCl u. Chlorwasser u. bildet viele Doppelsalze. Die T. sind sehr giftig; zur MAK s. Thallium. – *E* thallium chlorides – *F* chlorures de thallium – *I* cloruri di tallio – *S* cloruros de talio

Lit.: Gmelin, Syst.-Nr. 38, Tl, 1940, S. 254–290 ▪ s. a. Thallium. – *[HS 2827 39; CAS 7791-12-0 (a); 13453-32-2 (b); G 6.1]*

Thallium(I)-ethanoat s. Thallium-organische Verbindungen.

Thallium(I)-formiat. HCOOTl, CHO$_2$Tl, M$_R$ 249,39. Farblose, giftige Krist., D. 4,96, Schmp. 101 °C; zur MAK s. Thallium. T. bildet mit *Thalliummalonat* [CH$_2$(COOTl)$_2$] ein Doppelsalz, das selbst in hohen Konz. in Wasser lösl. ist. Mit diesem kann man Lsg. in beliebigen D. zwischen 1,0 u. 4,324 herstellen, die in der Mineralogie als *Schwerflüssigkeit – z. B. unter dem Namen *Clericis Lösung – zur Bestimmung der D. von Mineralien u. zur Trennung von Mineral-Gemischen verwendet werden können; *giftig!* – *E* thallium(I) formiate – *F* formiate de thallium(I) – *I* formiato di tallio(I) – *S* formiato de talio(I)

Lit.: Beilstein E III **2**, 26 ▪ Brauer (3.) **2**, 887 ff. – *[HS 2915 12; G 6.1]*

Thalliumiodide. (a) *Thalliummonoiodid*, TlI, T+ ☠
M_R 331,29. Die bei gewöhnlicher Temp. stabile, gelbe Modif. bildet ein rhomb. Schichtengitter, D. 7,29; die rote, kub. Modif. ist oberhalb 168 °C stabil, D. 7,0, Schmp. 442 °C, Sdp. 824 °C. TlI findet Verw. als aktivierender Zusatz zu NaI in Szintillationskrist. u. zur Herst. opt. Fenster in der *IR-Spektroskopie (vgl. Thalliumbromid). Gelbes TlI dient auch als Zusatz zu Hochleistungs-Quecksilber-Dampflampen. – (b) *Thalliumtriiodid*, TlI$_3$, M_R 585,10. Wegen der oxidierenden Wirkung des Tl^{3+}-Ions handelt es sich dabei nicht um ein Tl(III)-, sondern um ein Tl(I)-iodid, das ein I$_3^-$-Anion enthält. Schwarze Rhomben aus Tl$^+$I$_3^-$, spaltet leicht I$_2$ ab. Die T. sind sehr giftig; zur MAK s. Thallium. – *E* thallium iodides – *F* iodures de thallium – *I* ioduri di tallio – *S* yoduros de talio

Lit.: Gmelin, Syst.-Nr. 38, Tl, 1940, S. 315–330 ■ s. a. Thallium. – [HS 282760; CAS 7790-30-9 (a); 13453-37-7 (b); G 6.1]

Thalliumnitrate. (a) *Thallium(I)-nitrat*, T+ ☠
TlNO$_3$, M_R 266,39. Die drei Modif. sind wie alle wasserlösl. Tl-Salze stark giftig; zur MAK s. Thallium. Die α-*Form* bildet kub. Krist., Schmp. 206 °C, Sdp. 430 °C, die β-*Form* trigonale Krist., die bei 145 °C in die α-Form übergehen, u. die γ-*Form* rhomb. Krist., D. 5,55, die bei 75 °C in die β-Modif. übergehen. TlNO$_3$ ist leicht lösl. in Wasser; es entsteht bei der Auflösung von Tl, Thalliumoxid od. Thalliumcarbonat in Salpetersäure u. bildet viele Doppelsalze. Thallium(I)-nitrat wird zu Grünfeuern für Schiffsignale (in Mischung mit Kaliumchlorat u. Harz), zur Herst. von Thallium-Papier (Indikator bei der Zink-Titration), als Kontrastmittel in der Elektronenmikroskopie u. zur quant. Iod-Bestimmung verwendet.
(b) *Thallium(III)-nitrat*, Tl(NO$_3$)$_3$, M_R 390,40. T+ ☠
Das sehr giftige Tl-Trinitrat (TTN) bildet farblose, leicht lösl. (Lsg. reagiert sauer), zerfließende, glänzende Krist., Schmp. 102–105 °C, die beim Eindampfen einer Lsg. von Thallium(III)-oxid u. Salpetersäure zurückbleiben. Tl(NO$_3$)$_3$ spielt als Cyclisierungs- u. Oxythalliierungsmittel (s. Thalliumacetat u. *Lit.*[1]) in der organ. Synth. eine Rolle. – *E* thallium nitrates – *F* nitrates de thallium – *I* nitrati di tallio – *S* nitratos de talio

Lit.: [1] Endeavour **35**, 88–93 (1976).
allg.: Gmelin, Syst.-Nr. 38, Tl, 1940, S. 236–247 ■ Kirk-Othmer (4.) **23**, 957 ■ Synthetica **2**, 416 ff. ■ Ullmann (5.) **A 26**, 614 ■ s. a. Thallium. – [HS 283429; CAS 10102-45-1 (a); 13746-98-0 (b); G 6.1]

Thallium-organische Verbindungen. Von T ☠
den organ. Derivaten des Tl(I) ist nur das
Thallium(I)-ethanolat, Tl–OC$_2$H$_5$, C$_2$H$_5$OTl, M_R 249,43, von Bedeutung. Farblose, viskose, sehr giftige Flüssigkeit, D. 3,522, Schmp. –3 °C, Sdp. 130 °C (Zers.), in den meisten organ. Lsm. löslich. Es läßt sich bei Alkylierungen, Acylierungen, Veresterungen etc. mit Gewinn einsetzen. Wichtiger sind die sich von Tl(III) ableitenden Verb., z. B. vom Typ R$_2$Tl–X, wobei X ein anorgan. od. organ. Säurerest ist. Derartige Verb. entstehen z. B. bei der *Thalliierung* von Grignard-Reagenzien mit Thallium(I)-Salzen. Weitere wertvolle T.-o. V. sind Thallium(III)-acetat (s. Thalliumacetate) u. *Thallium(III)-trifluoracetat, mit dem Verb. vom Typ R–Tl(O–CO–CF$_3$)$_2$ entstehen. Es sind auch Alkylthallium-Verb. u. Cyclopentadienylthallium bekannt. T.-o. V. haben eine gewisse Bedeutung in der organ. Synthese. Bei der *Oxythalliierung* (s. Abb. 1; vgl. Oxymetallierung) addiert sich Thallium(III)-acetat an Alkene, wobei die dabei gebildete T.-o. V. rasch unter Red. von Tl(III) zu Tl(I) zerfällt u. 1,2-*Diole bzw. Aldehyde erhalten werden.

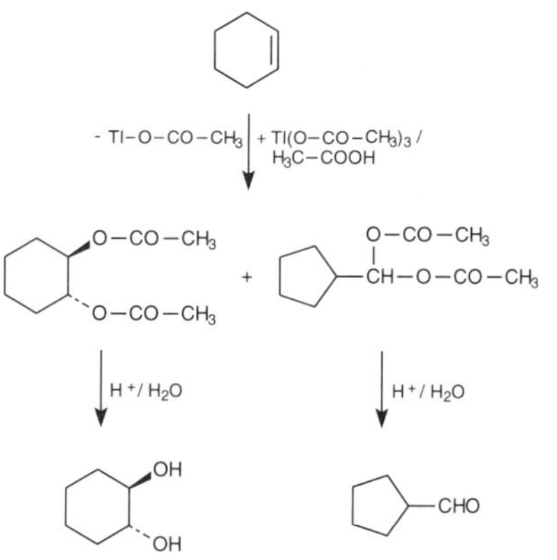

Abb. 1: Oxythalliierung von Alkenen.

Auch eine schonende Iodierung des aromat. Ringes unter den Bedingungen der elektrophilen Aromaten-Substitution läßt sich mit Tl(III)-acetat erreichen. Wird die aromat. Tl-Verb. bestrahlt, so können Biaryle (vgl. Ullmann-Reaktion) gebildet werden (s. Abb. 2).

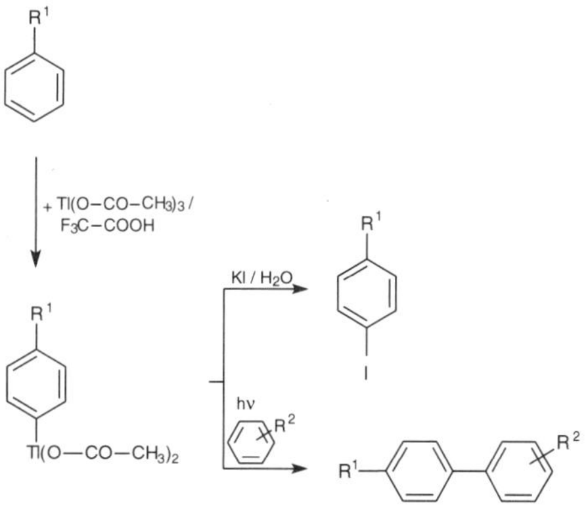

Abb. 2: Bildung von Iodaromaten u. Biarylen mit Thallium-organischen Verbindungen.

Selbstverständlich sind T.-o. V. giftig; zur MAK s. Thallium. – *E* organothallium compounds – *F* composés d'organothallium – *I* composti organici di tallio – *S* compuestos de organotalio

Lit.: Angew. Chem. **97**, 893–904 (1985) ■ Beilstein E IV **4**, 4409 ff. ■ Brauer (3.) **2**, 874 f. ■ Herrmann-Brauer **2**, 127 ■ Houben-Weyl **13/4**, 363–390 ■ Kirk-Othmer (3.) **22**, 840–843; (4.) **23**, 957 ■ Kontakte (Merck) **1982**, Nr. 3, 20–24 ■ McKillop et al., Oragnometallic Compounds of Aluminium, Gallium, Indium and Thallium, London: Chapman & Hall 1985 ■ Wilkinson-Stone-Abel **7**, 465 f.; II **1**, 503 ■ s. a. Thallium. – [HS 290519; CAS 20398-06-5 (Tl-OC$_2$H$_5$)]

Thalliumoxide. (a) *Thallium(I)-oxid*, Tl$_2$O, T+ ☠
M_R 424,77. Schwarzes, hygroskop. Pulver, D. 9,52, sublimiert >300 °C, wird gelegentlich zur

Herst. von Spezialgläsern verwendet. Ein mit T.-Hydrat imprägniertes Papier ist zum Ozon-Nachw. geeignet (*Ozon-Papier*, Braunfärbung). – (b) *Thallium(III)-oxid*, Tl_2O_3, M_R 456,77. Dunkelbraunes bis schwarzes Pulver (kub. Krist.), D. 10,19, Schmp. 717 °C, wasserunlösl., entsteht beim Erhitzen von Thallium(III)-nitrat u. wird gelegentlich in der Zündholzfabrikation u. zur Herst. von künstlichen Edelsteinen u. opt. Gläsern benutzt u. dient als Katalysator bei der Dimerisierung von Propen. Die T. sind sehr giftig; zur MAK s. Thallium. – *E* thallium oxides – *F* oxydes de thallium – *I* ossidi di tallio – *S* óxido de talio
Lit.: Gmelin, Syst.-Nr. 38, Tl, 1940, S. 219–229 ▪ Kirk-Othmer (4.) **23**, 956 ▪ Naturwissenschaften **64**, 270 f. (1977) ▪ Ullmann (5.) **A 26**, 612 ▪ Winnacker-Küchler (3.) **6**, 364 ▪ s. a. Thallium. – [HS 2825 90; CAS 1314-12-1 (a); 1314-32-5 (b); G 6.1]

Thalliumsulfate. (a) *Thallium(I)-sulfat*, Tl_2SO_4, M_R 504,83. Große, farblose, rhomb. Prismen, D. 6,77, Schmp. 632 °C, in Wasser wenig lösl.; bildet Alaune u. a. Doppelsalze u. findet Verw. in Form von Einkrist. in der Röntgen-Spektroskopie. Tl_2SO_4 wird in der Ozonometrie u. zum Nachw. von Iod in Ggw. von Chlor verwendet; es dient auch als Hemmstoff in der Bakteriologie. Tl_2SO_4 hat als *Rodentizid zur Vertilgung von Ratten, Mäusen usw. erhebliche Bedeutung, darf jedoch nur in geschlossenen Räumen angewendet werden. Da es auch für den Menschen tox. wirkt – der MAK-Wert liegt bei 0,1 mg/m^3 u. die tödliche Menge für Erwachsene bei 0,8–1 g – sind T.-Präp. zur Warnung tiefblau gefärbt; zur Toxizität des T., über den Wirkungsmechanismus, Früh- u. Spätsymptome sowie zur Therapie von T.-Vergiftungen s. Thallium.
(b) *Thallium(III)-sulfat*, $Tl_2(SO_4)_3$, M_R 696,96. Das Heptahydrat bildet farblose Krist.; es entsteht bei der Auflösung von Thallium(III)-oxid (Tl_2O_3) in verd. Schwefelsäure. Häufig wird das Sulfat des Tl^{3+} auch als $Tl(OH)SO_4 \cdot 2H_2O$ od. als $TlH(SO_4)_2 \cdot 4H_2O$ formuliert. $Tl_2(SO_4)_3$ eignet sich zur Holzimprägnierung u. Saatgutbeizung. – *E* thallium sulfates – *F* sulfates de thallium – *I* solfati di tallio – *S* sulfatos de talio
Lit.: Gmelin, Syst.-Nr. 38, Tl, 1940, S. 350–367 ▪ Kirk-Othmer (4.) **23**, 957 ▪ Perkow, S. 328 f. ▪ Ullmann (5.) **A 26**, 614 ▪ s. a. Thallium. – [HS 2833 29; CAS 7446-18-6 (a); 16222-66-5 (b); G 6.1]

Thallium(III)-trifluoracetat (TTFA). $Tl(O–CO–CF_3)_3$, $C_6F_9O_6Tl$, M_R 543,41. Farblose, sehr giftige Krist., Schmp. ca. 100 °C (Zers.), hydrolysiert leicht mit Wasser. MAK für Thallium-Verb. (als Thallium berechnet): 0,1 mg/m^3 gemessen als einatembarer Aerosolanteil (MAK-Werte-Liste 1997). T. eignet sich bei organ. Synth. zur *Thalliierung*, d. h. zur Einführung der $Tl(O–CO–CF_3)_2$-Gruppe, die bes. bei aromat. Verb. leicht gegen andere Gruppen austauschbar ist (s. Thallium-organische Verbindungen), sowie als Oxid.-Mittel, bes. bei der Synth. von Chinonen; die Verw. von Thallium u. seinen Verb. in kosmet. Mitteln ist verboten[1]. – *E* thallium(III) trifluoroacetate – *F* trifluoroacétate de thallium(III) – *I* trifluoroacetato di tallio(III) – *S* trifluoroacetato de talio(III)
Lit.: [1] Kosmetik-VO vom 7. Oktober 1997, zuletzt geändert am 25. 6. 1998, Anlage 1, Nr. 317.

allg.: Kirk-Othmer (4.), **23**, 952 ff. ▪ Merian, Metals and their Compounds in the Environment, S. 1227–1239, Weinheim: VCH Verlagsges. 1991 ▪ Paquette **7**, 4854 ▪ Synthetica **2**, 419 ▪ s. a. Thallium-organische Verbindungen – [CAS 23586-53-0; G 6.1]

Thallofid s. Thallium.

Thallophyten s. Flechten.

THAM. Abk. für Tris(hydroxymethyl)aminomethan, s. Trometamol.

Thapsigargin.

$C_{34}H_{50}O_{12}$, M_R 650,76. Zur Gruppe der *Guaianolide* (vgl. Guajan) gehöriger Naturstoff aus der im Mittelmeer-Raum beheimateten Pflanze *Thapsia garganica*; T. ist ein potenter u. selektiver Inhibitor der Ca^{2+}-abhängigen *Adenosintriphosphatase (Ca^{2+}-ATPase, *Calcium-Pumpe) des *sarkoplasmatischen u. *endoplasmatischen Retikulums (sarkoendoplasmat. Retikulum, SER) der Säuger. Aufgrund der Inhibition der Ca^{2+}-ATPase kommt es zur Verarmung des SER an Calcium-Ionen. Verw. für biochem. Untersuchungen zu Bedeutung u. Funktionsweise des SER als Calcium-Speicher u. der Ca^{2+}-ATPase. – *E* thapsigargin – *F* thapsigargine – *I* = *S* tapsigargina
Lit.: Biosci. Rep. **15**, 341–349 (1995) ▪ Trends Pharmacol. Sci. **19**, 131–135 (1998). – [CAS 67526-95-8]

Thauer, Rudolf K. (geb. 1939), Prof. für Mikrobiologie, Philipps-Univ. Marburg. *Arbeitsgebiete:* Energiestoffwechsel von anaeroben Bakterien. 1986 Dannie-Heinemann-Preis für die Entdeckung u. Aufklärung der Rolle von Nickel als an der Methan-Bildung beteiligtes Spurenelement. Vizepräsident der DFG.
Lit.: Kürschner (16.), S. 3740 ▪ Nachr. Chem. Tech. Lab. **39**, Nr. 7/8, 865 (1991).

Thaumasit. $Ca_3[CO_3/SO_4/Si(OH)_6] \cdot 12H_2O$; hexagonales Mineral, Kristallklasse 6-C_6, einziges bisher bekanntes Beisp., in dem Silicium in 6er-Koordination von OH-Gruppen umgeben ist; zur Struktur s. *Lit.*[1], zu chem. Analysen s. *Lit.*[4], zum Entwässerungs-Verhalten s. *Lit.*[5], zur Bildung von *Mischkristallen mit *Ettringit s. *Lit.*[6]. Sehr feine, selten fast farblose, meist weiße Nädelchen od. Fasern in parallel verwachsenen Aggregaten od. radialstrahligen Büscheln; auch als dichte weiße Massen (z. T. zusammen mit Ettringit); große Krist. von der Tschwiming Mangan-Mine/Südafrika (*Lit.*[4]). H. 3,5, D. 1,9.
Vork.: In vulkan. Gesteinen, z. T. als Produkt von *Kontaktmetamorphose, z. B. in der Eifel u. im Basalt von Maroldsweisach/Bayern. Als Tieftemp.-Bildung in Sulfiderz-Lagerstätten, z. B. in Schweden u. Norwegen. Als Reaktionsprodukt von Meerwasser mit Ba-

salt im Mururoa-Atoll im Süd-Pazifik. – *E* = *F* thaumasite – *I* taumasite – *S* taumasita

Lit.: [1] Acta Crystallogr. Sect. B **27**, 833–841 (1971). [2] Neues Jahrb. Mineral. Monatsh. **1983**, 60–68. [3] Kristallografija **26**, 1215 ff. (1981). [4] Tschermaks Mineral. Petrogr. Mitt. **35**, 149–156 (1986). [5] Neues Jahrb. Mineral. Monatsh. **1986**, 126–134. [6] Chem. Erde **40**, 110–120 (1981).
allg.: Anthony et al., Handbook of Mineralogy, Vol. II, Tl. 2, S. 790, Tucson (Arizona): Mineral Data Publishing 1995 ■ Naturwissenschaften **51**, 239 (1964) ■ Ramdohr-Strunz, S. 683 f. ■ Schröcke-Weiner, S. 707. – [CAS 12011-56-2]

Thaumatin (Talin®, E 957). Aus den Früchten des im afrikan. Regenwald heim. Strauchs Katemfe (*Thaumatococcus daniellii*, Marantaceae) isolierbares Proteingemisch, das in Japan zum Süßen von Kaugummi, Desserts, Suppen u. dgl. verwendet wird. Die Süßkraft von T. ist bezogen auf die Masse ca. 2000 u. bezogen auf molare Mengen ca. 100 000mal größer als die von *Saccharose. Einer breiten Anw. steht seine Hitzeempfindlichkeit entgegen. T. besteht aus 2 Komponenten, T. I u. T. II, mit M_R ca. 21 000 u. isoelektr. Punkt bei 12 (trennbar an Ionenaustauscher-Harzen). T. I besteht aus 207 Aminosäure-Resten, 5 Tripeptid-Sequenzen sind mit solchen aus *Monellin identisch. Die in einem β-Turm lokalisierte Sequenz 57–59 wird als Teil der mit dem Geschmacksrezeptor für „süß" in Kontakt tretenden Struktur angesehen. Das T.-Gen kann geklont u. in Früchte tragende Pflanzen, Bakterien u. Hefen[1] eingeschleust werden. – *E* thaumatin – *F* thaumatine – *I* = *S* taumatina

Lit.: [1] Biotechnol. Ser. **13**, 305–318 (1989); Biochemistry **27**, 5101 (1988).
allg.: ACS Symp. Ser. **450**, Sweeteners, 28–40 (1991) ■ Chem. Ind. (London) **1983**, 19 ■ Chem. Unserer Zeit **22**, 33 f. (1988) ■ J. Nutr. Biochem. **2**, 236–244 (1991) ■ Merck-Index (12.), Nr. 9408. – [CAS 53850-34-3]

THC. Abk. für *Tetrahydrocannabinole, s. a. Cannabinoide.

Thd. Abk. für Ribosylthymin (Ribothymidin, auch: rThd; IUPAC/IUB-Regel N-2.3), s. Nucleoside.

Thea... s. The(o)...

Theaflavine. Sammelbez. für durch enzymat. *Oxidation von Flavanolen (s. Flavonoide) (*Epicatechinen) über die entsprechenden *o*-*Chinone entstehende Inhaltsstoffe des schwarzen *Tees, die sowohl für Qualität u. Farbe[1], als auch für das Aroma von entscheidender Bedeutung sind[2]. T. liegen häufig als Gallate vor u. sind gut wasserlöslich. Ein neuer Typ von Tee-Pigmenten, welche durch chem. Oxid. von Epicatechin-3-*O*-gallaten entstehen, werden in Lit.[3] ausführlich beschrieben. Die Hauptkomponente dieser Oxid.-Produkte wird als Theaflavat A bezeichnet.

$R^1 = R^2 = H$: Theaflavin

Analytik: T. sind photometr. nach der Flavognost-Meth.[4], voltametr.[5] od. über *HPLC mit *Diodenarray-Detektion[4–6] nachweisbar. Die Gehalte im *Tee liegen bei 1–3% der Trockensubstanz.
Physiologie: Als antimutagene Faktoren in Tee werden Epigallocatechingallate beschrieben[7]; s. Tee. – *E* theaflavins – *F* théaflavines – *I* teaflavine – *S* teaflavinas

Lit.: [1] J. Sci. Food Agric. **45**, 185–190 (1988). [2] J. Sci. Food Agric. **37**, 507–513 (1986). [3] J. Sci. Food Agric. **74**, 401–408 (1997). [4] Z. Lebensm. Unters. Forsch. **188**, 509–511 (1989). [5] Analyst (London) **113**, 479–482 (1988). [6] J. Sci. Food Agric. **53**, 411–414 (1990). [7] Crit. Rev. Food Sci. Nutr. **29**, 273–300 (1990).
allg.: Beilstein E V **19/7**, 216 ■ Belitz-Grosch (4.), S. 866 f. ■ Feldheim, Tee u. Tee-Erzeugnisse, S. 102–106, Berlin: Blackwell Wissenschaftsverl. 1994 ■ J. Sci. Food Agric. **55**, 627–641 (1991) ■ Merck-Index (12.), Nr. 9409. – [CAS 4670-05-7]

Theanin (N^5-Ethyl-L-glutamin.

$H_5C_2-NH-\overset{O}{\overset{\|}{C}}-CH_2-CH_2-\overset{NH_2}{\overset{|}{CH}}-COOH$

$C_7H_{14}N_2O_3$, M_R 174,19. *Aminosäure, die in Grünem *Tee ca. 0,5% (0,3–1,6%) der Trockenmasse ausmacht u. qualitätsbestimmend ist (bei Schwarzem Tee jedoch nicht, Gehalte hier bis 3,6%). Zur Bedeutung des T. als Stickstoff- u. Kohlenstoff-Quelle in der Teepflanze s. Lit.[1]. Analoge Verb. wie N^4-Ethyl-L-asparagin u. N^5-Methyl-L-glutamin konnten ebenfalls im Tee nachgewiesen werden. Beide Enantiomere des T. haben nach Lit.[2] einen ähnlichen Süßgeschmack u. weisen nur einen geringen bzw. gar keinen Nachgeschmack auf. In wäss. Lsg. racemisiert T. langsam u. wird bes. bei bas. pH-Werten hydrolysiert.
Analytik: Neue Möglichkeiten zur Nutzung der T. als Indikatorsubstanzen zur Ermittlung von Herkunft, Qualität u. Behandlung von Tee werden in Lit.[2] vorgestellt. Demnach soll ein Zusammenhang zwischen der Tee-Art u. dem nachweisbaren Gehalt an D-T. bestehen. Diese Erkenntnis könnte nach Lit.[2] als Basis für eine reproduzierbare wissenschaftliche Meth. zur Einstufung od./u. Bewertung von Tee dienen. Desweiteren könnte der Hydrolysegrad von T. Aufschluß über Bedingungen bei der Produktion, Lagerung u. Verschiffung von Tee geben. – *E* theanine – *F* théanine – *I* = *S* teanina

Lit.: [1] J. Sci. Food Agric. **37**, 527–534 (1986). [2] J. Agric. Food Chem. **45**, 353–363 (1997).
allg.: Agric. Biol. Chem. **54**, 2283–2286 (1990) ■ Belitz-Grosch (4.), S. 864. – [CAS 3081-61-6]

Thearubigene. Sammelbez. für eine sehr heterogene Klasse von Produkten, die bei der sauren *Oxidation von Flavanol (vgl. Flavonoide) entstehen u. deren chem. Struktur noch nicht vollständig aufgeklärt ist. T. kommen im *Tee vor u. sind für die rötlich-gelbe Farbe u. den strengen Geschmack verantwortlich. T. werden je nach Extraktionsverhalten in die drei Klassen S I, S I a u. S II eingeteilt[1,2] u. liegen oft Protein- od. Peptid-gebunden vor. T. machen 10–20% der Trockensubstanz des Tees aus (bei Schwarzem Tee bis 36%) u. können mit den *Theaflavinen u. dem *Coffein Ausfällungen bilden, die als „Tea cream" bezeichnet werden. Zur Analytik s. Lit.[3]; s. a. Tee. – *E* thearubigens – *F* théarubigènes – *I* tearubigeni – *S* tearubígenos

Theaspirane

Lit.: [1] J. Chromatogr. **478**, 217–224 (1989). [2] J. Sci. Food Agric. **53**, 411–414 (1990). [3] J. Chromatogr. **542**, 115–118 (1991).
allg.: Belitz-Grosch (4.), S. 866, 867 ▪ Kirk-Othmer (4.) **23**, 756.

Theaspirane. Sammelbez. für eine Klasse cycl. *Ether, die als Aromastoffe (s. Aromen) bes. im *Tee aber auch im Osmanthusöl zu finden sind u. deren Geruchseindruck als heuartig u. erdig beschrieben wird. In der Biosynth. (*Biogenese) stammen die T., die den *Jononen nahestehen, vom β-*Carotin ab.
Vork.: T. u. die entsprechenden Keto-Verb. (Theaspirone) machen ca. 1% der flüchtigen Bestandteile des Schwarzen Tees aus. Von bes. Wichtigkeit (Geruchsschwellenwert 0,2 µg/kg Wasser) sind die Hydroxy- (I, $C_{13}H_{24}O_2$, M_R 212,33) u. Epoxy-T. (II, $C_{13}H_{22}O_2$, M_R 210,32) sowie (+)-T. A u. B (III u. IV, $C_{13}H_{22}O$, M_R 194,32).

Darüber hinaus konnte ein Beitrag der T. zum sensor. Prinzip von *Geraniumöl (*Pelargonium graveolens*, Geraniaceae) sowie von *Himbeeren u. der *Passionsfrucht nachgewiesen werden. Zum Vork. von T. in *Wein, *Quitten u. *Tabak u. ihrer Bedeutung als Precursor für *Vitispirane s. *Lit.*[1,2], zur Analytik s. *Lit.*[3].
– *E* theaspiranes – *F* théaspiranes – *I* teaspirani – *S* teaspiranos

Lit.: [1] Lebensmittelchemie **45**, 7–10 (1991). [2] J. Agric. Food Chem. **36**, 1251–1256 (1988). [3] Chem. Mikrobiol. Technol. Lebensm. **13**, 129–152 (1991).
allg.: Belitz-Grosch (4.), S. 865 ▪ Herschdoerfer (Hrsg.), Quality Control in the Food Industry (2.), Bd. 4, S. 127–160, London: Academic Press 1987 ▪ H + R Contact **54**, 13–19 (1991) ▪ Morton et al. (Hrsg.), Food Flavours, Part B: The Flavour of Beverages, S. 49–87, Amsterdam: Elsevier 1986 ▪ Ohloff, S. 157, 165–168. – *[CAS 53398-90-6 (I); 36431-72-8 (II); 66537-39-1 (III); 66537-40-4 (IV); 24399-19-7 (Theaspiron A)]*

Thebacon (BtMVV, Anlage II).

Von der WHO vorgeschlagener, internat. Freiname für 6-Acetoxy-4,5α-epoxy-3-methoxy-17-methylmorphin-6-en, $C_{20}H_{23}NO_4$, M_R 341,39, Schmp. 154 °C, unlösl. in Wasser, lösl. in den meisten organ. Lösemitteln. T. ist ein narkot., schmerzstillendes *Antitussivum u. war von Boehringer Ingelheim (Acedicon®) im Handel. – *E* thebacon – *F* thébacone – *I* tebacone – *S* tebacón

Lit.: Beilstein E III/IV **27**, 2218 ▪ Hager (5.) **9**, 845 f. ▪ Martindale (31.), S. 1075. – *[HS 2939 10; CAS 466-90-0]*

Thebain (Paramorphin).

$C_{19}H_{21}NO_3$, M_R 311,37, farblose Blättchen, Subl. bei 170–180 °C, Schmp. 190–193 °C, $[\alpha]_D^{16}$ −221° (CH_3OH), synthet. zugänglich sind die (+)-Form u. das Racemat (Schmp. 184–186 °C). T. ist wenig lösl. in Wasser, mäßig lösl. in Ether, gut lösl. in Chloroform, Benzol u. heißem Ethanol. T. ist ein bedeutendes, sehr giftiges *Morphin-Alkaloid u. bes. im Milchsaft von *Papaver bracteatum* (bis zu 26%) enthalten. Derivate: *T.-N-oxid*[1] ($C_{19}H_{21}NO_4$, M_R 327,38), *T.-Hydrochlorid-Monohydrat* [$C_{19}H_{22}ClNO_3 \cdot H_2O$, M_R 347,84, LD$_{50}$ (Ratte s.c.) 14 mg/kg].
Biosynth.[2]*:* Über *Reticulin u. Salutaridin (s. Morphin-Alkaloide). T. kann auf zwei alternativen Biosynthesewegen in *Morphin umgewandelt werden.
Wirkung: Stärker stimulierend, jedoch schwächer analget. als *Morphin, hemmt Cholin-Esterase, verursacht in hohen Konz. *Strychnin-artige Krämpfe, die chron. Anw. führt zu Abhängigkeit. T. fällt unter das Betäubungsmittelgesetz.
Geschichte: T. wurde 1833 von Pelletier entdeckt, die Strukturaufklärung erfolgte durch Schöpf. Der Name leitet sich von der altägypt. Stadt Theben ab, die im 18./19. Jh. ein Zentrum des Opiumhandels war. – *E* thebaine – *F* thébaïne – *I* tebaina – *S* tebaína

Lit.: [1] J. Chem. Soc., Perkin Trans. 1 **1984**, 1701. [2] Römpp Lexikon Naturstoffe, S. 414.
allg.: Beilstein E III/IV **27**, 2271 ▪ DAB 1998 ▪ Merck-Index (12.), Nr. 9411. – *Synth.:* Chem. Biol. Isoquinoline Alkaloids **1985**, 191 ▪ J. Med. Chem. **18**, 1074 (1975); **19**, 1171, 1175 (1976) ▪ Sax (8.), TEN 000. – *[HS 2939 10; CAS 115-37-7 (T.); 23979-17-1 ((+)-Form)]*

Theelin s. Estron.

Theelol s. Estriol.

Theiler, Max (1899–1972), Prof. für Medizin, Yale Univ., New Haven (Connecticut), Rockefeller Foundation, New York. *Arbeitsgebiete:* Immunologie, Virologie, Amöbenruhr, Rattenbiß-Fieber, Nobelpreis für Medizin 1951 für die Entwicklung eines Impfstoffes gegen Gelbfieber.

Lit.: Lexikon der Naturwissenschaftler, S. 394.

Thein. Synonym für *Coffein, s. a. Tee.

Thenalidin (Rp).

Internat. Freiname für das *Antihistaminikum 1-Methyl-N-phenyl-N-(2-thienylmethyl)-4-piperidinamin, $C_{17}H_{22}N_2S$, M_R 286,43, Schmp. 95–97 °C. Verwendet wird auch das Tartrat, $C_{21}H_{28}N_2O_6S$, M_R 436,52, Schmp. 170–172 °C, λ_{max} (H_2O) 234 nm ($A_{1cm}^{1\%}$ 280). T. wurde

1955 u. 1956 von Sandoz patentiert. – *E* thenalidine – *F* thénalidine – *I* = *S* tenalidina
Lit.: Hager (5.) **9**, 846f. ▪ Martindale (31.), S. 453. – *[HS 2934 90; CAS 86-12-4 (T.); 2784-55-6 (Tartrat)]*

Thenard, Louis-Jacques (1777–1857), Prof. für Chemie, Paris. *Arbeitsgebiete:* Alkalimetalle, Wasserstoffperoxid, Fettsäuren, Gärung, Traubenzucker, Säureester, Entdeckung von Thenards Blau (s. Cobaltblau), Sebacinsäure, Herst. von Bor, Amiden u. Peroxiden von Na u. K (zusammen mit *Gay-Lussac).
Lit.: Krafft, S. 122, 138, 224 ▪ Lexikon der Naturwissenschaftler, S. 394 ▪ Neufeldt, S. 8–12 ▪ Pötsch, S. 419.

Thenardit. α-$Na_2[SO_4]$. Rhomb., farblose, wasserlösl. Krist., Krusten u. Ausblühungen (z.B. auf Böden in ariden Gebieten); Kristallklasse mmm-D_{2h}. Zur Struktur von T. u. verwandten Verb. s. *Lit.*[1], zu Röntgenpulver-Daten s. *Lit.*[2]. H. 2,5–3, D. 2,65, vollkommene Spaltbarkeit.
Vork.: Als Ausscheidung in eintrocknenden Salzseen, z.B. in Chile, Peru, Arizona, Kalifornien u. Südrußland. Als Exhalationsprodukt von Vulkanen. T. ist die einzige als natürliches Mineral vorkommende Modif. (Modif. V in *Lit.*[1]) des Natriumsulfats; in der Technik wird auch synthet. Natriumsulfat als T. bezeichnet. – *E* = *I* thenardite – *F* thénardite – *S* thenardita
Lit.: [1] Neues Jahrb. Mineral. Monatsh. **1978**, 408–421. [2] Powder Diffraction **1**, 334–345 (1986).
allg.: Füchtbauer (Hrsg.), Sedimente u. Sedimentgesteine (Sediment-Petrologie Teil II) (4.), S. 485, 491f., 890, Stuttgart: Schweizerbart 1988 ▪ Schröcke-Weiner, S. 569f. ▪ Winnacker-Küchler (3.) **2**, 68; (4.) **2**, 76ff., 273–276. – *[CAS 13759-07-4]*

Thenards Blau s. Cobaltblau.

Thenoyl... Bez. für die Atomgruppierungen

in chem. Namen (*x*-Thenoyl..., *x* = 2 od. 3; IUPAC-Regel C-404.1); Regel R-5.7.1.1 u. Beilstein: Thiophen-*x*-carbonyl...; CAS dagegen: (*x*-Thienylcarbonyl)... in *Substitutionsnamen, *x*-Thiophencarbonyl... in *radikofunktionellen Namen. – *E* thenoyl... – *F* thénoyl... – *I* = *S* tenoil...

3-(2-Thenoyl)-1,1,1-trifluoraceton s. 4,4,4-Trifluor-1-(2-thienyl)-butan-1,3-dion.

Thenyl... Bez. für die Atomgruppierungen

in chem. Namen (*x*-Thenyl..., *x* = 2 od. 3; IUPAC-Regel C-5.11); die Regeln R-2.5 u. R-9.1.25.2 erlauben diese Bez. nur ohne Ziffer (!) für *x* = 2 (Verknüpfung über C-Atom 2) neben Thiophen-*x*-ylmethyl... (Beilstein) u. (*x*-Thienylmethyl)... (CAS); vgl. Thienyl... – *E* thenyl... – *F* thényl... – *I* = *S* tenil...

Thenyldiamin.

Internat. Freiname für das *Antihistaminikum *N,N*-Dimethyl-*N*′-(2-pyridyl)-*N*′-(3-thienylmethyl)-ethylendiamin, $C_{14}H_{19}N_3S$, M_R 261,36, Sdp. 169–172 °C (133,3 Pa), n_D^{20} 1,5915. Das Hydrochlorid bildet bitter schmeckende Krist., Schmp. 170 °C, λ_{max} (wäss. Säure) 239 nm ($A_{1cm}^{1\%}$ 703), pK_{a1} 3,9, pK_{a2} 8,9; LD_{50} (Ratte oral) 525 mg/kg; lösl. in Wasser bis zu 20%, wenig lösl. in Alkohol. Lagerung: vor Licht geschützt. T. wurde 1952 von Monsanto patentiert. – *E* thenyldiamine – *F* thényldiamine – *I* = *S* tenildiamina
Lit.: Beilstein E V **22/8**, 402 ▪ Hager (5.) **9**, 847 ▪ Martindale (31.), S. 453. – *[HS 2934 90; CAS 91-79-2 (T.); 958-93-0 (Hydrochlorid)]*

The(o)... Silbe in Trivialnamen für Naturstoffe aus Theaceen [bes. *Camellia* (= *Thea*) *sinensis*, s. Tee; *Beisp.:* *Theophyllin, Theotannine, mit Thea... beginnende Stichwörter] u. *Theobroma cacao* (*Kakao-Baum; *Beisp.:* *Theobromin), in internat. Freinamen für Theophyllin-Derivate (*Beisp.:* *Theodrenalin, Theofibrat) u. in Handelsnamen für pharmazeut. Markenpräp., die Theophyllin, Theobromin od. verwandte *Xanthin-Derivate enthalten u. bei Herz- u. Kreislaufschwäche od. Asthma u. Bronchitis Verw. finden. – *E* theo... – *F* théo... – *I* = *S* teo...

Theobromin (3,7-Dimethylxanthin, 3,7-Dihydro-3,7-dimethyl-1*H*-purin-2,6-dion). $C_7H_8N_4O_2$, M_R 180,17; Formelbild s. bei Theophyllin. Monokline, bitter schmeckende Nadeln, Schmp. 357 °C, subl. bei 290–295 °C, lösl. in heißem Wasser, Alkalihydroxiden, konz. Säuren, mäßig lösl. in Ammoniak, schwer lösl. in kaltem Wasser u. Alkohol, unlösl. in Chloroform. T. bildet mit Säuren Salze, die sich in Wasser zersetzen, mit Basen dagegen stabilere Verb.; Nachw. durch die *Murexid-Reaktion. T. ist das Hauptalkaloid des *Kakaos (*Theobroma cacao*, 1,5–3 Gew.-%), aus dem es – speziell aus den Schalen, in denen es sich bei der Fermentation anreichert – gewonnen wird. Der typ. bittere Geschmack von Kakao entsteht durch Zusammenwirken von T. mit beim Röstvorgang entstehenden Piperazindionen[1]. T. wirkt diuret., gefäßerweiternd u. anregend auf den Herzmuskel. Die Wirkungen sind teilw. schwächer als die des strukturverwandten *Coffeins (ein Methylierungsprodukt des T.), mit dem es zusammen in *Mate, *Tee u. *Cola-Nüssen vorkommt, vgl. hierzu die Tab. bei Theophyllin. V. a. fehlt T. die das Zentralnervensyst. anregende Wirkung des Coffeins. Therapeut. wird T. zur Ausschwemmung von Ödemen, d.h. als *Diuretikum, zur Anregung des Kreislaufs u. der Herztätigkeit, als *Vasodilatator gegen Durchblutungsstörungen, Angina pectoris etc. verwendet. T. wurde 1842 von Woskresensky isoliert. – *E* theobromine – *F* théobromine – *I* = *S* teobromina
Lit.: [1] Helv. Chim. Acta **58**, 1078–1086 (1975).
allg.: Actual. Pharm. **191**, 36 (1982) ▪ Beilstein E III/IV **26**, 2336 ▪ Europ. Arzneibuch **1997**, 1725 ▪ Hager (5.) **9**, 847 ▪ IARC Monogr. **51**, 421 (1991) ▪ Karrer, Nr. 2564 ▪ Kirk-Othmer (3.) **1**, 924f. ▪ Martindale (29.), S. 1526 ▪ Merck-Index (12.), Nr. 9418 ▪ Negwer (6.), S. 688 ▪ Nuhn, Naturstoffchemie (2.), S. 246, 248, Leipzig: Hirzel 1990 ▪ R. D. K. (3.), S. 1012 ▪ Sax (8.), TEO 500 ▪ s. a. Theophyllin. – *[HS 2939 90; CAS 83-67-0]*

Theocin s. Theophyllin.

Theodrenalin.

Internat. Freiname für das *Antihypotonikum (±)-7-{2-[2-(3,4-Dihydroxyphenyl)-2-hydroxyethylamino]-ethyl}-theophyllin, $C_{17}H_{21}N_5O_5$, M_R 375,39, Schmp. 188,5–189 °C, $[\alpha]_D^{20}$ –17° ±0,4° (2R-Enantiomer). Verwendet wird meist das Hydrochlorid, Schmp. 176–178 °C, λ_{max} (CH_3OH) 277 nm ($A_{1cm}^{1\%}$ 277). T. wurde 1963 von Degussa patentiert u. ist von ASTA Medica AWD (Akrinor®) im Handel. – *E* theodrenaline – *F* théodrénaline – *I* = *S* teodrenalina

Lit.: Hager (5.) **9**, 852 f. ▪ Martindale (31.), S. 1759. – *[HS 2939 50; CAS 13460-98-5 (T.); 2572-61-4 (Hydrochlorid)]*

Theonella.

Steinschwämme der Ordnung Lithistida, Familie Theonellidae, enthalten Sekundärmetabolite aus sehr vielen unterschiedlichen Verbindungsklassen, z. B. die Gattungen *T.* mit *T.*-Sterinen, *Theonellamiden u. Swinholiden, *Discodermia* mit *Discodermolid. – *E* theonella – *F* théonella – *I* teonella – *S* teonela

Lit.: Angew. Chem. **110**, 2280–2297 (1998) (Review).

Theonellamide.

Cycl. Depsipeptid-Antibiotika aus pazif. Meeresschwämmen der Gattung *Theonella*. Wegen ihrer Makrolid-Struktur bezeichnet man sie auch als *Theonella-Peptolide*.

Beisp.: Theonellamin B[1] {ein Tridecadepsipeptid, $C_{70}H_{125}N_{13}O_{16}$, M_R 1404,84, amorph, 149–151 °C, $[\alpha]_D^{20}$ –572° (CH_3OH), hemmt die Na^+/K^+-ATPase}, *T. F*[2] (ein Dodecapeptid, $C_{69}H_{86}Br_2N_{16}O_{22}$, M_R 1651,34), *Theonellapeptolid Id*[3] (Theonellamin B, ein Tridecadepsipeptid, $C_{70}H_{125}N_{13}O_{16}$, M_R 1404,87, Krist., Schmp. 168–169 °C), *Theonellapeptolid Ie*[4] (ein Tridecapeptid, $C_{71}H_{127}N_{13}O_{16}$, M_R 1418,87, Krist., Schmp. 153–155 °C) u. andere. Die T. sind aufgrund ihrer antineoplast., antiviralen u. fungiziden Eigenschaften von pharmakolog. Interesse. Aus *T. swinhoei* konnte eine Reihe weiterer interessanter Peptide isoliert werden: *Motuporin*[5] ($C_{40}H_{57}N_5O_{10}$, M_R 767,92, amorph, $[\alpha]_D$ –83,8°), ein cycl. Pentapeptid, hemmt die Protein-Phosphatase 1 (IC_{50}<1 nM); die Cyclotheonamide[6] (z. B. *Cyclotheonamid A*: $C_{36}H_{45}N_9O_8$, M_R 731,81) inhibieren Thrombin, Trypsin u. Plasmin; Cyclopeptide mit ungewöhnlichen Aminosäuren sind die Orbiculamide[7] (z. B. *Orbiculamid A*: $C_{46}H_{62}BrN_9O_{10}$, M_R 980,96, amorph, $[\alpha]_D$ –60°) u. Keramamide[8] (z. B. *Keramamid B*: $C_{54}H_{77}BrN_{10}O_{12}$, M_R 1138,17). – *E* theonellamides – *F* théonellamides – *I* teonellammidi – *S* teonelamidas

Lit.: [1] Tetrahedron Lett. **27**, 4319 (1986). [2] J. Am. Chem. Soc. **111**, 2582 (1989); Synlett **1994**, 247; Pept. Chem. **31**, 37 (1993). [3] Chem. Pharm. Bull. **39**, 1177 (1991); Tetrahedron **47**, 2169 (1991). [4] Chem. Pharm. Bull. **35**, 2129 (1987). [5] Tetrahedron Lett. **33**, 1561 (1992). [6] J. Am. Chem. Soc. **112**, 7053 (1990); **114**, 6570 (1992) (Synth.); Proc. Natl. Acad. Sci. USA **90**, 8048 (1993) (Struktur); Chem. Eng. News (20.9.) **1993** (Wirkung). [7] J. Am. Chem. Soc. **113**, 7811 (1991). [8] J. Am. Chem. Soc. **113**, 7812 (1991).

allg.: Chem. Rev. **93**, 1793 (1993) ▪ J. Nat. Prod. **61**, 724 (1998) (Theonellapeptolid III E) ▪ J. Org. Chem. **56**, 4545 (1991); **58**, 5592 (1993). – *[HS 2941 90; CAS 105115-91-1 (Theonellamin B); 105091-14-3 (1); 109767-22-8 (2); 119455-31-1 (3); 141672-08-4 (4); 129033-04-1 (5); 137041-28-2 (6); 137041-25-9 (7)]*

Theophrast

(eigentlich Tyrtamos). Griech. Philosoph u. Naturforscher (ca. 372 – ca. 287 v. Chr.), Schüler von Aristoteles u. dessen Nachfolger als Leiter der peripathet. Schule in Athen. In seinen größtenteils verlorengegangenen Schriften beschrieb er zahlreiche chem. Substanzen u. Vorgänge. 300 v. Chr. erwähnte er als erster das Quecksilber. Er untersuchte die Entstehung von Mineralien u. geolog. Erscheinungen.

Lit.: Lexikon der Naturwissenschaftler, S. 394 ▪ Pötsch, S. 394.

Theophrastus Bombastus von Hohenheim s. Paracelsus.

Theophyllin (Theocin, 1,3-Dimethylxanthin, 3,7-Dihydro-1,3-dimethyl-1*H*-purin-2,6-dion).

R^1 = H, R^2 = CH_3 : Theobromin
R^1 = CH_3, R^2 = H : Theophyllin
R^1 = R^2 = CH_3 : Coffein

$C_7H_8N_4O_2$, M_R 180,17, dünne, bittere Blättchen, Schmp. 270–274 °C (Monohydrat), mäßig lösl. in Wasser, Ethanol u. Chloroform, sehr gut in heißem Wasser, Alkalilaugen, Ammoniak, verd. Säuren. Purin-Alkaloid aus den Blättern des Teestrauches, enthalten in *Mate, Ilex paraguayensis* u. *Paullinia cupana*. Die Methylxanthine T., *Coffein u. *Theobromin zählen zu den ältesten Genuß- u. Arzneimitteln. In der Tab. (s. unten) werden ihre pharmakolog. Eigenschaften verglichen. T. verstärkt die Kontraktion des Herzmuskels, jedoch schwächer als *Adrenalin u. *Strophantin u. von kürzerer Dauer als die *Herzglykoside. Die Stimulierung des Zentralnervensyst. ist vergleichbar mit Coffein. Die Plasmahalbwertszeiten von T. liegen bei 5 bis 9 h. T. wird in Form wasserlösl. Präp. (*Aminophyllin, T.-Ethylendiamin u. T.-Diethanolamin[1]) od. Infusionen in beschränktem Umfang in der Therapie akuter Herzinsuffizienz genutzt. Aufgrund der gefäßerweiternden Wirkung von T. findet es Anw. bei der Behandlung von Asthma bronchiale[2] u. als Bestandteil von Gallenwegstherapeutika. In hohen Dosen kann T. *Epilepsie-ähnliche Krämpfe auslösen. – *E* theophylline – *F* théophylline – *I* teofillina – *S* teofilina

Lit.: [1] Negwer (6.), S. 687, 1341. [2] Andersson u. Persson, Anti-Asthma Xanthines and Adenosine, Amsterdam: Excerpta Medica 1985; Dtsch. Apoth. Ztg. **135**, 4143 (1995); **138**, 698 (1998).
allg.: Ann. Clin. Biochem. **25**, 4 (1988) ▪ Ann. Intern. Med. **101**, 63 (1984) ▪ Beilstein E V **26/13**, 529 ff. ▪ Florey **4**, 466–493 ▪ Hager (5.) **4**, 631; **6**, 54 f.; **9**, 853 ▪ Karrer, Nr. 2563 ▪ Kirk-Othmer (4.) **6**, 199 ▪ Maes et al., Theophylline Profile (DFG Komm. Klin.-toxikolog. Analytik Mitt. 5), Weinheim: Verl. Chemie 1985 ▪ Martindale (30.), S. 1037, 1317 ▪ Merck-Index (12.), Nr. 9421 ▪ Rietbrock et al., Theophylline and Other Methylxanthines, Braunschweig: Vieweg 1982 ▪ Sax (8.), TEP000 ▪ s. a. Coffein, Xanthin, Theobromin. – [HS 293950; CAS 58-55-9]

Theorell, Axel Hugo Theodor (1903–1982), Prof. für Biochemie, Karolinska-Inst., Univ. Stockholm, Biochem. Abteilung des Medizin. Nobelinstituts. *Arbeitsgebiete:* Oxid.-Enzyme (Gelbes Ferment, Cytochrome, Peroxidasen, Lipoxygenase usw.), Myoglobin, Vitamine, Flavoproteine, Elektrophorese, Blutalkohol-Bestimmung; 1953 Entdeckung eines Antibiotikums gegen Tuberkulose. 1955 erhielt er den Nobelpreis für Medizin od. Physiologie.
Lit.: Lexikon der Naturwissenschaftler, S. 394 ▪ Neufeldt, S. 183 ▪ Pötsch, S. 419 f.

Theorem. Wissenschaftlicher Lehr- od. Erfahrungssatz (Regel, *Prinzip; von griech.: theôrēma = Anschauung, Ansicht); *Beisp.:* *Koopmans-Theorem, T. der übereinstimmenden Zustände (s. kritische Größen), Virial-T. (s. Virialsatz). – *E* theorem – *F* théorème – *I* = *S* teorema

Theoretische Chemie. Ursprünglich Bez. für den Lehrstoff der Chemie im Gegensatz zur experimentellen Chemie (das 1817 von L. Gmelin verfaßte Werk hatte den Titel „Handbuch der T. C."), später Bez. für das heute Physikal. Chemie genannte Teilgebiet der Chemie (*Nernst gab seinem erstmals erschienenen Lehrbuch den Titel „T. C."). Heute versteht man die T. C. nur noch vereinzelt als Teilgebiet der Physikal. Chemie, meistens jedoch als selbständiges Wissensgebiet, im universitären Bereich nahezu ebenbürtig mit Anorgan., Organ., Physikal., Techn. Chemie u. Biochemie. Als (histor.) ersten Grundpfeiler der T. C. kann man die *Thermodynamik u. die *statistische Mechanik betrachten[1]. Der zweite Grundpfeiler ist die *Quantenmechanik; er wird im allg. als der wichtigere angesehen (zur Entwicklung der Quantenmechanik s. dort u. unter Quantentheorie). Etwas mutig schrieb P. A. M. *Dirac bereits 1928, nur zwei Jahre nach der Formulierung der Quantenmechanik: „The underlying physical laws for the mathematical theory of… the whole of chemistry are completely known". Die Entwicklung der modernen T. C. erfolgte allerdings nicht durch reine Deduktion aus der Quantenmechanik; vielmehr flossen in sie in starkem Maße auch empir. Befunde aus der chem. Forschung ein[2]. Das Gebiet der T. C., welches sich mit der Anw. der Quantenmechanik auf Probleme der Chemie beschäftigt (mitunter als T. C. im engeren Sinne bezeichnet), wird *Quantenchemie* genannt; Näheres s. dort. Für bahnbrechende Beiträge auf dem Gebiet der numer. *ab initio-Quantenchemie wurde der Nobelpreis für Chemie 1998 jeweils zur Hälfte an J. A. *Pople u. W. Kohn verliehen. Neben der theoret. Untersuchung der Eigenschaften u. Wechselwirkungen von Atomen u. Mol. behandelt die Quantenchemie auch ihre *Dynamik*. Hierbei wird neben aufwendigen quantenmech. Meth. häufig auch die klass. Mechanik verwendet, z. B. in Form der Newtonschen Bewegungsgleichungen (s. a. Molekulardynamik). Durch Verknüpfung der Resultate quantenchem. Berechnungen (Potentialhyperflächen u. Energiezustände) mit Meth. der statist. Mechanik lassen

Tab.: Pharmakolog. Eigenschaften von Theophyllin, verglichen mit Coffein u. Theobromin.

Derivat	Stimulierung des ZNS	Herzwirkung	Broncho- u. Vasodilatation	Skelettmuskel- stimulation	Diurese
Coffein	+++	+	+	+++	+
Theophyllin	+++	+++	+++	++	+++
Theobromin	–	++	++	+	++

sich kinet. Größen berechnen, insbes. Reaktionsgeschwindigkeitskonstanten in Abhängigkeit von Energie u. Drehimpuls (s. a. Kinetik, Übergangszustand u. unimolekulare Reaktionen). Viele Fortschritte der T. C. sind erst durch die Entwicklung der elektron. Datenverarbeitung ermöglicht worden. Die von theoret. Chemikern entwickelten Programmpakete (z. B. *Gaussian) haben inzwischen in weiten Bereichen der Chemie Anw. gefunden. Aktuelle method. Entwicklungen sind großen Mol. gewidmet, wobei die *Dichtefunktionaltheorie u. lokale Meth. der *Elektronenkorrelation neben semiempirischen Meth. eine wichtige Rolle spielen. Anw. reichen von homogener u. heterogener *Katalyse über Chemie auf Festkörperoberflächen bis hin zu biolog. u. pharmazeut. Fragestellungen. Über Schwerpunkte theoret.-chem. Untersuchungen informieren u. a. die Jahresübersichten in Nachr. Chem. Tech. Lab. (s. z. B. *Lit.*[3]) u. die Konferenzberichte der Ztschr. Pure Appl. Chem. (s. z. B. *Lit.*[4]). – *E* theoretical chemistry – *F* chimie théorique – *I* chimica teorica – *S* química teórica

Lit.: [1] Primas u. Müller-Herold, Elementare Quantenchemie, Stuttgart: Teubner 1984. [2] Kutzelnigg, Einführung in die Theoretische Chemie (2 Bd.), 2. Aufl., Weinheim: VCH Verlagsges. 1992, 1994. [3] Nachr. Chem. Tech. Lab. **46**, 196–203 (1998). [4] Pure Appl. Chem. **55**, 191–408 (1993); **60**, 145–279 (1988). *allg.:* s. a. ab initio, Atombau, chemische Bindung, MO-Theorie, Quantenchemie u. Quantentheorie – *Serien:* Adv. Quant. Chem., New York: Academic Press (seit 1964) ▪ Prigogine u. Rice, Adv. in Chem. Phys., Chichester: Wiley (seit 1958). – *Zeitschriften:* Chem. Phys. Lett. (seit 1967) ▪ Chem. Phys. (seit 1973) ▪ Int. J. Quant. Chem. (seit 1967) ▪ J. Chem. Phys. (seit 1933) ▪ J. Comput. Chem. (seit 1980) ▪ J. Mol. Struct. (THEOCHEM) (seit 1981) ▪ Mol. Phys. (seit 1958) ▪ Theoret. Chim. Acta (nunmehr Theoretical Chemistry Accounts) (seit 1962).

Theoretischer Boden s. Destillation u. Gaschromatographie.

Therapeutika s. Pharmazeutika.

Therapeutische Breite, therapeutischer Index s. Dosis u. Therapie.

Therapeutische Systeme. Arzneiformen zur geregelten (selten erreicht) od. kontinuierlichen (meist) Freigabe eines Wirkstoffes aus einem Reservoir. Die wesentlichsten bisher entwickelten Syst. sind: 1. Infusionspumpen (z. B. für die Insulin-Zufuhr). – 2. Orale t. S., bei denen der Arzneistoff durch Wasser, das in eine spezielle Tabl. eindringt, kontinuierlich ausgespült wird. – 3. Transdermale t. S. (TTS) sind wirkstoffhaltige *Pflaster, die auf gut durchbluteten Hautarealen fixiert werden u. den Wirkstoff percutan über einen längeren Zeitraum abgeben (im Handel sind TTS mit Glycerintrinitrat, Scopolamin, Nicotin, Estradiol u. a.). Der frühere mehrschichtige Aufbau hat sich als unnötig herausgestellt, da die Resorptionsgeschw. nur vom Durchtritt durch die Haut bestimmt wird. – 4. Ocusert ist ein t. S., das am Auge angewendet wird u. ebenfalls auf diffusionsgesteuerter Wirkstoffabgabe durch eine Membran beruht. – 5. Liposomen, Mikrokapseln u. mikroporöse Pulver sind t. S., bei denen die Wirkstofffreigabe über den Abbau einer polymeren Matrix od. Hülle od. die Diffusion daraus kontrolliert werden soll. – 6. „Targeted" t. S. sollen einen Wirkstofftransport zu Zielorganen u. -geweben bewerkstel-

ligen. – 7. Verschiedene Syst., wie subdermale Implantate, magnet. kontrollierte Syst., intranasale Sprühköpfe u. Pumpen, arzneistoffhaltige Filme usw. Das gesamte Gebiet wird häufig unter dem Stichwort „controlled drug delivery" von der pharmazeut. Technologie intensiv bearbeitet. – *E* drug delivery systems, controlled release systems – *F* systèmes de libération controlée – *I* sistemi terapeutici – *S* sistemas de liberación controlada

Lit.: Anderson u. Kim, Advances in Drug Delivery Systems, Amsterdam: Elsevier 1987 ▪ Berner, Electronically Controlled Drug Delivery, Boca Raton: CRC Press 1998 ▪ Park (Hrsg.), Controlled Drug Delivery, Washington: ACS Publ. 1997 ▪ Pharm. Ind. **49**, 1295–1300 (1987) ▪ Robinson u. Lee, Controlled Drug Delivery, New York: Dekker 1987 ▪ Tyle, Targeted Therapeutic Systems, New York: Dekker 1989. – *Zeitschrift:* Journal of Controlled Release, Amsterdam: Elsevier (seit 1984).

Therapie (griech.: therapeia = Pflege, Heilung). Behandlung von Krankheiten, Heilmethode. Man unterscheidet dabei zwischen *kausaler T.*, d. h. der ursächlichen Behandlung des Grundleidens u. *symptomat. T.*, d. h. der Beseitigung od. Linderung der *Symptome einer Krankheit. Eine *palliative T.* (latein.: palliare = bemänteln) hat zum Ziel, ein unheilbares Leiden erträglich zu machen. – *E* therapy – *F* thérapie – *I* = *S* terapia

Therban®. Hydrierter Nitrilkautschuk mit ausgezeichneter Heißluft- u. Ölbeständigkeit zur Verw. für hochbeanspruchte Gummiartikel im Automobilbau, bei der Erdölförderung, im Maschinenbau u. Kabelsektor. *B.:* Bayer.

Theriak. Aus zahlreichen Bestandteilen (u. a. *Opium) zusammengesetztes Universalheilmittel, das nahezu zweitausend Jahre lang in Gebrauch war, heute jedoch bedeutungslos geworden ist. Die bekannteste der durch *Galenos überlieferten u. in ihrem Ursprung auf das sog. Mithridatium zurückgehenden Vorschriften zur T.-Herst. stammt von Andromachos d. Ä. (einem der Leibärzte Kaiser Neros). Dieser fügte seiner aus insgesamt 64 Ingredienzien bestehenden *Latwerge erstmals das hierfür charakterist. Schlangenfleisch hinzu u. gilt somit als der eigentliche Erfinder der zunächst hauptsächlich als *Antidot – gegen jedwede *Vergiftung, bes. gegen den Biß giftiger Tiere – verwendeten Arzneizubereitung (daher auch der Name von griech.: thér = wildes Tier). Auf der Basis dieser später vielfach abgewandelten „Theriaca Andromachi" wurde der T. im Laufe des Mittelalters, v. a. seit der großen Pestepidemie von 1348, zum Wundermittel schlechthin, wobei v. a. der in Venedig hergestellte ein begehrter Handelsartikel war. Da eine so kostbare Arznei, die in der barocken Polypharmazie bisweilen über 300 verschiedene Einzelteile aufwies, häufig zu Verfälschungen verführte, erfolgte die Bereitung meist öffentlich unter behördlicher Aufsicht[1]. Letztmals wurde die öffentliche T.-Herst. 1754 in der Kugel-Apotheke zu Nürnberg praktiziert. Erst im 18. Jh. begann der Ruhm des T. zu verblassen, wiewohl auch in der Folgezeit noch einige Arzneibücher derartige Rezepturen enthielten – so etwa die Pharmacopoeia Germanica von 1872 ein „Electuarium Theriacale" aus 12 Bestandteilen, das fast unverändert zuletzt in das Erg.-

Buch zum DAB 6 (1941) aufgenommen wurde. – *E* theriac – *F* thériac – *I* = *S* teríaco
Lit.: [1] Dtsch. Apoth. Ztg. **131**, 1879–1882 (1991).

Thermalisierung. Nach DIN 25401-2: 1986-09 versteht man unter T. das Einstellen des therm. Gleichgew. zwischen Neutronen u. ihrer Umgebung; in *Kernreaktoren erreicht man diese Neutronen-Abbremsung durch *Moderatoren. Typ. *nicht thermalisierte* Teilchen sind die *heißen Atome. In der *Photochemie bezeichnet man analog als T. elektron. angeregter Mol. deren therm. Gleichgew.-Einstellung z. B. durch Abgabe von Überschußenergie in Form von Rotations- u. Schwingungsenergie. Die T. ist eine Form der *Relaxation. – *E* = *F* thermalisation – *I* termalizzazione – *S* termalización

Thermalquellen s. Thermalwässer.

Thermalruß s. Spaltruß.

Thermalwässer (Thermalquellen, Thermen). Wässer, die unabhängig von ihrem *Mineralstoff-Gehalt von Natur aus eine höhere Temp. als 20 °C haben. Mineralarme T. werden *Akratothermen* genannt. Je nach Temp.-Bereich werden *hypo-* (20–34 °C), *homöo-* (34–38 °C) u. *hypertherme* Quellen unterschieden. Da T. zu den Heilwässern zu zählen sind, gelten entsprechende Anforderungen an Inhaltsstoffe u. hygien. Status [1,2]; s. a. Mineralwasser. – *E* thermal waters – *F* eaux thermales – *I* acque termali – *S* aguas termales
Lit.: [1] DIN 19644, Aufbereitung u. Desinfektion von Wasser für Warmsprudelbecken, Berlin: Beuth 1986. [2] Dtsch. Bäderverband e. V. (Hrsg.), Begriffsbestimmungen für Kurorte, Erholungsorte u. Heilbrunnen, Frankfurt: 1979.
allg.: Höll, Wasser (7.), Berlin: de Gruyter 1986 ▪ Quentin, Trinkwasser, S. 321 f., Berlin: Springer 1988.

Thermionische Energieumwandlung. Bei dieser Form der *Energie-Direktumwandlung von Wärme in elektr. Energie nutzt man das Prinzip der Elektronenröhre aus, bei der ein Elektronenstrom von der Glühkathode zur kalten Anode fließt. Ein *Thermionikelement* (thermoion. Wandler) besteht aus zwei parallelen Metallplatten, die sich im Hochvak. od. in einer Cäsiumionen-Atmosphäre befinden. Der sog. *Emitter* (Arbeitstemp. 1200–1800 °C) besteht aus einem hochschmelzenden Metall, z. B. Wolfram; der gekühlte *Kollektor* (ca. 700 °C) absorbiert die Glühelektronen, die über einen äußeren Verbraucher zur Kathode zurückgeleitet werden. Die für die wirtschaftliche Stromgewinnung ungeeigneten u. daher z. Z. nur in Satelliten u. Raumfahrzeugen (*Solarthermionik*) eingesetzten Generatoren haben einen Wirkungsgrad von ca. 10% u. eine Leistungsdichte von ca. 20 W/cm^2. – *E* thermionic energy conversion – *F* conversion d'énergie thermo-ionique – *I* conversione di energia termoionica – *S* conversión de energía termoiónica
Lit.: Huffmann, Thermionic Energy Conversion, in Encyclopedia of Physical Science and Technology, Vol. 16, S. 621–634, New York: Academic Press 1992.

Thermisch. Von griech.: thermos = warm, heiß abgeleitetes Adjektiv, das auf einen hohen Gehalt an *Wärme-Energie (*t. Energie*) hinweisen soll. Man spricht z. B. von t. *Analyse (s. Thermoanalyse), t. *Dissoziation, t. *Reaktor, t. *Neutronen, t. *Plasma, t. *Trennverfahren, t. *Polymerisation, *Hyperthermie usw.; vgl. a. die Thermo...-, Wärme...- u. Heiz...-Stichwörter. – *E* thermal – *F* thermique – *I* termico – *S* térmico

Thermische Gasreinigung (Therm. Abgas- od. Abluftreinigung, TAR, therm. Nachverbrennung, TNV, therm. Verbrennung, TV). Eine „Abluftverbrennung" von – v. a. organ. – Abluftverunreinigungen unter Flammenerscheinung in der Gasphase. Im Unterschied dazu findet die katalyt. *Verbrennung (vgl. Dreiwege-Katalysator, Entstickung) überwiegend ohne Lichtemission an (heißen) Katalysatoroberflächen statt. Die Temp. beträgt bei der Abluftverbrennung typischerweise etwa 800 °C, bei der katalyt. Verbrennung 200–400 °C. Unterschieden wird zwischen sog. „Flammen"- u. „therm. Verbrennung" [1]. Bei ersterer ist der Energieinhalt der Abluft so groß, daß eine Flamme ohne zusätzliche Brennstoffe brennt. Bei der therm. Verbrennung hingegen werden Brenngase zugegeben bzw. die Abgase (durch eine Flamme) auf ca. 800 °C erhitzt.
Wegen erheblicher Konz.- u. Volumenstrom-Schwankungen von Sauerstoff u. brennbaren Abluftbestandteilen sowie wegen der Gefahr einer Rückzündung explosionsfähiger Gase bis in den Produktionsbereich erfordert die t. G. eine umfangreiche Regeltechnik u. redundante Sicherheitsmaßnahmen. Eine sichere u. vollständige Verbrennung ist z. B. bei dem von der Bayer AG entwickelten *TAREX®-Verf. gewährleistet. – *E* thermal gas cleaning – *F* lavage (épuration) thermique des gaz – *I* depurazione termica del gas – *S* lavado térmico de gases, purificación térmica de gases
Lit.: [1] Baum, Umweltschutz in der Praxis (3.), S. 252–258, München: Oldenbourg 1998.
allg.: Brauer (Hrsg.), Handbuch des Umweltschutzes u. der Umwelttechnik, Bd. 3, Additiver Umweltschutz, Behandlung von Abluft u. Abgasen, S. 493–594, Berlin: Springer 1996 ▪ Schultes, Abgasreinigung, S. 200–207, Berlin: Springer 1996 ▪ Vogl et al. (Hrsg.), Handbuch des Umweltschutzes (3.), II-2.7.3–II-2.7.4, Landsberg: ecomed (Loseblattsammlung) seit 1992 (Stand 1998).

Thermische Linse s. Festkörper-Laser.

Thermische Nachverbrennung s. thermische Gasreinigung.

Thermischer kubischer Ausdehnungskoeffizient s. Gasgesetze.

Thermischer Wirkungsgrad. Verhältnis aus gewonnener Arbeit u. zugeführter Wärme in einem Kreisprozeß. Der t. W. gibt z. B. den Ausnutzungsgrad von Wärmekraft-gekoppelten Maschinen an; nur in der Theorie ist ein t. W. von 100% möglich; s. a. Carnotscher Kreisprozeß. – *E* thermal efficiency – *F* rendement thermique – *I* efficacia termica – *S* rendimiento térmico

Thermisches Gleichgewicht. Zwei Körper befinden sich im t. G., wenn sie die gleiche Temp. besitzen. Dies ist in der Praxis durch hinreichend langen Kontakt der beiden Körper zu erreichen. Die Temp. ist durch die thermodynam. Temp.-Skala in Zusammenhang mit dem 2. Hauptsatz der *Thermodynamik (s. Hauptsätze) definiert. – *E* thermal equilibrium – *F* équilibre thermique – *I* equilibrio termico – *S* equilibrio térmico

Thermische Vulkanisation s. Vulkanisation.

Thermisch initiierte Polymerisation s. selbstinitiierende Polymerisation.

Thermisch-mechanischer Zustandsbereich s. Thermoplaste.

Thermistoranalyse. Unter T. versteht man kalorimetr. Messungen der Wärmetönung (s. Kalorimetrie), bei denen *Thermistoren wegen ihrer geringen Wärmekapazität u. Ansprechzeit eingesetzt werden. Damit sind geringe Wärmetönungen nachweisbar, wie sie z. B. bei Enzymreaktionen auftreten. – *E* thermistor analysis – *F* analyse par thermistors – *I* analisi col termistore – *S* análisis por termistores

Thermistoren (Heißleiter). Unter T. versteht man Widerstände, die ihren Widerstandswert stark u. eindeutig mit der Temp. ändern u. die daher zur Temp.-Messung in *Widerstandsthermometern verwendet werden. Man unterscheidet T. mit neg. Temp.-Koeff. (NTC), bei denen der Widerstandswert mit zunehmender Temp. abnimmt, u. solche mit pos. Temp.-Koeff. (PTC). Als Materialien für NTC werden u. a. *Halbleiter-Sinterkeramiken (Mischkrist. vom Spinell-Typ wie Fe_3O_4 ggf. mit Beimischungen von Zn_2TiO_4, $MgCr_2O_4$; Ni- u. Co-Oxid dotiert mit Li_2O; Mn-Oxid dotiert mit Ni- od. Cu-Oxid) verwendet; für PTC verwendet man Halbleiter (auch *Dioden), bei tiefen Temp. *Halbmetalle wie Graphit od. *Metalle wie Platin. T. können sehr klein ausgeführt werden (zum Schutz vor der Umgebung u. zur elektr. Isolation z. T. in Glas eingeschmolzen). Sie haben dann eine sehr kleine Wärmekapazität u. eine kurze Ansprechzeit u. eignen sich daher sehr gut für den Einsatz in der Biotechnologie, bei der Kalorimetrie z. B. von Enzymreaktionen u. ähnlichem. – *E = F* thermistor – *I* termistore – *S* termistor

Lit.: Chem. Tech. **15**, Nr. 6, 42 (1986) ▪ DIN-Katalog Sachgruppe 1990, Berlin: Beuth (jährlich) ▪ Nachr. Chem. Tech. Lab. **35**, 910–914 (1987) ▪ New Techn. Jpn. Nr. **4** (1998) ▪ Sensors **15**, Nr. 6, 41 (1998) ▪ Sensors and Materials **10**, Nr. 2, 77 (1998) ▪ Siemens Components Engl. Ed. **33**, Nr. 2, 21 (1998).

Thermit®. 1. Aluminotherm. Schweißmassen für die Verb.- u. Auftragsschweißung von Schienen u. großen Werkstücken, für die Verb. elektr. Leiter u. für die Herst. von T.-Muffenstößen. – 2. Gleitlagermetalle auf Blei-Basis (Ni- u. Cd-vergütet) für hohe spezif. Flächendrücke u. große Zapfengleitgeschwindigkeit. Häufig spricht man allg. von Thermit-Verf., wenn man solche der Aluminothermie meint; Näheres s. dort u. *Literatur. B.:* Goldschmidt.

Lit.: Kirk-Othmer (3.) **2**, 194.

Thermitase (EC 3.4.21.66). Bez. für eine thermostabile, zu den *Subtilisinen gerechnete *Serin-Protease (279 Aminosäure-Reste) aus *Thermoactinomyces vulgaris*, die Calcium-Ionen bindet. Die Krist.-Struktur ähnelt trotz unterschiedlicher Aminosäure-Sequenz der der *Proteinase K. Das Enzym spaltet auch *Collagen. Als Inhibitor wirkt das Polypeptid *Eglin* aus Blutegeln. – *E = F* thermitase – *I* termitasi – *S* termitasa

Thermoanalyse (therm. Analyse). „Oberbegriff für Meth., bei denen physikal. u. chem. Eigenschaften einer Substanz, eines Substanzgemisches u./od. eines Reaktionsgemischs als Funktion der *Temperatur od. der Zeit gemessen werden, wobei die Probe einem kontrollierten Temp.-Programm unterworfen wird. Als Temp.-abhängige Eigenschaften einer Probensubstanz werden bei der T. vorwiegend kalorimetr., gravimetr. u. dimensiometr. ausgenutzt, daneben noch mechan., akust., opt., elektr. u. magnet. Eigenschaften." Nach dieser weitgefaßten Definition gehört auch die Reinheitsprüfung von Substanzen durch Beobachtung ihres Schmp. ebenso wie die Identifizierung von Substanzen nach der Meth. des Mischschmelzpunktes (s. Schmelzpunkt) zu den Verf. der Thermoanalyse. Zu den bekannteren, von der IUPAC definierten [1] Meth. der T., die teilw. in Einzelstichwörtern beschrieben werden, gehören die Bestimmung der Umwandlungspunkte u. der Umwandlungswärmen, Thermometrie, Enthalpimetrie, thermometr. Titration, Kalorimetrie, Differenz-T., Thermogravimetrie, Dilatometrie, thermomechan. Analyse, elektrotherm. Analyse u. Pyrolyse mit Analyse des freigesetzten Gases (durch Thermochromatographie); ein Spezialfall ist die Emanations-T. als radiometr. Verfahren. Bei der dynam. Differenzkalorimetrie (DDK, *E* differential scanning calorimetry, DSC) kennt man zwei Meßprinzipien: Die Wärmestrom-DDK (*E* heat-flux DSC) u. die Leistungs-DDK (*E* power-compensation DSC). Anwendungsgebiete der T. sind u. a.: Bestimmung von Enthalpien u. a. thermochem. Daten, Aufstellung von Phasendiagrammen, Untersuchung von Reaktionsmechanismen nicht-isothermer Prozesse, quant. Analysen, Qualitätskontrollen (z. B. die Prüfung, ob Lebensmittel durch ionisierende Strahlung sterilisiert wurden), Messung der therm. Stabilität, der Viskoelastizität, Ausdehnungskoeff. des Kriechens, Bestimmung von Kristallwasser, Untersuchungen zur Kristallinität von Polymeren. – *E* thermal analysis, thermoanalysis – *F* analyse thermique, thermoanalyse – *I* termoanalisi – *S* análisis térmico, termoanálisis

Lit.: [1] Pure Appl. Chem. **57**, 1737–1740 (1985). *allg.:* Dodd u. Tonge, Thermal Methods, New York: Wiley 1987 ▪ Hemminger u. Höhne, Calorimetry. Fundamentals and Practice, Weinheim: Verl. Chemie 1984 ▪ Höhne et al., Differential Scanning Calorimetry, Berlin: Springer 1996 ▪ Kirk-Othmer (4.) **19**, 321 ff. ▪ Widmann u. Riesen, Thermoanalyse: Anwendung, Begriffe, Methoden, Heidelberg: Hüthig 1990 ▪ Wunderlich, Thermal Analysis, Boston: Academic Press 1990 ▪ s. a. Differentialthermoanalyse, Kalorimetrie u. Physikalische Analyse. – *Zeitschriften:* JTA – Journal of Thermal Analysis, Chichester: Wiley-Heyden (seit 1969) ▪ TAA – Thermal Analysis Abstracts, Chichester: Wiley-Heyden (seit 1972) ▪ Thermochimica Acta, Amsterdam: Elsevier (seit 1970). – *Organisationen:* Gesellschaft für Thermische Analyse (GEFTA) ▪ International Confederation of Thermal Analysis (ICTA).

Thermobarometrie (Geothermobarometrie). Arbeitsgebiet der Petrologie (*Petrographie), das aus *Druck-Temp.-Diagrammen* (p-T-Diagrammen) die Bildungsbedingungen von *metamorphen Gesteinen berechnet. Mit experimentell ermittelten od. thermodynam. unter Zuhilfenahme von Datensätzen[1,2] berechneten, den vorhandenen Mineralbestand betreffenden Reaktionskurven werden *Druck-Temp.-Zeit-Pfade* (p-T-t-Pfade; s. *Lit.*[3]) für den Ablauf von *Metamorphose-Vorgängen erstellt; dazu müssen auch die

Meth. der *Geochronologie eingesetzt werden. *Druck-Temp.-Pfade* (p-T-Pfade) in solchen *Phasendiagrammen* geben Auskunft über Änderungen von Druck u. Temp. während der metamorphen Entwicklung eines Gesteins; zur Anw. von Phasendiagrammen in der T. s. *Lit.*[4].
Grundlage der T. ist die Erkenntnis, daß jede Mineral-Ges. in einem Gestein nur innerhalb eines bestimmten Druck- u. Temp.-Bereiches stabil ist u. daß sich die chem. Zusammensetzungen von Mineralen, die *Mischkristalle zwischen spezif. Mineral-Endgliedern bilden, in Abhängigkeit von Druck u. Temp. ändert. Mit Hilfe der T. lassen sich heute Vorgänge von Deformation, Wärmefluß u. Metamorphose in der Lithosphäre (s. Erde) miteinander verknüpfen u. damit geolog. u. geodynam. Prozesse quant. erfassen. Hierzu gehört auch die Modellierung gebirgsbildender Prozesse. – *E* thermobarometry – *F* thermobarométrie – *I* termobarometria – *S* termobarometría

Lit.: [1] J. Petrol. **29**, 445–522 (1988). [2] J. metamorph. Geol. **6**, 173–204 (1988); **8**, 89–124 (1990). [3] Annu. Rev. Earth Planet. Sci. **19**, 207–236 (1991). [4] Neues Jahrb. Mineral. Abhandl. **174**, 103–130 (1998).
allg.: Am. Mineral. **79**, 120–133 (1994) ■ Matthes, Mineralogie (5.), S. 406–412, Berlin: Springer 1996 ■ Spear, Metamorphic Phase Equilibria and Pressure-Temperature-Time-Paths (Min. Soc. Amer. Mono. Ser. 1), Washington (D. C.): Mineralogical Society of America 1993 ■ Will, Phase Equilibria in Metamorphic Rocks – Thermodynamic Background and Petrological Applications, Berlin: Springer 1998.

Thermochemie (chem. Thermodynamik). Bez. für das Teilgebiet der allg. *Thermodynamik, das sich mit den Beziehungen zwischen therm. u. chem. Energie befaßt, nämlich mit den Wärmeumsätzen bei chem. Reaktionen u. Prozessen wie auch dem Einfluß von Temp. u. a. therm. Größen auf diese. Bei jedem einzelnen chem. Vorgang finden nicht nur stoffliche Umwandlungen u. Phasenumwandlungen statt, sondern auch Energieänderungen statt, u. zwar kann *Energie in Form von therm. Energie (*Wärme), mechan. Energie, elektr. Energie u./od. Strahlungsenergie von dem Reaktionssyst. aufgenommen od. abgegeben werden. Wenn bei einem chem. Vorgang Wärme frei wird, verläuft er *exotherm, wenn Wärme verbraucht wird, liegt dagegen ein *endothermer Prozeß vor. Die bei konstantem Druck aufgenommene od. abgegebene Wärmemenge bezeichnet man als *Enthalpie. *Beisp.* für das Auftreten von therm. Energie bei chem. Prozessen: *Verbrennungswärme* beim Verbrennen von Holz, Kohle, Benzin u. dgl. an offener Luft, *Neutralisationswärme* beim Vermischen von Laugen u. Säuren, *Reaktionswärmen* beim Kalklöschen, beim Vermischen von Schwefelsäure u. Wasser (Hydrat-Bildung), bei der Reaktion zwischen Aluminium u. Salzsäure, bei der Atmung, bei Explosionen u. a. Eine bekannte Nutzung erfahren diese Erscheinungen im Laboratorium u. in der Technik auch in *Kältemischungen u. *Wärmemischungen. Für die Wärmeänderungen bei chem. Vorgängen gilt das *Gesetz von der Erhaltung der Energie* (1. Hauptsatz der Thermodynamik; s. Hauptsätze): Es kann aufs Ganze gesehen keine Energie neu auftreten u. keine verschwinden, sondern es finden immer nur exakt meßbare *Umwandlungen von Energie statt.

Das von *Lavoisier u. Pierre-Simon Marquis de Laplace (1749–1827) um 1780 aufgestellte *1. Gesetz der T.* besagt, daß die *Bildungswärme einer Verb. gleich der Wärme (mit umgekehrtem Vorzeichen) ist, die zur Zerlegung der Verb. in ihre Komponenten benötigt wird. Als *2. Gesetz der T.* gilt der sog. *Heßsche Satz, demzufolge die auftretenden Wärmemengen bei einem Gesamtvorgang durch den Anfangs- u. Endzustand eindeutig bestimmt u. unabhängig von der Qualität od. Reihenfolge der Teilprozesse, die zum Endzustand führen, sind. Die Messung der bei chem. Prozessen freiwerdenden od. aufzuwendenden Wärmemengen erfolgt durch die Meth. der *Thermoanalyse, insbes. durch *Kalorimetrie (vgl. a. Heizwert). Wärmemengen werden auch heute noch oft in *Kalorien (cal, kcal) angegeben, obwohl die Einheit bereits seit dem 1.1.1978 obsolet ist u. durch das *Joule (J, kJ, MJ) ersetzt werden muß.

Da die Absolutwerte von innerer Energie od. Enthalpie nicht bekannt sind, werden diese Größen relativ zu einem *Standardzustand* (Näheres s. *Lit.*[1]) angegeben. Dies ist der Zustand des reinen Stoffes bei Standarddruck (1 bar = 10^5 Pa; bis 1982 1 atm = 101 325 Pa) u. der angegebenen Temp., in Tab.-Werken im allg. 298,15 K. Die Kennzeichnung des Standardzustandes erfolgt meist durch einen rechten Superskript $^\circ$ od. $^\ominus$ (s. *Lit.*[1,2]). Die molaren Enthalpien der Elemente in ihrer stabilsten Form werden bei Standarddruck u. allen Temp. gleich Null gesetzt (Ausnahme: Phosphor; hier bezieht man sich auf den weißen Phosphor). Die *Standardbildungsenthalpie* $\Delta H^\ominus$ ist dann gleich der *Reaktionsenthalpie bei Standardbedingungen $\Delta_r H^\ominus$ für die Bildung der betreffenden Verb. aus den Elementen in ihren Referenzphasen. *Beisp.:*

C(s, Graphit) + O_2(g) → CO_2(g); $\Delta_r H^\ominus_{298}$ = –393,5 kJ mol^{-1}.

Dies bedeutet, daß bei der Bildung von gasf. (g) CO_2 aus festem (s) Graphit u. gasf. O_2 bei einem Druck von 10^5 Pa u. einer Temp. von 298,15 K eine Wärmemenge von 393,5 kJ mol^{-1} freigesetzt wird. Standardbildungsenthalpien bei 298,15 K für einige Verb. sind in der Tab. angegeben. Ozon (O_3) hat einen pos. Wert, da bei der Bildung gemäß $\tfrac{3}{2}O_2$(g) → O_3(g) Wärme zugeführt werden muß. Die Standardreaktionsenthalpie einer Reaktion a A + b B → c C + d D läßt sich aus den Standardbildungsenthalpien $\Delta_f H^\ominus$ der Reaktionsteilnehmer A, B, C u. D berechnen gemäß

$\Delta_r H^\ominus = c \cdot \Delta_f H^\ominus(C) + d \cdot \Delta_f H^\ominus(D) - a \cdot \Delta_f H^\ominus(A) - b \cdot \Delta_f H^\ominus(B)$.

Tab.: Standardbildungsenthalpien einiger Verb. bei 298,15 K [a].

	$\Delta_f H^\ominus$ [kJ mol^{-1}]
CH_4 (g)	–74,81
C_2H_6 (g)	–84,68
C_6H_6 (l)	49,0
Glucose (s)	1268
H_2O (l)	–285,83
NO_2 (g)	33,18
NH_3 (g)	–46,11
O_3 (g)	142,7
SiO_2 (s)	–910,94
SO_2 (g)	–296,83
H_2SO_4 (l)	–813,99

[a] Die Abk. s, l u. g stehen für fest, flüssig u. gasförmig.

Allg. gilt $\Delta_r H^\ominus = \sum_i \nu_i \Delta_f H_i^\ominus$, wobei die stöchiometr. Koeff. ν_i konventionsgemäß für Produkte ein pos. u. für Edukte ein neg. Vorzeichen erhalten. Die Angabe molarer Reaktionsenthalpien od. -energien ist nur unter gleichzeitiger Angabe der Reaktionsgleichung eindeutig. Die Temp.-Abhängigkeit der Reaktionsenthalpie wird durch das *Kirchhoffsche Gesetz* (s. Kirchhoffsche Gesetze, 2.) beschrieben; es lautet in integrierter Form:

$$\Delta_r H(T_2) = \Delta_r H(T_1) + \int_{T_1}^{T_2} \Delta_r C_p(T) dT.$$

Hierbei gilt $\Delta_r C_p = \sum_i \nu_i C_{p,i}$, wobei $C_{p,i}$ die *Molwärme der Substanz i bei konstantem Druck ist. Der Zusammenhang zwischen Reaktionsenthalpie u. Reaktionsenergie $\Delta_r U$ (entspricht der abgegebenen od. aufgenommenen Wärmemenge bei konst. Vol.) lautet:

$$\Delta_r H = \Delta_r U + p\Delta_r V.$$

Die Vol.-Änderung $\Delta_r V$ wird als *Reaktionsvol.* bezeichnet. Für Reaktionen, an denen nur flüssige od. feste Reaktionspartner beteiligt sind, ist es näherungsweise gleich Null, so daß dann $\Delta_r H \approx \Delta_r U$ gilt.
Nach der Art der Prozesse lassen sich für chem. Reaktionen *Reaktionswärmen* (*Reaktionsenthalpien*) wie z.B. *Bildungswärmen, Neutralisations-, Hydratations-, Verbrennungs- u. Lösungswärmen, bei den physikal. Vorgängen wie Änderungen des Aggregatzustandes, Phasen-Übergängen usw. sog. *Umwandlungswärmen* wie Verdampfungs-(Kondensations-), Schmelz-(Erstarrungs-), Sublimationswärmen usw. unterscheiden. Die Kenntnis der Wärmetönung einer Reaktion ist für die Verfahrenstechnik von bes. Bedeutung, um einerseits Störfall-Risiken zu verkleinern u. andererseits Überschußenergie z.B. durch Wärmeaustauscher abführen u. für andere Prozesse nutzen zu können. – *E* thermochemistry – *F* thermochimie – *I* termochimica – *S* termoquímica

Lit.: [1] Pure Appl. Chem. **54**, 1239–1250 (1982); **66**, 533–552 (1994). [2] Hamann, Größen, Einheiten u. Symbole in der Physikalischen Chemie, Weinheim: VCH-Verlagsges. 1996. *allg.:* Atkins, Physikalische Chemie (2.), Weinheim: VCH Verlagsges. 1996 ▪ Barin, Thermochemical Data of Pure Substances (2 Bd.), 3. Aufl., Weinheim: VCH Verlagsges. 1995 ▪ Barin u. Eriksson, equi Therm, Weinheim: VCH Verlagsges. 1989 ▪ Johnson, Some Thermodynamic Aspects of Inorganic Chemistry, 2. Aufl., Cambridge: Cambridge University Press 1982 ▪ Ribeiro Da Silva, Thermochemistry and Its Applications to Chemical and Biochemical Systems, Dordrecht: Reidel 1983 ▪ Smith, Basic Chemical Thermodynamics, Oxford: University Press 1982 ▪ s.a. Thermodynamik. – *Zeitschrift:* CALPHAD (Computer Coupling of Phase Diagrams and Thermochemistry), Oxford: Pergamon (seit 1977).

Thermochemische Gemische s. Wärmemischungen u. Kältemischungen.

Thermochromie. Von griech.: thermos = warm, heiß u. chroma = Farbe abgeleitete Bez. für das Auftreten reversibler Farbänderungen von Festkörpern beim Über- bzw. Unterschreiten spezif. *Umwandlungs-Temperaturen. *Beisp.*: Der rote Rubin wird beim Erhitzen grün, beim Abkühlen wieder rot; reines Zinkoxid ist bei gewöhnlicher Temp. weiß, in der Hitze gelb; erhitztes HgI_2 ändert bei 127 °C seine Farbe von rot nach gelb, $Ag[HgI_4]$ bei 40–70 °C von gelb nach rot u. $Cu_2[HgI_4]$ von rot nach schwarz. Mehrfache Änderungen im Fluoreszenzspektrum findet man bei Verb. aus CuI u. Stickstoff-Basen bei Abkühlung auf –196 °C (*Fluoreszenz-T.*). Ursache der z.B. mittels *Reflexionsspektroskopie untersuchbaren T. sind Änderungen höherer Ordnung der Kristallstruktur am Umwandlungspunkt od. im Umwandlungsintervall (s.a. Temperaturmessung). Im allg. betrachtet man als T.-Erscheinungen auch die bei organ. Mol. in Schmelzen od. Lsg. auftretenden reversiblen Farbänderungen, die auf therm. ausgelöste Isomerisierungen zurückgehen; Beisp., von denen nicht wenige außer T. auch *Photochromie zeigen, findet man bei Ethylen-, Spiropyran- u. Anil-Derivaten mit sperrigen, aromat. Substituenten. Im Fall des Dehydrodianthrons wird angenommen, daß sich bei der T. ebenso wie bei der *Piezochromie ein Gleichgew. zwischen zwei Konformeren einstellt. *Photo-T.* wird beobachtet, wenn auf Photochromie zurückgehende Absorptionsänderungen (Färbungen) durch Erwärmen wieder rückgängig gemacht werden können. Bei *flüssigen Kristallen kennt man den verwandten u. in der Humanmedizin zur Oberflächen-Temp.-Messung (*Thermotopographie*) nutzbaren Effekt der *Thermotropie*. Die Phänomene der T. sind bes. von E.D. *Bergmann, Hirshberg, *Kortüm, *Schönberg u. Theilacker untersucht worden. – *E* thermochromism – *F* thermochromie – *I* termocromia – *S* termocromismo

Lit.: Kirk-Othmer (4.) **6**, 337–343 ▪ Sone u. Fukuda, Inorganic Thermochromism, Berlin: Springer 1987 ▪ s.a. Photochromie.

Thermocracken. Radikal. Spaltung von Kohlenwasserstoffen, die meist drucklos bei Temp. oberhalb von 500 °C durchgeführt wird. T. ist der wichtigste industrielle Prozeß zur Herst. von Olefinen. Die Crackvorgänge beim T. gliedern sich in Primärreaktionen (Dehydrierungen, Spaltung von Kohlenstoff-Ketten, Isomerisierungen, Aromatisierungen) u. Sekundärreaktionen (Polymerisationen, Alkylierungen, Kondensationen von Aromaten). Katalysator-freie, radikal. ablaufende Spaltreaktionen führen zu einem hohen Anteil an Olefinen. – *E* thermocracking – *F* thermocraquage, craquage thermique – *I* scissione termica – *S* craqueo térmico

Lit.: Weissermel-Arpe (4.), S. 67.

Thermodiffusion. Bez. für die von Enskog (1911) u. Chapman (1917) theoret. vorausgesagte Erscheinung, derzufolge die Komponenten von Gemischen aus zwei Gasen od. Lsg. beim Vorliegen eines Temp.-Gefälles unterschiedliche *Diffusions-Geschw. aufweisen, woraus eine Anreicherung der einzelnen Komponenten resultieren kann. Hierbei diffundieren die leichten Mol. bevorzugt zur heißen, die schweren bevorzugt zur kalten Seite. Bes. Bedeutung hat die T. bei der *Isotopentrennung, z.B. mit Hilfe des *Clusiusschen Trennrohres[1]. – *E* thermal diffusion – *F* thermodiffusion – *I* termodiffusione – *S* termodifusión

Lit.: [1] Phys. Unserer Zeit **6**, 110–117 (1975). *allg.:* Kohlrausch, Praktische Physik I, S. 465, Stuttgart: Teubner 1996 ▪ Moser et al., Thermodiffusion in Glasschmelzen (Ber. A 4568), Köln: DFVLR 1984 ▪ Ullmann **1**, 358–362; (4.) **2**, 639–646 ▪ s.a. Isotopentrennung.

Thermodrucker (Thermoprinter). Ein T. wandelt elektr. Signale direkt in Wärme um, die auf einem Aufzeichnungsmaterial ein Bild erzeugen. Die punktuelle Erwärmung kann für 3–4 ms zu Temp. von bis zu 400 K führen. Mit geeigneten Schreibköpfen können Auflösungen bis zu 50 µm erreicht werden. – *E* thermoprinter, thermal printer – *F* imprimante thermique, thermoimprimante – *I* stampante termica – *S* impresora térmica, termoimpresora

Lit.: Winnacker-Küchler (4.) **7**, 60.

Thermodure. Selten verwendete Bez. für *Duroplaste.

Thermodynamik (von griech.: thermos = warm, heiß u. dynamis = Kraft). Ursprünglich Bez. für die Lehre von den Vorgängen, die sich in Wärmekraftmaschinen abspielen (heutige *techn.* T.). Hiervon abgeleitet versteht man unter T. im engeren Sinne denjenigen Teil der Wärmelehre, der sich mit der Umwandlung der Wärme in eine andere Energieform od. umgekehrt mit der Umwandlung irgendeiner Energieform in Wärme beschäftigt. T. im weiteren Sinne umfaßt alle Wechselwirkungen zwischen *thermodynamischen Systemen u. den Einfluß von Temp., Druck, Zusammensetzung usw. auf die *Zustände dieser Systeme. Sie befaßt sich als Teilgebiet der *Physikalischen Chemie mit allen Erscheinungen der Physik, Chemie u. Biologie, bei denen Arbeits- u. Wärmewirkungen auftreten. Die *klass.* T. behandelt nur stationäre Zustände, Änderungen zwischen Gleichgew.-Zuständen u. unendlich langsam verlaufende Vorgänge; sie wird deshalb häufig auch als *Thermostatik* bezeichnet. Sie unterscheidet deutlich die im theoret. Idealfall als streng *reversibel verlaufend denkbaren *thermodynam. Prozesse* (Beisp.: *Carnotscher Kreisprozeß) von den stets *irreversiblen Erscheinungen, bei denen die *Entropie zunimmt. Die bes. in neuerer Zeit entwickelte *T. der irreversiblen Prozesse*, um deren Theorie sich insbes. *Onsager u. *Prigogine verdient gemacht haben, beinhaltet die Erweiterung der klass. T. auf Ungleichgew.-Zustände („Zustände fernab vom thermodynam. Gleichgew.") u. mit endlicher Geschw. verlaufende Prozesse[1]. Während die klass. T. auf den sog. *Hauptsätzen beruht, in denen die *Zeit* nicht als variable Zustandsgröße auftritt, ist diese in der irreversiblen T. eine zusätzliche wesentliche Variable. Während sich die Überlegungen der klass. T. im wesentlichen auf *abgeschlossene* Syst. beziehen, betreffen die der irreversiblen T. die *offenen* Syst. (vgl. thermodynamische Systeme). Die thermodynam. Betrachtung kann phänomenolog. mit Hilfe sog. *thermodynam. Funktionen* od. *Zustandsgrößen* (innere u. freie Energie, Enthalpie, Entropie, Vol., Druck, Temp. u. a. Variable, die miteinander z. B. in den Hauptsätzen in Beziehung gesetzt werden) erfolgen. Die Zusammenhänge werden oft in *Zustandsdiagrammen dargestellt. In Verb. mit den thermodynam. Zustandsgrößen stehen auch das chem. Potential, die krit. Größen u. die spezif. Wärmekapazitäten. Während die klass. T. vom Stoffbegriff ausgeht, ohne die den Naturerscheinungen zugrundeliegenden atomaren u. mol. Vorgänge zu berücksichtigen, basiert die sog. *statist. T.* auf einem speziellen Modell der Mikrozustände, für die der Gleichgew.-Zustand des von ihnen gebildeten Makrosyst. der Zustand größter Wahrscheinlichkeit ist. Als solches Modell dient hier die *kinet. Gastheorie* (s. Gasgesetze u. Kinetik), aus der durch die Anw. statist. Meth. die makroskop. Eigenschaften abgeleitet werden, die von der T. erfaßt werden (s. Boltzmann'sches Energieverteilungsgesetz). Der im Engl. bevorzugte Begriff *statist. Mechanik* rückt die mechan. Eigenschaften der Teilchen u. Syst. in den Vordergrund der mikrophysikal. T.-Betrachtungen.

Dasjenige Teilgebiet der T., das sich mit den bei chem. Prozessen auftretenden Wärmeumsätzen u. den Wirkungen von Wärme auf diese befaßt, wird *chem. T.* od. allg. *Thermochemie genannt. Die T. von chem. Prozessen spielt in der Verfahrenstechnik, insbes. bei Transportvorgängen von Wärme u. Stoffen, bei Trennverf. usw., eine sehr wichtige Rolle. Die Kenntnis aller thermodynam. Parameter ist unerläßlich zur Beurteilung des Verlaufs u. der Wirtschaftlichkeit dieser Prozesse, da sie Auskunft über Energieverbrauch, Wirkungsgrade, Lage u. *Stabilität von *chemischen Gleichgewichten (also Ausbeuten usw.) gibt, allerdings nichts über Reaktionsgeschw. u. damit über die *Kinetik aussagt. Darüber hinaus ist die Kenntnis der T. notwendige Voraussetzung für das Verständnis *aller* chem. Prozesse, mögen diese bei hohen od. tiefen Temp., unter dem Einfluß von Strahlung, von elektr. od. magnet. Feldern, in chem. od. biolog. Syst. ablaufen. Die Terminologie der T. ist weitgehend vereinheitlicht in IUPAC-Empfehlungen[2] u. DIN-Normen[3]. Während man für die thermodynam. Funktionen Temp., Vol., D., Druck Absolutwerte messen kann, sind solche für andere Zustandsgrößen unbekannt. Mit Verf. der *Thermoanalyse lassen sich jedoch *Änderungen* der kalor. Funktionen Enthalpie, Entropie, Gibbs-, Helmholtz- u. innere Energie (s. freie Energie u. Hauptsätze) bestimmen u. auf willkürlich gewählte *Standards (*Normzustand) beziehen; numer. Werte findet man in *Tabellenwerken (s. a. *Lit.*[4] u. Datensammlungen, *s. Lit.*). Oftmals kann man Zustandsgrößen auch berechnen od. aufgrund von Regeln wie der Pictet-Trouton-Regel (weitere *Beisp.* s. bei Molwärme) abschätzen.

Geschichte: Als Begründer der T. gilt Clausius, der 1850 in einer Publikation den 1. u. den 2. Hauptsatz formulierte, als Ergänzung zu den Arbeiten von Carnot, G. H. Heß, Joule u. J. R. Mayer. Die bes. von Lord Kelvin u. Maxwell geförderte Entwicklung dieser Wissenschaft erreichte 1875 zunächst ihren Höhepunkt mit der 140 S. umfassenden Arbeit „On the Equilibrium of Heterogeneous Substances" von J. W. Gibbs, die in den Transactions of the Connecticut Academy of Science veröffentlicht wurde, aber fast ein Jahrzehnt unbeachtet blieb. Die Konzepte der statist. T. gehen auf Boltzmann zurück. Näheres zur Geschichte der T. findet man in *Lit.*[5]. – *E* thermodynamics – *F* thermodynamique – *I* termodinamica – *S* termodinámica

Lit.: [1] Glansdorff u. Prigogine, in Lerner u. Trigg (Hrsg.), Encyclopedia of Physics, Thermodynamics, Nonequilibrium, S. 1256–1263, Weinheim: VCH Verlagsges. 1991. [2] IUPAC, Größen, Einheiten u. Symbole in der Physikalischen Chemie, Weinheim: VCH Verlagsges. 1996. [3] DIN 1345: 1993-12. [4] CODATA Directory of Data Sources for Science and Technology II: Chemical Thermodynamics, CODATA Bull. **55** (1984); Marsh (Hrsg.), Recommended Reference Materials for the Realization of Physico-Chemical Properties, Oxford: Black-

well 1987.[5] Cardwell u. Hills, in Hall u. Smith (Hrsg.), History of Technology, London: Mansell 1976; J. Chem. Educ. **42**, 64–75 (1965).
allg.: Atkins, Physikalische Chemie, Weinheim: VCH Verlagsges. 1996 ■ Jou, Casas-Vazquez u. Lebon, Extended Irreversible Thermodynamics, Berlin: Springer 1998 ■ Göpel u. Wiemhöfer, Statistische Thermodynamik, Heidelberg: Spektrum 1997 ■ Kirk-Othmer (4.) **20**, 118–146; **22**, 868–899. – *Datensammlungen:* Garvin et al., CODATA Thermodynamic Tables (mehrbändig), Berlin: Springer (seit 1987) ■ Gurvich, Thermodynamic Properties of Individual Substances (4 Bd.), Oxford: Pergamon (seit 1984) ■ Ideal Gas Thermodynamic Properties (J. Phys. Chem. Ref. Data Pack. B 1), Washington: ACS ■ JANAF Thermochemical Tables (J. Phys. Chem. Ref. Data Pack. A2 u. Suppl. 1), Washington: ACS 1985, 1986 ■ Kohlrausch, Praktische Physik 3, Stuttgart: Teubner 1996 ■ *Landolt-Börnstein, Neue Serie ■ Pedley et al., Thermochemical Data of Organic Compounds, London: Chapman & Hall 1986 ■ Thermodynamic Databases (CODATA Bull. 58), Oxford: Pergamon 1985 ■ s. a. Thermochemie, physikalische Chemie.

Thermodynamische Kontrolle s. Kinetik u. Reaktionen.

Thermodynamischer Wirkungsgrad. Begriff, der hauptsächlich bei Arbeitsmaschinen (Carnotscher Kreisprozeß), in der Kältetechnik (Wärmepumpen, Kühlaggregate) u. in der Wärmeübertragung angewendet wird. Der t. W. des *Carnotschen Kreisprozesses ist definiert als das Verhältnis von verrichteter mechan. Arbeit zu zugeführter Wärme. Bei *Kältemaschinen* ist der t. W. definiert als Verhältnis von übertragener Wärme zu zugeführter mechan. Arbeit. Für *Wärmeaustauscher* ist der Wirkungsgrad definiert als Verhältnis von ausgetauschter Wärmemenge zu max. austauschbarer Wärmemenge. – *E* thermodynamic efficiency – *F* rendement thermodynamique – *I* efficacia termodinamica – *S* rendimiento termodinámico
Lit.: Ullmann (5.) **B3**, 19-3, 20-15.

Thermodynamische Systeme. Innerhalb der Vielzahl denkbarer *Systeme kann man als t. S. ein solches definieren, bei dem eine Ansammlung von *Materie innerhalb genau festgelegter Grenzen den Gesetzen der *Thermodynamik unterliegt. Diese Grenzen müssen nicht starr sein, u. das Syst. muß auch nicht zu jedem Zeitpunkt die gleiche Zusammensetzung haben. Die Umgebung des Syst. ist „der Rest des Universums", mit dem es in Wechselwirkung treten kann. Erfolgt keine Wechselwirkung mit der Umgebung, so handelt es sich um ein *isoliertes System.* Nach dem 2. *Hauptsatz sind in einem isolierten t. S. ablaufende Prozesse adiabatisch. Wechselwirkung kann durch den Transport von Energie in einer od. mehreren ihrer Formen od. von Materie durch die Grenzen hindurch erfolgen. Ein Syst., das nur Energie mit der Umgebung austauschen kann, wird als *(ab)geschlossenes Syst.* bezeichnet, ein *offenes Syst.* kann dagegen sowohl Energie als auch Materie austauschen. T. S. können in *stationären* u. *quasistationären* (die sich von ersteren durch eine sehr kleine Zeitabhängigkeit unterscheiden) *Zuständen* vorliegen. Beispielsweise befindet sich ein offenes Syst. dann im *stationären Zustand (thermodynam. Gleichgew.),* wenn sein Zustand (d. h. Masse u. Energie) unabhängig von der Zeit ist: Zu- u. Abfuhr von Masse u. Energie sind in diesem Falle gleich, u. man spricht deshalb in solchen Fällen auch von *Fließgleichgewichten.* Offene Syst. spielen v. a. in der Thermodynamik der *irreversiblen Prozesse* eine große Rolle, ebenso als naturwissenschaftliche Modelle eines lebenden Organismus; *Beisp.:* *Stoffwechsel. Sie vermögen z. B. die energet. Vorgänge mit ihrem raschen Stoffaustausch u. das Wachstum zu beschreiben. Einen Sonderfall stationärer Zustände stellen die *dissipativen Strukturen dar. Tritt in einem t. S. nur eine *Phase auf, so spricht man von einem *homogenen System, sind jedoch mehrere Phasen im *Gleichgewicht, dann bezeichnet man das Syst. als *heterogen (vgl. a. Gibbssche Phasenregel). Jedes t. S. existiert zu jedem Zeitpunkt in einem bestimmten Zustand, der sich anhand bestimmter makroskop. Eigenschaften, den thermodynam. Zustandsgrößen, beschreiben läßt. Die Thermodynamik befaßt sich nur mit dem inneren Zustand des Syst., wie er durch die thermodynam. Eigenschaften Temp., Druck, Vol., Enthalpie, Entropie, freie Energie, elektr., magnet. od. Gravitations-Feldstärke beschrieben wird. – *E* thermodynamic systems – *F* systèmes thermodynamiques – *I* sistemi termodinamici – *S* sistemas termodinámicos
Lit.: s. Thermodynamik.

Thermodynamische Temperatur s. Temperaturskalen u. absolute Temperatur.

Thermoelaste. T. sind wie *Elastomere weitmaschig vernetzte *Polymere. Sie unterscheiden sich von diesen durch eine höhere *Glasübergangstemperatur: T_g > 0 °C bis < 20 °C statt T_g < 0 °C. Typ. T. sind u. a. mit mehr als 10% Schwefel vernetzter *Naturkautschuk, weitmaschig vernetztes *Polyethylen u. sehr hochmol., über Kettenverschlaufungen vernetztes *Polymethylmethacrylat. Aufgrund ihrer relativ geringen Bedeutung werden die T. verbreitet den Elastomeren zugeordnet. – *E* thermoelastics – *F* matières thermoélastiques – *I* polimeri termoelastici – *S* termoelásticos
Lit.: Ehrenstein, Polymer-Werkstoffe, S. 102f., München: Hanser 1978 ■ s. a. Elastomere.

Thermoelastizität s. Elastizität.

Thermoelektrische Effekte s. Thermoelektrizität.

Thermoelektrische Energieumwandlung. Umwandlung von therm. in elektr. Energie; s. Thermoelektrizität, thermionische Energieumwandlung.

Thermoelektrizität (thermoelektr. Effekte, Kelvin-Effekt). Sammelbez. für die Wechselwirkungen zwischen Temp.-Änderungen (bzw. Temp.-Differenzen) u. elektr. Spannungen u./od. Strömen, mit Ausnahme der elektr. Heizwirkung (Joulesche Wärmeentwicklung bei Stromfluß durch einen Widerstand). Zu den thermoelektr. Effekten gehören u. a. der Seebeck-, der Peltier-, der Thomson- u. der Benedicks-Effekt sowie magneto-thermoelektr. Effekte wie sie z. B. in Verbindung mit dem *Hall-Effekt auftreten od. thermion. Konverter.
Der 1821 gefundene *Seebeck-Effekt* beruht darauf, daß eine Spannung (EMK = *elektromotorische Kraft) auftritt, wenn in einem Stromkreis, der aus zwei verschiedenen Metallen, Leg. od. Halbleitern A u. B besteht, die beiden Kontaktstellen (meist Lötstellen) unterschiedliche Temp. haben. Schließt man den Stromkreis, so fließt ein elektr. Strom. Umgekehrt bildet sich

neben der Jouleschen Wärme eine Temp.-Differenz zwischen den beiden Lötstellen AB u. BA aus, wenn man durch die Leiterkombination einen elektr. Strom schickt; diese 1834 erstmals beobachtete Erscheinung wird nach ihrem Entdecker *Peltier-Effekt genannt. Für nicht zu große Temp.-Differenzen bzw. Stromstärken sind Seebeck- u. Peltier-Effekt linear. Besteht längs eines elektr. Leiters ein Temp.-Gefälle, so tritt zusätzlich zur Stromwärme der sog. *Thomson-Effekt* (benannt nach W. Thomson, dem späteren Lord *Kelvin, 1854) auf: Fließt der Strom in Richtung des Temp.-Gefälles, so wird eine diesem proportionale Erwärmung beobachtet, bei Umkehrung der Stromrichtung eine entsprechende Abkühlung. Die Umkehrung dieser Erscheinung wird *Benedicks-Effekt* (C. Benedicks, 1929) genannt: In einem homogenen Leiter entsteht eine elektr. Spannung, falls die Temp.-Verteilung in ihm unsymmetr. ist.

Die beim Seebeck-Effekt durch den Temp.-Unterschied zwischen den beiden Lötstellen vom Thermopaar erzeugte EMK wird *Thermospannung* (thermoelektr. Spannung) od. *Thermokraft* genannt; sie läßt sich in den sog. *Thermoelementen als Temp.-Meßgröße sowie in sog. *thermoelektr. Generatoren* zur Stromerzeugung (*Energie-Direktumwandlung) ausnutzen. Durch Messung der Thermokräfte der Metalle gegen ein Bezugsmetall, wobei die Temp. der einen Lötstelle konstant gehalten wird, ergibt sich folgende *thermoelektr. Spannungsreihe* der Elemente: Sc, Sb, Fe, Sn, Au, Cu, Ag, Zn, Pb, Bi (vgl. mit der elektrochem. Spannungsreihe u. der Voltaschen bei Kontaktspannung). Bei der Kombination von je zwei Metallen dieser Reihe erhält dasjenige bei Erwärmung der Lötstelle ein pos. Potential, das in der Reihe vorangeht; das Potential des zweiten Metalls ist dann negativ. Die moderne T.-Technologie konnte sich erst entwickeln, seit man die *Halbleiter kennt (*Beisp.:* Blei- od. Bismuttelluride, Silicium-Germanium-Leg.).

Verw.: Zur Temp.-Messung (vgl. Thermoelemente), Peltier-Elemente zu Kühlzwecken, thermoelektr. Isotopenbatterien bzw. SNAP-Generatoren zur Stromerzeugung in Herzschrittmachern, Bojen, Leuchttürmen u. Satelliten, wobei die nötige Wärme von *Radionukliden (*Transurane) geliefert wird. Gelegentlich wird zum Gebiet der T. auch die *Thermionik* hinzugerechnet (s. thermionische Energieumwandlung). Die *Pyroelektrizität wird trotz gewisser Parallelen im allg. nicht zur T. gerechnet. – *E* thermoelectricity – *F* thermoélectricité – *I* termoelettricità – *S* termoelectricidad
Lit.: Brauer (3.) **1**, 37 ff. ▪ J. Electrochem. Soc. **145**, 1008 (1998) ▪ Kirk-Othmer (3.) **22**, 695–699, 900–917 ▪ Manual on the Use of Thermocouples in Temperature Measurement (STP 470 B), Philadelphia: ASTM 1981 ▪ Pollock, Thermoelectricity: Theory, Thermometry, Tool (STP 852), Philadelphia: ASTM 1985 ▪ Proceedings 16th International Conference on Thermoelectricity, New York: IEEE 1997 ▪ Ullmann (4.) **23**, 115–142 ▪ von Körtvelyessi, Thermoelement Praxis, Essen: Vulkan Verl. 1981 ▪ Winnacker-Küchler (3.) **7**, 410 f.; (4.) **1**, 523 f.

Thermoelemente. Zur Erzeugung von elektr. Spannungen geeignete Leiterkreise, die jeweils aus wenigstens zwei verschiedenen *Metallen od. *Halbleitern bestehen. Wenn deren Lötstellen auf unterschiedliche Temp. gebracht werden, entsteht aufgrund des *Seebeck-Effekts eine *Thermospannung* bzw. im Leiterkreis ein *Thermostrom* (*Thermoelektrizität). Die Größe der Thermospannung ergibt sich aus der thermoelektr. Spannungsreihe (s. Thermoelektrizität) sowie aus der Temp.-Differenz zwischen den Lötstellen, weshalb T. zur Temp.-Messung geeignet sind. Die Metall- bzw. Halbleiter-Kombinationen bezeichnet man als *Thermopaare*. Diese sollen eine möglichst große Thermospannung pro Kelvin Temp.-Differenz liefern, wobei das Verhältnis Spannung/Temp.-Differenz linear verlaufen soll. Die eine der Kontaktstellen wird im allg. bei 0 °C od. bei der Temp. von flüssigem Stickstoff gehalten. Von den in T. verwendbaren Thermopaaren kann durch die Kombination Nickel-Chrom/Konstantan (40% Ni, 60% Cu) mit die größte Thermospannung erzeugt werden. Am häufigsten werden verwendet: Für tiefe Temp. Gold-Eisen/Chromel u. Kupfer/Wolfram-Rhenium, für Raumtemp. Kupfer/Konstantan, für Temp. bis 800 °C Eisen/Konstantan, für Temp. bis 1600 °C Platin/Platin-Rhodium, für Temp. bis 2000 °C Iridium/Iridium-Rhodium u. für Temp. bis 3100 °C Wolfram/Wolfram-Molybdän (s. a. Thermometer).

Beim Hintereinanderschalten mehrerer T., wobei die Lötstellen abwechselnd auf zwei verschiedene Temp. gehalten werden, erhöht sich die Thermospannung proportional zu der Anzahl der Elemente. Solche *Thermosäulen* eignen sich sehr gut zur Strahlungsmessung, wenn die eine Sorte von Lötstellen für gute Absorption geschwärzt u. die andere von der Bestrahlung gut abgeschirmt wird. Für den Einsatz als *Batterien ist ihr Wirkungsgrad zu klein. Da der *Peltier-Effekt eine Umkehrung des Seebeck-Effekts ist, können T. in Peltier-Elementen auch zur Kälteerzeugung herangezogen werden. Vereinzelt werden auch die zur *thermionischen Energieumwandlung benutzten Thermionikelemente als T. bezeichnet.

Verw.: T. finden mannigfache Anw. zur *Temperaturmessung, wobei sie bes. bei der Messung hoher Temp. eingesetzt werden. Sie dienen auch zur Strahlungsmessung v. a. in der *IR-Spektroskopie u. allg. in der *Pyrometrie. Andere IR-Strahlungsmesser nutzen nicht die *Thermo-, sondern die *Pyroelektrizität aus. – *E* thermoelements – *F* thermoéléments – *I* termoelementi – *S* termoelementos
Lit.: s. Thermoelektrizität.

Thermofixieren. Ein Verf. der *Textilveredlung, s. Fixieren.

Thermoflux®. Weichmagnet. Ni-Fe-Leg. mit ca. 30% Ni zur Temp.-Kompensation in Dauermagnetsystemen. *B.:* Vakuumschmelze.

Thermofor-Verfahren. Von der Socony Vacuum Oil entwickeltes katalyt. Krackverf. (*E* Thermofor Catalytic Cracking, TCC) zur Gewinnung von Benzin, Dieselkraftstoff, Heizöl u. Flüssiggas aus hochsiedenden Gasölen, bei dem der Katalysator dem aufsteigenden Krackgut entgegenfällt, durch Wasserdampf regeneriert u. dem Prozeß wieder zugeführt wird. – *E* Thermofor process – *F* procédé Thermofor – *I* processo termofor – *S* procedimiento Thermofor
Lit.: Ullmann (5.) **A 18**, 62 ▪ Winnacker-Küchler (3.) **3**, 226 ff.

Thermofraktographie. Ein Verf. der dünnschichtchromatograph. Untersuchung durch Thermolyse gebildeter Produkte, wobei die beiden Meth. im TAS-Verfahren apparativ kombiniert werden. – *E* thermofractography – *F* thermofractographie – *I* termofrattografia – *S* termofractografía
Lit.: Adv. Polym. Sci. **30**, 1–88 (1979).

Thermogenin s. Entkoppler-Protein.

Thermographie (von Thermo... u. griech.: graphein = schreiben). Ein Verf. der Photographie, das die *Wärmestrahlung* (*Infrarotstrahlung) der Objekte zur Erzeugung von Wärmebildern ausnutzt. Die T. arbeitet bei Objekttemp. über 300 °C mit infrarotempfindlichen Platten, bei geringeren Temp. mit Phosphoren (vgl. Leuchtstoffe u. Lenard-Phosphore). Moderne Geräte arbeiten meist nach Prinzipien, die auf Erscheinungen der *Thermo- od. *Pyroelektrizität beruhen (vgl. a. Thermoelemente). Für Temp. zwischen –20 u. 1000 °C sind mit flüssigem Stickstoff gekühlte InSb-Detektoren geeignet.
Verw.: Die T. findet in der Medizin (z. B. als MammoT. in der Krebsvorsorge), in der Technik zur Auffindung von Wärmelecks u. bei der Luftbild- u. Satellitenphotographie prakt. Anw., als verwandte *Thermokopie-Meth. auch in der *Reprographie. Über die sog. *Thermotopographie* (*Topothermographie*) mit flüssigen Krist., die auch als *Farb-T.* bezeichnet wird, s. Temperaturmessung. – *E* thermography – *F* thermographie – *I* termografia – *S* termografía
Lit.: Glückert, Erfassung u. Messung von Wärmestrahlung: eine praktische Einführung in die Pyrometrie u. Thermographie, München: Franzis 1992 ▪ Kruse, Uncooled Infrared Imaging Arrays and Systems, San Diego: Academic Press 1997 ▪ Maldague, Nondestructive Evaluation of Materials by Infrared Thermography, Heidelberg: Springer 1993 ▪ s. a. Infrarotstrahlung u. Temperatur.

Thermogravimetrie (TG). Ein Verf. der *Thermoanalyse (auch therm. Analyse), bei dem die Masse od. Massenänderung einer Probe in Abhängigkeit von der Temp. od. der Zeit bei Verw. eines kontrollierten Temp.-Programms gemessen wird[1]. Zur T. benutzt man sog. *Thermowaagen* (s. Abb.), die es erlauben, das Gew. einer Probe in einer definierten Atmosphäre während des Aufheizvorgangs kontinuierlich als Funktion der Temp. od. der Zeit zu verfolgen u. zu registrieren. Zur besseren Interpretation der TG-Kurven zeichnen viele Geräte die erste zeitliche Ableitung des Meßsignals auf, welche man als *differenzierte thermogravimetr. Kurve* (DTG-Kurve) bezeichnet.

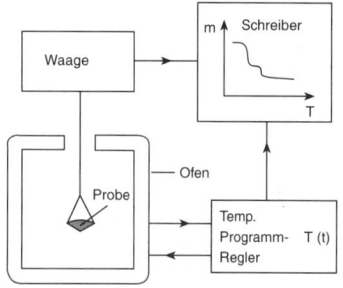

Abb.: Prinzip einer Thermowaage (nach Hemminger, s. *Lit.*).

Die T. ist im eigentlichen Sinne nur möglich bei Beteiligung flüchtiger Komponenten, woraus sich ihr Anw.-Gebiet ergibt: Verdampfung, Subl., Dissoziation, Desorption, Zers. sowie Oxid. u. Reduktion.
Verw.: Feuchtigkeitsbestimmung, Untersuchung von Trocknungsprozessen, Abbindungsverhalten von Zement, Gips u. ähnlichen Stoffen, Untersuchung von Brennprozessen (Ton- u. Porzellan-Ind.), Hitzeresistenz von Kunststoffen u. a. Materialien, Korrosionsverhalten von Stoffen in Gasen u. Dämpfen usw.
Geschichte: Die Thermowaage wurde – nach Vorarbeiten von *Nernst – von Honda 1915 u. von Chevenard entwickelt u. von *Duval vervollkommnet. – *E* thermogravimetry – *F* thermogravimétrie – *I* termogravimetria – *S* termogravimetría
Lit.: [1]Pure Appl. Chem. **52**, 2385–2391 (1980); **57**, 1737–1740 (1985).
allg.: Analyt.-Taschenb. **4**, 107–121 ▪ Hemminger u. Cammenga, Methoden der Thermischen Analyse, S. 57–99, Berlin: Springer 1989.

Thermoil Granodine®. Phosphatierungs-Verf. zur Erzeugung von Manganeisenphosphat-Schichten auf Stahl u. Eisen durch Anw. saurer Manganphosphat-Lsg. im Tauchverfahren. Die Schichten verbessern die Gleiteigenschaften aufeinander reibender Maschinenteile u. den Korrosionsschutz. *B.:* Henkel.

Thermokopie. Ein Verf. der *Reprographie, bei dem ebenso wie bei der verwandten *Thermographie *Infrarotstrahlung statt sichtbaren Lichtes für die Bildübertragung sorgt. Die zu kopierenden Schrift- u. Bildzeichen erwärmen sich stärker als ihre (weiße) Umgebung. Das entstehende *Wärmebild* wird nach verschiedenen Verf. als Reflexkopie auf die eigentliche wärmeaktive Schicht übertragen. – *E* thermocopy – *F* thermocopie – *I* = *S* termocopia
Lit.: s. Thermographie, Reprographie.

Thermolabil s. labil.

Thermolaste s. thermoplastische Elastomere.

Thermolumineszenz (Mechanolumineszenz). Bez. für Lichtemission (*Lumineszenz), die durch Erwärmung von *Mineralien, *Halbleitern u. *Isolatoren über eine bestimmte Temp. hervorgerufen wird; zum Mechanismus der T. s. Lumineszenz. T. kann zur Altersbestimmung von Mineralien od. zur Dosimetrie verwendet werden. Nach Art der prim. Energiezufuhr unterscheidet man zwischen *Photo-*, *Radio-* od. *Chemo-Thermolumineszenz.* – *E* = *F* thermoluminescence – *I* termoluminescenza – *S* termoluminiscencia
Lit.: Aitken, Thermoluminescence Dating, New York: Academic Press 1985 ▪ Horowitz, Thermoluminescence and Thermoluminescent Dosimetry (3 Bd.), Boca Raton: CRC Press 1984 ▪ J. Lumin. **78**, 279 (1998) ▪ J.Phys. D **31**, 2074 (1998) ▪ McKeever, Thermoluminescence of Solids, Cambridge: University Press 1988 ▪ Radiation Measurements **29**, 441 (1998) ▪ Singhvi et al., Theory and Practice of Thermally Stimulated Luminescence and Related Phenomena, Oxford: Pergamon 1985 ▪ Zlatkevich, Radiothermoluminescence and Transition in Polymers, Berlin: Springer 1987.

Thermolyse. Bez. für den ohne Katalysator eintretenden spontanen *Zerfall od. die gezielte *Spaltung von organ. Verb. unter dem Einfluß von therm. Energie (*therm. Dissoziation*). Bei T. unter höheren Temp.

spricht man auch von *Pyrolyse. – *E* thermolysis – *F* thermolyse – *I* termolisi – *S* termólisis
Lit.: s. Pyrolyse

Thermolysin. Eine aus *Bacillus thermoproteolyticus* isolierte Metalloendopeptidase (M_R 37500), deren auf die Ggw. eines Glutaminsäure- u. Histidin-gebundenen Zink-Atoms zurückgehende spezif. Hydrolase-Aktivität (spaltet vom *N*-terminalen Ende her bevorzugt Leucin-, Phenylalanin-, Isoleucin- u. Valin-Reste ab) selbst bei Temp. um 70 °C unverändert hoch ist. Die *Thermophilie des T. wird mit der Ggw. von vier Calcium-Ionen erklärt, die die 316 Aminosäuren in einer thermostabilen Anordnung festhalten. – *E* thermolysin – *F* thermolysine – *I* = *S* termolisina
Lit.: Biochim. Biophys. Acta **1337**, 143–148 (1997) ▪ Prog. Inorg. Biochem. Biophys. **1**, 225 (1986).

Thermomechanische Analyse (Abk. TMA). Oberbegriff für Meth. zur Ermittlung der Deformation eines Probenkörpers (z. B. Film, Faser, Scheibe) bei Belastung durch eine nicht-schwingende Last als Funktion der Temperatur. Die Ergebnisse werden in sog. *thermomechan. Spektren* aufgetragen (z. B. der Schubmodul gegen die Temp., s. Thermoplaste). – *E* thermomechanical analysis – *F* analyse thermomécanique – *I* analisi termomeccanica – *S* análisis termomecánico
Lit.: Elias (5.) **1**, 817.

Thermo-Menthoneurin®. Creme u. Liniment mit (2-Hydroxyethyl)-salicylat u. *Nicotinsäurebenzylester (Benzylnicotinat), Badezusatz mit zusätzlichem Methylnicotinat gegen rheumat. Beschwerden, Hexenschuß, Bandscheibenbeschwerden usw. (s. a. Nicotinsäureester). *B.*: Roland.

Thermometer. Für die *Temperaturmessung geeignete, nach Maßgabe der gewählten *Temperaturskala kalibrierte u. ggf. geeichte Instrumente, bei denen man nach der Art der Temp.-Erfassung zwischen sog. *Berührungs-T.* u. Geräten zur *berührungslosen Temp.-Messung* unterscheiden kann. Zur letzteren, hier nicht behandelten Gruppe gehören v. a. die opt. u. thermoelektr. Pyrometer (s. Pyrometrie). Berührungs-T. hingegen verlangen einen direkten Wärmeübergang vom Objekt zum T., weswegen man dessen Wärmekapazität grundsätzlich möglichst klein halten muß, um eine Verfälschung der Meßwerte zu verhindern. Außerdem muß bei diesen T. durch geeignete Schutzmaßnahmen (z. B. Umgeben mit Schutzrohren) der Einfluß der Umgebung auf die Temp.-Fühler (Strömungseinfluß, Korrosion u. a.) ausgeschaltet werden. Entsprechend ihrer physikal. Wirkungsweise teilt man T. ein in:
a) *Ausdehnungs-T.*: Hierzu zählt das am häufigsten eingesetzte *Flüssigkeitsglas-T.*, bei dem die Temp.-abhängige Vol.-Änderung einer *thermometr. Flüssigkeit* in einer Glaskapillare mit Hilfe einer Skala gemessen wird (s. Abb.).
Um eine Fadenabtrennung od. die Abdest. der Flüssigkeit zu erschweren u. um ihren Sdp. heraufzusetzen, befindet sich in der Kapillare oberhalb der thermometr. Flüssigkeit meist eine Schutzgasfüllung aus einem Sauerstoff-freien, trockenen Gas (N_2 od. Ar).
Die am meisten eingesetzte Flüssigkeit ist Quecksilber; die entsprechenden T. sind von –39 °C bis +630 °C einsetzbar. Aufgrund der engen Toleranzen für die

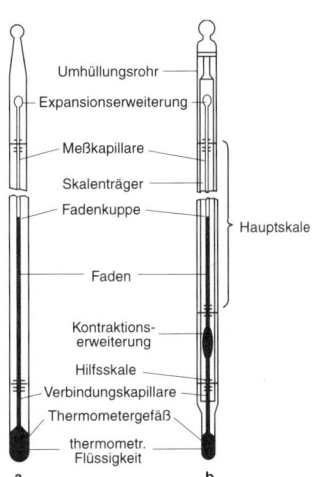

Abb.: Aufbau eines Flüssigkeitsglasthermometers: a) Stabthermometer, b) Einschlußthermometer (nach *Lit.*[1]).

Fertigung (DIN 12771) gibt es für den Temp.-Bereich –10 °C bis 110 °C gute Hg-Glas-T. mit Meßungenauigkeiten von nur 5 mK. Der untere Temp.-Wert des Einsatzbereichs ist durch den Erstarrungspunkt von Hg (–38,8 °C) gegeben; er läßt sich durch Verw. eines Quecksilber-Thallium-Eutektikums (8,5% Thallium) auf –59 °C senken. Für noch niedrigere Temp. werden Toluol (bis –90 °C) u. Ethanol (bis –110 °C) als thermometr. Flüssigkeit verwendet. Der Sdp. von Hg bei 100 kPa liegt bei 356,7 °C; durch Druckverschiebung des Sdp. kann das Quecksilber-T. aber auch bei höheren Temp. verwendet werden. Für T > 150 °C ist in der Kapillare oberhalb der Hg-Kuppe ein inertes Gas enthalten, das bei Temp. bis 500 °C Drücke von bereits 1–2 MPa erreicht. Für den Temp.-Einsatz bis 800 °C wurden Quecksilber-T. aus Quarzglas mit Druckfüllungen bis 10 MPa hergestellt. Die Temp.-Begrenzung dieser T. ist durch die Explosionsgefahr bzw. die Haltbarkeit des Glases gegeben. Für Temp. bis 1000 °C werden Quarzglaskapillaren mit Gallium gefüllt; aufgrund des hohen Sdp. von 2230 °C ist hier ein hoher Gasdruck nicht notwendig.
Neben dem großen Temp.-Einsatzbereich hat Hg als thermometr. Flüssigkeit den Vorteil eines konstanten Ausdehnungskoeff.; bei den meisten organ. Flüssigkeiten wie Ethanol, Toluol od. Isopentan muß eine nichtlineare Skala verwendet werden. DIN 12785 beschreibt 70 Labor-T. für bes. Zwecke, wie z. B. das *Beckmann-Thermometer, das es gestattet, Temp.-Differenzen von bis zu 6 K mit einer Genauigkeit von 10–20 mK zu bestimmen. Bei diesem T. sowie bei dem *Umkipp-T.* od. dem *Maximum-T.* mit Abrißeinrichtung (*Beisp.*: Fieber-T.) ist die Kapillare über dem Quecksilber-Meniskus evakuiert.
Das *Flüssigkeits-Feder-T.* besteht aus einem Metallgefäß als Meßfühler, das über ein Kapillarrohr mit einem Druckmanometer verbunden u. ebenfalls mit einer thermometr. Flüssigkeit gefüllt ist. Die Temp.-bedingte Ausdehnung der Flüssigkeit (Hg, Hg-Tl-Eutektikum, Xylol od. Toluol) führt zum Anstieg des Innendrucks, was durch das Manometer angezeigt wird: Temp.-Bereich: –55 °C bis 500 °C.

Das *Gas-T.* ist das wichtigste Gerät zur Messung thermodynam. Temp. von 3 K bis 1400 K. Gemäß der allg. Gasgleichung $p \cdot V = n \cdot R \cdot T$ kann bei konstantem Vol. die Druckänderung (häufigster Einsatz) od. bei konstantem Druck die Vol.-Änderung (seltener) gemessen werden. Gas-T. bilden in den Eichämtern den Standard, mit dem andere T. geeicht werden.

Gas-Feder-T. sind ähnlich aufgebaut wie Flüssigkeits-Feder-Thermometer. Sie enthalten als Gasfüllung Stickstoff od. Helium bei einem typ. Druck von 5 MPa. Im Handel befindliche Geräte sind für den Temp.-Bereich –260 °C bis 800 °C geeignet; die Meßungenauigkeit beträgt ~1% der Meßspanne.

Die Temp.-abhängige *Metallausdehnung* wird beim *Bimetall-T.* ausgenutzt. In flacher Form gefertigt wird dieses T. für Regelzwecke (Kocher, Bügeleisen, Raumthermostat) eingesetzt; Anzeigeinstrumente haben meist eine Spiralform, Temp.-Bereich –70 °C bis 600 °C, Meßunsicherheit 1–3% der Meßspanne.

b) *Widerstands-T.:* Der elektr. Widerstand eines metall. Leiters steigt im allg. mit der Temp. (pos. Temp.-Koeff., Kurzz. PTC von E positive temperature coefficient), während der eines *Halbleiters sinkt, da die therm. Anregung zu einer teilw. Besetzung des Leitungsbandes führt (neg. Temp.-Koeff., Kurzz. NTC). Hohe Präzision erreicht man mit Platin-, Eisen-Rhodium- u. Germanium-Widerstandsthermometern. Temp.-Bereich: 1 K bis 1340 K.

c) *Thermoelement:* Dieses ist das am häufigsten benutzte elektr. T. im Temp.-Bereich von 1 K bis 3000 K. Die Meßunsicherheit ist zwar größer als die von Widerstands-T., Thermoelemente sind aber einfacher herzustellen, räumlich sehr klein, haben kürzere Ansprechzeiten u. zur Messung braucht man nur ein hochohmiges Voltmeter; zu Aufbau u. Funktionsweise s. Thermoelement. In der Tab. sind typ. Thermopaare u. ihr Temp.-Bereich zusammengestellt.

Tab.: Thermopaare nach der Internat. Norm DIN/IEC 584-1 (Grundwerte der Thermospannungen).

Thermopaar	Temp.-Bereich
Platin-13% Rhodium/Platin (Typ R)[a]	–50 °C bis 1769 °C
Platin-10% Rhodium/Platin (Typ S)[a]	–50 °C bis 1769 °C
Platin-30% Rhodium/Platin-6% Rhodium (Typ B)	0 °C bis 1820 °C
Eisen/Kupfer-Nickel (Typ J)[a]	–210 °C bis 1200 °C
Kupfer/Kupfer-Nickel (Typ T)[a]	–270 °C bis 400 °C
Nickel-Chrom/Kupfer-Nickel (Typ E)	–270 °C bis 1000 °C
Nickel-Chrom/Nickel (Typ K)[a]	–270 °C bis 1372 °C

[a] Thermospannungen nach DIN 43710, s. Lit.[2].

d) Bei *akust. T.* wird die Temp.-Abhängigkeit der Schallgeschw. (meist von He) ausgemessen. Temp.-Bereich: 2 K – 20 K.

e) *Strahlungs-T.* s. Pyrometrie.

Als „opt." bzw. „mechan. T." könnte man Temp.-Meßfarben bzw. Temp.-Schmelzkörper u. die *Segerkegel bezeichnen; Näheres s. bei Temperaturmessung. – *E* thermometers – *F* thermomètres – *I* termometri – *S* termómetros

Lit.: [1] Kohlrausch, Praktische Physik 1, Stuttgart: Teubner 1996. [2] Kohlrausch, Praktische Physik 3, S. 582, Stuttgart: Teubner 1996.

allg.: Swenson, Thermometry, S. 719–738, in Encyclopedia of Physical Science and Technology, Bd. 16, New York: Academic Press 1992.

Thermometrie. Auch als *thermometr. Analyse,* vereinzelt als *Enthalpimetrie* bezeichnetes ältestes Verf. der *Thermoanalyse. Die IUPAC[1] kennt die Bez. „T." allerdings nicht, beschreibt dafür sinngemäß die Aufnahme von Aufheiz- bzw. Abkühlkurven (heating-, cooling-curve determination). Die T. dient zur Feststellung derjenigen *Umwandlungen, die eine Substanz od. ein Substanzgemisch erfährt, wenn man sie/es mit konstanter Geschw. erhitzt od. abkühlt. Aus apparativen u. a. Gründen wird die Aufnahme von Abkühlkurven vorgezogen.

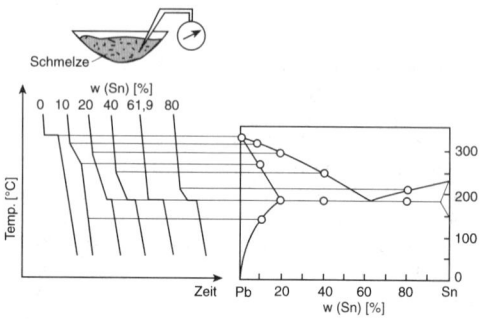

Abb.: Ermittlung des Phasendiagramms des binären Syst. Blei-Zinn (nach Hemminger u. Camenga, s. *Lit.*).

Die Abb. verdeutlicht die Ermittlung des *Phasen-Diagramms des binären Syst. Blei-Zinn. Der linke Teil zeigt die Abkühlkurven mit Knick- u. Haltepunkten, im rechten Teil erfolgt die Übertragung der Unstetigkeiten der Abkühlkurven in das Temp.-Konz.-Diagramm. Erstarrt eine reine Substanz, bleibt ihre Temp. am Erstarrungspunkt so lange konstant, bis keine Schmelze mehr vorhanden ist. Die Abkühlkurve zeigt einen „Haltepunkt". Wird in binären Syst. beim Abkühlen die Liquiduskurve (s. Eutektikum) erreicht, beginnt die Erstarrung; sie endet nach Durchfahren des Zweiphasengebiets mit dem Erreichen der *Soliduskurve. Die während der Erstarrung frei werdende Wärme verursacht eine Änderung der Abkühlgeschw., die sich in Form von „Knickpunkten" in der Abkühlkurve bemerkbar macht. Wird beim Abkühlen durch ein Zweiphasengebiet die Zusammensetzung der eutekt. Restschmelze (ab 20% Sn) erreicht, so tritt wieder ein Haltepunkt auf, da die eutekt. Schmelze wie ein reiner Stoff erstarrt. Die erste thermometr. Analyse wurde von *Le Chatelier 1887 durchgeführt. Die T. wird v. a. zur Untersuchung von metall. Syst. eingesetzt, zur Reinheitskontrolle von Substanzen u. als *thermometrische Titration zur Endpunktsbestimmung in der Maßanalyse; vgl. a. Differentialthermoanalyse. – *E* thermometric analysis, heating/cooling-curve determination – *F* thermométrie – *I* termometria – *S* termometría

Lit.: [1] Pure Appl. Chem. **57**, 1737–1740 (1985).
allg.: Hemminger u. Camenga, Methoden der Thermischen Analyse, Berlin: Springer 1988 ■ s. Thermoanalyse.

Thermometrische Analyse s. Thermometrie.

Thermometrische Titration (enthalpometr. Titration). Bez. für eine Meth. zur Bestimmung des *Endpunktes bei *Maßanalysen, bei der der Verlauf der *Titration mittels einer empfindlichen Temp.-Meßvorrichtung (*Thermistor, Thermosäule od. *Thermometer) verfolgt wird, die in das in einem wärmeisolierten Gefäß befindliche Reaktionsmedium (adiabat. Syst.) eintaucht. Die Anzeige des Instruments wird gegen die Menge des zugesetzten Reagenzes aufgetragen. Die Endpunkte werden durch Extrapolation an Unstetigkeitsstellen der Titrationskurve lokalisiert, die entstehen, weil prakt. alle chem. Reaktionen von einem Wärmeeffekt begleitet sind (s. Thermochemie u. vgl. Thermometrie). – *E* thermometric titration – *F* titration thermométrique – *I* titolazione termometrica – *S* valoración termométrica

Lit.: Schwedt, Analytische Chemie, S. 161, Stuttgart: Thieme 1995 ▪ Snell-Hilton **3**, 672–685 ▪ Wöhrmann, Kalorimetrische Titration, Köln: Deubner 1985 ▪ s. a. Titration u. Maßanalyse.

Thermonastie s. Nastien.

Thermonukleare Reaktion s. Kernfusion.

Thermopaare s. Thermoelemente.

Thermophilie. Von Thermo... u. *...phil abgeleitete Bez. für die Eigenschaft von Organismen, bei Temp. >45 °C bes. gut zu gedeihen. *Gegensatz:* *Psychrophilie. Während für Tiere u. Pflanzen 50 °C als Obergrenze für Lebensfähigkeit gilt, können einige Protozoen, Algen u. Pilze bis 60 °C, *Eubakterien (vorwiegend sporenbildende Bakterien u. *Actinomyceten) bis 90 °C u. Archaebakterien (*Archaea) bei >100 °C wachsen. Thermophile Keime u. Bakterien kommen z. B. in heißen Quellen (*Beisp.:* *Soffionen), bei der aeroben *Gärung in feuchtem Heu u. bei anderen *Fermentationen sowie bei der Herst. von *Silage vor. Ein außergewöhnlicher Lebensraum, der 1977 entdeckt wurde, findet sich in der Tiefsee (2000–3000 m) nahe den Galapagosinseln, wo in den Randzonen heißer, Schwefelwasserstoff-haltiger Quellen Schwefel-oxidierende Bakterien leben. Die T. der Organismen geht auf die therm. Stabilität der in ihnen enthaltenen Membranen, Nucleinsäuren u. Enzyme zurück; *Beisp.:* *Thermolysin. Die meisten Wasser- u. Bodenbakterien sind dagegen *mesophil*, d. h. ihre optimale Wachstumstemp. liegt zwischen 20 u. 45 °C. Wenn sie in der Lage sind, auch höhere Temp. (vorübergehend) zu ertragen, nennt man sie *thermotolerant*; sind sie bei höheren Temp. auch vermehrungsfähig, nennt man sie *thermotroph*. – *E* thermophilia – *F* thermophilie – *I* = *S* termofilia

Lit.: Strasburger, Lehrbuch der Botanik, 34. Aufl., Stuttgart: Fischer 1998 ▪ s. a. Mikrobiologie, Schwefelbakterien.

Thermoplaste (Plastomere). Bez. für polymere, bei Gebrauchstemp. weiche od. harte Werkstoffe, die oberhalb der Gebrauchstemp. einen Fließübergangsbereich besitzen. T. bestehen aus linearen od. verzweigten *Polymeren, die im Falle amorpher T. oberhalb der *Glasübergangstemperatur (T_g), im Falle (teil)krist. T. oberhalb der Schmelztemp. (T_m) prinzipiell fließfähig werden. Sie können im erweichten Zustand durch Pressen, Extrudieren, Spritzgießen od. andere Formgebungsverf. zu Formteilen verarbeitet werden.

Über die Temp.-Verlaufskurve des Schubmoduls G (Abb. 1) sind die T. von den beiden anderen großen Polymer-Klassen, den chem. vernetzten *Elastomeren (Abb. 2) u. den *Duroplasten (Abb. 3), abgegrenzt.

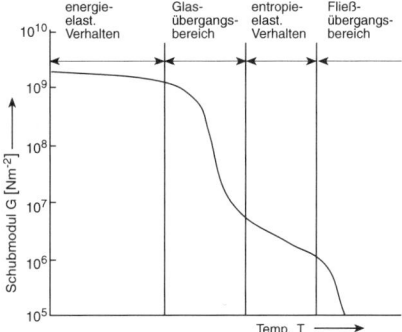

Abb. 1: Schemat. Darst. des Temp.-Verlaufs des Schubmoduls G von Thermoplasten.

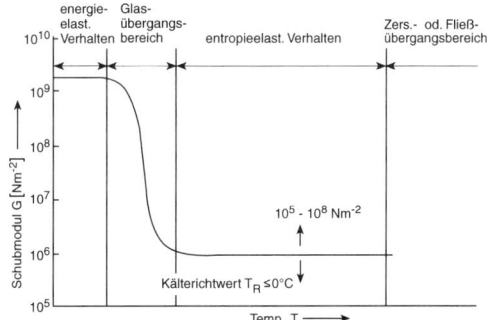

Abb. 2: Schemat. Darst. des Temp.-Verlaufs des Schubmoduls G von chem. vernetzten Elastomeren.

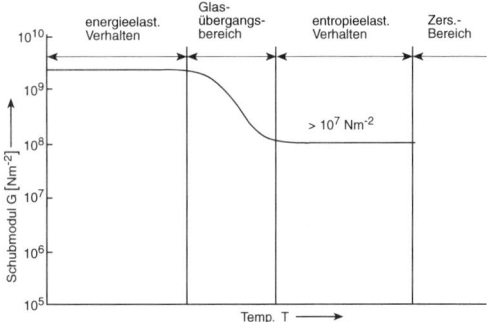

Abb. 3: Schemat. Darst. des Temp.-Verlaufs des Schubmoduls G von Duroplasten.

Wie aus den Abb. ersichtlich wird, können bei polymeren Werkstoffen wie den T. verschiedenen Temp.-Intervallen bestimmte therm.-mechan. Zustandsbereiche zugeordnet werden. Bei Temp. unterhalb der für jeden Polymerwerkstoff charakterist. Glasübergangstemp. wird energieelast. Verhalten beobachtet. Der Werkstoff reagiert hier auf mechan. Beanspruchungen mit einem Kraft-Verformungs-Verhalten, das annähernd dem *Hookeschen Gesetz gehorcht. Die dabei erfolgende Verformung spielt sich vorwiegend auf atomarer u. mol. Ebene unter reversibler Änderung von

Atomabständen u. Valenzwinkeln ab. Makroskop. äußert sich dies in hohen Modulwerten u. sprödem Bruchverhalten. Im Glasübergangsbereich fällt z. B. der Schubmodul G um mehrere Zehnerpotenzen ab u. das Material wechselt vom spröden in den entropieelast. Kautschuk-artigen Zustand. Bei dieser Temp. setzen Rotationsbewegungen ganzer Kettensegmente u. Seitengruppen ein. Bei mechan. Beanspruchung des Werkstoffes werden nun ganze Polymer-Mol. deformiert. Da diese Deformation der Knäuel-Mol. zu einem entrop. ungünstigeren Zustand führt, wird eine der äußeren Spannung entgegengesetzte Rückstellkraft wirksam, die die ursprüngliche Knäuelgestalt u. damit – aufgrund der Verschlaufung u. Verhakung der vielen Polymerknäuel ineinander – die ursprüngliche Form des Werkstückes wieder herzustellen sucht. In diesem Temp.-Bereich wird der Polymerwerkstoff daher als entropieelast. (Gummi-elast.) bezeichnet. Mit zunehmender Spannung u. steigender Temp. findet gleichzeitig aber auch eine immer deutlicher feststellbare, irreversible viskose Verformung des Werkstückes statt. Man spricht daher von viskoelast. Verhalten: Dem Auftreten entropieelast. Rückstellkräfte ist ein viskoses Fließen überlagert (s. Viskoelastizität). Bei noch weiterem Erwärmen gewinnt das viskose Fließen gegenüber den elast. Rückstellkräften immer mehr die Oberhand. Die Kettenbeweglichkeit wird schließlich so groß, daß die Polymer-Mol. leicht aneinander abgleiten u. der Werkstoff den schmelzflüssigen Zustand erreicht (Fließbereich, Polymerschmelze). Hier tritt die Schmelzviskosität bzw. der *Schmelzindex an die Stelle des Schubmoduls als den Werkstoff kennzeichnende mechan. Größe. Beide Größen nehmen mit zunehmender Temp. weiter ab. Die hier mit zunehmender Temp. diskutierten Übergänge sind prinzipiell thermoreversibel u. daher theoret. beliebig wiederholbar. Prakt. wird jedoch bei z. B. mehrfacher Wiederverarbeitung eines T. ein Kettenabbau erfolgen, der in der Regel mit einer Verschlechterung der Werkstoffeigenschaften verbunden ist.

Zu den T. gehören weiterhin auch thermoplast. verarbeitbare *Kunststoffe mit ausgeprägten *entropieelast*. Eigenschaften, die sog. *thermoplastischen Elastomeren.

T. können durch einseitigen starken mechan. Zug (Orientierung der Fadenmol.) hinsichtlich ihrer Festigkeit verbessert werden. Ihre Eigenschaften lassen sich durch Zusätze von Weichmachern, Füllstoffen, Stabilisatoren u. a. Additiven sowie durch *Faserverstärkung breit variieren. T. stellen das Hauptkontingent der Kunststoffe. Zu ihnen gehören (s. a. Einteilung bei Kunststoffen) alle aus linearen od. thermolabil vernetzten Polymer-Mol. bestehenden Kunststoffe, z. B. *Polyolefine, *Vinylpolymere, *Polyamide, *Polyester, *Polyacetale, *Polycarbonate, z. T. auch *Polyurethane u. *Ionomere. Die T. umfassen also Polymere, deren Eigenschaftsniveau sich von dem der *Massenkunststoffe bis zu dem der Hochleistungskunststoffe (*Spezialkunststoffe*) erstreckt. Eine Übergangsgruppe zwischen diesen beiden Kunststoffklassen bilden die als *techn. Thermoplaste* bezeichneten Polymere. Eine Übersicht über die wichtigsten Vertreter, das Preisniveau u. das Marktvol. (Westeuropa, 1987) der einzelnen T.-Gruppen gibt Abb. 4 (*Lit.*[1]).

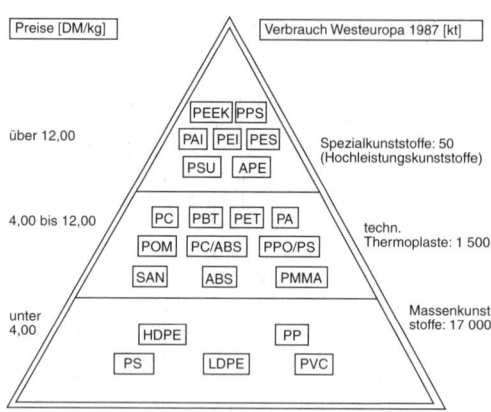

Abb. 4: Klassifizierung der Thermoplaste[1].

– *E* thermoplastics – *F* matières thermoplastiques – *I* polimeri termoplastici – *S* termoplásticos

Lit.: [1] Chem. Ind. (Düsseldorf) **1991**, Nr. 11, 31–36.
allg.: Carlowitz u. Wierer, Kunststoffe (Merkblätter), 1: Thermoplaste, Berlin: Springer (seit 1987) ■ Dominighaus (5.), S. 95 ff. ■ Elias (5.) **2**, 427 f., 443 f. ■ Erhard, Konstruieren mit Kunststoffen, München: Hanser 1993 ■ s. a. Kunststoffe u. einzelne Thermoplaste.

Thermoplast®-Farbstoffe. In Kunststoffen lösl. Spezialfarbstoffe für die Massefärbung thermo- u. duroplast. Kunststoffe – z. B. Styrolpolymerisate (PS, SB, SAN, ABS), Hart-PVC, Polymethacrylat, Cellulose-Derivate, Polycarbonate, ungesätt. Polyester. *B.:* BASF.

Thermoplastics s. Elastoplaste.

Thermoplastische Elastomere (Elastoplaste, Thermolaste; Kurzz. TPE). Bez. für *Polymere, auch *thermoplast. Kautschuke* genannt, die im Idealfall eine Kombination der Gebrauchseigenschaften von *Elastomeren u. den Verarbeitungseigenschaften von *Thermoplasten besitzen[1]. Das kann erreicht werden[2], wenn in den *Makromolekülen der entsprechenden *Kunststoffe gleichzeitig weiche u. elast. Segmente mit hoher Dehnbarkeit u. niedriger *Glasübergangstemperatur (T_g) sowie harte, kristallisierbare Segmente mit geringer Dehnbarkeit, hoher T_g u. Neigung zur Assoziatbildung (*physikalische Vernetzung) vorliegen. Die Weich- u. Hartsegmente müssen miteinander unverträglich sein u. als individuelle Phasen vorliegen (s. Mikrophasentrennung). Kennzeichnend für t. E. sind somit thermolabile, reversibel spaltbare Vernetzungsstellen meist physikal., aber auch chem. Art u. das in der Abb. skizzierte Strukturprinzip (*Lit.*[2]).

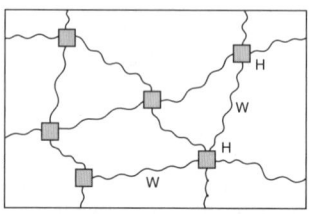

Abb.: Thermoplastische Elastomere (Strukturprinzip) mit weichen u. elast. (W) sowie harten u. starren (H) Blöcken[2].

Techn. wichtige TPE-Klassen sind unter Angabe von Eigenschaften u. Handelsnamen/Hersteller in Tab. 1

Tab. 1: Klassen der thermoplastischen Elastomere (TPE-Klassen)[a].

TPE-Klassen [Härte (Shore)]	Beisp. (Handelsname/Hersteller)	Polymersegmente weich	Polymersegmente hart	Einsatztemp.-Grenzen [°C]
Styrol-Typen				
SBS, SIS [30A bis 85A (40D)]	Kraton D/Shell; Cariflex TR/Shell; Solprene/Phillips	Butadien bzw. Isopren	Styrol	−70 bis +60 (80)
SEBS	Kraton G/Shell[b]	Ethylenbutylen	Styrol	−70 bis +60 (80)
Elastomer-Leg.				
EPDM/PP [55A bis 75D]	Levaflex/Bayer Santopren/Monsanto	vernetztes EPDM	Propylen	−50 bis +100 (120)
NR/PP	thermoplast. Naturkautschuk/MRPRA	vernetzter NR	Propylen	−50 bis +100
EVA/PVDC [60A bis 80A]	Alcryn/DuPont	Ethylenvinylacetat	Vinylidenchlorid	−40 bis +120
NBR/PP [60A bis 50D]	Geolast/Monsanto	vernetzter NBR	Propylen	−40 bis +120
Polyurethane [75A bis 75D]	Desmopan/Bayer Estane/Goodrich[c] Pellethane/Upjohn[c]	Esterglykole bzw. Etherglykole	Isocyanat-Kettenverlängerer, H-Bindungen	−40 bis +120
Polyetherester [85A (35D) bis 72D]	Arnitril/Akzo; Hytrel/ DuPont	Alkylenglykol	Alkylenterephthalat	−50 bis +150
Polyetheramide [60A bis 70D]	Pebax/Atochem	Etherdiole	Amide	−40 bis +80

[a] Einige der bekanntesten Klassen (ohne neuere Entwicklungsprodukte) mit jeweils einigen Beispielen.
[b] Mit Thermoplasten verschnitten auch als Elaxar bzw. Kraton/PN sowie mit Polysiloxan verschnitten als C-Flex.
[c] Auch in Verschnitten mit ABS.

Tab. 2: Einige für thermoplastische Elastomere gebräuchliche Abkürzungen.

Abk.	Anw. für welche Gruppen
TPE, TPR	allg. Gruppenbez.
TPO, Thermolastics	thermoplast. Elastomere auf Olefin-Basis
SBS, SIS, SBC	Styrol-Triblock-Copolymere
TP-NR	thermoplast. Naturkautschuk
TP-NBR	thermoplast. Nitrilkautschuk
TP-FKM	thermoplast. Fluorkautschuk
TP-Q	thermoplast. Silikonkautschuk
TPU	thermoplast. Polyurethane
CPE, CPA	copolymere Polyetherester (Y-BPO, z. B. Hytrel)
PEBA	Polyether-Blockamide
MPR[a]	Melt Processible Rubber, vorgeschlagen für Alcryn

[a] Die Kombination eines Kürzels mit dem Buchstaben R (Rubber) sollte vermieden werden, da bei TPE grundsätzlich die Definition für den Begriff „Kautschuk" nicht zutreffen kann, sondern lediglich im Anw.-Bereich der Begriff „Elastomere" gilt.

aufgelistet, für TPE gebräuchliche Abk. sind in Tab. 2 angegeben[2]. Andere für TPE verwendete Abk. sind[3] *TPE-S* für Styrol-Oligoblock-Copolymere, *TPE-O* für thermoplast. *Polyolefine, TPE-U* für thermoplast. *Polyurethane, TPE-E* für entsprechende Copolyester u. *TPE-A* für solche auf Basis von Copolyamiden. Eine Übersicht über den TPE-Verbrauch (ohne TPE-U) 1990 weltweit gibt Tab. 3.
Verw.: U. a. zur Herst. von Stoßfängern, Siebdichtungen für Scheibenwaschanlagen, Luftansaugschläuchen, Faltenbälgen, Lagerbuchsen, Lampendichtungen, Verbindungssteckern, Schläuchen, Muffen, Membranen, Pumpen-Diaphragmen, Federungssyst., Dämpfungselementen, Dichtungen u. Schläuchen[3]. – *E* thermoplastic elastomers – *F* élastomères thermoplastiques – *I* elastomeri termoplastici – *S* elastómeros termoplásticos.

Tab. 3: TPE-Verbrauch (ohne TPE-U) 1990 weltweit[3].

TPE-Typ	Verbrauch [1000 t]
TPE-S	125
TPE-O[a]	125
EPDM/PP[b]	375
TPE-E	10
TPE-A/sonstige	< 2

[a] Verschnitte aus vernetztem EPM bzw. EPDM in Polyolefinen.
[b] Verschnitte aus unvernetztem EPM bzw. EPDM in Polyolefinen.

Lit.: [1] Kautsch., Gummi, Kunstst. **39**, 804–809 (1986). [2] Kunststoffe **77**, 767–776 (1987). [3] Kunststoffe **80**, 1210 ff. (1990).
allg.: Encycl. Polym. Sci. Eng. **5**, 416–430 ▪ Legge et al., Thermoplastic Elastomers (2.), München: Hanser 1996 ▪ Thorn, Thermoplastic Elastomers, Shawbury: RAPRA 1980 ▪ s. a. Kautschuk.

Thermoplastischer Kautschuk s. thermoplastische Elastomere.

Thermoprinter s. Thermodrucker.

Thermoregulation s. Körpertemperatur.

Thermoreversible Vernetzung s. physikalische Vernetzung.

Thermorezeptoren s. Rezeptoren.

Thermo Rheumon® (Rp). Creme mit *Etofenamat u. *Nicotinsäurebenzylester (Benzylnicotinat) gegen Muskelrheumatismus, Lumbago, Ischialgien u. dgl. *B.:* Bayer Pharma Deutschland.

Thermosäule s. Thermoelemente.

Thermosan s. Wärmemischungen.

Thermoselect-Verfahren. Das T.-V. ist ein in den letzten 10 Jahren entwickeltes Verf. zur therm. *Abfallbehandlung u. stellt eine Alternative zur Müllverbrennung in Rostfeuerungen od. im Drehrohr dar. Durch die Kombination von Entgasung u. Hochtemp.-Vergasung mit techn. Sauerstoff u. bei der Entgasung gebildetem Wasserdampf wird die weitgehende Verwertung von Abfällen zu Synthesegas u. Schmelzgranulat bei gleichzeitiger Konzentrierung der Schadstoffe in eine möglichst geringe Sondermüllfraktion erreicht. Ein wesentliches Verf.-Merkmal ist die direkte, unterbrechungslose Kopplung von Abfallverdichtung, Entgasung unter Luftabschluß in einem druckfesten, außenbeheizten Entgasungskanal u. Hochtemp.-Vergasung, bei der Temp. bis zu 2000 °C erreicht werden u. somit alle metall. u. mineral. Bestandteile aufgeschmolzen werden. Das T.-V. ist in der Lage, sowohl Hausmüll u. Hausmüll-ähnlichen Gewerbeabfall, als auch anteilige Mengen von Klärschlämmen, Sonderabfallfraktionen u. Shredderprodukten zu verarbeiten.

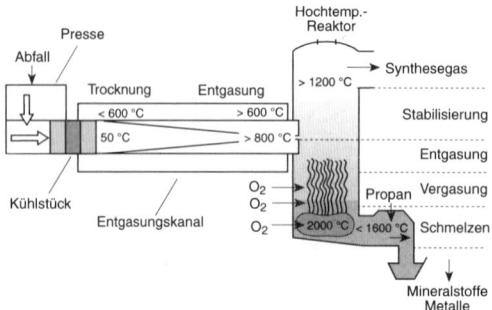

Abb.: Verfahrensprinzip des Thermoselect-Verfahrens, nach Lit.[1].

Die Abb. gibt einen Überblick über die einzelnen Verfahrensschritte. Im ersten Schritt (Presse) wird das Vol. der Entsorgungsgüter bis auf ca. 10% reduziert. Dadurch wird die Feuchtigkeit im Abfall gleichmäßiger verteilt u. der Restluftanteil im Abfallpreßling verringert. Die Verdichtung des Abfalls begünstigt den Wärmeübergang im Abfall u. ist die Voraussetzung für die geringe Baugröße der Abfallbehandlungsanlage. Die Presse ist über ein Kühlstück an den Entgasungskanal angeschlossen. Der Entgasungskanal ist gasdicht mit der Presse auf der einen Seite u. offen mit dem Hochtemp.-Reaktor auf der anderen Seite verbunden. Beim Entgasungskanal handelt es sich um einen doppelwandigen Reaktor mit rechteckigem Querschnitt, durch dessen Innenteil der Abfall im Takt von 5–10 min geschoben wird. In dem außen beheizten Entgasungskanal werden die Abfälle im ersten Drittel des Kanals getrocknet u. im weiteren Verlauf bei ca. 600 °C entgast. Die 600 °C warmen, teilentgasten Abfallbriketts werden zusammen mit dem bei der Entgasung entstehenden Pyrolysegas ($H_2O > CO_2 > CO > H_2$, C_xH_y) durch Nachschieben neuer Abfallpakete in den an dieser Stelle 1200 °C heißen Hochtemp.-Reaktor eingebracht. Der Restgasdruck bewirkt das Platzen der Briketts u. die Verteilung im Reaktionsraum. Damit entsteht eine gasdurchlässige Schüttung, deren Höhe durch die Prozeßführung konstant gehalten wird. Der Vergaser ist ein schachtförmiger Reaktor mit der Eintragsöffnung im mittleren Bereich u. dem Gasaustritt für die Abführung des Synthesegases im oberen Bereich. Über den Reaktorboden wird die Schmelze zum Homogenisierungsreaktor u. von dort zum Naßentschlacker abgeführt. Im unteren Bereich des Reaktors sind ringförmig Brenner angeordnet, über die im Normalbetrieb erhitzter Sauerstoff u. zum Aufheizen Erdgas od. Synthesegas zugeführt werden. Der Sauerstoff reagiert mit Kohlenstoff, der im unteren Teil der Schüttung in den verschiedenen Müllbestandteilen noch vorhanden ist, exotherm zu Kohlendioxid. Das aufsteigende CO_2 wird beim Durchdringen der Kohlenstoffhaltigen Schüttung zu CO reduziert (Boudouard-Gleichgew.). In Ggw. von im Überschuß vorhandenem, heißem Wasserdampf werden Kohlenstoff u. Wasser zu Kohlenmonoxid u. Wasserstoff umgesetzt. Diese Reaktionen werden begleitet von Krack-Reaktionen organ. Verbindungen. Durch die exotherme Kohlenstoff-Vergasung liegen die Temp. im unteren Vergaserbereich bei 2000 °C. Dadurch werden die metall. u. mineral. Bestandteile des Abfalls aufgeschmolzen. Sie liegen in verschiedenen Phasen vor, werden über einen gemeinsamen Ablauf abgezogen, mit Wasser abgeschreckt u. abschließend granuliert. Das Synthesegas (CO 32–47%, H_2 29–37%, CO_2 19–29%, N_2 ca. 2%, H_2O ca. 1%, *Lit.*[1,2]) wird bei 1200 °C im oberen Bereich des Hochtemp.-Reaktors abgezogen u. direkt mit Wasser auf unter 90 °C gequencht. Mitgeführte Mineralstoffpartikel u. u. a. durch Rückreaktion (Boudouard-Reaktionen) gebildete Kohlenstoff-Spuren werden im Wasser abgeschieden, abgetrennt u. in den therm. Prozeß zurückgeführt. Die schnelle Abkühlung verhindert die „de-novo-Synth." von Dioxin- u. Furan-Verb. sowie anderer organ. Verbindungen. Spuren mitgeführter Metalle u. Metallverb. werden mit Chlor- u. Flourwasserstoff abgeschieden. Die anschließende mehrstufige Gaswäsche vervollständigt die Reinigung des Gases u. sichert die Abtrennung von Schwefel-Verb. (Sulferox-Wäsche). Zur Reduzierung der Restfeuchte wird das Synthesegas gekühlt. Die Reinigung des Synthesegases wird mit einem Aktivkoksfilter sowie einem Gewebefilter zur Abscheidung von Feinstaubspuren abgeschlossen. Die Energie des Synthesegases wird anteilig zur Beheizung des Entgasungskanals genutzt bzw. direkt in elektr. Energie umgewandelt. Die hohen Wasserstoff- u. Kohlenmonoxid-Gehalte erlauben alternativ den Einsatz zu chem. Synth. (Methanol). – *E* Thermoselect process – *I* processo Thermoselect – *S* proceso termoselector

Lit.: [1] Schweitzer, Thermoselect-Verfahren zur Ent- u. Vergasung von Abfällen, Berlin: EF-Verl. für Energie u. Umwelttechnik 1994. [2] Ullmann (5.) **B 8**, 728.

Thermosets. Aus dem Engl. entlehnte, alternative Bez. für *Duroplaste.

Thermosol-Verfahren. Anfärbeverf. mit *Dispersionsfarbstoffen für hydrophobe synthet. Fasern, insbes. Polyesterfasern. Die durch Foulardieren od. *Klotzen aufgebrachten Dispersionsfarbstoffe diffundieren bei erhöhter Temp. (180–220 °C, 40–60 s) in das Fasermaterial ein. Das T.-V. wurde 1950 von DuPont entwickelt. – *E* Thermosol process – *F* procédé Thermosol – *I* processo Thermosol – *S* procedimiento Thermosol

Lit.: Rouette, Lexikon für Textilveredlung, S. 2197, Dülmen: Laumann-Verl. 1995 ▪ Ullmann (5.) **A 26**, 382, 436 ▪ Winnacker-Küchler (4.) **6**, 685.

Thermospannung s. Thermoelektrizität, Thermoelemente.

Thermospray-Ionisation. Eine Meth., ursprünglich entwickelt von Vestal[1], zum Einführen u. zur Ionisation von Flüssigkeiten mit hoher Flußrate in das Vakuumsyst. eines Massenspektrometers. Die Abb. verdeutlicht das Prinzip.

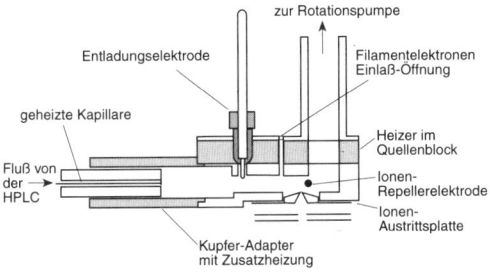

Abb.: Prinzip der Thermospray-Ionenquelle (nach *Lit.*[1]).

Das Lsm. (Fluß $1–1,5$ cm^3 min^{-1}) wird an einer elektr. beheizten Kapillare von ca. 100 µm im Durchmesser schnell verdampft. Unter den gegebenen Bedingungen verdampft mehr als 90% der Flüssigkeit. Der von der Kapillare expandierende Dampf hat genügend Energie, um die restliche Flüssigkeit in einen Nebel von feinen geladenen Tröpfchen umzuwandeln. Eine angeflanschte Rotationspumpe saugt den größten Teil des Lsm.-Dampfes ab, so daß nur ein kleiner Teil den Ionenausgang erreicht. Zusätzliche Heizer optimieren die Desolvatations-Bedingungen für die Ionen u. verhindern Kondensation der Probe. In der Original-Ionenquelle von Vestal wurde der zu verdampfenden Lsg. ein flüchtiger Elektrolyt (0,1 mol L^{-1} Ammonium-Acetat) als Ionisierungshilfe zugesetzt, weshalb diese Quelle auf die Verw. von Lsg. mit relativ hohem Wassergehalt beschränkt war. Heutige Thermospray-Quellen schließen ein Filament bzw. eine Entladungselektrode zur Ionisierung des Dampfes ein. Thermospray-Ionenquellen werden als Interface zur Kopplung von *HPLC u. Massenspektrometer verwendet. – *E* thermospray ionization – *F* ionisation par thermospray – *I* ionizzazione termospray – *S* ionización termospray

Lit.: [1] Analyt. Chem. **57**, 2373–2378 (1985).
allg.: Townshend, Encyclopedia of Analytical Science, Bd. 5, S. 2810f., San Diego: Academic Press 1995.

Thermostabile Enzyme. Bez. für eine Gruppe von *Enzymen, meist *Hydrolasen, deren Temp.-Optimum für ihre katalyt. Aktivität zwischen 60 u. 90 °C liegt. Die t. E. weisen eine hohe *Resistenz gegen therm. u. chem. *Denaturierung[1] u. oft auch gegen den Abbau durch intrazelluläre *Proteasen auf[2]. Sie haben häufig eine kompakte Struktur, die durch zahlreiche Disulfid-Brücken u./od. umfangreiche hydrophobe Bereiche sowie Calcium-Ionen stabilisiert wird u. durch einen geringen *Helix-Anteil ausgezeichnet ist[3]. Vertreter finden sich bes. unter den bakteriellen Enzymen (s. Tab. 1).

Tab. 1: Thermostabile Enzyme von biochem. Interesse.

Enzym	Organismus
Taq 1-Restriktionsendonuclease	*Thermus aquaticus*
Tth 111 I-Restriktionsendonuclease	*T. thermophilus*
Bst E II-Restriktionsendonuclease	*Bacillus stearothermophilus*
DNA-Polymerase	*T. aquaticus*
Thermolysin	*B. thermoproteolyticus*
Caldolysin	*T.* spp.
Acetat-Kinase	*B. stearothermophilus*
Lipase	*B.* spp.
Pullulanase	*B.* spp.
Leucin-Dehydrogenase	*B. stearothermophilus*
Alanin-Dehydrogenase	*B. stearothermophilus*

T. E. werden zunehmend aus thermophilen Organismen in leicht fermentierbare Mikroorganismen (z. B. *Escherichia coli*) kloniert. Häufig werden auch Enzyme aus mesophilen Organismen, die in industriellen Verf. bei Temp. zwischen 40–100 °C eingesetzt werden, zu den t. E. gerechnet (s. Tab. 2).

Tab. 2: Thermostabile Enzyme von techn. Interesse.

Enzym	Prozeß-Temp. [°C]	Anw.
α-Amylase	90–100	Stärke-Hydrolyse, Detergenz
Glucoamylase	50–60	Maltodextrin-Hydrolyse
Pektinase	20–50	Klärung von Säften u. Wein
Cellulase	45–55	Cellulose-Hydrolyse
Lactase	30–50	Lactose-Hydrolyse
alkal. Protease	40–60	Detergenz
Lipasen	30–70	Detergenz, Lebensmitteltechnologie

Aufgrund ihrer hohen Prozeß-Stabilität werden diese Enzyme z. Z. v. a. in der Nahrungsmittel-Ind. eingesetzt (*Beisp.:* Termamyl® zur Stärke-Verflüssigung). – *E* thermostable enzymes – *F* enzymes thermostables – *I* enzimi termostabili – *S* enzimas termoestables

Lit.: [1] Adv. Appl. Microbiol. **29**, 1–28 (1983). [2] Biochem. J. **207**, 641–644 (1982). [3] Biochemistry **18**, 5698–5703 (1979). *allg.:* Curr. Opin. Biotechnol. **8**, 423–428 (1997) ▪ Gene **179**, 165–170 (1996) ▪ Protein Eng. **8**, 905–913 (1995) ▪ Römpp Lexikon Biotechnologie, S. 764 ▪ Trends Biotechnol. **7**, 349–353 (1989) (Review).

Thermostabilisatoren (Wärmestabilisatoren). Bez. für *Stabilisatoren – meist Schwefel-haltige Zinn-Verb., Metallseifen u. -komplexe – die nach ihrer Einarbeitung in einen *Kunststoff bewirken, daß dieser die für die Verarbeitung notwendige Temp. ohne Schädigung toleriert. V. a. das *PVC bedarf solcher *Additive, da es sonst oberhalb von 100 °C Chlorwasserstoff abzuspalten beginnt; dieser führt zur *Korrosion der Verarbeitungswerkzeuge u. zur Dunkelfärbung u. Versprödung des *Polymers. Die Aufgabe der T. besteht hier darin, den freiwerdenden Chlorwasserstoff zu binden, Defektstrukturen im Polymeren abzufangen, die den weiteren Zerfall des PVC beschleunigen, u. im Zusammenspiel mit *Antioxidantien dessen oxidative Zerstörung zu verhindern. Durch geeignete T. kann eine Verarbeitungstemp. des PVC von bis zu 210 °C ermöglicht werden. – *E* thermal stabilizers – *F* thermostabilisateurs – *I* termostabilizzatori – *S* termoestabilizadores

Lit.: Domininghaus (5.), S. 62 ▪ Elias (5.) **2**, 363.

Thermostate. Bez. für im allg. elektr. beheizte Geräte, bei denen die Temp. eines *Heizbades durch *Regelung der zugeführten Heizleistung konstant gehalten wird (DIN 58966-1 u. 58966-2: 1975-08, 12879-1: 1975-05). Mit den in chem. Laboratorien häufig verwendeten *Flüssigkeitsumwälz-T.* läßt sich eine Temp.-Konstanz von bis ±0,001 K erreichen. Die handelsüblichen Geräte mit 3, 7 od. 12 L Inhalt umfassen den Temp.-Bereich von −60 bis +300 °C. Als Flüssigkeiten kommen Wasser, Paraffin- od. Silikonöle, für tiefere Temp. Alkohole, Methylcyclohexan u. a. Kohlenwasserstoffe in Betracht. T. für tiefe Temp. werden als *Kälte-T.* od. *Kryostaten bezeichnet. Im allg. besitzen T. auch Anschlußmöglichkeiten für externe Flüssigkeitskreisläufe. Bes. Bautypen sind *Eintauch-T.*, die in zu thermostatisierende Flüssigkeit eingehängt werden u. *Metallblock-T.* für Temp. bis 350 °C. Umgangssprachlich schränkt man die Bez. „T." oft auf die Schaltgeräte ein, die die Temp.-*Regelung nach vorausgegangener *Temperaturmessung bewirken, z. B. im Kühlschrank, in Bügeleisen, Ölheizungen, im Kfz-Kühlkreislauf etc. – *E = F* thermostats – *I* termostati – *S* termostatos

Thermostatik s. Thermodynamik.

Thermostrom s. Thermoelektrizität, Thermoelemente.

Thermotaxis s. Taxis.

Thermotolerante Enzyme. Bez. für *Enzyme, die sich durch eine größere Stabilität gegenüber therm. Denaturierungen auszeichnen. Im Gegensatz zu den *thermostabilen Enzymen, deren Optimum für ihre katalyt. Aktivität auch bei Temp. über 50 °C liegt, haben t. E. ihr Temp.-Optimum in der Regel zwischen 30 u. 40 °C u. stammen aus mesophilen Organismen. Ihre Wärmetoleranz macht man sich u. a. bei der Reinigung u. Protein-Aufarbeitung dieser Enzyme zunutze. Durch Hitzefällungen bei ca. 50–60 °C lassen sich so ohne Verlust an enzymat. Aktivität eine große Anzahl anderer, im *Rohextrakt* vorhandener *Proteine abtrennen. – *E* thermotolerant enzymes – *F* enzymes thermotolérants – *I* enzimi termotolleranti – *S* enzimas termotolerantes

Thermotoleranz s. Thermophilie.

Thermotopographie s. Temperaturmessung u. Thermochromie.

Thermotrope Polymere. Bez. für *flüssigkristalline Polymere, die flüssigkrist. Phasen bei höherer Temp. in der Schmelze ausbilden. – *E* thermotropic polymers – *F* polymères thermotropes – *I* polimeri termotropi – *S* polímeros termotropos

Thermotrophie s. Thermophilie u. Thermochromie.

Thermotropie (von Thermo... u. *...trop). Bez. für jedwede, meist reversible u. opt. erkennbare Änderung einer Stoffeigenschaft unter der Einwirkung einer Temp.-Änderung; *Beisp.:* Thermotrope *flüssige Kristalle, *Thermochromie. – *E* thermotropy – *F* thermotropie – *I* termotropia – *S* termotropía

Lit.: Gray, Thermotropic Liquid Crystals (Crit. Rep. Appl. Chem. 22), New York: Wiley 1987 ▪ Vertogen u. Jeu, Thermotropic Liquid Crystals, Berlin: Springer 1988.

Thermotropismus s. ...tropismus.

Thermowaagen s. Thermogravimetrie.

Thesaurus [Plural: Thesauren od. Thesauri; von griech.: thesauros = Vorrat(skammer), Schatz(haus)]. Unter einem T. – einem Begriff aus der *Dokumentation – versteht man die Gesamtheit aller in einem mehr od. weniger engen Sachgebiet gebräuchlichen *Schlagwörter* (*E* descriptors), die – durch Hinweise auf *Unterbegriffe* (*E* narrower terms), *Oberbegriffe* (*E* broader terms), *verwandte Begriffe* (*E* related terms) u. *Synonyme vervollständigt u. ggf. durch *Definitionen bereichert – in gedruckter, Karteikarten- od. anderer Form zusammengestellt sind. Ein T. bietet also – meist in alphabet. Anordnung – ein *genormtes Vokabular* od. eine *Terminologie (s. a. Nomenklatur) des entsprechenden Sachgebiets u. dessen hierarch. Struktur. In einer *Klassifikation ist die hierarch. Ordnung bes. ausgeprägt; exemplar. Beisp. derselben ist die *Dezimalklassifikation. Im weitesten Sinne kann man auch Normen (s. Normung) u. selbst Lexika (im Bereich der Chemie z. B. dieses Werk) zu den T. zählen, doch ist hier eher zu denken an Fach-T. wie den der *IDC von *INIS, *DECHEMA od. den *Chemical Abstracts Index Guide 1982–1986 sowie sachgebietsgebundene T. wie denjenigen der Textildokumentation u. a. einzelner Sachgebiete. Die Erarbeitung von T. (Fachgebiet: *Thesaurologie*) beeinflußt sehr stark die Terminologie der betreffenden Sachgebiete u. erleichtert die Schaffung von *Wörterbüchern. – *E* thesaurus – *F* thésaure – *I* tesauro – *S* tesauro

Lit.: Ash u. Ash, The Thesaurus of Chemical Products (2 Bd.), London: Arnold 1986 ▪ Häfner, Bestandsverzeichnis Thesauri, Stand 1.7.1980, Frankfurt: GID 1980 ▪ Townley u. Gee, Thesaurus-Making, London: Deutsch 1980.

Thesing, Jan (geb. 1924), Prof. für Organ. Chemie, TH Darmstadt, stellvertretender Vorsitzender u. persönlich haftender Gesellschafter bei Merck, Darmstadt (bis 1989). *Arbeitsgebiete:* Synthet. Organ. Chemie, Acylcyanide, N-Heterocyclen, Nitrone, Indol-Alkaloide u. a. Naturstoffe, Pharmazeut. Chemie.

Lit.: Chem.-Ztg. **108**, 297 ff. (1984) ▪ Kürschner (16.), S. 3743 ▪ Nachr. Chem. Tech. Lab. **37**, 628 (1989) ▪ Wer ist wer, S. 1440.

Thesit®. Schmerzstillendes Gel für die Behandlung von Hautverletzungen, Verbrennungen, Juckreiz u. dgl. mit *Polidocanol, *Mepivacain-hydrochlorid u. *Benzalkoniumchlorid; *P Salbe comp* (*Rp*) enthält *Polidocanol, *Promethazin-hydrochlorid u. *Prednisolon-acetat. **B.:** gepepharm.

Thespesin s. Gossypol.

Theta s. ϑ, θ u. Θ (vor Buchstabe t).

Theta-Lösemittel, Theta-Lösung s. Theta-Temperatur.

Theta-Temperatur (Θ-Temp., Flory-Temp.). Bez. für die Temp., bei der die Lsg. eines *Polymeren in einem für das jeweilige Polymere spezif. Lsm., dem sog. *Theta-Lösemittel*, als *pseudoideale Lsg.*, auch *Theta-Lsg.* genannt, vorliegt. Der bei der T.-T. vorliegende Zustand der Polymer-Lsg. wird als *Theta-Zustand* bezeichnet. Diese pseudoideale Lsg. ist ein wichtiger Spezialfall einer Polymer-Lösung. Exakt in diesem Zustand kompensieren sich die Mischungsenthalpie u. die Exzess-Mischungsentropie gegenseitig, so daß die *Lösung als ideal erscheint. Im Gegensatz zu einer „echten" idealen Lsg. ist hier jedoch weder die Mischungsenthalpie gleich Null noch die Mischungsentropie gleich der idealen Mischungsentropie. Da sich weiterhin Mischungsenthalpie u. Exzess-Mischungsentropie bei pseudoidealen Lsg. unterschiedlich stark mit der Temp. ändern, erscheint eine pseudoideale Lsg. nur bei der T.-T. als „ideal", während sich eine echte ideale Lsg. bei allen Temp. ideal verhält. Anschaulicher kann man sich die T.-T. als diejenige Temp. vorstellen, bei der die langreichweitigen attraktiven Kräfte zwischen weit auseinanderliegenden Segmenten einer Polymer-Kette, die eine Knäuelkontraktion zu bewirken suchen, gerade von den Polymer-Lsm.-Wechselwirkungen ausgeglichen werden, die zur Expansion der Knäuel zu führen versuchen. Als Folge davon liegt das Knäuel hier in seinen sog. *ungestörten Dimensionen* vor. Unterhalb der T.-T. verschlechtert sich die Qualität des Lsm. u. die Segment-Segment-Wechselwirkungen gewinnen an Gewicht. Als Folge davon ziehen sich die Polymer-Knäuel zusammen, gegebenenfalls fällt das Polymer sogar aus der Lsg. aus. Oberhalb der T.-T. steigt die Qualität des Lsm., d. h. die Polymer-Lsm.-Wechselwirkungen nehmen zu u. die Knäuel expandieren.
Die T.-T. von Polymeren hat ihre Parallele in der Boyle-Temp. (s. Gasgesetze) realer Gase[1]. Oberhalb der T.-T. sind Polymere u. ihre *Theta-Lsm.* vollständig mischbar[2]. *Theta-Lsm.* sind z. B. Heptan für 1,4-*Polybutadien, Butanon für *Polychloropren, Cyclohexan für *Polystyrol od. Ethanol für *Polyvinylacetat. Eine umfangreiche Liste von *Theta-Lsm.* für unterschiedliche Polymere enthält *Lit.*[3]. – *E* theta temperature – *F* température thêta – *I* temperatura teta – *S* temperatura theta
Lit.: [1] Elias (5.) **1**, 659. [2] Encycl. Polym. Sci. Eng. **15**, 391. [3] Brandrup u. Immergut, Polymer Handbook, 3. Aufl., S. VII/205 – VII/231, New York: Wiley 1989.

Theta-Zustand s. Theta-Temperatur.

Thevefolin s. Uzarin.

Thevier® (Rp). Tabl. mit *Levothyroxin-Natrium (s. L-Thyroxin) gegen *Hypothyreose u. Myxödem. *B.*: Glaxo Wellcome.

Thexyl... Kurzbez. für den 1,1,2-Trimethylpropyl-Rest –C(CH₃)₂–CH(CH₃)₂, von regelwidriger Bez. **tert*-*iso*-*Hexyl...* (*t-i*-Hexyl...) abgeleitet. – *E* = *F* thexyl... – *I* = *S* texil...

Thexylboran [(1,1,2-Trimethylpropyl)boran].

$(H_3C)_2CH-\underset{\underset{CH_3}{|}}{\overset{\overset{CH_3}{|}}{C}}-BH_2$

$C_6H_{15}B$, M_R 97,99. Hydroborierungsreagenz, das aus 2,3-Dimethyl-2-buten u. Boran erhältlich ist; zur therm. Stabilität s. *Lit.*[1]. T. ist für organ. Synth. vielseitig verwendbar; vgl. Hydroborierung. – *E* = *F* thexylborane – *I* = *S* texilborano
Lit.: [1] Synthesis **1974**, 77–89.
allg.: J. Am. Chem. Soc. **94**, 3567 ff. (1972) ■ Kirk-Othmer (4.) **13**, 630 ff. – [CAS 3688-24-2]

THF. Abk. für *Tetrahydrofuran, *Tetrahydrofolsäure u. das chines. Abortivum Tian Hua Fen, s. Trichosanthin.

THFA. Abk. für *Tetrahydrofurfurylalkohol.

Thi(a)... Durch Abwandlung von *Thi(o)... gebildetes *Präfix, das nach IUPAC-Regel R-2 Ersatz einer CH₂-Gruppe durch ein S-Atom im *Hantzsch-Widman-System (vor Vokal Thi...) u. in *Austauschnamen anzeigt [*Beisp.*: *Thiadiazine, *Thiadiazole, *Thiazine, *Thiazole, *Thietane, *Thiirane; 3,6,9,12-Tetrathia-1,14-tetradecandithiol H(–S–CH₂–CH₂)₅–SH, *Thiacycloundecan, 6-Thiaestran], in Namen alternierender Heteroatom-Ketten u. -Ringe aber die Einheit –S–; *Beisp.*: Disilathian (H₃Si–S–SiH₃), Cyclotriarsathian [cyclo-(–S–AsH–)₃]. Schwefel-Kettenmol. (R¹–Sₙ–R², R² = H od. organ. Rest, n ≥ 1) dagegen benennt man als *Sulfane (IUPAC-Regel R-2.2). In *halbsystematischen Namen zeigt Thia... manchmal Ersatz eines N-Atoms durch ein S-Atom an; *Beisp.*: 21,23-Dithiaporphin (IUPAC-Regel TP-1.5). Ersatz einer CH-Gruppe durch S⁺ wird in Austauschnamen mit *Thionia...* benannt; *Beisp.*: 1-Thioniabicyclo[2.2.2]octan-iodid. Für kondensierte heterocycl. Verb. bevorzugt man möglichst *Anellierungsnamen. Statt Thi(a)... wird in internat. *Freinamen oft *Ti(a)... eingesetzt; vgl. dagegen Thi(o)... u. Ti(o)... – *E* = *F* thi(a)... – *I* = *S* ti(a)...

Thiabendazol.

Common name für 2-(Thiazol-4-yl)benzimidazol, $C_{10}H_7N_3S$, M_R 201,24, Schmp. 304–305 °C, LD_{50} (Ratte oral) 3330 mg/kg, von Merck, Sharp & Dohme 1964 eingeführtes, breit wirksames system. *Fungizid zur protektiven u. kurativen Anw. in zahlreichen Kulturen, das bereits 1962 als *Anthelmintikum im Human- u. Veterinärbereich Verw. fand. – *E* = *F* thiabendazol – *I* tiabendazol – *S* tiabendazol
Lit.: Farm ■ Perkow ■ Pesticide Manual ■ Wirkstoffe iva. – [HS 2934 10; CAS 148-79-8]

Thiadiazine. Systemat. Gruppenbez. für Heterocyclen, die 1 S- u. 2 N-Atome in einem 6-Ring enthalten. Die unsubstituierten T., von denen mehrere Isomere möglich sind, haben keine größere techn. Bedeutung. Dagegen stellt das 2H-1,2,4-Benzothiadiazin-1,1-dioxid das Grundgerüst für eine Gruppe von *Diuretika dar, die hier unter der Bez. *Thiazide u. *Hydrothiazide zusammenfassend behandelt sind. – *E* = *F* thiadiazines – *I* tiadiazine – *S* tiadiazinas

1,3,4-Thiadiazol-2,5-dithiol. Systemat. Bez. für 2,5-Dimercapto-1,3,4-thiadiazol (Bismuthiol I), s. dort.

Thiadiazole.

1,2,3-T.   1,2,4-T.   1,3,4-T.   1,2,5-T.

$C_2H_2N_2S$, M_R 86,06. Gruppenbez. für den *Oxadiazolen analoge, 5-gliedrige, heterocycl. Verb., in denen an die Stelle des O-Atoms ein S-Atom tritt. Die T. selbst, von denen das 1,3,4-Isomere krist. ist, sind techn. bedeutungslos. Substituierte Derivate v. a. von 1,2,4- u. 1,3,4-T. sind jedoch Zwischenprodukte für die Synth. von Insektiziden, Herbiziden, Diuretika, Antidiabetika u. Cytostatika sowie für zahlreiche organ. Synth. wie etwa von *Azofarbstoffen etc. Durch Pyrolyse von 1,2,3-T. lassen sich Thioketene herstellen. 5-Chlor- u. 5-Amino-1,2,3-T. haben sich als äußerst explosionsgefährlich erwiesen. – *E* = *F* thiadiazoles – *I* tiadiazoli – *S* tiadiazoles

Lit.: Adv. Heterocycl. Chem. **32**, 285–398 (1982) ■ Gilchrist, Heterocyclenchemie, S. 335, Weinheim: VCH Verlagsges. 1995 ■ Houben-Weyl **E 8 d**, 59 ff. ■ Katritzky-Rees **6**, 447–577. – [CAS 288-92-6 (1,2,4-T.); 289-06-5 (1,3,4-T.)]

…thial. *Suffix für eine endständige *Thioxo-Gruppe (=S) am aliphat. Stammgerüst als ranghöchste *funktionelle Gruppe (IUPAC-Regeln C-531.1, R-5.6.1; s. a. Thioaldehyde); *Beisp.*: Hexanthial (n-C_5H_{11}–CH=S), Ethandithial (S=CH–CH=S), *Propanthial-*S*-oxid (H_5C_2–CH=S=O). – *E* = *F* …thial – *I* …tiale – *S* …tial

Thiamazol (Rp).

Internat. Freiname für das verschiedentlich auch *Methimazol* genannte *Thyreostatikum 1-Methyl-1*H*-imidazol-2-thiol (tautomere Form: 1,3-Dihydro-1-methyl-2*H*-imidazol-2-thion), $C_4H_6N_2S$, M_R 114,17, Blättchen, Schmp. 146–148 °C, Sdp. 280 °C (Zers.), λ_{max} (0,1 N H_2SO_4), 211, 251,5 nm ($A^{1\%}_{1cm}$ 593, 1528); leicht lösl. in Wasser, lösl. in Alkohol, Chloroform, wenig in Ether, Benzol. Lagerung: vor Licht geschützt. T. ist als Generikum im Handel. – *E* = *F* thiamazol – *I* tiamazolo, metimazolo – *S* tiamazol

Lit.: ASP ■ Florey **8**, 351–370 ■ Hager (5.) **9**, 862 ff. ■ Martindale (31.), S. 1603. – [HS 2933 29; CAS 60-56-0]

Thiamin.

Trivialname u. internat. Freiname für das in seinen physiolog. Eigenschaften unter *Vitamin B_1 abgehandelte 3-[(4-Amino-2-methyl-5-pyrimidinyl)-methyl]-5-(2-hydroxyethyl)-4-methylthiazolium-chlorid ($C_{12}H_{17}ClN_4OS$, M_R 300,81), das im deutschen Sprachgebrauch früher häufig als *Aneurin* (von Anti-Poly*neur*itis-Vita*min*) bezeichnet wurde.

Abb.: Thiaminchlorid-Hydrochlorid.

Das Chlorid-Hydrochlorid ($C_{12}H_{18}Cl_2N_4OS$, M_R 337,27, s. Abb.) bildet farblose, rosettenförmig zusammengelagerte, monkline Nadeln von schwach fauligem Geruch u. bitterem Geschmack, Schmp. 248 °C (Zers.), lösl. in Wasser, Methanol, weniger in Ethanol, unlösl. in verschiedenen organ. Lsm., im Alkal. unbeständig. Die chem. Bestimmung von T. erfolgt meist durch oxidativen Ringschluß in alkal. Milieu zu *Thiochrom* ($C_{12}H_{14}N_4OS$, M_R 262,34, Schmp. 228 °C), einer 3-kernigen Verb., die intensiv blaue Fluoreszenz zeigt. Zur chromatograph. Bestimmung von T. s. *Lit.*[1]. T. kommt in pflanzlichem u. tier. Gewebe sowie als Stoffwechselprodukt vieler Bakterien vor u. nimmt in Form seines Diphosphorsäureesters (*Thiamindiphosphat) wichtige Stoffwechselfunktionen wahr, u. zwar als *prosthetische Gruppe bzw. als *Coenzym. Näheres zur physiolog. Wirkung u. zur Geschichte von T. s. bei Vitamin B_1. Die Gewinnung von T. erfolgt heute fast ausschließlich auf synthet. Weg. – *E* thiamin(e) – *F* thiamine – *I* = *S* tiamina

Lit.: [1] Methods Enzymol. **279**, 57–90 (1997).

allg.: Beilstein E V **27/8**, 31 ff. ■ Karlson et al., Kurzes Lehrbuch der Biochemie, 14. Aufl., S. 97 f., 206 f., Stuttgart: Thieme 1994 ■ Kirk-Othmer (4.) **24**, 152–171 ■ Methods Enzymol. **279**, 57–155 (1997) ■ Science **275**, 67–70 (1997) ■ Stryer 1996, S. 521, 541–544, 596 ■ Ullmann (5.) **A 27**, 506–521 ■ s. a. Thiamindiphosphat. – [HS 2936 22; CAS 59-43-8]

Thiamindiphosphat (Thiaminpyrophosphat, TPP).

Thiazol-Ring

$C_{12}H_{18}N_4O_7P_2S$, M_R 424,31. Der Chlorid-freie Ester enthält zusätzlich zur angegebenen Summenformel 4 mol Wasser, Schmp. 220–225 °C, die wäss. Lsg. reagiert sauer. Das Hydrochlorid ($C_{12}H_{19}ClN_4O_7P_2S$, M_R 460,79) bildet wasserlösl. Krist., die meist 1 mol Kristallwasser enthalten, Schmp. 240–244 °C (Zers.). Das früher *Cocarboxylase* genannte T. ist *Coenzym bzw. *prosthetische Gruppe bei einer Reihe von Reaktionen, bei denen Kohlenstoff-Kohlenstoff-Bindungen gespalten werden, z. B. bei der oxidativen Decarboxylierung von Pyruvat zu *Acetyl-CoA (s. Pyruvat-Dehydrogenase), von 2-Oxoglutarat zu Succinyl-CoA (s. Citronensäure-Cyclus), im Kohlenhydrat-Stoffwechsel (bei *Transketolase) u. bei Gärungsvorgängen (s. Pyruvat-Decarboxylase). Der Thiazol-Ring des T. fungiert dabei mit seiner Position 2 als Träger für 1-Hydroxyalkyl-Einheiten [„aktivierter Acetaldehyd" = Hydroxyethyl-TPP (HETPP), „aktivierter Formaldehyd" = Hydroxymethyl-TPP (HMTPP) u. a.]; vgl. auch Thiamin u. Vitamin B_1.

Verw.: T. wird verabreicht bei Zuckerkrankheit (senkt Insulin-Bedarf), Leberkrankheiten, Ermüdungszuständen, muskulärer Herzinsuffizienz, Eklampsie (Krampfanfall), *multipler Sklerose, *Azidosen usw. TPP-abhängige Enzyme werden in der organ. Synth. verwendet[1]. – *E* thiamin(e) diphosphate – *F* diphosphate de thiamine – *I* tiamindifosfato – *S* fosfato de tiamina

Lit.: [1] Biochim. Biophys. Acta **1385**, 229–243, 307–322 (1998).

allg.: Beilstein E V **27/8**, 36 ■ Biochim. Biophys. Acta **1385**, 177–338, 387–398 (1998) ■ Karlson et al., Kurzes Lehrbuch der Biochemie, 14. Aufl., S. 97f., 206f., Stuttgart: Thieme 1994 ▪ Methods Enzymol. **279**, 57–155 (1997) ▪ Science **275**, 67–70 (1997) ▪ Stryer 1996, S. 521, 541–544, 596. – *[HS 2936 22; CAS 154-87-0]*

Thiaminpyrophosphat s. Thiamindiphosphat.

Thiamphenicol (Rp).

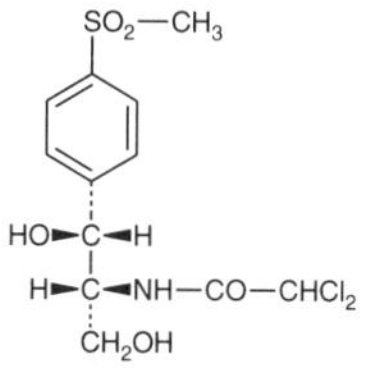

Internat. Freiname für das Antibiotikum (+)-(*R,R*)-2,2-Dichlor-*N*-[β-hydroxy-α-(hydroxymethyl)-4-(methylsulfonyl)phenethyl]acetamid, $C_{12}H_{15}Cl_2NO_5S$, M_R 356,23, Krist., Schmp. 164,3–166,3 °C, $[\alpha]_D^{25}$ +12,9° (c 1/C_2H_5OH), λ_{max} (C_2H_5OH, 95%) 224, 266, 274 nm ($A_{1cm}^{1\%}$ 385, 23, 20), pK_a 7,2; schwer lösl. in Wasser, lösl. in Alkohol; Lagerung: vor Licht u. Luft geschützt; vgl. a. Chloramphenicol. T. wurde 1956 von Sterling Drugs, 1957 von Parke, Davis patentiert. – *E* thiamphenicol – *F* thiamphénicol – *I* tiamfenicolo – *S* tiamfenicol

Lit.: Florey **22**, 461–488 ▪ Hager (5.) **9**, 870f. ▪ Martindale (31.), S. 290 ▪ Ph. Eur. **1997** u. Komm. – *[HS 2941 40; CAS 15318-45-3]*

Thiangazol.

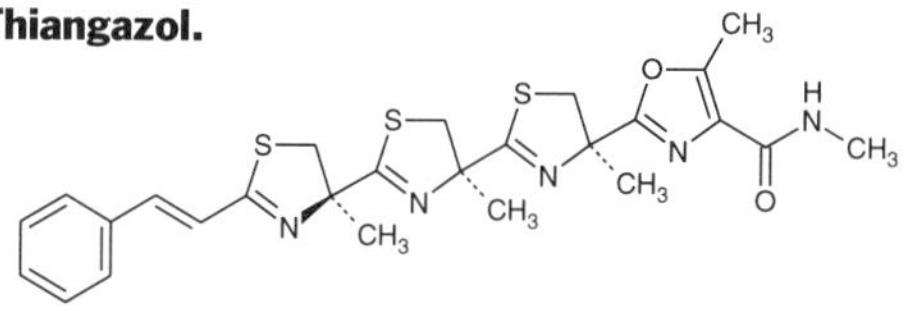

$C_{26}N_{29}N_5O_2S_3$, M_R 539,75, Schmp. 140 °C, $[\alpha]_D^{22}$ –287° (CH_3OH). Oxidationsempfindliches Terthiazolin-Derivat aus *Polyangium* sp. (Myxobakterien) mit antifung., insektizider u. anthelmint. Wirkung, die auf einer Hemmung der Atmungskette in der NADH:Ubichinon-Oxidoreduktase (Komplex I) beruht. T. ist strukturverwandt mit *Tantazolen u. Mirabazolen. – *E = F* thiangazole – *I* tiangazolo – *S* tiangazol

Lit.: J. Org. Chem. **60**, 7224 (1995) ▪ Synlett **1994**, 702 ▪ Tetrahedron **51**, 7321 (1995) ▪ Tetrahedron Lett. **35**, 5705 (1994). – *[CAS 138667-71-7]*

Thianthrene s. PCTA.

Thiate®. Vulkanisationsbeschleuniger aus Trimethyl-, Diethyl- u. Dibutylthioharnstoff. *B.:* Erbslöh; Vanderbilt.

Thiazafluron.

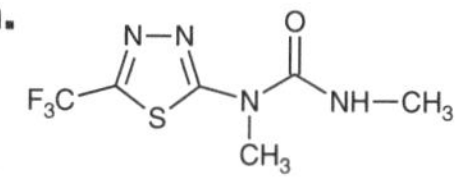

Common name für 1,3-Dimethyl-1-(5-trifluormethyl-1,3,4-thiadiazol-2-yl)harnstoff, $C_6H_7F_3N_4OS$, M_R 240,20, Schmp. 136–137 °C, LD_{50} (Ratte oral) 278 mg/kg, von Ciba-Geigy (jetzt Novartis) entwickeltes *Herbizid gegen Unkräuter u. Ungräser auf Nichtkulturland u. Gleisanlagen. In Deutschland ist T. nicht mehr zugelassen. – *E = F* thiazafluron – *I* tiazaflurone – *S* tiazaflurón

Lit.: Perkow. – *[HS 2934 90; CAS 25366-23-8]*

Thiazet s. ....et.

Thiazide.

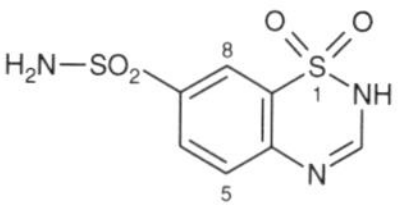

Kurzbez. für 2*H*-1,2,4-Benzothiadiazin-1,1-dioxide mit einer *Sulfonamid-Gruppe in 7-Stellung (s. Abb.), die hochwirksame *Diuretika mit speziell saluret. Wirkung darstellen. Die internat. Freinamen dieser Verb. enden im allg. auf ...thiazid (von Benzo*thi*adi*azin*-di*oxid* abgeleitet), wie z. B. *Chlorothiazid* (mit Cl in 6-Stellung) u. *Benzthiazid* (zusätzlich noch mit dem Benzylthiomethyl-Rest in 3-Stellung). Wegen ihrer noch stärker ausgeprägten *Saluretika-Wirkung werden in der BRD derzeit nur die in 3,4-Stellung gesätt. Hydrothiazide verwendet, vgl. die Abb. dort. Zu den T. gehören, wenn auch ohne Sulfonamid-Gruppierung, auch andere antihypertensiv wirkende Verb. wie *Diazoxid. – *E = F* thiazides – *I* tiazidi – *S* tiazidas

Lit.: Kirk-Othmer (3.) **4**, 878; **8**, 7–10 ▪ Pharm. Unserer Zeit **13**, 177–186 (1984) ▪ Ullmann (5.) A **9**, 31 f. ▪ Winnacker-Küchler (3.) **4**, 563 f. ▪ s. a. Diuretika. – *[HS 2935 00]*

Thiazinamiummetilsulfat (Rp).

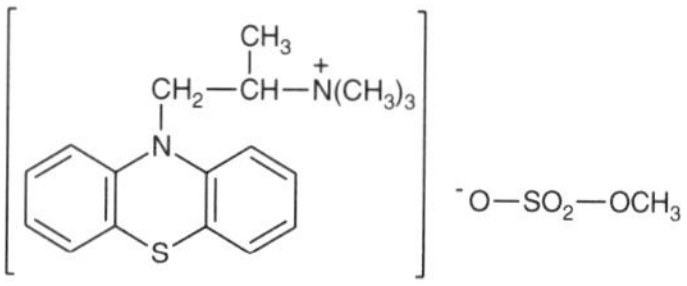

Internat. Freiname für das H_1-Antihistaminikum (±)-Trimethyl[1-methyl-2-(10*H*-phenothiazin-10-yl)-ethyl]ammoniummethylsulfat, $C_{19}H_{26}N_2O_4S_2$, M_R 410,55, Krist., Schmp. 206–210 °C (Zers.), λ_{max} (0,1 M HCl) 252 nm ($A_{1cm}^{1\%}$ 700–780); leicht lösl. in Ethanol, weniger in Wasser, kaum in Aceton, unlösl. in Ether u. Benzol. T. wurde 1950 von Rhône Poulenc patentiert. – *E* thiazinamium metilsulfate – *F* métilsulfate de thiazinamium – *I* tiazinamio metilsolfato – *S* metilsulfato de tiazinamio

Lit.: Hager (5.) **9**, 872 f. ▪ Martindale (31.), S. 453. – *[HS 2934 30; CAS 58-34-4]*

Thiazine. C_4H_5NS, M_R 99,15. Systemat. Bez. für heterocycl. Verb. mit 1 Schwefel- u. 1 Stickstoff-Atom im sechsgliedrigen Ring, die in Analogie zu den *Oxazinen aufgebaut u. benannt sind u. ebenso wie diese in 8 Isomeren auftreten können; z. B.:

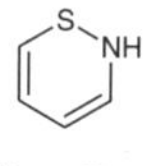

2*H*-1,2-Thiazin

Das gesätt. 1,2-T.-1,1-dioxid ist ein Sultam, s. die Abb. dort. Bekannte 1,3-T.-Derivate sind die *Cephalosporine. Es sei erwähnt, daß früher *Phenothiazin oft nur als Thiazin bezeichnet wurde, was irrtümliche Namensbildungen wie *Thiazin-Farbstoffe u. *Thiazinamiummetilsulfat erklärt. – *E = F* thiazines – *I* tiazine – *S* tiazinas

Lit.: Adv. Heterocycl. Chem. **24**, 293–361 (1979); **50**, 86–156 (1990) ▪ Gilchrist, Heterocyclenchemie, S. 290, Weinheim: VCH Verlagsges. 1995 ▪ Houben-Weyl E **9a**, 408 ff. ▪ Katritzky-Rees **3**, 333–350. – *[CAS 289-85-0 (2H-1,2-T.)]*

Thiazin-Farbstoffe. Histor. Bez. für eine Reihe von Farbstoffen, die meist das Ringsyst. des *Phenothiazins* enthalten, wie z.B. *Thionin, *Methylenblau, *Immedial®- u. Immedial-Licht-Farbstoffe, *Hydron®-Blau u.a. *Schwefel-Farbstoffe. – *E* thiazine dyes – *F* colorants de thiazine – *I* coloranti di tiazina – *S* colorantes de tiazina

Lit.: Ullmann (5.) **A 3**, 213, 229; **A 5**, 370.

Thiazole. Nach IUPAC-Regel RB-1.4 zusammengesetzter Name für die zu den *Azolen gehörenden u. den *Oxazolen analogen Verb., in denen O durch S ersetzt ist. Der techn. bedeutungslose Grundkörper, das mit dem *Isothiazol isomere *Thiazol*, C_3H_3NS, M_R 85,13, ist eine farblose bis schwach gelbe Flüssigkeit von charakterist., fauligem Geruch, D. ca. 1,20, Sdp. 115–118°C, wenig lösl. in Wasser, lösl. in vielen organ. Lsm., bildet Verb. mit Gold-, Quecksilber- u. Platinchloriden. Die 3 Dihydro-T. hießen früher *Thiazoline*, wobei die vorangestellte Ziffer dasjenige Ringatom kennzeichnete, an dem die verbleibende Doppelbindung begann, werden aber jetzt als *Dihydrothiazole* benannt. Das voll gesätt. Derivat heißt *Thiazolidin* (Analogie zu *Oxazolen).

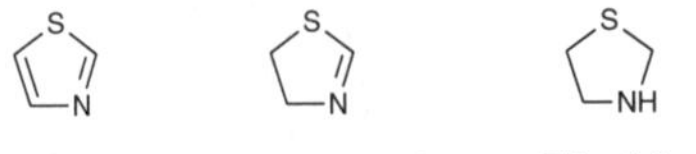

Thiazol   4,5-Dihydrothiazol   Thiazolidin

Eine allg. Herst.-Meth. für T. besteht in der Kondensation von Chloracetaldehyd bzw. Chlorketonen mit Thioamiden, wobei z.B. mit Thioharnstoff 2-Aminothiazol-Derivate, mit Ammoniumdithiocarbamat 2-Mercaptothiazole entstehen (Hantzsche Thiazol-Synth.; vgl. 2-Mercaptobenzothiazol).

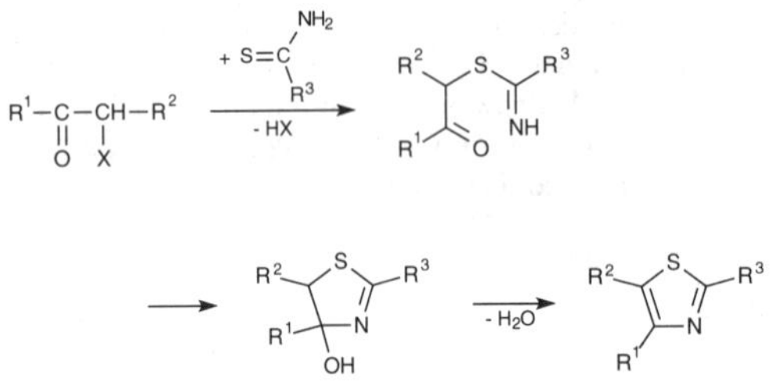

Abb. 1: Hantzsche Thiazol-Synthese.

Der Thiazol-Ring fungiert als *Syntheseäquivalent für das d^1-Formyl-*Synthon u. läßt sich zur Synth. von synthet. wichtigen 3-Amino-2-hydroxyaldehyden verwenden[1].

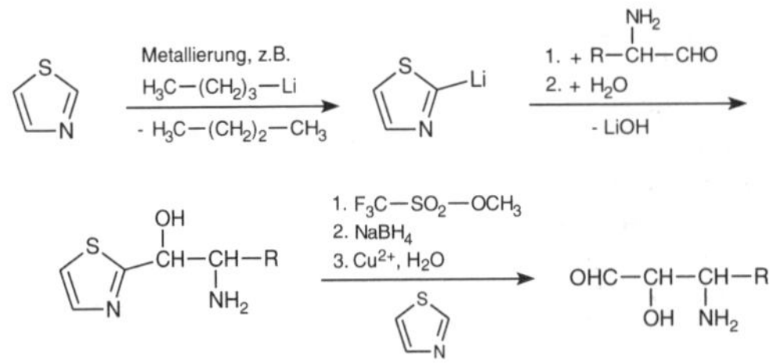

Abb. 2: Thiazole in der Synth. von 3-Amino-2-hydroxyaldehyden.

Einige T. haben als Zwischenprodukte für Sulfonamide Bedeutung erlangt, andere wie die *Nitrothiazole als Chemotherapeutika. Wieder andere – z.B. Derivate des *Benzothiazols – sind Ausgangsprodukte für Vulkanisationsbeschleuniger, Schädlingsbekämpfungsmittel u. *Thiazol-Farbstoffe. Natürliche T.-Derivate sind z.B. *Thiamin, eine Reihe von Lebensmittel-Aromen, Antibiotika wie die *Penicilline u. das *Photinus*-*Luciferin. – *E* = *F* thiazoles – *I* tiazoli – *S* tiazoles

Lit.: [1] Aldrichimica Acta **30**, 35 (1997).
allg.: Chem. Rev. **81**, 175–203 (1981) ▪ Eicher u. Hauptmann, Chemie der Heterocyclen, S. 149, Stuttgart: Thieme 1994 ▪ Gilchrist, Heterocyclenchemie, S. 319, Weinheim: VCH Verlagsges. 1995 ▪ Houben-Weyl **E 8 b**, 1 ff. ▪ Katritzky-Rees **6**, 235–331 ▪ Pure Appl. Chem. **62**, 643–652 (1990) ▪ Weissberger **34/1–3**. – *[HS 2934 10; CAS 288-47-1 (T.)]*

Thiazol-Farbstoffe. Farbstoffe, die *Thiazol-Derivate im Mol. enthalten, können verschiedenen Farbstoff-Klassen angehören, z.B. den *Direktfarbstoffen (*Primulin), *Schwefel-, *Küpen- od. *Dispersionsfarbstoffen. Einige zu den *Polymethin-Farbstoffen zählende, durch Quaternisierung des Thiazol-Stickstoffs entstandene kation. Farbstoffe (*Thiazolium-Salze*) haben für die Färbung von Polyacrylnitril-Fasern Bedeutung erlangt. – *E* thiazole dyes – *F* colorants thiazoliques – *I* coloranti tiazolici – *S* colorantes tiazólicos

Lit.: Kirk-Othmer (4.) **8**, 591; **23**, 1040 ▪ Ullmann (5.) **A 8**, 513; **A 24**, 571 ▪ Winnacker-Küchler (4.) **7**, 28 f.

Thiazolgelb s. Titangelb.

Thiazol(id)ine s. Thiazole.

Thiazolium-Salze. In *Thiamin (Vitamin B_1) liegt als Baustein ein T.-S. *(Thiazoliumchlorid)* vor, das der reaktive, an katalyt. Reaktionen beteiligte, Teil des Mol. darstellt.

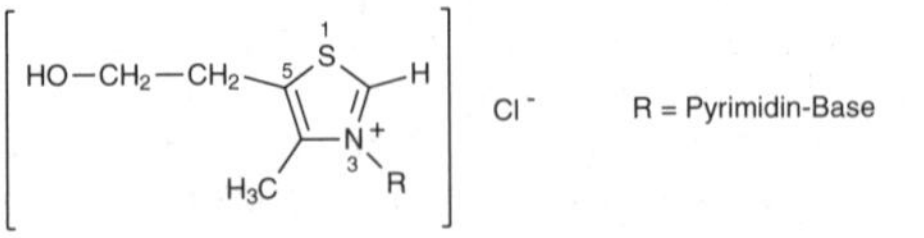

R = Pyrimidin-Base

In der präparativen organ. Chemie werden T.-S. zur *Umpolung benutzt; mit ihrer Hilfe können nucleophile *Acylierungen von α,β-ungesätt. Ketonen (vgl. Michael-Addition) durchgeführt werden, die zu 1,4-Dicarbonyl-Verb. führen; s.a. Stetter-Reaktion u. vgl. Acyloin- u. Benzoin-Kondensation; s.a. Thiazol-Farbstoffe.

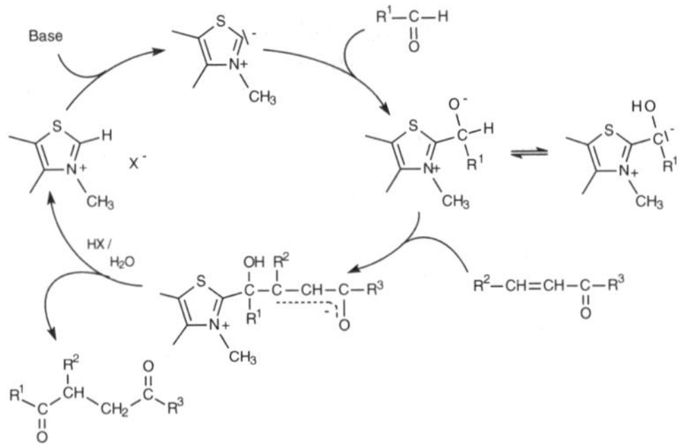

Abb.: Nucleophile Addition von Acylanionen-Äquivalenten an α,β-ungesätt. Carbonyl-Verbindungen.

– *E* thiazolium salts – *F* sels de thiazolium – *I* sali di tiazolio – *S* sales de tiazolio

Lit.: Fuhrhop, Bio-organische Chemie, S. 119–122, Stuttgart: Thieme 1982 ▪ J. Am. Soc. **92**, 2891 (1970); **98**, 808 (1976) ▪ s. a. Stetter-Reaktion u. Thiamin.

1-(2-Thiazolylazo)-2-naphthol (TAN).

$C_{13}H_9N_3OS$, M_R 255,30, Schmp. 138–139 °C, Reagenz zur spektrophotometr. Bestimmung von Co^{2+}, Cu^{2+}, Zn^{2+} u. Ni^{2+} u. zur komplexometr. Bestimmung von Zinn-organ. Verbindungen. – *E = F* 1-(2-thiazolylazo)-2-naphtol – *I* 1-(2-tiazolilazo)-2-naftolo – *S* 1-(2-tiazolilazo)-2-naftol

Lit.: Beilstein E III/IV **27**, 5988 ▪ Holzbecher et al., Handbook of Organic Reagents In Inorganic Analysis, Chichester: Horwood 1976. – *[CAS 1147-56-4]*

Thiazopyr.

Common name für Methyl-2-(difluormethyl)-4-isobutyl-5-(4,5-dihydro-2-thiazoyl)-6-(trifluormethyl)nicotinat, $C_{16}H_{17}F_5N_2O_2S$, M_R 396,37, Schmp. 77,3–79,1 °C, LD_{50} (Ratte oral) >5000 mg/kg, von Monsanto Mitte der 90er Jahre eingeführtes *Herbizid gegen einjährige Gräser u. breitblättrige Unkräuter im Obst-, Wein-, Gemüse- u. Ackeranbau. T. hemmt die Zellteilung u. führt so zu Wuchsdepression. – *E = F* thiazopyr – *I = S* tiazopir

Lit.: Farm ▪ Perkow ▪ Pesticide Manual. – *[CAS 117718-60-2]*

Thidiazuron.

Common name für 1-Phenyl-3-(1,2,3-thiadiazol-5-yl)harnstoff, $C_9H_8N_4OS$, M_R 220,24, Schmp. 210,5–212,5 °C (Zers.), LD_{50} (Ratte oral) >4000 mg/kg (WHO), von Schering (jetzt AgrEvo) 1976 eingeführter Pflanzen-*Wachstumsregulator zur Entblätterung der Baumwollpflanzen vor der Ernte. – *E = F* thidiazuron – *I* tidiazurone – *S* tidiazurona

Lit.: Farm ▪ Perkow ▪ Pesticide Manual. – *[CAS 51707-55-2]*

Thiel, Alfred (1872–1942),
Prof. für Physikal. Chemie, Univ. Marburg. *Arbeitsgebiete:* Indikatoren, Korrosion, Metallschutz, Lokalelemente, Wasserenthärtung, Bearbeitung der bekannten logarithm. Rechentafeln (Küster-Thiel).

Thiele, Gerhard (geb. 1935),
Prof. für Anorgan. Chemie, Univ. Erlangen, Freiburg. *Arbeitsgebiete:* Präparative Festkörperchemie, anorgan. Strukturchemie.

Lit.: Kürschner (16.), S. 3747.

Thiele, Heinrich Friedrich (1902–1991),
Prof. für Kolloidchemie, Univ. Kiel. *Arbeitsgebiete:* Kolloidchemie, Ionotropie, Histolyse u. Histogenese, Feinstruktur von Augenlinse u. Kornea, Polyelektrolyte, Spinnbarkeit, Hydrodynamik von Seetieren, Huminsäuren, Entfernen von Zellen u. Antigenen aus Geweben z. Herst. von biolog. Implantaten.

Lit.: Kürschner (16.), S. 3747 ▪ Nachr. Chem. Tech. Lab. **39**, Nr. 9, 1050 (1991).

Thiele, Johannes (1865–1918),
Prof. für Chemie, München u. Straßburg. *Arbeitsgebiete:* Synth. von Nitroharnstoff, Semicarbazid, Nitramid, Fulvenen, Hydrazin, Stickstoffwasserstoffsäure, Schmp.-Bestimmung, Theorie der *Partialvalenzen (s. a. die nachfolgenden Stichwörter).

Lit.: Lexikon der Naturwissenschaftler, S. 394 ▪ Neufeldt, S. 58, 102, 106 ▪ Pötsch, S. 420.

Thiele-Modul.
Der T.-M. für eine in einem porösen Katalysator ablaufende heterogen-katalysierte chem. Reaktion ist definiert als die Wurzel aus dem Verhältnis der charakterist. Diffusionszeit zur charakterist. chem. Reaktionszeit. Wird die Diffusion der Komponente i im Katalysatorgefüge mit einem effektiven Diffusionskoeff. $D_{i,eff}$ beschrieben, so ist der T.-M. bei einer Reaktion erster Ordnung gegeben durch

$$\Phi = \sqrt{\frac{V_p^2 \cdot k_p}{A_p^2 \cdot D_{i,eff}}},$$

wobei V_p u. A_p das Vol. bzw. die äußere Oberfläche des Katalysators sind u. k_p der Geschw.-Koeff. der heterogen-katalysierten Reaktion.

Der T.-M. spielt bei der Beschreibung der Stofftransporteinflüsse bei heterogen-katalysierten Reaktionen eine Rolle. Zur Erfassung solcher Stofftransporteinflüsse dient die Katalysatoreffektivität η, die definiert ist als Verhältnis der effektiven Reaktionsgeschw. (mit Stofftransporteinfluß) zur Reaktionsgeschw. ohne Stofftransporteinfluß. Für kugelförmige Katalysatoren ist z. B. die Katalysatoreffektivität $\eta = 3/\Phi$ für $\Phi \gg 1$. Ist die charakterist. Diffusionszeit groß (langsame Diffusion im Katalysator), so wird der T.-M. ebenfalls groß u. die effektive Reaktionsgeschw. verringert sich verglichen mit der Reaktionsgeschw. bei ungehinderter Diffusion ($\eta \ll 1$). – *E* Thiele modulus – *F* module Thiele – *I* modulo Thiele – *S* módulo Thiele

Lit.: Baerns, Hofmann u. Renken, Chemische Reaktionstechnik (2.), Stuttgart: Thieme 1992 ▪ Ullmann (5.) **B4**, 47 ff.

Thiele-Schmelzpunktsapparat.
Von J. *Thiele entwickeltes Glasgerät, das im Laboratorium zur Schmelzpunktbestimmung verwendet wird, Abb. s. dort.

Thieles Reagenz.
Lsg. von Natriumphosphinat, das aus Selenat u. Selenit-Lsg. Se ausfällt. – *E* Thiele's reagent – *F* réactif de Thiele – *I* reattivo di Thiele – *S* reactivo de Thiele

Thiele-Winter-Reaktion.
Von J. *Thiele aufgefundene Umwandlung eines Chinons in ein Benzol-1,2,4-triol durch Acetoxylierung mit Essigsäureanhydrid in Ggw. von H_2SO_4 od. BF_3-Etherat als Katalysator, wobei das entsprechende Triacetat entsteht. – *E* Thiele-Winter reaction – *F* réaction de Thiele et Winter – *I* reazione di Thiele-Winter – *S* reacción de Thiele-Winter

Lit.: Hassner-Stumer, S. 383 ▪ Krauch u. Kunz, Reaktionen der Organischen Chemie, 6. Aufl., S. 224, Heidelberg: Hüthig 1997 ▪ Org. React. **19**, 199–278 (1972) ▪ Tetrahedron **6**, 345 (1959).

Thiel-Stoll-Lösung.
Gesätt., wäss. Lsg. von Bleiperchlorat, D. 2,6, als *Schwerflüssigkeit zur Bestimmung der Dichte von Mineralien verwendbar. – *E*

Thiel-Stoll solution – *F* solution de Thiel-Stoll – *I* soluzione di Thiel-Stoll – *S* solución de Thiel-Stoll

Thiem, Joachim (geb. 1941), Prof. für Organ. Chemie, Univ. Hamburg. *Arbeitsgebiete:* Naturstoffchemie, klass. Synth. von (Oligo)saccharid-Derivaten, Anw. chemoenzymat. Herst. komplexer Glykokonjugate, Nutzung von Kohlenhydraten zum Aufbau neuartiger Werk- u. Hilfsstoffe.
Lit.: Kürschner (16.), S. 3749.

Thienamycine. Gruppenbez. für β-*Lactam-Antibiotika. Gemeinsam mit den *Olivansäuren u. Epithienamycinen ist den T. die Carbapenem-Struktur (im 5-Ring statt eines S-Atoms, wie bei den *Penicillinen, ein C-Atom).

Die Stammverb. *Thienamycin* {3-[(2-Aminoethyl)thio]-6-(1-hydroxyethyl)-7-oxo-1-azabicyclo-[3.2.0]hept-2-en-2-carbonsäure}, $C_{11}H_{16}N_2O_4S$, M_R 272,32, Schmp. 205 °C, lösl. in Wasser, wenig lösl. in Methanol wurde 1976 in einem *Screening auf β-Lactamase-Inhibitoren aus Kulturen von *Streptomyces cattleya* isoliert, wird heute jedoch vorwiegend chem. synthetisiert[1]. Thienamycin ist als β-Lactamase-Inhibitor u. Breitbandantibiotikum gegen Gram-pos. u. -neg. Erreger (einschließlich *Pseudomonas aeruginosa*) einsetzbar, jedoch extrem instabil. Das semisynthet. *N*-Formimidoylthienamycin[2] (*Imipenem) findet in Kombination mit *Cilastatin bei guter Stabilität u. unveränderter Breitbandwirkung klin. Verwendung. – *E* thienamycins – *F* thiénamycines – *I* tienamicine – *S* tienamicinas

Lit.: [1] Morin u. Gorman (Hrsg.), Chemistry and Biology of β-Lactam-Antibiotics, Bd. 2, S. 227–313, New York: Academic Press 1982. [2] J. Med. Chem. **22**, 1435 (1979); Antimicrob. Agents Chemother. **17**, 993 (1980); Simon u. Stille, Antibiotika-Therapie in Klinik u. Praxis, S. 115–121, New York: Schattauer 1989.
allg.: Chem. Pharm. Bull. **56**, 12 (1992) ▪ Demain u. Solomon (Hrsg.), Antibiotics Containing the β-Lactam Structure 2, S. 119–245, New York: Springer 1983 ▪ Heterocycles **38**, 1533 (1994) ▪ J. Am. Chem. Soc. **109**, 1129 (1987) ▪ J. Chem. Soc., Perkin Trans. 1 **1994**, 379 ▪ J. Org. Chem. **55**, 3098–3103 (1990); **61**, 2413–2427 (1996). – [HS 2941 90; CAS 59995-64-1]

Thieno... Anellierungspräfix für einen *Thiophen-Ring, der mit einem weiteren heterocycl. Ringgerüst verschmolzen ist (IUPAC-Regel B-3.3); vgl. Furo...; s. dagegen Thiopheno... – *E* thieno... – *F* théno... – *I* = *S* tieno...

Thienyl... Empfohlene Bez. der Atomgruppierungen

in chem. Namen (*x*-Thienyl..., *x* = 2 od. 3; IUPAC-Regeln B-2.11, B-5.11, R-2.5 u. R-9.1.25.2, CAS); die systemat. Bez. Thiophen-*x*-yl... (Beilstein) ist auch zulässig; vgl. Thenyl... – *E* thienyl... – *F* thiényl... – *I* = *S* tienil...

Thiepine. Nach IUPAC-Regel B-1.1 Bez. für *Oxepinen analoge, 3fach ungesätt., siebengliedrige Ringe mit einem S (anstelle von O) als Heteroatom. Der unsubstituierte Grundkörper *Thiepin* ist nicht bekannt, auch C-substitutierte T. sind im allg. unbeständig. Dagegen ist das aus *cis*-Hexatrien u. SO_2 durch cheletrope *Cycloaddition zugängliche 2,7-Dihydrothiepin-1,1-dioxid ($C_6H_8O_2S$, M_R 144,19) beständiger u. kann als Quelle für Thiepin-1,1-dioxid-Derivate od. *cis*-Hexatrien dienen.

– *E* thiepins – *F* thiépinnes – *I* tiepine – *S* tiepinas
Lit.: Eicher u. Hauptmann, Chemie der Heterocyclen, S. 463, Stuttgart: Thieme 1994 ▪ Gilchrist, Heterocyclic Chemistry, S. 382, Weinheim: VCH Verlagsges. 1995 ▪ Houben-Weyl E 9 d, 65 f. ▪ Katritzky-Rees **7**, 547–592 ▪ Top. Curr. Chem. **97**, 33–70 (1981) ▪ Weissberger **26**, 573–666, 667–896. – [CAS 16301-86-3 (2,7-Dihydro-thiepin-1,1-dioxid)]

Thies, Heinrich (1905–1995), Prof. für Pharmazie u. Lebensmittelchemie, Univ. München; Leiter des zentralen Prüflabors der Kommission Dtsch. Arzneimittel-Codex. Mithrsg. des Dtsch. Arzneimittel-Codex (DAC). *Arbeitsgebiete:* Inhaltsstoffe von Arzneipflanzen; Arzneimittelanalyse; Harnanalyse; Arzneimittel-Synth.: Grignard-Reaktionen von Aldiminen u. Ketiminen (Lokalanästhetika); Mikro-Bestimmung von Hg in Lebensmitteln.
Lit.: Kürschner (16.), S. 3753.

Thietane. Nach IUPAC-Regel B-1.1 Bez. für gesätt., viergliedrige, heterocycl. Verb., deren Mol. ein S-Atom im Ring enthalten.

Thietan   Thiet   Thietan-1,1-dioxid

Einfach ungesätt. Derivate heißen *Thiete*. Der Grundkörper der T., das *Thietan* (ältere Bez.: Trimethylensulfid, 1,3-Epithiopropan, Thiacyclobutan, C_3H_6S, M_R 74,15) ist eine farblose, unangenehm riechende Flüssigkeit, D. 1,028, Schmp. –73 °C, Sdp. 94 °C, unlösl. in Wasser, lösl. in Alkohol, Aceton, Benzol u. a. organ. Lsm., hat als solches keine Bedeutung; auch Thietan-1,1-dioxide sind bekannt. Das 2,2-Dimethylthietan (Mustelan) ist als *Musteliden-Stinkstoff aus Analdrüsen des Nerzes isoliert worden. – *E* thietanes – *F* thiétannes – *I* tietani – *S* tietanos
Lit.: Adv. Heterocycl. Chem. **35**, 199 ff. (1984) ▪ Chem. Rev. **66**, 341 (1966); **95**, 2587 (1995) ▪ Eicher u. Hauptmann, Chemie der Heterocyclen, S. 41, Stuttgart: Thieme 1994 ▪ Gilchrist, Heterocyclenchemie, S. 374, Weinheim: VCH Verlagsges. 1995 ▪ Houben-Weyl E 11, 1533–1579 ▪ Katritzky-Rees **7**, 403–447 ▪ Synthesis **1982**, 582 f.; **1985**, 1069 f. ▪ Weissberger **19/2**, 647–728; **42/1**, 333 ff. – [CAS 287-27-4 (Thietan)]

Thiete s. Thietane.

Thiethylperazin (Rp).

Internat. Freiname für 2-(Ethylthio)-10-[3-(4-methyl-1-piperazinyl)propyl]-10*H*-phenothiazin, $C_{22}H_{29}N_3S_2$, M_R 399,62, Krist., Schmp. 62–64°C, Sdp. 227°C (1,3 Pa). Das Dimaleat, Schmp. 188–190°C, λ_{max} (CH_3OH) 216, 265, 317 nm, wird gegen Schwindelgefühle u. als *Antiemetikum verwandt. T. wurde 1967 von Sandoz (Torecan®, Novartis) patentiert. – *E* thiethylperazine – *F* thiéthylpérazine – *I* = *S* tietilperazina

Lit.: ASP ▪ Hager (5.) **9**, 874f. ▪ Martindale (31.), S. 453. – *[HS 2934 10; CAS 1420-55-9 (T.); 1179-69-7 (Dimaleat)]*

Thifensulfuron-methyl.

Common name für 3-(4-Methoxy-6-methyl-1,3,5-triazin-2-ylcarbamoylsulfamoyl)thiophen-2-carbonsäureemethylester, $C_{12}H_{13}N_5O_6S_2$, M_R 387,38, Schmp. 186°C, LD_{50} (Ratte oral) >5000 mg/kg (Pesticide Manual), von DuPont 1982 eingeführtes selektives Nachauflauf-*Herbizid mit system. Eigenschaften gegen Unkräuter im Getreide- u. Sojabohnenanbau. – *E* thifensulfuron-methyl – *F* thifensulfuron-méthyl – *I* tifensulfurone di metile – *S* tifensulfuron-metil

Lit.: Farm ▪ Perkow ▪ Pesticide Manual. – *[CAS 79277-27-3]*

Thifluzamid.

Common name für 2′,6′-Dibrom-2-methyl-4′-(trifluormethoxy)-4-(trifluormethyl)-5-thiazolcarboxanilid, $C_{13}H_6Br_2F_6N_2O_2S$, M_R 528,06, Schmp. 179,9–178,6°C, LD_{50} (Ratte oral) >5000 mg/kg, von Monsanto Mitte der 90er Jahre entwickeltes *Fungizid, verwendet als Blattfungizid im Getreide gegen verschiedene pilzliche Erreger sowie als Beizmittel gegen bodenbürtige Pilze. – *E* = *F* thifluzamide – *I* tifluzamide – *S* tifluzamida

Lit.: Farm ▪ Perkow ▪ Pesticide Manual. – *[CAS 130000-40-7]*

Thigmonastie s. Nastien.

Thigmotropismus s. . . .tropismus.

Thiiran s. Ethylensulfid u. Thiirane.

Thiirane. C_2H_4S, M_R 60,11. Nach IUPAC-Regel B-1.1 Bez. für dreigliedrige, gesätt. *Schwefel-Heterocyclen, die den *Oxiranen analog gebaut sind; das einfachste T. ist das *Ethylensulfid (*Thiiran*, im Tierversuch carcinogen[1]).

Thiiran (Ethylensulfid) — Thiiran-1,1-dioxid (Episulfon) — Thiiren

Für kompliziertere u. bes. in höhere Ringsyst. eingebaute T. benutzte man früher häufig die dem Namen *Epoxide analoge Bez. *Episulfide*. Heute werden (nach IUPAC-Regel C-514.4) derartige Verb. durch das Präfix *Epithio. . .* charakterisiert; *Beisp.:* 5α,6α-Epithiocholestan-3β-olacetat u. verwandte Steroid-Episulfide lassen sich aus den entsprechenden Epoxysteroiden durch Behandlung mit Kaliumthiocyanat herstellen.

Thiiranium-Ionen sollen als Zwischenprodukte bei der Addition von Sulfenylchloriden od. Schwefeldichlorid an ungesätt. Verb. auftreten[2]. Die ungesätt., als antiaromat. Verb. aufzufassenden Analoga der Oxirene heißen systemat. *Thiirene*[3,4]. Den Sulfoxiden u. Sulfonen analoge Oxid.-Produkte sind auch bei den T. u. Thiirenen bekannt, z.B. Thiiran-1-oxid u. die systemat. als Thiiran-1,1-dioxide zu benennenden *Episulfone*, die aus *Sulfenen (Thioaldehyd- bzw. Thioketon-*S*,*S*-dioxiden) zugänglich sind[5] u. die auch bei der *Ramberg-Bäcklund-Reaktion intermediär auftreten. – *E* thiiranes – *F* thiirannes – *I* tiirani – *S* tiiranos

Lit.: [1] IARC Monogr. **11**, 257–262 (1976). [2] Angew. Chem. **92**, 277–290 (1980). [3] Heterocycles **11**, 697–738 (1978). [4] Rev. Chem. Intermed. **2**, 347–375 (1979). [5] Synthesis **1970**, 397–404.

allg.: Acc. Chem. Res. **12**, 282ff. (1979) ▪ Angew. Chem. **92**, 277–290 (1980) ▪ Chem. Rev. **66**, 297ff. (1966) ▪ Eicher u. Hauptmann, Chemie der Heterocyclen, S. 24, Stuttgart: Thieme 1994 ▪ Gilchrist, Heterocyclenchemie, S. 362, Weinheim: VCH Verlagsges. 1995 ▪ Houben-Weyl **E11/2**, 1483–1528 ▪ Katritzky-Rees **7**, 131–184 ▪ Russ. Chem. Rev. **59**, 405–424 (1990) ▪ Weissberger **42/1**, 333f. – *[CAS 420-12-2 (T.); 157-20-0 (Thiiren)]*

Thiirene s. Thiirane.

Thilo-Tears SE®. Augengel mit Carbomer u. *Mannit als Ersatz der Tränenflüssigkeit. *T.-T* (Rp) enthält zusätzlich *Thiomersal. *B.:* Alcon.

Thi(o). . . (von griech.: theîon = Schwefel). a) *Infix (vor Vokal: Thi. . .) u. *Präfix für Ersatz eines O-Atoms durch ein S-Atom in anorgan. *Oxosäuren (IUPAC-Regeln D-5.0, D-5.53, D-5.6, I-9.9.3, R-3.4) u. organ. Sauerstoff-Verb. (Regeln C-5, C-6, R-3.4, R-5.5.1.2, R-5.6.1, R-5.6.2.2); *Beisp.:* viele der folgenden Stichwörter *. . .thial, *. . .thiol, *. . .thion.

b) Präfix-Endung für das Schwefel-Atom in Namen der Reste –S–R in organ. Verb. (R = organ. od. Heteroatom-Rest; IUPAC-Regel C-514.1; neue, aber unübliche Bez. nach Regel R-5.5.2: *Sulfanyl. . .*); *Beisp.:* *Methylthio. . ., Aminothio. . . (s. Sulfenamide).

c) Bez. für das zweibindige Atom –S– als Brückenglied in *Multiplikativnamen (s. Thiodi. . .) u. als Teil *konstitutioneller Repetiereinheiten in der *Polymer-Nomenklatur [*Beisp.:* Poly(thio-*p*-phenylene), s. Polyphenylensulfide]. *Epithio. . . heißt die Brückengruppe –S– in cycl. organ. *Sulfiden.

d) Präfix für den anion. *Liganden S^{2-} in Koordinationsverb. (in IUPAC-Regel I-10.4.5.4 bevorzugt); daneben zulässig sind die Bez. *Sulfido. . . (systemat. Bez.) u. *Thioxo. . . (CAS).

e) Silbe in *Freinamen u. *Handelsnamen Schwefelhaltiger Verb. u. Präp. [oft Thi. . ., *Ti(o). . . od. Ti. . . abgekürzt]; vgl. Mercapto. . . u. Thi(a). . . – *E* = *F* thio. . . – *I* = *S* tio. . .

Thioacetale. Gruppenbez. für die Schwefel-Analoga der *Acetale u. *Halbacetale, die aus Aldehyden od. Ketonen u. Thiolen od. Sulfiden entstehen können. Im allg. handelt es sich bei den T. um unangenehm riechende, gegen Säuren u. Alkalien beständige Verb., deren Spaltung zur Carbonyl-Verb. leicht möglich ist, weshalb die *Thioacetalisierung* häufig zum Schutz der Carbonyl-Gruppe vorgenommen wird. Die T. werden

Thioacetamid

als Dithioacetale bzw. Monothioacetale benannt[1]. Sie können auch substitutiv als Alkyl(aryl)sulfanyl-Derivate der Stammhydride bezeichnet werden, z. B.:

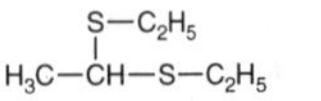

$H_3C-CH(S-C_2H_5)-S-C_2H_5$
1,1-Bis(ethansulfanyl)ethan od. Ethanal-diethyldithioacetal

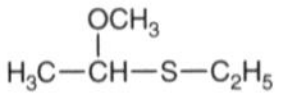

$H_3C-CH(OCH_3)-S-C_2H_5$
1-(Ethylsulfanyl)-1-methoxyethan od. Ethanal-*S*-ethyl-*O*-methyl-monothioacetal

Die von Ketonen abstammenden T. [$R^1R^2C(SR^3)_2$, R^1, R^2, R^3 = Alkyl, Aryl)] werden in Analogie zu Ketalen auch *Thioketale* genannt. Die *Monothiohalb-* od. *hemiacetale* $R^1R^2C(OH)(SR^3)$ sind als (Alkylthio)-alkohole, die $R^1R^2C(OR^3)(SH)$ als Alkoxy-thiole zu benennen. Cycl. 6-Ring-T. werden als 1,3-*Dithiane bezeichnet;

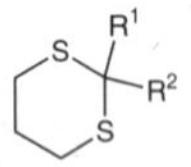

1,3-Dithiane

sie spielen in der modernen synthet. Chemie eine Rolle (s. Umpolung). – *E* thioacetals – *F* thioacétals – *I* tioacetali – *S* tioacetales

Lit.: [1] IUPAC, Nomenklatur der Organischen Chemie, S. 123, Weinheim: VCH Verlagsges. 1997.
allg.: Chem. Soc. Rev. **19**, 55–81 (1990) ▪ Jansen Chim. Acta **3**, 18–28 (1985) ▪ s. a. die Textstichwörter u. Schwefel-organische Verbindungen.

Thioacetamid. $H_3C-CS-NH_2$, C_2H_5NS, M_R 75,14. Gelbe od. farblose, monokline Tafeln, Schmp. 113–114 °C, wenig lösl. in Ether, leicht lösl. in Wasser u. Alkohol; LD_{50} (Ratte oral) 301 mg/kg; für T. besteht begründeter Verdacht auf krebserregende Wirkung; WGK 2 (Selbsteinst.). T. kann u. a. aus Acetamid u. K_3PS_4 hergestellt werden u. findet in der quant. Analyse als Ersatz für Schwefelwasserstoff Verwendung. – *E* thioacetamide – *F* thioacétamide – *I* thioacetammide – *S* tioacetamida

Lit.: Beilstein EIV **2**, 565 ▪ Merck-Index (12.), Nr. 9453. – [HS 29 30 90; CAS 62-55-5]

Thioacetazon (Amithiozon, Thiacetazon, TB I 698, Rp).

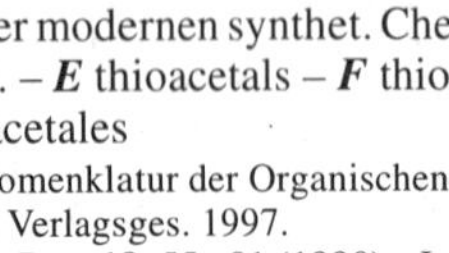

Internat. Freiname für das *Tuberkulostatikum *p*-(Acetylamino)-benzaldehyd-thiosemicarbazon, $C_{10}H_{12}N_4OS$, M_R 236,29, Schmp. 225–230 °C (Zers.), λ_{max} (C_2H_5OH) 328 nm ($A^{1\%}_{1cm}$ 1933); LD_{50} (Maus s.c.) >1 g/kg. – *E* thioacetazone – *F* thioacétazone – *I* tioacetazone – *S* tioacetazona

Lit.: Hager (5.) **9**, 875 f. ▪ Martindale (31.), S. 289. – [HS 29 30 90; CAS 104-06-3]

Thioäpfelsäure (genauer: 2-T.; Mercaptobernsteinsäure, Mercaptobutandisäure).

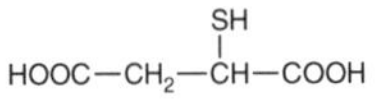

$HOOC-CH_2-CH(SH)-COOH$

$C_4H_6O_4S$, M_R 150,15. Farblose, schwefelwasserstoffartig riechende Krist., Schmp. 157–158 °C [(±)-T.], lösl. in Wasser, Alkohol, Aceton, unlösl. in Benzol; LD_{50} (Ratte oral) 800 mg/kg. Herst. s. Beilstein (*Lit.*). T. findet Verw. in der Kautschuk- u. Kunststoff-Ind., als Reagenz auf Mo (gelber Komplex) u. zur komplexometr. Titration von Schwermetallen. – *E* thiomalic acid – *F* acide thiomalique – *I* acido tiomalico – *S* ácido tiomálico

Lit.: Beilstein E IV **3**, 1130 ▪ Kirk-Othmer (4.) **13**, 1071 ▪ Merck-Index (12.), Nr. 9479. – [HS 29 30 90; CAS 70-49-5]

Thioaldehyde. Zur Polymerisation neigende orange bis violett gefärbte Verb. der allg. Formel R–CH=S, bei denen O der Aldehyd-Gruppe durch S ersetzt ist; *Beisp.:* Thiobenzaldehyd. Die T.-Gruppe ist ein sog. Kakosmophor (s. osmophore Gruppen).

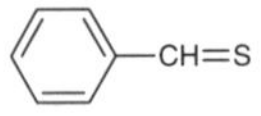

Thiobenzaldehyd 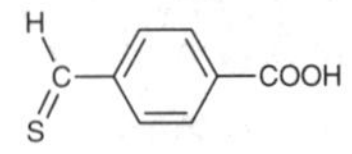   4-(Thioformyl)benzoesäure

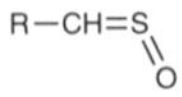

Sulfine 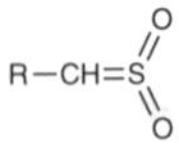   Sulfene

Die systemat. Namen der T. werden nach IUPAC-Regel C-531 mit den Suffixen *...thial* od. *...carbothialdehyd* bzw. mit dem Präfix *Thioformyl...* gebildet; *Beisp.:* Hexanthial, 4-(Thioformyl)benzoesäure. Oxid.-Produkte der T. mit SO-Bindungen heißen systemat. nach IUPAC-Regel C-633.2 *...thialoxid* (Trivialname: *Sulfine*, natürlich vorkommendes *Beisp.:* *Propanthial-S-oxid) u. *...thialdioxid* (Trivialname: *Sulfene*). Die T. haben kaum techn. Bedeutung; die niederen Glieder wie Thioformaldehyd sind sehr instabil, lassen sich aber dennoch spektroskop. nachweisen. Eine Stabilisierung der T. gelingt durch ster. anspruchsvolle Substituenten. – *E* thioaldehydes – *F* thioaldéhydes – *I* tioaldeidi – *S* tioaldehídos

Lit.: Chem. Rev. **39**, 1 ff. (1946) ▪ Houben-Weyl **E 11**, 188–194 ▪ Katritzky et al. **3**, 329 f. ▪ Org. Photochem. **7**, 231–338 (1985) ▪ Patai, The Chemistry of Double-bonded Functional Groups, Chichester: Wiley 1997 ▪ Russ. Chem. Rev. **59**, 378–395 (1990) ▪ s. a. Schwefel-organische Verbindungen.

Thioalkoholate, Thioalkohole s. Thiolate, Thiole.

Thioamide (Thiocarbonsäureamide). Bez. für die Amide der *Thiocarbonsäuren, die bereits seit Anfang des 19. Jh. bekannt sind[1] u. therm. stabile, gut charakterisierbare Verb. darstellen.

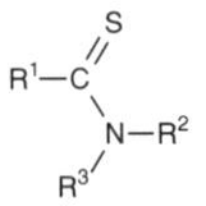

$R^1 = CH_3$, $R^2 = R^3 = H$: *Thioacetamid

T. sind auf dem Gebiet der Pharma-Synth., im Pflanzenschutz, als Vulkanisationsbeschleuniger, Korrosionsinhibitoren, Additive für Schmieröle u. als Synth.-Bausteine von Bedeutung. Sie können z. B. durch *Aminothiolierung* von CH-aciden-Verb., durch Addition von Metall-organ. Reagenzien an *Isothiocyanate*, durch die Willgerodt-Kindler-Reaktion[2] (s. Willgerodt-Reaktion) od., was die größte Anw.-Breite besitzt, durch Schwefelung von *Carbonsäureamiden* mit Phosphor(V)-sulfid hergestellt werden.

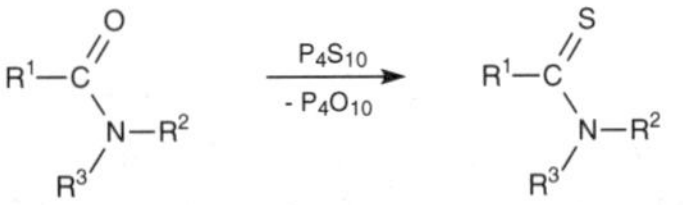

Abb. 1: Herst. von Thioamiden.

Eine der wichtigsten, insbes. für die organ. Synth. einsetzbare Reaktion der T., besteht in der Umsetzung mit Elektrophilen, die z. B. zu Thiocarbonsäure-dialkylimidium-S-ester-Kationen führt; letztere können zu Carbonsäureamiden, Keton-S,S-dithioacetalen, *Enaminen u. Thiatriazolenen umgesetzt werden.

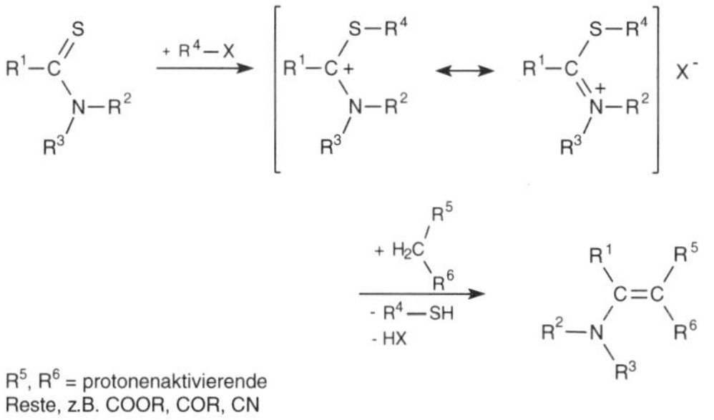

R^5, R^6 = protonenaktivierende Reste, z.B. COOR, COR, CN

Abb. 2: Umsetzung von Thioamiden mit Elektrophilen.

– $E = F$ thioamides – I tioammidi – S tioamidas

Lit.: [1] Ann. Chim. (Paris) **95**, 136 (1815). [2] Synthesis **1975**, 358; **1985**, 77–80.
allg.: Angew. Chem. **78**, 517 (1966) ▪ Chem. Rev. **61**, 45 ff. (1961) ▪ Houben-Weyl **8**, 672 f.; **9**, 762 f.; **E 5/2**, 1218–1277 ▪ Kandror et al., Radical Reactions of Thioamides, Thioureas, and Related Compounds, New York: Harwood 1984 ▪ Katritzky et al. **5**, 565 f. ▪ Patai, The Chemistry of Amides, S. 383–476, London: Wiley 1970 ▪ s. a. Schwefel-organische Verbindungen.

Thiobacillus s. Schwefel-oxidierende Bakterien.

Thiobarbiturate. Derivate der *2-Thiobarbitursäure.

2-Thiobarbitursäure (Abk. TBA).

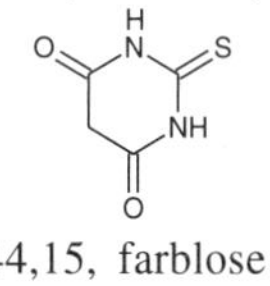

$C_4H_4N_2O_2S$, M_R 144,15, farblose Blättchen, Schmp. 235 °C (Zers.), wenig lösl. in kaltem Wasser, lösl. in heißem Wasser u. Alkohol, leicht lösl. in wäss. Alkalien.
Herst.: TBA wird durch Kondensation von substituierten Malonestern, Malononitrilen, Malonitrilestern od. Malonamidestern mit Thioharnstoff od N-Alkylthioharnstoffen hergestellt, wobei die zunächst entstandenen Imino-Derivate zu TBA hydrolysiert werden [1]. Nach *Lit.* [2] verändert sich die TBA-Molekülstruktur beim Erhitzen in verdünnter Säure (pH = 2) nicht, während unter extrem sauren Bedingungen ein oxidativer hydrolyt. Effekt beobachtet wurde. TBA ist in verdünnter Lauge lösl., wobei sich allerdings der heterocycl. Ring nach einiger Zeit öffnet [1].
Verw.: Eine Übersicht zu Möglichkeiten des Einsatzes des TBA-Test's zur Bewertung der Autoxid. sowie der oxidativen Ranzidität in Lebensmitteln wird in *Lit.* [3] gegeben. Sehr ausführlich wird ein TBA-Test in *Lit.* [2] beschrieben. TBA wird u. a. auch zur analyt. Bestimmung von *Sorbinsäure eingesetzt. Einige Derivate der T. dienen als *Injektionsnarkotika (z.B. *Thiopental-Natrium). – *E* 2-thiobarbituric acid – *F* acide 2-thiobarbiturique – *I* acido 2-tiobarbiturico – *S* ácido 2-tiobarbitúrico

Lit.: [1] Ullmann (5.) **A 2**, 295 f. [2] Nahrung **41** (3), 162–166 (1997). [3] Grasas y Aceites **48** (2), 96–102 (1997).
allg.: Beilstein E III/IV **24**, 1884 ▪ Mutschler (7.) ▪ Proc. Indian Natl. Sci. Acad. A **62**, 369–413 (1996). – [HS 2933 51; CAS 504-17-6]

Thiobencarb.

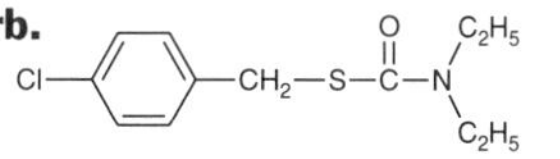

Common name für S-(4-Chlorbenzyl)-diethylthiocarbamat, $C_{12}H_{16}ClNOS$, M_R 257,77, Schmp. 3,3 °C, Sdp. 126–129 °C (1,1 Pa), LD_{50} (Ratte oral) 1300 mg/kg (WHO), von Kumiai 1969 eingeführtes selektives *Herbizid zur Anw. im Vorauflauf u. frühen Nachauflauf gegen ein- u. zweikeimblättrige Unkräuter im Pflanzreis, Trockenreis u. direkt gesäten Wasserreis. – *E* thiobencarb – *F* thiobencarbe – *I* = *S* tiobencarb

Lit.: Farm ▪ Pesticide Manual. – [HS 2930 90; CAS 28249-77-6]

Thiobios. Die Organismen anaerober, Sulfid-reicher *Sedimente od. der darüberstehenden Wassersäule, z. B. die *Schwefelbakterien. T. entfaltet sich bes. in polysaproben Gewässern (s. Saprobie); die Thiobionten (Sulfid-bevorzugende u. Sulfid-tolierende Lebewesen [1]) sind dann auch *Saprobionten od. sogar Lymabionten (s. Lymabios). Wichtige Lebensräume für das T. sind die Tiefen (<200 m) des Schwarzen Meeres [2], Schwefel-haltige Quellen u. das *Watt [3]. – $E = F$ thiobios – $I = S$ tiobios

Lit.: [1] Ullmann (5.) **B 8**, 22. [2] Tardent, Meeresbiologie, S. 233 f., Stuttgart: Thieme 1979. [3] Mar. Biol. **54**, 225–237 (1979); **58**, 25–29 (1980).

2,2'-Thiobis(4,6-dichlorphenol) s. Bithionol.

Thiobutabarbital.

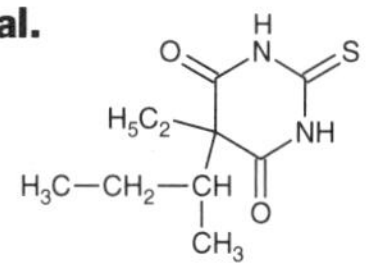

Kurzbez. für das *Narkotikum (ein *Injektionsnarkotikum) (±)-5-sec-Butyl-5-ethyl-2-thiobarbitursäure, $C_{10}H_{16}N_2O_2S$, M_R 228,31, Krist., Schmp. 163–165 °C, λ_{max} (CH_3OH) 234, 284, 369 nm ($A_{1cm}^{1\%}$ 482, 1086, 2), pK_a 9,4. Verwendet wird meist das Natriumsalz. T. wurde 1939 von Abbott patentiert. – $E = F$ thiobutabarbital – $I = S$ tiobutabarbital

Lit.: ASP ▪ Beilstein E III/IV **24**, 1944 ▪ Hager (5.) **9**, 876 ff. ▪ Martindale (29.), S. 1125 ▪ Ullmann (5.) **A 2**, 295 f. – [CAS 2095-57-0 (T.); 947-08-0 (Natriumsalz)]

Thiocarbamate. Bez. für die Salze u. Ester der in freiem Zustand nicht bekannten Thiocarbamidsäuren (I).

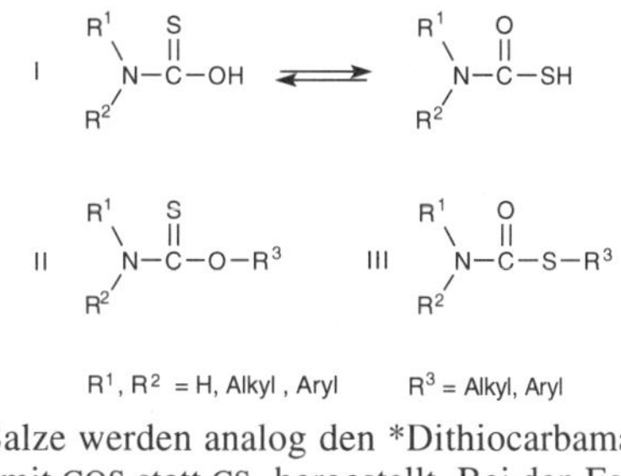

R^1, R^2 = H, Alkyl, Aryl R^3 = Alkyl, Aryl

Die Salze werden analog den *Dithiocarbamaten, jedoch mit COS statt CS_2 hergestellt. Bei den Estern un-

terscheidet man zwischen den Thiocarbamidsäure-*O*-estern (Thioncarbamidsäureester, II) u. den Thiocarbamidsäure-*S*-estern (Thiolcarbamidsäureester, III). Letztere sind als *Herbizide (z. B. *Butylat, *Cycloat, *Molinat, *EPTC, *Pebulat, *Triallat, *Vernolat) od. *Akarizide (Fenothiocarb) von Bedeutung. – *E* = *F* thiocarbamates – *I* tiocarbammati – *S* tiocarbamatos
Lit.: Farm ■ Houben-Weyl **9**, 823–846; E **4**, 293–334 ■ Kirk-Othmer (3.) **12**, 324 f. ■ Perkow ■ Pesticide Manual ■ Ullmann (4.) **12**, 606 f. ■ Winnacker-Küchler (4.) **7**, 279–281. – [HS 293020]

Thiocarbamid s. Thioharnstoff.

Thiocarbamidsäure s. Thiocarbamate.

Thiocarbamidsäurehydrazid s. Thiosemicarbazid.

Thiocarbamoyl... Bez. der Atomgruppierung –CS–NH$_2$ (IUPAC-Regeln C-431.2/547.1, R-3.2.1.1/5.7.1.3.4); andere zulässige Bez.: *Carbamothioyl...* (analog Regel I-9.9/10) u. (*Aminothioxomethyl)...* (CAS); veraltete Bez.: *Thiocarbamyl..., Thiuram...* (in Regeln C-661.6 u. R-9.1.30a für Thiuramdi- u. -monosulfid zulässig, s. Thiurame). – *E* = *F* thiocarbamoyl... – *I* = *S* tiocarbamoil...

Thiocarbanil s. Phenylisothiocyanat.

Thiocarbanilid s. 1,3-Diphenylthioharnstoff.

Thiocarbonate s. Trithiokohlensäure.

...thiocarbonsäure. Veraltetes dtsch. *Suffix für die Atomgruppierung –CO-SH ⇌ –CS–OH; Bez. nach IUPAC-Regeln C-502, C-541.1 u. R-5.7.1.3.1: ...carbothioic. – *E* ...carbothioic acid – *F* acide ... carbothioïque – *I* acido ...carbotioico – *S* ácido ... carbotioico

Thiocarbonsäureamide s. Thioamide.

Thiocarbonsäuren. Bez. für organ. Säuren, die sich von den *Carbonsäuren formal durch Ersatz von O-Atomen der Carboxy-Gruppe durch S-Atome ableiten. Man kann bei den Monothiocarbonsäuren zwischen der Thiol- bzw. Thion-Form unterscheiden, wobei erstere deutlich überwiegt.

$$R-C\underset{S-H}{\overset{O}{\diagdown}} \longleftrightarrow R-C\underset{S}{\overset{OH}{\diagdown}}$$

Die Benennung der T. erfolgt nach IUPAC-Regeln C-502 u. C-541/543 mit den Suffixen...thiosäure, ...thiocarbonsäure od....carbothiosäure, mit den Präfixen Thiocarboxy..., Hydroxy-(thiocarbonyl)-... od. Mercaptocarbonyl... bzw. bei Trivialnamen durch Voransetzen von Thio...; *Beisp.:* *Thioessigsäure [H$_3$C–C(S)–OH: Thioessig-*O*-säure, H$_3$C–C(O)–SH: Thioessig-*S*-säure], vgl. dagegen Thioglykolsäure. Sind beide O-Atome der Carbonsäuren durch S ersetzt [–C(S)–SH], so spricht man von *Dithiocarbonsäuren* mit analogen *Dithio*-Namensbildungen. T. weisen eine höhere Acidität als die entsprechenden Sauerstoffsäuren auf; z. B. Essigsäure (pK_a = 4,76), Thioessigsäure (pK_a = 3,33). Sie sind z. T. stechend riechende, therm. stabile Verb., mit Ausnahme von *Thioameisensäure*, die bei ca. 30 °C polymerisiert. Für ihre Herst. gibt es eine Reihe z. T. recht spezieller Meth., auf die hier nicht näher eingegangen werden kann. Die Hydrolyse von T. zu Carbonsäuren u. H$_2$S erfolgt leicht u. manchmal unter dem Einfluß bas. od. saurer Katalysatoren spontan. Thioessigsäure kann daher in der analyt. Chemie als Schwefelwasserstoff-Quelle bei Fällungen von Schwermetallsulfiden eingesetzt werden. Von den T. leiten sich die *Thioamide u. die präparativ nützlichen T.-Halogenide u. -Anhydride ab. *Thiocarbonsäure-*S*-ester* u. *Thiocarbonsäure-*O*-ester* [1] sind therm. stabile Verb.; die Alkylierung von T. liefert fast ausschließlich die *S*-Ester, die gegenüber ihren Sauerstoff-Analoga eine höhere Reaktivität aufweisen; sie zeichnen sich v. a. durch eine höhere Acidität der H-Atome in 2-Stellung zur Thiocarboxyl-Gruppe aus.

$$R^1-C\underset{S-R^2}{\overset{O}{\diagdown}} \qquad R^1-C\underset{S}{\overset{O-R^2}{\diagdown}}$$

Thiocarbonsäuren-*S*-ester   Thiocarbonsäuren-*O*-ester

In biolog. Syst. wird von T.-*S*-estern vielfach Gebrauch gemacht. So ist das als T.-*S*-ester anzusehende *Acetyl-Coenzym A* (*Acetyl-CoA, aktivierte Essigsäure) als reaktives Nucleophil (I) u. Elektrophil (II) für die enzymat. Aktivität in der Biosynth. von Fettsäuren, Terpenen u. Steroiden, im Citronensäure-Cyclus u. bei Carboxylierungs- bzw. Decarboxylierungsprozessen entscheidend beteiligt.

$$H_2\overset{\ominus}{C}-\overset{O}{\overset{\|}{C}}-SCoA \qquad H_3C-\overset{O^-}{\overset{|}{\overset{+}{C}}}-SCoA$$

I   II

Acetyl-CoA als Nucleophil (I)   u.   Elektrophil (II)

– *E* thiocarboxylic acids – *F* acides thiocarboxyliques – *I* acidi tiocarbossilici – *S* ácidos tiocarbóxilicos
Lit.: [1] Chem. Rev. **84**, 17–30 (1984).
allg.: Gmelin, Syst.-Nr. 14, Kohlenstoff Tl. D 4, 1977 ■ Houben-Weyl **8**, 480 ff.; **9**, 745 ff.; E **5**/1, 785–890 ■ Katritzky et al. **5**, 231 f. ■ Patai, The Chemistry of Carboxylic Acids and Esters, S. 705–766, London: Wiley 1969 ■ Patai, The Chemistry of Acyl Halides S. 349–380, London: Wiley 1972 ■ Patai, The Chemistry of Acid Derivatives, S. 803, 1107, Chichester: Wiley 1992 ■ s. a. Schwefel-organische Verbindungen.

Thiocarbonyl... a) Bez. des Brückenglieds –C(=S)– in *Multiplikativnamen (IUPAC-Regel C-545; CAS: Carbonothioyl...), in *radikofunktionellen Namen für anorgan. Verb. (Regel C-108, C-545; *Beisp.:* Thiocarbonyldichlorid CSCl$_2$) u. in *konstitutionellen Repetiereinheiten der *Polymer-Nomenklatur.
b) Präfix-Endung für Reste des Typs –C(=S)–R (R = cycl. od. Heteroatom-Rest; IUPAC-Regel C-541.1, -543.2/3); *Beisp.:* –C(=S)–O–CH$_3$ [Methoxy(thiocarbonyl)]... [CAS: (Methoxythioxomethyl)...]; –C(=S)–*c*-C$_6$H$_{11}$ [Cyclohexyl(thiocarbonyl)]... [CAS: (Cyclohexylthioxomethyl)...; Regel C-543.3, R-5.7.7.3: (Cyclohexancarbothioyl)...]. *Thioaldehyde, *Thioketone u. a. T.-*Verb.* werden oft durch O-S-Austausch aus Carbonyl-Verb. hergestellt, z. B. mit P$_4$S$_{10}$ od. *Lawesson-Reagenz.
c) Präfix für den doppeltgebundenen Rest =C=S [auch: Thioxomethylen...; CAS: Carbonothioyl...].
d) Bez. des neutralen Liganden CS in Metallkomplexen (in IUPAC-Regel I-10.4.5.4 bevorzugt); CAS: Carbonothioyl...; systemat.: Kohlenstoffmonosulfid).
– *E* = *F* thiocarbonyl... – *I* = *S* tiocarbonil...

Thiocarbonylchlorid s. Thiophosgen.

Thiocarbonyl-Gruppe s. Thioaldehyde u. Thioketone.

Thiocarboxy... Präfix für die unsubstituierten tautomeren *Thiocarbonsäure-Gruppen –C(=O)–SH ⇌ –C(=S)–OH (IUPAC-Regeln C-541.1 u. R-5.7.1.3.4); (Mercaptocarbonyl)... ⇌ [Hydroxy(thiocarbonyl)]... – *E = F* thiocarboxy... – *I* tiocarbossi... – *S* tiocarboxi...

Thiochrom s. Thiamin.

Thioctacid®. Ampullen u. Tabl. mit *Liponsäure gegen Hepatitis, Fettleber, Polyneuritis, Pilzvergiftungen. *B.:* Asta Medica.

Thioctamid, Thioctan, Thioctansäure, Thioctinsäure, Thioctsäure s. Liponsäure.

Thiocyanate. Bez. für Salze u. Ester der *Thiocyansäure der allg. Formel M^ISCN (M^I = einwertiges Metallion) bzw. R–SCN; vgl. a. Isothiocyanate. Die meisten der anorgan. T. sind farblose, in Wasser, Alkohol u. Aceton, teilw. auch in Ether leicht lösl., *chaotrop wirkende Verb. mäßiger Toxizität. Einige Schwermetall-T. wie die von Cd, Hg, Cu, Pb, Ag u. Au sind schwer- od. unlöslich. Mit Fe(III)-Ionen geben die lösl. T. eine charakterist., tiefrote Färbung, die als Nachw. dient. Von dieser Farbreaktion leitet sich auch der ältere Gruppenname *Rhodanide* [von *Rhod(o)...] für die T. her. Zur Koordinationschemie der T. u. Selenocyanate s. Lit.¹.
Aromat. T. lassen sich durch eine Sandmeyer-Reaktion od. photochem. aus Thallium-Derivaten herstellen. Früher wurde auch Thiocyanogen zur Einführung der T.-Gruppe (*Rhodanierung*) benutzt.
Vork.: In der Natur spielen die T. – verglichen mit den isomeren *Isothiocyanaten, bes. den *Senfölen – eine geringe Rolle. Kleinere Mengen sind in den menschlichen Körperflüssigkeiten enthalten, wie z. B. im *Liquor, *Harn, *Serum u. bes. im *Speichel; in letzterem ist der T.-Gehalt bei Rauchern im Mittel nahezu auf das Dreifache gegenüber dem bei Nichtrauchern erhöht. Durch das Enzym *Rhodanese wird die Umwandlung von Cyanid zu T. bewirkt. Das T.-Ion verhindert die Aufnahme von Iod in der *Schilddrüse. So kann z. B. bei übermäßigem Verzehr von *Kohl wegen der enzymat. Abspaltung von ⁻SCN aus dem darin enthaltenen *Glucosinolat Glucobrassicin der sog. „Kohlkropf" (s. Kropf) entstehen.
Verw.: Die techn. wichtigsten T. sind Ammonium-, Natrium- u. Kaliumthiocyanat. Sie dienen in der Phototechnik zum Tönen, Sensibilisieren u. Stabilisieren, in der Galvanotechnik als Glanzbildner für Kupfer-Bäder, in der Metallurgie als Komplexbildner zur Extraktion u. Trennung von Zirkonium, Hafnium, Thorium u. seltenen Metallen, in der Textil-Ind. als Hilfsmittel zum Färben u. Bedrucken von Stoffen sowie zur Herst. von Polyacrylnitril-Fasern, in der chem. u. pharmazeut. Ind. zur Herst. von COS, organ. T., Isothiocyanaten (*Senfölen), Herbiziden u.a. Schädlingsbekämpfungsmitteln. Einige T. finden auch Verw. als Fungizide od. Herbizide u. in der analyt. Chemie zum Nachw. von Eisen-Ionen u. zur Bestimmung der *Rhodan-Zahl. – *E = F* thiocyanates – *I* tiocianati – *S* tiocianatos

Lit.: ¹ Coord. Chem. Rev. **105**, 77–133 (1990).

allg.: Adv. Carbohydr. Chem. Biochem. **44**, 91–146 (1986) ▪ Beilstein E IV **3**, 299–319 ▪ Belitz-Grosch (4.), S. 713f. ▪ Braun-Dönhardt, S. 372 ▪ Golub et al., The Chemistry of Pseudo-Halides, Amsterdam: Elsevier 1986 ▪ IARC (Int. Agency. Res. Cancer) Sci. Publ. **81**, 331–338 (1987) ▪ Kirk-Othmer (4.) **23**, 319–323 ▪ Ullmann (4.) **23**, 153–166 ▪ s. a. Isothiocyanate. – *[HS 2838 00]*

Thiocyanato... Präfix für die Atomgruppierung –S–CN in organ. Verb. (IUPAC-Regel C-833.1, R-5.7.9.2), für Ersatz einer OH-Gruppe durch S–CN in anorgan. *Oxosäuren [Regel R-3.4; *Beisp.:* Thiocyanatoschwefelsäure HO₃S–S–CN; meist als Infix Thiocyanatid(o)...: Phosphoro(thiocyanatid)säure (HO)₂P(O)SCN u. für den anion. Liganden SCN⁻ in Metallkomplexen (Regel I-10.4.5.5). Veraltet: Rhodanato..., Rhodano..., Thiocyano...; vgl. Isothiocyanato... – *E = F* thiocyanato... – *I = S* tiocianato...

Thiocyansäure (Rhodanwasserstoffsäure, Sulfocyansäure). CHNS, M_R 59,09. T. ist in Wasser u. einigen organ. Lsm. leicht lösl. u. ist – je nach Polymerisationsgrad – ein farbloses Gas od. ein weißer Feststoff. In stark verd. (maximal 5%igen) wäss. Lsg. ist T. bei 0 °C verhältnismäßig beständig. Die Acidität der wäss. Lsg. reicht nahe an die der Halogenwasserstoffsäuren heran. Im tautomeren Gleichgew. mit Isocyansäure überwiegt die T.-Form:

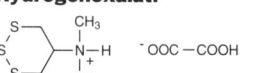

Entsprechend sind 2 Reihen von Substitutions-Derivaten bekannt, die *Thiocyanate u. die *Isothiocyanate, jedoch nur ein Anion. T. kann aus KSCN u. KHSO₄ hergestellt werden. Wäss. Lsg. von T. werden durch Zers. einer 25%igen Ammoniumthiocyanat-Lsg. mit verd. Schwefelsäure gewonnen. – *E* thiocyanic acid – *F* acide thiocyanique – *I* acido tiocianico – *S* ácido tiociánico

Lit.: Beilstein E IV **3**, 299 ▪ Kirk-Othmer (4.) **23**, 319 ▪ Ullmann (4.) **23**, 161 ff.; (5.) A **26**, 765. – *[HS 2811 19; CAS 463-56-9]*

Thiocyclam-Hydrogenoxalat.

Common name für *N,N*-Dimethyl-1,2,3-trithian-5-ylaminhydrogenoxalat, $C_7H_{13}NO_4S_3$, M_R 271,36, Schmp. 125–128 °C (Zers.), LD_{50} (Ratte oral) 370–399 mg/kg, von Sandoz (jetzt Novartis) 1975 eingeführtes selektives *Insektizid mit Fraß- u. Kontaktgiftwirkung gegen beißende Insekten im Kartoffel-, Baumwoll-, Raps-, Reis-, Mais-, Zuckerrohr-, Zierpflanzen-, Obst- u. Gemüseanbau. – *E* thiocyclam hydrogen oxalate – *F* hydrogénoxalate de thiocyclam – *I* idrossalato di tiociclame – *S* hidrogenooxalato de tiociclam

Lit.: Beilstein E V **19/11**, 145 ▪ Farm ▪ Perkow ▪ Pesticide Manual ▪ Wirkstoffe iva. – *[HS 2934 90; CAS 31895-22-4; G 6.1]*

Thiodi... Präfix in *Multiplikativnamen für Verb. mit zentraler Sulfid-Brücke –S– (IUPAC-Regeln C-72.1, C-514.1): unübliche neue Bez. (Regel R-1.2.8.1): Sulfandyldi...; CAS: Thiobis...; *Beisp.:* folgende Stichwörter, 4,4'-(Thiodimethylen)diphenol S(CH₂C₆H₄OH)₂. – *E = F* thiodi... – *I = S* tiodi...

Thiodicarb.

$H_3CS-\underset{CH_3}{\underset{|}{C}}=N-O-\underset{O}{\underset{\|}{C}}-N-\underset{CH_3}{\underset{|}{S}}-\underset{O}{\underset{\|}{N}}-\underset{CH_3}{\underset{|}{C}}-O-N=\underset{CH_3}{\underset{|}{C}}-SCH_3$

Common name für 3,7,9,13-Tetramethyl-5,11-dioxa-2,8,14-trithia-4,7,9,12-tetraazapentadeca-3,12-dien-6,10-dion, $C_{10}H_{18}N_4O_4S_3$, M_R 354,45, Schmp. 173–174 °C, LD_{50} (Ratte oral) 66 mg/kg (WHO), von Union Carbide (jetzt Rhône-Poulenc) 1978 eingeführtes breitwirksames *Insektizid mit Fraß-, aber auch Kontaktgiftwirkung zur Anw. gegen beißende Schädlinge im Wein-, Mais-, Baumwoll- u. Sojabohnenanbau. Ferner als *Saatgut-Behandlungsmittel im Gemüseanbau sowie als Schneckenköder verwendet. – $E=F$ thiodicarb – $I=S$ tiodicarb
Lit.: Farm ▪ Perkow ▪ Pesticide Manual. – *[CAS 59669-26-0; G 6.1]*

2,2'-Thiodiessigsäure (Thiodiglykolsäure).
$HOOC-CH_2-S-CH_2-COOH$, $C_4H_6O_4S$, M_R 150,15. Farblose Krist., Schmp. 129 °C, leicht lösl. in Wasser u. Alkohol, lösl. in heißem Benzol; WGK 2 (Selbsteinst.). T. ist ein Stoffwechselabbauprodukt des Vinylchlorids u. findet Verw. zum Nachw. von Cu, Pb, Hg, Ag u. für organ. Synth.; Herst. s. Beilstein (*Lit.*). – E 2,2'-thiodiacetic acid – F acide 2,2'-thiodiacétique – I acido 2,2'-tiodiacetico – S ácido 2,2'-tiodiacético
Lit.: Beilstein EIV 3, 612 ▪ Merck-Index (12.), Nr. 9467. – *[HS 293090; CAS 123-93-3; G 8]*

2,2'-Thiodiethanol (Thiodiglykol).
$HO-CH_2-CH_2-S-CH_2-CH_2-OH$, $C_4H_{10}O_2S$, M_R 122,18. Klare, farblose, fast geruchlose Flüssigkeit, D. 1,1824, Schmp. –10 °C, Sdp. 282 °C, mischbar mit Wasser, Alkohol, wenig lösl. in Ether. Nur bei hohen Temp. sind Dampf-Konz. möglich, die die Augen u. die Atemwege reizen u. eine narkot. Wirkung aufweisen. Kontakt mit der Flüssigkeit bewirkt Reizung der Augen u. leichte Reizung der Haut. Bei Aufnahme durch den Mund schwere Magenreizung; Nierenschäden möglich. T. wird aus Ethylenoxid u. Schwefelwasserstoff hergestellt.
Verw.: Als Lsm. für Farbstoffe, erhöht die Farbintensität u. verbessert die Dispergierfähigkeit. T. ist ausfuhrgenehmigungspflichtig gemäß Außenwirtschaftsordnung (Ausfuhrliste Position 1710). – E 2,2'-thiodiethanol – F 2,2'-thiodiéthanol – I 2,2'-tiodietanolo – S 2,2'-tiodietanol
Lit.: Beilstein EIV 1, 2437 ▪ Hommel, Nr. 493 ▪ Kirk-Othmer (4.) 24, 24 ▪ Merck-Index (12.), Nr. 9466 ▪ Ullmann (4.) 23, 73; (5.) A 13, 471; A 26, 529. – *[HS 293090; CAS 111-48-8]*

Thiodiglykol s. 2,2'-Thiodiethanol.

Thiodiglykolsäure s. 2,2'-Thiodiessigsäure.

3,3'-Thiodipropionsäure.
$HOOC-CH_2-CH_2-S-CH_2-CH_2-COOH$, $C_6H_{10}O_4S$, M_R 178,20. Perlmutterglänzende Blättchen, Schmp. 134 °C, mäßig lösl. in kaltem, gut lösl. in heißem Wasser, Alkohol u. Aceton; WGK 2 (Selbsteinst.); zur Herst. s. Beilstein (*Lit.*). T. wird als Antioxidans in Seifen, Polyolefinen, Weichmachern, Schmiermitteln u. dgl. verwendet. – E 3,3'-thiodipropionic acid – F acide 3,3'-thiodipropionique – I acido 3,3'-tiodipropionico – S ácido 3,3'-tiodipropiónico

Lit.: Beilstein EIV 3, 735 ▪ Environ. Res. 14, 187–193 (1977) ▪ Merck-Index (12.), Nr. 9468 ▪ Ullmann (4.) 8, 37; (5.) A 11, 568. – *[HS 293090; CAS 111-17-1]*

Thioessigsäure.

$H_3C-\underset{O}{\underset{\|}{C}}-SH$

C_2H_4OS, M_R 76,12. Farblose bis gelbe, an der Luft rauchende Flüssigkeit, stechender, unangenehmer Geruch, D. 1,064, Schmp. –17 °C, Sdp. 93 °C, lösl. in Wasser, leicht lösl. in Alkohol, Ether u. Aceton; WGK 3. Die Dämpfe reizen u. schädigen die Augen, die Atemwege u. die Lunge sowie die Haut. Lungen- u. Glottisödem möglich. Kontakt mit der Flüssigkeit ruft Verätzung der Augen u. der Haut hervor, Nierenschäden möglich.
Herst.: Durch Dest. von Eisessig mit Phosphorpentasulfid od. aus Essigsäureanhydrid u. Schwefelwasserstoff.
Verw.: Reagenz zur Einführung von Schwefel in organ. Mol., zur reduktiven Acetylierung von Aziden, in der analyt. Chemie statt H_2S bei der Trennung der Schwermetalle. – E thioacetic acid – F acide thioacétique – I acido tioacetico – S ácido tioacético
Lit.: Beilstein EIV 2, 542 f. ▪ Hommel, Nr. 985 ▪ J. Org. Chem. 53, 1580 (1988); 58, 633 (1993) ▪ Merck-Index (12.), Nr. 9454 ▪ Paquette 7, 4865 ▪ Synthesis 1981, 36 ▪ Ullmann (5.) A 13, 470. – *[HS 293090; CAS 507-09-5; G 3]*

Thioether.
Allg. Bez. für organ. *Sulfide R^1-S-R^2 mit aliphat. u. aromat. C-Atomen am S-Atom (Diorgano-*Sulfane); s. Thio... u. Ether. – E thioethers – F thioéthers – I tioeteri – S tioéteres

Thiofanox.

$H_3C-NH-\underset{O}{\underset{\|}{C}}-O-N=\underset{CH_2-SCH_3}{\overset{C(CH_3)_3}{C}}$

Common name für 3,3-Dimethyl-1-(methylthio)-2-butanon[O-(methylcarbamoyl)oxim], $C_9H_{18}N_2O_2S$, M_R 218,31, LD_{50} (Ratte oral) 8 mg/kg (WHO), von Diamond Shamrock Chem. Co. (später an Rhône-Poulenc verkauft) 1971 eingeführtes system. *Insektizid u. *Akarizid zur Bekämpfung von Bodenschädlingen sowie saugenden u. beißenden Insekten im Zuckerrüben- u. Kartoffelanbau durch Bodenapplikation od. Saatgutbehandlung. In Deutschland ist T. nicht zugelassen. – $E=F$ thiofanox – $I=S$ tiofanox
Lit.: Farm ▪ Perkow ▪ Pesticide Manual. – *[HS 293090; CAS 39196-18-4; G 6.1]*

Thioflavin
{2-[4-(Dimethylamino)phenyl]-3,6-dimethyl-benzothiazolium-chlorid}.

$C_{17}H_{19}ClN_2S$, M_R 318,87. Bas. Farbstoff für die Mikroskopie. – $E=F$ thioflavine – $I=S$ tioflavina
Lit.: Beilstein EIII/IV 27, 5052. – *[HS 320413; CAS 2390-54-7]*

Thioformyl...
Präfix für *Thioaldehyd-Gruppe u. Acyl-Rest der Thioameisensäure –CH=S (IUPAC-Regeln C-531.3 u. R-5.6.1); CAS: (Thioxomethyl)... – $E=F$ thioformyl... – $I=S$ tioformil...

5-Thio-D-glucose.

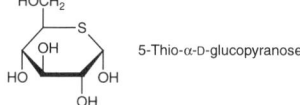

5-Thio-α-D-glucopyranose

$C_6H_{12}O_5S$, M_R 196,22. Farblose, wasserlösl. Krist., Schmp. 135–136 °C, $[\alpha]_D^{20}$ 188° (c 1,56/H$_2$O); LD$_{50}$ (Maus i.p.) 5,5 g/kg. T. wirkt als D-Glucose-*Antimetabolit, indem sie den D-Glucose-Transport durch die Zellmembran inhibiert[1], kann aber andererseits nicht selbst als Energiequelle benutzt werden, wodurch z. B. das Wachstum von Tumorzellen u. Pflanzenwurzeln[2] gehemmt wird. T. zeigt auch eine gewisse Wirkung als potentielles *Antikonzeptionsmittel für Männer (durch reversible Hemmung der Spermatogenese)[3]. *Aurothioglucose wird in der experimentellen Medizin verwendet, da es bei Tieren Fettsucht hervorruft[4]. Zur Herst. s. Lit.[5]. – E = F 5-thio-D-glucose – I 5-tio-D-glucosio – S 5-tio-D-glucosa

Lit.: [1] Arch. Biochem. Biophys. **169**, 392–396 (1975). [2] Biosci., Biotechnol., Biochem. **58**, 1877 f. (1994). [3] Experientia **32**, 152 f. (1976); Science **186**, 431 (1974). [4] Brain Res. **734**, 332–336 (1996). [5] Tetrahedron Lett. **22**, 5061 f. (1981). – [CAS 20408-97-3]

Thioglucosidasen s. Senföle u. Myrosinase.

α-Thioglycerin s. 3-Mercapto-1,2-propandiol.

Thioglykolate. Bez. für die Salze u. Ester der *Thioglykolsäure.

Thioglykole. Bez. für *Glykole, bei denen O der OH-Gruppen teilw. od. völlig durch S ersetzt ist; *Beisp.:* Monothioethylenglykol (s. 2-Mercaptoethanol), Dithioethylenglykol (s. 1,2-Ethandithiol), Thioglycerin usw. – E = F thioglycols – I tioglicoli – S tioglicoles

Thioglykolsäure (Mercaptoessigsäure). HS–CH$_2$–COOH, $C_2H_4O_2S$, M_R 92,12. Farblose, ölige unangenehm riechende Flüssigkeit, D. 1,325, Schmp. –16 °C, Sdp. 104 °C (15 hPa), mit Wasser, Alkohol, Chloroform, Benzol u. Ether mischbar, wird leicht oxidiert (bes. bei Anwesenheit von Cu-, Fe- od. Mn-Spuren). Dämpfe der Flüssigkeit u. der wäss. Lsg. führen zu Reizung u. in hohen Konz. zur Schädigung der Augen, der Atemwege, der Lunge sowie der Haut; Lungenödem möglich, MAK 4 mg/m^3 (TRGS 900); WGK 1. Die aus Chloressigsäure bzw. deren Salzen u. Alkalihydrogensulfiden leicht zugängliche T. zeigt die typ. Reaktionen sowohl von Carbonsäuren als auch von *Thiolen. Hochkonz. T. kondensiert unter Bildung von Thiolactonen u. -estern, weshalb der T.-Gehalt beim Lagern abnimmt. Etwa 75%ige wäss. Lsg. sind am lagerstabilsten.

Verw.: T. dient zur Herst. von *Keratolytika, v. a. aber von *Thioglykolaten*, d. h. von Salzen u. Estern der T., wobei von den Salzen *Natrium-, bes. aber Ammoniumthioglykolat für Kaltwellpräp. in der *Haarbehandlung (S. 1641) u. zur Permanentverformung (*Plissee) von Wollwaren, *Calciumthioglykolat für *Depilatorien verbreitete Verw. finden. Natriumthioglykolat wird in bestimmten mikrobiol. Nährböden eingesetzt, einige Thioglykolate in der Gerberei zum Enthaaren von Fellen. Von den Estern der T. werden v. a. solche mit höherer M_R wie z. B. Decylthioglykolat od. das Isooctylthioglykolat als Weichmacher u. Stabilisatoren für halogenierte Polyolefine verwendet. In der Textil-, Kunstharz- u. Kautschuk-Ind. benutzt man T.-Ester als Antioxidantien. In der Analytik dient T. zur Trennung von Al u. Fe sowie als Reagenz auf Eisen (Rotfärbung), Nitrit, U, V, Cr, Cu, Mo, Pd. – *E* thioglycolic acid – *F* acide thioglycolique – *I* acido tioglicolico – *S* ácido tioglicólico

Lit.: Beilstein E IV **3**, 600 ▪ Fries-Getrost, S. 30, 142, 250, 276, 373 ▪ Hager (5.) **1**, 182 f. ▪ Hommel, Nr. 980 ▪ Kosmetik-VO vom 7. Oktober 1997, zuletzt geändert 25. 6. 1998, Anlage 2 A, Nr. 2 ▪ Merck-Index (12.), Nr. 9472 ▪ Ullmann (4.) **23**, 175–216; **12**, 441, 444, 449; (5.) **A 6**, 541; **A 12**, 589; **A 13**, 472, 479. – [HS 293090; CAS 68-11-1; G 8]

6-Thioguanin s. Tioguanin.

Thioharnstoff (veraltete Bez.: Thiocarbamid, Sulfoharnstoff u. Sulfocarbamid; Abk.: THU, TU). H$_2$N–CS–NH$_2$, CH$_4$N$_2$S, M_R 76,12.

Farblose, rhomb. Prismen, D. 1,40. T. hat keinen echten Schmelzpunkt, da er sich ab 135 °C relativ rasch zu *Ammoniumthiocyanat umlagert. Bei raschem Erhitzen wird der Schmp. 180 °C gefunden. T. ist lösl. in polaren prot. u. aprot. Lsm. wie Wasser, Alkohol, Dimethylformamid, Dimethylsulfoxid u. a., unlösl. in unpolaren Lösemitteln. T. gilt als Stoff mit begründetem Verdacht auf krebserzeugendes Potential, Gruppe III B MAK-Werte-Liste 1997; LD$_{50}$ (Ratte oral) 125 mg/kg; WGK 2; ausführliche Beschreibung der Toxizität s. Lit.[1]. Die wäss. Lsg. reagiert neutral. Mit starken Säuren gibt T. Salze (z. B. Chlorid, Nitrat), mit Schwermetallsalzen im sauren Milieu Metall-Komplexverb., im bas. Milieu Metall-Sulfide. Ähnlich wie *Harnstoff bildet auch T. eine Reihe von *Einschlußverbindungen. Die vielseitigen Reaktionsweisen des T. erklären sich aus dem tautomeren Gleichgew. zwischen T. u. *Isothioharnstoff:*

Thioharnstoff   Isothioharnstoff

Herst.: T. wurde erstmals von Reynolds durch Umlagerung von Ammoniumthiocyanat bei etwa 150 °C hergestellt. Die techn. Herst. erfolgt durch Umsetzung von Calciumcyanamid mit Schwefelwasserstoff od. Schwefelwasserstoff liefernden Verbindungen.

Verw.: Als Katalysator zur Herst. von Fumarsäure aus Maleinsäure, als Ausgangsprodukt zur Herst. von Thioharnstoffdioxid (*Formamidinsulfinsäure), als Zusatz zu Ätz-, Reinigungs- u. Poliermitteln, als Inhibitor in Sparbeizen, als Silberputzmittel, als Schwermetall-Fänger, z. B. zur Entfernung von Hg aus Abwässern der Chlor-Alkali-Elektrolyse, als Ausgangs- od. Zwischenprodukt bei der Herst. von Thiolen u. pharmazeut. Wirkstoffen, z. B. *Thiouracilen u. *Thiobarbituraten, zur Modif. wärmehärtender Kondensationsprodukte (Aminoplaste) mit überlegenen Eigenschaften gegenüber reinen UF- u. MF-Harzen, zur Viskositätsstabilisierung von wasserlösl. Polymeren, z. B. Polyacrylamid, Polysacchariden u. Polyalkylenoxiden, als Zusatzmittel in Diazopapieren, in der Textil-Ind. als Färbehilfsmittel, als Komponente zur Flammfestausrüstung von Nylon, zur Herst. von Thiazol-haltigen Farbstoffen, als Hilfsmittel bei der Herst. von pyrotechn. Artikeln u. bei Sicherheitssprengstoffen, in der Hydrometallurgie als komplexbildenden Agens bei Gold- u. Silberlaugung aus Erzen. In der chem. Analytik dient T. zur photometr. Bestimmung, Fällung, Trennung u. Markierung zahlreicher Schwermetalle. Cycl. T.-Derivate (z. B. Thiouracile) sind wirksame *Thyreostatika, u. N,N'-Aryl-Derivate wurden als *Tuberkulostatika verwendet. T. darf beim Herstellen od. Behandeln von kosmet. Mitteln nicht verwendet werden [2]. – *E* thiourea – *F* thiourée – *I* = *S* tiourea

Lit.: [1] Gesundheitsschädliche Arbeitsstoffe: toxikologisch-arbeitsmedizinische Begründung von MAK-Werten, Weinheim: Verl. Chemie 1972 – 1998. [2] Kosmetik-VO vom 7. Oktober 1997, zuletzt geändert 25.6.1998, Anlage 1, Nr. 321. *allg.:* Arzneimittelchemie II, 200 f.; III, 85 f. ▪ Beilstein E IV 3, 342 ▪ Merck-Index (12.), Nr. 9505 ▪ Mutschler (7.) ▪ Paquette 7, 4885 ▪ Ullmann (4.) 7, 407, 411; 23, 167 – 174; (5.) A 26, 803. – *[HS 293090; CAS 62-56-6; G 9]*

Thioharnstoffdioxid s. Formamidinsulfinsäure.

Thiohemiacetale s. Thioacetale.

Thiohydracrylsäure s. Mercaptopropionsäuren.

Thiohydroxamsäuren. Gruppenbez. für organ. Säuren, die in Analogie zu den *Hydroxamsäuren auch in der tautomeren Form der Thiohydroximsäuren vorliegen können.

Thiohydroxamsäure   Thiohydroximsäure

Die T. sind auf vielerlei Wegen zugänglich u. sind im allg. therm. labile Verb., die leicht unter Schwefel- u. Wasserabspaltung in *Nitrile übergehen. Substituierte T. sind stabiler; *Sinigrin* (s. Glucosinolate) u. a. in Pflanzen vorkommende Senfölglucoside weisen die Thiohydroximsäureester-Struktur auf. – *E* thiohydroxamic acids – *F* acides thiohydroxamiques – *I* acidi tioidrossamici – *S* ácidos tiohidroxámicos

Lit.: Houben-Weyl 10/4, 213 f; E 5/2, 1278 – 1291 ▪ Katritzky et al. 5, 828 ▪ Synthesis 1971, 111 – 130.

Thiohydroxylamin (Azinothioigsäure, Azanthiol). H_2N-SH, M_R 49,10, nur in Metallsalzen u. organ. Derivaten stabile Verb. (s. Sulfenamide), ergibt mit Aldehyden u. Ketonen Thiooxime; vgl. Hydroxylamin u. Thio… – *E* = *F* thiohydroxylamine – *I* tioidrossilammina – *S* tiohidroxilamina – *[CAS 14097-00-8]*

Thioindigo [(*E*)-2,2'(3*H*,3'*H*)-Bibenzo[*b*]thiophenyliden-3,3'-dion, C. I. Vat Red 41, C. I. 73 300]. $C_{16}H_8O_2S_2$, M_R 296,38; s. die Abb. bei Indigo. Braunrote, metall. schimmernde Nadeln, Schmp. 359 °C (Subl.), unlösl. in Wasser, lösl. in heißem Benzol, Alkohol, Schwefelkohlenstoff u. Chloroform, in Xylol, in konz. Schwefelsäure (grünes O-protoniertes Kation), durch Salpetersäure nitrierbar; T. zeigt *Photochromie. Er kann durch Natriumdithionit zu einer gelben *Küpe reduziert werden, aus der er Baumwolle u. Wolle bläulichrot färbt.
Herst.: Analog der Heumannschen Indigo-Synth. durch alkal. Cyclisierung von 2-(Carboxymethylthio)-benzoesäure, die man aus *2-Mercaptobenzoesäure u. Chloressigsäure gewinnt, u. anschließende Oxidation.
Verw.: Als *Küpenfarbstoff insbes. für die Wollfärberei, auch in Form einer Reihe von Derivaten; Beisp. von T.-*Indanthren®-Farbstoffen s. bei Indigo. T. wurde als erster, rein roter Küpenfarbstoff 1905 von *Friedländer synthetisiert. – *E* = *F* thioindigo – *I* tioindaco – *S* tioíndigo

Lit.: Beilstein E V 19/5, 281 ▪ Kirk-Othmer (4.) 6, 959 ▪ Weissberger 7, 175 – 224 ▪ Winnacker-Küchler (4.) 7, 22 – 24 ▪ Z. Chem. 25, 333 f. ▪ Zollinger, Color Chemistry, 2. Aufl., S. 192 f., Weinheim: VCH Verlagsges. 1991. – *[HS 3204 15; CAS 522-75-8]*

Thioketale s. Thioacetale.

Thioketene. Gruppenbez. für Verb. der allg. Formel

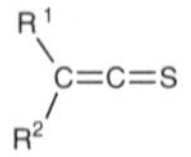

$$R^1R^2C=C=S$$

die oft instabil u. nicht leicht zugänglich (z. B. durch Pyrolyse von 1,2,3-Thiadiazolen [1]) sind. Entsprechend waren die Versuche, monomere T. herzustellen, oft erfolglos [2]. Durch ster. anspruchsvolle Substituenten läßt sich das Thioketen-Syst. jedoch stabilisieren. – *E* thioketenes – *F* thiocétènes – *I* tiocheteni – *S* tiocetenas

Lit.: [1] Angew. Chem. 87, 171 f. (1975). [2] Z. Chem. 15, 91 f. (1975).
allg.: Houben-Weyl 7/4, 312 f.; E 11/1, 232 – 254 ▪ J. Org. Chem. 35, 3470 (1970); 37, 1347 (1972) ▪ Katritzky et al. 5, 546.

Thioketone (Thione). Gruppenbez. für den *Ketonen analoge Verb., deren Benennung nach IUPAC-Regel C-532 durch Voransetzen von *Thio…* vor den Trivialnamen des entsprechenden Ketons, mit dem Suffix …*thion* od. bei Vorliegen höherer Prioritäten mit dem Präfix *Thioxo…* erfolgt; *Beisp.:* Thiobenzophenon ($H_5C_6-CS-C_6H_5$), Cyclohexanthion, 4-Thioxocyclohexancarbonsäure. Die Oxid.-Produkte der T. werden nach IUPAC-Regel C-633.2 benannt mit den Suffixen …*thionoxid* (Trivialname: *Sulfine) u. …*thiondioxid* (Trivialname: *Sulfene). Die techn. bedeutungslosen T. sind im allg. übelriechende (*kakosmophore*) Verb., die durch bas. od. sauer katalysierte Reaktionen von H_2S mit Ketonen od. durch *Sulfidierung*, d. h. Überführung der Oxo- in die Thioxo-Gruppe mit P_4S_{10} od. dem *Lawesson-Reagenz u. dgl. hergestellt werden können (Abb. 1 a). Die *Claisen-Umlagerung von Allyl-vinyl-sulfiden eignet sich ebenfalls zur Herst. von T. (*Thio-Claisen-Umlagerung*, Abb. 1 b) [1].

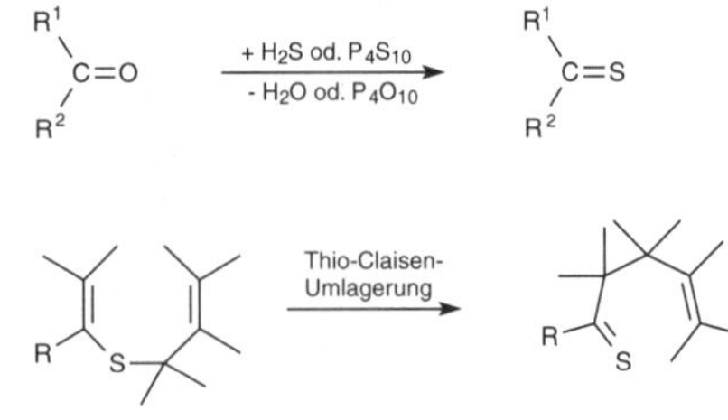

Abb. 1: Herst. von Thioketonen.

T. sind reaktionsfähige Verb., die durch *nucleophile* u. *elektrophile* Reagenzien leicht umgewandelt werden können. Die bei Carbonyl-Verb. auftretende *Keto-Enol-Tautomerie ist bei T. tendenzmäßig in Richtung auf die Enthiole verschoben, da der Schwefel nur eine geringe Neigung zur Ausbildung von $p\pi$-$p\pi$-Doppelbindungen besitzt. Unter Umständen lassen sich beide Isomere destillativ od. chromatograph. trennen; z.B.[2]:

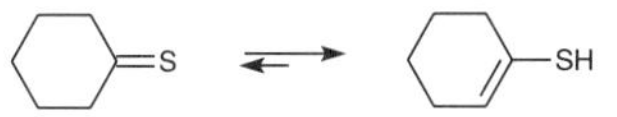

Die Oxid. von T. führt zu *Sulfinen (*Thioketon-S-oxiden*) bzw. unter energ. Bedingungen zu Ketonen. Die *1,3-dipolare Cycloaddition mit Diazo-Verb. kann zur Herst. von Alkenen mit sperrigen Substituenten an der Doppelbindung benutzt werden. Zwischenstufen sind 2,3-Dihydro-1,3,4-thiadiazole u. *Thiirane[3].

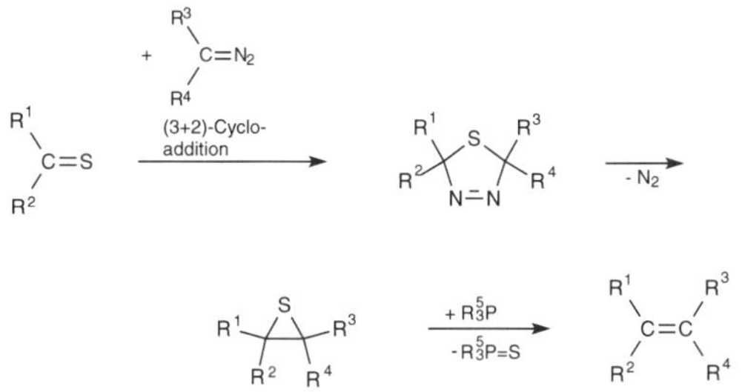

Abb. 2: 1,3-Dipolare Cycloaddition von Thioketonen mit Diazo-Verbindungen zur Herst. von Alkenen.

Nützliche analyt. Reagenzien sind die 3-Thioxo-ketone, die für extraktionsphotometr. Bestimmung wie auch für dünnschicht- u. gaschromatograph. Trennungen von Schwermetallen (Bildung von Chelaten) geeignet sind. – *E* thioketones – *F* thiocétones – *I* tiochetoni – *S* tiocetonas

Lit.: [1] Phosphorus Sulfur **7**, 69 (1979). [2] J. Prakt. Chem. [4] **34**, 116 (1966). [3] Chem. Ber. **117**, 277 (1984).
allg.: Angew. Chem. **76**, 157–167 ▪ Chem. Rev. **39**, 1 ff. (1946) ▪ Houben-Weyl **E 11/1**, 195–231 ▪ Patai, The Chemistry of the Carbonyl Group, S. 917–959, London: Wiley 1966 ▪ Sulfur Reports **2**, 39–85 (1982) ▪ s.a. Thioaldehyde u. Schwefel-organische Verbindungen.

Thiokohlensäure s. Trithiokohlensäure.

...thiol. a) *Suffix für *Thiole, wenn die *Mercapto-Gruppe –SH ranghöchste *funktionelle Gruppe ist [*Thi(o)...+*...ol; IUPAC-Regeln C-511 u. R-5.5.1.2]; *Beisp.:* *Methanthiol. – b) Suffix für ungesätt. 5-gliedrige heterocycl. Ringe mit mehreren S-Atomen od. S- u. ranghöheren Atomen [*Thi(a)...+*...ol, s. Hantzsch-Widman-System]; *Beisp.:* 1,3,2-Dioxathiol, *Dithiole. *Ausnahme:* Der Ring mit einem S-Atom heißt *Thiophen. Für gesätt. Ringe gilt die Endung ...*thiolan*; *Beisp.:* *Dithiolane. – *E* = *F* ...thiol (a), ...thiole (b) – *I* ...tiolo (a, b) – *S* ...tiol (a, b)

Thiolactame. Gruppenbez. für Schwefel-Analoge der *Lactame, in denen O durch S ersetzt ist. Sie bilden sich durch Reaktionen von Lactamen mit P_4S_{10} od. aus cycl. Nitronen u. CS_2. – *E* = *F* thiolactames – *I* tiolattami – *S* tiolactamas
Lit.: Angew. Chem. **78**, 517 (1966); **84**, 34 (1972) ▪ s.a. Thioamide.

Thiolactomycin.

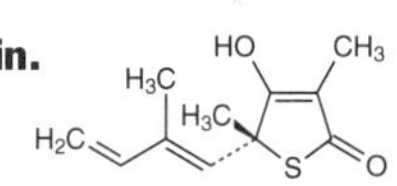

$C_{11}H_{14}O_2S$, M_R 210,30, gelbliche Krist., Schmp. 120 °C, $[\alpha]_D^{20}$ +176° (CH_3OH). Thiolacton aus *Nocardia*- u. *Streptomyces*-Kulturen. T. ist ein β-Lactamase-Inhibitor u. bei geringer Toxizität antibakteriell wirksam. – *E* thiolactomycin – *F* thiolactomycine – *I* tiolattomicina – *S* tiolactomicina
Lit.: J. Antibiot. (Tokyo) **42**, 391, 396, 890 (1989) ▪ J. Chem. Soc., Perkin Trans. 1 **1997**, 417–431 (Synth., abs. Konfiguration) ▪ J. Chem. Soc. Chem. Commun. **1989**, 23. – *[CAS 82079-32-1]*

Thiolactone (Thiollactone). Gruppenbez. für in Analogie zu *Lactonen gebildete innere Ester von Mercaptocarbonsäuren (z.B. *Homocystein), die durch Wasserabspaltung aus den Letztgenannten entstehen. – *E* = *F* thiolactones – *I* tiolattoni – *S* tiolactonas
Lit.: Russ. Chem. Rev. **33**, 493–507 (1964) ▪ Synthesis **1972**, 151–175 ▪ s. Thiocarbonsäuren.

Thiolan s. Tetrahydrothiophen.

Thiolate (Thioalkoholate u. Thiophenolate). Bez. für Salze der *Thiole u. *Thiophenole (IUPAC-Regeln C-511.3 u. R-5.5.3; vgl. Alkoholate u. Phenolate); veraltete Bez.: Mercaptide; *Beisp.:* Natriumethanthiolat (Natriumethylsulfid, $NaSC_2H_5$), *Dithiolate. *Metallproteine binden Metallionen sehr oft an T.-Gruppen. – *E* = *F* thiolates – *I* tiolati – *S* tiolatos

Thiole. Bez. für die den *Alkoholen analogen Verb. der allg. Formel R–SH, bei denen das O des Alkohols durch S ersetzt ist, weshalb sie auch *Thioalkohole* genannt wurden. Die früher wegen ihrer Affinität zu Quecksilber-Verb. (latein.: *mercurio aptum*) als *Mercaptane* bezeichneten T. können auch als Schwefelwasserstoff-Derivate aufgefaßt werden, bei denen 1 H durch eine Aryl- od. Alkyl-Gruppe ersetzt ist. Diese nahe Verwandtschaft mit H_2S äußert sich auch in der hohen Flüchtigkeit [Ethanthiol = (C_2H_5SH): Sdp. 37 °C; Ethanol (C_2H_5OH): Sdp. 78 °C], dem sehr unangenehmen Geruch (T. als Kakosmophore; Geruchsschwelle von Ethanthiol 1 ppb!), der Toxizität (MAK von Ethan- u. Methanthiol jeweils 1 mg/m^3) u. der schwach sauren Reaktion der Thiole. Die Benennung der T. erfolgt nach IUPAC-Regel C-511 mit dem Suffix *...thiol* od. bei Vorliegen höherer Benennungsprioritäten, mit dem Präfix *Mercapto...*; die Nomenklatur der *Thiophenole folgt den gleichen Regeln, doch findet man hier auch *Thio...* als Präfix; *Beisp.:* *Methanthiol, *Mercaptopropionsäure, *2-Mercaptobenzoesäure. In der Technik findet man verschiedentlich noch die völlig veralteten *Sulfhydryl*-Namen.

Vork.: Verschiedene Alkan- u. Alken-T. treten als Aromakomponenten in Zwiebeln, Knoblauch, Milch, Käse, Kohl usw. auf, wo sie durch enzymat. Spaltung von *Sulfiden, *Disulfiden u.a. Schwefel-haltigen Verb. in Freiheit gesetzt werden. T. sind mitverantwortlich für den Geruchscharakter von so unterschiedlichen Stoffen wie Grapefruit, schwarzen Johannisbeeren, Katerurin, Kaffeearoma od. den Drüsensekreten von Stinktieren u.a. *Musteliden. T. werden frei bei Fäulnisprozessen u. sind als Abbauprodukte biolog. Materials auch in je nach Herkunft unterschiedlichen Mengen im Erdöl zu finden.

Nachw.: Die Bildung von *Thiolaten mit Metall-Ionen kann einerseits zur quant. Bestimmung des T. genutzt werden, z.B. bei der Bestimmung des T.-Gehalts im Erdöl mit dem sog. *Doctortest (vgl. DIN ISO 5275: 1987-02, s.a. Süßung des Benzins), andererseits zur

Thiolierung

Entfernung von Schwermetallen, insbes. von Quecksilber, aus Abwässern u. dgl., z. B. mit SH-Gruppen enthaltenden Harzen u. Ionenaustauschern wie dem Imac-Harz. Zur Entfernung von T. aus Abwässern eignet sich Ozon[1]. Zur Bestimmung von T. sind u. a. *2-Iodosylbenzoesäure od. *NBD-Chlorid nützlich, u. für die Fluoreszenzanalyse von T. in biolog. Material können sog. Bimane als Fluorochrome dienen. Zur quant. Bestimmung von T. mit Hilfe ionenselektiver Elektronen s. Lit.; als *Schutzgruppe für T.-Gruppen eignet sich der *9-Anthrylmethyl-Rest.

Physiologie: In biolog. Prozessen spielen die Thiol-Gruppen eine bedeutende Rolle, z.B. in Thioaminosäuren wie L-*Cystein, in *Coenzym A, Dihydro-*Liponsäure u. beim Acyl-Carrier-Protein (s. Fettsäure-Biosynthese). Die T.-Gruppen können durch *Schwermetalle unter Ausbildung von *Thiolaten u./od. *Chelaten gebunden werden[2]. Dies hat physiolog. Bedeutung für den Katalyse-Mechanismus z.B. bei den Eisen-Schwefel-Proteinen (s. Eisen-Proteine, Ferredoxine). In den *Zink-Finger-Proteinen dient die Chelatisierung von Metall-Ionen der Aufrechterhaltung funktioneller Strukturmerkmale. Andererseits läßt sich durch die Blockierung essentieller T.-Gruppen der Giftcharakter vieler Metalle erklären. Auch andere *thiophile Substanzen* wie Iodessigsäure, Maleinsäure, Chinone, Vinylsulfone, Maleinimine usw. setzen sich mit den T.-Gruppen um u. haben daher ausgesprochenen Gift- bzw. Wirkstoffcharakter. Die T.-Gruppen Metallionen-blockierter Enzyme können meist mit Hilfe stärker chelatisierender T. (z. B. *Dimercaprol) durch Verdrängung wieder freigesetzt werden. Bei der Schwermetall-Entgiftung wird auch dem *Metallothionein eine Rolle zugeschrieben; seine Wirkung beruht ebenfalls auf der Metallthiolat-Bindung, mit der es sozusagen für andere T.-Proteine die „Kastanien aus dem Feuer" holt. Die Toxizität der niederen T. kann z. T. auf deren Inaktivierung der aktiven Zentren von *Metallproteinen zurückgeführt werden (Analogie zu Schwefelwasserstoff).

Herst.: Die Umsetzung von Alkylhalogeniden mit Metallhydrogensulfiden (Abb. a) od. Thioharnstoff mit anschließender Spaltung des so gebildeten *Thiuronium-Salzes* (Abb. b) können, wie die Reaktion von Alkoholen mit Schwefelwasserstoff unter Katalyse von bas. Aluminiumoxid (Abb. c) u. die nach Markownikoff (s. Markownikoffsche Regel) verlaufende Addition von Schwefelwasserstoff an Alkene (Abb. d) zur Herst. von T. herangezogen werden.

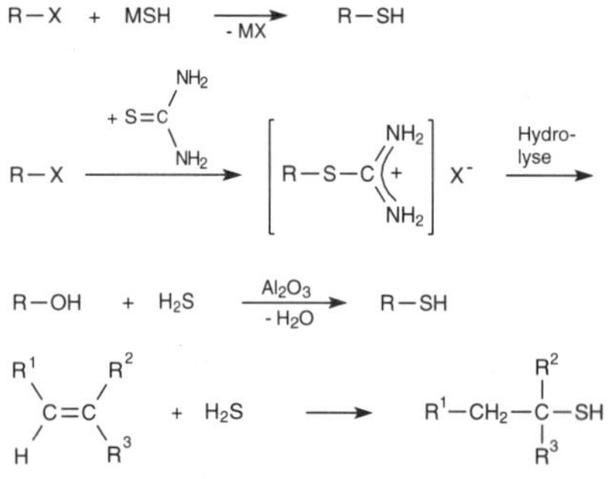

Abb.: Herst. von Thiolen.

Die katalyt. Red. von Carbonyl-Verb. mit Wasserstoff/Schwefelwasserstoff, die Red. von Disulfanen od. Thiocyanaten (*Rhodaniden*) u. die Spaltung der leicht zugänglichen Xanthogensäure-*S*-estern (vgl. Tschugaeff-Reaktion) sind weitere Synth.-Möglichkeiten. Speziell für *Thiophenole eignet sich die Red. der durch *Sulfochlorierung leicht zugänglichen Sulfonsäurechloriden.

Verw.: Zur *Gasodorierung u. *Lecksuche in Gasleitungen, in der Gummi-Ind. als Regler, Vulkanisationsbeschleuniger u. Alterungsschutzmittel, T. wie Thioglykol- od. *Mercaptopropionsäuren in Haarbehandlungsmitteln (Kaltwellpräp.), als Ausgangsstoffe zur Synth. von Insektiziden (insbes. von *Thiophosphorsäureestern), Arzneimitteln u. Polysulfiden. In der chem. Analytik werden Thiolgruppen-haltige Kunstharze, Polysaccharide od. poröse Glasperlen zur selektiven Bindung von Schwermetallen od. von Peptiden u. Enzymen mit eigenen SH-Gruppen (Bildung von S–S-Bindungen) benutzt. Bei der Flotation sulfid. Erze verbessern T. die Anreicherung. – *E* = *F* thiols – *I* tioli – *S* tioles

Lit.: [1]DECHEMA-Monogr. **86**, 87–97 (1980). [2]Angew. Chem. **103**, 785–804 (1991).
allg.: Angew. Chem. **82**, 276–290 (1970) ■ Belitz-Grosch (4.), S. 320 ■ Houben-Weyl **9**, 7–48; **E11/1**, 32–63 ■ Katritzky et al. **2**, 116 ■ Kirk-Othmer (3.) **22**, 946–964; (4.) **24**, 19 ff. ■ Patai, The Chemistry of the Thiol Group, 2. Bd., London: Wiley 1974 ■ Patai, The Chemistry of Ethers, Crown Ethers, Hydroxyl Group and their Sulphur Analogs, Chichester: Wiley 1980 ■ Snell-Ettre **15**, 551 ff. ■ Ullmann (5.) **A 26**, 767 ff. ■ Winnacker-Küchler (4.) **6**, 132 ■ Zechmeister **36**, 243–252; **37**, 251–327 ■ s. a. Schwefel-organische Verbindungen.

Thiolierung. Von Viola[1] propagierte Bez. für die Einführung von Schwefel in organ. Verb. (*Sulfidierung). – *E* = *F* thiolation – *I* tiolazione – *S* tiolación
Lit.: [1]Z. Chem. **27**, 15–22 (1987).

Thiollactone s. Thiolactone.

Thiomarinole.

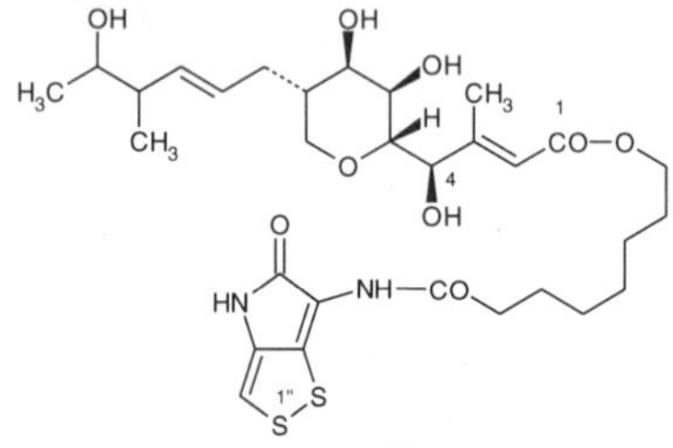

T. B : 1",1'-Dioxid
T. C : 4-Desoxy

T. A

Mit *Pseudomon(in)säure strukturverwandte antibakteriell wirksame Substanzen aus dem marinen Bakterium *Alteromonas rava*, z. B. T. A: $C_{30}H_{44}N_2O_9S_2$, M_R 640,82, orange Krist., Schmp. 106–110 °C, $[\alpha]_D^{25}$ +4,3° (CH_3OH). – *E* = *F* thiomarinols – *I* tiomarinoli – *S* tiomarinoles
Lit.: J. Antibiotics **46**, 1834 (1993); **48**, 907 (1995); **50**, 449 (1997). – *[CAS 146697-04-3 (T. A)]*

Thiomebumal s. Thiopental.

Thiomersal (Rp, mit Ausnahmen).

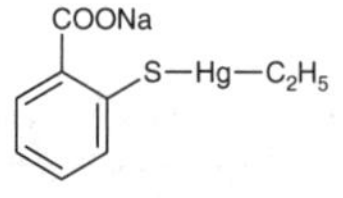

Von der WHO vorgeschlagener internat. Freiname für das *Antiseptikum u. Konservierungsmittel 2-(Ethylmercuriothio)-benzoesäure-Natrium-Salz, $C_9H_9HgNaO_2S$, M_R 404,80, LD_{50} (Ratte s.c.) 98 mg/kg. Cremefarbene, luftbeständige, lichtempfindliche Krist., lösl. in Wasser u. Alkohol, unlösl. in Ether u. Benzol. Das aus Ethylmercurichlorid, wäss. NaOH u. Thiosalicylsäure erhältliche T. wird zur chirurg. Händedesinfektion (kann allerdings Hautallergien hervorrufen), als Konservierungsmittel in Augentropfen, -salben, Blutplasma u. a. biolog. Produkten sowie veterinärmedizin. zur antisept. Wundbehandlung verwendet. In Kosmetika ist es nur beschränkt zugelassen (maximal 0,007%, Deklaration). – *E* thiomersal, thiomersalate – *F* thiomersal – *I* = *S* tiomersal

Lit.: Hager (5.) **9**, 879 ff. ▪ Kirk-Othmer (3.) **7**, 805; **15**, 164; **20**, 523 ▪ Martindale (31.), S. 1147 f. – *[HS 2931 00; CAS 54-64-8]*

Thiometon.

$H_3CO-\underset{\underset{OCH_3}{|}}{\overset{\overset{S}{\|}}{P}}-S-(CH_2)_2-S-C_2H_5$ T ☠

Common name für S-(2-Ethylthioethyl)-O,O'-dimethyldithiophosphat, $C_6H_{15}O_2PS_3$, M_R 246,33, Sdp. 110°C (13,3 Pa), LD_{50} (Ratte oral) 120 mg/kg (GefStoffV), von Bayer (vermarktet es nicht mehr) u. Sandoz (jetzt Novartis) 1953 eingeführtes system. *Insektizid u. *Akarizid gegen saugende Schädlinge, insbes. Blattläuse u. Spinnmilben, in zahlreichen Kulturen. – *E* thiometon – *F* thiométon, dithiométon – *I* tiometon – *S* tiometón

Lit.: Beilstein E IV **1**, 2462 ▪ Farm ▪ Perkow ▪ Pesticide Manual. – *[HS 2930 90; CAS 640-15-3; G 6.1]*

Thiomilchsäure s. Mercaptopropionsäuren.

(R)-Thiomorpholin-3-carbonsäure (Desoxychondrin, Chordarin).

$C_5H_9NO_2S$, M_R 147,19, farblose Nadeln, Schmp. 270–271°C (Zers.), $[\alpha]_D^{26}$ –54° (H_2O); Racemat: farblose Prismen, Schmp. 263–265°C. Nicht-proteinogene Aminosäure aus der Braunalge *Analipus japonicus* (= *Heterochordaria abietina*). – *E* (R)-thiomorpholine-3-carboxilic acid – *F* acide (R)-thiomorpholine-3-carboxilique – *I* acido 3-(R)-tiomorfolino-3-carbossilico – *S* ácido (R)-tiomorfolin-3-carboxílico

Lit.: Acta Chem. Scand. **48**, 517 (1994) (Dioxid) ▪ Bull. Chem. Soc. Jpn. **60**, 2963 (1987) (Synth.) ▪ s.a. Chondrin. – *[CAS 20960-92-3 (Racemat); 65527-54-0 (R)]*

...thion. *Suffix für *Thioketone (Thione) $R^1R^2C=S$ (R^1, R^2 = 2 organ. C-Reste od. ein ringschließender Rest) mit *Thioxo-Gruppe (=S) als ranghöchster Gruppe (IUPAC-Regeln C-532.1 u. R-5.6.2.2); *Beisp.:* 3-Pentanthion (H_5C_2)$_2$C=S. – *E* = *F* ...thione – *I* ...tione – *S* ...tiona

Thionalid. Trivialname für 2-Mercapto-N-(2-naphthyl)acetamid, [N-(2-Naphthyl)-thioglykolsäureamid], $HS-CH_2-CO-NH-C_{10}H_7$, M_R 217,28. Weiße bis elfenbeinfarbene Nadeln, Schmp. 111–112°C, sehr schwer lösl. in Wasser, leichtlösl. in den meisten organ. Lösemitteln. T. reagiert mit Metall-Ionen zu sehr schwer lösl. Chelaten u. dient daher als Reagenz zur quant. Bestimmung von Tl (spezif.), Cu, Hg, Ag, Bi, Pb, Sb, Pt, Pd, Ca, Ru, Rh u. a. Metallen. – *E* = *F* thionalide – *I* tionalide – *S* tionalida

Lit.: Beilstein E III **12**, 608 ▪ Fries-Getrost. – *[HS 2930 90; CAS 93-42-5]*

Thionaphthen s. Benzo[b]thiophen.

Thione. Synonym für *Thioketone.

Thionein s. Ergothionein u. Metallothionein.

Thionia... s. Thi(a)...

Thionin.

a) Trivialname für 7-Amino-3-imino-3H-phenothiazin, $C_{12}H_9N_3S$, M_R 227,28. Das als *Lauths Violett* bekannte Hydrochlorid (C. I. 52000, $C_{12}H_{10}ClN_3S$, M_R 263,75) bildet schwarzgrüne, glänzende Nadeln, lösl. in Alkohol, schwer lösl. in kaltem, leicht in heißem Wasser mit erst blauer, dann violetter Farbe, gibt mit NaOH einen braunroten Niederschlag. Es ist die Stammverb. der sog. *Thiazin-Farbstoffe* Azur® u. *Methylenblau u. verwandter Farbstoffe, z. B. *Toluidinblau O. T.-HCl wird in Form einer 0,05%igen Lsg. (in 60%igem Alkohol) als Redoxindikator verwendet (s. Redoxsysteme) u. zeigt bei pH 1,5–1,7 einen Farbumschlag von violett nach farblos. T. wird in Bakteriologie u. Mikroskopie zum Anfärben von Zellkernen, als Antioxidans für Leinöl u. als Antidot gegen Methämoglobin-bildende Giftstoffe verwendet. Das T.-Hydrochlorid kann in photogalvan. Syst. verwendet werden. Dabei wird das Kation in Ggw. von Fe^{2+} (wird zu Fe^{3+} oxidiert) zum Radikal reduziert, das an der Anode wieder rückoxidiert wird.

b) Im *Hantzsch-Widman-System Name der 9-gliedrigen heterocycl. Verb. mit einem Schwefel-Atom u. 4 konjugierten C,C-Doppelbindungen. – *E* thionine (a), thionin (b) – *F* thionine (a), thioninne (b) – *I* = *S* tionina

Lit.: Beilstein E III/IV **27**, 5149 ▪ Hager (5.) **1**, 557 ▪ Parr u. Baumgärtel, Herstellung u. Anwendung hochreiner Farbstoffe für die Cytologie u. Histologie zur Krebsfrüherkennung (Ber. A 4783); Porz: DFVLR 1985 ▪ Ullmann (5.) **A 14**, 139 ▪ Zollinger, Color Chemistry, 2. Aufl., S. 287, 338, 342 f, Weinheim: VCH Verlagsges. 1991. – *[CAS 14656-70-3 (a); 581-64-6 (a, Hydrochlorid); 293-60-7 (b)]*

Thionine. Bez. für stark bas. pflanzliche Polypeptide mit cytotox. Eigenschaften, die sich durch einen bes. hohen Cystein(Cys)-Gehalt auszeichnen. Einzelne T. sind z. B.: Purothionin A II (45 Aminosäuren, davon 8 Cys), *Viscotoxin (49 Aminosäuren, davon 6 Cys[1], od. andere Angabe: 46 Aminosäuren[2]) aus der Mistel (*Viscum album*) u. ein T. aus der Büffelnuß, den Samen des trop. mistelartigen Pflanzenparasiten *Pryularia pubera* (47 Aminosäuren, davon 8 Cys). Die T. sind sich strukturell sehr ähnlich. Sie weisen zahlreiche ident. Aminosäure-Sequenzen auf u. enthalten *Disulfid-Brücken. – *E* thionins – *F* thionines – *I* tionine – *S* tioninas

Lit.: [1] Chem. Unserer Zeit **19**, 106 (1985). [2] R. D. K. (3.), S. 674.
allg.: Nature (London) **332**, 374 (1988). – *[CAS 75977-10-5 (Purothionin A II)]*

Thionyl... Bez. für –S(O)– in Schwefeldihalogenidoxiden (SOX^{1}X^2), auch: *Sulfinyl... (IUPAC-Regel I-8.4.2.2); *Beisp.:* folgende Stichwörter. – *E* = *F* thionyl... – *I* = *S* tionil...

Thionylchlorid (Schwefligsäuredichlorid). SOCl$_2$, M$_R$ 118,98. Farblose, an feuchter Luft rauchende, erstickend riechende, Haut u. Schleimhäute reizende, stark lichtbrechende Flüssigkeit, D. 1,638, Schmp. –99,5 °C, Sdp. 75,7 °C, zerfällt bei höherer Temp. in Schwefeldioxid, Chlor u. Schwefeldichlorid. SOCl$_2$ reagiert mit Wasser heftig unter Bildung von SO$_2$ u. HCl, u. auch mit Alkoholen, Säuren u. Alkalien tritt Zers. ein.
Herst.: Techn. aus SO$_2$ od. SO$_3$ u. Cl$_2$ mit SCl$_2$ bzw. S$_2$Cl$_2$, z. B. SO$_2$ + Cl$_2$ + SCl$_2$ → 2 SOCl$_2$.
Verw.: Als Chlorierungsmittel, z. B. bei der Herst. organ. Zwischenprodukte u. von Pflanzenschutz- u. Schädlingsbekämpfungsmitteln u. bei der Synth. von Pharmazeutika, Farbstoffen usw., als nicht-wäss. Elektrolyt in Lithium-Batterien, zum Trocknen wasserhaltiger Metallchloride u. zur Herst. wasserfreier Chloride aus Metalloxiden. – *E* thionyl chloride – *F* chlorure de thionyle – *I* cloruro di tionile – *S* cloruro de tionilo
Lit.: Brauer (3.) **1**, 388 ■ Braun-Dönhardt, S. 373 ■ DECHEMA-Monogr. **102**, 391–400 (1986) ■ Gmelin, Syst.-Nr. 9, S, Tl. B, 1963, S. 1791–1802, Erg.-Bd. 1, 1978 ■ Hommel, Nr. 330 ■ Houben-Weyl **4/1 a**, 367–372 ■ Kirk-Othmer (4.) **23**, 291–295 ■ Synthetica **1**, 468–474 ■ Ullmann (5.) **A 25**, 627–629. – *[HS 2812 10; CAS 7719-09-7; G 8]*

Thionylhalogenide. Bez. für gasf. od. flüssige Verb. der allg. Formel SOX$_2$ mit X = F, Cl, Br, I, deren wichtigster Vertreter *Thionylchlorid ist. Die T. sind stark ätzend, haut- u. schleimhautreizend u. korrosiv. *Thionylbromid* (SOBr$_2$) kann nicht nur zur *Bromierung, sondern auch zur Dehydrierung dienen. – *E* thionyl halides – *F* halogénures de thionyle – *I* alogenuri di tionile – *S* halogenuros de tionilo
Lit.: Brauer (3.) **1**, 186 f., 388, 390 f. ■ Gmelin, Syst.-Nr. 9, S, Tl. B, 1963, S. 1724 ff., 1791 ff., 1866 f., 1872 ■ Synthetica **2**, 426 f. ■ s. a. Thionylchlorid.

Thiopental (Thiomebumal, Thiopenton; Rp).

Internat. Freiname für (±)-5-Ethyl-5-(1-methylbutyl)-2-thiobarbitursäure, C$_{11}$H$_{18}$N$_2$O$_2$S, M$_R$ 242,33, Schmp. 157–161 °C, (*R*)-Form: Schmp. 151–151,5 °C, [α]$_D$ +10,66° (CH$_3$OH), (*S*)-Form: Schmp. 148–149 °C, [α]$_D^{24}$ –10,85° (CH$_3$OH), λ$_{max}$ (0,1 M HCl) 288 nm (A$_{1cm}^{1\%}$ 76), pK$_a$ 7,6. Verwendet wird meist das Natriumsalz, C$_{11}$H$_{17}$N$_2$NaO$_2$S, M$_R$ 264,33, LD$_{50}$ (Maus i.p.) 149, (Maus i.v.) 78 mg/kg; gelblich-weißes, hygroskop., unangenehm knoblauchartig riechendes Pulver, lösl. in Wasser u. Alkohol, unlösl. in Ether, Benzol u. Ligroin; die Lsg. zersetzt sich beim Stehen.
Verw.: Medizin. u. veterinärmedizin. als intravenöses Ultrakurznarkotikum (vgl. Injektionsnarkotika). T. soll auch bei manchen Psychosen einen günstigen Einfluß haben u. wurde in der Psychiatrie benutzt, um verdrängte Komplexe ins Bewußtsein zu heben. Aus diesem Grund ist T. auch als sog. *Geständnismittel geod. mißbraucht worden. T. wurde 1939 u. 1959 von Abbott patentiert u. ist von Byk Gulden (Trapanal®) u. Nycomed im Handel. – *E* thiopental – *F* thiopental – *I* tiopentale – *S* tiopental
Lit.: ASP ■ Florey **21**, 535–572 ■ Hager (5.) **9**, 882–885 ■ Martindale (31.), S. 1265 f. ■ Ph. Eur. 1997 u. Komm. ■ Ullmann (5.) **A 2**, 295. – *[HS 2933 51; CAS 76-75-5 (T.); 71-73-8 (Natriumsalz)]*

Thiopenton s. Thiopental.

Thiophanat-methyl.

Common name für Dimethyl-4,4'-(*o*-phenylen)bis(3-thioallophanat), C$_{12}$H$_{14}$N$_4$O$_4$S$_2$, M$_R$ 342,38, Schmp. 172 °C (Zers.), LD$_{50}$ (Ratte oral) >6000 mg/kg (WHO), von Nippon Soda 1970/71 eingeführtes breitwirksames system. *Fungizid zur protektiven u. kurativen Anw. gegen pilzliche Krankheitserreger in zahlreichen Kulturen. Weiterhin als Wundschutzmittel bei Baumverletzungen verwendet. – *E* thiophanate-methyl – *F* thiophanate-méthyl – *I* tiofanato di metile – *S* tiofanato-metil
Lit.: Farm ■ Perkow ■ Pesticide Manual. – *[HS 2930 90; CAS 23564-05-8]*

Thiophen.

C$_4$H$_4$S, M$_R$ 84,14. Farblose, leicht bewegliche u. entflammbare Flüssigkeit mit scharfem Geruch, D. 1,0573, Schmp. –38 °C, Sdp. 84 °C, FP. –9 °C, unlösl. in Wasser, leicht lösl. in Alkohol, Ether, Chloroform u. Benzol. Die Dämpfe führen zu starker Reizung u. Schädigung der Augen, der Atemwege, der Lunge u. der Haut. T. kann auch über die Haut aufgenommen werden; WGK 3; LD$_{50}$ (Ratte oral) 1400 mg/kg. Zum Nachw. von T. erhitzt man es mit Isatin in konz. Schwefelsäure, wobei sich unter Blaufärbung ein Indophenin-Farbstoff [3,3'-(2,2'-Bithiophenyliden-5,5'-diyliden)bis(1,3-dihydro-2*H*-indol-2-on)] bildet (*Baeyer-Test).
T. ist ein Bestandteil des Steinkohlenteers u. ein ständiger Begleiter des aus Teer gewonnenen Benzols, mit dem es aufgrund seines ausgepräg aromat. Charakters große physikal. u. chem. Ähnlichkeit aufweist, weshalb die Trennung Schwierigkeiten verursacht. Im Laboratorium entfernt man T. aus Benzol durch wiederholte Behandlung mit konz. H$_2$SO$_4$ od. mit Na/K-Legierung. Gegen Red.-Mittel u. Kaliumpermanganat ist T. auffallend beständig, dagegen kann man es acylieren, chlorieren, nitrieren u. sulfonieren, wobei die Substituenten bevorzugt in 2- u./od. 5-Stellung eintreten. Trotz seines aromat. Charakters kann T. auch Dien-Reaktionen eingehen. Von T. leiten sich *Tetrahydrothiophen sowie die S-Dioxide *Sulfolan u. *3-Sulfolen ab. Der T.-Ring als Substituent wird mit *Thienyl..., als Anellierungskomponente in kondensierten Ringsyst. mit *Thieno... bezeichnet.

T.-Derivate haben erhebliche Bedeutung als Arzneimittelwirkstoffe. Substituierte T. sind in zahlreichen natürlichen Aromen, insbes. von gekochten u. gerösteten Lebensmitteln, aufgefunden worden.
Herst.: T. entsteht, wenn man Acetylen über erhitzten Pyrit leitet od. Natriumsuccinat mit Phosphortrisulfid (P_2S_3) destilliert. Die techn. Synth. von T. geht von unverzweigten C_4-Verb. wie *n*-Butan, *n*-Butenen, 1,3-Butadien od. 1-Butanol u. Schwefelwasserstoff., Schwefel, Schwefelkohlenstoff od. Schwefeldioxid in Ggw. von Katalysatoren aus.
Verw.: Als Lsm., zur Herst. von Thiophen-Phenol-Formaldehyd-Harzen, Farbstoffen, Pharmazeutika, Pflanzenschutzmitteln u. Aromen. T. wurde 1883 von V. *Meyer im Steinkohlenteer entdeckt. – *E* thiophene – *F* thiophène – *I* tiofene – *S* tiofeno
Lit.: Beilstein E V 17/1, 297 ■ Hommel, Nr. 901 ■ Katritzky-Rees 4, 713–934 ■ Kirk-Othmer (3.) 22, 965–973; (4.) 24, 34 ■ Merck-Index (12.), Nr. 9490 ■ Synthesis 1985, 143–156 ■ Ullmann (4.) 23, 217 ff.; (5.) A 26, 793. – *[HS 2934 90; CAS 110-02-1; G 3]*

Thiopheno... Bez. eines 2,3-, 2,4-, 2,5- od. 3,4-Thiophendiyl-Rests, der ein kondensiertes Ringsyst. überbrückt (IUPAC-Regel R-9.2.1.5); s. dagegen Thieno... – *E* thiopheno... – *F* thiophéno... – *I* = *S* tiofeno...

Thiophenol (Benzolthiol). H_5C_6–SH, C_6H_6S, M_R 110,17. Farblose, widerwärtig knoblauchartig riechende Flüssigkeit, D. 1,078, Schmp. –15 °C, Sdp. 168 °C, unlösl. in Wasser, leichtlösl. in Alkohol, Benzol, CS_2 u. Ether, an der Luft leicht oxidierbar unter Bildung von Diphenyldisulfid. Die Dämpfe führen zu starker Reizung bis hin zu Verätzung der Augen, der Atemwege, der Lunge u. der Haut. Ein Lungenödem kann mit Verzögerung bis zu zwei Tagen auftreten; MAK 2 mg/m³ (TRGS 900); WGK 3. T. hat ausgeprägt sauren Charakter; es kann in alkohol. Lsg. mit Alkali gegen Phenolphthalein titriert werden u. mit Metallen bildet es *Thiolate (*Thiophenolate*).
Herst.: Zur Herst. von T. geht man von Benzolsulfonylchlorid aus, das mit Zn/H_2SO_4 reduziert wird. Weitere Synth. s. Ullmann (*Lit.*).
Verw.: Zwischenprodukt zur Herst. von Pharmazeutika, Insektiziden, Farbstoffen, Polymerisationsregulatoren, für organ. Synthesen. – *E* thiophenol – *F* thiophénol – *I* tiofenolo – *S* tiofenol
Lit.: Beilstein E IV 6, 1463 ■ Hommel, Nr. 820 ■ Merck-Index (12), Nr. 9492 ■ Paquette 7, 4878 ■ Ullmann (4.) 23, 188 ff.; (5.) A 26, 776 – *[HS 2930 90; CAS 108-98-5; G 6.1]*

Thiophile Substanzen s. Thiole.

Thiophosgen (Thiocarbonylchlorid). $CSCl_2$, M_R 114,98. Rote, rauchende, übelriechende Flüssigkeit, D. 1,5, Sdp. 73 °C, die in Wasser langsam unter Bildung ätzender u. reizender Gase hydrolysiert u. in Ether u. den meisten organ. Lsm. lösl. ist. Beim Erhitzen disproportioniert T. in CS_2 u. CCl_4, im Licht dimerisiert es zu 2,2,4,4-Tetrachlor-1,3-dithietan. T. ist ein hochgiftiger u. ätzender Stoff, dessen Dämpfe stark die Augen, die Atemwege, die Lunge u. die Haut reizen; Lungenödem möglich. Kontakt mit der Flüssigkeit verursacht sehr starke Reizung der Augen u. der Haut.
Herst.: Aus CS_2 u. Chlor, techn. durch reduktive Dechlorierung von *Trichlormethansulfenylchlorid, z. B. mit SO_2 od. H_2S.

Verw.: Zur Synth. von Thiocarbonyl-Verb., Farbstoffen, Pestiziden, Isothiocyanaten, Antimykotika, Kampfstoffen; weitere Verw. s. Paquette (*Lit.*). – *E* thiophosgene – *F* thiophosgène – *I* tiofosgene – *S* tiofosgeno
Lit.: Beilstein E IV 3, 281 ff. ■ Hommel, Nr. 1016 ■ Kirk-Othmer (3.) 22, 110 f.; (4.) 23, 271 ■ Paquette 7, 4881 ■ Synthetica 2, 428–433. – *[HS 2851 00; CAS 463-71-8; G 6.1]*

Thiophosphate. Ester u. Salze der in freier Form nicht stabilen Thiophosphorsäuren (vgl. folgendes Stichwort), z. B. $Na_3PO_2S_2$ (Natriumdithiophosphat). Ihre Herst. erfolgt durch Zusammenschmelzen von Metallsulfiden od. -oxiden mit P_4S_{10}.
Mono- u. Dithiophosphate entstehen bei der Hydrolyse von P_4S_{10} mit NaOH bei 100 °C. Aus rotem Phosphor u. Polysulfiden wurden die cycl. T.-Anionen [cyclo-P_5S_{10}]$^{5-}$ u. [cyclo-P_6S_{12}]$^{6-}$ erhalten, aus P_4 u. Ammoniumpolysulfid entsteht $(NH_4)_4$[cyclo-P_4S_8] · 2 H_2O mit quadrat. Anordnung der P-Atome. – *E* thiophosphates, phosphorothiates – *F* thiophosphates – *I* tiofosfati – *S* tiofosfatos
Lit.: Brauer (3.) 1, 548–553 ■ Fortschr. Chem. Forsch. 35, 65–129 (1973) ■ Greenwood u. Earnshaw, Chemie der Elemente (3.), S. 651 f., Weinheim: VCH Verlagsges. 1988 ■ s. a. Thiophosphorsäureester.

Thiophosphorsäureester. Bez. für die Ester der verschiedenen Thiophosphorsäuren, d. h. *Phosphorsäuren, in denen (meist 1 od. 2) Sauerstoff- durch Schwefel-Atome ersetzt sind [allg. Formel $R_mH_{(3-m)}PO_{(4-n)}S_n$], wobei man noch zwischen Mono- (m = 1), Di- (m = 2) u. Triestern (m = 3), Thiophosphat (n = 1), Dithiophosphat (n = 2), Trithiophosphat (n = 3) u. Tetrathiophosphat (n = 4) unterscheiden u. den Ester-Bindungsort (an O bzw. S) kennzeichnen muß; *Beisp.:* O,O-Dimethyl-S-methylcarbamoylmethyldithiophosphat (*Dimethoat), S-(1,2-Dicarbethoxyethyl)-O,O-dimethyldithiophosphat (*Malathion). Die freie Tetrathiophosphorsäure (H_3PS_4) ist nur unter –20 °C existenzfähig, im Gegensatz zu H_3PO_3S.
Die nach verschiedenen Meth.[1,2] hergestellten T. spielen wie die Phosphorsäureester (Näheres s. dort) eine große Rolle als *Pflanzenschutz- u. *Schädlingsbekämpfungsmittel, insbes. als Insektizide, Aphizide u. Akarizide; *Beisp.:* *Azinphos-ethyl, *Demeton-S-methyl, *Diazinon, *Dimethoat, Fenchlorphos, *Malathion, *Methamidophos, *Parathion, *Thiometon u. v. a.; auch Nervenkampfstoffe wie *VX gehören hierher. Die T. wirken als *Acetylcholin-Esterase-Hemmer, was sie für Warmblüter zu äußerst giftigen macht; glücklicherweise ist eine *Entgiftungstherapie* (mit H-*Oximen; *Lit.*[3]) verfügbar. Manche Dithiophosphorsäureester werden als Anionen-aktive *Korrosionsschutz- u. *Flotations-Mittel eingesetzt. T. von Nucleosiden können als Nucleotid-Analoga zur Untersuchung von biochem. Prozessen nützlich sein[4]. Als Ester der Trithiophosphorigen Säuren könnte man Merphos [$(H_9C_4S)_3P$] auffassen. – *E* thiophosphoric acid esters, phosphorothioic acid esters – *F* esters de l'acide phosphorique – *I* esteri dell'acido tiofosforico – *S* ésteres del ácido fosfórico
Lit.: [1] Winnacker-Küchler (4.) 7, 300–305. [2] Kirk-Othmer (3.) 13, 437–453. [3] Chem. Unserer Zeit 18, 96–106 (1984). [4] Angew. Chem. 95, 431–447 (1983); Annu. Rev. Biochem. 54, 367–402 (1985).

allg.: Acc. Chem. Res. **15**, 326 ff. (1982) ▪ Brauer (3.) **1**, 548 f. ▪ Marquardt u. Schäfer, Lehrbuch der Toxikologie, S. 460–465, Mannheim: BI Wissenschaftlicher Verl. 1994 ▪ Tox. Environ. Chem. **14**, 111–127 (1987) ▪ Ullmann (5.) **A 19**, 565 f. ▪ s. a. Phosphor-organische Verbindungen, Phosphorsäureester, Insektizide.

Thiophosphoryl... (Phosphorothioyl...). Bez. für das Brückenglied >P(S)– in *Multiplikativnamen (IUPAC-Regeln D-5.66, R-3.3; CAS: *Phosphinothioylidin...*), in den Gruppen –P(S)X– u. –P(S)XX′ [Regel D-5.68 (meist nur für Heteroatom-Reste X, X′; für C-Rest od. H: *...phosphonothioyl...* u. *...phosphinothioyl...*); CAS-Bez.: *...phosphinothioyliden...* u. *...phosphinothioyl...*] u. in Phosphortrihalogenidsulfiden PSX₃ (Regel I-8.4.2.2); vgl. Phosphoryl... – *E* = *F* thiophosphoryl... – *I* = *S* tiofosforil...

Thioplaste (Polysulfid-Kautschuke; Kurzz. TM). Bez. für Polykondensate aus organ. Dihalogeniden u. Alkalipolysulfiden, die unter dem Namen Thiokol® vermarktet werden. – *E* thioplastics – *F* thioplast(iqu)es – *I* polimeri tioplastici – *S* tioplásticos

Lit.: Batzer **3**, 373 ▪ Elias u. Vohwinkel, Neue polymere Werkstoffe für die industrielle Anwendung, S. 210 ff., München: Hanser 1983 ▪ Encycl. Polym. Sci. Eng. **13**, 186–196 ▪ Ullmann (4.) **13**, 631 ▪ Winnacker-Küchler (4.) **6**, 573 ff.

Thioplast-Kautschuk. Alternative Bez. für Polysulfid-Kautschuk; s. Polysulfide u. Thioplaste.

Thiopropazat (Rp).

Internat. Freiname für den *Tranquilizer (*Neuroleptikum) 10-{3-[4-(2-Acetoxyethyl)-1-piperazinyl]-propyl}-2-chlorphenothiazin, $C_{23}H_{28}ClN_3O_2S$, M_R 446,00, Sdp. 214–218 °C (13,3 Pa), lösl. in Ether; λ_{max} (0,01 M HCl) 256, 305 nm ($A_{1cm}^{1\%}$ 707, 93), pK_a 7,3. Verwendet wird meist das Dihydrochlorid, Schmp. 223–229 °C (Zers.). T. wurde 1956 von J. W. Cusic patentiert. – *E* = *F* thiopropazate – *I* = *S* tiopropazato

Lit.: Hager (5.) **9**, 885 f. ▪ Martindale (31.), S. 738. – [HS 29 34 30; CAS 84-06-0 (T.); 146-28-1 (Dihydrochlorid)]

Thioproperazin (Rp).

Internat. Freiname für das Psychopharmakon *N,N*-Dimethyl-10-[3-(4-methyl-1-piperazinyl)-propyl]-2-phenothiazinsulfonamid, $C_{22}H_{30}N_4O_2S_2$, M_R 446,62, Krist., Schmp. 140 °C. T. wirkt als *Neuroleptikum u. *Antiemetikum u. wurde 1959 von Rhône Poulenc patentiert. – *E* thioperazine – *F* thiopropérazine – *I* = *S* tioproperazina

Lit.: Hager (5.) **9**, 886 f. ▪ Martindale (31.), S. 738. – [HS 29 35 00; CAS 316-81-4]

6-Thiopurin s. Mercaptopurin.

Thiopyran.

2*H*-T.   4*H*-T.

Bez. für eine dem *Pyran analoge, zweifach ungesätt. Sechsringverb. mit einem Schwefel-Atom im Ring, C_5H_6S, M_R 98,17, die als 2*H*- (Sdp. 32–34 °C/16 hPa) bzw. 4*H*-T. [Schmp. –28 °C, Sdp. 30 °C (16 hPa)] isolierbar ist u. von der sich 2*H*-Thiopyran-2-on u. 4*H*-Thiopyran-4-on (*2*- u. *4-Thiopyron*) ableiten. Anellierte Derivate des T. sind die *Thioxanthene* (vgl. Formelbild bei Xanthen), zu denen Farbstoffe (z. B. *Thiopyronine*, die Schwefel-Analoga der *Pyronine) u. Neuroleptika (z. B. *Chlorprothixen) gehören. – *E* thiopyran – *F* thiopyrane – *I* = *S* tiopirano

Lit.: Adv. Heterocycl. Chem. **34**, 146–303 (1983) ▪ Beilstein E V **17/1**, 321 ▪ Katritzky-Rees **3**, 885 ff. – [CAS 289-72-5 (2*H*-T.); 289-70-3 (4*H*-T.)]

Thiopyronine s. Thiopyran.

Thioredoxine. Sammelbez. für verschiedene hitzestabile Polypeptide aus 85–110 Aminosäuren u. M_R 9700–12 000, die in allen pflanzlichen, tier. u. mikrobiellen Organismen vorkommen. Den T. ist ein aktives Zentrum aus dem Tetrapeptid Cys-Gly-Pro-Cys gemeinsam, das von L-Tryptophan u. einer bas. Aminosäure flankiert ist u. dessen L-Cystein-Reste im oxidierten T. eine *Disulfid-Brücke bilden. Die – im Gegensatz zu den meisten anderen *Redoxinen metallfreien – T. sind an biochem. Redox-Prozessen als Elektronen-Überträger beteiligt (*Elektronentransfer-Proteine), z. B. bei der Synth. der 2′-*Desoxynucleotide aus Ribonucleotiden (vgl. Ribonucleotid-Reduktasen) u. bei der *Photosynthese als Koordinator der Licht- u. Dunkelreaktionen[1]. Für die Wiederherstellung des reduzierten T. sorgt das Enzym *Thioredoxin-Reduktase* (EC 1.6.4.5). T. wird bei zellulärem Streß auch sezerniert, wirkt extrazellulär als autokriner Wachstumsfaktor u. schützt vor Streß-bedingter Apoptose[2]. Intrazellulär reguliert es den Redox-Zustand von Proteinen. Das an der Faltung von Proteinen beteiligte Enzym Proteindisulfid-Isomerase (EC 5.3.4.1) besteht aus mehreren T.-ähnlichen *Domänen[3]. – *E* thioredoxins – *F* thiorédoxines – *I* tioredossine, tioredoxine – *S* tiorredoxinas

Lit.: [1] Biospektrum **3**, Nr. 4, 37 f. (1997). [2] Annu. Rev. Immunol. **15**, 351–369 (1997). [3] Curr. Biol. **7**, 239–245 (1997). *allg.:* Nachr. Chem. Tech. Lab. **44**, 278–282 (1996) ▪ Packer, Biothiols, Tl. B. Glutathione and Thioredoxin: Thiols in Signal Transduction and Gene Regulation, San Diego: Academic Press 1995 ▪ Stryer 1996, S. 711, 790.

Thioredoxin-Reduktase s. Thioredoxine.

Thioridazin (Rp).

Internat. Freiname für den *Tranquilizer (±)-10-[2-(1-Methyl-2-piperidyl)ethyl]-2-(methylthio)-phenothiazin, $C_{21}H_{26}N_2S_2$, M_R 370,56, Krist., Schmp. 72–74 °C, Sdp. 230 °C (2,66 Pa); λ_{max} (C_2H_5OH) 263, 314 nm ($A_{1cm}^{1\%}$ 1030, 124), pK_a 9,5, LD_{50} (Ratte oral) 995±39 mg/kg. Verwendet wird meist das Hydrochlorid, Schmp. 158–160 °C. T. wirkt als *Dopamin-Rezeptoren-Blocker u. damit als *Neuroleptikum. Es wurde 1966 von Sandoz (Melleril®, Novartis) paten-

tiert u. ist auch von Neuraxpharm im Handel. – $E = F$ thioridazine – $I = S$ tioridazina
Lit.: Beilstein E III/IV **27**, 2050 ▪ Florey **18**, 459–525 ▪ Hager (5.) **9**, 887–890 ▪ Martindale (31.), S. 738 f. ▪ Ph. Eur. **1997** u. Komm. – *[HS 293430; CAS 50-52-2 (T.); 130-61-0 (Hydrochlorid)]*

Thiosäuren. Organ. Säuren u. anorgan. *Oxosäuren, in denen O- durch S-Atome ersetzt sind (s. Thio…; IUPAC-Regeln C-541, -641.3, R-5.7.1.3.4, -5.7.2/3, I-9.5.2.2); *Beisp.:* s. Thiocarbamate, Thioessigsäure, Thiophosphate, Thiosulfate, Trithiokohlensäure u. Wackenroder-Lösung. Namen für aliphat. *Thiocarbonsäuren u. P- u. As-T. enden auf …thiosäure. – E thio acids – F thioacides – I tioacidi – S tioácidos

2-Thiosalicylsäure s. 2-Mercaptobenzoesäure.

Thioschwefelsäure. $H_2S_2O_3$, M_R 114,15. Die T., die nur bei Temp. unterhalb –30°C als farblose, ölige Flüssigkeit erhältlich ist, leitet sich von *Schwefelsäure durch Ersatz eines Sauerstoff-Atoms durch ein Schwefel-Atom ab ($HO_3S–SH$). Sie ist die den *Thiosulfaten zugrundeliegende Säure. T. entsteht in wasserfreier Form aus Natriumthiosulfat mit HCl in Ether bei –78°C od. durch Umsetzung von H_2S mit SO_3 in Ether bei –20°C; ohne Lsm. bildet sich das Addukt $H_2S \cdot SO_3$, ein Isomeres der Thioschwefelsäure. – E thiosulfuric acid – F acide thiosulfurique – I acido tiosolforico – S ácido tiosulfúrico
Lit.: Gmelin, Syst.-Nr. 9, S, Tl. B, 1960, S. 853–957 ▪ Holleman-Wiberg (101.), S. 593 f. ▪ Kirk-Othmer (4.) **24**, 51 ff. – *[HS 280700; CAS 13686-28-7]*

Thioschweflige Säure s. Wackenroder-Lösung.

Thiosemicarbazid (Thiocarbamidsäurehydrazid, Hydrazincarbothioamid, Aminothioharnstoff). $H_2N–NH–CS–NH_2$, CH_5N_3S, M_R 91,13. Farblose, sehr giftige Krist., Schmp. 181°C, lösl. in heißem Wasser, sehr wenig lösl. in den üblichen organ. Lsm.; LD_{50} (Ratte oral) 9,16 mg/kg; WGK 3.
Herst.: Durch Kochen einer wäss. Lsg. von Ammoniumthiocyanat mit Hydrazinsulfat u. Soda.
Verw.: Als Antioxidans, Stabilisator in der Photographie, Reagenz auf Ni u. Cu sowie auf Carbonyl-Verbindungen. Mit diesen bildet T. schwerlösl., meist gut krist. *Thiosemicarbazone* nach dem Schema

$$H_2N-NH-\overset{S}{\underset{\|}{C}}-NH_2 \xrightarrow[-H_2O]{+R^1-\overset{O}{\underset{\|}{C}}-R^2} \overset{R^1}{\underset{R^2}{\diagup}}C=N-NH-\overset{S}{\underset{\|}{C}}-NH_2$$

(ähnlich wie die Semicarbazone), von denen einige auch als *Tuberkulostatika u. als *Virostatika Verw. gefunden haben. Substituierte T. bieten sich zur Synth. von Stickstoff-Heterocyclen mit Thioketon-Gruppen an. – $E = F$ thiosemicarbazide – I tiosemicarbazide – S tiosemicarbazida
Lit.: Beilstein E IV 3, 374 ▪ Kirk-Othmer (3.) **5**, 545–547; **12**, 748; (4.) **13**, 572 f. ▪ Merck-Index (12.), Nr. 9499 ▪ Reid, Organic Chemistry of Bivalent Sulfur, Bd. 5, S. 194–282, New York: Chem. Publ. Comp. 1965 ▪ Ullmann (4.) **23**, 170; (5.) **A 13**, 189. – *[HS 293090; CAS 79-19-6; G 6.1]*

Thiosemicarbazone s. Thiosemicarbazid.

Thiosinamin. Trivialname für *Allylthioharnstoff.

Thiospinelle s. Spinelle u. Kobaltnickelkies.

Thiosulfate. Bez. für Salze u. Ester der in wäss. Lsg. unbeständigen *Thioschwefelsäure. Die anorgan. T. (allg. Formel $M_2^I S_2O_3$; M^I = einwertiges Metallion) sind im allg. wasserlösl. (schwerlösl. sind Blei-, Silber-, Thallium- u. Bariumthiosulfat). Die wäss. Lsg. zersetzen sich oberhalb von –20°C bei Säurezugabe unter Ausscheidung von Schwefel u. SO_2; kolloid ausgeschiedener Schwefel beschleunigt diese Zersetzung. Mit Oxid.-Mitteln wie H_2O_2, $S_2O_8^{2-}$, Fe^{3+}, Cu^{2+} u. bes. I_2 reagieren T. unter Bildung von Tetrathionaten ($S_4O_6^{2-}$, s. Polythionsäuren), wovon man in der *Iodometrie Gebrauch macht. Mit stärkeren Oxid.-Mitteln entsteht Sulfat, mit Cyaniden bilden die T. unter dem Einfluß einer *T.-Sulfurtransferase* (älterer Name: *Rhodanese) Thiocyanate, weshalb sie auch als *Antidote bei Cyanid-Vergiftungen verwendet werden.
Die techn. wichtigste Eigenschaft der T. ist ihre Fähigkeit zur Komplex-Bildung mit Metallsalzen, v. a. mit Ag^+ {allg. Formel: $M_x[Ag_y(S_2O_3)_z]$; z. B. x = 3, y = 1, z = 2}, aufgrund derer sie in großem Umfang in der *Photographie als Fixiersalze u. Reifkörper eingesetzt werden. Auch der selektive Nachw. von T. mit *Kakothelin beruht auf der Bildung von Komplexen. In der Natur kommen T. in geringen Mengen in tier. u. menschlichem Gewebe u. in Körperflüssigkeiten vor; im *Harn werden normalerweise durchschnittlich 3,6–10,0 mg/100 mL gefunden.
Herst.: Durch Umsatz von Sulfiten mit Schwefel in der Wärme in der Kälte in Ggw. von Katalysatoren od. durch Oxid. von *Polysulfiden mit Luftsauerstoff.
Verw.: *Natrium- u. *Ammoniumthiosulfat dienen als Fixiersalze in der *Photographie, wobei sich Ammoniumthiosulfat durch größere Fixiergeschw., größere Ausgiebigkeit u. bessere Auswaschbarkeit aus dem Filmmaterial beim Wässern auszeichnet. Thiosulfato-Komplexe des Silbers eignen sich als Elektrolyte zur Versilberung. Von den organ. T. sind nur S-Ester in Form ihrer Salze vom Typ der *Bunte-Salze* bekannt, die in der Textil-Ind. Verw. finden. – $E = F$ thiosulfates – I tiosolfati – S tiosulfatos
Lit.: Fries-Getrost, S. 350 ▪ Gmelin, Syst.-Nr. 9, S, Tl. B, 1960, S. 853–957 ▪ Helv. Chim. Acta **66**, 1827–1834 (1983) ▪ Kirk-Othmer (4.) **24**, 51–68 ▪ Ullmann (5.) **A 25**, 479–482 ▪ Z. Chem. **20**, 265 f. (1980).

Thiosulfat-Schwefel-Transferase s. Rhodanese.

Thiosulfonate. Nach *IUPAC-Regel C-641.5 u. R-5.7.4 Bez. für *Salze u. *Ester der Thiosulfonsäuren. *Beisp.:* S-Benzyl-benzthiosulfonat:

$$H_5C_6-\overset{O}{\underset{\underset{\|}{O}}{\overset{\|}{S}}}-S-CH_2-C_6H_5$$

$C_{13}H_{12}O_2S_2$, M_R 264,36; zur Synth. aromat. T. s. *Lit.*[1]. Durch den Zusatz von T. soll sich in gekochter *Milch der ursprüngliche Frischegeschmack wiederherstellen lassen[2]. Nach *Lit.*[3] gehören T. zu den nach Zerstörung des Gemüsegewebes gebildeten *Aromen. – $E = F$ thiosulfonates – I tiosolfonati – S tiosulfonatos
Lit.: [1] Chem. Lett. **1972**, Nr. 1, 441 f. [2] Chem. Ind. (Düsseldorf) **26**, 382 (1974). [3] Dragoco Ber. **36**, 43–61 (1991). – *[CAS 16601-01-7]*

Thiotepa (Rp).

Thiotropocin 4532

Internat. Freiname für Tris(1-aziridinyl)-phosphinsulfid, $C_6H_{12}N_3PS$, M_R 189,23, Krist., Schmp. 51,5 °C, gut lösl. in Alkohol, Wasser, lösl. in Benzol, Ether, Chloroform. Lagerung: kühl (2–10 °C) u. vor Licht u. Luft geschützt. T. ist ein als S-Analogon von *TEPA (b) alkylierend wirkendes *Cytostatikum, das sich im Tierversuch als carcinogen erwiesen hat[1]. Es wurde 1954 von American Cyanamid patentiert u. ist von Lederle im Handel. – *E* thiotepa – *F* thiotépa – *I* = *S* tiotepa

Lit.: [1] IARC Monogr. **9**, 85–94 (1975); Suppl. 6, 549–553 (1987); Suppl. 7, 368 f. (1987).

allg.: ASP ▪ Beilstein E V **20**/1, 130 ▪ Hager (5.) **9**, 891 f. ▪ Martindale (31.), S. 603 f. ▪ Ullmann (5.) A **5**, 12 f. – *[HS 2933 90; CAS 52-24-4]*

Thiotropocin.

$C_8H_4O_3S_2$, M_R 212,25, orange Nadeln, Schmp. 222–225 °C (Zers.). Thiotropolon-Derivat mit breiter antibiot. Wirkung aus Kulturen von *Pseudomonas* sp. CB-104. – *E* thiotropocin – *F* thiotropocine – *I* = *S* tiotropocina

Lit.: J. Am. Chem. Soc. **114**, 8479 (1992) (Biosynth.) ▪ J. Antibiot. **37**, 1294 (1984) ▪ Tetrahedron Lett. **25**, 419 (1984) (Isolierung). – *[CAS 89550-93-6]*

2-Thiouracil [2-Thioxo-2,3-dihydro-4(1*H*)-pyrimidinon, als Tautomeres: 2-Mercapto-4-pyrimidinol].

$C_4H_4N_2OS$, M_R 128,15. Bitter schmeckende Krist., ohne definierten Schmp. (ab ca. 300 °C Zers.), LD_{100} (Ratte i.p.) 1500 mg/kg; sehr wenig lösl. in Wasser, unlösl. in Alkohol, Ether, Säuren, lösl. in Alkali-Lösungen. Zur Krist.-Struktur s. *Lit.*[1].

Vork.: In der Natur tritt 2-T. in Kohlarten sowie vereinzelt als Nucleosid (*2-Thiouridin*) auf, das aus *Transfer-Ribonucleinsäuren isoliert werden kann.

Verw.: 2-T.-Derivate werden in der Medizin als *Thyreostatika verwendet. Sie hemmen die L-*Thyroxin-Synth., indem sie die Oxid. von Iodid zu Iod beeinträchtigen u. die Iodierung von L-Tyrosin- u. die des L-Thyronin-Restes verhindern. Als Nebenerscheinung tritt bei der Behandlung eine gutartige Vergrößerung der *Schilddrüse auf; allerdings können als Nebenwirkungen auch Veränderungen des Blutbildes, Fieber, Hautausschläge u.a. Störungen beobachtet werden. Medizin. verwendet werden hauptsächlich *Methylthiouracil u. *Propylthiouracil; beide sind ebenso wie 2-T. selbst als im Tierversuch carcinogen beschrieben worden. Da sich 2-T. in *Melanomen anreichert, will man Bor-Derivate synthetisieren u. als Neutronen-Fänger therapeut. verwenden[2]. Die Anw. von 2-T. in der Nutzviehzucht als Masthilfsmittel ist in der BRD nach Lebensmittelgesetz verboten. Wahrscheinlich wirkt 2-T. als Antimetabolit zu *Uracil. – *E* 2-thiouracil – *F* 2-thio-uracile – *I* 2-tiouracile – *S* 2-tiouracil

Lit.: [1] Z. Kristallographie **187**, 79–84 (1989). [2] J. Med. Chem. **34**, 315–319 (1991).

allg.: Beilstein E III/IV **24**, 1237. – *[HS 2933 59; CAS 141-90-2]*

Thioureido... Bez. für den *Thioharnstoff-Rest –NH–CS–NH₂ in Namen für organ. Verb. (IUPAC-Regeln C-971.2, C-974.1); CAS-Bez.: [(Aminothioxomethyl)amino]... – *E* thioureido... – *F* thiouréido... – *I* = *S* tioureido...

2-Thiouridin s. 2-Thiouracil.

Thioxanthene s. Thiopyran.

Thioxanthen-Farbstoffe. T.-F. sind die analogen Schwefel-Verb. zu den *Xanthen-Farbstoffen.

Herst.: Durch die Reaktion zweier Äquivalente 3-(Alkylamino)phenol mit Formaldehyd werden zunächst die Leukoverb. von Diphenylmethan-Farbstoffen gebildet, die mit Schwefel u. 25%igem Oleum zum T.-F. ringgeschlossen werden. Nach dieser Methode wird z.B. aus *4,4'-Methylenbis(*N,N*-dimethylanilin) das *3,6-Bis-(dimethylamino)thioxanthenylium-chlorid* (**1**, $C_{17}H_{19}ClN_2S$, M_R 318,86) hergestellt.

1

Entsprechend den aus der Xanthen-Reihe bekannten Reaktionen erhält man aus Phthalsäureanhydrid u. substituierten 3-Aminobenzolthiolen *Thioxanthenlactone*, die als Farbstoffe u. Indikatoren verwendet werden können. – *E* thioxanthene dyes – *F* colorants thioxanthéniques – *I* coloranti del tioxantene – *S* colorantes tioxanténicos

Lit.: Ullmann (5.) A **27**, 218.

Thioxo... a) Bez. für doppelt gebundenes Schwefel-Atom (=S) in *Thioketonen, *Thioaldehyden, organ. *P*- u. *As*-Sulfiden etc., die noch ranghöhere Gruppen enthalten (IUPAC-Regel C-532.3 u. R-5.6.1+2). – b) Neben *Thio... u. *Sulfido... zulässige Bez. des Liganden S^{2-} in Komplexen (CAS; Regel I-10.4.5.4). – *E* thioxo... – *F* thioxo – *I* tiosso... – *S* tioxo...

2-Thioxo-2,3-dihydro-4(1*H*)-pyrimidinon s. 2-Thiouracil.

Thiram.

1. Common name für Tetramethylthiuramdisulfid (Bis-dimethylthiocarbomocyldisulfid), $C_6H_{12}N_2S_4$, M_R 240,41, Schmp. 155–156 °C, LD_{50} (Ratte oral) ca. 1000 mg/kg (Wirkstoffe iva), 560 mg/kg (GefStoffV), MAK 5 mg/m³, von DuPont 1931 eingeführtes protektives *Fungizid gegen pilzliche Krankheitserreger im Kernobst- (Schorf, Lagerkrankheiten), Erdbeer-, Wein-, Gemüse- u. Zierpflanzenanbau (Botrytis). T. wird außerdem als *Saatgut-Behandlungsmittel, gelegentlich auch Bodenbehandlungsmittel, oft in Kombination mit *Insektiziden od. anderen Fungiziden, gegen Auflaufkrankheiten im Rüben-, Mais-, Reis-, Erdnuß-, Baumwoll-, Zierpflanzen- u. Gemüseanbau sowie zur Behandlung von Mais gegen Fasanenfraß u. als Wildverbißmittel eingesetzt.

2. Von der WHO vorgeschlagener internat. Freiname für das unter 1. beschriebene *Antiseptikum. T. ist von Astra (Nebecutan®) im Handel. – *E* thiram – *F* thirame – *I* tirame – *S* tiram

Lit. (*zu 1*): Beilstein E IV **4**, 242 ▪ Farm ▪ Perkow ▪ Pesticide Manual ▪ Wirkstoffe iva. – (*zu 2*): IARC Monogr. **12**, 225 (1976) ▪ Merck-Index (12.), Nr. 9510. – [*HS 293030; CAS 137-26-8; G 9*]

Thiuram... s. Thiocarbamoyl...

Thiurame. Kurzbez. für die nach IUPAC-Regel C-661.6 u. R-9.1.30 a *Thiuramsulfide* (Bisthiocarbamoylsulfane) zu nennenden Verb. der allg. Formel

$$\begin{array}{c}R\\\diagdown\\N-C-(S)_x-C-N\\\diagup\\R\end{array}\begin{array}{c}S\quad S\\\|\quad\|\\\\\end{array}\begin{array}{c}R\\\diagup\\\\\diagdown\\R\end{array}\qquad\begin{array}{l}R=C_2H_5\text{ , }x=2\text{ : Tetraethylthiuramdisulfid}\\R=CH_3\text{ , }x=2\text{ : Tetramethylthiuramdisulfid}\end{array}$$

die die *Thiocarbamoyl-Gruppe enthalten u. die aus den *Dithiocarbamaten durch Umsetzung mit Phosgen zugänglich sind. *T.-Monosulfide* ($x=1$) haben v. a. als Aktivatoren für Ethylen-Propylen-Dien-Terpolymere (EPDM) Bedeutung erlangt. Milde Oxid. von Dithiocarbamaten führt zu den als Vulkanisationsbeschleuniger für *Kautschuk bes. wichtigen *T.-Disulfiden* ($x=2$), von denen das Tetramethylthiuramdisulfid auch als Fungizid (*Thiram, *Lit.*[1]) u. das *Tetraethylthiuramdisulfid als Antialkoholikum (Disulfiram) Verw. finden. Ebenfalls in der Kautschuk-Verarbeitung werden höhere Sulfide ($x=4-6$) angewandt sowie solche, in denen die Stickstoff-Atome Bestandteil von Ringsyst. sind (Pyrrolidin-T., Piperidin-T. usw.). – *E* thiurams – *F* thiurames – *I* tiurami – *S* tiurames

Lit.: [1] Ullmann (4.) **12**, 5.
allg.: Chem.-Ztg. **111**, 285–296 (1987) ▪ IARC-Monogr. **12**, 225–236 (1976) ▪ Kirk-Othmer (3.) **20**, 345 ff., 351 f. ▪ Ullmann (4.) **10**, 170–180; (5.) A **9**, 5–27.

Thiuramsulfide s. Thiurame.

Thixatrol®. Modifizierte Rizinusöl-Derivate u. andere organ. Additive als Thixotropiermittel für Lacke, Chlorkautschuk-Farben, Epoxid- u. Polyurethan-Harze u. Pulverlacke. *B.:* RHEOX GmbH.

Thixcin®. Organ. Rizinusöl-Derivate als Thixotropier- u. Absetzverhinderungsmittel in organ. Syst. mit aliphat. Lsm., z. B. für Lacke, Dichtungsmassen, Spachtelmassen, Epoxid- u. Polyesterharze u. Verlaufmittel in Pulverlacken. *B.:* RHEOX GmbH.

Thixotropie. Von griech.: thein = laufen (od. thigganein = berühren) u. ...tropie (vgl. ...trop) abgeleitete Bez. aus der *Rheologie für die sehr verbreitete Erscheinung, daß *Gele sich bei Einwirkung mechan. Kräfte – z. B. beim Rühren, Schütteln, unter Ultraschalleinwirkung – verflüssigen, nach Beendigung der mechan. Beanspruchung aber wieder verfestigen. Die *Viskosität fließender Stoffe nimmt also unter dem Einfluß zunehmender (abnehmender) Schubspannung τ od. Schwergeschw. D ab (zu), vgl. die Abb. bei Nichtnewtonsche Flüssigkeiten. Im Unterschied zu der das gleiche Phänomen – gleichmäßige Ausrichtung vorher ungeordneter Mol.-Knäuel unter Krafteinfluß – beschreibenden *Strukturviskosität tritt jedoch bei der T. bei der Ab- bzw. Zunahme der Viskosität eine mitunter beträchtliche Zeitverzögerung (*Hysterese) ein; *Beisp.:* Die Viskosität nimmt bei *konstanter* Schubspannung mit zunehmender *Versuchszeit* t ab. T. kann als eine zeitabhängige, unter isothermen Bedingungen durchführbare Gel-Sol-Gel-Umwandlung bzw. als Verhalten von Suspensionen, deren Fließwiderstand mit steigender Schubspannung abnimmt, bezeichnet werden; dieses Verhalten ist nicht auf Kolloide beschränkt.

Thixotrope Flüssigkeiten werden heute für die Lack-Ind. in großen Mengen hergestellt. Moderne, nicht tropfende *Lacke sind *thixotrop:* Sie lassen sich leicht streichen u. sind während des Streichens leichtflüssig; im Ruhezustand ist ihre Zähigkeit jedoch bedeutend größer, so daß es zu keiner Tropfen- od. Tränenbildung an der bestrichenen Oberfläche kommen kann. In Lacken u. a. *Anstrichstoffen erreicht man die T. durch Zugabe von sog. *Thixotropiermitteln*, z. B. Bentoniten, Kaolinen, Alginsäure, bes. aber SiO_2-Qualitäten, die auch als *Absetzverhinderungsmittel wirksam sind. In anderen Syst. fungieren Thixotropiermittel als *Verdickungsmittel, die die Konsistenz von Nahrungs- u. Körperpflegemitteln verändern sollen. T.-Erscheinungen trifft man auch in Metalloxidhydrat-Gelen häufig an (Fe, Al, Ce), u. ein sehr bekanntes Beisp. für eine thixotrope Flüssigkeit ist Ketchup.

Eine T. kann durch Synärese vorgetäuscht werden (s. Gele). Die der T. entgegengesetzte Erscheinung ist die *Rheopexie (*Anti-Thixotropie*), die sich von der ihr verwandten *Dilatanz durch die Zeitabhängigkeit ebenso unterscheidet wie die T. von der *Strukturviskosität. – *E* thixotropy – *F* thixotropie – *I* tixotropia – *S* tixotropía

Lit.: Macosko, Rheology: Principles, Measurements, and Applications, New York: VCH Verlagsges. 1994 ▪ Stokes u. Evans, Fundamentals of Interfacial Engineering, New York: Wiley-VCH 1997 ▪ s. a. Nichtnewtonsche Flüssigkeiten, Rheologie, Viskosität.

Thixotropiermittel s. Thixotropie.

Tholeiit-Basalt s. Basalte.

Thoma, Karl (geb. 1931), Prof. für Pharmazeut. Technologie, Univ. München. *Arbeitsgebiete:* Arzneimittel-Stabilität, Verfügbarkeit, Arzneimittel-Retardierung, neue Darreichungsformen, Assoziationskolloide, Arzneimittel-Analytik.

Lit.: Kürschner (16.), S. 3757; (17.), S. 1412 ▪ Pharm. Ztg. **136**, 1169 (1991) ▪ Wer ist wer, S. 1440.

Thomae. Kurzbez. für die 1946 gegr. Arzneimittelfirma Dr. Karl Thomae GmbH, chem.-pharmazeut. Fabrik, 88397 Biberach, eine 100%ige Tochterges. von Boehringer-Ingelheim. *Daten* (1994): ca. 3000 Beschäftigte, 765,9 Mio. DM Umsatz.

Thomaegelin®. Ringer-Acetat-Infusionslsg. mit 4% Gelatine-polysuccinat (M_R 30 000) als kolloidaler Volumenersatz zur Therapie u. Prophylaxe von Volumenmangel u. Schock. *B.:* Delta-Pharma.

Thomapyrin®. Schmerztabl. mit *Paracetamol, *Acetylsalicylsäure u. *Coffein, *T. C Brausetabl.* mit *Ascorbinsäure statt Coffein. *B.:* Thomae.

Thomas, Edward Donnall (geb. 1920), Prof. für Medizin, School of Medicine, University of Washington. *Arbeitsgebiete:* Immunologie, Organtransplantation. 1990 erhielt er zusammen mit J. E. *Murray den No-

belpreis für Physiologie od. Medizin für seine Leistungen auf dem Gebiet der Organ- u. Zelltransplantation.
Lit.: Lexikon der Naturwissenschaftler, S. 395.

Thomasin®. Tabl. u. Tropfen mit dem *Antihypotonikum (±)-*Etilefrin-Hydrochlorid. *B.:* Apogepha.

Thomaskali®. Aus *Thomasmehl u. *Kaliumchlorid hergestellter Phosphat- u. Kali-haltiger Mineraldünger für die Landwirtschaft. *B.:* Kali u. Salz AG.
Lit.: Ullmann (4.) **18**, 360.

Thomas-Konverter s. Thomas-Verfahren.

Thomasmehl (Thomasphosphat). Beim *Thomas-Verfahren anfallendes Schmelzphosphat (Glühphosphat) mit folgender durchschnittlicher Zusammensetzung: 14–16% P_2O_5, 45–55% CaO, 2–4% MgO, 5–10% Manganoxide. Das T. besitzt kaum noch Bedeutung als *Düngemittel, da sein Anteil am Gesamtphosphat-Dünger ständig zurückgegangen ist: Einerseits aufgrund des relativ geringen Nährstoffgehaltes, zum anderen wegen seiner geringen Löslichkeit in Wasser, weiterhin wegen seiner für das Ausbringen ungünstigen feinpulvrigen Form (*Silicose-Risiko) u. schließlich aufgrund der Verdrängung des Thomas-Verf. durch andere Verf. der *Stahl-Herstellung. – *E* Thomas meal, basic slag, Albert slag – *F* scorie Thomas (moulue) – *I* scorie Thomas, scorie basiche – *S* escorias Thomas en polvo
Lit.: Ullmann (5.) **A 10**, 347 ff. ▪ Winnacker-Küchler (4.) **2**, 232 ff., 353 ff.

Thomasphosphat s. Thomasmehl.

Thomasschlacke s. Thomas-Verfahren.

Thomas-Stahl s. Thomas-Verfahren.

Thomas-Verfahren. Von S. G. Thomas (1850–1885) entwickeltes, heute jedoch nur noch selten praktiziertes Verf. zur Herst. von *Stahl durch *Windfrischen des aus Phosphat-reichen Eisenerzen erschmolzenen Roheisens. Dieses enthält 3–4% C, 1,7–3,2% P, 0,2–0,8% Si, 0,9–3% Mn u. 0,1–0,2% S. Die Verminderung der Gehalte an P u. C wird im *Thomas-Konverter* durch ein bas. Futter aus Dolomit u. Kalk (Zuschlagstoff) erreicht. Phosphor wird beim Durchpressen von Luft durch das flüssige Roheisen zu P_2O_5 oxidiert u. durch Kalkzuschlag in *Calciumsilicophosphat* überführt. Kohlenstoff wird zu CO_2 oxidiert u. Mangan in MnO_2 überführt, das – zusammen mit gebildetem Fe_2O_3 – früher verantwortlich war für die rotbraune Färbung des freigesetzten Rauches. Die Phosphor-reiche *Thomasschlacke* (25% der Beschickung) wurde als *Thomasmehl zur Düngung verwendet. Der beim T.-V. erhaltene *Thomas-Stahl* enthält aus dem Blaswind bis zu 0,020% N sowie bis zu 0,06% P. Das T.-V. wurde inzwischen weitgehend durch Sauerstoff-Blasverf. ersetzt, s. Stahl. – *E* Thomas process – *F* procédé Thomas – *I* processo Thomas – *S* procedimiento Thomas
Lit.: Grothe (Hrsg.), Lueger Lexikon der Hüttentechnik, Bd. 5, S. 612 ff., Stuttgart: Dtsch. Verlagsanstalt 1996 ▪ Ullmann (5.) **A 25**, 75 ff., 96 ff. ▪ Winnacker-Küchler (4.) **4**, 136 ▪ s. a. Stahl.

Thombran® (Rp). Filmtabl. u. Kapseln mit *Trazodon-hydrochlorid gegen Depressionen. *B.:* Thomae.

Thompson. Kurzbez. für die 1981 gegr. Firma Thompson GmbH, 40589 Düsseldorf, eine 100%ige Tochterges. von *Henkel, die Waschmittel, Reinigungs- u. Pflegemittel, Pflanzenschutz- u. Düngemittel vertreibt.

Thompson-Siegel. Kurzbez. für die durch Zusammenschluß der Siegel-Werke mit den Thompson-Werken entstandene Firma Thompson-Siegel GmbH, 40233 Düsseldorf, seit 1971 eine 100%ige Tochterges. von *Henkel. *Produktion:* Wohnungs-, Gebäude-, Autopflegemittel, Reinigungsmittel, Blumendünge- u. -frischhaltemittel, Insektizide, Ausgleichsmassen.

Thomsen-Berthelot-Prinzip. Von dem dän. Chemiker Julius Thomsen (1826–1909) u. *Berthelot aufgestellte Hypothese, nach der die Größe der Reaktionswärme einer *Reaktion (die *Wärmetönung*, s. Thermochemie) ein Maß für ihre Triebkraft (*Affinität) sei. Später zeigte van't *Hoff, daß nicht die Wärmetönung, sondern die max. Nutzarbeit einer Umsetzung für die Affinität maßgebend ist. – *E* Thomsen-Berthelot principle – *F* principe de Thomsen et Berthelot – *I* principio di Thomsen-Berthelot – *S* principio de Thomsen-Berthelot

Thomson, Sir George Paget (1892–1975), Sohn von Sir Joseph John *Thomson, Prof. für Physik, Cambridge, England. *Arbeitsgebiete:* Interferenzen bei Elektronenstrahlen, Elektronenbeugung an Kollodium-, Metall-Folien u. Krist. in Analogie zum Debye-Scherrer-Verf. (s. Kristallstrukturanalyse, S. 2280); Nobelpreis für Physik 1937 zusammen mit J. *Davisson.
Lit.: Lexikon der Naturwissenschaftler, S. 395 f.

Thomson, Sir Joseph John (1856–1940), Vater von Sir G. P. *Thomson, Prof. für Physik, Cambridge, England. *Arbeitsgebiete:* Mitbegründer der Atomphysik; Entdeckung des freien Elektrons (1897) u. damit der atomist. Struktur der Elektrizität, Isotopentrennungen, Kathodenstrahlen, Kanalstrahlen (s. Massenspektrometrie, Röntgenstrahlen usw.), Entwicklung eines Atommodells. 1906 erhielt er für seine Arbeiten über den Durchgang der Elektrizität durch Gase den Nobelpreis für Physik.
Lit.: Krafft, S. 219 ▪ Lexikon der Naturwissenschaftler, S. 396 ▪ Lord Rayleigh, Life of Sir J. J. Thomson, London: Dawson 1969 ▪ Neufeldt, S. 98, 116, 131, 356 ▪ Pötsch, S. 422.

Thomson, Thomas (1773–1852), Prof. für Chemie, Glasgow. *Arbeitsgebiete:* Konstruktion eines Saccharometers, Verbesserung des Lötrohrs, Bestimmung von Atomgew., Förderung der Atomlehre Daltons, chemiegeschichtliche Studien.
Lit.: Krafft, S. 95 ▪ Neufeldt, S. 392 ▪ Pötsch, S. 422.

Thomson, William. Bis zur Erhebung in den Adelsstand (1892) bürgerlicher Name von Lord *Kelvin of Largs.
Lit.: Krafft, S. 327 f. ▪ Neufeldt, S. 40, 42.

Thomson-Effekt s. Joule-Thomson-Effekt u. Thermoelektrizität.

Thomsonit. $NaCa_2[Al_5Si_5O_{20}] \cdot 6H_2O$; zu den Faser-*Zeolithen u. hier zur *Natrolith-Gruppe gehörendes, farblos durchsichtiges od. weiß, grau, gelb od. rötlich durchscheinendes bis trübes rhomb. Mineral, Kristallklasse mmm-D_{2h}; Struktur s. Gottardi-Galli (*Lit.*) u. *Lit.*[1]; Untersuchung von T. mit *Neutronenbeugung s. *Lit.*[2,3]. Die Verhältnisse $Na : (Ca+Sr)$ u. $Si : Al$ variieren im Rahmen einer Formel $Na_{4+x}(Ca,Sr)_{8-x}[Al_{20-x}Si_{20+x}O_{80}]$ · $24 H_2O$ (*Lit.*[1]), mit $x = 0-2$; T. kann ferner etwas Fe, Mg, Ba u. K enthalten. Meist fächerförmig stengelige od. kugel- bis knollenförmige radialstrahlige Aggregate feiner Prismen, Nadeln od. Fasern; H. 5–5,5, D. 2,3–2,4, Bruch uneben, spröde; Glasglanz, auf Spaltflächen Perlmutterglanz. T. gibt mit Salzsäure gelatinierende Massen.

Vork.: Überwiegend in *Drusen-Räumen in *Basalten u. *Phonolithen; *Beisp.:* Roßberg bei Darmstadt, Zilsdorf/Eifel, Hammerunterwiesenthal/Sachsen, Böhmen, Schottland, Island, Faroer-Inseln („*Farölith*") u. Oregon/USA. – $E=F=I$ thomsonite – S thomsonita
Lit.: [1] Am. Mineral. **77**, 685–703 (1992). [2] Zeolites **5**, 7–10 (1985). [3] Acta Crystallogr., Sect. C **46**, 1370–1373 (1990). *allg.:* Anthony et al., Handbook of Mineralogy, Vol. II, Tl. 2, S. 791, Tucson (Arizona): Mineral Data Publishing 1995 ■ Can. Mineral. **16**, 487–493 (1978); **35**, 1571–1606 (1997) ■ Gottardi-Galli, Natural Zeolites, S. 57–65, Berlin: Springer 1985 ■ Ramdohr-Strunz, S. 791 ■ s. a. Zeolithe. – [*CAS 12399-54-1*]

Thoreaulith s. Tantal.

Thorex-Verfahren. Ein dem *Purex-Verfahren ähnlicher Prozeß zur Wiederaufarbeitung verbrauchter *Kernbrennstoffe, die ursprünglich angereichertes Uran u. Thorium-232 als Brutstoff enthalten hatten. Das T.-V. ist ein *Tributylphosphat(TBP)-Extraktions-Verf., bei dem zum Auflösen der Oxide u. Carbide das sog. *Thorexreagenz* [13 m HNO_3 mit katalyt. Zusätzen von HF u. $Al(NO_3)_3$] verwendet wird. Aus der nur Th u. U enthaltenden Extraktions-Lsg. läßt sich Thorium selektiv mit ca. 1,5 m HNO_3 auswaschen u. anschließend Uran mit Wasser extrahieren. Eine Trennung aufgrund verschiedener Wertigkeitsstufen wie beim Purex-Verf. ist hier nicht möglich. – E thorex process – F procédé thorex – I processo thorex – S procedimiento thorex
Lit.: Knief, Nuclear Fuel Cycles, in Encyclopedia of Physical Science and Technology, Vol. 11, S. 201–212, New York: Academic Press 1992 ■ Winnacker-Küchler (3.) **2**, 605f.; (4.) **3**, 511f. ■ s. a. Thorium u. Kernbrennstoffe.

Thorianit. $(Th,U)O_2$; mit Uraninit (s. Uranpecherz) isotypes, kub., stark radioaktives Mineral, Kristallklasse m3m-O_h. Würfelige schwarze od. dunkelgraue bis braunschwarze, frisch blendeartig glänzende, matt anlaufende, an den Kanten oft gerundete Krist.; auch als körnige Massen od. braunes Pulver, H. 6,5, D. 9,7, Bruch muschelig, spröde, Strich grüngrau bis grau; vor dem Lötrohr unschmelzbar. T. kann bis 45% UO_2 enthalten, ferner 150–470 mmol Helium/kg.
Vork.: In *Granit-*Pegmatiten, z. B. Sri Lanka (Ceylon); abbauwürdig z. B. auf Madagaskar. Mehrorts in Kanada. Oft konzentriert als abgerundete Körner in *Seifen, z. B. in Sri Lanka, Madagaskar u. Sibirien. Verw. als Thorium-Erz. – $E=F$ thorianite – I torianite – S torianita
Lit.: Anthony et al., Handbook of Mineralogy, Vol. III, S. 562, Tucson (Arizona): Mineral Data Publishing 1997 ■ Ramdohr-Strunz, S. 548 ■ Schröcke-Weiner, S. 477f. – [*HS 2612 20; CAS 12036-19-0*]

Thorin [Thoron, Naphtharson, 4-(2-Arsonophenyl-azo)-3-hydroxy-2,7-naphthalindisulfonsäure-dinatriumsalz].

$C_{16}H_{11}AsN_2Na_2O_{10}S_2$, M_R 576,30; rotes bis braunrotes Pulver, lösl. in Wasser, dient als Indikator bei der maßanalyt. Mikrobestimmung von Sulfat mit $Ba(ClO_4)_2$ bei pH 2,4–4,0 (Umschlag von gelb nach rot). Außerdem kann es aufgrund seiner komplexbildenden Eigenschaften als Reagenz auf Be, Li, U u. Thorium (Name) sowie Bi, Cd, Co, Cu, Ni, Pb, Zn verwendet werden. – E thorin – F thorine – $I=S$ torina
Lit.: Beilstein E IV **16**, 1194 ■ Fries-Getrost, S. 55, 221, 331–333, 355f., 373 ■ Pure Appl. Chem. **55**, 1211–1213 (1983). – [*CAS 3688-92-4*]

Thorit. $Th[SiO_4]$; mit *Zirkon isotypes, radioaktives, paramagnet. Mineral, Kristallklasse 4/mmm-D_{4h}; Details zu Struktur von T. u. *Huttonit*, der ebenfalls als Mineral in der Natur vorkommenden monoklinen (Kristallklasse 2/m-C_{2h}) Modif. des $Th[SiO_4]$, s. *Lit.*[1]. T. bildet Zirkon-ähnliche, z. T. große, meist dunkelbraune bis schwarze, undurchsichtige Krist., Aggregate u. eingesprengte Körner; D. ca. 6,6–7,2, Bruch muschelig. T. entsteht wahrscheinlich allmählich aus dem orangefarbigen bis gelben, durchscheinenden *Orangit*. Die meisten T. sind *metamikt*, d. h. ihr Kristallgitter ist durch radioaktive Eigenstrahlung weitgehend zerstört; s. dazu u. zur T.-Struktur *Lit.*[2]. Bes. metamikter T. kann u. a. Eisen, Calcium, Seltene Erden, Phosphor u. Uran enthalten; die chem. Analyse eines *Urano-T.* aus Madagaskar ergab 14,9% UO_2 (*Lit.*[2]).
Vork.: V. a. in Granit-*Pegmatiten, z. B. in Norwegen, New Mexico/USA (*Lit.*[3]) u. auf Madagaskar. In Zinn-*Seifen (*Kassiterit). In hydrothermalen Gängen in den USA. Mehrorts in Japan. – $E=F$ thorite – I torite – S torita
Lit.: [1] Acta Crystallogr. Sect. B **24**, 1074–1079 (1978). [2] Am. Mineral. **76**, 60–73 (1991). [3] Am. Mineral. **73**, 1405–1419 (1988).
allg.: Anthony et al., Handbook of Mineralogy, Vol. II, Teil 2, S. 792, Tucson (Arizona): Mineral Data Publishing 1995 ■ Ramdohr-Strunz, S. 671 ■ Ribbe (Hrsg.), Orthosilicates (Reviews in Mineralogy, Vol. 5), S. 113–133, Washington (D. C.): Mineralogical Society of America 1980. – [*HS 2612 20; CAS 15501-85-6*]

Thorium (chem. Symbol Th). Metall., radioaktives Element aus der *Actinoiden-Reihe des Periodensyst., Ordnungszahl 90, Atomgew. 232,0381. Zahlreiche Isotope (^{212}Th–^{236}Th) mit HWZ zwischen 0,11 µs (^{218}Th) u. $1,4051 \cdot 10^{10}$ a (^{232}Th) sind bekannt, z. B. (in Klammern HWZ u. histor. Namen): 227 (18,72 d, *Radioactinium*), 228 (1,913 a, *Radiothorium*), 230 (75 400 a, *Ionium*), 231 (25,2 h, *Uran Y*), 232 ($1,4051 \cdot 10^{10}$ a) u. 234 (24,1 d, *Uran X_1*). Einige dieser Isotope wurden aufgrund ihres Auftretens in den Th-, U- u. Ac-Zerfallsreihen mit den erwähnten histor. Namen belegt, wobei ^{232}Th das Anfangsglied der über *Mesothorium, Thorium X, A, B, Thoron* usw. verlaufenden sog. *Thorium-Zerfallsreihe* darstellt, die mit dem stabilen Blei-Isotop 208 (*Thoriumblei*) endet (s. Radioaktivität). Auf dem Isotopen-Verhältnis ^{232}Th/^{208}Pb basiert deshalb eine Meth. der geolog. *Altersbestimmung (Thorium-Meth., *Blei-Methode), die nach neueren Untersuchungen[1] das Weltall „nur halb so alt" erscheinen läßt wie bisher angenommen (10 statt 20 Mrd. a). In Übereinstimmung mit seiner Stellung im Periodensyst. ist Th in seinen Verb. im allg. +4-wertig; die Oxid.-Stufen +3 u. +2 treten seltener auf[2]. Reines Th ist ein graues Pulver od. (im kompakten Zustand) ein Platin-artig glänzendes, ziemlich weiches u. dehnbares Metall, D. 11,724, Schmp. 1842 °C, Sdp. 4820 °C. Th wird von verd. Säuren (auch HF) u. Alkalihydroxiden nur langsam angegriffen, rasch dagegen von rauchender Salzsäure u. Königswasser. Im Sauerstoff-Strom verbrennt metall. Th zu Thoriumdioxid; mit Stickstoff bildet es bei höherer Temp. ein Nitrid (Th$_3$N$_4$). Th-Pulver ist pyrophor; die Zündtemp. von Th-Staubexplosionen liegt bei 270 °C, die von Th-Hydrid-Pulver bei 20 °C. Th-Brände werden durch vorsichtiges Aufbringen von trockenem Sand od., in abgeschlossenen Behältern, mit Hilfe von Argon gelöscht.

Physiologie: Die akute Toxizität von Th-Verb. ist relativ gering. Eingeatmet können sie Würgen u. Erbrechen auslösen, injiziert erzeugen Thoriumnitrat-Lsg. Hämolyse. Thoriumdioxid, das bis Ende der 40er Jahre unter der Bez. *Thorotrast*[3] als Kontrastmittel für die Angiographie verwendet wurde, reichert sich im retikulo-endothelialen Syst. an u. kann aufgrund örtlich erhöhter Strahlenbelastung zu Krebs führen.

Nachw.: Das ggf. durch Ionenaustausch-Chromatographie od. Extraktion mit HNO$_3$/*Tributylphosphat (vgl. Thorex-Verfahren) angereicherte Th läßt sich z. B. mit *Thorin, *Pikrolonsäure, *Arsenazo I, II, III, *8-Chinolinol, Phenylarsonsäure bestimmen[4].

Vork.: Der Anteil des Th (fast ausschließlich Th-232) an der obersten, 16 km dicken Erdkruste wird auf 11 ppm geschätzt; Th steht damit hinsichtlich der natürlichen Häufigkeit zwischen Bor u. Blei. Th ist nur an wenigen Stellen der Erde in größeren Mengen angereichert; es tritt hauptsächlich in den Mineralen *Monazit, *Thorianit, Orangit u. *Thorit zumeist in Ges. von Seltenerdmetallen, Uran od. ^{208}Blei, dem Endprodukt seiner Zerfallsreihe, auf; ein sehr ungewöhnliches „Mineral" ist der *Thucholith. Der wichtigste Rohstoff für die Th-Gewinnung, *Monazitsand*, enthält 4–12% ThO$_2$. Monazitsand kommt bes. in Südindien vor, ferner in den USA, Kanada, Brasilien, Südafrika, Australien u. Malaysia. Man findet Th u. a. auch in norweg. Syenit-Pegmatit-Gängen. Im Bayer. Wald (bei Bodenmais) wurde 1960/61 ein größeres Th-Vork. entdeckt; das Erz enthält je t 2,5 kg Th u. 0,1–0,15 kg U. Beim Abbau von Th-Erzen ist an die Gefährdung durch *Radon zu denken. Die Anfang der 90er Jahre als sicher angenommenen Th-Reserven (ca. 1,3 Mio. t) verteilen sich folgendermaßen (in 1000 t): Türkei (330), Indien u. Malaysia (390), USA u. Kanada (195), Brasilien (68), GUS u. Australien (65); zusätzlich vermutet man in Brasilien, der Türkei, Kanada, Ägypten, den USA u. a. Ländern noch 2,5 Mio. t. Bei der Gewinnung von Seltenerdmetallen u. Uran fällt z. Z. noch mehr Th an, als verbraucht wird (einige 100 jato). Neue Vork. werden daher derzeit nicht gesucht.

Herst.: Monazitsand wird entweder mit konz. Schwefelsäure od. Natronlauge aufgeschlossen; der nächste Schritt ist heute meist die Extraktion mit organ. Lsm., z. B. 4-Methyl-2-pentanon, v.a. aber Tributylphosphat, gelegentlich auch mit Hilfe von Thiocyanaten. Th-haltige *Kernbrennstoff-Rückstände werden in HNO$_3$ gelöst u. anschließend ebenfalls extrahiert (vgl. Thorex-Verfahren). Extraktionsprodukte wie Thorium(IV)-nitrat werden durch Red. des daraus gewonnenen Oxids mit Calcium (*Metallothermie*), Thoriumkaliumfluorid (KThF$_5$) durch Schmelzflußelektrolyse in einer Schmelze aus NaCl u. KCl u. Thoriumfluorid durch Red. mit Ca in Ggw. von ZnCl$_2$ (sog. *Ames-Prozeß*) in das Element überführt; Näheres s. in *Lit.*[5-7]. Reinstes Th erhält man durch Zers. von Thoriumiodid an heißen Glühdrähten (**Aufwachsverfahren*).

Verw.: Th dient in Form seines Oxids u. Dicarbids in Mischung mit denen des Urans als Brutstoff in Hochtemp.-Reaktoren (THTR, s. die bei Kernreaktoren zitierten Aufsätze). Th wird außerdem in *Gasglühkörpern verwendet; zusammen mit Beryllium-Targets dient Th als Neutronenquelle. Reines Th wird im Elektronenröhrenbau u. bei Quecksilber-Lampen wegen seiner *Getter-Wirkung u. der günstigen Elektronenemission eingesetzt. Als Zusatz zu Leg. erhöht Th deren Zunder- u. Warmfestigkeit, weshalb solche Werkstoffe als Heizleiterleg. u. für den Bau von Strahltriebwerken benutzt werden. Th/Cu/Ag-Leg. sind zur Herst. elektr. Kontakte, Cu/Th-Leg. auch für Schweißelektroden geeignet, u. Pt/Th-Leg. stellen gute Katalysatoren für die Ammoniak-Verbrennung dar. Die Verw. von Th-Zusätzen zur Verbesserung der opt. Eigenschaften von Gläsern ist wegen der das Auge erreichenden radioaktiven Strahlung nicht ohne Risiko[8]. Die Verw. in selbstleuchtenden Leuchtstoffen ist aufgegeben worden.

Geschichte: Th wurde in Form seines Oxids von *Berzelius 1829 in einem norweg. Mineral entdeckt u. nach dem german. Donnergott Thor benannt. Die Radioaktivität von Th erkannten M. *Curie u. Gerhard C. Schmidt im Jahre 1898; Näheres s. *Lit.*[9]. – *E* = *F* thorium – *I* = *S* torio

Lit.: [1] Nature (London) **328**, 127 (1987). [2] Adv. Inorg. Chem. **34**, 65–144 (1989); Inorg. Nucl. Chem. Lett. **10**, 155–160 (1974). [3] Dtsch. Ärztebl. **83**, 2013–2023 (1986); Gössner et al., Radiobiology of Radium and Thorotrast, München: Urban & Schwarzenberg 1986. [4] Fries-Getrost, S. 351–356; Pure Appl. Chem. **55**, 1231–1238 (1983); Townshend (Hrsg.), Encyclopedia of Analytical Science, S. 3–5, London: Academic Press 1995. [5] Kirk-Othmer (4.) **24**, 68–88. [6] Winnacker-Küchler (4.) **3**, 491 f., 511 f. [7] Brauer (3.) **2**, 1128–1163. [8] Health Phys. **23**, 860 (1973). [9] J. Chem. Educ. **43**, 219 f. (1966).

allg.: Boyle, Geochemical Prospecting for Thorium and Uranium Deposits, Amsterdam: Elsevier 1982 ▪ Chem. Ztg. **109**, 109 ff. (1985) ▪ Dosimetry Aspects of Exposure to Radon and Thoron Daughter Products, Paris: OECD 1983 ▪ Gmelin, Syst.-Nr. 44, Thorium, 1955, Erg.-Bd. bzw. Suppl. Vol. Part A, C, D, E (1976–1990), Suppl. Vol. B 1 (1997), B 2 (1992) ▪ Nature (London) **323**, 127 (1987) ▪ Struct. Bonding (Berlin) **31**, 23–48 (1976) ▪ Ullmann (5.) A **27**, 1–37 ▪ s. a. Actinoide, Radioaktivität, Transurane. – *[HS 2844 30; CAS 7440-29-1; G 7]*

Thorium A, B, C... s. Radioaktivität, S. 3705.

Thoriumblei. Ältere Bez. für das stabile Blei-Isotop $^{208}_{82}$Pb als Endglied der Th-Zerfallsreihe, s. Radioaktivität (Tab.).

Thoriumcarbide. Thorium bildet mehrere Carbide, von denen jedoch nur das *Thoriumdicarbid* (ThC$_2$, M_R 256,06, gelbe Krist., D. 8,96, Schmp. ca. 2655 °C, Sdp. ca. 5000 °C, entflammt bei 2773 °C, durch Wasser leicht zersetzbar, wird bei ca. 9 K supraleitend) techn. von Bedeutung ist, u. zwar in Form von (Th,U)C$_2$ als Brennstoff in gasgekühlten Hochtemp.-Reaktoren. (Th,U)C$_2$ wird durch Umsetzen der entsprechenden Oxide von Th u. U mit Kohlenstoff bei 1600–2000 °C im Vak. erhalten. Wegen seiner Feuchtigkeitsempfindlichkeit muß (Th,U)C$_2$ unter trockenem Argon aufbewahrt werden. – *E* thorium carbides – *F* carbures de thorium – *I* carburi di torio – *S* carburos de torio
Lit.: Brauer (3.) **2**, 1158 ▪ Kirk-Othmer (3.) **22**, 995 ▪ Ullmann (5.) **A 27**, 26 ▪ Winnacker-Küchler (3.) **2**, 591 f. ▪ s. a. Thorium. – *[HS 2844 30; CAS 12071-31-7]*

Thoriumdioxid. ThO$_2$, M_R 264,04. Weißes, schweres, krist. Pulver, D. 9,86, Schmp. ca. 3200 °C, Sdp. 4400 °C, unlösl. in Wasser u. Säuren, wird durch Schmelzen mit Alkalihydrogensulfat in lösl. Sulfat umgewandelt. ThO$_2$ kommt in der Natur in Form des *Thorianits vor u. wird synthet. durch Oxalat-Fällung aus Th(NO$_3$)$_4$-Lsg. u. Zers. des Oxalats bei ca. 800 °C gewonnen.
Verw.: Zur Herst. feuerfester Tiegel für Metallschmelzen (z. B. Be, Ti, Zr, Nb), für Heizleiter, in Gasglühkörpern, als Katalysator bei zahlreichen organ. Synth. (z. B. bei der *Fischer-Tropsch-Synthese), in Elektrolytzellen, als Bestandteil (20%) von Lanthankronglas, hauptsächlich aber als Kernbrennstoff in gasgekühlten Hochtemp.-Reaktoren, in dem T. bes. in Form des (Th,U)O$_2$ eingesetzt wird. Für diesen Zweck werden die ThO$_2$- bzw. (Th,U)O$_2$-Partikel mit SiC- od. Pyrokohlenstoff-Schichten umgeben, um das Entweichen von radioaktiven Spaltprodukten zu verhindern. – *E* thorium dioxide, thoria – *F* dioxyde de thorium – *I* biossido di torio – *S* dióxido de torio
Lit.: Belle u. Berman, Thorium Dioxide (Report DOE-NE-0060), Springfield: NTIS 1984 ▪ Brauer (3.) **2**, 1145 ff. ▪ Gmelin, Syst.-Nr. 44, Th, 1955, S. 202–240 ▪ Kirk-Othmer (4.) **24**, 76 ▪ Ullmann (5.) **A 27**, 13–16 ▪ Winnacker-Küchler (4.) **3**, 491 f. ▪ s. a. Thorium. – *[HS 2844 30; CAS 1314-20-1]*

Thorium-Emanation s. Radioaktivität.

Thorium-Methode s. Thorium.

Thoriumtetranitrat. Th(NO$_3$)$_4$, M_R 480,06. Krist. mit 2, 4, 5, 8, 9 od. 12 H$_2$O-Mol. je Formeleinheit; in Wasser u. Alkohol sehr leicht lösl.; die wäss. Lsg. reagiert infolge Hydrolyse sauer u. zersetzt sich allmählich unter Abscheidung eines bas. Salzes. T. ist ein wichtiges Zwischenprodukt bei der Herst. von metall. Th u. ThO$_2$ u. bei der Herst. von Gasglühkörpern. – *E* thorium tetranitrate – *F* tétranitrate de thorium – *I* tetranitrato di torio – *S* tetranitrato de torio

Lit.: Brauer (3.) **2**, 1162 ▪ Gmelin, Syst.-Nr. 44, Th, 1955, S. 243–252 ▪ Hommel, Nr. 326 ▪ Kirk-Othmer (3.) **22**, 988 ▪ Ullmann (5.) **A 27**, 19 ▪ s. a. Thorium. – *[HS 2844 30; CAS 13823-29-5; G 7]*

Thornley-Verfahren s. Alginsäure.

Thoron. 1. Veralteter Name für das *Radon-Isotop 220 (*Thorium-Emanation*), früheres Elementsymbol Tn, s. Thorium-Zerfallsreihe unter Radioaktivität. – 2. Neben *Thoronol* Synonym für *Thorin. – *E* = *F* thoron – *I* toron – *S* torón

Thorotrast s. Thorium.

Thorpe, Sir Jocelyn Field (1872–1940), Prof. für Organ. Chemie Manchester, London. *Arbeitsgebiete:* Synth. von Ketonen u. Iminen aus Nitrilen, Pyridin-Derivate, Cyclisationsmeth. (s. folgendes Stichwort); Hrsg. des bekannten, von seinem Namensvetter Edward Thorpe begründeten Handbuchs „Thorpe's Dictionary of Applied Chemistry".
Lit.: Pötsch, S. 423.

Thorpe-Reaktion. Von *Thorpe 1904 aufgefundene Reaktion zwischen Nitrilen mit aktivierten Methylen-Gruppen, die in Ggw. von Alkoholaten zu *Enaminonitrilen* bzw. *Cyanoiminen* (Iminonitrilen) führt u. ein Analogon zur Aldol-Addition darstellt.

$$R-CH_2-C\equiv N \xrightarrow{NaOC_2H_5} R-\bar{C}H-C\equiv N \xrightarrow{\substack{1.\,+\,R-CH_2-C\equiv N \\ 2.\,H^+}}$$

$$R-CH_2-\underset{\underset{NH}{\parallel}}{\overset{R}{\underset{|}{C}}}-CH-C\equiv N \xrightleftharpoons[]{\text{Imin- Enamin-Tautomerie}} R-CH_2-\underset{\underset{NH_2}{|}}{\overset{R}{\underset{\parallel}{C}}}\overset{}{\underset{}{C}}\diagdown_{C\equiv N}$$

Da die Imino-Funktion leicht hydrolysiert werden kann, lassen sich so β-Oxo-nitrile herstellen. Die intramol. Variante der T. heißt Thorpe-*Ziegler-Reaktion (vgl. Dieckmann-Kondensation), die eine gute Meth. zur Herst. von 5- u. 6-Ringen u. unter Anw. des *Ziegler-Verdünnungsprinzips auch für *große Ringe (Ringgliederzahl >14) darstellt. Durch Hydrolyse u. Decarboxylierung sind auf diesem Wege makrocycl. carbo- u. heterocycl. Ketone zugänglich, die auf anderem Wege nur in geringen Ausbeuten herstellbar sind.

$$N\equiv C-CH_2-(CH_2)_n-C\equiv N \xrightarrow{\substack{1.\,NaOC_2H_5 \\ 2.\,H^+}} \underset{C\equiv N}{(H_2C)_n}\diagup^{NH}$$

$$\xrightarrow[-CO_2]{H_2O} (H_2C)_n\diagup^{O}$$

– *E* Thorpe reaction – *F* réaction de Thorpe – *I* reazione di Thorpe – *S* reacción de Thorpe
Lit.: Houben-Weyl **8**, 349 ff.; **E 5/2**, 1489–1493 ▪ Krauch u. Kunz, Reaktionen der Organischen Chemie, S. 476, Heidelberg: Hüthig 1997 ▪ March (4.), S. 963 ▪ Patai, The Chemistry of the Cyano Group, S. 282–286, London: Wiley 1970 ▪ Org. React. **15**, 1–203 (1967) ▪ Trost-Fleming **2**, 848 ▪ s. a. Nitrile.

Thorpe-Ziegler-Reaktion s. Ziegler-Reaktionen u. Thorpe-Reaktion.

Thortveitit. Sc$_2$[Si$_2$O$_7$] od. (Sc,Y)$_2$[Si$_2$O$_7$]; monoklines (Kristallklasse 2/m–C_{2h}) Soro-*Silicat u. wichtiges Scandium-Mineral[1], bei dem Sc bis zu einem erheblichen Teil durch Yttrium, Ytterbium u. Lutetium sowie auch teilw. durch Zirkonium, Hafnium u. Thorium (bis 10% ThO$_2$) ersetzt sein kann; natürlicher T. enthält ca. 20–35% Sc$_2$O$_3$. Struktur u. chem. Analysen s. *Lit.*[2], zur Struktur auch *Lit.*[3]. T. bildet graugrüne bis fast

schwarze, prismat. Krist., radialstrahlige Aggregate u. Rosetten; H. 6,5, D. 3,3–3,6.
Vork.: V. a. in Granit-*Pegmatiten, z. B. in Iveland/Norwegen, Befanamo/Madagaskar, Kobe/Japan; ferner im Ural/Rußland. – $E = F = I$ thortveitite – S thortveitita
Lit.: [1] Erzmetall **50**, 631–639 (1997). [2] Am. Mineral. **73**, 601–607 (1988). [3] Neues Jahrb. Mineral. Monatsh. **1998**, 361–372.
allg.: Anthony et al., Handbook of Mineralogy, Vol. II, Teil 2, S. 796, Tucson (Arizona): Mineral Data Publishing 1995 ▪ Schröcke-Weiner, S. 707 f. ▪ Ullmann (5.) **A 22**, 610. – *[CAS 17442-06-7]*

Thoulets Lösung. Wäss. Lsg. von Kaliumtetraiodomercurat(II) [aus 1 Tl. Quecksilber(II)-iodid u. 1,24 Tl. Kaliumiodid). Max. D. 3,196. Die nach dem französ. Mineralogen M. J. O. Thoulet (1843–1936) benannte Lsg. dient als *Schwerflüssigkeit zur Bestimmung der D. von Mineralien u. zur Trennung von Mineral-Gemischen. *Äußerst giftig!* – *E* Thoulet solution – *F* solution de Thoulet – *I* soluzione di Thoulet – *S* solución de Toulet
Lit.: Am. Mineral. **32**, 475 ff. (1947) ▪ Brauer (3.) **1**, 121; **2**, 1052 ▪ Ney, Gesteinsaufbereitung im Labor, S. 96 f., Stuttgart: Enke 1986.

THP. Abk. für *Tetrahydropyran.

THQ. Engl. Abk. für *Tetrahydroxy-1,4-benzochinon.

Thr. Abk. für L-*Threonin; s. a. Aminosäuren.

Thraustik (von griech.: thraustos = spröde). Materialien mit begrenzter *Duktilität, z. B. Keramik, Beryllium, höchstfeste Stähle, bestimmte Titan-Leg., Bor-, Glas- u. Graphit-Fasern u. kompakter Graphit, die wegen ihrer hohen Festigkeit, Warmfestigkeit, Korrosionsbeständigkeit usw. von zunehmender Bedeutung sind, haben oft den Nachteil, aufgrund ihrer *Sprödigkeit (s. a. Bruchverhalten) zu brechen. Die T. befaßt sich mit der Technologie dieser Werkstoffe, um Erkenntnisse für deren Herst., Gütekontrolle, Verarbeitung u. zerstörungsfreie Prüfung (z. B. durch *Fraktographie) zu sammeln. Die Untersuchung der zur *Versprödung von Werkstoffen (*Beisp.:* Wasserstoff-Versprödung) führenden Mechanismen ist allerdings nicht Aufgabe der T.-Forschung. – *E* thraustics – *F* thraustique – *I* traustica – *S* tráustica

Threarsäure s. Weinsäure.

Three Mile Island (TMI). Bez. für ein Kernkraftwerk südöstlich von Harrisburg (Pa., USA), das 1978 in Betrieb benommen wurde (Typ Druckwasser-Reaktor, s. Kernreaktoren; 960 MW) u. bei dem am 28.03.1979 ein Störfall auftrat. Es kam nach Ausfall von Kühlwasserpumpen zur Reaktorschnellabschaltung. Durch Bedienungsfehler u. techn. Mängel entstanden Schäden in der Anlage u. Radioaktivität wurde freigesetzt (vgl. Tschernobyl).
Lit.: GIT Fachz. Lab. **30**, 330–334 (1986). – INTERNET: http://www.earthbase.org/home/timeline/1979/tmi/text.html

Threit (*threo*-1,2,3,4-Butantetrol).

$C_4H_{10}O_4$, M_R 122,12, *Zuckeralkohol, der als (2*R*,3*R*)-Form, $[\alpha]_D^{20}$ –14° (Ethanol), im Speisepilz Hallimasch (*Armillariella mellea*) u. einigen Pflanzen vorkommt. Das 1,4-*O*-Bis-methansulfonat der (2*S*,3*S*)-Form (s. Treosulfan) wird als Cytostatikum verwendet. Beide Enantiomeren von T. schmelzen bei 88–89 °C, das Racemat bei 72 °C. Die *meso*-Form heißt *Erythrit. – *E* threitol – *F* thréitol – *I* treitolo, treite – *S* treitol, treíta
Lit.: Beilstein E IV **1**, 2807 ▪ Br. J. Cancer **48**, 739 (1983) ▪ Carbohydr. Res. **223**, 11 (1992); **247**, 119 (1993) (Struktur) ▪ J. Org. Chem. **54**, 5257 (1989) (Synth.) ▪ Phytochemistry **34**, 715 (1993) (Isolierung). – *[CAS 7493-90-5 (allg.); 2418-52-2 (2R,3R); 2319-57-5 (2S,3S); 6968-16-7 (Racemat)]*

threo-. Kursive Stereobez. für Verb. mit 2 Stereozentren, an denen in der Fischer-Projektion je ein (ranghöherer) Substituent rechts u. links der Hauptkette steht (IUPAC-Regeln 2-Carb)[1], s. Diastereo(iso)merie, Kohlenhydrate, Threit, Threonin, Threose; *Beisp.:* *threo*-2-*Pentulose (= Xylulose). Der Namensstamm Thre(o)... ist künstlich aus Buchstaben der diastereomeren Form [*Erythr(o)...] gebildet. Oft sind *erythro-/threo*-Bez. regelwidrig als *cis-/trans-* auf die Zickzackkettenebene bezogen, so daß *Thre*onin, *Thre*ose usw. dann „erythro" (!) wären. Daher ist für *systematische Namen (*R**,*R**)- u. (*R**,*S**)- [(*l*)-, „like", u. (*u*)-, „unlike"][2] vorzuziehen. – *E* threo- – *F* thréo- – *I* = *S* treo-
Lit.: [1] Pure Appl. Chem. **68**, 1919–2008 (1996). [2] Angew. Chem. **94**, 697–702 (1982).

L-Threonin [(2*S*,3*R*)-2-Amino-3-hydroxybuttersäure; Kurzz.: Thr od. T].

$C_4H_9NO_3$, M_R 119,12, Schmp. 251–257 °C (Zers.), $[\alpha]_D^{26}$ –33,9° (H_2O), pK_a 2,15, 9,12, pI 5,64. Essentielle Aminosäure. Genet. Code: ACU, ACC, ACA, ACG. Durchschnittlicher Gehalt in Proteinen 6,0%[1], z. B. im Ei 5,3%, Casein 4% u. Gelatine 1,4%.
Biosynth.: Thr gehört biogenet. zur Asp-Gruppe u. wird aus Asp gebildet. Direkter Vorläufer ist L-*Homoserin, das via Cystathionin u. Homocystein auch Met bildet. Homoserin wird zuerst von ATP durch Homoserin-Kinase (EC 2.7.1.39) in *O*-Phosphohomoserin u. dann durch T.-Synthase (EC 4.2.99.2) in Thr umgewandelt. Thr ist Bestandteil von Glykoproteinen. Es kommt häufig in freier Form vor; s. a. Serin.
Stereoisomere: Die nichtproteinogenen Stereoisomere von L-Thr kommen in Peptidlacton-Antibiotika vor, z. B. D-Thr [(2*R*,3*S*)-Form] in Azinothricin, D-Allothreonin [D-aThr, D-Erythronin, (2*R*,3*R*)-Form, Schmp. 276 °C (Zers.), $[\alpha]_D^{20}$ –9.0° (H_2O)] in Plipastatinen u. Viscosin, L-Allothreonin [L-aThr, L-Erythronin, (2*S*,3*S*)-Form] in Telomycin, D- u. L-aThr in Enduracidin A, Herbicolinen u. Imacidin C. – *E* L-threonine – *F* L-thréonine – *I* = *S* L-treonina
Lit.: [1] Biochem. Biophys. Res. Commun. **78**, 1018–1024 (1977).
allg.: Adv. Carbohydr. Chem. Biochem. **43**, 135–202 (1985) ▪ Beilstein E IV **4**, 3171 f. ▪ Bull. Chem. Soc. Jpn. **67**, 1899 (1994) (Racematspaltung) ▪ Chem. Unserer Zeit **18**, 73–86 (1984) ▪ Helv. Chim. Acta **70**, 232, 237 (1987) ▪ Karrer,

Nr. 2357 ▪ Merck-Index (12.), Nr. 9522 ▪ Synthesis **1985**, 55 f. ▪ Tetrahedron Lett. **30**, 6637 (1989). – *[HS 292250; CAS 36676-50-3 (T. allg.); 72-19-5 (L-T.); 632-20-2 (D-T.); 80-68-2 (DL-T.); 28954-12-3 (L-Allo-T.); 24830-94-2 (D-Allo-T.); 144-98-9 (DL-Allo-T.)]*

Threose (*threo*-2,3,4-Trihydroxybutanal).

```
      CHO
      |
HO—C—H                    O
      |            HO          OH
H—C—OH      ⇌
      |                 HO
     CH₂OH

  D-Threose          D-Threofuranose
```

$C_4H_8O_4$, M_R 120,11. Die *Tetrose T. kommt in der D-Form (Nadeln, Schmp. 126–132 °C) u. in der L-Form vor. Beide Enantiomeren zeigen Mutarotation u. sind in Wasser leicht, in Alkohol wenig u. in Ether, Petrolether unlöslich. T. u. *Erythrose sind aufgrund der Stereochemie an den C-Atomen 2 u. 3 das Bezugssyst. für die Konfigurationsbez. *threo*- u. *erythr(o)*....
Synth.: Z. B. durch Oxid. von Calciumxylonat mit Wasserstoffperoxid. Verschiedene T.-Derivate werden als Bausteine für stereoselektive Synth. genutzt, vgl. z. B. *Lit.*[1]. T. wird auch oxidierenden Haarfärbemitteln zur Minderung der Kontakt-allergenen Wirkung zugesetzt. – *E* threose – *F* thréose – *I* treosio – *S* treosa
Lit.: [1] Tetrahedron **46**, 265–276 (1990).
allg.: Beilstein E IV **1**, 4173 ▪ Bull. Chem. Soc. Jpn. **45**, 2616 (1972) ▪ Merck-Index (12.), Nr. 9524 ▪ Nuhn, Naturstoffchemie (3.), Leipzig: Hirzel 1997. – *[CAS 95-43-2 (D); 95-44-3 (L)]*

Threshold-Effekt s. Wasserenthärtung.

Threshold Limit Values s. TLV-Werte.

Thrombareduct®. Gel u. Salbe mit *Heparin-Natrium als Adjuvans bei Prellungen u. Blutergüssen, hochdosiert auch gegen Venenentzündungen. **B.:** Azupharma.

Thrombin (Fibrinogenase, EC 3.4.21.5). T. ist ein proteolyt. Enzym (*Serin-Protease) u. ein *Glykoprotein (5% Kohlenhydrat-Anteil), M_R ca. 39 000, das in Form seines *Zymogens *Prothrombin im normalen *Blut enthalten ist. T. besteht aus zwei Peptid-Ketten, A u. B, mit 36 bzw. 259 Aminosäuren (Mensch), die über eine *Disulfid-Brücke zwischen L-Cystein-Resten an den Positionen 9 in der A- u. 119 in der B-Kette miteinander verbunden sind. Die B-Kette enthält Sequenz-Ähnlichkeiten zu *Trypsin. Prothrombin besitzt 4-Carboxy-L-glutaminsäure-Reste; seine Biosynth. ist daher *Vitamin K-abhängig. T. bildet einen wichtigen Faktor bei der *Blutgerinnung, indem es das lösl. *Fibrinogen* an 2 spezif. Arg-Gly-Sequenzen unter Bildung der Fibrinopeptide A u. B u. des *Fibrin-Monomers spaltet, das seinerseits leicht zu einem unlösl. Fibrin-Gerinnsel polymerisiert. T. aktiviert auch die Blutgerinnungs-Faktoren V, VII, VIII u. XIII, sowie – im Komplex mit *Thrombomodulin – das *Protein C. Auf den *Thrombocyten befinden sich *G-Protein-gekoppelte *Rezeptoren für T.; bei Bindung von T. an diese werden sie hinter der Aminosäure 21 gespalten u. dadurch aktiviert (*Proteinase-aktivierte Rezeptoren*)[1], wodurch die Thrombocyten zur Aggregation angeregt werden. Zur Aktivierung des *Prothrombins zu T. s. bei ersterem. Ein physiolog. Hemmstoff für T. ist das Plasmaprotein *Antithrombin III*, dessen Wirkung durch Bildung eines Komplexes mit *Heparin verstärkt wird, welcher die Umwandlung des Prothrombins zum T. verhindert u. außerdem die enzymat. Wirkungen des T. auf das Fibrinogen hemmt, weshalb Heparin auch zur Prophylaxe gegen *Thrombosen angewandt wird. Eine ähnliche hemmende Wirkung hat *Hirudin. Zur Entwicklung niedermol. T.-Inhibitoren s. *Lit.*[2]. T. seinerseits findet therapeut. Verw. als *Hämostyptikum zur lokalen Blutstillung, gelegentlich auch bei Magen- u. Darmblutungen. T.-ähnliche Enzyme kommen in Schlangengiften vor. Außer bei der Blutgerinnung spielt T. bei der Regulation des Nervenwachstums eine Rolle; die hemmende Wirkung des T. wird dabei balanciert durch den Inhibitor *Protease-Nexin I[3]. – *E* thrombin – *F* thrombine – *I* = *S* trombina

Lit.: [1] Nature (London) **386**, 502–506 (1997); **394**, 690–694 (1998). [2] Curr. Med. Chem. **5**, 289–304 (1998); Expert Opin. Ther. Pat. **7**, 1265–1282 (1997). [3] Semin. Thromb. Hemost. **22**, 267–271 (1996).
allg.: Karlson et al., Kurzes Lehrbuch der Biochemie, 14. Aufl., S. 500 ff., Stuttgart: Thieme 1994 ▪ Stryer 1996, S. 264–270 ▪ Trends Biochem. Sci. **20**, 23–28 (1995). – *[HS 350790]*

Thrombocyten (Blutplättchen). Kernlose, scheibenförmige Zellpartikel mit einem Durchmesser von 2–5 µm u. einer Dicke von 0,5–0,7 µm. Sie enthalten zahlreiche Granula u. a. mit den Plättchenfaktoren 1–4, *Thromboxan A_2, *PAF, *Calcium, ADP, *Serotonin, Fibrinogen u. platelet derived growth factor (s. Plättchen-entstammender Wachstumsfaktor). T. entstehen im Knochenmark aus Abspaltungen des Cytoplasmas von Mutterzellen, den Megakaryocyten, unter Anregung durch *Thrombopoietin. Die abgetrennten T., täglich ca. 10^{11}, werden mit dem Blutstrom in die Zirkulation geschwemmt. Im peripheren Blut sind normalerweise 150 000–350 000 T./mm³ vorhanden, ihr Abbau erfolgt nach etwa 10 Tagen in der Milz. Die Hauptaufgabe der T. ist die Blutstillung (*Hämostase) durch Bildung eines Plättchenpfropfes bei Gefäßverletzungen. Dabei setzen sich die T. unter Anwesenheit von Von-Willebrand-Faktor (ein Bestandteil des Gerinnungs-Faktors VIII) an *Collagen des verletzten Bindegewebes (Adhäsion) fest. Sie verändern ihre Form u. bilden Fortsätze aus, zudem erleichtert ihre äußere Membran die Adhäsion weiterer Thrombocyten. Danach setzen sie verschiedene Substanzen aus ihren Granula frei. Dies bewirkt eine Gefäßkonstriktion sowie die Anlagerung u. die Aktivierung von Faktoren der plasmat. *Blutgerinnung. Die plasmat. Gerinnung führt zur Umwandlung von Fibrinogen zu *Fibrin, das den T.-Pfropf zusätzlich verfestigt. – *E* thrombocyten – *F* thrombocytes – *I* trombociti – *S* trombocitos

Lit.: Begemann u. Rastetter, Klinische Hämatologie, Stuttgart: Thieme 1992.

Thrombogen s. Prothrombin.

Thrombokinasen s. Thromboplastine.

Thrombolyse, Thrombolytika s. Antikoagulantien, Fibrinolytika u. Thrombose.

Thrombomodulin (Fetomodulin, CD141, Abk.: TM). Oberflächen-Glykoprotein des Gefäß-Endothels (M_R 84 000 in Rind), das *Thrombin u. Calcium-Ionen bin-

det (C-Typ-Lektin). Die Fähigkeit des Thrombins, Fibrinogen zu spalten u. *Thrombocyten zu aktivieren, wird dadurch inhibiert, die *Protein-C-aktivierende Wirkung jedoch verstärkt. TM wirkt damit hemmend auf die *Blutgerinnung. TM zeigt in Tl. seiner Sequenz Verwandtschaft mit dem *epidermalen Wachstumsfaktor. – *E* thrombomodulin – *F* thrombomoduline – *I* = *S* trombomodulina
Lit.: FASEB J. **9**, 946–955 (1995).

Thrombophlebitis. Entzündung der Wand von oberflächlichen od. tiefen Venen, die mit einer Gerinnselbildung (*Thrombose) einhergeht. Eine T. der oberflächlichen Venen kommt ausschließlich bei der Varikosis (s. a. Varizen) vor, verläuft unkompliziert u. wird mit Kompression u. entzündungshemmenden Medikamenten behandelt. Die T. von tiefen Venen ist eine wegen des Risikos der Lungenembolie wesentlich gefährlichere Erkrankung. – *E* thrombophlebitis – *F* thrombophlébite – *I* tromboflebite – *S* tromboflebitis

Thrombophob. Gel u. Creme mit *Heparin-Natrium als Adjuvans bei Prellungen u. Blutergüssen, hochdosiert auch gegen Venenentzündung, Ampullen als Antikoagulans gegen Thrombosen u. Embolie. *B.:* Immuno/Knoll.

Thromboplastine (Thrombokinasen). Faktoren der *Blutgerinnung, die zur Bildung des *Thrombins aus *Prothrombin beitragen. Man unterscheidet dabei das *Gewebs-T.* (Gewebsthrombokinase) von dem *Plasma-Thromboplastin*. Gewebs-T. besteht aus einem Lipoprotein (M_R über 3 000 000) mit Phospholipid-Bestandteilen, es enthält Phosphatidylserin, -ethanolamin u. -cholin u. bildet als Faktor III der *Blutgerinnung als Cofaktor des Faktors VII zusammen mit Phospholipid-Partikeln (dem Plättchenfaktor 3) in Ggw. von Calcium-Ionen einen Komplex, an dem die Aktivierung von Faktor X erfolgt. Es wird bei Gewebsverletzungen aus zerstörten Zellen freigesetzt. Als Plasma-T. bezeichnet man den Gerinnungsfaktor Xa; an dessen Bildung sind die Faktoren V, VIII, IX, X, Calcium-Ionen u. Plättchenfaktor 3 beteiligt. – *E* thromboplastin – *F* thromboplastine – *I* tromboplastine – *S* tromboplastina
Lit.: s. Blutgerinnung.

Thrombopoese s. Hämatopoese.

Thrombopoietin (TPO). Hauptsächlich in Leber u. Niere produzierter *hämatopoetischer Wachstumsfaktor, der die Neubildung von Blutplättchen (*Thrombocyten) anregt, indem er die Vermehrung u. Reifung ihrer Vorläuferzellen (Megakaryocyten) stimuliert. Ein solcher Faktor wurde über 30 Jahre lang postuliert, bevor er 1994 isoliert werden konnte. Chem. ist TPO ein *Protein mit 332 Aminosäure-Resten (Mensch), dessen Amino-terminale Hälfte nach der Aminosäure-Sequenz u. der Raumstruktur dem *Erythropoietin ähnelt. Die Carboxy-terminale Hälfte ist mit keinem bekannten Protein verwandt, reich an den Aminosäuren Prolin, Serin u. Threonin u. ist wahrscheinlich an mehreren Stellen mit Kohlenhydrat verknüpft (*Glykoprotein). Der *Rezeptor des TPO (c-Mpl) signalisiert durch den *Jak/*STAT-Weg. Bindung von TPO an die Rezeptoren reifer Thrombocyten führt zur Unterdrückung der Produktion von TPO (neg. Rückkopplung). TPO, das gentechn. hergestellt wird, könnte zur Therapie von Thrombocytopenie (Blutplättchen-Armut) eingesetzt werden[1]. – *E* thrombopoietin – *F* thrombopoïétine – *I* = *S* trombopoietina
Lit.: [1]Leukemia Res. **22**, 1155–1164 (1998). *allg.:* Annu. Rev. Med. **48**, 1–11 (1997) ▪ Cytokines Cell. Mol. Ther. **4**, 25–34 (1998) ▪ Eur. Cytokine Network **9**, 221–231 (1998) ▪ Haemostasis **27**, 1–8 (1997) ▪ New Engl. J. Med. **339**, 746–754 (1998) ▪ Stem Cells **16**, 1–6 (1998) ▪ Trends Endocrinol. Metab. **8**, 45–50 (1997). – *World Wide Web:* http://www.rndsystems.com/cyt_cat/tpo.html.

Thrombose (griech.: thrombos = Pfropfen). Krankhafte *Blutgerinnung innerhalb von Gefäßen, meist von Venen, aber auch von Arterien, die zum Gefäßverschluß führt. Als Folge treten bei der Venen-T. Zeichen der Blutstauung auf, wie bläuliche Verfärbung u. *Ödem, sowie Schmerzen u. Mißempfindungen. Eine T. tiefliegender Venen ist durch die Gefahr des Weitertransportes von Gerinnseln in die Lunge (Lungenembolie) bes. gefährlich. Ursache von T. sind Schäden der Gefäßwand, die zur Anlagerung von *Thrombocyten führen, Störungen in der Regulation der Blutgerinnung (z. B. durch Mangel an Antithrombin III) sowie Veränderungen der Fließeigenschaften des Blutes mit Wirbelbildung u. Zirkulationsbehinderung (z. B. bei längerer Bettlägerigkeit). Die Behandlung besteht zum einen aus der medikamentösen Auflösung des Gerinnsels (Thrombolyse) durch *Streptokinase od. *Urokinase, zum anderen werden nicht auflösbare Gerinnsel ggf. operativ entfernt. Zur Vorbeugung der T. dienen z. B. die frühzeitige Mobilisation nach Operationen, Geburt od. Verletzungen, die subcutane Applikation von *Heparin od. evtl. das Verabreichen von Thrombocyten-Aggregationshemmern wie *Acetylsalicylsäure, *Dipyridamol bzw. *Sulfinpyrazon. – *E* thrombosis – *F* thrombose – *I* trombosi – *S* trombosis
Lit.: Gross et al., Die Innere Medizin, S. 385–402, Stuttgart: Schattauer 1994.

Thrombospondine (Abk.: TSP). Familie von *Glykoproteinen der *extrazellulären Matrix, die die Adhäsion, Wanderung u. Vermehrung von Zellen beeinflussen. Am längsten bekannt ist TSP-1 (M_R 540 000, 3 ident. Untereinheiten) aus *Thrombocyten, das aus diesen bei Behandlung mit *Thrombin ausgeschüttet, jedoch auch in anderen, im Wachstum befindlichen Zellen synthetisiert wird. Es spielt eine Rolle bei der Aggregation der Thrombocyten, bei der Tumor-Progression[1] u. bei der Aufrechterhaltung der Lungen-Funktion – bei seinem Fehlen kommt es im Tierversuch zu Lungenentzündungen[2]. TSP-1 inhibiert auch die Neubildung von Blutgefäßen[3]. TSP-2 scheint für die Ausbildung von Kollagenfibrillen in der Haut von Bedeutung zu sein[4]. Die TSP binden Calcium-Ionen, Fibrinogen (s. Fibrin), *Fibronectin, *Laminin u. *Collagen Typ V. – *E* thrombospondins – *F* thrombospondines – *I* trombospondine – *S* trombospondinas
Lit.: [1]FASEB J. **10**, 1183–1191 (1996); Proc. Soc. Exp. Biol. Med. **212**, 199–207 (1996). [2]J. Clin. Invest. **101**, 982–992 (1998). [3]Histol. Histopathol. **14**, 285–294 (1999). [4]J. Cell. Biol. **140**, 419–430 (1998).
allg.: Adams et al., The Thrombospondin Gene Family, Berlin: Springer 1995 ▪ Develop. Dyn. **211**, 390–407 (1998) ▪ Platelets **8**, 211–223 (1997).

Thromboxane (TX). Von *Samuelsson geprägte Bez. für biolog. sehr aktive, zu den Eicosanoiden gehörende Verb., die 1969 von *Vane aus Tierlungen isoliert u. RCS (rabbit aorta contracting substance) genannt worden waren. Die T. kommen in allen Geweben vor, am besten untersucht ist ihre Funktion in *Thrombocyten. Wichtigster Vertreter ist das bicycl. TXA_2

Thromboxan A_2

($5Z,9\alpha,11\alpha,13E,15S$)-9,11-Epoxy-15-hydroxythromboxa-5,13-dien-1-säure, $C_{20}H_{32}O_5$), M_R 352,48, das in aktivierten Thrombocyten aus Membran-Phospholipiden über die Stufen der *Arachidonsäure u. der Prostaglandin-Epidoxide PGG_2 u. PGH_2 gebildet wird (s. a. Prostaglandine). TXA_2 fördert die Thrombocytenaggregation, ist ein starker Vaso- u. Bronchokonstriktor u. ist möglicherweise an der Pathogenese von Asthma beteiligt[1]. Es wirkt dabei über die Bindung an TPα-Rezeptoren (*Thrombocyten) u. TPτ-Rezeptoren (glatte Muskulatur) mit Aktivierung der Phospholipase C u. intrazellulärer Calcium-Freisetzung. Sein physiolog. Gegenspieler ist das *Prostacyclin. Das sehr kurzlebige TXA_2 (biolog. HWZ ca. 30 s bei 37 °C) geht durch die Hydrolyse des Oxetan-Ringes in stabiles TXB_2

n = 3 : Thromboxan B_2
n = 1 : 2,3-Dinorthromboxan B_2

($5Z,9\alpha,13E,15S$)-9,11,15-Trihydroxythromboxa-5,13-dien-1-säure, $C_{20}H_{34}O_6$, M_R 370,47, Schmp. 95–96 °C) über. Im Urin wird 2,3-Dinor-TXB_2 ausgeschieden. Hemmstoffe der Prostaglandin-Synth. wirken über die irreversible Verhinderung der TXA_2-Synth. in Thrombocyten als Thrombocytenaggregationshemmer u. werden in diesem Sinne auch therapeut. eingesetzt. Zur Synth. von TX aus Kohlenhydraten s. Lit.[2]. – **E = F** thromboxanes – **I** trombossani – **S** tromboxanos
Lit.: [1] Fundam. Clin. Pharmacol. **11**, 2–18 (1997). [2] J. Carbohydr. Chem. **17**, 1–26 (1998).
allg.: Gen. Pharmacol. **26**, 463–472 (1995) ▪ J. Biomed. Sci. **5**, 153–172 (1998) ▪ J. Lipid Mediat. Cell Signal. **12**, 243–255, 361–378 (1995) ▪ Platelets **8**, 385–390 (1997).

Through bond (*E* für durch die Bindung). Begriff aus der theoret. Chemie, mit dem man ausdrücken will, daß der Einfluß eines Atoms, Ions, Radikals, Elektronenpaares od. einer Gruppe auf ein anderes, nicht unmittelbar benachbartes Zentrum über mehrere σ-*Bindungen* (*Einfachbindungen, vgl. chemische Bindung) wirksam wird. Alternativ ist an eine Wechselwirkung *through space zu denken. Beisp. für unterschiedliche Interpretationen solcher *Nachbargruppeneffekte finden sich hinsichtlich der *Konjugations-, Homo- u. *Hyperkonjugations- u. *induktiven Effekte z. B. bei *Cyclophanen od. *Spiro-Verbindungen. Eine Entscheidung zugunsten des einen od. anderen Wirkungsmechanismus ist oft mit Hilfe der Photoelektronenspektroskopie zu treffen.
Lit.: Acc. Chem. Res. **4**, 1 (1971) ▪ Angew. Chem. **86**, 770–775 (1974); **89**, 122f. (1977) ▪ Helv. Chim. Acta **58**, 936 (1975) ▪ Klessinger, Elektronenstruktur organischer Moleküle, Weinheim: Verl. Chemie 1982 ▪ Top. Curr. Chem. **115**, 1–55 (1983).

Through space (*E* für durch den Raum). Begriff aus der theoret. Chemie, mit dem man zum Ausdruck bringen will, daß Wechselwirkung der bei *through bond erwähnten Art, anders als bei dieser, nicht durch chemische Bindungen, sondern bei geeigneter Geometrie auf elektron. Wege „durch den Raum" erfolgen; Beisp. für solche *Nachbargruppeneffekte s. bei through bond.
Lit.: s. through bond.

THT. Abk. für *Tetrahydrothiophen.

THTR s. Kernreaktoren, S. 2131.

THU. Abk. für *Thioharnstoff.

Thucholith. Nach den Hauptbestandteilen Th, U, C, H u. O benanntes, Thorium- u. Uran-führendes, kohligbituminöse Massen [mit Uraninit (s. Uranpecherz), *Pyrit u. *Bleiglanz] bildendes *Kerogen, das z. B. in den Gold-Lagerstätten des Witwatersrand-Gebietes in Südafrika u. in Uran-Lagerstätten in Saskatchewan/Kanada vorkommt. T. in von Erdöl- u. Bitumenhaltigen Spalten u. Bruchzonen durchsetzten *Pegmatiten in Ontario u. Quebec/Kanada weisen bes. hohe Gehalte an Schwermetallen u. Seltenerd-Elementen auf, s. Lit.[1]. – *E* thucholite, thucolite – *F* thucholite – *I* tucolite – *S* thucolito
Lit.: [1] Can. Mineral. **28**, 357–362 (1990).
allg.: Econ. Geol. **55**, 1716–1738 (1960) ▪ Guilbert u. Park, The Geology of Ore Deposits, S. 768f., 924, 926, New York: Freeman 1986 ▪ Ramdohr-Strunz, S. 548.

Thüringer Glas. Histor. Bez. für ein gut verarbeitbares *Geräteglas* (s. Glas, S. 1543) mit geringer Entglasungsneigung.

Thujan (Sabinan, 1-Isopropyl-4-methylbicyclo[3.1.0]hexan).

(+)-(1*R*,4*R*,5*R*)-Thujan   (–)-3-Thujen   (+)-4(10)-Thujen (Sabinen)

$C_{10}H_{18}$, M_R 138,25, schwach duftende, flüchtige Flüssigkeit, Sdp. 157 °C. T. kann sowohl in der *cis*- als auch in der *trans*-Konfiguration in je zwei Enantiomeren vorkommen. T. ist der (techn. unbedeutende) Grundkörper einiger Terpene, die bes. in *Juniperus-* u. *Thuja-*Arten vorkommen, z. B. *Thujon, 3-Thujen ($C_{10}H_{16}$, M_R 136,23, Öl, Sdp. 151–153 °C, $[\alpha]_D$ –14,8°) od. Sabinen {4(10)-Thujen, (+)-Form: $[\alpha]_D$ +95° (CCl_4), z. B. in *Juniperus*, *Myristica*; (–)-Form: $[\alpha]_D$ –89° (CCl_4), z. B. in *Laurus*, *Pinus*}. – *E* thujane – *F* thuyane – *I* tuiano – *S* tuyano
Lit.: Beilstein E IV **5**, 317 ▪ Chem. Rev. **72**, 305–313 (1972) ▪ Gildemeister **3a**, 109–118 ▪ s. a. Terpen(oid)e. – *[CAS 5523-91-1 ((1R,4R,5R)-(+)-trans-Form); 20126-20-9 ((1S,4S,5S)-(–)-trans-Form); 5523-90-0 ((1R,4S,5R)-(–)-cis-Form); 7712-*

66-5 ((1S,4R,5S)-(+)-cis-Form); 2867-05-2 (3-Thujen); 3917-48-4 ((−)-3-Thujen); 3387-41-5 ((+)-Sabinen); 10408-16-9 ((−)-Sabinen)]

Thujan-3-on s. Thujon.

Thujaöl. In dem aus Nordamerika stammenden, in Europa vielfach als Zierstrauch kultivierten immergrünen Lebensbaum (*Thuja occidentalis*, Cupressaceae, auch Sumpfzeder, Gelbe od. falsche Weiße Zeder genannt) enthaltenes ether. Öl, das aus dessen Blättern u. Zweigen in einer Ausbeute von ca. 0,6–1% durch Wasserdampf-Dest. erhalten wird (*Zedernblätteröl*, vgl. Zedernöle). T. ist eine farblose bis schwach gelbliche od. grünlich-gelbe Flüssigkeit von Campher-artigem Geruch u. bitterem Geschmack, D. 0,915–0,935, unlösl. in Wasser, lösl. in 70%igem Alkohol. T. enthält Fenchon, Bornylester, α-Pinen, Camphen etc. u. als Hauptbestandteil bis zu etwa 60% *Thujon. Es wird zur Aromatisierung von techn. Präp. wie z.B. Schuhcremes benutzt. In größeren Konz. wirkt T. aufgrund seines Gehalts an Thujon u. dem ebenfalls in geringen Mengen enthaltenen *Thujaplicin giftig, hautreizend u. krampferzeugend, worauf evtl. die frühere mißbräuchliche Verw. als *Abortivum zurückgeht. – *E* thuja oil, white cedar oil, cedar leaf oil – *F* essence de thuya – *I* essenza di tuia – *S* esencia de tuya

Lit.: Gildemeister **4**, 245–249 ▪ Janistyn **2**, 80 ▪ J. Pharmacol. Exp. Ther. **163**, 250 (1968) ▪ Kirk-Othmer (4.) **17**, 643 ▪ Sax (8.), CCQ 500 ▪ Z. Analyt. Chem. **315**, 221–226 (1983) ▪ s.a. Thujon. – [HS 3301 29; CAS 8007-20-3]

Thujaplicine (Isopropyltropolone).

α-T. β-T. γ-T.

$C_{10}H_{12}O_2$, M_R 164,21. Monocycl. Monoterpene mit *Tropolon-Struktur. Man unterscheidet je nach Stellung der Isopropyl-Gruppe α-T. [3-Isopropyltropolon, farblose Nadeln, Schmp. 34°C], β-T. (*Hinokitiol*, 4-Isopropyltropolon, Krist., Schmp. 52–52,5°C) u. γ-T. (5-Isopropyltropolon, Nadeln, Schmp. 82°C). Mit Eisen(III)-Ionen bilden T. in Hexan/Chloroform lösl. rote Chelate, auch Kupfer u. Silicium werden komplexiert. T. kommen bes. im Kernholz der Roten Zeder (*Thuja plicata*, Cupressaceae), aber auch in anderen *Thuja*-Arten vor.

Wirkung: T. wirken nervenlähmend u. krampferzeugend, ihre fungiziden Eigenschaften bedingen die Widerstandsfähigkeit des Zedernholzes gegenüber Pilzbefall. Jedoch gibt es auch Pilze, wie etwa *Sporothrix*-Arten, die T. abbauen[1]. Das von diesen Pilzen durchdrungene Holz verliert seine rote Farbe. Die so „entgifteten" Bäume werden dann auch von anderen Pilzen befallen. – *E* thujaplicins – *F* thuyaplicines – *I* tuiaplicine – *S* tuyaplicinas

Lit.: [1] Can. J. For. Res. **18**, 782–786 (1988). *allg.:* Acta Biol. Med. Ger. **39**, 1153–1163 (1980) ▪ Beilstein E IV **8**, 486, 488, 495 ▪ Karrer, Nr. 572–574 ▪ Zechmeister **13**, 232–289; **24**, 216–229, 261 ff. – *Isolierung, Analytik:* Justus Liebigs Ann. Chem. **1996**, 99 ▪ Wood Sci. Technol. **21**, 311–316 (1987); **22**, 73–80 (1988). – *Synth.:* Aust. J. Chem. **44**, 1–36, 705 (1991) ▪ J. Org. Chem. **52**, 2602 ff. (1987) ▪ Sax (8.), Nr. IRR 000, TFV 750 ▪ Tetrahedron Lett. **32**, 1051–1054 (1991). – *Struktur:* Acta Cryst. C **50**, 587 (1994) ▪ s.a. Tropolon. – [HS 2914 40; CAS 1946-74-3 (α-T.); 499-44-5 (β-T.); 672-76-4 (γ-T.)]

Thujene s. Thujan.

Thujon (Thujan-3-on, 3-Sabinanon, 1-Isopropyl-4-methylbicyclo[3.1.0]hexan-3-on).

(−)-α-Thujon (Thujon)   (+)-β-Thujon (Isothujon)

$C_{10}H_{16}O$, M_R 152,24, Öle mit Menthol-ähnlichem Geruch. Bicycl. Monoterpen-Ketone mit *Thujan-Struktur, die in zwei C-4-epimeren Formen in der Natur vorkommen: (1S,4R,5R)(−)-α-T., Sdp. 83,8–84,1 °C (17 hPa), $[\alpha]_D$ −19,2° (unverd.), (1S,4S,5R)(+)-β-T., Sdp. 85,7–86,2 °C (17 hPa), $[\alpha]_D$ +72,5° (unverd.). Sowohl die Bez. α- u. β-T. als auch T. u. *Iso-T.* sind in der Lit. bisweilen vertauscht. T. sind starke Nervengifte, rufen epilept. Krämpfe hervor u. können zu schweren psych. Schäden führen. Ob beide Epimere die gleiche biolog. Wirkung zeigen, ist unbekannt.

Vork.: Sehr verbreitet in den ether. Ölen der Asteraceae, Cupressaceae, Lamiaceae u. Pinaceae. 40% (−)-α-T. sind im *Thujaöl (*Thuja occidentalis*, Cupressaceae) u. 58% (+)-β-T. im *Rainfarn-Öl (*Tanacetum vulgare*, Asteraceae) enthalten.

Verw.: Rainfarnöl schmeckt bitter u. wurde zur Herst. von bitteren Spirituosen (Klosterbitter, Kartäuser u. dgl.) verwendet. Da Rainfarnöl 58% (+)-β-T. enthält u. seine Giftigkeit [LD_{50} (Maus s.c.) 442 mg/kg] bekannt ist, ist sein Zusatz nach der Aroma-VO in der BRD verboten. – *E* thujone – *F* thuyone – *I* tuione – *S* tuyona

Lit.: Beilstein E IV **7**, 207 ▪ Helv. Chim. Acta **80**, 623 (1997) (Synth.) ▪ Karrer, Nr. 563 ▪ Merck-Index (12.), Nr. 9533 ▪ Sax (8.), TFW 000 (Toxikologie). – [HS 2914 29; CAS 546-80-5 ((−)-α-T.); 471-15-8 ((+)-β-T.)]

Thulit s. Zoisit.

Thulium (chem. Symbol Tm). *Seltenerdmetall, Ordnungszahl 69, Atomgew. 168,9342. Tm ist ein *anisotopes Element; es kommt ausschließlich als Isotop 169 vor. Man kennt jedoch noch künstliche Isotope (^{147}Tm bis ^{176}Tm) mit HWZ zwischen 0,54 s (^{147}Tm) u. 1,92 a (^{171}Tm). In seinen Verb. ist Tm +3-, seltener +2-wertig. Silberweißes, an der Luft beständiges, schmiedbares, duktiles Metall, das sich mit dem Messer schneiden läßt, D. 9,321, Schmp. 1545°C, Sdp. 1725°C.

Vork.: Der Anteil des Tm an den äußersten 16 km der Erdkruste wird auf 50 ppm geschätzt; Tm steht damit hinsichtlich seiner Häufigkeit in der Nähe von Iod, ist aber häufiger als Antimon, Quecksilber od. Bismut. Es tritt zusammen mit den anderen Seltenerdmetallen auf u. ist z.B. im *Gadolinit zu 0,25% enthalten.

Herst.: Man gewinnt Tm aus *Monazit-Sand (sein Anteil hierin beträgt etwa 70 ppm), wobei Tm durch Ionenaustauscher von den übrigen Seltenerdmetallen abgetrennt wird. Man erhält das Metall durch calciotherm. Red. des Fluorids.

Verw.: Für Tm existiert derzeit kein Markt. Tm ist empfohlen worden als Aktivator in Leuchtstoffen für Farbfernseh-Bildschirme, zur Sichtbarmachung von IR-Strahlung bzw. zur Dotierung. Ebenfalls sind Anw.-Möglichkeiten in der Elektronik untersucht worden. Das Tm-Isotop 170 (HWZ 128,6 d) wird als Strahlenquelle für Gammastrahlen bei der zerstörungsfreien *Werkstoffprüfung durch *Gammagraphie verwendet. *Geschichte:* Die Entdeckung des Tm erfolgte 1879 durch *Cleve bei der Untersuchung der *Yttererden; der Name ist von Thule (alte Bez. für Nordland) hergeleitet, worauf sich auch das frühere Symbol Tu bezog. – *E* = *F* thulium – *I* = *S* tulio
Lit.: s. Seltenerdmetalle. – [HS 2805 30; CAS 7440-30-4]

Thy. Kurzz. für *Thymin als Nucleobase in Nucleosiden (s. die Tab. dort).

Thy-1-Antigen (Thy-1-Glykoprotein, Θ-Antigen, CD90). Bez. für ein *Glykoprotein (M_R ca. 19 000, 111 Aminosäure-Reste im Mensch) unbekannter Funktion auf der Oberfläche von T-*Lymphocyten u. *Mastzellen, an deren Aktivierung es beteiligt ist, sowie auf Fibroblasten u. Zellen von Gehirngewebe. Thy-1 ist mit einem *Glykosylphosphatidylinosit-Anker in der Zellmembran verankert u. gehört aufgrund seiner Aminosäure-Sequenz der *Immunglobulin-Superfamilie an. Verw. als Marker für T-Lymphocyten. – *E* thy-1 antigen – *F* antigène thy-1 – *I* antigene thy-1 – *S* antígeno thy-1
Lit.: Curr. Biol. **7**, R774–R777 (1997).

Thy-1-Glykoprotein s. Thy-1-Antigen.

Thylakentrin s. Follitropin.

Thylakoide s. Chloroplasten, Pflanzen, Photosynthese u. die Abb. bei Zellen.

Thymeretika s. Thymoleptika.

Thymian. Zu den Lippenblütlern (Lamiaceae) gehörende Gruppe von strauchartigen, mit *Majoran u. *Origanum verwandten Gewürzpflanzen, die aus den Felsheiden u. Macchien des westlichen Mittelmeergebietes stammen u. je nach Art unterschiedliche ether. Öle liefern (*Thymianöle). Die wichtigsten T.-Arten sind der *Echte* od. *Garten-T.* (*Thymus vulgaris*), der in ganz Mittel- u. Nordeuropa sowie in Nordamerika als Arznei- u. Gewürzpflanze in verschiedenen Sorten kultiviert wird (in Deutschland baut man den witterungsbeständigen *Winter-T.* an), u. der in Spanien heim. *Spanische T.* (*T. zygis* L.), der dem ersteren in Aussehen, Geruch u. Geschmack sehr ähnlich ist. Der rosa bis weißlich blühende, bis ca. 50 cm hoch wachsende Echte T. hat einen würzig-aromat. Geruch u. einen gewürzig Campher-artigen Geschmack. Er enthält je nach Sorte 0,3–3,4% ether. Öl (u. a. aus 30–70% *Thymol u. *Carvacrol, *Cineol, *Pinen, *Borneol u. *Linalool) sowie ca. 10% Gerbstoffe, Saponine, Triterpensäuren, Kaffee- u. Chlorogensäure, Flavone, Bitterstoffe u. Lithium. Andere T.-Varietäten sind z. B. der in Marokko vorkommende, als Gewürz verwendete *Saturei-T.* (*T. satureioides*) u. der span. *Mastix-T.* (*T. mastichina*, Waldmajoran), der ebenfalls ether. Öl liefert. Eine einheim. Varietät ist der stark duftende, schon im Mittelalter arzneilich verwendete *Quendel* od. *Feld-T.* (*T. serpyllum*), der auf der ganzen nördlichen Halbkugel an trockenen, sonnigen Stellen vorkommt u. wegen seines ether. Öls (0,15–1%, v. a. *p*-*Cymol; dazu Bitterstoff Serpyllin) ebenfalls gesammelt wird. Quendel-Honig hat einen ziemlich hohen Gehalt an Ascorbinsäure.

Verw.: T. dient als Gewürz (es wurde von den Benediktinern nach Deutschland gebracht) für Fleischspeisen u. zur Herst. von Kräuterlikören. Aufgüsse werden als Expektorans bei Bronchitis, als Stomachikum, Spasmolytikum, Antidiarrhoikum, Diuretikum u. Harndesinfizienz, früher auch bei Wurmerkrankungen, äußerlich zu Umschlägen, Einreibungen u. für Gurgelwässer verwendet. – *E* thyme – *F* thym, farigoule, férigoule – *I* timo – *S* tomillo
Lit.: Franke, Nutzpflanzenkunde, 6. Aufl., S. 368, Stuttgart: Thieme 1997. – [HS 0910 40]

Thymianöle. Aus verschiedenen *Thymian-Varietäten stammende ether. Öle, deren Zusammensetzung je nach Herkunft stark schwankt. Hauptlieferanten für das eigentliche T. sind der *Echte* (*Thymus vulgaris*) u. der *Span. Thymian* (*T. zygis*). Das T. weist als Hauptinhaltsstoffe die Phenole *Thymol u. *Carvacrol auf, die bis zu 70% des T. ausmachen können; bei den T. überwiegt der Gehalt an (festem) Thymol gegenüber dem an flüssigem Carvacrol, während dies bei den *Origanumölen umgekehrt ist. Das echte T. ist eine farblose bis rotbraune Flüssigkeit von angenehm würzig-aromat., etwas medizin.-scharfem Geruch u. einem krautig-würzigen, etwas scharfem Geschmack, D. 0,894–0,930, schwach linksdrehend, sehr wenig lösl. in Wasser, lösl. in Alkohol. Es enthält neben durchschnittlich über 50% Thymol (wesentlich für den organolept. Eindruck) noch ca. 20% *p*-Cymol sowie Gerbstoffe, Flavone etc. Daneben werden T. auch aus anderen Thymian-Varietäten gewonnen, z. B. aus Saturei-Thymian od. aus Mastix-Thymian (span. *Majoran-Öl*), die aber wegen ihres strengen Geschmacks nicht als Ersatz für das echte T. dienen können.

Verw.: Zur Parfümherst.; in vielen Parfüms mit betonter kräuterartiger Note (Herrennoten) vorhanden. Zur Aromatisierung von Lebensmitteln wie Saucen, Dressings, Fleischzubereitungen, Essiggemüsen usw., in Mundpflegepräp. u. in pharmazeut. Präp. wie Bronchologica, Expektorantien, Balneotherapeutika. – *E* thyme oils – *F* essence de thym – *I* oli di timo – *S* esencia de tomillo
Lit.: Dtsch. Apoth. Ztg. **129**, 2705f. (1989) ▪ Perfum. Flavor. **13** (6), 60 (1988); **15** (5), 59 (1990); **17** (5), 140 (1992). – [HS 3301 29; CAS 8007-46-3]

Thymidin [Desoxythymidin, 1-(2-Desoxy-β-D-ribofuranosyl)-5-methyluracil, Thymin-2′-desoxyribosid, von *IUPAC/*IUBMB empfohlene Kurzz.: dThd od. dT; die Verw. der Bez. T. für Ribosylthymin (Ribothymidin) wird von den genannten Organisationen dagegen nicht empfohlen[1]].

Thymidin-5'-diphosphat

$C_{10}H_{14}N_2O_5$, M_R 242,23. Farblose Plättchen od. Nadeln, Schmp. 188 °C, beim Erhitzen sublimiert *Thymin ab. T. ist lösl. in Wasser, Methanol, heißem Ethanol, Aceton u. Ethylacetat, in Pyridin u. Eisessig, sehr wenig lösl. in Chloroform. Das *Nucleosid T. besteht aus Thymin u. glykosid. gebundener *2-Desoxy-D-ribose. T. ist also ein 2'-*Desoxynucleosid; in Phosphatester-Bindung (als *Nucleotid, s. Thymidinphosphate) ist es am Aufbau der *Desoxyribonucleinsäuren beteiligt. Das Enzym Thymidin-Phosphorylase spaltet T. phosphorolyt. u. wirkt als *Plättchen-entstammender Endothelzellen-Wachstumsfaktor (s. a. *Lit.*²).
Verw.: T. ist Bestandteil des sog. *HAT-Mediums*, das der Selektion von *Hybridom-Zellen bei der Herst. *monoklonaler Antikörper dient. Ein Derivat des T., *Zidovudin, wird als Therapeutikum gegen Retroviren eingesetzt. – *E* = *F* thymidine – *I* = *S* timidina
Lit.: ¹ Pure Appl. Chem. **40**, 277–290 (1974). ² Biochem. J. **334**, 1–8 (1998).
allg.: Beilstein E V **24/7**, 109–113. – [HS 2934 90]

Thymidin-5'-diphosphat s. Thymidinphosphate.

Thymidin-3'-monophosphat, Thymidin-5'-monophosphat s. Thymidinphosphate.

Thymidinphosphate. Von der Pyrimidin-Base *Thymin abgeleitete *Nucleotide (*Thyminnucleotide*), die *2-Desoxy-D-ribose u. einen od. mehrere Phosphat-Reste enthalten (in der Abb. als Phosphorsäure-Reste dargestellt).

So entstehen durch Veresterung der 5'-Hydroxy-Gruppe des *Thymidins mit Phosphorsäure, Di- u. Triphosphorsäure *Thymidin-5'-monophosphat* (dTMP, *Thymidylat* – die korrespondierende Säure heißt auch *Thymidylsäure*, als solche: $C_{10}H_{15}N_2O_8P$, M_R 322,21), *Thymidin-5'-diphosphat* (dTDP, als freie Säure: $C_{10}H_{16}N_2O_{11}P_2$, M_R 402,19) bzw. *Thymidin-5'-triphosphat* (dTTP, als freie Säure: $C_{10}H_{17}N_2O_{14}P_3$, M_R 482,17). Bei Hydrolyse von *Desoxyribonucleinsäuren (DNA) erhält man je nach Reaktionsbedingungen außer dTMP auch *Thymidin-3'-monophosphat* (dT-3'-MP). Aus *Transfer-Ribonucleinsäuren (tRNA) isoliert man dagegen die entsprechenden Ribonucleotide Ribothymidin-5'- bzw. -3'-monophosphat (TMP bzw. T-3'-MP); in anderen RNA kommen T. nicht vor. Man beachte, daß das in den Kurzz. vorkommende „d" für „Desoxy-" steht, was in den Langbez. nicht angeführt werden muß¹.
Biosynth. u. Abbau: T. entstehen biosynthet. *nicht* durch Phosphorylierung des Thymidins, sondern durch Desoxygenierung von *Uridinphosphaten in 2'-Stellung mittels *Thioredoxin unter Katalyse durch *Ribonucleotid-Reduktasen. Dies geschieht auf der Di- od. Triphosphat-Stufe. Nach Umwandlung der entstandenen 2'-Desoxyuridinphosphate zum Monophosphat u. anschließende Methylierung in 5-Stellung in Ggw. von *Thymidylat-Synthase u. 5,10-Methylen-*tetrahydrofolsäure entsteht dTMP (u. Dihydrofolsäure als Nebenprodukt). Der Abbau der T. erfolgt über dTMP, Thymidin u. Thymin.
Biolog. Bedeutung: T. sind notwendige Bausteine der DNA, das Triphosphat dTTP ist eine direkte Ausgangsverb. für die Biosynth. des genet. Materials. Daher sind Substanzen, die mit der Synth. oder T. od. ihrem Einbau in DNA interferieren, cytostat. wirksam². Ein Antimetabolit des dTMP ist *Idoxuridin. – *E* thymidine phosphates – *F* thymidine-phosphates – *I* timidinfosfati – *S* timidina-fosfatos
Lit.: ¹ Pure Appl. Chem. **40**, 277–290 (1974). ² Mutat. Res.- Fund. Mol. Mech. Mutag. **355**, 129–140 (1996).
allg.: Beilstein E V **24/7**, 132–141 ■ Stryer 1996, S. 791–795.

Thymidin-Phosphorylase s. Plättchen-entstammender Endothelzellen-Wachstumsfaktor.

Thymidin-5'-triphosphat s. Thymidinphosphate.

Thymidylat s. Thymidinphosphate.

Thymidylat-Synthase (Abk.: TS; EC 2.1.1.45). Enzym, das die Methylierung von 2'-Desoxyuridin-5'-monophosphat in 5-Stellung in Ggw. von 5,10-Methylen-*tetrahydrofolsäure (-H₄Folat) katalysiert, wobei Thymidin-5'-monophosphat (dTMP, s. Thymidinphosphate) u. Dihydrofolsäure (H₂Folat) entstehen. Das Enzym ist wichtig für die Biosynth. der *Desoxyribonucleinsäuren; durch Fluordesoxyuridylat, das in vivo aus *Fluorouracil entsteht, erfolgt Hemmung der TS. Denselben Effekt erzielen auf H₄-Folat begründete TS-Inhibitoren¹ od. eine Hemmung der Dihydrofolat-Reduktase (DHFR, s. Folsäure), da 5,10-Methylen-H₄Folat aus H₂Folat regeneriert werden muß, soll die dTMP-Synth. in Gang bleiben. Pflanzen u. Protozoen wie z.B. der Malaria-Erreger besitzen TS u. DHFR auf ein- u. demselben Polypeptid. Neben ihrer Rolle bei Katalyse u. Stoffwechsel bindet die TS spezif. an bestimmte *Ribonucleinsäuren (RNA). Die Bindung an ihre eigene Boten-RNA dürfte wohl der Regulation ihrer Biosynth. dienen; unklar ist dagegen die Funktion der Bindung an andere RNA-Spezies². – *E* = *F* thymidylate synthase – *I* timidilato sintasi – *S* timidilato-sintasa
Lit.: ¹ Ann. Oncol. **6**, 871–881 (1995); Curr. Med. Chem. **5**, 265–288 (1998). ² Bioessays **18**, 191–198 (1996).
allg.: J. Clin. Oncol. **15**, 389–400 (1997) ■ Med. Res. Rev. **18**, 21–42 (1998) ■ Stryer 1996, S. 791 ff.

Thymidylsäure s. Thymidinphosphate.

Thymin [5-Methyluracil, 5-Methyl-2,4(1*H*,3*H*)-pyrimidindion, Kurzz.: Thy].

$C_5H_6N_2O_2$, M_R 126,11. Farblose Krist., Schmp. 335–337 °C (auch 326 °C angegeben), subl., wenig lösl. in kaltem Wasser u. Ether, etwas lösl. in Alkohol; in Alkalien unter Salzbildung lösl. infolge Ausbildung der Enol-Form *5-Methyl-2,4-pyrimidindiol*. Thy gehört zu den *Pyrimidin-Basen, die am Aufbau der *Nucleinsäuren beteiligt sind. Insbes. bildet es einen Bestandteil der früher als *Thymonucleinsäure* bezeichneten *Desoxyribonucleinsäure, in der es – formal nach Glykosid-Bildung mit *2-Desoxy-D-ribose zu *Thymidin u. Veresterung zu *Thymidinphosphaten – eingebaut u. für die Ausbildung zweier *Wasserstoff-Brückenbindungen zu *Adenin verantwortlich ist (*Basenpaarung*). Photochem. dimerisiert Thy zu einer tricycl. Verb., eine Reaktion, die auch in DNA abläuft u. für Fehler bei der Übertragung des *genetischen Codes verantwortlich sein kann. Durch Photoreaktivierung (s. Photolyase) läßt sich die Dimerisierung manchmal rückgängig machen. Thy entsteht in vivo beim Abbau der Thymidinphosphate u. kann zu deren Aufbau wiederverwendet werden od. wird zu 3-Amino-2-methylpropionsäure abgebaut. Mutagen u. cytostat. wirksame Antagonisten des Thy sind *Fluorouracil u. 5-*Bromuracil (Antimetaboliten). – $E = F$ thymine – $I = S$ timina

Lit.: Beilstein E V 24/7, 55–62 ▪ Stryer 1996, S. 851 ff. – *[HS 293 59]*

Thyminnucleotide s. Thymidinphosphate.

Thyminose s. 2-Desoxy-D-ribose.

Thymipin® N. Lsg., Saft u. Zäpfchen mit Thymianextrakt gegen Katarrhe der oberen Luftwege. – *T. Balsam* enthält zusätzlich *Campher u. Eucalyptusöl. **B.:** Novartis Consumer Health.

Thym(o)... Von griech.: thýmon = *Thymian (*Thymus*-Arten; *Beisp.:* Thymol) od. griech.: thỹmós = Seele, Gemüt (*Beisp.:* *Thymoleptika) od. *Thymus (nach antiker Ansicht Sitz der Seele; *Beisp.:* *Thymin, *Thymocyten) abgeleitete Vorsilbe. – $E = F$ thym(o)... – $I = S$ tim(o)...

Thymocyten. Im *Thymus vorkommende Zellen, die von den blutzellbildenden Stammzellen des *Knochenmarkes abstammen. Unter dem Einfluß von hormonellen Thymusfaktoren (*Thymopoietin, *Thymosin) differenzieren sie sich zu T-*Lymphocyten. – $E = F$ thymocites – I timociti – S timocitos

Thymol (Thymiancampher, 2-Isopropyl-5-methylphenol, *p*-Cymen-3-ol).

$C_{10}H_{14}O$, M_R 150,21. Farblose, würzig thymianartig riechende, brennend schmeckende Krist. (Platten), D. 0,969, Schmp. 51,5 °C, Sdp. 233 °C, wenig lösl. in Wasser u. Glycerin, leicht lösl. in Alkohol, Ether, Chloroform, fetten Ölen u. Natronlauge, mit Wasserdampf flüchtig.

Neben T. werden 3-Isopropyl-5-methylphenol als *sym-T.* (Schmp. 50–54 °C, Sdp. 241 °C), 4-Isopropyl-3-methylphenol als *p-T.* (Schmp. 112 °C) u. 2-Isopropyl-3-methylphenol auch als *vic-T.* (Schmp. 70–71 °C) bezeichnet. T. ist zusammen mit seinem natürlich vorkommenden Isomeren *Carvacrol in den *Thymianölen der verschiedenen *Thymian-, *Majoran- u. *Origanum-Arten etc. verbreitet; bes. reich an T. ist Ajowan-Samen-Öl. T. wird heute synthet. hergestellt aus *p*-Cymol od. *m*-Kresol. Das *Alkylphenol T. wirkt stark antisept. u. übertrifft hierin Phenol. Infolge seiner Schwerlöslichkeit wirkt es auf den Organismus viel weniger nachteilig als z. B. Phenol; es greift die Haut kaum an u. ruft auch keine tieferen Ätzungen hervor. **Verw.:** Bei Verdauungsstörungen, abnormen Magengärungen, Bronchitis, Keuchhusten, gegen Würmer, als Fungizid, zu Verbänden, Salben, Zahnpasten, als Konservierungsmittel für anatom. Präparate. T. wird in großem Umfang zur Herst. von opt. aktivem *Men-thol durch katalyt. Hydrierung u. Racemattrennung (Verf. von Haarmann u. Reimer) verwendet[1]. – $E = F$ thymol – I timolo – S timol

Lit.: [1] Ullmann (5.) A 11, 169.

allg.: Beilstein E IV 6, 3334 ▪ DAB **1997**, Reag. T7 ▪ Karrer, Nr. 176 ▪ Martindale (31.), S. 1148 ▪ Sax (8.), TFX 810 ▪ Tetrahedron 38, 3889 (1997) (Biosynth.) ▪ Ullmann (5.) A 1, 199; A 8, 558; A 11, 195; A 19, 317, 326 f. – *[HS 290 719; CAS 89-83-8 (T.); 3228-02-2 (p-T.); 3228-01-1 (vic-T.)]*

Thymolblau [Thymolsulfonphthalein, 6,6'-(3H-2,1-Benzoxathiol-3-yliden)dithymol-*S*,*S*-dioxid].

$C_{27}H_{30}O_5S$, M_R 466,58; braungrünes Pulver, Schmp. 221–224 °C (Zers.), unlösl. in Wasser, lösl. in Alkohol u. verd. Alkali-Lösungen. T. wird in alkohol. Lsg. od. als wäss. Lsg. des Na-Salzes als Säure-Base-Indikator verwendet, u. zwar schlägt die Farbe der Lsg. bei pH 1,2–2,8 von violettrot nach bräunlichgelb u. bei pH 8,0–9,6 von grünlichgelb nach blau um. – E thymol blue – F bleu de thymol – I blu di timolo – S azul de timol

Lit.: Beilstein E V 19/3, 462 ▪ Ullmann (4.) 13, 186. – *[HS 293 90; CAS 76-61-9]*

Thymoleptika. Von griech.: thymos = Gemüt u. analepsis = Wiederherst. abgeleitete Sammelbez. für *Psychopharmaka, die vorwiegend stimmungsaufhellende Wirkung haben, während Mittel, die mehr antriebssteigernd wirken, *Thymeretika* (von griech.: erethisma = Reizung) genannt werden. Beide Begriffe werden heute kaum noch verwendet; s. unter dem gängigen Begriff Antidepressiva. – E thymoleptics – F thymoleptiques – I timolettici – S timolépticos

Thymolphthalein [5',5''-Diisopropyl-2',2''-dimethylphenolphthalein, 3,3-Bis(4-hydroxy-5-isopropyl-2-methylphenyl)phthalid].

$C_{28}H_{30}O_4$, M_R 430,52; farblose Nadeln, Schmp. 248–252 °C, unlösl. in Wasser, lösl. in Alkohol u. Aceton, lösl. in verd. Alkali mit blauer, in H_2SO_4 mit karminroter Farbe.
Verw.: Als pH-Indikator (Umschlag bei pH 8,8–10,5 von farblos nach blau) u. als Reagenz auf Blut nach Entfärbung der alkal. Lsg. durch Kochen mit Zinkstaub. Das Dinatriumsalz des T.-Monophosphats ist als Substrat für Phosphatase geeignet. Das Iminodiessigsäure-Derivat 3′,3″-Bis[N,N-bis(carboxymethyl)-aminomethyl]-T., *Thymolphthalexon*, $C_{38}H_{44}N_2O_{12}$, M_R 720,77, ist ein komplexometr. Indikator für Ba, Ca, Mn, Sr (Farbe blau). – *E* thymolphthalein – *F* thymolphthaléine – *I* timolftaleina – *S* timolftaleína
Lit.: Beilstein E V 18/4, 194 ■ Clin. Chem. **16**, 431–436 (1970); **17**, 1093–1102 ■ Merck-Index (12.), 9542 ■ Pure Appl. Chem. **55**, 1173–1175 (1983). – *[HS 2932 29; CAS 125-20-2]*

Thymolphthalexon s. Thymolphthalein.

Thymolsulfonphthalein s. Thymolblau.

Thymonucleinsäure. Veraltete Bez. für *Desoxyribonucleinsäure.

Thymopentin (Rp). Internat. Freiname für das immunstimulierende Pentapeptid Arg-Lys-Asp-Val-Tyr, $C_{30}H_{49}N_9O_9$, M_R 679,77, Schmp. 143–147 °C; $[\alpha]_D^{25}$ −26,4° (c 1/CH_3COOH), λ_{max} (H_2O) 275 nm, das zwar nur der Sequenz 32–36 des natürlichen *Thymopoietins entspricht, aber dessen physiolog. Funktion vollständig wahrnimmt. T. wurde 1980 von Sloan-Kettering patentiert u. ist von Janssen/Cilag (Timunox®) im Handel. – *E* thymopentin – *F* thymopentine – *I* = *S* timopentina
Lit.: ASP ■ Hager (5.) **9**, 904 ff. ■ Martindale (31.), S. 1760. – *[HS 2937 99; CAS 69558-55-0]*

Thymopoietin. Aus *Thymus-Drüsen isolierbares *Peptidhormon. Es kommt beim Rind in 2 Formen vor, die sich nur in den ersten beiden Aminosäure-Resten (AR) unterscheiden: T. I (M_R 5583) u. T. II (M_R 5574, beide 49 AR). Menschlichem T. (M_R 5299, 48 AR) fehlt der letzte AR der Rinderpeptide, u. es weicht vom T. I des Rindes zusätzlich in 9 Positionen ab. T. induziert selektiv die Differenzierung der aus den Stammzellen des *Knochenmarks eingewanderten Prothymocyten zu *Thymocyten u. ist somit unentbehrlich für den Aufbau der *zellulären* Immunität. T. bindet an den nicotin. *Acetylcholin-Rezeptor u. behindert dadurch die Bindung des *Neurotransmitters Acetylcholin. *Splenin*, ein verwandtes Peptid aus der Milz (Rind: auch T. III genannt, 49 AR, M_R 5638; Mensch: 48 AR, M_R 5278), besitzt ähnliche Eigenschaften. Es hat sich gezeigt, daß bereits ein Pentapeptid mit den Aminosäuren 32–36 des T. dessen biolog. Aktivitäten zeigt. Dieses sog. *Thymopentin wird in der Therapie von Immundefekten eingesetzt[1]. Die T. α, β u. γ sind *Proteine (M_R 75 500, 50 500 bzw. 38 500), die in verschiedenen Geweben aus einem Gen durch alternatives *Spleißen entstehen u. möglicherweise am strukturellen Aufbau des Zellkerns u. der Kontrolle des Zellcyclus beteiligt sind[2]. Im Amino-terminalen Bereich besteht Homologie zu den vorgenannten Peptidhormonen. – *E* thymopoietin – *F* thymopoïétine – *I* = *S* timopoietina

Lit.:[1] Immunol. Res. **17**, 345–368 (1998).[2] Genome Res. **6**, 361–370 (1996).

Thymosin. Sammelname für ein aus *Thymus-Gewebe isoliertes, aber auch in vielen anderen Geweben vorkommendes Gemisch von Polypeptiden mit Hormon-Charakter.
In der sog. T.-Fraktion Nr. 5 wurden über 30 verschiedene Polypeptide nachgewiesen, von denen bisher nur einige isoliert u. charakterisiert werden konnten. T. α_1 (Acetyl-Ser-Asp-Ala-Ala-Val-Asp-Thr-Ser-Ser-Glu-Ile-Thr-Thr-Lys-Asp-Leu-Lys-Glu-Lys-Lys-Glu-Val-Val-Glu-Glu-Ala-Glu-Asn, $C_{129}H_{215}N_{33}O_{55}$, M_R 3108,31) ist stark sauer u. hitzestabil (80 °C) u. kann nach den bekannten Meth. der Peptid-Synth. hergestellt werden. Es verstärkt die cytotox. Aktivität der *Interleukin-2-aktivierten Effektorzellen. Möglicherweise entsteht es aus *Prothymosin* α (110 Aminosäure-Reste, M_R 12072, Mensch) durch begrenzte Proteolyse während der Extraktion. Die T. vermitteln den *Thymocyten die Immunkompetenz u. verstärken die Fähigkeit, Fremdgewebe abzustoßen. T. β_4 (Acetyl-Ser-Asp-Lys-Pro-Asp-Met-Ala-Glu-Ile-Glu-Lys-Phe-Asp-Lys-Ser-Lys-Leu-Lys-Lys-Thr-Glu-Thr-Gln-Glu-Lys-Asn-Pro-Leu-Pro-Ser-Lys-Gly-Thr-Ile-Glu-Gln-Glu-Lys-Gln-Ala-Gly-Glu-Ser, $C_{209}H_{346}N_{56}O_{76}S$, M_R 4891,44) wie auch T. α_1 verstärken die *Antigen-Präsentierung durch *Makrophagen. Im Zell-Inneren befindliches T. β_4 (auch Fx genannt) bindet an G-*Actin u. hindert dieses an der Polymerisation[1].
Verw.: T. α_1 dient zur Behandlung von Autoimmunerkrankungen u. a. Defekten im Immunsystem, Krebs, Allergien u. Infektionen. – *E* thymosin – *F* thymosine – *I* = *S* timosina
Lit.:[1] Bioessays **16**, 473–479, 590 (1994).
allg.: Amino Acids **6**, 1–13 (1994) ■ Genomics **32**, 388–394 (1996).

Thymostimulin (Rp). Internat. Freiname für das den Immunstimulanz-Faktor darstellende Polypeptid aus der *Thymus-Drüse von Säugetieren. – *E* thymostimulin – *F* thymostimuline – *I* timostimulina – *S* timoestimulina
Lit.: ASP ■ Clin. Immunother. **1**, 378–394 (1994) ■ Martindale (31.), S. 1760. – *[HS 2937 99; CAS 117149-90-3]*

o-Thymotinsäure.

Trivialname für die antisept. wirkende 2-Hydroxy-3-isopropyl-6-methylbenzoesäure, $C_{11}H_{14}O_3$, M_R 194,22. T. bildet monoklin-prismat. Nadeln, Schmp. 127 °C, wasserdampfflüchtig, lösl. in Alkohol, Ether, Benzol u. a. organ. Lsgm., schwer lösl. in Wasser. – *E* thymot(in)ic acid – *F* acide thymotinique – *I* acido *o*-timot(in)ico – *S* ácido timotínico
Lit.: Beilstein E III/IV **10**, 735. – *[CAS 548-51-6]*

Thymulin (frühere Kurzbez.: FTS, von *F* facteur thymique sérique = Thymus-Serum-Faktor).

Glu–Ala–Lys–Ser–Gln–Gly–Gly–Ser–Asn

(Glu = Pyroglutamyl)

$C_{33}H_{54}N_{12}O_{15}$, M_R 858,86. Ein Zink(II)-bindendes Nonapeptid aus *Thymus-Epithel, dem eine Rolle bei der *Thymocyten-Differenzierung zufällt. Die T.-Produktion wird durch *Prolactin stimuliert. – *E* thymulin – *F* thymuline – *I* = *S* timulina
Lit.: Arch. Histol. Cytol. **60**, 29–38 (1997).

Thymus (griech.: thymos = Brustdrüse). Hinter dem Brustbein gelegenes Organ des lymphat. Systems. Der T. wächst im Laufe der Kindheit bis zur Pupertät u. erreicht ein Gewicht von ca. 30 g. Nach Eintritt der Geschlechtsreife bildet er sich zurück u. wird in Fettgewebe umgewandelt. Das funktionstüchtige Organ besteht aus mehreren Läppchen, deren Gewebe in Mark- u. Rindenzone gegliedert ist. In der Markzone aus epithelialen Zellen kommen Granulocyten u. *Mastzellen vor. In der Rindenzone befinden sich *Lymphocyten (*Thymocyten), die hier zu funktionstüchtigen T-Lymphocyten geprägt werden. Der T. produziert eine Reihe von *Peptidhormonen wie *Thymopoietin, *Thymosine u. *Thymulin, die wahrscheinlich die Differenzierung der Thymocyten zu T-Lymphocyten herbeiführen. – *E* = *F* thymus – *I* = *S* timo
Lit.: Roitt et al., Kurzes Lehrbuch der Immunologie, S. 31–32, Stuttgart: Thieme 1995.

Thymus-Serum-Faktor s. Thymulin.

Thyratron. Auf eine Erfindung von G. W. Price (1914) zurückgehender triggerbarer Hochleistungsschalter, der zum Schalten hoher elektr. Ströme u. hoher Spannungen bei sehr kurzen Schaltzeiten eingesetzt wird; früher auch als *Stromtor* bezeichnet.
Der prinzipielle Aufbau (s. Abb.) entspricht dem einer gasgefüllten Triode. Während früher die äußere Ummantelung aus Glas u. die Gasfüllung aus Hg od. Cs bestand, wird heute eine Metall-Keramik-Bauweise (höhere therm. Belastung) mit H_2 od. D_2 als Füllung verwendet. Der Gasverbrauch von 30–80 Pa wird trotz des Gasverbrauchs über längere Zeit konstant gehalten, indem ein integrierter Titan-*Hydrid-Speicher entsprechend geheizt wird.

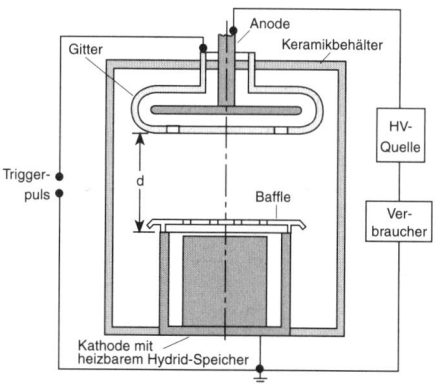

Abb.: Aufbau eines Thyratrons.

Der Elektrodenabstand zwischen dem Steuergitter u. der *Kathode entspricht der Durchbruchspannung U_D einer *Glimmentladung. Die Haltespannung ist bei einer *Anoden-Gitterstrecke von 3 mm u. einem H_2-Druck von 40 Pa max. 40 kV. Legt man zwischen Gitter u. Kathode einen Spannungspuls (genannt Triggerpuls) mit $U > U_D$ an, so zündet man eine Glimmentladung. Elektronen aus diesem *Plasma wandern durch die Gitteröffnungen in den eigentlichen Hauptentladungsbereich zwischen Gitter u. Anode. Durch Ladungsträgervermehrung entsteht nun eine elektr. leitende Plasmastrecke zwischen Anode u. Kathode; das T. ist „geschlossen" bzw. „durchgeschaltet".
Anw.: In Radaranlagen (hierfür wurden sie entwickelt), Laser (bes. *Excimer-Laser) u. *Teilchenbeschleunigern. Bei heutigen T. beträgt die Zeitverzögerung (*E* delay) zwischen Triggerpuls u. Durchschalten ~200 ns, wobei dieser Wert zwischen T. einer Typenreihe nur um wenige ns variiert (*E* jitter). Typ. Ströme sind 100 A, bei speziellen T. auch 100000 A; die Stromanstiegsrate beträgt $5 \cdot 10^{11}$ A/s. Einstufige T. besitzen Haltespannungen bis max. 40 kV; typ. Arbeitsspannung ist 32 kV. – *E* = *F* tyratron – *I* tiratron – *S* tiratrón
Lit.: Phys. Unserer Zeit **22**, 156–164 (1991).

Thyreo... s. Thyro...

Thyreocomb® N (Rp). Tabl. mit *Levothyroxin u. Kaliumiodid gegen Iodmangelstruma. *B.:* Berlin-Chemie.

Thyreoidea-stimulierendes Hormon s. Thyrotropin.

Thyreostatika. Bez. für Stoffe, welche die *Schilddrüsen-Funktion hemmen u. medizin. für die Behandlung einer *Hyperthyreose von Bedeutung sind. T. hemmen die Bildung od. die Freisetzung von Schilddrüsen-Hormonen. Die wichtigsten therapeut. verwendeten T. sind 1. Perchlorat u. Thiocyanat, die den Transport von Iodid in die Schilddrüse (sog. Iodination) hemmen; – 2. Thiouracile u. Mercaptoimidazole; sie hemmen die thyreoidale Peroxidase u. damit die sog. Iodisation, d. h. den Einbau von Iod in Thyrosin; – 3. Iodid, das die Freisetzung von Schilddrüsen-Hormonen vermindert. Bei der Therapie mit T. empfiehlt sich eine gleichzeitige Gabe von Schilddrüsen-Hormonen, um eine erhöhte *Thyrotropin-Abgabe u. damit Kropf-Bildung zu verhindern. Zur Verw. in der Tierzucht (Masthilfen) sind T. in der BRD u. den EG-Ländern nicht zugelassen; in Importware können sich jedoch unerwünschte Rückstände finden. – *E* antithyroid agents – *F* antithyroïdiens – *I* tireostatici, farmaci antitiroidei – *S* antitiroideos, agentes antitiroides
Lit.: Arnold et al., Analytik von Rückständen pharmakologisch wirksamer Stoffe (Lebensmittelchemie, Lebensmittelqualität, Bd. 13), Hamburg: Behr's Verlag 1988 ■ Auterhoff, Knabe u. Höltje, Lehrbuch der Pharmazeutischen Chemie, S. 537 ff., Stuttgart: Wissenschaftliche Verlagsges. 1994 ■ Goodman u. Gilman, The Pharmacological Basis of Therapeutics, S. 1397–1401, New York: McGraw-Hill 1996 ■ Mutschler (7.), S. 332 ff. ■ s. a. Schilddrüse u. Hyperthyreose.

Thyreotom® (Rp). Tabl. mit *Levothyroxin u. *Liothyronin gegen Hypothyreose u. zur Suppressions- u. Substitutionstherapie bei Schilddrüsenmalignom. *B.:* Berlin-Chemie.

Thyristor. Halbleiterbauelement (s. Halbleiter), das drei p,n-Übergänge enthält, also entweder pnpn od. npnp, u. das zunächst in beiden Polungsrichtungen sperrt. Der T. kann aber in einer Richtung durch einen Stromimpuls in die am mittleren p,n-Übergang angebrachte Steuerelektrode (gate) gezündet werden. Er leitet dann den Strom gut, bis die Polung umgekehrt wird. Der T. wird als steuerbarer Gleichrichter in Regelschaltungen verwendet. Er ist ein Leistungsbauelement. Manche Ausführungsformen tolerieren max. Sperrspannungen von einigen kV u. Durchlaßströme von einigen kA. Die obere Grenzfrequenz der T. liegt aber im allg. ziemlich niedrig, d. h. im kHz-Bereich. Photo-T. werden durch Lichteinstrahlung in den mittleren p,n-Übergang gezündet. Kürzlich wurden auch T. entwickelt, die durch einen Strompuls an der Steuerelektrode vom leitenden in den nichtleitenden Zustand zurückgeschaltet werden können. – $E = F$ thyristor – I tiristore – S tiristor

Lit.: IEEE Transactions Ind. Applicat. **34**, 1147 (1998) ▪ IEEE Power Engin. Rev. **18**(8), 46 (1998) ▪ Paul, Elektronische Halbleiterbauelemente, 3. Aufl., Stuttgart: Teubner 1992 ▪ Sze, Physics of Semiconductor Devices, 2. Aufl., New York: John Wiley 1981.

Thyrocalcitonin s. Calcitonin.

Thyroglobulin. Ein in der *Schilddrüse reichlich (ca. 75% des Trockengewichts) enthaltenes hochmol. *Glykoprotein (M_R des Dimers 660 000, ca. 10% Zuckeranteil), das man als Trägermol. für *Thyroid-Hormone betrachten kann. Es enthält die hormonell wirksamen *Iodaminosäuren *3,3′,5-Triiod-L-thyronin u. L-*Thyroxin, bereits während ihrer Biosynth. in variablen Anteilen (2–4 pro Dimer) in der Polypeptid-Kette eingebaut, u. setzt diese nach durch Thyrotropin stimulierter enzymat. Proteolyse frei. T. enthält ca. 90% des organ. gebundenen Iods. T. ist eines der Haupt-Autoantigene (s. Autoimmunität) bei autoimmuner Thyroiditis [1]. Bei Schilddrüsenkrebs werden erhöhte Serumkonz. von T. gemessen; diese können bei der Verlaufskontrolle der Krankheit berücksichtigt werden [2]. Erbliche Defekte des T. bedingen einige Formen des Kropfes (Vergrößerung der Schilddrüse). – E thyroglobulin – F thyroglobuline – $I = S$ tiroglobulina

Lit.: [1] Clin. Immunol. Immunopathol. **82**, 3–11 (1997); Immunol. Today **18**, 83–88 (1997); Thyroid **7**, 471–487 (1997). [2] Endocrinologist **6**, 125–144 (1996). – *[HS 293 79]*

Thyroid-Hormone. Sammelbez. für die in der *Schilddrüse (Thyreoidea) gebildeten *Hormone *3,3′,5-Triiod-L-thyronin (T_3) u. L-*Thyroxin (3,3′,5,5′-Tetraiod-L-thyronin, T_4).

Bildung u. Abbau: Der menschliche Organismus enthält ca. 10–30 mg Iod, u. zwar zu 99% in der Schilddrüse. Das mit der Nahrung aufgenommene Iodid (empfohlene Zufuhr 0,15–0,20 mg/Tag) geht über Mono- u. *3,5-Diiodtyrosin schließlich in T_3 u. T_4 über. Deren Biosynth. erfolgt durch Iodierungs- u. Kopplungs-Reaktionen aus L-*Tyrosin-Resten des *Thyroglobulins, in dessen Polypeptid-Kette sie zunächst gebunden bleiben. Bei Einwirkung von *Thyrotropin auf die Schilddrüse wird deren Stoffwechsel gesteigert, u. die T.-H. werden vermehrt synthetisiert, proteolyt. freigesetzt u. ins Blut ausgeschüttet. Rückkoppelnd hemmen sie die Sekretion von Thyrotropin. Der Abbau der T.-H. erfolgt in Leber u. Niere durch Desaminierung, Decarboxylierung od. Konjugation, bes. aber durch Desiodierung, wobei ca. 20% des freiwerdenden Iods erneut zur Synth. von *Iodaminosäuren zur Verfügung stehen. Die biolog. HWZ des T_4 beträgt ca. 7 Tage, die des T_3 etwa 1 Tag. Etwa 15% der T.-H. werden mit dem Stuhl, nur sehr geringe Mengen mit dem Harn ausgeschieden.

Transport: Die tägliche Sekretionsrate wird auf ca. 90 µg T_4 bzw. 10 µg T_3 geschätzt. Im Blut werden sie durch Proteine (*Thyroxin-bindendes Globulin*, Abk.: TBG, M_R 58 000; *Thyroxin-bindendes Präalbumin*, auch: *Transthyretin*, Abk.: TBPA, M_R 55 000; außerdem durch *Serumalbumin) transportiert. Bei Schilddrüsen-Dysfunktionen u. bei einigen anderen Krankheiten kann die Konz. des TBG außerhalb der Norm liegen, was diagnost. Möglichkeiten eröffnet. Isoliertes TBG dient außerdem dazu, neu entwickelte Schilddrüsen-Arzneimittel zu testen.

Wirkung: T_4 wie auch das fünfmal stärker wirksame T_3 wirken anregend auf den *Stoffwechsel: Bei erhöhtem T.-H.-Gehalt des Blutes steigt der Grundumsatz, das Herzminutenvol. wird erhöht u. die Erregbarkeit des Nervensyst. gesteigert; in der Entwicklungsphase wird die Reifung der Hirnrinde durch T.-H. stimuliert. T.-H.-Mangel dagegen hemmt das Wachstum u. die geistige Entwicklung (Kretinismus bei angeborenem T.-H.-Mangel), bei Erwachsenen führt er bei Verminderung des Grundumsatzes zu *Ödemen u. zu allg. Aktivitätsverlust, Apathie etc. Zur Rolle der T.-H. bei Gemütserkrankungen s. *Lit.*[1], bei der Kontrolle der Wärmeproduktion s. *Lit.*[2]. Der *Rezeptor der T.-H.[3] (*Thyroid-Rezeptor*, TR, 2 verwandte Formen α u. β, M_R ca. 50 000) gehört zur Familie der *Kernrezeptoren u. reguliert in Anwesenheit von T.-H. als dimerer *Transkriptionsfaktor im Zellkern die *Transkription verschiedener Gene, wobei er auch mit dem *Retinoid-Rezeptor RXR dimerisieren kann. Unabhängig von T.-H. tritt der TR in Wechselwirkung mit *p53 u. unterdrückt dessen supprimierende Wirkung auf eine Reihe von Gen-Promotoren[4]. Der TR wird durch das c-*erbA*-Gen codiert, das zelluläre Gegenstück des viralen Onkogens v-*erbA*; das Protein-Produkt des letzteren – wie auch zahlreiche mutierte Formen des TR (Resistenz-Syndrom für T.-H.[5]) – ist Hormon-insensitiv u. wirkt als Gegenspieler des TR.

Synthet. T.-H.: Wird das Iod aus den T.-H. entfernt, so erhält man unwirksames L-*Thyronin. Ersetzt man im Mol. das Iod durch Chlor od. Brom, so entstehen schwächer wirkende Verbindungen.

Verw.: Das durch Hydrolyse von künstlich iodiertem Eiweiß (z. B. Casein), aus *3,5-Diiodtyrosin (L-Form) od. über *3,5-Diiodthyronin (L-Form) synthet. zugängliche T_4 wird zur Therapie von *Hypothyreosen u. – in Verb. mit *Thyr(e)ostatika – von *Hyperthyreosen eingesetzt. Es kann weiterhin zur Behandlung von Ödemen, *Hyperlipidämien (Dextro-Thyroxin), *Fettsucht, *Arteriosklerose, zur Förderung von Diurese u. Darmtätigkeit u. bei endogenen Psychosen herangezogen werden. Zur therapeut. Verw. bei Herz/Kreislauf-Erkrankungen s. *Lit.*[6].

Geschichte: Die erste Reinherst. von T_4 gelang *Kendall (1915) durch alkal. Hydrolyse von tier. Schilddrüsen (etwa 3000 kg Schilddrüsen ergaben nur 33 g Reinthyroxin); 1926/27 erfolgten Strukturermittlung u. Synth. durch Harington u. *Barger. – E thyroid hormones – F hormones thyroïdiennes – I ormoni tiroidei – S hormonas tiroideas

Lit.: [1] Psychopharmacol. Bull. **33**, 205–217 (1997). [2] Thyroid **5**, 481–492 (1995). [3] J. Endocrinol. **150**, 349–357 (1996); http://xanadu.mgh.harvard.edu/receptor/trrfront.html; Thyroid **8**, 703–713 (1998). [4] Mol. Cell. Biol. **17**, 7195–7207 (1997). [5] M. S. Méd. Sci. **13**, 1419–1427 (1997); Proc. Soc. Exp. Biol. Med. **211**, 49–61 (1996). [6] Amer. Heart J. **135**, 187–196 (1996).
allg.: Eur. J. Endocrinol. **130**, 15–24 (1994) ▪ New Engl. J. Med. **331**, 847–853 (1994) ▪ Trends Endocrinol. Metab. **5**, 65–72 (1994) ▪ Williams, Thyroid Hormone Regulation of Gene Expression, Georgetown: Landes 1994.

Thyroid-Rezeptor s. Thyroid-Hormone.

Thyroidstimulierendes Hormon (TSH) s. Thyrotropin.

Thyroliberin (L-Pyroglutamyl-L-histidyl-L-prolinamid).

$C_{16}H_{22}N_6O_4$, M_R 362,39 (*Thyrotropin-Releasing Hormon*, TRH, thyrotropin-releasing factor, TRF, *Protirelin*). T. ist ein in winzigen Mengen vom *Hypothalamus ausgeschüttetes *Neurohormon, das die *Hypophyse veranlaßt, ihrerseits *Thyrotropin freizusetzen (*Releasing-Hormone) u. so den gesamten *Schilddrüsen-Stoffwechsel in Gang zu setzen. Den gegensätzlichen Effekt hat das *Somatostatin. An isolierten Mäusehypophysen ist T. noch in Mengen von 10^{-11} g wirksam. Das Tripeptid T. wirkt über einen *G-Protein-gekoppelten *Rezeptor u. hat sich als identi. erwiesen mit *Prolactoliberin*, das die Sekretion von *Prolactin anregt. Daneben wirkt T. auch als *Neurotransmitter. Inzwischen sind zahllose Analoga von T. synthetisiert worden mit z. T. größerer od. auch abgewandelter Wirkung. T.-Präp. werden zum Hypophysen- u. Schilddrüsen-Funktionstest verwendet.
Geschichte: Der Isolierung des T. (1 mg T. aus 300 000 Schafshypothalami à 20–30 mg Trockengewicht) im Jahre 1969 folgten kurz darauf Konstitutionsermittlung u. Synthese. – E thyroliberin – F thyrolibérine – $I = S$ tiroliberina
Lit.: Cell. Mol. Neurobiol. **18**, 231–247 (1998) ▪ Duntas, Thyrotropin-Releasing Hormon, Stuttgart: Thieme 1993 ▪ Physiol. Rev. **76**, 175–191 (1996) ▪ Trends Endocrinol. Metab. **7**, 93–100 (1996).

Thyronajod. Tabl. mit Kaliumiodid u. *Levothyroxin zur Prophylaxe u. Therapie von Iod-Mangel-Struma. *B.:* Henning Berlin.

Thyronin [4-(4-Hydroxyphenoxy)-phenylalanin, O-(4-Hydroxyphenyl)-tyrosin].

$C_{15}H_{15}NO_4$, M_R 273,29. Farblose Nadeln od. Prismen, Schmp. (DL-Form) 259–260 °C (Zers.), unlösl. in Alkohol, Ether, sehr wenig lösl. in Wasser. L-T. (Abb.) ist der Iod-freie Grundkörper der in der *Schilddrüse vorkommenden Iodaminosäuren Di-, Tri- u. Tetraiod-L-thyronin (L-*Thyroxin), von denen die beiden letztgenannten Hormoncharakter besitzen. Es kann durch katalyt. Hydrierung von L-Thyroxin erhalten werden. – $E = F$ thyronine – $I = S$ tironina
Lit.: Beilstein E IV 14, 2269 f. – [HS 2922 50]

Thyrotropes Hormon s. Thyrotropin.

Thyrotrophin. Internat. Freiname für *Thyrotropin.

Thyrotropin (Thyreotropin, thyrotropes od. Thyreoidea-*s*timulierendes *H*ormon, TSH; internat. Freiname: *Thyrotrophin*). Ein 1922 von Smith u. Smith in Extrakten von Rinder-*Hypophysen nachgewiesenes u. später von verschiedenen Forschergruppen isoliertes Hypophysen-Vorderlappen-Hormon, das die Funktion der *Schilddrüse reguliert.
Eigenschaften: Das aus Rindern gewonnene T. ist ein *Glykoprotein, M_R ca. 28 000, das aus 209 Aminosäure-Resten (211 bei Human-T.) sowie D-*Galactosamin, D-*Glucosamin u. D-*Mannose in variabler Zusammensetzung aufgebaut ist u. aus 2 Polypeptid-Ketten besteht. Die α-Kette (M_R 13 000) ist ident. mit derjenigen der *gonadotropen Hormone *Chorio(n)gonadotrop(h)in, *Follitropin u. *Lutropin, während die β-Kette hormonspezif. ist. T. ist in neutralem u. schwach saurem Milieu relativ stabil, in Wasser leicht lösl. u. wird durch proteolyt. Enzyme inaktiviert. Die Isolierung erfolgt hauptsächlich durch chromatograph. Meth., der Nachw. durch Radioimmunoassay.
Physiolog. Bedeutung: T. bindet an *Rezeptoren der Schilddrüse [1] u. wirkt innerzellulär durch den *second messenger *Adenosin-3′,5′-monophosphat. Es steuert die Bildung u. Ausschüttung des Schilddrüsenhormons L-*Thyroxin u. steigert den gesamten Stoffwechsel der Schilddrüse, so daß es bei erhöhter T.-Sekretion zu *Hyperthyreose verbunden mit *Kropf-Bildung (Struma) kommen kann. Die T.-Sekretion ihrerseits wird durch den Gehalt des Serums an L-Thyroxin gesteuert: Hohe L-Tyroxin-Werte drosseln sie, während niedrige sie stimulieren. Eine Red. der T.-Ausschüttung kann auch mit Hormonmetaboliten erfolgen. Die Freisetzung des T. wird durch ein im *Hypothalamus gebildetes *Neurohormon, das *Thyroliberin angeregt, das in Wirbeltieren auch *Somatotropin freisetzt, u. durch das Hormon *Somatostatin unterbunden.
Verw.: T.-Präp. (1 internat. Einheit = 13,5 mg) werden zur Diagnose von Schilddrüsen-Funktionsstörungen verwendet, seltener therapeut. (z. B. bei Störungen der Hypophyse). – E thyrotropin – F thyrotropine – $I = S$ tirotropina
Lit.: [1] Endocrine Rev. **19**, 673–716 (1998).
allg.: Endocrine Rev. **18**, 476–501 (1997) ▪ Eur. J. Endocrinol. **131**, 331–340 (1994) ▪ Trends Endocrinol. Metab. **7**, 277–286 (1996). – [HS 2937 10]

Thyrotropin-Releasing-Hormon (TRH) s. Thyroliberin.

L-Thyroxin [T_4, 3,3′,5,5′-Tetraiod-L-thyronin, 4-(4-Hydroxy-3,5-diiodphenoxy)-3,5-diiod-L-phenylalanin, internat. Freiname: *Levothyroxin*].

$C_{15}H_{11}I_4NO_4$, M_R 776,88. Farblose, opt. aktive Plättchen, Rosetten od. Nadeln, Schmp. 235–236 °C (Zers.), unlösl. in Wasser, Alkohol u. den üblichen organ. Lsm., lösl. in Alkalien u. alkal. Alkohol. DL-T. (nadelförmige Krist., Schmp 231–233 °C, Zers.) hat nur 50%, D-T. (Krist., Schmp. 237 °C, Zers., internat. Freiname: *Dextrothyroxin*, Verw. als Lipidsenker) sehr viel weniger der biolog. Wirkung von L-Thyroxin. Als wichtigstes Hormon der *Schilddrüse liegt T_4 zum größten Teil gebunden im *Thyroglobulin vor, aus dem es bei Bedarf – nach Stimulierung durch *Thyrotropin – enzymat. proteolysiert u. ins Blut ausgeschüttet wird. Näheres s. Thyroid-Hormone. – *E* = *F* L-thyroxine – *I* = *S* L-tiroxina

Lit.: Beilstein E IV **14**, 2373 f. – [HS 2937 99]

Thyroxin-bindendes Globulin s. Thyroid-Hormone.

Thyroxin-bindendes Präalbumin s. Thyroid-Hormone.

Thyrsiferol.

$C_{30}H_{53}BrO_7$, M_R 605,65. Brom-haltiges Triterpenoid aus der Rotalge *Laurentia thyrsifera* (*L. obtusa*) mit *Squalen-Skelett, vgl. Isopren-Regel. T. u. bes. das T.-23-acetat ($C_{32}H_{55}BrO_8$, M_R 647,69, Schmp. 118–119 °C) sind stark cytotox. wirksam gegen P388-Leukämie-Zellen. – *E* thyrsiferol – *F* thyrsiférol – *I* tirsiferolo – *S* tirsiferol

Lit.: J. Org. Chem. **55**, 5088 (1990) ▪ Scheuer (Hrsg.), Bioorganic Marine Chem. **1**, S. 131, **5**, 256 (Synth.), Berlin: Springer 1987, 1992 ▪ Tetrahedron Lett. **26**, 1329 (1985); **27**, 4287 (1986); **29**, 1143 (1987). – [CAS 66873-39-0 (T.); 96304-95-9 (T.-23-acetat)]

Thyssen. Kurzbez. für die 1891 gegr. Thyssen AG, 47161 Duisburg u. 40211 Düsseldorf. Zu den zahlreichen *Tochter*- u. *Beteiligungsges.* gehören u. a.: Thyssen Industrie AG (90%), Thyssen Budd Automotive GmbH (100%), The Budd Company, Troy, USA (100%), Thyssen Handelsunion AG (100%), Thyssen Stahl AG (100%), Thyssen Krupp Stahl AG (40%), Thyssen Immobilien GmbH (100%), Thyssen Telecom AG (100%), Mannesmannröhren-Werke AG (21%). *Daten* (1996/97): 120 000 Beschäftigte, 40,75 Mrd. DM Umsatz. *Produktion* u. Leistungsprogramm: Aufzüge, Automobilzulieferungen, Flachstahlerzeugung, Produktionssyst., Werkstoffhandel u. industrielle Dienstleistungen, außerdem Roheisen, Rohstahl, Edelstahl, Düngemittel aus Stahlwerkschlacke, Kohlenwasserstoffe als Kokerei-Nebenprodukte u. a.

Thyssen Krupp AG. 1998 schlossen die *Thyssen AG u. die Friedr. Krupp AG Hoesch-Krupp einen Verschmelzungsvertrag zur Gründung der Thyssen Krupp AG ab. Die neue Aktienges. umfaßt folgende Unternehmensbereiche: Thyssen Krupp Stahl, Thyssen Krupp Automotive, Thyssen Krupp Industries, Thyssen Krupp Engineering u. Thyssen Krupp Handel.

Ti. 1. Chem. Symbol für das Element *Titan. – 2. Abk. für *T*umor-*i*nduzierende *Ti-Plasmide u. Gene.

Ti(a)... Von *Thi(a)..., *Thi(o)... usw. abgeleitete Silbe in *Freinamen u. *Marken; *Beisp.:* folgende Stichwörter; vgl. Ti(o)... – *E* ti(a)... – *F* = *I* tia... – *S* tia

Tiabendazol s. Thiabendazol.

Tiagabin (Rp).

Internat. Freiname für das *Antiepileptikum, ein GABA-Wiederaufnahme-Hemmer, (−)-(*R*)-1-[4,4-Bis(3-methyl-2-thienyl)-3-butenyl]-3-piperidincarbonsäure, $C_{20}H_{25}NO_2S_2$, M_R 375,56. Verwendet wird das Hydrochlorid, Schmp. 192 °C (Zers.), $[\alpha]_D^{20}$ −11° (H_2O), pK_{a1} 3,3, pK_{a2} 9,4. T. wurde 1987 u. 1991 von Novo Nordisk (Gabitril®) patentiert. – *E* tiagabin – *F* tiagabine – *I* tiagabina – *S* tiagabín

Lit.: Epilepsia **35**, Suppl. 5, S81–S87 (1994) ▪ Martindale (31.), S. 387 ▪ Merck-Index (12.), Nr. 9557. – [CAS 115103-54-3 (T.); 145821-59-6 (Hydrochlorid)]

Tiamenidin (Rp).

Internat. Freiname für das *Antihypertonikum *N*-(2-Chlor-4-methyl-3-thienyl)-4,5-dihydro-1*H*-imidazol-2-amin, $C_8H_{10}ClN_3S$, M_R 215,71, Schmp. 152 °C. Verwendet wird meist das Hydrochlorid, Schmp. 228–229 °C, λ_{max} 242 nm ($A_{1\,cm}^{1\%}$ 297) (CH_3OH). T. wurde 1971 u. 1973 von Hoechst patentiert u. wurde bei arterieller Hypertonie ähnlich *Clonidin eingesetzt. – *E* tiamenidin – *F* tiaménidine – *I* = *S* tiamenidina

Lit.: ASP ▪ Hager (5.) **9**, 911 f. ▪ Martindale (31.), S. 953 ▪ Merck-Index (12.), Nr. 9558. – [HS 2934 90; CAS 31428-61-2 (T.); 51274-83-0 (Hydrochlorid)]

Tiamulin (Rp. zur Anw. bei Tieren).

Internat. Freiname für ein gegen Amöbenruhr u. Mykoplasmen wirksames tricycl. synthet. Antibiotikum, $C_{28}H_{47}NO_4S$, M_R 493,76, ein Derivat von *Pleuromutilin. Veterinärmedizin. wird meist das Hydrogenfumarat *Tiamutin*, $C_{32}H_{51}NO_8S$, M_R 609,83, Krist., Schmp. 147–148 °C, eingesetzt. T. wurde 1973 u. 1975 von Sandoz patentiert. – *E* tiamulin – *F* tiamuline – *I* = *S* tiamulina

Lit.: Exp. Cell Res. **152**, 565–570 (1984) ▪ Hager (5.) **9**, 912 ff. ▪ Martindale (29.), S. 1623. – [*HS 2941 90; CAS 55297-95-5 (T.); 55297-96-6 (Hydrogenfumarat)*]

Tian Hua Fen s. Trichosanthin.

Tiaprid (Rp).

Internat. Freiname für das Antihyperkinetikum *N*-[2-(Diethylamino)ethyl]-2-methoxy-5-(methylsulfonyl)-benzamid, $C_{15}H_{24}N_2O_4S$, M_R 328,43, Krist., Schmp. 123–125 °C. Verwendet wird meist das Hydrochlorid. T. dient zur Therapie von Veitstanz (Chorea) u. a. Dyskinesien; es wirkt als *Dopamin-Rezeptor-Antagonist u. ist strukturell verwandt mit *Sulpirid. T. wurde 1973 u. 1975 von Soc. d'Etudes Scientif. et Industrielles de l'Ile-de-France patentiert u. ist von Synthelabo (Tiapridex®) im Handel. – *E = F = I* tiapride – *S* tiaprida

Lit.: Adv. Biochem. Psychopharmacol. **35**, 163–194 (1982) ▪ Aschoff, Die Therapie extrapyramidal-motorischer Erkrankungen, Stuttgart: Schattauer 1982 ▪ Int. J. Clin. Pharmacol. Ther. Toxicol. **20**, 62 (1982) ▪ Martindale (31.), S. 740. – [*HS 2924 29; CAS 51012-32-9 (T.); 51012-33-0 (Hydrochlorid)*]

Tiapridex® (Rp). Ampullen u. Tabl. mit *Tiapridhydrochlorid gegen Dyskinesien u. a. Bewegungsanomalien. *B.:* Synthelabo.

Tiaprofensäure (Rp).

Internat. Freiname für das *Antirheumatikum (±)-2-(5-Benzoyl-2-thienyl)propionsäure (5-Benzoyl-α-methyl-2-thiophenessigsäure), $C_{14}H_{12}O_3S$, M_R 260,31, Schmp. 96 °C, λ_{max} (0,1 M HCl) 308 nm ($A^{1\%}_{1cm}$ 595), pK_a 3,0. T. wurde 1971 u. 1972 von Roussel UCLAF (Surgam®, HMR) patentiert. – *E* tiaprofenic acid – *F* acide tiaprofénique – *I* acido tiaprofenico – *S* ácido tiaprofénico

Lit.: ASP ▪ Beilstein E V **18/8**, 405 ▪ Drugs **29**, 208–235 (1985) ▪ Hager (5.) **9**, 914 ff. ▪ Martindale (31.), S. 100 f. ▪ Ph. Eur. **1997** u. Komm. – [*HS 2934 90; CAS 33005-95-7*]

TIB. Abk. für *Technische Informationsbibliothek.

Tibi. T. ist ein leicht moussierendes, schwach alkohol. Getränk, das fermentativ auf der Basis einer *Saccharose-Lsg. in ein bis zwei Tagen entstehen kann. Die sog. T.-Körner, die aus Mexiko stammen, sind eine *Symbiose aus Hefen (*Saccharomyces cerevisiae*) u. Milchsäurebakterien (*Lactobacillus brevis, Streptococcus lactis*) in einer selbstgebildeten *Dextran-Hülle, für deren optimales Wachstum der Zusatz von *Feigen zur *Fermentations-Lsg. essentiell ist. Im Stoffwechselprodukt-Spektrum besteht Ähnlichkeit zum Teepilz (*Kombucha). – *E = F = I = S* tibi

Lit.: Z. Lebensm. Unters. Forsch. **191**, 462–465 (1990).

TIC. Abk. für engl.: *t*otal *i*norganic *c*arbon, s. TOC.

Ticarcillin (Rp).

Von der WHO vorgeschlagener Freiname für das Breitband-Antibiotikum 6β-[(*RS*)-2-Carboxy-2-(3-thienyl)acetamido]penicillansäure, $C_{15}H_{16}N_2O_6S_2$, M_R 384,43; pK_{a1} 2,5, pK_{a2} 3,4; vgl. a. Penicilline. Verwendet wird meist das Dinatriumsalz, λ_{max} (CH_3OH) 232 nm ($A^{1\%}_{1cm}$ 143), ein cremefarbenes hygroskop. Pulver, das sich vollständig in Wasser löst. T. wurde 1964 u. 1966 von Beecham (Betabactyl®, SmithKline Beecham Pharma) patentiert. – *E* ticarcillin – *F* ticarcilline – *I* ticarcillina – *S* ticarcilina

Lit.: ASP ▪ Drugs **20**, 325–352 (1980) ▪ Hager (5.) **9**, 918–922 ▪ Martindale (31.), S. 290 f. ▪ Ph. Eur. **1997** u. Komm. – [*HS 2941 10; CAS 34787-01-4 (T.); 29457-07-6 (Dinatriumsalz)*]

Ticarda® (Btm). Von Hoechst entwickeltes, seit 1986 nicht mehr im Handel befindliches Mittel (Tropfen) mit *Normethadon-hydrochlorid u. 1-(4-Hydroxyphenyl)-2-(methylamino)-1-propanol-hydrochlorid gegen Reiz- u. Krampfhusten.

Ticlopidin (Rp).

Internat. Freiname für den Thrombocyten-Aggregationshemmer 5-(2-Chlorbenzyl)-4,5,6,7-tetrahydrothieno[3,2-*c*]pyridin, $C_{14}H_{14}ClNS$, M_R 263,78, Sdp. 117–120 °C (66,5 Pa). Verwendet wird meist das Hydrochlorid, Schmp. 190 °C, λ_{max} (H_2O) 214, 268, 295 nm ($A^{1\%}_{1cm}$ 303,5, 13, 14, 2), pK_a 7,64; LD_{50} (Maus i.v.) 55, (Maus oral) >300 mg/kg. T. dient zur Thrombose-Prophylaxe. Es wurde 1978 von Parkor patentiert u. ist von Sanofi Winthrop (Tiklyd®) im Handel. – *E = F* ticlopidine – *I = S* ticlopidina

Lit.: ASP ▪ Florey **21**, 573–609 ▪ Hager (5.) **9**, 922–925 ▪ Martindale (31.), S. 953 f. ▪ Ph. Eur. **1997** u. Komm. ▪ Ullmann (5.) A **5**, 303 f. – [*HS 2934 90; CAS 55142-85-3 (T.); 53885-35-1 (Hydrochlorid)*]

Tiefdruck. 1. s. Druckverfahren. 2. Durch niedrigen *Luftdruck hervorgerufene Wetterlage.

Tiefengesteine s. Magmatische Gesteine.

Tiefquarz s. Quarz.

Tieftemperaturchemie. In Analogie zu *Hochtemperaturchemie geprägte Bez. für dasjenige Teilgebiet der Chemie, im engeren Sinne der *Thermochemie, das sich mit dem Ablauf von chem. Reaktionen bei tiefen, sehr tiefen u. extrem tiefen Temp. bis in die Nähe des *absoluten Nullpunkts (d. h. also im gesamten Temp.-Bereich unterhalb des Gefrierpunktes des Wassers) befaßt. Die T. bei Temp. unterhalb von 80 K wird oft als *Kryochemie* bezeichnet (vgl. Tieftemperaturtechnik). *Beisp.* für den Einfluß von *Kälte auf die Chemie: Durch Verminderung der *Reaktionsgeschwindigkeiten bei Abkühlung auf tiefe Temp. (*van't-Hoff-Regel) u. durch die Abführung der Reaktionswärme lassen sich beispielsweise viele Synth. so steuern, daß nur bestimmte Produkte entstehen, od. es lassen sich manche bei höheren Temp. instabile Endprodukte gewinnen. Viele Verb. existieren überhaupt nur bei sehr tiefen Temp., weil unter diesen Bedingungen die *Diffusion sehr erschwert ist, so daß z. B. *Radikale u. a. reaktive *Zwischenstufen eine sehr viel höhere *Lebensdauer als bei Raumtemp. aufweisen, z. B. bei der

Tieftemp.-Photochemie od. -Spektroskopie. Ähnliche Effekte lassen sich unter bestimmten Bedingungen durch Einschluß des Reaktionssyst. in eine feste *Matrix erzielen. Unter dem Einfluß tiefer Temp. verlaufen selbst enzymat. Prozesse viel langsamer, so daß sich ggf. einzelne Reaktionsschritte analysieren lassen. Bei extrem tiefen Temp. lassen sich auch schwache, durch die *Quantentheorie vorhergesagte Effekte studieren, die sonst durch das „therm. Rauschen" von Elektronen- u. Kernbewegungen überdeckt würden. – *E* low-temperature chemistry – *F* chimie aux basses températures – *I* chimica a bassa temperatura – *S* química a bajas temperaturas
Lit.: s. Kältetechnik, Thermochemie, Tieftemperaturtechnik.

Tieftemperatur-Hydrierung s. TTH.

Tieftemperaturplasma s. Plasmapolymerisation u. Plasma.

Tieftemperaturtechnik (Kryotechnik). Bez. für ein Teilgebiet der *Kältetechnik, in dem insbes. mit verflüssigten Gasen als Kältemitteln gearbeitet wird, also das Gebiet bis etwa 80 K. Zwischen dieser Temp. u. etwa 1,2 K spricht man von *sehr tiefen Temp.* (Tiefsttemperaturtechnik), anschließend von *extrem tiefen Temp.*; man faßt das Gebiet < 80 K manchmal auch als *Kryogenik* zusammen. Die Erzeugung derart niedriger Temp. (zur Messung vgl. Temperaturmessung) ist heute bis hinab zu ca. 2 K auch im großtechn. Rahmen kein großes Problem mehr, wohingegen Temp. in die Nähe des *absoluten Nullpunkts techn. nur sehr aufwendig zu erreichen sind. Hier bedient man sich zur Abkühlung sog. magnetokalor. Effekte, elektrokalor. Effekte, spezieller Mischungseffekte bei superfluidem Helium (s. Supraflüssigkeit) od. der *adiabatischen Kernentmagnetisierung (s. a. die Abb.). Die tiefste *gemessene* Temp. liegt z. Z. bei 2 μK (*Lit.*[1]). Durch Laserstrahlung wurden Atome auch bis 20 nK abgekühlt[2,3].
Werkstoffprobleme erfordern in der T. bes. Aufmerksamkeit wegen der zunehmenden *Sprödigkeit der Materialien. Die T. findet Anw. in der Luftzerlegung, d. h. in der rationellen Gewinnung von N_2, O_2 u. Edelgasen aus *flüssiger Luft, in der Verflüssigung u. Lagerung von Erdgas, Ammoniak u. *Flüssiggasen, in der Kryo-Gaschromatographie, beim *Ausfrieren gasf., radioaktiver Spaltprodukte aus Reaktoren, in der Hochvakuumtechnik, beim *Kaltmahlen, bei Tiefsttemp.-Anlagen auch in der Raumfahrt, Nachrichtentechnik, Hochenergiephysik u. in der Untersuchung der *Supraleitung u. ihrer techn. Möglichkeiten (vgl. a. Kältetechnik). Im Laboratorium bedient man sich der T. nicht nur bei Lagerungsproblemen, z. B. mit *Kryostaten od. speziellen Aufbewahrungsgefäßen wie den *Dewar-Gefäßen, sondern auch für die *Tieftemperaturchemie, für spektroskop. Untersuchungen zur Kühlung supraleitender Magnete in der hochauflösenden NMR-Spektroskopie etc. Es sei darauf hingewiesen, daß man auch von Prozessen wie *Tieftemp.-Verkokung* od. *Tieftemp.-Hydrierung* spricht, damit aber die *Schwelung von Kohlen bei 450–600 °C (im Vgl. zu anderen Schweltemp.) od. das TTH-Verf. meint. – *E* low temperature technique, cryogenics – *F* technique des basses températures, cryogénie – *I* tecnica a bassa temperatura, criotecnica – *S* técnica de bajas temperaturas, criogenia, criotecnia
Lit.: [1] Spektrum Wiss. **1990**, Nr. 2, 72–81. [2] Phys. Rev. Lett. **61**, 826 (1988). [3] Phys. Bl. **53**, 1189 (1997).
allg.: Encycl. Polym. Sci. Eng. **4**, 450–482 ■ Franks, Biophysics and Biochemistry at Low Temperatures, Cambridge: University Press 1985 ■ Grout u. Morris, The Effects of Low Temperature on Biological Systems, London: Arnold 1986 ■ Hausen u. Linde, Tieftemperaturtechnik, Berlin: Springer 1985 ■ Kirk-Othmer (4.) **7**, 659–683 ■ McClintock et al., Matter at Low Temperatures, Glasgow: Blackie 1984 ■ Phys. Bl. **52**, 331 (1996) ■ Richardson, Techniques in Low-Temperature Physics, Reading: Addison-Wesley 1987 ■ Spektrum Wiss. **1986**, Nr. 4, 62–71; **1988**, Nr. 4, 12–16; **1997**, Nr. 5, 84 ■ Ullmann 1, 297–332; (4.) **3**, 185–252 ■ Winnacker-Küchler (3.) **2**, 409–510, insbes. 409–414, 438, 502–507; (4.) **3**, 566–650, insbes. 566ff., 570, 643–648 ■ s. a. Kältetechnik u. Temperatur.

Tieftemperaturteer s. Steinkohlenteer.

Tieftemperaturzerlegung. Ein nach dem *Linde-* od. *Air-Liquide-Verf.* (s. flüssige Luft) praktizierter Prozeß zur Gewinnung von Kohlenmonoxid aus *Synthesegas, das bei der Verkokung von Steinkohle, der Verschwelung von Braunkohle od. der Spaltung von Kohlenwasserstoffen mittels Wasserdampf entsteht. – *E* low temperature decomposition – *F* décomposition

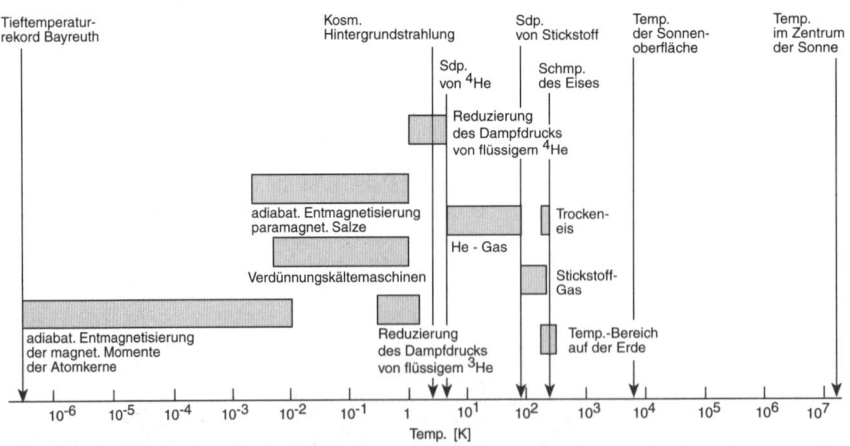

Abb.: Temp.-Bereiche, die mit den unterschiedlichen Kühlverf. erreichbar sind, sowie einige signifikante Temperaturen.

à basse température – *I* decomposizione a bassa temperatura – *S* descomposición a baja temperatura
Lit.: Ullmann (5.) **A 17**, 84 ▪ Weissermel-Arpe (4.), S. 25.

Tiefziehen s. Ziehverfahren.

Tiefziehfolien. Bez. für *Folien, aus denen z. B. Packmittel durch sog. *Tiefziehen* (s. Ziehverfahren) hergestellt werden. T. entstehen aus metall. Werkstoffen (z. B. Aluminium) durch Kaltformung, aus thermoplast. Werkstoffen (z. B. PVC, PS) durch Warmformung. – *E* deep drawn films – *F* feuilles d'emboutissage profond – *I* foglie di imbutitura profonda, foglie di trazione profonda – *S* hojas (láminas) de embutición profunda
Lit.: Encycl. Polym. Sci. Eng. **3**, 689 f. ▪ Ullmann (4.) **15**, 308 f.; (5.) **A 11**, 604.

Tiegel.

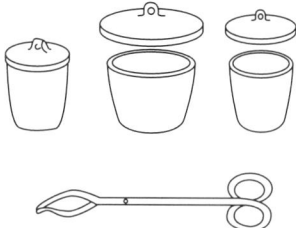

Abb.: Tiegel u. Tiegelzange.

Im analyt.-chem. Laboratorium verwendete, etwa 25–60 mm hohe u. 25–80 mm weite Gefäße mit aufsetzbarem Deckel (s. Abb.), die in der Regel aus glasiertem Porzellan, seltener aus Platin, Iridium u. a. Edelmetallen, Quarz, Gußeisen, V2A-Stahl, Nickel, Graphit u. Kunstkohle, Oxidkeramiken u. dgl. bestehen. In der Metallurgie, z. B. beim *Tiegelschmelz-Verf., kennt man auch T. wesentlich größeren Fassungsvermögens. Im Laboratorium werden T. zum Erhitzen, Rösten, Verbrennen (Veraschung) u. Schmelzen von Substanzen verwendet. Sie lassen sich direkt befeuern od. in speziellen *Tiegelöfen erhitzen. Den Transport des T. nimmt man mit einer *Tiegelzange* aus schwarzlackiertem od. vernickeltem Eisen, Messing, V2A-Stahl od. Nickel vor (s. Abb.). Eine bes. T.-Form ist der sog. *Rose-Tiegel*, der die Erhitzung fester Substanzen im Gasstrom ermöglicht. Daneben kennt man noch *Filtertiegel* aus Porzellan mit feinporigem Boden, die zur Vak.-Filtration von feinen Niederschlägen geeignet sind; die letzteren können dann direkt im T. geglüht werden. Näheres auch über *Glasfiltertiegel* (*Fritten) s. bei Filter. – *E* crucibles – *F* creusets – *I* crogiolo – *S* crisoles
Lit.: DIN 12904: 1975-02.

Tiegelofen. Schmelz- od. Warmhalteofen, bei dem sich der zu schmelzende Metall-Einsatz in einem Tiegel befindet. Früher war es üblich, den Tiegel mit der Schmelze aus dem Ofen zu ziehen, das Metall in Formen zu gießen u. danach den leeren Tiegel wieder in den Ofen zu fahren (s. Tiegelschmelzverfahren). Moderne T. sind dagegen so konstruiert, daß der Tiegel im Ofen verbleibt u. das flüssige Metall durch Kippen od. Schöpfen entleert wird. T. können durch Brennstoffe, induktiv od. durch Widerstandserwärmung beheizt werden. – *E* crucible (melting) furnace – *F* four(neau) à creuset(s) – *I* forno a crogiolo – *S* horno de crisol
Lit.: Gießerei-Lexikon, München: Schiele u. Schön 1978 ▪ Ullmann (4.) **2**, 379 ff., 385 ff.

Tiegelschmelzverfahren. 1. Ein in der Mitte des 18. Jh. praktiziertes Verf. zur Herst. von *Stahl. Hierbei wurden in (aus einem Gemisch von Ton, Schamotte u. Graphit bestehenden) Tiegeln *Flußstahl umgeschmolzen bzw. *Roheisen durch Zusatz von Eisenoxid entkohlt u. in Stahl umgewandelt.
2. Alle Verf. der in einem *Tiegelofen vorgenommenen Herst. von Metallen. – *E* melting in crucibles – *F* fusion en creuset – *I* processo di fusione nel crogiolo – *S* fusión en crisol
Lit.: Grothe (Hrsg.), Lueger Lexikon der Hüttentechnik, Bd. 5, S. 619, 648 ff., Stuttgart: Dtsch. Verlagsanstalt 1996.

Tiegelzangen s. Tiegel.

Tiegelziehen s. Einkristalle.

Tiemann, Johann Karl Ferdinand (1848–1899), Prof. für Chemie, Univ. Berlin. *Arbeitsgebiete:* Synth. von Vanillin (*Reimer-Tiemann-Reaktion) u. Jonon, Terpene, Limonen-, Citral- u. Campher-Gruppe, Aminozucker, Umlagerung von Amidoximen zu unsymmetr. Harnstoff-Derivaten, Chemie des Wassers.
Lit.: Pötsch, S. 424.

Tiemannit. Kub. Mineral aus Quecksilberselenid, HgSe, Kristallklasse $\bar{4}3m$-T_d. Tetraedr., stahl- bis schwarzgraue, metallglänzende Krist. u. derb, feinkörnig od. dicht. H. 2,5, D. 8,2–8,5, spröde, Bruch uneben, Strich schwarz; sublimiert. Zusammensetzung nach der Formel: 71,7% Hg, 28,3% Se. *Vork.:* Auf Selenerz-Gängen, z. B. Clausthal-Zellerfeld, Tilkerode u. Lerbach/Harz, Utah/USA u. Queretaro/Mexiko. – *E* = *F* = *I* tiemannite – *S* tiemannita
Lit.: Anthony et al., Handbook of Mineralogy, Vol. I, S. 530, Tucson (Arizona): Mineral Data Publishing 1990 ▪ Gmelin, Syst.-Nr. **10**, Se, Tl. A, 1953, S. 52–55 ▪ Ramdohr, Die Erzmineralien u. ihre Verwachsungen, S. 561 f., Berlin: Akademie 1975 ▪ Schröcke-Weiner, S. 154. – [CAS 12029-55-9]

Tiemoniumiodid.

Internat. Freiname für das Spasmolytikum u. Anticholinergikum (±)-4-[3-Hydroxy-3-phenyl-3-(2-thienyl)propyl]-4-methylmorpholiniumiodid, $C_{18}H_{24}INO_2S$, M_R 445,35, Schmp. 189–191 °C. T. wurde 1964 von C. E. R. M. patentiert u. ist in einem Kombinationspräparat gegen Schmerzen von Stark (Coffalon®) im Handel. – *E* tiemonium iodide – *F* iodure de tiémonium – *I* tiemonio ioduro – *S* ioduro de tiemonio
Lit.: Hager (5.) **9**, 926 f. ▪ Martindale (31.), S. 508. – [HS 293490; CAS 144-12-7]

Tierarzneimittel. T. weisen gegenüber Arzneimitteln, die am Menschen angewandt werden, einige Besonderheiten auf: 1. Die Applikation erfolgt meist parenteral od. mit dem Futter. – 2. Die Dosierung ist stark spezies- u. körpergrößenabhängig. – 3. In Einzelfällen können bestimmte Tierarten, verglichen mit dem Menschen, zu stark, zu gering od. paradox auf Wirk- u. Hilfsstoffe reagieren (z. B. vertragen Hunde u. Katzen Chinolin-*Antidiarrhoika nicht; Hunde reagieren mit schweren allerg. Erscheinungen auf Polyvinylpyrrolidon; Morphin u. Baldrian erregen Katzen usw.). – 4. Die Verabreichung von Arzneimitteln an Tiere, die der Verw. als Lebensmittel dienen, ist eingeschränkt durch die VO über das Verbot der Verw. bestimmter Stoffe (Stilbene, Thyreostatika, Arsen-Verb.[1]) u. die VO über Stoffe mit pharmakol. Wirkung (Sexualhormone, Antibiotika, Pestizide, β-Agonisten mit anaboler Wirkung[2]). Insbes. vor der Verw. von Antibiotika in der Tiermast wird gewarnt, da gegen wichtige Antibiotika-Klassen resistente, auch humanpathogene Bakterienstämme herausgezüchtet werden können, d. h. die entsprechenden Antibiotika nicht mehr wirksam sind[3]. – 5. Der T.-Markt hatte 1988 ein Vol. von 360 Mio. DM; nur ca. 7% wurde über Apotheken abgewickelt[4]. Die Abgabe u. vielfach auch Herst. der T. wird hauptsächlich von Tierärzten (Veterinären) vorgenommen. Gesetzliche Grundlage dafür ist die VO über tierärztliche Hausapotheken[5]. Über die Angleichung an europ. Recht s. *Lit.*[6]. – *E* drugs for animals – *F* médicaments pour animaux – *I* farmaci veterinari – *S* medicamentos para animales

Lit.: [1] 21.10.1981, BGBl. I, S. 1135, zuletzt geändert 10.06.1997 (BGBl. I, S. 1354 vom 19.06.1997). [2] 25.09.1984, BGBl. I, S. 1251, zuletzt geändert 10.06.1997 (BGBl. I, S. 1354 vom 19.06.1997). [3] Dtsch. Apoth. Ztg. **138**, 702f. (1998). [4] Pharm. Ztg. **134**, 296 (1989). [5] 27.03.1996, BGBl. I, S. 554 vom 03.04.1996. [6] Richtlinie 92/74/EWG (ABl. der EG vom 13.10.1992, Nr. L 297, S. 12).
allg.: Commission of the European Communities (Hrsg.), Die Regelung der Tierarzneimittel in der EG, Luxemburg: EUROP 1993 ▪ Petrausch, Das Lexikon der Tierarzneimittel, Berlin: Delta medizinische Verlagsges. 1995/96 ▪ Rößner u. Nußstein, Pharmazie für die Tiermedizin, Uni-Druck Novotny 1992.

Tierfasern. Als *Textilfasern (s. hier die Einteilung nach DIN 60001-1: 1990-10) verwendete *Naturfasern aus Wolle, Tierhaaren u. Seide. Im erweiterten Sinne könnte man auch Chemiefasern wie Casein- u. Eiweißfasern zu den T. zählen. – *E* animal fibers – *F* fibres animales – *I* fibre animali – *S* fibras animales

Tierfette s. Fette und Öle.

Tiergifte (Zootoxine). Sammelbez. für *Gifte, die von Tieren meist in spezif. Giftdrüsen zum Zweck des Beutefangs od. der Verteidigung sezerniert werden u. die auch für den Menschen schmerzhafte od. gar tödliche Wirkung haben können. Andererseits macht sich der Mensch die Wirkung der T. zunutze, zum einen in der *Neurochemie u. in der Therapie bes. von neuralg. Erkrankungen, zum anderen in der Form von *Pfeilgiften. Beisp. für T. sind *Fischgifte, *Spinnengifte, *Skorpiongifte, *Schlangengifte, *Krötengifte u. a. *Amphibiengifte, die Gifte der Quallen (*Nesselgifte), Salamander (*Salamander-Alkaloide), Insekten (*Insektengifte wie *Bienengift u. *Wespengift), *Mollusken, *Hohltiere u. *Echinodermata (*Stachelhäuter-Gifte). Immer neue T. werden v. a. von Meeresbewohnern bekannt. So vielgestaltig die T. produzierenden Tiergruppen sind, so unterschiedlich ist auch die chem. Zusammensetzung der einzelnen *Toxine, vgl. die Tab. u. Lit. unter Gifte. Als tox. Inhaltsstoffe der T. treten v. a. Proteine auf, aber auch Alkaloide, Steroide, Heterocyclen, Terpene, Saponine u. biogene Amine. Nach ihrer Wirkung unterscheidet man Nerven-, Herz-, Muskel- u. Blutgifte, aber auch Halluzinogene.
Nicht zu den T. rechnet man die Toxine der *Bakterien (*Bakterien-Toxine), wohl aber die der tier. *Parasiten, die beim Menschen *Zoonosen hervorrufen. – *E* animal venoms – *F* venins d'animaux – *I* veleni degli animali – *S* venenos de animales

Lit.: Mebs, Gifttiere, Stuttgart: Wissenschaftliche Verlagsges. 1992 ▪ Teuscher u. Lindequist, Biogene Gifte, 2. Aufl., Stuttgart: Fischer 1994.

Tierhaare. T. werden in feine u. grobe Haare unterteilt. Zu ersteren zählen Haare mit wollähnlichen Eigenschaften (s. Wolle), z. B. von Lama, Kamel, Kaninchen, Angora- u. Kaschmirziege, zu letzteren Rinder-, Roß- u. Ziegenhaare. Zu den einzelnen Arten von T. bzw. *Tierfasern s. Textilfasern, zur Morphologie s. Haar. – *E* animal hair – *F* poil, crin – *I* peli degli animali – *S* pelo de animales

Lit.: Wehner u. Gehring, Zoologie, 23. Aufl., Stuttgart: Thieme 1995 ▪ Ziswiler, Wirbeltiere, Stuttgart: Thieme 1976 ▪ s. a. Textilfasern, Wolle.

Tierische Stärke s. Glykogen.

Tierisches Vitamin D s. Vitamin D_3.

Tierkohle. Sammelbez. für *Aktivkohle aus tier. Blut (*Blutkohle*) od. Knochen (*Knochenkohle*).

Tieröl. Bez. für dunkel gefärbtes, trübes, Alkohollösl., übelriechendes, alkal. reagierendes Öl, das bei der trockenen Dest. tier. Stoffe (Knochen, Knorpel, Haut, Leim, Leder, Wolle) u. bei der Herst. von *Knochenkohle abfällt. T. enthält u. a. Ammoniumsalze, Nitrile, Pyrrol, Pyridin, Chinolin (u. Derivate), Phenol, Kohlenwasserstoffe (Toluol, Ethylbenzol, Naphthalin usw.).
Verw.: Als *Wildverbißmittel, *Insektenabwehrmittel für Weidevieh (*Bremsenöl*), als *Vergällungsmittel für Ethanol, *Klauenöl u. *Knochenfette. – *E* animal oil – *F* huile animale – *I* olio animale, olio di Dippel – *S* aceite animal

Lit.: s. die Textstichwörter. – *[HS 3823 19]*

Tierversuche, Alternativen. Um Erkenntnisse über Krankheiten, Wirkungen von Arzneimitteln u. von Chemikalien nicht mit Hilfe von Versuchen an Tieren zu erlangen, werden vermehrt sog. Ersatzmeth. (Alternativmeth., *in vitro*-Meth.) entwickelt u. eingesetzt. Hierunter versteht man im engeren Sinne Versuchsanordnungen, bei denen der lebende Organismus durch schmerzfreie Materie ersetzt wird. Im erweiterten Sinne werden dazu auch Versuchsanordnungen gezählt, bei denen die Anzahl der eingesetzten Versuchstiere u./od. deren körperliche Belastung reduziert wird.
Anstrengungen, Tierversuche zu minimieren od. zu ersetzen, werden im wesentlichen in dem Bereich der biomedizin. Forschung wie z. B. Wirkstoff-Forschung, der Grundlagenforschung (Krebsforschung, Virusforschung, Immunologie, etc.), der Toxikologie unternommen. Die verwendeten Testmodelle lassen sich prinzipiell in drei Kategorien einteilen: 1. Zellkultu-

ren, – 2. Organpräp. bzw. Kulturen, – 3. Computermodellrechnungen.

Zellkulturen lassen sich unterscheiden in permanente Zellinien u. prim. Kulturzellen. Permanente Zellinien werden häufig für Cytotoxizitätsuntersuchungen verwendet, z. B. bei der Suche nach neuen antineoplast. Wirkstoffen für die Tumortherapie. Gemessen wird hier die Fähigkeit von Substanzen, kultivierte Tumorzellen zu schädigen od. abzutöten. In der Toxikologie werden *Cytotoxizitätstests z. B. als Ersatzmeth. für die Untersuchung auf Haut- u. Augenreizwirkung an Versuchstieren vorgeschlagen. Meth. mit prim. Zellkulturen finden Anw. bei funktionellen Untersuchungen. So werden z. B. Nervenzellen für Untersuchungen in der Schmerzforschung verwendet, Leberzellen für Stoffwechseluntersuchungen von Pharmaka/Chemikalien od. embryonale Mesenchymzellen (Bindegewebe) dienen als Testsyst., die erste Hinweise auf mögliche embryotox. Effekte von Chemikalien geben.

Organpräp. bzw. *Kulturen* können Tierversuche nicht vollständig ersetzen, da hierbei immer auf Spendertiere für die Präparation entsprechend intakter, vitaler Organe od. Gewebeteile zurückgegriffen werden muß. Dem erweiterten Sinn von Ersatzmeth. wird jedoch durch die geringere Zahl an erforderlichen Versuchstieren u. dem Ausschluß von Schmerzen Rechnung getragen. Eingesetzt werden isolierte Organe u. Organkulturen in der Arzneimittelentwicklung, der Grundlagenforschung sowie der Toxikologie. Beispielhaft seien aufgeführt: isolierte Nieren zur Aufklärung nierentox. Effekte, isolierte Herzen bei der Entwicklung von Herz-Kreislauf-Medikamenten, isolierte Gehirnschnitte in der Epilepsieforschung, Embryokulturen zur Untersuchung teratogener (Mißbildungen auslösender) Wirkungen (s. a. Contergan®) od. Hautkulturen zur Untersuchung der Resorption von Chemikalien durch die Haut.

Computermodellrechnungen werden zur Erkennung von Struktur-Wirkungsbeziehungen in der Wirkstoffentwicklung (s. Computer Aided Drug Design) u. der Hochschullehre für die Disziplinen Physiologie u. Pharmakologie sowie in ersten Ansätzen im Bereich Toxikologie für die Abschätzung tox. Wirkungen eingesetzt.

Die Akzeptanz von Ersatzmeth. zu Tierversuchen hängt wesentlich von ihrer *Validierung ab. Darunter versteht man den statist. gesicherten Nachw., daß die Ersatzmeth. die Ergebnisse des zu ersetzenden Tierversuchs bzw. die entsprechenden Effekte beim Menschen, zutreffend vorherzusagen vermag. Diese Validierung ist für eine Großzahl der vorhandenen Meth. noch nicht abgeschlossen od. durchgeführt. aufgrund der erforderlichen internat. Akzeptanz, insbes. für Ersatzmeth. auf dem Gebiet der Toxikologie, ein sehr langwieriges Unterfangen. – *E* animal experimentations, alternatives – *F* expérimentations animales, alternatives – *I* alternativa agli esperimenti sugli animali – *S* experimentos con animales, alternativos

Tierzellkultur. Haltung u. Vermehrung tier. Zellen in Kultur. Zum Aufbau einer T. verwendet man Explantate (Organ- od. Gewebekultur), deren Gewebeverband durch mechan. od. enzymat. Einwirkung zerstört wird, so daß man eine *Zellkultur (Primärkultur) erhält. Die durch Subkultivierung erhaltenen nachfolgenden Generationen bezeichnet man als *Zellinien*.

Biotechn. Bedeutung: Die wichtigsten Anw. der T. liegen in der Produktion pharmakolog. wirksamer Substanzen, z. B. der Entwicklung von Virus-Impfstoffen, menschlichen Proteinen (*Interferone, Blutgerinnungsfaktoren VIII u. IX; s. Blutgerinnung, Wachstumsfaktoren etc.) u. der Herst. immunolog. aktiver Zellen (z. B. cytotox. T-*Lymphocyten). Für die medizin. Diagnostik werden in T. *monoklonale Antikörper hergestellt (*Schwangerschaftstest). Somat. T. werden zur Substitutionstherapie (z. B. Hautzellen nach Verbrennungen) od. zur Aufklärung von Stoffwechselerkrankungen herangezogen. T.-Tests ersetzen in der pharmazeut. u. kosmet. Forschung zunehmend die klass. Tierversuche. Die am häufigsten verwendeten tier. Zellinien sind *HeLa-Zellen (menschliche Gebärmutterkrebszellen), CHO-Zellen (*chinese hamster ovary*) u. BHK-Zellen (*baby hamster kidney*). – *E* animal cell culture – *F* culture de cellules animales – *I* coltura cellulare di animali – *S* cultivo de células animales

Lit.: Bioprocess Technol. **20**, 61 (1995) ▪ Methods Mol. Biol. **39**, 203 (1995) ▪ Präve (4.), S. 179 ff. ▪ Trends Biotechnol. **15**, 109 (1997).

Tietze, Lutz Friedjan (geb. 1942), Prof. für Organ. Chemie, Univ. Göttingen, Madison, Wisconsin (USA). *Arbeitsgebiete:* Entwicklung selektiver Synth.-Meth. (Hetero-Diels-Alder-, En-, Prins-Reaktionen, Iminium-Cyclisierungen), Hochdruck-Reaktionen, photochem. Cycloadditionen, Synth. von Naturstoffen (Alkaloide, Terpene, Kohlenhydrate), Transformationen nachwachsender Rohstoffe, Entwicklung neuer Konzepte für eine selektive Krebstherapie.

Lit.: Kürschner (16.), S. 3776 ▪ Nachr. Chem. Tech. Lab. **39**, Nr. 9, 1047 (1991) ▪ Wer ist wer, S. 1451.

Tiferron s. Tiron.

Tiffeneau-Demjanov-Reaktion s. Tiffeneau-Umlagerung.

Tiffeneau-Umlagerung (Tiffeneau-Demjanov-Reaktion od. Demjanov-Reaktion). Die Nitrosierung von 1-Aminomethyl-cycloalkanolen führt über eine Carbenium-Ionen-Zwischenstufe zur Ringerweiterung u. zur Ausbildung einer Carbonyl-Funktion. Diese als T.-U. bezeichnete Reaktion gehört zu der großen Gruppe der über Carbokationen verlaufenden Umlagerungen wie auch die *Wagner-Meerwein-Umlagerungen. Die zur Umlagerung benötigten Aminoalkohole lassen sich leicht durch Aldol-Addition von Nitromethan an Cycloalkanone u. anschließender Red. der Nitro-Verb. herstellen:

– *E* Tiffeneau rearrangement – *F* réarrangement de Tiffeneau – *I* trasposizione di Tiffeneau – *S* transposición de Tiffeneau

Tigerauge

Lit.: Chem. Rev. **89**, 165 (1989) ▪ Hassner-Stumer, S. 384 ▪ Krauch u. Kunz, Reaktionen der Organischen Chemie, 6. Aufl., S. 607, Heidelberg: Hüthig 1997 ▪ Laue-Plagens, S. 300 ▪ s. a. Ringreaktionen u. Umlagerungen.

Tigerauge s. Katzenauge u. Krokydolith.

Tight junction (undurchlässige Verb., Verschlußzone, Schlußleiste, zonula occludens). Engl. Bez. für eine Verb. zwischen tier. Epithelzellen (Zellen innerer u. äußerer Körperoberflächen), bei der die beteiligten Plasmamembranen dicht aneinanderliegen u. parazellulärer (an der Zelle vorbeiführender) Stoffaustausch reguliert wird. Die Natur des Verschlusses ist im Detail noch unbekannt, es wird jedoch vermutet, daß er durch spezielle *Proteine (z. B. Occludin, das den eigentlichen Verschluß bilden soll, sowie ZO-1 u. ZO-2, die auf der inneren Membranseite daran gebunden sind) gebildet wird. T. j. laufen ringförmig um den apikalen (oberseitigen) Zellbereich, verhindern die unspezif. Permeabilität von Epithelzell-Schichten u. erleichtern die Aufrechterhaltung einer unterschiedlichen Membran-Zusammensetzung im Apikal- u. Basolateralbereich. Zur Aufrechterhaltung der Funktion der t. j. ist extrazelluläres Calcium erforderlich. – *E* tight junction – *F* jonction serrée – *I* giunzione occludente – *S* juntura hermética

Lit.: Alberts et al., Molekularbiologie der Zelle, 3. Aufl., S. 589 f., 1123–1126, 1145, Weinheim: VCH Verlagsges. 1995 ▪ Am. J. Physiol. – Renal Fluid Electrolyte Physiol. **43**, F1 – F9 (1998) ▪ Annu. Rev. Cell Develop. Biol. **14**, 89–109 (1998) ▪ Annu. Rev. Physiol. **60**, 121–177 (1998) ▪ Biochim. Biophys. Acta **1448**, 1–11 (1998) ▪ J. Membr. Biol. **163**, 159–167 (1998).

Tiglinsäure s. Methyl-2-butensäuren.

Tigo(ge)nin s. Steroid-Sapogenine.

TIG-Verfahren. Abk. für *E T*ungsten *I*nert *G*as, s. WIG-Schweißen.

Tiklyd® (Rp). Dragées mit *Ticlopidin-hydrochlorid zur Hemmung der Thrombocyten-Aggregation bei Dialysepatienten mit Acetylsalicylsäure-Unverträglichkeiten. *B.:* Sanofi Winthrop.

Tilade® (Rp). Inhalier-Suspension mit *Nedocromil-Natrium gegen Asthma u. a. obstruktive Atemwegserkrankungen. *B.:* Rhône Poulenc Rorer.

Tilidin (Rp; BtMVV, Anlage III).

(Racemat)

Von der WHO vorgeschlagener internat. Freiname für das Analgetikum (±)-*trans*-2-Dimethylamino-1-phenylcyclohex-3-en-1-carbonsäureethylester, $C_{17}H_{23}NO_2$, M_R 273,38, Sdp. 95,5–96 °C (1,33 Pa), als Hydrochlorid (wasserfrei), Schmp. 159 °C. Verwendet wird meist das Hydrochlorid-Hemihydrat, Schmp. 125 °C, λ_{max} (0,1 M HCl) 250, 257, 262 nm ($A_{1cm}^{1\%}$ 5,3, 6,5, 5,2), LD_{50} (Maus s.c.) 490, (Maus i.v.) 52 mg/kg. Wegen der *Sucht-Gefahr wird T., ein synthet. *Opiat, meist zusammen mit *Naloxon, einem Opioid-Antagonisten, eingesetzt. T. wurde 1967 von Gödecke (Valoron®) patentiert u. ist als Generikum im Handel. – *E* = *F* tilidine – *I* = *S* tilidina

Lit.: ASP ▪ Hager (5.) **9**, 933 ff. ▪ Martindale (31.), S. 101 ▪ Ullmann (5.) A **2**, 286. – *[HS 2922 49; CAS 20380-58-9]*

Tillandsia (benannt nach dem schwed. Botaniker E. Tillands, 1640–1693). Gegliederte u. verzweigte Stengel von *Tillandsia usneoides* (Bromeliaceae), einer in Amerika heim., wurzellosen Baum-Kletterpflanze (Epiphyt, pflanzlicher *Parasit). Die Fasern von T. (*Span. Moos, Louisianamoos, Baumhaar*) können als Watte-Ersatz, als Stopf- u. Polstermaterial Verw. finden. – *E* Spanish moss – *F* = *I* tillandsia – *S* tillandsia, musgo americano

Tillite s. Konglomerate.

Tillmans-Reagenz s. 2,6-Dichlorphenol-indophenolnatrium.

Tiloron.

Internat. Freiname für das oral wirksame *Virostatikum 2,7-Bis[2-(diethylamino)ethoxy]-9*H*-fluoren-9-one, $C_{25}H_{34}N_2O_3$, M_R 410,56. Verwendet wird meist das Dihydrochlorid, Krist., Schmp. 235–237 °C; λ_{max} (H_2O) 269 nm ($A_{1cm}^{1\%}$ 1600); LD_{50} (Maus oral) 959, (Maus i.p.) 145 mg/kg. T. regt die Bildung von *Interferon u. *Immunglobulinen sowie die *Mitose an. An Tieren zeigt es auch entzündungshemmende u. cytostat. Wirkung. Es wurde 1970 u. 1971 von Merrell patentiert. – *E* = *F* = *I* tilorone – *S* tilorona

Lit.: Hahn, Antibiotics, Bd. 5, S. 385–413, Berlin: Springer 1979 ▪ Martindale (29.), S. 1623. – *[HS 2922 50; CAS 27591-97-5 (T.); 27591-69-1 (Dihydrochlorid)]*

Tiludronsäure (Rp).

Internat. Freiname für den Calcium-Regulator (4-Chorphenylthio)methylendiphosphonsäure, $C_7H_9ClO_6P_2S$, M_R 318,61, pK_1 10,855, pK_2 6,90, pK_3 2,95, pK_4 1,30. Verwendet werden das Dinatriumsalz, dessen Hemihydrat, u. das *tert*-Butylamin-Salz, Schmp. 253 °C. T. wurde 1984 u. 1989 von Sanofi Winthrop (Skelid®) patentiert u. ist gegen Morbus Paget im Handel. – *E* tiludronic acid – *F* acide tiludronique – *I* acido tiludronico – *S* ácido tiludrónico

Lit.: Martindale (31.), S. 782 ▪ Merck-Index (12.), Nr. 9582. – *[CAS 89987-06-4]*

TIM. Abk. für *Triosephosphat-Isomerase.

Time Weighted Average s. TWA.

Timiron®. Silber- u. Interferenzperlglanzpigmente für die Kosmetik auf Basis TiO_2/Glimmer. *B.:* Merck.

Timmis, Kenneth N. (geb. 1946), Prof. für Pharmazie u. Biowissenschaften, TU Braunschweig, MPI für mol. Genetik, Berlin, *GBF Braunschweig. *Arbeitsgebiete:* Mikrobielle Abbauwege, biolog. Abbau von Schadstoffen, mikrobielle Ökologie, bakterielle Pathogenitätsmechanismen, Impfstoffentwicklung, Gründer u. Councilmitglied der European Environmental Research Organization.

Lit.: Kürschner (16.), S. 3780; (17.), S. 1419.

Timohexal® (Rp). Augentropfen mit *Timolol-hydrogenmaleat gegen grünen Star (Glaukom). *B.*: Hexal.

Timolol (Rp).

Internat. Freiname für den Beta-Rezeptoren-Blocker (s. Adrenozeptoren) (−)-(S)-1-(*tert*-Butylamino)-3-(4-morpholino-1,2,5-thiadiazol-3-yloxy)-2-propanol, $C_{13}H_{24}N_4O_3S$, M_R 316,42, krist. Masse, Schmp. 71,5–72,5 °C, pK_b 4,8. T. dient zur Therapie von Hypertonie u. Glaukom. Verwendet wird meist das Hydrogenmaleat, $C_{17}H_{28}N_4O_7S$, M_R 432,5, Schmp. 201,5–202,5 °C, $[\alpha]_{405}^{24}$ −12° (c 5/1 N HCl), $[\alpha]_D^{25}$ −4,2°, λ_{max} (0,1 N HCl) 294 nm ($A_{1cm}^{1\%}$ 200). T. wurde 1969 u. 1972 von Frosst patentiert u. ist als Generikum im Handel. – *E* = *F* = *S* timolol – *I* timololo
Lit.: Florey **16**, 641–692 ▪ Hager (5.) **9**, 936–939 ▪ Martindale (31.), S. 954 ▪ Ph. Eur. **1997** u. Komm. ▪ Ullmann (5.) **A 4**, 249. – *[HS 293490; CAS 26839-75-8 (T.); 26921-17-5 (Hydrogenmaleat)]*

Timomann® (Rp). Augentropfen mit *Timolol-Hydrogenmaleat zur Glaukomtherapie. *B.*: Mann.

Timonil® (Rp). Tabl. u. Saft mit *Carbamazepin gegen *Epilepsie, Trigeminus-Neuralgie u. Alkohol-Entzugserscheinungen. *B.*: Desitin.

Tim-Ophtal® (Rp). Augentropfen mit *Timolol-Hydrogenmaleat zur Glaukomtherapie. *B.*: Winzer.

Timosine® (Rp). Augentropfen mit *Timolol-hydrogenmaleat gegen Glaukom. *B.*: Chibret.

Timpilo® (Rp). Augentropfen mit *Timolol-Hydrogenmaleat zur Glaukomtherapie. *B.*: Chibret.

Tinbergen, Nikolaas (1907–1988), Prof. für Zoologie, Univ. Leiden, Oxford. Mitbegründer der vergleichenden Verhaltensforschung. Mitarbeiter von K. *Lorenz. Für seine grundlegenden verhaltensphysiolog. Forschungen erhielt er 1973 zusammen mit K. Lorenz u. K. von *Frisch den Nobelpreis für Physiologie od. Medizin.
Lit.: Lexikon der Naturwissenschaftler, S. 397.

Tinctura s. Tinkturen.

Ting, Samuel Chao Chung (geb. 1936), Prof. für Physik MIT, Cambridge, Mass. *Arbeitsgebiete*: Atombau, Kernphysik, Teilchenbeschleuniger, Entdeckung von Ψ-Mesonen als Elementarteilchen – unabhängig von B. *Richter; hierfür 1976 Nobelpreis für Physik (zusammen mit Richter).
Lit.: Lexikon der Naturwissenschaftler, S. 397 ▪ Who's Who in the World, S. 1421.

Tinidazol (Rp).

Internat. Freiname für das gegen *Protozoen (*Amöben, *Trichomonaden) wirksame 1-[2-(Ethylsulfonyl)ethyl]-2-methyl-5-nitro-1*H*-imidazol, $C_8H_{13}N_3O_4S$, M_R 247,26, s. a. Nitroimidazole. T. bildet farblose Krist., Schmp. 127–128 °C; λ_{max} (CH_3OH) 230, 311 nm ($A_{1cm}^{1\%}$ 148, 354); LD_{50} (Maus oral) >3600, (Maus i.p.) >2000 mg/kg, lösl. in Wasser u. Benzol. T. wurde 1968 von Pfizer (Simplotan®) patentiert. – *E* = *F* tinidazole – *I* tinidazolo – *S* tinidazol
Lit.: Drugs **24**, 85–117 (1982) ▪ Hager (5.) **9**, 940 ff. ▪ Martindale (31.), S. 632 f. ▪ Ph. Eur. **1997** u. Komm. – *[HS 293329; CAS 19387-91-8]*

Tinkal s. Borax.

Tinkturen (Tincturae, in Arztrezepten oft mit Tinct. od. Tct. abgekürzt, von latein.: tinctum = benetzt, getränkt, gefärbt). Man versteht unter T. die aus pflanzlichen od. tier. Stoffen mit Hilfe von Ethanol, Ether, Aceton od. Wasser durch *Digerieren, *Mazeration od. *Perkolation hergestellten, dünnflüssigen, meist farbigen *Extrakte. Laut DAB muß mit Ethanol, das Wasser od. Ether enthält, extrahiert werden, u. zwar 1 Tl. Droge mit 2–10 Tl. Flüssigkeit. Andere *Pharmakopöen verstehen unter T. auch Lsg. chem. definierter Stoffe. *Beisp.*: Arnikatinktur, Baldriantinktur, Tinctura Aurantii. – *E* tinctures – *F* teintures – *I* tinture – *S* tinturas
Lit.: DAB **9**, 1389; Komm.: **9/3**, 3342 ▪ Hager (4.) **7a**, 869 f.

TINOCLARIT®. Prozessor für silicatfreie u. silicathaltige Peroxidbleiche von Cellulose-Fasern u. deren Mischungen in kontinuierlichen u. semikontinuierlichen Imprägnierverfahren. *B.*: Pfersee.

Tinten. Von latein.: tinctum = benetzt, getränkt, gefärbt (vgl. Tinkturen) abgeleitetes Lehnwort für farbige Flüssigkeiten, die man seit altersher zum dauerhaften Kennzeichnen u. Schreiben benutzt. Abweichend vom Gebrauch im Deutschen, wo den T. allenfalls die Farbflüssigkeiten für Faser-, Filz- u. Kugelschreiber sowie für Stempelkissen u. Farbbänder zugerechnet werden, bedeuten engl.: ink ebenso wie französ.: encre sowohl Schreibtinte als auch jede Art von *Druckfarbe. Bei den T., die Lsg. bzw. Suspensionen von Farbstoffen bzw. Pigmenten in Wasser sind, wurden u. werden zumeist auch heute noch als Farbstoffe (vgl. Säurefarbstoffe) verwendet: *Anilinblau, *Auramin, Bismarckbraun, *Rhodamin, *Fuchsin, *Phthalocyanin-Farbstoffe, *Methylenblau, *Malachitgrün, *Kristallviolett, *Lichtgrün, *Lichtblau, *Tartrazin, *Eosin, *Ponceau-Farbstoffe, *Nigrosin, *Wasserblau. Eosin beispielsweise kann Bestandteil von roten, Malachitgrün von grünen, Kristallviolett von violetten T. sein. Anilinblau-Derivate wie *Tintenblau werden den Eisengallus-T., den gebräuchlichen *Füllfederhalter-T.*, zugesetzt, damit das Schriftbild sofort deutlich sichtbar ist. Da solche T. keine festen, die Feder verstopfenden Bestandteile enthalten dürfen, läßt man sie zum Absetzen einige Wochen lagern. Reine Farbstoff-T., die neben dem Farbstoff auch noch Verdickungsmittel (Zucker, Dextrine) u. Konservierungsmittel (Formaldehyd od. Phenol) sowie häufig zur Verbesserung der Fließeigenschaften Polyethylenglykole in Wasser gelöst enthalten, geben zwar ein brillanteres Schriftbild, sind aber nur ungenügend dokumentenecht. Deshalb wird für wichtige Urkunden (z. B. Staatsverträge) eine *Eisengallustinte vorgezogen, da deren zweiwertiges Eisen auf dem Papier durch Luftsauerstoff zu Eisen(III) oxidiert wird, das in dieser Oxid.-Stufe mit der *Gallussäure eine schwarze, weitgehend licht- u. luftbeständige Verb. bildet, die auf dem Papier wie ein waschechter Farbstoff fixiert ist. Zur Sichtbarmachung ausgebleichter T.-Schriftzüge kann bei Eisengallus-T. eine Lsg. von $K_4[Fe(CN)_6]+HCl$, bei Chlorid-haltigen T. die *Hanikirsch-Reaktion dienen. Die T.-Analyse auf chromatograph., spektroskop. u. selbst elektronenmikroskop. Basis od. mit *ESCA ist von Bedeutung für die *Altersbestimmung von Dokumenten, in der *Kunstwerkprüfung u. in der *forensischen Chemie zur Aufklärung von Urkundenfälschungen. Die Entfernung von T.-Flecken kann, je nach Untergrund, mit speziellen Mitteln zur Fleckentfernung (s. dort), mit *Tintenentfernern od. auch mit *Radiergummis erfolgen.

Neben den auch in Form von *Tintentabletten* gehandelten gewöhnlichen T. u. den T.-Farbstoffe enthaltenden *Tintenstiften gibt es noch eine Reihe spezieller Tinten. *Sympathet., Zauber-* od. *Geheimtinte* hinterlassen eine zunächst unsichtbare Schrift, die durch geeignete Maßnahmen sichtbar gemacht werden kann. Sog. *unzerstörbare Tinten* erhält man z. B. durch Verteilung von Pigmenten in einem Lösungsgemisch von PVC, Polyvinylalkohol, Polyvinylacetat u. Polyvinylbutyrat. Zum Beschriften von Glas od. Porzellan dienten spezielle *Glas-* (Ätz-) od. *Porzellan-Tinten*. In der *Hektographie bzw. beim Kopieren wurden eigene *Hektographen-* bzw. *Kopier-T.* eingesetzt (s. Umdruckverfahren). Zur Kennzeichnung von Wäschestücken nahm man *Wäschezeichentinte*, für die häufig Ruß, Silbernitrat od. organ. Farbstoffe wie *Anilinschwarz Verw. fanden.

Geschichte: In China u. Ägypten waren T., die mit einem Pinsel od. einem Rohr aufgetragen wurden, in Form von Rußsuspensionen in Pflanzengummilsg. (vgl. Tuschen) bereits 2600 Jahre vor unserer Zeitrechnung in Gebrauch. Eisengallus-T., deren Schriftzüge jahrhundertelang weitgehend unverändert erhalten bleiben können, sind seit etwa 2000 Jahren bekannt. Seit etwa 1950 haben jedoch *Kugelschreiber*, die als Füllung geeignete *Kugelschreiberpasten enthalten, u. noch später die *Faser-* u. *Filzschreiber* den Verbrauch an Schreib-T. zurückgedrängt. – *E* writing inks – *F* encres – *I* inchiostri – *S* tintas

Lit.: Kirk-Othmer (4.) **14**, 482–503 ▪ Ullmann (4.) **23**, 259–266; (5.) A**9**, 40–45.

Tintenbaum s. Liguster.

Tintenblau (C. I. 42780). Aus N,N',N''-Triphenylfuchsin (*Anilinblau) durch Sulfonierung entstandener zur Farbverstärkung von *Eisengallustinte (s. a. Tinten) geeigneter Blaufarbstoff mit 4 Sulfonsäure-Gruppen, vgl. die Abb. bei Triarylmethan-Farbstoffen. – *E* ink blue – *F* bleu d'encre – *I* blu d'inchiostro – *S* azul de tinta

Lit.: Beilstein E IV **13**, 2292. – *[CAS 28983-56-4]*

Tintenentferner (Tintenfresser, Tintenkiller). Bez. für Mittel zur Entfernung von *Tinten-Flecken aus Papier u. ähnlichem Material. Ein wirksamer T. in fester Form ließe sich beispielsweise aus einem Gemisch von Sandarak, Alaun, Tragant u. Paraffin mit Chlorkalk od. mit einem Citronensäure-Oxalsäure-Gemenge herstellen. T. in flüssiger Form gibt es als sog. *Radierwässer*, d. h. als Lsg., die z. B. Natriumhypochlorit od. Chlorkalk enthalten u. durch deren Oxid.-Wirkung Tinten zerstören. Ein Chlor-freier, flüssiger T. kann durch Auflösen von Oxalsäure u. Natriumdithionit in Wasser erhalten werden; in diesem Fall wirken Oxalsäure u. Dithionit auf reduzierende Weise zersetzend auf die Tinte. Mechan. wirken *Radiergummis mit Glasmehl od. Radierstifte mit Glasfaserbündeln. Zur Tintenfleckentfernung aus Geweben s. a. unter Fleckentfernung. – *E* ink stain removers – *F* détacheurs d'encre – *I* cancellainchiostro – *S* quitatintas, quitamanchas para tinta

Tintenfische s. Sepia-Schalen u. Mollusken.

Tintenfresser, Tintenkiller s. Tintenentferner.

Tintennüsse s. Cashew-Nüsse.

Tintenstifte (Kopierstifte). *Bleistift-ähnliche Schreibgeräte, deren Füllung aus reinem Ton, Talkum od. Graphit u. wasserlösl. Farbstoffen (vgl. Tinten) besteht. Der Zusatz der letzteren soll verhindern, daß unbemerkt radiert wird. Als Bindemittel wird Methylcellulose od. Tragant verwendet. Damit die Stifte gut über das Papier gleiten, setzt man der Füllmasse noch Calciumstearat zu. Den Farbstoff erkennt man, wenn man von der Füllmasse ein wenig in Wasser schabt u. umschüttelt. Splitter von Methylviolett-haltigen T. können in der Haut schwere chron. Entzündungen hervorrufen. Die Splitter sind in solchen Fällen mit der Pinzette sorgfältig zu entfernen, der bereits gelöste Farbstoff wird durch Spülungen mit Tannin-Lsg. unschädlich gemacht. Bes. gefährlich sind Augenverletzungen. Zur Fleckentfernung s. dort. – *E* indelible pencils, ink pencils, copying pencils – *F* crayon-encre – *I* matite copiative – *S* lápices de tinta

Lit.: Ullmann (4.) **8**, 601–603; (5.) A**9**, 39f.

Tintometer. Kurzbez. für die Firma Tintometer GmbH, 44287 Dortmund, die Geräte für die Kalorimetrie, zur Farbklassifizierung (Lovibond, Gardner, Hazen, Iod-Farbzahl) u. zur Wasseranalyse sowie elektrochem. u. photometr. Meßgeräte u. Küvetten herstellt.

Tinzaparin-Natrium (Logiparin, Rp). Internat. Freiname für das Natriumsalz eines depolymerisierten, niedermol. Heparins, M_R 4500±1500, das durch Spaltung mit Heparinase von *Flavobacterium heparinicum* gewonnen u. als Antithrombotikum eingesetzt wird. T. wurde 1987 u. 1992 von Novo Nordisk u. Leo Pharmaceutical Products (Innohep®, Leo, B. Braun) patentiert. – *E* tinzaparin sodium – *F* tinzaparinesodium – *I* tinzaparina sodica – *S* tinzaparina de sodio

Lit.: ASP ▪ Drugs **48**, 638–660 (1994) ▪ Martindale (31.), S. 883f. ▪ Ph. Eur. Suppl. **1999** u. Komm. – *[CAS 9041-08-1]*

Ti(o)... Von *Thi(o)..., *...thiol, *Thiophen usw. abgeleitete Silbe in *Freinamen u. *Marken; *Beisp.:* folgende Stichwörter, *Clotiazepam, *Ticarcillin, *Tiemoniumiodid; vgl. Ti(a)... – *E* = *F* = *I* = *S* ti(o)...

Tioconazol (Rp).

Internat. Freiname für das *Antimykotikum (±)-1-[2-(2-Chlor-3-thienylmethoxy)-2-(2,4-dichlorphenyl)-

ethyl]-1H-imidazol, $C_{16}H_{13}Cl_3N_2OS$, M_R 387,70. Verwendet wird meist das Hydrochlorid, Krist., Schmp. 168–170 °C. T. wurde 1976 u. 1977 von Pfizer patentiert u. ist von LAW (Mykontral®) im Handel. – *E = F* tioconazole – *I* tioconazolo – *S* tioconazol

Lit.: ASP ▪ Beilstein E V **23**/4, 324 ▪ Hager (5.) **9**, 944 f. ▪ Martindale (31.), S. 416. – *[HS 2934 90; CAS 65899-73-2 (T.); 61675-64-7 (Hydrochlorid)]*

Tioguanin (6-Thioguanin; Rp).

Internat. Freiname für 2-Amino-1,7-dihydro-6H-purin-6-thion (tautomere Form: 2-Amino-7H-purin-6-thiol), $C_5H_5N_5S$, M_R 167,18, farblose Krist., Schmp. >360 °C; λ_{max} (pH 1) 258, 374 nm ($A_{1cm}^{1\%}$ 484, 1250); in Wasser prakt. nicht u. in verd. Alkalihydroxid-Lsg. sehr leicht lösl.; Lagerung: vor Luft geschützt. T. wirkt als Antimetabolit zu *Guanin, worauf seine Cytostatika-Eigenschaften zurückgeführt werden. T. wurde 1954 von Burroughs Welcome patentiert. – *E = F* thioguanine – *I* 6-tioguanina – *S* tioguanina

Lit.: ASP ▪ Beilstein E III/IV **26**, 3926 ▪ Hager (5.) **9**, 945 f. ▪ IARC Scient. Publ. **73**, 81–87 (1985) ▪ Martindale (31.), S. 602 f. – *[HS 2933 59; CAS 154-42-7]*

Tiomesteron (Rp).

Internat. Freiname für das *Anabolikum 1α,7α-Bis(acetylthio)-17β-hydroxy-17α-methyl-4-androsten-3-on, $C_{24}H_{34}O_4S_2$, M_R 450,66, Krist., Schmp. 205–206 °C, $[\alpha]_D$ −66° (Dioxan); λ_{max} (CH₃OH) 237,5 nm ($A_{1cm}^{1\%}$ 439). T. wurde 1963 von E. Merck patentiert. – *E = I* tiomesterone – *F* tiomestérone – *S* tiomesterona

Lit.: Hager (5.) **9**, 946 ▪ Merck-Index (12.), Nr. 9596. – *[HS 2937 99; CAS 2205-73-4]*

Tiopronin.

Internat. Freiname für (±)-N-(2-Mercaptopropionyl)-glycin, $C_5H_9NO_3S$, M_R 163,20, Krist., Schmp. 95–97 °C, pK_{a1} 3,59, pK_{a2} 8,87, LD_{50} (Maus i.v.) 2,1 g/kg; lösl. in Wasser. T. wurde 1966 von Santen patentiert u. ist von Fresenius Praxis (Captimer®) als Lebertherapeutikum, Mucolytikum u. Antidot bei Schwermetall-Vergiftungen im Handel. – *E* tiopronin – *F* tiopronine – *I = S* tiopronina

Lit.: Hager (5.) **9**, 946 ff. ▪ Martindale (31.), S. 1761. – *[HS 2930 90; CAS 1953-02-2]*

Tiotixen (Rp).

Internat. Freiname für das *Neuroleptikum N,N-Dimethyl-9-[3-(4-methylpiperazino)-propyliden]-9H-thioxanthen-2-sulfonamid, $C_{23}H_{29}N_3O_2S_2$, M_R 443,62, Schmp. [(E,Z)-T.] 114–118 °C, [(Z)-T.] 147,5–149 °C, λ_{max} (CH₃OH) 228, 260, 310 nm ($A_{1cm}^{1\%}$ 830, 346, 180); LD_{50} (Maus i.p.) 100 mg/kg; Schmp. [(E)-T.] 123–124,5 °C, LD_{50} (Maus i.p.) 235 mg/kg, unlösl. in Wasser, lösl. in Ethanol, Ether, gut in Chloroform. Die cis-Form ist pharmakolog. aktiver als die trans-Form. T. wurde 1964 u. 1967 von Pfizer patentiert. – *E* tiotixene, thiothixene – *F* tiotixène – *I* tiotixene – *S* tiotixeno

Lit.: Beilstein E V **23**/2, 520 ▪ Florey **18**, 527–565 ▪ Hager (5.) **9**, 948 ff. ▪ Martindale (31.), S. 739 f. – *[HS 2935 00; CAS 5591-45-7]*

TIOTM. Nach DIN 7723: 1987-12 Kurzz. für Triisooctyltrimellitat als *Weichmacher.

Tioxide. Kurzbez. für die brit. Firma Tioxide Group Ltd. 137–143 Hammersmith Road, London W14 0QL, die 1998 von ICI an DuPont verkauft wurde. *Produktion:* Titandioxid unter der Marke Tioxide®. Vertr. in der BRD: Tioxide Europa GmbH, Am Brühl 17, 40878 Ratingen.

Tioxolon.

Internat. Freiname für das *Keratolytikum u. Antiseborrhoikum 6-Hydroxy-1,3-benzoxathiol-2-on, $C_7H_4O_3S$, M_R 168,16, Krist., Schmp. 160 °C, unlösl. in Wasser, lösl. in Ethanol, Ether, Benzol, wird durch Alkali hydrolysiert. T. wurde 1943 von Winthrop, 1959 von Thomae patentiert u. ist von Galderma in Kombination mit Benzoxoniumchlorid (Loscon®) im Handel. – *E = F = I* tioxolone – *S* tioxolona

Lit.: Hager (5.) **9**, 950 f. ▪ Martindale (31.), S. 1097. – *[HS 2934 90; CAS 4991-65-5]*

Ti-Plasmide. Abk. für *T*umor-*i*nduzierende *Plasmide, die durch virulente Stämme von *Agrobacterium tumefaciens* übertragen werden. Die Ti-P. können in Pflanzenzellen eindringen u. werden in deren Genom integriert. Dort sorgen sie durch die Produktion von *Auxinen u. *Cytokininen für ein vermehrtes Zellteilungswachstum (Tumorbildung). Andere Gene der Ti-P. tragen Informationen für die Bildung der sog. *Opine, die den Bakterien als Kohlenstoff- u. Stickstoff-Quelle dienen.

Veränderte Ti-P. sind als *Vektoren zum Einschleusen von Fremd-DNA in pflanzliche Zellen geeignet. So können z. B. Resistenzgene gegen *Antibiotika, *Herbizide od. Schadinsekten gezielt in dikotyledone Nutzpflanzen (s. Dikotyledonen) eingeführt werden. – *E* ti-plasmids – *F* plasmides Ti – *I* plasmidi Ti – *S* plásmidos Ti

Lit.: J. Bacteriol. **179**, 4831 (1997) ▪ Methods Mol. Biol. **44**, 47 (1995) ▪ Schlegel (7.), S. 162 f. ▪ Science **273**, 1107 (1996).

Tipranavir (Rp).

Internat. Freiname für den HIV-Protease-Inhibitor N-{3-[(R)-1-((R)-4-Hydroxy-2-oxo-6-phenethyl-6-propyl-5,6-dihydro-2H-pyran-3-yl)propyl]phenyl}-5-(trifluormethyl)-2-pyridinsulfonamid, $C_{31}H_{33}F_3N_2O_5S$,

M_R 602,66. T. wurde von Pharmacia & Upjohn entwickelt (U-140690, später PNU-140690), hemmt HIV-I-Stämme mit einer EC_{90} von 0,15 µM u. soll als Virostatikum zur Behandlung von AIDS in den Handel kommen. – $E=F=I=S$ tipranavir

Lit.: Drugs Fut. **23**, 146–151 (1998) ▪ J. Am. Chem. Soc. **119**, 3627f. (1998) ▪ J. Med. Chem. **39**, 4349–4353 (1996). – *[CAS 174590-27-3]*

TiPure®. Titandioxid-Pigmente für Anstrichstoffe, Lacke, Kunststoffe u. Papier. *B.:* DuPont.

Tirandamycine.

Aus Streptomyceten (z.B. *Streptomyces tirandis, S. flaveolus*) isolierte *Tetramsäure-Antibiotika mit einer Dienoyl-Seitenkette, an deren Ende sich ein bicycl. Ketal befindet. *T. A* {$C_{22}H_{27}NO_7$, M_R 417,46, Krist., Schmp. 98–102 °C, $[\alpha]_D$ +51° (C_2H_5OH, Natrium-Salz)} u. *T. B* ($C_{22}H_{27}NO_8$, M_R 433,46) unterscheiden sich in einer Hydroxy-Gruppe. Die T. wirken gegen Gram-pos. Bakterien, insbes. auch Clostridien. Sie sind Inhibitoren der terminalen DNA-Transferase u. der bakteriellen RNA-Polymerase. – *E* tirandamycins – *F* tirandamycines – *I* tirandamicine – *S* tirandamicinas

Lit.: Struktur: Arch. Microbiol. **109**, 65 (1976) ▪ J. Chem. Soc. **95**, 4077 (1973) ▪ J. Chem. Soc., Perkin Trans. 1 **1980**, 1057. – *Synth.:* J. Am. Chem. Soc. **107**, 1777, 5219 (1985); **113**, 8791 (1991) ▪ J. Chem. Soc., Chem. Commun. **1996**, 21 f. (Synth. T. B) ▪ Tetrahedron **44**, 3171–3180 (1988). – *Übersicht:* Chem. Rev. **95**, 1981–2001 (1995). – *[CAS 34429-70-4 (T. A); 60587-14-6 (T. B)]*

Tirilazad (Rp).

Internat. Freiname für 21-[4-(2,6-Di-1-pyrrolidinyl-4-pyrimidinyl)-1-piperazinyl]-16α-methylpregna-1,4,9(11)-trien-3,20-dion, $C_{38}H_{52}N_6O_2$, M_R 624,87. Verwendet wird das Mesilat Monohydrat, $C_{39}H_{58}N_6O_6S$, M_R 738,99, Schmp. 181–185 °C (Zers.), λ_{max} 234, 285 nm ($A_{1 cm}^{1\%}$ 704, 230). T. gehört zur neuen Klasse der nicht-glucocorticoiden 21-Aminosteroid-Antioxidantien (Lazaroide), die die Lipid-Peroxid. hemmen, u. soll sek. Gewebeschäden nach einer Blutung im Zentralnervensyst. verhindern. T. wurde 1987 u. 1992 von Upjohn patentiert u. ist unter der Bez. Freedox® in der klin. Prüfung. – $E=I=S$ tirilazad – F tirilazade

Lit.: Ann. Neurol. **32**, S137–S142 (1992) ▪ Drugs **50**, 971–983 (1995) ▪ Martindale (31.), S. 954 ▪ Merck-Index (12.), Nr. 9604. – *[CAS 110101-66-1 (T.); 110101-67-2 (Mesilat); 111793-42-1 (Mesilat Monohydrat)]*

Tirofiban (Rp).

Internat. Freiname für das Antithrombotikum *N*-(Butylsulfonyl)-*O*-[4-(4-piperidyl)butyl]-L-tyrosin, $C_{22}H_{36}N_2O_5S$, M_R 440,60, Schmp. 223–225 °C. Verwendet wird das Hydrochlorid-Monohydrat, Schmp. 131–132 °C, $[\alpha]_D^{25}$ –14,4° (c 0,92/CH_3OH). T. wurde 1992 von Merck (Aggrastat®) patentiert. Als Mimetikum der RGD-Sequenz (s. Integrine) ist es ein GPIIb/IIIa-Thrombocyten-Rezeptorenblocker, der bei Infarkt u. instabiler Angina pectoris in Kombination mit *Acetylsalicylsäure u. manchmal auch *Heparin eine gute Verminderung des cardialen Gesamtrisikos zeigt. – $E=I$ tirofiban – F tirofibane – S tirofibán

Lit.: J. Med. Chem. **37**, 2537–2551 (1994) ▪ Martindale (31.), S. 954f. ▪ Merck-Index (12.), Nr. 9605. – *[CAS 144494-65-5 (T.); 142373-60-2 (Hydrochlorid); 150915-40-5 (Hydrochlorid Monohydrat)]*

Tiron (Tiferron, 4,5-Dihydroxy-1,3-benzoldisulfonsäure-Dinatriumsalz, Brenzcatechin-3,5-disulfonsäure-Dinatriumsalz).

$C_6H_4Na_2O_8S_2$, M_R 314,22. Das in Wasser sehr leicht lösl. T. dient als Komplexometrie-Indikator u. als kolorimetr. Reagenz für Fe, Ti u. Mo sowie Os, Nb, Ce, Zr u. B. Name von *Ti*tan u. Engl.: I*ron* = Eisen. – $E=F=S$ tiron – I tirone

Lit.: Beilstein E III **11**, 568 ▪ Fries-Getrost, S. 142, 248, 358f. ▪ Merck-Index (12.), 9606 ▪ Pure Appl. Chem. **55**, 1220–1226 (1983). – *[HS 290820; CAS 149-45-1]*

Tiropramid (Rp).

Internat. Freiname für das *Spasmolytikum (±)-2-Benzamido-3-[4-(2-diethylaminoethoxy)phenyl]-*N,N*-dipropylpropionamid, $C_{28}H_{41}N_3O_3$, M_R 467,65, Schmp. 65–67 °C, LD_{50} (Ratte oral) 800, (Ratte i.v.) 33,9 mg/kg. Verwendet wird meist das Hydrochlorid, Schmp. 181–183 °C. T. wurde 1975 u. 1977 von Rotta patentiert u. ist von Opfermann (Alfospas®) im Handel. – $E=F=I$ tiropramide – S tiropramida

Lit.: ASP ▪ Hager (5.) **9**, 952f. ▪ Martindale (31.), S. 1767 ▪ Merck-Index (12.), Nr. 9607 ▪ Ph. Eur. **1997** u. Komm. – *[HS 292429; CAS 55837-29-1 (T.); 57227-16-4 (Hydrochlorid)]*

Tirucallol s. Triterpene.

Tischlerplatte s. Sperrholz.

Tischtschenko-Claisen-Reaktion s. Cannizzaro-Reaktion u. Essigsäureethylester.

Tiselius, Arne Wilhelm Kaurin (1902–1971), Prof. für Biochemie, Univ. Uppsala. *Arbeitsgebiete:* Ad-

sorptionschromatographie u. Elektrophorese als Trennungs- u. Analysenmeth. für Eiweiße, Seren, Hormone, Viren, Antikörper, Enzyme, Polysaccharide usw.; Nobelpreis für Chemie 1948.
Lit.: Lexikon der Naturwissenschaftler, S. 397 ▪ Neufeldt, S. 199 ▪ Pötsch, S. 425.

Tiselius-Apparatur. Ältere Bez. für Elektrophorese-Geräte.

Tispol®. Tabl. mit *Mandelsäurebenzylester, *Propyphenazon u. *Paracetamol gegen Zahnschmerzen. *B.*: Woelm Pharma.

Tissue s. Papier, S. 3112.

Tissue factor (Gewebsfaktor, CD142, Abk.: TF; histor. Bez.: Gewebs-Thromboplastin, Faktor III). Bez. für ein Zell-Oberflächen-Protein (genauer: ein Membrandurchspannendes *Glykoprotein mit einer Palmitoyl-Gruppe, M_R 45000 (bis 47000), das die *Blutgerinnung einleiten kann (extrins. Weg), indem es einen Komplex mit dem zirkulierenden Faktor VIIa bildet, der in Ggw. von Phospholipiden u. Calcium-Ionen den Faktor X proteolyt. aktiviert. – *E* tissue factor – *F* facteur de tissu – *I* fattore del tessuto – *S* factor de tejido
Lit.: Blood Coagul. Fibrinolysis 4, 281–292 (1993) ▪ FASEB J. 9, 883–889 (1995). – *World Wide Web*: http://www.ncbi.nlm.nih.gov/prow/cd/cd142.htm.

Tissue Plasminogen Activator (t-PA, dtsch: Gewebe-Plasmin-Aktivator). Bez. für den wichtigsten physiolog. Aktivator der Umwandlung des Proenzyms *Plasminogen in die aktive Protease *Plasmin im Rahmen des fibrinolyt. Systems. t-PA ist ein Glykoprotein mit einem M_R von 70000 u. besteht aus 527 Aminosäuren u. einem Kohlenhydrat-Anteil von ca. 10%. Er wird durch verschiedene Stimuli, z.B. Thrombin, aus dem Endothel der Blutgefäßwände freigesetzt. t-PA bindet zusammen mit Plasminogen unter Bildung eines ternären Komplexes an Fibrin-haltige Blutgerinnsel, was zur Plasminogen-Aktivierung u. damit Fibrin-Auflösung (Fibrinolyse) führt. Gentechnolog. hergestellter t-PA (rekombinanter t-PA, rt-PA) wird zur therapeut. Fibrinolyse, z.B. bei Herzinfarkt, angewandt. – *E* tissue plasminogen activator – *F* activateur du plasminogène du tissu – *I* attivatore tissutale del plasminogeno – *S* activador del plasminógeno del tejido
Lit.: Gulba u. Huber, Fibrinolysetherapie, Darmstadt: Steinkopff 1998.

Titan (chem. Symbol Ti). Metall. Element aus der 4. Gruppe des Periodensyst., Ordnungszahl 22, Atomgew. 47,88. Natürliche Isotope (Häufigkeit in Klammern): 46 (8,0%), 47 (7,3%), 48 (73,8%), 49 (5,5%) u. 50 (5,4%); daneben kennt man künstliche Isotope ^{41}Ti–^{53}Ti mit HWZ zwischen 80 ms (^{41}Ti) u. 67 a (^{44}Ti). Ti bildet in reiner Form metall. glänzende, nadelige od. tannenbaumähnliche Krist., die bis etwa 1 cm groß werden. Es ist ein *Leichtmetall u. tritt in zwei Modif. auf: Die hexagonale α-Form (D. 4,51) geht bei 882 °C in die kub. β-Form über (D. 4,32–4,35 bei 900 °C), Schmp. 1668 ± 5 °C, Sdp. 3287 °C.
In seinen Verb. tritt Ti als typ. *Übergangsmetall in den Oxid.-Stufen +2, +3 u. +4 auf. Die violetten Ti(III)-Salze sind starke Red.-Mittel, was man sich in der *Titanometrie* zunutze macht (s. Oxidimetrie). Die stabilsten u. techn. wichtigsten Ti(IV)-Verb. sind *Titandioxid, *Titansulfat u. Titanoxidsulfat, Titantetrachlorid u. die *Titanate(IV). Von Ti sind nicht nur *Titansäureester bekannt, sondern auch *Titan-organische Verbindungen mit direkter Kohlenstoff-Metall-Bindung sowie Komplexe mit Ti od. Ti-Ionen u. organ. Liganden; *Beisp.*: *Ziegler-Natta-Katalysatoren.
Ti bildet zahlreiche intermetall. Verb. u. Leg. (s. Titan-Legierungen) sowie binäre Verb. wie Titancarbid, -nitrid u. -diborid. *Ferrotitan (FeTi) kann große Mengen an Wasserstoff aufnehmen u. speichern[1]. Ti wird leicht angegriffen von Flußsäure u. heißen Säuren, ist aber widerstandsfähig gegen verd. Salzsäure u. Schwefelsäure in der Kälte, Salpetersäure jeder Konz. selbst bei 100°C, bei 20°C auch gegen Königswasser. Ti wird bei Raumtemp. nicht angegriffen von Alkoholen, $AlCl_3$, Ameisensäure, NH_4Cl, Ammoniak, $BaCl_2$, Chlorkalk, CH_2O, $MgCl_2$, $NaClO_3$, $NaNO_3$, Na_2S, CCl_4, Weinsäure, Citronensäure u.a. Chemikalien sowie von Meerwasser. Bei gewöhnlicher Temp. ist Ti luftbeständig, es verbrennt im Sauerstoff-Strom erst bei Rotglut zu Titandioxid; Ti-Pulver, wie sie z.B. bei der spanabhebenden Bearbeitung anfallen, sind pyrophor. Ti nimmt bei höherer Temp. leicht O_2, N_2 u. H_2 auf; dies bewirkt Versprödung u. Härtesteigerung.
Metall. Ti zeichnet sich durch geringes Gew., große mechan. Festigkeit, einen hohen Schmp. u. geringe therm. Ausdehnung. Gewöhnlich ist Ti infolge geringer Verunreinigungen spröde, hart u. nur bei Rotglut schmiedbar, dagegen kann man reinstes Ti schon in der Kälte zu Blechen walzen. Als Werkstoff für höhere Temp. ist Ti weniger geeignet, da seine Festigkeit trotz des hohen Schmp. oberhalb 426 °C schnell nachläßt. Die Korrosionsbeständigkeit von Ti ist durch eine passivierende oxid. Deckschicht viel besser, als seine Stellung in der Spannungsreihe (zwischen Mg u. Be) erwarten läßt.
Ti gilt als nichttox. Metall. Als nicht essentielles Spurenelement (der menschliche Körper enthält ca. 7 mg Ti[2]) scheint Ti keine nennenswerte Rolle zu spielen. *Nachw.*: Qual. durch das Auftreten einer intensiv orangegelben Färbung (Titanperoxosulfat) beim Versetzen einer schwefelsauren Ti-Lsg. mit H_2O_2. Zur Abtrennung, qual. u./od. quant. Bestimmung von Ti eignen sich bes. die Reagenzien *Tiron, *5-Sulfosalicylsäure, *N-Benzoyl-N-phenylhydroxylamin (N-Phenylbenzohydroxansäure), *8-Chinolinol, *Morin, *Chromotropsäure Dinatrium-Salz u. *Kupferron; Näheres zur Analytik s. *Lit.*[3].
Vork.: Der Anteil des Ti an der 16 km dicken Erdkruste wird heute auf 0,56% geschätzt; damit steht Ti in der Häufigkeitsliste der Elemente an 10. Stelle zwischen Wasserstoff u. Chlor; das verhältnismäßig wenig bekannte Ti ist also häufiger als z.B. Chlor, Phosphor, Kohlenstoff, Schwefel, Stickstoff usw. Es gehört mit Aluminium, Eisen u. Magnesium zu den am häufigsten in der Natur vorkommenden Metallen.
Die wichtigsten Ti-Minerale sind *Rutil, *Anatas, Brookit, *Ilmenit, *Perowskit u. *Titanit. Daneben findet sich Ti auch mit Seltenerdmetallen vergesellschaftet u. zu etwa 0,5% fast in jedem Ackerboden. Insgesamt ist Ti in nahezu 100 verschiedenen Mineralen enthalten. Auf den spurenweisen Einbau von Rutil u. Ti^{3+}-

Ionen ist die Farbe des Rosenquarzes[4] u. auch die gelegentliche Violettfärbung von Phosphatgläsern zurückzuführen. Die wichtigsten Ti-Lager in Form von Primärerzen (Ilmenit) liegen in Norwegen, der ehem. UdSSR, Finnland, Kanada u. den USA; Sekundärerz-Lagerstätten (Ilmenit- u. Rutil-Sande, *Seifen) befinden sich in Südafrika, Australien, Indien, Brasilien, Malaysia u. Ägypten. Große Anatas-Vork. wurden vor einiger Zeit in Brasilien entdeckt. Im Jahre 1994 wurden weltweit 3,424 Mio. t Ilmenit, 459000 t Rutil u. 1,508 Mio. t Ti-Schlacke gefördert. Die Produktion (in 10^3 t) verteilte sich 1994 wie folgt auf die Hauptförderländer: *Ilmenit u. Leucoxen:* Australien (1805), Norwegen (700), Ukraine (150), Malaysia (116), China (155), Indien u. Sri Lanka (360), Brasilien (91); *Rutil:* Australien (223), Sierra Leone (137) u. Südafrika (78). Außerdem wurde aus der Ilmenit-Förderung in Kanada (764) u. Südafrika (744) *Ti-Schlacke* (s. unten) hergestellt. Der weitaus größte Teil der Rohstoffe wird zu Titandioxid verarbeitet (s. dort). <5% zu Ti-Metall, wobei die wichtigsten Produzenten Kasachstan u. Rußland (je 35000 t), die USA (29 500 t) u. Japan (25 800 t) sind. Die Weltjahresproduktion betrug 1995 132 300 t.

Herst.: Durch Flotation u. elektrostat. bzw. magnet. Scheidung erhält man aus den natürlichen Ti-Erzen Konzentrate, die entweder – wie beim Schwefelsäure-Aufschluß des Ilmenits – zu Titandioxid od. zu Titantetrachlorid bzw. zu dem unten erwähnten Ferrotitan verarbeitet werden. Die T.-Erz-Aufschlußverf. sind mit vielseitigen Umweltschutzproblemen verbunden, die bei Titandioxid näher betrachtet werden. Da die Reinherst. von metall. Ti (infolge der großen Affinität zu Kohlenstoff, Stickstoff usw.) Schwierigkeiten bereitet, begnügte man sich in der Technik etwa bis 1950 im wesentlichen mit der Herst. einer unter 1400°C schmelzenden Eisen-Titan-Leg. mit 10–25% Ti, die man durch Red. von Rutil mit Kohle od. Aluminium in Ggw. von Eisen erhält. Ilmenit wird mit Kohle zur weiterverarbeitbaren sog. *Ti-Schlacke* (enthält ca. 80% TiO_2) u. Roheisen reduziert.

Großtechn. wird Ti heute als sog. *Ti-Schwamm* aus hochreinem Titantetrachlorid durch *Metallothermie mit Natrium (Hunter-Verf.) od. hauptsächlich nach dem von Kroll 1940 erfundenen Verf. gewonnen: Man überführt TiO_2 bei Temp. von 750–1000°C unter Einwirkung von Cl_2 u. Koks in $TiCl_4$ ($TiO_2 + 2Cl_2 + C \rightarrow TiCl_4 + CO_2$) u. reduziert das gereinigte $TiCl_4$ mit Mg, das mit Ti weder Mischkrist. noch intermetall. Verb. bildet, bei 800–950°C unter Helium od. Argon zu Ti ($TiCl_4 + 2Mg \rightarrow Ti + 2MgCl_2$). $MgCl_2$ u. unverbrauchtes Mg werden durch Erhitzen von Ti mit Salzsäure herausgelöst od. durch Vak.-Dest. entfernt. Verf. zur Elektrolyse von $TiCl_4$ in einer eutekt. LiCl/KCl-Schmelze od. in geschmolzenem NaCl wurden in den 80er Jahren erprobt u. danach nicht weiter verfolgt. Reinstes, auch bei tiefer Temp. auswalzbares Ti erhält man nach dem sog. *Aufwachsverfahren von van Arkel u. de *Boer; hierbei zersetzt man Titantetraiodid-Dämpfe in einer Apparatur aus Pyrexglas an sehr dünnen, etwa 1600°C heißen Wolfram-Fäden. Zur Herst. von Ti-Metall u. -Verb. im Laboratorium s. *Lit.*[5]. Zum Recycling von Ti-Schrott s. *Lit.*[6]. Ti wird als Pulver, Schwamm od. als in Vak.-Lichtbogenöfen[7] erschmolzene Blöcke mit Gew. bis zu 10 t erhalten, die warm u. kalt verformt, gewalzt u. geschmiedet werden können u. z.B. auf Stangen, Drähte, Rohre, Bleche usw. verarbeitet werden. Auch der *Ti-Guß* hat sich in den letzten Jahren immer mehr durchgesetzt. In der BRD wird Ti in mehreren, durch Art u. Menge der Fremdstoffe charakterisierten Qualitäten gehandelt. Außerdem gibt es über 20 verschiedene handelsübliche *Titan-Legierungen.

Verw.: Ti ist aufgrund seiner Eigenschaften ein sehr wertvoller Werkstoff in der Luft- u. Raumfahrt (Triebwerke, Flugzeugzellenbau), in der Tiefseetechnik u. beim U-Bootbau. Als Stahlveredler wirkt Ti, weil es im Eisen als Carbid- u. Nitrid-Bildner fungiert. Unlegierte Ti-Qualitäten u. Ti-Leg. wie Ti-Stahl, Ti-Hartmetalle u. Sonderleg. werden v. a. im Apparatebau für die chem. Ind. eingesetzt, z.B. in Anlagen zur Herst. von Salpetersäure, Soda, Chlor, Chlordioxid, Harnstoff, Essigsäure, Acetaldehyd, Kunststoffen od. im Anlagenbau der Nahrungsmittel-, Papier- u. Textil-Ind., in der Kernreaktortechnik, in Anlagen zur Meerwasserentsalzung. In der Medizin spielt Ti bei der Herst. von Knochennägeln, Prothesen, Nadeln usw. eine Rolle[8]. Ti-Stahl ist bes. widerstandsfähig gegen Stoß u. Schlag u. wird daher u. a. auch zur Herst. von Turbinen u. Eisenbahnrädern eingesetzt. Durch Zusatz von Ti erreicht man bei pulvermetallurg. hergestellten Dauermagneten hohe Koerzitivkraft u. Remanenz. Ti-Elektroden kommen als sog. aktivierte Ti-Anoden (mit Edelmetallen od. Edelmetalloxiden beschichtetes Ti-Metall) zur Anw., z.B. in der Chloralkali-Elektrolyse, im kathod. Korrosionsschutz, in der Perchlorat-Herst., Elektrodialyse u. Galvanotechnik. Eine spezielle Verw. findet Ti bei der Herst. dünner u. leichter Brillengläser hoher Brechkraft u. in der Schmuck-Ind. für Uhr-Armbänder u. farbigen Modeschmuck, den man erhält, wenn Ammoniumsulfat-Lsg. auf dem Metall elektrochem. zersetzt wird. Eine zusammenfassende Übersicht über die Anw.-Gebiete von Ti wird in *Lit.*[9] gegeben, u. zur Verw. von Ti-Verb. in niedrigen Oxid.-Stufen der organ. Synth. s. *Lit.*[10].

Geschichte: William Gregor (1791) u. Martin H. *Klaproth (1795) entdeckten unabhängig voneinander das Dioxid eines neuen Metalls, das von Klaproth nach den Riesen der griech. Mythologie Titan genannt wurde. *Berzelius stellte aus dem Dioxid schon 1825 durch Red. mit Natrium unreines, metall. Ti her. Die Schweden Nilson u. Pettersson erhielten 1887 etwa 95%iges, *Moissan 98%iges Ti u. van Arkel u. de Boer 1924 reinstes Ti-Metall. Die fabrikmäßige Ti-Herst. setzte erst um 1946 ein. – *E* titanium – *F* titane – *I = S* titanio

Lit.: [1] Kirk-Othmer (4.) **13**, 880. [2] Belitz-Grosch (4.), S. 381. [3] Fries-Getrost, S. 357–362; Townshend (Hrsg.), Encyclopedia of Analytical Science, S. 5236–5240, London: Academic Press 1995. [4] Angew. Chem. **85**, 281–289 (1973). [5] Brauer (3.) **2**, 1323–1398. [6] Metall (Berlin) **42**, 177–180 (1988). [7] Metall (Berlin) **42**, 774–779 (1988). [8] J. Mater. Sci. **22**, 3801–3811 (1987); Mem. Etud. Sci. Rev. Metall. **86**, 625–637 (1989). [9] Metall (Berlin) **43**, 137–142 (1989). [10] Chimia **43** (3), 39–49 (1989); Synthesis **12**, 883–897 (1989).

allg.: DIN-Katalog, 186 Einträge zum Stichwort Titan bei: http://www.beuth.de unter „Normen-Recherche" ▪ Friberg et al. (Hrsg.), Handbook on the Toxicology of Metals, Vol. II, S. 594–609, Amsterdam: Elsevier 1986 ▪ Gmelin, Syst.-Nr. 41, Ti, 1951 ▪ Kirk-Othmer (4.) **24**, 186–224 ▪ Minerals

Yearbook 1988, Vol. 1, S. 984, Washington: US Bureau of Mines 1990 ▪ Peletskii et al., Thermophysical Properties of Titanium and Its Alloys, New York: Hemisphere 1989 ▪ Ullmann (5.) A 27, 95–122 ▪ Winnacker-Küchler (4.) 4, 4 f., 299 ff., 504–513, 601. – *[HS 8108 10, 8108 90; CAS 7440-32-6; G 4.2]*

Titanate(IV). Bez. für Salze u. Ester der hypothet. Titansäuren (H_4TiO_4 bzw. H_2TiO_3), von denen die *Titansäureester in einem gesonderten Stichwort behandelt werden. Natürlich vorkommende T. sind z. B. der *Perowskit u. der als Rohstoff für die Gewinnung von Titan bedeutende *Ilmenit. Das beim Glühen von PbO mit TiO_2 entstehende Bleititanat (s. Bleizirkonat) wurde als gelbes Pigment benutzt. *Strontiumtitanat findet z. B. als Teilchendetektor u. als Schmuckstein Verw.; $SrTiO_3$ zählt wie auch Bleititanat u. *Bariumtitanat zu den *Ferroelektrika. $BaTiO_3$ weist *Piezoelektrizität auf u. wird daher in der Ultraschall-Technik zur Erzeugung u. Messung von Schwingungen od. Druckwellen benutzt. Ba- u. Ba,Sr-T.-Krist. werden auch zum Bau von *Thermistoren verwendet. Allg. können die Erdalkali-T. als *keramische Werkstoffe für *Dielektrika eingesetzt werden. Das zu den *Spinellen zählende $LiTi_2O_4$ zeigt *Supraleitung. Die sog. *PLZT-Keramiken (polykrist. Blei-Zirkonat-Titanat mit Lanthan-Zusatz) finden Anw. u. a. für den Bau opt. Datenspeicher. Eine T.-Keramik „Synroc" wird zur Immobilisierung *radioaktiver Abfälle diskutiert. – $E = F$ titanates(IV) – I titanati (IV) – S titanatos(IV)
Lit.: Kirk-Othmer (4.) 10, 413–432; 24, 250–254 ▪ Titania and the Titanates (2. Bd.), Harrow: Mitchell Market Reports on Advanced Materials 1990 ▪ Ullmann (5.) A 6, 83–90 ▪ Winnacker-Küchler (4.) 3, 198.

Titancarbid. TiC, M_R 59,91. *Titan-ähnlicher, harter, spröder Stoff, D. 4,93, H. 9–10, Schmp. 3140 ± 90 °C, Sdp. 4820 °C. T. kommt in Titan-haltigem Gußeisen vor, wurde erstmals von *Moissan im elektr. Ofen hergestellt u. wird heute techn. durch Red. von TiO_2 mit Ruß od. reinstem Graphit erhalten ($TiO_2 + 3 C \rightarrow TiC + 2 CO$). Dünne TiC-Schichten können durch Abscheidung aus der Gasphase hergestellt werden, z. B. aus einem Gemisch von $TiCl_4$ mit H_2 u. CH_4 od. aus Tetra(neopentyl)titan. TiC zeigt Halbleiter-Eigenschaften u. ist beständig gegen kalte Säuren u. Laugen. Neben *Wolframcarbid ist TiC das techn. wichtigste *Carbid, das als *Hartstoff für die Herst. von *Cermets u. *Hartmetallen wie z. B. *Titanit, zu härtenden, korrosionsschützenden Auflagen auf Stahl u. zur Festigkeitserhöhung von Edelstählen in der Kerntechnik verwendet wird. – E titanium carbide – F carbure de titane – I carburo di titanio – S carburo de titanio
Lit.: Brauer (3.) 2, 1385 ff. ▪ Chem. Anlagen + Verfahren 1987, Nr. 9, 141 f. ▪ Gmelin, Syst.-Nr. 41, Ti, 1951, S. 357–368 ▪ Kirk-Othmer (4.) 24, 228–231 ▪ Ullmann (5.) A 5, 66, 68 f., 75 f. ▪ Winnacker-Küchler (4.) 4, 576 f., 603 f. ▪ s. a. Carbide. – *[HS 2849 90; CAS 12070-08-5]*

Titanchloride. a) *Titan(II)-chlorid* (Titandichlorid), $TiCl_2$, M_R 118,81. Schwarzes Kristallpulver, D. 3,13, an der Luft selbstentzündlich; beim Erhitzen auf 600 °C u. in Wasser erfolgt Zers. (heftige H_2-Entwicklung, evtl. Entflammung). $TiCl_2$ entsteht durch Zers. (Disproportionierung) von Titan(III)-chlorid in der Hitze od. durch Red. von Titan(IV)-chlorid mit Ti od. Natriumamalgam, als Tetrahydrofuran-Komplex auch durch Red. von Titan(IV)-chlorid mit n-Butyllithium bei –78 °C in Tetrahydrofuran.
b) *Titan(III)-chlorid* (Titantrichlorid), $TiCl_3$, M_R 154,27. Violettes, wasserfreies Pulver, D. 2,64, bei 440 °C Zers., od. violettes bzw. grünes (unbeständiges) Hexahydrat, $TiCl_3 \cdot 6 H_2O$. $TiCl_3$ entsteht, wenn man Titan(IV)-chlorid-Dämpfe zusammen mit viel Wasserstoff durch glühende Röhren leitet.
Verw.: Als vielseitiges Red.-Mittel, um z. B. Doppelbindungen u. heterocycl. Stickstoffoxide zu reduzieren, Nitro-Verb. in Ketone, Oxime in Imine, Halogenketone in Ketone, heterocycl. Azide in Amine u. Aldehyde od. Ketone durch reduktive Kupplung (zusammen mit $LiAlH_4$ od. anderen starken Red.-Mitteln) in Olefine zu überführen (*McMurry-Kupplung, *Lit.*[1,2]). In der *Maßanalyse dient $TiCl_3$ ebenfalls als Red.-Mittel [s. Oxidimetrie (*Titanometrie*)]. $TiCl_3$ ist auch ein wichtiger Bestandteil von *Ziegler-Natta-Katalysatoren, z. B. bei der Synth. von Polyolefinen sowie bei *Friedel-Crafts-Reaktionen, bei der Herst. von cis-Polybutadien-Kautschuk usw. $TiCl_3$ reduziert Azofarbstoffe unter Entfärbung u. kann daher zum schonenden Bleichen von Textilien verwendet werden. Eine solche Entfärbungslsg. enthält z. B. 20% $TiCl_3$, 15% Zinkchlorid, 7–9% HCl, 50–57% Wasser u. Stabilisatoren; sie ist gut verschlossen in Glas- od. Kautschuk-ausgekleideten Gefäßen aufzubewahren. $TiCl_3$ ist in Prüfröhrchen zum Nachw. von *Sauerstoff enthalten (Farbumschlag von schwarz nach grau).
c) *Titan(IV)-chlorid* (Titantetrachlorid), $TiCl_4$, M_R 189,71. Farblose, stechend riechende, an feuchter Luft stark rauchende Flüssigkeit, D. 1,726, Schmp. –24,1 °C, Sdp. 136,5 °C, lösl. in Salzsäure u. Alkohol, wird durch Wasser hydrolysiert ($TiCl_4 + 2 H_2O \rightarrow TiO_2 + 4 HCl$). $TiCl_4$ wird durch Chlorierung eines Gemisches aus TiO_2 od. *Rutil u. Kohle bei 700–1000 °C mit Chlor gewonnen.
Verw.: Wichtiges Zwischenprodukt bei der Herst. von Titan u. Titandioxid-Pigmenten, als Beize in der Textil-Ind., in der Lederfärberei, zur Produktion von künstlichem Nebel (Himmelsschreiber), zur Entspiegelung von Photoobjektiven, für keram. Erzeugnisse, zur Herst. von künstlichen Perlen, für Ziegler-Natta-Katalysatoren, *Titansäureester u. *Titan-organische Verbindungen. Zur Anw. von $TiCl_4$ in der organ. Synth. s. *Lit.*[3] u. zur Spurenanalyse von *Wasserstoffperoxid s. *Lit.*[4]. – E titanium chlorides – F chlorures de titane – I cloruri di titanio – S cloruros de titanio
Lit.: [1] Kontakte (Merck) **1985**, Nr. 2, 14–21. [2] Acc. Chem. Res. **7**, 281 ff. (1974); **16**, 405 ff. (1983). [3] Angew. Chem. **89**, 858–866 (1977); Synthetica **2**, 436–443. [4] Int. J. Environ. Anal. Chem. **3**, 257–270 (1974).
allg.: Brauer (3.) 2, 1334–1346 ▪ Gmelin, Syst.-Nr. 41, Ti, 1951, S. 289–324 ▪ Hommel, Nr. 327, 904, 1015 ▪ Kirk-Othmer (4.) 24, 256–261 ▪ Ullmann (5.) A 20, 279 ff. ▪ Winnacker-Küchler (4.) 3, 369 ff.; 4, 504 f. – *[HS 2827 49; CAS 10049-06-6 (a); 7705-07-9 (b); 7550-45-0 (c); G 4.2 ($TiCl_3$), 8 ($TiCl_4$)]*

Titandiborid. TiB_2, M_R 69,52. Hexagonale Krist. von metall. Aussehen, D. 4,52, Schmp. 2980 °C, H. 9. TiB_2 ist ein guter elektr. Leiter u. erlangt bei 1,26 K Supraleitfähigkeit. Es gehört zu den *Hartstoffen mit hoher chem. u. therm. Stabilität im Verw.-Bereich 1100–1700 °C u. ist härter als alle anderen bis jetzt bekannten Metallboride. Als techn. wichtigster Vertreter

der *Boride wird TiB_2 durch Umsetzen von elementarem Bor mit metall. Titan im Vak. od. inerter Atmosphäre od. durch Reaktion von TiO_2 u. B_2O_3 mit Kohlenstoff gewonnen.
Verw.: Als Elektroden- u. Tiegelmaterial in der Aluminium-Metallurgie, als Ersatz von Diamantstaub in Bohrern u. Schneidwerkzeugen, als schützender Überzug für Mo, W u. Ta, zur Herst. von *Cermets. Wegen der guten Benetzbarkeit durch geschmolzene Metalle wird T. als Gefäßmaterial für die Verdampfung von Metallen im Vak. verwendet. – *E* titanium diboride – *F* diborure de titane – *I* diboruro di titanio – *S* diboruro de titanio
Lit.: Chem. Unserer Zeit **22**, 93–99 (1988) ▪ Frankhouser et al., Gasless Combustion Synthesis of Refractory Compounds, Park Ridge: Noyes 1985 ▪ Gmelin, Syst.-Nr. 41, Ti, 1951, S. 355ff. ▪ Kirk-Othmer (4.) **24**, 227f. ▪ Ullmann (5.) **A 4**, 305f. ▪ s.a. Boride. – *[HS 285000; CAS 12045-63-5]*

Titandioxid [Titan(IV)-oxid]. TiO_2, M_R 79,90. Die mit Abstand techn. bedeutendste *Titan-Verb. tritt in drei Modif. auf, die in der Natur als *Anatas* (tetragonale Krist., D. 3,9, H. 5,5–6), *Brookit* (orthorhomb. Krist., D. 4,17, H. 5,5–6, Schmp. 1825 °C) u. *Rutil* (tetragonale Krist., D. 4,26, H. 6–6,5, Schmp. 1830–1850 °C, Sdp. >2500 °C, stabilste Form des TiO_2) vorkommen. Anatas wandelt sich in einer exothermen Reaktion ($\Delta H° = 12,6$ kJ/mol) allmählich, schneller >700 °C irreversibel in Rutil um. In allen Modif. ist das Ti-Atom oktaedr. von 6 Sauerstoff-Atomen umgeben, O hat gegenüber Ti die Koordinationszahl 3. Die Modif. unterscheiden sich aufgrund der verschiedenen räumlichen Verknüpfung der Oktaeder [1]. TiO_2 ist unlösl. in Wasser, organ. Lsm., verd. Säuren u. Laugen, lösl. in heißer konz. Schwefelsäure, Flußsäure u. geschmolzenen Alkalihydroxiden u. -carbonaten. Es wird von Wasserstoff, Kohlenstoff u. Erdalkalien nur bei höheren Temp. angegriffen, reagiert aber heftig mit Lithium. TiO_2 ist ungiftig; für Feinstäube wurde als allg. Staubgrenzwert (MAK) eine Konz. von 6 mg/m^3 festgesetzt.
Herst.: Unter den zahlreichen, zur Herst. von TiO_2 vorgeschlagenen Verf. haben sich bisher in der Technik nur das Sulfat- u. das Chlorid-Verf. durchgesetzt: Das ältere, seit 1917 praktizierte *Sulfat-Verf.* (auch Schwefelsäure-Prozeß genannt) geht von feingemahlenem *Ilmenit, $FeTiO_3$, (od. Ilmenit-Schlacke) aus, der mit ca. 90%iger H_2SO_4 aufgeschlossen wird. Der Aufschlußkuchen wird in Wasser gelöst u. die Lsg. geklärt. Da Fe^{3+} bei der Hydrolyse gemeinsam mit Titanoxidhydrat ausfallen u. eine Qualitätsminderung bei den fertigen TiO_2-Pigment bewirken würde, wird durch Zugabe von Eisen-Schrott gelöstes dreiwertiges Eisen in die zweiwertige Form überführt. Nach dem Erkalten wird auskrist. $FeSO_4 \cdot 7 H_2O$ (Grünsalz) abgeschleudert. Anschließend erfolgt die Hydrolyse des Titanoxidsulfates ($TiOSO_4$) zu Titanoxidhydrat, das nach Filtration u. gründlichem Waschen in Drehrohröfen in TiO_2 übergeführt wird. Durch Impfen mit entsprechenden Keimen, Zusatz geeigneter Einstellchemikalien u. durch Wahl der Glühtemp. (800–1000 °C) erhält man entweder die Anatas- od. die bevorzugte Rutil-Modif. (nur diese sind techn. bedeutend). Bei dem 1958 eingeführten *Chlorid-Verf.* geht man von mineral. Rutil od. „Titan-Schlacke" (s. Titan) mit hohem TiO_2-Gehalt aus, die durch Chlorieren mit Cl_2 in Ggw. von Kohle in $TiCl_4$ überführt werden. Dessen Oxid. bei erhöhter Temp. mit Sauerstoff verläuft unter Bildung von TiO_2 u. Chlor. Das entstandene Chlor wird erneut zur Herst. von $TiCl_4$ verwendet. Das nach beiden Verf. erhaltene TiO_2 wird meistens zur Verfeinerung noch einer Nachbehandlung unterworfen. Hochdisperses, sehr reines T. erhält man durch Flammhydrolyse von $TiCl_4$. Das Chlorid-Verf. wird heute bevorzugt, weil ein kontinuierlicher Betrieb möglich ist u. ökolog. Vorteile bestehen. TiO_2-arme Rohstoffe, z.B. Nelsonit, können nur nach dem Sulfat-Verf. verarbeitet werden, bei dem pro t TiO_2 ca. 4 t Grünsalz u. 6–9 t sog. *Dünnsäure – ca. 20%ige H_2SO_4 mit 5–10% $FeSO_4$, 3% $MgSO_4$ u. 1–3% Schwermetallsulfaten – anfallen, die früher nahezu ausschließlich im Meer „verklappt" wurde. Seit 1989 wird die Dünnsäure bei allen dtsch. Herstellern aufkonzentriert u. in den Prozeß zurückgeführt. Das Begleitprodukt $FeSO_4$ kann als Flockungsmittel in der Abwasserreinigung, zur Schlammbehandlung u. zur Herst. von Eisenoxid-Pigmenten verwendet werden. 1996 wurden weltweit bereits 56% des TiO_2 nach dem Chlorid-Verf. hergestellt. Die Weltproduktion an TiO_2 belief sich 1930 auf 20000 t, 1960 auf 900000 t, 1965 auf 1,6 Mio. t, 1990 auf 3,3 Mio. t u. 1996 auf 4,06 Mio. t. Die wichtigsten Erzeugerländer (1996) sind die USA u. Kanada (1,5 Mio. t), die EU (1,22 Mio. t), Japan u.a. Länder im pazif. Raum (526000 t) u. Australien (159000 t). In der BRD (alte Bundesländer) wurden 1990 ca. 330000 t TiO_2 produziert, von denen etwa 75% exportiert wurden.
Verw.: In der Anatas- u. insbes. in der Rutil-Modif. besitzt TiO_2 als ausgezeichnetes *Weißpigment* eine bes. techn. Bedeutung. Die hervorragenden pigmentopt. Eigenschaften sind bedingt durch den hohen Brechungsindex (Anatas 2,55, Rutil 2,75, s. Refraktion), womit TiO_2 das höchste Aufhell- u. Deckvermögen der handelsüblichen Weißpigmente aufweist. TiO_2-Weißpigmente werden nahezu universell zum Weißfärben od. Aufhellen von Buntpigmenten verwendet. Das früher viel verwendete *Titanweiß* enthielt neben TiO_2 aus anstrichtechn. u. wirtschaftlichen Gründen je nach Verwendungszweck Sulfate u. Carbonate von Ba, Ca u. Mg u. bis zu 10% Zinkweiß (ZnO); es ist heute durch die reinen TiO_2-Pigmente verdrängt worden. Je nach Einsatzgebiet werden unterschiedliche TiO_2-Spezialtypen angeboten – man schätzt ihre Zahl einschließlich der verschiedenen Lieferformen auf >500. TiO_2 ist auch ein ausgezeichnetes *Trübungsmittel für *Email u. wird wegen seiner guten dielektr. Eigenschaften in der Elektro-Ind. z.B. zu Kondensatoren verarbeitet. Auch synthet. Schmucksteine lassen sich aus TiO_2 (s. Rutil) herstellen. Da TiO_2 ungiftig ist, wird es in Kosmetika (Sonnenschutzmitteln, Lippenstiften, Körperpudern, Seifen, Perlglanzpigmenten, Zahnpasten) u. pharmazeut. Spezialitäten eingesetzt. Auch in der Lebensmittel-Ind. ist TiO_2 zugelassen, z.B. zur Umhüllung von Salami. In Zigarren sorgen geringe Zusätze von TiO_2 für die so geschätzte weiße Asche. In der Chemie dient T. als Träger für Katalysatoren od. bei der *Kjeldahl-Methode selbst als Katalysator.
In Westeuropa wurden TiO_2-Pigmente 1989 für folgende Anw. genutzt: 60% für Lacke, Anstrichstoffe u.

Straßenmarkierungsfarben, 20% für Kunststoffe, 12% für Papier, 3% für Dekorschichtstoffe, der Rest für Druckfarben u. Korrekturlacke, Kautschuke, Kosmetika, Arznei- u. Lebensmittelumhüllungen, Emails, Keramiken, Gläser etc. – *E* titanium dioxide – *F* oxyde de titanium – *I* biossido di titanio – *S* óxido de titanio
Lit.: [1] Ramdohr-Strunz, S. 138.
allg.: Brauer (3.) **2**, 1366 ff. ■ Chem. Ind. (Düsseldorf) **38**, 343–350 (1986); **39**, 36–39 (1987) ■ DECHEMA-Monogr. **102**, 333–359, 465–481 (1986) ■ Gmelin, Syst.-Nr. 41, Ti, 1951, S. 226 ff. ■ Kirk-Othmer (4.) **19**, 12–18; **23**, 235–250 ■ Kulling, Konzentrierung von Dünnsäure der Titandioxid-Industrie, Eggenstein-Leopoldshafen: FIZ Energie, Physik, Mathematik 1984 ■ Ph. Eur. **1997**, S. 1746 ff. ■ Winnacker-Küchler (4.) **3**, 367–373 ■ s.a. Titan, Pigmente u. Rutil. – [HS 282300; CAS 13463-67-7 (TiO_2); 1317-70-0 (Anatas); 1317-80-2 (Rutil); 12188-41-9 (Brookit)]

Titandioxid-Glimmer s. Perlglanzpigmente.

Titaneisen s. Ilmenit.

Titangelb (Thiazolgelb, Clayton-Gelb, C.I. Direct Yellow 9, C.I. 19540).

Trivialname für das Dinatriumsalz der 2,2′-(4,4′-Triazen-1,3-diyldi-*p*-phenylen)-bis(6-methyl-7-benzothiazolsulfonsäure), $C_{28}H_{23}N_5Na_2O_6S_4$, M_R 699,74. Gelblichbraunes Pulver, lösl. in Wasser u. Alkohol (gelb), in NaOH (rötlich gelb) u. Schwefelsäure (bräunlich gelb).
Verw.: Mikroskop. Anfärbungen; als pH-Indikator (pH 12,0–13,0 gelb/rot) u. Reagenz für den Magnesium-Nachweis. – *E* Titan yellow – *F* jaune Titan – *I* giallo Titan – *S* amarillo Titan
Lit.: Beilstein E II **27**, 509 ■ Fries-Getrost, S. 231 ■ Ullmann (5.) A **8**, 513. – [CAS 1829-00-1]

Titan-Gruppe s. Periodensystem.

Titanhydrid. TiH_2, M_R 49,92. Kub. Krist. von metall. Aussehen, D. 3,76, oberhalb 350 °C Zers. unter Wasserstoff-Abgabe. Das Handelsprodukt ist ein graues, feinteiliges, bei Raumtemp. luft- u. wasserbeständiges Pulver der ungefähren Zusammensetzung $TiH_{1,95}$ (s. Metallhydride). In T. besetzen die H-Atome die tetraedr. Lücken einer kub. dichtesten Kugelpackung aus Ti-Atomen. T. reagiert bei höherer Temp. heftig mit oxidierenden Stoffen, in Luft tritt oberhalb 400 °C Entzündung ein; auch Staubexplosionen sind möglich.
Herst.: Die stöchiometr. Verb. ist nur schwierig durch Red. von TiO_2 mit Calciumhydrid in einer H_2-Atmosphäre erhältlich. Industriell wird $TiH_{1,95}$ aus Ti-Schwamm u. Wasserstoff bei 300–500 °C erzeugt. Die Aufnahme von H_2 im Metallgitter ist reversibel u. abhängig vom Dampfdruck des Hydrids bei der jeweiligen Temperatur.
Verw.: Zur Desoxid. von Metallen bes. in der Pulvermetallurgie, zur Herst. von reinem *Titan-Metallpulvern u. äußerst feinteiligem *Titannitrid. Mit Hilfe von $TiH_{1,95}$ erzielt man eine feste Verb. zwischen keram. Materialien (Glas, Porzellan) u. Metallen. Ferner dient $TiH_{1,95}$ zur Beschichtung von Ti-Leg. zum Korrosionsschutz gegen Meerwasser u. zur Herst. geschäumter Metalle. – *E* titanium hydride – *F* hydrure de titane – *I* idruro di titanio – *S* hidruro de titanio
Lit.: Brauer (3.) **2**, 1333 f. ■ Gmelin, Syst.-Nr. 41, Ti, 1951, S. 203–211 ■ Kirk-Othmer (4.) **24**, 225 ff. ■ Ullmann (5.) A **13**, 220 f. ■ s. a. Metallhydride. – [HS 285000; CAS 7704-98-5; G 4.1]

Titanit (Sphen). $CaTi[O/SiO_4]$; zu den Neso-*Silicaten gehörendes, überwiegend gelbgrün, grün, bräunlich bis dunkelbraun, auch smaragdgrün (mit ca. 1% Cr) od. schwarz gefärbtes, monoklines Mineral, Kristallklasse $2/m$-C_{2h}. Die Struktur (*Lit.*[1]) enthält $[CaO_7]$-Koordinationspolyeder; gewinkelte Ketten von $[TiO_6]$-Oktaedern werden durch inselartig angeordnete $[SiO_4]$-Tetraeder verknüpft; zur Bildung von *Domänen in der Struktur s. *Lit.*[2,3]. Bes. synthet. T. zeigen Phasenübergänge von einer monoklinen Tieftemp.-Phase zu einer monoklinen Hochtemp.-Phase bei 496 K (*Lit.*[3–7]) u. einen weiteren Phasenübergang bei 825 K (*Lit.*[7–9]); zu einem Phasenübergang bei hohen Drücken s. *Lit.*[10]. Zur Synth. von T.-Einkrist. s. *Lit.*[11,12].
T. bildet überwiegend tafelige, prismat. od. keilförmige (griech.: sphen = Keil) od. Briefkuvert-förmige, durchsichtige bis undurchsichtige, oft zu *Zwillingen verwachsene Krist. mit starkem Glas- od. Harzglanz. H. 5–5,5, D. 3,4–3,6, Bruch muschelig, spröde. T. wird von Salzsäure nicht verändert, von Schwefelsäure u. Flußsäure jedoch zersetzt.
T. enthält theoret. 28,6% CaO, 40,8% TiO_2 u. 30,6% SiO_2. Chem. Analysen von T. zeigen zahlreiche Substitutionen, u. a. $(Al,Fe^{3+})+O^{2-} \leftrightarrow Ti^{4+}+(OH,F)^-$ (*Lit.*[13]); zur Kristallchemie Al-reicher T., die u. a. in Gesteinen der *Hochdruckmetamorphose (z. B. in *Eklogiten[14]) vorkommen, s. *Lit.*[15]. Calcium kann z. T. durch Yttrium [bis hin zum *Yttrotitanit* („Keilhauit")], Cer u. a. Seltene Erden ersetzt werden. Beimengungen an Thorium u. Uran führen durch radioaktive Einwirkung (α-Strahlung) zu einer teilw. Umwandlung des Gitters in eine glasartige, amorphe Struktur („metamikter Zustand"); wegen der möglichen Verw. von T. als Bestandteil von Keramik- u. Glaskeramik-Behältern für radioaktive Abfälle[16,17] ist dieser metamikte Zustand in T. mehrfach untersucht worden, z. B. in *Lit.*[18,19]; zum OH-Einbau in metamikten u. a. T. s. *Lit.*[20]. Titan kann ferner über die Substitution $Al^{3+}+(Nb,Ta)^{5+} \leftrightarrow 2Ti^{4+}$ z. T. durch Niob u. Tantal[21], ferner durch Zirconium u. Vanadium[22] ersetzt sein. Zur Mischbarkeit von T. mit dem Zinn-Analogen *Malayait*, $CaSn[O/SiO_4]$, s. *Lit.*[23].
Vork.: Verbreitet als untergeordneter Gemengteil in *magmat. u. *metamorphen Gesteinen, u. a. in *Dioriten (z. B. Bayer. Wald), *Syeniten, Granit-*Pegmatiten (z. B. Norwegen), *Nephelinsyeniten (z. B. Halbinsel Kola/Rußland) u. *Gneisen. Auf alpinen Klüften („*Sphen*") in Österreich u. der Schweiz. Zu Edelsteinen verschleifbare T. werden u. a. in Mexiko, Brasilien, Kanada u. den Alpen gefunden. Zur möglichen Verw. von T. in der *Geochronologie (Bestimmung von U-Pb-Altern) s. *Lit.*[24]; zur Diffusion von Blei in T. s. *Lit.*[25]. – *E* titanite, sphene – *F* = *I* titanite – *S* titanita
Lit.: [1] Am. Mineral. **61**, 878–888 (1976). [2] Am. Mineral. **61**, 238–247 (1976). [3] Am. Mineral. **82**, 677–681 (1997). [4] Am. Mineral. **61**, 435–447 (1976). [5] Phys. Chem. Miner. **17**, 591–603, 604–610 (1991); **19**, 260–266 (1992); **19**, 502–506 (1993). [6] Phase Transitions **59**, 39–60 (1996). [7] Z. Kristallogr. **212**, 9–19 (1997). [8] Phys. Chem. Miner. **22**, 41–49 (1995).

[9] Am. Mineral. **82**, 30–35 (1997). [10] Am. Mineral. **81**, 1527 ff. (1996). [11] J. Crystal Growth **87**, 169–174 (1988). [12] Am. Mineral. **82**, 748–753 (1997). [13] Eur. J. Mineral. **5**, 219–231 (1993). [14] Mineral. Mag. **60**, 461–471 (1996). [15] Eur. J. Mineral. **3**, 777–792 (1991). [16] Naturwissenschaften **68**, 141 f. (1981). [17] Appl. Geochem. **1**, 199–210 (1986). [18] Am. Mineral. **76**, 370–396 (1991). [19] J. Material Res. **6**, 560–564 (1991). [20] Eur. J. Mineral. **8**, 281–288 (1996). [21] Mineral. Petrol. **52**, 61–73 (1995). [22] Gemmologie (Z. Dtsch. Gemmol. Ges.) **46**, 225 ff. (1997). [23] Schweiz. Mineral. Petrogr. Mitt. **77**, 1–11 (1997). [24] Earth Planet. Sci. Lett. **138**, 57–65 (1996). [25] Chem. Geol. **110**, 177–194 (1993).
allg.: Anthony et al., Handbook of Mineralogy, Vol. II, Teil 2, S. 805, Tucson (Arizona): Mineral Data Publishing 1995 ▪ Deer et al., S. 27–30 ▪ Deer, Howie u. Zussman, Rock-Forming Minerals (2.), Vol. 1 A, Orthosilicates, S. 443–466, London: Longman 1982 ▪ Lapis **14**, Nr. 9, 6–11 (1989) („Steckbrief") ▪ Ramdohr-Strunz, S. 681 f. ▪ Ribbe (Hrsg.), Orthosilicates (Reviews in Mineralogy, Vol. 5), S. 137–154, Washington (D. C.): Mineralogical Society of America 1980. – [CAS 12135-61-4]

Titan-Legierungen. Sammelbez. für metall. Leg. mit *Titan als Hauptbestandteil. Die meist verwendeten T.-L. enthalten ein od. mehrere der folgenden Leg.-Elemente: Al, V, Sn, Mo, Zr, Cr, Fe, Pd, O, N, C u. H u. zeichnen sich durch geringe Dichte, hohe Festigkeit u. gute Korrosionsbeständigkeit aus. Letztere beruht auf der spontanen Ausbildung einer dünnen, diffusionsdichten oxid. Deckschicht. Durch gasf. Leg.-Elemente läßt sich die Festigkeit zwar verbessern; die Zähigkeit geht jedoch zurück. T.-L. lassen sich in hexagonale α, zweiphasige $\alpha+\beta$ u. kub. raumzentrierte β-Leg. einteilen. Zu den α-Leg. zählen für die chem. Technik bedeutsame Sorten mit bis zu 0,3% Fe u. 0,35% O sowie die hochkorrosionsbeständige Leg. TiPd0,2. In der Klasse der near-α-Leg. findet man Hochtemp.-Werkstoffe mit Einsatztemp. bis rund 550 °C, z. B. Ti-8 Al-1 V-1 Mo. Zu den ($\alpha+\beta$)-Leg. zählt die bekannteste, in der Luftfahrt verwendete Sorte Ti-6 Al-4 V. Die metastabilen β-Leg. besitzen hohe Festigkeit bei hoher Zähigkeit, als Beispiel sei Ti-3 Al-8 V-6 Cr-4 Mo-4 Zr genannt. Nur α- u. ($\alpha+\beta$)-Leg. sind unter Schutzgas gut schweißbar. Ti-Nb-Leg. zeigen *Supraleitung unterhalb 10 K u. werden in Magneten für NMR-Spektroskopie u. für Teilchenbeschleuniger eingesetzt. TiNi (Titannickel, z. B. *Nitinol) ist eine sog. Memory-Leg., d. h. sie zeigt Formgedächtnis. TiFe bindet reversibel Wasserstoff (TiFeH$_2$) u. kann als Wasserstoff-Speicher dienen. T.-L. kommt des weiteren in Form von *Ferrotitan techn. Bedeutung in der Stahlmetallurgie zur *Desoxidierung u. Korngrößenverminderung (s. Feinen) von *Stahl zu. Dadurch werden bei Stahl die mechan. Eigenschaften verbessert u. die Empfindlichkeit der Schmelze gegen Überhitzung u. eine sich daraus ergebende Grobkornbildung bei der Erstarrung gesenkt.
Verw.: T.-L. werden hauptsächlich in der chem. Technik sowie in der Luft- u. Raumfahrt verwendet, daneben auch für Implantate (Endoprothesen) in der Humanmedizin. – *E* titanium alloys – *F* alliages de titanium – *I* leghe di titanio – *S* aleaciones de titanio
Lit.: Gräfen (Hrsg.), Lexikon Werkstofftechnik, S. 102 ff., Düsseldorf: VDI-Verl. 1991 ▪ Kirk-Othmer (4.) **24**, 186 ff. ▪ Ullmann (5.) **A 27**, 95 ff. ▪ Winnacker-Küchler (4.) **4**, 229 ff.

Titannitrid. TiN, M_R 61,91. Goldgelbe Krist., D. 5,213, Schmp. 2950 °C (Zers.), unlösl. in Wasser, H. 8–9, metall. Leiter. T. ist beständig gegen kalte HCl, H$_2$SO$_4$, HNO$_3$, HF, KOH, NaOH, H$_2$O-Dampf von 100 °C, zersetzt sich in heißen Alkalilaugen unter Bildung von Ammoniak. T. ist durch Reaktion von TiCl$_4$ mit N$_2$ in einem Wasserstoff-Plasma od. durch direktes *Nitrieren von Ti z. B. in KCN/K$_2$CO$_3$-Salzschmelzen erhältlich. *Dünne Schichten von TiN, die auf SiO$_2$-Substrat Halbleiter-Eigenschaften besitzen, lassen sich durch *Gasphasenabscheidung (CVD) erzeugen [1]. TiN wird bei Temp. über 1200 °C in O$_2$-, NO- od. CO$_2$-Atmosphäre schnell oxidiert.
Verw.: Als *Hartstoff zur Herst. von härtenden u. verschleißschützenden Oberflächenschichten auf Feinmaschinenlagern, Wälzlagern, Schneidwerkzeugen u. dgl., zur Auskleidung von Reaktionsbehältern insbes. für flüssige Metalle wie Al, Cu u. Fe, zur Beschichtung von Uhrengehäusen u. Schmuckwaren. – *E* titanium nitride – *F* nitrure de titanium – *I* nitruro di titanio – *S* nitruro de titanio
Lit.: [1] Mater. Australas. **18**, 11–15 (1986).
allg.: Brauer (3.) **2**, 1377 ff. ▪ Gmelin, Syst.-Nr. 41, Ti, 1951, S. 272–285 ▪ Kirk-Othmer (4.) **24**, 231 f. ▪ Winnacker-Küchler (3.) **6**, 506, 515. – [HS 285000; CAS 25583-20-4]

Titanocen s. Titan-organische Verbindungen.

TITANODE®. Elektroden für elektrochem. Prozesse, insbes. Elektroden für Korrosionsschutz, für die Chlor-, Hypochlorit- u. Chlorat-Herst. sowie für Verzinkungsanlagen. *B.:* De Nora Deutschland GmbH.

Titanohämatit s. Hämatit.

Titanomagnetit s. Magnetit.

Titanometrie s. Oxidimetrie.

Titan-organische Verbindungen. Vom drei- u. vierwertigen *Titan sind zahlreiche organ. Derivate bekannt, insbes. wenn man den T.-o. V. auch die *Titansäureester (Ti-Alkoholate u. -Phenolate) sowie die Ti-Chelate zurechnet. Bekannt sind ferner halogenierte bzw. acylierte Derivate der allg. Formeln Ti(OR)$_n$X$_{4-n}$ mit X = Halogen bzw. (R^{1}O)$_n$Ti(O–CO–R^2)$_{4-n}$ u. Mischtypen. Analog gebaute T.-o. V. erhält man auch mit Ti-N-Amid-Bindung. Von den eigentlichen T.-o. V. mit σ-Bindung zwischen C u. Ti sind die Verb. des Typs TiR$_4$ sehr labil, während Halogen-, Amin- u. Alkoxy-Derivate R$_n$TiX$_{4-n}$ mit n = 1–3 stabiler sind; Analoges gilt für Derivate des dreiwertigen Titans. Derartige T.-o. V., die sich z. B. aus Titanhalogeniden mit *Lithiumorganischen Verbindungen od. *Grignard-Verbindungen *in situ* durch *Transmetallierung herstellen lassen, zeichnen sich gegenüber diesen Metall-organ. Reagenzien durch eine drast. erhöhte *Chemo-* u. *Diastereoselektivität* für z. B. Additionsreaktionen an Carbonyl-Verb. aus (s. Abb. 1).

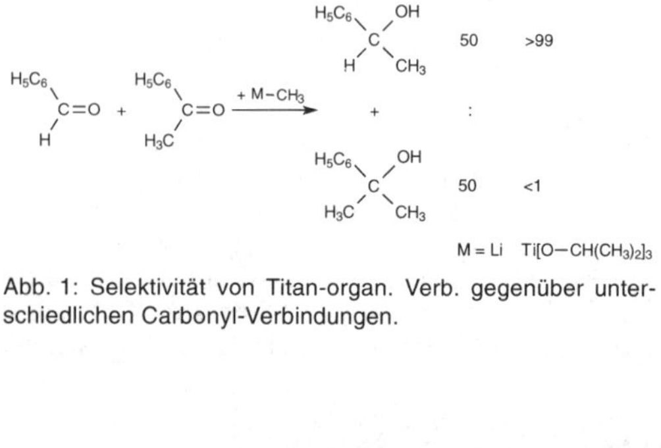

Abb. 1: Selektivität von Titan-organ. Verb. gegenüber unterschiedlichen Carbonyl-Verbindungen.

T.-o. V. mit *Cyclopentadienyl-Liganden u. mit zwei zusätzlichen chiralen Coliganden (z. B. in Form modifizierter Kohlenhydrate) sind Reagenzien, die hohe asymmetr. Induktion (s. enantioselektive Synthese) bei der nucleophilen Addition an Aldehyde sowie bei der *Aldol-Addition ermöglichen.

Abb. 2: Enantioselektive Herst. eines Homoallylalkohols (Enantiomerenüberschuß: ee = 90%).

Die beständigsten T.-o. V. sind diejenigen mit *Cyclopentadienyl, die einen den *Sandwich-Verbindungen ähnlichen Aufbau haben (vgl. Metallocene). Das rote sog. Titanocendichlorid wirkt bei Mäusen als Cytostatikum[1,2] u. eignet sich – ebenso wie andere T.-o. V. – in Verb. mit Aluminiumalkylen als Katalysator für die Olefin-Polymerisation, vgl. a. Ziegler-Natta-Katalysatoren. Der Komplex aus Titanocendichlorid u. Trimethylaluminium (s. Tab.) (*Tebbe-Grubbs-Reagenzien) reagiert mit Aldehyden u. Ketonen unter Olefinierung; vgl. Alkylidenierung.
Andere Titanocen-Derivate [z. B. Bis(pentamethylcyclopentadienyl)-titan] machen durch ihre Neigung zur chem. *Stickstoff-Fixierung von sich reden[3]. Eine ausführliche Darst. der techn. Einsatzmöglichkeiten für T.-o. V. findet sich in Kirk-Othmer (*Lit.*). – E organotitanium compounds – F composés d'organotitanium – I composti organici di titanio – S compuestos de organotitanio

Lit.: [1] Nachr. Chem. Tech. Lab. **29**, 154–156 (1981); **34**, 562–565 (1986). [2] Naturwissenschaften **74**, 374–382 (1987). [3] J. Am. Chem. Soc. **93**, 2045 ff. (1971); **96**, 612 (1974); **113**, 8986 (1991). [4] Paquette **3**, 1663. [5] Paquette **2**, 1078. [6] Org. React. **43**, 1 (1993). [7] Paquette **5**, 3598.
allg.: Acc. Chem. Res. **16**, 405–411 (1983) ■ Adv. Organomet. Chem. **19**, 1–50 (1981); **25**, 317–379 (1986) ■ Angew. Chem. **92**, 1044 (1980); **95**, 12–26 (1983); **108**, 949 (1996); **109**, 694 (1997) ■ Gmelin, Syst.-Nr. 41, Ti, Organotitanium Compounds (seit 1977) ■ Hommel, Nr. 1017 ■ Houben-Weyl **13/7**, 261–334 ■ Kirk-Othmer (3.) **23**, 176–245; (4.) **24**, 275 ■ Krause, Metallorganische Chemie, S. 137 f., Heidelberg: Spektrum 1996 ■ Nachr. Chem. Tech. Lab. **35**, 1029–1036 (1987); **38**, 1244–1247 (1990) ■ Reetz, Organotitanium Reagents in Organic Synthesis, Berlin: Springer 1986 ■ Synthesis **1986**, 89–116 ■ Synlett **1997**, 241 ■ Top. Curr. Chem. **106**, 1–54 (1982) ■ Wilkinson-Stone-Abel **3**, 271 ff.; II **4**, 213 ff. ■ s. a. Titan.

Titanoxidsulfat s. Titansulfate.

Titansäureester. Bez. für im weitesten Sinn zu den *Titan-organischen Verbindungen gerechnete Verb. des allg. Typs $Ti(OR)_4$ mit R = organ. Rest, die man sich von der hypothet. Orthotitansäure $Ti(OH)_4$ abgeleitet denken kann u. die daher auch als organ. *Titanate* bezeichnet werden. Exakter ist jedoch die Benennung der T. z. B. als *Alkoholate *[Titan(IV)-alkoxide]*, da die T. durch Reaktion von Titantetrachlorid (s. Titanchloride) mit Alkoholen entstehen, wobei die Cl-Atome ganz od. teilw. durch Alkoxy-Gruppen ersetzt werden. Die Reaktion ist auch mit Phenolen u. a. Hydroxy-Verb. durchführbar u. führt dann zu den entsprechenden *Phenolaten. Bei der Herst. vollsubstituierter Ti-Alkoxide ist die Anwesenheit eines HCl-Akzeptors wie Na, NH_3 od. bestimmter Amine erforderlich, dagegen gelingt die Synth. von *Titan(IV)-aryloxiden* durch Anw. eines Überschusses der phenol. Komponente. Die meisten techn. T.-Synth. basieren auf dem Verf. von J. G. Nelles (1938), wonach $TiCl_4$ mit einwertigen Alkoholen in einem inerten Lsm. umgesetzt wird. In Abwesenheit von HCl-Akzeptoren erreicht man damit die Stufe der Dialkoxytitandihalogenide.

Tab.: Einige wichtige Titan-organische Verbindungen.

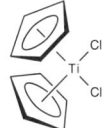

Dichlorobis(η^5-cyclopentadienyl)-titan [Bis(η^5-cyclopentadienyl)titandichlorid, Titanocendichlorid], CAS [1271-19-8], $C_{10}H_{10}Cl_2Ti$, M_R 248,98, rote Krist., Schmp. 289 °C[4].

μ-Chlorobis(η^5-cyclopentadienyl)(dimethylaluminium)-μ-methylentitan (Tebbe-Grubbs-Reagenz), CAS [67719-69-1], $C_{13}H_{18}AlClTi$, M_R 284,60, rot-orange, luftempfindliche Krist.[5,6].

Methyltris(2-propanolato)titan (Triisopropoxymethyltitan), CAS [18006-13-8], $C_{10}H_{24}O_3Ti$, M_R 240,22, gelbe Flüssigkeit, Schmp. 10 °C, Sdp. 50 °C (2,4 Pa)[7].

Die T. der allg. Formel Ti(OR)$_4$ mit R = (substituierten) Alkyl-Resten sind durchweg farblose, brennbare Flüssigkeiten od. wachsartige Stoffe mit Ausnahme des Methylats; auch die meisten Titanaryloxide sind fest. Da Titan(IV) die Koordinationszahlen bis 6 verwirklichen kann, bilden sich über Sauerstoff-Brücken höhermol. Aggregate, falls *sterische Hinderung dies nicht verhindert. Titanalkoxide hydrolysieren mehr od. weniger rasch, wobei sich zunächst Oligomere bilden (Analogie zu den Siloxanen). Endprodukt der Hydrolyse ist TiO$_2$, das durch gezielte Einwirkung von Feuchtigkeit in dünnen Schichten, z. B. auf Gläsern, abgeschieden werden kann.

Tab.: Wichtige Titansäureester.

Ti[O–(CH$_2$)$_3$–CH$_3$]$_4$	Tetrabutyl-orthotitanat [Tetrabutoxytitan, Titan(IV)-butoxid], CAS [5593-70-4], C$_{16}$H$_{36}$O$_4$Ti, M_R 340,36, farblose, zähe Flüssigkeit, D. 1,002, Schmp. ca. –50 °C, Sdp. 163–166 °C (0,17 kPa)
Ti[O–(CH$_2$)$_2$–CH$_3$]$_4$	Tetrapropyl-orthotitanat [Tetrapropoxytitan, Titan(IV)-propoxid], CAS [3087-37-4], C$_{12}$H$_{28}$O$_4$Ti, M$_r$ 284,26, sirupartige, fast farblose Flüssigkeit, D. 1,042, Sdp. 124 °C (0,013 kPa).
Ti[O–CH(CH$_3$)$_2$]$_4$	Tetraisopropyl-orthotitanat [Tetraisopropoxytitan, Titan(IV)-isopropoxid], CAS [546-68-9], C$_{12}$H$_{28}$O$_4$Ti, M_R 284,26, farblose Flüssigkeit, D. 0,9711, Schmp. 19 °C, Sdp. 49 °C (0,013 kPa).

Weitere techn. hergestellte T. sind z. B. Methyl-, Ethyl- u. höhere Alkylester, Benzyl-, Phenyl- u. a. Arylester. Aufgrund der Hydrolyse-Reaktionen wirken die meisten T. ätzend od. reizend auf Haut u. Schleimhäute.
Verw.: Aufgrund ihrer Fähigkeit zum Abscheiden dünner TiO$_2$-Schichten, ihrer katalyt. u. vernetzenden Eigenschaften werden T. hauptsächlich verwendet als Vernetzer u. Härter für Alkyd-, Epoxid-, Terephthal- u. a. Lackkunstharze, Bindemittel für korrosionsfeste Hochtemperaturlacke, zur hydrophobierenden Imprägnierung von Textilien, als Haftvermittler zum Verkleben von Folien u. a. Werkstoffen, zum Oberflächenschutz von Glaswaren, als Katalysatoren für die Olefin-Polymerisation u. die Veresterung von Phthalat-, Adipat- u. Polyesterweichmachern etc. Tetrapropyltitanat läßt sich zur Bestimmung von Wasserspuren in organ. Lsm. heranziehen. Im Labor wird Tetraisopropyltitanat für asymmetr. Synth. von Alkoholen u. Sulfoxiden sowie in der *Sharpless-Epoxidierung* (enantioselektive Bildung von Epoxiden aus Allylalkoholen) eingesetzt (Übersicht s. *Lit.*[1]). – *E* titanic acid esters, titanates – *F* esters de l'acide titanique, titanates – *I* esteri dell'acido titanico, titanati – *S* ésteres del ácido titánico, titanatos
Lit.: [1] Paquette **7**, 4932.
allg.: s. Titan-organische Verbindungen.

Titan-Saphir-Laser (Kurzz.: Ti:Al$_2$O$_3$-Laser). Neuerer *Festkörper-Laser, dessen Wellenlänge durchstimmbar ist (Leistung bis 2,5 W, Maximum bei 800 nm, Breite des Abstimmbereichs: 300 nm). Das opt. aktive Medium besteht aus Ti^{3+}-Ionen, die in *Saphir (Al$_2$O$_3$ mit Beimengungen) eingelagert sind; dieses Trägermaterial zeichnet sich durch hohe *Wärmeleitfähigkeit sowie außergewöhnliche chem. Beständigkeit u. mechan. Härte aus. Stäbe in guter opt. Qualität werden bis 3,5 cm Durchmesser u. 15 cm Länge hergestellt. Da das Absorptionsmaximum von Ti^{3+}-Ionen bei 500 nm liegt, werden T.-S.-L. sehr effektiv (Quanten-Effektivität bis 40%) durch *Argon-*Laser (λ = 514,5 nm, kontinuierlich) od. frequenz-gekoppelte Nd:YAG-Laser (λ = 532 nm, gepulst, Details s. Neodym-Laser) gepumpt. Lasertätigkeit wurde im Wellenbereich von 600 nm bis 1178 nm beobachtet. Kommerzielle Geräte liefern Pulsenergien von 100 mJ im Wellenlängenbereich 680–940 nm; dieser Abstimmbereich kann transferiert werden, durch *Frequenzverdopplung: 340–470 nm, Frequenzverdreifachung: 225–315 nm od. Frequenzvervierfachung: 170–235 nm. – *E* titanium sapphire laser – *F* laser à titanium-saphir – *I* laser a titanio-zaffiro – *S* láser de titanio-zafiro
Lit.: Koechner, Solid State Laser Engineering, Berlin: Springer 1996.

Titan-Stahl. Veraltete Bez. für *Stahl mit geringen Anteilen an *Titan. Die Auswirkungen von Ti auf die Stahleigenschaften erstrecken sich von einer Korngrößenverminderung (s. Feinen) in niedriglegierten Stählen bis hin zu einer Kohlenstoff-stabilisierenden Wirkung in *nichtrostenden Stählen. – *E* titanium-alloyed steel – *I* acciaio al titanio – *S* acero de titanio
Lit.: Rapatz, Die Edelstähle, 5. Aufl., S. 294 ff., Berlin: Springer 1962.

Titansulfate. a) *Titan(III)-sulfat*, Ti$_2$(SO$_4$)$_3$, M_R 383,98. Grünes, in Wasser u. konz. H$_2$SO$_4$ unlösl. Kristallpulver, das sich jedoch in verd. H$_2$SO$_4$ od. HCl unter Bildung von violetten, sauren Hydraten löst, die als rotviolette Kristallpulver isoliert werden können u. die als ca. 15%ige Lsg. in der Textil-Ind. zum Abziehen von Färbungen verwendet werden können.
b) *Titan(IV)-sulfat*, Ti(SO$_4$)$_2$, M_R 239,8. T. ist nur beständig in Lsg. von konz. Schwefelsäure, aus der *Titandioxid hergestellt werden kann. T. hydrolysiert schon in Lsg. unter Bildung von TiO(SO$_4$).
c) *Titanoxidsulfat* (früher *Titanylsulfat* genannt), TiO(SO$_4$), M_R 159,96. Weißes, krist., hygroskop. Pulver, das unter Hydrolyse in kaltem Wasser lösl. ist. TiOSO$_4$ ist ein wichtiges Zwischenprodukt bei der Herst. von *Titandioxid nach dem Sulfat-Verfahren. Die ca. 15%ige wäss. Lsg. ist ein ausgezeichnetes Reagenz auf *Wasserstoffperoxid [Bildung von orangegelbem Titanperoxosulfat: TiO(SO$_4$) + H$_2$O$_2$ → TiO$_2$(SO$_4$) + H$_2$O]. – *E* titanium sulfates – *F* sulfates de titane – *I* solfati di titanio – *S* sulfatos de titanio
Lit.: Brauer (3.) **2**, 1374 ff. ■ Gmelin, Syst.-Nr. 41, Ti, 1951, S. 343–351 ■ Kirk-Othmer (3.) **24**, 266 f. – *[HS 2833 29; CAS 10343-61-0 (a); 13693-11-3 (b); 13825-74-6 (c)]*

Titantetra-, -trichlorid s. Titanchloride.

Titanweiß. Weißes *Pigment, dessen wesentlicher farbbestimmender Anteil Titandioxid ist, s. dort.

Titanyl-Verbindungen. Früher verwendete Bez. für heute systemat. als *Titanoxid-Verb.* zu benennende *Oxo-Verb. des Titans; *Beisp.:* Titanoxidsulfat (Ti-

tanylsulfat, s. Titansulfate). Früher nahm man an, daß die T.-V. TiO^{2+} als Kation enthalten. – *E* titanyl compounds – *F* composés de titanyle – *I* composti di titanile – *S* compuestos de titanilo

Titer (von französ.: titre = Feingehalt, Feinheitsgrad). 1. In der *Maßanalyse[1] versteht man unter dem Titer t den „Quotient aus der tatsächlich vorliegenden Konz. c(X) einer Maßlsg. (Ist-Wert) u. der angestrebten Konz. c̄(X) derselben Lsg. (Soll-Wert): t = c(X)/c̄(X)." Der anhand von *Urtitersubstanzen bestimmbare T. ist somit ein *Faktor zur Kennzeichnung der Konz. von *Normallösungen. Die Bez. T. darf nicht zur Angabe des bei einer bestimmten *Titration verbrauchten *Vol.* an *Titrans verwendet werden.
2. In der Textil-Ind. bedeutet T. eine Feinheitsbez. für *Fasern u. Fäden, d. h. eine Gew.-Angabe pro Länge, deren Einheit das *Tex ist.
3. Bei Fettanalysen Bez. für den *Erstarrungspunkt eines Fettes od. fetten Öles.
4. In der Bakteriologie bedeutet der „*Coli-T.*" die kleinste Wassermenge in mL, in der das Bakterium *Escherichia coli* noch nachweisbar ist. – *E* titer [USA], titre [GB] – *F* titre – *I* titolo – *S* título
Lit.: [1] Schwedt, Analytische Chemie, S. 82 ff., Stuttgart: Thieme 1995.

Titin (Connectin). Hochmol. Protein (M$_R$ ca. 3 Mio.) aus Herz- u. Skelettmuskel, das sich parallel zu den *Actin-Filamenten über die Länge eines halben *Sarkomers (>1 µm) erstreckt. Das T.-Mol. verankert möglicherweise als elast. Feder das Filament des Motor-Proteins *Myosin während der Muskelkontraktion in der mittleren Position zwischen den das Sarkomer begrenzenden Z-Scheiben u. wirkt evtl. während der Ausbildung der Muskelfaser als „Baugerüst", an dem sich die anderen mol. Bestandteile orientieren. T. besitzt auch zu *Immunglobulinen strukturell ähnliche Domänen. Durch reversibles Entfalten repetitiver Immunglobulin-Domänen unter Zug (z. B. durch Atom-Kraft-Mikroskopie) zeigt T. mol. Elastizität u. kann auf das 4fache seiner Ruhelänge gedehnt werden[1]. Bei Wirbellosen wurde ein dem T. funktionell entsprechendes u. strukturell ähnliches, jedoch verkürztes (M$_R$ 600 000 – 700 000) Protein *Twitchin, *Projectin* od. Mini-T. genannt. Ein Homolog des Wirbeltier-T. wird auch in *Chromosomen des Menschen u. von *Drosophila melanogaster* gefunden[2]. Dort dürfte es der Verdichtung der Chromosomen vor ihrer Verdopplung dienen. T. kommt auch in *Thrombocyten vor u. verleiht ihnen Elastizität[3]. Zur Aktivierung der Protein-Kinase-Domäne des T. s. *Lit.*[4]. – *E* titin – *F* titine – *I* = *S* titina
Lit.: [1] Nature (London) **387**, 308 – 312 (1997); Science **276**, 1090 ff., 1109 – 1116 (1997). [2] J. Cell Biol. **141**, 321 – 333 (1998). [3] Science **283**, 186 f. (1999). [4] Nature (London) **395**, 846 f., 863 – 869 (1998). *allg.:* Alberts et al., Molekularbiologie der Zelle, 3. Aufl., S. 1008 f., Weinheim: VCH Verlagsges. 1995 ■ Circulation Res. **80**, 290 – 294 (1997) ■ Curr. Biol. **6**, 258 ff. (1996) ■ FASEB J. **11**, 341 – 345 (1997) ■ Nature (London) **387**, 233 ff. (1997).

Titrans. Bez. für die bei einer *Titration verwendete Reagenzlsg. (Titrierflüssigkeit), s. Maßanalyse. – *E* titrant – *F* solution titrante, titrant – *I* titolante – *S* solución valorante (titrante)

Titration. Bez. für ein Verf., bei dem eine unbekannte Menge einer gelösten Substanz dadurch ermittelt wird, daß man sie quant. von einem chem. exakt definierten Anfangszustand in einen ebensogut definierten Endzustand durch Zugabe einer geeigneten Reagenzlsg. (meist in Form einer *Normallösung) mit bekanntem chem. Wirkungsgrad (*Titer) überführt, u. deren Vol. genau gemessen wird. Unter der Voraussetzung, daß die zugrunde liegende chem. Reaktion ausreichend schnell, quant. u. eindeutig nach der *Stöchiometrie der Reaktionsgleichung verläuft, kann aus dem Vol. der verbrauchten Reagenzlsg. u. aus dem Gehalt der wirksamen Substanz die Menge des zu bestimmenden Stoffes berechnet werden. Das Ende der Reaktion (*Äquivalenzpunkt od. *Endpunkt) muß dabei von selbst erkennbar sein od. erkennbar gemacht werden können. Die T. ist die Grundlage der Maßanalyse; s. dort die verschiedenen Ausführungsformen. Die Bestimmung des Endpunktes einer T. kann durch *Indikatoren od. die verschiedensten physikal. Meth. erfolgen, wie z. B. Photometrie, Radiometrie, Fluorimetrie, Oszillometrie (s. Hochfrequenztitration), Heterometrie, Kalorimetrie; s. a. Fällungsanalyse, Trübungstitration u. thermometrische Titration. Von bes. Bedeutung sind die Meth. der *Elektroanalyse wie Dead-Stop-T., Amperometrie, Coulo-, Konduktometrie, Potentio-, Voltametrie. Für Routine-T. hat sich die Verw. von *Titrierautomaten durchgesetzt. – *E* titration – *F* titrage – *I* titolazione – *S* valoración, titración, titulación
Lit.: Analyt.-Taschenb. **7**, 3 – 119 ■ Chem. Labor Biotech. **42**, 388 – 393 (1991) ■ Otto, Analytische Chemie, Weinheim: VCH Verlagsges. 1995 ■ Schulz, Titration von Tensiden u. Pharmaka, Augsburg: Verl. für Chemische Industrie Ziolkowsky 1996 ■ Schwedt, Analytische Chemie, Stuttgart: Thieme 1995 ■ Townshend (Hrsg.), Encyclopedia of Analytical Science, Bd. 9, S. 5240 – 5248, San Diego: Academic Press 1995.

Titretta® (Rp). Schmerztabl. u. -suppositorien mit *Propyphenazon u. *Codein-phosphat. *B.:* Berlin-Chemie.

Titrierautomaten. Bez. für Automaten, die die rasche u. zuverlässige Ausführung von *Titrationen im Routinebetrieb erlauben, möglichst nur ein Minimum an manuellen Eingriffen erfordern, das Titrationsergebnis digital anzeigen u. oft das Ergebnis der *Maßanalyse für Dokumentationszwecke ausdrucken. Im Handel sind mit *Mikroprozessoren gesteuerte Geräte, die methodenspezif. Parameter, Kalibrierwerte u. Probeninformationen speichern. Die Dosierung durch Motorbüretten kann in äquidistanten Vol.- bzw. pH-Schritten od. in Abhängigkeit vom Kurvenverlauf dynam. erfolgen. Die Titration kann manuell od. durch Vol.-, pH- u. Potentialwerte zur Charakterisierung des *Äquivalenzpunktes beendet werden. Mit Hilfe von Personalcomputern u. geeigneter Software lassen sich die Möglichkeiten derartiger Syst. bezüglich der Auswertung, Berichterstattung in Form von Tab. u. Grafiken bis zum Anlegen von Datenbanken beträchtlich erweitern.
Verw.: T. werden immer da eingesetzt, wo viele gleichartige Titrationen ausgeführt werden müssen: Bei Betriebskontrollen, in der klin. Chemie, im Umweltschutz usw. – *E* automatic titrators – *F* appareils pour

le titrage automatique – *I* titolatori automatici – *S* valoradores (tituladores) automáticos
Lit.: GIT Fachz. Lab. **32**, 229–232, 1082–1092 (1988); **35**, 1014–1016 (1991) ▪ Nachr. Chem. Tech. Lab. **43**, Suppl., 81–88 (1995).

Titrierflüssigkeit s. Maßanalyse.

Titrimetrie, titrimetrische Analyse s. Maßanalyse.

Titriplex®. Chelatbildner für die *Komplexometrie in Form von Pulvern, fertigen Normallsg. bzw. Ampullen zur Herst. von Normallsg. mit genauem Titer. *T. I*: Nitrilotriessigsäure (*NTA), *T. II*: *Ethylendiamintetraessigsäure, *T. III*: Dinatrium-Salz der Ethylendiamintetraessigsäure, *T. IV*: 1,2-Cyclohexylendinitrilotetraessigsäure (*CDTA), *T. V*: *Diethylentriaminpentaessigsäure, *T. VI*: 3,6-Dioxaoctamethylendinitrilotetraessigsäure. Für die Bestimmung der *Härte des Wassers kommen spezielle T.-Lsg. in den Handel, von denen 1 mL entweder 5,6°d od. 1°d entspricht. *B.*: Merck.
Lit.: Komplexometrische Bestimmungsmethoden mit Titriplex (FS), Darmstadt: Merck.

Titrisol®. Sortiment von konz. Stammlsg. in speziell geformten Kunststoffampullen zur Herst. von Standardlsg. für die Maßanalyse u. die Flammen- u. Atomabsorptionsspektrometrie sowie von Pufferlösungen. *B.*: Merck.

Tixocortol.

Internat. Freiname für das Glucocorticoid (s. Corticosteroide) 11β,17-Dihydroxy-21-mercapto-4-pregnen-3,20-dion, $C_{21}H_{30}O_4S$, M_R 378,53, feines weißes Pulver, Zers. bei 220–221°C; λ_{max} (C_2H_5OH, 95%) 241 nm ($A^{1\%}_{1cm}$ 436). Verwendet wird auch das S-Pivalat, $C_{26}H_{38}O_5S$, M_R 462,7, Schmp. 195–200°C, $[\alpha]_D^{20}$ +145° (c 1/Dioxan), λ_{max} (CH_3OH) 229 nm ($A^{1\%}_{1cm}$ 392). T. wurde 1974 u. 1977 von Jouveinal patentiert u. dient als freies Thiol für die Chemo-Affinitätsmarkierung, medizin. zur Anw. bei allerg. Schnupfen. – *E* = *F* = *S* tixocortol – *I* tixocortolo
Lit.: Hager (5.) **9**, 955f. ▪ Martindale (31.), S. 1057. – [HS 2930 90; CAS 61951-99-3 (T.); 55560-96-8 (S-Pivalat)]

Tixogel®. Geliermittel für Farben, Lacke, Bauchemikalien, Schmierfette, Kunststoffe u. Kosmetika. *B.*: Süd-Chemie AG.

Tixosorb®. Organ. modifiziertes Tonmineral mit hohem Adsorptionsvermögen für organ. Kationen. *Verw.*: Immobilisierung von Schadstoffen in kontaminierten Böden, Bauschutz, Straßenaufbruch, industrielle Schlämme u. a. *B.*: Süd-Chemie.

Tixoton®. Aktivierter *Bentonit mit hohem *Montmorillonit-Gehalt, der sich durch ein bes. hohes Quellu. Wasserbindevermögen auszeichnet. *Verw.*: Spezialtiefbau sowie Horizontal- u. Tiefbohrungen. *B.*: Süd-Chemie.

Tizanidin (Rp).

Internat. Freiname für das *Muskelrelaxans 5-Chlor-N-(4,5-dihydro-1H-imidazol-2-yl)-2,1,3-benzothiadiazol-4-amin, $C_9H_8ClN_5S$, M_R 253,70, Krist., Schmp. 221–223°C; LD_{50} (Maus oral) 235 mg/kg. Verwendet wird meist das Hydrochlorid, Schmp. 290°C (Zers.), λ_{max} (0,1 M HCl) 227, 320 nm ($A^{1\%}_{1cm}$ 666, 536). T. wurde 1973 u. 1974 von Wander-Sandoz patentiert u. ist von Sanofi Winthrop (Sirdalud®) im Handel. – *E* = *F* tizanidine – *I* = *S* tizanidina
Lit.: Hager (5.) **9**, 956–959 ▪ Martindale (31.), S. 1528f. – [HS 2934 90; CAS 51322-75-9 (T.); 64461-82-1 (Hydrochlorid)]

Tizera. Nordafrikan. Baum mit ca. 20% Tannin (Pyrocatechin-*Gerbstoff, s. Tannine), das in der Gerberei als *Quebracho-Ersatz verwendet wird. – *E* = *I* = *S* tizera – *F* tizéra

Tjujamunit (Tujamunit, Tyuyamunit). $Ca[(UO_2)_2/V_2O_8] \cdot 5-8 H_2O$ od. $CaO \cdot 2 U_2O_3 \cdot V_2O_5 \cdot 5-8 H_2O$. Kanariengelbes, grünes od. orangefarbenes, radioaktives, rhomb. Mineral, Kristallklasse mmm-D_{2h}; die Struktur enthält $[(UO_2)_2/V_2O_8]_n^{2n-}$-Schichten. T. ist meist feinschuppig, erdig od. bildet eingesprengte Körner od. Krusten, selten auch tafelige Krist.; H. 2, D. 3,7–4,3, spröde, auf Spaltflächen Perlmuttglanz, Strich hellgelb. Zur Struktur von natürlichem u. synthet. *Metatjujamunit*, $Ca[(UO_2)_2/V_2O_8] \cdot 5 H_2O$ (od. 3–5 H_2O), dem Entwässerungsprodukt von T., s. *Lit.*[1], zu den Eigenschaften u. Vork. *Lit.*[2].
Vork.: Bei Tuja-Mujun/Turkestan (Name!). Mehrorts in Uran-Vanadium-*Sandsteinen des Colorado-Plateaus/USA, ferner in South Dakota u. Wyoming/USA.
Verw.: Als Uran- u. Vanadium-Erz. – *E* tjujamunite, tyuyamunite – *F* tyuyamunite – *I* tujamunite – *S* tujamunita
Lit.: [1] Neues Jahrb. Mineral. Monatsh. **1989**, 212–218. [2] Am. Mineral. **41**, 187–201 (1956).
allg.: Ramdohr-Strunz, S. 656f. ▪ Schröcke-Weiner, S. 646f. – [HS 2612 10; CAS 12196-95-1]

T$_k$. Abk. für krit. Temp., s. kritische Größen.

TK. Abk. für *Tachykinine.

TKTS. Abk. für *t*hermodynam. *K*elvin-*T*emperaturs*k*ale, s. Temperaturskalen.

Tl. 1. Chem. Symbol für das Element *Thallium. – 2. Nach DIN 60001-4: 1991-08 (Titel: Textile Faserstoffe; Kurzzeichen) Kurzz. für *Tillandsia.

TLC. Abk. für engl. *t*hin *l*ayer *c*hromatography, s. Dünnschichtchromatographie.

TLV-Werte. Threshold Limit Values (TLVs®) stellen Empfehlungen der American Conference of Governmental Industrial Hygienists (ACGIH®) mit Bezug auf Konz. von Stoffen in der Luft in Arbeitsbereichen dar. Bei Einhalten der vorgeschlagenen Werte als 8-h-Mittelwerte wird davon ausgegangen, daß nahezu alle Beschäftigten bei wiederholter täglicher Exposition keine Beeinträchtigung der Gesundheit erfahren. Ihre Ableitung basiert auf Tierversuchen u. Erfahrungen am Menschen in den Sachgebieten Arbeitsmedizin, Industriehygiene u. Epidemiologie. Entsprechend ist auch die Datengrundlage u. die Präzision bei der Ableitung von Substanz zu Substanz unterschiedlich. Die TLV stellen keine scharfe Grenze zwischen sicheren und gefährlichen Konz. dar. Es gibt drei Kategorien von TLV: *TWA, *STEL u. Ceiling. – *E* TLV – *F* VSL (valeur du seuil limite) – *I* valori limite di soglia – *S* valor límite umbral

T-Lymphocyten s. Lymphocyten.

Tm. Chem. Symbol für das Element *Thulium.

T$_m$. Kurzz. für Schmelztemp. von *Polymeren, s. Glasübergangstemperatur.

TM. 1. Abk. für *E* trademark = *Handelsmarke*, wird meist dem zu schützenden Handelsnamen in hochgestellter Form nachgesetzt. – 2. Kurzz. für *Thioplaste. – 3. Abk. für *Thrombomodulin.

TMA. Kurzz. für *thermomechanische Analyse.

TMB. Abk. für *3,3',5,5'-Tetramethylbenzidin.

TMD. Abk. für Tagesmaximaldosis, s. Dosis.

TME. Abk. für *Trimethylolethan.

TMEDA. Abk. für *Tetramethylethylendiamin.

TMI. Abk. für *Three Mile Island.

TML. Engl. Abk. für *Bleitetramethyl.

TMP. 1. Abk. für Ribosylthymin-5'-monophosphat (Ribothymidin-5'-monophosphat) sowie gelegentlich inkorrekt statt dTMP für Thymidin-5'-monophosphat, s. Thymidinphosphate. – 2. Abk. für *Trimethylphosphat u. *Trimethylolpropan.

TMPD. Abk. für *2,2,4-Trimethyl-1,3-pentandiol.

TMP-Holzstoff, TMP-Verfahren s. Papier, S. 3110.

TMS. Abk. für *Tetramethylsilan u. für den *Trimethylsilyl-Rest.

TMS (Rp). Tabl. u. Saft mit *Co-trimoxazol gegen Infektionen im Atem-, Gastrointestinal- u. Urogenitaltrakt. *B.*: TAD.

TMSA. Abk. für *Trimethylsilylazid.

TMSI. Abk. für *1-(Trimethylsilyl)-1*H*-imidazol.

TMT s. Quecksilber, S. 3679, u. Triazine (1,3,5-Triazin-2,4,6-trithiol).

TMU. Engl. Abk. für *Tetramethylharnstoff.

TMV. Abk. für *Tabakmosaikvirus.

tn. Abk. für *E* *ton.

Tn. 1. Abk. für *Troponin. – 2. Symbol für *Thoron.

TN. Abk. für *Tenascine.

TNA. Abk. für 2,4,6-Trinitroanilin (Pikramid), s. Pikrinsäure.

TNB. Abk. für *1,3,5-Trinitrobenzol.

TNF. Abk. für *Tumornekrose-Faktor.

TNM. Abk. für *Tetranitromethan.

TNO. Abk. für Organisatie voor *T*oegepast *N*atuurwetenschappelijk *O*nderzoek, Postbus 297, NL-2501 BD Den Haag. TNO ist das niederländ. Zentrum für Angewandte Ind.-Forschung mit zahlreichen Inst., Laboratorien, Arbeitsgruppen u. Ausschüssen.

TNPP. Abk. für *Tris(nonylphenyl)-phosphit.

TNT. Abk. für *2,4,6-Trinitrotoluol.

TNV. Abk. für therm. Nachverbrennung, s. thermische Gasreinigung.

TN-Zelle s. LCD.

Tobermorit. $Ca_5[Si_6O_{16}(OH)_2] \cdot 4 H_2O$, weitere Formeln s. *Lit.*[1]. Überwiegend weißes, auch blaßrosa- od. creme-farbiges (pseudo)rhomb., heute zu den *Phyllosilicaten gestelltes Calciumsilicat-Hydrat-(CSH-)-Mineral. Dünne Täfelchen od. Blättchen, meist aber feine Fasern, die im allg. zu seidenglänzenden radialen Aggregaten od. weichen flockenartigen bis flaumigen Büscheln u. Massen verwachsen sind, sowie faserige u. körnige Massen; H. 2,5, D. 4,23. Die *Struktur* (*Lit.*[1–4]) enthält CaO_2-Doppelschichten, innerhalb derer Dreierketten (z. T. auch Doppel-Dreierketten, *Lit.*[5]) aus $[SiO_4]$-Tetraedern verlaufen; sie variiert mit der chem. Zusammensetzung u. bei synthet. T. auch mit der Art der Synthese. Die *Modif.* von T. unterscheiden sich durch den gegenseitigen, in Å gemessenen Abstand der CaO_2-Doppelschichten; sie werden dementsprechend als 9,3 Å-, 10 Å-, 11,3 Å-T. (auch: 11 Å-T.; Struktur s. *Lit.*[1]), 12,6 Å- u. 14 Å-T. (Struktur s. *Lit.*[6]) bezeichnet. Viele T. zeigen Unordnungs-Zustände in der Struktur. Als *normal* werden T. bezeichnet, deren basaler Abstand beim Erhitzen auf 300 °C auf 10 Å od. darunter abnimmt, als *anomal* solche, bei denen dieser Abstand sich unter diesen Bedingungen nicht unter 11 Å verringert (*Lit.*[7]); zu den Bildungsbedingungen von synthet. 10 Å- u. 11 Å-T. s. *Lit.*[8]. T. kommt in der Natur oft zusammen mit dem von ihm mit einfachen Hilfsmitteln nicht unterscheidbaren *Tacharanit*, $Ca_{12}Al_2[Si_6O_{17}]_3 \cdot 18 H_2O$, vor.

Vork.: In Blasenräumen, Mandelfüllungen u. Fremdgesteins-Einschlüssen in *Basalten u. bas. *Tuffen sowie in *Kalksilicatgesteinen; *Beisp.:* Maroldsweisach/Bayern (11 Å- u. 14 Å-T.), Tobermory (Name!) auf der Insel Mull u. andernorts in Schottland, ferner in Irland, Israel u. Kalifornien.

Verw.: T. spielen techn. eine wichtige Rolle als Hydratationsprodukt in *Portlandzement[4] sowie als Bestandteile im Bindemittel von *Beton u. von *Kalksandsteinen. Zur Verwendbarkeit Al-substituierter (Si z. T. durch Al ersetzt) T. als Ionenaustauscher s. *Lit.*[8].
– *E* = *F* = *I* tobermorite – *S* tobermorita

Lit.: [1] Z. Kristallogr. **154**, 189–198, 268–271 (1981). [2] Mineral. Mag. **52**, 371–375 (1988). [3] Cem. Concr. Res. **12**, 429 (1982). [4] Z. Kristallogr. **202**, 41–50 (1992). [5] Z. Anorg. Allg. Chem. **360**, 307–316 (1968). [6] Z. Kristallogr. **182**, 114ff. (1988). [7] Science **221**, 647f. (1983). [8] C. R. Acad. Sci. Sér. II **300**, 341–344 (1985).
allg.: Anthony et al., Handbook of Mineralogy, Vol. II, Tl. 2, S. 808, Tucson (Arizona): Mineral Data Publishing 1995 ▪ Mineral. Mag. **30**, 293–305 (1954) ▪ Schweiz. Mineral. Petrogr. Mitt. **56**, 145–159 (1976). – *[CAS 1319-31-9]*

Tobiassäure. Eine *Naphthylaminsulfonsäure, s. Tab. bei Naphtholsulfonsäuren (S. 2811, 2. Teil).

Tobramycin (Rp).

Internat. Freiname für ein *Aminoglykosid-Antibiotikum, das mit einem Anteil von 10% in dem Aminoglykosid-Komplex *Nebramycin* enthalten ist, der aus Kulturlsg. von *Streptomyces tenebrarius* isoliert werden kann, $C_{18}H_{37}N_5O_9$, M_R 467,51, $[\alpha]_D$ +128° (c 1/H_2O), pK_{b1} 4,7, pK_{b2} 6,1, pK_{b3} 6,9, pK_{b4} 7,2, pK_{b5} 8,2; LD_{50} (Maus s.c.) 441 mg/kg; bas. Substanz, lösl. in Wasser, unlösl. in Chloroform, Ether, hygroskop.; Lagerung: vor Luft geschützt, unter 25 °C. Verwendet wird meist das Sulfat. Das wie *Kanamycin u. *Gentamicin aus 2-Desoxystreptamin u. zwei *Aminozuckern bestehende, wasserlösl. T. ist bes. wirksam gegen *Pseudomonas* u. a. sonst resistente Erreger, allerdings wie die verwandten Antibiotika auch gehör- u. nierenschädigend. T. wurde 1972 von Lilly (Gernebcin®) patentiert u. ist als Generikum im Handel. – *E* tobramycin – *F* tobramycine – *I* = *S* tobramicina

Lit.: ASP ▪ Florey 24, 579–613 ▪ Hager (5.) 9, 959 ff. ▪ Martindale (31.), S. 291 f. ▪ Ph. Eur. **1997** u. Komm. ▪ Ullmann (5.) **A 2**, 518 f. – *[HS 294190; CAS 32986-56-4 (T.); 49842-07-1 (Sulfat)]*

TOC. Abk. für engl.: *t*otal *o*rganic *c*arbon = gesamter organ. gebundener Kohlenstoff. Der TOC-Wert ist zusammen mit dem *CSB-Wert eine wichtige Kenngröße für die Belastung eines *Abwassers mit organ. Stoffen. TOC wird in mg/L angegeben u. durch Verf. der *Elementaranalyse in meist automatisiert arbeitenden Geräten bestimmt; im allg. machen die Meth. Gebrauch von der Oxid. zu CO_2 u. dessen Bestimmung durch *IR-Spektroskopie od. auf anderem Wege. Im Handel sind sowohl Apparaturen, die TOC direkt ermitteln, als auch solche, bei denen sich TOC als Differenz aus TC (*t*otal *c*arbon = gesamter Kohlenstoff) u. TIC (*t*otal *i*norganic *c*arbon = gesamter anorgan. gebundener Kohlenstoff) ergibt. Bei manchen Verf. kommt es dabei zum Verlust von flüchtigen organ. Verb. (*VOC). Gelegentlich unterscheidet man bei TOC auch noch zwischen *DOC u. *POC (von *E* dissolved bzw. particulate = gelöster bzw. dispergierter organ. gebundener Kohlenstoff). – *E* TOC – *F* = *S* COT – *I* TOC, carbonio organico totale

Lit.: DIN 38409-3: 1983-06 ▪ Ullmann (5.) **A 28**, 22–25; **B 6**, 474–478.

Tocainid.

Internat. Freiname für das Antiarrhythmikum (±)-2-Amino-*N*-(2,6-dimethylphenyl)propionamid, $C_{11}H_{16}N_2O$, M_R 192,26, Schmp. 53–55 °C, $[\alpha]_D^{20}$ –24,6° [c 3,45/CH_3OH, (–)-D-Form], +24,9° [c 1,69/CH_3OH, (+)-L-Form]; λ_{max} (wäss. Säure) 262, 270 nm ($A_{1cm}^{1\%}$ 22, 18), pK_a 7,8. Verwendet wird meist das Hydrochlorid, Schmp. 246–247 °C, λ_{max} (CH_3OH) 263 nm ($A_{1cm}^{1\%}$ 15,2). T. wurde 1973 von Astra (Xylotocan®) patentiert. – *E* = *I* tocainide – *F* tocaïnide – *S* tocainida

Lit.: ASP ▪ Drugs **26**, 93–123 (1983) ▪ Hager (5.) **9**, 961–964 ▪ Martindale (31.), S. 955. – *[HS 292429; CAS 41708-72-9 (T.); 35891-93-1 (Hydrochlorid)]*

Tochterprodukt s. Radioaktivität, S. 3704, u. Radionuklide.

Tocochinone, Tocohydrochinone s. Tocopherole.

Tocopherole. In 2-Stellung mit einem 4,8,12-Trimethyltridecyl-Rest substituierte Chroman-6-ole (3,4-Dihydro-2*H*-1-benzopyran-6-ole). T. sind schwach gelblich-rötliche, ölige Flüssigkeiten, unlösl. in Wasser, lösl. in Fetten u. Ölen sowie den üblichen Lsm. für Fette. Sie sind relativ stabil gegen Hitze, Säuren u. Alkalien, werden von Luftsauerstoff nur langsam, jedoch in Ggw. von Metall-Ionen wie Fe^{3+}, Ag^+ usw. bes. unter Lichteinwirkung rasch oxidiert. Die T. zählen zu den *Biochinonen*, das sind polyprenylierte 1,4-Benzo- bzw. Naphthochinone, deren Prenyl-Ketten mehr od. weniger stark gesätt. sind. Hierzu gehören z. B. die *Plastochinone, Tocochinone, *Ubichinone, *Bovichinone, K-*Vitamine, Menachinone (*2-Methyl-1,4-naphthochinone). Wie alle Biochinone haben auch die T. eine wichtige biolog. Funktion. Sie wirken als Vitamin E, vgl. hierzu Vitamine. Man unterscheidet u. a. α-, β-, γ-, δ- u. ε-T., wobei letzteres noch über die ursprüngliche ungesätt. Prenyl-Seitenkette verfügt, sowie α-Tocochinon u. -hydrochinon, bei denen das Pyran-Ringsystem geöffnet ist (s. Abb. u. die Tab.).

Das häufigste u. am stärksten wirksame natürliche T. ist das α-T., (2*R*,4′*R*,8′*R*)-Form (Trivialname: *RRR*-α-T.), die anderen Stereoisomeren sind synthet. zugänglich.

Vork.: T. kommen in vielen Pflanzenölen vor. Bes. reich an T. sind die Samenöle von Soja, Weizen, Mais, Reis, Baumwolle, Luzerne u. Nüsse. Bei der Ölraffination geht jedoch ein Teil der T. verloren. Auch Früchte u. Gemüse, z. B. Himbeeren, Bohnen, Erbsen, Fenchel, Paprika, Schwarzwurzeln, Sellerie, etc. enthalten Tocopherole. Geringe Konz. von T. findet man

Tab.: Struktur u. Daten von Tocopherolen.

	R^1	R^2	R^3	Konfiguration	Summenformel	M_R	Schmp. [°C]	Sdp. [°C]	opt. Aktivität	CAS
Tocopherole										
α-T.	CH_3	CH_3	CH_3	$2R,4'R,8'R$	$C_{29}H_{50}O_2$	430,71	2,5–3,5	140 (0,13 mPa)	$[\alpha]_D^{25}$ +0,65° (C_2H_5OH)	10191-41-0 59-02-9
β-T.	CH_3	H	CH_3	$2R,4'R,8'R$	$C_{28}H_{48}O_2$	416,69		200–210 (13 Pa)	$[\alpha]_D^{20}$ +6,37°	148-03-8 16698-35-4
γ-T.	H	CH_3	CH_3	$2R,4'R,8'R$ (±)-Form	$C_{28}H_{48}O_2$	416,69	−2 bis −3	200–210 (13 Pa)	$[\alpha]_{456}^{25}$ −2,4° (C_2H_5OH)	7616-22-0 54-28-4 7540-59-2
δ-T.	H	H	CH_3	$2R,4'R,8'R$	$C_{27}H_{46}O_2$	402,66		250 (1,3 Pa)		119-13-1 5488-58-4
ζ₂-T.	CH_3	CH_3	H	$2R,4'R,8'R$	$C_{28}H_{48}O_2$	416,69	−4			493-35-6 17976-95-3
η-T.	H	CH_3	H	$2R,4'R,8'R$	$C_{27}H_{46}O_2$	402,64				91-86-1 78656-16-3
Tocotrienole										
α	CH_3	CH_3	CH_3	(E,E) R-(E,E)	$C_{29}H_{44}O_2$	424,67	30–31		$[\alpha]_D^{25}$ −5,7° ($CHCl_3$)	1721-51-3 47686-42-0 58864-81-6
β⁻(ε-T.)	CH_3	H	CH_3	R-(E,E)	$C_{28}H_{42}O_2$	410,64		140 (6,5 mPa)		490-23-3
γ	H	CH_3	CH_3	R-(E,E) (E,E)	$C_{28}H_{42}O_2$	410,64				14101-61-2 135970-12-6
Tocochinone										
α	CH_3	CH_3	CH_3	$3'R,7'R,11'R$	$C_{29}H_{50}O_3$	446,71		120 (2,6 Pa)		7559-04-8
Tocohydrochinone										
α	CH_3	CH_3	CH_3	$3'R,7'R,11'R$	$C_{29}H_{52}O_3$	448,73				14745-36-9

auch in tier. Produkten wie Innereien (Leber), Eiern u. Fisch.

Verw. u. Wirkung: Neben ihrer Anw. aufgrund des Vitamin-Charakters (s. dort) wirken T. als *Antioxidantien in Fetten u. Ölen. Im Menschen ist α-T. das wichtigste fettlösl. Antioxidans. In den USA wird α-T. Räucherschinken zugesetzt, um die Bildung von *Nitrosaminen zu hemmen. Die Wirkung von Vitamin E als Nitrit-Fänger u. Inhibitor der N-Nitrosamin-Bildung *in vivo* wird ebenfalls diskutiert. Darüber hinaus besitzen T. eine Vielzahl von günstigen physiolog. Eigenschaften (z. B. Reduzierung von Muskelschäden, die auf oxidativen Streß während körperlicher Höchstleistung zurückzuführen sind, Verzögerung diabet. Spätschäden, Verminderung des Risikos der Kataraktbildung, Verminderung des oxidativen Streß bei Rauchern, anticarcinogene Effekte, Reduzierung von Cytostatika-bedingten Spätschäden u. des Arteriosklerose-Risikos, protektive Wirkung gegen Hautschäden wie Erytheme u. Hautalterung, Schutz der Haare vor Witterungseinflüssen, Unterstützung des Immunsyst.[1]).

Wegen ihrer Oxid.-hemmenden Eigenschaft werden die T. nicht nur lebensmitteltechnolog. (EG-Nummern: E 306–309) genutzt, sondern auch in auf natürlichen Ölen basierenden Anstrichfarben u. in Desodorantien u. a. Kosmetika eingesetzt. Die Reinheitsanforderungen sind der Anlage 2, Liste 3 der Zusatzstoff-Verkehrs-VO zu entnehmen[2]. *Tocopherylacetat, -succinat, -nicotinat u. -poly(oxyethylen)succinat (internat. Freiname: Tocofersolat)* sind die üblichen Applikationsformen für die Anw. als Vitamin E, in durchblutungsfördernden u. Lipid-senkenden Mitteln u. veterinärmedizin. als *Futtermittelzusatzstoff. Hierfür werden in Europa ca. 80% der Produktion, in den USA dagegen nur 50% verbraucht. Weltweit werden ca. 7000 t/a T. produziert, u. zwar vorzugsweise durch Synth. des racem. α-T. (*all-rac-α-T.*) aus Trimethylhydrochinon u. dem aus Aceton über Linalool zugänglichen Isophytol.

Geschichte: α-T. wurde 1922 von Evans u. Bishop als Antisterilitätsfaktor in Weizen-, Hafer-, Lattich- u. Luzernen-Öl entdeckt u. 1936 von Evans u. Emerson aus dem Weizenkeimöl isoliert. Der Name T. ist von griech.: tokos = das Gebären u. pherein = tragen, bringen abgeleitet. Fernholz gelang 1937 die Konstitutionsermittlung u. P. *Karrer u. a. kurz darauf (1938) die Synth. auf prinzipiell gleichem Wege wie heute. Natürliches α-T. ist ca. 1,7mal so wirksam wie das Syntheseprodukt.

Biosynth.: Die T. werden biogenet. aus Phytylpyrophosphat u. *Homogentisinsäure gebildet. – *E* tocopherols – *F* tocophérols – *I* tocoferoli – *S* tocoferoles

Lit.: [1] Biofactors **7**, 77–86 (1998). [2] Zusatzstoff-Verkehrs-VO vom 10.7.1984 in der Fassung vom 23.6.1990 (BGBl. I, S. 1053).

allg.: Beilstein E V **17/4**, 168 f. (α-T.), 157 (β-T.), 158 (γ-T.), 132 f. (δ-T.) ■ Kirk-Othmer (4.) **24**, 256–268 ■ Methods Enzymol. **282**, 247–310 (1997) ■ Ullmann (5.) A **27**, 478–488. – [HS 2936 28]

Tocopheronsäure s. Vitamine (E).

Tocotrienole s. Tocopherole.

TOD. Abk. für engl.: *t*otal *o*xygen *d*emand = totaler Sauerstoff-Bedarf, s. CSB u. Sauerstoff-Bedarf.

Todd, Lord Alexander Robertus (1907–1997), Prof. für Organ. Chemie, Univ. Cambridge (England). *Arbeitsgebiete:* Organ. Naturstoffe, bes. Vitamine, Sterine, Nucleinsäuren, Coenzyme, Phosphorylierung, Strukturermittlung von Vitamin B_{12}. 1957 erhielt er den Nobelpreis für Chemie für die Konstitutionsaufklärung von Nucleotiden u. Nucleotid-Coenzymen.
Lit.: Lexikon der Naturwissenschaftler, S. 398 ▪ Nachr. Chem. Tech. **6**, 23 (1958) ▪ Pötsch, S. 425 ▪ Todd, A Time to Remember, Cambridge: University Press 1983.

Toddy s. Palmwein.

Todes-Domäne, Todes-Rezeptoren s. Tumornekrose-Faktor.

Todomatussäure s. Juvabion.

Todorokit. Wegen seiner Bedeutung als möglicher Träger von Kupfer, Nickel u. a. wichtigen Metallen in *Manganknollen[1] intensiv untersuchtes, zu den *Braunsteinen gehörendes Manganoxid-Mineral; *Tunnelstruktur* (*Lit.*[2–5], vgl. aber die Diskussion in *Lit.*[6]) analog zu der von *Romanechit u. *Hollandit, mit Tunnel-Querschnitten aus überwiegend [3×3] [MnO_6]-Oktaedern. Meist eine extrem feinfaserige bis feinnadelige Ausbildung als Aggregate, faserige Lagen, Stalaktiten u. erdige, manchmal auch schwammige Massen von geringer H. (1,5–2,5), D. 3,3–3,8; Farbe dunkelbraun bis schwarz, Strich dunkelbraun. Die Symmetrie wird als monoklin (z. B. *Lit.*[2]) od. rhomb. (z. B. *Lit.*[7]) interpretiert. T. hat eine komplexe u. variable chem. Zusammensetzung[8]; Formel-Vorschlag nach *Lit.*[2]: $(Na,Ca,K,Ba,Sr)_{0,3-0,7}(Mn,Mg,Al)_6O_{12} \cdot 3,2-4,5\ H_2O$, wobei sich Ca^{2+}, Ba^{2+}, Sr^{2+}, Na^+ u. K^+ sowie die Wasser-Mol. in den Tunneln befinden. Mg-, Ni-, Cu^{2+}-, Co- u. Zn-Ionen sind anstelle niederwertiger Mn-Kationen (Mn^{2+} u. wahrscheinlich auch Mn^{3+}, s. *Lit.*[2,6,9]) in den Oktaedern der Tunnel-„Wänden" eingebaut. Zur Synth. von T. s. *Lit.*[10].
Vork.: Als eines der Hauptmineralien in Manganknollen (s. *Lit.*[4,6,7]), z. B. im Pazifik. In festländ. Manganerz-Lagerstätten, z. B. in Griechenland, Kuba, Kuruman/Südafrika, Nsuta/Ghana u. Australien. In Verwitterungszonen u. in Böden. *Name* nach dem ersten Fundort, der Todoroki-Mine in Japan. Verw. als Mangan-Erz. – *E* = *F* = *I* todorokite – *S* todorokita
Lit.: [1] Am. Mineral. **68**, 972–980 (1983). [2] Am. Mineral. **73**, 861–869 (1988). [3] Science **212**, 1024–1027 (1981). [4] Nature (London) **296**, 841 f. (1982). [5] Nature (London) **278**, 631 f. (1979). [6] Am. Mineral. **70**, 202–208 (1985). [7] Science **219**, 172 ff. (1983). [8] Mineral. Mag. **50**, 336–340 (1986). [9] Am. Mineral. **69**, 788–799 (1984). [10] Science **231**, 717 ff. (1986).
allg.: Anthony et al., Handbook of Mineralogy, Vol. III, S. 569, Tucson (Arizona): Mineral Data Publishing 1997 ▪ Varentsov u. Grasselli (Hrsg.), Geology and Geochemistry of Manganese, Vol. 1, S. 75–78, Stuttgart: Schweizerbart 1980. – *[HS 2602 00; CAS 12178-55-1]*

Tönung. Allg. Bez. für die Veränderung eines Farbtons, z. B. bei *Haar. Die Bez. T. wird auch auf andere Praktiken der Farbgebung angewendet, vgl. z. B. Tonung. – *E* toning – *F* teinte – *I* tinteggiatura, colorazione – *S* tonalidad

Töpferblei s. Reißblei.

Töpferscheibe s. Keramik.

Töpfers Reagenz. Eine 0,5%ige ethanol. Lsg. von *4-(Dimethylamino)-azobenzol als Reagenz auf freie Salzsäure im *Magensaft. – *E* Toepfer's reagent – *F* réactif de Töpfer – *I* reattivo di Töpfer – *S* reactivo de Töpfer

TOF. Nach DIN 7723: 1987-12 Kurzz. für Tris-(2-ethylhexyl)-phosphat als *Weichmacher.

Toffees s. Weichkaramellen.

TOF-MS. Abk. für *t*ime-*o*f-*f*light (Flugzeit)-*M*assenspektrometer, s. Massenspektrometrie, S. 2543.

Tofranil® (Rp). Ampullen u. Dragées mit *Imipraminhydrochlorid gegen Depressionen verschiedener Genese. *B.:* Novartis.

Tofu s. Sojabohnen.

Togal®. Rheuma- u. Schmerzmittel: Suppositorien mit *Paracetamol, als *Filmtabl.* mit *Acetylsalicylsäure u. Lithiumcitrat; *T. N* enthält statt dessen *Ibuprofen, *T. ASS* Tabl. mit Acetylsalicylsäure, *T. Kopfschmerzbrause* zusätzlich mit Coffein u. Vitamin C. *B.:* Togal-Werk.

Toilettenkegel s. Beckensteine.

Toilettenpapier s. Papier, S. 3113.

Toilettenreiniger. Bez. für *Reiniger im Sanitärbereich, s. Sanitärreiniger.

Toilettenseifen s. Hauptpflegemittel, Seifen.

Tokaji s. Tokayer.

Tokamak. Aus dem Russ. stammende Bez. für einen toroidalen Entladungsring, in dem Ionen u. Elektronen gespeichert, aufgeheizt u. verdichtet werden, um kontrollierte *Kernfusion zu realisieren. Hierbei sind für ein D-T-Plasma Temp. T größer als 100 Mio. K notwendig. Damit die Ionen bei diesen Temp. nicht auf Gefäßwände treffen, werden sie durch Magnetfelder eingeschlossen. Nach dem *Lawson-Kriterium muß ferner das Produkt aus Energieeinschlußzeit τ_E, Dichte n u. Temp. T den Wert $5 \cdot 10^{21}\ keV \cdot s/m^3$ überschreiten. Mit Maschinen vom Typ T. ist man in den letzten Jahren diesem Ziel sehr nahe gekommen; so wurde z. B. mit *JET eine Temp. T von 300 Mio. K u. $\tau_E \cdot n \cdot T = 6{,}25 \cdot 10^{20}\ keV \cdot s/m^3$ erreicht (s. Abb. 1), ebenso mit dem japan. JT-60 Upgrade in Naka[2]. Recht gute Werte wurden ferner mit ASDEX Upgrade (Abk. für Axial-symmetr. Divertor-Experiment) am Max-Planck-Inst. für Plasmaphysik (IPP) in Garching erzielt (s. Abb. 3 bei Kernfusion u. *Lit.*[3]).

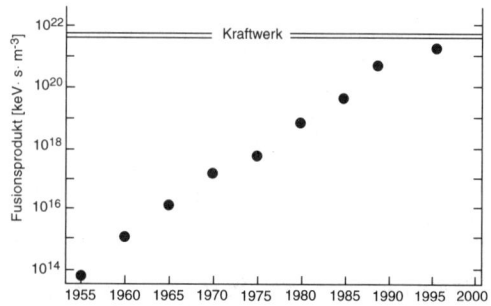

Abb. 1: Fortschritt im Fusionsprodukt (= Produkt aus Energieeinschlußzeit, D. u. Temp.), seit 1955 (*Lit.*[1]).

Der Aufbau eines T. ist in Abb. 2 dargestellt. Um die magnet. Flächen des Magnetkäfigs aufzubauen, schließen in einem T. zwei sich überlagernde Magnetfelder das Plasma ein: Zum einen ein ringförmiges Feld, das durch äußere Spulen erzeugt wird u. längs des Plasmaschlauches verläuft, und zum anderen das Feld eines im Plasma fließenden Ringstroms, dessen Feldlinien sich kreisförmig um den Strom schließen. In dem kombinierten Feld laufen die Feldlinien dann schraubenförmig um. Ein drittes, vertikales Feld fixiert die Lage des Stromes im Plasmagefäß. Der Strom im T. wird zwar vorwiegend benötigt, um das eingeschlossene Magnetfeld zu erzeugen, er sorgt aber auch für eine wirksame Anfangsheizung des Plasmas.

Der Plasmastrom wird normalerweise durch eine Transformatorspule induziert. Wegen des Transformators arbeitet ein T. nicht kontinuierlich, sondern gepulst. Bei einem späteren T.-Kraftwerk kann man sich Pulszeiten von etwa 30 min vorstellen. Da jedoch ein Kraftwerk aus techn. Gründen kaum gepulst betrieben werden darf, werden Meth. untersucht, einen kontinuierlichen Strom – z. B. durch Hochfrequenzwellen – zu erzeugen.

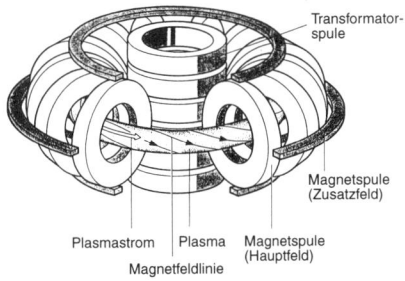

Abb. 2: Aufbau eines Tokamak-Reaktors (nach Lit.[1]).

Ein dem T. sehr ähnlicher Magnetkäfig ist der Stellarator (Abb. 3). Hier wird die schraubenförmige Drehung der Magnetfeldlinien allein durch äußere, speziell geformte Spulen erreicht. Ein Stellarator kann im Prinzip stationär arbeiten u. nicht nur gepulst wie ein T. (ohne Zusatzeinrichtung). Mit dem Stellarator *Wendelstein* am IPP wurden in den letzten Jahren große Fortschritte erzielt.

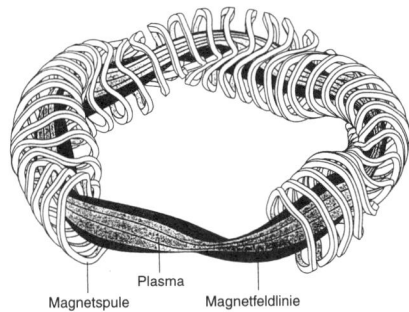

Abb. 3: Aufbau eines Stellarators (Lit.[1] u. Lit.[4]).

– *E* tokamak (reactor) – *F* (réacteur) tokamak – *I* tokamak – *S* (reactor) tokamak

Lit.: [1] IPP, 85748 Garching. [2] atw **42**, 157 (1997). [3] Phys. Bl. **53**, 994 (1997). [4] Phys. Bl. **49**, 1001 (1993). *allg.:* atw **42**, 162 (1997) ▪ Gordinier, Davis u. Scott, Nuclear Fusion Power, in Encyclopedia of Physical Science and Technology, Vol. 11, S. 213–248, New York: Academic Press 1992 ▪ Musiol et al., Kern- u. Elementarteilchenphysik, Weinheim: VCH Verlagsges. 1988 ▪ Phys. Bl. **47**, 895 (1991); **54**, 1109–1113 (1998) ▪ Phys. Unserer Zeit **22**, 119 (1991); **26**, 69 (1995) ▪ Wesson, Tokamaks, Oxford: Oxford University Press 1997.

Tokayer (Tokaji). 1. *T. Ausbruchwein (Aszu):* Weinspezialität ausschließlich ungar. Herkunft, die durch den Zusatz *Botrytis cinerea*-befallener Trockenbeeren zu frischem *Most hergestellt wird. Die Moste (300–350 g/L *Zucker) vergären nur langsam; die fertigen *Weine gelangen nach 3–5jähriger Faßreife mit 100–150 g/L *Zucker u. 80–120 g/L *Alkohol in speziellen T.-Flaschen in den Handel. Die Qualitätsstufen richten sich nach der Anzahl der zum Most zugesetzten, mit Trockenbeeren gefüllten Tragebutten (12,5–15 kg zum Göncerfaß, 136 L), so daß man von drei- bis fünfbüttigem Ausbruchwein spricht.
2. *T. Szamorodner:* Wein, der aus den im T.-Gebiet üblichen Traubensorten Furmint u. Harslevelü ohne Zusatz von Trockenbeeren hergestellt wird.
3. *T. Essenzen:* Weine, die nur aus edelfaulen Trockenbeeren hergestellt werden u. bei 50–60 g/L Alkohol 200–300 g/L Zucker enthalten. – *E* tokay (wines) – *F* vins de Tokay – *I* tokaj – *S* vinos de Tokay

Lit.: Würdig u. Woller, Chemie des Weines, S. 732–734, Stuttgart: Ulmer 1989 ▪ Zipfel, A 402 r 9; A 402 s; C 403 22, 4 a; **46**, 81. – [HS 2204 21, 2204 29]

Tokolytika s. Wehenmittel.

Tokuthion®. *Insektizid auf der Basis von *Prothiofos, insbes. gegen blattfressende Raupen, Blattläuse u. Schild- u. Schmierläuse an Gemüse, Kern- u. Steinobst, Citrus u. Weinrebe. *B.:* Bayer.

Tolan. $H_5C_6-C\equiv C-C_6H_5$. Histor., aber unzweckmäßiger Trivialname für *Diphenylacetylen*, $C_{14}H_{10}$, M_R 178,24. Farblose, monokline, pseudorhomb. Stäbchen od. lange Nadeln, D. 0,966, Schmp. 63°C, Sdp. 300°C, 170°C (25 hPa), unlösl. in Wasser, leicht lösl. in Ether u. heißem Alkohol. T. kann aus 1,2-Dibrom-1,2-diphenyl-ethan (Stilbendibromid) durch Erhitzen mit alkohol. Kalilauge hergestellt werden. T. wird zu organ. Synth. u. zur Szintillationsmessung verwendet. – *E* tolan – *F* tolane – *I* difenilacetilene, tolano – *S* tolano

Lit.: Beilstein E IV **5**, 2276 ▪ Merck-Index (12.), Nr. 9643. – [HS 2902 90; CAS 501-65-5]

Tolazamid.

Internat. Freinamen für 1-(Azepan-1-yl)-3-(*p*-tolylsulfonyl)-harnstoff, $C_{14}H_{21}N_3O_3S$, M_R 311,39, ein orales *Antidiabetikum aus der Gruppe der *Sulfonylharnstoffe. T. bildet Krist., Schmp. 170–173°C, sehr schwer lösl. in Wasser, schwer in Ethanol, besser in Aceton, leicht lösl. in Chloroform. T. wurde 1962 von Upjohn patentiert. – *E* = *F* = *I* tolazamide – *S* tolazamida

Lit.: ASP ▪ Beilstein E V **20/4**, 62 ▪ Florey **22**, 489–516 ▪ Hager (5.) **9**, 976 f. ▪ Martindale (31.), S. 360. – [HS 2935 00; CAS 1156-19-0]

Tolazolin.

Internat. Freiname für den *Vasodilatator u. Alpha-Rezeptoren-Blocker (s. Adrenozeptoren) 2-Benzyl-4,5-dihydro-1H-imidazol, $C_{10}H_{12}N_2$, M_R 160,21, Schmp. 66–68 °C, pK_b 3,4. Verwendet wird meist das Hydrochlorid, bittere Krist., Schmp. 175–176 °C, λ_{max} (wäss. Säure) 257 nm ($A^{1\%}_{1cm}$ 14,7), sehr leicht lösl. in Wasser, Alkohol, lösl. in Chloroform, sehr wenig in Ether, Ethylacetat. T. wurde 1939 von Ciba (Priscol®) patentiert. – $E = F$ tolazoline – I tolazolina – S tolazolina

Lit.: ASP ▪ Beilstein E V **23/6**, 488 ▪ Hager (5.) **9**, 977 ff. ▪ Martindale (31.), S. 956. – *[HS 293329; CAS 59-98-3 (T.); 59-97-2 (Hydrochlorid)]*

Tolbutamid (Rp).

Internat. Freiname für 1-Butyl-3-(p-tolylsulfonyl)-harnstoff, $C_{12}H_{18}N_2O_3S$, M_R 270,34. Farblose Krist., Schmp. 128,5–129,5 °C, λ_{max} (CH$_3$OH) 228, 263 nm ($A^{1\%}_{1cm}$ 496, 22,2), pK_a 5,43 (25 °C), in wäss. Alkalien, Aceton, Chloroform u. Ethanol gut, in Ether wenig, in Wasser nicht löslich. T. ist ein gut verträgliches *Antidiabetikum aus der Reihe der *Sulfonylharnstoffe, das bes. in der Behandlung des Altersdiabetes eingesetzt wird. Es wurde 1959 von Hoechst (Rastinon®, HMR) patentiert u. ist als Generikum im Handel. – $E = F = I$ tolbutamide – S tolbutamida

Lit.: ASP ▪ Beilstein E IV **11**, 396 ▪ Florey **3**, 513–543; **5**, 557; **13**, 719–735 ▪ Hager (5.) **9**, 979–982 ▪ Martindale (31.), S. 360 f. ▪ Ph. Eur. 1997 u. Komm. ▪ Ullmann (5.) **A 3**, 2–7. – *[HS 293500; CAS 64-77-7]*

Tolcapon (Rp).

Internat. Freiname für das Parkinsonmittel 3,4-Dihydroxy-4'-methyl-5-nitrobenzophenon, $C_{14}H_{11}NO_5$, M_R 273,25, Schmp. 144–145 °C, λ_{max} (0,1 M ethanol. HCl) 267,4–268,9 nm; LD$_{50}$ (Maus oral) 1600 mg/kg. T. gehört zur neuen Klasse der COMT-Hemmer u. wurde von Hoffmann-La Roche (Tasmar®) patentiert. Im November 1998 verfügte die europ. Zulassungsbehörde wegen des Auftretens von Hepatitiden ein Ruhen der Zulassung[1]. – E tolcapon – $F = I$ tolcapone – S tolcapón

Lit.: [1] Pharm. Ztg. **143**, 4150 (1998).
allg.: Martindale (31.), S. 1168 ▪ Neurology **50**, Suppl. 5, 1–59 (1998) ▪ Pharm. Ztg. **143** 932–937 (1998). – *[CAS 134308-13-7]*

Tolciclat (Rp).

Internat. Freiname für das Antimykotikum (±)-O-(1,2,3,4-Tetrahydro-1,4-methanonaphthalin-6-yl)-N-methyl-N-m-tolyl-thiocarbamat, $C_{20}H_{21}NOS$, M_R 323,46, weißes krist. Pulver, Schmp. 92–94 °C, LD$_{50}$ (Maus oral) 4 g/kg, unlösl. in Wasser, lösl. in Hexan u. Octanol. T. wurde 1973 u. 1974 von Carlo Erba patentiert u. ist von Combustin (Fungifos®) im Handel. – $E = F$ tolciclate – $I = S$ tolciclato

Lit.: Hager (5.) **9**, 982 f. ▪ Martindale (31.), S. 416. – *[HS 293090; CAS 50838-36-3]*

Tolclofos-methyl.

Common name für O-(2,6-Dichlor-4-methylphenyl)-O,O-dimethylthiophosphat, $C_9H_{11}Cl_2O_3PS$, M_R 301,12, Schmp. 78–80 °C, LD$_{50}$ (Ratte oral) 5000 mg/kg, von Sumitomo 1973 eingeführtes nichtsystem. *Fungizid zur Saatgut- u. Bodenbehandlung gegen bodenbürtige Schadpilze wie *Rhizoctonia*, *Sclerotium* u. *Typhula* spp. im Baumwoll-, Erdnuß-, Gemüse-, Getreide-, Kartoffel-, Zuckerrüben- u. Zierpflanzenanbau. – E tolclofos-methyl – F tolclofos-méthyl – I tolclofos di metile – S tolclofos-metil

Lit.: Farm ▪ Perkow ▪ Pesticide Manual ▪ Wirkstoffe iva (2.). – *[CAS 57018-04-9]*

Toleranz

(von latein.: tolerare = erdulden, ertragen, aushalten). In der Technik versteht man gemeinhin unter T. die Differenz zwischen dem zulässigen unteren u. dem zulässigen oberen Grenzwert einer Größe od. „die von Fall zu Fall vereinbarte od. allg. festgelegte, nach oben u./od. nach unten begrenzte, äußerste zugelassene Abweichung" einer Meßgröße „vom vereinbarten od. vorgeschriebenen Sollwert". In bezug auf *Pflanzenschutzmittel werden mit T. die max. erlaubten *Rückstands-Werte in od. auf Nahrungsmitteln bezeichnet, deren Mengen für die BRD in der sog. *Höchstmengen-VO Pflanzenschutz verbindlich festgelegt sind. Im Arbeitsschutz stellen die BAT- u. *MAK-Werte T. dar. In der Medizin bedeutet T. einmal die Widerstandsfähigkeit des Organismus z. B. gegen *Alkohol, *Arzneimittel, *Gifte (z.B. *Mithridatismus, s. a. Arsen) od. gegen Strahlenbelastung, zum anderen die Gewöhnung an Genußgifte (*Tabakrauch) od. Rauschmittel (*Sucht). In der *Immunologie u. *Immunsuppression spricht man von Immuntoleranz, die durch – hier Tolerogene genannte – *Antigene erzeugt werden kann. Erstaunliche T. gegenüber extremen Lebensbedingungen (Extremophilie[1]) findet man bei manchen Mikroorganismen. In der Ökologie ist T. mit *ökologischer Potenz synonym. – E tolerance – F tolérance – I tolleranza – S tolerancia

Lit.: [1] Hausmann k. Kremer (Hrsg.), Extremophile, Mikroorganismen in ausgefallenen Lebensräumen, Weinheim: VCH Verlagsges. 1993; Science **276**, 705 (1997).

Tolerogene s. Toleranz.

o-Tolidin s. 3,3'-Dimethylbenzidin.

Toliprolol (Rp).

Internat. Freiname für den Beta-Rezeptoren-Blocker (s. Adrenozeptoren) (±)-1-Isopropylamino-3-m-tolyloxy-2-propanol, $C_{13}H_{21}NO_2$, M_R 223,32, Krist., Schmp. 75–76 °C, auch 79 °C angegeben. Verwendet wird meist das Hydrochlorid, Schmp. 120–121 °C, λ_{max} (H$_2$O) 270 nm ($A^{1\%}_{1cm}$ 49,8). T. wurde 1965 u. 1969 von Boehringer Ingelheim patentiert. – $E = F = S$ toliprolol – I tolirololo

Lit.: J. Chromatogr. Sci. **32**, 14–20 (1994) ▪ Merck-Index (12.), Nr. 9747. – *[HS 2922 50; CAS 2933-94-0 (T.); 5711-18-2 (Hydrochlorid)]*

Tollens, Bernhard Christian Gottfried (1841–1918), Prof. für Analyt. Chemie, Univ. Göttingen. *Arbeitsgebiete:* Kohlenhydratchemie, Zuckerabbau mit Schwefelsäure, Nachweisreaktionen, Acetal-Bildung der Zucker. Das von ihm beschriebene *Tollens-Reagenz aus alkal. Silbernitrat-Lsg. u. Ammoniak ermöglicht einen empfindlichen Aldehyd-Nachweis.
Lit.: Pötsch, S. 426.

Tollens-Reagenz. 1. Gemisch aus gleichen Vol. 10%iger Silbernitrat-Lsg. u. 10%iger Natronlauge, dem konz. Ammoniak bis zur Auflösung der Silberoxid-Fällung zugefügt wird.
Verw.: Als Reagenz auf reduzierende Verb. (Zucker, Aldehyde, Hydrazide) z. B. in der Papierchromatographie, durch T.-R. werden Aldehyde zu den entsprechenden Säuren oxidiert, während das komplex gebundene Silber zu metall. reduziert wird, unter Ausbildung eines charakterist. Silberspiegels. „Gealtertes" T.-R. ist explosionsgefährlich (Bildung von *Knallsilber,* vgl. Silberfulminat), weshalb nach Gebrauch überflüssiges Reagenz vernichtet werden soll.
2. Unter T.-R. versteht man gelegentlich auch eine Mischung von *Phloroglucin* u. Salzsäure, die zur Bestimmung von Pentosen (z. B. im Urin) dient: Letztere bilden beim Erhitzen mit Salzsäure *Furfural,* das mit Phloroglucin einen violetten Niederschlag gibt.
3. Auch eine 1%ige Lsg. von *Naphthoresorcin* (s. Naphthole) in alkohol. Salzsäure, mit der man Glucuronate im Urin (Aufkochen, Ausethern, spektroskop. Untersuchung der rotvioletten Ether-Schicht) bestimmen kann, wird als T.-R. bezeichnet. – *E* Tollens' reagent – *F* réactif de Tollens – *I* reattivo di Tollens – *S* reactivo de Tollens
Lit.: Townshend, Encyclopedia of Analytical Science, Bd. 3, S. 1692 f. ▪ Bd. 4, S. 1949, San Diego: Academic Press 1995 ▪ Ullmann (5.) **A 5,** 90.

Tollhonig. Umgangssprachliche Bez. für den pont. *Honig* (*Rhododendron*-Honig), der tetracycl. Diterpen-Toxine (*Grayanotoxin I, Andromeda-Toxin) enthält, die zu *Atropin-ähnlichen Vergiftungen führen können; s. Rhododendron.
Lit.: Lindner, Toxikologie der Nahrungsmittel (4.), S. 34 f., Stuttgart: Thieme 1990.

Tollkirsche. In Europa heim., staudenartiges Nachtschattengewächs (*Atropa belladonna*) mit braunroten, seltener gelben Blüten u. schwarzen Beerenfrüchten, das bevorzugt auf kalkhaltigen Böden in Waldlichtungen u. Kahlschlägen wächst. Die gesamte Pflanze ist reich an Alkaloiden, zu denen v. a. die zu den *Tropan-Alkaloiden zählenden *Solanaceen-Alkaloide *Atropin, *Hyoscyamin, *Scopoletin u. *Scopolamin gehören sowie das *Cusc(o)hygrin. Offizinell sind z. B. in *Belladonna-Präparaten – Blätter u. Wurzeln der T., nicht dagegen die Samen. Der Genuß der appetitlich aussehenden Früchte hat insbes. bei Kindern schon häufig zu Vergiftungen geführt. Der dtsch. Name T. deutet auf die das Zentralnervensyst. erregende Wirkung des Hauptalkaloids Atropin hin, das in höheren Dosen Tobsuchtsanfälle hervorrufen kann. – *E* deadly night-shade, banewort – *F* belladone – *I* belladonna – *S* belladona
Lit.: Frohne u. Pfänder, Giftpflanzen, 4. Aufl., Stuttgart: Wissenschaftliche Verlagses. 1997 ▪ s. a. Atropin u. a. Alkaloide sowie Belladonna-Präparate. – *[HS 1211 90]*

Tollkraut s. Solanaceen u. Scopolamin.

Tolmetin (Rp).

Internat. Freiname für die entzündungshemmende 1-Methyl-5-(*p*-toluoyl)-1*H*-pyrrol-2-essigsäure, $C_{15}H_{15}NO_3$, M_R 257,28, Krist., Schmp. 155–157 °C (Zers.); λ_{max} (0,1 M HCl) 262, 315 nm ($A^{1\%}_{1cm}$ 345, 735), pK_a 3,5. Verwendet wird meist das Natriumsalz-Dihydrat. T. wurde 1969 von McNeil patentiert. – *E* tolmetin – *F* tolmétine – *I* = *S* tolmetina
Lit.: ASP ▪ Beilstein E V **22/6,** 392 ▪ Hager (5.) **9,** 983–986 ▪ Martindale (31.), S. 101 f. ▪ Ullmann (5.) **A 3,** 39. – *[HS 2933 90; CAS 26171-23-3 (T.); 64490-92-2 (Natriumsalz-Dihydrat)]*

Tolnaftat.

Internat. Freiname für das *Antimykotikum *O*-(2-Naphthyl)-*N*-methyl-*N*-*m*-tolyl-thiocarbamat, $C_{19}H_{17}NOS$, M_R 307,43, Krist., Schmp. 110,5–111,5 °C; λ_{max} (CH_3OH) 257 nm ($A^{1\%}_{1cm}$ 710); LD_{50} (Maus oral) >10, (Maus s.c.) >6 g/kg; unlösl. in Wasser, wenig lösl. in Methanol, Ethanol, lösl. in Chloroform, Aceton; Lagerung: vor Luft geschützt. T. wurde 1963 u. 1967 von Nippon Soda patentiert u. ist als Generikum im Handel. – *E* = *F* tolnaftate – *I* = *S* tolnaftato
Lit.: ASP ▪ Florey **23,** 549–578 ▪ Hager (5.) **9,** 986 f. ▪ Martindale (31.), S. 416 ▪ Ph. Eur. **1997** u. Komm. ▪ Ullmann (5.) **A 3,** 88. – *[HS 2930 90; CAS 2398-96-1]*

Toloniumchlorid s. Toluidinblau O.

Tolperison (Rp).

Internat. Freiname für das *Muskelrelaxans (±)-2,4'-Dimethyl-3-piperidinopropiophenon, $C_{16}H_{23}NO$, M_R 245,35. Verwendet wird meist das Hydrochlorid, Krist., Schmp. 176–177 °C, LD_{50} (Maus s.c.) 620 mg/kg. T. wurde 1965 von Eisai patentiert u. ist von Strathmann (Mydocalm®) im Handel. – *E* = *I* tolperisone – *F* tolpérisone – *S* tolperisona
Lit.: Beilstein E V **20/2,** 357 ▪ Hager (5.) **9,** 989 ▪ Martindale (31.), S. 1529. – *[HS 2933 39; CAS 728-88-1 (T.); 3644-61-9 (Hydrochlorid)]*

Tolpropamin.

Internat. Freiname für (*RS*)-*N*,*N*-Dimethyl-3-phenyl-3-(*p*-tolyl)propylamin, $C_{18}H_{23}N$, M_R 253,37. Verwendet wird meist das Hydrochlorid, Schmp. 182–184 °C, λ_{max} (CH_3OH) 259, 265, 274 nm ($A^{1\%}_{1cm}$ 19,5, 20,9, 15,0); lösl. in Wasser. T. ist ein antiallerg., juckreiz-

stillendes *Antihistaminikum. Es wurde 1955 von Hoechst patentiert. – $E = F$ tolpropamine – $I = S$ tolpropamina
Lit.: Beilstein E IV **12**, 3355 ▪ Hager (5.) **9**, 989 ff. ▪ Martindale (31.), S. 454. – *[HS 292149; CAS 5632-44-0 (T.); 3339-11-5 (Hydrochlorid)]*

Tolterodin (Rp).

Internat. Freiname für das *Urologikum, ein Parasympatholytikum, (+)-(R)-2-[3-(Diisopropylamino)-1-phenylpropyl]-4-methylphenol, $C_{22}H_{31}NO$, M_R 325,50. Verwendet werden das Hydrochlorid, Schmp. 209–210 °C, u. das Tartrat gegen instabile Harnblase u. Drang-Inkontinenz. T. wurde 1989 von Pharmacia & Upjohn (Detrusitol®) patentiert. – E tolterodine – F toltérodine – $I = S$ tolterodina
Lit.: Europ. J. Pharmacol. **327**, 195–207 (1997) ▪ Internat. J. Clin. Pharmacol. Therap. **35**, 287–295 (1997). – *[CAS 124937-51-5 (T.); 124936-75-0 (Hydrochlorid)]*

Tolualdehyde (Methylbenzaldehyde, veraltet: Tolylaldehyde).

o-T.   m-T.   p-T.

C_8H_8O, M_R 120,16. α-T. s. Phenylacetaldehyd; – *o-T.* (2-T., *2-Methylbenzaldehyd*), D. 1,0386, Sdp. 200 °C, bittermandelähnlicher Geruch; – *m-T.* (3-T., *3-Methylbenzaldehyd*), D. 1,0189, Sdp. 199 °C, bittermandelähnlicher Geruch; – *p-T.* (4-T., *4-Methylbenzaldehyd*), D. 1,0194, Sdp. 204 °C, pfefferartiger Geruch. Die 3 stellungsisomeren T. sind farblose, in Wasser wenig, in Alkohol, Ether, Aceton gut lösl. Flüssigkeiten.
Herst.: Alle drei Isomeren können durch Oxid. des entsprechenden Xylols hergestellt werden. Für *p-T.* wird vielfach auch die Gewinnung nach Gattermann-Koch beschrieben: Durch Umsetzung von Toluol mit Kohlenoxid u. Chlorwasserstoff in Ggw. von Aluminiumchlorid u. Kupfer(I)-chlorid.
Verw.: Als Zwischenprodukt in organ. Synth., als Aromen, in der Parfümerie, Zwischenprodukt für Pharmazeutika u. Farbstoffe. – E tolualdehydes – F tolualdéhydes – I tolualdeidi – S tolualdehídos
Lit.: Beilstein E IV **7**, 667, 669, 672 ▪ Merck-Index (12.), Nr. 9665 ▪ Ullmann (4.) **8**, 350; (5.) **A 3**, 472. – *[HS 291229; CAS 529-20-4 (o-T.); 620-23-5 (m-T.); 104-87-0 (p-T.); G 3]*

Tolubalsam. Gelblichbraune bis rotbraune, zähflüssige bis feste, harzige Masse von aromat., vanilleartigem Geruch u. säuerlichem Geschmack, unlösl. in Wasser u. Petrolether, größtenteils lösl. in Alkohol, Benzol, Chloroform, Ether, Eisessig, Schwefelkohlenstoff u. Alkali. T. gewinnt man aus den Stämmen von *Myroxylon balsamum* (*Toluifera balsamum*, Fabaceae), einem sehr hochwüchsigen Baum, der in Hochebenen u. Gebirgen Südamerikas (Venezuela, Kolumbien, Peru) beheimatet ist. T. besteht zu etwa 12–15% aus freier Zimt- u. Benzoesäure, zu ca. 40% aus Benzyl- u. a. Estern dieser Säuren, ferner aus Harzen, Vanillin u. ca. 1,5–3% ether. Ölen.
Verw.: Ähnlich wie *Perubalsam, als Expektorans, in Parfümerie u. Kosmetik, für Süßwaren u. Kaugummi. – E tolu balsam – F baume de Tolu – I balsamo di Tolù – S bálsamo de Tolú
Lit.: Hager (5.) **5**, 898–901 ▪ Ullmann (4.) **20**, 281; (5.) **A 11**, 242; **A 19**, 247. – *[HS 130190]*

...toluidid. *Suffix in Bez. der von *Toluidinen abgeleiteten *Anilide; *Beisp.*: $H_3C-CO-NH-p-C_6H_4-CH_3 =$ Aceto-*p*-toluidid, Essigsäure-*p*-toluidid, 4'-Methylacetanilid od. *N-p*-Tolylacetamid; CAS: *N*-(4-Methylphenyl)acetamid. – $E = I$ ...toluiide – F toluiide – S toluidida

Toluidinblau O [3-Amino-7-(dimethylamino)-2-methylphenothiazinylium-chlorid, C.I. Basic Blue 17, C.I. 52040, internat. Freiname: Toloniumchlorid].

$C_{15}H_{16}ClN_3S$, M_R 305,81. Dunkelgrünes Pulver, lösl. in Wasser mit violetter, in Alkohol mit blauer Farbe.
Verw.: Als Farbstoff für RNA u. Proteoglykane in der Elektrophorese, als Mikroskopierfarbstoff (zeigt Metachromasie), als Antidot bei Methämoglobinämien. Bei Molchen wirkt T. als *Teratogen [1]. – E toluidine blue O – F bleu de toluidine O – I blu di toluidina O – S azul de toluidina O
Lit.: [1] Naturwissenschaften **48**, 486 (1961).
allg.: Beilstein E III/IV **27**, 5161 ▪ Hager (5.) **9**, 987 f. ▪ Scheuner u. Hutschenreiter, Das Auftreten von Metachromasie, Doppelbrechung u. Dichroismus durch die Toluidinblaureaktion, Stuttgart: Fischer 1975 ▪ Ullmann (5.) **A 3**, 231; **A 24**, 571. – *[HS 293430; CAS 92-31-9]*

Toluidine (*ar*-Methylaniline, *ar*-Aminotoluole, Toluolamine, Tolylamine).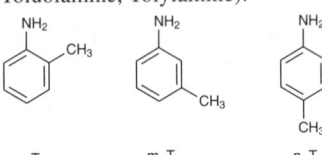

o-T.   m-T.   p-T.

C_7H_9N, M_R 107,15. Die T. sind wenig lösl. in Wasser, lösl. in Alkohol, Ether, verd. Säuren. *o-T.* (2-Methylanilin): Hellgelbe Flüssigkeit, die sich bei Luftzutritt u. Belichtung langsam rotbraun färbt, D. 1,008, Schmp. –24,4 °C u. –16,3 °C für die α- bzw. β-Form, Sdp. 200–202 °C; LD_{50} (Ratte oral) 670 mg/kg; WGK 3; Emissionsklasse I (TA Luft 3.1.7). – *m-T.* (3-Methylanilin): Farblose Flüssigkeit, D. 0,989, Schmp. –31 °C, Sdp. 204 °C; LD_{50} (Ratte oral) 450 mg/kg; WGK 2; MAK 9 mg/m³ (TRGS 900). – *p-T.* (4-Methylanilin): Weiße, glänzende Tafeln od. Blättchen, D. 1,046, Schmp. 45 °C, Sdp. 200 °C, riecht weinartig, schmeckt brennend; LD_{50} (Ratte oral) 656 mg/kg; WGK 2. Die T. lassen sich durch Red. der entsprechenden *Nitrotoluole herstellen.
Die T. sind starke Blutgifte. Der Blutfarbstoff wird verändert (*Methämoglobin-Bildung), so daß er für den Sauerstoff-Transport ausfällt, u. die roten Blut-

körperchen werden zerstört. Die Dämpfe u. die Flüssigkeit werden auch über die Haut aufgenommen; sie bewirken Leber- u. Nierenschäden. Kontakt mit der Flüssigkeit reizt die Augen. – *o-T.* (TRK 0,5 mg/m³) wird in die Gruppe III A 2 (Stoffe, die sich im Tierversuch eindeutig als krebserzeugend erwiesen haben) u. *p-T.* (TRK 1 mg/m³) in die Gruppe III B (Stoffe mit begründetem Verdacht auf krebserzeugendes Potential) der MAK-Liste eingeordnet (MAK-Werte-Liste 1997).
Verw.: Zur Herst. von Farbstoffen, Vulkanisationsbeschleunigern, Textilhilfsmitteln, *o-T.* zur photometr. Bestimmung von Glucose im Blut, *p-T.* als Reagenz auf Lignin, Nitrit, Phloroglucin, *p-T.*-Hydrochlorid zur Fällung von Aniontensiden in der Tensid-Analytik. – *E = F* toluidines – *I* toluidine – *S* toluidinas
Lit.: Beilstein E IV **12**, 1744, 1813, 1866 ■ Gesundheitsschädliche Arbeitsstoffe: toxikologisch-arbeitsmedizinische Begründung von MAK-Werten, Weinheim: Verl. Chemie 1972–1998 ■ Hommel, Nr. 329 ■ Merck-Index (12.), Nr. 9674 ■ Ullmann (4.) **23**, 293; (5.) **A 27**, 159. – *[HS 2921 43; CAS 95-53-4 (o-T.); 108-44-1 (m-T.); 106-49-0 (p-T.); G 6.1]*

Toluidino... [(*ar*-Methylanilino)...]. Präfix für N-verknüpften *Toluidin-Rest –NH–C₆H₄–CH₃ in organ. Verb. (IUPAC-Regel C-811.4; Regel R-9.1.29b.3: nur unsubstituierter Rest): *o-, m-* u. *p-T.* = (2-, (3- u. (4-Methylanilino)...; CAS: [(2-, [(3- u. [(4-Methylphenyl)amino]... – *E = F = I = S* toluidino...

Toluidinrot [1-(4-Methyl-2-nitrophenylazo)-2-naphthol, C. I. Pigment Red 3, C. I. 12 120].

$C_{17}H_{13}N_3O_3$, M_R 307,31. T. zählt weltweit zu den 20 meistverwendeten Pigmenten. Haupteinsatzgebiet sind lufttrocknende Lacke, ferner Wachs- u. Tafelkreiden sowie Aquarellfarben. Wegen der Unbeständigkeit der Drucke gegen organ. Lsm. ist der Einsatz im Druckfarbenbereich begrenzt. Daneben wird T. zur Herst. kosmet. Mittel, die nur kurzzeitig mit der Haut in Berührung kommen, verwendet. – *E* toluidine red – *F* rouge de toluidine – *I* rosso di toluidina – *S* rojo de toluidina
Lit.: Blaue Liste, S. 105 ■ Herbst u. Hunger, Industrielle Organische Pigmente (2.), S. 285 f., Weinheim: VCH Verlagsges. 1995 ■ Ullmann (5.) **A 3**, 146; **A 20**, 386. – *[HS 2927 00; CAS 2425-85-6]*

Tolunitrile (Methylbenzonitrile, veraltet: *ar*-Cyanotoluole). C_8H_7N, M_R 117,14.

α-T. s. Phenylacetonitril; – *o-T.* (2-Methylbenzonitril): Farblose Flüssigkeit, D. 0,9955, Schmp. –13 °C, Sdp. 205 °C. – *m-T.* (3-Methylbenzonitril): Farblose Flüssigkeit, D. 0,986, Schmp. –23 °C, Sdp. 214 °C. – *p-T.* (4-Methylbenzonitril): Farblose Nadeln, D. 0,9785 (30 °C), Schmp. 30 °C, Sdp. 217 °C. Alle T. sind prakt. unlösl. in Wasser, leicht lösl. in Alkohol u. Ether.
Herst.: Sie können durch Diazotierung des entsprechenden *Toluidins in salzsaurer Lsg. u. Behandeln des gebildeten Diazoniumchlorids mit Kaliumtetracyanocuprat(I) hergestellt werden. Verw. zu organ. Synthesen. – *E = F* tolunitriles – *I* tolunitrili – *S* tolunitrilos
Lit.: Beilstein E IV **9**, 1703, 1717, 1738 ■ Merck-Index (12.), Nr. 9675, 9676. – *[HS 2926 90; CAS 529-19-1 (o-T.); 620-22-4 (m-T.); 104-85-8 (p-T.); G 6.1]*

Toluol (Methylbenzol).

C_7H_8, M_R 92,13. Angenehm aromat. riechende, farblose, wasserklare, stark lichtbrechende Flüssigkeit, feuergefährlich, verbrennt mit stark leuchtender, rußender Flamme, D. 0,866, Schmp. –95 °C, Sdp. 111 °C, FP. 4 °C c.c., sehr wenig lösl. in Wasser, mischbar mit Alkohol, Ether, Chloroform, Aceton, Eisessig, CS_2, zündfähiges Gemisch 1,2–7,1 Vol.-%.
Die Dämpfe wirken in hohen Konz. narkot. u. reizen die Augen sowie die Atemwege. Kontakt mit der Flüssigkeit verursacht Reizung der Augen u. nach anhaltender Einwirkung auch der Haut. Die Flüssigkeit kann auch über die Haut aufgenommen werden; MAK 50 ppm, BAT-Wert: 1,0 mg/L Vollblut (MAK-Werte-Liste 1997); LD_{50} (Ratte oral) 5000 mg/kg; WGK 2; Emissionsklasse II (TA Luft 3.1.7). Zur Aufnahme, Biotransformation u. Ausscheidung s. *Lit.*[1]. Zur Reinheitsprüfung von T. s. *Lit.*[2].
Substituentenstellungen am T. werden mit *o-, m-, p-,* mit Ziffern od. mit α gekennzeichnet; bei nur einem Substituenten an der Methyl-Gruppe wird die Bez. *Benzyl...* angewandt. Für *ar*-Hydroxytolyl- u. leider auch für *O-*Tolyl-Reste wird gelegentlich die mißverständliche Bez. *Cresyl...* benutzt. Die Reaktionen des T. sind denen des Benzols sehr ähnlich, wobei allerdings noch zusätzliche Reaktionen an der Methyl-Gruppe hinzukommen. Durch *Hydrodesalkylierung von T. gelangt man zum Benzol. T. findet sich in kleinen Mengen im Erdöl u. wird hauptsächlich daraus durch verschiedene Krack- u. Reformierprozesse gewonnen; man faßt die Fraktionen der niederen Aromaten als BTX (Benzol, T., Xylol) zusammen. Steinkohlenteer liefert bei der Dest. geringe Mengen T., wird aber heute als Quelle nicht mehr genutzt.
Verw.: Als Lsm. (kann in vielen Fällen das gesundheitsschädlichere u. giftige Benzol ersetzen); als Ausgangsprodukt zur Herst. zahlreicher organ. Verb. wie z. B. Benzol, Sprengstoffe (TNT), Polyurethan-Vorprodukte (Toluoldiisocyanate), Benzoesäure, Phenol, ε-Caprolactam, Farbstoffe (Chlorierung, Sulfonierung von T.); als Beimischung in Motorkraftstoffen.
Geschichte: T. wurde bei der Herst. von Leuchtgas aus Fichtenharz von Pelletier u. Walter 1837 entdeckt. Sainte-Claire-Deville beschrieb 1841 die Isolierung von T. bei der trockenen Dest. von Tolubalsam. Im Steinkohlenteer fand Mansfield 1849 T., das von Ber-

zelius 1843 den Namen Toluin erhielt. Muspratt u. Hofmann änderten den Namen wenig später in Toluol. – *E* = *I* toluene – *F* toluène – *S* tolueno

Lit.: [1] Gesundheitsschädliche Arbeitsstoffe: toxikologisch-arbeitsmedizinische Begründung von MAK-Werten, Weinheim: Verl. Chemie 1972–1998. [2] DIN 51633: 1986-11 u. 51671: 1987-10.

allg.: Beilstein E IV **5**, 766–797 ▪ Frank u. Stadelhofer, Industrielle Aromatenchemie, Berlin: Springer 1987 ▪ Hager (5.) **3**, 1177 ▪ Hommel, Nr. 193 ▪ Merck-Index (12.), Nr. 9667 ▪ Rippen ▪ Ullmann (4.) **8**, 402 ff.; **23**, 301 ff.; (5.) **A 27**, 147 ▪ Weissermel-Arpe (4.), S. 357 f., 361 f., 381 f., 426. – *[HS 2707 20, 2902 30; CAS 108-88-3; G 3]*

Toluolamine s. Toluidine.

Toluoldiamine s. *ar*-Methylphenylendiamine.

Toluoldiisocyanate (Tolylendiisocyanate, Toluylendiisocyanate, TDI, Methylphenylendiisocyanate).

2,4-T.

$C_9H_6N_2O_2$, M_R 174,15. Die techn. wichtigen Diisocyanate 2,4-T. u. 2,6-T. stellen farblose Flüssigkeiten von durchdringend scharfem Geruch dar, Schmp. 21 °C (2,4-T.) u. Schmp. 8,5 bzw. 18 °C (2,6-T., 2 Formen). Die T. kommen meist als Gemisch (2,4/2,6-T. im Verhältnis 80/20 od. 65/35) mit den Schmp. 12,5–13,5 °C bzw. 4,7–6,0 °C in den Handel. Die Dämpfe reizen die Augen u. die Atemwege außerordentlich stark. Nach anhaltender Einatmung hochkonz. Dämpfe bei Erhitzung der Flüssigkeit, od. wenn bei Brand giftige Rauchgase entstehen, ist Lungenödem möglich, das mit Verzögerung auftreten kann. Die Einwirkung der Flüssigkeit auf die Augen verursacht starke Reizungen; Reizzustände der Haut bei wiederholter u. langanhaltender Einwirkung; MAK 0,01 ppm (MAK-Werte-Liste 1997); WGK 2.

Herst.: Durch Nitrierung von Toluol, Red. u. Umsetzung der entstandenen Toluoldiamine mit Phosgen od. direkt aus Dinitrotoluolen u. CO (ausführliche Beschreibung bei Weissermel-Arpe, *Lit.*).

Verw.: Gemeinsam mit dem *4,4'-Methylendi(phenylisocyanat) (MDI) ist TDI das wichtigste aromat. Diisocyanat zur Herst. von *Polyurethanen, die für Schaumstoffe, Elastomere, Lackrohstoffe, Beschichtungen u. Klebstoffe eingesetzt werden. Wichtigste Typen sind das TDI-65, das TDI-80 u. das TDI-100; die Zahlen kennzeichnen dabei den Gehalt (in %) an reaktiverem 2,4-Isomerem gegenüber dem weniger reaktiven 2,6-Isomeren (ster. Hinderung). Unter diesen ist das TDI-80 das wichtigste Diisocyanat zur Herst. von *PUR-Weichschaumstoffen. – *E* toluene diisocyanates – *F* diisocyanates de toluène – *I* diisociannati di toluene, toluendiisociannati – *S* diisocianatos de tolueno

Lit.: Beilstein E IV **13**, 89, 174 ▪ Elias (5.) **2**, 229 ▪ Gesundheitsschädliche Arbeitsstoffe: toxikologisch-arbeitsmedizinische Begründung von MAK-Werten, Weinheim: Verl. Chemie 1972–1998 ▪ Health and Safety Guides: Toluene Diisocyanate, Geneva: WHO 1987 ▪ Hommel, Nr. 194 ▪ Merck-Index (12.), Nr. 9667 ▪ Uhlig, Polyurethan-Taschenbuch, S. 112 ff., München: Hanser 1998 ▪ Ullmann (4.) **13**, 347 ff.; (5.) **A 14**, 611 ff.

▪ Weissermel-Arpe (4.), S. 408–413. – *[HS 2929 10; CAS 584-84-9 (2,4-T.); 91-08-7 (2,6-T.); G 6.1]*

Toluol-3,4-diol s. 4-Methylbrenzcatechin.

Toluol-3,4-dithiol (Dithiol, 4-Methyl-1,2-benzoldithiol, 3,4-Dimercaptotoluol).

$C_7H_8S_2$, M_R 156,27. Weiße, hygroskop. Krist.-Masse, Schmp. 31 °C, Sdp. 185–187 °C (112 hPa), lösl. in Benzol u. verd. Alkalien; WGK 3. T. kann aus Toluol-3,4-disulfonyldichlorid mit Zinn/HCl hergestellt werden. u. als komplexbildendes Reagenz zum Nachw. u. zur Bestimmung von Ag, As, Co, Ge, Mo, W, Tc u. Sn (mit denen es meist stark gefärbte Komplexe bildet) verwendet werden. – *E* toluene-3,4-dithiol – *F* toluène-3,4-dithiol – *I* toluene-3,4-ditiolo – *S* tolueno-3,4-ditiol

Lit.: Beilstein E IV **6**, 5890 ▪ Fries-Getrost, S. 240–242 ▪ Merck-Index (12.), Nr. 9669. – *[HS 2930 90; CAS 496-74-2; G 6.1]*

Toluolsulfochloride s. Toluolsulfonylchloride.

Toluolsulfonamide (Methylbenzolsulfonamide).

o-T.   m-T.   p-T.

$C_7H_9NO_2S$, M_R 171,21. (a) *o-T.*: Farblose oktaedr. Krist., Schmp. 156 °C, schwer lösl. in Wasser, Ether, lösl. in Alkohol; Zwischenprodukt bei der Herst von *Saccharin. – (b) *m-T.*: Farblose Krist., Schmp. 103 °C. Die T. lassen sich durch Reaktion des entsprechenden Sulfonsäurechlorids mit wäss. Ammoniak erhalten. – (c) *p-T.* (PTSA): Farblose, monokline Blättchen, Schmp. 137 °C, Dihydrat Schmp. 105 °C, wenig lösl. in Wasser u. Ether, lösl. in Alkohol, Aceton u. Estern. Findet Verw. als Ausgangsprodukt für orale Antidiabetika, Zwischenprodukt bei Farbstoffsynth.; Zwischenprodukt in organ. Synthesen. Ein *p-T.*-Derivat ist das *Chloramin T. – *E* toluenesulfonamides – *F* toluènesulfonamides – *I* toluensolfonammidi – *S* toluenosulfonamidas

Lit.: Beilstein E IV **11**, 229, 237, 376 ▪ Ullmann (4.) **8**, 422; (5.) **A 3**, 520. – *[HS 2935 00; CAS 88-19-7 (a); 1899-94-1 (b); 70-55-3 (c)]*

Toluolsulfonate s. *p*-Toluolsulfonsäure.

***p*-Toluolsulfonsäure** (4-Methylbenzolsulfonsäure, Toluol-4-sulfonsäure, Tosilsäure, Tosylsäure, TsOH, PTS).

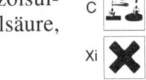

$C_7H_8O_3S$, M_R 172,21. Das Monohydrat bildet farblose, hygroskop. Blättchen, die bei 56 °C das Krist.-Wasser verlieren u. in eine meist leicht violett gefärbte Krist.-Masse übergehen, Schmp. 106–107 °C (wasserfrei), Sdp. 140 °C (26 hPa), leicht lösl. in Wasser, lösl. in Al-

kohol, Ether, weniger in Benzol. p-T. wirkt stark haut- u. schleimhautreizend (bereits bei <5% H_2SO_4-Gehalt) od. ätzend (bei H_2SO_4-Gehalt >5%). Sie ist in wäss. Lsg. weitgehend ionisiert, hat mit $pK_a \approx 0{,}7$ eine höhere Säurestärke als Hydrogensulfat ($pK_a = 1{,}9$) u. bildet Salze u. Ester.
Herst.: Durch Sulfonierung von Toluol mit konz. H_2SO_4.
Verw.: Anorgan. *Toluolsulfonate* finden Verw. als Lösungsvermittler. Die *p*-T.-Ester, für die sich die Kurzbez. *Tosylate* (in internat. Freinamen: *Tosilate*) eingebürgert hat, werden im Laboratorium häufig zur Isolierung u. analyt. Charakterisierung (*Derivatisierung) von Hydroxy-Verb. od. als Zwischenprodukt von Esterpyrolysen synthetisiert. *p*-T. selbst dient als Härter u. Katalysator, zu Farbstoffsynth., in der Herst. oraler Antidiabetika. Im Laboratorium ist *p*-T. ein viel benutzter saurer Katalysator zur Dehydratisierung, Veresterung, Ketalisierung, Veretherung etc. – *E* p-toluenesulfonic acid – *F* acide p-toluènesulfonique – *I* acido p-toluensolfonico – *S* ácido p-toluenosulfónico
Lit.: Beilstein E IV **11**, 241 ▪ Hommel, Nr. 599, 599 a ▪ Paquette **7**, 4940 ▪ Ullmann (4.) **8**, 422; (5.) **A 3**, 520. – [HS 2904 10; CAS 104-15-4 (p-T.); 6192-52-5 (p-T.-Hydrat); G 8]

p-Toluolsulfonsäurehydrazid.

$C_7H_{10}N_2O_2S$, M_R 186,23. Farblose Krist., Schmp. 106–108°C (Zers.), leicht lösl. in Wasser, Alkohol, Eisessig, Pyridin, Alkali, schwer lösl. in Benzol. T. kann aus *p*-*Toluolsulfonylchlorid u. Hydrazinhydrat hergestellt werden.
Verw.: Zur Herst. von fein- u. grobporigen, geruchlosen Gummiartikeln (Treibmittel), zur Charakterisierung u. Isolierung bestimmter Zucker (als Tosylhydrazone), zur Synth. von Alkenen, zur Herst. von Diazo-Verb.; zur vielfältigen Verw. in organ. Synth. s. Paquette (*Lit.*). – *E* p-toluenesulfonic hydrazide – *F* hydrazide de l'acide p-toluènesulfonique – *I* idrazide p-toluensolfonica – *S* hidrazida del ácido p-toluenosulfónico
Lit.: Beilstein E IV **11**, 470 ▪ Kirk-Othmer (4.) **13**, 591 ▪ Org. React. **23**, 405 (1976); **39**, 1 (1990) ▪ Paquette **7**, 4953 ▪ Synthesis **1984**, 957. – [HS 2935 00; CAS 1576-35-8; G 4.1]

p-Toluolsulfonsäuremethylester.

$C_8H_{10}O_3S$, M_R 186,23. Farblose bis schwach gelbe, krist. Masse, Schmp. 28–29°C, Sdp. 292°C, 140°C (27 hPa), unlösl. in Wasser, lösl. in Alkohol, Chloroform, Benzol, Ether, Ketonen, Estern; LD_{50} (Ratte oral) 341 mg/kg; WGK 2. T. findet in zahlreichen organ. Synth. Verwendung. – *E* methyl p-toluenesulfonate – *F* p-toluènesulfonate de méthyle – *I* p-toluensolfonati di metile – *S* p-toluenosulfonato de metilo
Lit.: Beilstein E IV **11**, 247 ▪ Ullmann (5.) **A 3**, 520. – [HS 2905 50; CAS 80-48-8; G 6.1]

Toluolsulfonyl... Bez. für die Reste $-SO_2-C_6H_4-CH_3$ in *radikofunktionellen Namen: *o*-, *m*- u. *p*-T. (IUPAC-Regel C-641.7; CAS: 2-, 3- u. 4-Methylbenzolsulfonyl...); in *Substitutionsnamen läßt Regel C-631.1 nur *o*-, *m*- u. *p*-Tolylsulfonyl... zu, die neuen Regeln R-5.7.7 + 8 aber auch T. {CAS: [(2-, [(3- u. [(4-Methylphenyl)sulfonyl]...}; unsubstituiertes *p*-T. wird auch *Tosyl... genannt (Regeln C-641.7, R-9.1.30b; Kurzz.: Tos, Ts). – *E* toluenesulfonyl... – *F* toluènesulfonyl... – *I* toluensolfonil... – *S* toluenosulfonil...

Toluolsulfonylchloride (Toluolsulfochloride).

o-T.   m-T.   p-T.

$C_7H_7ClO_2S$, M_R 190,65, lösl. in Alkohol, Ether u. Benzol, unlösl. in Wasser. a) *o*-T.: Farbloses Öl, D. 1,3383, Schmp. 11°C, Sdp. 126°C (13 hPa), wird zur Synth. von o-Toluolsulfonamid verwendet. – b) *m*-T.: Farbloses Öl, Schmp. 11,7°C, Sdp. 146°C (29 hPa). – c) *p*-T. (Tosylchlorid): Farblose, trikline Krist., Schmp. 69–71°C, Sdp. 138–139°C (25 hPa). *p*-T. ist ein wichtiges Reagenz in organ. Synth. (s. Paquette, *Lit.*); es wird auch verwendet als Härter für säurehärtende Lacke, zu Säurekitten u. dgl. *o*-T. u. *p*-T. können durch Reaktion von Toluol mit *Chloroschwefelsäure hergestellt werden, zur Synth. von *m*-T. geht man von *m*-Toluidin aus. – *E* toluenesulfonyl chlorides – *F* chlorures de toluènesulfonyle – *I* cloruri di toluensolfonile – *S* cloruros de toluenosulfonilo
Lit.: Beilstein E IV **11**, 375 ▪ Merck-Index (12.), Nr. 9672 ▪ Paquette **7**, 4946 ▪ Ullmann (4.) **8**, 422; (5.) **A 3**, 520. – [HS 2904 90; CAS 133-59-5 (a); 1899-93-0 (b); 98-59-9 (c)]

Toluoyl... Bez. der von *Toluylsäuren abgeleiteten Acyl-Reste $-CO-C_6H_4-CH_3$: *o*-, *m*- u. *p*-T. (IUPAC-Regel 404.1; systemat. CAS-Bez.: 2-, 3- u. 4-Methylbenzoyl...). – *E* = *F* toluoyl... – *I* = *S* toluoil...

Tolusäuren s. Toluylsäuren.

Toluyl... Regelwidrige, zweideutige Bez. für *Toluoyl... od. *Tolyl... – *E* = *F* toluyl... – *I* = *S* toluil...

Toluylen... s. Tolylen...; vgl. Toluyl...

Toluylenblau {[4-(2,4-Diamino-5-methylphenylimino)-cyclohexa-2,5-dienyliden]dimethylammoniumchlorid, C.I. 49 410}.

$C_{15}H_{19}ClN_4$, M_R 290,80. Der *Indamin-Farbstoff T. bildet bronzeglänzende Krist. u. ist in Wasser u. Alkohol mit blauer Farbe löslich. T. wurde früher als Indikator verwendet. Seine Herst. erfolgt durch Oxid. einer Mischung von *N,N*-Dimethyl-*p*-phenylendiamin u. 4-Methyl-*m*-phenylendiamin.
Beim Kochen von T. mit Anilin-Hydrochlorid in wäss. Lsg. entsteht das entsprechende Safranin. – *E* toluylene blue – *F* bleu de toluylène – *I* blu di toluilene – *S* azul de toluileno
Lit.: Zollinger, Color Chemistry, 2. Aufl., S. 80, Weinheim: VCH Verlagsges. 1991. – [CAS 97-26-7]

Toluylendiisocyanat s. Toluoldiisocyanate.

Toluylenrot s. Neutralrot.

Toluylsäuren (Tolusäuren, Tolylsäuren, Methylbenzoesäuren).

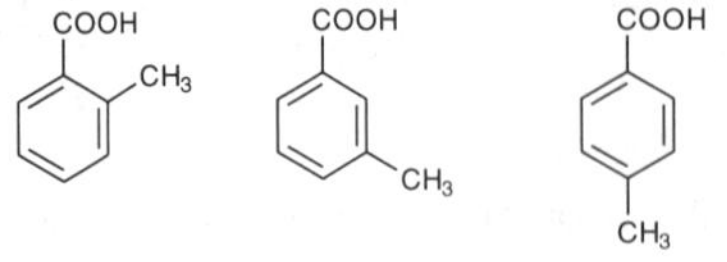

o-T.   m-T.   p-T.

$C_8H_8O_2$, M_R 136,14. a) *o-T.* (2-Methylbenzoesäure), Schmp. 107–108 °C, Sdp. 258–260 °C, mit Wasserdampf flüchtig; – b) *m-T.* (3-Methylbenzoesäure), Schmp. 111–113 °C, Sdp. 263 °C (Subl.); – c) *p-T.* (4-Methylbenzoesäure), Schmp. 180–181 °C, Sdp. 274–275 °C. Die T. sind in Wasser schwer, in Ether u. Alkohol leicht lösl. u. sind durch Oxid. der entsprechenden Xylole herstellbar. – d) α-T. s. Phenylessigsäure.
Verw.: Zwischenprodukt in organ. Synth., *m-T.* hauptsächlich zur Herst. von *N,N*-*Diethyl-*m*-toluamid, welches die wirksame Komponente von Fliegen- u. Mückenabwehrmitteln (z. B. Autan) ist; *p-T.* ist ein Zwischenprodukt bei der Terephthalsäure-Herstellung. – *E* toluic acids – *F* acides toluiques – *I* acidi toluici – *S* ácidos toluicos
Lit.: Beilstein E IV **9**, 1697, 1712, 1724 ▪ Merck-Index (12.), Nr. 9673 ▪ Ullmann (4.) **8**, 376; (5.) **A 3**, 563 ▪ Weissermel-Arpe (4.), S. 418, 423. – *[HS 291639; CAS 118-90-1 (a); 99-04-7 (b); 99-94-5 (c)]*

Tolvin® (Rp). Filmtabl. mit *Mianserin-Hydrochlorid gegen Depressionen. *B.:* Organon.

Tolycain.

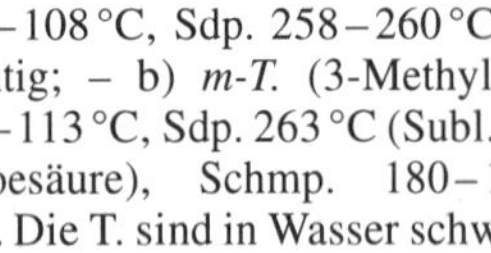

Internat. Freiname für das *Lokalanästhetikum Methyl-2-[2-(diethylamino)acetamido]-3-methylbenzoat, $C_{15}H_{22}N_2O_3$, M_R 278,34, Öl, Sdp. 190–192 °C (0,66 kPa). Verwendet wird meist das Hydrochlorid, Schmp. 139–140,5 °C. T. wurde 1957 von Bayer patentiert. – *E* tolycaine – *F* tolycaïne – *I* tolicaina – *S* tolicaína
Lit.: Hager (5.) **9**, 991f. ▪ Martindale (31.), S. 1340. – *[HS 292429; CAS 3686-58-6 (T.); 7210-92-6 (Hydrochlorid)]*

Tolyl... Bez. der unsubstituierten Toluol-Reste $-C_6H_4-CH_3$: *o-*, *m-* u. *p-T.* (IUPAC-Regeln A-13.1, R-9.1.19b.3); systemat. CAS-Bez.: (2-, (3- u. (4-Methylphenyl)...; veraltete, mehrdeutige Bez.: *Cresyl...*; die Bez. α-T. für *Benzyl... ist veraltet [CAS: (Phenylmethyl)...]. – *E = F* tolyl... – *I = S* tolil...

Tolylaldehyde s. Tolualdehyde u. Phenylacetaldehyd.

Tolylamine s. Toluidine.

Tolylen... (auch: Toluylen...). Regelwidrige, aber übliche Bez. der 6 Brücken $-C_6H_3(CH_3)-$ [in *radikofunktionellen Namen u. *Multiplikativnamen; *Beisp.:* (3,4-Tolylen)...; IUPAC-Regel A-13.2: (4-Methyl-*o*-phenylen)...] u. der 3 Brücken $-C_6H_4-CH_2-$ [(α,2-, (α,3- u. (α,4-Tolylen)...; IUPAC-Bez. nicht vorgesehen]. – *E* tolylene... – *F* tolylène... – *I = S* tolilen...

Tolylendiisocyanate s. Toluoldiisocyanate.

Tolylfluanid.

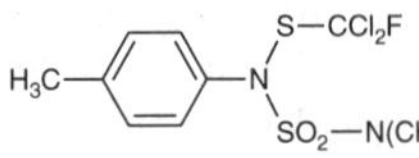

Common name für *N*-Dichlorfluormethylthio-*N'*,*N'*-dimethyl-*N*-*p*-tolylsulfamid, $C_{10}H_{13}Cl_2FN_2O_2S_2$, M_R 347,24, Schmp. 95–97 °C, LD_{50} (Ratte oral) >5000 mg/kg, von Bayer 1973 eingeführtes protektives breit wirksames Blatt-*Fungizid mit akarizider Nebenwirkung zur Anw. v. a. im Obst-, Wein-, Gemüse- u. Zierpflanzenanbau. – *E* tolylfluanid – *F* tolylfluanide – *I* tolilfluanide – *S* tolilfluanida
Lit.: Farm ▪ Perkow ▪ Pesticide Manual ▪ Wirkstoffe iva. – *[HS 293090; CAS 731-27-1; G 9]*

Tolylsäuren s. Toluylsäuren.

Tolylsulfonyl... s. Toluolsulfonyl...

p-Tolylsulfonylmethylisocyanid (TosMIC).

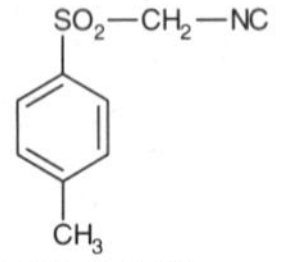

$C_9H_9NO_2S$, M_R 195,23. Weißer, geruchloser Feststoff, Schmp. 116–117 °C, lösl. in THF, CH_2Cl_2, $CHCl_3$, Benzol. TosMIC kann durch Dehydratisierung von *N*-(*p*-Tolylsulfonylmethyl)formamid hergestellt werden. T. ist ein wichtiger Vertreter der *Isocyanide u. findet in der organ. Synth. vielfältige Verw., z. B. zur Herst. von Heterocyclen. – *E* p-tolylsulfonylmethyl isocyanide – *F* isocyanure de *p*-tolylsulfonylméthyle – *I* isocianuro di *p*-tolilsolfonilmetile – *S* isocianuro de *p*-tolilsulfonilmetilo
Lit.: Paquette **7**, 4973 ▪ Tetrahedron **47**, 4639 (1991) ▪ van Leusen, Perspectives in the Organic Chemistry of Sulfur, S. 119–144, Elsevier: Amsterdam 1987. – *[CAS 36635-61-7]*

Tolyprin® (Rp). Injektionslsg. u. Filmtabl. mit *Azapropazon gegen schmerzhafte Entzündungen, Schwellungen u. dgl. sowie Rheumatismus. *B.:* Du Pont.

Tom. Veraltetes Kurzz. für ein *Mol Atome („Gramm-Atom").

Tomaten (Liebes-, Paradies-, Goldäpfel, Paradeiser). Rote, auch gelbe, meist flach kugelförmige, saftreiche Beerenfrüchte der in Südamerika heim. einjährigen Nutzpflanze *Lycopersicon esculentum* (Nachtschattengewächs). In Europa wird die T. seit Ende des 16. Jh. als Zierfrucht, seit Ende des 19. Jh. auch als Gemüsepflanze kultiviert. Der Name T. leitet sich von mexikan.-indian.: tomatl = anschwellen her. Manche T.-Sorten enthalten insektizide Wirkstoffe in ihren Blättern; gegen die *Tomatenwelke* (hervorgerufen durch *Fusarium*-Arten, s. Welkstoffe) kann die Rufiansäure von Nutzen sein. T. können auch vom Tomatenmosaikvirus befallen werden. Im Durchschnitt enthalten 100 g eßbarer T.-Substanz 94,2 g Wasser, 0,95 g Proteine, 0,2 g Fette, 2,6 g Kohlenhydrate, 0,95 g Faserstoffe, Vitamin C (24,54 mg) u. a. Vitamine, 150 mg Apfelsäure, 390 mg Citronensäure, ferner geringe Mengen Oxalsäure, 268 mg Kalium, wenig Na, Ca, Mg, Mn, Fe, Cu, P, S u. Cl; Nährwert 92 kJ. Im Fruchtfleisch unreifer T. findet sich weiterhin etwas giftiges

Solanin, dessen Gehalt jedoch mit zunehmender Reife der T. abnimmt, u. in den Blättern das antibiot. wirkende *Tomatin* (zu Solanin u. Tomatin s. Solanum-Steroidalkaloidglykoside).
Die Färbung der Früchte wird hauptsächlich durch *Lycopin, daneben durch β-*Carotin, *Lutein, *Flavone u. a. Pigmente hervorgerufen. Die enzymat. Oxid. dieser T.-Farbstoffe ist eine der Ursachen für das Braunwerden von T. u. ihren Verarbeitungsprodukten, z. B. beim Lagern. Zu den Trägern des typ. T.-Aromas gehören E-2-*Hexenal, *Hexanal, Z-3-Hexenal, cis-3-Hexenol (*Hexen-1-ole), 2-Isobutylthiazol u. β-*Jonon; bisher sind ⩾100 Bestandteile identifiziert worden. Davon besteht etwa die Hälfte aus Carbonyl-Verb. wie Aldehyden, Ketonen, Carbonsäuren u. deren Estern, der Rest aus flüchtigen Alkoholen, Kohlenwasserstoffen, Phenolen, Schwefel-Verb., Furan-, Pyrrol- u. Pyrazin-Derivaten.
Die wichtigsten T.-Erzeugnisse sind Saft, Püree, Mark u. *Ketchup*, ein musartiges, thixotropes, mit Paprika, Muskat, Zimt, Nelken, Pfeffer, Zwiebeln, Salz, Essig usw. gewürztes Tomatenmark. Zu den eßbaren Früchten verwandter Nachtschattengewächse gehören die der Baumtomate od. Tamarillo (*Cyphomandra betacea*) u. die Mil-Tomate (*Physalis ixocarpa*). – *E* tomatoes – *F* = *S* tomates – *I* pomodori
Lit.: Franke, Nutzpflanzenkunde, 6. Aufl., S. 235 ff., Stuttgart: Thieme 1997. – [HS 0710 80, 0710 90]

Tomatidin s. Solanum-Steroidalkaloide.

Tomatin s. Solanum-Steroidalkaloidglykoside.

Tombak. Veraltete Sammelbez. für Kupfer-Leg. mit 5 bis 28% Zink, heute: *Messing, s. dort.

Tomographie (griech.: tome = Schnitt u. graphein = schreiben). In der medizin. Röntgendiagnostik angewandtes *Schichtaufnahmeverfahren*. Dabei erfolgt eine gekoppelte gegenläufige Bewegung von Röhre u. Film bei unbewegtem Patient. Ein bestimmter vorgewählter Tiefenbereich wird dadurch auf dem Film scharf abgebildet, während höher u. tiefer gelegene Objektteile durch die ständig wechselnde Projektion verwischt werden.
Bei der *Computer-T.* wird die Abschwächung von Röntgenstrahlen durch eine bestimmte Körperschicht des Patienten in vielen verschiedenen Projektionen durch eine Vielzahl von Detektoren gemessen. Die Daten werden einem Rechner zugeführt, der sie zu einem Bild verarbeitet. Diese Technik führt zu wesentlich kontrastreicheren Bildern als die herkömmliche Röntgentechnik.
Ein weiteres, auf dem Prinzip der T. beruhendes bildgebendes Verf. ist die *Emissions-Computer-T.* (ECT), die auf der schichtweisen Strahlenmessung (*Szintigraphie) vorübergehend inkorporierter *Radionuklide beruht. Dabei wird die Abstrahlung von Positronen aus ^{15}O-Kohlendioxid (Positronen-Emissions-Computer-T., PET) od. Photonen aus ^{99m}Tc bzw. ^{123}I (Single-Photon-Emissions-Computer-T., SPECT) gemessen. Diese Technik ermöglicht den Nachw. von Störungen des Glucose- u. O_2-Stoffwechsels bzw. der Durchblutung.
Bei der *Kernspinresonanz-T.* (*E* nucleic magnetic resonance imaging, *NMR-Bildgebung) wird die Energie gemessen, die von unter Einfluß eines von außen angelegten starken Magnetfeldes ausgerichteten Wasserstoff-Kernen nach einem kurzen Hochfrequenzimpuls abgegeben wird u. in Form von elektromagnet. Wellen aus dem Körper austritt. – *E* tomography – *F* tomographie – *I* tomografia – *S* tomografía
Lit.: Morneburg, Bildgebende Systeme für die medizinische Diagnostik, Weinheim: VCH Verlagsges. 1995.

Tomonaga, Sin-Itiro (Shin'ichiro) (1906–1979), Prof. für Theoret. Physik, Tokyo. *Arbeitsgebiete:* Kernkräfte, Feldtheorie, Quantenmechanik, Quantenelektrodynamik; Nobelpreis 1965 für Physik (zusammen mit R. P. *Feynman u. J. S. *Schwinger).
Lit.: Lexikon der Naturwissenschaftler, S. 398 ▪ Miyazima, Scientific Papers of Tomonaga (2 Bd.), Tokyo: Maruzen 1971, 1974.

Toms-Effekt s. Tribologie.

ton. Angloamerikan. Gew.-Einheit (Abk. tn), bei der zu unterscheiden ist zwischen *long ton* (Abk.: tn l) u. *short ton* (Abk.: tn sh). Für die Umrechnung – auch in das metr. Syst. – gilt: 1 ton (long) = 1,12 tons (short) = 2240 pounds avoirdupois = 1,016047 t = 1016,047 kg. 1 ton (short) = 0,89286 tons (long) = 2000 pounds avoirdupois = 0,907185 t = 907,185 kg; vgl. a. Tonne.

Ton, Tone (zur Etymologie s. Tonerde). Ein schon im Altertum bekanntes, feinkörniges, den bindigen Lockergesteinen zugerechnetes, zu den *Peliten gehörendes unverfestigtes *Sedimentgestein, das im wesentlichen aus Mineralpartikeln mit <20 µm (0,02 mm) Durchmesser besteht. Unter diesen Partikeln herrschen mengenmäßig silicat., v. a. durch *Verwitterung, z. B. von *Feldspäten, entstandene *Tonmineralien (*Kaolinit, *Illit, *Montmorillonit, *Wechsellagerungs-Minerale u. a.) vor, deren Teilchendurchmesser meist kleiner als 0,002 mm (2 µm) sind. Außerdem enthält T. feinkörniges klast. (*klastische Gesteine) Material (*Quarz, *Glimmer, Feldspäte, *Chlorite), biogene Anteile (kalkige Mikro-*Fossilien, Bitumen, kohlige Substanz) u. Mineralneubildungen (*Markasit, *Pyrit, Carbonate (z. B. *Calcit, *Siderit), Phosphate usw.].
Eigenschaften: Typ. sind seifenartige Konsistenz im feuchten Zustand, Wasserbindevermögen, Quellbarkeit, hohe Adsorptionskapazität gegenüber vielen anorgan. u. organ. Stoffen, Abdichtungs-Vermögen, Fließverhalten wie *nichtnewtonsche Flüssigkeiten, *Thixotropie u. *Plastizität. Beim Brennen erhärten die T. unter Bildung von *Mullit. Zur mineralog. Untersuchung von T. s. Jasmund u. Lagaly (*Lit.*).
T. können mehr als 80 Vol.-% Wasser aufnehmen u. dabei wasserundurchlässig werden. T.-Lagen bilden die Sohle u. gelegentlich auch das Dach von Grundwasser-Stockwerken, verursachen Vernässungs- u. Quellhorizonte, Moor-Bildung u. können wirksame Barrieren zwischen Schadstoff-verseuchten Böden u. Deponien einerseits u. Grundwässern andererseits darstellen. T. können aus wäss. Lsg., z. B. im Kontakt mit Düngemitteln, v. a. überschüssige Kationen wie K^+ adsorptiv binden, u. sie bei Bedarf, etwa durch Pflanzen, wieder abgeben; in ungedüngten Böden sind Glimmer u. Illit die wichtigsten Lieferanten für den neben Phosphor u. Stickstoff wichtigsten Pflanzen-Makronähr-

stoff Kalium. Ein bemerkenswertes Verhalten zeigen die sog. *Quicktone* (z. B. von Skandinavien), die kein Quellvermögen besitzen u. sich bei mechan. Beanspruchung *ohne* Wasserzusatz verflüssigen; sie können dadurch katastrophale Erdrutsche verursachen.
Farbe: Die Farbe der T. wird v. a. durch Gehalt u. Art der Eisenoxide bestimmt: gelb bis gelbbraun durch *Goethit, rot durch *Hämatit, rotbraun bis schwarz durch Maghemit (γ-Fe_2O_3). Blaufärbung kann durch *Vivianit entstehen; Färbungen können auch durch organ. Verb. (z. B. Porphyrine, Purine) bedingt sein, graue bis schwarze Farben durch kohlige Substanzen, od. feinverteilten Pyrit. In den gewöhnlichen braunen od. gelblichen T. der Äcker finden sich wechselnde Mengen von Fe-, Mn-, Mg-, Ti-, P-, N- usw. Verb., Humusbestandteile, Spurenelemente u. dgl., die teils chem. gebunden, teils physikal. an die sehr kleinen Teilchen adsorbiert sind.
Einteilung: Nach dem Mineralbestand unterscheidet man Kaolinit-reiche (Kaolinit-T.) u. Smektit-reiche T. (*Bentonite); die (gemeinen) T. enthalten v. a. *Illit, daneben Chlorite u. a. Tonmineralien. In der Lagerstättenkunde wird zwischen *Kaolinen (im allg. *in situ*, d. h. noch am Ort ihrer Entstehung durch Verwitterung od. hydrothermale Alteration befindlich), Kaolinit-T., gemeinen T. u. Bentoniten unterschieden. In der Technik werden unter T. die durch Wasser od. Wind umgelagerten, auf sek. Lagerstätte liegenden T. (Kaolinit-T., gemeine T., Bentonite) verstanden. Bes. die *gemeinen T.* werden aufgrund ihrer Natur als Mineralgemenge v. a. zu gesinterten (gebrannten) Produkten verarbeitet. Man unterscheidet feuerfeste u. keram., nicht feuerfeste Tone. *Feuerfeste T.* (in der BRD im Westerwald u. in der Oberpfalz) haben einen Schmp. von mind. 1580 °C. *Keram. T.* (u. *Lehme) erweichen u. sintern unter 1520 °C; sie werden weiter untergliedert in *feinkeram. T.* [Töpfer-T.; plast. od. gießfähig, gute Trocknungs-Eigenschaften (keine Riß-Bildung), günstige Brenneigenschaften mit heller ($Fe_2O_3 < 1\%$) od. roter ($Fe_2O_3 > 7\%$) Brennfarbe], *grobkeram. T.* (Ziegel-T.; stärker verunreinigt, mehr Grobkorn) u. Lehm. *Blähtone* können sich bei schneller Erhitzung auf 1100–1200 °C unter starker Vol.-Vergrößerung aufblähen; das Rohgut wird pelletisiert u. zu festen Kügelchen bis 5 cm gebrannt; Raumgew. rund 330 kg/m³. *Dichtungs-T.* (Bentonite, tonige Mergel u. a.) werden schon lange im Grund- u. Wasserbau eingesetzt, haben heute aber ihren Anw.-Schwerpunkt in der Anlage von *Deponien u. in der *Altlastensanierung (s. *Lit.*[1]).
Vork.: Die T. machen zusammen mit *Tonsteinen, Silten (Schluffen) u. *Siltsteinen 50–70% aller *Sedimente u. Sedimentgesteine aus. Die heute an der Erdoberfläche lagernden T. sind überwiegend im Tertiär u. Quartär (*Erdzeitalter) entstanden. Die größte Menge an T.-haltigen Gesteinen befindet sich vermutlich in den Ozeanen; „*Roter Tiefseeton*" bedeckt etwa 30% der Tiefsee-Fläche. In der BRD werden T. vorwiegend im Tagebau in Nordost-Bayern (Oberpfalz), im Westerwald, in Nordrhein-Westfalen, Rheinland-Pfalz, Hessen, Niedersachsen, Thüringen, Sachsen u. in der Lausitz abgebaut.
Verw.: Als wichtigster Rohstoff der *Keramik-Ind.; *grobkeram. T.* zur Herst. von Ziegelwaren (*Klinker, Mauersteine, Dachziegel, Spezialziegel), Terrakotta, T.-Rohren u. Baukeramik; *feinkeram. T.* u. a. zur Herst. von Töpferwaren, techn. u. Geschirrporzellan, Sanitärwaren u. Fliesen; *feuerfeste T.* zur Herst. von *Schamotte; *Bläh-T.* als Zuschlagsstoff für Leichtbeton. als schall- u. wärmedämmender Schüttstoff. Zu den *Spezial-T.* gehören die *Glashafen-T.* von Großalmerode in Hessen u. die *Bleistift-T.* von Klingenberg am Main. Die katalyt. Eigenschaften spezieller T. können durch Einbau von Säulen aus Polyoxo-Kationen[2], z. B. Al_{13}^{7+} {über Polyhydroxo-Kationen $[Al_{13}O_4(OH)_{24}(H_2O)_{12}]^{7+}$} (sog. *Pillared Clays*) verbessert werden. Weitere Verw. u. Vork. s. bei Attapulgit, Bentonite, Bleicherden, Hectorit, Kaoline u. Sepiolith. Während früher die meisten T. (ausgenommen Kaoline) ohne Aufbereitung an die Abnehmer geliefert werden konnten, müssen sie heute aufgrund der gestiegenen Anforderungen an die Gleichmäßigkeit u. die qualitätsbestimmenden Eigenschaften der Rohstoffe meist aufbereitet u. veredelt werden. Im Vordergrund stehen dabei Anreicherung der Wertstoffe (Tonmineralien), Verminderung der Schadstoff-Gehalte (z. B. Eisen- u. Titan-Verb.), Modifizierung spezieller Eigenschaften (z. B. Weißgrad, Thixotropie) u. die Erzielung konstanter Qualitäten u. standardisierter Produkte; s. Jasmund u. Lagaly (*Lit.*) u. *Lit.*[3] (hier auch potentielle neue Einsatzgebiete). – *E* clay – *F* argile – *I* argilla – *S* arcilla

Lit.: [1] Geolog. Jahrb. C **57**, 5–137 (1991). [2] Clays Clay Miner. **42**, 518–524 (1994). [3] Erzmetall **50**, 685–688 (1997).
allg.: Chamley, Clay Sedimentology, Berlin: Springer 1989 ■ Clarke (Hrsg.), Industrial Clays, A Special Review, London: Industrial Minerals Division of Metal Bulletin Plc 1989 ■ Jasmund u. Lagaly (Hrsg.), Tonminerale u. Tone, Darmstadt: Steinkopff 1993 ■ Heim, Tone u. Tonminerale, Stuttgart: Enke 1990 ■ Pohl, Lagerstättenlehre (4.), S. 300 ff., Stuttgart: Schweizerbart 1992 ■ Spektrum Wiss. **1979**, Nr. 6, 64–70 ■ Ullmann (5.) **A 6**, 10–15; **A 7**, 109–136 ■ Wirtschaftsvereinigung Bergbau (Hrsg.), Das Bergbau-Handbuch (5.), S. 271–275, Essen: VGE Verl. Glückauf 1994 ■ s. a. Bentonite, Kaoline, Keramik, Tonmineralien.

Tonalit s. Diorite.

Tonbänder s. Magnetbänder.

Tonegawa, Susumu (geb. 1939), Prof. für Biologie, Univ. Basel, MIT (Cambridge, USA). *Arbeitsgebiete:* Immunologie, Antikörperdifferenzierung, Genetik, Gensegmentierung u. -rekombination. Er erhielt 1987 den Nobelpreis für Physiologie od. Medizin für die Entdeckung der genet. Grundlagen des Variationsreichtums der Antikörper.
Lit.: Lexikon der Naturwissenschaftler, S. 398 ■ Naturwiss. Rundsch. **40**, 507 f. (1987) ■ Who's Who in the World, S. 1428.

Toneisenstein s. Siderit.

Toner. Bez. für die farbabgebende Komponente in elektrophotograph. Entwicklern, deren Einzelteilchen elektrostat. Ladungen tragen. – *E* = *F* = *S* toner – *I* virante

Tonerde. Ursprünglich bezeichnete man mit *Tonerde* eine Erde, die beim Trocknen dicht wird u. setzte sie begrifflich gleich mit *Ton. Etwa in der Mitte des 18. Jh. fand *Marggraf bei einer Untersuchung des *Alauns u. verschiedener Tone einen gemeinsamen Bestandteil dieser Stoffe, den er mit Schwefelsäure extrahierte u. *Alaunerde* nannte. Später bürgerte sich statt dessen der Name „Tonerde" ein. Der heutige Sprachgebrauch, der unter dem Begriff T. *Aluminiumoxid (vgl. Erdmetalle) versteht, geht auf die Entdeckung *Klaproths (Ende des 18. Jh.) zurück, daß der *Korund krist. T. ist, ferner auf die Bestimmung der T. als Al_2O_3 durch *Davy, F. *Wöhler u. andere. Von dieser Bedeutung als Aluminium-Verb. leiten sich auch histor. Bez. wie *Essigsaure T.* für bas. *Aluminiumacetate, *Tonerdesilicate* für *Kaolinit u. a. *Aluminiumsilicate, *Tonerdehydrat* für *Aluminiumhydroxide u. *Tonerdezement* für Calciumaluminate (*Zement) ab. – *E* alum earth, alumina, argillaceous earth – *F* alumine – *I* terra argillosa – *S* alúmina

Tongut s. keramische Werkstoffe.

Tonic Water. Nach der Richtlinie für die Herst., Kennzeichnung u. Beurteilung süßer, Alkohol-freier Erfrischungsgetränke[1] handelt es sich bei T. W. um eine *Limonade, die als geschmacks- u. farbgebenden Inhaltsstoff (bitterer Geschmack u. *Opaleszenz) *Chinin od. Chinin-haltige Extrakte der Chinarinde enthalten darf. Nach Anlage 4 Aromen-VO[2] ist der Höchstgehalt an Chinin auf 85 mg/L begrenzt (Schweiz: 80 mg/L). Nach § 5, Absatz 5 gleicher VO[2] ist die Verw. von Chinin durch den Hinweis „Chininhaltig" kenntlich zu machen. Die Zusatzbez. „Bitter Lemon" bzw. „Bitter Orange" weisen auf die Mitverarbeitung von Zitronen- bzw. Orangenauszügen hin. Da Chinin unter Sonnenlichteinfluß einem schnellen photochem. Abbau zum 6-Methoxy-4-methylchinolin unterliegt, scheint die Lagerung von T. W. in Braunglasflaschen od. im Dunkeln empfehlenswert[3]. 1997 wurden in der BRD 868 Mio. L Bittergetränke im Wert von 948 Mio. DM hergestellt. Zum polarograph. Nachw. von Chinin in T. W. s. *Lit.*[4], eine *HPLC-Multimeth. beschreibt *Lit.*[5]; s. a. Limonaden u. Chinin. – *E* tonic water – *F* eau tonique – *I* acqua tonica – *S* agua tónica

Lit.: [1] Zipfel, C 341. [2] Aromen-VO vom 22. 12. 1981 in der Fassung vom 29. 10. 1991 (BGBl. I, S. 2045). [3] Mitt. Geb. Lebensmittelunters. Hyg. **78**, 133–140 (1987). [4] Lebensm.-Ind. **27**, 29f. (1990). [5] Z. Lebensm. Unters. Forsch. **189**, 422–425 (1989); **190**, 410–413 (1990).
allg.: Belitz-Grosch (4.), S. 771 ■ Rouseff (Hrsg.), Bitterness in Foods and Beverages, Amsterdam: Elsevier 1990 ■ Vollmer et al., Lebensmittelführer (2.), Bd. 1, Stuttgart: Thieme 1995 ■ Zipfel, C 381 2, 16–18 a, 5, 19. – [HS 2202 10]

Tonika. Von griech.: tonos = Spannung abgeleitete Bez. für Präp. zur Wiederherst. u. Hebung der Spannkraft, allg. zur Belebung der körperlichen u. geistigen Kräfte od. der Leistung einzelner Organe. Von ihrer Wirkung her sind die T. kaum von den *Roborantien zu trennen; beide Gruppen finden in der *Geriatrie ausgedehnte Anwendung. Chem. gehören die T. den unterschiedlichsten Wirkstoffgruppen an – mehr od. weniger stark ausgeprägte ton. Wirkung haben z. B. Eisen, Lecithin u. a. Phospholipide, Glutaminsäure, Hämatoporphyrin, Gelée Royal, Ginseng, Vitamine u. dgl. – *E* tonics – *F* toniques – *I* tonici – *S* tónicos

Lit.: Helwig u. Otto, Arzneimittel, Bd. II, Stuttgart: Wissenschaftliche Verlagsges. 1998.

Tonka. Im 2. Weltkrieg Deckname für Brennstoffgemische, die in den Raketenwerken der Bayer. Motorenwerke (BMW) entwickelt wurden. Das Oxid.-Mittel Rauchende Salpetersäure wurde z. B. in T. 250 mit einem Gemisch aus 50% Xylidin u. 50% Triethylamin kombiniert.
Lit.: Ullmann (4.) **20**, 100.

Tonkabohnen. Bez. für die 3–4 cm langen, 1–2 cm breiten u. 8–10 mm dicken, schwarzen Früchte von *Dipterix odorata* (Schmetterlingsblütler) od. die kleineren, mehr braunen Bohnen von *D. oppositifolia*, die beide im nördlichen Südamerika heim. sind. Beide Früchte riechen waldmeisterartig, schmecken bittergewürzhaft u. enthalten neben 1–3% *Cumarin ca. 25% Fett u. Stärke.
Verw.: Zur Herst. von Blumendüften, zum Parfümieren von Rauch-, Schnupf- u. Kautabak (nach der *Tabak-VO in der BRD verboten), ebenso früher als Waldmeisterersatz usw. – *E* tonka beans – *F* fèves de tonka – *I* fagioli di tonka – *S* haba tonca – [HS 1211 90]

Tonkarin s. 6-Methylcumarin.

Tonkeramische Werkstoffe s. keramische Werkstoffe.

Tonmineralien (Tonminerale). Weitaus überwiegend zu den Phyllo-*Silicaten, aber in einigen Fällen auch zu den Band-*Silicaten (z. B. *Attapulgit u. *Sepiolith) gehörende Mineralien, die den Hauptmineralbestand der *Tone u. *Tonsteine bilden u. auch in Silten u. *Siltsteinen, *Tonschiefern u. manchen Sanden u. *Sandsteinen vorkommen. Nach *Lit.*[1] Bez. für solche *Phyllosilicat-Mineralien u. Mineralien, die dem Ton Plastizität verleihen u. die beim Trocknen od. Brennen erhärten. T., die aus Abfolgen von je 1 Tetraeder- u. Oktaederschicht bestehen, werden *Zweischicht-T.* od. 1 : 1-Mineralien bzw. nach dem fachsprachlich als Basisabstand bezeichneten Abstand der Tetraeder-Schichten auch *7 Å-Mineralien* (1 Å = 1 Zehnmillionstel mm) genannt; hierher gehört z. B. *Kaolinit. T. mit Verbänden aus 1 Oktaeder- u. 2 Tetraeder-Schichten heißen *Dreischicht-* od. *10 Å-T.* od. 2 : 1-Mineralien; hierher gehören u. a. *Illit, die *Smektite, *Glaukonit u. *Vermiculit; zur Silicium-Aluminium-Verteilung in 2 : 1-T. s. *Lit.*[2]. Wenn zwischen die Dreischicht-Verbände eine weitere selbständige Oktaeder-Schicht eingelagert wird, entstehen *Vierschicht-* od. *14 Å-Minerale*; Beisp. sind die *Chlorite. Eine bes. T.-Gruppe stellen die *Wechsellagerungs-Minerale dar. Zwischen die Schichtpakete, die sich verhältnismäßig leicht gegeneinander verschieben lassen u. die blättchenartige Struktur ergeben, die für viele T. charakterist. ist u. auch deren vollkommene Spaltbarkeit erklärt, können sich Ionen, Wassermol. u. a. Substanzen einlagern; das kann zu einer Aufweitung der Schicht-Abstände (*Quellung*) führen, z. B. bei den Smektiten. Zur Struktur u. Chemie der T. s. u. a. *Lit.*[3] u. *Lit.*[4]. Zur Sauerstoff- u. Wasserstoff-*Isotopen-Zusammensetzung von T. s. *Lit.*[5], zum hydrophilen od. hydrophoben Verhalten von T. s. *Lit.*[6]. Charakterist. Eigenschaften der T. sind ihre meist geringe *Teilchengröße* (bei Smektiten bis weit unter 2 μm), ihr *Kationenaustausch-Vermögen*, ihre *intrakristalline Reaktionsfähigkeit* (Reaktanten dringen in die Schicht-Zwischenräume ein) u. die *Delamination mancher Smek-*

tite (Auseinanderfallen in salzarmen Lsg. u. in Wasser).
Die T. sind sek. Bildungen, die durch *Verwitterung od. hydrothermale Umwandlungen aus prim. Alumosilicaten (*Aluminiumsilicate) wie *Feldspäten, *Hornblenden, *Pyroxenen, aus vulkan. Gesteinsglas od. auch aus anderen Phyllosilicaten (z. B. Illit aus *Muscovit od. Smektiten) entstehen. Sedimentäre T. können sich in fast allen Umgebungen bilden, in denen Kieselsäure, Aluminium sowie Alkalien u. Erdalkalien zur Verfügung stehen, d. h. im Verwitterungsbereich, in marinen Ablagerungsräumen u. in den *Sedimenten selbst nach deren Ablagerung. Ob T. eine Rolle bei der Entstehung des Lebens auf der Erde (*chemische Evolution) gespielt haben (s. *Lit.*[7,8]), konnte bis heute nicht endgültig geklärt werden.
Die Bestimmung u. Untersuchung der T. (s. Wilson, *Lit.*) erfolgt mittels Röntgenbeugungs-Meth., Raster-Elektronenmikroskopie, *NMR-Spektroskopie (*Lit.*[9,10]), *IR-Spektroskopie, *Elektronenstrahl-Mikroanalyse, *Mößbauer-Spektroskopie u. *Differentialthermoanalyse.
Bedeutung u. Verw.: Die techn. wichtigsten, in Einzelstichwörtern behandelten T. sind *Kaolinit, *Montmorillonit (v. a. als Hauptbestandteil von *Bentonit), *Halloysit, *Hectorit, Palygorskit u. *Sepiolith, s. dazu Clarke (*Lit.* bei *Tone). T., v. a. Smektite, sind die landwirtschaftlich wichtigsten u. *aktivsten Bodenbestandteile.* Von Art u. Menge der T. abhängig sind physikal. Boden-Eigenschaften wie Bodengefüge, Verhalten des Bodenwassers, Bearbeitbarkeit der Böden u. Anfälligkeit gegen *Erosion sowie chem. Boden-Eigenschaften wie Bindung von Kationen, Anionen u. Mol. an den Oberflächen der Tonteilchen u. die Freisetzung von wesentlichen Pflanzen-Nährstoffen wie Kalium, Magnesium u. Mangan aus dem Teilchen-Inneren. In Berührung mit Salz-Lsg. (im Boden gelösten Düngemitteln) adsorbieren u. binden T. selektiv K-, Ca-, Mg-, NH_4-, SO_4-, PO_4-Ionen, nicht jedoch NO_3-Ionen; daher erfolgt die Kali- u. Phosphat-Düngung im Herbst, die Nitrat-Düngung (Kopfdüngung) dagegen im Frühjahr. Zur Adsorption von Schwermetallen (Cd, Cu, Pb, Zn u. Ni) an T. s. *Lit.*[11]. T. wirken auch als Kationenaustauscher, weshalb z. B. durch starke Kalidüngung das für die Pflanzen ebenfalls nötige Ca aus den Böden weitgehend ausgewaschen werden kann, da Kali vom Boden fester adsorbiert u. zurückgehalten wird als Kalk. Dem Bauingenieur bereiten T. oft Schwierigkeiten, da sie quellen u. in tonreichen Gesteinen Rutschungen auslösen können. Außer in der *Bodenmechanik* haben T. erhebliche Bedeutung in der *Umweltsicherung* (Bodenschutz, Deponie- u. Entsorgungstechnik, Altlasten-Sanierung, Entgiftungsmittel für Kampfstoffe) sowie in der *pharmazeut. Anwendungstechnik*; s. dazu Jasmund u. Lagaly (*Lit.*). Zur Verw. von T. in der Sensortechnik s. *Lit.*[12]. Weitere Einsatzbereiche s. bei Tone u. den Einzelstichwörtern. – *E* clay minerals – *F* minéraux des argiles – *I* minerali delle argille – *S* minerales de las arcillas
Lit.: [1] Clays Clay Miner. **43**, 255 f. (1995). [2] Nature (London) **309**, 604–607 (1984). [3] Angew. Chemie **80**, 736–747 (1968). [4] Spektrum Wiss. **1979**, Nr. 6, 64–70. [5] Geochim. Cosmochim. Acta **60**, 4285–4289 (1996). [6] Clays Clay Miner. **43**, 474–477 (1995). [7] Spektrum Wiss. **1985**, Nr. 8, 82–91. [8] Cairns-Smith u. Hartmann, Clay Minerals and the Origin of Life, Cambridge: University Press 1986. [9] J. Am. Ceram. Soc. **69**, C45-C47 (1986). [10] Am. Mineral. **74**, 203–215 (1989). [11] Appl. Clay Sci. **9**, 369–381 (1995). [12] Appl. Clay Sci. **11**, 229–236 (1996).
allg.: Brindley u. Brown (Hrsg.), Crystal Structures of Clay Minerals and their X-ray Identification, London: Mineralogical Society 1980 ▪ Jasmund u. Lagaly (Hrsg.), Tonminerale u. Tone, Darmstadt: Steinkopff 1993 ▪ von Olphen u. Fripat, Data Handbook for Clay Minerals and Other Non-metallic Minerals, Oxford: Pergamon 1979 ▪ Velde, Introduction to Clay Minerals, London: Chapman u. Hall 1992 ▪ Wilson (Hrsg.), Clay Mineralogy: Spectroscopic and Chemical Determinative Methods, London: Chapman u. Hall 1994 ▪ s. a. Tone, Bentonite, Montmorillonite, Smektite.

Tonne (Kurzz.: t). Gesetzliche Maßeinheit für das 10^3-fache des *Kilogramms. Für die Umrechnung in angloamerikan. Gew.-Einheiten gilt: 1 t = 0,984 206 *tons (long) = 1,102 311 tons (short) = 2204,6226 pounds (avoirdupois); vgl. ton. – *E* metric ton – *F* tonne – *I* tonnellata – *S* tonelada

Tonoplast s. Membranen (biolog. Membranen, S. 2582).

Tonschiefer. Bez. für durch eine schwache *Metamorphose überprägte *Tonsteine, die als Folge von Druck-Beanspruchung, wie sie etwa in Faltengebirgen auftritt, nicht nach Schichtflächen (*Gefüge), sondern nach Schieferungs-Flächen (vgl. Schiefer) teil- bzw. spaltbar sind. Hauptminerale sind *Phyllosilicate wie *Tonminerale, *Illit, *Chlorit u. relikt. *Muscovit; außerdem sind *Quarz u. *Feldspäte vorhanden, ggf. auch *Calcit sowie *Pyrit od. *Markasit (als Krist. od. als *Konkretionen). Die Farbe der T. ist sehr variabel: grau bis graublau, schwarz (durch Bitumen od. *Graphit), rot (durch *Hämatit), braun od. grün (durch Chlorit). Gegenüber ähnlichen geschieferten bzw. geschichteten Tonsteinen sind T. meist deutlich härter u. zeigen einen seidigen Glanz; ihnen fehlt auch im feuchten Zustand der für Tonsteine typ. „tonige" Geruch.
Vork.: Rhein. Schiefergebirge, Frankenwald, Thüringen, Italien.
Verw.: Als Plattenmaterial für Dachdeckungen (*Dachschiefer*) u. Außenwandbekleidungen, als Bodenbeläge, früher auch zur Herst. von *Schiefertafeln. Die europ. Normung für Schiefer wird in DIN EN 12326-2: 1996-05 (Entwurf) geregelt (s. *Lit.*[1]). – *E* (argillaceous) slate, (clay) slate – *F* = *S* pizarra – *I* argilloscisto
Lit.: [1] Erzmetall **50**, 340–344 (1997).
allg.: Dietrich u. Skinner, Die Gesteine u. ihre Mineralien, S. 231–235, 299–302, Thun: Ott 1984 ▪ Wimmenauer, Petrographie der magmatischen u. metamorphen Gesteine, S. 295, Stuttgart: Enke 1985.

Tonsil®. Hochaktive Bleicherde zur adsorptiven Entfärbung u. Reinigung von Ölen, Fetten u. Wachsen. *B.:* Süd-Chemie.

Tonstein. Feinkörniges, überwiegend aus *Phyllosilicaten, v. a. *Tonmineralien, bestehendes klastisches Gestein (vgl. die dortigen Korngrößen-Tab.), das durch Verfestigung (Kompaktion) u. Diagenese (*Sedimentgesteine) von *Tonen entstanden ist. Die ebenfalls früher als T. bezeichneten verfestigten, v. a. in *Kaolinit umgewandelten Lagen vulkan. Asche innerhalb der europ. Steinkohlen-Becken (z. B. im Saarland)

werden besser als *Kaolinit-*Bentonit* od. (z. B. *Lit.*[1]) **Kaolin-Kohlentonstein* bezeichnet.
Die Einregelung der Tonmineral-Blättchen bewirkt oft eine Ablösung parallel zu den Schichtflächen (**Gefüge*), die zu der Bez. *Schieferton* geführt hat. Da jedoch die Begriffe *Schieferung* u. *Schichtung* nichts miteinander zu tun haben, sollten besser Bez. wie *massiger T.* od. *schichtiger T.* benutzt werden, jedoch wird auch geschieferter T. verwendet. Als *Letten* werden T. u. **Siltsteine* des carbonat. Keupers u. des Zechsteins (**Erdzeitalter*) bezeichnet, die durch intensiv rotbraune bis violette Farben gekennzeichnet sind. – *E* claystone – *F* argilolite, roche argileuse – *I* roccia argillosa – *S* argilita
Lit.: [1] Geol. Rundsch. **69**, 488–531 (1980).
allg.: Fisher u. Schmincke, Pyroclastic Rocks, S. 336–340, Berlin: Springer 1984 ■ Füchtbauer (Hrsg.), Sedimente u. Sedimentgesteine (Sediment-Petrologie Teil II) (4.), S. 187–193, 777f., Stuttgart: Schweizerbart 1988.

Tonung. Allg. Bez. für die Änderung einer **Farbe*, in der **Haarbehandlung* meist *Tönung* genannt. In der **Photographie* spricht man von T., wenn man fertige Photographien nachträglich mit Lsg. bestimmter Chemikalien (meist Na_2S) behandelt, um anstelle des üblichen Schwarz-Weiß-Tones farbige Tönungen (z. B. bräunlich) zu erzielen. – *E* toning – *F* virage – *I* viraggio – *S* virado, viraje

Tonus s. Osmose u. Turgor.

Tonwaren. Sammelbez. für alle techn. Produkte, die durch Brennen von **Ton* herstellbar sind. T. kann als Oberbegriff zu *Tongut* u. *Tonzeug* gelten; Näheres u. Einteilung s. bei keramische Werkstoffe. – *E* earthenware – *F* poterie – *I* terracotta – *S* productos de alfarería

Tonzeug s. keramische Werkstoffe.

…top. Von griech.: *tópos* = Ort, Platz, Stelle (od. *topikós* = örtlich) abgeleitete Fremdwortendung; *Beisp.:* **Biotop*, *Epitope* (s. Antigene), **Isotope*, *diastereotop*, *enantio-*, *homo-*, **heterotop*; s. a. *Topo…*; *top*. ist die örtliche äußere Anw. von Pharmaka (z. B. Cremes, Salben, Tinkturen). – *E* …tope, …topic – *F* …tope, …topique – *I* …topo, …topico – *S* …topo, …tópico

Top (Kurzz.: t). Eine Quantenzahl bei Quarks, s. Elementarteilchen. Das Kurzz. t wird auch als „truth" interpretiert.

Topachinon s. Tyrosin.

Topas. $Al_2[(F,OH)_2/SiO_4]$ od. $Al_2O_3 \cdot SiO_2 \cdot (F,OH)_2$; zu den Neso-**Silicaten* gehörendes Mineral. Glasglänzende, durchsichtige bis durchscheinende, farblose, rosarote, rote, gelbe, orange, gelbbraune, rosaviolette, grüne od. blaue, meist prismat., oft flächenreiche Krist.; Krist.-Aggregate, stengelige Aggregate (*Pyknit*) od. derbe, z. T. abgerollte Stücke od. Körner. H. 8, D. 3,49–3,57, Spaltbarkeit vollkommen. Oberhalb von ca. 900 °C Umwandlung in **Mullit*.
Die Struktur (s. *Lit.*[1] u. die Abb.) enthält Ketten aus $[AlO_4(F,OH)_2]$-Koordinations-Oktaedern u. $[SiO_4]$-Tetraedern, die über Kreuz durch inselartig angeordnete $[SiO_4]$-Tetraeder verknüpft werden. Man unterscheidet *Fluor-T.* u. *Hydroxyl-T.* [bis zu 30% des Fluors durch

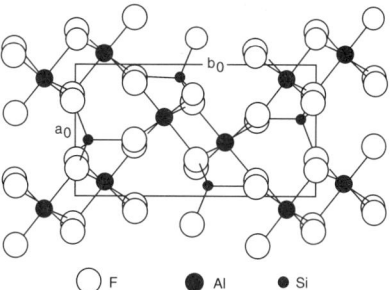

Abb.: Ausschnitt aus der Kristallstruktur von Topas (nach Ramdohr-Strunz, S. 677, *Lit.*).

(OH) ersetzt]. Die meisten T. (v. a. Fluor-T.) krist. rhomb., Kristallklasse mmm – D_{2h}. Die monokline bis trikline Symmetrie einiger T. kommt möglicherweise durch eine teilw. geordnete Verteilung von F- u. (OH)-Ionen zustande (*Lit.*[2]); zu OH-Dipolen in der T.-Struktur s. *Lit.*[3]; zu H^+-Ionen in T. s. *Lit.*[4].

Farbursachen, Spurenelemente: T. enthält im allg. nur wenig Fremdelemente, darunter <500 ppm Fe u. Cr; zu Gehalten an Li u. B s. *Lit.*[5]. Die Farben von T. können sowohl durch Spurenelemente (z. B. violett durch Cr^{3+}) als auch durch **Farbzentren* (z. B. gelb, hellblau, rötlichbraun) bedingt sein (s. *Lit.*[6]); Übergänge von violett über orange nach gelb kommen durch additive Wirkung von Cr^{3+} u. gelben Farbzentren zustande. In einem rosavioletten T. wurde Vanadium nachgewiesen. Durch Bestrahlung mit Gamma-(^{60}Co), Elektronen- od. Neutronen-Strahlen können bei verschiedenen T. gelbe, rotbraune u. – nach anschließendem Erhitzen – blaue[7,8] Farbzentren erzeugt werden.

Vork.: In **Graniten* u. deren **Pegmatiten*, z. B. Epprechtstein/Fichtelgebirge, Minas Gerais/Brasilien, Kalifornien, Idaho u. Colorado/USA, Pakistan, Ural/Rußland u. Kleine Spitzkopje/Namibia. In **Rhyolithen*, z. B. Thomas Range in Utah/USA, Mexiko. In **Greisen*, z. B. Erzgebirge u. Cornwall/England; ein klass. Vork. von Quarz-T.-Felsen (*Topasiten*), mit gelbem T., ist der Schneckenstein im sächs. Vogtland. In hydrothermalen Bildungen (bei 400–200 °C), z. B. Katlang/Pakistan, Sanarka im Ural/Rußland; hierher wohl auch die goldorange-farbigen „Sherry-T." od. „Imperial-T." von Ouro Preto/Brasilien[9]. In **Seifen*, z. B. Rondonia/Brasilien, Sri Lanka.

Verw.: Als Edelstein; Hauptförderländer sind Brasilien, Sri Lanka, Nigeria, Rußland, Australien u. die USA. Die begehrten Rosa-, Rot- od. Violett-Töne werden meist durch „Brennen" (mehrstündiges Erhitzen auf 450–560 °C) erzeugt. Bes. große geschliffene T. sind der „*American Golden*" (22 875 **Karat*, ca. 4,6 kg; in der Smithsonian Institution/Washington) u. der 1989 vorgestellte „*Champagne Topaz*" (36 853 Karat; im Los Angeles County Museum). Der größte T. der Welt stammt aus Brasilien; er hat ein Gew. von 270 kg. „*Gold-T.*" u. „*Madeira-T.*" sind Handelsbez. für gebrannten Citrin (**Quarz*) bzw. **Amethyst*; **Rauchquarz* wird manchmal fälschlich als „*Rauchtopas*" bezeichnet. – *E* topaz – *F* topaze – *I* topazio – *S* topacio

Lit.: [1] Am. Mineral. **56**, 24–30 (1971). [2] Mineral. Mag. **43**, 237–241 (1979); **43**, 943f. (1980). [3] Phys. Chem. Miner. **21**,

24–28 (1994); **24**, 551–554 (1997). [4]Can. Mineral. **28**, 827–833 (1990). [5]Am. Mineral. **72**, 392–396 (1987). [6]Neues Jahrb. Mineral., Abhandl. **130**, 288–302 (1977). [7]Naturwissenschaften **74**, 136f. (1987). [8]Z. Dtsch. Gemmol. Ges. **42**, 91–99 (1993). [9]Mineral. Rec. **20**, 221–233 (1989). *allg.:* Deer, Howie u. Zussman, Rock-Forming Minerals (2.), Vol. 1 A, Orthosilicates, S. 801–815, London: Longman 1982 ▪ Eppler, Praktische Gemmologie (5.), S. 147–153, Stuttgart: Rühle-Diebener 1994 ▪ Hoover, Topaz, London: Butterworth 1992 ▪ Mineral. Rec. **26**, Nr. 1 (1995) (Themenheft „Topaz") ▪ Weise (Hrsg.), Topas (extraLapis Nr. 13); München: C. Weise Verl. 1997. – [*HS 7103 10; CAS 1302-59-6*]

Topfen. In Süddeutschland u. Österreich übliche Bez. für Speisequark; s. Quark.

Topfzeit. Bez. für die Zeitspanne, in der ein Ansatz (von Gießharzen, Reaktionslacken, Reaktionsklebstoffen u. dgl.) nach dem Mischen aller Bestandteile u./od. der Zugabe von Katalysatoren verarbeitbar bleibt. In der Polymerisationstechnik versteht man unter T. diejenige Zeitspanne, innerhalb derer die im Syst. vorhandenen Inhibitoren u./od. O_2 durch die Starter- bzw. Aktivator-Radikale aufgebraucht werden, so daß die eigentliche Polymerisation beginnen kann. – *E* pot life – *F* vie en pot, temps ouvert – *I* vita nel recipiente – *S* tiempo de estado líquido, margen operacional

Topinambur (der od. die T., Erdartischocke, Jerusalem-Artischocke, Erdbirne, Erdapfel usw.; benannt nach dem brasilian. Volk der Tupinamba). Ein zu den Asteraceae zählendes Wurzelgewächs, *Helianthus tuberosus*, das eng mit der Gartensonnenblume verwandt ist. Der T. wurde Anfang des 17. Jh. aus Amerika, wo er bereits von den Indianern angebaut wurde, nach Europa gebracht u. insbes. in Frankreich kultiviert. Ab Mitte des 18. Jh. wurde der T. von der Kartoffel verdrängt. Die bis faustgroßen, gelben bis rotvioletten unterird. Knollen der Pflanze enthalten 67–81% Wasser, 2% Stickstoff-Substanz, 0,2% Fett, 16% Kohlenhydrate (u. a. *Kestose; am wichtigsten *Inulin, das in Mengen von 7–8% vorkommt), 1,3% Rohfaser u. 1,2% Aschenbestandteile. Die Knollen können wie die der *Kartoffeln gekocht od. geschmort zur menschlichen Ernährung verwendet werden, finden jedoch wegen ihres süßlich-faden Geschmacks (das T.-Aroma soll auf β-*Bisabolen zurückgehen) wenig Anklang; Hauptanw.-Gebiete sind daher die Tierernährung, die Alkohol-Gewinnung (8–10 L Alkohol aus 100 kg Knollen) u. neuerdings die Funktion als nachwachsender Rohstoff, etwa zur Benzin-Gewinnung. Auch die Verw. als *Kaffee-Ersatzstoff (geröstete T.) ist bekannt geworden. – *E* Jerusalem artichoke – *F* topinambour – *I* topinambur – *S* pataca, aguaturma, tupinambo

Lit.: Franke, Nutzpflanzenkunde, 6. Aufl., S. 112f., 470f., Stuttgart: Thieme 1997. – [*HS 0714 20*]

Topiramat (Rp).

Internat. Freiname für das *Antiepileptikum 2,3:4,5-Di-*O*-isopropyliden-1-*O*-sulfamoyl-β-D-fructopyranose, $C_{12}H_{21}NO_8S$, M_R 339,36, Schmp. 125–126 °C, $[\alpha]_D^{23}$ –34° (c 0,4/CH_3OH). T. wurde 1985 von McNeil patentiert u. ist von Janssen Cilag (Topamax®) im Handel. – *E* = *F* topiramate – *I* = *S* topiramato

Lit.: Am. Fam. Physician **57**(3), 513–520 (1998) ▪ Clin. Ther. **19**(6), 1294–1308 (1997) ▪ Martindale (31.), S. 387. – [*CAS 97240-79-4*]

Topisch s. ...top.

Topisolon® (Rp). Salbe, Lsg. u. Lotion mit *Desoximetason gegen ekzematöse Dermatitiden. *B.:* HMR.

Topizität (von *Topo...). Die Umgebung um ein tetraedr. Atom kann bezüglich der *Liganden*, die um ein planares Atom bezüglich der *Flächen* homotop od. heterotop sein (T. von Liganden u. Flächen). Im heterotopen Fall lassen sich enantiotope bzw. diastereotope Liganden od. Flächen unterscheiden. Eng mit der T. verknüpft ist die Prochiralität (s. prochiral). Allg. gilt, daß prochirale Mol. heterotope Liganden u./od. Seiten besitzen müssen. Heterotope Liganden u. Flächen werden in Anlehnung an die *CIP-Regeln mit pro-*R*/pro-*S* od. *Re*/*Si* charakterisiert (s. Abb.). Weitere Ausführungen zu homotopen/heterotopen Liganden finden sich bei heterotop u. zu homotopen/heterotopen Flächen bei diastereoselektiven Reaktionen.

Abb.: Topizität von Liganden (a) u. Flächen (b).

– *E* topicity – *F* topicité – *I* topicità – *S* topicidad

Lit.: Eliel u. Wilen, Stereochemistry of Organic Compounds, S. 465ff., New York: Wiley 1994 ▪ Hauptmann u. Mann, Stereochemie, S. 100, Heidelberg: Spektrum 1996.

TOPM. Nach DIN 7723: 1987-12 Kurzz. für Tetrakis-(2-ethylhexyl)-pyromellitat als *Weichmacher.

Topmat®. Tabl.-, pulverförmige u. flüssige Spülmittel für gewerbliche Geschirrspülmaschinen, die Alkalitriphosphat, Silicate, Soda u. z. T. auch Natriumhydroxid enthalten. *T. spezial* u. *T. Doppelkonzentrat* sind Klarspülmittel mit nichtion., schaumarmen Tensiden. *B.:* Henkel-Ecolab.

Topo... Von griech.: tópos = Ort, Platz, Stelle abgeleitetes Fremdwortteil; *Beisp.:* folgende Stichwörter; vgl. ...top. – *E* = *F* = *I* = *S* topo...

TOPO. Abk. für Tri*o*ctyl*p*hosphan*o*xid; s. Uran (Herst.).

Topochemie. Von V. Kohlschütter 1919 geprägte, von *Topo... abgeleitete Bez. für bestimmte Wechselbeziehungen zwischen Chemie u. Raum, insbes. Oberflächen. Die T. umfaßt nach Kohlschütter alle Einflüsse der *Struktur u. Morphologie von Ausgangsmaterialien u. Endprodukten auf den Ablauf von Reaktionen fester Stoffe miteinander, mit Flüssigkeiten u. Gasen. *Topochem. Reaktionen* sind also chem. Vorgänge, bei denen die Eigenschaften der festen Reaktionsprodukte wesentlich dadurch bestimmt werden, daß die Umsetzungen an od. in einem *Festkörper, d. h. ohne Inanspruchnahme der *Diffusion, stattfinden.

Topochem. Reaktionen laufen nicht nur ab bei der *Katalyse, der Festphasen-*Polymerisation, der Photodi-u. -polymerisation krist. Zimtsäuren u. verwandter Syst., bei der Bildung von Einschlußverb., bei Reaktionen in einer Matrix, beim Löschen von gebranntem Kalk, beim Abbinden von Gips, Zement usw., bei Sintervorgängen, bei der Korrosion in wäss. Lsg. od. in heißen Gasen, sondern auch in der *Histochemie, bei Enzym-Reaktionen an Peptiden u. bei Rezeptor-Vorgängen. Auch der Prozeß der Knochenbildung unterliegt topochem. Gesichtspunkten, u. man nimmt heute sogar an, daß wesentliche Schritte der präbiolog. (*chemischen) *Evolution an festen Oberflächen (*Matrix, z. B. an *Ton) stattgefunden haben. Innerhalb der T. hat sich für einige der erwähnten Reaktionen der – von *Epitaxie deutlich abgehobene – Begriff *Topotaxie* od. *topotakt. Reaktion* entwickelt, die definiert wird als „Reaktion, die zu einem Material mit Kristallorientierungen führt, welche im Zusammenhang mit Orientierungen im Ausgangsprodukt stehen" (*Lit.*[1]). – **E** topochemistry – **F** topochimie – **I** topochimica – **S** topoquímica

Lit.: [1] Angew. Chem. **81**, 470 (1969).
allg.: Acc. Chem. Res. **13**, 283 ff. (1980) ▪ Adv. Phys. Org. Chem. **15**, 63–152 (1977) ▪ Adv. Polymer Sci. **63**, 91–136 (1984) ▪ Angew. Chem. **92**, 1015–1035 (1980) ▪ Desiraju, Organic Solid State Chemistry, Amsterdam: Elsevier 1987 ▪ Endeavour **NR 8**, 201–206 (1984) ▪ Pure Appl. Chem. **51**, 1065–1082 (1979); **58**, 1179–1188 (1986) ▪ Umschau **85**, 413–417 (1985) ▪ s. a. Festkörper, Matrix.

Topochemische Polymerisation (gitterkontrollierte Polymerisation). Spezielle Form der *Festphasenpolymerisation von krist. *Monomeren, bei der der Verlauf der *Polymerisation von der Kristallstruktur des Monomeren beeinflußt wird. Im Idealfall reagieren die Monomer-Mol. nur unter geringfügiger Drehung um ihre Schwerpunktlage im Kristallgitter miteinander. Entspricht die Kristallstruktur des resultierenden *Polymeren der des Basis-Monomeren, spricht man von einer *topotakt.* Polymerisation.
Die t. P. wird bevorzugt durch Strahlen initiiert, ist in der Regel also auch eine bes. Form der *Photopolymerisation. Beisp. für die t. P. sind die Polymerisation von *1,3,5-Trioxan zu *Polyoxymethylenen, die Herst. von Polycyclobutanen aus Dienen [1] od. die Polymerisation von Diinen [2]; zu weiteren Beisp. s. Polymerkristalle. – **E** topochemical polymerization, lattice-controlled polymerization – **F** polymérisation topochimique – **I** polimerizzazione topochimica – **S** polimerización topoquímica

Lit.: [1] Compr. Polym. Sci. **5**, 217–232. [2] Compr. Polym. Sci. **5**, 233–249; Tieke, S. 172.

Top-Off®. Entferner von Emulsions-, Alkyl- u. Polyurethan-Beschichtungen sowie Lacken. Vorverdickt, gestattet Auftrag auf senkrechte od. schwierige Flächen; geringe Flüchtigkeit erlaubt lange Wirkzeiten auf widerstandsfähigen Filmen. Geringe Verdunstungsrate, hoher FP., wassermischbar, biolog. abbaubar. *B.:* ISP.

Topoisomerasen (von *Topologie u. *Isomerasen). Bez. für Enzyme, die die Topologie von Mol. (in den bisher bekannten Fällen *Desoxyribonucleinsäuren, Abk.: DNA) verändern u. topolog. Isomere (*Topoiso-mere*) ineinander überführen können. Unter Topoisomeren versteht man z. B. ansonsten ident. zirkuläre Doppelstrang-DNA mit verschiedener Verwindungszahl (*E* linking number), die im allg. zu unterschiedlicher superhelikaler Windung führt (ähnlich wie eine zunächst lineare Kordel eine verdrillte Schleife bildet, wenn man ihre beiden Enden gegeneinander verdreht). Während *DNA-T. I*[1] (EC 5.99.1.2) dazu dienen, durch Spaltung u. Wiedervereinigung von einem DNA-Einzelstrang superhelikale Spannung abzubauen, spalten *DNA-T. II* (EC 5.99.1.3, auch: *DNA-Gyrasen*)[2] beide Stränge u. fügen sie mit Energie-Aufwand (Verbrauch von *Adenosin-5′-triphosphat) unter Erhöhung der Superhelizität wieder zusammen. Die DNA-Gyrase aus *Escherichia coli (M_R 374000) besitzt die Untereinheiten-Struktur A_2B_2, während die eukaryont. Enzyme als Homodimere aktiv sind. In manchen Bakterien wurde eine weitere, andersartige DNA-T. II gefunden, die auch T. VI genannt wird u. für die Befreiung ineinandergreifender ringförmiger *Chromosomen zuständig sein soll. Die eukaryont. T. III ist eine Abart der DNA-T. I. Zu einer T. II aus *Archaea s. *Lit.*[3]. Inhibitoren von DNA-T. I sind als Antitumor-Mittel im Gebrauch (z. B. *Actinomycin D, *Doxorubicin u. Topostasin, ein *Camptothecin-Derivat) bzw. in der Entwicklung (z. B. weitere Camptothecin-Derivate)[4]. *Gyrase-Hemmer (z. B. 4-Chinolone) dienen als antibakterielle Mittel. – **E** topoisomerases – **F** topoisomérases – **I** topoisomerasi – **S** topoisomerasas

Lit.: [1] Science **279**, 1490 f., 1504–1513, 1534–1544 (1998). [2] Bioessays **20**, 215–226 (1998); Q. Rev. Biophys. **31**, 107–144 (1998). [3] Nature (London) **386**, 329–331, 414–417 (1997). [4] Eur. J. Cancer **34**, 1500–1508 (1998); Pharm. World Sci. **20**, 161–172 (1998).
allg.: Ann. Oncol. **8**, 837–855 (1997) ▪ Biochim. Biophys. Acta **1400**, 3–354 (1998) ▪ Biochimie **80**, 255–270 (1998) ▪ Brit. J. Cancer **76**, 952–962 (1997) ▪ Microbiol. Mol. Biol. Rev. **61**, 377–392 (1997) ▪ Pharmazie **53**, 79–86 (1998) ▪ Stryer 1996, S. 837–840 ▪ Trends Pharmacol. Sci. **18**, 323–329 (1997). – *World Wide Web:* http://ellington.pharm.arizona.edu/~bear/top/topo.html ▪ http://www.expasy.ch/www/icb/gyrb/GYRB.html.

Topoisomere s. Topoisomerasen.

Topologie. Von *Topo... abgeleitete Bez. für ein Teilgebiet der *Mathematik, das sich mit denjenigen Eigenschaften von geometr. Gebilden befaßt, die bei stetigen Änderungen invariant sind, d. h. erhalten bleiben. Eine Anw. des T.-Begriffs ergibt sich in der *Strukturchemie u. *Stereochemie: Von *topolog. Isomerie* spricht man nach E. Wassermann (1962) in solchen Fällen von *Isomerie bei *Ringsystemen, bei denen die Unterschiede in Zusammenhalt u./od. Struktur nicht unmittelbar durch chem. Bindung, sondern durch mechan. Faktoren (z. B. Verknüpfung, Verschlingung) bedingt sind; *Beisp.:* *Catenane, *Knoten, *Rotaxane, *Möbius-Moleküle u. dgl. bis zu Nucleinsäuren, vgl. a. Topomerisierung. Mathemat. Rüstzeug für T.-Betrachtungen liefern die *Gruppentheorie u. bes. die *Graphen-Theorie. Mittels topolog. Meth. lassen sich vielfach Reaktionsmechanismen, Photoelektronenspektren, ster. Effekte u. a. mol. Eigenschaften rechner. erfassen u. interpretieren, was z. B. für die Formulierung quant. Struktur-Wirkungs-Beziehungen (*QSAR) eine notwendige Voraussetzung ist. Auch in

der chem. *Dokumentation benutzt man sog. *topolog. Verf.*, z. B. zusammen mit *GREMAS bei Speicherung u. Recherche von *Partialstrukturen u. bei der Wiedergabe von Begriffsrelationen (s. TOSAR). – *E* topology – *F* topologie – *I* topologia – *S* topología
Lit. (in Beziehung zur Chemie): Husain, Topology, General, in Encyclopedia of Physical Science and Technology, Vol. 16, S. 807 ff., New York: Academic Press 1992 ▪ Robbins, Topological Phase Effects, in Encyclopedia of Applied Physics, Vol. 21, S. 549–584, Weinheim: Wiley-VCH 1997.

Topologische Polymere. Bez. für *Polymere, die *Catenan- od. *Rotaxan-Strukturen als Bestandteile ihrer *Makromoleküle aufweisen. Die wichtigsten Beisp. für t. P. sind a) die Hauptketten- u. b) die Seitenketten-Polyrotaxane sowie c) die Polycatenane.

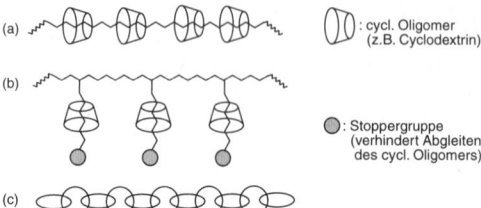

Die *Polyrotaxane* sind also Polymere, in deren Makromol. eine zweite, meist niedermol. Komponente in nicht-chem. (*topolog.*) Bindung eingebunden ist; diese Komponente kann in der Regel nur durch Lösen chem. Bindungen in einer der beiden Komponenten abgetrennt werden. Ihre Synth. kann z. B. durch *Polymerisation von *Vinylmonomeren (z. B. Vinylidenchlorid [1]) in Ggw. cycl. Verb. (z. B. β-Cyclodextrin), durch *Polykondensation geeignet funktionalisierter Monorotaxane, in manchen Fällen sogar durch spontanes Auffädeln der cycl. Oligomeren auf ein fertiges Makromol. erfolgen. *Polycatenane* hingegen bestehen aus vielen ineinander verflochtenen, niedermol. Einzelringen. Bisher sind nur wenige Synthesewege für Polycatenane beschrieben, die meist über Template-Synth. (*Template-Effekt) verlaufen u. lediglich oligomere Produkte liefern. Prakt. Bedeutung haben synthet. t. P. bisher nicht erlangt. Ihr Vork. in der Natur, z. B. als cycl. DNA-Mol., gilt als gesichert [2]. – *E* topological polymers – *F* polymères topologiques – *I* polimeri topologici – *S* polímeros topológicos
Lit.: [1] J. Macromol. Sci. Chem. **16**, 441 ff. (1971). [2] Adv. Polym. Sci. **88**, 49–76 (1989).

Topomere s. Topomerisierung.

Topomerisierung. Von *Topo... u. *Mer abgeleitete, von Binsch et al.[1] geprägte Bez. für eine bes. Art von *intramol. Austauschprozessen*, die zum Platzwechsel ident., bes. *homotoper od. *heterotoper Liganden u. damit zum Entstehen von – im allg. ununterscheidbaren – sog. *Topomeren* führt. Beispielsweise liegt T. vor bei den Syst. des *Bullvalens u. des *Semibullvalens mit ihren *fluktuierenden Bindungen, bei *Konformations-Änderungen (Sessel-Sessel-Umwandlungen), bei [9]Annulen-Anionen, bei fünfbindigen Phospor-Verb. (*Pseudorotation, *Turnstile-Prozesse) u. bei Bor-Heterocyclen. In manchen Fällen lassen sich T. durch dynam. *NMR-Spektroskopie verfolgen. Verschiedentlich werden statt T. auch andere, ältere Bez. benutzt wie *isodynam. Austausch, degenerierte Umlagerung* od. *Isomerisierung, *Automerisierung. – *E* topomerization – *F* topomérisation – *I* topomerizzazione – *S* topomerización
Lit.: [1] Angew. Chem. **83**, 618 f. (1971).
allg.: Chemica Scripta **18**, 67–72 (1981) ▪ J. Chem. Educ. **48**, 163 (1971) ▪ s. a. Isomerisierung, Valenzisomerie.

Topo-Phototaxis s. Phototaxis.

Topotaktische Polymerisation s. topochemische Polymerisation.

Topotaktische Reaktionen s. Topochemie.

Topotaxis s. Topochemie u. Taxis.

Topotecan (Rp).

Internat. Freiname für das *Cytostatikum, ein *Topoisomerase-I-Hemmer, (*S*)-10-[(Dimethylamino)methyl]-4-ethyl-4,9-dihydroxy-1*H*-pyrano[3′,4′:6,7]indolizino[1,2-*b*]chinolin-3,14-(4*H*,12*H*)-dion, $C_{23}H_{23}N_3O_5$, M_R 421,46. Verwendet wird meist das Hydrochlorid. T. wurde 1989 von SmithKline Beecham (Hycamtin®) patentiert u. ist gegen metastasierendes Ovarialcarcinom im Handel. – *E* = *I* topotecan – *F* topotécane – *S* topotecano
Lit.: J. Clin. Oncol. **10**, 647–656 (1992) ▪ Martindale (31.), S. 604 ▪ Merck-Index (12.), Nr. 9687 ▪ Pharm. Ztg. **142**, 2630–2633 (1997). – *[CAS 123948-87-8 (T.); 119413-54-6 (Hydrochlorid)]*

Topothermographie s. Temperaturmessung.

Topsentin A s. Imidazol-Alkaloide.

Topsym® (Rp). Creme, Salbe u. Einreibelsg. mit Fluocinonid (s. Fluocinolonacetonid) gegen entzündliche, allerg. u. juckende Hauterkrankungen, als *T. polyvalent* zusätzlich mit *Neomycin-sulfat u. *Nystatin. *B.*: Grünenthal.

TOR. Kurzz. für *Polyoctenamere.

Torasemid (Rp).

Internat. Freiname für das *Diuretikum *N*-(Isopropylcarbamoyl)-4-*m*-toluidino-3-pyridinsulfonamid, $C_{16}H_{20}N_4O_3S$, M_R 348,42, Schmp. 163–164 °C, pK_a 6,44; verwendet wird meist das Natriumsalz. T. wurde 1975 u. 1977 von A. Christiaens patentiert u. ist von Boehringer Mannheim (Unat®) u. Berlin Chemie (Torem®) im Handel. – *E* tor(a)semide – *F* torasémide – *I* torasemide – *S* torasemida
Lit.: Clin. Pharmacokinet. **34**, 1–24 (1998) ▪ Drugs **49**, 121–142 (1995) ▪ Hager (5.) **9**, 994 ff. ▪ Martindale (31.), S. 956 f. – *[CAS 56211-40-6 (T.); 72810-59-4 (Natriumsalz)]*

Torbanit s. Kannelkohle.

Torbernit (Kupferuranglimmer, Chalkolith).
Cu[UO$_2$/PO$_4$]$_2$ · 8–12 H$_2$O, u. Meta-T.,
Cu[UO$_2$/PO$_4$]$_2$ · 8 H$_2$O. Zu den *Uranglimmern gehörende, hell smaragdgrüne bis tief dunkelgrüne, radioaktive (Neigung zur Bildung kleinster Partikel!), tetragonale Minerale, Kristallklasse 4/mmm-D$_{4h}$; Struktur von Meta-T. s. Lit.[1,2]. Mehr od. weniger quadrat., dünn- u. dicktafelige, *Glimmer-artig vollkommen spaltbare Krist. mit Perlmuttglanz auf Spaltflächen, blättrige Aggregate, schuppig, glimmerartig, Anflüge. H. 2–2,5, D. 3,2–3,3. T. enthält etwa 61% Uranoxide u. fluoresziert *nicht* bei Bestrahlung mit UV-Licht.
Vork.: Überwiegend als Meta-T.; **Beisp.**: In Graniten im Fichtelgebirge/Bayern; in Wölsendorf/Oberpfalz (histor.), Menzenschwand/Schwarzwald, Mouana/Gabun u. in der Provinz Shaba/Zaire (Lit.[3]; 2–3 cm große Krist. von Musonoi). – $E = F = I$ torbernite – S torbernita.
Lit.: [1] Am. Mineral. **49**, 1603–1621 (1964). [2] Z. Kristallogr. **205**, 1–7 (1993). [3] Mineral. Rec. **20**, 265–288 (1989). *allg.*: Lapis **17**, Nr. 2, 8–11 (1992) („Steckbrief") ■ Nriagu u. Moore (Hrsg.), Phosphate Minerals, S. 117, 324 f., Berlin: Springer 1984. – [HS 2612 10; CAS 26283-21-6]

Torem® (Rp). Ampullen u. Tabl. mit dem *Diuretikum *Torasemid. **B.**: Berlin-Chemie.

Toremifen (Rp).

Internat. Freiname für das Antiestrogen 2-[4-((Z)-4-Chlor-1,2-diphenyl-1-butenyl)phenoxy]-N,N-dimethylethylamin, C$_{26}$H$_{28}$ClNO, M$_R$ 405,97, Schmp. 108–110°C; verwendet wird meist das Dihydrogencitrat, Schmp. 160–162°C. T. wurde 1983 von Farmos patentiert u. ist von Asta Medica AWD (Fareston®) gegen Mammacarcinom im Handel. – $E = I$ toremifene – F torémifène – S toremifeno
Lit.: Drugs **54**, 141–160 (1997) ■ Hager (5.) **9**, 996 f. ■ Martindale (31.), S. 604 ■ Merck-Index (12.), Nr. 9688. – [CAS 89778-26-7 (T.); 89778-27-8 (Dihydrogencitrat)]

Torf (von mittelniederdtsch. torf = Rasenstück). Unter T. versteht man im biolog. Sinn die *Humus-Form der Moore als Bodenauflage aus wenig zersetzten, konservierten Pflanzenresten. Im bergmänn. Sinn versteht man unter T. ein meist holozänes (nacheiszeitliches) organogenes Gestein (Biolith) mit einem Anteil von mind. 30% organ. Substanz in der Trockenmasse; die organ. Komponente besteht aus pflanzlichen Resten u. kolloidalen Humusstoffen in wechselnden Anteilen. Der T. bildet sich als erstes Produkt der *Inkohlung vorwiegend in den Mooren der gemäßigten u. kalten Klimazonen. Je nach Entstehungsgeschichte, Entwicklung u. Aufbau werden grundsätzlich zwei Moorarten unterschieden: Topogene *Niedermoore*, die bodenüberstauendes, nährstoffarmes Grundwasser zu ihrer Bildung benötigen (z. B. Verlandungszone flacher Seen) u. ombrogene (von griech.: ombros = Regen) *Hochmoore*, die von mehr od. weniger Mineralstoffarmem atmosphär. Niederschlag gespeist werden. Niedermoorbildung findet man weltweit, ausgenommen in Wüstenregionen, Hochmoorbildung dagegen nur in Gebieten mit pos. Wasserbilanz, vorwiegend in gemäßigten Zonen. Niedermoor-T. sind sehr heterogen, meist Kalk- u. Stickstoff-reich, schwach sauer u. erkennbar am Vork. der Reste bestimmter Pflanzen wie Schilf, Rohrkolben, Weide, Erle u. gewissen Seggen-Arten. Hochmoor-T. werden überwiegend von Bleichmoosen (Sphagnen) gebildet u. sind weiterhin erkennbar am Vork. der Reste von Wollgras, Sauergräsern, Heidekrautgewächsen u. a. typ. Hochmoorpflanzen. pH-Wert (2,5–3,5), Kalk- u. Nährstoff-Gehalt sind sehr niedrig. Man kann die T.-Arten demnach einteilen nach den T.-bildenden Pflanzen in *Sphagnum*-, Wollgras-, Seggen-, Schilf- u. Bruchwaldtorf od. nach ihrem unterschiedlichen Zersetzungs- bzw. Vertorfungsgrad. Aus tieferen Bodenschichten stammender T. wird als *Dopplerit bezeichnet.
Die moorbewohnenden Pflanzen wandeln sich nach dem Absterben u. der Bedeckung mit luftabsperrendem, die Verwesung verhinderndem Wasser infolge anaerober *Gärung allmählich in dunkle Humus-Verb. u. dgl. um; T. enthalten im Gegensatz zu *Braunkohle noch freie Cellulose. Die Moorlager sind in einigen Fällen bis zu 25 000, in Deutschland max. 12 000 Jahre alt; zur Bildung von einer 1 m dicken T.-Schicht sind unter günstigen Bedingungen etwa 1000 Jahre nötig. Die Bildung der Hochmoore setzte in Mitteleuropa etwa 5500 v. Chr. ein. Bis 500 v. Chr. wurde der stark zersetzte Hochmoor-T. (*Schwarztorf*) gebildet, danach bis in die heutige Zeit der wenig bis mäßig zersetzte Hochmoor-T. (*Weißtorf*). Als Moore bezeichnet man Flächen mit einer T.-Auflage von mehr als 30 cm. Die Hochmoore im nordwestdtsch. Raum haben durchschnittliche Mächtigkeiten von 2 bis 3 m, in einigen Fällen vor der Entwässerung bis zu 16 m. Hochmoor-T. wird je nach Torfart u. Verwendungszweck im Sodenstech-, Fräs- od. Baggerverf. gewonnen. Die abgebauten Flächen der T.-Moore werden mit einer etwa 50 cm starken Schicht von Sand, Dünger u. jüngstem Moostorf abgedeckt; sie können dann mit Getreide u. anderen Kulturpflanzen bebaut werden. Seit einigen Jahren werden in der BRD die Gebiete nach der Abtorfung wieder vernäßt. In Anbetracht der erd- u. kulturgeschichtlichen Einmaligkeit v. a. der Hochmoore bemühen sich heute Natur-, Arten- u. Biotopschutz um die Sicherstellung der verbliebenen Moor-Restflächen, d. h. um den Ausschluß jeder Nutzung. Erhaltung, eigenständige od. Rekultivierungs-Neubildung sind durch die weltweiten Nährstoffeinträge über die Luftströme allerdings sehr problematisch. Große Hoch- u. Niedermoorflächen finden sich in Niedersachsen (fast 10% der Fläche!), Schleswig-Holstein u. Bayern, ferner in Pommern, Irland, der ehem. UdSSR usw.
Die frisch gestochenen, dunkelbraunen T.-Stücke (*Soden*) enthalten bis zu 90% Wasser u. haben eine durchschnittliche D. von 1; sie werden durch Trocknen auf einen Wassergehalt von 25–30% gebracht u. haben dann eine D. von ca. 0,45 u. ein Schüttgew. von etwa 300 kg/m³. In wasserfreiem Zustand enthalten Hochmoor-T. in Abhängigkeit vom Zersetzungsgrad 48–63% C, 31–46% O, 5–6,6% H, 0,5–1,9% N, 0,1–0,5% S; der Heizwert beträgt üblicherweise 9–19, max. 24 MJ/kg. In der Regel weisen Hochmoor-T. 1–6% Glührückstand auf, die Mineralstoff-reiche-

ren Niedermoor-T. dagegen bis zu 22%. Bei stärker zersetztem Hochmoor-T. kann man von folgender typ. Zusammensetzung ausgehen: 30–40% Lignin, 25–38% Huminsäuren, 4–7% Wachse, Harze u. Bitumen, 3–5% Cellulose sowie bis zu 22% Unlöslichem. Von diesen Gehalten nimmt der Cellulose-Gehalt mit steigendem Zersetzungsgrad ab, alle anderen nehmen mit zunehmendem Zersetzungsgrad zu. Die Wachse haben Ähnlichkeit mit *Montanwachs u. lassen sich mit Fett-Lsm. extrahieren. Außerdem findet man anorgan. Sedimente u. geringe Mengen an Antibiotika, Estrogenen u. Wuchsstoffen, was seine medizin. Verw. in Form von T.-Bädern (Moorbreibädern, s. a. Peloide) erklärt.

Verw.: Im Gartenbau als Kultursubstrat, Düngemittel u. zur Bodenstrukturverbesserung, in der Balneologie, als Brennstoff (wegen des geringen Gew. u. somit der hohen Transportkosten nur in der Nähe der Erzeugungsgebiete rentabel; Kraftwerke auf T.-Basis gibt es in der BRD nicht mehr), als Wärmedämmstoff, Streumaterial, Verpackungsmittel, sog. *Industrietorf* als Filtermaterial zur Bindung von Gerüchen u. Schwermetallen sowie als Aufsaugmittel (z. B. bei *Ölpest), zur Gewinnung von Aktivkohle u. von T.-Koks, die zur Wasseraufbereitung u. in der Metallurgie verwendet werden. Prinzipiell kann man durch Trockendest. (*Schwelung) aus T. u. a. Heizgase, Teer, Essigsäure, Aceton, Methanol, Phenole, Ammoniak, Pech usw. erhalten, u. auch eine Vergasung zu Synth.-Gas ist möglich, doch ist die Kohle hier viel ergiebiger. In T.-reichen Gebieten der ehem. Sowjetunion werden T.- u. Erzkonzentrate im Verhältnis 30:70 zu Briketts gepreßt u. mit kochender Schlackenmasse verhüttet, wobei wegen des geringen S- u. P-Gehalts des T. Schwefel- u. Phosphor-armes Metall erhalten wird. – *E* peat – *F* tourbe – *I* torba – *S* turba

Lit.: Göttlich, Moor- u. Torfkunde (3.), Stuttgart: Schweizerbart 1990. – *[HS 2703 00]*

Tormentilla-Tinktur s. Tormentillwurzel.

Tormentillwurzel. Das Rhizom der in Europa u. West-Asien heim. Blutwurz (*Potentilla erecta* L. Raeuschel, Rosaceae) wird wegen seines Gehalts von bis zu ca. 25% an *Catechin-Gerbstoffen (Cyanidanol) medizin. bei Entzündungen des Magen-Darm-Traktes u. bei Diarrhöen, äußerlich in Form von – infolge *Phlobaphen-Gehalts braunroter – *Tormentilla-Tinktur* zu Pinselungen u. Spülungen des Mund- u. Rachenraumes bei Entzündungen der Schleimhäute angewendet. T. ist ein starkes Adstringens, das auch techn. in der Gerberei u. zur Tintenherst. verwendet werden kann. – *E* erect cinquefoil – *F* rhizome de tormentille – *I* radice della tormentilla – *S* rizoma de tormentila

Lit.: Bundesanzeiger 85/05.05.1988; 50/13.03.1990 ▪ DAB 1997 u. Komm. ▪ Hager (5.) **6**, 254–269 ▪ Wichtl (3.), S. 584 ff. – *[HS 1211 90]*

Torpex. Gießbare Mischungen aus *Hexogen, *2,4,6-Trinitrotoluol u. Al-Pulver, z. B. im Verhältnis 41:41:18, ggf. phlegmatisiert mit 1% Wachszusatz. T. wird verwendet als hochbrisanter militär. *Sprengstoff (Detonationsgeschw. 7600 m/s) z. B. in Bomben u. Torpedosprengköpfen. – $E = F = I = S$ torpex

Lit.: Köhler u. Meyer, Explosivstoffe, 8. Aufl., Weinheim: VCH Verlagsges. 1995.

Torr. Nach E. *Torricelli (1608–1647) benannte, noch immer – obwohl dies seit dem 1.1.1978 unzulässig ist – zur Angabe von Unterdruck (*Vakuum) vielbenutzte Einheit für den *Druck. Umrechnung: 1 atm = 760 Torr, 1 bar ≈ 750 Torr, 1 mmHg ≈ 1 Torr = 133,322 Pa = 1,33322 mbar; s. a. Atmosphäre, Bar, Druck, Luftdruck u. Pascal. – $E = F = I = S$ torr

Torricelli, Evangelista (1608–1647), italien. Physiker u. Mathematiker. Nachfolger Galileis als Hofmathematiker in Florenz (1642). Er wandte die Fallgesetze auf die Bestimmung der Ausflußgeschw. von Flüssigkeiten an (Torricellisches Theorem) u. wurde damit zum Mitbegründer der Hydrodynamik. 1644 erfand er das Quecksilberbarometer. Nach ihm ist die (nicht gesetzliche) Einheit *Torr genannt.

Lit.: Lexikon der Naturwissenschaftler, S. 399.

Torsionsbiegefestigkeit s. Zeitfestigkeit u. Torsionspendel.

Torsionspendel. Bez. für eine Meth. zur Untersuchung des dynam.-mechan. Verhaltens von meist polymeren Werkstoffen. Dabei wird ein als Stab vorliegender Prüfkörper an einem Ende fest fixiert u. an seinem anderen Ende auf einer drehbaren Scheibe eingespannt. Das Experiment beginnt mit der Ausrichtung der Scheibe um einen Winkel θ von der Ruhelage. Dann wird die Scheibe losgelassen u. das Syst. sich selbst überlassen. Man beobachtet eine aufgrund der allmählichen Umwandlung von mechan. in therm. Energie gedämpfte Schwingung mit konstanter Frequenz ω u. zeitlich abnehmender Amplitude.

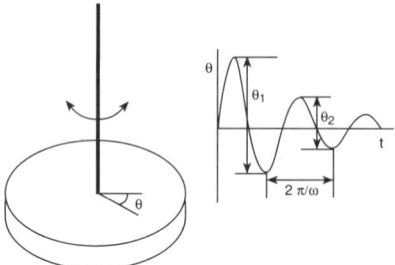

Abb.: Schemat. Darst. eines T. sowie der Schwingungsdämpfung eines viskoelast. Materials (nach Tieke, s. *Lit.*).

Aus der Dämpfung der Schwingung $\Lambda = \theta_n/\theta_{n+1}$ lassen sich die Schermoduln G′ (Speichermodul) u. G″ (Verlustmodul) bestimmen (n = Nummer der Schwingung). Ersterer enthält Informationen zur Steifigkeit u. Biegefestigkeit (Torsionsbiegefestigkeit, s. a. Zeitfestigkeit) des Prüfkörpers, letzterer beschreibt den Verlust an nutzbarer mechan. Energie durch Umwandlung in Wärme (Energiedissipation). Das Verhältnis G′/G″ = tan δ wird Verlustfaktor genannt. Neben dem T. wurden weitere Meßgeräte für die dynam.-mechan. Analyse entwickelt, in denen neben freien auch erzwungene Schwingungen ausgewertet werden. – *E* torsion pendulum – *F* pendule de torsion – *I* pendolo di torsione – *S* péndola torsional

Lit.: Tieke, S. 303 f.

Torsionsschwingung s. Abb. 1 bei IR-Spektroskopie.

Torsionswinkel s. Konformation.

Torula. Ältere Bez. für asporogene *Hefen, die heute den Gattungen *Candida* u. *Torulopsis* zugeordnet werden. Es gibt gärende u. nichtgärende Arten. Sie besiedeln Weintrauben, Most, Käse u. sind im Intestinaltrakt von Warmblütern nachweisbar. T. wird zur SCP-Produktion (s. Single Cell Protein), Sauerteig-Bereitung u. Herst. von Soja-Saucen eingesetzt. – $E = F = S$ Torula – I Torula

Lit.: J. Clin. Microbiol. **35**, 313 (1997) ▪ Samson et al., Introduction to Food-borne Fungi, S. 295–303, Wageningen: Ponsen & Looyen 1995.

Torulopsis s. Torula.

Torutilin s. Vitamin (T).

Tos. Kurzz. für *Tosyl....

TOS s. Ölsyndrom, spanisches.

TOSAR. Abk. für *topolog*. Wiedergabe von *synthet*. u. *analyt*. *Relationen* von Begriffen, einem topolog. (s. Topologie) Recherchesyst. der chem. *Dokumentation.

Lit.: Angew. Chem. **82**, 611–618 (1970) ▪ J. Chem. Inform. Computer Sci. **15**, 52–55 (1975).

TOSCA s. TSCA.

Tosilate, Tosilsäure s. *p*-Toluolsulfonsäure.

TosMIC. Abk. für **p*-Tolylsulfonylmethylisocyanid.

Toso-CSM®. Chlorsulfoniertes Polyethylen zur Herst. von Kabelmänteln u. techn. Gummiartikeln. *B.:* Krahn.

Tosyl... Kurzbez. für den unsubstituierten *p*-Toluolsulfonyl-Rest (IUPAC-Regeln C-641.7 u. R-9.1.30b); Kurzz.: Tos, Ts. – $E = F$ tosyl... – $I = S$ tosil...

Tosylate s. *p*-Toluolsulfonsäure.

Tosylchloramid-Natrium s. Chloramin T.

Totalherbizide s. Herbizide.

Total Organic Carbon s. TOC.

Total Organic Halogens s. TOX.

Totalreflexion s. Reflexion.

Totalsynthese. Teilgebiet der organ. *Synthese bzw. der *präparativen Chemie, das sich den „Nachbau" von Naturstoffen zum Ziel gesetzt hat. Diese mit allen Meth. der präparativen Chemie u. teilw. unter Nachvollzug biogenet. Prinzipien (biomimet. T.) durchgeführten T. dienen in erster Linie zur Konstitutionsbestätigung eines neu entdeckten Naturstoffes.
Naturstoffe haben alle Zeit eine große Faszination auf präparativ arbeitende Chemiker ausgeübt, da sie Zielmol. vorgeben, deren Synth. eine große Herausforderung darstellt u. damit den Stand der chem. Experimentierkunst dokumentiert. Zudem ist die Synth. eines Zielmol. aus der Natur kompromißlos, da das Zielmol. ja nicht verändert werden kann. Im Zuge solcher Syntheseversuche sind nicht nur neue Strategien u. Techniken, sondern auch neue Reaktionen u. sogar Konzepte der organ. Chemie entwickelt worden. Beispielhaft zu nennen sind das von Corey entwickelte *Retrosynthese-Konzept[1] u. die Woodward-Hoffmann-Regeln, die quasi als „Nebenergebnisse" bei der T. von Vitamin B$_{12}$ anfielen. Herausragende T. in den letzten Jahren beschäftigten sich mit *Taxol[2], den *Ca-licheamicinen[3] u. den *Epothilonen[4] – alles Naturstoffe, die als potentielle Antitumormittel im Gespräch sind. Weitere Ausführungen zur T. finden sich im Abschnitt *Totalsynth*. bei dem Stichwort *Synthese u. einen Überblick über erfolgreiche T. vermittelt *Lit.*[5]. – E total synthesis – F synthèse totale – I sintesi totale – S síntesis total

Lit.: [1] Corey u. Cheng, The Logic of Chemical Synthesis, New York: Wiley 1989. [2] Römpp Lexikon Naturstoffe, S. 634. [3] Römpp Lexikon Naturstoffe, S. 104. [4] Angew. Chem. **110**, 2121 (1998). [5] Nicolaou.
allg.: Aldrichimica Acta **26**, 63 (1993); **27**, 71 (1994) ▪ Chem. Rev. **96**, 3 (1996) ▪ Hudlicky, Organic Synthesis – Theory and Application, Vol. 1 u. 2, Greenwich, Conn.: JAI Press 1992, 1993 ▪ s. a. Synthese.

Total volatile base nitrogen s. TVB-N-Wert.

Tote Polymere. Häufiger gebrauchte Bez. für *Polymere, deren Bildungssequenz im Gegensatz zu der von *lebenden Polymeren beendet ist, die also zu keinen Wachstums-, wohl aber zu vernetzenden, pfropfenden od. polymeranalogen Reaktionen befähigt sind. – E dead polymers – F polymères morts – I polimeri morti – S polímeros muertos

Totgebrannter Gips s. Gips.

Toth-Verfahren s. Aluminium.

Totipotente Zellen (Totipotenz, Omnipotenz). T. Z. verfügen über alle genet. Informationen des Gesamtorganismus, so daß aus jeder t. Z. ein neues Individuum hervorgehen kann. Beisp. für t. Z. sind die *Keimzellen von Tieren u. Pflanzen sowie alle Zellen im embryonalen Zustand bei Pflanzen.
Bei der *Differenzierung der Zellen werden normalerweise einige Potenzen unterdrückt, andere gefördert, so daß Gewebe u. Organe ausgebildet werden können. Bei *in vitro*-Kultivierung pflanzlicher Gewebestücke entwickelt sich aber wieder embryonales Gewebe. Die Zellen erhalten ihre Totipotenz zurück, so daß unter geeigneten Kultivierungsbedingungen aus jeder Einzelzelle wieder eine intakte Pflanze hervorgehen kann. – E totipotent cells – F cellules totipotentes – I cellule totipotenti – S células totipotentes

Lit.: J. Cell Sci. **110**, 1279 (1997) ▪ Trends Genet. **11**, 344 (1995).

Totipotenz s. Regeneration von Pflanzen u. totipotente Zellen.

TOTM. Nach DIN 7723: 1987-12 Kurzz. für Tris(2-ethylhexyl)-trimellitat als *Weichmacher.

Totocortin® (Rp). Augentropfen mit *Dexamethason-21-dihydrogenphosphat-Dinatriumsalz gegen entzündliche u. allerg. Prozesse. *B.:* Winzer.

Totomycin s. Hygromycine.

Totraum s. Headspace-Analyse.

Tottoli-Apparatur s. Schmelzpunktbestimmung.

Totzeit s. HPLC, Retentionsindex u. Zählrohre.

Tournantöle. Ranzige Öle aus der *Olivenöl-Herst., die mit Soda, Wasser u. Schafsmist emulgiert wurden u. Vorläufer des *Türkischrotöls darstellen. – E tournant oils, rancid olive oils – F huiles d'olives rance – I oli rancidi – S aceites rancios de oliva

Tournesol s. Orcein.

Townes, Charles Hard (geb. 1915), Prof. für Physik, Univ. of California, Berkeley (USA). *Arbeitsgebiete:* Mikrowellenspektroskopie, Maser, Laserprinzip, Quantenelektronik, Kernmagnet- u. Kernquadrupol-Resonanz, interstellare Mol., galakt. Zentrum, Radio- u. Infrarotastronomie. Er erkannte 1951, daß mittels induzierter Emission Mikrowellen erzeugt bzw. elektromagnet. Wellen verstärkt werden können. Damit schuf er die Grundlagen des *Masers bzw. durch Anw. des Maserprinzips auf Licht die Grundlagen des *Lasers. Nobelpreis 1964 für Physik (zusammen mit N. G. *Basov u. A. M. *Prochorow).
Lit.: Lexikon der Naturwissenschaftler, S. 399 ▪ Neufeldt, S. 241 ▪ Who's Who in the World, S. 1432.

Townsend-Entladung s. Gasentladung.

TOX. Abk. für *E* Total Organic Halogens; in der Praxis werden statt dessen *AOX od. EOX[1] (extrahierbare organ. Halogen-Verb.) bestimmt.
Lit.: [1] DIN 38409-8: 1984-09.

Toxaphen s. Camphechlor.

Toxicarol s. Tephrosin.

Toxicodendrol s. Urushiole.

Toxicole. Heptacycl. Terpenoide aus dem im Roten Meer heim. *Toxiclona toxius*, z. B. *T. B.*: $C_{36}H_{54}O_3$, M_R 534,82, Pulver, $[\alpha]_D -16°$ (CH_3OH/CH_2Cl_2). T. B kommt zusammen mit den Mono- u. Di-*O*-sulfo-Derivaten T. C u. T. A vor.

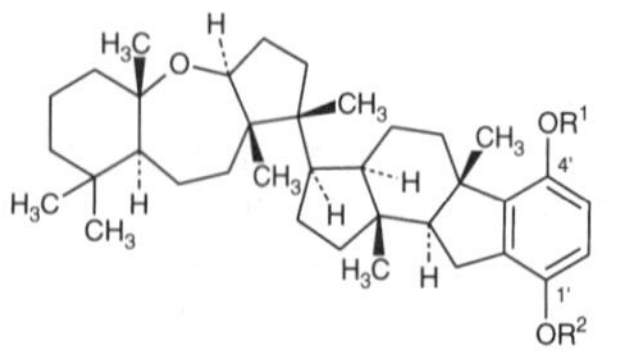

– *E* = *F* toxicols – *I* tossicoli – *S* toxicolas
Lit.: J. Nat. Prod. **56**, 2120 (1993) ▪ Tetrahedron **49**, 4275–4282 (1993). – *[CAS 149764-31-8 (T. A); 149764-32-9 (T. B.); 149764-33-0 (T. C)]*

Toxics Release Inventory s. TRI.

C-Toxiferin I (Toxiferin I).

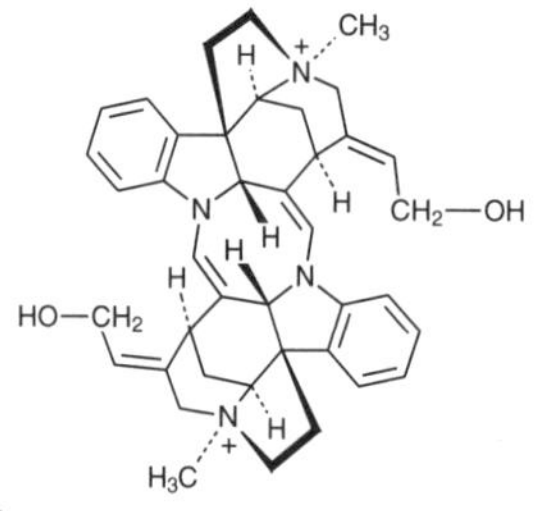

$C_{40}H_{46}N_4O_2^{2+}$, M_R 614,83; zur Gruppe der *Toxiferine gehörend. *C*-T. I ist als Dichlorid ein krist., gut wasserlösl. Alkaloid u. das wichtigste der über 40 in Calebassen-*Curare (*Strychnos toxifera*, *S. froesii*, Strychnaceae, Loganiaceae, Brechnußgewächse) vorkommenden Alkaloide, $C_{40}H_{46}Cl_2N_4O_2$, M_R 685,74, $[\alpha]_D -511°$ (CH_3OH), das sich mit Cersulfat rot-violett färbt. *C*-T. I gehört zu den dimeren C_{40}-Alkaloiden, die als quartäre Salze vorliegen u. als Reineckate gefällt (angereichert) werden können.
Wirkung: *C*-T. I ist das peripher wohl effektivste Muskelrelaxans. Therapeut. wird es kaum noch verwendet, da das entsprechende Diallylnortoxiferiniumchlorid (Alcuroniumchlorid, Alloferin®) eine kürzere Wirkdauer hat. Die muskelrelaxierende Wirkung entsteht durch Verdrängung (kompetitiv) des Acetylcholins von den Rezeptoren der motor. Endplatten mit Lähmung der quergestreiften Muskulatur (bei Überdosierung letaler Ausgang durch Ersticken).
Toxizität: Oral aufgenommenes *C*-T. I wird nur wenig resorbiert u. schnell eliminiert. Parenteral appliziert ist es hoch tox., wie auch andere strukturverwandte Bisindol-Alkaloide. LD_{50} (Maus i.v.) 0,01–0,06 mg/kg. Überdosierung führt zur Muskellähmung, die im Gesicht beginnt u. sich über Hals, Nacken, Bauch erstreckt, gefolgt von Sehstörungen, Schluckbeschwerden, Kreislauf- u. Atemstörungen. Behandlung mit Cholinesterase-Hemmern u. Beatmung sind die wesentlichen Therapiemaßnahmen.
Biosynth.: „Dimerisierung" von zwei Caracurin-VII-Mol. (Wieland-Gumlich-Aldehyd, ein monomeres Indol-Alkaloid mit einer C_9-Secoiridoid-Einheit aus *Strychnos*-Arten). Anschließend erfolgt Methylierung u. damit Quaternisierung der Nichtindol-Stickstoffe. –
E toxiferine I – *F* C-toxiférine I – *I* C-tossiferine I – *S* toxiferina I
Lit.: Beilstein E V **26/13**, 63 ▪ Hager (5.) **6**, 818–823, 842 ▪ Ludewig u. Lohs, Akute Vergiftungen (8.), Jena: G. Fischer 1990 ▪ Sax (8.), Nr. THI000. – *[CAS 6888-23-9]*

Toxiferine. Eine Gruppe von *Curare-Alkaloiden aus *Strychnos*-Arten (Calebassen-Curare), die hauptsächlich bis-quartäre Bis-indol-Alkaloide darstellen. Das wichtigste T. ist *C*-Toxiferin I (Näheres s. dort); weitere sind *C*-Curarin *I* ($C_{40}H_{44}N_4O^{2+}$, M_R 596,82; Dichlorid, $C_{40}H_{44}Cl_2N_4O$, M_R 667,72, $[\alpha]_D^{20} +73,6°$); *C*-Toxiferin *II* (*C*-Calebassin, $C_{40}H_{48}N_4O_2^{2+}$, M_R 616,85; Dichlorid $C_{40}H_{48}Cl_2N_4O_2$, M_R 687,75, $[\alpha]_D^{20} +71,1°$). Sie zeigen muskelrelaxierende Wirkung u. werden als Rohextrakte der Stamm- u. Wurzelrinde bes. südamerikan., aber auch afrikan. *Strychnos*-Arten zur Herst. von Pfeilgiften verwendet. Zur Wirkung s. *C*-Toxiferin I.

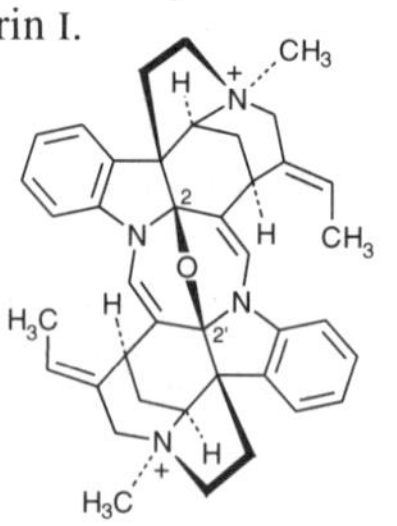

C-Curarin I
Verb. ohne 2,2'-Etherbrücke:
C-Dihydrotoxiferin

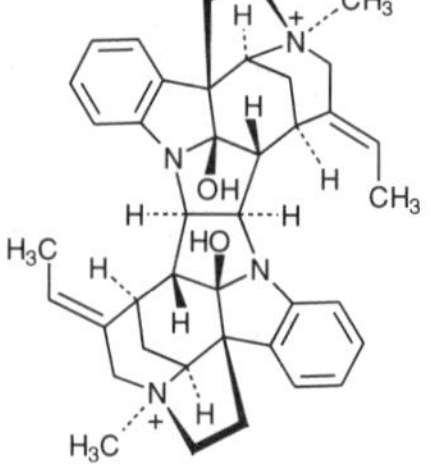

C-Calebassin = *C*-Toxiferin II

– *E* toxiferines – *F* toxiférines – *I* tossiferine – *S* toxiferinas
Lit.: Hager (5.) **6**, 818–825, 842 ▪ J. Org. Chem. **48**, 1869 (1983) ▪ Phytologia **51**, 433 (1982) ▪ Sax (8.), Nr. THI000 ▪ Teuscher u. Lindequist, Biogene Gifte, S. 420, Stuttgart: G. Fischer 1994. – *[HS 2939 90; CAS 7168-64-1 (T.); 7257-29-6 (C-Calebassin)]*

Toxikologie [von griech.: phármakon (= Gift) toxikón (= zum Bogen gehörig) = Pfeilgift über alchimist.-latein.: toxicum = Gift]. Wissenschaft, die sich mit den *Giften u. ihrer Wirkungsweise, ihrem Stoffwechsel (Toxikokinetik), der Ermittlung der *Toxizität von Stoffen, den Vergiftungserscheinungen, den Behandlungsmöglichkeiten von Vergiftungen u. dem gerichtlichen Nachw. von Giften (*forensische Chemie) befaßt.
Ebenso wie in der *Pharmakologie sind auch in der T. allg. Gesichtspunkte wie Ernährungszustand, Umwelteinfluß, Geschlecht usw. bei der Interpretation der Untersuchungsergebnisse zu berücksichtigen. Toxikolog. Kenntnisse sind z. B. nötig bei der Beurteilung von absichtlichen, zufälligen od. medikamentösen *Vergiftungen, *Allergien, *Sucht-Erscheinungen, Rauschmittel-, Arznei- u. Genußmittel-Mißbrauch, *Luft- u. Wasserverunreinigungen, *Gewerbehygiene, *Arbeitssicherheit u. *Unfallverhütung, *Berufskrankheiten, *Pflanzenschutz- u. *Schädlingsbekämpfungsmittel-*Rückständen sowie Fremd- u. *Zusatzstoffen in *Lebensmitteln, bei *Reinigern u. *Desinfektionsmitteln, *Kosmetika sowie von *Carcinogenen, *Mutagenen, *Teratogenen, *Kampfstoffen usw.
Bes. Aufmerksamkeit wird in den letzten Jahrzehnten den *Kombinationswirkungen u. den Arzneimittelnebenwirkungen sowie der T. derjenigen Schadstoffe gewidmet, denen der Mensch in der *Umwelt u. am Arbeitsplatz ausgesetzt ist. Die Wirkung von Schadstoffen auf Organismen in *Ökosystemen wird durch die *Ökotoxikologie untersucht.
Analytik: Ein wichtiges Hilfsmittel der T. innerhalb der klin. Chemie ist die moderne quant. Analyse, bes. die Spurenanalyse, zur Bestimmung von Fremdstoffen in komplex zusammengesetzten Medien wie Körperflüssigkeiten od. Organen. Um die Verw. von Versuchstieren einzuschränken, sucht man nach alternativen Meth. für Toxizitätsprüfungen. So lassen sich z. B. Hinweise auf gentox. Wirkungen – damit meint man im allg. irreversible Schädigungen der DNA – mit Kurzzeittests an Bakterien (*Beisp.:* *Ames-Test) u. Zellkulturen erhalten. Detailliertes Wissen über die Struktur von Rezeptoren für Gifte od. deren Metaboliten u. mathemat. Berechnungen (*QSAR) ermöglichen eine Vorhersage der tox. Wirkung analog aufgebauter Stoffe. Zahlreiche Gesetze schreiben toxikolog. u. ökotoxikolog. Untersuchungen vor dem *Inverkehrbringen einer *Chemikalie od. bei der *Altstoff-Bewertung vor; hierbei ist zu denken an die Arzneimittel-, *Lebensmittel-, *Waschmittel-, Pflanzenschutz- u. *Chemikaliengesetze u. die ihnen nachgeordneten Regelwerke, in den USA an *OSHA u. *TSCA; s. a. Gefahrstoffe.
Organisationen: Verschiedene Kommissionen der *Deutschen Forschungsgemeinschaft, der *Gesellschaft Deutscher Chemiker (*BUA) u. der *Berufsgenossenschaft der Chemischen Industrie beschäftigen sich mit T.-Fragen, ebenso z. B. die European Society of Toxicology u. die International Union of Toxicology (IUTOX). Toxikolog. relevante Daten zu gefährlichen Stoffen werden von nat. u. internat. Organisationen [z. B. *WHO, IARC (International Agency for Research on Cancer), *ECETOC, SETAC (Society of Environmental Toxicology and Chemistry)], in den USA von *NIOSH veröffentlicht. Eine Vielzahl toxikolog. wichtiger Informationen ist heute in Datenbanken gespeichert [z. B. RTECS (s. NIOSH), TDB, *Toxline] u. z. B. über *DIMDI abfragbar. – *E* toxicology – *F* toxicologie – *I* tossicologia – *S* toxicología

Lit.: Aldrige, Mechanisms and Concepts in Toxicology, London: Taylor & Francis Publ. 1996 ▪ Ballantyne et al. (Hrsg.), General and Applied Toxicology, New York: Macmillan Press 1993 ▪ Forth et al. (7.) ▪ Gad u. Chengelis, Acute Toxicology Testing (2.), New York: Academic Press 1997 ▪ Greim u. Deml, Toxikologie, Weinheim: VCH Verlagsges. 1996 ▪ Hutzinger **2 B**, 141–178 ▪ Kimber u. Dearman, Toxicology of Chemical Respiratory Hypersensitivity, London: Taylor & Francis Publ. 1997 ▪ Loomis u. Hayes, Loomis's Essentials of Toxicology (4.), New York: Academic Press 1996 ▪ Malachowski u. Goldberg, Health Effects of Toxic Substances (2.), Rockville: Government Inst. 1998 ▪ Richardson u. Gangolli, The Dictionary of Substances and their Effects, Cambridge: Royal Soc. Chem. 1992–1995 ▪ Stacey, Occupational Toxicology, London: Taylor & Francis Publ. 1993 ▪ Stubelt, Gifte in Natur u. Umwelt, Pestizide u. Schwermetalle, Arzneimittel u. Drogen, Heidelberg: Spektrum 1996 ▪ Thomas, Toxicology of Industrial Compounds, London: Taylor & Francis Publ. 1995 ▪ Timbrell, Introduction to Toxicology, London: Taylor & Francis Publ. 1995 ▪ Ullmann (4.) **6**, 65–154; (5.) **B 7**, 155–297 ▪ Wexler (Hrsg.), Encyclopedia of Toxicology, New York: Academic Press 1998. *Internet-Adressen:* CIIT (Chemical Industry Institute of Toxicology): http://www.ciit.org/; IUTOX: http://www.ehsc.orst.edu/iutox/; SETAC: http://www.setac.org/

Toxine. Stoffwechselprodukte von Mikroorganismen, Pflanzen od. Tieren, die eine *Gift-Wirkung auf den Organismus von Säugetieren u. speziell des Menschen haben. T. sind meist immunogen, d. h. sie können durch ihren *Antigen-Charakter die Bildung spezif. *Antikörper (*Antitoxine) hervorrufen. Sie gehören zu den verschiedensten chem. Substanzgruppen wie Proteine, Lipopolysaccharide, Alkaloide, Terpenoide, Steroide, aliphat. Säuren, biogene Amine u. Guanin-Derivate.
T. aus Mikroorganismen sind v. a. die von Bakterien freigesetzten Gifte. Man unterscheidet die thermolabilen, Eiweiß-artigen, von lebenden Bakterien abgesonderten *Exotoxine* (*Cholera-, *Diphtherie-, *Tetanus-, Botulinus-Toxin, Gasbrand-T.) von den thermostabilen, als Bestandteile des Bakterienorganismus erst nach deren Zerstörung freiwerdenden *Endotoxinen.* Mikrobiellen Ursprungs sind ferner *Mykotoxine (*Ergot-Alkaloide, *Aflatoxine, *Citrinin, *Ochratoxin A, *Patulin) aus Hefen, Schimmel- u. Kleinpilzen. Unter den höheren Pilzen befinden sich zahlreiche Giftpilze, die T. mit Oligopeptid-Struktur (*Amanitine der *Knollenblätterpilze) enthalten od. niedermol. Alkaloid-artige Verb. (*Muscarin des *Fliegenpilzes).
T. aus Pflanzen (*Pflanzengifte) sind chem. sowohl hoch- wie niedermol. Substanzen. Zu ersteren gehören die v. a. in Hülsenfrüchten verbreiteten *Lektine (*Abrin, *Concanavalin A, Crotin, *Phasin, *Ricin). Zahlreicher u. variationsreicher sind die niedermol. Pflanzen-T., zu denen die *Herzglykoside, *Saponine, *Glucosinolate, *Senföle u. v. a. die *Alkaloide gehören.
T. aus Tieren (*Tiergifte) werden zur Abschreckung od. zum Beutefang produziert. Im Laufe der Evolution wurden von verschiedensten Tierstämmen unterschiedliche Gifte entwickelt, die pharmakolog. spezif. u. toxikolog. hochwirksam sind, zu Beisp. s. Tiergifte. Bakterien-T. u. giftige Lektine besitzen eine sog. *haptophore Gruppe* (*Haptomer*) zur spezif. Bindung

des T. an *Rezeptoren der Zelle (oft *Ganglioside) u. eine *toxophore Gruppe* (*Effektomer*), die Träger der eigentlichen Giftwirkung ist. Zerstört man die toxophore Gruppe (z. B. mit Formaldehyd), so erhält man ein ungiftiges *Toxoid* (frühere Bez.: Anatoxin), dessen Antigen-Wirkung erhalten bleibt. Solche Toxoide werden zur akt. *Immunisierung, z. B. gegen Diphtherie u. Tetanus, verwendet.

Viele T. sind aufgrund ihrer hohen Spezifität für bestimmte Stoffwechselvorgänge wichtige Hilfsmittel der Molekularbiologie u. Neurochemie geworden (z. B. *Tetrodotoxin, *Saxitoxin, *Bungarotoxin). Eine Reihe von T. od. ihre Derivate haben Bedeutung als Arzneimittel erlangt (*Opiate, Ergot-Alkaloide, *Digitalis-Glykoside, *Curare), andere dienen als Genuß- od. Rauschmittel (*Cannabinoide, *Coffein, *Nicotin). – *E* toxins – *F* toxines – *I* tossine – *S* toxinas

Lit.: Forth et al. (7.) ▪ Habermehl, Gift-Tiere u. ihre Waffen, Berlin: Springer 1994 ▪ Teuscher u. Lindequist, Biogene Gifte (2.), Stuttgart: Fischer 1994 ▪ Wirth u. Gloxhuber, Toxikologie, Stuttgart: Thieme 1994.

Toxizität. Aus dem Griech. (s. Toxikologie) abgeleitete Bez. für Giftigkeit. Man unterscheidet *akute T.:* Giftigkeit bei einmaligem bzw. kurzfristigem zeitlich eng begrenztem Kontakt mit einem Giftstoff, *subakute bzw. subchron. T.:* Bei wiederholter, meist 28 bzw. 90 d dauernder Belastung u. *chron. T.:* Bei Belastung über einen längeren Zeitraum (bis zu mehreren Jahren), der beim Versuchstier größer ist als die halbe durchschnittliche Lebenserwartung. Die Prüfung auf *fruchtschädigende Wirkung ist gleichzeitig ein Test auf gentox. od. *Teratogen-Wirkung. Bei T.-Prüfungen wird auch auf haut- u. augenreizende, allergisierende, *Carcinogen- u. *Mutagen-Eigenschaften untersucht. Die akute T. eines Stoffes wird oft als LD_{50} (s. letale Dosis) bzw. bei wäss. Lsg. u. Atemgiften als LC_{50} ausgedrückt. Bei der Prüfung auf chron. T. wird ggf. erkennbar, welche Stoffe als *Kumulations- od. Summationsgifte zu gelten haben. Liegen mehrere Stoffe nebeneinander vor, können *Kombinationswirkungen auftreten. Zum Schutz vor T. sind *Höchstmengen (s. a. ADI) u. *Grenzwerte festgelegt. T.-Untersuchungen sind notwendig bei allen Stoffen, mit denen lebende Organismen, insbes. natürlich der Mensch, freiwillig od. unfreiwillig in Berührung kommen können, z. B. *Lebensmittelzusatzstoffe, *Kosmetika, *Pflanzenschutzmittel, *Kunststoffe, *Waschmittel etc. Je nach dem, wo sich die T. manifestiert, spricht man von Öko-, Fisch-, Daphnien-, Algen-, Bakterien- (s. Ökotoxikologie, Fisch-, Daphnien-, Algen-, Bakterientest), beim Menschen auch von Cardio- (Herz-), Nephro- (Nieren-), Hepato- (Leber-), Neuro- (Nerven-), Oto- (Gehör-), Feto- (Fötus, vgl. fruchtschädigend) u. Gen(o)-T. (vgl. Carcinogene). Schwierig ist im Bereich geringer Dosen die Beurteilung, ob eine Schädigung überhaupt eingetreten ist, d. h. die Definition eines *Schwellenwertes od. eines No-Effect-Levels (NOEL); s. a. Toxikologie u. Gefahrstoffe. In der Umwelt ist die T. von Lebewesen eine Verteidigungs- u./od. Beutestrategie [1] (s. Toxine, Allelopathie, Pheromone). – *E* toxicity – *F* toxicité – *I* tossicità – *S* toxicidad

Lit.: [1] Schlee (2.), S. 23 f., 394–397.

allg.: Acute Toxicity Test, LD_{50} (LC_{50}) Determinations and Alternatives (Monogr. 6), Brussels: ECETOC 1985 ▪ Annu. Rev. Pharm. Toxicol. **26**, 39–58 (1986) ▪ Recommendations for the Harmonisation of International Guidelines for Toxicity Studies (Monogr. 7), Brussels: ECETOC 1985 ▪ s. a. Toxikologie u. a. Textstichwörter.

Toxizitätsäquivalent (TE, TEQ). Angabe zur *Toxizität von Gemischen verschiedener, aber nach gleichem Mechanismus additiv wirkender *Gifte, z. B. von Congeneren-Gemischen der *Dioxine od. der *PCB. Das TE eines Gemisches ergibt sich als Summe der Konz. bzw. Massen der Einzelsubstanzen multipliziert mit ihren jeweiligen *Toxizitätsäquivalenzfaktoren. TE werden zur *Grenzwert-Festlegung benutzt. – *E* toxic equivalent value – *F* valeur équivalente de toxicité – *I* equivalente di tossicità – *S* valor equivalente de toxicidad

Lit.: s. Toxizitätsäquivalenzfaktor.

Toxizitätsäquivalenzfaktor (Toxizitätsfaktor, TEF). Faktor zum Vgl. von *Toxizitäten verschiedener Substanzen, die nach dem gleichen Mechanismus wirken. TEF sind Quotienten aus der Toxizität eines Stoffes zu der Toxizität der Vgl.-Substanz, z. B. Quotienten der LC_{50}-Kehrwerte bzw. der Stärke der Bindung an den *Ah-Rezeptor. Üblich ist die Angabe von TEF bei den *Dioxinen u. *PCB, wo die Toxizitäten der einzelnen Isomeren mit der des *2,3,7,8-Tetrachlordibenzo[1,4]dioxin – dieses hat den TEF = 1 – verglichen werden, s. Tab. bei Dioxine u. PCB. Für *Carcinogene werden gelegentlich *Benzol-Äquivalente angegeben. – *E* toxic (toxicity) equivalency – *F* facteur de toxicité – *I* fattori d'equivalenza tossica – *S* factor de toxicidad

Lit.: Dekant u. Vomvakas, Toxikologie, S. 250 ff., Heidelberg: Spektrum 1995 ▪ Fent, Ökotoxikologie, S. 145, Stuttgart: Thieme 1998 ▪ Nachr. Chem. Tech. Lab. **47**, 313–316 (1999).

Toxline. Bez. für die Datenbank Toxicology Information Online der National Library of Medicine, 8600 Rockville Pike, Bethesda Md. 20209, USA.

Toxoflavin [Xanthothricin, 1,6-Dimethylpyrimido-[5,4-e]-1,2,4-triazin-5,7(1H,6H)-dion].

$C_7H_7N_5O_2$, M_R 193,17, gelbe Nadeln, Schmp. 172 °C, lösl. in Wasser, Ethanol, Essigester u. Chloroform. Hochgiftiges [LD_{50} (Maus p. o.) 8,4 mg/kg] Antibiotikum aus Kulturen von *Pseudomonas cocovenenans*. T. hemmt die *Xanthin-Oxidase u. zeigt neben antimikrobiellen vielfältige pharmakol. Effekte[1]. Die Biosynth.[2] erfolgt aus einem Purin-Derivat, indem C-8 des Imidazol-Rings gegen einen Aminomethyl-Baustein aus Glycin ausgetauscht wird. Zur Synth. s. *Lit.*[3]. – *E* toxoflavin – *F* toxoflavine – *I* tossoflavina – *S* toxoflavina

Lit.: [1] Eur. J. Med. Chem. **29**, 245 (1994). [2] J. Biol. Chem. **241**, 846 (1966). [3] J. Chem. Soc., Perkin Trans. 1 **1976**, 713.

allg.: Beilstein E V **26/19**, 135 ▪ Merck-Index (12.), Nr. 9695. – *[HS 2941 90; CAS 84-82-2]*

Toxogonin®. Ampullen mit *Obidoximchlorid als spezif. *Antidot bei der Behandlung von Vergiftungen

mit *Phosphorsäureestern. Die Behandlung muß stets unter *Atropin-Schutz erfolgen. *B.:* Merck.
Lit.: s. Obidoximchlorid.

Toxoide s. Toxine.

Toxophore Gruppe s. Toxine.

Toxoplasmose. Durch das Protozoon *Toxoplasma gondii* hervorgerufene Infektionserkrankung. Die T. wird von Tieren auf den Menschen übertragen (*Zoonose), entweder durch Konsum von rohem Fleisch od. durch Kontakt mit Hunden, Katzen od. Kaninchen. Die Mehrzahl der Infektionen verläuft asymptomat., eine hochgradige Durchseuchung der Bevölkerung ist serolog. nachgewiesen. Die akute T. führt zu Lymphknotenschwellungen u. Entzündungen von Hirnhäuten u. Gehirn. Bei einer erstmaligen T. während der Schwangerschaft können die Erreger über die Plazenta in den kindlichen Organismus gelangen u. zu Aborten od. ernsthaften Schädigungen des Fetus führen. Die Behandlung besteht aus der Chemotherapie mit *Pyrimethamin u. einem Sulfonamid. – $E = S$ toxoplasmosis – F toxoplasmose – I toxoplasmosi
Lit.: Brandis et al., Lehrbuch der Medizinischen Mikrobiologie, S. 655–657, Stuttgart: Fischer 1994.

ToZ. Ältere Abk. für Tonerde-*Zement.

t-PA s. Tissue Plasminogen Activator u. Plasminogen.

TPA. Abk. für *Terephthalsäure, für 12-*O*-Tetradecanoylphorbol-13-acetat (s. Phorbol) u. für *Triphenylamin.

TPB. Abk. für 1,1,4,4-Tetrabutyl-1,3-butadien als *Szintillatoren.

TPE. Kurzz. für *thermoplastische Elastomere.

TPEL. Kurzz. (nach ASTM) für *thermoplastische Elastomere od. thermoplast. Kautschuke.

TPE-O. Kurzz. für thermoplast. *Polyolefine, s. thermoplastische Elastomere.

TPES. Kurzz. (nach ASTM) für thermoplast. *Polyester.

TPE-S. Kurzz. für Styrol-Oligoblock-Copolymere, s. thermoplastische Elastomere.

TPE-U. Kurzz. für thermoplast. *Polyurethane, s. thermoplastische Elastomere.

TPF. Nach DIN 7723: 1987-12 Kurzz. für *Triphenylphosphat als *Weichmacher.

T4-Phage (Bakteriophage T4). Virulenter *Phage, der sehr gut untersucht ist. Seine doppelsträngige *DNA enthält ca. 150 *Gene. Der T4-P. setzt sich aus Kopf, Schwanz u. 6 Schwanzfäden zusammen (s. Abb.). Im *Kopf,* der aus einer ikosaedr. Protein-Hülle besteht, befindet sich die dichtgepackte Phagen-DNA. Der *Schwanz* besteht aus 2 coaxialen hohlen Röhren, dem inneren Schwanzrohr u. der Schwanzscheide u. ist über einen kurzen Kragen mit dem Kopf verbunden. Den Abschluß bildet eine Endplatte mit 6 kurzen Spikes u. 6 langen dünnen Fäden.
Die Enden der *Schwanzfäden* erkennen *Rezeptoren auf der Oberfläche von *Escherichia coli*-Bakterien u. lagern sich daran an. Durch eine Kontraktion der Schwanzscheide bewegt sich der Phagenkopf zur End-

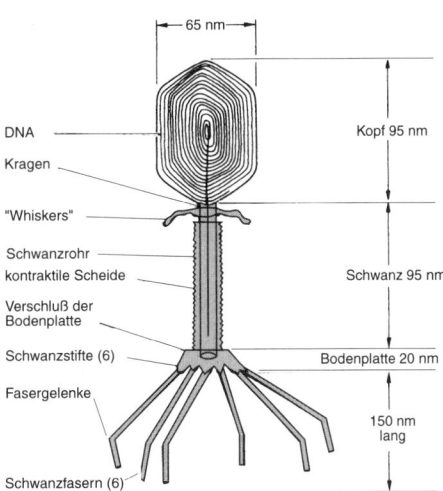

Abb.: Schemat. Darst. eines T-Phagenpartikels.

platte u. das innere Schwanzrohr durchstößt die Zellwand. Die nackte Phagen-DNA durchdringt dann die Plasmamembran u. gelangt so in das Innere der Wirtszelle. Bereits kurz nach der Infektion kommt die gesamte zelluläre DNA-, RNA- u. Protein-Synth. zum Stillstand, u. die Synth. viraler Makromol. beginnt. Die *Transkription der T4-DNA gliedert sich in 3 Phasen: Die *unmittelbar frühe,* die *verzögert frühe* u. die *späte*. Die Genprodukte der *frühen Phase* bewirken den vollständigen Stillstand der zellulären DNA-, RNA- u. Protein-Synth., sowie eine Entfaltung u. den Abbau der Wirts-DNA. Dies geschieht durch Cytosin-spezif. Phagen-*Nucleasen. Die Phagen-DNA, welche anstelle des Cytosins 5-Hydroxymethylcytosin (HMC) enthält, wird dabei nicht angegriffen. Einige HMC-Reste sind zusätzlich glykosyliert. Eine in der *frühen Phase* synthetisierte Pyrophosphatase hydrolysiert dCTP u. dCDP zu dCMP u. verhindert so den Einbau von dCTP in die T4-DNA. dCMP wird dann in 5-Hydroxymethyl-dCTP überführt, welches in die Phagen-DNA eingebaut wird. Anschließend werden einige HMC-Reste von Phagencodierten *Enzymen glykosyliert. In der *späten Phase* der Transkription, die mit der *Replikation der T4-DNA verbunden ist, werden die Phagenkomponenten sowie *Lysozym synthetisiert. Lysozym greift die Bakterienzellwand an u. bringt diese zum Platzen, wodurch ca. 20 min nach der Infektion etwa 200 neue Viruspartikel freigesetzt werden.
Die Vereinigung der Phagenkomponenten erfolgt durch eine Kombination von Selbstassoziation, gerüstgestützter u. Enzym-gesteuerter Assoziation. Kopf, Schwanz u. Schwanzfäden werden auf 3 voneinander unabhängigen Synth.-Wegen gebildet, von denen jeder einer strikten Reihenfolge folgt. Jede Phase der Assoziation von Kopf, Schwanz u. Schwanzfäden wird durch Konformationsänderungen der Zwischenprodukte bestimmt, die wiederum den folgenden Schritt einleiten. Dabei wird ein Teil der Bindungsenergie genutzt, um die *Aktivierungsenergie zur Bildung des nächsten Komplexes zu senken. Die Vereinigung von Kopf u. Schwanz erfolgt erst, wenn beide Teile vollendet sind. Danach lagern sich die Schwanzfäden an

die Endplatte an. Neben der Selbstassoziation spielen Gerüst-Proteine u. *Proteasen eine wichtige Rolle. Gerüst-Proteine dienen vorübergehend zur Stabilisierung von Zwischenkomplexen, um so die Assoziation der Bestandteile zu erleichtern u. sind im fertigen Virus nicht mehr enthalten. Liegen die zur Assoziation erforderlichen *Proteine als höhermol. Vorstufen vor, dann müssen sie durch Proteasen gespalten werden, was meist nach der Vereinigung erfolgt.
Der Einbau der Phagen-DNA erfolgt in bereits vorgefertigte Köpfe. Neureplizierte T4-DNA ist ein Concatemer, d. h. das gesamte Genom wiederholt sich mehrfach. Nachdem eine Genomlänge in den Kopf eingetreten ist, wird die DNA-Doppelhelix durch eine Phagen-codierte Nuclease gespalten. Die DNA wird dabei so gepackt, daß sie bei der nächsten Infektionsrunde schnell in ein Bakterium injiziert werden kann; s. a. Phagen. – *E* [bacterio]phage T4 – *F* [bactério]phage T4 – *I* [batterio]fago T4 – *S* [bacterio]fago T4

Lit.: FASEB J. **10**, 35 – 41 (1996) ▪ Mathews et al. (Hrsg.), Bacteriophage T4, Washington: American Society for Microbiology 1983 ▪ Römpp Lexikon Biotechnologie, S. 772 f. ▪ Stryer 1996, S. 82 f., 834.

TPO. 1. Kurzz. für thermoplast. *Polyolefin(elastomer)e. – 2. Abk. für *Thrombopoietin.

TPP. Abk. für Thiamindiphosphat, Triphenylphosphat u. Triphenylphosphan.

TPR. 1. Kurzz. für thermoplast. *Kautschuke, s. thermoplastische Elastomere. – 2. Kurzz. für *Trans-1,5-polypentenamer.

TPS. Abk. für *Tetrapropylenbenzolsulfonat u. Terephthalsäure.

TPTZ. Abk. für *2,4,6-Tri-(2-pyridyl)-1,3,5-triazin.

TPU. Kurzz. für thermoplast. *Polyurethane.

T-Pulver s. Schießpulver.

TPUR. Kurzz. (nach ASTM) für wärmehärtende *Polyurethane.

tr. Abk. für *Troy.

TR. 1. Kurzz. für thermoplast. *Kautschuke. – 2. Kurzz. für *technische Regeln....

Tracer (von *E* to trace = einer Spur folgen, spüren, verfolgen, einer Sache nachgehen). Sammelbez. für Substanzen, die mit einer gegebenen Substanz gemischt od. an diese gekoppelt werden, damit man anschließend die Verteilung od. Lokalisierung der letzteren qual. untersuchen kann. *Physikal. T.* sind dabei lediglich physikal. (z. B. durch Adsorption) mit dem zu verfolgenden Objekt kombiniert. Im weitesten Sinne gehören hierzu auch *Spürmittel* – z. B. in der *Lecksuche, in der *forensischen Chemie u. Kriminalistik zum Aufspüren gestohlener Gegenstände od. im *Umweltschutz (z. B. *Markierung von Rohöl mit spezif. Ferrit-Pulvern zur Identifizierung von *Ölpest-Verursachern auf See) – od. *Gasodorierungs-Mittel u. a. Warnstoffe u. *Vergällungsmittel. *Chem. T.* haben gleiche od. ähnliche chem. Eigenschaften wie die zu markierenden Substanzen, mit denen sie homogen gemischt werden. Hier ist in erster Linie an die Verw. *markierter Verbindungen zu denken, die *Leitisotope* od. *Isotopenindikatoren* enthalten. Bei diesen handelt es sich entweder um stabile T. – *Beisp.:* *Deuterierte Verbindungen od. Verb. mit ^{13}C, ^{15}N, ^{17}O od. ^{18}O – od. um radioaktive T., die *Radioisotope enthalten; *Beisp.:* *Tritiierte Verbindungen u. ^{14}C-markierte Verb. zur Untersuchung von Reaktionsmechanismen; z. B. wird das Kohlenstoff-Isotop C-14 eingesetzt, um herauszufinden, ob bei der *Decarbonylierung von Benzoylameisensäure das entstehende CO-Mol. von der Carbonyl- od. der Carboxyl-Gruppe stammt (s. Abb.).

$$H_5C_6-\overset{O}{\underset{}{C}}-\overset{14}{\underset{OH}{C}}\overset{O}{=} \xrightarrow{H_2SO_4} H_5C_6-\overset{O}{\underset{OH}{C}}= + {}^{14}CO$$

Benzoyl-ameisensäure   Benzoe-säure   Kohlen-monoxid

Abb.: Einsatz von Tracern zur Untersuchung von Reaktionsmechanismen.

In der *Kerntechnik spricht man (vgl. DIN 25401-1: 1986-09) statt von T. häufiger von *Indikatoren* u. somit von radioaktiven Indikatoren (Radioindikatoren, s. dort u. zur Verw. bes. bei Radionukliden). Als chem. T. könnte man auch Verb. od. Atomgruppierungen charakterisieren, denen bestimmte physikal. Eigenschaften zu eigen sind, die mit einfachen apparativen Mitteln analysierbar sind. *Beisp.:* Fluoreszierende Gruppen od. radikal. Gruppen (z. B. *Nitroxyl-Radikale), die mittels chem. Reaktionen an die zu beobachtenden Mol. „angeheftet" werden; diese werden auch als Spinsonden bzw. Fluoreszenzsonden bezeichnet, s. a. Fluorogene, Spinmarkierung. – *E* tracers – *F* traceurs – *I* traccianti – *S* trazadores

Lit.: Bernasconi, Investigation of Rates and Mechanisms of Reactions (Techn. Chem. 6/1), S. 613 – 662, New York: Wiley 1986 ▪ Hoffmann u. Lieser, Methoden der Kern- u. Radiochemie, Weinheim: VCH Verlagsges. 1991 ▪ Schimel, Theory and Application of Tracers, San Diego: Academic Press 1993 ▪ s. a. Radioindikatoren.

Tracheal-Staub s. einatembare Aerosole.

Tracheiden s. Holz.

Trachisan®. Gurgellsg. mit *Chlorhexidin-gluconat u. Lidocain-hydrochlorid, Tabl. zusätzlich mit *Tyrothricin, gegen Entzündungen im Mund- u. Rachenraum. *B.:* Engelhard.

Tracht. Bez. für die Spezifizierung von *Honig nach der Blüten- od. Pflanzenart, aus der er gewonnen wurde (z. B. Kleehonig, Rapshonig). Nach § 4 Absatz 1 der Honig-VO[1] ist ein bes. Hinweis auf die T. nur zulässig, wenn der betreffende Honig überwiegend den genannten Blüten od. Pflanzenarten entstammt u. entsprechende sensor., physikal.-chem. u. mikroskop. Merkmale (Pollenbild) aufweist. Zur Spezifikation von Trachthonigen u. zur trachtspezif. Verteilung von Aromastoffen s. *Lit.*[2,3]; s. a. Honig.
Zu einer anderen Bedeutung von T. s. Kristallmorphologie. – *E* nectar (honey) flow – *F* miellée – *I* nettare – *S* mielada

Lit.: [1] Honig-VO vom 13.12.1976 in der Fassung vom 27.4.1993 (BGBl. I, S. 512). [2] Dtsch. Lebensm. Rundsch. **81**, 148 – 151 (1985). [3] Dtsch. Lebensm. Rundsch. **87**, 35 f. (1991). *allg.:* Belitz-Grosch (4.), S. 797 ▪ Chem. Unserer Zeit **23**, 25 – 33 (1989) ▪ Vollmer et al., Lebensmittelführer (2.), Bd. 2, Stuttgart: Thieme 1995.

Trachyte. Helle graue, gelbliche, rötliche, manchmal fleckige od. Fließ-*Gefüge zeigende u. dann streifige, sich rauh anfühlende (griech.: trachys=rauh) *Vulkanite meist jüngeren geol. Alters, die in Form von Kuppen (Ungarn; Auvergne/Frankreich, z. B. Puy de Dôme; Drachenfels/Siebengebirge), Kratern (Astroni bei Neapel) u. meist kurzen, dicken Lavaströmen auftreten; weitere Vork. gibt es im Westerwald, im Böhm. Mittelgebirge, in den Euganeen/Italien u. auf den Azoren.

Häufig findet man bei den T. in einer dichten bis feinkörnigen, zu über 80% aus Alkali-*Feldspäten (Anorthoklas u./od. Sanidin) bestehenden Grundmasse größere Einsprenglinge von *Sanidin* od. *Anorthoklas* (porphyr. *Gefüge). Geolog. alte T. wurden früher als Ortho(por)phyre bezeichnet, vgl. Porphyre. Hohlräume in T. können *Tridymit enthalten. Das mittlere spezif. Gew. der T. beträgt 1,8–2,6 u. die Wasseraufnahme in % des Trockengew. beträgt 2–4,5%. Die T. gehören zu den magmat. Alkali-Gesteinen; eine Durchschnittsanalyse ergibt u. a. 61,21% SiO_2, 16,96% Al_2O_3, 2,99% Fe_2O_3, 2,29% FeO, 0,93% MgO, 2,34% CaO, 5,47% Na_2O u. 4,98% K_2O (s. Hall, *Lit.*). Verw. als Werk-, Bau- u. Pflastersteine. – *E* = *F* trachytes – *I* trachiti – *S* traquitas

Lit.: Hall, Igneous Petrology (2.), S. 420–436, Harlow (England): Longman Scientific & Technical 1996 ∎ MacKenzie, Donaldson u. Guilford, Atlas der magmatischen Gesteine in Dünnschliffen, S. 41 f., 72, 109, Stuttgart: Enke 1989 ∎ Matthes, Mineralogie (5.), S. 208 f., Berlin: Springer 1996 ∎ s. a. magmatische Gesteine, Vulkanite.

Träger. Im chem. Sprachgebrauch Bez. für bestimmte chem. *inerte Stoffe, die als Unterlage u. Gerüst für Wirkstoffe dienen können. Als *Trägersubstanzen* eignen sich z. B. großoberflächige Stoffe wie *Aktivkohle, *Tonerde, *Kieselgel, *Kieselgur, *Talk, *Kaolin, *Tone u. a. *Silicate etc., die auf „aufgezogene" Katalysatoren zugleich als *Promotoren wirken können, s. bei Katalyse. Ähnliche T. benutzt man auch für Pflanzenschutzmittel u. Pharmaka, z. B. für *Depot-Präparate. Bei techn. *Fermentationen u. a. Verf. der *Biotechnologie, in denen Enzyme, Mikroorganismen od. Zellen wirksam sind, können T. wie poröses Glas, Ionenaustauscherharze, Dextrane, Cellulose, hydrophile Polymere zur *Immobilisierung der *Biokatalysatoren* herangezogen werden. Dieselbe Technik macht man sich auch zunutze in der *Affinitätschromatographie u. in der sog. *Festphasen- u. der *Merrifield-Technik beim Fixieren von Reagenzien auf chem. inerten T. – man nennt diese manchmal auch *Matrix* od. *Substrat*, obwohl dies Anlaß zu Verwechslungen gibt, od. spricht von *polymeren Reagenzien* bzw. *reaktiven Polymeren*. Die Bez. T. findet sich auch in zusammengesetzten Begriffen wie *Trägergas* in der *Gaschromatographie, *Trägerdampfdest.* in der Destillations-Technik (s. dort u. bei Wasserdampfdestillation), *Träger-*Elektrophorese* bzw. -*isoelektrischen Fokussierung, trägerfreie Nuklide, Trägerfrequenz-Photographie* usw. In der Textilchemie haben T. als sog. Schlepper von Farbstoffen (*Carrier*) eine färbebeschleunigende Funktion beim Färben von synthet. Fasern. Das engl. Wort *Carrier* wird überhaupt in mehr od. minder unspezif. Weise zur Umschreibung der „Transportvehikel"-Eigenschaften von Stoffen (*...phor, Name!) benutzt, z. B. *Ionophore als T. beim Transport von Ionen durch Membranen, *Iodophore als T. in Desinfektionsmitteln usw. – *E* carriers – *F* supports, porteurs – *I* portante – *S* soportes, portadores

Lit.: Ullmann (4.) **13**, 560–562; (5.) **A 9**, 80; **A 14**, 31 ∎ s. a. die Textstichwörter.

Trägheitsradius (Gyrationsradius). Die Gestalt eines als statist. Kettenknäuel (Zufallsknäuel) vorliegenden *Makromoleküls läßt sich nicht exakt bestimmen. Zum einen weist jedes Makromol. einer Probe eine andere Gestalt auf, zum anderen ist auch die Knäuelgestalt eines jeden Makromol. in Lsg. od. in der Schmelze einem steten Wandel unterworfen. Zur Beschreibung der räumlichen Ausdehnung von Makromol. sind daher Mittelwerte erforderlich, die sowohl über das Ensemble als auch über die Zeit mitteln. Neben dem theoret. gut zu beschreibenden, experimentell aber schwer faßbaren *mittleren Fadenendabstand ist der durch z. B. Lichtstreu-, Röntgenkleinwinkelstreu- od. Ultrazentrifugen-Messungen (für gelöste Polymere) bzw. durch Neutronenkleinwinkelstreuung (für feste Polymere) gut meßbare T. die wichtigste Größe zur Charakterisierung der räumlichen Ausdehnung von Polymermolekülen. Definitionsgemäß ist die Wurzel des mittleren quadrat. T. $\langle s^2 \rangle^{1/2}$ gleich dem gewichtsmittleren Abstand aller Kettenglieder vom Kettenschwerpunkt. Dabei gilt:

$$\langle s^2 \rangle \equiv \left\langle \sum_i m_i r_i^2 \right\rangle \bigg/ \sum_i m_i$$

mit m_i = Masse des Segmentes i, r_i = Abstand des Segments vom Massenschwerpunkt des Polymerknäuels. Liegen die Knäuel in ihren *ungestörten Dimensionen (s. Theta-Temperatur, Index „o") vor, so sind mittlerer Fadenendabstand R u. T. über die Beziehung

$$6\langle s^2 \rangle_o = \langle R^2 \rangle_o$$

verknüpft. Liegt ein Polymer nicht in seinen ungestörten Dimensionen, d. h. nicht im Theta-Zustand vor, so gilt weiterhin

$$\langle s^2 \rangle = \alpha \langle s^2 \rangle_o,$$

wobei α der sog. Expansionsfaktor ist. Dieser beschreibt, wie stark die Polymerknäuel durch Einlagerung von Lsm.-Mol. aufgequollen sind. – *E* radius of gyration – *F* rayon d'inertie – *I* raggio d'inerzia, raggio di girazione – *S* radio de giro

Lit.: Elias, An Introduction to Polymer Science, S. 176 ff., Weinheim: Wiley-VCH 1997.

Tränenflüssigkeit. Von der Tränendrüse des *Auges durch 10–15 Ausführungsgänge abgesonderte Flüssigkeit, die zur Befeuchtung der Hornhautoberfläche des Auges (ggf. a. der *Kontaktlinsen) u. zur Abschwemmung kleinerer Verunreinigungen dient. Eine verstärkte Absonderung tritt z. B. unter dem Einfluß eines mechan. *Reizes od. von *Tränenreizstoffen ein. Die Benetzungsflüssigkeit des Auges besteht aus der reinen T. u. dem von den Schleimzellen der Bindehaut abgesonderten Sekret. Ihre tägliche Menge beträgt etwa 1–3 mL, pH-Wert 5,2–8,3, Trockensubstanz ca. 1,8%. Je 100 mL T. enthalten 395 mg Albumin, 275 mg Globulin, 660 mg NaCl, 65 mg reduzierende Substanz, 0,6 mg Citrat, 0,6 mg Vitamin C u. 5 μg Riboflavin. Außerdem enthalten die menschliche T. *Lysozyme u. *Immunglobuline, die möglicherweise bei der Abwehr des Bakterienbefalls der Augenoberfläche eine Rolle spielen. Eine künstliche T. erhält man durch Lösen von 1,4% Polyvinylalkohol in Wasser od. von Polyvinylpyrrolidon in Wasser. Derartige *Ophthalmika setzt man als Filmbildner bei Trockenheit der Augenoberfläche ein; die Bildung von T. kann man mit *Bromhexin anregen. – *E* tear liquid – *F* larmes, liquide lacrymal – *I* lacrime, liquido lacrimale – *S* líquido lacrimal

Lit.: Davson, Physiology of the Eye, New York: McGraw-Hill 1991.

Tränengase s. Tränenreizstoffe.

Tränenreizstoffe (Augenreizstoffe). Chem. Substanzen, die im Auge Brennen, Tränenfluß u. Lidschluß bis zum Lidkrampf verursachen. Zum einen geht diese Wirkung von *Zwiebeln, deren Wirkstoff *Propanthial-*S*-oxid ist, u. von Luftschadstoffen wie *Peroxyacetylnitrat od. *Tabakrauch aus. In *Ophthalmika setzt man *Bromhexin zur Anregung der Tränensekretion ein. Zum anderen werden T. als chem. Kampfstoffe in Form von Aerosolen (*Tränengase*) eingesetzt. Zu den schon länger bekannten (*Weißkreuzkampfstoffe des 1. Weltkrieges) Halogen-Verb. wie *Benzylbromid, Bromessigsäureester, Bromaceton, Bromphenylacetonitril, *Xylylbromide sind in jüngerer Zeit *Chloracetophenon (CN), 10-Chlor-5,10-dihydrophenarsazin (*Adamsit), *(2-Chlorbenzyliden)-malonsäuredinitril (CS) u. Dibenz[b,f][1,4]oxazepin (CR) hinzugetreten. Bereits in geringsten Konz. lösen sie heftige Augenschmerzen u. Tränenfluß aus, in höheren Konz. führen sie zu Schleimhautverätzungen des Auges u. der oberen Luftwege. – *E* lacrimators – *F* lacrimogènes – *I* lacrimatori – *S* lacrimógenos

Lit.: s. chemische Waffen, Kampfstoffe u. Militärchemie.

Tränkharze. Flüssige od. feste Kunstharze auf der Basis von *Harnstoff-Harzen, *Melamin-Harzen u. *Phenol-Harzen (*Amino- u. Phenoplaste, s. Phenol-Harze), die direkt od. nach Verdünnen mit Wasser od. alkohol.-wäss. Lsg. ohne od. nach Zugabe eines Härters zum Imprägnieren von Papier od. Holz verwendbar sind (vgl. Kunstharzfilme). Tränklacke u. T. benutzt man in der Elektro-Ind. als *Isolierlacke zum Tränken von Drahtwicklungen (Drahtlacke) u. in der Metallbearbeitung zum Abdichten mikroporöser Metallwerkteile (polymerisierbare *Methacrylatharze). – *E* impregnating resin varnishes – *F* résines (vernis) d'imprégnation – *I* resine impregnanti – *S* resinas (barnices) de impregnación

Lit.: Goldschmidt informiert **1973**, Nr. 1, 1–70 ▪ Holz Roh-Werkst. **27**, 441–463 (1969) ▪ Kunststoffe **64**, 421–425 (1974).

Tränkverfahren. Bez. für ein Verf. zur Herst. anorgan. *Fasern. Dabei werden organ. *Polymer-Fasern, z. B. *Rayon, mit Lsg. anorgan. Salze getränkt u. anschließend erhitzt, bis das organ. Material pyrolisiert u. die zurückbleibenden anorgan. Bestandteile zusammengesintert sind. Nach diesem Verf. werden z. B. Aluminiumoxid- u. Zirconiumoxid-Fasern produziert. – *E* impregnating (process) – *I* procedimento per impregnazione – *S* proceso de impregnación

Lit.: Elias (5.) **2**, 510.

Tragacanth(in), Tragacanthinsäure s. Tragant.

Tragant (Traganth, Tragacanth; EG-Nr. E 413). Bez. für das an der Luft gehärtete Exsudat aus Stämmen u. Zweigen der in Bergregionen von Iran, Syrien u. der Türkei sowie in Südamerika wildwachsenden Sträucher von *Astragalus*-Arten (Familie Fabaceae), insbes. von *Astragalus gummifer*. T. wird als gelbweiße Plättchen od. band- bzw. strangförmige Stücke bzw. als Pulver vermarktet. Der geruch- u. geschmacklose T. quillt in Wasser sehr stark, z. B. in 2%iger Lsg. zu einer gallertartigen Masse. T. ist ein Gemisch aus zwei Polysacchariden, dem in Wasser unlösl., aber stark quellbaren *Bassorin* (60–70%) u. der wasserlösl. *Tragacanthinsäure* (Tragantin, Traganthin, Tragacanthin). Bassorin ist aus L-Arabinose, D-Galactose, L-Rhamnose u. dem Methylester der D-Galacturonsäure aufgebaut. Bausteine der Tragacanthinsäure sind D-Galacturonsäure in der Hauptkette u. D-Xylose, L-Fucose u. D-Galactose in den Seitenketten[1].
Zu ind. T., mit dem T. gelegentlich vermischt u. verfälscht wird, s. Karaya-Gummi; zur Schreibweise von T. s. *Lit.*[2].

Verw.: Als unbedenkliches, ohne Mengenbegrenzung zugelassenes Verdickungsmittel (z. B. für Speiseeis), als Schutzkolloid u. Emulsions-Stabilisator in der Lebensmittel-Ind., in der pharmazeut. Ind. als Bindemittel für Tabl., Pillen, Dragées, Pastillen usw., in der Kosmetik als Grundlage für Zahnpflegemittel, Handlotionen u. Hautcremes. Weitere Verw.-Möglichkeiten für T., der bereits 300 v. Chr. als Heilmittel benutzt wurde, sind gegeben bei der Herst. von Tuschfarben, Appreturen in der Textil-Ind. u. Druckfarben. – *E* tragacanth gum – *F* tragacanthe – *I* dragante – *S* tragacanto

Lit.: [1] Ullmann (4.) **19**, 254 f. [2] Dtsch. Apoth.-Ztg. **104**, 580 (1964).
allg.: Hager **3**, 299–305 ▪ Janistyn **1**, 941 f. ▪ Kirk-Othmer (3.) **12**, 56 f. ▪ Merck-Index (12.), Nr. 4609 ▪ Z. Lebensm. Unters.-Forsch. **152**, 87–99 (1973). – *[HS 1301 90; CAS 9000-65-1]*

Traganth(in) s. Tragant.

Tragroste s. Kolonnen-Einbauten.

Trajektorie. Bahn eines Teilchens, wobei es sich in der Chemie meistens um die Bahn eines Atomkerns handelt. Seine Bewegung wird näherungsweise mit den Gesetzen der klass. Mechanik (z. B. Newtonsche Bewegungsgleichungen) beschrieben. Die Berechnung von T. zählt zu den wichtigsten Aufgaben der *Molekulardynamik u. *Reaktionsdynamik. – *E* trajectory – *F* trajectoire – *I* traiettoria – *S* trayectoria

Lit.: s. Molekulardynamik u. Reaktionsdynamik.

Traktorenkraftstoffe. Sammelbez. für *Motorkraftstoffe solcher landwirtschaftlicher Fahrzeuge, die mit Otto-Motoren betrieben werden – heute hat sich hier der Dieselmotor (s. Dieselkraftstoff) durchgesetzt. Die Eigenschaften von T. entsprachen weitgehend denen von *Petroleum bzw. *Leuchtpetroleum mit einer *Octan-Zahl (ROZ) >35. – *E* tractor fuels – *F* carburants pour tracteurs – *I* carburanti per trattori – *S* carburantes para tractores

Tralkoxydim.

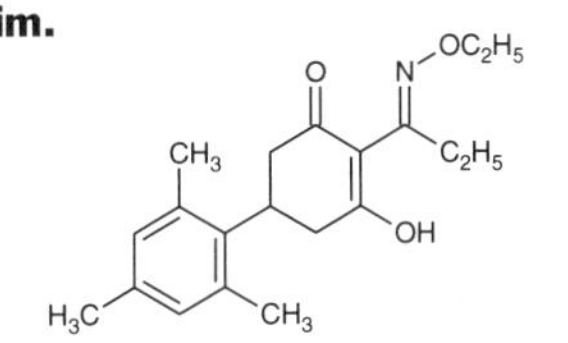

Common name für 2-(*N*-Ethoxypropionimidoyl)-3-hydroxy-5-mesityl-2-cyclohexen-1-on, $C_{20}H_{27}NO_3$, M_R 329,43, Schmp. 106 °C, LD_{50} (Ratte oral) 934 mg/kg (weiblich), 1324 mg/kg (männlich), von ICI (jetzt Zeneca) 1988 eingeführtes selektives system. Nachauflauf-*Herbizid gegen Ungräser im Getreideanbau (außer Hafer). – *E* tralkoxydim – *F* tralkoxydime – *I* tralcossidim – *S* tralcoxidima

Lit.: Farm ▪ Pesticide Manual. – *[CAS 87820-88-0]*

Tralles-Grade s. Alkoholometer.

Tralomethrin.

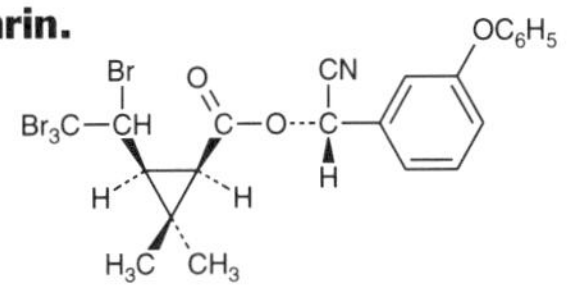

Common name für (*S*)-Cyano(3-phenoxyphenyl)methyl]-(1*R*)-*cis*-2,2-dimethyl-3-((*RS*)-1,2,2,2-tetrabromethyl)cyclopropancarboxylat, $C_{22}H_{19}Br_4NO_3$, M_R 665,01, LD_{50} (Ratte oral) ca. 85 mg/kg (WHO), von Roussel Uclaf 1979 eingeführtes nicht-system. *Insektizid mit Kontakt- u. Fraßgiftwirkung aus der Gruppe der synthet. *Pyrethroide gegen zahlreiche Schädlinge im Getreide-, Kaffee-, Baumwoll-, Sojabohnen-, Obst-, Mais-, Raps-, Reis-, Tabak- u. Gemüseanbau, sowie gegen Forst-, Vorrats- u. Hygieneschädlinge. – *E* tralomethrin – *F* tralométhrine – *I* = *S* tralometrina

Lit.: Farm ▪ Perkow ▪ Pesticide Manual. – *[CAS 66841-25-6]*

Tramadol (Rp).

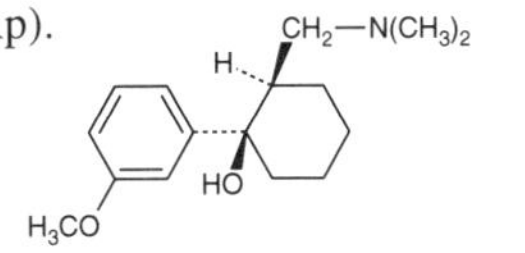

Internat. Freiname für das starke Analgetikum (±)-*cis*-2-[(Dimethylamino)methyl]-1-(3-methoxyphenyl)-cyclohexanol, $C_{16}H_{25}NO_2$, M_R 263,37. Verwendet wird meist das Hydrochlorid, weiße, wasserlösl. Krist., Schmp. 180–181 °C; λ_{max} (CH$_3$OH) 273, 279 nm ($A_{1cm}^{1\%}$ 66, 59), pK_a 9,3; LD_{50} (Maus oral) 350, (Maus s.c.) 200 mg/kg. T. wurde 1965 u. 1972 von Grünenthal (Tramal®) patentiert u. ist als Generikum im Handel. – *E* = *F* = *S* tramadol – *I* tramadolo

Lit.: ASP ▪ Hager (5.) **9**, 1002–1006 ▪ Martindale (31.), S. 102. – *[HS 2922 50; CAS 27203-92-5 (T.); 36282-47-0 (Hydrochlorid)]*

Tramadolor® (Rp). Ampullen, (Brause-)Tabl., Tabs, Kapseln, Tropfen u. Suppositorien mit dem *Analgetikum *Tramadol-Hydrochlorid gegen mäßig starke bis starke Schmerzen. *B.:* Hexal.

Tramadura® (Rp). Ampullen, (Brause-)Tabl. u. Tropfen mit dem *Analgetikum *Tramadol-Hydrochlorid gegen mäßig starke bis starke Schmerzen. *B.:* durachemie.

Tramagetic® (Rp). Ampullen, (Brause-)Tabl., Kapseln, Tropfen u. Suppositorien mit dem *Analgetikum *Tramadol-Hydrochlorid gegen mäßig starke bis starke Schmerzen. *B.:* Azupharma.

Tramagit® (Rp). Ampullen, Tabl., Tropfen u. Suppositorien mit dem *Analgetikum *Tramadol-Hydrochlorid gegen mäßig starke bis starke Schmerzen. *B.:* Krewel Meuselbach.

Tramal® (Rp). Ampullen, Tropfen, Kapseln u. Suppositorien mit *Tramadol-hydrochlorid gegen starke Schmerzen. *B.:* Grünenthal.

Tramazolin.

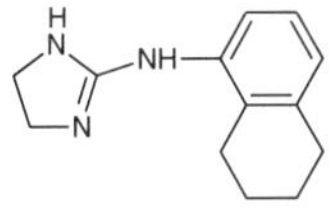

Internat. Freiname für das als *Vasokonstriktor u. α-*Sympath(ik)omimetikum wirksame *N*-(5,6,7,8-Tetrahydro-1-naphthyl)-4,5-dihydro-1*H*-imidazol-2-amin, $C_{13}H_{17}N_3$, M_R 215,29, Krist., Schmp. 142–143 °C. Verwendet wird meist das Hydrochlorid-Monohydrat, Schmp. 172–174 °C, λ_{max} (CH$_3$OH) 265, 273 nm ($A_{1cm}^{1\%}$ 25,3, 21,7). T. wurde 1965 von Thomae (Rhinospray®, Boehringer Ingelheim) patentiert u. ist auch von Alcon (Biciron®, Ellatun®) im Handel. – *E* = *F* tramazoline – *I* = *S* tramazolina

Lit.: Hager (5.) **9**, 1006 f. ▪ Martindale (31.), S. 1594. – *[HS 2933 29; CAS 1082-57-1 (T.); 3715-90-0 (Hydrochlorid)]*

Tramundin® (Rp). Ampullen, Retardtabl., Kapseln, Tropfen u. Suppositorien mit dem *Analgetikum *Tramadol-Hydrochlorid gegen mäßig starke bis starke Schmerzen. *B.:* Mundipharma.

Trandolapril (Rp).

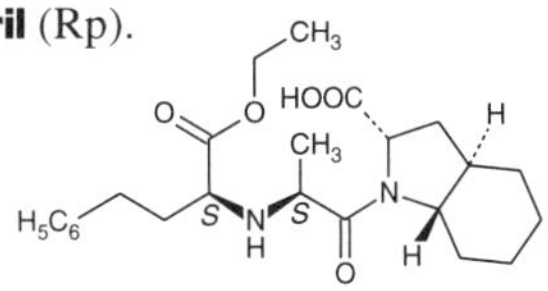

Internat. Freiname für das *Antihypertonikum, ein *ACE-Hemmer, (2*S*,3a*R*,7a*S*)-1-{*N*-[(*S*)-1-(Ethoxycarbonyl)-3-phenylpropyl]-L-alanyl}octahydro-1*H*-indol-2-carbonsäure, $C_{24}H_{34}N_2O_5$, M_R 430,54, Schmp. 125–128 °C λ_{max} (C$_2$H$_5$OH) 253, 259, 264, 268 nm ($A_{1cm}^{1\%}$ 230, 230, 170, 150), $[\alpha]_D^{20}$ –17° bis –19° (c 2/C$_2$H$_5$OH), LD_{50} (weiblich, Maus oral) 3990 mg/kg. T. wurde 1983 von Hoechst (Udrik®, HMR) patentiert u. ist auch von Knoll (Gopten®) im Handel. – *E* = *F* = *I* = *S* trandolapril

Lit.: ASP ▪ Drugs **48**, 71–90 (1994) ▪ Martindale (31.), S. 957 ▪ Merck-Index (12.), Nr. 9703 ▪ Pharm. Ztg. **140**, 2680–2683 (1995). – *[HS 2933 90; CAS 87679-37-6]*

Trane. In rohem Zustand hellgelbe bis braune, fischartig riechende fette Öle, die aus dem Fettgewebe od. aus den *Lebern großer Meeressäugetiere (Robben, Wale, Walrosse, Delphine) od. auch aus *Fischen (Dorsch-, Hai-, Herings- u. Sardinentran) durch Auspressen od. Erhitzen mit kochendem Wasser od. Dampf gewonnen werden. Im allg. werden *Heringsöl, Menhadenöl, Sardinenöl etc. als *Fischöle, weniger als T. bezeichnet. *Lebertran stammt aus den Lebern von

Dorsch, Heilbutt u. a. Fischen. Aus dem Pottwal werden keine eigentlichen T., sondern das sog. *Spermöl gewonnen, aus dem sich der *Walrat absetzt. Die T. enthalten neben Olein u. Stearin auch Glyceride von (mehrfach) ungesätt. Fettsäuren wie der Clupanodonsäure, Palmitoleinsäure u. dgl. Roher *Waltran* (*Walöl*) besteht z. B. zu rund 80% aus ungesätt., leicht ranzig werdenden, mit Glycerin veresterten Fettsäuren mit 16–22 C-Atomen u. aus 20% gesätt. Fettsäuren mit 12–18 C-Atomen; ein Wal von ca. 120 t Gew. liefert bis zu 28 t Waltran. Durch katalyt. Hydrierung kann man die übelriechenden T. in nahezu geruchfreie, feste Fette umwandeln (*Fetthärtung*).
Verw.: Bei Eskimos als Nahrungsfett, zu Beleuchtungszwecken sowie als Lederfett (vgl. Degras), zur Herst. von *Sämischleder (*Trangerberei*), Lickern, Margarine, Seifen. Da das Angebot an Waltran infolge der (begrüßenswerten) Reduktion der Fangquoten zurückgeht, muß u. kann der Fettbedarf aus anderen Quellen – *Beisp.*: *Jojoba-Öl als Substitut für Spermöl – gedeckt werden. – *E* whale oils – *F* huiles de baleine (poisson) – *I* oli di pesce – *S* aceites de pescado (ballena)
Lit.: s. Fette u. Öle, Fischöle.

Tranexamsäure (Rp).

H₂N–CH₂–[cyclohexane]–COOH

Internat. Freiname für die antifibrinolyt. als *Hämostyptika wirksame *trans*-4-(Aminomethyl)-cyclohexancarbonsäure, $C_8H_{15}NO_2$, M_R 157,21, Krist., Erweichung bei 270 °C, Zers. bei 386–392 °C, pK_{a1} 4,5, pK_{a2} 10,5, LD_{50} (Maus i.v.) 1500 mg/kg; gut lösl. in Wasser, sehr wenig in Alkohol, Ether, unlösl. in den üblichen organ. Lösemitteln. T. wurde 1965 u. 1970 von Daiichi Seiyaku patentiert u. ist von Knoll (Anvitoff®), Pharmacia & Upjohn (Cyklokapron®) u. Bayer (Ugurol®) im Handel. – *E* tranexamic acid – *F* acide tranexamique – *I* acido tranesamico – *S* ácido tranexámico
Lit.: ASP ▪ Beilstein E III **14**, 868 ▪ Hager (5.) **9**, 1007 f. ▪ Martindale (31.), S. 771 f. ▪ Ph. Eur. **1997** u. Komm. – *[HS 2922 49; CAS 1197-18-8]*

Tranquase® (Rp).
Tabl. mit *Diazepam gegen Spannungs- u. Angstzustände. *B.*: Azuchemie.

Tranquilityit
s. Mondgestein.

Tranquilizer
(Tranquillantien, von latein.: tranquillitas = Ruhe, Gemütsruhe, Windstille). Aus dem Engl. übernommene Bez. für eine Gruppe von *Psychopharmaka gegen Angst-, Spannungs- u. Unruhezustände (Anxiolytika, Psychorelaxantien). Die von Fabing eingeführte Bez. Ataraktika ist von griech.: ataraxia = Unerschütterlichkeit hergeleitet.
Wirkung: Die zentral sedierenden T. wirken vorwiegend auf die Gemütslage; sie sollen bei geeigneter Dosierung die Konzentrationsfähigkeit, das Denkvermögen u. die Arbeitsleistung kaum beeinflussen u. nicht antipsychot. wirken. Meist haben sie auch schlafanstoßende, muskelrelaxierende u. antikonvulsive Wirkung. T. lassen die autonomen Funktionen (z. B. den *Kreislauf) weitgehend unbeeinflußt, potenzieren jedoch die Wirkung von Alkohol, Narkotika u. Schlafmitteln. Von den T. abzugrenzen sind die antipsychot. *Neuroleptika ('Major Tranquilizers') u. die stimmungsaufhellenden *Antidepressiva (s. a. Thymoleptika).
Chem. Klassifizierung: Die T. lassen sich (*Beisp.:* in Klammern) chem. in die Gruppen der abgewandelten Benzhydrylamine (*Hydroxyzin), *Carbamate (*Meprobamat) u. die *1,4-Benzodiazepine (*Diazepam u. viele andere) gliedern. Letztere sind die bei weitem wichtigste T.-Gruppe. *Wirkungsmechanismus:* Benzodiazepine greifen als pos. alloster. Modulatoren am Chlorid-Kanal GABAerger-Synapsen im Zentralnervensyst. an u. verstärken die dämpfende Wirkung des Neurotransmitters 4-*Aminobuttersäure.
Nebenwirkungen: Aufgrund der allg. dämpfenden Wirkung kommt es zu Müdigkeit u. eingeschränkter Leistungsfähigkeit. Bes. verbreitet ist eine Gewohnheitsbildung, wobei Konfliktsituationen u. Verstimmung ständig durch T. überdeckt, aber nicht gelöst werden.
Analytik: Da T. vielfach in der Tierzucht zur Streßkontrolle eingesetzt werden, muß dem Problem der Rückstandsbildung im Fleisch u. der Einschleppung über Nahrungsmittel Aufmerksamkeit geschenkt werden. – *E* tranquil(l)izers – *F* tranquillisants – *I* tranquillanti – *S* tranquilizantes
Lit.: Arnold et al., Analytik von Rückständen pharmakologisch wirksamer Stoffe (Lebensmittelchemie, Lebensmittelqualität Bd. 13), Hamburg: Behr 1988 ▪ Goodman u. Gilman, The Pharmacological Basis of Therapeutics, S. 420–430, New York: McGraw-Hill 1996 ▪ Klotz u. Laux, Tranquillantien (Med.-Pharm. Komp. 1), Stuttgart: Wissenschaftliche Verlagsges. 1996 ▪ Pharm. Unserer Zeit **11**, 161–176 (1982) ▪ Schütz, Benzodiazepines, Berlin: Springer 1982, 1989 ▪ Ullmann (4.) **18**, 96 ff.; (5.) **A 13**, 536 f. ▪ s. a. 1,4-Benzodiazepine u. Psychopharmaka.

Tranquillantien s. Tranquilizer.

trans-
[von latein.: trans = über ... hin(aus), jenseits]. Kursive Stereobez. für *Konfigurationen mit zwei bestimmten Atomen od. Resten auf entgegengesetzten Seiten definierter Mol.-Ebenen (IUPAC-Regeln E-2, 3 u. R-7.1.1); Abk. im Fall mehrfacher *cis-trans-Isomerie im Mol.: *t-* (vgl. r); *Gegensatz:* *cis-, c-*. Für die Geometrie von Doppelbindungen ist besser definierte Bez. mit *E-/*Z- üblich (*Ausnahme:* Halbsystemat. Stammnamen für *Carotinoide u. *Retinoide bezeichnen *all-trans*-konfigurierte Polyen-Syst., *cis*-Isomere benennt man mit *Lokant u. *cis-*; s. a. Sehprozeß). Für Ringsyst. mit zwei Stereozentren ist die Bez. mit *cis-/trans-* allg. üblich; *Beisp.:* *Decalin, *4-Hydroxy-L-prolin. Bei 3 u. mehr Stereozentren ist die für *Alkaloide, *Steroide u. oligocycl. höhere Terpene u. bei CAS allg. eingeführte Bez. mit *α-/*β- üblich, für verbrückte Ringsyst. dagegen *endo.../*exo... u. *anti-/*syn-*. Für quadrat.-planare u. oktaedr. Metall-*Komplexe der Art MX_2Y_2, MX_2YZ od. MX_2Y_4 ist *cis-/trans-* günstiger als umständlich systemat. Stereobez. (IUPAC-Regel I-10.5.1; s. a. fac-*u.* mer-); *Beisp.:* *Cisplatin, *trans*-Effekt (s. Substitution). Den ster. Verlauf der *Addition an Alkine od. *Eliminierung zu Alkinen benennt man mit *trans-/cis-* (für Alkene: *anti-/syn-* = anti-/synperiplanar, *ap-/sp-*; s. cis, cisoid u. Konformation). Zur Bez. *s-trans* od. transoid s. cis u. cisoid. – *E* = *F* = *I* = *S* trans-

Transacetylasen s. Transacylasen.

Transactinoide. Bez. für die sich an die *Actinoide anschließenden, überschweren *chemischen Elemente mit den Ordnungszahlen 104–121, von denen bis jetzt lediglich die Elemente *Rutherfordium* (104, bislang *Kurtschatovium*), *Dubnium* (105, in USA, z. B. von CAS als *Hahnium bezeichnet), *Seaborgium, Bohrium* (CAS: *Nielsbohrium), *Hassium, Meitnerium* (106–109) durch *Kernreaktionen künstlich erzeugt wurden, letztere nur in Form weniger Atome[1]. Zu den aus latein./griech. Zahlwörtern abgeleiteten Namen, die bis zur endgültigen Namensgebung von der IUPAC empfohlen wurden, s. *Lit.*[2] u. Transurane; dort auch Näheres zur Synth. u. Identifizierung.
Eine Übersicht über die bisher erzeugten Isotope der T. gibt die Abbildung unten.
Bei den T. sind alle Elektronenschalen bis einschließlich 5 f, 6 p, 7 s voll besetzt. In Analogie zur Komplettierung der 5 d-Schale bei den Elementen Hafnium bis Quecksilber dienen die neu hinzutretenden (die zunehmenden Kernladungen kompensierenden) Elektronen zunächst zur Auffüllung der 6 d-Schale. Wenn diese beim Element 112 mit 10 Elektronen komplett ist, treten die weiter einzubauenden Elektronen in die 7 p-Schale (6 Elektronen bis Element 118, ein Edelgas) u. in die 8 s-Schale (2 Elektronen bis Element 120, formal ein Erdalkalimetall) ein. Obgleich aufgrund des gängigen Energieniveau-Schemas die weitere Besetzung in der Reihenfolge 5 g, 6 f, 7 d, 8 p erfolgen sollte, läßt sich dies nicht sicher voraussagen, weil die Unterschiede zwischen den Energieniveaus sehr klein sein werden. Insbes. die Existenz von getrennten 5 g- u. 6 f-Reihen ist fraglich[3,4]. Aus theoret. Berechnungen, die auf der Extrapolation des *Periodensystems beruhen, lassen sich die hypothet. Eigenschaften der T. ablesen[3]. An das Element 121 sollen sich nach *Lit.*[5] die *superschweren Elemente* (*Superactinoide, Elemente 122–153) anschließen. Im Hinblick auf die Synth. von weiteren T. u. von Superactinoiden erwartet man aufgrund theoret. Überlegungen eine bes. Stabilität für Kerne, deren Protonen- od. Neutronenzahlen *magischen Zahlen* entsprechen, bei *Protonen 114, 124 u. 164, bei *Neutronen 184, 196, 236, 272, 318. *Doppelmag. Kerne* würden die Elemente $^{298}_{114}$Eka-Blei u. $^{482}_{164}$Eka-Eka-Blei (Dvi-Blei) besitzen. Bildlich spricht man von derartigen Nukliden als von „Inseln der Stabilität in einem Meer der Instabilität". Heute beurteilt man die Chancen, T. herstellen od. Überreste von ihnen in der Natur auffinden zu können, als äußerst gering; Näheres s. *Lit.*[1,6]. – *E* transactin(o)ides – *F* transactinoïdes – *I* transattinoidi – *S* transactinoides

Lit.: [1] Phys. Unserer Zeit **21**, 30–35 (1990); www://http.shef.ac.uk/chemistry/web-elements. [2] Pure Appl. Chem. **51**, 381–384 (1979). [3] Struct. Bonding (Berlin) **21**, 89–144 (1975). [4] Chem. Labor Betr. **32**, 152f. (1981); Huheey, Keiter u. Keiter, Anorganische Chemie, Prinzipien von Struktur u. Reaktivität (2.), S. 725 ff., Berlin: de Gruyter 1995. [5] Phys. Bl. **44**, 359–366 (1988). [6] Chem. Ztg. **110**, 233–249 (1986).
allg.: s. Transurane.

Transacylasen (Acyltransferasen, EC 2.3). Zu den *Transferasen gehörende u. in Bakterien u. tier. Geweben, bes. in Leber, häufig anzutreffende Enzyme, die Acyl-, insbes. Acetyl-Reste übertragen (Transacylierung). Diese *Transacetylasen* (Acetyltransferasen) spielen eine bes. Rolle im *Citronensäure-Cyclus, in der *Acetylcholin-Bildung u. im Auf- u. Abbau der *Fettsäuren u. der Fette, wobei sie Acetyl-Gruppen auf od. von *Coenzym A übertragen. Eine weitere wichtige Untergruppe stellen die *Transpeptidasen. – *E* = *F* transacylases – *I* transacilasi – *S* transacilasas

Transaldolase (EC 2.2.1.2). Eine *Transferase (M_R 34000), die im *Pentosephosphat-Weg die Übertragung der Dihydroxyacetonyl-Gruppe:

$$\overset{OH}{|}\overset{O}{\|}$$
$$-CH-C-CH_2OH$$

von D-Sedoheptulose-7-phosphat auf D-Glycerinaldehyd-3-phosphat bewirkt u. diese so mit D-Fructose-6-phosphat u. D-Erythrose-4-phosphat ins Gleichgew.

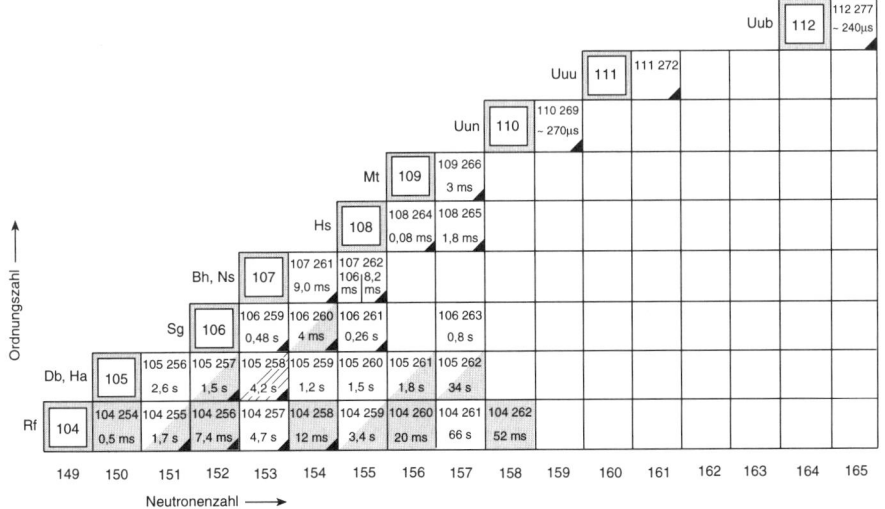

Abb.: Halbwertszeit der Transactinoiden; die Massenzahl der verschiedenen Isotope steht oben rechts; die 14 von der GSI (Darmstadt) identifizierten Isotope sind jeweils unten rechts mit einem kleinen Dreieck gekennzeichnet; weiße Felder: α-Zerfall; gerastert: Spontanspaltung; Schraffur: Elektroneneinfang (nach *Lit.*[1]).

setzt. Während des Transfers bildet die Gruppe eine Schiffsche Base mit einem L-Lysin-Rest des Enzyms. – *E* = *F* transaldolase – *I* transaldolasi – *S* transaldolasa

Lit.: Karlson et al., Kurzes Lehrbuch der Biochemie, 14. Aufl., S. 228 f., Stuttgart: Thieme 1994 ▪ Stryer 1996, S. 591 ff., 597.

Transaminasen (Aminotransferasen, EC 2.6.1). Eine Gruppe von in tier. u. pflanzlichen Geweben, Hefen, Bakterien häufigen *Transferasen (M_R 40 000 – 300 000), die Amino-Gruppen übertragen, also *Transaminierung (*Desaminierung/*Aminierung) bewirken. Zumeist wird mit Hilfe von 2-Oxoglutarsäure als Amino-Gruppen-Empfänger die 2-Amino-Gruppe verschiedener *Aminosäuren gegen eine Oxo-Gruppe ausgetauscht nach dem Schema:

L-2-Aminosäure + 2-Oxoglutarsäure
⇌ L-Glutaminsäure + 2-Oxosäure.

Als Coenzym der enzymat. Transaminierung fungiert *Pyridoxal-5′-phosphat, das intermediär reversibel in das 5′-Phosphat des *Pyridoxamins umgewandelt wird (vgl. Vitamin B_6). Die T. werden gehemmt durch Chinone, Hydrochinone u. Schwermetall-Ionen wie z. B. Kupfer-, Quecksilber- u. Silber-Ionen. In der Diagnostik der *Hepatitis bzw. des *Herz-Infarkts ist die Konz. der beiden T. GOT bzw. GPT (Glutamat-Oxalacetat- bzw. -Pyruvat-T.; s. Glutaminsäure; heute Aspartat- bzw. 4-Aminobutyrat-Aminotransferase genannt) ein bes. wichtiges Kriterium. Leberschäden können durch erhöhte Serum-Konz. an Alanin-Aminotransferase erkannt werden [1]. – *E* = *F* transaminases – *I* transamminasi – *S* transaminasas

Lit.: [1] Regul. Toxicol. Pharmacol. **27**, 119–130 (1998). *allg.:* Karlson et al., Kurzes Lehrbuch der Biochemie, 14. Aufl., S. 174, 213, Stuttgart: Thieme 1994 ▪ Stryer 1996, S. 665 f.

Transaminierung. Bez. für die Übertragung von Amino-Gruppen (–NH_2) von einem Substrat auf ein anderes. Zwar sind auch Beisp. nichtenzymat. T. bekannt, doch konzentriert sich das Interesse auf die vornehmlich in der Leber stattfindenden, von *Transaminasen bewirkten T., die im tier. *Stoffwechsel die Umwandlung von L-*Aminosäuren in *Oxocarbonsäuren u. umgekehrt sicherstellen u. damit Querverb. zwischen dem Protein- u. dem Kohlenhydrat- bzw. Fettstoffwechsel herstellen. *Beisp.* s. Transaminasen. – *E* = *F* transamination – *I* transamminazione – *S* transaminación

Lit.: s. Transaminasen.

Transannular (von *trans- u. einer veralteten od. fehlerhaften Schreibweise von latein.: anulus = Ring). Unter *t. Effekten* bei *Ringsystemen versteht man die Erscheinung, daß Substituenten am Ring od. reaktive (radikal., ion., ungesätt.) Ringglieder nicht (nur) mit Nachbargruppen, sondern (auch) mit weiter entfernten Gruppen – „über den Ring hinweg" – in Beziehung (*Ringreaktion) treten können. Derartige *t. Wechselwirkungen* sind häufig zu beobachten bei *mittleren Ringen u. *makrocyclischen Verbindungen, bei denen allerdings eine vorteilhafte Konformation der Ringe vorhanden sein muß, bei *Cyclophanen u. *Annulenen. Beisp. für t. Effekte s. Abb. 1 u. 2.

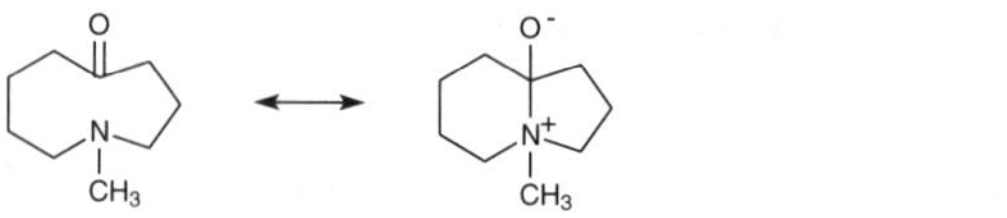

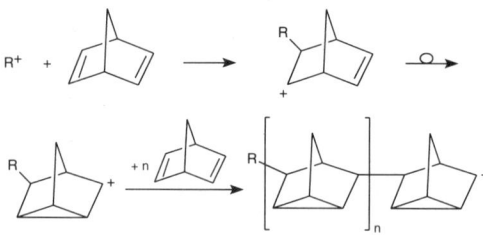

Abb. 1: Transannulare Beeinflussung einer Carbonyl-Gruppe; durch spektroskop. Meth. u. Dipolmessung nachweisbar.

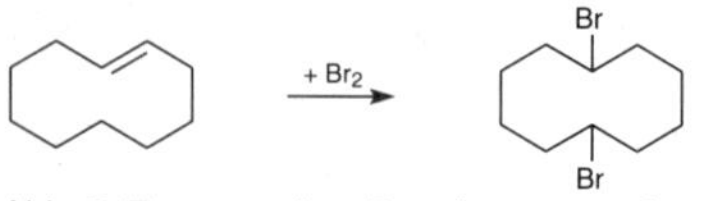

Abb. 2: Transannulare Bromierung von Cyclodecen.

Man faßt heute manchmal die – vorteilhaft mittels *Photoelektronen-Spektroskopie zu untersuchenden – *Nachbargruppeneffekte, t. u. *Through Space-Wechselwirkung als *Proximitätseffekte* zusammen. – *E* transannular – *F* transannulaire – *I* transanulare – *S* transanular

Lit.: Angew. Chem. **95**, 281–313 (1983) ▪ Top. Curr. Chem. **74**, 1–29 (1978) ▪ Z. Chem. **19**, 170–181 (1979).

Transannulare Polymerisation. Bez. für die *Polymerisation von nicht-konjugierten, cycl. (oft bicycl.) Dienen, während der eine Isomerisierung des aktiven Zentrums unter Einbeziehung der zweiten Doppelbindung erfolgt. Diese führt zu einer Verknüpfung der Monomereinheiten über den Ring hinweg. Dieser Prozeß wird z. B. bei der kation. Polymerisation von Norbornadien beobachtet:

– *E* transannular polymerisation – *F* polymerisation transannulaire – *I* polimerizzazione transanulare – *S* polimerización transanular

Transannulare Spannung. In *mittleren Ringen (7–13 Ringglieder) u. 5-Ringen treten im Gegensatz zum 6-Ring, selbst wenn alle Bindungen in der *Gauche-*Konformation vorliegen, Wechselwirkungen zwischen den axialen Ringwasserstoff-Atomen auf, da der diesen zur Verfügung stehende Platz nicht ausreicht. Diese Wechselwirkungen führen zu der sog. t. S., die reduziert werden kann, wenn der Ring eine andere Konformation einnimmt. Dies verursacht jedoch eklipt. od. teilw. eklipt. Konformationen, die zur sog. *Pitzer-Spannung* führen. In cycl. Syst. ist die t. S. daher ein Teil der Gesamtringspannung, zu der neben der Pitzer-Spannung auch die *Baeyer-Spannung gehört. – *E* transannular strain – *F* tension (constrainte) transannulaire – *I* tensione transanulare – *S* tensión transanular

Lit.: March (4.), S. 155 ▪ Russ. Chem. Rev. **29**, 214–235 (1960) ▪ s. a. Stereochemie.

Transbronchin® (Rp). Kapseln, Granulat u. Sirup mit *Carbocistein-Natrium zur Schleimlsg. bei Bronchitiden. *B.:* Asta Medica.

Transcobalamine s. Coenzym B_{12}, Vitamin B_{12}.

Transcortin s. Corticosteroide.

Transcriptasen s. Polymerasen.

Transdermales Therapeutisches System s. therapeutische Systeme.

Transducin (Transductase). Am *Sehprozeß beteiligtes *G-Protein (M_R 82 000, Quartär-Struktur $\alpha\beta\gamma$, Kurzz. für T. auch: G_t). T. koppelt die Erregung des Photorezeptors *Rhodopsin an die Aktivierung einer Phosphodiesterase, die Guanosin-3′,5′-monophosphat (s. Guanosinphosphate) abbaut. Die γ-Untereinheit trägt einen essentiellen Farnesyl-Rest (vgl. Farnesol) am Schwefel-Atom einer L-Cystein-Seitenkette. – E transducin – F transducine – I = S transducina
Lit.: Cell **76**, 201–204 (1994) ▪ Science **282**, 117–121 (1998) ▪ Stryer 1996, S. 354–357.

Transductase s. Transducin.

Transduktion. Bei Bakterien Mechanismus für den Gen-Transfer zwischen verschiedenen Individuen einer Spezies, wobei Sequenzen der DNA einer Donor-Zelle von Bakteriophagen (s. Phagen), in die Empfänger-Zelle transportiert werden, wo *Rekombination möglich ist. Unterschieden wird zwischen *spezieller* od. *spezif. T.* (E specific transduction), bei der die bakterielle DNA-Sequenz nur bestimmte Abschnitte des Virus-Genoms ersetzt. Häufiger tritt die *allg.* od. *unspezif. T.* (E generalized transduction) auf, bei der bakterielle DNA in die Phagen-Hülle gepackt wird u. das Phagen-Genom vollständig ersetzt. In beiden Fällen ist der transduzierende Phage defekt u. unfähig, den lyt. Infektions-Cyclus (s. temperente Phagen) in der Wirtszelle zu starten. – Die Übertragung von Eukaryonten-Genen durch *Retroviren wird ebenfalls als T. bezeichnet. – E = F tranduction – I trasduzione – S transducción
Lit.: Adv. Pharmacol. **40**, 259 (1997) ▪ Knippers (7.), S. 100 f. ▪ Nat. Biotechnol. **15**, 866 (1997) ▪ Schlegel (7.), S. 500 ff.

Trans-Effekt s. Substitution.

Transfektion s. Zell-Adhäsionsmoleküle.

Transfer. In den Umweltwissenschaften Bez. für den Übergang von Stoffen zwischen verschiedenen Phasen; vgl. Wärmeübertragung. Die Tendenz einer Substanz, die Phase, in der sie sich befindet, zu verlassen, bezeichnet man als Fugazität[1]. T. kann zwischen allen Umweltmedien stattfinden; dabei ist der T. sowohl von der Beschaffenheit des Stoffs als auch von der seiner Umweltmedien abhängig. T. wird in der Regel unterschieden vom (weiträumigeren) *Transport mit od. in einer Phase. Allerdings beeinflussen T.-Prozesse die Verteilung u. Ausbreitung[2] (den Transport) der Stoffe in der Umwelt entscheidend u. bestimmen mit, ob unerwünschte Wirkungen auftreten können. Einige physikal. Größen zur Beschreibung des T.-Verhaltens (s. Tab.) spielen deshalb eine wichtige Rolle bei der *Risiko-Bewertung von Stoffen.
Die Abb. zeigt typ. T.-Prozesse zwischen Umweltkompartimenten u. wichtige ökolog. u. physikal. Bezeichnungen. Nach ihrem T. in Luft, Wasser u. Organismen können Stoffe gasf., in Lösung od. als Feststoff bzw. an Feststoffe sorbiert transportiert werden. Zu den

Tab.: Einige Bez. für Transfer-Prozesse.

Phasenübergang	typ. Bez.
fest → flüssig	Löslichkeit, *Desorption (s. Sorptionskoeffizient)
fest → gasf.	Desorption (s. Sorptionskoeffizient), Volatilisation
flüssig od. gasförmig → fest	*Absorption, *Adsorption, *Sorption (s. Sorptionskoeffizient)
flüssig → gasf.	Volatilisation (s. Henrysches Gesetz)
gasförmig → flüssig	Absorption, Kondensation

Transportprozessen gehören z. B. Advektion, *Dispersion [einschließlich Vermischung durch turbulente Strömungen (mixing)], *Diffusion u. *Sedimentation. In der *Atmosphäre sind Winde für den grenzüberschreitenden Transport von Schadstoffen relevant. Vulkanausbrüche dispergieren Aerosole bis in die Stratosphäre. *Inversions-Wetterlagen u. die Pausen der Atmosphäre stellen Bereiche mit relativ geringem T. dar. In der Hydrosphäre können Meeresströmungen u. Fließgewässer einen Ferntransport bewirken. Chemoklinen (s. Sprungschicht) sind dort Bereiche geringen Stoffaustauschs. Im Boden werden Stoffe durch *Bodenwasser u. Bodenluft transportiert. Mit dem Boden u. a. Feststoffen werden Stoffe in der Atmosphäre (s. Staub, Schwebstaub u. Erosion), in od. durch Wasserströmungen (s. Schwebstoffe), in od. durch Organismen [Geophagen[3] (Substratfresser), Bioturbation[4]] transportiert, in geringem Maß auch durch Bodengleiten u. ähnliche Vorgänge.

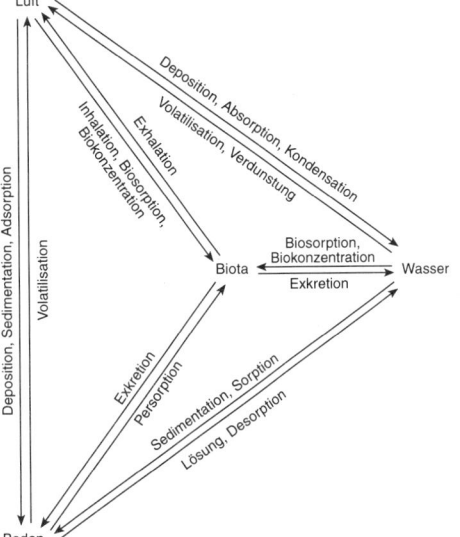

Abb.: Beisp. für Transfers zwischen Umweltkompartimenten.

Für die Stoffaufnahme sind in Wirbeltieren die Alveolen der *Lunge, die Haut, Bindehäute u. der Verdauungstrakt, bei Bakterien die gesamte Zelloberfläche mit ihren Transportmechanismen, bei Insekten die Tracheen, bei Fischen die Kiemen u. bei Pflanzen die Blätter bes. wichtig. Dabei spielen Diffusion, *aktiver Transport, *Phagocytose (Bakterien, Einzeller)

u. Persorption (Aufnahme von Partikeln durch Schleimhäute) eine wesentliche Rolle. Der T. von Stoffen im Menschen ist ein Arbeitsgebiet der *Toxikologie u. der *Pharmakokinetik. – *E* transfer – *F* transfert – *I* transferimento, transfer – *S* transferencia

Lit.: [1] Fent, Ökotoxikologie, S. 26, Stuttgart: Thieme 1998. [2] Vogl et al. (Hrsg.), Handbuch des Umweltschutzes (3.), II-3, Landsberg: ecomed Loseblatt-Sammlung seit 1992 (Stand 1998). [3] Schachtschabel et al. (Hrsg.), Lehrbuch der Bodenkunde – Scheffer u. Schachtschabel (13.), S. 85–89, Stuttgart: Enke 1992. [4] Römpp Lexikon Umwelt, S. 120 (Bioturbation), 185 (Destruenten).

Transferasen [von latein.: transferre = (hin)übertragen]. In der *IUBMB-Klassifikation der *Enzyme stellen die T. die 2. Hauptgruppe dar. Sie übertragen Atom-Gruppen von einem Donor-Mol. auf einen Akzeptor. Die systemat. Namen werden gebildet nach dem Muster Donor:Akzeptor-Gruppentransferase. Nach der Natur der übertragenen Gruppen unterscheidet man: Ein-Kohlenstoff-Gruppen-übertragende (EC 2.1, z.B. *Methyltransferasen, *Aspartat-Transcarbamoylase), Aldehyd- od. Keton-Reste-übertragende (EC 2.2, z.B. *Transaldolase, *Transketolase), Acyltransferasen (EC 2.3, z.B. Transacetylasen, s. Transacylasen), Glykosyltransferasen (EC 2.4, z.B. Glykogen-Phosphorylase, s. Phosphorylase), Alkyltransferasen (EC 2.5), Stickstoff-Gruppen-übertragende (EC 2.6, z.B. *Transaminasen), Phosphor-Gruppen-übertragende (EC 2.7, z.B. *Kinasen), Schwefel-Gruppen-übertragende (EC 2.8, z.B. *Rhodanese) u. Selen-haltige Gruppen übertragende (EC 2.9, z.B. L-Seryl-tRNA^{Sec}-Selen-T., EC 2.9.1.1). Es gibt auch intramol. wirksame T. wie z.B. die Phosphat-Gruppen-übertragenden Mutasen, die der Subklasse 5.4 der *Isomerasen zugerechnet werden. – *E* transferases – *F* transférases – *I* transferasi – *S* transferasas

Lit.: Enzyme Nomenclature, Recommendations (1992) of the Nomenclature Committee of the International Union of Biochemistry and Molecular Biology, San Diego: Academic Press 1992.

Transferdruck s. Dispersionsfarbstoffe u. Textildruck.

Transferpressen s. Spritzpressen.

Transfer-Ribonucleinsäuren [tRNA, t-RNA, früher tRNS; aufgrund der Löslichkeit im Cytoplasma ursprünglich auch als soluble RNA (sRNA) bezeichnet]. Kurzkettige *Ribonucleinsäuren (73–93 Basen Länge; M_R 24000–28000), die bei Pro- u. Eukaryonten mit einem Anteil von 5–10% an der Gesamt-RNA der Zelle vorkommen. tRNA wirken als Adapter-Mol. bei der Protein-Biosynth., die die einzelnen Aminosäuren mittels Aminoacyl-tRNA-Synthetasen unter ATP-Verbrauch aktivieren u. binden u. zum Messenger-Ribonucleinsäure (mRNA)-/*Ribosomen-Komplex transportieren (*Aminoacyl-tRNA), wo sie auf die wachsenden Peptid-Ketten übertragen werden (Peptidyl-tRNA): Zum Vorgang am Ribosom mit A- u. P-Bindungsstellen s. Translation.

Die Sequenzen einiger hundert analysierter tRNA-Mol. aus Bakterien u. Eukaryonten haben eine Kleeblattähnliche Sekundärstruktur gemeinsam (s. Abb.).

Es gibt allg. Strukturmerkmale, so daß bestimmte Sequenzen nach Struktur od. Funktion benannt werden.

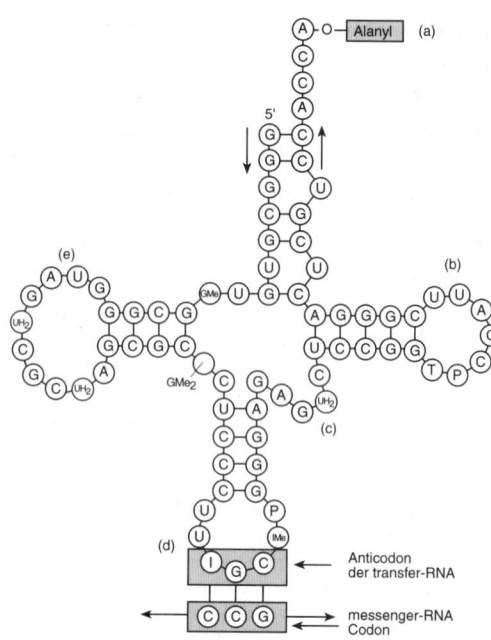

Abb.: Die Struktur der Alanin-spezif. tRNA^{ala} aus *Escherichia coli* mit der gesamten Nucleotidsequenz. GCC: Codon; IGC: Anticodon; P = Pseudouridin; UH$_2$ = Dihydrouridin; T = Ribothymidin; GMe = Methylguanosin; GMe$_2$ = Dimethylguanosin; IMe = Methylinosin; weitere Details s. Text.

Der *Aminosäure-Acceptor-Arm* (a) mit einem ungepaarten CCA-3'-Ende (Aminosäure-Bindung); die *Pseudouridin-Schleife* (b); der sog. *Extra-Arm* (c) als der variabelste Teil mit 3–5 Nucleotiden bei 75% aller tRNA (Klasse 1-tRNA) bzw. 13–21 Basen bei den sog. Klasse 2-tRNA; der *Anticodon-Arm* (d) zur Bindung der *Codon-Region der mRNA; der *D-Arm* (Dihydrouridin-Schleife) (e). Die Tertiärstruktur zeigt die tRNA als L-förmige Körper. Auffällig ist, daß die tRNA eine Reihe von ungewöhnlichen Pyrimidinen u. Purinen enthält[1], z.B. Pseudouridin, 1-Methylguanin, 5-Methylcytosin, 5,6-Dihydrouracil, Inosin, Thiouracil, N^6-Isopentenyladenosin u. Queuosine, deren biolog. Bedeutung noch nicht bekannt ist. Eine Alanin-übertragende Hefe-tRNA^{ala} konnte 1982 chem. synthetisiert werden[2]. Das prim. Transkriptionsprodukt der tRNA-Gene (t-DNA) ist länger als die fertige tRNA u. enthält noch nicht die modifizierten Nucleotide. Aus der Vorläufer-RNA werden in mehreren Schritten die einzelnen tRNA-Sequenzen herausgeschnitten, gleichzeitig dazu setzt die enzymat. Modif. zu den atyp. Basen ein. Das aus 3 Nucleotiden bestehende Anticodon jeder tRNA paart während der *Translation am entsprechenden Codon der mRNA (s. a. genetischer Code). Die Codon-Anticodon-Paarung erfolgt nur für die Positionen 1 u. 2 des Anticodons. Nach der von Crick aufgestellten *Wobble-Hypothese* können in der 3. Position auch nicht-klass. Basenpaarungen stattfinden (Inosin-U, Inosin-C, Inosin-A, G-U, U-G). Auf diese Weise können einzelne tRNA mit mehreren Codonen paaren, so daß die Zelle nicht für alle 61 Aminosäure-Codonen jeweils eine spezif. tRNA benötigt, in der Regel werden 30–40 tRNA-Spezies nachgewiesen. – *E* transfer ribonucleic acids – *F* acides ribonucleïques de

transfert – *I* acidi ribonucleici transfer – *S* ácidos ribonucleicos de transferencia
Lit.: [1] Biochimie **79**, 293 (1997). [2] Acc. Chem. Res. **17**, 393 (1984).
allg.: Annu. Rev. Biochem. **56**, 1125 (1987) ▪ Biochimie **78**, 381 (1996) ▪ Knippers (7.), S. 56 ff. ▪ Schlegel (7.), S. 40 ff. ▪ Stryer 1996, S. 921 ff.

Transferrin (Serotransferrin). Ein im *Serum enthaltenes, in seiner Zusammensetzung tierartspezif. Nichthäm-*Eisen- u. *Glykoprotein, das bei der elektrophoret. Trennung der *Serumproteine mit den β-Globulinen wandert. Beim Menschen, der etwa 7,5 g T. enthält, macht dieses 3–7% der Plasmaproteine aus. Human-T. (M_R 77 000) ist in konz. Lsg. tief rotbraun, verdünnt lachsrot u. enthält neben anderen Monosacchariden 4–6 Mol. Sialinsäure pro Mol. Protein in glykosid. Bindung sowie Hydrogencarbonat.
Biolog. Funktion: Während *Ferritin für die intrazelluläre Speicherung von Eisen zuständig ist, hat T. die Funktion eines *Eisen-Überträgers in die Zelle; es bindet reversibel 2 Eisen(III)-Ionen, die bei der *Erythropoese* (Bildung der *Erythrocyten) in der *Milz benötigt bzw. beim Erythrocyten-Abbau frei werden. T. wird durch Rezeptor-vermittelte *Endocytose in die Zielzellen aufgenommen, gibt in den *Endosomen das Eisen ab, u. das Eisen-freie T. (*Apotransferrin*) gelangt durch *Exocytose wieder in die extrazelluläre Flüssigkeit. Eine Mutation des HFE-Proteins, eines Regulators des T.-Rezeptors, scheint für die erhöhte Eisen-Aufnahme bei Hämochromatose verantwortlich zu sein [1]. Die Biosynth. des T. u. seines Rezeptors wird durch das Eisen-Angebot reguliert (vgl. Aconitase), daher kann die Messung des Rezeptors zur klin. Bestimmung des Eisen-Status herangezogen werden [2]. T. wird heute mit den verwandten Verb. *Conalbumin u. *Lactoferrin unter den Oberbegriff *Siderophiline gefaßt. T. wirkt aufgrund der Eisen-Affinität im allg. bakteriostat.; gewisse pathogene Bakterien vermögen jedoch auch T.-gebundenes Eisen zu nutzen. – *E* transferrin – *F* transferrine – *I* = *S* transferrina
Lit.: [1] Nutrit. Rev. **56**, 356 ff. (1998). [2] Nutrit. Rev. **56**, 133–141 (1998).
allg.: Biochim. Biophys. Acta **1269**, 205–214 (1995) ▪ Semin. Hematol. **35**, 35–54 (1998) ▪ Stryer 1996, S. 773, 983 f.

Transfluthrin.

Common name für (2,3,5,6-Tetrafluorbenzyl)-(1*R*,3*S*)-3-(2,2-dichlorvinyl)-2,2-dimethylcyclopropancarboxylat, $C_{15}H_{12}Cl_2F_4O_2$, M_R 371,15, Schmp. 32 °C, LD_{50} (Ratte oral) >5000 mg/kg, von Bayer in den 90er Jahren eingeführtes *Insektizid aus der Klasse der synthet. *Pyrethroide, eingesetzt zur Bekämpfung von Fliegen, Mücken, Moskitos, Schaben u. a. Hygieneschädlingen, im Haushalt, in der Vorratshaltung u. in der Vektoren-Bekämpfung. – *E* = *F* transfluthrin – *I* transflutrina – *S* transflutrin
Lit.: Pesticide Manual. – [*CAS 118712-89-3; G 9*]

Transformation. 1. In der *Genetik* u. *Gentechnologie* Bez. für einen Mechanismus der Gen-Übertragung bei Mikroorganismen, bei dem natürlich (im Zustand der sog. *Kompetenz*) od. induziert nackte DNA in die Zelle aufgenommen u. entweder durch *Rekombination ins Wirtsgenom eingebaut od. unabhängig als *Plasmid repliziert wird. Kompetenz zeigen Organismen wie *Bacillus, Haemophilus, Neisseria, Rhizobium, Diplococcus, Staphylococcus, Streptococcus, Xanthomonas*, wobei DNA fremder Spezies aufgenommen werden kann. Am Modell der Kapselpolysaccharide bei Pneumokokken konnte 1944 mittels T. der Beweis erbracht werden, daß die DNA Träger der genet. Information ist. In der Gentechnologie ist die durch bestimmte Vorbehandlungen der Empfängerzellen induzierte T. eine zentrale Meth. der DNA-Übertragung.
2. In der *Zellbiologie* bei Säugerzellen Bez. für den Übergang vom Normal- in den Tumor-Zustand (*maligne T.*), der spontan od. durch onkogene *Viren auftritt. Transformierte Zellen zeigen u. a. eine fehlende Kontakt-Hemmung, was bei hoher Zelldichte zu Multilayer-Kolonien führt, sowie Bildung neuer Oberflächenantigene. Transformierte Zellen sind nicht notwendigerweise nach Injektion in geeignete Versuchstiere Tumor-erzeugend, sie lassen sich jedoch im Gegensatz zu nicht transformierten Zellen unbegrenzt in Gewebekulturen züchten.
3. In der *Immunologie* Bez. für morpholog. u. metabol. Veränderungen an B- u. T-*Lymphocyten (blast T.), hervorgerufen durch spezif. *Antigene. Bei B-Lymphocyten führt die T. u. a. zur Bildung spezif. Antikörper, bei T-Lymphocyten werden Lymphokine freigesetzt. – *E* = *F* transformation – *I* trasformazione – *S* transformación
Lit.: Alberts et al., Molekularbiologie der Zelle (3.), S. 185, Weinheim: VCH Verlagsges. 1997 ▪ Janeway u. Travers, Immunologie, S. 302 ff., Heidelberg: Spektrum 1995 ▪ Knippers (7.), S. 15 f. ▪ Schlegel (7.), S. 497 ff.

Transformatorenöle s. Isolieröle u. PCB.

Transformierende Wachstumsfaktoren (TGF). Bez. für zwei unterschiedliche, von transformierten Zellen (Krebs-Zellen) sezernierte Polypeptide, die das Wachstum normaler Zellen stimulieren können (*Wachstumsfaktoren). Der Name ist irreführend, da TGF zwar einige nicht weitervererbte Aspekte transformierter Zellen hervorrufen, aber Zellen nicht tatsächlich transformieren.
TGF-α[1]: Polypeptid (M_R ca. 5600) aus 50 Aminosäure-Resten (AR), das aus einem Membran-gebundenen Vorläufer mit 160 AR abgespalten wird[2]. TGF-α besitzt Sequenz-Ähnlichkeit mit dem *epidermalen Wachstumsfaktor (EGF) u. bindet an den EGF-Rezeptor. Er stimuliert die Bildung von Blutgefäßen.
TGF-β[3]: Im aktiven Zustand dimeres Protein aus 2, durch *Disulfid-Brücken verbundenen Polypeptid-Ketten (M_R 12 500, 112 AR), die durch *Furin aus Vorläufer-Proteinen freigesetzt werden. In Säugern kommen die Untereinheiten in den Isoformen $β_1$ bis $β_3$ vor; es besteht Verwandtschaft zur β-Kette des *Inhibins. TGF-β bindet an Membran-Rezeptoren der Zelle, die das Signal an Proteine der *Smad*-Familie weitergeben[4]. Die Smad-Proteine werden durch den aktivierten TGF-β-Rezeptor phosphoryliert u. dann im Zellkern

angereichert, wo sie spezif. Abschnitte der Desoxyribonucleinsäuren binden. TGF-β kooperiert dabei mit Jun u. *Fos[5], reguliert so die Expression von Genen, die für zelluläre Eigenschaften zuständig sind, u. kontrolliert dadurch die Entwicklung u. Aufrechterhaltung vieler Gewebe. TGF-β kann jedoch auch über *G-Proteine u. *Mitogen-aktivierte Protein-Kinasen signalisieren[6] u. verstärkt die Antwort der meisten Zellen auf andere Wachstumsfaktoren (z. B. in der Wundheilung), unterdrückt sie aber auch in einigen Fällen (z. B. bei Zellen des Blutsyst.) u. reguliert die Vermehrung u. *Differenzierung zahlreicher Zelltypen (z. B. Knorpelzellen). Carcinomzellen benötigen die Signale des TGF-β zur Invasivität u. Metastase[7]. Zu den Auswirkungen auf das *Immunsystem s. Lit.[8]. – *E* transforming growth factors – *F* facteurs de transformation cellulaire – *I* fattori di crescita trasformante – *S* factores transformantes de crecimiento

Lit.: [1] Adv. Cancer Res. **58**, 27–52 (1992). [2] Science **282**, 1281–1284 (1998). [3] Biochim. Biophys. Acta **1333**, F105–F150 (1997); Bioessays **19**, 581–591 (1997); Endocrine Rev. **19**, 349–363 (1998); Eur. Cytokine Network **7**, 363–374 (1996); Proc. Soc. Exp. Biol. Med. **214**, 27–40 (1997). [4] Annu. Rev. Biochem. **67**, 753–791 (1998); Bioessays **20**, 382–390 (1998); Genes Develop. **12**, 2445–2462 (1998); Mol. Today **4**, 257–262 (1998); Nature (London) **390**, 465–471 (1997); Pharmacol. Therapeut. **78**, 47–52 (1998). [5] Nature (London) **394**, 909–913; **396**, 491 (1998). [6] Mol. Cell. Endocrinol. **146**, 7–17 (1998). [7] Curr. Biol. **8**, 1243–1252 (1998). [8] Annu. Rev. Immunol. **16**, 137–161 (1998).

Transform-Technik s. Fourier-Transformation u. Puls-Fourier-Transformation.

Transgene Organismen. Bez. für Pflanzen u. Tiere, in deren Zellen mit Hilfe der *Gentechnologie Fremd-*Gene (*Transgene*) eingeschleust wurden, die stabil in das Wirtsgenom integriert sind u. von der Wirtszelle exprimiert werden. Die Integration des Transgens erfolgt in der Regel willkürlich an beliebigen Stellen des Genoms (Transgenom), so daß als Folge *Mutationen auftreten können. Zum Einschleusen der Fremd-DNA in die Zellen werden verschiedene Techniken benutzt: Spezielle *Vektoren bei Pflanzen u. Tieren, bei der Erzeugung transgener Tiere vorwiegend die *Mikroinjektion.
Anw.: In der molekularbiol. Grundlagenforschung u. a. zur Untersuchung von Gewebe- u. Entwicklungsstadien-spezif. *Genexpressionen u. deren Regulation u. zum Ersatz defekter Gene bei Erbkrankheiten (s. Gentherapie). In der Agrar-Ind. zur Züchtung von Pflanzen u. Tieren mit verbesserten Eigenschaften (Resistenz gegen Erreger u. Parasiten; Ertragssteigerung). Bei der Arzneimittel-Herst. zur Produktion therapeut. wichtiger Proteine in der Milch (z. B. Gerinnungsfaktor IX, *Tissue Plasminogen Activator; s. a. Pharming). – *E* transgenic organisms – *F* organismes transgéniques – *I* organismi transgenici – *S* organismos transgénicos

Lit.: Annu. Rev. Pharmacol. Toxicol. **35**, 145 (1995); **37**, 119 (1997) ▪ Biol. Zentralbl. **108**, 1 (1989) ▪ Bio/Technology **5**, 807 (1987); **7**, 487 (1989) ▪ Mol. Hum. Reprod. **3**, 529 (1997) ▪ Transgenic Res. **5**, 363 (1996).

Transglykosidasen s. Glykosyltransferasen.

Transhydrogenasen s. Dehydrogenasen.

Transient. Von latein.: transiens = vorbei-, über-, hindurchgehend abgeleiteter, adjektiv. od. substantiv. gebrauchter Begriff zur Bez. eines *vorübergehenden Zustandes* od. einer *Zwischenstufe*. T. nennt man z. B. *Radikale geringer *Stabilität: Benzyl, Methyl, Vinyl, *tert*-Butyl sind *t.*, Triphenylmethyl dagegen ist ein *persistentes* (s. Persistenz) Radikal. – *E* transient – *F* transitoire – *I* transitorio, transiente – *S* transitorio

Transiente Expression. Im Gegensatz zur konstitutiven (od. kontinuierlichen) Expression (house-keeping genes, s. konstitutive Enzyme) ist die t. E. eine zeitlich begrenzte *Genexpression, die über induzierbare *Promotor-Sequenzen reguliert wird. T. E. findet man z. B. bei Streß- od. Hitzeschock-Genen (s. Hitzeschock-Proteine). – *E* transient expression – *F* expression transitoire – *I* espressione transiente, espressione transitoria – *S* expresión transitoria
Lit.: Knippers (7.), S. 304 f.

Transilluminatoren. Mit Weiß- od. UV-Licht betriebene Flächenstrahler zur Auswertung von Elektropherogrammen (s. Elektrophorese) od. Dünnschicht-Chromatogrammen (s. Chromatographie). – *E* UV fluorescent table or transmitted light lamp – *F* écrans de travail transilluminés – *I* transilluminatori – *S* tabla fluorescente UV

Transistor. Von *E* transfer = Übergang u. resistor = Widerstand abgeleitete Bez. für einen elektr. Widerstand, bei dem der Ladungsdurchgang geregelt werden kann. Die Entdeckung des T. erfolgte 1948 durch *Bardeen, *Brattain u. *Shockley u. wurde 1956 durch den Nobelpreis gewürdigt. T. sind *Halbleiter-Bauelemente. Ausgangsmaterialien sind überwiegend Silicium, daneben für sehr hohe Grenzfrequenzen Galliumarsenid u. noch in geringem Umfang Germanium. Derzeit am gebräuchlichsten sind zwei Sorten, die Bipolar- u. die Feldeffekttransistoren.
Beim *Bipolar-T.*, der entweder aus zwei p-dotierten Schichten (Emitter E u. Kollektor C) mit einer zwischengeschalteten dünnen n-dotierten Schicht (Basis B) besteht (pnp-T.) od. umgekehrt (npn-T.) aufgebaut ist, kann der Strom vom Emitter zum Kollektor stark durch einen geringen Strom in die Basis gesteuert werden. Die Stromverstärkung kann größer als 10^2 werden. Durch äußere Beschaltung mit Widerständen läßt sich daraus auch eine entsprechende Spannungsverstärkung erzielen od. mit anderer Beschaltung ein Impedanzwandler. In Abb. 1 sind der Aufbau u. ein typ. Kennlinienfeld dargestellt.

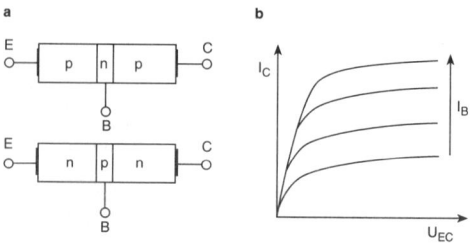

Abb. 1: a) Aufbau u. b) Kennlinienfeld von Bipolartransistoren.

Die Wirkungsweise beruht darauf, daß durch eine kleine pos. Spannung U_{EB} (beim npn-T.) Elektronen vom Emitter in die Basis gelangen, da der entsprechende p,n-Übergang in Durchlaßrichtung gepolt ist. Wenn die Basis hinreichend dünn ist, rekombinieren die Elektronen dort nicht mit den Löchern, sondern diffundieren zum Kollektor, wo sie durch eine pos. Spannung abgesaugt werden. Wird der T. durch Einstrahlung von Licht in die Basis gesteuert, spricht man von Photo-Transistor.

Beim *Feldeffekt-T.* wird der Querschnitt od. die Ladungsträgerdichte in einen elektr. leitfähigen Kanal (n-channel, p-channel, eventuell auch als *Quantentrog ausgeführt), der mit Source (S) u. Drain (D) kontaktiert ist, durch Anlegen einer Spannung an die Steuerelektrode (Gate G) verändert. Diese kann entweder durch einen sperrenden p,n-Übergang (J-FET) od. eine Isolationsschicht (meistens ein Metalloxid) vom Kanal getrennt sein (MIS-FET od. MOS-FET).

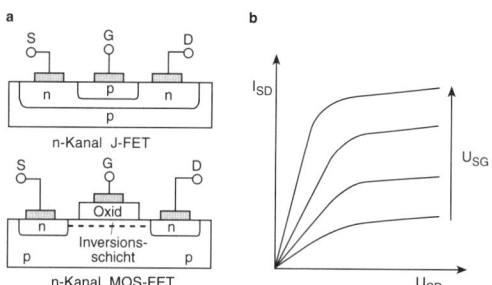

Abb. 2: a) Aufbau u. b) Kennlinienfeld von Feldeffekttransistoren.

In Abb. 2 ist der schemat. Aufbau eines J-FET u. eines MOS-FET gezeigt sowie ein typ. Kennlinienfeld. Beim J-FET wird die Verarmungszone unter dem Gate-p,n-Übergang mit zunehmender neg. Gate-Spannung größer u. damit der Querschnitt des leitfähigen Kanals kleiner. Beim MOS-FET wird durch Influenz unter der Steuerelektrode bei zunehmender neg. Gate-Spannung ein p-leitender Kanal erzeugt.

Verw.: T. sind die wichtigsten Halbleiterbauelemente. Sie werden als Verstärker, Schalter, Speicher usw. eingesetzt. Je nach Ausführungsform haben sie hohe Grenzfrequenzen (GHz), od. sie steuern große Leistungen. – $E=F=S$ transistor – I transistore

Lit.: Ebeling, Integrierte Optoelektronik, 2. Aufl., Berlin: Springer 1992 ▪ Paul, Elektronische Halbleiterbauelemente, 3. Aufl., Stuttgart: Teubner 1992 ▪ Paul, Optoelektronische Halbleiterbauelemente, 2. Aufl., Stuttgart: Teubner 1992 ▪ Sze, Physics of Semiconductor Devices, 2. Aufl., New York: John Wiley 1981.

Transition. In der *Genetik Bez. für eine *Punktmutation, bei der in der Basensequenz der *Desoxyribonucleinsäure ein Purin gegen ein anderes Purin (A→G od. G→A) od. ein Pyrimidin gegen ein anderes (T→C od. C→T) ausgetauscht ist (s. a. Transversion). – $E=F$ transition – I transizione – S transición
Lit.: Knippers (7.), S. 229.

Transition state analogs s. Abzyme.

Transketolase (EC 2.2.1.1). Eine *Transferase, die im *Pentosephosphat-Weg u. bei der Dunkelreaktion der *Photosynthese (Calvin-Cyclus) die Übertragung der Glykolaldehyd-Gruppe

$$-\overset{\overset{O}{\|}}{C}-CH_2-OH$$

bewirkt u. dadurch verschiedene Zuckerphosphate miteinander ins Gleichgew. setzt. Daneben gibt es eine Formaldehyd-T. (EC 2.2.1.3), die diese Gruppe von D-Xylulose-5-phosphat (D-*threo*-2-Pentulose-5-phosphat) auf Formaldehyd überträgt unter Entstehung von D-Glycerinaldehyd-3-phosphat u. Glyceron (Dihydroxyaceton). Beide T. enthalten *Thiamindiphosphat (TPP) als Coenzym. Beim Wernicke-Korsakoff-Syndrom (Wernicke-Enzephalopathie) ist durch einen genet. Defekt der T. die Coenzym-Bindung gestört. Zur Verw. der T. in der organ. Synth. s. *Lit.*[1]. – E transketolase – F transcétolase – I transchetolasi – S transcetolasa

Lit.: [1] Annu. Rev. Microbiol. **51**, 285–310 (1997).
allg.: Biochim. Biophys Acta **1385**, 387–398 (1998) ▪ Int. J. Biochem. Cell. Biol. **30**, 1297–1318 (1998) ▪ Karlson et al., Kurzes Lehrbuch der Biochemie, 14. Aufl., S. 229, Stuttgart: Thieme 1994 ▪ Stryer 1996, S. 591 ff., 596.

Transkriptasen s. Polymerasen.

Transkription. *RNA-*Polymerase-vermittelte RNA-Synth. an einer DNA-Matrize. Die T. verläuft prinzipiell in drei Schritten, die hier am Beisp. von *Escherichia coli* beschrieben werden sollen:

1. Initiation: Die DNA-abhängige RNA-Polymerase besteht aus einem Core-Enzym ($\alpha_2\beta\beta'$) u. dem *Sigma-Faktor (σ). Das gesamte Holoenzym ($\alpha_2\beta\beta'\sigma$) erkennt spezif. die sog. *Promotor-Sequenz an der 5'-Seite des zu transkribierenden *Gens. Dort bindet die RNA-Polymerase an die DNA u. entwindet ein 17 Basenpaare langes Element unter Bildung eines offenen Promotorkomplexes. Dann beginnt an der DNA-Matrize die RNA-Synth. aus den Ribonucleosidtriphosphaten in 5'→3'-Richtung, der Sigma-Faktor dissoziiert ab.

2. Elongation: Hier erfolgt die Kettenverlängerung der neusynthetisierten RNA, die mit der DNA-Matrize über Wasserstoff-Brücken ein Hybrid bildet. Die RNA-Polymerase hat – im Gegensatz zu *DNA-Polymerasen – keine Exonuclease-Aktivität (s. Nucleasen), so daß die neusynthetisierte RNA-Kette nicht korrigiert werden kann.

3. Termination: Die Elongation wird bis zum Erreichen eines Stopsignals (*Terminator) durchgeführt. Als Stopsignal kann eine palindrom. (s. Desoxyribonucleinsäuren), GC-reiche Region, gefolgt von einer AT-reichen Region, fungieren, deren RNA-Transkript eine *Haarnadelschleife ausbildet. Diese dissoziiert von der DNA-Matrize ab u. setzt das Core-Enzym der RNA-Polymerase frei. Ein anderes Stopsignal wird durch den Terminationsfaktor ρ erkannt, der das DNA-RNA-Hybrid aufbricht u. damit die T. beendet.

T. bei Eukaryonten: Eukaryonten enthalten in ihrem Zellkern drei Sorten von RNA-Polymerasen, die jeweils die Vorläufer der rRNA (Typ I), mRNA (Typ II) bzw. tRNA (Typ III) herstellen. Die Promotoren auf der 5'-Seite der codierenden Sequenz enthalten die sog. *TATA-Box* (s. Hogness-Box), außerdem wird die Promotor-Aktivität vieler Gene durch sog. *Enhancer-Sequenzen verstärkt. Für die T. sind neben der RNA-Polymerase diverse *Transkriptionsfaktoren erforder-

lich, die an spezif. Stellen der Promotor- od. Enhancer-Sequenz binden u. regulierend in die T. eingreifen.
Prozessieren: Bei Prokaryonten werden nur tRNA u. rRNA modifiziert, z. B. durch nachträgliche Methylierung der Basen od. der Ribose-Einheiten od. durch das Anfügen des CCA-Endes am 3'-Terminus der tRNA. Bei Eukaryonten ist der Vorgang komplizierter, da in den DNA-Sequenzen (u. daher auch im Primärtranskript) nicht-codierende Abschnitte vorliegen. So muß z. B. bei der Reifung der tRNA zunächst die 5'-*Leader-Sequenz entfernt werden, dann werden die *Introns herausgeschnitten (*Spleißen), das 3'-terminale UU-Ende wird durch eine CCA-Sequenz ersetzt u. einige Basen werden modifiziert; s. a. Prozessierung.
Inhibition der T.: Die T. kann auf verschiedenen Stufen selektiv gehemmt werden. *Antibiotika wie Rifamycin (s. Rifampicin) hemmen die Initiation durch Blockieren der β-Untereinheit der RNA-Polymerase, so daß die erste Phosphodiester-Bindung nicht geknüpft werden kann. Interkalatoren (s. Interkalation) wie *Actinomycin binden so stark an die DNA, daß diese nicht mehr als Matrize dienen kann. – *E* = *F* transcription – *I* trascrizione – *S* transcripción
Lit.: Knippers (7.), S. 47ff., 299ff. ■ Stryer 1996, S. 885ff., 1000ff., 1021ff.

Transkriptionsfaktoren. *Proteine, seltener auch *Ribonucleinsäuren, die spezif. an bestimmte Sequenz-Bereiche der *Desoxyribonucleinsäuren (DNA) binden u. im Zusammenspiel mit RNA-*Polymerasen die *Transkription von *Genen regulieren (genet. Schalter). Man unterscheidet allg. u. spezif. Transkriptionsfaktoren. *Eukaryontische allg. T., die die Initiation durch die Polymerasen I, II bzw. III ermöglichen (auch: *Initiationsfaktoren), erhalten die Kurzbez. TFI, TFII bzw. TFIII, jeweils mit nachfolgendem Großbuchstaben zur weiteren Unterscheidung; *Beisp.:* TFIID [bestehend aus *TATA-bindendem Protein (TBP) u. TBP-aktivierenden (od. assoziierten) Faktoren[1] (TAF)]. Ein bakterieller allg. T. ist der *Sigma-Faktor. *Spezif. T.* (Gen-Regulator-Proteine) beeinflussen die Transkription einzelner Gene od. bestimmter Gruppen von Genen [z. B. das *cAMP-Rezeptor-Protein (CRP), die *Kernrezeptoren od. der Hitzeschock-Faktor[2], s. Hitzeschock-Proteine]. Typ. Strukturmerkmale der Gen-Regulator-Proteine sind z. B. das *helix-loop-helix- u. das helix-turn-helix-Motiv (s. Homöo-Domäne), die POU-Domäne der *Octamer-Transkriptionsfaktoren, der *Leucin-Reißverschluß u. das *Zink-Finger-Motiv. Die Anzahl der T. ist insgesamt sehr groß, Schätzungen zufolge machen sie 10% aller Proteine aus. Eine Internet-Datenbank von T. findet man in TRANSFAC, s. *Lit.*[3].
Wirkungsweise: Bei Prokaryonten können in unmittelbarer Nachbarschaft des Promotors Regulator-Proteine binden, die die Transkription durch die RNA-Polymerase (einschließlich Sigma-Faktor) fördern (Transkriptions-*Aktivatoren*, z. B. CRP) od. hemmen (Transkriptions-*Repressoren*, z. B. der *lac*-Repressor, s. *lac*-Operon). Bei Eukaryonten hat man folgendes Modell des Transkriptions-Apparates aufgestellt: Die allg. (basalen) T. binden in bestimmter Reihenfolge an die *Promotor-Region des Gens u./od. die Polymerase u./od. bereits gebundene T. u. bilden so den Initiationskomplex (Basiskomplex) der Transkription. Aktivatoren binden an spezielle *Enhancer-Bereiche[4] (pos. regulator. Elemente, PRE) der DNA, die vom Promotor ziemlich weit entfernt sein können. Durch Schleifenbildung des DNA-Strangs werden die Aktivator-Proteine über weitere Proteine (*Coaktivatoren, Adaptoren*) mit der Basis der Transkriptionsmaschine (Polymerase + allg. T.) in Kontakt gebracht u. beschleunigen die Transkription. Weitere DNA-Abschnitte, die *Silencer* (neg. regulator. Elemente, NRE), können Repressoren[5] binden. Diese Proteine stören dann die Wirkung der Aktivatoren od. der basalen T. u. bremsen daher die Transkription.
Biolog. Bedeutung: T. sind von Bedeutung bei der *Regulation der *Genexpression, d. h. bei der selektiven Umsetzung bestimmter Gene in Proteine während verschiedener Stadien der Entwicklung (*Differenzierung). T. sind oft in Kaskaden wirksam, wobei ein Faktor die Transkription des Gens für den nächsten aktiviert, z. B. bei der Sporulation von *Bacillus subtilis*. Durch verschiedene räumliche Verteilung der T. in embryonalem Gewebe kommt es zur Regulation der Gestalt-Entwicklung (Morphogenese). Hormonabhängige Gen-Regulierung erfolgt durch die Steroid-, *Secosteroid- (s. Calciferole), *Retinoid-Rezeptoren u. *Thyroid-Hormon-Rezeptoren. Die Wirkung von T. kann auch durch Modifizierung (z. B. *Phosphorylierung) gesteuert werden. Mutierte Gene von T. können als *Onkogene wirken. Zu pflanzlichen T. s. *Lit.*[6], zu viralen s. *Lit.*[7]. – *E* transcription factors – *F* facteurs de transcription – *I* fattori della trascrizione – *S* factores de transcripción
Lit.: [1]Cell **95**, 579–582 (1998). [2]Cell. Mol. Life Sci. **53**, 80–103 (1997). [3]http://transfac.gbf-braunschweig.de/TRANSFAC/. [4]Science **281**, 60–63 (1998). [5]Trends Genet. **12**, 229–234 (1996). [6]Annu. Rev. Plant Physiol. Plant Mol. Biol. **49**, 127–150 (1998); Trends Plant Sci. **3**, 378–383 (1998). [7]Annu. Rev. Genet. **31**, 177–212 (1997).
allg.: Alberts et al., Molekularbiologie der Zelle, 3. Aufl., S. 477–510, Weinheim: VCH Verlagsges. 1995 ■ Annu. Rev. Biophys. Biomol. Struct. **26**, 289–325 (1997) ■ Cell **88**, 729–736 (1997) ■ Compt. Rend. Acad. Sci. Ser. III – Life Sci. **320**, 509–521 (1997) ■ Latchman, Eukaryotic Transcription Factors, 2. Aufl., San Diego: Academic Press 1995 ■ Microbiol. Mol. Biol. Rev. **62**, 465–503 (1998) ■ Mol. Biol. **31**, 483–497 (1997) ■ Papavassiliou, Transcription Factors in Eukaryotes, Berlin: Springer 1997 ■ Spektrum Wiss. **1995**, Nr. 4, 56–63 ■ Stryer 1996, S. 899–902 ■ Trends Biochem. Sci. **21**, 335–350 (1996).

Transkriptionskarte. T. sind schemenhafte Darst. der Lage u. Transkriptionsrichtung der Transkripte auf einer *Genkarte. – *E* transcriptional map – *F* carte de transcription – *I* mappa di trascrizione – *S* mapa de transcripción

Transkristalline Korrosion s. Korrosion.

Transkristallisation. Bez. für eine durch *Füllstoffe ausgelöste Krist. von *Thermoplasten. So wirken z. B. *Fasern aus Poly(*p*-phenylenterephthalamid) bei Polyamid 6.6 als Kristallisationskeime. Ähnliche Effekte sind von anderen organ. Fasern bekannt. Glasfasern scheinen dagegen die T. weniger wirksam auszulösen. – *E* transcrystallization – *I* transcristallizzazione – *S* cristalización en forma de columna

Translation (von latein.: *translatio* = Übertragung, Übersetzung, Versetzung). 1. In der *Kinet. Gastheorie* (vgl. Gasgesetze) Bez. für die freie Bewegung eines Teilchens im Raum, die mit kinet. Energie (*Translationsenergie*) verbunden ist, u. zwar in jeder der 3 Raumkoordinaten (3 *Freiheitsgrade*) mit einem Betrag von 1/2 kT. Die molare Wärmekapazität eines einatomigen Gases (*Beisp.:* Edelgase) errechnet sich daraus zu 3/2 R; bei mehratomigen Gasen treten noch Beiträge der *Rotationen u. *Schwingungen hinzu, sofern diese bei der Temp. T therm. besetzt sind, s. Molwärme. In *Festkörpern ist keine, in *Flüssigkeiten nur eingeschränkte T. möglich, weshalb Molwärmeberechnungen bei letzteren mit Problemen verbunden sind.
2. In der *Mineralogie* u. *Kristallographie* Bez. für die Parallelverschiebung eines *Kristallgitters in Richtung einer der Gittergeraden, u. zwar um den Abstand zweier Gitterpunkte. Die T. ist die einfachste *Symmetrieoperation bei *Kristallsystemen (u. in der *Gruppentheorie): Beispielsweise entsteht durch T. (Superposition) eines kub.-primitiven Teilgitters gegen ein gleichartiges Grundgitter um den Betrag der Elementarzellen-Kantenlänge (1/2, 1/2, 1/2) ein kub.-raumzentriertes Gitter.
3. In der *Biochemie* u. *Molekularbiologie* Bez. für die Übersetzung der genet. Information aus der Schrift der Messenger-*Ribonucleinsäuren (mRNA) in die der *Proteine (*Polypeptide) im Verlauf der *Protein-Biosynthese*. Sie findet an *Ribosomen als Übersetzungs-Automaten statt u. benötigt außer den mRNA-Vorlagen spezif. mit Aminosäuren (AS) verknüpfte *Transfer-Ribonucleinsäuren (Aminoacyl-tRNA), verschiedene Protein-Faktoren u. Guanosin-5′-triphosphat (GTP, s. Guanosinphosphate).
Die verschiedenen tRNA werden mit Hilfe hochspezif. Enzyme (*Aminosäure-tRNA-Ligasen) unter Verbrauch von *Adenosin-5′-triphosphat als Lieferant chem. Energie am 3′-Hydroxy-Ende mit AS verestert. In der Ester-Bindung ist die AS genügend aktiviert, um die zur Bildung der Proteine notwendige *Peptid-Bindung einzugehen. Anderseits besitzt jede tRNA in einer exponierten Schleife charakterist. *Nucleotid-Tripletts, die *Anticodons*, die in komplementärer Weise zu den Codon-Tripletts der mRNA passen u. so zum Übersetzen der Sequenz-Information beitragen. Diese Adapter-Funktion der tRNA sorgt nämlich dafür, daß pro Nucleotid-Triplett der mRNA eine, jeweils ganz bestimmte, AS an die wachsende Protein-Kette angefügt wird.
Zur *Initiation* der Protein-Biosynth. treten nacheinander zusammen: Die kleine Ribosomen-Untereinheit, verschiedene *Initiationsfaktoren (Proteine; bei *Prokaryonten 3, bei *Eukaryonten einige mehr), GTP, die erste Aminoacyl-tRNA (bei Prokaryonten: *N*-Formylmethionyl-tRNA) u. mRNA. Letztere trägt bei Prokaryonten das Methionin-Startcodon, das mit der Aminoacyl-tRNA paart, u. einige Basen stromaufwärts die Purin-reiche *Shine-Dalgarno-Sequenz*, die einer RNA-Komponente der ribosomalen kleinen Untereinheit komplementär ist. Während GTP zu Guanosin-5′-diphosphat (GDP) hydrolysiert u. als solches entlassen wird, dissoziieren auch die Initiationsfaktoren vom Initiationskomplex wieder ab, der anschließend durch die große Ribosomen-Untereinheit vervollständigt wird.

Die Kettenverlängerung od. *Elongation* ist ein sich period. wiederholender Vorgang, bei dem zunächst unter Mithilfe verschiedener *Elongationsfaktoren sowie abermals unter begleitender GTP-Hydrolyse eine solche Aminoacyl-tRNA ans Ribosom bindet, die das zum nächsten Codon-Triplett der mRNA passende Anticodon besitzt. Daraufhin katalysiert die große Ribosomen-Untereinheit die Übertragung der wachsenden Peptidkette (od. ggf. der ersten AS) von der vorigen tRNA (Donor-tRNA) auf die freie Amino-Gruppe der frisch hinzugetretenen Aminoacyl-tRNA (Akzeptor-tRNA), die dadurch zur Peptidyl-tRNA wird; das Protein wird also vom Amino-Ende aus schrittweise aufgebaut. In einem auch *Translokation* genannten Schritt (der einen weiteren Elongationsfaktor sowie die Hydrolyse eines weiteren GTP-Mol. erfordert) verschiebt sich das Ribosom relativ zur mRNA um ein Codon, wobei die depeptidierte Donor-tRNA auf eine weitere Bindungsstelle (E-Stelle, Exit-Stelle) des Ribosoms verschoben wird u. die Peptidyl-tRNA mitrutscht u. den Ort der vorigen Donor-tRNA einnimmt. In der nächsten Runde verläßt die an die E-Stelle gebundene tRNA das Ribosom, um ihrer Nachfolgerin Platz zu machen. Abbruch od. *Termination* der T. tritt bei Auftreten sog. Stop-Codons in der Sequenz der mRNA ein. Das fertige Protein löst sich hydrolyt. von der tRNA, u. das Ribosom zerfällt in seine zwei Untereinheiten. Oft ist die Anwesenheit eines Terminationsfaktors erforderlich.
Als letzter Schritt bei der Umsetzung der Erbinformation der *Gene in die AS-Sequenzstruktur der Proteine (*Genexpression*) ist die T. der Angriffspunkt zahlreicher *Regulations-Vorgänge. So kann mRNA durch interne Basenpaarung, durch Paarung mit *Antisense-Nucleinsäuren od. durch Bindung an Proteine blockiert werden. Anderseits können die Aktivitäten der genannten T.-Faktoren moduliert werden, z.B. durch *Phosphorylierung. Als Hemmstoffe der T. können Antisense-RNA od. -DNA (*Desoxyribonucleinsäuren) od. unspezif. verschiedene *Antibiotika u. *Toxine eingesetzt werden, s. Ribosomen. – *E* = *F* translation – *I* traslazione – *S* translación

Lit. (zu 3.): Annu. Rev. Biochem. **66**, 679–716 (1997) ■ Biol. Chem. **379**, 751–781 (1998) ■ Cell **92**, 337–349 (1998) ■ Crit. Rev. Biochem. Mol. Biol. **33**, 95–149 (1998) ■ Eur. J. Biochem. **253**, 531–544 (1998) ■ FEBS Lett. **430**, 95–99 (1998) ■ Hershey et al., Translational Control, Cold Spring Harbor: CSH Laboratory Press 1996 ■ Stryer (1996), S. 921–956.

Translationsgitter s. Kristallgeometrie.

Translokation s. Translation.

Translux®. Handpolymerisationsgerät zum Einsatz in der Zahntechnik. *B.:* Heraeus Kulzer GmbH & Co. KG.

Transluzens s. Kontaktklarheit.

Transmembranproteine. Integrale Membranproteine, die die gesamte *Membran durchspannen. Die in der Lipid-Doppelschicht lokalisierten Teile der T. liegen meistens in Form von α-Helices vor, bei denen die unpolaren Aminosäure-Seitenketten nach außen weisen. Die aus der Membran herausragenden Bereiche sind im allg. hydrophil. Die T. werden mit einer bestimmten Vorzugsrichtung in die Membran eingelagert. Diese Orientierung kann nicht mehr verändert werden, so daß die Membran durch die asymmetr. Struktur der Proteine selbst einen asymmetr. Charakter erhält. Dieser ist für die Aufrechterhaltung wichtiger Membranfunktionen wie z. B. Transportprozesse, *Rezeptor-Eigenschaften od. Aufbau eines Membranpotentials [s. Membranen (biolog.)] essentiell. – *E* transmembrane proteins – *F* protéines transmembranes – *I* proteine integrali, proteine transmembrane – *S* proteínas de transmembranas

Lit.: Alberts et al., Molekularbiologie der Zelle (3.), S. 572 ff., Weinheim: VCH Verlagsges. 1997 ▪ Stryer 1996, S. 290 ff.

Transmetallierung. Bez. für eine Reaktion, bei der durch Austausch der zentralen Metall-Atome Verb. zugänglich werden, die durch direkte *Metallierung ggf. nicht herstellbar sind; Näheres s. Metall-organische Reaktionen. – *E* transmetallation – *F* trans-métallation – *I* transmetallizzazione – *S* transmetalación

Lit.: s. Metall-organische Reaktionen.

Transmethylasen, Transmethylierung s. Methyltransferasen.

Transmission (von latein.: transmittere = durchschicken, durchlassen). 1. In der *Spektroskopie, *Kolorimetrie u. *Photometrie versteht man unter T. die *Durchlässigkeit* einer Probenlsg. für das Meßlicht, ausgedrückt als (Rein-)Transmissionsgrad $\tau_i = \Phi_{ex}/\Phi_{in}$ mit Φ_{ex} = Strahlungsfluß des austretenden (durchgelassenen) Lichtstrahls u. Φ_{in} = Strahlungsfluß des einfallenden Lichtstrahls. Früher hatte der Quotient die Symbole I/I_0 (von Intensität); zum Zusammenhang mit der *Extinktion (*spektrales Absorptionsmaß* log $1/\tau_i$) s. Lambert-Beersches Gesetz u. UV-Spektroskopie, wo auch auf andere zusammengesetzte Begriffe wie *T.-Dichte* u. *T.-Vermögen* eingegangen wird. Manchmal, z. B. bei Papier, spricht man statt von T. von *Transparenz.
2. Im *Umweltschutz kann man T. definieren als den *Transport (*Transfer, Ausbreitung, Verteilung) von *Luftverunreinigungen unter dem Einfluß der Atmosphäre; die T. verbindet also ggf. *Emission u. *Immission.
3. In der *Molekularbiologie spricht man (selten) von T. als Informationsübermittlung von DNA u. RNA (insbes. durch Replikation) u. stellt die T. der *Expression* gegenüber, die man als Oberbegriff zu *Transkription u. *Translation auffaßt. – *E* = *F* transmission – *I* trasmissione – *S* transmisión

Transmissions-Elektronenmikroskop s. Elektronenmikroskop.

Transmutation (von latein.: transmutare = vertauschen, umwandeln). Schon im Mittelalter geläufige Bez. für die *Umwandlung unedler Metalle in *Gold. Heute sind durch *Kernreaktionen (*Kernumwandlungen) solche Elementumwandlungen möglich, wenn auch nur zu unwirtschaftlichen Bedingungen. – *E* = *F* transmutation – *I* trasmutazione – *S* transmutación

Transoid s. trans- u. cisoid.

Transparentseifen. Sammelbez. für durchsichtige bis durchscheinende *Seifen. Bei den älteren *Glycerinseifen* handelt es sich um gegossene, bei den etwas jüngeren T. um *pilierte Seifen, bei denen außer Talg u. Kokosöl auch Ricinusöl, Harze, Glycerin u. a. Zusätze verarbeitet werden. – *E* transparent soaps, translucent soaps – *F* savons transparents (translucides) – *I* saponi trasparenti – *S* jabones transparentes (translúcidos)

Lit.: Ullmann (4.) **21**, 222; (5.) A **24**, 262 ▪ Umbach (Hrsg.), Kosmetik, 2. Aufl., S. 97, Stuttgart: Thieme 1995 ▪ Vollmer u. Franz, Chemie in Bad u. Küche, S. 22, Stuttgart: Thieme 1991.

Transparenz (von *trans- u. latein.: parere = sichtbar sein). Bez. für das Maß der *Lichtdurchlässigkeit* von Papier, Folien, geschwärzten photograph. Schichten (s. Photographie), Lasuren, Anstrichmitteln (vgl. Deckvermögen als Gegensatz) u. a. Materialien. Als T. (Symbol: τ) wird der – in verwandtem Sinne als *Transmission definierte – Quotient Φ_{ex}/Φ_{in} bezeichnet. Sein Kehrwert heißt *Opazität* als Maß für die opt. *Dichte, die z. B. mit *Densitometern bestimmbar sein kann. – *E* transparency – *F* transparence – *I* trasparenza – *S* transparencia

Transpeptidasen (Aminoacyltransferasen, EC 2.3.2). Bez. für Enzyme, die einen Aminosäure-Rest od. ein Teilpeptid eines Peptid-Substrats auf ein anderes Peptid od. eine andere Aminosäure übertragen, z. B. γ-Glutamyltransferase (s. Glutaminsäure). – *E* = *F* transpeptidases – *I* transpeptidasi – *S* transpeptidasas

Transpiration s. Schweiß u. Antihidrotika.

Transplantation s. Implantation.

Transplantationsantigene. Bez. für *Histokompatibilitäts-Antigene, die bei Gewebe- od. Organtransplantationen als körperfremd erkannt werden u. eine *Antigen-Antikörper-Reaktion induzieren.

Lit.: Alberts et al., Molekularbiologie der Zelle (3.), S. 1456 f., Weinheim: VCH Verlagsges. 1997 ▪ Annu. Rev. Immunol. **15**, 39 (1997); **15**, 851 (1997).

Transplantations-Immunologie s. Immunologie.

Transplutonium-Elemente s. Transurane.

Trans-1,5-polypentenamer (TPR, Cyclopenten-*trans*-Homopolymer, Poly-*trans*-1-penten-1,5-ylen). Zu den *Polyalkenameren gehörender *Kautschuk (II), der durch ringöffnende Polymerisation (s. Ringöffnungspolymerisation) von Cyclopenten (I) hergestellt wird:

$$n \underset{I}{\bigcirc} \longrightarrow \underset{II}{-\!\!\left[CH_2-CH=CH-CH_2-CH_2\right]_n\!\!-}$$

Die Polymerisation des Cyclopentens verläuft als *Metathesepolymerisation bei Initiierung durch *Ziegler-Natta-Katalysatoren. TPR besitzt eine *Glasübergangstemperatur im Bereich von ca. $-95\,°C$ u. einen Schmp. von ca. $20\,°C$ (*Lit.*[1]). TPR-Vulkanisate zeichnen sich durch breite Anw.-Möglichkeiten bei tiefen Temp., hohe Reißfestigkeit u. guten Abriebwiderstand aus. Verw.-Möglichkeiten für TPR werden v. a. in der Reifenfabrikation gesehen. – *E* trans-1,5-polypentenamer – *F* trans-1,5-polypenténamère – *I* = *S* trans-1,5-polipentenamero

Lit.: [1] Blackley, Synthetic Rubbers: Their Chemistry and Technology, S. 294 ff., London: Applied Sci. Publ. 1983.

allg.: Encycl. Polym. Sci. Eng. **11**, 287–314 ▪ s. a. Metathesepolymerisation. – [CAS 28730-07-6]

Transponierbare Elemente. Bez. für DNA-Sequenzen unterschiedlicher Länge, die mit mehreren Kopien in Genomen von Mikroorganismen u. Höheren Organismen vorkommen. T. E. werden an nicht festgelegten Positionen ins Genom integriert u. wieder freigesetzt (*Transposition*). Die Integration erfolgt über illegitime Rekombination (s. Insertionssequenzen). Zu den t. E. gehören die *Insertionssequenzen u. *Transposonen. T. E. führen am Ort ihrer Integration zu Veränderungen im Genom u. dürften daher einen großen Teil der spontan auftretenden *Mutationen verursachen. – *E* transposable elements – *F* éléments transposables – *I* elementi trasponibili – *S* elementos transponibles
Lit.: Knippers (7.), S. 209 ff.

Transport (von latein.: transportare = hinüberbringen). 1. Ein aus Naturwissenschaft, Technik, Wirtschaft u. Alltag geläufiger Begriff, unter dem man die Verbringung von Stoffen, Gütern, Organismen, Energie u. Eigenschaften von einer Stelle zur anderen versteht. In dem hier interessierenden Rahmen ist dabei z. B. zu denken (man vgl. die Einzelstichwörter) an den *Massen-* od. *Stoff-T.* von gasf., flüssigen od. festen *Stoffen (*Beisp.:* Mechan. od. pneumat. Fördern, T. mit Pumpen, T. durch Pipelines, Rohre, Schläuche etc., T. durch Änderung des Aggregatzustands, also durch Dest. od. Subl., durch Schmelzen, Fließen u. Erstarren usw.), an die *Wärmeübertragung (*Beisp.:* Heizen u. Kühlen unter Verw. von Dampf, flüssigen Wärmeüberträgern, Heizbädern, Kältemitteln u. Wärmeaustauschern), an den *T. von elektr. od. von Strahlungs-Energie* (Energieübertragung, -direktumwandlung) usw.
Im Bereich der *chemischen Technologie u. *industriellen Chemie fallen die erwähnten Aufgaben in das Arbeitsgebiet der *Verfahrenstechnik. Hier sind auch *T.-Phänomene* wie die Erscheinungen der Diffusion, Strömung, Viskosität u. inneren Reibung, elektrostat. Auflading, elektr. u. Wärmeleitfähigkeiten u. a. *irreversible Prozesse zu berücksichtigen. Beim T. geladener Teilchen spielen sog. *Überführungszahlen eine wichtige Rolle. Daneben gibt es beim physikal. T. noch eine Vielzahl von spezif. *T.-Zahlen*; *Beisp.:* Mach-, Knudsen-, Rayleigh-, Nusselt-, *Reynolds-Zahl, u. vgl. a. Wärmeübertragung. Mehr od. weniger gerichtete T.-Prozesse finden auf od. in der Erdkruste ständig statt (Verdunstung u. Regen, Erosion, Gesteinsbewegungen), u. derartigen T.-Erscheinungen müssen natürlich auch Wanderungen von Luftverunreinigungen (*Transmission), Abwässern, radioaktivem Fallout, Pestizid-Rückständen etc. zugerechnet werden. Im Verkehrswesen spielt der T. von chem., insbes. von *gefährlichen Gütern eine bes. Rolle, weil er zur Wahrung der *Arbeitssicherheit u. der Verkehrssicherheit eigenen *Transportbestimmungen unterliegen muß. Die Minimierung von T.-Kosten mittels Rechenmeth. der linearen Algebra ist Gegenstand des Fachgebietes *Operations-Research. Speziellen Gesetzmäßigkeiten muß der T. von Lebensmitteln, Arzneimitteln u. dgl. gehorchen. In manchen der erwähnten Fälle stellt sich der T. dar als Teil eines *Kreislaufs, der ggf. in *Sankey-Diagrammen versinnbildlicht werden kann (*Beisp.:* *Wasser).

2. Im Gegensatz zu den erwähnten physikal. T.-Prozessen versteht man unter *chem. T.-Reaktionen* solche *Reaktionen, bei denen eine Substanz von einer anderen reversibel aufgenommen u. an anderer Stelle wieder in Freiheit gesetzt od. auf eine dritte Substanz übertragen wird. So können anorgan. Stoffe bei erhöhten Temp. über die Gasphase wandern, wenn sie vorher durch heterogene reversible Reaktionen in flüchtige Produkte umgewandelt worden sind. Erhitzt man z. B. verunreinigtes Silicium, das sich an einem Ende eines zugeschmolzenen Rohres befindet, in Ggw. von etwas $SiCl_4$ auf ca. 1200 °C, so bildet sich in der Hitze gasf. $SiCl_2$ ($Si + SiCl_4 \rightarrow 2\ SiCl_2$). Dieses diffundiert zum kühleren Rohrende u. zersetzt sich dort unter Abscheidung von reinem Silicium u. Rückbildung von $SiCl_4$ ($2\ SiCl_2 \rightarrow Si + SiCl_4$), welches dann erneut für die Hochtemperaturreaktion mit Si zur Verfügung steht. Die Lage des chem. Gleichgew. (Si neben $SiCl_4$ bei niedriger, $SiCl_2$ bei hoher Temp.) wird hier zur Reinigung durch eine Transportreaktion ausgenutzt. Weitere Beisp.: Mond-Prozeß, Aufwachsverf., Halogenlampen; zur Krist. u. Epitaxie, zum Dotieren usw. Im weiteren Sinne um T.-Reaktionen handelt es sich auch im Falle der natürlichen Sauerstoff-Übertragung durch das *Hämoglobin im Rahmen der *Atmung; man bezeichnet diesen Typ von T.-Reaktionen oft als *Übertragungsreaktionen*, weil Hämoglobin dabei die Rolle eines Überträgers (*Carrier, *Träger) spielt. Reaktionen dieses Typs nennt man auch *Zwischenreaktions-*Katalyse*. T.-Phänomene treten in der Chemie weiter immer dann auf, wenn Grenzflächen, Doppelschichten, Membranen durchschritten werden müssen, um Stoffe ein- od. ausschleusen zu können. Hilfe leisten hier die *Phasentransfer-Katalyse, die Verw. von Kryptanden, Kronenethern, Ionophoren, Wirtsmol. für Einschlußverbindungen u. ä. Trägern – der Nobelpreis für Chemie des Jahres 1987 wurde an *Cram, *Lehn u. *Pederson für ihre Untersuchung eben solcher T.-Syst. vergeben.

3. Im *biolog. Geschehen* finden ununterbrochen T.-Prozesse statt: Leben ist nur möglich, wenn der *Stoffwechsel (= Stoff-T. im eigentlichen Sinne) funktioniert. Naheliegende Beisp.: Beim *Menschen der Atmung, der Blut-Kreislauf, Nahrungsaufnahme u. Verdauung, aber auch die unzähligen Prozesse des Kata- u. Anabolismus, bei *Pflanzen der Stofftransport. Man unterscheidet aus pragmat. Gründen den *passiven T.* durch Osmose u. Diffusion vom *aktiven T.*, der zwar ebenfalls durch Membranen hindurch stattfindet, aber auf chem. T.-Reaktionen basiert u. im allg. eines auf die *Permeabilität der Membran eingestellten *Carriers (Transporters) bedarf, s. Membrantransport. Transportiert werden auf diese Weise nicht nur Ionen wie Ca^{2+}, Mg^{2+}, H^+, K^+ u. Na^+ (passiv durch *Ionenkanäle, aktiv durch *Ionenpumpen), sondern auch Aminosäuren (z. B. durch die *Transfer-Ribonucleinsäuren), Fette, Hormone, Zucker u. a. niedermol. Substanzen, die z. B. in der Erregung von Muskeln u. Nerven wirksam werden. T.-Funktionen werden im Körper auch wahrgenommen durch *T.-Proteine* wie *Transferrin, Hämoglobin, *Lipoproteine etc. sowie – beim Zusammenwirken mit Enzymen wie den *Transferasen – von *Coenzymen wie *NAD, *ATP,

*Coenzym A u. viele andere, die funktionell daher oft auch *Transportmetaboliten* genannt werden. Eine ähnliche Funktion übernehmen die *Konjugate bei der Entgiftung u. Ausschleusung von Fremdstoffen aus dem Organismus. Zu beachten ist, daß es im zellbiolog. Bereich noch eine Reihe anderer Mechanismen u. Vehikel gibt, um Stoffe in *Zellen zu bewegen, in sie hinein- od. aus ihnen herauszubringen; *Beisp.*: Mikrotubuli, *Vesikeln, *Pinocytose, Phagocytose, *Endo- u. *Exocytose. – $E = F$ transport – I trasporto – S transporte

Lit. *(zu 1. u. 2., mit Ausnahme von Titeln zum Stoff-, Wärme-, Energie-T. u. T. im Sinne des Verkehrs mit Gefahrstoffen):* Adam, Läuger u. Stark, Physikalische Chemie u. Biophysik, Berlin: Springer 1995 ▪ Alvarado u. van Os, Ion Gradient-Coupled Transport, Amsterdam: Elsevier 1986 ▪ Barnes, Geochemistry of Hydrothermal Ore Deposits, Weinheim: Wiley-VCH 1997 ▪ Bergmann u. Schaefer, Lehrbuch der Experimentalphysik, Bd. 5, Vielteilchensysteme, Berlin: de Gruyter 1992 ▪ Chen, Degnan u. Smith, Molecular Transport and Reaction in Zeolites: Design and Application of Shape Selective Catalysts, Weinheim: VCH Verlagsges. 1994 ▪ Dittrich, Quantum Transport and Dissipation, Weinheim: Wiley-VCH 1997 ▪ Funaro, Spectral Elements for Transport-Dominated Equations, Heidelberg: Springer 1997 ▪ Gilles u. Gilles-Baillien, Transport Processes, Iono- and Osmoregulation, Berlin: Springer 1985 ▪ Graedel u. Crutzen, Chemie der Atmosphäre, Heidelberg: Spektrum 1994 ▪ Greenberg, Modern Mathematical Methods in Transport Theory, Basel: Birkhäuser 1991 ▪ Haase, Transportvorgänge, Darmstadt: Steinkopff 1987 ▪ Haug, Jauho, Quantum Kinetics in Transport and Optics of Semiconductors, Heidelberg: Springer 1998 ▪ Hutzinger **2A**, 1–17, 19–30; **4A** ▪ Kirk-Othmer (4.) **22**, 195–222; **24**, 524–551 ▪ Nachr. Chem. Tech. Lab. **34**, 858–864 (1986) ▪ Naturwissenschaften **73**, 1–7, 363–365 (1986) ▪ Poste u. Crooke, New Insights into Cell and Membrane Transport Processes, New York: Plenum 1986 ▪ Pure Appl. Chem. **57**, 1103–1132 (1985); **58**, 1721–1736 (1986) ▪ Rosner, Transport Processes in Chemically Reacting Flow Systems, London: Butterworth 1986 ▪ Simkovich u. Stubican, Transport in Nonstoichiometric Compounds, New York: Plenum 1985 ▪ Slanina, Biosphere-Atmosphere Exchange of Pollutants and Trace Substances, Heidelberg: Springer 1997 ▪ Transport Phenomena, in Encyclopedia of Applied Physics, Vol. 22, S. 263–282, Weinheim: Wiley-VCH 1998 ▪ Ullmann (5.) **B1**, 4-1 bis 4-93; **B2**, 8-1 bis 8-24; **B3**, 2-1 bis 2-108 ▪ Winnacker-Küchler (4.) **1**, 126 ff. – (*zu 3.*): Griffith u. Sansom, The Transporter Factsbook, San Diego: Academic Press 1997 ▪ Harvey u. Nelson, Transporters, Cambridge: Company of Biologists 1994 ▪ Konings et al., Transport Processes in Eukaryotic and Prokaryotic Organisms, Amsterdam: Elsevier 1996.

Transportbestimmungen (Transportvorschriften). Der *Transport von *gefährlichen Gütern (*Chemikalien, *radioaktive Stoffe, umweltgefährdende Stoffe u. a.) auf dem Land, dem Wasser od. in der Luft unterliegt strengen Sicherheitsbestimmungen. Im nat. Rahmen ist das Gefahrgutbeförderungsgesetz (GGBefG) die Rechtsgrundlage. Der länderübergreifende Transport erfordert internat. Vorschriften, die größtenteils auf UN-Empfehlungen beruhen (Stoffnummern, UN-Nummern). In bes. Fällen werden von regionalen od. kommunalen Behörden zusätzliche Regelungen erlassen (Ausnahmeregelungen, Fahrwegbestimmungen).

Für Hilfeleistungen u. die Gefahrenbeseitigung bei Transportzwischenfällen mit Gefahrgütern haben die Unternehmen der chem. Ind. das *TUIS (Transport-Unfall-Informations- u. Hilfeleistungssyst.) geschaffen.

Für den Transport gefährlicher Güter gibt es je nach Verkehrsträger zum Teil unterschiedliche VO u. Richtlinien. Dabei wird in den Ausführungsbestimmungen grundsätzlich nicht nach innerstaatlichem u. grenzüberschreitendem Verkehr unterschieden. Es gibt übergangsweise noch nat. bzw. multilaterale Regelungen, die im Laufe der Zeit in das internat. Regelwerk integriert werden u. damit auslaufen.

Die Rechtsnormen der Nationalstaaten erfordern häufig nat. VO. Die Ausführung der VO ist jedoch internat. Regeln unterworfen. Für die Beförderung auf der Straße gilt nat. die *GGVS* (Gefahrgut-VO Straße). Für die Einzelbestimmungen sind die Anlagen A u. B des *ADR* (accord européen relatif au transport international des marchandises dangereuses par route – Europ. Übereinkommen über die Beförderung gefährlicher Güter auf der Straße) als nat. Recht übernommen. Für den Bahntransport gilt nat. die *GGVE* (Gefahrgut-VO Eisenbahn) mit den Anlagen A u. B der *RID* (réglement internationale concernant le transport des marchandises dangereuses par chemin de fer – Regelung für die Beförderung gefährlicher Güter mit der Eisenbahn). Der Gefahrguttransport auf dem Wasser unterscheidet zwischen Binnengewässer- u. Seetransport. Für die Binnengewässer gelten die *GGVBinSch* (Gefahrgut-VO Binnenschiff) u. auf dem Rhein u. dessen Nebenflüssen die Anlage A u. B des *ADNR* (accord européen relatif au transport international des marchandises dangereuses par voie de navigation intérieure Rhin – Europ. Übereinkommen über die Beförderung gefährlicher Güter auf dem Rhein). Für die Donau u. die anderen europ. Binnengewässer gilt das *ADN* (accord européen relatif au transport international des marchandises dangereuses par voie de navigation intérieure – Europ. Übereinkommen über die Beförderung gefährlicher Güter auf Binnenwasserstraßen). Für den Seeverkehr gilt die *GGVSee* für alle unter dtsch. Flagge fahrenden bzw. unter fremder Flagge in dtsch. Häfen ladenden od. löschenden od. durch dtsch. Hoheitsgewässer fahrenden Schiffe. Für den internat. Seeverkehr gelten die grundsätzlichen Bestimmungen der *SOLAS* (International Convention for the Safety of Life at Sea – Internat. Übereinkommen zum Schutz des menschlichen Lebens auf See). Die Detailregelungen sind im *IMDG-Code* (Internat. Maritime Dangerous Goods-Code) festgelegt. Der Gefahrguttransport im Luftverkehr unterliegt den Regelungen nach § 27 *LuftVG* u. den §§ 76–78 der *LuftVZO*. Die Ausführungsbestimmungen sind in der Gefahrgutregelung der *IATA* (International Air Transport Association)/*ICAO* (International Civil Aviation Organization) festgelegt.

In den Bestimmungen der einzelnen Verkehrsträger sind Regelungen enthalten, die einen Übergang der Transporte zwischen den einzelnen Verkehrsträgern ermöglichen (Gebrochener Verkehr, z. B. Straße – Schiene – See – Straße). Darüber hinaus gibt es teilw. Erleichterungen für bestimmte Transporte (GGAV – Gefahrgut-Ausnahme-VO, ADR-Ausnahme-VO, multilaterale Vereinbarungen, Kleinmengenregelungen).

In den T. werden neben den Transportregeln insbes. die 13 verschiedenen *Gefahrenklassen (Klassen 1 bis 9), die Stoffnummern (UN-Nummern), Gefahrzahlen

(Kemler-Zahlen), die Art der Verpackung u. des Verpackungsmaterials bzw. Transport-Behälter sowie deren Beschriftung u. Kennzeichnung durch *Gefahrensymbole vorgegeben.
Für die ordnungsgemäße Durchführung haben Unternehmer od. Inhaber von Betrieben, Einrichtungen etc., die Gefahrgut über einen festgelegten Rahmen hinaus befördern, versenden, verpacken od. in anderer Form am Transport beteiligt sind, nach der nat. GbV (Gefahrgutbeauftragen-VO) einen od. mehrere Gefahrgutbeauftragte (internat. als Sicherheitsberater bezeichnet) zu bestellen. Internat. gibt es die Richtlinie 96/35/EG des Rates vom 03.06.1996 über die Bestellung u. die berufliche Befähigung von Sicherheitsberatern für die Beförderung gefährlicher Güter auf Straße, Schiene od. Binnenwasserstraße.
Der Gefahrgutbeauftragte hat die Einhaltung der Vorschriften zu überwachen u. innerbetriebliche Regelungen für den sicheren Gefahrguttransport zu veranlassen. Darüber hinaus sind ggf. weitere Personen (sonstige verantwortliche Personen, beauftragte Personen) zu bestellen u. entsprechend zu schulen.
Für die Durchführung von Straßentransporten ist über eine festgelegte Gefahrgutmenge eine bes. Fahrerlaubnis erforderlich (ADR-Führerschein). – *E* transport regulations – *F* dispositions de transport – *I* disposizioni per il trasporto – *S* disposiciones de transporte
Lit.: Kirchner, Abfall u. Gefahrgut, München: Heinrich Vogel 1998 ▪ Mandl u. Pinter, Gefahrgut Transport, Neuwied, Berlin: Luchterhand 1996 ▪ Oberreuter, Neue Datenblätter zum Gefahrguttransport, Augsburg: WEKA 1998 ▪ Ridder, GGVS/ADR, Landsberg: ecomed 1997.

Transporter des Antigen-Processing s. TAP.

Transport-Reaktionen. Chem. Reaktionen, bei denen eine Substanz von einer anderen reversibel aufgenommen u. unter veränderten Bedingungen (z.B. Temp., Druck) wieder abgegeben wird; s. Transport. – *E* transport reactions – *F* réactions de transport – *I* reazioni di trasporto – *S* reacciones de transporte

Transport-Unfall-Informations- u. Hilfeleistungssystem s. TUIS.

Transportverpackung s. Verpackungsabfälle.

Transportvorschriften s. Transportbestimmungen.

Transposition s. transponierbare Elemente u. Transposon.

Transposon. Zu den *transponierbaren Elementen gehörende DNA-Sequenz (2,5 – ca. 20 Kilobasen), die bei vielen Organismen, u. a. Bakterien, Hefen, *Drosophila*, Maus u. Mensch, nachgewiesen wurden. T. werden an fast beliebiger Stelle ins Genom integriert u. wieder freigesetzt (*Transposition*). Neben den Genen, die für den Transpositions-Prozeß codieren (*Transposase*, bei einigen T.-Resolvase), enthalten T. zusätzliche *Gene, z.B. für Antibiotika- od. Schwermetall-Resistenzen.
Aufgrund der DNA-Endsequenzen unterscheidet man T. der Klasse I u. II: Bei den *zusammengesetzten T.* (composite T.) der Klasse I ist die T.-DNA-Sequenz beidseitig von invers zueinander orientierten *Insertionssequenzen (IS-Elementen) flankiert, die Gene u. Signalsequenzen für die Transposition enthalten. T. der Klasse II tragen an den Enden kurze invertierte Sequenzwiederholungen, die Transposition wird von anderen DNA-Bereichen codiert. Die Transposition läuft über eine Replikation, so daß eine Kopie des T. am bisherigen Integrationsort im Genom verbleibt. Die Transpositionsfrequenz liegt zwischen 10^{-7} u. 10^{-4} pro Generation.
Bei der Integration eines T. ins Genom können *Mutationen entstehen, wie bei Insertionssequenzen beschrieben, so daß T. zur *Mutagenese (*Transposon-Mutagenese) eingesetzt werden: Kartierung der entstandenen Insertionen im Vgl. zu den ausgelösten phänotyp. Änderungen lassen Rückschlüsse auf die Funktion der zu untersuchenden DNA-Sequenzen zu. In der *Gentechnologie werden T. zur Konstruktion von *Vektoren benutzt; s. a. Insertionssequenzen, transponierbare Elemente. – *E* = *F* transposon – *I* trasposone – *S* transposón
Lit.: Annu. Rev. Genet. **20**, 175 (1986) ▪ Annu. Rev. Microbiol. **49**, 367 (1995) ▪ Berg u. Howe (Hrsg.), Mobile DNA, Washington: American Soc. for Microbiology 1989 ▪ Bioassays **7**, 3 (1987) ▪ Knippers (7.), S. 209 ff.

Transposon-Mutagenese (Insertionsmutagenese). Verf. zum *Klonieren von *Genen, die nur einen mutanten *Phänotyp hervorrufen aber nicht lebensnotwendig sind. Durch *Insertion *transponierbarer Elemente od. synthet. DNA-Sequenzen können die zu untersuchenden Gene inaktiviert werden, was über ein verändertes Erscheinungsbild detektierbar wird. Die Sequenzen bekannter transposabler Elemente werden dabei als *Gensonden od. *Primer für die *polymerase chain reaction verwendet. Man isoliert sie zusammen mit den flankierenden Sequenzen des gesuchten Gens aus der DNA des mutierten Stammes. Durch Vgl. der Sequenzen mit der DNA des *Wildtyps können die intakten Gene identifiziert u. anschließend isoliert u. kloniert werden. – *E* transposon mutagenesis, insertion mutagenesis – *F* mutagénèse d'insertion – *I* mutagenesi inserzionale – *S* mutagénesis de inserción
Lit.: Knippers (7.), S. 209 ff. ▪ Methods Mol. Biol. **66**, 343 (1996) ▪ Mol. Biotechnol. **4**, 45 (1995) ▪ Proc. Natl. Acad. Sci. USA **94**, 10961 (1997).

Transposon-tagging s. tagging.

Transpulmin®. Lsg. u. Salbe für Babys u. Kinder mit Eucalyptus- u. Kiefernnadelöl, *T. E Balsam* mit *Cineol, *Levomenol u. *Campher gegen Bronchialerkrankungen. *B.:* Asta Medica/AWD.

Trans-Reaktionen. Oberbegriff für Reaktionen, die zum Austausch ganzer Kettensegmente zwischen einzelnen *Makromolekülen führen. Sie können z.B. als *Umesterungen (*Transacetylierungen*) bei *Polyestern) od. Umamidierungen (*Transamidierungen*) bei *Polyamiden) verlaufen. Bei T.-R. bleibt das *Zahlenmittel der *Molmasse konstant, ihr *Massenmittel steigt jedoch an, so daß ursprünglich enge Molmassen-Verteilungen breiter werden u. somit die *Polydispersität zunimmt. Da z.B. die Schmelzviskosität von *Polymeren oberhalb einer bestimmten, krit. Molmasse mit der 3,4. Potenz des Massenmittels zunimmt, kann sich diese durch T.-R. drast. erhöhen. Bei der Verarbeitung von Polymeren aus der Schmelze kann dies wegen sich ständig ändernder Viskositäten zu Proble-

men führen. Eine Möglichkeit, T.-R. zu verhindern, ist die gezielte Verkappung offener Kettenenden der Makromoleküle. In der Technik werden die hierzu verwendeten Verb. *Molekularstabilisatoren* od. *Kettenabbrecher* genannt. – *E* interchange reaction – *I* reazione di scambio – *S* reacción de intercambio
Lit.: Elias (5.) **1**, 555; **2**, 74.

Trans-taktische Polymere s. Taktizität.

Transthyretin s. Thyroid-Hormone.

***trans*-2-Tridecenal** s. Koriander.

Transurane. Bez. für die durchweg radioaktiven, künstlich zu erzeugenden chem. Elemente, die eine höhere *Ordnungszahl als *Uran (Z = 92) haben u. deshalb im *Periodensystem jenseits (latein.: trans) des Urans stehen. Da in den letzten Jahren auch *Neptunium u. *Plutonium in natürlichen Vork. (*Uranpecherz) nachgewiesen wurden, spricht man heute häufig einschränkend von *Transplutonium-Elementen*. Zu den T. im obigen Sinne gehören die in Einzelstichwörtern näher behandelten u. von der IUPAC mit Namen belegten *chemischen Elemente Neptunium, Plutonium, Americium, Curium, Berkelium, Californium, Einsteinium, Fermium, Mendelevium, Nobelium, Lawrencium, Rutherfordium, Dubnium, Seaborgium, Bohrium, Hassium u. Meitnerium sowie alle Elemente oberhalb der Ordnungszahl 109, für die die IUPAC aus un = 1, nil = 0 u. latein./griech. Zahlwortwurzeln gebildete Namen empfiehlt[1]; *Beisp.:* Element 110 (Ununnilium, Uun), 111 (Unununium, Unn) bzw. 120 (Unbinilium, Ubn). Die T. bis Element 103 (Lawrencium) gehören zur Gruppe der *Actinoide, von Element 104 bis 121 bilden sie die Reihe der *Transactinoide, u. diesen schließen sich die hypothet. *Superactinoide (*super-* od. *überschwere Elemente*) an. Da das Atomgew. der T. u. der übrigen künstlichen Elemente vom Herst.-Verf. abhängt, gibt die Internat. Atomgew.-Kommission (z. B. in *Lit.*[2]) die Atommassen der längerlebigen Isotope u. deren *Halbwertszeiten an. Alle bisher entdeckten T. sind instabil, sie zerfallen früher od. später in Elemente mit niederen Ordnungszahlen.
Chem. Eigenschaften: Np, Pu, Am, Cm, Bk, Cf, Es, Fm, Md, No u. Lr verhalten sich chem. mehr od. weniger ähnlich den homologen Elementen der *Lanthanoiden-Reihe (Pm, Sm, Eu, Gd, Tb, Dy, Ho, Er, Tm, Yb u. Lu). Man kann also – mit Einschränkungen – die Eigenschaften der T. aus ihrer Stellung im Periodensyst. u. der Besetzung der Elektronenschalen ablesen: Faßt man die Lanthanoide als 4f-Elemente auf, so kann man die Actinoide als 5f-Elemente betrachten (vgl. Atombau u. Actinoide); allerdings präsentiert sich das chem. Verhalten der 5f-Elemente weit weniger einheitlich als das der 4f-Elemente. Die ersten Glieder der T. können unter bestimmten Bedingungen in relativ stabilen höheren Oxid.-Stufen auftreten, beispielsweise +7 (Np u. Pu), u. sind so als typ. *Übergangsmetalle aufzufassen. Mit steigender Ordnungszahl (Cm bis Lr) zeigen die T. ein chem. Verhalten, das dem der Lanthanoiden weitgehend entspricht. Von den Transactinoiden-Elementen (Ordnungszahl >103) sind bisher nur wenige chem. Untersuchungen bekannt[3]. Zum chem. Verhalten von T. in der Geosphäre s. *Lit.*[4].

Herst.: *1.* Über *Neutroneneinfangreaktionen* (vgl. Kernreaktionen u. Radionuklide), denen ein β^--Zerfall der Neutronen-reichen Isotope folgt, z. B.

$$^{238}_{92}U(n,\beta^-)^{239}_{93}Np \xrightarrow{\beta^-} ^{239}_{94}Pu.$$

Beim kontrollierten Aufbau in Kernreaktoren mit hohem Neutronenfluß ist in sukzessiven Prozessen die Erzeugung der Elemente bis *Fermium (Ordnungszahl 100) möglich. Hier bricht dieses auf *Fermi (1934) zurückgehende Konzept ab, da Fm-Isotope keinen β^--Zerfall zeigen.

2. In *Aufbaureaktionen* durch Schwerionenbeschuß von Kernen möglichst hoher Ordnungszahl. Hierzu werden, um die Coulomb-Abstoßung zwischen den Kernen zu überwinden u. die *Kernverschmelzung* herbeizuführen, *Teilchenbeschleuniger hoher Leistung benötigt (Abk. LINAC von *E linear accelerator*, spezielle Namen z. B. HILAC bzw. UNILAC). Dabei geht man entweder von Actinoiden aus u. erhält beim Beschuß mit möglichst leichten Schwerionen ($^{12}_{6}C$, $^{18}_{8}O$, $^{22}_{10}Ne$ etc.) in einem Schritt Elemente mit Ordnungszahlen, die um 6 bis 10 Einheiten größer sind als die des Targetnuklids, z. B.

$$^{249}_{98}Cf(^{18}_{8}O,4n)^{263}_{106}Sg,$$

od. man beschießt stabile Isotope, z. B. des Bleis od. Bismuts, mit Übergangsmetall-Ionen, z. B.

$$^{208}_{82}Pb(^{54}_{24}Cr,3n)^{259}_{106}Sg.$$

In diesen beiden Reaktionstypen bildet sich intermediär ein hochangeregter Zwischenkern, der sich nur durch Emission *mehrerer* Neutronen abkühlen kann; man spricht daher von „heißer" Kernverschmelzung. Wegen der relativ hohen Neutronenzahl der T. u. wegen der notwendigen Neutronenemission wählt man als Projektile bevorzugt die neutronenreichsten Isotope mit der benötigten Ordnungszahl aus.

3. Über die „kalte" Kernverschmelzung, bei der sich ein weniger stark angeregter Zwischenkern durch Emission schon eines Neutrons abkühlen kann, wurden erstmals Isotope der Elemente 107 bis 111 synthetisiert[5], z. B.

$$^{209}_{83}Bi(^{58}_{26}Fe,n)^{266}_{109}Mt \text{ u. } ^{209}_{83}Bi(^{64}_{28}Ni,n)^{272}111.$$

Der Weltvorrat an Reaktor-Plutonium dürfte ungefähr 400 t betragen, an Np u. Am >100 kg, an Cm mehrere kg, an Cf > 1 g, an Bk u. Es 1 – 10 mg u. an Fm > 1 pg. Isotope der Elemente 104–109 wurden bisher nur in Mengen von wenigen Atomen erhalten.

Zur Untersuchung der sehr geringen, prakt. unwägbaren Mengen von Elementen höherer Ordnungszahl lassen sich bei noch einigen zigtausend Atomen die klass. Meth. der *Radiochemie anwenden. Wenn nur wenige, sehr kurzlebige Atome zur Verfügung stehen, werden in Experimenten im Ultramikromaßstab mit entsprechender Meßtechnik aus dem beobachteten Zerfall Rückschlüsse auf chem. Eigenschaften gezogen. Nuklide im HWZ-Bereich von wenigen Sekunden bis Millisekunden lassen sich nur mit physikal. Meth. untersuchen: So kann der eindeutige Nachw. eines neuen Elements durch eine *Koinzidenzmessung* erfolgen, wobei mit der charakterist. Röntgenstrahlung die Ordnungszahl seines Zerfallsprodukts festgelegt ist u. mit dem gleichzeitigen α-Zerfall die um zwei Einheiten höhere Ordnungszahl des zerfallenden Elements. Zur

Abtrennung von durch Kernverschmelzung erhaltenen Nukliden benutzt man *online-Massenseparatoren*, die an einen Teilchenbeschleuniger direkt angeschlossen sind, indem z. B. Geschw.-Unterschiede zwischen Reaktionsprodukten u. Projektilen ausgenutzt werden (Separation durch Geschw.-Filter). Die Identifikation erfolgt nach einer *Korrelationsmeth.* aus der beobachteten radioaktiven Zerfallskette, die zu einem bekannten Kern führt; hierzu braucht man nur *ein* Atom (s. Abb.). In *Lit.*[6] sind die Kriterien zusammengestellt, die erfüllt sein müssen, ehe ein chem. Element als „neuentdeckt" gelten kann.

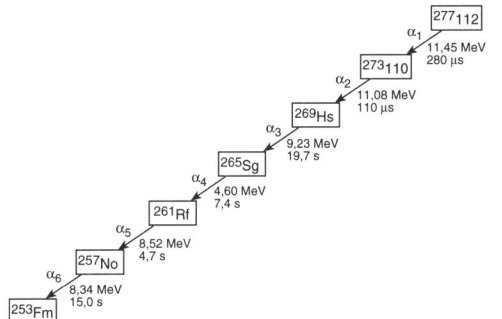

Abb.: Zerfallskette, die die Existenz des Isotops ^{277}112 belegt (*Lit.*[7]), beobachtet am 09.02.1996.

Verw.: Außer Plutonium-239, das als *Kernbrennstoff in *Kernreaktoren, insbes. in Schnellen Brütern (u. in isotopenreiner Form als Spaltstoff in *Kernwaffen) dienen kann, haben auch andere T. prakt. Anw. gefunden. Als relativ langlebige α-Strahler werden insbes. Pu-238, Cm-244 u. Cm-242 als Wärmequellen in Batterien (z. B. in der Raumfahrt) eingesetzt. Am-241 zählt zu den besten α-Strahlenquellen in der Röntgenfluoreszenzspektroskopie. Die Neutronenquelle Cf-252 wird für die *Aktivierungsanalyse (*Neutronenaktivierungsanalyse) u. die Krebstherapie benutzt sowie zur Herst. von in der *Nuklearmedizin (Strahlendiagnostik) interessanten kurzlebigen Radionukliden. Näheres zu den techn. Einsatzmöglichkeiten von T. findet man unter den einzelnen Elementen u. bei Kirk-Othmer u. Ullmann (*Lit.*).

Geschichte: Die seit 1934 beim Bestrahlen von Uran mit langsamen Neutronen erhaltenen Radionuklide wurden – den damaligen Vorstellungen über *Kernreaktionen u. über die Stellung der schwersten Elemente im Periodensyst. zufolge – aufgrund ihres chem. Verhaltens den T. zugeordnet. Man unterschied damals Eka-Rhenium, Eka-Osmium, Eka-Iridium u. Eka-Platin mit den Ordnungszahlen 93, 94, 95, 96. Nach der Entdeckung der Kernspaltung wurde allerdings klar, daß es sich um Spaltprodukte gehandelt hatte. Zwischen 1940 u. 1959 wurden von *McMillan, *Seaborg, *Ghiorso die ersten künstlichen Actinoide gewonnen bzw. Es u. Fm im Staub der ersten thermonuklearen Explosion entdeckt. Die folgenden Jahre standen im Zeichen eines heftigen Wettbewerbs zwischen den Amerikanern in Berkeley u. der russ. Arbeitsgruppe um *Flerov in Dubna um die Synth. der Elemente 102 bis 105, für die von beiden jeweils eigene Namen vorgeschlagen wurden, z. B. für das Element 104 Kurtschatovium von Flerov (1964) u. Rutherfordium (heute gültiger Name nach IUPAC) von Ghiorso (1969). Isotope der Elemente 107 bis 109 wurden erstmals 1981/1982 von der Arbeitsgruppe um Armbruster von der *Gesellschaft für Schwerionenforschung mbH (GSI) in Darmstadt erzeugt. Die Tab. auf S. 4618 gibt einen Überblick über die Entdeckung der Trausurane. Näheres zur Geschichte s. *Lit.*[9] u. zur Gewinnung, zu chem., biolog. u. nuklearen Eigenschaften von T. s. *Lit.*[10] u. zu den Namen der Elemente 104 bis 109 s. *Lit.*[11]. – *E* transuranium elements – *F* transuraniens – *I* transurani – *S* transuránicos

Lit.: [1] Pure Appl. Chem. **51**, 381–384 (1979); [2] Pure Appl. Chem. **60**, 848 f. (1988); **61**, 1483–1504 (1989); [3] Chem. Unserer Zeit **29**, 194–206 (1995); [4] GIT Suppl. **1988**, 36 ff., 40–43; [5] Phys. Unserer Zeit **21**, 30–35 (1990); Phys. Bl. **44**, 359–366 (1988); Z. Phys. A **350**, 277, 289 (1995); [6] Naturwiss. Rundsch. **30**, 219 ff. (1977); [7] Z. Phys. A **354**, 229 f. (1996); [8] Lerner u. Trigg, Encyclopedia of Physics, Weinheim: VCH Verlagsges. 1991; [9] Angew. Chem. **102**, 469–496 (1990); [10] Chem. Ztg. **110**, 233–247 (1986); [11] Pure Appl. Chem. **69**, 247 ff. (1997).

allg.: Gmelin, Syst.-Nr. 71, Np, Pu,... Transuranium Elements, Part A (3 Bd.), B (3 Bd.), C, D (2 Bd.), Index; 1973–1979 ■ Gompper et al., Abtrennung von Transuranelementen u. Spaltprodukten aus mittelaktiven wäßrigen Abfallösungen (Report EUR 10893), Luxemburg: C. E. 1987 ■ Keller, Die Geschichte der Radioaktivität unter besonderer Berücksichtigung der Transurane, Stuttgart: Wissenschaftliche Verlagsges. 1982 ■ Kirk-Othmer (4.) **1**, 412–445 ■ Musiol et al., Kerne u. Elementarteilchenphysik, Weinheim: VCH Verlagsges. 1988 ■ Navratil et al., Transplutonium Elements, Production and Recovery (ACS Symp. Ser. 161), Washington: ACS 1981 ■ Nuclear Power: Health Implications of Transuranium Elements, Kopenhagen: WHO 1982 ■ Recherche (Paris) **212**, 896–903 (1989) ■ Seaborg u. Loveland, The Elements Beyond Uranium, New York: Wiley 1990 ■ Snell-Ettre **19**, 224–261 ■ Ullmann (5.) **A 27**, 167–177. – *Zeitschrift:* Lanthanide and Actinide Research, Dordrecht: Reidel (seit 1986). – *Institut:* Europäische Kommission, Inst. für Transurane im Forschungszentrum Karlsruhe, 76344 Eggenstein-Leopoldshafen ■ s. a. die Einzelelemente u. Actinoide. – [*G 7*]

Transversale tubuli s. sarkoplasmatisches Retikulum.

Transversion. In der *Genetik Bez. für eine *Punktmutation, bei der ein Purin durch ein Pyrimidin u. vice versa ersetzt ist (s. a. Transition). – *E = F* transversion – *I* trasversione – *S* transversión

Lit.: Knippers (7.), S. 229 ■ Stryer 1996, S. 850.

Tranxilium® (Rp). Filmtabl., Kapseln u. Ampullen mit *Dikaliumclorazepat gegen Angst- u. Spannungszustände; *T. N-Tropfen* enthalten statt dessen *Nordazepam. *B.:* Sanofi-Winthrop.

Tranylcypromin (Rp).

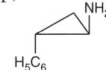

Internat. Freiname für das *Antidepressivum (±)-*trans*-2-Phenylcyclopropylamin, $C_9H_{11}N$, M_R 133,19, Schmp. 44–45 °C, Sdp. 79–80 °C (ca. 200 Pa), $n_D^{27,5}$ 1,5560, λ_{max} (0,1 M NaOH) 266, 273 nm (A_D 41, 31), pK_a 8,2. Verwendet wird meist das Hydrochlorid, Krist., Schmp. 164–166 °C u. das Sulfat, Schmp. 226–228 °C. T. gehört zur Klasse der MAO-Hemmer (*Monoaminoxidase). Es wurde 1961 von SK&F patentiert u. ist von Procter & Gamble Pharmaceuticals (Jatrosom®) im Handel. – *E = F* tranylcypromine – *I = S* tranilcipromina

Tab.: Entdeckung der Transurane (nach *Lit.*[8]).

Ordnungszahl u. Name des Elements (Land u. Jahr der Entdeckung)	HerstMeth. (Z = Zyklotron-Beschuß; L = LINAC-Beschuß; NR = Neutroneneinfang aus Reaktorstrahlung; T = thermonukleare Explosion)	Nachw.
93 Neptunium USA, 1940	Z: $^{238}U + n \rightarrow ^{239}U \xrightarrow{\beta-} ^{239}Np$	Beta-Zerfall von ^{239}U
94 Plutonium USA, 1940	Z: $^{238}U + d \rightarrow ^{238}Np \rightarrow ^{238}Pu$	Beta-Zerfall von ^{238}Np
95 Americium USA, 1944	NR: $^{239}Pu(n,\gamma)\ ^{240}Pu(n,\gamma)\ ^{241}Pu \xrightarrow{\beta-} ^{241}Am$	chem. Separation von Am aus Pu, Beta-Zerfall
96 Curium USA, 1944	Z: $^{239}Pu + \alpha \rightarrow ^{242}Cm$	chem. Separation Alpha-Zerfall $^{242}Cm \xrightarrow{\alpha} ^{238}Pu$
97 Berkelium USA, 1949	Z: $^{241}Am + \alpha \rightarrow ^{243}Bk$	chem. Separation Detektion des Zerfalls durch Alpha- u. Gamma-Emission
98 Californium USA, 1950	Z: $^{242}Cm + \alpha \rightarrow ^{245}Cf$	chem. Separation Alpha-Zerfall von ^{245}Cf
99 Einsteinium USA, 1952	T: Beginnend mit Uran mehrfacher Neutroneneinfang u. Beta-Zerfall $\rightarrow ^{253}Es$	chem. Separation Alpha-Zerfall von ^{253}Es
100 Fermium USA, 1953	T: (wie bei Es) $\rightarrow ^{255}Fm$	chem. Separation Alpha-Zerfall von ^{255}Fm
101 Mendelevium USA, 1955	Z: $^{253}Es + \alpha \rightarrow ^{256}Md$	chem. Separation Zerfall von ^{256}Fm
102 Nobelium USA, 1958	L: $^{246}Cm + ^{12}C \rightarrow ^{254}No$	Alpha-Zerfall von ^{254}No zu ^{250}Fm
103 Lawrencium USA, 1961	L: (Mischung ^{249}Cf, ^{250}Cf, ^{251}Cf u. ^{252}Cf) + (^{10}B u. ^{11}B) $\rightarrow ^{257}Lr$	Variation des Wirkungsquerschnittes mit der Stoßenergie (Anregungsfunktion)
104 Rutherfordium USSR, 1964	Z: $^{242}Pu + ^{22}Ne \rightarrow ^{260}Rf$	Anregungsfunktion; wurde nicht mit anderen Ionen-Target-Kombinationen erreicht
104 Rutherfordium USA, 1969	L: $^{249}Cf + ^{12}C \rightarrow ^{257}Rf$	Alpha-Zerfall nach ^{253}No
105 Dubnium USSR, 1970	Z: $^{243}Am + ^{22}Ne \rightarrow Db$	Anregungsfunktion
105 Dubnium USA, 1970	L: $^{249}Cf + ^{15}N \rightarrow ^{260}Db$	Alpha-Zerfall nach ^{256}Lr
106 Seaborgium USA, 1974	L: $^{249}Cf + ^{18}O \rightarrow ^{263}Sg$	Alpha-Zerfall: $^{263}Sg \rightarrow ^{259}Bh \rightarrow ^{255}No$
106 Seaborgium USSR, 1974	Z: (^{206}Pb, ^{207}Pb u. ^{208}Pb) + ^{54}Cr	Beobachtung des spontanen Zerfalls
107 Bohrium BRD, 1981	L: $^{209}Bi + ^{54}Cr \rightarrow ^{262}Bh$	Geschwindigkeitsfilter; Alpha-Zerfall
108 Hassium BRD, 1984	L: $^{208}Pb + ^{58}Fe \rightarrow ^{265}Hs$	Geschwindigkeitsfilter; Alpha-Zerfall
109 Meitnerium BRD, 1982	L: $^{209}Bi + ^{58}Fe \rightarrow ^{266}Mt$	Geschwindigkeitsfilter; Alpha-Zerfall
110 BRD, 1994	L: $^{208}Pb + ^{62}Ni \rightarrow ^{269}110 + 1n$	Geschwindigkeitsfilter; Alpha-Zerfall
111 BRD, 1994	L: $^{209}Bi + ^{64}Ni \rightarrow ^{272}111 + 1n$	Geschwindigkeitsfilter; Alpha-Zerfall
112 BRD, 1996	L: $^{208}Pb + ^{70}Zn \rightarrow ^{277}112 + 1n$	Geschwindigkeitsfilter; Alpha-Zerfall

Lit.: ASP ▪ Florey **25**, 501–534 ▪ Hager (5.) **9**, 1008–1011 ▪ Martindale (31.), S. 334 f. – *[HS 2921 49; CAS 155-09-9 (T.); 13492-01-8 (Sulfat)]*

Trapanal® (Rp). Ampullen mit *Thiopental-Natrium zur Kurz- u. Basisnarkose. **B.**: Byk Gulden.

Trapezoeder s. Kristallmorphologie.

Trapidil (Rp). Internat. Freiname für das Herztherapeutikum, ein koronarer *Vasodilatator, N,N-Diethyl-5-methyl-[1,2,4]triazolo[1,5-a]pyrimidin-7-amin, $C_{10}H_{15}N_5$, M_R 205,27, Schmp. 98–99 °C, λ_{max} (CH_3OH) 222, 270, 307 nm ($A^{1\%}_{1cm}$ 93, 33, 93), pK_a 2,79, LD_{50} (Maus oral) 235, (Maus i.v.) 76 mg/kg. T. wurde 1967 von E. Tenor et al. patentiert u. ist von Rentschler/UCB (Rocornal®) im Handel. – $E = F = I = S$ trapidil

Lit.: Clin. Cardiol. **20**, 483–488 (1997) (Pharmakokinetik) ▪ Hager (5.) **9**, 1011 ▪ Martindale (31.), S. 957 ▪ Merck-Index (12.), Nr. 9709 ▪ Pharm. Ztg. **139**, 2470–2472 (1994). – *[HS 2933 59; CAS 15421-84-8]*

TRAP'IT®. Bezeichnet eine Gruppe von katalyt. aktiven Materialien zur selektiven Sorption unterschiedlichster Katalysatorgifte, wie z. B. Schwefel-, Chlor-, Stickstoff- od. Arsen-Verbindungen. Anwendungsbereiche sind in der chem. u. insbes. der petrochem. Ind. zu finden. *B.:* Süd-Chemie.

Traß (von italien.: *Terrazzo). 1. In der *Petrographie* Bez. für ein zu den *Ignimbriten gerechnetes, nicht verschweißtes u. nicht verkittetes, schlecht sortiertes, massiges, hellgelbes bis graues *pyroklastisches Gestein, das reich an *Bimsstein ist; D. 2,3. Die Gesteinsglas-(Bimsstein-)Anteile sind häufig in *Chabasit, *Analcim u. a. *Zeolithe umgewandelt.
2. In der *Baustoff-Ind.* versteht man unter T., einer natürlichen *Puzzolanerde, einen gemahlenen, sauren, vulkan. *Kieseltuff* (s. Tuffe), der im Brohltal u. Nettetal (Seitentäler des Rheins), bei Nördlingen/Bayern (Suevit-T.; vgl. Impact), in Italien, Griechenland u. a. Ländern gewonnen wird u. als hydraul. Mörtel- u. Betonzusatz verwendet wird. T. enthält 30–35% salzsäurelösl. Kieselsäure, die freien Kalk unter Bildung von schwerlösl. Kalksilicaten binden kann. In Mischung mit Kalk u. Zement erhärtet T. nach Quellung im alkal. Milieu unter Wasser; er wird daher im Wasserbau als *Betonzusatzstoff u. zur Herst. von *Traß-Zement verwendet. – $E = F = S$ trass – I trasso
Lit.: Fisher u. Schmincke, Pyroclastic Rocks, S. 189f., 211, Berlin: Springer 1984 ▪ Wirtschaftsvereinigung Bauindustrie (Hrsg.), Das Bergbau-Handbuch, S. 286, Essen: VGE Verl. Glückauf ▪ s. a. pyroklastische Gesteine.

Traß-Zement (Abk.: TrZ). TrZ wird hergestellt durch gemeinsame Feinvermahlung von 60–80% *Portlandzement-*Klinker u. 40–20% *Traß unter Zusatz von Calciumsulfat u. ggf. weiteren Zusätzen. Nach DIN 1164-1: 1994-10 gehört Traß als Mischungskomponente in *Zement zu den natürlichen *Puzzolanerden u. soll den Spezifikationen der DIN 51043: 1979-08 entsprechen. TrZ ist nach Aushärtung bes. widerstandsfähig gegen aggressive Wässer u. wird daher vorwiegend im Grund-, Wasser- u. Tiefbau verwendet. – E trass cement – F ciment au trass – I trass-cemento – S cemento hidráulico
Lit.: Härig, Technologie der Baustoffe (9. Aufl.), S. 103, Karlsruhe: Müller 1990 ▪ Scholz, Baustoffkenntnis 13. Aufl., Düsseldorf: Werner 1995 ▪ Ullmann (4.) **24**, 546; (5.) **A 5**, 491 ▪ Wendehorst, Baustoffkunde, 24. Aufl., S. 293, 307f., Hannover: Vincentz 1994 ▪ Winnacker-Küchler (4.) **3**, 226, 248f.

Trastuzumab (Rp). Internat. Freiname für den monoklonalen Antikörper rhuMab-HER2 (rekombinanter humanisierter anti-HER2-Antikörper), der von Genentech (Herceptin®, von der FDA im September 1998 für die USA zugelassen) zur Behandlung von metastasierendem Mammacarcinom entwickelt wurde, bei dem der Tumor das HER2-Protein überexprimiert. – $E = F = I = S$ trastuzumab
Lit.: Cancer Res. **58**, 2825–2831 (1998) ▪ J. Chromatogr. A **744**, 295–301 (1996) ▪ J. Pharm. Sci. **86**, 1250–1255 (1997) (Antioxidantien zur Stabilisierung von T.-Zubereitungen) ▪ Proc. Natl. Acad. Sci. USA **92**, 1327–1331 (1995).

Traube, Moritz (1826–1894), Vater von Wilhelm *Traube, Weinhändler u. Privatgelehrter in Ratibor u. Breslau. *Arbeitsgebiete:* Oxidationsvorgänge im tier. u. pflanzlichen Organismus, oxidierende u. reduzierende Wirkung von Enzymen u. Wasserstoffperoxid, Osmose (Traubesche Zelle, s. Osmose).
Lit.: Lexikon der Naturwissenschaftler, S. 399 ▪ Neufeldt, S. 70 ▪ Pötsch, S. 426f.

Traube, Wilhelm (1866–1942), Sohn von Moritz *Traube, Prof. für Chemie, Berlin. *Arbeitsgebiete:* Chem. Reaktionen der Stickoxide, Entdeckung der Oxidreaktion mit Estern u. Ketonen, Acetessigester, Malonester, Purine (*Traube-Synthese), Veronal, elektrolyt. Ammoniak-Oxid., Autokatalyse, Komplexsalze, Isonitramine, Fluorosulfate.
Lit.: Neufeldt, S. 27 ▪ Pötsch, S. 427.

Trauben s. Weintrauben.

Traubenkernöl (Weintraubenkernöl, Drusenöl). Goldgelbes bis grünes, halbtrocknendes, süßlich-bitter schmeckendes Öl, das aus den zerkleinerten, ca. 12% T. enthaltenden *Weintrauben-Kernen durch Auspressen od. Extrahieren mit Petrolether (Leichtbenzin) gewonnen wird; D. 0,912–0,93, Schmp. –10 °C, VZ 176–195, IZ 130–160, Rhodan-Zahl 70–80, Reichert-Meissl-Zahl etwa 0,5. T. enthält ca. 95% Fettsäureglyceride, Unverseifbares rund 1%, davon etwa die Hälfte Phytosterine. Für T. charakterist. ist das *Triterpen *Erythrodiol* (Olean-12-en-3β,28-diol); zur Bestimmung s. *Lit.*[1]. Die einzelnen Säureanteile betragen im Durchschnitt 8–10% Palmitinsäure, 3–5% Stearinsäure, 65–70% Linolsäure u. 10–20% Ölsäure.
Verw.: T. ist ein gutes Speiseöl; früher diente es mit Leinöl vermischt auch als Anstrichmittel, ferner zur Herst. von Linoleum, Seifen u. kosmet. Präparaten. T. wird auch zur Margarine-Herst. verwendet.
Geschichte: T. wird erstmals im Jahre 1569 erwähnt, als Kaiser Maximilian einem Musiker das Privileg zur Herst. von T. erteilte. Später wurde T. in Italien, Frankreich u. Württemberg in Notzeiten hergestellt. – E grapeseed oil, grapestone oil – F huile de pépins de raisin – I olio essenziale dei vinacciuoli – S aceite de pepitas de uva
Lit.: [1] Pure Appl. Chem. **58**, 1023–1034 (1986).
allg.: Seifen, Öle, Fette, Wachse **1962**, 416f. ▪ Ullmann (5.) **A 10**, 176, 229. – *[HS 1515 90]*

Traubenmost. Der bei der Kelterung von *Weintrauben anfallende Saft, der zur Weiterverarbeitung zu *Wein bestimmt ist, wird als T. bezeichnet. Zum *Nährwert u. zu Veränderungen im Verlauf der alkohol. Gärung s. *Lit.*[1,2]. Nach *Lit.*[3] sind im T. aus vorgetrockneten Trauben im Vgl. zu herkömmlichen Trauben höhere Gehalte an Zuckern, Weinsäure u. deren Estern nachweisbar; s. a. Most, Traubensaft u. rektiziertes Traubenmostkonzentrat. – E grape must – F moût (de raisin) – I mosto d'uva – S mosto de uva
Lit.: [1] Pl. Foods Human Nutr. **37**, 275–281 (1987). [2] Chem. Mikrobiol. Technol. Lebensm. **12**, 185–188 (1990). [3] Riv. Vitic. Enol. **50**, 33–41 (1997).
allg.: Belitz-Grosch (4.), S. 824–828 ▪ Tscheuschner, Grundzüge der Lebensmitteltechnik, S. 461, Hamburg: Behr 1996 ▪ Würdig u. Woller, Chemie des Weines, S. 45–183, Stuttgart: Ulmer 1989 ▪ Zipfel, C 402; C 403; C 404. – *[HS 2009 60]*

Traubensäure. Histor. Bez. für racem. *Weinsäure (latein.: racemus = Weinbeere, Traubensaft).

Traubensaft. Nach Anhang I, Nr. 8 der VO (EWG) Nr. 822/87 über die gemeinsame Marktorganisation von *Wein[1] handelt es sich bei T. um ein flüssiges, nicht gegorenes aber gärfähiges Erzeugnis, das aus frischen *Weintrauben od. durch Rückverdünnen von konz. *Traubenmost od. -saft gewonnen worden ist u. in unverändertem Zustand verzehrt werden kann. Die Rebsorten der Art *Vitis vinifera*, aus denen T. hergestellt werden darf, unterliegen einer bes. Zulassung. Ebenso die Verf. zur Herst. von T. (§ 2 Fruchtsaft-VO[2] u. EG-Fruchtsaft-Richtlinie[3]). T. u. konz. T. sind deutlich als solche zu bezeichnen. Diese Verpflichtung zu Angabe der Verkehrsbez. enthalten § 33 Abs. 1 Nr. 1, 4 LMKV[4], sachlich übereinstimmend mit § 4 Abs. 1 der Fruchtsaft-VO[2]. Die Weinbezeichnungs-VO[5] ist auf T. nicht anwendbar.
Zusammensetzung u. Analytik: Eine ausführliche Darst. ist den *RSK-Werten[6] zu entnehmen. Ein vorhandener Alkohol-Gehalt von 1% vol wird geduldet. Nach den Leitsätzen[7] beträgt die Mindestdichte von T. 55° bzw. 65° Oechsle (s. Oechsle Grad), die Mindestsäure 6 g/L u. der höchstzulässige *Sulfat-Gehalt nach dem Entschwefeln 350 mg/L. Nach einer Stellungnahme des Arbeitskreises lebensmittelchem. Sachverständiger (ALS)[8] liegt der *5-(Hydroxymethyl)-furfural-Gehalt (Erhitzungsindikator) von sachgemäß hergestelltem T. deutlich unter 10 mg/L. Zum Nachw. von Schwefeldioxid s. *Lit.*[9]. Zu freien Aminosäuren in T. s. *Lit.*[10]; demnach liegt der Gehalt im allg. unter 400 mg α-Aminosäure-Stickstoff (für freie Aminosäuren)/L Traubensaft. Zur *Kristallisation von *Tartrat im T., einem technolog. relevanten Problem s. *Lit.*[11]. Produktionszahlen (BRD 1997): T. einschließlich Traubenmost 83,7 Mio. L, entspricht 95,6 Mio. DM. – *E* grape juice – *F* jus de raisin – *I* succo d'uva – *S* zumo de uva

Lit.: [1] VO (EWG) 822/87 über die gemeinsame Marktorganisation von Wein vom 16.3.1987 in der Fassung vom 17.3.1997 (ABl. der EG Nr. 83/5). [2] Fruchtsaft-VO vom 17.2.1982 in der Fassung vom 11.7.1990 (BGBl. I, S. 1400). [3] Richtlinie (93/77/EWG) des Rates der europäischen Gemeinschaft für Fruchtsäfte u. einige gleichartige Erzeugnisse vom 21.9.1993 (ABl. der EG Nr. L 244/23). [4] Lebensmittel-Kennzeichnungs-VO vom 6.9.1984 in der Fassung vom 8.3.1996 (BGBl. I, S. 460). [5] VO (EWG) Nr. 2392/89 des Rates zur Aufstellung allgemeiner Regeln für die Bezeichnung u. Aufmachung der Weine u. der Traubenmoste vom 24.7.1989 in der Fassung vom 1.1.1995 (ABl. der EG Nr. L 1/1). [6] Verband der dtsch. Fruchtsaftind. (Hrsg.), RSK-Werte. Die Gesamtdarstellung, S. 60–65, Schönborn: Verl. Flüssiges Obst 1987. [7] Zipfel, C 331 a. [8] Bundesgesundheitsblatt **31**, 398 (1988). [9] Flüss. Obst **56**, 571–573 (1989). [10] Am. J. Enol. Vitic. **47**, 389–402 (1996. [11] Confructa Stud. **33**, 123–127, 130–133 (1989).
allg.: Belitz-Grosch (4.), S. 773 ■ Koch (Hrsg.), Getränkebeurteilung, S. 291–295, Stuttgart: Ulmer 1986 ■ Ullmann (4.) **12**, 241 ■ Würdig u. Müller, Chemie des Weines, S. 45, Stuttgart: Ulmer 1989 ■ Zipfel, C 403, 404. – *[HS 200960]*

Traubenzucker. Histor. Bez. für D-*Glucose, früher od. in der medizin. Lit. heute noch *Dextrose* genannt.

Traube-Regel. Regel, nach der innerhalb einer homologen Reihe von *Tensiden mit steigender Kettenlänge die Lipophilie u. Grenzflächenaktivität zunehmen, die *Oberflächenspannung von Tensid-Lsg. also abnimmt. – *E* Traube's rule – *F* règle de Traube – *I* regola di Traube – *S* regla de Traube

Traube-Synthese. Von W. *Traube 1900 aufgefundene Synth. von substituierten *Purinen aus 4,5-Diaminopyrimidinen u. Ameisensäure od. Chlorameisensäureestern. – *E* Traube synthesis – *F* synthèse de Traube – *I* sintesi di Traube – *S* síntesis de Traube
Lit.: Hassner-Stumer, S. 387 ■ Krauch u. Kunz, Reaktionen der Organischen Chemie, 6. Aufl., S. 367, Heidelberg: Hüthig 1997 ■ Weissberger **24/2**, 31–90.

Traube-Zelle s. Osmose.

Traumanase®. Dragées mit *Bromelain gegen Entzündungen mit Ödem; auch mit *Tetracyclin (*T.-cyclin*-Kapseln, Rp). *B.:* Rhône Poulenc Rorer.

Traumasenex. Gel mit (2-Hydroxyethyl)-salicylat zur Behandlung von stumpfen Verletzungen u. Rheuma. *B.:* Brenner-Efeka.

Traumatinsäure [(*E*)-2-Dodecendisäure].

HOOC~~~~~~~~~~COOH

$C_{12}H_{20}O_4$, M_R 228,29, Krist., Schmp. 166–167 °C, Sdp. 150–160 °C (0,133 Pa), sehr schwer lösl. in Wasser, lösl. in Ethanol, Ether. Phytohormon u. a. aus Grünen Bohnen, das die Wundheilung in Höheren Pflanzen durch Anregung der Neubildung von Epidermisgewebe begünstigt u. die Knospenbildung fördert. Die (*Z*)-Form (Schmp. 67–68 °C) ist synthet. zugänglich. – *E* traumatic acid – *F* acide traumatique – *I* acido traumatico – *S* ácido traumático
Lit.: Beilstein E IV **2**, 2279 ■ Chem. Ind. (London) **1986**, 36 (Synth.) ■ Karrer, Nr. 2608 ■ Merck-Index (12.), Nr. 9710. – Synth.: Org. Prep. Proc. Int. **19**, 461–465 (1987) ■ Synth. Commun. **21**, 183–190 (1991) ■ Synthesis **1975**, 608. – *[HS 291719; CAS 6402-36-4]*

Traumatonastie s. Nastien.

Traumatotropismus s. . . . tropismus.

Traumon® (Rp). Gel u. Spray mit *Etofenamat zur Behandlung von stumpfen Verletzungen u. Rheuma. *B.:* Bayer Pharma Deutschland.

Trauzl-Block s. Explosivstoffe.

Travertin s. Kalke.

Travocort® Creme (Rp). Creme mit *Isoconazolnitrat u. *Diflucortolon-21-valerat gegen entzündete od. ekzematöse Dermatomykosen. *B.:* Asche.

Trazodon (Rp).

Internat. Freiname für das *Antidepressivum 2-{3-[4-(3-Chlorphenyl)-1-piperazinyl]propyl}-1,2,4-triazolo[4,3-*a*]pyridin-3(2*H*)-on, $C_{19}H_{22}ClN_5O$, M_R 371,86, Krist., Schmp. 86–87 °C, auch 96 °C angegeben. Verwendet wird meist das Monohydrochlorid, Schmp. 222–228 °C (Zers.); λ_{max} (H_2O) 211, 246, 274, 312 nm ($A_{1cm}^{1\%}$ 1225, 287, 94, 94); LD_{50} (Maus i.v.) 96 mg/kg. T. wurde 1968 von Angelini Francesco patentiert u. ist von Boehringer Ingelheim (Thombran®) im Handel. – *E* = *F* = *I* trazodon – *S* trazodona
Lit.: Drugs **21**, 401–429 (1981) ■ Florey **16**, 693–729 ■ Hager (5.) **9**, 1012–1015 ■ Martindale (31.), S. 335 f. ■ Psychopharmacology **95**, Suppl., 1–56 (1988). – *[HS 293159; CAS 19794-93-5 (T.); 25332-39-2 (Monohydrochlorid)]*

TRB. Abk. für *Technische Regeln für Druckbehälter, s. a. Behälter.

TrBB s. PBB.

TrBDE s. PBDE.

TrCB s. PCB.

TrCDD, TrCDF s. Dioxine.

Treadwell, Frederick Pearson (1857–1918), Vater von W. D. *Treadwell, Prof. für Analyt. Chemie, TH Zürich. *Arbeitsgebiete:* Analyt. Chemie, Ausarbeitung verschiedener Nachw.-Verf., Lehrbücher der qual. u. quant. Analyse.
Lit.: Pötsch, S. 427.

Treadwell, William Dupré (1885–1959), Sohn von F. P. *Treadwell, Prof. für Analyt. Chemie, TH Zürich. *Arbeitsgebiete:* Elektrometr. Titration, Elektrogravimetrie, Einführung der Elektronenröhre in die chem. Analyse, Nachw. von Alkaloiden, Pt-Metallen, gasanalyt. Methoden.
Lit.: Pötsch, S. 427 f.

Treber. *Bier-T.:* Die unlösl., ausgelaugten Rückstände des *Malzes, die nach dem *Würze-Kochen bei der Herst. von Bier anfallen u. hauptsächlich aus Spelzen u. unlösl. Eiweiß bestehen, werden als T. bezeichnet. Sie werden als *Futtermittel-Zusatz verwendet (28% *Protein, 8% Fett).
Fruchtsaft-T.: Preßrückstand aus Schalen, Kernen u. Stielen, der beim Keltern von *Fruchtsäften anfällt u. der sowohl als Futtermittel als auch als *Pektin-Quelle[1] u. als Fermentationsgrundlage in der *Citronensäure- u. *Ethanol-Produktion[2] verwendet werden kann. Zur Verarbeitung in *Backwaren s. *Lit.*[3]; Rückstände von Trauben werden als *Trester bezeichnet. In der BRD fielen 1995 2,1 Mio t T. an. Nach einem neuartigen Verf. hergestellte „Preßtreber" erlauben eine höhere Bierausbeute, sind aber gleichzeitig mit dem Problem behaftet, nicht mehr silierfähig zu sein. – *E* draff, pomace, rape – *I* vinaccia – *S* heces
Lit.: [1] Lebensm.-Ind. **37**, 261 (1990); **38**, 7 f. (1991). [2] J. Sci. Food Agric. **50**, 55–62 (1990). [3] J. Food Sci. **54**, 618–620, 639 (1989). *allg.:* Belitz-Grosch (4.), S. 812 ▪ Narziß, Die Bierbrauerei (6.), Bd. 2, S. 305 f., Stuttgart: Enke 1985. – [HS 2303 30]

Trebst, Achim (geb. 1929), Prof. für Biochemie der Pflanzen, Univ. Göttingen, Bochum. *Arbeitsgebiete:* Photosynth.: Mechanismen von photosynthet. Elektronentransport u. ATP-Synth., Struktur u. Funktion von Membranproteinen, Wirkungsmechanismen von Herbiziden in der Photosynthese.
Lit.: Kürschner (16.), S. 3800; (17.), S. 1427 ▪ Naturwissenschaften **61**, 308–316 (1974) ▪ Trends Biochem. Sci. **1**, 60–62 (1976) ▪ Wer ist wer, S. 1458.

Tredalat® (Rp). Filmtabl. mit *Nifedipin u. *Acebutolol-hydrochlorid gegen Hypertonie u. Angina pectoris. *B.:* Bayer Pharma Deutschland.

Tréfouël, Jacques (1897–1977), Direktor Inst. Pasteur, Paris. *Arbeitsgebiete:* Chemotherapie der Schlafkrankheit, Syphilis u. Malaria, Sulfonamide, Lokalanästhetika (Procain), Vitamin K.
Lit.: Nature (London) **270**, 647 f. (1977).

Tregalon®. Textilfaser von Bayer aus Polyphenylensulfid zur Herst. von Filtern, Bekleidung, Heimtextilien u. *Nonwovens. *B.:* Bayer.

Trehalamin s. Trehalostatin.

Trehalose (Mycose, Mutterkornzucker, α-D-Glucopyranosyl-α-D-glucopyranosid).

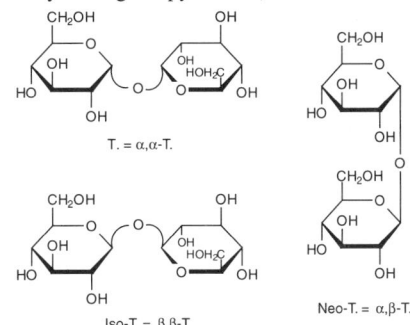

T. = α,α-T.

Iso-T. = β,β-T.   Neo-T. = α,β-T.

$C_{12}H_{22}O_{11}$, M_R 342,29, Krist., Schmp. 97 °C (Dihydrat), 214–216 °C (wasserfrei), +197° (H_2O), lösl. in Wasser u. heißem Ethanol, unlösl. in Ether. Süß schmeckendes Disaccharid aus (Schimmel-)Pilzen, z. B. Ergot, sowie Reserve-Kohlenhydrat in Hefen, Flechten, Algen, Bakterien, Moosen, kommt auch in der Hämolymphe von Insekten vor. α,β-T. {*Neo-T.*, Schmp. 210–220 °C, $[α]_D^{20}$ +95° (H_2O) kommt in Honig vor, β,β-T. {*Iso.-T.*, Schmp. 135–140 °C, $[α]_D^{20}$ +41,50° (H_2O)} ist synthet. zugänglich.
Verw.: Aus Preßhefe gewonnene T. dient als bakteriolog. Nährboden. T.-Diester wirken immunstimulierend[1]. – *E* trehalose – *F* tréhalose – *I* trealosio – *S* trehalosa
Lit.: [1] Med. Res. Rev. **6**, 243–274 (1986).
allg.: Acta Crystallogr. Sect. **C 53**, 234 (1997) ▪ Annu. Rev. Entomol. **23**, 389–408 (1978) ▪ Beilstein E V **17/8**, 3 ▪ Carbohydr. Res. **261**, 25 (1994); **266**, 147 (1995) ▪ GIT Suppl. **4**, Nr. 5, 8–10 (1984) ▪ J. Biotechnol. **3**, 121–130 (1985) ▪ Karrer, Nr. 644 ▪ Merck-Index (12.), Nr. 9713 ▪ Plant Sci. (Limerick, Irel.) **112**, 1 (1995) (Review). – [HS 1940 00; CAS 99-20-7 (α,α-T.); 585-91-1 (α,β-T.); 499-23-0 (β,β-T.)]

Trehalostatin (Trehazolin).

HO—CH₂ OH
        N
HO··· 5   NH—R
     O 2
HO H

R = H   : Trehalamin
R = α-D-Glc : T.

$C_{13}H_{22}N_2O_{10}$, M_R 366,33, Pulver, $[α]_D^{25}$ +115° (H_2O). Aminoglykosid-Antibiotikum aus Kulturen von *Amycolatopsis trehalostatica*, Trehalase-Inhibitor. Das Aglykon heißt *Trehalamin*: $C_7H_{12}N_2O_5$, M_R 204,18, Schmp. 163–165 °C, $[α]_D^{25}$ +13,5° (H_2O). – *E* trehalostatin – *F* tréhalostatine – *I* trealostatina – *S* trehaloestatina
Lit.: Isolierung: J. Antibiot. **44**, 1165 (1991); **46**, 1116 (1993); **47**, 932 (1994). – *Synth.:* Carbohydr. Res. **288**, 99 (1996) (Analoge) ▪ Chem. Lett. **1993**, 173, 971 ▪ J. Am. Chem. Soc. **117**, 11 811 (1995) ▪ J. Chem. Soc., Perkin Trans. 1 **1994**, 589 ▪ J. Org. Chem. **59**, 813, 4450 (1994); **63**, 3403 (1998). – [HS 2941 90; CAS 132729-37-4 (T.); 144811-33-6 (Trehalamin)]

Trehazolin s. Trehalostatin.

Treibacher. Kurzbez. für die 1898 von *Auer von Welsbach gegr. österrich. Firma Treibacher Industrie AG, A-9330 Treibach, die zu 100% im Besitz der Wienerberger Baustoffindustrie AG ist. *Daten* (1995): 570 Beschäftigte, 2,8 Mrd. öS Umsatz. *Produktion:* Ferroleg., Cereisen, Mischmetall, Batterie-Leg., Hartmetallstoffe, Seltenerdmetalle u. deren Verb., Aktivsauerstoff-Produkte.

Treibarbeit, Treiben s. Treibprozeß.

Treibgase s. Treibmittel u. Treibhauseffekt.

Treibhauseffekt (Glashauseffekt). Schlagwort für eine Aufwärmung der Erdoberfläche durch anthropogene „Treibhausgase"[1]. Der Begriff leitet sich aus dem Vgl. der Atmosphäre mit dem Glasdach eines Treibhauses ab, unter dem es wärmer wird als in der Umgebung des Treibhauses. Allerdings heizt sich ein Treibhaus auf, weil sein Glasdach den Wärme-Abtransport mit Luftströmungen (Konvektion) verhindert, wohingegen die Atmosphäre gemäß den Treibhaus-Theorien eine Erwärmung bewirkt, weil sie sichtbares Licht weitgehend durchläßt, die längerwellige Rückstrahlung (IR-Strahlung) aber stärker absorbiert[2]. Die Atmosphäre hat demnach ein „Fenster", das durch anthropogene Spurengase geschlossen wird.

Atmosphär. Fenster: Die auf die Erdoberfläche fallende Solarstrahlung wird weitgehend absorbiert u. als Wärmestrahlung mit Wellenlängen von 4–100 µm in die Atmosphäre abgestrahlt. Der dominante Absorber in der Erdatmosphäre ist Wasserdampf, der fast alle Wärmestrahlung mit Wellenlängen kleiner als 8 µm u. größer 18 µm absorbiert. Analog absorbiert das in der Atmosphäre vorhandene Kohlendioxid fast die gesamte Wärmestrahlung zwischen 13 u. 18 µm. Diese Absorption bewirkt ein Aufwärmen der unteren Atmosphärenschichten u. der Erdoberfläche. Für die direkte Wärmeabstrahlung von der Erdoberfläche bleibt nur der Spektralbereich zwischen 8–13 µm, das sog. atmosphär. Fenster[3] (Abb.). Eine Änderung der Kohlendioxid- od. Wasserdampf-Konz. in der Erdatmosphäre kann sich prakt. nur im Randbereich des Fensters auswirken, weil diese Konz. noch nicht so hoch liegen, daß nicht bereits die gesamte Wärmestrahlung absorbiert wird. Deshalb kann eine Konz.-Zunahme an Kohlendioxid nur geringe Auswirkungen auf den globalen „Strahlungshaushalt" haben. *Ozon, *Methan, Distickstoffoxid (s. Stickstoffoxide) u. *FCKW absorbieren auch im Bereich des atmosphär. Fensters[3] u. gelten als „Treibhausgase". Ozon absorbiert in Tropou. Stratosphäre einen Teil der Strahlung zwischen 9,5–10 µm (Abb.). Ein Anstieg der Ozon-Konz. würde demnach zu einer Erwärmung, ein *Ozon-Loch zu einer Abkühlung führen.

Natürlicher T.: Folglich verursacht auch die vom Menschen unbeeinflußte Erdatmosphäre einen „natürlichen" T., der die durchschnittliche Temp. der Erdoberfläche (vermutlich) von ca. −18 °C auf ca. +15 °C anhebt[1]. Dieser T. geht zu etwa zwei Dritteln auf Wasserdampf, zu ungefähr einem Viertel auf Kohlendioxid, zu ca. 2% auf Methan u. zu rund einem Zehntel auf andere Atmosphärenbestandteile zurück[4].

Anthropogener T.: Wird heute von T. gesprochen, ist meist eine vom Menschen verursachte „Störung des globalen Strahlungshaushaltes" gemeint, eine weitere Erwärmung der Erdoberfläche u. der unteren Atmosphärenschichten wegen der Konz.-Zunahme an Kohlendioxid, Methan, FCKW, Distickstoffoxid u. a. Spurengasen[4]; s. a. Tabelle. Als Maß für das Potential eines Stoffes, einen T. zu verursachen, wurde das „Treibhauspotential" *GWP etabliert[5]. Wichtige Forschungseinrichtungen geben die heutige globale Durchschnittstemp. mit ca. 14,4–15,5 °C an[5], obwohl der Konz.-Anstieg der atmosphär. „Treibhausgase" teilw. schon Jh. anhält[6]. Ein anthropogener T. ist bisher nicht nachweisbar.

Temperaturänderungen: Je nach Berechnungsweise u. Modell, Annahmen über *Emissionen, ihre Wirkungen u. Wechselwirkungen mit anderen Umweltkompartimenten, divergieren die T.-Vorhersagen der Temp.-Änderungen[5] z. T. gewaltig. Der Trend der Vorhersagen geht zu immer geringeren Temp.-Anstiegen: Die Anhänger der Treibhaus-Theorien sagten in den 80er Jahren häufig einen Temp.-Anstieg von etwa 3–6 °C in wenigen Jahrzehnten[7] voraus, wohingegen heute der vermutete Temp.-Anstieg mit nur noch ca. 1 °C im Jh., manchmal sogar als unmeßbar klein, angegeben wird. Treibhausgase können sogar zu einer Abkühlung führen[8].

Ein vermuteter Temp.-Anstieg (0,2–0,6 °C?) im letzten Jh. wird gelegentlich als Beweis für die T.-Theorien angesehen, aber auch auf Abstrahlungsschwankungen der Sonne od. andere Faktoren zurückgeführt od. sogar als Meßfehler grundsätzlich bezweifelt. Tatsächlich scheint die Durchschnittstemp. seit 1979 sogar abgenommen zu haben[5].

Klima-Vorhersagen: Die Verfechter der Treibhaus-Theorien sagen weitreichende Klima- u. Umwelt-Än-

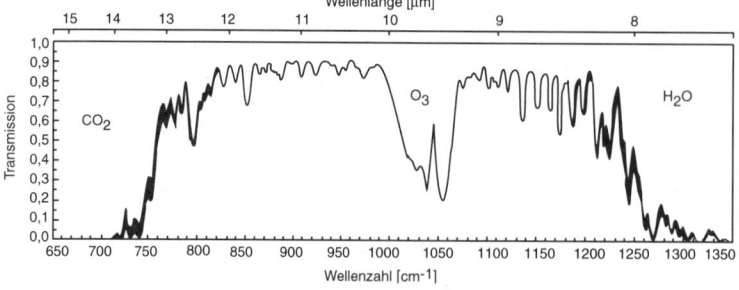

Abb.: Das atmosphär. Fenster (nach *Lit.*[1]). Die schwarz ausgefüllte Fläche in der linken Hälfte der Abb. entspricht der Transmissionsabnahme bei einer Verdoppelung der Kohlendioxid-Konz. von 345 ppm auf 690 ppm, die in der rechten Hälfte einem Anstieg der Methan-Konz. von 1,7 ppm auf 6,8 ppm.

Tab.: Wichtige Wärmestrahlung-absorbierende Spurengase.

Spurengas	Konz. [ppm (ca.)]	jährliche Zu- bzw. Abnahme (−) der Konz. [%]	atmosphär. Verweilzeit	wichtige Senken
Wasser	10–30000 (T) 6 (S)		10 d	Niederschlag
Kohlendioxid	350	0,4	3–10a (T) 2 a (S)	Biosphäre, Ozeane
Ozon	0,02–0,3 (T) 5–10 (S)	0,7 (T) −0,3 (S)	Stunden (T) 2 a (S)	Photochemie, Radikale, Alkene
Methan	1,7	1–2	10 a	OH-Radikale, Biosphäre
Lachgas	0,31	0,2–0,3	150–185 a	Photolyse (S) Photochemie
FCKW R 12	0,0003	4	120 a	Photolyse (S)
FCKW R 11	0,0002	4	60 a	Photolyse (S)

S = Stratosphäre, T = Troposphäre

derungen voraus. Je nach Modell u. Interpretation divergieren die vorhergesagten Temp.-Änderungen global, regional od. zeitlich teilw. um Größenordnungen. Die Vorhersagen umfassen sowohl Temp.-Anstiege wie -Abnahmen. Zu den Klima-Szenarien gehören auch Zunahmen bei Unwettern, Niederschlag, Trockenzeiten, Überschwemmungen, Wolkenbildung, Nebel usw., Änderung der zeitlichen u. räumlichen Niederschlagsverteilung, Wüstenausbreitung, Meeresspiegelanstieg usw.[6]. So sollen in Folge des vermuteten Temp.-Anstiegs die polaren Eiskappen abschmelzen u. der Meeresspiegel ansteigen. Eis bzw. Gletscher bedecken seit etwa 50 Jahren ungefähr die gleiche Fläche, auch wenn es regional Änderungen gegeben hat. Eine Klima-relevante Zu- od. Abnahme scheint nicht zu erfolgen (z. B. in Grönland[9]). Andere T.-Verfechter erwarten eine erhöhte Wolkenbildung u. zunehmende Niederschläge u. damit auch eine wachsende Eisbedeckung in den Kältezonen der Erde (zu Meeresspiegel u. Boden-Tidenhub s. Lit.[6]).

Histor. Klimawandel: Anhand von Eisbohrkernen, Meeres- u. Süßwasser-Sedimenten, Staubablagerungen, Jahresringen von Bäumen, Isotopenanreicherungen sowie anderer Parameter läßt sich das globale Klima über Jahrtausende zurückverfolgen u. die frühere Atmosphären-Zusammensetzung bestimmen. Wiederholt geht ein Temp.-Anstieg dem Anstieg der Treibhausgas-Konz. vorweg. Auch die mittelalterliche Wärmeperiode um 1200 u. die kleine Eiszeit um 1450 läßt keine Korrelation zwischen Änderungen der atmosphär. Spurengas-Konz. u. der Temp. erkennen.

Sicher hingegen ist, daß andere Umweltfaktoren klimarelevant sind, z. B. Stäube in der Stratosphäre, Schnee- u. Eisbedeckung der Erdoberfläche, Bewölkung, Sonnenaktivität[10,11] u. die Bewegung der Erde[10,11]. Diese Faktoren wirken z. B. auf die ozean. Strömungsverhältnisse[12], die Vegetation u. die biogenen Emissionen, die ihrerseits Temp., Klima u. Atmosphären-Zusammensetzung beeinflussen. Damit existiert eine Vielzahl relevanter Klimafaktoren u. Rückkopplungsmechanismen, so daß Ursachen u. Folgen nicht einfach zu bestimmen sind. Einige Faktoren haben jedoch nachgewiesenermaßen eine überragende Bedeutung für das Klima: Große Vulkan-Eruptionen befördern vulkan. *Aerosole in die obere Atmosphäre u. verursachen aufgrund der Strahlungsabschirmung (Beschattung) kurze bis mehrjährige Kälteperioden[2]. Die Sonne steuert – wie seit Jh. bekannt – langfristige sowie cycl. Klimaänderungen[13], beispielsweise 11-Jahres-Cyclen. Über komplizierte Wechselwirkungen werden geringe Intensitätsänderungen der Sonnenstrahlung (ca. 0,1%) verstärkt[10,11]. Die Strahlungsintensität der Sonne ändert sich laufend. Die elektromagnet. Strahlung der Sonne ist am stärksten, wenn viele dunkle Sonnenflecken auf der Erd-zugewandten Sonnenoberfläche zu erkennen sind. Mit den Sonnenflecken schwankt die „Solarkonstante" (s. Sonnenenergie). Der Sonnenwind erzeugt in der Magnetosphäre der Erde geladene Teilchen u. schirmt die Erdatmosphäre gegen eindringende kosm. Strahlung ab. Die kosm. Strahlung führt ihrerseits zur Keimbildung u. beeinflußt die Wolkenbildung in der Atmosphäre.

Forschung u. Politik: Die *Umweltforschung zum T.[14] wird weltweit großzügig finanziert. WMO (World Meteorological Organization), *ICSU, *UNEP u. UNESCO betreiben das WCP (World Climate Programme). Als T.-Forum ist das IPCC (Intergovernmental Panel on Climate Change) etabliert. Es initiierte u. a. die Klima-Rahmenkonvention der Vereinten Nationen [United Nations Framework Convention on Climate Change (FCCC)]. Die FCCC wurde 1992 in Rio de Janeiro (s. UNCED) unterzeichnet u. ist seit 1994 in Kraft. In der Folge[15] wurden für viele *OECD-Industriestaaten einschneidende Emissionen-Begrenzungen festgelegt.

Bewertungen: Arbeiten des IPCC werden kontrovers diskutiert[17–20]. Wissenschaftliche Beweise für das Auftreten eines anthropogenen T. hat das ICPP nach Meinung von Wissenschaftlern nicht beigebracht[20]. Einer Umfrage[21] des Meteorolog. Inst. der Universität Hamburg zufolge waren von ca. 400 Klimaforschern nur 3% der US-amerikan., 23% der kanad. u. 13% der dtsch. Wissenschaftler der Meinung, daß z. Z. eine globale Erwärmung stattfindet. Der Behauptung des IPCC, es gebe hinsichtlich des Treibhauseffektes einen wissenschaftlichen Konsens, haben 18 000 Wissenschaftler in einer Petition widersprochen[16]. – *E* greenhouse effect – *F* effet de serre – *I* effetto serra – *S* efecto invernadero

Lit.: [1] Spektrum Wiss. **1989**, Nr. 11, 70–79. [2] Fonds der chemischen Industrie (Hrsg.), Folienserie 22, Umweltbereich Luft, Frankfurt: Oehms 1987. [3] Arbeitsgemeinschaft der Großforschungseinrichtungen, Menschlicher Einfluß auf das Klima, Bonn: Therée-Druck 1987. [4] Schönwiese u. Dieckmann, Der Treibhauseffekt, Stuttgart: DVA 1988. [5] Houghton et al., Climate Change 1995, The Science of Climate Change, Cambridge: University Press 1996. [6] Maxeiner u. Miersch, Lexikon der Ökoirrtümer, S. 105–155, Frankfurt: Eichborn 1998. [7] Bolin et al., The Greenhouse Effect, Climatic Change, and Ecosystems, Chichester: John Wiley & Sons 1986. [8] Houghton et al., Climate Change 1995, The Science of Climate Change, S. 119–124, Cambridge: University Press 1996. [9] Science **279**, 2086–2088 (1998). [10] Calder, Die launische Sonne (Übersetzung von The Manic Sun – Weather Theories Confounded), Wiesbaden: Dr. Böttiger Verl. 1997. [11] Hoyt u. Schatten, The Role of the Sun in Climate Change, New York: Oxford University Press 1997. [12] Naturwiss. Rundsch. **51**, Nr. 4, 157–159 (1998). [13] Spektrum Wiss. **1996**, Nr. 10, 48–55. [14] Geograph. Rundsch. **50**, 268–272 (1998); Klima 2000 **2**, Nr. 7/8, 21–29 (1998). [15] Spektrum Wiss. **1998**, Nr. 3, 96–103. [16] ESEF (Hrsg.), Klimakatastrophe? Irrtum, es ist die Sonne, Baton/Cambridge: ESEF 1997. [17] Klima 2000 **2**, Nr. 3–4, 14–17, 18–20 (1998). [18] ESEF (Hrsg.), The Global Warming Debate, London: ESEF 1996. [19] ESEF (Hrsg.), Global Warming – The Continuing Debate, London: ESEF 1997. [20] Hydrocarbon Process. **77**, Nr. 4, 143–152 (1998). [21] Müller, Klimalüge? Wissenschaft, Politik – Zeitgeist, S. 240, Höhr-Grenzhausen: I. Müller, ENERI 1997.

allg.: Brasseur (Hrsg.), The Stratosphere and its Role in the Climate System, Berlin: Springer 1997 ▪ Elektrizitätswirtschaft **97**, Nr. 8, 23–32 (1998) ▪ Global Change Biol. **3**, 397–410; **4**, 185–198, 359–374 (1998) ▪ Global Environmental Change **6**, 375–394 (1996) ▪ Gore, Wege zum Gleichgewicht (6.), Frankfurt: S. Fischer 1992 ▪ Intergovernmental Panel on Climate Change (Hrsg.), Greenhouse Gas Inventory – Reporting Instructions, Paris: OECD 1995 ▪ Jeftic et al. (Hrsg.), Climatic Change and The Mediterranean, Vol. 2, London: Arnold Publ. 1996 ▪ Medienkritik **37**, 3–9 (1989) ▪ Möller u. Schaller (Hrsg.), Atmospheric Environmental Research, Berlin: Springer 1998 ▪ OECD (Hrsg.), Climate Change, Economic Instruments and Income Distribution, Paris: OECD 1996 ▪ Paul u. Pradier (Hrsg.), Carbon Dioxide Chemistry: Environmental Issues, Cambridge: Royal Chem. Soc. 1994 ▪ Science **278**, 1251–1256, 1257–1266 (1997) ▪ Spektrum Wiss. **1997**, Nr. 6, 80–85; **1998**, Nr. 4, 50–55. – *Zeitschriften:* Klima 2000, The Climate Debate, Thyrow: H. Heuseler (alle 2 Monate). – *Organisation:* European Science and Environment Forum (ESEF), 4 Church Lane, Barton, Cambridge CB3 7BE, United Kingdom. – *Internet-Adresse:* http://www.wmo.ch/web/wcp/wcp-home.html

Treibladungspulver s. pyrotechnische Erzeugnisse, Schießpulver, Schießstoffe.

Treibmittel. Sammelbez. für *Treibgase* od. solche Stoffe, die unter der Einwirkung von Wärme od. Chemikalien Treibgase entwickeln. Die je nach Verw.-Zweck sehr unterschiedlich zusammengesetzten u. nach verschiedenen chem. u./od. physikal. Prinzipien wirkenden T. finden Einsatz 1. Als *Motorkraftstoffe für Kraftfahrzeuge; *Beisp.:* *Flüssiggase wie Propan u. Butan, *Holzgas, *Erdgas; – 2. als T. in *Sprays zur Erzeugung von *Aerosolen; – 3. in *Treibsätzen zum Antreiben von Geschossen u. Raketen; – 4. in der Kunststoff- u. Baustoff-Ind. zur Herst. von *Schaumstoffen u. *Porenbeton (T. als *Blähmittel); – 5. in der Backwaren-Ind. zur Lockerung von *Teig (*Triebmittel*, vgl. Teiglockerungsmittel). – *E* aerating agents, blowing agents, expanding agents, propellants – *F* agents moteurs, propulseurs, agents soufflants – *I* propellenti – *S* agentes propulsores, agentes expansionantes

Treibprozeß. 1. In der Chemie Bez. für die Entfernung eines Stoffes durch chem. Umsetzung; *Beisp.:* *Abrauchen, Austreiben von Brom aus Bromiden unter der Einwirkung von Chlorwasser. – 2. In der Metallurgie Bez. für ein Verf. zur Isolierung von Edelmetallen durch Oxid. der unedleren Begleitmetalle; *Beisp.:* *Pattinson-Verfahren zur Herst. von *Silber. – 3. In der Bearbeitung von Edelmetallen Bez. für das Formen der Metalle in kaltem Zustand (*Treiben, Treibarbeit*); *Beisp.:* Getriebenes Gold, Silber u. dgl. – *E* 1. displacement, 2. cupellation, 3. embossing – *F* 1. déplacement, 2. coupellation, 3. bosselage – *I* 1. – 3. processo propellente – *S* 1. desplazamiento, 2. copelación, 3. repujado, relieve

Treibs, Alfred (1899–1983), Prof. für Organ. Chemie, TU München. *Arbeitsgebiete:* Heterocycl. u. hydroaromat. Verb., tier. Farbstoffe; Chlorophyll; Erdölentstehung; Chlorophyll- u. Hämin-Derivate in Erdöl, Kohlen; Chemofossilien; Geochemie; Vinylacetylen.
Lit.: Pötsch, S. 428 ▪ Prashnowsky, The Impact of the Treibs Porphyrin Concept on the Modern Organic Geochemistry, Würzburg: Halbig-Druck 1980.

Treibs, Wilhelm (1890–1978), Prof. für Organ. Chemie, Univ. Leipzig u. Heidelberg. *Arbeitsgebiete:* Organ. Naturstoffe, Biogenese, Terpene, Sesquiterpene, Cedren, Agropyren, Azulene, Pinan-Derivate, Autoxid., katalysierte Wasserstoffperoxid-Oxid., Tropone, Tropolone.
Lit.: Pötsch, S. 428.

Treibsätze. Sammelbez. für im wesentlichen schiebend wirkende *Schießstoffe in *Munition u. für *Raketentreibstoffe in der *Pyrotechnik. – *E* propelling charges – *F* blocs de poudre – *I* materie da sparo propellenti – *S* cargas propulsoras

Treibs-Reaktion. Von W. *Treibs 1948 aufgefundene *Acetoxylierung von (endständigen) Olefinen in der Allyl-Stellung beim Erhitzen mit Quecksilber(II)-acetat in inerten Lsm. od. Essigsäure:

$$R-CH_2-CH=CH_2 \xrightarrow{+ Hg(O-CO-CH_3)_2} R-\underset{\underset{CH_3}{\overset{\|}{\underset{O}{C}}}}{\overset{O}{|}}\!-\!CH-CH=CH_2$$

– *E* Treibs reaction – *F* réaction de Treibs – *I* reazione di Treibs – *S* reacción de Treibs
Lit.: Hassner-Stumer, S. 388 ▪ Synthesis **1971**, 527–536; **1973**, 567–603; **1974**, 722 f.

Treibstoffe. In weitestem Sinne Bez. für alle energieliefernden Betriebsstoffe, deren freie Verbrennungsenergie in mechan. Arbeit umgesetzt wird, die also durch *Verbrennung etwas antreiben. Die *Motorkraftstoffe* (Otto-, Diesel- u. Traktorenkraftstoffe) bestehen hauptsächlich aus Benzin od. höhersiedenden Erdöl-Fraktionen; die sog. Rennkraftstoffe enthalten weitere Zusätze (z. B. Alkohole, Aceton, Ether). Die *Verbren-*

nungskraft- od. -*treibstoffe* werden zusammen mit den sog. *Treibgasen* (s. Treibmittel, meist Flüssiggase) zu den *Vergaser-T.* gerechnet. Bes. Gruppen von T. bilden die *Flugkraftstoffe* (Flugbenzin u. Düsenkraftstoffe). Zu den T. werden auch die *Raketentreibstoffe u. die in *Treibsätzen verwendeten Explosiv- u. Schießstoffe gezählt. Angesichts der zunehmenden Rohstoffverknappung – z.Z. ist Erdöl der weitaus bedeutendste Grundstoff für T. – , dem steigendem Energiebedarf u. nicht zuletzt auch im Zusammenhang mit Problemen des *Umweltschutzes wird die Verw. alternativer T. wie Methanol, Ethanol, Gasohol, Biogas od. Wasserstoff diskutiert. – *E* fuels, propellants – *F* combustibles, propulsants – *I* carburanti, propellenti – *S* combustibles, propulsantes
Lit.: s. Motorkraftstoffe, Verbrennung.

Treloc® (Rp). Filmtabl. mit *Metoprolol-tartrat, *Hydrochlorothiazid u. *Hydralazin-Hydrochlorid gegen Hypertonie. *B.:* Astra/Promed.

Tremarit®. Antiparkinsonmittel (Tabl., s. Parkinsonismus) mit *Metixen-hydrochlorid. *B.:* Asta Medica/AWD.

Trematoden. Von griech.: trematos = Öffnung od. Loch (für den Saugmund) abgeleitete Bez. für *Saugwürmer* (Trematodes), der zweiten Klasse des Tierstammes der Plattwürmer (Plathelminthes; dazu die Klassen Strudelwürmer = Turbellaria u. Bandwürmer = Cestodes). T. sind *Parasiten, zu denen der Kleine u. der Große Leberegel, Lungenegel, Darmegel u. Schistosomen (Pärchenegel) gehören, während die Blutegel Ringelwürmer (Anneliden) sind, vgl. Würmer. Die in erwachsenem Zustand parasit. an od. meist in Wirbeltieren lebenden T. machen oft komplizierte Entwicklungscyclen durch. So benutzen z. B. Pärchenegel, die beim Menschen die *Schistosomiasis hervorrufen, Schnecken als Zwischenwirte, u. Lungenegel, die Paragonimiasis verursachen, zusätzlich Krabben u. *Krebse. Große Schäden richtet v. a. der Große Leberegel bei Weidetieren an. Die Bekämpfung der T. kann mit *Anthelmintika wie Praziquantel erfolgen, die der Zwischenwirte mit *Molluskiziden. – *E* trematodes, flukes – *F* trématodes – *I* trematodi – *S* trematodos
Lit.: Dönges, Parasitologie, 2. Aufl., Stuttgart: Thieme 1988 ▪ Matthes, Tierische Parasiten, Braunschweig: Vieweg 1988 ▪ Mehlhorn u. Piekarski, Grundriß der Parasitenkunde (4.), Stuttgart: Fischer 1995 ▪ Wehner u. Gehring, Zoologie, 23. Aufl., Stuttgart: Thieme 1995 ▪ s. a. Anthelmintika, Parasiten.

Tremerogene s. Pheromone.

Tremolit (Grammatit). $Ca_2Mg_5[(OH,F)_2/Si_8O_{22}]$; zu den Calcium-*Amphibolen gehörend, monoklin (Kristallklasse $2/m$-C_{2h}). Weiße, graue od. lichtgrüne, linealartig stengelige od. nadelige Krist., strahlige Aggregate, feinkörnig dicht (neben Aktinolith, s. Amphibole) als *Nephrit; feinfaserig als T.-*Asbest. T. ist Magnesium-Endglied der *Mischkristall-Reihe T. – Aktinolith – Ferroaktinolith, $Ca_2Fe_5^{2+}[(F,OH)_2/Si_8O_{22}]$, er kann 0–20 Mol.% FeO enthalten, ferner 0–2% Al_2O_3, 0–2% Na_2O, etwas K_2O u. Cr_2O_3 (*Chrom-T.*, z. B. von Outokumpu/Finnland); OH kann bis hin zu *Fluor-T.* durch F ersetzt sein (*Lit.*[1]). Chem. Analysen, morpholog. Eigenschaften u. elektronenmikroskop. Untersuchungen von T. u. T.-Asbest s. *Lit.*[2]. Zur Struktur s. die Abb. bei Amphibole u. *Lit.*[3,4], zur Struktur bei hohen Drücken s. *Lit.*[5]. Zur Synth. von T. s. *Lit.*[6], zu Defekten in der Struktur von synthet. T. s. *Lit.*[7], zur Stabilität bei hohen Drücken u. Temp. s. *Lit.*[8], T. geht leicht in *Talk über. T. mit dem idealen Verhältnis Ca/Σ M = 2/5 = 0,4 (Σ M = Mg + Fe^{2+} + Mn + Ni + Ti + Fe^{3+} + Cr + Al) wurden bisher weder in der Natur gefunden (dort nach *Lit.*[6] im Mittel Ca/Σ M = 0,369 ± 0,015) noch synthet. hergestellt[4]; zum Al-Einbau in T. s. *Lit.*[9,10]. T.-Asbest gilt als *carcinogen* (s. *Lit.*[11]).

Vork.: In *metamorphen Gesteinen, v. a. in Silicat-*Marmoren u. metamorphen *Dolomiten, aber auch in Talkschiefern u. *Serpentin-Gesteinen; *Beisp.:* Mehrorts in den Alpen (Tirol, Salzburg), u. in den USA (Connecticut, Kalifornien, New York), ferner in Kanada u. Polen. – *E = I* tremolite – *F* trémolite – *S* tremolita
Lit.: [1]Contrib. Mineral. Petrol. **97**, 305–312 (1987). [2]Lithos **20**, 469–489 (1987). [3]Can. Mineral. **14**, 334–345 (1976). [4]Am. Mineral. **81**, 1117–1125 (1996). [5]Eur. J. Mineral. **3**, 485–499 (1991). [6]Am. Mineral. **72**, 707–715 (1987). [7]Contrib. Mineral. Petrol. **118**, 297–313 (1994). [8]Am. Mineral. **76**, 458–469 (1991); **83**, 726–739 (1998). [9]Eur. J. Mineral. **7**, 353–362 (1995). [10]Am. Mineral. **82**, 280–290 (1997). [11]Naturwissenschaften **68**, 597–605 (1981).
allg.: Deer et al., S. 242–247 ▪ Deer, Howie u. Zussman, Rock-Forming Minerals (2.), Vol. 2B, Double Chain-Silicates, S. 137–231, London: The Geological Society 1997 ▪ Ramdohr-Strunz, S. 726 ▪ s. a. Amphibole u. Asbest. – *[CAS 14567-73-8]*

Tremorin s. Oxotremorin.

Tremortine s. Penitreme.

tren. Empfohlenes internat. Kurzz. für den *Chelat-*Liganden Tris(2-aminoethyl)amin [*N,N*-Bis(2-aminoethyl)ethylendiamin], $N(CH_2-CH_2-NH_2)_3$ (IUPAC-Regel I-10.4.5.7). – *E = F = I = S* tren

Trenbolon (17β-Hydroxyestra-4,9,11-trien-3-on).

$C_{18}H_{22}O_2$, M_R 270,38. T. u. Trenbolonacetat sind synthet., anabol. wirksame *Steroide, die illegal als *Masthilfsmittel in der Rinderzucht u. als Dopingmittel im Sport verwendet werden. Von Seiten des FAO/WHO Joint Expert Commitee on Food Additives (*JECFA) wurden für α- u. β-T.-acetat MRLVD-Werte (*maximum residue limit of veterinary drugs*) von 0,01 bzw. 0,002 mg/kg Muskel u. Leber festgelegt[1]. Die unterschiedlich hohen MRLVD-Werte spiegeln die Unterschiede in der androgenen Potenz des α- u. β-T.-acetates wider (β-T.-acetat ist ca. 20mal wirksamer als α-T.-acetat).

Toxikologie: T., das Hydrolyseprodukt des T.-acetats, wird beim Menschen[2] u. beim Rind zum 17α-Epimeren u. in geringem Umfang zum 17-Oxosteroid metabolisiert, die dann als Glucuronide od. Sulfatester über die Galle ausgeschieden werden. T. induziert in be-

stimmten Zellsyst. Mikronuclei u. neoplast. Transformationen[3]. Im *Ames-Test zeigt T. keine genotox. Wirkung[4]; einen Überblick gibt Lit.[5].
Den analyt. Nachw. mit einer Kombinationsmeth. (*HPLC/immunolog. Detektion) beschreibt Lit.[6], zur Probenvorbereitung s. Lit.[7], neben der Verw. als Masthilfsmittel in der Rinderzucht, ist die Anw. von T.-acetat zur Unterdrückung des durch 5α-Androst-16-en-3-on hervorgerufen Ebergeruchs beschrieben[8]; s. a. Masthilfsmittel. – $E = F = I$ trenbolone – S trenbolona
Lit.: [1] Mitt. Geb. Lebensmittelunters. Hyg. **82**, 7–23 (1991). [2] J. Chromatogr. **564**, 485–492 (1991). [3] Arch. Toxicol. **62**, 49–53 (1988). [4] Arch. Toxicol. **61**, 249–258 (1988). [5] J. Chromatogr. **489**, 11–21 (1989). [6] Arch. Lebensmittelhyg. **41**, 4–7 (1990). [7] Arch. Exp. Veterinärmed. **46**, 863–866 (1989). [8] J. Sci. Food Agric. **57**, 127–133 (1991).
allg.: Fleischwirtschaft **71**, 775–779 (1991) ▪ Merck-Index (12.), Nr. 9716. – *[HS 291440; CAS 10161-33-8]*

Trennarbeit s. Isotopentrennung.

Trenndiffusion s. Isotopentrennung.

Trenndüsenverfahren s. Isotopentrennung.

Trennemulsionen. Bez. für in der Nahrungsmittel-Ind. gebräuchliche *Emulsionen, die aus Wasser, Fett u. *Emulgator bestehen u. mit Pinseln od. Sprühapparaten aufgetragen werden. Anstelle von reinen Fetten od. Ölen dienen sie dazu, *Backwaren voneinander bzw. von den Backblechen od. Backformen zu trennen. Gegenüber den Fetten u. fetten Ölen haben T. nicht nur den Vorteil großer Fettersparnis, sondern bieten auch die Möglichkeit der feineren Verteilung, da sie neben dem Emulgator nur 10–30% Fett bzw. Öl enthalten. Zur Herst. der vorwiegend in der Brotbäckerei verwendeten, meist fettärmeren O/W-Emulsionen dienen selbstemulgierende Fettsäuremono- u. -diglyceride. Für Zucker-reiche Gebäcke werden etwas fetthaltigere T. vom Typ W/O eingesetzt, zu deren Herst. *geblasene Öle als Emulgatoren benutzt werden.
Zusammensetzung: Myristin-, Palmitin- u. Stearinsäure-triglyceride, sowie Acetoglyceride auf der Basis von Speisefetten u. Triglycerid-Öl/Lecithin-Gemische sind meist Grundlagen der Trennemulsionen.
Rechtliche Beurteilung: Die für die Herst. von T. zugelassenen *Trennmittel, sowie deren Reinheitsanforderungen u. Bez. sind der Anlage 2, Liste 7 der Zusatzstoff-Verkehrs-VO[1] zu entnehmen. Nach Anlage 3, Liste B, Nummer 34 der Zusatzstoff-Zulassungs-VO[2] ist die Konservierung von T. zulässig.
Toxikologie: Einen Überblick zur *Toxikologie der weitgehend unbedenklichen Trennmittel, deren Übergang in Lebensmittel bis zu 2% betragen kann, gibt Lit.[3]. – E releasing emulsions, tin greasing emulsions – F émulsions séparatrices – I emulsioni di separazione – S emulsiones separadoras
Lit.: [1] Zusatzstoff-Verkehrs-VO vom 10.7.84 in der Fassung vom 14.12.1993 (BGBl. I, S. 2092). [2] Zusatzstoff-Zulassungs-VO vom 22.12.1981 in der Fassung vom 8.3.1996 (BGBl. I, S. 460). [3] Classen et al., Toxikologisch-hygienische Beurteilung von Lebensmittelinhalts- u. -zusatzstoffen sowie bedenklicher Verunreinigungen, S. 195–199, Berlin: Parey 1987.
allg.: El-Nokaly et al. (Hrsg.), Microemulsions and Emulsions in Food, Weinheim: VCH Verlagsges. 1991 ▪ Fülgraff, Lebensmitteltoxikologie, S. 98, Stuttgart: Ulmer 1989 ▪ Lebensmittelchem. Ges. (Hrsg.), Überzugsstoffe u. Trennmittel, Hamburg: Behrs 1990 ▪ Ullmann (4.) **16**, 87 ▪ Vollmer et al., Lebensmittelführer (2.), Bd. 1, S. 59–64, Stuttgart: Thieme 1995 ▪ Zipfel, C 120 2, 87–95.

Trennen (Trennung). Bez. für alle verfahrenstechn. Maßnahmen, durch die stoffliche *Gemische entsprechend den physikal. u. chem. Eigenschaften ihrer Komponenten zerlegt werden – als Umkehrung des Vorgangs könnte man das *Mischen auffassen. Je nach Art der angewandten *Trennverfahren, die jeweils einen bestimmten Energieaufwand erfordern, u. dem erreichten *Trennungsgrad* erhält man Stoffe unterschiedlicher *chemischer Reinheit. Das T., in kontinuierlichen od. diskontinuierlichen Prozessen durchgeführt, spielt nicht nur als Grundoperation der chem. *Verfahrenstechnik eine bedeutende Rolle, sondern auch im Laboratorium u. in der *Analytischen Chemie, z. B. bei den *Trennungsgängen u. der Spurenanreicherung. Beim T. von Edelmetallen spricht man im allg. von *Scheiden u. bei der Isolierung der *Luft-Bestandteile von Luftzerlegung. In der *Metallbearbeitung ist T. Oberbegriff für spanabhebende u. nichtspanende Bearbeitungsmethoden. – E separation – F séparation – I separazione – S separación
Lit.: s. Trennverfahren.

Trenngrenze s. Ultrafiltration.

Trennmittel. Bez. für feste od. flüssige Stoffe, die die Adhäsionskräfte zwischen zwei aneinandergrenzenden Oberflächen (z.B. Formteil/Form) verringern, d. h. ihr Verkleben verhindern, indem sie zwischen beiden Oberflächen einen leicht trennbaren Film bilden (*Abhäsivmittel*). Allg. Eigenschaften von T. sind chem. Indifferenz, gutes *Spreitungs-Vermögen, ein dem Verarbeitungsprozeß angepaßter Schmelzpunkt, geringe Flüchtigkeit u. bei Flüssigkeiten geringe Löslichkeit in der zu trennenden Substanz. T. werden in Form von Dispersionen (Emulsionen od. Suspensionen), Sprays, Pasten, Pulvern u. permanenten, meist eingebrannten T.-Filmen angewendet. Letztere können durch Aufsprühen, Streichen od. Eintauchen der Form erzeugt werden. Einen Sonderfall stellen die sog. internen T. dar, welche in das zu entformende Gut eingemischt werden u. sich entweder an der Oberfläche des Formteils (Formling) anzureichern vermögen od. eine schnellere Aushärtung der Oberfläche bewirken, so daß es zwischen Formenwand u. Formteil zu keinem Verbund kommen kann.
Die wichtigsten Klassen von T. sind: *Silicone* (in Form von Ölen, Öl-Emulsionen in Wasser, Fetten u. Harzen), *Wachse* (im wesentlichen natürliche u. synthet. Paraffine mit u. ohne funktionelle Gruppen), *Metallseifen* (Metall-Salze von Fettsäuren, wie Calcium-, Blei-, Magnesium-, Aluminium-, Zinkstearat), *Fette*, *Polymere* (Polyvinylalkohol, Polyester u. Polyolefine), *Fluorkohlenstoffe*, anorgan. T. in Form von Pudern (wie Graphit, Talk u. Glimmer).
Anw.-Gebiete von T. sind gegeben als *Formtrennmittel* in der Metall-Ind. z. B. beim Druckguß-Verf., Croning-Verf., Kokillen-Guß von Bunt- u. Edelmetallen (bedingt durch die bei diesem Verf. auftretenden hohen Temp. werden fast ausschließlich Silicone als T. eingesetzt), in der Nahrungsmittel-Ind., insbes. in der

Back-Ind. (hier werden v. a. natürliche Öle u. Fette u. Überzüge aus Wachsen verwendet, s. a. Trennemulsionen), in der pharmazeut. Ind. bei der Herst. von Tabl. u. Dragées (die hier eingesetzten Stearate u. Talk wirken auch als Schmiermittel), in der Kautschuk-Ind. z. B. bei der Herst. sämtlicher Gummiartikel u. bei der Reifenerzeugung, in der Kunststoff-Ind. bei der Kunststoffverarbeitung u. Formschaumherst. (vgl. a. Gleitmittel), in der Glas-Ind. bei der Glasverformung, in der Bau-Ind. als Entschalungsmittel, im Fassadenschutz zum Verhindern wilden Plakatierens, in der Papier-Ind. als Trennpapiere für selbstklebende Erzeugnisse, Verpackungsmaterialien, Mitlaufpapiere zur Folienherst. u. für den Transferdruck auf Textilien usw. Die vielfältigen Einsatzmöglichkeiten der T. zeigen sich auch in speziellen Bez. wie Antiblockmittel, Antihaftmittel, Antikleber, Entschalungsmittel, Formtrennmittel, Furniertrennmittel, Gleitmittel, Rieselhilfen, Trennemulsion, Trennöl, Trennpapier usw. In der Chromatographie wird T. manchmal als Synonym für *Fließmittel benutzt. – *E* abherents, release agents, parting agents – *F* agents de séparation – *I* agenti separatori – *S* agentes antiadherentes (de separación), desmaldeantes

Lit.: Encycl. Polym. Sci. Eng. **14**, 411–420 ▪ Kirk-Othmer (4.) **21**, 207–218 ▪ Ullmann (4.) **13**, 667; **15**, 270; **16**, 87; **23**, 375–379; (5.) A **23**, 67–72.

Trennpapier s. selbstklebende Erzeugnisse u. Trennmittel.

Trennrohr s. Clusius-Trennrohr.

Trennsäule s. Destillation u. Gaschromatographie.

Trennstufe s. Destillation.

Trennstufenhöhe s. Gaschromatographie.

Trennung s. Trennen.

Trennungsgang. Bez. für ein Verf. bei der anorgan.-chem. *qualitativen Analyse, das dazu dient, durch systemat. Anw. bestimmter Gruppenreagenzien als *Fällungsmittel in festgelegter Reihenfolge gewisse *Ionengruppen* nach Möglichkeit quant. zu fällen u. dadurch von den in der Lsg. verbleibenden Ionen abzutrennen. Die gefällten *Niederschläge werden wieder in geeigneten Lsm. gelöst u. die *Ionen durch selektive Fällungsreaktionen zunächst einzeln isoliert u. dann durch geeignete Reagentien identifiziert. T. werden für *Kationen u. *Anionen getrennt durchgeführt. Der auch heute noch am häufigsten angewendete, in seinen Grundzügen bereits 1840 von C. R. *Fresenius aufgestellte *Kationen-T.* beruht auf der unterschiedlichen Löslichkeit der Metallsulfide im sauren u. alkal. Medium; man unterscheidet zwischen *Ammoniumsulfid- u. *Schwefelwasserstoff-Gruppe. T. wurden auch für organ. Verb.[1] entwickelt, z. B. für Gifte (*Stas-Otto-Trennungsgang), Pharmaka, Kunststoffe[2] etc. – *E* analytical separation procedure – *F* procédé (marche) de séparation – *I* procedimenti di separazione analitica – *S* marcha analítica de separación

Lit.: [1] Laatsch, Die Technik der organischen Trennungsanalyse, Stuttgart: Thieme 1988. [2] Chem. Anlagen + Verfahren **1976**, Nr. 9, 122–127.
allg.: Strähle u. Schweda (Hrsg.), Jander/Blasius – Lehrbuch der analytischen u. präparativen inorganischen Chemie, 14. Aufl., Stuttgart: Hirzel 1995.

Trennverfahren. Sammelbez. für die in der Analytik u. *Verfahrenstechnik angewandten Verf. zum *Trennen von Stoffgemischen u. zur *Reinigung von Einzelstoffen unter Ausnutzung von Unterschieden in der chem. Natur od. den physikal. Eigenschaften der Komponenten. Die außerordentlich zahlreichen T., die ggf. in Einzelstichwörtern behandelt sind, lassen sich systemat. unter verschiedenen Gesichtspunkten betrachten. Nach der Art der angewandten Trennenergie lassen sich folgende Gruppen von T. unterscheiden:
1. *Mechan.* Verf., die auf der Ausnutzung von Schwerkraft, Zentrifugalkraft, Druck od. Vak. beruhen. Zu diesen gehören u. a. *Dekantieren, *Elutriation, *Sieben u. *Windsichten (allg. *Klassieren), Sortieren (Trennung nach der Stoffart), *Filtration, *Dialyse, *Sedimentation, *Osmose, umgekehrte Osmose, *Ultrafiltration, *Flotation, Schaumfraktionierung, *Sink-Schwimm-Aufbereitung, *Klären, *Zentrifugieren u. das Abscheiden mit *Zyklonen.
2. *Therm.* Verf., bei denen eine Trennung aufgrund einer Phasenumwandlung erfolgt. Hierher gehören z. B. *Destillation, *Rektifikation, *Pervaporation, *Sublimation, *Kristallisation, *Adsorption, *Absorption, *Chemisorption, *Thermodiffusion, *Eindicken, Einengen u. -dampfen, *Trocknen, *Gefriertrocknen, *Ausfrieren, *Kondensation u. *Schmelzen. Begriffe wie Trennstufe, Trennstufenzahl, Trennschärfe, Trennquotient u. Trennarbeit bei therm. T. definiert *Lit.*[1].
3. *Elektr.* u. *magnet.* Verf., bei denen zur Stofftrennung die elektr. Leitfähigkeit od. magnet. Eigenschaften der zu trennenden Stoffe ausgenutzt werden. Hierher gehören Prozesse wie *Elektrophorese, -osmose, -dialyse, -dekantation, elektrostat. Entstaubung, *isoelektrische Fokussierung, *Isotachophorese u. das Magnetscheiden.
4. *Chem.* Verf., die auf Stoffumwandlungen, Adduktod. Verb.-Bildung usw. beruhen; *Beisp.:* Ionenaustausch, *Racemattrennung, *Affinitätschromatographie, Komplexierung, Chelatierung, Bildung von Clathraten u. a. Einschlußverbindungen. Auch T. durch selektiven biolog. Abbau (z. B. *Bioleaching) sollen hier eingeschlossen sein.
Eine andere, mehr praxisorientierte Gliederung der T. unterscheidet zwischen der Trennung durch unterschiedliche Verteilung zwischen zwei nicht mischbaren Phasen sowie der Trennung infolge unterschiedlicher Wanderungsgeschw. in einer Phase. Zur ersten Gruppe gehören die Verteilung u. Gegenstromverteilung zwischen zwei Flüssigkeiten, die Löslichkeit von Gasen in Flüssigkeiten, Adsorption u. Absorption von Stoffen an Festkörpern (also sämtliche chromatograph. Verf.), Ionenaustausch, chem. Fällungsmeth.; Extraktion, Destraktion, normales Erstarren, Zonenschmelzverf., Krist., Dest. u. verwandte Verf., Subl. u. Kondensation. Zur zweiten Gruppe gehören Massenspektroskopie, Elektrophorese u. -dialyse, Diffusion, Sedimentation u. Flotation. Nach *Lit.*[2] kann man die T. auch in Verf. einteilen, die auf kinet. Effekten beruhen (z. B. Elektrophorese, Dialyse, Ultrazentrifugierung) od. auf Phasengleichgew. zurückgehen (z. B. Dest., Zonenschmelzverf., Chromatographie, fraktionierte Krist.). Über eine Einteilung der in der analyt. Chemie bes.

häufigen T. s. *Lit.*[3]. – *E* separation processes – *F* procédés de séparation – *I* processi di separazione – *S* procedimientos de separación
Lit.: [1] VDI-Richtlinie 2761 (1975). [2] *Z. Anal. Chem.* **181**, 284 (1961). [3] Ullmann **2/1**, 7–15; (5.) **B 3**, 1–4.
allg.: Grandison, Separation Processes in the Food and Biotechnology Industries: Principles and Applications, Cambridge: Woodhead Publ. Ltd. 1996 ■ Sattler, Thermische Trennverfahren: Grundlagen, Auslegung, Apparate, Weinheim: VCH Verlagsges. 1995 ■ Schwedt, Analytische Chemie, S. 293–383, Stuttgart: Thieme 1995 ■ Ullmann **1**, 333–692; **2/1**, 7–15; (4.) **2**, 35–248; **4**, 532–554; (5.) **B 3**, 1–11 ■ Winnacker-Küchler (3.) **7**, 22–25, 95–108, 427–430; (4.) **1**, 53–80, 158–241; **4**, 64–89.

Trennwandverfahren s. Isotopentrennung.

Trental® (Rp). Dragées, Retardtabl. u. Ampullen mit *Pentoxifyllin gegen Durchblutungsstörungen. *B.:* HMR.

Treosulfan (Rp).

Internat. Freiname für das alkylierend wirkende *Cytostatikum L-Threit-1,4-bis(methansulfonat), $C_6H_{14}O_8S_2$, M_R 278,3, weißes, krist. Pulver, Schmp. ca. 102 °C, $[\alpha]_D^{20}$ –5,5° (c 2/Aceton). T. ist von medac (Ovastat®) im Handel. – *E* treosulfan – *F* tréosulfan – *I = S* treosulfano
Lit.: Hager (5.) **9**, 1016 f. ■ IARC Monogr. **26**, 341–347 (1981) ■ Martindale (31.), S. 604. – *[HS 2905 50; CAS 299-75-2]*

Treponema pallidum s. Syphilis.

Trepress® (Rp). Dragées mit *Oxprenolol-, *Hydralazin-hydrochlorid u. *Chlortalidon gegen Hypertonie. *B.:* Novartis.

Trestatine. Polysaccharid-Antibiotika aus *Streptomyces dimorphogenes*. Die T. A, B u. C unterscheiden sich nur hinsichtlich der Kettenlänge (vgl. Formelbild u. Daten in Tab. unten).

Die T. wirken als gute α-Amylase-Inhibitoren, die den postprandialen (= nachmahlzeitlichen) Stärke-Abbau zu Glucose deutlich verzögern[1]. – *E* trestatins – *F* trestatines – *I* trestatine – *S* trestatinas
Lit.: [1] Int. J. Obes. **10**, 185–192 (1986).
allg.: Carbohydr. Res. **204**, 131–139 (1990) ■ J. Antibiot. (Tokyo) **36**, 1157, 1166 (1983); **37**, 182–186, 479–486 (1984). – *[HS 2941 90]*

Trester. Bez. für die gegorenen od. ungegorenen Rückstände, die bei der Kelterung von frischen *Weintrauben anfallen. 100 L *Maische liefern 15 bis 25 kg Trester.
Verw.: Aus T. kann nach Aufschwemmen mit Wasser u. anschließender Gärung ein *Tresterwein* (Haustrunk) erzeugt werden, dessen kommerzielle Herst. allerdings untersagt ist. Gegenüber Tresterweinen bestehen erhebliche gesundheitliche Bedenken (hohe *Methanol- u. *Pestizid-Belastung). *Tresterbrand* ist das nach den Maßgaben des Artikels 1, Absatz 4, Buchstabe f u. g der VO (EWG) 1576/89 (Spirituosen-VO[1]) aus vergorenem T. durch Dest. hergestellte Erzeugnis, das bei ital. Herkunft als *Grappa* bezeichnet werden darf. Nach Artikel 3 dieser VO muß T.-Brand mind. 37,5 % vol Alkohol enthalten. 100 kg T. ergeben 7–9 L 50%igen Alkohol, der erhebliche Mengen an *Fuselölen u. *Oenanthethern enthalten kann. Zum Spektrum an flüssigen *Fettsäuren s. *Lit.*[2]. Gelegentlich dient T. auch als Ausgangsmaterial zur *Weinsäure- u. Tannin-Gewinnung (s. Tannine) sowie als Viehfutter. – *E* marc – *I* vinacce – *S* orujo
Lit.: [1] VO (EWG) Nr. 1576/89 zur Festlegung der allg. Regeln für die Begriffsbest., Bez. u. Aufmachung von Spirituosen vom 29.5.1989 in der Fassung vom 1.1.1995 (ABl. der EG, Nr. L 1/1). [2] Dtsch. Lebensm. Rundsch. **86**, 150 f. (1990).
allg.: Belitz-Grosch (4.), S. 825 ■ Würdig u. Woller, Chemie des Weines, S. 693–700, Stuttgart: Ulmer 1989 ■ Zipfel, C 403 *1*, 21; *1*, 88–90; *52*, 60; *60*, 10. – *[HS 2308 90]*

Tresterbrand s. Trester.

Tretamin (Rp).

Internat. Freiname für das *Cytostatikum 2,4,6-Tris(1-aziridinyl)-1,3,5-triazin („Triethylenmelamin", Abk. TEM), $C_9H_{12}N_6$, M_R 204,23, kleine Krist., Zers. bei 139 °C; LD_{50} (Maus oral) 15, (Maus i.p.) 2,8 mg/kg. Ampullierte wäss. Lsg. sind bei 4 °C ca. 3 Monate stabil, bei 20 °C polymerisieren sie. T. wurde 1950 von Am. Cyanamid patentiert. – *E* tretamine – *F* trétamine – *I = S* tretamina
Lit.: Beilstein E III/IV **26**, 1268 ■ IARC Monogr. **9**, 95–105 (1975) ■ Martindale (31.), S. 541. – *[HS 2933 69; CAS 51-18-3]*

Tretinoin (Rp). Internat. Freiname für *Retinsäure* [Vitamin-A-Säure, (all-*E*)-3,7-Dimethyl-9-(2,6,6-trimethyl-1-cyclohexen-1-yl)-2,4,6,8-nonatetraensäure].

Tab.: Daten der Trestatine A, B u. C.

Trestatin	Summenformel	M_R	Schmp. (Zers.) [C°]	$[\alpha]_D^{24}$ (H_2O)	CAS
T. A (n = 2)	$C_{56}H_{94}N_2O_{40}$	1435,35	221–232	+ 177°	71884-70-3
T. B (n = 1)	$C_{37}H_{63}NO_{28}$	969,90	209–219	+ 187°	71869-92-6
T. C (n = 3)	$C_{75}H_{125}N_3O_{52}$	1900,80	230–237	+ 170°	71892-68-7

$C_{20}H_{28}O_2$, M_R 300,44. Farblose Krist., Schmp. 180–182 °C, λ_{max} (CH_3OH) 351 nm ($A_{1cm}^{1\%}$ 1498), LD_{50} (Maus oral) 2200, (Maus i.p.) 790 mg/kg, lösl. in Alkohol. Das zu den *Retinoiden zählende T. wurde 1971 u. 1973 von Hoffmann-La Roche (Vesanoid®) patentiert u. ist auch als Generikum zur externen Behandlung von *Akne im Handel, denn es wirkt in der Art einer Schälkur. Die stereoisomere 13-*cis*-Retinsäure [internat. Freiname: *Isotretinoin*, orangerote Plättchen, Schmp. 175 °C, λ_{max} (CH_3OH) 354 nm ($A_{1cm}^{1\%}$ 1325), LD_{50} (Maus oral) 3389, (Maus i.p.) 904 mg/kg] ist durch Hemmung der Talgproduktion bei äußerlicher Anw. od. auch nach oraler Gabe wirksam bei bes. schweren Akne-Fällen, wirkt allerdings als *Teratogen. Sie wurde 1984 u. 1985 von Hoffmann-La Roche (Roaccutan®) patentiert u. ist auch von Stiefel (Isotrex Gel®) im Handel. – *E* tretinoin – *F* trétinoïne – *I* tretinoina – *S* tretinoína

Lit.: Hager (5.) **9**, 1017–1020 ▪ Martindale (31.), S. 1097 f. ▪ Ph. Eur. **1997** u. Komm. – *[HS 2936 21; CAS 302-79-4 (T.); 4759-48-2 (Isotretinoin)]*

Treupel®. *T. mono:* Tabl. u. Suppositorien mit *Paracetamol, *T. comp* (Rp) zusätzlich mit *Codein-phosphat gegen Fieber u. Schmerzen. *B.:* Asta Medica/AWD.

Trevorit s. Spinelle.

TRF, TRH s. Thyroliberin.

TRF 1 s. Telomere (2.).

TRgA. Abk. für die nicht mehr verwendete Bez. „Techn. Regeln für gefährliche Arbeitsstoffe". Mit Inkrafttreten der Gefahrstoff-VO erfolgt deren Konkretisierung durch *TRGS, Abk. für „Techn. Regeln für Gefahrstoffe".

TRGS. Abk. für *Technische Regeln für Gefahrstoffe.

Tri s. Trichlorethylen.

Tri... *Multiplikationspräfix in chem. u. allg. Bez., von griech. u. latein.: tri... = drei..., dreifach...; *Beisp.:* folgende Stichwörter; vgl. Tris... – *E* = *F* = *I* = *S* tri...

TRI. Abk. für *E* Toxics Releases Inventory[1] von 1988, ein Emissionsinventar der *EPA, das die *Emissionen sowie Abfallmengen großer Unternehmen der USA von z. Z. ca. 600 Stoffen u. Stoffgruppen enthält[2]. In Anlehnung an TRI plante die Europ. Kommission ein Emissionsregister PER[3], das aber wegen der gänzlich andersartigen Umweltrechts-Systematik entbehrlich ist. Zur Problematik von TRI s. *Lit.*[4]; vgl. PRTR.

Lit.: [1] Federal Register (USA) vom 16. 2. 1988 (40 CFR 372). [2] EPA (Hrsg.), Emergency Planning and Community Right-To-Know Act Section 313, List of Toxic Chemicals sowie Release Reporting Requirements, Washington: Selbstverl. 1996. [3] Umweltbundesamt (Hrsg.), Jahresbericht 1994, S. 137 f., Berlin: Selbstverl. 1995. [4] Environmental Sci. Technol. **30**, 86A–91A (1996). – Internet-Adresse: http://www.epa.gov/80/opptintr/tri/

Triacetat. In der Textil- u. Kunststoff-Ind. gebräuchliche Bez. für vollständig acetylierte Cellulose (Cellulosetriacetat); s. Celluloseacetat u. Primäracetat. – *E* triacetate – *F* triacétate – *I* = *S* triacetato

Triacetin s. Glycerinacetate.

1,1,1-Triacetoxy-1,1-dihydro-1,2-benziodoxol-3(1*H***)-on** [Dess-Martin-Periodinan (DMP), TAPI].

$C_{13}H_{13}IO_8$, M_R 424,16. Weißer, licht- u. feuchtigkeitsempfindlicher Feststoff, Schmp. 124–126 °C, lösl. in CH_2Cl_2, $CHCl_3$, CH_3CN, THF, unlösl. in aromat. u. aliphat. Kohlenwasserstoffen. Die Herst. erfolgt aus 2-Iodbenzoesäure durch Oxid. mit Kaliumbromat u. anschließende Reaktion mit Essigsäure u. Essigsäureanhydrid:

T. ist eines der mildesten u. geeignetsten Reagenzien zur Oxid. von Alkoholen zu Aldehyden od. Ketonen. – *E* 1,1,1-triacetoxy-1,1-dihydro-1,2-benziodoxol-3(1*H*)-one – *F* 1,1,1-triacétoxy-1,1-dihydro-1,2-benziodoxol-3(1*H*)-on – *I* 1,1,1-triacetossi-1,1-diidro-1,2-benzodossol-3(1*H*)-one – *S* 1,1,1-triacetoxi-1,1-dihidro-1,2-benziodoxol-3(1*H*)-ona

Lit.: J. Org. Chem. **59**, 7549 (1994) ▪ Paquette **7**, 4982. – *[CAS 87413-09-0]*

Triacetylcellulose. Bez. für vollständig acetylierte Cellulose; s. Celluloseacetat u. Primäracetat.

Triacetyldiphenolisatin [3,3-Bis(4-acetoxyphenyl)-1-acetyl-1,3-dihydro-2*H*-indol-2-on, Trisatin; Rp].

$C_{26}H_{21}NO_6$, M_R 443,46, Krist., Schmp. 201–202 °C, leicht lösl. in Chloroform; vgl. a. Oxyphenisatin. Wegen hepatotox. Wirkung wird T. – ähnlich wie auch andere *Phenolisatine – in *Abführmitteln nicht mehr eingesetzt. – *E* triacetyldiphenolisatin – *F* triacétyldiphénolisatine – *I* = *S* triacetildifenolisatina

Lit.: s. Oxyphenisatin. – *[HS 2933 90; CAS 18869-73-3]*

Triacont(a)... *Multiplikationspräfix in chem. Namen, von griech.: triákonta = dreißig. – *E* = *F* = *I* = *S* triacont(a)...

Triacontanal s. 1-Triacontanol.

1-Triacontanol (Melissylalkohol, Myricylalkohol).

$H_3C-(CH_2)_{28}-R$, (R=CH_2OH), $C_{30}H_{62}O$, M_R 438,82, Krist., Schmp. 86,5 °C, lösl. in Toluol u. Ether, unlösl. in Wasser. T. ist Bestandteil vieler Pflanzenwachse, in denen es häufig neben dem um ein C-Atom längeren *1-Hentriacontanol vorliegt. T. u. dessen Gemische mit 1-Dotriacontanol wurden in der älteren Lit. fälschlich für 1-Hentriacontanol gehalten. T. wirkt als Pflanzenwuchsstoff[1]. *Triacontanal*[2] (R=CHO, $C_{30}H_{60}O$, M_R 436,80) wurde ebenfalls aus Pflanzenwachsen isoliert. – *E* = *F* = *S* 1-triacontanol – *I* 1-triacontanolo

Lit.: [1] Science **195**, 1339–1345 (1977). [2] Hoppe Seyler's Z. Physiol. Chem. **350**, 462 (1969).
allg.: Beilstein E IV **1**, 1918 ▪ Fette, Seifen, Anstrichm. **85**, 239 ff. (1983) ▪ Karrer, Nr. 100 u. 5055. – *Synth.:* J. Org. Chem. **45**, 737 (1980) ▪ Justus Liebigs Ann. Chem. **1985**, 214 ▪ Monatsh. Chem. **126**, 565 (1995) ▪ Phytochemistry **42**, 997 (1996) ▪ Tetrahedron **48**, 9187 (1992) ▪ Tetrahedron Lett. **25**, 5439 (1984). – *[HS 2905 19; CAS 593-50-0]*

Triacontansäure (Melissinsäure).
$H_3C-(CH_2)_{28}-COOH$, $C_{30}H_{60}O_2$, M_R 452,81, Schmp. 93,5–94 °C. Die gesätt. T. ist Bestandteil des Bienen-, Woll- u. *Carnaubawachses sowie anderer Pflanzenwachse. Wegen analyt. Ungenauigkeiten hielt man Melissinsäure früher für Hentriacontansäure ($C_{31}H_{62}O_2$, M_R 466,84). Analoges gilt für Melissylalkohol (s. 1-Triacontanol). – *E* triacontanoic acid – *F* acide triacontanoïque – *I* acido triacontanoico – *S* ácido triacontanoico

Lit.: Beilstein E IV **2**, 1321 ▪ J. Org. Chem. USSR (Engl. Trans.) **26**, 1402 (1990) (Synth.) ▪ Karrer, Nr. 713 ▪ Nuhn, Naturstoffchemie, Mikrobielle, pflanzliche u. tierische Naturstoffe (2.), S. 307, Stuttgart: Wissenschaftliche Verlagsges. 1990 ▪ Prog. Lipid Res. **28**, 147 (1990) ▪ Ullmann (5.) **A 10**, 248. – *[HS 2915 90; CAS 506-50-3 (T.); 38232-01-8 (Hentriacontansäure)]*

Triacsine.

$H_3C-\overset{11}{}\underset{8}{}\overset{9}{}\underset{6}{}\overset{7}{}\underset{4}{}=\underset{2}{}-C(\overset{H}{})=N-N(\text{OH})$: T. A

(all-E)-2,4,6,8-Tetraen : T. B
(all-E)-2,4,7-Trien : T. C
(all-E)-2,4,6-Trien : T. D

Nitrosohydrazone, die im Tautomerie-Gleichgewicht vorwiegend als 3-Alkenyliden-2-triazen-1-ole vorliegen, aus Kulturen des Streptomyceten SK 1984, z. B. *T. B* ($C_{11}H_{15}N_3O$, M_R 205,26, gelbes Pulver, Schmp. 144–147 °C) od. *T. A* ($C_{11}H_{19}N_3O$, M_R 209,29, gelbes Pulver, Schmp. 116–118 °C). Die T. hemmen Arachidonoyl-CoA-Synthetase u. CoA-Synthetasen längerkettiger Fettsäuren, die Bildung von Acetyl-CoA wird dagegen nicht beeinträchtigt. – *E* triacsins – *F* triacsines – *I* triacsine – *S* triacsinas

Lit.: Biochim. Biophys. Acta **921**, 595–598 (1987) ▪ J. Antibiot. (Tokyo) **39**, 1211–1218 (1986) ▪ J. Biol. Chem. **266**, 4214–4219 (1991) ▪ Prostaglandins **37**, 655–671 (1989). – *[CAS 105201-46-5 (T. A); 105201-47-6 (T. B)]*

Triacylglycerin-Lipase. T.-L., auch als Pankreas-Lipase, Pancrelipase od. Rizolipase bezeichnet (EC 3.1.1.3), ist eine weit verbreitete *Lipase mit einer M_R von ca. 40 000, die aus tier. Pankreas od. aus Pilzen (*Rhizopus*-Arten; gehören zu den Zygomyceten) gewonnen wird. Sie katalysiert bevorzugt die Hydrolyse von Triglyceriden an der endständigen Ester-Gruppierung. Techn. wird T.-L. zur schonenden Fetthydrolyse, medizin. in Kombination mit anderen Verdauungsenzymen bei Verdauungsbeschwerden eingesetzt (Enzym-Wied-Dragées®, Wiedemann). – *E* (triacylglycerol) lipase – *F* triacylglycérol-lipase – *I* triacilglicerolo lipasi – *S* (triacilglicerol)lipasa

Lit.: Gastroenterology **91**, 919–925 (1986) ▪ Hager (5.) **9**, 1021 ff. ▪ Merck-Index (12.), Nr. 5536. – *[CAS 9001-62-1]*

Triade. Bez. für eine aus drei *konstitutionellen Repetiereinheiten bestehende Untereinheit einer *Polymer-Kette. Die Bestimmung der Häufigkeit bestimmter T. in einem *Makromolekül besitzt v. a. für die Analyse der Mikrostruktur eines Polymeren durch z. B. die *NMR-Spektroskopie große Bedeutung. So kann eine Feststellung der *Taktizität eines Makromol. mit (pseudo)asymmetr. Zentren in der Hauptkette (s. isotaktische Polymere u. Taktizität) auf der Basis der Unterscheidung von iso-, syndio- u. heterotakt. T. erfolgen. Diese drei Arten von T. sind dadurch gekennzeichnet, daß die jeweils zwei sie bildenden *Diaden* (= Sequenzen aus *zwei* konstitutionellen Repetiereinheiten einer Polymerkette) die relativen Konfigurationen meso/meso (mm), racem./racem. (rr) bzw. meso/racem. (mr) aufweisen. In der Fischer-Projektion werden sie durch

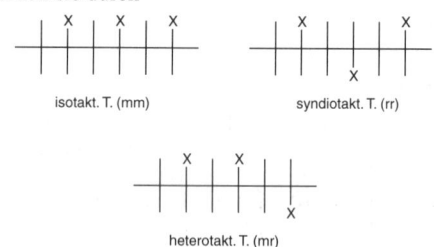

wiedergegeben. Die Häufigkeit des Auftretens jeder dieser T. in einem Makromol. kann durch Integration spezieller Signale in den NMR-Spektren bestimmt werden. So absorbieren z. B. die α-Substituenten eines *Vinylpolymeren bei unterschiedlichen chem. Verschiebungen, je nachdem, in welcher der obigen drei T. sie eingebunden sind. Aus dem Verhältnis der Integrale sind daher Rückschlüsse auf die Taktizität des untersuchten Polymers möglich. Im Falle eines rein atakt. Polymers treten z. B. die drei T.-Arten im Verhältnis mm : mr : rr von 1 : 2 : 1 auf. Rein isotakt. Polymere bestehen nur aus isotakt. T., rein syndiotakt. nur aus syndiotakt. Triaden. Daneben beobachtet man eine Vielzahl von Zwischenstufen. Die T.-Analyse kann darüber hinaus auch zur Sequenzanalyse von *Copolymeren herangezogen werden. – *E* triad – *F* = *I* triade – *S* tríada

Lit.: Elias (5.) **1**, 37; **2** 48 ▪ Odian (3.), S. 622.

Triaden s. Periodensystem.

Triadimefon.

Common name für (±)-1-(4-Chlorphenoxy)-3,3-dimethyl-1-(1*H*-1,2,4-triazol-1-yl)-2-butanon,

$C_{14}H_{16}ClN_3O_2$, M_R 293,75, Schmp. 82,3 °C, LD_{50} (Ratte oral) ca. 1000 mg/kg, von Bayer 1976 eingeführtes system. *Fungizid mit protektiver u. kurativer Wirkung, v. a. gegen Echte Mehltaupilze u. Rostkrankheiten im Getreide-, Kaffee-, Hopfen-, Obst-, Gemüse- u. Zierpflanzenanbau. – *E* triadimefon – *F* triadiméfone – *I* triadimefone – *S* triadimefona
Lit.: Farm ■ Perkow ■ Pesticide Manual ■ Wirkstoffe iva. – *[HS 2933 90; CAS 43121-43-3]*

Triadimenol.

Common name für (±)-1-(4-Chlorphenoxy)-3,3-dimethyl-1-(1*H*-1,2,4-triazol-1-yl)butan-2-ol, $C_{14}H_{18}ClN_3O_2$, M_R 295,76, Schmp. 138,2 °C, LD_{50} (Ratte oral) ca. 700 mg/kg, von Bayer 1978 eingeführtes system. *Fungizid mit protektiver u. kurativer Wirkung gegen Echte Mehltaupilze, Rostkrankheiten u. verschiedene Blattfleckenkrankheiten in zahlreichen Kulturen. Im Getreideanbau auch als *Saatgut-Behandlungsmittel gegen samen-, boden- u. windbürtige Krankheitserreger. – *E* = *S* triadimenol – *F* triadiménol – *I* triadimenolo
Lit.: Farm ■ Perkow ■ Pesticide Manual ■ Wirkstoffe iva. – *[CAS 55219-65-3; G 9]*

Triage-Kaffee
(von *F* triage = Auslesen, Auswahl). Abfallkaffee aus bes. kleinen u. zerbrochenen Kaffeebohnen, die beim Sortieren der ungerösteten Bohnen im *Trieur anfallen; s. Kaffee. – *E* triage coffee – *F* café de triage – *I* caffè scelto – *S* café de selección

Trialkylamine.
Gruppenbez. für *Amine der allg. Formel

die gelegentlich auch als *tert.* *Alkylamine bezeichnet werden; *Beisp.:* Tributyl-, Triethylamin u.a. einschließlich Tribenzylamin, die ggf. in Einzelstichwörtern behandelt sind. – *E* = *F* trialkylamines – *I* trialchilammine – *S* trialquilaminas

Trialkylborane, -boroxine
s. Bor-organische Verbindungen u. Boroxine.

Trialkylphosphate
s. Phosphorsäureester.

Triallat.

Common name für *S*-(2,3,3-Trichlorallyl)-*N*,*N*-diisopropylthiocarbamat, $C_{10}H_{16}Cl_3NOS$, M_R 304,66, Schmp. 29–30 °C, LD_{50} (Ratte oral) 1100 mg/kg, von Monsanto 1961 eingeführtes *Herbizid zur Anw. im Vorsaat-Verf. mit Einarbeitung u. im Vorauflauf gegen Flughafer u. andere Ungräser im Gersten-, Weizen-, Roggen-, Raps-, Leguminosen-, Zucker- u. Futterrübenanbau. – *E* triallat – *F* triallate – *I* triallato – *S* trialato
Lit.: Farm ■ Perkow ■ Pesticide Manual ■ Wirkstoffe iva. – *[HS 2933 90; CAS 2303-17-5]*

Triallylcyanurat
[TAC, 2,4,6-Tris(allyloxy)-1,3,5-triazin].

$C_{12}H_{15}N_3O_3$, M_R 249,26, farblose Flüssigkeit od. Festkörper, D. 1,1133, Schmp. 27 °C, Sdp. 162 °C (3 hPa), in Wasser schwer lösl., mischbar mit Aceton, Benzol, Chloroform, Dioxan, Alkohol, Ethylacetat, Xylol. T. polymerisiert beim Erhitzen, insbes. in Ggw. von Peroxiden od. von Spuren von Cu, Ni, Mn od. Hg, u. neigt zu Additionspolymerisationen.
Verw.: Als trifunktionelle Vernetzungskomponente für die Herst. von *Thermoplasten aus PE, PE-C, PU, EPDM u. von Kabelisoliermassen. Copolymerisate mit Methylmethacrylat ergeben harte Acrylglasplatten mit ausgezeichneten opt. Eigenschaften. Handelsübliches T. wird mit Hydrochinon als Stabilisator geliefert. – *E* triallyl cyanurate – *F* cyanurate de triallyle – *I* cianurato di triallile – *S* cianurato de trialilo
Lit.: Beilstein E III/IV **26**, 398 ■ Encycl. Polym. Sci. Eng. **4**, 802–805 ■ Ullmann (5.) **A 1**, 438. – *[CAS 101-37-1]*

Triamcinolon (Rp).

Internationaler Freiname für 9-Fluor-11β,16α,17,21-tetrahydroxy-1,4-pregnadien-3,20-dion, $C_{21}H_{27}FO_6$, M_R 394,45, Krist., Schmp. 269–271 °C, auch 260–262,5 °C angegeben, $[\alpha]_D^{25}$ +75° (Aceton); λ_{max} (CH_3OH) 238 nm ($A_{1cm}^{1\%}$ 400,5); vgl. a. Prednison. T. ist ein *Corticosteroid mit glucocorticoider Wirkung, das auch diuret., antiallerg. u. antiphlogist. Eigenschaften besitzt. Verwendet werden das *16α,17α-Acetonid*, $C_{24}H_{31}FO_6$, M_R 434,50, Schmp. 292–294 °C, $[\alpha]_D^{23}$ +109° (c 0,75/$CHCl_3$), λ_{max} (C_2H_5OH) 238 nm ($A_{1cm}^{1\%}$ 336), das *16α,21-Diacetat*, $C_{25}H_{31}FO_8$, M_R 478,5, Schmp. 186–188 °C, $[\alpha]_D^{25}$ +22° ($CHCl_3$), u. das *Hexacetonid*, $C_{30}H_{41}FO_7$, M_R 532,65, Schmp. 295–296 °C (Zers.), $[\alpha]_D^{25}$ +90° ± 2° (c 1,13/$CHCl_3$). T. wurde 1957 von Am. Cyanamid (Delphicort®, Lederle; Volon®, Bristol Myers Squibb) patentiert u. ist als Generikum im Handel. – *E* = *F* = *I* triamcinolone – *S* triamcinolona
Lit.: ASP ■ Beilstein E IV **8**, 3629 ■ Florey **1**, 367–442; **6**, 579–595; **11**, 593–661 ■ Hager (5.) **9**, 1023–1031 ■ Martindale (31.), S. 1057 f. ■ Ph. Eur. **1997**, Komm. u. Suppl. **1999**. – *[HS 2937 22; CAS 124-94-7 (T.); 76-25-5 (16α,17α-Acetonid); 67-78-7 (16α,21-Diacetat); 5611-51-8 (Hexacetonid)]*

Triamhexal® (Rp).
Ampullen mit *Triamcinolon-acetonid gegen Allergien, Entzündungen, Dermatosen etc. *B.:* Hexal.

2,4,6-Triamino-1,3,5-triazin
s. Melamin.

Triam® Lichtenstein.
Ampullen mit dem Glucocorticoid *Triamcinolon-acetonid. *B.:* Lichtenstein.

Triampur® (Rp).
(Film-)Tabl. mit dem *Diuretikum *Triamteren u. *Hydrochlorothiazid gegen Hypertonie u. zum Ausschwemmen von Ödemen. *B.:* Arzneimittelwerk Dresden.

Triamteren (Rp).

Internat. Freiname für das *Diuretikum 6-Phenyl-2,4,7-pteridintriamin $C_{12}H_{11}N_7$, M_R 253,26, gelbe Plättchen, Schmp. 316 °C, auch 327 °C angegeben; λ_{max} (CH_3OH) 266 nm ($A_{1cm}^{1\%}$ 568), pK_{a1} 6,26, pK_{a2} –1,18. T. wurde 1963 von SK&F patentiert, ist von Procter & Gamble Pharmaceuticals (Jatropur®) als Monosubstanz sowie in Kombination mit *Hydrochlorothiazid von vielen Firmen als Generikum im Handel. – *E = I* triamterene – *F* triamtérène – *S* triamtereno

Lit.: ASP ▪ Beilstein E III/IV **26**, 3837 ▪ Florey **23**, 571–605 ▪ Hager (5.) **9**, 1031 ff. ▪ Martindale (31.), S. 957 f. ▪ Ph. Eur. 1997 u. Komm. ▪ Ullmann (5.) **A4**, 238 f.; **A9**, 35. – *[HS 293359; CAS 396-01-0]*

triangulo-. Kursives Präfix *triangulo-* zeigt Dreieck-Geometrie der Metallatome in dreikerniger *Komplexen an (IUPAC-Regel I-10.8.3.3); *Beisp.:* $[Os(CO)_4]_3$ = Dodecacarbonyl-*triangulo*-triosmium(3 Os–Os); Gegensatz: *catena-. – *E = F = S* triangulo- – *I* triangolo-

Triapenthenol.

Common name für (±)-(*E*)-1-Cyclohexyl-4,4-dimethyl-2-(1*H*-1,2,4-triazol-1-yl)-1-penten-3-ol, $C_{15}H_{25}N_3O$, M_R 263,38, Schmp. 135,5 °C, LD_{50} (Ratte oral) >5000 mg/kg, von Bayer 1989 eingeführter Pflanzen-*Wachstumsregulator gegen das Lagern im Raps- u. Grassamenanbau. In Deutschland ist T. z. Z. nicht im Handel. – *E* triapenthenol – *F* triapenthénol – *I* triapentenolo – *S* triapentenol

Lit.: Pesticide Manual ▪ Wirkstoffe iva. – *[CAS 76608-88-3]*

Triapten® Antiviralcreme (Rp). Creme mit dem *Virostatikum *Foscarnet-Natrium gegen Herpes-Infektionen. **B.:** LAW, Wyeth.

Triarylmethan-Farbstoffe. Sammelbez. für organ. Farbstoffe, die sich formal von *Triphenylmethan (*Triphenylmethan-Farbstoffe* im engeren Sinne) od. ähnlich gebauten Verb. („*Propeller-Moleküle") durch Dehydrierung ableiten (Beisp. s. Tab. S. 4633). Im Formelbild stellt man die T.-F. entweder als *Carbenium-Ionen* (linke Formel) od. in *chinoider Form* (rechte Formel) dar; als Folge der zahlreichen *Resonanz-Möglichkeiten sind die T.-F. intensiv farbig. Hingegen sind die Red.-Produkte der T.-F., die sog. *Leuk(o)-Basen (CH statt C⁺; *Beisp.:* Leukomalachitgrün), od. die *Triarylcarbinole* (C–OH statt C⁺; *Beisp.:* *Rosanilin u. *Pararosanilin) wenig od. nicht farbig. Auffällig sind bei vielen T.-F. die vielfältigen Glanzerscheinungen im krist. Zustand, s. Reflexion.

Auf die Herst. der T.-F. kann hier angesichts ihrer Vielgestaltigkeit nicht näher eingegangen werden. Die *Diamino-T.-F.* gewinnt man im allg. durch säurekatalysierte Kondensation von aromat. Aldehyden mit Anilin-Derivaten u. nachfolgende Oxid., die *Triamino-T.-F.* stellt man in typ. Weise aus Toluidinen, Anilin-Derivaten, Nitrobenzol u. Nitrotoluolen in Ggw. von $ZnCl_2$ u. $FeCl_2$ her; bei einigen der Synth. ist *Michlers Keton ein Zwischenprodukt. Weitere T.-F.-Varianten ergeben sich durch nachträgliche Phenylierung u./od. Sulfonierung; *Beisp.:* Säureblau, Säureviolett, *Säurefuchsin. Ein T.-F. mit einem Naphthalin-Syst. ist *Viktoriablau. Ebenfalls zu den T.-F. gehören die *Hydroxy-T.-F.* vom Typ des *Aurins u. des *Phenolphthaleins, dessen neutrale Form ein *Phthalein ist. Zu den Phthaleinen zählen auch viele der (mit den T.-F. allerdings entfernt verwandten) *Xanthen-Farbstoffe. Man beachte, daß bes. in der Technik die Trivialnamen nicht immer eindeutig zugeordnet werden, zumal auch oft Gemische verschieden hoch substituierter Produkte vorliegen. Hinzu kommt, daß manche internat. Freinamen für T.-F. durchaus unzweckmäßig konstruiert sind; *Beisp.:* Methylrosanilinium für *Kristallviolett. **Verw.:** Die T.-F., die je nach Substitution zu den *Säure-, *Beizen-, *Substantiven od. *Direkt- u. *Kationischen Farbstoffen gehören können, geben meist intensive, leuchtende Färbungen unterschiedlicher Lichtechtheit. Einsatzmöglichkeiten ergeben sich in der Färbung u. im Bedrucken von Textilien, Leder u. Papier, für Druckfarben, Tinten, Farbbänder, Kugelschreiberpasten, als Lebensmittel- u. Mikroskopierfarbstoffe. Einige T.-F. sind auch als Desinfektionsmittel, Anthelmintika u. Antimykotika geeignet (z. B. Brillant- u. Malachitgrün, Parafuchsin, Kristallviolett, *Lit.*[1]); gegen Trypanosomen u. Schistosomen ist bes. Parafuchsin wirksam.

Geschichte (s. a. *Lit.*[2]): Die Entwicklung der T.-F. begann mit der Synth. des Fuchsins durch Verguin (1858), der die von Anilinblau durch Girard u. de Laire sowie von Methylviolett durch Lauth (1861) folgten. Übrigens basierte die T.-F.-Synth. bis 1878 auf Empirie, da erst in diesem Jahr O. u. Emil *Fischer die Konstitution des Parafuchsins aufklären konnten. Der erste Diamino-T.-F. (Malachitgrün) wurde 1877/8 von O. Fischer u. Doebner hergestellt. – *E* triarylmethane dyes – *F* colorants triarylméthaniques – *I* coloranti del triarilmetano – *S* colorantes de triarilmetano

Lit.: [1] Pharm. Unserer Zeit **9**, 1–19 (1980). [2] Bayer Farben Revue **36**, 47–71 (1984).

allg.: Gwinn u. Bomberger, Diphenylmethane and Triarylthane Dyes and Pigments (Wastes...5, Report PB 84-200914), Springfield: NTIS 1984 ▪ Hager (5.) **2**, 140 ▪ Herbst u. Hunger, Industrielle organische Pigmente (2.), S. 534, Weinheim: VCH Verlagsges. 1995 ▪ Kirk-Othmer (4.) **24**, 551 ▪ Ullmann (5.) **A 27**, 179 ▪ Valcl et al., Handbook of Triarylmethane and Xanthene Dyes: Spectrophotometric Determination of Metals, Boca Raton: CRC Press 1986 ▪ Winnacker-Küchler (3.) **4**, 238–247 ▪ Zollinger, Color Chemistry, 2. Aufl., Weinheim: VCH Verlagsges. 1991.

Tab.: Triarylmethan-Farbstoffe.

Name	R¹	R²	R³	R⁴	R⁵	R⁶	Bemerkungen
	Diamino-triarylmethan-Farbstoffe						
Doebners Violett	H	H	H	H		H	in 4-Stellung H statt NR⁴R⁵
*Malachitgrün	H	H	H	CH₃		CH₃	in 4-Stellung H statt NR⁴R⁵
Brillantgrün	H	H	H	C₂H₅		C₂H₅	in 4-Stellung H statt NR⁴R⁵
*Patentblau VF	H	H	H	C₂H₅		C₂H₅	in 4-Stellung SO₃Na statt NR⁴R⁵ in 2-Stellung SO₃⁻
	Triamino-triarylmethan-Farbstoffe						
*Pararosanilin	H	H	H	H	H	H	C–OH statt C⁺
*Parafuchsin	H	H	H	H	H	H	
*Rosanilin	CH₃	H	H	H	H	H	C–OH statt C⁺
*Fuchsin (Methylfuchsin)	CH₃	H	H	H	H	H	
*Säurefuchsin	CH₃	SO₃Na	SO₃Na	H	H	H	SO₃⁻-Gruppe in 5-Stellung
Hofmanns Violett (Dahlia-Violett)	CH₃	H	H	C₂H₅	H	H	
3,3′-Dimethylfuchsin	CH₃	CH₃	H	H	H	H	
*Neufuchsin (3,3′,3″-Trimethylfuchsin)	CH₃	CH₃	CH₃	H	H	H	
*Methylviolett (*Gentianaviolett)	H	H	H	CH₃	H	CH₃	
*Kristallviolett	H	H	H	CH₃	CH₃	CH₃	
*Methylblau	H	H	H	H	C₆H₄SO₃⁻	C₆H₄SO₃Na	
*Methylgrün	H	H	H	CH₃	CH₃	CH₃	N-Atom in 4-Stellung mit C₂H₅Br quaternisiert
*Anilinblau (Spritblau)	CH₃	H	H	H	C₆H₅	C₆H₅	
*Wasserblau	CH₃	H	H	H	C₆H₅	C₆H₅	3 SO₃⁻-Gruppen an R⁵ u. R⁶
*Alkaliblau, Bronceblau	CH₃	H	H	H	C₆H₅	C₆H₅	1–4 SO₃⁻-Gruppen an R⁵ u. R⁶

Trias s. Erdzeitalter.

Triasteran (Tetracyclo[3.3.0^{2,8}.0^{4,6}]nonan).

C₉H₁₂, M$_R$ 120,19. Einfachster Vertreter aus der Reihe der *Asterane, Schmp. 110 °C. Synth. für T. bzw. Derivate wurden von *Musso, *Dreiding u. a. erarbeitet. – *E* triasterane – *F* triastérane – *I* = *S* triasterano – [CAS 3105-29-1]

Triasulfuron.

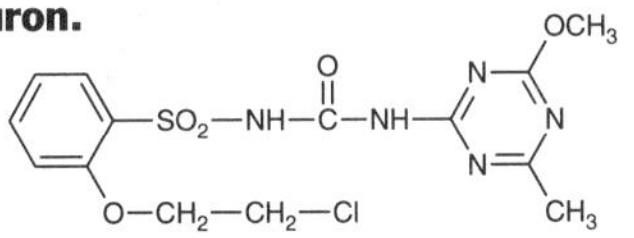

Common name für 1-[2-(2-Chlorethoxy)phenylsulfonyl]-3-(4-methoxy-6-methyl-1,3,5-triazin-2-yl)-harnstoff, C₁₄H₁₆ClN₅O₅S, M$_R$ 401,82, Schmp. 186 °C (Zers.), LD₅₀ (Ratte oral) >5000 mg/kg, von Ciba-Geigy (jetzt Novartis) 1985 eingeführtes selektives, hauptsächlich im Nachauflauf angewendetes *Herbizid gegen Unkräuter u. einige Ungräser im Getreideanbau. – *E* = *F* triasulfuron – *I* triasulfurone – *S* triasulfurona

Lit.: Farm ▪ Perkow ▪ Pesticide Manual. – [CAS 82097-50-5; G 9]

Triax®1000. Polymer-Blend aus ABS u. PA 6 mit guter Schlagzähigkeit bei niedrigen Temp. u. exzellenter Chemikalienresistenz sowie gegenüber Polyamid reduzierter Wasseraufnahme. Auch als glasfaserverstärkte Typen für die Extrusions- u. Injektionsverarbeitung erhältlich. Verw.: Elektrogeräte, Gartenbaugeräte, Teile für den Automobilbau, Skilaminate. *B.:* Bayer.

Triazamat.

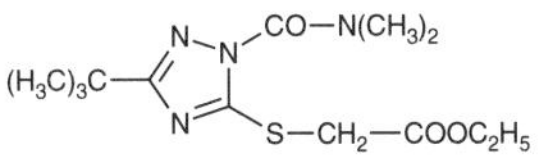

Common name für Ethyl-[3-*tert*-butyl-1-(dimethylcarbamoyl)-1*H*-1,2,4-triazol-5-ylthio]acetat, C₁₃H₂₂N₄O₃S, M$_R$ 314,40, Schmp. 54 °C, LD₅₀ (Ratte oral) 115 mg/kg, von Rohm & Haas Mitte der 90er Jahre eingeführtes, schnell wirkendes, system. *Insektizid, v. a. gegen Läuse im Hopfen-, Raps-, Kartoffel-, Rüben- u. Sonnenblumenanbau. – *E* = *F* triazamate – *I* = *S* triazamato

Lit.: Farm ▪ Perkow ▪ Pesticide Manual. – [CAS 112143-82-5]

Triazane s. Triazene.

Triazene. Nach IUPAC-Regel C-942 Gruppenbez. für Verb., die sich von dem Grundkörper *Triazen*, $\overset{1}{H}N=\overset{2}{N}-\overset{3}{N}H_2$, ableiten. *Beisp.:* 3-Methyltriazen, *1,3-Diphenyltriazen, *Cadion. Als Substituent wird die N₃H₂-Gruppe mit dem Präfix *Triazenyl*... bezeichnet z. B.: 4-(1-Triazenyl)benzoesäure. Symmetr. substituierte T. wie 1,3-Diphenyltriazen sind früher wie *Diazoaminobenzol* benannt worden. Die Dihydro-Derivate der T. heißen *Triazane*. Die T. mit Aryl-Substituenten sind von gewisser Bedeutung in der organ. Synthese. Man erhält sie durch *Aminkupplung* von aromat. *Diazonium-Verbindungen mit prim. u. sek. Aminen[1]:

Aktivierte *Methylen-Verbindungen reagieren mit organ. Aziden über eine T.-Zwischenstufe zu 1,2,3-*Triazolen, z. B.:

1-Alkyl-3-aryl-triazene sind starke *Carcinogene, da sie vermutlich *alkylierend* auf biolog. Substrate, z. B. heterocycl. Basen der Nucleinsäuren, einwirken [2-4]. Präparativ kann diese Eigenschaft zur *Veresterung* von Carbonsäuren ausgenutzt werden (vgl. Diazomethan als *Methylierungs-Reagenz zur Herst. von Carbonsäuremethylestern). 3,3-Dialkyl-1-aryl-triazene haben sich als Viruzide, Insektizide u. Mitizide erwiesen; aufgrund ihrer alkylierenden Eigenschaft sind sie auch als Cytostatika interessant. – *E* triazenes – *F* triazènes – *I* triazeni – *S* triazenos

Lit.: [1] Top. Curr. Chem. **112**, 1 ff. (1983). [2] Biochem. Pharmacol. **19**, 1505 (1970). [3] Pharm. Unserer Zeit **5**, 41–52 (1976). [4] IARC Monogr. **78**, 111–126 (1986).
allg.: Acc. Chem. Res. **6**, 335–341 (1973) ▪ Giraldi et al., Triazenes: Chemical, Biological and Clinical Aspects, New York: Plenum 1990 ▪ Houben-Weyl **10/2**, 823–835; **10/3**, 695–732; **E 16a/2**, 1182–1226 ▪ Ullmann (5.) **A 8**, 513 f.

triazid von ct® (Rp). (Film-)Tabl. mit dem *Diuretikum *Triamteren u. *Hydrochlorothiazid gegen Hypertonie u. zum Ausschwemmen von Ödemen. *B.:* ct-Arzneimittel.

Triazine. $C_3H_3N_3$, M_R 81,08. Gruppenbez. für *Stickstoff-Heterocyclen (*Azine) mit 3 Stickstoff-Atomen im 6-Ring, bei denen man unterscheidet:

1,2,3-T. (*vic.-, v-T.*)　　1,2,4-T. (*asym.-, as-T.*)　　1,3,5-T. (*sym.-, s-T.*)

Von diesen haben das *1,2,3-T.* u. seine Derivate bisher hauptsächlich wissenschaftliches Interesse gefunden; ein als Insektizid verwendetes Derivat ist *Azinphosethyl u. *-methyl. Größere Bedeutung hat das *1,2,4-T.* erlangt (blaßgelbes Öl, Schmp. 17 °C, Sdp. 156 °C); einige seiner Derivate sind Bestandteile von Antibiotika, z. B. *Fervenulin, andere, wie *Metribuzin, werden als Herbizide eingesetzt. Am weitaus wichtigsten ist jedoch das *1,3,5-Triazin*. Dieses bildet farblose, stark lichtbrechende, rhomboedr. Krist., D. 1,38, Schmp. 86 °C, Sdp. 114 °C, lösl. in Alkohol, Ether u. a. organ. Lsm., zerfällt oberhalb 600 °C zu HCN. 1,3,5-T. ist sehr flüchtig, mit Wasser zersetzt es sich rasch zu Formamidin, in Ggw. verd. Mineralsäuren geht die Zers. – unter Bildung von Ameisensäure u. Ammoniak – noch schneller. Es ist ganz allg. empfindlich gegenüber nucleophilen Angriffen u. reagiert dabei oft unter Ringöffnung, z. B. mit prim. Aminen unter Bildung von *Amidinen (*Formamidinen*):

Die *Formylierung von Aromaten u. Heteroaromaten mit 1,3,5-T. ist ebenfalls möglich. Zu den wichtigsten Derivaten des 1,3,5-T. gehören *Cyanursäure (1,3,5-Triazin-2,4,6-triol), die überwiegend in Form ihres Oxo-Tautomeren (Isocyanursäure) vorliegt, *Melamin (1,3,5-Triazin-2,4,6-triamin), *Guanamine wie *Benzoguanamin sowie *Cyanurchlorid, *Trichlorisocyanursäure u. a. *Chlorisocyanursäuren als techn. leicht zugängliche Ausgangsprodukte für zahlreiche 2,4,6-trisubstituierte 1,3,5-T.-Derivate. Auch die 1,3,5-trisubstituierten Hexahydro-1,3,5-T. sind für organ. Synth. geeignet, weil sie unter Ringöffnung reagieren.
Verw.: Zur Herst. von *Melamin-Harzen, *Benzoguanamin-Harzen, von anderen techn. wichtigen Guanaminen, als Bausteine von Duroplasten mit Bisphenol A (sog. *Triazin A-Harze*), Herst. von Vulkanisationsbeschleunigern (Aminomercapto-T.), Textilhilfsmitteln (*Triazone), Reaktivfarbstoffen, opt. Aufhellern u. v. a. von einer Gruppe wichtiger *Herbizide (*1,3,5-Triazin-Herbizide*), von denen *Atrazin u. *Simazin die wichtigsten Vertreter sind. Vom Hexahydro-1,3,5-T. leitet sich der wichtige Sprengstoff *Hexogen ab. *1,3,5-Triazin-2,4,6-trithiol* (TMT) eignet sich zum Abfangen von Schwermetallen aus Komplexbildner-haltigen Abwässern. – *E* = *F* triazines – *I* triazine – *S* triazinas

Lit.: Adv. Heterocycl. Chem. **46**, 73 (1989) ▪ Beilstein E III/IV **26**, 63 ▪ Eicher u. Hauptmann, Chemie der Heterocyclen, S. 437f., Stuttgart: Thieme 1994 ▪ Gilchrist, Heterocyclenchemie, S. 277, Weinheim: VCH Verlagsges. 1995 ▪ Houben-Weyl **E 9 c**, 530 ff. ▪ Gmelin, Syst.-Nr. 14, C, Tl. D 1, 1971, S. 248–250 ▪ Katritzky-Rees **6**, 369–530 ▪ Kontakte (Merck) **1984**, Nr. 2, 32–41 ▪ Russ. Chem. Rev. **47**, 975–990 (1978); **59**, 514–530 (1990) ▪ Weissberger **33**, 1–1072 ▪ s.a. heterocyclische Verbindungen. – [CAS 12654-97-6 (allg.); 290-87-9 (1,3,5-T.)]

Triazin-Harze. Bez. für *Formaldehyd-Harze von 1,3,5-Triazinen, von denen v. a. die Derivate des *Melamins (1,3,5-Triazin-2,4,6-triamin) als *Melamin-Formaldehyd-Harze große techn. Bedeutung erlangt haben; zu Eigenschaften, Herst. u. Verw. der T. s. dort. – *E* triazine resins – *F* résines de triazine – *I* resine triaziniche – *S* resinas de triazina

Lit.: s. Formaldehyd-Harze u. Melamin-Harze.

Triazinone s. Triazone.

Triazin-Polymere. Sammelbez. für *Polymere mit dem 1,3,5- (s. Abb., IV) od. 1,2,4-Triazin-Ring als Bestandteil der *Makromoleküle. T.-P. können hergestellt werden durch Einbau vorgebildeter Triazin-Ringe in die Polymer-Mol., z. B. durch *Polykondensation von Triazin-Derivaten (s. Melamin-Formaldehyd-Harze), od. durch Bildung des Triazin-Rings unter Polymerisationsbedingungen. Eine andere Möglichkeit ist die Cyclotrimerisierung von Nitril-Gruppen enthaltenden (Pre-)Polymeren (III) [aus u. a. der Reaktion von sek. (I) u. prim. (II) Biscyanamiden in Alkoholen od. Ketonen] zu den sog. *NCNS-Harzen* (IV).

T.-P. finden Verw. als *Triazin-Harze. – *E* triazine polymers – *F* polymères de triazine – *I* polimeri triazinici – *S* polímeros de triazina
Lit.: Ullmann (4.) **15**, 443 f.

1,3,5-Triazin-2,4,6-triamin s. Melamin.

1,3,5-Triazin-2,4,6-triol s. Cyanursäure.

1,3,5-Triazin-2,4,6-trithiol s. Triazine.

Triaziquon (Rp).

Internat. Freiname für das alkylierend wirkende *Cytostatikum, 2,3,5-Tris(1-aziridinyl)-*p*-benzochinon, $C_{12}H_{13}N_3O_2$, M_R 231,25, purpurfarbene Nadeln, Schmp. 162,5–163 °C, wenig lösl. in kaltem Wasser, lösl. in Aceton, Benzol, Chloroform, Methanol u. warmer Essigsäure. Lagerung: kühl u. lichtgeschützt. T. wurde 1961 von Schenley patentiert. – *E* = *F* = *I* triaziquone – *S* triazicuona
Lit.: IARC Monogr. **9**, 67–73 (1975); Suppl. 4, 251 f. (1982); Suppl. 6, 545–548 (1987); Suppl. 7, 367 f. (1987). – [HS 2933 90; CAS 68-76-8]

Triazolam (Rp; BtMVV, Anlage III).

Internat. Freiname für das Hypnotikum (s. Schlafmittel) 8-Chlor-6-(2-chlorphenyl)-1-methyl-4*H*-1,2,4-triazolo[4,3-*a*][1,4]benzodiazepin, $C_{17}H_{12}Cl_2N_4$, M_R 343,22, Krist., Schmp. 233–235 °C; λ_{max} (CH_3OH) 221 nm ($A_{1cm}^{1\%}$ 1200), LD_{50} (Maus oral) >1 g/kg. T. wurde 1970 u. 1972 von Upjohn (Halcion®) patentiert. – *E* = *F* = *I* = *S* triazolam
Lit.: ASP ■ Drugs **22**, 81–110 (1981) ■ Hager (5.) **9**, 1034 f. ■ Martindale (31.), S. 740 f. – [HS 2933 90; CAS 28911-01-5]

Triazole. $C_2H_3N_3$, M_R 69,09. Gruppenbez. für *Stickstoff-Heterocyclen (*Azole) mit 3 N-Atomen im 5-Ring. Die stellungsisomeren Grundkörper *1,2,3-T.* (D. 1,1861, Schmp. 23 °C, Sdp. 204 °C) u. *1,2,4-T.* (D. 1,132, Schmp. 121 °C, Sdp. 260 °C) können infolge *Tautomerie ihren „Extra"-Wasserstoff (s. H) auch an anderen Ringatomen haben, weshalb bei substituierten T. zusätzliche Isomeriemöglichkeiten gegeben sind (*annulare Tautomerie*).

Synthet. sind 1,2,3-T. durch Umsetzung von Acetylenen mit Aziden zugänglich, 1,2,4-T.-Derivate durch Cyclokondensation von Hydrazin od. Hydrazin-Derivaten mit geeigneten Partnern, z. B. Diacylaminen, wobei Acyl-*Amidrazone als Zwischenverb. auftreten. 1,2,3-T. sind zur sog. Dimroth-Umlagerung befähigt (s. Abb.).

Abb.: Synth. von 1,2,3-T. (a) bzw. 1,2,4-T. (b) u. Dimroth-Umlagerung (c).

Verw.: Von den 1,2,3-T. haben eine Reihe von Derivaten Bedeutung als opt. Aufheller erlangt, u. von den 1,2,4-T.-Derivaten ist z. B. das 1*H*-1,2,4-Triazol-3-amin (s. Amitrol) ein bes. gegen hartnäckige Unkräuter wirksames Herbizid u. *Triadimenol eines der wirksamsten Fungizide, während andere Derivate Grundkörper für Azofarbstoffe od. organ. Reagenzien darstellen können (*Benzotriazol, *Nitron). Phosphitgruppen-haltige 1,2,4-T. eignen sich als Kondensationsmittel bei Peptid-Synthesen. Von den T. leiten sich durch Red. einer Doppelbindung die früher *Triazoline* genannten Dihydro-T. u. durch Red. beider Doppelbindungen die *Triazolidine* (Tetrahydro-T.) ab. Für die 1,2,4-Triazolidin-3,5-dione war früher auch der Name *Urazole* im Gebrauch. – *E* = *F* = *S* triazoles – *I* triazoli
Lit.: Adv. Heterocycl. Chem. **16**, 33 (1974); **40**, 130–197 (1987); **67**, 119 (1997) ■ Beilstein E III/IV **26**, 29, 35 ■ Eicher u. Hauptmann, Chemie der Heterocyclen, S. 200 f., Stuttgart: Thieme 1994 ■ Gilchrist, Heterocyclenchemie, S. 306, Weinheim: VCH Verlagsges. 1995 ■ Houben-Weyl E 8 d, 305 ff., 479 ff. ■ Katritzky-Rees **5**, 669–790 ■ Weissberger **37** u. **39** ■ s. a. heterocyclische Verbindungen. – [HS 2933 90; CAS 37306-44-8 (allg.); 288-36-8 (1,2,3-T.); 288-88-0 (1,2,4-T.)]

Triazolidine s. Triazole.

1,2,4-Triazolin-3,5-dione s. Triazoline.

Triazoline. Veraltete Gruppenbez. für die verschiedenen Dihydro-*triazole; die Stellung der verbleibenden

Doppelbindung wurde früher durch Voranstellen von Δ mit einer der Ringnumerierung entsprechenden Ziffer gekennzeichnet; *Beisp.*: 5-Hydroxy-Δ^1-1,2,3-triazolin (heute: 4,5-Dihydro-1*H*-1,2,3-triazol-4-ol). *1,2,4-Triazolin-3,5-dione* sind als Dienophile geeignet: 4-Phenyl-1,2,4-triazolin-3,5-dion [4-Phenyl-3*H*-1,2,4-triazol-3,5(4*H*)-dion] gehört zu den reaktionsfreudigsten Dienophilen überhaupt; s. Diels-Alder-Reaktion. Der aus Hydrazincarbonsäureethylester u. Phenylisocyanat leicht zugängliche 2-(Phenylcarbamoyl)-hydrazincarbonsäureethylester reagiert in alkal. Lsg. unter Ringschluß zum 4-Phenylurazol, das mit *tert*-Butylhypochlorit zum *4-Phenyl-1,2,4-triazolin-3,5-dion* (Abk. PTAD) oxidiert werden kann ($C_8H_5N_3O_2$, M_R 175,16, lange, rote Nadeln, Zers. bei 170–180 °C).

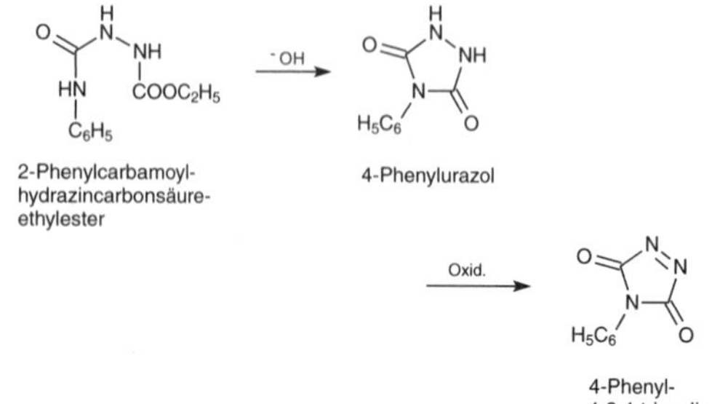

2-Phenylcarbamoyl-hydrazincarbonsäure-ethylester

4-Phenylurazol

4-Phenyl-1,2,4-triazolin-3,5-dion

– *E = F* triazolines – *I* triazoline – *S* triazolinas

Lit.: Angew. Chem. **84**, 765f. (1972); **93**, 832 (1981) ▪ Beilstein E I **26**, 64 ▪ Merck, Kontakte **2**, 17 (1985) ▪ Paquette **6**, 4087 ▪ s. a. Triazole. – *[CAS 4233-33-4 (PTAD)]*

Triazone.

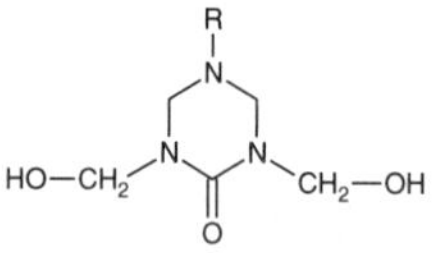

Trivialname für die sog. *Triazinon-Harze*, unter denen man bestimmte Reaktant-Harze für die *Textilveredlung auf der Basis von Tetrahydro-1,3-bis(hydroxymethyl)-1,3,5-triazin-2(1*H*)-on („Dimethyloltriazinanon") mit R = CH_3, C_2H_5, CH_2OH, $(CH_2)_2$–OH etc. versteht. Die T. sind Kondensationsprodukte von Harnstoff, Formaldehyd u. prim. Aminen u. dienen zur Knitterfest-, Quellfest- u. Krumpfecht-Ausrüstung von Baumwolle u. a. Cellulose-Fasern. – *E = F* triazones – *I* triazoni – *S* triazonas

Lit.: Encycl. Polym. Sci. Eng. **1**, 775; **16**, 686ff. ▪ Kirk-Othmer (4.) **2**, 625f.; **23**, 899f. ▪ Rouette, Lexikon für Textilveredlung, Bd. 1, S. 401, Dülmen: Laumann-Verl. 1995.

Triazophos.

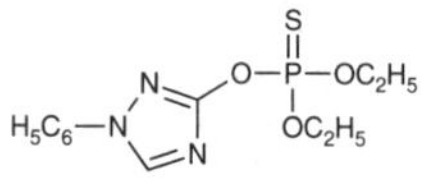

Common name für *O,O-Diethyl-O-(1-phenyl-1H-1,2,4-triazol-3-yl)thiophosphat*, $C_{12}H_{16}N_3O_3PS$, M_R 313,31, Schmp. 2–5 °C, LD_{50} (Ratte oral) 57–59 mg/kg, von Hoechst (jetzt AgrEvo) 1970 eingeführtes breit wirksames. nicht-system. *Insektizid u. *Akarizid mit Tiefen-, Kontakt- u. Fraßgiftwirkung gegen beißende u. saugende Schädlinge im Getreide-, Obst-, Gemüse-, Wein-, Baumwoll-, Kaffee-, Bananen- u. Reisanbau sowie auf Grasland, im Forst u. an Ölpalmen. T. findet auch Verw. als Bodeninsektizid gegen Erdraupen u. besitzt eine nematizide Nebenwirkung. – *E = F* triazophos – *I = S* triazofos

Lit.: Farm ▪ Perkow ▪ Pesticide Manual ▪ Wirkstoffe iva. – *[HS 2933 90; CAS 24017-47-8; G 6.1]*

Triazoxid.

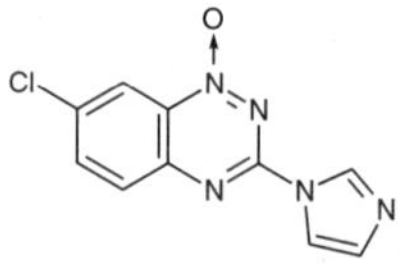

Common name für *7-Chlor-3-(1H-imidazol-1-yl)-1,2,4-benzotriazin-1-oxid*, $C_{10}H_6ClN_5O$, M_R 247,64, Schmp. 182 °C, LD_{50} (Ratte oral) 150 mg/kg, von Bayer entwickeltes, nicht-system. Kontakt-*Fungizid zur Anw. als *Saatgut-Behandlungsmittel gegen *Pyrenophora graminea* u. *P. teres* im Getreideanbau, in der Regel in Kombination mit anderen Wirkstoffen eingesetzt. – *E = F* triazoxide – *I* triazossido – *S* triazoxido

Lit.: Farm ▪ Perkow ▪ Pesticide Manual. – *[CAS 72459-58-6; G 9]*

Tribaloy®. *Nickel-Leg.* (T. 700) mit 45–52% Ni, 31–33% Mo, 14–16% Cr, 3–3,5% Si, 0–3% Co, 0–3% Fe, <0,1% C bzw. *Cobalt-Leg.* (T. 800) mit 45–55% Co, 26–29% Mo, 16–18% Cr, 2,8–3,8% Si, 0–3% Ni, 0–3% Fe, <1% Mn u. <0,1% C.

TriBB s. PBB.

TriBDE s. PBDE.

Tribenosid (Rp).

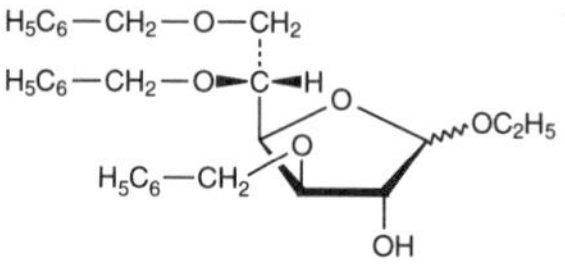

Internat. Freiname für das gegen Krampfadern wirksame Ethyl-3,5,6-tri-*O*-benzyl-D-glucofuranosid, $C_{29}H_{34}O_6$, M_R 478,56, Sdp. 270–280 °C (0,16 kPa), $[\alpha]_D^{26}$ +8° (c 1/CHCl$_3$). T. wurde 1964 von Ciba patentiert. – *E = I* tribenoside – *F* tribénoside – *S* tribenosido

Lit.: Beilstein E V **17/8**, 376 ▪ Hager (5.) **9**, 1035 ff. ▪ Martindale (31.), S. 1762. – *[HS 2932 19; CAS 10310-32-4]*

Tribenuron-methyl.

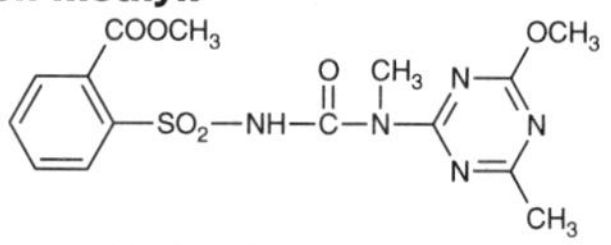

Common name für *Methyl-2-{[(4-methoxy-6-methyl-1,3,5-triazin-2-yl)methylcarbamoyl]sulfamoyl}benzoat*, $C_{15}H_{17}N_5O_6S$, M_R 395,38, Schmp. 141 °C, LD_{50} (Ratte oral) >5000 mg/kg, von DuPont 1986 eingeführtes selektives Nachauflauf-*Herbizid gegen Unkräuter im Getreideanbau. – *E* tribenuron-methyl – *F* tribenuron-méthyl – *I* tribenurone di metile – *S* tribenuron-metil

Lit.: Farm ▪ Perkow ▪ Pesticide Manual. – *[CAS 101200-48-0]*

Tribenzylamin.

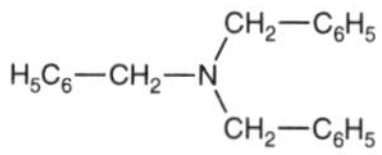

$C_{21}H_{21}N$, M_R 287,41. Farblose, monokline Plättchen, D. 0,9912 (bei 95 °C), Schmp. 92 °C, Sdp. 380–390 °C, leicht lösl. in heißem Ethanol u. Ether, lösl. in Methylenchlorid u. Chloroform, sehr wenig lösl. in Wasser; Herst. s. Beilstein (*Lit.*). T. wird als Polymerisationskatalysator für Polyurethane, Polyester u. Propiolacton verwendet. Eine 8%ige Lsg. in Chloroform kann zur Trennung von Niob u. Tantal dienen. – *E* = *F* tribenzylamine – *I* tribenzilammina – *S* tribencilamina

Lit.: Beilstein E IV **12**, 2183. – [HS 2921 49; CAS 620-40-6]

Triblock-Copolymere. Bez. für *Copolymere, deren *Makromoleküle im Gegensatz zu den üblichen *Blockcopolymeren lediglich aus drei unterschiedlichen Teilketten (*Blöcken*) aufgebaut sind. Zwei dieser Blöcke können dabei aus den gleichen Monomeren A (z. B. Styrol) bestehen u. durch einen zentralen Block aus B-Bausteinen (z. B. Butadien) verbunden sein; das resultierende Polymer $(A)_x-(B)_y-(A)_z$ wird als ABA-T.-C. bezeichnet. Im Gegensatz dazu spricht man bei T.-C. aus drei unterschiedlichen Blöcken $(A)_x-(B)_y-(C)_z$ von ABC-Triblock-Copolymeren. T.-C. können ähnlich wie die aus nur zwei Teilketten bestehenden Diblock-Copolymere z. B. durch *(a)* „lebende" Polymerisation (s. lebende Polymere, Polymerisation), durch *(b)* ion. Polymerisationen ausgehend von terminal funktionalisierten *Prepolymeren, z. B.

od. durch *(c)* Kondensationsreaktionen zwischen Prepolymeren mit reaktiven Endgruppen erhalten werden, z. B. (s. Formel unten).

T.-C. sind v. a. als *thermoplastische Elastomere von großem aktuellem Interesse. Aufgrund der in der Regel gegebenen Unverträglichkeit der verschiedenen Blöcke entmischen sich diese meist. Hat man nun z. B. ein Poly(styrol-*block*-butadien-*block*-styrol)-T.-C. mit relativ kurzen terminalen *Polystyrol-Blöcken (A) u. einer langen *Polybutadien-Zentraleinheit (B) vorliegen, so bilden sich in diesem Material durch Entmischung glasartig erstarrte, harte Inseln aus Polystyrol (*Glasübergangstemperatur T_g ca. 100 °C) in einer kontinuierlichen weichen Matrix (s. Weichsegment) aus Polybutadien (T_g ca. –60 °C) aus.

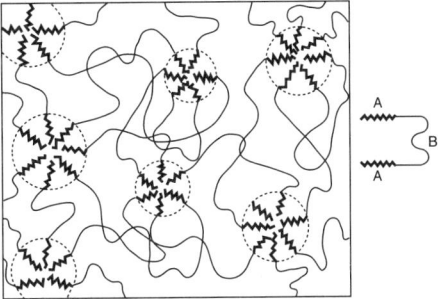

Abb.: Schemat. Darst. eines thermoplast. Elastomers mit ABA-Triblockstruktur aus Polystyrol-(A) u. Polybutadien-Blöcken (B) (nach Tieke, s. *Lit.*).

Die harten Polystyrol-Domänen wirken danach als physikal. Vernetzungspunkte u. verleihen dem ansonsten weichen Material bei Raumtemp. elast. Eigenschaften. Oberhalb von ca. 100 °C erweichen dann allerdings auch die Hartdomänen, u. das T.-C. kann formgebend verarbeitet werden. Neben der gezeigten Phasenmorphologie mit kugelförmigen Hartdomänen können je nach Zusammensetzung der T.-C. sehr unterschiedliche andere Morphologien entstehen. – *E* triblock copolymers – *F* copolymères à trois blocs – *I* copolimeri a triblocchi – *S* copolímeros de tres bloques

Lit.: Elias (5.) **1**, 791 ▪ Tieke, S. 155.

Tribochemie. Von griech.: tribein = reiben abgeleitete Bez. für ein Teilgebiet der *Mechanochemie, das sich mit denjenigen Änderungen in chem. Verhalten von *Festkörpern befaßt, die durch Einwirkung mechan. Energie auf ihre *Grenzflächen hervorgerufen werden. Die nach einer mechan. Behandlung zu beobachtende Reaktivitätssteigerung (Bildung von *Aktivstoffen) wird als *mechan. *Aktivierung* bezeichnet. *Beisp.:* Beim Verreiben von Kaliumcyanid mit Schwefel entsteht etwas Thiocyanat, von Eisen-Pulver mit Schwefel-Blumen mikrochem. nachweisbares Eisensulfid, beim Ritzen eines Calcit-Krist. kann man in der Ritzspur etwas CaO u. $Ca(OH)_2$ nachweisen, Gold in einer CO_2-Atmosphäre wird durch mechan. Energie zu Au_2O_3 oxidiert. Bei derartigen tribochem. Vorgängen treten

Ablösung von Gitterbausteinen, Erzeugung u. Wanderung von Versetzungen, Materialübergänge, Leuchterscheinungen, Ladungsübergänge, Emission von Elektronen u. a. Begleiterscheinungen, ggf. a. *Triboelektrizität u. *Triboluminiszenz auf. Man nimmt an, daß aufgrund der mechan. Energie hochangeregte Spezies entstehen, die in einem *Triboplasma* existieren. – *E* tribochemistry – *F* tribochimie – *I* tribochimica – *S* triboquímica

Lit.: Compr. Treatise Electrochem. **4** (1981) ▪ Heinicke et al., Tribochemistry, Berlin: Akademie-Verl. 1984 ▪ Stiller, Nichtthermisch aktivierte Chemie, S. 32–37, Basel: Birkhäuser 1987.

Triboelektrizität (Reibungselektrizität). Bez. für die Entstehung einer Kontaktspannung bei der Berührung zweier unterschiedlicher *Isolatoren od. eines Isolators mit einem *Metall od. *Halbleiter. Wesentlich für das Auftreten der Spannung ist der direkte Kontakt. Das Reiben z. B. eines Wolltuches an einem Hartgummistab sorgt lediglich für einen guten Kontakt der beiden Materialien. Die T. beruht darauf, daß beim Kontakt ein Material Elektronen an das andere abgibt, wobei sich ersteres pos. auflädt. Der tiefere Grund für die T. ist somit die unterschiedliche *Elektronegativität od. *Elektronenaffinität der beiden Materialien. Für die Reihenfolge der gegenseitigen Aufladung läßt sich folgende triboelektr. *Spannungsreihe aufstellen: Pelz, Glas, Wolle, Seide, Metalle, Bernstein, Hartgummi, Schwefel, Collodium, wobei der jeweils zuerst genannte Körper beim Reiben mit dem folgenden pos. aufgeladen wird. *Elektrokinetische Erscheinungen ähnlicher Art treten auch in *Strömungen auf, wenn z. B. Flüssigkeiten aus Rohren od. Behältern ausfließen. *Triboelektr. Effekte* kann man einerseits zur Stofftrennung im Mikromaßstab benutzen, andererseits sind sie ein Sicherheits-Risiko (vgl. elektrostatische Aufladung) od. nur lästig, z. B. beim Kämmen der *Haare. – *E* triboelectricity – *F* triboélectricité – *I* triboelettricità – *S* triboelectricidad

Lit.: J. Electrostatics **13**, 81 (1982) ▪ Proc. 5. Internat. Symp. on Electrets IEEE, New York 1985 ▪ s. a.Dielektrika, elektrostatische Aufladung.

Tribologie. Seit 1966 verwendete Bez. für die Wissenschaft, die sich mit der Wechselwirkung sich gegenseitig bewegender Oberflächen beschäftigt, bzw. Bez. für die Lehre von Reibung, Schmierung u. *Verschleiß. Man unterscheidet im wesentlichen 4 Verschleißmechanismen: Adhäsion, Abrasion (Abrieb), Oberflächenzerrüttung u. tribochem. Reaktionen (s. Tribochemie). Da die jährlichen Material- u. Energieverluste durch *Verschleiß* enorm hoch sind, bemüht man sich, durch sorgfältige Materialauswahl (z. B. bei *Lagerwerkstoffen), Oberflächenbeschichtung, Oberflächenhärtung (durch Temp.-Behandlung od. Ionenimplantation) u. Schmierung den Verschleiß zu verringern od. gar zu verhindern. Andererseits ist Reibung auch erwünscht, z. B. bei *Kupplungs- u. *Bremsbelägen, beim Schmirgeln u. Polieren, beim Feueranzünden, beim Geigespielen. Die Gesetzmäßigkeiten der T. beeinflussen das Verhalten von Gasen, Flüssigkeiten u. Festkörpern auch im Fall der *Strömung. Für die Praxis ist der *Toms-Effekt* von Bedeutung, nach dem in strömenden Flüssigkeiten (z. B. Wasser) durch Zusatz minimaler Mengen lösl. langkettiger Polymerer der Reibungswiderstand für die Strömung in einem Rohr od. um einen Körper herum erheblich vermindert werden kann (Erhöhung der *Reynolds-Zahl, *Lit.*[1]). – *E* tribology – *F* tribologie – *I* tribologia – *S* tribología

Lit.: [1] Phys. Unserer Zeit **22**, 193 (1991).
allg.: Booser, Tribology Data Handbook, Boca Raton: CRC Press 1997 ▪ Czichos u. Habis, Tribologie-Handbuch, Braunschweig: Vieweg 1992 ▪ Munro, Tribology, in Lerner u. Trigg (Hrsg.), Encyclopedia of Physics, Weinheim: VCH Verlagsges. 1991 ▪ Winnacker-Küchler (4.) **4**, 645–648 ▪ s. a. Schmierstoffe u. a. Textstichwörter.

Tribolumineszenz. Bez. für eine bes. Form der *Lumineszenz, die zu beobachten ist, wenn z. B. ein Klebestreifen von seiner Unterlage abgerissen od. ein krist. Stoff (z. B. Zucker, Weinsäure, Kupfersulfat, Flourit, Steinsalz, Zinkblende, Urannitrat, Marmor, Quarz) mechan. Einwirkung (z. B. durch Anreiben, Pressen od. beim *Zerkleinern) ausgesetzt wird. Man kann sogar Zerkleinerungsvorgänge mit Hilfe tribolumineszierender *Leuchtstoffe verfolgen. Treten Krist. in verschiedenen *Modifikationen auf, so zeigen nur die Modif. mit polaren Raumgruppen Tribolumineszenz. Manchmal ist T. auch auf das Vorliegen von Verunreinigungen, die *Kristallbaufehler hervorrufen, zurückzuführen. In vielen anderen Fällen beruht die T. auf der Lumineszenzemission von absorbiertem Stickstoff. Dieser erfährt seine *Anregung in den elektr. Feldern, die in der Kristalloberfläche bei mechan. Einwirkung entstehen (*Piezoelektrizität, *Triboelektrizität). Derartige T.-Effekte sind schon beim Zerbeißen von Saccharose enthaltenden Bonbons zu beobachten. Als eine bes. Form der T. betrachtet man oft die Kristalllumineszenz (s. Lumineszenz). – *E = F* triboluminescence – *I* triboluminescenza – *S* triboluminiscencia

Lit.: Crystal Res. Techn. **33**, 291 (1998) ▪ Naturwissenschaften **68**, 507–512 (1981) ▪ Sol. State Commun. **107**, 763 (1998) ▪ Spektrum Wiss. **1982**, Nr. 9, 120–126; **1988**, Nr. 2, 130–133 ▪ s. a. Lumineszenz.

t-Ribonucleinsäuren s. transfer-Ribonucleinsäure.

Triboplasma s. Tribochemie.

Tribromfluormethan (FCKW 11B3 bzw. Halon 1103) s. Halone.

Tribrommethan s. Bromoform.

2,4,6-Tribromphenol.

$C_6H_3Br_3O$, M_R 330,83. Weiße bis rötlichweiße, lange Nadeln od. krist. Pulver, D. 2,55, Schmp. 89–92 °C, unlösl. in Wasser, leichtlösl. in Alkohol, Ether, Chloroform u. Glycerin; kann durch Bromierung von Phenol hergestellt werden; wirkt desinfizierend.

Verw.: Früher als Darmantiseptikum u. zur Wundbehandlung, heute für Flammschutzmittel in Kunststoffen. Bas. Bismut(III)-2,4,6-tribromphenolat diente zur antisept. Behandlung von Wunden (vgl. Bismut-Präparate). – *E* 2,4,6-tribromophenol – *F* 2,4,6-tribromophénol – *I* 2,4,6-tribromofenolo – *S* 2,4,6-tribromofenol

Lit.: Beilstein E IV **6**, 1067 ▪ Hager (5.) **9**, 1038 ▪ Merck-Index (12.), Nr. 9744 ▪ Ullmann (4.) **8**, 691 f., 700; **A 11**, 131. – *[HS 2908 10; CAS 118-79-6; G 6.1]*

Tribromsalan.

Internat. Freiname für 3,4′,5-Tribromsalicylanilid (TBS), $C_{13}H_8Br_3NO_2$, M_R 449,92. Farblose Krist., Schmp. 227–228 °C, unlösl. in Wasser u. Paraffinen, lösl. in wäss. Alkalien, heißem Aceton, 2-Methoxyethanol, Dimethylformamid. T. hat zwar ausgezeichnete bakterizide Eigenschaften, doch kann es durch *Sensibilisation Haut-*Allergien hervorrufen u. darf deshalb in Kosmetika nicht mehr verwendet werden. – *E* = *F* = *I* tribromsalan – *S* tribromsalán

Lit.: Martindale (31.), S. 1120. – *[HS 2924 29; CAS 87-10-5]*

3,4′,5-Tribromsalicylanilid s. Tribromsalan.

Tributylaluminium (Tributylalan). Al[(CH_2)_3–CH_3]_3, $C_{12}H_{27}Al$, M_R 198,33. Farblose Flüssigkeit, D. 0,83, Schmp. <–60 °C, Sdp. 110 °C (0,4 kPa), Zers. ab 120 °C, an Luft selbstentzündlich, reagiert äußerst heftig mit Wasser. Verw. als Polymerisationskatalysator für Olefine, Zwischenprodukt bei der Herst. anderer metallorgan. Verbindungen. Herst. sowie ausführliche *Lit.* s. Aluminium-organische Verbindungen. – *E* = *F* tributylaluminium – *I* tributilalluminio – *S* tributilaluminio

Lit.: Beilstein E IV **4**, 4400 ▪ Ullmann (5.) **A 1**, 543–556. – *[HS 2931 00; CAS 1116-70-7; G 4.2]*

Tributylamin. N[(CH_2)_3–CH_3]_3, $C_{12}H_{27}N$, M_R 185,34. Farblose Flüssigkeit, D. 0,7782, Sdp. 216 °C, wenig lösl. in Wasser, leicht lösl. in Alkohol u. Ether. T. wirkt wie andere aliphat. Amine stark ätzend auf Haut u. Schleimhäute. T. kann durch Alkylierung von Ammoniak mit Butanol hergestellt werden.
Verw.: Zu organ. Synth., als Korrosionsinhibitor in Hydraulikflüssigkeiten, zur Isolierung u. Reinigung von Antibiotika, als Katalysator für die Herst. von Phenolharzen u. Polyurethanen. – *E* = *F* tributylamine – *I* tributilammina – *S* tributilamina

Lit.: Beilstein E IV **4**, 554 ▪ Hommel, Nr. 332 ▪ Merck-Index (12.), Nr. 9748 ▪ Paquette **7**, 4995 ▪ Ullmann (5.) **A 2**, 8, 10. – *[HS 2921 19; CAS 102-82-9; G 8]*

Tributylcitrat s. Citronensäureester.

Tributylphosphat (TBP, Phosphorsäuretributylester). [H_3C–(CH_2)_3–O]_3P=O, $C_{12}H_{27}O_4P$, M_R 266,32. Wasserhelle, fast geruchfreie Flüssigkeit, D. 0,977, Schmp. <–80 °C, Sdp. 289 °C (Zers.), WGK 2, schwer lösl. in Wasser, mischbar mit den gebräuchlichen organ. Lsm., Reizwirkung auf Haut u. Schleimhäute; MAK 2,5 mg/m³ (TRGS 900). T. kann aus Phosphoroxidtrichlorid u. 1-Butanol hergestellt werden.
Verw.: Als Weichmacher für Celluloid, Nitrocellulose-Lacke u. Kunststoffe, als Extraktionsmittel bei der Isolierung von Seltenerdmetallen u. bei der Aufarbeitung von Kernbrennstoffen, z. B. beim *Thorex- u. *Purex-Verfahren. – *E* tributyl phosphate – *F* phosphate de tributyle – *I* tributilfosfato – *S* fosfato de tributilo

Lit.: Beilstein E IV **1**, 1531 ▪ Merck-Index (12.), Nr. 9749 ▪ Schulz u. Navratil, Science and Technology of Tributyl Phosphate, Boca Raton: CRC Press 1984 ▪ Ullmann (4.) **18**, 390, 395; **23**, 468; **24**, 363; (5.) **B 3**, 6-49, 6-55 ▪ s. a. Phosphorsäureester. – *[HS 2919 00; CAS 126-73-8]*

S,S,S-Tributyltrithiophosphat.

$C_{12}H_{27}OPS_3$, M_R 314,49, Sdp. 150 °C (39,9 Pa), LD_{50} (Ratte oral) 325 mg/kg, von Chemagro 1965 eingeführter Pflanzen-*Wachstumsregulator zur Entblätterung der Baumwollpflanzen vor der Ernte. – *E* S,S,S-tributyl phosphorotrithioate – *F* trithiophosphate de S,S,S-tributyle – *I* fosforotritioato di S,S,S-tributile – *S* tritiofosfato de S,S,S-tributilo

Lit.: Farm (DEF^R) ▪ Pesticide Manual. – *[HS 2930 90; CAS 78-48-8]*

Tributylzinn... s. Zinn-organische Verbindungen.

Tributyrin (Glycerintributyrat, Butyrin).

$C_{15}H_{26}O_6$, M_R 302,36. Farblose, ölige, bitter schmeckende Flüssigkeit, D. 1,032, Schmp. –75 °C, Sdp. 305–310 °C, 190 °C (20 hPa), unlösl. in Wasser, lösl. in Alkohol, Aceton, Benzol, Ether. T. kann durch Veresterung von Glycerin mit Buttersäure hergestellt werden u. findet Verw. als Weichmacher. – *E* tributyrin – *F* tributyrine – *I* = *S* tributirina

Lit.: Beilstein E IV **2**, 799 ▪ Merck-Index (12.), Nr. 9750 ▪ Ullmann (4.) **24**, 361. – *[HS 2915 60; CAS 60-01-5]*

Tricalciumphosphat s. Calciumphosphate.

Tricarballylsäure s. 1,2,3-Propantricarbonsäure.

Tricarbonsäure-Cyclus s. Citronensäure-Cyclus.

Tricarbonsäuren. Sammelbez. für organ. Verb., die drei COOH-Gruppen im Mol. enthalten u. z. T. ebenso zur Bildung von *Anhydriden befähigt sind wie die *Dicarbonsäuren; *Beisp.*: *Agaricinsäure, *Citronensäure u. a. T. aus dem *Citronensäure-Cyclus (T.-Cyclus), *1,2,3-Propantricarbonsäure, *Hemimellithsäure, *Trimellithsäure, *Trimesinsäure. Einige aliphat. T. sind vorübergehend als Phosphat-Ersatz in *Waschmitteln diskutiert worden. Ester aliphat. T. mit langkettigen Alkoholen werden manchmal als *Inverse Fette angesprochen. – *E* tricarboxylic acids – *F* acides tricarboxyliques – *I* acidi tricarbossilici – *S* ácidos tricarboxílicos

Lit.: s. Carbonsäuren u. Dicarbonsäuren.

Tricarbonyl(η^5-methylcyclopentadienyl)mangan s. (Methylcyclopentadienyl)mangantricarbonyl.

Trichiline s. Meliatoxine.

Trichinen s. Anthelmintika, Nematoden u. Würmer.

Trichion.

n = 1 : Trichion
n = 2 : Homotrichion

$C_{17}H_{14}O_8$, M_R 346,29, rote Nadeln, Schmp. 157–159°C. Naphthochinon-Farbstoff aus den Schleimpilzen *Trichia floriformis* u. *Metatrichia vesparium* (Myxomyceten), der in 3-Stellung eine ungesätt. Seitenkette mit terminaler Malonsäurehalbester-Gruppierung trägt. Homotrichion ($C_{19}H_{18}O_8$, M_R 374,35, rote Nadeln, Schmp. 128–129°C) unterscheidet sich von T. nur durch eine um zwei CH$_2$-Gruppen längere Seitenkette. Mit ihm biosynth. nahe verwandt ist das tetracycl. Vesparion. Die Pilze enthalten neben diesen Pigmenten weitere *Myxomyceten-Farbstoffe. – *E* trichion – *F* = *I* trichione – *S* triquiona

Lit.: Justus Liebigs Ann. Chem. **1982**, 1722 ▪ Pure Appl. Chem. **53**, 1233 (1981) ▪ Zechmeister **51**, 122, 170 (Review). – [CAS 83447-92-1 (T.); 83447-93-2 (Homotrichion)]

Trichlophenidin.

Common name für 1,3-Bis-(3-chlorphenyl)-2-(trichlormethyl)imidazolidin, $C_{16}H_{13}Cl_5N_2$, M_R 410,55, Schmp. 105°C (Zers.), LD$_{50}$ (Ratte oral) >16 000 mg/kg, von Merck eingeführtes Kontakt-*Insektizid zur Fliegenbekämpfung in Gebäuden u. Ställen. – *E* triclophenidin – *F* trichlofénidine – *I* = *S* triclofenidina

Lit.: Perkow. – [CAS 53720-80-2]

Trichloracetaldehyd s. Chloral.

2,4,6-Trichloranisol s. Weinaroma.

N,2,6-Trichlor-1,4-benzochinon-4-imin [2,6-Dichlor-1,4-benzochinon-4-chlorimin, 2,6-Dichlor-4-(chlorimino)-2,5-cyclohexadien-1-on; Abk. TCBI].

$C_6H_2Cl_3NO$, M_R 210,45; gelbes Krist.-Pulver, Schmp. 67°C, schwer lösl. in Wasser, Aceton, Benzol, lösl. in heißem Alkohol, leicht lösl. in Ether u. Chloroform. *Verw.*: Zum Nachw. von 4-unsubstituierten u. 4-Alkoxyphenolen[1], als Reagenz auf Vitamin B$_6$ u. als Sprühreagenz für die DC[2]. – *E* N,2,6-trichloro-1,4-benzoquinone-4-imine – *F* N,2,6-trichloro-1,4-benzoquinon-4-imine – *I* N,2,6-tricloro-1,4-benzochinon-4-imina – *S* N,2,6-tricloro-1,4-benzoquinon-4-imina

Lit.: [1] Anal. Chem. **56**, 813 (1984); Bull. Soc. Pharm. Bordeaux 1990. [2] Jork et al., Dünnschicht-Reagenzien u. Nachweismethoden, Bd. 1a, Weinheim: VCH Verlagsges. 1990.

allg.: Merck-Index (12.), Nr. 4428. – [HS 2925 20; CAS 101-38-2]

Trichlorbenzole.

a   b   c

$C_6H_3Cl_3$, M_R 181,46. (a) *1,2,3-T.* (*vic*-T., *v*-T.): Farblose Blättchen, Schmp. 53°C, Sdp. 219°C. – (b) *1,2,4-T.* (*asym.*-T., *as*-T.): Farblose, schwer entflammbare Flüssigkeit, D. 1,465, Schmp. 17°C, Sdp. 213°C. – (c) *1,3,5-T.* (*sym*-T.; *s*-T.): Farblose Krist., Schmp. 63°C, Sdp. 208°C. Die T. sind unlösl. in Wasser, lösl., bes. in der Wärme, in vielen organ. Lösemitteln. T. schädigen v. a. Leber, Niere u. (1,2,4-T.) Nebenniere. Die Haut- u. Schleimhautreizung der T. ist mäßig bis gering ausgeprägt, MAK 5 ppm für 1,2,3-T. u. 1,3,5-T.; 1,2,4-T. gilt als Stoff mit begründetem Verdacht auf krebserzeugendes Potential (Gruppe III B MAK-Werte-Liste 1997); WGK 3 (ausführliche Beschreibung der Toxizität s. *Lit.*[1]).

Herst.: *1,2,3-T.* u. *1,2,4-T.* durch Chlorierung von Benzol, *1,3,5-T.* u. a. durch Gasphasenchlorierung von 1,3-Dichlorbenzol, durch Chlorierung von 3,5-Dichlornitrobenzol; ausführliche Beschreibung s. Ullmann (*Lit.*).

Verw.: Zwischenprodukt in organ. Synth., 1,2,4-T. als Termitengift, Lsm. in der chem. Verarbeitung (für Polyesterfasern), Zusatz in Ölen u. Schmiermitteln, Farbstoffcarrier, Zwischenprodukt bei der Herbizidherst., Wärmeübertragungsmittel, Dielektrikum. – *E* trichlorobenzenes – *F* trichlorobenzènes – *I* triclorobenzeni – *S* triclorobencenos

Lit.: [1] Gesundheitsschädliche Arbeitsstoffe: toxikologisch-arbeitsmedizinische Begründung von MAK-Werten, Weinheim: Verl. Chemie 1972–1998.

allg.: Beilstein E IV **5**, 664, 666 ▪ Hommel, Nr. 602 ▪ Kirk-Othmer (.) **5**, 797–808; (4.) **22**, 538 ▪ Merck-Index (12.), Nr. 9760, 9761 ▪ Rippen ▪ Ullmann (4.) **9**, 500 ff.; (5.) A **6**, 328 ff. – [HS 2903 69; CAS 87-61-6 (a); 120-82-1 (b); 108-70-3 (c); G 6.1]

1,1,1-Trichlor-2,2-bis(4-chlorphenyl)ethan s. DDT.

β,β,β-Trichlor-*tert*-butylalkohol s. 1,1,1-Trichlor-2-methyl-2-propanol.

3,4,4'-Trichlorcarbanilid s. Triclocarban.

Trichlordifluorethane s. FCKW (R 122, R 122a u. R 122b).

Trichloressigsäure (Engl. Abk.: TCA). Cl$_3$C–COOH, $C_2HCl_3O_2$, M_R 163,40. Farblose, schwach stechend riechende, zerfließliche Krist., D. 1,63 (60°C), Schmp. 58–59°C, Sdp. 198°C, gut lösl. in Wasser, Alkohol u. Ether. Wäss. Lsg. reagieren stark sauer u. verursachen schlecht heilende Wunden. Beim Verkochen der wäss. Lsg. mit Alkali wird T. zu Chloroform decarboxyliert. Der feste Stoff u. seine wäss. Lsg. bewirken bei direktem Kontakt mit der Haut u. den Augen schwere Verätzungen; WGK 2; LD$_{50}$ (Ratte oral) 400 mg/kg. Trichloracetat ist ein Stoffwechselprodukt von *Trichlorethylen u. wird im Harn ausgeschieden.

Herst.: Durch Chlorierung von Essigsäure od. Chloressigsäure-Mutterlaugen.

Verw.: Als Zwischenprodukt in organ. Synth.; zur Ätzung wuchernder Wundgranulationen od. von Rhagaden; zur Eiweißfällung, zur Bestimmung von Eisen im Blut, als Bestandteil von Herbiziden [meist in Form des Na-Salzes (TCA-Na)], als Anfärbe-Reagenz in der Dünnschicht- u. Papierchromatographie von Steroiden, Digitalisglykosiden u. Veratrum-Alkaloiden, zur Oberflächenbehandlung von Metallen sowie als Quellmittel u. Lsm. in der Kunststoff-Ind.; die Verw. in kos-

met. Mitteln ist verboten [1]. – *E* trichloroacetic acid – *F* acide trichloroacétique – *I* acido tricloroacetico – *S* ácido tricloroacético
Lit.: [1] Kosmetik-VO vom 7. Oktober 1997; zuletzt geändert am 25. 6. 1998, Anl. 1, Nr. 10.
allg.: Beilstein E IV **2**, 508–513 ▪ Hommel, Nr. 784, 784 a ▪ Kirk-Othmer (3.) **1**, 174 f.; (4.) **1**, 169 ▪ Merck-Index (12.), Nr. 9756 ▪ Mutschler (7.), S. 610 ▪ Ullmann (4.) **9**, 399, 402, 488; (5.) **A 6**, 545–551. – [HS 2915 40; CAS 76-03-9; G 8]

Trichlorethane. $C_2H_3Cl_3$, M_R 133,42.
1,1,1-T. (Methylchloroform), $H_3C–CCl_3$, ist eine angenehm ether. riechende, farblose Flüssigkeit, D. 1,349, Schmp. –32 °C, Sdp. 74 °C, Wasserlöslichkeit 0,3 g/L, lösl. in den üblichen organ. Lsm., nicht entflammbar, flüchtig, Verdunstungszahl 2,3 (Ether = 1), 1-Octanol/Wasser-Verteilungskoeff. P_{ow} = 295. Da 1,1,1-T. wie andere *Chlorkohlenwasserstoffe durch Einwirkung von Licht, Luft u. Wärme, teilw. auch durch Feuchtigkeit, zersetzt wird, muß das techn. Produkt schon bei der Herst. stabilisiert werden, wobei bis zu 6 Gew.-% Stabilisatorkombinationen mit Zusatz erforderlich sind, z. B. Dioxan u. 2-Butanol. Mangelhaft stabilisiertes 1,1,1-T. greift Aluminium an, dabei ist explosionsartige Reaktion mit gleichzeitig anwesenden Aromaten möglich. Bei Kontakt mit Alkali- od. Erdalkalimetallen u. verschiedenen Metall-Pulvern sind heftige Reaktionen möglich. Der Eindampfrückstand kann brennbar sein.
Wirkungen: Die Dämpfe reizen die Augen u. die Atemwege; hohe Dampfkonz. wirken narkot., Atemstillstand möglich. Die Flüssigkeit wirkt entfettend auf die Haut, bei häufigem Kontakt Hautentzündungen möglich. 1,1,1-T. ist sehr viel weniger tox. als 1,1,2-T., vermutlich weil es zum größten Teil in unveränderter Form über die Lungen wieder ausgeatmet wird. Nur ein sehr geringer Anteil wird zu Trichloressigsäure u. Trichlorethanol metabolisiert. MAK 200 ppm bzw. 1080 mg/m^3 (MAK-Werte-Liste 1998); BAT-Wert in Vollblut 550 µg/L, in Alveolarluft 20 mL/m^3; LD_{50} (Ratte oral) 10 300 mg/kg; WGK 3, Emissionsklasse II (TA Luft 3.1.7).
Herst.: Vorzugsweise aus *Vinylchlorid, welches zuerst durch HCl-Addition in 1,1-Dichlorethan überführt wird, anschließende Chlorierung liefert 1,1,1-Trichlorethane.
Verw.: 1,1,1-T. wird industriell als organ. Lsm. eingesetzt, da es wesentlich weniger tox. ist als die vergleichbaren Lsm. Trichlorethylen, Tetrachlorethylen u. 1,1,2-Trichlorethan. Jedoch trägt 1,1,1-T. ebenso wie *FCKW zum Abbau der Ozon-Schicht bei. Das Inverkehrbringen u. die Verw. sind geregelt durch: *FCKW-Halon-Verbotsverordnung, *Chemikalienverbotsverordnung [1], die 2. BImSchV zum *Bundes-Immissionsschutzgesetz. Bis zum Jahr 2005 soll dieser Stoff zum Schutz der Ozon-Schicht jedoch vollständig verboten sein.
1,1,2-T., $Cl–CH_2–CHCl_2$, ist eine farblose, nicht brennbare Flüssigkeit mit süßlichem, leicht reizendem Geruch, D. 1,4416, Schmp. –35 °C, Sdp. 113–114 °C, Wasserlöslichkeit 4,5 g/L, mit den üblichen organ. Lsm. mischbar.
Wirkungen: Die Dämpfe wirken narkot. u. reizen die Augen u. die Atemwege u. die Haut; Kontakt mit der Flüssigkeit bewirkt Reizung der Augen u. der Haut; schädigt Leber u. Nieren. 1,1,2-T. wird schnell metabolisiert u. ist daher beträchtlich toxischer als 1,1,1-T.: MAK 10 ppm = 55 mg/m^3. 1,1,2-T. gilt als Stoff mit begründetem Verdacht auf krebserzeugendes Potential (Gruppe III B MAK-Werte-Liste 1998); WGK 3; Emissionsklasse I (TA Luft 3.1.7).
Herst.: Durch Flüssigphasenchlorierung von Vinylchlorid, Chlorierung von 1,1- od. 1,2-Dichlorethan od. Oxychlorierung von Ethylen mit Chlorwasserstoff u. Sauerstoff. 1996 wurden weltweit ca. 200 000 t 1,1,2-T. produziert.
Verw.: Als Zwischenprodukt zur Herst. von 1,1-*Dichlorethylen (Vinylidenchlorid), als Lsm. z. B. für Chlorkautschuk. Verw. u. Inverkehrbringen sind geregelt durch die *Chemikalienverbotsverordnung [1] u. die 2. BImSchV zum *Bundes-Immissionsschutzgesetz; zum Abbau s. Rippen (*Lit.*). – *E* trichloroethanes – *F* trichloroéthanes – *I* tricloroetani – *S* tricloroetanos
Lit.: [1] Chemikalien-Verbotsverordnung vom 19. Juli 1996 (BGBl. I, S. 1151 f., 1996).
allg.: Atri, Chlorierte Kohlenwasserstoffe in der Umwelt 2 (WaBoLu 66), Stuttgart: Fischer 1985 ▪ Beilstein E IV **1**, 138 ▪ Bliefert, Umweltchemie, S. 115, 131, 229, Weinheim: VCH Verlagsges. 1997 ▪ Hager (5.) **3**, 1195; **9**, 1039 ▪ Hommel, Nr. 196 u. 540 ▪ Kirk-Othmer (3.) **5**, 728–733; (4.) **6**, 17 f. ▪ Rippen ▪ Römpp Lexikon Umwelt, S. 439 ▪ Ullmann (4.) **9**, 432–454; (5.) **A 6**, 271–277 ▪ Weissermel-Arpe (4.), S. 240. – [HS 2903 19; CAS 71-55-6 (1,1,1-T.); 79-00-5 (1,1,2-T.); G 6.1]

2,2,2-Trichlorethanol. $Cl_3C–CH_2OH$, $C_2H_3Cl_3O$, M_R 149,40. Farblose, ether. riechende, hygroskop. Flüssigkeit, D. 1,55, Schmp. 19 °C, Sdp. 151–153 °C, 52 °C (15 hPa), in Wasser etwas lösl., bei längerer Einwirkung Hydrolyse, mit Alkohol u. Ether mischbar; WGK 2 (Selbsteinst.). T. kann durch Red. von Chloralhydrat hergestellt werden; es wirkt anästhesierend u. schlaferzeugend.
Verw.: Zur Synth. von Anthelmintika, Herbiziden, Insektiziden u. Schlafmitteln, als Lsm., Zwischenprodukt in zahlreichen organ. Synthesen. – *E* 2,2,2-trichloroethanol – *F* 2,2,2-trichloroéthanol – *I* 2,2,2-tricloroetanolo – *S* 2,2,2-tricloroetanol
Lit.: Anal. Biochem. **205**, 27 (1992); **211**, 177 (1993) ▪ Beilstein E IV **1**, 1383 ▪ Merck-Index (12.), Nr. 9768. – [HS 2905 50; CAS 115-20-8]

Trichlorethen s. Trichlorethylen.

Trichlorethylen (Trichlorethen, Tri).
$Cl–CH=CCl_2$, C_2HCl_3, M_R 131,40, eine farblose, bewegliche, nicht brennfähige, Chloroform-artig riechende Flüssigkeit, D. 1,4649, Schmp. –86 °C, Sdp. 87 °C, Wasserlöslichkeit 1,1 g/L, mischbar mit Alkohol, Ether, Chloroform, Benzin, Benzol u. Schwefelkohlenstoff. T. löst Fette, Öle, Wachse, Bitumina, Kautschuk u. Harze u. ist ziemlich flüchtig, Verdunstungszahl 3,8 (Ether = 1), 1-Octanol/Wasser-Verteilungskoeff. P_{ow} = 1175. Durch Einwirkung von Licht, Luft u. Hitze zersetzt es sich unter Bildung von Phosgen, Chlorwasserstoff u. Kohlenmonoxid; es wird daher mit Stabilisator-Zusätzen geliefert. Mischungen von T. u. Stickstoffdioxid sind durch Schlag explosionsfähig.

Wirkungen: Seine Dämpfe (schwerer als Luft) wirken in erster Linie narkot., reizen Augen- u. Nasenschleimhäute, verursachen Kopfschmerzen u. in größeren Konz. Übelkeit u. Benommenheit. T. besitzt starke narkot. Wirkungen auf das Zentralnervensyst. (wurde früher als Vollnarkotikum eingesetzt); chron. Inhalation führt zur Gewöhnung u. psych. Abhängigkeit (s. Schnüffelstoffe). Auf die Haut wirkt T. stark entfettend, wodurch es zu Reizungen kommen kann. Bei akuten T.-Vergiftungen treten Herzrhythmusstörungen u. Atemlähmung auf. Eine ausführliche Beschreibung von Toxikokinetik u. Metabolismus gibt *Lit.*[1]; MAK 50 ppm = 270 mg/m^3 (TRGS 900); T. gilt als Stoff, der beim Menschen erfahrungsgemäß bösartige Geschwülste verursachen kann (Gruppe III A 1 MAK-Werte-Liste 1997); zur Überprüfung des BAT-Wertes dienen die T.-Metaboliten Trichlorethanol (5 mg/L Blut) u. *Trichloressigsäure (100 mg/L Harn); Emissionsklasse II (TA Luft 3.1.7); WGK 3.
Herst.: Durch Chlorierung od. *Oxychlorierung von Acetylen über 1,1,2,2-Tetrachlorethan, das einer Dehydrochlorierung unterworfen wird (ältere Herstellverf.) od. aus 1,2-Dichlorethan, das in einer kombinierten Chlorierungs- u. Dehydrochlorierungsreaktion zu einem Gemisch aus T. u. Tetrachlorethylen führt. Techn. T. enthält neben Verunreinigungen noch bis 2% Stabilisatoren wie Alkohole, Amine, Epoxide u. Phenole. Globale Produktion ca. 0,7 Mio. t/a^2.
Verw.: Wegen seiner hervorragenden fettlösenden Eigenschaft, der Flüchtigkeit, Nichtbrennbarkeit ist T. eines der gebräuchlichsten Reinigungs-, Entfettungs- u. Extraktionsmittel gewesen, z.B. in der Metall-Ind., in der opt. u. Glas-Ind., beim *Chemisch-Reinigen u. in der Textilbearbeitung. Aufgrund der 2. VO zur Durchführung des *Bundes-Immissionsschutzgesetzes vom 10. 12. 1990 darf T. nicht beim Betrieb von Chemischreinigungs- u. Textilausrüstungsanlagen sowie von Extraktionsanlagen eingesetzt werden. Es ist wichtig als Schwerflüssigkeit bei den Mineralien u. als chem. Zwischenprodukt in Synthesen.
Zum Abbau s. Rippen (*Lit.*). – *E* trichloroethylene – *F* trichloroéthylène – *I* tricloroetilene – *S* tricloroetileno
Lit.: [1] Gesundheitsschädliche Arbeitsstoffe: toxikologisch-arbeitsmedizinische Begründung von MAK-Werten, Weinheim: Verl. Chemie 1972–1998. [2] Bliefert, Umweltchemie, S. 47, Weinheim: VCH Verlagsges. 1997.
allg.: Beilstein E IV 1, 712 ▪ Hager (5.) 3, 1197 ▪ Hommel, Nr. 197 ▪ Kirk-Othmer (4.) 6, 40 ff. ▪ Rippen ▪ Ullmann (4.) 9, 454 ff., 486; (5.) A 2, 292; A 6, 299–302, 373 ▪ Weissermel-Arpe (4.), S. 243 f. ▪ s.a. Halogenkohlenwasserstoffe. – [HS 2903 29; CAS 79-01-6; G 6.1]

Trichlorfluormethan s. FCKW (R 11) u. Sprays.

Trichlorfon (Trichlorphon).

H$_3$CO–P(=O)(OCH$_3$)–CH(OH)–CCl$_3$

Common name für (±)-Dimethyl-*p*-(2,2,2-trichlor-1-hydroxyethyl)phosphonat, C$_4$H$_8$Cl$_3$O$_4$P, M$_R$ 257,43, Schmp. 75–79 °C, LD$_{50}$ (Ratte oral) ca. 250 mg/kg (Wirkstoffe iva), 560 mg/kg (GefStoffV), von Bayer 1952 eingeführtes nicht-system. *Insektizid mit Fraß- u. Kontaktgiftwirkung v.a. gegen Lepidopteren (Schmetterlingslarven), Dipteren (u.a. Minier- u. Fruchtfliegen) u. Heteropteren (Wanzen) in zahlreichen Kulturen, gegen Hygieneschädlinge, insbes. Fliegen u. Mücken, sowie gegen Ektoparasiten an Vieh. – *E* trichlorfon, metriphonate – *F* trichlorfon – *I* triclorfon – *S* triclorfón
Lit.: Beilstein E IV 1, 3147 ▪ Farm ▪ Perkow ▪ Pesticide Manual ▪ Wirkstoffe iva. – [HS 2931 00; CAS 52-68-6; G 6.1]

Trichlorhydrin s. 1,2,3-Trichlorpropan.

Trichlorisocyanursäure (TCC, TCICA; Common Name: Symclosen).

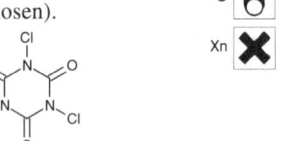

Trivialname für 1,3,5-Trichlor-1,3,5-triazin-2,4,6-(1*H*,3*H*,5*H*)-trion, C$_3$Cl$_3$N$_3$O$_3$, M$_R$ 232,42. Farblose, feuchtigkeitsempfindliche Krist., Schmp. 249–251 °C (auch 225–230 °C angegeben), in Wasser wenig, in organ. Lsm. im allg. gut löslich; WGK 2 (Selbsteinst.). Verd. wäss. Lsg. zerfallen in Hypochlorige Säure u. Cyanursäure, konz. Lsg. u. Aufschlämmungen in Wasser zersetzen sich zu explosivem u. tränenreizendem Chlorstickstoff. Der Staub reizt stark die Augen, die Atemwege u. die Haut; Kontakt mit dem festen Stoff führt zu starker Reizung der Augen u. der Haut. Die auch *Isocyanurchlorid* genannte T. wird durch Chlorierung von Isocyanursäure (s. Cyanursäure) hergestellt.
Verw.: Zum Bleichen von Textilien, in Scheuer- u. Reinigungsmitteln, zur Desinfektion von Schwimmbecken, in organ. Synth. als vielseitiges Chlorierungsreagenz, zur Umwandlung von Ethern in Ester. – *E* trichloroisocyanuric acid – *F* acide trichloroisocyanurique – *I* acido tricloroisocianurico – *S* ácido tricloroisocianúrico
Lit.: Beilstein E III/IV 26, 642 ▪ Gmelin, Syst.-Nr. 14, C, D 3, 146 f., 1976 ▪ Hommel, Nr. 369 ▪ Paquette 7, 5072 ▪ Ullmann (4.) 9, 390 f.; (5.) A 6, 555. – [HS 2933 69; CAS 87-90-1; G 5.1]

Trichlormethan s. Chlormethane.

Trichlormethansulfenylchlorid (Perchlormethylmercaptan, PCM, Clairsit). Cl$_3$C–SCl, CCl$_4$S, M$_R$ 185,89. Gelbe, ölige Flüssigkeit von sehr unangenehmem Geruch, D. 1,695, Sdp. 147–148 °C (Zers.), unlösl. in Wasser, mit CCl$_4$, Chloroform, Tetrachlorethan mischbar, WGK 3. T. reizt schon nach Einatmung niedriger Konz. die Schleimhäute von Augen, Nase, Rachen u. Lunge. Als Stinkstoff bewirkt es allg. Übelkeit u. Erbrechen. Nach hohen Dosen führt es zu einer schweren Reizgasvergiftung mit Atemnot, Stechen in der Brust u. Lungenödem; MAK 0,8 mg/m^3 (TRGS 900). T. kann katalyt. nach

$$CS_2 + 5Cl_2 + 4H_2O \rightarrow Cl_3C–SCl + H_2SO_4 + 6HCl$$

hergestellt werden.
Verw.: T. ist ein wichtiges Zwischenprodukt bei der Herst. von Insektiziden, Fungiziden, Farbstoffen, Additiven, Senfgas-Derivaten, Thiophosgen sowie von Vulkanisierungsbeschleunigern in der Gummi-Industrie. Im 1. Weltkrieg wurde es kurzfristig als Gaskampfstoff verwendet; vgl. a. Sulfenylchloride. – *E* trichloromethanesulfenyl chloride – *F* chlorure de

trichlorométhanesulfényle – *I* cloruro di triclorometansolfenile – *S* cloruro de triclorometanosulfenilo
Lit.: Beilstein EIV 3, 290 ▪ Hommel, Nr. 643 ▪ *Synthesis* (3.) 22, 111–113; (4.) 23, 272 ▪ *Synthesis* **1971**, 478f.; **1975**, 169f. ▪ *Synthetica* 2, 458–461. – [HS 2930 90; CAS 594-42-3; G 6.1]

Trichlormethiazid (Rp).

Internat. Freinamen für das *Saluretikum (±)-6-Chlor-3-(dichlormethyl)-3,4-dihydro-2*H*-1,2,4-benzothiadiazin-7-sulfonamid-1,1-dioxid, $C_8H_8Cl_3N_3O_4S_2$, M_R 380,64, Krist., Zers. bei 266–273 °C, auch 248–250 °C angegeben, λ_{max} (CH_3OH) 225, 267, 312 nm ($A_{1cm}^{1\%}$ 1120, 560, 78); LD_{50} (Ratte oral) >20 g/kg; gut lösl. in Alkohol, schwerer in Wasser. T. wurde 1962 von Ciba u. Scherico, 1966 von Abbott patentiert u. ist in Kombination mit *Amilorid-Hydrochlorid von Merck (Esmalorid®) im Handel. – *E* trichlormethiazide – *F* trichlorméthiazide – *I* triclormetiazide – *S* triclormetiazida
Lit.: Hager (5.) 9, 1040f. ▪ Martindale (31.), S. 958. – [HS 2934 90; CAS 133-67-5]

Trichlormethin s. Tris(2-chlorethyl)amin.

(Trichlormethyl)benzol s. Benzotrichlorid.

1,1,1-Trichlor-2-methyl-2-propanol [β,β,β-Trichlor-*tert*-butylalkohol, Acetonchloroform, Chloreton, Chlorbutol; internat. Freinamen: *Chlorobutanol*].

$C_4H_7Cl_3O$, M_R 177,47. Farblose, leicht sublimierende, Campher-artig riechende Krist., Schmp. 99 °C (wasserfrei, Hemihydrat Schmp. 78 °C), Sdp. 167 °C, lösl. in heißem Wasser, Alkohol, Glycerin, Chloroform, Ether, Benzol, Aceton, Petrolether, Eisessig, Ölen. *Verw.:* Als Weichmacher für Celluloseether u. -ester, als Bakterizid, Antiseptikum u. Konservierungsmittel für biolog. Flüssigkeiten, als leichtes Sedativum u. Anästhetikum. – *E* 1,1,1-trichloro-2-methyl-2-propanol – *F* 1,1,1-trichloro-2-méthyl-2-propanol – *I* 1,1,1-tricloro-2-metil-2-propanolo – *S* 1,1,1-tricloro-2-metil-2-propanol
Lit.: Beilstein EIV 1, 1629 ▪ Hager (5.) 7, 877 ▪ Kirk-Othmer (3.) 5, 696f.; (4.) 5, 1054 ▪ Merck-Index (12.), Nr. 2180. – [HS 2905 50; CAS 57-15-8; 6001-64-5 (Hydrat)]

Trichlormethylsilan s. Methylchlorsilane u. vgl. Silicium-organische Verbindungen.

Trichlornitromethan s. Chlorpikrin.

Trichlorphenole.

$C_6H_3Cl_3O$, M_R 197,46. Von den 6 möglichen Isomeren sind die beiden folgenden Verb. die wichtigsten.

2,4,5-T. (Abk.: TCP): Farblose, stark Phenol-artig riechende Nadeln, D. 1,503 (70 °C), Schmp. 68 °C (Subl.), Sdp. 253 °C, wasserdampfflüchtig, schwer lösl. in kaltem Wasser, leicht lösl. in polaren organ. Lösemitteln. T. wirkt auf Atemwege u. Augen u. kann bei Erhitzen zur Zers. explodieren; MAK 0,5 mg/m³ gemessen als Gesamtstaub (TRGS 900); Emissionsklasse I (TA Luft 3.1.7); WGK 3. Techn. 2,4,5-T. kann Chlorakne hervorrufen, wenn es mit Spuren von *2,3,7,8-Tetrachlordibenzo[1,4]dioxin (TCDD, Dioxin) verunreinigt ist.
Herst.: Durch Hydrolyse von 1,2,4,5-*Tetrachlorbenzol mit Natronlauge in Methanol od. einem Ethylenglykol-Xylol-Gemisch (*Icmesa-Verf.* in *Seveso). V. a. bei Überhitzung des Reaktionsgemisches können in einer Nebenreaktion die giftigen *Dioxine entstehen (Störfall Seveso, *Lit.*[1,2]), die auch in das Folgeprodukt *2,4,5-T mitgeschleppt werden. Dieses Verf. zur Herst. von T. wurde deshalb weltweit fast völlig eingestellt. Weitere Verf. s. Ullmann (*Lit.*).
Verw.: Als Ausgangsprodukt für Hexachlorophen, 2,4,5-Trichlorphenoxyessigsäure u. a. Derivate.

2,4,6-T.: Farblose, Phenol-artig riechende, wasserdampfflüchtige Krist., D. 1,4901, Schmp. 69 °C, Sdp. 246 °C, wenig lösl. in Wasser, leicht lösl. in Alkohol, Ether, Aceton, Chloroform, CS_2 u. Glycerin. Staub u. Dämpfe verursachen Reizung der Augen, der Atemwege, der Atmungsorgane sowie der Haut; Verdacht auf erbgutverändernde u. krebserzeugende Wirkung; WGK 3 (Selbsteinst.). 2,4,6-T. kann durch Chlorierung von Phenol hergestellt werden; es findet Verw. als Zwischenprodukt in organ. Synth., als Bakterizid u. Insektizid. – *E* trichlorophenols – *F* trichlorophénols – *I* triclorofenoli – *S* triclorofenoles
Lit.: [1] Nachr. Chem. Tech. Lab. 30, 367–371 (1982); Chimia 36, 128ff. (1982). [2] Bretherick, Handbook of Reactive Chemical Hazards, Ed. Nr. 1953, 1978, London: Butterworths 1990.
allg.: Beilstein EIV 6, 962, 1005 ▪ Hommel, Nr. 905 ▪ Hager (5.) 3, 1205 ▪ Kirk-Othmer (3.) 5, 866f.; (4.) 6, 156ff. ▪ Rippen ▪ Ullmann (5.) A7, 1–16 ▪ s. a. Chlorphenole. – [HS 2908 10; CAS 95-95-4 (2,4,5-T.); 88-06-2 (2,4,6-T.); G 6.1]

Trichlorphon s. Trichlorfon.

1,2,3-Trichlorpropan (Trichlorhydrin, Glyceryltrichlorid).

$C_3H_5Cl_3$, M_R 147,43. Farblose Flüssigkeit, D. 1,3889, Schmp. –15 °C, Sdp. 157 °C, unlösl. in Wasser, lösl. in Alkohol, Ether u. Chloroform. T. gilt als Stoff, der sich im Tierversuch eindeutig als krebserzeugend erwiesen hat (Gruppe III A 2 in der MAK-Werte-Liste 1997); WGK 2 (Selbsteinst.).
Herst.: Durch Addition von Chlor an Allylchlorid.
Verw.: Als Lsm. u. als trifunktioneller Vernetzer z. B. für Polysulfid-Elastomere. – *E* = *F* 1,2,3-trichloropropane – *I* = *S* 1,2,3-tricloropropano
Lit.: Beilstein EIV 1, 199 ▪ Ullmann (4.) 9, 465, 489; (5.) A6, 311 f. – [HS 2903 19; CAS 96-18-4; G 6.1]

Trichlorsilan s. Silane.

α,α,α-Trichlortoluol s. Benzotrichlorid.

2,4,6-Trichlor-1,3,5-triazin s. Cyanurchlorid.

1,3,5-Trichlor-1,3,5-triazin-2,4,6(1H,3H,5H)-trion s. Trichlorisocyanursäure.

1,1,1- u. 1,1,2-Trichlortrifluorethan s. FCKW (R 113a u. R 113).

Trich(o)... Von griech.: thríx (Genitiv: trichós) = *Haar abgeleiteter Bestandteil von Stoffbez. u. a. Fremdwörtern, vgl. Trichion u. die folgenden Begriffe. – *E* = *F* tricho... – *I* = *S* trico...

Trichobezoare s. Ziegensteine.

Trichochrome. Von Sorby 1878 erstmals aus rotem *Haar isolierte Pigmente aus der Gruppe der *Phäomelanine* (s. Melanine), für die Flesch u. Rothmann 1943 den Namen *Trichosiderine* [von *Trich(o)... u. *Sider(o)...] vorschlugen, da man sie fälschlicherweise für Eisen-haltig hielt. Die T. sind die Pigmente des menschlichen roten Haares u. roter Tierfedern. Als Chromophor für die Gruppe wurde das protonierte 2,2'-Bi[1,4]benzothiazinyliden-Gerüst ermittelt (s. Abb.); die T. gehören somit zu den *Polymethin-Farbstoffen.

Chromophores Stammgerüst der Trichochrome

Das mesomere Kation bildet sich durch *Protonierung in saurer Lsg. aus. Insgesamt wurden aus der säurelösl. Pigmentfraktion 3 gelbe u. 2 violette Pigmente isoliert, deren Konstitution aufgeklärt werden konnte. – *E* = *F* trichochromes – *I* tricocromi – *S* tricocromos

Lit.: Angew. Chem. **86**, 355–363 (1974) ▪ Experientia **32**, 1122 (1976) ▪ Tetrahedron **30**, 2781–2784 (1974); **46**, 6831–6838 (1990) ▪ s. a. Haar, Melanine, Pigmentierung.

Trichodermin, Trichodermol s. Trichothecene.

Trichodien [(*S,S*)-1,4-Dimethyl-4-(1-methyl-2-methylencyclopentyl)cyclohexen].

$C_{15}H_{24}$, M_R 204,36, Öl, $[\alpha]_D^{20}$ +21° ($CHCl_3$). Sesquiterpen-Kohlenwasserstoff, der in der (*S,S*)-Form in *Trichothecium roseum* vorkommt u. der biogenet. Vorläufer aller *Trichothecene ist. Das Racemat ist ebenfalls bekannt [Sdp. 65–70 °C (67 Pa)]. – *E* trichodiene – *F* trichodiène – *I* tricodiene – *S* tricodieno

Lit.: Appl. Environ. Microbiol. **59**, 2359 (1993) ▪ Arch. Biochem. Biophys. **251**, 756 (1986) (T.-Synthase) ▪ Chem. Rev. **90**, 1089–1103 (1990) ▪ J. Am. Chem. Soc. **120**, 5453 (1998) ▪ J. Chem. Soc., Chem. Commun. **1991**, 1033 (12,13-Diol) ▪ J. Chem. Soc. Perkin Trans. 1 **1996**, 829 (Synth.) ▪ J. Org. Chem. **55**, 4403 (1990); **58**, 6255–6265 (1993) (Synth.) ▪ Microbiol. Rev. **57**, 595 (1993) ▪ Phytochemistry **43**, 1235 (1996) ▪ Tetrahedron Lett. **39**, 5489 (1998) (Synth.). – *[CAS 28624-60-4]*

Tricholomenine.

Tricholomenin A

Tricholomenin B

Frische Fruchtkörper des Gerippten Ritterlings (*Tricholoma acerbum*, Agaricales) enthalten die *T. A* ($C_{18}H_{20}O_4$, M_R 300,35, Öl) u. *T. B* ($C_{18}H_{18}O_6$, M_R 330,34, Öl), die sich als wirksame Hemmstoffe der Mitose in T-Lymphocyten-Kulturen erwiesen haben. – *E* tricholomenynes – *F* tricholoményne – *I* tricolomenine – *S* tricolomeninas

Lit.: J. Chem. Soc., Chem. Commun. **1996**, 1679 f. ▪ J. Chem. Soc., Perkin Trans. 1 **1997**, 1087 (Synth.) ▪ J. Org. Chem. **62**, 1582 (1997) (Synth.) ▪ Tetrahedron Lett. **36**, 5633 (1995) (Isolierung); **37**, 6223 (1996) (Synth.). – *[CAS 167427-29-4 (T. A); 167427-30-7 (T. B)]*

Tricholomsäure [(*S,S*)-α-Amino-3-oxo-5-isoxazolidinessigsäure].

$C_5H_8N_2O_4$, M_R 160,13, Krist., Schmp. 207 °C (Zers.), $[\alpha]_D^{20}$ +80° (H_2O). Nichtproteinogene neurotox. Aminosäure u. Aromastoff aus dem Ritterling *Tricholoma muscarium* (Höhere Pilze). Tödlich für Hausfliegen (*Musca domestica*), wofür der getrocknete Pilz früher verwendet wurde; schmeckt wie Glutaminsäure. Eine ungesätt. Form ist *Ibotensäure. – *E* tricholomic acid – *F* acide tricholomique – *I* acido tricolomico – *S* ácido tricolómico

Lit.: Can. J. Chem. **65**, 195 (1987) ▪ Chem. Pharm. Bull. **13**, 753 (1965). – *[CAS 2644-49-7 (Racemat)]*

Trichomonaden [griech.: *trich(o)... u. monas = einzeln]. Gattung von mehrfach begeißelten *Flagellaten. Einige Arten kommen als apathogene Parasiten in verschiedenen Körperhöhlen von Säugetieren u. des Menschen vor. Eine durch T. (*Trichomonas vaginalis*) hervorgerufene Krankheit ist die *Trichomoniasis*, eine entzündliche Infektionserkrankung der Scheide bei der Frau u. von Blase u. Harnröhre beim Mann. Die Übertragung erfolgt durch Geschlechtsverkehr. Zur Behandlung dienen 5-*Nitroimidazole wie z. B. *Metronidazol. – *E* trichomonades – *F* trichomonadines – *I* tricomonadi – *S* tricomonas

Lit.: Lucius u. Frank, Parasitologie, Heidelberg: Spektrum 1997.

Trichomonazid s. Nimorazol.

Trichophyten [griech.: *trich(o)... u. *phyt...]. Gattung von Pilzen, zu der die häufigsten Erreger von Pilzinfektionen (*Mykosen) der Haut gehören. Manche T.-Arten bilden charakterist. ringförmige Entzündungsherde auf der Haut, andere führen zu Knoten u. Abszessen im Bereich der behaarten Haut. – *E* = *F* trichophytes – *I* tricofiti – *S* tricofitas

Lit.: Müller u. Loeffler, Mykologie, Stuttgart: Thieme 1992.

Trichorovine. Peptidantibiotika-Komplex (Peptaibole) aus Kulturen von *Trichoderma viride*. Die T. ent-

halten bis zu 20 Aminosäure-Reste, ca. 30 T. sind bisher bekannt, z. B. T. XII: $C_{58}H_{102}N_{12}O_{13}$, M_R 1175,52, amorpher Feststoff.
Ac-Aib-Asn-Ile-Ile-Aib-Pro-Leu-Leu-Aib-Pro-Isoleucinol (Aib = α-Aminoisobuttersäure)
– *E* trichorovins – *F* trichorovine – *I* tricorovine – *S* tricorovinas

Lit.: Chem. Pharm. Bull. **43**, 910 (1995). – [CAS 156986-02-6]

Trichosanthin. Wirkprinzip der traditionellen chines. Droge Tian Hua Fen (Wurzeln von *Trichosanthes kirilowii*, Cucurbitaceae, ein Gurkengewächs). Die Droge wird seit über 2000 Jahren in China für Abtreibungen u. gegen Menstruationsbeschwerden verwendet. T. ist ein bas. Polypeptid aus 234 Aminosäuren, M_R 25682, monokline Kristalle. T. hemmt die ribosomale Protein-Biosynthese. Es wird in China gegen AIDS klin. geprüft [1]. – *E* trichosanthin – *F* trichosanthine – *I* = *S* tricosantina

Lit.: [1] AIDS **4**, 1189 (1990); AIDS Res. Hum. Retroviruses **10**, 413 (1994).
allg.: Life Sci. **55**, 253 (1994) ▪ Merck-Index (12.), Nr. 9780 ▪ Proc. Natl. Acad. Sci. USA **86**, 2844 (1989) ▪ Proteins **19**, 4 (1994) ▪ Sax (8.), Nr. TJF 350 ▪ Tang u. Eisenbrand, Chinese Drugs of Plant Origin, S. 983–988, Berlin: Springer 1992. – [CAS 60318-52-7]

Trichosiderine s. Trichochrome.

Trichostatine.

R = OH : Trichostatinsäure
R = NH—OH : T. A
R = NH—O—β-D-Glucosyl : T. C

Tab.: Daten von Trichostatinen.

Verb.	Summen-formel	M_R	Schmp. [°C]	CAS
T. A	$C_{17}H_{22}N_2O_3$	302,37	150	58880-19-6
T. B[a]	$C_{51}H_{63}FeN_6O_9$	959,94	192 (Zers.)	58895-00-4
T. C	$C_{23}H_{32}N_2O_8$	464,52	171–173	68676-88-0
Trichostatin-säure	$C_{17}H_{21}NO_3$	287,36	138–140	68690-19-7

[a] Eisen(III)-Komplex von T. A; Zusammensetzung 3:1 (T. A: Fe)

Gruppe von *Antibiotika aus *Streptomyces hygroscopius*, *S. sioyaensis* u. *S. platensis* mit biolog. Aktivität gegen Pilze u. bestimmte Tumore; T. A wirkt auch immunsuppressiv. – *E* trichostatin – *F* trichostatine – *I* = *S* tricostatina

Lit.: Agric. Biol. Chem. **49**, 563, 1365 (1985); **52**, 251 (1988) ▪ Merck-Index (12.), Nr. 9781 ▪ Tetrahedron **39**, 841 (1983); **44**, 6013 (1988) (Synth.). – *Wirkung:* Cancer Research **52**, 168–172 (1992) ▪ J. Antibiot. **49**, 453–457 (1996) ▪ J. Biol. Chem. **265**, 17174 (1990). – [HS 294190]

Trichothecene. Gruppe von Sesquiterpen-Mykotoxinen aus verschiedenen auf Getreide u. Getreideprodukten wachsenden Schimmelpilzen (Ascomyceten u. Fungi imperfecti, z. B. *Fusarium*-, *Myrothecium*-, *Trichothecium*-, *Trichoderma*-, *Stachybotrys*-, *Cephalosporium*-Arten), denen das 12,13-Epoxy-9-trichothecen-Ringsyst. gemeinsam ist. Bekannt sind ca. 100 verschiedene T., die aufgrund struktureller Unterschiede in vier Untergruppen eingeteilt werden. Gruppe A: T. ohne Sauerstoff-Funktion am C-Atom 8 (z. B. Trichodermol, Calonectrin, Scirpentriol, Trichoverroide); – Gruppe B: T. mit Sauerstoff-Funktion, aber keiner Oxo-Funktion an C-8 (z. B. *T-2-Toxin, HT-2-Toxin, Neosolaniol, Crotocin); – Gruppe C: T. mit Oxo-Gruppe (z. B. *Nivalenol, Fusarenon-X, Desoxynivalenol); – in der vierten Gruppe werden makrocycl. T., die von C-4 zu C-15 eine Di- od. Triester-Brücke enthalten, zusammengefaßt. Man unterscheidet Ether-Diester (*Roridine) u. Triester (*Verrucarine) von Verrucarol. Auch die in Pflanzen vorkommenden Baccharinoide u. Miotoxine gehören in diese Gruppe. T. mit ungesätt. Ester-Seitenkette am C-4 gehören zu den Trichoverroiden, z. B. Trichoverrol A, Trichoverriton. Die Hydroxy-Gruppen an C-3, C-4, C-7, C-8 od. C-15 sind häufig verestert, meist mit Essigsäure (s. Tab. S. 4646).

Trichoverrol A
7'-Epimer: Trichoverrol B

Trichoverriton

Die T. verfügen über eine Vielzahl biolog. Eigenschaften, wie phytotox., insektizide, antifung., antivirale u. cytotox. Wirkung. Alle T. sind Kontaktgifte (biolog. Kampfmittel!) u. zählen zu den wichtigsten Mykotoxinen. T. hemmen die Protein-Biosynth. in Säugetierzellen teilweise bei Konz. von 1 ng/mL (z. B. Vertisporin in HeLa-Zellen). *Verrucarin A hemmt das Wachstum von P-815 Mäusetumorzellen bei 0,6 ng/mL. Beisp. für Vergiftungen durch T. sind Vergiftungen von Rindern, Schweinen u. Geflügel nach Fütterung mit verschimmeltem Mais in den USA („moldy corn toxicose"), die Akakabi-Byo-Krankheit od. „bean hull toxicose" in Japan, „alimentary toxic aleukia" in der UdSSR u. eine Stachybotrys-Vergiftung von epidem. Ausmaßen 1944 im südlichen Ural. T.-Intoxikationen sind mit Brechreiz, Diarrhoe, Anorexie, Ataxie, Leukocytose u. nachfolgend schwerer Leukopenie, Entzündungen des Magen-Darm-Trakts, Zerstörung von Nervenzellen des zentralen Nervensystems, Hämorrhagie des Herzmuskels, Läsionen von Lymphknoten, Testes u. Thymus sowie Gewebsnekrosen verbunden. Die LD_{50}-Werte (Maus i.p.) variieren von 0,5 mg/kg (Verrucarin) bis 23 mg/kg (Diacetylscirpentriol). Die Biosynth. der T. verläuft über *Trichodien. – *E* trichothecenes – *F* trichothécènes – *I* tricoteceni – *S* tricotecenos

Lit.: Adv. Environ. Sci. Technol. **23**, 613–638 (1990) ▪ Appl. Environ. Microbiol. **57**, 2101 (1991) ▪ Biochem. Biotech. Biosci. **56**, 523 (1992) ▪ J. Biol. Chem. **271**, 27353 (1996) (Biosynth.) ▪ Lacey, Trichothecenes and Other Mycotoxins, New York: Wiley 1988 ▪ Merck-Index (12.), Nr. 9782 ▪ Microbiol. Rev. **57**, 595–604 (1993) (Biosynth.) ▪ Nat. Prod. Rep. **5**, 187–209 (1988) ▪ Tetrahedron **45**, 2277–2305 (1989) ▪ Zechmeister **47**, 153–219. – *Isolierung neuer T.:* J. Nat. Prod.

Tab.: Struktur u. Daten ausgewählter Trichothecenen.

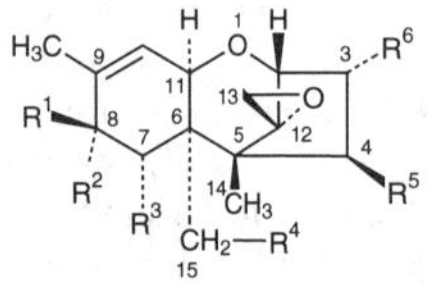

Trichothecen	R^1	R^2	R^3	R^4	R^5	R^6	Summenformel	M_R	Schmp. [°C]	CAS
Trichothecen (3-Scirpen)	H	H	H	H	H	H	$C_{15}H_{22}O_2$	234,34		114882-97-2
Trichodermol	H	H	H	H	OH	H	$C_{15}H_{22}O_3$	250,34	116–119	2198-93-8
Verrucarol	H	H	H	OH	OH	H	$C_{15}H_{22}O_4$	266,34	158–159	2198-92-7
3,4,15-Scirpentriol	H	H	H	OH	OH	OH	$C_{15}H_{22}O_5$	282,34	189–191	2270-41-9
T-2-Tetraol	H	OH	H	OH	OH	OH	$C_{15}H_{22}O_6$	298,34		34114-99-3
Trichodermin	H	H	H	H	OCOCH$_3$	H	$C_{17}H_{24}O_4$	292,39	45–46	4682-50-2
Monoacetoxy-scirpenol	H	H	H	OCOCH$_3$	OH	OH	$C_{17}H_{24}O_6$	324,38	172–173	2623-22-5
Diacetoxyscirpenol	H	H	H	OCOCH$_3$	OCOCH$_3$	OH	$C_{19}H_{26}O_7$	366,41	160–164	2270-40-8
Neosolaniol	H	OH	H	OCOCH$_3$	OCOCH$_3$	OH	$C_{19}H_{26}O_8$	382,41	171–172	36519-25-2
HT-2	H	A	H	OCOCH$_3$	OH	OH	$C_{22}H_{32}O_8$	424,49	Öl	26934-87-2
T-2 Toxin	H	A	H	OCOCH$_3$	OCOCH$_3$	OH	$C_{24}H_{34}O_9$	466,51	151–152	21259-20-1
Calonectrin	H	H	H	OCOCH$_3$	OH	OCOCH$_3$	$C_{19}H_{26}O_6$	350,41	83–85	38818-51-8
Crotocin	H	β-O–		H	B	H	$C_{19}H_{24}O_5$	332,40	126–128	21284-11-7
Deoxynivalenol	=O		OH	OH	H	OH	$C_{15}H_{20}O_6$	296,32	151–153	51481-10-8
Nivalenol	=O		OH	OH	OH	OH	$C_{15}H_{20}O_7$	312,32	222–225	23282-20-4
Fusarenon-X	=O		OH	OH	OCOCH$_3$	OH	$C_{17}H_{22}O_8$	354,36	91–92	23255-69-8
Trichothecolon	=O		H	H	OH	H	$C_{15}H_{20}O_4$	264,32	183–184	2199-06-6
Trichothecin	=O		H	H	B	H	$C_{19}H_{24}O_5$	332,38	118	6379-69-7
NT-1	H	OCOCH$_3$	H	OH	OCOCH$_3$	OH	$C_{19}H_{26}O_8$	382,41	173	65180-29-2
NT-2	H	OH	H	OH	OCOCH$_3$	OH	$C_{17}H_{24}O_7$	340,37	172	76348-84-0
Sporotrichiol	H	A	H	OH	H	OH	$C_{20}H_{30}O_6$	366,45		101401-89-2
CBD$_2$	=O		OH	OH	H	C	$C_{18}H_{24}O_6$	368,38		81662-72-8
Trichoverrol A	s. Formel						$C_{23}H_{32}O_7$	420,50	178	76739-71-4
Trichoverrol B	s. Formel						$C_{23}H_{32}O_7$	420,50	Öl	76685-83-1
Trichoverriton	s. Formel						$C_{35}H_{46}O_{11}$	642,74	Öl	87292-19-1

A = O–CO–CH$_2$–CH(CH$_3$)$_2$
B = O–CO–CH=CH–CH$_3$
C = O–CO–CH(OH)–CH$_3$

54, 1303 (1991); **55**, 1441 (1992); **56**, 1890 (1993); **57**, 422 (1994); **59**, 25, 254 (1996) ▪ Tetrahedron Lett. **51**, 9219 (1996). – *Pharmakologie:* Bull. Inst. Pasteur (Paris) **88**, 159–192 (1990) ▪ J. Pathol. **154**, 301–311 (1988). – *Synth.:* J. Am. Chem. Soc. **112**, 2749 (1990) ▪ J. Org. Chem. **54**, 4663 (1989); **55**, 4403 (1990) ▪ J. Prakt. Chem. **334**, 53 (1992) ▪ Tetrahedron **45**, 2385–2415 (1989). – *Vork.:* Appl. Environ. Microbiol. **59**, 3798 (1993) ▪ Cereal Foods World **35**, 661–666 (1990) ▪ Dtsch. Tierärztl. Wochenschr. **96**, 350 ff. (1989) ▪ Krogh (Hrsg.), Mycotoxins in Food, S. 123–147, 217–249, London: Academic Press 1987 ▪ Reiß, Mykotoxine in Lebensmitteln, Stuttgart: G. Fischer 1981 ▪ Sax (8.), TJE 750 ▪ Tetrahedron Lett. **24**, 3539 (1983) (Trichoverriton).

Trichoverroide s. Trichothecene.

Trichroismus s. Pleochroismus.

Trichromatische Theorie s. Farbe.

Trichter s. Filter; T.-Halter s. Stative.

Tricin. Kurzbez. für *N*-[2-Hydroxy-1,1-bis(hydroxymethyl)-ethyl]glycin [*N*-(*Tri*methylolmethyl)gly*cin*], $C_6H_{13}NO_5$, M_R 179,17, Schmp. 187 °C, das als zwitterion. Puffer im pH-Bereich 6–8,5 wirkt.

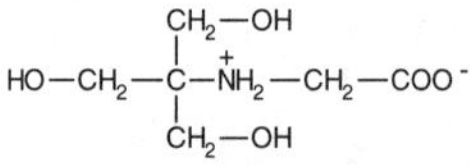

– $E = F$ tricine – $I = S$ tricina

Lit.: Anal. Biochem. **165**, 215 (1987); **166**, 368 (1987) ▪ Merck-Index (12.), Nr. 9783. – *[HS 292250; CAS 5704-04-1]*

Triclocarban.

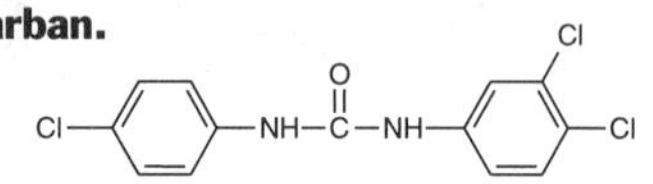

Internat. Freiname für das antimikrobiell wirksame *N*-(4-Chlorphenyl)-*N*'-(3,4-dichlorphenyl)harnstoff, $C_{13}H_9Cl_3N_2O$, M_R 315,59. T. ist ein Bakterizid, das vornehmlich zur Herst. desodorierend wirkender *Seifen (Deoseifen) u. in *Desodorantien (Stifte, Sprays) verwendet wird. Die Einsatzkonz. schwanken zwischen 0,2% (Aerosole) u. 1,5% (Seifen). – $E = F = I$ triclocarban – S triclocarbán

Lit.: [1] Blaue Liste, S. 52.
allg.: Beilstein E IV **12**, 1267 ▪ Hager (5.) **1**, 210 ▪ Kirk-Othmer (4.) **8**, 267 f. ▪ Römpp Lexikon Lebensmittel, S. 867 ▪ Wallhäußer, Praxis der Sterilisation – Desinfektion – Konservierung (5. Aufl.), S. 557 f., Stuttgart: Thieme 1995. – *[HS 292421; CAS 101-20-2; G 9]*

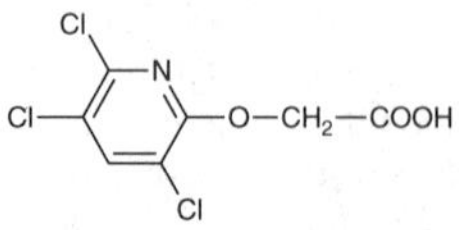

Triclopyr.

Common name für (3,5,6-Trichlor-2-pyridyl-oxy)essigsäure, $C_7H_4Cl_3NO_3$, M_R 256,49, LD_{50} (Ratte oral) 712 mg/kg, von Dow 1970 eingeführtes system. *Herbizid gegen verholzte Pflanzen (Brombeere) u. breitblättrige Unkräuter (Brennessel), vorwiegend zur Busch- u. Strauchbekämpfung im Forst, auf Grün- u. Nichtkulturland sowie an Gleisanlagen, ferner in Ölpalmen- u. Gummibaumplantagen sowie – in Kombination mit *2,4-D u. Propanil – gegen Unkräuter im Weizen- u. Reisanbau. – $E=F=I=S$ triclopyr

Lit.: Farm ▪ Perkow ▪ Pesticide Manual ▪ Wirkstoffe iva. – [CAS 55335-06-3; G3]

Triclosan.

Internat. Freinamen für das antimikrobiell wirksame 5-Chlor-2-(2,4-dichlorphenoxy)-phenol, $C_{12}H_7Cl_3O_2$, M_R 289,55. T. ist als Konservierungsmittel in Körperpflegemitteln in Konz. bis 0,2% zugelassen. – $E=F=I$ triclosan – S triclosán

Lit.: Kirk-Othmer (4.) **8**, 250 f. ▪ Wallhäußer, Praxis der Sterilisation – Desinfektion – Konservierung (5. Aufl.), S. 555 f., Stuttgart: Thieme 1995. – [HS 2909 50; CAS 3380-34-5]

Tricos(a)... *Multiplikationspräfix in chem. Namen, von griech.: tris-kai-eíkosi = 23. – $E=F=I=S$ tricos(a)...

Tricosan. $H_3C-(CH_2)_{21}-CH_3$, $C_{23}H_{48}$, M_R 324,62. Farblose, leicht brennbare Blättchen, D. 0,779 (48°C), Schmp. 48°C, Sdp. 380°C, 243°C (20 mbar), unlösl. in Wasser, wenig lösl. in Alkohol, besser in Ether, Benzin, Benzol, ist Bestandteil des Erdöls. – $E=F$ tricosane – $I=S$ tricosano

Lit.: Beilstein E IV **1**, 576 ▪ Karrer, Nr. 10. – [HS 2901 10; CAS 638-67-5]

***cis*-9-Tricosen** s. Muscalur.

Tricyclazol.

Common name für 5-Methyl-1,2,4-triazolo[3,4-*b*]-benzothiazol, $C_9H_7N_3S$, M_R 189,23, Schmp. 187–188°C, LD_{50} (Ratte oral) 314 mg/kg, von Eli Lilly (jetzt Dow Elanco) eingeführtes *Fungizid gegen Pilzerkrankungen, v. a. im Reis. – $E=F$ tricyclazole – I triciclazolo – S triciclazol

Lit.: Pesticide Manual. – [HS 2934 90; CAS 41814-78-2]

Tricyclen. a) Trivialname des Monoterpens 1,7,7-Trimethyltricyclo[2.2.1.0^{2,6}]heptan (2,6-Cyclobornan), $C_{10}H_{16}$, M_R 136,23 {Formel s. Terpen(oid)e u. Tricyclo[...]...}, Schmp. 69–70°C, Sdp. 153°C, Vork. in Nadelhölzölen; Grundgerüst der Sesquiterpene α-Santalen u. α-*Santalol. Das Tricyclo[2.2.1.0^{2,6}]heptan-Gerüst (*Nortricyclen*, 8,9,10-Trinortricyclen) ist in polymerisiertem *2,5-Norbornadien *konstitutionelle Repetiereinheit.

b) Kurzbez. für *tricyclische Verbindungen (Einzahl: Tricyclus). – E tricyclene (a), tricyclics (b) – F tricyclène – I triciclene (a), triciclici (b) – S tricicleno

Lit. (zu a): Beilstein E IV **5**, 468. – [HS 2902 19; CAS 508-32-7]

Tricyclische Verbindungen (Tricyclen). Sammelbez. für Verb., deren Struktur durch dreifachen carbo- u./od. heterocycl. Ringschluß eines acycl. (offenkettigen) Mol. formulierbar ist. Je nach Ringverknüpfungen unterscheidet man z. B. verbrückte, überbrückt-kondensierte, kondensierte u. kondensiert-spirocycl. t. V., tricycl. Dispiro-Verb., tricycl. *Ringsequenzen (s. Ter...) u. Ring-Ketten-Strukturen. Das Präfix *Tricyclo[...]... findet Verw. für bestimmte Arten t. V., die oft zu *Käfigverbindungen zählen. – E tricyclic compounds – F composés tricycliques – I composti triciclici – S compuestos tricíclicos

Tricyclo[...]... Präfix in systemat. Namen für kondensierte u. verbrückte *tricyclische Verbindungen, falls Bez. als überbrückt-*kondensierte Ringsysteme od. *Anellierungsnamen unmöglich od. ungünstig sind (IUPAC-Regeln A-32, R-2.4.2.2 u. VB[1]; vgl. Bicyclo[...]...). Dem Präfix T. folgen in eckigen Klammern vier durch Punkte getrennte, in fallender Folge sortierte Zahlen (Atomzahlen der einzelnen Segmente des Hauptrings, der Haupt- u. der Nebenbrücke, deren Stellung ein mit Komma gegliedertes, hochgestelltes *Lokanten-Paar angibt) u. der Namensstamm des *Alkans mit gleicher Gerüstatomzahl; Beisp. (Abb.): 1,7,7-Trimethylbicyclo[2.2.1.0^{2,6}]heptan (*Tricyclen), Tricyclo[3.1.0.0^{2,6}]hex-3-en (*Benzvalen), Tricyclo-[3.3.1.1^{2,8}]decan (*Adamantan), Tricyclo[3.3.2.0^{2,8}]-deca-3,6,9-trien (*Bullvalen), Tricyclo[4.4.4.0^{1,6}]tet-radecan (s. Propellane), Tricyclo[4.4.0.0^{3,8}]decan (*Twistan), Tricyclo[1.1.0.0^{2,4}]butan (*Tetrahedran); *regelwidrig:* Tricyclo[5.2.1.0^{2,6}]deca-3,8-dien (s. Dicyclopentadien u. TCD). Hetero-tricycl. Verb. benennt man mit *Austauschnamen.

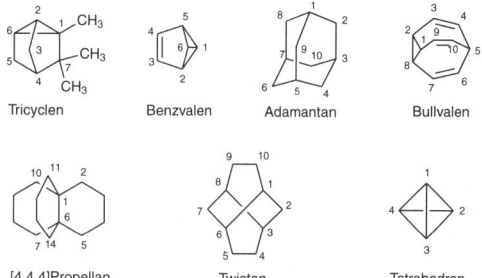

Tricyclen   Benzvalen   Adamantan   Bullvalen

[4.4.4]Propellan   Twistan   Tetrahedran

Die Silbenfolge „Tricyclo..." erscheint auch in Namen für Verb. mit 3 Cycloalkyl-Resten an einer Gerüsteinheit, jedoch fehlt hier der Zahlensatz in eckiger Klammer; *Beisp.:* Tricyclodecylamin = (*cyclo*-$C_{10}H_{19}$)$_3$N, aber Tricyclo[3.3.1.1^{3,8}]decan-1-amin = *1-Adamantanamin. – $E=F$ tricyclo[...]... – $I=S$ triciclo[...]...

Lit.: [1] Pure Appl. Chem., voraussichtlich **71** (1999): Extension and Revision of the von Baeyer System for Naming Polycyclic Compounds.

Tricyclohexylzinnhydroxid s. Cyhexatin.

Tricyclopropyliden ([3]Rotan) s. Rotane.

Tridec(a)... *Multiplikationspräfix in chem. Namen, von griech.: tris-kaí-deka = dreizehn. – $E=I=S$ tridec(a)... – F tridéc(a)...

Tridecan

Tridecan. $H_3C-(CH_2)_{11}-CH_3$, $C_{13}H_{28}$, M_R 184,37. Farblose Flüssigkeit, Schmp. –5 °C, Sdp. 235 °C, findet Verw. als Bezugssubstanz für die Gaschromatographie. – *E* tridecane – *F* tridécane – *I* = *S* tridecano
Lit.: Beilstein E IV **1**, 1512 ▪ Ullmann (4.) **14**, 655 ff.; (5.) A **13**, 228 ff. – *[HS 2901 10; CAS 629-50-5]*

Tridecanal. $H_3C-(CH_2)_{11}-CHO$, $C_{13}H_{26}O$, M_R 198,34. Farblose Flüssigkeit, Schmp. 14 °C, Sdp. 128 °C (13 hPa), D. 0,8356, mit fettig-wachsigem, leicht citrusartigem Geruch. T. ist u. a. in Citronenöl enthalten u. wurde auch als flüchtiger Bestandteil der Gurke nachgewiesen. T. verleiht Riechstoffkompositionen eine frische Nuance sowohl in der Kopfnote als auch im Fond. – *E* = *S* tridecanal – *F* tridécanal – *I* tridecanale
Lit.: Beilstein E IV **1**, 3386 ▪ Ullmann (4.) **20**, 206; (5.) A **11**, 150. – *[HS 2912 19; CAS 10486-19-8]*

1-Tridecanol (Tridecylalkohol). $H_3C-(CH_2)_{12}-OH$, $C_{13}H_{28}O$, M_R 200,37. Wasserunlösl. weiße Masse von angenehmem Geruch, D. 0,8357, Schmp. 30,6 °C, Sdp. 276 °C; zur Herst. s. Ullmann (*Lit.*). Verw. als Schmiermittel, zur Herst. von Weichmachern u. Tensiden. – *E* = *S* 1-tridecanol – *F* 1-tridécanol – *I* 1-tridecanolo
Lit.: Beilstein E IV **1**, 1860 ▪ Hommel, Nr. 595 ▪ Ullmann (4.) **7**, 206 ff.; (5.) A **1**, 281 f. – *[HS 2905 19; CAS 112-70-9]*

Tridecyl... Bez. der Atomgruppierung $-(CH_2)_{12}-CH_3$ in chem. Namen (IUPAC-Regel A-1); aber: Tris(decyl)... = drei *Decyl-Reste, s. Tris... – *E* tridecyl... – *F* tridécyl... – *I* = *S* tridecil...

Tridecylalkohol s. 1-Tridecanol.

Tridemorph.

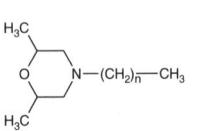

n = 10,11,12 (60–70%),13

Common name für eine Mischung von (±)-4-C_{11-14}-n-Alkyl-2,6-dimethylmorpholinen, die 60–70% der 4-Tridecyl-Verb. enthält, $C_{19}H_{39}NO$, M_R 297,52, Sdp. 134 °C (67 Pa), LD_{50} (Ratte oral) 480–560 mg/kg, von BASF 1969 eingeführtes system. *Fungizid mit protektiver u. kurativer Wirkung gegen Echte Mehltaupilze im Getreideanbau u. an Kürbisgewächsen, gegen die Sigatoka-Krankheit (*Mycosphaerella* spp.) an Bananen sowie gegen pilzliche Krankheiterreger im Kaffee- u. Teeanbau u. in Gummibaumplantagen. – *E* tridemorph – *F* tridémorphe – *I* = *S* tridemorf
Lit.: Farm ▪ Perkow ▪ Pesticide Manual ▪ Wirkstoffe iva. – *[HS 2934 90; CAS 24602-86-6; G 9]*

Tridentatole.

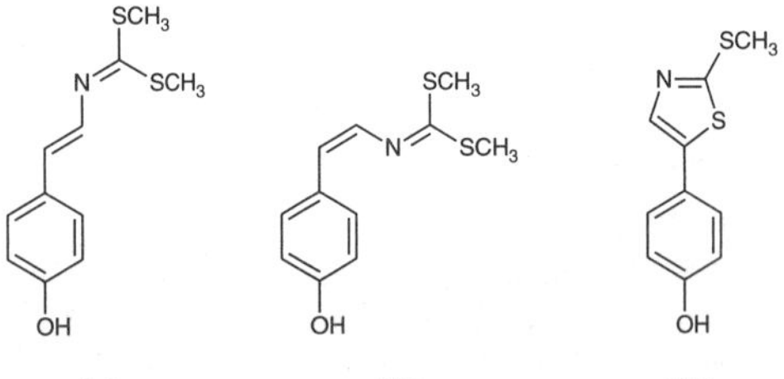

Tab.: Daten von Tridentatolen.

T.	Summenformel	M_R	Beschreibung	CAS
A	$C_{11}H_{13}NOS_2$	239,36	amorpher Feststoff	185548-48-5
B	$C_{11}H_{13}NOS_2$	239,36	amorpher Feststoff	185548-49-6
C	$C_{10}H_9NOS_2$	223,31	krist. Platten	185548-50-9

Schwefel-haltige Inhaltsstoffe des marinen Hydroiden *Tridentata marginata*, der auf Sargassotang wächst. Die T. bilden ca. 10% der Trockenmasse von *T. marginata*. Das Carbonimidodithioat T. A zeigt fraßhemmende Wirkung auf Fische. – *E* tridentatols – *F* tridentalole – *I* tridentatoli – *S* tridentatolas
Lit.: Tetrahedron Lett. **37**, 9131 (1996).

Tridentochinon.

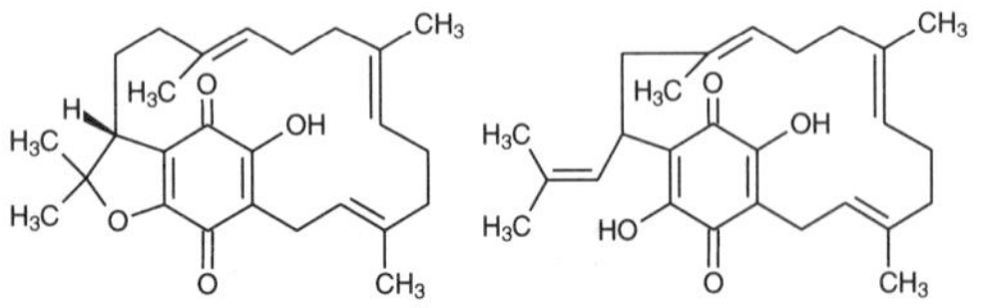

Tridentochinon

Rhizopogon (abs. Konfiguration unbekannt)

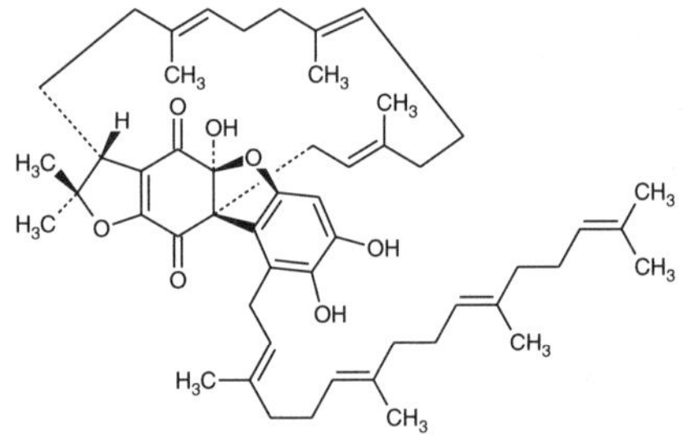

Tridentorubin

$C_{26}H_{34}O_4$, M_R 410,55, rubinrote Krist., Schmp. 78–80 °C, $[\alpha]_{578}$ +1165° ($CHCl_3$). Makrocarbocycl. Pigment aus dem Rostroten Lärchenröhrling (*Suillus tridentinus*, Basidiomycetes), strukturell verwandt mit *Suillin u. *Bovichinon-4. T. u. das ebenfalls aus *S. tridentinus* isolierte *Tridentorubin* ($C_{52}H_{70}O_7$, M_R 807,13, rote Krist.) sind neben *Rhizopogon* {$C_{26}H_{34}O_4$, M_R 410,55, orangerote Nadeln, Schmp. 110 °C, $[\alpha]_{578}$ +28° ($CHCl_3$)} aus dem Bauchpilz *Rhizopogon pumilionus* die einzigen carbo- u. ansacycl. Terpenoide, die bisher in Pilzen aufgefunden wurden. Biosynthet. entsteht T. aus *4-Hydroxybenzoesäure u. Geranylgeranyldiphosphat. Die Formel des T. gibt die durch Röntgenstrukturanalyse des Camphersulfonsäureesters gesicherte abs. Konfiguration wieder. – *E* = *F* tridentoquinone – *I* tridentochinone – *S* tridentoquinona
Lit.: Aust. J. Chem. **48**, 515–529 (1995) (Synth.-Versuche) ▪ Chem. Ber. **108**, 3675 (1975) ▪ Z. Mykologie **55**, 169 (1979) ▪ Zechmeister **51**, 100 ff. (Übersicht). – *[CAS 58262-68-3]*

Tridin (Rp). Kautabl. mit *Natriumfluorophosphat, *Calciumgluconat u. *Calciumcitrat gegen Osteoporosen. *B.:* Opfermann.

Tridymit. Eine der natürlich als Mineral vorkommenden krist. Modif. des *Siliciumdioxids. Farblose od.

milchig-trübe, glasglänzende, sechsseitige, meist dünntafelige Krist., die oft zu charakterist. Drillingskrist. (griech.: tridymoi = Drillings-) verwachsen sind; H. 6,5–7, D. 2,27.

Struktur, Phasenübergänge: In der Struktur von T. sind Sechserringe von [SiO$_4$]-Tetraedern in Auf- u. Ab-Konfiguration zu Schichten verbunden die – jeweils um 180° rotiert – in hexagonaler Zweischicht-Folge (*h-Folge*) übereinander gestapelt sind; eine Stapelung in kub. Dreischicht-Folge (*c-Folge*) ergibt die Struktur von *Cristobalit, mit dem T. z. T. verwachsen ist. Neben einer hexagonalen, von 870–1470 °C stabilen Hochtemp.-Modif. (*β-T.*, Kristallklasse 6/mmm – D$_{6h}$) existieren mehrere, im allg. weit unterhalb des Stabilitätsfeldes von T. (s. Quarz) gebildete Formen mit komplizierten Strukturen, die aus der Bildung von *Polytypen* infolge von Stapelfehlordnungen der Schichten u. Unordnungs-Zuständen bei den Sauerstoff-Atomen resultieren (s. *Lit.*[1]) u. zudem noch Abhängigkeiten vom Ausgangsmaterial [irdisch, aus *Meteoriten, synthet. od. industriell (z. B. T. aus *Silicasteinen)] u. sogar von der Vorbehandlung der zu untersuchenden Proben[2] zeigen; Nomenklaturen s. *Lit.*[3] (hier angewendet) u. *Lit.*[4]. Übersichten über die mit verschiedenen Meth. untersuchten Phasenübergänge von T. geben *Lit.*[3–5], *Lit.*[6] (mit Meth.-Überblick), *Lit.*[7,8] (mit *NMR-Spektroskopie), *Lit.*[9] (mit. *Elektronenbeugung) u. *Lit.*[10] (mit IR-Spektroskopie). Bei Raumtemp. sind mind. 3 Polytypen bekannt: monokliner *MC-T.* (Kristallklasse m-C$_2$); überwiegend in *Meteoriten u. synthet. T.; Struktur s. *Lit.*[11,12]), *PO-n-T.* (pseudo-orthorhomb.; n = 1, 2, 5, 6 u. 10) u. monokliner *MX-1-T.* (Untersuchung mit NMR-Spektroskopie s. *Lit.*[13]; kann durch Mahlen aus MC-T. entstehen[2]). Ein MC-T. von einem gebrauchten Silicastein zeigte folgende weitere Phasenübergänge[8]: Bei 108 ± 1 °C in orthorhomb. *OP-T.* (mit *Überstruktur[14]), weiter bei 165 ± 5 °C in orthorhomb. *OS-T.* (mit Überstruktur) u. bei 206 ± 4 °C in ebenfalls orthorhomb. *OC-Tridymit.* Die Umwandlung von orthorhomb. T. in die hexagonale Hochtemp.-Phase erfolgt nach *Lit.*[6] in 2 Stufen bei 350 °C u. 465 °C. Zu Gitterschwingungen in T., Unordnungs-Zuständen u. zum Verhalten der [SiO$_4$]-Tetraeder als starre Baueinheiten (*E rigid units*) s. *Lit.*[15,16]. Bes. gut untersucht sind die Phasenübergänge von T. aus dem Steinbach-Meteoriten (von Rittersgrün/Sachsen) s. *Lit.*[6] u. *Lit.*[16]. Chem. Analysen[17] von natürlichen T. ergeben (Gew.%) bis 2,5% Al$_2$O$_3$, bis 1,3% Na$_2$O, bis 0,3% K$_2$O u. bis 0,2% TiO$_2$.

Vork.: In sauren *Vulkaniten, v. a. *Rhyolith u. *Trachyt, z. B. Mont Dore/Frankreich, Euganeen/Italien u. San Cristobal/Peru, aber auch in *Basalten. In Fremdgesteins-Einschlüssen im Bellerberg von Ettringen/Eifel. Als Bestandteil von *Opal-CT. In Mondbasalten (*Mondgestein) u. Stein-*Meteoriten. Künstlich in Silicasteinen, Schamottesteinen u. feuerfesten keram. Erzeugnissen. Sehr feiner – fibrogener – T.-Staub kann wie der von Quarz u. Cristobalit beim Menschen *Silicose erzeugen [zum MAK-Wert s. bei Quarz (Arbeitsschutz)]. – *E = F* tridymite – *I* tridimite – *S* tridimita

Lit.: [1] Schweizer. Mineral. Petrogr. Mitt. **64**, 335–353 (1984). [2] Fortschr. Mineral. **61**, 96ff. (1983). [3] Am. Mineral. **63**, 1252–1259 (1978). [4] Z. Kristallogr. **195**, 31–48 (1991). [5] Phys. Chem. Miner. **17**, 197–206 (1990). [6] Eur. J. Mineral. **5**, 607–622 (1993). [7] Am. Mineral. **78**, 241–244 (1993). [8] Am. Mineral. **81**, 550–560 (1996). [9] Phys. Chem. Miner. **21**, 421–433 (1995). [10] Phys. Chem. Miner. **22**, 50–60 (1995). [11] Acta Crystallogr., Sect. B **32**, 2486–2491 (1976). [12] Am. Mineral. **61**, 971–978 (1976). [13] Phys. Chem. Miner. **22**, 30–40 (1995). [14] Z. Kristallogr. **146**, 185–203 (1977). [15] Phys. Chem. Miner. **22**, 223–232 (1995); **23**, 56–62 (1996). [16] Am. Mineral. **79**, 606–614 (1994). [17] Neues Jahrb. Mineral. Monatsh. **1986**, 433–444; **1984**, 137–144.
allg.: Heaney, Prewitt u. Gibbs (Hrsg.), Silica (Reviews in Mineralogy, Vol. 29), Washington (D. C.): Mineralogical Society of America 1994 ■ IARC Monogr. **42**, 39–143 (1987) ■ Ramdohr-Strunz, S. 526 f. ■ Schröcke-Weiner, S. 427 ff. ■ s. a. Quarz u. Siliciumdioxid. – *[CAS 15468-32-3]*

Triebmittel s. Teiglockerungsmittel u. Treibmittel.

Triele s. Periodensystem.

trien. Empfohlenes internat. Kurzz. für den *Chelat-*Liganden *Triethylentetramin (IUPAC-Regel I-10.4.5.7).

TRIEN. Kurzz. für *Triethylentetramin.

Triene. Aus *Tri… u. *…en abgeleitete Sammelbez. für Verb., die drei (isolierte od. konjugierte) Doppelbindungen im Mol. enthalten; *Beisp.:* *Ocimen (3,7-Dimethyl-1,3,6-octatrien), *1,3,5-Cycloheptatrien, *1,5,9-Cyclododecatrien. Konjugierte T. sind im allg. blaßgelb gefärbt; sie sind zu Additionsreaktionen, evtl. auch *Valenzisomerisierungen befähigt. Ihre Herst. ist oft nur auf Umwegen möglich. Wegen der Elektronen-*Delokalisierung rechnet man Benzol nicht zu den Trienen. – *E* trienes – *F* triènes – *I* trieni – *S* trienos
Lit.: s. Alkene, Diene u. andere Textstichwörter.

Trietazin.

Common name für 6-Chlor-N^2,N^2,N^4-triethyl-1,3,5-triazin-2,4-diamin, C$_9$H$_{16}$ClN$_5$, M$_R$ 229,71, Schmp. 100–101 °C, LD$_{50}$ (Ratte oral) 2830–4000 mg/kg, von Fisons (jetzt AgrEvo) eingeführtes selektives Vorauflauf-*Herbizid, meist in Kombination mit anderen Wirkstoffen eingesetzt. – *E* trietazine – *F* triétazine – *I = S* trietazina
Lit.: Farm ■ Perkow ■ Pesticide Manual. – *[HS 293369; CAS 1912-26-1]*

Triethanolamin (TEA). Üblicher Name für *2,2′,2″-Nitrilotriethanol.

Triethoxymethan s. Orthoester.

Triethylaluminium s. Aluminium-organische Verbindungen u. Ziegler-Natta-Katalysatoren.

Triethylamin (TEA). (H$_5$C$_2$)$_3$N, C$_6$H$_{15}$N, M$_R$ 101,13. Farblose, Ammoniak-artig riechende ölige Flüssigkeit, D. 0,728, Schmp. −115 °C, Sdp. 89 °C. T. ist mit Wasser beliebig mischbar, lösl. in Alkohol, Ether u. den meisten organ. Lösemitteln. Die Dämpfe reizen stark – bis hin zu Verätzungen – die Augen, die Atemwege u. die Haut. Kontakt mit der Flüssigkeit führt zu starker Verätzung der Augen u. der Haut, MAK 1 ppm bzw. 4,2 mg/m^3

(MAK-Werte-Liste 1997); LD_{50} (Ratte oral) 460 mg/kg; WGK 1.

Herst.: Durch Red. von *N,N*-Diethylacetamid mit Lithiumaluminiumhydrid, techn. durch Dampfphasen-Alkylierung von NH_3 mit Ethanol.

Verw.: Zwischenprodukt bei der Herst. quartärer Ammonium-Verb., Lsm., Extraktionsmittel, als Korrosionsinhibitor, als Katalysator bei vielen organ. Reaktionen, als Säureakzeptor bei organ. Synth. usw. Im 2. Weltkrieg war T. Bestandteil dtsch. Raketentreibstoffe (*Tonka). – *E* triethylamine – *F* triéthylamine – *I* trietilammina – *S* trietilamina

Lit.: Beilstein E IV **4**, 322 ▪ Hommel, Nr. 328 ▪ Kirk-Othmer (3.) **2**, 272–283; (4.) **2**, 370f. ▪ Merck-Index (12.), Nr. 9799 ▪ Paquette **7**, 5087 ▪ Ullmann (4.) **7**, 375, 387; (5.) **A 2**, 7–10. – *[HS 2921 19; CAS 121-44-8; G 3]*

Triethylbor(an) s. Bor-organische Verbindungen.

Triethylcitrat s. Citronensäureester.

Triethylendiamin s. 1,4-Diazabicyclo[2.2.2]octan.

Triethylenglykol (Abk.: TEG, TG; 2,2'-Ethylendioxydiethanol, Triglykol). $HO-(CH_2)_2-O-(CH_2)_2-O-(CH_2)_2-OH$, $C_6H_{14}O_4$, M_R 150,17. Farb- u. geruchlose, hygroskop. Flüssigkeit, D. 1,1274, Schmp. –7°C, Sdp. 287°C, 165°C (19 hPa), mischbar mit Wasser, Alkohol, gut lösl. in Benzol, Toluol, wenig lösl. in Ether, unlösl. in Petrolether, WGK 1.

Herst.: Aus Ethylenoxid u. Ethylenglykol in Ggw. von Schwefelsäure, sowie als Nebenprodukt bei der Herst. von Ethylenglykol durch Hydrolyse von Ethylenoxid; man kann Di-, Tri- u. Tetraethylenglykol als niedermol. *Polyethylenglykole auffassen.

Verw.: Als Lsm. für Celluloseester, natürliche u. synthet. Harze, als Raumdesinfiziens, zum Trocknen der Luft in Wasserdampf-haltigen Räumen, Trocknungsmittel für Erdgas u. inerte Gase, Feuchthaltemittel für Zellglas usw., wasserlösl. Weichmacher für die Cellulosefolien-, Papier- u. Leim-Ind. sowie Hilfsstoff in der keram. Ind., als Schmiermittel in der Metallverarbeitung, als Wärmeübertragungsmittel.
Als techn. Lsm. u. Lösungsvermittler nützlich sind auch die *Glykolether, z.B. der *T.-monomethylether* (Methyltriglykol, $C_7H_{16}O_4$, M_R 164,20, D. 1,049, Schmp. –44°C, Sdp. 249°C) od. der *T.-monobutylether* (Butyltriglykol, $C_{10}H_{22}O_4$, M_R 206,29, D. 0,985, Schmp. –35°C, Sdp. 279°C). Die Monoether mit längeren u. ggf. verzweigten Ketten eignen sich als Insektenabwehrmittel. *T.-dinitrat* (TEGDN, $C_6H_{12}N_2O_8$, M_R 240,17, hellgelbe Flüssigkeit, D. 1,335, Verpuffungspunkt 195°C) kann zur Herst. von *Explosivstoffen verwendet werden. – *E* triethylene glycol – *F* triéthylène-glycol – *I* trietilenglicole – *S* trietilenglicol

Lit.: Beilstein E IV **1**, 2400 ▪ Hommel, Nr. 535 ▪ Kirk-Othmer (3.) **9**, 576f.; **11**, 949; (4.) **12**, 697, 1000 ▪ Köhler u. Meyer, Explosivstoffe (8.), S. 329, Weinheim: Wiley-VCH 1998 ▪ Ullmann (4.) **8**, 200, 203; **24**, 370, 379; (5.) **A 10**, 108 ff. ▪ Weissermel-Arpe (4.), S. 165 f. ▪ s. a. Glykole, Polyethylenglykole. – *[HS 2909 49; CAS 112-27-6 (T.); 112-35-6 (T.-monomethylether); 111-22-8 (T.-dinitrat); 143-22-6 (T.-monobutylether)]*

Triethylenmelamin s. Tretamin.

***N,N:N',N':N'',N''*-Triethylenphosphorsäuretriamid** s. TEPA.

Triethylentetramin [*N,N'*-Bis(2-aminoethyl)-1,2-ethandiamin; Abk. TET, TETA, TRIEN]. $H_2N-(CH_2)_2-NH-(CH_2)_2-NH-(CH_2)_2-NH_2$, $C_6H_{18}N_4$, M_R 146,24. Farblose bis hellgelbe Flüssigkeit, D. 0,975–0,980, Schmp. –35°C, Sdp. 278°C (Zers.) (auch Schmp. 12°C, Sdp. 266–267°C angegeben), mit Wasser, Alkoholen, Benzol mischbar; WGK 2. Die Dämpfe führen zu schwerer Reizung bis hin zu Verätzung der Augen (Gefahr der Hornhauttrübung) u. der Atemwege, weniger stark der Haut; Lungenödem möglich. Kontakt mit der Flüssigkeit bewirkt schwere Verätzung der Augen u. der Haut; T. wird auch über die Haut aufgenommen. Für T. als Ligand in Koordinationsverb. empfiehlt IUPAC-Regel I-10.4.5.7 die Kurzbez. trien. Zur Herst. s. Ullmann (*Lit.*).

Verw.: Zur Herst. von Netzmitteln, Emulgatoren, Textilhilfsmitteln, zur Herst. von Acrylatkautschuk, Amin- u. Amidharzen. – *E* triethylenetetramine – *F* triéthylènetétramine – *I* trietilentetrammina – *S* trietilentetraamina

Lit.: Beilstein E IV **4**, 1242 ▪ Hommel, Nr. 569 ▪ Merck-Index (12.), Nr. 9796 ▪ Ullmann (4.) **7**, 380, 389; (5.) **A 2**, 28f., 31; **A 9**, 555. – *[HS 2921 29; CAS 112-24-3; G 8]*

Triethylorthoformiat s. Orthoester.

Triethylphosphat (Phosphorsäuretriethylester, TEP). $(H_5C_2O)_3P=O$, $C_6H_{15}O_4P$, M_R 182,16. Farblose Flüssigkeit, lösl. in Alkohol, Ether u. den meisten organ. Lsm., durch Wasser hydrolysierbar, D. 1,0682, Sdp. 215°C.

Verw.: Als Weichmacher, Lsm. u. Katalysator zu Veresterungen u. Ethylierungen, als Zusatz zu Schmierölen, Lacken, Abbeizmitteln, als Flammschutzmittel, zur Herst. von Insektiziden. – *E* triethyl phosphate – *F* phosphate de triéthyle – *I* trietilfosfato – *S* fosfato de trietilo

Lit.: Beilstein E IV **1**, 1339 ▪ Kirk-Othmer (4.) **10**, 980 f.; **18**, 772 ▪ s. a. Phosphorsäureester. – *[HS 2919 00; CAS 78-40-0; G 3]*

Triethylphosphit (Phosphorigsäuretriethylester). $(H_5C_2O)_3P$, $C_6H_{15}O_3P$, M_R 166,16. Farblose Flüssigkeit, D. 0,9629, Schmp. –112°C, Sdp. 158°C, 54°C (19 hPa), in Wasser unlösl., mit den meisten organ. Lsm. mischbar; WGK 1 (Selbsteinst.); kann aus Ethanol u. PCl_3 hergestellt werden. Die bei Erwärmung sich bildenden Dämpfe reizen Augen, Atemwege u. Haut. Kontakt mit der Flüssigkeit bewirkt starke Reizung der Augen, weniger der Haut.

Verw.: T. ist als echtes *Phosphit (vgl. a. Phosphonsäure) ein vielseitig verwendbares Reagenz, das nicht nur ethylierend, sondern auch reduzierend, desoxygenierend u. desulfurierend wirkt u. deshalb zur Synth. von Olefinen, Alkinen, Dehydrodimeren u. von Stickstoff-Heterocyclen aus aromat. Nitro-Verb. geeignet ist. Mit Hilfe der *Michaelis-Arbusov-Reaktion lassen sich aus T. *Phosphonate herstellen; T. ist ausfuhrgenehmigungspflichtig gemäß Außenwirtschaftsordnung (Ausfuhrliste Position 2002). – *E* triethyl phosphite – *F* phosphite de triéthyle – *I* trietilfosfito – *S* fosfito de trietilo

Lit.: Beilstein E IV **1**, 1333 ▪ Chem. Rev. **57**, 479–523 (1957) ▪ Hommel, Nr. 774 ▪ Paquette **7**, 5112 ▪ Ullmann (4.) **18**, 393 f.; **20**, 142. – *[HS 2920 90; CAS 122-52-1; G 3]*

Trieur. Maschine, die stückige od. pulverförmige Lebensmittel (z. B. *Kaffee) in einem Vorreinigungsschritt von Verunreinigungen befreit. Im Rahmen der Bierbrauerei dient der T. zur Entfernung von kugelförmigen Verunreinigungen. In der Getreidetechnologie dient der T. entweder der Entfernung kugelförmiger Unkrautsamen (Rundkorn-T.) od. der Abtrennung länglicher Getreidekörner, z. B. Hafer aus Weizen (Langkorn-T.) s. Triage-Kaffee. – *E* = *F* trieur – *I* separatore per granaglie – *S* triadora

Lit.: Heiss (Hrsg.), Lebensmitteltechnologie (5.), Berlin: Springer 1996 ▪ Narziß, Die Bierbrauerei (7.), Bd. 1, Stuttgart: Enke 1992.

Triflat s. Trifluormethansulfonsäure.

Triflumizol.

Common name für (*E*)-1-{*N*-[4-Chlor-2-trifluormethyl)phenyl]-2-propoxyacetimidoyl}-1*H*-imidazol, $C_{15}H_{15}ClF_3N_3O$, M_R 345,75, Schmp. 63,5 °C, LD$_{50}$ (Ratte oral) 698 mg/kg, von Nippon Soda Ltd. 1982 eingeführtes system. *Fungizid mit kurativer u. protektiver Wirkung gegen zahlreiche pilzliche Krankheitserreger im Obst-, Wein-, Getreide-, Tabak-, Zierpflanzen-, Tee- u. Gemüseanbau sowie an Kürbisgewächsen. – *E* = *F* triflumizole – *I* triflumizolo – *S* triflumizol

Lit.: Beilstein E V **23/4**, 250 ▪ Farm ▪ Perkow ▪ Pesticide Manual. – *[CAS 68694-11-1]*

Triflumuron.

Common name für 1-(2-Chlorbenzoyl)-3-[4-(trifluormethoxy)phenyl]harnstoff, $C_{15}H_{10}ClF_3N_2O_3$, M_R 358,70, Schmp. 195 °C, LD$_{50}$ (Ratte oral) >5000 mg/kg, von Bayer 1982 eingeführtes *Insektizid aus der Gruppe der Chitin-Synthesehemmer mit Fraßgiftwirkung v. a. gegen beißende Insekten (Käfer- u. Schmetterlingslarven), aber auch einige saugende Schädlinge wie z. B. *Psylla* spp. im Obst- u. Gemüseanbau, ferner im Forst sowie im Ölpalmen-, Mais-, Sorghum-, Kaffee-, Tee- u. Zuckerrohranbau darüber hinaus – in Kombination mit anderen Wirkstoffen – im Baumwollanbau. – *E* = *F* triflumuron – *I* triflumurone – *S* triflumurona

Lit.: Farm ▪ Perkow ▪ Pesticide Manual. – *[CAS 64628-44-0; G 9]*

Trifluoperazin (Rp).

Internat. Freinamen für das *Neuroleptikum 10-[3-(4-Methyl-1-piperazinyl)-propyl]-2-(trifluormethyl)-10*H*-phenothiazin, $C_{21}H_{24}F_3N_3S$, M_R 407,49, Sdp. 202–210 °C (80 Pa); λ_{max} (C_2H_5OH, 95%) 258, 307,5 nm ($A_{1cm}^{1\%}$ 776, 78); LD$_{50}$ (Maus oral) 424 mg/mL. Verwendet wird auch das Dihydrochlorid, Schmp. 242 °C (Zers.), pK$_{a1}$ 3,9, pK$_{a2}$ 8,4. T. wurde 1959 u. 1960 von SK&F patentiert. – *E* trifluoperazine – *F* trifluopérazine – *I* = *S* trifluoperazina

Lit.: Beilstein E III/IV **27**, 1353 ▪ Florey **9**, 543–581 ▪ Hager (5.) **9**, 1049–1052 ▪ Martindale (31.), S. 742 ▪ Ph. Eur. **1997** u. Komm. – *[HS 2934 30; CAS 117-89-5 (T.); 440-17-5 (Dihydrochlorid)]*

Trifluoracetyl... (Abk.: Tfa). Bez. der Atomgruppierung –CO–CF$_3$ in chem. Namen; Verw.: Schutz von Amino-Gruppen in Synth. u. Analyse (bes. GC) z. B. der *Aminosäuren, *Peptide u. *Aminoglykoside; Herst. der *N*-T.-Derivate: mit *N*-*Methylbis(trifluoracetamid), *Trifluoressigsäureanhydrid u. -ester u. a. – *E* trifluoroacetyl... – *F* trifluoroacétyl... – *I* = *S* trifluoroacetil...

Trifluorbrommethan s. Halone (FCKW 13B1 = Halon 1301).

Trifluorchlorethane s. FCKW (R 133, R 133a, R 133b).

Trifluorchlorethylen (Trifluorvinylchlorid) s. FCKW (R 1113).

Trifluorchlormethan s. FCKW (R 13).

Trifluoressigsäure (TFA). F$_3$C–COOH, $C_2HF_3O_2$, M_R 114,03. Farblose, rauchende, hygroskop. Flüssigkeit von stechendem Geruch, D. 1,490, Schmp. –15 °C, Sdp. 72 °C (als Azeotrop mit 20,5% Wasser: Sdp. 105 °C). WGK 2. T. ist leicht lösl. in Wasser, Alkohol, Ether, Aceton; wegen nahezu völliger Dissoziation in wäss. Lsg. ist sie eine sehr starke Säure. In konz. u. verd. Form wirkt T. stark ätzend auf Haut, Schleimhäute u. Atemwege; Lungenödem möglich.

Herst.: Auf elektrochem. Weg durch Fluorierung von Essigsäure od. Acetanhydrid in wasserfreiem Fluorwasserstoff.

Verw.: Zur Einführung des *Trifluoracetyl- = TFA-Restes (besser geeignet sind hier das *Trifluoressigsäureanhydrid, der T.-phenylester u. a. Reagenzien) sowie für zahlreiche organ. Synth. (s. Paquette, *Lit.*) u. als *nichtwäßriges Lösemittel. – *E* trifluoroacetic acid – *F* acide trifluoroacétique – *I* acido trifluoroacetico – *S* ácidotrifluoroacético

Lit.: Beilstein E IV **2**, 458–462 ▪ Hommel, Nr. 907 ▪ Kirk-Othmer (3.) **10**, 893–897; (4.) **11**, 475 f. ▪ Merck-Index (12.), Nr. 9812 ▪ Paquette **7**, 5131 ▪ Ullmann (4.) **11**, 646, 652; (5.) A **11**, 371. – *[HS 2915 90; CAS 76-05-1; G 8]*

Trifluoressigsäureanhydrid (TFAA). (F$_3$C–CO)$_2$O, $C_4F_6O_3$, M_R 210,03. Farblose, rauchende, stechend riechende Flüssigkeit, D. 1,490, Schmp. –65 °C, Sdp. 40 °C, in den meisten Lsm. lösl., von Alkoholen u. Wasser jedoch sofort hydrolyt. zersetzt; WGK 2 (Selbsteinst.). Herst. aus Trifluoressigsäure mit Phosphorpentoxid.

Verw.: Veresterungskatalysator u. Kondensationsmittel, für Synth., zur Herst. von *Trifluoracetyl-Deriva-

ten, z. B. für die Gaschromatographie, zur Einführung der Trifluoracetyl-Schutzgruppe in Amine. – *E* trifluoroacetic anhydride – *F* anhydride trifluoro-acétique – *I* anidride trifluoroacetica – *S* anhídrido trifluoroacético
Lit.: Beilstein E IV **2**, 469 ▪ Kirk-Othmer (4.) **11**, 475 ▪ Paquette **7**, 5134 ▪ Synthesis **1978**, 297–299; **1983**, 545; **1987**, 511. – [HS 2915 90; CAS 407-25-0; G 8]

Trifluorethane s. Fluorkohlenwasserstoffe (R 143 u. R 143 a).

Trifluormethan (Fluoroform) s. Fluorkohlenwasserstoffe (R 23).

Trifluormethansulfonsäure. F_3C-SO_3H, CHF_3O_3S, M_R 150,08. Farblose Flüssigkeit, D. 1,71, Sdp. 162 °C, mit Ether mischbar, mit Alkohol Zersetzung; WGK 2 (Selbsteinst.). T. ist in wasserfreiem Zustand eine der stärksten organ. Säuren (protoniert Schwefelsäure) u. bildet stabile Salze. Sie eignet sich insbes. als Lsm. für Polymere, zur Abspaltung von Peptid-Schutzgruppen u. als Katalysator bei Polymerisations- u. Isomerisierungsreaktionen. T. kann durch elektrochem. Fluorierung der Methansulfonsäure erhalten werden. Bekannt ist auch das große Alkylierungsvermögen der T.-Ester. Der *T.-trimethylsilylester* [Trimethylsilyltriflat, $F_3C-SO_2-O-Si(CH_3)_3$, $C_4H_9F_3O_3SSi$, M_R 222,26, Sdp. 36 °C (13 hPa)] eignet sich sehr gut zur *Silylierung von Carbonyl-Verbindungen. Das *T.-Anhydrid* [$(F_3C-SO_2)_2O$, $C_2F_6O_5S_2$, M_R 282,13], eine farblose, äußerst hygroskop., ätzende u. giftige Flüssigkeit (Sdp. 84 °C), wird in der präparativen organ. Chemie zur Einführung des Trifluormethansulfonyl-Restes (*Triflat*-Rest) verwendet. – *E* trifluoromethanesulfonic acid, triflic acid – *F* acide trifluorométhanesulfonique – *I* acido trifluorometansolfonico – *S* ácido trifluorometanosulfónico
Lit.: Beilstein E IV **3**, 34 ▪ Chem. Rev. **77**, 69–92 (1977); **86**, 17–34 (1986) ▪ Paquette **7**, 5143–5152; **7**, 5315 ▪ Synthesis **1985**, 206f.; **1987**, 321 ▪ Ullmann (5.) **A 11**, 373. – [HS 2904 90; CAS 1493-13-6 (T.); 27607-77-8 (T.-trimethylsilylester); 358-23-6 (T.-anhydrid); G 3 (T.-trimethylsilylester)]

Trifluormethyl(...). Bez. der Atomgruppierung –CF_3 in chem. Namen. Fl(u)... od. Trifl(u)... zeigt in *Freinamen für Arznei- u. Pflanzenschutzmittel oft T.-Gruppen an; *Beisp.*: *Flazasulfuron, *Flocoumafen, *Fluazifop-butyl, *Fluazifop-P-butyl, *Triflumizol u. die jeweils folgenden Stichwörter. T.-Gruppen ändern Eigenschaften von organ.[1] u. Metall-organ.[2] Verb. sehr. Das T.-Radikal $CH_3^.$ ist pyramidal u. instabiler[3] als das planare $CH_3^.$. – *E* trifluoromethyl(...) – *F* trifluorométhyl(...) – *I* = *S* trifluorometil(...)
Lit.: [1] Acc. Chem. Res. **11**, 197–204 (1978); **14**, 76–82 (1981); Prog. Phys. Org. Chem. **13**, 253–314 (1981). [2] Adv. Inorg. Chem. Radiochem. **23**, 177–210 (1980); **27**, 293–316 (1983). [3] March (4.), S. 190, 192.

4,4,4-Trifluor-1-(2-thienyl)-1,3-butandion [veraltete Bez.: 3-(2-Thenoyl)-1,1,1-trifluoraceton; Abk.: TTFA, TTA].

$C_8H_5F_3O_2S$, M_R 222,19. Gelbe bis bräunliche, zerfließliche Krist. von Benzaldehyd-ähnlichem Geruch, lösl. in Alkohol, Schmp. 44–47 °C; Sdp. 96–98 °C (1,07 kPa); zur Herst. s. Beilstein (*Lit.*). T. bildet mit verschiedenen Schwermetall-Ionen (Ce, Co, Cr, Cu, Fe, U, V) Komplexe unterschiedlicher Färbung u. Löslichkeit, die zur – meist photometr. – Bestimmung dienen können. Es wird auch als vielseitiges Extraktionsmittel für selektive Extraktionen anorgan. Ionen in organ. Lsm. verwendet. – *E* 4,4,4-trifluoro-1-(2-thienyl)-1,3-butanedione – *F* 4,4,4-trifluoro-1-(2-thiényl)-1,3-butanedione – *I* 4,4,4-trifluoro-1-(2-tienil)-1,3-butandione – *S* 4,4,4-trifluoro-1-(2-tienil)-1,3-butandiona
Lit.: Beilstein E V **17/11**, 128 ▪ Fries-Getrost, S. 105, 119, 141, 192, 219, 373, 385 ▪ Ullmann (5.) **A 11**, 370. – [HS 2934 90; CAS 326-91-0]

Trifluorthymidin s. Trifluridin.

α,α,α-Trifluortoluol s. Benzotrifluorid.

Trifluortrichlorethane s. FCKW (R 113a u. R 113).

Trifluorvinylchlorid s. FCKW (R 1113).

Trifluperidol (Rp).

Internat. Freiname für das gegen Schizophrenien wirksame *Neuroleptikum 4′-Fluor-4-{4-hydroxy-4-[3-(trifluormethyl)phenyl]-piperidino}butyrophenon, $C_{22}H_{23}F_4NO_2$, M_R 409,43, Schmp. 93–95 °C. Verwendet wird meist das Hydrochlorid, wasserlösl. Krist., Schmp. 200,5–201,3 °C, λ_{max} (CH_3OH) 244 nm ($A_{1cm}^{1\%}$ 290). T. wurde 1962 u. 1969 von Janssen (Triperidol®) patentiert. – *E* = *S* trifluperidol – *F* trifluperidol – *I* trifluperidolo
Lit.: Beilstein E V **21/2**, 406 ▪ Hager (5.) **9**, 1052ff. ▪ Martindale (31.), S. 742. – [HS 2933 39; CAS 749-13-3 (T.); 2062-77-3 (Hydrochlorid)]

Triflupromazin (Rp).

Internat. Freiname für das *Neuroleptikum u. *Antiemetikum *N,N*-Dimethyl-3-[2-(trifluormethyl)-10*H*-phenothiazin-10-yl]propylamin, $C_{18}H_{19}F_3N_2S$, M_R 352,41, Sdp. 162–164 °C (53,3 Pa), n_D^{23} 1,5780, in Wasser prakt. unlösl.; Lagerung: vor Licht u. Luft geschützt. Verwendet wird meist das Hydrochlorid, Schmp. 173–174 °C (Zers.), λ_{max} (CH_3OH) 260, 308 nm ($A_{1cm}^{1\%}$ 869, 93), pK_b 4,59. T. wurde 1959 von SK&F (Psyquil®, Sanofi Winthrop) patentiert. – *E* = *F* triflupromazine – *I* = *S* triflupromazina
Lit.: Beilstein E III/IV **27**, 1353 ▪ Florey **2**, 523–550; **4**, 521 f.; **5**, 557 f. ▪ Hager (5.) **9**, 123 ▪ Martindale (31.), S. 1054–1057. – [HS 2934 30; CAS 146-54-3 (T.); 1098-60-8 (Hydrochlorid)]

Trifluralin.

Common name für 2,6-Dinitro-*N,N*-dipropyl-(4-trifluormethyl)anilin, $C_{13}H_{16}F_3N_3O_4$, M_R 335,28, Schmp.

49 °C, LD_{50} (Ratte oral) >10 000 mg/kg, von Eli Lilly & Co. 1960 eingeführtes selektives *Herbizid zur Anw. im Vorsaat-Verf. mit Einarbeitung u. im Vorauflauf v. a. gegen Ungräser aber auch Unkräuter im Sojabohnen-, Getreide-, Baumwoll-, Raps-, Gemüse- u. Sonnenblumenanbau. – $E = F$ trifluralin – I trifluralina – S trifluralina
Lit.: Farm ▪ Perkow ▪ Pesticide Manual ▪ Wirkstoffe iva. – *[HS 292143; CAS 1582-09-8; G 9]*

Trifluridin (Rp).

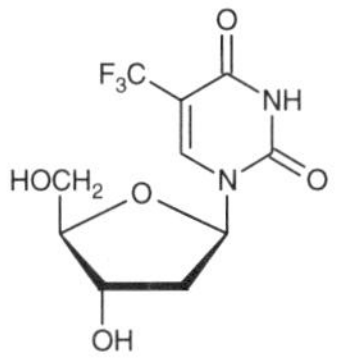

Internat. Freiname für den als *Virostatikum wirksamen *Antimetaboliten 2'-Desoxy-5-(trifluormethyl)-uridin (*Trifluorthymidin*), $C_{10}H_{11}F_3N_2O_5$, M_R 296,21, Krist., Schmp. 186–189 °C, $[\alpha]_D^{25}$ +48,5° bis +51,5° (c 1/H_2O), λ_{max} 0,1 M HCl) 260 nm ($A_{1cm}^{1\%}$ 336). T. wurde 1970 von U. S. Dept. HEW patentiert u. ist von Alcon (TFT®) u. Mann (Triflumann®) gegen Herpes-simplex-Keratitis im Handel. – $E = F$ trifluridine – $I = S$ trifluridina
Lit.: Drugs **23**, 329–353 (1982) ▪ Hager (5.) **9**, 1057 ff. ▪ Martindale (31.), S. 662 ▪ Ullmann (5.) **A 6**, 217. – *[HS 293490; CAS 70-00-8]*

Triflusulfuron-methyl.

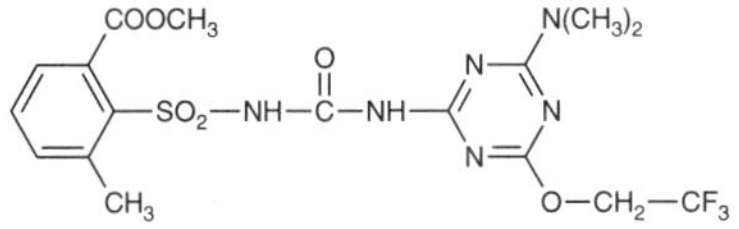

Common name für Methyl-2-{[4-(dimethylamino)-6-(2,2,2-trifluorethoxy)-1,3,5-triazin-2-ylcarbamoyl]sulfamoyl}-3-methylbenzoat, $C_{17}H_{19}F_3N_6O_6S$, M_R 492,42, Schmp. 160–163 °C, LD_{50} (Ratte oral) >5000 mg/kg, von DuPont Mitte der 90er Jahre eingeführtes, system. Nachauflauf-*Herbizid gegen breitblättrige Unkräuter u. Ungräser im Zucker- u. Futterrübenanbau. – E triflusulfuron-methyl – F triflusulfuron-méthyle – I triflusolfuron-metile – S triflusolfuron-metil
Lit.: Farm ▪ Perkow ▪ Pesticide Manual. – *[CAS 126535-15-7; G 9]*

Triforin.

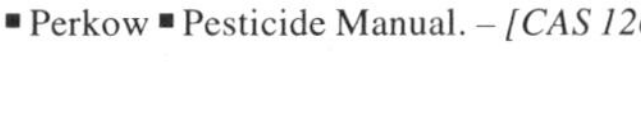

Common name für (±)-N,N'-[1,4-Piperazindiylbis-(2,2,2-trichlorethyliden)]bisformamid, $C_{10}H_{14}Cl_6N_4O_2$, M_R 434,96, Schmp. 155 °C, LD_{50} (Ratte oral) >16 000 mg/kg, von Cela GmbH 1969 eingeführtes system. *Fungizid mit protektiver u. kurativer Wirkung u. a. gegen Echte Mehltaupilze, Rostpilze u. Schorf im Kern- u. Steinobst- sowie im Hopfen-, Zierpflanzen- u. Gemüsebau. – $E = F$ triforine – $I = S$ triforina
Lit.: Farm ▪ Perkow ▪ Pesticide Manual ▪ Wirkstoffe iva. – *[HS 293359; CAS 26644-46-2]*

Trigastril. Tabl., Granulat, Gel mit Aluminium- u. Magnesiumhydroxid sowie Calciumcarbonat gegen gastrit. Beschwerden. *B.*: Heumann.

Triglyceride. Bez. die Verb. des Glycerins, bei denen die drei Hydroxy-Gruppen des Glycerins durch Carbonsäuren verestert sind. Die natürlich vorkommenden Fette u. fetten Öle sind T. („Neutralfette"), die in der Regel verschiedene Fettsäuren im gleichen Glycerin-Mol. enthalten. T. dienen zur Herst. anderer Ester durch *Umesterung u. stellen wichtige Rohstoffe für die techn. organ. Chemie dar. Für bestimmte Zwecke ist es wünschenswert, T. zu synthetisieren, in denen nur eine Fettsäure gebunden ist, z. B. *Tripalmitin, *Triolein, *Tristearin, Tributyrin od. Triacetin (s. Glycerinacetate). Zur Herst. derartiger T. kann die Verseifung der Fette mit nachfolgender Veresterung dienen, ferner die gezielte Umsetzung mit Acylchloriden. Ebenfalls zu den T. gehören die in Margarine verwendbaren MCT (medium chain triglycerides), während die „nichtfettende Fette" apostrophierten Trialkylglycerinether ebensowenig T. sind, wie die *inversen Fette. – E triglycerides – F triglycérides – I trigliceridi – S triglicéridos
Lit.: s. Fette u. Öle.

Triglycin-Salze (Abk.: TGS). Bez. für Salze, die sich von *Glycin ableiten u. bemerkenswerte Ferroelektrika- u. Pyroelektrika-Eigenschaften aufweisen. *Beisp.*: Triglycinsulfat $H_2N–(CH_2–CO–NH)_2–CH_2–COOH \cdot H_2SO_4$, Triglycinselenat u. -fluoroberyllat. – E triglycin salts – F sels de triglycine – I sali del trigliceride – S sales de triglicina
Lit.: Phys. Rep. **77**, 1 (1981) ▪ Ullmann (6.).

Triglykol s. Triethylenglykol.

Trigoa® (Rp). Dragées mit *Levonorgestrel u. *Ethinylestradiol zur hormonalen Kontrazeption. *B.*: LAW.

Trigonellin (1-Methylpyridinium-3-carboxylat, Nicotinsäure-N-methylbetain, Coffearin).

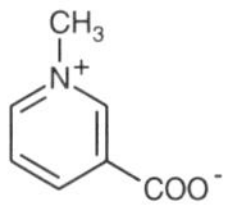

$C_7H_7NO_2$, M_R 137,14, Schmp. 230–233 °C; Hydrochlorid: Schmp. 258–259 °C, als Hydrat 218 °C, in Wasser leicht, in Alkohol weniger gut löslich, in Ether unlöslich. T. ist ein Alkaloid z. B. aus den Samen des Bockshornklees (*Trigonella foenum-graecum*), Kaffeebohnen, zahlreichen anderen Pflanzen, Stachelhäutern u. vielen anderen Tieren. Bei der Kaffeeröstung wird T. in *Nicotinsäure, *Pyridin u. verwandte Stoffe umgewandelt. T. reguliert das Zellwachstum in Wurzeln von Leguminosen[1]. T. wirkt blutzuckersenkend. – $E = F$ trigonelline – I trigonellina – S trigonelina
Lit.: [1] Phytochemistry **26**, 2891 ff. (1987).
allg.: Beilstein E V **22/2**, 143 ▪ Chem. Unserer Zeit **18**, 17–23 (1984) ▪ Karrer, Nr. 2437 ▪ Merck-Index (12.), Nr. 9822 ▪ Planta Med. **53**, 262 (1987). – *[HS 293339; CAS 535-83-1]*

Trigotray®. Lichthärtender Kunststoff zur Herst. von individuellen Löffeln, Bißregistraten, Bißschablonen u. von Aufstellblasen für Zahnprothesen. *B.*: Heraeus Kulzer GmbH & Co. KG.

Trihalogenmethane s. Haloforme.

Trihexyphenidyl (Rp).

Internat. Freiname für das Antiparkinsonmittel (±)-1-Cyclohexyl-1-phenyl-3-piperidino-1-propanol, $C_{20}H_{31}NO$, M_R 301,45, Schmp. 114,3–115 °C. Verwendet wird meist das Hydrochlorid, Schmp. 258,5 °C (Zers.), $[\alpha]_D^{20}$ –30° ((–)-Form, c 0,4/$CHCl_3$), λ_{max} (wäss. Säure) 252, 258, 264 nm ($A_{1cm}^{1\%}$ 6, 7, 6), lösl. in Alkohol, Chloroform, wenig in Wasser, sehr wenig in Ether, Benzol. T. wurde 1954 von Burroughs Wellcome patentiert u. ist von Lederle (Artane®) u. Neuro Hexal (Parkopan®) im Handel. – *E* trihexyphenidyl – *F* trihexyphénidyle – *I* triesifenidile – *S* trihexifenidilo

Lit.: Beilstein EV **20/2**, 231 ▪ Hager (5.) **9**, 1060f. ▪ Martindale (31.), S. 493f. – *[HS 293339; CAS 144-11-6 (T.); 52-49-3 (Hydrochlorid)]*

Trihydrat s. Schwefelsäure.

Trihydrogen-phosphododecamolybdat s. 12-Molybdatophosphorsäure.

Trihydroxyanthrachinone s. Flavopurpurin u. Purpurin.

3,4,5-Trihydroxybenzoesäure s. Gallussäure.

Trihydroxybenzole s. Pyrogallol u. Phloroglucin.

3α,7α,12α-Trihydroxy-5β-cholan-24-säure s. Cholsäure.

Triiodmethan s. Iodoform.

3,3′,5-Triiod-L-thyronin [T_3, 4-(4-Hydroxy-3-iodphenoxy)-3,5-diiod-L-phenylalanin, internat. Freiname: *Liothyronin*].

$C_{15}H_{12}I_3NO_4$, M_R 651,01. Krist., Schmp. 236–237 °C, unlösl. in Wasser u. Alkohol. Das 1952 von Gross u. Pitt-Rivers entdeckte Hormon ist im *Thyroglobulin der *Schilddrüsen in viel geringeren Mengen als das Tetraiod-Derivat vertreten, aber fünfmal wirksamer; näheres zur Funktion, Biosynthese etc. s. bei Thyroid-Hormone. Synthet. T_3 beseitigt bei Schilddrüsenunterfunktion die klin. Symptome der *Hypothyreose u. normalisiert *Grundumsatz u. Cholesterin-Stoffwechsel. Zum Nachweis des T_3 eignet sich der *Radioimmunoassay. – *E* = *F* 3,3′,5-triiodo-L-thyronine – *I* 3,3′,5-triiodo-L-tironina – *S* 3,3′,5-triyodo-L-tironina

Lit.: Beilstein EIV **14**, 2373. – *[HS 293799; CAS 6893-02-3]*

Triisobutylaluminium s. Aluminium-organische Verbindungen.

Triisopropanolamin s. 1,1′,1″-Nitrilotri-2-propanol.

Triisopropylmethyl s. Radikale.

Trikaliumcitrat s. Kaliumcitrat.

Trikalium-hexakis(nitrito-*N*)cobaltat(3–) s. Kaliumhexanitrocobaltat(III).

Trikaliumphosphat s. Kaliumphosphate.

Triklin s. Kristallsysteme.

Trikresol s. Kresole.

Trikresylphosphat (Phosphorsäuretritolylester, TCF).

$C_{21}H_{21}O_4P$, M_R 368,4. Als Isomerengemisch geruchlose, farblose, neutrale, ölige Flüssigkeit, D. 1,16, Schmp. –33 °C, Sdp. 241–255 °C (5 mbar), in Wasser fast unlösl., lösl. in Alkohol, Ether, Chloroform, Lipoiden, Benzol, Eisessig. Das *o*-T. ist giftig (wie auch andere Phosphorsäureester wirkt es als *Cholin-Esterase-Hemmer).

Verw.: Als nicht brennbare *Hydraulikflüssigkeit, als *Schmierstoff, als *Flammschutzmittel, als *Weichmacher (zur Wirkungsweise in PVC vgl. Abb. 1 bei Weichmacher), früher auch als Kraftstoffzusatz (vgl. ICA). In der Vergangenheit sind mehrfach Massenvergiftungen durch T. aufgetreten, z.B. in den 40er Jahren durch den mit T. weichgemachten Kunststoff Igelit®, durch mißbräuchliche Verw. von sog. *Torpedoöl* als Speiseöl in den Mangelzeiten des 2. Weltkrieges; in Marokko hat mit T. kontaminiertes Speiseöl zu ca. 10000 Vergiftungsfällen geführt. – *E* tricresyl phosphate – *F* phosphate de tricrésyle – *I* tricresilfosfato – *S* fosfato de tricresilo

Lit.: Beilstein EIV **6**, 1979, 2057, 2130 ▪ Braun-Dönhardt, S. 383 ▪ Encycl. Polym. Sci. Eng. **S**, 569ff. ▪ Kirk-Othmer (4.) **10**, 985f.; **18**, 772, 794 ▪ Ullmann (4.) **18**, 391, 395; **24**, 364; (5.) **A15**, 440f.; **A20**, 440, 442, 490 ▪ s. a. Phosphorsäureester, Weichmacher. – *[HS 291900; CAS 1330-78-5; G6.1]*

Trillion. Zahlwort: a) dtsch. (u. französ. seit 1950) für 10^{18}; – b) amerikan. (u. engl. seit 1970) für 10^{12}, s. Milliarde u. ppt. – *E* quintillion (a), trillion (b) – *F* trillion – *I* trilione – *S* trillón

Trillo. Gerbstoffreiche Schuppen an den reifen Eichelbechern von *Quercus valonea* in Kleinasien. Das ähnlich wie *Valonea (beide Bez. werden oft synonym gebraucht), aber bei 60–80 °C extrahierte T. enthält 20–50% Pyrogallol-*Gerbstoff, der ein zähes, festes, hellfarbiges Leder mit dunklem Schnitt ergibt. – *E* = *I* = *S* trillo

Lit.: s. a. Gerbstoffe u. Tannine.

Trilon®. Marke der BASF für eine Reihe von Aminocarbonsäuren u. deren Salzen. Diese organ. Komplexbildner mit mind. 2 funktionellen Gruppen, die zur *Chelat-Bildung mit mehrwertigen Metall-Ionen befähigt sind, werden v. a. in der Wasch- u. Reinigungsmittel-Ind. u. in der Papier- u. Zellstoff-Ind. sowie außerdem in der Photo-Ind., der Galvanotechnik, bei Polymerisationen, in Kühlwassersyst. u. in der Textil-Ind. verwendet. T.-Marken verhindern Ausfällungen von Metallsalzen (z.B. Beläge auf Wasserrohren u. Heizstäben). Im Bereich der Textilwäsche verursachen hohe Temp. unter alkal. Bedingungen schwerlösl. Ablagerungen auf der Textiloberfläche (Inkrustation), die

zum Verhärten u. Vergrauen des Gewebes führen; T.-Marken verringern die Konz. der Metallionen u. eliminieren damit ihre störenden Effekte. In der Papier- u. Zellstoff-Herst. stabilisieren T.-Marken das Bleichmittel (z. B. Wasserstoffperoxid) u. schaffen so eine Alternative zum herkömmlichen Chlorbleichverfahren.
Einzelne T.-Typen sind: Nitrilotriessigsäure (*NTA, *T. AS*) u. das Trinatrium-Salz (*T. A*), sowie das Trinatrium-Salz der Methylglycindiessigsäure (*T. M.*) zur Wasserenthärtung u. Entfernung von Metall-Verunreinigungen; *Ethylendiamintetraessigsäure (EDTA) bzw. ihre Dinatrium- u. Tetranatrium-Salze (*T. BS* bzw. *BD* u. *B*), sowie *Diethylentriaminpentaessigsäure (*DTPA*) bzw. ihr Pentanatrium-Salz (*T. CS* bzw. *T. C*) zur Verw. in Wasch- u. Reinigungsmitteln u. bes. in der Zellstoff- u. Holzschliffbleiche als Komplexbildner für Schwermetalle u. beim Entfernen alter Druckfarben von Altpapier (Deinking); das Trinatrium-Salz der *N*-(2-Hydroxyethyl)-ethylendiamintriessigsäure (*HEDTA, *T. D*) für Spezialanw., wegen der großen Stabilität in extremen pH-Bereichen. **B.**: BASF.

Trilone. Deutscher Deckname für die als Nervengas-*Kampfstoffe hergestellten, im 2. Weltkrieg nicht eingesetzten Phosphorsäure-Derivate *Sarin, *Soman u. *Tabun.

Trimazosin (Rp).

Internat. Freiname für das als *Vasodilatator wirkende *Antihypertonikum (2-Hydroxy-2-methylpropyl)-4-(4-amino-6,7,8-trimethoxy-2-chinazolinyl)-1-piperazincarboxylat, $C_{20}H_{29}N_5O_6$, M_R 435,49, weiße Krist., Schmp. 158–159 °C. Verwendet wird meist das Hydrochlorid-Monohydrat, Schmp. 166–169 °C. T. wurde 1971 u. 1972 von Pfizer patentiert. – *E* trimazosin – *F* trimazosine – *I* = *S* trimazosina
Lit.: Hager (5.) **9**, 1063 f. ■ Martindale (31.), S. 958 f. – [HS 293359; CAS 35795-16-5 (T.); 53746-46-4 (Hydrochlorid Monohydrat)]

Trimellit(h)säure (1,2,4-Benzoltricarbonsäure).

$C_9H_6O_6$, M_R 210,14. Farblose Krist., Schmp. 218–220 °C (auch Schmp. 229–234 °C unter Zers. angegeben), lösl. in Wasser, Alkohol, Ether u. Dimethylformamid, unlösl. in Chloroform u. Benzol. T. wird durch Oxid. von Pseudocumol (1,2,4-*Trimethylbenzol) hergestellt. T. geht beim Erhitzen mit V_2O_5 in *Trimellit(h)säureanhydrid über. Der überwiegende Anteil wird zur Herst. von Estern für Weichmacher verwendet. – *E* trimellitic acid – *F* acide trimellitique – *I* acido trimellitico – *S* ácido trimelítico

Lit.: Beilstein E IV **9**, 3746 ■ Kirk-Othmer (3.) **17**, 763–767; (4.) **18**, 1025 ■ Merck-Index (12.), Nr. 9832 ■ Ullmann (4.) **9**, 150 ff.; (5.) **A 5**, 255 f. ■ Weissermel-Arpe (4.), S. 343 f. – [HS 291739; CAS 528-44-9]

Trimellit(h)säureanhydrid.

$C_9H_4O_5$, M_R 192,12. Farblose Krist., Schmp. 165–168 °C, Sdp. 240–245 °C (19 hPa), lösl. in Aceton, Ethylacetat u. Dimethylformamid, kaum lösl. in CCl_4, Ligroin u. Aromaten, reagiert mit Wasser u. Alkohol; WGK 2 (Selbsteinst.). T.-Dämpfe u. -Stäube wirken stark reizend auf Haut, Augen u. Schleimhäute, bei wiederholter Einwirkung Sensibilisierung; MAK 0,04 mg/m³, gemessen als Feinstaub (TRGS 900). T. wird durch Oxid. von Pseudocumol (1,2,4-*Trimethylbenzol) hergestellt.
Verw.: Zur Herst. von Estern für Weichmacher (überwiegender Anteil), Komponente für Polyamide, Polyimide. – *E* trimellitic anhydride – *F* anhydride trimellitique – *I* anidride trimellitica – *S* anhídrido trimelítico
Lit.: Beilstein E V **18/8**, 562 ■ Merck-Index (12.), Nr. 9833 ■ Stecher, Trimellitic Anhydride and Pyromellitic Dianhydride, Park-Ridge: Noyes 1971 ■ Ullmann (4.) **9**, 150 f.; (5.) **A 5**, 255 f. ■ Weissermel-Arpe (4.), S. 343 f. – [HS 291739; CAS 552-30-7]

Trimere s. Trimerisation.

Trimerisation (von *Tri… u. *Mer). Im allg. versteht man unter T. die Vereinigung von drei ident. Mol. (*Monomeren) durch *Additions-Reaktionen zu einem neuen Mol. (dem *Trimeren*) mit der dreifachen *Molmasse des Monomeren. Die Anlagerung von ungesätt. Verb. zu offenkettigen Additionsprodukten (s. Polymerisation) endet selten bei Trimeren, sondern führt zu höheren *Oligomeren od. gar *Polymeren. Eines der wenigen Beisp. für kettenförmige Trimere, die in guten Ausbeuten verfügbar sind, ist *Tripropylen. Beisp. für die durch *Cyclo-T.* (vgl. Cyclooligomerisation) entstehenden cycl. Produkte sind die Bildung von *1,3,5-Trioxan durch T. von Formaldehyd, von *Benzol durch T. von Acetylen, von Hexamethyl-Dewar-Benzol (s. Hexamethylbenzol) durch katalyt. T. von 2-Butin, von 3,3,6,6,9,9-Hexamethyl-*trans*-σ-trishomobenzol (vgl. Trishomobenzole) durch T. von 3,3-Dimethylcyclopropen od. von *1,5,9-Cyclododecatrien durch T. von 1,3-Butadien. Über eine sog. *Polycyclo-T.* zur Synth. von ringhaltigen Polymeren s. *Lit.*[1]. Gelegentlich wird auch das Zusammentreten dreier nicht-ident. Mol. als T. bezeichnet (*Co-T.*). Neben den genannten Beisp. wird vielfach auch ein Prozeß, bei dem drei Ausgangs-Mol. in einer Kondensationsreaktion (s. Polykondensation) miteinander unter Ausbildung eines neuen Mol. (dem Trimeren) u. Abspaltung kleiner Mol. (z. B. Wasser, HCl) reagieren, als T. bezeichnet. Hier ist die Molmasse des Trimeren allerdings nicht exakt das Dreifache der Molmasse des Monomeren. – *E* trimerization – *F* trimérisation – *I* trimerizzazione – *S* trimerización

Lit.: [1] Pure Appl. Chem. **39**, 65–80 (1974).

Trimersäuren. Durch Trimerisation ungesätt. Fettsäuren gewonnene Tricarbonsäuren mit z. B. 54 C-Atomen, die Alkyl-Seitenketten, Doppelbindungen u. cycl. Ringsyst. enthalten. Verw. zur Herst. von Polyestern, Emulgatoren, Weichmachern, Korrosionsschutzmitteln etc. – *E* trimeric acids – *F* acides trimères – *I* acidi trimerici – *S* ácidos trímeros

Trimesinsäure (1,3,5-Benzoltricarbonsäure).

$C_9H_6O_6$, M_R 210,14. Farblose Prismen, Schmp. 380 °C, wenig lösl. in Wasser, besser in Ether u. leicht lösl. in Alkohol. T. wird durch Oxid. von *Mesitylen hergestellt u. zur Herst. von Weichmachern u. vernetzten Polymeren verwendet. – *E* trimesic acid – *F* acide trimésique – *I* acido trimesico – *S* ácido trimésico
Lit.: Beilstein E IV **9**, 3747 ▪ Kirk-Othmer (3.) **17**, 733–735, 768; (4.) **18**, 1033 ▪ Ullmann (4.) **9**, 151; (5.) **A 5**, 255. – *[HS 2917 39; CAS 554-95-0]*

Trimethadion (Rp).

Internat. Freiname für das *Antiepileptikum 3,5,5-Trimethyloxazolidin-2,4-dion, $C_6H_9NO_3$, M_R 143,14, Krist., Schmp. 46–46,5 °C, Sdp. 78–80 °C (0,66 kPa), λ_{max} (Schulter, 0,05 M H_2SO_4) 260 nm ($A_{1cm}^{1\%}$ 85); lösl. in Wasser, leicht lösl. in Alkohol, Benzol, Ether, unlösl. in Petrolether. T. wurde 1951 von Abbott u. British Schering patentiert. – *E* trimethadione – *F* triméthadione – *I* trimetadione – *S* trimetadiona
Lit.: ASP ▪ Beilstein E III/IV **27**, 3237 ▪ Hager (5.) **9**, 1067 f. ▪ Martindale (31.), S. 387 f. ▪ Ph. Eur. **1997** u. Komm. – *[HS 2934 90; CAS 127-48-0]*

Trimethoprim (Rp).

Internat. Freiname für das bakterizid wirkende Chemotherapeutikum 5-(3,4,5-Trimethoxybenzyl)-2,4-pyrimidindiamin, $C_{14}H_{18}N_4O_3$, M_R 290,32. T. ist ein weißes bis gelbliches, bitteres Pulver, Schmp. 199–203 °C; λ_{max} (CH_3OH) 288 nm ($A_{1cm}^{1\%}$ 232), pK_a 6,6; LD_{50} (Maus oral) 7 g/kg; lösl. in Methanol, Chloroform, sehr wenig in Wasser, Ether, Benzol. Es zeigt in Kombination mit den Sulfonamiden *Sulfamethoxazol bzw. *Sulfamoxol im Verhältnis 1:5 (Kurzbez. *Co-trimoxazol* bzw. *Co-trifamol*) od. mit *Sulfadiazin od. *Sulfametrol bes. synergist. Wirkung. T. wurde 1962 von Burroughs Wellcome, 1967 von Hoffmann-La Roche patentiert u. ist als Generikum im Handel. – *E* trimethoprim – *F* triméthoprime – *I* trimetoprim – *S* trimetoprima
Lit.: ASP ▪ Drugs **23**, 405–430 (1982) ▪ Florey **7**, 445–475 ▪ Hager (5.) **9**, 1069–1072 ▪ Martindale (31.), S. 292 ff. ▪ Ph. Eur. **1997** u. Komm. – *[HS 2933 59; CAS 738-70-5]*

3,4,5-Trimethoxybenzaldehyd.

$C_{10}H_{12}O_4$, M_R 196,20. Farblose Krist., Schmp. 78 °C, Sdp. 163–165 °C (13 hPa), in organ. Lsm. lösl.; zur Herst. s. *Lit.*; T. wird zu organ. Synth. insbes. von Pharmaka verwendet. – *E* 3,4,5-trimethoxybenzaldehyde – *F* 3,4,5-triméthoxybenzaldéhyde – *I* 3,4,5-trimetossibenzaldeide – *S* 3,4,5-trimetoxibenzaldehído
Lit.: Beilstein E IV **8**, 2719 ▪ Kirk-Othmer (4.) **13**, 1003. – *[HS 2912 49; CAS 86-81-7]*

Trimethoxymethan s. Orthoester.

3,4,5-Trimethoxyphenyl... In vielen, auch pharmakolog. wichtigen Naturstoffen ist der 3,4,5-T.-Rest enthalten; *Beisp.*: *Reserpin, *Meskalin, *Podophyllotoxin. Zur Synth. von 3,4,5-T.-Derivaten geht man von 3,4,5-Trimethoxybenzaldehyd, -benzoesäure, -benzoylchlorid, -anilin, -benzylamin etc. aus. – *E* 3,4,5-trimethoxyphenyl... – *F* 3,4,5-triméthoxyphényl... – *I* 3,4,5-trimetossifenil... – *S* 3,4,5-trimetoxifenil...

2-(3,4,5-Trimethoxyphenyl)ethylamin s. Meskalin.

Trimethylamin. $N(CH_3)_3$, C_3H_9N, M_R 59,11. F+ Farbloses, widerwärtig fisch- od. tranartig riechendes Gas, das sich leicht zu einer farblosen Flüssigkeit kondensieren läßt, D. Xn 0,6567 (0 °C), Schmp. –117 °C, Sdp. 2,9 °C, in Wasser u. Alkohol mit alkal. Reaktion sehr leicht löslich. T. bildet mit Säuren Salze u. beim Erhitzen mit Alkyl- od. reaktiven Arylhalogeniden *quartäre Ammonium-Verbindungen, reagiert jedoch – als typ. tert. Amin u. im Gegensatz zu prim. u. sek. Aminen – nicht mit Acetanhydrid, Acetylchlorid od. Benzolsulfonylchlorid. Mit Boran entsteht T.-Boran, s. Bor-Stickstoff-Verbindungen. Das Gas ruft Reizung der Augen u. der Atemwege hervor, bei hohen Konz. Lungenödem möglich (dieses kann mit einer Verzögerung bis zu zwei Tagen auftreten); WGK 2.
Vork.: T. kommt in der Natur als Stoffwechselprodukt von Mikroorganismen vor. In Seefischen ist T. weit verbreitet; der Geruch von Heringslake stammt hauptsächlich von Trimethylamin.
Herst.: Aus Methanol u. Ammoniak in Ggw. eines dehydratisierenden Katalysators bei 300–500 °C.
Verw.: Zur Herst. von Cholin u. Cholinsalzen, quartären Ammonium-Verb., zur Gasodorierung usw. – *E* trimethylamine – *F* triméthylamine – *I* trimetilammina – *S* trimetilamina
Lit.: Beilstein E IV **4**, 134 ▪ Hommel, Nr. 201, 202 ▪ J. Org. Chem. **51**, 3112 (1986) ▪ Kirk-Othmer (3.) **2**, 272–283; (4.) **2**, 370 ▪ Paquette **7**, 5195 ▪ Ullmann (4.) **16**, 671 ff.; (5.) **A 16**, 535 ▪ Weissermel-Arpe (4.), S. 54 f. – *[HS 2921 11; CAS 75-50-3; G 2]*

Trimethylammonioacetat s. Betain.

7,8,12-Trimethylbenz[*a*]anthracen s. Benz[*a*]anthracen u. Carcinogene.

Trimethylbenzole.

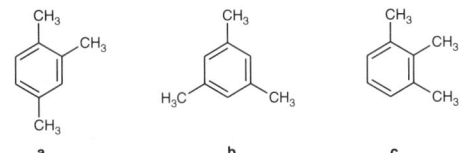

a b c

C_9H_{12}, M_R 120,19. Die T. sind farblose, in Wasser unlösl., mit Alkohol, Ether, Benzol mischbare Flüssigkeiten, die im Steinkohleteer u. im rohen Erdöl vorkommen. a) *1,2,4-T.* (*asym*-T., *as*-T., *Pseudocumol*), D. 0,8758, Schmp. –44 °C, Sdp. 170 °C, Zwischenprodukt für organ. Synth., zur Herst. von Arzneimitteln, Farbstoffen, *Trimellit(h)säure(anhydrid). – b) *1,3,5-T.* (*sym*-T., *s*-T.) s. Mesitylen. – c) *1,2,3-T.* (*vic*-T., *v*-T., *Hemimelliten*), D. 0,8944, Schmp. –25 °C, Sdp. 176 °C, Zwischenprodukt für Riechstoffsynth., Oxid. führt zur *Hemimellit(h)säure. – *E* trimethylbenzenes – *F* triméthylbenzènes – *I* trimetilbenzeni – *S* trimetilbencenos
Lit.: Beilstein E IV **5**, 1007, 1010, 1016 ▪ Hommel, Nr. 617 ▪ Kirk-Othmer (4.) **19**, 1030–1044 ▪ Ullmann (4.) **14**, 672f.; (5.) A **13**, 253f., 272f. – *[HS 2902 90; CAS 2551-13-7; 95-63-6 (a); 108-67-8 (b); 526-73-8 (c); G 3]*

1,3,3-Trimethylbicyclo[2.2.1]heptan-2-on s. Fenchon.

Trimethylboran s. Bor-organische Verbindungen.

2,2,3-Trimethylbutan (Triptan).

$$H_3C-\underset{\underset{CH_3}{|}}{\overset{\overset{H_3C}{|}}{C}}-CH-CH_3$$
$$\quad\quad\quad\ CH_3$$

C_7H_{16}, M_R 100,21. Farblose Flüssigkeit, D. 0,691, Schmp. –25 °C, Sdp. 81 °C. Hochwertiger, sehr klopffester Flugzeugkraftstoff mit der *Octan-Zahl 112, auch als Bezugssubstanz in der Gaschromatographie. T. wird aus Krackgasen od. durch Hydrodesalkylierung von Isooctan hergestellt. – *E* 2,2,3-trimethylbutane – *F* 2,2,3-triméthylbutane – *I* = *S* 2,2,3-trimetilbutano
Lit.: Beilstein E IV **1**, 410 ▪ Ullmann (5.) A **13**, 229, 231. – *[HS 2901 10; CAS 464-06-2; G 3]*

Trimethylchlorsilan (Chlortrimethylsilan) s. Methylchlorsilane.

Trimethylen... Alte Bez. für die Atomgruppierung –(CH₂)₃– (IUPAC-Regel A-4.2) in *Multiplikativnamen, Polymer- u. a. Namen (neue Regel R-2.5: Propan-1,3-diyl...; CAS: 1,3-Propandiyl...; vgl. Propylen...). *Beisp. für veraltete, regelwidrige T.-Bez.:* folgende Stichwörter. Bez. für 3 *Methylen-Reste =CH₂ ist dagegen *Tris(methylen)...,* s. Tris... – *E* trimethylene... – *F* triméthylène... – *I* trimetilen... – *S* trimetilen(o)...

Trimethylenbromid s. 1,3-Dibrompropan.

Trimethylenglykol s. Propandiole.

Trimethylenimine s. Azetidine.

Trimethylenmethan (2-Methylen-1,3-propandiyl).

$$-CH_2-\underset{}{\overset{\overset{CH_2}{\|}}{C}}-CH_2-$$

Zur Synth. fünfgliedriger Ringe durch [3 + 2]-Cycloadditionen mit T.-Derivaten s. Metall-organische Reaktionen (Abb. 3) u. Lit. – *E* trimethylenemethane – *F* triméthylène-méthane – *I* = *S* trimetilenmetano
Lit.: Angew. Chem. **98**, 1–20 (1986).

Trimethylenoxid s. Oxetane.

Trimethylensulfid s. Thietane.

Trimethylessigsäure s. 2,2-Dimethylpropionsäure.

3,3′,3″-Trimethylfuchsin s. Neufuchsin u. Triarylmethan-Farbstoffe (Abb. s. dort).

Trimethylhexadecylammonium... s. Cetyltrimethylammonium...

3,5,5-Trimethyl-1-hexanol s. Isononanol u. Nonanol.

Trimethyliodsilan s. Iodtrimethylsilan.

Trimethylolethan [TME, Pentaglycerin, Metriol, 1,1,1-Tris(hydroxymethyl)ethan]. Trivialname für *2-Hydroxymethyl-2-methyl-1,3-propandiol,* $H_3C-C(CH_2OH)_3$, $C_5H_{12}O_3$, M_R 120,15. Farb- u. geruchlose, schwach hygroskop. Krist., Schmp. 204 °C, Sdp. 283 °C, 135–137 °C (20 hPa), mischbar mit Wasser u. Alkohol, kaum lösl. in Ketonen, Ethern u. Estern, unlösl. in aliphat. u. aromat. Kohlenwasserstoffen.
Herst.: Durch Reaktion von Formaldehyd mit Propionaldehyd in Ggw. von Natrium- od. Calciumhydroxid.
Verw.: Kann zur Herst. von Alkydharzen, Polyester (bes. mit Diisocyanat modifiziert), synthet. trocknenden Ölen, Weichmachern, Wachsen, Emulgatoren, Schmiermitteln etc. verwendet werden. Die wirtschaftliche Bedeutung des T. ist wesentlich geringer als die des *Trimethylolpropans. – *E* trimethylolethane – *F* triméthyloléthane – *I* = *S* trimetiloletano
Lit.: Beilstein E IV **1**, 2780 ▪ Kirk-Othmer (3.) **1**, 785 f.; (4.) **1**, 915 ▪ Ullmann (4.) **7**, 231; (5.) A **1**, 306, 316. – *[HS 2905 49; CAS 77-85-0]*

Trimethylolpropan [TMP, Etriol, Ettriol, 1,1,1-Tris(hydroxymethyl)propan]. Trivialname für *2-Ethyl-2-hydroxymethyl-1,3-propandiol,* $H_5C_2-C(CH_2OH)_3$, $C_6H_{14}O_3$, M_R 134,17. Farblose, hygroskop. Masse, Schmp. 57–59 °C, Sdp. 160 °C (7 hPa), lösl. in Wasser, Alkohol, Aceton, unlösl. in aliphat. u. aromat. Kohlenwasserstoffen; WGK 1.
Herst.: Durch Reaktion von Formaldehyd mit Butyraldehyd in Ggw. von Alkalien.
Verw.: Zur Herst. von Schutzanstrichen, Polyethern, Polyurethanen, Schaumkunststoffen, Alkydharzen, Weichmachern, Schmiermitteln, Appreturen, Tensiden, Elastomeren usw.; als Glycerinersatz. – *E* trimethylolpropane – *F* triméthylolpropane – *I* = *S* trimetilolpropano
Lit.: Beilstein E IV **1**, 2786 ▪ Kirk-Othmer (3.) **1**, 786; (4.) **1**, 915 ▪ Ullmann (4.) **7**, 231; (5.) A **1**, 306, 315f. ▪ Weissermel-Arpe (4.), S. 231 ▪ s. a. Polyole. – *[HS 2905 41; CAS 77-99-6]*

Trimethylolpropantrinitrat. Trivialname der hier unter ihrem internat. Freinamen *Propatylnitrat* beschriebene Verb., die außer in der Medizin als *Vasodilatator auch als Sprengstoff Verw. findet. – *E* trimethylolpropane trinitrate – *F* trinitrate de triméthylpropane – *I* trinitrato di trimetilolpropano – *S* trinitrato de trimetilolpropano – *[HS 2920 90; CAS 2921-92-8]*

Trimethylorthoformiat s. Orthoester.

2,2,4-Trimethylpentan s. Isooctan.

2,2,4-Trimethyl-1,3-pentandiol (TMPD).

$$(H_3C)_2CH-\underset{\underset{CH_3}{|}}{CH}-\underset{\underset{CH_3}{|}}{\overset{\overset{OH}{|}}{C}}-CH_2-OH$$

$C_8H_{18}O_2$, M_R 146,22. Farblose Krist., D. 0,937, Schmp. 52°C, Sdp. 81°C (1,3 hPa), schwer lösl. in Wasser, leicht lösl. in Alkohol, Ether, lösl. in heißem Benzol; WGK 1. T. wird durch *Aldol-Addition von 2 Mol. Isobutyraldehyd u. nachfolgende Hydrierung hergestellt. Verw. als Lsm. z.B. für Druckfarben, als Ausgangsprodukt für ungesätt. Polyester, in Schmiermitteln, Weichmachern etc. – *E* 2,2,4-trimethyl-1,3-pentanediol – *F* 2,2,4-triméthyl-1,3-pentanediol – *I* 2,2,4-trimetil-1,3-pentandiolo – *S* 2,2,4-trimetil-1,3-pentanodiol

Lit.: Beilstein EIV **1**, 2604 ▪ Kirk-Othmer (3.) **11**, 965–967; (4.) **12**, 727 ▪ Ullmann (5.) **A 1**, 306, 314 ▪ Weissermel-Arpe (4.), S. 150. – *[HS 2905 39; CAS 144-19-4]*

2,4,4-Trimethyl-2-pentanthiol s. 1-Octanthiol.

2,4,4-Trimethyl-1-penten (α-Diisobutylen, Isoocten).

$$(H_3C)_3C-CH_2-\underset{\underset{CH_3}{|}}{C}=CH_2$$

C_8H_{16}, M_R 112,22. Farblose Flüssigkeit, D. 0,71–0,72, Schmp. –101°C, Sdp. 118°C. Die Dämpfe reizen die Augen u. die Atemwege; in hohen Konz. wirken sie betäubend; WGK 2. Zur Herst. s. Beilstein u. Weissermel-Arpe (*Lit.*).
Verw.: Zur Herst. von Isononanol (durch *Oxo-Synthese), *p*-Xylol, Isobuten u. 2,2,4-Trimethylpentan. Die reine Substanz dient als gaschromatograph. Standard; das techn. Handelsprodukt enthält noch ca. 4% 2,4,4-Trimethyl-2-penten (β-Diisobutylen). – *E* 2,4,4-trimethyl-1-pentene – *F* 2,4,4-triméthyl-1-pentène – *I* 2,4,4-trimetil-1-pentene – *S* 2,4,4-trimetil-1-penteno

Lit.: Beilstein EIV **1**, 891f. ▪ Hommel, Nr. 408 ▪ Kirk-Othmer (3.) **4**, 364; (4.) **4**, 706 ▪ Weissermel-Arpe (4.), S. 77. – *[HS 2901 29; CAS 107-39-1; G 3]*

Trimethylphosphat (Phosphorsäuretrimethylester, TMP). $(H_3CO)_3P=O$, $C_3H_9O_4P$, M_R 140,08. Farblose, unbrennbare, feuererstickende Flüssigkeit, D. 1,2144, Schmp. –46°C (α-Form), Sdp. 197°C, lösl. in Wasser u. den meisten organ. Lösemitteln.
Verw.: Als Lsm. für z.B. Nitrocellulose, Celluloseacetat u. dgl., Methylierungsmittel insbes. für ster. gehinderte Carbonsäuren, Kunststoff-Härter, Flammschutz- u. Vergällungsmittel. Da begründeter Verdacht auf carcinogenes Potential besteht, wurde T. in Gruppe III B der MAK-Liste aufgenommen. – *E* trimethyl phosphate – *F* phosphate de triméthyle – *I* trimetilfosfato – *S* fosfato de trimetilo

Lit.: Beilstein EIV **1**, 1259 ▪ Kirk-Othmer (4.) **10**, 978 ▪ Ullmann (4.) **18**, 395; (5.) **A 19**, 563 ▪ s.a. Phosphorsäureester. – *[HS 2919 00; CAS 512-56-1; G 3]*

Trimethylphosphit (Phosphorigsäuretrimethylester). $(H_3CO)_3P$, $C_3H_9O_3P$, M_R 124,08. Wasserklare, brennbare Flüssigkeit, D. 1,052, Schmp. –78°C, Sdp. 111°C, FP. 28°C c.c., reagiert heftig mit Wasser, lösl. in organ. Lsm., vor Licht u. Feuchtigkeit zu schützen.

Die bei Erwärmung sich bildenden Dämpfe reizen die Augen, die Atemwege u. die Haut. WGK 1. Kontakt mit der Flüssigkeit bewirkt starke Reizung der Augen, weniger der Haut; MAK 2,6 mg/m³ (TRGS 900); WGK 1. T. kann aus PCl_3 u. Methanol hergestellt werden.
Verw.: Methylierungs- u. Phosphorylierungsmittel, zur Synth. von Insektiziden, Thiophosphaten, Dimethylphosphit etc.; T. ist ausfuhrgenehmigungspflichtig gemäß Außenwirtschaftsordnung (Ausfuhrliste Position 1710). – *E* trimethyl phosphite – *F* phosphite de triméthyle – *I* trimetilfosfito – *S* fosfito de trimetilo

Lit.: Beilstein EIV **1**, 1256 ▪ Hommel, Nr. 775 ▪ Kirk-Othmer (4.) **18**, 737 ff. ▪ Paquette **7**, 5217 ▪ Ullmann (4.) **18**, 393; (5.) **A 19**, 556f. ▪ s.a. Phosphite. – *[HS 2920 90; CAS 121-45-9; G 3]*

2,4,6-Trimethylpyridin s. Kollidin.

Trimethylsilyl... Bez. für die auch als TMS abgekürzte Atomgruppierung $(H_3C)_3Si-$, die in organ. Verb. häufig als *Schutzgruppe dient. Zur Einführung der T.-Gruppe in C-, N-, O-, P- u. S-Verb. (*Silylierung*) sind zahlreiche Reagenzien entwickelt worden, z.B. die T.-halogenide u. -pseudohalogenide wie T.-bromid, -iodid (s. Iodtrimethylsilan), -azid u. -cyanid, T.-triflat (s. Trifluormethansulfonsäure) u.a. (s. Silicium-organische Verbindungen, vgl. a. die nachfolgenden Stichwörter). – *E* trimethylsilyl – *F* triméthylsilyle – *I* trimetilsilil... – *S* trimetilsililo

Trimethylsilylazid (Azidotrimethylsilan, TMSA). $(H_3C)_3Si-N_3$, $C_3H_9N_3Si$, M_R 115,21. Farblose, therm. stabile Flüssigkeit, D. 0,876, Sdp. 95°C, gut lösl. in Petrolether, Benzol, Methylenchlorid, Ether, WGK 1; kann aus Trimethylchlorsilan u. Natriumazid hergestellt werden. T. wirkt stark giftig, denn es hydrolysiert mit Wasser unter Bildung von HN_3.
Verw.: Als Reagenz zur Silylierung u. zur Synth. von Isocyanaten (*Curtius-Umlagerung), 1,2,3-Triazolen u.v.a. Verbindungen. – *E* trimethylsilyl azide – *F* azide de triméthylsilyle – *I* azide di trimetilsilile – *S* trimetilsililazida

Lit.: Paquette **1**, 222 ▪ Synthesis **1972**, 285–302; **1979**, 35; **1980**, 861; **1986**, 1045 ▪ Synthetica **2**, 468–470 ▪ Weber, Silicon Reagents for Organic Synthesis, Heidelberg: Springer 1983 ▪ s.a. Silicium-organische Verbindungen. – *[HS 2931 00; CAS 4648-54-8; G 3]*

1-(Trimethylsilyl)-1H-imidazol (TMSI).

$C_6H_{12}N_2Si$, M_R 140,26. Farblose bis gelbliche, durch Feuchtigkeit leicht hydrolysierbare Flüssigkeit, Sdp. 91°C (13 hPa). Vielseitiges Silylierungsreagenz. – *E* 1-(trimethylsilyl)-1H-imidazole – *F* 1-(triméthylsilyl)-1H-imidazole – *I* 1-(trimetilsilil)-1H-imidazolo – *S* 1-(trimetilsilil)-1H-imidazol

Lit.: Beilstein EV **23/4**, 456 ▪ Paquette **7**, 5265 ▪ Tetrahedron Lett. **1976**, 4423; **33**, 1507 (1992) ▪ s.a. Silicium-organische Verbindungen. – *[HS 2933 29; CAS 18156-74-6; G 3]*

Trimethylsilyltriflat s. Trifluormethansulfonsäure.

2,4,6-Trimethyl-1,3,5-trioxan s. Paraldehyd.

1,3,7-Trimethylxanthin s. Coffein.

Trimetozin (Rp).

Internat. Freiname für das *Sedativum 4-(3,4,5-Trimethoxybenzoyl)-morpholin, $C_{14}H_{19}NO_5$, M_R 281,30, Krist., Schmp. 120–122 °C, λ_{max} (CH$_3$OH) 245 nm ($A_{1cm}^{1\%}$ 259), wenig lösl. in Wasser, Alkohol. – *E* trimetozine – *F* trimétozine – *I* = *S* trimetozina
Lit.: Hager (5.) **9**, 1072f. ▪ Martindale (31.), S. 742. – *[HS 2934 90; CAS 635-41-6]*

Trimetrexat (Rp).

Internat. Freiname für das *Cytostatikum, ein Hemmstoff der Dihydrofolat-Reduktase, 5-Methyl-6-[(3,4,5-trimethoxyanilino)methyl]-2,4-chinazolindiamin, $C_{19}H_{23}N_5O_3$, M_R 369,42, Schmp. des Acetat-Monohydrats 215–217 °C, LD$_{50}$ (Maus i.p.) 175 mg/kg. T. wurde 1974 von Parke-Davis patentiert u. ist als D-Glucuronat von Bioscience (Neutrexin®) in den USA im Handel. – *E* trimetrexate – *F* trimétrexat – *I* trimetressato – *S* trimetrexato
Lit.: Hager (5.) **9**, 1073–1076 ▪ J. Med. Chem. **30**, 1843–1848 (1987); **37**, 4522–4528 (1994) ▪ Martindale (31.), S. 604 ▪ Merck-Index (12.), Nr. 9851. – *[CAS 52128-35-5 (T.); 117381-09-6 (Acetat-Monohydrat); 82952-64-5 (D-Glucuronat)]*

Trimipramin (Rp).

Internat. Freiname für das *Antidepressivum (±)-3-(10,11-Dihydro-5H-dibenz[b,f]azepin-5-yl)-N,N,2-trimethylpropylamin, $C_{20}H_{26}N_2$, M_R 294,42, Krist., Schmp. 45 °C; λ_{max} (0,05 M H$_2$SO$_4$) 250 nm ($A_{1cm}^{1\%}$ 300). Verwendet werden das *Hydrochlorid*, Schmp. 204–214 °C (Zers.), das *Hydrogenmaleat*, $C_{24}H_{30}N_2O_4$, M_R 410,5, Schmp. 140–144 °C, λ_{max} (CH$_3$OH) 249 nm ($A_{1cm}^{1\%}$ 238), pK$_a$ 9,6, lösl. in Chloroform, wenig in Wasser, Ethanol, unlösl. in Ether u. das *Mesilat*, $C_{21}H_{30}N_2O_3S$, M_R 390,6. T. wurde 1955 von Rhône Poulenc Rorer (Stangyl®) patentiert u. ist als Generikum im Handel. – *E* = *F* trimipramine – *I* = *S* trimipramina
Lit.: ASP ▪ Beilstein E V **20/8**, 100 ▪ Florey **12**, 683–712 ▪ Hager (5.) **9**, 1076–1081 ▪ Martindale (31.), S. 336 ▪ Ph. Eur. **1997** u. Komm. – *[HS 2933 90; CAS 739-71-9 (T.); 3589-21-7, 27855-67-0 (Hydrochlorid); 521-78-8 (Hydrogenmaleat); 25332-13-2 (Mesilat)]*

Trimolekulare Reaktionen s. termolekulare Reaktionen.

Trimorphie s. Modifikation u. Polymorphie.

Trinactin s. Nonactin.

Trinatriumhydrogendiphosphat (Trinatriumpyrophosphat). Na$_3$HP$_2$O$_7$, M_R 243,92, krist. mit 1 u. 9 Mol. H$_2$O je Formeleinheit. Zur Gruppe der Natriumdiphosphate gehörende Verb., von denen lediglich Dinatriumdihydrogen- u. Tetranatriumdiphosphat techn. in größerem Umfang hergestellt werden, s. Natriumphosphate u. Polyphosphate. – *E* trisodium hydrogen diphosphate – *F* trisodium hydrogénodiphosphate – *I* difosfato trisodico – *S* pirofosfato de hidrogeno trisódico – *[CAS 14691-80-6]*

Trinatriummonovanadat s. Natriumvanadate.

Trinatriumphosphat s. Natriumphosphate.

Trinexapac-ethyl.

Common name für 4-(Cyclopropyl-hydroxy-methylen)-3,5-dioxocyclohexancarbonsäure-ethylester, $C_{13}H_{16}O_5$, M_R 252,26, Schmp. 36 °C, LD$_{50}$ (Ratte oral) 4460 mg/kg, von Ciba-Geigy (jetzt Novartis) in den 90er Jahren eingeführter Wachstumsregulator, der das Längenwachstum reduziert u. so beim Getreide das Umknicken der Halme mindert. – *E* trinexapac-ethyl – *F* trinéxapac-éthyl – *I* trinesapac-etile – *S* trinexapac-etil
Lit.: Farm ▪ Perkow ▪ Pesticide Manual. – *[CAS 95266-40-3; G 9]*

Triniton® (Rp). Tabl. mit *Dihydralazin-Sulfat, *Hydrochlorothiazid u. *Reserpin gegen Hypertonie der klin. Schweregrade II–III. *B.:* Apogepha.

2,4,6-Trinitroanilin s. Pikramid bei Pikrinsäure.

1,3,5-Trinitrobenzol (*sym*-Trinitrobenzol, Benzit, TNB).

$C_6H_3N_3O_6$, M_R 213,11. Farblose, rhomb.-bipyramidale Blättchen, D. 1,688, Schmp. 123 °C, unlösl. in Wasser, wenig lösl. in Alkohol, Ether u. Benzol. T. subl. bei vorsichtigem Erhitzen, verpufft beim raschen Erhitzen. T. bildet ebenso wie andere höhere *Nitroaromaten sog. *Charge-transfer-Komplexe. T. wird durch Einatmen des Staubes u. über die Haut aufgenommen. Im Vordergrund steht die Veränderung des Blutfarbstoffes, der die Fähigkeit Sauerstoff zu transportieren, verliert. Weiterhin kommt es zu Schäden der Leber, seltener der Nieren; Latenzzeit Stunden bis Tage.

Herst.: Durch Decarboxylierung der aus Trinitrotoluol erhältlichen Trinitrobenzoesäure od. aus 1,3-Dinitrobenzol durch Nitrierung. Alle Verf. sind schwierig durchzuführen u. wenig wirtschaftlich. Daher hat T., obwohl es das Trinitrotoluol an Sprengkraft u. Detonationsgeschw. übertrifft u. sehr stabil ist, bisher noch keine prakt. Verw. als Sprengstoff gefunden[2]. Zusammen mit Nitromethan kann es zur Bestimmung von Aminen durch Kolorimetrie der *Meisenheimer-Komplexe verwendet werden[1]. – *E* = *I* 1,3,5-trinitrobenzene – *F* 1,3,5-trinitrobenzène – *S* 1,3,5-trinitrobenceno
Lit.: [1] Pure Appl. Chem. **56**, 467–477 (1984). [2] Köhler u. Meyer, Explosivstoffe (9.), S. 334, Weinheim: Wiley-VCH 1998.

2,4,6-Trinitro-*m*-kresol.

allg.: Beilstein E IV **5**, 755 ■ Chem. Rev. **70**, 667–712 (1970) ■ Hommel, Nr. 333 ■ Liste der explosionsgefährlichen Stoffe (BAnz. vom 16. Dezember 1986, Nr. 233 a) ■ Ullmann (4.) **21**, 661; (5.) **A 10**, 160. – *[HS 290420; CAS 99-35-4; G 1.1 D, 4.1 (angefeuchtet)]*

2,4,6-Trinitro-*m*-kresol.

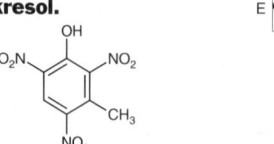

$C_7H_5N_3O_7$, M_R 243,13, Gelbe Nadeln, D. 1,68, Verpuffung bei 150 °C, lösl. in Alkohol, Ether, Aceton, schwer lösl. in Wasser.
T. wurde als *Explosivstoff im 1. Weltkrieg von Frankreich im Gemisch 60:40 mit *Pikrinsäure als Granaten-Füllung unter der Bez. *Cresylit verwendet. – *E* = *S* 2,4,6-trinitro-*m*-cresol – *F* 2,4,6-trinitro-*m*-crésol – *I* 2,4,6-trinitro-*m*-cresolo
Lit.: Köhler u. Meyer, Explosivstoffe, 8. Aufl., Weinheim: VCH Verlagsges. 1995. – *[HS 290890; CAS 602-99-3; G 1.4 D]*

2,4,6-Trinitrophenol s. Pikrinsäure.

2,4,6-Trinitroresorcin s. Styphninsäure.

2,4,6-Trinitrotoluol (TNT, Trotyl, Tritol).

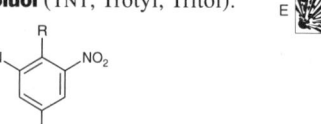

R = CH₃ : 2,4,6-Trinitrotoluol
R = N(CH₃)NO₂ : Tetryl

$C_7H_5N_3O_6$, M_R 227,13. Farblose bis schwach gelbe, rhomboedr. Krist. od. Nadeln, D. 1,654, Schmp. 81 °C, kann im Vak. unzersetzt destilliert werden, erträgt Dauererhitzung auf 140 °C, oberhalb 160 °C tritt Gasentwicklung, bei 240 °C Verpuffung unter starker Rußentwicklung ein. T. ist in Wasser unlösl., in Alkohol u. Ether wenig lösl., gut lösl. in Aceton, Toluol u. Benzol. Die Dämpfe von T. sind giftig, es wirkt hautreizend, wird durch die Haut resorbiert u. kann Kopfschmerzen, Schwäche, Anämie u. Leberschäden hervorrufen. MAK-Wert 0,1 mg/m³; ferner besteht Verdacht auf cancerogenes Potential (Abschnitt III B der MAK-Wert-Liste). Der Nachw. von T., speziell bei T.-verseuchtem Erdreich, erfolgt über cycl. *Voltametrie.
T. ist ein sehr handhabungssicherer, stoßunempfindlicher *Explosivstoff, der sich leicht vergießen läßt u. durch *Initialsprengstoffe zu heftiger Detonation gebracht werden kann; techn. Daten s. Tab. bei Explosivstoffe. Die Herst. des T. durch Nitrierung von Toluol erfolgt (dis)kontinuierlich in 3 Stufen mit ansteigenden Konz. der Salpeter- u. Schwefelsäure. T. ist der bedeutendste sowohl für militär. als auch für gewerbliche Zwecke verwendete *Sprengstoff, seine Sprengwirkung wird als Vergleichswert für andere Explosivstoffe einschließlich der *Kernwaffen herangezogen. Es kann mit anderen Explosivstoffen gemischt werden, z. B. für zweibasige *Schießpulver.
T. wurde erstmalig 1863 von Wilbrand synthetisiert. Die Eignung als Sprengstoff wurde erst 28 Jahre später erkannt u. seine Herst. durch Häussermann in großtechn. Maßstab aufgenommen. – *E* 2,4,6-trinitrotoluene – *F* 2,4,6-trinitrotoluène – *I* 2,4,6-trinitrotoluene, tritolo – *S* 2,4,6-trinitrotolueno
Lit.: Beilstein E IV **5**, 873 ■ Hommel, Nr. 334 ■ Kirk-Othmer (4.) **10**, 34–39 ■ Köhler u. Meyer, Explosivstoffe, 8. Aufl., Weinheim: VCH Verlagsges. 1995 ■ Ullmann (4.) **21**, 661–666; (5.) **A 10**, 159 f. ■ Winnacker-Küchler (4.) **7**, 368–371 ■ s. a. Explosivstoffe, Sprengstoffe. – *[HS 290420; CAS 118-96-7; G 1.1 D]*

Trinkwasser. T. muß nach § 11, Absatz 1 des Bundesseuchengesetzes[1] so beschaffen sein, „daß durch seinen Genuß od. Gebrauch eine Schädigung der menschlichen Gesundheit insbes. durch Krankheitserreger, nicht zu besorgen ist." Nach § 11, Absatz 2 ist es möglich Rechts-VO zu erlassen, die die Anforderungen an T. näher spezifizieren. Dies ist in der BRD durch die Trinkwasser-VO[2] realisiert. Diese VO, erstmals 1975 erlassen, wurden in später folgenden Neufassungen zusätzlich auf die Ermächtigungen der §§ 9 u. 10 (Gesundheitsschutz u. Hygiene), sowie § 12 u. § 16 (Zusatzstoffregelungen u. Kenntlichmachung) des LMBG (s. Lebensmittelgesetz) gestützt. Sie ist eine Umsetzung der EG-Trinkwasserrichtlinie[3], in der eine sukzessive Anpassung der einzelstaatlichen Regelungen an das EG-Recht gefordert wird. Die DIN 2000[4], die auch als „Leitsätze für die zentrale Trinkwasserversorgung" bekannt ist, definiert T. als das wichtigste Lebensmittel überhaupt. T. soll appetitlich, zum Genuß anregend, farblos, klar, kühl, geruchlos u. geschmacklich einwandfrei sowie frei von Krankheitserregern u. arm an Keimen sein, soll gelöste Stoffe nur in engen Grenzen enthalten u. in genügender Menge u. mit ausreichendem Druck zur Verfügung stehen.
Die mikrobiolog. Anforderungen an T. sind dem § 1 der Trinkwasser-VO[2] zu entnehmen. § 2 u. Anlage 2 (Tab. 1) legen Grenzwerte für chem. Stoffe fest, wobei auf die in Abschnitt I angegebenen Stoffe (z. B. Arsen, Cadmium, Nitrat) period. untersucht werden muß. Untersuchungen auf die in Anlage 2, Abschnitt II genannten Stoffe (z. B. *PCB, Pflanzenschutzmittel, Antimon) ordnet die zuständige Behörde im Einzelfall an. Häufigkeit u. Umfang der Untersuchung hängen von der Trinkwasserabgabemenge ab u. sind der Anlage 5 zu entnehmen. Die in Anlage 4 (Tab. 2) genannten Kenngrößen u. Grenzwerte (sensor. Kenngrößen, physikal.-chem. Kenngrößen, Grenzwerte für chem. Stoffe) dienen der Beurteilung der Beschaffenheit des T. u. *dürfen* nach § 2 nicht überschritten werden. Die in Anlage 7 (Tab. 3) festgelegten Richtwerte für Kupfer u. Zink *sollen* nicht überschritten werden. Im folgenden sind die einzelnen Kenngrößen, Grenzwerte u. Richtwerte der Anlagen 2, 4 u. 7 der Trinkwasser-VO[2] aufgeführt.
Die T.-Aufbereitung ist nach Abschnitt 2 (§ 5 u. 6 Trinkwasser-VO[2]) durchzuführen, wobei nur die in Anlage 3 genannten Stoffe unter Berücksichtigung des Verwendungszweckes u. der zulässigen Zugabemenge verwendet werden dürfen. Die zugelassenen Wirkstoffe für die T.-Aufbereitung in Verteidigungs- u. Katastrophenfall sind der Anlage 6 zu entnehmen. Neben den oben genannten Rechtsvorschriften u. DIN-Normen werden von der *WHO internat. Empfehlungen zur

Tab. 1: Grenzwerte für chem. Stoffe nach Anlage 2 der Trinkwasser-VO.

	Konzentration
Abschnitt I:	
Arsen	0,01 mg/L
Blei	0,04 mg/L
Cadmium	0,005 mg/L
Chrom	0,05 mg/L
Cyanid	0,05 mL/L
Fluorid	1,5 mg/L
Nickel	0,05 mg/L
Nitrat	50 mg/L
Nitrit	0,1 mg/L
Quecksilber	0,001 mg/L
Polycycl. aromat. Kohlenwasserstoffe (*PAH)	0,0002 mg/L
1,1,1-Trichlorethan, Trichlorethen, Tetrachlorethen, Dichlormethan	0,01 mg/L
Tetrachlormethan	0,003 mg/L
Abschnitt II:	
Antimon	0,01 mg/L
Selen	0,01 mg/L
Organ.-chem. Stoffe zur Pflanzenbehandlung einschließlich ihrer tox. Abbauprodukte	einzelne Substanz 0,0001 mg/L
Polychlorierte, polybromierte Biphenyle u. Terphenyle	insgesamt 0,0005 mg/L

Tab. 2: Kenngrößen u. Grenzwerte zur Beurteilung der Beschaffenheit des Trinkwassers nach Anlage 4 der Trinkwasser-VO.

Parameter	
Färbung (spektraler Absorptionskoeffizient)	0,5 m^{-1}
Trübung	1,5 T. E.
Geruchsschwellenwert	2 bei 12 °C
	3 bei 25 °C
Temp.	25 °C
pH-Wert	6,5–9,5
Leitfähigkeit	2000 µS·cm^{-1}
Oxidierbarkeit	5 mg O$_2$/L
Aluminium	0,2 mg/L
Ammonium	0,5 mg/L
Barium	1 mg/L
Bor	1 mg/L
Calcium	400 mg/L
Chlorid	250 mg/L
Eisen	0,2 mg/L
Kalium	12 mg/L
Kjeldahl-Stickstoff	1 mg/L
Magnesium	50 mg/L
Mangan	0,05 mg/L
Natrium	150 mg/L
Phenole	0,0005 mg/L
Phosphor	6,7 mg/L
Silber	0,01 mg/L
Sulfat	240 mg/L
Kohlenwasserstoffe	0,01 mg/L
mit Chloroform extrahierbare Stoffe	1 mg/L
oberflächenaktive Stoffe	
a) anion.	0,2 mg/L
b) nichtion.	0,2 mg/L

T.-Güte herausgegeben[5,6]. Eine krit. Würdigung der neuen Trinkwasser-VO[2], v. a. im Bezug auf Parameter wie *Stickstoff nach *Kjeldahl-Methode, *Phenol u. a., ist *Lit.*[7,8] zu entnehmen.

Tab. 3: Richtwerte für Trinkwasser nach Anlage 7 der Trinkwasser-VO.

Parameter	Konz. mg/L	festgelegtes Verf./Bemerkungen
Kupfer	3	Der Richtwert gilt nach Stagnation von 12 h. Innerhalb von 2 a nach der Installation von Kupferrohren gilt der Richtwert ohne Berücksichtigung der Stagnation.
Zink	5	s. Kupfer

An manchen Orten in der BRD (insbes. landwirtschaftlich intensiv genutzten Gebieten) bereitet die Einhaltung des Nitrat-Grenzwertes (50 mg/L; Richtzahl nach EG-T.-Richtlinie[3]: 25 mg/L) u. des Grenzwertes für „organ.-chem. Stoffe zur Pflanzenbehandlung u. Schädlingsbekämpfung" (Einzelsubstanz: 0,0001 mg/L, Summe: 0,0005 mg/L) Probleme. Als Abhilfemaßnahmen sind das Verschneiden mit weniger belastetem Wasser u. mikrobiol. od. chem. Verf. zur Nitrat-Reduktion zu nennen[9,10]. Seitens der EG wurde in einer Richtlinie zum Schutz der Gewässer gegen Nitrate aus landwirtschaftlichen Quellen die Ausbringung von Gülle auf 170 kg Stickstoff/Hektar u. Jahr begrenzt (bis 1997 als Übergang 210 kg). Nach einem Bericht der Senatskommission der *DFG[11] ist eine Überschreitung der Pflanzenschutzmittel-Grenzwerte, die im Sinne der Vorsorge erlassen wurden, nicht mit einer gesundheitlichen Gefährdung gleichzusetzen.

T.-Aufbereitung: Der Verw. von Quell-, Grund- u. Oberflächenwassers muß heute im allg. eine aufwendige Reinigungsphase vorausgehen. Zur *Aufbereitung* wird das Wasser zunächst mechan. durch Filtration mit Hilfe von Kies- u. Sandschichten verschiedener Körnung von Trübungen aus *Schwebstoffen anorgan. u. organ. Herkunft befreit, was bei aus Brunnen erbohrtem Grundwasser im allg. schon durch die natürliche Bodenfiltration geschieht. Nach dem *Klären wird das Wasser noch weiteren Behandlungen unterzogen wie der Entkeimung u. Geschmacksverbesserung, der Enteisung u. Entmanganung, Entsäuerung u. Teilenthärtung – eine weitergehende Enthärtung ist nur bei extrem hohen Härtegraden erforderlich, vgl. dazu Härte des Wassers.

Analytik: Als umfassende Sammlung von Analysenverf. zur Wasser-, Abwasser- u. Schlammuntersuchungen stehen die „Deutschen Einheitsverf." (DEV)[12] zur Verfügung. Darüber hinaus sind als offizielle Verf. die *Methoden nach § 35 LMBG (L. 59.00 bis L 59.11 – 16) zu nennen. Von gesundheitlicher Bedeutung ist der Nachw. sog. Trihalomethane (z. B. Chloroform, s. Chlormethane) u. anderer Chlorierungsprodukte, die im Verlauf der *Haloform-Reaktion, z. B. aus Huminstoffen (s. Huminsäuren), *Aminosäuren[13] u. *Chlor gebildet werden können. Zum mutagenen u. carcinogenen Potential dieser Verb. s. *Lit.*[14,15], zum Nachw. *Lit.*[16]. Durch die Verw. von Chlordioxid anstelle von *Chlor läßt sich das Ausmaß der Haloform-Reaktion verringern. Die Entfernung von Haloformen aus dem T. ist möglich[17]. Einen Überblick zur T.-Untersuchung, die das gesamte Spektrum der modernen instrumentellen

Analytik umfaßt (*GC, *HPLC, *AAS, *ICP-*AES, *ICP-*MS, *Photometrie, *Ionenchromatographie u. a.), gibt Lit.[18,19]. Neue kapillarelektrophoret. Bestimmungen von *Arsen in T. sind Lit.[20] zu entnehmen. Der *Cadmium-Gehalt in 170 T.-Proben (BRD) wurde durchschnittlich mit 0,2 µg/L als sehr niedrig bestimmt[21]. Untersuchungen von organ.-chem. Verunreinigungen in T. mit Online-Testphasenextraktion-GC/MS zeigten in fast 70% der Proben Verunreinigungen[22]. Ein analyt. Problem stellt die Überwachung des Pestizid-Grenzwertes (v. a. für *Atrazin) dar[23].

Um das wassergefährdende Potential chem. Stoffe einordnen zu können, erfolgt eine Einstufung von vornehmlich im Verkehr befindlichen Stoffen in 4 Wassergefährdungsklassen (WGK 0: im allg. nicht wassergefährdend, bis WGK 3: stark wassergefährdend)[24]. Eine entsprechende Datenbank (DABAWAS) existiert beim Inst. für Wasserforschung, 58239 Schwerte-Geisecke. Zum Nachw. von *Atrazin, einem *Herbizid, das auf Grund seiner geringen Abbaubarkeit im Boden u. der damit verbundenen potentiellen Anreicherung im T. verboten wurde[25], s. Lit.[26]. Zur Bewertung von Badewasser (auch Fluß- u. Seewasser) s. Lit.[27,28]. Eine toxikolog. Bewertung der Schadstoffe im T. gibt Lit.[29]. Verbrauch (BRD, 1995): 132 L pro Kopf u. Tag; Verbrauch der Haushalte insgesamt 3872 Mrd. m^3. – E drinking water – F eau potable – I acqua potabile – S agua potable

Lit.: [1] Bundesseuchengesetz vom 18.12.1976 in der Fassung vom 20.11.1996 (BGBl. I, S. 1804). [2] Bekanntmachung der Neufassung der Trinkwasser-VO vom 5.12.1990 (BGBl. I, S. 2612) u. Berichtigung vom 23.01.1991 (BGBl. I, S. 227) in der Zuständigkeitsanpassungs-VO vom 26.2.1993 (BGBl. I, S. 278). [3] Richtlinie des Rates der EG (80/778/EWG) über die Qualität von Wasser für den menschlichen Gebrauch, Amtsblatt der EG 23, Nr. L 229/11 vom 15.7.1980. [4] Normausschuß Wasserwesen im dtsch. Inst. für Normung e. V. (Hrsg.), DIN 2000 u. 2001, Leitsätze für die Einzel- u. zentrale Trinkwasserversorgung, Berlin: Beuth 1983. [5] WHO (Hrsg.), Guidelines for Drinking Water Quality, Vol. 1, Recommendation; Vol. 2, Health Criteria and other Supporting Informations, Geneva: WHO 1984–1988. [6] WHO Regional Office for Europe (Hrsg.), Drinking Water Quality: Guidelines for Selected Herbicides, Environmental Health Series No. 27, Kopenhagen: WHO 1987; Food Add. Contam. 6, Suppl. 1, 79–85 (1989). [7] Z. Umweltchem. Ökotox. 3, 146–150 (1991). [8] Bundesgesundheitsblatt 34, 17–20 (1991). [9] Bio Eng. 5 (6), 21–31 (1991). [10] Bundesministerium für Forschung u. Technologie (Hrsg.), Neue Techniken der Trinkwasserversorgung, Status Bericht 1988, S. 157–269, Karlsruhe: KfK 1989. [11] DFG (Hrsg.), Kommission für Pflanzenschutz-, Pflanzenbehandlungs- u. Vorratsschutzmittel, Mitteilung XVI, Weinheim: VCH Verlagsges. 1990. [12] Dtsch. Einheitsverfahren zur Wasser-, Abwasser- u. Schlammuntersuchung (DIN 38402) (3.), Loseblattsammlung Weinheim: VCH Verlagsges., Stand 24. Lieferung 1991. [13] J. Food Sci. 55, 1714–1719 (1990). [14] Chemosphere 15, 549–556 (1986). [15] Water Chlorination 6, 361–372 (1990); IARC, Sci. Publ. 104, 307–313 (1990). [16] Analusis 15, 69–76 (1987). [17] Chem. Ind. (London) 1990, Nr. 14, 804 f. [18] Labor Praxis 15, 154–159, 248–252, 397–402, 469–479 (1991). [19] Willy-Hager-Stiftung (Hrsg.), Literaturdaten zur Analyse von Wasserinhaltsstoffen, Stuttgart: Willy Hager Stiftung 1989. [20] J. Analyt. Atomic Spectromet. 12, 689–695 (1997). [21] Food Additives Contaminants 13, 359–378 (1996). [22] Dtsch. Lebensm.-Rundsch. 93, 141–144 (1997). [23] Nach. Chem. Tech. Lab. 39, 1277–1280 (1991). [24] Katalog Wassergefährdender Stoffe vom 23.3.1990, Gemeinsames Ministerialblatt (GMBL) Nr. 8, S. 113 (1990). [25] Pflanzenschutz-Anwendungs-VO vom 27.7.1988 in der Fassung vom 22.3.1991 (BGBl. I, S. 796). [26] Lebensmittelchemie 45, 70–71 (1991). [27] Bundesgesundheitsblatt 34, 158–161 (1991). [28] Mitt. Geb. Lebensmittelunters. Hyg. 82, 243–263 (1991). [29] AID-Verbraucherdienst 36, (1) 9–16 (1991).

allg.: Allard et al. (Hrsg.), Water Pollution, Berlin: Springer 1991 ▪ Aurand et al. (Hrsg.), Die Trinkwasser-VO, Bielefeld: Schmidt 1991 ▪ Block, Schwartzbrod, Viruses in Water Systems, Weinheim: VCH Verlagsges. 1989 ▪ Dilly u. Welsch, Trinkwasserverordnung (2.), Stuttgart: Wissenschaftliche Verlagsges. 1992 ▪ Dtsch. Institut für Normung (Hrsg.), DIN Taschenbuch 12, Wassergewinnung, Wasseruntersuchung, Wasseraufbereitung (9.), Bielefeld: Beuth 1995 ▪ Dtsch. Lebensm. Rundsch. 88, 13–18 (1992) ▪ Fachgruppe Wasserchemie in der GdCh (Hrsg.), Vom Wasser, Periodikum (jährlich), Weinheim: VCH Verlagsges. 1990 ▪ Frede (Hrsg.), Taschenbuch für Lebensmittelchemiker u. -technologen, Bd. 1, S. 501–509, Berlin: Springer 1991 ▪ Grohmann, Buchholz, Zusatzstoffe für Trinkwasser, Stuttgart: Fischer 1989 ▪ Hewlett-Packard (Hrsg.), Buch der Umweltanalytik, Bd. 2, Analytik u. Gewässerreinhaltung, Darmstadt: GIT 1991 ▪ Höll (Hrsg.), Wasser (7.), Berlin: de Gruyter 1986 ▪ IARC Monogr. 52, 15–359 (1991) ▪ Klee, Trinkwasser, Abwasser, Gewässerschutz (2.), Stuttgart: Thieme 1991 ▪ Kolkmann, Die EG-Trinkwasserrichtlinie, Reihe Wasserrecht u. Wasserwirtschaft, Bd. 26, Bielefeld: Schmidt 1991 ▪ Kobus u. DFG (Hrsg.), Schadstoffe im Grundwasser, Weinheim: VCH Verlagsges. 1992 ▪ Mattheß, Die Beschaffenheit des Grundwassers (2.), Berlin: Borntraeger 1990 ▪ Mc Feters (Hrsg.), Drinking Water Microbiology, Berlin: Springer 1990 ▪ Ullmann (5.) **A 4**, 36; **A 14**, 28 ▪ Vollmer et al., Lebensmittelführer (2.), Bd. 2, S. 149–167, Stuttgart: Thieme 1995 ▪ Wagner (Hrsg.), Wasser-Kalender 1991, Jahrbuch für das gesamte Wasserfach, Bielefeld: Schmidt 1990 ▪ Zipfel, C 432. – Zeitschriften u. Serien: Acqua ▪ Acta Hydrochimica et Hydrobiologica ▪ Gewässerschutz-Wasser-Abwasser ▪ Journal American Water Works Association ▪ Journal of Water Resources ▪ Mitteilungen Hydrochemie u. Hydrogeologie ▪ Oesterreichische Wasserwirtschaft ▪ Vom Wasser ▪ Water Chlorination ▪ Water Research ▪ Water Science and Technology ▪ Water Treatment and Examination ▪ Zeitschrift für Wasser u. Abwasserforschung. – Organisationen: DVGW, Dtsch. Verein des Gas- u. Wasserfaches ▪ Fachgruppe Wasserchemie in der *GdCh. – [HS 2201 10]

Trinkwasseraufbereitung. Bez. für Verf. zur Reinigung von Oberflächen- u. Grundwässern zur Gewinnung von *Trinkwasser. Dies soll weder Krankheitserreger noch irgendwelche störenden chem. Verunreinigungen enthalten. Die wesentlichen Aufarbeitungsschritte sind wie folgt skizzenhaft zu beschreiben (s. dazu auch Tab. 1):

Tab. 1: Verfahrensschemata zur Flußwasseraufbereitung unter Verw. von Ozon.

a) Ältere Verf.

Werk A	Werk B
Uferfiltration	Flockung u. Sedimentation
Ozonung	Hauptozonung
Flockungsfiltration	Aktivkohlefilter
Aktivkohlefilter	Bodenpassage
Sicherheitschlorung	Sicherheitschlorung

b) Neuere Verf.

Werk C	Werk D	Werk E
Flockung	Ozonung	Bodenpassage
Sedimentation	Flockungs-	Ozonung
Bodenpassage	filtration	Flockungsfiltration
Ozonung	Bodenpassage	Aktivkohlefilter
Flockungsfiltration	Sicherheits-	Sicherheitschlorung
Sicherheitschlorung	chlorung	

1. Die zur Entkeimung v. a. von Oberflächenwässern früher häufig u. in vielen Ländern noch bis heute angewendete *Hochchlorung* kann durch andere Verf. ersetzt werden. Dadurch vermeidet man nicht nur die Bildung unerwünschter u. z. T. schwer entfernbarer organ. Chlor-Verb., sondern erreicht auch eine bessere Trinkwasserqualität. Die wichtigsten Alternativen zur Hochchlorung beinhalten den Einsatz von *Ozon. Die Hochchlorung war viele Jahrzehnte das Standardverf. zur Aufbereitung von Ammonium-haltigen u. auch sonst stärker belasteten Oberflächen- u. auch Grundwässern, da damit unabhängig von der Wassertemp. jederzeit eine vollständige NH_4^+-Oxid. u. eine sichere Abtötung aller Krankheitserreger zu erreichen war.

2. Trotz aller Fortschritte bei der Anw. von physikal.-chem. Reinigungsmeth. hat es sich bewährt, bei der Aufbereitung von stärker verunreinigten Oberflächenwässern auf eine *biolog. Reinigungsstufe* nicht zu verzichten. Die Bodenpassage wird für eine derartige Aufgabe zur Zeit am häufigsten angewandt. Biolog. Reinigungsvorgänge lassen sich aber auch in Filtern, u. zwar v. a. in Aktivkohlefiltern (Adsorptionswirkung) mit guter Wirksamkeit durchführen.

3. Bei der *Flockung* hat sich die energiekontrollierte Durchführung der Flockungsvorgänge in mehreren Stufen gegenüber der kombinierten Flockung u. Sedimentation in den unterschiedlich konstruierten „-atoren" durchgesetzt. Eine zusätzliche Bedeutung hat ferner die Flockungsfiltration gewonnen. Die Wirksamkeit von Filteranlagen konnte durch die heute allg. übliche Verw. von Mehrschichtfiltern mit unterschiedlichen Materialien u. mit möglichst strukturierter Oberfläche ebenfalls erheblich verbessert werden. Man kann durch Flockung u. Filtration aber keine echt gelösten Störstoffe entfernen, wie sie heute auch in vielen Grundwässern häufig gefunden werden, sondern muß dazu auf Adsorptionsverf. zurückgreifen.

4. Die adsorptive Reinigung in Aktivkohlefiltern wird in zunehmendem Umfang zur sicheren Entfernung aller störenden chem. Verunreinigungen, sowohl bei Oberflächenwässern als auch bei Grundwässern, angewendet. Die in solchen Fällen ablaufenden Vorgänge u. die dabei zu beachtenden Verfahrenstechn. Grundlagen sind heute so weitgehend erforscht, daß eine optimale Dimensionierung u. ein sicherer Betrieb unter Einschluß der Reaktivierung möglich sind. Während die Mehrzahl der Wasserwerke in der Welt zur Entfernung von störenden organ. Spurenstoffen die Pulverkohledosierung bevorzugt, hat sich in der BRD die Verw. von Aktivkohlefiltern mit speziellen, der jeweiligen Aufgabenstellung angepaßten Aktivkohlesorten weitgehend durchgesetzt u. auch schon seit vielen Jahren in zahlreichen Anlagen bewährt. Das gilt sowohl für Oberflächen- als auch für Grundwässer, wobei im letzteren Fall meist Halogenkohlenwasserstoffe wie Tri- u. Tetrachlorethen entfernt werden müssen. Die Entfernung solcher Stoffe im Zuge der T. hat den klass. Aufgabenkatalog – Entsäuerung, Enteisenung u. Entmanganung, Trübstoffentfernung, Ammonium-Oxid. u. Entkeimung – wesentlich erweitert. Nicht mehr allein der Schutz des Verbrauchers vor Krankheitserregern sowie der Schutz von Trinkwasserleitungen vor Korrosion u. Verstopfung stehen im Mittelpunkt der T., sondern auch die Beseitigung organ. wie anorgan. Spurenstoffe. In Tab. 2 werden Aufbereitungsziele mit den zugehörigen Verf. genannt.

Tab. 2: Aufbereitungsziele u. zugehörige Verfahrensschritte bei der Trinkwasseraufbereitung.

Aufbereitungsziel	Verf.
Entsäuerung	Belüftung, $Ca(OH)_2$-Dosierung, Filtration über Marmor od. halbgebrannte Dolomite
Enteisenung, Entmanganung	Belüftung u. Filtration
Trübstoffentfernung	Filtration, Flockung
Ammonium-Oxid.	Knickpunktchlorung, biochem. Oxid. Langsamsandfiltration, biolog. Aktivkohle-Filtration
Entkeimung	Dosierung von Cl_2, ClO_2, O_3, Iod, UV
Entfernung von anorgan. Spuren u. Radionukliden	Fällung, Flockung, Kationenaustausch
Entfernung organ. Verb.	Flockung u. Fällung
Entfernung organ. Halogen-Verb.	Adsorption an Aktivkohle
Ligninsulfonsäure u. Huminsäure	Adsorption an Al_2O_3, makroporöse Ionentauscher
Teilentcarbonisierung	Fällung mit $Ca(OH)_2$ od. NaOH, Ionenaustauscher
Teilentsalzung	umgekehrte Osmose, Dest.
P-Eliminierung	Fe-Fällung, Al_2O_3-Adsorption
Nitrat-Red.	Anionenaustausch, umgekehrte Osmose, biochem. Denitrifikation

– *E* drinking-water conditioning – *F* traitement de l'eau potable – *I* preparazione dell'acqua potabile – *S* tratamiento del agua potable

Lit.: Brunnenbau, Bau Wasserwerken, Rohrleit.-Bau **40**, Nr. 3, 144 ff. (1989); **41**, Nr. 2, 49 ff., (1989); **42**, Nr. 2, 55 ff. (1990) ■ Chem. Ing. Tech. **56**, 99 ff. (1984) ■ Chem. Unserer Zeit **23**, Nr. 4, 130 ff. (1989) ■ Desalination **78**, 157 ff. (1990) ■ Environ. Sci. Technol. **24**, 768 ff. (1990) ■ Gas Wasserfach Wasser Abwasser **130**, 251 ff., 569 ff., 638 ff. (1989); **132**, 8 ff. (1991) ■ J. Am. Water Works Assoc. **80**, Nr. 9, 82 ff. (1988); **81**, Nr. 8, 54 ff., 74 ff.; Nr. 9, 87 ff. (1989); **83**, Nr. 1, 38 ff. (1991) ■ J. Water Pollut. Contr. Fed. **60**, 1670 ff. (1988) ■ Neue Deliwa Z. **89**, 347 ff. (1989) ■ Tech. Mitt. **77**, 501 ff. (1984) ■ Vom Wasser **72**, 151 ff. (1989); **74**, 51 ff. (1990); **75**, 287 ff. (1990) ■ Wasserwirtschaft **80**, 489 ff. (1990).

Trinkwasser-Verordnung. *Rechtsgrundlagen* für die Trinkwasser-VO (TVO)[1] sind § 11, Absatz 2 des Bundesseuchengesetzes[2] u. die §§ 9, 10 u. 12 des *LMBG[3] (Ermächtigung zum Schutz der Gesundheit, Ermächtigungen für Hygienevorschriften u. Zusatzstoffe). Die jeweils gültigen Fassungen der TVO stellen eine sukzessive Angleichung an die EG-Trinkwasserrichtlinie[4] dar.

Aufbau: Dem Abschnitt 1 der TVO (§ 1–4) sind die Anforderungen, denen *Trinkwasser in bezug auf hygien. u. chem. Parameter zu genügen hat, zu entnehmen. Abschnitt 2 (§ 5 u. 6) befaßt sich mit der Trinkwasseraufbereitung u. den dafür zugelassenen *Zusatzstoffen (früher in einer eigenen VO, der heute außer Kraft gesetzten Trinkwasser-Aufbereitungs-VO gere-

gelt). Die Anforderungen in Abschnitt 3 (§ 7) betreffen Wasser für Lebensmittelbetriebe. Die Abschnitte 4 (§ 8–17), 5 (§ 18–22) u. 6 (§ 23–28) regeln die Pflichten des Inhabers einer Wasserversorgungsanlage, die hygien. Überwachung durch das Gesundheitsamt, sowie Straftaten u. Ordnungswidrigkeiten. In den ergänzenden Anlagen werden im einzelnen aufgeführt:
– Durchführungsvorschriften zur mikrobiolog. Untersuchung
– Grenzwerte für chem. Stoffe mit gesundheitlicher Bedeutung
– zur Trinkwasseraufbereitung zugelassene Zusatzstoffe
– Kenngrößen u. Grenzwerte zur Beurteilung von Trinkwasser (mit techn. Bedeutung)
– Umfang u. Häufigkeit der Untersuchungen (richtet sich nach jährlicher Abgabemenge des Wasserversorgungsunternehmens)
– Desinfektionstabletten zur Trinkwasseraufbereitung in Verteidigungs- u. Katastrophenfällen
– Richtwerte für chem. Stoffe.
Kontroverse Diskussionen hat die Aufnahme von Parametern wie Kjeldahl-Stickstoff (s. Kjeldahl-Methode) u. *Phenol ausgelöst[5]. Auch ist zu bedenken, daß der Grenzwert für organ.-chem. Stoffe zur Pflanzenbehandlung u. Schädlingsbekämpfung einschließlich ihrer tox. Abbauprodukte (einzelne Stoffe 0,0001 mg/L; insgesamt 0,0005 mg/L), der als laufende Nr. 13 dem Abschnitt II der Anlage 2 zu entnehmen ist, nicht auf toxikolog. Überlegungen basiert, sondern als Vorsorgewert zu verstehen ist, der nach dem Prinzip „Trinkwasser soll grundsätzlich keine Pflanzenschutzmittel enthalten" gewählt wurde. Zu analyt. Problemen, die mit der Einhaltung dieses Grenzwertes einhergehen, s. Lit.[6–8]. Die TVO gilt auch in den neuen Bundesländern, wobei einige Grenzwerte erst ab dem 1.10.1993 (Cadmium) bzw. dem 1.10.1995 (*Arsen, *Blei, *Nitrat, *Quecksilber, Pflanzenschutzmittel, *PCB u. a.) als rechtsverbindlich anzusehen sind; s. a. Trinkwasser. – *E* decree about drinking water – *F* ordonnance sur l'eau potable – *I* decreto sull'acqua potabile – *S* decreto de aguas potables

Lit.: [1]Trinkwasser-VO in der Fassung vom 5.12.1990 (BGBl. I, S. 2612) berichtigt am 23.1.1991 (BGBl. I, S. 227) in der Fassung der Zuständigkeitsanpassungs-VO vom 26.2.1993 (BGBl. I, S. 278). [2]Bundesseuchengesetz vom 18.12.1979 in der Fassung vom 20.11.1996 (BGBl. I, S. 1804). [3]Lebensmittel- u. Bedarfsgegenständegesetz vom 15.8.1974 in der Fassung vom 25.11.1994 (BGBl. I, S. 3538). [4]Richtlinie des Rates der EG (80/778/EWG) über die Qualität von Wasser für den menschlichen Gebrauch, ABl. der EG, Nr. L229/11 vom 15.7.1980. [5]Z. Umweltchem. Ökotox. **3**, 146–150 (1991). [6]Nachr. Chem. Tech. Lab. **39**, 1277–1280 (1991). [7]Merck Spektrum **1991**, Nr. 3, 30 ff.; Z. Umweltchem. Ökotox. **13**, 131 f. (1991). [8]Labor-Praxis **15**, 637–642 (1991). *allg.:* Aurand et al. (Hrsg.), Die Trinkwasser-Verordnung (3.), Berlin: E. Schmidt 1991 ■ Bundesgesundheitsblatt **34**, 17–20 (1991) ■ DFG (Hrsg.), Pflanzenschutzmittel im Trinkwasser, Mitteilung XVI der Kommission für Pflanzenschutz-, Pflanzenbehandlungs- u. Vorratsschutzmittel, Weinheim: VCH Verlagsges. 1990 ■ Kolkmann, Die EG-Trinkwasserrichtlinie. Reihe Wasserrecht u. Wasserwirtschaft, Bd. 26, Berlin: E. Schmidt 1991.

Trinor... s. Nor...

Trinordiol® (Rp). Dragées mit *Levonorgestrel u. *Ethinylestradiol als Antikonzeptionsmittel. *B.:* Wyeth.

TRI-Normin (Rp). Filmtabl. mit *Atenolol, *Chlortalidon u. *Hydralazin-hydrochlorid gegen *Hypertonie. *B.:* Zeneca.

...triol. *Suffix für chem. Verb. mit 3 *Hydroxy-Gruppen (–OH) als ranghöchste Gruppen am Stammgerüst (s. Tri...ol; IUPAC-Regeln C-2, R-5.5.1.1); *Beisp.:* 1,2,3-Propantriol (*Glycerin), *1,2,6-Hexantriol, Benzol-1,2,3- u. -1,3,5-triol (s. Pyrogallol u. Phloroglucin). – *E* = *F* = *S* ...triol – *I* ...triolo

Triolein (Glycerintrioleat, Olein, Ölsäureglycerinester).

$$H_2C-O-CO-(CH_2)_7-CH=CH-(CH_2)_7-CH_3$$
$$HC-O-CO-(CH_2)_7-CH=CH-(CH_2)_7-CH_3$$
$$H_2C-O-CO-(CH_2)_7-CH=CH-(CH_2)_7-CH_3$$

$C_{57}H_{104}O_6$, M_R 885,44. Farblose bis schwach gelbe, ölige Flüssigkeit, D. 0,915, Schmp. –5 °C, Sdp. 238 °C (24 hPa), IZ 86. T. ist unlösl. in Wasser, wenig lösl. in Alkohol, leicht lösl. in Ether, Chloroform. Es findet sich neben gemischten Fettsäureglycerinestern in nichttrocknenden Ölen. – *E* triolein – *F* trioléine – *I* trioleina – *S* trioleína

Lit.: Beilstein E IV **2**, 1664 ■ Ullmann (5.) **A 10**, 173–243. – *[HS 1519 12, 2916 15; CAS 122-32-7]*

Trional s. Sulfonal.

Triosen. *Monosaccharide der Summenformel $C_3H_6O_3$, M_R 90,08; auch hier unterscheidet man zwischen

CHO	CH_2-OH
CH–OH	C=O
CH_2–OH	CH_2–OH
Aldose	Ketose
(*Glycerinaldehyd)	(*Dihydroxyaceton)

Die T. sind in freiem Zustand in den Organismen nicht vorzufinden, dagegen spielen ihre Phosphorsäureester beim intermediären Stoffwechsel der *Kohlenhydrate eine wichtige Rolle (vgl. Glykolyse u. Ethanol, S. 1228). Gelegentlich wird die Bez. T. auch für *Trisaccharide gebraucht, was allerdings von IUPAC/IUB nicht gebilligt wird. – *E* = *F* trioses – *I* triosi – *S* triosas

Lit.: s. Kohlenhydrate u. Monosaccharide.

Triosephosphat-Isomerase (EC 5.3.1.1; Abk.: TIM). Bez. für ein ubiquitäres Enzym (2 ident. Untereinheiten, M_R je 28 000, Struktur s. S. 4665), das die reversible Isomerisierung von D-Glycerinaldehyd-3-phosphat zu Glyceronphosphat (Dihydroxyacetonphosphat) katalysiert; es ist in der *Glykolyse von Bedeutung.
Die Struktur der TIM enthält 8 parallele, zylindr. angeordnete β-Faltblatt-Stränge, die von 8 α-Helices umgeben sind (α/β-Faß, vgl. Abb. u. Proteine). TIM ist ein katalyt. perfektes Enzym, d. h. daß die Katalyse-Rate nur durch Beschleunigung des An- u. Abtransports der Substrate noch gesteigert werden könnte. Bei genet. Defekt der TIM kommt es zu Anämie, wiederkehrenden Infektionen, Herzmuskelschwäche u. ernsten neuromuskulären Ausfällen[1]. – *E* triose-phos-

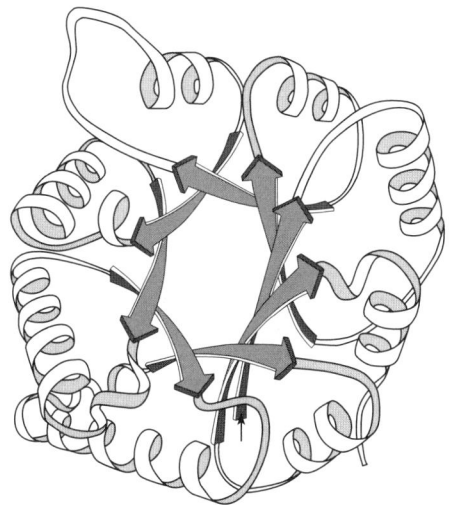

Abb.: Raumstruktur der TIM (schemat.: Bänder = α-Helix, Pfeile = β-Faltblatt).

phate isomerase – *F* triose-phosphate-isomérase – *I* triosiofosfato isomerasi – *S* triosa-fosfato-isomerasa
Lit.: [1] Int. J. Mol. Med. **2**, 701–704 (1998).
allg.: Stryer 1996, S. 512, 524 f.

Triosereduktion. $C_3H_4O_3$, M_R 88,06. Farblose Nadeln, Schmp. 153 °C (auch 200–220 °C unter Zers. im geschlossenen Rohr nach Bräunung ab ~140 °C angegeben), leicht lösl. in Wasser, Methanol, Ethanol, Aceton, unlösl. in Petrolether, Ligroin, gibt mit $FeCl_3$ eine schnell verschwindende blaue Färbung. Als typ. *Redukton ist T. eine mittelstarke Säure u. eine außerordentlich stark reduzierend wirkende Verb., die saure Silbernitrat-Lsg. schon in der Kälte reduziert sowie viele Farbstoffe in ihre *Leuk(o)-Formen überführt. Das *aci-T.* wird als *2,3-Dihydroxy-2-propenal* formuliert, das infolge *Tautomerie auch als *Hydroxypropandial* reagieren kann:

$$HO-CH=C(OH)-CHO \rightleftharpoons OHC-CH(OH)-CHO$$

Das von *Euler-Chelpin u. Martius 1933 aus einer alkal. Glucose-Lsg. isolierte T. kommt z. B. auch im *Tabak vor. – *E* triose reductone – *F* triosoréductone – *I* triosioriductone – *S* triosarreductona
Lit.: Beilstein E IV **1**, 4145 ▪ Chem.-Ztg. **75**, 21–24 (1951) ▪ s. a. Reduktone. – *[CAS 636-38-4 (aci-T.); 497-15-4 (Hydroxypropandial)]*

1,3,5-Trioxan. Systemat. Name für einen *Sauerstoff-Heterocyclus mit 3 O-Atomen im Ring, der durch *Trimerisation von Aldehyden entsteht; *Beisp.:* *Paraldehyd (2,4,6-Trimethyl-1,3,5-trioxan). Die Stammverb. *1,3,5-Trioxan* (s-Trioxan, Metaformaldehyd; Common Name: Trioxymethylen),

$C_3H_6O_3$, M_R 90,08, ist das Trimere des *Formaldehyds. Farblose Nadeln, D. 1,17, Schmp. 63 °C, Sdp. 115 °C, FP. 45 °C, in Wasser, Alkohol u. Ether leicht lösl.; WGK 1 (Selbsteinst.). In Ggw. von BF_3-Etherat als Katalysator od. unter der Einwirkung ionisierender Strahlung polymerisiert T. in festem Zustand zu *Polyoxymethylen*, s. Polyacetale. T. u. evtl. freigesetzter Formaldehyd wirken reizend auf Haut, Augen u. Atemtrakt. Zur techn. Herst. s. Ullmann (*Lit.*).
Verw.: Wichtigstes Anw.-Gebiet ist die Herst. von Polyacetal-Kunststoffen. Die Möglichkeit, T. zu Formaldehyd zu depolymerisieren, erlaubt die Verw. für fast alle Formaldehyd-Reaktionen, insbes. wenn sehr reiner Formaldehyd erwünscht ist. – *E* = *F* 1,3,5-trioxane – *I* 1,3,5-triossano – *S* 1,3,5-trioxano
Lit.: Beilstein E V **19/9**, 103 ▪ Berufsgenossenschaft der chem. Industrie: Formaldehyd u. Paraformaldehyd, Merkblatt M 010, 3/91 ▪ Kirk-Othmer (4.) **11**, 946 ▪ Merck-Index (12.), Nr. 9863 ▪ TRGS 607, Formaldehyd-Ersatzstoffe u. Verwendungsbeschränkungen, BArbBl. Nr. 3, S. 87 (1989) ▪ Ullmann (4.) **11**, 699 f.; **19**, 229; (5.) **A 11**, 644 f. ▪ s. a. Formaldehyd u. Polyacetale. – *[HS 2912 50; CAS 110-88-3; G 3]*

3,7,12-Trioxo-5β-cholan-24-säure s. Dehydrocholsäure.

1,2,4-Trioxolan s. Peroxide.

Trioxolane s. Ozonisierung.

Trioxygen s. Ozon.

Trioxymethylen s. 1,3,5-Trioxan.

Tripalmitin (Glycerintripalmitat, Palmitin, Palmitinsäureglycerinester).

$$H_2C-O-CO-(CH_2)_{14}-CH_3$$
$$HC-O-CO-(CH_2)_{14}-CH_3$$
$$H_2C-O-CO-(CH_2)_{14}-CH_3$$

$C_{51}H_{98}O_6$, M_R 807,35. Farblose Krist., D. 0,8752 (70 °C), Schmp. ca. 45 °C (α-T.), ca. 57 °C (instabiles β-T.), 66 °C (stabiles β-T.), Sdp. 310–320 °C, VZ 208,5, unlösl. in Wasser, schwer lösl. in Alkohol, leicht lösl. in Ether. T. ist Bestandteil von tier. u. pflanzlichen Fetten u. fetten Ölen, beispielsweise von *Palmöl. – *E* tripalmitin – *F* tripalmitine – *I* = *S* tripalmitina
Lit.: Beilstein E III **2**, 971 ▪ Ullmann (5.) **A 10**, 173–243. – *[HS 2915 70; CAS 555-44-2]*

Tripel (Tripoli). Polierschiefer vom Tripelberg in Böhmen, dort gelbliches bis aschgraues Material aus *Kieselgur (mit Eisenoxiden, Ton u. Sand vermischt). Heute definiert als feinstkörnige, weiche *Pelite aus *Chalcedon od. *Quarz, die durch Zersetzung von Hornstein (*Kieselgesteine) in *Kalken od. von *Kieselschiefern entstanden sind.
Vork.: Z. B. im Kraichgau u. am Odenwald.
Verw.: Zum *Polieren von Metallen, Steinen u. dgl., zur Herst. von Metallputzmitteln u. Leichtbausteinen; als Füllmittel. – *E* rottenstone, tripoli – *F* schiste tripoléen – *I* tripoli – *S* trípoli, tripolita
Lit.: Pohl, Lagerstättenlehre (4.), S. 258, Stuttgart: Schweizerbart 1992 ▪ Ramdohr-Strunz, S. 529.

Tripeldecker-Sandwich-Verbindungen s. Sandwich-Verbindungen.

Tripelennamin.

Internat. Freinahme für das *Antihistaminikum *N*-Benzyl-*N',N'*-dimethyl-*N*-(2-pyridyl)ethylendiamin,

$C_{16}H_{21}N_3$, M_R 255,35, gelbes, Amin-artig riechendes, mit Wasser mischbares Öl, Sdp. 138–142 °C (13,3 Pa), n_D^{25} 1,5759–1,5765, pK_{b1} 4,93, pK_{b2} 10,1. Das Hydrochlorid bildet bitter schmeckende Krist., Schmp. 192–193 °C, λ_{max} (CH_3OH) 245, 306 nm ($A_{1cm}^{1\%}$ 548, 161), die auf der Zunge vorübergehende Taubheit bewirken. Es ist sehr gut lösl. in Wasser, gut in Alkohol, Chloroform, wenig in Aceton, unlösl. in Benzol. T. wurde 1946 von Ciba, 1950 von Rhône Poulenc Rorer patentiert u. ist von Chefaro (Azaron® Stift) im Handel. – *E* tripelennamine – *F* tripélennamine – *I* tripelennamina – *S* tripelenamina

Lit.: Florey **14**, 107–133 ▪ Hager (5.) **9**, 1085 ff. ▪ Martindale (31.), S. 454 f. – *[HS 2933 39; CAS 91-81-6 (T.); 154-69-8 (Hydrochlorid)]*

Tripelhelix s. Collagene.

Tripelpunkt. Bez. für einen ausgezeichneten Punkt in einem Einstoffsyst., an dem drei Phasen (z. B. Dampf, Flüssigkeit u. Festkörper) im *nonvarianten Gleichgew.* (vgl. Gibbssche Phasenregel) miteinander stehen. Der T. des Wassers ist 1960 als Fundamentalpunkt der internat. *Temperaturskala zu 273,16 K (bei 611 Pa) festgelegt worden. Er liegt damit um 0,01 K über dem *Eispunkt des Wassers (273,15 K). Einige weitere T. von Industriegasen sind: Sauerstoff –218,789 °C, Stickstoff –210,004 °C, Kohlenmonoxid –205,01 °C, Kohlenstoffdioxid –56,571 °C, Argon –189,352 °C, Methan –182,465 °C, Ethylen –169,18 °C, Chlorwasserstoff –114,19 °C, Ammoniak –77,74 °C, Schwefeldioxid –75,52 °C. Jeder T.-Temp. eines Stoffes entspricht auch ein bestimmter T.-Druck; viele techn. wichtigen Stoffe gehen unterhalb ihres T. vom festen direkt in den gasf. Zustand über (vgl. Sublimation). – *E* triple point – *F* point triple – *I* punto triplo – *S* punto triple

Lit.: Kohlrausch, Praktische Physik 3, S. 534 ff., Stuttgart: Teubner 1996.

Tripelsalze. Bez. für *Doppelsalze mit 3 Komponenten; *Beisp.*: *Kaliumhydrogenperoxomonosulfat. – *E* triple salts – *F* sels triples – *I* sali tripli – *S* sales triples

Tripeptide. Aus 3 Aminosäure-Resten aufgebaute *Peptide, von denen einige – ebenso wie andere *Oligopeptide – in der Neurochemie, im Stoffwechsel u. als Releasing-Hormone sehr spezif. physiol. Wirkung aufweisen; *Beisp.*: *Thyroliberin, *Glutathion. – *E*=*F* tripeptides – *I* tripeptidi – *S* tripéptidos

Lit.: s. Peptide.

Triphenylamin. $N(C_6H_5)_3$, $C_{18}H_{15}N$, M_R 245,33. Farblose, monoklin-prismat. Krist., Schmp. 127 °C, Sdp. 347–348 °C (auch 365 °C angegeben), sehr schwache Base (pK_b > 20), wenig lösl. in kaltem Alkohol, leichtlösl. in Ether u. Benzol. MAK 5 mg/m³ (gemessen als Gesamtstaub, TRGS 900). T. wird bei der Einwirkung von Natrium u. Brombenzol auf Diphenylamin erhalten u. findet in organ. Synth. Verwendung. – *E* triphenylamine – *F* triphénylamine – *I* trifenilammina – *S* trifenilamina

Lit.: Beilstein E IV **12**, 276 ▪ Ullmann (5.) **A2**, 29. – *[HS 2921 49; CAS 603-34-9]*

Triphenylcarbenium s. Triphenylmethyl.

Triphenylcarbinol s. Triphenylmethanol.

Triphenylen (Benzo[*l*]phenanthren).

$C_{18}H_{12}$, M_R 228,30. Farblose Krist., D. 1,302, Schmp. 199 °C, Sdp. 440 °C (auch 425 °C angegeben), unlösl. in Wasser, lösl. in Alkohol, Ether, Benzol. Das von Kaffer 1935 im Steinkohlenteer entdeckte T. ist ziemlich reaktionsträge u. therm. sehr stabil; die Lsg. zeigen blaue Fluoreszenz u. bes. intensive Tieftemp.-Phosphoreszenz mit sehr langer Lebensdauer. Das vollständig gesätt. Derivat des T. (*Perhydrotriphenylen) ist ein präparativ nützliches Wirtsmol. für *Einschlußverbindungen. – *E* triphenylene – *F* triphénylène – *I* trifenilene – *S* trifenileno

Lit.: Beilstein E IV **5**, 2556 ▪ Elsevier **14**, 357; **14 S**, 324 S–337 S ▪ Kirk-Othmer (4.) **4**, 227 ▪ s. a. PAH. – *[HS 2902 90; CAS 217-59-4]*

1,3,5-Triphenylformazan s. 2,3,5-Triphenyl-2*H*-tetrazoliumchlorid.

***N,N',N''*-Triphenylfuchsin** s. Anilinblau.

Triphenylmethan (Tritan). $(H_5C_6)_3CH$, $C_{19}H_{16}$, M_R 244,32. Farblose Krist., D. 1,014, Schmp. 93 °C (stabile Form, es gibt noch zwei metastabile Formen), Sdp. 360 °C, in Wasser unlösl., leichtlösl. in heißem Alkohol, Ether u. Chloroform. T. entsteht z. B. aus Chloroform, Benzol u. Aluminiumchlorid. Es ist die Stammverb. der *Triarylmethan-Farbstoffe u. geht durch Oxid. in *Triphenylmethanol über. T. u. seine Derivate sind Beisp. für *Propeller-Moleküle. – *E* triphenylmethane – *F* triphénylméthane – *I*=*S* trifenilmetano

Lit.: Beilstein E IV **5**, 2495 ▪ Merck-Index (12.), Nr. 9871 ▪ Ullmann (5.) **A14**, 143; **A27**, 210. – *[HS 2902 90; CAS 519-73-3]*

Triphenylmethan-Farbstoffe s. Triarylmethan-Farbstoffe.

Triphenylmethanol (veraltete Bez. Triphenylcarbinol). $(H_5C_6)_3C$-OH, $C_{19}H_{16}O$, M_R 260,32. Farblose Blättchen, D. 1,188, Schmp. 164 °C, Sdp. 380 °C, in Wasser unlösl., leichtlösl. in Alkohol, Ether u. Benzol. T. entsteht bei der Oxid. von *Triphenylmethan u. läßt sich aus Benzoesäureethylester (od. Benzophenon) u. Phenylmagnesiumbromid herstellen. Es ist der Grundkörper von Rosanilin u. Pararosanilin, vgl. Triarylmethan-Farbstoffe, u. findet in organ. Synth. Verwendung. – *E* triphenylmethanol – *F* triphénylméthanol – *I* trifenilmetanolo – *S* trifenilmetanol

Lit.: Beilstein E IV **6**, 5014 ▪ Merck-Index (12.), Nr. 9869 ▪ Org. Synth. Coll. Vol. III, 841 (1955) ▪ Synthesis **1982**, 1. – *[HS 2906 29; CAS 76-84-6]*

Triphenylmethyl. 1. Bez. für das auch unter dem Namen *Trityl* bekannte *Radikal $(H_5C_6)_3C^•$, das z. B. durch Dehalogenierung von Triphenylmethylhaliden od. bei der therm. Dissoziation von *Hexaphenylethan entsteht. Da das T. als Radikal ein *einsames Elektron am zentralen C-Atom besitzt, ist sein Nachw. durch magnet. Meßmeth. möglich. Im Falle des T. steht das ungepaarte Elektron des Radikal-C-Atoms wegen dessen sp^2 *Hybridisierung mit den π-Elektronen der Ringe in *Resonanz. Dadurch wird die Dissoziationsenergie des „Hexaphenylethans" von 290 auf 46 kJ/mol herabgesetzt, wodurch die Existenz des freien T. möglich wird (s. Abb. bei Hexaphenylethan).

Triphenylmethyl-Radikal   -Carbenium-Ion

Die gleiche planare Konfiguration liegt auch beim *Triphenylcarbenium*-(Trityl-)Ion vor, das eine Reihe von stabilen Salzen zu bilden vermag u. infolge seiner *elektrophilen Reaktionen ein wertvolles Reagenz in der präparativen Chemie darstellt (s. a. bei Carbenium-Ionen). Triphenylcarbenium-Salze (*Tritylium-Salze*, z. B. T.-Halogenantimonate, -borate u. -phosphate) sind ausgezeichnete Hydrid-Abstraktoren z. B. bei der Synth. von *Tropylium-Salzen aus Cycloheptatrienen; bei der Synth. von Tetracyclinen können sie zur Überführung von Ketalen in Ketone eingesetzt werden, u. auch als kation. Polymerisationskatalysatoren sind sie verwendbar.
2. Der T.-Rest $(H_5C_6)_3C-$, dessen Einführung z. B. mit den erwähnten Trityl-Salzen gelingt, dient u. a. als *Schutzgruppe in der *Peptid-Synthese, das Tritylbromid (Bromtriphenylmethan) wird zum Schutz von Alkohol-Gruppen benutzt, wobei *Tritylether* gebildet werden. – *E* triphenylmethyl – *F* triphénylméthyle – *I* trifenilmetile – *S* trifenilmetilo
Lit.: Angew. Chem. **89**, 266f. (1977); **94**, 303 f. (1982); **99**, 822f. (1987) ▪ Chem. Unserer Zeit **3**, 40–49 (1969) ▪ Houben-Weyl E19c, 68 ▪ s. a. Carbokationen, Hexaphenylethan.

Triphenylphosphan (Triphenylphosphin, TPP). $(H_5C_6)_3P$, $C_{18}H_{15}P$, M_R 262,28. Farblose, monokline, triboluminiszierende Prismen, D. 1,075 (80 °C), Schmp. 80 °C, Sdp. >360 °C, 188 °C (1,3 hPa), unlösl. in Wasser, lösl. in Alkohol, leicht lösl. in den meisten organ. Lösemitteln; WGK 2 (Selbsteinst.). T. ist das bekannteste der organ. *Phosphane. T. ist ein *Propeller-Molekül.
Herst.: Durch Einwirkung von Phenylmagnesiumbromid auf Phosphortrichlorid.
Verw.: Vielseitig verwendetes Reagenz in der organ. Chemie, s. Paquette (*Lit.*). In der Technik wie auch im Labor ist T. Ausgangsstoff für die Herst. der Phosphor-*Ylide (s. a. *Wittig-Reaktion*), ferner dient es als Stabilisator u. Inhibitor sowie zur *Desoxygenierung von Peroxiden u. a. Oxiden, wobei T. selbst in *Triphenylphosphinoxid* ($C_{18}H_{15}OP$, M_R 278,29, D. 1,2124, Schmp. 157 °C, Sdp. >360 °C in siedendem Wasser etwas lösl.) übergeht; diese Reaktion nutzt man im Laboratorium zur Red. evtl. explosibler Peroxide, die bei *Autoxidation (bes. von *Ethern) u. *Ozonisierung entstehen. Tris(triphenylphosphin)-cobaltdihydrid war der erste synthet. zur *Stickstoff-Fixierung befähigte Metallkomplex. – *E* triphenylphosphane – *F* triphénylphosphane – *I* = *S* trifenilfosfano
Lit.: Beilstein E IV **16**, 951, 1011 ▪ Merck-Index (12.), Nr. 9873 ▪ Paquette **8**, 5357 ▪ Synthesis **1981**, 1–28 ▪ Synthetica **1**, 510–517 ▪ Ullmann (4.) **18**, 379, 394; **20**, 142; (5.) A **19**, 547 ff. – [HS 293100; CAS 603-35-0; 791-28-6 (*Triphenylphosphinoxid*)]

Triphenylphosphat (Phosphorsäuretriphenylester, TPP, TPF). $(H_5C_6O)_3P=O$, $C_{18}H_{15}O_4P$, M_R 326,29. Farblose, geruchlose Krist., D. 1,206, Schmp. 50 °C, Sdp. 245 °C (15 mbar), unlösl. in Wasser u. Benzin, lösl. in Alkohol, leichtlösl. in Ether, Chloroform, Benzol. T. wird als *Flammschutzmittel u. *Weichmacher verwendet. – *E* triphenyl phosphate – *F* phosphate de triphényle – *I* trifenilfosfato – *S* fosfato de trifenilo
Lit.: Beilstein E IV **6**, 720 ▪ Kirk-Othmer (4.) **10**, 978, 985 f. ▪ Ullmann (4.) **18**, 391; **24**, 364; (5.) A **19**, 563 f.; A **20**, 490. – [HS 291900; CAS 115-86-6; G 9]

Triphenylphosphin, -oxid s. Triphenylphosphan.

Triphenylphosphit (TPP, Phosphorigsäuretriphenylester). $(H_5C_6O)_3P$, $C_{18}H_{15}O_3P$, M_R 310,29. Farblose Krist. od. klare Flüssigkeit, D. 1,1844, Schmp. 25 °C, Sdp. 360 °C, 180 °C (0,13 hPa), unlösl. in Wasser, lösl. in Alkohol u. a. organ. Lsm., WGK 2 (Selbsteinst.). T. kann durch Umsetzung von überschüssigem Phenol mit Phosphortrichlorid hergestellt werden.
Verw.: Als Antioxidans u. Komplexbildner für Kunstharze, Kautschuk, techn. Öle u. Fette. T. stabilisiert zusammen mit fettsauren Salzen des Ba od. Cd PVC gegen Hitze- u. Lichteinwirkung (vielleicht durch Komplexbildung mit Schwermetall-Spuren); vielseitig verwendbar in organ. Synthesen. Das T.-Ozonid, $(H_5C_6O)_3PO_3$, $C_{18}H_{15}O_6P$, M_R 358,29, kann zur Erzeugung von *Singulett-Sauerstoff genutzt werden, denn es zerfällt bei –17 °C in Triphenylphosphat u. $^1O_2$. – *E* triphenyl phosphite – *F* phosphite de triphényle – *I* trifenilfosfito – *S* fosfito de trifenilo
Lit.: Beilstein E IV **6**, 695 ▪ Synthetica **2**, 370–372 ▪ Paquette **8**, 5401–5405 ▪ Ullmann (4.) **18**, 394; A **19**, 558. – [HS 292090; CAS 101-02-0; G 6.1]

Triphenylphosphit-ozonid s. Triphenylphosphit.

2,3,5-Triphenyl-2H-tetrazoliumchlorid (TTC).

2,3,5-Triphenyl-2*H*-tetrazoliumchlorid   1,3,5-Triphenylformazan

$C_{19}H_{15}ClN_4$, M_R 334,60. Fast farbloses feinkrist. Pulver, Schmp. 250 °C (Zers.), gegen Luftsauerstoff unempfindlich, lösl. in Wasser, Alkohol, Aceton, unlösl. in Ether. TTC färbt sich unter Lichteinwirkung intensiv gelb (Bildung von Photoprodukten durch Dehydrocyclisierung) weshalb Untersuchungen mit dem Reagenz in abgedunkelten Räumen vorgenommen werden sollten.
Herst.: Durch Kupplung von Benzaldehydphenylhydrazon mit Benzoldiazoniumchlorid zum *Formazan u. anschließende Cyclisierung mit Isoamylnitrit u. alkohol. Salzsäure. TTC geht bei Einwirkung reduzierender Verb. leicht in *1,3,5-Triphenylformazan* (TTF, $C_{19}H_{16}N_4$, M_R 300,37, s. Abb.) über. Dieses bildet dunkelrote, metallglänzende, lichtempfindliche (*cis-trans*-Isomerien!) Blättchen, Schmp. 173–175 °C, unlösl. in Wasser, mit roter Farbe lösl. in Chloroform,

Ether, Essigester, Methanol, Ethylglykol, in Ethanol wenig löslich. Das in der Technik *Tetrazoliumrot* genannte TTC eignet sich als Redox-*Indikator, wobei wegen der tiefen Färbung des Formazans auch quant. kolorimetr. Bestimmungen möglich sind. Bei Reaktionen im *Redoxsystem *Tetrazolium-Salze ⇌ Formazane werden radikal. Zwischenstufen durchlaufen. Analoge Radikal- u. Ionen-Reaktionen finden im verwandten Tetrazinium-Syst. statt, vgl. Verdazyle.
Verw.: Ebenso wie das analoge 3-(1-Naphthyl)-Derivat (*Tetrazoliumviolett*), *Tetrazoliumblau u. *Tetrazolpurpur in der Histochemie zur Aktivitätsmessung von *Dehydrogenasen, zur Messung der *Keimfähigkeit von Saatgut, für Schnelltests zur Wertbestimmung von Antibiotika u. Desinfektionsmitteln, da es nur von lebenden Zellen zum Formazan reduziert wird (*Vitalfärbung). Daher ist dieser Test auch zur Qualitätsbestimmung von Belebtschlamm (s. Klärschlamm) geeignet. In der Lebensmittelchemie kann TTC als Indikator für den Bakteriengehalt von Milch verwendet werden, u. in der Dünnschichtchromatographie eignet es sich als Sprühreagenz auf reduzierende Zucker, Corticosteroide u. a. Red.-Mittel. – *E* 2,3,5-triphenyl-2*H*-tetrazolium chloride – *F* chlorure de 2,3,5-triphényl-2*H*-tétrazolium – *I* cloruro di 2,3,5-trifenil-2*H*-tetrazolio – *S* cloruro de 2,3,5-trifenil-2*H*-tetrazolio
Lit.: Angew. Chem. **85**, 485–493 (1973) ▪ Beilstein E III/IV **26**, 1774 ▪ Hager **6c**, 294 ▪ Merck-Index (12.), 9874 ▪ Prog. Histochem. Cytochem. **9**, 51 (1976). – *[HS 2933 90; CAS 298-96-4]*

Triphenylzinn... s. Zinn-organische Verbindungen.

Triphenylzinnacetat s. Fentinacetat.

Triphosphate. Bez. für Salze mit dem Anion $P_3O_{10}^{5-}$, z. B. Pentanatriumtriphosphat, s. Natriumphosphate. – *E* = *F* triphosphates – *I* trifosfati – *S* trifosfatos

Triphospho-Pyridinium-Nucleotid (TPN). Veraltet für Nicotinamid-Adenin-Dinucleotid-Phosphat (NADP), s. Nicotinamid-Adenin-Dinucleotid.

Triphylin. Li(Fe^{2+},Mn^{2+})[PO_4] od. $Li_2O \cdot 2(Fe,Mn)O \cdot P_2O_5$; mit *Olivin isotypes rhomb. Lithium-Mineral, Glied einer isomorphen Reihe zwischen LiFe[PO_4] u. *Lithiophilit* Li(Mn^{2+},Fe^{2+})[PO_4]. Kristallklasse mmm-D_{2h}, Struktur s. *Lit.*[1], Struktur nach Oxid. bei 670 °C s. *Lit.*[2]. T. bildet grünlichgraue, oft blau gefleckte, derbe, grobkörnige, fettglänzende Massen od. rhomb., unebenflächige Krist.; H. 4–5, D. 3,4–3,6, leicht lösl. in Salzsäure. Mangan-reiche Glieder sind braun bis lachsfarbig. T. ist oft teilw. od. vollständig in eine Vielzahl sek. Phosphat-Mineralien umgewandelt. Zur Kationen-Verteilung zwischen T./Lithiophilit u. *Triplit/Zwieselit s. *Lit.*[3].
Vork.: Zusammen mit anderen Phosphat-Mineralien in Granit-*Pegmatiten, z. B. Hagendorf/Oberpfalz (histor.), Manguaba/Portugal, Viitaniemi/Finnland (Lithiophilit), South Dakota u. New Hampshire/USA. – *E* triphylite, triphyline – *F* triphylite – *I* = *S* trifilina
Lit.: [1]Carnegie Inst. Washington Yearb., Annu. Rep. Dir. Geophys. Lab. **68**, 290ff. (1970). [2]Neues Jahrb. Mineral. Monatsh. **1978**, 128–134. [3]Contrib. Mineral. Petrol. **118**, 239–248 (1994).
allg.: Nriagu u. Moore (Hrsg.), Phosphate Minerals, S. 118, Berlin: Springer 1984 ▪ Ramdohr-Strunz, S. 622f. ▪ Schröcke-Weiner, S. 611f. – *[CAS 13816-45-0]*

Triplesuperphosphat s. Düngemittel u. Superphosphat.

Triplett (von latein.: triplex = dreifach). 1. Unter einem *T.-Zustand* versteht man in der Chemie im allg. einen elektron. Zustand, der in Abwesenheit eines äußeren Magnetfelds dreifach entartet ist u. unter dem Einfluß eines Magnetfeldes (*Zeeman-Effekt) in 3 Komponenten aufspaltet. Ein solcher T.-Zustand hat die (elektron.) Spinquantenzahl S = 1 u. damit eine Spin-*Multiplizität von 2 S + 1 = 3. T.-Zustände treten z. B. auf bei Atom-, Ionen- od. Mol.-Syst. mit 2 *einsamen Elektronen, deren *Spins sich – im Gegensatz zu denen von *Singulett-Zuständen – nicht gegenseitig kompensieren, sondern parallel ausrichten; bildlich stellt man dies häufig durch ↑↑ dar. *Beisp.:* Der Grundzustand des Kohlenstoff-Atoms ist ein T.-Zustand mit der Termbezeichnung ^3P (sprich: Triplett-P); die *Spin-Bahn-Kopplung ist hier unberücksichtigt. Das Sauerstoff-Mol. ist eines der wenigen Mol., die einen T.-Zustand als Grundzustand haben; für das reaktive Methylen (CH_2) trifft dies auch zu. In der Mehrzahl der Fälle ist der T.-Zustand (der auch der *phosphoreszenzfähige* Zustand genannt wird) für Mol. jedoch nicht der Grund-, sondern ein *Anregungs-Zustand. In diesen gelangen die Mol. über den angeregten (*fluoreszenzfähigen*) *Singulett-Zustand, u. zwar durch *Spinumkehr* beim *Intersystem Crossing; Näheres, auch zur Notation des T.-Zustands, u. Beisp. s. bei Photochemie, Singulett u. Spin u. den dort zitierten Arbeiten.
T.-Zustände haben ein permanentes magnet. Moment u. lassen sich daher mit *EPR-Spektroskopie od. lasermagnet. Resonanz (LMR)-Spektroskopie untersuchen. Bei stärkerer Spin-Bahn-Wechselwirkung sind sie auch direkt der opt. Spektroskopie zugänglich (z. B. konnte der tiefstliegende T.-Zustand des H_2CS-Mol. detailliert im sichtbaren Bereich untersucht werden; s. *Lit.*[1]). Außer durch Intersystem crossing ist ihre Erzeugung auch durch Stoßanregung, z. B. mit Elektronen, möglich. Die T.-Energie von *Sensibilisatoren spielt eine Rolle bei *Energieübertragungs-Prozessen (vgl. Sensibilisation).
2. Als T. bezeichnet man fachsprachlich auch die *Codons des *genetischen Codes. – *E* = *F* triplet – *I* tripletto – *S* triplete
Lit.: [1]Annu. Rev. Phys. Chem. **34**, 31–58 (1983).
allg.: Klessinger u. Michl, Excited States and Photochemistry of Organic Molecules, Weinheim: VCH Verlagsges. 1995 ▪ s. a. Photochemie.

Triplett-Sauerstoff. Gelegentlich verwendete Bez. für den elektron. Grundzustand des Sauerstoff-Mol., dessen Termsymbol $^3\Sigma_g^-$ (sprich: „Triplett-Sigma-G-Minus") lautet; s. a. Singulett-Sauerstoff. – *E* triplet oxygen – *F* oxygène triplet – *I* ossigeno tripletto – *S* oxígeno triplete

Triplit. (Mn^{2+},Fe^{2+},Mg)$_2$[(F,OH)/PO_4], mit $Mn^{2+} > Fe^{2+}$; Glied einer isomorphen Reihe mit *Zwieselit*, (Fe^{2+},Mn^{2+})$_2$[(F,OH)/PO_4], mit $Fe^{2+} > Mn^{2+}$ u. *Magnio-T.*, (Mg,Fe^{2+},Mn^{2+})$_2$[(F,OH)/PO_4]. Rötlichbraunes bis dunkelbraunes, auch fleischrotes, durch Umwandlungsvorgänge oft bräunlichschwarzes bis schwarzes, fettglänzendes monoklines Mineral, Kristallklasse 2/m-

C_{2h}, Struktur s. Lit.[1,2]. Meist *derb in sehr grobkörnigen, spaltbaren Massen; H. 5, D. 3,5–3,9. Zur Kationen-Verteilung zwischen T./Zwieselit u. *Triphylin/Lithiophilit s. Lit.[3].

Vork.: Überwiegend in Granit-*Pegmatiten, z. B. Hagendorf, Pleystein u. Zwiesel (Name Zwieselit!) in Bayern (alle histor.), South Dakota u. Colorado/USA, Argentinien, Karibik u. Tsaobismund/Namibia. – $E = F = I$ triplite – S triplita

Lit.: [1] Naturwissenschaften **55**, 178 (1968). [2] Z. Kristallogr. **130**, 1–6 (1969). [3] Contrib. Mineral. Petrol. **118**, 239–248 (1994).
allg.: Gmelin, Syst.-Nr. 16, P, Tl. A, 1965, S. 59, 383–387 ▪ Nriagu u. Moore (Hrsg.), Phosphate Minerals, S. 118f., Berlin: Springer 1984 ▪ Schröcke-Weiner, S. 619f. – *[CAS 12199-51-8]*

Tripoli s. Tripel.

Tripper s. Gonorrhoe.

Triprolidin.

Internat. Freiname für das *Antihistaminikum (E)-2-[3-(Pyrrolidino)-1-p-tolyl-1-propenyl]pyridin, $C_{19}H_{22}N_2$, M_R 278,40, Krist., Schmp. 59–61 °C, λ_{max} (C_2H_5OH) 236, 285 nm ($A^{1\%}_{1cm}$ 550, 244), pK_b 4,7. Verwendet wird meist das Monohydrat, Krist., Schmp. 116–118 °C, mäßig lösl. in Wasser, Ethanol, Methanol. T. wurde 1955 von Burroughs Wellcome patentiert u. ist von Warner Lambert (Actifed®) in Kombination mit *Pseudoephedrin-Hydrochlorid im Handel. – $E = F$ triprolidine – $I = S$ triprolidina

Lit.: ASP ▪ Beilstein E III/IV **22**, 4972 ▪ Florey **8**, 509–528 ▪ Hager (5.) **9**, 1089 ff. ▪ Martindale (31.), S. 455. – *[HS 2933 39; CAS 486-12-4 (T.); 6138-79-0 (Monohydrat)]*

Tripropylen. Trivialname für das verzweigte *Trimerisations-Produkt des *Propens (Isononen).

Tripropylenglykol s. Polypropylenglykole.

Triptan. Trivialname für *2,2,3-Trimethylbutan od. (seltener) *2,2-Dimethylbutan.

Tripton (Abioseston, Peritripton). Der unbelebte Anteil des *Sestons, die im Gewässer suspendierten *Schwebstoffe, oft auch mit *Detritus gleichgesetzt. Wie bei diesem sind die T.-Partikel vielfach mit *Bakterien u. *Cyanobakterien (Blaualgen), aber auch mit *Algen u. a. Mikroorganismen assoziiert. Daher wird heute vielfach das engl. Akronym *POM = *p*articulate *o*rganic *m*atter, *POC = *p*articulate *o*rganic *c*arbon bzw. PON = *p*articulate *o*rganic *n*itrogen, verwendet, je nachdem, ob der Weg der partikulären, organ. Materie, des Kohlenstoffs od. Stickstoffs in diesen Gewässern untersucht werden soll. Der Anteil des T. an der Trockenmasse des Sestons liegt im Süßwasser meist bei weniger als 25%, im Meer bei 80–90%. Das T. wird z. T. mit den Flüssen u. über die Atmosphäre in die Meere eingetragen, zum überwiegenden Teil stammt es aus Ausscheidungen (*Exsudaten) von Algen u. a. Meereslebewesen. Diese Exsudate werden biot. u. abiot. in Huminstoffe (s. Huminsäuren) umgewandelt, färben vielfach als mariner Gelbstoff das *Meerwasser u. rieseln nach weiterer Aggregation in die tieferen, aphot. (lichtlosen) Wasserschichten, wo sie Grundlage von *Nahrungsketten sind. – $E = F$ tripton – I triptone – S triptón

Lit.: Mitt. Geol. Paläont. Inst. Univ. Hamburg (SCOPE/UNEP Sonderband) **52**, 483–505 (1982) ▪ Nature (London) **332**, 396f., 436–443 (1988); **333**, 67–69 (1988).

Triptorelin (Rp).

5-OxoPro-His-Trp-Ser-Tyr-D-Trp-Leu-Arg-Pro-Gly-NH$_2$

Internat. Freiname für ein synthet., cytostat. wirksames *Gonadoliberin-Analogon, 6-D-Tryptophangonadoliberin, $C_{64}H_{82}N_{18}O_{13}$, M_R 1311,47, $[\alpha]_D^{23}$ –58,8° (c 0,33/CH_3COOH). Verwendet wird meist das Acetat, $C_{66}H_{86}N_{18}O_{15}$, M_R 1371,52. T. wurde 1976 u. 1977 von Schally u. Coy patentiert u. ist von Ferring (Decapeptyl®) gegen Prostatacarcinom u. zur assistierenden Fertilitätstherapie im Handel. – E triptorelin – F triptoréline – $I = S$ triptorelina

Lit.: ASP ▪ Hager (5.) **9**, 1091 ff. ▪ Martindale (31.), S. 1295. – *[CAS 57773-63-4 (T.); 105581-02-0 (Acetat)]*

Triptycen (9,10-Dihydro-9,10-*o*-benzenoanthracen).

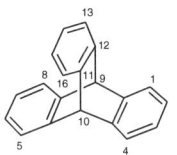

$C_{20}H_{14}$, M_R 254,33. Farblose Krist., Schmp. 256 °C, die z. B. aus Anthracen u. *Dehydrobenzol od. auf anderen Wegen zugänglich sind. Bei T.-Derivaten tritt *Atropisomerie auf; die stabilen Konformere (s. Konformation) unterscheidet man durch die Bez. antiperiplanar (*ap*-) u. synclinal (*sc*-). T., in denen die C-Atome 9 u. 10 durch je ein Heteroatom ersetzt sind, beschreibt Lit.[1]. – E triptycene – F triptycène – I tripticene – S tripticeno

Lit.: [1] Adv. Inorg. Chem. **33**, 1–38 (1989).
allg.: Beilstein E IV **5**, 2639. – *[HS 2902 90; CAS 477-75-8]*

Triptyl... Kurzbez. für den 1,1,2,2-Tetramethylpropyl-Rest –C(CH$_3$)$_2$–C(CH$_3$)$_3$ (vgl. 2,2,3-Trimethylbutan) od. den 9-Triptycenyl-Rest (s. Triptycen). – $E = F$ triptyl... – $I = S$ triptil...

2,2′,2″-Tripyridyl s. 2,2′:6′,2″-Terpyridin.

2,4,6-Tri(2-pyridyl)-1,3,5-triazin (TPTZ).

$C_{18}H_{12}N_6$, M_R 312,33; gelbliche Krist., Schmp. 248–250 °C, leicht lösl. in Chloroform u. verd. Säuren, wenig in Alkohol, nicht in Wasser. T. ist ein sehr empfindliches Reagenz auf Fe^{2+}, das einen intensiv violetten, u. auf Ru^{3+}, das einen purpurroten Komplex liefert. TPTZ wird für die Bestimmung von Fe im Serum[1] verwendet. – $E = F$ 2,4,6-tri(2-pyridyl)-1,3,5-triazine – I 2,4,6-tri(2-piridil)-1,3,5-triazina – S 2,4,6-tri(2-piridil)-1,3,5-triazina

Lit.: [1] Clin. Chim. Acta **48**, 367 (1973); Anal. Chem. **46**, 692–696 (1974).
allg.: Beilstein E III/IV **26**, 4192 ▪ Diehl et al., The Iron Reagents, S. 41–56, Columbus: Frederick Smith Chem. Co. 1965 ▪ Fresenius J. Anal. Chem. **346**, 667 (1993) ▪ Fries-Getrost, S. 131–133, 309 ▪ Merck-Index (12.), Nr. 9880. – [HS 293369; CAS 3682-35-7]

Triquinane. Gruppe von Naturstoffen, deren Grundgerüst aus drei annellierten Cyclopentan-Ringen besteht. Lineare T. aus Pilzen sind z. B. *Hirsuten, *Hirsutsäure u. die davon durch Red. der Oxo- zur Hydroxy-Gruppe abgeleitete *Complicatsäure*, die *Corioline, *Hypnophilin u. *Pleurotellol. Die *Crinipelline bestehen aus vier annellierten Cyclopentan-Ringen u. gehören damit zu den *Tetraquinanen.

Silphinen (1)　　α-Isocomen (2)　　Pentalensäure (3)

Arthrosporon (4)　　Cucumin A (5)　　Cucumin B (6)

Tab.: Daten von Triquinanen.

Nr.	Summenformel	M_R	Schmp. [°C]	$[α]_D$ (CHCl$_3$)	CAS
1	$C_{15}H_{24}$	204,36	Öl	$[α]_D^{24} -21,3°$	74284-57-4
2	$C_{15}H_{24}$	204,36	Öl	$[α]_D^{24} -85°$	65372-78-3
3	$C_{15}H_{22}O_3$	250,34			69394-19-0
4	$C_{15}H_{24}O_3$	252,35	140	$[α]_D^{20} -141°$	124724-98-7
5	$C_{15}H_{16}O_2$	228,29	gelbes Öl	$[α]_D^{18} -101°$	
6	$C_{15}H_{18}O_2$	230,30	gelbes Öl	$[α]_D^{18} -136°$	

*Capnellen findet sich in einer Weichkoralle. Ein T. mit *Propellan-Struktur ist *Modhephen, Beisp. für angulär annellierte T. sind die Kohlenwasserstoffe *Silphinen* (aus den Wurzeln von *Silphium perfoliatum*) *Isocomene* (aus *Isocoma wrightii*), *Pentalenen u. *Pentalensäure*. Die Biosynth. der T. verläuft über das durch Cyclisierung von Farnesyldiphosphat gebildete *Humulen. Aus dem Basidiomyceten *Macrocystidia cucumis* wurden die linearen T. *Arthrosporon* (Hirsutan-Typ) u. neue Cucuman-Derivate, die *Cucumine* A–H isoliert [1], z. B. Cucumin A u. B. T. sind wegen ihrer interessanten Struktur Zielmol. zahlreicher Totalsynthesen. – *E = F* triquinanes – *I* triquinani – *S* triquinanos
Lit.: [1] Eur. J. Org. Chem. **1**, 73 (1998).
allg.: Biosynth.: Bioorg. Chem. **12**, 312 (1984) ▪ Can. J. Chem. **72**, 118 (1994). – *Synth.:* Adv. Free Radical Chem. **1**, 121–157 (1990) ▪ Angew. Chem. **101**, 485 f. (1989) ▪ Helv. Chim. Acta **79**, 1026 (1996) (Isocomen) ▪ J. Chem. Soc., Chem. Commun. **1994**, 1797 ▪ J. Chem. Soc., Perkin Trans. 1 **1988**, 2963 (Pentalensäure) ▪ J. Org. Chem. **62**, 4554, 4851 (1997) (allg.); **63**, 2699, 5302, 6764 (1998) ▪ Lindberg (Hrsg.), Strategies and Tactics in Organic Synthesis, Bd. 2, S. 153–158, 415–438, San Diego: Academic Press 1989 ▪ Nicolaou et al., S. 221 ▪ Pure Appl. Chem. **68**, 675 (1996) ▪ Stud. Nat. Prod. Chem. **3**, 3–72 (1989) ▪ Synthesis **1998**, 1559–1583 (Review) ▪ Tetrahedron **53**, 2103 (Pentalenen), 2111 (Silphinen); 8975 (1997) (α-Isocomen); Tetrahedron **54**, 6539 (1998).

Tris. Abk. für *Tris(2,3-dibrompropyl)-phosphat u. *C,C,C*-Tris(hydroxymethyl)-aminomethan s. Trometamol.

Tris... (griech.: trís = dreimal). *Multiplikationspräfix zur Verdreifachung zusammengesetzter u. a. Namenteile, falls *Tri... mehrdeutig sein kann (IUPAC-Regeln R-0.1.4.2, R-0.1.5.1, R-4.1); so verdreifachte Namenteile sollen in Klammern stehen; *Beisp.:* Tris(decyl)-/Tridecylamin [(n-C$_{10}$H$_{21}$)$_3$N/n-C$_{13}$H$_{27}$NH$_2$], Tris(chlormethyl)-/Trichlormethylsilan [HSi(CH$_2$–Cl)$_3$/Cl$_3$Si–CH$_3$]. – *E = F = I = S* tris...

Trisaccharide. Bez. für *Kohlenhydrate, die aus 3 glykosid. miteinander verknüpften *Monosachariden aufgebaut sind u. für die man gelegentlich auch die unrichtige Bez. *Triosen* antrifft. T. kommen in der Natur relativ selten vor, *Beisp.:* Gentianose, *Kestose, Maltotriose, Melecitose, *Raffinose. – *E = F* trisaccharides – *I* trisaccaridi – *S* trisacáridos
Lit.: Karrer, Nr. 660–671, 3319–3360, 5475–5485 ▪ s. a. Kohlenhydrate, Oligosaccharide u. Polysaccharide. – [HS 294000]

Tris Amino®. Tris(hydroxymethyl)aminomethan (s. Trometamol) als alkal. pH-Puffer u. schwach alkal. Neutralisationsmittel in Kosmetika, Körperpflege- u. Kontaktlinsenpflegemitteln. *B.:* Angus Chemie GmbH.

Tris(2-aminoethyl)amin s. tren.

Trisatin s. Triacetyldiphenolisatin.

Trisauerstoff s. Ozon.

Tris(1-aziridinyl)phosphanoxid s. TEPA.

Trisazofarbstoffe s. Azofarbstoffe u. substantive Farbstoffe.

Tris(4-biphenylyl)-methyl s. Schlenkscher Kohlenwasserstoff.

Tris(2-chlorethyl)amin (2,2',2''-Trichlortriethylamin). N(CH$_2$–CH$_2$–Cl)$_3$, C$_6$H$_{12}$Cl$_3$N, M_R 204,53. Farblose, bewegliche, unangenehm Fisch- u. Seifen-artig riechende giftige Flüssigkeit, D. 1,2347, Schmp. –4°C, Sdp. 144°C (20 mbar), sehr wenig lösl. in Wasser, mischbar mit den meisten organ. Lsm. u. mit Ölen. Das ursprünglich als *Kampfstoff entwickelte T. (eine der *Stickstofflost genannten Verb., vgl. a. Lost) wirkt vornehmlich als Zellgift, ruft auf der Haut Verbrennungen u. Nekrosen hervor, schädigt die Schleimhäute der Augen u. des Atmungstraktes, ist ein alkalierend wirkendes *Cytostatikum (internat. Freiname Trichlormethin), das jedoch wegen seiner Giftigkeit als solches nicht verwendet wird. – *E* tris(2-chloroethyl)amine – *F* tris(2-chloréthyl)amine – *I* tris(2-cloroetil)ammina – *S* tris(2-cloretil)amino
Lit.: Beilstein E IV **4**, 447 ▪ Braun-Dönhardt, S. 136, 353 ▪ Klimmek et al., Chemische Gifte u. Kampfstoffe, S. 53–56, Stuttgart: Hippokrates 1983 ▪ Kirk-Othmer (4.) **5**, 798 f. ▪ Ullmann (5.) **A 5**, 10 f. – [HS 292129; CAS 555-77-1; G 2/2 TC]

Tris(2,3-dibrompropyl)-phosphat („Tris").

$$\left[Br-CH_2-\underset{\underset{Br}{|}}{CH}-CH_2-O \right]_3 P=O$$

C$_9$H$_{15}$Br$_6$O$_4$P, M_R 697,61. Gelbliche viskose Flüssigkeit, D. 2,23. T. wird als Flammschutzmittel in Kunst-

stoffen u. Textilien verwendet, in letzteren seit 1977 verboten, da es sich in Tierversuchen als cancerogen erwiesen hatte. – *E* tris(2,3-dibromopropyl)phosphate – *F* phosphate de tris(2,3-dibromopropyle) – *I* tris(2,3-dibromopropil)-fosfato – *S* fosfato de tris(2,3-dibromopropilo)
Lit.: Encycl. Polym. Sci. Eng. **16**, 703 ▪ Kirk-Othmer (4.) **10**, 1013 ▪ Ullmann (4.) **8**, 694; **18**, 390, 395f.; (5.) **A 11**, 138. – *[HS 291900; CAS 126-72-7; G 9]*

Trisequens (Rp). Tabl. mit *Estradiol u. *Norethisteron-acetat gegen klimakter. Beschwerden u. durch *Estrogen-Mangel bedingte Veränderungen der Harn- u. Geschlechtsorgane. *B.:* Novo Nordisk.

Trishomobenzole. Unsystemat. Sammelbez. für Verb. mit neun C-Atomen, die man sich von Benzol abgeleitet denken kann durch Cycloaddition von drei Mol. *Methylen (s. Carbene) an die drei Doppelbindungen. Die so entstehenden *Tris-σ-homobenzole* sind systemat. als stereoisomere Tetracyclo[6.1.0.0^{2,4}.0^{5,7}]nonane, von denen in Abb. a das *cis*-Isomere gezeigt ist, zu bezeichnen. Die Homokonjugation (s. Konjugation) aufweisenden Verb. a u. b sind *Valenzisomere*, doch wird die *Valenzisomerisierung in der Regel nur bei substituierten Derivaten beobachtet. Unsubstituierte *trans*-σ-T. sind ebenso bekannt wie ein valenzisomerisierendes 3,3,6,6,9,9-Hexamethyl-Derivat.

T.-Abkömmlinge mit Heteroatomen (N, O, S) in 3-, 6-, 9-Stellung sind in größerer Zahl synthetisiert u. als nützliche Zwischenprodukte für Synth. eingeführt worden. – *E* trishomobenzenes – *F* trishomobenzènes – *I* trisomobenzeni – *S* trishomobencenos
Lit.: Angew. Chem. **84**, 983–991 (1972); **85**, 1107–1112 (1973); **90**, 470 u. 471 (1978).

***C,C,C*-Tris(hydroxymethyl)-aminomethan** s. Trometamol.

1,1,1-Tris(hydroxymethyl)ethan s. Trimethylolethan.

2-{[Tris(hydroxymethyl)methyl]amino}ethansulfonsäure s. TES.

1,1,1-Tris(hydroxymethyl)propan s. Trimethylolpropan.

Tris(2-hydroxypropyl)amin s. 1,1',1''-Nitrilotri-2-propanol.

Trisilan s. Silane.

Trisiloxane s. Siloxane.

Trisiston® (Rp). Dragées mit *Levonorgestrel u. *Ethinylestradiol zur hormonalen Kontrazeption. *B.:* Jenapharm.

Tris(nonylphenyl)-phosphit [TNPP; genauer: Tris(isononylphenyl)-phosphit].

$C_{45}H_{69}O_3P$, M_R 689,01. Gelbe, viskose Flüssigkeit, Sdp. 223°C (7 hPa), in Wasser unlöslich. Von techn. Bedeutung ist weniger die reine Verb. als das Gemisch von Tris(nonylphenyl)-phosphit u. Tris(dinonylphenyl)-phosphit, das in einer Zweistufenreaktion entsteht. Zunächst wird Phenol mit trimerem Propylen in Ggw. von H_2SO_4 od. BF_3 alkyliert u. dann mit PCl_3 versetzt. T. wird als Antioxidans u. Stabilisator in Kunststoffen u. Gummi verwendet. – *E* tris(nonylphenyl) phosphite – *F* phosphite de tris(nonylphényle) – *I* tris(nonilfenil)fosfito – *S* fosfito de tris(nonilfenilo)
Lit.: Ullmann (4.) **18**, 394; (5.) **A 3**, 102f. – *[CAS 26523-78-4]*

Trisnor... Veraltete Bez. für Trinor..., s. Nor...

Trisomie. Im normalerweise diploiden Chromosomensatz können einzelne *Chromosomen dreifach vorliegen. Beim Menschen sind allerdings nur die T. der Chromosomen 13, 18, 21 u. der Geschlechtschromosomen überlebensfähig. Die T. der Autosomen führen zu schweren Mißbildungen lebenswichtiger Organe u. haben daher eine stark verkürzte Lebenserwartung zur Folge. – *E* trisomy – *F* trisomie – *I* trisomia – *S* trisomía
Lit.: Knippers (7.), S. 155f.

Tristearin (Glycerintristearat, Stearin).

$$\begin{array}{l} H_2C-O-CO-(CH_2)_{16}-CH_3 \\ HC-O-CO-(CH_2)_{16}-CH_3 \\ H_2C-O-CO-(CH_2)_{16}-CH_3 \end{array}$$

$C_{57}H_{110}O_6$, M_R 891,49. Farblose Säulen, D. 0,8621, Schmp. 72°C (stabile β-Form; die metastabilen α- u. β'-Formen krist. beim langsamen Abkühlen bei 65 u. 70°C), wasserunlösl., wenig lösl. in kaltem Alkohol u. Äther, leicht lösl. in Benzol u. Chloroform. T. kommt neben gemischten Fettsäureglycerinestern in festen tier. u. pflanzlichen Fetten vor u. wurde früher zur Herst. von Kerzen verwendet. – *E* tristearin – *F* tristéarine – *I* tristearina – *S* triestearina
Lit.: Beilstein E IV **2**, 1233 ▪ Ullmann (5.) **A 10**, 173–243. – *[HS 151911, 291570; CAS 555-43-1]*

Tris(2,2,6,6-tetramethyl-3,5-heptandionato)-europium(III) bzw. **-praseodym(III)** s. Eu(DPM)$_3$ bzw. Pr(DPM)$_3$.

Trisulfan, Trisulfide s. Sulfane.

Trisulfimid s. Sulfimid.

Tritan s. Triphenylmethan.

Triterpene (Triterpenoide). Gruppe von Naturstoffen, die bislang über 4000 Verb. umfaßt. T. entstehen biosynth. aus 6 Isopren-Einheiten (*Isopren-Regel). Dies geschieht durch Kopf-Kopf-Addition von je 2 Mol. Farnesyldiphosphat zum *Squalen, der Grundsubstanz aller T. u. *Steroide. Aus unterschiedlichen Faltungsmöglichkeiten des Squalens auf der Enzym-Oberfläche lassen sich verschiedene polycycl. Ring-Syst. für die T. ableiten. Die Faltung des Squalens verläuft in Eukaryonten normalerweise über das (3*S*)-Squalen-2,3-epoxid, in Tieren in den Mikrosomen der Leber, in Pflanzen im Cytoplasma. In Prokaryonten wird Squalen durch Protonierung direkt cyclisiert. Der Epoxid-Sauerstoff ergibt im Cyclisierungsprodukt die

Triterpene

β-äquatorialständige Hydroxy-Gruppe. α-Konfigurierte 3-Hydroxy-Gruppen sind selten u. entstehen durch nachträgliche Epimerisierungen. Die Cyclisierung von Squalenepoxid liefert bevorzugt 6-Ringe, daneben bei den meisten tetra- (z. B. *Cucurbitacine) u. einigen pentacycl. (z. B. Lupane) T. noch 5-Ringe (Abb. 1). Da die 6-Ringe in der Sessel- u. Wannen-Form vorliegen, die 5-Ringe eben od. gewinkelt sein können, sind viele verschiedene Gerüste möglich. Bisher sind ca. 40 verschiedene T.-Gerüste bekannt. Durch Substitution entstehen jeweils Asymmetriezentren (z. B. im *Lanosterin 7 u. im α-*Amyrin 10 Asymmetriezentren). Bei der Faltung des Squalenepoxids richten sich die Doppelbindungen so aus, daß jeweils eine *trans*-Addition an eine in ihrer Nachbarschaft befindliche Doppelbindung möglich ist. Bei der Bildung tetracycl. T. läuft die Faltung nur über den Bereich bis zum C-Atom 19 der Squalen-Kette ab, der Rest bleibt ungefaltet u. wird auch nicht cyclisiert. Bis zur Erreichung der Lanosterin-Stufe sind noch einige Wasserstoff- u. Methylgruppen-Umlagerungen erforderlich. Das tricycl. *Ambrein entsteht infolge einer gestörten Squalen-Cyclisierung. Im pflanzlichen Organismus kommt es zu zahlreicheren Variationen bei der Faltung, so daß verschiedene T.-Gerüste entstehen, die sich in Zahl u. Art der Ringe, Doppelbindungen, Stellung der Methyl-Gruppen u. Oxid.-Grad unterscheiden. Die Mehrzahl der pflanzlichen tetracycl. T. leitet sich von *Cycloartenol ab. *Euphol* ($C_{30}H_{50}O$, M_R 426,73, Schmp. 116 °C) u. sein (20S)-Epimer *Tirucallol* (Schmp. 133 °C) entsprechen Lanosterin mit entgegengesetzter Stereochemie an den C-Atomen 13 (α), 14 (β) u. 17 (α). Bei den *Dammarenen ist die Konfiguration der Methyl-Gruppen an den C-Atomen 8 u. 14 nicht verändert. Durch Anlagerung von Wasser an die Δ^{20}-Doppelbindung kommt man zum Dammarendiol, dessen (20S)-Epimer der Grundkörper der Ginsenoside (s. Ginseng) ist.

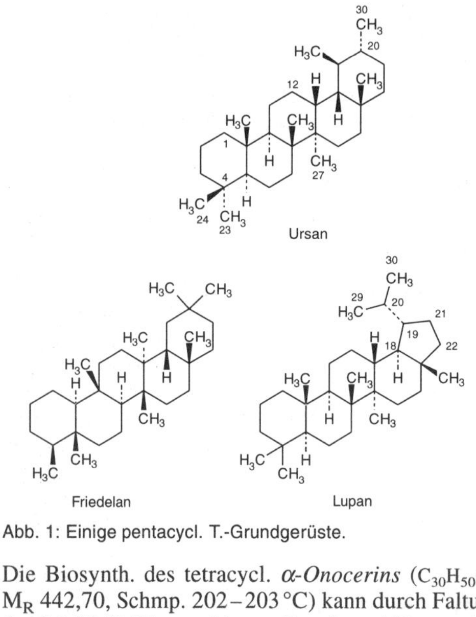

verändert denen im Squalen. Einige tetracycl. T. verfügen infolge Methylgruppen-Übertragung mit S-Adenosylmethionin über 31 C-Atome. Selten sind tetracycl. T. mit vier 6-Ringen (z. B. *Baccharan*-Typ u. Shionane). Bei den *pentacycl.* T. mit fünf 6-Ringen unterscheidet man den in der Natur häufigsten Oleanan-Typ (s. Oleanan, z. B. β-*Amyrin, Germanicol, *Glutinol*) u. die *Friedelane mit geminalen Methyl-Gruppen am C-Atom 20, sowie den Ursen-Typ (s. Ursan, z. B. α-*Amyrin u. *Bauerenol*), Taraxeran-Typ u. Taraxastan-Typ. *Serratendiol*, dessen Biosynth. über Onocerin verläuft, weist einen 7-Ring als zentralen Ring auf. Die in Prokaryonten gebildeten Hopane (Struktur wie *Hopan mit Δ^{22}-Doppelbindung), die Grundsubstanz der *Hopanoide, besitzt als Ring E einen Cyclopentan-Ring. Weil die Hopanoide im allg. nicht aus Squalen-2,3-epoxid sondern durch Protonierung von Squalen gebildet werden, fehlt bei ihnen meist die Hydroxy-Gruppe am C-Atom 3.

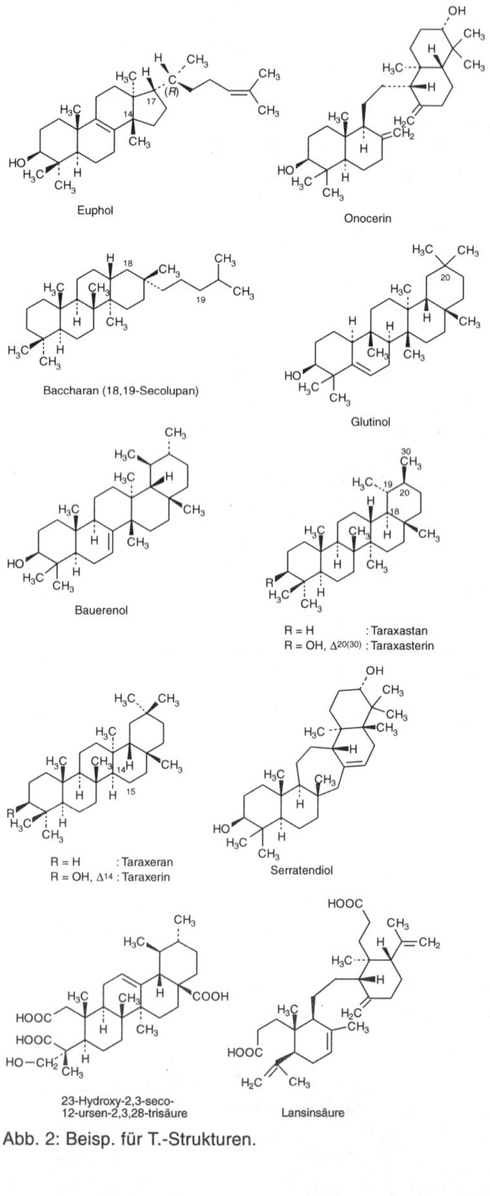

Abb. 1: Einige pentacycl. T.-Grundgerüste.

Die Biosynth. des tetracycl. α-*Onocerins* ($C_{30}H_{50}O_2$, M_R 442,70, Schmp. 202–203 °C) kann durch Faltung des 2,3:22,23-Bisepoxids von Squalen erklärt werden, die Methyl- u. Methylen-Positionen entsprechen un-

Abb. 2: Beisp. für T.-Strukturen.

Durch Oxidasen u. Peroxidasen werden die Methylen- u. Methyl-Gruppen der T. oxidiert. Doppelbindungen können Wasser anlagern. Vereinzelt kommt es zu oxidativen Ringöffnungen, bes. häufig am Ring A. Solche ringgeöffneten T., die vorwiegend in oberird. Pflanzenteilen vorkommen, benennt man mit *Seco..., z. B. 23-Hydroxy-2,3-seco-12-ursen-2,3,28-trisäure (s. Abb.). Die bicycl. *Lansinsäure* ist eine Seco-Disäure, entstanden durch Spaltung der Ringe A u. A′ des Onocerins. Produkte, bei denen eine od. mehrere Methyl- od. CH_2-Gruppen entfernt wurden, benennt man mit *Nor..., *Dinor..., Trinor... usw. Die *Nomenklatur ist in den IUPAC-Regeln Teil F (Naturstoffe) u. S (Steroide) festgelegt.
Die physiolog. Bedeutung der T. ist sehr groß. Aus Lanosterin entsteht biosynth. Cholesterin, die Vorstufe für die *Steroidhormone, *Gallensäuren u. Vitamin D_3. In Pilzen wird aus Lanosterin *Ergosterin gebildet, ein lebenswichtiger Bestandteil der pilzlichen Zellmembran. Pflanzliche Zellmembranen lagern ebenfalls Steroide (*Phytosterine) ein. In Prokaryonten übernehmen Hopanoide die Aufgabe der Steroide in den Zellmembranen. T. sind Bestandteil von tier. (Wollwachs) u. pflanzlichen Wachsen, deren Struktur sie festigen. Sie schützen die Haut der Tiere u. pflanzliche Oberflächen vor Austrocknung u. Befall durch Mikroorganismen (s. z. B. Betulin, Lupeol, Oleanolsäure u. Ursolsäure). Die medizin. Bedeutung der T. ist bisher sehr begrenzt. Eine Antitumorwirkung ist z. B. für *Glycyrrhetinsäure u. *Betulinsäure (3β-Hydroxylup-20(29)-en-28-säure) beschrieben, verschiedene Lanostan-Derivate zeigen antimikrobielle Eigenschaften u. Cholesterin-senkende Wirkung (z. B. Lanost-8-en-3,7-dion), *Dammarharz-T. wirken antiviral. Einige *Cucurbitacine zeigen Anti-HIV-Aktivität. – *E* triterpenes – *F* triterpènes – *I* triterpeni – *S* triterpenos

Lit.: Pharm. Unserer Zeit **16**, 161–180 (1987) ■ Phytochemistry **22**, 1071–1095 (1983); **31**, 2199–2249 (1992); **44**, 1185–1236 (1996). – *Biosynth.:* Nat. Prod. Rep. **2**, 525–560 (1985); **5**, 387–415 (1988); **7**, 459–484 (1990); **14**, 661–679 (1997) ■ Zechmeister **29**, 307–362; **45**, 1–102; **67**, 1–123 ■ s. a. Isoprenoide, Steroide, Terpen(oid)e. – *[CAS 514-47-6 (Euphol); 514-46-5 (Tirucallol); 511-01-3 (Onocerin); 2239-24-9 (Serratendiol)]*

Triterpen-Saponine. T.-S. sind aus einem tetra- od. pentacycl. *Triterpen-Aglykon (*Sapogenin) u. einer (Monodesmoside), zwei (Bisdesmoside), in seltenen Fällen auch drei, glykosid. gebundenen Zuckerkette(n) aufgebaut. Meist handelt es sich um 2 bis 5 Zucker-Mol., die Oligosaccharid-Reste sind linear od. verzweigt, häufig an die Hydroxy-Gruppe am C-Atom 3 gebunden. Die Zucker-Reste können auch mit Carbonsäuren acyliert sein (Esterssaponin). Das Aglykon ist mit Ausnahme einiger C_{29}- u. C_{31}-Verb. aus 30 C-Atomen aufgebaut. T.-S. kommen in zahlreichen Pflanzenfamilien, bes. in Dikotyledonen, vor. Im Tierreich ist das Vork. offensichtlich auf Seegurken u. Seewalzen (*Tunicate) beschränkt. Über die Hälfte der bislang mehr als 1500 bekannten Substanzen gehören zum *Oleanan-Typ. Wichtig sind auch der Lanostan- u. der Dammaran-Typ (s. Lanosterin u. Dammarene), zu dem die Ginsenoside gehören (s. Ginseng).

In vielen Drogen finden sich komplexe T.-S.-Gemische, die sich nur geringfügig in den Zucker-Resten unterscheiden. Aufgrund der oft geringen Struktur-Unterschiede einzelner T.-S. ist es trotz enormer Fortschritte auf dem Gebiet der chromatograph. Trenntechniken schwierig, T.-S. rein zu isolieren, weshalb für pharmakol. Zwecke vorwiegend die Pflanzen-Extrakte verwendet werden. Struktur-Beisp. findet man bei *Aescin, *Glycyrrhizin, *α-Hederin, *Medicagensäure.
T.-S. zeigen ein breit gefächertes Wirkungsspektrum. In der Volksmedizin spielen Saponin-haltige Drogen seit über 2000 Jahren (China) eine große Rolle. T.-S. werden wegen ihrer expektorierenden u. sekretolyt. Wirkung verwendet (z. B. *Primula* u. a.). Sie zeichnen sich durch hämolyt., schleimhautreizende u. Oberflächen-Aktivität aus. T.-S. zeigen z. T. spasmolyt., sedative, hepatoprotektive, antikoagulative, spermizide, antibakterielle u. molluskizide Wirkung. Eine antivirale u. antifung. Wirkung ist von Aescin u. α-Hederin bekannt. Einige T. wirken antitumoral (*in vivo*) u. cytotox. (*in vitro*) wie z. B. Ginsenoside, Glycyrrhizin, Aescin, Saikosaponine u. Tubeimosid I. Eine immunstimulierende Wirkung wird z. B. bei Ginsenosiden (s. Ginseng) u. *Quillajasaponin beobachtet. In Tierversuchen konnte eine Cholesterin-senkende Wirkung gezeigt werden (z. B. Alfalfa-Saponine, s. Medicagensäure). Diese Wirkung beruht auf der Fähigkeit der T.-S., mit *Cholesterin unlösl. Komplexe zu bilden. – *E* triterpene saponins – *F* saponines triterpéniques – *I* saponine triterpeniche – *S* saponinas triterpénicas

Lit.: Dtsch. Apoth. Ztg. **131**, 1386 f. (1991) ■ Harborne u. Baxter, Phytochemical Dictionary, S. 670–688, London: Taylor & Francis 1993 ■ Pharmazie **45**, 313–342 (1990); **49**, 391–400 (1994) ■ Pharm. Unserer Zeit **12**, 149–153 (1983); **20**, 278–281 (1991) ■ Phytochemistry **27**, 3037–3067 (1988); **30**, 1357–1390 (1991) ■ Zechmeister **74**, 1–196.

Trithiane. Systemat. Bez. für *Schwefel-Heterocyclen, die drei S-Atome im Sechsring enthalten:

1,2,3-T. (vic.-T., v-T.) 1,2,4-T. (asym.-T., as-T.) 1,3,5-T. (sym.-T., s-T.)

Von den unsubstituierten T. ist nur das 1,3,5-T. bekannt, dessen Derivate nützliche Zwischenprodukte für organ. Synth. sind[1] (vgl. a. Dithiane als *Umpolungs-Reagenz). Als erstes 1,2,4-T.-Derivat wurde das knoblauchartig riechende, gelbliche, ölige 3-Methyl-1,2,4-trithian als ein vermutliches Produkt der *Maillard-Reaktion zwischen Cystein u. Ribose aufgefunden. Ein 1,2,3-T.-Derivat ist das Insektizid *Thiocyclam-Hydrogenoxalat. – *E* = *F* trithianes – *I* tritiani – *S* tritianos

Lit.: [1] Synthesis **1969**, 17–36. *allg.:* Katritzky-Rees **3**, 943–994 ■ Sulfur Rep. **9**, 257–349 (1990), ■ Weissberger **21**, 689–773 ■ s. a. heterocyclische u. Schwefel-organische Verbindungen. – *[CAS 291-21-4]*

Tri.-Thiazid Stada® (Rp). Tabl. mit *Triamteren u. *Hydrochlorothiazid gegen Ödeme, mit zusätzlichem *Reserpin gegen Hypertonie. *B.:* Stada.

Trithiocarbonate s. Trithiokohlensäure.

Trithiokohlensäure (Carbonotrithiosäure; ungenau: Thiokohlensäure).

$$S=C{\overset{SH}{\underset{SH}{}}}$$

CH_2S_3, M_R 110,21. Die T., als Analogon der *Kohlensäure mit S anstelle von O, kann im Gegensatz zu dieser frei dargestellt werden. Sie bildet eine stark lichtbrechende, unbeständige, rote, ölige, stechend riechende Flüssigkeit, D. 1,47, Schmp. –30 °C, Sdp. 57 °C (Zers.), wird durch Wasser u. Alkohol zersetzt, lösl. in Ether, Chloroform, Toluol. Die T. bildet Salze bzw. Ester der allg. Formel $M_2^ICS_3$ od. $M^{II}CS_3$ bzw. RS–C(S)–SR, die als *Trithiocarbonate* bezeichnet werden. Na_2CS_3 ist ein Nebenprodukt der *Xanthogenierung im *Viskosefaser-Herst.-Verfahren. Auch die bisher nur in wäss. Lsg. nachgewiesenen Salze der hypothet. *Mono-* u. *Dithiokohlensäure,* bei der nur 1 bzw. 2 O-Atome durch S ersetzt sind, werden gelegentlich als *Thiocarbonate* bezeichnet. Außerdem existieren noch *Perthiocarbonate* wie K_2CS_4, deren Anionen ebenso wie die der T. planar gebaut sind. Näheres über Eigenschaften, Herst. u. Reaktionen der T. findet man in dem zusammenfassenden Artikel über *Chalkogenokohlensäuren* in Lit.[1]. Als cycl. T.-Ester lassen sich Derivate des 1,3-Dithiolan-2-thions (s. Dithiolane) auffassen. – *E* trithiocarbonic acid – *F* acide trithiocarbonique – *I* acido tritiocarbonico – *S* ácido tritiocarbónico
Lit.: [1] Angew. Chem. **80**, 954–965 (1968).
allg.: Beilstein E IV **3**, 428 ▪ Gmelin, Syst.-Nr. 14, C, Tl. D 4, S. 208–226 (1977) ▪ Houben-Weyl **E 4**, 30 ff., 102 ff., 407 ff. – *[CAS 594-08-1]*

Trithione. Trivialname für Verb., die sich vom 1,2-Dithiol-3-thion, $C_3H_2S_3$, M_R 134,25

$$\underset{S}{\overset{1}{S}\underset{3}{\overset{2}{S}}}$$

ableiten u. die in Weiß- u. Rosenkohl vorkommen. Die T. addieren Schwermetall-Salze u. eignen sich als *Sparbeizen bei der Einwirkung von heißer Salzsäure auf Eisen. – *E* = *F* trithiones – *I* tritioni – *S* tritionas
Lit.: Naturwissenschaften **45**, 386 f. (1958) ▪ Synthesis **1977**, 802 f. ▪ s. a. Dithiole.

Trithionsäure. $H_2S_3O_6$, M_R 194,19. Die T. ist die einfachste der *Polythionsäuren u. leitet sich von der *Dischwefelsäure durch Ersatz eines O-Atoms durch ein S-Atom ab. Sie ist nur in wäss. Lsg. u. in Form von Salzen wie dem Kaliumtrithionat ($K_2S_3O_6$) bekannt, aus denen sie mit Perchlorsäure od. Weinsäure freigesetzt werden kann. T. kommt in der *Wackenroder-Lösung vor. – *E* trithionic acid – *F* acide trithionique – *I* acido tritionico – *S* ácido tritiónico
Lit.: Brauer (3.) **1**, 397 f. ▪ Gmelin, Syst.-Nr. 9, S, Tl. B, 1960, S. 979–992. – *[HS 2811 19; CAS 27621-39-2]*

Trithiophosphat s. Thiophosphorsäureester.

Triticale. Aus *Triti*cum u. Se*cale* gebildeter Name für züchter. Kreuzungen aus *Weizen u. *Roggen. Von T. erhofft(e) man sich eine Kombination der Widerstandsfähigkeit des Roggens mit den Qualitäten, insbes. den Backeigenschaften, des Weizens. – *E* = *F* = *S* triticale – *I* tritigale

Lit.: Franke, Nutzpflanzenkunde, 6. Aufl., S. 87, Stuttgart: Thieme 1997. – *[HS 1008 90]*

Triticene.

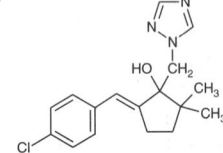

α-Triticen   β-Triticen

$C_{15}H_{26}O$, M_R 222,37. α-T. [(E)-4-Decyl-2,4-pentadienal] u. β-T. [(2E,4Z)-2,4-Pentadecadienal] wurden aus Weizen (*Triticum aestivum*) isoliert[1]. Es sind farblose Öle mit herbizider u. fungizider[2] Wirkung. – *E* triticenes – *F* triticènes – *I* triticene – *S* triticenos
Lit.: [1] Phytochemistry **21**, 2403–2404 (1982). [2] Trans. Br. Mycol. Soc. **82**, 282–288 (1984). – *[CAS 85769-28-4 (α-T.); 85769-29-5 (β-T.)]*

Triticonazol.

Common name für (E)-5-(4-Chlorbenzyliden)-2,2-dimethyl-1-(1H-1,2,4-triazol-1-ylmethyl)cyclopentanol, $C_{17}H_{20}ClN_3O$, M_R 317,81, Schmp. 139–140,5 °C, LD_{50} (Ratte oral) >2000 mg/kg, von Rhône-Poulenc Mitte der 90er Jahre eingeführtes *Fungizid, v. a. zur Saatgutbehandlung gegen Pilzerkrankungen im Getreide. – *E* = *F* triticonazole – *I* triticonazolo – *S* triticonazola
Lit.: Farm ▪ Perkow ▪ Pesticide Manual. – *[CAS 131983-72-7]*

Triticone. Spirocycl. Phytotoxine aus den Deuteromyceten *Drechslera tritici-repentis* u. *Staphylotrichum coccosporum*. T. A: $C_{14}H_{15}NO_5$, M_R 277,28, Krist., Schmp. 133–138 °C. T. B ist das 6-Epimer von T. A. T. E: $C_{14}H_{19}NO_6$, M_R 297,31, Öl, $[\alpha]_D^{25}$ –70° (CH_3OH).

(relative Konfiguration)   (relative Konfiguration)
T. A   T. E (6-Epimer = T. F)

– *E* triticones – *I* triticoni – *S* triticonas
Lit.: Helv. Chim. Acta **72**, 774, 784 (1989) (Biosynth.) ▪ J. Am. Chem. Soc. **110**, 4086 (1988) (Isolierung) ▪ Zechmeister **67**, 159–165. – *[CAS 114582-74-0 (T. A); 114613-32-0 (T. B); 149564-25-0 (T. E); 149654-98-8 (T. F)]*

Tritid s. tritiierte Verbindungen, Tritium u. Wasserstoff-Ionen.

Tritiierte Verbindungen. In Analogie zu *deuterierte u. *markierte Verbindungen verwendete Bez. für Verb., die *Tritium chem. gebunden enthalten. Nach IUPAC-Regel H-1.12 soll in Formeln von t. V. ausschließlich das Symbol ^3H (anstatt T) benutzt werden. Die Einführung von Tritium in eine chem. Verb. (*Tritiierung*) kann nach der sog. *Wilzbach-Technik* vorgenommen werden, bei der durch mehrtägiges Aufbewahren der Substanzen unter Tritium bei Raumtemp.

eine *Austauschreaktion von Wasserstoff gegen Tritium stattfindet (*Scrambling). Der Austausch kann auch in Ggw. von Katalysatoren bei Temp. bis 120 °C erfolgen, wenn die Substanz gelöst od. geschmolzen ist, od. unter Verw. von tritiiertem Wasser. Weitere Verf. zur Synth. sind die Herst. aus käuflichen Tritium-Präp., die katalyt. „Hydrierung" mit gasf. Tritium, die Red. mit Tritium-haltigen Metallhydriden (*Tritiden*) od. enzymat. Verfahren. – *E* tritiated compounds – *F* composés tritiés – *I* composti tritionici – *S* compuestos tritiados
Lit.: s. Tritium.

Tritiierung s. tritiierte Verbindungen.

Tritium (von griech.: tritos = der Dritte). Bez. für das schwerste, einzige radioaktive Isotop des Wasserstoffs, für das – außer in Formeln von *tritiierten Verbindungen (IUPAC-Regel H-1.12) – die Symbole T od. ^3H verwendet werden können (IUPAC-Regeln 1.11 u. 1.15). Das (selten auch Überschwerer Wasserstoff genannte) T. enthält in seinem Atomkern (*Triton*) 2 Neutronen u. 1 Proton, Atomgew. 3,01605. Die K-Schale ist wie bei gewöhnlichem Wasserstoff mit einem 1s-Elektron besetzt; das Ion $^3H^-$ heißt *Tritid*, s. Wasserstoff-Ionen. Seit 1974 ist auch das *Antitritium* bekannt. T. ist ein schwacher *Beta-Strahler, HWZ 12,3 a, der sich unter Aussendung eines Elektrons in das Helium-Isotop ^3_2He umwandelt. Dessen massenspektrometr. Bestimmung ermöglicht die Bestimmung von T. in Wasser. T. wurde 1934 von *Oliphant, *Harteck u. *Rutherford mit Hilfe der Kernreaktion $^2_1H + ^2_1H \rightarrow ^1_1H + ^3_1H$ entdeckt. T_2 weist mit 20,62 K einen um ca. 6,6 K höheren Sdp. auf als H_2 u. ist merklich weniger reaktiv als H_2.

Vork.: Nach Harteck enthalten die höheren Luftschichten je Liter etwa 100 T-Atome; dies würde für die ganze ird. Lufthülle etwa 6 g T ergeben. *Libby konnte 1950 Spuren von T in gewöhnlichem Wasser nachweisen: Auf etwa 10^{17} H-Atome entfällt 1 T-Atom. T entsteht fortwährend in den oberen Teilen der Atmosphäre unter dem Einfluß der *kosmischen Strahlung in winzigen Mengen, z. B. nach $^{14}_7N (^1_0n, ^3_1H) ^{12}_6C$; pro 7 cm^2 Erdoberfläche u. Sekunde soll 1 T-Atom gebildet werden. Die Angaben schwanken erheblich, doch fallen die natürlichen T-Anteile (3,5 kg?) mengenmäßig nicht ins Gew. gegenüber der Kontamination der Atmosphäre aus *Kernwaffen-Versuchen u. den Emissionen von *Kernreaktoren u. Wiederaufarbeitungsanlagen für Kernbrennstoffe[1]. Reste des insbes. aus Wasserstoffbomben-Explosionen stammenden T-Fallouts sind noch im Antarktis- u. Grönlandeis zu finden.

T. verbindet sich mit Luftsauerstoff zu *Überschwerem Wasser* (*Tritiumoxid*), meist jedoch zu HTO, u. nimmt als solches am Kreislauf des Wassers teil (s. a. unten). Stoffe, die sich am Kreislauf des Wassers nicht mehr beteiligen können (z. B. alte Weine in Fässern), müssen einen geringeren T-Gehalt aufweisen, da deren T im Lauf von 12,3 a zur Hälfte zerfällt u. kein T-Nachschub von außen erfolgen kann. Diese sog. *T.-Uhr* ermöglicht *Altersbestimmungen bis zu 100 a. T ist infolge seiner Radioaktivität schon in viel geringeren Mengen nachweisbar als *Deuterium. Infolge der großen Massenunterschiede können Atome von H, D u. T auch chem. verschieden reagieren, obwohl sie zum gleichen Element gehören (s. Isotopie-Effekte). Bei der Elektrolyse von Wasser wird T ähnlich angereichert wie Deuterium, was bei analyt. Untersuchung mit D_2O berücksichtigt werden muß. Im Organismus verteilt sich HTO gleichmäßig im gesamten Körperwasser; die biolog. HWZ beträgt beim Menschen ca. 10–12 d. Zu einem kleinen Teil wird T auch im Körper durch Austauschreaktionen an Amino-, Hydroxy-, Thiol-Gruppen od. mit C-acidem Wasserstoff in organ. Verb. eingebaut, aus denen es mit einer HWZ von 40–600 d nur sehr langsam eliminiert wird.

Herst.: Durch Neutronenbestrahlung mittels einer (n,α)-Reaktion von Li-Mg-Leg. in Ar-Atmosphäre u. aufwendige Trennverf.; zur T-Gewinnung in Kernreaktoren s. *Lit.*[2], zu Meth. der sicheren Handhabung größerer T-Mengen s. *Lit.*[3].

Verw.: In der Isotopentechnik dient T häufig als *Radioindikator od. *Tracer zur Markierung von organ. Verb.; eine große Anzahl solcher *tritiierter Verbindungen ist kommerziell erhältlich. Beispielsweise wurde der Mechanismus der *NIH-Verschiebung od. der anderer biochem. Reaktionen mittels T aufgeklärt. T. ist ein gutes Ionisierungsmittel für Gase z. B. in Atombatterien u. Kaltkathodenröhren. In Form von HTO eignet sich T zur Untersuchung der Regenwasserbewegung im Boden, wenn die Ergebnisse mit ^{85}Kr-Meth. korreliert werden[4]. T. wird ferner zur Untersuchung dünner Schichten (*RIM-Technik), zur Altersbestimmung (s. oben), in *Leuchtstoffen u. für Dichtigkeitsprüfungen eingesetzt. Eine bes. Anw. fanden die strahlenchem. Reaktionen des T in der Strukturaufklärung mittels sog. Elektronenbrenzen.

Der Kernprozeß $D + T \rightarrow He + n + 17,6$ MeV, der sich in unkontrollierter Weise in der Wasserstoffbombe (s. Kernwaffen) abspielt, ist andererseits der aussichtsreichste Prozeß für die Gewinnung von Kernenergie durch *Kernfusion (s. Kernreaktoren u. JET), wobei das benötigte T im Fusionsreaktor selbst aus Lithium durch Neutronenbestrahlung ständig neu erbrütet wird. Die Gesamtmenge T. in einem Fusionsreaktor (vom Typ *Tokamak) von 1000 MW elektr. Nettoleistung wird mit ~5 kg abgeschätzt[5]. Hierbei wird die Menge im Speicher mit ~2 kg angenommen, was für ungefähr 5 d Reaktorbetrieb ausreichen würde. Weitere 1,6 kg T. wären in der Brutzone (s. Abb. 5 bei Kernreaktoren). Im Normalbetrieb wird die jährliche T-Emission mit etwa 2 g ($\triangleq 7,4 \cdot 10^{14}$ Bq/a; Vgl.: 1,3 GW Kernkraftwerk $5 \cdot 10^{11}$ Bq/a) über die Abluft, vorwiegend in oxidierter Form (HTO), u. 0,15 g ($\triangleq 5 \cdot 10^{13}$ Bq/a) mit dem Abwasser angenommen. Im Störfall erwartet man, daß im ungünstigsten Fall 200 g T in die Reaktorhalle freigesetzt werden[6].

Zur Beurteilung der *biolog. Wirkung* von T muß zwischen oxidiertem T (HTO) u. organ. gebundenem T (OBT, von *E organic bound tritium*) unterschieden werden. Nachdem HTO in die Blutbahn gelangt, vermischt es sich rasch u. vollständig mit dem Körperwasser u. unterliegt damit dessen Biokinetik, während das organ. gebundene T stärker an den Kohlenstoff-Umsatz gekoppelt ist. Die zeitliche Retentionsfunktion R(t) setzt sich somit aus zwei Komponenten zusammen:

$$R(t) = A \cdot \exp\left(-\frac{\ln 2}{T_1} \cdot t\right) \text{ (für HTO)}$$

$$+ B \cdot \exp\left(-\frac{\ln 2}{T_2} \cdot t\right) \text{ (für OBT)}$$

mit t = Zeit, T_1 = Halbwertszeit der Wasser-Bilanz (bei Erwachsenen: 4–20 d, Mittelwert 10 d, bei Kleinkindern: 3 d), T_2 = Halbwertszeit des Kohlenstoff-Umsatzes (bei Erwachsenen: 40 d, bei Kleinkindern: 10 d). Wird T in Form von HTO aufgenommen, so liegen die relativen Komponentenfaktoren bei A = 0,97 u. B = 0,03; wird organ. gebundenes T aufgenommen, so liegen die Koeff. jeweils bei 0,5. Die Abschätzung der hiermit verbundenen Strahlenexposition ergibt 10 µSv/a, wenn sich eine Person dauernd am Anlagezaun aufhält u. die gesamte Nahrung von dort bezieht [7]. Dieser Wert, für den Normalbetrieb des Fusionsreaktors, liegt in der gleichen Größenordnung wie die Strahlenexposition in der Nähe eines Kernspaltungsreaktors od. eines großen Kohlekraftwerks. Die Tab. gibt die Dosiswerte in Abhängigkeit vom Abstand zum Fusionsreaktor an.

Tab.: Abschätzung der Dosiswerte in der Nähe eines Fusionsreaktors.

Abstand	effektive Äquivalentdosis			
	Normalfall [µSv/a]		Störfall (10 g Tritium wurden freigesetzt) [mSv]	
	Erwachsener	Kind	Erwachsener	Kind
500 m	12	16	43	62
1000 m	8	11	25	36
2000 m	4	6	13	19

natürliche Strahlenexposition: 1,1 mSv/a (s. ionisierende Strahlung).

– $E = F$ tritium – I trizio, tritio – S tritio
Lit.: [1] König et al., Radioökologische Studien der Auswirkung von Tritiumemissionen am Beispiel des KfK, Karlsruhe: KfK 1985; Naturwissenschaften 70, 224–234 (1983). [2] Naturwiss. Rundsch. 32, 341 f. (1979); Chem. Labor Betr. 31, 285–288 (1980). [3] Umschau 84, 420 ff. (1984). [4] Naturwissenschaften 68, 328 f. (1981). [5] Phys. Bl. 46, 179 ff. (1990). [6] Fusion Eng. Des. 11, 63 (1989). [7] Phys. Bl. 46, 182–185 (1990).
allg.: Avenhaus u. Spannagel, Tritium Accountancy and Unmeasurable Inventories in Fusion Reactors, Karlsruhe: Kernforschungszentrum 1997 ■ Evans et al., Handbook of Tritium NMR Spectroscopy and Applications, New York: Wiley 1985 ■ Gerber u. Myttenaere, European Seminar on the Risk from Tritium Exposure (Rep. EUR 9065), Brussels: CEC 1984 ■ Handling of Tritium-Bearing Wastes, Vienna: IAEA 1981 ■ Hutter u. Fiege, Tritium, Karlsruhe: Kernforschungszentrum 1992 ■ International Atomic Energy Agency, Safe Handling of Tritium, Review of Data and Experience, Wien: IAEA 1991 ■ Isot. Org. Chem. 4 (1978) ■ Kirk-Othmer (4.) 8, 17–30; 17, 405 ff. ■ Management of Tritium at Nuclear Facilities, Vienna: IAEA 1984 ■ McKetta 15, 333–346 ■ Ullmann (5.) A 13, 299 f., 309 f., 681; A 15, 2 ff. ■ Winnacker-Küchler (4.) 3, 518 f., 646 f. ■ Z. Chem. 26, 366–368 (1986) ■ Z. Förd. Naturwiss. Unters. 11, 165–168 (1993).

Tritium-Methode. Meth. der *Altersbestimmung, die darauf beruht, daß Stoffe, die nicht mehr am Wasserkreislauf teilnehmen können (z. B. alte Weine in Fässern) infolge des radioaktiven Zerfalls des *Tritiums (HWZ 12,3 a) einen geringeren Gehalt an Tritium als Wasser aufweisen müssen. Diese sog. *Tritium-Uhr* ermöglicht Altersbestimmungen bis zu 100 a. – E tritium method – F méthode du tritium – I metodo del tritio – S método del tritio
Lit.: s. Altersbestimmung u. Tritium.

Triton. Atomkern des Tritiums; Näheres s. dort.

Tritonierung. In Analogie zu *Protonierung geprägte Bez. für die Anlagerung von $^3H^+$ (*Tritonen*, vgl. Wasserstoff-Ionen) an eine chem. Verbindung. – $E = F$ tritonation – I tritonazione – S tritonación

Tritoqualin.

Internat. Freiname für das *Antihistaminikum (±)-7-Amino-4,5,6-triethoxy-3-(5,6,7,8-tetrahydro-4-methoxy-6-methyl-1,3-dioxolo[4,5-g]isochinolin-5-yl)-phthalid, $C_{26}H_{32}N_2O_8$, M_R 500,57, Krist., Schmp. 183 °C. T. wurde 1962 von M. Jeanson patentiert. – $E = F$ tritoqualine – I tritoqualina – S tritocualina
Lit.: Hager (5.) 9, 1093 f. ■ Martindale (31.), S. 455. – [HS 293490; CAS 14504-73-5]

Tritox. Dreifachmeßgerät für brennbare Gase, Sauerstoff-Mangel u. Schwefelwasserstoff, Chlor od. CO. B.: Bayer Diagnostic München, Geschäftsbereich Compur Monitors.

Trituration. Von latein.: tritura = Dreschen abgeleitete Bez. für die Verreibung von Stoffen zu feinen Pulvern. Die T. von arzneilich wirksamen Stoffen zusammen mit Lactose ist ein in der *Homöopathie übliches Potenzierungs-(Verdünnungs-)Verf. für feste Zubereitungen. – $E = F$ trituration – I triturazione – S trituración
Lit.: Hager (4.) 7 a, 322 f..

Trityl(...). Kurzbez. für *Triphenylmethyl: als Rest –$C(C_6H_5)_3$ (IUPAC-Regeln A-13.3 u. R-9.1.19b.2) u. als freies Radikal $(H_5C_6)_3C^{\cdot}$ (Regel C-81.1). *Lokanten an den 3 Phenyl-Ringen: 2,2′,2″ bis 6,6′,6″. – E trityl(...) – F trityl(...) – $I = S$ tritil(...)

Trityl-Salze s. Triphenylmethyl.

Trivalon®. Riechstoff auf der Basis von 4,6,6(4,4,6)-Trimethyltetrahydropyran-2-on, $C_8H_{14}O_2$, M_R 142,20; Geruch: Bitter-Walnuß mit Safran-Note. B.: Henkel.

Trivialnamen [latein.: trivialis = an Straßenecken (trivium = Wegverzweigung, „Dreiweg"), Gassen..., landläufig, jargonhaft]. Die *Nomenklatur der chem. Verb. unterscheidet *systematische Namen (*IUPAC-Regeln A–E, H, I), *halbsystematische Namen (= Halb-T.; nach Spezialregeln für bes. Verb.-Klassen) u. T. außerhalb offizieller Regeln. Diese Abgrenzung ist jedoch flexibel: T. fließen oft als (halb)systemat. Namen in Regelwerke ein, z. B. für *Naturstoffe [Regeln F u. RF (=*Revidierte Regeln F*), voraussichtlich Pure Appl. Chem. 71 (1999)], *Cyclophane u. *Fullerene. Zur Herkunft von T. s. Lit.[1] (Beisp.: Tab.).

Tab.: Herkunft von Trivialnamen.

Namen-herkunft	Beisp.
*Abkürzungen	*Edetat, *Siamyl..., *Thexyl..., *Tosyl...
Chem. Verhalten	*Benzvalen, *Knallsäure, *Mercapto...
Erfinder	*Michlers Keton, *Lawesson-Reagenz
Fabrikationsort	*Berliner Blau, *Neapelgelb, *Rochellesalz
Farbe	*Chlorin, *Cyanin, *Flav(o)..., *Rubren
Geruch	*Ether, *Kakodyl..., *Ozon, *Senföle
Geschmack	*Acridin, *Bittersalz, *Glycin, *Pikrinsäure
Krist.-Eigenart	*Mellit(h)säure, *Pinakol, *Stilben, *Sterine
Lichtemission	*Brillant..., *Fluoren, *Luciferin, *Luminol
*Marken	*Decalin, *Nylon, *Teflon, *Vaseline
Mol.-Struktur	*Käfigverbindungen; *Quadratsäure
Pflanzen	*Citral, *Coffein, *Oxalsäure, *Vanillin
Physiologie	*Chol..., *Cyto..., *Harnstoff, *Vitamine
*Pilze	*Aflatoxin, *Ergo..., *...mycin, *Penicillin
Rohstoffe	*Milchsäure, *Ölsäure, *Picen, *Weinsäure
Tiere	*Capr..., *Equilenin, *Kynurenin, *Taurin
Wirkung	*Antipyrin, *Emetin, *Morphin, *Oxytocin
Wortspiele	*Itaconsäure, *Lyxo-, *Phthal(o)..., *Threo-

*Abkürzungen, *Common Names, *Freinamen, *Handelsnamen, *Marken u.a. Kurzbez. sind teils T., teils halbsystemat. Namen. Für komplizierte große Mol. (z.B. biolog. Makromol. u. viele Naturstoffe) sind oft (halb)systemat. Namen zu kompliziert u. zu lang u. nur T. sinnvoll. Da eine vollständige offizielle T.-Datei fehlt, wird aber oft ein T. mehrfach vergeben; *Beisp.:* *Reticulin (4 Bedeutungen!). IUPAC-Regel F empfiehlt daher, neue T. aussagekräftig u. eindeutig zu gestalten u. auf Grundregeln für characterist. *Präfixe u. *Suffixe zu achten. Große Mengen an T. findet man in vielen *Nachschlagewerken (z.B. in den Römpp Lexika), s. Lit. allg. u. im Vorwort „Häufig zitierte Werke". – *E* trivial names – *F* noms triviaux – *I* nomi triviali, termini popolari – *S* nombres triviales

Lit.: [1] Angew. Chem. **60 A**, 109–111, 127–129, 204–207 (1948); Flood, The Origins of Chemical Names, London: Oldbourne 1963; Naturwiss. Rundsch. **21**, 382–384 (1968); Nickon u. Silversmith, Organic Chemistry: The Name Game, New York: Pergamon 1987.
allg.: Chemical Abstracts Index Guide, Columbus (Ohio, USA): CAS (2-jährliche Neuaufl.).

Trivialnamen-Datei. Früher von der Abteilung Chemieinformation u. -dokumentation (Berlin) der *GDCh als *Trivialnamenkartei* bearbeitete, seit 1992 vom *Fachinformationszentrum Chemie als *Trivialnamen-*Handbuch/Dictionary of Common Names* (3 Bd., Weinheim: Wiley-VCH) u. *CD-ROM *T.-D./Common Names File* fortgesetzte dtsch.-engl. Datei; Stand 1999: >50000 *Trivialnamen aller Art für >40000 Verb. (jede mit Struktur- u. *Bruttoformel, Stereo-Bez., *Synonymen, CAS *Registry Number u. Lit.-Zitat) aus allen Gebieten der Chemie, z.B. Naturstoffe, Arzneimittel, Farbstoffe u.a. Industrieprodukte.

Triwolframoxid s. Wolframoxide.

Trizinat s. Bleitrinitroresorcinat.

TRK. Abk. für *Technische Richtkonzentration.

tRNA. Abk. für *Transfer-Ribonucleinsäuren.

Trocellen®. Vernetzte PO-Schaumstoffe für die Anw. im Automobilbau, im Sport- u. Freizeitbereich, im Bauwesen u. für Verpackungen. *B.:* HT Troplast AG.

Trocken. 1. Umgangsprachlich bedeutet t. frei von Wasser od. (auch Lsm.-) *Feuchtigkeit; vgl. die folgenden Stichwörter. – 2. In bezug auf *alkoholische Getränke bezieht sich t. auf den Restzuckergehalt; s. dry. – *E* 1., 2. dry – *F* 1., 2. sec – *I* secco – *S* 1., 2. seco

Trockenbatterien s. Taschenbatterien u. galvanische Elemente.

Trockenchemie s. Teststäbchen.

Trockencremes s. Hautpflegemittel.

Trockene Destillation. Unzweckmäßige Bez. für einen besser als *Pyrolyse od. *Brenzen zu bezeichnenden Prozeß.

Trockeneis. Handelsbez. für verfestigtes *Kohlendioxid („Hartgas"), das in Form von weißen Blöcken od. Pellets in den Handel gelangt. Es geht bei $-78,48$ °C, ohne zu schmelzen od. flüssige Rückstände zu hinterlassen, direkt in gasf. CO_2 über (*Sublimation). Seine Kühlleistung bei Normaldruck steigt von 573 kJ/kg bei der Sublimationstemp. auf 657 kJ/mol bei 20 °C. Kurzzeitige Berührung mit T. ist gefahrlos (*Leidenfrostsches Phänomen), längere Einwirkung auf die Haut ruft jedoch schwere Verbrennungserscheinungen hervor, weshalb Vorsichtsmaßnahmen (Schutzbrille, Handschuhe) notwendig sind. Das Zerkleinern größerer T.-Brocken darf nur in für diesen Zweck vorgesehenen Beuteln erfolgen. Geschlossene Räume, in denen T. lagert, sollten erst nach Abzug der CO_2-Gase (1 kg T. bildet 500 L gasf. CO_2) betreten werden; zur Toxizität s. Physiologie unter Kohlendioxid.
Herst.: Aus der Entspannung von flüssigem CO_2 gewonnener *Kohlensäureschnee* (Schüttgew. ca. 0,5 kg/L) wird in Pressen verdichtet (auf ca. 1,5 kg/L).
Verw.: Infolge seiner hohen Sublimationsenthalpie ist T. im Laboratorium (s.a. Kältemischungen) u. bei techn. Prozessen ein vorzügliches Kältemittel, das u.a. auch der Transportkühlung von Lebensmitteln u.a. wärmeempfindlichen Gütern dient. Weitere Anw. von T. ergeben sich beim sog. Kaltschrumpfen von Maschinenteilen, beim Entgraten von Gummi- u. Weichplastik-Formteilen usw. Auf vielen Gebieten ist festes CO_2 heute allerdings durch flüssiges CO_2 ersetzt worden. Eine weitere Anw. findet T. einerseits zur Erzeugung von Nebel auf der Theaterbühne, andererseits zur Beeinflussung der Niederschlagsbildung (Nebel, Regen). – *E* dry ice, solid carbon dioxide – *F* glace sèche – *I* ghiaccio secco – *S* hielo seco, dióxido de carbono sólido

Lit.: Ullmann (5.) **A 5**, 177–183 ■ Umschau **74**, 616 f. (1974) ■ s.a. Kohlendioxid. – [*HS 2811 21; CAS 124-38-9*]

Trockenelemente s. Taschenbatterien u. galvanische Elemente.

Trockenfestigkeit. Bei der *Textilprüfung verwendeter Begriff für die *Reißfestigkeit von Fasern, Fäden, Geweben, Folien usw. in trockenem Zustand (*Gegensatz:* *Naßfestigkeit). Die T. wird im Normklima, d.h. bei 20 °C ± 2 °C u. 65 % ± 2 % relativer Luftfeuchtigkeit geprüft. – *E* dry strength – *F* stabilité à sec – *I* resistenza a secco – *S* resistencia en seco

Trockenlöscher s. Feuerlöschmittel.

Trockenmasse s. Trockensubstanz.

Trockenmilch. Umgangssprachliche Bez. für *Milchpulver (Vollmilchpulver). Unter T.-Erzeugnissen sind die in Anlage 1, Nr. 9 der VO über Milcherzeugnisse[1] genannten Produktgruppen Milch-, Joghurt-, Kefir-Pulver (auch mit den Zusätzen „mit hohem Fettgehalt" od. „teilentrahmt") sowie Magermilch-, Magermilchjoghurt-, Magermilchkefir- u. Buttermilch-Pulver zu verstehen. T.-Erzeugnisse werden durch weitgehenden Entzug von Wasser (Höchstgehalt: 5%) unter Zusatz von höchstens 0,05% *Ascorbinsäure hergestellt (Anlage 2, Nr. 4 Milch Erz-VO[1]). Die Mindest- bzw. Höchstfettgehalte schwanken je nach Kennzeichnung zwischen höchstens 1% (Magermilchpulver) u. mindestens 42% (Milchpulver mit hohem Fettgehalt). Das Trocknungsverf. (Sprüh- od. Walzentrocknung) ist neben einer Mengenempfehlung zum Auflösen anzugeben. Falls *Lecithin als *Zusatzstoff verwendet wird, ist dies durch den Hinweis „sofort löslich" kenntlich zu machen (§ 4, Absatz 5 Milch-Erz-VO[1]).
Technologie: s. Milchpulver. Über Protein-Veränderungen während der Herst. berichtet *Lit.*[2]. Nach *Lit.*[3] verringert sich während der Trocknung der Gehalt an verfügbarem Lysin infolge der Maillard-Reaktion um etwa 14% u. nach einer 6monatigen Lagerung um weitere ~1,5%. Fehler während Lagerung[4] od. Herst. können zu typ. Fehlaromen führen[5].
Verw.: Als Frischmilchersatz u. in der Lebensmittel-Ind. (Schokoladen-, Keks-, Zwieback-, Süßwaren-Ind.). Produktion in der BRD 1997: a) Angaben für Milch od. Rahm, Pulverform, auch eingedickt od. gesüßt, Fettgehalt 1,5% od. geringer, Gebinde 2,5 kg od. weniger – 93 662 t; Gebinde mehr als 2,5 kg – 301 805 t. – b) Angaben für Milch od. Rahm, Pulverform, nicht gesüßt, Fettgehalt über 1,5% – 113 585 t; s. a. Milchpulver. – *E* dry milk – *F* lait en poudre – *I* latte in polvere – *S* leche en polvo

Lit.: [1] VO über Milcherzeugnisse vom 15.7.1970 in der Fassung vom 3.2.1997 (BGBl. I, S. 144). [2] J. Agric. Food Chem. **38**, 824–829 (1990). [3] Int. J. Food Sci. Nutr. **48**, 109–111 (1997). [4] J. Food Sci. **54**, 1218–1221, 1222 (1989). [5] Belitz-Grosch (4.), S. 308.
allg.: Spreer, Technologie der Milchverarbeitung, Hamburg: Behr 1995 ▪ s. a. Milchpulver. – [*HS 0402..*]

Trockenmittel. Substanzen, die geeignet sind, *Feuchtigkeit (im allg. Wasser) aufzunehmen u. zum *Trocknen von Gasen, Flüssigkeiten u. Feststoffen verwendet werden. Man kann die T. nach ihren Wirkmechanismen in die Gruppen der *chem. wirkenden* (Verb.-Bildung, Hydratbildung) u. der *physikal. wirkenden* Stoffe (Lsg.-Bildung, Adsorption) einteilen, wobei die Übergänge fließend sind. Bei den chem. wirkenden T., deren Wirksamkeit gegenüber Wasser im allg. durch ihre *Hygroskopizität bestimmt wird, lassen sich weiterhin *regenerierbare T.* (s. Tab. A–G) u. *nicht regenerierbare T.* (s. Tab. H–N) unterscheiden. Die Tab. gibt einen Überblick über häufig verwendete *Lösemittel u. ihre zur Entwässerung geeigneten Trockenmittel.

Tab.: Chem. wirkende Trockenmittel für organ. Lösemittel.

Lsm.	Trockenmittel
Aceton	A, C, P
Acetonitril	A, N, P
Anilin	I, O
Anisol	A, M
Benzol	A, M, Q
1- od. 2-Butanol	C
2-Butanol	A, C
Butylacetat	F
tert-Butylalkohol	B
Chlorbenzol	A, N
Chloroform	A, N, Q
Cyclohexan	M, Q
Decalin	A, M
Diethylenglykolether	A, M
Diethylether	A, M, Q
Diisopropylether	A, M, Q
Dimethylformamid	Q
Dioxan	A, M, Q
Eisessig (Essigsäure)	D, E, N
Essigsäureanhydrid	A
Ethanol	B, K, P
Ethylacetat	C, N
Ethylenglykol	G
Formamid	B, G
Hexan	M
Isobutylalkohol	B, C, H, K
Methanol	A, B, K, P
Methylacetat	B, C
Methylenchlorid	A, Q
4-Methyl-2-pentanon	A, C
Nitrobenzol	A, N
Pentan	M
1-Propanol	B, K
2-Propanol	B, K, P
Pyridin	I, O, Q
Schwefelkohlenstoff	A, N
Tetrachlormethan	A, Q
Tetrahydrofuran	I, M, Q
Tetralin	A, M
Toluol	A, M, Q
Trichlorethylen	C, G
Xylole	A, M, Q

Es bedeuten: A = Calciumchlorid, B = Calciumoxid, C = Kaliumcarbonat, D = Kupfersulfat, E = Magnesiumperchlorat, F = Magnesiumsulfat, G = Natriumsulfat, H = Calcium, I = Kaliumhydroxid, K = Magnesium, M = Natrium, N = Phosphorpentoxid, O = Bariumoxid, P = Molekularsiebe 3 Å, Q = Molekularsiebe 4 Å

Nicht aufgeführte hochsiedende Lsm. (Dimethylsulfoxid, Glycerin, Glykolether) werden im allg. durch Dest. getrocknet, einige auch durch *Ausfrieren (*tert*-Butylalkohol, Eisessig). Neben den aufgeführten gibt es noch weitere T., wie das universell anwendbare Calciumsulfat (s. Anhydrit), ein als Blaugel bekanntes, mit einem Feuchtigkeitsindikator imprägniertes Kieselgel, das bes. zum Trocknen von Gasen geeignete Calciumhydrid, Natrium-Blei- u. Natrium-Kalium-Leg., Magnesiumoxid, Aluminium, Lithiumaluminiumhydrid, Aluminiumoxide, Montmorillonite, konz. Schwefelsäure usw. Die T. dienen nicht nur der Trocknung, ggf. sogar der *Absolutierung, sondern oft auch der Einstellung einer definierten *relativen Luftfeuchtigkeit. – *E* drying agents – *F* déshydratants, dessicateurs – *I* dissicante – *S* deshidratantes, desecantes

Lit.: Kirk-Othmer (3.) **8**, 114–130 ▪ Ullmann (5.) **A 9**, 49 ff. ▪ s. a. Trocknen u. Lösemittel.

Trockenpflanzen s. Xerophyten.

Trockenpistole s. Trocknen.

Trockenpulver-Reinigung s. Teppichpflegemittel.

Trockenreinigen s. Chemisch-Reinigen.

Trockenrohre s. Trocknen.

Trockenrückstand s. Trockensubstanz.

Trocken-Säulen-Chromatographie s. Säulenchromatographie.

Trockenschaum-Reinigung s. Teppichpflegemittel.

Trockenschmierstoffe s. Schmierstoffe.

Trockenschränke. Schrankförmige, im allg. elektr., früher auch mit Gas od. Dampf beheizte *Luftbäder*, die zum *Trocknen von Chemikalien u. Laborgeräten dienen. Ihre Temp. wird über einen *Thermostaten geregelt. In sog. *Vakuum-T.* können wärmeempfindliche Substanzen bei niedrigeren Temp. unter vermindertem Druck getrocknet werden. – *E* drying cupboards – *F* étuves, armoires séchoirs – *I* armadi d'essiccazione – *S* estufas, armarios desecadores

Trockenshampoos s. Haarbehandlung.

Trockenspinnen s. Naß-Spinnen.

Trockenspinnverfahren s. Spinnen.

Trockenstoffe. Nach DIN 55901: 1988-03 bzw. DIN-EN 971-1: 1996-09 versteht man unter T. für *Lacke, *Anstrichstoffe, *Firnisse, *Druckfarben u. dgl. zumeist in organ. Lsm. u. Bindemitteln lösl. Metall-Salze organ. Säuren, die oxidativ trocknenden (härtenden) Erzeugnissen zugesetzt werden, um den Trockenprozeß (Härtungsprozeß) zu beschleunigen. Derartige T. sollten begrifflich nicht mit *Trockenmitteln verwechselt werden.
Die T. gehören chem. zu den *Metallseifen u. können in fester u. gelöster Form (*Sikkative) vorliegen. Wasseremulgierbare T. können *Emulgatoren enthalten. Als Metall-Komponenten kommen vornehmlich Co, Mn u. Pb in Betracht, Ca, Ce, Fe, Zn, Zr überwiegend nur in Kombination mit ersteren. T. mit einem Metall bezeichnet man als *Einmetall-T.*, bei Kombination mehrerer Metalle spricht man von *Mehrmetall-Trockenstoffen*. Als Säure-Komponenten dienen vorwiegend Carbonsäuren natürlichen od. synthet. Ursprungs; z. B. enthalten *Linoleate* die Fettsäuren des *Leinöls, *Resinate* bzw. *Harzseifen enthalten *Harzsäuren, *Naphthenate* *Naphthensäuren, *Octoate* u. a. die entsprechenden aliphat. Carbonsäuren. Die Wirkungsweise der T. beruht auf der katalyt. Beschleunigung der *Autoxidation u. *Vernetzung der *trocknenden Öle als filmbildende Bindemittel in den Anstrichstoffen u. dgl. – *E* driers – *F* siccatifs – *I* essiccativi, essiccanti – *S* secantes
Lit.: Gatz (Hrsg.), Lexikon der Anstrichtechnik, Bd. 1 10. Aufl., München: Callwey 1994 ▪ Kirk-Othmer (4.) **8**, 432–445 ▪ Römpp Lexikon Lacke u. Druckfarben, S. 583 ▪ Ullmann (4.) **23**, 421–424; (5.) **A 9**, 63 f.; **A 16**, 361–374 ▪ s. a. Anstrichstoffe, Metallseifen, trocknende Öle. – *[HS 3211 00]*

Trockensubstanz. In der analyt. Chemie häufig verwendete Bez. für den nach dem *Trocknen unter bestimmten Bedingungen verbleibenden Wasser- od. Lsm.-freien Anteil eines Stoffes, beim Eindampfen von Lsg. zur Trockne oft auch *Trockenrückstand* genannt. Die beim Trocknen eintretende Gewichtsabnahme eines Stoffes wird als *Trockenverlust* bezeichnet. In der Lebensmittelchemie begegnet man häufig statt der Bez. T. dem Ausdruck *Trockenmasse*, z. B. im Zusammenhang mit dem Fettgehalt (% Fett in der Trockenmasse, Abk.: i. d. T.). – *E* dry matter – *F* matière sèche – *I* sostanza secca – *S* materia seca
Lit.: s. Trocknen.

Trockentürme s. Trocknen.

Trockenzucker. Bez. für ein polymeres Produkt der *Holzverzuckerung. Es entsteht, wenn die *Cellulose des Holzes durch Behandlung mit 38,5%iger Salzsäure bei Raumtemp. hydrolysiert wird. T. geht beim nachträglichen Behandeln mit 10%iger Essigsäure in ein Gemisch niedermol. Zucker über. T. findet v. a. als Viehfutter Verwendung.

Trocknen. Bez. für die Entfernung von nicht chem. gebundenen Flüssigkeiten (im allg. Wasser) aus gasf., flüssigen od. festen Stoffen (Feuchtigkeitsentzug) durch Erhitzen od. Zusatz von die betreffende Flüssigkeit bindenden Mitteln. Im allg. werden als *Trockenmittel* hygroskop. Substanzen od. Adsorptionsmittel verwendet. Vom T., das hier prinzipiell als ein *Trennverfahren betrachtet wird, zu unterscheiden ist die mechan. Abtrennung der Flüssigkeit durch *Dekantieren, *Zentrifugieren od. *Filtration. Die *Dehydratisierung ist ebensowenig ein Trocknungsprozeß wie das sog. T. von Lacken, Firnissen u. a. Anstrichstoffen, das in *trocknenden Ölen auf chem. Reaktionen, ggf. unter dem Einfluß von *Trockenstoffen, od. auf chem. *Vernetzungs-Reaktion, z. B. bei Klebstoffen od. der *Lackhärtung, beruht.
Die prakt. Durchführung des T. kann auf sehr verschiedenartige Weise erfolgen. Beim *therm. T.* von Feststoffen werden Flüssigkeiten durch Verdunsten *(Verdunstungstrocknung)* od. Verdampfen *(Verdampfungstrocknung)* u. Abführen der entstehenden Dämpfe abgetrennt. Die dafür erforderliche Wärme kann auf unterschiedliche Arten bereitgestellt werden. Bei der *Wärmeübertragung durch Wärmeleitung steht das zu trocknende Gut in unmittelbarer Berührung mit beheizten Flächen *(Kontakttrocknung)*, bei der Wärmeübertragung durch Strahlung *(Strahlungstrocknung)* steht seine Oberfläche mit einer Fläche höherer Temp. im Strahlungsaustausch *(Beisp.:* *Infrarottrocknung)*. Nach Art der Wärmezufuhr unterscheidet man weiterhin *Hochfrequenztrocknung, dielektr. Trocknung,* *Mikrowellen-Trocknung. Ein für bestimmte gefrorene Flüssigkeiten od. für Feststoffe geeignetes Verf. zum T. ist die sog. *Gefriertrocknung. Bei der *Zerstäubungstrocknung (Sprühtrocknung) werden flüssige Trockengüter (Lsg., Emulsionen, Suspensionen) in feine nebelartige Tröpfchen zerteilt, wodurch die Gutoberfläche stark vergrößert wird u. das Produkt als feines Pulver gewonnen werden kann. Das T. von Flüssigkeiten u. Gasen erfolgt im wesentlichen durch *Sorption od. chem. Reaktionen (s. Trocken-

Trocknende Öle

mittel). Bei Gasen wird auch T. durch *Ausfrieren der abzutrennenden Flüssigkeiten mittels Tiefkühlung vorgenommen, bei organ. Flüssigkeiten kann man Wasser als *Azeotrop destillativ abtrennen.

Für das *therm. T.* im techn. Maßstab werden Apparate wie Konvektions-, Horden-, Kammer-, Kanal-, Flachbahn-, Teller-, Drehtrommel-, Rieselschacht-, Siebband-, Strom-, Zerstäubungs-, Wirbelschicht-, Fließbett-, Schaufel-, Kugelbett-, Kontakt-, Heizteller-, Dünnschicht-, Walzen-, Band-, Siebtrommel-, Schnecken-, Taumel-, Kontakt-Scheiben-, Infrarot- u. Gefriertrockner verwendet, die durch Dampf, Öl, Gas od. elektr. Strom beheizt u. z. T. unter Vak. betrieben werden können. In der Laboratoriumspraxis häufig verwendete Geräte zum T. von Feststoffen sind *Exsikkatoren u. *Trockenschränke sowie *Trockenpistolen* (s. Abb. e), zum T. von durchströmenden Gasen Trockenrohre in Form von geraden od. U-förmig gebogenen, mit Trockenmittel – z. B. CaCl$_2$ im Falle des sog. *Chlorcalciumrohres* – gefüllten Glasröhren (s. Abb. a–c) u. *Trockentürme* in Form senkrecht stehender zylindr., mit körnigen Trockenmitteln gefüllter Absorptionsgefäße (s. Abb. d).

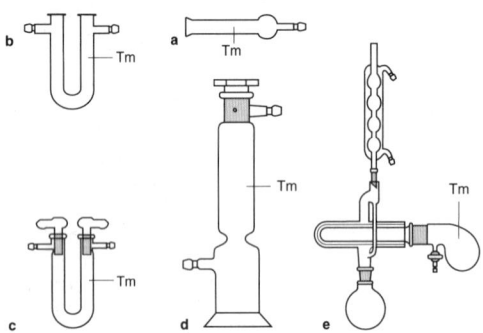

Abb.: Im Laboratorium gebräuchliche Apparaturen zum Trocknen von Gasen (a–d) u. Festkörpern (e) mit Hilfe von Trockenmitteln (Tm).

Eine wichtige Rolle spielt das T. auch in der *Lebensmitteltechnologie, z. B. in Form der vielen *Konservierungs-Verf., u. in der *Klimatechnik. – *E* drying – *F* séchage – *I* essiccazione – *S* secado

Lit.: Brauer (3.) **1**, 29–33, 80–90, 95ff., 109f. ■ Encycl. Polym. Sci. Technol. **5**, 154–215 ■ Kirk-Othmer (3.) **1**, 598–624; **8**, 75–130, 311–339; S, 104–112 ■ Krischer, Kast u. Kröll, Trocknungstechnik (Bd. 1–3), Berlin: Springer 1978–1989 ■ McKetta **16**, 416–442; **17**, 1–29; **23**, 438–454 ■ Ullmann (4.) **2**, 698–721 ■ Winnacker-Küchler (3.) **7**, 223–230; (4.) **1**, 222–230; **7**, 54–56 ■ s. a. Trennverfahren u. Verfahrenstechnik. – *Zeitschriften u. Serien:* Advances in Drying (Hrsg.: Mujumdar), Washington: Hemisphere (seit 1980) ■ Drying (Hrsg.: Mujumdar), New York: McGraw-Hill/Washington: Hemisphere/Berlin: Springer (seit 1980) ■ Drying Technology (Hrsg.: Hall), New York: Dekker (seit 1983).

Trocknende Öle. Bez. für solche Öle, die als organ. *Bindemittel in *Anstrichstoffen fungieren u. unter Bildung einer verhältnismäßig harten, elast. Schicht „trocknen". Die t. Ö. sind gewöhnlich Naturstoffe wie die in Einzelstichwörtern behandelten Lein-, Holz-, Mohn-, Walnuß-, Perilla-, Oiticica-, Saflor- u. Fischöle od. dehydratisierte Ricinusöle, doch lassen sich t. Ö. auch durch Kombination der natürlichen Öle od. ihrer Fettsäuren mit synthet. Harzen (z. B. Alkyd- od. Epoxidharzen) herstellen. Das „Trocknungsvermögen" beruht auf der Anwesenheit von ungesätt. Fettsäure-, bes. Linol- u. Linolensäure-Glyceriden, die aus der Luft Sauerstoff aufnehmen, dabei Peroxide u. a. Oxygenierungsprodukte bilden u. verharzen. Es handelt sich beim Festwerden der t. Ö. also um eine *chem. Reaktion* (*Autoxidation u. *Vernetzung) u. nicht um einen Vorgang des *Trocknens. Der Grad des ungesätt. Zustandes u. somit des Trocknungsvermögens wird durch die *Iod-Zahl ausgedrückt, s. a. Fette u. Öle. Eine Verbesserung der Trocknungseigenschaften wird bei Verw. sog. *Dicköle*, d. h. von *geblasenen Ölen u. von *Standölen sowie durch Zusatz von *Trockenstoffen erreicht. Unter den vielen fetten Ölen aus *Ölpflanzen gibt es natürlich auch *nichttrockende* (*Beisp.:* Olivenöl) u. *halbtrocknende* (*Beisp.:* Sojaöl, Rapsöl). – *E* drying oils – *F* huiles siccatives – *I* oli siccativi – *S* aceites secantes

Lit.: Encycl. Polym. Sci. Eng. **1**, 647–651; **5**, 203–214 ■ Kirk-Othmer (4.) **8**, 519–532 ■ Römpp Lexikon Lacke u. Druckfarben, S. 583 ■ Ullmann (4.) **23**, 425–455; (5.) A**9**, 55–71.

Trocknungsverlust s. Trockensubstanz.

Troe, Jürgen (geb. 1940), Prof. für Physikal. Chemie, Univ. Lausanne, Göttingen, MPI für Biophysikal. Chemie, Göttingen. *Arbeitsgebiete:* Kinetik chem. Elementarreaktionen in Gasen u. Flüssigkeiten; Atmosphären- u. Verbrennungskinetik; Spektroskopie; Photophysik u. Photochemie. Zahlreiche Ehrungen, u. a. die Polonyi Medal der Royal Society of Chemistry.

Lit.: Kürschner (16.), S. 3809 ■ Nachr. Chem. Tech. Lab. **41**, Nr. 1, 67 (1993); **43**, Nr. 9, 996 (1995).

Tröger-Base (2,8-Dimethyl-6H,12H-5,11-methanodibenzo[b,f][1,5]diazocin).

(−)-(5S,11S)-Form

$C_{17}H_{18}N_2$, M_R 250,35. Farblose Krist., Schmp. 136–137 °C; (5R,11R)-Form: $[\alpha]_D^{20}$ +280° (Hexan). Die von Prelog aus *p*-Toluidin u. Formaldehyd hergestellte T.-B. zeichnet sich durch verhinderte *Inversion an den N-Atomen aus, weshalb sich die Verb. durch chromatograph. *Racemattrennung an Lactose im neutralen Medium in die opt. Antipoden trennen läßt[1]. Zur abs. Konfiguration s. *Lit.*[2]. – *E* Troeger's base – *F* = *S* base de Troeger – *I* base di Troeger

Lit.: [1] Helv. Chim. Acta **27**, 1127 (1944). [2] J. Chem. Soc. B **1967**, 553.

allg.: Beilstein E V **23/9**, 108 ■ Beyer-Walter, Lehrbuch der organischen Chemie, S. 175, Stuttgart: Hirzel 1998. – [*CAS 21451-74-1* (+); *14645-24-0* (−); *72151-03-2* (±)]

Troënan®.

5-Methyl-5-propyl-2-(1-methylbutyl)-1,3-dioxan, $C_{13}H_{26}O_2$, M_R 214,34; Riechstoff mit Geruch nach Liguster-Blüte. *B.:* Henkel.

Tröpfchenmodell s. Kernmodelle.

Trofosfamid (Rp).

Internat. Freiname für das alkylierend wirkende *Cytostatikum (±)-N,N,3-Tris(2-chlorethyl)-2H-1,3,2-oxazaphosphinan-2-amin-2-oxid, $C_9H_{18}Cl_3N_2O_2P$, M_R 323,56, Krist., Schmp. 50–51 °C, $[\alpha]_D^{25}$ –28,6° (c 2/CH_3OH), LD_{50} (Maus oral) 464, (Maus i.p.) 212 mg/kg; schwer lösl. in Wasser, lösl. in Chloroform, Methanol u. Ether. T. enthält eine Chlorethyl-Gruppe mehr als *Cyclophosphamid bzw. *Ifosfamid, s. die Abb. bei 1,3,2-Oxazaphosphinan-2-amin-2-oxide. Ebenso wie bei diesen ist *Mesna bei T. gegen die urotox. Nebenwirkungen wirksam. T. wurde 1970 u. 1972 von Asta Werke (Ixoten®, Asta Medica AWD) patentiert. – $E = F = I$ trofosfamide – S trofosfamida
Lit.: Hager (5.) **9**, 1094 f. ▪ Martindale (31.), S. 604 ▪ s. a. Cyclophosphamid. – *[HS 2934 90; CAS 22089-22-1]*

Troglitazon (Rp).

Internat. Freiname für das orale, die Insulin-Empfindlichkeit erhöhende u. die hepat. Glucose-Produktion verringernde *Antidiabetikum (±)-5-[4-(6-Hydroxy-2,5,7,8-tetramethyl-2-chromanylmethoxy)benzyl]-2,4-thiazolidindion, $C_{24}H_{27}NO_5S$, M_R 441,55, Schmp. 184–186 °C. T. wurde 1985 u. 1986 von Sankyo patentiert. Sein Zulassungsantrag in Europa wurde 1997 vorübergehend eingefroren, da bei manchen Patienten Leberfunktionsstörungen aufgetreten waren; nach einer Risikoabwägung wurde das Zulassungsverf. aber wieder aufgenommen. Es ist in Großbritannien (Romozin®) u. den USA (Rezulin®) von Glaxo-Wellcome im Handel. – $E = F = I$ troglitazone – S troglitazona
Lit.: Ann. Rev. Pharmacother. **32**, 337–348 (1998) ▪ J. Med. Chem. **32**, 421 ff. (1989) ▪ Martindale (31.), S. 361 ▪ Merck-Index (12.), Nr. 9898. – *[CAS 97322-87-7]*

Troilit. Gegenüber dem in seinen Eigenschaften ähnlichen *Pyrrhotin stöchiometr. zusammengesetzes Eisen(II)-sulfid, FeS; hellgraubraune bis bronzefarbig braune, metallglänzende, tropfenförmige Einschlüsse, Körner od. Knollen mit schwarzem Strich. T. krist. im NiAs-Gitter (s. Abb. 4 c bei Kristallstrukturen, S. 2283); Struktur s. *Lit.*[1,2]. Mehrere polymorphe Modif. (*Lit.*[1]), darunter eine trigonale (Kristallklasse 6m2-D_{3h}); bei hohen Drücken u. Temp. krist. T. in einer dem MnP entsprechenden rhomb. Struktur.
Vork.: In *Meteoriten, z. B. in den Eisen-Meteoriten von Toluca/Mexiko u. Canyon Diablo/Arizona (Schwefel-*Isotopen-Verhältnisse s. *Lit.*[3]), u. in Chondriten (Analyse der Schwefel-Isotopen-Verhältnisse dieser T. s. *Lit.*[4]). In einigen bas. *magmatischen Gesteinen, z. B. in der Provinz Sichuan/VR China. In *Serpentin-Gestein in Californien/USA. – $E = F = I$ troilite – S troilita

Lit.: [1] Acta Crystallogr. Sect. B **38**, 1877–1887 (1982). [2] Phys. Chem. Miner. **8**, 175–179 (1982). [3] Geochim. Cosmochim. Acta **58**, 4253 ff. (1994). [4] Geochim. Cosmochim. Acta **61**, 601–609 (1997).
allg.: Anthony et al., Handbook of Mineralogy, Vol. I, S. 538, Tucson (Arizona): Mineral Data Publishing 1990 ▪ s. a. Pyrrhotin u. Meteoriten. – *[CAS 1317-96-0]*

Troktolith (Troctolith) s. Gabbros.

Troleandomycin (Rp). Internat. Freiname (früher: Triacetyloleandomycin) für das *Antibiotikum Oleandomycin-tri-O-acetat (s. die Formel dort), $C_{41}H_{67}NO_{15}$, M_R 813,98, geschmackfreie Krist., Zers. bei 176 °C, $[\alpha]_D^{25}$ –23° (CH_3OH), pK_b 7,4. T. wurde 1958 von Pfizer patentiert. – E troleandomycin – F troléandomycine – $I = S$ troleandomicina
Lit.: Hager (5.) **9**, 1095 f. ▪ Martindale (31.), S. 292 ▪ s. a. Oleandomycin. – *[HS 2941 90; CAS 2751-09-9]*

Trolnitrat (Rp).

Internat. Freiname für den Coronar-*Vasodilatator 2,2′,2″-Nitrilotris(ethylnitrat), $C_6H_{12}N_4O_9$, M_R 284,18. Das T.-Bisphosphat bildet Krist., Schmp. 107–109 °C. T. wurde 1952 von Schering patentiert. – $E = F$ trolnitrate – $I = S$ trolnitrato
Lit.: Hager (5.) **9**, 1096 ▪ Martindale (31.), S. 959. – *[HS 2922 19; CAS 7077-34-1 (T.); 588-42-1 (Phosphat)]*

Tromantadin (Rp).

Internat. Freiname für das *Virostatikum N-(1-Adamantyl)-2-[2-(dimethylamino)ethoxy]acetamid, $C_{16}H_{28}N_2O_2$, M_R 280,41, das jedoch wegen unerwünschter Hautreaktionen u. Sensibilisation nur kurzzeitig im Herpes-Frühstadium angewandt werden darf. Verwendet wird meist das Hydrochlorid, Schmp. 157–158 °C, LD_{50} (Ratte oral) 630, (Maus i.v.) 71 mg/kg. T. wurde 1971 von Merz (Viru-Merz®) patentiert. – $E = F$ tromantadine – $I = S$ tromantadina
Lit.: Hager (5.) **9**, 1097 ▪ Martindale (31.), S. 662. – *[HS 2922 19; CAS 53783-83-8 (T.); 41544-24-5 (Hydrochlorid)]*

Tromcardin®. Filmtabl., Infusions- u. Injektionslsg. gegen Herzinsuffizienz u. Rhythmusstörungen, enthalten Kalium- u. Magnesiumhydrogenaspartat. **B.:** Trommsdorff.

Trometamol [THAM, Tris, Tris-Amino, 2-Amino-2-(hydroxymethyl)-1,3-propandiol].

Internat. Freiname (früher: Tromethamin) für C,C,C-Tris(hydroxymethyl)-aminomethan, $C_4H_{11}NO_3$, M_R 121,14. Farblose, krist. Masse, Schmp. 171–172 °C, Sdp. 219–220 °C (1,33 kPa), pK_a 8,2 (20 °C), leicht wasserlösl. mit alkal. Reaktion (pH 10,4 für 0,1 m Lsg.), lösl. in Alkohol, schwer lösl. bis unlösl. in Koh-

lenwasserstoffen. Mit Mineralsäuren bildet T. Salze, mit Fettsäuren stark emulgierende Seifen. T. absorbiert kein CO_2 aus der Luft, neutralisiert jedoch gelöstes CO_2 u. kann zur intravenösen Therapie von Acidosen (THAM-Köhler®, Köhler; TRIS®, B. Braun) als Puffer benutzt werden.
Weiter findet es Verw. zum Modifizieren von Alkydharzen, in trocknenden Ölen, als Emulgator, Demulgator für Erdöl, Standard in der Maßanalyse, Puffer für mikrobiolog. u. pharmazeut. Zwecke etc. – $E = S$ trometamol – F trométamol – I trometamolo

Lit.: Beilstein E IV **4**, 1903 ▪ Hager (5.) **9**, 1097–1100 ▪ Martindale (31.), S. 1763 ▪ Ph. Eur. **1997** u. Komm. – *[HS 2922 19; CAS 77-86-1]*

Tromethamin s. Trometamol.

Tromm. Kurzbez. für die Firma Wachs- u. Ceresinfabriken Th. C. Tromm GmbH, 50235 Köln.

Trommelfilter. Filter, bei dem sich die Filterfläche auf dem Mantel einer Trommel befindet, die während einer Drehung mehrere Behandlungsstufen durchläuft u. einen konstanten Durchsatz an Filterkuchen u. Filtrat erzeugen kann.

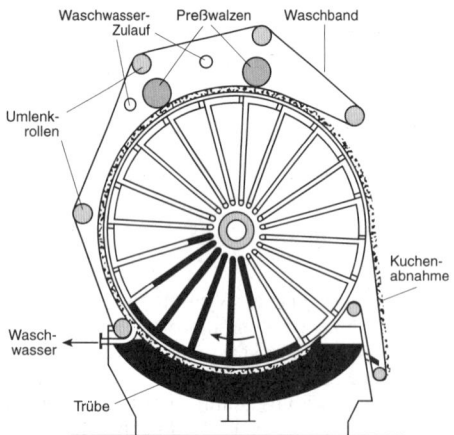

Abb.: Vak.-Trommelzellenfilter mit Waschband.

Vorteile sind eine kontinuierliche Betriebsweise, einfache Beschickung, vielseitige Kuchenabnahme u. Wirtschaftlichkeit. Die Filter können hydrostat. (für einfache Siebaufgaben), mit Vak. od. mit Druck betrieben werden. Der Trommelmantel besteht meist aus Zellen, die über Filtratrohre mit Vorlagen u. Pumpen verbunden sind. Je nach Betriebsweise baut sich der Filterkuchen an der Innen- od. Außenwand der Trommel auf. Die Abb. zeigt einen Vak.-Trommelzellenfilter. – E drum filter – F filtre à tambour – I filtro a tamburo rotante – S filtro de tambor

Lit.: Ullmann (5.) **B2**, 10–37.

Trommelöfen. Spezielle Form der *Drehrohröfen, die auch zum Einschmelzen von Erzen, Sinter, Stein u. Verhüttungsprodukten sowie zum Umschmelzen von Schwermetallen geeignet sind. Durch rotierende Flammenöfen kommt es zu einer Verringerung des Wärmeverbrauchs u. damit zu einer Senkung der Schmelzkosten. Die kleinste Oberfläche bei größtem Nutzinhalt u. geringster Wärmeabstrahlung (Kugel) ist beim sog. Kurz-T. nahezu realisiert. – E rotary furnaces – F fours tournants – I forni rotativi – S hornos rotatorios

Lit.: Ullmann (4.) **3**, 428.

Trommer-Test. Ein 1841 von dem Chemiker Karl August Trommer (1806–1879) ausgearbeiteter Nachw. für Glucose, bes. im Harn. Man mischt gleiche Tl. der Untersuchungsflüssigkeit u. 15%ige KOH od. NaOH, fügt dann tropfenweise 10%ige Kupfer(II)-sulfat-Lsg. hinzu, bis der Niederschlag von Kupfer(II)-hydroxid gerade ungelöst bleibt. Die blaugrüne, etwas trübe Flüssigkeit wird in ihrer oberen Partie schwach erwärmt, worauf bei Anwesenheit von Glucose eine gelbrote, wolkige Trübung von Kupfer(I)-hydroxid bzw. ein braunroter Niederschlag von Kupfer(I)-oxid entsteht. – E Trommer test – F réaction de Trommer – I test di Trommer – S reacción de Trommer

Trommsdorff, Johann Bartholomäus (1770–1837), Prof. für Pharmazie, Erfurt. *Arbeitsgebiete:* Begründung der wissenschaftlichen Pharmazie, Apothekenwesen, Chemiegeschichte. T. gründete 1793 die erste pharmazeut. Fachzeitschrift u. 1795 die erste pharmazeut. Lehranstalt (s. a. die nachfolgenden Stichwörter).

Lit.: Chem. Unserer Zeit **18**, A5 (1984) ▪ Götz, Bibliographie der Schriften von Johann Bartholomäus Trommsdorff, Stuttgart: Dtsch. Apotheker Verl. 1985 ▪ Lexikon der Naturwissenschaftler, S. 401 ▪ Neufeldt, S. 392 ▪ Pötsch, S. 428.

Trommsdorff-Norrish-Effekt s. Geleffekt.

Trommsdorffs Reagenz s. Iodstärke-Reaktion.

Trona (Urao). Als Bestandteil von Natursoda in den Natronseen vieler Wüstengebiete (z. B. Californien u. Nevada/USA, China, Ägypten, Lake Magadi/Kenia u. Lake Natron/Tansania) natürlich vorkommendes $Na_2CO_3 \cdot NaHCO_3 \cdot 2 H_2O$; krist. monoklin-prismat. (Kristallklasse $2/m$-C_{2h}); zur Struktur s. *Lit.*[1]. Farblose, weiße od. gelbe, tafelige od. prismat. Krist. u. krist. Krusten, H. 2,5, D. 2,17. Die größten, kommerziell abgebauten Vork. befinden sich in der Green River-Formation in Wyoming/USA. T. wurde als Alterationsprodukt auf röm. Baudenkmälern in Bari u. Umgebung/Italien gefunden[2]. – $E = I = S$ trona, urao – F urao

Lit.: [1] Acta Crystallogr. Sect. B **38**, 2874 ff. (1982). [2] Mineralogica et Petrographica Acta **36**, 215–236 (1993).
allg.: Ramdohr-Strunz, S. 581 ▪ Schröcke-Weiner, S. 554 ▪ Winnacker-Küchler (4.) **2**, 497–500.

Troostit. 1. Bez. für rosafarbenen, stark Mangan-haltigen *Willemit, z. B. von Franklin in New Jersey/USA. 2. In der Metallurgie versteht man unter T. eine feinlamellare, nur elektronenmikroskop. auflösbare Form des *Perlits. Entsteht entweder direkt bei der Abkühlung (*Abschreckung), od. durch Anlassen von *Martensit. Mit dem Abstand der Lamellen Zementit/Ferrit nimmt in der Folge Perlit-Bainit-T. ab, die Härte des Stahls wächst entsprechend an. – $E = F = I$ troostite – S troostita

Lit.: s. Stahl, Martensit.

...trop (...tropisch). Von griech.: ...tropos = zu ...wendend, ...erstrebend abgeleitete Endung; *Beisp.:* *chaotrop, *lyotrop, *sigmatrop. Substantive: ...*tropie* (s. Anisotropie, Entropie, Phototropie u. Thixotropie), *...*tropismus.* Von griech.: tropikós = Wendekreis kommen die Bez. *trop.* u. *Tropen* für die Zone zwischen den Wendekreisen. Die Vorsilbe *Trop(o)*... bedeutet „wechselhaft, wandelbar" [*Beisp.*: *Atropisomerie (griech.: atropíā = Starre), Tropo-*Collagene, *Tropomyosin, Troposphäre]; vgl. Trop... u. ...tropin. – *E* ...tropic – *F* ...trope – *I* = *S* ...tropo

Trop... Namenstamm für *Atropin-Abbauprodukte (griech.: Schicksalsgöttin Átropos = „die Unerbittliche"; vgl. ...trop); *Beisp.*: s. Tropasäure, α-Tropolon u. Tropylium. – *E* = *F* = *I* = *S* trop...

Tropäolin.

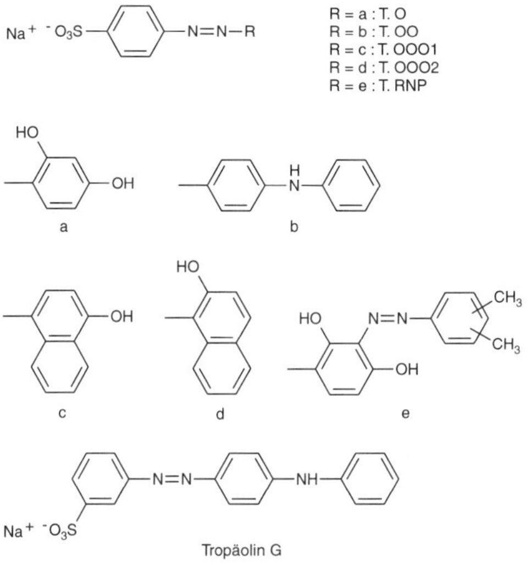

Na⁺ ⁻O₃S—⟨⟩—N=N—R	R = a : T. O R = b : T. OO R = c : T. OOO1 R = d : T. OOO2 R = e : T. RNP

a: HO—⟨⟩—OH (Resorcin)
b: ⟨⟩—N(H)—⟨⟩ (Diphenylamin)
c: Naphthol derivative
d: Naphthol derivative
e: HO—⟨⟩(OH)—N=N—⟨⟩(CH₃)(CH₃)

Na⁺ ⁻O₃S—⟨⟩—N=N—⟨⟩—NH—⟨⟩
Tropäolin G

Tab.: Wichtige Tropäolin-Farbstoffe.

Trivialname für eine Reihe von Farbstoffen, die als *Indikatoren verwendet u. durch nachgestellte Buchstaben (O, nicht 0=Null!) gekennzeichnet werden. In der Tab. sind die wichtigsten T. aufgelistet.

Der Name stammt über Tropaeolum von latein.: tropaeum=Trophäe, Siegeszeichen, weil die Blätter der leuchtend gelbroten *Kapuziner Kresse* (botan.: tropaeolum, s. Kressen) schildförmig u. die Blüten helmförmig aussehen. – *E* tropaeolin – *F* tropéoline – *I* = *S* tropeolina

Lit.: Beilstein E II **16**, 115–118, 171; E III **16**, 373; E IV **16**, 512 ■ Blaue Liste, S. 103, 130 ■ Hager (5.) **6**, 1005 ■ IARC Monogr. **8**, 173–179 ■ Ullmann (5.) **A 14**, 130 ■ s. a. Indikatoren.

Tropalpin (Rp, mit Ausnahmen).

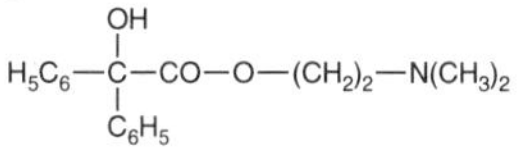

$$H_5C_6-\underset{C_6H_5}{\overset{OH}{\underset{|}{\overset{|}{C}}}}-CO-O-(CH_2)_2-N(CH_3)_2$$

Kurzbez. für den auch *Benzacin* genannten, als *Spasmolytikum wirkenden Benzilsäure-2-(dimethylamino)ethylester, $C_{18}H_{21}NO_3$, M_R 299,36. T. ist in Kombination mit Monoterpenen von Rowa-Wagner (Rowachol® comp) im Handel. – *E* tropalpin – *F* tropalpine – *I* = *S* tropalpina – [CAS 968-46-7]

Tropan s. 3α-Tropanol.

Tropan-Alkaloide. Sammelbez. für Alkaloide mit Tropan-Ringsystem (Formel s. 3α-Tropanol).
Struktur u. Vork.: Die T.-A. kommen im Pflanzenreich v. a. in den Familien der Solanaceae, Convolvulaceae, Erythroxylaceae, Proteaceae u. Rhizophoraceae vor. Vereinzelte Vork. sind aus den Euphorbiaceae u. Brassicaceae bekannt. Die wichtigsten der etwa

Namen [CAS]	C. I.-Namen (C. I.-Nr)	Summenformel	M_R	Eigenschaften, Verw.
T. O, Resorcingelb T. R, Chrysoin [547-57-9]	Acid Orange 6, Food Yellow 8 (14270)	$C_{12}H_9N_2NaO_5S$	316,27	rotbraunes Pulver, lösl. in Alkohol u. Wasser, pH-Indikator (pH 11,1–12,7 gelb/braun)
T. OO, Diphenylaminorange, Neugelb, Orange GS, IV, N, Säuregelb D [554-73-4]	Acid Orange 5 (13080)	$C_{18}H_{14}N_3NaO_3S$	375,38	Orangene Schuppen od. gelbes Pulver, wasserlösl., pH-Indikator (pH 1,2–3,2 violettrot/gelborange), Wollfarbstoff
T. OOO1, Orange I, α-Naphthylorange, [523-44-4]	Acid Orange 20 (14600)	$C_{16}H_{11}N_2NaO_4S$	350,33	rötlich braunes Pulver, lösl. in Alkohol u. Wasser, pH-Indikator (pH 7,6–8,9 gelb/rosa)
T. OOO2, Orange II, β-Naphthylorange [633-96-5]	Acid Orange 7 (15510)	$C_{16}H_{11}N_2NaO_4S$	350,33	gelbrotes Pulver, lösl. in Alkohol u. Wasser, selten als pH-Indikator verwendet (pH 7,4–8,6 bernsteinfarben/orange; 10,2–11,8 orange/rot), zur Färbung von Wolle u. Seide
T. D, s. Methylorange	Acid Orange 52 (13025)	$C_{14}H_{14}N_3NaO_3S$	327,34	lösl. in Wasser, unlösl. in Alkohol. In USA: Verw. für textile Zwecke
T. G, Metanilgelb [587-98-4]	Acid Yellow 36 (13065)	$C_{18}H_{14}N_3NaO_3S$	375,38	braungelbes Pulver, lösl. in Alkohol u. Wasser; Verw. als Papier-, Textil-, Seidenfarbe u. Indikator (pH 1,2–2,3 rotviolett/gelb); verboten in kosmet. Mitteln (Kosmetik-VO, Anl. 1, Nr. 387)
T. RNP, Resorcinbraun [1320-07-6]	Acid Orange 24 (20170)	$C_{20}H_{17}N_4NaO_5S$	448,45	rotbraunes Pulver zur Herst. kosmet. Mittel

140 bekannten T.-A. sind entweder Ester des *3α-Tropanols (Tropin) od. seltener des 3β-Tropanols (Pseudotropin). Wichtige Beisp. sind die T.-A. der Solanaceae: (−)-*Hyoscyamin [Racemat: (±)-Hyoscyamin = *Atropin], *Scopolamin u. die T.-A. der Erythroxylaceae (*Coca-Alkaloide*) mit dem Suchtgift *Cocain. Begleitet werden die T.-A. oft von einfachen, nicht veresterten *Pyrrolidin-Alkaloiden*, wie *Hygrin u. *Cuscohygrin. Zuletzt wurden die Calystegine als polyhydroxylierte 3β-Tropanol-Derivate mit ausgeprägter Glykosidase-Hemmwirkung entdeckt.

Biosynth. u. Physiologie: Die T.-A. der Solanaceae entstehen in der Wurzel u. werden über den Saftstrom in die oberird. Teile der Pflanze (z. B. bei den Gattungen *Atropa, Hyoscyamus, Datura*) transportiert u. gespeichert. Der Biosyntheseweg der T.-A. geht von Ornithin u. Arginin aus. Das aus *N*-Methylputrescin entstehende *N*-Methylpyrrolin ist ein wichtiger Verzweigungspunkt, von dem nach Verknüpfung mit 2 Acetat-Einheiten über Methylecgonin Cocain entsteht od. unter Decarboxylierung über Tropinon 3α- u. 3β-Tropanol. Der Ester aus 3α-Tropanol u. der aus der Aminosäure Phenylalanin abgeleiteten Tropasäure ist Hyoscyamin, das durch intramol. C–C-Verschiebung aus Littorin, dem (*R*)-3-Phenylmilchsäure-3α-tropanylester [1], entsteht. Hygrin entsteht als Nebenprodukt aus *N*-Methylpyrrolin u. kann durch Verknüpfung mit einem weiteren Mol. *N*-Methylpyrrolin in Cuscohygrin überführt werden. Die Calystegine leiten sich wahrscheinlich von 3β-Tropanol ab [2].

Das medizin. wertvolle *Scopolamin wird enzymat. durch das Enzym Hyoscyamin-6β-Hydroxylase aus (−)-Hyoscyamin gebildet, das in einer zweistufigen Reaktion über 6-Hydroxyhyoscyamin den Epoxid-Ring schließt. Mit der für die Hydroxylase codierenden cDNA wurden Pflanzen von *Atropa belladonna* erfolgreich transformiert. Die entsprechenden transgenen *A. belladonna*-Pflanzen produzierten in erhöhten Konz. Scopolamin. Dies war das erste konkrete Beisp. für eine erfolgreiche Veränderung einer Arzneipflanze mit Hilfe gentechn. Meth.[3]. T.-A. lassen sich in Zellkulturen gewinnen [4]. Zur Chemie, Pharmakologie u. Toxikologie der T.-A. s. Atropin u. Scopolamin. – *E* tropane alkaloids – *F* alcaloïdes tropaniques – *I* alcaloidi del tropano – *S* alcaloides del tropano

Lit.: [1] J. Chem. Soc., Perkin Trans. 1 **1994**, 615–619. [2] Plant Cell, Tissue Organ. Culture **38**, 235–240 (1994). [3] J. Biol. Chem. **266**, 4648–4653, 9460–9464 (1991); Proc. Natl. Acad. Sci. USA **89**, 11 799–11 802 (1992). [4] Atta-ur-Rahman (Hrsg.), Studies in Natural Products Chemistry, Bd. 17, S. 395–420, Amsterdam: Elsevier 1995.
allg.: Manske **16**, 84–180; **33**, 1–81; **44**, 1–114, 115–187 ■ Nat. Prod. Rep. **14**, 637–651 (1997) ■ Pharm. Unserer Zeit **25**, 242–249 (1996) ■ Rodd's Chem. Carbon Compds. (2.) **4B**, 251–276 (1997) ■ Ullmann (5.) **A 1**, 360f. – *Biosynth.:* J. Am. Chem. Soc. **117**, 8100 (1995) ■ Phytochemistry **41**, 767 (1996) ■ Planta Med. **36**, 97–112 (1979); **56**, 339–352 (1990). – *Synth.:* Nachr. Chem. Tech. Lab. **26**, 369f. (1978). – *[HS 293990]*

3α-Tropanol (Tropin, 3α-Hydroxytropan, 8-Methyl-8-azabicyclo[3.2.1]octan-3*endo*-ol). $C_8H_{15}NO$, M_R 141,21, Krist., Schmp. 63 °C, Sdp. 229 °C. Hochgiftiges Alkaloid aus dem Bilsenkraut (*Hyoscyamus niger*), der Tollkirsche (*Atropa belladonna*) u. *Datura*-Arten, das im allg. in allen Solanaceen enthalten ist. T. entsteht durch Hydrolyse seiner Carbonsäureester, z. B. der Ester mit Tropasäure (*Hyoscyamin, *Atropin) u. zahlreichen anderen Carbonsäuren (Essigsäure, Valeriansäure, Benzoesäure, Tiglinsäure, 3,4,5-Trimethoxybenzoe- u. -zimtsäure, Mandelsäure usw.) aus Solanaceen, die auch pharmakolog. von Interesse sind (Parasympatholytika); s. a. Tropan-Alkaloide. Neben der *endo*-Form kommt auch die *exo*-Form (3β-T., Pseudotropin, Schmp. 108–109 °C, Sdp. 240–241 °C) als Ester u. in freier Form in Solanaceen vor.

R^1 = OH, R^2 = H : 3α-Tropanol (Tropin)
R^1 = H, R^2 = OH : 3β-Tropanol (Pseudotropin)

(1*R*)-1-Tropanol (**1**)

3-Tropanon (**2**)   (1*R*)-2-Tropanon (**3**)

(1*R*)-*1-Tropanol* ($C_8H_{15}NO$, M_R 141,21, Schmp. 47–48 °C od. 68–70 °C) aus *Physalis peruviana* liegt mit dem Tautomeren (*R*)-(Methylamino)cycloheptanon im Gleichgew. vor. *3-Tropanon*, $C_8H_{13}NO$, M_R 139,20, Nadeln, Schmp. 42 °C, Sdp. 103–104 °C (1,7 kPa), das Oxid.-Produkt von T. kommt zusammen mit *Hygrin vor. (1*R*)-*2-Tropanon* ist ein Abbau-Produkt von *Cocain. – *E* 3α-tropanol – *F* 3 α-tropanol – *I* 3α-tropanolo – *S* 3α-tropanol

Lit.: Alkaloids (New York) **33**, 1 (1988) (Review) ■ Beilstein E V **21/1**, 219 ■ Sax (8.), TNS 200 ■ Ullmann (5.) **A 1**, 360ff. – *Synth.:* Hager (5.) **3**, 112; **4**, 425–433, 923f., 1140ff.; **5**, 89, 461f., 465 ■ Merck Index (12.), Nr. 9912 ■ Tetrahedron **40**, 1661 (1984). – *[HS 293990; CAS 120-29-6 (3α-T.); 135-97-7 (3β-T.); 60723-27-5 (1); 532-24-1 (2); 56620-28-1 (3)]*

2- u. 3-Tropanon s. 3α-Tropanol.

Tropasäure (3-Hydroxy-2-phenylpropionsäure).

(*S*)-(−)-Form
Tropasäure

Atropasäure

$C_9H_{10}O_3$, M_R 166,17, Tafeln od. Nadeln, Schmp. 118 °C (Racemat); (+)-Form: Schmp. 107 °C, andere Angabe: 129–130 °C, $[\alpha]_D^{20}$ +72° (H_2O); (−)-Form: Schmp. 126–128 °C, $[\alpha]_D^{20}$ −72° (H_2O); leicht lösl. in heißem Wasser, lösl. in Ethanol u. Ether. (−)-(*S*)- od. (±)-T. wird bei der Verseifung aus *Hyoscyamin, *Atropin, *Scopolamin u. a. *Tropan-Alkaloiden, in denen T. verestert vorliegt, erhalten. Beim Erhitzen od. enzymat. entsteht durch Wasserabspaltung Atropasäure [$C_9H_8O_2$, M_R 148,16, Schmp. 106–107 °C (Zers.)]. – *E* tropic acid – *F* acide tropique – *I* acido tropico – *S* ácido trópico

Lit.: Beilstein E IV **9**, 2050 ▪ Karrer, Nr. 941 ▪ Merck-Index (12.), Nr. 906, 9910. – *Biosynth.*: J. Chem. Soc., Chem. Commun. **1995**, 127, 129 ▪ J. Chem. Soc., Perkin Trans. 1 **1994**, 1159 ▪ Phytochemistry **35**, 935 (1994). – *Vork.*: C. R. Acad. Sci., Ser. C **306**, 591–596 (1988) – *Synth.*: J. Chem. Soc., Perkin Trans. 1 **1996**, 2895. – *[HS 2918 19; CAS 529-64-6 (allg.); 17126-67-9 ((+)-T.); 16202-15-6 ((–)-T.); 552-63-6 (±)-T.]*

Tropasäuretropylester s. Atropin u. Hyoscyamin.

Tropenkrankheiten. *Infektionskrankheiten, die durch in trop. Gegenden beheimatete Erreger u./od. Überträger hervorgerufen werden. Beisp. sind *Schlafkrankheit, *Malaria, Bilharziose (*Schistosomiasis), Amöben-*Ruhr, *Chagas-Krankheit, Onchocercose (*Filariasis), Kala Azar u. a. *Leishmaniosen, Gelbfieber, *Lepra. Erreger sind Viren, Bakterien u. Protozoen, als Überträger (Vektoren) u./od. Zwischenwirte kommen u. a. Insekten, Würmer, Schnecken od. auch Säugetiere vor. Zur Behandlung dienen spezielle Chemotherapeutika, gegen manche der Erkrankungen gibt es Schutzimpfungen. – *E* tropic diseases – *F* maladies tropicales – *I* malattie tropicali – *S* enfermedades tropicales

Lit.: Lang, Tropen-Medizin in Klinik u. Praxis, Stuttgart: Thieme 1996.

Tropenzilin-bromid (Rp).

[Structure: 3α-Benzoyloxy-6β-methoxy-N-methyltropaniumbromid]

Internat. Freiname für das *Spasmolytikum/*Parasympath(ik)olytikum 3α-Benziloyloxy-6β-methoxy-N-methyltropaniumbromid, $C_{24}H_{30}BrNO_4$, M_R 476,41. – *E* tropenziline bromide – *F* bromure de tropenziline – *I* tropenzilina bromuro – *S* bromuro de tropenzilina

Lit.: Hager (4.) **6c**, 308 ▪ Martindale (29.), S. 544. – *[HS 2939 90; CAS 143-92-0]*

Tropfelektrode s. Polarographie.

Tropfen. Bez. für kleine Flüssigkeitsmengen, die durch Oberflächenspannung Kugelgestalt zu erlangen suchen. Die Größe eines T. (das Vol.) ist abhängig von D., *Oberflächenspannung u. *Adhäsion der betreffenden Flüssigkeit an beispielsweise Tropfflaschen sowie der Öffnungsweite des T.-Ausflusses. So entspricht beim Austreten aus einem in *Lit.*[1] spezifizierten *T.-Zähler* 1 g folgender Substanzen der jeweils angegebenen Anzahl an T. (Gew. des T. in mg in Klammern): Ether 88 (11), 96%iges Ethanol 63 (16), Benzin 86 (12), Glycerin 24 (42), Paraffin 50 (20), Wasser 20 (50), Ammoniak-Lsg. 23 (43), Chloroform 58 (17), Leinöl 42 (24), Olivenöl 48 (21). Beim Kondensieren von *Dampf kann die sog. T.-*Kondensation erwünscht sein, wobei die Anwesenheit von *Keimen die T.-Bildung erleichtert. Das T.-Wachstum steht im Zusammenhang mit der allg. Wechselwirkung von T. u. Gasen u. mit *Blasen- u. T.-Phänomenen, wie sie auch in zweiphasigen Flüssigkeits-Syst. auftreten. Bei *Emulsionen wird die innere od. disperse Phase in Form von kleinen Tröpfchen verteilt, deren Durchmesser bei *Mikroemulsionen bis zu wenigen Nanometer betragen kann. Die Größe u. Verteilung von T. spielt beim Ablauf von chem. Reaktionen eine große Rolle; durch die vergrößerte Oberfläche können z. B. Verbrennungen von Motorkraftstoffen wesentlich schneller ablaufen. Hierzu wird der Kraftstoff versprüht, wobei, wie bei allen bewegten Sprays, die Teilchengröße nicht konstant ist, sondern sich durch Kollision der T. untereinander u. mit der heißen Wand des Verbrennungsraumes ändert. Durch Beobachten u. Fotografieren der T.-Kollisionen kann man feststellen, welche Vorgänge die T.-Größe bestimmen u. hieraus Eigenschaften des Sprays ableiten.[2] Kontrollierte T.-Bildung spielt eine Rolle z. B. bei der *Mikroverkapselung von Arzneistoffen. Flüssige Arzneimittel werden oft in T.-Form verabreicht, u. zwar mit Hilfe von *Tropfflaschchen*, deren Kunststoffeinsätze bzw. eingeschliffene Glasstöpsel mit feinen Kanälen eine exakte Dosierung ermöglichen; die auf Rezepten übliche Abk. „gtt" für T.-Dosierungen leitet sich aus latein.: gutta = Tropfen her. Beim Transport von Dämpfen u. Gasen, z. B. bei der Dest., kann die Entfernung von T. durch *T.-Abscheider* (*Demister) erforderlich sein. Über das T.-Volumenverf. u. die Bestimmung der Gestalt von T. (liegender, hängender od. rotierender T.) kann die *Oberflächenspannung von Flüssigkeiten bestimmt werden; vgl. a. die folgenden Stichwörter. – *E* drops, droplets – *F* gouttes – *I* gocce – *S* gotas

Lit.: [1]DAB **9**, 25; Komm. 9/1, 29. [2]Spektrum Wiss. **1990**, Nr. 12, 116.

allg.: Dörfler, Grenzflächen- u. Kolloidchemie, Weinheim: VCH Verlagsges. 1994 ▪ Hunter, Foundations of Colloid Science, Vol. I u. II, Oxford: Clarendon Press 1992.

Tropfenfänger. Auch als Reitmaieraufsatz od. Schaumbrecher bezeichnete Glaskugel mit innenliegendem, gebogenem Glasrohr (s. Abb.). Der T. wird zwischen Destillationskolben u. Destillationsbrücke eingesetzt u. bewährt sich v. a. für die Dest. von stark schäumenden od. stoßenden Flüssigkeiten.

Abb.: Tropfenfänger.

– *E* splash-head adapter, Kjeldahl connecting bulb – *I* vaso di spurgo – *S* colector de gotas, recogegotas

Lit.: Organikum (20.), S. 43.

Tropfen-Gegenstrom-Chromatographie s. Flüssig-Flüssig-Extraktion

Tropfkörper. Biofilmreaktor zur *biologischen Abwasserbehandlung. Auf einem Gitterrost wird in einem Rundbecken von einigen Metern Durchmesser eine 2 bis 5 Meter hohe Schicht Füllkörper, z. B. Lavaschlacke od. Kunststoffkörper gebracht. Das Abwasser wird durch eine sich kreisförmig drehende

Sprinkleranlage auf die Oberfläche aufgetragen u. rieselt in dünner Schicht nach unten. Durch das Gitterrost steigt Luft infolge der Kaminwirkung im T. nach oben u. kann sich mit dem herabtropfenden Abwasser vermischen. Die den biolog. Abbau bewirkenden Bakterien wachsen auf den brockigen Füllkörpern zu einem „Rasen". Zu dick wachsender Bakterienrasen wird durch das herabfließende Abwasser od. bei der T.-Regeneration ausgeschwemmt u. in *Nachklärbecken abgetrennt. Konventionelle T. arbeiten mit geringerem Umsatz als übliche Belebungsbecken. Überlastungen führen durch zu starkes Bakterienwachstum zur Verstopfung. Darüber hinaus ist für stärker belastetes Abwasser die Verweilzeit oft zu kurz. – E trickling (sprinkling, percolating) filter – F lit percolateur (bactérien) – I filtro percolatore, letto percolatore – S lecho percolador (bacteriano)

Lit.: Abwassertechnische Vereinigung (Hrsg.), ATV-Handbuch Biologische und weitergehende Abwasserreinigung (4.), S. 119–183, Berlin: Ernst & Sohn 1997 ▪ Korrespondenz Abwasser **45**, 835–848 (1998).

Tropfkörper-Reaktor s. Rieselfilmreaktor.

Tropfpunkt. Der T., gelegentlich als ident. mit dem *Fließpunkt angesehen, charakterisiert die Schmelzbarkeit von festen Fetten, Schmierstoffen, Bitumina, Pechen, Vaseline usw. Als T. gilt die Temp., bei der die auf die Quecksilber-Kugel eines Thermometers – bzw. auf daran befestigte Nippel von T.-Bestimmungsgeräten (z.B. nach Ubbelohde) – aufgebrachte Prüfmasse unter ihrem Eigengew. abtropft. Der *Tropfzündpunkt* ist die Temp., bei der sich flüssige Stoffe beim Auftropfen auf eine heiße Fläche von selbst entzünden. – E drop(ing) point – F point de goutte – I punto di gocciolamento – S punto de goteo

Lit.: DAB **9**, 125 f. ▪ DIN 51801-2: 1980-12 ▪ Pharm. Ind. **42**, 1034–1039 (1980).

Tropfsteine s. Kalke.

Tropftrichter. Kugel- od. birnenförmige bzw. zylindr. Glasgefäße mit Hahn (s. Abb.), die eine zeitliche Dosierung einer flüssigen Komponente in ein Reaktionsgemisch ermöglichen. Besitzen die T. ein Druckausgleichsrohr, kann auch im Vak. zugetropft werden.

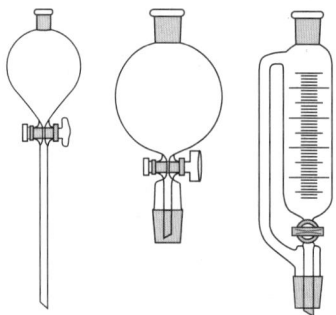

Abb.: Verschiedene Tropftrichter.

– E dropping funnels – F entonnoirs séparateurs – I imbuto contagocce – S embudos de adición (decantación)

Lit.: DIN 12566: 1977-05; DIN 12567: 1977-05.

Tropfzündpunkt s. Tropfpunkt.

...troph (griech.: ...trophos = ...genährt, ...essend). Endung von Bez. für Arten der *Ernährung von Organismen (*Beisp.:* Der Mensch ist *chemoorganoheterotroph*; s. Tab.).

Tab.: Fachbez. für Ernährungsweisen von Organismen.

Energiequelle	H-Quelle	C-Quelle	
Licht: photo- (*Phototrophie)	*anorgan.:* litho- (*Lithotrophie)	*anorgan.:* auto- (*Autotrophie)	-troph
stofflich: chemo- (*Chemotrophie)	*organ.:* organo- (*Organotrophie)	*organ.:* hetero- (*Heterotrophie)	-troph

Beisp. für verwandte Substantive: *Eutrophierung, *Mixotrophie, *Oecotrophologe, Psychro- u. Thermotrophie (s. Psychrophilie u. Thermophilie), Trophobiose (s. Symbiose). – E ...trophic – F ...trophe – $I = S$ ...trofo

...trophin s. ...tropin.

Trophobiose s. Symbiose.

Trophogene Zone, tropholytische Schicht s. Zehrschicht.

Trophophase (von griech.: trophe = Nahrung). Im allg. gleichbedeutend mit der logarithm. Wachstumsphase (*log-Phase) einer Mikroorganismen-Kultur (s. a. Batch-Fermentation), also der Phase effektiver Vermehrung u. Nährstoffaufnahme. – $E = F$ trophophase – $I = S$ trofofase

Lit.: Crueger-Crueger (3.), S. 60.

Tropicamid (Rp).

Internat. Freiname für das *Parasymp(ik)olytikum u. *Mydriatikum (±)-N-Ethyl-3-hydroxy-2-phenyl-N-(4-pyridylmethyl)propionamid, $C_{17}H_{20}N_2O_2$, M_R 284,35, Krist., Schmp. 96–97°C; λ_{max} (c 0,0025/ 0,1 M HCl) 254 nm ($A_{1cm}^{1\%}$ 179), pK_b 8,8; Lagerung: vor Licht u. Luft geschützt. T. wurde 1955 von Hoffmann-La Roche patentiert u. ist von Chauvin ankerpharm (Aruclonin®, Mydrum®) u. Pharma Stulln (Mydriaticum Stulln) im Handel. – $E = F = I$ tropicamide – S tropicamida

Lit.: ASP ▪ Beilstein E V **22**/9, 359 ▪ Florey **3**, 565–580 ▪ Hager (5.) **9**, 1101 ff. ▪ Martindale (31.), S. 508 ▪ Ph. Eur. **1997** u. Komm. – [HS 2933 39; CAS 1508-75-4]

...tropin. Endung von Bez. für *Hypophysen-*Hormone nach IUPAC/IUB-Regeln [1]. Die *WHO benutzt in einigen internat. *Freinamen die alte abwegige Endung ...trophin (vgl. ...troph): s. Chorio(n)gonadotrop(h)in, Corticotrop(h)in, Thyr(e)otrop(h)in; vgl. ...trop. – E ...tropin – F ...tropine – I ...tropina – S tropina

Lit.: [1] Eur. J. Biochem. **55**, 485 f. (1975).

Tropin s. 3α-Tropanol.

Tropin-Alkaloide s. Tropan-Alkaloide.

Tropinon s. 3α-Tropanol.

(...)tropisch s. ...trop.

Tropisetron (Rp).

Internat. Freiname für das *Antiemetikum, ein Serotonin-(5 HT₃)-Antagonist, 1*H*-Indol-3-carbonsäure-3α-tropanylester, $C_{17}H_{20}N_2O_2$, M_R 284,36, Schmp. 201–202 °C (Hydrochlorid 283–285 °C (Zers.)). T. wurde 1983 von Sandoz patentiert u. ist von Novartis/Asta Medica AWD (Navoban®) im Handel. – *E* tropisetron – *F* tropisétrone – *I* tropisetrone – *S* tropisetrona

Lit.: Drugs **46**, 925–943 (1993) ▪ Martindale (31.), S. 1246 ▪ Merck-Index (12.), Nr. 9914 ▪ Pharm. Ztg. **141**, 2123–2128 (1996). – *[CAS 89565-68-4 (T.); 105826-92-4 (Hydrochlorid)]*

...tropismus (zu *...trop). Suffix in Bez., die die – im Gegensatz zu *Nastien – *gerichtete* Bewegung (Wendung) von im übrigen ortsfesten Pflanzen(teilen) zu einer Reizquelle hin (pos. T.) od. von ihr weg (neg. T.) kennzeichnen. Im folgenden seien die wichtigsten *Tropismen* zusammen mit den sie auslösenden Kräften od. *Reizen (in Klammern) erwähnt: Photo-T. (Licht), Helio-T. (Sonne), Polaro-T. (polarisiertes Licht), Elektro- od. Galvano-T. (elektr. Ströme), Magneto-T. (Magnetfelder), Thermo-T. (Wärme, Kälte), Geo-T. (Erdanziehung, Schwerkraft), Thigmo- od. Hapto-T. (Berührung), *Chemotropismus (chem. Stoffe), Traumato-T. (Verwundung). Verantwortlich für die Bewegung sind – bei Pflanzen – ungleichmäßige Wachstumsprozesse (*Nutationen*) bzw. *Turgor*-Änderungen. Bei frei beweglichen Organismen wie z. B. Algen, Mikroorganismen, bestimmten Blut-Zellen u. dgl. spricht man statt von *T.* von *Taxien* (s. Taxis). – *E* ...tropism – *F* ...tropisme – *I* = *S* ...tropismo

Lit.: s. Pflanzen(physiologie).

Trop(o)... s. ...trop.

Tropocollagen s. Collagene.

α-Tropolon (Tropolon, 2-Hydroxy-2,4,6-cycloheptatrienon).

R = H : Tropon
R = OH : α-Tropolon

$C_7H_6O_2$, M_R 122,13. Farblose Krist., Schmp. 51–52 °C, subl. bei 40 °C (5 hPa), in Wasser u. organ. Lsm. löslich. T. ist das 2-Hydroxy-Derivat des *Tropons* [2,4,6-Cycloheptatrienon, C_7H_6O, M_R 106,13, farblose Flüssigkeit, D. 1,095, Schmp. –7 °C, Sdp. 113 °C (20 hPa)]. α-T. gibt mit $FeCl_3$ eine tiefgrüne Färbung u. mit Kupfersalzen einen Chloroform-lösl. Komplex. Es ist eine schwache Säure, die leicht veretherbar ist, zeigt aber auch bas. Reaktionen, indem es mit ether. HCl ein 1,2-Dihydroxy-*Tropylium-Salz bildet. α-T. gibt keines der üblichen Keton-Derivate, was auf *Keto-Enol-Tautomerie zurückgeführt werden muß. Daß α-T. den Charakter einer *nichtbenzoiden aromatischen Verbindung besitzt, war bereits 1945 von M. J. S. *Dewar postuliert worden. Im allg. bezeichnet man das oben abgebildete, auf verschiedenen Wegen [z. B. durch Oxid. von Tropiliden (*1,3,5-Cycloheptatrien) mit Kaliumpermanganat] synthet. zugängliche α-T. als Tropolon schlechthin; vom *Tropon* leiten sich ferner β- bzw. γ-Tropolon ab, deren Hydroxy-Gruppen in 3- bzw. 4-Stellung stehen, jedoch kommt ihnen keine bes. Bedeutung zu. Das Grundgerüst des α-T. ist der Grundkörper vieler Naturstoffe. Der von Dewar geprägte Name T. geht auf *Atropin zurück (s. Trop...). – *E* = *F* = *I* α-tropolone – *S* α-tropolona

Lit.: Adv. Heterocyclic Chem. **64**, 81–157 (1995) ▪ Angew. Chem. **89**, 174 f. (1977) ▪ Beilstein E IV **8**, 159 ▪ Beyer-Walter, Lehrbuch der organischen Chemie, S. 699, Stuttgart: Hirzel 1998 ▪ Houben-Weyl **5/2c**, 728–745 ▪ Synthesis **1977**, 298. – *[HS 291440; CAS 533-75-5 (α-T.); 539-80-0 (Tropon)]*

Tropomyosin. Faserprotein aus Skelett-*Muskeln, M_R ca. 70 000, Länge ca. 41 nm, Dicke 2 nm. Man kennt hier zwei verschiedene T.-Untereinheiten, nämlich α u. β, die sich zum Heterodimer αβ vereinigen u. zwei umeinander gewundene α-Helices ausbilden. T. ist (neben *Myosin, *Actin u. *Troponin) an der Muskelkontraktion aktiv beteiligt; es ist den Actin-Ketten des dünnen Filaments in Längsrichtung angelagert, wobei es 7 Actin-Untereinheiten überstreicht, erhöht die Stabilität des Actin-Filaments u. bildet darüber hinaus mit Troponin einen Komplex, der die Erregung u. Erschlaffung des Muskels Calcium-Ionen-abhängig reguliert. Auch in Nicht-Muskelzellen (z. B. Fibroblasten) werden etliche T.-Varianten gefunden, deren Funktion noch nicht geklärt ist. Eventuell stabilisieren sie bestimmte stat. u. dynam. Strukturen des *Cytoskeletts u. beeinflussen die *Genexpression durch Regulation der Verfügbarkeit von Messenger-*Ribonucleinsäuren [1]. Insgesamt kennt man bei Wirbeltieren vier T.-Gene, die durch unterschiedliches *Spleißen Gewebs-spezif. über 20 verschiedene Proteine liefern. Bei Spalthefe ist ein T. für die Zellteilung erforderlich [2]. – *E* tropomyosin – *F* tropomyosine – *I* = *S* tropomiosina

Lit.: [1] Nature (London) **377**, 483, 524–527 (1995). [2] Nature (London) **360**, 84–87 (1992).
allg.: Alberts et al., Molekularbiologie der Zelle, 3. Aufl., S. 995 ff., 1007 f., Weinheim: VCH Verlagsges. 1995 ▪ Anatomy Embryol. **195**, 311–315 (1997) ▪ Circul. Res. **83**, 471–480 (1998) ▪ Stryer 1996, S. 29, 418 f., 423.

Tropon s. α-Tropolon.

Troponin (Abk.: Tn). Zusammen mit *Actin, *Myosin u. *Tropomyosin im Skelett-*Muskel der Wirbeltiere enthaltener lösl. Komplex aus 3 Proteinen: TnC, TnI u. TnT (M_R 18 000, 24 000 bzw. 37 000). Tn ist von Bedeutung für die Regulation der Muskelkontraktion u. bewirkt in Zusammenarbeit mit Tropomyosin, daß die Muskelfaser bei niedrigem Calcium-Ionen-Spiegel im Cytoplasma entspannt ist. Während TnC, ein dem *Calmodulin u. den *Parvalbuminen verwandtes, Calcium-Ionen (Ca^{2+}) bindendes *EF-Hand-Protein, die Ca^{2+}-Sensitivität des Komplexes vermittelt, enthalten TnI u. TnT Bindungsstellen für Actin bzw. Tropomyosin. Tn übt seine Kontrollfunktion aus, indem es im Ruhezustand die Wechselwirkung zwischen Myosin u.

Actin, d.h. zwischen dicken u. dünnen Filamenten hemmt. Im Erregungszustand erleidet T. durch Ca^{2+}-Anlagerung eine Konformationsänderung, worauf Troponin u. Tropomyosin eine Bewegung ausführen, Tropomyosin die entsprechenden Haftstellen auf Actin zugunsten von Myosin freigibt u. sich der *Actomyosin-Komplex* (Komplex aus Actin u. Myosin) bilden kann. – *E* troponin – *F* troponine – *I* = *S* troponina

Lit.: Arch. Internal Med. **158**, 1173–1180 (1998) ▪ J. Muscle Res. Cell Motil. **19**, 575–602 (1998) ▪ s.a. Tropomyosin.

Troposphäre s. Atmosphäre.

Tropsch, Hans (1889–1935), Prof. für Chemie, Prag, KWI Kohlenforschung Mülheim/Ruhr, Chicago. *Arbeitsgebiete:* Kohlenwasserstoff-Synth. (*Fischer-Tropsch-Synthese), Oxid. des Methans zu Formaldehyd, Hydrierung von Phenolen, katalyt. Eigenschaften des Rheniums, Theorie über die Entstehung der Kohlen.

Lit.: Lexikon der Naturwissenschaftler, S. 401 ▪ Neufeldt, S. 151 ▪ Pötsch, S. 428 f.

Tropyliden s. 1,3,5-Cycloheptatrien.

Tropylium. Trivialname (von *Tropyliden* = *1,3,5-Cycloheptatrien abgeleitet) für das bes. von *Doering untersuchte *Carbokation *Cycloheptatrienylium*, $C_7H_7^+$. Gewöhnlich wird es wie abgebildet dargestellt, um die *Aromatizität des Syst. – T. als *nichtbenzoide aromatische Verbindung – hervorzuheben. Die T.-Salze liegen je nach Lsm. mehr od. weniger stark dissoziiert od. kovalent gebunden vor.

Abb.: Herst. von Tropylium-Salzen.

a) Hydrid-Abstraktion mit z.B. Trityliumtetrafluoroborat: *Tropyliumtetrafluoroborat*, $C_7H_7BF_4$, M_R 177,95, farblose Krist., Zers. 210 °C. Wertvolles Reagenz zur Synth. von *Azulenen, *Fulvenen u. Tropinen[1].
b) 1,4-Brom-Addition mit nachfolgender Dehydrohalogenierung: *Tropyliumbromid*, C_7H_7Br, M_R 171,03, gelbe Krist., Zers. 203 °C. – *E* = *F* tropylium – *I* = *S* tropilio

Lit.: [1] Paquette **8**, 5464.
allg.: Adv. Heterocycl. Chem. **64**, 81 (1995) ▪ Houben-Weyl **5/2 c**, 50–85; **E 19 c** ▪ Olah u. von Schleyer, Cycloheptatrienylium Ions, New York: Wiley-Interscience 1973 ▪ s. a. Carbokationen, Carbenium-Ionen, Aromatizität, nichtbenzoide aromatische Verbindungen. – *[CAS 27081-10-3 (Tropyliumtetrafluoroborat); 5376-03-4 (Tropyliumbromid)]*

Tropyltropat s. Atropin u. Hyoscyamin.

Trosifol®. PVB-Folien für Verbundsicherheitsglas im Bauwesen u. Automobilbau. *B.:* HT Troplast AG.

Trospiumchlorid (Rp).

Internat. Freiname für das *Spasmolytikum 3α-Benziloyloxyspiro[nortropanium-8,1′-pyrrolidinium]-chlorid, $C_{25}H_{30}ClNO_3$, M_R 427,97, Krist., Schmp. 255–257 °C (Zers.), LD_{50} (Maus i.v.) 12,3 mg/kg. T. wurde 1964 u. 1969 von Pfleger (Spasmex®) patentiert u. ist als Generikum im Handel. – *E* trospium chloride – *F* chlorure de trospium – *I* trospio cloruro – *S* cloruro de trospio

Lit.: ASP ▪ Hager (5.) **9**, 1105 f. ▪ Martindale (31.), S. 1763. – *[HS 2933 39; CAS 10405-02-4]*

Trotyl. Abk. für *2,4,6-Trinitrotoluol.

Trouton-Konstante s. Pictet-Trouton-Regel.

Trouton-Regel s. Pictet-Trouton-Regel.

Trovafloxacin (Rp).

Internat. Freiname für das *Antibiotikum, ein *Gyrase-Hemmer, 7-((1α,5α,6α)-6-Amino-3-azabicyclo-[3.1.0]hex-3-yl)-1-(2,4-difluorphenyl)-6-fluor-1,4-dihydro-4-oxo-1,8-naphthyridin-3-carbonsäure, $C_{20}H_{15}F_3N_4O_3$, M_R 416,36, Schmp. des Hydrochlorids 246 °C (Zers.), pK_a (COOH) 5,87 u. (NH_2) 8,09, log D (pH 6,5) 0,28. T. wurde 1992 von Pfizer (Trovan®) als Mesilat patentiert. Ein wasserlösl. Prodrug von T. für i.v.-Anw. ist *Alatrofloxacinmesilat* ($C_{26}H_{25}F_3N_6O_5 \cdot CH_3SO_3H$, M_R 654,68), bei dem die prim. Amino-Gruppe mit einem Alanylalanin-Rest amidiert ist. – *E* trovafloxacin – *F* trovafloxacine – *I* trovafloxacina – *S* trovafloxacín

Lit.: Dtsch. Apoth. Ztg. **138**, 1743 f. (1998) ▪ J. Antimicrob. Chemother. **39**, Suppl. B, 1–14 (1997) ▪ J. Chromatogr. B **657**, 53–59 (1996) ▪ Martindale (31.), S. 294 ▪ Merck-Index (12.), Nr. 9919. – *[CAS 147059-72-1 (T.); 146961-34-4 (Hydrochlorid); 147059-75-4 (Mesilat); 146961-76-4 (Alatrofloxacin)]*

Troxerutin.

Internat. Freiname für das Bioflavonoid 3′,4′,7-Tris-*O*-(2-hydroxyethyl)rutin, $C_{33}H_{42}O_{19}$, M_R 742,70, gelbes Pulver, Schmp. 181 °C, lösl. in Wasser, Glycerin, Propylenglykol, unlösl. in kaltem Ethanol, Methanol, Ether, Benzol, Chloroform; s.a. Rutin. T. vermindert die Kapillarpermeabilität u. wird deshalb bei Variko-

sen, Hämorrhoiden u. venösen Erkrankungen eingesetzt, ohne daß diese Wirksamkeit jedoch die Bez. als *Vitamin (P_4) rechtfertigte. In gleichem Sinne wie T. wird das *O*-(2-Hydroxyethyl)rutin-Gemisch (Venoruton®, Novartis) verwendet. T. wurde 1960 von Zyma patentiert u. ist als Generikum im Handel. – *E* troxerutin – *F* troxérutine – *I* = *S* troxerutina
Lit.: ASP ▪ Beilstein E V **18/5**, 533 ▪ DAB **1997** u. Komm. ▪ Hager (5.) **9**, 1106f. ▪ Martindale (31.), S. 1679f. – *[HS 2938 10; CAS 7085-55-4]*

Troy (Abk.: t od. tr). Nach der französ. Stadt Troyes benanntes Syst. von Massen- bzw. Gew.-Einheiten, in Großbritannien (gekennzeichnet durch den Zusatz „tr") u. den USA (Zusatz „t") insbes. für Edelmetalle u. -steine sowie als *Apothekergewicht (daher auch *Apothecaries' weight-System* genannt) verwendet. Die nachfolgenden Tab. zeigen die einzelnen Einheiten u. ihre Korrelation zum *SI-System.

Tab. 1: Troy-System (bei Edelsteinen u. Edelmetallen).

1 pennyweight = 1 dwt = 24 grain = 1,555174 g
1 troy ounce = 1 oz tr (UK) = 1 oz t (US) = 480 grain = 31,103477 g

Tab. 2: Apothecaries' weight-Syst. (bei Medikamenten).

1 apothecaris ounce = 1 oz apoth (UK) = 1 oz ap (US) = 480 grain = 31,103477 g
1 scruple (UK) = 1 scruple (US) = 20 grain = 1,2959782 g
1 drachm (UK) = 1 dram ap (US) = 60 grain = 3,8879346 g

Trp s. Tryptophan.

trpy. Kurzz. für *2,2':6',2"-Terpyridin.

Trub. Nach der gemeinsamen Marktorganisation für Wein, VO (EWG) 822/87[1], Anhang I, Nr. 20 ist Wein-T. ein *Rückstand, der sich während der Gärung od. Lagerung von *Wein absetzt od. bei der *Filtration/Zentrifugation (s. Zentrifugieren) von *Wein anfällt. T. kann mechan. od. durch chem. Ausflockung (*Weinschönung) aus dem *Wein entfernt werden. Die Einleitung von T.-haltigem Abwasser, das häufig hoch mit organ. Stoffen belastet ist, kann zu ökolog. u. toxikolog. Problemen führen. – *E* lees – *F* lie, bourbe – *I* deposito – *S* sedimentos, lías, pie, solera
Lit.: [1] VO (EWG) 822/87 über die gemeinsame Marktorganisation von Wein vom 16. 3. 1987 i. d. F. vom 17. 3. 1997 (Amtsblatt Nr. 83/5).
allg.: Würdig u. Woller, Chemie des Weines, S. 247, 694–698, Stuttgart: Ulmer 1989. – *[HS 2303 30]*

Trübe s. Flotation u. Sink-Schwimm-Aufbereitung (Schwertrübe).

Trübeströme s. Turbidite.

Trübglas (Opakglas, Milchglas) s. Glas u. Trübungsmittel.

Trübungsmessung (Turbidimetrie). Bez. für opt. Meßverf., bei denen die bei der *Streuung von eingestrahltem Licht an suspendierten Teilchen in Untersuchungsflüssigkeiten (vgl. Lichtstreuung) abgestrahlten Streulicht- od. Fluoreszenzstrahlungsanteile od. die Extinktion des Durchlichtes gemessen werden; zur Abgrenzung der eigentlichen T. von der Nephelometrie s. die Abb. u. die Erläuterungen dort. Als *Trübungsstandard* wird eine wäss. Lsg. von Formaldazin ($H_3C=N-N=CH_3$) zur Eichung der Meßgeräte empfohlen[1]. *Trübungseinheiten* sind entweder die durch Messung der durchgehenden Strahlung (FAU = *F*ormaldazine *A*ttenuation *U*nit) od. die durch Messung der Intensität der gestreuten Strahlung (FNU = *F*ormaldazine *N*ephelometric *U*nit) ermittelten Größen; letzteren entspricht die dtsch. *Trübungseinheit Formalzazin* (TE/F). Die T. spielt v. a. bei der Untersuchung von Getränken, bei Nachw. u. Bestimmung von Mikrobiziden u. bei den *Trübungstitrationen eine Rolle. – *E* turbidimetry – *F* turbidimétrie – *I* turbidimetria, analsi turbidimetrica – *S* turbidimetría
Lit.: [1] DIN 38404: 1976-12.
allg.: Chem. Labor Betr. **37**, 158–161, 340–343, 401–404, 448–453 (1986) ▪ Pure Appl. Chem. **63**, 1135–1140 (1991) ▪ Ullmann (6., 1998 electronic release) Ultraviolet and Visible Spectroscopy – Special Methods. – *Review:* Polym. Mater. Sci. Engl. **62**, 301–305 (1990) ▪ s. a. Nephelometrie.

Trübungsmittel. Sammelbez. für Stoffe, die Emails, Glasuren, Gläsern usw. zugesetzt werden, um diese infolge *Reflexion u. *Streuung des Lichts weniger durchsichtig, nur durchscheinend od. undurchsichtig zu machen. Typ. T. für *Glas (*Trüb-, Milch-, Opak-, Opalgläser*) sind NaF, CaF_2, Calciumphosphate, SnO_2, TiO_2 u. Bleiarsenat, solche für Email (s. a. dort) ZnO, SnO_2, Sb_2O_3, CeO_2, ZrO_2, $ZrSiO_4$ u. TiO_2, von denen heute v. a. die drei letztgenannten *Weißtrübungsmittel* Bedeutung besitzen. ZnO u. TiO_2 sind auch als T. in *Nagellacken gebräuchlich. – *E* opacifiers – *F* opaciants – *I* opacizzanti, intorbidatore – *S* opacificantes
Lit.: Winnacker-Küchler (4.) **3**, 128. – *[HS 2817 00, 2823 00, 2835 26]*

Trübungspunkt. Im allg. Sinne Bez. für diejenige Temp., bei der die Trübung einer Flüssigkeit während der Abkühlung einsetzt, bei *Mineralölen z. B. infolge Ausscheidung von Paraffin od. anderen Inhaltsstoffen, weshalb früher bei *Dieselkraftstoffen der T. auch BPA (*B*eginn der *P*araffin*a*usscheidung) genannt wurde. Heute spricht man bei Mineralölen statt von T. vom *Cloudpoint, der nach DIN EN 23015: 1994-05 bestimmt wird. Im allg. definiert man einen T. bei niedrigschmelzenden *Fettsäuren, während bei micellaren Phasen *nichtionischer Tenside der T. oft erst bei Temp.-Erhöhung erreicht wird; oberhalb des T. trennt sich das Syst. in zwei Phasen, in eine micellreiche u. in eine micellarme. – *E* cloud point – *F* point de trouble – *I* punto di intorbidamento, punto di nebbia, punto di torbidità – *S* punto de enturbiamiento (turbidez, turbiedad)
Lit.: Evans u. Wennerström, The Colloidal Domain. Where Physics, Chemistry, Biology, and Technology Meet, New York: VCH Verlagsges. 1994.

Trübungstitration. Bez. für Meth. zur Bestimmung des *Endpunktes von Fällungssyst. bei der *Maßanalyse, die auf der Trübung des Reaktionsmediums beruhen. Bei der T. unterscheidet man zwischen *nephelometr. Titration* u. *Heterometrie* (vgl. Nephelometrie) u. *turbidimetr. Titration*; bei letzterer mißt man statt des Streulichtes die Abschwächung der Intensität des eingestrahlten Lichtes beim Durchgang durch die Flüssigkeit. Beide Meth. sind Anw. der *Trübungs-

messung. Die T. erweist sich als nützliches Hilfsmittel bei der Erstellung kosmet. Rezepturen, die miteinander nur teilw. mischbare Komponenten enthalten. Als T. kann auch die Bestimmung der sog. *Kauri-Butanol-Zahl angesehen werden. – *E* turbidimetric titration – *F* titration turbidimétrique – *I* titolazione turbidimetrica – *S* valoración turbidimétrica
Lit.: s. Nephelometrie u. Trübungsmessung.

Trüffel. 1. Wichtige *Speisepilze aus der Klasse der Ascomyceten (Schlauchpilze), die für den Fall der echten T. (Tuberaceae) zur Ordnung Tuberales zu zählen sind. Nach den Leitsätzen für Pilze u. Pilzerzeugnisse[1] sind folgende T.-Pilze zu den Speisepilzen zu rechnen: Burgunder-T. (*Tuber unicatum*), Kalahari-T. (*Terfiza pfeilii* Hennings), Löwen-T. (*Terfiza leonis* Tul.), Perigord-T. (*Tuber melanosporum* Vitt.), Piemont-T. (*Tuber magnatum* Pico Vitt.), Sommer-T. (*Tuber aestivum* Vitt.), Weiße-T. (*Choiromyces maeandriformis* Vitt.), Winter-T. (*Tuber brumale* Vitt.). T. wachsen unterird. in *Symbiose mit Eichenwurzeln u. bilden 3–5 knollenförmige, bis hühnereigroße Fruchtkörper mit würzig kräftigem Aroma. Am bekanntesten sind die im Herbst in Frankreich geernteten Perigord-T. (dunkles Fruchtfleisch); die in Süddeutschland vorkommenden Sommer-T. (weißes Fruchtfleisch) sind als gefährdete Art zu schützen.
Die Aromastoffzusammensetzung einzelner Trüffelarten zeigt erhebliche Unterschiede. Als Hauptaromastoffe von *Tuber melanosporum* werden aliphat. Alkohole (2-Butanol, 1-Propanol, 2-Methyl-1-propanol u. Methylbutanole), Aldehyde (Acetaldehyd, Methylbutanale), Ester (Isopropylformiat, 2-Methylpropylformiat), Ketone (Aceton, 2-Butanon) sowie Schwefel-haltige Komponenten (Dimethylsulfid) u. das *Steroid 5α-Androst-16-en-3α-ol beschrieben[2–4]. Der steroidale Aromastoff, der in Mengen um 50 ng/g nachgewiesen wurde, soll auf Grund seines moschusartigen Geruchs als *Pheromon für die speziell zur T.-Suche abgerichteten Schweine (Frankreich) u. Hunde (Italien) wirken. Neue Untersuchungen weisen jedoch darauf hin, daß es sich bei dem Pheromon-artigen Aromastoff nicht um 5α-Androst-16-en-3α-ol, sondern um Dimethylsulfid handeln könnte[5]. Untersuchungen zur Struktur des T.-Melanins sind *Lit.*[6] zu entnehmen. Demnach handelt es sich um sog. Allo-*Melanine, von denen angenommen wird, daß sie durch nichtkovalente Bindungen zwischen phenol. Polymerisations-Produkten aus *Chinonen u. einem Polychinon-Bipolymer entstanden sind. Zur *Tyrosinase-Aktivität in weißen T. s. *Lit.*[7].
Verw.: Zum Würzen von Fleischerzeugnissen (z. B. Leberpasteten) od. als Konserven[8]. Trüffelimporte (BRD 1996)[9]: frische T.: 6,3 t.
2. Süßware, hergestellt aus T.-Masse, einem schokoladenähnlichen Erzeugnis von bes. Güte. – *E* truffle – *F* 1. truffe, 2. truffe (au chocolat) – *I* tartufo – *S* 1., 2. trufa
Lit.: [1] Zipfel, C 325. [2] J. Agric. Food Chem. **35**, 774–777 (1987). [3] J. Sci. Food Agric. **48**, 57–62 (1989). [4] J. Food Sci. **52**, 1305–1307 (1987). [5] Mycol. Res. **94**, 277f. (1990). [6] Phytochemistry **43**, 1103–1106 (1996). [7] Plant Sci. **120**, 29–36 (1996). [8] Int. Z. Lebensm. Technol. Verfahrenstech. **38**, 586–598 (1987). [9] Dtsch. Lebensm. Rundsch. **86**, 399f. (1990).

allg. (zu 1.): Gassner, Mikroskopische Untersuchung pflanzlicher Lebensmittel (5.), S. 371–373, Stuttgart: Fischer 1989 ■ Singer et al., Mushrooms and Truffles, Königstein: Koeltz Scientific Books 1987 ■ Zipfel, C 325 **II**, 1, 4 a u. b – *(zu 2.)*: Zipfel C 355 *Vorb.* 6, C 355 c D. 3.3. – [HS 070952]

Trümmergesteine s. klastische Gesteine.

Trunkelbeere s. Preiselbeeren.

Truscheit, Ernst (geb. 1926), Dr. rer. nat., Dipl.-Chem., Leiter der biochem. Forschung, Geschäftsbereich Pharma der Bayer AG, Wuppertal (1969–1988). *Arbeitsgebiete:* Naturstoffsynth. (Vitamin A, Carotinoide, Insektenlockstoffe), Enzyme, Enzym-Inhibitoren (Proteasen-, Glucosidasen-Inhibitoren), Wirkstoffe aus Mikroorganismen, gentechn. gewonnene Pharma-Proteine. Mitglied verschiedener wissenschaftlicher Ges. u. Fachgremien, Generalsekretär der Ges. Dtsch. Naturforscher u. Ärzte (GDNÄ), Vorsitzender des Fachausschusses Biotechnologie/Gentechnik beim Verband der Chem. Ind. (VCI, 1988–1991).

Trusopt® (Rp). Augentropfen mit *Dorzolamid-Hydrochlorid gegen Glaukom. *B.*: Chibret.

Truth (Kurzz.: t). Eine Quantenzahl bei Quarks. Das Kurzz. *t* wird allerdings auch als „top" interpretiert; vgl. die Tab. bei Elementarteilchen.

Truxal® (Rp). Dragées, Saft, Tropfen u. Injektionslsg. mit *Chlorprothixen gegen Psychosen u. Neurosen verschiedener Genese sowie vegetative Dystonie. *B.*: Promonta.

Truxillsäuren u. Truxinsäuren. $C_{18}H_{16}O_4$, M_R 296,32. Die T. u. T. bilden sich als Photodimerisierungsprodukte der *Zimtsäure. Die α- u. ε-Truxillsäuren sowie die β-, δ-. Neo-Truxinsäuren wurden aus Nebenalkaloid-Fraktionen des *Coca-Strauchs (*Erythroxylum coca*) isoliert. Sie liegen in der Pflanze verestert mit dem Alkaloid Ecgoninmethylester als Truxilline vor, z. B. α-Truxillin, $C_{38}H_{46}N_2O_8$, M_R 658,79, Schmp. 274 °C (Hydrochlorid). Andere Alkaloid-Abkömmlinge der α-Truxillsäure sind *Thesin*, $C_{34}H_{42}N_2O_6$, M_R 574,72, Schmp. 254–256 °C, der Diester der *p,p'*-Dihydroxy-α-truxillsäure mit dem *Pyrrolizidin-Alkaloid (+)-Isoretronecanol aus *Thesium minkwitzianum* sowie $(2R,2'R)$-Santiaguin, $C_{38}H_{48}N_4O_2$, M_R 592,82, das Diamid mit Δ^2-Tetrahydro-*Anabasin aus Leguminosen (u. a. *Adenocarpus grandiflorus*), von dem vier Stereoisomere vorkommen. In den Zellwänden von Zuckerrohr, Mais u. Gerste liegen Ester vom

Tab.: Daten von Truxillsäuren u. Truxinsäuren.

Verb.	Schmp. [°C]	CAS
Truxillsäuren		
α-T. (γ-Isatropasäure, Cocasäure)	274–275	490-20-0
ε-T. (β-Cocasäure)	192	528-38-1
Truxinsäuren		
β-T. (Isococasäure)	209–210	528-34-7
δ-T.	209–210	528-33-6
Neo-T.	209	490-16-4
μ-T.		528-35-8
ω-T.		528-36-9
ζ-T.		528-32-5

α-Truxillsäure-Typ aus Hydroxyzimtsäuren [*p*-Cumarsäure, s. (*E*)-2-Hydroxyzimtsäure, u. Ferulasäure, s. Kaffeesäure] mit Arabinoxylanen u.a. Oligosacchariden vor[1], welche die Stabilität der Zellwände erhöhen[2].

E truxillic and truxinic acids – *F* acides truxilliques et truxiniques – *I* acidi truxillici, acidi truxinici – *S* ácidos truxílicos y truxínicos

Lit.: [1]Carbohydr. Res. **137**, 139–150 (1985); **148**, 71–85 (1986). [2]Phytochemistry **29**, 3705–3709 (1990). *allg.:* J. Am. Chem. Soc. **103**, 3859–3863 (1981) (Photochemie) ■ Karrer, Nr. 947 ■ Merck-Index (12.), Nr. 9922 ■ Nat. Prod. Rep. **12**, 101–133 (1995) ■ Phytochemistry **27**, 349ff. (1988); **29**, 3699–3703 (1990); **36**, 529 (1994). – *[CAS 4462-95-7 (Truxillsäuren); 4482-52-4 (Truxinsäuren); 528-37-0 (Thesin); 528-31-4 (Santiaguin)]*

Tryasol® Codein (Rp). Tabl. u. Lsg. mit *Codeinphosphat gegen Reizhusten. *B.:* Pharma Wernigerode.

Trypanosomen. Von griech.: trypan = bohren u. ...soma = Körper abgeleitete Bez. für eine Gruppe von begeißelten *Protozoen (Flagellaten)*, unter denen sich mehrere pathogene Typen befinden, z.B. *Trypanosoma rhodesiense* u. *T. gambiense* (Erreger der *Schlafkrankheit = Trypanosomiasis), T. cruci* (s. Chagas-Krankheit) u. Erreger von Tierkrankheiten (Nagana-Seuche der Rinder durch *T. bruci* u. *T. congolense*). Die hohe Infektiosität der T. beruht auf ihrer Fähigkeit, ständig die Oberflächen-Antigene ihres Außenmantels zu wechseln u. dadurch dem Angriff des Wirts-Immunsyst. zu entgehen. Zur Chemotherapie von T.-Erkrankungen dienten früher *Arsen-Präparate sowie bestimmte *Triarylmethan-, Trypan- u. *Acridin-Farbstoffe, später spezif. als *Trypanozide* wirkende Chemotherapeutika (s. die erwähnten *Seuchen), wobei sich Verb. aus den Gruppen der *Nitrofurane u. *Nitroimidazole, neuerdings auch α-(Difluormethyl)-ornithin als bes. wirksam erwiesen haben. Ebenso wichtig wie die Therapie der T.-Erkrankungen sind die Bekämpfung der Zwischenwirte (Tsetse-Fliegen, Raubwanzen) durch entsprechende Insektizide od. biolog. Mittel u. die Anw. von hygien. Maßnahmen. – *E = F* trypanosomes – *I* tripanosomi – *S* tripanosomas

Lit.: Hausmann u. Hülsmann, Protozoology, 2. Aufl., Stuttgart: Thieme 1996 ■ s.a. Parasiten, Protozoen, Chagas- u. Schlafkrankheit.

Trypanosomiasis, Trypanozide s. Trypanosomen.

Trypanothion s. Glutathion.

Tryparsamid (Rp).

Internat. Freinamen für das früher bei *Schlafkrankheit (vgl. a. Trypanosomen) verwendete *Arsen-Präparat *N*-(Carbamoylmethyl)arsanilsäure-Mononatriumsalz, $C_8H_{10}AsN_2NaO_4 \cdot \frac{1}{2}H_2O$, M_R 305,10; T. bildet lichtempfindliche, luftbeständige Plättchen, die in Wasser gut, in Alkohol wenig, in Ether, Chloroform unlösl. sind. Es weist allerdings erhebliche Nebenwirkungen auf. – *E = F* tryparsamide – *I* triparsamide – *S* triparsamida

Lit.: Arzneimittelchemie III, 42, 44, 176 ■ Beilstein E III **16**, 1113 ■ Hager (5.) **9**, 1108 f. ■ Martindale (31.), S. 633 ■ Ullmann (5.) A **6**, 200. – *[HS 293100; CAS 554-72-3]*

Tryplosan®. Bleichend wirkendes Wäschedesinfektionsmittel für Krankenhaus- u. Anstaltswäschereien auf Dichlorisocyanurat-Basis zur Bekämpfung des Staphylokokken-Hospitalismus, der *Pseudomonas aeruginosa-* u. *Escherichia coli*-Infekte, von Hautpilzen u.a.; wirkt daher fungizid, bakterizid, tuberkulozid u. virusinaktivierend; vom Robert-Koch-Inst. zugelassen als chemotherm. Desinfektionsmittel bei 60°C zusammen mit dem Waschmittel Silex. *B.:* Henkel-Ecolab.

Tryprostatine.

R = OCH$_3$: T. A
R = H : T. B

Cytostat. wirksame Fermentationsprodukte aus Kulturen von *Aspergillus fumigatus* (Inhibitoren des Zellcyclus); T. A, $C_{22}H_{27}N_3O_3$, M_R 381,47, gelbe Krist.,

Schmp. 120–123 °C, $[\alpha]_D^{27}$ –70° (CHCl$_3$); *T. B*, C$_{21}$H$_{25}$N$_3$O$_2$, M$_R$ 351,45, gelbe Krist., Schmp. 102–105 °C, $[\alpha]_D^{27}$ –71° (CHCl$_3$). – *E* tryprostatins – *F* tryprostatine – *I* triprostatine
Lit.: J. Antibiotics **48**, 1382 (1995); **49**, 527, 534 (1996) (Isolierung) ▪ J. Org. Chem. **62**, 9298 (1997) (Synth. T. A) ▪ Tetrahedron Lett. **38**, 1301 (1997); **39**, 7009 (1998) (Synth.). – [CAS 171864-80-5 (T. A); 179936-52-8 (T. B)]

Trypsin (EC 3.4.21.4). Ein zu den *Serin-Proteasen gehörendes Verdauungsenzym, das im Dünndarm aus der vom *Pankreas produzierten Vorstufe *Trypsinogen durch Aktivierung mittels Calcium-Ionen u. der *Enteropeptidase (*Enterokinase*) od. durch autokatalyt. Wirkung des T. selber entsteht. Dabei wird aus dem Trypsinogen ein Hexapeptid abgespalten. Krist. T. (M$_R$ ca. 23 300, 223 Aminosäure-Reste) ist in Wasser, nicht aber in Alkohol lösl., besitzt ein Wirkungsoptimum bei pH 7–9 u. spaltet Peptid-Ketten spezif. Carboxy-seitig der bas. Aminosäure-Reste L-Lysin u. L-Arginin. Wie bei den verwandten Serin-Proteinasen *Chymotrypsin u. *Elastase befindet sich im aktiven Zentrum von T. ein essentieller L-Serin-Rest. Kennzeichnend für T. ist ein neg. geladener L-Aspartat-Rest in der Substrat-Bindungstasche, der zu den pos. geladenen, bas. Seitenketten des Substrats ion. Wechselwirkungen ausbildet u. die Spezifität des Enzyms bestimmt. Ein T.-ähnliches Enzym, *Tryptase*[1], wird bei Entzündungsvorgängen von *Mastzellen ausgeschüttet. Durch dessen Inhibition glaubt man, verschiedene entzündliche u. allerg. Krankheiten kontrollieren zu können[2].
T.-Inhibitoren: In Lebensmitteln wie Milch, Eiklar, Hülsenfrüchten, Kartoffeln, Kürbissen, tier. Organen u. a. wurden zahlreiche relativ niedermol. *T.-Inhibitoren* (M$_R$ 6000–20 000) aufgefunden. Der aus Rinder-Pankreas isolierte T.-Inhibitor (*E bovine pancreatic trypsin inhibitor*, Abk.: BPTI) ist mit dem *Kallikrein-Inhibitor identisch. Er kommt nur bei Wiederkäuern vor u. wird unter dem internat. Freinamen *Aprotinin therapeut. verwendet. Allg. zu Serin-Proteinase-Inhibitoren s. Serpine.
Verw.: In *Wundheilungs-Präp., in Enzym-Präp. zur Unterstützung bzw. Substitution des körpereigenen Enzyms, in Waschmitteln u. in Form von enzymat. Beipräp. in der Gerberei, in der Archäologie zum Lösen Protein-haltiger Verklebungen z. B. bei alten Büchern od. ägypt. Papyri. T. soll auch gegen Schlangenbisse wirksam sein. Zur Durchführung enzymat. Reaktionen befindet sich auch trägergebundenes T. (z. B. auf vernetzten Polymethacrylat-Harzen od. Carbonat-haltigem *Dextran) im Handel. T. wurde 1876 von Kühne erstmals isoliert u. 1936 von Kunitz u. *Northrop krist. erhalten. – *E* trypsin – *F* trypsine – *I = S* tripsina
Lit.: [1] J. Leukocyte Biol. **61**, 233–245 (1997); Nature (London) **392**, 306–311 (1998). [2] Curr. Pharm. Design **4**, 381–396 (1998).
allg.: Biol. Chem. **377**, 465–470 (1996). – [HS 350790; CAS 9002-07-0]

Trypsinogen. Im *Pankreas-Saft vorkommende enzymat. inaktive Vorstufe (*Zymogen) des *Trypsins (M$_R$ ca. 24 000); Näheres s. bei Trypsin. – *E* trypsinogen – *F* trypsinogène – *I* tripsinogeno – *S* tripsinógeno
Lit.: s. Trypsin. – [HS 350400]

Tryptamin [2-(Indol-3-yl)-ethylamin, 3-(2-Aminoethyl)-indol].

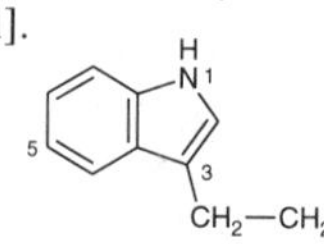

C$_{10}$H$_{12}$N$_2$, M$_R$ 160,22. Farblose Krist., Schmp. 118–120 °C, lösl. in Alkohol u. Aceton, unlösl. in Wasser, Ether, Benzol u. Chloroform.
Als *biogenes Amin kann T. durch Decarboxylierung von L-*Tryptophan entstehen. Es stimuliert die Kontraktion der glatten Muskulatur (z. B. Blutgefäße, Uterus) u. wirkt bei Pflanzen wachstumsfördernd. T. kommt in tier. u. pflanzlichen Geweben vor, ferner als bakterielles Abbau-Produkt. Natürlich vorkommende T.-Derivate sind *Serotonin, *Melatonin, die halluzinogen wirkenden *Indol-Alkaloide *Psilocybin u. Bufotenin sowie andere, ebenfalls halluzinogen wirkende Derivate wie *N,N*-Dimethyl-, *N*-Methyl- u. 5-Methoxy-*N*-methyl-T. (in bestimmten südamerikan. Urwaldbäumen). – *E = F* tryptamine – *I = S* triptamina
Lit.: Beilstein E V **22/10**, 45–47. – [HS 293390; CAS 61-54-1]

Tryptase s. Trypsin.

Tryptophan [2-Amino-3-(indol-3-yl)-propionsäure, α-Aminoindol-3-propionsäure, Kurzz. der L-Form: Trp od. W].

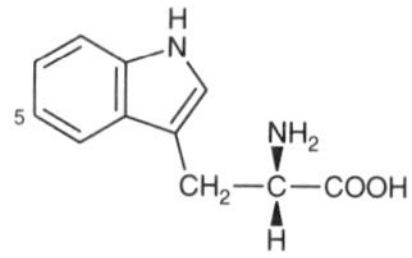

Abb. 1: L-Tryptophan.

C$_{11}$H$_{12}$N$_2$O$_2$, M$_R$ 204,23. Trp bildet seidenglänzende, fluoreszierende Blättchen, Schmp. 290–295 °C (Zers.), in Wasser od. Alkohol kalt wenig, heiß dagegen gut lösl., unlösl. in Chloroform, empfindlich gegen Säuren u. Oxidationsmittel. T. bildet Komplexe mit einer Reihe von Metall-Ionen.
Physiologie: Als essentielle *Aminosäure kann Trp vom menschlichen Organismus nicht synthetisiert werden, muß also mit der Nahrung aufgenommen werden: Der tägliche Mindestbedarf des Erwachsenen wird mit 0,25 g angegeben. In je 100 g Protein sind an Trp enthalten: In Blumenkohl 1,3 g, grünen Bohnen 1,0 g, Karotten 0,8 g, Kartoffeln 1,3 g, Kokosnüssen 2,1 g, Walnüssen, 1,0 g, Mais 1,3 g, Vollkornmehl 1,3 g, Kuhmilch 1,4 g, Fleisch 1,3 g, Fisch 1,0 g u. Vollei 1,8 g.
Biosynth.: In Pflanzen u. Mikroorganismen entsteht Trp biosynthet. aus *Chorisminsäure über Anthranilsäure (2-*Aminobenzoesäure) u. mehrere weitere Stufen, wobei im letzten Schritt die Seitenkette von 1-(Indol-3-yl)-glycerin-3-phosphat gegen L-Serin ausgetauscht wird (katalysiert durch *Tryptophan-Synthase*[1], EC 4.2.1.20, M$_R$ 146 000, ein Multienzymkomplex, der *Pyridoxal-5′-phosphat als Coenzym enthält). *Regulation der Trp-Synth.:* Trp hemmt die beiden ersten Enzyme seiner Biosynth. (*Anthranilat-Synthase*, EC 4.1.3.27, u. *Anthranilat-Phosphoribosyltransferase*, EC 2.4.2.18). Darüber hinaus sind die *Gene der fünf Enzyme der Trp-Biosynth. zum *trp-Operon* zusam-

mengefaßt u. stehen unter der Kontrolle des *trp*-Operatorgens. In Anwesenheit ausreichender Mengen von Trp bindet daran der *trp-Repressor* (ein Protein mit helix-turn-helix-Motiv, vgl. Homöo-Domäne; M_R 58 000) u. verhindert die (dann ja unnötige) *Transkription dieser Gene. Zusätzlich gibt es auf der *Desoxyribonucleinsäure eine sog. Attenuator-Stelle, an der es in Zusammenarbeit mit dem Regulator-Protein TRAB Messenger-*Ribonucleinsäure u. dem *Ribosom zu einer weiteren Rückkopplungs-Hemmung kommt [2].

Abbau: Der oxidative Abbau von Trp verläuft durch Katalyse der *Tryptophan-2,3-Dioxygenase* (EC 1.13.11.11) zu L-Formylkynurenin [(S)-2-Amino-4-(2-formylaminophenyl)-4-oxobuttersäure], weiter zu L-*Kynurenin, 3-Hydroxy-L-kynurenin u. -anthranilsäure u. schließlich über Glutaryl-Coenzym A zu Kohlendioxid (CO_2), andererseits auf Nebenwegen zu Anthranilsäure (2-*Aminobenzoesäure) u. L-*Alanin, zu Indol u. *Brenztraubensäure (mittels *Tryptophanase), zu *Kynurensäure od. zu *Xanthursäure* (4,8-Dihydroxychinolin-2-carbonsäure). In Insekten ist der Abbau zu CO_2 über Glutaryl-Coenzym A blockiert; als Abbauprodukt kumulieren hier die *Ommochrome. Aus dem Darm nicht resorbiertes Trp wird durch die Darmflora abgebaut zu *Indican (Nachw. durch *Obermayersche Reaktion), *Skatol u. a. Indol-Derivaten.

Biochem. Bedeutung: Trp ist von den 20 Aminosäuren, aus denen sich Proteine aufbauen, eine der weniger häufigen. Im menschlichen Stoffwechsel wird ein Teil des Trp über Pyridin-2,3-dicarbonsäure (Chinolinsäure) zu *Nicotinsäureamid metabolisiert, weshalb *Nicotinsäure-Mangelerscheinungen (s. a. Vitamine) nur bei Trp-armer Ernährung auftreten können. Ein weiterer Stoffwechselweg führt über 5-Hydroxy-T. zu *Serotonin u. *Melatonin. Mehr als 40 aromat. Metaboliten des Trp konnten schon nachgewiesen werden. Von Trp leitet sich auch eine neu entdeckte *prosthetische Gruppe ab, das *Tryptophan-Tryptophyl-Chinon* (TTQ) der bakteriellen Methylamin-Dehydrogenase (EC 1.4.99.3) [3]. Beim Katalyse-Mechanismus der Cytochrom-c-Peroxidase (EC 1.11.1.5) bildet sich intermediär ein Trp-Radikal.

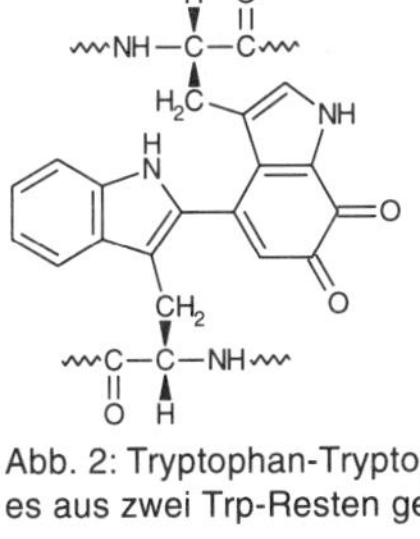

Abb. 2: Tryptophan-Tryptophyl-Chinon im Protein-Verband, wo es aus zwei Trp-Resten gebildet wird.

Pathologie: Störungen der Trp-Resorption führen zur Hartnup-Krankheit, die sich in Pellagra-Symptomen äußert, in Defekten im Zentralnervensyst. u. in vermehrter Ausscheidung von Trp-Abbauprodukten. Niedrige Serum-Trp-Konz. können über einen Mangel an Serotonin im Gehirn zu Depressionen führen [5]. Im Zusammenhang mit der Anw. Trp-haltiger Produkte kam es zuweilen zum Auftreten des Eosinophilie-Myalgie-Syndroms [5] (EMS), eines in Einzelfällen auch tödlich verlaufenden Zustandes erhöhter Zahl der eosinophilen Granulocyten (s. Leukocyten) in Verb. mit Muskelschmerz, das jedoch auf Verunreinigungen in den beteiligten Trp-Präp. zurückzuführen zu sein scheint. Letzteres gilt jedoch nicht für die dermatolog. Veränderungen der Trp-assoziierten eosinophilen Fasciitis.

Nachw.: Kann durch mehr od. weniger spezif. Farbtests erfolgen, z. B. mit Folins Reagenz (*1,2-Naphthochinon-4-sulfonsäure Natriumsalz), mit 4-Dimethylaminobenzaldehyd u. Salpetriger Säure (Ehrlich-Reaktion) od. durch die *Xanthoprotein-Reaktion. Bei dem spezif. Trp-Nachw. von Adamkiewicz-Hopkins versetzt man die auf Trp zu prüfende Lsg. mit Glyoxylsäure u. unterschichtet mit konz. Schwefelsäure; falls an der Berührungsstelle beider Flüssigkeiten ein violetter Ring auftritt, hat die Untersuchungssubstanz Trp enthalten. Zur Abtrennung von Trp aus Proteinen eignet sich Methansulfonsäure mit 0,2% Tryptamin.

Herst.: Für Trp sind eine Reihe von Synth. entwickelt worden, die z. B. von Acrolein u. Acetamidomalonester [6], von 2-Oxoglutarsäurephenylhydrazon, von Hydantoin, 3-Indolcarbaldehyd u. Hippursäure, 3-Indolacetonitril od. Gramin ausgehen. Bei den chem. Synth. erhält man DL-Trp, aus dem durch enzymat. Racematspaltung die natürliche L-Form gewonnen werden kann. Mit Hilfe des Enzyms Tryptophanase kann Trp auch aus Indol u. Pyruvat hergestellt werden, u. sogar die fermentative Synth. mit spezif. Trp-produzierenden Hefe- od. Bakterien-Mutanten ist möglich.

Verw.: Anw. in der Diagnostik von Vitamin-B_6-Mangelerscheinungen, in Infusionslsg. für parenterale Ernährung, als Zusatz zu Eiweißhydrolysaten u. in der Mikrobiologie sowie als *Futtermittelzusatzstoffe. Fluoreszenz-Messungen an Trp-haltigen Proteinen erlauben oft Aussagen über elektron. Verhältnisse u. Beweglichkeiten in diesen Makromolekülen.

Geschichte: Trp wurde 1902 von *Hopkins u. Cole bei der Spaltung von Casein mit Trypsin entdeckt. Der Name T. bedeutet etwa: das (erst) trypt. Offenbarte (von griech.: phaneros = offenbar) – Trp wird ja bei der Säurehydrolyse der Proteine zerstört. – *E* tryptophan – *F* tryptophan(n)e – *I* triptofano – *S* triptófano

Lit.: [1] J. Biol. Chem. **272**, 10616–10623 (1997); Trends Biochem. Sci. **22**, 22–27 (1997). [2] Mol. Microbiol. **26**, 1–9 (1997). [3] Biochem. J. **320**, 697–711 (1996). [4] J. Psychopharmacol. **11**, 381–392 (1997). [5] Nutrit. Cancer **27**, 181–194 (1997). [6] Ullmann (5.) **2**, 73 f.

allg.: Amino Acids **10**, 21–47 (1996) ▪ Kochen u. Steinhart, L-Tryptophan – Current Prospects in Medicine and Drug Savety, Berlin: de Gruyter 1994 ▪ Stryer 1996, S. 761–764, 1009–1012. – [HS 2933 90; CAS 73-22-3]

Tryptophanase. 1. Von der *IUBMB empfohlener Name für ein *Enzym (eine *Lyase; EC 4.1.99.1) aus Mikroorganismen, das in Ggw. von *Pyridoxal-5'-phosphat L-*Tryptophan unter Wasseraufnahme in Indol u. Brenztraubensäure umwandelt od. die gegensätzliche Reaktion katalysiert.

2. Selten u. unglücklich gebrauchte Bez. für Tryptophan-2,3-Dioxygenase (s. Tryptophan). – *E = F* tryptophanase – *I* triptofanasi – *S* triptofanasa

Tryptophan-5-Monooxygenase s. Serotonin.

Tryptophan-Synthase s. Tryptophan.

Tryptophan-Tryptophyl-Chinon s. Tryptophan.

Tryptophyten. Pilze u. (im weiteren Sinne) Bakterien, die auf lebenden Pflanzen vorkommen, aber nur geschädigtes bzw. totes Gewebe befallen u. als Nahrung nutzen können (Nektrotrophie), dieses aber nicht selbst abtöten (s. Perthotrophie). T. sind opportunist. Schädlinge u. werden oft durch biolog. *Vektoren übertragen. – $E = F$ thryptophytes – I triptofiti – S triptofitos
Lit.: Schaefer u. Tischler, Ökologie (2.), S. 275, Stuttgart: Fischer 1983.

TrZ. Abk. für *Traß-Zement.

Ts. Kurzz. für *Tosyl...

T_s. Im Gegensatz zu *T_c selten gebrauchte Abk. für Sprungtemp., s. Supraleitung.

Ts'ai Lun s. Papier (S. 3110).

Tsavorit s. Granate.

TSB. Abk. für totaler *Sauerstoff-Bedarf.

TSCA (TOSCA). Abk. für engl.: *toxic substances control act*, das Bundesgesetz der USA zur Kontrolle giftiger Stoffe von 1976, regelt Chemikalienuntersuchungen, Ein- u. Ausfuhr, Herstellerangaben. Das TSCA war Vorbild für die europ. (EU) u. dtsch. *Chemikaliengesetz-Gebung u. wird wie diese durch Spezialregelungen (z. B. Federal Insecticide, Fungicide and Rodenticide Act) ergänzt.
Lit.: EPA (Hrsg.), TSCA Inspection Guidance, Rockville: Government Inst. 1993 ▪ McKenna & Cuneo (Hrsg.), TSCA Handbook (3.), Rockville: Government Inst. 1997 ▪ Toxic Substances Control Act (5 Bd.), Washington: Office Toxic Subst. 1986.

Tschaga. In Solschenizyns Roman „Krebsstation" vorkommende Wunderdroge gegen *Krebs; s. Inotodiol.

Tschandu s. Opium (Verw. u. Wirkung).

Tscherenkow s. Čerenkov-Strahlung.

Tschernobyl. Stadt in der Ukraine, 17 km entfernt von Pripyat, wo sich am 26. 4. 1986 die weltweit größte Katastrophe bei der Nutzung der Kernenergie ereignete, als einer der dortigen 4 Reaktoren überkrit. wurde. Durch die dabei freigesetzte Energie wurde der Reaktorboden zerschmolzen, mehrere Wasserdampf/Wasserstoff-Explosionen ausgelöst, die Reaktorwandungen u. das Gebäude zerstört u. der Reaktorkern (Graphit) in Brand gesetzt. Mind. 31 Menschen[1] (nach anderen Quellen 86 u. mehr[2]) wurden dabei getötet od. verstarben an den Folgen der bei den Sicherungsarbeiten erlittenen Strahlenschäden. Der Sachschaden wird mit mind. 20 Mrd. DM angegeben. Das Unglück[2] u. sein Ausmaß[2,3] wurden von der Sowjetführung aus polit. Gründen zunächst verschwiegen, Maßnahmen erst verspätet eingeleitet.
Am 11. 10. 1991 kam es in T. erneut zu einem folgenschweren Unfall. Bei einer Explosion wurde die 700 m lange Maschinenhalle teilw. zerstört, angeblich aber keine Radioaktivität freigesetzt[4]. Die 1986 errichtete Betonabdeckung der Reaktorreste soll mit einem Aufwand von ca. 1,5 Mrd. DM saniert werden. Der letzte Reaktor in T. soll im Jahr 2000 stillgelegt werden[5] (dafür übernimmt die BRD einen wesentlichen Teil der Sicherungs- u. Sanierungskosten).
Strahlenbelastung: Aus den Ruinen traten erhebliche Mengen an radioaktivem Material mit mind. 2×10^{18} Becquerel aus[6] (mind. das Millionenfache von Harrisburg, s. Three Mile Island), die nicht nur die Umgebung kontaminieren u. für längere Zeit unbewohnbar machen, sondern auch mit dem Wind über die gesamte Erde verteilt werden. Die durch den Unfall verursachte typ. Strahlenbelastung wird folgendermaßen angegeben[1]:
– Kleinkinder aus der 30-km-Zone haben vor der Evakuierung bis 1 Sievert (Sv) Schilddrüsendosis aufgenommen,
– Helfer je nach Einsatz bis 1 Sv,
– Kinder, die jetzt diese Zone bewohnen, bis ca. 1 Sv u.
– Westeuropäer bis 2 mSv (Bevölkerung der BRD s. ionisierende Strahlung). In der Ukraine u. in Weißrußland beobachtet man z. Z. ein etwa 30fach häufigeres Auftreten von Schilddrüsen-Krebserkrankungen bei Kindern als in unbelasteten Vergleichsgruppen[7] (s. a. Strahlenbiologie).
Kernreaktor: Der Unglücksreaktor war ein Wassergekühlter, Graphit-moderierter Reaktor vom RBMK-Typ, der aufgrund des fehlenden Druckbehälters u. des pos. Reaktivitäts-Koeffizienten in den westlichen Industrieländern nicht als Kernreaktor zugelassen werden darf, in der ehem. Sowjetunion aber in größerer Zahl gebaut wurde[8,9] u. betrieben wird[8] [T.: 3; Kursk, Smolensk u. Sosnowij Bor (24.3.92 Störfall[10]) in Rußland insges. 11; Ignalina in Litauen 2].
Weitere Nuklearkatastrophen: Außer durch Einsatz u. Erprobung von Kernwaffen in der Atmosphäre, am Boden u. im Untergrund werden ungeheure Umweltbelastungen v. a. bei der unsachgemäßen Entsorgung ihrer Produktionsrückstände verursacht. So kam es in der Sowjetunion wiederholt zu nuklearen Katastrophen. Am 29.9.1957 explodierte im sowjet. Kernwaffen-Forschungszentrum Kasli bei Tscheljabinsk [= Chelyabinsk; Ural] ein Tanklager mit radioaktiven Abfällen[11]. Dabei wurden ca. 8×10^{16} Becquerel freigesetzt u. ein Gebiet von ca. 1000 km² dauerhaft verseucht; ca. 10000 Menschen haben es verlassen[12]. Ab 1951 hatte man in diesem Rüstungszentrum begonnen, radioaktiv belastete Abwässer in ein Sumpfgebiet einzuleiten. Während einer langen Trockenheit wurden 1967 die radioaktiven Sedimente mit ca. 2×10^{13} Becquerel in die Umgebung verweht; ca. 3000 km² gelten als verseucht[11]. Am 6.4. 1993 kam es in Tomsk (Rußland) zur Freisetzung von Uran u. Plutonium ebenfalls aus einem Tank durch Explosion[13].
Bedrohung der Meere: Das am 7.4. 1989 nach einem Brand gesunkene sowjet. Atomunterseeboot der MIKE-Klasse hatte 2 Reaktoren mit rund 8×10^{17} Becquerel sowie 2 nukleare Gefechtsköpfe an Bord[14]. Insgesamt liegen auf dem Meeresboden 3 amerikan. u. 6 sowjet. Kernreaktoren sowie ca. 50 nukleare Gefechtsköpfe. Ende der 80er Jahre wurden über 500 Kernreaktoren auf Kriegsschiffen betrieben; ca. 15000 *Kernwaffen standen bei Seestreitkräften bereit. – *E* chernobyl

Lit.: [1] http://www.nea.fr/html/rp/chernobyl/allchernobyl.html. [2] Umwelt (BMU) **1986**, Nr. 4/5, 21–50. [3] Bild Wiss. **1993**, Nr. 4, 68–75. [4] Bild Wiss. **1991**, Nr. 10, 13. [5] Umwelt (BMU) **1995**, Nr. 10, II–VIII; **1997**, 544–545. [6] Endeavour New Ser. **12**, Nr. 4, 163–170 (1988). [7] Science **272**, 352–360 (1996). [8] Umwelt (BMU) **1996**, 163–170. [9] Umwelt (BMU) **1994**, 291 f. [10] Umwelt (BMU) **1992**, 208–211. [11] Bild Wiss. **1995**, Nr. 12, 46–52. [12] Nature (London) **339**, 572 (1989). [13] Chem. Eng. News 19.4. **1993**, 7. [14] Ambio **18**, 296 f. (1989). – *Internet-Adresse:* http://www-bcf.usc.edu/~meshkati/chernobyl.html, http://www.mwukr.ca/chlin.htm u. http://wwwuilondon.org/chernidx.html

Tschesche, Harald (geb. 1935), Prof. für Biochemie, Univ. München, Bielefeld. *Arbeitsgebiete:* Proteinchemie: Proteasen u. Protease-Inhibitoren, enzymat. u. Semi-Synth., Molekularbiologie u. Protein-Design, Leukocytenmigration u. -funktion.
Lit.: Kürschner (16.), S. 3818 ■ Wer ist wer, S. 1465.

Tschesche, Rudolf (1905–1981), Prof. für Organ. Chemie, Univ. Hamburg u. Bonn. *Arbeitsgebiete:* Pflanzliche Herzgifte, Krötengifte, Saponine der Steroid-Gruppe, Triterpene, Biosynth., Wirkungsmechanismus der Sulfonamide bei Bakterien.
Lit.: Nachr. Chem. Tech. **18**, 195 f. (1970).

Tschirnhaus(en), Ehrenfried Walter Graf von (1651–1708), Physiker u. Philosoph, Dresden. *Arbeitsgebiete:* Wärmestrahlung, Schmelzuntersuchungen mittels Brennspiegeln u. -linsen, Erschmelzung des ersten europ. *Porzellans, das wegen seines eisenhaltigen Tons braunrot gefärbt war; Fortsetzung der Versuche durch Böttger.
Lit.: Lexikon der Naturwissenschaftler, S. 402 ■ Pötsch, S. 429 f.

Tschitschibabin, Alexej Jewgenewitsch (Chichibabin, Alexei Evgenevitch) (1871–1945), Prof. für Organ. Chemie, Moskau. *Arbeitsgebiete:* Pyridin, Chinolin, Nicotin, Synth. von Naturstoffen (Alkaloiden, Santonin usw.) u. Stickstoff-haltigen heterocycl. Verb. aus Ammoniak u. Aldehyden bzw. Ketonen, organ. Radikale (s. a. die nachfolgenden Stichwörter).
Lit.: Pötsch, S. 86.

Tschitschibabinscher Kohlenwasserstoff. Von *Tschitschibabin 1907 hergestellter tiefvioletter, mit dem *Schlenkschen Kohlenwasserstoff [enthält die $-\dot{C}(C_6H_5)_2$-Gruppen in 3,3′-Stellung] isomerer Kohlenwasserstoff, dem ursprünglich die biradikal. Struktur des α,α'-Biphenyl-4,4′-diylbis(diphenylmethyl) zugeschrieben wurde.

Ein solches Biradikal sollte *paramagnet.* Eigenschaften aufweisen. Dies ist jedoch nicht der Fall, so daß eine *chinoide* Struktur den T. K. besser beschreibt. Mit Hilfe der *EPR-Spektroskopie läßt sich ein Anteil von ~4% freiem Biradikal im Gleichgew. bestimmen. Beim 2,2′,6,6′-Tetrachlorbiphenyl-Derivat des T. K. lassen sich dagegen biradikal. Zustände wahrscheinlich machen[1]. – *E* Chichibabin's hydrocarbon – *F* hydrocarbure de Tchitchibabine – *I* idrocarburo di Cicibabin – *S* hidrocarburo de Chichibabin
Lit.: [1] Angew. Chem. **84**, 546 (1972).
allg.: Angew. Chem. **78**, 98–107 (1966) ■ Beilstein E IV **5**, 2939 ■ Krauch u. Kunz, Reaktionen der Organischen Chemie, 6. Aufl., S. 170, Heidelberg: Hüthig 1997 ■ s. a. Radikale.

Tschitschibabin-Synthesen. Unter T.-S. versteht man: 1. Die Synth. von trisubstituierten Pyridinen durch Kondensation von Aldehyden u. NH_3 od. Aminen unter Druck u. bei erhöhter Temperatur.
2. Die Herst. von 2-Aminopyridinen u. -chinolinen durch Erhitzen der unsubstituierten Verb. mit Natriumamid (*Aminierung*).

Wird Natriumamid in flüssigem Ammoniak zusammen mit Kaliumpermanganat verwendet, gelingt auch die Aminierung von Di-, Tri- u. Tetrazinen[1].
3. Eine Aldehyd-Synth. aus *Orthoestern u. Grignard-Reagenzien (*Bodroux-T.-Synth.*).

– *E* Chichibabin syntheses – *F* synthèses de Tchitchibabine – *I* sintesi di Cicibabin – *S* síntesis de Chichibabin
Lit.: [1] Janssen Chim. Acta **3**, Nr. 1, 23–27 (1985).
allg. (zu 1.): Adv. Heterocycl. Chem. **44**, 1 (1988) ■ Bull. Soc. Chim. Fr. **1955**, 588–592 ■ Hassner-Strumer, S. 63 ■ Krauch u. Kunz, Reaktionen der Organischen Chemie, 6. Aufl., S. 386, Heidelberg: Hüthig 1997. – (*zu 2.*): Adv. Heterocycl. Chem. **4**, 145 f. (1965) ■ Hassner-Stumer, S. 62 ■ J. Org. Chem. **46**, 2134 (1981) ■ Krauch u. Kunz, Reaktionen der Organischen Chemie, 6. Aufl., S. 584, Heidelberg: Hüthig 1997. – (*zu 3.*): Houben-Weyl **6/3**, 243, **7/1**, 71, **13/2 a**, 264; **E 3**, 131 ■ s. a. Orthoester.

Tschugaeff (Tschugajew), Lev Alexandrowitsch (Chugaev, Lev Aleksandrovitch) (1873–1922), Prof. für Chemie, Univ. Petersburg. *Arbeitsgebiete:* Komplexverb. des Pt u. Ni, Koordinationsverb., Triboluineszenz, Terpene, Xanthogenate, opt. Aktivität, Geschichte der Chemie (s. a. die nachfolgenden Stichwörter).
Lit.: J. Chem. Educ. **40**, 656–665 (1963) ■ Neufeldt, S. 109 ■ Pötsch, S. 102 f.

Tschugaeff-Reagenz s. Dimethylglyoxim.

Tschugaeff-Reaktion. Bez. für folgende von *Tschugaeff entdeckte Reaktionen: 1. Herst. von Alkenen, u. zwar aus Alkoholen, die mit CS_2 in die entsprechenden *Xanthogenate übergeführt werden, deren Pyrolyse dann die gewünschten Alkene ergibt (vgl. a. Eliminierung) ergibt.
2. Unabhängig von Zerewitinoff entwickelte Meth. zur Bestimmung von aktivem Wasserstoff, s. dort. – 3. Verw. von *Dimethylglyoxim (*Tschugaeff-Reagenz*) zum Nachw. von Nickel. – *E* Chugaev reaction – *F*

Xanthogensäure-
O-alkyl-S-
methylester

réaction de Tchugaeff – *I* reazione di Chugaev – *S* reacción de Chugaev

Lit.: Chem. Rev. **60**, 431–457 (1960) ▪ Hassner-Stumer, S. 391 ▪ Krauch u. Kunz, Reaktionen der Organischen Chemie, 6. Aufl., S. 655, Heidelberg: Hüthig 1997 ▪ Laue-Plagens, S. 54 ▪ Org. React. **12**, 57–100 (1962).

TSEE. Abk. von *E* thermal *s*timulated *e*xoelectron *e*mission für therm. angeregte *Exoelektronen-Emission.

Tsetse-Fliegen s. Schlafkrankheit u. Trypanosomen.

TSG. Abk. für *t*hermoplast. *S*chaumguß.

TSG-Technik. Verf. zur Herst. von *Schaumkunststoffen aus *Thermoplasten durch Schaumguß.

TSH s. Thyrotropin.

Tsilaisit s. Turmalin.

ts-Mutanten s. temperatur-sensitive Mutanten.

TSP. Abk. für *Thrombospondin.

TSSA. Abk. für Tumor-spezif. Oberflächen-Antigene, s. Tumor-Antigene.

TSTA. Abk. für Tumor-spezif. Transplantations-Antigene, s. Tumor-Antigene.

T-Stoff. Deckname für 1. die als Tränenreizstoffe verwendeten 2-Methylbenzylbromid (*o*-*Xylylbromid) u./od. *Benzylbromid, u. – 2. H_2O_2 als dtsch. *Raketentreibstoff im 2. Weltkrieg.

Tsuchida s. Übergangsmetalle.

Tsugalacton, Tsugaresinol s. Conidendrin.

Tsuji-Trost-Reaktion. Bez. für die Allylierung von Kohlenstoff-Nucleophilen, bes. von aktiven *Methylen-Verb. wie Malonestern u. β-Ketoestern, durch π-Allylpalladium-Verbindungen. Zur Anw. kommen bevorzugt Allyl-alkyl-carbonate, da sie leicht decarboxylieren, die zur Deprotonierung der Methylen-Verb. benötigte Base *in situ* erzeugen u. insgesamt milde Reaktionsbedingungen ermöglichen. Die Stärke der T.-T.-R. liegt insbes. in der intramol. Variante, da sowohl kleine, mittlere u. große Carbo- bzw. Heterocyclen aufgebaut werden können. Selbst Makrocyclen können in guten Ausbeuten erhalten werden. – *E* Tsuji-Trost reaction – *F* réaction de Tsuji-Trost – *I* reazione di Tsuji-Trost – *S* reacción de Tsuji-Trost

Lit.: Acc. Chem. Res. **2**, 144 (1969); **13**, 385 (1980) ▪ Angew. Chem. **101**, 1199 (1989) ▪ Chem. Rev. **96**, 395 (1996) ▪ Hassner-Stumer, S. 392 ▪ Mulzer u. Waldmann, Organic Synthesis Highlights III, S. 8, Weinheim: Wiley-VCH 1998 ▪ Synlett **1996**, 705 ▪ Trost-Fleming **4**, 585 ▪ s. a. Metall-organische Reaktionen u. Palladium-organische Verbindungen.

Tsukubaenolid s. FK-506.

TSUR. Kurzz. (nach ASTM) für wärmehärtende *Polyurethane (s. a. TPUR).

Tswett, Michael (1872–1919), Botaniker u. Chemiker in Petersburg u. Warschau. *Arbeitsgebiete:* Entwicklung der chromatograph. Adsorptionsanalyse, Trennung der Chlorophyll-Komponenten u. a. Pflanzenfarbstoffe.

Lit.: Chem. Labor Betr. **33**, 99–108 (1982) ▪ J. Chromatogr. **220**, 1–28 (1981) ▪ Lexikon der Naturwissenschaftler, S. 402 ▪ Neufeldt, S. 110 ▪ Pötsch, S. 104.

TSZ. Abk. für Tonerdeschmelzzement, s. Zement.

ts-Zellcyclus-Mutanten s. temperatursensitive Mutanten.

TTA. Abk. für 3-(2-Thenoyl)-1,1,1-trifluoraceton, s. 4,4,4-Trifluor-1-(2-thienyl)-1,3-butandion, für *Triethylentetramin u. für Thalliumtriacetat, s. Thalliumacetate.

TTC. Abk. für *2,3,5-Triphenyl-2*H*-tetrazoliumchlorid.

TTEG. Abk. für *Tetraethylenglykol.

TTF. Abk. für *Tetrathiafulvalen.

TTFA. Abk. für *Thallium(III)-trifluoracetat u. für *4,4,4-Trifluor-1-(2-thienyl)-1,3-butandion.

TTH. Abk. für *T*ieftemp.-*H*ydrierung, bei der Braunkohlenschweeler über fest angeordneten Katalysatoren (Wolframnickelsulfid auf Aluminiumoxid als Träger) bei Temp. von ca. 300–430 °C mit Wasserstoff (30 MPa) hydriert u. in wertvolle Paraffine, Diesel- u. Schmieröle u. in etwas Benzin überführt wird. Wegen der relativ niedrigen Temp. kommt es beim TTH-Verf. kaum zu einer Spaltung der hochmol. Anteile des Teers. – *E* low temperature hydrogenation

Lit.: Ullmann (4.) **14**, 482 ▪ Winnacker-Küchler (4.) **5**, 489.

TTL-Technik. Integrierte Schaltungen in Rechnern der dritten u. vierten Generation, die nach dem Prinzip der *T*ransistor-*T*ransistor-*L*ogik aufgebaut sind.

T-2-Toxin [8-*O*-(3-Methylbutyryl)-neosolaniol, Fusariotoxin T 2, Mykotoxin T 2].

Abb.: Postulierter Mechanismus der Tsuji-Trost-Reaktion.

$C_{24}H_{34}O_9$, M_R 466,53, farblose Nadeln, Schmp. 151–152 °C, $[\alpha]_D^{21}$ –15,5° (CHCl$_3$). Stark tox. [LD$_{50}$ (Ratte per os) 4 mg/kg, (Maus i.p.) 3 mg/kg], teratogenes *Trichothecen-*Mykotoxin aus *Gibberella zeae*, verschiedenen *Fusarium*-Arten u. *Trichoderma lignorum*. T-2-T. kann in verschiedenen Lebensmitteln enthalten sein, die von diesen Pilzarten befallen sind. Bei Hautkontakt kommt es zu starken Reizungen, Bläschenbildung u. Gewebsnekrosen; Vergiftungssymptome sowie -epidemien s. bei Trichothecene. Zeitweilig glaubte man, daß T-2-T. zusammen mit 4-Desoxynivalenol (Vomitoxin, s. Trichothecene) u. *Nivalenol als Kampfstoff in Laos u. Kambodscha („Gelber Regen") eingesetzt wurde. Es handelte sich hierbei jedoch um Bienenkot, der durch *Pollen gelb gefärbt war [1]. Infolge der Hemmung der Proteinsynth. zeigt T-2-T. auch gute antivirale Aktivität z. B. gegen *Herpes simplex*. In der Leber od. durch Bakterien im Boden wird T-2-T. über HT-2 Toxin u. Neosolaniol zu T-2-Tetraol (s. Trichothecene) metabolisiert. Letzteres ist 20mal weniger tox. als T-2-Toxin. T-2-T. kommt in Europa in Gerste, Mais, Weizen, Hafer u. Roggen vor. – *E* T-2-toxin – *F* toxine-T-2 – *I* tossina-T-2 – *S* toxina-T-2

Lit.: [1] Spektrum Wiss. **1985**, Nr. 11, 126–139. *allg.:* Appl. Environ. Microbiol. **55**, 190 (1989) (Metabolismus) ▪ Biosci. Biotech. Biochem. **56**, 523 (1992) (antivirale Aktivität) ▪ Chelkowski (Hrsg.), Fusarium – Mycotoxins, Taxonomy and Pathogenicity, S. 441–472, Amsterdam: Elsevier 1989 (Vork.) ▪ Cole u. Cox, Handbook of Toxic Fungal Metabolites, S. 185–188, New York: Academic Press 1981 ▪ J. Nat. Prod. **54**, 1303 (1991) ▪ J. Org. Chem. **55**, 1237 (1990) (Biosynth.) ▪ J. Prakt. Chem. **334**, 53–59 (1992) ▪ Merck-Index (12.), Nr. 9933 ▪ Sax (8.), Nr. FQS 000 ▪ Trends Biochem. Sci. **14**, 204 (1989). – [CAS 21259-20-1]

TTP. Abk. für Ribosylthymin-5′-triphosphat (Ribothymidin-5′-triphosphat), gelegentlich inkorrekt statt dTTP für Thymidin-5′-triphosphat, s. Thymidinphosphate.

TTQ. Abk. für Tryptophan-Tryptophyl-Chinon, s. Tryptophan.

TTS. Abk. für *t*ransdermales *t*herapeut. *S*yst., s. therapeutische Systeme.

T-Tubuli s. sarkoplasmatisches Retikulum.

TTX. Abk. für *Tetrodotoxin.

tu. Abk. für *Thioharnstoff (*E* thiourea) als *Ligand in *Komplexen (nach IUPAC-Regel I-10.4.5.7).

TU. Abk. für Techn. Universität u. für *Thioharnstoff (*E* thiourea).

Tuads®. Vulkanisationsbeschleuniger aus Tetraethyl-, Tetramethyl- u. Tetraisobutylthiuramidsulfid. *B.:* Erbslöh; Vanderbilt.

Tuaminoheptan.

H$_3$C—(CH$_2$)$_4$—CH—NH$_2$
                          |
                          CH$_3$

Internat. Freiname für das als *Sympath(ik)omimetikum u. *Vasokonstriktor wirksame (±)-2-Heptanamin, $C_7H_{17}N$, M_R 115,21, flüchtige Flüssigkeit, D. 0,7600–0,7660, Sdp. 142–144 °C, n_D^{25} 1,4150–1,4200, wenig lösl. in Wasser, sehr gut lösl. in Alkohol, Ether, Chloroform, Benzol. Lagerung: kühl u. vor Luft geschützt. Verwendet wird meist das Sulfat, $C_{14}H_{36}N_2O_4S$, M_R 328,51, Schmp. 230–240 °C. T. ist in Kombination mit *Acetylcystein von Zambon (Rinofluimucil S®) im Handel. – *E* = *F* tuaminoheptane – *I* tuaminoeptano – *S* tuaminoheptano

Lit.: Beilstein E IV **4**, 743 ▪ Hager (5.) **9**, 1118 f. ▪ Martindale (31.), S. 1594. – [HS 2921 19; CAS 123-82-0 (T.); 6411-75-2 (Sulfat)]

Tubarin s. Tubocurarin.

Tubatoxin s. Rotenon.

Tuben. Flexible bzw. duktile längliche Behälter mit Schraubverschlüssen aus Aluminium, PVC, Polyethylen, früher auch aus Zinn. T. sind als Verpackungen für Klebstoffe, Pigmente, Zahnpasten, Reinigungs-, Pflege-, Wasch-, Körperpflege-, Schädlingsbekämpfungs-, Arznei- u. Nahrungsmittel im Handel. – *E* = *F* tubes – *I* tubi – *S* tubos

Tubenligatur s. Sterilisation.

Tuber (Plural: tubera). Latein. Bez. für Wurzel- u. Sproßknollen od. zu Knollen gewordene Wurzel- od. Stammteile; *Beisp.:* Tubera Aconiti = Eisenhutknollen, T. Ari = Aronwurzel, T. Chinae = Chinaknollen, T. Colchici = Herbstzeitlosenknollen, T. Jalapae = Jalapenwurzel, T. Salep = Salep-Knollen.

Tuberactinomycin B s. Viomycin.

Tubercidin s. Sparsomycin.

Tuberidin s. Tuberin (3.).

Tuberin. Bez. für fünf verschiedene Stoffe: 1. Globulin aus Kartoffeln, das hauptsächlich Leucin, Lysin, Phenylalanin, Valin, Threonin, Arginin u. wenig Tryptophan, Histidin, Cystin u. Methionin enthält. Ein anderes Protein aus Kartoffeln wird *Tuberinin* genannt. 2. *N*-(4-Methoxystyryl)formamid.

H$_3$CO—⟨⟩—CH=CH—NH—CHO

$C_{10}H_{11}NO_2$, M_R 177,20, farblose Prismen, Schmp. 132–133 °C, Antibiotikum aus *Streptomyces amakusaensis*, hauptsächlich gegen Mykobakterien wirksam. 3. *Anthocyanidin-Glucosid aus Kartoffeln, die violette Verfärbungen aufweisen ($C_{22}H_{23}ClO_{12}$, M_R 479,42), mit dem braunroten Aglykon *Tuberidinchlorid* ($C_{16}H_{13}ClO_7$, M_R 352,71, amorph). 4. Alkaloid aus *Haplophyllum tuberculatum* (Rutaceae) mit antibiot. Wirkung

gegen *Staphylococcus* u. *Escherichia coli*, $C_{27}H_{35}NO_6$, M_R 469,58, Schmp. 150–152 °C, $[\alpha]_D$ +12,5° (CHCl$_3$). 5. Bez. für ein vermutlich als Tumorsuppressor wirkendes Protein, dessen Defekt tuberöse Sklerose, eine schwere Erbkrankheit des Menschen, verursacht. – *E* 1., 2., 3., 5. tuberin; 4. tuberine – *F* 1.–5. tubérine – *I* = *S* 1.–5. tuberina

Lit. (zu 2.): J. Antibiot. (Tokyo) **37**, 469 (1984) ▪ J. Med. Chem. **21**, 588 (1978) ▪ Merck-Index (12.), Nr. 9938 ▪ Tetrahedron Lett. **25**, 4263 (1984). – (zu 4.): Phytochemistry **24**, 884 (1985); **29**, 3055 (1990). – [CAS 53643-53-1 (2.); 97400-75-4 (4.)]

Tuberinin s. Tuberin (1.).

Tuberkulin. Beim *Tuberkulin-Test applizierte Lsg. von *Toxinen u. Zerfallsstoffen der *Tuberkulose-Erreger. Man unterscheidet dabei *Alttuberkuline* (Abk. TOA: Tuberkulin-Original-Alt), die eingedampfte u. filtrierte Kulturen von Tuberkelbakterien enthalten, *Neutuberkuline*, die aus in Glycerin-Kochsalzlsg. aufgeschwemmten pulverisierten Tuberkelbakterien bestehen, u. *gereinigte Tuberkuline* (Abk. PDD: purified protein derivate), die eine Protein-Fraktion darstellen, die durch Ausfällung aus einem Zuchtmedium von Tuberkelbakterien gewonnen wurde. – *E* tuberculin – *F* tuberculine – *I* tubercolina – *S* tuberculina
Lit.: Brandis et al., Lehrbuch der Medizinischen Mikrobiologie, S. 551–552, Stuttgart: Fischer 1994.

Tuberkulin-Test. Test zur orientierenden Diagnostik bei Verdacht auf *Tuberkulose. Der T. beruht auf einer Hautreaktion mit Rötung u. Schwellung nach Applikation von *Tuberkulin, die auf einer zellulären Überempfindlichkeitsreaktion (Typ IV der *Allergie) beruht. Allergen wirken dabei die evtl. im Körper vorhandenen Tuberkulose-Erreger od. auch eine vorhergehende Schutzimpfung. Das Tuberkulin wird in die Haut gebohrt, eingerieben, mit einem Pflaster aufgetragen od., heute die Regel, mit einem kleinen Nadelstempel in die Haut appliziert (Tine-Test). Zur genauen Bestimmung der Empfindlichkeitsschwelle (Tuberkulin-Schwelle) wird das Tuberkulin in die Haut injiziert (Mendel-Mantoux-Test). Nach einer Tuberkulose-Schutzimpfung ist der T. meist (in 90%) pos. u. wird erst nach 3 bis 5 Jahren allmählich negativ. – *E* tuberculination – *F* épreuve à la tuberculine, tuberculination – *I* reazione alla tubercolina, test tubercolinico – *S* prueba de la tuberculina, tuberculinización
Lit.: Brandis et al., Lehrbuch der Medizinischen Mikrobiologie, S. 551–552, Stuttgart: Fischer 1994.

Tuberkulose (Schwindsucht, Abk. Tb., Tbc., Tbk.). Chron. verlaufende Infektionserkrankung, die durch das säurefeste Stäbchenbakterium *Mycobacterium tuberculosis* hervorgerufen wird. Das Erbgut dieses Bakteriums konnte 1998 vollständig entziffert werden. In den meisten Fällen werden durch Tröpfcheninfektion die Atemorgane, v. a. die Lunge betroffen. Die Krankheit kann aber, z. B. durch Verschleppung auf dem Blutwege, grundsätzlich alle anderen Organe befallen. Eine Infektion durch den Genuß roher Milch, die mit dem Erreger der Rinder-T. (*Mycobacterium bovis*) verseucht ist, führt zur Darm-Tuberkulose.
Eine Erstinfektion führt zu Bakterienvermehrung im Gewebe mit Befall der regionalen Lymphknoten. Dabei entstehen charakterist. Knoten, deren Gewebe in ihrem Zentrum abstirbt (*Tuberkel*). Ein Durchbruch solcher Gewebsnekrosen, z. B. bei der Lungen-T. in die Atemwege, führt zum Abhusten des infektiösen toten Materials. Zurück bleibt die Tuberkelwand, die eine für die Krankheit typ. Höhle im Lungengewebe bildet (*Kaverne*). Geschieht der Durchbruch in das Blutgefäßsyst., droht eine Streuung der Bakterien über den ganzen Körper mit Befall von u. a. Nieren, Knochen, Lymphknoten u. Herzbeutel. In verkalkten Tuberkeln kann der infektiöse Prozeß zur Ruhe kommen, allerdings können in diesen Bezirken die Erreger jahrelang überleben u. unter bestimmten Bedingungen die Krankheit reaktivieren. Die Diagnose geschieht durch den mikrobiol. Nachw. der Erreger mit Hilfe von Mikroskopie, Kultur u. Tierversuch sowie durch den Nachw. einer Überempfindlichkeit gegen Tuberkelbakterien im *Tuberkulin-Test. Die Behandlung geschieht durch antimikrobielle Chemotherapie mit *Tuberkulostatika, wie z. B. *Isoniazid, *Rifampicin, *Streptomycin, *Ethambutol u. *Pyrazinamid. Eine Schutzimpfung mit in ihrer Virulenz abgeschwächten Rinder-T.-Erregern (Bacillus-Calmette-Guérin), die BCG-Impfung, gibt einen Schutz für 5 bis 15 Jahre.
In früheren Zeiten war die T. eine ernste, lebensbedrohliche Erkrankung. Diesen Charakter hat sie in den Ländern mit hochentwickeltem Gesundheitswesen weitgehend verloren. In Mitteleuropa liegt die durchschnittliche Erkrankungsrate bei ca. 50 jährlichen Neuerkrankungen pro 100 000 Einwohner, in den Entwicklungsländern deutlich höher. So sind allein 1995 nach Angaben der WHO 3,1 Mio. Menschen an dem Leiden gestorben, u. bis zum Jahre 2020 erwartet die WHO trotz verschärfter Maßnahmen weitere 70 Mio. Todesopfer. – Auch in Ind.-Ländern ist die Krankheit aufgrund von Einwanderungen u. den Auslandskontakten der Bürger wieder auf dem Vormarsch. – $E = S$ tuberculosis – *F* tuberculose – *I* tubercolosi
Lit.: Schlossberg, Tuberculosis, Heidelberg: Springer 1994.

Tuberkulostatika (Antituberkulotika). Sammelbez. für Mittel zur *Chemotherapie der *Tuberkulose. Wegen der bes. Stoffwechseleigenschaften u. des langsamen Wachstums des Erregers der Tuberkulose, *Mycobacterium tuberculosis*, u. der erforderlichen Langzeittherapie sind die bei anderen bakteriellen Infektionen gängigen Substanzen wenig geeignet. Relativ spezif. gegen Tuberkelbakterien wirken *Ethambutol, *Isoniazid, *Pyrazinamid, *Rifampicin u. *Streptomycin (Basistherapeutika) sowie *p-Aminosalicylsäure, *Capreomycin, *Kanamycin, *Protionamid, *Tetracycline u. *Terizidon, die als Reservetherapeutika bei Resistenzen od. mangelnder Verträglichkeit der Mittel 1. Wahl zum Einsatz kommen. Wegen der schnellen Resistenzentwicklung der Tuberkelbakterien wird initial mit mehreren Mitteln gleichzeitig therapiert, heute meist Isoniazid mit Ethambutol (od. Streptomycin), Pyrazinamid u. Rifampicin. Wegen der wieder zunehmenden Zahl von Tuberkulosefällen u. resistenten Stämmen, – beides insbes. im Gefolge von AIDS – sind internat. die Forschungen zur Auffindung neuer T. in letzter Zeit reintensiviert worden. In diesem Zusammenhang wurde kürzlich die Sequenz des Genoms eines *M. tuberculosis*-Stammes veröffentlicht[1]. – *E* tuberculostatics, antituberculosis agents – *F* tuberculostatiques, agents antituberculose – *I* tubercolostatici, farmaci tubercolostatici – *S* tuberculostáticos, agentes antituberculosos
Lit.: [1] Nature (London) **393**, 537–544 (1998). *allg.:* Mutschler (7.), S. 699–704 ▪ Pharm. Ztg. **140**, 7–18 (1995) ▪ Prog. Drug. Res. **7**, 193–303 (1964) ▪ Redeker, Zur Entwicklungsgeschichte der Tuberkulostatika u. Antituberkulotika, Stuttgart: Dtsch. Apoth. Verl. 1990 ▪ WHO, Anti-Tuberculosis Drug Resistance Surveillance, London: Stationery Office Books 1998 ▪ s. a. Tuberkulose u. die Einzelverbindungen.

Tuberose. Die auch *Nachthyazinthe* genannte T. (*Polianthes tuberosa*, Amaryllidaceae) ist in Mittelamerika heim. u. wird in Frankreich, Ägypten, Marokko, Indien u. auf den Komoren kultiviert. Sie liefert ein durch *Enfleurage od. durch Lsm.-Extraktion gewinnbares, stark blumig, honigartig süß, betäubend duftendes ether. Öl, das zu den kostbarsten Rohstoffen der Parfümerie zählt. Bemerkenswert ist das Vork. zahlreicher Lactone im T.-Öl. – *E* tuberose – *F* tubéreuse – *I* = *S* tuberosa

Tubocurarin (Tubarin).

(+)-Tubocurarin

$C_{37}H_{41}N_2O_6^+$, M_R 610,75 (Kation). Quartäres Ammonium-Salz vom Bis-*Isochinolin-Alkaloid-Typ aus dem amazon. Curare, das stark muskelrelaxierend wirkt u. von südamerikan. Indianern als *Pfeilgift, aber auch in der Medizin als Muskelrelaxans (s. Muskelrelaxantien) verwendet wird (Tubo-Curare). Das natürliche (+)-(1S,1'R)-Enantiomer ist 50mal wirksamer als das synthet. (−)-(1R,1'S)-Enantiomer. T. wird normalerweise als Dichlorid, *Tubocurarindichlorid* {$C_{37}H_{42}Cl_2N_2O_6$, M_R 681,66, Schmp. 274–275 °C, $[\alpha]_D^{22}$ +215° (H_2O); LD_{50} (Maus i.v.) 0,13 mg/kg}, unter verschiedenen Handelsnamen angeboten. Ebenfalls bekannt sind das Diiodid {$C_{37}H_{42}I_2N_2O_6$, M_R 864,56, Chlorid-Hydrochlorid Schmp. 263–265 °C, $[\alpha]_D$ +140° (H_2O)} u. das synthet. *T.-dimethyletherdichlorid* {$C_{39}H_{46}Cl_2N_2O_6$, M_R 709,71, Schmp. 236 °C, $[\alpha]_D^{25}$ +195° (H_2O)}, das ebenfalls als intramuskuläres Muskelrelaxans angewendet wird. – *E* = *F* tubocurarine – *I* = *S* tubocurarina

Lit.: Beilstein E III/IV **27**, 8727 ▪ Manske **16**, 363 ▪ Martindale (30.), S. 1211 ▪ Merck-Index (12.), Nr. 9939 ▪ Negwer (6.), S. 8135, 8158 ▪ R. D. K. (3.), S. 1017 ▪ Sax (8.), TNY 750, TNZ 000, TOA 000. – *Pharmakologie*: Adv. Biochem. Psychopharmacol. **21**, 67–80 (1980) ▪ Anesthesiology **57**, 183 (1982). – [HS 2939 90; CAS 57-95-4 (T.-Kation); 57-94-3 (T.-dichlorid); 30501-05-4 (T.-diiodid); 33335-58-9 (T.-dimethyletherdichlorid)]

Tubocurarindichlorid s. Tubocurarin.

Tubuli s. Nieren u. Mikrotubuli.

Tubulin.
Ein aus *eukaryontischem Zellmaterial isolierbares dimeres Protein, das aus 2 weitgehend ident. *globulären Proteinen (M_R ca. 55 000; α- bzw. *β-Tubulin*) besteht. T. stellt das Monomer-Material der für die *Mitose, den intrazellulären Vesikel-Transport, das Cytoskelett u. den Aufbau der Cilien (Wimperhärchen) u. Flagellen (Geißeln) wichtigen *Mikrotubuli dar. Die Polymerisation wird durch Guanosin-5'-triphosphat (s. Guanosinphosphate) begünstigt, das durch T. gebunden u. hydrolysiert wird. Störung der T.-Aggregation erfolgt durch *Colchicin u. *Nocodazol. In gleicher Weise tox. u. damit cytostat. (*Mitosehemmer) wirken *Vinca-Alkaloide u. *Podophyllotoxin. Auf andere Weise wirkt *Taxol, das die Depolymerisation von T. verhindert. Die T. verschiedener Spezies sind in der Aminosäure-Sequenz von relativ großer Ähnlichkeit. Das strukturell ebenfalls verwandte γ-T. ist zum großen Teil an den *Centrosomen, den Nukleations-Stellen der Mikrotubuli, lokalisiert (*Mikrotubulus-organisierende Zentren*[1]). Aufgrund von Destabilisierung der T.-Messenger-*Ribonucleinsäuren durch αβ-T.-Heterodimere kommt es zur Autoregulation der T.-Biosynthese. Durch Expression verschiedener *Gene sowie post-translationale Modif. wie Acylierungen u. Aminoacylierungen entstehen multiple T.-Formen[2]. Zur korrekten Faltung benötigt T. *Chaperone[3]. Das bakterielle FtsZ-Protein zeigt *Homologie zu den eukaryont. Tubulinen[4]. – *E* tubulin – *F* tubuline – *I* = *S* tubulina

Lit.: [1] Trends Plant Sci. **2**, 223–230 (1997). [2] Eur. J. Biochem. **244**, 265–278 (1997); Int. Rev. Cytol. – Survey Cell Biol. **178**, 207–275 (1998). [3] Trends Cell Biol. **7**, 479–484 (1997). [4] Nature (London) **391**, 121 ff. (1998).
allg.: Med. Res. Rev. **18**, 259–296 (1998) ▪ Nature (London) **391**, 199–203; **393**, 191 (1998).

Tubulysine.

$R = CH_2-CH(CH_3)_2$: T. A
$R = CH_2-CH_2-CH_3$: T. B
$R = C_2H_5$: T. C

Tetrapeptide aus Kulturen von *Archangium gephyra* mit antimykot. u. cytostat. Wirkung. Die T. A–D hemmen durch Apoptose-Induktion das Wachstum bestimmter Tumor-Zellinien (z. B. KB3.1 Cervix, PC-3 Prostata, SK-OV3 Ovar, K-562 Leukämie) mit IC_{50}-Werten zwischen 1 u. 200 pg/mL. T. A, $C_{43}H_{65}N_5O_{10}S$, M_R 844,05; T. B, $C_{42}H_{63}N_5O_{10}S$, M_R 830,03; T. C, $C_{41}H_{61}N_5O_{10}S$, M_R 816,01, amorphe Feststoffe. – *E* tubulysins – *F* tubulysine – *I* tubulisine

Lit.: Dtsch. Pat. Anm. DE 19638870 (publ. 26. 3. 1998).

Tuchfilter.
Filter, bei denen als Filtermedien Gewebe verwendet werden. T. werden bei der *Abluftreinigung zur Entfernung von *Stäuben angewendet. Die früher verwendeten gewebten Filtermedien (Tuche) sind heute weitgehend durch nichtgewebte Stoffe wie Vliese od. sog. Nadelfilze ersetzt. Nadelfilze haben gegenüber Geweben wesentliche filtertechn. Vorteile.
Die Filterwirkung bei Gewebefiltern od. Filtern aus Vliesen bzw. Filzen geht von den einzelnen Fasern aus. Zur Abscheidung muß der Staub an die Faseroberfläche transportiert u. dort festgehalten werden. Die mittleren Faserabstände sind mit 50–150 μm um ein Vielfaches größer als die Partikelabmessungen, so daß der Siebeffekt zwar die größten Agglomerate, nicht aber den Feinstaub zurückhalten kann. Die Abscheidung des Feinstaubes erfolgt zunächst durch Aufprall auf die Fasern infolge der Trägheit der Staubpartikel, unterstützt durch elektrostat. Kräfte an der Faseroberfläche, sowie bei kleinsten Teilchen unter 0,1–1,5 μm durch Diffusionseffekte aufgrund der Brownschen Molekularbewegung. Nach kurzer Zeit bildet sich an der Anströmseite des Filters durch abgeschiedenen Staub eine

poröse Schicht aus, die ihrerseits filternd wirkt. Die physikal. Vorgänge bei der Abscheidung bleiben unverändert, allerdings wird an den immer enger werdenden Poren der obersten Staubschicht der Sieb- u. Sperreffekt immer wirksamer. Mit zunehmender Staubbeladung steigt der Druckverlust des Filters an, bis die Ablagerungsschicht entfernt werden muß, weil andernfalls eine ausreichende Abluftreinigung nicht mehr möglich ist. Das Filtermedium erhält nach einiger Betriebszeit eine nicht mehr zu entfernende Reststaubbeladung, die im wesentlichen konstant bleibt u. eine gleichmäßig hohe Abscheidewirkung gewährleistet.

Um Filter auch bei höheren Temp. betreiben zu können, werden außer den üblichen Textilfasern auch Fasern aus Teflon, Glas, Mineralien od. Metall für die Herst. von Nadelfilzen verwendet. Neben der chem. u. der Temp.-Beständigkeit sind natürlich auch die mechan. Festigkeit, die Formbeständigkeit u. der Widerstand gegen Verschleiß wichtige Parameter eines Filtermediums. Als Ausführungsformen kennt man *Taschenfilter* u. *Schlauchfilter*. – *E* fabric filter – *F* filtre en toile (tissu) – *I* filtro tessile – *S* filtro de tela

Lit.: JAPCA **39**, 361 ff. (1989) ▪ Staub Reinhalt. Luft **44**, 426 ff. (1984) ▪ VDI-Ber. (Ver. Dtsch. Ing.) **475**, 443 ff. (1983); **690**, 135 ff. (1988); **715**, 289 ff. (1989) ▪ Wasser Luft Betr. **87**, Nr. 9, 59 ff. (1987) ▪ Ullmann (5.) **B2**, 10-1 ff.

Tuckolid. Synonym für Decarestrictin D, s. dort.

Tucumöl. Fettes Öl, ähnlich dem sog. Babassu-Öl. T. wird aus den Kernen der nordostbrasilian. Palme *Astrocaryum tucuma* gewonnen u. z. B. in den USA in geringen Mengen zu Backzwecken verwendet. – *E* tucum oil – *F* huile de tucum – *I* olio di tucume – *S* aceite de tucum

Tüpfelanalyse. Bez. für ein insbes. von *Feigl entwickeltes, wohl auf Phänomene der Kapillaranalyse u. der *Papierchromatographie zurückgreifendes Verf. der qual. u. quant. *Mikroanalyse bzw. der *Spurenanalyse. Bei der T. bringt man je 1–2 Tropfen (0,03–0,1 mL) Untersuchungslsg. u. Reagenzlsg. auf *Tüpfelpapier* (kartonstarkes, saugfähiges, weißes Filterpapier) od. auf glasartig durchsichtigen bzw. weiß od. schwarz glasierten *Tüpfelplatten* (Porzellanplatten mit näpfchenartigen Vertiefungen, vgl. Abb.) zusammen, wobei die Bildung von charakterist. gefärbten Flecken eintritt.

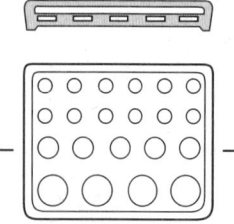

Abb.: Tüpfelplatte.

Vielfach wird das Reagenz vorher durch Tränken auf das Tüpfelpapier aufgebracht u. letzteres wie *Reagenzpapier benutzt. Jede Reaktion, die zur Bildung farbiger od. im UV-Licht absorbierender Reaktionsprodukte führt, ist auch als Tüpfelreaktion geeignet. Als solche kommen v. a. *Identifizierungs-Reaktionen von einzelnen isolierten Bestandteilen aus Gruppenfällungen (*Trennungsgang) in Betracht. *Beisp.:* Nickel läßt sich durch „Tüpfeln" mit *Dimethylglyoxim sehr empfindlich noch in Spuren bis zu 15 ng nachweisen. Die T. findet weiterhin Verw. in der Werkstoffprüfung, der Abwasseranalyse u. im Umweltschutz (T. auf *Schwermetalle), in der forens. Chemie, als *Vorprobe in der Mineralien-Analyse u. auf vielen anderen Gebieten. Eine Verbesserung des Verf. stellt die *Weisz-Ringofen-Technik dar. Bei einigen maßanalyt. Bestimmungen wird der Endpunkt der Titration extern durch Tüpfeln mit dem Indikator (*Tüpfelindikator*) ermittelt. – *E* spot test analysis – *F* stilliréaction, analyse à la touche (goutte) – *I* analisi per impronta, analisi per prova alla tocca – *S* análisis a la gota

Lit.: Chem. Labor Betr. **17**, 433–441 (1966) ▪ Feigl u. Anger, Spot Test in Organic (bzw.) Inorganic Analysis (2 Bd.), Amsterdam: Elsevier 1988 ▪ Jungreis, Spot Test Analysis, Weinheim: Wiley 1997 ▪ Strähle u. Schweda (Hrsg.), Jander/Blasius, Lehrbuch der analytischen u. präparativen anorganischen Chemie, 14. Aufl., S. 259, Stuttgart: Hirzel 1995.

Tüpfelfarn. Die Familie der Tüpfelfarngewächse (Polypodiaceae) enthält 50–60 Gattungen mit ca. 1200 v. a. epiphyt. in den Tropen u. Subtropen lebenden Arten. In Europa kommt nur die Gattung Tüpfelfarn (*Polypodium*) mit 3 ihrer ca. 75 Arten vor. Der Gewöhnliche T. (*P. vulgare*; auch „Engelsüß" genannt wegen seiner in der Volksmedizin verwendeten süßlich schmeckenden Rhizome) kommt in den gemäßigten Zonen der N-Hemisphäre vor u. zeichnet sich auf seinen Blättern (Wedel) durch große, tüpfelartige Sori (Sporenbehälter) aus; Standorte sind v. a. humose, kalkarme, schattige u. feuchte Felsen. Gesägter T. (*P. interjectum*; Schottland bis Italien), Südlicher T. (*P. australe*; Schottland bis Kreta). Zu den T. gehören auch die als Zierpflanzen kultivierten Geweihfarne (*Platycerium* sp.) u. Elchfarn (*P. alcicorne*). – *E* polypod, polypoy root – *F* polypode vulgare – *I* felce dolce – *S* polipodio, helecho común

Lit.: Jahns, Farne–Moose–Flechten, 3. Aufl., München: BLV 1987.

Türkis. Ein seit Jahrtausenden geschätzter Edelstein; chem. ein triklines Phosphat, $CuAl_6[(OH)_2/PO_4]_4 \cdot 4H_2O$ od. $CuO \cdot 3Al_2O_3 \cdot 2P_2O_5 \cdot 4H_2O$; Kristallklasse $\bar{1}$-C_i, Struktur s. Lit.[1,2]. Selten kleine Krist.; meist in dichten Massen als traubiger, nieriger Überzug, in Knollen od. als Ausfüllung von Spalten u. Klüften. Farbe[3]: Alle Übergänge zwischen undurchsichtig himmelblau (durch Kupfer, wenig bis kein Fe^{3+}) u. grau- bis blaugrün; die Farbe hängt vom Cu/Fe-Verhältnis u. den relativen Mengenanteilen von Fe^{2+} u. Fe^{3+} (grüne Töne) ab; T. kann ferner etwas Zn enthalten. Mischbarkeiten bestehen mit *Chalkosiderit* $CuFe_6^{3+}[(OH)_2/PO_4]_4 \cdot 4H_2O$, u. dem leicht mit T. zu verwechselnden *Planerit* $Al_6[(OH)_4/PO_3(OH)/(PO_4)]_2 \cdot 4H_2O$; vgl. die Übersicht u. Redefinition der *T.-Gruppe* in Lit.[4]. H. 5–6, D. je nach Porosität 2,6–2,9, schwacher Wachsglanz, Bruch muschelig, spröde. Von braunen bis schwarzen Adern durchsetzter T. wird als *Türkismatrix* bezeichnet.

Vork., Geschichte: Auf Klüften stark zersetzter Al_2O_3-reicher Gesteine, die Sulfide enthalten. Die ältesten, schon den Ägyptern bekannten Vork. befanden sich auf

der Halbinsel Sinai. Seit langer Zeit bekannt sind auch die Vork. in einem *Trachyt bei Nishapur im Iran; wahrscheinlich von hier gelangte T. zur Zeit der Kreuzzüge nach Mitteleuropa. Zahlreiche, z. T. schon in prähistor. Zeit abgebaute Vork. befinden sich im Südwesten der USA (u. a. Arizona, New Mexico), weitere in Mexiko. Im Handel befindet sich auch sog. *Zahntürkis* (Odontolith), das ist durch *Vivianit blau gefärbtes fossiles Elfenbein.
Fälschungen u. Nachahmungen: Färben geringfarbiger natürlicher Steine; Behandeln geschliffener T. mit Öl od. Paraffin; Pulverisieren von Abfällen von natürlichem T. u. Verfestigen mit einem blau gefärbten Kunstharz (*rekonstruierter T.*); Färben von *Howlith u. dichtem *Magnesit (als Imitationen). Zu weiteren Imitationen wie *Wiener T.*, *Neolith* u. *Neotürkis* s. Eppler (*Lit.*) u. *Lit.*[5]. Synthet. T. wird von der französ. Firma P. Gilson hergestellt. T.-Schmuck muß vor Erwärmung, Fett (Hautfett), Seife u. Chemikalien geschützt werden. – *E* turquois(e) – *F* turquoise – *I* turchese – *S* turquesa

Lit.: [1] Naturwissenschaften **51**, 380 f. (1964). [2] Z. Kristallogr. **121**, 87–113 (1965). [3] Geochemistry **3**, 322–332 (1984). [4] Mineral. Mag. **62**, 93–111 (1998). [5] Lapis **2**, Nr. 2, 7 f. (1977).
allg.: Eppler, Praktische Gemmologie (5.), S. 347–354, Stuttgart: Rühle-Diebener 1994 ▪ Lapis **20**, Nr. 1, 9–13 (1995) („Steckbrief") ▪ Nriagu u. Moore (Hrsg.), Phosphate Minerals, S. 11 ff., 120, 324 ff., Berlin: Springer 1984 ▪ Ramdohr-Strunz, S. 649 f. – [HS 7103 10; CAS 12168-89-7]

Türkischer Honig. Neben dem bei *Nugat beschriebenen französ. Nugat werden auch die zerquetschten u. mit *Zucker gesüßten Samen der Sesam-Pflanze (s. Sesamöl) als t. H. bezeichnet.
Rechtliche Beurteilung: Die Bez. t. H. ist in der BRD unzulässig, da sie den Begriff *Honig* für ein nicht der Honig-VO[1] entsprechendes Erzeugnis verwendet. – *E* turkish delight – *F* miel turc – *I* miele turco – *S* miel turca (especie de turrón)

Lit.: [1] Honig-VO vom 13. 12. 1975 i. d. F. vom 27. 4. 1993 (BGBl. I, S. 512).
allg.: Zipfel, C 350 *1*, 23. – [HS 1704 90]

Türkischer Kümmel s. römischer Kümmel.

Türkischrotöl. Vorläufer moderner synthet. *Tenside, das bei der Herst. der beliebten Inlettfarbe Türkischrot (s. Alizarin) als Egalisierungsmittel verwendet wurde. T. stellten zunächst Emulsionen ranziger Öle aus den Rückständen der Olivenöl-Gewinnung dar, die mit Soda, Wasser u. Schafsmist emulgiert wurden (*Tournantöle*). 1834 wurde von Runge erstmals ein *sulfatiertes Öl durch Einwirkung von Schwefelsäure auf Olivenöl hergestellt, das für *Alizarin-gefärbte Beizendruckartikel eingesetzt wurde. Das Verf. gelangte vom Elsaß aus nach Schottland, wo anstelle von Olivenöl das – damals – preiswertere *Ricinusöl eingesetzt wurde; hiervon rührt auch die Bez. „Sulforicinolat" für T. her, das auch heute noch als Netzmittel in der Baumwollfärberei eingesetzt wird. – *E* Turkey red oil – *F* huile de rouge turc – *I* olio per rosso turco – *S* aceite de rojo turco

Lit.: Kirk-Othmer (3.) **22**, 359 ▪ Rath, Lehrbuch der Textilchemie, 3. Aufl., S. 578, Berlin: Springer 1972 ▪ Winnacker-Küchler (3.) **4**, 465 ▪ s. a. Alizarin. – [HS 3402 11]

Türkisgrün s. Cobaltgrün.

Türks Lösung. Eine 1%ige essigsaure Lsg. von *Gentianaviolett zur mikroskop. Leucocyten-Zählung.

TÜV. Abk. für techn. Überwachungsverein. Der TÜV hat den Zweck, als neutrale Selbsthilfeeinrichtung der Wirtschaft Menschen, Umwelt u. Sachgüter vor nachteiligen Auswirkungen techn. Anlagen od. Einrichtungen aller Art zu schützen. Der TÜV fördert ferner die sichere, zweckmäßige u. wirtschaftliche Herst. u. Verw. von techn. Einrichtungen, Betriebs- u. Arbeitsmitteln. Zu diesen Zwecken stellt der TÜV eine Sachverständigenorganisation zur Beratung, Begutachtung, Prüfung, Zertifizierung u. Überwachung auf den Gebieten der Sicherheitstechnik u. des Umweltschutzes bereit. Die Tätigkeiten der TÜV lassen sich in drei Hauptgebiete gliedern.
Tätigkeiten aufgrund von Verordnungen nach § 11 Gerätesicherheitsgesetz umfassen Prüfungen vor der Inbetriebnahme sowie regelmäßig wiederkehrende Prüfungen, z. B. Prüfungen an Dampfkesselanlagen, anderen Druckbehältern, Druckgasanlagen, Leitungen mit gefährlichen Stoffen.
Prüfungen im Rahmen der Straßenverkehrsgesetzgebung, z. B. Kraftfahrzeug- u. Kraftfahrer-Prüfungen.
Prüfungs-, Zertifizierungs-, Beratungs- u. Gutachtertätigkeit auf anderen techn. Gebieten, z. B. Fördertechnik, Elektrotechnik, Kerntechnik u. Strahlenschutz, von der Sicherheitsbegutachtung eines Kernkraftwerkes bis zur Prüfung eines Röntgengerätes, techn. Arbeitsmittel nach dem Gerätesicherheitsgesetz, wobei es um die sicherheitstechn. Unbedenklichkeit von Haushaltsgeräten u. Ausrüstungen, Spielzeugen, Sportgeräten u. a. geht, Umweltschutz mit Luft- u. Wasserreinhaltung, Lärmbekämpfung u. Abfallbeseitigung, Techn. Chemie, vorwiegend chem. u. physikal. Stoffprüfung, Werkstoffprüfung u. Schweißtechnik als Teilprüfungen von überwachungsbedürftigen Anlagen.
In der BRD gibt es heute noch acht TÜV. Sie nehmen keine hoheitlichen Funktionen od. Verwaltungsfunktionen mit hoheitlichem Charakter wahr. Im Land Hessen u. in der Freien u. Hansestadt Hamburg liegen die Überwachungen nach § 11 Gerätesicherheitsgesetz u. die der Kraftfahrzeuge beim Staat. In wenigen großen Industrieunternehmen werden einige der Überwachungsaufgaben von amtlich anerkannten Sachverständigen der betriebseigenen Überwachungsstellen wahrgenommen.
Der VdTÜV ist die Interessenvertretung der TÜV u. der Staatlichen Techn. Überwachung Hessen, Abk. TÜH. Ihm gehören außerdem sechs Industrieunternehmen (BASF AG, Bayer AG, BUNA Sow Leuna Olefinverbund GmbH, Hoechst AG, Hüls AG u. Saarbergwerke AG) mit anerkannten betriebseigenen Überwachungsstellen an.

Tuffe (Tuffsteine). Von latein.: tofus übernommene Bez. für *pyroklastische Gesteine, die durch Verfestigung von vulkan. Lockermaterial (Tephra; überwiegend vulkan. Gesteinsglas – z. B. durch Neubildung von *Zeolithen) – entstanden sind. Nach heutiger Nomenklatur [z. B. Le Maitre (*Lit.*) u. *Lit.*[1,2]] ist die Bez. T. auf verfestigte vulkan. Aschen (Korngrößen unter 2 mm) beschränkt. Eine *weitere Unterteilung* kann u. a. nach den vorherrschenden Bestandteilen in lith. T.

(vorherrschend Gesteinsbruchstücke), *Glastuff* [vitr. T.; vorherrschend Bruchstücke von Gesteinsglas u. *Bimsstein (*Bimstuff*)] u. *Kristall-T.* (vorherrschend Krist.-Bruchstücke u./od. Krist.) erfolgen. Zur genaueren Kennzeichnung können Präfixe verwendet werden, z. B. *Air-fall-T.* (als Fall-Ablagerung), Fließ-T. **Rhyolith-T.* od. basalt. Lapilli-Tuffe. Ein Modell für die Bildung Blasen-reicher T. gibt *Lit.*[3]. Schweißtuff, Gluttuff u. Schmelztuff sind Bez. für bes. Ausbildungsformen von *Ignimbriten. *Tuffite* stehen hinsichtlich ihrer Zusammensetzung zwischen T. u. den *Sedimentgesteinen. Zur Unterscheidung zwischen T. u. extrem SiO_2-reichen *Lava-Gesteinen s. *Lit.*[4].
T. wird auch als Bez. für lockere, poröse Gesteine verwendet, die durch Sedimentation von *Calciumcarbonat [z. B. *Kalktuff* (*E* tufa) einschließlich *Travertin*, s. Kalke u den Review in *Lit.*[5]] od. Kieselsäure (*Kieseltuff* als Bez. für *Traß) entstanden sind.
Vork.: Vulkan. T. z. B. in der Umgebung des Laacher Sees u. andernorts in der Eifel, im Siebengebirge, in der Rhön; vielerorts in Italien.
Verw.: U. a. als Baustoff, im Straßenbau, zu Gesimsen.
– *E* tuff – *F* tuf – *I* = *S* tufo
Lit.: [1] Aufschluß **37**, 101–108 (1986). [2] Geol. Rundsch. **70**, 794–799 (1981). [3] Bull. Volcanol. **54**, 429–434 (1992). [4] Bull. Volcanol. **54**, 171–186 (1992). [5] Earth Sci. Rev. **41**, 117–175 (1996).
allg.: Füchtbauer (Hrsg.), Sedimente u. Sedimentgesteine (Sediment-Petrologie Teil II) (4.), S. 732–736, Stuttgart: Schweizerbart 1988 ▪ Le Maitre (Hrsg.), A Classification of Igneous Rocks and Glossary of Terms, S. 8f., Oxford: Blackwell 1989 ▪ s. a. pyroklastische Gesteine, Vulkane.

Tuffite s. Tuffe.

Tuffsteine s. Tuffe.

Tufftride®. Marke für Salze u. für ein Verf. zur Härtung von Stählen durch Nitricarborieren. Die Werkstücke werden in eine meist 580 °C heiße Schmelze aus Carbonat- u. Cyanat-Salzen gebracht; dabei bildet sich Eisennitrid in der Metalloberfläche. *B.:* Houghton Durferrit GmbH.

Tufprene®. Styrol-Butadien-Blockcopolymerisat, thermoplast. Kautschuk in Granulatform zur Modifizierung von ABS, Polystyrol u. Polyolefinen, insbes. zur Erhöhung der Schlagfestigkeit, Aufarbeitung von Stanzabfällen od. Sekunda-Ware sowie für die Herst. von Masterbatchen. *B.:* Krahn.

Tuftsin {N^2-[1-(N^2-L-Threonyl-L-lysyl)-L-prolyl]-L-arginin}. Thr-Lys-Pro-Arg, $C_{21}H_{40}N_8O_6$, M_R 500,60. Bez. für ein Tetrapeptid, das sich aus der γ-Globulin-Fraktion des Blutes als Teil des Proteins *Leukokinin* isolieren läßt. T. stimuliert auf unterschiedlichen Wegen, so durch Induktion der NO-Synth. das Immunsyst., bes. die *Phagozytose u. die Aktivität von *Monocyten u. Granulocyten (s. a. Leukocyten). T. besitzt auch Antitumor- u. antibakterielle Eigenschaften. – *E* tuftsin – *F* tuftsine – *I* = *S* tuftsina
Lit.: Biochemistry **31**, 9581 (1992) (Struktur) ▪ Cancer Invest. **2**, 39 (1984) ▪ Crit. Rev. Biochem. Mol. Biol. **24**, 1–40 (1989) ▪ Immunopharmacol. **25**, 261 (1993) ▪ Indian J. Chem. Sect. B **25**, 1138 (1986) (Synth.) ▪ Infect. Immun. **62**, 2649 (1994) ▪ Int. J. Pept. Protein Res. **37**, 112–121 (1991) ▪ J. Med. Chem. **29**, 1961–1968 (1986) ▪ Martindale (30.), S. 1424 ▪ Merck-Index (12.), Nr. 9941 ▪ New Methods Drug Res. **2**, 215–231 (1988) ▪ Tetrahedron Lett. **27**, 4841–4844 (1986) (Synth.). – [CAS 9063-57-4]

Tugon®. *Insektizide auf der Basis von *Trichlorfon (Ameismittel), *Propoxur (Fliegenkugel) bzw. Plifenat zusammen mit *Permethrin (Stallspritzmittel). *B.:* Bayer

TUIS. Abk. für *T*ransport-*U*nfall-*I*nformations- u. Hilfeleistungs*s*ystem, ein flächendeckendes, freiwilliges Hilfeleistungssyst. bei Unfällen mit Chemikalien, das seit 1982 vom VCI in enger Zusammenarbeit mit den Innenministerien der Länder aufgebaut wurde. TUIS, das Teil der weltweiten Initiative *Responsible Care ist, bietet bundesweit rasche, qualifizierte u. unbürokrat. Hilfe bei *Transportunfällen* mit chem. Produkten, bei *Unfällen im Lagerbereich* sowie in *akuten Gefahrensituationen*. Dafür sind Werkfeuerwehren u. Spezialisten wie Chemiker, Toxikologen, Ökologen u. Fachleute aus der Produktion zahlreicher Chemieunternehmen erreichbar. Ein Handbuch als Loseblattsammlung bildet die Grundlage von TUIS. In diesem Buch stehen alle TUIS-Firmen mit Standort, Telefon, Art u. Umfang ihres Hilfsangebotes u. die Produktpalette, zu denen eigene Erfahrungen vorliegen. Rund 130 Unternehmen haben sich mittlerweile TUIS angeschlossen. Seit 1982 halfen die TUIS-Mitgliedsunternehmen weit mehr als 10 000mal im Rahmen der Gefahrenabwehr der öffentlichen Feuerwehr u. der Polizei. Die häufigsten Hilfeleistungen waren der Ersatz schadhafter Dichtungen, das Abdichten von Anschlußarmaturen u. das Umpumpen der Ladung von nicht mehr fahrbereiten Fahrzeugen. Spektakuläre Brände gehören zu den seltenen Ereignissen. TUIS-Mitgliedsunternehmen sind ebenfalls in die, seit 1990 bestehenden, europ. ICE (International Environmental Program)-Aktivitäten eingebunden, die europaweit alle nat. Hilfeleistungssyst. bündeln.
Lit.: TUIS, Informationsschrift des Verbandes der chemischen Industrie e. V., 60329 Frankfurt 1995. INTERNET-Adresse: http://www.vci.de/tuis.htm

Tujamunit s. Tjujamunit.

Tulobuterol (Rp).

Internat. Freiname für das β_2-Sympathomimetikum, ein Bronchodilatator (s. Broncholytika), (±)-2-(*tert*-Butylamino)-1-(2-chlorphenyl)ethanol, $C_{12}H_{18}ClNO$, M_R 227,73, Krist., Schmp. 89–91 °C; λ_{max} (CH_3OH) 261 nm ($A^{1\%}_{1cm}$ 13,1); LD_{50} (Maus oral) 305, (Maus s.c.) 170 mg/kg. Verwendet wird meist das Hydrochlorid, Schmp. 161–163 °C, λ_{max} (CH_3OH) 261 nm ($A^{1\%}_{1cm}$ 31,1). T. wurde 1973 von Hokuriku patentiert u. ist von UCB (Atenos®) u. Abbott (Brelomax®) im Handel. – *E* = *S* tulobuterol – *F* tulobutérol – *I* tulobuterolo
Lit.: ASP ▪ Hager (5.) **9**, 1123 ff. ▪ Martindale (31.), S. 1594. – [HS 2922 19; CAS 41570-61-0 (T.); 56776-01-3 (Hydrochlorid)]

Tumor-Antigene. Da in *Krebs-artigen *Tumoren die *Differenzierung der Ursprungszellen teilw. verlorengeht, wird in ihnen eine unterschiedliche zelluläre *Protein-Ausstattung verwirklicht, die oft derjenigen fötaler Zellen ähnlich ist. Die entsprechenden Tumor-

spezif. Proteine sowie andere Stoffe (z. B. bestimmte *Sphingolipide), die in Körperflüssigkeiten od. auf Zelloberflächen spezif. im Zusammenhang mit Tumoren auftreten u. sich mit (*monoklonalen) Antikörpern nachweisen lassen (*Antigene), werden als T.-A. (*Tumor-spezif.* od. *-assoziierte Antigene*) bezeichnet. Man unterscheidet die zirkulierenden *Tumormarker u. die auf Tumorzellen gebundenen *Tumor-spezif. Oberflächen-Antigene* (TSSA). *Tumor-spezif.* od. *-assoziierte Transplantations-Antigene* (TSTA bzw. TATA), die bei Mäusen zur Abstoßung transplantierter Tumoren führen, *Onkogen-Produkte (z. B. transformierte *Rezeptoren von *Wachstumsfaktoren) u. a. TSSA sind das Ziel der tumorspezif. *Immuntherapie durch monoklonale Antikörper u. durch Stimulation von T-*Lymphocyten. – *E* tumo(u)r antigens – *F* antigènes de tumeurs – *I* antigeni tumorali – *S* antígenos de tumores
Lit.: Curr. Opin. Immunol. **9**, 648–693, 709–716 (1997) ▪ Life Sci. **60**, 2035–2041 (1997) ▪ Mol. Med. Today **3**, 261–268, 342–349 (1997).

Tumore(n). Latein. Wort für Anschwellung, Geschwulst. Im weiteren Sinne ist mit T. jede örtlich umgrenzte Anschwellung gemeint, wie sie durch *Ödem od. Entzündung zustandekommt. Im engeren Sinne ist T. eine Bez. für gutartige (benigne) od. bösartige (maligne) Wucherungen (Neubildung, Neoplasien) von *Geweben (s. a. Krebs). – *E* = *S* tumor – *F* tumeur – *I* tumori

Tumormarker. Stoffe (meist *Proteine) in Blut u. a. Körperflüssigkeiten, deren Anwesenheit od. überhöhte Konz. Hinweise auf Entwicklung od. Vorliegen eines *Tumors bzw. von Metastasen (Tochtergeschwülsten) liefern kann. Typischerweise sind die T. *Antigene (*Tumor-Antigene), u. als solche lassen sie sich mit (*monoklonalen) *Antikörpern nachweisen. Beisp. für T. sind *onko-fötale Antigene* (wie α-*Fetoprotein u. *karzino-embryonales Antigen), bestimmte *Isoenzyme (z. B. der alkal. *Phosphatase u. das *Prostata-spezif. Antigen*[1], eine Protein-Kinase, M_R 34000), vermehrt auftretende *Hormone* (z. B. Secretogranin II, s. Granine) u. wiederum andere *Serumproteine* (wie z. B. *Bence-Jones-Proteine). Der Nachw. der T. wird zur Diagnose u. Verlaufskontrolle maligner Erkrankungen herangezogen. – *E* tumo(u)r markers – *F* marqueurs de tumeurs – *I* marker tumorale, marcatori tumorali – *S* marcadores de tumores
Lit.: [1] Cancer J. **11**, 27–30 (1998); J. Clin. Ligand Assay **21**, 24–34 (1998); Trends Endocrinol. Metab. **9**, 310–316 (1998). *allg.*: Endocrine Pathol. **7**, 103–119 (1996) ▪ Investig. New Drugs **15**, 15–28 (1997) ▪ J. Clin. Oncol. **14**, 2843–2877 (1996).

Tumornekrose-Faktor (TNF). TNF-α (*Cachectin*) ist die Bez. für ein körpereigenes, als *Monokin in *Makrophagen bei Einwirkung von *Endotoxin gebildetes, jedoch auch von aktivierten *Mastzellen ausgeschüttetes, *in vivo* trimeres Protein (M_R 52000). Bei Krebs- od. Infektionskrankheiten erreicht es nanomolare Serum-Konzentrationen. Der gentechnolog. zugängliche TNF-α hat einerseits immunmodulator. u. protektive Wirkungen: Er aktiviert die Makrophagen u. Leukocyten des *Immunsystems, induziert bei Entzündungen die Synth. charakterist. *Akutphasen-Proteine (z. B. *Haptoglobin, *Komplement-Komponente C3), wirkt – synergist. mit *Interferon-γ – antiviral, schützt im Tierversuch gegen Malaria, u. ist in der Lage, manche Tumoren zu zerstören, ohne gesundes Gewebe zu schädigen. Andererseits besitzt er nachteilige Nebenwirkungen wie Veränderungen der Eigenschaften des Gefäß-Endothels, massiver Körpergewichtsverlust (Kachexie), Fieber u. tox. Schock. TNF-α spielt jedoch auch bei Fettsucht[1] u. der Entwicklung des Nervensyst.[2] eine Rolle. Bei entzündlichen Erkrankungen wie Arthritis versucht man, TNF-α-Antagonisten einzusetzen[3]. Bemerkenswert ist die Ähnlichkeit des TNF-α mit viralen Capsid-Proteinen in der Raumstruktur, nicht jedoch in der Aminosäure-Sequenz. Das strukturell u. funktionell verwandte *Lymphotoxin wird oft als TNF-β bezeichnet. Biosynthet. Vorläufer des TNF-α ist ein Zell-Oberflächen-Protein, aus dem der lösl. Faktor durch das *TNF-α-Konversions-Enzym* (engl. Abk.: TACE; zu den *Metall-Proteasen u. *Disintegrinen gehörend) proteolyt. freigesetzt wird[4]. Die TNF binden als Trimere an Membran-durchspannende Rezeptoren[5], die dabei durch Aggregation ihrer innerzellulären *Domänen aktiviert werden. Es sind zwei TNF-Rezeptoren (TNFR) bekannt, die in vielen verschiedenen Geweben vorkommen u. mit dem niedrig-affinen Neurotrophin-Rezeptor (s. neurotrophe Faktoren) verwandt sind. TNFR1 (TNFR55, CD120a, M_R 55000) bindet TNF-α u. besitzt die für die Auslösung der *Apoptose notwendige Todes-Domäne[6] (*death domain*, der Rezeptor deshalb auch: *Todes-Rezeptor*[7]), die das Aktivierungs-Signal an TRADD-Proteine (*T*NF *r*eceptor-*a*ssociated *d*eath-*d*omain-binding *p*roteins) weitergeben. Diese stellen Adapter-Proteine dar, die selbst eine Todes-Domäne besitzen u. entweder Apoptose od. Aktivierung von *NF-κB bewirken. TNFR2 (TNFR75, CD120b, M_R 75000) bindet TNF-α u. -β u. signalisiert über Adaptoren namens TRAF[8] (*T*NF *r*eceptor-*a*ssociated *f*actors). Die Signale der TNF/TNFR-Komplexe können unterschiedliche Reaktionen in der Zelle auslösen wie Proliferation (Vermehrung), *Differenzierung u. Apoptose. Als *second messenger dienen in bestimmten Fällen *Ceramide[9]. Zur Signaltransduktion s. a. *Lit.*[10]. Von den TNFR wurden auch lösl. Formen gefunden, die aus den Membran-gebundenen durch proteolyt. Spaltung entstehen. Ein in Struktur, Funktion u. Rezeptor-Affinität ähnliches Cytokin ist TRAIL (*T*NF-*r*elated *a*poptosis-*i*nducing *l*igand), für das vier Rezeptoren bekannt sind, von denen zwei Todes-Domänen besitzen[11]. Zur Therapie der rheumatoiden Arthritis durch Hemmung der Biogenese od. der Funktion von TNF-β s. *Lit.*[12]. – *E* tumo(u)r necrosis factor – *F* facteur de nécrose tumoral – *I* fattore di necrosi tumorale – *S* factor de necrosis tumoral
Lit.: [1] FASEB J. **11**, 743–751 (1997). [2] Prog. Neurobiol. **56**, 307–340 (1998). [3] Eur. Cytokine Network **9**, 233–238 (1998); Expert Opin. Ther. Pat. **8**, 1309–1322 (1998). [4] Nature (London) **385**, 729–736; **386**, 738 (1997). [5] J. Leukocyte Biol. **60**, 1–7 (1996); Leuk. Lymphoma **29**, 81–92 (1998); Trends Biochem. Sci. **23**, 74–79 (1998). [6] Trends Biochem. Sci. **24**, 47–53 (1999). [7] Int. J. Clin. Lab. Res. **28**, 141–147 (1998). [8] Genes Develop. **12**, 2821–2830 (1998). [9] Eur. J. Biochem. **251**, 295–303 (1998). [10] J. Leukocyte Biol. **61**, 559–566 (1997). [11] Apoptosis **3**, 83–88 (1998). [12] Expert Opin. Ther. Patents **8**, 531–544 (1998).

allg.: Cell. Signal. **10**, 543–551 (1998) ▪ Crit. Rev. Immunol. **16**, 1–11 (1996) ▪ Curr. Opin. Immunol. **10**, 559–563 (1998) ▪ FEBS Lett. **410**, 96–106 (1997) ▪ J. Drug Target. **5**, 403–413 (1998) ▪ Trends Biochem. Sci. **22**, 107ff. (1997).

Tumor-Promotoren s. Cocarcinogene.

Tumor-spezifische Oberflächen-Antigene s. Tumor-Antigene.

Tumor-spezifische Transplantations-Antigene s. Tumor-Antigene.

Tumor-Suppressor-Gene (Anti-Onkogene). Bez. für bestimmte *Gene, deren Protein-Produkte die Zell-Vermehrung hemmen. Bei ihrem Funktionsausfall durch Mutation tritt Tumor-Wachstum auf, weshalb sie auch als *rezessive* *Onkogene bezeichnet werden. *Beisp.:* *p53, das in Glioblastomen mutierte PTEN[1], das bei Dickdarmkrebs defekte APC[2] u. das *Retinoblastom-Protein. Zur Krebs-therapeut. Anw. von Tumor-Suppressor-Proteinen s. Lit.[3]. – *E* tumo(u)r suppressor genes – *F* gènes suppresseurs de tumeurs – *I* geni oncosoppressori, geni tumorisoppressivi, anti-oncogeni, oncogeni recessivi – *S* genes supresores de tumores

Lit.: [1] Curr. Biol. **8**, 1169–1178, 1195–1198 (1998); Science **280**, 1614–1617; **282**, 1027–1030 (1998). [2] Biochim. Biophys. Acta **1332**, F127–F147 (1997). [3] Drug Res. Updates **1**, 205–210 (1998).
allg.: EMBO J. **17**, 6783–6789 (1998) ▪ Hesketh, The Oncogene and Tumour Suppressor Gene Facts Book, San Diego: Academic Press 1997 ▪ Nature (London) **391**, 233f. (1998) ▪ Peters u. Vousden, Oncogenes and Tumour Suppressors, Oxford: Oxford University Press 1997.

Tumor-Viren s. Viren.

Tungöl. Bez. für *Holzöl aus den Samen des Tungbaumes, hauptsächlich aus *Aleurites fordii* (chines. T.) u. *Aleuritis cordata* (japan. T.); weitere wichtige Quelle ist der Abrasinbaum *Aleuritis montana*. T. gehört zu den am längsten bekannten *trocknenden Ölen u. diente z. B. als Bindemittel-Basis antiker fernöstlicher Lackarbeiten. – *E* tung oil – *F* huile de tung, huile d'abrasin – *I* olio di tungo – *S* aceite de tung
Lit.: Kirk-Othmer (4.) **8**, 520f., 528f. ▪ Römpp Lexikon Lacke u. Druckfarben, S. 290 ▪ Ullmann (4.) **11**, 513f.; **23**, 437f.; (5.) A **10**, 232. – [HS 151540; CAS 8001-20-5]

Tungophen® B. Holzölreaktives Kondensationsprodukt aus substituierten Phenolen u. Xylol mit Formaldehyd zur Verw. als Kunstharz für Lacke. *B.:* Bayer.

Tungstein s. Scheelit.

Tungsten s. Wolfram.

Tungstit s. Wolframocker.

Tunicamycine (Streptovirudine, Corynetoxine). Komplex nahe verwandter *Nucleosid-Antibiotika aus *Streptomyces*-Arten, z. B. *T. I* {$C_{36}H_{58}N_4O_{16}$, M_R 802,87, Schmp. 215–220 °C (Zers.), $[\alpha]_D$ +44° (CH_3OH)} u. *T. X* {$C_{40}H_{66}N_4O_{16}$, M_R 858,98, Schmp. 239–254 °C (Zers.), $[\alpha]_D$ +37° (CH_3OH)}. Man unterscheidet die T. I–X, früher als T. A–D bezeichnet, insgesamt gibt es über 30 Komponenten, von denen viele als *Streptovirudine* u. *Corynetoxine* benannt wurden. Die T. weisen alle dasselbe Grundgerüst auf u. unterscheiden sich im *N*-Acyl-Rest, der hinsichtlich der Kettenlänge (C_{12-19}), der Verzweigung u./od. durch das Vorhandensein einer (2*E*)-Doppelbindung variiert. Das Grundgerüst besteht aus Uracil, einem *N*-glykosid. gebundenen Pseudodisaccharid (*Tunicamin:* Undecose formal aus D-Ribose u. D-Galactosamin aufgebaut) u. *O*-glykosid. (α,β-Trehalose-Typ) angehängtem *N*-Acetyl-D-glucosamin. T. hemmen Glykosyltransferase-Prozesse auf Phospholipid-Intermediate u. beeinflussen die Interferon-Wirkung, sie wirken breit gegen Gram-pos. Bakterien, Hefen, Pilze, Viren u. Tumorzellen. Bei Prokaryonten hemmen die T. die Zellwand-Biosynth. durch Blockade der Phospho-*N*-Acetylmuramyl-Pentapeptid-Translocase u. Hemmung des Einbaus von Undecaprenylphosphat, bei Eukaryonten die Oligosaccharid-Synth., bei Pilzen z. B. die 1,3-β-Glucan-Synthese. T. können zur Untersuchung der Bildung u. Sekretion von Immunglobulinen verwendet werden. Eine Nutzung der T. als Arzneimittel kommt wegen ihrer Toxizität nicht in Betracht.

R = CH=CH—(CH$_2$)$_7$—CH(CH$_3$)$_2$: T. I (T. A$_0$)
R = CH=CH—(CH$_2$)$_8$—CH(CH$_3$)$_2$: T. II (T. A$_1$)
R = CH=CH—(CH$_2$)$_{10}$—CH$_3$: T. III (T. A$_2$)
R = CH=CH—(CH$_2$)$_{11}$—CH$_3$: T. IV (T. B$_2$)
R = CH=CH—(CH$_2$)$_9$—CH(CH$_3$)$_2$: T. V (T. B$_1$)
R = (CH$_2$)$_{11}$—CH(CH$_3$)$_2$: T. VI
R = CH=CH—(CH$_2$)$_{10}$—CH(CH$_3$)$_2$: T. VII (T. B, T. C$_1$)
R = CH=CH—(CH$_2$)$_{12}$—CH$_3$: T. VIII (T. C$_2$)
R = CH=CH—(CH$_2$)$_{13}$—CH$_3$: T. IX (T. D$_1$)
R = CH=CH—(CH$_2$)$_{11}$—CH(CH$_3$)$_2$: T. X (T. D, T. D$_2$)

– *E* tunicamycins – *F* tunicamycine(s) – *I* tunicamicine – *S* tunicamicina(s)
Lit.: Synth.: J. Am. Chem. Soc. **115**, 2036 (1993); **116**, 4697 (1994). – *Übersicht:* J. Antibiot. **41**, 1711–1739 (1988) ▪ J. Nat. Prod. **46**, 544 (1983) ▪ Merck-Index (12.), Nr. 9949 ▪ Tamura, Tunicamycin, Tokyo: Jap. Sci. Soc. Press 1982. – [CAS 73942-10-6 (T. I); 66081-38-7 (T. X)]

Tunicate (von latein. tunica = Mantel, auch Tunikaten). Meerestier aus der Gruppe der Tunicata (= Urochordata, Manteltiere), die die einfachsten Vertreter der Chordatiere (Chordata) enthalten. Grundbaumerkmale einer T. sind der Besitz eines aus *Tunicin bestehenden Mantels, die Chorda dorsalis als Stützstab des Körpers (der dann bei den Vertebrata = Wirbeltieren durch die Wirbelsäule ersetzt wird), eines Neuralrohres, eines als Kiemendarm ausgebildeten Vorderdarms (für Atmung u. Nahrungserwerb) u. eines geschlossenen Blutgefäßsystems. – *E* tunicate – *F* tunicier – *I* tunicata – *S* tunicado
Lit.: Wehner u. Gehring, Zoologie, 23. Aufl., Stuttgart: Thieme 1995.

Tunichlorin [Nickel(II)-2-devinyl-2-(hydroxymethyl)-pyropheophorbid a]. $C_{32}H_{32}N_4NiO_4$, M_R 595,32, blaugrüner Feststoff, Nickel-*Chlorin aus der karib. *Tunicate *Trididemnum solidum* u. damit neben den *Tunichromen ein weiteres Beisp. für Übergangsmetall-haltige Pigmente aus Tunicaten. Da *Trididemnum solidum* mit einer Blaualge in Symbiose lebt, könnte T.

R¹ = R² = H : Tunichlorin
R¹ = R² = CH₃ : Dimethyltunichlorin
R¹ = Acyl, R² = H : Acyltunichlorine

auch ein Algen-Pigment sein, allerdings sind bisher keine Nickel-Porphyrinoide aus Algen bekannt; andere Metalle bilden wesentlich leichter Porphyrin-Chelate. In Bindung an Chlorin kommt Nickel auch im Cofaktor F_{430} der Methyl-Coenzym M-Reduktase der methanogenen Bakterien vor. T. ist als Nickelchlorin ein ungewöhnlicher Naturstoff. Neben T. wurden in *Trididemnum*-Arten auch *Dimethyltunichlorin* u. 28 Fettsäureester des T. mit Kettenlängen zwischen 14 u. 22 C-Atomen u. mit 0 bis 6 Doppelbindungen gefunden. Aus *T. solidum* wurden auch acylierte T. isoliert [1]. – *E* tunichlorin – *F* tunichlorine – *I* = *S* tuniclorina

Lit.: [1] Proc. Natl. Acad. Sci. USA **93**, 10560 (1996). *allg.:* Chem. Rev. **94**, 327 (1994) ■ J. Nat. Prod. **51**, 1 (1985); **56**, 1981 (1993) ■ Naturwiss. Rundsch. **42**, 333 f. (1989) ■ Proc. Natl. Acad. Sci. USA **85**, 4582–4586 (1988) ■ Pure Appl. Chem. **61**, 525 (1989). – *[CAS 114571-91-4]*

Tunichrome. Polyphenol. gelbe Blutpigmente aus den *Tunicaten Ascidia nigra* u. *Phallusia mammillata*. Sie sind starke biolog. Red.-Mittel, die sich bei Erwärmung od. an der Luft zersetzen.

T. B₁

Die T. sind 5-Hydroxy-DOPA-haltige Di- u. Tripeptide, die mit Oxovanadium(IV)-Ionen (VO²⁺) Komplexe bilden (T. B₁, gelber Feststoff, $C_{26}H_{25}N_3O_{11}$, M_R 555,50) [1]. Vanadium liegt in den Blutzellen (Vanadocyten) bei pH ~7 vorwiegend in den Oxid.-Stufen +3 u. +4 vor. Tunicaten reichern selektiv Vanadium aus dem Meerwasser an. T. können bis zu 20% der Trockenmasse des Tunicaten *Ascidia nigra* ausmachen. Sie besitzen vermutlich entscheidende Bedeutung für den Aufbau des Mantels (latein.: tunica) der Manteltiere.
In der Tunicate *Halocynthia roretzii* kommen ähnliche Verb. vor, die Halocyamine [2]. Neben den T. findet sich in Tunicaten auch das Nickel-Chlorin *Tunichlorin. – *E* = *F* tunichromes – *I* tunicromi – *S* tunicromos

Lit.: [1] J. Am. Chem. Soc. **110**, 6162 (1988); Angew. Chem. **104**, 102 (1992); Int. Ed. Engl. **31**, 52 (1992); Biochim. Biophys. Acta **1033**, 311 (1990). [2] Biochemistry **29**, 159 (1990). *allg.:* Acc. Chem. Res. **24**, 117 (1991) ■ Attaway u. Zaborsky, Marine Biotechnology, Bd. 1, S. 66–76, New York: Plenum 1993 ■ Chem. Rev. **97**, 333–346 (1997) (Review) ■ Chem. Unserer Zeit **22**, 183 (1988) ■ Coord. Chem. Rev. **109**, 61–105 (1991) ■ Merck-Index (12.), Nr. 9950. – *Biosynth.:* Experientia **48**, 367 (1992) ■ J. Nat. Prod. **49**, 193 (1986); **54**, 918 (1991). – *Synth.:* J. Am. Chem. Soc. **111**, 6242 (1989); **112**, 2627 (1990) ■ Tetrahedron Lett. **31**, 7119 (1990). – *Isolierung:* J. Chem. Soc., Chem. Commun. **1991**, 9. – *[CAS 97689-87-7 (T. B₁)]*

Tunicin. Stützsubstanz im Mantel (latein.: tunica; Name!) der *Tunicaten* (Manteltiere, primitive Meeresbewohner wie Seescheiden, Feuerwalzen u. a.). T. ist ein Polysaccharid aus Glucose-Einheiten mit β-1,4-Bindung u. besteht – ähnlich wie Pflanzencellulose – aus Mikrofibrillen von 25 nm Durchmesser, die seitlich zu bandartigen Aggregaten verschmelzen können. Viele Tunicaten zeichnen sich übrigens durch einen erheblichen Gehalt an *Vanadium aus. – *E* tunicin – *F* tunicine – *I* = *S* tunicina

Lit.: Tardent, Meeresbiologie, 2. Aufl., Stuttgart: Thieme 1993 ■ Wehner u. Gehring, Zoologie, 23. Aufl., Stuttgart: Thieme 1995.

Tunnelböden. Für die *Destillation gebräuchliche Kolonneneinbauten mit parallelen Schlitzen, die durch Dampfhauben abgedeckt sind, durch die der Dampf zum tangentialen Austritt gezwungen wird. – *E* tunnel-cap tray – *F* calotte-tunnel – *I* fondi a tunnel – *S* platillo de túnel

Tunneleffekt. Begriff aus der *Quantenmechanik, demzufolge ein Teilchen einen Potentialbereich durchlaufen kann, in dem es sich nach den Gesetzen der klass. Physik nicht aufhalten darf. Die Gesamtenergie E eines Teilchens der Masse m setzt sich aus seiner potentiellen Energie E_{pot} u. seiner kinet. Energie E_{kin} zusammen:

$$E = E_{pot} + E_{kin} = E_{pot} + \frac{m}{2}v^2.$$

Für die Geschw. v ergibt sich hieraus

$$v = \sqrt{\frac{2}{m}(E - E_{pot})}.$$

In einem, wie in der Abb. (S. 4706) dargestellten Potential kann sich ein klass. Teilchen nur in den Bereichen $a \leq r \leq b$ u. $r \geq c$ aufhalten; der Bereich $b < r < c$ ist verboten, denn aufgrund von $E_{pot} > E$ wäre die Geschw. imaginär.
In der Quantenmechanik wird ein Teilchen durch eine Wellenfunktion Ψ beschrieben, wobei dessen Betragsquadrat die Aufenthaltswahrscheinlichkeit W angibt: $W = |\Psi|^2$. Die Amplitude von Ψ geht in dem klass. verbotenen Bereich nicht abrupt auf Null, sondern nimmt mit einer e-Funktion ab, deren Abklingkonstante durch die Höhe der Barriere über E gegeben ist. Ein zwischen den Orten $r = a$ u. $r = b$ pendelndes Teilchen, z. B. ein schwingendes zweiatomiges Mol., hat eine nicht verschwindende Wahrscheinlichkeit an den Ort $r = c$ zu gelangen. Das Verhältnis der durchgelassenen Intensität $|\Psi_{trans}|^2$ zur Intensität $|\Psi_0|^2$ der einlaufenden Welle wird Durchlaßkoeff. D genannt; er ergibt sich zu (Näherung für $D \ll 1$)

$$D \triangleq \exp\left\{-\frac{4\pi}{h}\left|\int_b^c \sqrt{2m(E_{pot} - E)}\,dr\right|\right\}$$

mit h = Plancksches Wirkungsquantum. An dem Integralausdruck erkennt man, daß D um so kleiner ist, je länger die Strecke b–c u. je höher die Potentialbarriere $(E_{pot} - E)$ ist.

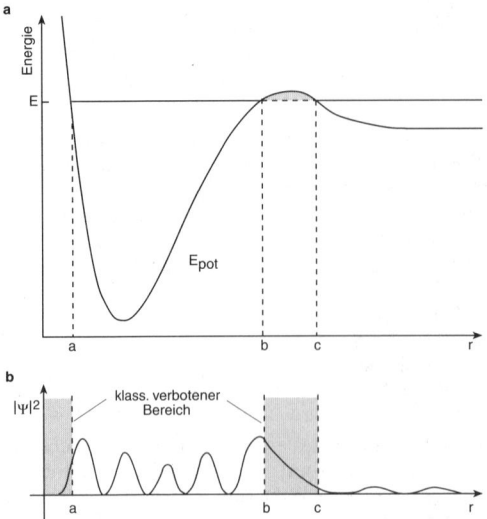

Abb.: Tunneleffekt; a) Ein Teilchen mit der Gesamtenergie E kann sich gemäß der klass. Physik nur in den Bereichen aufhalten, in denen $E \geq E_{pot}$ gilt; b) Darst. der quantenmechan. Aufenthaltswahrscheinlichkeit $|\Psi|^2$.

Für den in der Abb. dargestellten Zustand ergibt sich eine Lebensdauer von

$$t = \frac{1}{2} t_v \cdot \exp\left\{\frac{4\pi}{h}\left|\int_b^c \sqrt{2m(E_{pot}-E)}\, dr\right|\right\},$$

wobei t_v die Schwingungsdauer zwischen den Punkten a–b–a ist. Mit Hilfe des T. werden eine Reihe von Phänomenen erklärt: *Alpha-Zerfall, speziell hierbei das *Geiger-Nutallsche Gesetz, Prädissoziation von Mol., *Tieftemperaturchemie, *Josephson-Effekt, MOS-Transistoren u. *Tunnelmikroskope. – *E* tunnel effect, tunneling – *F* effet tunnel – *I* effetto tunnel – *S* efecto túnel

Lit.: Bell, The Tunnel Effect in Chemistry, London: Chapman & Hall 1980 ▪ Bergmann u. Schaefer, Lehrbuch der Experimentalphysik, Bd. 5, Vielteilchen-Systeme, Berlin: de Gruyter 1992 ▪ Chance et al., Tunneling in Biological Systems, New York: Academic Press 1979 ▪ Cohen-Tannoudji et al., Quantum Mechanics, New York: Wiley 1977 ▪ Weißmantel u. Hamann, Grundlagen der Festkörperphysik, S. 358 f., Heidelberg: Barth 1995.

Tunnelmikroskop. Oft auch als *Raster-T.* (Kurzz. RTM) bezeichneter Mikroskoptyp, der 1981 von G. Binnig u. H. Rohrer am IBM Forschungslaboratorium in Rüschlikon bei Zürich entwickelt wurde[1] (Nobelpreis 1986, zusammen mit E. Ruska, der ihn für die Entwicklung des *Elektronenmikroskops erhielt).
Aufbau u. Wirkungsweise: Eine sehr feine Metallspitze wird ohne Berührung, aber mit sehr geringem Abstand (wenige 0,1 pm) zeilenweise (gerastert) über die zu untersuchende Oberfläche bewegt. Während hierfür früher *Piezo-Dreibeine, bzw. Piezo-Stangen (s. Abb. 1) benutzt wurden, werden heute Röhren aus Piezo-Material eingesetzt[2]. Da die Spitze die Oberfläche nicht berührt, kann kein Kontaktstrom fließen; aber aufgrund des *Tunneleffektes haben Elektronen in der Spitze eine endliche Wahrscheinlichkeit, auf die Oberfläche zu gelangen. Bei kleinem Abstand d fließt durch eine Potentialbarriere der Höhe $\varphi = E_{pot} - E$ (s. Abb. bei Tunneleffekt) beim Anlegen einer Spannung U (mit $e \cdot U < \varphi$; e = Elementarladung) von einigen mV bis V ein meßbarer Tunnelstrom I_t von einigen 10^{-9} A. Da I_t gemäß

$$I_t = c \cdot \exp(-A \cdot \sqrt{\varphi} \cdot d), \quad \text{mit} \quad A = 10{,}25 \text{ nm}^{-1} \text{eV}^{-1}$$

vom Abstand d zwischen Spitze u. Oberfläche abhängt, wird durch eine Steuerelektronik u. ein Piezo-Element (senkrecht zur Oberfläche) der Tunnelstrom konstant gehalten u. so über die Regelabweichung Information über die Höhenstruktur der Oberfläche erhalten. Die Auflösung ist hierbei um so höher, je feiner die Spitze ist. Da die Tunnelwahrscheinlichkeit exponentiell von der Tunnelstrecke abhängt (im Vak. etwa um einen Faktor 10 pro 0,1 pm), ist der Strom aus der zweiten Erhebung von der in Abb. 2 dargestellten Spitze (sie ist ~2 Atomlagen weiter von der Oberfläche entfernt als die echte Spitze) ~10^6fach kleiner u. somit bedeutungslos.

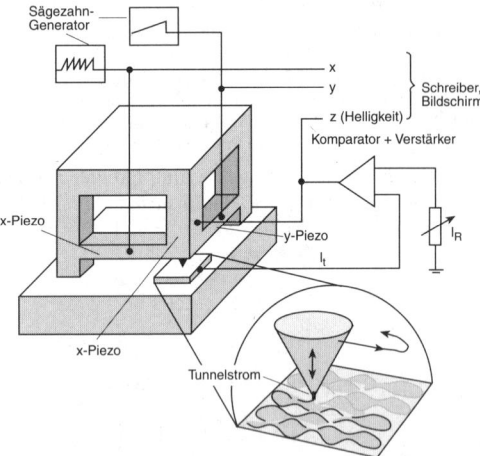

Abb. 1: Prinzipieller Aufbau eines Raster-Tunnelmikroskops.

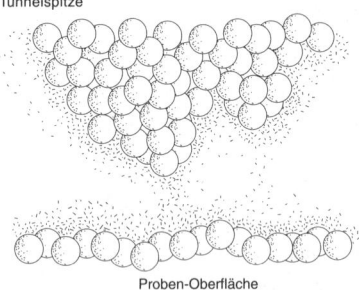

Abb. 2: Prinzip des Tunnelmikroskops (nach *Lit.*[1]); Details s. Text.

Die experimentell erreichte Auflösung senkrecht zur Oberfläche von 0,001 nm wird von keiner anderen mikroskop. Meth. erreicht. Die laterale Auflösung ist durch die Profile der Spitze u. der Oberfläche bestimmt u. liegt in der Größenordnung von wenigen 0,1 pm; in bestimmten Fällen kann auch 0,1 pm erreicht werden (s. Abb. 3).
Im Gegensatz zum konventionellen *Elektronenmikroskop werden beim T. keine freien Elektronen ver-

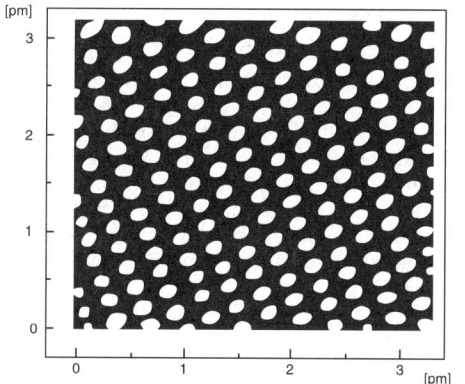

Abb. 3: Al(111)-Oberfläche mit atomarer Auflösung (nach Lit.[3,4]).

wendet. Der Tunnelstrom ist somit weitgehend unabhängig von der Art des Mediums zwischen Spitze u. Probe, d. h. das T. kann im Vak., aber auch in Gasen u. Flüssigkeiten betrieben werden. Da der Tunnelstrom aber von der Austrittsarbeit u. der elektr. Leitfähigkeit der Probenoberfläche abhängt, können Oxidschichten od. adsorbierte Atome die Messung verfälschen. Um diese Fehlerquelle auszuschließen, wird bei einem ähnlichen Mikroskoptyp die Kraft zwischen Spitze u. Probe für die Regelung benutzt (Kraftmikroskop bzw. ATM von *E* atomic force microscope).

Anw.: Untersuchung von Metalloberflächen u. a. elektr. leitenden Oberflächen (erste Erfolge wurden mit Graphit erzielt), heute aber auch von Halbleitern wie GaAs bzw. Si (Lit.[5]). Die unterschiedliche Austrittsarbeit u. eine Änderung der beobachteten Gitterstruktur kann genutzt werden, um Fremdatome auf Oberflächen zu detektieren, z. B. Silber-Inseln auf Graphit[6]. Es konnten Replica einer Biomembran[3] sowie Reihenstrukturen auf *Langmuir-Blodgett-Filmen[4] beobachtet werden. Ferner gelang es, auf Oberflächen einzelne Mol. abzubilden, z. B. DNA[7] od. Bis(2-ethylhexyl)phthalat[8]. Auch die Untersuchung chem. Reaktionen auf Oberflächen ist möglich, z. B. Ammoniak auf Si(111) – (7×7), Lit.[9]. Eine gute Übersicht ist in Lit.[4] gegeben.

Mit einem Raster-T. ist es auch möglich, wie mit einer atomaren „Pinzette" einzelne Atome auf einer Oberfläche zu verschieben u. sie an vorgewählten Positionen zu plazieren. So schrieben IBM-Mitarbeiter den Firmennamen aus Xe-Atomen auf einem Ni(100)-Substrat[10] od. Hitachi-Mitarbeiter „PEACE 91" im Buchstabenformat 2 nm×2 nm, wobei sie mit einer ultrafeinen Wolfram-Nadel einzelne Atome einer MoS$_2$-Oberfläche abschälten[11]. BASF-Mitarbeiter konnten auf einer frisch gespaltenen WSe$_2$-Probe durch drei Atome eine Trimeren-Struktur erzeugen u. so beliebig wählbare Gitterpositionen markieren[12]. Da diese Strukturen unter normalen Umgebungsbedingungen wie auch im Vak. stabil sind, kann man diese Oberflächenmarkierungen als Speicher in atomaren Dimensionen ansehen: Gitterplatz durch zusätzliches Atom markiert ≙ „1", Gitterplatz an Oberfläche leer ≙ „0". Ordnet man jeder Struktur einen Informationsgehalt von einem Bit zu, so ergibt sich aus dem Flächenbedarf der Einzelstruktur eine erzielbare Datendichte von 10^5 bit/μm². Theoret. ließe sich damit eine Speicherdichte in der Größenordnung Terabyte pro cm² aufbauen, etwa 10^5 mal mehr als mit heutigen magnet. Datenspeichern (s. Magnetbänder u. Lit.[13]). – *E* (scanning) tunneling microscope – *F* microscope à effet tunnel – *I* microscopio a tunnel – *S* microscopio de efecto túnel

Lit.: [1] Phys. Bl. **43**, 282 (1987). [2] Rev. Sci. Instrum. **57**, 1688 (1986). [3] Science **239**, 1013 (1988). [4] Phys. Bl. **45**, 105–115 (1989). [5] Phys. Rev. Lett. **58**, 1192 (1987). [6] Phys. Rev. Lett. **60**, 1856 (1988). [7] Science **240**, 514 (1988). [8] Nature (London) **331**, 324 (1988). [9] Phys. Rev. Lett. **60**, 1049 (1988); Phys. Rev. B **39**, 5091–5100 (1989). [10] Nature (London) **344**, 524 (1990); Phys. Bl. **45**, 196 (1989). [11] New Sci. **1991**, Nr. 1, 31. [12] Adv. Mater. **3**, 112 (1991); Phys. Bl. **47**, 187 (1991). [13] Europhys. Lett. **13**, 307 (1990); Phys. Bl. **47**, 54 (1991).

allg.: Bai, Scanning Tunneling Microscopy and its Application, Berlin: Springer 1995 ■ Güntherodt u. Wiesendanger, Scanning Tunneling Microscopy I, II, III, Berlin: Springer 1994, 1995, 1996 ■ Phys. Bl. **52**, 551 (1996) ■ Phys. Unserer Zeit **21**, 219 (1990) ■ Spektrum Wiss. **1985**, Nr. 10, 64 ■ Tunneling Microscopy and Spectroscopy, in Encyclopedia of Applied Physics, Vol. 22, S. 361–384, Weinheim: Wiley-VCH 1998.

Tunnelöfen. Öfen mit Wagen od. Platten, die durch einen Kanal mit stationärer Vorwärm-, Brenn- u. Kühlzone hindurchgeschoben werden. Einsatzgebiet ist die Herst. von Massenartikeln (Ziegel, feuerfeste Materialien od. Geschirrporzellan). – *E* tunnel kiln – *F* fours tunnel – *I* forni a tunnel – *S* hornos-túnel

Lit.: Ullmann (4.) **13**, 721 ■ Winnacker-Küchler (4.) **3**, 182.

Tunnelspektroskopie. Meth. der Festkörper-Spektroskopie, bei der Elektronen aufgrund des *Tunneleffekts von einem Festkörperbereich in einen anderen gelangen, den sie wegen Potentialbarrieren mittels klass. Ladungstransports nicht erreichen könnten. Die Wahrscheinlichkeit für einen Tunnelvorgang ist um so größer, je schmaler u. niedriger der Potentialbarriere u. je höher die Zustandsdichte für besetzte Elektronenzustände auf der einen Seite der Barriere u. für unbesetzte Zustände gleicher Energie auf der anderen Seite der Barriere ist. Diese Abhängigkeit wird ausgenutzt, um durch Messen der Strom-Spannungs-Kennlinien die Zustandsdichte für Quasiteilchenanregung im supraleitenden Zustand (s. Supraleitung) von Metallen zu untersuchen (s. Josephson-Effekt).

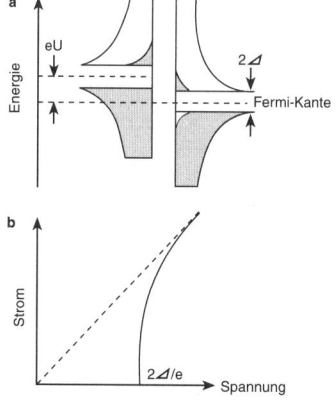

Abb.: Meßprinzip der Tunnelspektroskopie; a) Bänder einer SIS-Struktur; der linke Teil wird durch die angelegte Spannung angehoben; b) Strom-Spannungs-Kennlinie dieser SIS-Struktur.

Die Tunnelstruktur kann aus einem normalleitenden u. einem supraleitenden Metall mit dazwischenliegender, nichtleitender Oxidschicht (Supraleiter-*I*solator-*N*ormalschicht, SIN-Struktur) od. aus zwei supraleitenden Bereichen bestehen, die durch einen Isolator getrennt sind (SIS- od. S$_1$IS$_2$-Strukturen). Im ersten Fall tunnelt ein Kristallelektron unter Aufbrechen eines *Cooper-Paares (*Supraleitung) u. im zweiten Fall ein Kristallelektron od. ein Cooper-Paar. Die Abb. zeigt die Strom-Spannungskennlinie für eine SIS-Struktur, bei der ein Stromfluß erst zustande kommt, wenn die eine Seite um eine Energie E = eU ≥ 2 Δ angehoben wurde (U = angelegte Spannung, e = Elementarladung, 2 Δ = Bandlücke im supraleitenden Zustand). Beim *Tunnelmikroskop kann durch Messen des Tunnelstromes, bei konstantem Abstand der Spitze zur Oberfläche, die Austrittsarbeit aus der Oberfläche bestimmt werden. Mit der *Raster-T.* kann die Topographie von Oberflächen bis hin zu atomaren Dimensionen vermessen u. die räumliche Verteilung von elektron. Zustandsdichten bestimmt werden. Tiefe Temp. (T < 10 K) erlauben eine Energieauflösung im meV-Bereich[1]. – *E* tunnelling spectroscopy – *F* spectroscopie à effet tunnel – *I* spettroscopia a tunnel – *S* espectroscopia de efecto túnel

Lit.: [1] Phys. Bl. **54**, 423 (1998).
allg.: Buckel, Supraleitung, Weinheim: VCH Verlagsges. 1990 ▪ Ibach-Lüth, Festkörperphysik (4.), Berlin: Springer 1996 ▪ Kuzmany, Festkörperspektroskopie, Berlin: Springer 1989 ▪ Phys. Bl. **52**, 551 (1996).

Tuppy, Hans (geb. 1924), Prof. für Biochemie, Univ. Wien. *Arbeitsgebiete:* Peptid- u. Proteinchemie, Proteohormone u. Cytokine, Antigene der Zellmembran. Österreich. Bundesminister für Wissenschaft u. Forschung von 1987 bis 1989.
Lit.: Kürschner (16.), S. 3822; (17.), S. 1436.

Turacin s. Uroporphyrine.

Turanose (3-*O*-α-D-Glucopyranosyl-D-fructose).

$C_{12}H_{22}O_{11}$, M_R 342,30. Süß schmeckende Krist., Schmp. 157 °C (Zers.), $[\alpha]_D^{20}$ +22° → +75° (H$_2$O), leicht lösl. in Wasser u. Methanol. T. zeigt *Mutarotation u. reduziert *Fehlingsche Lösung. Das mit *Saccharose isomere Disaccharid T. wird durch Säuren u. *Glucosidase in ein Gemisch seiner beiden Komponenten Glucose u. Fructose zerlegt. Es ist durch partielle Spaltung des Trisaccharids Melezitose (3-*O*-α-D-Glucopyranosyl-β-D-fructofuranosyl-α-D-glucopyranosid, 3'-*O*-α-D-Glucopyranosyl-saccharose) erhältlich u. konnte in Pollen nachgewiesen werden. – *E* = *F* turanose – *I* turanosio – *S* turanosa
Lit.: Beilstein E V 17/7, 213 ▪ J. Chem. Soc., Perkin Trans. 2 **1990**, 1489 (Mutarotation) ▪ Karrer, Nr. 655 ▪ Merck-Index (12.), Nr. 9951. – *[HS 294000; CAS 547-25-1]*

Turbidimetrie s. Nephelometrie.

Turbidimetrische Titration s. Trübungstitration.

Turbidite. Wichtigster u. häufigster *Sandstein-Typ der marinen Tiefwasser-Zone, aber auch in Seen vorkommend. T. sind Ablagerungen aus Trübeströmen (*E* turbidity currents), das sind Schwerkraft-gesteuerte Ströme aus *Sediment u. Wasser (sediment-gravity flows), deren D. größer ist als die von Meer- u. Seewasser (*Dichteströme*). Das mitgeführte Sediment-Material wird durch *Turbulenzen in Suspension gehalten (*Suspensionsstrom*), s. dazu die Modellierung in *Lit.*[1]. Suspensionsströme bes. hoher D. u. Geschw. werden im allg. an der Schelfkante – oft durch Erdbeben – ausgelöst u. strömen mit Geschw. bis zu 100 km/h durch submarine Canyons in die Tiefsee hinab, wo sie in ebeneren Bereichen (z. B. in submarinen Pfannen[2]) Fächer bilden.
Charakterist. für T. ist u. a. eine *gradierte Schichtung* (nach oben abnehmende *Korngröße). Zur inneren Gliederung der bis zu mehreren 1000 m mächtigen T.-Abfolgen in sog. *Bouma-Cyclen* s. *Lit.*[3] [Review; dort auch Definitionen für T. u. Unterscheidung der T. von Ablagerungen aus Schlamm- u. Schuttströmen (*E* debris flow[4])]. Die Zusammensetzung der T. ist klast. (*klastische Gesteine), kieselig od. carbonat.; viele T. sind den *Grauwacken* zuzuordnen. Zu den T. rechnen auch die mächtigen, als *Flysch* bezeichneten Gesteinsserien im Alpenbereich u. im Alpenvorland. – *E* = *F* turbidites – *I* turbiditi – *S* turbiditas

Lit.: [1] Nature **362** (6423), 829ff. (1993). [2] Bouma, Normark u. Barnes (Hrsg.), Submarine Fans and Related Turbidite Systems, New York: Springer 1985. [3] Earth Sci. Rev. **42**, 201–229 (1997). [4] Earth Sci. Rev. **40**, 209–227 (1996).
allg.: Annu. Rev. Earth Planet. Sci. **21**, 89–114 (1993) ▪ Füchtbauer (Hrsg.), Sedimente u. Sedimentgesteine (Sediment-Petrologie Teil II) (4.), S. 818–828, Stuttgart: Schweizerbart 1988 ▪ Prothero u. Schwab, Sedimentary Geology, S. 37–41, 206–212, New York: Freeman 1996 ▪ Tucker, Einführung in die Sedimentpetrologie, S. 75–78, Stuttgart: Enke 1985.

Turbidostat. Bez. für einen Typ der kontinuierlichen *Fermentation, bei dem während einer Bakterien-Kultur die Messung der Trübung als Regelgröße für den Zufluß von Nährlsg. u. den Ablauf von umgesetzter Kulturlsg. einschließlich der Bakterien-Biomasse verwendet wird. Im Gegensatz zum *Chemostat-Verf. werden im T. durch den Überschuß aller Nährboden-Bestandteile optimale Wachstumsraten erzielt. – *E* = *F* turbidostate – *I* = *S* turbidostato
Lit.: Crueger-Crueger (3.).

Turbinenkraftstoffe s. Düsenkraftstoffe.

Turbinenöle. Zur Schmierung u. Regelung von Turbinen verwendete Öle. Es sind überwiegend sehr alterungsbeständige Mineralöle mittlerer Viskositäten, die Wirkstoffe zur Verbesserung des Korrosionsschutzes u. des Alterungsverhaltens enthalten. Etwa seit Mitte der 80er Jahre werden auch T. mit Zusätzen für einen Verschleißschutz bei Turbinen mit Getrieben eingesetzt, s. a. Schmierstoffe. – *E* turbine oil – *F* huiles pour turbines – *I* oli per turbine – *S* aceites para turbinas

Turbinenverdichter. Hochtourige Strömungsmaschine zur Kompression von Gasen od. Flüssigkeiten. In der chem. Ind. werden für Hochdruckprozesse unterschiedliche Formen von T. eingesetzt. Dabei sind meist Schaufeln auf einer rotierenden Welle in einer od. mehreren Stufen angeordnet (Rotor), die das Fluid durch die mit dem Stator abgetrennten Druckstufen fördern. – *E* turbine compressor – *F* compresseur à turbine – *I* compressore a turbina – *S* compresor de turbina

Lit.: Dietzel, Turbinen, Pumpen u. Verdichter, Würzburg: Vogel Verl. 1980 ▪ Ullmann (5.) **B 4**, 598 ff.

Turbomolekularpumpe. 1956 von W. Becker entwickelte *Vakuum-*Pumpe zur Erzeugung von Hoch- u. Ultrahochvak.; zu Aufbau u. Wirkungsweise s. Abbildung.

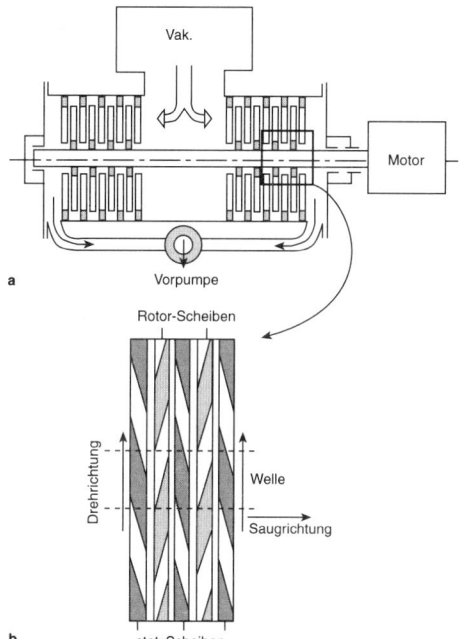

Abb.: Aufbau einer Turbomolekularpumpe: a) Schemat. Gesamtansicht; b) Frontalansicht der Scheiben; Sicht auf die schräggestellten Flügel.

Im Wechsel angeordnete feststehende u. schnellrotierende (20 000 – 40 000 U/min, einige Modelle auch bis 72 000 U/min) Scheiben, die aus schräggestellten Flügeln bestehen, übertragen auf die Gaspartikel gerichtete Impulse. Kompressionsverhältnis für Luft: $\approx 10^9$; Saugleistung je nach Pumpengröße: 50–4000 L/s. Einsatzbereich nur bei niedrigerem Druck, daher ist eine Vorpumpe notwendig. Der Vorteil von T. ist, daß sie ein sehr sauberes, ölfreies (im Gegensatz zur Öl-*Diffusionspumpe) Vak. erzeugen. – *E* turbo molecular pump – *F* pompe turbomoléculaire – *I* pompe turbomolecolari – *S* bomba turbomolecular

Lit.: Wutz, Adam u. Walcher, Theory and Practice of Vacuum Technology, S. 231–253, Braunschweig: Vieweg 1989 ▪ s. a. Vakuumtechnik.

Turbostratische Struktur s. Ruß.

Turbulente Strömung. Gas- od. Flüssigkeitsströmung, bei der, im Gegensatz zur *laminaren Strömung, keine einheitliche u. gerichtete Bewegung existiert, sondern die mittlere Strömung von unregelmäßigen Geschw.- u. Druckschwankungen überlagert ist, die sich in Form von Wirbeln darstellen. Mathemat. beschrieben wird eine t. S. durch die *Navier-Stokes-Gleichung*; sie hat in *Vektoren geschrieben folgende Form:

$$\rho \cdot \frac{d\vec{c}}{dt} = \vec{f} + \vec{P},$$

mit ρ = D. des Strömungsmediums, $\vec{c}$ = Geschw.-Vektor, t = Zeit, $\vec{f}$ = (auf das Vol. bezogene) Kraftdichte der Massenkräfte, $\vec{P}$ = aus dem Spannungszustand herrührende Oberflächenkraft pro Vol.-Einheit.

Der Übergang einer laminaren zu einer t. S. wird durch die krit. *Reynolds-Zahl gegeben, mit der neben der D., der Viskosität u. der Strömungsgeschw. auch die Form der Strömung (rundes Rohr od. rechteckiges Profil etc.) berücksichtigt wird. Bei welchen Parametern eine laminare in eine t. S. umspringt, hängt auch von der mikroskop. Struktur der Wandoberfläche ab. Bei der Belegung einer Oberfläche mit sog. *Riblets* (s. Abb.) wird der Strömungswiderstand vermindert, obwohl die Gesamtoberfläche vergrößert wird; in den Tiefen der Rillen befindet sich nämlich das Strömungsmedium weitgehend in Ruhe, so daß Reibungskräfte nur an den scharfen Kanten auftreten. Strömung u. Kanten müssen bis auf wenige Grad ($\leq 10°$) parallel verlaufen. Tests mit der Folie auf den Verkehrsflugzeugen Airbus A 320 u. A 340 ergaben Wandreibungsverminderungen von bis zu 8%; der Kraftstoffverbrauch sank dadurch um bis zu 3%[1]. Mit solchen Oberflächenstrukturen werden Entwicklungen der Natur nachvollzogen; so ist z. B. die Haut des schnellschwimmenden Galapagos-Hais mit Riefen versehen, die in ihrer Form Riblets sehr nahe kommen.

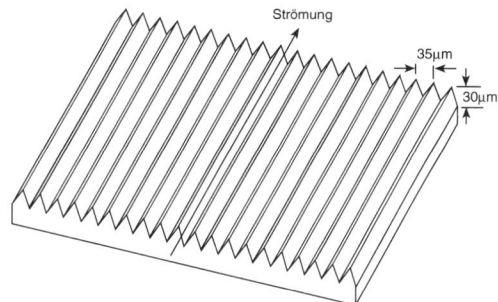

Abb.: Struktur u. typ. Dimension einer Riblet-Folie.

– *E* turbulent flow – *F* courant turbulent – *I* corrente turbolenta – *S* corriente turbulenta

Lit.: [1] Am. Inst. Aeron. Astron. (AIAA) **97**, 1960 (1997); J. Fluid Mech. **338**, 59–87 (1997).
allg.: Donnelly u. Streenivasan, Flow at Ultra-high Reynolds and Raleigh Numbers, Berlin: Springer 1998 ▪ Gatski, Sarkar u. Speziale, Studies in Turbulence, Berlin: Springer 1991 ▪ Kim (Hrsg.), Turbulenz in der Strömung, Aachen: Shaker 1997 ▪ Lerner u. Trigg (Hrsg.), Encyclopedia of Physics, Weinheim: VCH Verlagsges. 1991 ▪ McComb, The Physics of Fluid Turbulence, Oxford: University Press 1992 ▪ Zierep u. Bühler, Strömungsmechanik, Berlin: Springer 1991.

Turbulenz. Von latein.: turbulentus = unruhig, getrübt, verworren, abgeleitete Bez. aus der Strömungslehre für einen Bewegungszustand von Flüssigkeiten od. Gasen. In einer *turbulenten* od. *Wirbel-Strömung* verlaufen die Bahnen der Flüssigkeits- bzw. Gas-Teilchen – im Gegensatz zur *laminaren Strömung – statist. ungeordnet, d.h. völlig regellos, u. sind im einzelnen nicht zu verfolgen. In der aktuellen T.-Forschung spielen *Fraktale u. Multifraktale eine große Rolle[1]. Im allg. sind T. unerwünscht, z. B. in *Pipelines u. *Rohren, wo sie nicht nur den Strömungswiderstand erhöhen, sondern auch Geräusche verursachen können, od. in der *Filter- u. der *Reinraumtechnik. Andererseits ist das Auftreten von T. eine Voraussetzung für die Wirksamkeit des *Rührens u. *Mischens u. allg. der *Wirbelschicht-Verfahren. Zu den physikal. Bedingungen für das Auftreten von T. s. Strömung. – $E = F$ turbulence – I turbolenza – S turbulencia

Lit.: [1] Bohr et al., Dynamical System Approach to Turbulence, Cambridge: Cambridge University Press 1997.
allg.: Gibson, Turbulences, in Lerner u. Trigg (Hrsg.), Encyclopedia of Physics, S. 1310–1314, Weinheim: VCH Verlagsges. 1991 ▪ Phys. Bl. **51**, 641 (1995) ▪ s. a. turbulente Strömung.

Turbulenzgrad (T). Maß für die Größe der *Turbulenz in einer Strömung mit der Grundgeschw. u. Da sich die turbulenten Elemente in alle Richtungen ausbreiten können, werden die Schwankungen u' in drei Dimensionen erfaßt:

$$T = \frac{1}{u} \cdot \frac{1}{3}\left(\sqrt{u'^2_x} + \sqrt{u'^2_y + u'^2_z}\right)$$

– E degree of turbulence – F degré de turbulence – I grado di turbolenza – S grado de turbulencia

turfa® (Rp). Tabl. mit *Triamteren u. *Hydrochlorothiazid zur Behandlung von Ödemen. **B.:** BASF Generics.

Turgeszenz s. Osmose u. Turgor.

Turgit s. Hämatit.

Turgor. Von latein.: turgere = strotzen, aufgeschwollen sein abgeleitete Bez. für den *Tonus* (Spannungszustand) pflanzlicher u. tier. *Gewebe, der im intra- u. extrazellulären Wasser- u. Elektrolythaushalt auf definiertem Niveau aufrechterhalten wird (s. Osmose) u. der z. B. die *Haut glatt u. elast. erscheinen läßt. Ein überhöhter T. (Schwellung) wird als *Turgeszenz*, in Einzelfällen als *Imbibition od. *Intumeszenz bezeichnet. Bei *Pflanzen werden über den osmot. Druck (T.) u. a. die Gestaltfestigkeit (T.-Red. führt zur *Welke), das Vol.-Wachstum der Zelle u. die Frostresistenz reguliert sowie Bewegungen ausgeführt, wie z. B. die – ggf. von *Turgorinen ausgelösten – sog. *Nastien od. *…tropismen. – E turgor – F turgescence – I turgore – S turgencia

Lit.: Nultsch, Allgemeine Botanik, 10. Aufl., Stuttgart: Thieme 1996.

Turgorine. Von Schildknecht geprägte Bez. für Verb. (LMF, von E *Leaf Movement Factors), die bei Pflanzen als Antwort auf einen äußeren Reiz Bewegungen, insbes. das Zusammenklappen der Blätter, hervorrufen. Reize sind z. B. Wärme (sog. Thermonastie), Berührung (Thigmonastie), Stoß (Seismonastie), Verwundung (Traumatonastie), Tag- u. Nacht-Rhythmus (Nyktinastie; diesbezügliche T. werden auch als PLMF, Abk. für Periodic *Leaf Movement Factors, bezeichnet) od. Chemikalien (Chemonastie). Die LMF sind phenol. Glykoside von Hydroxybenzoesäuren (vgl. Gallussäure u. Dihydroxybenzoesäuren), *Phenylbrenztraubensäure (Enolform) u. Chelidonsäure, Aminosäuren wie *Mimosin u. Pipecolinsäure (s. Piperidincarbonsäuren) sowie cycl. Nucleosid-Phosphate. Am besten untersucht ist die Sinnpflanze *Mimosa pudica*, wobei LMF auch in anderen Pflanzen, meist aus der Familie der Fabaceae u. Papilionaceae (Schmetterlingsblütler), beschrieben wurden. Die LMF wirken auf die H^+-, Ca^{2+}, K^+-Ionenströme u. verursachen dadurch Änderungen des Membranpotentials bei den Zellen der Pulvini (Gelenkpolster). Die damit verbundene *Turgor-Änderung ist letztlich Ursache des blitzartigen Zusammenklappens der Blätter (s. Tab. S. 4711 oben).

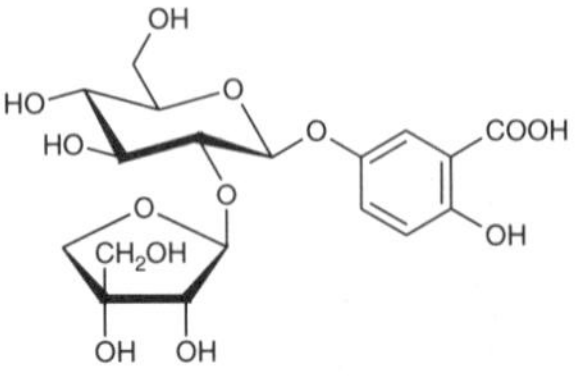

LMF 1

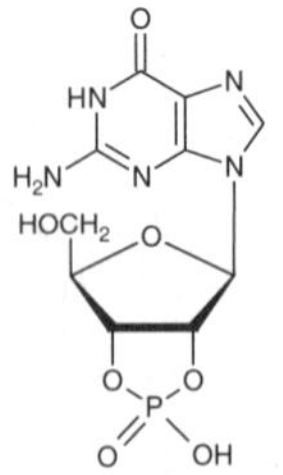

LMF 2

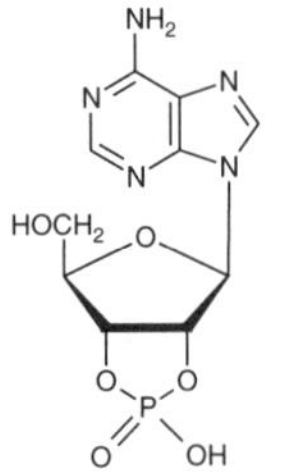

LMF 3

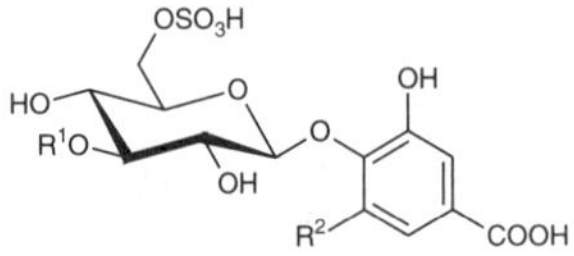

$R^1 = H, R^2 = OH$: K-PLMF 1
$R^1 = SO_3H, R^2 = OH$: K-PLMF 2
$R^1 = SO_3H, R^2 = H$: S-PLMF 2

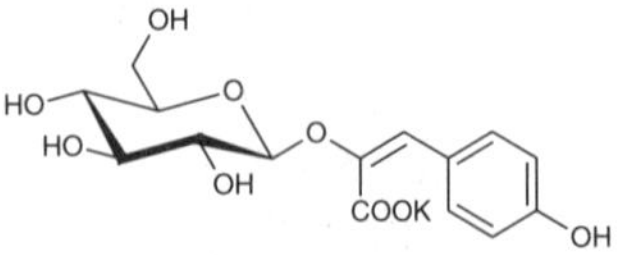

Kaliumlespedezat

– E LMF, turgorins – F turgorines – I turgorine – S turgorinas

Lit.: Angew. Chem. **93**, 164–183 (1981); **95**, 689–705 (1983) ▪ Biol. Rhythm Res. **25**, 301–314 (1994) ▪ Carbohydr. Res. **164**, 23–31 (1987) ▪ J. Plant. Physiol. **136**, 225 (1990) ▪ Naturwiss. Rundsch. **42**, 309 (1989) ▪ Plant. Physiol. Biochem. (Paris) **31**, 757–764 (1993) ▪ Tetrahedron **46**, 383–394 (1990).

Turicin s. Ziest.

Turkafaser s. Kendyr.

Turmalin. Zu den Cyclo-*Silicaten gehörende Gruppe von komplex zusammengesetzten Borosilicat-Mineralien mit der allg. Formel[1] $XY_3Z_6[A_4/(BO_3)_3T_6O_{18}]$; darin bedeuten: X = Ca, Na, K, Leerstelle (ganz od. teilw. unbesetzt); Y = Fe^{2+}, Mg, Al, Li, Fe^{3+}, Mn^{2+}, Mn^{3+}, Cr^{3+}, V^{3+}, Ti^{4+}, Cu, Zn, Spuren von Seltenen Erden, in oktaedr. [6]er-Koordination; Z = Al, Fe^{3+}, Cr^{3+}, V^{3+}, Fe^{2+}, Mn^{3+}, Ti^{3+}, Ti^{4+}, ebenfalls in oktaedr. [6]er-Koordination; A = OH^-, F^-, O^{2-} u. T = Si, sehr wenig Al u. möglicherweise B.

Die T. bilden überwiegend *Mischkristalle zwischen zwei od. mehreren der in der Tab. aufgeführten Endglieder, am häufigsten zwischen *Dravit* (Magnesium-

Tab.: Daten u. Vorkommen von Turgorinen.

Verb.	Summenformel	M_R	Schmp. [°C]	opt. Aktivität	Vork.	CAS
LMF 1 [Gentisinsäure-5-(2-O-apiosylglucosid)]	$C_{18}H_{24}O_{13}$	448,38	Krist.	$[\alpha]_D^{23,5}$ −324,9° 96−98	*Mimosa pudica*	67454-60-8
LMF 2 (Guanosin-2′,3′-cyclophosphat)	$C_{10}H_{12}N_5O_7P$	345,20			*Acacia karroo, M. pudica*	634-02-6
LMF 3 (Adenosin-2′,3′-cyclophosphat)	$C_{10}H_{12}N_5O_6P$	329,20	(Hydrat, Na-Salz) 241−243 (Zers.)			37063-35-7 (Na-Salz)
M-LMF 5	$C_{13}H_{16}O_{10}$	332,26	233	$[\alpha]_D$ −13,7° (CH_3OH)	*M. pudica*	84274-52-2
K-PLMF 1	$C_{13}H_{16}O_{13}S$	412,32			*M. pudica, A. karroo*	80220-30-0
K-PLMF 2	$C_{13}H_{16}O_{16}S_2$	492,38			*A. karroo*	84607-63-6
S-PLMF 2	$C_{13}H_{16}O_{15}S_2$	476,38			*Oxalis stricta*	87687-74-9
Kaliumlespedezat	$C_{15}H_{17}KO_9$	380,39	farbloses Pulver	$[\alpha]_D^{25}$ −57,4° (H_2O)	*Lespedeza cuneata*	123955-02-2 (freie Carbonsäure)

T), *Schörl* (Eisen-T.) u. *Uvit* sowie zwischen Schörl u. *Elbait* (Lithium-Aluminium-T.). Im Edelstein-Handel sind für durchsichtige farblose od. schön gefärbte Elbaite od. Liddicoatite noch die Namen *Achroit*, *Indigolith* (blau), *Rubellit* (rosa bis rot) u. *Verdelith* (grün) gebräuchlich. Zu einer vektoriellen Darst. der T.-Zusammensetzungen s. *Lit.*[2].
T. bildet ditrigonal-pyramidale (Kristallklasse 3m-C_{3v}), oft gestreifte, lang- u. kurzsäulige, stengelige od. nadelige, bei Dravit u. Uvit auch isometr. bis tafelige od. linsenförmige, glasglänzende, durchsichtige bis undurchsichtige Krist. mit charakterist. drei- od. neuneckigen, oft gerundeten Querschnitten u. unterschiedlich ausgebildeten oberen u. unteren Enden, ferner im Gestein eingewachsene radialstrahlige Aggregate (*T.-Sonnen*), stengelige, faserige od. derbe Massen — z. T. gesteinsbildend als *T.-Fels* — sowie abgerundete Körner.
Die in Ebenen um die c-Achse (*Kristallsysteme) angeordneten Baukomplexe der T.-Struktur bestehen von oben nach unten aus 1 X-Kation, 1 $[Si_6O_{18}]$-Ring (s. Abb., Teil a, S. 4711), einer Schicht aus 3 $[YO_4(OH)_2]$-Oktaedern u. 6 $[ZO_5(OH)]$-Oktaedern sowie einer Lage mit 3 $[BO_3]$-Dreiecken (s. Abb., Teil b); zur vertikalen Verknüpfung der Baueinheiten s. Abb., Teil c. Zum Einbau leichter Elemente (H, Li, B) in T. s. *Lit.*[1], zu gekoppelten Substitutionen s. *Lit.*[17], zur Si ↔ Al-Substitution s. *Lit.*[18], zur Mg-Fe-Verteilung in T. u. zur exakten T.-Formel s. *Lit.*[19], zur Untersuchung von T. mit *Mößbauer-Spektroskopie s. *Lit.*[20,21] u. mit *Raman-Spektroskopie *Lit.*[22], zur Bor-Isotopen-Zusammensetzung von T. s. *Lit.*[23,24]. Die *Farbe* von T. reicht — mit vielen Übergängen — von farblos über rosa, rot, braun, gelb, goldfarbig, grün bis zu blau u. schwarz; s. dazu die Tab. u. Weise (*Lit.*). Zu Cu-haltigen blauen T. aus Paraiba/Brasilien s. *Lit.*[25,26]. Charakterist. für viele T. ist ein Wechsel der Färbung (sog. *Zonarbau*) sowohl in der Längsrichtung der Krist. (z. B. farblos bis blaßgrün mit schwarzen Enden bei den sog. *Mohrenköpfen*) als auch senkrecht dazu (z. B. außen grün u. innen rosa bis rot bei den sog. *Wassermelonen-T.*; bes. spektakulär bei Liddicoatiten aus Madagaskar).

Tab.: Chem. Formeln, Hauptfarben u. -vork. sowie Lit.-Angaben (allg. u./od. zur Struktur) für die Turmalin-Endglieder.

Name	Formel	Hauptfarben	Hauptvork.
Buergerit[3]	$NaFe^{3+}Al_6[O_3/F/(BO_3)_3/Si_6O_{18}]$	bronzebraun	Mexiko
Chromdravit[4]	$NaMg_3(Cr_5^{3+}Fe^{3+})[(OH)_4/(BO_3)_3/Si_6O_{18}]$	dunkelgrün bis schwarz	Karelien/Rußland
Dravit[5]	$NaMg_3Al_6[(OH)_4/(BO_3)_3/Si_6O_{18}]$	braun bis schwarz	Yinnietharra/Australien
Elbait[6,7]	$Na(Li_{1,5}Al_{1,5})Al_6[(OH)_3/F/(BO_3)_3/Si_6O_{18}]$	grün, rosa, rot, blau	Brasilien, Kalifornien, Afghanistan
Ferridravit	s. unten, Povondrait: Redefinition		
Feruvit[8]	$CaFe_3^{2+}(MgAl_5)[(OH)_4/(BO_3)_3/Si_6O_{18}]$	schwarz	Neuseeland
Foitit[9]	$Fe_2^{2+}(Al,Fe^{3+})Al_6[(OH)_4/(BO_3)_3/Si_6O_{18}]$; X-Position unbesetzt (Leerstelle)	dunkel indigoblau	Pala/Kalifornien, Australien
Liddicoatit[10]	$Ca(Li_2Al)Al_6[(OH,O)_3/F/(BO_3)_3/Si_6O_{18}]$	rauchbraun; wie Elbait	Madagaskar, Rußland
Olenit[11]	$Na_{1-x}Al_3Al_6[O_3/(OH)/(BO_3)_3/Si_6O_{18}]$	blaß rosa	Nordsibirien, Insel Elba/Italien
Povondrait[12]	$NaFe_3^{3+}Fe_6^{3+}[O_3/(OH)/(BO_3)_3/Si_6O_{18}]$	schwarz	Bolivien
Schörl[13,14]	$NaFe_3^{2+}Al_6[(OH)_4/(BO_3)_3/Si_6O_{18}]$	schwarz	weltweit verbreitet
Uvit[15,16]	$CaMg_3(MgAl_5)[(OH)_4/(BO_3)_3/Si_6O_{18}]$	grün, rot, braun bis schwarz, u. a. gelb	Sri Lanka, Brumado/Bahia/Brasilien
„Tsilaisit", s. Weise, *Lit.*	$NaMn_3^{2+}Al_6[(OH)_4/(BO_3)_3/Si_6O_{18}]$		Madagaskar, Sambia

Turmalinit

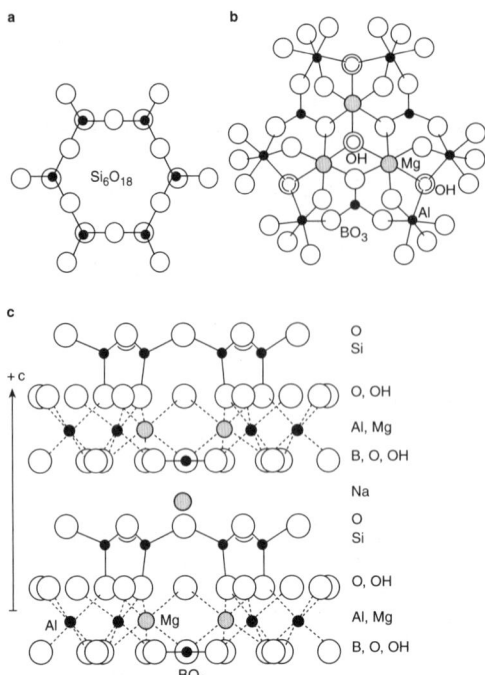

Abb.: Struktur von Turmalin (Dravit): (a) Tetraeder-Ring; (b) Oktaeder-Schicht mit [BO₃]-Dreieck; (c) vertikaler Aufbau (nach Ramdohr-Strunz, s. *Lit.*)

H. 6–7,5, D. 2,9–3,4, Bruch muschelig bis uneben, splittrig, spröde. T. zeigt *Pleochroismus sowie *Piezo- u. *Pyroelektrizität; zum Einfluß der chem. Zusammensetzung von T. auf den pyroelektr. Effekt s. *Lit.*[27], zur Synth. von Na-Al-T. s. *Lit.*[28], zur Synth. von Alkali-freiem T. s. *Lit.*[29].
Vork. (s. dazu auch Grew u. Anovitz, *Lit.*): In *Graniten, Granit-*Pegmatiten u. pneumatolyt. (*Lagerstätten) *Gängen (z. B. in Zinnerz-Gängen u. Gold-Quarz-Gängen); in *Drusen mancher Pegmatite hydrothermal frei in den Raum gewachsene T. erreichen Edelstein-Qualität (z. B. in Brasilien, Kalifornien, Sri Lanka, Afghanistan, Pakistan, Madagaskar u. Namibia). In massiven Sulfiderz-*Lagerstätten u. anderen hydrothermalen Lagerstätten. In *metamorphen Gesteinen (z. B. *Gneise u. krist. Schiefer). In schichtgebundenen, als *Turmalinite*[30,31] bezeichneten T.-Anreicherungen, z. B. in Grönland u. Südafrika[31]. In *Sedimenten u. *Sedimentgesteinen – hier auch neu gebildet – sowie in *Seifen u. *Sanden. Weitere Vork. s. in der Tabelle.
Verw., Bedeutung: Für Schmuckstücke, kunstgewerbliche Gegenstände u. opt. Zwecke (z. B. als sog. *Turmalinzange*, ein heute kaum mehr gebräuchliches Polarisations-Instrument aus 2 T.-Platten). In der Petrologie (*Petrographie) gewinnt T. v. a. durch seine chem. u. Bor-Isotopen-Zusammensetzung zunehmend Bedeutung als *petrogenet. Indikator*[32] für die Rekonstruktion von Bildungsbedingungen z. B. von metamorphen Gesteinen (s. Grew u. Anovitz, *Lit.*) u. von Graniten u. Pegmatiten[24,33]. – $E = F$ tourmaline – $I = S$ turmalina

Lit.: [1] Can. Mineral. **34**, 123–132 (1996). [2] Am. Mineral. **74**, 826–839 (1989). [3] Acta Crystallogr. Sect. B **25**, 1524–1533 (1969). [4] Zap. Vses. Mineral. Ova. **112**, 222–226 (1983) (russ.). [5] Am. Mineral. **78**, 265–270 (1993). [6] Tschermaks Mineral. Petrogr. Mitt. **18**, 273–286 (1972). [7] Can. Mineral. **32**, 31–41 (1994). [8] Can. Mineral. **27**, 199–203 (1989). [9] Am. Mineral. **78**, 1299–1303 (1993). [10] Neues Jahrb. Mineral. Monatsh. **1981**, 215–219. [11] Am. Mineral. **73**, 441 (1988). [12] Am. Mineral. **78**, 433–436 (1993). [13] Can. Mineral. **13**, 173–177 (1975). [14] Am. Mineral. **74**, 422–431 (1989). [15] Mineral. Rec. **8**, 100–108 (1977). [16] Can. Mineral. **33**, 1215–1221 (1995). [17] Contrib. Mineral. Petrol. **62**, 109–127 (1977). [18] Can. Mineral. **33**, 849–858 (1995). [19] Neues Jahrb. Mineral. Abhandl. **165**, 245–266 (1993). [20] Mineral. Mag. **52**, 221–228 (1988). [21] Hyperfine Interact. **9**, 689–695 (1994). [22] Eur. J. Mineral. **9**, 935–940 (1997). [23] Geochim. Cosmochim. Acta **53**, 911–916 (1989). [24] Eur. J. Mineral. **10**, 1253–1265 (1998). [25] Neues Jahrb. Mineral. Monatsh. **1990**, 280–288. [26] Acta Crystallogr. Sect. C **51**, 555 ff. (1995). [27] Am. Mineral. **80**, 491–501 (1995). [28] Am. Mineral. **71**, 971–976 (1986). [29] Geochim. Cosmochim. Acta **48**, 1331–1344 (1984). [30] Geology **12**, 713–716 (1984). [31] Mineral. Dep. **27**, 304–313 (1992). [32] Am. Mineral. **70**, 1–15 (1985). [33] Econ. Geol. **90**, 495–519 (1995).
allg.: Deer, Howie u. Zussman, Rock-Forming Minerals (2.), Vol. 1B, Disilicates and Ring Silicates, S. 559–602, Harlow: Longman Scientific & Technical 1986 ▪ Dietrich, The Tourmaline Group, New York: Van Nostrand Reinhold 1985 ▪ Eppler, Praktische Gemmologie (5.), S. 237–245, Stuttgart: Rühle-Diebener 1994 ▪ Grew u. Anovitz (Hrsg.), Boron (Reviews in Mineralogy, Vol. 33), Washington (D. C.): Mineralogical Society of America 1996 ▪ Mineral. Rec. **16**, Nr. 5 (1985) (Tourmaline Issue) ▪ Ramdohr-Strunz, S. 709–712 ▪ Weise (Hrsg.), Turmalin (extraLapis No. 6), München: C. Weise Verl. 1994.

Turmalinit s. Turmalin.

Turmbiologie. Marke für die von der *Bayer AG entwickelten, geschlossenen Belebungstanks (Turmreaktoren) zur *biologischen Abwasserbehandlung, die bes. Injektoren zur Eindüsung von Abwasser u. Luft sowie eine große Bauhöhe aufweisen. Die Höhe der in Leverkusen installierten Rundbecken entspricht ungefähr ihrem Durchmesser (~30 m). Im Vgl. zu konventionellen Belebungsbecken wird durch eine T. Platz gespart u. der Sauerstoff-Eintrag in das Abwasser verbessert (Energieersparnis). Ähnliche Konstruktionen finden sich bei der *Hoechst AG als *Hochbiologie. – E tower biology – F biologie de tour – I biologia a torre – S biología de torre
Lit.: Brauer (Hrsg.), Handbuch des Umweltschutzes und der Umweltschutztechnik, Bd. 4, Additiver Umweltschutz: Behandlung von Abwässern, S. 414–492, Berlin: Springer 1996 ▪ Chem. Unserer Zeit **25**, 87–95 (1991) ▪ Ullmann (5.) B **8**, 40.

Turmeron.

α-Turmeron   β-Turmeron

ar-Turmeron

Trivialname (von E turmeric = Gelbwurz) für die Bisabolan-Sesquiterpene (1′R,6S)-2-Methyl-6-(4-methylcyclohexa-2,4-dienyl)-2-hepten-4-on (α-T.) u.

(1'R,6S)-2-Methyl-6-(4-methylencyclohex-2-enyl)-2-hepten-4-on (β-T.), $C_{15}H_{22}O$, M_R 218,33, u. (S)-2-Methyl-6-(4-methyl-phenyl)-2-hepten-4-on (ar-T.), $C_{15}H_{20}O$, M_R 216,32, Sdp. 159–160 °C (1,33 kPa), $[\alpha]_D^{20}$ +82,21°, d_4^{20} 0,9634, geruchsgebende Inhaltsstoffe des ether. Öls von *Curcuma longa*, der Gelbwurz. – **E** = **I** turmerone – **S** turmerona
Lit.: J. Chem. Soc., Perkin Trans. 1 **1992**, 1519–1524. – *[CAS 532-65-0 (ar-T.); 82508-15-4 (α-T.); 82508-14-3 (β-T.)]*

Turmsäure s. Schwefelsäure.

Turmverfahren. 1. s. Schwefelsäure. – 2. Bez. für ein techn. Verf. zur kontinuierlichen therm. *Polymerisation von *Styrol in Masse (s. Massepolymerisation). Dabei wird Styrol zunächst bei 80 °C vorpolymerisiert. Die entstehende Lsg. von ca. 30% *Polystyrol in monomerem Styrol wird anschließend von oben in einen Turm eingetragen, der einen Temp.-Gradienten aufweist: An seiner Spitze herrschen 100 °C, an seiner Basis 220 °C. Beim Durchlaufen des Turmes von oben nach unten polymerisiert das Styrol aus u. kann als Polystyrol-Schmelze aus dem unteren Ende des Turmes durch einen Extruder ausgetragen u. nach Verfestigung granuliert werden. Monomeres Styrol sowie Oligomere werden mit einem Stickstoff-Strom über die Turmspitze ausgetrieben u. zur Wiederverw. auskondensiert. Die so hergestellten Polymere sind sehr rein u. werden daher als *Kristallpolystyrole* bezeichnet; trotz dieses Namens handelt es sich aber um amorphe, nicht-krist. Materialien. – **E** tower process – **I** procedimento (processo) a torre – **S** proceso de torre

Turnbulls Blau. Mittels EPR- u. Mößbauer-Spektroskopie als mit *Berliner Blau ident. erkanntes Eisenblau-Pigment. – **E** Turnbull's blue – **F** bleu de Turnbull – **I** blu di Turnbull – **S** azul de Turnbull
Lit.: Holleman-Wiberg (101.), S. 1520f. ■ Kirk-Othmer (4.) **14**, 879 ■ s.a. Berliner Blau. – *[HS 3206 43; CAS 65505-26-2]*

Turnstile-Prozesse. Von amerikan.: turnstile = Drehkreuz übernommene Bez., die *Ugi 1970 in die chem. *Topologie einführte. Unter T.-P. versteht man spezif., u. bes. bei pentakoordinierten Phosphor-Verb. beobachtbare intramol. Platzwechselprozesse von Liganden am Zentralatom (*interne *Rotation*). Eine mechanist. Alternative zum T.-P. ist die sog. *Pseudorotation. – **E** turnstile processes – **F** processus tourniquet – **I** processi a campo rotante – **S** procedimientos torniquete
Lit.: Angew. Chem. **82**, 741–771 (1970); **83**, 691–721, 990 (1971); **85**, 99–127 (1973).

Turonkalk s. Kalkmergel.

Turpin s. Panclastit u. Pikrinsäure.

Tusche. Von französ.: toucher = schwarze Farbe auftragen abgeleitete Bez. für meist schwarze, aber auch farbige od. weiße Pigmentaufschwemmungen od. auch Farbstofflsg., die hauptsächlich zum Zeichnen u. zu Zierschriften verwendet werden. Zur Herst. von T. vermischt man entweder *Pigmente (z.B. Ruß für schwarze, Zinkweiß für weiße, Ultramarinblau für blaue T.) mit einer wäss. Grundlsg. von Gummi arabicum, calcinierter Soda u. Glycerin od. *Farbstoffe (Eosin, Methylenblau, Orange II u. a.) mit einer wäss. Lsg. von Schellack od. wasserlösl. Kunstharzen u. Borax. Eine mögliche Schimmelbildung verhindert man durch Zusätze von Formaldehyd od. Konservierungsmitteln, vgl. Tinten.
Geschichte: Die T. wurde von den Chinesen um 2700–2600 v.Chr. erfunden. Die ältesten T. waren Aufschwemmungen von Ruß, Mennige, Zinnober, seltener auch feinpulverisiertem Gold od. Silber (Codex argenteus) in Leimlsg. od. Blutserum. Frühzeitig benutzte man auch pflanzliche od. tier. Farbstofflsg. (z. B. Sepia, Purpur, Krapp) zum Schreiben. – **E** drawing ink, India ink, China ink – **F** encre de chine – **I** inchiostro di china, china – **S** tinta china
Lit.: Ullmann (4.) **23**, 264 f.; (5.) **A 9**, 40 f. ■ s.a. Tinten. – *[HS 3215 90]*

Tussahseide s. Seide.

Tussamag. Creme mit Eucalyptusöl u. Kiefernnadelöl, Tropfen u. Saft mit Thymianfluidextrakt gegen Katarrhe der Luftwege. **B.:** ct-Arzneimittel.

Tussamed. Dragées, Saft u. Tropfen mit *Clobutinol-Hydrochlorid gegen Reizhusten. **B.:** Hexal.

Tussidermil® N. Emulsion mit Eucalyptusöl gegen Katarrhe der Luftwege. **B.:** Li-iL.

Tussoretard® SN (Rp). Kapseln u. Saft mit dem *Antitussivum *Codein-phosphat. **B.:** Klinge.

Tutin.

R = H : Coriamyrtin
R = OH : Tutin

$C_{15}H_{18}O_6$, M_R 294,30, Krist., Schmp. 212–213 °C, $[\alpha]_D^{20}$ +9,3° (C_2H_5OH), lösl. in Wasser, Ethanol, Ether. Giftiges *Sesquiterpen aus *Coriaria*-Arten Neuseelands u. Japans, das in Honig gelangen u. dort Vergiftungen verursachen kann („Gifthonig")[1]. T. wurde nach dem Maori-Namen für *C. ruscifolia* („Tutu") genannt, einem neuseeländ. Baum, der unter den Herden der Siedler große Verluste angerichtet hat; s.a. Coriarin. – **E** tutin – **F** tutine – **I** = **S** tutina
Lit.: [1] Anal. Proc. (London) **27**, 87ff. (1990); Sax (8.), TOE 175.
allg.: Aust. J. Chem. **42**, 1881–1896 (1989) ■ Beilstein E V **19/10**, 439 f. ■ Merck-Index (12.), Nr. 9958. – *Biosynth.:* J. Chem. Soc., Chem. Commun. **1972**, 600. – *Synth.:* Tetrahedron **42**, 5551 (1986). – *[CAS 2571-22-4]*

Tutton-Salze. Salze der allg. Formel $M_2^I[M^{II}(H_2O)_6](SO_4)_2$; dazu gehören z.B. Mohrsches Salz (s. Ammoniumeisen(II)-sulfat) u. *Schönit. Man kann hier ohne Änderung der morpholog. Konstanten als M^I z. B. K, Rb, Cs, NH_4, Tl u. als M^{II} Mg, Zn, Co, Mn, Fe, Ni, Cd, Cu einsetzen. – **E** Tutton's salts – **F** sels de Tutton – **I** sali di Tutton – **S** sales de Tutton
Lit.: Ramdohr-Strunz, S. 610.

TV. Abk. für therm. Verbrennung, s. thermische Gasreinigung.

TVB-N-Wert. Abk. für „*t*otal *v*olatile *b*ase *n*itrogen". Der TVB-N-W., der sich aus der Bestimmung des gesamten flüchtigen bas. *Stickstoffs errechnen läßt, wird zur Beurteilung des Verderbnisgrades von Fischen herangezogen. Prinzip der Meth. ist die durch Alkali-Zusatz erwirkte Freisetzung leichtflüchtiger *Amine, die nach saurer Aufarbeitung quantifiziert werden[1-3]. Nach einer Stellungnahme[4] der Arbeitsgruppe „Fische u. Fischerzeugnisse" der lebensmittelchem. Ges. sind auch Fische mit einem TVB-N-W. über 34 mg/100 g verkehrsfähig, wenn sie sensor. einwandfrei sind. TVB-N-W. dienen somit der analyt. Absicherung sensor. Befunde. Eine ausführliche Beschreibung ist der *Methode nach § 35 LMBG L 10.00-3 zu entnehmen.

Lit.: [1] Z. Lebensm. Unters. Forsch. **189**, 309–316 (1989). [2] Fischwirtschaft **35**, 136–139 (1988). [3] Lebensmittelchemie **44**, 26–29 (1990). [4] Lebensmittelchemie **44**, 76 (1990).
allg.: Huss, Fresh Fish-Quality and Quality Changes, Rom: FAO 1988.

t-Verteilung (Student-Verteilung). Liegen nur wenige Versuche zur Charakterisierung einer Zufallsgröße vor, ist es nicht möglich, nach dem üblichen Vorgehen zu einer *Verteilungsfunktion zu gelangen. Mit Hilfe der t-V. kann unter Einbeziehung des Stichprobenumfangs u. der Vergößerung der Irrtumswahrscheinlichkeit eine Annäherung an eine Verteilung erhalten werden, die bei steigender Anzahl der Stichproben in diese übergeht. – *E* t-distribution – *F* distribution t – *I* distribuzione t – *S* distribución t
Lit.: Ullmann (4.) **1**, 306 ▪ s. a. Lehrbücher der Wahrscheinlichkeitsrechnung und Statistik.

TVO. Abk. für *Trinkwasser-Verordnung.

TVP. Abk. für *E t*extured *v*egetable *p*roteins, s. Proteine (S. 3592).

Tw. Abk. für Twaddell, s. Twaddell-Grade.

TWA (Time Weighted Average). Der TWA ist der zeitgewichtete Mittelwert der Konz. als 8-h-Mittelwert (arbeitstäglich 8 h innerhalb einer 40-h-Woche), bei der für nahezu alle Arbeiter bei wiederholter Exposition keine Gesundheitsbeeinträchtigung besteht; vgl. a. TLV-Werte u. STEL. – *E* TWA – *F* MPT (moyennes pondérées en temps) – *I* media ponderata temporale – *S* promedio ponderado de tiempo

Twaddell-Grade (Abk. °Tw od. °Twad). In den USA u. England noch verwendete Maßbez. für die *Dichte von Flüssigkeiten wie Säuren, Laugen, Farbstofflsg. usw. Für die Umrechnung zwischen T.-G. – man findet auch die Schreibweise Twaddle-Grade, obwohl der Erfinder Twaddell hieß – u. der D. gilt (Messung z.B. mit *Aräometern bei einer Bezugstemp. von 60 °F = 15,55 °C):

°Tw = (D. – 1) · 200
D. = 1 + (°Tw/200).

Beisp.: D. 1,152 = 30,4°Tw; s. a. die Tab. bei Natronlauge. In Nachschlage- u. *Tabellenwerken findet man Umrechnungstab., z. B. in *Lit.*[1]. – *E* degrees Twaddell – *F* degrés Twaddell – *I* scale Twaddell – *S* grados Twaddell
Lit.: [1] Handbook **75** I, 25–32.

Twaddle s. Twaddell-Grade.

Twaron®. Aramidgarne u. -fasern für techn. Anwendungen. *B.:* AKZO Nobel Fibers bv.

Tween®. Marke der ICI America, Inc. für die Polyoxyethylen-Derivate der *Sorbitanester mit gleicher Kennziffer; internat. Freiname: *Polysorbat* (früher: *Sorbimacrogol*).
Einzelne T.-Marken sind: Polyethoxysorbitanlaurat (T. 20, T. 21), -palmitat (T. 40), -stearat (T. 60, T. 61), -tristearat (T. 65), -oleat (T. 80, T. 81), -trioleat (T. 85). Die meisten T.-Typen sind ölige Flüssigkeiten (Ausnahme T. 60, 61, 65) mit ausgezeichneten physiolog. u. toxikolog. Eigenschaften, die aufgrund ihrer hohen Hydrophilie (HLB 10–16,7) in Wasser lösl. od. dispergierbar sind. Sie sind zudem lösl. in vielen organ. Lösemitteln. Sie werden bevorzugt für die Herst. von O/W-Emulsionen u. in großem Umfang in der Kosmetik, Pharmazie u. vielen anderen Ind.-Zweigen als nichtion. hydrophile Emulgatoren, Lösungsvermittler, Netzmittel etc. eingesetzt. In manchen Ländern können T.-Typen auch für Einsätze in der Lebensmittel-Ind. zugelassen sein, z. B. in der Eiskrem-Ind. als Mischungen spezieller Mono- u. Diglyceride mit T. 65 bzw. T. 80 (Tween-Mos®). Der Handelsname T. soll sich von *E* between = dazwischen ableiten. *B.:* Aldrich; Merck; Riedel.

Twinlook® Cement. Licht- u. selbsthärtendes Befestigungs-Composite für Inlays u. Onlays bei Zahnfüllungen. *B.:* Heraeus Kulzer GmbH & Co. KG.

Twistan.

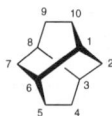

Von *E* twist = winden, verdrillen abgeleiteter Trivialname für Tricyclo[4.4.0.0^{3,8}]decan, $C_{10}H_{16}$, M_R 136,23, farblose Krist., Schmp. 162–163 °C; T. ist ein Isomeres des *Adamantans; zur Synth. s. *Lit.*[1]. Aufgrund seiner mol. *Dissymmetrie ist T. chiral, u. die Abb. zeigt das (+)-Enantiomere {$[\alpha]_D^{22}$ +414° (c 0,489/C_2H_5OH)}, dessen 4 asymmetr. C-Atome (R)-konfiguriert sind[2]. – *E* = *F* twistane – *I* = *S* twistano
Lit.: [1] Tetrahedron Lett. **52**, 5467–5470 (1968). [2] Osawa, Carbocyclic Cage Compounds, S. 65 ff., Weinheim: VCH Verlagsges. 1992.
allg.: Heilbronner u. Dunitz, Reflections on Symmetry, Weinheim: VCH Verlagsges. 1993 ▪ Top. Curr. Chem. **127**, 1–76 (1985). – *[HS 2902 19; CAS 253-14-5]*

Twistform. Von *E* twist = winden, verdrillen abgeleitete Bez. (vgl. IUPAC-Regel E-5.2) für eine bes. Form der *Konformation von cycl. Verb., z. B. bei *Cyclopentan. Bei *Cyclohexan ist die T. um 23 kJ/mol (5,5 kcal/mol) energiereicher als die *Sesselform*; energet. noch ungünstiger ist die *Wannen-* od. *Bootform* (s. Abb. 3 bei Konformation u. vgl. Twistan). – *E* twist form – *F* forme twist – *I* = *S* forma twist
Lit.: s. Cyclohexan.

Twitchell-Spaltung. Diskontinuierliches Verf. zur Spaltung von *Triglyceriden (1898). Wasserdampf wird bei Atmosphärendruck in eine Mischung von 50% Fett, 49% Schwefelsäure (1%ig) u. 1% Katalysator (Sulfonaphthensäuren) eingeleitet; der Spaltgrad liegt bei 90–92%. Nachteile des Verf. sind die lange Reaktionszeit (20–24 h), der hohe Wasserdampf-Verbrauch, die durch den Katalysator ausgelösten Nebenreaktionen sowie die Kosten, die bei der Aufarbeitung der Schwefelsäure-haltigen Glycerin-Lsg. („Sweet water") anfallen. – *E* Twitchell splitting – *F* procédé de Twitchell – *I* scissione di Twitchell – *S* procedimiento (desdoblamiento, hidrólisis) de Twitchell
Lit.: Dieckelmann u. Heinz, The Basics of Industrial Oleochemistry, S. 35, Essen: Oleochem. Cons. Int. 1988 ▪ Ullmann (6.).

Twitchin (Mini-Titin, Projectin, Unc-22). Hochmol. Protein (M_R 600000–700000) aus Muskel von Wirbellosen, bisher unbekannter Funktion, das wahrscheinlich in Zusammenwirken mit *Myosin die Muskelkontraktion regelt; bei Ausfall von T. entsteht permanentes Muskelzucken (*E* to twitch=zucken). Abschnittsweise besteht Ähnlichkeit der Aminosäure-Sequenz mit Myosin-Leichtketten-Kinase (s. Myosin), mit *Zell-Adhäsionsmolekülen wie N-CAM (*Immunglobulin-Superfamilie) u. mit *Titin. Die Protein-Kinase-Domäne des T., auch *T.-(Protein-)Kinase* genannt, konnte krist. u. ihre Struktur durch Röntgenbeugung bestimmt werden[1]. Die *Riesen-Protein-Kinase* (giant protein kinase) T. wird durch Calcium-Ionen u. ein *S-100-Protein aktiviert[2]. – *E* twitchin – *F* twitchine – *I* = *S* twitchina
Lit.: [1] Nature (London) **369**, 581–584 (1994); EMBO J. **15**, 6810–6821 (1996). [2] Nature (London) **380**, 636–639 (1996). *allg.:* http://www.sdsc.edu/pb/edu/pharm207/assignment/u26025/ Homepage/Home.html

TW-240/260-Protein s. Spectrin.

TX. Abk. für *Thromboxan, s. a. Prostaglandine.

TXF. Nach DIN 7723: 1987-12 Kurzz. für Trixylylphosphat als *Weichmacher.

TXRF s. Oberflächenanalysemethoden.

Tybet s. Reißwolle.

Tycho Brahe (Tyge Brahe) (1546–1601), dän. Astronom. Baute auf der ihm von König Friedrich II. von Dänemark geschenkten Insel Hven (Ven) zwei Sternwarten, die in Ausführung u. Aufstellung als die besten vor der Entdeckung des Fernrohrs galten. Die Genauigkeit seiner Planetenbeobachtungen ermöglichte es später Kepler, die Bewegungen der Planeten zu interpretieren. 1599 zum kaiserlichen Mathematiker u. Astronom nach Prag berufen, holte er ein Jahr später Kepler als seinen Assistenten. Er entwickelte eine eigene Planetentheorie, nach der sich die Planeten zwar um die Sonne bewegen, die Sonne aber die Erde umkreist.
Lit.: Lexikon der Naturwissenschaftler, S. 57.

Tylonolid s. Tylosin.

Tylophora-Alkaloide. Die T.-A. gehören zu den Phenanthroindolizidin-Alkaloiden u. sind eine kleine Gruppe, die nur aus der Familie der Asclepiadaceae isoliert worden ist, u. zwar aus den Genera *Tylophora*, *Vincetoxicum*, *Pergularia* u. *Cynanchum*, aber auch aus *Ficus septica* (Moraceae). Demgegenüber sind nur wenige biosynthet. verwandte Phenanthrochinolizidin-Alkaloide bekannt. Das wichtigste Phenanthrochinolizidin-Alkaloid ist Cryptopleurin aus *Cryptocarya pleurosperma*.
Beide Alkaloid-Gruppen sind aufgebaut aus einer Phenylalanin- u. einer Tyrosin-Einheit u. Ornithin od. Lysin. Phenylalanin ergibt Ring A, C-10 u. C-6′ u. Tyrosin Ring B, C-9 u. C-7′. Mit Ornithin ergibt Benzoylessigsäure Verb. I, die über II das *O*-Demethyl-septicin III bildet; dieses ergibt das Dienon IV durch Phenol-Oxid., das entweder durch Dienon-Phenol-Umlagerung Tylophorin od. nach Red. zum Dienol V u. nachfolgender Dienol-Benzol-Umlagerung Tylophorinin u. Tylophorinidin bildet.

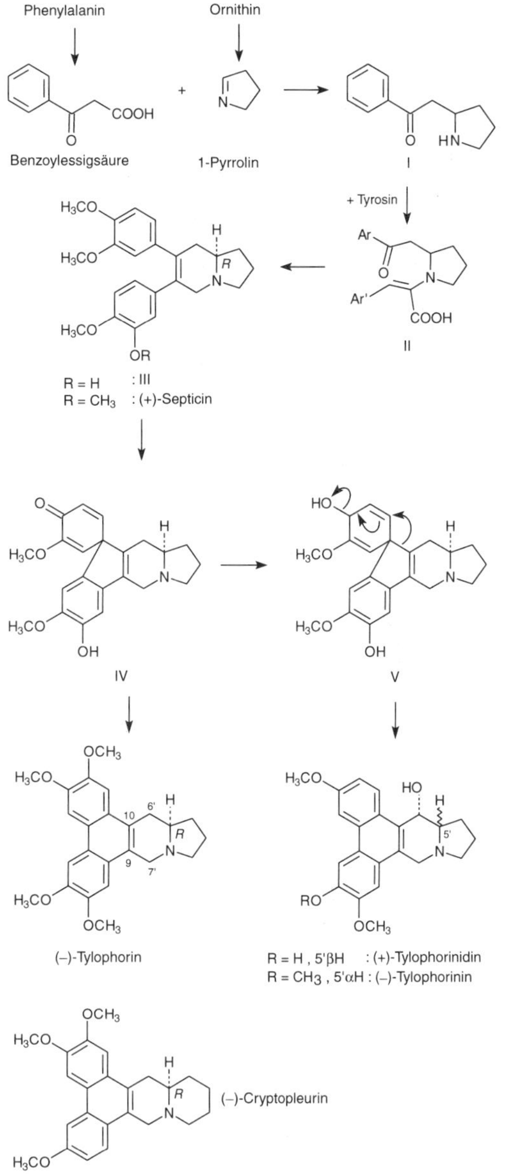

Abb.: Biosynth. von Tylophora-Alkaloiden.

Tab.: Daten von Tylophora-Alkaloiden.

Name	Summenformel	M_R	Schmp. [°C]	$[\alpha]_D$	CAS
(−)-Cryptopleurin	$C_{24}H_{27}NO_3$	377,48	215–217	−74° (CH$_3$OH)	482-22-4
(+)-Septicin	$C_{24}H_{29}NO_4$	395,50	136	+38,8° (CH$_3$OH)	42922-10-1
(*R*)(−)-Tylophorin	$C_{24}H_{27}NO_4$	393,48	286–287	−11,6° (CHCl$_3$)	25908-92-3
(+)-Tylophorinidin	$C_{22}H_{23}NO_4$	365,43	216–218	+105° (CHCl$_3$)	32523-69-6
(−)-Tylophorinin	$C_{23}H_{25}NO_4$	379,46	248–249	−14,2° (CHCl$_3$)	571-70-0

– *E* Tylophora alkaloids – *F* alcaloïdes de Tylophora – *I* alcaloidi della Tilofora (delle asclepiadacee) – *S* alcaloides de Tilofora

Lit.: Alkaloids: Chem. Biol. Perspectives **3**, 241–273 (1985) ■ Angew. Chem. **105**, 1059–1071 (1993) (abs. Konfiguration) ■ Chem. Pharm. Bull. **46**, 767 (1998) (Isolierung) ■ Heterocycles **28**, 63 (1989) ■ J. Am. Chem. Soc. **118**, 12082 (1996) (Synth.) ■ J. Org. Chem. **62**, 7435 (1997) (Synth. von (–)-Tylophorin) ■ J. Chem. Soc., Perkin Trans. 1 **1990**, 2287 ■ Manske **9**, 517–528; **19**, 193–218; **25**, 156–163 ■ Merck-Index (12.), Nr. 9961 f. ■ Mothes et al. (Hrsg.), Biochemistry of Alkaloids, S. 250 f., Berlin: VEB Verl. der Wissenschaften 1985; Weinheim: Verl. Chemie 1985 ■ Pelletier **3**, 241–273 ■ Tetrahedron **50**, 12293 (1994) ■ Tetrahedron Lett. **32**, 5919 (1991) (Synth.). – *[HS 293990]*

Tylophorin, Tylophorinidin, Tylophorinin s. Tylophora-Alkaloide.

Tylosin.

$C_{46}H_{77}NO_{17}$, M_R 916,11, amorpher Feststoff, Schmp. 131°C, $[\alpha]_D$ –55°. Zur *T.-Relomycin-Gruppe* gehörendes, 16-gliedriges *Makrolid-Antibiotikum aus *Streptomyces fradiae*, das am Aglykon (*Tylonolid*, $C_{23}H_{36}O_7$, M_R 424,53, Schmp. 102–103°C, 157–158°C, dimorph) die Zuckerreste β-D-Mycaminose, α-L-Mycarose u. β-D-Mycinose aufweist. Die gut untersuchte Biosynth. beschreibt die Bildung von T. aus 2 Acetat-u. 5 Propionat-Einheiten sowie 1 Butyrat-Einheit (aus L-Valin) auf dem *Polyketid-Weg über die Vorstufe Tylacton (Protylonolid) u. nachfolgende Glykosylierungen, Oxid. u. Methylierungen. Die Biosynth.-Gene des T. sind kloniert worden u. werden für die Herst. von Hybrid-Makroliden genutzt. T. wirkt bes. gegen Gram-pos. Bakterien, Mycoplasmen u. Spirochäten, es wird als freie Base od. als Tartrat in der Tiermedizin u. bei der Tierhaltung verwendet. Weitere Derivate sind T. B (*Demycarosyltylosin*, $C_{39}H_{65}NO_{14}$, M_R 771,94, Schmp. 114–116°C), ein Hydrolyseprodukt von T., u. T. D (*Relomycin*, $C_{46}H_{79}NO_{17}$, M_R 918,13, Schmp. 172–175°C, die 20-Oxo-Gruppe von T. ist zur 20-Hydroxy-Gruppe reduziert), die weniger wirksam sind als Tylosin. – *E* tylosin – *F* tylosine – *I* = *S* tilosina

Lit.: Merck-Index (12.), Nr. 9963 ■ Omura (Hrsg.), Macrolide Antibiotics, New York: Academic Press 1984 ■ Omura u. Tanaka, in Pape u. Rehm (Hrsg.), Biotechnology, Vol. 4, S. 359–391, Weinheim: VCH Verlagsges. 1996 ■ Sax (8.), TOE600, TOE750. – *Biosynth.:* Annu. Rev. Microbiol. **42**, 547–574 (1988); **47**, 875–912 (1993); **49**, 201–238 (1995) ■ Antimicrob. Agents Chemother. **21**, 758 (1982) ■ Katz u. Donadio, in Genetics and Biochemistry of Antibiotic Production, S. 385–420, Boston: Butterworth-Heinemann 1995 ■ Ullmann (5.) **A 2**, 496, 525. – *Synth.:* Ann. Pharm. Fr. **56**, 152 (1998) ■ Chem. Pharm. Bull. **30**, 97–110 (1982) ■ Drugs Pharm. Sci. **22**, 743 (1984) ■ J. Am. Chem. Soc. **104**, 5523–5528 (1982) ■ J. Antibiot. **40**, 1123–1130 (1987) ■ J. Chem. Soc., Chem. Commun. **1982**, 855 ■ J. Org. Chem. **48**, 892–895 (1983) ■ Lindberg, Strategies and Tactics in Organic Synthesis, Bd. 1, S. 123–152, Orlando: Academic Press 1984 ■ Tetrahedron Lett. **1982**, 3375. – *[HS 29410; CAS 1401-69-0 (T.); 61219-82-7 (Tylonolid); 11032-98-7 (T. B); 1404-48-4 (T. D)]*

Tyloxapol. Internat. Freiname für das Mucolytikum, ein nichtion. Tensid, *O*-(4-*tert*-Octylphenyl)polyethylenglykol-Formaldehyd-Polymer, leicht lösl. in Wasser, lösl. in Benzol, Toluol, Chloroform, Tetrachlorkohlenstoff, Essigsäure. Lagerung: vor Luft geschützt.
– *E* = *F* tyloxapol – *I* tilossapol – *S* tiloxapol

Lit.: Hager (5.) **9**, 1125 ■ Martindale (31.), S. 1347. – *[HS 390720; CAS 25301-02-4]*

Tyndall, John (1820–1893), Prof. für Physik, London. *Arbeitsgebiete:* Lichtpolarisation, Schallfortpflanzung, optoakust. Effekt, Magnetismus, Licht- u. Wärmeabsorption von Gasen, Lichtstreuung in kolloidalen Lsg. (*Tyndall-Effekt), Licht- u. Wärmespektrum des elektr. Lichtbogens, Gletscherforschung.

Lit.: Krafft, S. 239, 289, 290 ■ Lexikon der Naturwissenschaftler, S. 402 ■ Neufeldt, S. 46 ■ Pötsch, S. 430.

Tyndall-Effekt. Nach dem irischen Physiker J. Tyndall (1820–1893) benannter Effekt, s. Lichtstreuung (Rayleigh-Streuung: $1/\lambda^4$) u. Kolloidchemie, Nephelometrie.

Tyndallometrie s. Nephelometrie.

Typage s. Weinbrand.

Typar®. Therm. verfestigte Polypropylen-Spinnvliese zur Verw. als Teppichträger, Substrate für Beschichtungen u. als Geotextil zur Trennung, Verstärkung, Filtration/Drainage. *B.:* DuPont.

Typenreiniger. Bez. für meist knetbare Pasten, die zur Reinigung verschmutzter Schreibmaschinentypen dienen. Bei der Reinigung drückt man die schmutzbindende, nicht austrocknende *Knetmasse auf die Typen; beim Wiederabheben bleiben die Farbstoffreste, Schmutzstoffe, Fasern u. dgl. an der Paste hängen. Derartige T. enthalten im allg. Kaolin, Rohkautschuk od. Kolophonium, auch Zinkoxid, Olein, Japanwachs u. Schwefel als Feststoffe, die mit Flüssigkeiten angeteigt werden, die Mineralöl, Schwerbenzin, Tetralin u. Nitrilotriethanololeat enthalten können. Es gab auch T. in Form von Blättern, die wie gewöhnliches Papier in die Schreibmaschine gespannt wurden u. beim Anschlagen der Typenhebel aus diesen die Schmutzreste aufnahmen u. festhielten. Ferner kennt man pinselförmige T. zum einmaligen Gebrauch, die in ihrem hohlen Schaft eine zerbrechliche Ampulle tragen, welche beim Zerdrücken organ., v. a. halogenierte Lsm. freigibt, die in die Pinselfasern eindringen; mit dem feuchten T. lassen sich Verschmutzungen leicht entfernen. – *E* type clean(s)ers – *F* pâtes à caractères – *I* pasta per pulire i caratteri – *S* pastas limpiatipos

Typhoral L® (Rp). Kapseln mit einer standardisierten Menge von abgeschwächten Salmonellen zur oralen Schutzimpfung gegen Typhus. *B.:* Chiron Behring.

Typhus (griech.: typhos = Umnebelung der Sinne). Bez. für verschiedene Fiebererkrankungen. Meist ist mit T. der *T. abdominalis* (Unterleibs-T.) gemeint, eine Infektionserkrankung, die durch das Gram-neg. Stäbchenbakterium *Salmonella typhi* hervorgerufen wird (s. a. Salmonellen). Die Übertragung erfolgt v. a. durch verseuchte Nahrungsmittel, Wasser od. Milch, bes. unter ungünstigen hygien. Bedingungen. Nach einer Inkubationszeit von ca. 10 d stellt sich ein charakterist. treppenförmig ansteigendes hohes Fieber ein, das u. U. wochenlang bestehen bleiben kann u. mit eingeschränkten Sinnesfunktionen, Hauterscheinungen, Milzschwellung u. breiigen Stühlen einhergeht. Die Erreger sind dabei zunächst im Blut, dann auch im Stuhl nachweisbar. 2–5% der Erkrankten scheiden auch lange Zeit nach der Erkrankung noch Bakterien aus (Dauerausscheider) u. bleiben so eine Infektionsquelle. Eine überstandene T.-Erkrankung hinterläßt eine lebenslange Immunität, eine Schutzimpfung ist möglich. Die Behandlung erfolgt u. a. mit antimikrobiellen Chemotherapeutika wie *Chloramphenicol od. *Trimethoprim-Sulfamethoxazol. Der T. ist meldepflichtig im Sinne des Bundesseuchengesetzes. – *E* thyphoid fever – *F* thyphus – *I* tifo – *S* tifus

Lit.: Brandis et al., Lehrbuch der Medizinischen Mikrobiologie, S. 395–400, Stuttgart: Fischer 1994.

Tyr s. Tyrosin.

Tyramin [4-(2-Aminoethyl)-phenol, veraltet: 4-Hydroxyphenethylamin]. $C_8H_{11}NO$, M_R 137,18; Formel s. Ephedrin. Farblose, süßlich riechende, bitter schmeckende Blättchen od. Nadeln, Schmp. 161 °C (auch 164–165 °C angegeben), Sdp. 210 °C (75 hPa), leicht lösl. in siedendem Alkohol, wenig lösl. in kaltem Wasser, Benzol, Ether, Chloroform, Xylol.

Vork.: Als *biogenes Amin entsteht T. durch enzymat. Decarboxylierung (durch Tyrosin-Decarboxylase, EC 4.1.1.25; *Pyridoxal-5′-phosphat als Coenzym) von L-*Tyrosin im Organismus u. bei der *Fäulnis von Eiweiß. T. ist in zahlreichen pflanzlichen u. tier. Geweben enthalten, z.B. in Mutterkorn, Ginster, Disteln, Erbsen, Bananen, Tomaten, Kartoffeln, Spinat u. Apfelsinen, in Bakterien, Leber, Blut, Galle, Harn etc. Auch in Wein (bes. Chianti) u. Schokolade kommt T. vor, sowie bes. reichlich in Käse (griech.: tyros, daher Name), dessen Genuß sich bei gleichzeitiger Behandlung mit *Monoamin-Oxidase-Hemmern störend auswirken kann.

Biolog. Bedeutung: Das *Gewebshormon T. steht in naher Verwandtschaft zu den *Catecholaminen, wirkt jedoch (weil die Hydroxy-Gruppe in 3-Stellung fehlt) nur als indirektes *Sympathikomimetikum: Indem es aus den Nervenenden des Sympathikus L-*Noradrenalin freisetzt, wirkt es blutdrucksteigernd u. uteruskontrahierend, aber ggf. auch *Migräne-auslösend. Verw. zum Nachw. von Phenoloxidasen, zur Synth. von Pharmaka. – *E* = *F* tyramine – *I* = *S* tiramina

Lit.: Beilstein E IV **13**, 1788 f. ■ Lindner, Toxikologie der Nahrungsmittel, 4. Aufl., S. 49 f., Stuttgart: Thieme 1990. – *[HS 292229]*

Tyraminase s. Monoamin-Oxidase.

Tyrischer Purpur s. Purpur.

Tyrocidine.

L-Val → L-Orn → L-Leu → D-Phe
         5
L-Tyr 3   L-Pro
↑   ↓
L-Gln ← L-Asn ← Y ← X
      1   10

X = L-Phe, Y = D-Phe	: T. A
X = L-Trp, Y = D-Phe	: T. B
X = L-Trp, Y = D-Trp	: T. C
X = L-Trp, Y = L-Trp, mit 3-L-Trp statt L-Tyr	: T. D
X = L-Phe, Y = D-Phe, mit 3-L-Phe statt L-Tyr	: T. E

Gruppe von *Peptid-Antibiotika aus der Kulturflüssigkeit von *Bacillus brevis*, die den Hauptbestandteil des *Tyrothricins (80%, der Rest sind die *Gramicidine A–D) bilden u. durch Schädigung der Zellmembran bakterizide Wirkung gegen Gram-pos. Erreger zeigen. Das zunächst erhaltene Gemisch läßt sich in 3 cycl. Decapeptide (T. A, B, C) auftrennen, die sich in 2 Positionen des Ringes unterscheiden, später fand man noch T. D u. E; man vgl. die Formeln mit der des nahe verwandten *Cyclopeptids Gramicidin S (s. Gramicidine). Das Hydrochlorid des Gemisches von T. A [$C_{66}H_{87}N_{13}O_{13}$, M_R 1270,50, Schmp. 240–242 °C (Zers.)], T. B [$C_{68}H_{88}N_{14}O_{13}$, M_R 1309,53, Schmp. 236–237 °C (Zers.)] u. T. C [$C_{70}H_{89}N_{15}O_{13}$, M_R 1348,57, Schmp. 218–220 °C (Zers.)] bildet farblose Nadeln, lösl. in 95%igem Alkohol, Essigsäure, Pyridin, wenig lösl. in Wasser u. Aceton, unlösl. in Ether, Chloroform u. Kohlenwasserstoffen. Zwar sind die T. einzeln synthetisierbar, doch verwendet man im allg. das im Tyrothricin vorliegende u. techn. durch Fermentation erhältliche Gemisch. – *E* = *F* tyrocidines – *I* tirocidine – *S* tirocidinas

Lit.: Int. J. Pept. Protein Res. **18**, 127 (1981) ■ J. Mol. Biol. **135**, 757 (1979) ■ Merck-Index (12.), Nr. 9967, 9972 ■ Tetrahedron Lett. **31**, 6121 (1990) ■ s. a. Gramicidine, Peptid-Antibiotika. – *[HS 2941 90; CAS 1481-70-5 (T. A); 865-28-1 (T. B); 3252-29-7 (T. C); 19716-16-6 (T. D); 19659-41-7 (T. E); 8011-61-8 (T.-Komplex)]*

Tyrode-Lösung. Von Maurice Vejux Tyrode (1878–1930, Prof. für Pharmakologie Cambridge, Mass.) eingeführte, mit Blut *isotonische Lösung aus 0,8 g NaCl, 0,02 g KCl, 0,02 g $CaCl_2$, 0,01 g $MgCl_2$, 0,005 g NaH_2PO_4, 0,1 g $NaHCO_3$ u. 0,1 g Glucose in 100 mL dest. Wasser, die als *Blutersatzmittel sowie zur *Gewebszüchtung u. -konservierung verwendet wird; vgl. a. Ringer-Lösung. – *E* Tyrode solution – *F* solution de Tyrode – *I* soluzione di Tyrode – *S* solución de Tyrode

Lit.: Ullmann **4**, 554.

Tyromycin A.

$C_{26}H_{38}O_6$, M_R 446,58, Krist., Schmp. 59–60 °C, Biscitraconsäureanhydrid-Derivat aus Mycelkulturen von *Tyromyces lacteus*. T. A hemmt Leucin- u. Cystein-Aminopeptidasen u. wirkt cytostatisch. – *E* tyromycin A – *F* tyromycine A – *I* tiromicina A

Lit.: J. Org. Chem. **63**, 1342 (1998) (Synth.) ■ Planta Med. **58**, 56 (1992) (Isolierung). – *[CAS 141364-77-4]*

Tyrosin [3-(4-Hydroxyphenyl)-alanin, 2-Amino-3-(4-hydroxyphenyl)-propionsäure; Kurzz. der L-Form: Tyr od. Y].

$C_9H_{11}NO_3$, M_R 181,19. Das natürlich vorkommende L-T. bildet farblose, seidig glänzende Nadeln, D. 1,456, Schmp. 342–344 °C (Zers.), schwer lösl. in Wasser, unlösl. in Alkohol, Ether, Aceton, lösl. in Alkalien, Ammoniak u. Säuren. T. bildet Komplexe mit einer Reihe von Metallionen. Zum Tyr-Nachw. eignen sich die *Xanthoprotein-, *Millonsche u. *Pauly-Reaktion sowie *Folins Reagenz.

Biolog. Bedeutung: Tyr ist eine für den Menschen nicht-*essentielle aromat. Aminosäure, die in der Natur als regelmäßiger Bestandteil der Proteine weit verbreitet ist, bes. reichlich im Seidenfibroin, Papain, Casein, aber auch in Korallen. Modifizierte Tyr-Reste sind in aktiven Zentren von *Enzymen an der Katalyse beteiligt, so z. B. der 6-Hydroxydopachinon-(*Topachinon-*)Rest[1] der Kupfer-haltigen Amin-Oxidase (EC 1.4.3.6) aus Rinderplasma, der in 3-Position Thioether-artig mit einer L-Cystein-Seitenkette verknüpfte Tyr-Rest der Galactose-Oxidase (EC 1.1.3.9) von *Dactylium dendroides* u. das Tyr-Radikalkation der *Ribonucleotid-Reduktase aus *Escherichia coli*[2]. Tyr ist an Redox-Reaktionen im pflanzlichen *Photosynthese-Zentrum beteiligt. Das am Aufbau der Insekten-*Cuticula beteiligte *Resilin enthält Querbrücken aus Tyr-Dimeren u. -Trimeren.

Daneben dient Tyr mit Hilfe des Enzyms *Tyrosinase zum Aufbau der für die Hautbräunung verantwortlichen *Melanine. Ähnlich dürfte auch die Bildung der Sepia (Tinte des Tintenfischs) ablaufen. Weiterhin ist Tyr nach Hydroxylierung durch *Tyrosin-3-Monooxygenase* (Tyrosin-3-Hydroxylase, EC 1.14.16.2, ein Tetrahydropteridin als Cofaktor) zu L-*Dopa die Ausgangsverb. für die Biosynth. des *Neurotransmitters *Dopamin u. der Nebennierenhormone L-*Noradrenalin u. L-*Adrenalin; durch Störungen im L-Noradrenalin- u. *Serotonin-Haushalt hervorgerufene psych. Depressionen zeigen sich im Blutbild in einer Verschiebung des Gleichgew. zwischen Tyr u. L-*Tryptophan an.

Ein anderer Stoffwechselweg im tier. Organismus führt zu den *Hormonen *3,3′,5-Triiod-L-thyronin sowie L-*Thyroxin. Die *Phosphorylierung Protein-gebundener Tyr-Reste durch *Rezeptor-Tyrosin-Kinasen* (vgl. Rezeptoren) spielt eine wichtige Rolle bei der Wirkung des *Insulins u. der Regulation des Zellwachstums durch *Wachstumsfaktoren. In bestimmte Tyr-Reste einiger sekretor. Proteine (*Beisp.:* Fibrinogen u. der Faktor VIII der *Blutgerinnung) wird durch das im *Golgi-Apparat lokalisierte Enzym *Tyrosylprotein-Sulfotransferase* (EC 2.8.2.20, ein *Glykoprotein, M_R 50 000 – 54 000) die Sulfatester-Funktion eingeführt. Diese Modifizierung scheint für die Funktion der betreffenden Proteine essentiell zu sein.

Biosynth.: In Pflanzen u. manchen Mikroorganismen entsteht Tyr auf dem Biosynth.-Weg: *Shikimisäure → *Prephensäure → *Prätyrosin (Arogensäure) → Tyr; im tier. Organismus kann *Phenylalanin enzymat. durch *Phenylalanin-4-Monooxygenase* (Phenylalanin-4-Hydroxylase, EC 1.14.16.1, Tetrahydrobiopterin als Cofaktor) zu Tyr hydroxyliert werden. Der Ausfall der entsprechenden Hydroxylase resultiert in einem Tyr-Defizit, u. es kommt zu der als Stoffwechsel-Krankheit gefürchteten *Phenylketonurie*, die häufig wegen gleichzeitiger Blockierung der Tyrosinase mit Pigmentmangel einhergeht.

Abbau: Der Abbau des Tyr im Organismus verläuft in erster Linie über *Transaminierung zu 4-Hydroxyphenylbrenztraubensäure (katalysiert durch *Tyrosin-Aminotransferase*, EC 2.6.1.5; *Pyridoxal-5′-phosphat als *Coenzym) u. weiter unter Decarboxylierung u. Hydroxylierung über *Homogentisinsäure zu Fumarsäure u. Acetessigsäure (Tyr als *ketogene Aminosäure*).

Herst.: Erstmals wurde Tyr 1846 durch von *Liebig bei der Kalischmelze von *Käse (griech.: tyros, daher Name) erhalten. Heute gewinnt man die jährlich benötigten ca. 50 t Tyr durch Extraktion aus Eiweißhydrolysaten.

Verw.: Tyr bildet ein leicht zugängliches Ausgangsmaterial für die Synth. von *Catecholaminen u. von L-Dopa. – $E = F$ tyrosine – $I = S$ tirosina

Lit.: [1] Biosci. Biotechnol. Biochem. **61**, 410–417 (1997). [2] Trends Biochem. Sci. **23**, 438–443 (1998).
allg.: Beilstein E IV **14**, 2264–2267 ▪ Karlson et al., Kurzes Lehrbuch der Biochemie, 14. Aufl., S. 55 f., 182 ff., 195 f., 454, Stuttgart: Thieme 1994 ▪ Stryer 1996, S. 680–683, 761 ff. – [HS 2922 50; CAS 60-18-4]

Tyrosin-Aminotransferase s. Tyrosin.

Tyrosinase (Phenolase). Bez. für eine *Oxidoreduktase (ein *Kupfer-Protein, M_R 55 000 – 65 000), die sowohl als Monophenol-Monooxygenase (EC 1.14.18.1) L-*Tyrosin (Tyr) zu 3,4-Dihydroxy-L-phenylalanin (L-*Dopa) hydroxyliert als auch die Aktivität einer Catechin-Oxidase (*Phenol-Oxidase, EC 1.10.3.1) beherbergt u. als solche Catechine (1,2-Dihydroxyphenole, z. B. L-Dopa) zu 1,2-Chinonen (z. B. L-Dopachinon) oxidiert. Mit Hilfe der T. dient Tyr über die Bildung des L-Dopachinons zum Aufbau der *Melanine, der für die Hautbräunung verantwortlichen Pigmente. Durch Blockierung der T. kann man *Depigmentierung erreichen, z. B. mit *Sommersprossenmitteln. Zu pflanzlichen T. s. *Lit.*[1]. – $E = F$ tyrosinase – I tirosinasi – S tirosinasa

Lit.: [1] Phytochemistry **45**, 1309–1323 (1997).
allg.: Biochim. Biophys. Acta **1247**, 1–11 (1995) ▪ FEBS Lett. **381**, 165–168 (1996) ▪ Pigm. Cell Res. **10**, 127–138 (1997).

Tyrosin-Kinasen s. Protein-Kinasen.

Tyrosin-3-Monooxygenase, Tyrosin-3-Hydroxylase s. Tyrosin.

Tyrosin-Phosphatasen s. Protein-Phosphatasen.

Tyrosylprotein-Sulfotransferase s. Tyrosin.

Tyrothricin (Bactratycin). Internat. Freiname für ein 1939 von Dubos entdecktes Gemisch von *Peptid-Antibiotika aus Kulturflüssigkeit von *Bacillus brevis*. T. bildet ein graues bis braunes Pulver, Zers. bei 215–220 °C, unlösl. in Wasser, lösl. in Alkohol u. a. organ. Lösemitteln. Es besteht aus strukturell eng verwandten *Cyclopeptiden, u. zwar aus ca. 20% *Gramicidinen A–D u. ca. 80% *Tyrocidinen.

Verw.: Durch Schädigung der Zellmembran bakterizid wirksam gegen Gram-pos. Erreger, wegen seiner hämolyt. Eigenschaften jedoch nicht parenteral, sondern auf äußerliche Anw. beschränkt. Infolge seiner guten Haut- u. Schleimhautverträglichkeit ist T. ein häufiger Bestandteil von Rachen- u. Nasentherapeutika. – $E = F$ tyrothricine – $I = S$ tirotricina

Lit.: s. Tyrocidine u. Gramicidine. – [HS 2941 90; CAS 1404-88-2]

Tysonit. (Ce,La)F$_3$. Heute als *Fluocerit-(Ce)* bezeichnetes, als hexagonal (Kristallklasse 6/mmm-D_{6h}; *Lit.*[1])

od. trigonal (Kristallklasse $\bar{3}$m-D_{3d}; *Lit.*[2]) eingestuftes, hinsichtlich seiner Struktur am Beisp. von LaF_3 (s.a. *Lit.*[3]) kontrovers (*Lit.*[1,2]) diskutiertes, wachs- od. strohgelbes bis rotbraunes, glas- bis harzartig glänzendes Mineral. Tafelige od. prismat. Krist., derb, körnig, als Knollen. Gewöhnlich orientiert mit *Bastnäsit verwachsen, in den T. oft umgewandelt ist. H. 4–5, D. 5,93–6,14. Im T.-Strukturtypus kristallisieren zahlreiche SE-Trifluoride, im *Antitysonit-Typus* kristallisieren Verb. wie Na_3S u. Li_3B (Anti-Isotypie).

Vork.: In *Pegmatiten in Dalarne/Schweden u. mehrorts in Colorado/USA (vgl. *Lit.*[4]); ferner Nigeria, Japan u. Oberwolfach/Schwarzwald. – *E = F* tysonite – *I* tisonite – *S* tysonita

Lit.: [1] Acta Crystallogr. Sect. B **39**, 687–691 (1983). [2] Acta Crystallogr. Sect. B **41**, 88–93 (1985). [3] Z. Kristallogr. **209**, 239–248 (1994). [4] Mineral. Rec. **21**, 429f. (1990).

allg.: Anthony et al., Handbook of Mineralogy, Vol. III, S. 203f., Tucson (Arizona): Mineral Data Publishing 1997 ▪ Ramdohr-Strunz, S. 489 ▪ Schröcke-Weiner, S. 328. – *[CAS 1306-31-6]*

Tyuyamunit s. Tjujamunit.

Tyvek®. Spinnvliese aus Hochdruckpolyethylen-Fasern zur Verw. z.B. in Schutzkleidung, Dachunterspannbahnen, Versandhüllen, graph. u. Verpackungsanwendungen. *B.:* DuPont.

Tyzor®. Metallsäureester u. -chelate auf Basis von Titan u. Zirconium für Katalyse, Vernetzung u. Haftung. *B.:* DuPont.

T-Zellen s. Lymphocyten.

T-Zell-Rezeptor s. Immunsystem.

TZP-Keramik s. Oxidkeramik.

u. Kurzz. für die atomare Masseneinheit, s. Atomgewicht. In der Physik wird u (neben v, c, seltener w) als Symbol für die Geschw. verwendet, gelegentlich auch für die Ionenbeweglichkeit, vgl. Überführungszahlen. Bei *Elementarteilchen steht u bzw. ū für ein *Quark (up) bzw. dessen Antiteilchen. In der *Spektroskopie u. *Quantenchemie bedeutet u „ungerade". In der Stereochemie steht u (von E unlike) zur Kennzeichnung von *Konfigurationen.
Lit.: Homann, Größen, Einheiten u. Symbole in der physikalischen Chemie, Weinheim: VCH Verlagsges. 1996.

U. 1. In der Chemie Symbol für das chem. Element *Uran. – 2. Symbol für „ungesätt." (E unsaturated) u. für Harnstoff (E urea) in den Kurzz. von Polymeren u. Weichmachern (*Beisp.:* UP=ungesätt. Polyester, UF=Harnstoff-Formaldehyd-Harze). – 3. In der Biochemie Abk. für das Nucleosid *Uridin u. bei *Enzymen für Umsatzzahl. – 4. In der makromol. Chemie Symbol für Uneinheitlichkeit. – 5. Bei statist. *markierten Verbindungen Kurzz. für „uniform" markiert. – 6. In der physikal. Chemie Symbol für „innere Energie" (vgl. Enthalpie). – 7. In der Physik Symbol für elektr. Spannung u. für Umdrehungen (z. B. U/min).

U I, U II. Chem. Symbole für Uran-Isotope, s. Radioaktivität.

U 46®. Wuchsstoff-haltige *Herbizide auf Basis *2,4-D, *MCPA, Dichlorprop (2,4-DP) u. *Mecoprop (CMPP) in verschiedenen Formulierungen gegen breitblättrige Unkräuter in Getreide u. in anderen einkeimblättrigen u. Baum-Kulturen. *B.:* BASF.

U 106305.

$C_{28}H_{41}NO$, M_R 407,64, Öl, $[\alpha]_D^{20}$ –270° ($CHCl_3$). Quinque-cyclopropan-Naturstoff aus Streptomyceten-Kulturen, strukturverwandt mit FR 900848 (4 linear konjugierte Cyclopropan-Einheiten). U. ist ein potenter Inhibitor des Cholesterylester-Transferproteins (CETP), eines Schlüsselfaktors des Lipid-Stoffwechsels, der die Umwandlung von HDL- in LDL-Lipide steuert. – E U 106305 – *I* U 106305
Lit.: J. Am. Chem. Soc. **117**, 10629 (1995) (Isolierung); **118**, 7863, 10327 (1996); **119**, 8608 (1997) (Synth.).■ J. Org. Chem. **62**, 1215 (1997) (Synth.). – *[CAS 170591-54-5]*

UAG, UAGBV, UAGErwV, UAG-FkR, UAGGebV, UAG-LehrgR, UAGZVV s. Umweltauditgesetz.

UA-Salze. Veraltete Abk. für *unauslaugbare, Arsenhaltige Salze (neue Bez.: CFA-Salze, s. CF-Salze), die als *Holzschutzmittel Verw. finden.

UBA. Abk. für *Umweltbundesamt.

Ubbelohde-Viskosimeter s. Viskosimetrie.

UBFF. Abk. für Urey-Bradley force field, s. Kraftkonstanten.

UBFördRL. Abk. für Umweltberatungsförderrichtlinie, s. Umweltschutzberatung.

Ubichinone (Coenzyme Q, Mitochinone).

Die am weitesten verbreiteten u. damit am besten untersuchten Biochinone (prenylierte *Chinone aus Tieren u. Pflanzen, vgl. Bovichinone, Plastochinon u. K-Vitamine). Sie wurden unabhängig voneinander 1956 von Green u. Morton entdeckt. Zu dieser Zeit war der Wert von Vitamin K in der Tierernährung bekannt, jedoch die Funktion anderer Chinone, die aus Tieren u. Pflanzen isoliert worden waren, noch unbekannt. Mit der Entdeckung der U. änderte sich dies rasch. In fast allen Organismen können U. in größeren Mengen nachgewiesen werden, einzige Ausnahme sind Grampos. Bakterien u. Cyanobakterien. U. werden je nach Zahl der in der Seitenkette verknüpften Isopren-Einheiten als Q-1, Q-2, Q-3 usw. od. nach Anzahl der C-Atome als U.-5, U.-10, U.-15 usw. bezeichnet. Sie treten bevorzugt mit bestimmten Kettenlängen auf, z. B. in einigen Mikroorganismen u. Hefen mit n=6 (vgl. Formelbild u. die Tab.). *Escherichia coli* enthält U. von n=1 bis n=8, bei den meisten Säugetieren einschließlich des Menschen überwiegt Q-10. Q-9 wurde in Fischen gefunden, Q-11 u. Q-12 in Ratten. In Niederen Pilzen (*Gibberella fujikuroi* u. *Penicillium stipitatum*) findet sich U.-50 mit gesätt. terminaler Isopren-Einheit, ein Epoxy-ubichinon-50 in *Rhodospirillum rubrum* (die genaue Position der epoxidierten Doppelbindung ist nicht bekannt). Zur Biosynth. der U. s. *Lit.*[1]. Beisp. für einzelne U. finden sich in der Tabelle auf S. 4721. U. sind farblos bis schwach gelb gefärbt, in organ. Lsm. u. Fetten löslich.

Biolog. Wirkung: U. befinden sich in der inneren *Mitochondrien-Membran u. in bakteriellen Membranen, in deren Lipidschicht sie sich aufgrund ihrer Lipophilie frei bewegen können, u. dienen als Elektronen- u. Protonenüberträger in der *Atmungskette, wobei sie reversibel über die *Semichinon-Stufe in die entsprechenden Hydrochinone (*Ubichinole*) übergehen. In eukaryont. Plasma-Membranen ist U. Bestandteil von Elektronentransport-Ketten, die an der

Tab.: Daten einzelner Ubichinone.

Ubichinon bzw.	Coenzym	n	Summenformel	M_R	Schmp. [°C]	CAS
U.-30	Q-6	6	$C_{39}H_{58}O_4$	590,89	16	1065-31-2
U.-35	Q-7	7	$C_{44}H_{66}O_4$	659,01	31–32	303-95-7
U.-40	Q-8	8	$C_{49}H_{74}O_4$	727,12		2394-68-5
U.-45	Q-9	9	$C_{54}H_{82}O_4$	795,24	45	303-97-9
U.-50	Q-10	10	$C_{59}H_{90}O_4$	863,36	50	303-98-0
U.-50 (H10)	Q-10 (H-10)	10	$C_{59}H_{92}O_4$	865,38	29	992-78-9

Übertragung von Wachstumssignalen beteiligt sind. Auch als natürliches *Antioxidans spielt das U.-Redoxsyst. eine wichtige Rolle beim Schutz der Membranen. In phototrophen Bakterien übernehmen U. bei der *Photosynthese die Funktion der Plastochinone der Höheren Pflanzen. Unter Lichteinwirkung bilden U. leicht *Ubichromenole*:

Verw.: Q-10 (U.-50) wird in einigen Ländern zur Therapie von Herz- u. neurolog. Erkrankungen verwendet. – *E* ubiquinones – *F* ubiquinones – *I* ubichinoni – *S* ubiquinonas

Lit.: [1] Biochim. Biophys. Acta **1212**, 259–277 (1994).
allg.: Beilstein EIV **8**, 3288, 3295, 3305, 3313, 3319 ▪ Biochim. Biophys. Acta **1271**, 195–204 (1995) ▪ Mol. Aspects Med. **15** (Suppl.), S1–S276 (1994); **18** (Suppl.), S1–S309 (1997) ▪ Physiol. Res. **44**, 209–216 (1995).

Ubichromenole s. Ubichinone.

Ubiquitin. Im *Cytoplasma aller *eukaryontischen Zellen enthaltenes bas. *Polypeptid aus 76 Aminosäuren (M_R ca. 8500), dessen Sequenz sich bei den verschiedensten Organismen kaum unterscheidet (Mensch–*Drosophila*: ident., Mensch–Hefe: 3 unterschiedliche Aminosäure-Reste). U. wird über seine endständige Carboxy-Gruppe enzymat. unter Verbrauch von *Adenosin-5′-triphosphat (ATP) an L-Lysin-Seitenketten (*Isopeptid-Bindung) u. terminale Amino-Gruppen von *Proteinen gekoppelt[1] u. markiert diese damit für den intrazellulären Abbau, so z. B. regulator. Proteine wie die *Cycline nach Beendigung jeweils bestimmter Phasen des Zellcyclus od. der Inhibitor IκB bei Aktivierung von *NF-κB u. viele andere. Oft werden die Proteine mehrfach ubiquitiniert, wobei der Lysin-Rest 48 eines bereits verbundenen U.-Mol. als Anknüpfungspunkt für ein weiteres dienen kann. Dabei hängt die Empfänglichkeit der Proteine für *Ubiquitinierung* von der Art ihres Amino-terminalen Aminosäure-Rests ab. Als weiteres regulator. Syst. des zellulären Protein-Umsatzes hat man desubiquitinierende Enzyme gefunden[2]. Der Abbau der ubiquitinierten Proteine erfolgt durch das *Proteasom unter ATP-Verbrauch, wobei das verknüpfte (Poly-)U. verschont u. einer Wiederverw. zugeführt wird. Aufgrund seiner vermehrten Biosynth. bei Wärmebelastung gehört U. zu den *Hitzeschock-Proteinen. Die U.-ähnlichen Proteine SUMO-1 u. Rub1 werden in ähnlicher Weise mit Zielproteinen verknüpft[3]. Die zellphysiolog. Funktionen dieser Modif. sind noch nicht ganz aufgeklärt. Konjugation von Proteinen mit Apg12 ist essentiell für *Autophagie*, d. h. den Massenabbau von zelleigenen Proteinen in *Lysosomen bzw. Vakuolen unter Mangelbedingungen od. während der *Differenzierung[4].

Biosynth.: U. wird als *Polyprotein (Poly-U.) synthetisiert, in welchem bis zu 12 U.-Mol. miteinander verknüpft sind u. das außerdem ribosomale Proteine enthält[4]. – *E* ubiquitin – *F* ubiquitine – *I = S* ubiquitina

Lit.: [1] Mol. Cells **8**, 503–512 (1998). [2] Crit. Rev. Biochem. Mol. Biol. **33**, 337–352 (1998). [3] Curr. Biol. **8**, R749–R752 (1998); Nature (London) **395**, 321 ff. (1998). [4] Nature (London) **395**, 395–398 (1998).
allg.: Annu. Rev. Biochem. **67**, 425–479 (1998) ▪ Annu. Rev. Cell Develop. Biol. **14**, 19–57 ▪ EMBO J. **17**, 7151–7160 (1998) ▪ FASEB J. **11**, 1067–1075, 1215–1226, 1245–1268 (1997) ▪ Immunol. Today **18**, 189–198 (1997) ▪ Peters, Ubiquitin and the Biology of the Cell, New York: Plenum 1998 ▪ Stryer 1996, S. 988 f. ▪ Trends Biochem. Sci. **22**, 383–387 (1997).

Ubretid® (Rp). Tabl. u. Ampullen mit *Distigminbromid gegen Blasenschwäche u. dgl. **B.:** Nycomed.

UCC. Abk. für den weltweit agierenden amerikan. Chemiekonzern Union Carbide Corporation, 39 Old Ridgebury Road, Danbury, CT 06817-0001. *Tochter- u. Beteiligungsges.:* VOP LLC, Nippon Unicar Company Ltd., Aspell Polymeres SNC, World Ethanol Co., Univation Technologies, LLC, Asian Acetyl Co., Ltd., Polimeri Europa s.r.l. u.a. *Daten* (1997): 11 813 Beschäftigte, 6,5 Mrd. $ Umsatz. *Produktion:* Petrochem. Basis- u. Zwischenprodukte, Schmiermittel, Lsm., Weichmacher, Verdickungsmittel, Biochemikalien, Kosmetik-Zusatzstoffe, Tenside, Kunststoffe, darunter Vinyl-, Propylen-, Ethylenpolymere (LLDPE, HDPE), Epoxid-, Acrylharze, Latex-Emulsionen, Cellulose-Derivate, Kältemittel, Spezialgraphite, Verf.-Entwicklung u. Dienstleistungen. Allg. *Marken* für techn. Produkte: Ucar®, Ucon®. *Tochterges.* in der BRD: Union Carbide Chemicals GmbH, 40470 Düsseldorf.

UCN s. Urocortin.

U 46® Combi-Fluid. Wuchsstoff-haltiges Spritzmittel mit *2,4-D-Salz u. *MCPA-Salz gegen zweikeimblättrige Unkräuter wie Ackerdistel, Ackersenf, Hederich, Pfennigkraut, Hirtentäschl u. a. in Getreide u. auf Grünland sowie Rasenflächen. **B.:** BASF.

UCP s. Entkoppler-Protein.

Udel®. Handelsname für ein *Polyethersulfon (s. Polysulfone) der Struktur

Es wird aus Bisphenol-A u. 4,4′-Dichlordiphenylsulfon hergestellt. Gelegentlich wird U. auch als Bakelitsulfon od. einfach *Polysulfon bezeichnet.

Lit.: Dominghaus (5.), S. 850 f. ▪ Elias (5.) **2**, 453 f.

Udex®-Verfahren. Ein von UOP-Dow entwickeltes Flüssig-Flüssig-Extraktionsverf. zur Gewinnung von BTX-Aromaten (Benzol, Toluol, Xylole) aus petrochem. Kohlenwasserstoff-Gemischen, die beim katalyt. *Reformieren von Schwerbenzin anfallen. Beim heute von anderen Extraktionsverf. weitgehend verdrängten U.-V. werden die Aromaten im Udex-Extraktor, einer mehrstufigen Gegenstromextraktionskolonne, mit wäss. Di- od. Triethylenglykol-Lsg. extrahiert u. anschließend destillativ getrennt. – *E* Udex process

Lit.: Ullmann (5.) **A 3**, 491 f. ▪ Winnacker-Küchler **3**, 267 f.

U 46® D-Fluid. *Herbizid mit dem Wirkstoff *2,4-D als Salz. Wäss. Lsg., wirkt gegen Mischverunkrautung ohne Klettenlabkraut u. Ackerhohlzahn, aber mit Knöterich, junger Kamille, Steinsame u. a. in Getreide ohne Untersaaten; desweiteren speziell gegen Löwenzahn u. a. Unkräuter im Grünland. **B.:** BASF.

UDK. Abk. für Universal-*Dezimalklassifikation.

UDP. Abk. für Uridin-5′-diphosphat, s. Uridinphosphate.

Udrik® (Rp). Kapseln mit dem *ACE-Hemmer *Trandolapril gegen essentielle Hypertonie. **B.:** HMR.

UE. Kurzz. (nach ASTM) für *Polyurethan-Elastomere.

Über… vgl. Hyper…, Per… u. Super… (u. jeweils Folgendes).

Überallzünder s. Zündhölzer u. Phosphorsulfide.

Überbrückte Ringsysteme s. Bicyclo[…]…, Brücken, Käfigverbindungen, Tetracyclo[…]… u. Tricyclo[…]…

Überchlorsäure s. Perchlorsäure.

Überdeckung s. Kombinationswirkung.

Überdruck s. Druck, vgl. a. Hochdruckchemie.

Übereinstimmende Zustände s. kritische Größen.

Überempfindlichkeit s. Sensibilisation.

Überexpression s. Genexpression.

Überführung. Begriff aus der *Elektrochemie, mit dem das Auftreten eines *Diffusionspotentials in *Konzentrationszellen beschrieben wird. Als Zellen ohne Ü. (ohne Diffusionspotential) bezeichnet man Doppelzellen, bei denen kein Flüssigkeitskontakt zwischen den Elektrolyten besteht (s. Abb. a). Der Normalfall in der Elektrochemie sind aber Zellen mit Ü., denn die Elektrodenräume sind meist elektrolyt. durch eine Membran (*Diaphragma) miteinander verbunden (s. Abb. b). Die *EMK einer Zelle mit Ü. ist um den Faktor 2 t negativer als die einer Zelle ohne Ü., wenn die Konz. mit Hilfe der mittleren Ionenaktivität $a_\pm$ ausgedrückt werden, wobei t die *Überführungszahl der Kationen (t^+) bzw. der Anionen (t^-) sein kann, je nachdem, welche Ionenart potentialbestimmend ist. Mit Hilfe von Salzbrücken (s. Abb. c), die eine Salz-Lsg. enthalten, bei der die *Überführungszahlen von Anion u. Kation annähernd gleich sind, z. B. KCl-Lsg., kann die Ü. u. somit das Diffusionspotential verringert werden. – *E* = *F* transport – *I* trasporto – *S* transporte

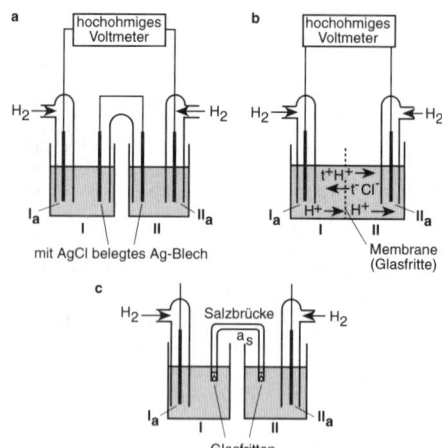

Abb.: Konzentrations-Doppelzellen: a) ohne Überführung; b) mit Überführung; c) mit vernachlässigbarer Überführung durch Einführung einer Salzbrücke. I u. II sind die beiden Lsg. unterschiedlicher Konz., hier z. B. HCl, I_a u. II_a zwei Pt-Elektroden, die mit H_2 umspült werden.

Lit.: Barrow, Physikalische Chemie III, S. 57, Braunschweig: Vieweg 1984 ▪ Hamann u. Vielstich, Elektrochemie, 3. Aufl., Weinheim: Wiley-VCH 1998 ▪ Wedler, Lehrbuch der Physikalischen Chemie, 4. Aufl., Weinheim: Wiley-VCH 1997.

Überführungszahl (Symbol nach IUPAC: t; seltener: n). Von *Hittorf (1853) eingeführte Bez. für den Anteil der von einer Ionenart durch einen Elektrolyten unter der Wirkung eines äußeren Feldes transportierten Elektrizitätsmenge bezogen auf die Gesamtmenge der von sämtlichen Ionen in der gleichen Zeit transportierten Elektrizitätsmenge. Für einen binären Elektrolyten, gilt bei großer Verdünnung folgende Beziehung zwischen den Ü. t^- der Anionen u. t^+ der Kationen u. den Ionenbeweglichkeiten u^- der Anionen u. u^+ der Kationen bzw. der Ionenleitfähigkeit λ^- u. λ^+ (v^-, v^+ = stöchiometr. Koeff. der Anionen u. Kationen):

$$t^- = \frac{u^-}{u^+ + u^-} = \frac{v^- \lambda^-}{v^- \lambda^- + v^+ \lambda^+}$$

$$\text{u. } t^+ = \frac{u^+}{u^+ + u^-} = \frac{v^+ \lambda^+}{v^- \lambda^- + v^+ \lambda^+}$$

$$\text{u. } t^+ + t^- = 1.$$

Sind mehrere Ionenarten (i) am Stromtransport beteiligt, so setzt sich die Gesamtstromdichte $\vec{j}$ additiv aus den Einzelstromdichten $\vec{j}_i$ zusammen

$$\vec{j} = \sum_i \vec{j}_i = \sum_i t_i \vec{j}.$$

Entsprechendes gilt auch für die Gesamtleitfähigkeit σ u. die Teilleitfähigkeit σ_i. Die Definition für die Ü. t_i lautet:

$$t_i = \frac{j_i}{j} = \frac{\sigma_i}{\sigma}, \quad \text{mit} \quad \sum_i t_i = 1.$$

*Nernst erkannte, daß die Wanderung der unterschiedlich stark solvatisierten Ionen durch den Elektrolyten wegen der mittransportierten Solvathüllen zu zusätzlichen Konz.-Änderungen führt, die die *wahren* Ü. verfälschen; letztere stellen also eine Korrektur der sog. *Hittorfschen Ü.* dar. Experimentell lassen sich die Ü. aus den während der *Elektrolyse an der Anode u. Kathode auftretenden Konz.-Änderungen bestimmen.

Die Kenntnis der Ü. ist von Bedeutung für das Verständnis der elektrochem. Vorgänge (bes. der *elektrischen Leitfähigkeit von Elektrolyt-Lsg.) u. *Transport-Reaktionen. Zu Meßverf. zur Bestimmung der Ü. s. Lit.[1], zu Tab. von Ü. von Ionen in festen Leitern wie z. B. LiCl, NaCl, KCl, KBr, PbI$_2$, CuCl, Cu$_2$O, FeO, FeS, TiO$_2$ u. γ-CuI bei verschiedenen Temp. s. Lit.[2]. – *E* transport number – *F* nombre de transport – *I* numero di trasporto – *S* número de transporte

Lit.: [1] Kohlrausch, Praktische Physik 2, S. 808, Stuttgart: Teubner 1996. [2] Kohlrausch, Praktische Physik 3, S. 569 ff., Stuttgart: Teubner 1996.
allg.: s. Überführung.

Übergangselemente s. Übergangsmetalle.

Übergangsmatrixelement. Begriff aus der *Quantenmechanik mit ein dem ein Übergang von einem Ausgangszustand, beschrieben durch die Wellenfunktion ψ_1 (od. ψ_i, „i" für *E* initial), in den Endzustand ψ_2 (od. ψ_f, „f" für *E* final) charakterisiert wird:

$$R_{12} = \langle \psi_1 | \vec{M} | \psi_2 \rangle = \int \psi_1^* \vec{M} \psi_2 \, d\tau$$

mit $\vec{M}$ = Übergangsoperator, $d\tau$ = Vol.-Element (d. h. Integration, erfolgt über den Raum), ψ_1^* = komplex konjugierte Wellenfunktion zu ψ_1. Die Übergangswahrscheinlichkeit W ist das Betragsquadrat des Ü.:

$$W = \left| \langle \psi_1 | \vec{M} | \psi_2 \rangle \right|^2$$

Bei elektr. Dipolübergängen, z. B. der Absorption od. Emission von Licht, ist der Übergangsoperator durch $\vec{M} \rightarrow = e \cdot \vec{r}$ gegeben; e = elektr. Ladung, $\vec{r}$ = Ortsoperator. Da die *Parität von $\vec{r}$ gleich -1 ist, müssen die Wellenfunktionen ψ_1 u. ψ_2 unterschiedliche Symmetrien besitzen, damit das Integral u. somit das Ü. von Null verschieden ist. Für Fälle von R = 0 wird der Übergang als *verboten* bezeichnet, für R $\neq$ 0 als *erlaubt*. Mit Hilfe der *Auswahlregeln faßt man zusammen, in welchen Quantenzahlen sich die beteiligten Niveaus ψ_1 u. ψ_2 unterscheiden müssen, damit R $\neq$ 0 gilt.

Bei Mol. spaltet man $\vec{M}$ gemäß $\vec{M} = \vec{M}_e + \vec{M}_n$ auf in einen Teil $\vec{M}_e$, der auf die Elektronen, u. einen Teil $\vec{M}_n$, der auf die Kerne wirkt. Kann im Rahmen der *Born-Oppenheimer-Näherung die Wellenfunktion ψ als Produkt $\psi = \psi_{elekt.} \cdot \psi_{vib} \cdot \psi_{rot}$ eines elektron., eines vibron. u. eines Rotations-Anteils geschrieben werden, so spaltet sich auch das Ü. in ein Produkt auf:

$$R = \int \psi_{vib1}^* \cdot \psi_{vib2} \, d\tau_n \cdot \int (\psi_{elekt.} \cdot \psi_{rot})^* \vec{M}_e \psi_{elekt.} \psi_{rot} \, d\tau_e.$$

Das erste Integral wird als Überlapp-Integral bezeichnet u. ergibt als Betragsquadrat den *Franck-Condon-Faktor*, während die Rotationsabhängigkeit im zweiten Integral durch den *Hänl-London-Faktor* zusammengefaßt wird. – *E* transition moment – *F* élément matriciel de transition – *I* momento di transizione – *S* momento de transición

Lit.: Bergmann u. Schaefer, Lehrbuch der Experimentalphysik, Bd. 4, Teilchen, Berlin: de Gruyter 1992 ▪ Hollas, High Resolution Spectroscopy, London: Butterworth 1982 ▪ Klessinger u. Michl, Lichtabsorption u. Photochemie organischer Moleküle, Weinheim: VCH Verlagsges. 1989 ▪ Lefebvre-Brion u. Field, Pertubation in the Spectra of Diatomic Molecules, New York: Academic Press 1986 ▪ Weissbluth, Atoms and Molecules, S. 621 ff., New York: Academic Press 1978.

Übergangsmetalle (Übergangselemente). Nach der in der IUPAC-Regel I-3.8.2 der Anorgan. Chemie gegebenen Definition sind *Übergangselemente* (tatsächlich handelt es sich ausschließlich um Metalle) solche Elemente, deren Atome eine inkomplette d-Schale haben od. die ein od. mehrere Kationen mit unvollständig gefüllter d-Schale bilden können; zur Veranschaulichung s. Tab. 3 bzw. 2 bei Atombau bzw. Periodensystem. Demnach gehören gemäß der von der IUPAC empfohlenen Definition zu den Ü. in der 4. Periode die Elemente Sc bis Cu mit den Ordnungszahlen 21–29, in der 5. Periode Y bis Ag (39–47), in der 6. Periode La bis Au, einschließlich der *Lanthanoide, bei denen die 4f-Schale aufgefüllt wird (Ordnungszahlen 57–79) u. in der 7. Periode Ac, die *Actinoide bis Lr (89–103) u. die folgenden Elemente bis Ordnungszahl 111, s. Transactinoide.

Zur Unterscheidung der d-Block-Elemente von den f-Block-Elementen nennt man erstere auch „äußere Ü." u. letztere „innere Ü.", weil im d-Block die zweitäußerste u. im f-Block die drittäußerste Schale mit Elektronen aufgefüllt wird. Die bei CAS u. allg. übliche Definition u. die dtsch. Bez. *Nebengruppenelemente* zählt zu den Ü. auch $_{30}$Zn, $_{48}$Cd, $_{80}$Hg u. $_{112}$Uub. Die Unterteilung in die Untergruppen IIIA bis VIIIA, IB des Periodensyst. ist jedoch veraltet. Die Ü. werden nach IUPAC durchnumeriert u. umfassen die Gruppen 3 bis 11. Zur Diskussion über unterschiedliche Zuordnungen von Haupt- u. Nebengruppenelementen u. Terminologieproblemen s. Lit.[1].

Unter den Ü. finden sich nicht nur das wichtigste Gebrauchsmetall (Eisen), sondern auch seine Veredelungsmetalle (Stahlveredler), die mit Fe od. untereinander eine Vielzahl von *Legierungen u. *intermetallischen Verbindungen zu bilden vermögen. Ü.-Verb. existieren in vielen unterschiedlichen Strukturtypen (s. z. B. *Eisen-organische Verbindungen). *Cluster-Verbindungen, die neben den Ü. auch *Hauptgruppenelemente enthalten, finden seit Jahren starkes wissenschaftliches Interesse, da v. a. die großen Clusteräls Bindeglied zwischen *Molekülen u. *Festkörpern angesehen werden können {z. B. Ag$_{172}$Se$_{40}$[Se–(CH$_2$)$_3$–CH$_3$]$_{92}$ (dppp)$_4$ mit dppp = (H$_5$C$_6$)$_2$P–(CH$_2$)$_3$–P(C$_6$H$_5$)$_2$, s. Lit.[2]}. Ebenso eindrucksvoll sind wasserlösl. Polyoxometallat-Anionen von reifenförmiger Gestalt wie das mol. Riesenrad [Mo$_{154}$(NO)$_{14}$O$_{420}$(OH)$_{28}$(H$_2$O)$_{70}$]$^{(25\pm5)-}$ u. dessen zu Ketten verknüpfte Variante[3]. Die äußeren Ü. besitzen zusätzlich zur Elektronenschale der Edelgase Ar, Kr od. Xe noch 1 bis 9 (bzw. 10) d-Elektronen der zweitäußersten Schale sowie zwei s-Elektronen der äußersten Schale. So findet man z. B. für die 3d-Reihe die Elektronenkonfiguration [Ar]4s^{2}3d$^{1-9}$. Ausnahmen sind Cr mit [Ar]4s^{1}3d^5 u. Cu mit [Ar]4s^{1}3d^{10}; dort wird das 4s-Niveau nur einfach besetzt, um ein halb od. ganz besetztes 3d-Niveau zu ermöglichen, welches energet. bes. günstig ist. Durch Abgabe von Elektronen sowohl aus dem s- als auch aus dem d-Niveau, in bes. Fällen auch durch Aufnahme von Elektronen in das unvollständig gefüllte d-Niveau, haben die Übergangsmetalle die Möglichkeit, unterschiedliche Oxid.-Stufen anzunehmen. So kennt man z. B. Rhenium-Verb. aller Oxid.-Stufen von -3 bis $+7$ u. die Elemente der 8. Gruppe lassen sich mit Ausnahme von Fe (max. Oxid.-Stufe +6) bis zur Oxid.-Stufe +8 oxidieren. Bei den Elementen der 9. u. 10. Gruppe wird hingegen die denkbare Oxid.-Stufe +9 od. +10 (Beteiligung aller d-Elektronen der zweitäußersten Schale) nicht erreicht, die max. Oxid.-Stufe beträgt für beide Gruppen +6.

Die inneren Ü. der 4f-Reihe besitzen zusätzlich zur Elektronenkonfiguration von Xenon noch zwei 6s- u. 1 bis 14 4f-Elektronen (*Lanthanoide, z. B. Pr mit [Xe]$6s^2 4f^5$), wobei in einigen Fällen ein Elektron im 5d-Niveau untergebracht wird (z. B. Gd mit [Xe]$6s^2 5d^1 4f^7$). Ähnliches gilt für die Ü. der 5f-Reihe (*Actinoide), welche zusätzlich zur Elektronenkonfiguration von Radon noch zwei 7s- u. 1 bis 14 5f-Elektronen (z. B. Pu mit [Rn]$6s^2 4f^6$) aufweisen; auch hier sind Ausnahmen mit einem 6d-Elektron bekannt. Alle inneren Ü. mit Ausnahme von Pa u. Th bilden dreiwertige Kationen. Während einige Lanthanoide in festen Phasen auch vierwertig auftreten können (in Lsg. gilt dies jedoch nur für Cer), sind Verb. der Actinoide in Oxid.-Stufen bis +7 bekannt. Im UF_6 u. im $[NpO_2(OH)_6]^{3-}$ entspricht die jeweilige Oxid.-Stufe der Gesamtzahl der vorhandenen 5f-, 6d- u. 7s-Elektronen.

Die Neigung der Ü. zum Wertigkeitswechsel bedingt auch die Reaktivität der Elemente in *Redoxsystemen, beispielsweise in der *Oxidimetrie (Mangano-, Titano-, Cerimetrie etc.) u. in der heterogenen *Katalyse. Da für die chem. Eigenschaften von Elementen bes. die Elektronenkonfigurationen der äußeren Schale maßgebend sind, unterscheiden sich die Ü. innerhalb einer Periode – in der innere Schalen mit Elektronen gefüllt werden – nicht so stark voneinander wie Hauptgruppenelemente, weshalb man z. B. von *Platinmetallen u. *Seltenerdmetallen sprechen kann. Der Schalenaufbau mit seinen Gesetzmäßigkeiten ist auch verantwortlich für die im Vgl. mit anderen Elementen geringen *Atomradien u. -volumina.

Typ. für viele Ü. ist die Farbigkeit ihrer Verb., s. z. B. die Verb. des Mangans. Bei Koordinationsverb., bei denen ein *Komplex-Ion je nach *Ligand verschiedene Farben zeigt, hat man die Liganden nach ihrer Ligandenfeldstärke in der sog. *Tsuchida-* od. *spektrochem. Reihe* gruppieren können: $I^- < Br^- < SCN^- < Cl^- < F^- < OH^- < ONO^- < H_2O < EDTA < NH_3 < en < NO_2^- < CN^- < CO$. Demnach hat der Eintritt starker Liganden (rechts von H_2O in der spektrochem. Reihe) Blauverschiebung (s. hypsochrom), der Eintritt schwacher Liganden (links von H_2O) Rotverschiebung (s. bathochrom) zur Folge. Eine Erklärung für den Farbwechsel liefert die *Ligandenfeldtheorie, mit deren Hilfe sich v. a. die opt. u. magnet. Eigenschaften von Ü.-Komplexen beschreiben lassen.

Anorgan. Komplexe von der Art der *Blutlaugensalze u. der *Metallcarbonyle sind zwar schon lange bekannt, doch hat sich das Arbeitsgebiet der Ü.-Komplexe erst richtig entwickelt, seit man über die Bindungsverhältnisse etwas mehr weiß (vgl. Koordinationslehre) u. seitdem man die Synth.-Probleme (Empfindlichkeit gegen O_2, oft auch gegen N_2, Wärme, Licht) beherrscht. Insbes. das Gebiet der Ü.-organ. Verb. ist heute nahezu unüberschaubar geworden, wozu bes. die Eignung vieler derartiger Verb. als Katalysatoren für die homogene Katalyse beigetragen hat (s. z. B. *Lit.*[4]). Als Liganden in organ. Ü.-Komplexen kommen nicht nur CN u. CO in Frage, sondern v. a. Olefine, Aromaten u. a. Verb. mit koordinativ verfügbaren Elektronenpaaren; *Beisp.* für derartige, in teilw. Einzelstichwörtern abgehandelte *Pi-Komplexe sind die π-Allyl-Übergangsmetall-Verb., Aromaten-Übergangsmetall-Komplexe, Metallocene u. a. Sandwich-Verb., Carbonyl-Komplexe, Metallacetylacetonate u. viele andere *Metall-organische Verbindungen.

Techn. bedeutende Ü.-Komplexe sind z. B. *Ziegler-Natta-Katalysatoren zur Olefin-Polymerisation. Andere Katalysatortypen dienen zur Sauerstoff-Übertragung od. *Stickstoff-Fixierung, u. im biolog. Geschehen spielen viele Ü. (nicht nur als *Spurenelemente) aufgrund ihrer Neigung zum Wertigkeitswechsel u. zur Komplexierung eine Rolle, z. B. in Enzymsystemen. Über Fortschritte auf dem Gebiet der Ü.-Chemie kann man sich anhand der Jahresrückblicke (z. B. *Lit.*[5]) informieren; zur NMR-Spektroskopie s. *Lit.*[6]. – *E* transition metals – *F* métaux de transition – *I* metalli di transizione – *S* metales de transición

Lit.: [1]Chem. Unserer Zeit **20**, 111–116 (1986). [2]Angew. Chem. **110**, 2783–2788 (1998). [3]Angew. Chem. **107**, 2293f. (1995); **109**, 500ff. (1997). [4]Cornils u. Herrmann, Aqueous Phase Organometallic Catalysis, Weinheim: Wiley-VCH 1998. [5]Nachr. Chem. Tech. Lab. **46**, 132–145 (1998). [6]Mason, Multinuclear NMR, New York: Plenum Press 1989; Chem. Rev. **87**, 1299–1312 (1987); Prog. Inorg. Chem. **33**, 393–508 (1985). *allg.:* Elschenbroich u. Salzer, Organometallchemie (3.), Stuttgart: Teubner 1993 ▪ Farell, Transition Metal Complexes as Drugs and Chemotherapeutic Agents, Hingham MA: Kluwer 1989 ▪ Harrington, Transition Metals in Total Synthesis, New York: Wiley 1990 ▪ Parish, NMR, NQR, EPR and Mössbauer Spectroscopy in Inorganic Chemistry, New York: Ellis Horwood 1990 ▪ Seddon (Hrsg.), Transition Metal Chemistry Review, Amsterdam: Elsevier (jährlich). – *Zeitschriften:* Journal of Organometallic Chemistry, Amsterdam: Elsevier (seit 1963) ▪ Coordination Chemistry Reviews, Amsterdam: Elsevier (seit 1966) ▪ Transition Metal Chemistry, London: Chapman & Hall (seit 1975).

Übergangsmetall-Komplexe. Bez. für Koordinationsverb. der *Übergangsmetalle, die in der Regel in Einzelstichwörtern (*π-Allyl-Übergangsmetall-Verbindungen, *Aromaten-Übergangsmetall-Komplexe, *Carbonylkomplexe, *Metallocene, *Sandwich-Verbindungen) abgehandelt sind; s. a. Metall-organische Verbindungen. Ü.-K. haben einen enormen Aufschwung in der organ. Synth. bewirkt; s. Metall-organische Reaktionen. – *E* transition metal complexes – *F* complexes des métaux de transition – *I* complessi dei metalli di transizione – *S* complejos de los metales de transición

Übergangswahrscheinlichkeit. Begriff aus der *Quantentheorie u. *Spektroskopie. Darunter versteht man die Wahrscheinlichkeit W_{mk} pro Zeiteinheit, mit der ein Zustand beschrieben durch das Symbol $|m>$ (*Dirac-Schreibweise), in einen anderen Zustand, $|k>$, übergeht. Im Rahmen der zeitabhängigen *Störungstheorie gilt in erster Näherung („Fermis Goldene Regel"): $W_{mk} = \frac{1}{h} |O_{km}|^2 \rho$. Hierbei ist h das *Plancksche Wirkungsquantum, O_{km} ein Matrixelement des den Übergang verursachenden Operators (z. B. des elektr. Dipoloperators bei Absorption od. Emission elektromagnet. Strahlung) u. ρ die D. der

mögliche Endzustände pro Energieintervall (s. a. Zustandsdichte). Die *Lebensdauer τ_m eines Zustands |m> wird durch die Ü. nach allen möglichen Endzuständen bestimmt: $\tau_m^{-1} = \sum_k W_{mk}$; s. a. Photochemie.
– *E* transition probability – *F* probabilité de transition – *I* probabilità di transizione – *S* probabilidad de transición
Lit.: Graybeal, Molecular Spectroscopy, New York: McGraw-Hill 1988.

Übergangszustand. Begriff aus der *Kinetik chem. *Reaktionen; s. a. Reaktionsmechanismen u. unimolekulare Reaktionen. Der reaktive Stoß zwischen zwei Atomen od. Mol. erfolgt über die Bildung einer transienten Spezies, die als Ü. od. *aktivierter Komplex* bezeichnet wird. Dies ist ein Aggregat wechselwirkender Atome, das einen Raumbereich von mol. Dimension einnimmt u. nach einer bestimmten Lebensdauer (ca. 10^{-12} s) spontan zerfallen kann.
Die Theorie des Ü. (*E* TST für *Transition-State Theorie*) ist eine statist. Theorie für *direkte Reaktionen*, die ohne Bildung eines langlebigen Komplexes ablaufen. Sie geht v. a. auf *Eyring[1] zurück; wesentliche frühe Beiträge stammen auch von *Wigner u. Mitarbeitern[2,3]. Für die Reaktionsgeschwindigkeitskonstante der Reaktion $A + BC \xrightarrow{k} AB + C$ bei einer gegebenen Temp. liefert die (kanon.) Theorie des Ü. den Ausdruck:

$$k(T) = \frac{k_B T}{h} \cdot \frac{Q^{\ddagger}_{ABC}}{Q_A \cdot Q_{BC}} \cdot \exp\left(-\frac{\Delta E_0^{\ddagger}}{k_B T}\right) \quad (1)$$

Hierbei sind k_B die Boltzmann-Konstante (s. Fundamentalkonstanten), h das *Plancksche Wirkungsquantum, T die abs. Temp., $Q^{\ddagger}_{ABC}$ die *Zustandssumme des Ü., Q_A u. Q_{BC} die Zustandssummen der Reaktanten A bzw. BC u. $\Delta E_0^{\ddagger}$ der Energieunterschied zwischen Ü. u. Reaktanten (s. die schemat. Abb.).

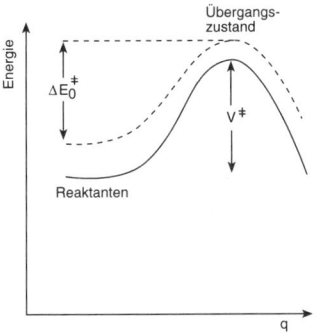

Abb.: Schemat. Energieprofil längs des Reaktionsweges von Reaktanten zum Übergangszustand. $V^{\ddagger}$ = Potentialbarriere; q = Reaktionskoordinate. Die gestrichelte Kurve beinhaltet die Nullpunktsenergie.

Der zweite, die Zustandssummen beinhaltende Term in Gleichung (1) hat die Form einer Gleichgewichtskonstanten (s. a. chemische Gleichgewichte) u. wird daher mit $K^{\ddagger}$ abgekürzt. Mit den Beziehungen der phänomenolog. Thermodynamik

$$\Delta G^{\ddagger} = -RT \ln K^{\ddagger} \quad (2)$$
$$\text{u. } \Delta G^{\ddagger} = \Delta H^{\ddagger} - T\Delta S^{\ddagger} \quad (3)$$

erhält man die sog. *Eyring-Gleichung*[4,5]:

$$k(T) = \frac{k_B T}{h} \cdot e^{\Delta S^{\ddagger}/R} \cdot e^{\Delta H^{\ddagger}/RT}. \quad (4)$$

Die Größen $\Delta S^{\ddagger}$ u. $\Delta H^{\ddagger}$ bezeichnet man als *Aktivierungsentropie* bzw. *Aktivierungsenthalpie*; T=allg. Gaskonstante.
Bei Reaktionen in Lsg. pflegt man die rechte Seite der Eyring-Gleichung derart zu modifizieren, daß man die Wechselwirkung mit dem Lsm. pauschal in Form von Aktivitätskoeff. berücksichtigt, d. h. man führt einen multiplikativen Faktor $\frac{f_A f_B}{f^{\ddagger}}$ ein. Die Druckabhängigkeit von Reaktionsgeschwindigkeitskonstanten k wird im Rahmen der thermodynam. Formulierung der Theorie des Ü. nach Evans u. Polanyi[6] in Form von Aktivierungsvol. $\Delta V^{\ddagger}$ charakterisiert:

$$\left(\frac{\partial \ln k}{\partial p}\right)_T = -\Delta V^{\ddagger}/RT$$

Das Aktivierungsvol. wird häufig als strukturelle Größe interpretiert, die durch die Geometrie von Ausgangs-, Übergangs- u. Endzustand u. deren Änderung infolge der *Solvatation bestimmt wird. Als *Spektroskopie des Ü.* bezeichnet man die direkte spektroskop. Untersuchung des Bindungsbruchs od. der Bindungsbildung bei einer chem. Reaktion[7,8]; bes. aktuell sind zeitaufgelöste Studien mit Femtosekunden-Lasern[9-11]. Damit sind theoret. vorhergesagte reaktive *Resonanzen[12] der experimentellen Beobachtung zugänglich geworden. – *E* transition state – *F* état de transition – *I* stato di transizione – *S* estado de transición
Lit.: [1] J. Chem. Phys. **3**, 107 (1935). [2] Z. Phys. Chem. **B 15**, 445 (1932). [3] Trans. Faraday Soc. **34**, 29 (1938). [4] Glasstone et al., The Theory of Rate Processes, New York: McGraw-Hill 1941. [5] Laidler, Chemical Kinetics, New York: McGraw-Hill 1950. [6] Trans. Faraday Soc. **31**, 875 (1935); **34**, 49 (1938). [7] J. Phys. Chem. **86**, 5027 (1982); **88**, 3956 (1984). [8] Ashfold u. Bagott, Bimolecular Collisions, London: The Royal Society of Chemistry 1989. [9] Science **242**, 1645 (1988). [10] Ber. Bunsenges. Phys. Chem. **94**, 1210–1218 (1990). [11] Annu. Rev. Phys. Chem. **41**, 15–60 (1990). [12] Faraday Discussions of the Chemical Society, Bd. 91: Structure and Dynamics of Reactive Transition States, London: The Royal Society of Chemistry 1991.
allg.: Annu. Rev. Phys. Chem. **35**, 159–190 (1984) ■ Beynon u. Gilbert, Application of Transition State Theory to Unimolecular Reactions, New York: Wiley 1984 ■ Pilling u. Smith, Modern Gas Kinetics, Oxford: Blackwells 1987 ■ Wyatt u. Zhang, Dynamics of Molecules and Chemical Reactions, New York: Dekker 1996.

Übergitter s. Überstruktur.

Überguß s. Photographie.

Überhitzung s. Dampf, Sieden u. Siedeverzug.

Überkorn s. Sieben.

Überkritisch s. 1. kritisch, Kernreaktoren u. Kernreaktionen, – 2. kritische Größen u. überkritische Flüssigkeiten, überkritische Gase.

Überkritische Flüssigkeiten, überkritische Gase. Wenn man *Flüssigkeiten u. *Gase unter Druck erhitzt, so geraten sie schließlich oberhalb ihrer jeweiligen krit. Temp. u. ihres krit. Drucks (s. kritische Größen) in den sog. *überkrit. Zustand*. In diesem Zustand zeichnen sich ü. F. gegenüber echten Flüssigkeiten nicht nur durch ihre geringere D., viel niedrigere Viskosität u. viel höhere Diffusionskoeff. aus, sondern v. a. durch ihr hervorragendes Lösungsvermögen. Desweiteren ist vorteilhaft, daß das Lsm. durch Reduzieren des Drucks einfach entfernt werden kann. Deshalb finden ü. F. aus

CO_2 (ca. 40 °C, 8–20 MPa), Ethylen, Propan, Ammoniak, Distickstoffdioxid, Wasser, Toluol, Stickstoff-Heterocyclen u. a. Anw. bei der *Extraktion – für das Verf. wurde die Bez. *Destraktion vorgeschlagen, im Engl. spricht man von *Supercritical Fluid Extraction* (SFE od. SCFE) – von Naturstoffen (z. B. Coffein aus Kaffee durch überkrit. CO_2, von Hopfenbitterstoffen, Riechstoffen), von Kohlenwasserstoffen aus Erdöl od. Kohle, zur Reaktivierung von Heterogenkatalysatoren u. zur Anreicherung von Spuren organ. Verunreinigungen aus Wasser. Ü. F. eignen sich auch als mobile Phase in der sog. *Fluid Chromatographie (SFC, supercritical fluid chromatography). – *E* supercritical fluids (gases) – *F* fluides (gaz) supercritiques – *I* fluidi (gas) supercritici – *S* fluidos (gases) supercríticos
Lit.: Atkins, Physikalische Chemie, S. 177, Weinheim: VCH Verlagsges. 1996 ▪ Encycl. Polym. Sci. Eng. **3**, 523–527 ▪ Int. Lab. **16**, Nr. 9, 18–30 (1986) ▪ Kirk-Othmer (4.) **23**, 452–477 ▪ Lo u. Baird, Solvent Extraction, in Encyclopedia of Physical Science and Technology, Vol. 15, S. 505–530, New York: Academic Press 1992 ▪ McHugh u. Krukonis, Supercritical Fluid Extraction, London: Butterworth 1986 ▪ Smith, Supercritical Fluid Chromatography, London: Royal Soc. Chem. 1988.

Überlappung. Begriff aus der *Quantenchemie. Zwei komplexe Funktionen $f_1(x)$ u. $f_2(x)$ – dies können z. B. *Atomorbitale sein – überlappen sich, wenn ihr *Überlappungsintegral $\int f_1^*(x) f_2(x) \, dx$ von Null verschieden ist. Bei verschwindender Ü. sind die Funktionen orthogonal zueinander (s. a. Orthogonalität). – *E* overlap – *F* recouvrement, chevauchement – *I* sovrapposizione – *S* superposición, recubrimiento

Überlappungsintegral. Begriff aus der *Quantenchemie. Z. B. versteht man unter dem Ü. über zwei (reelle) *Atomorbitale φ_A u. φ_B das Integral $\int \varphi_A(r) \varphi_B(r) \, dr$, wobei der Vektor r drei Ortskoordinaten zusammenfaßt (s. a. chemische Bindung). – *E* overlap integral – *F* intégrale de recouvrement – *I* integrale di sovrapposizione – *S* integral de superposición

Überlappungskonzentration. *Makromoleküle liegen, wenn sie bei sehr hoher Verdünnung in guten Lsm. gelöst sind, als stark aufgequollene, isolierte Einzelknäuel vor. Das von diesen Einzelknäueln eingenommene Vol. kann dabei je nach der Lsm.-Güte u. der *Molmasse des *Polymers so groß sein, daß sich diese bereits ab einer scheinbar noch sehr geringen Konz. (oftmals bereits im Prozent-Bereich) berühren. Die krit. Konz. c^*, ab der sich die Knäuelmol. aufgrund des eingeschränkten Vol. der Lsg. erstmals berühren u. zu überlappen beginnen, wird Ü. genannt. Bei weiterem Aufkonzentrieren der Lsg. ziehen sich die Knäuelmol. aufgrund der steigenden Segment-Wechselwirkungen immer mehr zusammen, bis sie schließlich – bei einer zweiten krit. Konz. c^{**} – ihre sog. *ungestörten Dimensionen* (s. Theta-Temperatur) erreichen. Polymer-Lsg. mit Konz. $c<c^*$ werden als verd., solche im Bereiche $c^*<c<c^{**}$ als mäßig- od. halb-konz. u. solche oberhalb von c^{**} als konz. bezeichnet. – *E* overlap concentration – *F* densité de recouvrement – *I* concentrazione di sovrapposizione – *S* concentración de solapamiento
Lit.: Elias (5.) **1**, 694; **2**, 717.

Überlassungspflicht s. Anschluß- und Benutzungszwang.

Überlichtgeschwindigkeit. Während sich Licht (allg. elektromagnet. Wellen) üblicherweise max. mit Vak.-*Lichtgeschwindigkeit ausbreitet, deuten Experimente darauf hin, daß sich mit evaneszenten (= hineinschwingenden) Moden Signale u. Energie auch schneller übertragen lassen. Evaneszente Moden entstehen z. B., wenn bei der Totalreflexion (s. Reflexion) die reflektierte Welle etwas in den Bereich des opt. dünneren Mediums hineinreicht; sie sind das klass. Analogon zum wellenmechan. *Tunneleffekt. – *I* sovravelocità della luce – *S* velocidad superior a la de la luz, velocidad superlumínica
Lit.: Nimtz, Tunneling and its Implication, London: World Scientific 1996 ▪ Phys. Unserer Zeit **28**, 214 (1997) ▪ Prog. Quantum Electronics **21**, 81 (1997).

Übermangansaures Kalium. Histor. Bez. für *Kaliumpermanganat.

Übermoleküln (Übermol., Überkomplexe). Nicht eindeutig abgegrenzte Bez. für ausschließlich durch Nebenvalenzen, d. h. *zwischenmolekulare Kräfte, zusammengehaltene Aggregate von hauptvalenzmäßig abgesätt. Molekülen. In diesem Sinne wurden früher wahllos Assoziate (s. Assoziation), *Clathrate, *Einschlußverbindungen, sog. *Molekülverbindungen u. *Cluster-Verbindungen zu den Ü. gerechnet. Bei Lehn bzw. Ringsdorf et al. (*Lit.*[1]) finden sich Beisp. für die heutige Auffassung von *Wirt-Gast-Beziehungen bei Ü. od. *supramol. Systemen*. – *E* supermolecules – *F* supermolécules – *I* supermolecole – *S* supermoléculas
Lit.: [1] Angew. Chem. **100**, 91–116, 117–162 (1988); **102**, 1347–1362 (1990).
allg.: Vögtle, Supramolekulare Chemie (2.), Stuttgart: Teubner 1992.

Übermolekül s. Übermoleküln.

Übernormaler Auslöser. Man versteht darunter einen Reiz, der eine bestimmte Verhaltensweise besser auslöst als der natürliche Auslöser. Die Existenz eines solchen Verhaltens bei Tieren fand man v. a. durch Attrappen-Versuche. Attrappen, die bestimmte, als Auslöser dienende Merkmale „übertreiben", wirken oft stärker als naturgetreue Nachbildungen od. sogar als das natürliche Objekt selbst. Einen ü. A. stellt z. B. der Sperr-Rachen des jungen Kuckucks dar, der an Auffälligkeit u. damit Auslösewirkung den der Nestlinge seiner Wirtsart übertrifft. Von der Größe u. Farbe der eigenen, natürlichen Eier abweichende Ei-Attrappen werden bei vielen Vogelarten bevorzugt, etwa beim Ei-Rollen mit dem Schnabel von außerhalb zurück in die Nestmulde. Die heute vielfach in der Praxis (z. B. Weinbau, Obstbau) angewandte Schädlingsbekämpfung mit Hilfe von künstlich hergestellten u. auf der Anbaufläche ausgebrachten Sexuallockstoffen (*Pheromonen) basiert u. a. auf der Wirkung als ü. A., wenn z. B. höhere Konz. von weiblichen Lockstoffen gezielt die paarungsbereiten Männchen irritieren, weglocken u. evtl. abfangen lassen. – *E* supernormal stimulus – *F* stimulus supranormal – *I* stimolo supernormale – *S* estímulo supernormal
Lit.: Alcock, Das Verhalten der Tiere, Stuttgart: Fischer 1996 ▪ Franck, Verhaltensbiologie, 3. Aufl., Stuttgart: Thieme 1997 ▪ Krieg u. Franz, Lehrbuch der biologischen Schädlingsbekämpfung, Berlin: Parey 1989.

Übersättigung. Bez. für einen *metastabilen Zustand, in dem in einem abgeschlossenen Syst. mehr von einem Stoff vorhanden ist, als zur *Sättigung* (s. gesättigt) erforderlich ist. *Beisp.:* Eine durch *Unterkühlung erhaltene *übersätt. Lsg.* (s. Lösungen, S. 2438) enthält mehr gelösten Stoff, als sie im therm. Gleichgew. enthalten dürfte. Der Überschuß an gelöster Substanz kann durch *Impfen mit *Keimen (es genügt ein winziges Kriställchen) od. Staubteilchen od. durch Erschütterung des Syst. zur augenblicklichen *Kristallisation gebracht werden. Durch Unterkühlung *übersätt. Dampf* hat eine größere D. (enthält mehr Flüssigkeit) als dem therm. Gleichgew. zwischen Dampf u. Kondensat entspricht (s. Dampf); prakt. Anw. der Dampf-Ü. ergeben sich in der *Wilson-Kammer u. bei der gezielten Auslösung von *Regen, um dem Hagelschlag zuvorzukommen. – *E* supersaturation – *F* sursaturation – *I* soprassaturazione – *S* sobresaturación
Lit.: Naturwissenschaften **74**, 111–119 (1987) ▪ Pharm. Ind. **42**, 1009–1018 (1980).

Übersauer s. Supersäuren.

Überschallströmung s. Strömungsgeschwindigkeit.

Überschußelektronen. Gelegentlich verwendeter Begriff zur Charakterisierung der gegenüber dem neutralen Zustand zusätzlich vorhandenen Elektronen; s. a. solvatisierte Elektronen. – *E* excess electrons – *F* électrons excessifs – *I* elettroni eccessivi – *S* electrones excesivos

Überschußleitung s. Halbleiter.

Überschußschlamm. Bez. für den bei der *biologischen Abwasserbehandlung gebildeten täglichen Zuwachs an belebtem *Klärschlamm, der der *Klärschlamm-Aufbereitung zugeführt wird. – *E* excess (surplus, waste) sludge – *F* boue en excès – *I* fango in eccesso – *S* barro en exceso
Lit.: Abwassertechnische Vereinigung (Hrsg.), ATV-Handbuch Klärschlamm (4.), S. 79–109, Berlin: Ernst & Sohn 1996 ▪ Brauer (Hrsg.), Handbuch des Umweltschutzes u. der Umweltschutztechnik, Bd. 4, Additiver Umweltschutz: Behandlung von Abwässern, S. 92–150, Berlin: Springer 1996 ▪ Ullmann (5.) **B 8**, 1–152.

Überschwere Elemente s. Superactinoide, Transactinoide, Transurane.

Überschwerer Wasserstoff s. Tritium.

Überspannung (elektrochem. *Polarisation, Symbol η). Bez. für die Differenz zwischen der dynam. u. der reversiblen *Elektroden-Spannung für eine gegebene elektrochem. Reaktion, d. h. für die Verschiebung des Gleichgew.-Elektrodenpotentials, die erforderlich ist, damit eine gegebene elektrochem. Reaktion (z. B. eine *Elektrolyse) mit gegebener Geschw. ablaufen kann. Man beobachtet Ü. bes. bei der Abscheidung von Gasen, aber auch bei der Metallabscheidung durch *kathodische Reduktion; hier ist dann eine höhere Spannung erforderlich als dem berechneten Abscheidungspotential (Zersetzungsspannung) entspricht. Die Ü. hat verschiedene Ursachen: *Konz.-Ü. (Diffusions-Ü.)* geht auf den bei Strombelastung eintretenden Konz.-Unterschied zwischen der der Elektrodenoberfläche nächstgelegenen Elektrolytschicht (Elektrodenfilm) u. der Hauptmenge des Elektrolyten zurück – auf ihr basiert die *Polarographie als quant. Analysenverfahren. Die *Widerstands-Ü.* beruht auf dem Ohmschen Widerstand der Zu- u. Ableitungen u. des Elektrolyten (*Beisp.:* *Dead-Stop-Titration) u. die *Durchtritts-Ü. (Aktivierungs-Ü.)* auf Hemmungen der Elektrodenreaktion (die *Butler-Volmer-Gleichung beschreibt die Gesamtstromdichte als Funktion der Durchtritts-Ü.). Die *Wasserstoff-Ü.* ist die zum Freiwerden von Wasserstoff erforderliche Ü. (s. Akkumulatoren). Die hohe Ü. des Wasserstoffs an bestimmten Elektroden (z. B. Quecksilber) ist auch der Grund für die mögliche Abscheidung von Metallen entgegen ihrer Stellung innerhalb der elektrochem. *Spannungsreihe (vgl. z. B. Chloralkali-Elektrolyse). In *Taschenbatterien beseitigt man den störenden Wasserstoff mit *Depolarisatoren. Bes. groß ist die Ü. von Sauerstoff an Platin- u. Gold-Elektroden. – *E* overpotential – *F* surtension – *I* sovratensione – *S* sobretensión
Lit.: Hamann u. Vielstich, Elektrochemie, 3. Aufl., Weinheim: Wiley-VCH 1998 ▪ Kirk-Othmer (4.) **9**, 111–197 ▪ Ullmann (5.) **A 3**, 346 ff. ▪ Winnacker-Küchler (3.) **1**, 233–239; **6**, 630 ff.; (4.) **2**, 390 f.; **4**, 671 ff.

Überstruktur. Bez. für eine durch Symmetrie-Red. bedingte Vervielfachung der reduzierten Elementarzelle in einer *Kristallstruktur. Verschiedene Mischkristallphasen (s. Mischkristalle) mit streng stöchiometr. Zusammensetzung der Komponenten können z. B. beim Tempern Ü. ausbilden. Während in Mischkristr. die Bausteine auf den Gitterplätzen statist. verteilt vorliegen, sind sie in den energieärmeren Ü. so geordnet, daß ineinandergeschobene Teilgitter entstehen. Diese erhöhte Ordnung zeigt sich z. B. bei Röntgenbeugungsexperimenten (s. Kristallstrukturanalyse) durch das Auftreten zusätzlicher, sog. *Ü.-Reflexe*. Ein Beisp. ist die Bildung von Ü. aus ungeordneten Cu/Au-Mischkristallphasen: Beim Tempern eines Mischkrist. mit einem Cu/Au-Mischungsverhältnis von 1:1 ordnen sich die Bausteine in abwechselnd aufeinanderfolgenden Schichten von Cu- u. Au-Atomen. Diese Elementarzelle ist dann nicht mehr kub. flächenzentriert sondern tetragonal. Ist das Cu/Au-Mischungsverhältnis 3:1, dann erhält man eine Ü. mit einer kub. primitiven Elementarzelle (s. Abb.).

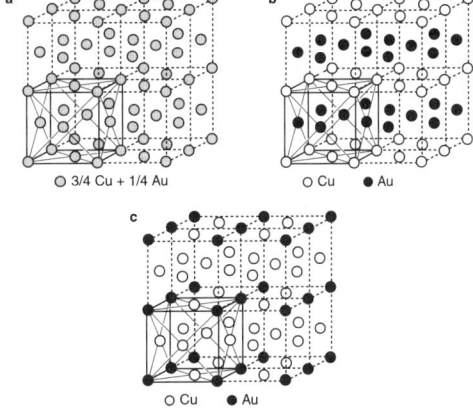

Abb.: a) Elementarzelle eines Mischkrist. $Cu_{0,75}Au_{0,25}$. Jede Gitterposition ist mit einer Wahrscheinlichkeit von 75% mit Cu u. von 25% mit Au besetzt. – b) Überstruktur von CuAu. – c) Überstruktur von Cu_3Au. Die Cu- u. Au-Atome besetzen in b) u. in c) nur die angegebenen Positionen (nach *Lit.*[2]).

Ü. können auch durch sandwichartiges Übereinanderschichten ultradünner Schichten von Halbleitermaterialien erzeugt werden. Die Ü.-Periode beträgt dabei wenige Atomlagen [1]. Auch beim Abkühlen von quasieindimensionalen elektr. Leitern werden häufig Ü. unter gleichzeitigem Zusammenbruch der Leitfähigkeit gebildet [3]. Man nennt diesen Leiter-Nichtleiter-Übergang auch *Peierls-Verzerrung*. – $E = F$ superstructure – I soprastruttura – S superestructura

Lit.: [1] Spektrum Wiss. **1984**, Nr. 1, 32–40. [2] Kleber, Einführung in die Kristallographie, S. 137, Berlin: Verl. Technik 1990. [3] Nature (London) **309**, 119–126 (1984). *allg.:* Perez-Mato u. Zuniga (Hrsg.), Methods of Structural Analysis of Modulated Structures and Quasicrystals, Singapur: World Scientific 1991 ▪ Ramdohr-Strunz, S. 153 ff. ▪ Shinjo u. Takada, Metallic Superlattices, Amsterdam: Elsevier 1987.

Übertragungskonstante s. Mayo-Gleichung, Reglersubstanzen u. Polymerisation.

Übertragungsladung s. Verstärker.

Übertragungsreaktion s. Transport, Reaktionen, Kettenreaktion u. Polymerisation.

Überwachungsbedürftige Anlagen. Ursprünglich nach der *Gewerbeordnung, jetzt nach dem Gerätesicherheitsgesetz (GSG) [1], müssen bestimmte Anlagen, mit Rücksicht auf ihre Gefährlichkeit, bes. Anforderungen in bezug auf Herst., Bauart, Werkstoffe u. Betriebsweise genügen. Als Überwachungsmaßnahmen sind eine Prüfung vor Inbetriebnahme u. regelmäßig wiederkehrende Prüfungen während des Betriebes durch behördlich zugelassene Sachverständige bzw. durch amtliche od. amtlich anerkannte Sachverständige erforderlich. Für bestimmte Anlagen können auch Betriebsangehörige mit entsprechender Qualifikation u. Erfahrung als Sachverständige anerkannt werden (*Selbst- od. Eigenüberwachung).
Zu ü. A. zählen nach § 2 GSG u. a. Dampfkessel, andere Druckbehälter, Anlagen zum Abfüllen von verdichteten, verflüssigten od. unter Druck gelösten Gasen, Anlagen zur Lagerung, Abfüllung u. Beförderung von brennbaren Flüssigkeiten, elektr. Anlagen in bes. gefährdeten Räumen, Aufzugsanlagen, Acetylen-Anlagen. Die techn. Anforderungen an solche Anlagen sind in einer Reihe von Rechts-VO festgelegt, z. B. Druckbehälter-VO [2], *VbF u. Acetylen-VO [3]. Von ü. A. zu unterscheiden sind *genehmigungsbedürftige Anlagen nach dem *Bundes-Immissionsschutzgesetz. – E installations (plants) with surveillance needs (requirements) – F installations nécessitant une surveillance – I impianti bisognosi di controllo – S instalaciones que requieren vigilancia (control)

Lit.: [1] BGBl. 1, S. 1564 (1992). [2] BGBl. 1, S. 1019 (1996). [3] BGBl. 1, S. 1019 (1996).
allg.: Kloepfer, Umweltrecht (2.), S. 61, München: Beck 1998 ▪ Skiba, Taschenbuch Arbeitssicherheit (9.), S. 106–159, Berlin: E. Schmidt 1997 ▪ ZH 1/399.

Überwachungswert. Bez. aus dem *Abwasserabgabengesetz für die in einem Zeitraum im Abwasser einzuhaltende Konz. bzw. den höchst zulässigen Verdünnungsfaktor (für fischgiftige Inhaltsstoffe, s. Fischtest), nach dem die Abgabenhöhe berechnet wird. Der Ü. tritt an die Stelle der alten Regel-, Höchst- u. Bezugswerte u. führte zu einer spürbaren Steigerung der Abgabenhöhe. – E surveillance value – F valeur de surveillance – I valore di controllo – S valor de vigilancia (control)

Lit.: Kloepfer, Umweltrecht (2.), S. 896 f., München: Beck 1998.

Überzüge. Bez. für dünne Schichten von meist 0,001–0,1 mm Dicke, die auf die Oberfläche fast aller erzeugter Güter vor deren Endverwertung aufgebracht werden. Die Ü. haben die Aufgabe, das Gut gegen Witterungseinflüsse od. Verschleiß zu schützen (s. Beschichtungen), es durch Farbe od. Glanz zu verschönern (z. B. *Anstrichstoffe, *Druckfarben) od. ihm spezielle Eigenschaften zu verleihen (z. B. Spiegelung, elektr. Isolation). Ü. müssen auf der Oberfläche in der Regel gut haften u. bestehen meist aus *Polymeren; Metalle u. Glas werden relativ selten als Ü. verwendet.
Die Aufbringung der Ü. auf die Oberflächen kann nach verschiedenen Verf. erfolgen. Am wichtigsten ist die Herst. von Polymer-Ü. durch Filmbildung aus fluiden Zuständen, d. h. aus Lsg., *Dispersionen od. *Schmelzen. Spezielle Verf. erlauben es auch, Ü. aus Pulvern (s. Pulverbeschichtung) od. durch *in-situ*-*Polymerisation u. *Plasmapolymerisation direkt aus den *Monomeren zu erzeugen. – E coatings – F film de protection – I rivestimenti – S capas

Lit.: Elias (5.) **2**, 681 f.

...ür. Im 20. Jh. durch *...id ersetzte dtsch. Form der in roman. Sprachen beibehaltenen Namenendung für neg. Ionen in Salzen; *Beisp.:* ...chlorür, ...cyanür. – E ...ide – F ...ure – $I = S$ ...uro

Uetikon. Kurzbez. für die 1818 gegr., im Familienbesitz befindliche Firma CU Chemie Uetikon AG, CH-8707 Uetikon (Schweiz). *Tochterges.:* Agroline AG, Basel; Zeochem., USA. *Produktion:* Iodate, Periodate, Molekularsiebe, Silicagele, Aluminiumsulfat, deuterierte Lsm., Mineraldünger, Schwefelsäure, organ. Feinchemikalien, Pharmawirkstoffe. *Vertretung* in der BRD: CU Chemie Uetikon GmbH, Lahr.

UF. 1. Kurzz. (nach DIN 7728-1: 1988-01) für Harnstoff-Formaldehyd-Polymere, s. Harnstoff-Harze. – 2. Abk. für *Ultrafiltration.

Ufa-Verfahren. Allg. Bez. für Verf. der russ. Petroleum-Raffinerien u. petrochem. Ind. im Gebiet von *Ufa* (zwischen Wolga u. dem Ural). – E Ufa processes – F procédés Ufa – I processo Ufa – S procedimientos Ufa

Uferfiltrat. Ein durch Anreicherung von Grundwasser aus Oberflächenwasser (Flüsse, Seen) gewonnenes Rohwasser zur Wasserversorgung im allg. u. Trinkwassergewinnung im besonderen. U. wird in weiten Teilen Europas als Rohstoff zur Trinkwassergewinnung. Dabei wird das U. in der Regel aufbereitet (s. Trinkwasseraufbereitung). Dazu werden gelegentlich U. in Gebieten mit günstiger Bodenbeschaffenheit verrieselt (s. Rieselfelder). Bei der Bodenpassage bewirken Sorption u. biolog. Abbauvorgänge eine Reinigung. – E bank-filtered water – F nappe aquifère enrichie d'eau de rivière infiltrée – I filtrato fluviale – S agua de orilla (riba) infiltrada

Lit.: Philipp (Hrsg.), Einführung in die Umwelttechnik, S. 164, Braunschweig: Vieweg 1993 ▪ Sontheimer, Trinkwasser aus dem Rhein? Bericht über ein Verbundforschungsvorhaben zur

Sicherheit der Trinkwassergewinnung aus Rheinuferfiltrat, St. Augustin: Academia Verl. 1991.

Uffelmann-Reagenz. Man löst 0,4 g Phenol in 50 mL dest. Wasser u. gibt einen Tropfen Eisen(III)-chlorid-Lsg. dazu. Dieses blaue Reagenz wird durch Milchsäure gelb gefärbt. – *E* Uffelmann('s) reagent – *F* réactif d'Uffelmann – *I* reattivo di Uffelmann – *S* reactivo de Uffelmann

UFORDAT. Abk. für Umweltforschungsdatenbank, s. UMPLIS.

UF-Schäume. Bez. für *Schaumkunststoffe auf der Basis von Harnstoff-Formaldehyd-Kondensationsprodukten (Kurzz. UF, *Harnstoff-Harze), die sich als Isoliermaterial zur Wärmedämmung, als Dicht- u. Füllmaterial im Bergbau, als biolog. abbaubarer Feuchtigkeitsspeicher u. Bodenverbesserungsmittel im Landbau (s. Plastoponik) u. für andere Zwecke eignen. War die Formaldehyd-Emission älterer UF-S. hinsichtlich möglicher gesundheitlicher Beeinträchtigungen noch umstritten, so zeichnen sich moderne UF-S. durch nur noch minimale Formaldehyd-Emission aus, die als unbedenklich angesehen werden kann – *E* UF foams – *F* mousses UF – *I* espansi UF – *S* espumas UF

Lit.: Elias u. Vohwinkel, Neue polymere Werkstoffe für die industrielle Anwendung, Bd. 2, S. 330–335, München: Hanser 1983 ▪ Plaste Kautsch. **33**, 218–221 (1986) ▪ s. a. Harnstoff-Harze u. Schaumkunststoffe. – [HS 3909 10]

UGB. Abk. für *Umweltgesetzbuch.

Ugi, Ivar Karl (geb. 1930), Prof. für Organ. Chemie, TU München. *Arbeitsgebiete:* Chemie des Pentazols, des Phosphors, des Ferrocens, der Co(I)-Supernucleophile u. der Isocyanide, insbes. Synth. u. Vierkomponenten-Kondensationen (4CC, *Ugi-Vierkomponenten-Reaktion). Entwicklung neuer Synth.-Meth. für Aminosäure-Derivate, Peptide, β-Lactame u. Oligonucleotide. Experimentelle u. theoret. Stereochemie, mathemat. Modelle der log. Struktur der Chemie u. darauf basierende Computerprogramme zur deduktiven Lösung chem. Probleme. Ordentliches Mitglied der Königlich-schwed. Wissenschafts-Ges., Chemiepreis Akademie der Wissenschaften Göttingen 1964, Philip-Morris-Forschungspreis 1988. Europ. Hrsg. von Tetrahedron Computer Methodology (Pergamon).

Lit.: Kürschner (16.), S. 3830 ▪ Neufeldt, S. 252 ▪ Wer ist wer (36.), S. 1468.

Ugilec®. Handelsbez. für polychlorierte Benzyltoluole (PCBT), z. B. *ar*-Monomethyl-*ar*,*ar*,*ar*′,*ar*′-tetrachlordiphenylmethane (Ugilec 141, *ar*,*ar*,*ar*′,*ar*′-Tetrachlor-*ar*-benzyltoluole, TCBT) od. *ar*-Monomethyl-*ar*,*ar*′-dichlordiphenylmethane (U. 121 = U. 21, DCBT), die als Ersatzstoffe für *PCB verwendet wurden. Die physikal., chem. u. ökotox. Eigenschaften der U. ähneln denen der PCB. Die Herst. u. Verw. ist nach *Gefahrstoffverordnung, das Inverkehrbringen nach *Chemikalienverbotsverordnung verboten; gleiches gilt für *ar*-Monomethyl-*ar*,*ar*′-dibromdiphenylmethane (*ar*,*ar*′-Dibrom-*ar*-benzyltoluole, DBBT).

Lit.: Fresenius Z. Anal. Chem. **332**, 904–911 (1989); **333**, 722–723 (1989).

Ugi-Reaktion s. Ugi-Vierkomponenten-Reaktion.

Ugi-Vierkomponenten-Reaktion (Ugi-Reaktion). Aus der *Passerini-Reaktion weiterentwickelte Reaktion, bei der ein Isonitril, eine Carbonsäure, ein Aldehyd od. Keton u. Ammoniak od. ein prim. Amin miteinander reagieren u. *Bisamide* entstehen:

Die Reaktion kann zur Herst. von *Peptiden ausgebaut werden [1]. – *E* Ugi four-component condensation – *F* réaction d'Ugi à quatre composantes – *I* condensazione delle quattro componenti di Ugi – *S* condensación Ugi de cuatro componentes

Lit.: [1] Gross u. Meienhofer, The Peptides, Bd. 2, S. 365–381, New York: Academic Press 1988.
allg.: Angew. Chem. **71**, 386 (1959); **74**, 9 (1962); **85**, 92 (1973); **89**, 267 (1977) ▪ Endeavour **18**, 115 (1994) ▪ Hassner-Stumer, S. 393 ▪ Houben-Weyl **15/2**, 365; **E 16 d**, 568 ▪ Krauch u. Kunz, Reaktionen der Organischen Chemie, 6. Aufl., S. 112, Heidelberg: Hüthig 1997 ▪ Ugi, Isonitril Chemistry, S. 133–143, 145–199, 252 ff., New York: Academic Press 1971.

UGN s. Uroguanylin.

UGR. Abk. für *umweltökonomische Gesamtrechnung.

Ugrandite s. Granate.

Uhde, Friedrich (1880–1966), Erfinder u. Industrieller, Begründer der gleichnamigen Firma. *Arbeitsgebiete:* Ammoniak-Synth. nach einem Niederdruckverf., Herst. von Salpetersäure aus Ammoniak, Gewinnung von Bitumen durch Kohleextraktion, techn. Hochdruckverfahren.

UHF. Abk. für *Unrestricted Hartree-Fock*, eine von *Pople (Nobelpreis 1998) u. Nesbet[1] eingeführte Variante des *Hartree-Fock-Verfahrens, bei der verschiedene *Orbitale (Einelektronen-*Wellenfunktionen) für Elektronen unterschiedlichen *Spins zugelassen werden. Daher wird zuweilen auch die Abk. DODS (von *E Different Orbitals for Different Spins*) verwendet. Das UHF-Verf. findet weite Anw. in quantenchem. Berechnungen an offenschaligen Mol., z. B. *Radikalen. Es dient auch als Ausgangspunkt für genauere Verf., z. B. von *Störungstheorie od. *Coupled-Cluster.

Lit.: [1] J. Chem. Phys. **22**, 571 (1954).

UHF-Brenner. Plasmabrenner, bei dem durch Wechselstrom mit Frequenzen im Gigahertz-Bereich ein elektromagnet. Feld in einer koaxialen Leitung erzeugt wird, durch die ein Plasmagas fließt. UHF-B. können nach Zündung Temp. >5000 K erreichen. – *E* UHF burner – *F* brûleur UHF – *I* bruciatore UHF – *S* quemador UHF

Lit.: Ullmann (4.) **2**, 404.

UHF-Vulkanisation. Abk. für Ultra-Hoch-Frequenz-Vulkanisation, s. Vulkanisation.

UHMPE. Kurzz. für *Polyethylen mit ultrahoher Molmasse (s. a. UHMWPE).

UHMWPE. Kurzz. (nach DIN 7728-1: 1988-01) für *Polyethylen mit ultrahoher Molmasse.

Uhren s. 1. Zeitreaktionen (chem. U.) – u. 2. Melatonin (biolog. U.).

Uhrenöle. Bez. für ausgesuchte, bes. alterungsbeständige Schmieröle für Uhren u. feinmechan. Präzisionsinstrumente z. B. auf der Basis von *Klauenölen, *Knochenfetten u. Zusätzen. – *E* watch oils – *F* huiles d'horloges – *I* oli per orologi – *S* aceites de relojería
Lit.: Ullmann (4.) **20**, 578 f.; (5.) **A 15**, 459 f.

Uhrgläser (Uhrglasschalen). Labortechn. Bez. für flache, runde Glasschälchen zum Bedecken von *Bechergläsern u. a. Laborgefäßen, um Staub fernzuhalten u. die Gefahr des Verspritzens beim Kochen zu vermindern. U. in Standardgrößen mit Durchmessern von 40–300 mm sind nach DIN 12341: 1970-03 genormt. Es gibt zentral durchbohrte U. als Spezialausführungen, z. B. zur Gas-Einleitung. – *E* watch glasses – *F* verres de montre – *I* vetri dell'orologio – *S* vidrios de reloj

UHT. Abk. für *E* ultra high temperature, s. Milch u. Uperisation.

UHV. Abk. für *Ultrahochvak.*, s. Vakuum.

UICPA. Abk. für *Union Internationale de Chimie Pure et Appliquée*, französ. Bez. der *IUPAC.

UIG. Abk. für *Umweltinformationsgesetz.

UILI. Abk. für *Union Internationale des Laboratoires Indépendants* mit Sitz der Geschäftsstelle in PO Box 101, Teddington, Middlesex TW 11 0LU (England). Die UILI ist eine internat. Vereinigung von 700 (1998) Privatlaboratorien u. unabhängigen Sachverständigen aus 21 Ländern, die Laboratoriumsuntersuchungen u. Forschungsarbeiten ausführen. Dtsch. Mitgliedsverband ist die Fachgruppe „Freiberuflicher Chemiker" in der *GDCh. – INTERNET-Adresse: http://www.uili.org.

Uintait, Uintahit s. Gilsonit.

UKAEA. Abk. für *United Kingdom Atomic Energy Authority*, die 1954 gegr. staatliche, brit. Atomenergiebehörde mit Sitz in London. *Aufgaben:* Forschung u. Entwicklung auf dem Gebiet der Atomenergie, Herst. von Kernbrennstoffen u. Radionukliden. – INTERNET-Adresse: http://www.ukaea.org.uk

UK-Wesseling-Verfahren. 1. Von UK-Wesseling entwickelter Hochdruckprozeß (30 MPa, 350 °C) zur Herst. von Methanol bei niedrigen CO-Partialdrücken an ZnO/Cr_2O_3-Katalysatoren.
2. Elektrochem. Verf. nach der UK-Wesseling-Route zur Herst. von *Hydrochinon aus Benzol. – *E* UK-Wesseling process – *F* procédé UK-Wesseling – *I* processo UK-Wesseling – *S* procedimiento UK-Wesseling
Lit. (zu 1.): Weissermel-Arpe (4.), S. 32. – *(zu 2.):* Weissermel-Arpe (4.), S. 394 f.

ul. Kurzz. (von *E* unlike = ungleich) für *diastereoselektive Reaktionen auf der (*Re*)-Seite des *prochiralen Atoms einer (*S*)-Verb. [od. (*Si*)-Seite einer (*R*)-Verb.] u. für (*Re*) + (*Si*)- od. (*Si*) + (*Re*)-Reaktion zweier prochiraler Atome; Gegensatz: lk.

Ulapualide.

R = O : Ulapualid A
R = H, $-O-CO-CH-CH_2-OCH_3$: Ulapualid B
               |
              OCH_3

U. sind Makrolide mit 3 linear verknüpften Oxazol-Ringen als Bestandteile des Makrocyclus. U. wurden aus Eiern von Nudibranchiern (Nacktkiemer) der Art *Hexabranchus sanguineus* isoliert [1]. Man unterscheidet *U. A* ($C_{46}H_{64}N_4O_{13}$, M_R 881,03, Öl) u. *U. B* {$C_{51}H_{74}N_4O_{16}$, M_R 999,17, Öl, $[\alpha]_D^{25}$ –22° (CH_3OH)}. Die Verb. sind antimikrobiell u. cytotox. gegen L1210-Zellen (ED_{50} 0,01–0,03 µg/mL) wirksam. Ein ähnliches Makrolid, *Kabiramid C* ($C_{48}H_{71}N_5O_{14}$, M_R 942,12, amorph, $[\alpha]_D$ +20°, Struktur noch nicht vollständig aufgeklärt), antifung., wurde aus der Eimasse der Nacktschnecke *Dendrodoris nigra* isoliert [2]. – *E = F* ulapualides – *I* ulapualidi – *S* ulapuálidos
Lit.: [1] J. Am. Chem. Soc. **108**, 846 (1986). [2] J. Am. Chem. Soc. **108**, 847 (1986).
allg.: Synlett **1990**, 36 f. (Synth.) ■ Tetrahedron Lett. **39**, 6095 (1998) (Synth. U. A). – *[CAS 100045-73-6 (U. A); 100045-74-7 (U. B); 100045-78-1 (Kabiramid C)]*

Ulcogant® (Rp). (Kau-)Tabl., Granulat u. Suspension mit dem Ulcusmittel *Sucralfat. *B.:* Lipha, Merck.

Ulcus, ulcera. Latein. Wort für Geschwür. Entzündung von Haut od. Schleimhäuten, die mit einem Substanzdefekt einhergeht. So kennt man z. B. ein U. der Hornhaut des Auges (U. corneae), Magen- u. Zwölffingerdarmgeschwüre (U. ventriculi bzw. duodeni) u. das durch Durchblutungsstörungen verursachte Unterschenkelgeschwür (U. cruris). – *E* ulcus, ulcer – *F* ulcus, ulcère – *I* ulcera – *S* ulcus, úlcera

Ulcus-Schutzfaktor s. Vitamin(e) U.

ULDPE. Kurzz. für *Polyethylen mit ultraniedriger Dichte.

Ulexin s. Cytisin.

Ulexit (Boronatrocalcit). Ein triklines *Borat-Mineral der Zusammensetzung $NaCa[B_5O_6(OH)_6] \cdot 5 H_2O$, Kristallklasse 1^--C_i. Selten Krist., meist als faserige, parallel zur Faserachse spaltbare, farblose bis weiße, seidenglänzende Aggregate, als feinste Fasern in lockeren weißen Knollen od. baumwollartigen Bällchen (*E cottonballs*). H. 1–1,5, D. 2,0. Die Struktur (*Lit.*[1,2]) enthält Pentaborat-Polyanionen $[B_5O_6(OH)_6]^{3-}$ aus zwei $[BO_3]$- u. drei $[BO_4]$-Gruppen als Grundbausteine. Parallelfaserige Bruchstücke können Bilder so vollkommen übertragen (*Lichtleiter-Effekt*), als wären sie ins Innere des Minerals projiziert (s. dazu *Lit.*[3]); dieser an beidseitig senkrecht zur Faserachse polierten Stücken sichtbare Effekt hat U. den Namen *Fernsehstein* (*E television stone*) eingetragen.
Vork.: In vielen Salzsümpfen u. trockenen Salzseen im nord- u. südamerikan. Wüstengebiet (u. a. Boron/Ka-

lifornien, Nevada, Chile, Bolivien, Peru); in der Türkei (Bigadic, Kestelek, Emet, Kirka in West-Anatolien) u. in Tibet.
Verw.: U. wird auf Borsäure u. Borate verarbeitet. – $E = F = I$ ulexite – S ulexita
Lit.: [1] Am. Mineral. **63**, 160–171 (1978). [2] Science **145**, 1295 f. (1964). [3] Nature (London) **200**, 1163 ff. (1963).
allg.: Grew u. Anovitz (Hrsg.), Boron: Mineralogy, Petrology and Geochemistry (Reviews in Mineralogy, Vol. 33), Washington (D. C.): Mineralogical Society of America 1996 ■ Mottana, Crespi u. Liborio, Der große BLV Mineralienführer (2.), S. 216 f., München: BLV 1982 ■ Ramdohr-Strunz, S. 589 ■ Ullmann (5.) A 4, 274. – [HS 252890; CAS 1319-33-1]

Ulicyclamid.

Ulicyclamid / Ulithiacyclamid

Cycl. Peptid {$C_{33}H_{39}N_7O_5S_2$, M_R 677,84, farbloses Öl, $[\alpha]_D^{25}$ +35,7° (CH_2Cl_2)} aus der Tunikate *Lissoclinum patella*, die neben U. noch weitere cycl. Peptide, die *Patellamide, enthält. U. verfügt wie diese über cytotox. Eigenschaften. Von U. wurden weitere Analoga, z. B. wie die 10,11-Dihydro-Verb., deren Epimer (Lissoclinamid 3) u. die 7-Isopropyl-Verb. isoliert. Als weitere sehr cytotox. Cyclopeptide kommen in *L. patella* noch die durch eine Dimethylendisulfid-Brücke verknüpften *Ulithiacyclamide* vor. Man kennt zwei Strukturvariationen mit einer Isobutyl- {*Ulithiacyclamid*, $C_{32}H_{42}N_8O_6S_4$, M_R 762,98, Öl, $[\alpha]_D^{25}$ +62,4° (CH_2Cl_2)} u. mit einer Benzyl-Gruppe {*Ulithiacyclamid B* [1], $C_{35}H_{40}N_8O_6S_4$, M_R 796,99, amorph, $[\alpha]_D^{25}$ +117° (CH_3OH)} am C-Atom 28. – $E = F$ ulicyclamide – I uliciclammide – S uliciclamida
Lit.: [1] J. Nat. Prod. **52**, 732–739 (1989).
allg.: J. Org. Chem. **48**, 2302, 4445 (1983); **54**, 5337 (1989) ■ Nachr. Chem. Tech. Lab. **37**, 1040 (1989). – *Synth.*: Angew. Chem. **97**, 606 (1985); Int. Ed. **24**, 569 (1985) ■ Tetrahedron Lett. **27**, 2653, 3495 (1986); **28**, 2251 (1987). – [CAS 74839-81-9 (U.); 74847-09-9 (Ulithiacyclamid); 122759-67-5 (Ulithiacyclamid B)]

Ulithiacyclamide s. Ulicyclamid.

Ullmann, Fritz (1875–1939), Prof. für Organ. Chemie, Berlin, Genf. *Arbeitsgebiete*: Pharmazeut. Chemie, Synth. von Diphenylamin-Derivaten u. von Biarylen (*Ullmann-Reaktion), Mitentwicklung von Panflavin u. Atebrin, Reinigungsverf. für Acetylen (*Heratol-Verfahren), Leuchtspurmunition, Begründer u. Hrsg. von *Ullmanns Enzyklopädie der Technischen Chemie.
Lit.: Chem. Unserer Zeit **22**, A 5 (1988) ■ Lexikon der Naturwissenschaftler, S. 403 ■ Pötsch, S. 431.

Ullmann-Goldberg-Reaktion s. Ullmann-Reaktion.

Ullmannit (Antimonnickelglanz). NiSbS; stahlgraues bis silberweißes, metallglänzendes, gelegentlich bunt angelaufenes kub. Mineral, Kristallklasse 23-T; zur Struktur von Cobalt-haltigem U., (Ni,Co)SbS, s. *Lit.*[1]; Arsen-haltiger U. ist triklin-pseudokub., Kristallklasse 1-C_1 (*Lit.*[2]). Meist derb od. als körnige Aggregate, H. 5, D. 6,7, Bruch uneben, spröde, U. enthält etwa 28% Nickel; zur chem. Analyse s. *Lit.*[3].
Vork.: Harz, Siegerland, Kärnten, Sarrabus/Sardinien (gute Krist.), Broken Hill/Australien. – $E = F$ ullmannite – I ul(l)mannite – S ullmannita
Lit.: [1] Am. Mineral. **65**, 154 ff. (1980). [2] Am. Mineral. **62**, 369–373 (1977). [3] Can. Mineral. **24**, 27–33 (1986).
allg.: Anthony et al., Handbook of Mineralogy, Vol. I, S. 548, Tucson (Arizona): Mineral Data Publishing 1990 ■ Ramdohr, Die Erzmineralien u. ihre Verwachsungen, S. 894 f., Berlin: Akademie-Verl. 1975 ■ Ramdohr-Strunz, S. 461 ■ Schröcke-Weiner, S. 259 f. – [CAS 12035-49-3]

Ullmann-Reaktion. Bez. für eine von *Ullmann 1904 aufgefundene, der *Wurtz-Synthese formal analoge Kondensationsreaktion (s. a. Kupp(e)lung), bei der zwei Arylhalogenide, insbes. -iodide, bei Temp. von 100–300 °C mit Cu od. Cu-Bronze zu Biarylen u. Cu-Halogeniden reagieren.

$$2 \text{ Ar-I} \xrightarrow[-CuI_2]{Cu} \text{Ar-Ar}$$

Die U.-R. läßt sich auch mit funktionell substituierten Arylhalogeniden durchführen, wobei empfindliche Gruppen ggf. selektiv geschützt werden müssen – selbst Biflavone lassen sich so synthetisieren. In allen Fällen verläuft die Reaktion über intermediär gebildete *Kupfer-organische Verbindungen. Die U.-R. läßt sich modifizieren u. unter wesentlich milderen Bedingungen verwirklichen, wenn Nickel-Komplexe od. elektrophile Palladium-Verb. wie Pd(O-CO-CH_3)$_2$ als Katalysatoren eingesetzt werden[1]. Die als Zwischenstufe auftretenden Arylpalladium-halogenide od. -acetate können auf verschiedenen Wegen unabhängig erzeugt werden, so daß die Anw.-Breite der U.-R. erheblich erweitert werden kann; es sind auf diesem Wege auch Biaryle mit unterschiedlichen Aryl-Resten (*Kumada-Neghishi-Kupplung*) u. unter Stereokontrolle Biaryle mit axialer Chiralität zugänglich[2].

$$\text{Ar}^1\text{-X} + \text{Ar}^2\text{-M} \xrightarrow[-MX]{Pd\text{-Kat.}} \text{Ar}^1\text{-Ar}^2$$

Unter *Ullmann-Goldberg-* bzw. *Jourdan-Ullmann-(Goldberg)-Reaktion* versteht man die Kupfer-katalysierte Synth. von Arylaminen, Diarylethern, Diphenylamin-Derivaten u. ähnlichen Verb. aus Anilinen u. Chloraromaten u. a. Arylhalogeniden.

Auch in diesem Falle ist die Palladium-katalysierte Variante eine bedeutende method. Verbesserung[3]. – E Ullmann reaction – F réaction d'Ullmann – I reazione di Ullmann – S reacción de Ullmann
Lit.: [1] Angew. Chem. **100**, 1147–1161 (1988); J. Org. Chem. **62**, 261 (1997). [2] Mulzer et al., Organic Synthesis Highlights, S. 181–185, Weinheim: VCH Verlagsges. 1991; Angew.

Chem. **102**, 1006 (1990). [3] Mulzer u. Waldmann, Organic Synthesis Highlights III, S. 126, Weinheim: Wiley-VCH 1998. *allg.:* Chem. Rev. **49**, 392 (1951); **64**, 613–632 (1964) ▪ Hassner-Stumer, S. 395 ▪ Houben-Weyl **5/2 b**, 221 ▪ Krauch u. Kunz, Reaktionen der Organischen Chemie, 6. Aufl., S. 19, 262, 266, Heidelberg: Hüthig 1997 ▪ Nachr. Chem. Tech. Lab. **36**, 1324–1327 (1988) ▪ Org. React. **14**, 19f. (1965) ▪ Synthesis **1974**, 9 ▪ Winnacker-Küchler (4.) **7**, 26f.

Ullmann-Rohr. Stahlrohr zur Aufnahme des gläsernen Aufschlußrohres bei organ. Elementaranalysen zum Schutz bei Zerplatzen des Glasrohrs. – *E* Ullmann tube – *F* tube d'Ullmann – *I* tubo di Ullmann – *S* tubo de Ullmann

Ullmanns Enzyklopädie der Technischen Chemie. Von *Ullmann begründetes u. in 1. u. 2. Aufl. herausgegebenes, umfangreichstes deutschsprachiges *Handbuch der techn. Chemie u. ihrer Randgebiete. Die 1.–3. Aufl. erschienen im Verl. Urban & Schwarzenberg, München 1914–1922 (12 Bd.), 1928–1932 (11 Bd.) u. 1951–1970 (23 Bd.). Seit der 4. Aufl. (1972–1984, 25 Bd.) erscheint das Werk (zur Zitierweise im Chemie-Lexikon s. Vorwort) im Verl. Chemie (seit 1996: Wiley-VCH), Weinheim. Die 5. Aufl. (1985–1997, 37 Bd.) erscheint als Ullmann's Encyclopedia of Industrial Chemistry in engl. Sprache u. ist auch als CD-ROM erhältlich. Die 6. Aufl. erschien Mitte 1998 als Electronic Release auf CD. Es handelt sich hierbei um eine voll netzwerkfähige Datenbank, die jährlich aktualisiert wird.

Ulme (Rüster). Auf der nördlichen Hemisphäre heim., seit etwa 1920 in ihrem Bestand gefährdete u. z. T. bereits ausgestorbene Laubbaumart (*Ulmus glabra* bzw. *minor*, Ulmaceae). Das Holz ist hart, schwer spaltbar u. dauerhaft; Verw. für Wasserbau u. Möbel. Das *Ulmensterben* wird von einem durch Käfer übertragenen Schlauchpilz (*Ceratocystis ulmi*) verursacht, dessen Stoffwechselprodukte – z. B. Serin- u. Threonin-reiche Glykoproteine – das Wassertransportsyst. der U. schädigen. – *E* elm – *F* orme – *I* = *S* olmo
Lit.: Franke, Nutzpflanzenkunde, 6. Aufl., S. 429 f., Stuttgart: Thieme 1997.

Ulminit s. Macerale.

...ulose. Suffix in halbsystemat. Namen für *Ketosen (IUPAC-Regel 2-Carb-10); *Beisp.:* *Heptulosen, D-arabino-2-Hexulose (s. Fructose u. Ketohexosen), *Pentulosen. Namen für *Aldoketosen enden auf *...osulose. – *E* = *F* ...ulose – *I* = *S* ...ulosa

Ulrason E. Handelsname für ein aromat. *Polyethersulfon.

Ulrason F. Handelsname für ein aromat. *Polysulfon.

Ultem®. Handelsname für ein amorphes, thermoplast. verarbeitbares *Polyetherimid der Struktur

U. weist eine *Glasübergangstemperatur von 220 °C, eine Molmasse von ca. 19 000 g/mol u. gute mechan. Kennwerte auf. Es wird daher zu den *technischen Kunststoffen od. *Hochleistungskunststoffen gerechnet.

Lit.: Domininghaus (5.), S. 987 ▪ Elias (5.) **2**, 233, 453 ▪ Odian (3.), S. 159.

Ultimale Carcinogene s. Präcarcinogene.

Ultracortenol® (Rp). Tropfen u. Salbe mit *Prednisolon-acetat od. -pivalat gegen Augenentzündungen. *B.:* Ciba Vision.

Ultradur. Handelsname für *Polyethylenterephthalat.

Ultrafeine (Aerosol-)Teilchen. Als u. A.-T. wird ein Teilchen bezeichnet, dessen Mobilitäts-Äquivalentdurchmesser $<0{,}1$ μm ist. Der *Mobilitäts-Äquivalentdurchmesser* (ident. mit dem Diffusions-Äquivalentdurchmesser) entspricht dem Durchmesser einer Kugel, die im gleichen Dispersionsmittel (z. B. Luft) die gleiche Mobilität od. Beweglichkeit hat wie das untersuchte, beliebig geformte Teilchen. Im wesentlichen werden u. A.-T. bei Verbrennungsprozessen u. Gasphasenreaktionen erzeugt. Beisp. dafür sind techn. Ruße, Schweißrauche, Laserrauche, Abgase, Metallrauche, Polymerrauche. Bei solchen Prozessen entstehen Primärteilchen mit Durchmessern von wenigen Nanometern. Für die Messung von Partikelanzahlkonz. sind spezielle Meßgeräte vorzusehen, wie z. B. Partikelmobilitätsanalysator u. nachgeschalteter Kondensationskernzähler.
Verschiedene Untersuchungen deuten darauf hin, daß kleinste schwerlösl. Aerosolteilchen nach dem Einatmen eine toxischere Wirkung entfalten als größere, schwerlösl., kompakte Teilchen. Die Teilchen-Oberfläche od. die Teilchen-Anzahlkonz. scheinen ein geeigneterer Maßstab zur Beurteilung der Wirkung zu sein als die Partikelmasse. Sowohl agglomerierte als auch aggregierte Aerosolteilchen, die aus ultrafeinen Primärteilchen bestehen, verfügen über eine große spezif. Oberfläche. – *E* ultrafine (aerosol) particles – *I* particelle ultrafine di aerosol – *S* partículas de aerosol ultrafinas
Lit.: BIA-Arbeitsmappe „Messung von Gefahrstoffen", Kennzahl 412, Bielefeld: ESV 1998 ▪ Toxikologisch-arbeitsmedizinische Begründung von MAK-Werten, Senatskommission zur Prüfung gesundheitsschädlicher Arbeitsstoffe der DFG, Weinheim: Wiley-VCH 1998.

Ultrafiltration (Abk.: UF). Bez. für ein *Trennverfahren für Lsg. makromol. Stoffe. Trennbereich: $M_R\ 10^3$ bis etwa $2 \cdot 10^6$, entsprechend etwa 0,001 bis 0,1 μm. Die UF, die Membran-*Mikrofiltration u. die *umgekehrte Osmose sind die wichtigsten durch hydrostat. Druck (UF: 10^5–10^6 Pa) betriebenen Membran-Trennverfahren. Sie werden oft unter dem Begriff *Membranfiltration zusammengefaßt u. unterscheiden sich v. a. durch ihre Trenngrenzen. Neben den Membran-Filtrationsverf. gibt es die Membran-Diffusionsverf., z. B. *Pervaporation. Das wesentliche Element aller Membran-Trennverf. ist eine *Membran.
Membran-Materialien u. Membran-Anordnungen sind bei allen Membran-Trennverf. ähnlich. Die Stofftrennung geschieht im allg. bei Umgebungstemp. ohne Zusatzstoffe, u. die Lsg. bzw. Gemische werden weder therm. noch chem. belastet. Membran-Trennverf. sind deshalb umweltfreundlich u. energiesparend. Nachteilig ist die mehr od. weniger rasche Verlegung der Membranoberfläche (Membran-Fouling, Deckschichtbildung).

Für die UF kommen vorwiegend asymmetr. strukturierte, poröse Membranen verschiedener organ. u. anorgan. Materialien wie Polysulfone od. Keramik in Form von Schläuchen, Kapillaren, Hohlfasern u. Flachmembranen zum Einsatz. Die techn. Membrananordnung geschieht in sog. *Modulen (Platten-, Wickel-, Rohr-, Kapillar- u. Hohlfaser-Modul). Das Membran-Modul ist das Herz einer UF-Anlage. Große Anlagen haben Membranflächen von mehr als 100 m^2 u. eine Tagesleistung von über 500 m^3 Ultrafiltrat (auch als „Permeat" bezeichnet). Im Labor werden als Rührzellen ausgebildete Filtergeräte od. kleine Module benutzt. Die Rückhalterate von UF-Membranen wird als *Ausschluß-* od. *Trenngrenze* (E cut-off) bezeichnet, auf die *Molmasse bezogen u. in der Regel in *Dalton angegeben. Filtriergeschw. (mit fallender Trenngrenze abnehmend): 0,5 bis 30 m^3 m^{-2} d^{-1} (bei $2 \cdot 10^5$ Pa Druckdifferenz).
Verw.: Sowohl im Laboratorium als auch in der Prozeßtechnik zum Konzentrieren, Reinigen u. Fraktionieren, z. B. in der Metallverarbeitung (Aufbereiten von Ölemulsionen, Recycling bei der *elektrophoretischen Lackierung), in der Pharma-Ind. (Abtrennen von *Pyrogenen), im Molkereibereich (Konzentrieren von Molkeeiweißstoffen), in der Medizin (Entgiften des Blutes in „künstlichen *Nieren" = Hämofiltration), in der Biotechnologie (Konzentrieren u. Reinigen von Fermentationsprodukten), im Umweltschutz (Prozeßabwasser-Aufbereitung, Rückgewinnung von Wertstoffen) u. allg. zur Bereitung von Reinstwasser (Pharma, Elektronik). Verf.-Varianten: *Diafiltration, Elektro-UF, Micell-unterstützte UF. – $E = F$ ultrafiltration – I ultrafiltrazione – S ultrafiltración
Lit.: Munir, Handbuch Ultrafiltration, Hamburg: Behr 1990 ■ Townshend (Hrsg.), Encyclopedia of Analytical Science, Bd. 6, S. 3503–3506, New York: Academic Press 1995 ■ Ullmann (5.) **B2**, 10-2, 10-21; **B3**, 11-6; (6.) Membrane and Membrane Separation Processes.

Ultragroß-Ionen s. Ionen.

Ultrahocherhitzung s. Milch u. Uperisation.

Ultrahochvakuum s. Vakuum.

Ultrahold® 8. Acrylat/Acrylamid-Copolymeres zur Verw. als Filmbildner in Haarsprays, Kohlenwasserstoff-Verträglichkeit >60%. *B.:* BASF.

Ultrakurzzeit-Effekt s. Photographie u. zeitaufgelöste Spektroskopie.

Ultrakurzzeiterhitzung s. Milch u. Uperisation.

Ultralan® (Rp). Creme, Milch, (Fett-)Salbe, Fettspray u. Tabl. mit dem Glucocorticoid (s. Corticosteroide) *Fluocortolon od. dessen Caproat- od. Pivalat-Ester gegen entzündliche u. allerg. Hautkrankheiten, auch mit zusätzlicher Salicylsäure (*U.-crinale*). *B.:* Asche.

Ultramafisch s. Peridotite.

Ultramarine. Sammelbez. für anorgan. Pigmente, die Schwefel-haltige Natrium-Aluminium-Silicate mit wechselnder Zusammensetzung (Näherungsformel $Na_8(Al_6Si_6O_{24})(S_{2-4})_2$, C. I. 77 077) darstellen. Die zumeist blauen (C. I. Pigment Blue 299), aber auch grünen (C. I. Pigment Green 16), roten od. violetten (C. I. Pigment Violet 15) U.-Typen haben eine ähnliche Kristallstruktur wie die Mineralien *Sodalith, *Nosean u. *Hauyn, mit denen auch der *Lapislazuli – natürlich vorkommender blauer U. – eng verwandt ist. Als Träger der Farbe werden insbes. die in die Käfigstruktur des Aluminosilicat-Gitters eingebauten Polysulfid-Radikalionen S_2^-, S_3^- u. S_4^- angesehen[1]. Eine ausführliche Darst. der Wege u. Irrwege, die zur heutigen, durch EPR-Spektroskopie gestützten Auffassung von der Entstehung der verschiedenen U.-Farbtöne führten, findet man bei Seel[2]. Die U., die wegen ihrer Struktur u. der leichten Austauschbarkeit ihrer Alkalimetall-Ionen auch zu den *Zeolithen gestellt werden, sind in allen Lsm. unlöslich. In Säuren zersetzen sie sich unter Entwicklung von H_2S u. Entfärbung; allerdings wurden auch gegen 10%ige kochende Salzsäure beständige U.-Typen entwickelt. Gegenüber Alkalien, Licht u. Hitze sind die U. sehr stabil; ihre geringe Toxizität macht sie physiol. unbedenklich. Nicht zu den U. gehört der sog. „gelbe U."; dieser ist *Bariumchromat. U. werden im wesentlichen auch heute noch nach histor. Rezepturen bei ca. 800 °C aus Kaolin, Schwefel, Soda, Quarz u. Holzkohle synthetisiert, wobei sich durch Variation der Rohmischungsrezepturen u. der Brennbedingungen verschiedene U. herstellen lassen. U. ist eine Lasurfarbe u. wird in fast allen Bindemitteln stets mit Weißpigmenten verarbeitet. U. hat einen außerordentlich reinen Farbton von höchster Leuchtkraft, die opt. Reinheit liegt bei 93%. Seine Lichtechtheit wird durch kein anderes blaues Pigment übertroffen. In Mischung mit ZnO reflektiert U. Infrarotstrahlung u. wird deshalb zur Herst. von Tarnfarben u. Sonnenschutzfarben benutzt.
Verw.: Zum Färben von Gummi, Kunststoffen, Papieren, Tapeten, Pflanzenschutzmitteln, Kosmetika (z. B. Lidschatten), Zementplatten, bei der Herst. von Künstler-, Lack-, Dispersions- u. Druckfarben, in der Textil-Ind. zur Garnmarkierung. Spuren von blauen u. violetten U. dienten wegen ihrer Komplementärfarbenwirkung zur Verbesserung von Weißtönen (*Bläuen, z. B. bei gelblichen Färbungen in Wäsche, Papier, Zucker). Im Lebensmittelbereich ist U. für Stempelfarben u. Eierschalenfarben zugelassen.
Geschichte: Im Mittelalter wurde aus *Lapislazuli* od. *Lasurstein* nach einem kostspieligen u. mühseligen Verf. eine blaue Malerfarbe gewonnen, die so wertvoll war, daß sie mit Gold aufgewogen wurde. Den Namen *Ultramarin* hat die Mineralfarbe damals erhalten, weil der Rohstoff, der Lapis, von jenseits des Meeres kam (latein.: ultra marinus). 1828 haben fast gleichzeitig Guimet in Toulouse, C. G. *Gmelin in Tübingen u. Köttig in Meißen die künstliche Herst. des U. erfunden. Die erste dtsch. U.-Fabrik wurde 1834 von Leverkus gegründet; das DRP Nr. 1 vom 2.7.1877 beschreibt ein Verf. zur Herst. von U.-Rot. Näheres zur mehrtausendjährigen Geschichte der U. findet man bei Seel, Gerstner u. in Firmenschriften (z. B. *Lit.*[3]). – E ultramarines – F ultramarins – I oltremarini – S ultramarinos
Lit.: [1] Z. Anorg. Allg. Chem. **367**, 3f. (1969). [2] Chem. Unserer Zeit **8**, 65–71 (1974). [3] Die BASF **1977**, Nr. 2, 600ff.
allg.: Die BASF **1977**, Nr. 2, 60–75 ■ Endriß, Aktuelle anorganische Buntpigmente, Hannover: Vincentz 1997 ■ Gmelin, Syst.-Nr. 35, Al, Tl, B, 1934, S. 426–447 ■ Kirk-Othmer (4.)

6, 909, 936, 951; 7, 581 ▪ Ullmann (5.) **A 3**, 145; **A 18**, 457; **A 20**, 322 f.

Ultramid A. Handelsname für *Nylon 66.

Ultramid B. Handelsname für *Nylon 6.

Ultramid K. Handelsname für ein transparentes *Polyamid aus Adipinsäure, Hexamethylendiamin u. 2,2-Bis(4-aminophenyl)propan.

Ultramid S. Handelsname für *Nylon 610.

Ultramikroanalyse. Bez. für alle qual. u. quant. Verf. der *Mikroanalyse, die Substanzmengen zwischen 10^{-5} u. 10^{-6} g erfassen od. mit 1–50 µL Lsg. auskommen, u. die daher auch als *Mikrogramm-* u. *Mikroliter-Meth.* bezeichnet werden. Die IUPAC definiert als *Ultramikroprobe* Probemengen $<10^{-4}$ g. Die U. bedient sich der Techniken der *Spurenanalyse u. der Mikroanalysen. – *E* ultramicroanalysis – *F* ultramicroanalyse – *I* ultramicroanalisi – *S* ultramicroanálisis
Lit.: DIN 32630: 1994-10 ▪ LABO **19**, 9–23 (1988).

Ultramikronen s. Mikronen.

Ultramikroprobe s. Ultramikroanalyse.

Ultramikroskop. Bez. für ein opt. *Mikroskop, mit dem *Teilchen untersucht werden, deren geometr. Abmessungen kleiner als die durch die Abbesche Mikroskoptheorie (s. Mikroskope) gegebene Auflösung sind; d. h. die Objekte sind kleiner als die Beugungsscheibe des verwendeten Mikroskopobjektives (inklusive Immersionsflüssigkeit). Die Größe u. Form der Teilchen wird indirekt durch *Beugung u. *Streuung bestimmt. So kann z. B. der Teilchendurchmesser aus der Farbe u. Intensität des Beugungsscheibchens des Objektes ermittelt werden, da die gesamte Intensität proportional zum Quadrat des Teilchenvol. ist, während die spektrale Intensität proportional zur 4. Potenz der Lichtfrequenz ist (s. Lichtstreuung). U. arbeiten grundsätzlich in Dunkelfeldanordnung. Für die Untersuchung von Teilchen in Flüssigkeiten u. Gasen sind bes. Ultrakondensoren entwickelt worden. Eine direkte opt. Meth. zur Beobachtung von Teilchen, die kleiner als die Lichtwellenlänge sind, besteht in jüngerer Zeit in der *Nahfeldmikroskopie. – *E* = *F* ultramicroscope – *I* = *S* ultramicroscopio
Lit.: Mütze, ABC Optik, Hanau: Werner Dausien 1960.

Ultramoll®. Sortiment von Polymerweichmachern insbes. für die PVC-Industrie. Einzelne U.-Typen sind: *M. I, II, III* (flüssige bis wachsartige, in den üblichen organ. Lsm. lösl. Adipinsäure-Polyester), *TGN* (flüssige, niedrigviskose Phthalsäure-Polyester), *PP* (Polyphthalate), *M* (Adipinsäure-Polyester, insbes. zum Anpasten von Farbstoffen). *B.:* Bayer.

Ultra-Pasteurisation s. Milch u. Uperisation.

Ultrapek®. Handelsname für ein aromat. *Polyetherketon.

Ultraphor®-Marken. Opt. Aufheller für *Polyester-Fasern u. *Polyamid-Fasern sowie deren Mischungen. *B.:* BASF.

Ultraphosphate s. Phosphate.

Ultraproct® (Rp). *Hämorrhoiden-Salbe u. -Suppositorien mit *Fluocortolon-pivalat u. -capronat u. *Cinchocain-hydrochlorid. *B.:* Asche.

Ultrarot... s. Infrarot....

Ultrarotspektroskopie s. IR-Spektroskopie.

Ultraschall. Bez. für *Schall, dessen Frequenzen oberhalb des menschlichen Hörbereichs (ca. 16 Hz – 20 kHz) u. unterhalb von 10^9 Hz liegen; Schall mit Frequenzen größer als 10^9 Hz wird als *Hyperschall bezeichnet. Der menschliche Hörbereich (obere Grenze reduziert sich mit zunehmendem Alter) bezieht sich nur auf Schwingungen, die durch Luft übertragen werden u. auf das Trommelfell treffen. Mit einem Vibrator auf den Warzenfortsatz, einem kleinen Knochen hinter dem Ohr, übertragene U.-Frequenzen vermitteln selbst bei mehr als 100 kHz noch einen Höreindruck. Da auch Tonhöhen unterschieden werden, ist es möglich, Sprache zu übermitteln.

Schallwellen können sich in Form von Druckschwankungen ausbreiten; diese longitudinalen Wellen, auch *Druckwellen* genannt, breiten sich mit der Geschw.

$$C_D = \sqrt{\frac{E}{\rho} \frac{1-\mu}{(1+\mu)(1-2\mu)}} \text{ in Festkörper, } C = \sqrt{\frac{\kappa}{\rho}} \text{ in}$$

Flüssigkeiten, $C = \sqrt{\frac{\gamma \cdot p}{\rho}}$ in Gasen aus. Hierbei ist E = Elastizitätsmodul, ρ = D., μ = Poisson-Zahl (s. Elastizitäts-Modul), κ = Steifheitsmodul (Reziprokes zur *Kompressibilität), p = Druck u. $\gamma = c_p/c_v$ = Adiabatenexponent.

In Festkörpern (u. in wenigen sog. viskoelast. Flüssigkeiten) existiert auch eine Scherelastizität, so daß sich auch transversale Wellen, sog. *Scherwellen*, ausbreiten können. Ihre Geschw. ergibt sich zu

$$C_S = \sqrt{\frac{E}{\rho} \frac{1}{2(1+\mu)}} = \sqrt{\frac{G}{\mu}}$$

mit G = Scher- bzw. Torsionsmodul.

Unter der *spezif. akust. Impedanz* Z versteht man das Verhältnis des Schalldrucks zur Teilchengeschwindigkeit. Da Z materialabhängig ist, kommt es, ähnlich wie bei einer Lichtwelle, beim Auftreffen der Schallwelle auf eine Grenzschicht zu einer Aufspaltung in eine transmittierte u. eine reflektierte Welle. Wenn Z_1 u. Z_2 die Impedanzen der beteiligten Medien sind, so gilt für den Druck

$$T_p = \frac{2Z_2}{Z_2 + Z_1} \text{ u. } R_p = \frac{Z_2 - Z_1}{Z_2 + Z_1}$$

u. für die Intensität

$$T_I = \frac{4Z_2 \cdot Z_1}{(Z_2 + Z_1)^2} \text{ u. } R_I = \left[\frac{Z_2 - Z_1}{Z_2 + Z_1}\right]^2$$

(T bezeichnet die transmittierte u. R die reflektierte Komponente). Ganz analog zur Optik kann man die Reflexion mindern, indem man eine Zwischenschicht mit der Impedanz $Z_3 = \sqrt{Z_1 \cdot Z_2}$ wählt, die wie im optimalen Fall $\lambda/4$ (λ = Wellenlänge) dick ist. Schall wird durch Kanten u. Öffnungen in gleicher Weise gebeugt (*Beugung) wie Licht. Im Fernfeld (Fraunhoferzone genannt) ist der Strahl, der z. B. durch eine Lochblende mit dem Durchmesser D lief, divergent; für seinen halben Öffnungswinkel Θ gilt

$$\sin \Theta = 1{,}22 \cdot \frac{\lambda}{D}$$

Zur *Erzeugung* von U. in der Technik bedient man sich mechan. (z. B. U.-Pfeifen, U.-Sirenen), insbes. aber elektr. Schwingungserzeuger. Beispielsweise nutzt man die *Piezoelektrizität von Schwingquarzen, Bariumtitanat, Lithiumsulfat, Bleizirconat u. a. Einkrist.; Materialkonstanten verschiedener Piezo-Materialien sind in *Lit.*[1] gegeben. Schall- u. U.-Emissionen sind auch bei manchen Krist.- u. Erstarrungsvorgängen im Laboratorium beobachtet worden[2].

Je nach Anw. übertrifft U. den gewöhnlichen Schall an mechan. Kraftwirkung u. Energie bei weitem. So hat z. B. ein auf normale Lautstärke eingestellter Radiolautsprecher eine Schallintensität von etwa 10^{-9} W/cm², ein in der Nähe abgefeuerter Kanonenschuß ungefähr 10^{-3} W/cm², U. dagegen rund 10 W/cm². Zudem läßt sich U. gut fokussieren. Allerdings spielt das Transportmedium eine große Rolle. Da die Absorption des Schalls allg. mit der Schwingungszahl ansteigt, wird U. auf seinem Weg stärker abgeschwächt als gewöhnlicher Schall. So wird z. B. die Schallintensität bei einem U. von 300 kHz bei 20°C nach Passieren einer 40 cm dicken Luftschicht auf die Hälfte herabgesetzt, während in Wasser erst nach 440 m, in Transformatorenöl nach 100 m u. in Paraffinöl etwa nach 3 m eine Halbierung der Schallintensität bewirkt wird. Da Luft U. zu stark schwächt, führt man Versuche mit U. meist in Glycerin, Transformatorenöl od. Paraffinöl durch: Man läßt die schallerzeugende Quarzplatte (*U.-Schwinger, Piezowandler*) u. Stromzuleitungen in die Flüssigkeit eintauchen u. stellt die Reaktionsgefäße (ebenfalls in der Flüssigkeit) in den senkrecht zur Kristalloberfläche gerichteten Weg des Schallstrahls. Die U.-Absorption bewirkt eine (lokale) Erwärmung des Mediums.

Anw.: Man kann, je nach applizierter Intensität, zwei Bereiche unterscheiden:

1. *Niedrige Intensität, überwiegend passive Anwendung.* Hierzu zählen u. a.:
– Zerstörungsfreie *Werkstoffprüfung (Abk. NDT von *E* **n**on**d**estructive **t**esting). Da Risse, auch wenn sie extrem dünn sind, eine wesentlich andere Impedanz als das Umgebungsmaterial aufweisen, wird eine durchlaufende U.-Welle stark reflektiert. Das Meßprinzip (s. Abb.) beruht auf der Ausmessung der Intensität u. der Laufzeit der einzelnen Reflexe. Um eine hohe räumliche Auflösung zu erreichen, werden kurze Pulse von 2–6 MHz verwendet. U.-Sensoren werden nicht nur stationär aufgebaut, sondern können auch in mobilen Robotern installiert sein, z. B. zur Inspektion von Abwasserkanälen[3].

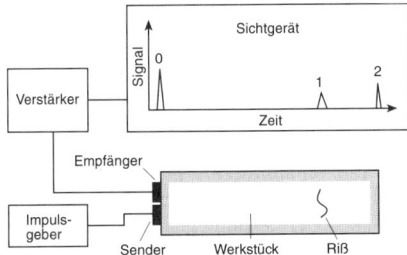

Abb.: Impulsechoverf. zur zerstörungsfreien Werkstoffprüfung mit Hilfe von Ultraschall; 0 ≙ Echo der Einkoppelfläche, 1 ≙ Echo vom Riß, 2 ≙ Echo von der Endfläche.

– Materialcharakterisierung. Hierbei wird ausgenutzt, daß die Impedanz Z nicht nur von der Art des Materials, sondern auch von seiner krist. Struktur abhängt.
– Messung von Flußgeschw. in Gasströmungen, ohne daß eine Sonde in die Strömung eingebracht wird.
– Füllanzeiger.
– Im Rahmen der chem. Analyse wird U. z. B. bei der *Titration eingesetzt; hierbei kann das Verf. automatisiert werden, indem bereits die Bildung kleinster Mengen eines Kondensats durch entsprechende Streuung der U.-Welle nachgewiesen wird.
– Sonar (Abk. für *s*onic *n*avigation and *r*anging). Die Wirkungsweise ist analog zu Radar od. *LIDAR: Nach Aussenden eines Pulses wird aufgrund der gemessenen Intensität u. der Laufzeit der Reflexionen auf die Größe u. die Entfernung von Objekten geschlossen. Sonar-Geräte werden bes. für die Unterwasserdetektion eingesetzt, z. B. von Fischschwärmen, zum Ausmessen der Fahrrinne, Aufspüren von Wracks od. U-Booten.
– In der medizin. Diagnostik wird ähnlich wie beim Sonar-Gerät die unterschiedliche Impedanz der durchstrahlten Gewebeschicht gemessen (*Sonographie*). Durch Ausmessen des *Doppler-Effektes kann man z. B. die Strömungsgeschw. von Blut im Herz u. in Blutgefäßen bestimmen[4].

Viele der in den letzten beiden Punkten erwähnten Techniken besitzen auch Tiere. Fledermäuse orientieren sich nicht nur durch Ausstoßen kurzer U.-Wellen, sondern durch spezielle Frequenzänderungen; während ihres Schreies u. der Registrierung des Doppler-Effektes können sie eindeutig ein flatterndes Insekt von den weit ruhigeren Zweigen eines Baumes unterscheiden[5].

2. *Hohe Intensität, aktive Prozesse:*
– Chemie: U. führt zur Erhöhung der Diffusionsrate u. der Relativgeschw., mit der Teilchen aufeinander stoßen; d. h. chem. Reaktionen laufen beschleunigt ab (s. a. Ultraschallchemie).
– Kavitäten: In Flüssigkeiten kommt es durch U. zur Bildung von Gasbläschen, die dann kollabieren, wobei sich oft ein Flüssigkeitsstrahl bildet, der mit hoher Geschw. durch das Gasbläschen schießt. Es bilden sich Drücke bis 1 GPa u. Temp. bis 10 000 K (s. a. Ultraschallchemie); ferner kann es zu Ladungstrennungen kommen, die elektr. Entladungen zur Folge haben.
– Reinigung: Hierfür stehen kleine Behälter mit Schall-Leistungen von 50 W zur Verfügung, bis hin zu großen Tanks mit einigen kW Leistung, in denen ein ganzes Flugzeug-Triebwerk gereinigt werden kann. Durch Verw. speziell geformter Hörner kann die Druckwelle u. die Teilchengeschw. den Erfordernissen angepaßt werden.
– Erzeugung von Aerosolen, Atomisierung von Flüssigkeiten.
– Formschleifen: Hierbei wird der nach Wunsch geformte Stempel aus Weicheisen od. Messing dicht über die zu schleifende Oberfläche gebracht u. der Zwischenraum mit einer Kontaktflüssigkeit ausgefüllt. Durch Ankopplung einer U.-Schwingung an den Stem-

pel werden die Flüssigkeitspartikel stark beschleunigt u. treffen mit hoher Geschw. auf das Werkstück, in das genau die Struktur des Stempels eingeschliffen wird.
– Mechan. Bearbeitung wie Schleifen, Fräsen u. Bohren von harten Materialien wie Glas, Quarz od. Keramik.
– Formen u. Schweißen von Kunststoffen u. von Metallen. Ein Diagramm, das zeigt, welche Metall-Kombinationen miteinander verschweißt werden können, ist in *Lit.*[1] gegeben.
– Medizin. Therapie: Da die eingestrahlte Energie absorbiert wird, führt U. zur Erwärmung des Gewebes. Hierdurch wird neben dem Stoffwechsel u. der Enzymtätigkeit auch die Diffusionsrate erhöht. Oft wird auch von einer mikroskop. Massage gesprochen. U. kann eingesetzt werden, um Hirntumore zu zerstören, ohne umgebendes u. darüberliegendes Hirngewebe zu schädigen[5]. Bei der extrakorporalen Stoßwellen-Lithotripsie werden durch U.-Wellen, die außerhalb des Körpers erzeugt u. auf einen Punkt innerhalb des Körpers fokussiert werden, *Harnsteine zertrümmert. Für die Erzeugung der Stoßwellen haben sich zwei Techniken etabliert: a) Zündung einer Gasentladung in einer Wasserwanne mit Fokussierung durch einen Ellipsoid-Reflektor u. b) als Hohlspiegel angeordnete Piezokeramiken, die phasenrichtig angesteuert werden, um einen Fokus von nur wenigen mm Größe zu bilden[6].
– Weitere Anw. s. *Lit.*[1] u. Ultraschallmikroskop.
Als U.-Sensoren werden u. a. PVDF-Folien eingesetzt[7]. Da U. sehr rasche mechan. Erschütterung bewirkt, werden die im Wasser befindlichen Zellen von Kleinlebewesen (Bakterien, Algen), rote Blutkörperchen u. dgl. großenteils zerrissen, Zellen können aber auch verschmelzen[8], Milch wird nach mehreren Sekunden Ultrabeschallung keimfrei, Leuchtbakterien können ihre Leuchtfähigkeit, Hefezellen ihre Sprossungsfähigkeit verlieren, Algen u. Taufliegen (*Drosophila*) geben bei Ultrabeschallung mehr Mutationen, u. bei ausreichender Intensität der U.-Quelle können Kleintiere ggf. auch getötet werden. Zu den Gesundheitsrisiken, die mit dem Umgang mit U. verbunden sind, s. *Lit.*[9]. – *E* ultrasound, ultrasonics – *F* ultrasons – *I* ultrasuono, ultrasonoro, ultracustico – *S* ultrasonidos

Lit.: [1] Szilard, Ultrasonic, in Encyclopedia of Physical Science and Technology, Vol. 17, S. 153–174, New York: Academic Press 1992. [2] *Nature* (London) **325**, 40 f. (1987). [3] Spektrum Wiss. **1995**, Nr. 4, 100. [4] Hill (Hrsg.), Physical Principles of Medical Ultrasound, New York: Wiley 1986; Spektrum Wiss. **1996**, Nr. 10, 74; **1997**, Nr. 6, 103 ff. [5] Spektrum Wiss. **1990**, Nr. 8, 98. [6] Spektrum Wiss. **1991**, Nr. 7, 44. [7] Umschau **85**, 222–226 (1985). [8] Naturwissenschaften **72**, 441 f. (1985). [9] Rott, Bioeffect, Berlin: Springer 1987; Environ. Health Crit. **22** (1982).
allg.: Bernasconi, Investigation of Rates and Mechanisms of Reactions (Techn. Chem. 6/2), S. 247–304, New York: Wiley 1986 ▪ Chem. Soc. Rev. **16**, 239–312 (1987) ▪ Cracknell, Ultrasonics, London: Wykeham 1980 ▪ Kohlrausch, Praktische Physik 1, S. 283–299, Stuttgart: Teubner 1996 ▪ Krautkrämer u. Krautkrämer, Werkstoffprüfung mit Ultraschall, Berlin: Springer 1986 ▪ Kuttruff, Physik u. Technik des Ultraschalls, Weinheim: VCH Verlagsges. 1988 ▪ Lerner u. Trigg (Hrsg.), Encyclopedia of Physics, S. 1322 f., Weinheim: VCH Verlagsges. 1991 ▪ Repachili et al., Ultrasound, New York: Plenum 1987 ▪ Sorge u. Hauptmann, Ultraschall in Wissenschaft u. Technik, Leipzig: Teubner 1985 ▪ Suslick, in Scheffold (Hrsg.), Modern Synthetic Methods, Bd. 4, S. 1–60, Berlin: Springer 1986 ▪ Suslick, High-Energy Processes in Organometallic Chemistry (ACS Symp. Ser. 333), Washington: ACS 1987 ▪ Suslick, Ultrasound, Weinheim: VCH Verlagsges. 1988 ▪ Vary, Materials Analysis by Ultrasonics, Park Ridge: Noyes 1987.

Ultraschallchemie. Bez. für ein vereinzelt auch *Akustochemie* od. gar *Audiochemie*, bevorzugt aber *Sonochemie* genanntes Teilgebiet der Chemie, das sich mit den chem. Wirkungen des *Ultraschalls befaßt. Dabei hat sich herausgestellt, daß die Haupteffekte der nur in flüssiger Phase durchführbaren sonochem. Reaktionen auf *Kavitationen zurückgehen – beim Kollaps der Kavitätsblasen treten kurzzeitig Temp. bis zu 10 000 K u. Drücke bis 1 GPa auf, weshalb die beobachtbaren Produkte denen der *Hochtemperaturchemie entsprechen. Beim Kollabieren der Kavitätsblasen kommt es oft zur Einstülpung einer Wandseite, woraus sich ein Flüssigkeitsstrahl bildet, der mit hoher Geschw. durch die Blase schießt u. auf die gegenüberliegende Wand trifft. Die Geschw. kann 500 m/s reichen aus, um bei Teilchen-Teilchen-Stößen von Metallpartikeln (5–500 μm Durchmesser) das Metall im Stoßbereich aufzuschmelzen. Da die umgebende Flüssigkeit effektiv kühlt, erstarrt die Schmelzzone, bevor die Teilchen auseinander fliegen. Dieser Effekt wurde bei Zn-, Sn-, Ni-, Fe-, Cr- u. Mo-Kugeln beobachtet[1].

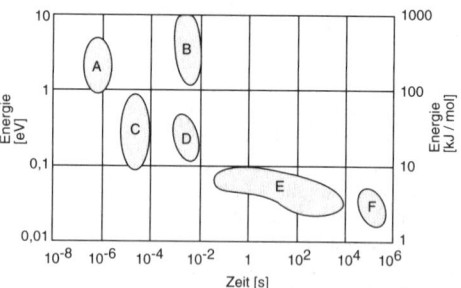

Abb.: Aufheizprozesse in der Chemie; zu den Bez. A – F s. Tabelle.

Tab.: Druckangaben für Aufheizprozesse in der Chemie.

Bez.	Bereich	erreichbarer Druck
A	Photochemie	10^3 Pa
B	Plasmachemie	10^{-1} Pa
C	Sonochemie	10^8 Pa
D	Flammenchemie	10^4 Pa
E	Thermochemie	10^4 Pa
F	Piezochemie	10^{10} Pa

In der Abb. (*Lit.*[2]) wird der Zeit- u. Temperaturbereich verschiedener Verf. verglichen, mit denen Energie den Reaktanten zugeführt wird, um chem. Reaktionen auszulösen od. zu beschleunigen. Die hohen Temp. in den kollabierenden Kavitäten führen zur Mol.-Dissoziation (*Sonolyse*), zur Bildung freier Radikale u. zur Lichtemission (*Sonolumineszenz*). Durch den Flüssigkeitsstrahl kann es zu Ladungstrennungen kommen, die aufgrund der hohen Spannungen Gasentladungen zur Folge haben.

Ultraschall vermag nicht nur Hochpolymere zu depolymerisieren, was auf das Auftreten von Kavitationen mit *Stoßwellen zurückgeführt wird, sondern umgekehrt auch Monomere zu polymerisieren, z. B. Acrylnitril. Zwar sind Phänomene der U. schon seit 1927 bekannt, doch kam es nicht zu systemat. Untersuchungen, wie die folgenden Zufallsbeobachtungen zeigen: Durch Ultrabeschallung lassen sich alkohol. Getränke künstlich altern (die Beschallung bewirkt hier Esterzunahme u. Säure-, Aldehyd- u. Fuselölabbau); die Red. von Kaliumiodat mit Natriumsulfit (*Landoltsche Zeitreaktion) wird beschleunigt; in lufthaltigen Flüssigkeiten wird Kaliumpermanganat in niedriger Konz. entfärbt, in luftfreiem Wasser entsteht etwas Wasserstoffperoxid; aus Halogen-Verb. werden geringe Mengen an Halogen frei; Schwefelwasserstoffwasser trübt sich; organ. Farbstofflsg. entfärben sich; wäss. Anilin-Lsg. ergeben beim Durchleiten von Sauerstoff nach 3–4 min Ultrabeschallung Anilinschwarz. Diese Reaktionen sind wahrscheinlich auf eine Aktivierung des in der Flüssigkeit befindlichen Sauerstoffs durch Ultraschall zurückzuführen; zu U. bezüglich der organ. Synth. s. Lit.³. Die durch intensive Ultraschallfelder hergestellten *Sonogele* (poröse Silicat-Syst.) unterscheiden sich in D. u. Struktur deutlich von unbeschallten Gelen⁴. – *E* sonochemistry, ultrasonic chemistry – *F* sonochimie, chimie ultrasonore – *I* chimica a ultrasuoni, sonochimica – *S* química de los ultrasonidos, sonoquímica

Lit.: ¹Phys. Unserer Zeit **21**, 267 (1990). ²Sci. Am. **62** (Feb. 1989). ³Aldrichimica Acta **21**, 31 (1988); Nachr. Chem. Tech. Lab. **31**, 798 ff. (1983); Chem. Soc. Rev. **16**, 239–312 (1987); Synthesis **1989**, 787. ⁴Aegerter (Hrsg.), Sol-Gel Science and Technology, S. 257 ff., Singapore: World Scientific 1989.
allg.: Ley u. Low, Ultrasound in Synthesis, New York: Springer 1989 ■ March (4.), S. 364 ■ Mason u. Lorimer, Sonochemistry, New York: Wiley 1988 ■ s. a. Ultraschall.

Ultraschallmikroskop. Wie in der Abb. dargestellt, wird die von einem Ultraschallschwinger erzeugte Welle von einem Überträgerstab, dessen Ende entsprechend einer Linse geschliffen ist, über ein Kopplungsmedium auf das Objekt fokussiert. Gemessen wird die reflektierte Welle, während Objekt u. Mikroskop relativ zueinander bewegt werden (Rasterverf.; übliche Bez. SAM von *E* Scanning Acoustic Microscope). Da sich die Impedanzen (s. Ultraschall) des Überträgerstabes (oft Saphir) u. des Kopplungsmediums (oft Wasser od. Öl) stark voneinander unterscheiden, kann man abbildende Syst. mit einer numer. Apertur (NA, Verhältnis von Strahldurchmesser zu Brennweite, s. a. Mikroskope) von nahezu 1 realisieren. Entsprechend hoch ist die räumliche Auflösung des U.: Δx ~ 20 nm bei 8 GHz (vgl.: Lichtmikroskop: Δx = 200 nm; im Nahfeld: Δx = 20 nm).
Der große Vorteil des U. liegt darin, daß der Kontrast durch die akust. Eigenschaften der Probe entsteht u. deshalb Dinge beobachtet werden können, die opt. nicht sichtbar sind, wie z. B. kleine Risse u. Sprünge an u. unter Materialoberflächen. Zur Kontrastverstärkung werden ferner sog. Rayleigh-Wellen angeregt. Hierzu wird der Fokus der Ultraschallwelle in das Material gelegt. Aufgrund der hohen numer. Apertur wird für die reflektierten Strahlen am Rand beim Übergang Probe/Übertragungsmedium die Bedingung der Totalreflektion (s. Refraktion) erreicht u. es kommt zur Aus-

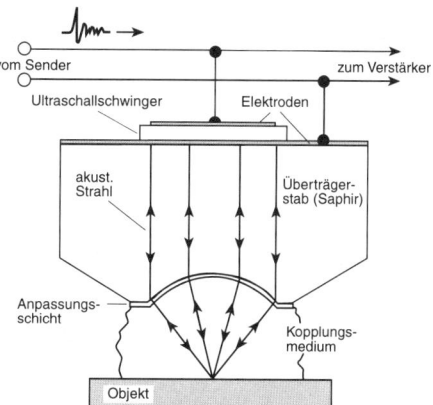

Abb.: Aufbau eines Ultraschallmikroskops in Reflexionsanordnung; das Objekt wird unter der Ultraschall-Linse (typ. Werte: Krümmungsradius: 40 µm, Linsendurchmesser: 60 µm, Saphirblock: 2 mm, Frequenz: 1 GHz) zeilenweise bewegt (gerastert) (nach Lit.¹).

bildung von Oberflächenwellen (Rayleigh-Wellen), deren Ausbreitungsgeschw. stark materialabhängig ist. Die *Interferenz zwischen den Ultraschallstrahlen, die an der Probenoberfläche, u. denen, die an den Rayleigh-Wellen reflektiert werden, verstärkt den Kontrast so, daß z. B. eine Analyse der Legierungszusammensetzung durchgeführt werden kann. Weitere Einsatzbereiche betreffen faserverstärkte Polymere (hier wird die Verteilung der Fasern u. der Kontakt zwischen Faser u. Polymermatrix untersucht) sowie die Medizin u. die Biologie. – *E* acoustic microscope – *F* microscope acoustique (ultrasonique) – *I* microscopio acustico, microscopio ultrasonico – *S* microscopio acústico (ultrasónico)

Lit.: ¹Phys. Unserer Zeit **19**, 16 (1988).
allg.: Kuttruff, Physik u. Technik des Ultraschalls, Weinheim: VCH Verlagsges. 1988.

Ultraschallmotor. In den siebziger Jahren in der ehem. UdSSR entwickelter¹, nur wenige Zentimeter großer Motor, bei dem der Rotor (typ. Durchmesser 2 cm) über resonante mechan. Schwingungen eines Stators angetrieben wird. Der Stator ist ein Piezo-Schwinger, der mit Frequenzen von 20–30 kHz zu Längs- u. Biegeschwingungen angeregt wird (s. Abb.).

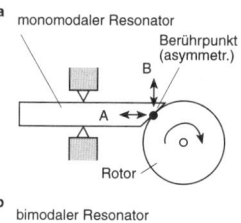

Abb.: Funktionsprinzip eines Ultraschallmotors: Je nachdem, ob der Stator als monomodaler od. bimodaler Resonator gestaltet ist, kann der Rotor nur in einer (Teil a) od. in beiden Richtungen gedreht werden (Teil b) (Lit.²).

Vorteile des U. sind geringe Trägheit u. Vor- u. Rückwärtslauf bei variabler Drehzahl von bis zu 300 U/min (Drehmoment: ~ 0,25 Nm, Wirkungsgrad bis zu 30%). Da er frei von Magnetfeldern ist, stellt er eine interessante Alternative zu herkömmlichen Elektromotoren dar. – *E* ultra sound motor, solid state motor – *F* moteur supersonique – *I* motore a ultrasuoni – *S* motor ultrasónico

Lit.: [1] Feingerätetechnik (Berlin-Ost) **34**, 18 (1985); **36**, 65 (1987). [2] Phys. Unserer Zeit **22**, 169 (1991).
allg.: IEEE Transactions on Ultrason. Ferroelectr. Frequency Control **36**, 607, 614 (1989).

Ultrasil®. Marke für feinteilige, gefällte Kieselsäuren u. Silicate als Verstärker-Füllstoffe für natürlichen u. synthet. Kautschuk u. zur Anw. in Autoreifen u. techn. Gummi-Erzeugnissen. *B.:* Degussa-Hüls.

Ultraspurenanalyse s. Spurenanalyse.

Ultrastrahlung s. kosmische Strahlung.

Ultrasüß s. 5-Nitro-2-propoxyanilin u. Süßstoffe.

Ultrathene®. Handelsname für *Ethylen-Vinylacetat-Copolymere.

Ultra-Turrax®. Dispergiergeräte zum Emulgieren, Suspendieren u. Homogenisieren fließfähiger Medien im Bereich 100–6000 kg. Die wirksame Frequenz ist einstellbar vom unteren Schallbereich bis zum Ultraschall u. kann dem zu bearbeitenden Stoff od. Stoffgemisch angepaßt werden. *B.:* IKA-Maschinenbau.

Ultravakuum s. Vakuum.

Ultraviolett-Katastrophe s. Plancksche Strahlungsformel.

Ultraviolett-Spektroskopie s. UV-Spektroskopie.

Ultraviolettstrahlung (UV-Strahlung). Bez. für denjenigen Teil der elektromagnet. *Strahlung, der zwischen dem sichtbaren *Licht u. der *Röntgenstrahlung liegt (s. Abb. bei Anregung, Abb. 1 u. 2 bei Spektroskopie u. die Tab. bei Strahlung). Im allg. rechnet man die Wellen mit $\lambda = 400-10$ nm zur U., wobei man einzelne Bereiche wegen ihrer unterschiedlichen biol. Wirkung (s. unten) häufig noch getrennt benennt als *UV-A:* 400–320 nm, *UV-B:* 320–280 nm, *UV-C:* 280–200 nm; es sei darauf hingewiesen, daß die Grenzen teilw. auch anders abgesteckt werden, z. B. 380 nm statt 400 nm, 315 nm statt 320 nm, 30 nm statt 10 nm. Da die Sauerstoff-Mol. der Luft kurzwellige U. absorbieren, müssen Untersuchungen bei $\lambda < 200$ nm in evakuierten Apparaturen vorgenommen werden; man bezeichnet die U. mit Wellenlängen zwischen 200 u. 10 nm daher auch als *Vakuum-UV.* An dieses schließt sich nach noch kleineren Wellenlängen die sog. *weiche Röntgenstrahlung* (Röntgen-UV, XUV) an. Nicht selten findet man auch Bez. wie *Nahes UV* für die an das Sichtbare grenzende U. u. *Fernes UV* od. *Schumann-UV* für die U. mit $\lambda < 200$ nm; der Bereich des UV-B wird gelegentlich *Dorno-Strahlung* (nach C. W. D. M. Dorno, 1865–1942) genannt. Bes. in der älteren u. medizin. Lit. spricht man oft von *aktin.* Strahlung wegen der unübersehbaren chem. u. biolog. Wirkung (griech.: aktis = Strahl) von Ultraviolettstrahlung. Da gewöhnliches Glas für Wellenlängen unterhalb 300 nm nicht mehr transparent ist, verwendet man zur Transmission von U. Prismen u. Linsen aus Spezialgläsern (z. B. Uviolglas), Steinsalz, Quarz (bis etwa 180 nm) od. Flußspat (bis 100 nm). Für die Herst. von UV-Hochleistungsoptiken, die u. a. für *UV-Laser benötigt werden, müssen Absorptionszentren im Optikmaterial, d. h. in den opt. Schichten, vermieden werden[1]. Mit *Faseroptiken aus Quarz-*Glasfasern läßt sich U. mit $\lambda = 400-200$ nm an sonst unzugängliche Stellen leiten[2].

Das von der *Sonne ausgestrahlte Licht ist sehr reich an U., doch gelangt davon nur ein kleiner Teil auf die Erdoberfläche, da in 20–30 km Höhe Strahlung mit $\lambda < 290$ nm von *Ozon u. < 200 nm von *Sauerstoff stark absorbiert wird – aus diesen Gründen bricht das Sonnenspektrum für den ird. Beobachter etwa bei 290 nm ab (s. Abb. bei Ozon-Schicht). Durch die Verminderung der atmosphär. Ozonschicht (s. Ozon u. antarktisches Ozonloch) nimmt die U. auf der Erdoberfläche zu u. führt, zusammen mit dem geändertem Freizeitverhalten der Menschen zur Zunahme von Hautkrebs, wobei bes. die in früher Kindheit erlittenen Hautschäden gefährlich sind[3]. Das Umweltbundesamt u. das Bundesamt für Strahlenschutz betreiben ein Meßnetz zur Bestimmung von U.; die aktuellen wöchentlichen Meßberichte stehen unter Tel. 069-2 28 02-0 zur Verfügung. In Hochgebirgen ist die Sonnenstrahlung reicher an U. u. wirkt stärker hautbräunend. Die Sehorgane vieler Tiere, z. B. von Vögeln, Bienen, Fliegen u. a. Insekten, können U. wahrnehmen, während das menschliche *Auge (s. a. Sehprozeß) hierzu nicht in der Lage ist, sondern durch U. sogar geschädigt wird, wobei bes. in der Augenlinse irreparable Trübungen entstehen[4].

Nachw.: Einen einfachen chem. Nachw. der U. kann man mit einem Filterpapier vornehmen, das mit gesätt. Alkalinitrat-Lsg. getränkt u. nach dem Trocknen mit essigsaurer Lsg. von Sulfanilsäure u. α-Naphthylamin behandelt wurde: Das Nitrat wird unter UV-Einwirkung in Nitrit übergeführt, das eine Diazotierung ermöglicht, wobei je nach Strahlungsintensität eine blaßrosa bis stark rote Färbung auftritt. Ende der 20er Jahre war ein UV-Dosimeter auf Leukofuchsin-Basis im Handel. Zuverlässiger kann der Nachw. der U. durch Fluoreszenzanalyse, die quant. Bestimmung der Intensität durch Ionisationsmessung, mit UV-empfindlichen Photozellen, Photowiderständen, Photomultipliern od. durch chem. *Aktinometrie erfolgen[5].

Herst.: Zur Erzeugung von U. für techn. Zwecke bedient man sich im allg. der meist stabförmig ausgeführten *Quecksilber-Dampflampen, die – je nach Binnendruck – ein mehr od. weniger linienreiches Spektrum mit unterschiedlichen UV-Anteilen liefern. Derartige *UV-Strahler* od. *UV-Lampen* findet man auch in Höhensonnen u. *Analysenlampen, wobei durch die Wahl des Kolbenmaterials (Glas, Filtergläser, Quarz) unerwünschte Spektralbereiche ausgesondert werden können – spezielle Ausführungen solcher *Quarzlampen* sind z. B. die sog. „Schwarzlicht"- od. „Woodlight"-Lampen ($\lambda = 365$ nm, auch $\lambda = 334-391$ nm werden angegeben). Für die *UV-Spektroskopie gibt es spezif. Strahler mit einem UV-Kontinuum. *Gasentladungs-Lampen emittieren ebenfalls U., die in den *Leuchtstoff-Röhren mittels Fluoreszenz für Beleuchtungszwecke nutzbar gemacht werden kann. Zur Erzeugung sehr kurzwelliger U. kommen ferner Mikrowellenentladungen u. *Hohlkathodenlampen in Frage – Helium-Entladungslampen liefern z. B. monochromat. U. mit $\lambda = 58{,}4$ nm für die *Photoelektronen-Spektroskopie (Ultraviolett-Photoelektronen-Spektroskopie, UPS). Kohärente U. wird durch *Excimer-Laser, einige *Edelgas-Ionen-Laser sowie durch *Frequenzverdopplung von sichtbarer Laserstrahlung, bes. von *Farbstofflasern erzeugt. Für bes. Aufgaben u. Untersuchungen verwendet man *Synchrotron-Strahlung.

Wirkung u. Verw.: Die chem. Wirkung der U. beruht – Absorption vorausgesetzt (*Grotthus-Draper-Gesetz*, s. Photochemie) – auf der *Anregung von Atomen od. Mol. u. den sich daran anschließenden Prozessen (s. Photochemie u. Photolyse). Je kürzerwellig die absorbierte U. ist, desto mehr ähneln die beobachtbaren Effekte denen der *Strahlenchemie, d.h. zur Anregung tritt auch die *Ionisation mit ihren Folgeerscheinungen hinzu (vgl. Photoionisation). Dennoch läßt sich auch mit 185 nm-U. eine – wenn auch nicht präparativ ergiebige – Photochemie betreiben, die, wenn sie von kurzlebigen *Singulett-Zuständen der Mol. ausgeht (sog. *Rydberg-Photochemie*), intramol. Reaktionen bewirkt[6]. In der chem. Technik nutzt man die U. aus Quecksilber- u./od. Xenon-Lampen zur Photochlorierung, -sulfochlorierung, -sulfoxidation, -nitrosierung, zur Synth. der Calciferole (Vitamin D), zur Photopolymerisation u. zur Härtung von UV-vernetzbaren Lacken (*Lit.*[7], s. a. Lackhärtung u. vgl. Photoresists), in der Reprographie u. zur Raumluft- u. Trinkwasser-Entkeimung (bes. mit UV-C, s. *Lit.*[4,8]). In anderer Weise nutzt man die U. in *optischen Aufhellern zur Textilausrüstung. Analyt. Anw. findet die U. nicht nur in der *UV-Spektroskopie, sondern auch in der *Fluoreszenzanalyse u. -spektroskopie. Sog. *Analysenlampen benutzt man z. B. in der *Forensischen Chemie, *Kunstwerkprüfung, in der *Dünnschichtchromatographie zur Sichtbarmachung ungefärbter Substanzen u. in der sog. UV-*Prospektion zur Auffindung von Erzlagerstätten: Erze wie die des Wolframs od. Zinks verraten sich bei hereinbrechender Dämmerung durch ein intensives Fluoreszieren, wenn sie durch U. getroffen werden. Längerdauernde Untersuchungen der Beständigkeit von techn. Produkten gegen U. unter standardisierten Bedingungen (*Bewitterung) nimmt man mit speziellen Geräten (*Beisp.:* Xenotest®) vor. Gegen unerwünschte Einwirkung der U. muß man techn. Artikel (*Beisp.:* Kunststoff- od. Kautschukprodukte) durch *Lichtschutzmittel schützen.
Zu den biolog. Wirkungen der U. – einem Teilgebiet der *Photobiologie – gehört in offensichtlicher Weise die *Hautbräunung durch *Melanin-Bildung, zu der jedoch die einzelnen U.-Bereiche in unterschiedlicher Weise beitragen; hierzu, zu jahreszeitlichen Schwankungen der Sonnen-U., zum *Klima-Einfluß u. allg. zur sog. *Heliotherapie* s. *Lit.*[9]. Ist auf der einen Seite die Pigmentierung durch U. aus ästhet. od. therapeut. Gründen (*Vitiligo-Therapie) erwünscht od. wird gar eine phototox. Wirkung durch Anw. von *Sensibilisatoren (z. B. in der *Photochemotherapie, PUVA) herbeigeführt, so ist auf der anderen Seite oft der Schutz der Haut vor U. mit Hilfe von *UV-Absorbern (Näheres s. bei Sonnenschutzmitteln) ebenso wichtig; ein körpereigenes Schutzfilter für U. ist die *Urocansäure. Intensive, kurzwellige U. (UV-B) kann nicht nur zu Lichterythemen, Sonnenbrand u. Hautnekrosen führen, sondern ggf. auch zu Hautkrebs, wenn die Einwirkung der schädigenden Strahlung lange genug andauert. Zu lange u. zu intensive Behandlung mit UV-Licht erhöht das Auftreten von Hautkrebs (Melanomen). Eine demgegenüber nützliche Funktion erfüllt die U. in der Haut durch Bildung des antirachit. Vitamins D aus Steroid-Vorstufen. Auf Niedere Lebewesen wie Bakterien wirkt U. stark tox., weshalb man sie zur *Desinfektion[10] u. *Sterilisation von Geräten u. Räumen benutzen kann – allerdings ist hier prakt. nur UV-C wirksam, u. in Flüssigkeiten ist die Eindringtiefe nur gering. Die mikrobiziden Eigenschaften der U. werden auf chem. Veränderungen insbes. der Nucleinsäuren zurückgeführt, die Anlaß zu Mutationen geben. Interessanterweise lassen sich durch UV-C hervorgerufene Läsionen z. T. durch Belichtung mit längerwelligem Licht rückgängig machen (*Photoreaktivierung*).

Geschichte: Der erste Beweis für die Existenz unsichtbarer, jenseits (latein.: ultra) des violetten Endes des Spektrums wirksamer Strahlung stammt von J. W. *Ritter, der 1801 die Schwärzung von Hornsilber (AgCl) in diesem Spektralbereich beobachtete[11]. – *E* ultraviolet radiation (UVR) – *F* rayons ultraviolets, radiation ultraviolette – *I* radiazione ultravioletta – *S* radiación ultravioleta

Lit.: [1] Phys. Bl. **50**, 247 (1994). [2] Fasern Info Börse Laser, Nr. 7, Oktober 1991, Düsseldorf: XDI 1991. [3] Spektrum Wiss. **1997**, Nr. 6, 74. [4] Leitgeb, Strahlen, Wellen, Felder, Stuttgart: Thieme 1990. [5] Kohlrausch, Praktische Physik 2, S. 178 ff., Stuttgart: Teubner 1996. [6] Angew. Chem. **98**, 659–670 (1986). [7] Holman, UV and EB Curing Formulation for Printing Inks, Coatings and Paints, London: Sita Technol. 1988. [8] Dev. Food Microbiol. **3** (1988); Brauwelt **30**, 1625–1630 (1985). [9] Curr. Probl. Dermatol. **15**, 25–38 (1986); Encyclopedia of Applied Physics, Vol. 2, S. 549, Weinheim: VCH Verlagsges. 1991. [10] Phys. Unserer Zeit **25**, 68 (1994). [11] Ritter, Oswalds Klassiker N.F., Bd. 2, S. 57–73, Frankfurt: Akadem. Verlagsges. 1968.
allg.: Acc. Chem. Res. **20**, 107 ff. (1987) ■ Chem. Unserer Zeit **21**, 141–150 (1987) ■ Cronly-Dillon et al., Hazards of Light, Oxford: Pergamon 1986 ■ IARC Monogr. **40**, 379–415 (1986) ■ Jagger, Solar-UV Actions on Living Cells, New York: Praeger 1985 ■ Longworth et al., Photobiology 1984, New York: Praeger 1986 ■ Passchier u. Bosnjakovic, Human Exposure to Ultraviolet Radiation, Amsterdam: Excerpta Medica 1987 ■ Randell, Radiation Curing of Polymers, London: Royal Soc. Chem. 1987 ■ Spektrum Wiss. **1988**, Nr. 3, 70–77 ■ Urbach et al., The Biological Effects of UVA Radiation, New York: Praeger 1986 ■ Waxler u. Hitchens, Optical Radiation and Visual Health, Boca Raton: CRC Press 1986 ■ Weinreb u. Ron, Vacuum Ultraviolet Radiation Physics, Bristol: Hilger 1984.

ULTRAVON®. Vielseitiges Netz-, Wasch- u. Dispergiermittel für die kontinuierliche u. diskontinuierliche Vorbehandlung von Cellulose-Fasern. *B.:* Pfersee.

Ultrazentrifugen. Zentrifugen (s. Zentrifugieren), deren Rotoren (meist nur einige cm Durchmesser) im Vak. laufen u. mit denen Umdrehungszahlen von $>10^6$ min^{-1} erreicht werden können, wobei die Beschleunigung etwa dem 10^6-fachen Betrag der Erdbeschleunigung entspricht. U. sind heute auf vielen Gebieten unentbehrlich, z. B. in der *Kolloidchemie u.

der Biochemie, insbes. bei Untersuchung von *Biopolymeren; man benötigt sie z. B. zur *Molmassenbestimmung von hochmol. Substanzen wie Eiweißstoffen (bes. Lipoproteinen, Globulinen, Enzymen), Nucleinsäuren, Viren, Bestandteilen von Zellen (s. Abb. dort), synthet. Polymeren, Kolloiden in Ölen usw. U. dienen insbes. der Ermittlung der *Sedimentationskonstante* (Einheit: *Svedberg; 1 S = 10^{-13} s), einer charakterist. Größe für die *Sedimentations-Geschwindigkeit. Die kolloidal gelösten Makromol. sedimentieren, falls ihre D. größer ist als die der Flüssigkeit. Die mit der Größe der Mol. zunehmende Geschw. der Sedimentation verursacht Konz.-Änderungen, die sich während des Zentrifugierens mit opt. Hilfsmitteln, z. B. mit der sog. Schlierenmeth., beobachten u. messen lassen. Sind Körper gleicher Größe (*iso-* od. *monodisperse* Sole wie z. B. Eialbumin, Hämoglobin) in der Flüssigkeit kolloidal verteilt, so sieht man nach dem Ultrazentrifugieren eine scharfe Grenze zwischen dem Niederschlag u. der klaren Flüssigkeit. Befinden sich dagegen Körper verschiedener Größe in der Flüssigkeit (*polydisperse* Sole wie z. B. kolloidal gelöstes Gold, Eisenhydroxid, Casein, s. a. die Beisp. bei Ribosomen), so ist die Grenze nach dem Zentrifugieren unscharf. Besteht das Untersuchungsgut aus verschieden dichten Stoffen, z. B. aus Proteinen mit unterschiedlicher *Molmasse*, so kann man zur Trennung derselben ein Lsm. mit einem *Dichtegradienten* benutzen, d. h. eine Lsg. aus zwei verschieden schweren Stoffen. Der Dichtegradient kann entweder vorgegeben werden od. sich während des Zentrifugierens einstellen. Die zu trennenden Makromol. konzentrieren sich unter dem Einfluß der Fliehkraft entsprechend ihrer D. zu einer schmalen Zone im Bereich gleicher D. des Lsm. (*isopykn. Zentrifugation*, von griech.: pyknos = dicht).
Der Berechnung der Molmasse dient die sog. *Svedberg-Gleichung*: $M_R = S/D \cdot RT/(1 - V\rho)$ mit S = Sedimentationskonstante, D = Diffusionskoeff., R = Gaskonstante, T = abs. Temp., V = spezif. *Volumen u. ρ = Dichte.
Analyt. genutzte U. kommen meist mit sehr kleinen Vol. aus, z. B. mit minimal 175 µL bei 100 000 U/min. Präparative U. arbeiten mit Vol. von 5–100 mL bei Drehzahlen von 1000–70 000 U/min, wobei Schwerefelder von ca. 500 000 g erreicht werden können. Diese präparativen U. dienen zur Anreicherung u. Isolierung von Proteinen, Lipoproteinen, Enzymen, Nucleinsäuren u. a. Makromol., in der biolog.-medizin. Forschung auch zur Isolierung von Viren, Cytoplasma-Teilchen usw., zur Gewinnung von Ausgangssubstanzen für weitere Analysen, z. B. für die Elektrophorese, Diffusionsmessungen, Viskosimetrie u. für elektronenopt. Untersuchungen. Spezielle Ausführungen der U. dienen zur *Isotopentrennung.
Geschichte: Die erste U. mit etwa 10 000 U/min wurde von Svedberg 1924 gebaut, sie erzeugte Zentrifugalkräfte, die 5000mal stärker waren als die Erdschwerkraft. 1926 erzielte Svedberg bereits 45 000 U/min mit 100 000 g, 1931 200 000 g u. 1934 ca. 900 000 g; er konnte mit U. erstmals beweisen, daß z. B. Hämoglobin aus einheitlichen, gleich großen Mol. u. nicht aus wechselnden Gruppierungen von Körpern ver-

schiedenen *Molmassen* besteht. Auch für seine Arbeiten auf dem U.-Gebiet wurde Svedberg 1926 mit dem *Nobelpreis für Chemie ausgezeichnet. – *E* ultracentrifuges – *F* ultracentrifugeuses – *I* ultracentrifughe – *S* ultracentrífugas
Lit.: Encycl. Polym. Sci. Technol. **14**, 97–115 ▪ Kirk-Othmer (4.) **20**, 852 ff. ▪ Ullmann (5.) **A20**, 523 f.; **B2**, 12–44 ff. ▪ s. a. Trennverfahren u. Zentrifugieren.

Ulvit, Ulvöspinell s. Spinelle.

Umami. Bez. für eine Geschmacksqualität, die zusätzlich zu den 4 bekannten *Geschmacks-Noten wirksam wird, u. zwar weniger für sich allein („leicht salzig – süßsäuerlich") sondern als *Geschmacksverstärker. Teilw. wird U. auch als fünfter Grundgeschmack betrachtet, der durch *Natrium-L-glutamat od. durch Purin-5'-ribonucleotide (Inosin-, Adenosin- u. Guansinmonophosphat) hervorgerufen werden kann. Die Wirksamkeit der Purin-5'-*nucleotide ist geringer als die von Natrium-L-glutamat. Auch das als „Süßstoff" bekannt gewordene *Thaumatin besitzt U.-Eigenschaften. Nach *Lit.*[1] kann der „Geschmacksbereich" über die 4 Grundgeschmacksarten hinausgehend um die Ausdrücke adstringierend, brennend, kühl u. U. erweitert werden. U. gehört z. B. zu den Schlüsselverb. für das „Grundmuster Geschmack" in *Fleisch[1].
Physiologie: U.-Substanzen fördern Appetit u. Verdauung[2], wirken auf den Blutdruck u. erhöhen die Ausschüttung bestimmter *Hormone (z. B. *Insulin)[3]. Ein Zusammenhang zwischen dem Verzehr Natriumglutamat-haltiger Speisen u. Beklommenheitssymptomen in Brust u. Nackenbereich sowie Kopfschmerzen (*China-Restaurant-Syndrom*) ist wenig wahrscheinlich[4]. Es existieren Hinweise, daß Glutamat die Aufnahme von *Cystin in neuronales Gewebe *in vitro* hemmt; dies kann zu einer Verarmung an *Glutathion in diesen Zellen führen[5]. Darüber hinaus können U.-Substanzen unangenehme Geschmacksnoten von Lebensmitteln vermindern od. einen Beitrag zur Harmonisierung von Geschmackseindrücken liefern. Die Reaktion von U.-Substanzen mit *Cystein u. *Glutathion führt zu Aromastoffen, die im Fleischaroma beschrieben[6].
Rechtliche Beurteilung: Die Reinheitsanforderungen für *Glutamate (E 620–623), Guanylate (E 627–628) u. Inosinate (E 631–632) sind der Zusatzstoff-Verkehrs-VO[7], Anlage 2, Liste 8 zu entnehmen. Die Fleisch-VO[8] erlaubt die Verw. von Glutamaten (bis 1 g/kg) u. Inosinaten/Guanylaten (bis 500 mg/kg) zur Herst. von Fleischerzeugnissen. Die Regelungen für Lebensmittel allg. sind der Zusatzstoff-Zulassungs-VO[9] (Anlage 2) zu entnehmen (Glutamat bis 10 g/kg; Guanylate u. Inosinate bis 500 mg/kg).
Der therm. induzierte Abbau von U.-Substanzen läßt sich durch den Zusatz von anorgan. Salzen ($MgCl_2$, $CaCl_2$) verringern[10].
Analytik: Zum ionenchromatograph. Nachw. der Nucleosidmonophosphate s. *Lit.*[11]. Natriumglutamat kann ebenfalls ionenchromatograph. mit anschließender potentiometr. Formaldehyd-Titration[12] od. enzymat.[13] nachgewiesen werden. Zum Gehalt in Lebensmitteln u. zur durchschnittlichen Gesamtaufnahme s. *Lit.*[12].
Herst: Sowohl die Nucleotide als auch Natriumglutamat werden biotechnolog. hergestellt, wobei die in

der Abb. gezeigten Wege beschritten werden können; s. a. Glutaminsäure u. Natrium-L-glutamat.

```
Mikroorganismen ──→ 5'-Nucleotide ←── RNA
                    ↓2a  ↑2b  ↑2b  ↑2a
                Nucleoside      Nucleoside
```

① = enzymat. Abbau
② = chem. Behandlung   a) alkal. Hydrolyse
                        b) Phosphorylierung

Abb.: Industrielle Produktion von 5'-Nucleotiden [14].

− $E = F = I = S$ umami

Lit.: [1] Fliedner u. Wilhelmi, Grundlagen u. Prüfverfahren der Lebensmittelsensorik, S. 30, 31, Hamburg: Behr 1993. [2] Physiol. Behav. **48**, 801–804 (1990). [3] Physiol. Behav. **48**, 905–908 (1990). [4] Food Chem. Toxicol. **24**, 351–354 (1986). [5] FASEB J. **4**, 1624-1633 (1990). [6] J. Agric. Food Chem. **39**, 1145–1148 (1991). [7] Zusatzstoff-Verkehrs-VO vom 10. 7. 1984 in der Fassung vom 14. 12. 1993 (BGBl. I, S. 2092). [8] Fleisch-VO vom 21. 1. 1982 in der Fassung vom 15. 12. 1995 (BGBl. I, S. 1777). [9] Zusatzstoff-Zulassungs-VO vom 22. 12. 1981 in der Fassung vom 8. 3. 1996 (BGBl. I, S. 460). [10] J. Agric. Food Chem. **38**, 593–598 (1990); **39**, 1098–1101 (1191). [11] Macherey-Nagel (Hrsg.), HPLC 91, S. A 169, Applikation 593, Düren: Macherey-Nagel 1991. [12] Food Add. Contam. **8**, 267–274 (1991). [13] J. Assoc. Off. Anal. Chem. **74**, 921–925 (1991). [14] Arora et al. (Hrsg.) Handbook of Applied Mycology, Vol. 3, S. 420ff., New York: Dekker 1991.
allg.: Food Rev. Int. **6**, 457–487, 489–503 (1990) ▪ J. Food. Sci. **56**, 1429–1432 (1991) ▪ Kawamura u. Kare (Hrsg.), Umami – A Basic Taste, New York: Dekker 1987 ▪ Nahrung **39**, 395–404 (1989) ▪ Phys. Unserer Zeit **21**, 101 (1990) ▪ Ullmann (5.) **A 11**, 574 f.

Umbach, Wilfried (geb. 1936), Dr. rer. nat., Mitglied des Vorstands der *Henkel KGaA, Leiter des Unternehmensbereichs Forschung u. Technik (bis 1998). *Arbeitsgebiete:* Fettchemie, Tensidchemie, Kosmetik. Mitglied im Kuratorium des Fonds der Chem. Industrie.
Lit.: Chem. Ind. (Düsseldorf) **113**, Nr. 8, 4 (1990) ▪ Eur. Chem. **1990**, Nr. 27, 19 ▪ Kürschner (17.), S. 1444 ▪ Wer ist wer, S. 1472.

Umbellatin s. Berberin.

Umbelliferae. Latein. Bez. für die heute bevorzugt Apiaceae genannte artenreiche Familie der *Doldengewächse* (Doldenblütler), von denen viele aufgrund ihres Gehalts an ether. Ölen, (Furo-)Cumarin-Derivaten, Polyinen, Phthaliden u. Piperidin-Alkaloiden Gemüse-, Arznei- u. Gewürzpflanzen sind; *Beisp.:* Angelika, *Anis, *Dill, *Fenchel, *Kerbel, *Koriander, *Kümmel, *Liebstöckel, *Möhre, *Pastinak, Petersilie, *Pimpinelle, *Sellerie. U. enthalten das Cumarin-Derivat *Umbelliferon, das UV-Strahlung absorbiert u. deshalb als Sonnenschutzmittel u. als Fluoreszenzindikator verwendet wird. – *E* umbelliferae – *F* ombellifères – *I* ombrellifere – *S* umbelíferas
Lit.: Franke, Nutzpflanzenkunde, 6. Aufl., Stuttgart: Thieme 1997.

Umbelliferon (7-Hydroxycumarin, 7-Hydroxy-2*H*-1-benzopyran-2-on, Hydrangin, Skimmetin).

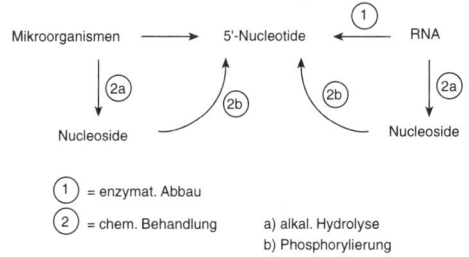

R = H : Umbelliferon
R = CH₃ : Herniarin
R = β-D-Glucopyranosyl : Skimmin
R = ... : Marmin

$C_9H_6O_3$, M_R 162,15, gelbe Nadeln, Schmp. 230–232 °C (Subl.), andere Angaben 223–224 °C od. 227–228 °C, leicht lösl. in Alkohol, Chloroform, Eisessig. U.-Lsg. fluoreszieren blau. Beim Erhitzen entwickelt U. *Cumarin-Duft. In der Süßkartoffel tritt U. als Phytoalexin auf. U. kommt sowohl frei als auch in der Form von Ethern u. Glykosiden in vielen Pflanzen vor, z. B. in *Angelica-* (Doldengewächse, Apiaceae, *Umbelliferae), *Artemisia-* (Beifuß, Edelraute), *Coronilla-* (Kronwicke) u. *Ruta-*Arten (Rautengewächse, Rutaceae), in der Rinde von Seidelbast (*Daphne-*Arten), Früchten von *Koriander, Wurzeln der *Tollkirsche, sowie in Möhren u. Kamille. U.-Derivate: 7-*O*-β-D-Glucopyranosyl-U. (*Skimmin*), $C_{15}H_{16}O_8$, M_R 324,29, Schmp. 215–221 °C, $[α]_D^{18}$ −79,8° (Pyridin); *Herniarin* (Umbelliferonmethylether, Ayapanin), $C_{10}H_8O_3$, M_R 176,17, glänzende Blättchen, Schmp. 117 °C, Inhaltsstoff von Blättern verschiedener Pflanzen wie Bruchkraut (*Herniaria hirsuta*) u. Wasserhanf (Wasserdost, *Eupatorium ayapana*). Weit verbreitet sind auch isoprenylierte Derivate des U., z. B. (*R*)-*Marmin*, $C_{19}H_{24}O_5$, M_R 332,40, Krist., Schmp. 123–124 °C, $[α]_D$ +25° (C_2H_5OH), $[α]_D$ +18,2° ($CHCl_3$) aus der Stammrinde von *Aegle marmelos* u. Grapefruitschalen. 4-Methyl-U., $C_{10}H_8O_3$, M_R 176,17, Nadeln, Schmp. 194–195 °C, pK_s 7,80 (25 °C), kommt in jungen Zweigen von *Dalbergia volubilis* u. im Wasserdost *Eupatorium pauciflorum* vor.
Verw.: U. dient als pH-Indikator im Bereich 6,5–8,9; in Form einer 0,1% wäss. Lsg. als Fluoreszenz-Indikator zum Nachweis von Calcium- u. Kupfer-Ionen. U. wird in Sonnenschutzmitteln u. als opt. Aufheller für Textilien benutzt, dient als Laserfarbstoff, während synthet. 7-*O*-Glykoside zur fluorimetr. Bestimmung von Glykosidasen dienen.
Biosynth.: Cumarinsäure → U. od. Hydroxylierung von *Cumarin in Position 7; Methylierung mit *S*-Adenosylmethionin. − *E = I* umbelliferone − *F* umbelliférone − *S* umbeliferona
Lit.: Beilstein E V **18/1**, 386 ▪ Chem. Pharm. Bull. **39**, 3100 (1991) (Synth.) ▪ Hager (5.) **5**, 665 f. ▪ Luckner (3.), S. 389 ▪ Nat. Prod. Rep. **6**, 591–624 (1989) ▪ Negwer (6.), Nr. 1420 ▪ Phytochemistry **26**, 257–260 (1987); **29**, 1137–1142 (1990) (Biosynth.) ▪ R. D. K. (3.), S. 884 ▪ Ullmann (5.) **A 12**, 147 (4-Methyl-U.) ▪ Zechmeister **35**, 199–210. – *Pharmakologie:* Pharm. Ind. **53**, 83 ff. (1991) ▪ s.a. Cumarin. – [*HS 292 29; CAS* 93-35-6 (*U.*); 93-39-0 (Skimmin); 531-59-9 (Herniarin); 14957-38-1 ((*R*)-Marmin); 90-33-5 (4-Methyl-U.)]

Umbra (Umbrabraun, Erdbraun, Kaledonischbraun, Römischbraun, Sepiabraun, italien. U., zypr. U.). Histor. von latein.: umbra=Schatten, Dunkelheit od. von der mittelitalien. Landschaft Umbria abgeleitete Bez. für eines der ältesten in der Natur vorkommenden, anorgan. *Pigmente. Chem. ist U. ein zu den *Eisenoxid-Pigmenten gehörender *brauner*, Eisen- u. Mangan-haltiger *Ton, der durch Verwitterung von Eisenhaltigen Erzen (z. B. *Pyrit, *Kupferkies) u. Manganerzen, z. T. auch von basalt. Larven (Zypern) entstan-

den ist. Wichtigster Eisen-Träger ist *Goethit bzw. Limonit (*Brauneisenerz), Mangan-Träger sind v. a. *Pyrolusit u. dessen erdige Abart Wad. Die Analyse einer typ. U. ergibt etwa 37–60% Fe_2O_3, 11–23% MnO_2, 3–13% Al_2O_3, 16–35% SiO_2 u. wechselnden Wasser-Gehalt. *Ocker-U.* ist Mangan-ärmer u. enthält neben *Silicaten auch Carbonat- u. Sulfat-Mineralien. Die Farbtiefe wächst mit dem Mangan-Gehalt von hellbraun zu dunkelbraun; von Malern bes. begehrt ist die grünstichige zypr. Umbra. Durch Mahlen u. Glühen entsteht die samtig rotbraun (Umwandlung von Goethit in *Hämatit) gefärbte sog. *gebrannte Umbra*.
Vork.: Wichtigstes Förderland ist Zypern, gefolgt von Virginia/USA; weitere Vork. gibt es weltweit, in der BRD z. B. im Harz, Thüringer Wald („*Saalfelder Erde*"), Siegerland u. Westerwald.
Verw.: Als Mal- u. Anstrichfarbe von guter Lichtechtheit; für Holzlasuren. Der Gehalt an Manganoxiden beschleunigt bei Leinöl-haltigen Anstrichmitteln katalyt. die Erhärtung des Ölfilms; er kann als schädliche Nebenwirkung Kautschuk brüchig machen. – *E* umber – *F* terre d'ombre – *I* terra ombra – *S* umbra
Lit.: Harben u. Bates, Industrial Minerals, Geology and World Deposits, S. 141–144, London: Industrial Minerals Division Metal Bulletin Plc 1990 ▪ Ind. Miner. (London) **258**, 21–41 (1989) ▪ Kirk-Othmer **15**, 525 f.; (3.) **17**, 815 f. ▪ s. a. Pigmente

Umdruckverfahren. Bez. für ein Büro-Vervielfältigungsverf. mit einmaliger Einfärbung der Vorlage. Bei der Herst. der Originale mit Hilfe eines stark kopierenden *Kohlepapiers wird der zu druckende Text auf dem Original in Spiegelschrift erzeugt. Das Kohlepapier enthält als *Kopiertinte* einen Farbstoff wie z. B. *Kristallviolett, das in Wachsen, Ölen od. klebenden u. hygroskop. Stoffen wie Dextrin, Glycerin, Gummi arabicum dispergiert vorliegt. Das als Farbgeber dienende Blatt wird im Umdruckapparat mit einer wäss.-alkohol. Lsg. befeuchtet, wobei die oberste Farbschicht abgetragen wird u. sich auf dem dagegengepreßten einfachen, (holzhaltigen) *Umdruckpapier* seitenrichtig niederschlägt. Die Aufl. bei diesem Verf. liegt bei 200–300 Stück. Das auch *Spirit-Carbon-Verf.* genannte U. hat sich aus der *Hektographie entwickelt. – *E* spirit duplication – *F* hectographie, duplication à alcool – *I* autografia – *S* procedimiento de multicopista por reporte
Lit.: Kirk-Othmer (3.) **20**, 171 ▪ s. a. Reprographie.

Umesterung. Bez. für eine Reaktion, bei der ein *Ester in einen anderen übergeführt wird, z. B. durch *Alkoholyse in Ggw. von Säuren od. durch Einwirkung von zwei verschiedenen Estern bei höheren Temp. u. in Ggw. von Säuren od. Alkalien aufeinander.

$$R^1-COOR^2 + R^3-OH \xrightleftharpoons[-R^2-OH]{H^+} R^1-COOR^3$$

$$R^1-COOR^2 + R^3-COOR^4 \rightleftharpoons R^1-COOR^4 + R^3-COOR^2$$

Prinzipiell kann man die U. als Folge von *Verseifung u. *Veresterung auffassen; für alle gilt die *Taft-Gleichung. Großtechn. U. finden statt bei der Herst. von Zuckertensiden, von Monoglyceriden aus Triglyceriden, von Rapsölmethylester als alternativer Kraftstoff aus *Rapsöl-Triglyceriden, in der *Margarine-Ind. zur Herst. von Fetten mit veränderten Eigenschaften u. in der Kunststoff-Ind. bei der Herst. von Polyethylenterephthalat aus Dimethylterephthalat u. von Polycarbonaten aus Kohlensäureestern. – *E* transesterification – *F* transestérification – *I* transesterificazione – *S* transesterificación
Lit.: Belitz-Grosch (4.), S. 158, 596 f. ▪ Fette, Seifen, Anstrichm. **87**, 103–106 (1985) ▪ Int. J. Environ. Anal. Chem. **20**, 101–111 (1985) ▪ Ullmann (5.) **A 9**, 569, 575; **A 10**, 188 f., 209–211 ▪ s. a. Ester u. a. Textstichwörter.

Umfällen s. Umkristallisation.

U 46® M-Fluid. Wäss. Lsg. mit MCPA-Salz, wuchsstoffhaltiges Spritzmittel zur Bekämpfung von zweikeimblättrigen Unkräutern wie Ackerdistel, Ackersenf, Hederich, Melde, Wicke u. a. in Getreide, auf Grünland, im Weinbau u. auf Gleisanlagen. **B.:** BASF.

Umformen (Verformen). In der *Metallbearbeitung Bez. für die plast. (s. Plastizität) *Deformation von metall. Halbzeug unter dem Einfluß mechan. Kräfte. *Beisp.: Druck-U.* (z. B. Stauchen, Fließpressen), *Zugdruck-U.* (z. B. Tiefziehen, Drahtziehen) u. *Zug-U.* (z. B. Streckziehen, Streckrichten), vgl. DIN 8580: 1985-07. Fertigteile können durch Walzen, Schmieden, Strang- u. Rohrziehen (vgl. Rohre), Biegen, Verdrehen, Sprengplattierung u. a. Verf. der Hochleistungsumformung hergestellt werden. Man unterscheidet in der Technik des U. zwischen *Kalt-* u. *Warmformen*; in beiden Fällen spielt die *Rheologie eine große Rolle. – *E* reforming – *F* formage, déformation plastique – *I* foggiare – *S* conformado
Lit.: Kirk-Othmer (3.) **15**, 330–335.

Umform-Verfahren. Verf. zur Umformung von Materialien, z. B. Metallen, Kunststoffen. Hierbei werden in der Technik sowohl kalte (Raumtemp., wobei sich das Material z. T. >100 °C erwärmt) als auch warme (>350 °C) Verf. je nach Produkten u. gewünschten Eigenschaften angewendet; s. a. Umformen. – *E* transform process – *F* procédé de transformation – *I* processo di trasformazione – *S* procedimiento de transformación
Lit.: Aluminium-Taschenbuch, Düsseldorf: Aluminium-Verl. 1983.

Umgekehrte Osmose (Umkehrosmose, reverse Osmose, RO, Gegenosmose). Die u. O., die Membran-*Mikrofiltration sowie die *Ultrafiltration sind die wichtigsten durch hydrostat. Druck betriebenen Membran-*Trennverfahren. Sie werden oft unter dem Begriff *Membranfiltration zusammengefaßt u. unterscheiden sich v. a. durch ihre Trenngrenzen. Das Prinzip der u. O., manchmal auch *Hyperfiltration* genannt, geht aus der Abb. hervor: Die Umkehrung der normalen *Osmose wird durch Überwindung des osmot. Druckes durch Anlegen eines höheren Drucks erzwungen. Es wird dabei z. B. reines Wasser aus einer Salzlsg. durch eine *semipermeable *Membran* (vgl. Permeabilität) abgetrennt. Membran-Materialien u. Membran-Aufbau (vgl. Membranen, techn.) sind bei allen Membran-Trennverf. ähnlich. Die techn. Membran-Anordnung geschieht in sog. *Modulen, wobei Platten-, Wickel-, Rohr-, Kapillar- u. *Hohlfaser-Module verwendet werden.

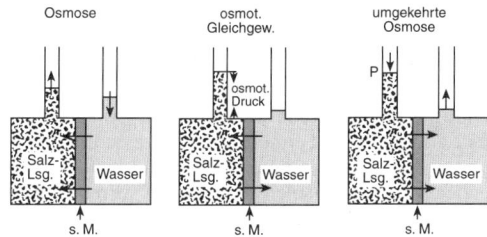

Abb.: Osmose u. umgekehrte Osmose (s. M. = semipermeable Membran).

Verw.: In großem Maßstab bei der *Trinkwasser-Gewinnung durch *Meerwasserentsalzung u. durch Aufbereitung von *Brackwasser, bei *Entgiftung u. *Recycling von Abwässern bes. aus galvanotechn. Betrieben, bei Entfernung von Farbstoffen aus Abwässern der Textilfärberei, beim Aufbereiten von Kesselspeisewasser, bei der Gewinnung von hochreinem Wasser, z. B. für die Elektro-Ind. u. klin. Laboratorien, für die pharmazeut. u. kosmet. Ind., bei der Rückgewinnung von Silber in der photochem. Ind., bei der Herst. konz. wäss. Lsg. in der pharmazeut. Ind. u. in der Nahrungsmittel-Ind., z. B. bei der Konzentrierung von Fruchtsäften ohne Aromaverlust, von Milch etc. – *E* reverse osmosis – *F* osmose inverse – *I* osmosi inversa – *S* ósmosis de reloj

Lit.: Angew. Chem. **89**, 624–630 (1977); **94**, 670–695 (1982) ▪ Kirk-Othmer **14**, 345–356; **22**, 58 ff.; (3.) **20**, 230–248 ▪ Rautenbach, Membrantrennverfahren: Ultrafiltration u. Umkehrosmose, Frankfurt/M.: Salle 1981 ▪ Ullmann (4.) **2**, 163; **24**, 222 ff.; (5.) **B 2**, 10–12, 10–21; **A 9**, 638 f.; **A 11**, 525 f.; (6., 1998 electronic release), Membranes and Membrane Separation Processes.

Umhüllungen s. Verpackungsmittel u. bes. Lebensmittelumhüllungen.

Umhüllungspseudomorphose s. Pseudomorphose u. Perimorphose.

Umkehrbare Reaktionen s. chemische Gleichgewichte, Massenwirkungsgesetz u. Reaktionen.

Umkehrentwicklung, Umkehrfilm s. Photographie.

Umkehrosmose s. umgekehrte Osmose.

Umkehrphasen s. reverse Phasen.

Umkristallisation. 1. Bez. für eine Meth. zur *Reinigung od. Trennung von krist. Substanzen, bei der durch wiederholtes Auflösen (meist unter Erwärmen) in einem od. mehreren geeigneten Lsm. u. Auskristallisieren (durch Abkühlen) erreicht wird, daß infolge der Löslichkeitsunterschiede zwischen Substanz u. *Verunreinigung letztere abgetrennt wird. Sollen zwei od. mehrere Verb. durch U. getrennt werden (z. B. bei der *Racemattrennung) spricht man von *fraktionierter* *Kristallisation.* Die U. ist neben der Dest. eines der wichtigsten Reinigungsverf. in der Chemie. Verwandte Operationen sind das *Umfällen* [das *Ausfällen der (un)erwünschten Bestandteile durch andere Lsm.] u. das *Umschmelzen* (vgl. Schmelzen u. Zonenschmelzen). – 2. Eine andere Bedeutung hat der Begriff U. in der Mineralogie, s. Paramorphose. – *E* recrystallization – *F* récristallisation – *I* ricristallizzazione – *S* recristalización

Lit.: s. Kristallisation u. Trennverfahren.

Umlagerungen. Üblicherweise versteht man unter einer U., daß ein *Atom* (z. B. Wasserstoff) od. eine Gruppe (z. B. der *Phenyl-Ring*) von einem Atom zu einem anderen innerhalb des gleichen Mol. d. h. *intramol.* wandert. Erfolgt diese Wanderung von dem Ausgangsatom zum nächst benachbarten, so spricht man von einer 1,2-Umlagerung (od. *1,2-Verschiebung*). Entsprechend werden U. zu weiter entfernteren Atomen als 1,3-, 1,4-, 1,5-, usw. U. bezeichnet. Die Gruppe kann mit einem Elektronenpaar, *nucleophile* od. *anionotrope* U., ohne ein Elektronenpaar, *elektrophile* od. *kationotrope* U. od. als *Radikal, radikal.* U. wandern. Daneben gibt es die große Gruppe der U., die über einen cycl., meist aromat. Übergangszustand ablaufen u. die mit den Regeln der *pericyclischen Reaktionen (s. Woodward-Hoffmann-Regeln, Valenzisomerisierung, sigmatrope Reaktionen) behandelt werden können. *Anionotrope* U. sind aus Gründen des energet. günstigeren *Übergangszustandes gegenüber kation. od. radikal. bevorzugt. Bei *intermol.* U. wandert der Rest von einer Position im Mol. A zu einer anderen im Mol. B. Zwischen intra- u. intermol. U. kann durch Kreuzungsexperimente unterschieden werden. Bei anionotropen U. wandert der Rest mit seinem Elektronenpaar zu einem elektronendefizienten Atom; das kann ein *Carbenium-Ion (s. Wagner-Meerwein-Umlagerung), ein *Carben (s. Wolff-Umlagerung), ein Nitren (s. Curtius-Umlagerung) sein. Nachdem die Gruppe gewandert ist, muß am verbleibenden Atom eine Stabilisierung zum Oktett erfolgen. Dies geschieht im Falle der Carbenium-Ionen durch nucleophile Substitution, durch Abspaltung eines Protons (vgl. Pinakol-Pinakolon-Umlagerung) in anderen Fällen durch Ausbildung einer Doppelbindung (s. Abb.).

Abb.: Anionotrope Umlagerungen.

Viele U. sind mit dem Namen ihrer Entdecker verknüpft u. in diesem Handbuch in der Regel in Einzelstichwörtern abgehandelt. Die Tab. auf Seite S. 4744 gibt einen Überblick. – *E* rearrangement – *F* réarrangement – *I* trasposizione – *S* transposición, reagrupamiento

Lit.: [1]Org. React. **11**, 157–188 (1960). [2]Chem. Rev. **73**, 531–551 (1973).
allg.: Katritzky et al. **1**, 377 ff. u. 793 ff. ▪ March (4.), S. 1051 ff. ▪ Org. React. **43**, 93 ff. (1993) ▪ Russ. Chem. Rev. **64**, 627 (1995) ▪ Top. Curr. Chem. **80** (1979); **116/117**, 267–343 (1984); **146**, 1–56 (1988) ▪ s. a. die einzelnen Umlagerungen u. andere Textstichwörter.

Umlagerungspseudomorphose s. Pseudomorphose.

Umlaufreaktor. Bez. für einen *Bioreaktor mit Rührwerk u. innerem Strömungsleitrohr (Rührschleifenreaktor). Im Vgl. zu einfachen Rührreaktoren kann bei gleichem Leistungsaufwand ein höherer Sauerstoff-Eintrag erreicht werden. Das Reaktorsyst. ist für begaste u. unbegaste Fermentationsprozesse einsetzbar u. hat sich insbes. für die Anzucht von anaerob wachsenden Mikroorganismen bewährt. – **E** stirred tank reactor with draught tube – **F** réacteur à circulation forcée par mélangeur – **I** reattore a circolazione, reattore a vasca chiusa con agitatore e tubo di flusso – **S** reactor de circulación

Umnetzung. Eine in der *Waschmittel-Chemie benutzte Bez. für den Vorgang, bei dem eine auf einer Feststoffoberfläche befindliche Flüssigkeit (z.B. Schmieröl auf Textilfaser) von einer anderen, mit der ersteren nicht mischbaren Flüssigkeit (z.B. wäss. Seifenlsg.) verdrängt, zu Tropfen „zusammengeschoben" u. schließlich von der Oberfläche ganz abgelöst wird. – **E** rolling-up – **I** reticolazione

Umnetzverfahren. Verf. zur Trennung von gesätt. u. ungesätt. Fettsäuren gleicher C-Kettenlänge (s. Abb.).

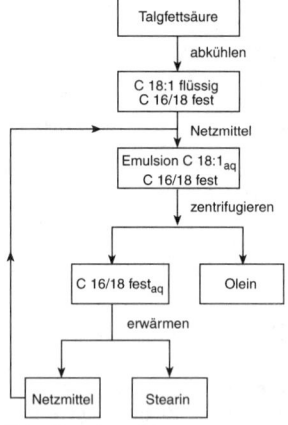

Abb.: Umnetzverfahren.

Bei der Trennung von Talgfettsäure in techn. *Stearinsäure (C_{16}/C_{18}) u. *Ölsäure wird das Fettsäure-Gemisch zunächst auf 5 °C abgekühlt, wobei eine Krist. der Stearinsäure in der flüssigen Ölsäure unter Bildung einer Dispersion erfolgt. Durch Zugabe einer wäss. Netzmittel-Lsg., z. B. eines *Alkylsulfats, wird die Ölsäure emulgiert, wobei die Stearinsäure-Krist. von anhaftender Ölsäure gereinigt werden. Beim anschließenden Zentrifugieren dieser Emulsion/Dispersion erfolgt eine Spaltung in eine Ölsäure-Phase u. eine Wasser/Stearinsäure-Dispersion, die in einem Separator voneinander getrennt werden. Die Stearinsäure-Wasser-Dispersion wird dann auf 70 °C erwärmt u. die geschmolzene Stearinsäure von der Wasserphase abgetrennt, wobei das Wasser wieder in den Trennprozeß zurückgeführt wird. – **E** rolling-up process

Lit.: Fat Sci. Technol. **89**, 237 (1987) ▪ Ullmann (6.).

UMP. Abk. für Uridin-5′-monophosphat, s. Uridinphosphate.

UMPLIS. Abk. für *Um*weltp*l*anungs- u. *I*nformationssyst., auch Informations- u. Dokumentationssyst. Umwelt des *Umweltbundesamtes. Zu den UMPLIS-Datenbanken zählen z. B. die Umweltliteraturdatenbank ULIDAT, die Umweltforschungsdatenbank UFORDAT, die Meeresumweltdatenbank MUDAB, die Gefahrstoff-Schnellauskunft des Bundes GSA u. die Umweltrechtsdatenbank URDB. Diese Datenbanken werden in der Regel von fachkompetenten Bundes- u. Länderanstalten u. a. Einrichtungen gepflegt u. können von öffentlichen u. z. T. privaten Stellen genutzt werden. Über UMPLIS informiert der alle 2 Jahre erscheinende Umweltforschungskatalog UFOKAT.

Lit.: Umweltbundesamt, Jahresbericht 1997, S. 130 – 131. – INTERNET: http://www.umweltbundesamt.de/uba-datenbanken/d-db-uba.html

Umpolung. Heteroatome (O bzw. N) in Alkoholen, Ethern, Aldehyden, Ketonen, Carbonsäure-Derivaten bzw. Aminen u. Nitrilen zwingen einem Kohlenstoff-Gerüst ein Reaktivitätsmuster mit alternierenden Donor- u. Akzeptor-Zentren auf. Diese *normale* Reaktivität bewirkt, daß Elektrophile nur in den Positionen 0, 2, 4... u. Nucleophile nur in den Positionen 1, 3, 5... angreifen können u. daß nur (1, 2n+1; n>0) difunktionelle Verb., z. B. 1,3-*Diketone aufgebaut werden können. Um nun Elektrophile u. Nucleophile genau umgekehrt zu binden, um damit 1,2n-difunktionelle Verb., z. B. 1,4-Diketone, zu erhalten, werden Reagenzien mit *umgepolter* Reaktivität benötigt; z. B.:

$R_2C=O$ ⟹ Anion des 1,3-Dithians als *Syntheseäquivalent (d^1-*Synthon)

d^3-Synthon (Homoenolat-Anion)

Anion des Bernsteinsäureesters als Syntheseäquivalent

Die Bez. Umpolung wurde von *Seebach geprägt u. in die engl. Lit. übernommen.

Abb.: Angriff von Elektro- u. Nucleophilen; a) an den „normalen" Positionen; b) an den alternativen Positionen.

Es gibt nun eine Reihe von Meth., um an einem bestimmten Kohlenstoff-Atom die Reaktivität umzupolen, die hier nicht alle dargestellt werden können. Gut ausgebaut u. untersucht ist die Umpolung über den *Heteroatom-Austausch*, bes. der Austausch O gegen S. Thioether-Gruppen induzieren in der Kohlenstoff-Kette eine Umkehrung des gesamten Reaktivitätsmusters. An hervorragender Stelle steht hier die 1,3-Dithian-Methode. Aldehyde werden mit 1,3-Propandithiol zum cycl. Thioacetal umgesetzt; anschließend wird der Aldehydwasserstoff als *Proton* abgelöst u. das resultierende Anion mit einem Elektrophil an Kohlenstoff-Atom 1 umgesetzt. Zum Schluß wird die Acetal-Funktion wiederum zur Carbonyl-Gruppe verseift (s. Abb. bei Dithiane). – *E* umpolung – *F* inversion de la polarité – *I* inversione di polarità – *S* inversión de la polaridad

Lit.: Aldrichimica Acta **27**, 31 (1994) ▪ Angew. Chem. **91**, 259 – 278 (1979) ▪ Carey-Sundberg, S. 1444 ff. ▪ Fuhrhop u. Penzlin, Organic Synthesis, 2. Aufl., S. 14, Weinheim: VCH Verlagsges. 1994 ▪ Hase, Umpoled Synthons, New York: Wiley 1987 ▪ J. Organomet. Chem. **500**, 101 (1995).

Umrötung s. Nitritpökelsalz, Pökeln u. Myoglobin.

Umsatz (Stoffumsatz). Bez. für den Quotienten aus der im Laufe einer chem. Umsetzung (*Reaktion) tatsächlich reagiert habenden Substanzmenge eines Stoffes A zu der eingesetzten Substanzmenge derselben Komponente: Umsatz = (m_AAnfang – m_AEnde)/ m_AAnfang; *Beisp.:* 60% Umsatz bedeuten, daß von ursprünglich 1000 g Stoff A (m_AAnfang) nach Abbruch od. Ende der Reaktion (z. B. durch Einstellung eines *chemischen Gleichgewichts) 400 g A (m_AEnde) wiedergewonnen wurden. Der U. ist nicht zu verwechseln mit der *Ausbeute, bei der zwischen stöchiometr. u. umsatzbezogener Ausbeute unterschieden werden muß; letztere ist immer höher. – *E* turnover – *F* conversion – *I* conversione – *S* conversión

Lit.: Chem.-Ztg. **109**, 97 – 107 (1985) ▪ Ullmann (4.) **4**, 5.

Umsatzzahl s. Enzyme.

Umschlagsbereich s. Indikatoren.

Umschmelzen s. Schmelzen, Umkristallisation u. Zonenschmelzen.

Umsetzung s. Reaktionen.

Umstimmungstherapie s. Organotherapie.

Umverpackung s. Verpackungsabfälle.

Umwandlung. Der Alltagssprache entlehnte Bez. für – im engeren Sinne – stoffliche U. durch *Phasen- od. *Modifikations-Übergänge bei bestimmten *Umwandlungspunkten. Bei derartigen U. wird *Umwandlungswärme freigesetzt od. verbraucht; *Beisp.:* *Verdampfung, *Schmelzen, Modif.-U., ferromagnet. U. u. andere Transformationen. Oftmals benutzt man das Wort „U." an Stelle von *Reaktion, wenn man z. B. offen lassen will, auf welchem Weg eine Verb. aus einer anderen entstehen soll. Im weiteren Sinne bezeichnet man als „U." nicht nur *Kernumwandlungen u. Kern-*Zerfall, Energie-U. im Organismus beim *Stoffwechsel, Erzeugung von Energie aus anderen Energieformen (s. Energie-Direktumwandlung) usw., sondern auch die alchemist. Element-U. mit dem *Stein der Weisen (s. Transmutation). – *E* = *F* transformation, transition – *I* trasformazione, transizione – *S* transformación, transición

Umwandlungsenthalpie s. Umwandlungswärme.

Umwandlungshärtung. Härtung einer Leg., für die eine temperaturgesteuerte Gitterumwandlung erste Voraussetzung ist. Zweite Voraussetzung ist ein mit der Umwandlung verbundener Löslichkeitssprung eines Leg.-Elements. Bekanntestes Beisp. ist die U. von

Kohlenstoff-haltigem Eisen (*Martensit), bei der die erste Voraussetzung durch die Umwandlung vom kub.-flächenzentrierten Gitter (kfz-Gitter) zum raumzentrierten gegeben ist, die zweite durch die dabei sprunghaft abnehmende Löslichkeit von Kohlenstoff. Bei hoher Abkühlgeschw. (*Abschreckung) verbleibt der Kohlenstoff im kfz-Gitter u. verzerrt dies zu einem tetragonalen Gitter hoher Härte. – *E* transformation hardening – *F* trempe de transformation – *I* tempra di trasformazione – *S* temple de transformación
Lit.: s. Härten, Stahl, Perlit, Martensit.

Umwandlungspseudomorphose. Bez. für eine *Pseudomorphose, bei deren Bildung sich das ursprüngliche Mineral durch Stoffzufuhr, -abgabe od. -austausch nur partiell ändert. – *E* alteration pseudomorphism – *F* pseudomorphisme par épigénie – *I* pseudomorfosi di conversione, pseudomorfosi per alterazione – *S* pseudomorfismo por alteración
Lit.: s. Pseudomorphosen.

Umwandlungspunkte. Bez. für alle Temp. unter definierten Druckbedingungen, bei denen ein Stoff vollständig von einer *Phase od. *Modifikation in eine andere übergeht; *Beisp.:* Schmp., Sublimationspunkt, Sdp., Temp.-Punkte für Modif.-Umwandlungen wie der Übergang von Weißem in Roten Phosphor. Während der *Umwandlung eines Stoffes bleibt seine Temp. trotz weiterer Wärmezu- bzw. -abfuhr so lange konstant, bis der Phasen- od. Modif.-Übergang vollzogen ist; daher spricht man auch von *Haltepunkten* der Temperatur. Die bei manchen *Makromolekülen beobachtbaren *Glasübergangstemperaturen u. *Helix-Knäuel-Übergänge[1] erstrecken sich dagegen im allg. über einen Temp.-*Bereich*. Die oben genannten Beisp. sind sog. *Umwandlungen Erster Art*, bei denen sich am U. thermodynam. Größen wie die latente *Umwandlungswärme, die *spezifische Wärmekapazität, das Vol. u. die D. sprunghaft ändern. Im Gegensatz dazu bleiben bei *Umwandlungen Zweiter Art* die D. u. Umwandlungswärme unverändert u. die spezif. Wärmekapazität kann in der Nähe des U. durch eine *Lambda-Kurve beschrieben werden. Zu diesen U. zählen die Temp. des Übergangs einer normalen in eine Supraflüssigkeit (s. dort zum sog. λ-Punkt des *Heliums bei 2,177 K), die sog. *Curie-Temperatur, die Sprungtemp. (s. Supraleitung) u. ä. Temp.-Punkte. Die Bestimmung der U. u. der dabei auftretenden Umwandlungswärmen ist eine der Aufgaben der *Thermoanalyse, insbes. der *Thermometrie. Für die mathemat. Behandlung *kritischer Größen am U. erhielt K. G. *Wilson 1982 den Nobelpreis für Physik. – *E* transformation (transition) points – *F* points de transformation (transition) – *I* punti di trasformazione – *S* puntos de transformación (transición)
Lit.: [1] Encycl. Polym. Sci. Eng. **7**, 531–544, 685–698.
allg.: s. Phasen u. Thermoanalyse.

Umwandlungstemperatur. Temperaturwert, bei dem ein Stoff von einer Phase od. Modif. in eine andere übergeht; bessere Bez. *Umwandlungspunkt. – *E* transformation temperature – *F* température de transformation – *I* temperatura di trasformazione – *S* temperatura de transformación

Umwandlungswärmen (Umwandlungsenthalpien). Sammelbez. für die mit Phasen- od. Modif.-Übergängen (*Umwandlungen Erster Art*, s. Umwandlungspunkte u. Phasen) verbundenen Wärmeumsätze, die sich jeweils durch eine sprunghafte Änderung der – in Abhängigkeit von der Temp. dargestellten – inneren Energie bzw. *Enthalpie eines Stoffes am *Umwandlungspunkt (Haltepunkt, s. die Abb. bei Thermometrie) anzeigen; korrekterweise bezeichnet man die U. daher als *Umwandlungsenthalpien* ΔH. Je nach Richtung der Umwandlung werden diese – bis zum Umwandlungspunkt verborgenen (daher U. = *latente Wärmen*) – Wärmemengen verbraucht od. freigesetzt. Man bezieht die Angaben (in kcal od. kJ) auf ein Mol od. ein Gramm der betreffenden Substanz u. unterscheidet so *molare* u. *spezif. Umwandlungsenthalpien*. Beisp. für U., die beim betreffenden Phasenübergang verbraucht werden, sind etwa die *Schmelzenthalpien* od. die *Verdampfungsenthalpien*, für die einige Zahlenbeisp. in der Tab. zusammengestellt sind (s. a. *Lit.*[1]).

Tab.: Zahlenbeisp. für Schmelz- u. Verdampfungsenthalpien.

	Schmelz-enthalpie [kJ/mol]	Verdampfungs-enthalpie [kJ/mol]
Al	10,71	294,1
Si	46,47	394,6
Na	2,60	89,3
NaCl	29,22	169,5
Wasser (H_2O)	6,01	40,64
Wasser (D_2O)	6,36	41,49
NH_3	5,64	23,31
Ethanol	4,97	37,47
Benzol	9,99	30,78

Numer. von gleichem Betrag, aber mit umgekehrtem Vorzeichen, werden beim umgekehrten Phasenübergang die *Erstarrungsenthalpie* od. *Kondensationsenthalpie* freigesetzt. Weitere *Beisp.* für U.: Sublimations- bzw. Kondensationsenthalpie, Kristallisations- bzw. Lösungsenthalpie, ferner die U. beim wechselseitigen Übergang von *Modifikationen ineinander: Bei der Umwandlung von Weißem in Roten Phosphor werden 17,6 kJ/mol (4,2 kcal/mol) frei, während die Umwandlung von rhomb. in monoklinen Schwefel beim Umwandlungspunkt (95,6 °C) 0,29 kJ/mol (0,07 kcal/mol) verbraucht.
U. werden mit den Meth. der *Thermoanalyse, insbes. durch *Kalorimetrie, ermittelt, vgl. a. Thermometrie. Dennoch sind in der Lit. oft erstaunlich unterschiedliche Werte für ΔH anzutreffen; *Beisp.:* Verdampfungsenthalpien des Benzols von 30,75–42,93 kJ/mol (7,34–10,25 kcal/mol). Verdampfungswärmen können mittels der *Pictet-Trouton-Regel abgeschätzt od. nach der *Clausius-Clapeyronschen Gleichung aus der leicht meßbaren Temp.-Abhängigkeit des Drucks berechnet werden. Mit anderen molaren Energien lassen sich U. durch den *Born-Haber-Kreisprozeß verknüpfen. Aufstellungen von U. findet man in den *Tabellenwerken der *Thermodynamik (s. a. *Lit.*[2]). – *E* heats of transition – *F* chaleurs de transformation (transition) – *I* calore di trasformazione – *S* calores de transformación

Lit.: [1] Kohlrausch, Praktische Physik 3, S. 529–539, Stuttgart: Teubner 1996. [2] Snell-Ettre **2**, 226–246.
allg.: Tamir et al., Heats of Phase Change of Pure Components and Mixtures, Amsterdam: Elsevier 1983 ■ s. a. einzelne Umwandlungen u. die Thermo...-Stichwörter.

Umwelt. Mehrdeutiger Begriff, der ursprünglich aus der *Biologie stammt: 1. Die *psych. U.* = Merkwelt eines Tieres ist der Teil der Umgebung, der durch Sinnesorgane wahrgenommen werden kann.
2. Die *minimale U.* eines Lebewesens ist die Summe aller lebensnotwendigen *Ökofaktoren. Diese U. wird in der *Toxikologie u. *Ökotoxikologie wohl am ehesten im Labortest mit einzelnen Organismenarten („Einzelspezies-Test") realisiert.
3. Die *physiol. U.* ist die Summe der direkt auf Lebewesen wirkenden Faktoren [1] („Wirkwelt"), auf die es unmittelbar reagiert (s. Adaptation).
4. Die *ökolog. U.* ist die Gesamtheit aller direkt od. indirekt auf Organismen wirkenden Ökofaktoren, mit denen ein Organismus in seinem artspezif. Lebensraum in Wechselbeziehung steht u. denen er sich in entwicklungsgeschichtlichen Zeiträumen so angepaßt hat, daß ein ökolog. (bzw. *biologisches) Gleichgewicht (s. a. Ökologie) entstehen kann.
5. Gelegentlich wird U. als räumliche Umgebung eines Lebewesens, also als *Habitat, aufgefaßt.
6. *Soziolog.* betrachtet bezeichnet U. die gesamte Umgebung eines Menschen einschließlich seiner Mitmenschen u. aller sozialen, kulturellen u. polit. Einrichtungen u. Einflüsse. In diese Kategorie fällt z. B. die Behauptung, daß bis zu 90% aller Krebsfälle „umweltbedingt" seien. Zu den wesentlichen Ursachen dieser „Umweltkrankheiten" gehört Rauchen, übermäßiges Essen, exzessives Sonnenbaden, Sexualverhalten u. Alkoholkonsum [2].
7. Im *jurist.* Bereich existiert (ebenfalls) keine einheitliche U.-Definition [3]. Im Grundgesetz, wo in Art. 20a der *Umweltschutz als Staatsziel verankert ist, wird von den natürlichen Lebensgrundlagen des Menschen gesprochen, insbes. von den Umweltbereichen Boden, Luft u. Wasser, den Beziehungen unter ihnen einerseits u. zu allen Lebewesen andererseits [3]. Schutzziel jurist. Vorschriften sind in der Regel auch Kulturlandschaften u. a. vom Menschen geprägte Bereiche. Der Gesetzgeber geht gelegentlich von einem erweitertem U.-Begriff aus, wenn er z. B. Erholung der Bevölkerung, Agrar- u. Infrastruktur, sowie bei der Umweltverträglichkeitsprüfung (*UVP) schutzwürdige Sachgüter (Bauwerke, Kulturdenkmäler) u. auf Ebene der *EU kulturelles Erbe in den Umweltschutz einbezieht. – *E* environment – *F* environnement – *I* ambiente – *S* medio ambiente

Lit.: [1] Bick, Grundzüge der Ökologie (3.), Stuttgart: Fischer 1998. [2] Heilmann, Chemie – Risiko u. Chance, S. 22–25, Köln: Deutscher Instituts-Verl. 1985. [3] Kloepfer, Umweltrecht (2.), S. 17–19, München: Beck 1998.
allg.: Goudie, Mensch und Umwelt, Heidelberg: Spektrum 1994 ■ Jäger, Einführung in die Umweltgeschichte, Darmstadt: Wissenschaftliche Buchges. 1994 ■ OECD (Hrsg.), Umwelt-global, Dritter Bericht zur Umweltsituation, Bonn: Economica 1992 ■ Umweltbundesamt (Hrsg.), Daten zur Umwelt. Der Zustand der Umwelt. Ausgabe 1997, Berlin: Schmidt 1997 ■ Wieringa (Hrsg.), Die Umwelt der Europäischen Union 1995. Bericht zur Überprüfung des Fünften Umwelt-Aktionsprogramms, Kopenhagen: EUA 1997 ■ Zirnstein, Ökologie und Umwelt in der Geschichte, Marburg: Metropolis 1994.

Umweltadäquanz. Eignung für die Umwelt, „Natürlichkeit", s. Vorsorgeprinzip.

Umweltanalytik. Teilbereich der *Analytischen Chemie, der sich mit dem Nachw. u. der Bestimmung von Stoffen in *Umweltkompartimenten, z. B. von *Umweltchemikalien u. *Umweltschadstoffen in Wasser, Boden u. Luft beschäftigt. Im weiteren Sinne gehört zur U. auch die Überwachung von *Umweltschutz-*Anlagen (*Kläranlagen, *Abluftreinigungs-Anlagen, *Deponien), die Analytik von *Altlasten u. *Abfall, die Ermittlung u. Überwachung von *Emissionen u. *Immissionen, Expositionsabschätzung (s. PEC u. PNEC) u. *Risiko-Bewertung. Dabei werden auch *Bioindikatoren u. ökotoxikolog. Testverf. (s. a. Biomonitoring, Gewässergüte u. Umweltmonitoring) eingesetzt u. z. B. Probenbanken angelegt, um Umwelt- u. Humanproben später mit neuen, heute noch nicht zur Verfügung stehenden Meth. zu untersuchen. Neben der Einzelstoff- u. Stoffgruppenanalytik der klass. Analyt. Chemie spielen in der Praxis Summenparameter wie *AOX, *BSB, *CSB, *DOC, *TOC, *VOC u. a. eine große Rolle. Wegen der Heterogenität der Umweltmedien kommt der Probenahme u. Aufbereitung große Bedeutung bei. Fehler in diesen Bereichen übersteigen die Streuungsbreite der eigentlichen *Chemischen u. *Physikalischen Analyse meist erheblich. – *E* environmental analysis, environmental analytical chemistry – *F* chimie analytique de l'environnement – *I* analitica ambientale – *S* química analítica del medio ambiente

Lit.: Baum, Umweltschutz in der Praxis (3.), S. 607–843, München: Oldenbourg 1998 ■ Cross (Hrsg.), World Dictionary of Environmental Testing, Monitoring and Treatment, London: James & James 1996 ■ Dean, Extraction Methods for Environmental Analysis, Chichester: Wiley 1998 ■ Fent, Ökotoxikologie, S. 137–158, Stuttgart: Thieme 1998 ■ Hulpke et al. (Hrsg.), Analytische Chemie für die Praxis, Reihe, 6 Bd., Stuttgart: Thieme 1982–1988 ■ Hutzinger **2 G, 2 H** (ganze Bände) ■ Kirk-Othmer (4.) **2**, 749–778; **25**, 424–437 ■ Nachr. Chem. Tech. Lab. **45**, 1090–1096 (1997) ■ Naumer u. Heller (Hrsg.), Untersuchungsmethoden in der Chemie, Einführung in die moderne Analytik (3.), Stuttgart: Thieme 1998 ■ Sigrist, Air Monitoring by Spectroscopic Techniques (Reihe Chemical Analysis), New York: Wiley 1994 ■ Subramanian u. Iyengar, Environmental Biomonitoring – Exposure Assessment and Specimen Banking, Washington: Am. Chem. Soc. 1997 ■ Umweltchem. Ökotox. **6**, 81–87, 111–115, 384ff. (1994); **7**, 174–189 (1995).

Umweltaudit (Ökoaudit, Umweltbetriebsprüfung). Eine Umweltrechnungs- u. Betriebsprüfung, die in der seit 1. 4. 1995 im Europ. Wirtschaftsraum unmittelbar gültigen *EG-Ökoauditverordnung (EMAS) beschrieben ist, s. a. Umweltauditgesetz (Definition s. DIN 14010). – *E* environmental audit – *F* audit environnemental – *I* ispettiva ambientale – *S* auditoría del medio ambiente

Lit.: Cahill et al., Environmental Audits (7.), Rockville: Government Institutes 1996 ■ DIN EN ISO Leitfäden für Umweltaudits 14010: 1996-11; 14011: 1996-11; 14012: 1996-10.

Umweltauditgesetz (UAG). Das U. regelt das betriebliche *Umweltmanagement u. die Umweltbetriebsprüfung (Ökoaudit, Umweltaudit) u. ist im Dezember 1995 in Kraft getreten. Es konkretisiert die *EG-Ökoauditverordnung u. gewährleistet mit den gleichzeitig in Kraft getretenen Beleihungs-, Gebühren- u. Zulassungs-VO für *Umweltgutachter einen einheitlichen Vollzug in der BRD (s. Tab. S. 4748).

Tab.: Wichtige Rechtsvorschriften im Zusammenhang mit dem Umweltauditgesetz.

Abk./Kurzbez.	Bez.	Lit.
EMAS od. UAV/EG-Umweltauditverordnung	VO EWG/1836/93 des Rates der Europ. Union vom 29.06.1993 über die freiwillige Beteiligung gewerblicher Unternehmen an einem Gemeinschaftssyst. für das Umweltmanagement u. die Umweltbetriebsprüfung	ABl. EG L 168, S. 1 (1993)
Entscheidung 97/264/EWG	Entscheidung 97/264/EWG der Kommission vom 16.04.1997 zur Anerkennung der Zertifizierungsverf. gemäß Artikel 12 der VO (EWG) Nr. 1836/93 des Rates über die freiwillige Beteiligung gewerblicher Unternehmen an einem Gemeinschaftssyst. für das Umweltmanagement u. die Umweltbetriebsprüfung	ABl. EU L 104, S. 35 (1997)
Entscheidung 97/265/EG	Entscheidung 97/265/EG der Kommission vom 16.04.1997 zur Anerkennung der Internat. Norm ISO 14001: 1996 u. der Europ. Norm EN ISO 14001: 1996 für Umweltmanagementsyst. gemäß Artikel 12 der VO (EWG) Nr. 1836/93 des Rates über die freiwillige Beteiligung geweblicher Unternehmen an einem Gemeinschaftssyst. für das Umweltmanagement u. die Umweltbetriebsprüfung	ABl. EU L 104, S. 37 (1997)
UAG/Umweltauditgesetz	G zur Ausführung der VO (EWG) Nr. 1836/93 des Rates vom 29.06.1993 über die freiwillige Beteiligung gewerblicher Unternehmen an einem Gemeinschaftssyst. für das Umweltmanagement u. die Umweltbetriebsprüfung vom 07.12.1995	BGBl. I, S. 1591 (1993)
UAGBV/UAG-Beleihungsverordnung	VO über die Beleihung der Zulassungsstelle nach dem Umweltauditgesetz vom 18.12.1995	BGBl. I, S. 2013 (1995)
UAGGebV/UAG-Gebührenverordnung	VO über Gebühren u. Auslagen für Amtshandlungen der Zulassungsstelle u. des Widerspruchsausschusses bei der Durchführung des Umweltauditgesetzes vom 18.12.1995	BGBl. I, S. 2014 (1995), S. 821 (1996), S. 8571 (1998)
UAGZVV/UAG-Zulassungsverfahrensverordnung	VO über das Verf. zur Zulassung von Umweltgutachtern u. Umweltgutachterorganisationen sowie zur Erteilung von Fachkenntnisbescheinigungen nach dem Umweltauditgesetz vom 18.12.1995	BGBl. I, S. 1841 (1995); S. 2200 (1998)
UAGErwV/UAG-Erweiterungsverordnung	VO nach dem Umweltauditgesetz über die Erweiterung des Gemeinschaftssyst. für das Umweltmanagement u. die Umweltbetriebsprüfung auf weitere Bereiche vom 03.02.1998	BGBl. I, S. 338 (1998)
UAG-FkR/UAG-Fachkunderichtlinie	Richtlinie des Umweltgutachterausschusses nach dem Umweltauditgesetz für die mündliche Prüfung zur Feststellung der Fachkunde von Umweltgutachtern u. Inhabern von Fachkenntnisbescheinigungen vom 27.06.1996	BAnz. 1996, S. 11985
UAG-LehrgR/UAG-Lehrgangsrichtlinie	Richtlinie des Umweltgutachterausschusses zur allgemeinen Anerkennung von Lehrgängen nach § 13 Abs. 1 Umweltauditgesetz vom 03.09.1997	BAnz 1998 Nr. 61, S. 4847
	Aufgaben der Umweltbehörden im Zusammenhang mit der Registrierung geprüfter Betriebsstandorte nach der EG-Umwelt-Audit-VO u. dem UAG	RdErl. d. MURL-V B 1-8001.7.2.12 V Nr. 2/96 12.4.1996

Lit.: Kloepfer, Umweltrecht (2.), S. 356–366, München: Beck 1998 ▪ Umwelt (BMU) **1996**, 57–58.

Umweltbeanspruchung s. Umweltbelastung.

Umweltbeauftragter (Umweltschutzbeauftragter). Übliche Bez. für einen Betriebsbeauftragten, der die Funktionen eines *Abfallbeauftragten, *Gewässerschutzbeauftragten[1], *Immissionsschutzbeauftragten u./od. anderer *Betriebsbeauftragter für Umweltschutz-Belange wahrnimmt. Im Gegensatz zum U. ist der Umweltverantwortliche das Mitglied der Geschäftsführung, das die oberste Leitung für den Umweltschutz eines Unternehmens wahrnimmt.

Lit.: [1] Korrespondenz Abwasser **45**, 732–738 (1998).
allg.: Der Umweltbeauftragte, Hamburg: K. O. Storck Verl. (Loseblatt-Sammlung seit 1993) ▪ Johann u. Preuß (Hrsg.), Handbuch für Betriebsbeauftragte Umweltschutz, Köln: Deutscher Wirtschaftsdienst (Loseblatt-Sammlung, Stand 1998 ▪ Korrespondenz Abwasser **45**, 732–738 (1998).

Umweltbelastung. Die Beeinflussung od. Veränderung der natürlichen *Umwelt durch physikal., chem. od. biolog. Eingriffe, z.B. Materialentnahme, Landschaftsverbrauch (= Rauminanspruchnahme), Befahren, Tritteinwirkung, Flächenversiegelung, Drainage, Eindeichung, Aufstauung, Wärmeabgabe, *Emissionen, *Abfall, Einleitungen (s. Abluft, Abwasser, Umweltchemikalien, Umweltschadstoffe, Staub u. Umweltverschmutzung), Lärm, Verbreitung fremder Lebewesenarten (s.a. Hemerobien), Pflanzensammeln, Beweidung. Die U. können techn. (kein besseres Verf. anwendbar), wirtschaftlich (kein besseres Verf. konkurrenzfähig), polit. (fehlende internat. Vereinbarungen), kulturell (Freizeitgestaltung, Bequemlichkeit, Modeerscheinung, falsch verstandener *Umweltschutz) od. anders verursacht bzw. unvermeidbar sein. So ist die Existenz jedes Lebewesens mit *Belastungen für seine Umwelt verbunden. Geht von einer U. keine gravierende neg. Wirkung aus, spricht man auch von Umweltbeanspruchung, -inanspruchnahme od. generell von Umwelteinwirkung. Stoffliche U. bezeichnet man als *Umweltverschmutzung, manche stoffliche u. physikal. U. auch als Immissionsbelastung (s. Immissionen). Verursachen stoffliche U. einen Schaden, spricht man häufig von Umweltschadstoffen. – *E* environmental impact, nuisance – *F* nuisance pour l'environnement – *I* inquinamento ambientale – *S* impacto ambiental

Lit.: Kloepfer, Umweltrecht (2.), S. 1–14, München: Beck 1998 ▪ OECD (Hrsg.), Environmental Performance Reviews (Serie, bisher ca. 20 Länder), Paris: OECD seit 1993.

Umweltbericht. Art u. Inhalt eines U. hängen vom Hrsg. (Firmen, *Umweltorganisationen, Behörden, Forschungseinrichtungen) u. seinen Zielen ab. U. enthalten *Umweltinformationen mit Darst. von Ursache-Wirkungs-Beziehungen anhand von Umweltindikatoren. Viele U. informieren über die kontinuierliche Verbesserung der betrieblichen Umweltleistungen im Rahmen von *Responsible Care u. berichten folglich über Ressourcenverbrauch, Emissionen, *Umweltschutz-Aufwand u. Maßnahmen (s. a. Umweltinformationsgesetz).

Verschiedene Wirtschafts-Organisationen [wie *CEFIC, der World Business Council for Sustainable Development (WBCSD) od. die Coalition for Environmentally Responsible Economies (CERES)] haben Indikatoren für die Umweltberichterstattung vorgeschlagen (Beisp. s. Tab.). Die Vielfalt der zur Umweltsituation berichtenden Unternehmen macht eine Vorgabe von Form u. Inhalt nur für einzelne Branchen zweckmäßig. Eine generelle Vorgabe würde eine angemessene Darst. nur erschweren. Gemäß ihrer Selbstverpflichtung zu Responsible Care u. Sustainable Development berichten viele Unternehmen im U. auch zu Gesundheit u. Sicherheit [sog. HSE-Reports (= Health, Safety, Environment) od. Responsible Care-Bericht]. Im Gegensatz zum U. ist eine *Umwelterklärung ein nach *EG-Ökoauditverordnung verbindlich festgelegtes Verf.; s. a. Umweltauditgesetz.

Tab.: CEFIC-Richtlinien zur Berichterstattung über Gesundheit, Sicherheit u. Umwelt vom November 1998 (schrittweise Umsetzung bis 2002).

Sicherheit u. Gesundheit am Arbeitsplatz
1. + 2. Unfälle
3. berufsbedingte Erkrankungen

Umweltschutz
4. + 5. deponierte Abfälle
6. Schwefeldioxid-Emissionen
7. *Stickstoffoxide (ohne N_2O-Emissionen)
8. Kohlendioxid/Treibhausgase (s. Treibhauseffekt)
9. *VOC-Emissionen
10. Phosphor-Verb. im Abwasser
11. Stickstoff-Verb. im Abwasser
12. *CSB
13. Schwermetalle im Abwasser
14. sonstige gesundheits- od. umweltrelevante Emissionen in Luft od. Wasser
15. Energie-Einsatz/Effizienz
16. Logistik-/Transport-Sicherheit

– *E* environmental report – *F* rapport écologique – *I* rapporto ambientale – *S* informe ambiental

Lit.: Clausen u. Fichter, Umweltbericht – Umwelterklärung, Praxis glaubwürdiger Kommunikation von Unternehmen, München: Hanser 1996 ▪ DIN Leitfaden Umweltberichte für die Öffentlichkeit 33922: 1997-07 ▪ Steven et al., Umweltberichterstattung u. Umwelterklärung nach der EG-Öko-Audit-Verordnung – Grundlagen, Methoden, Anwendung, Berlin: Springer 1997 ▪ Umweltwiss. Schadstoff-Forsch. – Z. Umweltchem. Ökotox. **8**, 104ff. (1996). – Internet-Adresse: http://www.cefic.be/activities/hse/rc/guide/01.htm

Umweltbetriebsprüfung s. Umweltaudit, EG-Ökoauditverordnung u. Umweltauditgesetz.

Umweltbezogene Unverträglichkeit s. MCS.

Umweltbundesamt (UBA). Das 1974 gegründete UBA, 14193 Berlin, Bismarckplatz 1, ist als obere Bundesbehörde des *Bundesministeriums für Umwelt, Naturschutz u. Reaktorsicherheit für Belange wie Umweltplanung, Ökologie, Luftreinhaltung, Lärmbekämpfung, Abfall, Wasserwirtschaft, Bodenschutz u. gesundheitliche Belange des Umweltschutzes zuständig. Zum Auftrag gehört die wissenschaftliche Unterstützung bei der Ausarbeitung von Regelwerken, die Dokumentation, die Information der Öffentlichkeit, die Stoffbewertung u. die Registratur von Rezepturen von Wasch- u. Reinigungsmitteln. Das UBA betreibt mehrere Meßstellen des bundesweiten Luftgütemeßnetzes u. hat über 1300 Mitarbeiter. Mit der Auflösung des *BGA wurde das Institut für Wasser-, Boden- u. Lufthygiene ins UBA integriert. Zum UBA gehören u. a. die Bewertungsstelle Umweltchemikalien für Neue Stoffe (s. Neustoffe), Kontaktstelle für Altstoffmeldungen nach Chemikaliengesetz, eine Umweltprobenbank, die Geschäftsstellen „Lagerung u. Transport wassergefährdender Stoffe" sowie „Waldschädenforschung", die Koordinierungs- u. Beratungsstelle für Umweltschäden an Denkmälern u. Kulturgütern u. die nat. Verbindungsstelle zur UNESCO in Fragen der Umwelterziehung. – *E* Federal Environmental Agency – *F* Office Fédéral de l'Environnement – *I* Ufficio federale per le questioni ambientali – *S* oficina federal para asuntos del medio ambiente

Publikationen (im Verl. E. Schmidt, Berlin): „Materialien", „Berichte", *UMPLIS (*EINECS). – INTERNET: http://www.umweltbundesamt.de

Umweltchemie s. Ökochemie.

Umweltchemikalien. Das Umweltprogramm der Bundesregierung[1] definiert U. als „Stoffe, die durch menschliches Zutun in die *Umwelt gebracht werden u. in Mengen u. Konz. auftreten können, die geeignet sind, Lebewesen, insbes. den Menschen, zu gefährden. Hierzu gehören chem. Elemente od. Verb. organ. od. anorgan. Natur, synthet. od. natürlichen Ursprungs. Das menschliche Zutun kann unmittelbar od. mittelbar erfolgen, es kann beabsichtigt od. unbeabsichtigt sein. Der Begriff Lebewesen umfaßt in diesem Zusammenhang den Menschen u. seine belebte Welt einschließlich Tieren, Pflanzen u. Mikroorganismen" (s. dazu die noch weitergehende Definition in *Lit.*[2], die engere Fassung[2] u. vgl. mit *Lit.*[3] u. Schadstoffe). Nach dieser Definition müßten selbst die Naturstoffe einer *Brennessel-Brühe als U. bezeichnet werden, wenn sie in der Umwelt (Feld, Garten) eingesetzt, wie beabsichtigt, Blattläuse od. andere Schadorganismen abtöten. Richtigerweise wird der Begriff Umwelt*chemikalien* nur verwendet, wenn es sich bei den in die Umwelt gelangten Stoffen tatsächlich um *Chemikalien handelt, also um *chemische Verbindungen, die durch chem. Verf. im Laboratorium od. techn. in der Ind. absichtlich hergestellt werden. Gelegentlich werden U. (fälschlich) mit *Xenobiotika gleichgesetzt; vgl. a. die folgenden Stichwörter u. Schadstoffe. – *E* environmental chemicals – *F* produits chimiques nuisibles

Umwelteinwirkung 4750

pour l'environnement – *I* prodotti chimici ambientali – *S* productos químicos de impacto ambiental
Lit.: [1] Umweltbundesamt (Hrsg.), Was Sie schon immer über Umweltchemikalien wissen wollten, S. 178, Stuttgart: Kohlhammer 1990. [2] Streit, Lexikon Ökotoxikologie, S. 668, Weinheim: VCH Verlagsges. 1991. [3] Schaefer u. Tischler, Ökologie (2.), Stuttgart: Fischer 1983.
allg.: Klöpffer, Verhalten und Abbau von Umweltchemikalien, Landsberg: ecomed 1996 ▪ Koch, Umweltchemikalien (3.), Weinheim: VCH Verlagsges. 1995 ▪ Rippen, Handbuch Umwelt-Chemikalien, Landsberg: ecomed Loseblattsammlung/CD-ROM 1998 ▪ Voigt, Datenquellen Umwelt-Chemikalien (2.), Landsberg: ecomed Loseblattsammlung/CD-ROM 1998.

Umwelteinwirkung. Laut *Umwelthaftungsgesetz liegt eine U. vor, wenn ein Schaden durch Stoffe, Erschütterungen, Geräusche, Druck, Strahlen, Gase, Dämpfe, Wärme od. sonstige Erscheinungen verursacht wird, die sich in Boden, Luft od. Wasser ausgebreitet haben. – *E* environmental impact – *F* influence sur l'environnement – *I* effeto ambientale – *S* impacto del medio ambiente

Umweltengel s. Umweltzeichen.

Umwelterklärung. Gemäß *EG-Ökoauditverordnung erforderlicher Bericht des Unternehmens zur Umwelt: Die U. informiert über die Tätigkeit am Standort u. zu den relevanten Umweltauswirkungen. Dargestellt werden *Umweltpolitik, Umweltprogramm u. *Umweltmanagement-Syst., außerdem sollen Daten u. a. zu Emissionen, Abfall u. Energieeinsatz mitgeteilt werden. Es soll zu bes. Umweltproblemen, -auflagen u. -standards, über Verstöße u. relevante Folgen berichtet werden; Umweltbericht. – *E* environmental statement – *F* déclaration d'impact sur l'environnement – *I* dichiarazione ambientale – *S* declaración del medio ambiente
Lit.: Peter u. Küppers, Der Weg zur besten Umwelterklärung, Eschborn: RKW, Rationalisierungskuratorium der Deutschen Wirtschaft e. V. 1997.

Umweltfaktoren. Mehrdeutige Bez. für 1. die von der *Umwelt ausgehenden Einwirkungen auf einen Organismus (Gegensatz, *Umweltbelastungen) od. – 2. für die Komponenten der Umwelt; in diesem Sinne z. B. in der *Ökologie als U. = *Ökofaktoren gebraucht. Weitere Bedeutungen s. Umwelt. – *E* environmental factors – *F* facteurs du milieu – *I* fattori ambientali – *S* factores medioambientales
Lit.: Bick, Grundzüge der Ökologie (3.), S. 8–10, Stuttgart: Fischer 1998 ▪ Campbell, Biologie, S. 1160–1170, Heidelberg: Spektrum 1997.

Umweltforschung. Bez. für die auf die *Umwelt bezogene Forschung als Bereich von Naturwissenschaft u. Technik. U. beschreibt die Umwelt u. ihre Kompartimente, Syst. (*Ökosysteme) u. Komponenten (*Arten, *Populationen, *Assoziationen, *Ökofaktoren); U. zeigt Wechselwirkungen auf u. erklärt Zusammenhänge zwischen Organismen u. ihrer belebten od. unbelebten Umwelt (*Ökologie). U. beschäftigt sich bes. mit den Einwirkungen des Menschen auf die Umwelt (s. Synanthropie, Umweltverschmutzung) u. untersucht komplexe Phänomene wie *Waldschäden, *Robbensterben, *Klima u. *Ozon-Loch. Für die durch das Bundesministerium geförderte U. wird jährlich ein Umweltforschungsplan (UFOPLAN) festgelegt, der fachlich u. verwaltungsmäßig vom Umweltbundesamt koordiniert wird [jährlich publiziert in Umwelt (BMU); s. a. UMPLIS u. Treibhauseffekt]. – *E* environmental research – *F* recherche sur l'environnement – *I* ricerca ambientale – *S* investigación del medio ambiente
Lit.: European Commission (Hrsg.), Environmental Research Newsletter (halbjährlich seit 1988; http://www.ei.jrc.it/newsletter) ▪ Naturwissenschaften 82, 349–359 (1995).

Umweltgefährlich. Ein Stoff od. eine Zubereitung gilt als u., wenn er schädlich für Wasserorganismen ist u. nicht leicht abbaubar ist od. wenn er aufgrund vorliegender Nachweise über Toxizität, Persistenz, Akkumulierbarkeit u. seiner Umweltbelastung eine Gefahr für die Struktur od. das Funktionieren anderer Ökosyst. darstellt. Art u. Ausmaß der Gefahren für Ökosyst., die eine Einstufung als u. bewirken, s. Gefahrstoffverordnung (Anhang I). Der Stoff od. die Zubereitung wird nach der GefStoffV als u. eingestuft u. mit dem *Gefahrensymbol „N" u. der Gefahrenbez. „u." u. den R-Sätzen R 50 „Sehr giftig für Wasserorganismen", R 51 „Giftig für Wasserorganismen", R 52 „Schädlich für Wasserorganismen", R 53 „Kann in Gewässern längerfristig schädliche Wirkungen haben", R 54 „Giftig für Pflanzen", R 55 „Giftig für Tiere", R 56 „Giftig für Bodenorganismen", R 57 „Giftig für Bienen", R 58 „Kann längerfristig schädliche Wirkungen für die Umwelt haben", R 59 „Gefährlich für die Ozonschicht" od. Kombinationen dieser R-Sätze versehen. – *E* environmentally hazardous, dangerous for the environment – *F* dangereux à l'environnement – *I* pericoloso per l'ambiente – *S* peligroso para el medio ambiente
Lit.: CEFIC GUIDANCE, Hazard Classification „Dangerous for the Environment", Brüssel: CEFIC 1996 (INTERNET: http://www.cefic.be/position/tad/pp_ta033.htm) ▪ Horath, Gefährliche Stoffe u. Zubereitungen, S. 367–374, Stuttgart: Wissenschaftliche Verlagsges. 1997 ▪ Kloepfer, Umweltrecht (2.), S. 1120 ff., München: Beck 1998.

Umweltgesetzbuch (UGB). Eine Harmonisierung u. Systematisierung des dtsch. *Umweltrechts soll in Gestalt eines UGB erfolgen [1,2]. Seit 1988 erarbeiteten zwei Professorenkommissionen im Auftrag des *BMU Entwürfe zum allg. u. bes. Teil des UGB mit insgesamt ca. 600 Paragraphen. Ab 1992 entwickelte eine Sachver-

Tab.: Entwurf für ein Umweltgesetzbuch (1997) – Kapiteleinteilung.

1. allg. Vorschriften
2. Planung
3. Vorhaben
4. Produkte
5. eingreifende Maßnahmen u. Überwachung
6. betrieblicher Umweltschutz, Umwelthaftung u. sonstige ökonomische Instrumente
7. Umweltinformation
8. grenzüberschreitender Umweltschutz
9. Naturschutz, Landschaftspflege u. Waldschutz
10. Bodenschutz
11. Gewässerschutz
12. Immissionsschutz u. Energieversorgung
13. Kernenergie u. Strahlenschutz
14. Verkehrsanlagen u. Leitungsanlagen
15. Gentechnik u. sonstige Biotechnik
16. gefährliche Stoffe
17. Abfallwirtschaft

ständigenkommission (s. Umweltgremien) einen Entwurf zum Ersatz der Einzelgesetze im Jahr 2003, der trotz rechtsbereinigender Wirkung in 17 Kap. (s. Tab.) rund 800 Paragraphen aufweist u. Grundlage für einen Entwurf der Bundesregierung werden soll[2]. Die Entwürfe klammern u. a. Umweltstraf-, Jagd- u. Fischereirecht aus.

Lit.: [1] Kimminich et al. (Hrsg.), Handwörterbuch des Umweltrechts (2.), Bd. 2, Sp. 2574, 2582 ff., Berlin: E. Schmidt 1994. [2] Deutsches Verwaltungsblatt **112**, 1081–1107 (1997). *allg.:* Chemie Report **1997**, Nr. 12, 12 f. ▪ Wir u. unsere Umwelt **1997**, Nr. 3, 22 f.

Umweltgifte (Umweltnoxen). Unter U. kann man *umweltgefährliche Stoffe, *Umweltchemikalien od. allg. in der *Umwelt verbreitete *Gifte verstehen; oft wird U. als Synonym zu *Umweltschadstoffe verwendet. – *E* environmental toxicants – *F* poisons pour le milieu – *I* veleni ambientali – *S* venenos medioambientales

Lit.: Daunderer, Handbuch der Umweltgifte, Landsberg: ecomed, Loseblattsammlung seit 1990 (Stand 1998).

Umweltgremien. Gremien, die sich mit Umweltfragen befassen u. je nach Aufgabe von Politikern, Wissenschaftlern, Vertretern von Behörden u. Naturschutzverbänden, Juristen u. Fachleuten aus der Praxis gebildet werden. Die Tab. nennt Gremien, die die Bundesregierung bzw. das Umweltministerium od. die zugeordneten Dienststellen beraten. – *E* environmental commissions – *F* commissions sur l'environnement – *I* commissioni ambientali – *S* gremios del medio ambiente

Lit.: Gefahrstoffe-Reinhalt. Luft **57**, 233–281 (1997) ▪ Kloepfer, Umweltrecht (2.), S. 138–160, 1091 f., München: Beck 1998 ▪ Stromthemen **1999**, Nr. 4, 4.

Umweltgutachter. Sachverständige, die gemäß *Umweltauditgesetz(UAG)-Zulassungsverfahrensverordnung als U. zugelassen sind. Vom UAG-U.-Ausschuß wurde eine Richtlinie für die mündliche Fachkunde-Prüfung von U. u. Inhabern von Fachkenntnisbescheinigungen erarbeitet. Die *EG-Ökoauditverordnung regelt die Aufgaben der U.; zu den Aufgaben des U. gehört die Umweltbetriebsprüfung u. die Prüfung der *Umwelterklärung für den Standort. Dabei werden *Umweltpolitik, Umweltprogramm, Umweltprüfungs- u. Umweltbetriebsprüfungsverf. geprüft. Der U. erklärt die Umwelterklärung für gültig (Validierung) u. schlägt die Eintragung der Produktionsstätte in das Standortregister der zuständigen nat. Stelle (in der BRD die Industrie- u. Handelskammern) zur Weiterleitung an die EU-Kommission vor. – *E* environmental verifier – *F* expert en environnement – *I* perito ambientale – *S* perito del medio ambiente

Lit.: BGBl. I, S. 1841 (1995), S. 2200 (1998) ▪ Umwelt (BMU) **1995**, 224 f. ▪ Z. Umweltpolitik Umweltrecht **21**, 213–238 (1998).

Umwelthaftung (Umweltschutzhaftung). Gesetzlich angeordnete Verpflichtung einer Person (od. eines Unternehmens), Ersatz für die von ihm verursachten Um-

Tab.: Beisp. für Umweltgremien in der BRD.

Name	Gründungsjahr	Mitglieder	Aufgaben (Beisp.)
Rat von Sachverständigen für Umweltfragen (SRU)	1972	7	alle 2 Jahre umweltpolit. Gesamtgutachten, zusätzlich Teilgutachten u. Stellungnahmen
Wissenschaftlicher Beirat Globale Umweltveränderungen (WBGU)	1992	11	jährlich Gutachten zu globalen Umweltveränderungen
Beirat für Naturschutz u. Landschaftspflege	1977	11	Akzeptanz des Naturschutzes im ländlichen Raum, Umsetzung der Konventionen über die biolog. Vielfalt
Beirat Artenschutz	1996	13	Durchführung von Artenschutzvorschriften, Fortentwicklung der Artenschutzvorschriften im Bereich der Ein- u. Ausfuhr
Unabhängige Sachverständigenkommission zum Umweltgesetzbuch	1992	8	Entwurf eines einheitlichen *Umweltgesetzbuchs
Beirat umweltökonomische Gesamtrechnung (UGR)	1990	15	Weiterentwicklung des Konzeptes *umweltökonomische Gesamtrechnung
Beratergremium umweltrelevante Altstoffe (BUA)	1982	19	Umsetzung Altstoffprogramm der Bundesregierung von 1988, *Altstoff-Bewertung
Strahlenschutzkommission (SSK)	1974	14 (17)	Schutz der Bevölkerung sowie der Mitarbeiter in medizin. Einrichtungen, Forschung, Gewerbe u. kerntechn. Anlagen vor den Gefahren ionisierender u. nichtionisierender Strahlung
Reaktor-Sicherheitskommission (RSK)	1958	14 (18, 28)	Sicherheit u. Sicherung von kerntechn. Anlagen wie Kernkraftwerken u. Zwischenlagern für abgebrannte Brennelemente
Ausschuß für Gefahrstoffe (AGS)	1972	41	*Arbeitsschutz beim Umgang mit *Gefahrstoffen
Technischer Ausschuß Anlagensicherheit (TAA)	1992	34	sicherheitstechn. Fragen zur Verhinderung von *Störfällen u. zur Begrenzung ihrer Auswirkungen
Störfallkommission (SFK)	1992	26	Fachgutachten zur weiteren Verbesserung der Anlagensicherheit

weltschäden zu leisten. Die für die Praxis wichtigsten Vorschriften, die eine U. begründen, sind § 1 *Umwelthaftungsgesetz, § 22 *Wasserhaushaltsgesetz u. § 823 Bürgerliches Gesetzbuch [1] (BGB). Von bisher nur geringer Bedeutung für die Praxis sind dagegen das Ölschadengesetz [2] (ÖlSG), das die Haftung für Entschädigung für Ölverschmutzungsschäden durch Seeschiffe regelt sowie die §§ 25ff. Atomgesetz, die in Verb. mit dem Pariser Übereinkommen [3] den Ausgleich von Schäden regeln sollen, die durch ein von einer Nuklearanlage ausgehendes Ereignis verursacht worden sind. – *E* environmental liability – *F* responsabilité environnementale – *I* responsabilità ambientale – *S* responsabilidad medio ambiente

Lit.: [1] Bürgerliches Gesetzbuch vom 18.8.1896 (RGBl., S. 195), zuletzt geändert durch Gesetz vom 20.12.1996 (BGBl. I, S. 2090). [2] BGBl. I, S. 1770 (1988), geändert durch Gesetz vom 25.7.1994, BGBl. I, S. 1802 (1994). [3] Übereinkommen vom 29.7.1960 über die Haftung gegenüber Dritten auf dem Gebiet der Kernenergie in der Fassung der Bekanntmachung vom 5.2.1976 [BGBl. II, S. 310 (1976)] u. des Protokolls vom 16.11.1982 [BGBl. II, S. 690 (1985)].
allg.: Kloepfer, Umweltrecht (2.), S. 401–447, 827, München: Beck 1998 ■ Ullmann (5.) **B 7**, 311–326.

Umwelthaftungsgesetz (UmweltHG). Nach § 1 UmweltHG ist der Inhaber einer Anlage verpflichtet, Schadensersatz zu leisten, wenn durch eine von der Anlage ausgehende Umwelteinwirkung eine Person getötet, ihr Körper od. ihre Gesundheit verletzt od. eine Sache beschädigt wird. Die betroffenen Anlagen sind im Anhang 1 dieses Gesetzes bestimmt (weitgehend ident. mit den *genehmigungsbedürftigen Anlagen nach 4. BImSchV), darunter Kraftwerke, Anlagen zur Erzeugung od. Verarbeitung von Eisen u. Stahl, Anlagen der chem. Ind., *Abfallentsorgungsanlagen, Läger u. landwirtschaftliche Zuchtbetriebe. Eingeschlossen sind zusätzlich Maschinen, Geräte, Fahrzeuge u. sonstige ortsveränderliche techn. Einrichtungen, nicht betriebene Anlagen u. bestimmte Nebeneinrichtungen. Das Gesetz begründet eine (unter Umständen) verschuldensunabhängige Gefährdungshaftung, die auch den störungsfreien Normalbetrieb einbezieht. Zugunsten des Geschädigten werden Beweiserleichterungen durch eine Ursachenvermutung u. Auskunftsansprüche vorgesehen. Zusätzlich wird die Möglichkeit verbessert, einen Eingriff in die Natur auf Kosten des Schädigers rückgängig zu machen. Die Kausalität des Schadens muß durch den Kläger bewiesen werden. Für Umweltgüter kann ein Wiederherstellungsanspruch bestehen, der den Wert der Sache übertrifft. Die Haftung ist auf 160 Mio. DM begrenzt. Inhaber von im Anhang II best. Anlagen werden verpflichtet, zur Sicherung der Erfüllung der gegen sie gerichteten Ansprüche Vorsorge zu treffen, insbes. in der Form einer Haftpflichtversicherung.

Lit.: [1] BGBl. I, S. 2634 (1990).
allg.: Gasser et al., Umwelthaftung u. ihre Auswirkungen auf die Unternehmenspraxis, Köln: Deutscher Wirtschaftsdienst (Loseblatt-Sammlung) 1998 ■ Gückelhorn u. Steger, Umwelt-Haftungsrecht, Landsberg: ecomed 1998.

UmweltHG s. Umwelthaftungsgesetz.

Umwelthygiene s. Hygiene.

Umweltinformation. Informationen über die Umwelt sind nach § 3 *Umweltinformationsgesetz alle vorliegenden Daten über
1. den Zustand der Gewässer, der Luft, des Bodens, der Tier- u. Pflanzenwelt u. der natürlichen Lebensräume,
2. Tätigkeiten od. Maßnahmen, die diesen Zustand beeinträchtigen od. beeinträchtigen können u.
3. Tätigkeiten od. Maßnahmen zum Schutz dieser Umweltbereiche einschließlich verwaltungstechn. Maßnahmen u. Programme zum *Umweltschutz. Der Anspruch auf vorhandene U. ist für jedermann im U.-Gesetz geregelt. Weitere Regelungen bestehen für Beteiligte an behördlichen Verf., z.B. im Planfeststellungsverf. (Verwaltungsverfahrensgesetz, VwVfG), bei der Umweltverträglichkeitsprüfung (s. UVP) u. bei der Anlagenhaftung nach *Umwelthaftungsgesetz. Der Zugang zu U. wird in der sog. Århus-Konvention von 1998 internat. behandelt [1]. – *E* environmental information – *F* information sur l'environnement – *I* informazione ambientale – *S* información del medio ambiente

Lit.: [1] *Internet-Adresse:* http://www.bmu.de/arhus/index.htm.
allg.: Günther, Environmental Information Systems, Berlin: Springer 1998.

Umweltinformationsgesetz (UIG). Das U. wurde aufgrund einer Richtlinie der EG [1] 1994 erlassen. Zweck des UIG [2] ist es, den freien Zugang zu den bei den Behörden vorhandenen *Umweltinformationen sowie die Verbreitung dieser Informationen zu gewährleisten u. die grundlegenden Voraussetzungen festzulegen, unter denen Umweltinformationen zugänglich gemacht werden sollen (§ 1). Die §§ 7 u. 8 schließen den Anspruch zum Schutz bestimmter öffentlicher od. privater Belange aus bzw. schränken ihn ein. Z.B. dürfen Betriebs- u. Geschäftsgeheimnisse nicht unbefugt zugänglich gemacht werden. Für die Kosten einer Amtshandlung aufgrund des U. werden Gebühren u. Auslagen erhoben [3]. Die Bundesregierung wird verpflichtet, spätestens alle 4 Jahre einen Bericht über den Zustand der Umwelt im Bundesgebiet zu veröffentlichen.

Lit.: [1] Richtlinie der Europäischen Gemeinschaften (90/313/EWG) über den freien Zugang zu Informationen über die Umwelt, ABl. EG L 158, S. 56 (1990). [2] BGBl. I, S. 1490 (1994). [3] Verordnung über Gebühren für Amtshandlungen der Behörden des Bundes beim Vollzug des Umweltinformationsgesetzes (Umweltinformationsgebührenverordnung – UIG-GebV), BGBl. I, S. 3732 (1994).

Umweltkapazität. Das maximale Fassungsvermögen (Tragfähigkeit) eines Lebensraums (*Habitat od. *Biotop) für Organismen-Populationen od. ganze *Biozönosen. Die U. hängt von der Fähigkeit der Organismen ab, *Ökofaktoren zu tolerieren u. die Ressourcen der *Umwelt zu nutzen. Sie ist keine konstante Größe, sondern variiert, z.B. durch Klimaeinflüsse, *Evolution etc., z.T. im period. Wechsel (Jahreszeiten, Gezeiten). Folglich schwankt auch die Organismenzahl im *biologischen Gleichgewicht; s.a. Umweltwiderstand. – *E* carrying capacity – *F* capacité biogénique (de charge) – *I* capacità portante, capacità biologica specifica, capacità di sostentamento – *S* capacidad biogénica (de carga)

Lit.: Begon et al., Populationsökologie, S. 52–54, 79–92, Heidelberg: Spektrum 1997 ■ Campbell, Biologie, S. 1205–1215, Heidelberg: Spektrum 1997 ■ Odum, Ökologie (3.), S. 212–216, Stuttgart: Thieme 1999.

Umweltkompartimente (Umweltmedien). Umweltbereiche wie Wasser, Boden, Luft od. die Biota (die Gesamtheit der Lebewesen), aufgefaßt als homogener Raum. Der Begriff U. wird z. B. bei der Beschreibung der Stoffverteilung in der *Umwelt verwendet, wobei gelegentlich auch von Umweltkonz. gesprochen wird, d. h. von der Konz. eines Stoffes in der Umwelt (bzw. in dem betrachteten Bereich). – *E* environmental compartment – *F* milieux environnementaux – *I* compartimenti ambientali – *S* compartimiento medioambiental
Lit.: Odum, Ökologie (3.), S. 327–335, Stuttgart: Thieme 1999.

Umweltkonzentration s. PEC.

Umweltkosten (Umweltschutzkosten). Durch *Umweltschutz verursachte Investitionen, Aufwand für den laufenden Betrieb sowie sonstige Kosten, z. B. Lizenzen, „Ökosteuern" u. Umweltabgaben (s. Abwasserabgabengesetz). Betriebliche U. sind insbes. bei produktionsintegrierten Maßnahmen schwierig zu ermitteln. Zur Grenzziehung zwischen Umwelt- u. a. Kosten können folgende Prinzipien angewandt werden:
• Primärprinzip/Veranlassungsprinzip: Die Kosten einer Maßnahme werden dem wesentlichen (Primär-)Zweck bzw. dem Auslöser der Maßnahme zugerechnet.
• Präferenzprinzip: Die Kosten werden auf die jeweiligen Zwecke verteilt.
• Grenzprinzip: Kosten werden dem Umweltschutz nur dann zugerechnet, wenn sie durch den Umweltschutz zusätzlich entstehen.
• Umweltdominanzprinzip: Die gesamten Kosten werden dem Umweltschutz zugerechnet, wenn in irgendeiner Weise eine Verbesserung für die Umwelt erreicht wird.
In der chem. Ind. werden meist nur die Kosten für den additiven *Umweltschutz ermittelt, um z. B. die Öffentlichkeit in *Umweltberichten zu informieren od. *Umweltinformations-Pflichten gemäß *Umweltstatistikgesetz zu erfüllen. – *E* environmental expenditure – *F* coûts de la protection de l'environnement – *I* costi ambientali – *S* gastos para el medio ambiente
Lit.: Kostka u. Hassan, Umweltmanagementsysteme in der chemischen Industrie, Wege zum produktionsintegrierten Umweltschutz, S. 28–35, Berlin: Springer 1997.

Umweltkräfte s. Ökofaktoren.

Umweltmanagement. Bez. für die organisierte Bearbeitung aller betrieblichen od. behördlichen *Umweltschutz-Aufgaben; der Teil des übergreifenden Managementsyst., der der Umsetzung der betrieblichen *Umweltpolitik dient. U. ermöglicht die kontinuierliche Verbesserung des betrieblichen Umweltschutzes im Sinne einer nachhaltigen Entwicklung (s. Sustainable Development). U. umfaßt je nach Syst. betriebliche *Umweltpolitik einschließlich Festlegung der Umweltziele, Strategien u. Maßnahmen (Umweltprogramm), Verf. zur Erfolgskontrolle sowie Berichterstattung (Umwelterklärung; vgl. Umweltbericht). Vorgaben für U.-Syst. machen die *EG-Ökoauditverordnung (EMAS), das daraus abgeleitete *Umweltauditgesetz sowie die DIN EN ISO 14001 (s. *Lit.*).
Die wichtigsten U.-Syst. EMAS u. DIN EN ISO 14001 sind ähnlich, weisen aber characterist. Unterschiede auf (s. Tab.; zum Zusammenhang mit DIN 14001

Tab.: Wichtige Phasen bei der Einrichtung von Umweltmanagement-Systemen.

EMAS	DIN EN ISO 14001
Festlegung der Umweltpolitik	Festlegung der Umweltpolitik
erste Umweltprüfung	Planung
Umweltprogramm-Erstellung	Umsetzung u. Durchführung
Aufbau U.-Syst.	Überwachungs- u. Korrekturmaßnahmen
Umwelterklärung	Bewertung durch oberste Leitung
Validierung, Umwelterklärung	Zertifizierung

u. ISO 9001 s. DIN 14001). EMAS gibt eher einen Rahmen vor, während die DIN EN ISO 14001 die Gestaltung des U.-Syst. in den Vordergrund stellt. EMAS (seit 1993 rechtskräftig) war bisher auf Produktionsstandorte beschränkt, die DIN EN ISO 14001 (seit 1996 rechtskräftig) war von Anfang an für alle Unternehmen anwendbar. Unternehmen, die beide Syst. einführen, können einige Teile der verschiedenen Syst. als gleichwertig anerkannt bekommen. Die für EMAS akkreditierten *Umweltgutachter können die entsprechenden Zertifikate nach DIN EN ISO 14001 (als Umweltauditor) ausstellen. – *E* environmental management – *F* aménagement de l'environnement – *I* gestione ambientale – *S* administración del medio ambiente
Lit.: de Backer, Umweltmanagement im Unternehmen, Berlin: Springer 1996 ▪ Brennecke et al., Effektives Umweltmanagement – Arbeitsprogramm für den betrieblichen Entwicklungsprozeß, Berlin: Springer 1998 ▪ Cascio (Hrsg.), The ISO 14000 Handbook, Fairfax/Milwaukee: CEEM Information Service/ASQC Quality Press 1996 ▪ DIN EN ISO Umweltmanagementsysteme – Allg. Leitfaden über Grundsätze, Systeme u. Hilfsinstrumente 14004: 1998-01 ▪ DIN EN ISO Umweltmanagementsysteme – Spezifikation mit Anleitung zur Anwendung 14001: 1996-10 ▪ DIN Leitfaden zur Durchführung einer Umweltprüfung im Rahmen eines Umweltmanagements 33924: 1998-04 ▪ Dorn, Umweltmanagementsysteme, Berlin: Beuth 1998 ▪ Kostka u. Hassan, Umweltmanagementsysteme in der chemischen Industrie, Wege zum produktionsintegrierten Umweltschutz, Berlin: Springer 1997 ▪ Steven et al., Umweltberichterstattung. Umwelterklärung nach der EG-Öko-Audit-Verordnung – Grundlagen, Methoden, Anwendung, S. 82–85, 254–257, 262f., Berlin: Springer 1997 ▪ Umwelt (BMU) **1993**, 466–470; **1998**, 7–9. – *Internet-Adresse:* http://www.cefic.be/position/Tad/pp_ta035.htm

Umweltmonitoring (Umweltbeobachtung). Gesamtheit des Sammelns u. Überwachens von qual. u. quant. umwelt- u. gesundheitsrelevanten Daten, die mit Hilfe techn. Meßnetze sowie biot. u. abiot. Reaktions- u. Akkumulationsindikatoren (*Bioindikatoren) durchgeführt werden. Die wichtigsten Ziele des U. sind das Erkennen von Belastungen u. Veränderungen, die Ausarbeitung u. Erfolgskontrolle von Maßnahmen u. die Formulierung von Schutz- u. *Umweltqualitäts-Standards. Die Ergebnisse des U. bilden die Grundlagen für *Umweltinformationen u. werden in Umweltinformationssyst., z. B. *UMPLIS, erfaßt. Im Gegensatz zu U. bezieht sich der Begriff *Biomonitoring auf das verwendete Hilfsmittel. – *E* environmental monitoring – *F* monitoring écologique – *I* monitoraggio ambientale – *S* monitorización ecológica
Lit.: Debus et al., Biomonitoring organischer Luftschadstoffe, Landsberg: ecomed 1989 ▪ Steinberg et al., Biomonitoring in

Binnengewässern, Landsberg: ecomed 1992 ▪ Wagner et al., Umwelt-Monitoring (2.), Landsberg: ecomed 1995 ▪ Zierdt, Umweltmonitoring mit natürlichen Indikatoren, Berlin: Springer 1997.

Umweltökonomische Gesamtrechnung (UGR). Die vom Statist. Bundesamt aufgebaute UGR soll Belastungen, Zustand u. Veränderungen der Umwelt quant. erfassen u. eine Datengrundlage sowohl für ökolog. Probleme als auch für die Darst. der Wechselbeziehungen zwischen Gesellschaft, Wirtschaftsgeschehen u. Umwelt liefern. Die Berechnung eines sog. Ökosozialproduktes wird nicht angestrebt.
Das Konzept sieht 5 Themenbereiche vor: Material- u. Energiefluß, Rohstoffverbrauch, Emissionen u. Flächennutzung. Die nach einheitlichen Definitionen u. Klassifikationen aufgebaute UGR soll sowohl eine laufende Umweltberichterstattung als auch Analysen ermöglichen. Allerdings werden Exporte nicht berücksichtigt u. Konsumbereiche nicht erfaßt. – *E* environmental accounting system – *F* comptabilité totale de l'économie écologique – *I* calcolo complessivo sull'economia ambientale – *S* contabilidad nacional de la economía ecológica
Lit.: Bundesverband Junger Unternehmer (BJU) u. Ingenieurgemeinschaft für techn. Umweltschutz (INTECUS; Hrsg.), BJU-Umweltschutz-Berater 4.9.3.1, 1–22, Köln: Deutscher Wirtschaftsdienst (Loseblatt-Sammlung) Stand 1997 ▪ Statistisches Bundesamt (Hrsg.), Wege zu einer Umweltökonomischen Gesamtrechnung, S. 5–12, Wiesbaden: Metzler-Poeschel 1991 ▪ VDI-Ber. **927**, 129–142 (1991).

Umweltorganisationen. Organisationen, die sich mit der *Umwelt od. den *Umweltkompartimenten, deren Gefährdung u. den davon betroffenen Schutzgütern, prakt., polit. od. publizist. aus der jeweiligen Sicht dieser Organisation befassen u. deren Zielsetzung nicht die Gewinnerzielung ist. In der BRD wie weltweit spielen U. eine wesentliche Rolle im Umweltschutz u. in der Gesellschaft überhaupt. Dtsch. U. sind rechtlich organisiert als *Stiftungen* (z.B. Dtsch. Bundesstiftung Umwelt, Dtsch. Umweltstiftung, Stiftung Ökologie u. Landbau, Umweltstiftung WWF) od. *Vereine* (z.B. Abwassertechnische Vereinigung, Bundesverband Bürgerinitiativen Umweltschutz, *Bund für Umwelt und Naturschutz Deutschland, Deutscher Verein des Gas- und Wasserfaches e.V., *Deutscher Naturschutzring, *Deutsches Atomforum e.V., *Greenpeace e.V., Naturschutzbund Deutschland, *Öko-Institut e.V., Robin Wood, Verein Deutscher Ingenieure). Internat. aktiv sind U. wie Friends of the Earth u. World Wide Fund for Nature (WWF), aber auch die europ. od. weltweiten Dachverbände wissenschaftlicher Organisationen u. ihre Umweltschutz-Einrichtungen, z.B. *ECETOC, IUBS, IUCN, *IUPAC, WPCF u. WSPA sowie als überstaatliche Organisationen die Europ. Gemeinschaften, der Europarat, die OECD u. die Vereinigten Nationen, bzw. ihre Unterorganisationen wie *FAO, *UNEP, UNESCO, *WHO u.a. (Die nicht im Römpp Chemie Lexikon beschriebenen, hier genannten U. sind im Römpp Lexikon Umwelt zu finden.) – *E* environmental organisations – *F* organisations au service de l'environnement – *I* organizzazioni ambientali – *S* organizaciones del medio ambiente
Lit.: Kilian, Umweltschutz durch Internationale Organisationen, Berlin: Duncker & Humblot 1987 ▪ Kimminich et al. (Hrsg.), Handwörterbuch des Umweltrechts, Bd. 1, Sp. 807–821, Berlin: E. Schmidt 1986 ▪ Kirk-Othmer (4.) **21**, 149–194 ▪ McKetta **19**, 207–231.

Umweltpapier. Synonym für *Recyclingpapier*, s. Papier, S. 3113.

Umweltpflege s. Umweltschutz.

Umweltplanungs- u. Informationssystem s. UMPLIS.

Umweltpolitik. Gesamtheit aller polit. Maßnahmen zur Vermeidung, zur Beseitigung od. zum Ausgleich von Umweltbeeinträchtigungen (s. Umweltschutz) u. zur nachhaltigen Entwicklung (s. Sustainable Development).
Grundlagen: Bei der Entwicklung u. Umsetzung umweltpolit. Konzepte sind die Erkenntnisse der Naturwissenschaften sowie wirtschaftliche u. soziale Belange zu beachten. Das *Vorsorgeprinzip geht darüber hinaus u. dient zur Begründung von Maßnahmen „auf Verdacht". Einen hohen Stellenwert nehmen *Verursacher- u. Kooperationsprinzip (Zusammenarbeit aller Betroffenen) ein. Zielkonflikte der U. gehen u.a. auf das Wachstum von Ansprüchen u. Weltbevölkerung, auf ungünstige Beschäftigungseffekte sowie auf Probleme bei der gerechten Zuordnung der Kosten einer Umwelt-Inanspruchnahme (Internalisierung externer Effekte) zurück. Träger der U. sind Unternehmen, staatliche Institutionen (EU, Bundesregierung, Bundestag u. Bundesrat, Regierungen der Bundesländer) sowie Gewerkschaften, Verbände, *Umweltorganisationen, Bürgerinitiativen u. Pressemedien.
Instrumente: In der BRD haben indirekte Verhaltenssteuerungen, wie sie über die Kommunikationsmedien erfolgen, eine überragende Rolle.
Verhaltenssteuerungen äußern sich oft in dramat. formulierten u. kontrovers diskutierten Thesen bis hin zu Schadensersatzprozessen (vgl. MCS). Ausgangspunkte für eine intensive Diskussion waren z.B. das Buch von Carson: Der stumme Frühling (s. dazu *Lit.*[1] u. *Lit.*[2]) u. der Bericht an den Club of Rome: Die Grenzen des Wachstums (s. dazu *Lit.*[3]). Weitere Instrumente der U. sind z.B. die umweltgerechte Betätigung des Staates (wo dieser als Unternehmer auftritt), ökonom. Instrumente wie Umweltlizenzen u. Umweltschutzabgaben, Absprachen (sog. Selbstverpflichtungen von Branchen) sowie ordnungsrechtliche Regelungen (Gesetze, Rechts-VO, Verwaltungsvorschriften).
Das 5. Umweltaktionsprogramm der EU (s. EG) zählt zu den umweltpolit. Instrumenten noch Verbesserung der Datenlage, Wissenschaftliche Forschung u. techn. Entwicklung sowie finanzielle Unterstützung. Vor Einsatz des Ordnungsrechts sollte sorgfältig geprüft werden, ob nicht eines der zuvor genannten Instrumente ebenso geeignet ist, das gewünschte umweltpolit. Ziel zu erreichen; z.B. kann durch Absprachen mit Branchen der Umweltschutz oftmals flexibler u. kostengünstiger als durch Ordnungsrecht verwirklicht werden.
U. des Unternehmens: Im Sinne der *EG-Ökoauditverordnung umfaßt die U. die umweltbezogenen Gesamtziele u. Handlungsgrundsätze eines Unternehmens, einschließlich der Einhaltung aller einschlägigen Umweltvorschriften. Sie ist die treibende Kraft für

die Implementierung u. Verbesserung des *Umweltmanagement-Syst. u. eine wichtige Voraussetzung für den Prozeß der kontinuierlichen Verbesserung (vgl. Sustainable Development). – *E* environmental policy – *F* politique de l'environnement – *I* politica ambientale – *S* política del medio ambiente

Lit.: [1] Maddox, Unsere Zukunft hat Zukunft, Stuttgart: Dtsch. Verlags-Anstalt 1973. [2] Marco et al., Silent Spring Revisited, Washington: ACS 1987. [3] Mesaroviç u. Prestel, Menschheit am Wendepunkt, Stuttgart: Dtsch. Verlags-Anstalt 1974.
allg.: Carson, Silent Spring, Boston: Houghton-Mifflin 1962 ▪ Dorn, Effizienz umweltpolitischer Instrumente zur Emissionsminderung, Berlin: E. Schmidt 1996 ▪ Jänike u. Weidner (Hrsg.), Successful Environmental Policy, Berlin: Sigma 1995 ▪ Meadows, Die Grenzen des Wachstums, Stuttgart: Dtsch. Verlags-Anstalt 1972 ▪ Z. Umweltpolitik Umweltrecht **20**, 463–480 (1997).

Umweltprobenbank. Wissenschaftliche Sammlung von Umweltproben aus den wichtigsten Ökosyst. sowie von Humanorganen zur Erkennung von früheren u. aktuellen *Umweltbelastungen. Die U. der BRD besteht seit 1985 u. wurde am 1.1.1994 als umweltpolit. Vorsorgeinstrument dauerhaft eingerichtet. – *E* environmental sample collection – *I* banca dei campioni ambietali – *S* banco de pruebas medioambientales

Lit.: CLB Chem. Lab. Biotech. **45**, 420–423 (1994) ▪ Umweltbundesamt (Hrsg.), Verfahrensrichtlinie der Umweltprobenbank, Berlin: E. Schmidt 1996.

Umweltprüfung. Nach *EG-Ökoauditverordnung u. DIN EN ISO 14001: 1996-10 die erste, umfassende Bestandsaufnahme der Umweltsituation eines Unternehmens, s. Umweltmanagement. – *E* environmental review – *F* examen d'impact sur l'environnement – *I* collaudo ambientale – *S* ensayo ecológico

Umweltqualität. Situation der *Umwelt, z.B. bezogen auf die Luft (*Immissionen) od. auf das Wasser (Schadstoffgehalt). Für die U. u. ihre Wertungen existiert eine Vielzahl uneinheitlich gebrauchter Begriffe u. Definitionen. Häufig wird zwischen Leitbild, Leitlinien, U.-Zielen u. U.-Standards unterschieden [1]. Leitbild u. Leitlinien sind in der Regel abstrakte übergeordnete Ziele. Der Begriff (Umwelt)Qualitätsziel (UQZ) ist in vielen EG-Richtlinien anzutreffen [2]. Er kann sich direkt auf die Umwelt beziehen u. die anzustrebende Umweltsituation anhand repräsentativer U.-Kriterien (Indikatoren) beschreiben. Als Qualitätsziel wird aber auch ein Richt- od. *Grenzwert für *Emissionen bezeichnet. Nach ihrem Bezug auf Umweltbereiche unterteilt man häufig die U.-Ziele [3]:
– Flächen (z.B. Nationalparks u. Schutzgebiete für den Natur-, Arten- u. Landschaftsschutz)
– Umweltkompartimente (Schutz von Boden, Gewässern u. Luft vor Verunreinigungen) od.
– Stoffe (z.B. Produktionsverbote, Verbote zum Inverkehrbringen, Immissionswerte).

Als Umweltstandards bezeichnet man relativ gut meßbare Größen, z.B. Immissionswerte wie *MAK, *MIK u. *TRK. U.-Kriterien spielen eine wichtige Rolle bei Umweltbewertungen z.B. im Rahmen einer *UVP. – *E* environmental quality – *F* qualité environnemental – *I* qualità ambientale – *S* calidad del medio ambiente

Lit.: [1] Gesellschaft für Umwelt-Geowissenschaften (GUG) in der Deutschen Geologischen Gesellschaft (DGG, Hrsg.), Umweltqualitätsziele, Schritte zur Umsetzung, S. 9–49, Berlin: Springer 1997. [2] ABl. EG L 194, 34 (1975); L 281, 47 (1979); L 229, 11 (1980); L 229, 30 (1980); L 208, 7 (1992). [3] Gassner u. Winkelbrandt, UVP – Umweltverträglichkeitsprüfung in der Praxis (3.), S. 213–300, München: Jehle Rehm 1997.
allg.: Ecotox. Environ. Safety **36**, 89–97 (1997) ▪ Environ. Sci. Technol. **25**, 1353–1359 (1991) ▪ Fent, Ökotoxikologie, S. 266 f., Stuttgart: Thieme 1998 ▪ UVP-Report **4**, H. 3, 56–60 (1990). – *Zeitschrift:* Journal of Environmental Quality (Hrsg.: Am. Soc. Agronomy, Crop Sci. Soc. Am., Soil Sci. Soc. Am.), alle 2 Monate seit 1971.

Umweltrecht. Bez. für alle verfassungs-, verwaltungs-, straf- u. privatrechtlichen Rechtsvorschriften u. Verwaltungsvorschriften, deren Regelungsgegenstand der *Umweltschutz ist. Der Begriff U. ist kaum drei Jahrzehnte alt. Heute ist das U. – was die Zahl seiner Rechtsvorschriften betrifft – eines der größten Rechtsgebiete überhaupt u. befindet sich in einem ständigen Wachstum.
Geschichtliche Wurzeln: Bereits im Mittelalter wurden mit Forstpflanzen bestockte Flächen zu Bannwaldungen erklärt, Jagdverbote ausgesprochen usw. Derartige Verbote dienten in erster Linie der Erhaltung landesherrlicher Privilegien, spiegeln aber auch die Erkenntnis wider, daß die natürlichen Ressourcen nicht unerschöpflich sind, sondern der regelmäßigen Erholung u. Erneuerung bedürfen (s. Sustainable Development). Im 19. Jh. wurden dann eine Reihe von Gesetzen mit umweltschützendem Charakter eingeführt, die z.T. heute noch Geltung haben. So enthielt z.B. die *Gewerbordnung (GewO) von 1869 eine größere Anzahl von Vorschriften zum Schutze vor übermäßigen Geruchs- u. Lärmeinwirkungen durch Gewerbebetriebe. Das Bürgerliche Gesetzbuch (BGB) von 1896 gewährt dem Grundstücksinhaber unter bestimmten Voraussetzungen einen Abwehranspruch gegen *Immissionen, die von Nachbargrundstücken ausgehen. Seit den 30er Jahren dieses Jh. kann eine Gesetzgebungstätigkeit beobachtet werden, die mehr od. weniger ausdrücklich die *Umwelt als solche zum Schutzziel erklärt. Seit Anfang der 70er Jahre hält ein schon fast als dramat. zu bezeichnender Anstieg umweltrechtlicher Vorschriften an, der zu einer weitgehend unübersichtlichen Rechtssituation geführt hat. Ein Lösungsansatz ist das *Umweltgesetzbuch; s. a. Tab. 1 (S. 4756). Problemat. ist noch die internat. Vereinheitlichung des U. u. die wirkungsvolle Durchsetzung der bisher im Rahmen völkerrechtlicher Übereinkommen erreichten Regelungen.
Umweltrechtsprinzipien: Die bes. Grundlage des U. bildet die Prinzipientrias aus *Vorsorgeprinzip, *Verursacherprinzip u. Kooperationsprinzip. Das Kooperationsprinzip erfordert eine auf Konsens ausgelegte Abstimmung der Maßnahmen zwischen Unternehmen, Behörden u. Bürgern. Für den Umweltschutz ist der Grundsatz der Verhältnismäßigkeit anzuwenden, da eine Inanspruchnahme der Umwelt durch den Menschen grundsätzlich unvermeidbar ist. Daneben werden teilw. als Ausprägung der grundlegenden Prinzipien noch u. a. genannt:
– das Gemeinlastprinzip, d.h., ist ein Verursacher einer Umweltbelastung nicht zu ermitteln od. nicht verantwortlich zu machen, trägt die Allgemeinheit die Kosten einer Umweltschutzmaßnahme;

Tab. 1: Beisp. umweltrechtlicher Gesetze, Rechts-VO u. VwV in der BRD (geordnet nach Teilgebieten des Umweltrechtes).

Rechtsbereich	Beisp. (VO = Verordnung, G = Gesetz)
*Abfall	*Altölverordnung, *Kreislaufwirtschafts- u. Abfallgesetz (KrW-/AbfG), *TA Abfall, *TA Siedlungsabfall, Verpackungsverordnung
Bodenschutz	Bundesbodenschutzgesetz, Gülle-VO, *Klärschlammverordnung
*Gewässerschutz	*Abwasserabgabengesetz (Abwasserherkunfts-VO, Abwasserverordnung (s. Wasserhaushaltsgesetz u. Rahmen-Abwasserverwaltungsvorschrift), Grundwasserverordnung, Phosphat-Höchstmengenverordnung, *Rahmen-Abwasserverwaltungsvorschrift, Tensid-VO, VO über *wassergefährdende Stoffe, *Wasserhaushaltsgesetz, *Waschmittelgesetz
*Immissionsschutz	*Bundes-Immissionsschutzgesetz, Fluglärmgesetz, *Großfeuerungsanlagen-Verordnung, *Kleinfeuerungsanlagen-Verordnung, Luftverkehrsgesetz, *Smog-Verordnung, *Störfall-Verordnung, *TA Lärm, *TA Luft, Verkehrslärm-VO
*Kernenergie	Atomgesetz (AtG, s. Kernenergie), atomrechtliche Verfahrensverordnung, *Strahlenschutz-Verordnung
*Naturschutz	Bundesartenschutz-VO (s. Artenschutz), Bundesjagdgesetz, *Bundesnaturschutzgesetz, Bundeswaldgesetz, Umweltverträglichkeitsprüfung (s. UVP)
Stoffe	Benzin-Blei-Gesetz (s. Antiklopfmittel), Chemikalien-*Altstoff-Verordnung, Chemikalien-Bußgeldgesetz, *Chemikaliengesetz, *Chemikalienverbotsverordnung, *Düngemittel-G, Düngemittel-VO, *FCKW-Halon-Verbots-Verordnung, Futtermittel-G (s. Futtermittel), Futtermittel-VO, *Gefahrstoffverordnung, *Gentechnik-Gesetz, Giftinformations-VO *Pflanzenschutz-G, *Pflanzenschutzmittel-VO, *Technische Regeln für brennbare Flüssigkeiten (TRbF), *Technische Regeln für Gefahrstoffe (TRGS), VO über brennbare Flüssigkeiten (*VbF)
*Transport	G über die Beförderung *gefährlicher Güter, Gefahrgut-VO Binnenschifffahrt (GGV-BinSch), Gefahrgut-VO Eisenbahn (GGVE), Gefahrgut-VO Seeschiffe (GGVSee), Gefahrgut-VO Straße (GGVS)
übergeordnete Umweltschutzaufgaben	G über die Umweltverträglichkeitsprüfung (s. UVP), *Produkthaftungsgesetz, *Umweltauditgesetz, *Umwelthaftungsgesetz, *Umweltinformationsgesetz, *Umweltstatistikgesetz

– das Bestandsschutzprinzip (s. Vorsorgeprinzip);
– das Vorsichtsprinzip (s. Vorsorgeprinzip);
– das Prinzip der kontrollierten Eigenverantwortlichkeit, d. h. z. B., daß der Staat die Wirtschaft kontrolliert, aber ihr Verhalten letztlich durch sie selbst zu verantworten ist;
– das ökolog. Abwägungsgebot, das die Gesamtauswirkungen einer Maßnahme betrachtet, damit z. B. der Nutzen einer Umweltschutz-Maßnahme nicht in einem anderen Bereich zu übermäßigen Umweltbelastungen führt;
– *Sustainable Development (umweltschonende Entwicklung, „Nachhaltigkeit"), d. h. Ressourcen sind so zu bewirtschaften, daß sie möglichst auch künftigen Generationen erhalten bleiben;
– das Cradle to grave-Prinzip des amerikan. Rechts, das bestimmte Problemstoffe einer prakt. lückenlosen Überwachung während Produktion, Verw. u. Beseitigung unterwirft; im dtsch. Recht ist dies für Kernbrennstoffe u. für die Entsorgung von Gefahrstoffen realisiert.

Von den rechtlichen Regelungen soll das Bodenschutzgesetz hier behandelt werden, weil es eines der wichtigsten Gesetze ist, das während des Erscheinens dieses Lexikons verabschiedet wurde.

Bodenschutzgesetz[1] (BBodSchG): Gesetz zum Schutz vor schädlichen Bodenveränderungen u. zur Sanierung von Altlasten vom 17. 3. 1998. Das Bodenschutzgesetz ermächtigt zum Erlaß der Bodenschutz- u. Altlastenverordnung (BodSchV) u. weiterer Verordnungen. Schwerpunkt des Bodenschutzgesetzes ist die Sicherung u. Wiederherst. der Bodenfunktionen, wobei an einer Nutzungsbezogenheit in Abhängigkeit vom Bodentyp festgehalten wird. Auch der Grundwasserschutz ist weitgehend in das Bodenschutzgesetz einbezogen (vgl. WHG). Das Bodenschutzgesetz etabliert ein Werte-Konzept mit Vorsorge-, Prüf- u. Maßnahmewerten, die sich je nach Bodennutzung unterscheiden können. Dies ermöglicht eine Beurteilung der Ergebnisse der Analytik repräsentativer Bodenproben. Im nachsorgenden Bereich löst das Überschreiten eines Prüfwertes (s. Tab. 2) eine nutzungs- u. einzelfallbezogene Prüfung, das Überschreiten eines Maßnahmenwertes in der Regel eine Maßnahme aus. Im vorsorgenden Bereich (vgl. Vorsorgeprinzip) löst der Vorsorgewert unter Berücksichtigung der Bodenfunktionen u. der geogenen bzw. großflächig bedingten Gehalte (Hintergrundwerte) die Besorgnis einer schädlichen Bodenveränderung aus. – *E* environmental laws – *F* droit (de protection) de l'environnement – *I* diritto ambientale – *S* derecho de protección medioambiental

Tab. 2: Prüfwerte für den Pfad Boden–Mensch nach Bodenschutz- u. Altlastenverordnung[2] (BodSchV; TM = Trockenmasse).

Stoff	Prüfwerte [mg/kg TM]			
	Kinderspielflächen	Wohngebiete	Park- u. Freizeitanlagen	Ind.- u. Gewerbegrundstücke
Arsen	25	50	125	140
Blei	200	400	1000	2000
Cadmium	10	20	50	60
Cyanide	50	50	50	100
Chrom	200	400	1000	1000
Nickel	70	140	350	900
Quecksilber	10	20	50	80
Aldrin	2	4	10	–
Benzo[a]pyren	2	4	10	12
DDT	40	80	200	–
Hexachlorbenzol	4	8	20	200
Hexachlorcyclohexan (HCH-Gemisch)	5	10	25	400
Pentachlorphenol	50	100	250	250
polychlorierte Biphenyle (PCB)	2	4	10	200

Lit.: [1] BGBl. I, Nr. 16 vom 24.3.1998, S. 502–510 (1998); Umwelt (BMU) **1998**, 219–221. [2] Bundesrat, Drucksache 780/98 vom 10.09.98.
allg.: Beck (Hrsg.), Umweltrecht für Nichtjuristen (2.), Würzburg: Vogel 1996 ▪ Bender u. Sparwasser, Umweltrecht (3.), Heidelberg: C. F. Müller 1995 ▪ Burhenne (Hrsg.), Umweltrecht (6 Bd.), Berlin: E. Schmidt (Loseblatt-Sammlung, seit 1962) Stand 1998 ▪ Commission of the European Communities (Hrsg.), European Community Environment Legislation, Luxembourg: Office for Official Publications of the EC 1992 ▪ Kahl u. Voßkuhle (Hrsg.), Grundkurs Umweltrecht, eine Einführung für Naturwissenschaftler u. Ökonomen, Heidelberg: Spektrum 1995 ▪ Klein, Gefahrstoff-Recht (2 Bd.), Landsberg: ecomed (Loseblatt-Sammlung, seit 1989) ▪ Kloepfer, Umweltrecht (2.), München: Beck 1998 ▪ Krämer, Umweltrecht der EWG, Baden-Baden: Nomos 1991 ▪ Marburge et al. (Hrsg.), Jahrbuch des Umwelt- u. Technikrechts 1998, Berlin: E. Schmidt 1998 ▪ Schendel et al., Umwelt u. Betrieb – Umweltrecht für die betriebliche Praxis, Berlin: E. Schmidt (Loseblatt-Sammlung, seit 1990) Stand 1998 ▪ Storm, Umweltrecht (3.), Berlin: E. Schmidt 1988 ▪ Ullmann (5.) **B 7**, 299–357 ▪ Umwelt-Recht (10.), München: Beck (dtv) 1997. – *Zeitschriften* (in Klammern die übliche Abk.): Bundesanzeiger (BAnz). ▪ European Environmental Law Review, London: Grahma and Trotman ▪ Gesetz- u. Verordnungsblatt (GVBl.) ▪ Journal of Environmental Law, Oxford: Oxford University Press ▪ Neue Juristische Wochenschrift (NJW) ▪ Neue Zeitschrift für Verwaltungsrecht (NVwZ) ▪ Zeitschrift für Wasserrecht (ZfW).

Umweltschadstoffe. In der *Umwelt vorhandene Stoffe, die in Mengen od. Konz. auftreten können, die geeignet sind, Lebewesen, insbes. den Menschen, zu schädigen. Gelegentlich werden die Umweltchemikalien (s. dort die 1. Definition) mit den in der Umwelt natürlicherweise vorhandenen *Schadstoffen als U. zusammengefaßt. Laut *Bundes-Immissionsschutzgesetz dürfen von Anlagen keine schädlichen Umwelteinwirkungen ausgehen, die nach dem *Stand der Technik vermeidbar sind. – *E* pollutants – *F* substances nocives pour le milieu – *I* contaminanti ambientali – *S* substancias nocivas para el medio ambiente
Lit.: Streit, Lexikon Ökotoxikologie (2.), S. 823, Weinheim: VCH Verlagsges. 1994.

Umweltschonende Produktion s. produktionsintegrierter Umweltschutz.

Umweltschutz. Bez. für alle Maßnahmen zum Schutz der *Umwelt. U. ist im Grundgesetz (GG) Artikel 20a als Staatsziel verankert: „Der Staat schützt auch in Verantwortung für künftige Generationen die natürlichen Lebensgrundlagen im Rahmen der verfassungsmäßigen Ordnung durch die Gesetzgebung u. nach Maßgabe von Gesetz u. Recht durch die vollziehende Gewalt u. die Rechtsprechung[1]". Der U. unterliegt der konkurrierenden Gesetzgebung des Bundes u. der Länder (GG Artikel 74). Auch die EU ist gemäß Gründungsvertrag (Artikel 3) dem U. verpflichtet[2]; die Grundsätze der EU-Umweltpolitik sind in Artikel 130 r dieses Vertrages festgelegt.
Der U. hat vorsorgende (präventive), zurückdrängende (repressive) u. wiederherstellende (reparative) Funktionen. Hingegen wurden früher häufig Umweltvorsorge, Umweltpflege u. a. Aufgaben vom eigentlichen U. abgegrenzt. Als relevante Prinzipien gelten *Vorsorgeprinzip, *Verursacherprinzip u. Kooperationsprinzip (s. Umweltrecht). Meist gliedert man den U. nach den hauptsächlichen Schutzzielen bzw. Aktivitäten, z. B. in *Naturschutz u. Landschaftspflege, *Gewässerschutz, *Luftreinhaltung u. *Immissionsschutz, Bodenschutz, *Abfallentsorgung u. *Strahlenschutz. Der industrielle U. kann z. B. in Arbeits-, Umwelt- u. Produktsicherheit, nach dem Aktivitätsschwerpunkt (integrierter u. additiver U.) od. nach den *Umweltkompartimenten untergliedert werden; s. Tabelle.

Tab.: Gliederung des industriellen Umweltschutzes.

industrieller Umweltschutz (UWS)	
produktionsbezogener UWS	produktbezogener UWS (Product Stewardship)
– integrierter Umweltschutz *produktionsintegrierter UWS prozeßintegrierter UWS anlagenbezogener UWS (produktintegrierter UWS) – additiver UWS (s. End of the Pipe-Technik) Abwasserbehandlung Abluftbehandlung Abfallbeseitigung	– Verpackungs-orientierter UWS – Verw.-orientierter UWS Ressourcen-Schonung Gefährdungsvermeidung Lebensdauerverlängerung – Recycling-orientierter UWS Weiterverw. Wiederverw. stoffliche u. therm. Verwertung – entsorgungsorientierter UWS Wasserreinhaltung Luftreinhaltung Abfallwirtschaft

Die beim U. bedeutsamen Umweltthemen finden sich hier unter den umgangssprachlichen Bez. wie *Algenblüte, *Eutrophierung, *Robbensterben, *Saurer Regen, (*Antarktisches) Ozon-Loch, *Treibhauseffekt, *Waldsterben; s. a. die Schlagwörter mit Bio…, Öko… u. Umwelt… Zur Geschichte des U. s. *Lit.*[3,4].
– *E* environmental protection, environmental pollution control – *F* protection de l'environnement – *I* tutela ambientale – *S* protección del medio ambiente
Lit.: [1] Grundgesetz für die Bundesrepublik Deutschland vom 23.5.1949, BGBl., S. 1 (1949), zuletzt geändert durch Gesetz vom 3.11.1995, BGBl. I, S. 1492 (1995). [2] Vertrag zur Gründung der Europäischen Gemeinschaft vom 25.3.1957, BGBl. II, S. 766, ber. S. 1678 u. 1958 (1957), zuletzt geändert durch den Gründungsvertrag über die Europäische Union vom 7.2.1992, BGBl. II, S. 1251 (1992), 1947 (1993). [3] Boschke, Die Umwelt ist kein Paradies. Illusionen u. Realität, Stuttgart: Dtsch. Verl.-Anstalt 1986. [4] Environmental History (4× jährlich), Durham: Environmental History (seit 1996, vorher u. a. Environmental History Review bzw. Environmental Review, Newark: Am. Soc. Environ. History 1976–1995).
allg.: Bisio u. Boots (Hrsg.), The Wiley Encyclopedia of Energy and the Environment, New York: Wiley 1997 ▪ Cunningham et al. (Hrsg.), Environmental Encyclopedia (2.), Detroit: Gale 1998 ▪ Erdmann (Hrsg.), Internationaler Umweltschutz, Berlin: Springer 1997 ▪ Fiedler et al. (Hrsg.), Umweltschutz: Grundlagen, Planung, Technologien, Management, Stuttgart: Fischer 1996 ▪ Fleig, Umweltschutz in der schlanken Produktion, Berlin: Springer 1998 ▪ Junker et al., Genehmigungsverfahren u. Umweltschutz, Köln: Deutscher Wirtschaftsdienst (Loseblatt-Sammlung) Stand 1998 ▪ Kos, Umweltchemie, Berlin: Springer 1997 ▪ O'Riordan (Hrsg.), Umweltwissenschaften u. Umweltmanagement, Berlin: Springer 1996 ▪ Sequeira u. Moffat (Hrsg.), Chemistry, Energy and the

Environment, Cambridge: Royal Soc. Chem. 1998 ▪ Ullmann (4.) **6**; (5.) **B7**, **B8** ▪ Vogl et al. (Hrsg.), Handbuch des Umweltschutzes, Landsberg: ecomed (Loseblatt-Sammlung, seit 1989). – *Zeitschriften u. Serien:* Angewandter Umweltschutz, Landsberg: ecomed (seit 1985) ▪ Beiträge zur Umweltgestaltung, Berlin: E. Schmidt (seit 1971) ▪ Environment International, New York: Pergamon ▪ Environment Today, Liverpool: Brodie Publ. ▪ Environmental Protection Bulletin, Rugby: Inst. Chem. Engineers ▪ European Environment, Bradford: European Research Press Ltd. ▪ Industry and Environment, Geneva: UN Publ. (UNEP) ▪ Reviews in Environmental Contamination and Toxicology: Berlin: Springer ▪ Springer Series on Environmental Management, Berlin: Springer (seit 1979) ▪ Umwelt (VDI), Düsseldorf: Springer-VDI ▪ Umweltbrief (der Industrie-Initiative für Umweltschutz), Köln: Deutscher Wirtschaftsdienst (monatlich) ▪ Umweltschutz (BUWAL-Bulletin), Bern: BUWAL (Internet-Adresse: http://www.admin.ch/buwal) ▪ WARMER Bulletin, Tonbridge: World Action for Recycling Materials and Energy from Rubbish.

Umweltschutzberatung. Gemäß Umweltberatungsförderrichtlinie (UBFördRL, vom 26.6.1997, in Kraft seit 1.7.1997) dient U. dazu, Unternehmen in den Stand zu versetzen, den gestiegenen Umweltbelastungen, einem erhöhten Umweltbewußtsein u. verschärften Umweltvorschriften durch wirtschaftliche, techn. u. organisator. Maßnahmen Rechnung zu tragen. Die Richtlinie regelt die finanzielle Förderung der U. in kleinen u. mittleren Unternehmen. – *E* environmental (protection) counsel, environmental advice
Lit.: BAnz Nr. **129**, 8745 (1997).

Umweltstatistikgesetz (UStatG). Das U. dient der Erhebung von Umweltinformationen für Zwecke der *Umweltpolitik. Die Statistik umfaßt die Erhebungen 1. der Abfallentsorgung (§ 3); – 2. der nachweispflichtigen Abfälle (§ 4); – 3. der Entsorgung bestimmter Abfälle (§ 5); – 4. der öffentlichen Wasserversorgung u. der öffentlichen Abwasserbeseitigung (§ 6); – 5. der Wasserversorgung u. Abwasserbeseitigung im Bergbau, bei der Gewinnung von Steinen u. Erden u. im Verarbeitenden Gewerbe (§ 7); – 6. der Wasserversorgung u. Abwasserbeseitigung in der Landwirtschaft (§ 8); – 7. der Wasserversorgung u. Abwasserbeseitigung bei Wärmekraftwerken für die öffentliche Versorgung (§ 9); – 8. der Luftverunreinigungen (§ 10); – 9. bestimmter Ozonschicht-schädigender u. klimawirksamer Stoffe (§ 11); – 10. der Unfälle beim Umgang mit *wassergefährdenden Stoffen (§ 12); – 11. der Anlagen zum Umgang mit wassergefährdenden Stoffen (§ 13); – 12. der Unfälle bei der Beförderung wassergefährdender Stoffe (§ 14); – 13. der Aufwendungen für den Umweltschutz im produzierenden Gewerbe (§ 15); – 14. der Waren u. Dienstleistungen für den *Umweltschutz (§ 16).
Das produzierende Gewerbe im Sinne dieses Gesetzes umfaßt die Wirtschaftsbereiche Energie- u. Wasserversorgung, Bergbau u. Gewinnung von Steinen u. Erden, verarbeitendes Gewerbe u. Baugewerbe. Die Landwirtschaft im Sinne dieses Gesetzes umfaßt den Acker-, Garten- u. Dauerkulturbau. Geregelt ist auch, wer Auskunftspflichtiger ist (§ 18).
Lit.: Gesetz über Umweltstatistiken vom 21.9.1994 (BGBl. I, S. 2530), zuletzt geändert am 19.12.1997 (BGBl. I, S. 3158).

Umwelttag. In den USA initiierter, 1970 erstmals veranstalteter „Tag der Erde", der seinerseits Vorbild für den jährlich am 5. Juni weltweit veranstalteten, von der *UNEP geförderten U. war. Das Motto 1998 lautete: Moderner Umweltschutz – zukunftssichere Arbeit. Mittlerweile wurden mehrere Tage des Jahres zu Tagen mit Umweltbezug erklärt (s. Tab.). – *E* World Environment Day, Day of the Earth – *F* journée de la terre – *I* giorno dell' ambiente – *S* déa del medio ambiente

Tab.: Umwelttage.

Datum	Jahrestag
5.3.	Welt-Energiespar-Tag
22.3.	Tag des Wassers (World Water Day)
22.4.	Tag der Erde
25.5.	Tag des Baumes
5.6.	Tag der Umwelt
16.9.	Internat. Tag für den Schutz der Ozonschicht
4.10.	Welttierschutztag
12.10.	Internat. Tag zur Minderung der Naturkatastrophen

Lit.: BMU Rundschreiben 30.1.1996 ▪ Korrespondenz Abwasser **41**, 335 (1994) ▪ Öko Invest **156**, 15 (1998). – *Internet-Adresse:* http://www.unep.org/unep/per/ipa/wed/home.htm

Umwelttechnik. Ungenaue Bez. für die Anw. von bestimmten Verf.-Prinzipien im *Umweltschutz. Während in der Vergangenheit ein Schwerpunkt der U. bei der *Abfallentsorgung lag, verschiebt sich die technolog. Entwicklung mehr u. mehr in Richtung auf den *produktionsintegrierten Umweltschutz, z.B. auf *Abfallvermeidung bzw. -verwertung (*Recycling). Auf meist im dreijährigem Turnus stattfindenden Messen wie Entsorga, Envitec u. IFAT wird U. international vorgestellt. – *E* environmental technology – *F* technique de l'environnement – *I* tecnica ambientale – *S* técnica medioambiental (del medio ambiente)
Lit.: Brauer (Hrsg.), Handbuch des Umweltschutzes u. der Umwelttechnik, 5 Bd., Berlin: Springer 1996 ▪ Bronder, Technischer Umweltschutz, Heidelberg: Spektrum 1996 ▪ Kirk-Othmer (4.) **1**, 749–825; **25**, 284–361, 406–424, 487–569 ▪ OECD (Hrsg.), Technologies for Cleaner Production and Products: Towards Technological Transformation for Sustainable Development, Paris: OECD 1995 ▪ OECD (Hrsg.), The Global Environmental Goods and Services Industry, Paris: OECD 1996 ▪ Philipp (Hrsg.), Einführung in die Umwelttechnik, Braunschweig: Vieweg 1993 ▪ Ullmann (4.) **6**; (5.) **B7**, **B8**. – *Zeitschrift:* Environmental Science and Technology.

Umweltverschmutzung. Laut EG-Richtlinie[1] ist U. (Wasserverschmutzung) die unmittelbare od. mittelbare Ableitung von *Stoffen od. *Energie in die *Gewässer durch den Menschen, wenn dadurch die menschliche Gesundheit gefährdet, die lebenden Bestände u. das *Ökosystem der Gewässer geschädigt, die Erholungsmöglichkeiten beeinträchtigt od. die sonstige rechtmäßige Nutzung der Gewässer beschränkt werden. Unabhängig von einer nachweisbaren Wirkung bezeichnet U. oft auch die Summe der (stofflichen) *Umweltbelastungen durch Schwermetalle, *DDT u. seine Rückstände, *Dioxine, polycycl. aromat. Kohlenwasserstoffe (*PAH), *Mineralöle u.a., aber auch ungesunde Stäube (z.B. *Asbest u. *Ruß), Radionuklide, Fäkalien, Eier von humanpathogenen Würmern (z.B. Fuchsbandwurm), pathogene Viren, Pollen als Allergene, Pilzsporen u. krankheitserregende Bakterien. Damit handelt es sich in vielen Fällen um keine U., sondern um natürliche *Ökofaktoren.

Der Großteil der stofflichen U. ist nicht „der Chemie" od. „der Ind." anzulasten, sondern unser aller schlechten Angewohnheiten, Gedankenlosigkeiten u. Bequemlichkeit. Dennoch ist die Chemie als Wissenschaft u. Ind. gefordert, denn Gewinnung u. Veredlung von mineral. u. pflanzlichen Rohstoffen, die Produktion u. Verarbeitung von Gebrauchsgegenständen aller Art sowie deren Entsorgung u. *Recycling sowie auch die Energiegewinnung – zumindest aus fossilen Brennstoffen – schließen chem. Vorgänge ein, sind *Umweltbelastung u. erfordern *Umweltschutz. U. beschränkt sich nicht nur auf ihren Entstehungsort. Neben Wind sind es v. a. Wasser u. Mikroorganismen, die für Transport u. Kreislauf der U. verantwortlich sind (z. B. *biologischer Abbau, *Remobilisierung, *Sedimentation, *Transfer, *Volatilität u. a.). Auf die einzelnen Arten, Quellen (Verursacher), Auswirkungen u. Gegenmaßnahmen zur U. wird bes. bei den Stichwörtern *Emissionen, *Luftverunreinigungen, *Wasser, *Abwasserbehandlung u. *Abfälle eingegangen; s. a. Umweltschutz. – *E* environmental pollution – *F* pollution de l'environnement – *I* inquinamento ambientale – *S* contaminación medioambiental

Lit.: [1] Richtlinie des Rates 76/464/EWG vom 4. Mai 1976 betreffend die Verschmutzung infolge der Ableitung bestimmter gefährlicher Stoffe in die Gewässer der Gemeinschaft (ABl. der EG Nr. L 129 vom 18. 5. 1976, S. 23).

Umweltverträglichkeit. Die durch eine U.-Prüfung (*UVP) zu bestimmende U. bezeichnet die Abwesenheit erheblicher *Umweltbelastungen; s. UVP. – *E* environmental compatibility – *F* compatibilité avec l'environnement – *I* compatibilità ambientale – *S* compatibilidad con el medio ambiente

Lit.: s. UVP.

Umweltverträglichkeitsprüfung s. UVP.

Umweltvorsorge s. Umweltschutz.

Umweltwiderstand. Durch *Ökofaktoren bedingte Sterblichkeit von Organismen vor dem Erreichen der Reproduktionsfähigkeit [1]. Auch summar. Bez. für die Ursachen der Verminderung des Populationswachstums, die mit zunehmendem Ausschöpfungsgrad der *Umweltkapazität beobachtet werden kann [2]. – *E* environmental resistance – *F* résistance de l'environnement – *I* resistenza ambientale – *S* resistencia del medio ambiente

Lit.: [1] Schäfer u. Tischler, Ökologie (2.), S. 286, Stuttgart: Fischer 1983. [2] Odum, Grundlagen der Ökologie (3.), S. 212–216, Stuttgart: Thieme 1999.

Umweltzeichen. 1. Der „*Blaue Engel*" (Umweltengel), 1977 von den für Umweltschutz zuständigen Innenministern des Bundes u. der Länder geschaffen, wird nach Umweltschutz-Qualitätskriterien der „Jury U." für bestimmte Produktgruppen durch das *RAL [1] vergeben (s. Abb. 1). Dieses U. wird befristet, gewöhnlich auf drei Jahre, vergeben. Über 4000 Produkte haben den Blauen Engel erhalten. Mit ihm können solche Produkte gekennzeichnet werden, die im Vgl. zu Konkurrenzprodukten als bes. umweltfreundlich eingeschätzt werden. Die verbesserten Umwelteigenschaften innerhalb einer Produktgruppe können durch Verminderung von *Abfällen u. *Emissionen, durch Entlastungen des *Abwassers, durch Reduzierung u. Vermeidung schädlicher Inhaltsstoffe od. durch Verbesserung der Wiederverwertungseigenschaften erreicht werden. Produkte mit U. sollen nicht weniger sicher od. weniger gebrauchstauglich sein als vergleichbare Produkte ohne Umweltzeichen.

Abb. 1: Umweltengel.

2. Das EU-U. (Europ. Blume) ist 1992 durch VO des Rates [2] beschlossen worden (s. Abb. 2). Ein gemeinschaftliches Vergabesyst. schreibt vor, daß für jede definierte Produktgruppe die spezif. Umweltkriterien unter Zugrundelegen des gesamten Lebenswegcyclus des Erzeugnisses festgelegt werden. Es sind in der Regel mehrere Kriterien (Anforderungen) gleichzeitig zu erfüllen. Die Kriterien selbst werden mit dem Zeichen nicht vermittelt.

Abb. 2: EU-Umweltzeichen.

– *E* ecolabel – *F* label de conformité de l'environnement – *I* simbolo dell' ambiente – *S* símbolos del medio ambiente

Lit.: [1] RAL Deutsches Institut für Gütesicherung u. Kennzeichnung, Umweltzeichen, Produktanforderungen, Zeichenanwender u. Produkte, Bonn: RAL 1992. [2] EG-VO Nr. 880/92 vom 23. 3. 1992 (ABl. der EG Nr. L 99, S. 1, 1992).
allg.: Kloepfer, Umweltrecht (2.), S. 273, 455, München: Beck 1998 ∎ Shen, Industrial Pollution Prevention, S. 163–181, Berlin: Springer 1995. *Internet:* http://europa.eu.int/ecolabel.

Umweltzone. In der Medizin werden 7 U. des Menschen unterschieden: 1. Kleidung, 2. Wohnung, Arbeitsplatz, Verkehrsmittel, 3. Gebäude, Wohnanlage, 4. Wohnviertel, Stadtviertel, 5. Wohnort, Stadt, 6. Siedlungs- u. Landschaftsraum, 7. Klimazone. – *E* environmental zone – *F* zone de l'environnement – *I* zona ambientale – *S* zona medioambiental

Umylidierung. Phosphor-*Ylide mit einem Wasserstoff-Atom am ylid. Kohlenstoff reagieren mit elektrophilen Reagenzien zu Phosphonium-Salzen. Wird durch den neu eingeführten Rest die Acidität des gebildeten Salzes gegenüber der korrespondierenden Säure des Ausgangs-Ylides erhöht, so erfolgt Deprotonierung unter U., bei der ein zweites Mol. des eingesetzten Ylides die Rolle der Base übernimmt.

$(H_5C_6)_3\overset{+}{P}-\overset{-}{C}H_2$ + R-C(=O)-Cl ⟶ $[(H_5C_6)_3\overset{+}{P}-CH_2-\underset{O}{\overset{\|}{C}}-R]$ Cl$^-$

+ $(H_5C_6)_3\overset{+}{P}-\overset{-}{C}H_2$ ⟶ $(H_5C_6)_3\overset{+}{P}-\overset{-}{C}H-\underset{O}{\overset{\|}{C}}-R$
- $[(H_5C_6)_3\overset{+}{P}-CH_3]Cl^-$

– *E* transylidation – *F* transyluration – *I* transilidazione – *S* transiluración

Lit.: Angew. Chem. **77**, 609 (1965) ▪ s. a. Wittig-Reaktion.

Un... (latein.: unus = Eins). Zahlwortsilbe: a) in *Undec(a)...*, s. Multiplikationspräfixe; – b) in vorläufigen systemat. Bez. für *Transurane (*Transactinoide) ab Element 110; *Beisp.:* Unbinilium (Symbol: Ubn) = Element 120. – *E = F = I = S* un...

Unat® (Rp). Tabl., Infusionslsg. u. Ampullen mit dem *Diuretikum *Torasemid gegen Hypertonie u. zum Ausschwemmen von Ödemen. *B.:* Boehringer Mannheim.

Unbestimmtheitsrelation s. Unschärfebeziehung.

Unbi... s. Un...

Unc-22 s. Twitchin.

UNCED. Abk. für *U*nited *N*ations *C*onference on *E*nvironment and *D*evelopment, Konferenz der Vereinten Nationen über Umwelt u. Entwicklung, vom Juni 1992 in Rio de Janeiro. Ein Leitbegriff war das Eco-Development, ein sozial-, ökonom. u. umweltverträglicher Entwicklungsweg für die Menschheit, der im Grunde dem *Sustainable Development entspricht.
Die sog. Rio-Deklaration legt die 27 Grundsätze fest, die im Bereich Umwelt u. Entwicklung das Verhalten der Staaten untereinander u. das der Staaten zu ihren Bürgern bestimmen sollen.
Grundsätze zu Bewirtschaftung, Schutz u. nachhaltiger Entwicklung der Wälder aller Klimazonen nennt die Walddeklaration.
Das 800-seitige Aktionsprogramm (Agenda 21) beschäftigt sich z. B. mit der Bekämpfung von Entwaldung u. Wüstenbildung, mit dem Schutz der Erdatmosphäre, des Wasserressourcen u. der Meere sowie mit dem sicheren Umgang mit Abfällen aller Art. Es betont insbes. den Zusammenhang zwischen Armutsbekämpfung u. Erhalt natürlicher Lebensgrundlagen.
Zwei Konventionen wurden vereinbart, zum Klimaschutz die Klimarahmenkonvention (s. Treibhauseffekt) u. zum *Artenschutz die Konvention über Biolog. Vielfalt. Die UNCED hat eine Reihe weiterer UN-Gipfelkonferenzen themat. mitbestimmt, z. B. die Konferenz über nachhaltige Entwicklung kleiner Inselstaaten 1994 in Barbados, die Bevölkerungskonferenz 1994 in Kairo, HABITAT II 1996 in Istanbul u. die Vertragsstaatenkonferenzen der Konventionen, z. B. für die Klimarahmenkonvention 1995 in Berlin u. 1997 in Kyoto sowie für die Artenschutzkonvention 1995 in Jakarta.

Lit.: BMU (Hrsg.), Bericht der Bundesregierung über die Konferenz der Vereinten Nationen für Umwelt u. Entwicklung im Juni 1992 in Rio de Janeiro, Bonn: BMU 1992 ▪ BMU (Hrsg.), Konferenz der Vereinten Nationen für Umwelt u. Entwicklung im Juni 1992 in Rio de Janeiro (Dokumente), Bonn: BMU 1992 ▪ Voss, Umweltpolitik fünf Jahre nach Rio, Köln: Institut der deutschen Wirtschaft 1997.

Uncoupling protein s. Entkoppler-Protein.

Undec(a)... *Multiplikationspräfix in chem. Bez., von latein.: undecim = Elf. *Hendec(a)...* von griech.: héndeka = Elf ist nur noch in nicht-chem. Bez. üblich. – *E = I = S* undec(a)... – *F* undéc(a)...

Undecan. $H_3C-(CH_2)_9-CH_3$, $C_{11}H_{24}$, M_R 156,32. Farblose, brennbare Flüssigkeit, D. 0,7411, Schmp. –26 °C, Sdp. 196 °C, unlösl. in Wasser, mischbar mit Benzin, Alkohol, Ether, kommt in einigen Terpentinölen u. im Erdöl vor. Die Dämpfe reizen die Atemwege u. die Lunge u. U. bis hin zu Kehlkopfödem od. Lungenödem. Verw. als Bezugssubstanz in der Gaschromatographie. – *E* undecane – *F* undécane – *I = S* undecano

Lit.: Beilstein E IV **1**, 487 ▪ Hommel, Nr. 777. – [HS 2901 10; CAS 1120-21-4; G 3]

Undecanal (veraltet: Undecylaldehyd).
$H_3C-(CH_2)_9-CHO$, $C_{11}H_{22}O$, M_R 170,30. Farblose Flüssigkeit, D. 0,8251, Schmp. –4 °C, Sdp. 117 °C (24 hPa). U. kommt u. a. in den Citrusölen vor, gilt als Prototyp der Parfümerieäldehyde u. wird zur Erzielung der Aldehydnote in Parfümkompositionen vielfach verwendet. – *E = S* undecanal – *F* undécanal – *I* undecanale

Lit.: Beilstein E IV **1**, 3374 ▪ Ullmann (4.) **20**, 206; (5.) A **1**, 323, 331; A **11**, 149. – [HS 2912 19; CAS 112-44-7]

1-Undecanol s. Fettalkohole.

4-Undecanolid s. 4-Hydroxyundecansäurelacton.

2-Undecanon (Methylnonylketon).
$H_3C-(CH_2)_8-CO-CH_3$, $C_{11}H_{22}O$, M_R 170,30, stark duftendes Öl, D. 0,8250, Sdp. 232 °C (andere Angaben: 225 u. 228 °C), Schmp. 15 °C, lösl. in Alkohol, Ether, Aceton, Benzol, Chloroform, unlösl. in Wasser. U. ist Hauptbestandteil des *Rautenöls u. ist auch in geringen Mengen im *Palmkernöl u. *Sojaöl enthalten. Es ist Bestandteil des Alarmpheromons der Ameise *Oecophylla longinoda*.
Verw.: Zu Parfümzwecken (Apfelduft), aber auch als Hunde- u. Katzen-Repellent. – *E = I* 2-undecanone – *F* 2-undécanone – *S* 2-undecanona

Lit.: Beilstein E IV **1**, 3374 ▪ Food Cosmet. Toxicol. **13**, 869 f. (1975) ▪ J. Chem. Soc., Perkin Trans. 1 **1986**, 1995 (Synth.) ▪ Phytochemistry **27**, 2519 (1988) (Isolierung) ▪ Sax (8.), UKS 000 (Toxikologie). – [HS 2914 19; CAS 112-12-9]

Undecansäure. $H_3C-(CH_2)_9-COOH$, $C_{11}H_{22}O_2$, M_R 186,30, Krist., Schmp. 28 °C, Sdp. 280 °C, 164 °C (2,0 kPa), unlösl. in Wasser, lösl. in organ. Lösemitteln. U. ist Bestandteil einiger ether. Öle wie Iris- u. Quendelöl u. kann synthet. durch Red. der *Undecensäure hergestellt werden. *U.-methylester*, $C_{12}H_{24}O_2$, M_R 200,33, Sdp. 123 °C (1,2 – 1,3 kPa) u. *U.-ethylester*, $C_{13}H_{26}O_2$, M_R 214,35, Sdp. 140 °C (2,7 kPa) werden in der Parfümerie verwendet. – *E* undecanoic acid – *F* acide undécanoïque – *I* acido undecanoico – *S* ácido undecanoico

Lit.: Beilstein E IV **2**, 1068 ▪ Karrer, Nr. 698. – [HS 2915 90; CAS 112-37-8]

Undecaprenylphosphat s. Murein.

10-Undecenal (Undecylenaldehyd).
$H_2C=CH-(CH_2)_8-CHO$, $C_{11}H_{20}O$, M_R 168,27. Farblose bis blaßgelbe, blumig riechende Flüssigkeit, D. 0,842, Sdp. 103 °C (4 hPa), wird in der Parfümerie für Rosen-,

Orangen-, Jasmin-, Muskateller- u. Veilchenduftnoten verwendet. U. kann z. B. aus *10-Undecensäure hergestellt werden u. ist in der Parfümerie eine der grundlegenden Verb. zur Verleihung der „Aldehydnote", s. Ullmann (*Lit.*). – *E* = *S* 10-undecenal – *F* 10-undécénal – *I* 10-undecenale

Lit.: Beilstein E IV **1**, 3520 ▪ Ullmann (4.) **20**, 207; (5.) **A 1**, 332, 336; **A 11**, 151. – *[HS 2912 19; CAS 112-45-8]*

10-Undecensäure (Undecylensäure). $H_2C=CH-(CH_2)_8-COOH$, $C_{11}H_{20}O_2$, M_R 184,28. Schweißartig riechende Flüssigkeit od. Krist., D. 0,9072, Schmp. 25 °C, Sdp. 275 °C (Zers.), unlösl. in Wasser, lösl. in Alkohol, Chloroform, Ether; WGK 2 (Selbsteinst.). Die bakterizid u. bes. fungizid wirkende U. kommt im *Schweiß vor u. kann synthet. durch Pyrolyse von Ricinolsäure erhalten werden.

Verw.: Im allg. als *Zink-10-undecenoat* ($C_{22}H_{38}O_4Zn$, M_R 431,92, Schmp. 115–116 °C) in Salben, Emulsionen, Sprays usw. als lokales Antimykotikum, z. B. in der Haarbehandlung od. bei Fußpilz u. a. mykot. Erkrankungen der Haut, auch in der Veterinärmedizin. Die antimykot. Wirkung wurde 1938 von Peck u. Rosenfeld entdeckt. Daneben dient U. als Ausgangsprodukt für Kunststoffe, beispielsweise für Polyamide, u. – in Form ihrer Ester – als Duftstoff in der Parfümerie- u. Aromen-Industrie. – *E* 10-undecenoic acid – *F* acide 10-undécénoïque – *I* acido 10-undecenoico – *S* ácido 10-undecenoico

Lit.: Beilstein E IV **2**, 1612 ▪ Hager (5.) **9**, 1129 f., 1241 f. ▪ Kirk-Othmer (3.) **5**, 6; **9**, 500; **18**, 363 f.; (4.) **8**, 252 ▪ Merck-Index (12.), Nr. 9983 ▪ Ullmann (4.) **9**, 139; **11**, 527; (5.) **A 10**, 248 ▪ s. a. Fettsäuren. – *[HS 2916 19; CAS 112-38-9]*

Undecyl... Bez. für die Atomgruppierung $-(CH_2)_{10}-CH_3$ in chem. Namen. – *E* undecyl... – *F* undécyl... – *I* = *S* undecil...

Undecylen... s. Undecen...

Unden®. *Insektizid auf der Basis von *Propoxur gegen saugende u. beißende Insekten in Obst- u. Gemüse-Kulturen sowie in Reis, Kakao u. a. *B.*: Bayer.

Underlays. Bez. für mit *Tränkharzen (Amino-, Phenoplasten) imprägnierte, weiße od. fast weiße Spezialpapiere, die, als Unterlage mit hellfarbigen Dekorfilmen verpreßt, deren Deckkraft erhöhen.
Lit.: s. Laminate, Schichtpreßstoffe.

Undurchlässige Verbindung s. tight junction.

Unechte Cochenille s. Kermes.

Unedelmetalle. Bez. für *Metalle, die an der Luft oxidieren u. von nichtoxidierenden Säuren (bes. Salzsäure) auch unter Luftabschluß angegriffen werden. Die U. stehen in der *Spannungsreihe „über dem Wasserstoff" u. haben deshalb ein neg. *Normalpotential. Unter den 80 metall. Elementen (ohne Transactinoide) befinden sich 67 U. u. nur 10 *Edelmetalle (Antimon, Bismut u. Kupfer sind zwar keine Edelmetalle, weisen jedoch pos. Normalpotentiale auf); vgl. a. Passivität. – *E* base metals – *F* métaux communs (no nobles) – *I* metalli comuni – *S* metales electronegativos (no nobles)

Uneinheitliche Polymere s. polydisperse Polymere.

Uneinheitlichkeit s. Polydispersität.

UNEP. Abk. für engl.: *U*nited *N*ations *E*nvironment *P*rogramme (Umweltschutzorganisation der *UNO). Eine 1972 gegr. Unterorganisation der UNO mit Sitz in Nairobi u. Regionalbüro für Europa in CH-1211 Genève 10, Palais des Nations, koordiniert die Umweltaktivitäten der UNO u. beobachtet u. unterstützt umweltrelevante Forschung, Informations- u. Kodifizierungsaktivitäten. Auf Initiative der UNEP geht *UNCED (Rio de Janeiro 1992) zurück. *Publikationen:* UNEP Report, Industry and Environment Review, Regional Bulletin for Europe (seit 1986), Technical Report Series, Environmental Management Guidelines, Environmental Law and Guidelines (seit 1972), Energy Report Series u. a.

Unfallanzeige. Nach § 193 Abs. 1 Satz 1, Siebtes Sozialgesetzbuch, hat der Unternehmer Unfälle in seinem Betrieb, bei denen ein Beschäftigter getötet wird. so verletzt wird, daß er stirbt od. für mehr als drei Tage völlig od. teilw. arbeits- od. dienstunfähig wird, zu erfassen u. mittels U. dem Unfallversicherungsträger anzuzeigen. Die Vorschrift befindet sich in Übereinstimmung mit der Regelung über die Erfassung von Unfällen der europ. Rahmenrichtlinie.

Nach einem Unfall hat der Unternehmer dafür zu sorgen, daß über jede Erste-Hilfe-Leistung Aufzeichnungen geführt werden. Aus ihnen müssen Angaben über Zeit, Ort (Unternehmensteil) u. Hergang des Unfalles bzw. des Gesundheitsschadens, Art u. Umfang der Verletzung bzw. Erkrankung, Zeitpunkt, Art u. Weise der Erste-Hilfe-Maßnahme sowie die Namen des Versicherten, der Zeugen u. der Personen, die Erste Hilfe geleistet haben, hervorgehen. Die Aufzeichnungen sind wie Personalunterlagen fünf Jahre lang aufzubewahren.

Beschäftigte haben unverzüglich jeden Unfall der zuständigen betrieblichen Stelle zu melden; sind sie hierzu nicht imstande, liegt die Meldepflicht bei dem Betriebsangehörigen, der von dem Unfall zuerst erfährt. – *E* accident report – *I* denuncia di infortunio – *S* declaración o notificación de accidente
Lit.: Siebtes Buch, Sozialgesetzbuch, § 193, Abs. 1 Satz 1; Unfallverhütungsvorschrift Erste Hilfe (VBG 109) vom 01.10.1994 in der Fassung vom 01.01.1997.

Unfallverhütung. Heute wird der Begriff U. als nicht mehr zeitgemäß angesehen. Umfassendere Bez.: *Arbeitsschutz. Begriffe wie *Prävention od. *Sicherheit u. Gesundheitsschutz am Arbeitsplatz finden Verwendung.

Maßnahmen des Arbeitsschutzes dienen der Verhütung von Arbeitsunfällen u. der Abwehr von arbeitsbedingten Gesundheitsgefahren. Im Rahmen dieses Werkes sind zahlreiche Aspekte des Arbeitsschutzes in Einzelstichwörtern abgehandelt worden (*Anlagensicherheit, *Arbeitsmedizin, *Arbeitssicherheit, *Atemschutzgeräte, ...).

Arbeitsschutz ist die Aufgabe des Unternehmers. Arbeitsstätten, Betriebseinrichtungen, Maschinen, Apparate, Werkzeuge, Anlagen u. Arbeitsverf. müssen sicher sein. Alle Beschäftigten sind zu einem sicheren Verhalten anzuhalten; sie haben die *Unfallverhütungsvorschriften u. die Betriebsanweisungen des Unternehmers zu befolgen. Die Mitwirkung der Beschäftigten bei den Maßnahmen zum Arbeitsschutz ist zu fördern. Es sind Betriebsärzte sowie Sicherheitsingenieure od. andere Fachkräfte für Arbeitssicherheit u. außerdem Sicherheitsbeauftragte zu bestellen. Die Vertretung der Beschäftigten (Betriebsrat) hat sich für den Arbeitsschutz einzusetzen, denn sie besitzt nach dem Betriebsverfassungsgesetz ein Mitbestimmungsrecht. – *E* accident prevention – *F* prévention des accidents – *I* prevenzione degli infortuni – *S* prevención de accidentes

Unfallverhütungsvorschriften (UVV). Gemäß §§ 15 u. 16 SGB VII (VII. Buch Sozialgesetzbuch) gehört es zu den Aufgaben der *Berufsgenossenschaften (BG) u. a. Träger der gesetzlichen *Unfallversicherung, U. zu erlassen über:

1. Einrichtungen, Anordnungen u. Maßnahmen, welche die Unternehmer zur Verhütung von *Arbeitsunfällen, *Berufskrankheiten u. arbeitsbedingten Gesundheitsgefahren zu treffen haben, sowie die Form der Übertragung dieser Aufgaben auf andere Personen;
2. das Verhalten der Versicherten zur Verhütung von Arbeitsunfällen, Berufskrankheiten u. arbeitsbedingten Gesundheitsgefahren;
3. vom Unternehmer zu veranlassende arbeitsmedizin. Untersuchungen u. sonstige arbeitsmedizin. Maßnahmen vor, während u. nach der Verrichtung von Arbeiten, die für Versicherte od. für Dritte mit arbeitsbedingten Gefahren für Leben u. Gesundheit verbunden sind;
4. Voraussetzungen, die der Arzt, der mit Untersuchungen od. Maßnahmen nach Nr. 3 beauftragt ist, zu erfüllen hat, sofern die ärztliche Untersuchung nicht durch eine staatliche Rechtsvorschrift vorgesehen ist;
5. die Sicherstellung einer wirksamen *Ersten Hilfe durch den Unternehmer;
6. die Maßnahmen, die der Unternehmer zur Erfüllung der sich aus dem Gesetz über *Betriebsärzte, Sicherheitsingenieure u. a. Fachkräfte für *Arbeitssicherheit ergebenden Pflichten zu treffen hat;
7. die Zahl der Sicherheitsbeauftragten, die nach § 22 SGB VII unter Berücksichtigung der in den Unternehmen für Leben u. Gesundheit der Versicherten bestehenden arbeitsbedingten Gefahren u. der Zahl der Beschäftigten zu bestellen sind.

Die UVV werden von den Vertreterversammlungen der BG beschlossen u. bedürfen nach § 15 Abs. 4 SGB VII der Genehmigung durch das Bundesministerium für Arbeit u. Sozialordnung (BMA). Die Entscheidung hierüber wird im Benehmen mit den zuständigen obersten Verwaltungsbehörden der Länder getroffen.
Die Unternehmer sind von der BG über die oben genannten Vorschriften zu unterrichten u. zur Unterrichtung der Versicherten verpflichtet. Die UVV einer BG gelten auch, soweit in dem od. für das Unternehmen Versicherte tätig werden, für die eine andere BG zuständig ist. Sie gelten auch für Unternehmer u. Beschäftigte von ausländ. Unternehmen, die eine Tätigkeit im Inland ausüben, ohne einer BG anzugehören. In UVV werden vornehmlich allg. gehaltene Schutzziele festgelegt. Um die Anw. der UVV zu erleichtern, werden in Durchführungsanweisungen konkrete Hinweise gegeben, wie die in den UVV formulierten Schutzziele erfüllt werden können. – *E* accident prevention regulations – *I* norme antifortunistiche – *S* normativas en materia de seguridad e higiene en el trabajo
Lit.: s. Arbeitssicherheit.

Unfallversicherung. Die zuständige *Berufsgenossenschaft hat folgende Leistungen zu erbringen:
– Prävention von *Arbeitsunfällen, *Berufskrankheiten u. arbeitsbedingten Gesundheitsgefahren mit allen geeigneten Mitteln;
– Heilbehandlung (einschließlich Versorgung mit Körperersatzstücken, orthopäd. od. anderen Hilfsmitteln);
– Wiederherstellung der Erwerbsfähigkeit u. Berufshilfe;
– Rente (Verletztenrente, Hinterbliebenenrente);
– bes. Beihilfen (z. B. beim Umbau von Wohnungseinrichtungen, Sanitäreinrichtungen, Pkw). – *E* accident insurance – *I* assicurazione contro gli infortuni – *S* seguro de accidente

Ungenauigkeitsrelation s. Unschärfebeziehung.

Ungepaarte Elektronen s. einsame Elektronen, (freie) Radikale u. Magnetochemie.

Ungerade s. Term.

Ungesättigt. Bei Stoffen eine Bez. für das Vorliegen eines Zustandes, in dem noch weitere Zufuhr von bestimmter Materie möglich ist; *Gegensatz:* *Übersättigung. Beispielsweise vermögen u. Lsg. (d. h. Lsg., die noch nicht *gesättigt sind, s. Lösungen), weitere Mengen des gelösten Stoffes, u. Dampf weitere Mengen verdampfter Flüssigkeit aufzunehmen. Am häufigsten in der Chemie ist die Begriffsverb. u. Verb., unter denen man im allg. organ. Verb. mit *Doppel- od. *Dreifachbindungen im Mol. versteht. Daneben spricht man auch von *koordinativ u.* Verb., v. a. bei *Metall-organischen Verbindungen; s. a. Koordinationslehre. – *E* unsaturated – *F* insaturé – *I* insaturo – *S* insaturado

Ungesättigte Polyester (UP). Bez. für *Polykondensations-Produkte aus äquimolaren Mischungen von bifunktionellen Carbonsäure(anhydride)n, von denen mind. eine Verb. ungesätt. sein muß, u. bifunktionellen Alkoholen u. Epoxiden. In der Praxis überwiegend eingesetzte gesätt. u. aromat. Säure-Komponenten sind Adipin-, Glutar- sowie Phthal-, Isophthal- u. Terephthalsäure u. deren Derivate (Anhydride, Tetrahalogen-Verb.), ungesätt. Säure-Komponenten sind Maleinsäure(anhydrid) u. Fumarsäure neben Diels-Alder-Addukten aus Maleinsäureanhydrid u. Cyclopentadien. Acryl- u. Methacrylsäure werden bei der Herst. von UP z. T. mitverwendet. Alkohol-Basis der UP sind hauptsächlich Propylen-, Dipropylen-, Ethylen- u. Diethylenglykol, 2,2-Dimethyl-1,3-propandiol, 1,4-Butandiol, 2,2,4-Trimethyl-1,3-pentandiol od. der Diglycidylether des *Tetrabrombisphenols A.
Verw.: In Kombination mit copolymerisierbaren Monomeren (Styrol, Vinyltoluol, Methylmethacrylat, α-Methylstyrol, Diallylphthalat u. a.) als UP-Harze (s. ungesättigte Polyester-Harze). – *E* unsaturated polyesters – *F* polyesters insaturés – *I* poliesteri insaturi – *S* poliésteres insaturados
Lit.: Domininghaus (5.), S. 1085 ff. ■ Encycl. Polym. Sci. Eng. **12**, 256–290 ■ s. a. ungesättigte Polyester-Harze.

Ungesättigte Polyester-Harze (UP-Harze). *Reaktionsharze auf Basis von *ungesättigten Polyestern, die bei der Anw. unter *Polymerisation u. *Vernetzung zu duroplast. Massen aushärten. UP-Harze enthalten als zusätzliche Komponenten copolymerisierbare *Monomere (Styrol, α-Methylstyrol, Vinyltoluol, Methylmethacrylat u. a.) als Lsm. od. Verdünnungsmittel, bifunktionelle Monomere (z. B. Divinylbenzol, Diallylphthalat) als Vernetzer, Härter (Initiatoren der Polymerisation, z. B. Peroxide), Beschleuniger, Pigmente, Weichmacher, Antistatika, Füllstoffe u. Verstärkungsstoffe (Fasern auf anorgan. od. organ. Basis). Die Härtung der UP-Harze erfolgt bei Raumtemp. od. in der Wärme. Kennzeichnend für die wichtigste Gruppe der aus UP-Harzen hergestellten Produkte [Formteile u. Halbzeuge aus Glasfaser-verstärkten *Gießharzen (UP-GF-Formstoffe)] sind hohe Festigkeit, Steifheit u. Härte, gute Formbeständigkeit in der Wärme, Transparenz, elektr. Isoliervermögen, geringes Wasseraufnahmevermögen u. hohe Witterungsbeständigkeit. Ausgehärtete, nicht verstärkte UP-Harze sind hart, spröde u. transparent.

Verw.: In der Bau-Ind. zur Herst. von Lichtplatten, Fassadenelementen, Schwimmbecken, sowie als Vergußmassen, Beschichtungen u. Reparaturmörtel; in der Ind. zur Herst. von Behältern für Getränke, Heizöl, Chemikalien, Dünge-, Nahrungs- u. Futtermitteln, Chemieapparaturen, Abwasserrohren u. Kühltürmen; in der Elektro-Ind. für Kabelverteiler- u. Schaltschränke, Leuchtenabdeckungen, Steckerleisten, Schalterdeckel u. ä.; im Transportwesen für Wohnwagen, Aufbauten für Kühlwagen, zur Herst. von Stoßfängern, Frachtcontainern, Sitzschalen u.a.; im Boots- u. Schiffsbau zum Bau von Sport- u. Rettungsbooten, Fischereifahrzeugen, Bojen- u. Rettungsinseln; zur Herst. von Formteilen unterschiedlichster Art (Apparategehäuse, Stühle, Bänke, Verkehrsschilder, Knopfplatten u. a.). – *E* unsaturated polyester resins – *F* résines de polyesters insaturées – *I* resine di poliesteri insaturi – *S* resinas de poliésteres insaturadas

Lit.: Domininghaus (5.), S. 1085 ff. ▪ Ullmann (4.) **19**, 79–86.

Ungestörte Dimensionen. Bez. für die Dimension (räumliche Ausdehnung), die ein knäuelförmiges *Makromolekül sowohl in verd. Lsg. unter Theta-Bedingungen als auch in Substanz (in der Schmelze od. im amorphen Festkörper) einnimmt; zu Details s. Theta-Temperatur u. Trägheitsradius. – *E* unperturbed dimensions – *F* dimensions libres – *I* dimensioni non perturbati – *S* dimensiones no perturbadas

Ungeziefer(vertilgungsmittel) s. Schädlingsbekämpfung(smittel).

Ungleichgewicht s. irreversibel.

Ungräser s. Herbizide.

ung(t). Abk. von Unguentum, s. Unguenta.

Unguenta. In der Pharmazie u. Medizin gebräuchliche Bez. für *Salben od. – falls wasserhaltig – für *Cremes. Beisp. des DAB: Wollwachsalkoholsalbe, hydrophile Salbe u. a.

Lit.: s. Salben u. Cremes.

Uniaxiale Reckung s. Recken.

Unichema. Kurzbez. für die Unichema International B. V. mit Sitz in 2800 AA Gouda, NL. 1997 ging die Unichema durch den Verkauf des Geschäftsbereichs Speciality Chemicals von *Unilever in den Besitz der *ICI über. *Daten* (1996): ca. 1700 Beschäftigte, 476 Mio. engl. Pfund Umsatz. *Produktion:* Fettsäuren u. Derivate, Glycerin. *Vertretung* in der BRD: Unichema Deutschland, Steintor 9, 46446 Emmerich.

Uniconazol.

Common name für (±)-(*E*)-1-(4-Chlorphenyl)-4,4-dimethyl-2-(1*H*-1,2,4-triazol-1-yl)-1-penten-3-ol, $C_{15}H_{18}ClN_3O$, M_R 291,78, Schmp. 147–164,5 °C, LD_{50} (Ratte oral) 2020 mg/kg (männlich), 1790 mg/kg (weiblich), von Sumitomo Mitte der 90er Jahre eingeführter Wachstumsregulator zur Wachstumshemmung u. Erhöhung der Blütenbildung im Obst- u. Zierpflanzenanbau.

Lit.: Farm ▪ Perkow ▪ Pesticide Manual. – *[CAS 83657-22-1]*

Unidental. In der *Koordinationslehre Synonym für „einzähnig" als Eigenschaft von *Liganden.

Unified Numbering System (Abk. UNS). U. S.-amerikan. Syst. zur Identifizierung metall. Werkstoffe, entwickelt u. herausgegeben von der Society of Automotive Engineers (*SAE) u. der *American Society for Testing and Materials (ASTM). Die UNS-Nummer besteht aus einem Buchstaben u. fünf Ziffern. Der Buchstabe kennzeichnet die Werkstoffgruppe, z. B. steht A für Aluminium u. -Leg., C für Kupfer u. -Leg., N für Nickel u. -Leg. u. S für hitze- u. korrosionsbeständige Stähle. Die Folge der fünf Zahlen kann zufällig sein od. sich an gängige Bez. od. Herstellernamen anlehnen. UNS-Nummern werden auch aus Gründen vereinfachter Datenverarbeitung zunehmend in U. S.-Normen u. -Richtlinien angewendet. – *E* unified numbering system – *I* sistema unitario americano di numerazione

Lit.: Metals & Alloys in the Unified Numbering System, Warrendale, PA: SAE/ASTM (jeweils aktuelle Aufl.).

Unifining®. Von UOP u. Union Oil entwickeltes Verf. für die Vorbehandlung von Ölen beim katalyt. *Reformieren u. zum Entschwefeln u. Hydrieren von Treibstoffen.

Lit.: Winnacker-Küchler (4.) **5**, 119.

Unifoam®. Marke von Otsuka u. Hebron; *Treibmittel auf der Basis von Azodicarbonamid unterschiedlicher Korngröße, insbes. für die Verschäumung von PVC u. PE, auch mit niedriger Zersetzungstemp. (gekicktes Azodicarbonamid). *B.:* Krahn.

UNILAC s. Teilchenbeschleuniger.

Unilair® (Rp). Retardkapseln mit dem *Antiasthmatikum *Theophyllin, Ampullen enthalten das Natriumglycinat. *B.:* 3M Medica.

Unilever. Kurzbez. für das 1929 gegr. Unternehmen Unilever mit den beiden Dachges. Unilever NV, NL-3013 AL Rotterdam, u. Unilever PLC, London EC4P 4BQ. Der multinationale Konzern verkaufte 1997 die

Sparte Speciality Chemicals an *ICI u. hat heute die Geschäftsbereiche Nahrungsmittel, Wasch- u. Reinigungsmittel, Körperpflegemittel u. Kosmetik u. unterhält eigene Plantagen. *Tochter- u. Beteiligungsges.*, u. a.: Deutsche Unilever, Elida-Fabergé Ltd., Langnese-Iglo GmbH, Hamburg, Union Deutsche Lebensmittelwerke GmbH, Hamburg, Elizabeth Arden Ltd, GB; DiverseyLever Ltd. *Daten* (1997): ca. 270 000 Beschäftigte, 51,611 Mrd. $ Umsatz. *Produktion:* Lebensmittel (>50%, insbes. Margarine, Fette, Öle), Waschmittel u. kosmet. Produkte, Riechstoffe, Lebensmittel-Zusatzstoffe etc. *Tochterges.* in der BRD: Deutsche Unilever GmbH, Dammtorwall 15, 20355 Hamburg.

Unimolekulare Reaktionen (monomol. Reaktionen). Bez. für *Elementarreaktionen, deren *Molekularität = 1 ist. Schemat. Reaktionsprofile für drei verschiedene Typen von u. R. sind in Abb. 1 dargestellt: a) Isomerisierung, z. B. $CH_3NC \rightarrow CH_3CN$ (*Lit.*[1]); – b) Dissoziation über hohe Energiebarriere mit Barriere für die Rückreaktion, die sog. Assoziationsreaktion, z. B. $H_2CO \rightarrow H_2 + CO$ (*Lit.*[2]); – c) Dissoziation ohne Barriere für die Rückreaktion, z. B. $C_2H_6 \rightarrow 2CH_3$ (*Lit.*[3]). Desweiteren läßt sich der Begriff u. R. auf Prozesse anwenden, bei denen angeregte Zustände (im allg. Rotationsschwingungszustände, aber auch elektron. Anregung ist möglich) einer transienten mol. Spezies erzeugt werden, die wenigstens für einige Schwingungsperioden existieret, bevor sie weiter reagiert. Mit diesem Konzept erhält man eine einheitliche Beschreibung eines großen Teilgebiets der Reaktionskinetik, welches auch viele *bimolekulare Reaktionen umfaßt, insbes. solche, die unter Bildung eines intermediären Komplexes (z. B. viele S_N2-Reaktionen, s. Substitution) ablaufen.

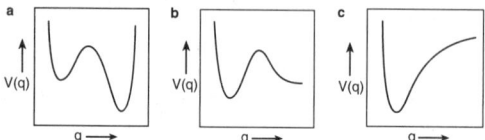

Abb. 1: Schemat. Energieprofile für 3 Typen von unimolekularen Reaktionen. V: Energie längs des Reaktionsweges; q: Reaktionskoordinate.

Die Druckabhängigkeit des Geschwindigkeitskoeff. 1. Ordnung k einer u. R. $A \xrightarrow{k} B$ ist in doppelt-logarithm. Auftragung in Abb. 2 schemat. dargestellt.

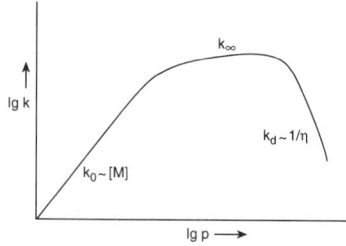

Abb. 2: Druckabhängigkeit einer unimolekularen Reaktion (k: Geschwindigkeitskoeff.; η: Viskosität; [M]: Konz. des Trägergases).

Nach Troe[4,5] lassen sich 3 verschiedene Abschnitte identifizieren, in denen die Reaktionsgeschw. durch jeweils verschiedene Prozesse bestimmt wird:
a) In verd. Gasen (sog. *Niederdruckbereich*) dominiert die Stoßaktivierung der Reaktanten u. k steigt dementsprechend proportional zur Gasdichte bzw. zum Druck an: $k = k_0 \sim [M]$. Dabei ist k_0 der zur Stoßzahl proportionale Niederdruckgrenzwert von k u. [M] die Konz. des „Lösemittelgases".
b) Mit zunehmendem Druck wird das Zeitintervall zwischen zwei Stößen allmählich kleiner als die mittlere Lebensdauer der Reaktanten im aktivierten Zustand, so daß diese vor der Reaktion wieder stoßdesaktiviert werden können. Ist die Stoßzahl so hoch, daß sich eine relative Gleichgewichtsbesetzung des aktivierten Zustands einstellen kann, so wird k druckunabhängig u. erreicht den sog. *Hochdruckgrenzwert* k_∞, der durch die Geschw. des intramol. Umlagerungsprozesses (wie beispielsweise der Isomerisierung od. des Bindungsbruchs) bestimmt ist. Der intramol. Schritt läuft hier im Vgl. zur Stoßfrequenz sehr schnell ab u. kann nicht durch weitere Stöße umgekehrt werden. Der Bereich, in dem der Geschwindigkeitskoeff. 1. Ordnung vom linearen Verhalten zum Hochdruckgrenzwert übergeht, wird auch als *„fall-off"-Bereich* bezeichnet.
c) Wenn man den Druck noch weiter erhöht, werden Stöße mit der Umgebung auch während der Dauer des intramol. Prozesses immer wahrscheinlicher u. behindern ihn zunehmend, so daß k mit steigendem Druck wieder abnimmt. Muß der Reaktant bei der Reaktion eine Energiebarriere überqueren, wie etwa bei einer Isomerisierung, so läßt sich diese Behinderung als Dämpfung der Bewegung aufgrund von Reibungskräften beschreiben. Bei hoher Dämpfung nimmt k ≈ k_d umgekehrt proportional zur Reibung ab, da das diffusive Überqueren der Barriere in der dichten Umgebung zum geschwindigkeitsbestimmenden Schritt wird. Im einfachsten Fall ist im Diffusionslimit die Reibung nach dem Stokesschen Gesetz direkt proportional zur Viskosität η des Lösemittels.
Zur theoret. Beschreibung u. R. werden vorwiegend statist. Theorien herangezogen. Weit verbreitet ist der Gebrauch der *RRKM-Theorie*[6–8] (nach Ramsperger, Rice, Kassel u. Marcus). Für die spezif. Reaktionsgeschwindigkeitskonstante k(E, J) bei gegebener Energie E u. gegebenem Drehimpuls, charakterisiert durch die *Drehimpulsquantenzahl J, erhält man hiernach:

$$k(E, J) = N^{\ne}(E, J) / h \rho(E, J).$$

Hierbei ist $N^{\ne}(E, J)$ die Zahl der Quantenzustände des *Übergangszustandes bei gegebenen Werten für E u. J u. ρ ist die *Zustandsdichte der Reaktanten; h ist das *Plancksche Wirkungsquantum. Der Hochdruckgrenzwert der RRKM-Theorie ist ident. mit dem Wert der konventionellen Theorie des Übergangszustandes

$$k_\infty(T) = (k_B T/h) (Q^{\ne}/Q) \exp(-\Delta E_0^{\ne}/k_B T).$$

Hierbei sind k_B die Boltzmann-Konstante (s. Boltzmann'sches Energieverteilungsgesetz) u. T die abs. Temp., $Q^{\ne}$ u. Q die *Zustandssummen von Übergangszustand u. Reaktanten u. $\Delta E_0^{\ne}$ ist die Differenz ihrer Nullpunktsenergien. Eine weitere statist. Meth. zur theoret. Untersuchung von u. R. ist das von Quack

u. Troe[9] entwickelte *Modell statist. adiabat. Kanäle*. Auch quasiklass. *Trajektorien-Rechnungen u. (vereinzelt) quantenmechan. Streurechnungen werden zum Studium von u. R. herangezogen, bisher allerdings nur für relativ einfache Fälle. Näheres zur Theorie u. R. s. die Monographie von Smith u. Gilbert[10]. Ein wichtiges aktuelles, bisher erst in Ansätzen[11-13] erforschtes Problem ist die Klärung des Zusammenhangs zwischen kinet. Meßgrößen, insbes. k(E, J) u. den Eigenschaften der der Reaktion zugrundeliegenden Potentialhyperfläche.

Zur experimentellen Untersuchung von u. R. bedient man sich einer Vielzahl von Techniken. Die Aktivierung, d. h. Bildung eines reaktionsfähigen „aktivierten Komplexes" (s. a. Übergangszustand), kann therm., photochem. od. durch eine geeignete chem. Reaktion erfolgen. Therm. initiierte u. R. werden oftmals in *Stoßwellen[14,15] untersucht. Photochem. Aktivierung wird häufig mit *Lasern durchgeführt (im UV-, sichtbaren od. IR-Bereich); vielfach bedient man sich der Mehrphotonenanregung. Zur detaillierten Untersuchung von u. R. stehen *Massenspektrometrie u. eine Vielzahl spektroskop. Techniken zur Verfügung [z. B. Laser-induzierte Fluoreszenz, REMPI (s. Mehrphotonen-Spektroskopie), Laser-magnet. Resonanz]; auch *Molekularstrahl-Techniken werden verwendet. – *E* unimolecular reactions – *F* réactions unimoléculaires – *I* reazioni unimolecolari – *S* reacciones unimoleculares

Lit.: [1] J. Am. Chem. Soc. **84**, 4215 (1962); **85**, 2365 (1963). [2] J. Chem. Phys. **78**, 259 (1983). [3] Intern. J. Chem. Kinet. **3**, 105 (1971). [4] Ber. Bunsenges. Phys. Chem. **78**, 478 (1974). [5] Annu. Rev. Phys. Chem. **29**, 223 (1978). [6] Kassel, The Kinetics of Homogeneous Gas Reactions, New York: Chemical Catalog Co. 1932. [7] J. Phys. Colloid. Chem. **55**, 894 (1951). [8] J. Chem. Phys. **20**, 359 (1952); **37**, 1835 (1962); **43**, 2658 (1965); **52**, 1018 (1970). [9] Ber. Bunsenges. Phys. Chem. **78**, 240 (1974); **79**, 170 (1975). [10] Gilbert u. Smith, Theory of Unimolecular and Recombination Reactions, Oxford: Blackwell 1990. [11] Z. Chem. Phys. **79**, 6017 (1983); **87**, 2773 (1987). [12] Ber. Bunsenges. Phys. Chem. **92**, 242 (1988). [13] Z. Phys. Chem. NF **161**, 209 (1989). [14] Lifshitz, Shock Waves in Chemistry, New York: Dekker 1981. [15] Greene u. Toennies, Chemical Reactions in Shock Waves, London: Arnold 1964.

allg.: Baer u. Hase, Unimolecular Reaction Dynamics, New York: Oxford University Press 1996 ∎ Forst, Theory of Unimolecular Reactions, New York: Academic Press 1977 ∎ Johnston, Gas Phase Reaction Rate Theory, New York: Ronald Press 1966 ∎ Laidler, Theories of Chemical Reaction Rates, New York: McGraw-Hill 1968 ∎ Levine u. Bernstein, Molekulare Reaktionsdynamik, Stuttgart: Teubner 1991 ∎ Pilling u. Smith, Modern Gas Kinetics, Oxford: Blackwell 1987 ∎ Robinson u. Holbrook, Unimolecular Reactions, London: Wiley 1972 ∎ Smith, Kinetics and Dynamics of Elementary Gas Reactions, London: Butterworth 1980.

Unimoll®. Gruppe von *Weichmachern aus *Phthalsäureestern. *U. BB:* Benzylbutylphthalat für PVC-Fußböden u. PVC-Kunstleder, Dichtstoffe auf Basis Polysulfid, Lacke u. Klebstoffe. *U. 66:* Dicyclohexylphthalat für PVC u. Nitrocellulose-Zellglaslacke, Heißsiegellacke, wärmeaktivierbare Kleber, Unterbodenschutzmassen, Phlegmatisierungsmittel für Peroxide. *U. 66M:* Mikronisiertes DCHP. *B.:* Bayer.

Union Carbide Corporation s. UCC.

Union Internationale de Chimie Pure et Appliquée s. IUPAC.

Union Internationale des Laboratoires Indépendants s. UILI.

Uniperol®. Hilfsmittel für die *Textilfärbung, z. B.: *U. AC:* Fettaminpolyglykolether als Vorreinigungs- u. Färbereihilfsmittel für Synthesefasern u. Wolle, als Egalisierungsmittel für das Färben von PA-Fasern; *U. EL:* Nichtion., ethoxyliertes Pflanzenöl als Dispergier-, Emulgier- u. Egalisiermittel; *U. KA:* Nichtion. *Tenside zum einbadigen Färben von PAN-Fasermischungen mit Wolle, PA- u. *Cellulose-Fasern; *U. O microperl:* Nichtion. Fettalkoholpolyglykolether für Färbungen mit 1 : 1-Metallkomplex- u. Direktfarbstoffen, als Hilfsmittel zum Entbasten von Seide, zum Entfetten u. Reinigen von Textilgut; *U. SE:* Nichtion. Gemisch von Ethoxylierungsprodukten als Egalisiermittel beim Färben von Wolle mit Metallkomplexfarbstoffen; *U. W:* Anion., aliphat. Ethoxylierungsprodukt als Egalisier- u. Dispergiermittel beim Färben von Wolle u. Synthesefasern. *B.:* BASF.

Uniphyllin® (Rp). Retardtabl. mit *Theophyllin, Ampullen mit dem Natrium-Glycinat-Salz gegen Asthma u. Bronchitis. *B.:* Mundipharma.

Unipolyaddition s. Polyadditionen.

Unipolykondensation s. Polykondensation.

Unipolymere. Veraltete Bez. für *Homopolymere.

Unipolymerisation. Veraltete Bez. für *Homopolymerisation.

Uniport. *Transport einer Substanz durch eine biolog. *Membran, der *nicht* an den gleichzeitigen Transport einer anderen Substanz, gleich in welcher Richtung, gekoppelt ist. Gegenteil: *Antiport, *Symport. *Beisp.:* Glucose-Transport durch die *Glucose-Transporter GLUT1 – GLUT7. – *E* = *F* uniport – *I* uniporto – *S* uniporte

UNISIST. Abk. für *United Nations International System of Information in Science and Technology*, ein 1971 von *ICSU, *OECD, UNESCO u. dem dazu gegr. Committee on Data for Science and Technology (CODATA, Paris) geplantes internat. wissenschaftliches Informationssystem. Das Ziel freier internat. Informationsflüsse u. der Verknüpfung nat. Institutionen der *Dokumentation ist durch neue Techniken der Information u. Kommunikation (z. B. *Datenbanken, *Internet) nahe gerückt.

Unitäre Transformation. Begriff aus der Mathematik für eine spezielle lineare Transformation, die das Skalarprodukt unverändert läßt: (Tf, Tg) = (f,g). Hierbei ist T der die u. T. durchführende Operator, f u. g sind Vektoren eines bestimmten Vektorraumes. U. T. spielen in der *Theoretischen Chemie, v. a. der *Quantenchemie, eine wichtige Rolle; s. a. chemische Bindung. – *E* unitary transformation – *F* transformation unitaire – *I* trasformazione unitaria – *S* transformación unitaria

United Nations Conference on Environment and Development s. UNCED.

United Nations Environment Programme s. UNEP.

United Nations International System of Information in Science and Technology s. UNISIST.

United Nations Organization s. UNO.

United States Pharmacopeia s. Pharmakopöen.

Unitiol (Dimaval, DMPS, Unithiol). Internat. Freiname für 2,3-Dimercapto-1-propansulfonsäure-Mononatriumsalz, HS–CH$_2$–CH(SH)–CH$_2$–SO$_3$Na, C$_3$H$_7$NaO$_3$S$_3$, M$_R$ 210,27, Zers. 235 °C; U. wird als *Schwermetall-*Antidot u. in der *Komplexometrie verwendet, vgl. Dimercaprol. – *E* = *S* unitiol – *F* unithiol – *I* unitiolo
Lit.: Beilstein E IV **4**, 94 ■ Life Sci. **31**, 2149 (1982). –
[HS 2930 90; CAS 4076-02-2]

Unit operations s. Verfahrenstechnik.

Univalent (monovalent). Die Wertigkeit 1 betreffend, einwertig, einbindig; als *u. Dehydrierung* bezeichnet man die (radikal.) Entfernung von 1 H-Atom aus einer Verb., z. B. durch ein photochem. angeregtes Keton od. Chinon, s. Dehydrierung u. Dehydrodimerisation. – *E* = *F* univalent – *I* = *S* univalente

Univariante Analyse. Beschreibung einer Reihe chem. Verb. bei *Struktur-Wirkungs-Analysen* durch nur einen Parameter; s. QSAR.

Univariantes Gleichgewicht s. Gibbssche Phasenregel.

Universalbombe. Von *Wurzschmitt entwickeltes Gerät für die *Elementaranalyse durch *Bombenaufschluß, insbes. zur vereinfachten quant. Bestimmung von Halogenen in organ. Verb.; das Gerät ist sowohl für Mikro- als auch für Halbmikro- u. Makroeinwaagen bis zu 0,5 g Untersuchungssubstanz geeignet. Üblicherweise besteht die ca. 10 mL fassende U. aus einem Rohr aus 1 mm starkem Nickel (mit 0,3% Mangan), das am einen Ende abgerundet u. am anderen Ende mit einer Schraubdeckelkombination u. Gummidichtung versehen ist. – *E* Wurzschmitt universal bomb – *F* bombe universelle de Wurzschmitt – *I* bomba universale di Wurzschmitt – *S* bomba universal de Wurzschmitt

Universalindikatoren. Bez. für aus Farbstoffgemischen bestehende *Indikatoren, die über einen weiten pH-Bereich verschiedene Farbumschläge zeigen; *Beisp.*: Bestimmte Mischungen aus *Methylrot, *Phenolphthalein, *Thymolblau u. *Bromthymolblau mit Farbumschlägen von rot (pH 3) über orange, gelb, grün, blau bis violett (pH 10). Die U. werden in Form von Lsg. angewandt od. als mit U.-Lsg. imprägnierte *Reagenzpapiere od. *Teststäbchen mit zugehörigen Farbvergleichsskalen eingesetzt. – *E* universal indicators – *F* indicateurs universels – *I* indicatori universali – *S* indicadores universales
Lit.: s. Indikatoren.

Universallöschpulver. Allg. Bez. für *Pulverlöschmittel* auf der Basis von Ammoniumphosphat/Ammoniumsulfat gegen ABC- u. Glutbrände.
Lit.: s. Feuerlöschmittel.

Universal Oil Products s. UOPLLC.

Universalreiniger. Oberbegriff für Produkte, die zur Reinigung von harten Oberflächen in Haushalt, Ind. u. Gewerbe dienen. Typ. anwendungsbezogene Bez. für solche *Reiniger sind *Allzweckreiniger* od. *Sanitärreiniger*, die meist sauer eingestellt sind. Hauptbestandteil der U. sind die für die Reinigungswirkung verantwortlichen *Tenside. – *E* all purpose cleaners – *I* detergenti universali – *S* productos de limpieza universales, limpiatodo
Lit.: s. Reiniger.

Universalwaschmittel s. Waschmittel.

Universelle Kalibrierung. Bez. für eine spezielle Meth. zur Eichung in der *Gelchromatographie (GPC). Mit Hilfe der u. K. kann eine von einer beliebigen *Polymer/Lsm.-Kombination erhaltene Elutionskurve (Abb. 1 a) in die gewünschte Molmassen-Verteilungskurve (Abb. 1 b) umgerechnet werden.

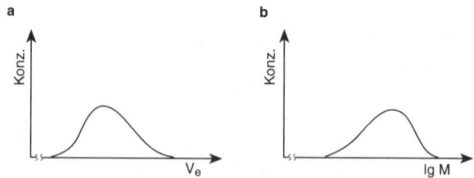

Abb. 1: Schemat. Darst. einer Elutionskurve (a) u. der hieraus mit Hilfe der universellen Kalibrierung erhaltenen Verteilungskurve (b; M = Molmasse) (nach Tieke, s. *Lit.*).

Für die Aufnahme der zur Umrechnung von a nach b benötigten, universellen Kalibrierkurve eicht man die GPC-Apparatur unter Verw. von kommerziell erhältlichen Standard-Polymeren (meist durch *anionische Polymerisation hergestellte *Polystyrole enger *Molmassenverteilung) bekannter Molmasse M u. bekannter Staudinger-Indices [η] (s. Viskosität u. Viskositätszahl) u. trägt die Werte von [η] · M logarithm. gegen das jeweils bestimmte Retentionsvol. auf (Beisp. s. Abb. 2).

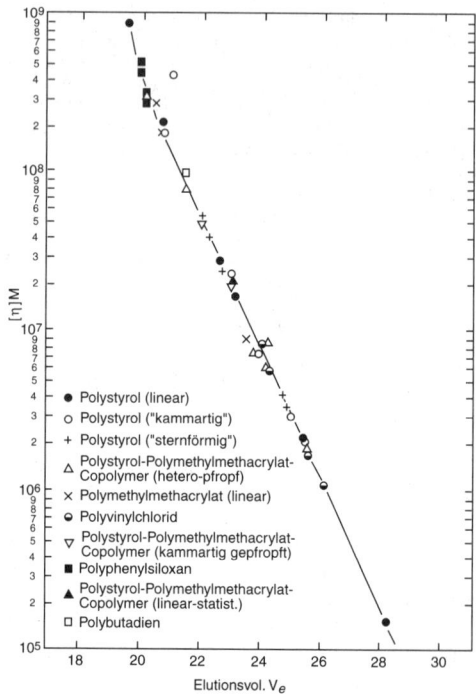

Abb. 2: Universelle Kalibrierkurve für verschiedene Polymere in Tetrahydrofuran (nach Cowie, s. *Lit.*).

Kennt man für die dann zu analysierenden Polymer-Proben unbekannter Molmasse (die chem. von dem zuvor zur Eichung verwendeten Standard-Polymer verschieden sein können) zusätzlich die Abhängigkeit des Staudinger-Index [η] von der Molmasse M, die unter Verw. von Viskositäts-Detektoren online mit der GPC-Messung od. alternativ mit Hilfe der Mark-Houwink-Konstanten (s. Mark-Houwink-Beziehung bei Viskosität) bestimmt werden kann, so hat man alle Informationen vorliegen, um aus der Meßkurve a unmittelbar die gewünschte Kurve b zu errechnen. Ohne die Meth. der u. K. wäre man für die Umrechnung der Elutionskurve a darauf angewiesen, Eichsubstanzen bekannter Molmasse von exakt der gleichen Art von Polymeren vorliegen zu haben, die analysiert werden sollen. Diese sind häufig jedoch kommerziell nicht erhältlich u. somit nur schwer zugänglich.

Die Meth. der u. K. basiert auf der Annahme, daß die Auftrennung unterschiedlich hochmol. Anteile einer Polymer-Probe durch die GPC ausschließlich aufgrund der unterschiedlichen Größe der Makromol. u. nicht aufgrund einer unterschiedlichen chem. Struktur erfolgt. Eine weitere Annahme ist, daß das hydrodynam. Vol. der Polymere in Lsg. ein direktes Maß für ihre Größe ist u. durch das Produkt [η] · M repräsentiert werden kann. – *E* universal calibration – *F* calibrage universel – *I* calibrazione universale – *S* calibración universal

Lit.: Cowie, S. 236 f. ■ Tieke, S. 224.

Universelle Konstanten s. Konstanten.

Universitäten s. Hochschulen u. Chemie-Studium.

UNIX. Begriff aus der elektron. Datenverarbeitung. UNIX ist ein flexibles u. leicht übertragbares Betriebssyst., das am Anfang der siebziger Jahre in den „Bell Laboratories" entwickelt wurde u. heutzutage auf vielen Rechnern – vom Personal Computer bis zu Höchstleistungsrechnern – Anw. findet, auch zur Untersuchung vielfältiger chem. Probleme.

Lit.: Boes, Reimann u. Köch, Befehlsübersicht UNIX von A – Z mit ausführlichen Beispielen für Anwender u. Systemspezialisten, Korschenbroich: Bürohandels- u. Verlagsgesellschaft mbH (BHV) 1989 – 1991 ■ Davignon, UNIX C-Programmierung – Das Kompendium, 2. Aufl., München: te-wi GmbH 1992 ■ Norton u. Harley, UNIX-Leitfaden, Haar bei München: Markt & Technik 1991 ■ Senne, UNIX-Lexikon – UNIX im Detail, 1. Aufl., Vaterstetten bei Müchen: IWT GmbH 1992.

UniXS®. Polymerisationsgerät zum Einsatz in der Zahntechnik. *B.:* Heraeus Kulzer GmbH & Co. KG.

Unizink® (Rp). Filmtabl. u. Ampullen mit Zink-DL-hydrogenaspartat gegen Zink-Mangel-Krankheiten. *B.:* Köhler.

Unkooperativität s. Kooperativität.

Unkraut s. Herbizide.

Unkrautbekämpfungsmittel s. Herbizide.

Unlike s. Konfiguration.

Unna-Pappenheim-Färbung s. Pappenheim-Färbung.

Unnil... Zahlwortwurzel in vorläufigen systemat. Namen der Elemente 100 – 109, s. Transurane.

UN-Nummer s. Gefahrenklassen.

Uno. Symbol für Unniloctium = Element 108, IUPAC-Name seit 1997: Hassium (Hs); s. a. Transurane.

UNO. Abk. für *United Nations* (UN) *Organization* = Organisation der Vereinten Nationen mit Sitz in United Nations Plaza, New York, N. Y. (USA) u. Palais des Nations, CH-1211 Genève 10 (Schweiz). – INTERNET-Adresse: http://www.un.org

Lit.: Kirk-Othmer (3.) **13**, 307 f.

Unp. Symbol für Unnilpentium = Element 105, IUPAC-Name seit 1997: *Dubnium (Db); CAS-Name: Hahnium (Ha); s. a. Nielsbohrium u. Transurane.

Unpolar s. apolar.

Unq. Symbol für Unnilquadium = Element 104, IUPAC-Name seit 1997: *Rutherfordium (Rf); s. a. Kurtschatovium u. Transurane.

Unregelmäßige Polymere. Bez. für *Polymere, deren Mol. nicht durch nur eine Art einer konstitutionellen Einheit in einer einzelnen sequentiellen Anordnung beschrieben werden können. – *E* irregular polymers – *F* polymères irréguliers – *I* polimeri irregolari – *S* polímeros irregulares

Lit.: Metanomski, Compendium of Macromolecular Nomenclature, S. 15, Oxford: Blackwell Sci. Publ. 1991.

Uns. Symbol für Unnilseptium = Element 107, IUPAC-Name seit 1997: Bohrium (Bh); CAS-Name: Nielsbohrium (Ns); s. a. Transurane.

UNS. Abk. für *Unified Numbering System.

Unschärfebeziehung (Ungenauigkeitsrelation, Heisenbergs Unschärfebeziehung, Unbestimmtheitsrelation). Bez. für ein 1927 von *Heisenberg aus der *Quantenmechanik abgeleitetes Prinzip, das besagt, daß man Ort u. Impuls eines Teilchens (z. B. eines sich um einen Atomkern bewegenden Elektrons) od. allg. die Werte zweier zueinander kanon. konjugierter Observablen niemals *gleichzeitig mit beliebiger Genauigkeit* messen kann. Je genauer man versucht, den Ort zu bestimmen, desto größer wird die Ungenauigkeit in der gleichzeitigen Messung des Impulses sein. Der Begriff „Bahn" wird daher in atomaren u. subatomaren Dimensionen obsolet. Z. B. lassen sich für die Bewegung eines Elektrons im Wasserstoff-Atom keine festen Bahnen angeben; sie kann vielmehr mit Hilfe von *Wellenfunktionen od. Wahrscheinlichkeitsamplituden beschrieben werden, die nur statist. Aussagen über die momentane Position des Elektrons machen. Die U. für Ort u. Impuls kann man sich durch folgendes Gedankenexperiment plausibel machen (Näheres s. *Lit.*[1]): Um ein Elektron in einem Atom sichtbar zu machen, müßte man dieses Elektron stark „beleuchten" u. mit einem sehr leistungsfähigen „Mikroskop" beobachten. Dazu ist sehr kurzwellige Strahlung erforderlich (kurzwellige γ-Strahlen). Diese kurzwelligen Strahlen bestehen aber der *Quantentheorie zufolge aus sehr energiereichen *Photonen, die das zu beobachtende Elektron aus seiner Bahn stoßen (*Compton-Effekt) u. seine Geschw. (seinen Impuls) vollkommen verändern würden; zur Demonstration der Heisenbergschen U. s. *Lit.*[2,3].

Die quant. Formulierung der U. für Ort u. Impuls lautet: $\Delta x \cdot \Delta p_x \geq \hbar$. Hierbei sind Δx u. Δp_x die Orts- u. die

Impulsunschärfe u. $\hbar$ ist das *Plancksche Wirkungsquantum geteilt durch 2π. Eine entsprechende U. gilt auch für Energie u. Zeit, d. h. $\Delta E \cdot \Delta t \geq \hbar$. Sie hat zur Konsequenz, daß die Energie kurzlebiger Anregungszustände von Atomen, Atomkernen od. Elementarteilchen nur im Rahmen bestimmter, durch die U. gezogener Grenzen ermittelbar ist (sog. *natürliche* Linienbreite).
Zu Observablen, die der U. unterliegen, gehören Operatoren, die nicht miteinander vertauschen. Für Ort x u. Impulsoperator $\hat{p}_x$ gilt z. B. $x\hat{p}_x - \hat{p}_x x = i\hbar$; Näheres s. Lehrbücher der Quantenchemie u. Quantenchemie. – *E* uncertainty relation (principle) – *F* principe d'incertitude – *I* relazione di indeterminazione, principio di indeterminazione – *S* principio de incertidumbre
Lit.: [1] Heisenberg, Die physikalischen Prinzipien der Quantentheorie, Mannheim: Bibliographisches Institut 1962. [2] J. Chem. Educ. **45**, 461 f. (1968). [3] Endeavour **25**, 59–64 (1966). *allg.:* s. Quantenchemie u. Quantentheorie.

Unscharfe Logik, unscharfe Mengen s. Fuzzy Logic.

Unschlitt. Bez. für Ziegen-, Schaf- u. Hirschtalg.

Unschmelzbares Präzipitat s. Präzipitate.

UNS-Nummer s. Unified Numbering System.

Unterbromige Säure s. Hypobromige Säure.

Unterchlorige Säure s. Hypochlorige Säure.

Unterdischwefelsäure s. Dithionsäure.

Untereinheiten s. Proteine.

Untergäriges Bier. Bez. für eine nach Gärverf. u. eingesetzter Hefe vom obergärigen Bier zu unterscheidende Bierart, die als dunkles, mittelfarbiges od. helles *Bier in den Handel gelangt. Biertypen wie *Pilsener-, Lager-* od. *Exportbiere* werden nach untergäriger Art gebraut, *Kölsch* u. *Altbier* nach obergäriger Art.
Technologie: Am Ende der ca. 7-tägigen durch *Saccharomyces carlsbergensis* hervorgerufenen Hauptgärung (5–10 °C) setzt sich Hefe am Boden der Gärgefäße ab (*Unterhefe*, daher auch die Bez. „untergärig"); s. hierzu auch § 21 der VO zur Durchführung des vorläufigen Biergesetzes [1]. Der Bodensatz, der bei der in geschlossenen Tanks verlaufenden Nachgärung (0–3 °C, 2–8 Wochen) anfällt, wird als Geläger bezeichnet. Weiterführend wird die Thematik der alkohol. Fermentation für u. B. (u. a. Temp., Dauer, Hefetyp, Rolle der Proteine, Bitterstoffe, Farbe) in *Lit.*[2] diskutiert; zu Anlagen u. Meth. zur Herst. von u. B. s. ebenfalls *Lit.*[2].
Rechtliche Beurteilung: Nach § 9, Absatz 1 des vorläufigen Biergesetzes[3] darf zur Bereitung von u. B. nur Gerstenmalz, Hopfen, Hefe u. Wasser verwendet werden. Die Verw. von *Zucker, *Süß- od. *Farbstoffen u. *Zuckercouleur ist nur bei obergärigem Bier zulässig.
Analytik: Zur Analytik von Bier sind die *Methoden nach § 35 LMBG L 36.00-1 bis 10 anzuwenden. Zum Nachw. von *Zusatzstoffen u. zur Identifizierung von Aromastoffen (v. a. Damascenonen) s. *Lit.*[4,5]; s. a. Bier. – *E* bottom-fermented beer – *F* bière de fermentation basse – *I* birra di fermentazione bassa – *S* cerveza de fermentación baja

Lit.: [1] Bekanntmachung der Neufassung der VO zur Durchführung des vorläufigen Biergesetzes vom 29. 7. 1993 (BGBl. I, S. 1422). [2] Brauwelt **136**, 608–610, 798–800 (1996). [3] Bekanntmachung der Neufassung des vorläufigen Biergesetzes vom 29. 7. 1993 (BGBl. I, S. 1399). [4] Lebensmittelchemie **45**, 12 (1991). [5] GIT Fachz. Lab., Suppl. 1 **1990**, 69–73.
allg.: Belitz-Grosch (4.), S. 816 ▪ Baltes, Lebensmittelchemie (4.), Berlin: Springer 1995 ▪ Koch (Hrsg.), Getränkebeurteilung, S. 365–397, Stuttgart: Ulmer 1986 ▪ Narziß (Hrsg.), Abriß der Bierbrauerei (5.), Stuttgart: Enke 1986 ▪ Ullmann (4.) **8**, 462–495 ▪ Vollmer et al., Lebensmittelführer (2.), Bd. 2, S. 207–215, Stuttgart: Thieme 1995 ▪ Zipfel, C 410.

Unterglasurfarben s. Glasur u. keramische Pigmente.

Unterhefe s. untergäriges Bier u. Bier.

Unterkorn s. Korngröße u. Sieben.

Unterkritisch s. kritisch, Kernreaktoren u. Kernreaktionen.

Unterkühlung. 1. Bez. für einen durch Abkühlung erreichbaren *metastabilen Zustand eines Stoffes, in dem dieser in einem *Aggregatzustand, einer *Phase od. einer *Modifikation verharrt, die *unterhalb* des *Umwandlungspunktes eigentlich nicht existenzfähig sein sollte. Eine *unterkühlte* *Flüssigkeit od. *Schmelze hat somit bei gegebenem Druck eine niedrigere Temp., als ihrem Aggregatzustand entspricht. Das *Impfen mit kleinsten *Keimen führt jedoch – unter Freisetzung der Schmelzenthalpie (s. Umwandlungswärmen) – zu spontaner *Kristallisation. Die U. gelingt v. a. bei bes. reinen Flüssigkeiten u. unter Vermeidung von Erschütterungen. Bei vorsichtiger Abkühlung können z. B. Wassertropfen bis –40 °C, bei einem Druck von 200 MPa sogar bis –90 °C unterkühlt werden[1]. Die max. U. von reinen (>99%igen) Metallen ist vielfach noch höher: sie beträgt bei Bi 90 K, Ag 219 K, Au 230 K, Cu 236 K, Mn 308 K, Ni 319 K, Fe 295 K. Das bedeutet, daß z. B. ein kleiner Gold-Tropfen nicht beim normalen Schmp. von 1063 °C, sondern 230 K tiefer (also bei 833 °C) erstarren kann. Häufig wurde auch der *Glaszustand als Ergebnis der U. von Schmelzen erreicht. Bei *Lösungen resultiert die U. entsprechend in einer *Übersättigung; als „Gegenteil" der U. könnte man hier die Überhitzung (s. Siedeverzug) ansehen. Die U. von *Dampf durch plötzliche Vol.-Vergrößerung kann bei Abwesenheit von Kondensationskeimen ebenfalls zu einem Zustand der Übersättigung führen; man nutzt dies z. B. in der *Wilson-Kammer zum Nachw. ionisierender Strahlung aus. Eine Rolle spielen U.-Effekte bei Krist.-Verf. wie *normalem Erstarren, *Zonenschmelzen, beim *Kaltschrumpfen, bei der Auslösung von *Regen usw. – 2. Bei der U. des Körpers spricht man medizin. von *Hypothermie; s. a. Körpertemperatur. – *E* supercooling, undercooling – *F* surfusion – *I* 1. sopraraffreddamento, soprafusione, 2. surraffreddamento, ipotermia – *S* sobreenfriamiento, subenfriamiento
Lit.: [1] Chem. Ztg. **111**, 262 (1987).
allg.: Hug u. Sahm, Schnelle Erstarrung (Ber. A 4971), Köln: DFVLR 1987 ▪ Sahm et al., Science and Technology of the Undercooled Melt, Dordrecht: Nijhoff 1986.

Unterphosphorige Säure s. Phosphinsäure u. Phosphinate.

Unterphosphorsäure s. Diphosphorsäure(V).

Unterpulver-Schweißen (UP-Schweißen). Ein Schmelz-*Schweißverfahren, bei dem der metall. blanke Schweißdraht von einer Trommel in eine Pulver-Aufschüttung eintaucht. Der Lichtbogen brennt unsichtbar unter dem Pulver, welches ähnlich wie ein *Schutzgas wirkt, zu einem geringen Teil schmilzt, als Schlacke auf der Naht erstarrt u. beim Abkühlen von dieser abplatzt. Das nicht geschmolzene Pulver wird abgesaugt u. erneut verwendet. – *E* submerged arc welding – *F* soudure à l'arc sous flux solide – *I* saldatura ad arco sommerso – *S* soldadura por arco sumergido (bajo polvo)

Lit.: Kirk-Othmer (4.) **S**, 682 ff. ▪ Ullmann (5.) **A 25**, 159; **A 28**, 203 ff. ▪ Winnacker-Küchler (4.) **1**, 487; **4**, 620 ff.

Untersalpetrige Säure s. Hyposalpetrige Säure.

Untertage-Deponie. Unterird. *Deponie in bergbaulichen Hohlräumen. Nichtverwertbare Abfälle, die auch nach einer *Abfallbehandlung die Anforderungen an eine oberird. *Deponierung nicht erfüllen, müssen aufgrund ihrer umweltgefährdenden Eigenschaften in einer U.-D. abgelagert werden (s. a. Untertage-Deponierung). Die U.-D. soll gewährleisten, daß die *Abfälle dauerhaft von der Biosphäre ferngehalten werden (Prinzip des vollständigen Einschlusses) od. daß Abfälle bzw. deren Reaktionsprodukte das *Grundwasser nicht gegenüber seiner geogenen Beschaffenheit verändern dürfen (Prinzip der immissionsneutralen Ablagerung).

Eine dauerhafte Fernhaltung der Abfälle von der Biosphäre kann z. B. durch Ablagerung in Salz als Wirtsgestein erfolgen. Massives Salz hat einen sehr geringen Wassergehalt u. weist gegenüber Flüssigkeiten u. Gasen eine hohe Dichtigkeit auf. Sein Konvergenzverhalten kann unter lithostat. Druck ein Schließen von Hohlräumen u. Klüften bewirken u. somit die Abfälle vollständig einschließen.

Die *TA Abfall unterscheidet zwei Typen von U.-D.: Bergwerke im Salzgestein (UTD-Typ 1, s. Abb. 1) u. Kavernen im Salzgestein (UTD-Typ 2, s. Abb. 2). Die wesentlichen Unterschiede zwischen einer *Bergwerks-* u. einer *Kavernen-Deponie* liegen darin, daß in einem Bergwerk sowohl Massenabfälle in Form von Schüttgütern als auch kleinere Chargen in Gebinden eingelagert werden können, wobei eine getrennte Ablagerung von Abfällen möglich ist. Während der Betriebsphase ist das Bergwerk befahrbar u. die Abfälle sind rückholbar. Kavernendeponien sind demgegenüber nicht befahrbar, die Abfälle sind nicht rückholbar u. eine Getrenntablagerung in ein u. derselben Kaverne ist nicht möglich. Sie sind nicht für die Ablagerung von Gebinden, sondern v. a. für Massenabfälle geeignet, die sich mit rohrleitungsgebundenen Fördertechniken (als Schüttgut od. pumpfähige Suspension) transportieren lassen.

Voraussetzung für die Errichtung u. den Betrieb einer U.-D. ist ein hoher Umweltschutzstandard durch Vernetzung mehrerer unabhängiger natürlicher u. techn. Barrieren, wie geolog. (geolog. Umfeld), gebirgsmechan. (z. B. Wirtsgestein, Dämme) sowie techn. u. betriebliche Barrieren (z. B. Abfallform, Verpackung). Für die Nachbetriebsphase, d. h. nach Beendigung der

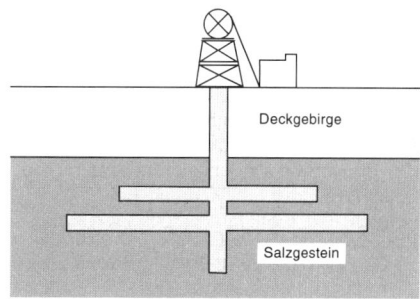

Abb. 1: Bergwerk im Salzgestein (UTD-Typ 1)[1].

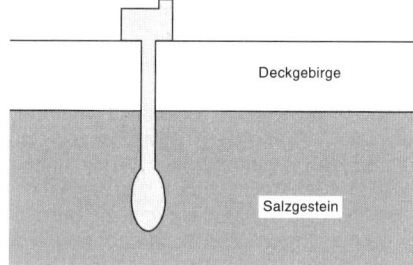

Abb. 2: Kaverne im Salzgestein (UTD-Typ 2)[1].

Abfallablagerung u. Verfüllung der Schächte bzw. des Kavernenhalses, muß Nachsorgefreiheit gewährleistet sein. – *E* underground disposal facility – *F* décharge sous-terraine – *I* discarica pubblica sotterranea – *S* vertedero de residuos subterráneo

Lit.: [1] Zweite allg. Verwaltungsvorschrift zum Abfallgesetz (TA Abfall) vom 12.03.1991 (GMBl. 1991, S. 139, 469).
allg.: Der Rat von Sachverständigen für Umweltfragen, Abfallwirtschaft, Ziff. 1604–1668, Stuttgart: Metzler-Poeschel 1990 ▪ Müll-Handbuch, Loseblatt-Sammlung, Kz. 8193, Lfg. 8/1995, Berlin: E. Schmidt.

Untertage-Deponierung. Dauerhafte untertägige Ablagerung von Abfällen in einer *Untertage-Deponie. Einer U.-D. müssen diejenigen *Abfälle zugeführt werden, die auch nach einer *Abfallbehandlung aufgrund ihres Gehaltes an langlebigen, umweltgefährdenden, lösl. u. bioakkumulierbaren Stoffen nicht oberird. abgelagert werden können. Es sind dies v. a. anorgan. Abfälle mit hohen wasserlösl. Anteilen (Salze u. leicht eluierbare Schwermetalle), z. B. Filterstäube aus Abfallverbrennungsanlagen, sowie unter bestimmten Voraussetzungen auch nicht verbrennbare organ. Abfälle (z. B. mit Quecksilber od. Iod-Anteilen).

Diese Abfälle sind von der Biosphäre fernzuhalten u. in den unterird. Gesteinsschichten der Lithosphäre abzulagern.

Voraussetzung für die U.-D. von Abfällen ist, daß sie über ausreichende Festigkeiten zur Ablagerung verfügen bzw. diese im Endzustand erreichen. Von einer U.-D. ausgeschlossen sind u. a. Abfälle, die selbstentzündlich, brennbar od. explosibel sind, sowie Abfälle, die ausgasen. Ferner dürfen die Abfälle unter Ablagerungsbedingungen weder untereinander noch mit dem Wirtsgestein in Wechselwirkung treten u. dadurch zu Reaktionen führen, die die Sicherheit u. die Betriebssicherheit der Untertagedeponie gefährden.

Werden geeignete mineral. Abfälle nach Konditionierung als Versatzmaterial zur Verfüllung von bergbaulichen Hohlräumen eingesetzt, um Gebirgsschläge u. übertägige Oberflächenabsenkungen zu vermeiden, bezeichnet man diese Maßnahme nicht als U.-D. sondern als *Bergversatz*. – *E* underground disposal – *F* entreposage sous-terrain – *I* deposizione sotterranea – *S* depósito subterráneo

Lit.: Abfallwirtschafts-J. **6**, Nr. 3, 122–130 (1994) ▪ Brasser, in Thomé-Kozmiensky (Hrsg.), Behandlung von Sonderabfällen, Bd. 3, Berlin: EF-Verlag für Energie- u. Umwelttechnik 1990.

Untertagevergasung s. Kohlevergasung.

Unterwasseranstriche s. Schiffsanstriche.

Unterweisung. Damit Beschäftigte eine Gesundheitsgefährdung erkennen u. auch entsprechend handeln können, benötigen sie Informationen, Erläuterungen u. Anweisungen zu ihrer individuellen Arbeitssituation. Nach Artikel 1, § 12 des Gesetzes zur Umsetzung der EG-Rahmenrichtlinie *Arbeitsschutz u. weitere Arbeitsschutz-Richtlinien, hat der Arbeitgeber die Beschäftigten über Sicherheit u. Gesundheitsschutz bei der Arbeit ausreichend u. angemessen zu unterweisen. Die U. muß eigens auf den Arbeitsplatz od. den Aufgabenbereich der Beschäftigten zugeschnitten sein. Sie muß bei der Einstellung, aber auch vor Veränderungen im Aufgabenbereich, od. vor der Einführung neuer Arbeitsmittel od. neuer Technologien erfolgen. Die U. muß an die Gefährdungsentwicklung angepaßt sein u. erforderlichenfalls regelmäßig wiederholt werden.
Die U. ist ein wesentliches Instrument, um Beschäftigte in den Stand zu versetzen, Arbeitsschutzanordnungen richtig zu erfassen u. sich sicherheitsgerecht zu verhalten.
Bei einer Arbeitnehmerüberlassung trifft die Pflicht zur U. den Entleiher. Er hat die U. unter Berücksichtigung der Qualifikation u. der Erfahrung der Personen, die ihm zur Arbeitsleistung überlassen werden, vorzunehmen.
Spezielle U. sind erforderlich zur Qualifizierung von Maschinenführern; z.B. Kranführer, Baggerführer, Gabelstaplerfahrer. – *E* instruction – *I* istruzione, ammaestramento – *S* instrucción

Lit.: Gesetz zur Umsetzung der EG-Rahmenrichtlinie Arbeitsschutz u. weitere Arbeitsschutz-Richtlinien vom 07.08.1996 (BGBl. I, S. 1246) in der Fassung vom 25.09.1996 (BGBl. I, S. 1476).

Unumkehrbar s. irreversibel.

Unun... Zahlwortwurzel in vorläufigen systemat. Namen der Elemente 110–119, s. Transurane.

Unverdorben, Otto (1806–1873), Apotheker u. Kaufmann in Dahme (Mark). *Arbeitsgebiete:* Zersetzungsprodukte bei der trockenen Holzdest., Entdeckung des Anilins 1826 (von ihm Krystallin genannt) bei der trockenen Dest. von Indigo.

Lit.: Lexikon der Naturwissenschaftler, S. 404 ▪ Neufeldt, S. 19 ▪ Pötsch, S. 431.

Unverseifbares. In der Analytik der natürlichen *Fette u. Öle gebräuchliche Bez. für Stoffe wie Sterine, Kohlenwasserstoffe, Wachse, Fettalkohole usw., die der *Verseifung widerstehen. Der bei natürlichen Fetten u. Ölen im allg. nur geringe Anteil an U. (0,2 bis 2%) besteht bei tier. Fetten hauptsächlich aus *Cholesterin, bei pflanzlichen aus *Phytosterinen u. fettlösl. Vitaminen. *Mineralöle u. -fette stellen dagegen prakt. 100% U. dar. Bei *Tensiden bezeichnet man nach den DGF-Einheitsmeth. C-III 1a (Diethylether-Meth.) u. C-III 1b (Petrolether-Meth.) als U. die „Gesamtheit der fettlösl. u. wasserunlösl. organ. Bestandteile, die durch Verseifungsreaktionen nicht in Salze überführt werden können", u. als *Unverseiftes* die „verseifbare Substanz, die durch die Verseifungsreaktion nicht erfaßt worden ist". – *E* unsaponificable – *F* insaponifiable – *I* non saponificabile – *S* insaponificable

Lit.: DGF-Einheitsmethoden, Methodensammlung 1998.

Unverseiftes s. Unverseifbares.

Unverträglichkeit s. Inkompatibilität.

Unze s. Apothekergewicht, vgl. dagegen ounce.

UOP LLC. Früher *Universal Oil Products* Inc., 25 East Algonquin Road, Des Plaines, IL 60017, wurde 1914 gegr. u. ist seit 1988 eine Partnerschaft zwischen der Allied-Signal Corporation u. Union Carbide Corporation (*UCC). *Produktion:* Entwicklung u. Lizenzvergabe von 65 Verf. für die (Erdöl-)petrochem. u. Gasverarbeitende Ind., Absorptionsmittel, Katalysatoren, Molekularsiebe. *Vertretung* in der BRD: UOP GmbH, Steinhof 39, 40699 Erkrath.

up. Eine Quantenzahl bei *Quarks (Kurzz. u), vgl. die Tab. bei Elementarteilchen.

UP. 1. Kurzz. (nach DIN 7728-1: 1988-01) für *ungesättigte Polyester. – 2. Abk. für *Unterpulver*, s. Unterpulver-Schweißen.

uPA s. Plasminogen, Urokinase.

Upas [Ipo(h), Antschee, Antjar, Antschar]. In Südostasien beheimateter Baum, *Antiaris toxicaria* (Moraceae, Maulbeergewächs), dessen außerordentlich tox., Digitalis-ähnlich wirkende *Cardenolid-Glykoside (*Antiarine) enthaltender Milchsaft von den Eingeborenen als *Pfeilgift (Ipo, *Upas*) benutzt wird. – $E = F = I = S$ upas

UPE. Abk. für *Uperolein.

Uperisation (von Ultra-Pasteurisation). Nach Anlage 6, Nr. 2.2 der Milch-VO[1] zugelassenes Verf. zur Ultrahoch-(Ultrakurzzeit-)Erhitzung von *Milch. Das im Uperisator der Milch in Form von heißem Dampf zugeführte Wasser wird beim Rückkühlen im Vak. wieder entfernt, so daß der Wassergehalt der Milch unverändert bleibt. Derart behandelte Milch (UHT-Milch, H-Milch), die gleichzeitig entlüftet u. homogenisiert wird, ist keimfrei (pasteurisierte Milch dagegen nur keimarm) u. muß eine 15-tägige Lagerung bei 30 °C nach asept. Abfüllung ohne nachteilige Veränderung überstehen. Anlagen zur U. unterliegen bes. Anforderungen u. einer Zulassungspflicht (Anlage 4, Nr. 3.6., Milch-VO[1]). Als nachteilige Veränderungen während der U. von Milch sind geringe *Vitamin-Verluste (10–20%, nur bei *Folsäure mehr), Protein-Denaturierung u. die Bildung von Produkten aus der *Maillard-Reaktion (z.B. Furosin u. *Lysinoalanin, s.a. Pyridosin u. Milch) beschrieben[2]. Zur Enantiomeren-Verteilung spezieller aromaaktiver δ-*Lactone, deren Entstehung während der U. von H-Milch diskutiert wird, s. Lit.[3]. Zur Technologie der U. u. zur Herst. von UHT-Suppen u. Saucen s. Lit.[4]. Anlagen zur Ultra-Hocherhitzung sind anschaulich Lit.[5] zu entnehmen; s. a. Milch. – *E* uperization – *F* upérisation – *I* uperizzazione – *S* uperización

Lit.: [1] Milch-VO vom 24.4.1995 in der Fassung vom 3.2.1997 (BGBl. I, S. 144). [2] Milchwissenschaft **46**, 431–434 (1991). [3] Z. Lebensm. Unters. Forsch. **192**, 209–213 (1991). [4] dragoco bericht **33**, 63–77, 78–83 (1988). [5] Spreer, Technologie der Milchverarbeitung, S. 162, 163, Hamburg: Behr 1995.
allg.: Belitz-Grosch (4.), S. 469 ■ Kielwein, Leitfaden der Milchkunde u. Milchhygiene (3.), Berlin: Parey 1994 ■ Vollmer et al., Lebensmittelführer (2.), Bd. 2, S. 74, Stuttgart: Thieme 1995.

Uperolein (Abk. UPE).

⌐Glu—Pro—Asp—Pro—Asn—Ala—Phe—Tyr—Gly—Leu—Met—NH$_2$

Uperolein

⌐Glu—Ala—Asp—Pro—Lys—Thr—Phe—Tyr—Gly—Leu—Met—NH$_2$

Rugosa-Uperolein II

(⌐Glu : Pyroglutamyl)

$C_{57}H_{79}N_{13}O_{16}S$, M_R 1234,4. Zu den *Tachykininen gezähltes, dem *Physalaemin ähnliches *Neuropeptid aus der Haut von austral. Dünnfinger-Fröschen (*Uperoleia*-Arten). In *Uperoleia rugosa* findet man zusätzlich das Rugosa-U. II ($C_{58}H_{85}N_{13}O_{16}S$, M_R 1252,4). – *E* uperolein – *F* upéroléine – *I* uperoleina – *S* uperoleína

UP-Harze s. ungesättigte Polyester-Harze.

UPS s. Photoelektronen-Spektroskopie, Oberflächenanalysemethoden u. Ultraviolettstrahlung.

Upscaling s. Verfahrensentwicklung.

UP-Schweißen s. Unterpulver-Schweißen.

UR. 1. Abk. für *U*ltrarot, s. Infrarot... u. IR-Spektroskopie. – 2. Kurzz. für *Polyurethan-Elastomere (s. a. UE).

Ura. Kurzz. für *Uracil als Nucleobase in Nucleosiden, s. die Tab. dort.

Uracil (1*H*-Pyrimidin-2,4-dion; tautomere Form: 2,4-Pyrimidindiol; Kurzz.: Ura).

Abb.: Dion- (links) u. Diol-Form (rechts) des Uracils.

$C_4H_4N_2O_2$, M_R 112,09. Farblose Nadeln, Schmp. 338 °C, schwer lösl. in kaltem, leicht lösl. in heißem Wasser, unlösl. in Alkohol, Ether, Chloroform, Benzol, lösl. in wäss. Ammoniak u. Alkali (infolge Enolat-Bildung).

Vork.: Ura findet sich allg. als Bestandteil von *Ribonucleinsäuren, in denen es mit *Adenin gepaart vorliegen kann, u. kann durch deren Hydrolyse erhalten werden; die sich von Ura ableitenden *Nucleoside bzw. *Nucleotide heißen *Uridin, 5,6-Dihydrouridin u. *Pseudouridin bzw. *Uridinphosphate. Der Ura-Baustein ist auch in Antibiotika, den *Tunicamycinen, enthalten.

Eigenschaften: Aufgrund seiner *Tautomerie kann Ura sowohl aus der thermodynam. bevorzugten Dion- (Abb.) als auch aus 3 Enol-Formen heraus reagieren, von denen die Abb. nur die des *2,4-Pyrimidindiols* zeigt. Die Einwirkung von Licht kann zur Bildung von Dimeren führen, eine Reaktion, die beim nahe verwandten *Thymin (5-Methyluracil) für photochem. Läsionen an genet. Material verantwortlich gemacht wird.

Biochemie: Biosynthet. entsteht die *Pyrimidin-Base Ura beim Abbau der Uridinphosphate über Uridin u. kann zu deren Resynth. wiederverwendet werden. Aus *Cytosin kann Ura durch Desaminierung hervorgehen. Ura wird allg. reduktiv (bis auf einige Mikroorganismen mit oxidativem Katabolismus: Ura→*Barbitursäure→*Harnstoff+*Malonsäure) über 5,6-Dihydrouracil u. 3-Ureidopropionsäure bis zu β-Alanin abgebaut.

Herst.: Unter Bedingungen der *Abiogenese kann Ura aus Cyanoacetylen u. Harnstoff über Cytosin als Zwischenprodukt entstehen[1]. Eine techn. Synth. geht von Malein- od. Fumarsäure aus.

Verw.: Einige Derivate des Ura haben als *Diuretika eine gewisse Bedeutung gehabt, während *Fluorouracil wegen seiner Eigenschaft als *Antimetabolit des Thymins in *Cytostatika Verw. findet. *Uramustin* {5-[Bis-(2-chlorethyl)-amino]-uracil, $C_8H_{11}Cl_2N_3O_2$, M_R 252,10, Krist., Schmp. 206 °C (Zers.)}, ein *Stickstofflost-Derivat des Ura, wirkt ebenfalls als Cytostatikum, ist im Tierversuch allerdings selbst carcinogen. Eine weitere Gruppe von Ura-Derivaten wird wegen ihrer *Photosynthese-hemmenden Wirkung in *Herbiziden eingesetzt. Von 2-*Thiouracil leiten sich einige *Thyreostatika her. – *E* uracil – *F* = *I* uracile – *S* uracilo

Lit.: [1] Nature (London) **375**, 772 ff.; **377**, 257 (1995).
allg.: Beilstein E V 24/6, 43–48 ■ Karlson et al., Kurzes Lehrbuch der Biochemie, 14. Aufl., S. 106 f., Stuttgart: Thieme 1994 ■ Prog. Nucl. Acid Res. Mol. Biol. **53**, 1–78 (1996). – [HS 293359]

Uracil-6-carbonsäure s. Orotsäure.

Uracilnucleotide s. Uridinphosphate.

Urämie (griech.: *uro... u. haima = Blut). Harnvergiftung, terminale Niereninsuffizienz. Erkrankung durch Versagen der Ausscheidungs-, Regulations- u. hormonellen Funktionen der *Nieren. Die U. geht mit einer starken Erhöhung der Serumkonz. der sonst mit dem Harn ausgeschiedenen Substanzen wie *Harnstoff, *Kreatinin, *Harnsäure, Eiweiß-Abbauprodukten u. Kalium einher, mit Überwässerung (evtl. *Ödemen), Durchfällen, *Anämie u. Bewußtseinsstörungen bis zum Koma. Die Behandlung erfolgt durch *Hämodialyse, u. U. auch durch Nierentransplantation. – *E* = *F* = *S* urémie – *I* uremia, urinemia, toxuria

Lit.: Kuhlmann u. Walb, Nephrologie, Stuttgart: Thieme 1998.

Uräther s. Ether.

Uralit s. Hornblenden.

Uralyt-U®. Granulat mit Kalium-natrium-hydrogencitrat zur Auflösung u. Rezidiv-Prophylaxe von Harnsäure-Steinen, zur Alkalisierung des Harns bei bestimmten Behandlungen. *B.:* Madaus.

Uramil (Dialuramid, 5-Aminobarbitursäure, 5-Amino-2,4,6-(1H,3H,5H)-pyrimidintrion).

$C_4H_5N_3O_3$, M_R 143,10. Farblose Krist., die sich an der Luft rot färben, Schmp. >400 °C, unlösl. in kaltem Wasser u. Ether, lösl. in Ammoniak, Schwefelsäure, Laugen. Kann durch Red. von 5-Nitrobarbitursäure hergestellt werden. Wird zu organ. Synth. verwendet. – *E* uramil – *F* uramile – *I* uramile, acido 5-ammino-barbiturico – *S* uramilo

Lit.: Beilstein E III/IV **25**, 4228 ▪ Merck-Index (12.), Nr. 9987. – *[HS 2933 51; CAS 118-78-5]*

Uramustin s. Uracil.

Uran (chem. Symbol U). Metall., zu den *Actinoiden gehörendes, radioaktives Element, Ordnungszahl 92, Atomgew. 238,0289. Folgende natürliche U-Isotope sind bekannt (Häufigkeit u. HWZ in Klammern): 234 (0,005%; 2,46 · 10^5 a), 235 (0,711%; 7,04 · 10^8 a), 238 (99,284%; 4,47 · 10^9 a); diese 3 Isotope sind α-Strahler. Außerdem existieren noch künstliche Isotope ^{222}U-^{242}U mit HWZ zwischen ca. 1 μs (^{222}U) u. 2,34 · 10^7 a (^{236}U); Näheres zum radioaktiven Zerfall des U u. zum Auftreten von U-Isotopen (U I u. U II) sowie von – als Uran X, Y, Z bezeichneten – Isotopen anderer Elemente in den radioaktiven Zerfallsreihen s. bei Radioaktivität. Die Isotope 233 u. 235 werden beim Beschuß mit Neutronen in mittelschwere Kerne gespalten (s. Kernreaktionen, S. 2126). Die krit. Massen betragen bei ^{233}U 7,5 kg (Kugeldurchmesser 9,3 cm) bzw. bei ^{235}U 22,8 kg (13,5 cm). In seinen Verb. tritt U in den Oxid.-Stufen +3 bis +6 auf; deshalb faßte man U früher als Homologes des in der 6. Gruppe des *Periodensystems stehenden Wolframs auf. Die Verb. des U sind grün, gelb, rot od. schwarz; U(IV)-Verb. sind am häufigsten u. stabilsten. Als feste Lsg. in Erdalkalimetallhalogeniden kennt man auch U(II)-Halogenide, UX_2, über U-Verb. in niedrigen Oxid.-Stufen s. *Lit.*¹. Zur Photochemie von U-Verb. s. *Lit.*².

U ist in reinem Zustand ein silberweißes, verhältnismäßig weiches u. schweres Metall, das an Luft sehr rasch gelblich anläuft u. schließlich braunschwarz wird (Oxid-Bildung), D. 19,16, Schmp. 1132,3 °C, Sdp. 3930 °C; es sind 3 allotrope Modif. mit verschiedenen Stabilitätsbereichen bekannt: α-U (<667 °C), β-U (667–772 °C), γ-U (>772 °C). Gepulvertes, pyrophores U ist grau bis schwarz u. reagiert langsam mit kaltem, schneller mit heißem Wasser. Schon bei mäßigem Erhitzen verbrennt U unter Funkensprühen zu dem *Uranoxid U_3O_8, mit Halogenen, Chlorwasserstoff u. Schwefel verbindet es sich bei 20 °C od. beim Erhitzen. Von verd. Säuren wird es unter Wasserstoff-Entwicklung leicht gelöst, dagegen reagiert das massive Metall mit Salpetersäure nur langsam. Mit Stickstoff bildet U leicht Nitride, von Natronlauge u. Kalilauge wird es kaum angegriffen.

Nachw.: Mit Arsenazo III, 8-Hydroxychinolin, Kupferron, Thorin, Thioglykolsäure, Thenoyltrifluoraceton, Sulfosalicylsäure, Glyoxal-bis(hydroxyanil), PAN u. a. Reagenzien³. Weitere, z. T. auch bei der Suche nach U-Mineralien verwendete Analysenmeth. bedienen sich der Neutronenaktivierungsanalyse, der Kernspaltspuren-Meth., der Zählrohre od. der Potentiometrie⁴. Bei der U-*Prospektion wird heute bes. auf die Ggw. von *Radon, einem U-Zerfallsprodukt geachtet. Zur Bestimmung von Verunreinigungen in Uranoxiden u. a. U-Verb. eignet sich die ICP-Massenspektroskopie⁵ (s. Massenspektrometrie).

Physiologie: U-Verb. sind stark giftig u. verursachen Nieren- u. Leberschäden u. innere Blutungen, wobei naturgemäß die lösl. *Uranyl-Verbindungen u. Chloride am giftigsten, die unlösl. Oxide am wenigsten giftig sind; MAK-Wert (als U berechnet) 0,25 mg/m³, gilt auch für alle U-Verbindungen. Außerdem sind beim Umgang mit U u. U-Verb. wegen der natürlichen Radioaktivität die Grenzwerte der *Strahlenschutz-VO u. a. Richtlinien zur Verw. radioaktiver Stoffe zu beachten; die krit. Masse spaltbarer Isotope darf zu keinem Zeitpunkt erreicht werden können. Natur-U. hat als α-Strahler schwächere Wirkungen als z. B. *Thorium. Dagegen sind künstliche Isotope wie z. B. ^{232}U starke γ-Strahler u. entsprechend gefährlich in der Handhabung. Nicht zu unterschätzende Gefahren insbes. beim Abbau von U-Erzen gehen von dem unvermeidlichen U-Begleiter *Radon aus. Manche Pflanzen vermögen U zu speichern, z. B. *Oliven od. bestimmte Pilze (bis 3900 ppm, *Lit.*⁶).

Vork.: Der Anteil des U an der obersten, 16 km dicken Erdkruste wird auf 1,8 ppm geschätzt, es ist also fast so häufig wie Zinn u. häufiger als z. B. Iod, Bismut, Cadmium od. Silber. Im Meerwasser sind 3 ppb U enthalten. Prospektion u. Exploration auf U werden sehr intensiv betrieben, weshalb sich die geschätzte Zahl an abbauwürdigen U-Vork. häufig ändert bzw. je nach Schätzmeth. stark variiert. Die wichtigsten, im allg. in Einzelstichwörtern behandelten U-Minerale sind: *Uranpecherz (Pechblende) mit seiner norweg. Abart Cleveit u. der amerikan. Abart *Carnotit, daneben sind noch *Autunit, *Coffinit, *Brannerit, *Kasolit, Sengierit, *Torbernit (Kupferuranglimmer), Uvanit, *Tjujamunit, *Pyrochlor, Davidit, *Thorianit u. *Thorit zu nennen. *Thucholith ist ein organ., U (u. Th) führendes Mineral. Insgesamt kennt man über 200 U-Minerale, doch sind davon nicht einmal 10 von wirtschaftlicher Bedeutung.

Die wichtigsten, bisher entdeckten U-Lagerstätten befinden sich in Kanada (Ontario), Niger, Gabun, Südafrika, Namibia, Kongo, USA (Colorado), Brasilien, Australien, Frankreich, Argentinien, kleinere auch in der Pfalz, im Erzgebirge (Joachimsthal, Schneeberg usw.) u. im Schwarzwald (Menzenschwand, Wittichen); Näheres zu den Vork. in der BRD s. *Lit.*⁷. Bis zu 0,3% U findet man in gewissen Ölschiefern (Schweden) u. Golderzen. Kleine U-Anteile (30–200 ppm) sind häufig in Phosphaterzen enthalten u. können aus diesen über Düngemittel in den Boden u. Pflanzen gelangen.

Anfang 1993 schätzte man die hinreichend gesicherten Weltreserven (ohne GUS-Staaten) auf insgesamt etwa 2,2 Mio. t U, davon 517 000 t in Australien, 240 840 in Südafrika, 165 820 in Niger, 397 000 in Kanada, 369 000 in den USA, 162 000 in Brasilien, 96 640 in Namibia u. 33 650 in Frankreich. Von der Gesamtmenge sollten rund 1,5 Mio. t zu Kosten unter 80 $/kg u. rund 0,7 Mio. t zu Kosten zwischen 80 u. 130 $/kg gewinnbar sein[8]. In den GUS-Staaten befinden sich ca. 1,2 Mio. t U in bekannten Lagerstätten. Daneben rechnet man weltweit noch mit ca. 1,1 Mio. t zusätzlichen Vork. u. mit spekulativen Vork. von 6,6 bis 16 Mio. t. Der U-Gehalt sedimentärer Phosphaterze wird auf 6,3 Mio. t u. des Meerwassers auf 4,5 Mio. t geschätzt. Einen allg. Überblick über Exploration, Bergbau u. Erzaufbereitung findet man in *Lit.*[9]. Die Uranerz-Förderung steht im allg. unter staatlicher Kontrolle. Die Weltproduktion lag 1994 bei insgesamt 32 188 t U; davon entfielen auf Kanada 9694 t, USA 1400 t, Australien 2183 t, Frankreich 1028 t, Namibia 1901 t, Niger 2975 t, Südafrika 1690 t, Kasachstan 2240 t, Rußland 2968 t, Usbekistan 2015 t u. Gabun 650 t.

Herst.: Bergmänn. werden U-Vork. nur abgebaut, wenn der U-Gehalt, gerechnet als U_3O_8, >0,03% ist u. die Lagerstätte wirtschaftlich ausreichende Mengen enthält. Das Erz wird nach der Intensität der Radioaktivität sortiert u. gemahlen. Durch saure od. alkal. Laugung werden Uranylsulfat, UO_2SO_4, bzw. das Na-Salz des Uranyltriscarbonato-Komplexes, $Na_4[UO_2(CO_3)_3]$, erhalten. Beim *in situ*-Auslaugen wird alkal. Laugungslsg. über Injektionsrohre in die Gesteinsschichten gebracht u. über ein zentrales Förderrohr wieder zutage gefördert. Zu den sauren Verf. zählt auch die bakterielle Laugung mit *Thiobacillus ferrooxidans*. Aus den erhaltenen Lsg. gewinnt man das U durch Ionenaustauschverf. od. durch Extraktion mit organ. Lsm. wie Trialkylaminen (AMEX-Verf.) od. Tributylphosphat (TBP); eine Kombination aus Ionenaustausch- u. Extraktionsverf. ist das bes. für U-arme Erze geeignete ELUEX-Verfahren. Schließlich wird U ausgefällt u. zum verkaufsfähigen *Yellow Cake* [Ammonium- u./od. Magnesiumdiuranat, z. B. $(NH_4)_2UO_4$ bis $(NH_4)_2U_8O_{25}$, im Mittel etwa $(NH_4)_2U_2O_7$, bzw. MgU_2O_7] getrocknet.

Aus Rohphosphorsäure, die beim *Apatit-Aufschluß erhalten wird, kann U_3O_8 durch Extraktion mit Trioctylphosphanoxid (TOPO) u. Bis-(2-ethylhexyl)phosphat (DEHPA) nach einem Verf. des Oak-Ridge National Laboratory abgetrennt werden. Zur Gewinnung von U aus Meerwasser wurden Extraktionsverf. mit spezif. Adsorbenzien, z. B. Titan(IV)-oxidhydrat, od. Poly(acrylamidoxim)-Ionenaustauschern unter Ausnutzung der Gezeiten u. Meeresströmungen entwickelt; der erzielte Anreicherungsfaktor von 10^5 reicht jedoch für einen wirtschaftlichen Einsatz des Verf. nicht aus (U 5).

Die Herst. von reinem U-Metall erfolgt durch metallotherm. Red. des Oxids mit Al, Ca, CaH_2, Mg, durch Red. des Tetrafluorids UF_4 mit Calcium od. Magnesium, durch Schmelzflußelektrolyse von U-Oxid im Gemisch aus BaF_2 u. LiF als Elektrolyt od. durch Elektrolyse von U-Chloriden od. U-Fluoriden; zur Laboratoriumsherst. s. *Lit.*[10].

Das für *Kernreaktionen benötigte U muß bestimmte Reinheitskriterien erfüllen, es darf z. B. höchstens 0,1 ppm Cd, Gd od. B enthalten, denn diese würden als Neutronengifte wirken. Zur Verw. in Kernwaffen od. Kernkraftwerken muß das spaltbare Isotop ^{235}U von 0,7% in Natur-U auf 2–3% (für friedliche Zwecke) bzw. 60% (für Kernwaffen) angereichert werden. Hierzu erfolgt die sog. Konversion des Yellow Cake zu Uranhexafluorid, UF_6 (s. Uranfluoride). Zur Isotopenanreicherung dient vorwiegend das Trennwand-Diffusionsverf., ferner wendet man das Gaszentrifugenverf. u. das Trenndüsenverf. an u. neuerdings auch die Trennung mit Laserstrahlen[11]. Für einen Verf.-Vgl. s. Isotopentrennung. Den Energieaufwand gibt man in Einheiten der sog. U-Trennarbeit (UTA) an [*E uranium separation work units* (SWU)]. Um 5 t Natur-U auf 3,5% ^{235}U anzureichern, werden 20 t UTA benötigt. 1985 betrug die Anreicherungskapazität in der westlichen Welt 33 300 t UTA; der jährliche Bedarf eines 1300-MW-Leichtwasserreaktors liegt bei 150 t UTA. – Aus verbrauchten *Brennelementen (*Abbrand*, zur Zusammensetzung s. Kernbrennstoffe) kann U durch Wiederaufbereitungsprozesse wie das *Purex-Verfahren zurückgewonnen werden.

Verw.: U ist in Form des Oxids u. der Mischoxide mit Plutonium (die Nitride od. Carbide werden nicht mehr verwendet) derzeit der wichtigste Kernbrennstoff. Neben U-235 wird für diesen Zweck auch U-238 nutzbar gemacht, indem es im Reaktor unter Einwirkung von hochenerget. Neutronen in *Plutonium umgewandelt wird, das seinerseits spaltbar ist. Ausführlichere Darst. der Verw. von U als Kernbrennstoff findet man dort u. bei Kernreaktoren. Für nicht nukleare Zwecke verwendet man U, dem sein ^{235}U-Anteil weitgehend entzogen ist (abgereichertes U), bes. als Leg. mit 2–8 Gew.-% Molybdän zur Verbesserung der Korrosionsbeständigkeit als Werkstoff hoher D. in der Luftfahrt-Ind., als Strahlenschutzmaterial, als Zusatz zu Katalysatoren od. Stahlsorten (Ferrouran), in geringem Maße auch in Photozellen, Röntgenröhren u. dgl. U-Salze färben Gläser fluoreszierend gelb bis grüngelb, in Porzellanglasuren dienen sie zur Schwärzung, in der Photographie zur Tonung, in der Textilfärberei als Beize. Über die Nutzung der Isotope ^{234}U u. ^{238}U in der Hydrologie u. Hydrogeologie s. *Lit.*[12]. Einen Überblick über alle techn., wirtschaftlichen u. polit. Aspekte der U.-Technologie vermittelt *Lit.*[13].

Geschichte: Die Entdeckung des U erfolgte bereits 1789 durch *Klaproth; er gewann aus der Pechblende (Uranpecherz) Urandioxid, das er für das Metall selbst hielt[14]. Erst 1841 reduzierte Péligot das Urandioxid zu U-Metall. Der von Klaproth eingeführte Name ist auf den 1781 von Herschel entdeckten Planeten Uranus zurückzuführen. Man hielt damals den Planeten Uranus für den erdfernsten Planeten u. das Element U für das Element mit dem höchsten Atomgewicht. 1896 beobachtete A. H. *Becquerel erstmals die Radioaktivität der Uranpechblende. Bei der Aufarbeitung von U-Erzen stand die Radium-Gewinnung im Vordergrund bis nach der epochemachenden Entdeckung der U-Spaltung (s. Kernreaktionen) durch O. *Hahn u. *Strassmann im Jahre 1938 U für *Kernwaffen (USA ab 1941)

u. als Kernbrennstoff stärkste Beachtung fand. – $E = F$ uranium – $I = S$ uranio

Lit.: [1] Adv. Inorg. Chem. **34**, 65–144 (1989). [2] Edelstein (Hrsg.), Lanthanide and Actinide Chemistry and Spectroscopy (ACS Symp. Ser. 131), S. 369–380, Washington: ACS 1980. [3] Fries-Getrost, S. 363–373. [4] Townshend (Hrsg.), Encyclopedia of Analytical Science, S. 5354–5362, London: Academic Press 1995; Isotopenpraxis **25**, 368–374 (1989). [5] Int. Lab. **17**, Nr. 10, 34–41 (1987). [6] Science **219**, 285 (1983). [7] Bergbau-Handbuch, S. 191–196, Essen: Glückauf 1983; Naturwissenschaften **64**, 499–506 (1977). [8] Uranium, Resources, Production and Demand: A Joint Report by the OECD Nuclear Energy Agency and the International Atomic Energy Agency, Organization for Economic Cooperation and Development, Paris: Nuclear Energy Agency 1993. [9] Chem.-Ztg. **109**, 383–389 (1985); Erzmetall **42**, 243–246 (1989). [10] Brauer (3.) **2**, 1184–1196. [11] Hackel u. Warner, Laser Isotope Separation, SPIE Proceedings Series, Vol. 1859, Society of Photo Optical Instrumentation Engineers, Bellingham, Washington: SPIE 1993. [12] Freiberger Forschungshefte, FFH C 397, Leipzig: Grundstoffind., seit 1951. [13] Michaelis, Handbuch Kernenergie, Kompendium der Energiewirtschaft u. der Energiepolitik (4.), Frankfurt: Verlags- u. Wirtschaftsges. der Elektrizitätswerke 1995. [14] Atomwirtsch. Atomtech. **34**, 422–425 (1989). *allg.:* Bard, Encyclopedia of the Electrochemistry of the Elements, Bd. 9 B: Bi, Cr, Hf, U, Zr, Alkali Metals, New York: Dekker 1986 ▪ Braun-Dönhardt, S. 388 ▪ Büchner et al., S. 562–565, 571–583 ▪ Burk, Gold, Silver and Uranium from Seas and Oceans: the Emerging Technology, Los Angeles: Arbor Pub. 1989 ▪ Friberg et al. (Hrsg.), Handbook on the Toxicity of Metals (2.), Vol. II, S. 623–637, Amsterdam: Elsevier 1986 ▪ Friedrich et al., Uranium Mineralization (Monogr. Ser. Min. Deposits 27), Stuttgart: Schweizerbart 1987 ▪ Gmelin, Syst.-Nr. 55, Uran, 1936; Erg.-Bd. A (7 Bd.), B, C (13 Bd.), D (2 Bd.), E (2 Bd.), 1977–1989 ▪ Katz et al., The Chemistry of the Actinide Elements, Bd. 1, London: Chapman & Hall 1986 ▪ Kirk-Othmer (4.) **17**, 369–391 ▪ Matzke, Science and Technology of Advanced LMFBR Fuels, Amsterdam: North Holland 1986 ▪ Schuhmann, Das Uran u. die Hüter der Erde: Atomwirtschaft, Umwelt, Menschenrechte, Stuttgart: Quell 1990 ▪ Ullmann (5.) **A 27**, 281–332 ▪ Uranium Extraction Technology, Wien: International Atomic Energy Agency 1993 ▪ Winnacker-Küchler (4.) **2**, 221 f., 547; **3**, 464–528. – *Zeitschriften u. Serien:* ▪ Uranium and Nuclear Energy, Guilford: Westbury House (seit 1976) ▪ Uranium Newsletter, Wien: International Atomic Energy Agency (seit 1987). – Zahlreiche einschlägige Publikationen werden von *IAEA u. *OECD sowie vom Uranium Institute (s. *Inst.*) herausgegeben. – *Inst.:* The Uranium Institute, Bowater House, 114 Knightsbridge, London SW1X 7LJ (GB). – *[HS 2844 10; CAS 7440-61-1; G 7]*

Uran I, II s. Radioaktivität, S. 3704 f.

Uran-Actinium-Zerfallsreihe s. Radioaktivität.

Uranate(VI). Bez. für die Salze der *Uransäure* [Uranylhydroxid, $UO_2(OH)_2$]. Man unterscheidet U. mit dem Anion UO_4^{2-}, mit dem Anion $U_2O_7^{2-}$ (*Diuranate*, das Ammoniumsalz dient z. B. als Temp.-Indikator zur *Temperaturmessung) u. sog. *Polyuranate*. Salze mit dem Kation UO_2^{2+} werden dagegen als *Uranyl-Verbindungen bezeichnet u. sind giftig; zum MAK-Wert s. Uran – $E = F$ uranates(VI) – I uranati (VI) – S uranatos(VI)

Lit.: Struct. Bonding (Berlin) **42**, 97–128 (1980) ▪ s. a. Uranyl-Verbindungen. – *[HS 2844 10; G 7]*

Uranblei. Neben *Radiumblei veraltete Bez. für das Endprodukt $^{206}_{82}Pb$ der Uran-Radium-Zerfallsreihe (s. Radioaktivität, Tab.). – E uranium lead – F plomb d'uranium – I piombo 206 – S plomo de uranio

Urandioxid s. Uranoxide.

Uranfluoride. U. sind sehr giftig; zum MAK-Wert s. Uran. a) *Uran(IV)-fluorid* (Urantetrafluorid), UF_4, M_R 314,023. Grüne Krist., D. 6,70, Schmp. 960 °C, Ausgangsprodukt für die Herst. von Uranmetall; zur Herst. s. b. – b) *Uran(VI)-fluorid* (Uranhexafluorid), UF_6, M_R 352,019. Farblose Krist., D. 4,68, Schmp. 64 °C (unter Druck), Sdp. 56 °C (sublimiert). UF_6 entsteht durch Behandeln des durch Einwirkung von Fluorwasserstoff auf UO_2 gewonnenen UF_4 mit Fluor bei 550 °C od. durch katalyt. Oxid. von UF_4. UF_6 ist techn. von großer Bedeutung, weil nahezu alle Verf. zur *Isotopentrennung $^{235}U/^{238}U$ auf den M_R-Unterschieden (348,99/351,99) beider Verb. beruhen. Außerdem läßt sich UF_6 von allen Uran-Verb. am leichtesten reinigen, weswegen es zur Herst. von nuklearreinen U-Verb. bes. geeignet ist. – E uranium fluorides – F fluorures d'uranium – I fluoruri d'uranio – S fluoruros de uranio

Lit.: Chem.-Ztg. **106**, 117–136 (1982) ▪ Strunk u. Thornton (Hrsg.), Uranium Hexafluoride – Safe Handling, Processing and Transporting, Springfield: NTIS 1988 ▪ Ullmann (5.) **A 11**, 304 ▪ Winnacker-Küchler (4.) **3**, 477 ff. ▪ s. a. Uran. – *[HS 2844 10; CAS 10049-14-6 (UF_4); 7783-81-5 (UF_6); G 7]*

Uranglimmer. Bez. für meist aus *Uranpecherz entstandene Doppelphosphate, -arsenate u. -vanadate, die neben $(UO_2)^{2+}$ noch Ca, Ba, Mg, Fe, Mn u. Cu sowie wechselnde Mengen an Kristallwasser wie bei *Zeolithen gebunden u. z. T. abhängig vom Dampfdruck der Umgebung enthalten. Der max. Wassergehalt beträgt in vielen Fällen 12 H_2O; die Glieder mit niedrigerem H_2O-Gehalt werden mit der Vorsilbe *Meta* versehen, z. B. Meta-*Torbernit. Die U. bestehen aus einem *Schichtgitter* mit PO_4-UO_6-Ebenen, zwischen denen in großen Abständen die Kationen u. die Wassermol. liegen, s. die Abbildung.

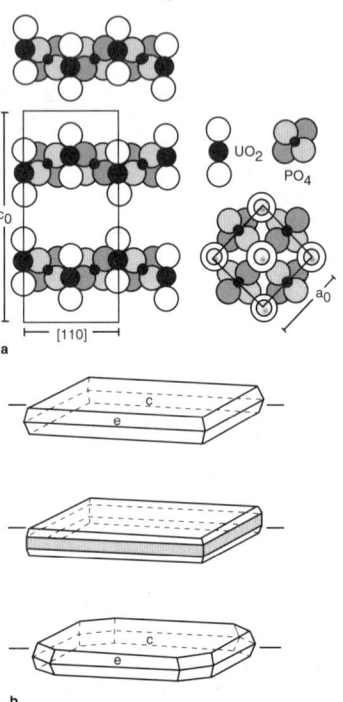

Abb.: Uranglimmer: (a) Struktur u. (b) Kristalle (nach Ramdohr-Strunz, S. 654, *Lit.*).

In diesem Werk behandelte Beisp. für U. sind: *Autunit, *Saléeit, *Torbernit, *Uranocircit u. *Zeunerit. – *E* uranium micas – *F* urane micacé – *I* mica d'uranio – *S* uranio micáceo

Lit.: Can. Mineral. **35**, 1551–1570 (1997) ▪ Gmelin, Syst.-Nr. 55, U, 1936, S. 27–37 ▪ Ramdohr-Strunz, S. 653 ff.

Uranhexafluorid s. Uranfluoride.

Urania Agrochem GmbH. Sitz in 20097 Hamburg, die 100%ige Tochterges. der *Norddeutschen Affinerie produziert u. vertreibt Pflanzenschutzmittel u. Spezialdünger.

Uraniagrün s. Schweinfurter Grün.

Uranin. Handelsbez. für das Dinatrium-Derivat des *Fluoresceins.

Uraninit s. Uranpecherz.

Uran-Methode s. Blei-Methode.

Uranocen s. Uran-organische Verbindungen.

Uranocircit. $Ba[UO_2/PO_4]_2 \cdot 6-12 H_2O$; mit *U.-I.* ($12 H_2O$), *U.-II* ($10 H_2O$), *Meta-U.-I* ($8 H_2O$) u. *Meta-U.-II* ($6 H_2O$; Kristallstruktur s. *Lit.*[1]). Zeisigbis schutzziggrünes, dem *Autunit sehr ähnliches, zu den *Uranglimmern gehörendes, vollkommen spaltbares, radioaktives, tetragonales, auch monoklines (Meta-U.-II) Mineral. Dünntafelige, angenähert quadrat., häufig zu Gruppen vereinigte Krist., H. 2,5, D. 3,5. Bei Bestrahlung mit UV-Licht kräftig gelbgrüne Fluoreszenz.

Vork.: Als sek. Mineral z. B. in Wölsendorf/Bayern, Menzenschwand/Schwarzwald, Arizona u. South Dakota/USA u. Gabun/Zentralafrika. – *E=F=I* uranocircite – *S* uranocircita

Lit.: [1] TMPM Tschermaks Mineral. Petrogr. Mitt. **29**, 193–204 (1982).

allg.: Hochleitner, GU Naturführer Mineralien u. Kristalle, S. 24 f., München: Gräfe & Unzer 1986 (mit Farbfoto) ▪ Lapis **4**, Nr. 7/8, 21, 30 (1979) ▪ Nriagu u. Moore (Hrsg.), Phosphate Minerals, S. 121 f., Berlin: Springer 1984. – [HS 2612 10; CAS 12196-92-8]

Uranophan. $Ca[UO_2/SiO_3OH]_2 \cdot 5 H_2O$; in der Natur in 2 monoklinen Modif. vorkommendes radioaktives Uranylsilicat-Mineral: α-*U.*, Kristallklasse 2-C_2 (Struktur s. *Lit.*[1,2]) u. β-*U.*, Kristallklasse 2/m-C_{2h} (Struktur s. *Lit.*[3]); eine Abart ist *Barium-Uranophan*. Zitronengelbe bis honig- od. grünlichgelbe, prismat. bis nadelige, oft zu radialstrahligen Büscheln vereinigte Krist., faserige, watteartige Massen u. dichte erdige Krusten. H. 2–3, D. 3,8–3,9, Seidenglanz; U. wird durch Säuren leicht zersetzt. Zur Synth. von α-U. s. *Lit.*[4].

Vork.: Als sek. Mineral in zahlreichen Uran-Lagerstätten, z. B. Menzenschwand/Schwarzwald, Wölsendorf/Bayern (histor.), Puy-de-Dôme/Frankreich, Provinz Shaba/Kongo (Zaire), Rössing/Namibia, vielerorts in den USA. – *E=F* uranophane – *I* uranofano – *S* uranofana

Lit.: [1] Acta Crystallogr. Sect. C **44**, 421–424 (1988). [2] Can. Mineral. **35**, 1551–1570 (1997). [3] Am. Mineral. **71**, 1489–1493 (1986). [4] Mineral. Mag. **57**, 301–308 (1993).

allg.: Anthony et al., Handbook of Mineralogy, Vol. II, Tl. II, S. 840f., Tucson (Arizona): Mineral Data Publishing 1995 ▪ Lapis **4**, Nr. 7/8 (1979) (Themenheft „Uranmineralien"). – [CAS 12195-76-5; 64553-43-1 (β-U.)]

Uran-organische Verbindungen. Neben Cyclopentadienyl-Komplexen sind U.-o. V. mit Indenyl-, Cyclooctatetraenyl- u. Allyl-Anionen sowie Komplexe mit σ-Uran-Kohlenstoff-Bindung bekannt. Das sog. *Uranocen* ($C_{16}H_{16}U$, M_R 446,332, grün, pyrophor, in organ. Lsm. wenig lösl., Subl. bei 180 °C, 4 Pa) ist *kein* *Metallocen sondern eine *Sandwich-Verbindung mit Cyclooctatetraen (s. Abb. a bei Sandwich-Verbindungen). Es entsteht aus UCl_4 u. $K_2C_8H_8$ im Stoffmengenverhältnis 1:2.

Aus UCl_4 u. KC_5H_5 im Stoffmengenverhältnis 1:4 entsteht UCp_4, eine kurzzeitig luftstabile, tiefrote Verb., die sich oberhalb 250 °C zersetzt u. vier π-gebundene Cyclopentadienyl-Ringe aufweist. – *E* organouranium compounds – *F* composés organouraniques – *I* composti organici d'uranio – *S* compuestos organouránicos

Lit.: Edelstein (Hrsg.), Lanthanide and Actinide Chemistry and Spectroscopy (ACS Symp. Ser. 131), S. 93–140, Washington: ACS 1980 ▪ Gmelin, Uranium Suppl. Vol. E2 (1980), S. 113–176 ▪ Herrmann-Brauer **6**, 176 f., 200 f. ▪ Inorg. Synth. **27**, 172–181 (1990). – [G 7]

Uranothallit s. Liebigit.

Uranoxide. U. sind giftig; zum MAK-Wert s. Uran. *Uran(IV)-oxid* (Urandioxid), UO_2, M_R 270,028. Braune Krist. D. 10,96, Schmp. 2878 °C, muß vor Einwirkung von Luft geschützt werden, da es leicht Sauerstoff aufnimmt u. als feines Pulver pyrophor ist. UO_2 wird durch Red. von *Uran(VI)-oxid* (UO_3) od. *Uran(IV)-uranat(VI)* (U_3O_8) od. aus UF_6 erhalten u. ist in Form von keram. od. Cermet-Brennelementen od. als $(U,Pu)O_2$ der wichtigste *Kernbrennstoff für *Kernreaktoren. In der Natur tritt UO_2 als *Uranpecherz auf. Neben den erwähnten Oxiden gibt es noch eine Reihe weiterer, die sich als $UO_{2...2,5}$ zusammenfassen lassen. – *E* uranium oxides – *F* oxydes d'uranium – *I* ossidi d'uranio – *S* óxidos de uranio

Lit.: Chem.-Ztg. **108**, 65–82 (1984) ▪ Ullmann (5.) **A 27**, 325 ff. ▪ s. a. Uran. – [HS 2844 10; CAS 1344-57-6 (UO_2); 1344-59-8 (U_3O_8); G 7]

Uranpecherz (Pechblende u. Uraninit). UO_2 (Strukturformel s. *Lit.*[1]) mit wechselnder Mengen von Thorium, Seltenerdmetallen (*Cleveit*) u. Blei; als Verunreinigungen kommen Verb. von Ca, Fe, S, As, Bi sowie SiO_2 in Frage. In Spuren kommen in manchen U. auch die *Transurane Neptunium u. Plutonium vor. Der für die *Uran-Gewinnung wichtigste Rohstoff U. tritt meist in undurchsichtigen, matten bis fettglänzenden, pechschwarzen (mit Stich ins Bräunliche, Grünliche od. Graue), derben u. dichten, zuweilen schalig-nierigen Massen auf (*Pechblende*); seltener findet man auch kub. (würfelige od. oktaedr.) Krist. (*Uraninit*; Kristallklasse m3m-O_h). D. 10,63–10,95 (mit höherem zsinkend). Alter auf 9–7,5 sinkend), H. 6 bis <4, Bruch uneben bis muschelig, spröde; Strichfarbe braunschwarz, grau, olivgrün. U. ist in warmer Salpetersäure u. Schwefelsäure lösl. u. färbt die Boraxperle in der Oxidationsflamme gelb, in der Reduktionsflamme grün.

Durch den radioaktiven Zerfall des Urans (*Radioaktivität) enthält U. v. a. Pb u. He in wechselnder, vom geolog. Alter abhängiger Menge; Ra liegt immer im Verhältnis 0,34 g/1 t U vor. U. nimmt aus der Luft Sauerstoff auf, weshalb häufig fälschlicherweise als Formel U_3O_8 angegeben wird. Die meist leuchtend bunten Verwitterungs-Produkte von U., z. B. die *Uranglimmer, sind lokal [z. B. zusammen mit U. in der Provinz Shaba in Kongo (Zaire)[2]] Gegenstand des Uranerz-Abbaus. **Vork.:** In *magmatischen Gesteinen, bes. *Graniten (v. a. Uraninit), z. B. Rössing/Namibia u. Kanada. In *hydrothermalen Gängen* (Co-Ag-Ni-Bi-U-Gänge), z. B. in Frankreich (Limousin/Massif Central), dem Erzgebirge (u. a. St. Joachimsthal, heute Jachymov/Böhmen; Schneeberg, Schlema-Alberoda u. Pöhla-Tellerhäuser/Sachsen), Menzenschwand im Schwarzwald u. in den USA. Von wirtschaftlicher Bedeutung sind heute v. a. die U.-Vork. in *Diskordanzen* (winklige Auflagerung eines Gesteinspaketes auf einem anderen; *Beisp.:* Athabaska-Distrikt/Kanada, Australien), in *Sandsteinen [z. B. Colorado-Plateau/USA, Niger u. Gabun (Franceville u. Oklo, vgl. Oklo-Phänomen[3]) in Afrika; bis 1990 auch Pirna-Königstein südlich Dresden] sowie in *Konglomeraten (meist Uraninit; *Beisp.:* Elliot Lake/Kanada u. Witwatersrand/Südafrika). Der nach 1945 bedeutende Uranerz-Bergbau in Sachsen u. Thüringen[4] wurde 1990 eingestellt. Zur Entstehung des Namens Pechblende s. Pech; s. a. Uran. – *E* pitchblende, uraninite – *F* uraninite – *I* pechblenda, uraninite – *S* uraninita, pechblenda

Lit.: [1] J. Nucl. Mater. **190**, 128–132 (1992). [2] Mineral. Rec. **20**, Nr. 4 (1989) (Themenheft Katanga-Uranlagerstätten). [3] Econ. Geol. **84**, 2286–2295 (1989). [4] Erzmetall **44**, 162–171 (1991). *allg.:* Anthony et al., Handbook of Mineralogy, Vol. III, S. 583, Tucson (Arizona): Mineral Data Publishing 1997 ▪ Pohl, Lagerstättenlehre (4.), S. 230–238, Stuttgart: Schweizerbart 1992 ▪ Ramdohr-Strunz, S. 545–548 ▪ Schröcke-Weiner, S. 471–477 ▪ Wirtschaftsvereinigung Bergbau (Hrsg.), Das Bergbau-Handbuch (5.), S. 215–222, Essen: VGE Verl. Glückauf 1994 ▪ s. a. Uran, Lagerstätten, Erz. – *[HS 2612 10; CAS 1344-57-6]*

Uran-Radium-Zerfallsreihe s. Radioaktivität, S. 3704.

Urantetrafluorid s. Uranfluoride.

Uran-Trennarbeit s. Uran.

Uran X, Y s. Radioaktivität.

Uranyl-Verbindungen. Übliche, nach IUPAC-Regel I-8.4.2.2 zulässige Bez. für systemat. als *Uranoxid...-Verb.* zu benennende Salze des *Urans der allg. Zusammensetzung UOX_2 (X_2 = einwertiger Rest); das *Uranyl-Kation* UO_2^{2+} ist systemat. ein Oxokation (vgl. Oxo...). Die zum großen Teil in Wasser leicht lösl. U.-V. sind sehr giftig; zum MAK-Wert s. Uran.
(a) *Uranylacetat*, $UO_2(O-CO-CH_3)_2$, $C_4H_6O_6U$, M_R 388,12. Das Dihydrat, M_R 424,15, bildet gelbe, fluoreszierende, wasserlösl., rhomb. Prismen, D. 2,893, die bei 110 °C ihr Kristallwasser abgeben u. bei 275 °C in Urantrioxid übergehen. Verw. als Reagenz bei der volumetr. Phosphorsäure-Bestimmung, zur quant. Natrium-Bestimmung (*Kahanes Reagenz), zum mikrochem. Natrium-Nachw. bei Gesteinsanalysen, als Kontrastmittel für die elektronenmikroskop. Untersuchung von Pflanzenzellen.
(b) *Uranylnitrat*, $UO_2(NO_3)_2$, M_R 394,04. Das Hexahydrat, M_R 502,13, bildet zitronengelbe, gelbgrün fluoreszierende, lichtempfindliche, zerfließende Säulen, die beim Zerkleinern *Triboluminseszenz zeigen, D. 2,8, Schmp. 60 °C, Sdp. >100 °C (Zers.), in Wasser, Alkohol u. Ether leicht löslich. Für die ether. Lsg. besteht allerdings Explosionsgefahr. Die Extrahierbarkeit wäss. Lsg. durch organ. Lsm. ist die Grundlage der meisten Uran-Reinigungs- u. Wiederaufarbeitungsverfahren. Verw. zur Polymerisation von Acrylamid, in der Photographie als Uran-Verstärker, in Tonungsbädern u. als Standard in der Atomabsorptionsspektroskopie.
(c) *Uranyloxalat*, $UO_2(OOC)_2$, C_2O_6U, M_R 358,05, als Trihydrat M_R 412,09. Gelbe, in Wasser kaum, in anorgan. Säuren, Alkalien u. Oxalsäure lösl. Krist., die bei der Bestimmung von photochem. *Quantenausbeuten (*Aktinometrie) benutzt werden. Ein natürlich vorkommendes *Uranylcarbonat* ist *Rutherfordin. – *E* uranyl compounds – *F* composés d'uranyle – *I* composti d'uranile – *S* compuestos de uranilo

Lit.: Anal. Biochem. **153**, 227ff. (1986) ▪ Gmelin, Syst.-Nr. 55, U, 1936, S. 108–118, 163ff., Suppl. Vol. D1, 1984, S. 1–35 ▪ Hommel, Nr. 336 ▪ s. a. Uran. – *[CAS 541-09-3 (a); 6159-44-0 (a; Dihydrat); 10102-06-4 (b); 13520-83-7 (b; Hexahydrat); G 7]*

Urao s. Trona.

Urapidil (Rp).

Internat. Freiname für das als α-Rezeptorenblocker wirkende *Antihypertonikum 6-{3-[4-(2-Methoxyphenyl)-1-piperazinyl]propylamino}-1,3-dimethyluracil, $C_{20}H_{29}N_5O_3$, M_R 387,49, Krist., Schmp. 156–158 °C; λ_{max} (CH_3OH) 237, 268 nm ($A_{1cm}^{1\%}$ 283, 689), pK_a 7,1; LD_{50} (Maus oral) 750, (Maus i.v.) 260 mg/kg. U. wurde 1971 u. 1976 von Byk Gulden (Ebrantil®) patentiert u. ist auch von OPW (Alpha-Depressan®) im Handel. – *E = F = I = S* urapidil

Lit.: ASP ▪ Drugs **35**, Suppl. 6, 147–192 (1988) ▪ Hager (5.) **9**, 1132f. ▪ Martindale (31.), S. 959f. ▪ Ullmann (5.) A **4**, 246f. – *[HS 2933 59; CAS 34661-75-1]*

Urate. Bez. für Salze der *Harnsäure (latein.: acidum uricum).

Urat-Oxidase s. Uricase.

Urazole s. Triazole u. Triazoline.

Urbain, Georges (1872–1938), Prof. für Anorgan. Chemie, Univ. Paris. *Arbeitsgebiete:* Atomgew.-Bestimmung, Magnetismus, Koordinationslehre, Spektroskopie, Phosphoreszenz, Seltene Erden, Reindarst. von Samarium, Europium u. Ytterbium, Entdeckung des Lutetium (zusammen mit A. von Welsbach).

Lit.: Lexikon der Naturwissenschaftler, S. 404 ▪ Pötsch, S. 431 f.

Urbason® (Rp). Ampullen, Tabl., Dragées mit *Methylprednisolon gegen Rheuma, Allergien u. Schockzustände. *B.:* HMR.

Urd. Kurzz. für *Uridin, s. die Tab. bei Nucleoside.

Urdamycine. Farbige (gelbe, orange u. rote) Angucyclin-Antibiotika aus *Streptomyces fradiae*, verwandt mit den *Saquayamycinen u. Vineomycinen. Durch saure Hydrolyse entstehen die Aglykone der U., aus U. A (= Kerriamycin B) das *Urdamycinon A* (= *Aquayamycin) u. daneben 2 Mol. L-Rhodinose (Zucker A u. C) u. 1 Mol. D-Olivose (Zucker B), die in Position 9 *C*-glykosid. gebundene D-Olivose wird nicht abgespalten. An das tetracycl. angulare Grundgerüst von U. A, ein *Polyketid, können in der späten Biosynth. in Position 11 u. 12 Aminosäuren ankondensiert werden (U. C, D u. H). Die U. wirken antibakteriell u. antineoplastisch.

Tab.: Daten der Urdamycine.

U.	Summen-formel	M_R	Schmp. [°C]	CAS
A	$C_{43}H_{56}O_{17}$	844,91	160 (Zers.)	98474-21-6
B	$C_{37}H_{44}O_{13}$	696,75		104542-46-3
C	$C_{51}H_{60}O_{19}$	977,03	200 (Zers.)	104443-43-8
D	$C_{43}H_{61}NO_{18}$	1000,06	220 (Zers.)	104443-44-9
E	$C_{44}H_{58}O_{17}S$	890,99		104542-47-4
F	$C_{43}H_{58}O_{18}$	862,92		104562-12-1
G	$C_{37}H_{46}O_{14}$	714,76	141	115626-67-0
H	$C_{50}H_{60}O_{18}$	949,02		126121-78-6

– *E* urdamycins – *F* urdamycines – *I* urdamicine – *S* urdamicinas

Lit.: J. Antibiot. **41**, 126, 812 (1988); **42**, 299–311, 1482–1488 (1989). – *Biosynth.:* Angew. Chem., Int. Ed. Engl. **29**, 1051–1053 (1990) ▪ J. Antibiot. **42**, 1151–1157 (1989) ▪ J. Org. Chem. **58**, 2547–2551 (1993). – *Review:* Nat. Prod. Rep. **9**, 103–137 (1992). – *Synth.:* J. Am. Chem. Soc. **117**, 8472 (1995) ▪ J. Chem. Soc., Chem. Commun. **1996**, 225.

URDB. Abk. für Umweltrechtsdatenbank, s. UMPLIS.

Urdbohnen s. Bohnen.

Urease (EC 3.5.1.5). Harnstoff-spaltendes Enzym, das in verschiedenen Bakterien, in Sojabohnen, Jackbohnen (Schwertbohnen) u. in wirbellosen Tieren vorkommt u. *Harnstoff spaltet nach dem Carbamidsäure-Mechanismus:

$$H_2N-\overset{O}{\underset{\|}{C}}-NH_2 \xrightarrow[\text{(Urease)}]{H_2O} H_2N-\overset{O}{\underset{\|}{C}}-OH + NH_3$$
Carbamidsäure

$$\longrightarrow CO_2 + 2\,NH_3$$

U. beschleunigt die Harnstoff-Hydrolyse auf mehr als das 10^{14}fache der unkatalysierten Reaktion. 1 g U. spaltet bei 20 °C innerhalb 1 min ca. 60 g Harnstoff; Harnstoff-ähnliche Verb. wie Thioharnstoff od. *N*-substituierte Harnstoff-Derivate werden durch U. nicht angegriffen. Die pflanzliche U. (M_R ca. 544000; Schwertbohne *Canavalia ensiformis*) besteht aus 6 katalyt. aktiven Monomeren (M_R 91000) u. ist ein Metallenzym mit Nickel-Zentren; da die Anwesenheit von Thiol-Gruppen für die enzymat. Aktivität notwendig ist, wird U. durch Schwermetall-Salze wie z.B. die des Silbers gehemmt. Andere Hemmstoffe sind Bor(on)säuren, *Patulin u. Phosphorsäureesteramide. Bakterielle U. (M_R 250000; *Klebsiella aerogenes*) besteht aus 3 gleichen Untereinheiten, die wiederum aus 3 verschiedenen Polypeptid-Ketten α (M_R 60300), β (M_R 11700) u. γ (M_R 11100) zusammengesetzt sind. *Biolog. Bedeutung:* Auf der Ammoniak-Abscheidung durch U. beruhen der Ammoniak-Geruch von Mist u. Jauche. Da U. im Organismus der Wirbeltiere nicht auftritt, wird der Purin-Stickstoff in anderen Formen (Harnsäure, Allantoin, Harnstoff) ausgeschieden. Bei den Wiederkäuern sind Pansen-Mikroorganismen vorhanden, durch die Harnstoff gespalten werden kann. *Verw.:* Gekoppelt an *Antikörper als Detektions-Syst. im *Enzymimmunoassay. U. dient auch zur quant. Bestimmung von Harnstoff im Blut mittels *Berthelot-Reaktion* (s. Ammoniak, Nachw.), nach der DAM-(Diacetylmonoxim)-Meth., mit U. enthaltenden Teststreifen od. durch die BUN-Analyse (von *E* blood urea nitrogen) in automat. arbeitenden, mit immobilisiertem Enzym u. Ammoniak-sensitiver Elektrode ausgestatteten Analysegeräten. In Boden-Organismen vorhandene U. ermöglicht die Umwandlung von Harnstoffdünger in das durch Pflanzen assimilierbare Ammoniak. Damit die Hydrolyse des Harnstoffs nicht unkontrolliert verläuft, was zu Ammoniak-Verlusten führen würde, kann man ihn chem. od. durch Beschichten in eine Depotform überführen od. aber die U. selektiv hemmen. Bei der Käsebereitung bewirkt das Enzym das rasche Verschwinden von im Quark u. in der Milch auftretenden kleinen Harnstoff-Mengen. *Geschichte:* U. wurde als erstes Enzym 1926 in reinem, krist. Zustand hergestellt, wofür *Sumner 1946 mit dem Chemie-Nobelpreis ausgezeichnet wurde. – *E* urease – *F* uréase – *I* ureasi – *S* ureasa

Lit.: Acc. Chem. Res. **30**, 330–337 (1997) ▪ Int. Rev. Cytol. **145**, 65–103 (1993) ▪ Science **268**, 996–1004 (1995). – [HS 350790; CAS 9002-13-5]

Urecoll®. Umfangreiches Sortiment von Harnstoff- u. Melamin-Harzen zur Naßverfestigung von Papier bzw. von Harnstoff-Formaldehyd-Kondensationsproduktten, die als Klebrohstoffe sowohl mit als auch ohne Zusatz von Härtern verarbeitet u. zum Herst. von Klebern für die Papier- u. Kartonagen-Ind., von Bindemitteln für faserige u. körnige Materialien (z. B. Korkschrot, Textilabfälle, Glas- u. Mineralfasern) u. in der Gießereichemie zur Herst. von Kernsandbindemitteln verwendet werden. *B.*: BASF.

Ureide (Säureureide). In IUPAC-Regeln ignorierte Bez. für Verb. der Struktur X–NH–CO–NH$_2$ mit *Acyl-Rest X; IUPAC-Bez.: *N*-Acylharnstoff (Regel C-971.2) u. *N*-*Carbamoyl-...amid [Regel D-1.32: Organ. *Amide haben Vorrang vor Harnstoff, einem ranghohen anorgan. Amid; CAS: *N*-(Aminocarbonyl)-...amid]. – *E* ureides – *F* uréides – *I* ureidi – *S* ureidos

Ureido... Bez. des *Harnstoff-Rests –NH–CO–NH$_2$ in chem. Namen (IUPAC-Regeln C-971.2, R-9.1.31b; Bezifferung der N-Atome: 1,3 od. *N,N'*); veraltete Bez.: Carbamido...; CAS-Bez.: [(Aminocarbonyl)amino]...; *Beisp.*: *Allantoin, *Allophansäure, Hydantoinsäure (Ureidoessigsäure H$_2$N–CO–NH–CH$_2$–COOH). Durch α-*Ureidoalkylierung* (s. α-Aminoalkylierung) erhaltene u. a. U.-Verb. sind zur Synth. vieler *Stickstoff-Heterocyclen wichtig. – *E = I = S* ureido... – *F* uréido...

Ureine. Nichtsystemat. Sammelbez. für *Aryl- u. Hydroaryl-*Harnstoffe, die z. B. im *harmonisierten System (HS) Verw. findet; *Beisp.*: s. Centralit®, Diphenylharnstoff, Isoproturon, Triclocarban. – *E* ureines – *F* uréines – *I* ureine – *S* ureinas – *[HS 2924 21]*

Urem®. Dragées mit *Ibuprofen gegen Schmerzen, Fieber (in höherer Dosierung als Dragées u. Suppositorien, Rp). *B.*: Kade.

Urena (Aramina, Cadillo, Kongo-Jute, Kurzz. nach DIN 60001-4: 1991-08: JR). Bez. für *Bastfasern aus den Stengeln der trop. Pflanze *Urena lobata* (Malvengewächs), die als Jute-Ersatz Verw. finden. – *E = I* urena – *S* fibra de urena

Lit.: Encycl. Polym. Sci. Eng. **7**, 25 ▪ Kirk-Othmer (4.) **10**, 728, 732, 736 f. – *[HS 5303 10]*

Ureotelie. *Harnstoff-Ausscheidung, s. Stickstoff-Exkretion. Aus dem im Stoffwechsel freigesetzten Ammoniak bilden ureotele Tiere (Ureotelier, vgl. Glutaminsäure) im *Harnstoff-Cyclus Harnstoff, der gelöst, z. B. über die Niere, ausgeschieden wird. – *E* ureotely – *F* uréotélie – *I = S* ureotelia

Lit.: Campbell, Biologie, S. 962–996, Heidelberg: Spektrum 1997.

Urepan®. Hochleistungselastomere auf Basis von Ether- u. Esterpolyurethan. *B.*: Rhein Chemie Rheinau GmbH.

Urethan. Von latein.: urea = Harnstoff u. Ethanol abgeleiteter Trivialname für Ethylurethan (Ethylcarbamat, Carbamidsäureethylester), der später auf die gesamte Verbindungsklasse der *Urethane (Ester der *Carbamidsäure) ausgeweitet wurde.

$$H_2N-\overset{O}{\underset{\|}{C}}-O-C_2H_5$$

C$_3$H$_7$NO$_2$, M$_R$ 89,09, Krist., Schmp. 48–50 °C, gut lösl. in Wasser (1 g in 0,5 mL), Alkohol, *Diethylether u. *Glycerin.

Vork. u. Verw.: Früher wurden U. als Anästhetika u. *Sedativa sowie in der Therapie bestimmter Leukämieformen eingesetzt. U. ist Zwischenprodukt in der chem. Industrie. Aus dem bis 1973 verwendeten *Kaltentkeimungs-Mittel Pyrokohlensäure-diethylester, der in wäss. Lsg. zu *Kohlendioxid u. *Ethanol zerfällt, kann bei der Reaktion mit Stickstoff-Verb. U. u. aus *Dimethyldicarbonat Methylcarbamat gebildet werden (1–50 µg/L, v. a. im Wein)[1]. Heute ist bekannt, daß U. als weitestgehend natürlicher Bestandteil in *Spirituosen u. fermentierten Lebensmitteln vorkommt. Die Gehalte können in Steinobstbränden (s. Obstbranntwein), *Sake, Sojasauce u. *Whisky überdurchschnittlich hoch sein[2–5].

Tab.: Urethan in Lebensmitteln (in ng/g).

	Urethan-Gehalt	Mittelwert
Steinobstbrände (Kirsche, Aprikose)	100–20000	2000
Sake	10–900	130
Bourbon Whisky	<30–350	90
andere Whiskysorten	<10–170	40
Gin, Wodka	<1–10	<1
Wein	<1–110	10–15
Likörweine (Sherry, Malaga)	10–250	50
Bier	0,3–18	1
Sojasauce	<1–95	18
Brot	<1–8	2
Joghurt	0–3	<1
Käse	<1–6	<1

Gerade bei Steinobstdestillaten bestand bis Mitte der 90er Jahre Handlungsbedarf.

Eine mögliche Ursache für die Kontamination von U. in Bier ist der Austritt von Azodicarbonsäureamid aus geschäumten Dichtungsmassen im Flaschenverschluß[6].

Rechtliche Beurteilung: Als laufende Nr. 740 des Anhangs VI der Gefahrstoff-VO[7] ist U. als „giftig, T" eingestuft u. mit der Bemerkung „K", d. h. krebserzeugend, versehen. In Konz. über 1% gilt U. bezüglich seines carcinogenen Risikos als „stark gefährdend", in Konz. zwischen 0,1 u. 1% als „gefährdend" (Anhang II, Gefahrstoff-VO[7]). Das ehemalige *Bundesgesundheitsamt (BGA) hatte als Richtwert für Spirituosen 0,4 mg/L empfohlen (in Kanada als einzigem Land der Welt rechtsverbindlich). Die Arbeitsgruppe „Kontaminanten" der DFG hat festgestellt, daß für U. kein Grenzwert genannt werden kann, unterhalb dessen gesundheitliche Bedenken ausgeschlossen werden können[8]. Die Grenzwertfestlegung wird des weiteren durch die lichtinduzierte Bildung von U., auch nach dem Erwerb durch den Verbraucher, erschwert.

Bildung in Lebensmitteln: U. bildet sich in Steinobstdestillaten unter Lichteinfluß, wobei Kupfer-Ionen katalyt. wirken. Als Präcursoren werden sowohl peroxidierte Dicarbonyl-Verb.[9] als auch *Carbamoylphosphat. *Cyanide, die aus *cyanogenen Glykosiden freigesetzt werden, diskutiert[10]. Auch für die Bildung von U. in *Whisky scheinen *Cyanide eine zentrale Rolle zu spielen[11]. Einen umfassenden Überblick über mögliche Bildungswege von U., aber auch zum Vork. u. zur Toxikologie gibt *Lit.*[12]. Als Maßnahmen zur Reduzierung der U.-Gehalte in Steinobst-Destillaten wird der Zusatz von *Ascorbinsäure, die Lagerung in Braunglasflaschen u. die Redest. nach einigen Wochen Lagerung diskutiert. Bei gleichzeitiger Aufnahme von U. u. Alkohol, wie es bei dem Genuß von Spirituosen gegeben ist, wird die carcinogene Wirkung von U. durch den Alkohol offenbar nicht reduziert[13]. Verschiedene Verf. zur Herst. U.-armer Destillate kommen bereits in der Praxis zur Anwendung. Zur Zeit fehlt jedoch eine umfassende Bestandsaufnahme der durch diesen Einsatz tatsächlich erzielten Fortschritte in der Reduzierung der Ethylcarbamat-Gehalte.

Toxikologie: Die LD_{50} (Maus oral) von U. beträgt 2500 mg/kg. U. wurde von der MAK-Kommission in Liste III A 2 (im Tierversuch eindeutig carcinogen) eingestuft[13]. Die Induktion von Lungentumoren, Lymphomen u. Hepatomen an einer Vielzahl von Nagerspezies ist unabhängig von der Applikation gesichert[14], so daß U. als multipotentes Carcinogen bezeichnet werden kann. Die Bildung des elektrophilen Agenz (= ultimalen Carcinogens, s. Präcarcinogene) erfolgt durch Oxid. zum Epoxyethylcarbamat[15] über die Zwischenstufe des Vinylcarbamates, so daß Oxoethyl-Addukte von *Aminosäuren u. *DNA (N^7-Addukte des Guanins u. $1,N^6$-Ethylenadenosin-Addukte) nachgewiesen werden konnten[15,16]. Im Falle der Lungenadenome wurde bei Mäusen eine Mutation im Codon 61 des C-Ki-ras Protooncogens nachgewiesen[17]. Durch U. hervorgerufene Entwicklung von Adenoma der Lunge in reinrassigen Mäusen konnte zeigen, daß für deren Entstehung mehrere Gene verantwortlich sind[18]. Darüber hinaus ist U. an bestimmten Tumormodellen als Promotor wirksam[19]. Hinweise auf Degeneration der Photorezeptoren, Gefäßschädigungen der Retina u. des RPE (Retinal Pigment Epithelium) durch Neovaskularisation wurden in Versuchen an der Ratte bestätigt. Eine veränderte Sauerstoff-Verteilung über die Netzhaut u. die Choroidea wird könnte eine der Hauptursachen sein[20]. Über eine Hemmung der metabol. Aktivierung durch Ethanol berichtet *Lit.*[21,22]. Ob dies für den Menschen zu einer Verminderung des U.-abhängigen Carcinogenese-Risikos führt, bleibt fraglich[23]. Die Angaben zum „covalent binding index" (CBI) schwanken zwischen 29 u 90. (Zum Vgl.: Das starke Carcinogen *NDMA hat einen CBI von 6000). Der CBI macht eine Aussage zur gebildeten DNA-Adduktmenge in bezug zur Gesamt-DNA u. zur applizierten Substanzmenge[24]. Der Nachw. von U. ist gaschromatograph. mit verschiedenen Detektorsyst. möglich[25,26]. – *E* urethan – *F* uréthane – *I* = *S* uretano

Lit.: [1] WHO (Hrsg.), Toxicological Evaluation of Certain Food Additives and Contaminants, Nr. 28, S. 247–273, Geneva: WHO 1991. [2] J. Agric. Food Chem. **24**, 323–328 (1976). [3] Bull. Bundesamtes Gesundheitswesen (Bern) **1989**, Nr. 47, 634–643. [4] Food Add. Contam. **6**, 383–389 (1989); **7**, 477–496 (1990). [5] Mitt. Geb. Lebensm. Hyg. **77**, 327–332 (1986). [6] Bundesgesundheitsblatt **34**, 24 f. (1991). [7] VO über gefährliche Stoffe (Gefahrstoff-VO) vom 25. 9. 1991 (BGBl. I, S. 1931). [8] Arbeitsgruppe „Kontaminanten", in DFG, Lebensmittel und Gesundheit, Mitteilung 3, S. 25, Weinheim: Wiley-VCH 1998. [9] Mitt. Geb. Lebensm. Hyg. **78**, 317–324 (1987). [10] Dtsch. Lebensm. Rundsch. **83**, 344–349 (1987). [11] J. Int. Brew. **96**, 213–221, 223–232, 233–244, 245 f. (1990). [12] Mutat. Res. **259**, 325–350 (1991). [13] DFG-Senatskommission zur Beurteilung der gesundheitlichen Unbedenklichkeit von Lebensmitteln, Weinheim: VCH Verlagsges. 1990. [14] TRGS 910, Begründung für die Einstufung der krebserzeugenden Gefahrstoffe, September 1987 i. d. F. vom November 1990 (Bundesarbeitsblatt 4/1991, S. 47). [15] Carcinogenesis **9**, 2197–2201 (1988); Chem. Res. Toxicol. **4**, 413–421 (1991). [16] Biochem. Biophys. Res. Commun. **169**, 1094–1098 (1990). [17] Mol. Carcinogenesis **3**, 287–295 (1990). [18] Cancer Research **567**, 14 (1997). [19] Carcinogenesis **12**, 901–903 (1991). [20] Am. J. Phys. Heart Circ. Phys. **43**, 6 (1998). [21] Drug Metab. Disp. **16**, 355–358 (1988); **18**, 276–280 (1990); **19**, 388–393 (1991). [22] Food Chem. Toxicol. **25**, 527–531 (1987); **28**, 35–38 (1990). [23] Food Chem. Toxicol. **28**, 205–211 (1990); Toxicology **68**, 195–201 (1991). [24] Mutat. Res. **65**, 289–365 (1979). [25] Z. Lebensm. Unters. Forsch. **185**, 21–23 (1987). [26] J. Assoc. Off. Anal. Chem. **71**, 509–511, 781–784 (1988); **72**, 873–876 (1989).

allg.: Classen et al., Toxikologisch hygienische Beurteilung von Lebensmittelinhalts- u. -zusatzstoffen sowie bedenklicher Verunreinigungen, S. 120, Berlin: Parey 1987 ▪ GIT Special Chromatographie **11**, 86–93 (1991) ▪ J. Appl. Phys. **81**, 5 (1996) ▪ Jpn. J. Cancer Res. **82**, 380–385 (1991) ▪ Merck-Index (12.), Nr. 10013 ▪ Mutat. Res. **260**, 307 f.; 309 f. (1991); **262**, 247–251 (1991) ▪ Ullmann (5.) **A 1**, 25; **A 5**, 56. ▪ Würdig u. Woller, Chemie des Weines, S. 853, Stuttgart: Ulmer 1989. – *[HS 2924 10; CAS 51-79-6]*

Urethane. Histor., von *Urethan abgeleitete Bez. für die nach IUPAC-Regel C-431 u. R-9.1.28c systemat. als *Carbamate, d. h. als Ester der *Carbamidsäure zu bezeichnenden Verb. der allg. Formel $H_2N-CO-OR$. Die U. sind im allg. gut kristallisierende Substanzen, deren N-substituierte Vertreter z. B. durch Reaktionen von *Isocyanaten mit Alkoholen zugänglich sind.

$$H_5C_6-N=C=O \xrightarrow{+ C_2H_5OH} \begin{matrix} H_5C_6-NH \\ \diagdown C=O \\ H_5C_2O \end{matrix}$$

Da diese U. meist gut krist. sind u. scharfe Schmp. zeigen, eignen sie sich zur Charakterisierung der Alkohol-Komponenten. Umgangssprachlich braucht man häufig die Bez. *Urethanschaumstoffe, -polymere, -elastomere* etc. für die aus *Diisocyanaten u. *Polyolen entstehenden *Polyurethane, die ja U.-Gruppierungen im Mol. enthalten. Von den U. (*Carbamaten*) findet eine große Zahl verschiedenartig N- u. O-substituierter Derivate Verw. als *Herbizide, *Insektizide, *Tranquilizer (z. B. *Meprobamat) u. Hypnotika od. *Schlafmittel. – *E* urethan(e)s – *F* uréthanes – *I* uretani – *S* uretanos

Lit.: s. Carbamate u. a. Textstichwörter.

Urethan-Kautschuk s. Polyurethan-Kautschuke.

Urey, Harold Clayton (1893–1981), Prof. für Chemie, Columbia Univ. New York, Chicago, Univ. California. *Arbeitsgebiete:* Strukturchemie, Entdeckung des Deuteriums (1932), Isotopentrennung, Atom- u. Molekülspektren, chem. Evolution, Kosmochemie, Mitarbeit an der Entwicklung der Atombombe. Nach ihm ist der „U.-Effekt" benannt, der die Sauerstoff-Freiheit der Uratmosphäre hypothet. erklärt. Nobelpreis für Chemie 1934 für die Entdeckung des Deuteriums.

Lit.: Chem. Br. **17**, 383 (1981) ▪ J. Mol. Evol. **117**, 263 f. (1981) ▪ Lexikon der Naturwissenschaftler, S. 404 ▪ Neufeldt, S. 180, 366 ▪ Pötsch, S. 432 f.

Ureyit s. Kosmochlor.

Ureylen... Bez. für das Brückenglied –NH–CO–NH– in *Multiplikativnamen (IUPAC-Regeln C-72.2, C-971.3 u. R-9.1.31b; Bezifferung der N-Atome: 1,3 od.

N,N') u. in der *Polymer-Nomenklatur; CAS-Bez.: (Carbonyldiimino)... – *E* ureylene... – *F* uréylène... – *I* ureilen... – *S* ureileno...

Urheberrecht s. Copyright.

Uric... s. Urik....

Uricase (Urat-Oxidase, EC 1.7.3.3). U. ist eine durch Cyanid-Ionen inaktivierbare Kupfer-haltige *Oxidoreduktase (M_R 125 000 aus Schwein, 4 ident. Untereinheiten, hell bräunlich-grüne Krist., unlösl. in Wasser, wenig lösl. in gepufferten Alkali-Lsg.), die in Mikroorganismen, den meisten wirbellosen Tieren sowie in *Leber u. *Nieren von Säugetieren – allerdings nicht vom Menschen u. a. Primaten – in *Peroxisomen vorkommt u. die Oxid. von *Harnsäure u. deren Salzen (*Uraten*) zu *Allantoin u. Wasserstoffperoxid katalysiert. Da dem Menschen U. fehlt – das Gen enthält ein verfrühtes Stop-Codon –, endet bei ihm der *Purin-Stoffwechsel auf der Stufe der Harnsäure (*Urikotelier*, Harnsäure-Ausscheider).

Bei *Hyperurikämie u. *Gicht ist die Harnsäure-Konz. im Blut überhöht, bei Gicht kommt es zur Ablagerung von Harnsäure-Konkrementen in den Gelenken. Daher Verw. der U. (mit *Katalase zur Spaltung des entstehenden Wasserstoffperoxids) zur enzymat. Analyse der Harnsäure, auch immobilisiert in *Biosensoren. – *E* = *F* uricase – *I* uricasi – *S* uricasa – *[HS 3507 90; CAS 9002-12-4]*

Uridin (1-β-D-Ribofuranosyluracil, Uracilribosid, Kurzz.: U od. Urd).

$C_9H_{12}N_2O_6$, M_R 244,20. Farblose, prismat. Nadeln, Schmp. 165–168 °C, lösl. in Wasser u. heißem, 80%igem Alkohol, unlösl. in Ether. Das *Nucleosid U. besteht aus *Uracil u. *N*-glykosid. gebundener D-*Ribose; im isomeren *Pseudouridin ist der Zucker an Kohlenstoff-Atom 5 gebunden. In Phosphatester-Bindungen (s. Uridinphosphate) ist U. am Aufbau der *Ribonucleinsäuren beteiligt. U. entsteht *in vivo* durch enzymat. Hydrolyse von Uridin-5′-monophosphat (katalysiert durch 5′-*Nucleotidase) od. Desaminierung von Cytidin (durch Cytidin-Desaminase, EC 3.5.4.5) u. kann *in vitro* durch Hydrolyse von Hefenucleinsäure mit schwachem Alkali hergestellt werden. Das 5-Iod-Derivat *Idoxuridin, Thiouridin (s. 2-Thiouracil) u. 6-*Azauridin werden als *Antimetabolite des Thymidins bzw. des U. therapeut. eingesetzt. – *E* = *F* uridine – *I* = *S* uridina

Lit.: Beilstein EV **24**/6, 132–136 ▪ s. a. Uridinphosphate. – *[HS 2934 90]*

Uridin-5′-diphosphat s. Uridinphosphate.

Uridindiphosphat-Glucose(-Glucuronsäure) s. Uridinphosphate.

Uridin-3′-monophosphat, Uridin-5′-monophosphat s. Uridinphosphate.

Uridinphosphate. Von der Pyrimidin-Base *Uracil abgeleitete *Nucleotide (*Uracilnucleotide*), die D-Ribose u. einen od. mehrere Phosphat-Reste enthalten (in der Abb. als Phosphorsäure-Reste dargestellt).

So entstehen durch Veresterung der 5′-Hydroxy-Gruppe des *Uridins mit Phosphorsäure, Di- u. Triphosphorsäure *Uridin-5′-monophosphat* (UMP, *Uridylat* – die korrespondierende Säure heißt auch *Uridylsäure*, als solche: $C_9H_{13}N_2O_9P$, M_R 324,18), *Uridin-5′-diphosphat* (UDP, als freie Säure: $C_9H_{14}N_2O_{12}P_2$, M_R 404,16) bzw. *Uridin-5′-triphosphat* (UTP, als freie Säure: $C_9H_{15}N_2O_{15}P_3$, M_R 484,14). Bei Hydrolyse von *Ribonucleinsäuren (RNA) erhält man je nach Reaktionsbedingungen außer UMP auch *Uridin-3′-monophosphat* (U-3′-MP). Aus Transfer-RNA isoliert man daneben die Phosphate des *Pseudouridins u. *5,6-Dihydrouridins*.

Biosynth. u. Abbau: UMP entsteht biosynthet. durch Decarboxylierung von Orotidin-5′-monophosphat (s. Orotsäure), während UDP u. UTP durch sukzessive Phosphatgruppen-Übertragung von *Adenosin-5′-triphosphat (ATP) auf UMP gebildet werden. Der Abbau-Weg verläuft über Dephosphorylierung der U. zu Uridin u. weiter über Hydrolyse der *N*-glykosid. Bindung zwischen D-Ribose u. Uracil. Uracil kann weiter abgebaut od. zum enzymat. Aufbau von Uridin od. UMP wiederverwertet werden.

Biolog. Bedeutung: Die U. sind Vorläufer der anderen Pyrimidin-*Nucleotide, mit diesen u. den Purin-Nucleotiden fungieren sie als Bausteine für die *Nucleinsäuren u. dienen als wichtige Überträger von Monosacchariden im Kohlenhydrat-Stoffwechsel.

Durch Aminogruppen-Übertragung aus L-*Glutamin wird aus UTP Cytidin-5′-triphosphat (CTP) synthetisiert, aus dem sich dann die restlichen *Cytidinphosphate bilden. Desoxygenierung von UDP (bei Mikroorganismen auch UTP) in 2′-Stellung mittels *Thioredoxin unter Katalyse durch *Ribonucleotid-Reduktasen führt zu den entsprechenden 2′-Desoxyuridinphosphaten dUDP (bzw. dUTP). Nach Umwandlung zum Monophosphat (dUMP) u. anschließende Methylierung in 5-Stellung in Ggw. von *Thymidylat-Synthase u. 5,10-Methylen-*tetrahydrofolsäure entsteht Thymidin-5′-monophosphat (u. Dihydrofolsäure als Nebenprodukt). Dieses dient nach Phosphorylierung zum Triphosphat als Baustein für *Desoxyribonucleinsäuren; in ihnen kommen U. selbst nicht vor. Zur Synth. von RNA wird UTP neben ATP, CTP u. Guanosin-5′-triphosphat (s. Guanosinphosphate) verwendet.

UTP ist von den Nucleosid-5'-triphosphaten am häufigsten als *Coenzym an der Aktivierung u. Übertragung von *Monosacchariden zum Aufbau von *Oligo- u. *Polysacchariden sowie von deren *Konjugaten (*Glykoproteinen, *Glykolipiden, *Glykosaminoglykanen usw.) beteiligt durch Bildung der UDP-Monosaccharide. *Beisp.: Uridindiphosphat-Glucose* (UDP-Glc, UDPG; $C_{15}H_{24}N_2O_{17}P$, M_R der freien Säure: 566,33), die anstelle des dritten Phosphorsäure-Restes (vgl. Abb.) einen D-Glucose-Rest in α-1-Bindung trägt. Die Rolle der UDPG u. a. *Zuckernucleotide* bei der Biosynth. der Kohlenhydrate (s. dort) ist bes. von *Leloir untersucht worden (1970 Chemie-Nobelpreis). *Uridindiphosphat-Glucuronsäure* ist analog zu UDPG aufgebaut, enthält aber statt des D-Glucose- einen D-*Glucuronsäure-Rest, der in der Leber durch *UDP-Glucuronosyltransferasen* auf solche Stoffe übertragen wird, die als D-Glucuronsäure-Konjugate (*D-Glucuronide*) zur Entgiftung des Körpers ausgeschieden werden müssen, z. B. *Carcinogene. Ähnlich wie ATP wirken extrazelluläre U. möglicherweise als Signalmoleküle [1]. – *E* uridine phosphates – *F* uridine-phosphates – *I* uridinfosfati – *S* uridina-fosfatos

Lit.: [1] Trends Pharmacol. Sci. **18**, 387–392 (1997); **19**, 506–514 (1998).
allg.: Beilstein E V **24/4**, 173–176, 180 f., 185 ▪ Karlson et al., Kurzes Lehrbuch der Biochemie, 14. Aufl., S. 91 f., 105–109, 228, 254 f., Stuttgart: Thieme 1994. – [HS 2934 90; CAS 58-97-9 (UMP); 58-98-0 (UPP); 63-39-8 (UTP)]

Uridin-5'-triphosphat s. Uridinphosphate.

Uridylat s. Uridinphosphate.

Uridylsäure s. Uridinphosphate.

...urie (griech.: ouron = Harn). Grundwort von zusammengesetzten Substantiven mit der Bedeutung „Ausscheidung des Harns od. mit dem Harn". *Beisp.*: Glucosurie, *Phenylketonurie, Anurie.

Urik... Von latein.: acidum uricum = Harnsäure abgeleiteter, anlautender Wortbestandteil in Begriffen, die mit *Harnsäure u./od. ihrem Stoffwechsel in Zusammenhang stehen. *Beisp.*: *Hyperurikämie.

Urikämie s. Hyperurikämie.

Urikostatika. Bez. für Präp., die die Bildung von *Harnsäure aus Purinen im Organismus hemmen u. dadurch der Entstehung von *Hyperurikämie (überhöhte Harnsäure-Konz. im Blut) u. Gicht entgegenwirken; einem anderen therapeut. Prinzip folgen die *Urikosurika. Derzeit einziger therapeut. verwendeter Vertreter der U. ist *Allopurinol bei Gicht. Es ist ein kompetitiver, in höheren Dosen auch nicht-kompetitiver Hemmstoff der *Xanthin-Oxidase; maßgeblich an der Wirkung beteiligt ist sein Hauptmetabolit 2-Hydroxyallopurinol. – *E* uricostatics – *F* uricostatiques – *I* uricostatici – *S* uricostáticos

Lit.: s. Urikosurika u. die Textstichwörter.

Urikosurika. Bez. für Präp., die der *Hyperurikämie u. *Gicht dadurch entgegenwirken, daß sie die Ausscheidung der *Harnsäure mit dem Harn verbessern, indem sie deren tubuläre Rückresorption u. Ablagerung in den *Nieren hemmen; verwendet werden *Benzbromaron u. *Probenecid; das früher gebrauchte Sulfinpyrazon ist in der BRD nicht mehr im Handel. – *E* uricosuric agents – *F* agents uricosuriques – *I* uricosurici, farmaci uricosurici – *S* agentes uricosúricos

Lit.: Dtsch. Apoth. Ztg. **131**, 1789–1797 (1991) ▪ Florey **7**, 1 ff.; **10**, 639 ff. ▪ Mutschler (7.), S. 220 ff. ▪ Wolff (Hrsg.), Burger's Medicinal Chemistry Bd. 3, S. 147 ff., New York: John Wiley 1981.

Urikotelie. *Harnsäure-Ausscheidung, s. Stickstoff-Exkretion. Aus dem im Stoffwechsel freigesetzten Ammoniak wird in urikotelen Tieren Harnsäure (s. *Lit.*) gebildet, die oft als dicker Brei ausgeschieden wird. – *E* uricotely – *F* uricotélie – *I* = *S* uricotelia

Lit.: Karlson et al., Kurzes Lehrbuch der Biochemie (14.), S. 109, 514–518, Stuttgart: Thieme 1994.

Urin s. Harn.

Urinstein s. Sanitärreiniger.

Urion® (Rp). Film- u. Retard-Tabl. mit dem *Antihypertonikum *Alfuzosin-Hydrochlorid zur symptomat. Behandlung der benignen Prostatahyperplasie. *B.*: Byk Gulden.

Uripurinol (Rp). Tabl. mit *Allopurinol gegen Hyperurikämie u. Gicht. *B.*: Azupharma.

Urk s. Van-Urk-Reaktion.

Urkilo (Kilogramm-Prototyp) s. Kilogramm.

Urknall. Physikal. Modell der Ausgangsform des Universums (s. a. Kosmologie), aufbauend auf der Erkenntnis, daß Energie E u. Materie der Masse m gemäß $E = m \cdot c^2$ (c = Lichtgeschw.) ineinander umwandelbar sind. Gemäß dieses Modells war vor rund 13 Mrd. Jahren alle Materie in Form von Energie auf kleinstem Raum (Radius kleiner als 10^{-48} m) konzentriert. Seit diesem Zeitpunkt expandiert das Universum u. kühlt sich dabei immer weiter ab.

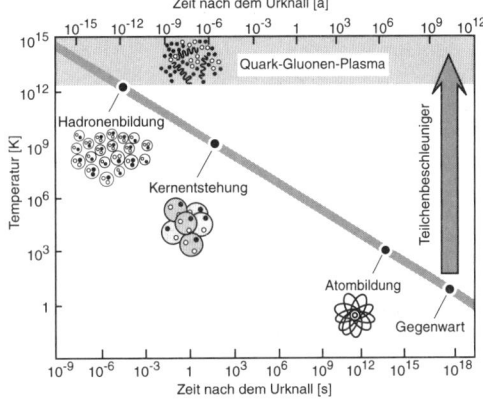

Abb.: Abkühlung des Universums nach dem Urknall (*Lit.*[1]).

In den ersten 10^{-43} s waren die vier physikal. Kräfte (Gravitation, sowie starke, schwache u. elektromagnet. Wechselwirkung) noch ident. (vereinigt) u. spalteten sich erst danach voneinander ab. Rund eine Sekunde lang bestand das Universum aus einer Suppe von heißen *Elektronen u. *Quarks (oft auch als *Quark-Gluonen-Plasma* bezeichnet; s. Elementarteilchen). Erst nach ~100 s hatte sich das Universum soweit abgekühlt, daß Atomkerne stabil blieben. Nach ~10^5 a bildeten sich erste kleine Atome u. nach ~10^6 a entkoppelten sich Licht u. Materie, d.h. das Universum wurde transparent. Die heutige Temp. des Universums wird aufgrund der *kosmischen Hintergrundstrahlung zu 2,7 K bestimmt. Mit großen *Teilchenbeschleunigern ist man heute bestrebt, bei hochenerget. Teilchenkollisionen Temp. zu erzeugen, die in dem Quark-Gluonen-Plasma herrschten, um die theoret. Aussagen über den Ablauf des U. experimentell zu verifizieren. – *E* big bang – *F* big bang, expansion originelle – *I* big bang, esplosione primordiale – *S* big banggran explosión, big bang

Lit.: [1] Spektrum Wiss. **1992**, Nr. 1, 46–54.
allg.: Barrow et al. (Hrsg.), The Physical Universe: The Interface Between Cosmology, Astrophysics and Particle Physics, Berlin: Springer 1991 ▪ Phys. Bl. **49**, 31 (1993) ▪ Phys. Unserer Zeit **28**, 1, 16 (1997) ▪ Reeves, The Hour of our Delight, Oxford: Freeman 1991 ▪ Silk, Die Geschichte des Kosmos. Vom Urknall bis zum Universum der Zukunft, Heidelberg: Spektrum 1996 ▪ Spektrum Wiss. **1995**, Nr. 1, 32; **1997**, Nr. 2, 38.

Urmeter s. Meter.

Uro... (griech.: ouron = Harn). Bestimmender Wortbestandteil von Zusammensetzungen mit der Bedeutung „Harn". *Beisp.:* *Urämie, Urogenitalsystem.

Urobilin.

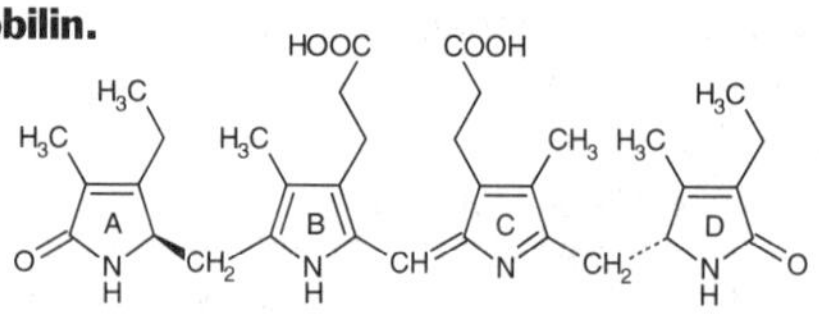

(*R,R*)-Urobilin

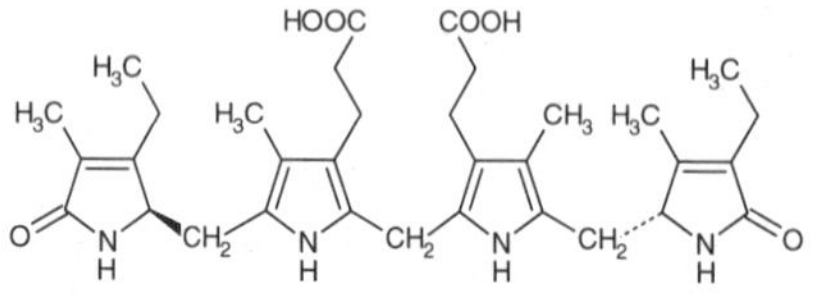

(*R,R*)-Urobilinogen

$C_{33}H_{42}N_4O_6$, M_R 590,73. Nach *IUPAC/*IUBMB-Regel TP-6.4 (s. *Lit.*[1]) versteht man unter U. das frühere U. IXα. Das Racemat, orangegelbe Nadeln, Schmp. 174–175 °C (Monohydrat, Zers.), leicht lösl. in Chloroform, Methanol, Ether, Eisessig, wenig lösl. in Benzol, unlösl. in Petrolether, wurde früher als *i*-U. bezeichnet.
(+)-U. (orangegelbe Nadeln, Schmp. 172–174 °C, stark rechtsdrehend) existiert in zwei Formen. Eine besitzt eine zusätzliche Doppelbindung (Vinyl statt Ethyl an Ring A), bei der anderen handelt es sich um einen Bestandteil des racem. U., nämlich (*R,R*)-*Urobilin*.
Vork. u. Bedeutung: U. entsteht im Darm von Warmblüter-Organismen nichtenzymat. als Dehydrierungsprodukt von *Urobilinogen*[2] (früher: Mesobilirubinogen od. Urobilinogen IXα, $C_{33}H_{44}N_4O_6$, M_R 592), einem in der Leber gebildeten Abbauprodukt des *Gallenfarbstoffs *Bilirubin. Urobilinogen wird jedoch normalerweise nur zum Teil zu U. oxidiert; ein geringer Teil wird aus dem Dünndarm rückresorbiert u. in der Leber weiter abgebaut. Unklar ist, in welchem Ausmaß Urobilinogen mit *Glucuronsäure konjugiert ist. Das außer Urobilinogen aus Bilirubin (durch Darmbakterien) gebildete *Stercobilinogen* wird zu *Stercobilin dehydriert. Letzteres unterscheidet sich von U. durch einen Mindergehalt von 4 Wasserstoff-Atomen u. gehört ebenfalls zu den *Tetrapyrrolen.
Die Färbung der Fäkalien hängt z.T. vom U.-Gehalt ab; dessen Nachw. ist mit *Schlesingers Reagenz möglich. Bei hämolyt. *Anämie wird U., das ja letztendlich aus dem Abbau des Blutfarbstoffs *Hämoglobin stammt, vermehrt im *Kot ausgeschieden. Erhöhte Ausscheidung von Urobilinogen mit dem Harn läßt auf *Leber-Dysfunktionen schließen. – *E* urobilin – *F* urobiline – *I* = *S* urobilina

Lit.: [1] Pure Appl. Chem. **59**, 811–814 (1987). [2] Beilstein E III/IV **26**, 3257 f.
allg.: Ann. Biol. Clin. (Paris) **48**, 9–15 (1990) ▪ Beilstein E V **26/15**, 515. – *[CAS 6921-61-5]*

Urobilinogen s. Urobilin.

Urocanase (Urocanat-Hydratase, EC 4.2.1.49). *Enzym (eine *Lyase) des L-*Histidin-Abbaus, das die Addition von Wasser an *trans*-*Urocansäure zu 4,5-Dihydro-4-oxo-5-imidazolpropionsäure bzw. dessen Enoltautomeren (s. Keto-Enol-Tautomerie) katalysiert. Eine Besonderheit der U. ist die Verw. von *Nicotinamid-Adenin-Dinucleotid (oxidierte Form: NAD$^+$), u. zwar *nicht* als Redox-*Coenzym (Hydrid-Akzeptor), sondern als Elektrophil. Mechanismus: Die in NAD$^+$ enthaltene Pyridinium-Einheit greift in *elektrophiler Reaktion an der 5-Position der *trans*-Urocansäure an u. sorgt damit für eine *Umpolung von deren Imidazol-Ring. – *E* = *F* urocanase – *I* urocanasi – *S* urocanasa

Urocanat-Hydratase s. Urocanase.

Urocaninsäure s. Urocansäure.

Urocansäure [Urocaninsäure, 3-(1*H*-Imidazol-4-yl)acrylsäure].

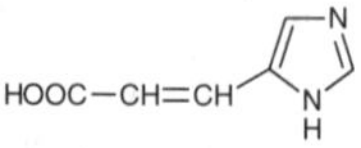

$C_6H_6N_2O_2$, M_R 138,12. Als Dihydrat bildet *trans*-U. farblose Nadeln od. Prismen, die bei 100 °C ihr Kristallwasser verlieren, Schmp. 230 °C (auch 224 °C angegeben; Zers.), lösl. in heißem Wasser u. Aceton, unlösl. in Alkohol u. Ether. Bei UV-Bestrahlung entsteht das *cis*-Isomere, Schmp. 180–184 °C. *trans*-U. entsteht biosynthet. durch Abspaltung von Ammoniak aus L-*Histidin u. kommt u. a. in der *Haut u. im *Schweiß (bei Schwarzen etwa dreimal mehr als bei Weißen) vor, wo sie eine biolog. Schutzwirkung ausübt. Bes. wirksam ist *trans*-U. gegen die erythemerzeugende *Ultraviolettstrahlung, weshalb es als *UV-Absorber in *Sonnenschutzmitteln eingesetzt werden kann. Der Abbau von *trans*-U. u. somit auch von L-Histidin erfolgt im Organismus enzymat. durch *Urocanase zu 4,5-Dihydro-5-oxo-1*H*-imidazol-4-propionsäure u. weiter zu L-Glutaminsäure. Der Cholinester der *trans*-U. ist das *Murexin* ($C_{11}H_{19}N_3O_3$, M_R 241,29), ein Nicotin- u. Curare-artig wirkendes Gift aus einer Stachelschneckenart. – *E* urocanic acid – *F* acide urocanique – *I* acido urocanico – *S* ácido urocánico

Lit.: Beilstein E V **25/4**, 204 f. ▪ Stryer 1996, S. 674. – *[HS 2933 29; CAS 104-98-3]*

Urocortin (UCN).
Asp-Asn-Pro-Ser-Leu-Ser-Ile-Asp-Leu-Thr-Phe-His-Leu-Leu-Arg-Thr-Leu-Leu-Glu-Leu-Ala-Arg-Thr-Gln-Ser-Gln-Arg-Glu-Arg-Ala-Glu-Gln-Asn-Arg-Ile-Ile-Phe-Asp-Ser-Val-NH$_2$
$C_{204}H_{337}N_{63}O_{64}$, M_R 4696,30 (Mensch). Dem *Corticoliberin (CRH) in Struktur u. Funktion ähnliches *Neuropeptid aus dem Gehirn u. a. Geweben (z. B. Herzmuskel u. a. endokrine Drüsen, Verdauungssyst., Lymphocyten) von Säugern. UCN bindet mit hoher Affinität an die CRH-Rezeptor-Typen 1, 2α u. 2β – an die beiden letzteren sogar stärker als CRH. Wie CRH, mit dem es in 45% der Aminosäure-Reste übereinstimmt, stimuliert UCN die Freisetzung von *Corticotropin aus der Hypophyse. Im Rattenhirn wird die *Vasopressin-Ausschüttung inhibiert[1]. UCN unterdrückt den Appetit stärker als CRH, Angst-artige Effekte werden jedoch in schwächerem Maß ausgelöst. Auf Herzmuskelzellen übt UCN Schutzwirkung aus[2] u. bewirkt die Freisetzung *natriuretischer Peptide aus ihnen[3]. In *Makrophagen inhibiert es die Produktion von *Tumornekrose-Faktor α[4]. Die Bestimmung des UCN kann mit *Radioimmunoassay erfolgen[5]. Das Polypeptid-Hormon *Urotensin 1* aus Fischen ist dem UCN ebenfalls verwandt (63% Identität der Aminosäure-Reste) u. vermag Corticotropin freizusetzen. – *E* urocortin – *F* urocortine – *I* = *S* urocortina
Lit.: [1]Neurosci. Lett. **248**, 144 ff. (1998). [2]Neuropeptides **32**, 167–171 (1998). [3]Biochem. Biophys. Res. Commun. **250**, 298–304 (1998). [4]Am. J. Physiol. **275**, E757–E762 (1998). [5]Life Sci. **62**, 807–812 (1998).
allg.: Brain Res. **806**, 95–103 (1998) ▪ Neuroreport **8**, 1697–1701 (1997); **9**, 1601–1606 (1998) ▪ Peptides **19**, 513–518, 643–647, 1183–1190 (1998).

Urodilatin s. natriuretische Peptide.

Urofollitropin (Rp). Internat. Freiname für *Follitropin (FSH). U. ist von Serono (Fertinorm HP®) zur Stimulation der Follikelreifung bei Frauen mit hypophysärer Dysfunktion od. zur assistierten Konzeption im Handel. – *E* urofollitropin – *F* urofollitropine – *I* urofollitropina – *S* urofolotropina
Lit.: Hager (5.) **9**, 1137 f. ▪ Ph. Eur. **1997** u. Komm. –
[CAS 97048-13-0]

Urogastron s. epidermaler Wachstumsfaktor.

Urogonadotropin (Humanes Menopausengonadotropin, HMG). Gemisch aus den von der *Hypophyse gebildeten *gonadotropen Hormonen FSH (*Follitropin) u. LH (*Lutropin), das aus dem Urin von Frauen in der Menopause gewonnen wird. HMG wird zur Behandlung der weiblichen u. männlichen Sterilität eingesetzt. – *E* urogonadotropin – *F* urogonadotropine – *I* = *S* urogonadotropina

Uroguanylin (UGN).

Asn—Asp—Asp—Cys—Glu—Leu—Cys—Val—Asn—Val—Ala—Cys—Thr—Gly—Cys—Leu

$C_{64}H_{102}N_{18}O_{26}S_4$, M_R 1667,86 (Mensch). In Darm, Niere u. a. Organen u. Geweben gebildetes u. aus Urin isolierbares *Polypeptid mit 16 Aminosäure-Resten (AR) u. zwei *Disulfid-Brücken, das als *Peptidhormon die Guanylat-Cyclase (s. Guanosinphosphate) der Darmschleimhaut u. der Niere aktiviert u. über den *second messenger cGMP (s. Guanosinphosphate) den Wasser- u. Elektrolyt-Transport (z. B. Hydrogencarbonat- u. Chlorid-Sekretion[1]) reguliert. UGN entsteht – ebenso wie das am Amino-Ende um 8 AR längere *Guanylat-Cyclase-C-aktivierende Peptid II* (GCAP II, M_R 2597,7) – aus einem Vorläufer-Protein mit 112 AR. In gewissen Drüsenzellen des Magen-Darm-Trakts wird UGN zusammen mit *Somatostatin gespeichert[2]. In isolierter perfundierter Rattenniere wirkt es natri- u. kaliuretisch[3]. UGN inhibiert die Antigen-induzierte Konstriktion der Bronchien u. könnte daher evtl. gegen Asthma wirksam sein[4]. Durch die zwei Disulfid-Brücken des UGN entstehen zwei topolog. Isomere (vergleichbar einer rechts- u. linksgeschlungenen Brezel), die abhängig von Temp. u. pH-Wert ineinander umwandelbar sind u. von denen nur eines biolog. Aktivität zeigt[5]. UGN zeigt auch Strukturverwandtschaft mit den ähnlich wirkenden *Guanylin* u. mit hitzestabilen *Enterotoxinen[6]. – *E* uroguanylin – *F* uroguanyline – *I* = *S* uroguanilina
Lit.: [1]Am. J. Physiol. **275**, F191–F197 (1998). [2]Regul. Pept. **73**, 165–176 (1998). [3]Am. J. Physiol. **274**, G633–G644 (1998). [4]Life Sci. **62**, 1833–1844 (1998). [5]FEBS Lett. **421**, 27–31 (1998); J. Pept. Res. **52**, 229–240 (1998). [6]J. Investig. Med. **45**, 276–282 (1997).
allg.: Acta Anatom. **160**, 213–231 (1997) ▪ Am. J. Physiol. **273**, E957–E964, G93–G105 (1997) ▪ Endocrinology **138**, 4636–4648 (1997); **139**, 5247–5254 (1998) ▪ J. Pept. Res. **50**, 222–230 (1997).

U-Rohrmanometer. Flüssigkeitsdruckmesser mit zwei gleich dicken Schenkeln, die mit einer Sperrflüssigkeit gefüllt sind. Der Niveau-Unterschied in den Schenkeln zeigt den Differenzdruck an, wenn die Schenkel offen sind bzw. den Absolutdruck (z. B. bei Vak.-Messung), wenn ein Schenkel geschlossen ist. – *E* U-tube manometer – *F* manomètre à tube en U – *I* manometro a tubo a U – *S* manómetro de tubo en U

Urokinase [(Urokinase-ähnlicher) Plasminogen-Aktivator, Abk.: uPA, EC 3.4.21.31]. Bez. für eine *Serin-Protease (*keine* *Kinase), die aus den Epithelien der ableitenden Harnwege isoliert werden kann. Weitere U.-Quellen sind Nierenzellkulturen, sowie Kulturen mit genet. veränderten Bakterien. Man kennt hauptsächlich 2 aktive Formen der U. mit M_R 54 000 bzw. 33 000; letztere ist ein Abbau-Produkt der ersteren. Die 54 000-Form ist ein *Glykoprotein mit 2 durch *Disulfid-Brücken verbundenen *Polypeptid-Ketten (*two-chain urokinase*) u. geht durch den Einfluß von *Kallikrein od. *Plasmin aus einer einkettigen Vorstufe (Prourokinase, *single-chain urokinase*) hervor. Die körpereigene U. wirkt als Aktivator für die Bildung des proteolyt. Enzyms Plasmin aus *Plasminogen – ähnlich wie die bakterielle *Streptokinase u. der Gewebs-Plasminogen-Aktivator (tPA, s. Plasminogen) – u. gehört damit zum Syst. der physiolog. Hemmstoffe für die *Blutgerinnung. Sowohl Plasminogen als auch Prourokinase u. a. höhermol. U.-Form können über spezif. Rezeptoren[1] an Zell-Oberflächen binden. U. ist an der Entstehung von Tumor-Metastasen beteiligt[2]. Zur Rolle der U. bei Umbildungen von Blutgefäßen s. *Lit.*[3].
Verw.: Als *Fibrinolytikum z. B. bei der Behandlung von *Thrombosen, Koronarerkrankungen[4] u. Infark-

ten. – *E = F* urokinase – *I* urochinasi, urocinasi – *S* uroquinasa, urocinasa

Lit.: [1] Blood Coagul. Fibrinolys. **4**, 293–303 (1993). [2] Int. J. Oncol. **12**, 911–920 (1998). [3] Clin. Exp. Pharmacol. Physiol. **23**, 759–765 (1996). [4] Heart **77**, 13–17 (1997).
allg.: Bioessays **15**, 105–111 (1993) ▪ Lüllmann et al., Taschenatlas der Pharmakologie, 2. Aufl., S. 146, Stuttgart: Thieme 1994. – *[HS 3507 90; CAS 9039-53-6]*

Urokinase-ähnlicher Plasminogen-Aktivator s. Urokinase.

Urolithiasis
(von griech.: ouron = Harn u. lithos = Stein). Bez. für Harnstein-Krankheit, s. Harnsteine.

Urol® mono.
Kapseln mit Trockenextrakt aus Riesengoldrutenkraut zur Prophylaxe von Harnsteinen u. Nierengrieß. **B.:** Hoyer.

Urologika.
Oberbegriff für pflanzliche u./od. synthet. Therapeutika zur Behandlung von Erkrankungen der *Nieren u. der *Harn-Wege, d. h. des Urogenitaltraktes. Hierzu gehören Harnwegsdesinfizientia, wobei verschiedene Antibiotika, Nitrofurantoine, Ethacridin, Methenamin, Phenazopyridin u. Bärentraubenblätter-Extrakt verwendet werden. Miktionsbeeinflussende Arzneimittel können *Psychopharmaka u./od. *Spasmolytika enthalten. Auch Mittel gegen Prostataerkrankungen u. Urolithiasis (Harn- u. Nierensteine) sind hier einzuordnen. – *E* urological preparations – *F* médicaments urologiques – *I* urologici, farmaci urologici – *S* medicamentos urológicos
Lit.: Helwig-Otto, Bd. II ▪ Pharm. Ztg. **138**, 1439–1450 (1993).

Uro-Nebacetin® N
(Rp). Lsg. mit dem *Aminoglykosid-Antibiotikum *Neomycin-sulfat gegen Infektionen der ableitenden Harnwege. **B.:** Byk Gulden.

Uronium-Salze.
Bez. für saure u. quartäre Salze der Struktur $[R^1R^2N-C(OR^3)=NR^4R^5]^+X^-$ (R^1 bis R^5 = H, organ. Reste; IUPAC-Regel C-973), die bei Zugabe starker Säure od. durch *Quaternisierung aus Harnstoffen u. *Isoharnstoffen entstehen (daher auch regelwidrige Bez. *Isouronium-Salze*). – *E* uronium salts – *F* sels d'uronium – *I* sali d'uronio – *S* sales de uronio

Uronsäuren.
Bez. für Carbonsäuren der allg. Formel $O=CH-[CH(OH)]_n-COOH$ ($n \geq 2$), die im Vgl. zu *Aldosen eine COOH- statt CH_2OH-Endgruppe haben (IUPAC/IUB-Kohlenhydrat-Regel 2-Carb-22); vgl. Aldarsäuren, Aldonsäuren, …onsäure u. Zuckersäuren. Anders als in systemat. Namen für *Aldehydsäuren beziffert man U.-Namen von der Aldehyd- zur Carboxy-Gruppe mit 1 bis n + 2. Die *Suffixe …ose u. …osid der Aldosen u. ihrer Glykoside werden bei U. durch …uronsäure u. …osiduronsäure ersetzt. *Galacturonsäure, *D-Glucuronsäure, *L-Iduronsäure u. a. U. sind Bausteine der *Glykosaminoglykane (z. B. *Heparin u. *Hyaluronsäure) u. a. *Polysaccharide; *Beisp.:* *Alginsäure (enthält L-Guluron- u. D-Mannuronsäure), *Karaya-Gummi, *Tragant. Die Leber verknüpft D-Glucuronsäure mit Schadstoffen zu lösl. *Glucuroniden*, die über den *Urin* (Name!) entsorgt werden.
Nachw.: Farbreaktion mit 2-Aminophenol od. Thiobarbitursäure, enzymat. Tests. – *E* uronic acids – *F* acides uroniques – *I* acidi uronici – *S* ácidos urónicos

Uroporphyrine.
Es handelt sich um 4 isomere Verb.: $C_{40}H_{38}N_4O_{16}$, M_R 830,76. *U. I* u. *U. III* unterscheiden sich z. B. durch Vertauschung der Substituenten in 17- u. 18-Stellung.

Tab.: Daten der Uroporphyrine u. Uroporphyrinogene.

	Schmp. [°C]	CAS
U. I	295*	607-14-7
U. II	>300	531-42-0
U. III	255–259*	18273-06-8
U. IV	>300	613-02-5
Uroporphyrinogen I		1867-62-5
Uroporphyrinogen II		53790-13-9
Uroporphyrinogen III		1976-85-8
Uroporphyrinogen IV		53790-14-0

* Schmp. der Octamethylester

U. III ist das am längsten bekannte natürliche *Porphyrin (Hammarsten 1892). *U. II* u. *U. IV* sind ohne physiolog. Bedeutung. Sie werden zusammen mit den anderen U. bei der säurekatalysierten Polymerisation u. Oxid. von *Porphobilinogen gebildet. *Porphyrie-Kranke scheiden U. I mit dem Harn aus. Der Kupfer-Komplex von U. III (*Turacin*, $C_{40}H_{36}CuN_4O_{16}$, M_R 829,29) ist das rote Pigment der Flügelfedern von verschiedenen afrikan. *Turaco*-Arten (Bananenfesser) u. verwandten Vögeln. Die eigentlichen Naturstoffe sind die *Uroporphyrinogene* III u. I, aus denen die U. III u. I als Artefakte bei der Isolierung gebildet werden. Die Uroporphyrinogene I–IV sind die von den entsprechenden U. I–IV abgeleiteten 5,10,15,20,22,24-Hexahydroporphyrine, die *Porphyrinogene mit 4 isolierten Pyrrol-Ringen ($C_{40}H_{44}N_4O_{16}$, M_R 836,81). Wie alle Porphyrinogene sind die Uroporphyrinogene extrem oxidationsempfindlich u. gehen dadurch leicht in die U. über. Uroporphyrinogen III ist der Schlüsselbaustein der *Porphyrin-Biosynthese, aus dem alle bekannten *Tetrapyrrole gebildet werden. Im Zusammenspiel der Enzyme Porphobilinogen-Ammoniak-Lyase (EC 4.3.1.8) u. Uroporphyrinogen III-Cosynthetase entsteht Uroporphyrinogen III aus Porphobilino-

gen. Fehlt die Cosynthetase, so wird Uroporphyrinogen I gebildet. Eines der faszinierenden Kapitel der Porphyrin-Biosynth. ist die Frage, warum u. wie die Natur Uroporphyrinogen III mit einer invertierten Anordnung von Essigsäure- u. Propionsäure-Seitenketten im Ring D bildet u. nicht das einfachere Uroporphyrinogen I mit Serienanordnung der Seitenketten. Die Erforschung der präbiolog. Bildung[1] hat gezeigt, daß Uroporphyrinogen III statist. bevorzugt wird u. damit ist eine plausible Erklärung gegeben. – *E* uroporphyrins – *F* uroporphyrines – *I* uroporfirine – *S* uroporfirinas
Lit.: [1] Angew. Chem. **100**, 5 (1988).
allg.: Angew. Chem. **94**, 327 (1982); Int. Ed. Engl. **32**, 1040 (1993) (Biosynth.); **34**, 383 (1995) (Review) ■ Beilstein E V **26/15**, 354 ■ Chem. Rev. **90**, 1261–1274 (1990) ■ Dolphin (Hrsg.), The Porphyrins, **I**, 316–319; **II**, 91–101; **VI**, 46, 67–91, 144, 243–248, New York: Academic Press 1978/1979 ■ J. Chem. Soc., Perkin Trans. 1 **1983**, 3031, 3041 (Biosynth.) ■ Jordan (Hrsg.), Biosyntheses of Tetrapyrroles, S. 30–59, 67–77, Amsterdam: Elsevier 1991.

Uro-Pract N®. Isoton. Kochsalz-Lsg. zum Spülen von Blasenkathetern. *B.:* Fresenius-Praxis.

Urospasmon® (Rp). Filmtabl. mit *Nitrofurantoin, *Sulfadiazin u. *Phenazopyridin-Hydrochlorid (*U. sine/pro infantibus* Kapseln ohne letztes) gegen Harnwegsinfekte mit spast. Beschwerden. *B.:* Heumann.

Uro-Tarivid® (Rp). Filmtabl. mit dem *Gyrase-Hemmer *Ofloxacin gegen Harnwegsinfekte. *B.:* HMR.

Urotensin 1 s. Urocortin.

Uro-Vaxom® (Rp). Kapseln mit lysierten, immunaktiven Fraktionen aus ausgewählten *Escherichia coli*-Stämmen gegen rezidivierende u. chron. Harnwegsinfektionen. *B.:* Sanofi Winthrop.

UroXatral (Rp). Film- u. Retard-Tabl. mit dem *Antihypertonikum *Alfuzosin-Hydrochlorid zur symptomat. Behandlung der benignen Prostatahyperplasie. *B.:* Synthelabo.

Uroxin s. Alloxantin.

Ursan. $C_{30}H_{52}$, M_R 412,74, Abb. s. bei Triterpene. Pentacycl., durch 8 Methyl-Gruppen substituierter, gesätt. Triterpen-Grundkörper der *Ursolsäure u. des α-*Amyrins. Das unsubstituierte, aromat. Grundgerüst des U. ist das *Picen. – *E* = *F* ursane – *I* = *S* ursano

Ursodeoxycholsäure [Ursodesoxycholsäure, Ursodiol, (Rp)].

Internat. Freiname für 3α,7β-Dihydroxy-5β-cholan-24-säure, $C_{24}H_{40}O_4$, M_R 392,58, Schmp. 203 °C, $[\alpha]_D^{20}$ +57° (c 2/abs. C_2H_5OH); LD_{50} (Maus i.p.) 1200, (Maus i.v.) 260, (Maus s.c.) 6000 mg/kg. U. wird zur medikamentösen Auflösung (*Litholyse*) von Cholesterin-*Gallensteinen eingesetzt u. ist als Generikum im Handel. – *E* ursodeoxycholic acid – *F* acide ursodésoxycholique – *I* acido ursodesossicolico – *S* ácido ursodesoxicólico

Lit.: ASP ■ Beilstein E IV **10**, 1604 ■ Drugs **27**, 95–131 (1984) ■ Hager (5.) **9**, 1141–1144 ■ Martindale (31.), S. 1764 f. ■ Ph. Eur. Suppl. **1998** u. **1999** ■ s. a. Chenodesoxycholsäure. – [HS 2918 19; CAS 128-13-2]

Ursofalk® (Rp). Kapseln mit *Ursodeoxycholsäure zur Auflösung von Cholesterin-Gallensteinen, auch als Kombinationspackung mit *Chenodesoxycholsäure. *B.:* Falk.

Ursolsäure (3β-Hydroxy-12-ursen-28-säure, Urson, Malol).

$C_{30}H_{48}O_3$, M_R 456,71. Farblose, glänzende Prismen od. haarfeine Nadeln, Schmp. 291 °C, unlösl. in Wasser, etwas lösl. in Methanol, Ethanol u. Ether. U. ist eine *Triterpen-carbonsäure mit dem Grundgerüst der *Ursans, die 1854 von Trommsdorf erstmals aus den Blättern der *Bärentraube (*Arctostaphylos uva-ursi*) isoliert wurde. U. findet sich in zahlreichen Pflanzen wie z. B. in Blättern u. Beeren von *Vaccinium*-, *Arbutus*-, *Erica*- u. *Rhododendron*-Arten, im Wachsüberzug von Äpfeln u. Birnen, in den Fruchtschalen der Preisel- u. Heidelbeeren, in Thymian, Majoran, Rosmarin, Salbei etc. U. zeigt cytotox. u. antileukäm. Aktivität. Die Konstitution wurde von *Ružička aufgeklärt. – *E* ursolic acid – *F* acide ursolique – *I* acido ursolico – *S* ácido ursólico

Lit.: Beilstein E IV **10**, 1160 ■ Karrer, Nr. 2015 ■ Merck-Index (12.), Nr. 10027 ■ Pharm. Pharmakol. Lett. **1**, 115 (1992) (Isolierung) ■ Phytochemistry **35**, 121 (1994) (Biosynth.) ■ R. D. K. (3.), S. 1021. – [CAS 77-52-1]

Urson s. Ursolsäure.

Urspannung s. elektromotorische Kraft.

UR-Spektroskopie s. IR-Spektroskopie.

Urstoff s. chemische Elemente.

Urstrahlung s. kosmische Strahlung.

Ursubstanzen s. Urtitersubstanzen.

Urteer s. Steinkohlenteer.

Urtierchen s. Protozoen.

Urtikaria s. Nesselfieber.

Urtitersubstanzen (Ursubstanzen). Bez. für chem. reinste, unbegrenzt haltbare, nicht hygroskop., in Wasser u./od. Alkohol leicht lösl. Chemikalien, mit deren Hilfe man den Gehalt von Titrierflüssigkeiten (*Titer, bei *Normallösungen auch *Faktor genannt) bei der *Maßanalyse bestimmen kann. Es sind für diese titrimetr. *Einstellung* nur Stoffe brauchbar, die stöchiometr. einheitlich (ohne Nebenreaktionen) u. schnell mit dem Titrans reagieren. Die Äquivalentmasse der U. sollte groß sein, um den Wägefehler klein zu halten. Typ. U. für einige der wichtigsten Verf. der Maßanalyse sind: Na_2CO_3 (Acidimetrie), Kaliumhydrogenphthalat, Benzoesäure (Alkalimetrie), As_2O_3, KIO_3, $K_2Cr_2O_7$, Natriumoxalat (Oxidi- u. Cerimetrie), NaCl

(Argentometrie), Dinatriumtartrat-Dihydrat (Karl-Fischer-Titration), $CaCO_3$ (Komplexometrie), Tris(hydroxymethyl)-aminomethan (Perchlorsäure-Titration). Neben den genannten *prim. U.* kennt man noch *sek. U.*, deren Gehalt an aktivem Reagenz durch Vgl. gegen eine prim. U. exakt bestimmt wird. – *E* titrimetric standard substances – *F* substances étalon (de base) – *I* sostanze titrimetriche – *S* substancias patrón

Lit.: Otto, Analytische Chemie, S. 89, Stuttgart: Thieme 1995 ∎ Wieland, Wasserbestimmung durch Karl-Fischer-Titration, S. 76 f., Darmstadt: GIT Verl. 1985 ∎ Z. Chem. **18**, 211–214 (1978).

Urucubaum s. Orlean.

Urushibara-Katalysatoren. Von Y. Urushibara[1] eingeführte Hydrierungskatalysatoren auf der Basis von Nickel, Cobalt od. Kupfer. Die U.-K. werden durch Fällung der Metalle aus wäss. Lsg. mittels Zn-Staub hergestellt u. durch Waschen mit Säuren (z. B. Essigsäure) od. Alkalien aktiviert. Sie dienen bes. zur Red. von Doppelbindungen u. Carbonyl-Gruppen. – *E* Urushibara catalysts – *F* catalyseurs Urushibara – *I* catalizzatori Urushibara – *S* catalizadores Urushibara

Lit.: [1] Poggendorff **7 b/8**, 5622–5624.
allg.: Hata, Urushibara Catalysts, Tokyo: Univ. Tokyo Press 1971 ∎ Org. Prep. Proced. Int. **4**, 179 ff. (1972) ∎ The STREM Chemiker **3**, Nr. 1, 13–18 (1975).

Urushiole (Toxicodendrol).

R = $(CH_2)_{14}$—CH_3 : U.-I
R = $(CH_2)_7$—CH=CH—$(CH_2)_5$—CH_3 : U.-II
R = $(CH_2)_7$—CH=CH—CH_2—CH=CH—$(CH_2)_2$—CH_3 : U.-III
R = $(CH_2)_7$—CH=CH—CH_2—CH=CH—CH_2—CH=CH—CH_3 : U.-IV
R = $(CH_2)_7$—CH=CH—CH_2—CH=CH—CH_2—CH=CH_2 : U.-V

Bez. für die allergenen Inhaltsstoffe des Gift-Efeus (Giftsumach, *Rhus radicans* = *Toxicodendron radicans*, Anacardiaceae), der Gifteiche (*T. diversilobum*) u. des japan. Lack-Baums (*Rhus vernicifluua*), farbloses bis blaßgelbes Öl, Sdp. 200–210 °C, lösl. in Alkohol, Ether u. Benzol. Als U. werden sowohl die Mischungen der in 3-Stellung mit gesätt. u. ungesätt. C_{15}- od. C_{17}-Seitenketten substituierten Brenzcatechine, als auch einige der reinen Verb. bezeichnet (s. Tab.). Höhere Homologe, z. B. Hydrolaccol u. 3-(8,11,14-Heptadecatrienyl)brenzcatechin, kommen neben langkettigen 4-Alkylbrenzcatechinen auch im burmes. Lack-Baum (*Melanorrhoea usitata*) vor.

Wirkung: U. rufen sehr starke allerg. Hautreaktionen hervor. Sie werden therapeut. als Antiallergika zur Hypersensibilisierung eingesetzt. U.-II wirkt antibakteriell.

Biosynth.: U. entstehen auf dem Polyketid-Weg.
– *E* = *F* urushiols – *I* urushioli – *S* urushioles

Lit.: Hager (5.) **3**, 1232 ∎ J. Nat. Prod. **45**, 532–538 (1982) (^{1}H- u. ^{13}C-NMR) ∎ J. Pharm. Sci. **70**, 785 ff. (1981) ∎ Luckner (3.), S. 401, 476, 478 ∎ Merck-Index (12.), Nr. 10028 ∎ Pharm. Biol. (3.) **2**, 413 ∎ Planta Med. **1986**, 20 ff. (Renghol) ∎ R. D. K. (3.), S. 1022. – *Pharmakologie:* J. Invest. Dermatol. **76**, 164–170 (1981); **80**, 149–155 (1983). – *Synth.:* Bull. Chem. Soc. Jpn. **64**, 1054 ff., 2560 ff. (1990) ∎ Chem. Soc. Rev. **8**, 499–537 (1979) ∎ Org. Synth. **73**, 215 (1996) ∎ Synlett **9**, 555 (1990) ∎ Synthesis **1990**, 407 ff.

Urzeugung s. Abiogenese u. chemische Evolution.

U-Salze. Veraltete Abk. für *u*nauslaugbare Salze (neue Bez.: *CF-Salze), die als *Holzschutzmittel Verw. finden.

Usbekit s. Volborthit.

Usninsäure (Usnein).

(+)-9b*R*   (−)-9b*S*

$R^1 = CO$—CH_3, $R^2 = CH_3$: Usninsäure
$R^1 = CH_3$, $R^2 = CO$—CH_3 : Isousninsäure

$C_{18}H_{16}O_7$, M_R 344,31, gelbe rhomb. Krist., Schmp. 195 °C (Racemat), 203–204 °C {(*R*)- bzw. (*S*)-Form), $[\alpha]_D^{25}$ +495° bzw. −495° ($CHCl_3$)}, lösl. in Alkohol,

Tab.: Struktur u. Daten von Urushiolen.

Urushiol	R	Summenformel	M_R	Schmp. [°C]	Sdp. [°C]	CAS
U.-I	Pentadecyl	$C_{21}H_{36}O_2$	320,52	59–60		492-89-7
U.-II	8-Pentadecenyl	$C_{21}H_{34}O_2$	318,50	33		2764-91-2 (Z): 35237-02-6
Renghol	10-Pentadecenyl	$C_{21}H_{34}O_2$	318,50	14–15	170–172 (0,13 Pa)	492-90-0 (Z): 83532-27-0
U.-III (Urushin)	8,11-Pentadecadienyl	$C_{21}H_{32}O_2$	316,48			(Z,Z): 492-91-1 (E,Z): 83532-38-1
U.-IV	8,11,13-Pentadecatrienyl	$C_{21}H_{30}O_2$	314,47			(Z,Z,Z): 21104-16-5 (Z,E,Z): 83532-40-5 (E,E,Z): 83532-39-2
U.-V	8,11,14-Pentadecatrienyl	$C_{21}H_{30}O_2$	314,47			(Z,Z,Z): 2790-58-1
Hydrolaccol	Heptadecyl	$C_{23}H_{40}O_2$	348,57	63,5–65	209–217 (3 Pa)	5862-27-1
	8-Heptadecenyl	$C_{23}H_{38}O_2$	346,55	33–36		(E): 122850-19-5 (Z): 54954-20-0
	10-Heptadecenyl					89838-23-3
	11-Heptadecenyl					(Z): 83532-41-6
	8,11,14-Heptadecatrienyl	$C_{23}H_{34}O_2$	342,52		209–217 (3 Pa)	(Z,Z,Z): 4807-34-5

Ether, heißen Fetten, unlösl. in Wasser. Einbas. Flechtensäure, die in der *(R)*-Form, in der *(S)*-Form u. als Racemat in verschiedenen Flechten, bes. *Usnea-, Parmelia-* u. *Evernia*-Arten, vorkommt, teilw. auch zusammen mit *Isousninsäure* {Schmp. 150–152 °C, $[\alpha]_D^{25}$ +505° (CHCl₃), *(R)*-Form} (s. Formelbild). Biogenet. handelt es sich um dimerisierte Tetraketide. U. ist biolog. sehr aktiv: Antibiot., antileukäm., wachstumsregulator. (bei Pflanzen), fraßhemmend (bei Insekten). Wird als freie Säure u. als Natriumsalz in pharmazeut. Präparaten eingesetzt. Vermutlich verläuft die Biosynth. der U. über eine Phenol-Oxidation. Weitere Dibenzofuran-Derivate aus Flechten sind Didymsäure, Pannarsäure, Placodiolsäure u. Schizopeltsäure. – *E* usnic acid – *F* acide usnique – *I* acido usnico – *S* ácido úsnico

Lit.: Beilstein E V **18/5**, 586 ▪ Crystallogr. Spectrosc. Res. **23**, 107 (1993) (Struktur) ▪ Karrer, Nr. 1802 ▪ Merck-Index (12.), Nr. 10031 ▪ Pharmazie **51**, 195f. (1996) ▪ Sax (8.), UWJ 000, UWJ 100 ▪ Tetrahedron Lett. **22**, 351 f. (1981) (abs. Konfiguration) ▪ Turner **1**, 110f. ▪ Zechmeister **45**, 204–207. – [HS 2932 90; CAS 7562-61-0 (R); 6159-66-6 (S); 125-46-2 (Racemat); 18058-86-1 ((R)-Iso-U.)]

USP. Abk. für United States Pharmacopeia, s. Pharmakopöen.

UStatG. Abk. für *Umweltstatistikgesetz.

Ustilan®. *Herbizid auf der Basis von *Ethidimuron zur totalen Unkrautbekämpfung auf Nichtkulturland. *B.:* Bayer.

Ustinex®. Marke von Bayer für ein Sortiment von Herbizidkombinationen mit verschiedenen Wirkstoffen (z. B. *Amitrol, *Diuron) zur semitotalen u. totalen Unkrautbekämpfung im Obst- u. Weinbau, in Kaffee, Ölpalmen, Kautschuk u. Nichtkulturland. *B.:* Bayer; Schering (für einige Typen).

UTA. Abk. für *U*ran-*T*renn*a*rbeit, s. Uran u. vgl. Isotopentrennung.

Uteroferrin. Aus Uterus sezernierte *purpurrote saure *Phosphatase*, ein *Glykoprotein (M_R 36 000) mit zweikernigem Eisen-Zentrum. Der Oxidationszustand der Eisen-Ionen wirkt sich auf die Farbe [Fe(II)-Fe(III): rosa, Fe(III)-Fe(III): purpurrot] sowie die Aktivität als *Protein-Phosphatase (EC 3.1.3.16) aus; die rosa Form ist um ein Vielfaches aktiver. Der Übergang zur purpurroten Form wird z. B. durch anorgan. Phosphate bewirkt. Ähnliche Enzyme wurden in Milz u. anderen tier. Geweben sowie in Pflanzen gefunden. Die Biosynth. des U. wird durch *Progesteron induziert. Die biolog. Rolle des U. ist noch unklar, da es im Uterus-Sekret aufgrund des vorherrschenden pH-Werts nur geringe enzymat. Aktivität zeigt; möglicherweise transportiert es Eisen-Ionen vom Uterus zum Fötus. Andererseits wurde gefunden, daß U. die Vermehrung u. *Differenzierung geprägter blutbildender Knochenmarks-Zellen stimuliert. Mit den gleichfalls durch Progesteron in Uterus induzierten sekretor. *U.-assoziierten Glykoproteinen* (M_R 39 000–50 000) bildet U. gemischte Dimere. – *E* uteroferrin – *F* utéroferrine – *I* = *S* uteroferrina

Uteroglobin (Blastokinin; Abk.: UTG). Im Kaninchen-Uterus durch Einwirkung von *Progesteron in der frühen Schwangerschaft auftretendes Protein (M_R ca. 16 000, 2 ident. Polypeptid-Ketten mit je 70 Aminosäure-Resten), das die Aktivität der *Phospholipase A_2 inhibiert u. dadurch die *Prostaglandin-Biosynth. beeinträchtigt. Das auf diese Weise entzündungshemmend (antiinflammator.) wirkende UTG wird jedoch auch in anderen Organen (z. B. Bronchien u. Tracheen) durch Steroid-Hormone induziert. Den ähnlich wirkenden Lipocortinen (s. Annexine) ist UTG in der Aminosäure-Sequenz verwandt. Antiinflammator. wirkende Teilpeptide von U. u. Lipocortin werden auch *Antiflammine* genannt. Indem UTG spezif. u. mit hoher Affinität Progesteron bindet, reguliert es wahrscheinlich dessen Verfügbarkeit für die Blastozyste (Keimblase, frühes Embryonalstadium). – *E* uteroglobin – *F* utéroglobine – *I* = *S* uteroglobina

Lit.: J. Endocrinol. Investig. **17**, 679–692 (1994).

UTG. Abk. für *Uteroglobin.

Utility Nickel®. Granalien mit ca. 98,5% Ni, 0,4% Fe, 0,4% Si, 0,16% C, als Hüttennickel der Klasse 2 zum Legieren für Stahlwerke u. Gießereien. *B.:* Inco.

Utinal®. Weichmachungsmittel u. Spezialavivagen für die Textil-Ind., anion. Fettderivate. *B.:* Henkel.

utk®. Kapseln mit Trockenextrakt aus Brennesselwurzel gegen Miktionsbeschwerden bei Prostataadenom Stadium I bis II. *B.:* TAD.

UTP. Abk. für Uridin-5′-triphosphat, s. Uridinphosphate.

Utrophin s. Dystrophin.

Uun s. Transurane.

UV. Abk. für *U*ltraviolett(strahlung), vgl. die folgenden Stichwörter, insbes. UV-Absorber u. UV-Spektroskopie. Als UV A (B, C) bezeichnet man einzelne Spektralbereiche der *Ultraviolettstrahlung; s. a. Photochemotherapie.

UV A, B, C s. Ultraviolettstrahlung.

UV-Absorber. Sammelbez. für Verb. mit ausgeprägtem Absorptionsvermögen für *Ultraviolettstrahlung, die als *Lichtschutzmittel (UV-Stabilisatoren) sowohl zur Verbesserung der Lichtbeständigkeit von Anstrichen u. Lacken, Kunststoffen u. Kautschuken (als *Alterungsschutzmittel), Gläsern (UV-Filter), Verpackungsmaterialien u. a. techn. Produkten als auch als *Sonnenschutzmittel in kosmet. Präp. Verw. finden. Im allg. handelt es sich bei den durch *strahlungslose *Desaktivierung* (s. Photochemie) wirksamen Verb. um Derivate des *Benzophenons, dessen Substituenten (z. B. Hydroxy- u./od. Alkoxy-Gruppen) sich meist in 2- u./od. 4-Stellung befinden. Des weiteren sind auch substituierte Benzotriazole (z. B. in photograph. Schichten) geeignet, ferner in 3-Stellung Phenyl-substituierte Acrylate (Zimtsäure-Derivate), ggf. mit Cyano-Gruppen in 2-Stellung, Salicylate, organ. Ni-Komplexe sowie Naturstoffe wie *Umbelliferon u. die körpereigene *Urocansäure. Bezüglich UV-Absorptionsspektren von organ. Mol. s. a. *Lit.*¹. In der ird. Lufthülle wirkt Ozon als UV-Absorber (s. Abb. bei Ozon-Schicht). – *E* UV absorbers – *F* absorbants UV – *I* assorbitori UV – *S* absorbentes UV

Lit.: [1] Klessinger u. Michl, Lichtabsorption und Photochemie organischer Moleküle, Weinheim: VCH Verlagsges. 1989. *allg.:* Encycl. Polym. Sci. Technol. **14**, 125–148 ▪ s. a. Ultraviolettstrahlung, Licht- u. Sonnenschutzmittel.

UV-Absorber Bayer 325. Benzophenon-Derivate zur Verw. in der PVC-Verarbeitung sowie in Polystyrol, Polyacrylat, Cellit u. Klarlacken zum Lichtschutz des Untergrunds. *B.:* Bayer.

UV-Absorber Bayer 340. Cyanacrylsäureester-Derivate zur Verw. in der PVC-Verarbeitung sowie in Polystyrol, Polyacrylat, Cellit u. Klarlacken zum Lichtschutz des Untergrunds. *B.:* Bayer.

Uvaricin s. Annonine.

UVCB. Von engl.: „unknown or variable or complex products or biological materials" abgeleitetes Akronym für „schlecht definierte Stoffe" in der EG-Altstoffliste *EINECS.

UV-Filter s. Ultraviolettstrahlung u. UV-Absorber.

UV-Gläser s. Ultraviolettstrahlung.

UV-Härtung. Spezialfall der Strahlenhärtung, z. B. der *Härtung von Kunststoffen od. der *Lackhärtung unter Einfluß von UV-Licht. – *E* UV curing – *F* durcissement UV – *I* indurimento ultravioletto – *S* endurecimiento UV

Uvinul®. *UV-Absorber auf der Basis substituierter *Benzophenone, Acrylate u. 4-Aminobenzoesäureester sowie Octylmethoxycinnamat u. Methylbenzyliden Camphor HALS (hindered amine light stabilizers). *Verw.:* In Sonnenschutzpräp. u. als UV-Stabilisatoren für Kunststoffe, Synthesekautschuk, Klebstoffe etc. *B.:* BASF.

Uvirgan®. Kapseln (*U. mono*) mit Extrakt aus Kürbissamen gegen Reizblase, Tropfen (*U. N*) enthalten zusätzlich Extrakte aus Brennessel- u. Hauhechelwurzel. *B.:* Kanoldt.

Uvit s. Turmalin.

UVITEX®. Sortiment von opt. Aufhellern auf *Stilben-, *Oxazol-, *Imidazol- u. *Pyrazolin-Basis zur Verw. auf Textilfasern. *B.:* Pfersee.

UV-Lampe s. Ultraviolettstrahlung.

UV-Laser. Sammelbegriff für *Laser, die Strahlung im ultravioletten Spektralgebiet emittieren. Hierzu zählen mit festen Wellenlängen λ der *Excimer-Laser (XeF: $\lambda = 351$ nm, XeCl: $\lambda = 308$ nm, KrF: $\lambda = 248$ nm, KrCl: $\lambda = 222$ nm, ArF: $\lambda = 193$ nm u. F_2: $\lambda = 157$ nm), der *Stickstoff-Laser ($\lambda = 336{,}7$ nm) sowie die *Edelgas-Ionen-Laser mit Argon od. Krypton-Füllung. Ferner kann durch *Frequenzverdopplung bzw. Frequenzvervielfachung die Strahlung von Lasern aus dem sichtbaren bzw. IR-Gebiet in den UV-Bereich konvertiert werden; z. B. Nd: YAG-Laser (s. Neodym-Laser):

$$\lambda = 1064 \text{ nm} \xrightarrow{2f} \lambda = 532 \text{ nm} \xrightarrow{2f} 266 \text{ nm}.$$

Durchstimmbare, d. h. in der Wellenlänge variable UV-Laserstrahlung wird durch Frequenzverdopplung von *Farbstoff-Lasern (Verdopplerkrist. sind z. B. KDP, s. Kaliumphosphate, od. *BBO bis $\lambda = 205$ nm) od. durch Frequenzverdreifachung von Farbstoff-Laserstrahlung in Gasen erreicht. Mit Hilfe eines opt. parametr. Oszillators (Kurzz. OPO, s. parametrische Verstärkung) kann die Strahlung eines Festfrequenzlasers ebenfalls in durchstimmbare UV-Laserstrahlung konvertiert werden; zur Erzeugung kohärenter Strahlung im Röntgenbereich s. Röntgenlaser. – *E* UV laser – *F* = *I* laser UV – *S* láser UV

UV-Licht. Bez. für elektromagnet. Strahlung im Wellenlängenbereich 400–10 nm; also kurzwelliger als sichtbares Licht; Details s. Ultraviolettstrahlung.

Uvomorulin s. Cadherine.

UVP (Umweltverträglichkeitsprüfung). Verf. zur Identifizierung, Beschreibung u. Bewertung von Auswirkungen eines Vorhabens auf Mensch, Fauna u. Flora, Boden, Wasser, Luft, Klima u. Landschaft, deren Wechselwirkungen sowie Kultur- u. Sachgüter. Die UVP ist eine jurist. Ausgestaltung des *Vorsorgeprinzips. Der Begriff UVP ist aus dem amerikan. National Environmental Policy Act (NEPA) von 1969 abgeleitet, das sämtliche Bundesbehörden bei größeren staatlichen Maßnahmen, die die menschliche *Umwelt erheblich beeinträchtigen können, zum „Environmental Impact Statement" bzw. „Environmental Impact Assessment" (EIA) verpflichtet. In der BRD ist die UVP in den verwaltungsinternen Grundsätzen für die Prüfung der Umweltverträglichkeit öffentlicher Maßnahmen des Bundes vom 12.9.1975 (UVP-Grundsätze[1]) sowie in dem aufgrund einer EG-Richtlinie[2] erlassenen Gesetz über die Umweltverträglichkeitsprüfung[3] vom 12.2.1990 (UVPG) geregelt. Wesentliche Ergänzungen bringt die EU-Richtlinie[4] vom 3.3.1997.
Anw.: Die UVP ist unselbständiger Bestandteil umweltrechtlicher Genehmigungsverf. wie z. B. *Bundes-Immissionsschutzgesetz (BImSchG), Atomgesetz, *Kreislaufwirtschafts- und Abfallgesetz, *Wasserhaushaltsgesetz, Bundesberggesetz od. Baugesetz. Sie ist anzuwenden zur Errichtung u. Betrieb, bei wesentlichen Änderungen u. z. T. bei der Stillegung von Anlagen, die im UVPG (Anlage zu § 3 sowie deren Anhang) bestimmt sind, z. B. Kraftwerke, Erdölraffinerien, Wärmekraftwerke, Werften, Abfallentsorgungsanlagen, Hüttenwerke, „integrierte" Chemieanlagen, landwirtschaftliche Aufzuchtbetriebe, Glaswerke u. a. Anlagen ab den dort genannten Größen sowie Autobahnen u. Flugplätze.
Folgende Voraussetzungen müssen erfüllt sein, damit von einer chem. Verbundanlage gesprochen werden kann, die der UVP zu unterziehen ist: Das Vorhaben besteht aus mehreren, nach dem BImSchG genehmigungspflichtigen Anlagen. Des weiteren ist erforderlich, daß zwischen den Anlagen ein „verfahrenstechn. Verbund" besteht. Ein solcher verfahrenstechn. Verbund ist nur dann anzunehmen, wenn die Anlagen sich auf demselben Betriebsgelände befinden, durch gemeinsame Betriebseinrichtungen verbunden sind u. zwischen diesen Anlagen eine solche verfahrenstechn. Verknüpfung besteht, daß der Betrieb der einen Anlage ohne Versorgung durch die gleichzeitig betriebene andere Anlage auf Dauer nicht möglich ist.
Die UVP bezieht sich nicht – im Gegensatz zu den UVP-Grundsätzen – auf abstrakte Maßnahmen wie Rechts-

vorschriften. Die UVP ist entbehrlich, wenn die Umweltauswirkungen bereits in der Vorplanung, in Vorbescheiden od. Teilzulassungen ausreichend geprüft wurden sowie in Bagatellfällen.
Ablauf: Das UVPG regelt den formalen Prüfungsablauf, ohne explizit Umweltstandards vorzugeben u. beschreibt die Informationspflichten des Projektträgers, die Beteiligungen u. Zuständigkeiten, die Information der Öffentlichkeit u. ihre Unterrichtung über die getroffene Entscheidung. Detailliert wird vorgegeben, welche Angaben der Träger des Vorhabens in den Antragsunterlagen machen muß. Die allg. Verwaltungsvorschrift zur Ausführung des Gesetzes über die Umweltverträglichkeitsprüfung[5] (UVPVwV) vom 18.9.1995 enthält normeninterpretierende u. verfahrenslenkende Regelungen. Die UVP läuft in 5 Schritten ab: 1. Unterrichtung über den voraussichtlichen Untersuchungsrahmen durch den Vorhabensträger, – 2. Behörden- u. Öffentlichkeitsbeteiligung einschließlich eventuell notwendiger grenzüberschreitender Bürgerbeteiligung, – 3. Darst. der Auswirkungen des Vorhabens auf die Umwelt, – 4. Bewertung der Umweltauswirkungen u. – 5. behördliche Zulassungsentscheidung unter (nicht bindender) Berücksichtigung der Ergebnisse der UVP. Die UVP im grenzüberschreitenden Kontext, insbes. die grenzüberschreitende Behördenbeteiligung, wurden in der sog. ESPOO-Konvention 1991 vereinbart (in Kraft seit 1997) u. in die EU-Änderungsrichtlinie[4] übernommen. – *E* EIA (environmental impact assessment) – *F* inspection de la compatibilité avec l'environnement – *I* esame della compatibilità ambientale – *S* ensayos sobre la compatibilidad con el medio ambiente
Lit.: [1] GMBl., S. 717 (1975). [2] Richtlinie 85/337/EWG des Rates vom 27.6.1985 über die UVP bei bestimmten öffentlichen u. privaten Projekten (UVP-Richtlinie), ABl. EG, L 175 vom 5.7.1985. [3] BGBl. I, S. 205 (1990), zuletzt geändert durch Gesetz vom 9.10.1996 (BGBl. I, S. 1498, 1996), 18.8.1997 (BGBl. I, S. 2081, 2111). [4] ABl. EU, L 73 vom 14.3.1997. [5] GMBl., S. 671 (1995).
allg.: Feldhaus et al. (Hrsg.), Bundesimmissionsschutzrecht, Kommentar (2.), Bd. 5, Tl. F2, Heidelberg: C. F. Müller (Loseblatt-Sammlung) Stand 1998 ▪ Gassner u. Winkelbrandt, UVP – Umweltverträglichkeitsprüfung in der Praxis (3.), München: Jehle Rehm 1997 ▪ Kloepfer, Umweltrecht (2.), S. 237–247, 256 f., München: Beck 1998 ▪ Korrespondenz Abwasser **42**, 1079–1145 (mehrere Artikel, 1995) ▪ Peters, Das Recht der Umweltverträglichkeitsprüfung, 2 Bd., Baden-Baden: Nomos 1994 ▪ Peters, Die UVP-Richtlinie der EG u. die Umsetzung in das deutsche Recht, Baden-Baden: Institut für regionale Zusammenarbeit u. Europäische Verwaltung 1994 ▪ Stelzer, Bewertungen im Umweltschutz u. Umweltrecht, Berlin: Springer 1997 ▪ Storm et al., Handbuch der Umweltverträglichkeitsprüfung (HdUVP), Berlin: E. Schmidt (Loseblatt-Sammlung, seit 1988). – *Internet-Adresse:* http://europa.eu.int/en/comm/dg11/eia/home.htm

UVR. Engl. Abk. für *Ultraviolettstrahlung.

UV-Spektroskopie (Ultraviolett-Spektroskopie). Bez. für ein Verf. der opt. *Spektroskopie, das auf der spezif. *Absorption von *Ultraviolettstrahlung durch UV-aktive *Chromophore in anorgan. u. organ. Verb. beruht. Der Arbeitsbereich der UV-S. – man vgl. die Abb. bei Spektroskopie (Abb. 1) u. Strahlung – ist im allg. der Wellenlängenabschnitt von $\lambda = 400 - 200$ nm (*Wellenzahlen $\bar{\nu} = 25000 - 50000$ cm^{-1} bzw. Frequenzen $\nu = 7,5 - 15 \cdot 10^{14}$ s^{-1}); mit geeigneten Geräten u. Arbeitstechniken sind auch noch Messungen bei Wellenlängen unterhalb 200 nm ($\bar{\nu} > 50000$ cm^{-1}) möglich (*Vakuum-UV-Spektroskopie*). Prinzipiell gleichartig – u. deshalb im allg. zusammen mit der UV-S. behandelt – funktioniert die *Spektroskopie im sichtbaren Spektralbereich* (engl. Abk.: VIS-Spectroscopy), d.h. bei den Wellenlängen 400–800 nm ($\bar{\nu} = 25000 - 12500$ cm^{-1}): In diesem Bereich absorbierende anorgan. u. organ. Substanzen sind farbig. Kommerzielle Geräte decken üblicherweise den Bereich 200–800 nm ab; deshalb spricht man im allg. von *UV-VIS-Spektroskopie*.

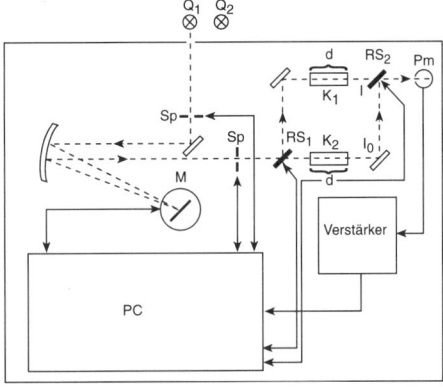

Abb. 1: Schemat. Aufbau eines registrierenden Zweistrahl-Spektrophotometers. Es bedeuten: Q_1, Q_2 = Strahlungsquellen, Sp = Spalt, M = Monochromator, RS_1, RS_2 = rotierende Spiegel, K_1 = Meßküvette, K_2 = Vergleichsküvette, d = Schichtdicke (Lichtweg), I_0, I = Strahlungsintensität, Pm = Photomultiplier, PC = Personal Computer.

Techn. geht man bei der Aufnahme von UV-Spektren mit Hilfe von *UV-Spektrophotometern* (zum prinzipiellen Aufbau von Zweistrahlgeräten s. Abb. 1) so vor, daß man die in geeigneten Lsm. gelösten Untersuchungssubstanzen in speziellen *Küvetten K_1 (im sichtbaren Bereich würden Glasküvetten genügen, im UV benötigt man Quarzküvetten) in den Meßstrahlengang des Gerätes bringt u. die Intensität I der durchgelassenen Strahlung in Abhängigkeit von der Wellenlänge (Wellenzahl) registriert. Die *Referenzküvette* K_2 im Vergleichsstrahlengang enthält nur das Lsm., das selbstverständlich im Meßbereich keine Eigenabsorption zeigen darf (Intensität I_0). Die in der UV-S. meistgebrauchten Lsm. sind: Wasser, Hexan, Cyclohexan, Isooctan, Methanol, Ethanol, 2-Propanol, Ether, Tetrahydrofuran, Dioxan, Ethylacetat, Chloroform, Tetrachlorkohlenstoff, Dimethylformamid, Acetonitril, Dimethylsulfoxid, Benzol; zu den kurzwelligen Meßgrenzen dieser u. a. Lsm. s. *Lit.*[1]. Angesichts des meist hohen Absorptionsvermögens od. -maßes (Extinktion) der Untersuchungssubstanzen benötigt man stark verd. Lsg. (10^{-1} bis 10^{-5} m, ca. 10 mg/L, Schichtdicken 1–10 mm). Als *Strahlungsquellen* Q in der UV-S. dienen in zunehmendem Maße *UV-Laser, die zur Absorptions-, Fluoreszenz- od. Anregungsspektroskopie (s. Abb. bei Fluoreszenzspektroskopie) eingesetzt werden, Kontinuumstrahler (s. Spektroskopie) wie Wasserstoff- od. Deuterium-Entladungslampen u. Xenon-Hochdrucklampen, die bei automat. Betrieb bei ca. 360 nm selbsttätig ausgetauscht werden (Q_1 gegen Q_2, s. Abb. 1). Die früher in *Monochromatoren* M verwendeten Prismen aus Glas od. Quarz sind heute meist durch Beugungsgitter ersetzt. Die den Probenraum erreichende *monochromatische Strahlung wird durch den mit ca. 13 Hz rotierenden Spiegel RS_1 geteilt, wechselweise durch die Küvetten K_1 der Probenlsg. u. K_2 des reinen Lsm. geleitet. Da der die Probenlsg. verlassende Strahl um den dort absorbierten Anteil intensitätsgeschwächt ist, liefern die über RS_2 wiedervereinigten Strahlenbündel dem *Photomultiplier* Pm ein Wechsellichtsignal, welches durch die nachgeschaltete Elektronik in ein dem Intensitätsunterschied ($I_0 - I$) entsprechendes elektr. Signal umgewandelt u. – in Abhängigkeit von der vom Monochromator selektierten u. über eine Steuereinheit kontinuierlich variierten Wellenlänge – in einer *Registriereinheit* (PC) aufgezeichnet wird. Während des *Registrierens werden die Spalte Sp so gesteuert, daß die Intensität I_0 etwa gleich bleibt, wodurch ein konstantes Signal/Rausch-Verhältnis unabhängig von der Wellenlänge erreicht wird. Resultat ist das UV- u./od. Sichtbare-Spektrum (UV-VIS-Spektrum), das je nach Wahl der Parameter die opt. Dichte, die prozentuale Absorption, meist aber die Extinktion od. deren dekad. Logarithmus gegen die Wellenlänge u./od. die Wellenzahl (davon eine in linearer Darst.) aufgetragen zeigt (vgl. Abb. 2–4).

Quant. Aussagen der UV-S. werden ermöglicht durch die Gültigkeit des *Lambert-Beerschen Gesetzes, das eine Beziehung herstellt zwischen der Intensität I_0 des eingestrahlten (bzw. des die Lsm. enthaltende Vergleichsküvette K_2 verlassenden) Meßstrahls, der Intensität I des die Probenlsg. K_1 verlassenden Meßstrahls, der molaren Konz. c der Probenlsg., der Schichtdicke d der Probenlsg. (meist 1 cm) u. dem sog. *molaren Extinktionskoeffizienten* ε, der *Extinktion* E bzw. der *Transmission*. Die von Bouguer, Lambert u. Beer aufgestellten Gesetzmäßigkeiten lauten: $I = I_0 \cdot 10^{-\varepsilon cd}$ od. $\lg I_0/I = E = \varepsilon c d$, d. h. die Extinktion ist der Schichtdicke u. der Konz. proportional. Der Quotient I/I_0 wird *Transmission* T (*Transparenz, Durchlässigkeit) genannt. Obwohl seit Jahrzehnten von IUPAC, CIE, IEC, DIN u. a. Organisationen eine weitgehend einheitliche Terminologie empfohlen wird, benutzt man in der UV-S. noch häufig die alten Bez. – beispielsweise sollte man den Begriff Durchlässigkeit (I/I_0 od. T) durch *Transmissionsvermögen* ersetzen, Intensität durch *Strahlungsfluß* (Symbol: Φ) u. Extinktion ($\lg 1/T$, $\lg T_0/T$) durch *spektrales Absorptionsmaß* (DIN: Symbol E) bzw. *innere Transmissionsdichte* (IEC, CIE: Symbol D_i) bzw. *dekad. Absorptionsvermögen* (IUPAC: Symbol D_i od. A); Näheres s. bei Lambert-Beersches Gesetz. Die graph. Darst. der Spektren (s. Abb. 2–4) erlaubt die direkte Ablesung der den *Absorptionsmaxima* zugehörigen Wellenlängen (λ_{max}, in nm) u./od. *Wellenzahlen ($\bar{v}_{max}$, in cm^{-1}) sowie der Transmissionen (in %) od. der molaren Extinktionskoeff. (ε_{max}, in $1000\,cm^2\,mol^{-1} = mol^{-1}\,cm^{-1}$; diese Dimension wird aber im allg. nicht angegeben) bzw. $\lg \varepsilon_{max}$. Die heute gebräuchlichste Darst. mit $\lg \varepsilon$ auf der Ordinate u. $\bar{v}$ auf der Abszisse von links nach rechts zu- od. abnehmend linear aufgetragen ist deshalb bes. zweckmäßig, weil $\bar{v}$ der Energie proportional ist; zur Umrechnung s. die Tab. (mit Energie E in Kilokalorien bzw. Kilojoule pro Mol u. Elektronenvolt).

Allerdings findet man auch andere bildliche Darst. der Spektren, was die Vergleichbarkeit stark beeinträchtigt.

Die UV-S. als *Absorptions-*Spektroskopie* (vgl. Absorptiometrie) basiert bei organ. Verb. auf dem Effekt der elektron. *Anregung von Pi-Elektronensyst. (s. Molekülorbitale), wie sie in Alkenen, Alkinen, Carbonyl-Verb., Iminen u. a. *ungesättigten Verb. vorliegen. Gemeinsam ist diesen *Chromophoren, daß die Absorption der Meßstrahlung zu einem im kurzwelligen UV, im allg. bei 170–210 nm, liegenden sog. π,π^*-Übergang (zur Terminologie s. Photochemie) mit relativ hohem Extinktionskoeff. führt; *Beisp.:* Ethylen 175 nm ($\varepsilon_{max} \sim 5000$), Alkine 180 nm ($\varepsilon_{max} \sim 6000$), Ketone 195 nm ($\varepsilon_{max} \sim 1000$), Nitro-Verb. 210 nm. Darüber hinaus sind Verb. mit *einsamen Elektronenpaaren in nichtbindenden Orbitalen (N-, O-, S-Verb.) zu einem zusätzlichen, längerwelligen (>270 nm) sog. n,π^*-Übergang mit kleinerem Extinktionskoeff. befähigt; *Beisp.:* Ketone 270–285 nm (ε_{max} 10–30), Nitro-Verb. 270 nm (ε_{max} 10–20). Besitzt eine Verb. mehrere Chromophore, die nicht in Wechselwirkung miteinander treten können, so addieren sich die Effekte; *Beisp.:* 2,5-Hexandion absorbiert wie Aceton bei 270 nm, aber mit doppelt so hoher Extinktion, 6-Methyl-5-hepten-2-on absorbiert bei 195 nm (C=C) u. 275 nm (C=O). Anders dagegen im Fall möglicher *Konjugation, bei der die π-Elektronensyst. verschmelzen; *Beisp.:* Mesityloxid [$(H_3C)_2C=CH-CO-CH_3$] absorbiert mit wesentlich höherer Extinktion bei 228, 253, 295 u. 327 nm. In konjugierten *Polyenen trägt jede weitere Doppelbindung nicht nur zu einer Verschiebung des Absorptionsmaximums zu längeren Wellenlängen hin (*bathochrom) bei, sondern auch zur Vergrößerung des Extinktionskoeff. (*hyperchromer Effekt*); *Beisp.* (in Klammern Anzahl der konjugierten Doppelbindungen/λ_{max} in nm/ε_{max}/Farbe): Ethylen (1/175/5000/farblos), Butadien (2/217/21 000/farblos), Hexatrien (3/258/35 000/farblos), Decapentaen (5/335/118 000/gelblich), Dihydro-β-carotin (8/415/210 000/orange),

Tab.: Umrechnung der Parameter in der UV-Spektroskopie.

λ	[nm]	200	250	300	333	400	500	600	800
$\bar{v}$	[cm^{-1}]	50 000	40 000	33 333	30 000	25 000	20 000	16 666	12 500
E	[kcal/mol]	142,9	114,3	95,2	85,7	71,5	57,2	47,6	35,8
E	[kJ/mol]	598	479	399	359	299	239	199	150
E	[eV]	6,20	4,96	4,13	3,72	3,10	2,48	2,07	1,55

Lycopin (11/470/185000/rot), Dehydrolycopin (15/504/150000/violett). Man vergleiche die Abb. 2 u. 3 der UV/VIS-Spektren von (farblosem) Benzol in Hexan (Abb. 2) u. von (rotem) *Protoporphyrin-dimethylester in Dioxan (Abb. 3). Bei aromat. Verb. treten zudem aufgrund der Elektronendelokalisierung andere UV-Banden in Erscheinung. Beispielsweise absorbiert farbloses Benzol (3 „Doppelbindungen", in Klammern ε_{max}, vgl. die Abb. 2) bei 184 nm (46700), 202 nm (6920), 255 nm (170) u. Naphthalin (5 „Doppelbindungen") bei 220 nm (112000), 275 nm (5620), 312 nm (175). Die Lage der UV-Banden wird von apolaren Substituenten nur wenig, von polaren degegen stärker beeinflußt. Diese Gruppen (*Auxochrome) verschieben λ_{max} entweder zu höheren Wellenlängen (*bathochrom) od. zu niedrigeren Wellenlängen (*hypsochrom). Zur Vorhersage der Absorptionslage von Chromophoren u. der *Farbe von *Farbstoffen wurden zunächst empir. Regeln, später solche auf Basis der *MO-Theorie entwickelt [1].

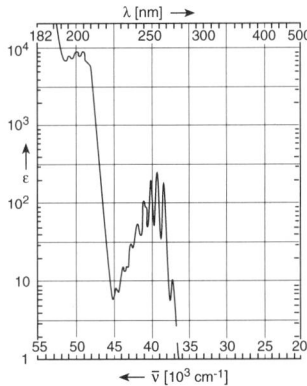

Abb. 2: UV-Spektrum des *Benzols in Hexan.

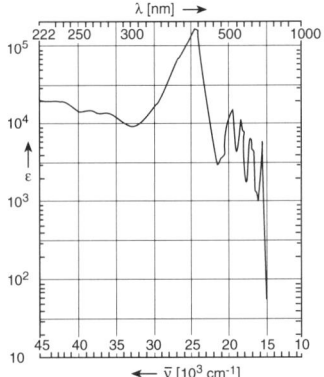

Abb. 3: UV/VIS-Spektrum des Dimethylesters von *Protoporphyrin in Dioxan.

Die UV/VIS-Spektren von anorgan. Komplexen entstehen durch sog. d-d-Übergänge am Zentralatom (s. Ligandenfeldtheorie) u./od. durch Absorption von *Charge-transfer-Komplexen (*Elektronen-Donator-Akzeptor-Komplexen). Die d-d-Übergänge beobachtet man meist im sichtbaren Teil des Spektrums. Die Farbe hängt von den *Liganden ab, die man entsprechend ihren Einflüssen zu einer „spektrochem. Reihe"

anordnen kann (s. Übergangsmetalle). Banden mit sehr kleinem ε stammen von sog. „verbotenen" Übergängen; die *Symmetrie- u. *Multiplizitäts-Verbote können durch therm. Schwingungen durchbrochen werden. Nach kürzeren Wellenlängen hin nimmt die Absorption im Vgl. zu der d-d-Übergänge um das 10- bis 100fache zu. Ursache sind die meist sehr intensiven Charge-transfer-Banden, die entstehen, wenn ein Elektron vom Metall in ein unbesetztes Mol.-Orbital des Liganden gehoben wird od. wenn ein Elektron vom Ligand ein Atomorbital des Zentralatoms besetzt. In sog. gemischtvalenten Verb., die Metalle in unterschiedlichen Oxid.-Stufen enthalten {Beisp.: *Berliner Blau, $Fe_4^{III}[Fe^{II}(CN)_6]_3$}, können auch Übergänge zwischen den Metallatomen vorkommen; Näheres s. Charge-transfer-Komplexe.

Verw.: Die Absorptionsspektroskopie im UV (Abb. 2) u. im sichtbaren Spektralbereich (Abb. 3) gehört in der organ. Chemie seit langem zu den Routineuntersuchungen in Laboratorium u. Betrieb. Zwar eignet sich die UV-S. im Gegensatz zur *IR- u. *NMR-Spektroskopie im allg. nicht zur Strukturermittlung einzelner Verb. – es werden ja nur ganze *Chromophore mit π-Elektronensyst. erfaßt, auf deren Spektrenform die ggf. vorhandenen Substituenten meist nur einen geringen Einfluß ausüben –, doch erlaubt gerade sie z. B. die Erkennung von Konjugations- od. Anellierungseffekten, das Vorliegen von Charge-transfer-Komplexen, von *Solvatation (s. a. Solvatochromie) u. a. Effekten, bei denen die Elektronenhülle der Mol. beeinflußt wird. Zur Substanzcharakterisierung u. -identifizierung lassen sich die UV/VIS-Spektren nur mit Hilfe des Vgl. anhand von Spektren-Sammlungen heranziehen. Eine bes. wichtige Aufgabe erfüllt die UV-S. jedoch in der quant. Analyse, zumal hier nur sehr kleine Substanzmengen – häufig genügen wenige Milligramm – benötigt werden, was die Meth. zu einem Verf. der *Mikroanalyse macht. Durch Konz.-Messung (vgl. Kolorimetrie u. Photometrie) lassen sich auch geringfügige Verunreinigungen bekannter Stoffe sehr empfindlich nachweisen, was zur Gehaltsbestimmung im chem., pharmazeut. u. klin. Laboratorium u. im Betrieb routinemäßig ausgenutzt wird. Auch Gemische von zwei od. mehr Substanzen lassen sich so untersuchen. Voraussetzung für die qual. u. quant. Aussagen der UV/VIS-Spektren ist, daß sich die Probenlsg. während des Meßvorgangs nicht infolge irgendwelcher Reaktionen verändert. Allerdings läßt sich auch dieser Fall analyt. auswerten, indem man entweder nur bei *einer* Wellenlänge mißt u. die Zu- od. Abnahme der Absorption in Abhängigkeit von der Versuchsdauer aufzeichnet (*kinet. UV-Spektren*), od. man durchfährt das Spektrum der sich verändernden Substanz od. der Reaktionslsg. mehrmals in bestimmten Zeitabständen u. registriert die Absorptionskurven auf demselben Papier. Treten hierbei sog. *isosbestische Punkte, d. h. Punkte gleicher molarer Absorptionskoeff. bei einer bestimmten Wellenlänge, auf, so kann hieraus ggf. der Schluß gezogen werden, daß in der Untersuchungs-Lsg. *Isomerisierungen (z. B. durch photochem. induzierte *Umlagerung, s. die Abb. 4 mit 3 isosbest. Punkten) od. andere, ohne die Bildung von Nebenprodukten ablaufende Reaktionen stattfinden.

UV-Stabilisatoren

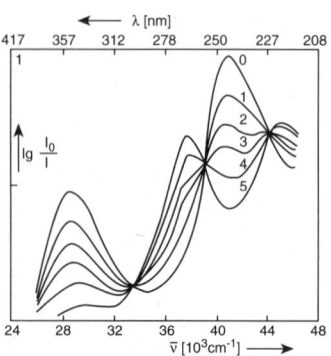

Abb. 4: UV-Spektrum des sich bei Belichtung umlagernden *Colchicins (0), desselben nach 2, 4, 6, 10, 40 min Belichtung (1–5) bzw. des β-Lumicolchicins (5).

– *E* UV spectroscopy – *F* spectroscopie UV – *I* spettroscopia UV, spettroscopia nell'ultravioletto – *S* espectroscopia UV

Lit.: [1] Z. Chem. **25**, 385–392 (1985).
allg.: Burgess u. Knowles, Practical Absorption Spectrometry, London: Chapman & Hall 1984 ▪ Burgess u. Mielenz, Advances in Standards and Methodology in Spectrophotometry, Amsterdam: Elsevier 1987 ▪ Carruthers, Astronomy, Ultraviolet Space, in Encyclopedia of Physical Science and Technology, Vol. 2, S. 153–176, New York: Academic Press 1992 ▪ Demchenko, Ultraviolet Spectroscopy of Proteins, Berlin: Springer 1986 ▪ DIN 32635: 1992-05 ▪ GIT Fachz. Lab. **31**, 87–89, 611–617 (1987) ▪ Hediger, Quantitative Spektroskopie im ultravioletten u. infraroten Spektralbereich, Heidelberg: Hüthig 1985 ▪ Klessinger u. Michl, Lichtabsorption u. Photochemie organischer Moleküle, Weinheim: VCH Verlagsges. 1989 ▪ Nowicka-Jankowska et al., Analytical Visible and Ultraviolet Spectrometry (Wilson-Wilson 19), Amsterdam: Elsevier 1986 ▪ Perkampus, UV-VIS-Spektroskopie u. ihre Anwendungen, Berlin: Springer 1986 ▪ Samson et al. (Hrsg.), Experimental Methods in the Physical Science, Vol. 32: Vacuum Ultraviolet Spectroscopy II, San Diego: Academic Press 1998 ▪ Sinclair u. Denney, Visible and Ultraviolet Spectroscopy, New York: Wiley 1987 ▪ Ullmann (4.) **5**, 269ff. ▪ Weinreb u. Ron, Vacuum Ultraviolet Radiation Physics, Bristol: Hilger 1984. – *Spektrensammlungen:* Dibbern, UV- u. IR-Spektren wichtiger pharmazeutischer Wirkstoffe, Aulendorf: Editio Cantor 1978 ▪ Organic Electronic Spectral Data, New York: Wiley (seit 1960) ▪ The Sadtler Handbook of Ultraviolet Spectra, Philadelphia: Heyden 1979 ▪ UV Atlas organischer Verbindungen (5 Bd.), London: Butterworth u. Weinheim: Verl. Chemie 1966–1971 ▪ s.a. physikalische Analyse u. Spektroskopie.

UV-Stabilisatoren s. UV-Absorber.

UV-Strahlung s. Ultraviolettstrahlung.

UVV. Abk. für *Unfallverhütungsvorschrift.

UV/VIS-Spektroskopie s. UV-Spektroskopie.

Uwarowit (Uwarowit, Kalkchromgranat) s. Granate.

UX, UY, UZ. Chem. Symbole für *Uran X, Y bzw. Z, s. Radioaktivität.

Uzara®. Dragées u. Lsg. mit Uzara-Wurzelextrakt (vgl. Uzarin) gegen Durchfall. *B.:* Stada.

Uzarigenin s. Uzarin.

Uzarin.

β-D-Glc-(1→6)-β-D-Glc-O

$C_{35}H_{54}O_{14}$, M_R 698,80. Prismen od. Nadeln, Schmp. 266–270 °C, $[\alpha]_D^{20}$ –27° (Pyridin), lösl. in Pyridin, wenig lösl. in Wasser, unlösl. in Ether, Chloroform, Aceton. U. ist ein *Cardenolid-Glykosid aus den sog. *Uzara-Wurzeln* der afrikan. Staude *Xysmalobium undulatum* (Asclepiadaceae). U. besteht aus dem Aglykon *Uzarigenin* {Odorigenin, $C_{23}H_{34}O_4$, M_R 374,52, Schmp. 240–256 °C, $[\alpha]_D^{20}$ +14° ($CHCl_3$)} u. dem Disaccharid *Gentiobiose. Uzarigenin ist auch Aglykon von *Cheirosid A*, dem 3-(4-*O*-β-D-Glucopyranosyl-β-D-fucopyranosid), Schmp. 293 °C, *Asclepiosid*, dem 3-(6-Desoxy-α-D-allopyranosid), Schmp. 257–263 °C, u. *Thevefolin*, dem 3-Thevetosid [=3-(6-Desoxy-3-*O*-methyl-α-L-glucopyranosid], Schmp. 260 °C. Abweichend von den herzwirksamen *Digitalis-Glykosiden weist U. eine *trans*-Verknüpfung der Ringe A u. B auf. U. bewirkt v.a. eine Ruhigstellung des Darms u. wird daher – wie auch der Gesamtglykosidextrakt (Uzaron®) in *Obstipantien eingesetzt. – *E* uzarin – *F* uzarine – *I* = *S* uzarina

Lit.: Beilstein E V **18/3**, 366 ▪ Chem. Pharm. Bull. **28**, 401 (1980) ▪ J. Chem. Soc., Perkin Trans. 1 **1975**, 1972 (Synth.) ▪ Karrer, Nr. 2156, 2157 ▪ Merck-Index (11.), Nr. 9809 ▪ Phytochemistry **31**, 3541 (1992); **37**, 801 (1994) (Isolierung) ▪ R. D. K. (3.), S. 679, 1023 ▪ s.a. Cheirotoxin u. Cardenolide. – *[HS 2938 90; CAS 20231-81-6 (U.); 466-09-1 (Uzarigenin); 17179-38-3 (Cheirosid A); 3080-19-1 (Asclepiosid); 34302-25-5 (Thevefolin)]*

Uzaron® s. Uzarin.

V

v. 1. In der chem. Nomenklatur neben *vic-* Abk. für vicinal (*Beisp.*: *v-*Triazin), wird in diesem Falle im Druck meist kursiv gesetzt u. bleibt bei der alphabet. Einordnung unberücksichtigt. – 2. In der physikal. Chemie Symbol für die *Reaktionsgeschwindigkeit u./od. die Geschw. des Konzentrationsanstiegs von Reaktanten. – 3. In der IR-Spektroskopie Symbol für die Schwingungs-*Quantenzahl. – 4. In Physik u. Technik steht v allg. für Geschw. (z. B. Strömungsgeschw.) u. (neben V) für Volumen.

V. 1. Chem. Symbol für das Element *Vanadium. – 2. Von DIN u. IUPAC empfohlenes Kurzz. für -vinyl- bei der Abk. von Namen von Polymeren u. Weichmachern (*Beisp.*: PVC = Polyvinylchlorid). – 3. In der Ein-Buchstaben-Notation der IUB Symbol für die L-Form der Aminosäure *Valin. – 4. In der Physik Symbol für *Volt, *Volumen (mit V_m als Molvol., mit V_n u. V_{mn} als *Normvolumen), Verdet-Konstante, Potential(differenz) u. potentielle Energie.

VA. 1. Veraltete Bez. der Firma Krupp für *nichtrostende Stähle mit austenit. Gefüge, s. V-Stähle. – 2. In der Elektrotechnik Kurzz. für Voltampere, s. Watt. – 3. Bei Kunststoffen Kurzz. für Vinylacetat in Copolymeren.

VAA. Abk. für *V*erband angestellter *A*kademiker u. leitender *A*ngestellter der chemischen Industrie e. V. mit Sitz der Geschäftsstelle in 50667 Köln, Kattenbug 2 u. einem Büro in 14057 Berlin, Kaiserdamm 31. Der 1948 gegr. Verband ist mit 27000 Mitgliedern, die überwiegend in Werksgruppen zusammengeschlossen sind, der größte Zusammenschluß von Führungskräften in der BRD. Tätigkeitsfelder des VAA sind die betriebliche Vertretung, die verbandliche u. rechtliche Vertretung, Tarifpolitik sowie die Vertretung der Interessen seiner Mitglieder bei der Gesetzgebung. Der VAA ist stärkster Mitgliedsverband in der „Union der Leitenden Angestellten" (ULA), dem Spitzenverband der Führungskräfte in der dtsch. Wirtschaft sowie in der „Fédération Européen des Cadres de la Chimie et des Industries Annexes" (FECCIA), dem Dachverband der europ. Chemie-Führungskräfte. *Verbandszeitschrift*: VAA-Nachrichten. – INTERNET-Adresse: http://www.vaa.de

VAAM. Abk. für *V*ereinigung für *A*llg. u. *A*ngewandte *M*ikrobiologie mit Sitz in 06120 Lieskau, Ringstr. 2. Die 1974 unter dem Namen „Local Branch der ASM" (American Society for Microbiology) in der BRD gegr. u. 1985 in VAAM umbenannte Ges. ist mit 3000 Mitgliedern die zweitgrößte dtsch. biolog. orientierte Fachgesellschaft. Sie fördert laut Satzung die Kommunikation unter den in Forschung, Lehre u. Praxis tätigen Mikrobiologen u. interessierten Wissenschaftlern der Nachbardisziplinen sowie die Ausbildung junger Berufskollegen. *Mitgliederzeitschrift*: BIOSpektrum (6 Ausgaben/Jahr).

VAC. Kurzz. (nach DIN 7728-2: 1988-01) für *V*inyl*ac*etat (s. Essigsäurevinylester) in Kurzz. für Vinylacetat-Copolymere.

Vaccensäure [(*E*)-11-Octadecensäure].

$$\begin{array}{c} H \\ H_3C-(CH_2)_5 \end{array} C=C \begin{array}{c} (CH_2)_9-COOH \\ H \end{array}$$

$C_{18}H_{34}O_2$, M_R 282,45, Blättchen, Schmp. 43–44 °C, n_D^{60} 1,4439, D^{70} 0,8563, in geringen Mengen in Wiederkäuer-Fetten enthalten, z. B. in Butter zu 2,3%. V. wird biosynthet. durch Hydrierung von Polyensäuren aus der Nahrung gebildet. Die (Z)-Form von V. (Schmp. 14,5–15,5 °C) kommt auch in verschiedenen natürlichen Fetten vor. – *E* vaccenic acid – *F* acide vaccénique – *I* acido vaccenico – *S* ácido vaccénico
Lit.: Beilstein E IV **2**, 1639 ▪ Karrer, Nr. 741 ▪ Merck-Index (12.), Nr. 10036 ▪ Ullmann (5.) **A 10**, 248. – *[HS 2916 19; CAS 693-72-1 ((E)-V.); 506-17-2 ((Z)-V.)]*

Vaccine (Vakzine, von latein.: vacca = Kuh). Ursprünglich Bez. für den *Impfstoff der Kuhpockenimpfung (Vakzination), heute allg. Bez. für einen Impfstoff aus lebenden, in ihrer Virulenz abgeschwächten Krankheitserregern od. aus inaktivierten *Toxinen. – *E = F* vaccine – *I* vaccini – *S* vacuna

Vaccinevirus-Wachstumsfaktor s. Vakzinevirus-Wachstumsfaktor.

Vachettenleder s. Gerberei, S. 1507.

vacucenter®. Komplett ausgerüsteter Vak.-Pumpstand für Vak.-Wärme- u. Trockenschränke. *B.*: Kendro Laboratory Products GmbH.

Vadose Wässer s. juveniles Wasser u. Wasser.

Vagiflor®. Vaginalzäpfchen mit gefriergetrockneten Kulturen des *Lactobacillus acidophilus* gegen Störungen der Vaginalflora. *B.*: Asche.

Vagimid® (Rp). Infusionslsg., Dragées, Tabl., Film- u. Vaginal-Tabl. mit dem *Chemotherapeutikum *Metronidazol gegen Infektionen mit Anaerobiern. *B.*: Apogepha.

Vaginalkugeln, -zäpfchen s. Suppositorien.

Vahrenkamp, Heinrich (geb. 1940), Prof. für Anorgan. Chemie, Univ. Freiburg. *Arbeitsgebiete:* Chemie von Organometall-Mehrkernkomplexen, Koordinationschemie des Zinks.
Lit.: Kürschner (16.), S. 3854.

Vakuolen s. Zellen (Abb.).

Vakuum (Plural: Vakua). Von latein.: vacuum = Leere abgeleitete Bez. für den Zustand in einem gasgefüllten Raum bei Drücken unterhalb des Normdruckes. Unter Normdruck versteht man $p_n = 101325$ Pa = 1013,25 hPa = 1013,25 mbar = 1,01325 bar (= 760 Torr = 1 atm); vgl. Normzustand u. Gase. Seit 1977 sind als SI-Einheiten des Druckes *Bar u. Millibar u. *Pascal obligator.; zur Umrechnung s. Tab. 1.

In der Praxis spricht man von Grob-V., Fein-V., Hoch-V. (HV) u. Ultra(hoch)-V. (UHV) mit den in der Abb. 1 dargestellten Grenzen; zu anderen Abgrenzungen s. DIN 28400-1: 1990-05, die auch die mittlere Teilchenzahl pro m³ (s. unten) anführt. Ein V. in der Größenordnung von 10^{-14} Pa (10 fPa) wird als *Weltraum-V.* bezeichnet – hier würden sich in 1 mL nur noch 4 Teilchen aufhalten, also nur noch sehr wenig *Materie. Ein V. kann nicht nur durch den Gasdruck, sondern mit Hilfe der kinet. Gastheorie (vgl. Gasgesetze) auch durch die in ihm herrschende *Teilchenzahldichte* charakterisiert werden; sie beträgt für ein ideales Gas bei Normalbedingungen $2,69 \cdot 10^{19}$/mL u. bei beispielsweise 10^{-4} Pa $3,55 \cdot 10^{10}$/mL. Der kinet. Gastheorie entstammen auch die Begriffe *mittlere freie Weglänge* λ u. *Stoßrate* od. *-zahl* Z, die zur Charakterisierung eines V. im HV-Bereich herangezogen werden können (s. Abb. 1). Man versteht unter λ den mittleren Betrag der Strecke, die ein Teilchen zwischen zwei aufeinanderfolgenden Zusammenstößen mit anderen Teilchen durchfliegt, u. unter Z die mittlere Anzahl der Zusammenstöße pro Sekunde, die ein Teilchen bei der Bewegung durch ein Gas erfährt. Für Luft beträgt λ im *Normzustand ca. 10^{-5} cm, bei 10^{-7} hPa jedoch ca. 10^3 m. Im UHV-Bereich kann auch die sog. *Monolagen-* od. *Bedeckungszeit*, d. h. die mittlere Zeitdauer zum Aufbau einer *monomolekularen Schicht auf einer gasfreien Oberfläche zur Beschreibung eines V. herangezogen werden. Zu den charakterist. Eigenschaften des V. gehört insbes. die Erscheinung, daß die Gesetze der kinet. Gastheorie dann nicht mehr anwendbar sind, wenn λ der Gasmol. gegenüber den Abmessungen der abgrenzenden Umgebung sehr groß

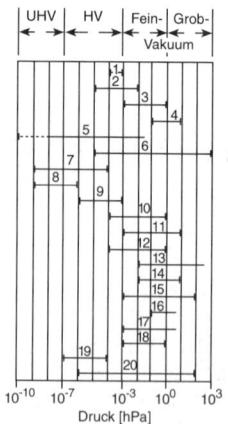

Abb. 2: Techn. Anw. von Vakuum: (1) Tempern von Metall; (2) Metall-Schmelzen; (3) Ausgasen von geschmolzenem Metall; (4) Ausgasen von Stahl; (5) Elektronenstrahlschmelzen; (6) Elektronenstrahlschweißen; (7) dünne Schichten; (8) Sputtering von Metallen; (9) Zonenschmelzen u. Kristallwachstum; (10) mol. Dest.; (11) Ausgasen von Flüssigkeiten; (12) Subl.; (13) Gießen von Harz u. Farblacken; (14) Trocknung von Kunststoffen; (15) Trocknung von Isolationspapier; (16) Gefriertrocknung von Nahrung; (17) Gefriertrocknung von Pharmazeutika; (18) Herst. von Glühlampen; (19) Herst. von Elektronenröhren; (20) Herst. von Gas-Entladungslampen.

wird, was sich z. B. dadurch auswirkt, daß mit sinkendem Druck der Materietransport immer schwieriger wird. Darum kann man bei Laboratoriumsdest. im Fein-V. nicht mit engen Glasröhren arbeiten, sondern muß das Lumen der Rohrverb. möglichst groß wählen. Die Strömungsvorgänge im V., die v. a. von dem Verhältnis des Rohrdurchmessers l zu λ abhängen, werden bei hohem V. durch die sog. *Knudsen-Zahl* (Kn = λ/l), bei niedrigerem V. durch die *Reynolds-Zahl* gekennzeichnet. Characterist. für das V. ist auch das allmähliche Absinken der *Wärmeleitfähigkeit bei Abnahme des Drucks (Anw. in *Dewar-Gefäßen u. für V.-Meßgeräte wie Pirani- od. Thermokreuz s. Vakuumtechnik).

Mit der Erzeugung von V., d. h. mit dem *Evakuieren* von luftdicht abgeschlossenen Räumen, u. der V.-Mes-

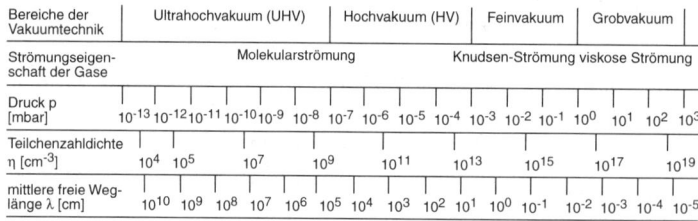

Abb. 1: Einteilung der verschiedenen Vakuum-Bereiche.

Tab. 1: Gesetzliche u. andere Druckeinheiten sowie ihre Umrechnung.

Einheit	Pa	mbar	bar	Torr	psi
1 Pa = 1 N·m⁻²	1	$1 \cdot 10^{-2}$	$1 \cdot 10^{-5}$	$7,5 \cdot 10^{-3}$	$1,451 \cdot 10^{-4}$
1 mbar = 1 hPa	100	1	$1 \cdot 10^{-3}$	0,75	$1,451 \cdot 10^{-2}$
1 bar	$1 \cdot 10^5$	$1 \cdot 10^3$	1	750	14,51
1 Torr [a]	133,3	1,333	$1,333 \cdot 10^{-3}$	1	$1,93 \cdot 10^{-2}$
1 psi	$6,89 \cdot 10^3$	68,9	$6,89 \cdot 10^{-2}$	51,71	1

[a]) 1 Torr = 4/3 mbar

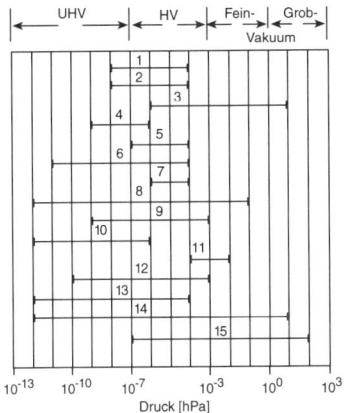

Abb. 3: Druckbereich verschiedener physikal. u. chem. Forschungsbereiche.: (1) Massenspektroskopie; (2) Molekülstrahlapparaturen; (3) Ionenquellen; (4) Teilchenbeschleuniger; (5) Elektronenmikroskope; (6) Elektronenbeugung; (7) VUV-Spektrometer; (8) Tief-Temperatur-Versuche; (9) Herst. dünner Schichten; (10) Oberflächenphysik; (11) Plasma-Forschung; (12) Kernfusion-Apparatur; (13) Weltraumsimulation; (14) Materialforschung; (15) Probenpräparation für Elektronenmikroskopie.

sung befaßt sich die *Vakuumtechnik*. Eine Übersicht, in welchen techn. Bereichen V. heute eingesetzt u. welcher Druckbereich hierbei angewendet wird, ist in Abb. 2 auf S. 4794 gegeben. In ähnlicher Weise ist in Abb. 3 der Druckbereich einer Reihe physikal. u. chem. Forschungsbereiche zusammengestellt; Details zu den einzelnen Bereichen s. Einzelstichwörter.

Geschichte: Schon Galilei hatte Phänomene des Unterdrucks an Wassersäulen beobachtet, ohne diese – außer durch einen „natürlichen Abscheu der Natur vor der Luftleere" (latein.: horror vacui) – deuten zu können, doch gehen die ersten Versuche, einen „leeren Raum" zu demonstrieren, auf Evangelista Torricelli (1608–1647) zurück (1644); weitere Argumente lieferten 1648 Blaise Pascal (1623–1662) u. später Otto von Guericke (1602–1686) mit seinen Luftpumpenversuchen u. den „Magdeburger Halbkugeln" (1657), s. *Lit.*[1]. – *E* vacuum – *F* vide – *I* vuoto – *S* vacío

Lit.: [1] Schimank et al., in Guericke (Hrsg.), Neue (sogenannte) Magdeburger Versuche über den leeren Raum (Reproduktion der Ausgabe von 1672), Düsseldorf: VDI Verl. 1968.
allg.: Spektrum Wiss. **1995**, Nr. 2, 84; Nr. 4, 90 ■ s. a. Vakuumtechnik.

Vakuumblitzthermolyse s. Blitzpyrolyse.

Vakuumfett s. Schliff-Fett.

Vakuumfiltration s. Filter.

Vakuumformen s. Ziehverfahren.

Vakuumpumpen s. Vakuumtechnik u. Pumpen.

Vakuum-Röhren. Sammelbegriff für Glasröhren, wie z. B. Fernsehröhren od. *Röntgenröhren, deren Innenraum bis auf 10 µPa (s. Abb. 2 bei Vakuum) evakuiert wurde. Durch die niedrige Restgasdichte ist die mittlere freie Weglänge der Elektronen, die von einer *Kathode emittiert werden, größer als die Gefäßdimension. Dadurch treffen die Elektronen, wie gewünscht, auf den Leuchtschirm od. das Anodenmaterial u. verlieren nicht ihre Energie durch inelast. Stöße (s. a. Gasentladung) mit den Restgasatomen. – *E* vacuum tubes – *F* tubes à vide – *I* tubi elettronici a vuoto, valvole elettroniche – *S* tubos de vacío

Vakuumtechnik. Technik zur Erzeugung, Erhaltung, Messung u. Anw. von Drücken unterhalb des Normdruckes (p_n = 1013 hPa); zur Einteilung in Grob-, Fein-, Hoch- u. Ultrahoch-Vak. s. Vakuum.

Erzeugung: Die Abb. 1 zeigt den typ. Aufbau eines Hochvak.-Systems.

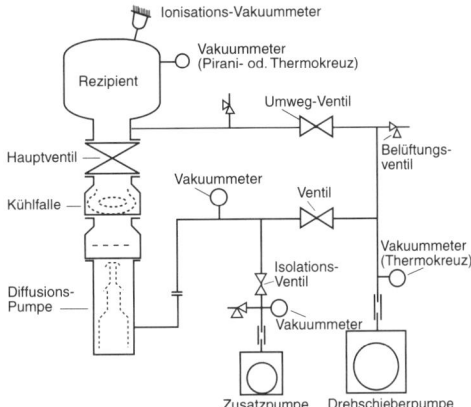

Abb. 1: Aufbau einer Vak.-Apparatur.

Da jede Bauart einer Vak.-Pumpe nur in einem begrenzten Druckbereich eingesetzt werden kann (weil außerhalb des Bereichs die Saugleistung zu niedrig ist od. die Pumpe beschädigt wird; z. B. kann bei einer unter zu hohem Druck arbeitenden Öl-*Diffusionspumpe das Öl verbrennen), müssen zum Erreichen eines niedrigen Druckes verschiedene Pumpenarten hintereinander geschaltet werden. Der Arbeitsbereich verschiedener Pumpen ist in Abb. 2 auf S. 4796 (nach DIN 28400-2) zusammengestellt.

Die Saugleistung einzelner Pumpen ist von ihrer Größe abhängig; einige Pumpen, wie z. B. Ionengitterpumpen od. *Kryopumpen, haben eine limitierte Saugkapazität.

Das evakuierte Gefäß, oft als *Rezipient* bezeichnet, besteht aus Metall (Aluminium, Kupfer, Messing od. Edelstahl) od. aus Glas. Verbindungsstellen werden bei Glasteilen geschliffen u. mit *Vakuumfett* abgedichtet; für den Fein- u. Hochvak.-Bereich werden meist Gummiringe aus Perbunan od. Viton verwendet. Bei Metallverbindungen ist der Aufbau u. die Größe der Flansche genormt: Kleinflansch nach DIN 28403 bzw. Klammerflansch nach DIN 28404. Im Ultrahochvak.-Bereich müssen Metalldichtungen verwendet werden; die Flansche (Bez.: Conflat- bzw. CF-Flansch) sind so konstruiert, daß eine scharfe Metallkante in das weiche Dichtungsmetall, meist Kupfer, einschneidet. Um Drücke $\leq 10^{-10}$ hPa zu erreichen, muß der gesamte Rezipient ausgeheizt werden.

Messen: Wie in Abb. 3 auf S. 4796 dargestellt, werden je nach Druckbereich verschiedene Drucksensoren verwendet.

Bei Flüssigkeits- u. federelast. Vak.-Meter wird der mechan. Druck ausgemessen, der eine Flüssigkeitssäule verschiebt bzw. eine Metallmembrane verformt.

Vakuumtechnik

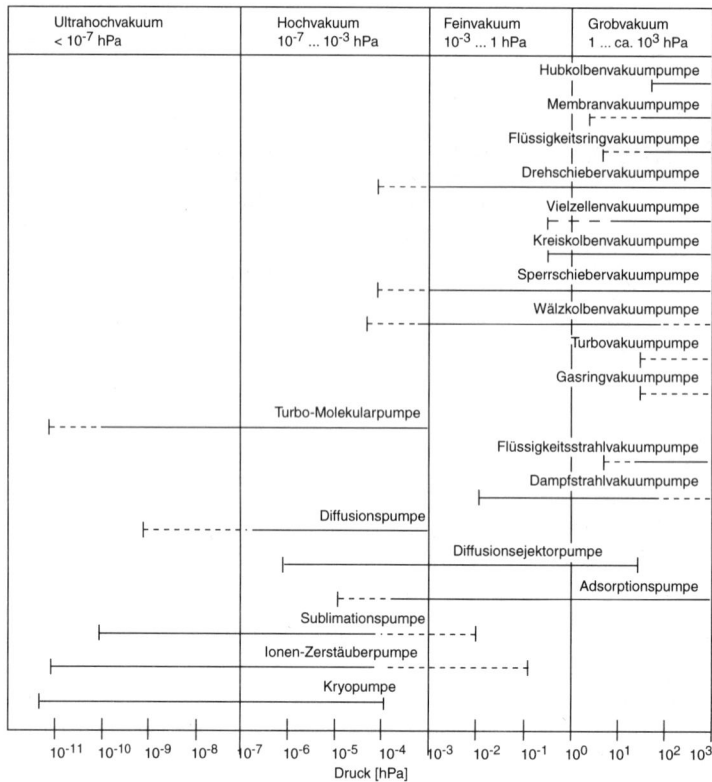

Abb. 2: Arbeitsbereiche von Vak.-Pumpen (DIN 28400-2: 1980).

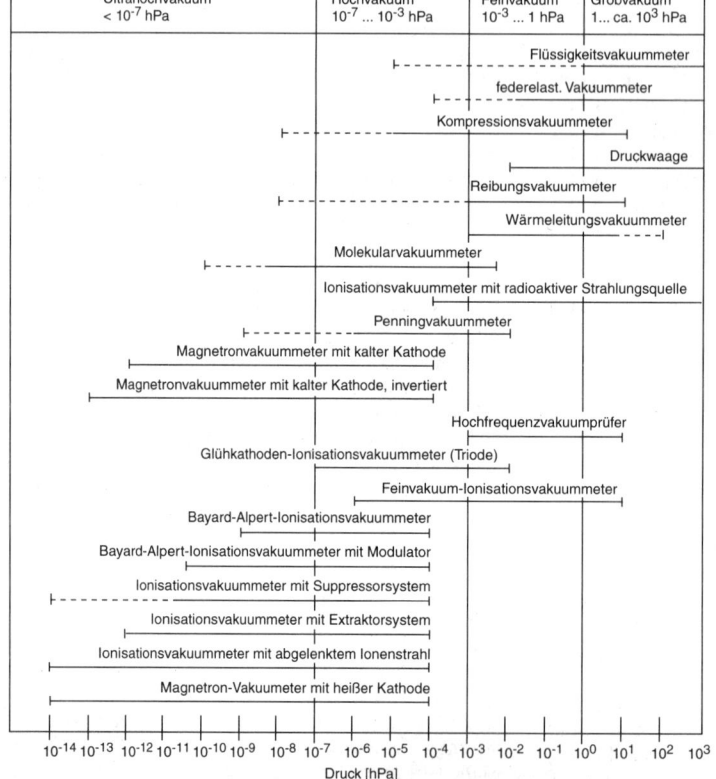

Abb. 3: Meßbereiche von Vak.-Metern (DIN 28400-3: 1980).

Die Anzeige erfolgt direkt od. indirekt, z. B. indem die Kapazität eines Kondensators verändert wird (Barocell). Das Absinken der Wärmeleitung mit niedrigerem Druck wird beim Pirani- od. Thermokreuz-Vak.-Meter ausgenutzt. Beim Molekular-Vak.-Meter ist eine bewegliche Platte zwischen einer festen beheizten u. einer festen kalten Fläche aufgebaut, wobei die Mol., die von der heißen Fläche kommen, einen größeren Impuls auf die bewegliche Platte übertragen. Bei Ionisations-Vak.-Metern werden mit Hilfe kalter od. heißer Kathoden freie Elektronen erzeugt u. die durch Elektronenstoß generierten Ionen gemessen. Um die Wegstrecke zwischen Kathode u. Anode zu vergrößern, werden in vielen Fällen die Elektronen durch Magnetfelder auf eine schraubenförmige Bahn abgelenkt. Obwohl eine Reihe von Vak.-Metern, bes. die Ionisations-Vak.-Meter, von der Art des Gases abhängig sind, kann man heute zuverlässig totale u. partielle Drücke sowie Gasdurchflüsse bestimmen[1]. Zur Anw. s. Vakuum (Abb. 2 u. 3). – *E* vacuum technology – *F* technique du vide – *I* tecnica del vuoto – *S* técnica de vacío
Lit.: [1] Phys. Bl. **43**, 104–108 (1987).
allg.: Edelmann, Vakuumphysik, Grundlagen, Vakuumerzeugung u. -messung, Anwendung, Heidelberg: Spektrum 1997 ▪ Hoffman et al. (Hrsg.), Handbook of Vacuum Science and Technology, San Diego: Academic Press 1997 ▪ Kirk-Othmer (4.) **24**, 750–781 ▪ Kohlrausch, Praktische Physik 1, Stuttgart: Teubner 1996 ▪ Lafferty, Foundations of Vacuum Science and Technology, Chichester: Wiley 1997 ▪ Lafferty, Vacuum Technology, in Encyclopedia of Physics and Physical Science, Vol. 17, S. 239, New York: Academic Press 1992 ▪ Wutz, Adam u. Walcher, Theory and Practice of Vacuum Technology, Braunschweig: Vieweg 1989.

Vakuum-UV s. Ultraviolettstrahlung.

Vakuum-UV-Spektroskopie s. UV-Spektroskopie.

Vakzine s. Vaccine.

Vakzinevirus-Wachstumsfaktor (VVGF). Dem *epidermalen Wachstumsfaktor (EGF) u. dem *transformierenden Wachstumsfaktor α verwandtes glykosyliertes Polypeptid (ca. 77 Aminosäure-Reste), das aus dem Überstand von Zellen, die vom Vakzinevirus (ein dem Kuhpocken-Virus nahe verwandtes Virus, das zur Pockenimpfung verwendet wurde) befallen sind, isoliert werden kann u. vom Genom dieses Virus codiert wird. Der VVGF bindet an den EGF-Rezeptor u. regt ihn – wie EGF selbst – zur Auto-*Phosphorylierung an. Die Stimulierung der Zellteilung infizierter Zellen durch den VVGF dient dem Virus zur Vermehrung. – *E* vaccinia virus growth factor – *F* facteur de croissance du virus vaccinal – *I* fattore di crescita del virus vaccinico – *S* factor de crecimiento del virus vacunal
Lit.: Virology **214**, 21–28 (1995).

Val. a) Abk. für L-*Valin u. L-Valyl..., s. Aminosäuren. – b) Kurzbez. der in *SI, IUPAC-Regeln u. DIN 32625: 1989-12 abgelehnten Einheit *Äquivalent (Symbol: val; *E* equivalent, equiv.) für das Produkt der Größen *Stoffmenge (n, s. Mol) u. reaktionsspezif. *Wertigkeit (z). Für *Titrationen sind das Val, die Größe *Normalität (Einheit: val/L) u. die Bez. *Normallösung aber anscheinend unausrottbar.

Valaciclovir (Rp). Internat. Freiname für das *Virostatikum, ein Hemmstoff der DNA-Kettenverlängerung, 9-[2-(L-Valyloxy)ethoxymethyl]-guanin, $C_{13}H_{20}N_6O_4$, M_R 324,34, λ_{max} des Hydrochlorids (Wasser) 252,8 nm ($A_{1cm}^{1\%}$ 23,6), LD_{50} (weiblich, Maus oral) 1000–2000 mg/kg. V. ist ein L-Valinester-Prodrug von *Aciclovir, wurde 1989 u. 1990 von Wellcome (Valtrex®, Glaxo Wellcome) patentiert. – *E* valaciclovir, valacyclovir – *F* = *I* = *S* valaciclovir
Lit.: Antimicrob. Agents Chemother. **38**, 1534–1540 (1994) ▪ Martindale (31.), S. 662 ▪ Merck-Index (12.), Nr. 10039. – [CAS 124832-26-4 (V.); 124832-27-5 (Hydrochlorid)]

Valacidin s. Streptonigrin.

Valanimycin [2-(Isobutyl-*ONN*-azoxy)acrylsäure].

$C_7H_{12}N_2O_3$, M_R 172,18, instabiles Öl, lösl. in Wasser, Methanol, Ethanol, Essigester, unlösl. in Chloroform, Hexan, addiert leicht Ammoniak u. Amine. V. gehört zu den wenigen Azoxy-Verb. natürlichen Ursprungs, vgl. Cycasin, Lyophyllin u. Elaiomycin. Biosynth. leitet sich V. von Valin u. Alanin ab. V. ist aktiv gegen einige Gram-pos. u. Gram-neg. Bakterien, *in vitro* gegen Leukämie u. Ehrlich-Carcinom. Der Wirkungsmechanismus scheint ähnlich wie bei Cycasin zu sein. – *E* valanimycin – *F* valanimycine – *I* = *S* valanimicina
Lit.: J. Antibiot. (Tokyo) **39**, 184–191, 1263–1269 (1986). – [HS 294190; CAS 101961-60-8]

Valdispert®. Dragées mit Trockenextrakt aus Baldrianwurzel, *V. comp.* enthält zusätzlich Hopfenextrakt, gegen Unruhezustände u. nervös bedingte Einschlafstörungen. **B.:** Solvay Arzneimittel.

Valence-Bond-Methode (VB-Meth., Valenzstrukturmeth., HLSP-Meth. – nach *Heitler, *London, *Slater u. *Pauling). Näherungsverf. der *Quantenchemie, das in engem Zusammenhang mit der klass. (vorquantenmechan.) Valenztheorie von Lewis[1,2] steht. Die V.-B.-M. wurde kurz nach der Entwicklung der *Quantenmechanik begründet; Ausgangspunkt ist die 1927 erschienene Veröffentlichung von Heitler u. London über die *chemische Bindung im H_2-Mol.; Näheres s. chemische Bindung, S. 672f. Die Erweiterung auf Mol. mit mehr als 2 Elektronen wurde v. a. von Pauling[3–6], Slater[7] u. *Eyring[8] vorgenommen. Die V.-B.-M. geht von der Vorstellung aus, daß die Atome in einem Mol. weitgehend erhalten bleiben. Die Wellenfunktion eines Mol. mit 2 od. mehr Elektronen wird daher in der V.-B.-M. im Gegensatz zur *MO-Theorie direkt aus *Atomorbitalen (AO), d. h. atomaren Einelektronenwellenfunktionen aufgebaut. Z. B. hat der einfachste VB-Ansatz für Li_2 die Form

$$\Psi = |1s_A \overline{1s_A} 1s_B \overline{1s_B} 2s_A \overline{2s_B}| - |1s_A \overline{1s_A} 1s_B \overline{1s_B} 2s_B \overline{2s_B}| \quad (1),$$

wobei die beiden senkrechten Striche eine auf 1 normierte *Slater-Determinante symbolisieren u. die Abk.

$1s_A \equiv \chi_{1s_A} \alpha$ bzw. $\overline{1s_A} \equiv \chi_{1s_A} \beta$ verwendet werden; α u. β sind hierbei Spinfunktionen. Der Ansatz für das Li$_2$-Mol. ist analog zum Heitler-London-Ansatz für das H$_2$-Molekül. Er läßt sich verbal folgendermaßen beschreiben: Die 4 Rumpfelektronen werden mit antiparallelen *Spins in den AO 1 s$_A$ u. 1 s$_B$ untergebracht, die beiden *Valenzelektronen sind zu einem *Singulett gekoppelt. Wenn sich das eine Elektron in der Nähe des Kerns A aufhält, hält sich das zweite Elektron bevorzugt am Kern B auf u. umgekehrt. Eine knappere mathemat. Darst. dieses Sachverhalts wird durch die abkürzende Schreibweise $\psi = |\cdots \widehat{2s_A 2s_B}|$ erhalten; der Bogen symbolisiert hierbei ein zu einem Singulett gekoppeltes Elektronenpaar. Analog ergibt sich der einfachste VB-Ansatz für den aus Stickstoff-Atomen mit der *Elektronenkonfiguration 1 s^2 2 s^2 2 p^3 gebildeten elektron. *Grundzustand des N$_2$-Mol. zu

$$\Psi = |1s_A \overline{1s_A} 1s_B \overline{1s_B} 2s_A \overline{2s_A} 2s_B \overline{2s_B} \widehat{2p_{x_A} 2p_{x_B}} \widehat{2p_{y_A} 2p_{y_B}} \widehat{2p_{z_A} 2p_{z_B}}|$$
(2).

Dieser Ansatz setzt sich aus $2^3 = 8$ Slater-Determinanten zusammen. Während die MO-Theorie eine zwanglose Erklärung dafür liefert, daß das Sauerstoff-Mol. im elektron. Grundzustand ein *Triplett (genaue Termbezeichnung: $^3\Sigma_g^-$) ist, hat die V.-B.-M. in diesem Fall mehr Schwierigkeiten; Näheres s. Lit.[9].
Zwischen den VB-Wellenfunktionen u. den klass. (vorquantenmechan.) *Lewis-Formeln besteht ein relativ enger Zusammenhang; zu Gleichung (2) gehört z. B. die Lewis-Formel $|N \equiv N|$, wobei die senkrechten Striche an den beiden Stickstoff-Atomen lokalisierte einsame Elektronenpaare (die AO 2 s$_A$ u. 2 s$_B$, besetzt mit jeweils 2 Elektronen) u. die waagrechten Striche Bindungselektronenpaare ($\widehat{2p_{x_A} 2p_{x_B}}$ usw.) darstellen.
Die Bindung im CH$_4$-Mol. (4 äquivalente C,H-Bindungen) erklärt man im Rahmen der V.-B.-M. folgendermaßen: Da das C-Atom im elektron. Grundzustand die Elektronenkonfiguration 1 s^2 2 s^2 2 p^2 besitzt u. damit nur über 2 ungepaarte Elektronen verfügt, wird zunächst ein Elektron vom 2 s-Orbital in ein 2 p-Orbital *promoviert*, woran sich eine *isovalente Hybridisierung* anschließt, d. h. aus den vier AO 2 s, 2 p$_x$, 2 p$_y$ u. 2 p$_z$ werden vier äquivalente Hybridorbitale hy$_1$–hy$_4$ gebildet; Näheres s. Hybridisierung. Beide Prozesse sind mit Energieverlust verbunden, der aber durch den mit der Bildung von vier C,H-Bindungen verknüpften Energiegewinn überkompensiert wird. Die einfachste VB-Wellenfunktion für das CH$_4$-Mol. ist

$$\Psi = |1s_C \overline{1s_C} \widehat{hy_1 s_1} \widehat{hy_2 s_2} \widehat{hy_3 s_3} \widehat{hy_4 s_4}|$$

u. besteht aus $2^4 = 16$ Slater-Determinanten; mit s$_i$ (i = 1–4) wird hierbei ein 1 s-AO an einem der vier Wasserstoff-Atome bezeichnet.
Es gibt viele Mol., die sich nicht durch eine einzige Lewis-Formel adäquat beschreiben lassen. In solchen Fällen ist auch der einfachste VB-Ansatz komplizierter, d. h. es sind mehrere „Grenzstrukturen" zu berücksichtigen u. die Gesamtwellenfunktion ist eine Linearkombination hiervon, die nach *Pauling auch als *Resonanzhybrid* bezeichnet wird; s. a. Resonanz. Die 5 kovalenten kanon. Grenzstrukturen des Benzol-Mol. sind in der Abb. dargestellt. Sie beziehen sich auf das π-Elektronensyst.: 6 Elektronen sind in 6 π-AO untergebracht, die an den Kohlenstoff-Kernen lokalisiert sind u. senkrecht zur Mol.-Ebene gerichtet sind (die Mol.-Ebene bildet eine Knotenfläche). Wie in den bisherigen Beisp. werden die Spins von jeweils zwei Elektronen zu einem Singulett gekoppelt, so daß 3 Elektronenpaarbindungen resultieren. Werden hierbei die π-AO benachbarter C-Atome verwendet, dann resultieren die beiden *Kekulé-Strukturen* I u. II. Bei den 3 *Dewar-Strukturen* III–V wird auch eine Elektronenpaarbindung zwischen zwei weiter entfernten C-Atomen geknüpft. Die Dewar-Strukturen sind energet. ungünstiger u. erhalten in der Gesamtwellenfunktion ein geringeres Gewicht. Die Wellenfunktion zu jeder der genannten kovalenten Grenzstrukturen ist aus $2^3 = 8$ Determinanten aufgebaut, d. h. es liegt eine ähnliche Situation wie beim N$_2$-Mol. vor.

Abb.: Kanon. VB-Strukturen für das Benzol-Molekül.

*Ab initio-Rechnungen im Rahmen der V.-B.-M. sind mit erheblichem Aufwand verknüpft (v. a. wegen der Nichtorthogonalität der AO) u. werden daher in wesentlich geringerem Umfang durchgeführt als Rechnungen nach der *MO-Theorie. In jüngerer Zeit wurden allerdings einige wichtige Fortschritte gemacht[10]. Auf qual. Ebene gehört die V.-B.-M. zum Handwerkszeug eines jeden Chemikers, das zur Diskussion von Bindungsverhältnissen u. Reaktivität eingesetzt wird. Die qualit. Aspekte der V.-B.-M. sind v. a. in Paulings Buch[6] ausführlich dargestellt. – *E* valence bond method – *F* méthode des liaisons de valence – *I* metodo del legame di valenza – *S* método de los enlaces de valencia

Lit.: [1] J. Am. Chem. Soc. **38**, 762 (1916). [2] Lewis, Valence and the Structure of Atoms and Molecules, New York: Chemical Catalog Co. 1923. [3] J. Am. Chem. Soc. **53**, 1367, 3225 (1931). [4] Proc. Natl. Acad. Sci. USA **18**, 293 (1932). [5] J. Chem. Phys. **1**, 362, 606 (1933). [6] Pauling, Die Natur der chemischen Bindung, 2. Aufl., Weinheim: Verl. Chemie 1964. [7] Phys. Rev. **37**, 481 (1931); **38**, 1109 (1931). [8] J. Am. Chem. Soc. **54**, 3191 (1932). [9] Acc. Chem. Res. **6**, 368 (1973). [10] Adv. Chem. Phys. **69**, 319–397 (1987).
allg.: Huheey, Anorganische Chemie (2.), Berlin: de Gruyter 1995 ■ Maksić, Theoretical Models of Chemical Bonding, Bd. 2, Berlin: Springer 1990 ■ McWeeny, Coulsons Chemische Bindung, Stuttgart: Hirzel 1984 ■ Schmidtke, Quantenchemie (2.), Weinheim: VCH Verlagsges. 1994 ■ s. a. chemische Bindung, MO-Theorie, Quantenchemie u. Theoretische Chemie.

Valencen [(4α,5α)-1(10),11-Eremophiladien].

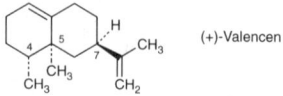

(+)-Valencen

C$_{15}$H$_{24}$, M$_R$ 204,36, Sdp. 94 °C (2,66 kPa), $[\alpha]_D^{20}$ +79,2° (CHCl$_3$). V. ist ein cycl. *Sesquiterpen, das als (+)-V. nur in den ether. Ölen von süßen Orangen (0,2%) u. Grapefruit (0,4%) nachgewiesen werden konnte (Unterschied zu allen übrigen Citrusölen). Es bildet neben *Limonen, *Myrcen u. *Linalool die

Hauptkomponente des Essenzöls von Valencia-Orangen (bis 1,5%). Durch Oxid. mit Di-*tert*-butylchromat läßt sich aus V. die „character impact compound" des Grapefruitaromas, *Nootkaton, herstellen. Derartige metallkatalysierte Oxid.-Prozesse haben zu Aromafehlern (Grapefruitgeschmack) von *Orangensaft geführt, der in Weißblechkanistern gelagert wurde. Zur chem. u. enzymat. Oxid. des V. zum Nootkaton s. *Lit.*[1,2]. – *E = I* valencene – *F* valencène – *S* valenceno
Lit.: [1] Chem. Ztg. **115**, 356–358, 358–360 (1991). [2] Tetrahedron Lett. **31**, 1943 f. (1990).
allg.: Beilstein E IV **5**, 1186 ▪ Ohloff, S. 132. – [CAS 4630-07-3]

Valence Shell Electron Pair Repulsion s. VSEPR.

Valentinit (Antimonblüte, Weißspießglanz). Neben *Senarmontit zweite natürlich vorkommende Modif. des Sb_2O_3. Diamant-, auf Spaltflächen perlmuttglänzende, farblose, weiße, graue od. gelbbraune, durchscheinende rhomb. Krist. u. stengelige, faserige od. körnige Aggregate; auch derb. Kristallklasse mmm-D_{2h}; zur Struktur s. *Lit.*[1]. H. 2–3, D. 5,7–5,8, spröde.
Vork.: Als Verwitterungsprodukt von Antimonerzen, bes. von *Antimonit, z. B. Bräunsdorf/Sachsen, Přibram/Böhmen, Cornwall/England, Sanza/Algerien, Oruro u. Tatasi/Bolivien. Benannt nach *Valentinus. – *E = F = I* valentinite – *S* valentinita
Lit.: [1] Acta Crystallogr. Sect. B **30**, 458–461 (1974).
allg.: Anthony et al., Handbook of Mineralogy, Vol. III, S. 590, Tucson (Arizona): Mineral Data Publishing 1997 ▪ Ramdohr-Strunz, S. 508 ▪ Schröcke-Weiner, S. 386 ff. – [HS 2617 10; CAS 1317-98-2]

Valentinus, Basilius (15. u./od. 16. Jh.?). Existenz u. Biographie sind umstritten; ihm werden Werke über Antimon, Salzsäure u. Probleme der *Iatrochemie zugeschrieben; wegen des Zweifels an seiner Existenz ist auch der Name Pseudo-Basilius Valentinus üblich. Möglicherweise ist V. das Pseudonym seines „Herausgebers" Joh. Thölde.
Lit.: Bugge, Das Buch der großen Chemiker, Bd. 1, S. 125–141, Weinheim: Verl. Chemie 1929 (1961) ▪ Pötsch, S. 30 ▪ Szabadváry, History of Analytical Chemistry, S. 28 f., Oxford: Pergamon 1966.

Valenz (von latein.: valens = stark, wirksam, wert sein). 1. Insbes. in der Anorgan. Chemie Synonym für *Wertigkeit. In diesem Sinne wird V. auch verstanden in zusammengesetzten Begriffen, die in einem Zusammenhang mit *chemischer Bindung u. *Bindigkeit stehen; *Beisp.:* Kovalente Bindung, Restvalenzen (s. Oberflächenchemie), *hypervalente Moleküle, Mischvalenz (s. Wertigkeit), *Partialvalenzen, vgl. a. Wertigkeit u. die hier folgenden Stichwörter u. Verweise.
2. In der Theoret. Chemie ist die *Valence-Bond-Methode (VB-Meth.) eine Alternative zur *MO-Theorie, die v. a. auf qual. Ebene zur Diskussion von Bindungsverhältnissen Anw. findet.
3. In der *Immunologie versteht man unter V. die Zahl der Haftstellen (Determinanten, *Haptene) eines *Antigens (bzw. *Antikörpers) für Antikörper (bzw. Antigene). – *E* valency [GB], valence [USA] – *F* valence – *I* valenza – *S* valencia
Lit. (zu 1.): s. chemische Bindung, Wertigkeit. – (zu 2.): s. die Textstichwörter. – (zu 3.): s. Immunologie.

Valenzband s. Halbleiter, elektrische Leiter.

Valenzelektronen. *Elektronen, die sich bevorzugt in der äußeren Elektronenschale (*Valenzschale*) eines Atoms od. Mol. aufhalten. Die Elektronen, die sich überwiegend in der Nähe der Atomkerne aufhalten, nennt man dagegen *Rumpfelektronen*. *Beisp.:* Von den 18 Elektronen des Ethan-Mol. (C_2H_6) sind 4 Elektronen Rumpfelektronen, die übrigen 14 sind Valenzelektronen; s. a. Atombau u. chemische Bindung. – *E* valence electrons – *F* électrons de valence – *I* elettroni di valenza, elettroni di legame – *S* electrones de valencia

Valenzgemischte Verbindungen s. Wertigkeit.

Valenzgitter s. Valenzkristalle u. Kristallstrukturen.

Valenzisomerie. Bez. für einen Spezialfall der Isomerie organ. Verb., der auch als *Valenztautomerie* bezeichnet wird; Näheres s. beim folgenden Stichwort. – *E* valence isomerism – *F* isomérie de valence – *I* isomeria di valenza – *S* isomería de valencia

Valenzisomerisierung. Bei den V. werden *Sigma- u. *Pi-Bindungen gelöst u. neu geknüpft, ändern sich Atomabstände u. Bindungswinkel u. finden Ringöffnungen, -verengungen, -erweiterungen u. a. *Ringreaktionen statt. Die durch Zufuhr therm. od. photochem. Energie induzierten, im allg. reversiblen V. sind typ. *elektrocyclische Reaktionen, d. h. Reaktionen, die über Umwandlungen von Einfach- u. Doppelbindungen ablaufen, bzw. *sigmatrope Reaktionen, bei denen keine Änderung der Zahl von Einfach- u. Doppelbindungen auftritt. V. gehorchen den *Woodward-Hoffmann-Regeln u. sind als synchron (*konzertiert*) ablaufende Mehrzentren-Reaktionen (*pericyclische Reaktionen) zu klassifizieren. Weitere, z. T. durch Abb. belegte Beisp. für V. s. bei den Stichwörtern Isomerisierung, Benzol-Ring (Dewarbenzol, Prisman u. Benzvalen sind *Valenzisomere* des Benzols), Cope-Umlagerung u. a. Umlagerungen, Norcaradiene, Oxepine, Trishomobenzole. Ein Spezialfall der V. ist die auch

a) [1,5]-sigmatrope Wasserstoff-Verschiebung.

b) [3,3]-sigmatrope Kohlenstoff-Verschiebung (s. Cope- u. Claisen-Umlagerung).

c) Degenerierte Valenzisomere des Homotropilidens.

d) Elektrocycl. Ringöffnung (s. elektrocyclische Reaktionen) von Cyclobuten (vgl. *dis-* u. *konrotatorisch*).

Abb.: Typ. Valenzisomerisierungen.

Valenzkristalle

als *Topomerisierung bezeichnete V. des *Bullvalens u. des *Semibullvalens, bei denen die V. zu Valenzisomeren führt, die von der Ausgangsverb. nicht zu unterscheiden sind (*degenerierte V.*), vgl. fluktuierende Bindungen. Synthet. lassen sich V. ausnutzen zur Herst. von Verb. mit *kleinen Ringen u. *Käfigverbindungen. Zu einigen typ. Valenzisomerisierungen s. die Abb. auf S. 4799. – *E* valence isomerization – *F* isomérisation de valence – *I* isomerizzazione di valenza – *S* isomerización de valencia

Lit.: Acc. Chem. Res. **14**, 76 ff. (1981) ▪ Balaban et al., Annulenes, Benzo-, Hetero-, Homo-Derivates and Their Valence Isomers (3 Bd.), Boca Raton: CRC Press 1987 ▪ Houben-Weyl **4/3**, 509–575; **4/4**, 412–421 ▪ Org. React. **32**, 1–374 (1984) ▪ Top. Curr. Chem. **123**, 103–150 (1984).

Valenzkristalle. Bez. für *Kristallstrukturen, in denen die Bausteine (Atome) durch lokalisierte kovalente Bindungen (s. chemische Bindung) zusammengehalten werden. Voraussetzung für die Bildung von V. sind ein möglichst geringer *Elektronegativitäts-Unterschied der Atome u. räumlich gerichtete Valenz-Molekülorbitale. Typ. Beisp. für V. findet man daher bei den Elementen der 14. Gruppe des Periodensyst., z. B. *Diamant u. krist. Silicium; im Diamant-Gitter gehen von jedem C-Atom vier äquivalente lokalisierte Valenz-Molekülorbitale aus, die in die Ecken eines Tetraeders gerichtet sind. V. zeichnen sich durch ein sehr starres Gitter u. hohe Bindungsenergie aus, was sich in der ungewöhnlichen Härte u. dem hohen Schmp. niederschlägt. – *E* valence crystal – *F* cristaux de valence – *I* cristalli di valenza – *S* cristales de valencia

Lit.: s. chemische Bindung u. Kristallstrukturen.

Valenzschwingung s. IR-Spektroskopie.

Valenzstriche s. chemische Zeichensprache.

Valenzstrichformel s. Lewis-Formel u. Resonanz.

Valenzstrukturmethode s. Valence-Bond-Methode.

Valenztautomerie s. Valenzisomerie.

Valenzzahl s. Oxidationszahl u. Wertigkeit.

Valenzzustand. Hypothet. Zustand eines Atoms innerhalb eines Moleküls. Z. B. entspricht dem V. des C-Atoms im CH_4-Mol. die Elektronenkonfiguration $1s^2 2s^1 2p^3$; der elektron. *Grundzustand des C-Atoms hat hingegen die Elektronenkonfiguration $1s^2 2s^2 2p^2$. Der V. ist kein spektroskop. Zustand mit definierten *Quantenzahlen (L, S u. J), sondern läßt sich als Linearkombination aus verschiedenen spektroskop. Zuständen darstellen. Seine Erzeugung erfordert Energiezufuhr (ca. 7 eV für ein C-Atom in tetraedr. Umgebung). – *E* valence state – *F* état de valence – *I* stato di valenza – *S* estado de valencia

Lit.: Atkins, Quanta, 2. Aufl., Oxford: Oxford University Press 1991 ▪ Huheey, Anorganische Chemie (2.), Berlin: de Gruyter 1995 ▪ J. Chem. Educ. **65**, 34 (1988) ▪ McGlynn et al., Introduction to Applied Quantum Chemistry, New York: Holt 1972.

Valepotriate. V. sind *Iridoide, deren OH-Gruppen mit Isovaleriansäure u. Essigsäure verestert sind u. die einen exocycl. Epoxid-Ring besitzen. Sie kommen bis zu 5% im Kraut verschiedener Valerianaceen, z. B. *Valeriana officinalis* (Echter Baldrian), *V. wallichii* u. *V. mexicana*, sowie in der Roten Spornblume (*Centran-*

thus ruber, Valerianaceae) vor[1]. Ihr Name ist von *Val*eriana-*Epo*xy-*Tri*ester abgeleitet.

R^1 = $CH(CH_3)_2$, R^2 = H : Valtrat
R^1 = H, R^2 = $CH(CH_3)_2$: Isovaltrat

R = CH_3 : Dihydrovaltrat
R = C_2H_5 : Homodihydrovaltrat

Tab.: Daten von Valepotriaten.

Trivialname	Valtrat	Isovaltrat[2]	Dihydrovaltrat	Homodihydrovaltrat
Summenformel	$C_{22}H_{30}O_8$	$C_{22}H_{30}O_8$	$C_{22}H_{32}O_8$	$C_{23}H_{34}O_8$
M_R	422,48	422,48	424,49	438,52
Schmp. [°C]	Öl	*	64–65	50–51
$[\alpha]_D$ (CH_3OH)	+172,7°	+151°	–80,8°	–72°
CAS	18296-44-1	31078-10-1	18296-45-2	18361-41-6

* nicht angegeben

Biolog. Wirkung: V. haben eine äquilibrierende Wirkung, d. h. bei Erregung sedierende u. bei Ermüdung aktivierende Wirkung. Baldriantee u. -tinktur enthalten keine V., sondern Valeren-, Valerenol- u. Acetylvalerenolsäure[3], die für die sedierende Wirkung der Baldrian-Präp. verantwortlich sein sollen[4]. V. u. ihre Metaboliten zeigen *in vivo* alkylierende, zelltox. u. mutagene Eigenschaften[5]. – *E* valepotriates – *F* valépotriates – *I* valepotriati – *S* valepotriatos

Lit.: [1] Tetrahedron **24**, 313 (1968). [2] Phytochemistry **13**, 2815 (1974). [3] J. Am. Chem. Soc. **82**, 2962 (1960). [4] Dragoco-Rep. **31**, 3 (1984); Planta Med. **42**, 62 (1981). [5] Dtsch. Apoth. Ztg. **136**, 751 (1996); Planta Med. **52**, 446 (1986).
allg.: Arzneim.-Forsch. **34**, 170 (1984) ▪ Beilstein E V **19/3**, 577 ▪ Hager (5.) **6**, 1068–1086 ▪ J. Nat. Prod. **43**, 649, Nr. 201, 203, 206, 207 (1980) ▪ Pharm. Unserer Zeit **8**, 78–86 (1979).

Valeraldehyd s. Pentanal.

Valerate (Valerianate). Bez. für Salze u. Ester der *Valeriansäure.

Valeriansäure (Baldriansäure, Pentansäure). $H_3C-(CH_2)_3-COOH$, $C_5H_{10}O_2$, M_R 102,13. Farblose, unangenehm Buttersäure-artig riechende Flüssigkeit, D. 0,939, Schmp. –34 °C, Sdp. 186 °C, leicht lösl. in Alkohol u. Ether, weniger lösl. in Wasser; WGK 1 (Selbsteinst.). Die Dämpfe reizen bes. bei Erhitzung sehr stark die Augen u. die Atemwege bis hin zu Glottis- evtl. auch Lungenödem. Kontakt mit der Flüssigkeit führt zu sehr starker Reizung u. Verätzung der Augen sowie der Haut.

Vork.: Spurenweise in Holzessig u. im Schwefelwasser der Braunkohlendest.; nachgewiesen als Sexuallockstoff bei weiblichen Zuckerrübendrahtwürmern[1]; im *Baldrian (*Valeriana*-Arten) neben Isovaleriansäure (*3-Methylbuttersäure).

Herst.: Die techn. Herst. der V. erfolgt aus 1-Buten durch Oxo-Synth. zu Pentanal u. anschließende Oxidation.
Verw.: Die Ester (Valerate) mit Glykolen u. Polyolen dienen als Schmierstoffe. Aus Derivaten der V. gewinnt man auch Lsm., Weichmacher, Emulgatoren, Kunststoffe, Insektizide, Korrosions-Inhibitoren u. Pharmaka; Zwischenstufe in der Parfümerie. – *E* valeric acid – *F* acide valérique – *I* acido valerianico, acido pentanoico – *S* ácido valeriánico
Lit.: [1] Science **159**, 208 (1968).
allg.: Beilstein E IV **2**, 868–871 ■ Hager (5.) **9**, 1146; **6**, 1079 ■ Hommel, Nr. 538 ■ Merck-Index (12.), Nr. 10042 ■ Ullmann (4.) **9**, 142 f.; (5.) A **5**, 243 ■ s. a. Fettsäuren. – [HS 291560; CAS 109-52-4; G 8]

δ-Valerolactam s. 2-Piperidon.

γ-Valerolacton s. Lactone.

Valeryl... Bez. für den *Acyl-Rest –CO–(CH$_2$)$_3$–CH$_3$ in chem. Namen (IUPAC-Regel C-404.1); systemat. Bez.: *Pentanoyl...* (neue Regel R-5.7.1.1); CAS: (1-Oxopentyl)... – *E* valeryl... – *F* valéryl... – *I* = *S* valeril...

Valethamatbromid.

$$\left[H_3C-CH_2-CH\overset{C_6H_5}{\underset{CH_3}{-}}CH-CO-O-CH_2-CH_2-\overset{CH_3}{\underset{C_2H_5}{N^+}}-C_2H_5\right] Br^-$$

Internat. Freiname für das als *Spasmolytikum wirkende (±)-Diethylmethyl[2-(3-methyl-2-phenyl-valeryloxy)ethyl]ammonium-bromid, C$_{19}$H$_{32}$BrNO$_2$, M$_R$ 386,38, Krist., Schmp. 100–101 °C, λ_{max} (CH$_3$OH) 253, 259, 265 nm (A$_{1cm}^{1\%}$ 4,21, 5,26, 4,10); leicht lösl. in Wasser, Alkohol, unlösl. in Ether. V. wurde 1958 von Kali-Chemie, 1960 u. 1961 von Cilag-Chemie patentiert. – *E* valethamate bromide – *F* bromure de valéthamate – *I* valetamato bromuro – *S* bromuro de valetamato
Lit.: Hager (5.) **9**, 1146 f. ■ Martindale (31.), S. 508. – [HS 292390; CAS 90-22-2]

Valette® (Rp). Dragées mit *Ethinylestradiol u. Dienogest zur hormonalen Kontrazeption. *B.*: Jenapharm.

Validamycine. Aminoglykosid-Antibiotika-Komplex aus *Streptomyces hygroscopicus* var. *limoneus*. Man unterscheidet die Komponenten V. A bis H (vgl. Tab.).

R^1	R^2	R^3	R^4	R^5	
βGlc	H	H	H	H	V. A
βGlc	H	H	OH	H	V. B
βGlc	H	H	H	βGlc	V. C
H	βGlc	H	H	H	V. D
αGlc (1→4)βGlc	H	H	H	H	V. E
βGlc	H	OH	H	H	V. G
βGlc (1→6)βGlc	H	H	H	H	V. H

(Glc = D-Glucopyranosyl)

Tab.: Daten von Validamycinen.

Validamycine	Summenformel	M$_R$	Schmp. [°C]	CAS
V. A	C$_{20}$H$_{35}$NO$_{13}$	497,50	95	37248-47-8
V. B	C$_{20}$H$_{35}$NO$_{14}$	513,50	132–134	102583-47-1
V. C	C$_{26}$H$_{45}$NO$_{18}$	659,64	142–160	12650-70-3
V. D	C$_{20}$H$_{35}$NO$_{13}$	497,50	125–130	12650-67-8
V. E	C$_{26}$H$_{45}$NO$_{18}$	659,64	265–268	12650-71-4
V. F	C$_{26}$H$_{45}$NO$_{18}$	659,64	165–173	12650-72-5
V. G	C$_{20}$H$_{35}$NO$_{14}$	513,50	amorph	106054-17-5
V. H	C$_{26}$H$_{45}$NO$_{18}$	659,64	–	130812-69-0

V. werden in Japan im Reisanbau eingesetzt. – *E* validamycins – *F* validamycines – *I* validamicine – *S* validamicinas
Lit.: Isolierung: J. Antibiot. (Tokyo) **24**, 107, 114, 119 (1971); **25**, 48 (1972); **33**, 74 (1980); **39**, 1491 (1986). – *Synth.*: Bull. Chem. Soc. Jpn. **56**, 499 (1983) ■ Chem. Lett. **1983**, 921 ■ J. Chem. Soc., Chem. Commun. **1987**, 1843 ■ J. Chem. Soc., Perkin Trans. 1 **1988**, 2675–2680; **1989**, 1013; **1991**, 2121 ■ J. Org. Chem. **57**, 3651 (1992). – [HS 294190]

Validierung. Unter V. versteht man, daß für ein bestimmtes Verf. gezeigt wird, daß es zuverlässig u. reproduzierbar – im Rahmen definierter Bedingungen – das erwartete od. behauptete Resultat od. Produkt erbringt. Validiert werden können die unterschiedlichsten Herst.- u. analyt. Verfahren. Der Begriff wird in Chemie, Medizin, Wirtschaftswissenschaften u. vielen anderen Bereichen oft benutzt. Ihm zur Seite stehen die Begriffe *Kalibrierung* (von Meßgeräten) u. *Qualifizierung* (v. a. von Produktionsanlagen). Insbes. in der Analytik ist die V. Standard u. bes. im Bereich der Arzneimittelherst. durch umfangreiche gesetzliche Normen u. Vorgaben Pflicht. V. gehört in den Rahmen der *Good Manufacturing Practice (GMP) u. *Good Laboratory Practice (GLP); in diesen beiden Regelwerken finden sich auch V.-Vorschriften. Im pharmazeut. Bereich ist GMP durch die Betriebsverordnung für Pharmazeut. Unternehmer vom 08.03.1985 (BGBl. I, S. 546, zuletzt geändert am 13.07.1994, BGBl. I, S. 1561) u. den EG-Leitfaden einer Guten Herstellungspraxis für Arzneimittel von 1989 verbindlich. Wichtige Bestimmungsgrößen der V. eines analyt. Verf. sind die *Richtigkeit* (*E* accuracy), *Präzision* (*E* precision), *Robustheit* (*E* robustness, ruggedness), *Spezifität* u. *Selektivität* (*E* specificity, selectivity), *Nachw.- u. Bestimmungsgrenze* (*E* limit of detection, limit of quantitation), *Linearität* (*E* linearity) u. *Auswertbereich* (*E* range). – *E* = *F* validation – *I* validazione – *S* validación
Lit.: Accred. Qual. Assur. **1**, 41 ff., 87 f., 135, 190 ff., 233 f., 277 (1996); **2**, 51 f., 160 f., 348 f. (1997) ■ Analyt.-Taschenb. **9**, 3 ■ Huber, Validierung computergestützter Analysensysteme, Berlin: Springer 1996 ■ Pharmeuropa **8**, 108–111 (1996) ■ Pharm. Ind. **56**, 993–1000 (1994) ■ USP 23, S. 1982 ff., Rockville, MD: United States Pharmacopeial Convention 1994.

Valienamin [(1*S*)-6α-Amino-4-hydroxymethyl-4-cyclohexen-1α,2β,3α-triol].

$C_7H_{13}NO_4$, M_R 175,18, Schmp. (Pentaacetat) 95°C, $[\alpha]_D^{23}$ +30,2° ($CHCl_3$). Aminocyclitol-Antibiotikum aus *Streptomyces hygroscopicus* var. *limoneus*, aktiv gegen *Bacillus*-Arten, wirkt als α-Glucosidase-Inhibitor hypoglucämisch. V. ist Bestandteil der *Validamycine, aus denen es von Boden-Bakterien freigesetzt wird, u. einer Reihe pseudooligosaccharid. α-Glucosidase-Hemmer, z. B. des oral wirksamen Antidiabetikums *Acarbose. – *E* valienamine – *F* valiénamine – *I* valienammina – *S* valienamina

Lit.: J. Antibiot. (Tokyo) **33**, 1575 (1980); **37**, 1301 (1984) ▪ J. Chem. Soc., Chem. Commun. **1972**, 746. – *Synth.:* Angew. Chem. **99**, 490f. (1987) ▪ Aust. J. Chem. **50**, 193 (1997) ▪ Chem. Pharm. Bull. **36**, 4236–4239 (1988) ▪ Gazz. Chim. Ital. **119**, 577 ff. (1989) ▪ J. Am. Chem. Soc. **120**, 1732–1740 (1998). – [*CAS 38231-86-6*]

Valilacton.

$C_{22}H_{39}NO_5$, M_R 397,55, farblose Nadeln, Schmp. 57–58°C, $[\alpha]_D^{28}$ –37° ($CHCl_3$), lösl. in Chloroform, unlösl. in Wasser. Esterase-Inhibitor aus Streptomyceten-Kulturen. V. ist ebenso ein β-Lacton wie das in Struktur u. Wirkung ähnliche *Orlistat. – *E* = *F* valilactone – *I* valilattone – *S* valilactona

Lit.: J. Antibiot. (Tokyo) **40**, 1647 (1987) ▪ Tetrahedron **47**, 9929 (1991). – [*CAS 113276-96-3*]

Valin (2-Amino-3-methylbuttersäure, α-Aminoisovaleriansäure, Kurzz. der L-Form: Val od. V).

$C_5H_{11}NO_2$, M_R 117,15. D-Val, farblose Tafeln mit Zers. bei 293°C (in geschlossener Kapillare), kommt nur selten in der Natur vor, z. B. in Peptid-Antibiotika wie *Actinomycinen[1], *Gramicidinen, *Valinomycin. Das hauptsächlich natürlich vorkommende rechtsdrehende L-Val (s. Abb.), farblose Blättchen, D. 1,230, Schmp. 315°C (in geschlossener Kapillare), subl., lösl. in Wasser, unlösl. in Ether, Aceton, Benzol, gehört im Gegensatz zu dem isomeren L-*Norvalin zu den *essentiellen Aminosäuren.

Val kommt in nahezu allen Proteinen vor, in Getreide, Fleisch, Eiern u. Milch zu 5–8%, in *Elastin zu >15%. Der Erwachsene benötigt pro Tag etwa 1,6 g Val, denn die Aminosäure ist für das normale Funktionieren des Nerven-Muskelapparates wichtig; bei unzureichender Val-Versorgung beobachtet man Überempfindlichkeit, Bewegungsstörungen, Drehkrämpfe, Degeneration der Vorderhorn- u. Muskelzellen. In Mikroorganismen u. Pflanzen bildet sich Val in mehreren Schritten aus *Brenztraubensäure. Abgebaut[2] wird Val durch Transaminierung u. oxidative Decarboxylierung zu Isobutyryl-Coenzym A u. weiter über Propionyl-Coenzym A, (*S*)- u. (*R*)-Methylmalonyl-Coenzym A zu Succinyl-Coenzym A, einem Zwischenprodukt des *Citronensäure-Cyclus.

Herst.: Die Synth. kann durch Aminierung von 2-Brom-3-methylbuttersäure od. durch *Strecker-Synthese erfolgen; zur notwendigen enzymat. *Racemattrennung wird das *N*-Acetyl-Derivat eingesetzt. Teile der jährlich erzeugten 150 t werden durch Extraktion von *Protein-Hydrolysaten u. durch *Fermentation mit geeigneten Bakterienmutanten gewonnen. – *E* = *F* valine – *I* = *S* valina

Lit.: [1] J. Am. Chem. Soc. **116**, 7971–7982 (1994). [2] Trends Biochem. Sci. **17**, 175 f. (1992).

allg.: Beilstein E IV **4**, 2659ff. ▪ Karlson et al., Kurzes Lehrbuch der Biochemie, 14. Aufl., S. 180ff., Stuttgart: Thieme 1994 ▪ Stryer 1996, S. 674–680. – [*HS 2922 49; CAS 72-18-4*]

Valinomycin.

$C_{54}H_{90}N_6O_{18}$, M_R 1111,33, Krist., Schmp. 187°C, $[\alpha]_D^{20}$ +31° (Benzol), lösl. in organ. Lsm., unlösl. in Wasser. Cyclodepsipeptid-Antibiotikum aus *Streptomyces fulvissimus*, das mit den *Enniatinen strukturverwandt ist. V. besteht aus je drei Mol. L-Valin, D-Valin, D-α-Hydroxyisovaleriansäure u. L-Milchsäure, die einen 36-gliedrigen Ring bilden. V. ist aktiv gegen den Erreger der Tuberkulose (*Mycobacterium tuberculosis*).

Verw.: Biochem.-experimentell als Entkoppler der oxidativen *Phosphorylierung, ferner als Kalium-*Carrier od. -*Ionophor zur Untersuchung des Ionen-Transports in Biomembranen, für *ionenselektive Elektroden. V. wird als Insektizid u. Nematizid verwendet. – *E* valinomycin – *F* valinomycine – *I* = *S* valinomicina

Lit.: Beilstein E III/IV **27**, 9728 ▪ Int. J. Pept. Protein Res. **39**, 291 (1992) ▪ J. Am. Chem. Soc. **99**, 2032 (1977) ▪ Merck-Index (12.), Nr. 10047 ▪ Neurath u. Hill (Hrsg.), The Proteins, Bd. 5, S. 563–573, New York: Academic Press 1982 ▪ Sax (8.), VBZ 000 ▪ Top. Curr. Chem. **128**, 175–218, bes. 205 ff. (1985). – [*HS 2941 90; CAS 2001-95-8*]

Valiquid® (Rp). Tropfen mit *Diazepam gegen Angst- u. Unruhezustände. *B.:* Hoffmann-La Roche.

Valium® (Rp). Tabl., Ampullen, Suppositorien mit *Diazepam gegen Angst- u. Unruhezustände. *B.:* Hoffmann-La Roche.

Valleriit. Trigonales (Kristallklasse $\bar{3}$m-D_{3d}) Mineral mit ungewöhnlicher chem. Zusammensetzung, $(Fe,Cu)_4S_4 \cdot 3[(Mg,Al)(OH)_2]$, in dessen Struktur (*Lit.*[1]) abwechselnd in der Zusammensetzung dem *Brucit ähnliche Schichten $[Mg_{0,68}Al_{0,32}(OH)_2]$ u. Sulfid-Schichten $[Fe_{1,07}Cu_{0,93}S_2]$ aufeinander folgen; dabei können die Metall/S- u. Mg/Al-Verhältnisse variieren; Mg kann z. T. durch Cr ersetzt sein. Von Nordmark/Schweden wurden Fe-Mn-reiche, Mg-reiche u. Fe-reiche V. mit u. ohne Al beschrieben (*Lit.*[2]). V. bildet dem *Graphit sehr ähnliche, auf Papier schreibende, weiche, grauschwarze Massen mit bronzefarbig-messinggelbem Farbstich u. vollkommener Spaltbarkeit, D. 3,1–3,2.

Weitere Vork.: Kaveltorp/Schweden, Loolekop u. Palabora/Südafrika (hier abbauwürdig), ferner in Arizona/USA, Kanada, Talnakh/Sibirien u. Australien. – *E = I* valleriite – *F* valleriite – *S* valleri(í)ta
Lit.: [1] Z. Kristallogr. **127**, 73–93 (1968). [2] Neues Jahrb. Mineral. Monatsh. **1985**, 209–220. [3] Mineral. Petrol. **50**, 209–218 (1994).
allg.: Anthony et al., Handbook of Mineralogy, Vol. I, S. 555, Tucson (Arizona): Mineral Data Publishing 1990 ▪ Schröcke-Weiner, S. 226f – *[CAS 62996-84-3]*

Valocordin® (Rp). Tropfen mit *Diazepam gegen Angst- u. Unruhezustände. *B.:* Krewel Meuselbach.

Valonea. Fruchtbecher u. Schuppen der in Griechenland u. Kleinasien heim. Eichenarten *Quercus pseudocerris* bzw. *Q. valonea* Kotschy bzw. *Q. aegilops*, die 20–50% Pyrogallol-Gerbstoffe (s. Gerbstoffe u. Tannine) enthalten u. bei einer Temp. von 90–100 °C extrahiert werden. V. finden – wie auch das bisweilen als Synonym gebrauchte *Trillo – Verw. als Naturgerbstoff, der ein festes, zähes Leder mit heller Oberfläche u. dunklem Schnitt ergibt. – *E* valonia – *I* valonea – *S* valonia
Lit.: s. Gerbstoffe u. Tannine.

Valoron® N (Rp). Kapseln u. Lsg. mit *Tilidin u. *Naloxon gegen starke Schmerzen. *B.:* Gödecke.

Valproinsäure (Rp).

$H_3C-CH_2-CH_2-\overset{C_3H_7}{\underset{|}{CH}}-COOH$

Internat. Freiname für das *Antiepileptikum 2-Propylpentansäure, $C_8H_{16}O_2$, M_R 144,21, farblose Flüssigkeit, Sdp. 128–130 °C (2,66 kPa), d_4^{25} 0,904, n_D^{20} 1,423; λ_{max} (CH$_3$OH) 213 nm ($A_{1cm}^{1\%}$ 5,9), pK_a 4,6; LD_{50} (Ratte oral) 670 mg/kg; sehr wenig lösl. in Wasser. Verwendet wird V., das Natriumsalz u. das Natriumhydrogensalz (internat. Freiname *Valproat-Seminatrium*) od. ein Gemisch der ersten beiden; im gleichen Sinne wirkt das Amid (*Valpromid*). V. wurde 1967 von Chemetron Corp., 1979 von Labaz (Ergenyl®, Sanofi Winthrop) patentiert u. ist als Generikum im Handel. – *E* valproic acid – *F* acide valproïque – *I* acido valproico – *S* ácido valproico
Lit.: ASP ▪ Beilstein EIII **2**, 807 ▪ Drugs **13**, 81–123 (1977) ▪ Florey **8**, 529–556 ▪ Hager (5.) **9**, 1153ff. ▪ Martindale (31.), S. 388–391 ▪ Ullmann (5.) **A3**, 19. – *[HS 2915 90; CAS 99-66-1 (V.); 1069-66-5 (Valproat-Natrium); 76584-70-8 (Valproat-Seminatrium); 2430-27-5 (Valpromid)]*

Valpromid s. Valproinsäure.

Valsartan (Rp).

Internat. Freiname für das *Antihypertonikum, ein Angiotensin-II-AT$_1$-Antagonist, N-[2'-(1H-Tetrazol-5-yl)biphenyl-4-ylmethyl]-N-valeryl-L-valin, $C_{24}H_{29}N_5O_3$, M_R 435,53, Schmp. 116–117 °C, LD_{50} (Ratte oral) >2 g/kg. V. wurde 1991 u. 1995 von Ciba Geigy (Diovan®, Novartis) patentiert. – *E = F = I* valsartan – *S* valsartán

Lit.: Cardiovasc. Drug Rev. **13**, 230–250 (1995) ▪ Martindale (31.), S. 961 ▪ Merck-Index (12.), Nr. 10051 ▪ Pharm. Ztg. **143**, 3934–3942 (1998). – *[CAS 137862-53-4]*

Valtrat s. Valepotriate.

Vamidothion.

Common name für (±)-*O,O*-Dimethyl-*S*-{2-[1-(methylcarbamoyl)ethylthio]ethyl}thiophosphat, $C_8H_{18}NO_4PS_2$, M_R 287,32, Schmp. 43 °C, LD_{50} (Ratte oral) 64–105 mg/kg, von Rhône-Poulenc 1961 eingeführtes system. *Insektizid u. *Akarizid mit nachhaltiger Wirkung gegen saugende Schädlinge im Baumwoll-, Hopfen-, Obst-, Gemüse-, Wein-, Zierpflanzen- u. Reisanbau. In Deutschland ist V. nicht zugelassen. – *E = F* vamidothion – *I* vamidotione – *S* vamidotion
Lit.: Farm ▪ Perkow ▪ Pesticide Manual. – *[HS 2930 90; CAS 2275-23-2; G 1]*

Vanadate(V). Bez. für wasserlösl. Salze, die sich von der *Orthovanadiumsäure*, H_3VO_4, ableiten. Sie entstehen durch Reaktion von Vanadiumpentoxid, V_2O_5, mit Alkalihydroxiden in stark alkal. Lsg. und sind mit den entsprechenden Phosphaten(V), Arsenaten(V) u. Manganaten(V) isomorph. Bei Zusatz von Säure zu den Vanadat-Lsg. erfolgt wie bei der *Kieselsäure eine Mol.-Vergrößerung durch Wasserabspaltung, wobei Salze von *Polyvanadiumsäuren* (s. a. Isopolysäuren u. *Lit.*[1]) der allg. Formel $H_{n+2}V_nO_{3n+1}$ bzw. deren wasserärmere Formen entstehen. Im alkal. Bereich (pH 8–13) zeigen die farblosen *Monovanadate* ($M^I_2HVO_4$), *Divanadate* ($M^I_3HV_2O_7$) u. *Metavanadate* (M^IVO_3, *Beisp.*: *Ammonium- u. *Natriumvanadat) bes. Stabilität, während in saurer Lsg. (pH 0–7) die orangefarbenen *Decavanadate* ($M^I_6V_{10}O_{28}$, $M^I_5HV_{10}O_{28}$ u. $M^I_4H_2V_{10}O_{28}$) u. die *Dodecavanadate* mit dem Anion $[V_{12}O_{32}]^{4-}$ existent sind. Daneben kennt man eine Reihe von reduzierten *Polyoxovanadaten*, die V(IV)-Zentren mit je einem ungepaarten Elektron enthalten u. im Inneren Anionen einschließen können, z. B. $[H_4V_{18}O_{42}X]^{9-}$ (X = Cl, Br, I)[2]. Die ebenfalls als V. bezeichneten Ester der Orthovanadiumsäure sind bei Vanadium-organische Verbindungen behandelt, obgleich sie keine direkte V,C-Bindung enthalten. – *E = F* vanadates(V) – *I* vanadati(V) – *S* vanadatos(V)
Lit.: [1] Angew. Chem. **99**, 1060ff. (1987). [2] Angew. Chem. **103**, 56–70 (1991).
allg.: s. Vanadium. – *[G 6.1]*

Vanadat-Molybdat-Reagenz (VM-Reagenz). Salpetersaure Lsg. von Ammoniumvanadatmolybdat zum Nachw. u. zur Bestimmung von Phosphat, insbes. in Kesselspeisewasser.

Vanadin s. Vanadium *(Geschichte)*.

Vanadinbleierz s. Vanadinit.

Vanadinit (Vanadinbleierz). $Pb_5[Cl/(VO_4)_3]$ od. $9PbO \cdot 3V_2O_5 \cdot PbCl_2$; fett- bis diamantglänzende, gelbe, braune, orange- bis rubinrote, kurz- bis langsäulige, nadelige, dicktafelige od. spitzpyramidale hexagonale Krist., Kristallrasen, radialstrahlige, auch kugelige Kristallaggregate, derb. Kristallklasse $6/m\text{-}C_{6h}$, isotyp mit *Apatit, Struktur s. *Lit.*[1,2]; zu V^{4+} in der

Struktur s. Lit.[3]. Vanadium kann z. T. durch Phosphor (Bildung von *Mischkristallen mit *Pyromorphit) od. Arsen (im Mineral Endlichit) u. Blei z. T. durch Calcium ersetzt sein. H. 3, D. 6,5–7,1, Bruch muschelig, spröde; lösl. in Salpetersäure. Zusammensetzung nach der Formel: 78,3% PbO, 19,3% V_2O_5, 2,4% Cl. Als V-Erz heute nur von geringer Bedeutung.

Vork.: In *Oxidationszonen von Blei-Lagerstätten, z. B. Mibladen, Taúz u. Touissit/Marokko, mehrorts in Arizona/USA. – $E = F = I$ vanadinite – S vanadinita

Lit.: [1] Can. Mineral. **6**, 161–173 (1958). [2] Can. Mineral. **27**, 189–192 (1989). [3] Am. Mineral. **74**, 1182–1185 (1989). allg.: Lapis **18**, Nr. 6, 7–11 (1993) („Steckbrief") ■ Lapis **3**, Nr. 6, 23–31 (1978) ■ Ramdohr-Strunz, S. 638 f. – [HS 2615 90; CAS 1307-08-0]

Vanadismus. Alte Bez. für Vanadium-Vergiftung durch Einatmen od. Verschlucken von Vanadium-haltigem Staub od. Rauch, v. a. bei Vanadium-Gewinnung, Eisen-, Kupfer-Verhüttung u. Stahlveredelung sowie beim Reinigen von Ölheizungsanlagen. Akute Form mit Reizung der Augen-, Nasen-, Rachen- u. Mundschleimhaut; chron. Form mit Bronchitis u. Bronchopneumonie.

Vanadium (chem. Symbol V). Metall. Element, Atomgew. 50,9415, Ordnungszahl 23. Als anisotopes Element besteht V zu 99,75% aus dem Isotop 51; das natürliche Isotop ^{50}V (Häufigkeit 0,25%) ist radioaktiv mit einer HWZ von $>3,9 \cdot 10^{17}$ a. Man kennt ferner künstliche Isotope des V ($^{44}V - ^{55}V$) mit HWZ zwischen 0,09 s (^{44}V) u. 337 d (^{49}V). In seinen meist farbigen Verb. besitzt V insbes. die Oxid.-Stufen +5, +4, +3 u. +2; die Oxid.-Stufen +1, 0 u. –1 findet man in *Vanadium-organischen Verbindungen. Die anorgan. Vanadium(V)-Verb. sind in Übereinstimmung mit der Stellung des V in der 5. Gruppe des *Periodensystems am beständigsten u. wichtigsten; charakterist. ist jedoch der leichte Wechsel der Oxid.-Stufen des V in wäss. Lsg. seiner Salze. V ist ein stahlgraues, bläulich schimmerndes Metall, D. 6,092, Schmp. 1929 °C, Sdp. 3400 °C; es ist duktil (dehnbar) u. läßt sich in kaltem Zustand schmieden u. walzen. Verunreinigungen mit den Elementen O, H, N u. C bewirken jedoch eine Verminderung der Dehnbarkeit u. eine Erhöhung der Härte. Bei Temp. unter 250 °C ist V an der Luft beständig u. wird von nichtoxidierenden Säuren u. verd. Alkalilaugen bei Raumtemp. nicht angegriffen; es löst sich jedoch in heißer Salpetersäure, konz. Schwefelsäure u. Königswasser. Bei Weißglut bildet V mit Kohlenstoff silberweißes Vanadiumcarbid (VC), mit Stickstoff graues Vanadiumnitrid (VN); es reagiert bei erhöhter Temp. mit Sauerstoff zu Vanadiumpentoxid (V_2O_5) u. mit Chlor zu Vanadiumtetrachlorid (VCl_4). Mit Eisen, Nickel, Cobalt, Kupfer, Aluminium, Zinn, Platin u. a. Metallen läßt sich das Metall leicht legieren. V reduziert Edelmetall-Salzlsg. zu den Metallen, Hg^{2+} zu Hg^+ u. Fe^{3+} zu Fe^{2+}.

Nachw.: Zu Nachw. u./od. Bestimmung eignen sich die teilw. in Einzelstichwörtern genannten Reagenzien Kakothelin, Oxin, Kupferron, 1,10-Phenanthrolin, Tetraaminobiphenyl, Dimethylnaphthidin, PAN, Thenoyltrifluoraceton, Variaminblau, N-Salicylidenanthranilsäure, N-Benzoyl-N-phenylhydroxylamin u. a. (s. Lit.[1,2]); zur V-Bestimmung in flüssigen Brennstoffen s. Lit.[3] u. in emittierten Stäuben s. Lit.[4]. Für die Analytik des V in der Gewerbehygiene hat die IUPAC Empfehlungen erarbeitet[5].

Physiologie: V ist für Pflanzen u. Tiere ein *essentielles *Spurenelement, das z. B. die Chlorophyll-Synth. stimuliert u. das Wachstum von Jungtieren fördert. Einige aquat. Organismengruppen wie die zu den Tunicaten gehörenden Ascidien (Seescheiden) können V in Form der *Tunichrome u. des *Hämovanadins bis zum 10^7-fachen gegenüber dem V-Gehalt im Meerwasser anreichern. Fliegenpilze u. a. Amanita-Arten akkumulieren ebenfalls V als sog. Amavadin [Vanadium(IV)-Komplex]. Die bes. biolog. Bedeutung des V resultiert aus der Fähigkeit, einerseits in anion. Form als *Vanadat(V) kompetitiv zum Phosphat in dessen Stoffwechsel einzugreifen (Inhibierung od. Stimulierung von Enzymen), andererseits in kation. Form (als VO^{3+}, VO_2^+, VO^{2+} u. V^{3+}) wie ein Übergangsmetall-Ion mit biogenen Liganden (auch Proteinen) in Wechselwirkung zu treten. Zu den Vanadium-Verb., denen therapeut. Bedeutung beigemessen wird, gehören die Peroxovanadat(V)-Komplexe (s. Abb.), die sich als Cytostatika bei bestimmten Leukämie-Formen erwiesen haben; Näheres zu den biolog. Eigenschaften des V s. Lit.[6].

Der menschliche Organismus enthält 17–43 mg V, die hauptsächlich in Leber, Milz, Nieren, Hoden u. Schilddrüse deponiert sind, wobei fast das gesamte V im Zellkern u. den Mitochondrien lokalisiert ist. Zur Rolle von V als Spurenelement in der Ernährung s. Lit.[7]. Als durchschnittliche Versorgung werden 20 µg V pro Tag angenommen, die in der Durchschnittsernährung auch enthalten sind; so enthalten Hülsenfrüchte 20 µg/100 g, Kabeljau 19 µg/100 g, Kartoffeln 1 µg/100 g u. Fleisch etwas weniger als 1 µg/100 g. V-Mangelerscheinungen sind beim Menschen bisher nicht bekannt. In unphysiolog. Konz. gelten V-Verb. als für den Menschen giftig u. schleimhautreizend. Bei längerer Einwirkung kann sich die Zunge grünschwarz verfärben, Asthma, Übelkeit u. Krämpfe können auftreten, ggf. auch Bewußtlosigkeit. Der *Vanadismus ist eine anerkannte Berufskrankheit.

Vork.: Der Anteil des V an der obersten, 16 km dicken Erdkruste wird auf 130 ppm geschätzt; damit steht es in der Häufigkeitsliste der Elemente in der Nähe von Chrom u. Nickel. Die wichtigsten, im allg. in Einzelstichwörtern behandelten V-Mineralien sind Roscoelit, Carnotit, Vanadinit u. Descloizit; sie sind heute für die V-Gewinnung jedoch unbedeutend. Wichtigster Rohstoff ist Titanomagnetit-Erz mit V-Gehalten zwischen 0,3 u. 0,8%, bei dessen Verhüttung zu Roheisen eine Schlacke mit ca. 20% V_2O_3 anfällt. V biogenen Ursprungs ist in Erdöl u. Kohle (bis zu 0,1% V) enthalten, deren Verbrennungsrückstände (bis über 50% V_2O_5) seit den 80er Jahren ebenfalls für die V-Gewinnung genutzt werden. Die Weltreserven, berechnet als V-Metall, wurden 1990 auf 16,6 Mio. t geschätzt. Davon entfielen auf Südafrika 47%, auf die ehem. UdSSR 25%, auf die USA 13% u. auf China 10%. Die weltweit geförderte V-Erz-Menge entsprach 1994 einem V-Gehalt von 33 900 t, davon allein 15 700 t in Südafrika[8].

Herst.: Wegen der geringen Konz. des V in allen Ausgangsstoffen kommt bei der Gewinnung den Anreicherungsverf. über Alkalivanadate (aus Röstprozessen od. Alkalischmelzen) bes. Bedeutung zu. Das Endprodukt all dieser Verf. ist V_2O_5, aus dem durch Red. mit Calcium unter Iod- od. Schwefel-Zusatz 99,5%iges V als Regulus erhalten wird. Die benötigte Menge an Ca (ca. 50% Überschuß) u. die niedrige Ausbeute an V (ca. 80%) mindern die Wirtschaftlichkeit dieses Verfahrens. Mischungen aus V_2O_5 u. sehr reinen Al-Granalien, die in einem mit Al_2O_3 ausgekleideten Stahlreaktor unter Schutzgas mittels eines Heizdrahtes aus V gezündet werden, ergeben eine Leg. von V mit ca. 15% Al als massiven Regulus unter einer Schmelze von Al_2O_3. Beim Erhitzen im Vak. auf 1790 °C subl. Al u. bindet dabei noch vorhandenen Sauerstoff. Zweimaliges Schmelzen ergibt >99,9%iges Vanadium. Reinstes V entsteht, wenn man in einer luftleeren Quarzglasapparatur Vanadiumiodid auf 900–1000 °C erhitzt u. das Metall auf einem glühenden Wolfram-Draht niederschlägt (*Aufwachsverfahren). Zur Herst. von reinem V s. a. *Lit.*[9]. Ein großer Teil des V_2O_5 u. auch manche Schlacken werden direkt zu *Ferrovanadin verarbeitet.

Verw.: Mit ca. 85% des V-Verbrauchs ist die Stahl-Ind. die wichtigste Abnehmerbranche, gefolgt von der Nichteisen-Metallurgie (ca. 9%) u. der Chemie (ca. 4%). Reines V hat nur geringe techn. Bedeutung; wichtig ist vielmehr das Ferrovanadium, v. a. als Leg.-Zusatz für Stähle (*Vanadium-Stähle). Baustähle enthalten <0,2%, Werkzeugstähle bis 0,5% u. Schnelldrehstähle bis 5% V, wobei durch Bildung von V(C,N) die Festigkeit u. Zähigkeit des Metalls erhöht wird. V dient auch als Leg.-Bestandteil für Hochtemp.-Leg. u. in Form von FeVCo für Magnetstähle. Leg. der Zusammensetzung $(Fe,Co,Ni)_3V$ zeigen bei 750 °C eine höhere Festigkeit als bei Raumtemperatur. Auch Ti-Leg. enthalten häufig V, das als VAl eingebracht wird; ein wichtiger Vertreter ist TiA16V4 mit bes. Temp.-Beständigkeit. V-Leg. gewinnen als Hüllwerkstoff für Kernbrennstoffe zunehmend an Beachtung. Anorgan. V-Verb. sind als heterogene Katalysatoren z. B. bei der Produktion von Schwefelsäure u. der Entstickung von Rauchgasen (V_2O_5) od. als Hydrierkatalysatoren (V_2O_3) u. als in organ. Lsm. lösl. Komplex-Verb. für die homogene Katalyse bei zahlreichen organ. Synth. wie z. B. bei der Ethylen-Polymerisation u. der Gewinnung von Corticosteroiden von Bedeutung.

Geschichte: Der Name V (von Vanadis, einem Beinamen der german. zauberkundigen Göttin der Schönheit u. Liebe Freya) wurde 1831 von dem schwed. Chemiker Sefström vorgeschlagen, der das Element wiederentdeckte, nachdem das 1801 von del Rio erstmals beschriebene Element „Erythronium" (fälschlich) für unreines Chrom erklärt worden war; der Name V. soll möglicherweise an die schönen Farben einiger V-Verb. erinnern. Die erste Isolierung in nahezu reiner Form gelang *Roscoe 1867; zur Geschichte der V-Entdeckung s. *Lit.*[10]. Während in anderen Sprachen der Elementname V. von Anfang an verbindlich war, durfte V im Dtsch. bis 1975 *Vanadin* genannt werden. – $E = F$ vanadium – $I = S$ vanadio

Lit.: [1] Fries-Getrost, S. 374–385. [2] Int. J. Environ. Anal. Chem. **27**, 1–9 (1986); Townshend, Encyclopedia of Analytical Science, S. 5363–5370, London: Academic Press 1995. [3] DIN 51790-1 bis -4: 1978 bis 1987. [4] Stoffbestimmung an Partikeln (VDI-Richtlinie 2268, Bl. 1), Düsseldorf: VDI-Verl. 1987. [5] Analytical Methods for Use in Occupational Hygiene 34/1–5 u. 38/1–9, vgl. Pure Appl. Chem. **40**, 335–390 (1987). [6] Angew. Chem. **103**, 152–172 (1991). [7] Belitz-Grosch (4.), S. 378f. [8] Mineral Commodity Summaries 1991, Washington DC: US Bureau of Mines 1991. [9] Brauer (3.) **3**, 1407–1439. [10] J. Chem. Educ. **1968**, 351–382.

allg.: Angew. Chem. **99**, 570ff., 1060f. (1987) ■ Braun-Dönhardt, S. 389 ■ Catal. Today **1**, Nr. 3 (1987) ■ Erzmetall **39**, 66–69 (1986); **40**, 298–303 (1987) ■ Gmelin, Syst.-Nr. 48, V, 1967–68 u. Erg.-Werk Bd. 2: Vanadium-organische Verbindungen, 1971 ■ Houben-Weyl **4/1 b**, 415–424 ■ Kirk-Othmer (4.) **24**, 782–797 ■ Ullmann (5.) **A 27**, 367–386 ■ Winnacker-Küchler (4.) **4**, 218–222. – [HS 8112 40; CAS 7440-62-2; G 6.1]

Vanadiumchloride. (a) *Vanadium(II)-chlorid*, VCl_2, M_R 121,85. Hellgrüne, glimmerglänzende Tafeln, D. 3,23, in Wasser mit violetter Farbe lösl., die allmählich unter Oxid. zu V(III) in Grün umschlägt; verwendbar als Red.-Mittel. – (b) *Vanadium(III)-chlorid*, VCl_3, M_R 157,30. Pfirsichblütenrote, in Wasser mit grüner Farbe lösl. Tafeln, D. 3,00, bildet mit Donoren oktaedr. Komplexe $VCl_3 \cdot 3D$ (z. B. $[VCl_6]^{3-}$) od. tetraedr. Komplexe $VCl_3 \cdot D$ (z. B. $[VCl_4]^-$). – (c) *Vanadium(IV)-chlorid*, VCl_4, M_R 192,75. Rotbraune, ölige, in Wasser mit blauer Farbe als $VOCl_2$ lösl. Flüssigkeit, D. 1,816, Schmp. –25,7 °C, Sdp. 152 °C, bildet mit Donoren oktaedr. Komplexe $VCl_4 \cdot 2D$ (z. B. $[VCl_6]^{2-}$). – E vanadium chlorides – F chlorures de vanadium – I cloruri di vanadio – S cloruros de vanadio

Lit.: Brauer (3.) **3**, 1408–1418 ■ Gmelin, Syst.-Nr. 48, V, Tl. B, 1967, S. 195–248 ■ Kirk-Othmer (4.) **24**, 802f. ■ Synthesis **1976**, 798, 807ff. ■ Z. Chem. **24**, 161–169 (1984); **25**, 290f. (1985). – [HS 2827 39; CAS 10580-52-6 (a); 7718-98-1 (b); 7632-51-1 (c); G 8 (b, c)]

Vanadium-organische Verbindungen. Von den V.-o. V. sind sowohl solche mit σ- als auch solche mit π-Bindungen bekannt, dabei kann das Zentralatom Oxid.-Stufen von –3 in $[V(CO)_5]^{3-}$ bis +5 in VOR_3 annehmen. Dies macht verständlich, daß V.-o. V. sehr leicht *Redox-Reaktionen* (s. Redoxsysteme) eingehen; häufig besitzen die Komplexe des Vanadiums paramagnet. Eigenschaften (s. Magnetochemie), die mit Hilfe der *EPR-Spektroskopie untersucht werden. *Vanadocen*, in der Mitte der 50er Jahre entdeckt, steht am Anfang der Entwicklung in der Vanadium-organ. Chemie; es besitzt eine typ. *Sandwich-Struktur.

1

Bis(η^5-cyclopentadienyl)vanadium (*Vanadocen*, **1**)[1], $C_{10}H_{10}V$, M_R 181,13, violette, luftempfindliche Krist. vom Schmp. 167 °C. Vanadocen ist paramagnet. u.

wird als Polymerisationskatalysator für Alkine verwendet.

2

Dichlorobis(η^5-cyclopentadienyl)vanadium (*Vanadocendichlorid*, **2**)[2], $C_{10}H_{10}Cl_2V$, M_R 252,04, dunkelgrüne Krist. vom Zers.-Punkt 250°C. Vanadocendichlorid ist ebenfalls paramagnet., lösl. in Chloroform, Ethanol, H_2O u. wird nach Tierversuchen als ein potentielles Cytostatikum wie *Cisplatin angesehen[3,4]. Als Katalysatoren werden verschiedene *Vanadate*, d. h. Ester der Orthovanadiumsäure, H_3VO_4, verwendet, insbes. Trialkyl-Derivate[5]. Natürlich vorkommende V.- o. V. sind z. B. das im Fliegenpilz u. a. Pilzen vorkommende *Amavadin*, die *Tunichrome* u. das sog. *Hämovanadin* in Tunicaten[6] sowie die aus Chlorophyllen entstandenen Vanadium-haltigen *Porphyrine (Petroporphyrine) des Erdöls. – *E* organovanadium compounds – *F* composés d'organovanadium – *I* composti organici di vanadio – *S* compuestos de organovanadio

Lit.: [1] Herrmann-Brauer **8/2**, 5. [2] Organomet. Chem. Synth. **1**, 75 (1965). [3] Umschau **81**, 441f. (1981). [4] Nachr. Chem. Tech. Lab. **29**, 154ff. (1981). [5] Z. Anorg. Allg. Chem. **434**, 271 (1977). [6] Angew. Chem. **99**, 570ff. (1987).
allg.: Chem. Rev. **97**, 2707 (1997) ▪ Gmelin, Syst.-Nr. 48, V, Erg.-Bd. 2/3, Vanadium-organische Verbindungen, Chrom-organische Verbindungen, 1971 ▪ Houben-Weyl **13/7**, 355–374 ▪ Wilkinson-Stone-Abel **3**, 647–704; II **5**, 1 ff. ▪ s. a. Vanadium. – [CAS 1277-47-0 (1); 12083-48-6 (2)]

Vanadiumoxidchloride (Vanadylchloride, s. a. Vanadyl...). (a) *Vanadium(IV)-oxidchlorid* (Vanadiumoxiddichlorid), $VOCl_2$, M_R 137,85. Grüne, zerfließliche Krist., D. 2,88, wird in der Photographie für Beizbäder u. zu Grüntonungen verwendet, auch als Textilbeize u. Ausgangsmaterial zur Herst. von As-freier Salzsäure. – (b) *Vanadium(V)-oxidchlorid* (Vanadiumoxidtrichlorid), $VOCl_3$, M_R 173,30. Gelbe, an Luft rauchende Flüssigkeit, D. 1,829, Schmp. –77°C, Sdp. 127°C, löst sich in Wasser unter Zersetzung. Das durch Umsetzung von V_2O_5 u. Thionylchlorid leicht zugängliche $VOCl_3$ ist ein zweckmäßiges wasserfreies Lsm. für Schwefel u. organ. Verbindungen. Es eignet sich ferner als Katalysator für Olefin-Polymerisationen u. zur Herst. von V-organ. Verb. u. reinsten Vanadiumoxiden. – *E* vanadium oxide chlorides – *F* oxychlorures de vanadium – *I* ossidicloruri di vanadio – *S* oxicloruros de vanadio
Lit.: s. Vanadiumchloride. – *[HS 2827 39; CAS 10213-09-9 (a); 7729-18-6 (b)]*

Vanadiumoxide. (a) Das techn. wichtigste u. zugleich beständigste Oxid des Vanadiums ist *Vanadiumpentoxid* [Vanadium(V)-oxid], V_2O_5, M_R 181,88. Es entsteht beim Verbrennen des feinverteilten Metalls in überschüssigem Sauerstoff od. beim Glühen vieler Vanadium-Verb. (z. B. NH_4VO_3) an der Luft u. bildet ein geruch- u. geschmackfreies Kristallpulver, D. 3,357, Schmp. 658°C, Sdp. 1750°C (Zers.), MAK 0,05 mg/m³ (Feinstaub). Es löst sich nicht in Wasser, dagegen leicht in Basen u. krist. aus der Schmelze in orangefarbenen rhomb. Nadeln. Seine hochmol. Struktur entspricht der des blattstrukturierten Silicat-Ions $Si_2O_5^{2-}$. Mit Alkalihydroxiden vereinigt sich V_2O_5 in stark alkal. Lsg. zu farblosen *Vanadaten(V). Beim Erhitzen mit einem Red.-Mittel (z. B. SO_2) spaltet V_2O_5 leicht Sauerstoff ab u. das so entstandene VO_2 nimmt aus der Luft Sauerstoff auf, worauf seine Verw. als Katalysator beruht, z. B. für die SO_3-Bildung bei der Herst. von Schwefelsäure, bei der Milas-Reaktion, bei der Malein- u. Phthalsäureanhydrid-Synth. u. a. organ. Synthesen. V_2O_5 dient zur Herst. von Ferrovanadium u. Vanadium-Metall, von Vanadaten für die Textilfärberei, zur UV-Absorption od. zur Gelbgrünfärbung von Gläsern.
(b) *Vanadiumdioxid* [Vanadium(IV)-oxid], VO_2, M_R 82,94. VO_2 entsteht beim Erhitzen von Vanadiumpentoxid mit Red.-Mitteln in Form tiefdunkelblauer, glänzender Krist. mit verzerrter Rutil-Struktur, D. 4,339, Schmp. 1637°C, in Säuren wie in Basen (amphoter) leicht löslich.
(c) *Vanadiumtrioxid* [Vanadium(III)-oxid], V_2O_3, M_R 149,88. Glänzend schwarzes, bas., in Säuren lösl. Kristallpulver mit Korund-Struktur, D. 4,87, Schmp. 1967°C, entsteht beim Glühen von Vanadiumpentoxid in H_2-Strom, wirksam als Schwefel-unempfindlicher Hydrierkatalysator.
(d) *Vanadiummonoxid* [Vanadium(II)-oxid], VO, M_R 66,94. Grauschwarze, metall. glänzende u. den elektr. Strom leitende Krist. mit Steinsalz-Struktur, Schmp. 950°C, lösl. in Säuren, entsteht beim Glühen von Vanadiumpentoxid im H_2-Strom. – *E* vanadium oxides – *F* oxydes de vanadium – *I* ossidi di vanadio – *S* óxidos de vanadio

Lit.: Brauer (3.) **3**, 1419–1423 ▪ Catal. Today **1**, Nr. 3 u. 5 (1987) ▪ Gmelin, Syst.-Nr. 48, V, Tl. B, 1967, S. 11–166 ▪ Kirk-Othmer (4.) **24**, 801 f. ▪ Ullmann (5.) **A 5**, 339 f. ▪ Winnacker-Küchler (4.) **4**, 220. – *[HS 2825 30; CAS 1314-62-1 (a); 12036-21-4 (c); 1314-34-7 (c); 12035-98-2 (d); G 6.1 (a, c)]*

Vanadiumsäuren s. Vanadate(V).

Vanadium-Stähle. Legierte *Stähle, denen bis zu max. 1% Vanadium – im allg. in Form von *Ferrovanadin – zugesetzt werden. Vanadium wirkt als gutes *Desoxidationsmittel, verbessert die Härte, Zähigkeit, Stoßfestigkeit, Hitzebeständigkeit u. unterdrückt die Grobkornbildung (u. damit die Sprödigkeit). V.-S. dienen als Feder-, Vergütungs-, Warmarbeits- u. Schnellarbeitsstähle. – *E* vanadium steel – *F* acier au vanadium – *I* acciai al vanadio – *S* acero al vanadio
Lit.: Werkstoffkunde Stahl, Bd. 2, Berlin: Springer 1985.

Vanadocen, Vanadocendichlorid s. Vanadium-organische Verbindungen.

Vanadyl... Bez. für die Vanadiumoxid-Kationen VO^{n+} (mit n = 1, 2, 3) u. VO_2^+, in denen Vanadium die Oxid.-Stufen +3, +4 bzw. +5 besitzt; s.a. Vanadiumoxidchloride.

Vanax®. Sortiment von Vulkanisationsbeschleunigern u. -hilfsmitteln aus unterschiedlichen Thiazolen, Sulfenamiden, Dithiocarbamaten, Thiadiazinen, Isophthalaten, Guanidinen u. Aldehyden sowie Aminen.
B.: Erbslöh; Vanderbilt.

Van Baerle s. (van) Baerle.

Vancomycin (Vancococin).

Vancomycin

Durch Fermentation mit *Amycolatopsis orientalis* (früher irrtümlich der Gattung *Streptomyces* bzw. *Nocardia* zugeordnet) hergestelltes Glykopeptid-Antibiotikum, dessen Heptapeptid-Aglykon, bestehend aus z. T. Chlor-haltigen, aromat. Aminosäuren, neben Peptid- auch Ether-Bindungen enthält u. mit den Zuckern Vancosamin (3-Amino-2,3,6-tridesoxy–3-C-methyl-L-*lyxo*-hexopyranose) u. D-Glucose verknüpft ist. V. ($C_{66}H_{75}Cl_2N_9O_{24}$, M_R 1449,27) ist lösl. in Wasser u. verschiedenen polaren organ. Lösemitteln.
Anw.: Zur medizin. Anw. kommt das V.-Hydrochlorid. V. wirkt bakterizid gegen Gram-pos. Erreger; Gram-neg., mit Ausnahme einiger Kokken (*Neisseria* sp.), sowie Pilze sind resistent. V. hemmt bei der Zellwand-Biosynth. die Bildung von *Murein durch Bindung an die D-Ala-D-Ala-Enden der Disacchard-Pentapeptid-Vorstufen. Therapeut. Anw. findet V. v. a. bei schweren Infektionen mit *Staphylococcus*- od. *Streptococcus*-Erregern mit Resistenz gegen die gängigen Antibiotika sowie bei Patienten mit Allergie gegen β-Lactam-Antibiotika. – *E* vancomycin – *F* vancomycine – *I* = *S* vancomicina
Lit.: Angew. Chem. **110**, 2864, 2868, 2872, 2879, 2881 (1998); **111**, 253 (1999) (Totalsynth.) ▪ Antimicrob. Agents Chemother. **35**, 605 – 609 (1991) ▪ Bioorg. Med. Chem. Lett. **8**, 721 (1998) ▪ Biotechnology **28**, 269 (1995) ▪ Chem. Biol. **3**, 21 – 28 (1996); **4**, 195 (1997) ▪ Chem. Rev. **95**, 2135 – 2167 (1995) ▪ Helv. Chim. Acta **79**, 942 – 960 (1996) ▪ J. Am. Chem. Soc. **113**, 2264 – 2270 (1991); **120**, 11014 (1998) ▪ J. Antibiot. **48**, 805 (1995); **49**, 575 – 581 (1996) ▪ J. Chem. Soc., Perkin Trans. 2 **1995**, 159 ▪ J. Med. Chem. **41**, 2090 (1998) (Wirkung) ▪ Lancini u. Cavalleri, in Kleinkauf u. von Döhren (Hrsg.), Biochemistry of Peptide Antibiotics, S. 159 – 178, Berlin: de Gruyter 1990 ▪ Merck-Index (12.), Nr. 10066 ▪ Zmijewski u. Fayerman, in Vining u. Stuttard (Hrsg.), Genetics and Biochemistry of Antibiotic Production, S. 269 – 281, Boston: Butterworth-Heinemann 1995. – [HS 2941 90; CAS 1404-90-6]

van-Deemter-Gleichung s. (van) Deemter-Gleichung.

Van-de-Graaff-Generator. Bez. für elektrostat. Maschinen zur Erzeugung hoher Gleichspannungen insbes. für *Teilchenbeschleuniger. Der Prototyp wurde 1931 von dem amerikan. Physiker R. J. van de Graaff (1901 – 1967) konstruiert. Auf ein schnell laufendes, nichtleitendes, endloses Transportband werden elektr. Ladungen (Ladespannung ~10^4 V) aufgesprüht, zur Hochspannungselektrode (Konduktor) geführt u. dort abgenommen. Typischerweise ist der Konduktor als isolierte, metall. Hohlkugel ausgeführt, auf deren Oberfläche sich die Ladungen so lange sammeln, bis ein Funkenüberschlag zur Umgebung stattfindet od. sich ein Gleichgew. zwischen dem aufgesprühten Strom u. dem von der Hochspannungselektrode zur Erde abfließenden Strom (Widerstandskette) einstellt. Höhere Spannungen (>1 MV) lassen sich erzielen, wenn der Generator in einem Druckkessel eingeschlossen wird, in dem Drücke von 5 – 30 · 10^5 Pa einer CCl_4-, CO_2- od. SF_6-gesätt. Atmosphäre herrschen. Bes. Ausführungsformen des v.-d.-G.-G. sind *Tandem-Beschleuniger* u. *Pelletron* (s. Teilchenbeschleuniger). – *E* Van de Graaff generator – *F* générateur Van de Graaff – *I* generatore di Van de Graaff – *S* generador Van de Graaff
Lit.: s. Teilchenbeschleuniger.

Vanderbilt. Kurzbez. für die Firma R. T. Vanderbilt Company, Inc., 30 Winfield Street, Norwalk, CT 06856. *Produktion:* Chemikalien, Mineralien, Hilfsstoffe für die Gummi-, Pharma-, Kosmetik-, Erdöl-, Kunststoff-, Farben-, Papier- u. Keramik-Ind., Pigmente, Tone, Talk etc.

van der Waals, Johannes Diderik (1837 – 1923), Prof. für Physik, Univ. Amsterdam. *Arbeitsgebiete:* Allg. Zustandsgleichung von Gasen, Dämpfen u. Flüssigkeiten, krit. Zustand u. Prinzip der übereinstimmenden Zustände, binäre Gemische, Kapillarität, Thermodynamik, zwischenmolekulare Kräfte usw., vgl. die nachfolgenden Stichwörter; Nobelpreis für Physik 1910.
Lit.: Chem. Rundsch. **40**, Nr. 47, 20 (1987) ▪ Krafft, S. 339 ▪ Lexikon der Naturwissenschaftler, S. 410 ▪ Neufeldt, S. 64, 356 ▪ Pötsch, S. 441 ▪ Rowlinson, J. D. van der Waals: On the Continuity of the Gaseous and Liquid States, Amsterdam: North-Holland 1988.

Van-der-Waals-Bindung s. chemische Bindung.

Van-der-Waals-Gleichung. *Zustandsgleichung, mit der *reale Gase beschrieben werden. Gegenüber dem allg. Gasgesetz $p \cdot V = n \cdot R \cdot T$ ist die v.-d.-W.-G. um den Binnendruck a/V^2 u. das Covol. b der Mol. erweitert (s. a. van-der-Waals-Konstanten u. Gasgesetze):

$$\left(p + \frac{n^2 a}{V^2}\right)(V - nb) = n \cdot R \cdot T.$$

Es ist eine vereinfachte Form des *Virialsatzes (s. a. Virialkoeffizient). – *E* Van der Waals equation – *F* équation de Van der Waals – *I* equazione di Van der Waals – *S* ecuación de Van der Waals

Van-der-Waals-Konstanten. Bez. für die von van der *Waals in der *Zustandsgleichung *realer Gase* eingeführten stoffspezif. Konstanten a u. b, die auch in die 2. *Virialkoeffizienten eingehen (*Van-der-Waals-Gleichung); Näheres s. bei Gasgesetze u. kritische Größen, wo auch auf die quant. Zusammenhänge zwischen a u. b einerseits u. der Boyle-Temp. T_B, der Inversionstemp. T_i u. der krit. Temp. T_k andererseits eingegangen wird. – *E* Van der Waals constants – *F* = *S* constantes de Van der Waals – *I* costanti di Van der Waals

Van-der-Waals-Kräfte s. chemische Bindung u. zwischenmolekulare Kräfte.

Van-der-Waals-Radius s. Atomradius.
Van-der-Waals-Zustandsgleichung s. Van-der-Waals-Gleichung.
Van-Dijk-Braun, Van-Dyck-Braun s. Kasseler Braun.
Vane, John Robert (geb. 1927), Prof. für Pharmakologie, Direktor des William Harvey Research Institute, London. *Arbeitsgebiete:* Bluthochdruck, Angiotensin-Converting-Enzym, Prostaglandine, Thromboxane, Prostacyclin, Aspirin, Endothelzellfunktion, Nobelpreis für Medizin od. Physiologie 1982 (zusammen mit *Bergström u. *Samuelsson).
Lit.: Fortschr. Med. **100**, 2228 ff. (1982) ▪ Lexikon der Naturwissenschaftler, S. 405 ▪ Neufeldt, S. 293 ▪ Pötsch, S. 433 f. ▪ Who's Who in the World 1998, S. 1465.

Vanille (von span. vainilla = Schötchen). Glänzend schwarzbraune, schotenähnliche, 12–25 cm lange u. 5–10 mm breite, ein schwarzbraunes Mus enthaltende Kapselfrüchte der in den Tropenwäldern Mittelamerikas heim. Liane *Vanilla planifolia* (*Bourbon-V.*) u. der auf Tahiti heim. *V. tahitensis* (Orchidaceae). Das Aroma der V. entsteht während eines Fermentationsprozesses, dem die unreif geernteten Früchte unterworfen werden. Dabei entsteht aus *Coniferin zunächst ein geruchloses Glykosid (*Vanillosid, Glucovanillin*), dessen enzymat. Spaltung zu Glucose u. *Vanillin führt. Letzteres ist als Hauptaromakomponente bis zu ca. 3–4% in der V. enthalten u. krist. mitunter in Form feiner weißer Nadeln auf der Oberfläche der Kapselfrüchte. Daneben enthält V. als Begleitstoffe noch Vanillylalkohol, Zimtsäureester, 4-Hydroxybenzaldehyd, 2,3-Butandion, Phenole, Glucose, Fructose u. Saccharose (zusammen ca. 18%), Fett- u. Wachsstoffe (ca. 8,7%), Cellulose (ca. 17%) u. Mineralstoffe (ca. 4%). Manche V.-Spezies enthalten außerdem *Piperonal. Als wichtige Aromakomponenten wurden die auch in Traubensaft u. Wein vorkommenden sog. *Vitispirane identifiziert. V. ist das beliebteste Gewürz für Schokolade u. a. Süßwaren, Kuchen, Puddings, Süßspeisen, Speiseeis usw. Die Anw. erfolgt häufig als Zubereitung aus Saccharose u. zerkleinerten V.-Früchten od. V.-Extrakt (*V.-Zucker*). Unter *Vanillinzucker* versteht man dagegen Saccharose mit Vanillin-Zusatz. Die V., in Mexiko beheimatet u. dort bis 1846 als Gewürz unter Monopol, wird in Indonesien, auf Madagaskar, Réunion, den Komoren u. Seychellen, Java u. Sri Lanka kultiviert; die Weltjahresproduktion beträgt etwa 2000 t. Aus Preisgründen – die V.-Blüten müssen von Hand bestäubt u. die Früchte ebenso geerntet werden! – werden der echten V. heute meist Vanillin u. *Ethylvanillin vorgezogen, obwohl diese synthet. Produkte das aus etwa 40 Bestandteilen resultierende Aroma des V.-Gewürzes nicht vollwertig ersetzen können. – *E* vanilla – *F* vanille – *I* vaniglia – *S* vainilla
Lit.: Franke, Nutzpflanzenkunde, 6. Aufl., S. 378 ff., Stuttgart: Thieme 1997 ▪ s. a. Vanillin. – *[HS 0905 00]*

Vanillin (Vanillaldehyd, 4-Hydroxy-3-methoxy-benzaldehyd),

$C_8H_8O_3$, M_R 152,14. Farblose, nach Vanille riechende, an feuchter Luft allmählich zu *Vanillinsäure oxidierende Nadeln, D. 1,056, Schmp. 81 °C, Sdp. 285 °C (in CO_2-Atmosphäre), 170 °C (20 hPa). V. ist wenig lösl. in kaltem Wasser, leicht lösl. in Alkohol u. Ether u. liefert mit Eisen(III)-chlorid-Lsg. eine blauviolette Färbung. V. findet sich am häufigsten (zu 1,5–4%) in *Vanille-Schoten, ferner in Styrax, *Nelkenöl, in den Blüten der Schwarzwurzel, der Kartoffel, des Spierstrauchs u. in verschiedenen Lebensmitteln wie Milch, Wein, Reiswein etc. Auch der Geruch von altem, vergilbtem, stark holzhaltigem Papier (*Beisp.:* Die 1. Aufl. dieses Werkes von 1947) geht auf V. zurück. Nach Ubik[1] ist V. ein von männlichen Wanzen (*Eurygaster integriceps*) sezernierter *Insektenlockstoff mit *Pheromon-Charakter.
Analytik: Eine Unterscheidung zwischen natürlichem u. synthet. V. ist über eine quant. ^{13}C-Analyse möglich[2]. Fortschritte bei der dazu eingesetzten SNIF-NMR („site-specific natural isotope fractionation"-NMR) von V. beschreibt *Lit.*[3].
Herst.: Heute hauptsächlich aus dem *Lignin der *Sulfit-Ablaugen, gelegentlich auch aus *Guajakol, früher auch aus *Eugenol bzw. *Isoeugenol. Die Bestimmung von V. kann – auch neben echter *Vanille – auf vielerlei Wegen erfolgen, s. a. Hager u. DAB (*Lit.*). Da V. lichtempfindlich ist, sollte es in dunklen Flaschen aufbewahrt werden.
Verw.: V. dient – neben *Ethylvanillin – anstelle der teuren natürlichen *Vanille in großem Umfang als Aromastoff für Schokolade, Süßwaren, Liköre, Backwaren u. a. süße Lebensmittel sowie zur Herst. von *V.-Zucker* (vgl. dagegen *Vanillezucker* bei Vanille). Der V.-Gehalt von Holz, das zu Weinfässern verarbeitet wurde, trägt zur Aromatisierung von Wein bei[4]. Kleinere Mengen werden in Desodorantien, Parfüms u. zur Geschmacksverbesserung von Pharmazeutika u. Vitamin-Präp. verwendet. V. ist auch Zwischenprodukt bei der Synth. von verschiedenen Arzneimitteln, z. B. L-Dopa, Methyldopa u. Papaverin. Es ist außerdem Bestandteil von *Günzburgs Reagenz für Magensaft-HCl-Bestimmung u. (zusammen mit Alkalien od. Mineralsäuren) von Anfärbereagenzien für die Dünnschichtchromatographie von Aminosäuren, Steroiden, Phenolen u. ether. Ölen. Eine bes. Verw. findet V. als Glanzzusatz beim galvan. Verzinken. – *E* vanillin – *F* vanilline – *I* vanillina – *S* vainillina
Lit.: [1] Naturwissenschaften **62**, 348 (1975). [2] Belitz-Grosch (4.), S. 349. [3] J. Agric. Food Chem. **45**, 859–866 (1997). [4] Weinwirtsch., Tech. **1990**, Nr. 2, 23–29.
allg.: Beilstein E IV **8**, 1763 ▪ DAB **9**, 1425 f., Komm.: **9**/3, 3443–3447 ▪ Hager (5.) **4**, 372, 397; **5**, 224, 699 f., 704, 852; **6**, 603, 848 f., 885 f., 1144; **8**, 714 f. ▪ Karrer, Nr. 397 ▪ Merck-Index (12.), Nr. 10069 ▪ Perfum. Flavor. **15**, 45 f., 50, 52 f. (1990) ▪ Riv. Ital. Essence, Profumi, Piante Off., Aromi, Saponi, Cosmet., Aerosol **62**, 170–173 (1980) ▪ Sax (7.), S. 3459 ▪ Ullmann (5.) **A4**, 64, 103; **A 11**, 199 ▪ Winnacker-Küchler (4.) **3**, 653. – *[HS 291241; CAS 121-33-5]*

Vanillinsäure (4-Hydroxy-3-methoxybenzoesäure). $C_8H_8O_4$, M_R 168,14. Farb- u. geruchlose Nadeln, Schmp. 213–215 °C (Subl.), in Wasser schwer, in Alkohol leicht lösl., gibt keine Farbreaktion mit $FeCl_3$. Natürlich tritt V. in den Veratrum-Alkaloiden u. in verschiedenen Obstarten auf, z. B. in Erdbeeren; außerdem entsteht sie beim Lignin-Abbau durch holzzerstörende Pilze. Ein Derivat der V., *Veratrumsäure*, kommt in vielen Pflanzen zumeist in glykosid. Form vor ($C_9H_{10}O_4$, M_R 182,18, Nadeln, Schmp. 181–182 °C).

R = H : Vanillinsäure
R = CH_3 : Veratrumsäure

Herst.: Durch Oxid. von *Vanillin mit Silberoxid. Im menschlichen Harn werden täglich 4–20 mg V. (Hauptteil pflanzlichen Ursprungs, z.T. auch Abbauprodukt von Adrenalin u. Noradrenalin) ausgeschieden. V. ist als Monomer für Polyester im Gebrauch. – *E* vanillic acid – *F* acide vanillique – *I* acido vanillico – *S* ácido vainílico

Lit.: Beilstein E IV **10**, 1459 ▪ Kirk-Othmer (4.) **7**, 959 ▪ Polymer **25**, 520 (1984) ▪ R. D. K. (3.), S. 449 ▪ Ullmann (5.) A **13**, 523. – [HS 291890; CAS 121-34-6 (V.); 93-07-2 (Veratrumsäure)]

Vanilloid-Rezeptor (VR1, Capsaicin-Rezeptor). Der VR1 ist ein Liganden-aktivierter *Ionenkanal u. Schmerz-*Rezeptor (*Nociceptor*) sensor. Nervenzellen. Er wird einerseits durch Hitze, andererseits durch Bindung von *Capsaicin, den Schärfe-Wirkstoff der Chilischoten, od. von *Resiniferatoxin aktiviert; beide Stoffe weisen strukturelle Ähnlichkeit zu *Vanillin auf u. werden daher als *Vanilloide* zusammengefaßt. Der aktivierte VR1 wird durchlässig für Natrium- u. Calcium-Ionen, wodurch an den Nerven ein Depolarisierungssignal entsteht, das ins Gehirn weitergeleitet wird. Die Dualität der Aktivierung (therm. u. chem.) erklärt das Wärmegefühl beim Essen scharfer Chilis. Das Verhältnis transportierter Calcium- zu Natrium-Ionen beträgt etwa 10. Bei längerer Vanilloid-Einwirkung findet eine Desensibilisierung statt, weshalb Capsaicin zur Linderung rheumat. Schmerzen verwendet werden kann. Nach Einwirkungszeiten von mehreren Stunden sterben die Nervenzellen ab, wahrscheinlich bedingt durch den fortgesetzten Ionen-Einstrom. – *E* vanilloid receptors – *F* récepteurs à vanilloïdes – *I* recettori vanilloidei – *S* receptores vanilloides

Lit.: Nature (London) **389**, 783 f., 816–824 (1997) ▪ Pain **68**, 195–208 (1998).

Vanillosid s. Vanille.

Vanilloyl... Bez. des *Acyl-Rests der *Vanillinsäure (IUPAC-Regel C-411.1); systemat. Bez.: (4-Hydroxy-3-methoxybenzoyl)... – *E* = *F* vanilloyl... – *I* vanilloil... – *S* vainiloil...

Vanillyl... Übliche Bez. für (4-Hydroxy-3-methoxybenzyl)...; CAS: [(4-Hydroxy-3-methoxyphenyl)methyl]... – *E* = *F* vanillyl... – *I* vanillil... – *S* vainilil...

N-Vanillylnonanamid s. Nonivamid.

Vanishing Creams s. Hautpflegemittel.

Vanlube®. Serie verschiedener Schmiermittel-Additive, u. a. als Hochdruck- u. Verschleißschutzzusatz sowie Reibungsverminderer u. Oxidationsinhibitor. *B.:* Erbslöh.

Vanox® MTI. Marke von Vanderbilt für Zink-Mercaptotoluimidazol als Antioxidans in Kautschuk-Systemen. *B.:* Erbslöh; Vanderbilt.

Vanox® ZMTI. Marke von Vanderbilt für Zink-Mercaptotoluimidazol als Antioxidans in Kautschuk-Systemen. *B.:* Erbslöh; Vanderbilt.

Vansil® EW 10/20. Marke von Vanderbilt für *Wollastonit, pulverförmig. *B.:* Erbslöh; Vanderbilt.

Vansil® G. Marke von Vanderbilt für stäbchenförmigen *Wollastonit. *B.:* Erbslöh; Vanderbilt.

Van-Slyke-Methode. Von van *Slyke 1910 entwickeltes Verf. zur quant. Bestimmung von prim. Amino-Gruppen in aliphat. Aminen u. Aminosäuren. Das bei Aminosäuren nicht immer zuverlässige u. bei Prolin u. Hydroxyprolin gänzlich versagende Verf. beruht auf der Reaktion von NH_2-Gruppen mit Salpetriger Säure u. volumetr. Messung des entwickelten N_2. – *E* van Slyke method – *F* méthode de van Slyke – *I* metodo di van Slyke – *S* método de van Slyke

Lit.: Houben-Weyl **2**, 674, 689 ▪ Kirk-Othmer **2**, 173 f.; (3.) **2**, 393.

Van't-Hoff-Gleichung (Van't-Hoff-*Isochore). Bez. für die von van't *Hoff 1885 abgeleitete Gleichung, die die Abhängigkeit der Gleichgewichtskonstante K_p (s. Massenwirkungsgesetz) von der Temp. T beschreibt: $d(\ln K_p)/dT = \Delta H/RT^2$ mit R = Gaskonstante u. ΔH = Reaktionsenthalpie. Qual. läßt sich aus der V.-H.-G. herauslesen, daß sich das Gleichgew. bei einer endothermen (exothermen) Reaktion mit zunehmender Temp. zugunsten der Produkte (Edukte) verschiebt. Zum gleichen Ergebnis kommt auf empir. Wege das *Prinzip des kleinsten Zwanges. Aus der V.-H.-G. folgte die *Arrheniussche Gleichung (1889), vgl. Van't-Hoff-Regel. – *E* Van't Hoff equation – *F* formule de Van't Hoff – *I* equazione di Van't Hoff, isocora di Van't Hoff – *S* ecuación de Van't Hoff

Van't-Hoff-Regel (*R*eaktionsgeschw.-*T*emp.-Regel = RGT-Regel). Diese von van't *Hoff aufgestellte Regel besagt, daß sich die *Reaktionsgeschwindigkeit (RG) so mit der Temp. (T) ändert, daß ein Temp.-Zuwachs um etwa 10 K ungefähr eine Verdopplung bis Vervierfachung der Reaktionsgeschw. bewirkt. Eine chem. Reaktion verläuft also z. B. bei 100 °C mind. 2^8 = rund 250mal schneller als bei 20 °C. Wählt man den mittleren Faktor 3, so bewirkt eine Temp.-Steigerung um nur 100 K schon eine Erhöhung der RG um das 3^{10}fache (rund 60000). Die Beschleunigung der Reaktion beim Erwärmen erklärt sich folgendermaßen: 1. Höhere Temp. bedeutet schnelle Molekülbewegung u. damit eine Vermehrung der zu chem. Reaktionen führenden *Stoßprozesse. – 2. Die kinet. Energie ist beim Stoß größer, wodurch eher Reaktionsbarrieren überwunden werden können. Quant. hat *Arrhenius 1889 diese Zusammenhänge formuliert:

$$d(\ln k)/dT = E_A/RT^2$$ (*Arrheniussche Gleichung)

bzw.

$$k = A\, e^{-E_A/RT}$$

mit k = RG-Konstante, A = Häufigkeitsfaktor der zur Reaktion führenden Zusammenstöße u. E_A = *Aktivierungsenergie. Die RGT-Regel gilt innerhalb mittlerer Temp.-Bereiche für viele anorgan. u. organ. Reaktionen, so z. B. für Enzymreaktionen, die Kohlendioxid-Assimilation u. selbst für den Wärmehaushalt wechselwarmer Lebewesen. – *E* Van't Hoff law – *F* loi de Van't Hoff – *I* legge di Van't Hoff – *S* ley de Van't Hoff

Van't-Hoffscher-Faktor s. Raoultsche Gesetze.

Van-Urk-Reaktion. 1. Ein Test auf *Chloramin T, das mit Resorcin zu einem gelben Produkt reagiert, welches sich beim Erwärmen rötet. Hypochlorite ergeben sofort eine rote Farbe. – 2. Eine durch Photometrie quant. auswertbare Farbreaktion von *4-(Dimethylamino)benzaldehyd mit Indol-Derivaten, die in 2-Stellung unsubstituiert sind; *Beisp.:* *Tryptamin, *Tryptophan, *Serotonin, *Ergot-Alkaloide, *Lysergsäurediethylamid. – *E* van Urk reaction – *F* réaction de van Urk – *I* reazione di van Urk – *S* reacción de van Urk
Lit.: DAB **9**, Komm.: **3**, 1952 ▪ Kontakte (Merck) **1973**, Nr. 3, 32 f. ▪ Pharm. Unserer Zeit **11**, 74–82 (1982).

Van-Vleck-Paramagnetismus. Über quantenmechan. Störungsrechnungen beschriebene [1], zusätzliche Energieverschiebung der Energieniveaus von Atomen u. Mol. unter dem Einfluß eines äußeren Magnetfeldes. Aufgrund dieser Verschiebung ändern sich die Besetzungszahlen der einzelnen Energieniveaus, wodurch bei Mol. ein Temp.-abhängiger Beitrag zum Paramagnetismus entsteht, der nach seinem Entdecker Van-Vleck bezeichnet wird. V.-V.-P. tritt auch bei Mol. mit verschwindendem Gesamtspin auf. – *E* Van-Vleck paramagnetism – *F* paramagnétisme de Van-Vleck – *I* paramagnetismo di van Vleck – *S* paramagnetismo Van Vleck
Lit.: [1] Weißmantel u. Hamann, Grundlagen der Festkörperphysik, S. 640, Heidelberg: Johann Ambrosius Barth 1995.
allg.: Bergmann u. Schaefer, Lehrbuch der Experimentalphysik, Bd. 6 (Festkörper), S. 737, Berlin: de Gruyter 1992.

Van-Vlecksche-Formel s. Magnetochemie.

Vaporometrie (vaporometr. Messung). Synonyme Bez. für *Dampfdruck-Osmometrie* (*E* *v*apour *p*ressure *o*smometry, Kurzz. VPO); s. Molmassenbestimmung (4 b) u. Osmose.

Var s. Watt.

Varacin (8,9-Dimethoxy-6-benzopentathiepinethanamin).

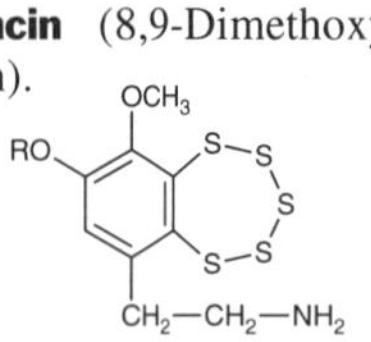

R = CH₃ : Varacin
R = H : Lissoclinotoxin A

$C_{10}H_{13}NO_2S_5$, M_R 339,52, hellgelbes Pulver, Schmp. 258–260 °C (Zers.), ungewöhnlicher Naturstoff aus der Seescheide *Lissoclinum vareau* (Tunikaten) mit antifung. u. cytotox. Wirkung. Die experimentelle Wirkung von V. gegen Darmkrebs ist 100mal so stark wie die von *Fluorouracil. Das entsprechende Trithiolan-Derivat wurde in einer fernöstlichen *Polycitor*-Art aufgefunden. Lissoclinotoxin A ($C_9H_{11}NO_2S_5$, M_R 325,49) aus *L. perforatum* ist gegen Bakterien u. Pilze wirksam. – *E* varacin – *F* varacine – *I* = *S* varacina
Lit.: J. Am. Chem. Soc. **113**, 4709 ff. (1991); **115**, 7017 (1993); **117**, 7261 (1995) ▪ J. Nat. Prod. **58**, 254 (1995). – *[CAS 134029-48-4 (V.); 133883-05-3 (Lissoclinotoxin A)]*

Varec(h). Von altnord.: vrek = treiben abgeleitete u. mit Wrack verwandte Bez. für geernteten See-, insbes. *Blasentang (*Kelp) u./od. dessen Iod-reiche Asche, die auf *Iod aufgearbeitet wird.

Varga, Jószef (1891–1956), Prof. für Chem. Technologie, Univ. Budapest, Veszprém. *Arbeitsgebiete:* Darst. von Methanol durch Methan-Chlorierung, Methan-Krackung zu Elektrodenkohle, Ruß u. Wasserstoff, Wirkung von Schwefel bei der katalyt. Hochdruckhydrierung von Braunkohle u. Erdöl (Varga-Effekt), Hydrokrackverf. (Varga-Verf.) für asphalthaltige Erdöle u. Braunkohlenteeröle.
Lit.: Pötsch, S. 434.

Variabilin. Bez. für drei verschiedene Substanzen: 1.

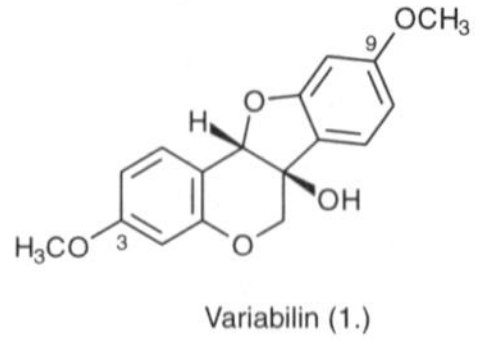

Variabilin (1.)
(6a*S*,11a*S*)-Form

3,9-Dimethoxy-6a-pterocarpanol (Homo-*Pisatin), $C_{17}H_{16}O_5$, M_R 300,31, *Phytoalexin aus den Cotyledonen von Schmetterlingsblütern (Fabaceae) wie Linsen (*Lens culinaris* u. *L. nigricans*) u. Klee (*Trifolium pratense*), außerdem aus dem Holz von Palisander (*Dalbergia variabilis*), kommt in (*R,R*)- u. (*S,S*)-Form vor.
2. *Sesterterpen $\{C_{25}H_{34}O_4$, M_R 398,54; (*S*)-(4*Z*,10*E*,14*E*)-(–)-Form, Öl, $[\alpha]_D$ –4° (CHCl₃)$\}$

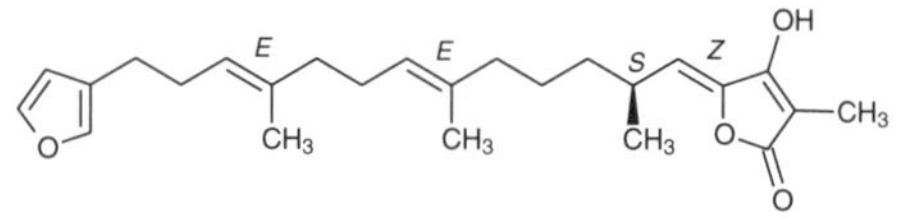

Variabilin (2.)

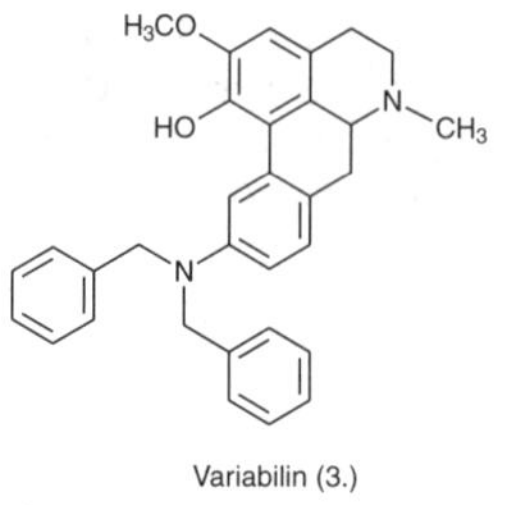

Variabilin (3.)

aus Schwämmen der Ordnung Dictyoceratida: *Sarcotragus* spp., *Ircinia* spp. u. *Psammocinia* spp. V. hat antivirale Eigenschaften, wirkt aber auch stark cytotoxisch.
3. *Aporphin-Alkaloid aus *Ocotea variabilis* (Lauraceae), $C_{32}H_{32}N_2O_2$, M_R 476,62, Krist., Schmp. 116–117 °C, als Hydrochlorid Schmp. 230–232 °C (Zers.), Formel s. bei 2. – *E* variabilin (1., 2.); variabiline (3.) – *F* variabiline – *I* = *S* variabilina
Lit. (zu 1.): Biochem. Syst. Ecol. **18**, 329–343 (1990); **19**, 497–506 (1991) ▪ Phytochemistry **36**, 189–194 (1994) ▪ Zechmeister **43**, 147–155. – *(zu 2.):* Biochem. Syst. Ecol. **15**, 373 ff. (1987) ▪ J. Nat. Prod. **51**, 275–281, 1294–1298 (1988); **52**, 346–359 (1989) ▪ Nat. Prod. **3**, 189 ff. (1993); **4**, 51–56 (1994); **6**, 1, 281 (1995) (abs. Konfiguration). – *(zu 3.):* Tetrahedron Lett. **1972**, 4647 ff. – *[CAS 3187-52-8 ((6aR,11aR)-Form von 1.); 51847-87-1 ((S)-(4Z,10E,14E)-(–)-Form von 2.); 40374-54-7 (3.)]*

Variable Regionen. Bez. für die variablen Teile der H- u. L-Ketten der *Immunglobuline (s. a. Antikörper) u. der α- u. β-Ketten der T-Zell-Rezeptoren. Sie unterscheiden sich in ihrer Aminosäure-Sequenz von einem *Antikörper zum anderen u. von einem T-Zell-Rezeptor zum anderen erheblich. Sie sind in den N-terminalen Bereichen der jeweiligen Makromol. lokalisiert, den sog. variablen Domänen (od. V-Domänen). Aus den v. R. der H- u. der L-Ketten wird die *Antigen-Bindungsregion der Antikörper u. aus den v. R. der α- u. β-Ketten der T-Zell-Rezeptoren die Antigenerkennende Region der T-Zell-Rezeptoren gebildet. – *E* variable regions – *F* régions variables – *I* regioni variabili – *S* regiones variables

Lit.: Alberts et al., Molekularbiologie der Zelle (3.), S. 1439, Weinheim: VCH Verlagsges. 1995 ▪ Janeway u. Travers, Immunologie (2.), S. 90, 153, Heidelberg: Spektrum 1997.

Varian. Kurzbez. für die 1948 gegr. amerikan. Firma Varian Associates, Palo Alto, CA 94304. *Daten* (1997): ca. 6500 Beschäftigte, 1,54 Mrd. $ Umsatz. *Produktion:* Elektron. Bauteile, Geräte für die Spektroskopie, NMR-Spektrometer, Chromatographie, Vakuumtechnik, Probenaufbereitungssyst., Syst. für die Halbleitertechnik, Datensyst., Rechner u. a. Datenverarbeitungsgeräte, nuklearmedizin. Geräte. *Vertretung* in der BRD: Varian GmbH, 64229 Darmstadt.

Variationsprinzip. Prinzip der Physik, das in der *Quantenchemie eine wichtige Rolle spielt; Näheres s. Energievariationsprinzip.

Variegatorubin s. Variegatsäure.

Variegatsäure (3,3',4,4'-Tetrahydroxypulvinsäure).

Variegatsäure   Variegatorubin

$C_{18}H_{12}O_9$, M_R 372,29, rote Nadeln, Schmp. 235 °C (Zers.). Hydroxyliertes *Pulvinsäure-Derivat aus dem Sandröhrling *Suillus variegatus* u. zahlreichen anderen Röhrlingen der Gattungen *Boletellus*, *Boletus*, *Suillus*, *Chalciporus*, *Xerocomus* sowie Porlingen der Gattung *Phylloporus* u. dem Bauchpilz *Rhizopogon roseolus*. V. kann als Leitpigment der Ordnung Boletales angesehen werden. Wie andere hydroxylierte Pulvinsäuren (*Gomphidsäure, *Xerocomsäure) ist V. für die Bläuung der Fruchtfleisches der Pilze bei Verletzung verantwortlich. Die blaue Färbung beruht auf der Bildung von Hydroxy-*Chinonmethid-Anionen durch Oxidasen u. Luft-Sauerstoff. Durch Oxid. von V. (in Lsg. bereits an der Luft od. im präparativen Maßstab mit Wasserstoffperoxid) kann das in Boleten häufig vorkommende rote Pigment *Variegatorubin* [$C_{18}H_{10}O_9$, M_R 370,27, braunviolette Nadeln, Schmp. >320 °C (Zers.)] erhalten werden. – *E* variegatic acid – *F* acide variégatique – *I* acido variegatico – *S* ácido variegático

Lit.: Beilstein E V **18/9**, 411 (V.); E V **19/7**, 147 (Variegatorubin) ▪ J. Chem. Soc., Perkin Trans. 1 **1973**, 1529 (Synth.) ▪ Zechmeister **51**, 32–51. – *[CAS 20988-30-1 (V.); 27286-59-5 (Variegatorubin)]*

Variocarb®. Verf. zur Erzeugung von Schutzgas, bestehend aus 20% CO, 40% H_2, 40% N_2, durch therm. Spaltung von Methanol u. Zusatz von Stickstoff zu den Spaltprodukten, wobei durch Wahl eines bestimmten Stickstoff-Methanol-Verhältnisses ein bestimmter Kohlenstoff-Pegel eingestellt werden kann. Das V.-Verf. wird in der Gasaufkohlung u. dem C-Neutralhärten eingesetzt. *B.:* Messer Griesheim.

Lit.: gas aktuell **35**, 14–17 (1988).

Variofresh®. Inertisierungsverf. für das Verpacken von Lebensmitteln. *B.:* Messer Griesheim.

Lit.: MGG-Broschüre, Gase für die Lebensmitteltechnik, Sachnummer 0.811.746, Ausgabe 8039, März 1989.

Variotin. Ältere Bez. für *Pecilocin.

Variscit. Al[PO_4] · 2H_2O; farbloses, meist aber in verschiedenen Tönungen apfelgrünes, rhomb. (Kristallklasse mmm-D_{2h}) bzw. als *Meta-V.* monoklines (Kristallklasse 2/m-C_{2h}) *Aluminiumphosphat-Mineral; zur Struktur s. *Lit.*[1,2], zu der von Meta-V. *Lit.*[3]. Überwiegend als traubig-nierige Krusten u. als Knollen, H. 3,5–4,5, D. 2,57–2,61, Bruch muschelig, etwas spröde.

Vork.: In *Kaolin-Gruben in Cornwall/England[4]; in Brasilien, Australien; in Arkansas, Arizona u. Utah/USA.

Verw.: V. von Utah als Schmuck- u. Ornamentstein. – *E* = *F* = *I* variscite

Lit.: [1] Acta Crystallogr. Sect. B **33**, 263 ff. (1977). [2] Angew. Chem. **98**, 520–529 (1988). [3] Acta Crystallogr. Sect. B **29**, 2292 ff. (1973). [4] Mineral. Mag. **60**, 671 f. (1996).
allg.: Eppler, Praktische Gemmologie (5.), S. 434, Stuttgart: Rühle-Diebener 1994 ▪ Nriagu u. Moore (Hrsg.), Phosphate Minerals, S. 122 f., Berlin: Springer 1984 ▪ Ramdohr-Strunz, S. 641. – *[HS 7103 10; CAS 13824-50-5]*

Varizen (latein.: varix = Krampfader). Erweiterte u. geschlängelte, oft knotenförmig angeschwollene Venen der Haut- od. Schleimhautoberfläche. V. entstehen, angeboren od. infolge von Krankheiten (z. B. *Thrombose), durch eine Schwäche der Gefäßwand od. durch Druckerhöhung in den venösen Gefäßen. Sie kommen insbes. an den Beinen, unter bestimmten Bedingungen (z. B. bei chron. Lebererkrankungen) auch in der Speiseröhre od. der Bauchdecke vor. Die Behandlung von Bein-V. geschieht durch physikal. Therapie, Kompressionsstrümpfe u. ggf. Verödung od. chirurg. Entfernung. *Venenmittel* wie Blutegelwirkstoffe, Rutin-Derivate, Roßkastanienextrakte sowie unterschiedlichste Kombinationen dieser Stoffe mit Vitaminen etc. werden häufig eingesetzt; ihre Wirksamkeit ist nicht nachgewiesen. V. der Speiseröhre können endoskop. verödet werden (Sklerosierung). – *E* = *F* = *S* varices – *I* varici

Lit.: Fritsch, Dermatologie, Berlin: Springer 1990.

Varmus, Harold E. (geb. 1940), Prof. für Biochemie, Univ. of California, San Francisco. *Arbeitsgebiete:* Onkologie. 1989 erhielt er zusammen mit J. M. Bishop den Nobelpreis für Physiologie od. Medizin für die Entdeckung des zellulären Ursprungs der retroviralen Onkogene.

Lit.: Lexikon der Naturwissenschaftler, S. 406 ▪ Nachr. Chem. Tech. Lab. **37**, 1137 (1989) ▪ Who's Who in the World, S. 1470.

Varox®. 1. Marke von Sherex für Tenside auf der Basis von Lauryldimethylaminoxid bzw. Kokosamidopropylaminoxid od. Alkyletheraminoxid. – 2. Peroxid. Vulkanisations- u. Vernetzungsmittel. *B.:* Erbslöh.

Varrentrapp-Reaktion. Von F. Varrentrapp (1815 – 1877) entdeckte Umwandlung von Ölsäure in Palmitinsäure u. Essigsäure durch Schmelzen mit Alkalien. Die Reaktion kann auch zur Synth. von langkettigen Dicarbonsäuren herangezogen werden. – *E* Varrentrapp reaction – *F* réaction de Varrentrapp – *I* reazione di Varrentrapp – *S* reacción de Varrentrapp
Lit.: Houben-Weyl **4/1b**, 25; **13/1**, 668 ▪ J. Chem. Soc. C **1971**, 1851 ▪ Krauch u. Kunz, Reaktionen der Organischen Chemie, 6. Aufl., S. 502, Heidelberg: Hüthig 1997.

Varroa jacobsoni. Eine *Bienen-schädigende *Milben-Art, zu deren Bekämpfung ein *Akarizid (*Varroazid*) auf der Basis von *Coumaphos (*Asuntol®, Perizin®) entwickelt worden ist. Die Milbenseuche (Varroatose) der Honigbiene hat im letzten Jahrzehnt epidem. Ausmaße angenommen. Die ca. 1 mm kleinen Varroamilben heften sich mit spezialisierten Haftapparaten am Körper der erwachsenen Bienen wie auch deren Puppen u. Larven fest. Die Milben durchstechen die Intersegmentalhäute der Wirte u. saugen Hämolymphe. An den Stichstellen treten oft Sekundärinfektionen auf. Befall von Bienenbrut in den Zellen führt zum Schlupf verkrüppelter Bienen. Die Gesamtentwicklung von *V. j.* beträgt bei den etwas kleineren Männchen 6 – 7 Tage, bei Weibchen 8 – 10 Tage.
Lit.: Mehlhorn u. Piekarski, Grundriß der Parasitenkunde, 5. Aufl., Stuttgart: Fischer 1998.

Varta. Kurzbez. für die seit 1998 als Finanzholding fungierende Varta AG, mit den Unternehmensbereichen Autobatterien u. Gerätebatterien: Varta Autobatterie GmbH, 30417 Hannover u. Varta Gerätebatterie GmbH, 73479 Ellwangen. *Daten* (1997): ca. 10 000 Beschäftigte, ca. 2,5 Mrd. DM Umsatz. *Produktion:* Batterien aller Art (Ind.-, Starter- u. Gerätebatterien).

Vascal® (Rp). Tabl. mit *Isradipin, einem Calcium-Antagonisten gegen essentielle Hypertonie. *B.:* Schwarz-Pharma.

Vasektomie (latein.: vaso... = Gefäß, Blutgefäß, griech.: ek = heraus u. tome = Schnitt). Chirurg. Entfernung eines 2 – 3 cm langen Stücks aus dem Samenleiter des Mannes zur *Sterilisation. – *E* vasectomy – *F* vasectomie – *I* vasectomia – *S* vasectomía

Vaselin(e). Angeblich von dtsch.: Wasser u. griech.: elaion = Öl abgeleitete ehem. Marke der amerikan. Firma Chesebrough-Pond's für – meist pharmazeut. verwendetes – halbfestes *Paraffin (*Petrolatum*), das als *Gelbe* u. *Weiße V.* im Handel ist. V. wurde erstmals von Chesebrough 1871 aus pennsylvan. Rohölen hergestellt, ist also ein Mineralfett.
Verw.: Als Salbengrundlage, Lederfett, Schmiermittel, in Rostschutzmitteln, Schuhcremes, zum Wasserdichtmachen von Geweben, als Abdeckfett für Verzinnungsbäder, als Weichmacher für die Gummi-Ind., in Lötfett, Melkfett, Polierpasten, Textilhilfsmitteln, Drahtziehfett, Druckschwärzen u. dgl. Der Name „V."

wird heute allg. als ein Freizeichen (s. Marken u. Freinamen) betrachtet. – *E* = *F* vaseline – *I* = *S* vaselina
Lit.: DAB **1997** u. Komm. ▪ Hager (4.) **7b**, 387 – 392 ▪ Parfüm. Kosmet. **59**, 291 – 295 (1978) ▪ Pharm. Ind. **45**, 429 – 432 (1983); **47**, 1205 – 1208, 1289 – 1292 (1985); **48**, 969 – 972 (1986) ▪ Pharm. Unserer Zeit **2**, 87 – 94 (1973) ▪ s. a. Paraffin. – [HS 2712 10]

Vasicin s. Peganin.

Vaska-Verbindungen. Komplexe der allg. Formel $MX(CO)L_2$ mit M = Rh, Ir u. X = Cl, Br, N_3 sowie L = $(H_5C_6)_3$P etc., die infolge ihrer Neigung zur oxidativen Addition, oft mit anschließender reduktiver Eliminierung od. anderen Folgereaktionen, zu vielerlei präparativ nützlichen Reaktionen befähigt sind. – *E* Vaska's compounds – *F* composés de Vaska – *I* composti di Vaska – *S* compuestos de Vaska

Vaskulär-endothelialer Wachstumsfaktor (VEGF, vaskulärer Permeabilitätsfaktor, VPF). Dem *Plättchen-entstammenden Wachstumsfaktor in der Struktur ähnliches *Glykoprotein. Er besteht aus zwei gleichartigen, durch *Disulfid-Brücken verbundenen Untereinheiten. Durch unterschiedliches *Spleißen der Prä-Messenger-*Ribonucleinsäure entstehen 3 verschiedene Formen des VEGF mit 121, 165 bzw. 189 Aminosäure-Resten. Die Biosynth. des VEGF kann durch den bas. *Fibroblasten-Wachstumsfaktor angeregt werden. VEGF ist an die Zelloberfläche od. die *extrazelluläre Matrix gebunden, kann aber durch *Heparin freigesetzt werden. Er ist ein *Wachstumsfaktor für Blutgefäß-Endothelzellen sowie ein wichtiger Aktivator der Blutgefäßbildung u. reguliert die Gefäß-Permeabilität. Außer bei der – auch für Tumor-Wachstum wichtigen[1] – Gefäßbildung, wo er vorübergehend auftritt, kommt der VEGF dauernd in einigen Geweben der Niere vor. Drei *Rezeptoren für VEGF sind bekannt: Flt1 (VEGFR-1)[2], KDR/Flk1 (VEGFR-2)[3] u. Flt4 (VEGFR-3)[4], die als Tyrosin-Kinasen (s. Protein-Kinasen) fungieren. An dieselben Rezeptoren binden mit ähnlicher Wirkung auch der *VEGF-B* (VEGF-verwandter Faktor; 2 Formen durch alternatives Spleißen; bildet auch Heterodimere mit VEGF) u. der (ebenfalls Struktur-verwandte) *VEGF-C*[5]. – *E* vascular endothelial growth factor – *F* facteur de croissance vasculaire endothélial – *I* fattore di crescita vasculare endoteliale – *S* factor de crecimiento vascular endothelial
Lit.: [1] Cancer Metast. Rev. **17**, 241 – 248 (1998); Dtsch. Med. Wochenschr. **123**, 259 – 265 (1998). [2] Trends Cardiovasc. Med. **8**, 241 – 245 (1998). [3] Cancer Metast. Rev. **17**, 155 – 161 (1998). [4] Science **282**, 946 – 949 (1998). [5] Science **276**, 1423 ff. (1997). *allg.:* Biol. Cell **90**, 381 – 390 (1998) ▪ Bull. Cancer **84**, 397 – 403 (1997) ▪ Claesson-Welsh, Vascular Growth Factors and Angiogenesis, Berlin: Springer 1999 ▪ Endocrine Rev. **18**, 4 – 25 (1997) ▪ FASEB J. **13**, 9 – 22 (1999) ▪ Int. J. Exp. Pathol. **79**, 255 – 265 (1998).

Vasoaktives intestinales (Poly-)Peptid (Abk.: VIP). His-Ser-Asp-Ala-Val-Phe-Thr-Asp-Asn-Tyr-Thr-Arg-Leu-Arg-Lys-Gln-Met-Ala-Val-Lys-Lys-Tyr-Leu-Asn-Ser-Ile-Leu-Asn-NH_2
$C_{147}H_{238}N_{44}O_{42}S$, M_R 3325,84 (Mensch, Schwein, Ratte). Ein 1970 aufgrund seines gefäßerweiternden Effekts entdecktes, im Gehirn u. in der Darmwand pro-

duziertes u. in Sequenz u. Wirkung mit *Glucagon u. *Secretin verwandtes parakrines *Peptidhormon (lokal wirkendes *Gewebshormon u. *Neurotransmitter). Das *Neuropeptid VIP wird im *Pankreas in APUD-Zellen (von engl.: *a*mine *p*recursor *u*ptake and *d*ecarboxylation; Zellen verschiedener Organe, die auch *biogene Amine produzieren) synthetisiert u. in *Hypothalamus, Hirnrinde u. Dickdarmwand gespeichert. Die VIP-Produktion wird durch den Nervus vagus stimuliert u. z. B. durch *Somatostatin gehemmt. VIP-*Rezeptoren [1] wurden u. a. im Magen-Darm-Trakt u. im Gehirn identifiziert.
VIP dient der *Regulation des Wasser- u. Elektrolythaushalts im *Magen-*Darm-Bereich: Es regt eine verstärkte Sekretion von Wasser u. Elektrolyten im Verdauungstrakt an, indem es die *Adenylat-Cyclase zur Synth. von *Adenosin-3′,5′-monophosphat anregt, das den aktiven Transport von Natrium-, Chlorid- u. Hydrogencarbonat-Ionen in das Darmlumen kontrolliert. Bei krankhafter Überproduktion von VIP infolge von APUD-Zell-Adenom treten starke choleraähnliche Diarrhöen auf, die wegen enormer Wasser- u. Elektrolytverluste zum Tode durch Nierenversagen führen können. Außerdem hemmt VIP die Sekretion von *Magensaft, wirkt gefäßerweiternd, stimuliert *Glykogen- u. Fett-Abbau sowie Insulin-Sekretion u. reguliert die Sekretion von *Prolactin. Im sympathet. Nervensyst. wirkt VIP als präsynapt. Neurotransmitter sowie *in vitro* als *Wachstumsfaktor für Nervenzellen. – *E* vasoactive intestinal (poly)peptide – *F* (poly)peptide intestinal vasoactif – *I* (poli)peptide intestinale – *S* (poli)péptido intestinal vasoactivo
Lit.: [1] Gastroenterology **114**, 382–397 (1998); Pharmacol. Rev. **50**, 265–270 (1998).
allg.: Adv. Neuroimmunol. **6**, 5–115 (1996) ▪ Anatomy Embryol. **196**, 269–277 (1997) ▪ Peptides **19**, 1443–1467 (1998). – [CAS 37221-79-7]

Vasodilatatoren (latein.: vaso… = Gefäß, Blutgefäß u. dilatare = erweitern). 1. Arzneimittel, die durch eine Erschlaffung der Gefäßwandmuskulatur eine Erweiterung von Blutgefäßen herbeiführen (Vasodilatantien). Dadurch können sie eine Abnahme des Gefäßwiderstandes im *Kreislauf sowie eine *Blutdruck-Senkung herbeiführen. Als V. wirken Pharmaka aus ganz unterschiedlichen Substanzklassen. Vorwiegend die arteriellen Gefäße werden von z. B. *Dihydralazin, *Hydralazin, *Minoxidil, *Diazoxid u. *Calcium-Antagonisten beeinflußt, während Nitro-Verb. die venösen Gefäße erweitern. Nitroprussid u. *Prazosin wirken auf beide Gefäßtypen. Zur Anw. kommen V. v. a. zur Behandlung der arteriellen Hypertonie u. bei Herzmuskelschwäche. Bestimmte V. (z. B. Adenosintriphosphat, Prostaglandine) werden als intraarterielle Infusion zur lokalen Durchblutungsförderung bei arterieller Verschlußkrankheit (s. a. Arteriosklerose) eingesetzt. – 2. *Nerven des vegetativen *Nervensystems, die die Gefäßwandmuskulatur innervieren (Vasomotoren) u. eine Erweiterung der Gefäße herbeiführen. – *E* vasodilators – *F* vasodilatateurs – *I* vasodilatatori – *S* vasodilatadores
Lit.: Forth et al.

Vasokonstriktoren (latein.: vaso… = Gefäß, Blutgefäß u. constringere = zusammenziehen). 1. Arzneimittel, die eine Kontraktion der Muskulatur der Blutgefäßwände u. damit eine Verengung der Gefäße herbeiführen. Dies führt zu einer Engstellung v. a. der kleinen Arterien u. infolgedessen durch Erhöhung des Gefäßwiderstandes zur *Blutdruck-Steigerung. Vasokonstriktor. wirken z. B. *Catecholamine (*Adrenalin, *Noradrenalin, *Dopamin u. a. *Sympath(ik)omimetika. Zur Anw. kommen sie bei der Behandlung der *Hypotonie, insbes. beim Schock. Bestimmte V. werden zur Abschwellung der Schleimhäute bei Schnupfen in Form von Nasenspray verwendet. – 2. *Nerven des vegetativen *Nervensystems, die die Gefäßwandmuskulatur innervieren (Vasomotoren) u. eine Verengung der Gefäße herbeiführen. – *E* vasoconstrictors – *F* vasoconstricteurs – *I* vasocostrittori – *S* vasoconstrictores
Lit.: Forth et al.

Vasomotal® (Rp). Tropfen u. Tabl. mit dem *Antiemetikum *Betahistin-Dihydrochlorid gegen Schwindel. *B.:* Solvay Arzneimittel.

Vasomotorika. Sammelbez. für *Vasodilatatoren u. *Vasokonstriktoren.

Vasopressin (VP, Adiuretin, Antidiuretin, Antidiuret. Hormon, ADH).

Cys—Tyr—Phe—Gln—Asn—Cys—Pro—Arg—Gly—NH$_2$

$C_{46}H_{65}N_{15}O_{12}S_2$, M_R 1084,24. Von latein.: vas = Gefäß u. pressus = Druck abgeleitete Bez. für ein *Peptidhormon aus dem *Hypophysen-Hinterlappen (Neurohypophyse, HHL), dessen physiol. Bedeutung jedoch besser durch den Namen *Antidiuretin* (vgl. Antidiuretika) wiedergegeben wird. Das hier beschriebene, von der WHO *Argipressin*, sonst auch [8-Arginin]-, [Arg^8]- od. Rinder-VP (AVP) genannte u. beim Menschen u. vielen Säugetieren vorkommende Hormon ist ein heterodet cycl. Peptid (s. Cyclopeptide) aus 9 Aminosäuren mit einer *Disulfid-Brücke, das sich von Oxytocin (s. a. dort zur Verwandtschaft mit anderen Hypothalamushormonen) nur in den Aminosäuren der Position 3 u. 8 unterscheidet. VP ist ein weißes, amorphes, wasserlösl. Pulver, dessen Konstitution von *Du Vigneaud u. Mitarbeitern 1953 aufgeklärt u. durch Synth. bestätigt wurde. Das beim Schwein vorkommende *Lypressin* ([8-Lysin]-, [Lys^8]-, Schweine-VP, $C_{46}H_{65}N_{13}O_{12}S_2$, M_R 1056,22) mit einem Lysin-Rest anstelle des Arginin-Restes in Position 8 wurde ebenfalls von der Gruppe um du Vigneaud synthetisiert.
Bildung: VP wird im *Hypothalamus als Teilsequenz des *Polyproteins *Präprovasopressin* gebildet, nach Abspaltung eines *Signalpeptids als *Provasopressin*, das gleichzeitig Vorläufer des *Neurophysins II ist, zur Hypophyse transportiert, in der HHL gespeichert; es zählt daher zu den neurosekretor. Hormonen (s. Neurohormone). Z. T. wird VP auch aus dem Hypothalamus freigesetzt [1].
Biolog. Wirkung: Die Wirkung des VP als *Vasokonstriktor mit damit verbundener Erhöhung des Blutdrucks ist von nur untergeordneter Bedeutung. VP regt in der Hypophyse die Ausschüttung des *Corticotropins an u. spielt eine wichtige Rolle in der Streß-Antwort [1]. Physiolog. wichtig ist auch seine antidiuret. Wirkung, die auf einer Steigerung der Rückresorption

von Wasser – täglich zwischen 15 u. 30 L – in den *Nieren u. damit einer Konz. des *Harns beruht. VP reguliert die Präsenz von *Aquaporinen in den Sammelröhrchen der Nieren[2]. Das Fehlen von VP ruft eine massenhafte Ausschwemmung von Harn (Wasserharnruhr, Diabetes insipidus) hervor, deren klin. Erscheinungen sich durch VP aufheben lassen. Durch Variation in der Peptidkette des VP lassen sich physiolog. Wirkungen nach der antidiuret. od. pressor. Seite hin beeinflussen. *Beisp.:* *Desmopressin (1-Desamino-[D-Arg^8]-VP) u. Lypressin (s. oben) als Antidiuretika, *Ornipressin ([Orn^8]-VP) u. *Felypressin ([Phe^2, Lys^8]-VP) als Vasokonstriktoren. Das ebenfalls gefäßverengend wirkende *Terlipressin, ein [Lys^8]-VP mit 3 zusätzlichen Glycyl-Resten an Cys^1, wird gegen Uterus- u. Ösophagus-Blutungen eingesetzt. Die verschiedenen Typen von *Rezeptoren des VP[3] gehören zur 7-Transmembran-Helix-Familie u. aktivieren jeweils unterschiedliche *G-Proteine, die teilw. durch die Stimulierung von *Phospholipase C *Inositphosphate u. Calcium-Ionen als *second messengers generieren, in anderen Fällen jedoch über *Adenylat-Cyclase u. *Adenosin-3′,5′-monophosphat signalisieren. Die Regulation der VP-Hormonwirkung erfolgt einmal im Hypothalamus über sog. *Osmorezeptoren*, die den osmot. Druck des Blutes (s. Osmose) überwachen, u. zum anderen über das Blutvol. registrierende Rezeptoren in den Vorhöfen des Herzens. Durch den *atrionatriuretischen Faktor wird die Freisetzung von VP gehemmt. – *E* vasopressin – *F* vasopressine – *I* vasopressina – *S* vasopresina

Lit.: [1] Life Sci. **62**, 1985–1998 (1998); Presse Méd. **26**, 1635–1641 (1997). [2] J. Endocrinol. **159**, 361–372 (1998). [3] J. Endocrinol. **156**, 223–229 (1998).
allg.: Gross et al., Vasopressin, Montrouge: John Libbey 1993 ▪ J. Hypertension **12**, 345–348 (1994) ▪ Vitamins Hormones – Adv. Res. Appl. **51**, 253–266 (1995). – *[HS 293799; CAS 9034-50-8]*

Vasotocin s. Oxytocin.

Vaspit® (Rp). Creme u. Salbe mit *Fluocortinbutyl gegen Hautkrankheiten. *B.:* Asche.

VA-Stähle. Veraltete Herstellerbez. für *nichtrostende Stähle mit austenit. Gefüge, s. V-Stähle.

Vaterit. CaCO$_3$; trimorph mit *Calcit u. *Aragonit. Farbloses, meist *Sphärolithe, seltener winzige hexagonale Nädelchen bildendes Mineral, Kristallklasse 6/mmm - D$_{6h}$, Struktur s. *Lit.*[1,2]; wandelt sich bei 400 °C ziemlich schnell in Calcit um. H. ~3, D. 2,65. Zur Lösungskinetik von V. in wäss. Lsg. s. *Lit.*[3].
Vork.: V. gilt als metastabil, wurde jedoch in jüngerer Zeit in Gesteinen der *Kontaktmetamorphose (z. B. Larne/Nordirland, Hatrurim/Israel), in Portlandzement, in Mörteln von Marmor-Einlegearbeiten am Dom von Florenz[4], in Bohrschlämmen von Erdöl-Bohrungen[5], in Gallensteinen[6], Harnsteinen u. in den Hartteilen von Organismen, z. B. in *Otolithen von Piranhas[7], gefunden; V. spielt allg. eine Rolle bei der *Mineralisation organ. Materie. – *E* = *F* = *I* vaterite – *S* vaterita

Lit.: [1] Acta Crystallogr. **16**, 770 ff. (1963). [2] Z. Kristallogr. **129**, 405–410 (1969). [3] J. Crystal Growth **143**, 269–276 (1994). [4] Mineral. Mag. **60**, 663 ff. (1996). [5] Mineral. Mag. **58**, 401–408 (1994). [6] Naturwissenschaften **48**, 521 (1961). [7] Naturwissenschaften **83**, 133 ff. (1996).
allg.: Chang, Howie u. Zussman, Rock-Forming Minerals, Vol. 5B, S. 107 f., Harlow (U. K.): Longman 1996 ▪ Ramdohr-Strunz, S. 569 ▪ Schröcke-Weiner, S. 542 f. – *[CAS 13701-58-1]*

Vauquelin, Nicolas-Louis (1763–1829), Prof. für Chemie, Paris. *Arbeitsgebiete:* Mineralanalyse, Metalltrennungen, Entdeckung des Chroms, Berylliums, Allantoins, Asparagins, Bestimmung des Kali-Gehalts im Alaun, Ether-Herst. durch Dehydratisierung von Alkohol, Reinherst. der Chinasäure u. des Harnstoffs, Analyse des Schwefelkohlenstoffs, Nachw. organ. Phosphor-Verb. in der Gehirnsubstanz.
Lit.: Chem. Unserer Zeit **16**, A 47 (1982) ▪ Krafft, S. 224 ▪ Lexikon der Naturwissenschaftler, S. 406 ▪ Pötsch, S. 434 f.

Vauquelinsches Salz s. Palladium(II)-chlorid.

VAW. Abk. für die 1917 gegr. Vereinigte aluminium-Werke AG, 53117 Bonn, eine Tochterges. der *VIAG mit den Geschäftsbereichen Aluminium, Walzprodukte, flexible Verpackung, Motorguß. *Daten* (1997): ca. 15 500 Beschäftigte, 5 Mrd. DM Umsatz (Konzern). *Produktion:* Aluminium, Al-Leg., Al-oxid.

VbF. Abk. für die VO über brennbare Flüssigkeiten. Stoffe, die einen Flammpunkt haben, bei 35 °C weder fest noch salbenförmig sind, bei 50 °C einen Dampfdruck von 3 bar od. weniger haben u. zu einer der Gefahrklassen A I, A II, A III, B gemäß VbF gehören, werden als brennbare Flüssigkeiten bezeichnet. In der VO, deren Anhängen u. zugehörigen techn. Regeln sind Anforderungen an Anlagen zur Lagerung, Abfüllung, Beförderung brennbarer Flüssigkeiten im Hinblick auf Errichten, Herst., Ausrüstung u. Betrieb angegeben. Für den Umgang (Herst., Verw.) u. das Inverkehrbringen von brennbaren Flüssigkeiten hinsichtlich der Gefahrstoffeigenschaften gilt die *Gefahrstoffverordnung.

VB-Methode. Abk. für Valence-Bond-Methode; Näheres s. dort.

VBU. Abk. für *V*ereinigung deutscher *B*iotechnologie-*U*nternehmen in der Dechema e. V., die 1996 gegr. wurde u. mittlerweile über 100 Mitgliedsfirmen umfaßt. Die VBU soll in enger Koordination mit dem *VCI die Anliegen der dtsch. Biotech-Unternehmen vertreten. Ziele sind neben dem Ausbau der guten Position in der internat. Forschung v. a. die Beseitigung bisheriger Innovationshemmnisse u. die Stärkung der kommerziellen Biotechnologie in der BRD. Eine Schlüsselrolle kommt hierbei den hochinnovativen kleinen u. mittleren Biotech-Unternehmen zu. Neben der Förderung bereits bestehender Unternehmen sollten deshalb insbes. Neugründungen unterstützt werden. Dies geschieht z. B. durch die Veranstaltungsreihe „Bio-Business: Forscher werden Unternehmer", die Hilfestellung bei Existenzgründungen u. den damit verbundenen Fragestellungen u. Maßnahmen gibt. – INTERNET-Adresse: http://www.dechema.de/biotech/vbu.htm

VC. Abk. für *Vinylchlorid.

VCD s. Circulardichroismus.

VC/E. Kurzz. (nach DIN 7728-1: 1988-01) für Vinylchlorid/Ethylen-Copolymere.

VC/E/MA. Kurzz. (nach DIN 7728-1: 1988-01) für Vinylchlorid/Ethylen/Methylacrylat-Terpolymere.

VC/E/VAC (VCEVAC). Kurzz. (nach DIN 7728-1: 1988-01) für Vinylchlorid/Ethylen/Vinylacetat-Terpolymere; s. Polyvinylacetate.

VCI. 1. Abk. für *Verband der Chemischen Industrie. – 2. Abk. von E für volatile corrosion inhibitor, s. VPI.

VC-Krankheit s. Vinylchlorid.

VC/MA. Kurzz. (nach DIN 7728-1: 1988-01) für Vinylchlorid/Methylacrylat-Copolymere.

VC/MMA. Kurzz. (nach DIN 7728-1: 1988-01) für Vinylchlorid/Methylmethacrylat-Copolymere.

VC/OA. Kurzz. (nach DIN 7728-1: 1988-01) für Vinylchlorid/Octylacrylat-Copolymere.

VCR. Abk. für *Vincristin.

VC/VAC (VCVAC). Kurzz. (nach DIN 7728-1: 1988-01) für Vinylchlorid/Vinylacetat-Copolymere; s. Polyvinylacetate.

VC/VDC. Kurzz. (nach DIN 7728-1: 1988-01) für Vinylchlorid/Vinylidenchlorid-Copolymere.

VD. Abk. für *Verdunstungszahl.

VDE. Abk. für Verband Deutscher Elektrotechniker, 60596 Frankfurt, Stresemannallee 15. – INTERNET-Adresse: http://www.vde.de.

VDEh. Abk. für *Verein Deutscher Eisenhüttenleute.

VDG. 1. Abk. für Vereinigung Deutscher Gewässerschutz, 53175 Bonn. – 2. Abk. für Verein Deutscher Gießereifachleute, 40237 Düsseldorf.

VDI. Abk. für den 1856 gegr. Verein Deutscher Ingenieure mit Sitz in 40239 Düsseldorf, Graf-Recke-Straße 84. Der VDI ist mit über 127 000 Mitgliedern in 45 Bezirksvereinen (1998) der größte techn.-wissenschaftliche Verein Europas. Ziel der Arbeit des VDI ist der Transfer von Technikwissen als Dienstleistung für alle im Beruf u. Studium stehenden Ingenieure u. Naturwissenschaftler, für die Unternehmen, den Staat u. die Öffentlichkeit. Den Schwerpunkt der VDI-Tätigkeit bildet daher die techn.-wissenschaftliche Arbeit in 18 Fachgliederungen, die durch eine fachübergreifende Zusammenarbeit mit Experten aus Wissenschaft, Ind. u. Verwaltung fachkompetente u. allgemeingültige Arbeitsergebnisse sichert (z. B. VDI-Richtlinien als anerkannte Regeln zum Stand der Technik). Publikationen: VDI-Zeitschrift (seit 1857), VDI-Forschungshefte (seit 1943), VDI-Nachrichten (seit 1921), Fachzeitschriften u. Bücher des VDI-Verlags. – INTERNET-Adresse: http://www.vdi.de

VDI-RL. Die Kommission Reinhaltung der Luft (KRdL) im VDI u. DIN (gegründet im März 1990) mit Sitz in Düsseldorf ist ein Gemeinschaftsgremium von VDI u. DIN u. Nachfolgeorganisation der 1957 gegründeten VDI-Kommission Reinhaltung der Luft u. des Normausschusses Luftreinhaltung des DIN. Die Geschäftsstelle der neuen Kommission ist mit der Sekretariatsführung von ISO/TC 146 u. CEN/TC 264 „Luftbeschaffenheit" beauftragt. Die Kommission ist für die Erstellung von VDI-Richtlinien, DIN-Normen sowie für die Mitwirkung bei DIN-EN-Vornormen, DIN-EN-Normen u. DIN-ISO-Normen verantwortlich. Sie ist national, europ. u. weltweit entscheidend an der Erstellung techn. Regeln zur Luftreinhaltung beteiligt. Die Arbeiten werden in ca. 200 Ausschüssen u. Arbeitsgruppen aus Wirtschaft, Wissenschaft u. Verwaltung durchgeführt.

VdL. Abk. für *Verband der Lackindustrie.

V. d. L. Abk. für „vor dem Lötrohr", s. Lötrohranalyse.

VDRH. Abk. für *Vereinigung Deutscher Riechstoff-Hersteller e. V.

VdTÜV s. TÜV.

VE. Kurzz. für *Vinylester.

VEBA AG. Abk. für die 1929 durch Zusammenschluß industrieller Unternehmen des preuß. Staates als Vereinigte Elektrizitäts- u. Bergwerks-AG gegr. VEBA AG mit Sitz in 40410 Düsseldorf; fungiert als strateg. Holding. Die Teilkonzerne verantworten das operative Geschäft in den Bereichen Strom, Chemie, Öl, Distribution/Logistik, Immobilien-Management u. Telekommunikation. Zu den zahlreichen direkten u. indirekten Tochter- u. Beteiligungsges. gehören: *VEBA Oel AG, *HÜLS AG, *Degussa, *Stinnes AG, PreussenElektra AG, Raab Karcher AG, u. v. a. Daten (1997): ca. 129 960 Beschäftigte, ca. 82,72 Mrd. DM Umsatz. Produktion (über die zahlreichen Tochter- u. Beteiligungsges., s. diese).

Lit.: Radzio, Unternehmen Energie. Aus der Geschichte der Veba, Düsseldorf: Econ 1990.

VEBA Oel. Kurzbez. für die 1979 gegr. VEBA Oel AG, 4650 Gelsenkirchen, eine 100%ige Tochterges. der *VEBA AG. Zu den zahlreichen direkten u. indirekten Tochter- u. Beteiligungsges. gehören: Aral (56%), *Deminex (51%), Ruhr Oel GmbH (50%), VEBA OIL LIBYA GmbH (100%), VEBA OIL Nederland B. V. (100%), sowie Raffinerien u. Pipeline-Betreiber. Daten (1997): 6371 Beschäftigte, 22,928 Mrd. DM Umsatz. Produktion: Suche nach u. Förderung von Erdöl u. Erdgas, Mineralölverarbeitung, Petrochemie, Vertrieb von Mineralölprodukten.

Vecuroniumbromid (Rp).

Von der WHO vorgeschlagener internat. Freiname für das *Muskelrelaxans 1-(3α,17β-Diacetoxy-2-β-piperidino-5α-androstan-16β-yl-1-methylpiperidinium-bromid, $C_{34}H_{57}BrN_2O_4$, M_R 637,75, Krist., Schmp. 227–229 °C. Die Substanz ist hochtox.: LD_{50} (Maus i.v.) 0,061 mg/kg; vgl. a. Pancuroniumbromid. V. wurde 1980 von Akzo patentiert u. ist von Organon Teknika (Norcuron®) im Handel. – E vecuronium bromide – F bromure de vécuronium – I vecuronio bromuro – S bromuro de vecuronio

Lit.: Beilstein E V **20/3**, 259 ▪ Brit. J. Anaesth. **52**, Suppl. 1, 1 S–72 S (1980) ▪ Hager (5.) **9**, 1160 ff. ▪ Martindale (31.), S. 1531 f. – [HS 293339; CAS 50700-72-6]

Veegum®. Magnesiumaluminiumsilicat, Verdikkungs-, Stabilisierungs- u. Suspensionsmittel für wäss.

Syst. u. Emulsionen in Pharmazie u. Kosmetik. *B.:* Erbslöh; Vanderbilt.

Vegardsche Regel s. Mischkristalle.

Vegetabilisches Alkali s. Alkalien.

Vegetation (Pflanzendecke). Die Gesamtheit aller Pflanzenges. in einer Region; im Unterschied dazu ist Flora die Gesamtheit aller Pflanzenarten. Die V.-Kunde (V.-Ökologie, Pflanzensoziologie, Phytozönologie) beschäftigt sich mit den Pflanzenges. u. klassifiziert diese, untersucht ihren Stoff- u. Energiehaushalt (s. Produktivität), ihre Entwicklung (Dynamik, Sukzessionen, s. Klimax) u. ihre Urgeschichte. Durch V.-Aufnahme, z. B. in Gestalt von V.-Profilen (= V.-Transsekten) wird die Struktur von Pflanzenges. erfaßt. Global lassen sich Klimazonen unterscheiden, denen charakterist. Böden u. Vegetationszonen entsprechen (s. Biom; die einzelnen zonalen V. sind: (1) Immergrüner trop. Regenwald, (2) trop. laubabwerfender Wald od. Savannen, (3) subtrop. Wüsten-V., (4) Hartlaubgehölze, (5) temperierter immergrüner Wald, (6) nemoraler, im Winter kahler Laubwald, (7) winterkalte Steppen u. Wüsten, (8) boreale Nadelwälder (Taiga) u. (9) baumfreie Tundra, meist auf Dauerfrostboden. Gebirge u. Böden können den Klimaeinfluß wesentlich modifizieren, so daß für eine Zone ansich untyp. Oro- u. Pedobiome auftreten, z. B. auf Gebirgen in der trop. Zone alpine (polare) Vegetation. – *E* vegetation – *F* végétation – *I* vegetazione – *S* vegetación

Lit.: Dierschke, Pflanzensoziologie – Grundlagen und Methoden, Stuttgart: Ulmer 1994 ▪ Ellenberg, Vegetation Mitteleuropas mit den Alpen in ökologischer, dynamischer und historischer Sicht (5.), Stuttgart: Ulmer 1996 ▪ Frey u. Lösch, Lehrbuch der Geobotanik, Stuttgart: Fischer 1998 ▪ Glavac, Vegetationsökologie, Jena: Fischer 1996 ▪ Steubing u. Schwantes, Ökologische Botanik (3.), Heidelberg: Quelle u. Meyer 1992 ▪ Walter u. Breckle, Ökologie der Erde (2.), 4 Bd., Stuttgart: Fischer 1991–1994. – *Zeitschriften:* Berichte der Internat. Symposien der Internat. Vereinigung für Vegetationskunde, Braunschweig: Cramer ▪ Journal of Vegetation Science (Internat. Association for Vegetation Science), Uppsala: Opulus ▪ Vegetatio, Dordrecht: Kluwer.

Vegetatives Nervensystem s. Nervensystem, Sympathikus u. Parasympathikus.

Vegetative Vermehrung (von latein.: vegetare = lebhaft erregen, beleben). Bez. für die ungeschlechtliche Vermehrung von Pflanzen. Dabei entstehen neue Individuen, ohne daß vorher männliche u. weibliche Geschlechtszellen verschmelzen (s. a. Keimzellen). Die zur v. V. befähigten Pflanzen bilden aus somat. Zellen Vermehrungsorgane, wie z. B. Brutzwiebeln, Brutknollen, Ausläufer, Rhizome, aus denen neue Pflanzen heranwachsen.

Anw.: In der Pflanzen-Züchtung kann durch die v. V. eine sortenechte Vermehrung wirtschaftlich wichtiger Kulturpflanzen erfolgen. So können Pflanzen, die keine od. nur schlecht Samen ausbilden, mit Hilfe von Pflanzenteilen wie Sprosse od. Seitentriebe (Stecklinge) vegetativ vermehrt werden. Eine heute immer häufiger angewendete Technik der v. V. ist die *Zellkultur-Technik. Dabei werden Organe, Gewebe od. einzelne Zellen von ganzen Pflanzen *in vitro* kultiviert u. durch geeignete Kulturbedingungen wieder zur intakten Pflanze regeneriert (s. Regeneration von Pflan-

zen). Diese Verfahrensweise ermöglicht die vegetative Massenvermehrung vieler wirtschaftlich bedeutender Pflanzenarten. Zudem können mit Hilfe der v. V. *in vitro* virusfreie Pflanzen erhalten werden. – *E* vegetative propagation – *F* multiplication végétative – *I* riproduzione vegetativa, propagazione vegetativa – *S* propagación (multiplicación) vegetativa

Lit.: Campbell, Biologie, S. 811, Heidelberg: Spektrum 1997.

VEGF. Abk. für *Vaskulär-endothelialer Wachstumsfaktor.

VE-Harze s. Vinylester-Harze.

Veilchen. In der Regel kräuterartige Pflanzen der Familie Violaceae (mehr als 800 Arten), deren weitestverbreitete Spezies die – aufgrund ihres Gehalts an *Violanin u. a. *Anthocyanen meist blau blühenden – *Viola*-Gewächse darstellen. In Europa tritt häufig das wohlriechende Veilchen (*Viola odorata*, Parmaveilchen) auf, dessen Wurzel (*echte Veilchenwurzel*, Rhizoma Violae) u. Blüten sekretolyt. wirkende Bestandteile wie *Saponine, ether. Öle, *Salicylsäure-Derivate, *Glykoside u. a. enthalten u. deshalb in der Bronchitistherapie, früher als Ersatz für *Ipecacuanha, Verw. finden. Kostbar ist das in der Parfümerie geschätzte ether. Öl, das man aus den Blättern, bes. aber durch *Enfleurage od. Lsm.-Extraktion aus den Blüten (1 t V.-Blüten ergeben 250 g concrète!) der V. gewinnt. Nach gaschromatograph. Analyse enthält V.-Blütenöl ca. 50 Verb., von denen sich als die wesentlichen Geruchsträger die *Jonone, insbes. α-Jonon, *Piperonal, *Zingiberen u. der sog. V.-Blätteraldehyd [(*E,Z*)-2,6-Nonadienal, $C_9H_{14}O$, M_R 138,21] erwiesen.

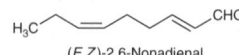

(*E,Z*)-2,6-Nonadienal

Ein Verwandter des V., das *Stiefmütterchen* (*Viola tricolor*), enthält ebenfalls als Expektorantien, Diuretika u. Purgativa verwendbare Inhaltsstoffe; das getrocknete Kraut enthält u. a. Rutin, Saponine u. Violutosid, ein Glykosid des Methylsalicylats mit Vicianose (Arabinosidoglucose). Wegen seines Gehalts an veilchenartig riechenden *Ironen wird auch Rhizoma Iridis als *Veilchenwurzel* bezeichnet; aus dieser gewinnt man das Irisöl u. *Niespulver. – *E* violet – *F* violette – *I* viola mammola, violetta – *S* violeta – *[CAS 557-48-2 ((E,Z)-2,6-Nonadienal)]*

Veith, Michael (geb. 1944), Prof. für Anorgan. Chemie, Univ. Saarbrücken. *Arbeitsgebiete:* Mol.-Chemie metall. Elemente, anorgan. Käfige u. Cluster, Metall-organ. Chemie, Röntgenstrukturanalyse u. Kristallchemie, strukturelle Charakterisierung instabiler Moleküle.

Lit.: Kürschner (16.), S. 3861; (17.), S. 1454.

Veksler, Vladimir Iosifovich (Weksler, Wladimir Jossifowitsch) (1907–1966), Prof. für Physik, Hochenergielabor Dubna, ehem. UdSSR. *Arbeitsgebiete:* Experimentelle Kernphysik, relativist. Teilchenbeschleunigung, Entwicklung des Synchrotrons, Röntgenstrahlung, kosmische Strahlung, Ionisationsmethoden.

Lit.: Neufeldt, S. 217.

Vektoren. Von latein.: vektor = *Träger, Fahrgast abgeleitete Bez., die in Naturwissenschaften u. Medizin verwendet wird:

1. In Mathematik, Physik u. Technik Bez. für *richtungsabhängige* Größen; *Gegensatz:* *Skalare. V. werden durch ihre einzelnen Komponenten in einem Koordinatensyst. ausgedrückt, z. B. die Geschw. eines Teilchens mit $\vec{v} = (v_x, v_y, v_z)$. Der Betrag eines V. ($\triangleq$ Länge) berechnet sich zu $|\vec{v}| = \left[\sum_{i=1}^{n} v_i\right]^{1/2}$, wobei n die Dimension (= Anzahl der Komponenten) ist. Zwei V. gleicher Dimension, $\vec{a}$ u. $\vec{b}$, werden addiert, indem die einzelnen Komponenten addiert werden; bei der Multiplikation unterscheiden sich das *Skalarprodukt* $s = \vec{a} \cdot \vec{b} = \sum_{i=1}^{n} a_i \cdot b_i$ u. das *V.-Produkt* $\vec{c} = \vec{a} \times \vec{b}$ (für n = 3 gilt z. B. $c_1 = a_2 \cdot b_3 - a_3 \cdot b_2$, $c_2 = a_3 \cdot b_1 - a_1 \cdot b_3$ u. $c_3 = a_1 \cdot b_2 - a_2 \cdot b_1$). *V.-Operatoren* sind mehrkomponentige Operatoren in der Quantenmechanik. In der klass. Mechanik, sowie in der Elektrodynamik werden viel die Differentialoperatoren $\vec{\nabla} = \left(\frac{\partial}{\partial x}, \frac{\partial}{\partial y}, \frac{\partial}{\partial z}\right)$ verwendet, wobei folgende Abk. gelten:

Gradient: grad s = $\vec{\nabla} \cdot$ s (s = Skalar)
Divergenz: div $\vec{a}$ = $\vec{\nabla} \cdot \vec{a}$ [Skalarprodukt mit $\vec{a} = (a_x, a_y, a_z)$]
Rotation: rot $\vec{a}$ = $\vec{\nabla} \times \vec{a}$ (V.-Produkt mit $\vec{a}$)

Mathemat. ist ein V. ein *Tensor erster Stufe. Mit V. beschreibt man z. B. Kristallform, Kristallaufbau, Wärmeleitfähigkeit (letztere kann in verschiedene Richtungen des gleichen Krist. verschiedene Werte aufweisen) u. a. Phänomene, vgl. Anisotropie.
2. In der Hochenergie-Physik spricht man von *V.-Bosonen* (Symbole W^+, W^- u. Z^0) u. meint damit *Elementarteilchen, die einen Spin 1 u. Massen von 80 (W^+, W^-) bzw. 90 GeV (Z^0) haben.
3. Bei physikal. *Trennverfahren selten gebrauchte Bez. im Sinne von *Schleppmitteln od. *Carriern.
4. In der *Gentechnologie Bez. für DNA-Mol. (abgeleitet von *Plasmiden, *Viren, *Phagen od. *Cosmide, künstliche DNA-Konstrukte), die zum Einschleusen u. zur Vermehrung von Fremd-DNA in einer Wirtszelle dienen. Zur Konstruktion von V. werden bei Bakterien Plasmide u. Bakteriophagen herangezogen, bei Säuger- u. Insektenzellen *Viren (u. a. Adenoviren, SV40 bzw. Baculoviren), bei Pflanzenzellen die T_i-Plasmide aus *Agrobakterien. V. müssen die Fähigkeit zur autonomen Replikation besitzen u. enthalten im allg. die folgenden Sequenzen: a) *Replikationsursprung* als Signalstruktur zur Replikation des V. im Wirtsorganismus. V. mit mehr als einem Replikationsursprung (s. Origin) werden als *Shuttle Vektoren bezeichnet. – b) *Schnittstellen für* *Restriktionsenzyme. Hier können die V. gezielt aufgetrennt werden, so daß in die geöffnete Ringstruktur ein mit der entsprechenden Restriktionsendonuclease geschnittenes Stück Fremd-DNA eingefügt werden kann (s. Gentechnologie). – c) *Markergen(e)*, die in den transformierten Wirtszellen phänotyp. leicht zu erkennen sind. Häufig werden zwei Marker benutzt (meist *Antibiotikaresistenz-Marker), wobei der eine Marker die Restriktionsschnittstelle enthält u. damit beim Einfügen der Fremd-DNA zerstört wird. Anhand des verbleibenden Markers können damit gezielt die transformierten Wirtszellen erkannt werden, die den V. mit einklonierter Fremd-DNA enthalten. Die Fremd-DNA wird in den V. entweder in eine Schnittstelle eingebaut (Insertions-V.) od. ein Stück des V. wird gegen ein Fragment vergleichbarer Länge der zu klonierenden DNA ausgetauscht (Substitutions-V.). Je nach Verwendungszweck werden verschiedene V.-Typen konstruiert:
Klonierungs-V. dienen v. a. der Vermehrung der Fremd-DNA in der Wirtszelle. *Sequenzierungs-V.* besitzen Sequenzen mit einer erhöhten Häufigkeit von Schnittstellen für Restriktionsenzyme (*E* multi purpose cloning site). Hiermit lassen sich DNA-Sequenzen mit unterschiedlichen Enden ausschneiden u. analysieren. *Expressions-V.* müssen zusätzlich *Promotor-, Operator- u. *Terminator-Sequenzen für die *Transkription sowie die Sequenz der ribosomalen Bindungsstelle für die *Translation besitzen.
5. In *Medizin u. im *Pflanzenschutz versteht man unter V. Organismen, die als Überträger von Krankheiten etc. tätig sind (*Beisp.:* Flöhe, Stechmücken, Schnecken), u. die mit geeigneten *Schädlingsbekämpfungs-Maßnahmen (*E* vector control) bekämpft werden. – *E* vectors – *F* vecteurs – *I* vettori – *S* vectores

Lit. (zu 4.): Lodish et al., Molekulare Zellbiologie (2.), Berlin: de Gruyter 1996 ▪ Stryer 1996, S. 133 f., 141 f.

Vektormodell. Bildliche Darst. der quantisierten Drehimpulse (*Bahndrehimpuls u. *Spin) in Form von Vektoren. Die Abb. zeigt die Kopplung der Vektoren von Bahndrehimpuls $\vec{l}$ u. Spin $\vec{s}$ eines Elektrons zum resultierenden Gesamtdrehimpuls $\vec{j}$; z ist die Quantisierungsachse. Die Längen u. Projektionen der Vektoren auf die z-Achse entsprechen scharf meßbaren Größen; die Richtung ist wegen der Heisenbergschen *Unschärfebeziehung unbestimmt; s. a. jj-Kopplung u. Magnetochemie.

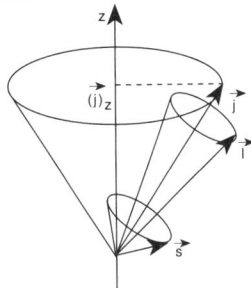

– *E* vector model – *F* modèle vectoriel – *I* modello vettoriale della struttura atomica – *S* modelo vectorial

Lit.: Atkins, Molecular Quantum Mechanics, 3. Aufl., Oxford: Oxford University Press 1997 ▪ Atkins, Physikalische Chemie (2.), Weinheim: VCH Verlagsges. 1996 ▪ Atkins, Quanta, 2. Aufl., Oxford: Oxford University Press 1991 ▪ Haken u. Wolf, Atom- u. Quantenphysik, 6. Aufl., Berlin: Springer 1996.

Vektorrechner. Bez. für Computer mit hoher Rechenleistung. Im Gegensatz zu Rechnern mit traditioneller Architektur (sog. *Skalarrechner* od. von Neumann-Rechner), bei denen eine Rechenoperation nach der anderen durchgeführt wird, wird bei einem V. dieselbe Operation (z. B. Multiplikation) gleichzeitig auf jede Zahl aus einer geordneten Folge, einem Vektor, angewandt. Da bei vielen numer. Verf., die in Naturwissenschaften u. Technik Anw. finden, mit Vektoren u. Matrizen gearbeitet wird, finden V. ein weites An-

wendungsfeld. Die derzeit leistungsfähigsten V. erlauben Leistungen von mehr als 1 Mrd. Gleitkommaoperationen pro Sekunde (Gigaflop); zur Leistungssteigerung ist es inzwischen üblich, einige Prozessoren – bei Anschluß an einen gemeinsamen Hauptspeicher – zusammenzuschalten.
Eine Alternative zu V. stellen *Parallelrechner* dar. Bei massiv parallelen Computern werden mehrere hundert od. tausend Mikroprozessoren, die ihre log. Schaltkreise, lokalen Speicher u. Kommunikationshardware auf jeweils einem Chip vereinigen, zusammengeschaltet.
In der Chemie finden V. Anw. z. B. in der *Quantenchemie, der *Molekulardynamik, in der Analyse komplexer Reaktionsabläufe (z. B. bei Verbrennungsprozessen od. in der Atmosphärenchemie u. Chemie der interstellaren Wolken) od. bei der Erforschung von Struktur-Wirkungs-Beziehungen zwischen Biomolekülen. – *E* vector computer – *F* calculateur vectoriel – *I* computer vettoriale – *S* computadora vectorial
Lit.: Dupuis, Supercomputer Simulations in Chemistry, Berlin: Springer 1984.

Velban®, Velbe® s. Vinblastin.

Velcorin®. *Dimethyldicarbonat, Kaltentkeimungsmittel von Getränken (z. B. Fruchtsaftgetränke, Eistee). *B.:* Bayer.

Velleral.

Velleral   Vellerol

$C_{15}H_{20}O_2$, M_R 232,32, Krist., Schmp. 86,5 – 87,5 °C, $[\alpha]_D^{19}$ –25° (CHCl$_3$). Stark hautreizendes, beißend schmeckendes mutagenes *Sesquiterpen aus Pilzen der Gattung *Lactarius* (Milchlinge), *Russula* (Täublinge) u. a. Russulaceae. V. ist ein Isomer von *Isovelleral u. wird wie dieses aus Stearin- u. a. Fettsäureestern des *Velutinals bei Verletzung des Fruchtfleisches innerhalb weniger Sekunden enzymat. aus *O-Stearoylvelutinal gebildet. Anschließend erfolgt bei Pilzen wie *L. vellereus* (Wolliger Milchling) eine enzymat. „Entgiftung", bei der V. innerhalb von Minuten zu *Vellerol* ($C_{15}H_{22}O_2$, M_R 234,34) reduziert wird. Velleral u. Isovelleral wirken auf Insekten u. Säugetiere (Opossum) als Fraßhemmstoffe. – *E* velleral – *F* velléral – *I* vellerale – *S* veleral
Lit.: Acta Chem. Scand. **43**, 694–697 (1989) ▪ J. Am. Chem. Soc. **100**, 6728 (1978) ▪ J. Nat. Prod. **48**, 279–288 (1985) ▪ Mutat. Res. **188**, 169–174 (1987) ▪ Tetrahedron **29**, 1621 (1973) ▪ Toxicol. in Vitro **5**, 9–14 (1991). – *[CAS 50656-61-2 (V.); 96910-72-4 (Vellerol)]*

Velours (von latein.: villosus = zottig, haarig über französ.: velours = *Samt). Sammelbez. für samtartige, stark gerauhte Woll- od. Baumwollgewebe aus Streichgarn. Im abgeleiteten Sinne spricht man von *Veloursleder* bei chromgarem Kalb-, Rind-, Ziegenod. Schweinsleder, dessen Fleischseite (die bei Schuhen, Taschen u. Bekleidungsstücken als Schauseite gilt) samtartig geschliffen ist. Umgangssprachlich wird V.-Leder als *Wildleder* bezeichnet. *Veloursteppiche* sind *Teppiche mit samtartigem *Flor*. – *E* velour(s) – *F* velours – *I* velluto – *S* velours, velludillo, terciopelo

Veloursleder s. Velours.

Veloursteppiche s. Teppiche.

Velutinal. $C_{15}H_{22}O_3$, M_R 250,32, Öl. Extrem zersetzliches *Sesquiterpen aus *Lactarius*-Arten (Milchlinge) u. a. Russulaceen. V. wird im Fruchtfleisch der Pilze in Form stabilerer Fettsäureester, z. B. O-Stearoylvelutinal (Abb. s. dort) als Emulsion in den milchenthaltenden unseptierten Hyphen (Laticiferen) gespeichert. Wenn die Laticiferen z. B. durch Tierfraß verletzt werden, kommen die V.-Ester mit Enzymen in Kontakt, die sie sofort zu V. verseifen, das wiederum zu einer Reihe sehr scharf schmeckender, mutagener Metabolite weiterreagiert, z. B. *Isovelleral u. *Velleral. Möglicherweise dient dieses Syst. den Pilzen zur Insektenabwehr. – *E* = *S* velutinal – *F* vélutinal – *I* velutinale
Lit.: Finn. Chem. Lett. **1984**, 116 f. ▪ J. Org. Chem. **50**, 950–953 (1985); **57**, 5979 (1992) (Synth.) ▪ Tetrahedron Lett. **24**, 4631 f. (1983). – *[CAS 83481-29-2]*

Velvet s. Samt.

Venalitan®. Salbe u. Gel mit *Heparin-Natrium gegen Krampfadern, Blutergüsse u. dgl. *B.:* 3 M Medica.

Venalot®. Depot-Dragées mit *Cumarin u. *Troxerutin, *V. novo depot* Retardkapseln mit Roßkastanien-Trockenextrakt, *V. N* Ampullen mit Cumarin u. Rutinschwefelsäureester-Natriumsalz sowie *V. mono* Liniment mit Cumarin gegen Venenentzündungen, Krampfadern, Ödeme, Ulcus cruris. *B.:* Schaper & Brümmer.

Venen s. Kreislauf.

Venenmittel s. Varizen u. Veno....

Venezianisches Terpentin s. Lärche.

Venlafaxin (Rp).

Internat. Freiname für das *Antidepressivum, ein nicht-selektiver Monoamin-Wiederaufnahmehemmer, (±)-1-[2-(Dimethylamino)-1-(4-methoxyphenyl)-ethyl]cyclohexanol, $C_{17}H_{27}NO_2$, M_R 277,41, Schmp. des Hydrochlorids 215–217 °C, log P 0,43, LD_{50} (Maus oral) 405 mg/kg. V. wurde 1984 u. 1985 von American Home Products patentiert u. ist von Wyeth (Trevilor®) im Handel. – *E* = *F* venlafaxine – *I* = *S* venlafaxina
Lit.: Drugs **49**, 280–294 (1995) ▪ Hager (5.) **9**, 1182 ff. ▪ Martindale (31.), S. 337 f. ▪ Merck-Index (12.), Nr. 10079 ▪ Ther. Drug Monit. **16**, 100–107 (1994). – *[CAS 93413-69-5 (V.); 99300-78-4 (Hydrochlorid)]*

Veno... (Vena...). Anlautender Wortbestandteil in den meist durch Marken geschützten Handelsnamen zahlreicher Heilmittel gegen Venenleiden (venotrope Mittel, Venopharmaka), den häufigsten Gefäßleiden auf der Basis einer Bindegewebsschwäche. Es handelt sich um Präp., die hauptsächlich Pflanzenauszüge von Roßkastanien, Mariendistel, Arnika, Oleander u. a.

enthalten, ferner Flavonoide wie Hesperidin, Rutin u. Derivate, Antikoagulantien u. Fibrinolytika (Heparin, Cumarin-Derivate), Vasodilatatoren u. Vitamine der B-Gruppe, vgl. auch Hämorrhoiden-Mittel u. Varizen. Die Meinungen über die Wirksamkeit dieser Mittel sind geteilt.
Lit.: Kurz, Venen- u. Hämorrhoidalmittel (Med.-pharm. Kompend. 4), Stuttgart: Wissenschaftliche Verlagsges. 1987 ▪ Pharm. Ztg. **130**, 2159–2165 (1985); **139**, 1665–1669 (1994).

Venoplant retard S. Retardtabl. mit standardisiertem Trockenextrakt aus Roßkastaniensamen, *V.- Creme* mit Hamamelisrindenextrakt, *V.- Gel* enthält *Aescin, *Heparin-Natrium u. *Hydroxyethylsalicylat zur Venentherapie. *B.:* Schwabe.

Venopyronum®. Kapseln u. Retardtabl. mit standardisiertem Trockenextrakt aus Roßkastaniensamen zur Venentherapie. *B.:* Knoll Deutschland.

Venoruton®. Gel mit *Heparin-Natrium, Salbe, Kapseln, Filmtabl. u. Tropfen mit *O*-(β-Hydroxyethyl)-rutosiden, Retardkapseln mit standardisiertem Trockenextrakt aus Roßkastaniensamen zur Venentherapie. *B.:* Novartis Consumer Health.

Veno SL®. Kapseln mit *Troxerutin als Adjuvans bei exsudativen Prozessen. *B.:* Ursapharm.

Venostasin. Retardkapseln u. Salbe mit standardisiertem Trockenextrakt aus Roßkastaniensamen, Gel mit *Aescin, *Heparin-Natrium u. *Hydroxyethylsalicylat zur Venentherapie. *B.:* Klinge.

Ventilat (Rp). Lsg., Dosier-Aerosol u. Inhalier-Pulver in Kapseln mit *Oxitropiumbromid gegen chron. Atemwegserkrankungen. *B.:* Boehringer Ingelheim.

Ventilatoren. *Verdichter mit sehr niedrigem Druckverhältnis zur Erzeugung einer Luftströmung, z. B. zum Kühlen, Be- u. Entlüften von Räumen. – *E* ventilators, fans – *F* ventilateurs – *I* ventilatori – *S* ventiladores

Ventilböden. Für die *Destillation gebräuchliche Kolonneneinbauten mit großen Löchern, die bei fehlender Dampfströmung durch Ventile abgedeckt sind. Beim Dampfdurchtritt öffnen sich die Ventile. – *E* valve tray – *I* fondi della valvola

Ventile. Absperrvorrichtung, deren Verschlußelement im allg. in Durchflußrichtung bewegt wird. Je nach Anw.-Gebiet werden Kegel-V., Kugel-V., Klappen-V., Druckminder-V., Rückschlag-V., Nadel-V., Magnet-V. usw. verwendet. – *E* valves – *F* soupapes, valves – *I* valvole – *S* válvulas

Venturi-Düse. Blende, die aufgrund ihres speziell geformten Diffusors nur einen sehr geringen bleibenden Druckverlust beim Durchströmen mit Fluiden bewirkt. Die V.-D. wird häufig zur Durchflußmessung eingesetzt; hierzu wird sie z. B. in Rohrleitungen eingebaut. Das Meßprinzip beruht auf der Bestimmung des Druckunterschiedes zwischen der Strömung im Rohr u. dem engsten Querschnitt der Venturi-Düse. Dieser Druckunterschied wird durch die Beschleunigung der Rohrströmung beim Durchtritt durch die Düse erzeugt u. ist ein Maß für die Strömungsgeschwindigkeit. Wegen des im engsten Querschnitt herrschenden niedrigen stat. Druckes werden V.-D. vielfach auch zum Mischen zweier Fluidströme eingesetzt; s. a. Venturi-Wäscher. – *E* Venturi tube – *F* venturi, tube de Venturi – *I* tubo di Venturi – *S* tubo de Venturi
Lit.: Ullmann (5.) **A 25**, 561.

Venturi-Wäscher. Nach G. B. Venturi (1746–1822) geprägte Bez. für ein Gerät zur *Entstaubung von Abgasen aus z. B. Konvertern, Hochöfen, Müll- u. Schlammverbrennungsanlagen. Die in ein Rohr eintretende Gasströmung wird zunächst in einer Verengung des Rohres beschleunigt u. anschließend in einem sich erweiternden Teil verzögert. Wegen des im engsten Querschnitt des Rohres vorherrschenden niedrigen stat. Drucks vermischt sich das Gas innig mit der hier zumeist unter Druck eingepreßten Wasch-Flüssigkeit, wodurch die staubförmigen Verunreinigungen schnell benetzt u. Fremdgase absorbiert werden. In einem nachgeschalteten Abscheider werden Staubteilchen u. Flüssigkeitströpfchen aus dem Gasstrom ausgeschleust. – *E* Venturi scrubbers – *F* laveurs Venturi – *I* lavatore di Venturi – *S* lavadores de Venturi
Lit.: Ullmann (5.) **B 2**, 13-10 ▪ Winnacker-Küchler (4.) **1**, 59.

Venus s. Planeten.

Venusfliegenfalle s. carnivore Pflanzen.

Venushaare s. Quarz.

Veralinin, Veralkamin, Veramin s. Veratrum-Steroidalkaloide.

Veramon®. Marke von Schering für ein nicht mehr im Handel befindliches Schmerzmittel mit *Aminophenazon u. *Barbital. Die beiden Komponenten bilden eine 1:1-Additionsverb., die eine der ältesten *Molekülverbindungen darstellt.
Lit.: Z. Physiol. Chem. **146**, 98 (1925).

Verapamil (Rp).

Internat. Freiname für den *Calcium-Antagonisten (±)-5-[*N*-(3,4-Dimethoxyphenethyl)-*N*-methylamino]-2-(3,4-dimethoxyphenyl)-2-isopropylvaleronitril, $C_{27}H_{38}N_2O_4$, M_R 454,59, hellgelbes, viskoses Öl, Sdp. 243–246 °C (1,33 Pa), n_D^{25} 1,5448, λ_{max} (H_2O) 230 nm ($A_{1cm}^{1\%}$330); unlösl. in Wasser, lösl. in Benzol, Ether, sehr leicht lösl. in niederen Alkoholen, Aceton, Chloroform. Verwendet wird meist das Hydrochlorid, Schmp. 141–144 °C (Zers.), λ_{max} (0,1 M HCl) 228, 278 nm ($A_{1cm}^{1\%}$313, 118), pK_a 8,6. V. wurde 1962 u. 1966 von Knoll (Isoptin®) patentiert u. ist als Generikum im Handel. – *E = S* verapamil – *F* vérapamil – *I* verapamile, verapamil
Lit.: ASP ▪ Florey **17**, 643–676 ▪ Hager (5.) **9**, 1163–1167 ▪ Martindale (31.), S. 961–964 ▪ Mutschler, Verapamil-Diuretika-Kombination, Stuttgart: Wissenschaftliche Verlagsges. 1988 ▪ Ph. Eur. **1997** u. Komm. ▪ Ullmann (5.) **A 4**, 251 f. – *[HS 2926 90; CAS 52-53-9 (V.); 152-11-4 (Hydrochlorid)]*

Verarbeitungsadditive (Verarbeitungshilfsmittel). Bez. für eine Untergruppe der *Additive, die im Gegensatz zu den *Gebrauchsadditiven zur Verbesserung der Verarbeitungseigenschaften, zur leichteren Formgebung od. zur Stabilität während der Verarbeitung v. a. zu *Polymeren zugegeben werden. Beisp. für V.

sind *Gleitmittel, Formtrennmittel (s. Trennmittel), Viskositätserniedriger, Plastifiziermittel (s. Weichmacher) od. *Antiblock(ing)mittel. Bei der Auswahl der V. ist zu beachten, daß ein V. bei verschiedenen Polymeren ganz unterschiedliche Effekte bewirken kann. – *E* processing aid, processing additive – *I* additivi di lavorazione – *S* aditivos de transformatión
Lit.: Elias (5.) **2**, 355.

Verarmung s. Abreicherung.

Veraschen. Bez. für die oxidative Zerstörung von organ. Substanz (Cellulose, Zucker, Eiweiß, Kohle, Leder, Kunststoffen usw.) durch Erhitzen unter Luftzutritt, bis nur noch die unbrennbare mineral. *Asche zurückbleibt, die mit den Meth. der *qualitativen u. *quantitativen Analyse weiter untersucht werden kann. Oft zersetzt man organ. Substanzen schonend bei niederen Temp. auf nassem Wege durch oxidierende Gemische (z. B. durch konz. Schwefelsäure u. konz. Salpetersäure od. Kaliumchlorat u. Salzsäure u. dgl.) od. durch Lsg., die z. B. 1,5 g Periodsäure in 15 mL etwa 70%iger Perchlorsäure mit einem Zusatz von einigen mg V_2O_5 (Katalysator) enthalten. Das nasse V., insbes. die Überführung mittels H_2SO_4 in sog. *Sulfatasche*, empfiehlt sich beispielsweise bei der Prüfung gewisser Mineralöle u. Schmierfette wegen der Flüchtigkeit der anorgan. Bestandteile (vgl. DIN 51575: 1984-11 u. 51803: 1982-03). Die moderne Labortechnik kennt heute Verf., mit denen ein schonendes V. auch auf trockenem Weg erreicht wird, z. B. in einem Sauerstoff-Strom, der durch ein quarzstabilisiertes Hochfrequenzfeld aktiviert od. durch IR-Strahler aufgeheizt ist. – *E* incineration – *F* incinération, réduction en cendres – *I* incenerimento – *S* incineración
Lit.: s. Verbrennung u. quantitative Analyse.

Veratide® (Rp). Tabl. mit *Verapamil-hydrochlorid, *Triamteren u. *Hydrochlorothiazid gegen *Hypertonie. *B.:* Procter & Gamble Pharmaceuticals.

Veratramin, Veratridin, Veratrosin s. Veratrum-Steroidalkaloide.

Veratrol s. Dimethoxybenzole.

Veratroyl... Bez. des *Acyl-Rests der Veratrumsäure (IUPAC-Regel C-411.1; s. Vanillinsäure); systemat. Bez.: (3,4-Dimethoxybenzoyl)... – *E* veratroyl... – *F* vératroyl... – *I* = *S* veratroil...

Veratrumaldehyd (3,4-Dimethoxybenzaldehyd).

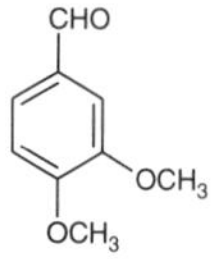

$C_9H_{10}O_3$, M_R 166,17, Nadeln, Schmp. 44 °C, 58 °C, Sdp. 285 °C, 172–175 °C (2,4 kPa), lösl. in Alkohol u. Ether, wenig lösl. in heißem Wasser. V. duftet nach *Vanillin u. kann aus diesem durch Methylierung od. aus Veratrumalkohol durch Oxid. hergestellt werden. V. wird zu Parfümzwecken u. in organ. Synth. als Zwischenprodukt verwendet. Als *ortho-V.* bezeichnet man 2,3-Dimethoxybenzaldehyd [Schmp. 54 °C, Sdp. 256 °C, 137 °C (1,6 kPa)]. – *E* veratraldehyde – *F* aldéhyde vératrique – *I* aldeide veratrico – *S* aldehído verátrico

Lit.: Beilstein E IV **8**, 1765 ▪ Karrer, Nr. 399 ▪ Merck-Index (12.), Nr. 10084 ▪ Sax (8.), VHK 000 ▪ Ullmann (5.) **A 11**, 200.
– *[HS 2912 49; CAS 120-14-9 (V.); 86-51-1 (ortho-V.)]*

Veratrumsäure s. Vanillinsäure.

Veratrum-Steroidalkaloide. Hierzu rechnet man *Steroidalkaloide mit charakterist. verändertem (umgelagertem) Cholestan-C_{27}-Gerüst, die in der Pflanzenfamilie der Liliaceen u. hier v. a. in der Gattung *Veratrum*, aber auch in den Genera *Schoenocaulon*, *Amianthium*, *Fritillaria*, *Rhinopetalum* u. *Zygadenus*, gefunden wurden. Man kann diese Alkaloide in drei Gruppen einteilen, die sich durch folgende Strukturmerkmale auszeichnen:
1. Verb. mit einem 22,26-Epimino-14(13→12)-*abeo*-cholestan-Ringsyst. (*Veratraman*-Typ, Leitverb. Veratramin, s. Abb. 1 u. Jervin).

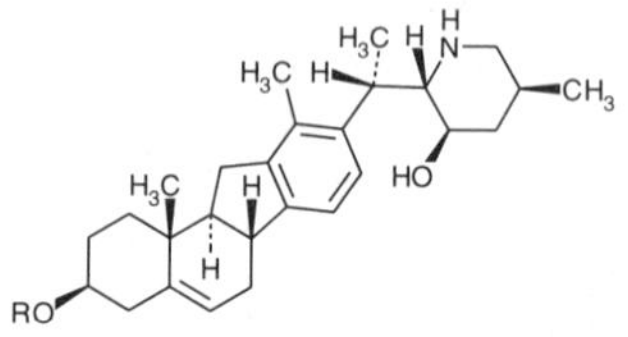

R = H : Veratramin
R = β-D-Glc*p* : Veratrosin

Abb. 1: Alkaloide vom Veratraman-Typ.

2. Verb. mit 18,22,26-Nitrilo-14(13→12)-*abeo*-cholestan-Ringsyst. (*Cevan*-Typ, z. B. Veracevin, s. Abb. 2).

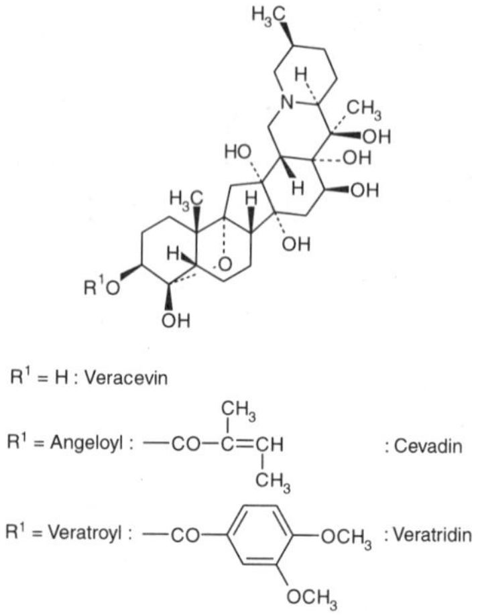

R^1 = H : Veracevin

R^1 = Angeloyl : —CO—C(CH$_3$)=CH—CH$_3$: Cevadin

R^1 = Veratroyl : —CO—⟨⟩—OCH$_3$, OCH$_3$: Veratridin

Abb. 2: Alkaloide vom Cevan-Typ.

3. Verb. mit 22,26-Epimino-18(13→17)-*abeo*-cholestan-Ringsyst. (*Veralinan*-Typ, Leitverb. Veralinin, s. Abb. 3).
Häufig untergliedert man die V.-S. auch in die Gruppen der *Jerveratrum-Alkaloide* (mit 1–3 Sauerstoff-Atomen) u. *Ceveratrum-Alkaloide* (mit 7–9 Sauerstoff-Atomen). Bemerkenswert ist, daß Glykoside bisher lediglich bei den Jerveratrum-Alkaloiden festgestellt wurden. Die Sauerstoff-reichen Ceveratrum-Alkaloide findet man vorwiegend in Form verschiedener Ester-Derivate, wobei neben Essig-, Angelica-, Tiglin-, Veratrum- u. Vanillinsäure auch (*R*)-2-Methyl-, (*S*)-

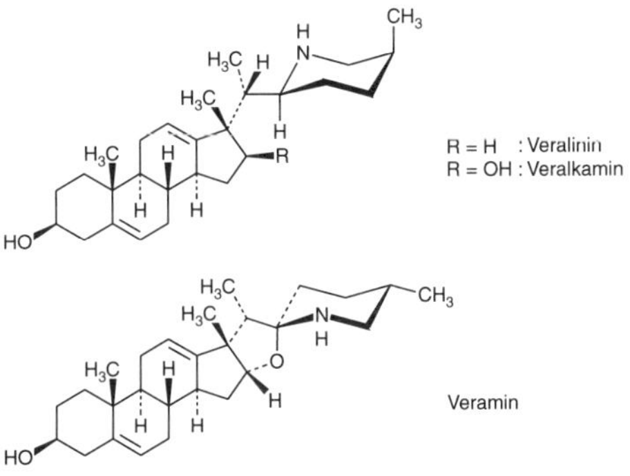

Abb. 3: Alkaloide vom Veralinan-Typ.

R = H : Veralinin
R = OH : Veralkamin

Veramin

2-Hydroxy-2-methyl- u. D-*threo*- bzw. L-*erythro*-2,3-Dihydroxy-2-methylbuttersäure als Säurekomponenten auftreten. Neben diesen V.-S. finden sich in den obengenannten Liliaceen-Gattungen auch zahlreiche *Solanum-Steroidalkaloide, die als biosynthet. Zwischenprodukte von V.-S. der Gruppen 1–3 eine Rolle spielen. Von den weit über 100 bekannten V.-S. werden in der Tab. einige wenige charakterist. angeführt. Beim früher offizinell verwendeten, aus Sabadillsamen (*S. officinale* = *V. sabadilla*) gewinnbaren *Veratrin* handelt es sich um ein Gemisch mehrerer Cevan-Alkaloide, v.a. Cevadin (ca. 70%) u. Veratridin (ca. 25%) sowie u.a. Cevin u. Sabadin.

Wirkung: Zahlreiche V.-S. sind hoch toxisch. Veratrin wurde in der Vergangenheit äußerlich als Antineuralgikum verwendet, besitzt jedoch eine herztox. Wirkung. Veracevin u. Germin sollen blutdrucksenkende u. Veratramin herzstimulierende Aktivitäten haben.

Bemerkenswert ist die stark teratogene Wirkung vieler Jerveratrum-Alkaloide, vgl. Jervin.
Cevan-Alkaloide werden gelegentlich als Insektengifte verwendet. – *E* veratrum steroid alkaloids – *F* alcaloïdes stéroïdes de vératrum – *I* alcoloidi steroidei del veratro – *S* alcaloides esteroides de veratro

Lit.: Fieser und Fieser, Steroide, S. 957–988, Weinheim: Verlag Chemie 1961 ▪ Manske **3**, 247–312; **7**, 247–317, 363–417; **10**, 193–285; **14**, 1–82; **41**, 177–237; **43**, 1–118 ▪ Merck-Index (12.), Nr. 10082, 10084, 10087, 10088 ▪ RDK (4.), S. 722–725 ▪ Sax (8.), VHP 500, VHU 000, CDG 000, NCI 600, POF 000 ▪ Ullmann (5.) A1; 400. – [*HS 293990*]

Veratryl... Übliche Bez. für (3,4-Dimethoxybenzyl)...; CAS: [(3,4-Dimethoxyphenyl)methyl]... – *E* veratryl... – *F* vératryl... – *I* = *S* veratril...

Verazin s. Solanum-Steroidalkaloide.

Verband angestellter Akademiker und leitender Angestellter der chemischen Industrie e.V. s. VAA.

Verband der Chemischen Industrie (VCI). Der 1950 gegr., in 9 Landesverbände u. 32 Fachverbände u. -vereinigungen gegliederte VCI, mit Sitz in 60329 Frankfurt, hat die Wahrnehmung u. Förderung der allg., ideellen u. wirtschaftlichen Interessen der *Chemischen Industrie der BRD zur Aufgabe; er ist zugleich nat. Mitglied des *CEFIC. Enge Verb. bestehen mit *GDCh, *ECETOC u. vielen anderen Organisationen. Die Förderung der Hochschulforschung obliegt dem 1950 von Mitgliedsfirmen des VCI gegr. *Fonds der Chemischen Industrie. Vorgänger des VCI war der 1877 gegr. Verein zur Wahrung der Interessen der chem. Ind. Deutschlands. *Publikationsorgane:* VCI-Jahresbericht (erscheint jeweils Anfang Oktober), Chemiewirtschaft

Tab.: Daten von Veratrum-Steroidalkaloiden.

Alkaloid	Summenformel	M_R	Schmp. [°C]	$[\alpha]_D$	Vork.	CAS
Veratramin	$C_{27}H_{39}NO_2$	409,61	209,5–210,5	–70° (CH_3OH)	*Veratrum album*, var. *grandiflorum* u.a. *V.*-Arten	60-70-8
Veratrosin (3-*O*-β-D-Glucopyranosyl-veratramin)	$C_{33}H_{49}NO_7$	571,75	242–243 (Zers.)	–53° ($CHCl_3/C_2H_5OH$)	*V. viride*, *V. eschscholtzii*	475-00-3
Veracevin (Protocevin)	$C_{27}H_{43}NO_8$	509,64	220–225	–26° (C_2H_5OH)	*Schoenocaulon officinale*	5876-23-3
Cevadin (3-*O*-Angeloyl-veracevin)	$C_{32}H_{49}NO_9$	591,74	209–211	+11° (C_2H_5OH)	*S. officinale*	62-59-9
Veratridin (3-*O*-Veratroyl-veracevin)	$C_{36}H_{51}NO_{11}$	673,80	170–178	+8,2° (C_2H_5OH)	*S. officinale*	71-62-5
Veralinin	$C_{27}H_{43}NO$	397,64	124–126	–80° ($CHCl_3$)	*V. album* ssp. *lobelianum*	212333-19-2
Veralkamin (16β-Hydroxy-veralinin)	$C_{27}H_{43}NO_2$	413,64	165–169	–84,1° ($CHCl_3$)	*V. album* ssp. *lobelianum*, *Fritillaria camtschatcensis*	17155-31-6
Veramin	$C_{27}H_{41}NO_2$	411,63	amorph	–93,9° ($CHCl_3$)	*V. album* ssp. *lobelianum*, *V. nigrum*, *V. oxysepalum*	21059-48-3

in Zahlen, Chemie Report (Monatsschrift für Mitgliedsunternehmen), Chemische Industrie (Zeitschrift, seit 1949) u. Europa Chemie (Zeitschrift, seit 1963; beide Düsseldorf: Verl. Handelsblatt), Chemie + Fortschritt (Schriftenreihe, seit 1966), Schriftenreihe des Fonds der Chemischen Industrie (seit 1966), Betriebswirtschaft + Finanzen (Schriftenreihe, seit 1977), Datenbank Chemdata (seit 1986), Datenbank CWD (seit 1994). Außerdem bearbeitet der VCI das Firmenhandbuch Chemische Industrie, das im Verl. Econ, Düsseldorf, erscheint. – INTERNET-Adresse: http://www.vci.de

Verband der Lackindustrie (VdL). Der VdL mit Sitz in 60329 Frankfurt a. M., Karlstr. 21 hat 216 Mitgliedsfirmen u. bezweckt die Wahrnehmung u. Förderung der allg., ideellen u. gemeinsamen wirtschaftlichen Interessen der Lack-Ind. unter Ausschluß jedes wirtschaftlichen Geschäftsbetriebes. Aufgaben des VdL, der sich in verschiedene Fachgruppen u. Fachabteilungen gliedert, sind die fachliche Unterstützung der VdL-Mitglieder bei Fragen der nat. u. internat. Normung, Berufsbildung u. Nachwuchsförderung, Produkthaftung sowie Qualitätssicherung. – INTERNET-Adresse: http://www.lacke-und-farben.de

Verband Forschender Arzneimittelhersteller s. VFA.

Verband Kunststofferzeugende Industrie e. V. (VKE). Dem 1951 gegr. VKE mit Sitz in 60329 Frankfurt a. M., Karlstraße 21 gehörten 1998 52 Firmen als Mitglieder an. Er vertritt die Interessen der dtsch. Kunststoff-Hersteller. Die Arbeit des VKE konzentriert sich auf die Themenbereiche: Statistik u. Marktforschung, Kunststoffe u. Umwelt, Technik sowie Öffentlichkeitsarbeit. Ziel der Verbandsarbeit ist es, die öffentliche Diskussion um das Thema Kunststoff zu versachlichen u. das Image des Werkstoffes zu verbessern. – INTERNET-Adresse: http://www.vke.de

Verbandstoffe. Erzeugnisse auf Faserstoffgrundlage, die dazu dienen, Wunden zu versorgen, Blutungen zu stillen, Sekrete aufzusaugen, Arzneimittel zu applizieren, Körperteile zu schützen od. zu komprimieren. Das Arzneimittelgesetz definierte V. enger als Gegenstände, die dazu bestimmt sind, oberflächengeschädigte Körperteile zu bedecken od. deren Körperflüssigkeiten aufzusaugen; seit 1994 unterliegen die V. nicht mehr dem Arzneimittel-, sondern dem Medizinproduktgesetz (*Lit.*[1]). Das Dtsch. u. Europ. Arzneibuch führen verschiedene Verbandmulle, -watten u. -zellstoffe. Weiterhin gibt es DIN-Normen für eine Reihe von V., s. *Lit.*
V. werden aus Cellulose u. anderen hydrophilen Faserstoffen nach textilen Verf. hergestellt. Nach der Anw. unterteilt man in Wundauflagen, Fixiermittel, Kompressionsverbände, Stütz- u. Starrverbände (bes. Gips), resorbierbare V. u. imprägnierte V. (z. B. Salbenkompressen). – *E* bandaging material
Lit.: [1]Gesetz über Medizinprodukte vom 02.08.1994 (BGBl. I, S. 1963).
allg.: Hager (4.) **7a**, 869; (5.) **1**, 1–42 ▪ Ph. Eur. **1997** u. Komm. (Verbandmull, -watte, -zellstoff) ▪ Riedel et al., Verbandstoff-Fibel, Stuttgart: Wissenschaftliche Verlagsges. 1995 ▪ Ullmann (4.) **18**, 163 ff.

Verbenalin s. Eisenkraut.

Verbenaöl. Zitronenartig riechendes blaßgelbes Öl, das in Frankreich, Spanien, Mittel- u. Südamerika durch Wasserdampfdest. aus dem Kraut der Echten Verbene (Zitronenstrauch, *Lippia citriodora* = *L. triphylla* = *Aloysia triphylla*, Verbenaceae = *Eisenkraut-Gewächse) in einer Ausbeute von 0,07 bis 0,2% gewonnen wird, D. 0,89–0,92.
Zusammensetzung: *Citral, Geranial (zusammen ca. 40%), *Geraniol, Nerol (zusammen ca. 10%), *Cineol, *Limonen, *Myrcen u. a.
Verw.: Zu Parfümzwecken, kann jedoch phototox. u. dadurch sensibilisierend wirken. – *E* verbena (vervain) oil – *F* essence de verveine – *I* essenza di verbena – *S* esencia de verbena
Lit.: Bauer et al., S. 180 ▪ Gildemeister **6**, 588, 590 ▪ Roth u. Kormann, S. 266 ▪ Ullmann (5.) **A 11**, 214. – *[HS 3301 90]*

Verbenol (2-Pinen-4-ol).

(+)-*cis*-Verbenol   (+)-Verbenon

$C_{10}H_{16}O$, M_R 152,23. Ungesätt. bicycl. Monoterpenalkohol mit *Pinan-Struktur. Alle vier Stereoisomere, (+)- u. (–)-*cis*- u. (+)- u. (–)-*trans*-V., kommen in der Natur vor (s. Tab.).

Tab.: Daten zu Verbenolen u. Verbenon.

Verbenol	Konfiguration	$[\alpha]_D$ (CHCl$_3$)	Schmp. [°C]	CAS
(–)-*cis*-V.	1R,4R,5R	–10° (C$_2$H$_5$OH)	72,5	13040-03-4
(+)-*cis*-V.	1S,4S,5S	+10° (C$_2$H$_5$OH)	69	18881-04-4
(–)-*trans*-V.	1S,4R,5S	–135°		19890-02-9
(+)-*trans*-V.	1R,4S,5R	+141°	Sdp. 88 (1,2 kPa)	22339-08-8
(+)-Verbenon ($C_{10}H_{14}O$, M_R 150,22)	1R,5R	+249,6°	Sdp. 227–228	18309-32-5

V. kommt in Terpentin u. äther. Ölen, z. B. aus Olibanum vor. Die (+)-*trans*-Form u. (+)-*cis*-Form sind im Aggregations-Pheromon des Nadelholz-Borkenkäfers *Ips typographus* (Buchdrucker) u. dem amerikan. *I. confusus*, einem Schädling der Gelb-Kiefer (*Pinus ponderosa*) zusammen mit *Ipsdienol u. 2-Methyl-3-buten-2-ol (s. Methylbutenole) enthalten. Nach Besiedlung eines Baumes mit genügend Individuen werden weitere Borkenkäfer durch *Verbenon* auf andere Bäume umgelenkt; Näheres hierzu s. *Lit.*[1]. – *E* = *S* verbenol – *F* verbénol – *I* verbenolo
Lit.: [1]Chem. Unserer Zeit **19**, 11–21 (1985); Spektrum Wiss. **1984**, Nr. 8, 62–72.
allg.: Beilstein E IV **6**, 382, **7**, 327 ▪ Chem. Rev. **66**, 643 (1966) ▪ Karrer, Nr. 316 ▪ Merck-Index (12.), Nr. 10094 ▪ Phytochemistry **34**, 1061 (1993) ▪ Tetrahedron: Asymmetry **6**, 1495 (1995).

Verbenon s. Verbenol.

Verbindungen s. chemische Verbindungen.

Verbindungen höherer Ordnung s. Komplexe, Koordinationslehre u. Molekülverbindungen.

Verbindungsklassen. Die Vielzahl der *chemischen Verbindungen kann nach gemeinsamen Eigenschaften systematisiert werden. *Anorgan. Verb.* können nach Verb. der Nichtmetalle u. Metalle klassifiziert werden, wobei man bei den Metallen noch Hauptgruppen- u. Übergangsmetallgruppen-Verb. unterscheiden kann. Innerhalb dieser Reihen gibt es weitere Klassifizierungsmöglichkeiten, z. B. die *Chalkogenide, die *Halogenide, die *Carbonylkomplexe der Übergangsmetalle usw. (s. a. Metall-organische Verbindungen). Bei *organ. Verb.* bestimmen die *funktionellen Gruppen im wesentlichen die Eigenschaften u. die Reaktivität, so daß es sinnvoll ist, Verb. mit gemeinsamen funktionellen Gruppen in Klassen zusammenzufassen (s. die tabellar. Übersicht bei funktionellen Gruppen). Eine weitere Unterteilung ist möglich, indem man offenkettige (*aliphatische od. *acyclische Verbindungen) u. cycl. Verb. (*alicyclische, *aromatische u. *heterocyclische Verbindungen) als V. betrachtet. Im Bereich der Naturstoffe sind *Kohlenhydrate, *Isoprenoide, *Peptide u. *Proteine sowie *Nucleinsäuren als eigenständige V. aufzufassen. – *E* compound classes – *F* classes de composés – *I* classi di composti – *S* clases de compuestos

Verbleien. 1. Bez. für den Zusatz von *Tetraethyl- u. -methylblei (*Bleitetraethyl u. *Bleitetramethyl) zu Ottomotor-Kraftstoffen zur Erhöhung der Klopffestigkeit (s. a. Antiklopfmittel). Die *Antiklopfmittel auf der Basis von organ. Blei-Verb. sind inzwischen durch Aromaten bzw. *tert*-Butylmethylether (MTBE) u. *tert*-Butylalkohol [TBA, s. Butanole (d)] abgelöst worden.
2. Dünne Blei-Überzüge stellen für zahlreiche Werkstoffe (z. B. Eisen, Aluminium, Kupfer) einen guten *Korrosionsschutz gegen Schwefelsäure, verd. Salzsäure u. a. Chemikalien dar. Das V. erfolgt mechan. durch Ausschlagen mit Blei-Blech od. durch Walzbleiauskleidung. Chem. V. geschieht in der sog. *Homogenverbleiung* in der Weise, daß die Metallteile zunächst mit einer Lötflamme verzinnt werden u. anschließend eine Blei-Schicht aufgeschmolzen wird. Für die Blei-Elektroplattierung werden im allg. *Blei-Legierungen, z. B. PbSn, PbIn od. PbSnCu, eingesetzt. Geeignete Verbleiungssalze für die *Galvanotechnik sind Bleifluoroborat u. -silicat. – *E* 1. lead, 2. lead coating – *F* 1. addition de plomb, 2. plombage – *I* 1. piombatura – *S* 1. adición de plomo, 2. emplomadura
Lit.: Winnacker-Küchler (4.) 4, 681 ▪ s. a. Blei, Galvanotechnik.

Verbotene Zone (Bandlücke). Begriff aus der Festkörperphysik. V. Z. spielen u. a. bei Halbleitern eine wichtige Rolle, Näheres s. dort. – *E* forbidden zone (band gap) – *F* zone interdite – *I* zone proibite, intervallo tra due bande – *S* zona prohibida

Verbrennung. 1. Bez. für die Reaktion eines Stoffes mit Sauerstoff od. einem anderen Oxid.-Mittel. Bei V. im engeren Sinn verläuft diese Reaktion mit sehr hoher Reaktionsgeschw. bei hoher Temp. u. unter Emission von Licht (Flammen). Die chem. Reaktionen bei der V. erfolgen je nach Stoff über komplizierte Mechanismen – meist radikal. Kettenreaktionen unter Kettenverzweigungen. Die Verhältnisse der Reaktionsgeschw. der einzelnen Reaktionen bei der V. eines brennbaren Gemisches – Kettenstart, Kettenverzweigung, Kettenabbruch – u. die Transportgeschw. von Stoffen (Radikale) u. Wärme bestimmen die für die V. maßgeblichen Größen (Zündtemp., Zündgrenzen, Flammengeschw.). Die *V.-Wärme* ist die bei der betreffenden Reaktion freigesetzte Wärme [z. B. $H_2 + 1/2 O_2 \rightarrow H_2O$, $H_2 + Cl_2 \rightarrow 2 HCl$, $C_nH_{2n+2} + \frac{3n+1}{2} O_2 \rightarrow n CO_2 + (n+1) H_2O$, $Mg + 1/2 O_2 \rightarrow MgO$], die die V.-Produkte auf die V.-Temp. aufheizt. Der Umsatz der V.-Reaktion hängt vom Verhältnis des Stoffes zum Oxid.-Mittel ab. Wird z. B. bei der V. von Kohlenwasserstoffen Brennstoff u. Sauerstoff im stöchiometr. Verhältnis eingesetzt, entsteht CO_2 u. H_2O; bei Sauerstoff-Mangel führt die V. von Kohlenwasserstoffen auch zu anderen Produkten, wie Kohlenmonoxid, höheren Kohlenwasserstoffen u. Ruß. Daneben bilden sich auch V.-Schadstoffe, wie z. B. bei V. mit Luft-Sauerstoff die Stickstoffoxide.
Durch *Radikal-Fänger, die Kettenabbrüche erzwingen, durch Luftausschluß od. durch Wärmeabfuhr kann eine V. zum Stillstand gebracht werden, worauf z. B. die Wirkung von *Flammschutz- u. *Feuerlöschmitteln im *Brandschutz od. von *Antiklopfmitteln in V.-Motoren beruht.
Die ersten korrekten Vorstellungen vom Ablauf einer V. hatte *Mayow bereits im 17. Jh. entwickelt, doch gelang es erst *Lavoisier 100 Jahre später, den V.-Vorgang exakt zu beschreiben u. damit die bis dahin weitgehend akzeptierte *Phlogiston-Theorie zum Irrtum zu erklären.
Bes. Formen der V. sind *Veraschen, *Deflagration, *Detonation, *Explosion, *Schwelung, allo- u. autotherme V. (s. Kohlevergasung), *Abfackelung u. auch das Rauchen [s. Tabak(rauch)]. Die V.-Analyse ist eine *Elementaranalyse mit Hilfe selektiv wirkender Katalysatoren. Als elektrochem. V. kann man die in *Brennstoffzellen ablaufenden Prozesse bezeichnen. Im tier. Organismus werden Kohlenhydrate u. Fette zur Aufrechterhaltung der *Körpertemperatur bzw. allg. zur Energiegewinnung „verbrannt", u. selbst Pflanzen erzeugen lokal Wärme durch Verbrennung.
V.-Prozesse spielen in der Technik eine wichtige Rolle. Beispielsweise dient die V. fossiler *Brennstoffe wie Kohle, Heizöl, Erdgas usw. zur Umwandlung von chem. gebundener Energie in elektr. Strom u. Wärme, die V. von Kraftstoffen zum Betrieb von V.-Motoren. Durch die V. von *Klärschlamm u. *Abfällen kann man die hierin gebundene Energie nutzen u. Deponieraum einsparen. V.-Prozesse in der Technik müssen mit den Vorgaben des *Umweltschutzes vereinbar sein. Zur Beseitigung von V.-Nebenprodukten – z. B. Stickstoffoxide in V.-Motoren, unverbrannte Brennstoffe, Ruß in Dieselmotoren, partiell oxidierte Verb. – sind daher in jüngster Vergangenheit spezielle Abgasbehandlungs-Verf. (*Dreiwege-Katalysator, Nachverbrennungskatalysatoren) u. verbrennungstechn. Maßnahmen (Hochdruckeinspritzsyst. für Dieselmotoren, gestufte V.) entwickelt worden. Da techn. Brennstoffe (Steinkohle, Braunkohle, Erdöl) meist Schwefel, Stickstoff u. anorgan. Verb. enthalten, sind V.-Einrichtungen zur Verwertung solcher Brennstoffe mit

*Entstickungs-, *Entschwefelungs- u. *Entstaubungs-Anlagen zur Abgasreinigung (*Abluftreinigung) ausgerüstet. Bei der V. von Sondermüll, z.B. chlorierten Lsm., PCB u. anderen Chlorkohlenwasserstoffen, müssen bes. Vorsichtsmaßnahmen getroffen werden; z.B. muß zur Vermeidung der Bildung von Dioxinen die V. bei Temp. >1200 °C u. Verweilzeiten in der Brennkammer >1 s vorgenommen werden.
Das allg. bei der V. Kohlenstoff-haltiger Materie entstehende *Kohlendioxid [Kraftwerks-, Ind.- u. Haushaltsöfen-Emissionen, auch Wald(rodungs)brände u. a. Naturereignisse] ist maßgeblich am sog. *Treibhauseffekt beteiligt, der u. U. zu globalen *Klima-Veränderungen führen kann. Die Verringerung der Kohlendioxid-Emission durch Verringerung des Energieverbrauchs ist daher gegenwärtig eine zukunftsentscheidende Aufgabe.
2. In der *Medizin* versteht man unter V. alle durch Hitzeeinwirkung od. durch *Ultraviolettstrahlung hervorgerufenen *Hautläsionen*. Hinweise auf Maßnahmen zur *Ersten Hilfe bei V. findet man im Merkblatt der *Berufsgenossenschaft der chemischen Industrie u. in den bei *Arbeitssicherheit u. *Unfallverhütung genannten Publikationen. – $E = F$ combustion – I combustione – S combustión
Lit.: Kirk-Othmer (3.) **4**, 278–312; **9**, 494–541; **13**, 182–206 ■ McKetta **10**, 89–156; **27**, 99–119 ■ Winnacker-Küchler (4.) **1**, 645–650 ■ s.a. die Brand..., Brenn..., Flamm... u. Wärme...-Stichwörter, einzelne Brennstoffe u. Abgaskomponenten.

Verbrennungsanlagen-Verordnung s. Abfallverbrennungsanlagen-Verordnung.

Verbrennungsenthalpie, -energie s. Verbrennungswärme.

Verbrennungsreaktoren. Verbrennungsprozesse spielen eine große Rolle zur Umwandlung von Energie durch *Verbrennung fossiler *Brennstoffe wie Kohle, Heizöl u. Erdgas. Zunehmend werden auch *Abfälle u. *Klärschlamm verbrannt, einerseits, um Energie zu nutzen, andererseits, um die Abfallmengen zu reduzieren. Die Verbrennung findet in geeigneten V. statt. Für die Verbrennung an Land haben sich Muffel-, Schacht-, Drehrohr-, Etagen- u. Wirbelschichtöfen, für die Verbrennung auf See spezielle Brennkammerkonstruktionen sowie Wirbelschichtöfen bewährt. Darüber hinaus werden viele chem. Prozesse bei hoher Temp. durchgeführt (*Hochtemperaturchemie). Die V. für diese Prozesse sind dem jeweiligen Verf. angepaßt. – E combustion reactors – F réacteurs à combustion – I reattori a combustione – S reactores de combustión
Lit.: Ullmann (5.) **B3**, 14-1 ■ Winnacker-Küchler (4.) **1**, 645, 649.

Verbrennungswärme. In der *Thermochemie allg. Bez. für die bei der vollständigen *Verbrennung (*Oxidation) von einem Mol eines Stoffs freiwerdende Wärmemenge (Einheit: J/mol bzw. cal/mol). Es sei darauf hingewiesen, daß in der älteren Lit. u. vielfach in der Technik auch heute noch von der (*spezif.*) *Verbrennungswärme* die Rede ist, wenn man den *Brennwert – z.B. von *Brennstoffen im wasser- u. aschefreien Zustand (waf) – meint. Dieser Brennwert, für den auch noch die ältere Bez. „oberer Heizwert" (Symbol H_o; die Zusammenhänge sind bei *Heizwert erläutert) in Gebrauch ist, bezieht die Wärmemenge nicht auf das Mol, sondern auf das Kilogramm Brennstoff. Die eigentliche V. ist exakt – je nach den äußeren Bedingungen – als molare *Verbrennungsenthalpie* ΔH (bei konstantem Druck) bzw. *Verbrennungsenergie* ΔU (bei konstantem Vol.) zu bezeichnen. Üblicherweise versieht man die bei exothermen Prozessen *freiwerdende* V. mit einem *Minus*-Vorzeichen. Bei der Verbrennung entstehender Wasserdampf wird als kondensiert berechnet, da die numer. Größe der V. u. a. auch vom Aggregatzustand des Brennstoffs u. seiner Verbrennungsprodukte abhängig ist; ansonsten gehen noch *Umwandlungswärmen in die Berechnung ein.
Die Größe der V. wird wesentlich durch den mol. Aufbau der zu verbrennenden Substanz u. deren chem. Stabilität bestimmt, weshalb man umgekehrt aus der Größe der V. auf den Aufbau einer Substanz schließen kann. Beispielsweise müssen bei der Verbrennung von *Naphthalin 6 Einfach- u. 5 Doppel-Bindungen sowie 8 C,H-Bindungen getrennt werden (energieverbrauchender Vorgang). Dafür entstehen neue Bindungen zwischen C u. O bzw. H u. O (energieliefernder Vorgang). Je stabiler die ursprünglichen Bindungen sind, um so mehr Energie muß man zu deren Lsg. aufwenden, um so kleiner muß daher die V. pro Mol der Verb. ausfallen. So ist z.B. die Verbrennungsenthalpie von *Azulen (Isomeres von Naphthalin) um rund 120 kJ/mol größer als bei Naphthalin, dessen V. etwa –5160 kJ/mol beträgt u. das deshalb stabiler ist. Die Bestimmung der V. erfolgt mit Hilfe von Kalorimetern (s. Kalorimetrie) od. Thermosäulen. Zahlenangaben der V. organ. Verb. findet man z.B. in *Lit.*[1]. Die V. von Wasserstoff zu H_2O beträgt etwa –285 kJ/mol, die von Kohlenstoff zu CO_2 –394 kJ/mol, die von Mg zu MgO –603 kJ/mol u. die von Si zu SiO_2 ca. –871 kJ/mol: Si vermag also MgO zu Mg zu reduzieren, letzteres dagegen SiO_2 nicht zu Silicium. Die angegebenen Zahlenwerte entsprechen vom Verbrennungsprodukt her gesehen, dessen *Bildungswärme. – E heat of combustion – F chaleur de combustion – I calore di combustione – S calor de combustión
Lit.: [1] Handbook **75**, 5-76 bis 5-85.
allg.: Kohlrausch, Praktische Physik 1, S. 434 f., Stuttgart: Teubner 1996 ■ s. a. Thermochemie, Verbrennung.

Verbundfolien s. Folien.

Verbundglas s. Sicherheitsglas.

Verbundkeramik s. Hochleistungskeramik.

Verbundstoffe s. Verbundwerkstoffe.

Verbundsysteme. In der *Metallurgie wird mit V. jede Kombination von *Werkstoffen bezeichnet, mit der man die jeweiligen Vorteile der Einzelkomponenten nutzt (Werkstoffverbund, *Verbundwerkstoffe). Der Verbund kann dabei untrennbar sein (z.B. Schweißplattieren) od. trennbar (z.B. Auskleiden). Das V. kann als Schichtsyst. unterschiedlicher Werkstoffe vorliegen od. als Matrix-Einlagerungs-System. Entsprechend bieten sich zur Herst. von V. zahlreiche Fertigungsverf. an, z.B. Plattieren, Kleben, Nieten, Schweißen, Sintern usw. Ein faserverstärktes Polymer

ist ebenso ein Beisp. für einen Werkstoffverbund wie ein schweißplattierter Behälter für aggressive Produkte. – *E* compound system – *F* systèmes composés – *I* sistemi compositi – *S* sistema combinado
Lit.: Bartz (Hrsg.), Verbundwerkstoffe, Grafenau: Lexika-Verl. 1978 ▪ Bossert (Hrsg.), Verbundwerkstofforschung, Renningen: Expert 1995.

Verbundverfahren s. Spurenanalyse.

Verbundverpackung s. Verpackungsabfälle.

Verbundwerkstoffe. Sammelbez. für solche *Werkstoffe, die durch Kombination unterschiedlicher Materialien erhalten werden u. deren chem. u. physikal. Eigenschaften die der Einzelkomponenten übertreffen (s. a. Verbundsysteme). V. lassen sich einteilen nach der Herst.-Weise in solche mit künstlicher od. natürlicher Bildung, nach der Art des Zusammenwirkens der Werkstoffeigenschaften (die Eigenschaften der Komponenten werden gleichzeitig od. nacheinander wirksam) od. nach Gestalt u. Anordnung der Komponenten. Als Bestandteile von V. kommen hauptsächlich Metalle, Holz, Gläser, Polymere u. keram. Werkstoffe in Frage, die zu Faser-, Band-, Schicht- u. Teilchen-V. verarbeitet werden können. Zu den Teilchen-V. gehören so unterschiedliche Stoffe wie Hartmetalle, Cermets, Keramik, Schaumstoffe u. Beton. Geeignete Herst.-Verf. sind – je nach Werkstoffkomponente – Legieren, Pulvermetallurgie, Beschichtung z. B. mit Email od. Kunststoffen, Flammspritzen, Aufdampfen, Schweißverf., Galvanotechnik, Plattieren, Imprägnierung, Schmelztauchen, Faserverstärkung, Coextrusion u. Pultrusion. Im weiteren Sinne werden zu den V. auch die *Textilverbundstoffe, *Vliesstoffe sowie die sog. *Schichtpreßstoffe gerechnet, d. h. miteinander durch *Kleben od. *Kaschieren verbundene Werkstoffe in *Sandwich-Anordnung (z. B. Sicherheitsglas, Sperrholz, Verbundfolien, Laminate).
Verw.: V. werden verwendet als Hochleistungs-, insbes. *Hochtemperaturwerkstoffe in der Raumfahrt, der Flugzeug- u. Automobil-Ind., im chem. Anlagen- u. Apparatebau, in Schneidwerkzeugen u. hochbelasteten Maschinenteilen, aber auch in der Sport- u. Haushaltstechnik. – *E* composites, composite materials – *F* matériaux composites – *I* materiali compositi – *S* materiales compuestos (mixtos)
Lit.: Kirk-Othmer **13**, 249–284; (3.) **6**, 683–700; **12**, 459–481; **S**, 260–281 ▪ Lubin, Handbook of Composites, New York: Van Nostrand Reinhold 1982 ▪ Ullmann (5.) **A7**, 369 ff. ▪ s. a. Faserverstärkung, glasfaserverstärkte Kunststoffe, Kohlenstoff-Fasern, Werkstoffe. – *Zeitschriften* u. *Serien*: Composite Materials Series, Amsterdam: Elsevier (seit 1986) ▪ Composite Materials: Testing and Design (STP), Philadelphia: ASTM (seit 1972) ▪ Composite Science and Technology, Barking: Appl. Sci. Publ. (seit 1978) ▪ Composites, London: Butterworth (seit 1969) ▪ Composite Structures, Barking: Appl. Sci. Publ. (seit 1984) ▪ Handbook of Composites, Amsterdam: North-Holland (seit 1983).

Verchromen. Bez. für die Herst. von galvan. *Chrom-Überzügen auf Eisen, Kupfer, Aluminium, Messing u. dgl. einschließlich Kunststoffen, s. a. Galvanotechnik u. Kunststoff-Galvanisierung. Man unterscheidet zwischen Glanzverchromung (dekorative Verchromung) u. Hartverchromung. Bei der *Glanzverchromung* werden max. 1 μm dicke, glänzende, vorwiegend dekorativ wirkende Chrom-Schichten auf Nickel-Zwischenschichten niedergeschlagen. Bei der für den *Korrosionsschutz wichtigen techn. *Hartverchromung* scheidet man galvan. dickere Chrom-Schichten bei erhöhten Temp. auf den als Kathode geschalteten, vorvernickelten Werkstücken ab. Als Elektrolyt-Flüssigkeit dienen Lsg. aus CrO_3, H_2SO_4 u. Cr_2O_3; zur Härtesteigerung kann noch Borsäure zugegeben werden. Man erhält in 1 h eine Chrom-Schicht von 500 μm Dicke. Durch Zusatz von schaumbildenden *Fluor-Tensiden zum Elektrolyten kann das Versprühen der giftigen *Chromat-Lsg. verhindert werden. Nach dem V. werden die Werkstücke mit Natriumhydrogensulfit-Lsg. gespült, um anhaftendes Cr(VI) in weniger tox. Oxid.-Stufen zu überführen.
Zum *Entchromen* von Metallgegenständen verwendet man eine NaOH-Lsg.; Chrom löst sich an der Anode unter Bildung von Alkalichromat auf. Angesichts der Umweltgefährlichkeit u. Giftigkeit lösl. Cr(VI)-Verb. sind beim V. u. bei der Behandlung von Abfällen u. galvanotechn. Abwässern bes. *Arbeitssicherheits- u. *Umweltschutz-Auflagen zu beachten.
Im weiteren Sinne kann man auch Metallisierungs-Verf. (*Metallisieren) wie die *Inchrom-, *BDS-Inkrom u. a. *Zementations-Verf. zum V. rechnen, nicht dagegen das *Chromatieren. – *E* chrome (chromium) plating – *F* chromage – *I* cromatura, cromare – *S* cromado
Lit.: Dettner u. Elze (Hrsg.), Handbuch der Galvanotechnik, Bd. 2, S. 148 ff., München: Hanser 1966 ▪ Kirk-Othmer (4.) **9**, 278 ff. ▪ Ullmann (5.) **A9**, 150 ff. ▪ Winnacker-Küchler (4.) **4**, 677 f.

Verdampfung. Bez. für den Übergang eines Stoffes vom flüssigen od. festen in den gasf. Zustand. Im weiteren Sinne muß man als V. *jede* Form von *Phasen-*Umwandlung Flüssigkeit → Dampf bzw. Festkörper → Dampf ansehen, z. B. als Teilprozeß der *Destillation od. der *Sublimation. Nicht selten versteht man jedoch im Dtsch. (auch im folgenden) unter V. nur den Phasenübergang flüssig → gasf. aufgrund reiner *Oberflächenprozesse* u. schließt V. infolge *Siedens mit *Blasen-Bildung ausdrücklich aus. Aus der Flüssigkeits-Oberfläche entweichen so lange Mol. in den Dampfraum, bis der über der Flüssigkeit befindliche *Dampf bei der jeweiligen *Verdampfungstemp.* gesätt. ist. Dabei verdampfen Flüssigkeiten mit hoher *Oberflächenspannung bei gleicher Temp. langsamer als solche mit niedriger. Bei diesem Prozeß wird der Flüssigkeit therm. Energie, die *Verdampfungswärme*, entzogen, was zu Kühlzwecken ausgenutzt werden kann (s. dae Beisp. unten), bzw. muß der gleiche Wärmebetrag, der – als *Umwandlungswärme* – bis auf das Vorzeichen mit der *Kondensations-Wärme* ident. ist, von außen zugeführt werden, um die Flüssigkeit zur V. zu bringen. Wenn die in die Dampfphase gelangten Mol. stetig abgeführt werden (z. B. durch Anlegen eines *Vakuums), lassen sich Eindampf- u. Trocknungsprozesse bei relativ niedrigen Temp. ausführen, insbes. wenn durch konstruktive Maßnahmen für eine möglichst große Oberfläche der flüssigen Phase gesorgt wird. Für das *Eindampfen therm. empfindlicher Lsg. in der pharmazeut., kosmet. od. Lebensmittel-Ind. sind *Verdampfer* entwickelt worden, in denen die flüssige

Phase in *dünnen Schichten ausgebreitet ist; typ. Geräte für diese sog. *Dünnschichtverdampfung sind Fallfilm-, Lamellen-, Platten-, Rotations-, Umlauf-Verdampfer etc., s.a. die bei Meerwasserentsalzung beschriebenen Verfahren. Bes. augenfällig demonstriert das *Leidenfrostsche Phänomen Entstehung u. Funktion der Dampfphase. Anw. findet die V. beim Trocknen, Einengen, in der Kältetechnik, bei der Kugelrohr-Dest., bei Aufdampf-Verf. wie Epitaxie u. Chemical-Vapor-Deposition, bei Drahtexplosionen, in der Oberflächenchemie, bei Atom- u. Molekularstrahl-Experimenten, in der Analytik (Gaschromatographie, Massen- u. Flammenspektroskopie) u. vielen anderen Prozessen.
Während bei herkömmlichen Verf. meist der gesamte Stoff auf die Verdampfungstemp. (*Siedepunkt) erhitzt wird, kann man durch fokussierte *Laser-Strahlen eine punktuelle Erwärmung erreichen. Wenn man hierzu Laser mit kurzen Pulsen von einigen 10^{-9} s od. 10^{-12} s (ns bzw. ps, s. Q-switched u. Modenkopplung) verwendet, findet während der Lichteinstrahlung keine *Wärmeübertragung in das Umgebungsmaterial statt. Die schlagartige Aufheizung eines kleinen Areals führt zur *Dissoziation u. V., bei der die Fragment-Atome u. -Mol. z. T. mit Überschallgeschw. herausfliegen. Da die deponierte Strahlungsenergie vollständig in Dissoziationsenergie (Verdampfungswärme) u. kinet. Energie der Fragmente übergeht, findet keine Wärmebeeinträchtigung des Umgebungsmaterials statt; d. h. es können sehr filigrane Strukturen erzeugt werden. Anw. findet diese Meth. in der Medizin (Laser-Chirurgie), in der Halbleiter-Ind., zum Verdampfen von Isolationslacken von Kabeln od. zum Beschreiben von opt. Speichern (z. B. Compact Disks, CD). Großtechn. wird Laser-V., v. a. mit *CO_2-Lasern, zum Schneiden von Metallplatten eingesetzt[1].
Im allg. versteht man unter *Verdampfen* eine Umwandlung bei erhöhter Temp., wohingegen man analoge Umwandlungen bei unterhalb des Siedepunktes der Flüssigkeit liegenden Temp. meist als *Verdunsten* bezeichnet. Bekanntestes Beisp. ist die Verdunstung des Wassers von der Erdoberfläche: Man schätzt, daß im Wasserkreislauf ein Wassermol. jährlich etwa 30–40mal verdunstet u. ebenso oft als *Niederschlag (Tau, Regen, Hagel, Reif, Schnee) zurückfällt od. als *Feuchtigkeit (s. a. relative Luftfeuchtigkeit) in Erscheinung tritt; Näheres zum Wasserkreislauf inklusive Verdunstung aus Boden, Gewässern u. Pflanzen s. Lit.[2]. Die bei der Wasserverdunstung eintretende Abkühlung (*Verdunstungskälte* = *Verdunstungswärme*) nutzt man in warmen Klimaten zur Kühlung – man denke z. B. an die Trinkwasserkrüge aus porösem Ton. Über Verdunstungsprozesse der menschlichen Haut s. dort u. bei Schweiß. Zur Verhütung od. Einschränkung der V. von Oberflächenwasser eignen sich dünne, auf dem Wasser schwimmende Schichten aus Öl, 1-Hexadecanol, 1-Octadecanol, Glykolmonoalkylethern, Hohlkügelchen aus Glas (bei galvan. Bädern), Kugeln od. Perlen aus Polyethylen od. Styropor od. anders geformte Kunststoff-Schwimmkörper. Bei anderen Flüssigkeiten als Wasser, bes. bei organ. Lsm., Riechstoffen etc. spricht man oft von *Verflüchtigen* statt von V. od. Verdunsten. Ein Maß für die *Verdunstungsgeschw.* od. *Flüchtigkeit von Flüssigkeiten ist die *Verdunstungszahl. Diese ist ein Kriterium bei Riechstoffen u. ether. Ölen (als *Verdunstungskoeff.*, VK) od. z. B. beim *Abdunsten von Lsm. aus Lacken od. Klebstoffen. Die Kenntnis der Flüchtigkeit einer ggf. giftigen Verb. (bzw. ihres *Dampfdrucks) ist auch im Fall ihres Verschüttens wichtig, damit man rechtzeitig Gegenmaßnahmen gegen das Einatmen der Dämpfe treffen kann. Seltener zu beobachten ist die V. als Umwandlung vom festen in den dampfförmigen Zustand; Beisp. s. bei Sublimation, wo auch auf andere Benennungen für den Phasenübergang eingegangen wird. – *E* evaporation, vaporizing – *F* évaporation, vaporisation – *I* evaporazione, vaporizzazione – *S* evaporación, vaporización
Lit.: [1] Laser Optoelektron. 23 (4), 60–63 (1991). [2] Naturwissenschaften 73, 531–537 (1986); Schrödter, Verdunstung, Berlin: Springer 1985.
allg.: Brutsaert, Evaporation into the Atmosphere, Dordrecht: Reidel 1982 ▪ Chem. Labor Betr. 35, 187 (1984) ▪ Encycl. Polym. Sci. Eng. 4, 745–751 ▪ Gmehling u. Schwaitzer, Berechnung von Expositionen beim Umgang mit lösemittelhaltigen Zubereitungen, Bremerhaven: Wirtschaftsverl. 1984 ▪ Kirk-Othmer (4.) 9, 959–981 ▪ Majer u. Svoboda, Enthalpies of Vaporization of Organic Compounds (Chem. Data Ser. 32), Oxford: Blackwell 1985 ▪ McKetta 20, 387–445 ▪ Minton, Handbook of Evaporation Technology, Park Ridge: Noyes 1986 ▪ Nisenfeld, Industrial Evaporators, Research Triangle Park: Instrument Soc. Am. 1985 ▪ Smith, Vaporisers, Harlow: Longman 1986 ▪ Tamir u. Tamir, Heats of Phase Change of Pure Components and Mixtures, Amsterdam: Elsevier 1983 ▪ Wichterle et al., Vapor-Liquid Equilibrium Data Bibliography (4 Bd.), Amsterdam: Elsevier 1973–1985 ▪ Winnacker-Küchler (4.) 1, 156, 363–366 ▪ s. a. Destillation u. Siedepunkt.

Verdampfungsenthalpie s. Verdampfungswärme.

Verdampfungskalorimeter s. Kalorimetrie.

Verdampfungskühlung. Man unterscheidet direkte u. indirekte Verdampfungskühlung. Bei der *direkten* V. wird die Verdampfungswärme von Flüssigkeiten zur Kühlung von Dämpfen genutzt, indem ein Stoff in flüssiger Form in seinen Dampf eingespritzt wird; *Beisp.:* Dampfkühler für überhitzten Wasserdampf. Bei der *indirekten* V. wird kein direkter Kontakt zwischen Kühlmittel (Flüssigkeit) u. zu kühlendem Dampf hergestellt, sondern der Wärmeaustausch erfolgt durch einen Festkörper (Rohrwand, Wärmeaustauscher); *Beisp.:* Kondensator, Mischkondensator. – *E* evaporation cooling – *F* refroidissement par évaporation – *I* raffreddamento per evaporazione – *S* refrigeración por evaporación
Lit.: Ullmann (5.) B3, 3-28.

Verdampfungstrocknung s. Trocknen.

Verdampfungswärme. Unter der *spezif. V.* versteht man diejenige Wärmemenge in kJ (J), die benötigt wird, um 1 kg (1 g) einer Flüssigkeit bei unverändertem äußeren Druck in *Dampf von gleicher Temp. umzuwandeln (*Verdampfung). Dieselbe Wärmemenge wird (u. erhält dann ein Minus-Vorzeichen) bei der *Kondensation des Dampfes frei. Strenggenommen handelt es sich bei der V. um die *Verdampfungsenthalpie* (s. a. Enthalpie u. Umwandlungswärmen), die im allg. auf 1 mol bezogen angegeben wird u. zur Unterscheidung *molare V.* genannt wird. Einige Beisp. derartiger *molarer V.* findet man bei *Umwandlungs-

Tab.: Molare Verdampfungswärme $\Delta H_{v,m}$ am (normalen) Siedepunkt.

Flüssigkeit	$\Delta H_{v,m}$ [kJ·mol^{-1}]
Acetaldehyd	25,73
Aceton	30,43
Ameisensäure	19,88
1-Pentanol	44,34
Anilin	45,1
Benzol	30,78
Brom	29,25
2-Methyl-1-propanol	45,66
1-Butanol	46,32
Chlorbenzol	36,81
Chloroform	33,31
Cyanwasserstoff	25,27
cis-Decalin (cis-Decahydronaphthalin)	41,06
Diethylether	26,54
1,4-Dioxan	31,71
Essigsäure	24,38
Ethylacetat (Essigsäureethylester)	32,24
Ethanol	37,47
Ethylbenzoat (Benzoesäureethylester)	133,95
Heptan	31,86
Hexan	28,61
Methanol	35,24
Methylacetat (Essigsäuremethylester)	30,07
Methylenchlorid (Dichlormethan)	27,94
Nitrobenzol	48,88
Octan	34,16
2-Methylbutan	24,60
Pentan	25,97
2-Propanol	40,02
1-Propanol	41,80
Pyridin	35,60
Quecksilber	57,17
Schwefelkohlenstoff	26,80
Distickstofftetroxid (s. Stickstoffoxide)	38,08
Tetrachlormethan (Tetrachlorkohlenstoff)	29,99
Tetralin (1,2,3,4-Tetrahydronaphthalin)	43,89
Toluol	33,54
Trichlorfluormethan (R11, s. FCKW)	25,00
1,1,2-Trichlor-1,1,2-trifluorethan (R113, s. FCKW)	27,53
Wasser, normales	40,64
Wasser, schweres	41,49
o-Xylol	36,84
m-Xylol	36,42
p-Xylol	36,10

wärmen, weitere in den speziellen od. allg. *Tabellenwerken der *Thermodynamik. Eine Beziehung zwischen Dampfdruck, Temp. u. molarer V. stellt die *Clausius-Clapeyronsche Gleichung her, mit deren Hilfe sich V. aus *Dampfdruck-Messungen oft einfacher u. genauer als durch *Kalorimetrie bestimmen lassen. Die *Pictet-Trouton-Regel gestattet eine Abschätzung der molaren V. bei bekanntem *Siedepunkt. Die Tab. führt die molare V. einiger Flüssigkeiten auf[1]. – E heat of vaporization – F chaleur de vaporisation – I calore di vaporizzazione – S calor de vaporización

Lit.: [1] Kohlrausch, Praktische Physik 3, S. 532 f., Stuttgart: Teubner 1996.

allg.: s. Verdampfung u. Thermodynamik.

Verdauung. Summar. Bez. für die mechan. u. enzymat.-chem. Vorgänge, die im Verdauungskanal (Mund, *Magen u. *Darm, letztere als *Gastrointestinaltrakt* zusammengefaßt) die *Nahrungs- u. Genußmittel so weit aufschließen, daß sie von der Darmwand resorbiert (*Resorption) u. unverdauliche Rückstände mit dem *Kot ausgeschieden werden können. Die *verdaulichen* Eiweiße werden dabei letztlich zu wasserlösl. Aminosäuren u. Kohlenhydrate zu wasserlösl. Monosacchariden abgebaut. Fette werden nach Partialhydrolyse als kolloidale Dispersionen von Fettsäuren u. Mono-, Di- u. Triglyceriden resorbiert. Die so gewonnenen niedermol. Bruchstücke dienen – zusammen mit den als *verwertbar* bezeichneten direkt zugeführten Monosacchariden u. Aminosäuren – im *Energiestoffwechsel* der Aufrechterhaltung der Lebensfunktionen u. im *Baustoffwechsel* der Gewinnung weiterer Bausteine. Obwohl weitgehend unverdaulich u. für den Menschen ohne *Nährwert, haben Pflanzenfasern als Peristaltik-anregende *Ballaststoffe eine wichtige V.-Funktion. Im V.-Apparat anderer Tierspezies (z. B. der Wiederkäuer) macht die Enzymausstattung auch andere Rohstoffe wie Cellulose, Harnstoff etc. verwertbar.

Sinngemäß von V. spricht man auch beim biolog. Aufschluß u. Abbau von Zellorganellen, Blutkörperchen, Bakterien etc., woran Freßzellen (vgl. Lysosomen u. Monocyten) beteiligt sind.

Die wichtigsten V.-Enzyme, die ausschließlich *Hydrolasen darstellen, sind die α-*Amylasen (im *Speichel), *Pepsin u. *Kathepsin (im *Magensaft), *Trypsin, *Chymotrypsin u.a. *Peptidasen, α-*Amylasen, *Maltase u. *Lipasen (im *Pankreas u. z. T. auch in der Dünndarmwand). Ein für die Fettemulgierung wichtiges Sekret ist die *Galle; weitere *Transport-Funktionen erfüllen die *Mucine im Speichel u. Magensaft. Die *Sekretion der Enzyme wird ihrerseits durch Hormone wie *Secretin, *Glucagon, *Insulin, *Caerulein, *Cholecystokinin, *Motilin, *Substanz P, *VIP, *Bombesin u. ihre Gegenspieler wie *Somatostatin u. a. gesteuert. Aussehen, *Geruch u. *Geschmack von Nahrung können über zentralnervöse Steuerung einen gewissen Einfluß auf die Aktivität der V.-Organe, wie z. B. Drüsensekretion ausüben. Eine den Appetit u./od. die Peristaltik u. damit die V. anregende Wirkung geht von *Scharfstoffen u. a. *Stomachika u. *Carminativa aus. Gegenspieler der das *Hunger-Zentrum stimulierenden *Orexigene sind die *Appetitzügler od. Anorexigene. V.-Störungen (Dyspepsien) äußern sich als Blähungen u. Meteorismus (s. Flatulenz), *Sodbrennen, *Diarrhöen, *Obstipationen etc. u. treten oft im Rahmen von Erkrankungen des V.-Trakts wie *Zöliakie, *Gastritis, *Ulcus, *Krebs u. a. auf. – $E = F$ digestion – I digestione – S digestión

Lit.: Johnson, Physiology of the Gastrointestinal Tract, Philadelphia: Lippincott-Raven 1994 ■ Schmidt u. Thews, Physiologie des Menschen, Berlin: Springer 1997.

Verdazyle. Von R. *Kuhn in Analogie zu *Hydrazyle* geprägte Bez. für eine Gruppe sehr beständiger *freier Radikale, denen das Gerüst eines substituierten 3,4-Dihydro-1,2,4,5-tetrazin-1(2H)-yls zugrunde liegt.

Das erste grüne (Name!) V. stellte Kuhn aus 1,3,5-Triphenylformazan (s. Formazane u. die Abb. bei 2,3,5-

Triphenyl-2H-tetrazoliumchlorid) her. – *E* = *F* verdazyls – *I* verdazili – *S* verdazilos
Lit.: Angew. Chem. **75**, 294f. (1963); **85**, 485–493 (1973) ▪ Russ. Chem. Rev. **47**, 767–785 (1978).

Verdeckte Phasen s. Phasen.

Verdelith s. Turmalin.

Verdet-Konstante. Wenn ein linear polarisierter Lichtstrahl (vgl. optische Aktivität) auf einer Länge l eine in einem homogenen Magnetfeld der magnet. Induktion B befindliche Substanz durchquert, wird seine Schwingungsebene um den Winkel α gedreht: α = V · l · B, wobei V die Verdet-Konstante ist; s. Tab. bei Faraday-Effekt. – *E* Verdet's constant – *F* = *S* constante de Verdet – *I* costante di Verdet
Lit.: Kohlrausch, Praktische Physik 2, S. 343, Stuttgart: Teubner 1996.

Verdichten. 1. V. im Sinne der Ausnutzung der *Kompressibilität s. bei Pumpen (*Kompressoren* = *Verdichter*) u. Kompaktieren (vgl. die Unterbegriffe dort). – 2. V. im Sinne der Oberflächenversiegelung, z. B. bei der Al-Oberflächenbehandlung, s. Aluminium. – *E* 1. densifying – *F* 1. compression – *I* comprimere – *S* 1. compresión

Verdichter. V. werden zur Erzeugung hoher Drücke von Gasen u. Flüssigkeiten verwendet. Für Gase kommen bevorzugt Kolben-, Turbo- u. Membran-V. in Frage, während Flüssigkeiten mit Plunger-, Zentrifugal- u. Membranpumpen auf hohe Drücke gebracht werden, um sie gegen erhöhten Druck zu fördern. Das Verhältnis des abs. Enddrucks zum abs. Ansaugdruck wird als Verdichtungsverhältnis bezeichnet. Anstelle des Begriffs V. sind je nach Druckverhältnis, Bauart u. Anw.-Gebiet auch andere Bez. üblich, z. B. *Ventilator, Gebläse, Lüfter, *Kompressor. – *E* compressor – *F* compresseur – *I* compressore – *S* compresor
Lit.: Ullmann (5.) **B4**, 611.

Verdickungsmittel (Dickungsmittel). Bez. für auch *Quell(ungs)mittel* genannte, meist organ., hochmol. Stoffe, die Flüssigkeiten (in der Regel Wasser, daher auch die Bez. *Hydrokolloide für V.) aufsaugen, dabei aufquellen (*Quellung) u. schließlich (bis auf die anorgan. V.) in zähflüssige echte od. kolloide Lsg. übergehen, vgl. Gele. Die V. sind oft begrifflich schwer von *Binde-, *Flockungs-, *Gleit-, *Steifungsmitteln u. *Stabilisatoren abzugrenzen. Man benutzt V., um die *Viskosität von Flüssigkeiten zu erhöhen bzw. die *Thixotropie-Eigenschaften von *Gelen zu verbessern. Deshalb spielen V. eine Rolle bei der Herst. von vielen techn., kosmet., pharmazeut. od diätet. Präp., z. B. von Cremes, Reinigungsmitteln, Appreturen, Druckfarben, Anstrichdispersionen, Klebstoffen, Puddings, Schlankheitsmitteln (die organ. V. sind eßbar, besitzen aber oft keinen *Nährwert) u. dgl. Man kann die V. einteilen in:
Organ., natürliche V. (*Agar-Agar, *Carrageen, *Tragant, *Gummi arabicum, *Alginate, *Pektine, *Polyosen, *Guar-Mehl, *Johannisbrotbaum-Kernmehl, *Stärke, *Dextrine, *Gelatine, *Casein).
Organ., abgewandelte Naturstoffe (*Carboxymethylcellulose u. a. *Celluloseether, *Hydroxyethylcellulose u. *Hydroxypropylcellulose u. dgl., Kernmehlether).

Organ., vollsynthet. V. (*Polyacryl- u. Polymethacryl-Verb., Vinylpolymere, *Polycarbonsäuren, *Polyether, Polyimine, *Polyamide).
Anorgan. V. (Polykieselsäuren, *Tonmineralien wie *Montmorillonite, *Zeolithe, *Kieselsäuren).
Die Wirkung vieler V. beruht auf ihrer Eigenschaft, als *Polyelektrolyte zu fungieren. – *E* thickeners, thickening agents – *F* épaississants – *I* addensanti – *S* espesantes
Lit.: Kirk-Othmer (4.) **5**, 551; **11**, 827–830; **15**, 494; **17**, 1071f. ▪ Römpp Lexikon Lacke u. Druckfarben, S. 599f. ▪ Römpp Lexikon Lebensmittelchemie, S. 216 ▪ Ullmann (4.) **16**, 80ff.; **19**, 236; **21**, 469; **22**, 583–587, 600; **23**, 67; (5.) **A 11**, 570f.; **A 12**, 577; **A 16**, 362; **A 26**, 507–512.

Verdoglobin s. Hämoglobin.

Verdopplungszeit s. Generationszeit.

Verdorbene Luft. *Scheeles Bez. für das Gas *Stickstoff.

Verdoxan®.

Marke von Henkel für einen *Riechstoff auf der Basis von 4-Isopropyl-2,2,5,5-tetramethyl-1,3-dioxan, $C_{11}H_{22}O_2$, M_R 186,30. Geruch holzig, erdig, fruchtig, grün. *B.:* Henkel.

Verdrängerpumpen. V. fördern theoret. unabhängig vom Gegendruck den gleichen Drucksatz. Der *Wirkungsgrad liegt zwischen 0,5 u. 0,7. Die älteste V. ist die Kolbenpumpe, die das beim Saughub angesaugte Vol. durch Kolbendruck in die Förderleitung schiebt. Weiterhin zählen zu den V. die *Schlauchpumpen, *Wälzkolbenpumpen, *Zahnradpumpen, Exzenterschneckenpumpen u. Flüssigkeitsringpumpen (z. B. *Wasserringpumpen). – *E* positive displacement pump – *F* pompe volumétrique – *I* pompe di rimozione – *S* bomba volumétrica
Lit.: Ullmann (5.) **B2**, 21-12.

Verdrängungsname s. Austauschname.

Verdrängungsreaktion s. Austauschreaktionen u. Substitution.

Verdünnen. Bez. für die Verringerung der *Konzentration eines Stoffes durch Zugabe eines *Verdünnungsmittels. Beim V. kann es zu einer Vol.-Kontraktion sowie zu Erwärmung infolge der Freisetzung von Mischungs- od. Lösungswärme kommen. Bes. Verhältnisse liegen vor beim V. von *Elektrolyten (s. Ostwaldsches Verdünnungsgesetz), von Polymeren- u. Farbstoff-Lsg., wobei die Abweichungen vom Normverhalten auf *Aggregation bzw. *Assoziation zurückgehen, sowie in der sog. *Isotopenverdünnungsanalyse. – Als *Gegensatz* zum V. könnte man das *Einengen od. *Eindicken durch *Eindampfen ansehen. – *E* diluting – *F* dilution – *I* diluizione, diluire – *S* dilución
Lit.: s. Lösung, Lösemittel.

Verdünner s. Verdünnungsmittel.

Verdünnungsgesetz s. Ostwaldsches Verdünnungsgesetz.

Verdünnungsgrenze s. Grenzkonzentration.

Verdünnungsmittel. Im weitesten Sinne Bez. für feste, flüssige od. gasf. Stoffe, die zum *Verdünnen konz. Stoffe geeignet sind. Im engeren Sinne versteht man unter den umgangssprachlich *Verdünner* od. *Verdünnung* genannten V. leicht verdunstende Flüssigkeiten (vgl. Verdunstungszahl), die *Anstrichstoffen, *Lacken, *Druckfarben u. *Kunstharzen während Herst. od. Anw. zugesetzt werden, um ihre Eigenschaften (z.B. die Viskosität) der Verarbeitung anzupassen (vgl. *Lit.*[1]), s.a. Verschnittmittel. Als V. für Öl- u. Lackfarben eignen sich z.B. *Terpentinöl, *Terpentinölersatz, *Kienöl, Terpene usw., zur Verdünnung von Kunstharzlacken verwendet man z.B. organ. *Lösemittel auf Aromaten-, Alkohol-, Ester- od. Keton-Basis. Verschiedene dieser V. eignen sich auch zum Aufweichen eingetrockneter Materialien od. als Bestandteile von *Abbeizmitteln. – *E* diluents – *F* diluants – *I* diluenti – *S* diluyentes
Lit.: [1] DIN-EN 971-1: 1996-09.
allg.: Lacke u. Lösemittel, Weinheim: Verl. Chemie 1984.

Verdünnungsprinzip s. Ziegler-Verdünnungsprinzip.

Verdünnungsreihe. In der Mikrobiologie gebräuchliche Bez. für eine Vorgehensweise zur Gewinnung von *Reinkulturen od. Einzelkolonien aus Mischpopulationen, wie sie z.B. in Boden- od. Wasserproben vorliegen, od. zur Zählung lebensfähiger Zellen in einer Kultur. Dabei wird die Probe, in flüssigem Nährmedium suspendiert u. schrittweise verdünnt bis z.B. 0,1–0,3 mL der Suspension auf eine Petrischale pipettiert u. ausgestrichen, zu klar abgegrenzten Kolonien einzelner Zellen führen. Durch Zusatz von Detergens zur *Nährlösung kann ein unerwünschtes Aneinanderhalten von Zellen beschränkt od. vermieden werden. – *E* dilution series – *F* série de dilutions – *I* serie di diluizione – *S* serie de diluciones
Lit.: Isaac u. Jennings, Kultur von Mikroorganismen, S. 87, 90, Heidelberg: Spektrum 1996.

Verdunstung s. Verdampfung.

Verdunstungsgeschwindigkeit s. Flüchtigkeit.

Verdunstungskälte s. Verdampfung.

Verdunstungskoeffizient (Abk. VK). Eine empir. ermittelbare Kenngröße für die *Flüchtigkeit von *Riechstoffen u. *etherischen Ölen. Eine verwandte Kennzahl ist die *Verdunstungszahl (VD) bei Lösemitteln. – *E* evaporation coefficient

Verdunstungstrocknung s. Trocknen.

Verdunstungszahl (Abk. VD). Die V. ist eine Maßzahl für die *Flüchtigkeit von Flüssigkeiten, die für die Beurteilung als *Löse-, *Verdünnungs- u. *Verschnittmittel von Bedeutung ist. Eine verwandte Kennzahl ist der *Verdunstungskoeffizient (VK). Unter der VD versteht man den Quotienten aus der *Verdunstungszeit* der zu prüfenden Flüssigkeit u. derjenigen von Diethylether als Vergleichsflüssigkeit; als Prüftemp. gilt 293 ± 2 K, die relative Luftfeuchtigkeit soll bei der Messung 65% ± 5% betragen (vgl. DIN 53170: 1991-08; 53249: 1995-01). Es ergeben sich folgende V. (Diethylether: VD = 1):
Aceton 2,1; Dichlormethan 1,8; Methylacetat 2,2; 1,1,1-Trichlorethan 2,4; Chloroform 2,5; Ethylacetat 2,9; Benzol 3; Trichlorethylen 3,8; Tetrachlormethan 4; 2-Butanon 6; Methanol 6,3; Dioxan 7,3; Ethanol 8,3; 2-Propanol 11; Tetrachlorethylen 11; Xylol 13,5; Essigsäure 24; 1-Butanol 33; Pyridin 36; Ethylglykol 43; Pentanol 65; Wasser ~80; Decalin 95; Butylglykol 163; Tetralin 190; 2-Ethylhexanol ~600; Ethylenglykol ~600; Dimethylsulfoxid ~700; Benzylalkohol ~1800.
Eine Parallele zwischen *Siedepunkt u. VD ist nicht erkennbar: Man vgl. z.B. die V. von Benzol (Sdp. 80,15 °C) u. 2-Propanol (Sdp. 82 °C) in der Aufzählung. – *E* evaporation number – *F* indice d'évaporation – *I* numero di evaporazione – *S* índice de evaporación
Lit.: s. Lösemittel.

Veredelung von Polymeren. 1. Synonyme Bez. für das Zusetzen von *Additiven zu *Polymeren, insbes. zu solchen, die zur Herst. von *Textilien dienen (s. Textilveredlung). – 2. Synonyme Bez. für das Aufbringen von *Überzügen auf die Oberfläche von *Kunststoff-Teilen, v.a. aus Gründen der Dekoration (*Farbe, *Glanz), um die techn.-funktionellen Eigenschaften (Griffigkeit, Antistatik) zu verbessern sowie die Beständigkeit gegen Licht u. Chemikalien zu erhöhen. – *E* refining (treatment) of polymers – *I* affinazione di polimeri – *S* mejoramiento de polímeros

Verein Deutscher Eisenhüttenleute (VDEh). Die 1860 gegr. Vereinigung mit Sitz in 40237 Düsseldorf, Sohnstr. 65, hat die Förderung der techn. u. wissenschaftlichen Arbeit auf dem Gebiet von Eisen, Stahl u. verwandten Werkstoffen zum Ziel. Der VDEh hatte 1998 10 100 Mitglieder. *Publikationsorgane:* Stahl u. Eisen (Zeitschrift, seit 1880), Steel Research/Archiv für das Eisenhüttenwesen (Zeitschrift) u.a. Schriften, die alle im VDEh-eigenen Verl. Stahleisen m.b.H., Düsseldorf, erscheinen. – INTERNET-Adresse: http://www.vdeh.de

Verein Deutscher Ingenieure s. VDI.

Vereinigte aluminium-Werke AG s. VAW.

Vereinigte Elektrizitäts- u. Bergwerks-AG s. VEBA AG.

Vereinigtes Gasgesetz s. Gasgesetze.

Vereinigung s. Kristallmorphologie.

Vereinigung der Petrochemikalienhersteller Europas s. APPE.

Vereinigung deutscher Biotechnologie-Unternehmen in der Dechema e.V. s. VBU.

Vereinigung Deutscher Riechstoff-Hersteller e.V. (VDRH). Die Vereinigung mit Sitz in 53115 Bonn, Meckenheimer Allee 87, besteht aus 21 Mitgliedern (Stand 1998) u. wurde 1983 gegründet. Die Aufgabe der VDRH besteht in der Wahrnehmung der rechtlichen Interessen ihrer Mitglieder.

Verein Österreichischer Chemiker (VÖCh). Die 1897 gegr., heute als Gesellschaft Österreichischer Chemiker (GÖCh) firmierende Mitgliederges. österreich. Chemiker mit Sitz in A-1010 Wien, Nibelungengasse 11/6, hatte 1998 ca. 2200 Mitglieder. *Publikationsorgane:* Österreichische Chemikerzeitung (1898–1965), Allgemeine u. Praktische Chemie (1966–1973), Chemie – das österreichische Magazin für Wirtschaft u. Wissenschaft (seit 1994), Monatshefte für Chemie (seit 1880). – INTERNET-Adresse: http://www.goech.co.at/goech

Vereisungsinhibitoren s. Anti-icing-Mittel.

Veresterung. Bez. für die zur Bildung eines Esters führenden Umsetzungen eines Alkohols mit einer Säure, vgl. das Schema bei Ester. Ebenso wie für ihr Gegenteil (*Verseifung) gilt für die V. die *Taft-Gleichung. Eine häufig verwendete Meth. der V. ist die *Umesterung, die sich ebenfalls katalyt. beschleunigen läßt. – *E* esterification – *F* estérification – *I* esterificazione – *S* esterificación

Lit.: McKetta **19**, 381–402 ▪ Ullmann (5.) **A 1**, 214 f.; **A 9**, 572–575 ▪ s. a. Ester u. Umesterung.

Verfahrensentwicklung. Die V. hat zum Ziel, aus Produktions- od. Verf.-Ideen großtechn. realisierbare u. funktionsfähige Verf. zu erarbeiten. Das Ergebnis umfaßt ein optimiertes Verf. mit z. B. Verf.-Fließbild, das sämtliche Massen- u. Energieströme zeigt, fundierte Aussagen über die notwendigen Verf.-Schritte u. Apparate, deren Dimensionierung u. Werkstoffe, Festlegung der Reaktionsfahrweise (kontinuierlich od. diskontinuierlich) usw. bis hin zu detaillierten Investitions- u. Herst.-Kostenrechnungen, die einer Entscheidung über ein bestimmtes Projekt zugrunde liegen. Eng verbunden mit derartigen theoret. Überlegungen u. Rechnungen ist eine experimentelle Überprüfung der einzelnen Verf.-Stufen im Labor- od. halbtechn. Maßstab od. die Abb. des gesamten Verf. in einer „miniplant". Dabei werden Erkenntnisse über das Verhalten des Stoffes u. der Einzelschritte der therm. u./od. mechan. *Verfahrenstechnik gewonnen. In der Regel besteht ein Verf. aus mehreren hintereinander geschalteten Grundoperationen. Im Rahmen der V. kommt der Auswahl u. Auslegung der einzelnen Verf.-Schritte, insbes. des Reaktors (*scale up, upscaling*) eine zentrale Bedeutung zu. Ziel ist eine möglichst hohe Reaktorauslastung, um die Kosten für das Gesamt-Verf. zu minimieren. – *E* process development – *F* développement de procédés – *I* sviluppo dei procedimenti industriali – *S* desarrollo de procesos

Lit.: Ullmann (5.) **B 4**, 487 ff. ▪ Winnacker-Küchler (4.) **1**, 335.

Verfahrensingenieur s. Chemie-Ingenieur.

Verfahrenstechnik. Die Aufgabe der V. ist es, die bei einem bestimmten Prozeß anfallenden Grundoperationen (*E* unit operations) mit Hilfe geeigneter Apparate u. Verf. wirtschaftlich durchzuführen. Welche einzelnen Schritte in einem Verf. notwendig sind, wird im Rahmen der *Verfahrensentwicklung ermittelt.
In der chem. Technik erfolgt eine Einteilung in mechan. u. therm. V. sowie chem. Reaktionstechnik. Die *mechan.* V. behandelt die Umwandlung stofflicher Syst. u. den Transport von Stoffen unter mechan. Einwirkungen u. befaßt sich vorwiegend mit Trennverf. sowie Misch- u. Zerkleinerungsprozessen. Hierzu gehören *Filtration, *Sedimentation, *Zentrifugieren, *Trocknen. Der *therm.* V. liegen die Gesetzmäßigkeiten des Wärme- u. Stofftransports zugrunde. Prozesse wie *Destillation, *Rektifikation sowie neuere Verf. der Stofftrennung mit Membranen werden in diesem Teilgebiet bearbeitet. Für die Lösung verfahrenstechn. Probleme steht eine große Anzahl z. T. sehr spezieller Apparate zur Verfügung. Die *chem. Reaktionstechnik* konzentriert sich insbes. auf die Ausarbeitung u. Durchführung der chem. Reaktion in den hierfür geeigneten chem. Reaktoren. – *E* process engineering – *F* technologie des procédés industriels, génie des procédés – *I* tecnologia dei procedimenti industriali – *S* técnica (ingeniería) de procesos

Lit.: Dialer, Onken u. Leschonski, Grundzüge der Verfahrenstechnik u. Reaktionstechnik, München: Hanser 1986 ▪ Fratzscher et al., Einführung in die Verfahrenstechnik, Leipzig: Dtsch. Verlag für Grundstoffindustrie 1982 ▪ Ullmann (5.) **B4**, 5 ff. ▪ Vauck u. Müller, Grundoperationen chem. Verfahrenstechnik, Weinheim: VCH Verlagsges. 1988 ▪ Winnacker-Küchler (4.) **1**, 29, 139.

Verfestigung. 1. Im Tiefbau übliches Verf. zur Erhöhung der Tragfähigkeit von Böden, s. Bodenstabilisatoren. – 2. Verf. zur verbesserten Handhabbarkeit *radioaktiver Abfälle. – 3. In der Werkstoffkunde im weiteren Sinne jede Art von Festigkeitszunahme eines *Werkstoffs, wobei der verursachende Prozeß zunächst nicht berücksichtigt wird. Im engeren Sinne wird unter V. eine durch Verformung bewirkte Steigerung der Festigkeit verstanden: Ein Werkstoff ist als Folge einer Verformung imstande, eine größere mechan. Beanspruchung aufzunehmen. Bei metall. Werkstoffen ist die V. auf die Wirkung von *Versetzungen zurückzuführen, bei Polymerwerkstoffen auf die Orientierung (Streckung) der Makromol. in Richtung der Beanspruchung. Für die techn. Anw. von Werkstoffen hat dieser Effekt aufgrund seiner Auswirkungen auf die Tragsicherheit von Bauteilen außerordentliche Bedeutung, da es in örtlich überbeanspruchten Bereichen nicht sofort zur Rißeinleitung kommt, sondern zu lokaler Verformung mit resultierender Verfestigung. – *E* work hardening – *F* écrouissage – *I* indurimento, incrudimento – *S* endurecimiento por deformación en frío

Verflüchtigen s. Sublimation u. Verdampfung.

Verflüssigen s. flüssige Luft, Flüssiggase, Gele, Kohleverflüssigung.

Verformen s. Deformation, Haarbehandlung, Schaumstoffe, Stoßprozesse u. Umformen.

Verformungsverhalten von Polymer-Werkstoffen. Sammelbez. zur Beschreibung der verschiedenen Arten der Verformung eines *Polymer-Werkstoffs unter Einwirkung äußerer Kräfte. Je nach betrachtetem Polymer, Temp. sowie Stärke, Art u. Dauer der einwirkenden Kräfte kann man drei Verformungsarten unterscheiden, die sich z. T. überlagern können: (a) Die reversible *elast.* Verformung, – (b) die teilw. reversible *viskoelast.* Verformung u. – (c) die irreversible *viskose* Verformung; zu Details s. Thermoplaste, Schmelzelastizität, Spannungs-Dehnungs-Diagramm. – *E* deformation behavior of polymeric materials – *I* comportamento di deformazione dei materiali polimeri – *S* comportamiento de deformación de los polímeros

Vergällungsmittel. Bez. für Substanzen, die zum *Vergällen* (*Denaturieren*) bestimmter Waren benutzt werden, um diese aus steuerlichen Gründen als *Lebensmittel u. bes. Genußmittel unbrauchbar zu machen. Die V. müssen vom vergällten Stoff schwierig zu trennen sein. Bei den V. für techn. zu verwendendes *Ethanol unterscheidet man solche zur *vollständigen* Vergällung (bei Brennspiritus eine Mischung aus Aceton, Methanol u. 2-Butanon, früher statt dessen Pyridin-Basen) u.

solche zur *unvollständigen* Vergällung für industrielle Zwecke (Ether, Benzol, Chloroform, Dieselöl, Holzgeist, Campher, Petrolether, Phenol, Phthalsäurediethylester, Pyridin-Basen, Ricinusöl, Terpentinöl, Thymol, Tieröl, Toluol u. dgl.). Zum Vergällen von *Kochsalz für gewerbliche Zwecke, z. B. für *Streusalz, verwendet man z. B. Eisenoxid, Ponceau-Farbstoffe, Eosin, Soda, Mineralöle, Naphthalin, Seifenpulver u. dgl., für Viehsalz wird Eisenoxid zugesetzt. Zahlreiche Lebensmittelvergiftungen, die 1981 in Spanien nach dem Verkauf von billigem „Olivenöl" auftraten, werden darauf zurückgeführt, daß das *Olivenöl mit techn., durch *Anilin vergälltem *Rapsöl verfälscht war (s. a. Ölsyndrom, spanisches).
In einem eher therapeut. Sinne werden V. eingesetzt bei der *Sucht-Therapie. – *E* denaturants – *F* dénaturants – *I* denaturanti – *S* desnaturalizadores
Lit.: Kirk-Othmer (4.) **9**, 843 f. ▪ Ullmann (4.) **8**, 124, 136; (5.) A **9**, 643 f.; A **12**, 550.

Vergärung (Faulung). Bei der V. wird organ. Substanz, z. B. *Bioabfall, in Abwesenheit von Sauerstoff durch anaerobe Mikroorganismen abgebaut. Hierbei entsteht *Biogas, das zu ca. 50–70 Vol.-% aus Methan u. ca. 25–35 Vol.-% Kohlendioxid sowie Restgasen (z. B. Schwefelwasserstoff) besteht. Die V. ist wie die *Kompostierung ein Verf. der biolog. *Abfallbehandlung. Sie wurde in der Vergangenheit v. a. bei der *Klärschlammbehandlung zur Stabilisierung von Rohschlamm sowie bei der Behandlung organ. hochbelasteter *Abwässer eingesetzt, sie ist jedoch ebenfalls geeignet für die Behandlung strukturarmer organ. Abfälle mit hohem Wassergehalt u. hohen Anteilen leicht abbaubarer Substanzen (z. B. Obst- u. Gemüseabfälle, Speisereste, Abfälle aus der Nahrungs-, Genußmittel- u. Getränke-Ind.); Lignin-haltige Materialien, z. B. Holz, sind durch V. nicht abbaubar.
Der *anaerobe Abbau organ. Verb. läuft als sequentielle Nahrungskette ab. Im 1. Schritt erfolgt die Hydrolyse organ. Makromol., z. B. Stärke, Fette u. Proteine, in kleinere Bruchstücke (Zucker, Fett- u. Aminosäuren). In einem 2. Schritt werden die aus der Hydrolyse resultierenden Bausteine zunächst zu kurzkettigen Fettsäuren u. Alkoholen umgesetzt, die wiederum durch acetogene Bakterien in Essigsäure u. Wasserstoff umgewandelt werden (Versäuerung, Acetogenese). Im letzten Schritt erfolgt die Bildung von Biogas durch *methanogene Bakterien, wobei Essigsäure in Methan u. Kohlendioxid gespalten u. Wasserstoff u. Kohlendioxid zu Methan u. Wasser umgesetzt werden (*Methanogenese).
Das allg. Verfahrensprinzip einer V. besteht aus den Komponenten Aufbereitung, der eigentlichen V., Entwässerung u. Nachbehandlung. In der konventionellen (trockenen) Aufarbeitung findet meist eine Zerkleinerung, Homogenisierung u. Störstoffauslese (z. B. von Kunststoffen, Glas, Steinen u. Metallen) statt. Alternativ od. zusätzlich kann eine nasse Aufbereitung mit einer Störstoffabtrennung nach dem Schwimm-Sink-Verf. durchgeführt werden. Anschließend kann das Gärmaterial auf die für die V. notwendige Prozeßtemp. gebracht od. ggf. hygienisiert werden. Danach erfolgt die eigentliche V., die je nach Verf. ca. 1–3 Wochen dauert. Die verschiedenen V.-Verf. unterscheiden sich anhand der Parameter Verfahrensstufen, Prozeßtemp. u. Trockensubstanzgehalt des Gärmaterials. Bei den einstufigen Verf. finden Hydrolyse, Versäuerung u. Methanisierung gleichzeitig in einem einzigen Reaktor statt, während in zweistufigen Verf. die Methanisierung in einem separaten Behälter durchgeführt wird. Dreistufige Verf. besitzen für jede Verfahrensstufe einen eigenen Reaktor. In Abhängigkeit von der Prozeßtemp. unterscheidet man mesophile Verf. (ca. 35 °C) u. thermophile Verf. (ca. 55 °C). Ferner wird je nach Trockensubstanzgehalt der zu vergärenden Substanzen zwischen Trocken- u. Naßverf. differenziert. Trockenverf. werden mit einem Trockensubstanzgehalt von ca. 20–40% betrieben, d. h. es findet keine Anmaischung mit Prozeßwasser statt u. der Reaktorinhalt wird kaum durchmischt. Bei Naßverf. wird die Gärsubstanz mit Prozeß- od. Frischwasser zu einer pumpbaren Suspension mit einem Trockensubstanzgehalt von bis zu 15% angemaischt. Die Mehrzahl der in der Praxis angewandten Verf. sind zweistufige mesophile Naßverfahren. In zunehmendem Maße finden jedoch thermophile Verf. Anw., da bei diesen gleichzeitig eine Hygienisierung des Gärmaterials erreicht wird, während bei den mesophil betriebenen Verf. eine separate Hygienisierungsstufe erforderlich ist. Das bei der Methanisierung gebildete Biogas (ca. 100–150 m^3/t Abfall) enthält ca. 90% der Energie des abgebauten Materials u. kann zur Strom- u. Wärmegewinnung eingesetzt werden. Der verbleibende feste Gärrückstand wird entwässert u. kann danach ggf. direkt als Frischkompost in der Landwirtschaft eingesetzt werden; in der Regel schließt sich jedoch eine meist mehrwöchige aerobe Nachrotte an, bei der die schwerer zersetzliche organ. Substanz abgebaut u. ein Fertigkompost erzeugt wird. Ist eine Verwertung als *Kompost nicht möglich, muß das Material deponiert werden. Insgesamt lassen sich durch V. u. Nachkompostierung ca. 70 Gew.-% des organ. Materials abbauen, wobei sich die ursprüngliche Masse auf etwa ein Viertel verringert. – *E* anaerobic digestion – *F* fermentation – *I* digestione anaerobica, fermentazione anaerobica – *S* fermentación anaeróbica
Lit.: Abfallwirtschafts-J. **7**, Nr. 6, 377–382 (1995) ▪ Entsorgungspraxis **12**, Nr. 11, 21–27 (1994); **13**, Nr. 5, 22–25 (1995) ▪ Müll-Handbuch, Loseblatt-Sammlung, Kz: 5920, Berlin: E. Schmidt ▪ Müll u. Abfall **25**, Nr. 5, 375–386 (1993).

Vergasung. Im allg. Sinne Bez. für die Überführung eines festen Soffes in den gasf. Zustand durch Zufuhr der notwendigen Umwandlungsenergie. In der Technik versteht man unter V. die Erzeugung von *Brenngasen, *Stadtgas, *Generatorgas, *Synthesegas, *Wassergas, *Holzgas etc. aus festen Brennstoffen wie Steinkohle, Braunkohle u. Koks (z. B. *Kohlevergasung), aber auch von Torf u. Holz, Erdöl u. a. Kohlenwasserstoffen. Die V. erfolgt in speziellen Reaktoren, z. B. in der *Wirbelschicht, im allg. mit Hilfe von Luft od. Sauerstoff u. Wasserdampf unter Druck bei erhöhten Temperaturen. Auch bei der *Schwelung, insbes. von Braunkohle, findet eine teilw. V. statt. Verf. zur *Kohlevergasung u. zur verwandten *Kohleverflüssigung gewinnen in neuerer Zeit wegen der abzusehenden Verknappung von Erdöl u. Erdgas ebenso Bedeu-

Vergiftung

tung wie die Erzeugung von *Biogas aus Biomasse. – *E* gasification – *F* gazéification – *I* gassificazione – *S* gasificación

Lit.: Kirk-Othmer (3.) **S**, 194–215 ▪ Ullmann (5.) **A7**, 203; **A12**, 172, 214; **A13**, 314 ▪ s. a. Kohleveredlung.

Vergiftung (Intoxikation). Die schädliche Einwirkung von außen zugeführter (exogener = allothigener) od. selbst gebildeter (endogener = authigener) *Gifte auf einen Organismus, im weiteren Sinn auch das dadurch verursachte Krankheitsbild, die Toxikose od. Toxikonose; s. a. Gifte. – *E* poisoning, intoxication – *F* intoxication – *I* avvelenamento, intossicazione – *S* intoxicación

Lit.: Horath, Gefährliche Stoffe u. Zubereitungen (5.), S. 279–283, Stuttgart: Wissenschaftliche Verlagsges. 1997.

Verglasung s. radioaktive Abfälle.

Vergleichbarkeit s. Reproduzierbarkeit.

Vergleichselektrode (Bezugselektrode). Potentialdifferenzen zwischen zwei benachbarten Phasen lassen sich nicht messen, jedoch die Potentialsprünge Elektrode/Lsg. in einer elektrochem. Kette (zwei *Elektroden in einer *Elektrolyt-Lsg.). Um einen Bezugswert für verschiedene Phasen zu haben, ist eine der beiden Elektroden eine sog. V., deren Potentialdifferenz relativ zur Elektrolyt-Lsg. eindeutig definiert ist; s. a. Spannungsreihe. – *E* reference electrode – *F* électrode étalon – *I* elettrodo di riferimento – *S* electrodo de referencia

Vergleichsprobe s. Probe.

Vergolden. Sammelbez. für das Aufbringen dünner Überzüge von *Gold auf Unterlagen aus billigeren, goldfreien Materialien. Das V. dient nicht nur dekorativen Zwecken, z. B. bei der Herst. von Schmuck, Kunstgegenständen, Tafelbesteck etc., sondern auch elektrotechn. Zwecken, z. B. bei der Herst. korrosionsfreier niederohmiger Kontakte in gedruckten Schaltungen u. a. elektron. Elementen. Folgende Beschichtungsvorgänge werden als V. bezeichnet:
1. *Polimentvergoldung:* Aufkleben von sehr dünnem Blattgold auf eine geglättete Unterlage. – 2. *Plattieren:* Aufwalzen dünner Gold-Schichten auf eine Unterlage aus *Tombak. – 3. *Feuervergoldung:* Hierzu verwendet man Lsg. von Gold in Quecksilber u. läßt das Quecksilber verdampfen, s. Amalgame. – 4. *Stromloses V. (Sudverf.):* Metallgegenstände (Kupfer, Messing, Tombak) werden in heiße wäss. alkal. od. saure Lsg. von Gold-Salzen getaucht. – 5. *Kontaktvergoldung:* Mit Hilfe eines unedlen Metalles (z. B. Zn, Al, Fe) wird Gold elektrolyt. aus einer wäss. Gold-Salz-Lsg. abgeschieden. Dieses Verf. wird beim V. von Massenartikeln (z. B. Stahlschreibfedern) häufig angewendet. – 6. *Glanzgold-Präp.:* V. von Porzellan od. Glas mit Gemischen von Gold-Resinaten in organ. Lsg., unter Zusatz von Glaspulver od. Resinaten solcher Metalle, die unter oxidierenden Bedingungen *Glasur-Gemische ergeben. – 7. *Galvan. Vergoldung:* Unter Gleichstrom mit Anoden aus Au od. Pd wird Gold aus wäss. Lsg. auf metall. Teile abgeschieden. Auf Kupfer u. -Leg. direkt möglich, bei Eisen, Nickel, Zinn, Zink u. Blei empfiehlt es sich, vorher zu vermessingen. – 8. *Aufdampfen:* Herst. von Au-Schich-

ten im Vak. auf Halbleiterchips für die Elektronik. Da reine Gold-Schichten sehr weich sind, bevorzugt man heute für das techn. V. die gleichzeitige Abscheidung von Gold u. Kupfer od. a. Leg.-Metallen. – *E* gilding – *F* dorer, dorage – *I* doratura, indorare – *S* dorado

Lit.: Kirk-Othmer (4.) **9**, 205ff., 278ff., 422ff.; **16**, 258ff., 300ff. ▪ Ullmann (5.) **A9**, 153f., 169f., 270f. ▪ s. a. Gold u. Galvanotechnik.

Vergrämungsmittel. Physikal., chem. od. biolog. Mittel bzw. Verf., die Tiere vergrämen sollen, d. h. ihnen den Aufenthalt an bestimmten Orten (z. B. Obstplantagen, Flugplätze) unattraktiv zu machen, um Einflüsse bzw. Schäden bei der menschlichen Nutzung (Obstfraß, Vogelschlag an Flugzeugen) zu verringern od. auszuschließen; s. a. Repellientien, Rodentizide u. Wildverbißmittel.

Vergrauen. Bez. für eine Graufärbung von Textilgut beim Waschen od. *chemisch Reinigen durch Wiederaufziehen von vorher losgelöstem Schmutz in feinerer Verteilung (Redeposition), wahrscheinlich ausgelöst durch elektrostat. Kräfte. Moderne Vollwaschmittel enthalten daher sog. *Vergrauungsinhibitoren*, s. Waschmittel. – *E* graying [USA], greying [GB] – *I* diventare grigio – *S* engrisamiento

Vergrauungsinhibitoren s. Waschmittel.

Vergüten. 1. In der *Metallurgie eine Kombination von Wärmebehandlungsverf. (Härten, Anlassen) von *Stählen zum Erzielen erwünschter Eigenschaftskombinationen von Festigkeit u. Zähigkeit. Basis für das V. ist die Möglichkeit des Stahls zur *Umwandlungshärtung. – 2. In der Glastechnik Bez. für ein Verf. zur *Entspiegelung*, d. h. zur Verminderung der *Reflexion von Glasflächen; s. a. Reflexion u. Glas. – *E* quenching and annealing – *F* 1. trempe et revenu, 2. traitement antireflet – *I* 1. affinaggio, trattamento termico, bonifica – *S* 1. bonificado, temple y revenido, 2. tratamiento antirreflejos

Lit.: Bergmann, Werkstofftechnik, Tl. 1, S. 191ff., München: Hanser 1984 ▪ Winnacker-Küchler (4.) **4**, 176ff.

Verguẞmassen s. Kabelverguẞmassen.

Verhakungsnetzwerk s. Schmelzelastizität.

Verharzung. Bez. für die Bildung dunkler, schwer- bis unlösl., *Harz-artiger Massen, die häufig durch *Autoxidation od. ungesteuerte *Polymerisationen u. *Kondensationen insbes. bei Reaktionen von Carbonyl- u. ungesätt. Verb. entstehen u. in der Regel unerwünscht sind, da sie die Ausbeute vermindern, den Prozeß unübersichtlich gestalten u. die Reinigung erschweren. Das bei der Dest. von *Teer, insbes. *Steinkohlenteer, als Rückstand verbleibende *Pech ist ebenfalls ein V.-Produkt. Die gesteuerte V. reaktionsfähiger *Monomerer führt dagegen zu den vielseitig verwendbaren *Kunstharzen. – *E* resinification – *F* résinification – *I* resinificazione – *S* resinificación

Verholzung s. Lignin u. vgl. Wiesner-Reagenz.

Verhüttung. Bez. für die Verarbeitung von *Erzen auf ihre verwertbaren Bestandteile.

Veriflux®. Edelmetall-Leg. u. -lote, Schmelz-, Fluß- u. Lötmittel für Dentalzwecke. *B.:* Degussa-Hüls.

Verkalken. 1. In der *Phlogiston-Theorie Bez. für die Oxid. von Metallen einschließlich des Rostens. – 2. In der Physiologie des Binde- u. Stützgewebes Bez. für den Einbau von Calcium-Salzen in die Knochen (Calcifikation, Ossifikation). – 3. Bei *Fossilien Bez. für die *Mineralisation (*Versteinerung, Fossilisation*) in Form von Calciumcarbonat. – 4. Umgangssprachlicher Ausdruck für den Prozeß der *Arteriosklerose („Arterienverkalkung"). – 5. Umgangssprachlich für *Kalkinkrustationen* (*Kalkabscheidungen*). In Leitungen od. Behältern mit Carbonat-haltigen Wässern (Carbonat-Härte, s. Härte des Wassers) können sich aufgrund eines zu niedrigen Gehaltes an freier Kohlensäure Ablagerungen von Carbonaten (hauptsächlich Calcium- u. Magnesiumcarbonat) entsprechend dem *Kalk-Kohlensäuregleichgew.* (Carbonat-Hydrogencarbonat-Gleichgew.) bilden.

$$Ca(HCO_3)_2 \rightleftarrows CaCO_3 + CO_2 + H_2O$$

Wird durch Maßnahmen der Wasseraufbereitung od. durch Erwärmung der Gehalt an gelöstem Kohlendioxid verringert, verschiebt sich das Gleichgew. nach rechts u. das schwerlösl. Carbonat fällt aus. Die Folgen sind Querschnittsverengungen bis hin zur Verstopfung, Beeinträchtigung des Wärmeübergangs in wärmeaufnehmenden od. -abgebenden Bauteilen sowie ein gleichzeitiger örtlicher Korrosionsangriff unter der Ablagerung. – E = F 2., 3. calcification – I 1. calcinazione, 2., 5. calcificazione, 3. fossilizzazione, 4. arteriosclerosi – S 2., 3. calcificación

Lit. (zu 5.): Beneke, Lexikon der Korrosion u. des Korrosionsschutzes, Essen: Vulkan 1992 ∎ Höll, Wasser: Untersuchung, Beurteilung, Aufbereitung, Chemie, Bakteriologie, Virologie, Biologie (7.), Berlin: de Gruyter 1986.

Verkappung. Unspezif. Bez. für die chem. Umwandlung der Endgruppen von *Makromolekülen mit dem Ziel, durch diese ausgelöste Störungen bei Verarbeitung u. Gebrauch od. während der Charakterisierung der Polymeren (z.B. Assoziatbildung) zu vermeiden. – E end-capping – I mascheramento

Verkaufsverpackung s. Verpackungsabfälle.

Verkehrsbereich. Als V. im Sinne des *Arbeitsschutzes wird in der Regel die begehbare od. befahrbare Bodenfläche sowie der Raum unmittelbar über der Bodenfläche in der Nähe von Einrichtungen bezeichnet, von denen eine Gefahr ausgehen kann. Der V. hat Bedeutung für die Absicherung von Gefahrstellen durch Schutzeinrichtungen. Abhängig von der Art der Einrichtung wird der V. unterschiedlich definiert u. insbes. gelten unterschiedliche Regeln für Sicherheitsabstände, die zur Vermeidung von Gefährdungen einzuhalten sind. Beispielsweise ist der V. im Sinne der *Unfallverhütungsvorschrift „Kraftbetriebene Arbeitsmittel (VBG 5)" der Bereich an einem kraftbetriebenen Arbeitsmittel, der durch Personen von Arbeitsplätzen od. Verkehrswegen aus erreicht werden kann. Für die Festlegung der Grenzen des V. sind die Maße nach DIN 31001-1: 1983-04 einzuhalten.
Gefahrstellen an kraftbetriebenen Maschinen, Gefahrquellen u. gefahrbringende Bewegungen, die von diesen Maschinen ausgehen, müssen innerhalb des V. so gesichert sein, daß Personen nicht erreicht u. verletzt werden können. Eine Sicherung wird erreicht durch Schutzeinrichtungen (z.B. Verkleidungen) od. Einrichtungen mit Schutzfunktion (z.B. Kontaktleisten). Findet im V. Personen- u. Fahrzeugverkehr statt, muß der *Verkehrsweg so breit sein, daß außer der Fahrzeugbreite ein ausreichender Freiraum für die Personen gegeben ist.
Nach der Sicherheitsregel für Schienenhängebahnen (ZH 1/72) sind V. ständige Verkehrswege für Personen, wobei als Verkehrswege für Personen solche Bereiche bezeichnet werden, die dem Personenverkehr dienen. Verkehrswege u. Arbeitsplätze können sich überschneiden. Auch die Zugänge zu ständigen Arbeitsplätzen sind danach Verkehrswege. – E traffic area – I ambito del traffico – S zona de circulación o de tráfico

Lit.: Kraftbetriebene Arbeitsmittel (VBG 5) vom 01.10.1985, in der Fassung vom 01.01.1993 ∎ Sicherheitsregeln für Schienenhängebahnen (ZH 1/72), 10/1983.

Verkehrsweg. V. sind Bereiche, die dem Personenverkehr od. dem *Transport von Gütern dienen. V. u. Arbeitsplätze können sich überschneiden. Auch die Zugänge zu Arbeitsplätzen sind Verkehrswege.
Es ist zu unterscheiden zwischen öffentlichen u. nichtöffentlichen Verkehrwegen. Im Sinne des *Arbeitsschutzes kommt dem nichtöffentlichen V. bes. Bedeutung zu. Es wird weiter unterschieden zwischen V. in Gebäuden, V. in nicht allseits umschlossenen Räumen u. V. auf dem Betriebsgelände im Freien. Des weiteren ist zu unterscheiden zwischen V. nur für Fahrzeuge, nur für Personen u. V. für Personen u. Fahrzeuge. Schließlich werden auch Treppen, Fahrtreppen u. geneigte Ebenen den V. zugerechnet. Je nach Art, Lage u. Benutzungsart werden an V. unterschiedliche Anforderungen bezüglich Anzahl u. Beschaffenheit, Gesundheitsschutzkennzeichnung u. Beleuchtung gestellt.
V. müssen so beschaffen u. bemessen sein, daß sie je nach ihrem Bestimmungszweck sicher begangen od. befahren werden können u. neben den Wegen beschäftigte Personen durch den Verkehr nicht gefährdet werden.
V. für kraftbetriebene od. schienengebundene Beförderungsmittel müssen so breit sein, daß zwischen der äußeren Begrenzung der Beförderungsmittel u. der Grenze des V. ein Sicherheitsabstand von mind. 0,5 m auf beiden Seiten des V. vorhanden ist.
V. für Fahrzeuge müssen in einem Abstand von mind. 1 m an Türen u. Toren, Durchgängen, Durchfahrten u. Treppenaustritten vorbeiführen.
Übliche Breite von Wegen: Nur zur Überwachung >0,4 m, einfacher Gang >0,75 m, Regalgang >1,10 m, Personenverkehr >1,25 m, Gegenverkehr je nach Art z.B. 2×Fahrzeugbreite + 2×0,5 m Sicherheitsabstand + 0,40 m Begegnungszuschlag. – E traffic route – I strada del traffico, via del traffico – S vía o línea de comunicación o de tráfico

Lit.: „Arbeitsstättenverordnung" ZH 1/525 (Arbeitsstätten-VO – ArbStättV) vom 20.03.1975 (BGBl. I, S. 729), geändert durch die Erste VO zur Änderung der Arbeitsstätten-VO vom 02.01.1982 (BGBl. I, S. 1) u. die VO zur Verbesserung der Ausbildung Jugendlicher vom 01.08.1983 (BGBl. I, S. 1057) ∎ Regeln für Sicherheit u. Gesundheitsschutz an Arbeitsplätzen mit künstlicher Beleuchtung u. für Sicherheitsleitsysteme ZH 1/190, 10/1996 ∎ UVV „Allgemeine Vorschriften"

Verkieselung

(VBG 1), 04/1977 in der Fassung vom 01.07.1991 ▪ UVV „Sicherheits- u. Gesundheitsschutzkennzeichnung am Arbeitsplatz" (VBG 125).

Verkieselung s. Fossilien.

Verkiesung s. Fossilien u. Pyrit.

Verklappung. Als V. od. Dumping bezeichnet man das vorsätzliche Einbringen von festen od. flüssigen *Abfällen in die Hohe See durch Schiffe od. Flugzeuge; es handelt sich somit um eine Sonderform der *Abfallbeseitigung. Gelegentlich wird auch das indirekte Einbringen od. Einleiten von Stoffen ins Meer, z.B. die Verbrennung hochchlorierter Kohlenwasserstoffe auf Verbrennungsschiffen, unter dem V.-Begriff miterfaßt. Aus der BRD wird heutzutage noch Baggergut (aus der Ausbaggerung von Binnengewässern u. Häfen) in die Nordsee verklappt. Die früher übliche V. von Industrieabfällen, v.a. *Dünnsäure u. *Grünsalz aus der Titandioxid-Produktion, wurde ebenso wie die Verbrennung halogenierter Kohlenwasserstoffe auf Hoher See 1989 eingestellt. – *E* dumping – *F* décharge, déversement – *I* scarico dei rifiuti iin corsi d'acqua – *S* descarga, vertido

Lit.: Birn u. Jung, Abfallbeseitigungsrecht für die betriebliche Praxis, Loseblatt-Ausgabe, 1/94, 18/302, Augsburg: WEKA (Loseblattsammlung) 1994.

Verknüpfungsname s. Konjunktionsname.

Verkochen s. Diazonium-Verbindungen.

Verkohlung s. Carbonisieren.

Verkokung s. Koks u. Schwelung.

Verkupfern. Im engeren Sinne Bez. für die Erzeugung dünner Kupfer-Schichten auf unedleren Metallen wie Zn, Fe od. auf Leg. wie Messing mit Hilfe der *Galvanotechnik. Auch für die *Kunststoff-Metallisierung durch V. werden meist galvan. Meth. angewandt, s. Kunststoff-Galvanisierung. Als Anodenmaterial dient im allg. *Elektrolytkupfer.

Saure Bäder eignen sich hauptsächlich zum V. von Messing u. zur Verstärkung bereits vorhandener Cu-Schichten (schwefelsaure $CuSO_4$-Lsg.).

Cyanid. Bäder werden wegen ihrer einebnenden Wirkung u. chem. Neutralität bes. zum direkten V. von Zn u. Fe, z.B. zur Erzeugung von ersten Schichten für die anschließende Abscheidung von Ni u. Cr eingesetzt. Die Bad-Flüssigkeit kann CuCN, NaCN, $K_3[Cu(CN)_4]$ od. KCN enthalten.

Diphosphat-Bäder haben ebenfalls eine gut einebnende Wirkung u. sind bei annähernd neutralen pH-Werten bes. zum V. von gedruckten Schaltungen, Zinkdruckguß u. für die Galvanoplastik geeignet, wobei man ggf. noch sog. *Glanzzusätze* wie Thioharnstoff zusammen mit organ. Kolloiden u. Netzmitteln beifügt. Ein ebenfalls elektrochem. Verf. ist die sog. *Cuprodekapierung*, bei der gleichzeitig mit dem *Dekapieren eine dünne Cu-Schicht abgeschieden wird, die eine gute Haftung der nachfolgend elektrolyt. aufgebrachten Metallüberzüge bewirkt.

Bei dem *stromlosen V.* taucht man Gegenstände aus Stahl in schwefelsaure Kupfersulfat-Lösung. Die dabei erzeugten dünnen Cu-Schichten kann man anschließend durch Rollieren mit Sägemehl polieren (*Zementation; Herst. von Zementkupfer).

Für kompliziert geformte Werkstücke, Elektronikteile usw. sind zum V. chem. Red.-Bäder geeignet, d.h. alkal. Komplexbildner enthaltende Lsg., aus denen Cu durch Formaldehyd etc. als Red.-Mittel abgeschieden wird. Diese Meth. werden auch zur Erzeugung von Erstschichten für die *Kunststoff-Galvanisierung praktiziert. Im weiteren Sinne umfaßt V. alle Verf., bei denen ein Schichtverbund (*Verbundsystem) von Kupfer mit anderen Werkstoffen erzielt wird. So lassen sich Stahlbleche durch Aufwalzen dünner Kupferfolien od. durch *Metallspritzverfahren plattieren. – *E* coppering – *F* cuivrer, cuivrage – *I* ramatura, ramare – *S* cobreado, encobrado

Lit.: Dettner u. Elze (Hrsg.), Handbuch der Galvanotechnik, Bd. 2, S. 23 ff., 524 ff., 711 ff., 744 ff., München: Hanser 1966 ▪ Kirk-Othmer (4.) **9**, 205 ff., 233 ff., 278 ff.; **16**, 259 ff.; **23**, 326 ff. ▪ Ullmann (5.) **A 9**, 151 ff., 164 f., 271 f. ▪ Winnacker-Küchler (4.) **4**, 678 f. ▪ s.a. Galvanotechnik, Kupfer.

Verlackung s. Farblacke.

Verlaufmittel (Ausgleichsmittel). Bez. für Zusatzstoffe zu *Anstrichstoffen, insbes. *Lacken, die das *Verlaufen* (s. DIN 55945: 1996-09) eines Anstrichs fördern, d.h. dessen Fähigkeit, beim Auftragen entstehende Unebenheiten, Streifen, Blasen, Krater, „Orangenschalenstruktur", „Nadelstiche" etc. auszugleichen. Als V. eignen sich Glykole u. Glykolether, Siliconöle, Acrylatcopolymere, Ester, Ketone u. Terpen-Lsm. mittlerer bis hoher *Verdunstungszahl. – *E* leveling agents – *F* produits nivelants, d'étalement – *I* agente livellante – *S* agentes nivelantes

Lit.: Encycl. Polym. Sci. Eng. **7**, 251; **S**, 81 f. ▪ Gatz (Hrsg.), Lexikon der Anstrichtechnik, 8. Aufl., Bd. 1, S. 291, München: Callwey 1987 ▪ Römpp Lexikon Lacke u. Druckfarben, S. 602 ▪ Ullmann (4.) **15**, 595, 676 f.; (5.) **A 18**, 366.

Verlustfaktor, Verlustmodul s. dielektrischer Verlustfaktor u. Viskoelastizität.

Verlustspektroskopie s. Elektronenspektroskopie u. Oberflächenanalyse-Methoden.

Vermehrungsfaktor s. Kernreaktoren.

Vermeil. Von latein.: vermiculus = Würmchen, *Kermesschildlaus abgeleitetes französ. Adjektiv mit der Bedeutung „rot, hochrot". In übertragenem Sinne ist V. eine poet. Bez. für 1. Zinnober (*Vermillon*), – 2. feuervergoldete Silber- u. Bronzewaren u. – 3. ist V. ein Juwelierausdruck für eine hochrote Granatsorte mit Stich ins Honiggelbe (in diesem Falle auch *Vermeille* geschrieben). – *E* = *I* = *S* vermeil

Vermiculit. Zu den Dreischicht-(2:1-)*Phyllosilicaten gehörendes, *Glimmer-ähnliches (Ton-)Mineral; etwa $(Mg,Al,Fe)_3[(Si,Al)_4O_{10}(OH)_2]Mg_x(H_2O)_n$, mit 0,9 > x > 0,6 (Bailey, *Lit.*). Si in den Tetraederschichten kann z.T. durch Al u. Fe^{3+}, Mg in den Oktaeder-Schichten z.T. durch Al, Fe^{3+}, untergeordnet auch Fe^{2+} (*Lit.*[1]) ersetzt sein; des weiteren kann V. Ti, Ni, Cr, Zn u. Mn als Spurenelemente enthalten. Zur Untersuchung von V. mit *Mössbauer-Spektroskopie s. *Lit.*[2]. Die neg. Ladung x der Dreischicht-Pakete von 0,9 > x > 0,6 je Formeleinheit wird ausgeglichen durch zwischen den Schichtpaketen eingebaute, leicht untereinander u. gegen Rb, Cs, Li, NH_4 u. gegen organ. Verb. wie Anilin[3] austauschbare Kationen, v.a. Mg, aber auch Ca, Na u.

K. Oxid. von Fe^{2+} zu Fe^{3+} auf den Oktaeder-Plätzen führt zu einer Verringerung der Zwischenschicht-Ladung. Die Schichtladung kann auch direkt durch Aufnahme von Protonen an strukturelle OH-Gruppen verringert werden. Zwischen den Silicat-Schichten befinden sich 1–2 Wasserschichten; V. ist *quellfähig*. Zur Entwässerung (Dehydration) von V. s. *Lit.*[4].
Von V. gibt es neben den überwiegenden *trioktaedr.* (s. Glimmer) Abarten auch *dioktaedr.* Varietäten, die v. a. in Böden als *Tonmineralien vorkommen. Wegen der hohen Schichtladung kontrahieren die V. bei Zugabe von Kalium auf einen Schichtabstand von 1 nm (10 Å), d. h. sie werden zu *Illiten u. tragen daher zur sog. Kalium-Fixierung in Böden bei. Substitutionen u. unterschiedliche Stapelfolgen der Schichtpakete führen zu einer Vielzahl überwiegend monokliner, geordneter bis völlig ungeordneter Struktur-Varianten von V., s. Bailey (*Lit.*) u. *Lit.*[5,6].
V. bildet matte u. perlmutt- bis bronzeartig glänzende, bronze- bis gelblichbraune od. grünliche bis tiefgrüne Blättchen, Flocken, Platten u. Tafeln (bis über 10 cm groß) sowie submikroskop. feinkörnige Aggregate mit Teilchengrößen <2 μm. H. ca. 1,5, D. ca. 2,2–2,6, vollkommen spaltbar. V. ist häufig mit *Phlogopit, Biotit od. Hydrobiotit verwachsen, aus denen er durch *Verwitterung u./od. durch Einwirkung hydrothermaler Lsg. u./od. zirkulierender Grundwässer entsteht; er kann sich auch aus *Chloriten, *Pyroxenen od. ähnlichen Mineralien bilden. Im Gegensatz zu Chloriten läßt sich V. mit *n*-Alkylammonium-Ionen (z. B. *n*-Butylammonium, *Lit.*[7]) aufweiten[8]. Die röntgenograph. Identifizierung von V. neben *Smektiten ist v. a. durch Quellung mit Glycerin möglich; zur Identifizierung von V. mit dem Transmissions-*Elektronenmikroskop s. *Lit.*[9]. Eine Abart von V. ist der *Jefferisit* aus den USA. Beim raschen Erhitzen auf über 850 °C bläht V. sich z. T. Würmchen-förmig (latein.: vermiculus, Name!) bis auf das 30-fache seines Ausgangsvol. auf. Der erhitzte, aufgeblätterte („expandierte") V. hat ein Litergew. von nur 75–200 g, eine Wärmeleitzahl von nur 0,17–0,25 kJ/mhk u. ist bis 1100 °C beständig.
Vork.: Mehr als 90% der Weltförderung an V. kommen aus den USA (Montana, Virginia u. South Carolina) u. Südafrika (Palabora in Transvaal); weitere Vork. gibt es in Spanien, Frankreich, Malawi, Kenia u. Rußland (Kovdor/Kola-Halbinsel).
Verw.: V. a. im expandierten Zustand; z. B. in der Bau-Ind. als *Schalldämmstoff, *Wärmedämmstoff u. Kältedämmstoff u. als *Betonzuschlag; als Verpackungsmaterial zum Stoß- u. Wärmeschutz sowie zum Aufsaugen von Flüssigkeiten bei Gefäßbruch; in der Metallurgie als Wärmeschutz; zur Steuerung des Wasserhaushaltes u. zur Speicherung von Nährstoffen bei der Kultur von Garten- u. Zimmerpflanzen; als Kationenaustauscher, u. a. zur Entfernung von radioaktiven ^{137}Cs-Ionen aus Kernbrennstoff-Abbränden; als Adsorbens. – *E* = *F* = *I* vermiculite – *S* vermiculita
Lit.: [1] Neues Jahrb. Mineral., Monatsh. **1988**, 297–308. [2] Clays Clay Miner. **39**, 467–477 (1991). [3] Clays Clay Miner. **35**, 177–188 (1987). [4] Clays Clay Miner. **39**, 174–183 (1991); **40**, 335–340 (1992). [5] Spektrum Wiss. **1979**, Nr. 6, 64–70. [6] Clays Clay Miner. **36**, 481–490 (1988). [7] Clay Miner. **30**, 187–194 (1995). [8] Clays Clay Miner. **40**, 240–245 (1992). [9] Clay Miner. **27**, 185–192 (1992).

allg.: Bailey (Hrsg.), Hydrous Phyllosilicates (2.) (Reviews in Mineralogy, Vol. 19), S. 455–496, Washington (D. C.): Mineralogical Society of America 1991 ▪ Harben u. Bates, Industrial Minerals, Geology and World Occurrence, S. 295–298, London: Industrial Minerals Division of Metal Bulletin Plc 1990 ▪ Jasmund u. Lagaly (Hrsg.), Tonminerale u. Tone, Darmstadt: Steinkopff 1993 ▪ Scheffer u. Schachtschabel, Lehrbuch der Bodenkunde (14.), S. 13 f., 16 f., 41, Stuttgart: Enke 1998 ▪ Ullmann (5.) A **7**, 112. – *[HS 2530 10; CAS 1318-00-9]*

Vermifuga s. Anthelmintika u. Würmer.

Vermillon s. Vermeil.

Vermischung. Nach § 2 Abwasserverordnung[1] (s. a. Rahmen-Abwasserverwaltungsvorschrift) die Zusammenführung von Abwasserströmen unterschiedlicher Herkunft. Sind Anforderungen für den *Ort des Anfalls von *Abwasser festgelegt, ist eine V. erst zulässig, wenn diese Anforderungen für die Teilströme eingehalten werden. Jedoch darf eine V. zum Zwecke der gemeinsamen Behandlung zugelassen werden, wenn insgesamt mind. die gleiche Verminderung der *Schadstoff-Fracht erreicht wird. – *E* mixing – *F* mélange – *I* miscelazione – *S* mezcla
Lit.: [1] Verordnung über Anforderungen an das Einleiten von Abwasser in Gewässer (Abwasserverordnung, AbwV) vom 21.3.1997, BGBl. I, S. 566 (1997).

Vermischungsverbot (Getrennthaltungsgebot). *Abfälle dürfen grundsätzlich nicht vermischt werden. Verwertbare Abfallfraktionen sind von nicht verwertbaren Fraktionen getrennt zu halten, Abfälle mit bes. Schadstoffgehalt müssen ebenfalls von anderen Abfällen getrennt gehalten u. getrennt entsorgt werden. Durch diese vom Gesetzgeber vorgegebenen Regelungen soll einerseits sichergestellt werden, daß die Verwertbarkeit eines Abfalls nicht durch Vermischen mit anderen Abfällen erschwert wird, andererseits soll eine Minderung der Schadstoffkonz. eines Abfalls durch Verdünnung mit weniger schadstoffhaltigen Abfällen verhindert werden. Ausnahmen vom V. sind möglich, wenn aufgrund der gewählten Entsorgungstechnik eine Vermischung erforderlich ist. Beisp. des V.: s. Altöl-Verordnung u. HKW-Verordnung. – *E* mixing prohibition – *F* interdiction de mélange – *I* divieto di mescolamento – *S* prohibición de mezcla

Vermizide s. Anthelmintika u. Würmer.

Vermouth. Engl. Bez. für *Wermutwein*, die heute auch in der BRD üblich ist.
Rechtliche Beurteilung: Bei V. od. Vermouthwein handelt es sich nach Artikel 2, Absatz 2a der VO (EWG) 1601/91[1] um einen „aromatisierten Wein" (od. „Wein-Aperitif"), dessen charakterist. Aroma durch die zwingend vorgeschriebene Verw. von Stoffen, die aus *Artemisia*-Arten gewonnen werden, erzielt wird. Zur Süßung sind nur karamelisierter Zucker, *Saccharose, *Traubenmost (auch konz.) u. *rektifiziertes Traubenmostkonzentrat zugelassen. Der vorhandene Alkoholgehalt muß zwischen 14,5 u. 22% vol liegen. Die Verw. von Wermutkraut (Herba Absinthii) ist nach Anlage 1 der Aromen-VO[2] zulässig, während die Verw. von Wermutöl unzulässig ist.
Herst.: Wermutkraut u. andere Kräuter (*Thymian, *Enzian) werden in Grundweinen mit Likörweincharakter unter Zusatz von *Zucker u. *Zuckercouleur

mazeriert, 2 Wochen kühl gelagert u. filtriert. Zur Belastung mit *Urethan s. *Lit.*³.

Kennzeichnung: Die Bez. *bianco* od. *rosso* beziehen sich nicht auf die Farbe der im Grundwein verwendeten Weintrauben, sondern auf die Farbe der Kräutermischung. *V. de Torino* ist nach VO (EWG) 1601/91¹, Artikel 6, Absatz 2 u. Anhang II als Herkunftsbez. dem aus Turin stammenden Erzeugnis von bes. Qualität vorbehalten; s. a. Absinth u. Wermut. – *E = F* vermouth – *I = S* vermut

Lit.: ¹ VO (EWG) 1601/91 des Rates zur Festlegung der allgemeinen Regeln für die Begriffsbestimmung, Bez. u. Aufmachung aromatisierter weinhaltiger Getränke u. aromatisierter weinhaltiger Cocktails vom 10.6.1991 in der Fassung vom 8.10.1996 (ABl. der EG Nr. L 277/1). ² Aromen-VO vom 22.12.1981 in der Fassung vom 20.12.1993 (BGBl. I, S. 2304). ³ Bull. Environ. Contam. Toxicol. **41**, 823–837 (1988).
allg.: Belitz-Grosch (4.), S. 838 ▪ Würdig u. Woller, Chemie des Weines, S. 742 f., Stuttgart: Ulmer 1989 ▪ Zipfel, A 402z; C 61 *1*, 21; C 403 *31*, 9; *32*, 6; *34*, 5; *52*, 15. – *[HS 2205 10, 2205 90]*

Vermox® (Rp). Tabl. mit *Mebendazol gegen Oxyuren, Askariden u. a. Würmer sowie Trichinen (*V. forte*). **B.:** Janssen-Cilag.

Vernebeln s. Nebel u. Zerstäuben.

Vernel®. Flüssiges Wäscheweichspülmittel in verschiedenen Duftnoten zur Verbesserung des Wäschegriffs, der antistat. Eigenschaften, zur Bügelerleichterung u. Wäscheschonung auf Basis kationaktiver Substanzen. **B.:** Henkel.

Vernetzer s. Vernetzung.

Vernetzte Polymere s. Vernetzung.

Vernetzung. In der makromol. Chemie Bez. für Reaktionen (*V.-Reaktionen*), bei denen viele zunächst noch lösl., lineare od. verzweigte *Makromoleküle miteinander zu dreidimensionalen, unlösl. u. nur noch quellbaren *polymeren Netzwerken (*vernetzte Polymere, Netzpolymere*) verknüpft werden. V. ist möglich durch Ausbildung von kovalenten u. nichtkovalenten (koordinativen, ion., physikal., salzartigen) Bindungen. Sie kann direkt beim Aufbau der Makromol. [z. B. bei *radikalischen Polymerisationen unter (Mit-)Verw. von *Monomeren mit zwei Vinyl-Funktionalitäten (*vernetzende Copolymerisation*) bzw. bei *Polyadditionen bzw. *Polykondensationen unter Beteiligung von Monomeren mit einer Funktionalität >2] erfolgen. V. ist aber auch durch Reaktionen an vorgebildeten, in der Regel funktionelle Gruppen enthaltenden (Pre-)-Polymeren durchführbar. Diese können Selbstvernetzer sein, d. h. bei Wahl geeigneter Bedingungen miteinander reagieren, od. aber mit zusätzlichen bi- u. polyfunktionellen (niedermol.) Reagenzien (Vernetzer, V.-Mittel) vernetzend umgesetzt werden. Beisp. für *Selbstvernetzer* sind u. a. Phenol-Formaldehyd-Harze (s. Phenol-Harze), deren Mol. unter Kondensation der Methylol-Gruppen vernetzen. In diese Kategorie sind aber auch Polymere einzuordnen, die unter Einwirkung von z. B. energiereicher Strahlung (*E radiation cross-linking*) bzw. Peroxiden in miteinander reagierende *Makroradikale überführt werden. Über funktionelle Gruppen selbstvernetzende Polymere können wie in der Abb. dargestellte Netzwerke ausbilden.

lineare Polymere   vernetzte Polymere

Abb.: Schemat. Darst. der Selbstvernetzung über funktionelle Gruppen.

V. unter Einsatz von *V.-Mitteln* ist in der makromol. Chemie weit verbreitet. Zu ihr gehört u. a. die *Vulkanisation von *Kautschuk (z. B. mit Schwefel), die Härtung von *Epoxidharzen (s. Härtung von Kunststoffen) mit Aminen od. die von Hydroxy-Gruppen enthaltenden *Polyurethanen mit Polyisocyanaten.
Mit steigendem *V.-Grad* (V.-Dichte; Zahl der V.-Stellen in einer gegebenen Polymer-Menge) – ein anderes Maß für den V.-Grad ist der *V.-Index*, der die Anzahl vernetzter Grundbausteine pro Primärmol. angibt¹ – nimmt im allg. die Härte der Polymeren zu. Eigenschaftsbeeinflussend für vernetzte Polymere ist auch die Länge der Vernetzungsbrücken. Engmaschig vernetzte Polymere sind die *Duroplaste, weitmaschig vernetzte die *Elastomere, physikal. über *Domänen vernetzte Polymere die *thermoplastischen Elastomere. Bes. Typen vernetzter Polymere sind die *Durchdringungsnetzwerke* od. *interpenetrierenden polymeren Netzwerke (IPN). *Ionomere sind über Ionenbindungen verknüpfte Polymere.

V.-Reaktionen über Komplexbildung werden u. a. beobachtet bei Kombinationen von *cis*-1,2- od. -1,3-Diol-Gruppierungen enthaltenden Polymeren – *Polyvinylalkohol, *Polygalactomannane (Guaran, s. Guar-Mehl) – mit Borat-Ionen. Bei V. dieses Typs handelt es sich um eine *reversible V.*; V.-Stellen können hier reversibel, z. B. therm. od. durch pH-Wert-Verschiebung, gelöst werden. Bei hoher V. bestehen die Polymeren prakt. aus einem einzigen Riesenmol., das unschmelzbar u. unlösl., in geeigneten Lsm. aber quellbar ist. Der Punkt, an dem während der V. anfangs noch lösl. Polymerer erstmals das Auftreten unlösl. Gelpartikel beobachtet werden kann, wird als *Gelpunkt* bezeichnet. Zu seiner Vorhersage existieren verschiedene theoret. Modelle. Mit deren Hilfe wird der Gelpunkt z. B. durch Berechnung desjenigen Umsatzes der V.-Reaktion vorausbestimmt, bei dem der *Polymerisationsgrad od. die *Molmasse gegen unendlich streben. Die theoret. berechneten u. die experimentell gefundenen Gelpunkte stimmen jedoch meist nicht exakt überein. Ein Grund hierfür ist, daß beim experimentell bestimmten Gelpunkt Polymerisationsgrad u. Molmasse immer noch endlich sind. Ferner wird der Einfluß von Ringbildung u. Schlaufen im Netzwerk vernachlässigt. Reaktionen zur V. von Polymeren werden techn. breit genutzt, neben den bereits angeführten Anw. z. B. zur Härtung von Lack, zur Aushärtung von Reaktionsklebstoffen, zur Härtung von *Harzen u. Kunststoffen generell od. zur Veredelung von Textilien. Auch die *Immobilisierung von Enzymen, d. h. ihre Verknüpfung mit Trägerharzen, kann als V. bezeichnet werden. V. ist auch bei natürlichen Polymeren bekannt. Beisp. hierfür sind Lignin (s. Abb. dort), *Bindegewebe-Komponenten (*Elastin, *Collagene), die bei Gerbprozessen noch stärker vernetzt werden. V. wird oft auch mit dem Prozeß des *Alterns von Polymeren in Verbindung gebracht. – *E* crosslinking – *F* réticulation – *I* reticolazione – *S* reticulación

Lit.: [1] Elias (5.) **1**, 46.
allg.: Compr. Polym. Sci. **6**, 227–275 ▪ Encycl. Polym. Sci. Eng. **4**, 350–449 ▪ Houben-Weyl **14/2**, 776–806 ▪ Kramer, Biological and Synthetic Polymer Networks, Barking: Elsevier Appl. Sci. Publ. 1988 ▪ s. a. interpenetrierende polymere Netzwerke u. polymere Netzwerke.

Vernetzungsdichte, -grad, -index, -mittel, -reaktionen s. Vernetzung.

Verneuil-Verfahren. Um die Jahrhundertwende von Verneuil zur Züchtung von künstlichen *Rubinen entwickeltes tiegelfreies Verfahren. Dieses sog. *Flammenschmelz-Verf.* eignet sich auch zur Herst. von *Einkristallen anderer kongruent hochschmelzender Verb. wie Korund, Saphir, Smaragd, Spinell, Rutil u. SrTiO$_3$. Die Flamme eines Knallgasbrenners wird dabei senkrecht nach unten auf einen sich drehenden Impfkrist. gerichtet. Von dem Sauerstoff-Strom werden kontinuierlich kleine Mengen des pulverisierten Ausgangsmaterials mitgerissen, die in der Flamme schmelzen u. zum Kristallwachstum am oberen Ende der „Zuchtbirne" führen. Mit zunehmender Länge des Krist. muß dieser dann langsam abgesenkt werden ($1{,}4 \cdot 10^{-6} - 2{,}8 \cdot 10^{-6}$ m/s).

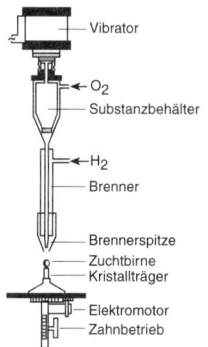

Abb.: Verneuil-Apparatur (nach Ullmann, *Lit.*).

Das Verf. ist heute weitgehend automatisiert, wurde jedoch teilw. von anderen Meth. abgelöst. Der Vorteil des Verf. liegt in der Tiegelfreiheit. Nachteilig sind die auftretenden hohen Temp.-Unterschiede, die zu Spannungen u. Inhomogenitäten (*Kristallbaufehler) führen können. Die so gewonnenen Steine finden z. B. Verw. als *Edelsteine u. Schmucksteine u. als *Lagerwerkstoffe für Uhren u. dergleichen. – *E* Verneuil process – *F* procédé Verneuil – *I* processo Verneuil – *S* procedimiento Verneuil

Lit.: Kontakte (Merck) **1991**, Nr. 2, 17–32 ▪ Ullmann (5.) **A 8**, 127.

Vernichtungsstrahlung. Strahlung, die bei einem *Elektron-*Positron-Vernichtungsprozeß freigesetzt wird. Im allg. werden bei der Elektron-Positron-Vernichtung zwei Gammaquanten (s. Gammastrahlen) von je 511 keV Energie freigesetzt, wesentlich seltener ist die Zerstrahlung in drei Gammaquanten; s. a. Positronen u. Zerstrahlung. – *E* annihilation radiation – *F* radiation d'annihilation – *I* radiazione d'annientamento – *S* reacción de aniquilación

Vernickeln. Bez. für die Erzeugung dünner *Nickel-Schichten auf Metalloberflächen od. entsprechend vorbereiteten nichtmetall. Werkstoffen (s. Kunststoff-Metallisierung, insbes. -Galvanisierung) mit Hilfe der *Galvanotechnik od. durch stromloses Vernickeln. Die meistbenutzten Ni-Salze zum V. im sog. *Watts-Bad* sind *Nickelsulfat- u. -chlorid, letzteres u. a. wegen der depassivierenden Wirkung (s. Passivität) der Cl-Ionen auf die Ni-Anoden.

Als Anodenmaterial für das *galvan. V.* wird im allg. kein Elektrolyt-Nickel verwendet, da sich dieses wegen der Passivierung nur in Elektrolyten mit sehr hohem Chlorid-Gehalt auflöst. Dagegen wirkt ein geringer Gehalt an Schwefel od. Nickeloxid depolarisierend. Standardlsg. zum V. enthalten NiSO$_4$, NiCl$_2$, Natriumcitrat u. Borsäure. Alternativ benutzbare Ni-Salze sind das in Wasser leichtlösl. Nickel(II)-ammoniumsulfat, Nickel(II)-amidosulfat u. Nickel(II)-tetrafluoroborat. Gegenstände aus Kupfer u. Kupfer-Leg. werden direkt vernickelt. Bei Zinn, Zink, Blei, Eisen u. Stahl ist dies auch möglich, doch zieht man hier (bes. bei Zinn, Zink u. Blei) manchmal vorhergehendes *Verkupfern vor. Ebenso wie bei anderen Metallisierungen können auch hier *Glanzzusätze* beigefügt werden, die eine nachträgliche Politur der Ni-Niederschläge überflüssig machen u. zugleich auch kleinere Unebenheiten der Grundschicht auszugleichen vermögen (Glanzbäder).

Für das *stromlose V.* in chem. Red.-Bädern sind eine Reihe von Verf. entwickelt worden. Bei dem Kanigen®-Verf. wird die Ni-Abscheidung ebenso wie beim Durni-Coat®-Verf. durch Natriumphosphinat als Red.-Mittel bewirkt. Beim *Nibodur®-Verf. erfolgt die Red. mit NaBH$_4$ od. Aminboranen. Während bei den erstgenannten Verf. Phosphor in die Ni-Schicht eingebaut wird, findet beim letztgenannten eine gleichzeitige Abscheidung von Nickelboriden statt, wodurch die Eigenschaften der jeweiligen Schichten mitbestimmt werden. Eine weitere Möglichkeit des stromlosen V. insbes. von keram. Werkstoffen besteht in der therm. Zers. von Nickelcarbonyl. Auch das *Plattieren von Stahl mit dünnen Ni-Schichten als *Korrosionsschutzmittel wird angewandt.

Das V. ist das häufigste Metallisierungs-Verf., das außer für schützende auch für dekorative Zwecke u. als Vorbehandlung vor dem *Verchromen durchgeführt wird. Von den stromlosen Verf. eignet sich bes. das Nibodur-Verf. zum Erzeugen von Leitschichten für eine nachfolgende *Kunststoff-Galvanisierung. – *E* nickelling, nickel deposition – *F* nickeler, nickelage – *I* nichelatura, nichelare – *S* niquelado

Lit.: Brugger, Die galvanische Vernickelung, Saulgau: Leuze 1984 ▪ Dettner u. Elze (Hrsg.), Handbuch der Galvanotechnik, Bd. 2, S. 87 ff., 466 ff., 719 ff., 729 ff., München: Hanser 1966 ▪ Kirk-Othmer (4.) **9**, 204 ff., 233 ff., 278 ff.; **16**, 259 ff. ▪ Ullmann (5.) **A 9**, 15 ff., 166 ff., 170 ff., 273 ff. ▪ Winnacker-Küchler (4.) **4**, 678 ff. ▪ s. a. Nickel.

Vernier-Phasen. Bez. für Strukturen der Zusammensetzung M$_n$X$_{2n+1}$. Die V.-P. leiten sich von der *Fluorit-Struktur (MX_2) ab u. bilden Überstrukturen zu dieser aus. Als V.-P. werden Verb. klassifiziert, die einen Anionenüberschuß aufweisen u. sich in die homologe Serie M_nX_{2n+1} einordnen lassen. Die kub. primitive Anionenpackung der Fluorit-Struktur geht bei geringem Anionenüberschuß stellenweise in eine dichtere Packung über. Eine Seite der Anionenwürfel wird als 4^4-Netz erhalten, während die gegenüberliegende Seite unter Aufnahme zusätzlicher Anionen in ein dichter gepacktes 3^6-Netz übergeht (s. Abb.).

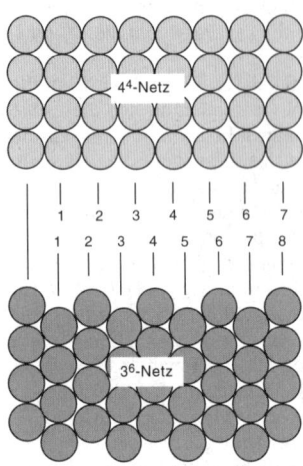

Abb.: Darst. des Vernier-Prinzips am Beisp. einer Phase mit n=7. Gezeigt ist ein quadrat. 4^4-Netz u. das dazu parallele 3^6-Netz der Anionen in diesem Strukturtyp.

Betrachtet man diese alternierende Anordnung der Netze, so erkennt man, daß der Platz, den 7 Anionenreihen im 4^4-Netz benötigen, von etwa 8 Anionenreihen im dichter gepackten 3^6-Netz eingenommen wird. Techn. gesehen ist dies das Noniusprinzip. Deshalb werden diese Strukturen auch *Nonius*- od. mit dem französ. Wort *Vernier-Strukturen* genannt. Das von der Natur z. B. in Dy_7Cl_{15} verwirklichte Verhältnis von 7:8 entspricht geometr. exakt einem Verhältnis von 7:8,08. Bei anderen in der Natur verwirklichten Übereinstimmungen wie 5:6 (Dy_5Cl_{11}; 5:5,77) od. 4:5 (Eu_4Cl_9; 4:4,62) wird der Passungsfehler zum einen durch eine starke Modulation der 3^6-Schicht u. zum anderen durch Antiphasengrenzen ausgeglichen. Die V.-P. gehören zu den modulierten Strukturen, d. h. die z-Parameter der Anionen modulieren die dem Fluorit-Typ entsprechenden Positionen in Form einer Sinusfunktion u. drücken damit die Verwandtschaft zu diesem Strukturtyp genauso aus wie die nahezu unveränderten Positionen der Kationen. Weitere Beisp. für solche Verb. sind aus der Gruppe der Seltenerdchloride, bei den Oxidfluoriden des Yttriums u. den Nitridfluoriden des Zirconiums bekannt. – *E* vernier phases – *F* phases de vernier – *I* fasi a verniero – *S* fases de vernier

Lit.: Hyde u. Andersson, Inorganic Crystal Structures, New York: Wiley & Sons 1989.

Vernolat. Common name für *S*-Propyl-*N*,*N*-dipropylthiocarbamat, $C_{10}H_{21}NOS$, M_R 203,34, Sdp. 150 °C (4 kPa), LD_{50} (Ratte oral) 1780 mg/kg, von Stauffer (jetzt Zeneca) 1954 eingeführtes selektives *Herbizid zur Anw. im Vorsaat-Verf. mit Einarbeitung u. im Vorauflauf vorwiegend gegen Ungräser im Erdnuß-, Tabak- u. Sojabohnenanbau. – *E* = *F* = *S* vernolate – *I* vernolato

Lit.: Beilstein E IV **4**, 487 ▪ Farm ▪ Perkow ▪ Pesticide Manual. – [HS 293090; CAS 1929-77-7]

Vernolepin.

$C_{15}H_{16}O_5$, M_R 276,29, Krist., Schmp. 181–182 °C, $[\alpha]_D^{28}$ +72° (Aceton), Sesquiterpen-Lacton aus der Asteracee *Vernonia hymenolepis* mit ausgeprägter Antitumor-Aktivität. Dies gilt bes. für das Desoxy-Derivat, das halbsynthet. zugänglich ist. – *E* vernolepin – *F* vernolépine – *I* = *S* vernolepina

Lit.: Merck-Index (12.), Nr. 10098 ▪ Phytochemistry **37**, 191 (1994). – [CAS 18542-37-5]

Vernolsäure [(9*Z*,12*S*,13*R*)-12,13-Epoxy-9-octadecensäure, Leukotoxin B].

$C_{18}H_{32}O_3$, M_R 296,45, Schmp. 32,5 °C, $[\alpha]_D^{20}$ +2,03° (Hexan). V. kommt in Mengen bis zu 30% in den Samenölen von Asteraceae (v. a. *Vernonia galamensis*, *V. anthelmintica*) vor u. kann zu Identifizierung dieser Öle herangezogen werden [1]. V. wird in Plastikmaterialien u. anderen Ind.-Produkten eingesetzt. – *E* vernolic acid – *F* acide vernolique – *I* acido vernolico – *S* ácido vernólico

Lit.: [1] Fat Sci. Technol **91**, 488–490 (1989).
allg.: Beilstein E V **18/6**, 99 ▪ Merck-Index (12.), Nr. 10099 ▪ Murphy (Hrsg.), Designer Oil Crops, S. 119f., 257, Weinheim: VCH Verlagsges. 1994 ▪ Tetrahedron Lett. **27**, 303 (1986) (Synth.) ▪ Ullmann (5.) A10, 233f. – [CAS 503-07-1]

VEROLAN®. Dispergiermittel/Sequestriermittel/Komplexbildner auf der Basis von organ. Komplexsalzen für die textile Vorbehandlung u. Färberei, sowie Spezialhilfsmittel für Färberei u. Bleicherei. *B.*: Rudolf GmbH & Co. KG.

Veroneser Gelb (Kasseler Gelb, Patentgelb, Mineralgelb). Malerfarbe (für Ölfarben) aus Bleioxidchlorid, $PbCl_2 \cdot$ 5–7 PbO, entsteht, wenn Bleiglätte mit Salmiak geschmolzen wird. – *E* Verona yellow – *F* jaune de Vérone – *I* giallo di Verona – *S* amarillo de Verona

Veroneser-Grün s. Chrom-Pigmente u. vgl. Grünerde.

Verordnung über brennbare Flüssigkeiten s. VbF.

Verospiron® (Rp). (Film-)Tabl. mit dem *Aldosteron-Antagonisten *Spironolacton zur Ausschwemmung von Ödemen. *B.*: Hormosan.

Verotoxine (Abk.: SLT, von engl.: shiga-like toxins, s. Shiga-Toxin). Toxine, die von bestimmten Formen von *Escherichia coli*-Bakterien gebildet werden, die im Darm gesunder Rinder u. anderer Wiederkäuer vorkommen u. mit dem Kot der Tiere ausgeschieden werden. V. können beim Menschen lebensgefährliche Erkrankungen auslösen. Sie schädigen die inneren Organe, bes. die Nieren. Die Infektion mit *E. coli* kann durch verunreinigtes, nicht ausreichend gegartes Fleisch erfolgen, in dem sich noch aus Kot stammende vermehrungsfähige Erreger befinden. Sie kann aber auch vom infizierten auf den gesunden Menschen übertragen werden. Da für eine Infektion nur geringe Keimzahlen (<100) ausreichen, ist das Ansteckungsrisiko sehr hoch. Das Krankheitsbild reicht von blutigen Durchfällen bis zu lebensbedrohlichen Symptomen (Zerstörung der roten Blutkörperchen, Störung der Filterfunktion der Nieren), die als hämolyt.-uräm. Syndrom (HUS) bezeichnet werden. Die Zahl der HUS-Fälle in der BRD wird auf 400–800/a geschätzt, v. a. betroffen sind Kinder unter 5 Jahren. Tödlicher Verlauf in 10%, dauerhafte Nierenschädigung (Dialysepflichtig) in 5% der Fälle.

Eine rekombinante Form von V. aus *E. coli* O157:H7 wirkt stark tumorhemmend u. wird z. Z. klin. geprüft. – *E* verotoxins – *F* vérotoxines – *I* verotossine – *S* verotoxinas

Lit.: Drug News **1998**, 6 (23. März) ▪ Pharm. Unserer Zeit **23**, 356 (1994).

Verpackungen s. Verpackungsabfälle u. Verpackungsmittel.

Verpackungsabfälle. V. machen mit ca. 20–30 Gew.-% bzw. ca. 50 Vol.-% den mengenmäßig wichtigsten Anteil des *Hausmülls u. der hausmüllähnlichen Gewerbeabfälle aus. Die Entsorgung von V. wird durch die *Verpackungsverordnung[1] geregelt. Nach dieser VO sowie nach der EG-Richtlinie über Verpackungen u. Verpackungsabfälle[2] wird zwischen Verkaufsverpackungen, Umverpackungen u. Transportverpackungen unterschieden, wobei die Übergänge zwischen diesen Verpackungsarten allerdings fließend sind. *Verkaufsverpackungen* (Erstverpackungen) sind Verpackungen, die in der Verkaufsstelle als Verkaufseinheit angeboten werden u. zum Endverbraucher gelangen (z. B. Becher, Flaschen, Dosen, Schachteln); hierzu zählen auch Einweggeschirr u. Einwegbestecke. *Umverpackungen* (Zweitverpackungen) sind zusätzliche Verpackungen um bereits vorhandene Verkaufsverpackungen. *Transportverpackungen* (Drittverpackungen) sind Verpackungen, die dem Schutz der Waren beim Transport vom Hersteller zum Vertreiber dienen. Umverpackungen u. Transportverpackungen verbleiben in der Regel beim Vertreiber u. müssen von diesem entsorgt werden. Darüber hinaus lassen sich Verpackungen in Einweg- u. Mehrwegverpackungen differenzieren. *Einwegverpackungen* sind nicht wiederbefüllbare Verpackungen, während *Mehrwegverpackungen* dazu bestimmt sind, nach Gebrauch mehrfach zum gleichen Zweck wiederverwendet zu werden. V. können z. B. aus Papier, Pappe, Karton, Glas, Kunststoffen, Holz, Kork, Weißblech, Aluminium od. Verbundstoffen bestehen, dazu s. a. Verpackungsmittel. Zu den Verwertungsmöglichkeiten für diese Materialien s. Altglas, Altmetall, Altpapier u. Kunststoffabfälle. Verbundkartonagen, wie sie v. a. für Getränke genutzt werden, bestehen aus ca. 75% Papier, 20% Polyethylen (PE) u. 5% Aluminium. Bei der Verwertung, die bislang fast ausschließlich in Papierfabriken erfolgt, wird in der Regel der Cellulose-Anteil aus der *Verbundverpackung* zurückgewonnen u. weiterverarbeitet (z. B. zu Wellpappe); die aus PE u. Aluminium bestehenden Rückstände werden meist deponiert. Verf., z. B. zur Komplettverarbeitung der Verbundstoffe zu Platten für den Bausektor, zur vollständigen Trennung des Verbundes in seine Einzelkomponenten od. Pyrolyseverf. befinden sich in der Entwicklung. Im Rahmen der insbes. bei Getränkeverpackungen intensiv geführten Diskussion um die Umweltbelastungen von Einweg- u. Mehrwegsyst. haben Studien gezeigt, daß eine pauschale Bevorzugung eines der beiden Syst. ökolog. nicht begründbar ist; es hängt von den jeweiligen Rahmenbedingungen (z. B. Transportentfernung, Anzahl der Umläufe) ab, ob Einweg- od. Mehrwegverpackungen ökolog. vorteilhafter sind[3].

Verpackungen mit schädlichen Verunreinigungen, z. B. gebrauchte Großpackmittel (Fässer, Hobbocks, Container) aus Industriebetrieben, können ggf. gereinigt u. wiederverwendet od. je nach Material stofflich od. energet. verwertet werden. Ist eine Verwertung nicht möglich, erfolgt in der Regel eine Entsorgung als *Sonderabfall. – *E* packing waste – *F* déchets d'emballage – *I* rifiuti d'imballaggio – *S* desechos de embalaje

Lit.: [1]BGBl. I, S. 2379 (1998). [2]Richtlinie 94/62/EG vom 20.12.1994, EG-ABl. Nr. L 365, S. 10–23. [3]Ökobilanz-Studie für Getränkeverpackungen, Fraunhofer-Institut für Lebensmitteltechnologie u. Verpackung, München, Institut für Energie-, Umweltforschung, Heidelberg, Gesellschaft für Verpackungsmarktforschung, Wiesbaden, 1993.

Verpackungsmittel. Allg. Bez. für Umhüllungen (*Emballagen*) von Waren der verschiedensten Art sowohl zur Ermöglichung ihres *Transports als auch zum Schutz gegen äußere Einflüsse wie Beschädigung, Anschmutzung, Licht, Luft u. a. Gase, Feuchtigkeit, Mikrobenbefall etc. Als V. werden feste *Behälter* aus *Packstoffen* wie Glas, Holz, Keramik, Metall, Kunststoffen (Flaschen, Gläser, Kisten, Dosen, Eimer, Fässer, Trommeln, Körbe, Tuben usw.; Sammelbez.: *Packmittel*) od. *Umhüllungen* aus Pappe, Wellpappe, Papier u. Kunststoffen (Tüten, Schachteln, Beutel, Säcke, Folien etc.) verwendet. Den V. im weiteren Sinne könnte man auch Materialien zum Auspolstern der Behälter (Holzwolle, Stroh, Kieselgur, *EPS-Flocken, Schaumstoffe) hinzurechnen. Im allg. Warenverkehr sind zahlreiche Normen für V. ausgearbeitet worden. Um zum Transport *gefährlicher Güter zugelassen zu werden, müssen die spezif. V. den jeweiligen *Transportbestimmungen genügen u. außerdem die durch Chemikaliengesetz, Gefahrstoff-VO u. dgl. vorgegebenen *Gefahrensymbole etc. tragen. Spezielle Vorschriften für die Verpackung von *Lebensmitteln sind in der *Fertigpackungs*-VO vom 18.12.1981 in der Fassung vom 26.11.1993 (BGBl. I, S. 1973) u. im *Eichgesetz* vom 22.02.1989 in der Fassung vom 21.12.1992 (BGBl. I, S. 2133) niedergelegt, die auch für V. von kosmet. Erzeugnissen, Wasch- u. Reinigungsmitteln sowie Haushalts- u. Autopflegemitteln gelten. Bes. Anforderungen werden an V. im Kosmetiksektor u. in der *Lebensmitteltechnologie

Verpackungsverordnung

hinsichtlich der *Gasdichtigkeit* (Schutz vor Aroma- od. Wirkstoffverlusten bzw. vor dem Eindringen von Fremdgerüchen) gestellt.
Insbes. bei *Lebensmittel-Umhüllungen muß die *Migration von *Weichmachern od. *Farbstoffen aus den Folien in den V.-Inhalt ausgeschlossen sein; daß darüber hinaus z. B. bei Fleisch Keimfreiheit gewährleistet sein muß (Fleischhygiene-VO vom 30. 10. 1986 in der Fassung vom 07. 11. 1991 (BGBl. I, S. 2066), ist selbstverständlich. Bedeutung kommt auch eßbaren u. lösl. V. für Lebensmittel (z. B. Wursthüllen, Kapseln für Aromen, Pharmaka etc.) zu. Die Technik der Lebensmittelverpackung in *Folien – zunächst aus Papier u. Cellulose, später aus PE, PVC u. PP u. heute bes. in Form von Klarsicht- u. *Schrumpffolien – ist schon über 100 Jahre alt. Bei Arzneimitteln wird v. a. eine kindersichere Verpackung angestrebt. Im übrigen folgt die *Pharmazeutische Industrie bei der Herst. u. Anw. von V. den Prinzipien der *Good Manufacturing Practices (bzw. Storage) u. der *Validierung. Daß das Anwachsen des V.-Mülls zunehmend Probleme für die *Abfall-Beseitigung u./od. das *Recycling u. damit für den *Umweltschutz mit sich bringt, ist evident; dazu u. zu gesetzlichen Regelungen s. a. Verpackungsabfälle u. Verpackungsverordnung. – *E* packaging (packing) materials – *F* emballages – *I* materiali da imballaggio – *S* medios de embalaje

Lit.: DIN-Taschenbücher 135, 136 (Verpackungsnormen) ∎ Encycl. Polym. Sci. Technol. **9**, 709–713 ∎ Kirk-Othmer (4.) **3**, 931–962; **17**, 995–1048 ∎ Ullmann (4.) **16**, 91–104; **17**, 623 ff.; (5.) **A 4**, 385; **A 11**, 552, 583–618; **A 18**, 661 ff.

Verpackungsverordnung (VerpackV). Die am 28. 08. 1998 in Kraft getretene VO über die Vermeidung u. Verwertung von Verpackungsabfällen [1] hat das Ziel, die Auswirkungen von *Verpackungsabfällen auf die Umwelt zu vermeiden od. zu verringern. Mittels Rücknahme- u. Pfandpflichten sollen Hersteller u. Handel als Verursacher die Verantwortung für gebrauchte Verpackungen übernehmen. Verpackungsabfälle sollen in erster Linie vermieden werden, darüber hinaus wird der Wiederverw. sowie der Verwertung von Verpackungen der Vorrang vor der Beseitigung eingeräumt. Zu diesem Zweck sollen Verpackungen so hergestellt u. vertrieben werden, daß Vol. u. Masse auf das unmittelbar notwendige Maß begrenzt werden, – ihre Wiederverw. od. Verwertung möglich ist, – schädliche Stoffe bei der Beseitigung von Verpackungen auf ein Mindestmaß beschränkt sind.
Die V. verpflichtet die Hersteller u. Vertreiber von Verpackungen, diese zurückzunehmen u. einer erneuten Verw. od. einer vorrangig stofflichen Verwertung außerhalb der öffentlichen Abfallentsorgung zuzuführen (zur Definition der Verpackungsarten s. Verpackungsabfälle) sowie Einweg-Getränkeverpackungen u. Verpackungen für Waschmittel, Reinigungsmittel u. Dispersionsfarben mit Pfand zu belegen. Zur Erfüllung dieser Pflichten können sie sich Dritter bedienen. Eine Freistellung von der Rücknahmepflicht für Verkaufsverpackungen sowie für das Zwangspfand kann erfolgen, wenn von der beteiligten Wirtschaft ein flächendeckendes haushaltsnahes Rücknahme-, Sortier- u. Verwertungssyst. (*Duales System) geschaffen wird, über das gebrauchte Verkaufsverpackungen getrennt von der öffentlichen Entsorgung u. auf Kosten der Wirtschaft entsorgt werden. Hierbei können sowohl hol- als auch bereits existierende kommunale Bringsyst. (z. B. für *Altglas od. *Altpapier) genutzt werden. Die Freistellung von der Rücknahmepflicht für Verkaufsverpackungen erfolgt jedoch nur, sofern durch das duale Syst. die von der V. vorgegebenen Erfassungs-, Sortier- u. Verwertungsquoten erreicht werden; die Freistellung von der Pfandpflicht für Einweg-Getränkeverpackungen ist an die Gewährleistung bestehender Mehrwegquoten geknüpft.
Im Unterschied zu ihrer Vorgängerin, der V. vom 12. 06. 1991 [2], findet die V. in ihrer aktuellen Fassung auch Anw. auf Verpackungen schadstoffhaltiger Füllgüter. – *E* packaging ordinance – *F* décret sur l'emballage – *I* decreto sull'imballaggio – *S* reglamento de embalaje

Lit.: [1] BGBl. I, S. 2379 (1998). [2] VO über die Vermeidung von Verpackungsabfällen vom 12. 06. 1991 (BGBl. I, S. 1234).

VerpackV. Abk. für die *Verpackungsverordnung.

Verpuffung s. Explosion.

Verpuffungstemperatur s. Zündtemperatur.

Verpuppung(shormon) s. Insekten(hormone) u. Ecdyson.

Verquicken. In der *Galvanotechnik die Abscheidung einer Quecksilber-Schicht auf Kupfer u. -Leg. als Vorbehandlung zum *Versilbern. Das V. wird zunehmend durch das Vorversilbern in einem Cyanid-haltigen Elektrolyten ersetzt. In der *Hüttenkunde die Durchführung der Amalgamation.
Lit.: s. Versilbern.

Verreibung (im Sinne der *Homöopathie) s. Trituration.

Verrol s. Verrucarine.

Verrucarine. Bez. für eine Gruppe von *Mykotoxinen, die zu den *Trichothecenen gehören. Sie sind makrocycl. Triester der Stammverb. *Verrucarol* { Scirpen-4β,15-diol, $C_{15}H_{22}O_4$, M_R 266,34, Nadeln, Schmp. 155–158 °C, $[\alpha]_D^{22}$ –39° ($CHCl_3$)} u. besitzen eine langkettige Ester-Brücke zwischen den C-Atomen 4 u. 15 (vgl. a. Roridine, die über eine Ether-Diester-Brücke verfügen). Beisp. für einige V. findet man in der Tabelle.

Die V. zersetzen sich bei >315–360 °C. V. stammen aus den im Erdboden (hypogäisch) siedelnden Niederen Pilzen *Myrothecium verrucaria*, *M. roridum*, *Stachybotrys chartarum* u. *Dendrodochium toxicum*. V. zeigen die für Trichothecene typ. Toxizität: Sie sind hautreizend, cytostat., stark giftig für Wirbeltiere [z. B. LD_{50} (Maus p. o.) 7 mg/kg bzw. (i. v.) 1,5 mg/kg [1])]. Als *Verrucarin E* {1-[4-(Hydroxymethyl)-1*H*-pyrrol-3-

Tab.: Substituenten u. Daten einiger Verrucarine.

Verrucarin	R^1	R^2	Doppelbindung u. a. Strukturvariationen	Summenformel	M$_R$	[α]$_D$ (CHCl$_3$)	CAS
Verrucarin A	OH	H		C$_{27}$H$_{34}$O$_9$	502,56	+ 260°	3148-09-2
Verrucarin B	–O–			C$_{27}$H$_{32}$O$_9$	500,55	+ 94°	2290-11-1
Verrucarin J	H	H	$\Delta^{2'E}$	C$_{27}$H$_{32}$O$_8$	484,55	+ 22°	4643-58-7
Verrucarin K	OH	H	$\Delta^{12,13}$, Desepoxy	C$_{27}$H$_{34}$O$_8$	486,56	+ 218°	63739-93-5
Verrucarin L	H	H	$\Delta^{2'E}$, 8α-OH	C$_{27}$H$_{32}$O$_9$	500,55	+ 15°	77101-87-2

yl]ethanon, C$_7$H$_9$NO$_2$, M$_R$ 139,15, Schmp. 90–91 °C} wird ein Pyrrol-Derivat bezeichnet, das ebenfalls von *M. verrucaria* gebildet wird. Im *Verrol* (C$_{21}$H$_{30}$O$_6$, M$_R$ 378,46, farbloses Öl) ist nur die OH-Gruppe am C-Atom 15 mit (E)-5-Hydroxy-3-methyl-2-pentensäure verestert, die OH-Gruppe am C-Atom 4 ist frei.

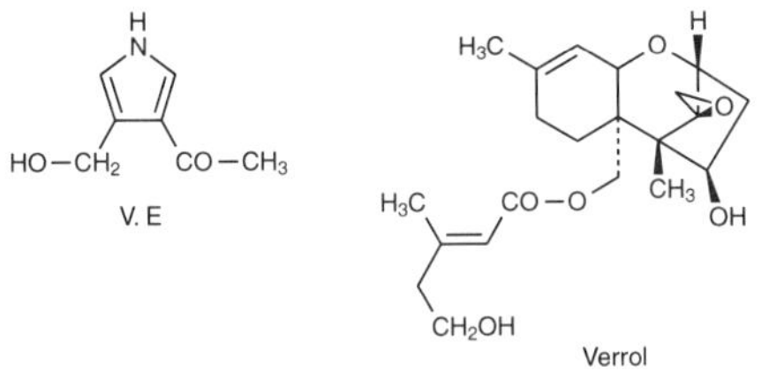

Biosynth.: Das Trichothecen-Grundgerüst ist ein *Sesquiterpen, die Diester-Brücke acetogeninen Ursprungs. – *E* verrucarins – *F* verrucarines – *I* verrucarine – *S* verrucarinas

Lit.: ^{1} Sax (8.), MRV 500.
allg.: Bioact. Mol. **10**, 197–204 (1989) ▪ Cole u. Cox, Handbook of Toxic Fungal Metabolites, S. 247–260, New York: Academic Press 1981 ▪ Karrer, Nr. 5754–5758, 7062 a ▪ Merck-Index (12.), Nr. 10 100 ▪ Zechmeister **47**, 153–220. – *Synth.:* Chem. Rev. **76**, 425–460 (1976) ▪ Helv. Chim. Acta **62**, 2699 (1979); **67**, 1168 (1984) (V. E); **71**, 1895–1903, 1904–1913 (1988) ▪ Heterocycles **19**, 1685 (1982) ▪ J. Org. Chem. **49**, 4332 (1984); **63**, 2679 (1998) ▪ Synthesis **1998**, Spec. Issue, 619–626 ▪ Tetrahedron Lett. **38**, 8311 (1997). – *Toxikologie:* Food Chem. Toxicol. **25**, 379 (1987) ▪ s. a. Trichothecene, Mykotoxine u. Roridine. – *[CAS 2198-92-7 (Verrucarol); 24445-13-4 (V. E); 84412-91-9 (Verrol)]*

Verrucarol s. Verrucarine.

Verrucid. Lsg. mit *Salicylsäure, Essigsäure, *Docusat-Natrium zum Pinseln gegen Hühneraugen u. Warzen. **B.:** Pharma Galen.

Verruculotoxin.

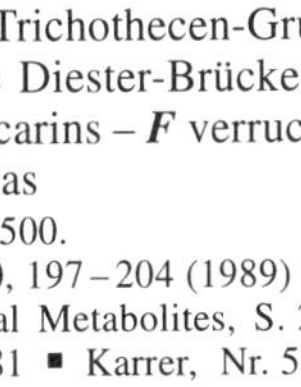

C$_{15}$H$_{20}$N$_2$O, M$_R$ 244,34, Schmp. 152 °C, [α]$_D$ –56° (CH$_3$OH); tremorgenes *Mykotoxin aus grünen Erdnüssen, die mit *Penicillium verruculosum* infiziert sind. Die LD$_{50}$ Werte für Küken liegen bei 20 mg/kg, die Tiere sterben innerhalb 4–6 h nach Verabreichung. – *E* verruculotoxin – *F* verruculotoxine – *I* verruculotossina – *S* verruculotoxina

Lit.: Cole u. Cox, Handbook of Toxic Fungal Metabolites, S. 838, New York: Academic Press 1981 ▪ Tetrahedron Lett. **32**, 1417 (1991) (Synth.) ▪ Toxicol. Appl. Pharmacol. **31**, 465 (1975); **46**, 529 (1978) ▪ Zechmeister **48**, 51. – *[CAS 56092-63-8]*

Verrumal® (Rp). Auftragelsg. mit *Salicylsäure, *Dimethylsulfoxid u. *Fluorouracil gegen Warzen. **B.:** Hermal.

Versamid®. Polyamidharze für die Kabel-Ind. u. als Härter für Epoxidharze. **B.:** Henkel.

Versamide. Handelsname für verzweigte *Polyamide auf der Basis von Fettsäuren. Häufig wird hierbei die sog. *Dimer-Säure* als Carbonsäure-Komponente verwendet. Diese entsteht durch Erhitzen von zwei od. mehreren ungesätt. C$_{18}$-Fettsäuren mit *Ton u. besteht aus zahlreichen acycl., mono- u. bicycl. Verb., z. B.:

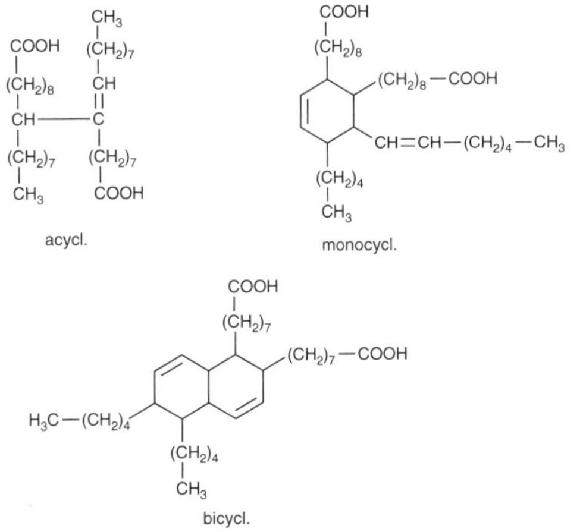

Die V. weisen niedrige bis mittlere *Molmassen auf, sind in vielen organ. Lsm. gut lösl. u. haben Schmelztemp. zwischen Raumtemp. u. ca. 185 °C. Die Reaktion der Dimer-Säure mit Ethylendiamin ergibt z. B. in der Kälte lagerfähige Klebstoffe, die sich beim Erwärmen in harte Polymere umwandeln. Mit Diethylentriamin erhält man andererseits weiche Polymere, die sich gut mit Epoxiden sowie Phenol- u. Kolophonium-Harzen kombinieren lassen. V. werden außerdem für Überzüge u. Druckfarben verwendet. – *E* versamids – *F* versamides – *I* versamidi – *S* versamidas

Lit.: Elias (5.) **2**, 213.

Versammlungsstoffe s. Pheromone.

Versauern s. saurer Regen.

Verschäumung s. Schaumkunststoffe.

Verschiebung. 1. s. (Grimms) Hydrid-Verschiebungssatz, – 2. s. Radioaktivität (S. 3704) u. Radionuklide (radioaktiver Verschiebungssatz von Fajans, Soddy u. Russell), – 3. s. bathochrome u. hypsochrome bzw. Rot- u. Blauverschiebung in der *UV-Spektroskopie, – 4. s. Wien-Gesetz, – 5. chem. V. s. Abschirmung, NMR-Spektroskopie u. Verschiebungsreagenzien, – 6. s. Isomeren-V. in der *Mößbauer-Spektroskopie, – 7. *Verschiebungspolarisation* s. Dielektrizitätskonstante, Dipolmoment, Polarisation u. Polarisierbarkeit.

Verschiebungsreagenzien. Bez. für eine Gruppe paramagnet. Komplexe der *Übergangs- u. *Seltenerdmetalle, die in der *NMR-Spektroskopie heute routinemäßig Verw. finden. Ihre Nützlichkeit beruht auf dem 1969 erstmals beobachteten Effekt, daß die Signale von Protonen im NMR-Spektrum zu höheren od. tieferen Feldern verschoben sein können, wenn der Meßlsg. koordinativ ungesätt., paramagnet. Metall-Komplexe zugesetzt werden. Die Zentralatome dieser V. lagern sich dann in derselben Weise wie *Lewis-Säuren (weshalb man diese als V. verwenden kann) an freie Elektronenpaare der Untersuchungssubstanz an – diese muß also N-, O- od. S-Atome enthalten. Der Verschiebungseffekt nimmt in der Reihenfolge

$$-NH_2 > -OH \gg -O- > -S- > \overset{\backslash}{\underset{/}{C}}=O \sim -O-CO- > -CN$$

ab. Die Komplexbildung resultiert in einer Entzerrung des NMR-Spektrums durch Änderung der *chem. Verschiebung* koppelnder Protonen (s. Abschirmung u. NMR-Spektroskopie), wodurch das Spektrum leichter interpretierbar wird (s. *Lit.*[1], die auch die Theorie der Verschiebungseffekte – man kennt sog. *Kontakt-* u. *Pseudokontaktverschiebung* – behandelt). Als V. bes. bewährt haben sich *Chelate mit *Lanthanoiden als Zentralatomen, insbes. mit Europium u. Praseodym [s. Eu(fod)$_3$. Eu(DPM)$_3$, Pr(fod)$_3$ u. Pr(DPM)$_3$], aber auch mit Dy, Ho, Yb, Er, Gd u. Tb; manchmal verwendete Abk. sind LIS (*L*anthanoide-*I*nduced *S*hift) u. LSR (*L*anthanoide *S*hift *R*eagents). Im Handel sind auch chirale V. sowie V. in perdeuterierter Form. Nicht über koordinative, sondern über ion. Bindungen wirkt das Tetraphenylborat-Ion als V. bei Sulfonium-Verb., u. *Cyclodextrine eignen sich als V. für Kohlenwasserstoffe aufgrund der Bildung von *Einschlußverbindungen. – *E* shift reagents – *F* réactifs de déplacement RMN – *I* reattivi di spostamento – *S* reactivos de desplazamiento RMN

Lit.: [1] Angew. Chem. **84**, 737–755 (1972).
allg.: Analyt. Proc. **18**, 363–366 (1981) ▪ Kontakte (Merck) **1978**, Nr. 2, 9–15; **1985**, Nr. 2, 22–36 ▪ Morill, Lanthanide Shift Reagents in Stereochemical Analysis, Weinheim: Verl. Chemie 1986 ▪ Townshend (Hrsg.), Encyclopedia of Analytical Science, Bd. 6, S. 3381, New York: Academic Press 1995.

Verschleiß. Bez. für die fortschreitende Materialabtragung (*Abnutzung*) an der Oberfläche eines Festkörpers, die auf mechan. Wege erfolgt u. aus Relativbewegungen in der *Grenzfläche zwischen Festkörper u. festen, flüssigen od. gasf. Gegenkörpern resultiert (vgl. DIN 50320: 1979-12); zu verschiedenen Aspekten des V. s. Erosion, Gleitmittel, Grenzflächen, Kavitation, Korrosion, Lagerwerkstoffe, Reibung, Schmierstoffe u. Tribologie. – *E* wear – *F* usure – *I* logoramento – *S* desgaste

Verschlußzone s. tight junction.

Verschmelzen von Polymeren. Bez. für einen Verarbeitungsprozeß von *Kunststoffen, bei dem zwei Werkstücke aus meist dem gleichen *Polymer durch therm. Behandlung miteinander verbunden werden. Dazu werden die zu verbindenden Flächen beider Teile auf Temp. wenig oberhalb der *Glasübergangstemperatur der *Makromoleküle erwärmt u. anschließend unter Druck für einige Zeit zusammengefügt. Während dieser Zeit diffundieren Polymer-Ketten beider Teile durch *Reptation über die ursprüngliche Grenzfläche hinweg ineinander, wodurch sich die Werkstücke verbinden (s. Schmelzklebstoffe u. Klebstoffe). – *E* melting of polymers, fusion of polymers – *I* fusione di polimeri – *S* unión de polímeras

Verschmelzungsname s. Anellierungsname.

Verschnittmittel. 1. Bez. für Stoffe „zum Strecken u. Verbilligen irgendwelcher Substanzen (z. B. zum *Verschneiden* von Weichmachern, Lsm., Füllstoffen, Massen usw.)".
2. Ein V. für Lsm. bei *Anstrichstoffen ist nach DIN EN 971-1: 1996-09 „eine aus einer od. mehreren Komponente(n) bestehende Flüssigkeit, die ohne nachteilige Wirkung in Verb. mit dem Lsm. verwendet werden kann, obwohl sie kein Lsm. ist; s.a. Verdünnungsmittel u. Verdunstungszahl. – *E* extenders, diluents – *F* diluants – *I* diluenti – *S* agentes de mezola, diluyentes, cargas

Verschwelung s. Schwelung.

Verseifung. Im engeren Sinne Bez. für die der *Veresterung entgegengesetzte hydrolyt. Spaltung von *Estern mit Hilfe von Laugen, wobei *Alkohole u. Salze der Carbonsäuren (≡ Seifen) entstehen. Im Gegensatz zur Säure-katalysierten Hydrolyse von Estern (zum Mechanismus s. bei Ester) ist die V. *irreversibel*. Das techn. wichtigste Beisp. ist die V. von pflanzlichen od. tier. *Fetten und Ölen. Mit Hilfe von Alkalien (meist NaOH) erhält man bei diesem Vorgang Glycerin u. die als *Seife bekannten Natriumsalze der entsprechenden Fettsäuren, während die hydrolyt. Hochdruckspaltung mit od. ohne Katalysator direkt die freien Fettsäuren zusammen mit Glycerin liefert. Verbleibende Rückstände bezeichnet man als *Unverseiftes* od. *Unverseifbares*. In der Analytik der Fette bestimmt man die *Verseifungszahl*[1] (VZ) als Kenngröße. Im weiteren Sinne wird als V. jede hydrolyt. Spaltung bezeichnet, z. B. von Nitrilen zu Amiden (*Hydrolyse) od. selbst von Eiweißstoffen u. Polysacchariden. Die Überführung einer Carbonsäure in ihr Alkalisalz wird in der Technik immer noch als „Verseifung" bezeichnet (*Beisp.:* *Harzsäuren geben *Harzseifen), was historische Gründe hat (s. a. Seife). – *E* = *F* saponification – *I* saponificazione – *S* saponificación

Lit.: [1] DIN 53401: 1988.
allg.: Hager (5.) **2**, 327 ▪ Ullmann (5.) **A 10**, 254–260 ▪ Winnacker-Küchler (4.) **6**, 96 ff. ▪ s. a. Ester, Fette und Öle, Seifen.

Verseifungszahl s. Fette und Öle, S. 1322.

Versel. Handelsname für *Polybutylenterephthalat.

Versetzungen. Eindimensionale *Kristallbaufehler (Linienfehler, Liniendefekte), s. Stufenversetzungen u. Schraubenversetzungen. V. weisen nur in einer Richtung Abmessungen auf, die sehr viel größer sind als der Gitterparameter u. sind gekennzeichnet durch eine *Versetzungslinie im Kristallgitter. In der unmittelbaren Umgebung der V. liegt ein erheblich verzerrter Gitterzustand mit Druck- u. Zugspannungen vor, aufgrund dessen die V. leicht beweglich sind. Ihre Bewegung im Gitter erfordert eine vergleichsweise geringe Aktivierungsenergie u. kann im Grenzfall mit Schallgeschw. erfolgen. V. sind Ursache der plast. Verformbarkeit u. der *Verfestigung von Metallen. Sie stehen im Gegensatz zu *Punktdefekten nicht im thermodynam. Gleichgew. mit dem Gitter. – $E=F$ dislocations – I dislocazioni – S dislocaciones

Versetzungslinie. Linie in einem Kristallgitter, die die Lage einer *Versetzung kennzeichnet. Bei Vorliegen einer *Schraubenversetzung od. *Stufenversetzung ist diese Linie eine Gerade, bei gemischten Versetzungen im Realkrist. ist die V. gekrümmt. – E line of dislocation – F ligne de dislocation – I linea di dislocazione – S línea de dislocación

Verseuchung s. Kontamination.

Versiegeln s. Flammschutzmittel u. Parkettversiegelungsmittel.

Versilbern. Bez. für die Herst. dünner Silber-Überzüge auf Neusilber, Kupfer, Messing, Zink, Zinn, Blei, Eisen, Stahl, Nickel usw. zur Herst. von Schmuckwaren od. elektrotechn. Artikeln, die zumeist durch *Galvanotechnik, durch stromloses V. od. Feuerversilberung (s. Amalgame) erfolgen.
Beim *galvan. V.* wird das Werkstück nach elektrolyt. Entfettung kurz in das cyanid. Quickbad gehängt, nach dem *Verquicken* mit kaltem Wasser abgespült, anschließend in das Vorversilberungsbad gegeben, in kaltem Wasser abgespült u. nach elektrolyt. Nachentfettung in einem gleichfalls cyanid. Starkversilberungsbad weiter versilbert. Bei moderneren Verf. entfällt die Verquickungsstufe. Während bei Eisen u. Stahl vorausgehendes *Verkupfern angebracht ist, kann das V. von Kupfer od. Messing direkt erfolgen.
Für *stromloses V.* benutzt man heiße cyanid. Bäder mit Silbernitrat (*Sudverf.*) od. wäss. Lsg. aus $AgNO_3$, Ammoniak, Hydrazinsulfat u. NaOH. Einige ältere Verf. wie das *Anreibe-* od. *Kontaktverf.* zum V. besitzen nur noch histor. Interesse.
Für das V. nichtmetall. Gegenstände wie z.B. bei der Herst. von *Spiegeln muß eine spezielle Vorbehandlung der Werkstoffoberfläche vorgenommen werden. Bei der *Kunststoff-Galvanisierung wird zuvor eine Kupfer-Grundschicht erzeugt. Übliche Schichtdicken beim V. sind 1–3 μm (Elektronikteile), 5–18 μm (Schmuck), 36 μm (Bestecke).
Die Verw. von cyanid. Elektrolyten ist schon seit 1840 bekannt. In neuerer Zeit bemüht man sich im Hinblick auf Forderungen des *Umweltschutzes, das giftige Cyanid durch umweltfreundlichere Stoffe zu ersetzen, z.B. durch Thiosulfat. – E silvering, silver plating – F argenter, argenture – I argentatura, argentare – S plateado

Lit.: Dettner u. Elze (Hrsg.), Handbuch der Galvanotechnik, Bd. 2, S. 392 ff., 716 ff., 751 ff., 911 ff., 942 ff., 978 ff., München: Hanser 1966 ▪ Degussa (Hrsg.), Edelmetall-Taschenbuch, 2. Aufl., S. 296 ff., Heidelberg: Hüthig 1995 ▪ Kirk-Othmer (4.) **9**, 202 ff., 233 ff., 278 ff.; **16**, 300 ff.; **23**, 326 ff. ▪ Winnacker-Küchler (4.) **4**, 566 ff., 681 ff. ▪ s. a. Galvanotechnik, Silber.

Versprödung. Bez. für eine Form der Materialermüdung, die sich als Zunahme der *Sprödigkeit, d.h. als Verringerung der *Festigkeit u. Veränderung des *Bruchverhaltens bzw. des elast. Verhaltens von Stoffen zu erkennen gibt. Das als Folge häufiger od. rasch abwechselnder mechan. Beanspruchungen eintretende Sprödwerden (d.h. die gegenüber dem frischen Zustand erhöhte Neigung zu Bruch) wird durch sprunghafte Änderungen im Materialgefüge hervorgerufen. V. kann auch durch Korrosion, radioaktive Strahlung usw. entstehen. Eine bes. wichtige Rolle spielt die V. von *Stahl durch Aufnahme von *Wasserstoff, wie sie auch beim Titan zu beobachten ist (*Wasserstoffversprödung, vgl. dagegen Metallhydride). Bei *Reaktor-Werkstoffen kennt man inzwischen auch eine Helium-Versprödung. Die Untersuchung des Bruchverhaltens von Werkstoffen als Teil der *Werkstoffprüfung ist das Arbeitsgebiet der *Fraktographie. Für die Technologie spröder Werkstoffe beginnt sich der Begriff *Thraustik einzubürgern. – E embrittlement – F fragilisation – I diventare fragile – S fragilización

Lit.: McKetta **27**, 14–27 ▪ Ullmann (4.) **22**, 51; (5.) **A 9**, 129 ▪ s. a. Bruchverhalten, Korrosion u. Sprödigkeit.

Versprühen s. Sprays u. Zerstäuben.

Verstärker. 1. In der *Photographie* versteht man unter V. die wäss. Lsg. von bestimmten Metall-Salzen, mit deren Hilfe die opt. Dichte unterbelichteter photograph. Negative, d.h. der Kontrast, erhöht werden kann, indem sich die Metalle an die vorhandenen Silber-Körner anlagern; geeignete Metall-Ionen sind z.B. Hg- u. Cr-Ionen. Den gegensätzlichen Effekt erzielt man mit *Abschwächern* (s. Photographie, S. 3309).
2. Bei *Kunststoffen* (Verstärkerharzen) versteht man unter V. *Füllstoffe, die die Härte erhöhen, ohne vernetzend zu wirken. Bes. gebräuchlich sind auf diesem Gebiet die *Faserverstärkung, d.h. eine Erhöhung der mechan. Festigkeit von Kunststoffen mit Hilfe von *Fasern (*Beisp.:* GFK, s. glasfaserverstärkte Kunststoffe) u. die Verstärkung mit Glaskugeln, Whiskers od. ähnlichen *Verstärkungsmitteln*, s. Kunststoffe u. Verbundwerkstoffe.
3. Bei *Waschmitteln* können spezif. Zusätze (sog. *Builder*) die Eigenschaften einiger Komponenten verstärken.
4. Bei *Explosiv-* u. *Sprengstoffen* spricht man von V.- od. *Übertragungsladungen* (*Booster*) u. meint Stoffe, die die Zündung vom *Initialsprengstoff auf weniger sensible *Sprengstoffe (z.B. *Wettersprengstoffe) übertragen. Im gleichen Sinn benutzt man den Begriff bei *Raketentreibstoffen – das Challenger-Unglück 1986 ging von einer der beiden V.-Raketen aus.
5. In der *Katalyse* u. *Immunologie*, bei *Enzymen* u.a. biolog. aktiven Stoffen versteht man unter V. die sog. *Aktivatoren, die man fallweise auch *Beschleuniger, *Promotoren od. *Synergisten nennt. – E 1. intensifier, 2. reinforcing filler, 3. + 4. booster – F 1. amplificateur, 2. matériau stabilisateur, 3. – 5. composante d'appoint – I 1. intensificatore, 2. materia riempitiva di rinforzo, 3. additivo detergente di rinforzo, 4. detonatore secondario, 5. attivatore – S 1. intensificador,

2. carga de refuerzo, 3. – 5. multiplicador, impulsor auxiliar, fundente, refuerzo
Lit.: s. die Textstichwörter.

Verstärkerharze. Bez. für *Harze, z. B. Phenoplaste (s. Phenol-Harze), Harze auf Styrol-Basis, die Kautschuken zugesetzt werden, um – ohne wesentliche Dichteänderung – den aus der *Vulkanisation resultierenden Vulkanisaten u. a. höhere Härte, Steifigkeit u. Festigkeit zu vermitteln. V. verbessern zusätzlich die Verarbeitungseigenschaften der Kautschuk-Mischungen, werden aber bei der Vulkanisation nicht vollständig in das sich bildende Kautschuk-Netzwerk integriert u. verursachen deshalb eine z. T. deutliche Erniedrigung der Erweichungstemp. der Vulkanisate. – *E* reinforcing resins – *F* résines de renforcement – *I* resine di rinforzo – *S* resinas de refuerzo
Lit.: Ullmann (4.) **13**, 653 f.

Verstärkte Kunststoffe. Bez. für *Kunststoffe, deren Eigenschaften, insbes. hinsichtlich Festigkeit u. Steifheit, entweder durch Einbau bestimmter Gruppen in die *Makromoleküle (*Eigenverstärkung*; s. u. a. flüssigkristalline Polymere) od. durch Inkorporation von sog. Verstärkungswerkstoffen in die Polymermatrix (*Fremdverstärkung*) verbessert worden sind; im letzteren Falle spricht man von *Verbundwerkstoffen. *Verstärkungswerkstoffe* sind neben verbreitet eingesetzten Glasfasern insbes. Bor-Fasern mit Wolfram-Seele, Kohlenstoff-Fasern u. Fasern aus organ. *Polymeren wie *Polyamiden od. *Polyestern als sog. Faserwerkstoffe (s. Faserverstärkung) od. auch *Whiskers (*Whisker-verstärkte Kunststoffe*). Zu Kurzz. u. Verw. dieser v. K. s. Faserverstärkung. V. K. können aber auch durch Einbetten der Verstärkungswerkstoffe als Vliese od. Matten in die Kunststoff-Matrix hergestellt werden. Haupteinsatzgebiete für v. K. sind der Fahrzeugbau (21%), die Elektrotechnik (19%), die landwirtschaftliche Ind. (17%), das Bauwesen (16%), der Freizeitbereich (8%) u. Konsumgüter (8%) (*Lit.*[1]). Der Markt für v. K. zeichnet sich durch ein kontinuierliches Wachstum aus. – *E* reinforced plastics – *F* plastiques renforcés – *I* materie plastiche rinforzate – *S* plásticos reforzados
Lit.: [1] Gummi, Asbest + Kunstst. **44**, 242–247 (1991). *allg.:* Batzer **3**, 495 ff. ▪ s. a. Faserverstärkung u. Kunststoffe.

Verstärkungsgerade. Bilanzbeziehung bei der Auslegung von *Rektifikations-Kolonnen nach dem Molabe-Thide-Verf., die die Form einer Gerade hat. Sie gilt für den Verstärkungsteil (oberhalb der Feedstelle) einer Rektifikationskolonne. Analog ist die *Abtriebsgerade* im unteren Abtriebsteil. – *E* amplification line – *F* (ligne) droite d'amplification – *I* retta d'amplificazione – *S* recta de operación (amplificación)
Lit.: Ullmann (5.) **B3**, 4-1.

Verstärkungswerkstoffe s. verstärkte Kunststoffe.

Versteifungsmittel (Steifen) s. Steifungsmittel.

Versteinerungen (Petrefakten) s. Fossilien.

Verstopfung s. Obstipation.

Verstrecken s. Recken u. Texturierung.

Versuch s. Experiment u. Test.

Vertauschungsrelation. Begriff aus der *Quantentheorie, der in der *Quantenchemie eine wichtige Rolle spielt. Observable Größen werden hier durch lineare Hermitesche Operatoren dargestellt. Wenn zwei solche Operatoren $\hat{A}$ u. $\hat{B}$ miteinander vertauschen, dann gilt $\hat{A}\hat{B} = \hat{B}\hat{A}$. Die physikal. Konsequenz ist, daß die zu den beiden Operatoren gehörenden Observablen *gleichzeitig scharf meßbar* sind. Observable zu Operatoren, die nicht miteinander vertauschen (z. B. Ort u. Impuls), unterliegen der Heisenbergschen Unschärfebeziehung; Näheres s. bei Unschärfebeziehung. – *E* commutation relation – *F* relation de commutation – *I* relazione di commutazione – *S* relación de conmutación
Lit.: s. Quantenchemie u. Quantentheorie.

Vertebraten (von latein.: vertebra = Gelenk, Wirbel). Bez. für die Gesamtheit der *Wirbeltiere*, die mit ca. 47 000 Arten nur einen kleinen Bruchteil aller bis heute bekannten Tierarten ausmachen. Die weitaus überwiegende Zahl der Tiere sind *Invertebraten (Wirbellose), deren Artenzahl derzeit auf viele Mio. geschätzt wird. Gemeinsames Merkmal aller V. ist der Besitz der Wirbelsäule. Zu den V. gehören 7 Klassen: Agnatha (Kieferlose), Chondrichthyes (Knorpelfische), Osteichthyes (Knochenfische), Amphibia (Lurche), Reptilia (Kriechtiere), Aves (Vögel), Mammalia (Säugetiere). – *E* vertebrates – *F* vertébrés – *I* vertebrati – *S* vertebrados
Lit.: Wehner u. Gehring, Zoologie, 23. Aufl., Stuttgart: Thieme 1995 ▪ Ziswiler, Wirbeltiere, Bd. 1 u. 2, Stuttgart: Thieme 1976.

Verteilung. In der Chemie versteht man unter V. die Einstellung eines Gleichgew. (*Verteilungsgleichgew.*) der Konz. eines Stoffes in 2 aneinandergrenzenden *Phasen; *Beisp.:* V. eines Stoffes zwischen zwei nicht mischbaren Lsm. mit unterschiedlichen Lösevermögen für diesen Stoff. Bei konstanter Temp. ist das Verhältnis der Konz. (bzw. der *Aktivitäten) in den beiden Phasen konstant (*Nernstscher Verteilungssatz) u. durch den V.-*Koeff.* K (eine Stoffkonstante) bestimmt. Die V. spielt bei der *Phasentransfer-Katalyse u. einer Reihe von *Trennverfahren eine wichtige Rolle wie z. B. bei *Destillation, *Flüssig-Flüssig-Extraktion, *Gaschromatographie, *Ausschütteln, *Perforation, *Zonenschmelzen, *Gegenstromverteilung (oft vereinfachend *multiplikative V.* od. *Craig-V.* genannt; *Lit.*[1]), Tropfen-Gegenstromchromatographie (DCCC; *Lit.*[2]) u. *RLCC. Manche der V.-Verf. sind sogar zur *Racemattrennung geeignet[3]. Auch bei der *Chromatographie, insbes. der *Verteilungschromatographie, spielen V.-Vorgänge zwischen unterschiedlichen Phasen eine Rolle. Der V.-Koeff. zwischen Octanol u. Wasser geht in *QSAR-Rechnungen u. in die *Hansch-Analyse ein. Die V.-Koeff. selbst lassen sich in vielen Fällen aus der Mol.-Struktur berechnen[4].
In der Statistik wird mit V. die Häufigkeit von Meßwerten bezeichnet, die um einen Mittelwert verteilt sind. Die sog. *Normal-V.* gilt für eine zufällige Variable (*Zufalls-V.* der Meßfehler) u. wird durch eine Gaußsche Glockenkurve (s. Verteilungsfunktion) beschrieben (s. Fehlerrechnung). Das Maxwell-Boltzmann-*V.-Gesetz* der Geschw. einzelner Mol. von *Gasen (s. Gasgesetze

u. Maxwell-Boltzmannsche Geschwindigkeitsverteilung) in der kinet. Gastheorie wird für den Fall der eindimensionalen Geschw.-V. ebenfalls durch eine Gauß-Funktion beschrieben. – *E* distribution, partition(ing) – *F* partage, répartition – *I* distribuzione, partizione – *S* partición, reparto, distribución

Lit.: [1] GIT Fachz. Lab. **31**, 397–409, 549–556, 626 (1987). [2] Naturwissenschaften **70**, 186–189 (1983); Adv. Chromatogr. **21**, 165–186 (1983); Natural Prod. Rep. **1**, 471–482 (1984); Pharm. Unserer Zeit **14**, 77–84 (1985); Int. Laboratory **15**, Nr. 3, 34–38 (1985). [3] Helv. Chim. Acta **66**, 2279–2284 (1986). [4] McGowan u. Mellors, Molecular Volumes in Chemistry and Biology: Applications Including Partitioning Toxicity, Chichester: Horwood 1986.

allg.: Atkins, Physikalische Chemie, 2. Aufl., Weinheim: VCH Verlagsges. 1996 ■ Dunn et al., Partition Coefficient: Determination and Estimation, Oxford: Pergamon 1986 ■ Walter et al., Partitioning in Aqueous Two-Phase Systems, Orlando: Academic Press 1986 ■ Wedler, Lehrbuch der Physikalischen Chemie, 4. Aufl., Weinheim: Wiley-VCH 1997.

Verteilungschromatographie. Bez. für ein 1941 von A. J. P. *Martin u. *Synge (Nobelpreis für Chemie 1952) entwickeltes Verf. der *Chromatographie, das anfänglich meist als *Säulen- od. *Papierchromatographie, später als *Dünnschichtchromatographie ausgeführt wurde. Im Gegensatz zur *Adsorptionschromatographie beruht bei der V. die Trennung nicht auf *Adsorptions-, sondern auf *Verteilungs-Phänomenen. Als *stationäre Phase wird eine Flüssigkeit meist durch Aufsaugen auf ein poröses festes Trägermaterial gebracht. Die flüssige *mobile Phase (Elutionsmittel) darf mit der stationären Flüssigkeit nicht mischbar sein u. diese nicht lösen; bei geringer Löslichkeit der stationären Phase im Elutionsmittel wird die mobile Phase vor der Trennung mit der stationären Phase gesättigt. Als Trägermaterial dient in erster Linie Kieselgel, das beide Lsm. wie Wasser, Säuren, Alkohole u. Glykole aufnehmen kann. Auch unpolare Lsm. wie Kohlenwasserstoffe lassen sich nach Hydrophobisierung (s. Hydrophobieren) des Trägers durch Siliconisierung zur V. mit Umkehr-Phasen (*E* reversed phase) heranziehen. Wird als stationäre Phase Wasser benutzt, so sind als mobile Phasen Cyclohexan, Chloroform u. Essigester geeignet, bei Umkehr-Phasen besteht die mobile Phase meist aus Acetonitril- u. Methanol-Wasser-Gemischen.

Verw.: Zur Trennung zahlreicher organ. Stoffe (z. B. Phenole, polycycl. Aromaten, Fettsäuren) sowie anorgan. Ionen. Die V. hat gegenüber der Adsorptionschromatographie große Vorteile infolge der Variationsbreite in der Wahl der beiden Phasen. – *E* partition chromatography – *F* chromatographie de partage – *I* cromatografia di partizione – *S* cromatografía de reparto (partición)

Lit.: s. Verteilung u. Chromatographie.

Verteilungsfunktion. Eine Zufallsgröße ist eine Größe, die bei verschiedenen, unter gleichen Bedingungen durchgeführten Versuchen verschiedene Werte annimmt, von denen dann jede ein zufälliges Ereignis darstellt. Diese Zufallsgrößen werden durch ihre V. $F(x)$ od. durch ihre *Dichtefunktion* (Verteilungsdichte) $f(x)$ vollständig charakterisiert, wobei gilt:

$$F(x) = \int_{-\infty}^{x} f(x) dx \quad bzw. \quad \int_{-\infty}^{+\infty} f(x) dx = 1$$

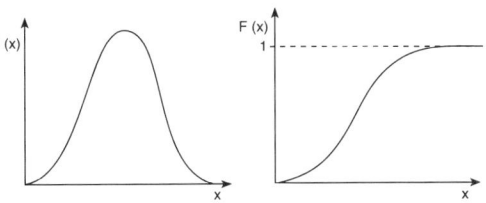

Abb.: Gauß-Verteilung.

Für die Wahrscheinlichkeitsrechnung haben einige Typen von Verteilungen große Bedeutung. Die wohl wichtigste V. ist die Gauß-Verteilung (Normalverteilung) s. Abbildung. Andere Verteilungen sind die Binomial-Verteilung od. die Poisson-Verteilung. In der Physikal. Chemie bes. wichtig sind das *Boltzmann'sche Energieverteilungsgesetz u. die *Maxwell-Boltzmannsche Geschwindigkeitsverteilung der Moleküle. – *E* distribution function – *F* fonction de distribution – *I* funzione di distribuzione – *S* función de distribución

Lit.: Ullmann (5.) **B1**, 1-130, 2-10, 2-39.

Verteilungsgleichgewicht s. Verteilung.

Verteilungskoeffizient, Verteilungssatz s. Verteilung.

Vertigo. Latein. Ausdruck für Schwindel.

Vertigo-Vomex N. Kapseln u. Suppositorien mit *Dimenhydrinat u. *Pyridoxin-hydrochlorid gegen Schwindelgefühle. *B.:* Yamanouchi.

Verträglichkeitsmacher (Verträglichkeitsverbesserer). Bez. für *Additive, die die Verträglichkeit zweier ansonsten nicht mischbarer, d. h. unverträglicher *Polymerer $(A)_x$ u. $(B)_y$ fördern. V. sind meist *Blockcopolymere, insbes. Diblock-Copolymere $(A')_n$–$(B')_m$, od. *Pfropfcopolymere, deren einer Block $(A')_n$ mit dem Polymer $(A)_x$, der andere Block $(B')_m$ mit dem zweiten Polymer $(B)_y$ mischbar ist (A u. A' sowie B u. B' müssen chem. nicht ident. sein). Die nach Zugabe solcher V. entstehenden *Polymer-Blends der unverträglichen Polymere $(A)_x$ u. $(B)_y$ entmischen sich nun meist nicht mehr auf größeren Längenskalen wie zuvor ohne Verträglichkeitsmacher. Vielmehr bilden sich $(A)_x$- bzw. $(B)_y$-reiche Mikrophasen aus, an deren Grenzen sich die V. anlagern. Mit ihren $(A')_n$-Blöcken reichen sie in die $(A)_x$-reiche u. mit ihren $(B')_m$-Blöcken in die $(B)_y$-reiche Mikrophase. Dadurch begrenzen sie einerseits eine weitergehende Entmischung, andererseits verankern sie die beiden Sorten an Mikrophasen ineinander. Dadurch werden die Blends z. B. widerstandsfähiger gegen mechan. Belastung. – *E* compatibilizer – *I* compatibilizzatore – *S* compatibilizador

Lit.: Elias (5.) **2**, 352 f.

Verträglichkeitsverbesserer s. Verträglichkeitsmacher.

Verträglichkeit von Polymeren s. Polymer-Blends.

Vertragsforschung s. Auftragsforschung.

Vertreibungsmittel. Synonym für *Repellentien wie *Insektenabwehrmittel, Mittel zur *Mottenbekämpfung u. *Wildverbißmittel.

Vertrel®. Decafluorpentan als Ersatz für FCKW-113 u. perfluorierte Lsm. zur Reinigung, Trocknung, Dampfentfettung u. Wärmeübertragung in der Elektronik, Luft-/Raumfahrt, Feinmechanik u. ä. **B.:** DuPont.

Verunreinigungen. Bez. für Anteile an Fremdstoffen in Chemikalien, die deren *chemische Reinheit beeinträchtigen. Darüber hinaus beeinträchtigen V. die *Reproduzierbarkeit von Versuchen u. verfälschen Analysenergebnisse. V. können auch die *Hygiene verletzen bzw. Krankheiten herbeiführen sowie die *Umwelt schädigen. Im *Umweltschutz spricht man daher von Luft-, Boden- u. Gewässer-V. od. *Kontamination. Chem. V. können durch *Mikro- od. *Spurenanalyse bestimmt u. durch verschiedene *Trennverfahren beseitigt werden (*Reinigung, auch *Dekontamination u. *Desinfektion od. Entseuchung). In manchen Fällen führt man die V. eines Stoffes durch winzige Mengen eines anderen Stoffes absichtlich herbei u. nennt dann diesen Vorgang z. B. *Dotierung, *Ionenimplantation, *Markierung, Erzeugung von *Kristallbaufehlern od. *Zwischengitterplätzen usw. (s. Halbleiter). – **E** impurities, pollution, contamination – **F** impuretés, pollution, contamination – **I** impurità, inquinamento – **S** impurezas, contaminación

Verursacherprinzip. Im *Umweltrecht häufig angewandter Grundsatz zur Kostenzurechnung. Für die Kosten zur Vermeidung, zur Beseitigung od. zum Ausgleich eines Umweltschadens soll der Verursacher in Anspruch genommen werden. Als Verursacher kommen je nach Umständen z. B. Produzent, Importeur u. Anwender in Frage (s. a. Produzentenhaftung u. Umwelthaftung). Im Gegensatz dazu sieht das Gemeinlastprinzip eine Kostenübernahme durch den Staat vor. – **E** polluter-pays principle – **F** principe de responsabilité du pollueur – **I** principio di causalità – **S** principio de responsabilidad de pago del contaminador
Lit.: Dorn, Effizienz umweltpolitischer Instrumente zur Emissionsminderung, S. 14–17, Berlin: E. Schmidt 1996 ▪ Kloepfer, Umweltrecht (2.), S. 177–182, München: Beck 1998 ▪ Ullmann (5.) **B 7**, 304–305.

Vervens-Reagenz. Man löst in 100 mL dest. Wasser 5 g Cadmiumiodid u. 10 g Kaliumiodid u. vermischt 1 mL davon mit 5 mL einer mit H_2SO_4 angesäuerten Alkaloid-Lsg.: Es entsteht eine Trübung od. Fällung. – **E** Vervens' reagent – **F** réactif de Vervens – **I** reattivo di Vervens – **S** reactivo de Vervens

Vervielfachungspräfixe s. Multiplikationspräfixe.

Verwachsungen. Wenn sich Kristallindividuen beim Wachsen in engem Kontakt befinden, können verschiedenartige V. auftreten. Handelt es sich dabei um V. von zahlreichen, oft unvollkommen ausgebildeten Krist., dann spricht man von *Kristallaggregaten.* Form u. Verwachsungsart (*Gefüge u. *Textur) der Kristallite in krist. Aggregaten können sehr verschieden sein u. in hohem Maße die mechan., therm., elektr. u. magnet. Eigenschaften z. B. von Metallen u. Baustoffen beeinflussen. Neben unregelmäßigen V. kennt man auch solche, bei denen die Kristallite eine mehr od. minder große Vorzugsorientierung relativ zum Ausgangskrist. aufweisen (s. Epitaxie). Sind zwei Einzelkrist. nach bestimmten kristallograph. Gesetzmäßigkeiten miteinander verwachsen, dann spricht man von *Zwillingsverwachsungen* (s. a. Zwillinge). Die Ausgangspunkte für V. sind meistens *Kristallbaufehler. – **E** intergrowth – **F** intercroissances, jointures en croissance – **I** concrescimenti – **S** intercrecimientos
Lit.: Ramdohr-Strunz, S. 192 f.

Verweilzeit. Aufenthaltszeit eines Vol.-Elements der Reaktionsmasse in einem chem. *Reaktor. Im *satzweisen Betrieb* ist dies die Reaktionszeit, mit der die chem. Umsetzung absatzweise durchgeführt wird; sie ist für alle Vol.-Elemente identisch. Im *kontinuierlichen Betrieb* können unterschiedliche Vol.-Elemente unterschiedliche Aufenthaltszeiten im Reaktor haben. Die V. weist dann eine V.-Verteilung auf. Diese ist für die unterschiedlichen chem. Reaktoren unterschiedlich u. kann für die verschiedenen Reaktortypen durch V.-Modelle beschrieben werden. Mittelt man die V. über die V.-Verteilung, erhält man die mittlere V. τ, die auch aus dem Reaktorvol. V_R u. dem Vol.-Drucksatz $\dot{V}$ abgeschätzt werden kann: $\tau \approx V_R/\dot{V}$. Für idealisierte Grenzfälle (z. B. Kolbenströmungsreaktor, ideal durchmischter Rührkesselreaktor) entspricht $V_R/\dot{V}$ der mittleren V. τ. – **E** residence time – **F** temps de séjour – **I** tempo di permanenza – **S** tiempo de residencia

Verweilzeitmodelle. Chem. Reaktoren weisen durch ihre Bauweise bestimmte Verweilzeitverteilungen auf, zu deren Beschreibung V. herangezogen werden. Für die idealen Grenzfälle – idealer Rührkessel u. ideales Strömungsrohr – sind die Verweilzeitverteilungen durch die folgenden Funktionen gegeben:

idealer Rührkessel: $w(t) = 1/\tau \exp(-t/\tau)$,
$W(t) = 1 - \exp(-t/\tau)$;
ideales Strömungsrohr: $w(t) \to \infty$ für $t = \tau$,
$w(t) = 0$ für $t \neq \tau$,
$W(t) = 0$ für $t < \tau$,
$W(t) = 1$ für $t > \tau$,

wobei die Verweilzeitverteilungsfunktion

$$W(t) = \int_0^t w(t)\,dt$$

das Integral der Verweilzeitdichtefunktion w(t) (s. Verweilzeitverteilung) u. τ die mittlere Verweilzeit ist.

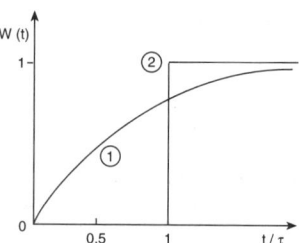

Abb. 1: Verweilzeitverteilungsfunktion W(t) für 1. den idealen Rührkessel u. 2. das ideale Strömungsrohr.

Für nichtideale chem. Reaktoren, bei denen die Abweichung vom idealen Strömungsrohrreaktor durch z. B. eine zusätzlich zum konvektiven Transport auftretende axiale Vermischung verursacht wird (Dispersionsmodell), ergeben sich die in Abb. 2 angegebenen Verweilzeitverteilungsfunktionen. Parameter in diesen Verweilzeitverteilungsfunktionen ist die *Bodensteinzahl*, $Bo = \dfrac{u \cdot L}{D_{ax}}$, die als das Verhältnis der Geschw. des konvektiven Transports (Strömungsgeschw. u) u. des Transports durch axiale Vermischung (axialer „Diffusionskoeff." D_{ax}) interpretiert werden kann. L ist eine charakterist. Abmessung des Reaktors, z. B. die Reaktorlänge.

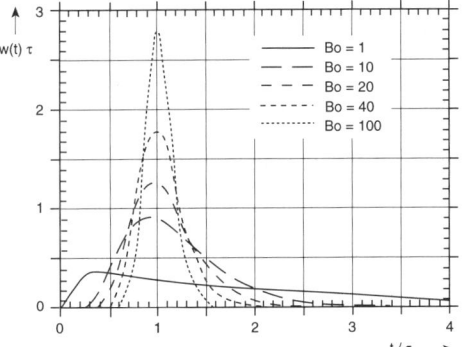

Abb. 2: Verweilzeitdichtefunktionen w(t) für nichtideale chem. Reaktoren.

Ein Vgl. der experimentell aufgenommenen Kurven [z. B. W(t)] mit den Modellkurven (s. Abb. 1 u. 2) gibt Aufschluß darüber, wie weit der betreffende Reaktor dem einen od. anderen Grenzmodell entspricht. – *E* residence time models – *F* modèles de temps de séjour – *I* modelli del tempo di permanenza – *S* modelos de tiempo de residencia

Lit.: s. Lehrbücher der Technischen Chemie.

Verweilzeitverteilung. Die V. eines chem. Reaktors läßt sich durch eine Verweilzeitdichtefunktion w(t) (Verweilzeitspektrum) darstellen, wobei w(t) die Wahrscheinlichkeit ist, daß ein zur Zeit t=0 in den Reaktionsraum eintretendes Teilchen diesen im Intervall t bis (t+dt) wieder verläßt. Diese Funktion läßt sich experimentell ermitteln, indem ein *Indikator stoßartig am Eingang des Reaktors eingegeben u. dessen Menge am Ausgang in Abhängigkeit von der Zeit verfolgt wird. Das Integral der Verweilzeitdichtefunktion w(t) ist die entsprechende Summenfunktion (Verweilzeit-*Verteilungsfunktion) W(t), die ebenfalls experimentell durch Zugabe einer konstanten Indikatormenge ab einem bestimmten Zeitpunkt ermittelt werden kann; Beisp. für Verweilzeitverteilungsfunktionen s. Verweilzeitmodelle. Durch graph. Auswertung der gewonnenen Kurven läßt sich die mittlere Verweilzeit τ leicht bestimmen. – *E* residence time distribution – *F* distribution du temps de séjour – *I* distribuzione del tempo di permanenza – *S* distribución del tiempo de residencia

Lit.: s. Lehrbücher der Technischen Chemie.

Verwenden. Nach § 3.10 *Chemikaliengesetz ist V. das „Gebrauchen, Verbrauchen, Lagern, Aufbewahren, Be- u. Verarbeiten, Abfüllen, Umfüllen, Mischen, Entfernen, Vernichten u. innerbetriebliche Befördern" eines Stoffs od. einer Zubereitung. Herst.- u. Verw.-Verbote finden sich in § 15 *Gefahrstoffverordnung. – *E* usage – *F* utilisation – *I* impiego – *S* utilización

Verwertung s. Abfallverwertung.

Verwesung. Oft im gleichen Sinne wie *Fäulnis gebrauchter Begriff. Im engeren Sinn die oxidative Zers. toter Tiere u. abgestorbener Pflanzen durch aerobe Mikroorganismen (vgl. Aerobier). – *E* decay – *F* putréfaction, décomposition – *I* putrefazione, decomposizione – *S* putrefacción, descomposición

Verwirrstoffe s. Wirrstoffe.

Verwitterung. 1. In den Geowissenschaften Bez. für die Summe der Prozesse, die zu Veränderungen der *Gesteine u. *Mineralien im Bereich der Erdoberfläche im Kontakt mit Atmosphäre, Hydrosphäre u. Biosphäre führen; die V. ist wesentlich an der *Boden-Bildung beteiligt. Sie umfaßt physikal., chem. u. biochem. Prozesse. Durch die *physikal. (mechan.) V.* werden Gesteine u. Mineralien gelockert u. in kleinere Teilchen zerlegt, ohne daß sie dabei chem. verändert werden. Dieser V.-Typ kommt v. a. durch Druckentlastung, Temp.-Wechsel, Frostsprengung (Bildung von Eis-Krist. unter Vol.-Vergrößerung), Salzsprengung, durch Wurzeldruck, Quellung u. Schrumpfung sowie durch gegenseitige mechan. Beanspruchung der V.-Produkte beim Transport durch Schwerkraft, Wasser, Eis od. Wind zustande; er tritt bevorzugt in ariden u. nivalen Klimaten auf. In humiden Klimaten herrscht die *chem. u. biochem. V.* vor, bei der die Gesteine u. Mineralien in ihrem Chemismus verändert werden. Sie ist gekennzeichnet durch chem. Auflsg. prim. Silicat-Mineralien [V.-Raten s. *Lit.*[1] u. White u. Brantley (*Lit.*); *Beisp.:* *Feldspäte[2,3], *Olivin[4]] u. a. Gesteinsbestandteile (z. B. *Calcit) durch Hydrolyse, Hydratation, Oxid. u. Red., kolloidchem. Reaktionen sowie durch Organo-Komplexierung. Komplexiert werden z. B. Al, Fe, Mn u. Schwermetalle wie Cu u. Pb, das sind Metalle, die mit einfachen organ. Liganden stabile lösl. u. unlösl. Metall-organ. Komplexe (meist Chelat-Komplexe) bilden.

Zu den Faktoren, die die chem. Wechselwirkungen zwischen Mineralien u. wäss. Lsg. im Bereich der Erdoberfläche (s. dazu *Lit.*[5]) bestimmen, zählen v. a. die Temp.[3,6] u. die chem. Kinetik[7]. Das Interesse an den Kontrollmechanismen für die Raten bzw. die Geschw. der chem. V. an der Erdoberfläche ist im Rahmen der Erstellung quant. Modelle zur Zusammensetzung der *Atmosphäre, zum Klima u. zum *Kohlendioxid-Kreislauf in der geolog. Vergangenheit in jüngster Zeit stark gestiegen[8,9].

Zur *biochem. V.* tragen insbes. Pflanzenwurzeln u. niedere Vertreter der Bodenflora wie Bakterien, Algen u. Pilze bei (s. *Lit.*[9–11]). Die wasserlösl. organ. Verb. entstammen direkten Pflanzensekreten od. den Abbauprodukten pflanzlicher od. tier. Reste; sie werden durch Hydrolyse, Humifikation od. Polymerisation gebildet. Durch die chem. u. biochem. V. kommt es zur Neubildung von *Phyllosilicaten (v. a. *Tonmineralien), Oxiden u. Hydroxiden (z. B. *Braunsteine, *Brauneisenerz), Carbonaten (z. B. *Malachit), Sulfaten (z. B. *Gips) u. Phosphaten (z. B. *Apatit). Nicht nur *Sand, *Ton u. *Sedimentgesteine sind durch V. von Gesteinen u. Mineralien entstanden, sondern auch viele sog. sek. *Lagerstätten (*V.-Lagerstätten*), u. a. die *Seifen. 2. Wenn man Roh- u. Werkstoffe wie Keramik, Glas, Metalle, Kunststoffe, Textilien, Pigmente u. dgl. zur *Werkstoffprüfung den Bedingungen der V. im obigen Sinne aussetzt, nennt man diesen Vorgang *Bewitterung*.

3. In der *Kristallchemie bezeichnet man als V. die Abgabe von Kristallwasser aus *Hydraten bzw. allg. von flüchtigen Mol. aus Solvaten u. Salzen. – *E* 1., 2. weathering, 3. efflorescence – *F* 1., 2. effrittement, altération, 3. efflorescence – *I* 1., 2. alterazione, disgregazione, 3. efflorescenza – *S* 3. eflorescencia
Lit.: [1]Chem. Geol. **105**, 51–69 (1993). [2]Geochim. Cosmochim. Acta **50**, 2481–2497 (1986). [3]Geochim. Cosmochim. Acta **58**, 1853–1856 (1994). [4]Geochim. Cosmochim. Acta **55**, 943–954 (1991). [5]Hochella u. White (Hrsg.), Mineral–Water Interface Geochemistry (Reviews in Mineralogy, Vol. 23), Washington (D. C.): Mineralogical Society of America 1990. [6]Geology **21**, 1059–1062 (1993). [7]Geochim. Cosmochim. Acta **58**, 2361–2386 (1994). [8]Paleogr., Paleoclimatol., Paleoecol. **75**, 83–95 (1989). [9]Geochim. Cosmochim. Acta **56**, 3225–3231 (1992). [10]Nature (London) **340**, 457–460 (1989). [11]Geochim. Cosmochim. Acta **58**, 2325–2332 (1994).
allg. (zu 1.): Drever (Hrsg.), The Chemistry of Weathering, Dordrecht: Reidel 1985 ▪ Füchtbauer (Hrsg.), Sedimente u. Sedimentgesteine (Sediment-Petrologie Teil II) (4.), S. 11–68, Stuttgart: Schweizerbart 1988 ▪ Ollier, Weathering (2.), Edinburgh: Oliver u. Boyd 1984 ▪ Prothero u. Schwab, Sedimentary Geology, S. 19–41, New York: Freeman 1996 ▪ Scheffer u. Schachtschabel, Lehrbuch der Bodenkunde (14.) S. 34–44, Stuttgart: Enke 1998 ▪ White u. Brantley (Hrsg.), Chemical Weathering Rates of Silicate Minerals (Reviews in Mineralogy, Vol. 31), Washington (D. C.): Mineralogical Society of America 1995 ▪ s. a. Sedimente, Sedimentgesteine u. Erde.

Very late(-appearing) antigens (Abk. VLA). Aus dem Engl. stammende Bez. für eine zur *Protein-Superfamilie der *Integrine gehörende Gruppe von *Zell-Adhäsionsmolekülen, die auf der Oberfläche von Leukocyten entdeckt wurden, aber auch auf den anderen *eukaryontischen Zellen vorkommen. Die VLA besitzen jeweils eine α- u. eine β-Untereinheit (UE), dabei setzen sich die VLA-1 bis -6 aus 6 verschiedenen Arten von α-UE (VLA-1α–VLA-6α, Integrine α_1–α_6, CD49A-F; M_R 140000–200000), aber nur einer Art der β-UE (VLAβ, Integrin β_1, CD29; M_R 110000) zusammen. Die VLA, so genannt wegen ihres „sehr späten Auftretens" als Oberflächen-*Antigene nach der Aktivierung von T-Lymphocyten (daher auch: very late activation proteins), dienen teilw. als *Rezeptoren für Bestandteile der *extrazellulären Matrix wie *Collagen, *Laminin u. *Fibronectin. – *E* very late(-appearing) antigens – *F* antigènes apparaissant très tard – *I* antigeni apparenti molto tardi – *S* antígenos de aparición muy tardía
Lit.: Curr. Opin. Chem. Biol. **2**, 453–457 (1998) ▪ Holzmann u. Wagner, Leukocyte Integrins in the Immune System and Malignant Disease, Berlin: Springer 1998 ▪ J. Leukocyte Biol. **61**, 397–407 (1997) ▪ Leukem. Lymphom. F24F, 423–435 (1997).

Verzinken. Bez. für die Herst. von Zink-Überzügen auf Eisen u. Stahl als *Rostschutz. Etwa 50% der dtsch. Zink-Produktion geht in die Verzinkereien. Bei Blech, Band u. Draht wendet man bevorzugt das *Sendzimir-Verfahren an. Die bei größeren Teilen praktizierte *Feuerverzinkung* (*Heißverzinkung*) durch *Schmelztauchen der Teile in geschmolzenes *Zink (*Stückverzinken*) ergibt bis zu 0,3 mm dicke Schutzüberzüge. Kleine Kupfer-Zusätze zum Zn-Bad verbessern die Beständigkeit des Überzugs. Zum günstigen Korrosionsverhalten s. Lokalelemente. Bei Kleinteilen, z. B. bei Schrauben, wendet man ggf. *Sherardisieren an.

Beim *galvan. V.* benutzt man Elektrolyt-Zink als Anode u. Bäder mit $ZnSO_4$, $ZnCl_2$, Na_2SO_4 u. H_2SO_4 od. mit $ZnSO_4$ u. $(NH_4)_2SO_4$. Alkal. *Glanzzinkbäder* enthalten z. B. $Zn(CN)_2$, NaCN u. NaOH sowie sog. *Glanzzusätze*. Da die Behandlung *umweltgefährlicher Cyanid-haltiger Abwässer der *Galvanotechnik zunehmend Probleme aufwirft, verwendet man andere Zinksalze, wie z. B. Natrium-*Zinkate. In geringem Maße (ca. 4%) werden zum V. auch *Metallspritzverfahren angewandt.
Bei der fälschlicherweise so genannten *Kaltverzinkung* (diese ist ein Verf. der *Beschichtung) wird ein >90% Zink-Staub enthaltende Beschichtung im Streich-, Spritz- u. Tauchverf. aufgetragen. – *E* zinc(k)ing, zinc plating – *F* zingage – *I* zincatura, zincare – *S* cincado
Lit.: Dettner u. Elze (Hrsg.), Handbuch der Galvanotechnik, Bd. 2, S. 282 ff., 470 ff., 718 ff., 751 ff., München: Hanser 1966 ▪ Kirk-Othmer (4.) **9**, 278 ff.; **16**, 260 ff. ▪ Ullmann (5.) **A 9**, 161 ff.; **A 18**, 428 ff.; **A 28**, 527 ▪ Winnacker-Küchler (4.) **4**, 679 ff.

Verzinnen. Bez. für die Herst. von Zinn-Überzügen auf Stahlblech (seltener auf anderen Materialien) vornehmlich zur Erzeugung von sog. *Weißblech*, das zur Herst. von *Konservendosen* für die *Konservierung von Lebensmitteln in großen Mengen gebraucht wird. Etwa bis zum 2. Weltkrieg war die seit 1620 bekannte *Feuerverzinnung* (*Heißverzinnung*) durch *Schmelztauchen vorherrschend, bei der man geheiztes Eisen-Blech in geschmolzenes Zinn taucht; beim Herausziehen bleibt ein dünner, weißglänzender Zinn-Überzug auf dem Blech haften, der nach dem Erstarren einen sehr wirksamen, ungiftigen Schutz bildet. Diese Meth. ist jedoch gegenüber dem V. durch *Galvanotechnik stark in den Hintergrund getreten, da elektrolyt. Verf. wirtschaftlicher arbeiten.
Beim *galvan. V.* benutzt man Rein-Zinn als Anode u. z. B. Bad-Flüssigkeiten mit Na_2SnO_3, NaOH, Natriumacetat u. Natriumperborat. Das erzeugte *Weißblech* ist physiolog. unbedenklich; es ist noch korrosionsbeständiger als verzinktes Eisenblech, solange die schützende Zinn-Haut unverletzt ist. Wird diese an einer Stelle beschädigt, dann korrodiert verzinntes Eisen allerdings schneller als verzinktes, da es sich elektrochem. unedler verhält u. keine Schutzschicht bildet.
Dünne Sn-Überzüge können auch durch *stromlose *Metallisierung* erhalten werden, indem man z. B. Stahlteile in eine wäss. siedende Lsg. von $SnCl_2$, $(NH_4)_2SO_4$ u. $Al_2(SO_4)_3$ bzw. Kupfer od. Messing in Cyanid-haltige Sn(II)-Lsg. taucht. Verzinnte Kupfer-Bleche werden z. B. in der Leiterplattentechnik gebraucht. – *E* tinning, tin plating – *F* étamage, étainage – *I* stagnatura, stagnare – *S* estañado
Lit.: Dettner u. Elze (Hrsg.), Handbuch der Galvanotechnik, Bd. 2, S. 338 ff., 490 ff., 743 ff., München: Hanser 1966 ▪ Kirk-Othmer (4.) **7**, 561 ff.; **9**, 278 ff., 336 ff.; **16**, 265 ff., 297 ff. ▪ Ullmann (5.) **A 9**, 160 ff.; **A 11**, 598 ff. ▪ Winnacker-Küchler (4.) **4**, 680 ff.

Verzögerer s. Egalisiermittel, Erstarrungsverzögerer, Inhibitoren, Photographie, Retarder.

Verzuckerung s. Holzverzuckerung u. Glucose-Sirup.

Verzweigte Polymere s. Verzweigung.

Verzweigung. 1. In der organ. Chemie Bez. für die Bildung od. das Vorhandensein von *Seitenketten an Kettenmolekülen; Näheres s. bei Ketten u. den Abb. bei Kunststoffen, Glykogen u. Stärke. Verzweigte (zur Berechnung der Zahl möglicher Isomere s. Isomerie) u. unverzweigte Alkane kann man ggf. aufgrund der (Nicht-)Bildung von Einschluß-Verb. trennen; zu einem anderen Unterscheidungsmerkmal s. Cetan- u. Octan-Zahl. *Makromoleküle werden nur dann als verzweigt angesehen, wenn ihre Haupt- u. Seitenketten chem. ident. sind. Das ist z.B. bei den natürlichen Polymeren Glykogen u. Stärke, aber auch bei synthet. Polymeren, z.B. beim *Polyethylenimin, das aus Ethylenimin gewonnen wird, der Fall. Sind Haupt- u. Seitenketten von Makromol. chem. verschieden, liegen *Pfropfcopolymere vor. Bei *verzweigten Polymeren* nehmen mit steigender V. Dichte u. Kristallinität (z.B. bei *Polyethylen) ab u. der erreichbare Vernetzungsgrad (s. Vernetzung) zu.
2. Bei chem. *Reaktionen bezeichnet man als V. das Auftreten von *Nebenreaktionen* (s. Reaktionsmechanismen). Auch beim radioaktiven Zerfall sind derartige V. zu beobachten (s. Radioaktivität).
3. Bei *Kettenreaktionen sind V. der Reaktionsketten der Grund für eine Verkürzung der *Kettenlänge* der Hauptkette. – *E* branching – *F* ramification – *I* ramificazione – *S* ramificación
Lit.: Elias (5.) 1, S. 40f. ▪ Encycl. Polym. Sci. Eng. 2, 478–499.

Verzweigungskoeffizient. Bez. für einen aus statist. Überlegungen abgeleiteten Koeff. α, der vorherzusagen erlaubt, unter welchen Bedingungen bei einer vernetzenden *Polykondensation od. einer vernetzenden *Polyaddition ein unendlich ausgedehntes Netzwerk entsteht u. somit Gelierung eintritt (s. Vernetzung). Der Zahlenwert von α ist gleich der Wahrscheinlichkeit, daß ein lineares, unverzweigtes Kettensegment des *Polymers, das an seinem einen Ende eine Verzweigungseinheit trägt (d.h. einen Kettenbaustein, der aus einem Monomer mit einer Funktionalität f > 2 hervorgegangen ist), auch an seinem anderen Ende ebenfalls eine Verzweigungseinheit aufweist. Im Falle einer *Polyaddition unter Verw. z.B. eines Diols A–A, eines Diisocyanats B–B u. eines trifunktionellen Alkohols A–$<^A_A$ (d.h. f = 3), bei der je nach den verwendeten Mengenanteilen entweder ein verzweigtes (u. daher noch lösl.) od. aber ein vernetztes (u. daher nur noch quellbares) *Polyurethan entstehen kann, ist α gleich der Wahrscheinlichkeit, mit der man Kettensegmente der Struktur

$$\begin{matrix} A \\ \rangle - A-(B-B-A-A)_n-B-B-A-\langle \\ A \end{matrix} \begin{matrix} A \\ A \end{matrix}$$

im Produkt findet. Der V. kann hier für den Fall, daß die Gruppen A im Überschuß vorliegen, durch die Gleichung

$$\alpha = p_B^2 \cdot \rho / [q - p_B^2 \cdot (1-\rho)]$$

berechnet werden. Darin ist p_B der Umsatz der Gruppen B, q das Mengenverhältnis von B-Gruppen zu A-Gruppen u. ρ das Verhältnis von A-Gruppen in Verzweigungseinheiten zur Gesamtzahl aller vorhandenen A-Gruppen. – *E* branching coefficient – *F* coefficient de ramification – *I* coefficiente di ramificazione – *S* coeficiente de ramificación
Lit.: Cowie, S. 43 ▪ Tieke, S. 42 f.

Verzweigungsparameter. Bez. für den Parameter g, der beschreibt, um wieviel der *Trägheitsradius ($\langle s^2 \rangle_o^{1/2}$) eines langkettenverzweigten *Polymers (s. Verzweigung) gegenüber dem Trägheitsradius eines chem. ident. aufgebauten, jedoch unverzweigten Polymers von gleicher Molmasse reduziert ist. Er ist definiert durch

$$g = \langle s^2 \rangle_{o, \text{verzweigt}} / \langle s^2 \rangle_{o, \text{linear}},$$

wobei der Index „o" darauf hinweist, daß die Messungen unter Theta-Bedingungen (s. Theta-Temperatur) erfolgen. Der Wert von g ist stets kleiner als 1. Seine jeweilige Größe hängt von der Funktionalität der Verzweigungspunkte, d.h. der Zahl an Ketten ab, die von einem Verzweigungspunkt fortführen. Weiterhin gehen die mittlere Länge, die Längenverteilung u. die Anordnung der Seitenäste entlang der Polymer-Hauptkette in den Wert ein. – *E* branching parameter – *F* paramétre de ramification – *I* parametro di ramificazione – *S* parámetro de ramificación
Lit.: Elias (5.) 1, 641.

Verzweigungsreaktion s. Kettenreaktion.

Verzwilli(n)gung s. Zwillinge.

Vesdil® (Rp). Tabl. mit dem *ACE-Hemmer *Ramipril, V. plus enthält zusätzlich *Hydrochlorothiazid, gegen essentielle Hypertonie. *B.:* Astra, Promed.

Vesikantien. Von latein.: vesica = Blase abgeleitete Bez. für blasenziehende, d.h. die *Haut zur *Erythem- u. Blasenbildung mit *Hyperämie reizende Mittel. Zu den z.B. in der *Reizkörpertherapie eingesetzten V. zählen *Cantharidin, *Capsaicin, Benzylsenföl, Präp. aus der Zaunrübe etc. – *E* vesicants – *F* vésicants – *I* vescicanti – *S* vesicantes

Vesikeln (Singular: die Vesikel, von latein.: vesicula = Bläschen). Bez. für sphär.-lamellare, polydisperse, amphiphile Strukturen unterschiedlicher Geometrie, allg. für einen durch eine adsorbierte Doppelschicht (eine „Membran") stabilisierten Tropfen. V. bilden sich z.B. auf dem Weg der Selbstorganisation aus flüssigkrist. L_α-Phasen, die aus nichtion. *Tensiden u. Co-Tensiden bestehen, durch Zusatz von ion. Tensiden („Aufladung"). Die Strukturen von V. lassen sich durch Gefrierbruch-Transmissionselektronenmikroskopie darstellen (s. Abb. auf S. 4849). Multilamellare V. können durch Scherung in kleinere u. mit zunehmendem Schergradienten in unilamellare V. umgewandelt werden, die ihrerseits flüssigkrist. (kub.) Phasen mit viskoelast. Verhalten ausbilden können. Künstlich aus Phospholipiden u.a. grenzflächenaktiven Substanzen hergestellte V. werden meist *Liposomen genannt u. finden auch als Vehikel für Wirkstoffe in Medizin u. Kosmetik Anwendung. Gasgefüllte V. bilden sich bei der Photographie auf *Vesikularfilm.
Zelluläre V.: Submikroskop. kleine, aus *Lipiden u. *Proteinen gebildete *Membran-umschlossene Bläschen, die in Zellen zur Umhüllung von *Hormonen, *Neurotransmittern, *Ektoenzymen, Abwehrsubstan-

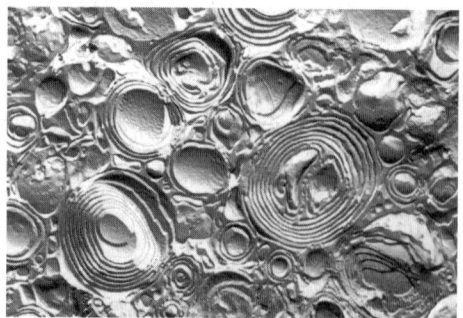

Abb. Elektron. Mikrographie der multivesikulären Phase von 90 mM N,N-Dimethyltetradecylamin-N-oxid, 10 mM Trimethyltetradecylammoniumbromid u. 220 mM n-Hexanol (nach Lit.[1]).

zen wie *Perforine u. ähnlichen Substanzen dienen. Diese Verpackung dient dem Transport u. der Speicherung der eingeschlossenen Substanzen; außerdem bewirkt sie einerseits den Schutz der Inhaltsstoffe vor dem Abbau durch zelleigene *Enzyme, andererseits dem Schutz der Zelle vor hydrolyt. u. oxidativen Enzymen der Vesikeln. V. entstehen durch Abschnürung von Membranen, z. B. von der Innenseite der Plasmamembran (s. Cytoplasma) bei der *Endocytose od. von den Membranen des *Golgi-Apparats, des *endoplasmatischen Retikulums (ER), der *Lysosomen u. Vakuolen. Je nach ihrem Entstehungs- u. Bestimmungsort können die V. mit unterschiedlichen Proteinen überzogen sein (*coated vesicles*), z. B. *Clathrin bei endocytot. V. u. *Coatomer bei Golgi-Vesikeln. Beim Abschnüren ist der *molekulare Motor *Dynamin beteiligt[2]. Mol. Motoren wie *Dynein u. *Kinesin wirken auch am V.-Transport entlang *Mikrotubuli mit; dies ist z. B. in *Neuronen von bes. Bedeutung, wo Transmitter-geladene V. vom Zellkörper durch die langen Axonen zu den *Synapsen geschafft werden müssen. Dort (als *synapt. V.*) sowie in Drüsenzellen (*sekretor. V.*, bei opt. dichtem Inhalt auch *Granula* genannt) dienen die Bläschen der Speicherung der Neurotransmitter bzw. der zu sezernierenden Substanzen, bis es zu deren Ausschüttung (*Exocytose) kommt. Diese geschieht durch Andocken der V. an die Plasmamembran u. durch Verschmelzung der V.-Membran mit jener, wobei V.-spezif. u. Zielmembran-spezif. Rezeptoren (v- bzw. t-SNARE – verhalten sich im V.-Verkehr etwa wie Adressaufkleber bzw. Hausnummer-Schilder), *kleine GTP-bindende Proteine sowie weitere Hilfsproteine (*fusogene Proteine*) regulator. beteiligt sind (vgl. Membranen). Ähnliches gilt für die Verschmelzung von V. mit anderen Zielmembranen, wie z. B. der Lysosomen (bzw. Vakuolen), des Golgi-Apparats u. des ER. Bei den meisten beschriebenen Schritten der V.-Dynamik (Abschnürung, Transport, Verschmelzung) dienen *Adenosin-5'-triphosphat od. Guanosin-5'-triphosphat (s. Guanosinphosphate) als Energielieferanten.
Durch Beschallen mit Ultraschall werden Zellen zerstört, u. es bilden sich subzelluläre V., die im Vgl. zur intakten Zellmembran die Innenseite nach außen gekehrt haben; Verw. zum Studium der Membran-Eigenschaften. Zu Gas-V. in halophilen *Archaea s. Lit.[3]. – *E* vesicles – *F* vésicules – *I* vescicole – *S* vesículas

Lit.: [1] Langmuir **10**, 3974 (1994). [2] Curr. Biol. **8**, R792 ff. (1998). [3] Arch. Microbiol. **167**, 259–268 (1997).
allg.: Alberts et al., Molekularbiologie der Zelle, 3. Aufl., S. 707–769, Weinheim: VCH Verlagsges. 1995 ▪ Annu. Rev. Physiol. **60**, 347–363 (1998) ▪ Europhys. Letters **53** (1993) ▪ Int. Rev. Cytol. **176**, 1–85 (1997) ▪ J. Biol. Chem. **273**, 22 161–22 164 (1998) ▪ J. Phys. Chem. **B 101**, 1719 (1997) ▪ Lipowsky u. Sackmann (Hrsg.), Handbook of Biological Physics, Amsterdam: Elsevier 1995 ▪ Plant Mol. Biol. **38**, 49–76 (1998) ▪ Rosoff (Hrsg.), Vesicles, New York: Dekker 1996.

Vesikularfilm. Ein von latein.: vesicula = Bläschen abgeleiteter Begriff aus der *Photographie (s. a. Reprographie), unter dem man Kopiermaterial versteht, dessen Bild durch Erzeugen feinster lichtstreuender Bläschen in einer verformbaren Schicht entsteht. In dem *Silber-frei*, d. h. *kornlos* arbeitenden V. entstehen diese Mikrobläschen z. B. bei der Abspaltung von gasf. Stickstoff aus Diazonium-Verbindungen. Das gleiche Prinzip nutzt man auch in *Silber-haltigen* Filmen bei Verarbeitung mit H_2O_2 (Bildung von Sauerstoff-Bläschen) aus. – *E* vesicular film – *F* film vésiculaire – *I* film vescicolare – *S* película (film) vesicular
Lit.: Ullmann (4.) **20**, 180 ▪ Winnacker-Küchler (3.) **5**, 631 f.; (4.) **7**, 567 f.

Vesparion.

$C_{16}H_{12}O_4$, M_R 268,27, rote Nadeln, Schmp. 145–147 °C, racem. Farbstoff aus dem Schleimpilz *Metatrichia vesparium*, biosynthet. ein Oktaketid. Die Struktur von V. wurde durch eine elegante zweistufige Synth. aus 2,5-Dihydroxy-1,4-naphthochinon u. Cyclopentancarbaldehyd bewiesen. – *E* = *F* = *I* vesparione – *S* vespariona
Lit.: Justus Liebigs Ann. Chem. **1987**, 793 ▪ Zechmeister **51**, 171. – [CAS 108834-58-8]

Vespel®. Halbzeuge u. Fertigteile auf Basis Temp.-beständiger Polyimide. *B.:* DuPont.

Vestamid. Handelsname für *Nylon 12.

Vestamid X. Handelsname für ein Polyetheramid auf der Basis von Lauryllactam, 1,10-Decandicarbonsäure u. *Polytetrahydrofuran.

Vestium s. Ruthenium.

Vestodur. Handelsname für *Polybutylenterephthalat.

Vesuvian (Idokras). Hinsichtlich Zusammensetzung u. Kristallstruktur komplexes, zu den Neso- od. Soro-*Silicaten gestelltes Mineral. Allg. Formel nach Lit.[1]: $X_{19}Y_{13}Z_{18}T_{0-5}O_{68}W_{10}$; darin bedeuten X=Ca, Na, SEE^{3+} (Seltenerd-Elemente), Pb^{2+}, Sb^{3+}; Y= Al, Mg, Fe^{3+}, Fe^{2+}, Ti^{4+}, Mn, Cu, Zn; Z=Si, T=B; W=(OH,F,O); Formel-Beisp. nach Deer et al. (*Lit.*): $Ca_{19}(Al,Fe)_{10}(Mg,Fe)_3[Si_2O_7]_4[SiO_4]_{10}(O,OH,F)_{10}$. Bes. interessant ist die z. T. auch mehr als 13 Kationen pro Formeleinheit (Lit.[2]) enthaltende Y-Position mit einer quadrat.-pyramidalen [5]er-Koordination[3]; zu den Strukturen von Fe^{3+}-haltigem V. (z. B. aus Tschechien) s. Lit.[4], von Mg-reichem V. s. Lit.[5], von Mn^{3+}-haltigem V. (z. B. von Niederschlesien/Polen) s. Lit.[6], von Cu-

haltigem V. (z. B. 1,91% CuO in einem blauen V. von New Jersey/USA) s. *Lit.*[7]. Ein schwarzer V. aus Kalifornien enthielt 17,19% SEE (*Lit.*[8]). Der Einbau von Bor in die V.-Struktur[9] erfolgt über die Substitution B+Mg↔2H+Al (*Lit.*[10]). Zum Einbau von Fluor in V. s. *Lit.*[11], Untersuchung mit IR-Spektroskopie s. *Lit.*[12]. Die ideale Symmetrie bzw. Kristallklasse für V. ist 4/mmm-D_{4h}; viele V. zeigen jedoch physikal. Eigenschaften, die das Vorliegen niedrigerer Symmetrieklassen anzeigen, z. B. 4/m – C_{4h} od. andere tetragonale Klassen (s. *Lit.*[13]) od. sogar monokline Symmetrie[14].
V. bildet durchsichtige bis durchscheinende, dicksäulige, selten bipyramidale, auch langsäulige od. nadelförmige, oft gestreifte Krist., strahlige grobgestreifte Aggregate u. dichte bis kleinkörnige Massen von brauner, grüner, gelber, braunschwarzer, seltener von weißer, blauer (durch Cu), violetter, rosaviolett (durch Mn) od. roter Farbe. H. 6–7, D. 3,25–3,45, Glasglanz, auf dem unebenen, splittrigen Bruch Fettglanz.
Vork.: V. a. als Mineral der *Kontaktmetamorphose, u. a. in Kalksilicatfelsen (s. Felse), *Marmor u. *Skarnen; *Beisp.:* Auerbach an der Bergstraße, Predazzo/Italien u. in vulkan. Auswürflingen am Vesuv (Name!)/Italien. Auf Klufträumen in *Serpentin-Gesteinen, z. B. Asbestos/Kanada, Haslau bei Cheb (Eger)/Böhmen, Gebiet Zermatt-Saas Fee/Schweiz, Piemont/Italien. Bes. gute Krist. von einem Nebenfluß des Wilui in Ostsibirien („*Wiluit*") u. von Lake Jaco/Mexiko. Durchsichtige V. aus den Alpen, von Kanada, Kenia u. Sri Lanka werden als Edelsteine verschliffen (s. Eppler, *Lit.*). – *E* = *I* vesuvianite – *F* vésuvianite – *S* vesubianita

Lit.: [1] Can. Mineral. **30**, 19–48 (1992). [2] Can. Mineral. **32**, 497–504 (1994). [3] Am. Mineral. **77**, 945–953 (1992). [4] N. Jahrb. Mineral. Monatsh. **1995**, Nr. 6, 264–272. [5] Am. Mineral. **72**, 1190–1194 (1987). [6] Eur. J. Mineral. **7**, 1345–1352 (1995). [7] Am. Mineral. **71**, 1483–1488 (1986). [8] Am. Mineral. **72**, 625–628 (1987). [9] Can. Mineral. **34**, 1059–1070 (1996). [10] Can. Mineral. **32**, 505–523 (1994). [11] Can. Mineral. **30**, 1065–1075 (1992). [12] Can. Mineral. **33**, 609–626 (1995). [13] Can. Mineral. **30**, 1–18 (1992). [14] Can. Mineral. **31**, 617–635 (1993).
allg.: Deer et al., S. 47 ff.; Deer, Howie u. Zussman, Rock-Forming Minerals (2.), Vol. 1A, Orthosilicates, S. 699–718, London: Longman 1982 ∎ Eppler, Praktische Gemmologie (5.), S. 434f., Stuttgart: Rühle-Diebener 1994 ∎ Lapis **19**, Nr. 9, 8–11 (1994) („Steckbrief") ∎ Ramdohr-Strunz, S. 700f. – [HS 7103 10]

Vesuvin [4,4′-(4-Methyl-*m*-phenylenbisazo)bis(6-methyl-*m*-phenylendiamin)- u. 4,4′-(*m*-Phenylenbisazo)bis(*m*-phenylendiamin)-dihydrochlorid, Bismarckbraun, Manchesterbraun, Lederbraun].

Bez. für dunkelbraune, bas. Azofarbstoffe, die unterschieden werden als: (a) *Bismarckbraun G, B* od. *Y* (C. I. Basic Brown 1, C. I. 21000), $C_{18}H_{20}Cl_2N_8$, M_R 419,33 u. (b) *Bismarckbraun R* (C. I. Basic Brown 4, C. I. 21010), $C_{21}H_{26}Cl_2N_8$, M_R 461,41. Die Farbstoffe sind mit brauner Farbe leicht lösl. in Wasser, etwas lösl. in Alkohol, wenig in Aceton, unlösl. in Benzol. Mit konz. Salpetersäure werden die Lsg. erst orange, dann gelb (a) bzw. erst violett, dann braun (b).
Herst.: Durch Diazotierung von u. Kupplung auf *m*-Phenylendiamin (a) bzw. Toluol-2,4-diamin (b).
Verw.: Früher zum Färben von Leder, Seide, Papier u. Wolle sowie bei der Herst. von Tinten u. Tuschen, heute prakt. nur noch in der Mikroskopie zur Bakterienfärbung. – *E* vesuvine brown – *F* vésuvine – *I* vesuvina – *S* (pardo de) vesubina
Lit.: Beilstein E III **16**, 209 ∎ Ullmann (5.) **A 3**, 292 ∎ Winnacker-Küchler (3.) **4**, 321 ∎ s. a. Azofarbstoffe. – [HS 3204 13; CAS 8005-77-4 (a); 8052-76-4 (V., a+b); 8005-78-5 (b)]

Veterinärmedizin s. Tierarzneimittel.

Vetiveröl. Dickflüssiges, braunes bis rötlich-braunes Öl mit einem schweren, sehr haftfesten, erdigen, balsam. Geruch.
Herst.: Durch Wasserdampfdest. aus den Wurzeln der trop. Grasart *Vetiveria zizanioides* (Poaceae). *Herkunft:* Réunion („Bourbon"), Haiti, Indonesien, Brasilien, China, Indien. Die Weltjahresproduktion dürfte bei etwa 200 t liegen.
Zusammensetzung[1]:

α-Vetivon (**1**)   β-Vetivon (**2**)   Khusinol (**3**)

R = CH₃ : Tricycloveditven (**4**)
R = CH₂OH : Khusimol (**5**)
R = O : Khusimon (**6**)

Isovalencenol (**7**)

Tab.: Bestandteile des Vetiveröls.

	Summen-formel	M_R	[Sdp. (kPa)] Schmp. [°C]	$[\alpha]_D$	CAS
1	$C_{15}H_{22}O$	214,29	51–51,5		15764-04-2
2	$C_{15}H_{22}O$	230,29	44–44,5	−38,9°	18444-79-6
3	$C_{15}H_{24}O$	220,34	87	+174,4° (CHCl₃)	24268-34-6
4	$C_{15}H_{24}$	204,34	[120–122 (1,3)]	+40,4° (CHCl₃)	18444-94-5
5	$C_{15}H_{24}O$	220,34	[173 (1,9)]	+34°	16223-63-5
6	$C_{14}H_{20}O$	204,29	78		30557-76-7
7	$C_{15}H_{24}O$	220,34			22387-74-2

V. ist ein äußerst komplex zusammengesetzes Gemisch von Sesquiterpenoiden (Kohlenwasserstoffe, Alkohole, Ketone, Aldehyde, Säuren). Als Leitsubstanzen gelten α- (5–10%) u. *β-Vetivon* (3–5%), *Khusimol* (10–15%) u. *Isovalencenol* (5–10%). Weil verschie-

dene Vetiver-Grasarten für die Ölproduktion Verw. finden u. sowohl frische als getrocknete Pflanzenteile destilliert werden, variiert die Qualität kommerzieller Öle stark.
Verw.: Zur Parfümherst., hauptsächlich für maskuline Geruchsnoten. Ein großer Teil des V. wird zu sog. Vetiverylacetat verarbeitet, das wesentlich feiner riecht u. vorwiegend die Acetate der veresterbaren Alkohole des V. enthält; es wird als edle u. elegante Holznote in feineren Parfüms verwendet. – *E* vetiver oil – *F* essence de vétiver – *I* olio essenziale di vetiver – *S* esencia de vetiver

Lit.: [1] Parfum. Cosmet. Arôm. **84**, 61–66 (1988); J. Chromatogr. **557**, 451 (1991).
allg.: Bauer et al. (2.), S. 150 ▪ Dragoco-Rep. **30**, 158–165 (1983) ▪ Gildemeister **4**, 356–365 ▪ Justus Liebigs Ann. Chem. **1996**, 1195 ▪ Kirk-Othmer (4.) **24**, 838 ▪ Ohloff, S. 169f. ▪ Roth u. Kormann, S. 267 ▪ Tetrahedron **48**, 4677 (1992) (Synth. β-Vetivon) ▪ Ullmann (5.) **A 11**, 244. – [HS 3301 26]

Vetiverylacetat s. Vetiveröl.

Vetivon s. Vetiveröl.

Vetrabutin.

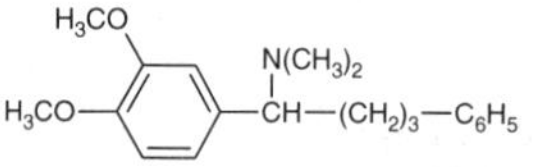

Internat. Freiname für das *Spasmolytikum u. Uterus-Relaxans (±)-[1-(3,4-Dimethoxyphenyl)-4-phenyl-*N,N*-dimethyl-1-butanamin, $C_{20}H_{27}NO_2$, M_R 313,45, Sdp. 166–168 °C (13,33 Pa); verwendet wird meist das Hydrochlorid, Schmp. 146–148 °C. V. wurde 1958 von Thomae patentiert. – *E* vetrabutine – *F* vétrabutine – *I* = *S* vetrabutina

Lit.: Hager (5.) **9**, 1168f. ▪ Martindale (31.), S. 1766. – [HS 2922 29; CAS 3735-45-3 (V.); 5974-09-4 (Hydrochlorid)]

Vetranal®. Hochreine Standards von Tierarzneimittelwirkstoffen. *B.*: Riedel.

Vetren®. Ampullen mit *Heparin-Natrium zur Unterbindung der Blutgerinnung bei Transfusionen etc., als Gel sowie Salbe gegen Venenerkrankungen, Sehnenscheidenentzündungen, Prellungen u. zur *Thrombose-Prophylaxe. *B.*: Byk Gulden/Roland.

Vf. Nach DIN 7737: 1959-09 Kurzz. für *Vulkanfiber.

VF. Abk. für Vinylfluorid (s. Fluorkohlenwasserstoffe, R 1141).

VFA. Abk. für *V*erband *F*orschender *A*rzneimittelhersteller mit Sitz in 53175 Bonn, Johanna-Kinkel-Str. 2–4. Die 1994 gegr. VFA, in der 37 Arzneimittelhersteller mit 74 000 Beschäftigten zusammengeschlossen sind, setzt sich für eine Politik ein, in der die wirtschafts-, forschungs- u. gesundheitspolit. Aspekte gleichermaßen berücksichtigt werden. Ziel des VFA sind die Sicherung des therapeut. Fortschritts, der Ausbau des Pharmastandortes Deutschland u. die Weiterentwicklung des Gesundheitswesens. *Publikationen*: Einblicke 97, Statistics 97. – INTERNET-Adresse: http://www.vfa.de

Vi. Nach DIN 60001-1: 1990-10 Kurzz. für *Vikunjawolle.

VI. Abk. für Viskositätsindex, s. Viskosität.

Viacryl®. Thermoplast., Aminharz-vernetzende u. selbstvernetzende *Acrylharze. *Verw.*: Einbrennlacke, Folienlackierungen, Straßenmarkierungsfarben, witterungsbeständige, luft- u. ofentrocknende Anstrichmittel sowie Schmelzkleber u. Dichtungsmassen. *B.*: Vianova Resins.

VIAG. Die 1923 als Holding des Deutschen Reichs gegr. VIAG AG mit Sitz in 80335 München ist heute in den Kernbereichen Energie, Chemie, Verpackung, Logistik u. Telekommunikation tätig. *Daten* (1997): ca. 95 000 Beschäftigte, ca. 50 Mrd. DM Umsatz. *Tochter- u. Beteiligungsges.*: Bayernwerk AG, SKW Trostberg AG, Th. Goldschmidt AG, VAW Aluminium AG, Schmalbach-Lubeca AG, Gerresheimer Glas AG, Klöckner & Co. AG, Kühne & Nagel International AG, Viag Interkom GmbH & Co., Connect Austria GmbH, Orange Communications S. A. *Produktion*: Energieversorgung, Naturstoffe, Spezialchemikalien für den Bereich Pharma, Nahrungsmittel, Pflanzenschutz, Düngemittel, Farben u. Stahl, Bauchemikalien, Additive u. Hilfsstoffe, Umwelttechnologie, industrieller Korrosionsschutz, Aluminium, PET-Verpackungen, Glas u. a.

Vianova. Kurzbez. für die Vianova Resins GmbH, 55247 Mainz Kastel, wurde 1998 von der Hoechst AG an die Morgan Grenfell Development Capital Ltd. verkauft. *Daten* (1997): ca. 1800 Mitarbeiter, 900 Mio. DM Umsatz. *Produktion*: Harze für Flüssiglacke, Pulverlacke, techn. Anw. sowie Druckfarben u. Phenol-Harze.

Vibration s. Schwingung.

Vibravenös® SF (Rp). Ampullen mit *Doxycyclin-Hyclat gegen Infekionen mit Bakterien, Spirochäten, Rickettsien, Viren. *B.*: Pfizer.

Vibrocil®. Schnupfenpräp. (Nasengel, -spray, -tropfen) mit *Dimetinden-maleat u. *Phenylephrin. *B.*: Novartis.

Viburnole.

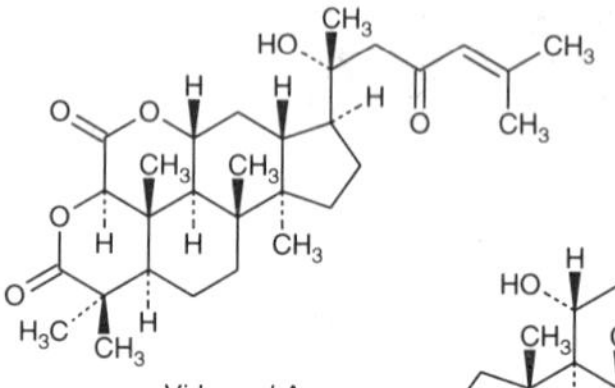

Virburnol A

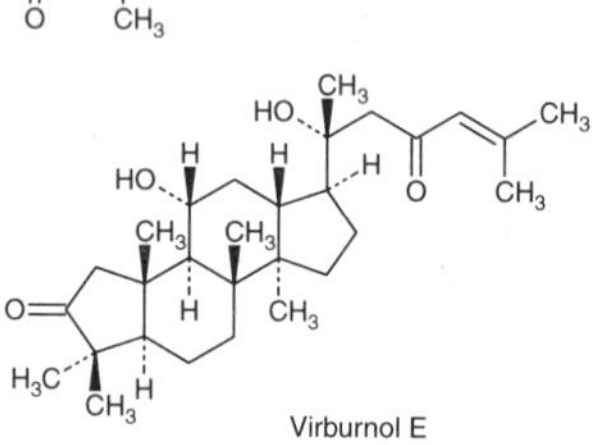

Virburnol E

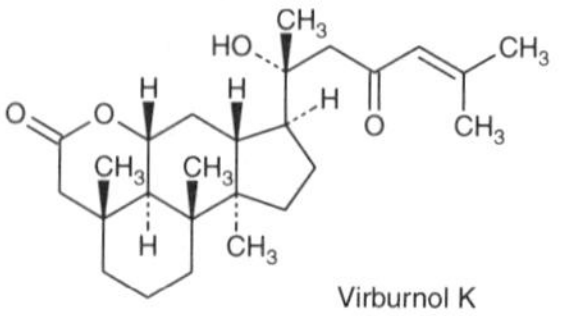

Virburnol K

Triterpenoide (tetra- u. pentacycl.) aus Blättern des japan. Baumes *Viburnum dilatatum* mit von Dammaranen abgeleiteten Strukturen. Bisher wurden ca. 15 V. beschrieben (Beisp. s. Tab. auf S. 4853). – *E* = *F* viburnols – *I* viburnoli – *S* viburnolas

Lit.: Chem. Pharm. Bull. **45**, 1928 (1997) ▪ Tetrahedron Lett. **37**, 4157 (1996); **38**, 571 (1997).

Tab.: Daten von Viburnolen.

Viburnole	Summen-formel	M_R	$[\alpha]_D^{20}$ (CHCl$_3$)	CAS
A	$C_{30}H_{44}O_6$	500,67	+ 26,4°	179088-83-6
E	$C_{29}H_{46}O_4$	458,68	+ 76,4°	179088-87-0
K	$C_{26}H_{40}O_4$	416,61	+ 25,5°	–

(alles amorphe Feststoffe)

vic-. Kursiv gesetzte Abk. für *vicinal* (von latein.: vicinalis = nachbarlich, benachbart), oft als Kurzz.: *v-*; Beisp.: *vic-**Diole (*Pinakole u. a. 1,2-*Glykole), *vic-* = H–C–C–H-Kopplung in der ^{1}H-*NMR-Spektroskopie (Gegensatz: *gem-), *v-**Triazin u. *v-**Trichlorbenzol [veraltet für 1,2,3-Triazin u. -Trichlorbenzol; Gegensatz: *asym- (*as-) u. *sym- (*s-)]. – *E* vic- – *F* = *I* = *S* vic-.

Vicat-Erweichungstemperatur s. Erweichungspunkt.

Vicianin s. Wicken.

Vicianose s. Wicken.

Vicilin. Eiweißstoff (Globulin) aus den Samen der *Linse, *Bohne, *Erbse, u. *Wicke (*Vicia sativa*) u. a. *Hülsenfrüchte. V. hat einen geringen Schwefel-Gehalt, koaguliert bei 100°C, ist unlösl. in Wasser u. ziemlich gut lösl. in wäss. Salzlösung. – *E* vicilin – *F* viciline – *I* = *S* vicilina
Lit.: Belitz-Grosch (4.), S. 669, 674 ▪ Phytochemistry **15**, 3–24 (1976).

Vicin [Viciosid, Divicin-5-β-D-glucosid, 2,6-Diamino-5-(β-D-glucopyranosyloxy)-4(3H)-pyrimidinon].

$C_{10}H_{16}N_4O_7$, M_R 304,26, Nadeln, Schmp. 243–244 °C (Zers.), $[\alpha]_D^{26}$ –11,7° (0,2 M Natronlauge), wenig lösl. in Alkohol, lösl. in Wasser, in verd. Säuren u. Alkalien. V. kommt in *Puffbohnen u. *Wicken (*Vicia*-Arten) vor; sein Aglykon *Divicin* [$C_4H_6N_4O_2$, M_R 142,12, Schmp. 300 °C (Zers.)] kann im Verdauungstrakt durch β-Glykosidasen freigesetzt werden. In manchen Gegenden des Mittelmeerraumes u. des Nahen Ostens tritt eine Erbkrankheit auf, die mit einem Defizit an Glucose-6-phosphat-Dehydrogenase in den Erythrocyten verbunden ist. Im Stoffwechsel betroffener Personen kann Divicin eine schwere hämolyt. *Anämie, den sog. *Favismus* hervorrufen[1]. – *E* = *F* vicine – *I* = *S* vicina
Lit.: [1] Belitz-Grosch (4.), S. 686.
allg.: Beilstein E III/IV **25**, 4285 ▪ Hager (5.) **3**, 1239 ▪ Justus Liebigs Ann. Chem. **1994**, 1059 (Synth.) ▪ Karrer, Nr. 2546, 2547 ▪ Liener, Toxic Constituents of Plant Foodstuffs, S. 239–313, New York: Academic Press 1969 ▪ Merck-Index (12.) Nr. 10112. – [CAS 152-93-2 (V.); 32267-39-3 (Divicin)]

Vicinal s. vic-.

Viciosid s. Vicin.

Vickers-Härte (HV). Eine durch geeignete *Härteprüfungs-Geräte zu ermittelnde Maßzahl zur Kennzeichnung der *Härte fester Körper, insbes. metall. Werkstoffe. Die HV wird bestimmt aus der Länge der Eindruckdiagonalen d, die im Meßgut bei Belastung des Eindringkörpers (eine Diamant-Pyramide mit einem Flächenöffnungswinkel von 136°) mit der Last F resultieren: HV = $1,854 \cdot F/d^2$ [kp/mm^2] bzw. HV = $0,189 \cdot F/d^2$ [N/mm^2]. Nach DIN 50133: 1985-02 erfolgt die Bestimmung der V.-H. in den Prüfkraftbereichen 2–1000 N/mm^2 (HV 0,2–100). – *E* Vickers hardness – *F* dureté de Vickers – *I* durezza Vickers – *S* dureza de Vickers
Lit.: s. Härteprüfung u. Werkstoffe.

Vicuña s. Vikunjawolle.

Vidal, Henri R. (1862–1930), französ. Chemiker, Erfinder u. Industrieller. *Arbeitsgebiete:* Schwefel-Farbstoffe, z. B. Vidalschwarz, Seifen-Herst., Fettreinigung, Textilhilfsmittel, Diamant-Synthese.
Lit.: Pötsch, S. 437.

Vidalschwarz s. Schwefel-Farbstoffe.

Vidarabin s. Adeninarabinosid.

Videobänder s. Magnetbänder.

Videx® (Rp.). Tabl. u. Pulver mit dem *Virostatikum *Didanosin gegen HIV-Infektionen in Kombination mit anderen gegen Retroviren wirksamen Arzneimitteln. *B.:* Bristol-Myers Squibb.

Vidirakt® S. Augentropfen mit *Cetyltrimethylammoniumchlorid u. *Polyvidon gegen trockene Augen u. Konjunktivitis. *B.:* Mann.

Vidisept® N. Augentropfen mit *Cetyltrimethylammoniumchlorid u. *Polyvidon gegen trockene Augen u. Konjunktivitis. *B.:* Mann.

Vidisic®. Gel mit *Polyacrylsäure, *Cetyltrimethylammoniumchlorid u. Sorbit zur Anregung der Tränenproduktion. *B.:* Mann.

VI$_E$. Abk. für Viskositätsindex(extension), s. Viskosität.

Viehsalz. Mit Eisenoxid als Vergällungsmittel versetztes *Natriumchlorid für die Tierhaltung.

Vielfach-Resistenz s. P-Glykoprotein.

Vielfachzerlegung s. Spallation u. Kernreaktionen.

Vielfraß s. Musteliden.

Vielstich, Wolf (geb. 1923), Prof. für Physikal. Chemie, Univ. Bonn. *Arbeitsgebiete:* Neue Materialien; *in situ*-IR-Untersuchung der Bildung leitender Polymere; Meßverfahren: SNIFTIRS, elektrochem. Speicher u. Stromquellen, elektrochem. Kinetik.
Lit.: Kürschner (16.), S. 3870 ▪ Wer ist wer, S. 1482.

Vierfarbendruck. Durch Kombination der Grundfarben Gelb, Rot u. Blau lassen sich nahezu alle Farbtöne wiedergeben; diese Gesetzmäßigkeit wird beim Mehrfarbendruck in der graph. Ind. ausgenutzt. In der Praxis können die theoret. Bedingungen sowohl bezüglich der Druckfarben-Eigenschaften als auch des Druckträgers nicht immer realisiert werden. Zur Korrektur wird deshalb ggf. die vierte Druckfarbe Schwarz hinzugefügt, wodurch schärfere, kontrastreichere Abdrucke erhalten werden. – *E* four color printing – *F*

impression en quatre couleurs – *I* stampa in tetracromia – *S* impresión en cuatro colores
Lit.: Ullmann (5.) **A20**, 94.

Vierkomponenten-Kondensation s. Ugi-Vierkomponenten-Reaktion.

Vierkreis-Diffraktometer s. Kristallstrukturanalyse.

Vier-von-Fünf-Regel s. Rahmen-Abwasserverwaltungsvorschrift.

Vierzentrenpolymerisation. Bez. für eine Gruppe von *Polyadditions-Reaktionen, bei denen an der Verknüpfung zweier *Monomer-Bausteine insgesamt vier Atome unmittelbar durch Bindungsbildung beteiligt sind. Bekannte Beisp. sind die auf der [4+2]-Cycloaddition beruhenden *Diels-Alder-Polymerisationen sowie strahleninduzierte [2+2]-Cycloadditions-Polymerisationen (s. z.B. Polymerkristalle). Daneben wurde auch bereits von [3+2]- u. [4+4]-Cycloadditions-Polymerisationen berichtet. – *E* four-center polymerization – *F* polymérisation tétracentrique – *I* polimerizzazione a quattro centri – *S* polymerización de cuatro centros
Lit.: Elias (5.) **1**, 496 ▪ Odian (3.), S. 176.

Vigabatrin (Rp).

Internat. Freiname für das *Antiepileptikum, ein Hemmstoff der GABA-Transaminase, (±)-4-Amino-5-hexensäure, $C_6H_{11}NO_2$, M_R 129,16, Schmp. 209 °C, LD_{50} (Maus i.p.) >2500 mg/kg. V. wurde 1976 von Richardson-Merrell patentiert u. ist von HMR (Sabril®) im Handel. – *E* vigabatrin – *F* vigabatrine – *I* vigabatrina – *S* vigabatrín
Lit.: Add-on-Therapie bei Epilepsie: Die Rolle von Vigabatrin, Chester: Adis International 1997 ▪ ASP ▪ Hager (5.) **9**, 1172–1174 ▪ Martindale (31.), S. 391 ▪ Merck-Index (12.), Nr. 10114 ▪ Pharm. Ztg. **138**, 3918–3921 (1993). – [*HS 292249; CAS 60643-86-9*]

Vigantol® (Rp). Tabl., Ampullen, ölige Lsg. mit Vitamin D_3 gegen rachit. Erscheinungen, auch als Vigantoletten (Tabl., ohne Rp). *B.:* Merck.

Vigoureux-Druck. Ein von J. S. Vigoureux 1863 entwickeltes *Textildruck-Verf., bei dem Kammzug (bandartiges Halbfabrikat der *Kammgarn-Spinnerei) mittels Reliefwalzen streifenförmig, diagonal od. kreuzweise bedruckt wird. Für den V.-D. auf Wolle benutzt man Säure-, Reaktiv-, Metallkomplex- u. Chrom-Farbstoffe, auf Polyester- od. Polyacrylfasern Dispersions- u. kation. Farbstoffe. – *E* Vigoureux printing – *F* impression Vigoureux – *I* stampa vigoureux – *S* estampación Vigoureux
Lit.: Rouette, Lexikon für Textilveredlung, Bd. 3, S. 2387f., Dülmen: Laumann-Verl. 1995 ▪ Ullmann (4.) **22**, 579; (5.) **A 26**, 493.

Vigreux-Kolonnen s. Kolonnen.

Vi-Kapselpolysaccharid typhi (Rp). Wirksamer Bestandteil des Impfstoffes Typhim Vi® (Pasteur Mérieux MSD) zur aktiven Immunisierung gegen *Typhus. V. enthält nicht abgeschwächten Lebenderreger, sondern in gereinigter, chem. definierter Form das Vi-Antigen, ein Polysaccharid aus der Kapsel von *Salmonella typhi*. – *E* Vi antigen, Vi capsular polysaccharide – *I* antigene Vi, polisaccaride capsulare Vi – *S* Vi antígeno, Vi polisacárido capsular
Lit.: Lancet **340**, 341f. (1992) ▪ New Engl. J. Med. **317**, 1101–1104 (1987) ▪ Pharm. Ztg. **142**, 525f. (1997) ▪ Vaccine **6**, 307f. (1988).

Vikarianz s. ökologische Nische.

Viktoriablau. Gruppe von kation. *Triarylmethan-Farbstoffen (s. a. die Tab.), die einen Alkyl- u./od. Arylamino-substituierten Naphthyl-Rest anstelle eines analog substituierten Phenyl-Rests enthalten u. zur Herst. lichtechter, brillanter Blaupigmente – meist in Form von Farblacken mit Phosphormolybdän- od. -wolframsäure – dienen.

	R^1	R^2	R^3
V.B	CH_3	C_6H_5	H
V.R	CH_3	C_6H_5	H
V.4R	CH_3	C_6H_5	Methyl

Verw.: Für Druckfarben, zur Virusfärbung u. zur Unterscheidung von roher u. gebleichter Pflanzenfaser (gut zerfaserte Probe 30–60 s in 30%iger Lsg. kochen,

Tab.: Viktoriablau-Farbstoffe.

Name	C.I.-Name (C.I.-Nr.) [CAS]	Summenformel	M_R	Eigenschaften u. spezif. Verw.
V. B (4-Anilino-1-naphthyl)bis[4-dimethylamino)phenyl]-methylium-chlorid	Basic Blue 26 (44045) [2580-56-5]	$C_{33}H_{32}ClN_3$	506,07	Bronzefarbene Krist. od. violettes Pulver, leicht lösl. in heißem Wasser u. Alkohol, wenig lösl. in Benzol
V. R Bis[4-(dimethylamino)phenyl]-[4-(ethylamino)-1-naphthyl]-methylium-chlorid	Basic Blue 11 (44040) [2185-86-6]	$C_{29}H_{32}ClN_3$	458,05	Kornblau, ähnlich Lsg.-Eigenschaften wie V. B, ist als Stempelfarbe bei Lebensmittel u. Eiern zugelassen
V. 4 R Bis[4-(dimethylamino)phenyl]-[4-(N-methylanilino)-1-naphthyl]-methylium-chlorid	Basic Blue 8 (42563) [2185-87-7]	$C_{34}H_{34}ClN_3$	520,07	Fettblau 4R, dient zur Insulin-spezif. Anfärbung von Pankreaszellen[1]

gründlich mit dest. Wasser wiederholt abspülen: Rohbaumwolle ist dann tief dunkelblau, gebleichte Baumwolle hellblau). – *E* Victoria blue – *F* bleu Victoria – *I* blu Vittoria – *S* azul Victoria
Lit.: [1] Histochem. J. **17**, 515–518 (1985).
allg.: Beilstein E IV **13**, 2307 ▪ Herbst u. Hunger, Industrielle organ. Pigmente (2.), Weinheim: VCH Verlagsges. 1995 ▪ Kirk-Othmer (4.) **6**, 956; **24**, 560 ▪ Ullmann (5.) **A 27**, 198 ▪ s. a. Triarylmethan-Farbstoffe.

Viktoria-Farbstoffe. Handelsnamen für organ. u. anorgan. Pigmente sehr unterschiedlicher Zusammensetzung u. Verw. (s. die Tab.). *Viktoriablau* s. vorstehendes Stichwort.

Tab.: Übersicht der wichtigsten Viktoria-Farbstoffe.

Viktoria-		C. I.-Name (C. I.-Nr.)
Gelb	Metanilgelb (s. Tropäolin-Farbstoffe)	Acid Yellow 36 (13065)
Grün B, WB	*Malachitgrün	Basic Green 4 (42000)
Rubin O	*Amaranth	Acid Red 27 (16185) Food Red 9, E 123
Scharlach 4R	Ponceau 4R (s. Ponceau-Farbstoffe)	Acid Red 18 (16255) Food Red 7, E 124
Orange	Natrium-Salz des 2,6-Dinitro-*p*-kresols	
Rot	Chrompigment, bas. Bleichromat	
Grün	Grüne wasserunlösl., pulverförmige Malerfarbe; Mischung aus Chromhydroxidhydratgrün, Bariumsulfat u. Zinkchromat, die mit Leinöl od. Leim angerührt wird	

V.-F. (Viktoria-Rubin u. -Scharlach) werden teilweise als Lebensmittelfarbstoffe u. zur Herst. kosmet. Mittel verwendet. Die anorgan. V.-F. dienen hauptsächlich als Malerfarben. – *E* Victoria dyes – *F* colorants Victoria – *I* coloranti Vittoria – *S* colorantes Victoria
Lit.: Histochem. J. **17**, 515–518 (1985) ▪ Zollinger, Color Chemistry (2.), S. 257 f., 419, Weinheim: VCH Verlagsges. 1991.

Vikunjawolle (Kurzz. Vi). Wolle aus dem dichten Vlies der Vikunjas, den kleinsten Vertretern der Neuweltkamele (Lamas). Die Tiere leben in den Anden in Höhen zwischen 3800 u. 5500 m Meereshöhe. Wegen ihrer Feinheit wurde die V. früher ausschließlich für die Kleidung der Inka-Herrscher verwendet. – *E* vicuña wool – *F* laine de vicuña – *I* vigogna – *S* lana de vicuña

Villin. *Protein (M_R 95 000) aus den *Mikrovilli (daher Name) des Bürstensaums von Niere u. Dünndarm, das sich bei erhöhten Konz. an Calcium-Ionen (>1 μM) im *Cytoplasma an das „stumpfe" (Plus-)Ende (*E barbed end*) von *Actin-Filamenten anlagert u. diese am Wachstum hindert (*E capping protein*). Bei niedrigerem Calcium-Spiegel verbindet V. Actin-Filamente zu Bündeln. Die Aminosäure-Sequenz von V. enthält Abschnitte, die in ähnlicher Form sowohl in anderen *barbed end-capping proteins* (z.B. *Gelsolin, *Severin) als auch in Actin wiederkehren u. in letzterem an der Wechselwirkung zwischen den Untereinheiten beteiligt sind; diese Ähnlichkeiten könnten für die Capping-Aktivität verantwortlich sein. Die Carboxy-terminale Domäne (das sog. *head piece*) des Proteins V. zeigt dagegen Homologie mit *Synapsin I, einem ebenfalls Actin bündelnden Protein, was die Fähigkeit des V., Actin-Filamente zu bündeln, teilw. erklärt. V. ist notwendig für die Ausbildung von Mikrovilli, verhindert aber andererseits die Anlage von *Streß-Fasern. – *E* villin – *F* villine – *I* villina – *S* vilina
Lit.: Alberts et al., Molekularbiologie der Zelle, 3. Aufl., S. 994, Weinheim: VCH Verlagsges. 1995 ▪ Curr. Biol. **5**, 591 ff. (1995). – *[CAS 120433-11-6]*

Viloxazin (Rp).

Internat. Freiname für das *Antidepressivum (±)-2-(2-Ethoxyphenoxymethyl)morpholin, $C_{13}H_{19}NO_3$, M_R 237,30, pK_b 5,9. Verwendet wird meist das Hydrochlorid, Schmp. 185–186 °C, λ_{max} (C_2H_5OH) 275 nm ($A_{1cm}^{1\%}$ 71). V. wurde 1969 u. 1973 von ICI (Vivalan®, Zeneca) patentiert. – *E* = *F* viloxazine – *I* = *S* viloxazina
Lit.: Drugs **13**, 401 ff. (1977) ▪ Hager (5.) **9**, 1174 f. ▪ Martindale (31.), S. 338. – *[HS 2934 90; CAS 46817-91-8 (V.); 35604-67-2 (Hydrochlorid)]*

Vilsmeier-Haack-Reaktion. Von A. Vilsmeier u. A. Haack 1927 aufgefundene Synth. von Aldehyden durch *Formylierung von aktivierten aromat. Verb.; als Formylierungsreagenzien dienen *N,N*-disubstituierte Formamide in Ggw. von Phosphoroxidchlorid od. Phosgen.

Y = Elektronen-liefernder Substituent (z.B. OR, NR₂)

Das aktive Agens der V.-H.-R. dürfte das Chlormethaniminium-Salz sein (ein *Imidsäurechlorid, vgl. a. Vilsmeier-Reagenz). Die V.-H.-R. läßt sich auch zur Formylierung von Alkenen[1,2], Alkinen u. anderen aktivierten Verb. anwenden. – *E* Vilsmeier-Haack reaction – *F* réaction de Vilsmeier et Haack – *I* reazione di Vilsmeier e Haack – *S* reacción de Vilsmeier-Haack
Lit.: [1] Patai, The Chemistry of the Carbonyl Group, Bd. 1, S. 281 f., London: Wiley 1966. [2] Olah, Friedel-Crafts and Related Reactions, Bd. 3, S. 1214–1219, New York: Wiley-Interscience 1964.
allg.: Adv. Heterocycl. Chem. **31**, 207–236 (1982) ▪ Adv. Org. Chem. **9/1**, 225–342 (1976); **9/2**, 5–172 (1979) ▪ Hassner-Stu-

mer, S. 399 ▪ Houben-Weyl, **7/1**, 29; **E 3**, 36 f. ▪ Krauch u. Kunz, Reaktionen der Organischen Chemie, 6. Aufl., S. 343, Heidelberg: Hüthig 1997 ▪ Laue-Plagens, S. 303 ▪ March (4.), S. 542 ▪ Marson u. Giles, Synthesis Using Vilsmeier Reagents, Boca Raton: CRC Press 1994.

Vilsmeier-Reagenz. Bez. für Reagenzien der allg. Formel [(H_3C)$_2$N=CH–X]$^+$X$^-$ mit X = Halogen [mit X = Cl: (Chlormethylen)dimethylammoniumchlorid [1] (a), M_R 128,01, Schmp. 132 °C], die sich z. B. aus Dimethylformamid u. PCl_5 od. $POCl_3$ gewinnen u. zur Umwandlung von Alkoholen in Halogenide, zur *Formylierung (*Vilsmeier-Haack-Reaktion) u. zur Veresterung verwenden lassen. – *E* Vilsmeier reagent – *F* réactif de Vilsmeier – *I* reattivo di Vilsmeier – *S* reactivo de Vilsmeier
Lit.: [1] Paquette **3**, 2045.
allg.: s. Vilsmeier-Haack-Reaktion u. Imine. – *[CAS 3724-43-4 (a)]*

Vimentin (von latein.: vimentum = Flechtwerk). Filament-Protein (M_R 53 000) des *Cytoskeletts von Bindegewebszellen (z. B. Fibroblasten, Fettzellen) u. a. Zellen mesenchymalen Ursprungs. Die aus V. durch spontane Zusammenlagerung gebildeten Fasern gehören zu den *intermediären Filamenten (IF) des Typs III u. sind mit IF-Proteinen anderer Zelltypen strukturell verwandt, wie z. B. *Desmin, *Peripherin (1.), *saures fibrilläres Glia-Protein, *Keratine, *Lamine u. *Neurofilament-Proteine. Während der Zellteilung ist eine erhöhte *Phosphorylierung des *Phosphoproteins V. zu beobachten, u. die V.-Filamente unterliegen einer Reorganisation. Da das Cytoskelett von Bindegewebssarkomen ausschließlich aus V. besteht, könnte dessen Nachw. für die Tumordiagnostik nützlich sein. V.-Filamente binden auch bestimmte Fragmente genom. *Desoxyribonucleinsäuren [1]. – *E* vimentin – *F* vimentine – *I* vimentina – *S* vimentína
Lit.: [1] DNA Cell Biol. **15**, 209–225 (1996).
allg.: Alberts et al., Molekularbiologie der Zelle, 3. Aufl., S. 941–944, Weinheim: VCH Verlagsges. 1995.

Vinal-Fasern. Neben *Vinylon-Fasern* Sammelbez. für Chemiefasern aus *Polyvinylalkohol (Kurzz. nach DIN 60001-4: 1991-08: PVAL), die mindestens 85 Gew.-% an Vinylalkohol enthalten u. durch Acetalisierung unlösl. gemacht worden sind; vgl. Vinylal-Fasern. Aufgrund ihrer hohen Festigkeit werden V.-F. in techn. Textilien, z. B. zur Verstärkung von Zement (Asbest-Ersatz), als Fischernetze u. Seile eingesetzt; in Wasser quellbare Varietäten dienen als Bindemittel in Papier. – *E* vinal fibers – *F* fibres de vinal – *I* fibre vinaliche – *S* fibras de vinal
Lit.: Encycl. Polym. Sci. Eng. **6**, 723 ▪ Kirk-Othmer (4.) **10**, 685–696 ▪ Ullmann (5.) **A 10**, 645–649.

Vina medicata (medizin. Weine, Arzneiweine). Arzneizubereitungen, die durch Lösen od. Mischen von Arzneimitteln mit Wein hergestellt werden; *Beisp.:* Vinum Pepsini = Pepsinwein, Vinum stomachicum = Bitterorangenwein.
Lit.: Hager (4.) **6 c**, 457–478.

Vinamide s. Vinylog.

Vinamidine. Von Lloyd vorgeschlagene Bez. für *vinyloge *Amidine der allg. Formel

$R^1-N=C(R^2)-CH=CH-N(R^3)(R^4)$

– *E* = *F* vinamidines – *I* vinammidine – *S* vinamidinas
Lit.: Angew. Chem. **88**, 496–504 (1976); **99**, 1209–1212 (1987) ▪ Chem. Ztg. **111**, 343 f. (1987) ▪ s. a. Amidine.

Vinblastin (Vincaleukoblastin, VLB).

	R^1	R^2	R^3
Vinblastin; Velban®, Velbe®; Cellblastin®	CH_3	OCH_3	$COCH_3$
Vincristin; Cellcristin®, Oncovin®	CHO	OCH_3	$COCH_3$
Vindesin; Eldisine®	CH_3	NH_2	H

$C_{46}H_{58}N_4O_9$, M_R 810,99, Krist., Schmp. 216 °C, [α]$_D$ +42° (CHCl$_3$). Dimeres Indol-Alkaloid aus *Catharanthus roseus* (vgl. Catharanthus roseus-Alkaloide u. Vinca-Alkaloide). V. besteht aus einem Catharanthin- u. einem Vindolin-Anteil, die in 3'- bzw. 10-Stellung miteinander verknüpft sind. V. ist ein cytostat. wirksames Spurenalkaloid, das von demethylierten, deformylierten u. deacetylierten Alkaloiden begleitet wird. V. kommt auch in anderen *Catharanthus*-Arten vor, wie *C. ovalis, C. longifolius, C. trichophyllus*. Es ist eines der bedeutendsten monoterpenoiden Indol-Alkaloide.
Pharmakologie: V. ist neben *Vincristin u. dem halbsynthet. *Vindesin in der modernen cytostat. Therapie etabliert (i. v.). Es wirkt wie *Colchicin als Mitosehemmstoff u. arretiert die Metaphase durch Bindung an mikrotubuläre Proteine. Zusätzlich hemmt V. die DNA-Polymerase u. inhibiert so die DNA-Biosynthese. In Kombination mit anderen Cytostatika wird es in der Therapie von (Non-)Hodgkin's Lymphom, Hoden-, Brust- u. Lungenkrebs eingesetzt [1].
Toxizität: Der ausgeprägte tox. Effekt betrifft die Zellen des Knochenmarks, insbes. Leukocyten bzw. Granulocyten werden Dosis-abhängig geschädigt. Granulocytopenie u. Leukopenie treten unter V.-Behandlung viel häufiger auf als bei Therapien mit dem strukturverwandten Vincristin.
Metabolismus: Die Ausscheidung von V. erfolgt über die Galle in unveränderter Form u. über nicht identifizierte Metabolite. LD$_{50}$ bei Ratten 7 mg/kg bei oraler Gabe von Velbe®, intravenös 2,9 ± 1,5 mg/kg. Zur Synth. s. *Lit.* [2].
Biosynth.: Es existieren zahlreiche Untersuchungen, in erster Linie zum Verständnis der Verknüpfung der beiden Alkaloid-Hälften (auch mit zellfreien Extrakten) [3]. – *E* = *F* vinblastine – *I* = *S* vinblastina
Lit.: [1] Manske **37**, 229–240; Sax (8.), Nr. VGU 750, VKZ 000, VLA 000. [2] Manske **37**, 77–131; J. Am. Chem. Soc. **112**, 8210 (1990); **114**, 10 232 (1992); J. Org. Chem. **56**, 513–528 (1991); **57**, 1752 (1992). [3] J. Chem. Soc., Chem. Commun. **1982**, 791; Tetrahedron **39**, 3777 (1983); Nat. Prod. Rep. **7**, 85–103 (1990).

allg.: Beilstein E V **26/15**, 418 ▪ Hager (5.) **3**, 259; **9**, 1176–1185 ▪ Merck-Index (12.), Nr. 10119 ▪ Ph. Eur. **1997**, S. 1809. – *[HS 293990; CAS 865-21-4 (V.), 143-67-9 (V.-Sulfat)]*

Vinca-Alkaloide. Eine Gruppe von Alkaloiden, die hauptsächlich in 3 Arten der Gattung *Vinca* vorkommen u. sich von *Tryptophan u. *Secologanin ableiten, somit den monoterpenoiden *Indol-Alkaloiden angehören. Da ursprünglich die Pflanzengattung *Catharanthus* als *Vinca* bezeichnet wurde, sind die in der älteren Lit. als V.-A. zusammengefaßten Gruppen jedoch *Catharanthus roseus-Alkaloide. Weit über 100 verschiedene V.-A. sind aus *Vinca*-Arten isoliert worden, jedoch sind diese Alkaloide oft nicht typ. für die Gattung *Vinca* allein, sondern auch für z. B. *Amsonia, Aspidosperma, Catharanthus, Rhazya, Kopsia, Rauwolfia, Tabernaemontana*. Die wichtigsten V.-A. sind das *Vincamin u. das *Eburnamonin; vgl. auch die als Einzelstichwörter behandelten Catharanthus-Alkaloide *Vinblastin, *Vincarubin, *Vincristin, *Vindolin, *Vindesin. – *E* vinca alkaloids – *F* alcaloïdes de vinca – *I* alcaloidi della vinca – *S* alcaloides de vinca
Lit.: Hager (5.) **6**, 1123–1135 ▪ Heterocycles **45**, 2007 (1997) ▪ J. Chem. Res. (S) **1996**, 344 (Synth.) ▪ J. Org. Chem. **62**, 3890 (1997) ▪ Pharm. Unserer Zeit **19**, 257–262 (1990) ▪ Taylor u. Farnsworth, The Vinca Alkaloids: Botany, Chemistry, and Pharmacology, New York: Dekker 1973. – *[HS 293990]*

Vincadifformin s. Vincamin.

Vincaleukoblastin s. Vinblastin.

Vincamin.

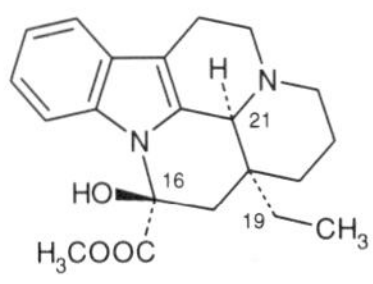

$C_{21}H_{26}N_2O_3$, M_R 354,45, gelbe Krist., Schmp. 232–233 °C. Haupt-Alkaloid aus *Vinca*-Arten (s. a. Vinca-Alkaloide), auch des in Europa heim. *Immergrüns Vinca minor*. V. ist zur Gruppe der Eburnamin-Alkaloide (s. a. Eburnamonin) zu zählen. Seine Biosynth. ist teilw. ungeklärt. Es ist sicher, daß V. aus *Tryptophan über Tryptamin u. dem Iridoid-Syst. *Secologanin entsteht, das während der Biosynth. umgelagert wird. Der Umlagerungsmechanismus sowie die hierfür verantwortlichen Enzyme sind unbekannt.
Wirkung: V. setzt den peripheren Gefäßwiderstand herab (blutdrucksenkende Wirkung), es fördert die Durchblutung des Gehirns u. soll den zerebralen Stoffwechsel verbessern. Es wird deshalb bei zerebrovasculären Störungen empfohlen. V. wird auch zur Behandlung von Kopfschmerzen u. Migräne eingesetzt. Andere Vinca-Alkaloide wie *Vincadifformin* $\{C_{21}H_{26}N_2O_2$, M_R 338,45, Schmp. 96 °C, $[\alpha]_D^{25}$ +605° $(C_2H_5OH)\}$ u. *Vincaminorin* $\{C_{22}H_{30}N_2O_2$, M_R 354,49, Schmp. 130–131 °C, $[\alpha]_D^{20}$ +46° $(C_2H_5OH)\}$ hemmen die Biosynth. von Nucleinsäuren u. Proteinen u. wirken proliferationshemmend auf P388-Leukämiezellen. – *E = F* vincamine – *I = S* vincamina
Lit.: Beilstein E V **25/6**, 373 f. ▪ Merck-Index (12.), Nr. 10120 ▪ Sax (8.), Nr. VLF000 ▪ Szántay, in Saxton (Hrsg.), The Monoterpenoid Indole Alkaloids, Suppl. Vol. 25, Heterocyclic Compounds, S. 478 ff., 733 ff., Chichester: Wiley 1994. – *Pharmakologie:* Chemtracts: Org. Chem. **1**, 118–122 (1988) ▪ Eur. J. Drug. Metab. Pharmakokinet. **10**, 89 (1985) ▪ Hager (5.) **6**, 1124–1130 ▪ Pharmazie **41**, 270 (1986) ▪ Vinca Alkaloids **1973**, 305. – *Synth.:* Heterocycles **24**, 1663 (1986); **45**, 2007 (1997) ▪ J. Org. Chem. **55**, 3068 (1990); **62**, 1223, 3890 (1997). – *[HS 293990; CAS 1617-90-9 (V.); 1935-07-5 (Vincaminorin); 3247-10-7 (Vincadifformin)]*

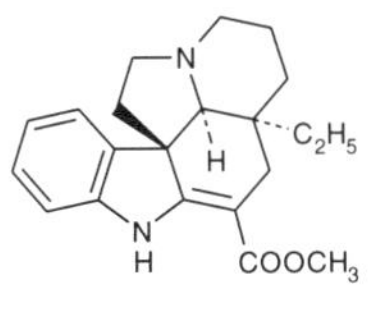

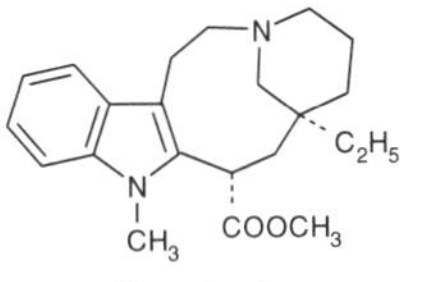

Vincaminorin s. Vincamin.

Vincamon, Vincanorin s. Eburnamonin.

Vincarubin.

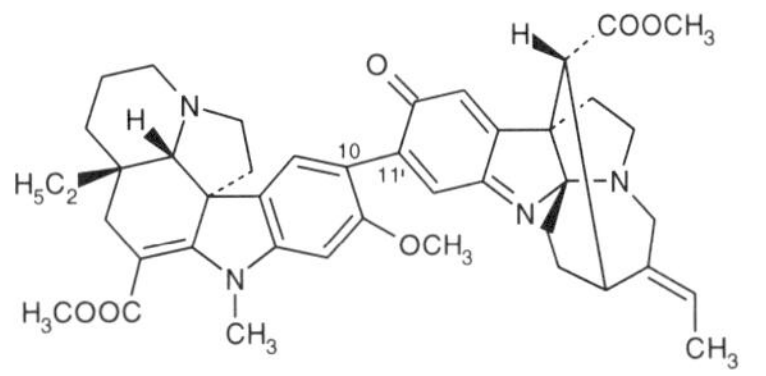

$C_{43}H_{50}N_4O_6$, M_R 718,89, dunkelrote Krist., Schmp. 179 °C (Zers.), $[\alpha]_D^{23}$ –550° (C_2H_5OH). Cytotox. Alkaloid aus dem europ. Immergrün, *Vinca minor* (Apocynaceae). V. besteht wie die *Vinca-Alkaloide, *Vinblastin u. *Vincristin aus zwei monoterpenoiden *Indol-Alkaloid-Bausteinen, nämlich einem *Vindolin- ähnlichen *Aspidosperma-Alkaloid-Anteil u. einem mit *Sarpagin verwandten Anteil, die in 10- u. 11-Stellung miteinander verknüpft sind. – *E = F* vincarubine – *I = S* vincarubina
Lit.: Planta Med. **54**, 214 (1988). – *[CAS 107290-03-9]*

Vincennite. Französ. Kampfstoff aus dem 1. Weltkrieg, Gemisch aus Blausäure u. Zinn(IV)-chlorid.

Vinclozolin.

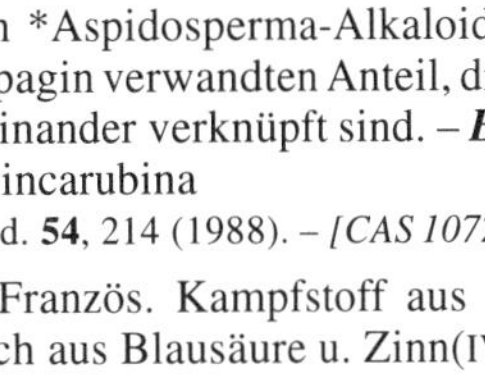

Common name für (±)-3-(3,5-Dichlorphenyl)-5-methyl-5-vinyl-2,4-oxazolidindion, $C_{12}H_9Cl_2NO_3$, M_R 286,11, Schmp. 108 °C, LD_{50} (Ratte oral) >10000 mg/kg, von BASF 1976 eingeführtes selektives Kontakt-*Fungizid zur Bekämpfung von Graufäule (*Botrytis cinerea*) im Wein-, Gemüse-, Hopfen-, Erdbeer- u. Zierpflanzenanbau sowie gegen *Monilia, Sclerotinia* u. *Phoma*. – *E* vinclozolin – *F* vinclozoline – *I = S* vinclozolina
Lit.: Farm ▪ Perkow ▪ Pesticide Manual ▪ Wirkstoffe iva. – *[HS 293490; CAS 50471-44-8; G 9]*

Vincristin (VCR, 22-Oxo-vinblastin, Leurocristin, LCR). Formel s. Vinblastin, $C_{46}H_{56}N_4O_{10}$, M_R 824,97, Krist., Schmp. 218–220 °C, $[\alpha]_D$ +26° (CH_2Cl_2); monoterpenoides *Indol-Alkaloid aus *Catharanthus roseus* (Apocynaceae). V. gehört einer Gruppe von ca.

25 dimeren Indol-Alkaloiden (vgl. a. Vinblastin) an, die aus *C. roseus* isoliert wurden. Der Gehalt an V. in *C. roseus* ist außerordentlich gering mit $<3\times10^{-4}\%$ des pflanzlichen Trockengewichts. V. ist der einzige Naturstoff, der trotz derartigen Spurenvorkommens noch kommerziell isoliert u. therapeut. verwendet wird. V. setzt sich, wie Vinblastin, aus einer Vindolin- u. einer Catharanthin-Hälfte zusammen u. unterscheidet sich strukturell vom Vinblastin durch eine N^1-Formyl- statt einer N^1-Methyl-Gruppe. V. wirkt wie Vinblastin u. wird als Chemotherapeutikum zur Behandlung verschiedener Krebsformen eingesetzt, die Dosierung ist 3–5mal niedriger als bei Vinblastin[1]. V. wird überwiegend in Form nicht bekannter Metaboliten über die Leber ausgeschieden. Bei Überdosierung zeigt V. letale Wirkung, LD_{50} bei Ratten $1,0\pm0,1$ mg/kg bei intravenöser Gabe[1]. – *E* = *F* vincristine – *I* = *S* vincristina

Lit.: [1] J. Clin. Oncol. **9**, 877–887 (1991).
allg.: Beilstein E V **26/15**, 417f. ▪ Florey **1**, 463–480 ▪ Hager (5.) **3**, 1241ff.; **9**, 1178–1185 ▪ Manske **37**, 205–226, 229–239 ▪ Merck-Index (12.), Nr. 10124 ▪ Ph. Eur. **1997**, S. 1810 ▪ Sax (8.), Nr. LEY000, LEZ000. – *[HS 293990; CAS 57-22-7]*

Vinculin. *Actin-bindendes *Protein (M_R 116 000) des *Cytoskeletts tier. Zellen, das an der Innenseite der Plasmamembran über das Protein *Talin indirekt an den *Fibronectin-Rezeptor (vgl. a. Integrine) bindet. V. trägt somit dazu bei, die Zelle an der *extrazellulären Matrix zu befestigen (daher Name von latein.: vinculum = Fessel); dies geschieht an den Fokalkontakten (s. Adhärenz-Verbindungen). In ähnlicher Weise ist V. auch Bestandteil der Adhäsions-Gürtel (s. Adhärenz-Verbindungen) u. trägt damit zum Zusammenhalt von Epithel-Zellschichten bei. V. bindet außerdem die Proteine *Paxillin*[1] (M_R 68 000) u. *VASP*[2] (380 Aminosäure-Reste), die ebenfalls an den Fokalkontakten lokalisiert sind. Die Bindung des V. an Actin, Talin u. VASP wird durch Phosphatidylinosit-4,5-bisphosphat (s. Phosphoinositide) reguliert[2,3]. Die Actin-Bindungsstelle kann durch intramol. Wechselwirkung der Kopf- u. Schwanzregion des V. miteinander maskiert werden[4]. V. wird nach der *Translation an Serin-, Threonin- u. Tyrosin-Resten phosphoryliert u. wird myristoyliert u./od. palmitoyliert (vgl. Myristoyl-Proteine u. Hexadecanoyl...). Strukturelle Verwandtschaft zu α-*Catenin wird beobachtet. Mit Hilfe des phage display (s. Phagen) wurden Peptide isoliert, die mit der Talin-bindenden Domäne des V. wechselwirken[5]. Bei V. ist auch eine Tumor-suppressive Wirkung festgestellt worden. – *E* vinculin – *F* vinculine – *I* vinculina

Lit.: [1] J. Biol. Chem. **270**, 5039–5047 (1995). [2] Curr. Biol. **8**, 479–488 (1998). [3] Nature (London) **381**, 531–535 (1996). [4] Nature (London) **373**, 197, 261–264 (1995). [5] Biochem. J. **324**, 523–528 (1997).
allg.: Alberts et al., Molekularbiologie der Zelle, 3. Aufl., S. 993, 1127ff., 1131, Weinheim: VCH Verlagsges. 1995 ▪ Bioessays **20**, 733–740 (1998) ▪ Cell Motil. Cytoskel. **36**, 101–111 (1996).

Vindesin [Internat. Freiname für 3-Carbamoyl-4-*O*-desacetyl-3-de(methoxycarbonyl)vinblastin, 4-*O*-Desacetylvinblastinsäureamid]. $C_{43}H_{55}N_5O_7$, M_R 753,95, Krist., Schmp. 230–232°C, $[\alpha]_D^{25}$ +39,4°

(CH_3OH). Halbsynthet. Indol-Alkaloid, das aus einer *Catharanthin- u. einer *Vindolin-Einheit aufgebaut ist, Formelbild s. Vinblastin.
Verw.: Cytostatikum; bei lymphat. Leukämie, malignen Lymphomen u. Melanomen. HWZ ca. 25 h; vgl. a. Vinblastin, Vincristin u. a. Vinca-Alkaloide. – *E* vindesine – *F* vindésine – *I* = *S* vindesina
Lit.: Brade et al., Proc. of the Int. Vinca Alkaloid Symp. – Vindesin, Basel: Karger 1981 ▪ Hager (5.) **9**, 1181f. ▪ Merck-Index (12.), Nr. 10125 ▪ Ph. Eur., Nachtrag **1998**, S. 665f. ▪ Sax (8.), VGU 750. – *[HS 293990; CAS 53643-48-4]*

Vindolin.

$C_{25}H_{32}N_2O_6$, M_R 456,56, Krist., Schmp. 154–155°C od. 172–174°C (dimorph), $[\alpha]_D^{27}$ +42° ($CHCl_3$). V. ist ein *Indol-Alkaloid monoterpenoiden Ursprungs, das dem *Aspidosperma*-Typ angehört (vgl. Aspidosperma-Alkaloide) u. ein charakterist. Hauptalkaloid der Pflanze *Catharanthus roseus* (früher *Vinca rosea*) sowie *C. pusilla* (*V. pusilla*, Apocynaceae) ist. Es kommt vergesellschaftet vor mit seinem *O*-Deacetyl-Derivat, *Desacetylvindolin* ($C_{23}H_{30}N_2O_5$, M_R 414,50, Schmp. 163–165°C) sowie einem Spurenalkaloid, *4-Desacetoxyvindolin* ($C_{23}H_{30}N_2O_4$, M_R 398,50), die beide als biogenet. V.-Vorstufen wesentlich sind. V. ist ein wichtiges Alkaloid, denn es kommt auch in dimerer Form u. verknüpft mit Catharanthin in verschiedenen Variationen vor (*Vinblastin, *Vincristin, *Vindesin, *Vincarubin). Das Racemat von V. ist synthet. zugänglich (Schmp. 203–205°C). Zur Biosynth. von V. vgl. Literatur. – *E* = *F* vindoline – *I* = *S* vindolina
Lit.: Beilstein E V **25/7**, 127 ▪ Hager (5.) **3**, 259 ▪ Manske **37**, 61–63 ▪ Merck-Index (12.), Nr. 10126 ▪ Phytochemistry **32**, 493–506 (1993). – *Biosynth.:* Helv. Chim. Acta **65**, 2088 (1982) ▪ Römpp Lexikon Naturstoffe, S. 686 ▪ Stud. Org. Chem. **26**, 397–415, 497–511 (1986). – *Synth.:* J. Am. Chem. Soc. **97**, 6880 (1975); **100**, 4220 (1978). – *[HS 293990; CAS 2182-14-1 (V.); 57794-53-3 (Racemat)]*

Vinigrol.

$C_{20}H_{34}O_3$, M_R 322,49, Krist., Schmp. 108°C, $[\alpha]_D$ –96,2° ($CHCl_3$). Diterpen aus dem Pilz *Virgaria nigra* (Hyphomycetes) mit Blutdruck-senkender u. *PAF-antagonist. Wirkung. – *E* = *F* = *S* vinigrol – *I* vinigrolo
Lit.: J. Antibiot. (Tokyo) **41**, 25–35 (1988) ▪ J. Org. Chem. **58**, 2349 (1993); **62**, 5062 (1997) (Synth.). – *[CAS 111025-83-3]*

Vinnapas®. Produkte aus Vinylacetat in homo-, co- u. terpolymerer Form als Festharz, Lsg., Dispersion u. Dispersionspulver. *B.:* Wacker-Chemie.

Vinnol®. Vinylchlorid enthaltende Copolymere, insbes. in Form von Lsg. u. Dispersionen. *B.:* Wacker-Chemie.

Vinogradski s. Winogradsky.

Vinorelbin (Rp).

Internat. Freiname für das *Cytostatikum 3′,4′-Didehydro-4′-desoxy-6′-norvincaleucoblastin, ein semisynthet. *Vinca-Alkaloid, $C_{45}H_{54}N_4O_8$, M_R 778,95, $[\alpha]_D^{20}$ +52,4° (c 0,3/CHCl$_3$), λ_{max} (C$_2$H$_5$OH) 215, 268, 282, 293, 310 nm ($A_{1cm}^{1\%}$ 4,75, 14,12, 12,20, 9,76, 5,65). V. wurde 1980 u. 1981 von Agence National Valorisation Recherche patentiert u. ist von Pierre Fabre Pharma (Navelbine®) zur Behandlung des nicht-kleinzelligen Bronchialcarcinoms u. fortgeschrittenen Mammacarcinoms im Handel. – $E = F$ vinorelbine – $I = S$ vinorelbina

Lit.: Drugs **44**, Suppl. 4, 1–69 (1992) ▪ Hager (5.) **9**, 1182ff. ▪ Martindale (31.), S. 607 ▪ Merck-Index (12.), Nr. 10127 ▪ Tetrahedron **35**, 2175 ff. (1979). – *[CAS 71486-22-1]*

Vinpocetin (Rp).

Internat. Freiname für den *Vasodilatator (3α,16α)-Eburnamenin-14-carbonsäureethylester, $C_{22}H_{26}N_2O_2$, M_R 350,46, Schmp. 147–153 °C (Zers.), $[\alpha]_D^{20}$ +114° (c 1/Pyridin), λ_{max} (Ethanol 96%) 229, 275, 315 nm ($A_{1cm}^{1\%}$ 80,4, 34,3, 20,2), LD$_{50}$ (Maus oral) 534 mg/kg. V. wurde 1973 u. 1977 von Gedeon Richter patentiert u. ist von Thiemann (Cavinton®) zur unterstützenden Behandlung hirnorgan. bedingter dementieller Störungen im Handel. – E vinpocetine – F vinpocétine – $I = S$ vinpocetina

Lit.: Arzneim.-Forsch. **26**, 1907ff. (1976) ▪ Martindale (31.), S. 1767 ▪ Merck-Index (12.), Nr. 10128 ▪ Psychopharmacology **101**, 147–159 (1990). – *[HS 293990; CAS 42971-09-5]*

Vinum s. Vina medicata.

Vinyl... Bez. für die Atomgruppierung –CH=CH$_2$ in chem. Namen (IUPAC-Regeln A-3.5 u. R-9.1.19b.1; CAS: Ethenyl...); abgeleitet von latein.: vinum = Wein (*Vinylalkohol wurde im 19. Jh. irrtümlich in Wein vermutet, bis man seine *Tautomerie mit dem stabileren Acetaldehyd erkannte). Die reaktionsfähige *Vinyl-Gruppe* ist für die *Polymerisation von *Vinylmonomeren zu *Vinylpolymeren von großer Bedeutung; *Beisp.:* folgende u. Polyvinyl...-Stichwörter. *Vinyl-Kationen* [R^{1}R^{2}C=CR^3]$^+$, sind hochreaktive Zwischenstufen in der organ. Synth.[1] „Vinyl" ist auch eine volkstümliche Kurzbez. für *Polyvinylchloride (*PVC). Die altbewährten Meth. der *Vinylierung wurden ab 1980 durch die *Heck-Reaktion ergänzt. – $E = F$ vinyl... – $I = S$ vinil...

Lit.: [1] Acc. Chem. Res. **9**, 265–273, 364–371 (1976); Angew. Chem. **90**, 346–359 (1978); React. Intermed. (Plenum) **3**, 427–615 (1983); Stang et al., Vinyl Cations, New York: Academic Press 1979.

Vinylacetat s. Essigsäurevinylester.

Vinylacetat-Polymere. *Homopolymere u. *Copolymere des *Essigsäurevinylesters (*Vinylacetat*), für die die Gruppierung

als Grundbaustein der Polymerkette charakterist. ist. V.-P., insbes. die *Polyvinylacetate, sind die wichtigsten *Vinylester-Polymere. Techn. hergestellt werden neben den Homopolymeren Copolymere des Vinylacetats mit u. a. Ethylen (s. Ethylen-Vinylacetat-Copolymere), Acrylaten (Butyl-, 2-Ethylhexyl-acrylat), Crotonsäure, Vinylchlorid, Vinyllaurat, Dibutyl- u. Dioctylmaleat u. Maleinsäureanhydrid sowie *Terpolymere mit z. B. Butylacrylat/N-(2-Hydroxyethyl)acrylamid, Ethylen/Vinylchlorid, Vinyllaurat/Vinylchlorid u. Ethylen/Acrylamid. Zu den Vinylacetat-Copolymeren gehören auch teilverseifte Polyvinylacetate als Poly(vinylacetat-*co*-vinylalkohol)e. *Copolymerisationen des Vinylacetats werden durchgeführt, um das Eigenschaftsspektrum u. damit den Anw.-Bereich der Polyvinylacetate bzw. der Homopolymeren der entsprechenden Comonomeren zu erweitern. Zu Eigenschaften u. Anw. der V.-P. s. Vinylester-Polymere. – E vinylacetate polymers – F polymères de acétate de vinyle – I polimeri di acetato di vinile – S polímeros de acetato de vinilo

Lit.: Elias (5.) **2**, S. 157 ▪ Encycl. Polym. Sci. Eng. **17**, 393–445 ▪ Houben-Weyl E 20/2, 1122–1125. – *[HS 3901 30, 3905 21, 3905 29]*

Vinylacetylen s. 1-Buten-3-in.

Vinylal-Fasern. *Chemiefasern auf der Basis von *Polyvinylacetalen, s. a. Polyvinylalkohole u. vgl. mit Vinal-Fasern. – E vinylal fibers – F fibres de vinylal – I fibre vinylaliche – S fibras de vinilal

Vinylalkohol. H$_2$C=CH–OH, C$_2$H$_4$O, M_R 44,05. Nur in Form von Ethern (*Vinylether) u. Estern (*Vinylester) bekannter Alkohol, der in freiem Zustand (z. B. bei der katalyt. Wasseranlagerung an Acetylen) sofort zu dem beständigeren *Acetaldehyd (H$_3$C–CHO) isomerisiert, wenn er nicht – z. B. als Eisencarbonyl-Komplex – stabilisiert wird. Die *Polyvinylalkohole können daher nicht direkt durch Polymerisation des V. erhalten werden, sondern werden durch Hydrolyse von *Polyvinylacetaten hergestellt. – E vinyl alcohol – F alcool vinylique – I alcool vinilico, vinilalcool – S alcohol vinílico

Lit.: Angew. Chem. **84**, 581 (1972) ▪ Beilstein EIV **1**, 3094–3102 ▪ Helv. Chim. Acta **67**, 216–219 (1984). – *[HS 2909 19; CAS 557-75-5]*

Vinylamin-Polymere. Bez. für *Polymere mit der Gruppierung

als charakterist. Baustein der *Makromoleküle. Da das Basismonomer, das Vinylamin, nicht isolierbar ist (Tautomerie mit Ethylidenamin), sind V.-P. nur indirekt über *polymeranaloge Reaktionen zugänglich,

z. B. durch Hydrolyse von Poly-*N*-vinylamiden wie Poly-*N*-vinylacetamid (a) od. Poly-*N*-vinylimiden wie Poly-*N*-vinylsuccinimid (b) od. Poly-*N*-vinylphthalimid (c) sowie durch *Hofmannschen Abbau von *Polyacrylamid bei Einwirkung von alkal. Hypochlorit-Lsg. (d).

Die stark bas. V.-P. sind als wasserlösl. Salze beständig. Vermutlich wegen ihrer schwierigen Herst. haben sie bisher keine prakt. Bedeutung erlangt. – *E* vinylamine polymers – *F* polymères de vinylamine – *I* polimeri vinilamminici – *S* polímeros de vinilamina
Lit.: Encycl. Polym. Sci. Eng. **11**, 493 ff.

Vinylbenzol s. Styrol.

Vinylbital (Rp; BtmVV, Anlage III).

Internat. Freiname für das *Sedativum u. Hypnotikum (±)-5-(1-Methylbutyl)-5-vinylbarbitursäure, $C_{11}H_{16}N_2O_3$, M_R 224,25, Krist., Schmp. 90–91,5 °C, $[\alpha]_D^{20}$ (–)-Form: –0,40° (c 4,275/C_2H_5OH), $[\alpha]_D^{20}$ (+)-Form: +0,32° (c 3,460/C_2H_5OH); λ_{max} (0,1 M NaOH) 248 nm ($A_{1cm}^{1\%}$ 300), pK_a 7,89. V. wurde 1960 von BASF patentiert. – *E = F* vinylbital – *I* vinilbitale – *S* vinilbital
Lit.: ASP ▪ Hager (5.) **9**, 1184 f. ▪ Martindale (31.), S. 743. – *[HS 2933 51; CAS 2430-49-1]*

Vinylbromid (Bromethylen, Bromethen). $H_2C=CH–Br$, C_2H_3Br, M_R 106,96. Farbloses Gas od. im Licht polymerisierende Flüssigkeit, D. 1,4933, Schmp. –140 °C, Sdp. 16 °C. Das Gas wirkt schwach betäubend u. reizt die Augen sowie die Atemwege. Kontakt mit der Flüssigkeit führt zu Reizung der Augen; kann spontan polymerisieren. V. kann aus 1,2-Dibromethan durch Dehydrobromierung mit NaOH hergestellt werden. Verw. als flammhemmendes Co-Monomeres bei der Polymerisation zur Herst. von Synth.-Fasern u. für organ. Synthesen. – *E* vinyl bromide – *F* bromure de vinyle – *I* bromuro di vinile – *S* bromuro de vinilo
Lit.: Beilstein E IV **1**, 718 ▪ Hommel, Nr. 393 ▪ Kirk-Othmer (3.) **10**, 392; (4.) **10**, 968 ▪ Synthesis **1986**, 480 f. – *[HS 2903 30; CAS 593-60-2; G 2]*

9-Vinylcarbazol.

$C_{14}H_{11}N$, M_R 193,25. Farblose Krist., Schmp. 66 °C, unlösl. in Wasser, wenig lösl. in Alkohol, leicht lösl. in Ether; Verdacht auf erbgutverändernde Wirkung. V. kann aus Carbazol u. Acetylen unter katalyt. Wirkung von Kaliumhydroxid u. Zinkoxid hergestellt werden. V. polymerisiert beim Erwärmen u. in Ggw. von Metallsalzen zu *Polyvinylcarbazol; als reaktives Enamin hat V. auf synthet. Gebiet Bedeutung erlangt. – *E = F* 9-vinylcarbazole – *I* 9-vinilcarbazolo – *S* 9-vinilcarbazol
Lit.: Beilstein E V **20/8**, 19 ▪ Kirk-Othmer (3.) **1**, 268; **23**, 961, 966; (4.) **1**, 221 ▪ Rev. Prod. Chim. **1963**, 515–522, 582–584 ▪ Ullmann (4.) **23**, 614; (5.) **A 1**, 102; **A 5**, 60. – *[HS 2933 90; CAS 1484-13-5]*

Vinylchlorid (VC, Chlorethylen, Chlorethen, Vinylchlorid-Monomer, VCM). $H_2C=CH–Cl$, C_2H_3Cl, M_R 62,50. Farb- u. geruchloses, in höheren Konz. süßlich riechendes Gas, D. 0,9834 (–20 °C), Schmp. –154 °C, Sdp. –13,9 °C, WGK 2. V. ist leicht entflammbar, Explosionsgrenzen in Luft 3,8–31%; in Wasser sehr wenig, in Alkohol u. Ether leicht löslich. Als Olefin geht V. zahlreiche Additions- u. Polymerisationsreaktionen unter Bildung von Homo- u. Copolymerisaten ein (s. Polyvinylchlorid u. Vinylpolymere).

Physiologie: Lange Zeit galt V. als relativ wenig giftig mit lediglich leicht anästhet. Wirkung u. Reizung der Augen. Über chron.-tox. Wirkungen von V. beim Menschen wurde erstmals Mitte der 60er Jahre berichtet. Erst Anfang der 70er Jahre wurde das klin. Bild der sog. *Vinylchlorid-Krankheit* als system. erkannt. Der Symptomenkomplex der „VC-Krankheit" umfaßt eine charakterist. Schädigung der Leber mit Speiseröhren u./od. Magenfundusvarizen, Milzvergrößerung, Thrombocytopenie sowie Schädigungen der arteriellen Handdurchblutung, des Handskeletts u. der Haut. Nach chron. Exposition gegenüber hohen V.-Konz. ist eine erhöhte Inzidenz an malignen Tumoren der Leber dokumentiert. Der Stoffwechsel von V. ist sowohl beim Menschen als auch im Versuchstier weitgehend aufgeklärt. Nach Aufnahme in den Organismus wird der dem Stoffwechsel unterliegende Tl. der Substanz durch mikrosomale Monooxygenasen der Leber initial in Chlorethylenoxid (Chloroxiran) überführt, das sich zum Chloracetaldehyd umwandelt. Beide reaktiven Intermediate münden anschließend in die Bildung der Stoffwechselendprodukte *2,2'-Thiodiessigsäure u. *N*-Acetyl-*S*-(2-hydroxyethyl)-L-cystein (vgl. Glutathion) ein, welche im Urin ausgeschieden werden. Die Bestimmung dieser Metabolite im Harn kann zur ärztlichen Überwachung V.-exponierter Personen herangezogen werden. Die krebserzeugende Wirkung der Substanz wird auf das intermediär im Stoffwechsel entstehende Chlorethylenoxid zurückgeführt. Für die beobachteten organschädigenden Wirkungen könnten sowohl Chlorethylenoxid als auch Chloracetaldehyd verantwortlich sein. Wegen der erwiesenen krebserzeugenden Wirkung für

den Menschen wurde V. in die Gruppe A1 des Abschnitts III der MAK-Werteliste eingeordnet. Für bestehende Anlagen der V.- u. PVC-Herst. gilt eine Techn. Richtkonz. (TRK) von 8 mg/m^3, im übrigen 5 mg/m^3 (MAK-Werte-Liste 1997).
Nachw.: Zur Analytik s. *Lit.*[1]. Zur Bestimmung von V. in Bedarfsgegenständen (Folien, Flaschen u. dgl.) aus PVC gibt es ein amtliches Untersuchungsverf. (s. *Lit.*[2,3]).
Herst.: Das erste techn. Verf. zur Herst. von V. wurde von Griesheim-Elektron entwickelt. Es basierte auf der Addition von Chlorwasserstoff an Acetylen, das zunächst nur aus Carbid hergestellt wurde. In den Folgejahren wurde dann auch petrochem. gewonnenes Acetylen in die V.-Herst. eingesetzt:

$$HC≡CH + HCl \xrightarrow{[Kat.]} H_2C=CH-Cl$$

Als Katalysator dient HgCl$_2$ auf Aktivkohle bei 140–200 °C. Diese ausschließlich auf Acetylen basierende Route ist inzwischen trotz geringer Investitions- u. Betriebskosten weitgehend zugunsten des Ethylens als einer preiswerteren Rohstoffbasis aufgegeben worden. In Ländern mit preiswerter Kohle, wie z.B. in Südafrika, wird V. noch längerfristig aus Carbidacetylen wirtschaftlich herstellbar sein. V. wird heute fast ausschließlich durch therm. Dehydrochlorierung von 1,2-Dichlorethan (EDC) hergestellt. Das Einsatzprodukt für die Thermolyse kann auf zwei Herstellwegen erhalten werden: 1.) Nach der älteren Meth. durch Addition von Chlor an Ethylen u. 2.) nach der moderneren Route durch Oxychlorierung des Ethylens mit Chlorwasserstoff u. O$_2$ bzw. Luft. Des weiteren wurde anstelle von Ethylen die Verw. von Ethan vorgeschlagen, das im Transcat®-Verf. von Lummus-Armstrong in einer Schmelze der Chloride von Oxychlorierungskatalysatoren auf Kupfer-Basis direkt mit Chlor zu V. umgesetzt werden soll; Nähere Beschreibung dieser sowie weiterer Verf. s. Weissermel-Arpe (*Lit.*). Die Produktionsmenge in der BRD betrug 1992 1,35 Mio. t; die jährliche Weltproduktion liegt bei ca. 7,7 Mio. t[4].
Verw.: V. wird mengenmäßig überwiegend (weltweit ca. 95%) als Monomeres u. in geringerem Maß als Comonomeres zur Polymerisation eingesetzt. Nur ein kleiner Anteil dient als Ausgangsbasis für weitere Chlor-Derivate des Ethans u. Ethylens. Im Laboratorium findet V. auch für organ. Synth. Verwendung. Die Verw. in kosmet. Mitteln ist verboten[5]; Erzeugnisse, die V. als Treibgas für Aerosole enthalten, dürfen nicht in den Verkehr gebracht werden[6]. – *E* vinyl chloride – *F* chlorure de vinyle – *I* cloruro di vinile, vinilcloruro – *S* cloruro de vinilo
Lit.: [1] Pure Appl. Chem. **55**, 1023–1031 (1983); Hager (5.) **3**, 1243. [2] DIN-Katalog, Sachgruppe 71.080.20, Berlin: Beuth 1998 (jährlich). [3] Bedarfsgegenständeverordnung vom 10. April 1992 (BGBl. I, S. 866, 1992), zuletzt geändert 17.4.1997. [4] Bliefert, Umweltchemie, S. 47, Weinheim: VCH Verlagsges. 1997. [5] Kosmetik-VO vom 7. Oktober 1997; zuletzt geänd. 25.6.1998, Anl. 1, Nr. 334. [6] Chemikalien-Verbots-VO vom 19. Juli 1996 (BGBl. I, S. 1151 f., 1996).
allg.: Beilstein E IV **1**, 700 ■ Gefahrstoffverordnung vom 26. Oktober 1993, zuletzt geändert am 12.6.1998 ■ Gesundheitsschädliche Arbeitsstoffe: toxikologisch-arbeitsmedizinische Begründung von MAK-Werten, Weinheim: Verl. Chemie 1972–1998 ■ Hommel, Nr. 204 ■ Kirk-Othmer (3.) **23**, 865–885; (4.) **24**, 851 ff. ■ Rippen ■ Ullmann (4.) **9**, 442 ff.; (5.) **A6**, 283–294, 372 ■ Weissermel-Arpe (4.), S. 233–241. – [HS 2903 21; CAS 75-01-4; G 2]

Vinylcyclopropan-Umlagerung s. Di-π-methan-Umlagerung.

Vinyldithiine s. Knoblauch-Inhaltsstoffe.

Vinylen... Bez. für das Brückenglied –CH=CH– in *radikofunktionellen Namen u. *Multiplikativnamen [IUPAC-Regel A-4.3, auch Ethenylen...; Regel R-2.5: Ethen-1,2-diyl...; CAS: (1,2-Ethendiyl)...] u. in der *Polymer-Nomenklatur, früher auch für cycl. Verb.; *Beisp.:* Vinylenchlorid (= 1,2-*Dichlorethylen), 4,4'-Vinylenbisphenol (s. Diethylstilbestrol), Polyvinylene (s. Polyacetylene), Vinylencarbonat (veraltet, s. 1,3-Dioxol-2-on). – *E* vinylene... – *F* vinylène... – *I* = *S* vinilen...

Vinylencarbonat s. 1,3-Dioxol-2-on.

Vinylessigsäure s. 3-Butensäure.

Vinylester. Bez. für Verb. der allg. Struktur

$$\begin{array}{l} H_2C=CH \\ | \\ O \\ | \\ O=C \\ | \\ R \end{array} \quad \begin{array}{ll} R = CH_3 & : \text{Vinylacetat} \\ R = CH_2-CH_3 & : \text{Vinylpropionat} \\ R = (CH_2)_4-CH_3 & : \text{Vinylhexanoat} \\ R = (CH_2)_{10}-CH_3 & : \text{Vinyllaurat} \end{array}$$

d.h. für Ester des aufgrund der *Keto-Enol-Tautomerie (Acetaldehyd!) frei nicht verfügbaren *Vinylalkohols mit organ. Säuren. Techn. hergestellt werden *Essigsäurevinylester (Vinylacetat), Vinylpropionat, Vinyllaurat sowie in geringem Umfang Vinylhexanoat. Die Herst. der V. ist generell möglich durch Umsetzung der Basis-Carbonsäuren mit Acetylen

$$R-COOH + HC≡CH \to H_2C=CH-O-CO-R$$

od. durch Umvinylierungsreaktionen, bei denen Carbonsäuren mit Vinylacetat in Ggw. von Quecksilberacetat umgesetzt werden:

$$R-COOH + H_2C=CH-O-CO-CH_3 \xrightarrow[-H_3C-COOH]{H_3C-CO)_2Hg} H_2C=CH-O-CO-R.$$

Zu Verf. zur Herst. von Essigsäurevinylester s. dort. Wichtige physikal. Kenndaten der V. sind in der angegebenen Lit. tabellar. zusammengestellt. V. sind radikal. polymerisierbare Verb., die hauptsächlich für die Herst. von *Vinylester-Polymeren eingesetzt werden. Wichtig für diesen Verw.-Zweck ist, daß sie keine Verunreinigungen enthalten, die die Polymerisation verzögern (z.B. Crotonaldehyd od. Vinylacetylen) bzw. Kettenüberträger sind (Essigsäure, Acetaldehyd od. Aceton) od. vernetzend wirken (z.B. Crotonsäurevinylester). Gegen Polymerisation bei der Lagerung od. beim Transport sind die V. durch Zusätze phenol. Inhibitoren (z.B. Hydrochinon) stabilisiert. – *E* vinyl esters – *F* esters vinyliques – *I* esteri vinilici – *S* ésteres vinílicos
Lit.: Encycl. Polym. Sci. Eng. **17**, 426–434 ■ Ullmann (4.) **19**, 368.

Vinylester-Harze (VE-Harze, Vinylharze). Die auch als *Phenacrylat-Harze* (Kurzz. PHA) bezeichneten VE-Harze sind *Reaktionsharze auf Basis von Phenyl(en)-Derivaten, wie z.B. aromat. Glycidylethern von Phenolen od. epoxidierten *Novolaken, deren Mol. mit

(Meth)acrylsäure verestert sind. Sie werden als Lsg. in Styrol eingesetzt u. unter Einsatz von Härtern (Peroxiden) u. Beschleunigern (Aminen) kalt od. warm durch *Polymerisation gehärtet. VE-Harze werden zu den UP-Harzen (s. ungesättigte Polyester-Harze) gerechnet, die sie z. T. im Eigenschaftsniveau übertreffen; sie zeichnen sich durch hohe chem. Beständigkeit aus u. werden zunehmend für die Herst. verstärkter Teile mit ungewöhnlichen Abmessungen, u. a. beim Bau von Entschwefelungsanlagen für Rauchgase in Kraftwerken, eingesetzt. – *E* vinyl ester resins – *F* résines d'esters vinyliques – *I* resine vinilici – *S* resinas de ésteres vinílicos

Lit.: Saechtling, Kunststofftaschenbuch, 27. Aufl., München: Hanser 1998.

Vinylester-Polymere. Bez. für aus *Vinylestern zugängliche *Polymere mit der Gruppierung

$$-CH_2-CH- \\ | \\ O \\ | \\ O=C \\ | \\ R$$

als charakterist. Grundbaustein der *Makromoleküle. Von diesen haben die *Vinylacetat-Polymere (od. *Polyvinylacetate; $R=CH_3$) mit Abstand die größte techn. Bedeutung. Andere Vinylester werden vorwiegend als Comonomere zur Eigenschaftsvariation von Polymeren eingesetzt, z. B. Ester langkettiger Carbonsäuren (Laurin-, Stearinsäure) zur inneren Weichmachung von Polyvinylacetaten od. *Polyvinylchlorid, bzw. zur Herst. von *Polymertensiden auf Basis von *Polyvinylalkohol.

Die *Polymerisation der Vinylester erfolgt radikal. nach unterschiedlichen Verf. (*Lösungspolymerisation, *Suspensionspolymerisation, *Emulsionspolymerisation, *Substanzpolymerisation). Eine bevorzugte Anw.-Form der V.-P. ist die *Dispersion.

Verw.: U. a. zur Herst. von Dispersionsfarben, Leimen u. Klebstoffen, Beschichtungen, Antidröhnmassen, Kaugummimassen; als Bindemittel für Faservliese, als Glasfaserschlichten u. in Papierstreichmassen; s. a. einzelne V.-Polymere. – *E* vinyl ester polymers – *F* polymères d'esters vinyliques – *I* polimeri degli esteri vinilici – *S* polímeros de ésteres vinílicos

Lit.: Encycl. Polym. Sci. Eng. **17**, 383–445 ▪ Ullmann (4.) **19**, 367–374.

Vinylether. Sammelbez. für Vinyl-Gruppen enthaltende *Ether – im weiteren Sinne auch für andere *Enolether* – der allg. Formel $H_2C=CH-O-R$ (R = Alkyl, Aryl), von denen bes. die folgenden techn. wichtig sind: a) *Methylvinylether* (Methoxyethen, R = CH_3), C_3H_6O, M_R 58,08, Gasdichte 2,3958 g/L = 1,99-fache Luftdichte (20 °C, 1013 hPa), Schmp. –122 °C, Sdp. 5,5 °C, FP. –56,6 °C c.c.; – b) *Ethylvinylether* (Ethoxyethen, R = C_2H_5), C_4H_8O, M_R 72,10, D. 0,7533, Schmp. –125 °C, Sdp. 35,5 °C, FP. –45 °C c.c.; – c) *Butylvinylether* (Butoxyethen, R = C_4H_9), $C_6H_{12}O$, M_R 100,16, D. 0,7790, Schmp. –113 °C, Sdp. 94 °C, FP. –1 °C; – d) *Isobutylvinylether* [Isobutoxyethen, R = $CH_2-CH(CH_3)_2$], $C_6H_{12}O$, M_R 100,16, D. 0,7682, Schmp. –112 °C, Sdp. 83 °C, FP. –9 °C. Mit Ausnahme des gasf. Methylvinylethers sind die V. farblose, leicht flüchtige u. brennbare Flüssigkeiten, deren Dämpfe explosionsfähige Gemische mit Luft bilden. *3,4-Dihydro-2*H*-pyran ist ein cycl. V., u. gelegentlich faßt man auch die Furane, Pyrane etc. als V. auf.

Die techn. Herst. der V. geht im allg. vom Acetylen aus (s. Reppe-Synthesen u. Vinylierung); über eine Laborsynth. s. *Lit.*[1].

Verw.: Die V. werden in begrenztem Umfang für die Herst. spezieller Homo- u. Copolymerisate eingesetzt. Diese finden Anw. auf den Gebieten der Lack- u. Klebstoffherst. sowie als Hilfsmittel in der Textil- u. Leder-Industrie. Weiterhin dienen V. als Zwischenprodukte für organ. Synthesen. Der flüchtige *Divinylether* (C_4H_6O, M_R 70,09, Schmp. –101 °C, Sdp. 28,4 °C) wurde früher als Inhalationsanästhetikum benutzt. Der Isobutyl-V. soll im 2. Weltkrieg als dtsch. Raketentreibstoff (Deckname: Visol) gebraucht worden sein. – *E* vinyl ethers – *F* éthers vinyliques – *I* eteri vinilici – *S* éteres vinílicos

Lit.: [1] Synthesis **1975**, 736–738.

allg.: Beilstein E IV **1**, 2049 ff. ▪ Hager (5.) **7**, 1410 ▪ Hommel, Nr. 337, 392, 572, 701 ▪ Ullmann (5.) **A 1**, 102, 215; **A 2**, 292 f.; **A 27**, 435 ff. ▪ Weissermel-Arpe (4.), S. 245 f. ▪ s. a. Polyvinylether. – [HS 2903 30; CAS 107-25-5 (a); 109-92-2 (b); 111-34-2 (c); 109-53-5 (d); 109-93-3 (Divinylether); G 3 (a); 2 (b); 3 (c); 3 (d)]

Vinylfasern s. Vinylpolymere.

Vinylfluorid s. Fluorkohlenwasserstoffe (R 1141).

4-Vinylguajacol (2-Methoxy-4-vinylphenol).

$C_9H_{10}O_2$, M_R 150,18, Sdp. 224 °C, Schmp. 9–10 °C (57 °C). Farbloses bis gelbliches, rauchig, nach Gewürznelken riechendes Öl[1] od. Kristalle. Geruchsschwelle in Wasser 10 ppb[2]. 4-V. entsteht therm. od. fermentativ aus Ferulasäure (s. Kaffeesäure) u. a. Phenolcarbonsäuren u. ist z. B. im Aroma von Bier, Brot, Kaffee, Popcorn u. Wein enthalten, sowie im Holzteer u. geräucherten Lebensmitteln[3]. – *E* 4-vinylguaiacol – *F* 4-vinylguaïacol – *I* 4-vinilguaiacolo – *S* 4-vinilguajacol

Lit.: [1] Arctander, Perfume and Flavor Materials of Natural Origin, Nr. 1891, Elisabeth, N. Y.: Selbstverl. 1960. [2] Maarse (Hrsg.), Volatile Compounds in Food and Beverages, S. 515, New York: Dekker 1991. [3] Maarse u. Visscher (Hrsg.), Volatile Compounds in Food – Qualitative and Quantitative Data (6.), Suppl. 5, S. 473, Zeist: TNO 1994. – [CAS 7786-61-0]

Vinylharze s. Vinylester-Harze.

Vinyliden... Bez. für die doppeltgebundene Atomgruppierung $=CH_2$ in organ. u. Metall-organ.[1] Verb. (IUPAC-Regeln A-4.1 u. I-10.9.1; CAS u. Regel R-2.5: Ethenyliden...) u. für das Brückenglied $\rangle C=CH_2$ in *radikofunktionellen Namen u. *Multiplikativnamen (Regel A-4.1; CAS: Ethenyliden...; Regel R-2.5: Ethen-1,1-diyl...) u. in der *Polymer-Nomenklatur. – *E* vinylidene... – *F* vinylidène... – *I = S* viniliden...

Lit.: [1] Adv. Organomet. Chem. **22**, 60–128 (1983).

Vinylidenchlorid s. Dichlorethylene.

Vinylidenfluorid s. Fluorkohlenwasserstoffe (R 1132a).

Vinylierung (Ethenylierung). Bez. für die Einführung einer *Vinyl-Gruppe in organ. Verb., insbes. durch die von *Reppe systemat. untersuchte Addition von Acetylen an Verb. mit acidem Wasserstoff wie Säuren, Alkohole, Amine, Amide etc.; *Beisp.:* Herst. von *Essigsäurevinylester (Vinylacetat),

$$H-C\equiv C-H + H_3C-COOH \longrightarrow H_2C=CH-O-\underset{\underset{O}{\|}}{C}-CH_3$$

*Vinylethern, *Acrylnitril u. a. *Vinylmonomeren, s. a. Acetylen u. Reppe-Synthesen. – *E* = *F* vinylation – *I* vinilazione – *S* vinilación
Lit.: s. Acetylen u. Reppe-Synthesen.

Vinyl-Kationen s. Vinyl...

Vinylketone. Bez. für α,β-ungesätt. Ketone der allg. Struktur

$$R^1-\underset{\underset{O}{\|}}{C}-R^2 \qquad \begin{array}{l} R^1 = CH=CH_2, C(CH_3)=CH_2, CF=CH_2 \text{ etc.} \\ R^2 = R^1, \text{Alkyl, Aryl etc.} \end{array}$$

in der z. B. R^1 für die Vinyl- ($H_2C=CH-$), Isopropenyl-[$H_2C=C(CH_3)-$] od. 1-Fluorvinyl- ($H_2C=CF-$) Gruppe steht u. R^2 ebenfalls eine vinyl. Gruppe (z. B. bei *Divinylketonen*) od. eine Alkyl- od. Aryl-Gruppe ist. V. sind sehr reaktive *Monomere, die radikal. leicht zu *Keton-Polymeren homo- u. copolymerisiert werden können. V. lassen sich mit Metall-organ. Verb. als Initiatoren auch anion. polymerisieren. Die V.-Polymere sind Produkte mit niedrigem Erweichungspunkt u. geringer chem. u. therm. Stabilität. – *E* vinyl ketones – *F* cétones vinyliques – *I* chetoni vinilici – *S* cetonas vinílicas
Lit.: Encycl. Polym. Sci. Eng. 17, 548–567 ■ s. a. Keton-Polymere.

Vinylmonomere. Im engeren Sinne Bez. für *Monomere der Struktur $H_2C=CH-X$, die aus einer polymerisierbaren Vinyl-Gruppe u. einem Substituenten X bestehen, der seinerseits aus nur einem einzigen Atom [z. B. F (Vinylfluorid), Cl (Vinylchlorid), Br (Vinylbromid)] od. einer Atomgruppe bestehen kann. Beisp. für letztere sind X = Alkyl (1-Alkene), Aryl (z. B. Styrol), OR (Vinylether), O–CO–R (Vinylester), COOR (Acrylsäure u. deren Ester), $CONR_2$ (Acrylamide), CN (Acrylnitril), NR_2 (Vinylamine), NH–CO–R (Vinylamide), SO_3H (Ethensulfonsäure), $PO(OH)_2$ (Vinylphosphonsäure) u. andere. Von der Acrylsäure abgeleitete *Monomere werden wie diese selbst als Acrylmonomere (*E* acrylic monomers) bezeichnet. Auch Monomere mit der Struktureinheit C=C–C=C, also 1,3-Diene, sind formal Vinylmonomere. Sie werden aber in der Regel als *Dienmonomere* klassifiziert. Im weiteren Sinne werden auch andere Monomere mit C,C-Doppelbindungen, z. B. die des Typs $H_2C=CR^1R^2$, z. B. Vinylidenchlorid ($R^1=R^2=Cl$), zu den Vinylmonomeren gerechnet. Schließlich sind auch Verb. $R^1R^2C=CR^3R^4$ mit nur einem od. schließlich gar keinem direkt an die ungesätt. C-Atome gebundenem H-Atom formal substituierte Vinylmonomere. Diese polymerisieren jedoch meist sehr schlecht u. spielen daher kaum eine Rolle.

Die V. sind Ausgangsprodukte für die techn. sehr wichtigen *Vinylpolymere. Die zu diesen führenden sog. *Vinylpolymerisationen* erfolgen als Kettenwachstumsreaktionen (*Polymerisationen) nach unterschiedlichen Mechanismen. Welcher Mechanismus (radikal., anion., kation., Metallkomplex-katalysiert) dabei für ein bestimmtes Monomer geeignet ist, entscheiden maßgeblich die Substituenten X in dem V. $H_2C=CH-X$. – *E* vinyl monomers – *F* monomères vinyliques – *I* monomeri vinilici – *S* monómeros vinílicos

Vinylog (wahrscheinlich aus *Vinylen.. u. ana*log*). Als v. Verb. bezeichnet man organ. Verb. vom allg. Typ X–CH=CH–Y, die man sich durch Einschiebung einer Vinylen-Gruppe in die X–Y-Bindung entstanden denken kann (s. Tab.).

Tab.: Beisp. für vinyloge Verbindungen.

X	Y	
$R^1-\underset{\|}{\overset{\|}{C}}-$	$\underset{O}{\overset{\|}{C}}-R^2$	$R^1-\underset{\|}{\overset{\|}{C}}-CH=CH-\underset{O}{\overset{\|}{C}}-R^2$
		vinyloge Ketone (α,β-ungesätt. Ketone)
R_2N-	$\underset{O}{\overset{\|}{C}}-R^2$	$R_2N-CH=CH-\underset{O}{\overset{\|}{C}}-R^2$
		vinyloge Amide (*Vinamide*)
R_2^1N-	$\underset{\underset{R^3}{N}}{\overset{\|}{C}}-R^2$	$R_2^1N-CH=CH-\underset{\underset{R^3}{N}}{\overset{\|}{C}}-R^2$
		*Vinamidine

Bei dieser *Vinylogie* zeigt das β-Kohlenstoff-Atom z. B. gegenüber nucleophilen Reagenzien weitgehend dieselben Reaktionsweisen wie der Carbonylkohlenstoff, da der *Resonanz-Effekt (vgl. Mesomerie) über die Doppelbindung hinweg wirkt. Als v. *Aldol-Addition kann man die Reaktion einer α,β-ungesätt. Carbonyl-Verb. mit einer Carbonyl-Verb. ansehen:

$$-\underset{H}{\overset{\|}{C}}-CH=CH-\underset{O}{\overset{\|}{C}}-R^1 \xrightarrow{\text{Base}} -\overset{\|}{\underset{}{C}}{}^{-}-CH=CH-\underset{O}{\overset{\|}{C}}-R^1$$

$$\xrightarrow[2.\ H^+/H_2O]{1.\ R^3\diagdown_{R^2}C=O} R^2-\underset{\underset{OH}{|}}{\overset{\overset{R^3}{|}}{C}}-CH=CH-\underset{O}{\overset{\|}{C}}-R^1$$

Die *Polymethin-Farbstoffe kann man so auffassen, als seien sie durch Einschieben mehrerer, in *Konjugation stehender Vinylen-Gruppen zwischen zwei chromogene Endgruppen entstanden – die *Cyanin-Farbstoffe als v. Amidine (Vinamidine), die *Merocyanine als v. Amide u. die Oxonol-Farbstoffe als v. Carbonsäuren. Jede zusätzliche Doppelbindung bewirkt eine *bathochrome Verschiebung der Absorption des *Chromophors[1]. – *E* vinylogous – *F* vinylogue – *I* vinilogo – *S* vinílogo
Lit.: [1] Chem. Unserer Zeit 12, 1–11 (1978).
allg.: Krauch u. Kunz, Reaktionen der Organischen Chemie, 6. Aufl., S. 652, Heidelberg: Hüthig 1997.

Vinylon-Fasern. Sammelbez. für *Chemiefasern aus *Polyvinylalkohol, produziert in Japan, Korea u. China (entsprechend *Vinal-Fasern im europ. Sprach-

gebrauch). – *E* vinylon fibers – *F* fibres de vinylon – *I* fibre viniloniche – *S* fibras de vinilón
Lit.: Kirk-Othmer (4.) **10**, 685.

Vinylphosphonsäure-Polymere. Bez. für *Homo- u. *Copolymere der *Vinylphosphonsäure* mit Gruppierungen des Typs

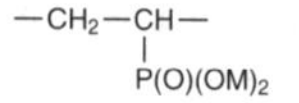

$$-CH_2-CH-$$
$$|$$
$$P(O)(OM)_2$$

mit M = H od. Metall (Na, K) als charakterist. Grundbaustein. V.-P. sind in der Regel als (Natrium-)Salze wasserlöslich. Das Homopolymer (Polyvinylphosphonsäure) kann als Primer für Metalle zur Erhöhung der Korrosionsbeständigkeit u. der Haftfestigkeit von Beschichtungsmassen, zur Behandlung von Aluminium-Platten in der Photolithographie od. als Produkt mit Antikarieseffekt in Dentalmassen eingesetzt werden. – *E* poly(vinylphosphonic acid) – *F* polymères d'acide vinylphonique – *I* polimeri dell'acido vinilfosfonico – *S* polímeros del ácido vinilfosfónico

Vinylpolybutadien s. Polybutadiene.

Vinylpolymere. Sammelbez. für aus *Vinylmonomeren zugängliche *Polymere u. *Copolymere v. a. der allg. Formel

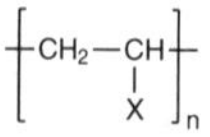

$$-\!\!\left[\!CH_2-CH\atop |\atop X\right]_n\!\!-$$

in der X für die bei Vinylmonomeren angegebenen Gruppen steht. V. (s. die einzelnen Polyvinyl...- bzw. Polyacryl...-Verb.) spielen als Rohstoffe z. B. für *Kunststoffe, Lacke u. Anstrichmittel u. Synthesefasern (*Vinylfasern*, z. B. Modacryl-, Vinal-, Vinyon-, Vinylal-Fasern) eine techn. überaus wichtige Rolle. – *E* vinyl polymers – *F* polyméres vinyliques – *I* polimeri vinilici – *S* polímeros vinílicos
Lit.: s. die einzelnen Vinylpolymere.

Vinylpropionat s. Polyvinylpropionate.

Vinylpyridine.

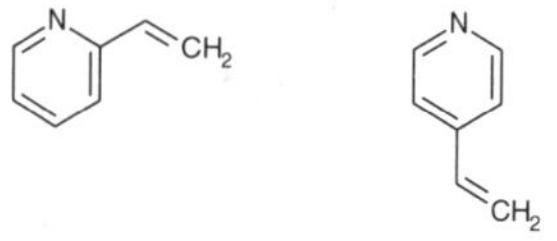

2-V.   4-V.

C_7H_7N, M_R 105,14. Von den möglichen drei Isomeren sind zwei von techn. Bedeutung. *2-V.:* Farblose Flüssigkeit, D. 0,9985, Sdp. 49–51 °C (15 hPa); WGK 2 (Selbstteinst.); wird techn. aus α-Picolin u. Formaldehyd hergestellt; – *4-V.:* Farblose Flüssigkeit, D. 0,988, Sdp. 62–65 °C (20 hPa); WGK 2 (Selbstteinst.); herstellbar aus γ-Picolin u. Formaldehyd. Beide V. sind wenig lösl. in Wasser, lösl. in Alkohol, Ketonen, Estern, aromat. u. aliphat. Kohlenwasserstoffen. Die Handelsware enthält Inhibitoren zur Verhinderung vorzeitiger Polymerisation.
Verw.: Zur Herst. von synthet. Kautschuk, Kunststoffen, Arzneimitteln, in organ. Synth.; 4-V. auch als Reagenz auf SH-Gruppen. – *E* = *F* vinylpyridines – *I* vinilpiridine – *S* vinilpiridinas
Lit.: Beilstein E V **20/6**, 211–213 ▪ Kirk-Othmer (3.) **19**, 455, 475f.; (4.) **20**, 644 ▪ Ullmann (4.) **23**, 612f.; (5.) **A 21**, 756; **A 22**, 408. – *[HS 2933 39; CAS 100-69-6 (2-V.); 100-43-6 (4-V.); G 6.1]*

Vinylpyridin-Polymere (Polyvinylpyridine). Zu den *Polyaminen gehörende *Homopolymere u. *Copolymere aus *Vinylpyridinen, von denen die mit Gruppierungen der Typen I–III

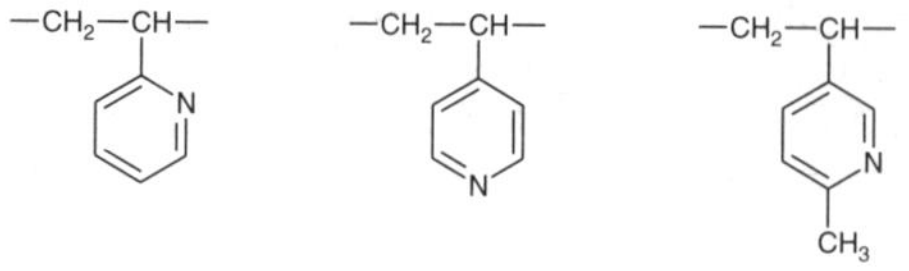

I   II   III

als charakterist. Grundbausteine größeres techn. Interesse gefunden haben, d. h. Produkte auf Basis von 2-Vinylpyridin (I), 4-Vinylpyridin (II) u. 2-Methyl-5-vinylpyridin (III). V.-P. sind durch *radikalische Polymerisation od. *anionische Polymerisation der Basismonomeren nach Verf. der *Substanzpolymerisation, *Lösungspolymerisation od. *Emulsionspolymerisation herstellbar.
Die Vinylpyridine ähneln in ihrem Polymerisationsverhalten dem Styrol; sie sind mit vielen anderen Monomeren copolymerisierbar. Bei der *Copolymerisation können in Abhängigkeit vom Comonomer-Typ u. den Reaktionsbedingungen statist. od. alternierende Copolymere u. *Blockcopolymere entstehen.
V.-P. gehören als schwache Polybasen zu den *Polyelektrolyten; nach Überführung in die sog. *Vinylpyridinium-Polymere* durch Salzbildung od. Quaternisierung des Ringstickoff-Atoms sind sie wasserlöslich. Vinylpyridinium-Polymere sind auch direkt zugänglich aus Pyridinium-Salzen des Typs

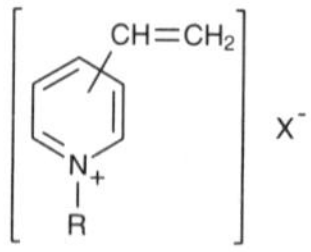

(z. B. mit R = H, CH_3 u. X = $H_3C-O-SO_3^-$, HSO_4^-, I^-, NO_3^-) durch Polymerisation in konz. wäss. Lösung. In verd. Lsg. fallen Produkte mit Pyridinium-Gruppen in der Hauptkette an, z. B. bei der Polymerisation von Salzen des 4-Vinylpyridins in Abwesenheit von *Initiatoren sog. *Ionene folgender Struktur:

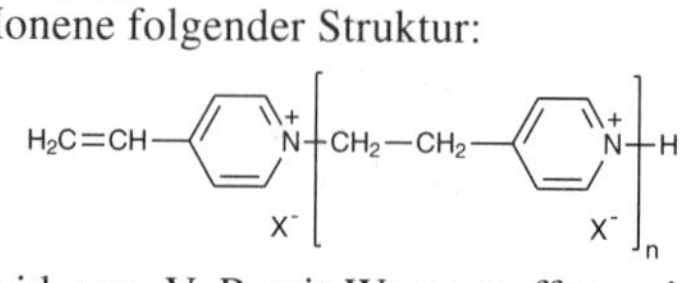

Die Oxid. von V.-P. mit Wasserstoffperoxid führt zu *Poly(vinylpyridin-N-oxid)en*, von denen das *Poly(2-vinylpyridin-N-oxid)* zur Behandlung von *Silicose-Erkrankungen eingesetzt wird.
Verw.: V.-P. können u. a. eingesetzt werden als Flockungsmittel, Ionenaustauscher u. zur Herst. polymergebundener Katalysatoren, weiterhin zum Verkleben von synthet. Reifencord-Materialien od. als Öl- u. Benzinadditive. – *E* vinylpyridine polymers – *F* polymères de vinylpyridine – *I* polimeri vinilpiridinici – *S* polímeros de vinilpiridina
Lit.: Encycl. Polym. Sci. Eng. **17**, 567–578 ▪ Houben-Weyl **E 20/2**, 1287–1299 ▪ Molyneux, Water-Soluble Synthetic Polymers: Properties and Behavior, Vol. 2, S. 49–52, Boca Raton: CRC Press Inc. 1985.

1-Vinyl-2-pyrrolid(in)on.

C_6H_9NO, M_R 111,14. Farblose Flüssigkeit, D. 1,04, Schmp. 13 °C, Sdp. 215 °C, 96 °C (19 hPa), mischbar mit Wasser u. den meisten organ. Lsm.; WGK 2. V. kann aus *2-Pyrrolidon durch Vinylierung mit Acetylen in Ggw. bas. Katalysatoren hergestellt werden. V. hat sich im Tierversuch als eindeutig krebserzeugend erwiesen (Gruppe III A 2 MAK-Werte-Liste 1997); MAK 0,1 ppm bzw. 0,5 mg/m³ (TRGS 900).
Verw.: Zur Herst. von *Polyvinylpyrrolidon u. Copolymeren mit anderen Vinylmonomeren. – *E* = *F* 1-vinyl-2-pyrrolid(in)one – *I* 1-vinil-2-pirrolid(in)one – *S* 1-vinil-2-pirrolid(in)ona
Lit.: Beilstein E V 21/6, 330 ▪ Kirk-Othmer (3.) **1**, 268; **23**, 963–967; (4.) **24**, 1071 ▪ Ullmann (4.) **23**, 611; (5.) **A 22**, 459 ▪ Weissermel-Arpe (4.), S. 113 ▪ s.a. Polyvinylpyrrolidon. – *[HS 2933 79; CAS 88-12-0]*

Vinylstyrol. Alte Bez. für *Divinylbenzol.

Vinylsulfon-Farbstoffe. Gruppenbez. für *Reaktivfarbstoffe, die den Vinylsulfonyl-Rest (–SO₂–CH=CH₂) enthalten u. zum Färben von Baumwolle, Wolle u. Cellulose-Fasern dienen. – *E* vinylsulfone dyes – *F* colorants de vinylsulfones – *I* coloranti di vinilsolfone – *S* colorantes de vinilsulfona
Lit.: Dtsch. Färbekal. **79**, 188–214 (1975) ▪ Kirk-Othmer (4.) **8**, 810 ▪ Melliand **52/6**, 687–704 (1971) ▪ Textilveredlung **18/3**, 99–102 (1983).

Vinylsulfonsäure. Regelwidrige, aber übliche Bez. für *Ethensulfonsäure* (Ethylensulfonsäure), $H_2C=CH-SO_3H$, $C_2H_4O_3S$, M_R 108,12, Sdp. 114–115 °C (0,6 hPa), die Ausgangsverb. der *Polyvinylsulfonsäuren. – *E* vinylsulfonic acid – *F* acide vinylsulfonique – *I* acido vinilsolfonico – *S* ácido vinilsulfónico
Lit.: Encycl. Polym. Sci. Eng. **6**, 564–570. – *[CAS 1184-84-5]*

N-(5-Vinyl-2-thiazolidinyliden)anilin s. Ölsyndrom, spanisches.

Vinyltoluole (ar-Methylstyrole, Methylvinylbenzole).

C_9H_{10}, M_R 118,18. Das im Handel befindliche m/p-Isomerengemisch (60:40) ist eine farblose Flüssigkeit, D. 0,89, Schmp. –77 °C, Sdp. 172 °C, unlösl. in Wasser, mischbar mit Methanol u. Ether; WGK 2 (Selbsteinst.). Die Dämpfe reizen u. schädigen die Augen, die Atemwege u. die Lunge sowie – weniger stark – die Haut. Sie wirken in hohen Konz. narkotisch. Kontakt mit der Flüssigkeit führt zu Reizungen der Augen u. der Haut; die Flüssigkeit wird auch über die Haut aufgenommen; MAK 100 ppm bzw. 480 mg/m³ (MAK-Werte-Liste 1997).
Herst.: Aus Toluol u. Ethylen u. anschließende Dehydrierung.
Verw.: Zur *Styrolisierung von *Alkydharzen, die sich bes. durch sehr schnelle Trocknung auszeichnen, reines 4-Methylstyrol zur Herst. von Homo- u. Copolymeren. – *E* vinyltoluenes – *F* vinyltoluènes – *I* viniltolueni – *S* viniltoluenos
Lit.: Beilstein E IV **5**, 1197 f. ▪ Hommel, Nr. 778, 778 a ▪ Kirk-Othmer (3.) **23**, 268, 270; (4.) **24**, 386 ▪ Ullmann (5.) **A 25**, 339. – *[HS 2902 90; CAS 39294-88-7; G 3]*

Vinyon. Amerikan. Gattungsbez. für *Chemiefasern aus Hochpolymeren, die durch geradkettige Polymerisation entstanden sind u. mindestens 85 Gew.-% Vinylchlorid enthalten (*Chlorofasern*). Wichtigster Vertreter ist *V. HH*, ein Copolymerisat aus 85–90% Vinylchlorid u. 15–10% Vinylacetat, in Aceton leicht löslich. Das frühere *V. N* ist eine *Modacrylfaser mit geringerem Gehalt an Vinylchlorid. V. wird als Klebefaser zur Herst. textiler Verbundstoffe verwendet. – *E* = *F* = *I* vinyon – *S* vinion
Lit.: Encycl. Polym. Sci. Eng. **6**, 723 ▪ Kirk-Othmer (3.) **10**, 158 ▪ Ullmann (4.) **11**, 335; (5.) **A 10**, 642, 645.

Viocin s. Viomycin.

Violacein {3-[5-(5-Hydroxy-1H-indol-3-yl)-2-oxo-1,2-dihydro-3H-pyrrol-3-yliden]-2-indolinon}.

$C_{20}H_{13}N_3O_3$, M_R 343,34, schwarzviolette Prismen, Schmp. >350 °C (Zers.), Vertreter einer von *Isatin abgeleiteten Farbstoffgruppe aus *Chromobacterium violaceum*, schwach aktiv gegen Gram-pos. u. Gram-neg. Bakterien. – *E* violacein – *F* violacéine – *I* violaceina – *S* violaceína
Lit.: Beilstein E III/IV **26**, 715; E V **26/6**, 600 ▪ J. Chem. Soc., Perkin Trans. 1 **1995**, 1565 (Biosynth.) ▪ Merck-Index (12.), Nr. 10 135. – *[CAS 548-54-9]*

Violanin [Delphinidin-3-O-(4′-O-p-cumaroylrutinosid)-5-O-glucosid].

$C_{42}H_{47}O_{23}^+$, M_R 919,82, als Chlorid ($C_{42}H_{47}ClO_{23}$, M_R 955,27) blauviolette, metall. grün glänzende Krist., Schmp. 194–196 °C (Zers.). Das *Anthocyan V. kommt in *Viola*-Arten (Violaceae), z.B. im Gartenstiefmütterchen (*V. tricolor*), in *Iris*-Arten (Iridaceae) u.a. Pflanzen vor. V. ist als Lebensmittelfarbstoff (E 163) zugelassen. – *E* violanin – *F* violanine – *I* = *S* violanina
Lit.: Karrer, Nr. 1741 ▪ Tetrahedron Lett. **19**, 2413 (1978). – *[HS 2938 90; CAS 28463-30-1 (Chlorid)]*

Violanthron s. Indanthren®-Farbstoffe.

Violarit s. Kobaltnickelkiese.

Violaxanthin (Zeaxanthin-5R,6S:5'R,6'S-diepoxid).

$C_{40}H_{56}O_4$, M_R 600,88, rote Krist., Schmp. 208 °C, λ_{max} 418, 443, 472 nm (C_2H_5OH), $[\alpha]_D^{20}$ +38° ($CHCl_3$); lösl. in Ethanol, Methanol, Ether. In Pflanzen weitverbreitetes Carotinoid, z.B. im Stiefmütterchen (*Viola tricolor*) enthalten, das biosynthet. aus *Zeaxanthin entsteht. V. wird durch Photooxid. zu *Xanthoxin abgebaut. – *E* violaxanthin – *F* violaxanthine – *I* = *S* violaxantina

Lit.: Beilstein E V **19**/3, 463 ▪ Helv. Chim. Acta **71**, 931–956 (1988) (Synth.) ▪ J. Chem. Soc., Perkin Trans. 1 **1972**, 1769 (Biosynth.) ▪ Merck-Index (12.), Nr. 10136 ▪ Pure Appl. Chem. **35**, 47 (1973) (Review) ▪ s. a. Zeaxanthin. – *[CAS 126-29-4]*

Violeosalze (latein.: violeus = veilchenblau). Veraltete Bez. für *Cobaltammine mit *cis*-Tetraammindichlorocobalt(1+)- od. -aquachlorocobalt(2+)-Ionen. – *E* violeo salts – *F* sels violeo – *I* sali violeo – *S* sales violeo

Violette Säure s. Nitrosylschwefelsäure.

Viologene. Von *Michaelis geprägte Sammelbez. für quartäre 4,4'-Bipyridinium-Salze, die Lsg. wird durch Einelektronen-Übertragung in intensiv farbige *Radikale umgewandelt; *Beisp.*: Methylviologen (Paraquatdichlorid, s. die Abb. dort) ist farblos, das Red.-Produkt hingegen tief violett (Name!) gefärbt. Die Reaktion ist reversibel, weshalb sich V. wie Methyl- u. *Benzylviologen als Redoxindikatoren (s. Redoxsysteme) eignen. Andererseits könnte die Radikal-Bildung wohl für die hohe Toxizität der Bipyridinium-*Herbizide verantwortlich sein, die bei Pflanzen in die Photosynth. eingreifen, indem sie die Energieübertragung durch das NADP-Syst. blockieren. Als *Caroviologene* bezeichnet Arrhenius[1] langgestreckte elektronenleitende, konjugierte Polyene mit Pyridinium-Endgruppen, die z.B. als Elektronenkanäle quer durch Lipid-Doppelschicht-Membranen fungieren könnten. – *E* viologene – *F* viologènes – *I* viologeni – *S* viológenos

Lit.: [1] Proc. Natl. Acad. Sci. USA **83**, 5355–5359 (1986); Angew. Chem. **102**, 1347–1362 (1990).
allg.: Angew. Chem. **98**, 455 (1986); **99**, 139 (1987) ▪ Chem. Soc. Rev. **10**, 49–82 (1981) ▪ Helv. Chim. Acta **70**, 1–12 (1987) ▪ Top. Curr. Chem. **92**, 1–44 (1980).

Violursäure [5-(Hydroxyimino)barbitursäure, 2,4,5,6(1H,3H)-Pyrimidintetron-5-oxim, Alloxan-5-oxim].

$C_4H_3N_3O_4$, M_R 157,09, Schmp. 247 °C (Zers.). Gelbliche, orthorhomb. Krist., schwer lösl. in Wasser mit violetter Farbe, lösl. in Alkohol, gibt mit $FeCl_3$ Blaufärbung.

Verw.: Zur photometr. Bestimmung von Co u. zum Nachw. papier- od. dünnschichtchromatograph. getrennter Metall-Kationen (z.B. Cu, Co, Alkali- u. Erdalkalimetalle) durch intensivfarbige Chelate. – *E* violuric acid – *F* acide violurique – *I* acido violurico – *S* ácido violúrico

Lit.: Beilstein E III/IV **24**, 2142 ▪ Z. Anal. Chem. **261**, 45 (1972). – *[HS 2933 51; CAS 87-39-8]*

Violutosid s. Veilchen.

Viomycin (Viocin, Tuberactinomycin B).

$C_{25}H_{43}N_{13}O_{10}$, M_R 685,70, rotviolette Krist., Schmp. des Hydrochlorids 226 °C, $[\alpha]_D^{25}$ –29,5° (Hydrochlorid in H_2O); leicht lösl. in Wasser, schwer lösl. in organ. Lösemitteln. Internat. Freiname für ein stark bas. *Peptid-Antibiotikum aus Kulturen von *Streptomyces puniceus* u. *S. floridae*. V. baut sich aus 5 Aminosäuren mit einem (S)-3,6-Diaminohexanoyl-Rest (L-β-Lysyl) als Seitenkette auf, von denen nur L-Serin proteinogenen Ursprungs ist. V. ist wirksam gegen Grampos. u. Gram-neg. Bakterien, hemmt die Protein-Biosynth. u. ist ein gutes Tuberkulostatikum. Jedoch wird es aufgrund seiner gehörschädigenden Wirkung nicht mehr therapeut. verwendet; in hohen Dosen ist V. teratogen. – *E* viomycin – *F* viomycine – *I* = *S* viomicina

Lit.: Beilstein E V **16**/19, 573 ▪ Hager (5.) **9**, 1185f. ▪ Heterocycles **15**, 999–1005 (1981) ▪ Karrer, Nr. 5570a ▪ Merck-Index (12.), Nr. 10139 ▪ Sax (8.), VQZ000 ▪ Ullmann (5.) **A 2**, 530. – *[HS 2941 90; CAS 32988-50-4]*

VIP. Abk. für *vasoaktives intestinales (Poly-)Peptid.

Viperiden-, Viperntoxine s. Schlangengifte.

Viquidil (Chinicin; Rp).

Internat. Freiname für den *Vasodilatator 1-(6-Methoxy-4-chinolyl)-3-((3R)-*cis*-3-vinyl-4-piperidyl)-1-propanon, $C_{20}H_{24}N_2O_2$, M_R 324,41, Schmp. ~60 °C. Verwendet wird meist das Xydrochlorid, gelbes, geruchloses, bitter schmeckendes Pulver, Schmp. 184±4 °C, λ_{max} ($CHCl_3$) 246, 355 nm; lösl. in Alkohol, wenig lösl. in Wasser, unlösl. in Aceton. V. ist ein Isomeres von *Chinin u. kommt in geringen Mengen in der *Chinarinde vor. Es wurde 1950 von Polaroid patentiert u. ist von Nattermann (Desclidium®) im Handel. – *E* = *F* = *I* = *S* viquidil

Lit.: ASP ▪ Martindale (31.), S. 1767. – *[HS 2939 29; CAS 84-55-9 (V.); 52211-63-9 (Hydrochlorid)]*

Virazole. Trockensubstanz zur Injektion mit dem Virostatikum *Ribavirin gegen hämorrhag. Lassafieber. *B.*: ICN/Holland.

Virchow, Rudolf (1821–1902), Prof. für Medizin, Würzburg, Berlin, Gründer u. Leiter des Patholog. Inst. der Charité. *Arbeitsgebiete:* Begründer der Zellularpathologie, Anatomie, Hygiene, Desinfektion, Entzündungen, Anthropologie, Sozialpolitik; Gründer u. Hrsg. zweier medizin. Zeitschriften. Berühmt ist seine Formulierung: „Omnis cellula e cellula" („Jede Zelle entstammt einer Zelle").
Lit.: Krafft, S. 334 f. ▪ Lexikon der Naturwissenschaftler, S. 407.

Viren (Singular: das, umgangssprachlich auch: der Virus, von latein.: virus = Schleim, Gift). Aus *Nucleinsäuren bestehende *mobile genet. Elemente*, d. h. nicht an einen bestimmten Ort im *Chromosom gebundene *Gene, die aufgrund einer schützenden Protein-Hülle auch außerhalb von *Zellen transportiert werden können. Zu ihrer Vermehrung bedürfen V. jedoch der Biosynth.-Leistung einer Wirtszelle. Das *virale Genom* (die Gesamtheit der Gene eines V.) codiert für Proteine, die in Zusammenarbeit mit der Wirtszelle die Vervielfältigung des V. bewirken. V. sind immer dann infektiös für jeweils bestimmte Zellen, wenn ein geeigneter Mechanismus besteht, die V.-Gene durch die Zellmembran einzuschleusen u. in Proteine umzusetzen. Trotz ihrer Infektiosität sind nicht alle V. pathogen; man nimmt vielmehr an, daß viele V. unentdeckt bleiben, weil sie nicht pathogen sind. Man kennt heute mehr als 400 human- u. ferner zahlreiche tier- u. pflanzenpathogene V., darunter solche mit doppelsträngiger *Desoxyribonucleinsäure (DNA) wie Hepatitis B-, Warzen-, Pocken-, Herpes- u. Adeno-V. neben solchen mit einzelsträngiger *Ribonucleinsäure (RNA) wie *Tabakmosaik-, Poliomyelitis-, Schnupfen-, Grippe-, Masern-, Tollwut- u. Leukämie-V. usw.; vgl. die meist in Einzelstichwörtern beschriebenen Krankheiten.

Der Begriff der hier nicht zu behandelnden *Computer-V.* wurde in Analogie zu echten V. geprägt; es handelt sich um Computer-Programme, die – meist unbeabsichtigt zur Ausführung gebracht – sich selbst auf Datenträgern vervielfältigen; auch hier soll es harmlose u. schädliche geben.

Aufbau: Die zwar voll entwickelten u. infektiösen, aber extrazellulären u. daher vorübergehend in einer Ruhephase befindlichen V.-Partikeln nennt man *Virionen*. Chem. sind sie *Nucleoproteine (d. h. Komplexe aus *Proteinen u. *Nucleinsäuren), die kristallisierbar sind. Während in zellulären Organismen stets beide Typen von Nucleinsäuren, nämlich RNA u. DNA anzutreffen sind, findet man in V. nur entweder RNA od. DNA als genet. Material.

Die aus Protein-Untereinheiten (*Capsomeren*) bestehende Schutzhülle (*Capsid*) ist in der Regel symmetr. gebaut: Entweder sind die Einheiten wie die Stufen einer Wendeltreppe aneinandergereiht, so daß sich eine *Helix-Struktur (vgl. Abb. 1) ergibt, od. sie sind zu einem geschlossenen Hohlkörper vereinigt, der eine höhere Symmetrie besitzt, s. die Beisp. der Ikosaeder in Abb. 2.

Im Unterschied zu den sog. „nackten" V. ist bei den „umhüllten" V. das *Nucleocapsid* (d. h. das Capsid mit den enthaltenen Nucleinsäuren) noch von einem

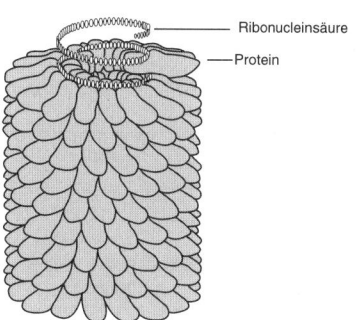

Abb. 1: Schemat. Aufbau des Tabakmosaikvirus.

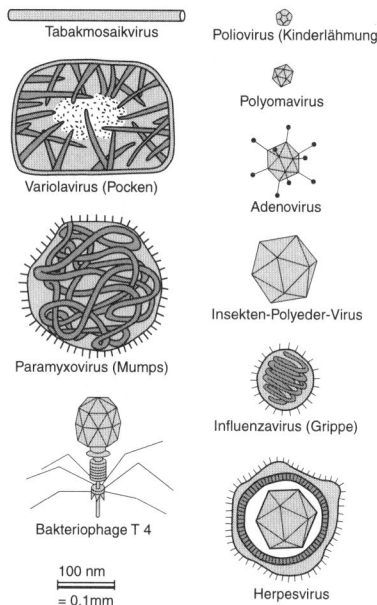

Abb. 2: Relative Größe u. Gestalt einiger Viren.

äußeren Mantel sehr komplizierter Zusammensetzung umgeben, der neben Proteinen auch Kohlenhydrate u. Lipide enthält. Der Durchmesser von Virionen variiert zwischen 10 u. 300 nm, auch ihre Gestalt ist unterschiedlich, wie Abb. 2 zeigt. Sie haben die Form von Kügelchen, Stäbchen, Spiralen, Würfeln, Quadern, Polyedern, Nadeln, Ellipsoiden u. dergleichen. V., die Tiere u. Menschen befallen, krist. sehr viel schwerer als die in Pflanzen gefundenen V.; erst 1955 gelang es, den Poliomyelitis-Erreger krist. herzustellen.

Klassifizierung: V., die *Bakterien befallen, werden meist als *Bakteriophagen* od. *Phagen bezeichnet. Die über 30 000 bekannten V.-Stämme u. -Subtypen wurden 1995 in 71 Familien, 11 Unterfamilien, 175 Genera u. über 4000 Arten gruppiert[1]. Aufgrund der Art der Nucleinsäure des Virions (RNA od. DNA, einsträngig od. doppelsträngig) u. aufgrund der Zwischenträger der genet. Information bis zur Bildung der Messenger-RNA (mRNA, s. Ribonucleinsäuren) unterscheidet man nach *Baltimore 7 Klassen von V., s. die Tab. auf S. 4868.

Tab.: Baltimore-Klassifizierung der Viren; ds = doppelsträngig, ss = einsträngig; (+)-RNA bzw. -DNA enthält dieselbe bzw. im wesentlichen dieselbe *Nucleotid-Sequenz wie die zugehörige mRNA, (–)-RNA bzw. -DNA dagegen die komplementäre.

Klasse	Virion-Nucleinsäure	Informationsfluß bis zur Bildung der mRNA	Beisp.
I	dsDNA	$\Rightarrow$ mRNA	Herpesviren
II	ssDNA	$\Rightarrow$ dsDNA $\Rightarrow$ mRNA	Parvovirus B 19
III	dsRNA	$\Rightarrow$ mRNA	Reovirus
IV	(+)-RNA	$\Rightarrow$ (–)-RNA $\Rightarrow$ mRNA	Poliovirus
V	(–)-RNA	$\Rightarrow$ mRNA	Tollwut-V.
VI	(+)-RNA	$\Rightarrow$ (–)-DNA $\Rightarrow$ dsDNA $\Rightarrow$ mRNA	HIV-1
VII	ss/dsDNA	$\Rightarrow$ (+)-RNA $\Rightarrow$ (–)-DNA $\Rightarrow$ dsDNA $\Rightarrow$ mRNA	Hepatitis-B-Virus

Retroviren: RNA-V. der Klasse VI (vgl. Tab.), die bes. Beachtung erfahren haben, enthalten die sog. *reverse Transcriptase*, eine von *Temin entdeckte *Polymerase, die die virale RNA in DNA transkribiert, damit diese in die *Chromosomen-DNA der Wirtszelle integriert werden kann. Solche V. werden als *Retroviren* (Näheres s. dort) bezeichnet. Zu ihnen zählen auch die *Lentiviren* (eine Unterfamilie langsam wirkender V.), wie z. B. das von Montagnier (Paris 1983) entdeckte *AIDS auslösende HIV-I (human immunodeficiency virus I; Abb. 3). Das HIV-I ist ein umhülltes V. mit relativ kleinem Capsid-Protein (M_R 24000), dessen reverse Transcriptase (2 Polypeptid-Ketten, M_R 66000 bzw. 51000) durch Magnesium-Ionen aktiviert wird.

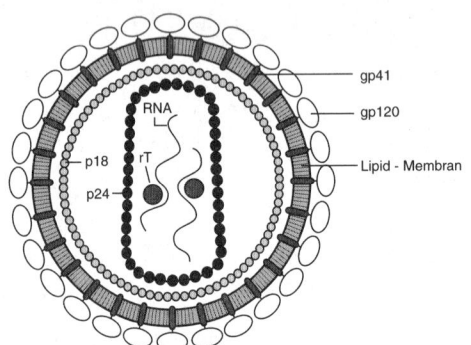

Abb. 3: HIV-I-Virion (gp41, *gp120: Glykoproteine mit M_R 41000 bzw. 120000; p18: Protein mit M_R 18000; p24: Capsid-Protein; rT: reverse Transcriptase).

Tumor-V.: Bestimmte *Pflanzenkrebs-Formen u. tier. *Tumoren werden durch bestimmte Retro- u. a. V. (*Tumor-V.*) hervorgerufen, da diese V. *Onkogene enthalten, die normalen Zellgenen ähneln u. ins Wirtsgenom integriert werden können (vgl. unten). Beim Menschen sind bisher nur wenige V. als für die Entstehung bösartiger Tumoren verantwortlich nachgewiesen worden, z. B. das Epstein-Barr-Virus, das zu den umhüllten Herpes-V. gehört u. außer Pfeifferschem Drüsenfieber den Burkitt-Tumor erzeugt.

Viroide, Virusoide u. Satelliten-RNA: Seit längerem sind auch pflanzliche Retroviren bekannt, denen die Proteinhülle fehlt u. die nur aus zirkulärer RNA bestehen. Diese codiert nicht für Proteine, so daß das V. ganz auf die Enzyme der Wirtspflanze angewiesen ist. Für derartige „kleinste V." hat man den Begriff *Viroide* eingeführt. Sind solche RNA (als „RNA 1") zusätzlich zum normalen Genom („RNA 1") in einem Virion vorhanden, so bezeichnet man sie als *Virusoide*. Sind sie für die Infektiosität u. Vermehrung des V. nicht nötig, so spricht man von *Satelliten-RNA*; diese reisen quasi „per Anhalter" mit *Helfer-V.* von Genom zu Genom. Die Satelliten-RNA stehen den *Retro(trans)posons* (vgl. Retroviren) nahe, die allerdings – weniger reiselustig – im selben Genom verbleiben. Bei *Coviren* ist das V.-Genom auf zwei Virionen verteilt; beide Partikeln sind dann zur Infektion nötig. Viroide u. wohl auch die V. der *Eukaryonten stammen wahrscheinlich von *Introns* der Gruppe I ab.

Prionen u. Virinos: Bei Erkrankungen wie z. B. Scrapie (Traberkrankheit, eine zerebrale Infektionskrankheit von Schafen u. Ziegen), die *Rinderseuche BSE (bovine spongiform encephalopathy), die Creutzfeldt-Jakob-Krankheit (langsame Degeneration des Zentralnervensyst.) u. die Kuru-Krankheit der früheren Kannibalen von Neu-Guinea bestehen die Überträger wahrscheinlich nur aus infektiösem Protein, weshalb sie *Prionen genannt werden. Man nimmt an, daß das *Prion-Protein (PrP) vom Wirtsgenom codiert wird u. in seiner infektiösen Form in der Zelle eine Protein-Modifizierung bewirkt. Ein *Virino* enthält zusätzlich zu einem durch das Wirts-Genom codierten Protein eine nicht codierende, regulator. Nucleinsäure.

Entwicklungscyclus: Als Überträger von V. spielen *Insekten wie Stechmücken, ferner Zecken u. *Milben eine große Rolle – erinnert sei an die im Frühsommer in bestimmten mitteleurop. Waldregionen auftretende Zecken-Enzephalitis, eine *Zoonose. Die virale *Infektion beginnt mit der Adsorption der wirtsspezif. V. an geeigneten Zelloberflächen. Bei der Infektion Höherer Zellen gelangen hüllenlose V. durch *Pinocytose in das Zellinnere, während bei umhüllten V. die Hülle mit der Zellmembran verschmilzt u. nur das Nucleocapsid eindringt. Bei bestimmten Bakteriophagen dringt nur die Erbsubstanz (DNA bzw. RNA) des V. durch die Zellwand in die Zelle ein.

Die virale Nucleinsäure veranlaßt nun den biochem. Apparat der Zelle zur Synth. der für *ihre* *Replikation erforderlichen Enzyme sowie zur Produktion von Capsid-Protein: Die Wirtszelle wird umprogrammiert zur „V.-Fabrik". Die Umformung der Erbinformation verläuft über die in der Tab. angegebenen Zwischenstufen u. führt zur Biosynth. der Proteine durch *Translation der viralen mRNA. Die neugebildeten Replikations-Enzyme vervielfältigen dann das V.-Genom, das von den ebenfalls neugebildeten Capsid-Proteinen eingeschlossen wird; so bilden sich zahlreiche neue Virionen, die wieder freigesetzt werden können. Die Freisetzung der V.-Nachkommen erfolgt oft durch lyt. V.-Enzyme, die die Zellmembran öffnen, bei behüllten V. vielfach auch durch eine Art Knospung (*E budding*), indem die Partikeln von der Zellmembran umhüllt u. nach außen abgeschnürt werden.

Der oben beschriebene Verlauf ist der *lyt. Cyclus*, der von *virulenten V.* beschritten wird. Im Gegensatz dazu kommt es bei *temperenten V.* zunächst zum *lysogenen*

Verlauf: Es wird (z. B. bei Retroviren) Doppelstrang-DNA synthetisiert u. als *Provirus* ins Wirtsgenom integriert. Mit den Wirtsgenen zusammen wird es bei jeder Zellteilung verdoppelt u. weitervererbt, bis schließlich durch ein *Induktions-Ereignis* die Expression der V.-Gene eingeleitet wird.
Die sowohl vom V. als auch vom Zelltyp abhängige Veränderung des Wirtsgenoms kann zu einer Umwandlung der Wirtszelle in eine Tumorzelle mit unkontrolliertem Zellwachstum führen sowie (bei Befall durch Lentiviren) zu erst nach monate- bis jahrelangen Inkubationszeiten auftretenden Funktionsstörungen der Zelle (*Beisp.:* *AIDS).
Methodik[2]*:* Der Aufbau der V. wird mit Hilfe des *Elektronenmikroskops untersucht (*Feinstruktur*). Die atomare Raum-Struktur der Capsid-Proteine u. Nucleinsäuren, soweit kristallisierbar, wird durch die *Röntgenstrukturanalyse aufgeklärt. Eine wesentliche Aufgabe der *Virologie* ist die Untersuchung der Mechanismen, die der Infektiosität des V. zugrunde liegen. Derartige Untersuchungen sind bes. an Bakteriophagen u. den von ihnen befallenen Bakterien – insbes. mit T 4-Phagen an *Escherichia coli* – vorgenommen worden. Die *Gentechnologie liefert das Werkzeug zur Aufklärung molekularbiolog. Fragen zur *Translation, *Genexpression, *Regulation etc. Wichtige Instrumente sind dabei *Plasmide u. *Restriktionsendonucleasen. Zur Charakterisierung z. B. von Oberflächen-*Antigenen werden *monoklonale Antikörper benutzt. Der *Plaque-Test dient zum Nachw. von Bakteriophagen. Die Erkennung von V.-Infektionen ist Aufgabe der *Serodiagnostik, z. B. wurden für AIDS-Tests spezif. *Immunoassay-Techniken entwickelt.
Bekämpfung: Einen gewissen Schutz gegen virale Infektionen bietet die Hygiene zusammen mit Maßnahmen der *Entkeimung. Bei der Bekämpfung der V. mit chem. Mitteln versagen jedoch viele der *Bakterizide u. *Desinfektionsmittel, weil V. im Inneren der Wirtszellen nur schwer zugänglich sind. Im Laufe der Jahre sind allerdings eine Reihe von brauchbaren *antiviralen Chemotherapeutika* (*Virostatika bzw. *Viruziden od. Viriziden) entwickelt worden, die spezif. gegen einzelne V. wirksam sind. Bes. erfolgversprechend erscheinen hier die *Antimetaboliten. Gegen schwere Herpes-V.-Infektionen haben sich auch *Interferone als wirksam erwiesen, wohingegen sich die großen Hoffnungen, die man in diese für die *Krebs-Therapie gesetzt hatte, nicht erfüllt haben. Näheres zur Therapie von *Virosen* (Viruserkrankungen) s. bei Virostatika. Bei einer Reihe von V.-Erkrankungen tritt nach überstandener Erstinfektion lebenslange *Immunität ein; durch *Impfen mit entsprechenden *Impfstoffen läßt sich vielfach ebenfalls eine *Immunisierung od. Resistenz erreichen – auf diese Weise sind z. B. Poliomyelitis (Kinderlähmung) u. Pocken weltweit eingedämmt bzw. ausgerottet worden. Schwierigkeiten bes. Art entstehen durch das period. Auftreten mutanter V., was – wie im Fall der Grippeerreger – die Herst. der für einen wirksamen Impfschutz notwendigen *Vaccine kompliziert.
Verw.: Die oft schädlichen V. könnten auch nützliche Funktionen erfüllen, beispielsweise als Bakteriophagen bei der Vernichtung pathogener Bakterien, od. als *Vektoren* zur Übertragung von Genen[3], z. B. zur Heilung von Erbkrankheiten durch *Gentherapie od. zur gentechnolog. Produktion, Ertrags- u. Resistenz-Steigerung bei Pflanzen. Weiter fortgeschritten ist die Verw. von V. bei der biolog. Schädlingsbekämpfung, wobei wegen der Wirtsspezifität insektenpathogener, für den Menschen nach bisherigem Wissen ungefährlicher V. ein gezielter, umweltfreundlicher Einsatz im integrierten *Pflanzenschutz möglich scheint. Ein in Baumwollkulturen erfolgreich eingesetztes V. ist das NPV (nuclear polyhedrosis virus).
Geschichte: D. I. Iwanowski (1864–1920, Prof. in Petersburg u. Warschau) konnte 1892 zeigen, daß die Säfte kranker Pflanzen auch dann noch ansteckend wirkten, als man sie durch Filter goß, die alle gewöhnlichen Bakterien zurückhielten. Ein derartiger Saft wurde ursprünglich als V. bezeichnet, wenn er Krankheitserreger enthielt, die viel kleiner waren als Bakterien. Für lange Zeit blieb die Frage nach der biolog. Natur dieser unfiltrierbaren Agenzien ungeklärt. Erst die Entdeckung der Bakteriophagen durch D'Herelle (1917) ebnete der V.-Forschung neue Wege; 1935 gelang es erstmals, das von Iwanowski entdeckte V. (Tabakmosaikvirus) zu kristallisieren.
Entscheidende Impulse erhielt die *Virologie* von der *Molekularbiologie, insbes. durch die Arbeiten der im folgenden erwähnten Nobelpreisträger (für Physiologie od. Medizin, Jahr der Auszeichnung in Klammern): Jacob, *Lwoff u. *Monod (1965) beschäftigten sich mit der genet. Kontrolle von Enzymen u. V., *Delbrück, *Hershey u. *Luria (1969) mit deren Vererbungsmechanismus, *Baltimore u. Dulbecco u. *Temin (1975) entdeckten die reverse Transcriptase in Tumorviren. *Gajdusek (1976 zusammen mit B. S. *Blumberg) entwickelte das Konzept der langsamen V. (Lentiviren). Weitere Fortschritte brachten die Entdeckung der Restriktionsendonucleasen durch *Arber (1978), die Arbeiten von *Sanger, *Gilbert u. P. Berg (Chemie 1980) zu Analytik u. Aufbau von Nucleinsäuren, die Herst. monoklonaler Antikörper durch *Milstein u. *Köhler (1984), die Untersuchungen von *Tonegawa (1987) über die genet. Grundlagen der Differenzierung von B-Lymphocyten sowie die Studien von Bishop u. *Varmus (1989) an Retroviren u. *Onkogenen. – E viruses – $F = I = S$ virus
Lit.: [1] Murphy et al., Virus Taxonomy. Classification and Nomenclature of Viruses. Sixth Report of the International Committee on Taxonomy of Viruses, Wien: Springer 1995. [2] Mahy u. Kangro, Virology Methods Manual, San Diego: Academic Press 1996; Wiedbrauk u. Farkas, Molecular Methods for Virus Detection, San Diego: Academic Press 1995. [3] Kaplitt u. Loewy, Viral Vectors. Gene Therapy and Neuroscience Applications, San Diego: Academic Press 1995.
allg.: Ackermann u. Berthiaume, Atlas of Virus Diagrams, Boca Raton: CRC Press 1995 ▪ Cann, Principles of Molecular Virology, 2. Aufl., San Diego: Academic Press 1997 ▪ Doerfler, Viren. Krankheitserreger u. Trojanisches Pferd, Berlin: Springer 1996 ▪ Gibbs et al., Molecular Basis of Viral Evolution, Cambridge: Cambridge University Press 1995 ▪ Mahy, A Dictionary of Virology, 2. Aufl., San Diego: Academic Press 1996 ▪ Mazzone, Handbook of Viruses. Mass and Molecular Weight Determinations and Related Properties, Boca Raton: CRC Press 1998 ▪ Modrow u. Falke, Molekulare Virologie. Eine Einführung für Biologen u. Mediziner, Heidelberg: Spek-

trum 1996 ▪ Oldstone, Viruses, Plagues, and History, Oxford: Oxford University Press 1998 ▪ Viren. Die perfekte Überlebensstrategie (Video), Heidelberg: Spektrum 1994 ▪ Webster u. Granoff, Encyclopedia of Virology, San Diego: Academic Press 1994 (CD-ROM 1996) ▪ White u. Fenner, Medical Virology, 4. Aufl., San Diego: Academic Press 1995. – *Serie:* Frontiers in Virology, Berlin: Springer (seit 1992). – *Zeitschriften:* Acta Virologica, Bratislava: Verl. der Slowak. Akademie der Wissenschaften (seit 1957) ▪ Antiviral Research, Amsterdam: Elsevier (seit 1981) ▪ Clinical and Diagnostic Virology, Amsterdam: Elsevier (seit 1993) ▪ Journal of Virological Methods, Amsterdam: Elsevier (seit 1980) ▪ Seminars in Virology, Philadelphia: Saunders (seit 1990) ▪ Virus Research, Amsterdam: Elsevier (seit 1984). – *World Wide Web:* http://life.anu.edu.au/viruses/welcome.htm ▪ http://www.tulane.edu/~dmsander/garryfavweb.html

Virginia s. Tabak.

Virginiamycine (Staphylomycine, Pristinamycine).

Virginiamycin M_1

Antibiotika-Komplex aus *Streptomyces virginiae,* der überwiegend aus V. M_1 besteht {$C_{28}H_{35}N_3O_7$, M_R 525,60, Krist., Schmp. 200 °C (Zers.), $[\alpha]_D^{23}$ –209° (C_2H_5OH), lösl. in Chloroform u. Dimethylformamid, unlösl. in Wasser u. Petrolether} u. wird beim Lösen in wäss. Alkalien (>pH 9,5) inaktiviert. Käufliches V. enthält ca. 75% V. M_1 u. ca. 25% andere Virginiamycine.
Wirkung: V. sind Antagonisten von *Cholecystokinin u. *Gastrin. Sie können deshalb zur Behebung von Verdauungs- u. Appetitstörungen sowie Magen-Darm-Erkrankungen verwendet werden. V. sind antibakteriell wirksam u. werden als Leistungsförderer dem Futter von Wiederkäuern zugesetzt. – *E* virginiamycins – *F* virginiamycines – *I* virginiamicine – *S* virginiamicinas
Lit.: Drugs (Suppl. 1) **51**, 13 (1996) ▪ Hager (5.) **9**, 1186 ▪ Kirk-Othmer (4.) **24**, 829 ▪ Martindale (30.), S. 224 ▪ Merck-Index (12.), Nr. 10142 ▪ Sax (8.), VRF 000 ▪ Ullmann (5.) **A2**, 529. – *[HS 294190; CAS 11006-76-1 (V.); 21411-53-0 (V. M_1)]*

Virialkoeffizienten. Die *Zustandsgleichung *realer Gase* läßt sich in einer Reihenentwicklung (**Virialsatz*) darstellen:

$$\frac{p \cdot V}{n \cdot R \cdot T} = 1 + B(T) \cdot p + C(T) \cdot p^2 + D(T) \cdot p^3 + \ldots,$$

wobei die (Temp.-abhängigen) Koeff. B, C, D,... der Korrekturglieder als 2., 3., 4.,... V. bezeichnet werden. Im allg. rechnet man bei den *Gasgesetzen nur mit dem 2. V., der über B = b – a/RT mit den *Van-der-Waals-Konstanten verknüpft ist. Als *virial* bezeichnet man nach *Clausius den zeitlichen Mittelwert der Summe der Produkte $F_i \times v_i$ aller Teilchen des betrachteten Syst., s. Virialsatz. In Analogie zu den V. eines realen Gases wird für eine gegebene Temp. T u. eine Wellenlänge λ die Abhängigkeit des opt. Brechungsindexes n vom Druck p anhand der *opt. V.* geschrieben:

$$\frac{n^2(\lambda, p, T) - 1}{n^2(\lambda, p, T) + 2} = A_R(\lambda, T) \cdot \delta + B_R(\lambda, T) \cdot \delta^2 + C_R(\lambda, T) \cdot \delta^3 + \ldots$$

δ ist hierbei die reale molare D. (Teilchenzahl pro Vol.); zu Details s. *Lit.*[1]. – *E* virial coefficients – *F* coefficients viriels – *I* coefficienti del viriale – *S* coeficientes viriales
Lit.: [1] Molec. Physics **59**, 41 (1986); **74**, 1233–1244 (1991). *allg.:* Atkins, Physikalische Chemie, Weinheim: VCH Verlagsges. 1996 ▪ Barrow, Physikalische Chemie, Braunschweig: Vieweg 1984 ▪ Dymond et al., The Virial Coefficients of Pure Gases and Mixtures, Oxford: University Press 1980 ▪ Ullmann (4.) **1**, 20, 30, 63 ▪ s. a. Gase, kritische Größen u. Thermodynamik.

Virialsatz. Nach *Clausius wird für eine Anzahl von N Teilchen – gedacht als Massepunkte jeweils am Ort $\vec{r}_i$, auf die die Kraft $\vec{F}_i$ wirkt – die Größe

$$\sum_{i=1}^{N} (\vec{F}_i \times \vec{r}_i)$$

virial genannt. Ihr zeitlicher Mittelwert ist gleich dem doppelten neg. Mittelwert der kinet. Energie $\bar{T}$.
Wenn die Kraft auf ein einzelnes Teilchen proportional zur n-ten Potenz des Abstandes ist, also $F \propto r^n$, so kann man herleiten, daß für den zeitlichen Mittelwert der potentiellen Energie $\bar{V}$ gilt

$$\bar{T} = \frac{n+1}{2} \bar{V}.$$

Für die Coulomb-Kraft u. die Gravitations-Kraft (s. Kräfte) folgt gemäß n = – 2:

$$\bar{T} = \frac{1}{2} \bar{V}.$$

– *E* virial theorem – *F* thérème du viriel – *I* teorema del viriale – *S* teorema del virial
Lit.: Goldstein, Klassische Mechanik, Frankfurt: Akademische Verlagsges. 1963 ▪ Lerner u. Trigg, Encyclopedia of Physics, S. 149, Weinheim: VCH Verlagsges. 1991 ▪ Physik abc, Leipzig: Brockhaus 1989.

Viridian s. Chrom-Pigmente.

Viridicatumtoxin.

(relative Konfiguration)

$C_{30}H_{31}NO_{10}$, M_R 565,58, hellgelbe Krist., Schmp. 235 °C (Zers.), $[\alpha]_D^{23}$ –12° (C_2H_5OH). *Mykotoxin aus *Penicillium viridicatum.* Biogenet. handelt es sich um ein Nonaketid, das mit einer Monoterpen-Einheit am C-Atom 6 substituiert wurde. V. ist giftig [LD_{50} (Ratte p. o.) 122 mg/kg] u. kann über verschimmelte Lebensmittel in die Nahrung gelangen. – *E* viridicatumtoxin – *F* viridicatumtoxine – *I* viridicatumtossina – *S* viridicatumtoxina
Lit.: Cole u. Cox, Handbook of Toxic Fungal Metabolites, S. 882, New York: Academic Press 1981 ▪ J. Chem. Soc., Chem. Commun. **1982**, 902; **1988**, 1562 ff. (Biosynth.) ▪ Sax (8.), VRP 000. – *[CAS 39277-41-3]*

Viridien s. Algenpheromone.

Viridin. 1. s. Wortmannin. – 2. In der Lit. noch verwendete, 1990 (s. Kerrick, *Lit.*) jedoch aus dem Verzeichnis der gültigen Mineralnamen gelöschte Bez. für einen gelblichgrünen, Mangan- u. Fe_2O_3-reichen *Andalusit, der in manchen *metamorphen Gesteinen vorkommt. – *E* viridin – *F* viridine – *I* = *S* viridina

Lit. (zu 2.): Kerrick (Hrsg.), The Al_2SiO_5 Polymorphs (Reviews in Mineralogy, Vol. 22), S. 14, Washington (D. C.): Mineralogical Society of America 1990. – *[HS 7103 10; CAS 12425-68-2 (2.)]*

Virinos, Virionen s. Viren.

Viroide s. Viren.

Viroidin, Viroisin s. Virotoxine.

Virologie. Lehre von den *Viren. Teilgebiet der Mikrobiologie, das sich mit der Biologie, dem Nachw. u. der Bekämpfung von Viren befaßt. – *E* virology – *F* virologie – *I* virologia – *S* virología

Virosen s. Viren.

Virostatika (Virustatika). Zur Behandlung virusbedingter Infektionserkrankungen eingesetzte antivirale Chemotherapeutika, die die Vermehrung von *Viren verhindern. Da den Viren ein eigener Stoffwechsel fehlt u. sie zur Vermehrung auf ihre Wirtszelle angewiesen sind, ist das Abtöten von aktiven Viren nicht möglich, d. h. *Viruzide* im eigentlichen Sinne gibt es nicht. Weil der Stoffwechsel der Wirtszelle zur Virusvermehrung benutzt wird, sind pharmakolog. Eingriffe ohne Schädigung der nicht befallenen Zellen des Wirtsorganismus schwierig. Die Hemmung von virusspezif. Stoffwechselschritten kann aber durch verschiedene Wirkprinzipien erreicht werden. Zum einen kann die Replikation von Virus-DNA bzw. -RNA durch *Antimetaboliten gestört werden. In Gebrauch sind z. B. *Aciclovir, *Ganciclovir, Vidarabin, *Idoxuridin u. *Zidovudin. Zum anderen kann das Freisetzen der Virus-Nucleinsäuren (Uncoating) beim Eindringen in die Wirtszelle durch *Amantadin u. *Rhodanin verhindert werden. Außerdem können für die Virusvermehrung wichtige *Enzyme durch Inhibitoren in ihrer Funktion blockiert werden, wie z. B. die *reverse Transcriptase der *Retroviren durch Zidovudin u. *Foscarnet. *Interferone können eine Viruserkrankung verhüten, eignen sich allerdings nicht zu ihrer Behandlung. Sie wirken antiviral durch Bindung an spezif. *Rezeptoren der Zelloberfläche u. verhindern Penetration, Uncoating od. virale Protein-Synthese. – *E* virostatics, antiviral agents – *F* virostatiques, agents antiviriques – *I* virostatici, antivirali – *S* virostáticos, agentes antivíricos

Lit.: Galasso u. Whitley, Antiviral Agents and Viral Diseases of Man, Philadelphia: Lippincott-Raven 1997.

Virotoxine. Gruppe monocycl. Heptapeptide aus *Amanita virosa* (Spitzhütiger od. Weißer Knollenblätterpilz). Sie stellen neben den *Amanitinen u. *Phallotoxinen die 3. Giftklasse der Knollenblätterpilze dar. Man unterscheidet 6 Verb. (s. Tab.); Viroisin ist das Haupttoxin.

Tab.: Daten von Virotoxinen.

Virotoxin	Summenformel	M_R	CAS
Viroidin	$C_{38}H_{56}N_8O_{15}S$	896,97	53568-33-5
Desoxyviroidin	$C_{38}H_{56}N_8O_{14}S$	880,97	74125-14-7
[Ala⁴]Viroidin	$C_{36}H_{52}N_8O_{15}S$	868,91	74125-15-8
[Ala⁴]Desoxyviroidin	$C_{36}H_{52}N_8O_{14}S$	852,91	74125-16-9
Viroisin	$C_{38}H_{56}N_8O_{16}S$	912,97	74113-57-8
Desoxyviroisin	$C_{38}H_{56}N_8O_{15}S$	896,97	74125-17-0

Virotoxin	X	R¹	R²
Viroidin	SO_2	CH_3	$CH(CH_3)_2$
Desoxyviroidin	SO	CH_3	$CH(CH_3)_2$
[Ala⁴]Viroidin	SO_2	CH_3	CH_3
[Ala⁴]Desoxyviroidin	SO	CH_3	CH_3
Viroisin	SO_2	CH_2OH	$CH(CH_3)_2$
Desoxyviroisin	SO	CH_2OH	$CH(CH_3)_2$

– *E* virotoxins – *F* virotoxines – *I* virotossine – *S* virotoxinas

Lit.: Biochemistry **19**, 3334 (1980) ▪ Bresinsky u. Besl, Giftpilze, S. 20 f., Stuttgart: Wiss. Verlagsges. 1985.

Virtanen, Artturi Ilmari (1895–1973), Prof. für Biochemie u. Chemie, Helsinki. *Arbeitsgebiete:* Agrikultur- u. Ernährungschemie, Phosphorylierung bei Gärungsprozessen, Milchsäuregärung, Katalasen, Knöllchenbakterien, Stickstoff-Haushalt, Silage von Futterpflanzen; Nobelpreis für Chemie 1945.

Lit.: Chem. Labor Betr. **34**, 511 (1983) ▪ Lexikon der Naturwissenschaftler, S. 408 ▪ Pötsch, S. 438.

Virulente Phagen bzw. **Viren** s. Phagen bzw. Viren.

Virus s. Viren.

Virus-Capsid s. Capside.

Virusgrippe s. Grippe.

Virushepatitis s. Hepatitis.

Virus-Interferenz s. Interferone.

Virusoide s. Viren.

Virustatika s. Virostatika.

Viruzide. Stoffe, die Viren abtöten. Unter den als antivirale Chemotherapeutika eingesetzten Stoffen gibt es keine V., sondern nur virustat. wirksame, d. h. die Virusvermehrung hemmende, Substanzen (s. a. Virostatika). Viruzid wirksam sind lediglich *Desinfektionsmittel u. a. Sterilisations-Verf., die extrazelluläre Viren zerstören. – *E* = *F* virucides – *I* virucidi – *S* virucidas

Visamminol.

$C_{15}H_{16}O_5$, M_R 276,29, Nadeln, Schmp. 160 °C, Sdp. 140 °C (0,26 Pa), $[\alpha]_D^{18}$ +92° ($CHCl_3$); Furochromon aus den Früchten von *Ammi visnaga* (vgl. Khellin). Der 4-Methylether, $C_{16}H_{18}O_5$, M_R 290,32, Nadeln, Schmp. 141–142 °C, $[\alpha]_D^{23}$ +91,8° ($CHCl_3$) u. einige Glykoside von V. sind in den Wurzeln von *Ledebouriella seseloides*, *Libanotis laticalycina* (chines. Droge Shuifangfeng) u. *Saposhnikovia divaricata* (chines. Droge Quangangfeng) enthalten.

Wirkung: Die Drogen wirken analget. u. antipyret.; Derivate von V. haben blutdrucksenkende Eigenschaften. – $E = F = S$ visamminol – I visamminolo
Lit.: Chem. Pharm. Bull. **29**, 2565 (1981); **30**, 3555 (1982) ▪ J. Chem. Soc., Perkin Trans. 1 **1975**, 150–154 (Synth.) ▪ Planta Med. **56**, 134 (1990). – *[CAS 492-52-4 ((+)-(S)-Form); 80681-42-1 ((+)-(S)-Form des Methylethers)]*

Visbreaking®. Schonendes UOP-Verf. zum Kracken (460–500 °C, 1–5 s; Näheres s. dort) zwecks Red. von Viskosität u. Stockpunkt bei Erdölrückständen.

VISCOBASE®. Teil- od. vollsynthet. Grundflüssigkeit zur Viskositätsverbesserung von Ölen. *B.:* Röhm, Darmstadt.

Viscol s. Lupeol.

Viscontini, Max (geb. 1913), Prof. für Organ. Chemie, Univ. Zürich. *Arbeitsgebiete:* Pteridine als Farbstoffe von Insekten u. marinen Organismen, Pyrrolizidine, Isoalloxazine, Tetrahydrofolsäure, biochem. Hydroxylierungen, Metall-Komplexe von hydrierten Pterinen, Vitamine, Coenzyme.
Lit.: Kürschner (16.), S. 3874; (17.), S. 1459.

VISCOPLEX®. Produkte zur Viskositätsverbesserung von Ölen auf Basis von Methacrylaten. *B.:* Röhm, Darmstadt.

Viscotoxin. Bez. für das tox. Prinzip aus Misteln (*Viscum album*). Das zu den sog. *Thioninen gerechnete V. besteht aus 5 bas. Polypeptiden mit einem M_R von ca. 5000, 4 wurden als homogene Verb. isoliert: V. I, V. II, V. III u. V. IV b. Die Aminosäure-Sequenz für V. III wurde bestimmt. Es besteht aus 46 Aminosäuren mit 3 intramol. Disulfid-Brücken, M_R 5300 (vgl. Formelbild)[1].

Lys-Ser-Cys-Cys-Pro-Asn-Thr-Thr-Gly-Arg-Asn-Ile-Tyr-Asn-Thr-Cys-Arg-Phe-Gly-Gly-Gly-Ser-Arg-Glu-Val-Cys-Ala-Ser-Leu-Ser-Gly-Cys-Lys-Ile-Ile-Ser-Ala-Ser-Thr-Cys-Pro-Ser-Tyr-Pro-Asp-Lys

V. krist. nicht od. nur sehr schwer, löst sich in Wasser u. Methanol sehr leicht, schwer in Alkohol u. Eisessig, in Ether, Chloroform, Benzol u. Aceton gar nicht. Es schäumt stark, ist aber mit Saponinen nicht verwandt. Beim Erwärmen wird es leicht zersetzt. Ob die tumornekrotisierende Wirkung des Mistelextrakts auf V. zurückgeht, ist umstritten. – E viscotoxin – F viscotoxine – I viscotossina – S viscotoxina
Lit.: [1] Acta Chem. Scand. **26**, 585–595 (1972).
allg.: Arzneim. Forsch. **36**, 428–433 (1986) ▪ Hager (5.) **6**, 1161 ▪ Hoppe Seyler's Z. Physiol. Chem. **361**, 1525–1533, 1535–1545 (1980) ▪ J. Biol. Chem. **257**, 13263 (1982) ▪ Oncology **43** (Suppl. 1), 16–22, 42–50 (1986) ▪ Pharm. Biol. **19**, **2**, 416 ▪ Sax (8.), Nr. VRU 000 ▪ s. a. Mistel u. Lektine. – *[CAS 76822-96-3 (V.); 75977-96-7 (V. I); 75977-97-8 (V. II); 75977-98-9 (V. III); 75977-99-0 (V. IV b)]*

Visiergraupe s. Kassiterit.

Visken® (Rp). Ampullen, Tabl. u. Tropflsg. mit *Pindolol gegen Herzinsuffizienzen, Hypertonie etc. *B.:* Novartis.

Viskoelastizität. Sammelbez. für das *viskoelast.* Verhalten von *Festkörpern, die häufig unter Druckbelastung das Phänomen des *Kriechens zeigen, u. für das *elastoviskose* Verhalten von *Flüssigkeiten wie Kunststoffschmelzen, verd. wäss. Polyethylenoxid-Lsg. (s. Polyethylenglykole), Tensid-Lsg.[1] od. Augenflüssigkeiten[2]. Viskoelast. Flüssigkeiten sind gleichzeitig *Nichtnewtonsche Flüssigkeiten u. zeigen teilw. ein recht bizarres Verhalten, z. B. ein bestimmtes „Form-Erinnerungsvermögen" u. den *Weissenberg- od. den Kaye-Effekt[3]. Mit Hilfe von Viskoselastomeren lassen sich anhand von Torsions- u. Biegeschwingungs-Versuchen verschiedene für die *Elastizität u. die *Rheologie insbes. von polymeren Werkstoffen wichtige Parameter ermitteln: Dynam. Schub- bzw. Elastizitätsmodul, Verlustmodul, mechan. Verlustfaktor. Die sog. dynam. *Glasübergangstemperatur $T_ü$ od. T_g (dyn) u. a. temperaturabhängige Kriterien lassen sich durch *Thermoanalyse bestimmen; Näheres zur Theorie der V. s. in *Lit.*[4]. – E viscoelasticity – F viscoélasticité – I viscoelasticità – S viscoelasticidad

Lit.: [1] Angew. Chem. **100**, 933–944 (1988). [2] Rosen, Viscoelastic Materials, Oxford: Pergamon 1988. [3] Han, Rheology of Polymeric Liquids, in Encyclopedia of Physical Science and Technology, Vol. 12, S. 197–208, New York: Academic Press 1987. [4] Tschoegl, The Phenomenological Theory of Linear Viscoelastic Behavior, New York: Springer 1989.
allg.: Christensen, Theory of Viscoelasticity, New York: Academic Press 1982 ▪ Dorfmüller, Liquids, Structure and Dynamics, in Encyclopedia of Physical Science and Technology, Vol. 7, S. 426–437, New York: Academic Press 1987 ▪ Kirk-Othmer (3.) **10**, 602 f.; **20**, 273–281, 312 f. ▪ s. a. Elastizität.

Viskoplastizität. Sammelbez. für die Wechselbeziehungen zwischen *Plastizität u. *Viskosität von (meist polymeren) Stoffen, die für deren Deformationsverhalten u. die *Rheologie von Bedeutung sind; vgl. a. Viskoelastizität. – E viscoplasticity – F viscoplasticité – I viscoplasticità – S viscoplasticidad
Lit.: s. Plastizität u. Viskosität.

Viskos. Von latein.: viscum = Mistel, Vogelleim über französ.: visqueux, viscosité abgeleitetes Adjektiv mit der Bedeutung „zähflüssig", vgl. die benachbarten Stichwörter. – E viscous – F visqueux – $I = S$ viscoso

Viskose. In der Technik übliche Bez. für die orangerote, zähflüssige (*viskos, daher der Name!) wäss. alkal. Masse aus *Cellulosexanthogenat.
Verw.: Zur Herst. von *Viskose-Fasern, *Zellwolle, *Zellglas, *Schwämmen (V.-Schwämme) u. a. Produkten aus regenerierter Cellulose (*Regeneratcellulose). – $E = F$ viscose – $I = S$ viscosa – *[HS 5504 10]*

Viskose-Fasern (nach DIN 60001-4: 1991-08, Kurzz.: CV). Fachsprachliche Bez. für solche *Cellulose-Fasern, die nach dem *Viskose-Verf.* hergestellt worden sind. Die V.-F. sind innerhalb der Gruppe der aus *Cellulose (*Zellstoff*) gewonnenen *Chemiefasern (keine *Synthese*fasern!) wirtschaftlich bedeutender als die Acetat-Fasern (s. Celluloseacetat) u. die *Kupferseide. Man faßt diese drei Faserarten von alters her als *Kunstseiden* zusammen, s. dort Näheres zu den Unterschieden. Characterist. reagierende *Faserreagenzien sind die *York- u. die *Zart-Lösung. Kupferseide u. V.-F. („Viskoseseide") bestehen aus *Regeneratcellulose (Cellulose-Regenerat, „Hydratcellulose"). Im Angloamerikan. ist für diese Fasern die Gattungsbez. *Rayon* in Gebrauch.
Herst.: Man taucht den von den Zellstoffwerken gelieferten Holzzellstoff (meist Sulfit-Zellstoff, s. Cellulose, S. 637) zunächst in 18–22%ige Natronlauge,

wobei *Alkalicellulose* entsteht u. die *Polyosen unter Dunkelfärbung in Lsg. gehen. Dann preßt man die mit Natronlauge vollgesogenen Zellstoffblätter so weit ab, daß sie noch etwa das Dreifache ihres ursprünglichen Trockengew. haben, lockert sie im Zerfaserer zu einer krümeligen Masse auf u. läßt sie 1½ d liegen; bei dieser „Vorreife" tritt Depolymerisation ein. Hierauf setzt man die gereifte Natroncellulose bei 25–30 °C etwa 3 h lang mit 35% Schwefelkohlenstoff um; bei dieser *Sulfidierung od. *Xanthogenierung entsteht eine orangegelbe, zähe Masse von *Cellulosexanthogenat (schon 1892 entdeckt), die als *Viskose bezeichnet wird. Die zu ihrer Entstehung führenden Reaktionen sind recht kompliziert u. von Nebenreaktionen begleitet, die z. B. zu Na_2CS_3 führen.

Man löst die Viskose bei 15–17 °C in einer 7%igen Natronlauge u. erhält so die eigentliche Spinnlsg., die etwa 85% Wasser, 7–10% Cellulose, 5–8% reines NaOH (an Cellulose gebunden) u. 2% S (an Cellulose gebunden) enthält. Diese Spinnlsg. wird filtriert, im Vak. von Luft befreit (diese würde sonst die Fäden brüchig machen) u. etwa 2–3 d bei 15–18 °C zur „Nachreifung" gelagert, wobei sich wahrscheinlich wieder Polymerisationen abspielen. Eine spinnreife, vorschriftsmäßige Viskose enthält im Durchschnitt auf 2 $C_6H_{10}O_5$-Gruppen 1 Schwefelkohlenstoff-Molekül. Man preßt diese Viskose mit Hilfe von Pumpen durch Spinndüsen aus Gold-Platin-Leg., Tantal od. Edelstahl, die je 20–800 jeweils 0,03–0,10 mm weite Löcher (für Zellwolle 3000–50 000 Löcher mit 0,06–0,08 mm Weite) haben, so daß jede Düse gerade einen Kunstseidefaden (aus 20–800 Einzelfäden zusammengesetzt) gibt. Die Düsen tauchen in sog. Fällbäder od. Spinnbäder ein (*Naßspinnen*, vgl. Spinnen), die meist Schwefelsäure u. Salze enthalten (z. B. 10% H_2SO_4, 20% Na_2SO_4, ca. 1% $ZnSO_4$, Rest Wasser) u. die Viskose unter Ausscheidung von Schwefel, Schwefelwasserstoff, Schwefelkohlenstoff, Natriumsulfat (aus dem Na der Viskose u. Schwefelsäure) zu einem fertigen, festen Faden aus annähernd reiner Cellulose zersetzen. Die äußerst giftigen, brennbaren u. mit Luft explosionsfähige Gemische bildenden Zers.-Produkte stellen nicht nur ein *Arbeitssicherheits-Problem dar, sondern sind auch schädlich für die Umwelt.

Die die Spinndüsen mit Geschw. von 100–120 m/min verlassenden Fäden werden beim Spulenspinnverf. auf rotierende, lackierte Aluminium-Spulen aufgewickelt; die Fäden erreichen hierbei eine Länge von vielen tausend Metern (*Filament). Die noch säurehaltigen Fäden werden hernach in Heißwasserbädern von anhaftenden Fällbadresten befreit, getrocknet, gezwirnt, von der Haspelei in Strangform gebracht u. mit Chlorlauge od. Wasserstoffperoxid gebleicht, wobei sich gleichzeitig auch die in den V.-F. noch vorhandenen Schwefel-Reste herauslösen.

Anders als bei der Herst. der Endlosfasern werden bei der Erzeugung von *Viskose-*Spinnfasern* – früher nannte man das Produkt *Zellwolle* – Spinndüsen mit sehr vielen Bohrungen (bis 50 000) verwendet. Die einzelnen Düsenkabel werden nach dem Verlassen des Fällbades zu einem starken Kabel zusammengefaßt u. in saurem Zustand geschnitten. Die geschnittenen Stapel werden in einer heißen Flüssigkeit geschrumpft. Dabei entsteht eine mehr od. weniger starke Kräuselung, die der Struktur der *Baumwolle bzw. *Wolle ähnlich ist. In der anschließenden Nachbehandlung wird die Faser entschwefelt, gewaschen, mit einer *Präparation versehen u. getrocknet. Entsprechend dem vorgesehenen Verw.-Zweck lassen sich nach *Titer, Schnittlänge u. Dehnung folgende Viskose-Spinnfaser-Typen unterscheiden (s. Tab.).

Tab.: Charakterisierung der Viskose-Spinnfaser-Typen.

	Titer [dtex]	Stapellänge [mm]	Dehnung [%]
Baumwoll-Typ	1,3–3	26–60	20–25
Woll-Typ	3,1–9	60–122	22–29
Teppich-Typ	9–50	80–150	25–40
Polynosic®	1,5–3	40	8–14
HWM-Fasern	1,5–3	40	14–18

Die Quellfähigkeit der V.-F. wird durch Wärmebehandlung mit saurer Formaldehyd-Lsg. stark herabgesetzt, der Glanz durch Zugabe von 0,5–2% Titandioxid (wirkt mattierend) beseitigt. Wenn man der Viskose geeignete Farbstoffe beimischt, erhält man durch diese sog. *Spinnfärbung licht- u. waschecht gefärbte Fasern. In ihrer Färbbarkeit verhält sich Viskoseseide ähnlich wie Baumwolle. Eingriffe in die mechan. Eigenschaften der V.-F. sind nicht nur durch Änderung von Vor- u. Nachreifezeit u. -temp., Variation der Mengenverhältnisse u. der Spinnbadtemp., sondern auch durch chem. Zusätze zur Viskose u./od. zum Spinnbad möglich (insbes. von Zinksalzen). Zu den so modifizierten Fasern gehören die *Modalfasern, z. B. Polynosic® u. *Hochmodulfasern (HWM-Fasern).

Verw.: Rein u. auch in Mischung mit Natur- u. Synthesefasern, werden Viskose-Filamente u. -Spinnfasern nach den üblichen Spinnverf. wie Baumwoll-, Woll-, Kammgarn- u. Jute-Spinnerei zu Garnen verarbeitet, die u. a. zur Herst. von Dekorations-, Möbelbezugs-, Futter- u. Kleiderstoffen, Teppichen u. Geweben für die Kunstleder-Ind. dienen. Sehr viel Viskose wird auf Autoreifeneinlagen (Cord) weiterverarbeitet. Ferner werden aus V.-F. Watten, Verbandstoffe u. Vliesstoffe hergestellt. Obwohl – auch aus *Umweltschutz-Gründen – neue Lsm.-Syst. für Cellulose entwickelt wurden (z. B. Li-Salze zusammen mit Dimethylacetamid od. cycl. Harnstoff-Derivaten), stagniert die Weltproduktion an V.-F., vgl. die Angaben bei Chemiefasern, Textilfasern u. den dort angegebenen Quellen. – *E* viscose fibers – *F* fibres de viscose – *I* fibre di viscosa – *S* fibras de viscosa

Lit.: Encycl. Polym. Sci. Eng. **6**, 691–697; **14**, 45–60 ▪ Hager (5.) **1**, 7–10 ▪ Kirk-Othmer (4.) **10**, 697–713 ▪ Ullmann (4.) **9**, 213–222; (5.) A **5**, 401–413 ▪ Winnacker-Küchler (4.) **6**, 711–721 ▪ s. a. Chemiefasern.

Viskoseschwämme s. Schwämme.

Visko(si)meter s. Viskosimetrie.

Viskosimetrie (von *viskos). Sammelbez. für die Meth. zur Bestimmung der *Viskosität (genaugenommen der *Scherviskosität*), insbes. von Flüssigkeiten. Diese beruhen darauf, daß der betreffenden Meßflüssigkeit eine mit einem Geschw.-Gradienten verbundene laminare Bewegung aufgezwungen wird. Dies

Viskosimetrie

wird z. B. 1. durch Ausfließenlassen der in einem Gefäß befindlichen Flüssigkeit aus einer Düse od. besser einer langen Kapillare (*Auslauf-* bzw. *Kapillarviskosimeter*), – 2. durch Bewegen eines Fallkörpers in der Meßflüssigkeit (*Fallkörperviskosimeter*), – 3. durch Rotation eines geeignet geformten Drehkörpers (*Rotationsviskosimeter*) erreicht. Je nach der Art des Meßgerätes werden also die Auslaufzeit, die Fallzeit od. das Drehmoment gemessen. Sieht man von einigen Sonderkonstruktionen ab (z. B. Schwingungsviskosimeter nach dem magnetostriktiven Prinzip, das auf der Dämpfung der longitudinalen Schwingung eines Nickel-Stabes bei hoher Frequenz beruht), gehören die gebräuchlichen Viskosimeter einer der drei genannten Arten an. Sie alle sind zur Messung *Newtonscher Flüssigkeiten brauchbar (die Kapillarviskosimeter v. a. zur Messung niedriger Viskositäten), Kapillar- u. Rotations-Viskosimeter auch zur Untersuchung *Nichtnewtonscher Flüssigkeiten. Im weitesten Sinne kann man zur V. auch die Bestimmung der *Konsistenz zäher Stoffe durch sog. Konsistometer u. Penetrometer (s. Penetration) rechnen.

Die *dynam. *Viskosität* η kann über die Kraft $\vec{F}$ definiert werden, die man aufwenden muß, um zwei parallele Platten mit der Geschw. v gegeneinander zu verschieben (s. Abb.).

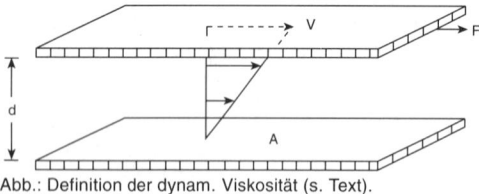

Abb.: Definition der dynam. Viskosität (s. Text).

Sofern sich ein lineares Geschw.-Profil zwischen den Platten einstellt gilt:

$$F = \eta \cdot \frac{A \cdot v}{d}$$

(A = Oberfläche einer Platte, d = Abstand der beiden Platten). Die Bestimmung von η erfolgt oft durch Kapillar-V. mit Hilfe des *Hagen-Poiseuilleschen Gesetzes*

$$\eta = \frac{\pi \cdot r^4 \cdot \Delta p \cdot \Delta t}{8 \cdot V \cdot l},$$

das bei mäßiger Geschw. u. laminarer *Strömung gilt, wobei V = durch eine Kapillare fließendes Vol. einer Flüssigkeit, r = Radius der Kapillare, l = Länge der Kapillare, Δt = Meßzeit u. Δp = Druckabfall innerhalb des Kapillarrohrs (Wirkdruck in Pascal) sind. Die Angabe von η erfolgt in Pascalsekunden (Pa · s), früher (bis 31. 12. 1977) in *Poise (1 cP = 1 mPa·s). Der Kehrwert der dynam. Viskosität wird *Fluidität* φ genannt: $\varphi = 1/\eta$. In der Praxis wird jedoch meist die *kinemat.* *Viskosität* ν bestimmt, für die das Hagen-Poiseuille-Gesetz die Form

$$\nu = \frac{\pi \cdot r^4 \cdot g \cdot h \cdot \Delta t}{8 \cdot V \cdot l}$$

annimmt, wobei an die Stelle des schwer zu bestimmenden Druckabfalls die leichter meßbaren Größen g = Fallbeschleunigung am Meßort (cm/s^2) u. h = hydrostat. Druckhöhe (cm) treten. Die über $\nu = \eta/\rho$ (ρ = Flüssigkeits-*Dichte) in die dynam. Viskosität umrechenbare kinemat. Viskosität wird in der Einheit mm^2/s angegeben; früher galt das *Stokes (1 cSt = 1 mm^2/s). Bei solchen Messungen müssen gewisse Randstörungen beim Ein- u. Auslaufen der Flüssigkeit berücksichtigt werden, die als sog. *Hagenbach-Couette-Korrektur* subtrahiert werden; diese lautet (vgl. DIN 53012: 1981-03) für η bzw. ν:

$$\frac{m \cdot \rho \cdot V}{8\pi \cdot l \cdot \Delta t} \quad \text{bzw.} \quad \frac{m \cdot V}{8\pi \cdot l \cdot \Delta t}$$

mit m = Gerätekonstante u. ρ = D. der Meßflüssigkeit. Die gleiche DIN behandelt noch weitere Fehlerquellen u. ihre Korrekturmöglichkeiten. Abb. von Viskosimetern finden sich in *Lit.*[1,2].

Viskosimeter: Nachstehend seien einige der meistgebrauchten *Kapillar-Viskosimeter*, deren jeweilige Meßprinzipien u. Konstruktionen mit Abb. in den angegebenen DIN ausführlich beschrieben sind, kurz erwähnt: Das *Ubbelohde-Viskosimeter* [DIN 51562-1: 1983-01, -E1: 1995-08, -2: 1988-12, -3: 1985-03, -4: 1995-08] dient zur Bestimmung von ν durch Messung der Ausflußzeit bei 10–100 °C; durch das hängende Kugelniveau ist die mittlere Druckhöhe unabhängig von der Füllmenge u. der Einfluß der Oberflächenspannung ist weitgehend ausgeschaltet. Das *Freifluß-Viskosimeter* ist geeignet zur Bestimmung von ν bes. bei dünnflüssigen Stoffen; die Flüssigkeit fließt aus einer langen Kapillare in ein loses od. mit Schliff versehenes Dewargefäß. Das *Vogel-Ossag-Viskosimeter* dient zur Bestimmung von ν od. η bei −55 °C bis +150 °C. *Cannon-Fenske-Viskosimeter* (DIN 51366: 1977-06) u. *BS/IP-U-Rohr-Viskosimeter* eignen sich bes. zur Bestimmung von ν bei undurchsichtigen Flüssigkeiten; für Routineuntersuchungen im Betrieb u. zu Lagerstabilitätsbestimmungen von Anstrichmitteln u. ähnlich viskosen Flüssigkeiten, bei denen keine abs. Meßwerte erforderlich sind, bestimmt man die Ausflußzeit eines bestimmten Flüssigkeitsvol. durch eine kurze Kapillare od. eine Düsenöffnung u. setzt diese dann in Relation zu der einer Vgl.-Flüssigkeit, z. B. mit dem *Ford-Becher* (ASTM D 1200) od. dem *Auslaufbecher*, die eine zylindr., im unteren Teil zur Düse hin kon. verengte Innenwand besitzen. Mit dem *Engler-Viskosimeter* bestimmt man v. a. bei Mineralölen die in sog. *Engler-Graden* ausgedrückte relative Ausflußzeit E_t (Quotient aus Ausflußzeit von 200 mL Flüssigkeit bei der Temp. t in °C zur Ausflußzeit von 200 mL dest. Wasser bei 20 °C). In den USA dient das *Saybolt-Viskosimeter* (ASTM D 88-56) ähnlichen Zwecken, wobei man unter *Saybolt-Sekunden* die Zeit versteht, die eine bestimmte Flüssigkeitsmenge benötigt, um durch eine Mündung von vorgeschriebenem Durchmesser zu fließen; die Sekunden-Zahl ist ungefähr proportional der Viskosität. Eine Umrechnung der mit verschiedenen Geräten erhaltenen Viskositätsdaten in Pa · s ist mit Hilfe von Tab. od. Nomogrammen möglich.

Die *Fallkörper-V.* ist lediglich zur Untersuchung Newtonscher Flüssigkeiten sowie von Gasen geeignet. Sie basiert auf dem *Stokes-Gesetz, nach dem für das Fallen einer Kugel durch eine sie umströmende Flüssigkeit (ein Gas) die *dynam. Viskosität* aus

$$\eta = \frac{2r^2(\rho_K - \rho_{Fl}) \cdot g}{9 \cdot v}$$

bestimmbar ist, wobei r = Radius der Kugel, v = Fallgeschw., ρ_K = D. der Kugel, ρ_{Fl} = D. der Flüssigkeit u. g = Fallbeschleunigung sind. Bei dem *Kugelfall-* od. *Höppler-Viskosimeter* (DIN 53015: 1978-09) bestimmt man die Fallzeit, die eine Kugel beim Abrollen auf einer um 10° gegen die Senkrechte geneigten Bahn in gleich hohen Mengen verschiedener Flüssigkeiten benötigt, u. ermittelt η nach $\eta = K(\rho_K - \rho_{Fl}) \cdot t$, wobei die Gerätekonstante K, die den Neigungswinkel über die Sinusfunktion einbezieht, u. die D. der Kugel für den jeweiligen Meßbereich einer Tab. zu entnehmen sind. Auch eine Miniaturausführung zur V. einzelner Flüssigkeitstropfen ist bekannt[3]. Beim *Luftblasen-* od. *Cochius-Viskosimeter* wird die Zeit bestimmt, die eine Luftblase braucht, um in einer Glasröhre von z. B. 7 mm lichter Weite (im sog. *Cochius-Rohr*) in der zu messenden Flüssigkeit senkrecht nach oben zu steigen.
Die *Rotations-V.*, deren Hauptanw.-Gebiet bei höheren Viskositäten (>10 mPa · s) liegt u. die v. a. auch zur Messung hochviskoser Nichtnewtonscher Flüssigkeiten herangezogen werden kann, beruht auf der Messung der *Couette-Strömung*, d. h. der laminaren Scherströmung zwischen einem rotierenden u. einem koaxial feststehenden Zylinder (DIN 53018-1 u. -2: 1976-03). Bei Nichtnewtonschen Flüssigkeiten läßt sich hier ggf. der *Weissenberg-Effekt beobachten. Bei Newtonschen Flüssigkeiten gilt

$$\eta = \frac{M}{\omega \cdot 4\pi \cdot h} \cdot \left(\frac{1}{R_i^2} - \frac{1}{R_a^2}\right)$$

mit M = Drehmoment, ω = Winkelgeschw., h = Eintauchtiefe des mitbewegten Zylinders, R_i = dessen Radius, R_a = Radius des bewegenden Zylinders. Durch Zusammenfassung der Abmessungen des Gerätes zur Gerätekonstanten K ergibt sich $\eta = K \cdot M/\omega$. Neben Geräten mit rotierendem (äußerem od. innerem) Zylinder sind auch *Platte-Kegel-Viskosimeter* mit einer feststehenden Platte u. einem rotierenden flachen Kegel mit einem Kegelwinkel von z. B. 176° in Gebrauch, in deren flachem Keilspalt die Prüfsubstanz einem definierten u. einheitlichen Geschw.-Gradienten unterworfen wird. Ein Spezialfall der Rotations-V. ist die Messung der sog. *Mooney-Viskosität* bei Gummi u. a. Elastomeren zur Bestimmung von deren Plastizität (s. dort).
Allen V.-Meßgeräten mit Ausnahme der einfachen Vgl.-Geräte u. -Vorrichtungen ist gemeinsam, daß sie eine Vorrichtung zur Konstanthaltung der Temp. haben. In der Ind. sind neben diskontinuierlichen Viskositätsmessungen zur Produktkontrolle häufig auch kontinuierliche Messungen von Bedeutung, z. B. bei der Bestimmung des *K-Wertes zwecks Regelung von Polymerisationsprozessen, zur Steuerung od. Regelung von Verf.-Stufen der Lebensmittel- u. petrochem. Ind., der Kunststoffverarbeitung, im Papier- u. Druckerei-Gewerbe, in der Oberflächen-Veredlung etc. – *E* visco(si)metry – *F* viscosimétrie – *I* viscosimetria – *S* viscosimetría

Lit.: [1] Kohlrausch, Praktische Physik 1, Stuttgart: Teubner 1996. [2] LABO **14**, 575–584 (1983). [3] Naturwissenschaften **70**, 602–608 (1983).
allg.: s. Viskosität, Rheologie.

Viskosität (von *viskos). Unter V. versteht man die Eigenschaft einer Flüssigkeit, der gegenseitigen *laminaren* Verschiebung zweier benachbarter Schichten einen Widerstand (*Zähigkeit, innere Reibung*) entgegenzusetzen, vgl. DIN 1342-1: 1983-10, 1342-2: 1986-02 u. 51550: 1978-12. Dieser nicht nur bei Flüssigkeiten, sondern auch bei Gasen u. sogar bei Festkörpern zu beobachtende Fließwiderstand wurde schon vor 300 Jahren von Sir I. *Newton (1687) mit der Schubspannung (τ) u. der Schergeschw. (D od. $\dot{\gamma}$, Geschw.-Gefälle beim *Fließen) verknüpft: $\tau = \eta \cdot D$. Man definiert deshalb heute diese sog. *dynam. V.* nach $\eta = \tau/D$ als das Verhältnis von Schubspannung zum Geschw.-Gradienten senkrecht zur Strömungsrichtung. Für *Newtonsche Flüssigkeiten ist η bei gegebener Temp. eine Stoffkonstante mit der SI-Einheit Pascalsekunde (Pa · s); seit 1978 dürfen die früheren Einheiten *Poise (P) u. Centipoise (cP) nicht mehr benutzt werden (1 cP = 1 mPa · s). Der Quotient $\nu = \eta/\rho$ aus der dynam. V. η u. der D. ρ der Flüssigkeit wird als *kinemat. V.* ν bezeichnet u. in der SI-Einheit m²/s angegeben, die die bis 1977 zulässige Einheit *Stokes (St) u. Centistokes (cSt) ersetzt (1 cSt = 1 mm² s⁻¹). Daneben gibt es noch eine Reihe anderer Einheiten, was seine Ursache in der geschichtlichen Entwicklung der Viskosimetrie u. ihrer Geräte hat. Bei der *Strömung Newtonscher Flüssigkeiten spielt die V. über die *Reynolds-Zahl u. über das *Stokes-Gesetz eine Rolle. Bei *Lösungen unterscheidet man die V. der Lsg. η u. die des Lsm. η_0; der Quotient aus beiden Größen heißt V.-Verhältnis od. *relative Viskosität*. Bezieht man die Differenz $\eta - \eta_0$ auf die V. des Lsm. η_0, so erhält man die in der Praxis wichtige relative V.-Änderung od. das *relative V.-Inkrement* (früher: die *spezif. V.* η_{sp}) $\eta_i = (\eta - \eta_0)/\eta_0$, bzw. nach Division durch die Konz. die sog. *V.-Zahl* od. reduzierte Viskosität. Zur Veranschaulichung der unterschiedlichen dynam. V. seien einige Beisp. bekannter Flüssigkeiten genannt (Meßtemp.: 18 °C, Angaben in mPa · s): Ether 0,238, Chloroform 0,579, Benzol 0,673, Wasser 1,056, Ethanol 1,22, Terpentinöl 1,9, Ricinusöl 1060, Glycerin 1600. Die IUPAC empfiehlt eine Reihe von V.-Standards[1]. Bei der Angabe „relativer V." setzt man die V. der Bezugsflüssigkeit = 1; mit $\eta_{Wasser} = 1$ (20 °C) hat Ether die „relative V." 0,2, Erdöl 10, Motorenöl ca. 100, Glycerin ca. 1470 u. Melasse ca. 100 000. Noch viel höhere V. haben Stoffe im *Glaszustand – bei *Glas spricht man von einem bes. Entspannungsbereich mit 10^{14} Pa · s. Dagegen weisen Flüssigkeiten im überkrit. Zustand bes. niedrige V. auf. Mit steigender (fallender) Temp. nimmt die V. mehr od. weniger schnell ab (zu); Ausnahme: *Supraflüssigkeiten. Bei V.-Messungen muß daher stets die Temp. angegeben werden, vgl. Viskosimetrie. Das V.-Temp.-Verhalten z. B. von Mineralölen wird durch den sog. *V.-Index* im Bereich 0–100 (VI) bzw. >100 (VI$_E$, Viscosity Index Extension) gekennzeichnet; ein eng verwandtes Kriterium ist der *Tropfpunkt. Spezielle Verhältnisse liegen in porösen Medien vor, wo man z. B. die *Mobilität* als

Quotient aus *Permeabilität u. Viskosität definiert. Als *Fluidität* (φ) bezeichnet man den Kehrwert der V. ($\varphi = 1/\eta$). Bei Salben u. dgl. wird der Gebrauchswert u. a. mitbestimmt von der sog. *Zügigkeit.
Während die graph. Darst. des Fließverhaltens *Newtonscher Flüssigkeiten* bei gegebener Temp. eine Gerade ergibt, zeigen sich bei den sog. *Nichtnewtonschen Flüssigkeiten* in Abhängigkeit vom jeweiligen Geschw.-Gefälle D (*Schergeschw. $\dot\gamma$*) bzw. der *Schubspannung τ* oft erhebliche Abweichungen (vgl. die Abb. bei Nichtnewtonsche Flüssigkeiten). In diesen Fällen läßt sich die sog. *scheinbare V.* bestimmen, die zwar nicht der Newtonschen Gleichung gehorcht, aus der sich jedoch durch graph. Verf. die wahren V.-Werte ermitteln lassen. Das V.-Verhalten v. *Binghamscher Medien, *Cassonscher Stoffe u. a. Nichtnewtonscher Flüssigkeiten mit Erscheinungen wie *Dilatanz u. *Strukturviskosität bzw. *Rheopexie u. *Thixotropie ist eines der Untersuchungs-Gebiete der *Rheologie. Von bes. techn. Bedeutung ist das Fließverhalten von Kunststoffen (makromol. Stoffen, Polymeren, insbes. Thermoplasten) in *Schmelzen. Als Maß für die *Schmelz-V.* von *Thermoplasten dient der *Schmelzindex (engl. Abk.: MFI), während man zur Charakterisierung des Fließverhaltens von Rohpolymeren u. Elastomeren die sog. *Mooney-V.* bestimmt (s. Plastizität). Eine charakterist. Kenngröße der V. eines (gelösten) Polymeren ist die *Grenzviskosität* (nach IUPAC: *E* intrinsic viscosity) mit dem Symbol [η]. Die (seltener) auch *Staudinger-Index* (s. Viskositätszahl) genannte u. zeitweilig mit dem Symbol J$_0$ belegte Grenz-V. stellt nach

$$[\eta] = \lim_{c \to 0} (\eta - \eta_0)/(\eta_0 \cdot c)$$

den durch Extrapolation der Konz. c auf c = 0 ermittelten Grenzwert der sog. *V.-Zahl* (*reduzierte V.*) $\eta_{red} = \eta_{sp}/c$ dar. Innerhalb einer polymerhomologen Reihe steht [η] mit der Molmasse M durch [η] = K · M$^\alpha$ in empir. Zusammenhang, wobei α ein v. a. von der Mol.-Gestalt abhängiger, zwischen 0 u. 2 liegender Exponent ist u. der sog. *K-Wert* eine von der gelösten Substanz u. vom Lsm. abhängige Konstante. V. a. im amerikan. Schrifttum findet man die Gleichung [η] = K$\overline{M}_v^\alpha$ als *Mark-Houwink-Beziehung* bezeichnet, wobei $\overline{M}_v^\alpha$ die V.-gemittelte Molmasse darstellt. Einzelheiten zur Terminologie der V. finden sich in DIN 1342: 1986-02 sowie in *Lit.*[2]. In der Praxis werden die einzelnen Parameter im allg. graph. als logarithm. Funktion der Molmasse M ermittelt. Da die V. von Flüssigkeiten u. Gasen v. a. bei *Strömungs- u. *Transport-Problemen eine große Rolle spielt, ist die V.-Bestimmung durch *Viskosimetrie eine wichtige Aufgabe in Ind. u. Technik. Beispielsweise teilt man Schmieröle u. Schmierfette (s. Schmierstoffe) in V.-Klassen – *Beisp.*: *SAE-V.-Klassen – ein, um ihre Eignung zur Minderung spezif. Reibungsverluste u. *Verschleiß-Erscheinungen (s. a. Tribologie) zu charakterisieren; *Motorenölen werden im allg. sog. *V.-Index-(VI-)Verbesserer* zugesetzt[3]. Bestimmte Suspensionen verändern ihre V. augenblicklich, wenn sie einem elektr. Feld ausgesetzt werden. Die Grundlagen u. techn. Anw. dieser *elektroviskosen Flüssigkeiten* sind in *Lit.*[4] beschrieben. In anderen techn. Anw.-Bereichen spricht man von *V.-Reglern* u. meint damit z. B. *Verdickungsmittel in der Textil-, Papier-, Druckfarben-, Waschmittel- u. a. Industrien. – *E* viscosity – *F* viscosité – *I* viscosità – *S* viscosidad

Lit.: [1] Pure Appl. Chem. **52**, 2393–2404 (1980). [2] Pure Appl. Chem. **51**, 1213–1218 (1979). [3] Kirk-Othmer (4.) **21**, 347 ff. [4] Spektrum Wiss. **1993**, Nr. 12, 50.
allg.: Bohdanecky u. Kovar, Viscosity of Polymer Solutions, Amsterdam: Elsevier 1982 ■ DAB **9**, 118ff., Komm. **9/1**, 226–231 ■ Encycl. Polym. Sci. Technol. **14**, 717–739 ■ Han, Rheology of Polymeric Liquids, in Encyclopedia of Physical Science and Technology, Vol. 14, S. 509–520, New York: Academic Press 1992 ■ Hipp, Ein kontinuierliches dynamisches Kapillarviskosimeter für Gase, Düsseldorf: VDI 1985 ■ Kirk-Othmer (4.) **21**, 347 ■ Kunststoffe **76**, 1200–1203 (1986) ■ Läsecke, Viskosität u. Wärmeleitfähigkeit als thermodynamische Zustandsgrößen..., Düsseldorf: VDI 1986 ■ Lerner u. Trigg, Encyclopedia of Physics, S. 949, Weinheim: VCH Verlagsges. 1991 ■ McKetta **2**, 89ff. ■ Stephan u. Heckenberger, Thermal Conductivity and Viscosity Data of Fluid Mixtures (Dechema Chem. Data Series 10/1), Frankfurt: DECHEMA 1986 ■ Strscheletzky, Die viskose Unterschicht, Düsseldorf: VDI 1986 ■ Ullmann **1**, 67–85; (4.) **5**, 755–778 ■ Winnacker-Küchler (3.) **3**, 328ff.; **5**, 8f.; **7**, 430ff.; (4.) **1**, 537f.; **5**, 147–151.

Viskositätszahl (Staudinger-Index). In der *Gelchromatographie verwendete Größe zur Charakterisierung von Polymeren, die es erlaubt, Polymerverteilungen mit Mol. zu eichen, die nicht der eigenen Spezies entsprechen. Das Produkt aus Molmasse u. V. ergibt in logarithm. Abhängigkeit zum Elutionsvol. eine für viele Polymere übereinstimmende Eichkurve. Die V. hängt von der Molmasse des Polymeren ab; Näheres s. bei universelle Kalibrierung, s. a. Viskosität. – *E* Staudinger function – *F* indice de Staudinger – *I* numero di viscosità – *S* índice de Staudinger

Lit.: Schwarzl, Polymermechanik, Berlin: Springer 1990 ■ Ullmann (4.) **5**, 170.

Visnadin.

Internat. Freiname für den aus *Ammi visnaga*-Früchten isolierbaren Coronar-*Vasodilatator (9*R*,10*R*)-9,10-Dihydro-8,8-dimethyl-2-oxo-2*H*,8*H*-benzo[1,2-*b*:3,4-*b'*]dipyran-9,10-diol-10-acetat-9-((*R*)-2-methylbutyrat), $C_{21}H_{24}O_7$, M_R 388,40, Schmp. 85–88 °C [aus Früchten isoliertes (+)-*cis*-V.], 150–152 °C [synthet. (±)-V.], [α]$_D^{20}$ +9,2° (c 1/C_2H_5OH), λ_{max} (CH_3OH) 243, 253, 350 nm (A$_{1cm}^{1\%}$ 110, 93, 350); LD_{50} (Maus oral) 2240, (Maus s.c.) >370 mg/kg, schwer lösl. in Wasser, gut lösl. in Alkohol, sehr leicht lösl. in Chloroform, Aceton, Ether, Benzol. V. wurde 1957 u. 1961 von Penick patentiert. – *E* visnadin – *F* visnadine – *I* = *S* visnadina

Lit.: Beilstein E V **19/6**, 272 ■ Hager (5.) **9**, 1187f. ■ Martindale (31.), S. 965. – [*HS 2932 29; CAS 477-32-7*]

Visnagin s. Khellin.

Visocolor®. Testbestecke zur Wasseruntersuchung im Rahmen des Umweltschutzes. Diese Schnelltests basieren auf kolorimetr. u. titrimetr. Meth. u. ermöglichen auf einfache Weise die Bestimmung einer großen

Anzahl von Parametern von Ammonium über Blei, Cadmium, Chlor bis zu Sulfat, Sulfid u. Sulfit sowohl vor Ort (am Fluß) als auch im Labor. *B.:* Macherey-Nagel.

Visol s. Vinylether.

VIS-Spektroskopie s. UV-Spektroskopie.

Vistagan (Rp). Augentropfen mit *Levobunolol-hydrochlorid gegen Weitwinkelglaukom. *B.:* Pharm-Allergan.

Vitaferro®. Tropfen u. Kapseln mit Eisen(II)-sulfat/-chlorid gegen Eisen-Mangelzustände. *B.:* LAW.

Vitalfärbung (Lebendfärbung). Von *Ehrlich 1886 in die *Histochemie eingeführtes Arbeitsverf. der *Mikroskopie. Lebenden Organismen werden nichttox. organ. Farbstoffe einverleibt, die bestimmte Organe, Organteile, Gewebsformen, Zellbestandteile u. dgl. mehr od. weniger deutlich u. selektiv färben. Die Farbstoffanreicherung, z. B. im Fett- od. Knochengewebe, wird nach Abtötung u. Sektion der betreffenden Lebewesen mikroskop. untersucht. Bei der sog. *Supravitalfärbung* ist das zu färbende, noch lebende Objekt (z. B. Blut, Operationsmaterial) bereits aus dem Organismus herausgenommen. Zur V., mit der man lebendes von totem *Gewebe unterscheiden kann, dienen u. a. Farbstoffe wie Eosin, Methylenblau, Methylviolett, Brillantkresylblau, Trypan-, Sudan- u. Rhodamin-Farbstoffe, Triphenyltetrazoliumchlorid, Carotinoide. Ein heute vielfach benutzter Fluoreszenzfarbstoff ist Luzifergelb. – *E* vital staining – *F* coloration vitale – *I* colorazione vitale – *S* coloración (tinción) vital
Lit.: s. Histochemie.

Vitali-Morin-Reaktion s. Vitali-Reaktion.

Vitali-Reaktion. 1. Von D. Vitali 1818 entdeckter u. später verbesserter Nachw. (*Vitali-Morin-Reaktion*) für bestimmte *Tropan-Alkaloide durch eine rotviolette Farbreaktion der mit rauchender Salpetersäure eingedampften u. anschließend mit ethanol. KOH befeuchteten Prüfsubstanz. Die V.-R. ist für Atropin u. Scopolamin, aber auch für *Hydroxybenzoesäuren (Salicylsäure, Acetylsalicylsäure u. a. Derivate) positiv [1]. Für die Färbung sind mesomeriestabilisierte Anionen verantwortlich, die durch Nitrierung des Phenyl-Restes der Tropasäure u. Deprotonierung der Methin-Gruppe entstehen [2].
2. Vitali-Test bei rektifiziertem Sprit: Man überschichtet im Reagenzglas gleiche Vol. konz. Schwefelsäure mit dem zu prüfenden Ethanol; auch bei längerem Stehen in der Kälte darf sich die Berührungszone nicht rosarot färben. Dies ist ein heute ungebräuchlicher Test, der die früher unerlaubte Gewinnung von Alkohol für medizin. Zwecke aus Melasse anzeigen sollte [3]. – *E* Vitali's reaction – *F* réaction de Vitali – *I* reazione di Vitali – *S* reacción de Vitali
Lit.: [1] Dtsch. Apoth. Ztg. **110**, 1509–1512 (1970); **111**, 1419f. (1971). [2] Pharm. Unserer Zeit **1**, 16–20 (1972). [3] Hager (3.) **1**, 285 (1949).

Vitalloy®. Galvan. Beschichtungen für medizin.-techn. Anwendungen. *B.:* Degussa-Hüls.

Vitamin A (B, C...) s. Vitamine.

Vitamin-Antagonisten s. Vitamine.

Vitamin-D-bindendes Protein s. Calciferole, Vitamin (D_3).

Vitamine. Von *Funk 1912 aus latein.: vita = Leben u. *Amin geprägte Bez., die sich zunächst auf das als „lebensnotwendiges Amin" erkannte *Thiamin (V. B_1) bezog u. die später auf alle Verb. ähnlicher Bedeutung ausgedehnt wurde, obwohl diese in den meisten Fällen keine Amine u. chem. sehr uneinheitlich sind.
Heute werden V. definiert als organ. Substanzen, die zur Aufrechterhaltung von Gesundheit u. Leistungsfähigkeit des menschlichen Organismus notwendig sind u. mit der Nahrung zugeführt werden müssen. Es genügen täglich wenige mg, um die Verwertung der Nährstoffe (Kohlenhydrate, Fette, Eiweiß u. Mineralstoffe) zu regulieren. Jedes einzelne V. erfüllt bes. Aufgaben, die von einem anderen V. nicht in gleicher Weise ausgeübt werden können. Für V.-ähnliche Verb., die noch nicht nachgewiesenermaßen *essentiell für den Menschen sind, hat sich auch die Bez. *Vitaminoide* eingebürgert; *Beisp.:* β-*Carotin, *Liponsäure. Zu Beginn der V.-Forschungen betrachtete man die V. noch zusammen mit den *Enzymen u. den *Hormonen, weil diese drei *Wirkstoff-Gruppen eine Gemeinsamkeit verband: Winzige Substanzmengen konnten große physiol. Wirkung entfalten (*Biokatalysatoren*). Diese Betrachtungsweise ist heute überholt, seit man über die verschiedenartigen Wirkungsweisen der V. Bescheid weiß: Manche stellen *Coenzyme bzw. *prosthetische Gruppen von Enzymen dar, andere greifen in die *Regulation des *Stoffwechsels ein od. sind Hormone.
Nomenklatur: Früher wurden die V. auch gelegentlich *Nutramine, Komplettine, Ergänzungsstoffe, akzessor. Nährstoffe* genannt, weil die chem. reinen Eiweiße, Fette u. Kohlenhydrate erst durch das Hinzukommen von V. (u. von *Mineralstoffen) zu vollwertigen Nährstoffen „ergänzt" werden, doch sind diese Namen heute weitgehend verschwunden. Auch die Benennungen V. A, B, C, D usw. sind mehr ein Provisorium; sie hatten eine Berechtigung, solange man die chem. Zusammensetzung der einzelnen V. noch nicht kannte – sobald die Struktur eines V. aufgeklärt ist, kann man den chem. Namen der Verb. anstelle der Buchstaben anwenden. Konsequenterweise werden in diesem Lexikon die einzelnen V. mit ihren chem. u. physikal. Eigenschaften, Nachw. u. Herst. im allg. unter den von der *IUBMB empfohlenen Bez.[1] behandelt.
Die Bez. der V. nach dem Alphabet begann 1915, als in den USA 2 essentielle Bestandteile aus der Nahrung isoliert wurden, deren fettlösl. Fraktion mit A u. deren wasserlösl. mit B bezeichnet wurde. Die Einteilung in *fettlösl.* u. *wasserlösl.* V. (vgl. Abb. auf S. 4878) hat sich bis heute als zweckmäßig erwiesen, da bestimmte biolog. Eigenschaften wie Vork., Speicherfähigkeit im Organismus, Transport- u. Ausscheidungswege sowie die Analytik davon abhängen.
Antivitamine: Zusätzlich zu den V. hat man auch *Anti-V.* definiert, worunter man Stoffe versteht, die die V.-Synth. u./od. den V.-Stoffwechsel stören. Bei diesen V.-*Antagonisten* handelt es sich um *Antimetabolite, die ein als Coenzym wirkendes V. dadurch ausschal-

Vitamine

fettlösl. Vitamine

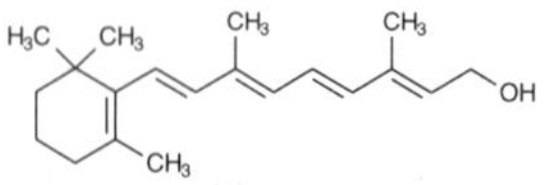

Retinol
Vitamin A$_1$

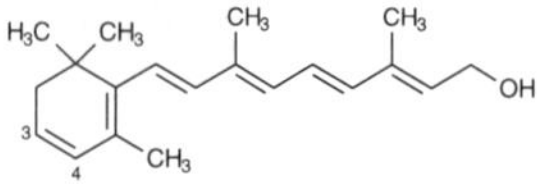

3,4-Didehydroretinol
Vitamin A$_2$

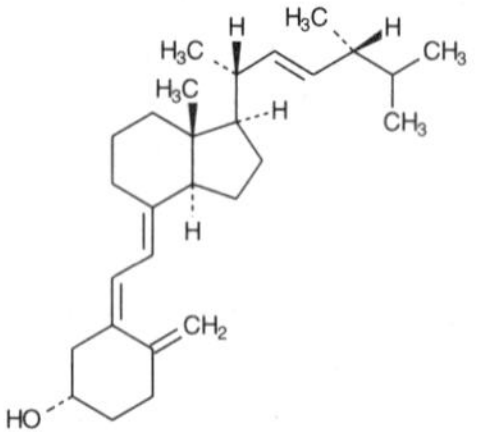

Ergocalciferol
Vitamin D$_2$

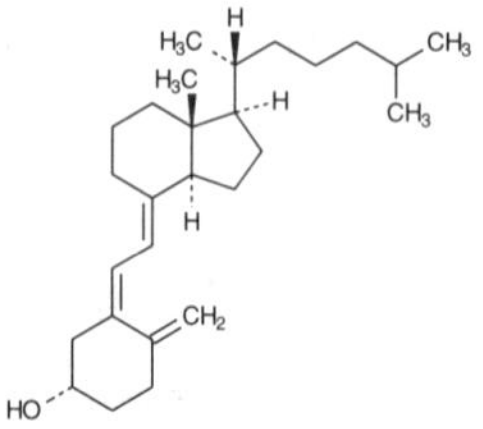

Cholecalciferol
Vitamin D$_3$

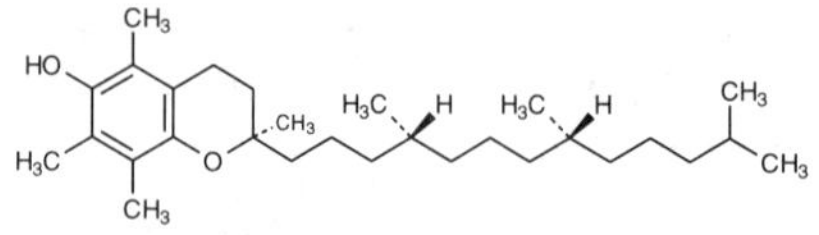

RRR-α-Tocopherol
Vitamin E

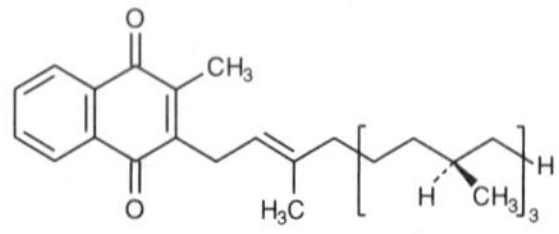

Phyllochinon
Vitamin K$_1$ (20)

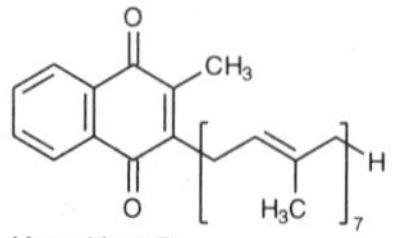

Menachinon-7
Vitamin K$_2$ (35)

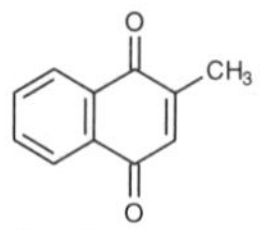

Menadion
Vitamin K$_3$

wasserlösl. Vitamine

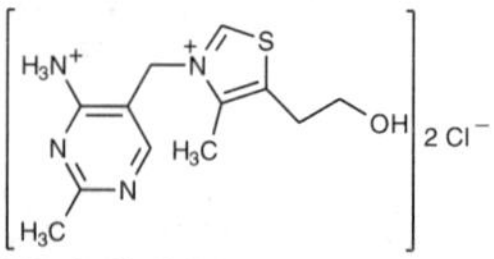

Thiaminchlorid-Hydrochlorid
Vitamin B$_1$

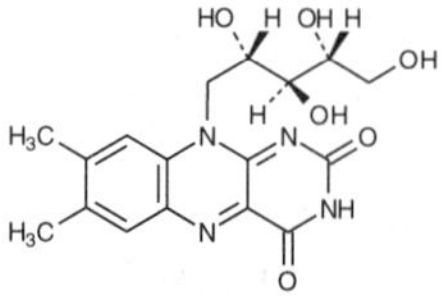

Riboflavin
Vitamin B$_2$

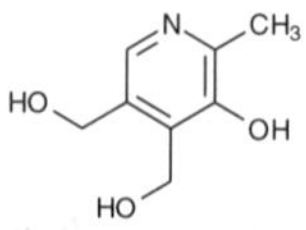

Pyridoxin
Vitamin B$_6$

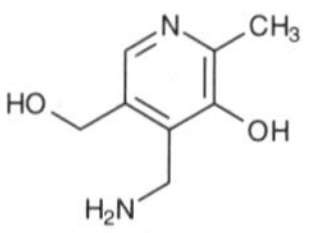

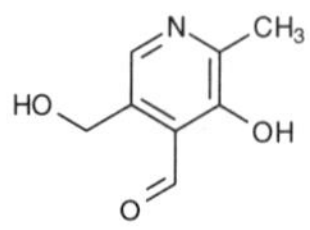

Pyridoxamin

Pyridoxal

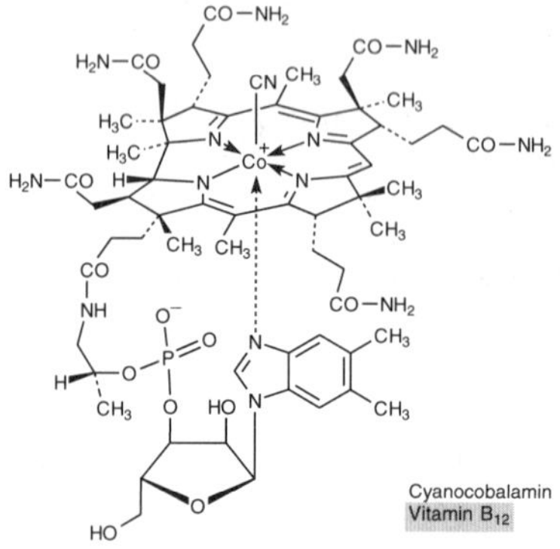

Cyanocobalamin
Vitamin B$_{12}$

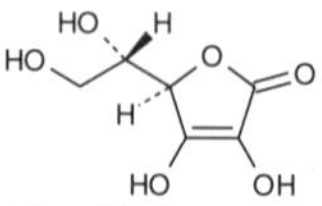

L-Ascorbinsäure
Vitamin C

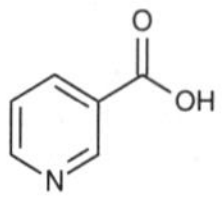

Nicotinsäure

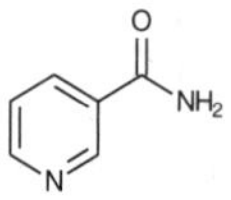

Nicotinsäureamid

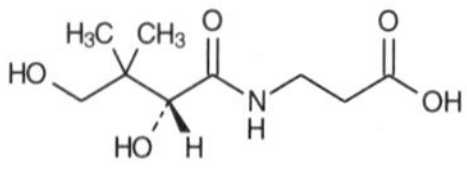

Pantothensäure

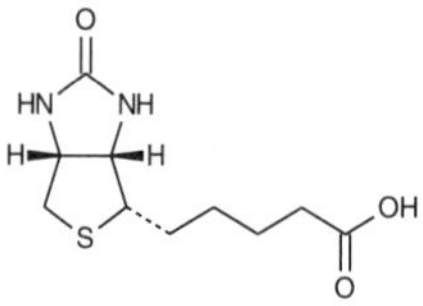

Biotin

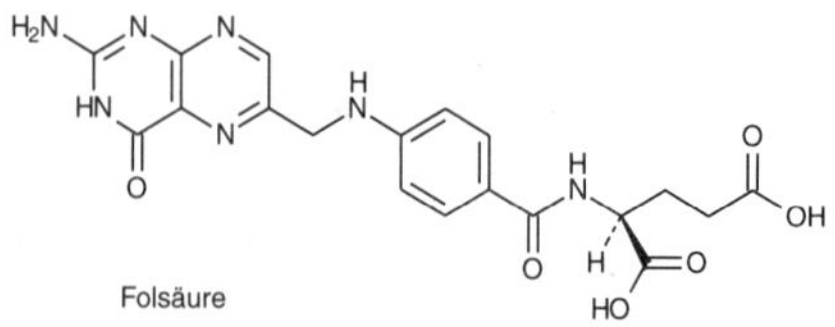

Folsäure

Abb.: Strukturformeln der wichtigsten Vitamine.

ten, daß sie es von seinem Apoenzym verdrängen, sich an seine Stelle setzen u. das Enzym dadurch hemmen (*kompetitive Hemmung). Charakterist. ist, daß die Anti-V. durch höhere Dosen des entsprechenden V. ihrerseits wieder verdrängt werden. Stoffe, die ein V. chem. zerstören (wie z.B. Thiaminase das V. B_1), gehören somit nicht zu den Antivitaminen.

Ernährung: Die exogene Zufuhr der V. – im allg. im Bereich von µg/d bis mg/d – muß in wohlabgewogenem Verhältnis zueinander u. zum Bedarf, je nach Nahrung, Art, Geschlecht, Alter, Arzneimittelzufuhr u. äußeren Milieuverhältnissen erfolgen. Die *Dtsch. Ges. für Ernährung* hat Empfehlungen[2] zur durchschnittlichen Tageszufuhr (in den USA: *RDA) veröffentlicht. Mangelhafte V.-Versorgung ruft je nach Art des fehlenden V. verschiedene spezif. V.-Mangelkrankheiten (*Avitaminosen bzw. *Hypovitaminosen) hervor, die unter den Namen *Beri-Beri, *Skorbut, *Rachitis, *Pellagra usw. schon lange bekannt sind. Angesichts der Ernährungslage der modernen Industriezeit sind zwar Avitaminosen selten geworden, doch können Hypovitaminosen als Krankheitsfolge (z.B. bei Zerstörung der Darmflora durch *Antibiotika) od. bei einseitiger Ernährung auftreten. In Einzelfällen kann es auch zu Überdosierungserscheinungen (*Hypervitaminosen) kommen. Unzweckmäßige Behandlung der Lebensmittel kann zur drast. Red. des V.-Gehaltes führen. Eine bes. V.-schonende Art der *Konservierung von Lebensmitteln ist das Tiefkühlen. Stellvertretend können *Provitamine in den Lebensmitteln den V.-Bedarf decken, wenn der Körper Enzym-Syst. zu ihrer Umwandlung in V. besitzt.

Therapeut. Aspekte: Die therapeut. z.B. in *Geriatrika, *Roborantien, *Tonika eingesetzten V. werden entweder gezielt als Einzelsubstanzen gegeben od. als *Multivitamin-Präparate. Im Einzelfall ist nicht nur auf die Dosierung zu achten, sondern auch auf die Verträglichkeit mit ggf. gleichzeitig applizierten Arzneimitteln, die Resorption u. Stoffwechsel der V. beeinflussen können bzw. die ihrerseits durch V. in ihren pharmakolog. Eigenschaften verändert werden. Prophylaxe läßt sich durch *Vitamin(is)ierung* der Nahrungsmittel erreichen, wobei die V. u. Provitamine als *Zusatzstoffe gelten, deren Verw. durch die Verordnung über vitaminisierte Lebensmittel vom 1.9.1942, zuletzt geändert durch VO vom 25.11.1994, geregelt ist.

Bedeutung bei Tieren: Das V.-Verteilungsmuster ist artspezif., d.h. eine Substanz, die für eine Tierspezies V.-Charakter besitzt, kann für eine andere Spezies durchaus entbehrlich sein (vgl. a. das Beisp. des V. C bei L-Ascorbinsäure). Die Ursache ist in genet. bedingten Defekten zu suchen, u. in bezug auf die V. erweist sich der Mensch als ausgesprochene *Defektmutante. Aber auch andere Tierarten benötigen V. zur Supplementierung ihrer Nahrung, insbes. in der Wachstumsphase. V. werden deshalb vielfach als *Futtermittelzusatzstoffe eingesetzt. Eine Übersicht über die V.-Analyse gibt *Lit.*[3].

Produktion: Die Mehrzahl der V. wird heute vollsynthet. hergestellt, andere macht die *Biotechnologie zugänglich. Naturgemäß ist die Produktion der einzelnen V. unterschiedlich hoch, wie die folgende Aufstellung aus *Lit.*[4] (Angaben für 1995 in t/a weltweit) zeigt: A 2700, B_1 4200, B_2 2400, B_6 2550, B_{12}>10, Nicotinsäure 22000, Pantothensäure 6000, Biotin 25, Folsäure 400, C 60000, D 37,5, E 22000, K 3,0–3,5. Die Preise liegen zwischen 20 DM/kg für V. C u. 15000 DM/kg für V. B_{12}.

V.-A-Gruppe[5]:
Sammelbez. für die beiden fettlösl., isoprenoiden C_{20}-V. A_1 u. A_2 (Diterpene), die etwas unterschiedliche physiolog. Bedeutung haben. Chem. u. physikal. Eigenschaften, Nachw., Vork. u. Herst. werden unter dem Trivial- u. internat. Freinamen *Retinol behandelt. Zur Nomenklatur von V. A u. seinen Derivaten, den *Retinoiden, hat die *IUPAC Empfehlungen ausgearbeitet[6].

V. A_1: V. A_1 (Retinol) wird in der Leber gespeichert u. im Blut durch das *Retinol-bindende Protein* (RBP) transportiert. Nach Aufnahme ins Zellinnere wird es von *zellulären Retinol-bindenden Proteinen*[7] (CRBP) gebunden, im Zellkern – nach Oxid. zu Retinsäure (s. Tretinoin) – auf einen *Retinoid-Rezeptor* übertragen u. beeinflußt im Zusammenwirken mit diesem *Desoxyribonucleinsäuren-bindenden Protein die *Transkription. Es ist dadurch von großer Bedeutung für das Wachstum u. die normale Entwicklung des Menschen, für den Aufbau u. die Resistenz der *Haut u. der Schleimhäute. Da V. A_1 die Zellvermehrung reguliert, wird ihm eine Tumor-hemmende Wirkung bescheinigt. Sein Fehlen ruft erhöhte Sterblichkeit u. Krankheitsanfälligkeit hervor, abnorme Hauttrockenheit, Sekretionseinschränkungen der Schweiß-, Tränen-, Talg- u. Magendrüsen, Gewichtsabnahme, Wachstumshemmungen, Minderung des Sauerstoff-Verbrauchs u. erhöhte Infektionsanfälligkeit hervor. Im Bereich der Augen findet man Verdickung der Hornhaut u. Austrocknung (Xerophthalmie, von griech. xeros = trocken u. ophthalmos = Auge) mit ggf. nachfolgender Erblindung, woraus sich der frühere Name *Axerophthol* für das therapeut. verwendete V. A_1 erklärt. Am Sehprozeß (vgl. dort) ist V. A_1 über sein Oxid.-Produkt V. A_1-Aldehyd (*Retinal) als prosthet. Gruppe des *Rhodopsins beteiligt. Mangel an V. A resultiert infolgedessen auch in verminderter Fähigkeit zum Dämmerungssehen, Nachtblindheit u. gesteigerter Blendempfindlichkeit der Augen.

V. A-Hypervitaminose, d.h. übermäßige Aufnahme von V. A, kann ebenfalls zu Krankheitserscheinungen wie Kopfschmerzen, Übelkeit, in chron. Fällen Schlafstörungen, Appetitlosigkeit, Haarausfall, Knochenschwellungen an den Extremitäten usw. führen, die allerdings bei Entzug des V. wieder verschwinden. Akute Vergiftungen wurden z.B. bei Polarforschern nach dem Verzehr von bes. V. A-reicher Eisbärleber beobachtet, u. für V. A-Hypervitaminose typ. Knochenveränderungen konnten selbst an 1,6 Mio. Jahren alten Skeletten entdeckt werden, was darauf schließen läßt, daß Raubtierleber ein wichtiger Nahrungsbestandteil des *Homo erectus* war.

Der V. A-Bedarf wird vorwiegend aus tier. Quellen (Leber, Fischölen, Milch, Butter, Eigelb) gedeckt. Als internat. Standard gilt die *internat. Einheit* (IE), die 0,30 µg V. A_1 bzw. 0,344 µg krist. V. A_1-Acetat, gelöst in Tocopherol enthaltendem Baumwollsaatöl, äquivalent ist. Jedoch kann die Dosierung auch nach Gew. erfolgen, da V A_1 vollsynthet. hergestellt wird. Eine weitere Quelle ist das in Pflanzen reichlich vorkommende *Provitamin β-Carotin*, das zu ca. 50% in der Darmwand in 2 Mol. Retinol gespalten wird u. für das als internat. Standard festgelegt wurde: 1 IE Provitamin A entsprechen 0,6 μg β-Carotin. Als Tagesbedarf für V. A_1 werden von der Dtsch. Ges. für Ernährung 2700 IE (0,8 mg) für Kinder u. 2700–3300 IE (0,8–1,0 mg) für Erwachsene angenommen. Margarine als Nahrungsfett wird mit V. A_1 angereichert. Bei der strahlenchem. Sterilisation von V. A_1-Präp. bzw. bei der (in der BRD unzulässigen) Strahlungskonservierung von Lebensmitteln ist mit erheblichen V.-Verlusten zu rechnen.

V. A_2: V. A_2 (3,4-Didehydroretinol, Dehydroretinol) kommt v. a. in der Leber von Süßwasserfischen vor u. ist auch über *3,4-Didehydroretinal am Aufbau von deren Sehfarbstoffen beteiligt. Die biolog. Aktivität beträgt beim Menschen 40% der des V. A_1.

Neben den V. A_1 u. A_2 kennt man noch zahlreiche Verb., die sich von diesen nur in der funktionellen Gruppe am endständigen Kohlenstoff-Atom u./od. durch *cis-/trans*-Isomerie an einer Doppelbindung unterscheiden (*Retinoide).

Geschichte des V. A: Schon 1910 stellten Stepp, McCollum sowie *Hopkins (Nobelpreis 1929) an V. A-frei aufgezogenen Versuchstieren Wachstumsstillstand u. Bindehautentzündungen fest, die sich durch Verfüttern von Lebertran, Butter od. Milch wieder beheben ließen. Der Zusammenhang zwischen dem Carotin-Gehalt von Nahrungsmitteln u. ihrer biolog. Wirkung wurde 1919 von *Steenbock entdeckt, u. um 1930 wurde das β-Carotin als Provitamin A erkannt, mit dessen Hilfe sich Avitaminosen heilen ließen. V. A_2 wurde 1937 von Morton aufgefunden. Die Struktur des V. A_1 wurde 1931 von *Karrer (Nobelpreis 1937) aufgeklärt u. seine Rolle beim Sehprozeß von *Wald 1935 (Nobelpreis 1967) erkannt. Isler u. Mitarbeitern gelang 1947 die erste Synth. des reinen krist. V. A_1 u. *Jones 1952 die von V. A_2.

V. B-Gruppe:
Sammelbez. für wasserlösl. V. unterschiedlicher chem. Konstitution, denen außer den eigentlichen B-V. (B_1, B_2, B_6, B_{12}), Biotin, Folsäure, Nicotinsäure(amid) u. Pantothensäure noch einige andere Stoffe (s. unten) mit ähnlicher pharmakolog. Wirkung zugerechnet wurden, obwohl sie keinen essentiellen V.-Charakter für den Menschen haben. Häufig werden alle genannten Verb. als *V. B-Komplex* zusammengefaßt. Nomenklaturempfehlungen gibt es für V. B_6 (*Lit.*[8]) u. für V. B_{12} (Regeln für *Corrinoide, *Lit.*[9]).

V. B_1[10]: Das in seinem Vork., seinen chem. u. physikal. Eigenschaften bei *Thiamin* abgehandelte V. B_1 ist das am längsten bekannte V., dessen Mangelerscheinungen (*Beri-Beri-Krankheit*) schon seit Jahrtausenden geläufig sind. Die Symptome sind Appetitlosigkeit, Erbrechen, Resorptionsstörungen, Müdigkeit, Polyneuritiden in Form von Muskelschwäche, Gefühllosigkeit, Lähmungen u. psych. Veränderungen wie Gedächtnisschwund, Verwirrtheit, Depressionen, außerdem Herzrhythmusstörungen u. Störungen des Wasserhaushalts. Die bei Alkoholikern zu beobachtende Polyneuropathie soll zu einem erheblichen Teil auf V. B_1-Mangel, entstanden durch verminderte Resorption sowie mangelnde Nahrungszufuhr, zurückzuführen sein. Es ist anzunehmen, daß durch V. B_1-Mangel periphere Durchblutungsstörungen u. Degenerationserscheinungen an den Markscheiden der Nerven u. an der weißen *Hirnsubstanz ausgelöst werden. Bei der Ermittlung eines evtl. V. B_1-Mangels ist der Transketolase-Test nützlich, bei dem von der Aktivierbarkeit der Erythrocyten-*Transketolase durch exogenes Thiamindiphosphat auf die Coenzym-Sättigung geschlossen wird. Durch Zufuhr hoher Dosen V. B_1 – im allg. verwendet man das Chlorid-Hydrochlorid od. das Nitrat – lassen sich B_1-Avitaminosen beheben, es sei denn, daß bereits Schädigungen des Nervengewebes eingetreten sind.

Herzmuskel, Gehirn, Leber u. Nieren sind relativ reich an V. B_1, weniger dagegen die Skelettmuskulatur. Im Körper wird V. B_1 in das Coenzym Thiamindiphosphat (Näheres s. dort) umgewandelt. Die als Abbauprodukte des V. B_1 auftretenden Pyrimidine u. Thiazole stellen einen Gradmesser für den Thiamin-Stoffwechsel dar. Die Wirkung von V. B_1 wird behindert durch L-Tyrosin, Brenzcatechin- u. Zimtsäure-Derivate sowie einige synthet. Thiamin-Analoga. Die Biosynth. des V. B_1 in Bakterien u. Hefen beschreitet unterschiedliche Wege.

Da V. B_1 am Abbau der Kohlenhydrate beteiligt ist, hängt der Bedarf stark von der Kohlenhydrat-Zufuhr ab. Bezogen auf den Nährwert liegt der Mindestbedarf für Erwachsene bei ca. 0,35 mg/5000 kJ; die WHO empfiehlt eine Aufnahme von 0,5 mg/5000 kJ, die Dtsch. Ges. für Ernährung 1,1–1,4 mg/d für Erwachsene. Bei Kindern ist der Bedarf geringer, bei Schwangeren u. Stillenden höher. Die früher gebräuchliche internat. Einheit entsprach 3 μg Thiaminhydrochlorid. Überdosierungserscheinungen bei V. B_1 sind sehr selten (Kreislaufkollaps), denn Überschüsse werden im Harn ausgeschieden, bei Zufuhr von >400 mg/d auch über die Haut (typ. *Körpergeruch), weshalb V. B_1 zeitweilig als *Insektenabwehrmittel propagiert wurde.

Geschichte des V. B_1: Schon um 2600 v. Chr. war das Krankheitsbild der *Beri-Beri-Krankheit* in China bekannt, aber erst um 1882 erkannte der Japaner Takaki, daß man diese Krankheit durch zweckmäßige (V. B-reiche) Ernährung heilen kann. V. B_1-Mangeleffekte konnte *Eijkman 1897 (Nobelpreis für Medizin od. Physiologie 1929) bei Hühnern durch Füttern mit poliertem Reis erzeugen u. durch Verfüttern der Silberhäutchen des Reises wieder beheben. Wegen seiner Nervenwirkung wurde V. B_1 auch zunächst als Anti-Polyneuritis-Vitamin od. *Aneurin* bezeichnet, erhielt jedoch später von *Windaus (1932) wegen seines Schwefel-Gehalts die Bez. *Thiamin*, die heute der einzig zulässige Name ist. Das V. wurde 1926 erstmalig von Jansen u. Donath in krist. Form aus Reiskleie isoliert, die Struktur 1936 etwa gleichzeitig von R. R. *Williams u. Grewe aufgeklärt u. die Synth. 1936 von R. R. Williams u. 1937 von Andersag u. Westphal bewerkstelligt.

V. B_2[11]: Das in seinen chem. u. physikal. Eigenschaften hier unter seinem internat. Freinamen u. IUPAC-

Namen Riboflavin abgehandelte V. B_2 bildet in Form des *Flavin-Adenin-Dinucleotids (FAD) u. des Flavinmononucleotids (FMN, s. Riboflavin-5'-phosphat) die Coenzyme bzw. prosthet. Gruppen der *Flavoproteine*, die in biolog. Redoxsyst. eine wichtige Rolle spielen.

V. B_2-Mangel ist charakterisiert durch Entzündungen der Mund- u. Rachenschleimhäute, Risse in den Mundwinkeln, Juckreiz u. Entzündungen in den Hautfalten u. ähnliche Hautschäden, Bindehautentzündungen, verminderte Sehschärfe u. Trübung der Hornhaut. Bei Säuglingen u. Kindern können ggf. Wachstumsstillstand u. Gewichtsabnahme eintreten, weshalb Riboflavin früher auch als *Wachstumsvitamin* bezeichnet wurde. Wegen der weiten Verbreitung des V. B_2 im Tier- u. Pflanzenreich – es kommt bes. reichlich in Hefe, aber auch in Leber, Eiern, Milch, Weizenkeimen, grünen Gemüsen, Kartoffeln u. v. a. Lebensmitteln vor u. wird auch von den Darmbakterien synthetisiert – ist in den entwickelten Ländern ein reiner V. B_2-Mangel selten. Das Riboflavin des tier. Organismus ist zu 70–90% als FAD, zu 5–30% als FMN u. zu 0,5–2% als freies Riboflavin enthalten; V. B_2 wird im Dünndarm resorbiert, in FMN übergeführt u. in der Leber in FAD umgewandelt. Die Ausscheidungsmenge im Harn variiert mit der Aufnahmemenge. Liegt diese unter 1 mg täglich, so werden ca. 10% ausgeschieden, bei 1,5 mg sind es 20% u. bei 5–11 mg ca. 60%. Von der WHO wird eine tägliche Einnahme von 0,7 mg/5000 kJ beim Erwachsenen empfohlen, von der Dtsch. Ges. für Ernährung 1,5–1,7 mg/d; dieser Bedarf wird mit normaler Nahrung voll gedeckt. Überdosierungserscheinungen sind nicht bekannt. Ein internat. Standard für V. B_2 ist nicht festgesetzt worden. Als klin. Parameter des V. B_2-Bedarfs gilt die Aktivierbarkeit der Erythrocyten-Glutathion-Reduktase (s. Glutathion) durch exogenes FAD.

Ein Stereoisomeres des V. B_2 mit *Arabit anstelle von *Ribit in der Seitenkette (*Lyxoflavin*) wurde aus menschlichem Myocard u. Fischmehl isoliert u. hat wachstumsfördernde Eigenschaften bei Verw. in Viehfutter. Synthet. Analoga mit Kohlenstoff od. Schwefel anstelle von Stickstoff-Atom 5 wirken dagegen als *Antimetabolite. Die Herst. erfolgt durch bakterielle Fermentation.

Geschichte des V. B_2: R. *Kuhn u. *György isolierten 1933 kristallisierbares V. aus Eiern u. nannten es *Ovoflavin*. Aus Molke wurde ebenfalls 1933 von Ellinger u. Koschara ein gelber Farbstoff (*Lactoflavin*) gewonnen, u. im gleichen Jahr erhielten Karrer u. Mitarbeiter sog. *Hepatoflavin* aus tier. Organen u. Pflanzen. Nach Feststellung der Identität der 3 gleichen Stoffe konnte die Struktur des nunmehr *Riboflavin* genannten V. von Kuhn bzw. Karrer 1935 aufgeklärt werden. Beiden Arbeitskreisen gelang im gleichen Jahr unabhängig voneinander auch die Synthese.

V. B_6[12]: Hierunter versteht man heute keine einheitliche Substanz, sondern die drei Derivate des 5-Hydroxymethyl-2-methyl-3-pyridinols, die in ihren chem. u. physikal. Eigenschaften unter Pyridoxal, Pyridoxamin u. Pyridoxin abgehandelt sind. Häufig findet man in der älteren *Lit.* noch „*Pyridoxine*" als Sammelbez. für die drei Verbindungen. Zur Nomenklatur s. *Lit.*[8].

Pyridoxal-5'-phosphat (Näheres s. dort) ist Cofaktor beim Glykogen-Abbau u. im Aminosäure-Stoffwechsel, z. B. als Coenzym von *Decarboxylasen („Codecarboxylase"). Diese sind z. B. für die Synth. der *biogenen Amine notwendig; ihr Fehlen hat Störungen im Nervensyst. zur Folge. Durch Bindung an *Transkriptionsfaktoren moduliert Pyridoxal-5'-phosphat die *Genexpression[13]. Darüber hinaus sind V. B_6-Mangelerscheinungen recht unterschiedlich u. wenig spezifisch. Beispielsweise können Entzündungen mit Schuppenbildung an Haut u. Schleimhäuten bes. von Mund u. Augen auftreten, ferner anäm. Erscheinungen, Störungen des Nervensyst. wie Reizbarkeit, Depressionen, Schläfrigkeit, Appetitlosigkeit, Wahrnehmungsstörungen, bei Säuglingen Schreckhaftigkeit u. gelegentlich epilepsieartige Krämpfe. V. B_6-Mangel wird auch mit dem Auftreten des sog. „China-Restaurant-Syndroms" (s. Natrium-L-glutamat) in Verbindung gebracht. Echte V. B_6-Avitaminosen lassen sich nach Gabe von L-*Tryptophan im Harn leicht nachweisen durch das Auftreten der *Xanthurensäure* [4,8-Dihydroxychinolin-2-carbonsäure, $C_{10}H_7NO_4$, M_R 205,17, gelbe Krist., Schmp. 286 °C, unlösl. in Wasser, lösl. in Alkalihydroxiden u. verd. Salzsäure, gibt mit Eisen(II)-sulfat eine kolorimetr. bzw. photometr. meßbare grüne Färbung].

Ernährungsbedingte Mangelerscheinungen lassen sich durch V. B_6-Gaben beheben, Überdosierungssymptome sind nicht bekannt. Das aus der Nahrung - bes. aus Salm, Leber, Hefe, Bananen, Getreide, Gemüsen – aufgenommene V. B_6 wird im oberen Teil des Dünndarms resorbiert u. in den Geweben, insbes. in Gehirn, Leber u. Nieren, enzymat. in Pyridoxamin- u. Pyridoxal-5'-phosphat überführt u. gespeichert. Als Abbauprodukt erscheint im Harn neben unverändertem Pyridoxinen 4-*Pyridoxsäure.

Der V. B_6-Bedarf steigt mit erhöhter Proteinaufnahme. Als tägliche Zufuhr werden von der Dtsch. Ges. für Ernährung 1,6–1,8 mg empfohlen; in der Schwangerschaft ist der Bedarf erhöht, während er bei Säuglingen mit 0,1–0,5 mg u. bei Kindern u. Jugendlichen mit 1,5 mg/d niedriger liegt. Im allg. enthalten V. B_6-Präp. Pyridoxin-Hydrochlorid, gelegentlich auch alle 3 Pyridin-Derivate. In hohen Dosen wirkt V. B_6 auch gegen Erbrechen, wobei ein sedierender Effekt zum Zuge kommt.

Geschichte des V. B_6: Von *György 1934 unternommene Fütterungsversuche an Ratten, die eine V. B-Komplex-freie Diät erhielten, resultierten in vermindertem Wachstum u. einer Pellagra-ähnlichen Dermatitis an den Extremitäten, weshalb der vermutete Wirkstoff zunächst die Namen *Antidermatis-V.* od. *Adermin* erhielt. 1938 wurde von verschiedenen Arbeitsgruppen das Pyridoxin krist. erhalten, dessen Konstitution unabhängig voneinander *Folkers u. R. *Kuhn 1939 aufklärten. Die beiden verwandten Wirkstoffe Pyridoxal u. Pyridoxamin wurden 1942 von E. E. Snell gefunden.

V. B_{12}-Gruppe[14]: Diese V. mit der komplizierten Struktur (vgl. Abb.) sind, halbsystemat. *Cobalamine* genannt, Cobalt(III)-haltige *Corrinoide (zu deren Nomenklatur s. *Lit.*[9]). Unter V. B_{12} schlechthin versteht man im allg. das *Cyanocobalamin*, das bei der Isolierung aus dem natürlich vorkommenden Coenzym B_{12} in Ggw. von Cyanid-Ionen od. aus im Fall von *Blausäure-Vergiftungen als Antidot injiziertem *Hydroxocobalamin entsteht. Die chem. u. physikal. Eigenschaften werden deshalb bei Cyanocobalamin behandelt, von dem ausgehend verschiedene Derivate hergestellt werden können, z. B. *Aquocobalamin* (V. B_{12a}, H_2O^+ statt CN), *Hydroxocobalamin* (V. B_{12b}, OH statt CN) u. *Nitritocobalamin* (V. B_{12c}, ONO statt CN), ferner reduziertes Cob(II)- u. Cob(I)alamin (V. B_{12r} bzw. V. B_{12s}, s. Cobalamine) sowie mit den Cobalt-*Nukliden ^{57}Co u. ^{58}Co radioaktiv markiertes Cyanocobalamin. V. B_{12} wird heute biotechnolog. mit Hilfe von Bakterien produziert.

Ausreichende V. B_{12}-Zufuhr ist v. a. für die normale Blutbildung erforderlich, außerdem für die Funktion der Nervenzellen u. – insbes. in der Tierfütterung – für das Wachstum. Als *extrinsic factor* bildet V. B_{12} mit dem von der Magenschleimhaut gebildeten *intrinsic factor* einen Komplex, der im unteren Teil des Dünndarms (Ileum) resorbiert wird u. der das sog. *antiperniziöse Prinzip* darstellt. Im Blut wird V. B_{12} durch zu den α-*Globulinen gehörende *Transcobalamine* (TC) transportiert. *Cobalophilin* (früher: TC I) ist dabei Zwischen-Überträger zum eigentlichen TC (früher: TC II). Bei einem Mangel an V. B_{12} ist die Entwicklung der *Erythrocyten im Knochenmark gestört; sie bleiben auf einer embryonalen Stufe stehen unter Bildung von Megaloblasten, d. h. bes. großen, Hämoglobin enthaltenden Zellen mit Zellkern. Bei dem resultierenden Krankheitsbild, der *megaloblastären* od. *perniziösen Anämie* od. *Perniziosa*, beobachtet man im Blutbild *Hyperchromie sowie Entzündungen an der Zunge, mangelhafte Magensäurebildung u. Veränderungen im Rückenmark, die über leicht nervöse Störungen (Kribbeln) bis zu schweren Lähmungen führen können. Die Perniziosa konnte merkwürdigerweise an den üblichen Versuchstieren (Affen, Hunden, Kaninchen, Ratten) bislang nicht hervorgerufen werden.

V. B_{12}-Mangelerscheinungen können bei Vegetariern auftreten, da Pflanzen so gut wie kein V. B_{12} enthalten. Als Tagesdosis für Erwachsene werden von der Dtsch. Ges. für Ernährung 3,0 μg empfohlen. Überdosierungserscheinungen sind nicht bekannt. Als Einheit gilt das Substanzgew. od. die LLD-Einheit, die sich auf das nephelometr. verfolgte Wachstum von *Lactobacillus lactis* Dorner bezieht: 1 μg V. B_{12} = 11 000 LLD-Einheiten. Zur Biosynth. s. Coenzym B_{12} u. *Lit.*[15].

Am Stoffwechselgeschehen des Menschen sind zwei V. B_{12}-Derivate als *Coenzyme B_{12}* beteiligt, u. zwar (in Klammern die von der WHO vorgeschlagenen internat. Freinamen) Methylcobalamin (*Mecobalamin*) u. 5′-Desoxyadenosylcobalamin (*Cobamamid*). Eine wichtige Funktion des ersteren ist seine synergist. Wirkung zu der früher auch als *V. B_9* bezeichneten *Folsäure innerhalb des Ein-Kohlenstoff(C_1)-Stoffwechsels bei der Bildung von L-*Methionin. Cobamamid spielt im Organismus bei der Red. der Ribonucleotide sowie bei Umlagerungen mit Wasserstoff-Wanderung eine Rolle. Ein Mangel an V. B_{12} gibt sich frühzeitig durch hohe Konz. von Methylmalonsäure im Harn zu erkennen, da die Isomerisierung von Methylmalonyl-Coenzym A zu Succinyl-Coenzym A – ein Schritt im Propionsäure-Stoffwechsel – wegen des Fehlens von Cobamamid ausbleibt.

Geschichte des V. B_{12}: Die Heilwirkung roher Leber bei perniziöser Anämie wurde zwar schon 1926 von Minot u. *Murphy entdeckt, u. in der Folge wurden Leberpräp. entwickelt, die den vermuteten Wirkstoff (*Antiperniziosa-Faktor*) in immer höherer Konz. enthielten, doch gelang es *Folkers sowie E. L. Smith erst 1948, den Wirkstoff in roter, krist. Form aus der Leber u. später auch aus Milch u. aus Fermentationsbrühen von z. B. *Streptomyces griseus* zu isolieren. Die Konstitutionsaufklärung gelang 1955 den Arbeitsgruppen von *Todd, E. L. Smith u. Crowfoot-*Hodgkin (Röntgenstrukturanalyse 1956). Totalsynth. wurden 1971 nach elfjähriger Arbeit von den Arbeitsgruppen um *Eschenmoser u. *Woodward abgeschlossen.

Biotin[16]: Das heute – wenn überhaupt als V. – meist als V. B_7 zu den B-V. gezählte, aber auch V. H genannte Biotin ist mit seinen chem. u. physikal. Eigenschaften unter dem letztgenannten Trivialnamen zu finden, wo auch auf seine Geschichte u. Bedeutung im Stoffwechsel eingegangen wird.

Da Biotin in der Nahrung ausreichend vorkommt u. außerdem in größeren Mengen von der Darmflora gebildet wird, sind Mangelkrankheiten nur bei spezif. Stoffwechselstörungen zu beobachten. Allerdings kann auch durch überreichlichen Genuß von rohem Eiklar ein Biotin-Mangel erzeugt werden, da das in diesem vorhandene *Avidin mit Biotin einen nicht resorbierbaren Komplex bildet, der von den Enzymen des Magen-Darm-Traktes nicht gespalten werden kann (Avidin als Biotin-*Antagonist). Bei Biotin-Mangel können Seborrhoe, Dermatitis, Appetitlosigkeit, Muskelschmerzen, Müdigkeit u. nervöse Störungen auftreten. Auf seinen Einfluß auf die Beschaffenheit der Haut geht auch der Name V. H (*Haut-V.*) zurück. Der Tagesbedarf an Biotin wird von der Dtsch. Ges. für Ernährung mit 75 μg bei Kindern u. 30–100 μg bei Erwachsenen angegeben. In der *Histochemie, *Biotechnologie u. im *Immunoassay nutzt man die selektive Bildung des *Biotin-Avidin-Komplexes* zur *Immobilisierung (*Wilchek-Bayer-Meth.*), *Markierung u. Identifizierung von Proteinen, Antikörpern u. Enzymen.

Folsäure[17]: Die heute ungebräuchlichen Bez. V. B_9, V. B_c od. V. M wurden früher für die mit ihren chem. u. physikal. Eigenschaften sowie ihrer Biochemie unter Folsäure (Folat) behandelte Pteroyl-L-glutaminsäure gebraucht; s. bei Tetrahydrofolsäure (H_4Folat) zu ihrer Rolle im Ein-Kohlenstoff(C_1)-Stoffwechsel u. zu ihrer bes. Bedeutung für die Biosynth. der Desoxythymidinphosphate. Neben Folat u. H_4Folat werden zur *Folsäure-Gruppe* (auch: Folate im allg. Sinn, *Folacin*) noch Dihydrofolsäure (H_2Folat) u. mit C_1-Gruppen substituierte Derivate sowie Konjugate mit bis zu 9 weiteren L-Glutaminsäure-Resten in γ-*Isopeptid-Bindung (Pteroylpoly-γ-L-glutaminsäuren, PteGlu$_2$ bis PteGlu$_{10}$) gezählt. Zur Nomenklatur s. *Lit.*[18]. Mit zunehmender Anzahl von L-Glutaminsäure-Resten pro Mol. werden die Folsäure-Derivate jedoch schlechter resorbierbar u. sind daher für den Zellstoffwechsel nicht verfügbar. Der Transport zur Leber erfolgt als Folat (PteGlu); dort wird es in eine aktive

Coenzym-Form überführt (5-Methyl-H$_4$Folat), die mittels eines Folsäure-Bindungsproteins (E *folic acid-binding protein*, FABP) od. anderer *Serum-Proteine im Blut zu den übrigen Organen transportiert wird. Der Tagesbedarf des Erwachsenen beträgt etwa 300 µg (Dtsch. Ges. für Ernährung) an bioverfügbarem Folat. Bei Folat-Mangel, der häufig auch in Industrieländern u. v. a. bei Schwangeren beobachtet wird, ergeben sich anäm. Erscheinungen mit gestörter *Erythrocyten-, Granulocyten- (s. Leukocyten) u. *Thrombocyten-Bildung. Bei Foeten treten Neuralrohr-Defekte auf. Bestimmung durch mikrobiolog. u. Radioisotopen-Methoden.

Geschichte der Folsäure: 1930 Entdeckung eines von V. B$_{12}$ verschiedenen antianäm. Faktors in Hefeextrakt durch Wills. Konstitutionsaufklärung u. Synth. der Folsäure gelangen Angier 1946; es folgte die Erkennung der Cofaktor-Funktion der Folsäure-Derivate.

Nicotinsäure(amid)[19]: In unspezif. Weise wurden früher sowohl die *Nicotinsäure als auch das *Nicotinsäureamid (Nicotinamid), deren chem. u. physikal. Eigenschaften bei den betreffenden Stichwörtern abgehandelt sind, als V. B$_3$ bezeichnet. Im folgenden werden die Substanzen mit ihren Freinamen *Nicotinsäure* u. *Nicotinamid* benannt; weiterhin sind auch die Bez. *Niacin* (als Oberbegriff) u. *Niacinamid* (für Nicotinamid) geläufig.
Nicotinamid als Bestandteil des *Nicotinamid-Adenin-Dinucleotids (NAD) u. dessen Phosphatesters (NADP) ist einer der wichtigsten Wasserstoff-Überträger in der Zelle. NAD(P) ist als Coenzym an zahlreichen Hydrierungen u. Dehydrierungen beteiligt, z. B. beim Auf- u. Abbau der Aminosäuren, Fette u. Kohlenhydrate, im *Citronensäure-Cyclus u. in der *Atmungskette. Die Nicotinamid-Hypovitaminose ist unter der Bez. *Pellagra schon seit 1735 bekannt. Sie äußert sich in trockener, rissiger Haut, lichtempfindlichen, schuppigen Erythemen mit Blasen-, Geschwür- u. Narbenbildung, Entzündungen der Schleimhäute von Mund u. Magen-Darm-Trakt, Erbrechen, Durchfall sowie in Psychosen u. Bewußtseinsstörungen (3 D-Krankheit: Dermatitis, Diarrhoe, Demenz). Pellagra wurde zwar schon 1925 von Goldenberger als V.-Mangelerkrankung erkannt, die insbes. bei überwiegend von *Mais lebender Bevölkerung auftrat, doch konnte dieser Zusammenhang erst durch die Entdeckung geklärt werden, daß Nicotinsäure in *Weizen od. Mais als sog. *Niacytin* od. *Niacinogen* in einer an Eiweiß u./od. Polysaccharide gebundenen u. enzymat. nicht spaltbaren Form vorliegt. Erst nach Behandlung mit Alkali wird Nicotinsäure freigesetzt: Indianerstämme, die das zum Backen der Brotfladen verwendete Maismehl zuvor mit Pottasche behandeln, sind relativ frei von Pellagra.
Im Organismus können Nicotinsäure u. ihr Amid aus L-*Tryptophan gebildet werden, das z. B. in Milch reichlich vorhanden ist; 60 mg L-Tryptophan sind etwa 1 mg Nicotinamid äquivalent. Dieser Stoffwechselweg ist bei L-Leucin-reicher Ernährung gestört. Nicotinsäure entsteht aus *Trigonellin auch beim Rösten des Kaffees. Reich an Nicotinsäure sind Pilze, Hefe, Erdnüsse, Getreidemehle, Vollreis u. Fleischwaren, insbes. Leber. Die im Intestinaltrakt leicht resorbierbare Nicotinsäure u. ihr Amid finden sich nach Umwandlung in NAD bzw. NADP in allen Geweben, v. a. in der Leber (ca. 65 mg) u. im Vollblut (4–10 mg/L). Von der WHO wird eine tägliche Aufnahme von 6,8 Nicotinsäure-Äquivalenten pro 5000 kJ empfohlen, was etwa 20 mg bei Männern u. 15 mg bei Frauen entspricht, einer Menge, die durch normale Nahrungszufuhr bei weitem gedeckt ist. Bei Kindern liegt der Wert entsprechend ihrem geringeren Kalorienbedarf etwas niedriger, in der Schwangerschaft bzw. Stillzeit liegt er um 2,3 bzw. 3,7 mg darüber. Die Dtsch. Ges. für Ernährung empfiehlt 15–18 mg/d für Erwachsene. Eine internat. Einheit existiert nicht. In größeren Dosen wirkt die Nicotinsäure (nicht das Amid) vasodilatierend, außerdem wird der Gehalt des Serums an Gesamt-*Cholesterin, LDL-Cholesterin (vgl. Lipoproteine) u. *Triglyceriden gesenkt, der an HDL-Cholesterin dagegen erhöht; Niacin kann deshalb zur Behandlung von Hyperlipidämien eingesetzt werden[20]. Da es eine Schutzwirkung auf die β-Zellen des Pankreas ausübt, verhindert od. verzögert es die Progression des *Insulin-abhängigen *Diabetes mellitus in seinem Frühstadium[21].

Geschichte von Nicotinsäure(amid): Obwohl Nicotinsäure u. ihr Amid schon längere Zeit bekannt waren, wurde ihre physiolog. Bedeutung erst relativ spät erkannt. Nachdem R. Kuhn 1935 das Nicotinamid aus Herzmuskel isoliert u. O. *Warburg kurz danach seine Bedeutung bei der enzymat. Wasserstoff-Übertragung entdeckt hatte, konnten 1937 Elvehjem Hunde mit Pellagra-ähnlichen Symptomen (schwarze Zunge) u. Spieß menschliche Pellagra durch Nicotinamid-Gaben heilen, woraus die auch heute noch gebräuchlichen Bez. V. PP od. PP-Faktor (von E *pellagra preventing*) für Nicotinamid resultieren.

Pantothensäure[22]: Die zeitweilig als V. B$_3$ od. V. B$_5$ bezeichnete *Pantothensäure ist mit ihren chem. u. physikal. Eigenschaften, sowie ihrer Biochemie unter ihrem Trivialnamen behandelt.
Die biolog. Bedeutung der Pantothensäure liegt in ihrer Vorläufer-Funktion für *Coenzym A, das eine zentrale Stellung im Stoffwechsel einnimmt, sowie für die prosthet. Gruppe des *acyl carrier protein*, das für die Biosynth. der *Fettsäuren von Bedeutung ist (s. Fettsäure-Biosynthese). Der menschliche Bedarf an Pantothensäure beträgt etwa 6 mg/d (Dtsch. Ges. für Ernährung). Aufgrund ihres reichlichen Vork. in der Nahrung (griech.: *pantothen* = überall) sind beim Menschen reine Pantothensäure-Hypovitaminosen (*burning-feet syndrome*) selten. Hypervitaminosen wurden bisher nicht beobachtet.

Weitere V. der B-Gruppe: Neben den oben behandelten V. B$_1$, B$_2$, B$_6$, B$_{12}$ sowie Biotin, Folsäure, Nicotinsäure, Nicotinamid u. Pantothensäure hat man seit den 20er Jahren noch einer Reihe von Verb. V. B-Eigenschaften zugeschrieben u. die Stoffe als V. B mit Indexziffern od. -buchstaben gekennzeichnet. Es sind dies im einzelnen (in Klammern die früheren, oft uneinheitlichen u. heute nicht mehr verwendeten Bez.): *Adenin (B$_4$), *Cholin (B$_4$), Adenosinphosphate (B$_8$), *Orotsäure (B$_{13}$), D-Gluconsäure-6-[bis-(1-methylethyl)]-aminoessigsäureester (Pangamsäure, B$_{15}$), *Carnitin (B$_T$), 4-*Aminobenzoesäure (B$_x$ od. V. H'), *myo*-*Inosit u. *Liponsäure. Unverständlich ist die Bez. V. B_{17} für *Laetrile od. *Amygdalin.

V. C [23]:
Das mit seinen chem. u. physikal. Eigenschaften, Vork. u. Stoffwechsel-Verhalten, Herst. u. Verw. bei L-Ascorbinsäure behandelte V. C unterscheidet sich von anderen V. dadurch, daß der Mensch weitaus höhere Dosen für sein Wohlbefinden einnehmen muß. In bezug auf V. C haben sich unterschiedliche Tierarten wie die Primaten (Mensch, Affen), Meerschweinchen, fliegende Säugetiere (Fledermäuse) u. Insekten als Defektmutanten erwiesen, denn sie vermögen V. C nicht biosynthet. zu erzeugen, sondern müssen es mit der Nahrung aufnehmen. Zur V. C-Biosynth. bei Pflanzen s. *Lit.*[24]. Beim Menschen ist die typ. C-Avitaminose der *Skorbut, von dem auch der Name Ascorbinsäure (von: Anti*scorb*ut-Vitam*in*) hergeleitet ist. Er äußert sich in erhöhter Kapillardurchlässigkeit der Gefäßwände u. damit im Auftreten starker, z.T. großflächiger Blutungen in Haut, Muskulatur, Zahnfleisch, Fettgewebe u. inneren Organen. Außerdem treten Veränderungen in Knochenbeschaffenheit u. Eisen-Resorption sowie anäm. Zustände auf.
Skorbut – der bis zum 17. Jh. z. B. bei Seefahrern weit verbreitet war – tritt heute kaum noch auf, u. selbst V. C-Mangelschäden wie Appetitlosigkeit, Schwäche, rasche Ermüdbarkeit, Infektionsanfälligkeit, Zahnfleisch- u. Nasenbluten, Resorptionsstörungen im Magen-Darm-Trakt, schlechte Wundheilung u. Wachstumsstörungen bei Kindern sind selten geworden. Mangelerscheinungen lassen sich außerdem durch V. C-Gaben rasch beseitigen. Überdosierungserscheinungen sind nicht bekannt (s. jedoch unten). In unseren Klimaten war mit einer mangelhaften V. C-Zufuhr am ehesten in den Frühlingsmonaten zu rechnen, wenn der V. C-Gehalt der Kartoffel zurückgegangen war u. Frischgemüse noch nicht in größerem Umfang zur Verfügung stand – die sog. Frühjahrsmüdigkeit wurde früher oft auf Mangel an C- (u. B-) V. zurückgeführt. Angesichts der allg. Versorgungslage mit Importgemüsen u. -früchten ist diese Erklärung heute nicht mehr stichhaltig.
Im menschlichen Organismus wird V. C benötigt für die Hydroxylierung von L-Prolin u. somit für die Collagen-Synth. (*Collagen enthält bes. viel Hydroxyprolin), für die am Aufbau von Carnitin aus L-Lysin u. L-Methionin bzw. von Gallensäuren aus Cholesterin beteiligten Hydroxylasen, für die Biosynth. von L-Tyrosin u. für dessen Umwandlung zu Catecholaminen, sowie zur Entgiftung von Arzneistoffen u. Xenobiotika. Als guter Chelatbildner ist V. C am Eisen-Transport im Körper beteiligt, u. bei Chromat-Vergiftungen wird es als Antidot empfohlen. Bes. in den Augen u. in der Lungenflüssigkeit wirkt V. C als Radikalfänger. Die WHO empfiehlt für Erwachsene eine tägliche Mindesteinnahme von 30 mg Ascorbinsäure, die Dtsch. Ges. für Ernährung eine solche von 75 mg. Die früher gültige internat. Einheit entspricht 50 µg L-Ascorbinsäure. Therapeut. wird V. C eingesetzt zur Prophylaxe u. Bekämpfung von skorbut. Schäden, nach Operationen, zur Unterstützung der Resorption von oral verabreichtem Eisen, zur schnelleren Heilung von Knochenbrüchen, als allg. *Roborantien. Höhere Dosen an V. C sollen entgegen früheren Berichten den Verlauf von Erkältungsepisoden geringfügig mildern [25] u. bei längerer Einnahme die Wahrscheinlichkeit des Auftretens von Krebs, Herz-/Gefäßerkrankungen u. grauem Star reduzieren [26].

Geschichte des V. C: Der Skorbut war schon im Altertum bekannt u. im Mittelalter als ernährungsbedingte Krankheit bei Seeleuten erkannt. Schon Jacques Cartier (1535), Sir John Hawkins (1593), Sir James Lancaster (1601), Joh. Dietz (1665) u. a. beobachteten, daß man durch Verabreichung von Frischgemüse u. Früchten den Ausbruch des Skorbuts bei Seefahrern verhindern kann, u. James Cook hielt seine Seeleute 1772–1775 durch Zitronensaft u. frisches Gemüse frei von dieser Krankheit. Die Isolierung des V. C erfolgte erst 1920 durch Zilva aus Zitronen, 1927 durch *Szent-Györgyi aus Kohl, Paprikaschoten u. Nebennieren. Die Konstitution der L-Ascorbinsäure wurde 1933 etwa gleichzeitig von *Haworth, *Hirst, P. Karrer u. Micheel aufgeklärt, u. im gleichen Jahr konnten sowohl Haworth als auch *Reichstein V. C synthetisieren, letzterer bereits unter Zuhilfenahme einer mikrobiellen Oxid.-Reaktion. Heute werden weltweit jährlich 60 000 t V. C produziert, wobei mikrobiolog. mit chem. Verf.-Schritten kombiniert werden. Die Gentechnologie könnte eine einfachere Herst. ermöglichen.

V. D-Gruppe [27]:
Sammelbez. für fettlösl., biosynthet. aus 5,6,7,8-Tetradehydro-*Sterinen durch photochem. Ringöffnung u. *Isomerisierung entstehende V. mit mehr od. weniger starker antirachit. Wirkung, die häufig unter der Gruppenbez. *Calciferole zusammengefaßt werden. Unter diesem Namen (zur Nomenklatur s. *Lit.*[28]) findet sich auch eine Darst. der chem. u. physikal. Eigenschaften, des Vork. u. des Stoffwechsels; zur Herst. s. ebenfalls dort. V. D ist Vorstufe eines Hormons (Calcitriol, s. unten), das nur bei ungenügender Sonnen- od. UV-Licht-Einwirkung auf die Haut als unentbehrlicher Nahrungsbestandteil, also als V. zu betrachten ist.
Als V. D_1 wurde ursprünglich ein Wirkstoff bezeichnet, der sich später als Mol.-Verb. aus V. D_2 u. Lumisterin erwies. Neben den im folgenden behandelten V. gibt es noch V. D_4 (aus 22,23-Dihydroergosterin), V. D_5 (aus 7-Dehydro-β-sitosterin), V. D_6 (aus 7-Dehydrostigmasterin), V. D_7 (aus 7-Dehydrocampesterin), die aber alle keine prakt. Bedeutung haben.

V. D_2: V. D_2 (internat. Freiname: *Ergocalciferol*, von der IUPAC erlaubter weiterer Trivialname: *Ercalciol*) wird auch als pflanzliches V. D bezeichnet, weil es aus *Ergosterin entsteht, das in der Pflanzenwelt häufig vorkommt. Seine physiolog. Wirkung entspricht bei Säugern denen des V. D_3.

Vitamin D_3: V. D_3 [internat. Freiname: *Colecalciferol*, von der IUPAC erlaubte Trivialnamen: *Calciol* u. *Cholecalci(fer)ol*] entsteht mittelbar aus dem in der Tierwelt weit verbreiteten *Cholesterin u. wird deshalb gelegentlich als *tier. V. D* bezeichnet. V. D_3 entsteht entweder in der Epidermis der *Haut durch photochem. *Isomerisierung aus körpereigenem Provitamin D_3 (*7-Dehydrocholesterin), od. es wird im Darm aus der Nahrung absorbiert. In der Leber wird es in die

Speicherform 25-Hydroxycholecalciferol (*Calcidiol*, internat. Freiname: *Calcifediol*), umgewandelt, das, an ein α-Globulin gebunden (*V.-D-bindendes Protein*, DBP[29]), im Blut zirkuliert. Fällt der Calcium- od. Phosphat-Serumspiegel, wird Calcidiol erneut hydroxyliert – u. zwar in der *Niere – u. 1S,25-Dihydroxycholecalciferol (*Calcitriol*) gebildet. Dort entstehen auch 24R,25-Dihydroxycholecalciferol (*24R-Hydroxycalcidiol*) u. 1S,24R,25-Trihydroxycholecalciferol (*Calcitetrol*). Calcitriol fördert nicht nur die Calcium- u. Phosphatresorption im Darm u. – zusammen mit *Parathyrin – die Mobilisierung von Calcium aus den Knochen, sondern besitzt auch Wirkung auf Differenzierung von *Monocyten (s. a. Makrophagen), die Verhornung der Haut u. die Sekretion von *Thyrotropin. 24R-Hydroxycalcidiol bewirkt die Mineralisation. Bei der *Regulation des Calcium-Stoffwechsels wirken die V. D_3-Metaboliten als Hormone, ähnlich wie *Steroide, durch Bindung an ein *Kernrezeptor-Protein u. anschließende Regulation der *Transkription. Neuerdings werden jedoch auch Effekte des Calcitriols angenommen, die nicht über die Transkription der Gene vermittelt werden[30]. Zum evtl. Einfluß auf Multiple Sklerose s. *Lit.*[31].
Eine Folge von V. D-Mangel ist das Auftreten von *Rachitis* (Engl. Krankheit), insbes. bei Säuglingen u. Kleinkindern. Beim Erwachsenen tritt durch Entmineralisierung des Skeletts ein Knochenumbau mit Deformationen der Röhrenknochen, des Beckens u. des Brustbeins ein (*Osteomalazie*). Die Ursache des V. D-Mangels liegt häufig in zu geringer Sonnenbestrahlung (früher auch aus mod. Gründen, heute vermehrt als Folge der *Luftverunreinigungen) u. dadurch verminderter V. D_3-Synth. in der Haut. Zur *Rachitisprophylaxe* dienen Sonnen- u. UV-Bestrahlung – aus dem gleichen Grund ist Rachitis im sehr sonnigen Tropengürtel fast unbekannt – sowie Zufuhr von *Lebertran od. reinem V. D, das deshalb auch als *antirachit. V.* bezeichnet wurde. Die Dtsch. Ges. für Ernährung empfiehlt Tagesdosen von 10 µg V. D_3 für Kinder u. von 5 µg für Erwachsene. Die internat. Einheit entspricht 0,025 µg krist. V. D_3 u. bedeutete früher 1 mg eines nach internat. Standard bestrahlten Ergosterins, gelöst in einem pflanzlichen Öl. In der menschlichen Haut werden durch Sonnenbestrahlung im Normalfall ca. 1 IE/cm^2, max. ca. 15 IE/cm^2 gebildet.
V. D ist eines der wenigen V., bei denen es zu *Überdosierungserscheinungen* kommen kann. Dabei wird Calcium aus den Knochen mobilisiert (*Hypercalcämie*) u. in weichen Geweben, bes. in Nieren u. Blutgefäßen abgelagert. Die D-Hypervitaminose äußert sich in Appetitlosigkeit, Magen-Darm-Störungen, Kopfschmerzen, Schwäche, Gew.-Verlust, Muskelschwäche u. -zuckungen, Hypertonie u. schließlich Hemmung der Nierenfunktion. Neben Entzug des V. wird Calcium-arme Diät u. reichlich Flüssigkeits-Zufuhr sowie in schweren Fällen Verabreichung von Glucocorticoiden (s. Corticosteroide) – diese haben einen antagonist. Effekt – verordnet. Eine im Voralpengebiet beobachtete „Weidekrankheit" von Rindern u. Schafen, die mit der Verkalkung der Gefäße u. inneren Organe einhergeht, führte zur Entdeckung, daß „tier." V. D_3 u. die hochaktiven *Hydroxycholecalciferole auch in Pflanzen (z. B. Goldhafer, *Trisetum flavescens*) vorkommen können.

Geschichte des V. D: Rachitis u. Osteomalazie wurden von Whistler 1645 erstmals genau beschrieben, die heilende Wirkung des Lebertrans bei Rachitis 1807 von Bardsley. 1919 berichtete Huldschinsky von einer Rachitistherapie durch UV-Licht, u. McCollum isolierte 1922 ein V. D-Präp. aus Lebertran. Unabhängig voneinander fanden 1924 u. 1925 Steenbock u. A. F. Hess den Zusammenhang zwischen der Heilwirkung von Lebertran u. UV-Licht, aber erst 1932 konnten Windaus u. Hess bzw. Askew et al. tatsächlich V. D_2 durch UV-Bestrahlung aus Ergosterin gewinnen. Die Konstitution wurde von Windaus, Heilbron u. Spring 1935–1936 abgeleitet. Das V. D_3 wurde 1936 von *Brockmann aus Thunfischleberöl isoliert u. mit partialsynthet. aus Cholesterin hergestelltem V. verglichen. Bes. durch Arbeiten von DeLuca sind heute als eigentlich wirksame V. D-typ. Agonisten ein- bis zweifach hydroxylierte Calciferole anzusehen.

V. E-Gruppe[32]:
Sammelbez. für fettlösl., natürlich vorkommende Verb. mit einem Chroman-Grundgerüst u. einer C_{16}-Seitenkette, deren Vork., chem. u. physikal. Eigenschaften unter Tocopherole abgehandelt sind. Meist wird α-*Tocopherol* (einschließlich seiner Ester) als das eigentliche V. E bezeichnet, neben dem die β- bis η-Tocopherole (zur Nomenklatur s. *Lit.*[33]) nur eine geringe Rolle spielen.
1920 zeigten Matill u. Conklin, daß ausschließlich mit Milch gefütterte Ratten steril wurden, u. Evans u. Bishop stellten 1922 fest, daß *Weizenkeimöle u. a. Pflanzenöle einen Faktor enthielten (*Antisterilitäts-V.*), der die Fertilitätsstörungen zu beheben vermochte – nach den bisherigen Betrachtungen üben die Tocopherole allerdings nur bei einzelnen Tierarten eine Wirkung auf die Entwicklung der *Keimdrüsen aus. Bei anderen Tierarten wirkt V. E auf den Kreislauf, das Skelett od. das Nervensystem. Ein allg. Symptom von V. E-Mangel bei Tieren ist eine Degeneration der Muskelzellen. Beim normalen Erwachsenen beträgt der Serumgehalt an V. E ca. 10 mg/L u. beim Neugeborenen ca. 5 mg/L, denn V. E wird nur z. T. von der *Placenta durchgelassen. Kolostrum u. die erste *Humanmilch enthalten dagegen sehr viel Tocopherol. V. E wird in Leber u. Fettgewebe gespeichert, außerdem ist es in Hypophyse, Nebennieren, Uterus u. Testikeln zu finden. Zur Resorption im Dünndarm wird Galle benötigt. Im Harn können als Stoffwechselprodukte, die D-Glucuronide von *Tocopheronsäure* [4-Hydroxy-4-methyl-6-(2,4,5-trimethyl-3,6-dioxo-1,4-cyclohexadienyl)-hexansäure] u. deren Lacton, auftreten. Hauptsächlich scheint V. E durch Abfangen von *Hyperoxid u. *Peroxiden als *Antioxidans für ungesät. Fettsäuren, für LDL (s. Lipoproteine), für V. A u. Carotine zu fungieren; auch für *Ubichinon wird ihm eine Schutzfunktion zugesprochen. Daneben übt V. E Einfluß auf den *Arachidonsäure-Stoffwechsel aus (Hemmung der Thromboxan-, Erhöhung der Prostacyclin-Biosynth.) u. wirkt entzündungshemmend. Durch erhöhte V. E-Zufuhr soll das Risiko für Herz- u. Gefäßerkrankungen sowie einige Krebsarten herabgesetzt, die Immunfunktion gestärkt u. der Fortgang einiger degene-

rativer Prozesse verlangsamt werden. Gentechn. ist es möglich geworden, den V. E-Gehalt von pflanzlichen Ölen zu steigern[34].

Eine typ. E-Avitaminose ist beim Menschen selten (nur bei schweren, langandauernden Resorptionsstörungen), doch ist der Bedarf an V. E bei Aufnahme großer Mengen ungesätt. Fettsäuren (essentielle Polyen-Fettsäuren, häufig als *V. F* bezeichnet) stark erhöht, wobei man ca. 0,6 mg pro g Fettsäure als Mindestbedarf ansehen kann. Anzeichen eines V. E-Mangels sind die Anhäufung von *Lipofuszin sowie erhöhte Lipid-Peroxidation. Klin. können Muskelschwäche u. neurodegenerative Veränderungen festgestellt werden. Eine tägliche Zufuhr von 10–30 mg V. E wird für notwendig gehalten; die Empfehlungen der Dtsch. Ges. für Ernährung lauten: 8 mg/d für Kinder u. 12 mg/d für Erwachsene. Als internat. Einheit gilt 1 mg α-Tocopherolacetat. Überdosierungserscheinungen sind nicht bekannt.

Therapeut. wird V. E bei Fettresorptionsstörungen u. bei Einnahme großer Mengen ungesätt. Fettsäuren angewandt, außerdem bei Durchblutungsstörungen (Raucherbein), Neuritiden, Collagenosen u. Hautkrankheiten. V. E wird auch für kosmet. Anw. als Lichtschutzmittel u. Antiseborrhoikum propagiert. Seit langem dient V. E bei Tieren auch zur Regulierung von Fruchtbarkeitsstörungen. Die Wirksamkeit des V. E bei Störungen in Anlage u. Funktion der Fortpflanzungsorgane konnte beim Menschen nicht nachgewiesen werden, doch wird Tocopherol bei Abortgefahr, klimakter. u. a. gynäkol. Beschwerden appliziert.

V. F:
Im Alltag, bes. in der Werbung, trotz des Fehlens eigentlicher V.-Kriterien noch gebräuchliche Bez. für die *essentiellen *Fettsäuren*, insbes. *Linolsäure, *Linolensäure u. *Arachidonsäure, die vom Organismus nicht in genügender Menge synthetisiert werden; der Minimalbedarf des Menschen wird mit 1–2% der Kalorienzufuhr, d.h. mit 5–7 g/d angegeben – bei echten V. bewegen sich die Tagesdosen im µg- bis mg-Bereich. Erhöhte Einnahme steigert den V. E-Bedarf. Die *Polyen-Fettsäuren sollen für Wachstum u. Stoffwechsel erforderlich sein u. den Serum-Cholesterin-Spiegel zu senken vermögen. Ihr Fehlen wurde mit Hautschäden (Ekzemen, Schuppenbildung) in Verbindung gebracht. Ein Zusammenhang zwischen ungesätt. Fettsäuren u. dem Verteilungsmuster der *Lipoprotein-Fraktionen wird vermutet. Gesichert ist dagegen die Rolle v.a. der Arachidonsäure bei der Biogenese der *Prostaglandine u. *Leukotriene.

V. G:
Frühere Bez. für Riboflavin, s.a. bei V. B_2.

V. H:
Synonym für Biotin, s. a. bei V. B-Gruppe.

V. H':
Ungebräuchliche Bez. für 4-*Aminobenzoesäure.

V. I* od. *J:
Angeblich in Zitronen, Apfelsinen, Vogel- u. Holunderbeeren, nachgewiesener Wirkstoff mit V. C-ähnlichen Eigenschaften, der bei Pneumonien wirksam sein soll.

V.-K-Gruppe [35]***:***
Sammelbez. für fettlösl. V., denen im allg. das Grundgerüst des *2-Methyl-1,4-naphthochinons zugrunde liegt, das seinerseits häufig als V. K_3 bezeichnet wird. Die in der Natur vorkommenden V. K_1 u. K_2 tragen – analog V. E (Tocopherol), *Plastochinon u. *Ubichinon – in 3-Stellung eine *isoprenoide Seitenkette. Die Kettenlängen werden, auch zur Unterscheidung synthet. Analoga, durch eingeklammerte Indizes charakterisiert; zur Nomenklatur s. *Lit.*[36]. Die V. K sind mit ihren chem. u. physikal. Eigenschaften, Vork. u. Stoffwechsel, Herst. u. Verw. bei *2-Methyl-1,4-naphthochinone dargestellt.

Zu den V. K im engeren Sinne zählen nur *Phyllochinon* [V. $K_{1(20)}$, internat. Freiname *Phytomenadion*] als vom Menschen spezif. mit der Nahrung aufzunehmende V. K-Form u. das von den Bakterien der Darmflora in V. K_1 umgewandelte *Menachinon-7* [V. $K_{2(35)}$, internat. Freiname *Farnochinon*]. Daneben gibt es eine Reihe synthet. Derivate, die unterschiedlich starke V. K-Wirkung zeigen, u. U. gepaart mit tox. Eigenschaften; *Beisp.:* Menadion (V. K_3, Menaphthon), *Menadiol (V. K_4), 4-Amino-2-methyl-1-naphthol (V. K_5), 2-Methyl-1,4-naphthalindiamin (V. K_6), 4-Amino-3-methyl-1-naphthol (V. K_7), 3-[(3-Methyl-1,4-naphthochinon-2-yl)-thio]-propionsäure [V. K-S(II)] sowie *Phthiokol.

V. K-Mangel führt zu einer Senkung des Blutspiegels an *Prothrombin u. a. Gerinnungsfaktoren u. damit zu Störungen der *Blutgerinnung; er äußert sich in Blutungen im Unterhautzellgewebe, in der Muskulatur, im Darm u. a. Organen, was durch V.K-Gaben wieder behoben werden kann. Dieser antihämorrhag. Effekt hat dem V. auch die Bez. K = *Koagulations-V. (Antihämorrhag. V.)* eingebracht. Auf mol. Ebene ist V. K als Cofaktor bei der Carboxylierung der Position 4 von bestimmten L-Glutaminsäure-Resten Calcium-Ionen-bindender Proteine beteiligt, welche neben Prothrombin auch als Faktoren VII, IX u. X an der Blutgerinnung beteiligt sind. Das Ansteigen des Prothrombin-Spiegels unter dem Einfluß von V. K auf das Lebergewebe kann zu einem Leberfunktionstest benutzt werden. V. K ist auch an der Biosynth. von *Protein C beteiligt, einem Glykoprotein, das der Blutgerinnung entgegenwirkt, sowie von *Osteocalcin, einem Protein der Knochen-Matrix.

Der tatsächliche Bedarf an V. K, für das ein internat. Standard noch nicht existiert, ist nicht bekannt. Er wird jedoch bei normaler Ernährung in Verbindung mit der Tätigkeit der Darmbakterien ausreichend gedeckt. Als RDA werden 30–60 µg für Kinder u. 60–80 µg für Erwachsene angegeben. Die Gefahr eines Mangels kann bei Säuglingen entstehen, deren Mütter nicht genügend mit V. K versorgt waren od. die mit *Antikoagulantien auf *1,3-Indandion- od. *Cumarin-Basis zur *Thrombose-Prophylaxe behandelt worden sind. *Dicumarol, *Warfarin u. a. Cumarin-Derivate sind als Antagonisten für V. K bekannt.

Geschichte des V. K: 1929 konnte *Dam bei Küken ernährungsbedingte Hämorrhagien (Blutungen) erzeugen, die sich nur durch Verfütterung grüner Blätter u. verschiedener Gemüse beheben ließen, in denen Dam einen fettlösl. Faktor mit antihämorrhag. Wirkung (V. K) vermutete. Die Isolierung des V. K_1 aus Luzerne gelang 1939 etwa gleichzeitig Dam, McKee, P. Karrer u. *Fieser. Im gleichen Jahr isolierte *Doisy

V. K_2 aus faulendem Fischmehl u. klärte die Konstitution der K-V. auf, wenn auch das $K_{2(35)}$, das im Fischmehl nur ein Nebenprodukt darstellt, bis 1958 für ein $K_{2(30)}$ gehalten wurde. Ebenfalls 1939 synthetisierten Doisy, Klose u. Fieser das V. K_1, während die Synth. des V. K_2 erst 1958 durch Isler erfolgte.

V. L-Gruppe:
Bez. für Stoffe, die für die *Laktation notwendig sein sollen: V. L_1 ist 2-*Aminobenzoesäure (Anthranilsäure), V. L_2 ist 7-[Tetrahydro-3,4-dihydroxy-5-(methylthiomethyl)-2-furyl]-adenin.

V. M:
Neben V. B_9 od. B_c ungebräuchliche Bez. für *Folsäure (s. a. bei V. B-Gruppe).

V. P:
Gelegentlich benutzte Bez. für das auch *Antipermeabilitäts-V.* genannte *Rutin. Zur V. P-Gruppe zählte man auch die mit Rutin heute allg. als Bioflavonoide zusammengefaßten Verb. *Troxerutin (V. P_4), Hesperidin (s. Hesperetin), Citrin u. verwandte *Flavonoide. Diese Stoffe sind keine V. im engeren Sinn, da es nicht gelingt, durch diätet. Maßnahmen einen V. P-Mangelzustand zu erzeugen.

V. PP:
Synonym für *Nicotinsäure(-amid), s. a. bei V. B-Gruppe.

V. Q:
Ein in einem Phospholipid-Extrakt von *Sojabohnen aufgefundener Faktor (möglicherweise ein *Lektin), der wesentlich zur *Blutgerinnung beitragen soll. Als *Coenzym Q* wird dagegen das *Ubichinon bezeichnet.

V. T:
Aus Termiten, später auch aus Hefen u. a. Substraten gewonnenes u. daher auch als *Termitin* od. *Torutilin* bezeichnetes Gemisch von Substanzen (möglicherweise der V. B-Gruppe) mit angeblichen Wuchsstoff-Eigenschaften.

V. U:
Ungebräuchliche Bez. für *S-Methyl-L-methioninsulfoniumchlorid (Cabagin U, MMSC, S-Methyl-L-methioniniumchlorid). Dieses wirkt gegen Magengeschwüre usw. (*Ulcus) u. wird daher auch *Antiulcus-V.* od. *Ulcus-Schutzfaktor* genannt. – *E* vitamins – *F* vitamines – *I* vitamine – *S* vitaminas

Lit.: [1] Liebecq, Compendium of Biochemical Nomenclature and Related Documents, London: Portland 1991. [2] Deutsche Gesellschaft für Ernährung, Empfehlungen für die Nährstoffzufuhr, 5. Auflage, Frankfurt/M.: Umschau 1991. [3] Ann. Clin. Biochem. **34**, 599–626 (1997). [4] Ullmann (5.) **A 27**, 443–613. [5] Int. J. Vitamin Nutr. Res. **67**, 71–90 (1997); Int. Rev. Cytol. **135**, 1–38 (1992); Prog. Retinal Eye Res. **17**, 9–31 (1998). [6] Pure Appl. Chem. **55**, 721–726 (1983). [7] Annu. Rev. Nutr. **16**, 205–234 (1996). [8] Eur. J. Biochem. **40**, 325 ff. (1973); Pure Appl. Chem. **33**, 445–452 (1973). [9] Pure Appl. Chem. **48**, 495–502 (1976). [10] Angew. Chem. **109**, 1097–1111 (1997). [11] Eur. J. Clin. Nutr. **51**, Suppl. 1, S 38 – S 42 (1997). [12] Nutr. Res. **14**, 293–324 (1994). [13] Nutr. Res. **17**, 1199–1207 (1997). [14] Am. J. Clin. Nutr. **66**, 741–749 (1997); Baillieres Clin. Haematol. **8**, 441–459, 479–601, 639–697 (1995); Drugs Aging **12**, 277–292 (1998); Kräutler et al., Vitamin B_{12} and B_{12} Proteins, Weinheim: Wiley-VCH 1998. [15] Angew. Chem. **107**, 421–452 (1995). [16] Curr. Opin. Struct. Biol. **6**, 798–803 (1996); Int. J. Vitam. Nutr. Res. **67**, 377–384 (1997). [17] Ann. Nutr. Metab. **41**, 331–343 (1997); Annu. Rev. Nutr. **16**, 73–97, 501–521 (1996); Baillieres Clin. Haematol. **8**, 441–478, 533–566, 603–637, 679–697 (1995); Nutrition **13**, 975 ff. (1997); Nutr. Rev. **54**, 94 f. (1996). [18] Eur. J. Biochem. **168**, 251 ff. (1987). [19] Eur. J. Clin. Nutr. **51**, Suppl. 1, S 64 f. (1997). [20] Coron. Artery Dis. **7**, 321–326 (1996). [21] Horm. Res. **45**, Suppl. 1, 39–43 (1996). [22] Eur. J. Clin. Nutr. **51**, Suppl. 1, S 62 f. (1997); Vitam. Horm. **46**, 165–228 (1991). [23] Biochem. Arch. **13**, 207–213 (1997); Int. J. Vitamin Nutr. Res. **66**, 19–30 (1996); Paoletti et al., Vitamin C. The State of the Art of Disease Prevention Sixty Years After the Nobel Prize, Berlin: Springer 1998. [24] Nature (London) **393**, 365–369 (1998). [25] J. Am. Coll. Nutr. **14**, 116–123 (1995). [26] J. Am. Coll. Nutr. **14**, 124–136 (1995). [27] Inflamm. Res. **47**, 451–475 (1998); J. Bone Mineral Res. **13**, 325–349 (1998); Nutr. Rev. **56**, 148–150, S 4 – S 10 (1998); Physiol. Rev. **78**, 1193–1231 (1998); Trends Endocrinol. Metab. **9**, 259–265 (1998). [28] Eur. J. Biochem. **186**, 453 ff. (1989). [29] Proc. Soc. Exp. Biol. Med. **212**, 305–312 (1996). [30] Trends Endocrinol. Metab. **9**, 419–427 (1998). [31] Proc. Soc. Exp. Biol. Med. **216**, 21–27 (1997). [32] Biofactors **7**, 41–50 (1998); Eur. J. Clin. Nutr. **51**, Suppl. 1, S 80 – S 85 (1997); Nutrition **13**, 450–460 (1997); Postgrad. Med. **102**, 199 ff., 206 f. (1997). [33] Pure Appl. Chem. **54**, 1507–1510 (1982). [34] Science **282**, 2098 ff. (1998). [35] Nutr. Rev. **55**, 282 ff. (1997); **56**, 223–230 (1998). [36] Pure Appl. Chem. **38**, 439–447 (1974).

allg.: Am. J. Clin. Nutr. **66**, 427–437 (1997) ■ Biesalski et al., Vitamine. Pathophysiologie, Therapie, Stuttgart: Thieme 1996 ■ Biesalski u. Classen, Elektrolyte, Vitamine, Spurenelemente. Kriterien eines erhöhten Bedarfs in Zielorganen bei normalen Plasmawerten, Stuttgart: Thieme 1995 ■ Kirk-Othmer (4.) **24**, 1–283 ■ Kräutler, Golding u. Arigoni (Hrsg.), Vitamin B_{12} and B_{12}-Proteins, Weinheim: Wiley-VCH 1998 ■ Leeper u. Vederas, Biosynthesis, Polyketides and Vitamins, Berlin: Springer 1998 ■ Mccormick et al., Vitamins and Coenzymes, Parts I, J, K, L, San Diego: Academic Press 1997 ■ Ullmann (5.) **A 27**, 443–613.

Vitamin(is)ierung s. Vitamine.

Vitaminoide s. Vitamine.

Vitasprint B_{12}®. Ampullen, Lsg. u. Kapseln mit L-*Glutamin, O-Phosphono-DL-*serin u. *Cyanocobalamin gegen Leistungs- u. Konzentrationsschwäche, in der Rekonvaleszenz. *B.:* Brenner-Efeka.

Vitel®. Harze auf der Basis gesätt., linearer Polyester für Beschichtungen u. Klebstoffe. *B.:* Krahn.

Vitellin (von latein.: vitellus = Eidotter). 1. Sammelbez. für heterodimere *Phosphoproteine (M_R 380 000, ca. 1% Phosphat), die in zwei ähnlichen, v. a. im Phosphor-Gehalt unterschiedenen Formen als *Reservestoffe im Eidotter des Huhns (sowie anderer eierlegender Tiere) vorkommen (*Ovovitellin*), u. zwar an *Lipide gebunden; das resultierende *Lipoprotein heißt *Lipovitellin*[1]. Gemeinsame biosynthet. Vorstufe von V. u. *Phosvitin ist *Vitellogenin*, dessen Biosynth. in der Leber (bei Insekten im Fettkörper) durch *Estrogene stimuliert wird. Die Aufnahme von Vitellogenin in die Eizelle erfolgt mit Hilfe des Vitellogenin-Rezeptors, der zur LDL-Rezeptor-Superfamilie gehört[2]. In der Eizelle wird Vitellogenin durch *Kathepsin D gespalten u. V. freigesetzt. Überraschenderweise ist Vitellogenin mit dem von-Willebrand-Faktor verwandt, einem bei der Aggregation von *Thrombocyten beteiligten Glykoprotein.

2. Als *V.-Schicht* (bei Säugern: *zona pellucida*) wird eine aus Glykoproteinen bestehende, spezialisierte Form der *extrazellulären Matrix bezeichnet, die die Plasma-Membran der Eizelle umgibt u. *Rezeptoren für *Bindine (vgl. a. Akrosom) enthält.

3. Nur noch selten gebrauchtes Synonym für *Lecithine. – *E* vitellin – *F* vitelline – *I* vitellina – *S* vitelina
Lit.: [1] Science **257**, 652–655 (1992). [2] Int. Rev. Cytol. **166**, 103–137 (1996).

Vitellogenin s. Vitellin.

Vitenur® (Rp). Brause- u. Filmtabl., Granulat u. Saft mit dem *Mucolytikum *Acetylcystein. *B.:* Orion Pharma.

Vitex agnus castus s. Mönchspfeffer.

Vitexol®-Marken. Schaumdämpfer beim Färben von Textilien. *V. A*: Antischaummittel für den Textildruck, das Pigmentfärben u. bei der Textilausrüstung. *B.:* BASF.

Vitiligo (latein.: Hautflechte). Hautleiden mit Bildung scharf begrenzter pigmentfreier weißer Hautstellen (Scheckhaut). Der Pigmentverlust kommt durch das Zugrundegehen von *Melanocyten der Epidermis (s. a. Haut) zustande. Die Ursache dafür ist unbekannt, man nimmt einen Autoimmunitätsprozeß (s. Autoimmunität) an. Die Erkrankung ist an sich harmlos, aber kosmet. bedeutsam. Sie schreitet unterschiedlich schnell voran u. kann sich auch spontan zurückbilden. Eine Behandlung wird mit *Photochemotherapie versucht, ansonsten ist keine wirksame Therapie bekannt. – *E* = *F* vitiligo – *I* vitiligine – *S* vitíligo
Lit.: Hautarzt **48**, 677–693 (1997).

Vitisine s. Weinphenole.

Vitispirane [6,9-Epoxy-3,5(13)-megastigmadiene].

$C_{13}H_{20}O$, M_R 192,30, Öl, Sdp. 57–59 °C (26,6 Pa); Megastigman-Sesquiterpen. Natürliches V. ist eine Mischung der (6*R*)- u. (6*S*)-Epimeren. Vork. im Traubensaft u. im Vanillearoma, in Honig[1], Quitten[2], Weintrauben, Grapefruitsaft u. Geraniumöl. Der Geruchseindruck der V. wird entscheidend von deren Stereochemie beeinflußt. Über den Beitrag der V. am Fehlaroma von Rieslingweinen u. die Biogenese aus glykosid. gebundenen C_{13}-norisoprenoiden Triolen (z. B. 3,4-Dihydroxy-7,8-dihydro-β-jonol) berichtet *Lit.*[2–4]; s. a. Vanille u. Theaspirane. – *E* = *F* vitispiranes – *I* vitispirani – *S* vitispiranos
Lit.: [1] Dtsch. Lebensm. Rundsch. **87**, 35f. (1991). [2] J. Agric Food Chem. **36**, 1251–1256 (1988). [3] Lebensmittelchemie **45**, 7–10 (1991). [4] J. Agric. Food Chem. **39**, 1825–1829 (1991). *allg.:* J. Org. Chem. **61**, 1825 (1996) • Ohloff, S. 137, 157, 168f. ▪ Würdig u. Woller, Chemie des Weines, S. 384, Stuttgart: Ulmer 1989. – *[CAS 65416-59-3]*

Vitrain s. Steinkohle.

Vitreolent® Plus. Augentropfen mit *Cytochrom C, *Adenosin u. *Nicotinsäureamid gegen Glaskörpertrübungen u. -blutungen. *B.:* Dispersa.

Vitrinit. Bez. für eine *Maceral-Gruppe der *Steinkohle.

Vitriole. Veraltete Bez. für krist., *kristallwasserhaltige* Sulfate zweiwertiger Metalle, insbes. von Zink ($ZnSO_4 \cdot 7H_2O$, weißer V.), Eisen ($FeSO_4 \cdot 7H_2O$, grüner V.) u. Kupfer ($CuSO_4 \cdot 5H_2O$, blauer V.). Der Name V. (von latein.: vitrum = Glas) soll sich schon bei Plinius als Bez. für grünes, krist. Eisensulfat finden, weil dieses eine entfernte Ähnlichkeit mit grünem Glas hat, jedoch wasserlösl. ist. Verläßlichere Angaben zur Herkunft des Namens findet man in *Lit.*[1]. Von dem mittelalterlichen Wortgebrauch leiten sich auch Bez. ab wie *V.-Öl* für Rauchende Schwefelsäure (die durch therm. Zers. der V. entstand; *Nordhäuser Verf.*, s. *Lit.*[2]) u. *V.-Luft* für Sauerstoff (der aus Braunstein u. V.-Öl entstand, *Scheele). – *E* = *F* vitriols – *I* vitrioli – *S* vitriolos
Lit.: [1] Lüschen, Die Namen der Steine, S. 340f., Thun: Ott 1968. [2] Chem. Unserer Zeit **16**, 149–159 (1982). *allg.:* Ramdohr-Strunz, S. 606.

Vitriolluft s. Vitriole.

Vitriolöl s. Vitriole.

Vitriolquellen, Vitriolwässer s. Eisensäuerlinge u. Mineralwasser.

Vitrodetrinit s. Macerale.

Vitroide. In Analogie zu „Kolloide" von latein.: vitrum = Glas abgeleitete Bez. für Stoffe, die amorph glasartig erstarrende, meist durchsichtige Schmelzflüsse bilden, z. B. Elemente (glasiges Selen), Metalle u. Leg. (*amorphe Metalle), gewöhnliche anorgan. u. organ. Gläser usw., z. B. gemäß dem Schema unten. – *E* vitroids – *F* vitroïdes – *I* vitroidi – *S* vitroides
Lit.: [1] Winnacker-Küchler (4.) **3**, 99f.

Vitrokerame. Synonyme Bez. für Glaskeramiken u. Schmelzsteine.

Vitronectin (serum spreading factor, S-Protein). Bez. für ein *Serumprotein (M_R 75 000), das – ähnlich wie *Fibronectin – die Anhaftung von Kultur-Zellen an feste Oberflächen bewirkt (daher Name von latein.: vitrum = Glas u. nectere = verbinden). Von Bedeutung ist dabei die in V. enthaltene Aminosäure-Sequenz Arg-Gly-Asp (RGD), die an *Rezeptoren der Zelle bindet (*Integrine). V. beeinflußt die Wechselwirkung zwischen *Thrombin u. *Antithrombin III. – *E* vitronectin – *F* vitronectine – *I* = *S* vitronectina
Lit.: Histol. Histopathol. **12**, 787–797 (1997).

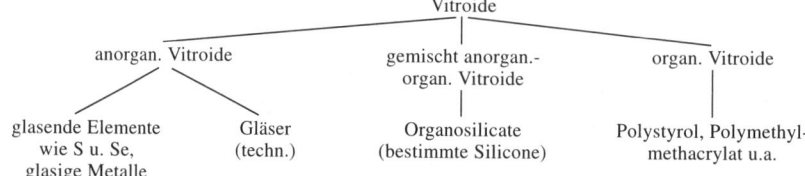

Abb.: Einteilung der Vitroide (nach *Lit.*[1]).

Vittatin. Opt. Antipode von Crinin, s. Amaryllidaceen-Alkaloide.

VI-Verbesserer. Abk. für Viskositätsindex-Verbesserer, s. Viskosität.

Vivianit (Blaueisenerz). $Fe_3[PO_4]_2 \cdot 8H_2O$; in ganz frischem Zustand farbloses od. weißes, bei Luftzutritt sofort infolge Oxid. des Eisens blau werdendes, glas- bis perlmuttglänzendes Mineral. Durchscheinende, prismat. bis stengelige, gewöhnlich zu strahligen bis faserigen Aggregaten vereinigte Krist. (bis über 1 m groß von Kamerun), Rosetten, Kugeln, *Konkretionen; auch krümelig od. erdig (*Blaueisenerde*). H. 2, D. 2,6–2,7, Strich zuerst farblos, dann blau. Lösl. in Salzsäure. Die *Struktur* von V. (s. *Lit.*[1,2]) hat bis zu etwa 40% Fe^{3+}-Gehalt monkline Symmetrie (Kristallklasse $2/m$-C_{2h}); bei mehr als 40% Fe^{3+} (*Lit.*[3]; hier auch Ablauf der Oxid.) wandelt sich V. in den triklinen (Kristallklasse $\bar{1}$-C_i) *Meta-V.* um. Untersuchung von V. mit *Mößbauer-Spektroskopie s. *Lit.*[4], mit *IR-Spektroskopie *Lit.*[5]; zur Temp.-Abhängigkeit der Löslichkeit von V. s. *Lit.*[6].
Vork.: V. entsteht in der Nähe der Erdoberfläche unter reduzierenden Bedingungen od. bei Luftabschluß beim Zusammentreffen Phosphor-haltiger Lsg. mit Eisen-Verb. bzw. von Eisen-haltigen Verwitterungs-Lsg. mit Phosphor-haltigen Substanzen. Er wird u. a. bei der Phosphat-Entfernung aus Abwässern durch Zugabe von Eisen-Salzen u. in stark mit P belasteten Unterwasser-Böden gebildet. *Beisp.:* In *Oxidationszonen von Erzlagerstätten (Bodenmais/Bayer. Wald, Cornwall/England, Oruro u. Llallagua/Bolivien[7]). In *Brauneisenerz-Lagerstätten (Amberg/Oberpfalz, Kertsch/Krim/Ukraine). In *Tonen u. Braunkohlen. An *Fossilien, z. B. in Muscheln in Kertsch/Krim. Als färbende Substanz u. Versteinerungsmittel in Knochen u. Zähnen, z. B. im sog. *Zahntürkis* (Odontolith, s. Türkis). – $E = F = I$ vivianite – S vivianita
Lit.: [1] Bull. Minéral. **103**, 135–138 (1980). [2] Fresenius Z. Anal. Chem. **333**, 401 ff., (1989). [3] Bull. Minéral. **105**, 147–160 (1982). [4] Bull. Minéral. **103**, 633–639 (1980). [5] Bull. Minéral. **110**, 697–710 (1987). [6] Geochim. Cosmochim. Acta **58**, 5373–5378 (1994). [7] Mineral. Petrol. **47**, 193–208 (1993).
allg.: Lapis **4**, Nr. 4, 5 f. (1979) („Steckbrief") ■ Nriagu u. Moore (Hrsg.), Phosphate Minerals, S. 126 f., 182, 293, Berlin: Springer 1984 ■ Ramdohr-Strunz, S. 642 f. – *[CAS 14567-67-0]*

Vividrin®. Augentropfen, Inhalationslsg. u. Nasenspray mit *Cromoglicinsäure-Dinatriumsalz gegen allerg. Bindehautentzündung bzw. Heuschnupfen, *V. comp.* Spray zusätzlich mit *Xylometazolin-hydrochlorid, *V. akut* Spray mit *Azelastin-Hydrochlorid u. *V. Tabs* (Rp) mit *Terfenadin. *B.:* Mann.

vivimed®. Saft, Suppositorien, Tabl. mit dem *Analgetikum u. *Antipyretikum *Paracetamol gegen Schmerzen u. Fieber. *B.:* Mann.

Vivinox®-Schlafdragées. Dragées mit *Diphenhydramin-hydrochlorid, Baldrian- u. Hopfenextrakt. *B.:* Mann.

Vivural®. Brausetabl. mit Calciumcarbonat gegen Calcium-Mangel bei Tetanie u. Osteoporose. *B.:* Procter & Gamble Pharmaceuticals.

VK. Abk. für *Verdunstungskoeffizient.

VKE. Abk. für *Verband Kunststofferzeugende Industrie e. V.

VK-Verfahren. Bez. für ein Verf. zur *Polymerisation von *Caprolactam, bei dem 6-Aminocapronsäure od. das AH-Salz (s. Nylon) als *Initiator eingesetzt wird u. die Polymer-Schmelze vereinfacht (d. h. drucklos) u. kontinuierlich direkt aus dem Reaktor heraus zu Fasern versponnen werden kann.

VLA. Abk. für *very late(-appearing) antigens.

VLB (Vincaleukoblastin) s. Vinblastin.

VLDL s. Lipoproteine.

VLDPE. Kurzz. für *Polyethylen sehr niedriger Dichte (von *E* very *l*ow *d*ensity *p*olyethylene).

van Vleck, John Hasbrouck (1899–1980), Prof. für Physik, Harvard (USA). *Arbeitsgebiete:* Magnetochemie, Para-, Ferro- u. Ferrimagnetika, *Jahn-Teller-Effekt, Entwicklung der Kristallfeldtheorie, Metallkomplexe, Valence-Bond-Theorie; Nobelpreis für Physik 1977 (zusammen mit P. W. *Anderson u. N. F. *Mott).
Lit.: Lexikon der Naturwissenschaftler, S. 405 ■ Neufeldt, S. 231–362 ■ Umschau **77**, 783 f. (1977).

Vleminckx'sche-Lösung s. Calciumpolysulfide.

Vliesstoffe. Bez. für zu den *Textilverbundstoffen zählende, flexible, poröse Flächengebilde, die nicht durch die klass. Meth. der Gewebebindung von Kette u. Schuß od. durch Maschenbildung, sondern durch Verschlingung u./od. kohäsive u./od. adhäsive Verbindung von *Textilfasern hergestellt werden. *Vliese* sind lockere Materialien aus *Spinnfasern od. *Filamenten, meist aus Polypropylen, Polyester od. Viskose hergestellt, deren Zusammenhalt im allg. durch die den Fasern eigene Haftung gegeben ist. Hierbei können die Einzelfasern eine Vorzugsrichtung aufweisen (*orientierte* od. *Kreuzlage-Vliese*) od. ungerichtet sein (*Wirrvliese*). Die Vliese können mechan. verfestigt werden durch Vernadeln, Vermaschen od. durch Verwirbeln mittels scharfer Wasserstrahlen (sog. *spunlaced* V.). Adhäsiv verfestigte V. entstehen durch Verkleben der Fasern mit flüssigen Bindemitteln (Acrylat-Polymere, SBR/NBR, Polyvinylester- od. Polyurethan-Dispersionen) od. durch Schmelzen bzw. Auflösen von sog. Bindefasern, die dem Vlies bei der Herst. beigemischt wurden. Bei der kohäsiven Verfestigung werden die Faseroberflächen durch geeignete Chemikalien angelöst u. durch Druck verbunden od. bei erhöhter Temp. verschweißt. V. aus sog. *Spinnvliesen*, d. h. durch Erspinnen u. anschließendes Ablegen, Aufblasen od. Aufschwemmen auf ein Transportband hergestellte Flächengebilde, nennt man *Spinnvliesstoffe* (*E* spunbondeds). Zusätzliche Fäden, Gewebe od. Gewirke enthaltende V. gelten als *verstärkte Vliesstoffe*. Aufgrund der Vielzahl zur Verfügung stehender Rohstoffe, Kombinationsmöglichkeiten u. Verfestigungstechniken lassen sich V. mit beliebigen, zweckspezif. Eigenschaften gezielt herstellen. Wie alle *Textilien lassen sich auch V. den Prozessen der *Textilveredlung unterziehen.
Verw.: Als Einlagestoffe in der Bekleidungs- u. Schuh-Ind., für Stretch-Materialien, Filter, Lastenfallschirme, Kunstleder, „Wegwerfartikel" wie Staub-

tücher, Windeln, Isoliermaterial, als Bodenbeläge, Ölaufsaugemittel, Schleifscheiben usw.
Geschichte: Die V. gehen auf den Deutschen Nottebohm u. den Holländer ten Cate zurück, die Anfang der 30er Jahre Verf. zur Herst. von Kunstlederunterlagen aus mit Naturkautschuk verklebten Faservliesen entwickelten.
Wirtschaft: 1996 betrug der Weltverbrauch an V. ca. 2 Mio. t im Wert von ca. 7,5–8 Mio. US $. Davon entfielen auf Nordamerika 37%, Westeuropa 26%, Japan 12%, China 6% u. die übrigen Regionen 19% (*Lit.*[1]).
– *E* non-wovens, spunbonded fabrics – *F* non-tissés – *I* velli – *S* telas no tejidas
Lit.: [1] Melliand Textilber. **3**, 123 (1998).
allg.: DIN 61210: 1982-01 ▪ DIN EN 29092: 1992-08 ▪ Encycl. Polym. Sci. Eng. **10**, 204–253 ▪ Hager (5.) **1**, 22 ▪ Kirk-Othmer (4.) **17**, 303–368 ▪ Ullmann (4.) **23**, 729–745; (5.) **A 10**, 562 f., 599 f.; **A 17**, 565–587. – *Organisation:* European Disposables and Nonwovens Association (EDANA), av. E. Plasky 157, B-1030 Bruxelles ▪ s. a. Textilien.

VLPP. Abk. für *E very low pressure pyrolysis*, s. Blitzpyrolyse.

VLSI. Abk. für Very-Large-Scale-Integrated Circuit. Integrierter Schaltkreis (Chip) mit mind. 20 000 log. Schaltgliedern (Gatter); s. a. Silicium (Verw.).

V_{mn} s. Normvolumen.

VMQ. Kurzz. für Methylsilicon-Kautschuk mit Vinyl-Gruppen, s. Silicone (Silikonkautschuke).

VM-Reagenz s. Vanadat-Molybdat-Reagenz.

V_n s. Normvolumen.

VNF. Abk. für Vorhof-Natriuretischer Faktor, s. Atrionatriuretischer Faktor.

V. O. s. V. S. O. P.

VOC. Abk. für *E volatile organic compounds* (gelegentlich: *c*hemicals; in der Analytik auch: *c*arbon) = flüchtige organ. Verb. (bzw. Kohlenstoff in flüchtigen organ. Verb.). In der Analytik wird auch die Bez. POC, Abk. für *E purgeable organic compounds* (*c*arbon), für die bei bestimmten Probenaufbereitungsverf. z. B. aus verunreinigtem Wasser flüchtigen organ. Stoffe benutzt[1] (vgl. POC).
VOC in der Atmosphäre stammen überwiegend von Pflanzen u. spielen eine große Rolle für die Photochemie in der Troposphäre. Sie werden von UV-Licht u. v. a. *Photooxidantien – mit Ausnahme einiger weitgehend od. vollständig halogenierter Verb. (s. FCKW, Fluorkohlenwasserstoffe u. Halone) – recht schnell abgebaut, wobei jedoch *Ozon u. a. Photooxidantien u. unter geeigneten Klimabedingungen auch *Photosmog entsteht. Die VOC-Emissionen aus dem produzierenden Gewerbe werden durch *thermische Gasreinigung u. a. *Abluftreinigung, die aus dem Verkehrsbereich durch Anw. von *Dreiwege-Katalysatoren u. a. Maßnahmen reduziert. Im Rahmen des Genfer Übereinkommens über weiträumige Luftverunreinigung von 1979 ist 1991 in Sofia ein Protokoll zur Verminderung der VOC-*Emissionen für NMVOC (*E* non-methane VOC = VOC ohne Methan) vereinbart worden, das die BRD im Vgl. zum Stand von 1988 zu einer Verminderung der anthropogenen VOC-Emissionen um 30% bis 1999 verpflichtete[2]. In diesem Zusammenhang sind VOC alle organ. Verb. „anthropogener Art", die durch Reaktion mit *Stickstoffoxiden *Photooxidantien bilden können. Diese Emissionen lagen 1988 bei 3,2 Mio. t, 1994 nur noch bei 2,1 Mio. t (*Lit.*[3]). – *E = I* VOC

Lit.: [1] American Society for Testing and Materials (Hrsg.), ASTM D 5790-1995. [2] BGBl. II, S. 2358 (1994). [3] Umwelt (BMU) **1997**, 462 f.
allg.: American Society for Testing and Materials (Hrsg.), ASTM D 5466-1995 (Determination of Volatile Organic Chemicals in Atmospheres) ▪ DIN ISO 55649: 1998-10 (VOC in Dispersionsfarben) ▪ DIN ISO 11890-1 u. -2: 1998-03 (VOC in Beschichtungsstoffen) ▪ VDI-Richtlinie 3483-2 u. -14: 1981-11 (Messen der Summe organ. Stoffe ohne bzw. mit Methan) ▪ VDI-Richtlinie 3495-1: 1980-09 (Bestimmung der durch Adsorption an Kieselgel erfaßbaren organ. gebundenen Kohlenstoffs in Luft).

VÖCh. Abk. für *Verein Österreichischer Chemiker.

Vögelvertreibungsmittel s. Vergrämungsmittel u. Repellentien.

Vögtle, Fritz (geb. 1939), Prof. für Organ. Chemie, Univ. Würzburg, Bonn. *Arbeitsgebiete:* Supramol. Chemie, mol. Erkennung bioorgan. Chemie, vielgliedrige u. deformierte Kohlenstoff-Ringe, Cyclophane, Kronenether, Kryptate, Ionophore, Siderophore, helikale u. planar-chirale Mol., chiropt. Eigenschaften, Valenzisomerisierung, Cope-Umlagerung, Nomenklatur.
Lit.: Kürschner (16.), S. 3876 ▪ Wer ist wer, S. 1484.

Vogel, Emanuel (geb. 1927), Prof. für Organ. Chemie, Univ. Köln. *Arbeitsgebiete:* Kleine Kohlenstoff-Ringe, Annulene, Arenoxide, Porphyrine u. Strukturvariante.
Lit.: Kürschner (16.), S. 3880 ▪ Wer ist wer (36.), S. 1486.

Vogelbeeren s. Eberesche.

Vogelknöterich. Zu den Knöterichgewächsen (Polygonaceae) gehörende, auf Wiesen, Äckern u. Schutthalden wachsende Pflanze *Polygonum aviculare* L. mit 10–60 cm langen Trieben, kriechenden Stengeln u. unscheinbaren, weißlichen bis rötlichen Blüten. Das arzneilich verwendete Kraut enthält Kieselsäure, *Gerbstoffe u. *Flavon-Glykoside u. wird volksmedizin. ähnlich wie *Schachtelhalm zu harntreibenden Tees (*Weidemanns Tee*) bei Entzündungen der Mundschleimhaut u. als Expektorans u. Sekretolytikum bei Husten verwendet. – *E* knotweed – *F* renouée des oiseaux – *I* poligono aviculare – *S* centinodia
Lit.: Bundesanzeiger 76/23.04.1987 u. 50/13.03.1990 ▪ Dtsch. Arzneimittel-Codex 1986, Stuttgart: Govi-Verl. u. Dtsch. Apoth.-Verl. 1986 ▪ Hager (4.) **6a**, 813–823 ▪ Wichtl (3.), S. 452 ff. – *[HS 1211 90]*

Vogel-Ossag-Viskosimeter s. Viskosimetrie.

Vogelwicken s. Wicken.

Vogesensäure s. Weinsäure.

Vogesit s. Lamprophyre.

Voigt, Woldemar (1850–1919), Prof. für Theoret. Physik, Königsberg u. Göttingen. *Arbeitsgebiete:* Elastizitätskonstanten von Krist., Magneto- u. Kristalloptik, Lichtbrechung, opt. Aktivität, Lichtabsorption.
Lit.: Krafft, S. 212, 252 ▪ Lexikon der Naturwissenschaftler, S. 409.

Voigt-Kelvin-Modell (Voigt-Modell). Mechan. Modell zur Beschreibung des viskoelast. Verhaltens (s. Viskoelastizität) von *Polymeren. Wie beim *Maxwell-Modell wird auch hier das Deformationsverhalten eines Polymers mit Hilfe einer Kombination aus einer Sprungfeder (zur Beschreibung des elast. Anteils) u. einem Stempel in einem Kolben (zur Beschreibung des viskosen Anteils) darzustellen versucht. Im Gegensatz zum Maxwell-Modell sind im V.-K.-M. die beiden Elemente nicht in Reihe, sondern parallel geschaltet. Sie werden daher bei Anlegen einer Spannung beide in gleichem Maße deformiert. Wie das Maxwell-Modell (zu Details s. dort) ist jedoch auch das V.-K.-M. viel zu einfach, um das komplexe viskoelast. Verhalten von Polymeren vollständig beschreiben zu können. – *E* Voigt model, Kelvin model – *I* modello di Voigt-Kelvin – *S* modelo Voigt, modelo Kelvin
Lit.: Cowie, S. 311 ▪ Tieke, S. 291.

Voigt-Modell s. Voigt-Kelvin-Modell.

Volalität. In der Ökochemie Bez. für die Flüchtigkeit von Stoffen aus Gewässern; das Gegenteil ist die Gasabsorption. Im Gleichgew. verlassen genauso viele Mol. eines gelösten Stoffes die Wasserphase wie gleichzeitig in sie hinein diffundieren. Die Gleichgewichtsverteilung zwischen der wäss. Phase u. der Gasphase wird durch den Henry-Koeffizienten H angegeben: $H = c_g/c_w$ mit c_g, c_w = Konz. in der Gas- bzw. Wasserphase (s. Henrysches Gesetz). Die Geschw. der Gleichgew.-Einstellung hängt u. a. von den Diffusionswiderständen an den Grenzschichten von Wasser u. Gas ab. Die Zeit, in der die Konz. in der Wasserphase aufgrund der V. auf die Hälfte abgesunken ist, wird als Halbwertszeit bezeichnet u. kann mit Hilfe des Henry-Koeffizienten u. der Molmasse geschätzt werden[1]. – *E* volatility – *F* volatilité – *I* volatilità
Lit.: [1] Klöpffer, Verhalten u. Abbau von Umweltchemikalien, S. 37–47, Landsberg: ecomed 1996.
allg.: van Leeuwen u. Hermens (Hrsg.), Risk Assessment of Chemicals: An Introduction, S. 49., Dordrecht: Kluwer Academic Publ. 1995.

Volatile organic compounds s. VOC.

Volaton®. *Insektizid auf der Basis von *Phoxim zur Blatt- u. Bodenbehandlung gegen Schmetterlingsraupen, Käfer u. deren Larven sowie Wanderheuschrecken in vielen Kulturen. *B.:* Bayer.

Volborthit (Usbekit). $Cu_3[(OH)_2/V_2O_7] \cdot 2H_2O$; überwiegend dunkel- bis olivgrünes, glas- bis perlmuttartig glänzendes, monoklines Mineral, Kristallklasse $2/m$-C_{2h}; zur Struktur u. chem. Formel s. *Lit.*[1]. Drei- od. sechseckige, oft rosettenförmig od. wabenartig angeordnete Blättchen, Kügelchen od. runde, faserige Aggregate; H. 3,5, D. 3,4–3,5, vollkommen spaltbar, lösl. in Säuren.
Vork.: Als sek. Mineral in *Sandsteinen (u. a. im Colorado-Plateau/USA), in *Konglomeraten (u. a. im Monument Valley/Arizona), in *Kieselgesteinen (u. a. in Ligurien/Italien; *Lit.*[1]); ferner in Usbekistan (Name Usbekit!), Kasachstan u. im Ural/Rußland. – *E* = *F* volborthite – *I* volbortite – *S* volbortita
Lit.: [1] Neues Jahrb. Mineral. Monatsh. **1988**, 385–394.
allg.: Mottana, Crespi u. Liborio, Der große BLV Mineralienführer (2.), S. 254f., München: BLV 1982 ▪ Roberts, Campbell u. Rapp, Encyclopedia of Minerals (2.), S. 925, New York: Van Nostrand Reinhold 1990. – *[CAS 12361-24-9]*

Volemulose s. Sedoheptulose.

Volhard, Jacob (1834–1910), Prof. für Chemie, München, Erlangen u. Halle. *Arbeitsgebiete:* Sarkosin-, Thiophen- u. Kreatin-Synth., Silber-Titration mit Thiocyanaten, Chlorid- u. Quecksilber-Bestimmung, Abfassung einer Liebig-Biographie; auch bekannt durch seine „Anleitung zur qualitativen Analyse", häufig als „Der kleine Volhard" bezeichnet.
Lit.: Lexikon der Naturwissenschaftler, S. 409 ▪ Neufeldt, S. 64 ▪ Pötsch, S. 439.

Volhard-Wolff-Titration. Eine Meth. der *Manganometrie* zur Mn^{2+}-Bestimmung (s. Oxidimetrie).

Volldünger s. Düngemittel.

Vollentsalzung s. Wasserenthärtung.

Vollpappe s. Pappe.

Vollpipetten s. Pipetten.

Vollreinigung. Ein Verf. des *Chemisch-Reinigens, das sich vom *Kleiderbad* durch zusätzliche *Detachur (*Fleckentfernung) unterscheidet. – *E* dry cleaning – *F* nettoyage à sec – *I* pulitura a secco – *S* limpieza en seco

Vollsynthetische Kunststoffe. Sammelbez. für alle *Kunststoffe, die nicht auf natürlichen Polymeren basieren, d.h. selbst keine natürliche Polymere sind u. auch nicht aus diesen durch (chem.) Modifizierung, z. B. durch *polymeranaloge Reaktionen, hergestellt wurden. – *E* fully synthetic plastics – *F* plastiques entièrement synthétiques – *I* materie totalmente sintetiche – *S* plásticos totalmente sintéticos

Volmac (Rp). Tabl. mit *Salbutamol-sulfat gegen Bronchialasthma u. a. Bronchospasmen. *B.:* Glaxo Wellcome.

Volmer-Regel s. Ostwaldsche Stufenregel.

Volon® (Rp). Tabl. mit *Triamcinolon, *V. A* Kristallsuspension, Creme, (Haft-)Salbe, Spray u. Lotion mit dessen Acetonid. Präp. mit zusätzlichen Stoffen (in Klammern): *V. A Rhin Neu Nasenspray* (*Phenylephrin-Hydrochlorid), *V. A Schüttelmixtur* (Zinkoxid), *V. A Tinktur* (*Salicylsäure), *V. A Salbe antibiotikahaltig* (*Neomycin-Sulfat), *V. A Solubile Ampullen* (Dihydrogenphosphat-Dikaliumsalz) gegen allerg. Symptome, Asthma, Dermatosen. *B.:* Bristol Myers Squibb.

Volpac®. Spezialpackmittel zur kontaminationsfreien Entnahme von volumetr. Lösungen. *B.:* Riedel.

Volt (Symbol: V). Nach *Volta benannte abgeleitete SI-Einheit der elektr. Spannung od. Potentialdifferenz. Als *elektrische Einheit ist 1 V definiert als *elektr. Potentialdifferenz* zwischen 2 Punkten eines fadenförmigen, homogenen u. gleichmäßig temperierten metall. Leiters, in dem bei einem zeitlich unveränderlichen elektr. Strom der Stärke 1 *Ampere zwischen den beiden Punkten die Leistung 1 *Watt umgesetzt wird: 1 V = 1 W/1 A = 1 $m^2 kg A^{-1} s^{-3}$. – *E* = *F* = *I* volt – *S* volt, voltio
Lit.: Kohlrausch, Praktische Physik 1, S. 523ff., Stuttgart: Teubner 1996.

Volta, Graf Alessandro (1745–1827), Prof. für Physik, Univ. Pavia u. Padua. V. setzte die Arbeiten von L. *Galvani fort. *Arbeitsgebiete:* Wärmeausdehnung der Gase, elektr. Erscheinungen, galvan. Strom, Entwicklung von triboelektr. Generator (Elektrophor), Strohhalmelektrometer, Plattenkondensator, *Volta-Säule* (Kupfer- u. Zink-Platten mit dazwischen befindlichen, elektrolytgetränkten Filzstreifen), Elektroskop, Spannungsreihe der Metalle.
Lit.: Krätz, Historische chemische u. physikalische Versuche, S. 86, 88, 97f., 106f., Köln: Deubner 1979 ▪ Krafft, S. 337f. ▪ Lexikon der Naturwissenschaftler, S. 409 ▪ Neufeldt, S. 1 ▪ Pötsch, S. 440. – Ein *Volta-Museum* (Tempio Voltiano) befindet sich in Como, wo Volta lange Zeit lebte.

Volta-Elemente s. galvanische Elemente.

Voltage-Clamp-Technik s. Patch-Clamp-Technik.

Voltalef®. Festes u. flüssiges *PCTFE-Polymer. Thermoplast. verarbeitbarer, unbrennbarer Kunststoff mit Beständigkeit gegen extreme Kälte (−255 °C), aggressive Chemikalien, höhere mechan. Belastungen u. gute Sperreigenschaften gegen Flüssigkeiten u. Gase. PCTFE-Öle u. -Fette sind gegen Sauerstoff beständig u. werden als Hydraulikmedium u. Schmierstoff verwandt. *B.:* Elf Atochem.

Voltametrie. Außer im Dtsch. ungebräuchliche u. wegen der Verwechslungsgefahr mit *Voltammetrie unzweckmäßige Bez. für ein von der IUPAC[1] *potentiometr. Titration mit gesteuertem Strom* (*E* controlled-current potentiometric titration) genanntes elektrochem. Analysenverf., bei dem man Titrationsvorgänge mit Hilfe einer *Potential-Vol.-Kurve* verfolgt. Bei der voltametr. Indikation einer *Maßanalyse (man sprach auch von *Potentiometrie bei konstantem Strom, Polarisationsspannungstitration od. Polarovoltrie) wird die Potentialdifferenz zwischen zwei polarisierten Metallelektroden in Abhängigkeit vom Titransvol. gemessen; Näheres s. *Lit.*[2].
Bei der *cycl. V.*[3] wird das Potential der Elektrode in einem Meßcyclus über einen weiten Bereich variiert. Der elektr. Strom durch die Probe erreicht bei charakterist. Potentiallagen Spitzenwerte, deren Amplitude Aufschluß über die Konz. der entsprechenden Substanzen gibt. Vorteilhaft ist, daß während eines Meßcyclus auch gleichzeitig die Qualität der Elektrode bestimmt wird u. man auf die Anwesenheit störender Stoffe schließen kann. Detektoren nach dem Prinzip der cycl. V. werden z. B. eingesetzt, um den TNT-Gehalt (*2,4,6-Trinitrotoluol) von belastetem Erdreich zu bestimmen. – *E* controlled-current potentiometric titration, voltametry – *F* titrage potentiométrique à courant imposé, voltamétrie – *I* voltametria, titolazione potenziometrica di corrente controllata – *S* valoración potenciométrica de corriente controlada
Lit.: [1] Pure Appl. Chem. **45**, 81–97 (1976). [2] Analyt.-Taschenb. **1**, 108, 139f. [3] Spektrum Wiss. **1996**, Nr. 8, 101.
allg.: s. a. Maßanalyse, Potentiometrie.

Voltammetrie. Von *Volt u. *Amperometrie abgeleitete Bez. für ein – nicht mit *Voltametrie zu verwechselndes – Verf. der *Elektroanalyse. Bei der V. benutzt man eine in die Meßlsg. eintauchende polarisierte Mikroelektrode u. mißt die bei Spannungsänderungen gegen eine unpolarisierte Bezugselektrode sich einstellenden Ströme. Hierbei erhält man *Voltammogramme* in Form von *Strom-Spannungs-Kurven*, die durch eine Stromspitze bei einem bestimmten Potential (*Spitzenpotential*) ausgezeichnet sind. Der Spitzenstrom stellt eine Meßzahl für die Konz. des sog. *Depolarisators in der Analysenlsg. dar. Prakt. wird die V. als sog. direktes Verf. (*Gleichstrom-V.*) (*E* direct current voltammetry, DCV) od. als sog. indirektes Verf. (*inverse V.*; *E* stripping voltammetry) ausgeführt. Hierbei geht der eigentlichen Bestimmung eine Elektrolyse voraus, wobei zwischen beiden Verf.-Schritten Strom- u. Spannungsrichtung umgekehrt werden; die Meth. ist eines der empfindlichsten elektroanalyt. Verfahren. Peak-Potentiale einiger wichtiger Metalle bei der (inversen) V. findet man z. B. bei *Lit.*[1] u. in *Tabellenwerken; bes. zuverlässige Werte lassen sich durch sog. *Cyclo-V.* gewinnen. Bei dieser Meth. (auch *Dreiecksspannungs-V.* genannt) überlagert man einem Anfangspotential ein sich linear mit der Zeit änderndes Potential, das – nach Erreichen des sog. Umkehrpotentials – unter den gleichen Zeitbedingungen wieder zum Anfangswert zurückgeführt wird. Als Leitsalze werden der Elektrolyt-Lsg. bei der Cyclo-V. meist Alkalimetall-, Tetrabutyl- od. *quartäre Ammonium-Verbindungen zugefügt; Näheres zu der – bes. zur Untersuchung von Reaktionsmechanismen auch *schneller Reaktionen geeigneten – Meth. s. *Lit.*[2].
Von der nahe verwandten *Polarographie* unterscheidet sich die V. dadurch, daß bei ihr die Indikatorelektrode stationär, bei der Polarographie hingegen als Tropfen ausgebildet ist, von der noch enger verwandten *Chronoamperometrie* unterscheidet sie sich nur dadurch, daß bei der V. Strom-Spannungs-, bei der Chronoamperometrie dagegen Strom-Zeit-Kurven aufgezeichnet werden. Eine unter Anw. von Wechselspannung praktizierte Variante der V. ist die *Wechselstrom-V.* (*E* alternating current voltammetry, ACV), bei der einer linear bzw. stufenförmig ansteigenden Spannung eine Wechselspannung überlagert wird (Frequenz 50 – 100 Hz). Es gibt zahlreiche weitere Varianten der V., z. B. die *Normalpuls-V.* (NPV), die *differentielle Puls-V.* (DPV) bzw. die *Pulsinvers-V.* (DPIV, *E* DPASV u. DPCSV), sowie die *Square-Wave-V.* (SQV). Bei der *adsorptiven Stripping-V.* (AdSV) wird der Analyt durch Adsorption an einer geeigneten Elektrode angereichert. Dabei wird zur Bestimmung von Metallen deren Komplexierung mit Liganden ausgenutzt, die dann adsorptiv an einer Quecksilber- od. Kohle-Elektrode angereichert werden. Der Bestimmungsschritt nach adsorptiver Anreicherung besteht dann fast immer in einer Red. der adsorbierten Spezies. Die AdSV wird für die Spurenanalytik von organ. Mol. u. von anorgan. Ionen eingesetzt. – *E* voltammetry – *F* voltammétrie – *I* voltammetria – *S* voltametría
Lit.: [1] Analyt.-Taschenb. **1**, 103–147; Pure Appl. Chem. **56**, 1095–1129 (1984). [2] Chem. Unserer Zeit **15**, 62–67 (1981).
allg.: Buchberger, Elektrochemische Analyseverfahren, Heidelberg: Spektrum 1998 ▪ Henze u. Neeb, Elektrochemische Analytik, Heidelberg: Springer 1986 ▪ Rach u. Seiler, Polarography and Voltammetry in Trace Analysis, Heidelberg: Hüthig 1987 ▪ Riley u. Watson, Polarography and Other Voltammetric Methods, New York: Wiley 1987 ▪ Rossiter u. Hamilton, Electrochemical Methods (Phys. Meth. Chem. 2), S. 191–432, New York: Wiley 1986 ▪ Top. Curr. Chem. **143**,

1–48 (1988) ■ Ullmann (5.) **B 5**, 705 ff. ■ s. a. Elektroanalyse, Polarographie.

Voltampere s. Watt.

Voltaren® (Rp). Dragées, Ampullen u. Suppositorien mit *Diclofenac-Natrium gegen Entzündungen rheumat. u. a. Genese, auch als Gel zum Einreiben. **B.:** Novartis.

Volta-Spannung(sreihe) s. Kontaktspannung u. vgl. Spannungsreihe.

Volterra-Gleichung. Von Vito Volterra aufgestellte Gleichung, deren Anw. auf Meßergebnisse von Wärmekapazitäten, Sedimentations- u. Korrosionsvorgängen u. sogar auf die Blutsenkung zuverlässigere Interpretationen u. Voraussagen erlaubt. – *E* Volterra equation – *F* équation de Volterra – *I* equazione di Volterra – *S* ecuación de Volterra

Lit.: Chem. Ztg. **109**, 429 ff. (1985).

Voltsekunde s. Weber.

Volumen (Singular, früher auch Volum; Plural: Volumina, von latein.: volumen = Krümmung, Buch, Schriftrolle). In den Naturwissenschaften mit dem Symbol v od. V belegte Bez. für den Rauminhalt fester, flüssiger od. gasf. Körper bis hinab zum abs. Nullpunkt (*Nullpunktsvolumen) u. zu atomaren Dimensionen (*Atomvolumen). Die abgeleitete SI-Einheit des V. ist der Kubikmeter (m^3) bzw. dessen dezimale Teile wie z. B. der Kubikdezimeter (dm^3), der den speziellen Namen *Liter trägt. Zur Bedeutung der zusammengesetzten Begriffe *V.-Anteil* (früher V.-gehalt od. V.-bruch), *V.-Konz.* u. *V.-Verhältnis* s. bei Konzentration (wo allerdings z. T. noch veraltete Bez. zu finden sind) u. in DIN 1310: 1984-02. Als *spezifisches V.* (V_{sp}) bezeichnet man das auf die Masse eines Körpers bezogene V. (Vol./Masse), woraus sich für $V_{sp} = 1/\rho$ ergibt (ρ = *Dichte); in verwandtem Sinne spricht man bei *Explosivstoffen vom spezif. Gas-V. od. Schwadenvolumen. Bei der V.-Messung[1] insbes. von Gasen (vgl. Gasanalyse), aber auch von Flüssigkeiten, sind die Wechselbeziehungen von Druck, Temp. u. V. zu berücksichtigen, z. B. die *Ausdehnung od. *Kompressibilität, V.-Änderungen bei *Phasen-*Umwandlungen 1. Art usw. Berechnungsgrundlagen bieten die *Gasgesetze. Weitere Gesichtspunkte insbes. zum V. von Gasen finden sich bei kritischen Größen, wo auch auf die bes. Bedeutung von *krit.* bzw. *reduzierten V.* (V_k bzw. φ) eingegangen wird. In der Chemie benutzt man zum diskontinuierlichen *Messen u. *Dosieren – z. B. bei der *Volumetrie* (s. Maßanalyse) – Meßkolben, Pipetten, Büretten, Meßzylinder, Gasbüretten, Gasometer etc., wobei die V. im allg. auf den *Normzustand (*Norm-V.*, vgl. DIN 1343: 1990-01) bezogen sind; ein nützliches Hilfsmittel zur Umrechnung stellt ein *Nomogramm[2] dar. Die V.-Meßgeräte im Laboratorium sind im allg. durch *Normung vereinheitlicht u. durch Eichen bzw. *Kalibrieren bes. zuverlässig gemacht. In der Verfahrenstechnik bestimmt man meist das *Durchfluß-V.*[3] Hierzu werden Trommelzähler, Membranzähler usw. eingesetzt. Eine Übersicht ist in der Tab. gegeben. Weitere Details s. *Lit.*[1]. Die V.-Messung bei Feststoffen ist nur in seltenen Fällen direkt möglich, weshalb man sich indirekter Meth. bedient, wie z. B. der Verdrängung von Flüssigkeiten (Archimedes-Prinzip für den hydrostat. Auftrieb). Bei *Pulvern, *Granulaten u. a. feinkörnigen Festkörpern kann man ggf. das *Schüttvolumen u. das *Stampfvolumen ermitteln. Auch die Bestimmung des *Poren-V. bei porösen Stoffen, z. B. *Schaumstoffen, durch *Porosimetrie kann zur Bestimmung des V. u. damit der D. eines Festkörpers herangezogen werden. Beim *Mischen u. *Verdünnen von Stoffen tritt häufig eine V.-Änderung ein, d. h. die V. verhalten sich strenggenommen nur bei idealen Stoffen additiv; Flüssigkeiten zeigen z. B. beim

Tab.: Volumenzähler.

Bezeichnung	Medium	Fehlergrenzen	max. Durchfluß	Dynamik	Nennweiten [mm]
Trommelzähler	Flüssigkeiten Gase	±0,5%	100 m^3/h	bis 1:100	
Membranzähler	Flüssigkeiten	±0,5%	400 m^3/h	1:10	
Balgenzähler	Gase	±2% (±3%)*		1:160	
Hubkolben-, Ringkolben-, Scheiben-, Treibschieber-, Drehklappen- u. Ovalradzähler	Flüssigkeiten	±0,5%	600 m^3/h	1:10	
Drehkolbenzähler (DKZ) Drehschleusenzähler	Gase	±1% (±2%)*	25 000 m^3/h	1:5 bis 1:20	
Flügelradzähler	Flüssigkeiten	±2% (±5%)*	30 m^3/h	1:25 bis 1:100	
Turbinenradzähler	Wasser	±2% (±5%)*		1:25 bis 1:100	
Drallzähler	Gase	±1% (±2%)*		1:5 bis 1:20	
Wirbelzähler	Flüssigkeiten Gase	±0,75% ±1%	0,2 bis 90 m^3/h 5 bis 64 000 Nm^3/h	1:40 1:15	DN15 bis 300
Differenzdruck	Flüssigkeiten Gase	±1% ±1%	nahe 0 bis beliebig nahe 0 bis beliebig	1:10 1:10	DN15 bis DN12 000
magnet. induktive Durchflußmesser (MI)	Flüssigkeiten	±0,5% (±0,2%)*	~0 bis …	1:1000	DN02 bis DN2000
Coriolis-Massedurchflußmesser	Flüssigkeiten Gase	±0,1% ±0,5%	0 bis 180 t/h od. m^3/h 0 bis 18 t/h od. Nm^3/h	1:1000 1:100	DN01 bis DN80 DN01 bis DN80
		Volumenberechnung durch gemessene Dichte u. Temperatur			

* Fehlergrenze in Klammern gilt für unteren Durchflußbereich

Mischen häufiger eine *V.-Kontraktion* als eine *V.-Dilatation*: 52 mL reinen Ethanols u. 48 mL dest. Wassers geben nur 96,3 mL Mischung. Ursache ist die Bildung schwacher Bindungen zwischen Lsm. u. Gelöstem (Wasserstoff-Brückenbindungen, van-der-Waals-Kräfte, Hydrat-Bildung, allg. *Solvatation), wodurch die Teilchen enger aneinanderrücken u. so einen kleineren Raum einnehmen. Einer V.-Kontraktion anderer Ursache begegnet man am *Schmelzpunkt von Bi, Ga, Ge u. Si (*Schmelzanomalie*). Über V.-Änderungen beim Mischen u. bes. bei Cycloalkanen s. Lit. – *E = F = I* volume – *S* volumen

Lit.: [1] Kohlrausch, Praktische Physik 1, Stuttgart: Teubner 1996. [2] Int. Lab. **14**, 90 ff. (1984). [3] Winnacker-Küchler (3.) **1**, 505–514; **7**, 392–402.

allg.: Encycl. Polym. Sci. Eng. **4**, 483–488 ▪ Matschke, Volumenmessung strömender Gase, Düsseldorf: VDI 1983 ▪ McGowan u. Mellors, Molecular Volumes in Chemistry and Biology, Chichester: Horwood 1986 ▪ Ullmann (4.) **5**, 853 ff.

Volumenarbeit. Bei der Expansion leistet ein Gas eine Arbeit gegen die von außen wirkende Kraft F. Vergrößert sich das Vol. (z. B. durch Bewegung eines Stempels in einem Zylinder um die Strecke s) wird dabei die V. $W = -\int_{s_1}^{s_2} F ds$ geleistet. Ersetzt man die Kraft F durch den von außen wirkenden Druck p u. die Fläche A des Stempels u. die Strecke s durch die Vol.-Änderung dV = A · ds, ergibt sich $W = -\int_{V_1}^{V_2} p \, dV$.

Volumenbelüfter. Apparate zur Sauerstoff-Versorgung von Mikroorganismen in aerob arbeitenden Anlagen zur *biologischen Abwasserbehandlung. Entsprechend der Arbeitsweise kann man unterteilen: *Rührer* bestimmen die Hydrodynamik des Syst. unmittelbar über ihre Rührbewegung. (Unbewegliche) *Gaszerteiler* erzeugen Gasblasen u. beeinflussen so die Hydrodynamik im Behandlungsraum. Zu den Gaszerteilern gehören *Schlitzstrahler u. *Radialstromdüsen (*Zweistoffdüsen, Injektor, Ejektor). – *E* volume aerator – *F* aérateur de volume – *I* impianto d'aerazione – *S* aireador de volumen

Lit.: Abwassertechnische Vereinigung (Hrsg.), ATV-Handbuch Biologische und weitergehende Abwasserreinigung (4.), S. 371–408, Berlin: Ernst & Sohn 1997.

Volumenfließindex (Kurzz. MVI, von *E melt volume index*). Der V. gibt nach DIN 53735 das Vol. einer schmelzflüssigen Probe (z. B. eines *Thermoplasten) an, das in einer bestimmten Zeit unter normierten Bedingungen durch eine Düse gepreßt wird (s. a. Schmelzindex). – *E* melt volume index – *F* index de fluidité volumique – *I* indice di fluidità-volume – *S* índice del flujo de volumen

Volumetrie, volumetrische Analyse s. Maßanalyse.

Volutin. In Blaualgen-Granula enthaltener *Reservestoff aus anfärbbarem Polymetaphosphat. – *E* volutin – *F* volutine – *I* = *S* volutina

Vomacur®. Suppositorien u. Tabl. mit *Dimenhydrinat gegen Übelkeit u. Erbrechen. *B.*: Hexal.

Vomex A®. Ampullen, Dragées, Suppositorien u. Sirup mit *Dimenhydrinat gegen Übelkeit u. Erbrechen, auch mit zusätzlichem *Pyridoxin-hydrochlorid. *B.*: Yamanouchi.

Vomitoxin s. Deoxynivalenol.

Von-Baeyer-Nomenklatur. Von A. v. *Baeyer entwickelte Benennungsmeth. für überbrückte Ringsyst.; s. Bicyclo[…]…, Tricyclo[…]… u. Tetracyclo[…]…

Von-Heyden-Verfahren. Ein bei der Fa. von Heyden weiterentwickeltes Verf. zur Herst. von *Phthalsäureanhydrid aus *o*-Xylol od. Naphthalin mit Hilfe von V_2O_5-Katalysatoren. – *E* von Heyden process – *F* procédé von Heyden – *I* proceso von Heyden – *S* procedimiento von Heyden

Lit.: s. Phthalsäureanhydrid.

Vonsenit s. Ludwigit.

Von-Willebrand-Faktor s. bei Buchstabe w.

Vorauflaufen s. Auflaufen.

Vorbehandlungsmittel s. Haarbehandlung.

Vorbelastung. Bez. für Verunreinigungen eines Gewässers, bevor das direkt daraus entnommene Wasser weiterverwendet wird (z. B. als Kühlwasser) u. damit möglicherweise der Abwasserabgabe (§ 4, Abs. 3 *Abwasserabgabengesetz) unterliegt.

Lit.: AbwAG in der Fassung der Bekanntmachung vom 3. 11. 1994 (BGBl. I, S. 3370), geändert durch Gesetz von 11. 11. 1996 (BGBl. I, S. 1690).

Vorfermenter. Bez. für *Bioreaktoren, die in *Vorkultur dazu dienen, die zum Animpfen eines Produktionsfermenters erforderliche Biomasse (Impfgut) zu züchten. Der V. dient ausschließlich der Zellvermehrung u. stellt das Bindeglied zwischen *Schüttelkolben u. Produktionsfermenter dar. Die für einen Fermenter erforderliche Menge an Impfgut beläuft sich bei Bakterien auf 0,5–3 Vol.-%, für Hefen auf 3–8 Vol.-% u. für Pilze u. Actinomyceten auf 5–10 Vol.-%. Da das Impfgut entscheidend den späteren Produktionstiter bestimmt, muß der V. hinsichtlich Sterilität u. meßtechn. Ausstattung nahezu den gleichen hohen Anforderungen genügen wie der Produktionsfermenter. – *E* inoculum culture fermenter – *F* appareil de préfermentation – *I* prefermentatore – *S* prefermentador

Lit.: Crueger-Crueger (3.), S. 98.

Vorfluter. Hydrolog. Bez. für ein natürliches od. künstliches Gewässer, in das Wasser bzw. Abwasser abfließen kann. Die Einleitung von *Abwässern ist eine Nutzung eines V., die in der BRD durch Einleite-VO geregelt ist. – *E* receiving stream – *F* milieu (cours d'eau) récepteur – *I* fluttuante preliminare, fosso di scolo – *S* recipiente (curso de agua) receptor

Lit.: DIN 4049-1: 1992-12 ▪ Philipp (Hrsg.), Einführung in die Umwelttechnik, S. 147, 171–180, Braunschweig/Wiesbaden: Vieweg 1993.

Vorgespannter Beton s. Spannbeton.

Vorgespanntes Glas s. Sicherheitsglas.

Vorhof-Natriuretischer Faktor s. Atrionatriuretischer Faktor.

Vorklärung. Bez. für ein Verf. der mechan. Abwasserreinigung, das der *biologischen Abwasserbehandlung vorausgeht. Häufig auch Bez. für das *Absetzbecken, in dem die V. stattfindet. – *E* preliminary

clarification, presettling – *F* décantation primaire, predécantation – *I* depurazione preliminare – *S* clarificación preliminar, presedimentación
Lit.: Abwassertechnische Vereinigung (Hrsg.), ATV-Handbuch Biologische u. weitergehende Abwasserreinigung (4.), S. 589, Berlin: Ernst & Sohn 1997.

Vorkultur. Kulturen von *Mikroorganismen od. Höheren Zellen (Tiere, Pflanzen; s. Zellkultur), die als Impfgut zur Vorbereitung der Vermehrung von Zellmasse dienen. V. werden in *Schüttelkolben od. Kleinfermentern (s. Vorfermenter) herangezogen. – *E* preculture – *F* préculture – *I* coltura preliminare, precoltura – *S* cultivo preliminar, precultivo
Lit.: Crueger-Crueger (3.), S. 98.

Vorläufer-dirigierte Biosynthese. Meth. zur biolog. Derivatisierung (Strukturmodifizierung) von *Naturstoffen, vorzugsweise von Sekundärstoffen mikrobiellen Ursprungs. Bei der V.-d. B. werden stammfremde Biosynth.-Vorläufer zur Kulturlsg. eines Produzentenstammes gegeben, die dann aufgrund geringer Substratspezifität der involvierten Biosynth.-Enzyme an Stelle des natürlichen Biosynth.-Bausteins in das Zielmol. eingebaut werden. Man kann so in einfacher Weise zu Naturstoffderivaten gelangen. Ein bekanntes Beisp. ist die techn. Herst. verschiedener *Penicilline durch Zufütterung von unterschiedlichen Carbonsäuren, die als Bausteine für die Amid-Seitenkette dieser *Antibiotika dient. – *E* precursor-directed biosynthesis – *F* biosynthèse guidée par précurseurs – *I* biosintesi diretta dei precursori – *S* biosíntesis precursor-dirigida
Lit.: Nat. Prod. Rep. **10**, 265 (1993) ▪ Präve et al. (4.), S. 663.

Vorlage s. Destillation.

Vorlauf s. Destillation.

Vorlegierung. Hilfsleg., mittels derer auch hochschmelzende Metalle zulegiert werden können, s. z.B. Ferro-Legierungen. – *E* master alloy – *F* pré-alliage – *I* lega madre – *S* aleaciones madre

Vorozol (Rp).

Internat. Freiname für das *Cytostatikum (+)-(S)-6-[(4-Chlorphenyl)(1H-1,2,4-triazol-1-yl)methyl]-1-methyl-1H-benzotriazol, $C_{16}H_{13}ClN_6$, M_R 324,77, Schmp. des Dioxalats 104,2 °C. V. ist ein von Janssen 1988 patentierter Aromatase-Inhibitor [Codebez.: (±): R76713, (+): R83842] zur Behandlung von Mammacarcinomen; seine Zulassung wurde aus wirtschaftlichen Gründen zurückgestellt. – *E* vorozole – *F* vorozol – *I* vorozolo – *S* vorozola
Lit.: Acta Crystallogr. Sect. C **49**, 1958–1961 (1993) ▪ Breast Cancer Res. Treat. **30**, 89–94 (1994) ▪ Cancer Res. **52**, 1240–1244 (1992) ▪ J. Steroid Biochem. Mol. Biol. **37**, 1049–1054 (1990) ▪ Martindale (31.), S. 607. – *[CAS 118949-22-7 ((±)-V.); 129731-10-8 ((+)-V.); 120320-19-6 (Dioxalat)]*

Vorpolymerisation. *Polyreaktionen müssen oft unter viel reineren Bedingungen durchgeführt werden als Synth. niedermol. Verbindungen. So genügt z.B. bei der *radikalischen Polymerisation von Styrol die Ggw. einiger ppm Sauerstoff, um das Kettenwachstum zu beeinflussen. Es hat sich daher bei vielen *Polymerisationen als zweckmäßig erwiesen, das *Monomere vor der eigentlichen Polymerisation dadurch nochmals gesondert zu reinigen, daß es unter exakt den späteren Reaktionsbedingungen bis zu einem Umsatz von ca. 20% anpolymerisiert wird. Danach wird das verbliebene Monomer aus der Reaktionsmischung in das eigentliche Reaktionsgefäß überdest., das bereits den *Initiator für die abschließende Polymer-Synth. enthält. – *E* prepolymerization – *I* polimerizzazione preliminare – *S* prepolimerización
Lit.: Elias (5.) **1**, 213.

Vorproben (besser: Vortest, vgl. Probe u. Test). In der *qualitativen Analyse Bez. für die ersten, orientierenden Versuche nach der *Probenahme. Die Substanz wird zunächst nach rein äußerlichen Eigenschaften auf Farbe, Geruch u. Beschaffenheit untersucht. Weiterhin zählen zu den V. von anorgan. Stoffen die Spektralanalyse bzw. *Flammenfärbung u. die Färbung der *Salzperlen, das Verhalten im *Glühröhrchen od. bei der *Lötrohranalyse u. das Erhitzen mit verd. u. konz. Schwefelsäure; hinzu kommen eine Reihe von *Identifizierungen wie Hepartest, Kriechprobe, Fluorid-Test auf Silicium u. Tüpfelanalyse. Auch in der organ. Chemie werden V. auf z.B. Löslichkeit, Heteroatome od. auf funktionelle Gruppen durchgeführt. – *E* preliminary tests – *F* essais préliminaires – *I* prove preliminari – *S* ensayos preliminares
Lit.: Anderson, Sample Pretreatment, New York: Wiley 1987 ▪ Laatsch, Die Technik der organischen Trennungsanalyse, S. 6–8, Stuttgart: Thieme 1988 ▪ Strähle u. Schweda, Jander/Blasius – Lehrbuch der analytischen u. präparativen anorganischen Chemie, 14. Aufl., S. 520–528, Stuttgart: Hirzel 1995.

Vorratsschutz. Im Rahmen des *Pflanzenschutzes Bez. für alle Maßnahmen zur Eindämmung von Verlusten an *Nahrungs- u. *Futtermittel-Vorräten sowie an Saatgut, die durch *Vorratsschädlinge* wie Käfer, Motten u. a. Insekten, Milben u. Nagetiere sowie durch Pilze verursacht werden können. Als V.-Mittel, die v. a. in Mühlen, Silos, Lagerhäusern sowie Transportmitteln wie Schiffen u. Eisenbahnwaggons angewendet werden, kommen nur solche Präp. aus der Gruppe der *Insektizide, *Akarizide, *Rodentizide u. *Fungizide in Frage, die in od. auf den zu schützenden Vorräten keine gesundheitsgefährdenden Rückstände hinterlassen. Typ. Anw.-Formen sind *Begasungsmittel* wie Blausäure, Methylbromid u. Phosphan-entwickelnde Verb. (Al-, Mg-phosphid) u. *Vernebelungsmittel* mit Wirkstoffen wie *Dichlorvos, *Malathion u. *Pyrethrum. Tabak, Drogen u. Heilkräuter können in Druckkammern mit Kohlendioxid behandelt werden. Die Saatgutbehandlung mit Beizmitteln (s. Fungizide) zählt nicht zum V., sondern stellt eine *Saatschutz*-Maßnahme dar. Sie dient der Bekämpfung samen-, boden- od. windbürtiger pilzlicher Krankheitserreger u. erfolgt z.B. an Getreidekörnern, Kartoffelknollen od. Gemüsesämereien bereits vor deren Aussaat. – *E* stored products protection – *F* défense des réserves – *I* protezione delle scorte – *S* protección de los productos almacenados

Vorsätze. In physikal. *Einheiten zur Kennzeichnung von Zehnerpotenzen dienende „Vorsilben" bzw. deren Kurzzeichen. Sie sind keine selbständigen Abk. u. bilden mit den Namen der ohne Zwischenraum folgenden Einheiten ein untrennbares Ganzes. Nach Einführung des *SI u. des Einheitengesetzes (s. a. DIN 1301-1: 1985-12) sind nur noch die folgenden, in Einzelstichwörtern behandelten V. u. ihre Kurzz. zulässig: Exa, Peta, Tera, Giga, Mega, Kilo, Hekto, Deka, Dezi, Zenti, Milli, Mikro, Nano, Piko, Femto u. Atto, s. a. gesetzliche Einheiten (Tab. 2). – *E* prefixes – *F* préfixes – *I* prefissi – *S* prefijos

Vorsorgeprinzip. Der Begriff stammt aus der Strahlenschutz-VO von 1960, wo geboten war, jede Strahlenemission nach dem Stand von Wissenschaft u. Technik auch unterhalb von *Grenzwerten zu minimieren. Begründet wird das V. des *Umweltrechts oft mit der sog. *Freiraumtheorie*, die v. a. den Erhalt von Ressourcen bzw. von sonstigen Freiräumen für zukünftige Generationen fordert (vgl. Sustainable Development), sowie mit der *Ignoranztheorie*, die auf die niemals zu erreichende Vollständigkeit des Wissens abzielt u. von daher alle Eingriffe in die Natur zu verringern bzw. zu vermeiden trachtet. Einwände sind z. B., daß nicht jede *Emission die *Umwelt schädigt u. menschliches Leben nicht ohne Umweltbelastungen denkbar ist. Nach heutiger Rechtsprechung hat sich die Vorsorge am *Risiko-Potential zu orientieren. Dabei spielt die sog. Umweltadäquanz eine Rolle, z. B. bei Emissionen die Abbaubarkeit eines Stoffes (s. Abbaukapazität der Umwelt u. biologischer Abbau), sein natürliches Vork., die lokalen od. globalen Auswirkungen u. ihre Reversibilität. Das V. ist z. B. im Umweltverträglichkeitsprüfungsgesetz (s. UVP), im *Bundes-Immissionsschutzgesetz (§ 5, Nr. 2) u. im *Wasserhaushaltsgesetz (§ 7 a) rechtlich fixiert. Neben dem V. sind noch zwei Prinzipien zu nennen, die prakt. seine Ober- bzw. Untergrenze darstellen:
– Das *Vorsichtsprinzip* fordert, daß Aktionen nicht nur zu unterlassen sind, wenn eine Umweltbelastung nicht erwiesen ist, sondern sogar, wenn sie „nicht unwahrscheinlich" od. „denkbar" wäre (s. Nullemission u. Risiko).
– Das *Bestandsschutzprinzip* sichert den Status quo in bezug auf eine Rechtsposition (= Verschlechterungsverbot). – *E* precautionary principle – *F* principe de prévoyance (protection) – *I* principio di precauzione – *S* principio de prevención

Lit.: Dorn, Effizienz umweltpolitischer Instrumente zur Emissionsminderung, S. 9–14, Berlin: E. Schmidt 1996 ▪ Kimminich et al., Handwörterbuch des Umweltrechts, Bd. 2, Sp. 1086–1091, Berlin: E. Schmidt 1988 ▪ Kloepfer, Umweltrecht (2.), S. 166–177, München: Beck 1998 ▪ Ullmann (5.) B7, 302–304.

Vorsteherdrüse (Prostata) s. Sperma.

Vorstoß s. Destillation.

Vorwachs s. Propolis.

VP. Abk. für *Vasopressin.

VPE. Kurzz. (nach DIN 7728-1: 1988-01) für vernetztes *Polyethylen.

VPF. Abk. für vaskulärer Permeabilitätsfaktor, s. vaskulär-endothelialer Wachstumsfaktor.

VPI (Abk. von *E vapour phase inhibitor* = Dampfphaseninhibitor; heute übliche Bez. VCI, von *E volatile corrosion inhibitor*). Das VPI-Verf. ist ein Verf. zum temporären Korrosionsschutz von Metall-Gegenständen bei schwächerer od. kürzerer Korrosionsbeanspruchung, z. B. während Transport od. Lagerung. Das Verf. basiert auf der Anreicherung der den Gegenstand umgebenden Atmosphäre mit Dämpfen von Korrosionsinhibitoren. Die korrosionshemmende Wirkung von Schichten an verdampfbaren Inhibitoren beruht z. T. auf einer Hydrophobierung der Metall-Oberfläche u. z. T. auf elektrochem. Effekten in der Elektrolytschicht, die zu einer Verschiebung des freien Korrosionspotentials in pos. Richtung führen. Die am meisten verwendeten VPI sind *Dicyclohexylammoniumnitrit* (DICHAN, Firma Shell), ein weißes Pulver mit sehr guten Schutzeigenschaften für Eisen-Metalle, jedoch uneffektiv für Zr, Cu u. Al, in sauren Medien auch für Eisen-Metalle uneffektiv; *Cyclohexylamincarbonat* (CHC) mit guter Schutzwirkung bei Eisen-Metallen, jedoch nicht für Cu u. Cu-Leg.; *Benztriazol* u. ähnliche Verb. (z. B. Tolyltriazol) mit guter Schutzwirkung für Cu u. Cu-Leg. sowie etwas abgeschwächter Schutzwirkung für Zn. *Kommerzielle Formulierungen* bestehen meist aus Mischungen mehrerer VPI, z. B. DICHAN u. CHC, was aufgrund der unterschiedlichen Dampfdrücke beider Verb. zu einer schnellen (CHC) u. langanhaltenden (DICHAN) Schutzwirkung führt. Die Korrosionsinhibitoren können in Spritz- od. Tauchverf. auf das Metall aufgebracht werden. Eine bes. Möglichkeit der Anw. besteht darin, die Metall-Gegenstände in mit Korrosionsinhibitoren imprägnierte Papiere (sog. VPI-Papiere) einzuschlagen. Bei der Anw. des VPI-Verf. muß darauf geachtet werden, daß einige Kunststoffe u. Lacke u. U. mit dem Werkstoff reagieren können.

Lit.: Gräfen u. Rahmel (Hrsg.), Korrosion verstehen – Korrosionsschäden vermeiden, Bd. 2, S. 516 ff., Bonn: Verl. I. Karon 1994 ▪ Wiederhold u. Elze, Taschenbuch des Metallschutzes, S. 124 ff., Stuttgart: Wiss. Verlagsges. 1960.

VPO. Kurzz. für *E vapour pressure osmometry*, s. Molmassenbestimmung (4 b) u. Osmose.

VQ. Kurzz. (ASTM) für elastomere *Silicone mit Vinyl-Substituenten.

VR1 s. Vanilloid-Rezeptor.

Vs s. Weber.

VSEPR (von *E Valence Shell Electron Pair Repulsion*). Qual. Theorie zur Erklärung der geometr. Strukturen von Mol., die – aufbauend auf einer Arbeit von Sidgwick u. Powell[1] – v. a. von Gillespie[2–6] entwickelt wurde. Sie geht davon aus, – was nicht immer erfüllt ist – daß Mol. durch lokalisierte Bindungselektronenpaare u. freie, an einem Atom lokalisierte, Elektronenpaare (EP) beschrieben werden können. Entscheidend für die geometr. Struktur eines Mol. vom Typ AB_n ist die Anzahl der Elektronenpaare, die sich um das Zentralatom A gruppieren. Die Tab. stellt einen Zusammenhang her zwischen der Anzahl der (als gleichartig angenommenen) Valenzelektronenpaare u. der bevorzugten Mol.-Geometrie.

Tab.: Zusammenhang zwischen der Anzahl der angenommenen Valenzelektronenpaare u. der Mol.-Geometrie.

Zahl der Valenzelektronenpaare	bevorzugte Geometrie
2	lineare Geometrie
3	gleichseitiges Dreieck
4	Tetraeder
5	trigonale Bipyramide
6	Oktaeder
8	quadrat. Antiprisma

In der Praxis liegen oft Abweichungen von dieser idealisierten Situation vor, da einsame Elektronenpaare gegenüber Bindungselektronenpaaren einen erhöhten Platzbedarf haben. Die Reihenfolge der abstoßenden Wechselwirkung zwischen Elektronenpaaren verschiedenen Typs lautet daher: Einsames EP/einsames EP > einsames EP/Bindungs-EP > Bindungs-EP/Bindungs-EP.

Beisp.: Das Wasser-Mol. hat 8 Valenzelektronen, die zu 2 lokalisierten Bindungs-EP u. zu 2 einsamen EP gruppiert werden können, die bevorzugte Geometrie ist das Tetraeder. Da sich die Bindungs-EP am schwächsten abstoßen, ist der Valenzwinkel kleiner als der Tetraederwinkel (109,5°); experimentell wurde er zu 105° bestimmt. Die VSEPR-Theorie erwies sich als bes. erfolgreich bei der Vorhersage der Mol.-Strukturen von Elektronenüberschußverb., z. B. Interhalogen-Verbindungen. Für ClF_3 wurde z. B. eine T-förmige Struktur vorhergesagt, die vom Experiment – mit einer geringen Abweichung von 2,5° – bestätigt wird. Wie alle qual. Theorien hat sie auch ihre Schwächen. So hat $TeCl_6^{2-}$ mit 7 Elektronenpaaren um das Zentralatom im Gegensatz zur Vorhersage der VSEPR-Theorie eine oktaedr. Struktur; auch die experimentell gefundenen nichtlinearen Strukturen für BaF_2 u. $SrCl_2$ sind hiermit nicht zu erklären (allenfalls „a posteriori").

Lit.: [1] Proc. Roy. Soc. **A 176**, 153 (1940). [2] Quart. Rev. Chem. Soc. **11**, 339 (1957). [3] J. Am. Chem. Soc. **82**, 5978 (1960). [4] J. Chem. Educ. **40**, 295 (1963); **47**, 18 (1970). [5] Angew. Chem. **79**, 885 (1967). [6] Gillespie, Molekülgeometrie, Weinheim: Verl. Chemie 1975.
allg.: Dickerson et al., Prinzipien der Chemie, 2. Aufl., S. 479–491, Berlin: de Gruyter 1988 ▪ Gillespie u. Hargittai, The VSEPR Model of Molecular Geometry, Englewood Cliffs: Prentice Hall 1991 ▪ Huheey, Anorganische Chemie (2.), Berlin: de Gruyter 1995 ▪ Kutzelnigg, Einführung in die Theoretische Chemie, 2. Aufl., Bd. 2, S. 404 ff., Weinheim: VCH Verlagsges. 1994 ▪ Levine, Quantum Chemistry, 4. Aufl., S. 500–503, Englewood Cliffs: Prentice Hall 1991.

VSI. Kurzz. (ASTM) für Polydimethylsiloxane mit Vinyl-Substituenten.

V. S. O. P. Abk. für *E very soft (superior) old pale* (dtsch.: sehr sanft, alt, hell), ist eine qualitätshervorhebende u. altersklassifizierende Angabe ursprünglich für französ. Cognac. Über die Altersklassifizierung u. Cognac-Produktion wacht in Frankreich eine spezielle Behörde (Bureau national interprofessionel du Cognac) die folgende Zertifikate vergibt: *V. O.* (very old), *V. S. O. P., Réserve* (Lagerzeit in Eichenholzfässern je 4 a), *Extra, Napoleon, Vieille réserve* (Lagerzeit je 5 a). Gemäß der VO über Spirituosen[1], § 2 Abs. 4 sowie § 3 ist eine Spirituose unter der Verkehrsbez. „Deutscher Weinbrand" u. a. nur dann in den Verkehr zu bringen, wenn das gesamte verwendete Weindestillat mind. 12 Monate in Eichenholzfässern mit einem Füllungsvermögen von höchstens 1000 L gereift ist. Es ist desweiteren verboten, Weinbrand od. Brandy mit Hinweisen auf das Alter in den Verkehr zu bringen, wenn das Erzeugnis weniger als zwölf Monate in Eichenholzfässern gereift ist.
Lit.: [1] VO über Spirituosen vom 29. 1. 1998 (BGBl. I, S. 310, 311).
allg.: Koch (Hrsg.), Getränkebeurteilung, S. 207, Stuttgart: Ulmer 1986 ▪ Zipfel, C 403 **41**, 12 u. **44**, 21.

V-Stähle. Veraltete Werksbez. der Firma Friedr. Krupp AG für die im Jahre 1912 patentierten, *nichtrostenden Stähle. V. steht dabei als Abk. für Versuchsschmelze. In den über 85 Jahren seit der Patenterteilung ist aus den wenigen Prototypen eine große Zahl von Stahltypen entstanden, welche die Stahlhersteller der sich fortentwickelnden Technik ständig anpassen. Diese Stähle enthalten neben Cr u. Ni als wichtigste Legierungselemente u. a. auch Mo, Al, Cu, Si, Ti u. Nb.
Die seinerzeits von der Firma Krupp als Marken geschützten Bez. VXA, VXF u. VXM (mit X = Ziffern) bedeuten: V = Versuchsreihe, A = Austenit, F = Ferrit u. M = Martensit. Heute werden die Stähle durch einen Kurznamen u. eine Werkstoffnummer beschrieben.
Beisp.: Der austenit. Stahl mit der alten Bez. V4A (17% Cr, 12% Ni, 2% Mo u. max. 0,08% C) hat den Kurznamen X 6 CrNiMoTi 17 12 2 u. die Werkstoff-Nr. 1.4571. Näheres hierzu s. bei nichtrostende Stähle. – *E* stainless steels – *I* acciai inossidabili – *S* aceros inoxidables

VT. Kurzz. für Vinyltoluol (*ar*-Methylstyrol, Methylvinylbenzol).

VTE. Abk. für *E vertical tube evaporation* (Fallfilmverdampfung), s. Dünnschichtverdampfung.

Vulcamycin s. Novo biocin.

Vulgamycin (Enterocin).

$C_{22}H_{20}O_{10}$, M_R 444,39, Nadeln, Schmp. 171–173 °C (andere Angabe 163–167 °C), $[\alpha]_D^{20}$ –10,5° (CH_3OH). V. ist ein Antibiotikum aus *Streptomyces*-Arten, das gegen Gram-pos. u. -neg. Bakterien, bes. Darmbakterien, wirksam ist. Mit *Streptomycin u. *Chloramphenicol zeigt V. synergist. Effekte, außerdem wirkt es herbizid, es greift in den Isoleucin-Stoffwechsel ein. –

E vulgamycin – *F* vulgamycine – *I = S* vulgamicina
Lit.: J. Antibiot. (Tokyo) **29**, 227, 1114 (1976); **38**, 1499 (1985) ▪ Pestic. Sci. **33**, 439–446 (1991) ▪ Tetrahedron Lett. **1976**, 4367. – *[HS 2941 90; CAS 59678-46-5]*

Vulkacit®. Sortiment von Vulkanisationsbeschleunigern (z. Z. ca. 25 Typen) auf der Basis von Guanidin-, Mercaptobenzthiazol- u. Thiuram-Derivaten, Dithiocarbamaten, Sulfenamiden, Polyaminen u. Aldehyd-Anilin-Kondensationsprodukten. *B.:* Bayer.

Vulkadur®. Harze für Gummi- u. Latexmischungen auf der Basis von Phenol- bzw. Resorcin-Formaldehyd-Kondensationsprodukten. *B.:* Bayer.

Vulkalent®. Vulkanisationsverzögerer für die Kautschuk-Ind. auf der Basis von Phthalsäureanhydrid (*V. B/C*), Sulfonamid-Derivaten (*V. E/C*) u. *N*-Cyclohexylthiophthalimid (*V. G*). *B.:* Bayer.

Vulkane (von latein.: Vulcanus = Gott des Feuers u. der Metallbearbeitung). Nach Rittmann (*Lit.*) Bez. für geolog. Gebilde, die an der Erdoberfläche durch den Ausbruch magmat. Stoffe (*Magma) entstehen od. entstanden sind. Ihr Formenschatz umfaßt *V.-Kegel*, Kegelstümpfe, z. T. kilometerlange *Lavaströme* (z. B. am Ätna/Sizilien), *Tafelvulkane*, z. T. riesige *Lavadecken* [Plateau- od. Trapp-*Basalte; *Beisp.:* Columbia River-Plateau/USA (200 000 km^2), Dekkan-Trapp/Indien], aus übereinandergeflossenen Lavaströmen bestehende *Schild-V.* [z. B. Mauna Loa/Hawaii (400 km untermeer. Durchmesser, 10 km Gesamthöhe), Mons Olympus/Mars (600 km Durchmesser u. 25 km Höhe)], *Lavadome* (Staukuppen, Stoßkuppen; z. B. Montagne Pelée/Martinique), *Schlacken-, Aschen- u. *Tuff-Kegel, Tuffringe* u. z. T. ausgedehnte *Decken aus *pyroklastischen Gesteinen* (in der Taupo-Vulkanzone in Neuseeland z. B. 20 000 km^2 *Ignimbrit-Decken). *Strato-V.* (z. B. Monte Somma/Vesuv in Italien u. Fujiyama/Japan) zeigen einen charakterist. Wechsel von Tephra- bzw. Tufflagen u. Lavaströmen; Brüche u. Spalten darin sind häufig mit *Gängen (*Sills*) gefüllt. *Krater* sind vulkan. Hohlformen mit <1 km Durchmesser (z. B. am Vesuv u. Ätna). *Calderen* (Einzahl: Caldera; z. B. Crater Lake in Oregon/USA) sind größere, bis über 50 km Durchmesser erreichende [1], oft durch Einbruch des Dachs einer Magma-Kammer entstandene Hohlformen.
Z. Z. sind auf der Erde etwa 500 V. aktiv, z. B. auf Island, ferner Ätna (von 1991–1993 ein 421 Tage dauernder Ausbruch[2]), Stromboli (Dauertätigkeit), Kilauea/Hawaii, Sanguay/Ecuador u. Mt. Erebus/Antarktis. Die V. sind nicht zufällig auf der Erde verteilt, sondern überwiegend im Bereich der mobilen Plattengrenzen der *Erde (vgl. Plattentektonik) konzentriert, z. B. im sog. *Feuerring* um den Pazifik. Die größten Mengen vulkan. (basalt.) Schmelzen werden in den *mittelozean. Rücken* gefördert. Die wegen ihrer oft explosiven Tätigkeit gefährlichsten V. finden sich in den *Inselbögen* (z. B. Japan, Philippinen; Ausbrüche von 1991!) u. jungen Faltengebirgen im Bereich von *Subduktionszonen* (z. B. südamerikan. Anden, Mexiko u. Cascade Range/USA). Z. T. weit entfernt von Plattengrenzen sind die *ozean. Insel-V.*[3] (z. B. die Kanaren u. viele untermeer. sog. *Seamounts*). *Hot Spot-V.* wie Hawaii befinden sich in „heißen Flecken" über ortsfesten,

wahrscheinlich z. T. bis zur Kern-Mantel-Grenze (s. Erde) hinabreichenden sog. *Plumes* (*Lit.*[4]). Kontinentale Intraplatten-V. können sich sowohl im Bereich von Graben-(Rift-)Zonen[5] (z. B. Kaiserstuhl, Ostafrikan. Gräben) als auch über Hot Spots[4] (z. B. Teile der Eifel, Yellowstone-Gebiet/USA) befinden. Einige Beisp. für verheerende V.-Ausbrüche sind: Tambora/Indonesien 1815 (92 000 Tote; 1816 wurde ein „Jahr ohne Sommer"), Krakatau/Indonesien[6] 1883 [36 000 Tote, gigant. Flutwelle (sog. *Tsunami*), fast 20 km^3 Asche u. Staub], Mt. Pelée auf Martinique/Karibik 1902 (29 000 Tote durch eine Glutlawine) u. Nevado del Ruiz/Kolumbien 1985 (26 000 Tote durch einen Schlammstrom). – *E* volcanoes – *F* volcans – *I* vulcani – *S* volcanes

Lit.: [1] Spektrum Wiss. **1983**, Nr. 8, 86–98. [2] J. Volcanol. Geotherm. Res. **64**, 95–115 (1995). [3] J. Petrol. **39**, 1077–1089 (1998). [4] Annu. Rev. Earth Planet. Sci. **20**, 19–43 (1992). [5] Annu. Rev. Earth Planet. Sci. **15**, 445–503 (1987). [6] Spektrum Wiss. **1984**, Nr. 1, 106–118.
allg.: Decker u. Decker, Vulkane, Heidelberg: Spektrum 1998 (mit 1 CD-ROM) ▪ Francis, Volcanoes, Oxford (U. K.): Clarendon Press 1994 ▪ Kosmos **1992**, Nr. 1, 76–83 ▪ Rittmann, Vulkane u. ihre Tätigkeit (3.), Stuttgart: Enke 1981 ▪ Scarpa u. Tilling (Hrsg.), Monitoring and Mitigation of Volcano Hazards, Berlin: Springer 1996 ▪ s. a. Vulkanismus, Vulkanite, pyroklastische Gesteine.

Vulkanechtgelb [2,2'-(3,3'-Dichlorbiphenyl-4,4'-diylbisazo)bis(3-hydroxy-2-butensäure)-bis(2,4-dimethylanilid), C. I. Pigment Yellow 13, C. I. 21 100].

$C_{36}H_{34}Cl_2N_6O_4$, M_R 685,62. Erstes Diarylpigment, von IG Farben entwickelt u. 1935 zum Pigmentieren von Kautschuk unter der Bez. V. GR in den Handel gebracht. Der Einsatzschwerpunkt von V. ist das Druckfarbengebiet, insbes. der Offsetdruck. Auf dem Kunststoffgebiet genügt es mittleren Ansprüchen. Daneben wird V. zum Herst. von Buntstiften, Tuschen, Kreiden od. Künstlerfarben, sowie kosmet. Mitteln verwendet. – *E* vulcan fast yellow – *F* jaune volcanique – *I* pigmento giallo 13 – *S* pigmento amarillo 13
Lit.: Herbst u. Hunger, Industrielle organische Pigmente (2.), Weinheim: VCH Verlagsges. 1995. – *[CAS 5102-83-0]*

Vulkanfiber (*die* V.; Kurzz. Vf). Nach DIN 7737: 1959-09 Bez. für einen *Schichtpreßstoff, der durch *Pergamentieren* ungeleimter *Papiere hergestellt wird. Das Pergamentierungsmittel (meist Zinkchlorid-Lsg., früher Schwefelsäure) wird nach dem Pergamentieren wieder entfernt. Je stärker die Pergamentierung, um so mehr verschwindet die Lagenstruktur, u. man erhält eine nahezu homogene Masse aus *Cellulosehydrat. V. ist ein harter, zäher, nichtsplitternder od. auch weicher, biegsamer, lederartiger Kunststoff aus teilhydrolysierter *Cellulose, der durch Biegen, Bohren, Feilen, Fräsen, Hobeln, Schleifen, Schneiden, Stanzen u. Kleben verarbeitbar ist. Der Wassergehalt beträgt 7–10%, die D. 1,2–1,3, u. die Beständigkeit gegen Öle, Benzin u. a. organ. Lsm. ist sehr gut. V. ist ein schlechter Leiter für Wärme u. Elektrizität. Die Handelssorten sind grau (ohne Farbzusatz), schwarz, rot, braun od. weiß gefärbt u. ggf. mit Narbenprägung versehen. Für die Prüfung der nach DIN 7737 (s. oben) genormten Werkstoff-Eigenschaften gilt DIN 7738: 1959-09.

Verw.: Anstelle von Gummi u. Leder zur Herst. von Koffern, Zahnrädern, Bremsklötzen, Dichtungsscheiben, Unterlagen für Schleifscheiben u. wasserfeste Schleifpapiere, Geschirrgriffen, Mützenschirmen, elektr. Isoliermaterialien usw.

Geschichte: V. gehört zusammen mit *Celluloid u. dem *Casein-Kunststoff Galalith zu den ältesten Kunststoffen; sie ist seit Mitte des 19. Jh. bekannt. 1859 wurde von Taylor ein Herst.-Verf. patentiert, in dem Zinknitrit zum Tränken diente. Da die Herst. oberflächlich betrachtet der *Vulkanisation von Naturkautschuk zu Hartgummi ähnelt, als Ausgangsprodukt aber Papierfasern dienen, wurde das Produkt V. genannt. Allerdings hat V. angesichts der Fülle moderner Kunststoffe, die sich den jeweiligen Verw.-Zwecken besser anpassen lassen, an Bedeutung verloren u. ist fast nur noch für Isolier- u. Dichtungsmittel-Anw. im Handel. – *E* vulcanized fiber – *F* fibre vulcanisée – *I* fibra vulcanizzata – *S* fibra vulcanizada

Lit.: Encycl. Polym. Sci. Technol. **14**, 757–767 ■ Saechtling, Kunststoff-Taschenbuch, S. 373f., München: Hanser 1986 ■ Ullmann (4.) **23**, 747–750; (5.) **A 20**, 554. – *[HS 3912..]*

Vulkanisat. Bez. für durch *Vulkanisation von Kautschuken hergestellte Produkte. – *E* vulcanizate – *F* vulcanisat – *I* vulcanizzato – *S* vulcanizado

Vulkanisation. V. wird definiert[1] als die Überführung von plast., Kautschuk-artigen, ungesätt. od. gesätt. *Polymeren in den gummielast. Zustand durch Vernetzung mit energiereicher Strahlung, Peroxiden od. Schwefel(-Verb.). Ursprünglich ist V. der Name für die von dem Amerikaner *Goodyear um 1840 entwickelte Meth. zur dreidimensionalen Vernetzung von *Naturkautschuk unter gleichzeitiger Einwirkung von Schwefel u. Hitze (d. h. Attributen des Vulkanismus, daher der Name!).

Die V. zu vernetzten Produkten mit der in der Abb. wiedergegebenen Struktur erfolgt bei *Elastomeren mit C,C-Mehrfachbindungen vorwiegend mit Schwefel als V.-Mittel unter Ausbildung von Schwefel-Brücken zwischen den einzelnen *Makromolekülen.

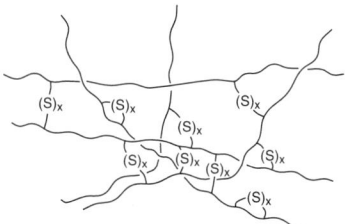

Abb.: Vernetzung von Kautschuk-Mol. über Schwefel-Brücken.

Der exakte Mechanismus der V. mit Schwefel ist nicht genau bekannt. Die Reaktion wird durch organ. Säuren u. Basen, nicht aber durch Radikalstarter beschleunigt. Man vermutet daher einen ion. Mechanismus. Über die Schwefel-Menge kann die Konsistenz der vulkanisierten Kautschuke, der *Vulkanisate*, festgelegt werden (s. z. B. Hartgummi).

Die Vernetzung mit Schwefel erfolgt als *Heißvulkanisation*, z. B. bei Temp. im Bereich von 120–160 °C (*Lit.*[1]). Mit Schwefeldichlorid od. Dischwefeldichlorid kann Kautschuk auch bei tiefen Temp. zu Produkten der Struktur I vulkanisiert werden (*Kalt-V.*; *Lit.*[1]).

$$\text{Cl–C–H} \quad \text{H–C–Cl}$$
$$\text{H–C–(S)}_n\text{–C–H}$$

n = 1,2

Bei manchen *Synthesekautschuken werden auch Schwefel-freie Vernetzer als V.-Mittel verwendet, z. B. Peroxide bei gesätt. od. Metalloxide (MgO, ZnO) bei reaktiven (Halogen-, Carboxy-)Gruppen enthaltenden Elastomeren. Butadien/Styrol- (SBR), Butadien/Acrylnitril- (NBR) u. a. *Copolymere können auch rein therm. vulkanisiert werden (*Thermo.-V.*). Zur Steuerung der V.-Geschw. werden bei der V. sog. *V.-Hilfsmittel* verwendet, die als *V.-Beschleuniger* (*Aktivatoren) od. *V.-Verzögerer* [verhindern die sog. *An-V.* (Versengen, *E* scorching)] fungieren. V.-Beschleuniger sind insbes. Xanthogenate, Dithiocarbamate, Tetramethylthiuramdisulfid u. a. *Thiurame, Benzothiazol-2-thiol-Derivate u. a. Thiazole, Guanidine, Thioharnstoff-Derivate, Amin-Derivate u. ä.; zur Funktion der V.-Beschleuniger s. a. *Lit.*[2]. Die Beschleuniger werden meistens in Kombination mit Aktivatoren [Zinkoxid, Antimon(III)-sulfid, Blei(II)-oxid], die als Schwefel-Überträger fungieren, u. Fettsäuren (Stearinsäure) eingesetzt. V.-Verzögerer (organ. Säuren, z. B. Benzoe- od. Salicylsäure, Phthalsäureanhydrid) schieben das Einsetzen der Vernetzung hinaus. Techn. wird die V. nach sehr unterschiedlichen Verf.[3] durchgeführt, z. B. diskontinuierlich in heizbaren Pressen, in heißem Wasser od. Dampf, kontinuierlich u. a. als *Heißluft-V.*, bei der extrudierte Kautschuk-Mischungen direkt in einen Heißluftkanal eingespeist werden, od. als *UHF-V.* (*U*ltra-*H*och-*F*requenz-V.), bei der die Kautschuk-Extrudate einen Hohlleiter (V.-Tunnel) passieren, in dem sie mit Mikrowellen aufgeheizt werden. Andere V.-Verf. sind das *LCM-Verf.* (*l*iquid *c*uring *m*edium; Extrudieren der Kautschuk-Mischungen in heiße Flüssigkeitsbäder) bzw. die *Fließbett-* od. *Wirbelbett-Vulkanisation*. Bei der seltener angewendeten, auf die Herst. dünner Kautschuk-Gegenstände beschränkten *Kalt-V.* (erfunden von Parkes, 1846) taucht man die Rohkautschuk-Waren einige Sekunden bis einige Minuten in eine Lsg. von S_2Cl_2 in CS_2, in Benzin od. in Benzol u. bringt sie dann in eine NH_3-Atmosphäre, um die entstandene Salzsäure zu neutralisieren u. das überschüssige Dischwefeldichlorid zu zersetzen. Einige interessante weitere Verf. zur Vernetzung von Elastomeren, die vielfach ebenfalls unter dem Begriff V. zusammengefaßt werden, wurden erst in jüngerer Zeit entwickelt. Ein Beisp. ist die V. von Silicon-Elastomeren, die bereits bei Raumtemp. erfolgt. Die Ausgangs-Elastomeren sind lineare Polydimethylsiloxane mit Hydroxy-Endgruppen. Die V. dieser Syst. kann durch Zugabe eines Vernetzungsagens,

Vulkanisationsbeschleuniger

z. B. eines Tri- od. Tetraalkoxysilans, u. eines Katalysators, z. B. Zinn(II)-octoat, erfolgen. Eine andere neuere V.-Technik nutzt reaktive Nitren-Zwischenstufen, die aus Verb. des Typs N_3–CO–O–$(CH_2)_n$–O–OC–N_3 entstehen. Beim Erhitzen dieser Substanzen in Ggw. von linearen Polymeren, z. B. *Polyethylen od. *Polypropylen, wird zunächst Stickstoff abgespalten. Das entstehende Dinitren reagiert anschließend mit den Polymer-Ketten unter Vernetzung. Diese Reaktion ist bes. interessant, da hier zur V. keine ungesätt. Stellen in dem Polymer vorhanden zu sein brauchen. – *E* vulcanization – *F* vulcanisation – *I* vulcanizzazione – *S* vulcanización

Lit.: [1] Batzer **1**, 92 ff. [2] Porter, in Oae, Organic Chemistry of Sulfur, S. 71–118, New York: Plenum Press 1977. [3] Batzer **2**, 247 ff.
allg.: Encycl. Polym. Sci. Eng. **17**, 666–698 ▪ Hofmann, Rubber Technology Handbook, S. 221–264, München-Wien-New York: Hanser Publishers 1989 ▪ Morton, Rubber Technology, 3. Aufl., S. 20–58, 105–178, New York: Van Nostrand Reinhold 1987 ▪ Sicheres Arbeiten in der Gummiindustrie (ZH1/258), Heidelberg: BG Chem. Ind. 1994 ▪ Ullmann (4.) **13**, 637–700; (5.) **A 9**, 13–16 ▪ s. a. Kautschuk u. einzelne Kautschuke.

Vulkanisationsbeschleuniger s. Vulkanisation.

Vulkanisationshilfsmittel s. Vulkanisation.

Vulkanisationsmittel. Bez. für die bei der *Vulkanisation als Vernetzer eingesetzten, mehrfunktionellen Reagenzien. – *E* vulcanization agents – *F* agents de vulcanisation – *I* vulcanizzante – *S* agentes de vulcanización

Vulkanisationsverzögerer s. Vulkanisation.

Vulkanismus. Bez. für alle Vorgänge, die mit der Förderung von *Vulkaniten u. der Bildung von *Vulkanen verbunden sind. Berührungspunkte mit V. u. der Forschungsrichtung *Vulkanologie* ergeben sich nicht nur bei Stichwörtern wie *Basalte, *Bimsstein, *Fumarolen, *Ignimbrit, *Lava, *Magma, *magmatische Gesteine (Plutonite u. *Vulkanite), *Obsidian u. *pyroklastische Gesteine, sondern auch bei Themen wie Umwelt, *Klima, *Luftverunreinigungen, *Aerosole, *Saurer Regen[1] u. *Ozon-Loch. Durch V. werden zahlreiche Stoffe in die Atmosphäre eingetragen, z. B. Wasserstoff, reichlich Wasser, Kohlendioxid, Kohlenmonoxid, Chlorwasserstoff, Schwefelwasserstoff, Schwefeldioxid (z. B. beim Ausbruch des Pinatubo auf den Philippinen 1991, *Lit.*[2]), Stickstoff, Stickstoffoxide, Kohlenwasserstoffe (vorherrschend Methan) u. Quecksilber-Dampf[3], ferner Oxide u. Salze von Antimon, Arsen, Blei, Zink[3] u. a. Metallen sowie radioaktive Isotope wie ^{226}Radium, ^{232}Thorium, ^{210}Polonium u. Radon. Aus den Fumarolen der Insel Vulcano/Italien werden neben Schwefel, *Sassolin u. Salammoniak (NH$_4$Cl) auch Sulfide u. *Sulfosalze von Blei, Bismut, Zink u. Eisen (*Lit.*[4]) abgeschieden. Zur Verschmutzung der Atmosphäre durch den Ausbruch des El Chichón (Mexiko 1982) s. *Lit.*[5,6]. Je nach der – mit dem SiO$_2$-Gehalt zunehmenden – Viskosität, der Temp. u. dem Gasgehalt der geförderten Schmelzen kann man unterschiedliche *Arten vulkan. Tätigkeit* unterscheiden. Die *effusive Tätigkeit* (meist bei geringviskosen basalt. Laven, z. B. auf Hawaii) erzeugt Lavaströme, Tafelvulkane, Lavadecken u. Schildvulkane.

Bes. gefährlich ist die v. a. bei höherviskosen, SiO$_2$-reicheren Schmelzen vorherrschende *explosive Tätigkeit*, bei der überwiegend Gase u./od. vulkan. Lockermaterial (Tephra, oft Bims; z. T. als Suspension mit Gas) u./od. Bruchstücke des durchschlagenen Nebengesteins gefördert werden; zu ihren Erscheinungsformen gehören u. a. bis 50 km hohe *Explosionswolken*, bodennahe *Explosionswellen* (*E base surges*) u. überquellende *Glutwolken*. Beisp. sind die *strombolian. Tätigkeit* (nach dem Vulkan Stromboli in Italien; Auswurf von Lava-Fetzen aus einem ständig offen gehaltenen Schlot) u. die oft bes. verheerenden *plinian. Ausbrüche* [Name nach dem von Plinius d. J. beschriebenen Ausbruch des Monte Somma (Vesuv) im Jahre 79 n. Chr., bei dem die Stadt Pompeji von Bimsasche begraben wurde]; ein Beisp. ist der Ausbruch des Mount St. Helens/USA im Jahre 1980 (*Lit.*[7]). Vulkan. *Dampfexplosionen*, die durch den Kontakt von Schmelze mit Meer- od. Süßwasser (Grundwasser) ausgelöst werden, bezeichnet man als *phreat.* od. *phreatomagmat.*; bei solchen Ausbrüchen sind z. B. die Maare der Eifel[8] u. die Vulkaninsel Surtsey vor Island (1963/64) entstanden.

Eine wichtige Aufgabe der Vulkanologie ist heute angesichts der zunehmenden Weltbevölkerung die Vorhersage von Vulkanausbrüchen[9]. Die Untersuchung von Eis-Bohrkernen aus den Polargebieten gibt Hinweise z. B. auf Säure-Anreicherungen, u. a. von H$_2$SO$_4$ (*Lit.*[10]), u. das Alter großer Eruptionen. Satelliten-Technologie ermöglicht die Kartierung schwer zugänglicher Vulkangebiete wie z. B. der zentralen Anden. Wettersatelliten geben Auskünfte über Ausbruchszeit, Umfang u. Richtung vulkan. Eruptionswolken.

Zu den pos. Auswirkungen des V. gehören die Bildung fruchtbarer Böden, die Nutzung geothermaler Energie für die Beheizung von Häusern (Island) od. zur Stromerzeugung (Larderello/Italien, Neuseeland) u. die Heilwirkungen von Thermalquellen. Durch V. sind ferner zahlreiche wirtschaftlich wichtige *Lagerstätten entstanden. – *E* volcanism – *F* volcanisme – *I* = *S* vulcanismo

Lit.: [1] Annu. Rev. Earth Planet. Sci. **21**, 151–174 (1993). [2] Geophys. Res. Lett. **19**, 151–155 (1992). [3] Nature (London) **338**, 47 ff. (1989). [4] Eur. J. Mineral. **9**, 423–432 (1997). [5] Naturwissenschaften **69**, 494 ff. (1982). [6] Spektrum Wiss. **1984**, Nr. 3, 68–81. [7] Spektrum Wiss. **1981**, Nr. 5, 32–46. [8] Spektrum Wiss. **1982**, Nr. 2, 26–37. [9] Annu. Rev. Earth Planet. Sci. **14**, 267–291 (1986). [10] Nature (London) **327**, 671–676 (1987).
allg.: Annu. Rev. Earth Planet. Sci. **21**, 427–452 (1993) ▪ Hall, Igneous Petrology (2.), S. 24–65, Harlow (England): Longman 1996 ▪ Pichler (Hrsg.), Vulkanismus, Heidelberg: Spektrum 1985 ▪ Press u. Siever, Allgemeine Geologie, S. 86–113, Heidelberg: Spektrum 1995 ▪ Schmincke, Vulkanismus, Darmstadt: Wissenschaftliche Buchges. 1986. – *Multimedia:* Vulkanismus, VHS-Video, Heidelberg: Spektrum Videothek; s. a. Erde, Plattentektonik, Vulkane.

Vulkanit. Ältere Bez. für *Hartgummi.

Vulkanite Bez. für solche *magmatischen Gesteine, die als schmelzflüssiges *Magma aufgestiegen, durch *Vulkane ausgeflossen u. erstarrt sind (*Eruptiv-, Effusiv-, Erguß-, Extrusivgesteine*). Infolge der raschen Abkühlung sind die V. meist feinkrist., z. T. porphyr. (*Gefüge); sie können in der Grundmasse glasige An-

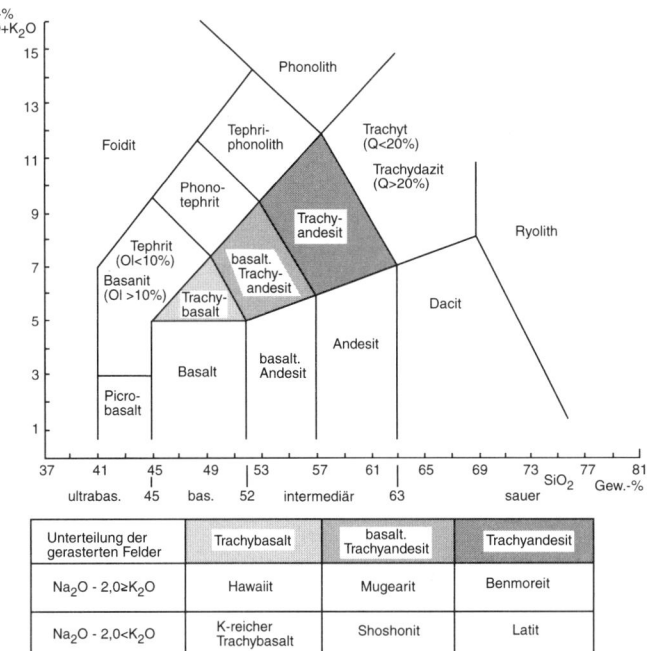

Abb.: Einteilung der Vulkanite im TAS-Diagramm (Ol = Olivin, Q = Quarz); nach Le Maitre (*Lit.*) aus MacKenzie et al., S. 77, *Lit.*

teile enthalten od. sogar vollständig glasig erstarrt sein (z. B. *Obsidian, *Bimsstein). In fast allen V. sind *Feldspäte wesentliche Bestandteile. Für die Beschreibung u. Bestimmung unterscheidet man wie bei den Plutoniten (*magmatische Gesteine) zwischen *Kalkalkali-V.* (z. B. *Rhyolith, Dacit, *Andesit, Tholeiitbasalt) u. *Alkali-V.* (mit Natron- od. Kali-Vormacht; *Beisp.:* *Trachyt, *Phonolith, Alkali-*Basalte, *Lamproit). In chem. Analysen von Kalkalkali-V. ist $K_2O + Na_2O < Al_2O_3$ (Mol.-%). Dacite sind hell- bis mittelgraue, saure ($SiO_2 > 63$ Gew.-%), Plagioklas vorherrschend vor Alkalifeldspat sowie Quarz als Hauptminerale enthaltende Vulkanite.

Für die *Klassifikation* der V. wird neben dem Doppeldreieck Quarz – Alkalifeldspat – Plagioklas – Foide nach Streckeisen (s. *Lit.*[1] u. die Abb. 2 bei magmatische Gesteine) in zunehmendem Ausmaß das in der Abb. gezeigte *TAS-Diagramm* (Total Alkali-SiO_2-Diagramm; s. Le Maitre, *Lit.*) auf der Grundlage der SiO_2- u. Alkali-Gehalte (Na_2O+K_2O; jeweils in Gew.-%) der chem. V.-Analysen [Beisp. s. Matthes (*Lit.*) u. Hess (*Lit.*)] verwendet.

Das häufigste vulkan. Gestein ist Basalt; im Archaikum (*Erdzeitalter) wurde seine Rolle z. T. von *Komatiit eingenommen. Alkali-V. (vgl. *Lit.*[2]) finden sich v. a. in *kontinentalen Rift-(Graben-)Zonen,* z. B. in den ostafrikan. Gräben, im Oslo-Graben/Norwegen u. in der Hess. Senke (s. *Lit.*[3]); bei ihrer Bildung haben im allg. *Metasomatose-Vorgänge eine wesentliche Rolle gespielt. Kalkalkali-V. treten v. a. im Bereich von *konvergierenden Plattenrändern* (*Erde) u. *Inselbögen* auf, z. B. in den Rocky Mountains u. den südamerikan. Anden. Der größte Teil der Basalte wird an den *mittelozean. Rücken* (s. Erde) gefördert (Abk.: *MOR-Basalt* od. MORB); den Hauptanteil stellen hier die Tholeiitbasalte, die heute neben den V. der Kalkalkali- u. der Alkali-Reihe als ein eigener, im TAS-Diagramm nicht enthaltener Magmen-Typ angesehen werden. Von den MOR-Basalten unterscheiden sich die ebenfalls in ozean. Platten über sog. *heißen Flecken* (*E* hot spots) des Erdmantels (s. *Lit.*[4] u. vgl. Erde) gebildeten *ozean. Insel-Basalte* durch ihre Spurenelement- u. Isotopen-Zusammensetzung. Zur Bedeutung der experimentellen Petrologie (*Petrographie) für die Klärung der Bildungsbedingungen der V. s. *Lit.*[5]. – *E* volcanic rocks, vulcanites – *F* vulcanites – *I* vulcaniti – *S* vulcanitas

Lit.: [1] Geol. Rundsch. **69**, 194–207 (1980). [2] Fortschr. Mineral. **64**, 63–86 (1986). [3] Fortschr. Mineral. **65**, 19–47 (1987). [4] Spektrum Wiss. **1985**, Nr. 6, 62–72. [5] Fortschr. Mineral. **65**, 249–284 (1987).

allg.: Dietrich u. Skinner, Die Gesteine u. ihre Mineralien, S. 174–192, Thun: Ott 1984 ▪ Hall, Igneous Petrology (2.), Harlow (England): Longman 1996 ▪ Hess, Origins of Igneous Rocks, Cambridge (Mass.): Harvard University Press 1989 ▪ Le Maitre (Hrsg.), A Classification of Igneous Rocks and Glossary of Terms, Oxford: Blackwell 1989 ▪ MacKenzie, Donaldson u. Guilford, Atlas der magmatischen Gesteine in Dünnschliffen, Stuttgart: Enke 1989 ▪ Matthes, Mineralogie (5.), S. 184–210, Berlin: Springer 1996 ▪ s. a. magmatische Gesteine.

Vulkanol®. Weichmacher für Gummi auf der Basis von verschiedenen z. T. aromat. Ethern, Thioethern, Thioglykolsäureestern etc. *B.:* Bayer.

Vulkanox®. Umfangreiches Sortiment (z. Z. ca. 20 Typen) von Alterungsschutzmitteln für die Kautschukverarbeitende Ind. auf der Basis von Alkyl- u. Aralkyl-substituierten Phenolen, Diphenylaminen, *p*-Phenylendiaminen u. dgl. *B.:* Bayer.

Vulkasil®. Helle, aktive Füllstoffe für die Gummi-Ind. auf der Basis gefällter Kieselsäure u./od. Natriumaluminiumsilicat. *B.:* Bayer.

Vulkazon®. Nicht verfärbende Ozon-Schutzmittel für die Herst. von Gummiartikeln. *B.:* Bayer.

Vulkollan®. Marke sowohl für gießbare Polyurethan-Elastomere auf der Basis von Naphthalin-1,5-diyldiisocyanat als auch für die zur Herst. verwendeten Polyesterpolyole; *Beisp.:* Lineare Polyester aus Adipinsäure u. Ethylenglykol mit endständigen OH-Gruppen. Zur Herst. mechan. u. dynam. hochbeanspruchter Artikel wie Rollenbeläge, Kupplungen, Siebmatten, Membranen, Federelemente, Verschleißschutz usw. *B. (für Vorprodukte):* Bayer.

Vulpinsäure (Pulvinsäuremethylester).

$C_{19}H_{14}O_5$, M_R 322,32, gelbe Krist., Schmp. 148–149 °C (andere Angabe 145–146 °C), lösl. in Chloroform, unlösl. in Wasser. Typ. Flechtensäure, z. B. in der Wolfsflechte (*Letharia vulpina*). V. kommt jedoch auch in einigen Pilzen der Ordnung Boletales vor. Die Verseifung von V. liefert *Pulvinsäure (vgl. a. Gomphidsäure u. Xerocomsäure). V. wirkt antibakteriell, antiviral[1] u. auf Pflanzen als Wachstumshemmer. V. wird in manchen Ländern als natürlicher Wollfarbstoff verwendet[2]. – *E* vulp(in)ic acid – *F* acide vulpinique – *I* acido vulpinico – *S* ácido vulpínico

Lit.: [1] World J. Microbiol. Biotechnol. **6**, 155–158 (1990).
[2] Sundström u. Sundström, Mit Pilzen Färben, Zürich: Orell Füssli 1984.
allg.: Beilstein E V **18/8**, 611 ■ J. Chem. Soc., Perkin Trans. 1 **1984**, 1547 ■ Karrer, Nr. 1118 ■ Zechmeister **35**, 177–180; **51**, 40 f. ■ Z. Naturforsch. Tl. C **33**, 449 (1978). – *[HS 2932 19; CAS 521-52-8]*

VVGF. Abk. von *E* vaccinia virus growth factor für *Vakzinevirus-Wachstumsfaktor.

VX.

US-Code für einen nach dem 2. Weltkrieg entwickelten, als *Nervengas* (*Acetylcholin-Esterase-Hemmer) wirksamen *Kampfstoff. Chem. Zusammensetzung: *S*-[2-(Diisopropylamino)ethyl]-*O*-ethyl-methylphosphonothioat, $C_{11}H_{26}NO_2PS$, M_R 267,36. Farblose, geruchlose Flüssigkeit, D. 1,0083 (bei 25 °C), Schmp. ca. –30 °C, Sdp. 298 °C, in Wasser wenig lösl., sehr gut Lipoid-lösl., gegenüber *Sarin etwa 3fach wirksam.
VX kann als *binärer Kampfstoff verwendet werden; die Abb. zeigt Konstruktionsschema u. Reaktionsprinzip der in den USA entwickelten binären „Bigeye-Bombe".

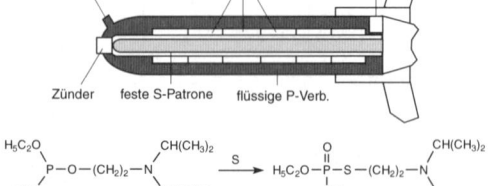

Abb. 1: Konstruktionsschema u. Reaktionsprinzip der binären VX-Bigeye-Bombe (nach *Lit.*[1]).
Eine feste Schwefel-Patrone innerhalb eines rostfreien Zylinders ist von der flüssigen Phosphor-organ. Komponente, welche den äußeren Teil der Bombe ausfüllt, getrennt. Die Barriere zwischen den beiden Reaktanden wird mechan. gebrochen, u. Rührschaufeln mischen die Reaktanden. Die Reaktion ist bereits nach ca. 5 s beendet. Allerdings beginnt dann auch schon der Abbau des VX.

Lit.: [1] Nachr. Chem. Tech. Lab. **37**, Nr. 3, 258 (1989).
allg.: Kirk-Othmer (4.) **5**, 799 ff. ■ Klimmek et al., Chemische Gifte u. Kampfstoffe, S. 69 f., 72 f., 77, Stuttgart: Hippokrates 1983. – *[CAS 50782-69-9; G 2/2 TC]*

VZ. 1. Abk. für Verseifungszahl, s. Fette u. Öle. – 2. Kurzz. für Erstarrungsverzögerer als *Betonzusatzmittel.

w. In Naturwissenschaft u. Technik Symbol für Geschw. (meist jedoch v od. u), Arbeit (meist *W), Energiedichte, Massenanteil (im Stichwort *Konzentration noch Massengehalt od. Massenbruch genannt).

W. 1. Symbol für das chem. Element *Wolfram. – 2. In der Ein-Buchstaben-Notation der IUB neben Trp Kurzz. für die Aminosäure *Tryptophan. – 3. In der Physik Kurzz. für die Einheit *Watt. – 4. Allg. in Naturwissenschaft u. Technik Symbol für Arbeit, seltener auch für Energie od. Gewicht. – 5. In der Kerntechnik Symbol für den mittleren Energieverlust pro erzeugtem Ionenpaar. – 6. Bei Elementarteilchen Symbol für ein sog. Vektor-*Boson, s. Vektoren (2.). – 7. Bei *Holzschutzmitteln ist W ein Prüfprädikat.

WA. Nach DIN 60001-4: 1991-08 Kurzz. für die feinen *Tierhaare des Angorakaninchens (*Angorawolle).

Waage, Peter (1833–1900), Prof. für Chemie, Oslo. *Arbeitsgebiete:* Chem. Gleichgew., Massenwirkungsgesetz (1867, gemeinsam mit seinem Schwager C. M. *Guldberg).
Lit.: Krafft, S. 44 ▪ Lexikon der Naturwissenschaftler, S. 410 ▪ Neufeldt, S. 59 ▪ Pötsch, S. 441.

Waagen. Bez. für Geräte zur Bestimmung von *Massen. Die W. können eingeteilt werden nach *Bauart, Höchstlast* u./od. *relativer Ablesbarkeit* (= Höchstlast/Ablesbarkeit). Allerdings ist bei den modernen, benutzerfreundlichen W. für Laboratorium u. Technik ohne Öffnen des Gehäuses oft nicht mehr zu erkennen, nach welchem Prinzip die Wägung erfolgt, d. h., welche Kraft zum Vgl. mit der Gewichtskraft herangezogen wird, um den *Wägewert* – nach DIN 1305: 1988-01 Bez. für den „Meßwert einer Wägung, vorzugsweise in Luft" – zu bestimmen. Nach der Bauart unterscheidet man Hebel- od. Balken-W., W. mit elast. Meßglied, hydraul. u. elektron. Waagen. Das Wägeprinzip bei den *Hebel-* od. *Balkenwaagen* besteht aus dem Vgl. der zu ermittelnden Massen mit bekannten Gew. (Gew.-Stücken als *Einheiten der Masse) durch den Ausgleich der Hebeldrehmomente. Zu den Hebel-W. zählen Laufgew.-W., Rezeptur-W., Tafel-, Dezimal- u. Zentesimal-W., Neigungs-W. wie Brief-, Garnod. einige oberschalige Präzisions-W., bei denen der Gew.-Ausgleich durch ein an einem Winkelhebel befestigtes unveränderliches Neigungsgew. erfolgt, ferner Brücken-W. für Gleis- u. Straßenfahrzeuge u. Rollbahn-, Förderband- od. Fließbandwaagen. Bei den *W. mit elast. Meßglied* (Feder- u. Torsions-W.) werden Kräfte miteinander verglichen, u. zwar die Anziehungskraft der unbekannten Masse, die eine Formänderung von geeichten elast. Federn, Drähten, Bändern u. dgl. verursacht, mit der dabei auftretenden elast. Kraft. Bei den nur noch selten, etwa als Kran-W. für große Lasten benutzten *hydraul. W.* (nicht mit hydrostat. W. – *Beisp.:* *Mohrsche Waage – zu verwechseln) ergibt sich die zu bestimmende Masse aus der Größe des Drucks, den sie über einen Kolben auf eine in einem Behälter eingeschlossene Flüssigkeit ausübt. *Elektron.* (*elektromechan., elektromagnet.*) W. vergleichen ebenfalls Kräfte, u. zwar wird hier ein – durch das zu bestimmende Gew. verursachtes – Drehmoment durch eine elektromagnet. Kraft kompensiert. Wegen der außerordentlich genau zu messenden, hierfür benötigten Stromstärke kann mit diesen W. – allerdings nur bei Höchstlasten von wenigen Gramm – eine Ablesbarkeit bis 0,1 µg erreicht werden. Eine andere Meßmeth. bei diesen W.-Typen benutzt die Proportionalität zwischen der an einem Dehnmeßstreifen angreifenden Gew.-Kraft der unbekannten Masse u. der durch die Längendehnung hervorgerufenen Widerstandsänderung des Streifens. Näheres zu den elektr. Effekte nutzenden W. s. *Lit.*[1,2]; *Lit.*[2] geht auch auf das Meßprinzip mit schwingenden Saiten u. auf die Kreiselwaage ein. Das Ablesen der Meßwerte erfolgt bei den einzelnen W. unterschiedlich über Zeiger-, Leuchtbild- od. Digitalanzeige. Derart *digital ausgegebene Meßwerte können direkt in Drucker zum *Registrieren od. in Datenverarbeitungs-Anlagen eingelesen werden od. über *Prozeßrechner bei der Steuerung vollautomat. Prozeßabläufe in der chem. Ind. verarbeitet werden.

Pauschal seien an weiteren W.-Typen genannt: Karat-, Schaltgew.- u. Rollgew.-, Dosier-, Zähl-, Band-, Abfüll-W., Mehrkomponenten-Wägesyst. mit Dosierung, Steuerung u. Registrierung, selbsttätige Kontroll-W. mit Tendenzsteuerung u. Sortier- od. Regeleinrichtung usw. *Sonder-W.* sind Magnet-W. (für Messungen in der *Magnetochemie), Thermo-W. (für die *Thermogravimetrie), Vak.-W. (für Wägungen im Vak.), hydrostat. W. (zur Bestimmung der D. fester u. flüssiger Medien) u. Gasdichte-W. (Auftriebs-W. zur Bestimmung der D. von Gasen). Internat. werden *eichfähige W.* nach der Anzahl der Skalenteile in 4 Genauigkeitsklassen eingeteilt (Reglementation, s. *Lit.*), wobei sich die u. einer W. noch ablesbare Gew.-Differenz aus der Höchstlast, dividiert durch die Anzahl der Skalenteile ergibt (in Klammern Anzahl der Skalenteile u. die üblichen Höchstlasten): *Grob-W.* (10^2–10^3, 1 kg–10 t): hydraul. W. u. a.; *Handels-W.* (500–10^4, 20 g–100 t): Gleis-, Straßenfahrzeug-, Dezimal-, Feder-, Haushalts- u. Personen-W. u. a.; *Präzisions-W.* (5000–10^5, 1 g–100 kg): Gleicharmige Balken-, Neigungs-, feinere Feder-W. u. a.; *Fein-W.* (>10^5,

0,1 mg – 200 g): Insbes. die *Analysen-W.*, z. B. in Form von gleich- u. ungleicharmigen Balken-W., Neigungs-, Torsions- u. elektromagnet. W., bei einer Belastbarkeit bis ca. 200 g auch als *Semimikro-*, bis 50 g als *Mikro-* u. bis etwa 5 g als *Ultramikro-W.* unterschieden. Mit den z. Z. leistungsfähigsten W. kann 1 kg auf 3 µg (3 ppb) genau bestimmt werden; das ist ein Auflösungsvermögen von $3 \cdot 10^{-9}$.

Für die Qualität einer W. – u. damit für die *Richtigkeit des *Wägens – sind die folgenden Kriterien wichtig: *Empfindlichkeit* (für eine angegebene Belastung) = Verhältnis der Änderung der Zeigerablesung zur Größe der sie verursachenden Gew.-Änderung = Teilstriche pro Gew.-Einheit; die „Empfindlichkeit" wird in der Technik meist in Gew.-Einheiten angegeben (z. B. bei modernen Mikrowaagen mit 0,1 µg bei 2,5 g Belastbarkeit); *Ablesbarkeit* = kleinster Bruchteil eines Skalenteils, der noch leicht entweder durch Schätzung od. unter Benutzung eines Hilfsmittels (Nonius, Mikrometer) bestimmt werden kann; *Reproduzierbarkeit* = Konstanz der Gew.-Anzeige (bei mechan. W. gewährleistet durch die Präzision der mechan. Ausführung, v. a. von Schneiden, Balken u. *Arretierung) bei beliebig vielen Wägungen des gleichen Körpers unter Berücksichtigung der durch die Reibungsverluste in den Lagern hervorgerufenen Streuung der Meßergebnisse; *Genauigkeit* = Grad der Übereinstimmung des angezeigten Gew. mit dem vom Urkilogramm abgeleiteten Normgew., das durch Eichen überprüft wird; Abb. 1 zeigt die Hierarchie der Massennormale. Das Grundnormal ist weiterhin ein Kilogrammprototyp; für die Zukunft ist geplant, analog zu den anderen *Basiseinheiten, auch das Kilogramm durch ein atomares Quantenmaß zu definieren (s. Avogadro-Konstante u. *Lit.*[3]). Die Eichfehlergrenzen von Gew.-Stücken verschiedener Klassen ist in Abb. 2 gegeben; Details s. *Lit.*[4]. Im allg. wird die Genauigkeit in Prozent angegeben, z. B. als ± 0,05%. Die Aufstellung von Analysen-W. erfolgt in der Regel auf einem Wägetisch, d. h. einem speziellen Tisch mit Schwingungsdämpfung, ferner sollte der Platz trocken, gleichmäßig temperiert u. frei von elektrostat. Aufladung, Luftbewegungen u. Staub sein.

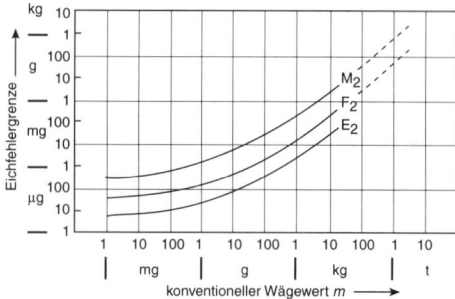

Abb. 2: Eichfehlergrenzen von Gew.-Stücken der Klasse E (für Eichämter, Hersteller von hochauflösenden Waagen), F_2 (Prüfung von Präzisionswaagen) u. M_2 (Prüfung von Handelswaagen).

Bei den *Wägeverf.* unterscheidet man Proportionalitätswägung, Substitutionswägung u. Gaußsche Doppelwägung. Bei der *Proportionalitätswägung* (*einfache Wägung*) wird zunächst die Leeranzeige der W. bestimmt, dann das Objekt auf die eine Schale der W. gebracht u. dessen Masse auf der anderen Seite durch Gew. u. Reiterverschiebung weitgehend ausgeglichen. Bei der *Substitutionswägung* (*Bordasche Wägung*) wird das zu wägende Objekt zunächst z. B. auf die rechte Waagschale gebracht u. auf der linken durch Gew. ausgeglichen; darauf wird das Objekt von der Schale genommen u. durch Gew. weitgehend ersetzt, wobei die Gew. der linken Seite unverändert bleiben. Für die *Gaußsche Doppelwägung* (*Vertauschungswägung*) ist eine gleicharmige Hebelwaage mit zwei zugänglichen Schalen erforderlich. Das Objekt wird hier einmal auf der linken u. einmal auf der rechten Waagschale mittels Normalgew. ins Gleichgew. gebracht.

Geschichte: Vom „Abwägen" mit den Händen in prähistor. Zeiten, der ersten nachweislichen Verw. von Gew.-Steinen in Ägypten um 7000 v. Chr. ging die Entwicklung der W. über gleicharmige Balken-W. in Babylonien u. Ägypten um 2600 v. Chr. u. Schnell-W. mit Laufgew. in Ägypten um 1200 v. Chr. zu den ersten Feder-W. um 1690, Neigungs-W. um 1760, Torsions-W. gegen Ende des 18. Jh., Dezimal-W. um 1820, oberschalige W. um die Mitte des 19. Jh. u. schließlich den elektron. Wägesyst. der 2. Hälfte des

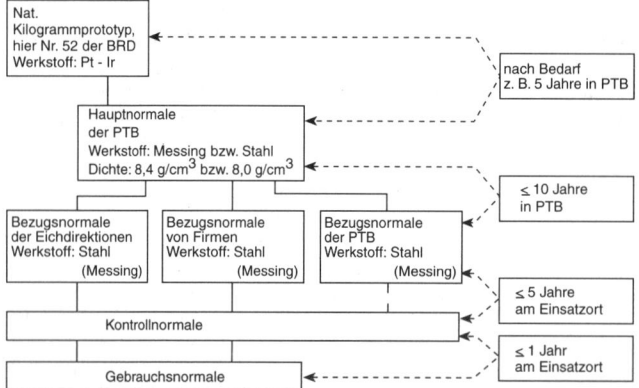

Abb. 1: Hierarchie der Massennormale; rechte Seite: Zeitbereich, in dem die Normale gegeneinander verglichen werden; PTB = *Physikalisch-Technische Bundesanstalt.

20. Jh. – *E* balances, scales – *F* balances – *I* bilance – *S* balanzas
Lit.: [1] Jenemann, Die Waage des Chemikers, Frankfurt: DECHEMA 1979. [2] LABO **15**, 7–15 (1984). [3] Phys. Bl. **43**, 227 (1987). [4] Kohlrausch, Praktische Physik 1, S. 8 ff., Stuttgart: Teubner 1996.
allg.: Biétry u. Kochsiek, Praktischer Leitfaden der wägetechnischen Begriffe, Gießen: Mettler-Waagen GmbH 1985 ▪ Kochsiek, Handbuch des Wägens, Braunschweig: Vieweg 1985 ▪ LABO **15**, 1427–1430 (1984); **16**, 455–466 (1985) ▪ Lu u. Czanderna, Applications of Piezoelectric Quartz Crystal Microbalances, Amsterdam: Elsevier 1984 ▪ Pharm. Unserer Zeit **14**, 161–174 (1985) ▪ Reglementation „metrologique" des instruments de pesage..., Paris: OIML 1984 ▪ Vieweg, Aus der Kulturgeschichte der Waage, Balingen: Bizerba-Werke 1966 ▪ Winnacker-Küchler (4.) **1**, 506. – *Organisationen:* Arbeitsgemeinschaft Waagen, Frankfurt ▪ Comité Européen des Constructeurs des Instruments de Pesage, 36 Avenue Hoche, F-75 008 Paris ▪ Fachgemeinschaft Waagen, Frankfurt.

van der Waals s. unter V.

Wacholder (Kranewitt, Machandelbaum). In Europa, Nordasien, -amerika u. -afrika heim., immergrüner, spitzkegeliger Strauch od. bis 12 m hoher Nadelbaum *Juniperus communis* L. (*Cupressaceae) mit nadelförmigen Blättern u. blauschwarzen Beeren od. Beerenzapfen. Die reifen *Wacholderbeeren* enthalten getrocknet ca. 30% Wasser, ca. 70% Trockensubstanz, davon bis zu 33% Invertzucker, 0,2–2% ether. Öle (s. Wacholderbeeröl), ca. 9% Harze u. Wachse, ca. 4% Asche, ca. 16% Rohfaser, ca. 4% Eiweiß, ferner Säuren wie Ameisen-, Essig- u. Äpfelsäure, Gerbstoffe, Flavonglykoside, Inosit. Ein naher Verwandter des W. ist der giftige *Stinkwacholder*, s. Sadebaumöl.
Verw.: Die Beeren zur Appetitanregung, Diureseförderung u. gegen Durchfall, zur Herst. von *Wacholderbeeröl u. als Gewürz für Sauerkraut, Wild- u. Fischgerichte sowie für einen *Wacholder* genannten, geschmacklich eng mit *Genever u. *Gin verwandten Branntwein mit mind. 32% Alkohol (s. Spirituosen), der aus Sprit-Wasser-Gemisch u./od. Korn-Sprit-Wasser-Gemisch unter Zusatz von Wacholderdestillat u./od. W.-*Lutter hergestellt wird; die Verw. von W.-Beeröl ist unzulässig. Eine geschützte Bez. für einen W.-Branntwein ist *Steinhäger. Aus dem W.-Holz gewinnt man *Wacholderteeröl. – *E* juniper – *F* genévrier – *I* ginepro – *S* enebro, junípero
Lit.: Belitz-Grosch (4.) S. 841, 883 ▪ Braun-Frohne (5.), S. 142–144 ▪ Bundesanzeiger 228/05.12.1984 ▪ DAB **1997** u. Komm. ▪ Giftliste ▪ Gildemeister **4**, 272–278 ▪ Hager (5.) **5**, 561–594 ▪ Janistyn **1**, 996f.; **2**, 84 ▪ J. Chromatogr. **167**, 409–419 (1978) ▪ Parfüm. Kosmet. **62**, 341–346 (1981); **66**, 553–560 (1985) ▪ Wichtl (3.), S. 322–327. – [*HS 0909 50*]

Wacholderbeeröl. Aus reifen getrockneten Wacholderbeeren (*Juniperus communis* L. var.; *Cupressaceae) gewinnt man durch *Wasserdampfdestillation in Ausbeuten von 0,8–2% das farblose bis hellgelbe, dünnflüssige Wacholderbeeröl. D. 0,854–0,879 unlösl. in Wasser, lösl. in 95% *Ethanol (Verhältnis 1:4) unter leichter Trübung.
Aromastoffe: W. riecht stark nach Koniferen (terpenartig) u. schmeckt aromat.-bitter. Als Hauptbestandteile des *etherischen Öls wurden α-*Terpinen u. sein Oxid.-Produkt α-Terpinen-4-ol sowie α-*Pinen (36%), *Myrcen (13%), *Caryophyllen, 3-Caren u. Sabinen (s. Thujan) identifiziert. Der Einfluß des Anbaugebietes, des Zeitpunktes der Ernte u. der zur Extraktion verwendeten Pflanzenteile auf die Zusammensetzung der ether. Öle untersucht *Lit.*[1]. Zur Zusammensetzung von ether. Ölen aus den Blättern der Wacholderpflanze s. *Lit.*[2]. Diesbezüglich ergab eine GC-MS-Analyse als Hauptkomponenten Sabinen (19,4–31,3%), *trans*-Sabinylacetat (7,6–24,3%), β-*Thujon (4,5–25,8%) sowie Terpinen-4-ol (3,4–13%).
Eine GC-MS-Analyse der W.-Fraktionen mit antimikrobieller Aktivität ergab als Hauptkomponenten α-*Terpineol (88,4%) (s. *Lit.*[3]).
Verw.: In der Medizin als *Diuretikum u. in der kosmet. Ind. sowohl als Riechstoff für Herrenparfums als auch für Haut- u. Haarpflegepräparate. Die Verw. von W. zur Herst. von Lebensmitteln (speziell alkohol. Getränken wie *Gin u. *Steinhäger) ist nach Artikel 26 der Begriffsbestimmung für *Spirituosen[4] unzulässig. Zur rechtlichen Beurteilung von „Spirituosen mit Wacholder" (Wacholder, *Genever, Gin) ist die VO (EWG) 1576/89 (Spirituosen-VO)[5], Artikel 1, Absatz 4, Buchstabe m) heranzuziehen. Eine Zusammenfassung der bisher identifizierten Aromastoffe von Gin gibt *Lit.*[6].
Anbaugebiete: Italien (Toskana), Jugoslawien, Spanien, Südfrankreich u. Norddeutschland (Lüneburger Heide). – *E* juniper berry oil – *F* essence (huile) de genièvre – *I* olio della coccola di ginepro – *S* aceite de enebro
Lit.: [1] Phytochemistry **44**, 869–873 (1997). [2] J. Essential Oil Res. **8**, 677–680 (1996). [3] Flavour Fragrance J. **11**, 71–74 (1996). [4] Zipfel, C 419. [5] VO (EWG) Nr. 1576/89 zur Festlegung der allg. Regeln für die Begriffsbestimmung, Bez. u. Aufmachung von Spirituosen vom 29.5.1989 in der Fassung vom 19.6.1991 (ABl. der EG 34, Nr. L. 160/5). [6] Food Add. Contam. **6**, 235–267 (1989).
allg.: Belitz-Grosch (4.), S. 883 ▪ Gassner, Mikroskopische Untersuchung pflanzlicher Lebensmittel (5.), S. 280f., Stuttgart: Fischer 1989 ▪ J. Agric. Food Chem. **37**, 1013–1016 (1989) ▪ Ullmann (5.) **A 11**, 230; (4.) **20**, 281. – [*HS 3301 29; CAS 8012-91-7*]

Wacholderteeröl (Wacholderholzöl, Cade-, Kaddig-, Kranewittöl; Pix Juniperi). Sirupartige, rot- bis schwarzbraune, durchdringend (*empyreumat.*, s. Empyreuma) riechende Flüssigkeit, lösl. in Chloroform u. Ether. W. wird v.a. in Spanien, Ungarn u. Südfrankreich durch trockene Dest. aus dem Holz von *Juniperus oxycedrus* L. (Mittelmeergebiet) u.a. *Juniperus*-Arten gewonnen u. enthält Sesqui- u. Diterpene wie Thujopsen, δ-Cadinen, Tropolone, Sugiol, ferner Kresol, Guajakol, Harze.
Verw.: Äußerlich gegen Rheuma, Ekzeme, Krätze, Flechten u. dgl. – *E* juniper tar oil, cade oil – *F* huile de goudron de genévrier – *I* olio essenziale di ginepro, catrame di ginepro, olio di Cade – *S* aceite de brea de enebro
Lit.: s. Wacholder. – [*HS 3807 00*]

Wachs s. Wachse.

Wachsalkohole. Bez. für höhermol. wasserunlösl. *Fettalkohole mit ca. 24–36 Kohlenstoff-Atomen, die in Form von Wachsestern höhermol. *Fettsäuren (*Wachssäuren) Hauptbestandteil vieler natürlicher *Wachse sind. *Beisp.:* Lignocerylalkohol [1-Tetracosanol, $H_3C-(CH_2)_{22}-CH_2OH$], Cerylalkohol

($H_3C-(CH_2)_{24}-CH_2OH$), Myricylalkohol [1-Triacontanol, $H_3C-(CH_2)_{28}-CH_2OH$] u. Melissylalkohol [1-Hentriacontanol, $H_3C-(CH_2)_{29}-CH_2OH$]. Unter *Woll-W.* versteht man ferner Triterpenoid- u. Steroid-Alkohole, s. Lanolin. – *E* wax alcohols – *F* alcools cériques – *I* alcooli di cera – *S* alcoholes céricos
Lit.: s. Alkohole u. Fettalkohole.

Wachse. Phänomenolog. bzw. warenkundliche Bez., ähnlich wie „Harz" od. „Metall" für eine Reihe natürlicher od. künstlich gewonnener Stoffe, die in der Regel folgende Eigenschaften aufweisen: Bei 20 °C knetbar, fest bis brüchig hart, grob bis feinkrist., durchscheinend bis opak, jedoch nicht glasartig; über 40 °C ohne Zers. schmelzend, schon wenig oberhalb des Schmp. verhältnismäßig niedrigviskos u. nicht fadenziehend, stark Temp.-abhängige Konsistenz u. Löslichkeit, unter leichtem Druck polierbar. W. unterscheiden sich von ähnlichen synthet. od. natürlichen Produkten (z. B. Harzen, plast. Massen, Metallseifen usw.) hauptsächlich darin, daß sie in der Regel etwa zwischen 50 u. 90 °C, in Ausnahmefällen auch bis etwa 200 °C, in den schmelzflüssigen, niedrigviskosen Zustand übergehen u. prakt. frei von aschebildenden Verb. sind. W. bilden Pasten od. Gele u. brennen in der Regel mit rußender Flamme.
Nach ihrer Herkunft teilt man die W. in drei Gruppen ein (s. Tab.).
Zusammensetzung: Hauptbestandteile natürlicher rezenter („nachwachsender") W., wie Bienen- od. Carnauba-W., sind Ester langkettiger *Fettsäuren (*Wachssäuren) mit langkettigen *Fettalkoholen, Triterpen- od. Steroidalkoholen. Diese W.-Ester enthalten auch freie Carboxy- u. OH-Gruppen, welche das Emulgiervermögen der sog. W.-Seifen bewirken. Natürliche fossile W., z. B. aus Braunkohle od. Erdöl, bestehen ebenso wie W. aus der *Fischer-Tropsch-Synthese od. Polyethylen-W. hauptsächlich aus geradkettigen Kohlenwasserstoffen; erstere können aber je nach Provenienz auch verzweigte od. cycloaliphat. Kohlenwasserstoffe enthalten. Häufig werden diese „Kohlenwasserstoff"-W. durch nachträgliche Oxid. od. – im Fall der Polyolefin-W. auch durch Comonomere – mit Carboxy-Gruppen funktionalisiert.
Verw.: In der Pflegemittel-Ind. zur Herst. von Selbstglanz-, Schuh- u. Fußbodenpflegemitteln, Polituren für Möbel- u. Autopflegemittel in der kosmet. u. pharmazeut. Ind. zur Herst. von Salbengrundlagen, Dental-W., Suppositorien, Brillantinen, Epilier-W., Lippenstiften, Hautpflegemitteln, in Landwirtschaft- u. Nahrungsmittel-Ind. als Trennmittel, Käse-W., Melkfette, Baum-W., W.-Überzüge auf Früchten, ferner zur Herst. von W.-Kreiden (s. Buntstifte), als Schmierstoffe, Korrosionsschutz-W., in der Druckfarben-Ind. als Scheuerschutzmittel zur Verminderung des Druckabriebs, in der Kunststoff-Ind. als Gleitmittel, ferner in der Leder- u. Textil-Ind. (z. B. für Batikarbeiten), in der Bleistift- u. Elektro-Ind. sowie bei der Herst. von Kerzen, Abguß- u. Knetmassen sowie W.-Waren aller Art, für Zündholzimprägnierungen, Verpackungsmaterial, Kohlepapier sowie beim Imprägnieren von Holzfaserplatten. W.-haltige Präp. kommen in den Handel in Form von Pasten auf Lsm.-Basis, rieselfähigen Pulver, Dispersionen in organ. Lsm., flüssigen od. pastösen Emulsionen mit od. ohne Lsm., W.-Überzügen (Papier, Folien), Mischungen mit Kunststoffen od. als W.-Aerosole. Weltweit werden jährlich etwa 3 Mio. t W. (überwiegend Paraffin-W.) verwertet. – *E* waxes – *F* cires – *I* cere – *S* ceras
Lit.: Cosm. Toil. **101**, 49 (1986) ▪ DGF-Einheitsmethoden, Abteilung M-Wachse u. Wachsprodukte, 7. Erg.-Lief. 05/1999, Stuttgart: Wissenschaftliche Verlagsges., fortlaufend ▪ Endeavour **14**, 40 (1990) ▪ Fat Sci. Technol. **91**, 72 (1989) ▪ Physical and Chemical Characteristics of Oils, Fats and Waxes, with CD-ROM, Champaign: AOCS Press 1999 ▪ Sayers, Wax an Introduction, European Wax Federation, London: Gentry books 1983 ▪ SÖFW J. **125**, 50–55 (1999) ▪ Ullmann (5.) **A 28**, 109 (1996); (6.) ▪ Ziolkowsky (Hrsg.), Jahrbuch für den Praktiker 1998, S. 313–365, Augsburg: Verl. für Chem. Industrie 1998.

Wachskohlen s. Liptobiolithe.

Wachskracken. In der Petrochemie verwendetes Verf. zum *Kracken *Wachs-haltiger Fraktionen ($C_{20}-C_{30}$), die im Rohöl zu 2–4% enthalten sind. Die Spaltung erfolgt in Röhrenöfen bei 500–600 °C unter geringem Druck. – *E* wax cracking – *F* craquage de cire – *I* scissione termica della cera – *S* craqueo de cera
Lit.: Weissermel-Arpe (4.), S. 87 ▪ Winnacker-Küchler (4.) **5**, 189.

Wachskreiden s. Buntstifte.

Wachssäuren. Sammelbez. für höhermol. *Fettsäuren mit mind. 22 Kohlenstoff-Atomen, wie z. B. *Behensäure, *Tetracosansäure, *Cerotinsäure od. Melissinsäure, die mit *Wachsalkohol, Steroiden od. Triterpenalkoholen verestert Hauptbestandteil vieler pflanzlicher u. tier. *Wachse sind. – *E* wax acids – *F* acides cériques – *I* acidi di cera – *S* ácidos céricos
Lit.: s. Fettsäuren.

Wachsstärke s. Stärke.

Wachsstifte s. Buntstifte.

Tab.: Einteilung der Wachse.

Klasse	Untergruppe	Beisp.
natürliche Wachse	pflanzliche Wachse	*Candelillawachs, *Carnaubawachs, *Japanwachs, Espartograswachs, Korkwachs, Guarumawachs, Reiskeimölwachs, *Zuckerrohrwachs, Ouricurywachs, *Montanwachs
	tier. Wachse	*Bienenwachs, *Schellackwachs, *Walrat, *Lanolin (Wollwachs), Bürzelfett
	Mineralwachse	*Ceresin, *Ozokerit (Erdwachs)
chem. modifizierte Wachse	*Hartwachse	*Montanesterwachse, Sasolwachse, hydrierte Jojobawachse
synthet. Wachse		Polyalkylenwachse, Polyethylenglykolwachse

Wachstuch. Gewebe aus *Baumwolle, *Jute od. Leinen mit einem glänzenden Überzug aus Kunststoff od. Kunstharzlacken. – *E* wax (oil) cloth – *F* toile cirée – *I* tela cerata – *S* hule, tela encerada

Wachstum. Bez. für die irreversible Zunahme von Biomasse. Dabei steigt im Normalfall die *Zellzahl durch Zellteilung. Vergrößerung von *Zellen, Differenzierung u. Morphogenese von Organismen werden ebenfalls als W. bezeichnet, dagegen nicht der Anstieg der Zellmasse nur durch Bildung von Reservestoffen. W. kann u. a. durch Bestimmung der Biomasse (Naß- u. Trockengew.), der Zellzahl, durch Bestimmung des DNA-Gehalts od. durch Aufnahme radioaktiv markierter Nährstoff-Bestandteile verfolgt werden.

W. durch Zellteilung ist gekoppelt mit der *Replikation von *Desoxyribonucleinsäure u. anderer Zellbestandteile. Dabei lassen sich bei den *eukaryont. Zellen* (*Eukaryonten) 4 Phasen (*Zellcyclus*) unterscheiden: 1. Zeit zwischen Zellteilung u. DNA-Synth. (G1-Phase; G von *E* gap = Lücke), – 2. DNA-Synth. (S-Phase, von Synth.), – 3. Zeit zwischen DNA-Synth.-Phase u. *Mitose (G2), – 4. Mitose mit Pro-, Meta-, Ana- u. Telophase (s. Abb.). Bei tier. Zellen ist die Dauer der Phasen sehr unterschiedlich, G1-Phase 2–20 h bei schnellwachsenden Geweben; S-Phase 6–10 h; G2-Phase 2–4 h; Mitose 3–4 h.

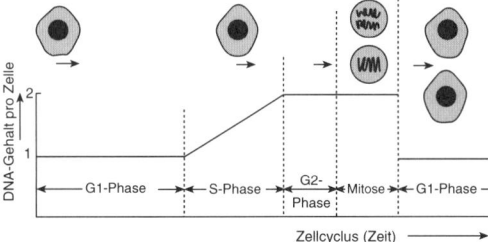

Abb.: Zellcyclus bei Eukaryonten.

Bei *prokaryont. Zellen* (*Prokaryonten) wurden ähnliche Stufen während der Zellverdoppelung hauptsächlich an synchronisierten *Escherichia coli*-Kulturen untersucht: Die Phase I ist die Interphase, in der Vorstufen der DNA-Biosynth. gebildet werden (20 min bei *E. coli*). Die anschließende Phase C dient der DNA-Replikation (40 min). In der Phase D erfolgt die Zellteilung (mind. 20 min). Die Phasen I + C + D entsprechen einem Zellcyclus. Bei sehr schnellem Wachstum treten Interferenzen zwischen Replikation u. Segregation auf. Phase C ist dann kürzer als Phase D, woraus sich ein erhöhter DNA-Gehalt pro Zelle ergibt.

Kugelförmige Zellen vermehren sich durch Querwandbildung, Stäbchen durch Querteilung. Bei fädigen Pilzen teilt sich die Zelle an der Hyphenspitze in zwei Tochterzellen, die äußere der Tochterzellen wird zur neuen sich teilenden Spitzenzelle. Junge, nachgeordnete Zellen können sich noch ebenfalls bei einigen Gattungen teilen. Bei Pilzen wird weiterhin W. durch Verlängerung der Zellen od. auch durch Hyphenverzweigung beobachtet. Bei der sexuellen Vermehrung von Pilzen sind Haplophase (Chromosomensatz: 1 n) u. Diplophase (2 n) zu unterscheiden, beide Zelltypen können sich auch vegetativ vermehren.

Bei gleichmäßigem W. verdoppelt sich die Bakterien-Zahl bzw. Biomasse pro Zeiteinheit. Die Verdoppelung pro Zeiteinheit wird als Teilungsrate v [h^{-1}] bei Zellzahlen u. als W.-Rate μ [h^{-1}] bei Biomassen bezeichnet. Das Zeitintervall der Verdoppelung ist die *Generationszeit g [h] bzw. Verdopplungszeit t_d [h]. Solange die Nährstoffkomponenten im Überschuß vorhanden sind, ist die W.-Rate zellspezif. (*Wachstumsrate, spezifische), aber unabhängig von der Substrat-Konz. (*Batch-Fermentation). Die Zunahme der Zellzahl ist korreliert mit der W.-Rate μ u. der Biomasse X [g/L] od. der Zellzahl N [1/L]:

$$\frac{dX}{dt} = \mu \cdot X \text{ od. } \frac{dN}{dt} = \mu \cdot N$$

Die max. W.-Raten sind abhängig von den Organismen u. den Kultur-Bedingungen. Sie liegen bei Bakterien u. Pilzen zwischen μ_{max} 0,09–0,61 [h^{-1}]. Auch bei optimalen Bedingungen kommt es nach Animpfen einer Kultur-Lsg. während des W. zu vier charakterist. Abschnitten im Verlauf der *Wachstumskurve: 1. *lag-Phase*: In dieser Zeit nimmt die Zellzahl nicht zu, während die Biomasse sich ändern kann. Die Mikroorganismen adaptieren sich in dieser Phase an das neue Milieu, z. B. durch Induktion der für den Metabolismus notwendigen Enzyme. – 2. *log-Phase*: Bei semilogarithm. Auftragung der Zellzahl bzw. Biomasse, die sich bei konstanter W.-Rate vermehrt, gegen die Zeit, erhält man in dieser Phase eine Gerade. Bei mehreren Substraten kann *Diauxie auftreten. – 3. *Stationäre Phase*: Sobald das Substrat metabolisiert ist od. tox. Substanzen durch den Stoffwechsel angereichert werden, geht das W. zurück od. wird ganz eingestellt. In dieser Phase nimmt die Biomasse noch langsam zu od. bleibt konstant. Der Zellinhalt ändert sich. – 4. *Absterbe-Phase*: Die Energiereserve der Biomasse ist erschöpft. Die Zellen sterben in Form einer Exponentialfunktion ab. Beim halblogarithm. Auftragen der Überlebenden gegen die Zeit ergibt sich eine Gerade. – *E* growth – *F* croissance – *I* crescita – *S* crecimiento

Lit.: Isaac u. Jennings, Kultur von Mikroorganismen, S. 77, Heidelberg: Spektrum 1996.

Wachstumsfaktoren. Im weitesten Sinn Bez. für – körpereigene od. von außen zugeführte – Stoffe, die einen Organismus zum *Wachstum anregen od. dieses aufrechterhalten.
1. Bei Pflanzen spricht man bevorzugt von *Wuchsstoffen* – genauer von *Pflanzenwuchsstoffen* –, die im Wechselspiel mit *Hemmstoffen als *Wachstumsregulatoren* fungieren.
2. In der *Mikrobiologie meint man mit W. zuweilen die *auxotrophen Stoffe*, die *Defektmutanten zum Wachstum im Nährmedium benötigen.
3. In der Physiologie von Mensch u. Tier u. im heute meistgebrauchten Sinn versteht man unter W. *Hormon-artige *Peptide u. *Proteine, die die Zellteilung (als *Mitogene*, s. Mitose) u. *Differenzierung fördern, für Wachstum u. Organ-Entwicklung sowie für die *Wundheilung gebraucht werden. *Beisp.*: *Koloniestimulierende Faktoren, *epidermaler Wachstumsfaktor (EGF), *Erythropoietin, *Fibroblasten-Wachstumsfaktoren, *hämatopoetische Wachstumsfaktoren, *Hepatocyten-Wachstumsfaktor, *Insulin, *Insulin-artige Wachstumsfaktoren, *Plättchen-entstammender

Wachstumshemmer

Wachstumsfaktor (PDGF), *Thrombopoietin, *transformierende Wachstumsfaktoren, *Vakzinevirus-Wachstumsfaktor. Auch die *Interleukine u. a. *Cytokine können als W. wirken.

W. u. *Onkogene: Bei der Veränderung von W. od. deren *Rezeptoren durch *Mutation kann es zu unkontrollierter Zellvermehrung kommen. Zwischen manchen *Genen von Tumor-*Viren (virale Onkogene, Vorsatz „v" vor Genname) u. Genen für W. od. für deren Rezeptoren besteht denn auch oft weitreichende Übereinstimmung, in welchem Fall man letztere auch als zelluläre Onkogene (Vorsatz „c" vor Genname; *Proto-Onkogene*) bezeichnet u. ihnen eine potentielle Beteiligung bei der Krebsentstehung zuschreibt; z. B. ist das Produkt von c-*erbB* der EGF-Rezeptor, v-*erbB* dagegen ein Onkogen aus dem Vogel-*Erythroblastose-Virus*, während die B-Kette des PDGF das Proto-Onkogen-Produkt eines Affen-Sarkoms ist.

Verw.: Erythropoietin zur Unterstützung der Produktion roter Blutkörperchen bei Anämie u. unerlaubt zur Leistungssteigerung im Sport. Andere hämatopoet. W. werden ebenfalls zur Blutbildung angewendet u. können zuweilen Transfusionen ersetzen [1]. Der gezielten Zuführung von W. zum Zwecke der Wundheilung u. Gewebsreparatur widmet sich *Lit.*[2]. – *E* growth factors – *F* facteurs de croissance – *I* fattori di crescita – *S* factores de crecimiento

Lit.: [1] Vox Sang. **71**, 196–204 (1996). [2] Biomaterials **18**, 1201–1225 (1997).
allg.: Biopolymers **43**, 339–366 (1997) ▪ Dickson u. Salomon, Hormones and Growth Factors in Development and Neoplasia, Chichester: Wiley 1998 ▪ McKay u. Brown, Growth Factors and Receptors: A Practical Approach, Oxford: Oxford University Press 1998 ▪ Pimentel, Handbook of Growth Factors, 3 Bd., Boca Raton: CRC Press 1994.

Wachstumshemmer s. Hemmstoffe u. Pflanzenwuchsstoffe.

Wachstumshormone s. Somatotropin u. Pflanzenwuchsstoffe.

Wachstumskurve. Im allg. Bez. für die graph. Darst. der Vermehrung einer Population von Mikroorganismen als Funktion der Zeit; s. a. Wachstum u. Batch-Fermentation. – *E* growth curve – *F* coube de croissance – *I* curva di crescita – *S* curva de crecimiento

Lit.: Crueger-Crueger (3.), S. 60 ▪ Isaac u. Jennings, Kultur von Mikroorganismen, S. 92, 112, Heidelberg: Spektrum 1996.

Wachstumsrate, spezifische. Die spezif. W. (Symbol μ) ist eine charakterist. Größe für die Zunahme der Zellmasse x in der Zeiteinheit bezogen auf die gesamte vorhandene Zellmasse unter Kultivierungsbedingungen: $\mu = 1/x \cdot dx/dt \ [h^{-1}]$. Zumeist wird anstelle von x die Zellkonz. od. die Zelld. X [g/L] verwendet. $\mu = 1/X \cdot dX/dt$ kann aus der Steigung der *Wachstumskurve (s. a. Batch-Fermentation) in halblogarithm. Darst. als Tangente an der Kurve ermittelt werden. Ihren größten Wert erreicht die W. in der logarithm. Wachstumsphase (*log-Phase) einer diskontinuierlichen Kultur (s. Batch-Fermentation), wobei der Anstieg der Wachstumskurve eine Funktion der Aufnahmeraten an Nährstoffen ist. – *E* specific growth rate – *F* taux de croissance spécifique – *I* tasso specifico di crescita – *S* tasa de crecimiento especifica

Lit.: Crueger-Crueger (3.), S. 61 ▪ Römpp Lexikon Biotechnologie, S. 817.

Wachstumsreaktionen s. Polymerisation.

Wachstumsregulatoren, Wachstumsregler. Bez. für Chemikalien, deren Einsatz je nach Konz. u. Zeitpunkt bei verschiedenen Nutzpflanzen (z. B. Tabak, Weizen, Zuckerrohr, Baumwolle, Gummibaum u. Citrusfrüchte) den Stoffwechsel so umsteuern kann, daß für den Menschen erwünschte Wirkungen eintreten. Diese sind z. B. *Wachstums-Förderung u. -Hemmung, Blütenbildung, Knospen-Austrieb, Zeitpunkt der Fruchtreife u. des Fruchtfalles, Zunahme erwünschter Inhaltsstoffe; s. a. Wachstumsfaktoren u. Pflanzenwuchsstoffe. – *E* growth regulators – *F* régulateurs de croissance – *I* regolatori di crescita – *S* reguladores de crecimiento

Wachstumsvitamin s. Vitamine (B_2).

Wachtelweizen (*Melampyrum*). Gattung der Braunwurzgewächse. Krautiger grüner Halbparasit mit ca. 25 Arten (z. B. Wiesen-W., Wald-W., Acker-W.); s. a. Manna. – *E* cowwheat – *I* melampiro – *S* trigo de vaca

Wackenroder, Heinrich Wilhelm Ferdinand (1798–1854), Prof. für Chemie u. Pharmazie, Univ. Jena. *Arbeitsgebiete*: Organ. u. anorgan., mineralog., pharmazeut. u. techn. Chemie, Schwefelchemie, Polythionsäuren, Isolierung von Carotin aus Mohrrüben (1831) u. von Corydalen aus Lerchensporn, s. a. folgendes Stichwort.

Lit.: Lexikon der Naturwissenschaftler, S. 410 ▪ Neufeldt, S. 21 ▪ Pötsch, S. 441 f.

Wackenroder-Lösung. Bez. für die von *Wackenroder erstmals hergestellte wäss. Lsg. von *Polythionsäuren, die beim Einleiten von Schwefelwasserstoff in eine Schwefeldioxid-Lsg. entsteht. Bei dieser Reaktion bildet sich prim. *Thioschweflige Säure* (H_2SO_2), die bei raschem Einleiten von H_2S zu gelben Polysulfanoxiden (*Wackenroder-Schwefel*) kondensiert, bei langsamem H_2S-Zutritt unter Bildung von Tetrathionsäure reagieren kann. *Polythionate* bilden sich auch in den Kraterseen aktiver *Vulkane; Änderungen ihrer Konz. lassen sich zur Eruptions-Vorhersage interpretieren [1]. – *E* Wackenroder's solution – *F* solution de Wackenroder – *I* soluzione di Wackenroder – *S* solución de Wackenroder

Lit.: [1] Science **235**, 1633 (1987).
allg.: s. Polythionsäuren. – *[CAS 15060-43-2]*

Wacker-Chemie. Kurzbez. für die 1914 gegr. Wacker-Chemie GmbH, 81737 München, an der die *Hoechst AG u. die Dr. Alexander Wacker-Familiengesellschaft GmbH zu je 50% beteiligt sind. *Tochter-* u. *Beteiligungsges.*: *Elektroschmelzwerk Kempten GmbH, Siltronic AG u. Vinnolit GmbH u. a. *Daten* (1997): 15 325 Beschäftigte, 4,694 Mrd. DM Umsatz. *Produktion*: Steinsalz, NaOH, Chlorkohlenwasserstoffe, organ. Zwischenprodukte, Riechstoffe, Silane, Silicone, PVC, PVAC, PVAL, PVB, PVFM, Chlor, Vinylchlorid u. Copolymerisate, Pflanzenschutzmittel, Reinstsilicium, Galliumarsenid, Silicium- u. Borcarbide, Boride, Nitride, hochdisperse Kieselsäure. Die Handelsnamen zahlreicher Produkte beginnen mit „Wacker...".

Wacker-Verfahren. Bei der *Wacker-Chemie entwickelte Verf. zur Herst. von Acetanhydrid aus Essigsäure über *Keten als Zwischenprodukt. Als *Wacker-Hoechst-Verf.* bezeichnet man die Herst. von Acetaldehyd u. Vinylacetat aus Ethylen bzw. von Aceton aus Propylen durch Oxid. mit Luft od. Sauerstoff in Ggw. von Palladiumchlorid. – *E* Wacker processes – *F* procédés Wacker – *I* proceso Wacker – *S* procedimientos Wacker

Lit.: Weissermel-Arpe (4.), S. 180, 198, 300 ■ Winnacker-Küchler (3.) **4**, 78 f., 84; (4.) **6**, 67–70, 75, 91.

Wad s. Braunsteine u. Pyrolusit.

Wadeit s. Lamproit.

Wade-Regeln. Von K. Wade[1,2] aufgestellte Regeln, die einen Zusammenhang zwischen der geometr. Struktur von *Boranen, *Carboranen, Metall-Kohlenwasserstoff-π-Komplexen, Metall-Atom-*Cluster-Verbindungen u. a. Verb. u. der Anzahl der Gerüstelektronen herstellen; zuweilen bezeichnet man die W.-R. auch als *Polyeder-Skelett-Elektronen-Paar-Theorie*, abgekürzt PSEPT.

In einem regulären Polyeder, dessen Oberfläche nur aus Dreiecken besteht (sog. Deltaeder; *Beisp.:* Tetraeder, Oktaeder, Ikosaeder), gibt es $(n+1)$ bindende *Molekülorbitale, wenn n die Anzahl der Ecken ist. Diese können mit $(2n+2)$ Elektronen besetzt werden. In diesem Falle liegt die hochsymmetr. *closo*-Struktur vor; *Beisp.:* $B_6H_6^{2-}$ mit oktaedr. Anordnung der Bor-Atome hat 6 Skelett-Atome u. 7 Skelett-Bindungselektronenpaare; jede BH-Einheit stellt hierbei ein Skelett-Bindungselektronenpaar zur Verfügung. Bei Erhöhung der Elektronenzahl um 2 auf $(2n+4)$ müssen die n Skelett-Atome in einer anderen Anordnung vorliegen, die von dem nächsthöheren Deltaeder mit *closo*-Struktur ausgeht. Im Falle der Borane fehlt diesem aber eine BH-Gruppe, an deren Stelle ein *einsames Elektronenpaar tritt. Es resultiert eine *nido*-Struktur, hier in Form einer pentagonalen Pyramide. Mit $(2n+6)$ Gerüstelektronen ergeben sich *arachno*-Strukturen, in denen eine weitere Ecke der *closo*-Struktur fehlt. Der Zusammenhang zwischen den verschiedenen Strukturen ist in der Abb. dargestellt.

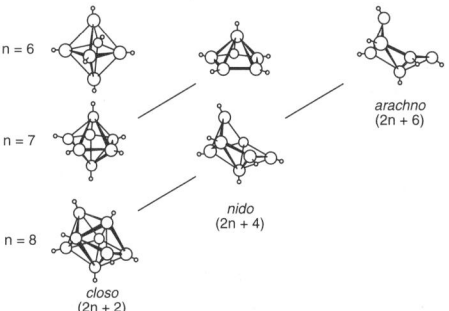

Abb.: Struktureller Zusammenhang zwischen Boranen mit *closo-*, *nido-* u. *arachno*-Struktur, ausgehend von der *closo*-Struktur mit n = 6 (z. B. $B_6H_6^{2-}$).

Die W.-R. sind recht erfolgreich bei der Anw. auf Verb. der Hauptgruppenelemente; der Anwendbarkeit auf Verb. mit Übergangsmetallen sind hingegen Grenzen gesetzt. – *E* Wade rules – *F* règles de Wade – *I* regole di Wade – *S* reglas de Wade

Lit.: [1] Chem. Commun. **1971**, 792. [2] Adv. Inorg. Chem. Radiochem. **18**, 1–66 (1976).

allg.: Acc. Chem. Res. **9**, 446 (1976) ■ Geoffroy, Topics in Inorganic and Organometallic Stereochemistry, S. 253–335, New York: Wiley 1981 ■ Heřmánek, Boron Chemistry, Singapore: World Scientific 1988 ■ Huheey, Anorganische Chemie (2.), Berlin: de Gruyter 1995.

Wadsworth-Emmons-Reaktion s. Horner-Emmons-Reaktion.

Wägeglas s. Wägen.

Wägen (Wägung). Fachsprachliche, sonst veraltete Bez. für den Vorgang der Bestimmung der *Masse eines Körpers unter Benutzung von *Waagen. Die ursprüngliche Form hat sich fachsprachlich in zusammengesetzten Begriffen wie Wägebereich, Wägefehler, Wägebürette usw. erhalten; so transportiert man zu wiegende Festkörper in *Wägegläsern* od. *Wägeschiffchen*, flüssige Substanzen auch in *Wägepipetten*. – *E* weighing – *F* pesée, pesage – *I* pesare – *S* pesada

Wägepipette, -schiffchen s. Wägen.

Wägung s. Wägen.

Wälzkolbenpumpe (Rootspumpen). *Verdrängerpumpen mit kreisenden Kolben, die bei der Drehung Raum öffnen, in die das Fördermedium einströmt. Die Räume werden durch die Gehäusewand abgeschlossen u. auf der Druckseite wieder entleert. – *E* roots pump, lobe pump – *F* pompe Roots – *S* bomba Roots

Lit.: Ullmann (5.) **B 3**, 21-13.

Wälzlagerstahl. Wichtigste Gruppe der *Wälzlagerwerkstoffe. Man unterscheidet vier Untergruppen. – *Durchhärtende Stähle:* Größte Untergruppe mit einer gleichbleibenden Härte über den gesamten Querschnitt. 1% C, max. 6% Cr u. 1% Mn zur besseren Durchhärtung. – *Einsatzstähle:* Niedriglegierte Stähle mit Anteilen an Mn, Ni, Cr u./od. Mo, deren Randschichten durch Einbringen nichtmetall. Elemente wie C od. N aufgehärtet werden, s. Aufkohlung. Die Härte im Querschnitt bleibt vergleichsweise niedrig. – *Nichtrostende Stähle:* Hochlegierte Stähle mit 13–18% Cr bis zu 1% C für einen Einsatz bei chem. Beanspruchung. – *Warmharte Stähle:* Niedrig- u. hochlegierte Stähle mit ca. 0,8% C sowie ca. 5% Cr, max. 9% Mo, max. 20% W u./od. max. 2% V mit hoher Härte bis zu hohen Temperaturen. – *E* bearing steel – *F* acier à roulement – *I* acciaio per cuscinetto – *S* acero de rodamiento

Lit.: DIN 17230: 1980-09 ■ Verein Dtsch. Eisenhüttenleute, Werkstoffkunde Stahl, Bd. 2, S. 586 ff., Berlin: Springer 1985.

Wälzlagerwerkstoffe. Für die Herst. von Kugel-, Rollen-, Nadel-, Scheiben- u. Ringlager verwendete Werkstoffe, die z. T. extreme Anforderungen an mechan. u. Verschleißeigenschaften erfüllen müssen. Die Werkstoffauswahl hängt von den Beanspruchungsbedingungen (mechan., therm., chem.) ab. Aufgrund der mit der Wechselbeanspruchung (Überrollvorgänge) verbundenen Werkstoff-„Ermüdung" sind Auslegungen für vorgegebene Betriebszeiten möglich. Hauptgruppe der W. sind die *Wälzlagerstähle, daneben werden für bes. Einsatzzwecke auch *Hartmetalle u. *Keramik

verwendet, *Beisp.:* Siliciumnitrid. Wegen der erheblichen Bedeutung der Wälzlager in der Technik stellen W. eine wichtige Werkstoffgruppe dar. – *E* bearing material – *F* matériel à roulement – *I* materiale per cuscinetto – *S* material de rodamiento
Lit.: s. nichtrostende Stähle.

Wärme (therm. Energie). Spezielle Energieform, die als Bewegungsenergie der ungeordneten Bewegung der atomaren Partikel eines Körpers angesehen wird. Diese Energie wird auch als *innere Energie* bezeichnet, denn sie ist nicht mit einer makroskop. Bewegung des Körpers verbunden, kann aber durch *Wärmeübertragung auf die Umgebung übertragen od. zur Verrichtung von mechan. Arbeit genutzt werden (Wärmekraftmaschine, s. Carnotscher Kreisprozeß u. Stirlingscher-Kreisprozeß).
Als physikal. *Einheit für die W.-Menge benutzte man früher die *Kalorie (cal, kcal), in der angloamerikan. Lit. darüber hinaus auch noch die Einheit *B. T. U., Btu; seit 1.1.1978 ist jedoch nur noch das *Joule als Einheit zulässig. Diejenigen W.-Mengen, die erforderlich sind, um 1 g eines Stoffes bzw. 1 Mol eines Stoffes bzw. 1 Mol eines einatomigen Elements um 1 K zu erwärmen, heißen *spezifische Wärmekapazität bzw. *Molwärme bzw. *Atomwärme. Bei Annäherung an den abs. Nullpunkt nehmen diese mit der dritten Potenz der Temp. ab (T^3-*Gesetz*). Die W.-Messung erfolgt als *Temperaturmessung durch *Kalorimetrie. Nach der *kinet. Theorie der W.*, die auf J.C. *Maxwell, *Clausius u. Krönig zurückgeht, ist der W.-Energieinhalt eines Körpers gegeben als Summe der kinet. Energien aller Atome od. Mol. eines Stoffes bzw. eines *thermodynamischen Systems, die ihnen aufgrund der ungeordneten Bewegung der *Teilchen (*Brownsche Molekularbewegung, Wärmebewegung) zukommt.
In einem *thermodynamischen System hat die Zufuhr von W.-Energie ein Ansteigen der *Temperatur des Syst. u. – neben einer Erhöhung der Teilchengeschw. (vgl. kinet. Gastheorie unter Gasgesetze) – eine *W.-Ausdehnung* zur Folge, wobei bei Festkörpern zwischen Längen- u. Vol.-Ausdehnung unterschieden wird (Einfluß der *Anisotropie). Bei *idealen Gasen ist der kub. *W.-Ausdehnungskoeff.* stets $a \approx 1/273$. Der W.-Ausdehnungskoeff. kann in seltenen Fällen (Bismut, wichtigstes *Beisp.:* Wasser) in bestimmten Temp.-Bereichen auch ein neg. Vorzeichen haben: Wasser zieht sich bei Erwärmung von 0°C auf ca. 4°C zusammen u. dehnt sich erst oberhalb dieser Temp. wieder aus. Die Glaskeramik Zerodur hat um 0°C den Ausdehnungskoeff. Null (s. Ausdehnen). Über die *Hauptsätze der *Thermodynamik besteht ein quant. Zusammenhang zwischen *innerer Energie*, *Enthalpie u. *Entropie eines thermodynam. Syst. u. der mit seiner Umgebung bei thermodynam. Prozessen ausgetauschten Menge an W.-Energie. Prozesse, bei denen *W.-Übergänge* (vgl. Wärmeübertragung) auftreten, sind z.B. physikal. *Umwandlungen – u. man spricht von *Umwandlungswärmen* – u. chem. Reaktionen mit dem bekanntesten Beisp. der *Verbrennung – hier ist von *Reaktionswärmen* od. der *Wärmetönung* einer Reaktion die Rede (vgl. exo- u. endotherm). W. kann in andere Energieformen überführt werden u. umgekehrt.

Diejenige Menge an elektr. od. mechan. Energie, die einer bestimmten W.-Menge (z.B. 1 cal) entspricht, nannte man früher – da die einzelnen Energieformen in verschiedenen Einheiten gemessen wurden – das elektr. bzw. mechan. *W.-Äquivalent*; *Beisp.:* 1 cal = 4,1868 W·s = 4,1868 N·m. Nach dem heute gültigen *SI mit der für alle Energiearten gleichermaßen geltenden Einheit Joule entfallen entsprechende Umrechnungsfaktoren.
Der *Transport von W. (Näheres s. bei Wärmeübertragung) kann z.B. durch *W.- od. Temp.-Strahlung* erfolgen, wobei die Zusammenhänge zwischen Strahlungsenergie u. Temp. durch die Kirchhoffschen, Stefan-Boltzmannschen, Planckschen u. Wienschen Gesetze beschrieben werden. Der Nachw. der W.-Strahlung (vgl. Infrarotstrahlung) ist z.B. mit Detektoren aus *Bleitellurid möglich. Techn. nutzt man die von *Infrarotstrahlern emittierte W.-Strahlung zur *Thermographie, *Thermokopie u. *IR-Spektroskopie. Beim *W.-Übergang* spielt die *Wärmeleitfähigkeit* der Stoffe eine Rolle; unerwünschten W.-Übergängen (W.-Verlusten) begegnet man durch Isolierungsmaßnahmen mit *Wärmedämmstoffen od. anderen Mitteln zur *Wärmeisolierung.
Umgangssprachlich versteht man unter W. eine Sinnesempfindung. Der Mensch ist über bes. *Rezeptoren für den W.-Sinn in der Lage, W. ebenso wie das entgegengesetzte Phänomen *Kälte als *Reiz wahrzunehmen; zur Regulation der *Körper.-W.* s. Körpertemperatur u. vgl. Temperatur. Zwar erzeugen *Pflanzen im allg. kaum bemerkenswerte *Stoffwechsel-W., doch gibt es einige Pflanzenarten (bes. verschiedene Aronstabgewächse), deren Blütenstände Temp. > 45°C entwickeln, wobei Insekten-anlockende Duftstoffe verdampfen [1]. Als chem. Signalstoff für das Auslösen der W.-Entwicklung (sog. *Calorigen*) wurde in einem Fall Salicylsäure identifiziert [2]. Weitere Gesichtspunkte zum Thema W. s. in den hier folgenden u. den Temperatur…- u. Thermo…-Stichwörtern. – *E* heat – *F* chaleur – *I* calore – *S* calor
Lit.: [1] Naturwiss. Rundsch. **39**, 350f. (1986). [2] Science **237**, 1601f. (1987).
allg.: Stöcker, Handbuch der Physik, Frankfurt: Harri Deutsch 1998 ■ s.a. Wärmeübertragung, Temperatur… u. Thermo…

Wärmeäquivalent s. Wärme.

Wärmeausdehnung s. Wärme.

Wärmeaustauscher. Bez. für zur *Wärmeübertragung bestimmte Apparaturen, in denen *Wärmeübertragungsmittel *Wärme (bzw. *Kälte) von einem Ort od. Medium zu einem anderen transportieren, um eine Erhitzung od. Verdampfung (bzw. Kühlung) zu bewirken. Beim unmittelbaren Wärmeaustausch (z.B. Dampfeinblasung, Heißluftheizung) berühren sich beide Medien, beim mittelbaren sind die Stoffe durch Wärmeaustauschflächen getrennt (*Beisp.:* Heizschlangen, Kessel mit Doppelboden). W. mit großer Wärmekapazität werden *Wärmespeicher* genannt. Als Speichermedien eignen sich bes. *Salzschmelzen od. Syst. mit verschiedenen *Hydratations-Stufen. In der Technik sind folgende Bauarten üblich: Platten-, Ringnut-, Rippenrohr-, Lamellen-, Rohrbündel-, Spaltrohr-, Teller-, Spiral-, Block-, Kratz-, Schnecken-, Wendel-,

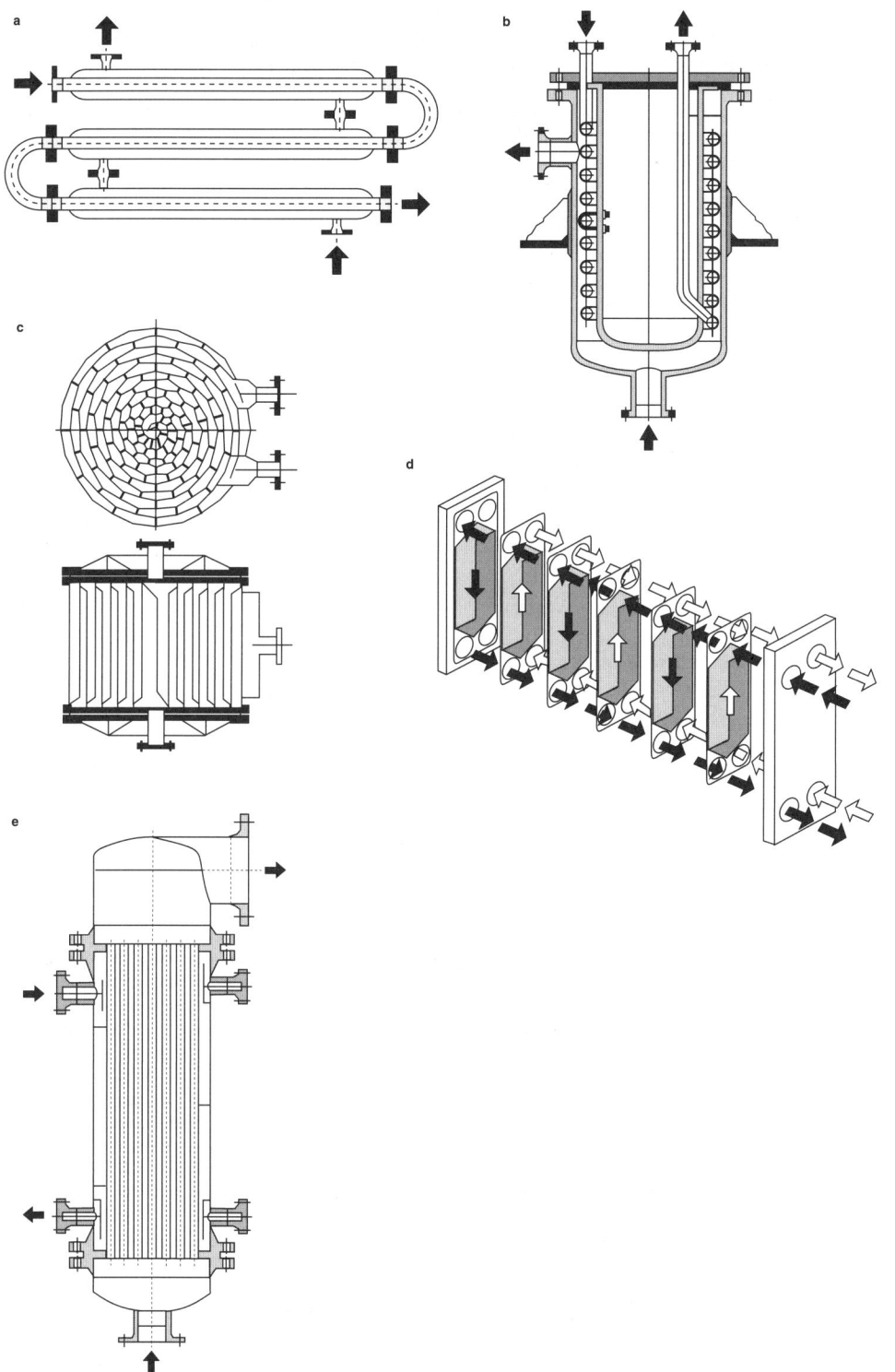

Abb.: Verschiedene Typen von Wärmeaustauschern; a) Doppelrohrwärmeaustauscher; b) Schlangenrohrwärmeaustauscher; c) Spiralwärmeaustauscher; d) Plattenwärmeaustauscher; e) Naturumlaufverdampfer.

Wirbelschicht-, Kerzen-, gekühlte Umwälz- sowie Zwei- u. Dreirohrschlangen-W. u. Rekuperatoren. Sie werden je nach Anforderung bezüglich Austauschfläche u. Wärmeträgermaterial ausgelegt. Einige Typen sind in der Abb. auf S. 4911 skizziert. Als Werkstoffe für W. kommen zur Verw.: Aluminium, Blei, Silber, Nickel u. Ni-Leg., Nichtoxid-Keramiken, Glas, Graphit, Kunstkohle, Kupfer, legierter Stahl, Tantal, Zirconium u. Titan. Auch schlauchförmige, flexible W. befinden sich im Handel; s.a. Heizgeräte, Heizbäder, Kältetechnik. – *E* heat exchangers – *F* échangeurs thermiques, appareils d'échange de chaleur – *I* scambiatore di calore – *S* intercambiadores de calor
Lit.: s. Wärmeübertragung.

Wärmeaustauschkoeffizient (Wärmeübergangszahl). Der W. α ist definiert als $\alpha = \frac{\dot{q}}{\Delta T}$, wobei $\dot{q}$ die bei einem Wärmeübergangsproblem transportierte Wärmestromdichte u. ΔT die maßgebliche Temp.-Differenz ist. Für z. B. die Wärmeleitung durch eine feste Wand der Dicke Δx (s. Abb.) ist die Wärmestromdichte gegeben durch das Fouriersche Gesetz $\dot{q} = -\lambda \cdot \frac{dT}{dx}$, so daß bei linearem Temp.-Verlauf (ebene Wand, konstante Wärmeleitfähigkeit λ, Abb. a) resultiert: $\dot{q} = \lambda \cdot \frac{(T_h - T_k)}{\Delta x} = \lambda \frac{\Delta T}{\Delta x}$. Hierbei ist λ die Wärmeleitfähigkeit des Wandmaterials u. T_h sowie T_k sind die Temp. auf der heißen bzw. kalten Seite der Wand.

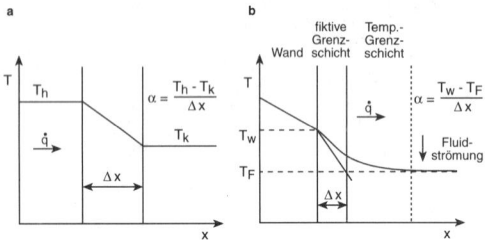

Abb.: Zur Definition des Wärmeaustauschkoeff.; a: reines Wärmeleitproblem, b: Wärmeübergang bei aufgeprägter Strömung.

Damit wird der W. für dieses Problem $\alpha = \frac{\dot{q}}{\Delta T} = \frac{\lambda}{\Delta x}$.

Strömt ein Fluid entlang der Wand (s. Abb. b), so bildet sich an der Wand eine Strömungsgrenzschicht aus, in der die Strömungsgeschw. in Richtung auf die Wand auf Null absinkt. Die *Wärmeübertragung von der Wand auf das Fluid erfolgt daher durch Wärmeleitung senkrecht zur Wand durch die an der Wand ruhenden Flüssigkeitsschichten u. ist wiederum durch das Fouriersche Gesetz zu beschreiben. Hierzu linearisiert man den Temp.-Verlauf in der Grenzschicht, der sich je nach vorliegenden Strömungsverhältnissen ausbildet u. im allg. nicht bekannt ist, mit der an der Wand vorliegenden Steigung des Temperaturverlaufs. Dann ist wiederum $\dot{q} = \lambda \cdot \frac{(T_W - T_F)}{\Delta x}$ bzw. $\alpha = \frac{\dot{q}}{\Delta T} = \frac{\lambda}{\Delta x}$, wobei jetzt Δx eine fiktive Dicke der Temp.-Grenzschicht ist, die sich aus der Linearisierung des Temp.-Verlaufs ergibt. λ ist die Wärmeleitfähigkeit des Fluids u. T_W sowie T_F sind die Temp. der Wand bzw. die Temp. in der Kernströmung des Fluids. Δx u. α sind von den jeweiligen Strömungsverhältnissen abhängig u. damit ist α im Gegensatz zu λ keine Stoffgröße, sondern eine von der Strömung erzeugte Größe. Die W. für verschiedene Probleme findet man in der angegebenen Literatur. – *E* heat exchange coefficient – *F* coefficient de transfert de chaleur – *I* coefficiente dello scambio di calore – *S* coeficiente de intercambio de calor
Lit.: Ullmann (5.) **B 1**, 4-23; **B 4**, 75.

Wärmebehandlung. Sammelbez. für alle Verf., bei denen man Werkstücke (insbes. solche aus Metall) im festen Zustand Temp.-Änderungen unterwirft, um bestimmte Werkstoffeigenschaften zu erzielen od. zu verbessern; *Beisp.:* *Abschrecken, *Anlassen, *Glühen, *Härtung von Stahl, *Nitrieren, *Tempern, *Vergüten, s. a. DIN 17022-3: 1989-04 u. *Lit.* – *E* heat treatment – *F* traitement thermique – *I* trattamento termico – *S* tratamiento térmico
Lit.: Wärmebehandlung metallischer Werkstoffe (DIN Taschenbuch 218), Berlin: Beuth 1986.

Wärmebeständigkeit s. Hitzebeständigkeit.

Wärmebilanz. Energie kann in verschiedenen Formen existieren: Als mechan. Energie (kinet. u. potentielle Energie), als Druckenergie, als innere Energie (latente Wärmen, chem. Bindungsenergie) u. als fühlbare Wärme. Für abgeschlossene Syst. gilt der 1. Hauptsatz der Thermodynamik. Danach bleibt in einem abgeschlossenen Syst. die Gesamtenergie konstant u. wird lediglich in andere Formen umgewandelt. Bei einer chem. Reaktion führt z. B. die Freisetzung der Reaktionswärme zur Erhöhung der fühlbaren Wärme (Temp.). Dies ist die Grundlage von W., mit deren Hilfe man z. B. die Betriebstemp. bei der nichtisothermen Durchführung von chem. Reaktionen in techn. Reaktoren bestimmen kann: In chem. Reaktoren spielen die mechan. Energieformen (z. B. Energieeintrag durch Rühren, Strömungsenergie) meist eine untergeordnete Rolle, da dem Syst. keine Nutzarbeit zugeführt od. entzogen wird, sondern nur Wärme. Unter diesen Umständen vereinfacht sich die Energiebilanz zu einer Wärmebilanz. Die Änderung des Wärmeinhalts eines Syst. berücksichtigt die entsprechenden Reaktions-, Mischungs-, Verdampfungs- u. Schmelzwärmen, die Temp.-Änderung durch externes Heizen od. Kühlen u. durch Zulauf von Komponenten unterschiedlicher Temperatur. Für die Temp.-Führung von techn. Reaktionen ist die genaue Kenntnis der W. von entscheidender Bedeutung. Die zur Ausführung von W. notwendigen Kennzahlen u. Stoffdaten (Reaktionswärme, Wärmeübergangszahlen, ...) sind tabelliert od. können abgeschätzt bzw. gemessen werden. – *E* heat balance – *F* bilan thermique (calorifique) – *I* bilancio termico – *S* balance térmico (calorífico)
Lit.: Fitzer et al., Technische Chemie (4.), Berlin: Springer 1995 ▪ VDI-Wärmeatlas (8.), Düsseldorf: VDI-Verl. 1997 ▪ Winnacker-Küchler (4.) **1**, 287.

Wärmedämmstoffe. Bez. für leichte, Pulver-förmige od. körnige Schüttungen, Matten, Platten u. Formstücke von porigen od. faserigen organ. u. anorgan. Stoffen (Kokosfaser, Torf, Holzfasern, Holzspäne, Glas- u. Gesteinswolle, Bims, Kieselgur, Schaumbeton, Schlackenfasern u. a.) mit bes. niedriger Wärmeleitzahl (s. Wärmeleitfähigkeit), die zur Wärme- u. Kälteisolierung verwendet werden. Man unterscheidet

W. für tiefe Temp. (sog. *Kältedämmstoffe*, z. B. Polystyrol-Schäume, expandierte Korksteinplatten), für mittlere Temp. (z. B. Kork, Filz, Schaumkunststoffe, Glaswolle, Steinwolle, expandierte Vermiculite u. Perlite etc.), für hohe Temp. von etwa 800 bis 1500 °C (z. B. Kieselgur, Aluminium- u. Calciumsilicate u. poröse Steine) u. für Temp. über 1500 °C (Hochtemp.-W. aus Schaumkohlenstoff, Mineralfasern aus Oxidkeramik u. ä.).
In der Raumfahrt sind als „Hitzeschild" sog. Ablativstoffe (s. Ablationskühlung) in Gebrauch. – *E* heat insulating materials – *F* (matériaux) calorifuges – *I* isolanti termici, termoisolanti – *S* materiales calorifugos
Lit.: Kirk-Othmer (4.) **14**, 648–662 ▪ Ullmann (4.) **2**, 474–487; (5.) **A 11**, 6 f., 20–27, 35 f. ▪ s. a. Wärmeübertragung.

Wärmedurchgang s. Wärmeübertragung.

Wärmedurchlaßwiderstand s. Wärmeübertragung.

Wärmeformbeständigkeit. Bez. (nach DIN 53462: 1987-01) für die Fähigkeit eines Probekörpers, unter bestimmter ruhender Biegebeanspruchung seine Form bis zu einer bestimmten Temp. weitgehend zu bewahren. Die W. ist nach Martens gekennzeichnet durch die Temp. $t_{Martens}$, bei der sich der in der Luft mit einer festgelegten Aufheizgeschw. erwärmte Probekörper unter Krafteinwirkung um einen festgelegten Betrag durchgebogen hat (s. a. Martens-Temperatur). – *E* dimensional stability under heat
Lit.: Elias (5.) **2**, 411.

Wärmeformbeständigkeitstemperatur (Formbeständigkeitstemp.; Kurzz. HDT). Bez. für die Temp., bei der sich ein an seinen beiden Enden fixierter Normstab aus dem zu prüfenden *Polymer, auf dessen Mitte eine genormte Biegespannung (meist 1,82 od. 0,45 MPa) wirkt, beim Erhitzen in einer inerten Flüssigkeit in einem festgelegten Ausmaß durchbiegt. Die W. dient als Kennzahl zur Charakterisierung der therm. Eigenschaften von *Kunststoffen. – *E* heat distortion temperature, HDT – *F* température limité de durabilité thermique – *I* temperatura di inflessione sotto carico – *S* temperatura de deformabilidad por calor

Wärmeisolierung. Bez. für die Verhinderung des Wärmeaustausches, d. h. des Überganges von *Wärme von einem Medium höherer auf ein solches niedrigerer Temp. durch Leitung od. Strahlung (s. Wärmeleitfähigkeit u. Wärmeübertragung). Die W. erfolgt mit sog. *Wärmedämmstoffen, Wärmereflexionsfiltern, Wärmeschutzgläsern (s. Sonnenschutzgläser) od. durch Unterbindung des Wärmeübergangs durch Zwischenschaltung evakuierter Zwischenräume (vgl. Dewar-Gefäße). Zur W. bei Kleidungsstücken s. Textilien. – *E* heat insulation – *F* isolation thermique – *I* isolazione termica – *S* aislamiento térmico
Lit.: s. Wärmeübertragung.

Wärmekammer s. Heat Pipe.

Wärmekapazität s. Wärme u. spezifische Wärmekapazität.

Wärmekopierverfahren s. Thermokopie.

Wärmelehre s. Thermodynamik.

Wärmeleitfähigkeit (Symbol λ od. k). Unter der gelegentlich auch *spezif. Wärmeleitvermögen* od. *Wärmeleitzahl* genannten W. versteht man eine vektorielle physikal. Größe, die eine Maßzahl für die *Wärmeleitung* (s. Wärmeübertragung) in einem homogenen Körper darstellt; die W. sollte daher nicht mit der Temp.-Leitfähigkeit a (Einheit m²/s) verwechselt werden. Die W. hat die Dimension J/(cm·s·K) od. W/(cm·K), früher cal/(cm·s·grd) = 418,68 W/(cm·K) od. kcal/(m·h·grd) = 1,163 W/(m·K). Die W. stellt eine mit steigender Temp. wachsende Größe dar, die gewöhnlich nur wenig druckabhängig ist (außer für Gase in der Nähe der krit. Temp.), u. besitzt für Metalle die höchsten, für Gase die niedrigsten Werte; gewisse Periodizitäten lassen sich aus dem *Periodensystem ablesen. Die W. steht bei Festkörpern, insbes. bei Metallen, in enger Beziehung zur *elektrischen Leitfähigkeit (*Wiedemann-Franzsches Gesetz). Parallelen zwischen beiden bestehen auch hinsichtlich der Abhängigkeit von der *Anisotropie im krist. Zustand. Bei Halbleitern kann die W. Aufschlüsse liefern über die Art der *Kristallbaufehler u. die Rolle der Verunreinigungen[1]. *Beisp.* für die W. verschiedener Stoffe sind [in W/(m·K) bei 20 °C, nach *Lit.*[2]]: Diamant (^{12}C) 33 000, Silber 427, Kupfer 399, Aluminium 237, Eisen 81, Nickel 91, Blei 35, Chromnickelstähle 15 – 21, Graphit 12 – 175, Eis (0 °C) 2,2, flüssiges Wasser 0,59, Ziegelmauerwerk 0,4 – 1,2, Glas 0,7 – 1,4, Isolierstoffe (*Wärmedämmstoffe) 0,03 – 0,1, flüssiger Ammoniak 0,491, organ. Flüssigkeiten 0,1 – 0,3, gasf. Wasserstoff 0,17 (!), Luft 0,025, Wasserdampf (100 °C) 0,023, Kohlendioxid 0,014, Chlor 0,007. Eine abnorme W. zeigt Helium II (s. Supraflüssigkeiten).
Die Messung der W. erfolgt mit Hilfe von spezif. W.-Meßgeräten[3], die auch in der *Gaschromatographie als *Detektoren (W.-Detektor, WLD) eine wichtige Rolle spielen. Die IUPAC empfiehlt für die W.-Messung von Flüssigkeiten eine Reihe von W.-Standards[4]. Für die Berechnung bzw. Abschätzung der W. von organ. Flüssigkeiten sind zahlreiche Gleichungen theoret. u. empir. abgeleitet worden[5]. Während in Metallen die W. von der Beweglichkeit der Elektronen (elektr. Leitfähigkeit, s. Wiedemann-Franzsches Gesetz) abhängt, ist sie bei dielektr. Festkörpern prim. durch Gitterschwingungen (*Phononen) gegeben; sie ist hier durch die mittlere freie Weglänge der Phononen (mittlere Strecke, die ein Phonon in einem Festkörper zurücklegt, bis es an einer Gitterfehlstelle gestreut wird), die Schallgeschw. u. die spezif. Wärme gegeben. Je regelmäßiger u. freier von Störungen ein Kristallgitter ist, um so höher ist die Wärmeleitfähigkeit. In den letzten Jahren hat man bes. bei synthet. Diamant-Schichten (s. a. dünne Schichten) sehr hohe Leitfähigkeiten erzielt. Der bisher beste Wert mit 33 000 W/(m·K) wurde mit ^{12}C-angereicherten Diamanten erhalten, da hier die Gittereigenschwingungen nicht durch schwerere ^{13}C-Atome beeinflußt werden u. die Anzahl von Gitterfehlern geringer ist[6]. Mit ihrer hohen W. eignen sich die neuen Diamant-Schichten bes. zum Einsatz in der Mikroelektronik, der Glasfaseroptik (s. Faseroptik) u. der *Laser-Technik, wo auf kleinstem Raum große Wärmemengen abgeführt werden müssen. – *E* heat conductivity – *F* conductivité

thermique – *I* conduttività termica – *S* conductividad térmica
Lit.: [1] Pure Appl. Chem. **54**, 909–912 (1982). [2] Kohlrausch, Praktische Physik 3, Stuttgart: Teubner 1996. [3] Kohlrausch, Praktische Physik 1, S. 440–461, Stuttgart: Teubner 1996. [4] Pure Appl. Chem. **53**, 1863–1877 (1981). [5] Chem. Labor Betr. **33**, 168, 360, 544 (1982). [6] Chem. Unserer Zeit **24**, 208 (1990); Phys. Bl. **46**, 363 (1990); Phys. Rev. B **42**, 1104 (1990). *allg.:* s. Wärmeübertragung.

Wärmeleitfähigkeitsdetektoren (Abk. WLD). In der *Gaschromatographie gebräuchliche *Detektoren, die die Konz. eines austretenden Stoffes registrieren. Der W. besteht aus einer *Wheatstoneschen Brückenschaltung*, in der die erhitzten Widerstände je nach *Wärmeleitfähigkeit der durchlaufenden Gase mehr od. weniger stark abkühlen. – *E* thermal-conductivity cells – *F* détecteurs à conductivité thermique – *I* detettori di conducibilità termica, catarometri – *S* detectores de conductividad térmica
Lit.: Ullmann (5.) B**5**, 215 ▪ s. a. Gaschromatographie.

Wärmeleitung s. Wärmeübertragung u. Wärmeleitfähigkeit.

Wärmeleitvermögen s. Wärmeleitfähigkeit.

Wärmeleitzahl s. Wärmeleitfähigkeit.

Wärmemischungen. Bez. für Substanzgemische, die aufgrund chem. Reaktionen allmählich *Wärme entwickeln („angewandte *Thermochemie"). Derartige W. enthalten häufig ein Oxid.-Mittel, oxidierbare Stoffe u. Katalysatoren. *Beisp.:* (a) 20–60 Tl. Aluminium-Pulver, 50–100 Tl. Natriumpersulfat u. 50 –100 Tl. Kupferoxid; – (b) 90–95 Tl. Eisen-Pulver, 5–10 Tl. Kaliumpersulfat u. etwas Wasser (Thermosan®); – (c) 1 Tl. Magnesium-Pulver, 3 Tl. Zinkammoniumchlorid, 1 Tl. Kieselgur u. etwas Wasser; – (d) 75 Tl. Kupfer(I)-oxid, 25 Tl. feinkörniges Aluminium-Pulver, 1 Tl. SiO$_2$ u. etwa 0,01 Tl. wasserlösl. Öl (z. B. Türkischrotöl), mit konz. Kochsalz- od. Salmiak-Lsg. benetzt; – (e) 3 Tl. Glycerin u. 1 Tl. Wasser auf ein Gemisch aus gleichen Tl. von Kaliumpermanganat u. feingemahlenem Sand einwirken lassen; – (f) 1942 g Amidoschwefelsäure, 950 g Ätzkalk u. Zusatz von 50–100 g Wasser; – (g) 3 Tl. Calciumsilicid u. 7 Tl. Mennige entzünden. *Gegensatz:* *Kältemischungen. – *E* thermochemical mixtures, heat-generating mixtures – *F* mélanges thermiques – *I* miscugli termici – *S* mezclas térmicas

Wärmepumpen. Techn. Einrichtungen, bei denen ein Wärmestrom bei niedriger Temp. (kalte Seite) sowie ein zum Betreiben notwendiger Energiestrom aufgenommen werden u. beide Energieströme bei höherer Energie (warme Seite) zur Nutzung als Wärmestrom abgegeben werden. *Beisp.:* Grundwasser od. Erdreich wird von 6 °C auf 4 °C abgekühlt u. die dabei gewonnene Wärmemenge zum Heizen eines Raumes (~22 °C) genutzt. W. arbeiten analog zu Kältemaschinen (s. Kältetechnik, d. h. umgekehrter Drehsinn als bei Wärmekraftmaschinen), indem sie unter Aufwendung von Arbeit ein kaltes Syst. abkühlen u. ein warmes Syst. aufheizen. W. werden in der Ind. vielfältig eingesetzt, um Prozeßwärme effektiver zu nutzen. Sie sind eine wichtige Technik für die Erschließung erneuerbarer Energiequellen. – *E* heat pumps – *F* pompes à chaleur – *I* pompe di calore – *S* bombas térmicas o caloríficas o de calor, termobombas
Lit.: Encyclopedia of Applied Physics, Vol. 7, S. 383 f., Weinheim: VCH Verlagsges. 1993 ▪ Phys. Unserer Zeit **28**, 279 (1997) ▪ Stöcker, Taschenbuch der Physik, Frankfurt: Harri Deutsch 1998. – *Organisation:* Initiativkreis Wärmepumpe e. V., Elisabethstr. 34, 80796 München.

Wärmerohr s. Heat Pipe.

Wärmeschränke. Bez. für Geräte zum Lagern von Substanzen bei erhöhter Temp., vgl. a. Brut- u. Trockenschränke. – *E* warming boxes – *F* étuve – *I* armadi termici – *S* (armario-)estufa

Wärmeschutzgläser s. Sonnenschutzgläser.

Wärmespeicher s. Wärmeaustauscher.

Wärmestabilisatoren s. Thermostabilisatoren.

Wärmestrahlung s. Infrarotstrahlung, Strahlung, Wärme u. Wärmeübertragung.

Wärmestrom-DDK s. Thermoanalyse.

Wärmestrom(-dichte) s. Wärmeübertragung.

Wärmesumme s. Heßscher Satz.

Wärmetönung s. Thermochemie u. Wärme.

Wärmeträger s. Wärmeübertragungsmittel.

Wärmetransport s. Wärmeübertragung.

Wärmeübergang, Wärmeübergangszahl s. Wärmeübertragung u. Wärmeaustauschkoeffizient.

Wärmeübertragung (Wärmetransport). Im engeren Sinne Bez. für den Transport von Wärme zwischen thermodynam. Syst. von unterschiedlicher Temp.; *Beisp.:* Carnotscher Kreisprozeß. Die W. erfolgt bei festen Körpern u. ruhenden Flüssigkeiten durch *Wärmeleitung* (vgl. Wärmeleitfähigkeit), indem energiereichere (wärmere) Teilchen in Stoßprozessen Translations-, Rotations- u. Schwingungsenergie an energieärmere (kältere) Teilchen abgeben. In Metallen wird dies zum großen Teil durch die frei beweglichen *Elektronen (Elektrongas) realisiert, während in dielektr. Festkörpern die Ausbreitung von *Phononen (Moden der Gitterschwingung) dafür verantwortlich ist. Bei bewegten Flüssigkeiten u. Gasen beruht die W. auf *Konvektion*, d. h. auf der Bewegung des flüssigen od. gasf. W.-Mittels, bei bewegten Festkörpern auf Stoßprozessen in der Wirbelschicht. Schließlich kann – insbes. bei Gasen, Flüssigkeiten u. an Festkörperoberflächen sowie im Vak. – die W. auch berührungslos durch *Wärme-*, d. h. Infrarot*strahlung* stattfinden; *Beisp.:* Sonne/Erde. In der Technik benutzt man zur W. sog. W.-Mittel, die im allg. in Wärmeaustauschern eingesetzt werden, in Spezialfällen wie der Elektronik auch im sog. Wärmerohr (*Heat Pipe). In der Technik unterscheidet man zwischen *Wärmeübergang*, womit man den Wärmetransport z. B. von einer flüssigen in eine feste Phase meint, u. *Wärmedurchgang*, der als W. von einer Flüssigkeit durch eine Trennwand in eine andere Flüssigkeit aufzufassen ist.
Nach DIN 1341 ist die *Wärmeleitfähigkeit* λ definiert durch

$$\dot{Q} = -\lambda \cdot A \cdot \frac{dT}{dx}$$

mit $\dot{Q}$ = Wärmestrom (= Wärmemenge pro Zeit; Einheit: W), A = Fläche, durch die die Wärme strömt, dT/dx Temp.-Gradient senkrecht zur Fläche A (bei einer linearen Temp.-Abnahme von T_1 nach T_2 über der Strecke x gilt: $\frac{dT}{dx} = \frac{T_1-T_2}{x}$; Einheit: K/m). Die Einheit von λ ist W/(K·m) od. W/(K·cm). Die Wärmeleitfähigkeit wird oft auch als *Wärmeleitzahl* od. *spezif. Wärmeleitvermögen* bezeichnet; für Gase kann die Wärmeleitfähigkeit nach der kinet. Gastheorie berechnet werden: $\lambda = \frac{1}{3} \cdot C \cdot v \cdot l$, mit C = spezif. Wärme, v = mittlere Teilchengeschw. u. l = mittlere freie Weglänge zwischen Stößen.

Die *Wärmeübergangszahl* α ist für den Wärmeübergang von einem Körper der Temp. T_1 in eine Umgebung (Luft, Kühl- od. Heizflüssigkeit) der Temp. T_2 definitionsgemäß $\dot{Q} = \alpha \cdot A \cdot (T_1-T_2)$, seine Einheit ist W/(K·m^2) od. W/(K·cm^2). In Analogie zur Leitung des elektr. Stroms kann man die Wärmeübergangszahl als *längenspezif. Leitfähigkeit* betrachten. Der Reziprokwert

$$M = \frac{(T_1-T_2) \cdot A}{\dot{Q}}$$

ist dann der dem elektr. Widerstand entsprechende *Wärmedurchlaßwiderstand* (*E* thermal insistence), der die Einheit (m^{2}K)/W hat. Im Fall einer linearen Temp.-Abnahme zwischen den beiden Flächen eines Körpers mit dem Abstand x berechnet sich die Wärmeübergangszahl aus der Wärmeleitfähigkeit über $\alpha = \lambda/x$. Weitere Begriffe sind die *Wärmestromdichte* $\dot{q} = \dot{Q}/A$ (Einheit: W/m^2) u. die *Temp.-Leitfähigkeit* (auch Temp.-Leitzahl) $a = \lambda/(\rho \cdot c_p)$ (Einheit: m^2/s bzw. cm^2/s) mit ρ = D. u. c_p = spezif. isobare Wärmekapazität. Durch die Temp.-Leitfähigkeit ist bestimmt, welche Zeit zum Temp.-Ausgleich in einem Stoff benötigt wird. λ ist bei Metallen viel größer als bei Gasen, die Temp.-Leitfähigkeit aber etwa gleich, z.B. Kupfer: $a = 1{,}1$ cm^2/s. u. H$_2$: $a = 1{,}3$ cm^2/s.

Zur Berechnung der Wärmeübergangszahl verwendet man meist Kennzahlen, zwischen denen für die verschiedenen W.-Probleme funktionale Beziehungen bestehen. Die bekanntesten dieser Kennzahlen (vgl. DIN 1341: 1986-10) sind: *Nußelt-Zahl* Nu = $\alpha \cdot l/\lambda$; *Prandtl-Zahl* Pr = ν/a; *Péclet-Zahl* Pe = $w \cdot l/a$. Für den Zusammenhang mit der *Reynolds-Zahl (Re = $w \cdot l/\nu$) gilt: Re·Pr = Pe u. mit der *Stanton-Zahl* gilt: St = Nu/Re·Pr. Dabei bedeuten l = charakterist. Länge (m), ν = kinemat. Viskosität (m^2/s), a = Temp.-Leitfähigkeit (m^2/s, s.o.) u. w = charakterist. Geschw. (m/s). Die *Grashof-Zahl* Gr = $\frac{g \cdot l^3 \cdot \gamma \cdot \Delta T}{\nu^2}$ (g = Fallbeschleunigung, γ = therm. Vol.-Ausdehnungskoeff.) beschreibt den Wärmeübergang in einer Strömung, die durch Dichteunterschiede entsteht. W.-Vorgänge lassen sich ggf. anhand der Schlieren-Bildung u. durch holograph. Interferometrie u.a. opt. Meth. nachweisen. Wärmeverlusten beim Transport begegnet man durch *Wärmeisolierung mit *Wärmedämmstoffen. – *E* heat transfer – *F* transfert de chaleur – *I* trasmissione del calore – *S* transferencia de calor

Lit.: Bell, Heat Exchanger, in Encyclopedia of Physical Science and Technology Vol. 7, S. 645–660, New York: Academic Press 1992 ▪ Encyclopedia of Applied Physics, Vol. 7, S. 405–417, Weinheim: VCH Verlagsges. 1993 ▪ Fiebig u. Mitra, Vortices and Heat Transfer, Wiesbaden: Vieweg 1998 ▪ Kirk-Othmer (4.) **12**, 950–1044 ▪ *Landolt-Börnstein, Bd. 4, Tl. 4/C 2 ▪ Lock, Latent Heat Transfer, Oxford: University Press 1996 ▪ Martin, Wärmeüberträger, Stuttgart: Thieme 1988 ▪ Mayinger, Strömung u. Wärmeübergang in Gas-Flüssigkeitsgemischen, Wien: Springer 1982 ▪ McKetta **10**, 94 ff.; **18** 242–248; **19**, 52–75; **22**, 31–69; **24**, 346–359; **25**, 190–488; **26**, 1–126, 326–339; **28**, 318–323 ▪ McNaughton, The Chemical Engineering Guide to Heat Transfer (2 Bd.), Berlin: Springer 1986 ▪ Siegel u. Howell, Wärmeübertragung durch Strahlung, Berlin: Springer 1988 ▪ Singh, Heat Transfer Fluids and Systems for Process and Energy Applications, New York: Dekker 1985 ▪ Spektrum Wiss. **1988**, Nr. 1, 48–55 ▪ Stephan, Wärmeübergang beim Kondensieren u. beim Sieden, Berlin: Springer 1988 ▪ Ullmann (4.) **2**, 345–488 ▪ Umschau **79**, 377–383 (1979) ▪ Wagner, Wärmeträgertechnik mit organischen Medien, Gräfelfing: Resch 1986 ▪ Wang, Heat Transfer Science and Technology, Berlin: Springer 1987 ▪ Wärmeschutz (DIN-Taschenb. 158), Berlin: Beuth 1985. – *Zeitschriften u. Serien:* Heat Transfer and Fluid Flow Digest, Washington: Hemisphere (seit 1977) ▪ International Series in Heat and Mass Transfer, Berlin: Springer ▪ Journal of Thermal Insulation, Westport: Technomic (seit 1978) ▪ Previews of Heat and Mass Transfer, Oxford: Pergamon (seit 1983) ▪ Thermal Conductivity, New York: Plenum (seit 1966) ▪ Thermal Expansion, New York: Plenum (seit 1971).

Wärmeübertragungsmittel (Wärmeträger). Bez. für zur *Wärmeübertragung geeignete Stoffe, deren physikal. u. chem. Eigenschaften dem jeweiligen Verwendungszweck angepaßt sein müssen. Die im Laboratorium (in *Heizbädern) u. in der Technik einzusetzenden W. müssen sich durch günstige Stoffdaten für *Wärmeleitfähigkeit u. -kapazität, niederen Erstarrungspunkt, günstige Viskositätseigenschaften, Temp.-Beständigkeit, Schwerentflammbarkeit, geringe Oxid.-Empfindlichkeit u. physiolog. u. ökolog. Unbedenklichkeit auszeichnen. Neben den wichtigsten W. wie Wasser u. Wasserdampf gelangen eine Reihe von organ. Flüssigkeiten (*Wärmeübertragungsöle*) zur Anw.; Beisp. (s. ggf. die Einzelstichwörter): Paraffin u. naphthen. Mineralöle, Alkylbenzole, Benzyl- u. Dibenzyltoluole, Biphenyl, Diphenylether, Terphenyle (auch partiell hydriert), Quaterphenyle, Triarylether, Alkylnaphthaline, Polyalkylenglykole, hochsiedende Ester sowie Siliconöle. Die früher viel benutzten höhermol. *Chlorkohlenwasserstoffe, bes. *PCB u.a. *polychlor(ierte) Aromaten, sind heute wegen Umwelt-Gefährdung u. potentieller Toxizität (vgl. Dioxine) nicht mehr zulässig. Als *Kühlmittel sind die organ. W. u. *Sandbäder bis 400 °C verwendbar, während man für die Temp.-Bereiche von 400–550 °C *Salzschmelzen, von 500–800 °C flüssige Metalle (Na, Na/K-Leg.) benutzen kann, wie sie z. B. in Primärkühlkreisläufen von *Reaktoren als W. dienen. Zu den W. muß man auch die Kühlsolen u. a. *Kälte-übertragenden W. rechnen. Die gebräuchlichen organ. W. haben zwar nur geringe orale Toxizität u. unterliegen nicht der Gefahrstoff-VO, doch können ggf. die Flüssigkeiten die Haut entfetten u. die Dämpfe Atembeschwerden hervorrufen. Daher sind die gleichen Vorsichtsmaßnahmen wie beim Umgang mit organ. Lsm. geboten. – *E* heat transfer media – *F* agents caloporteurs – *I* trasmettitore del calore – *S* materiales transmisores del calor

Lit.: Ullmann (4.) **2**, 406–410, 445–449; (5.) **B 3**, 2-1 bis 2-108, 18-1 bis 18-5 ▪ s. a. Wärmeübertragung.

Wäsche(nach)behandlungsmittel s. Waschmittel u. Weichspüler.

Wäschesteifen s. Steifungsmittel.

Wäsche(weich)spülmittel s. Weichspüler.

Wäsche(zeichen)tinte. Bez. für *Signiertuschen* zur Verw. auf *Textilien, die auf der Faser – ohne diese anzugreifen – fest haften u. der Waschmittelbehandlung trotzen sollen. Die heute weniger gebräuchlichen W. enthielten kolloidales Silber od. Anilin-Derivate, die auf der Faser unter dem Einfluß von Oxidantien, Wärme u. Alkalien Anilinschwarz u. dgl. bildeten. – *E* laundry inks, ink for marking linen – *F* encre à marquer le linge – *I* inchiostri per contrassegnare la biancheria – *S* tinta para marcar la ropa
Lit.: Ullmann (4.) **23**, 264.

waf. Abk. für „*wasser-* u. *asche*frei", s. a. Heizwert.

Wafer (dtsch.: Oblate, Scheibchen). Aus dem Amerikan. übernommene Bez. für dünne Scheiben, die aus *Einkristallen von dotiertem (s. Dotierung) Silicium u. a. *Halbleiter-Materialien geschnitten werden. Die < 0,5 mm dicken W. mit Durchmessern bis ca. 12 cm werden für integrierte Schaltkreise u. a. elektron. Bauelemente benötigt.
Lit.: Ullmann (5.) **A 9**, 266 f. ▪ Winnacker-Küchler (4.) **3**, 431 ff. ▪ s. a. Halbleiter u. Silicium.

Waffenöle. Unter dem Einfluß von Luftsauerstoff, Wasserdampf u. Salpetersäure-bildenden Explosionsgasen rosten die Läufe von Schußwaffen leicht, wodurch die Zielsicherheit herabgesetzt wird. Deshalb werden bestimmte flüssige *Korrosionsschutzmittel zur Reinigung der Läufe verwendet. Typ. W. enthalten Paraffinöl mit einem Kation-aktiven Emulgator, z. B. organ. Ammonium-Verb. od. substituierte Imidazoline. – *E* firearm oils – *F* huiles pour armes à feu – *I* oli delle armi – *S* aceites para armas de fuego

Wagenfette (Wagenschmiere). Schwarze od. farbige, butterartig weiche od. „zügige", matte od. glänzende Salben, die zum Einschmieren der eisernen Achsenenden von Fahrzeugen aller Art verwendet werden, um die Reibung zwischen der Achse u. der Nabe der Wagenräder zu vermindern. Ein gewöhnliches W. wurde z. B. durch Vermischen vom *Harzstocköl* (s. Harzöl) mit hellem Mineralöl u. trockenem Calciumhydroxid hergestellt. Heute verwendet man statt der W. moderne *Schmierstoffe. – *E* cart greases – *F* graisses pour voitures – *I* grasso per carri – *S* gasas para vehículos

Wagner, Heinz Georg (geb. 1928), Prof. für Physikal. Chemie, Bochum, Göttingen, MPI für Strömungsforschung, Göttingen. *Arbeitsgebiete:* Kinetik von Gasreaktionen, Explosions- u. Verbrennungsvorgänge, Mischphasenthermodynamik. Erster Vorsitzender der Bunsen-Ges. von 1983–1984, ehem. Vizepräsident der DFG.
Lit.: Kürschner (16.), S. 3922 ▪ Nachr. Chem. Tech. Lab. **41**, Nr. 6, 750 (1993) ▪ Wer ist wer, S. 1502.

Wagner, Karl-Heinz (geb. 1911), Prof. (emeritiert) für Ernährungswissenschaft, Univ. Gießen. *Arbeitsgebiete:* Vitamin A- u. β-Carotin-Stoffwechsel, biolog. Wirksamkeit lipophiler Vitamin B_1-Derivate, Avitaminosen, Vitamin-Bestimmungsmeth., Vitaminisierung der Lebensmittel, Düngemittel, Nährstoffverluste in Großküchen, tox. Inhaltsstoffe von Klärschlamm u. Kompost, Schwermetall-Gehalte in Lebensmitteln,

PAK-Bestimmungsmeth., Strahlenkonservierung, Pathophysiologie von Cyclamat-Verb. u. Saccharin, tox. Inhaltsstoffe in Algen u. Hefen, L-(+)-Lactat im intermediären Stoffwechsel, Toxizität von Fluor-Verbindungen.
Lit.: Kürschner (16.), S. 3924 ▪ Wer ist wer, S. 1502.

Wagner-Meerwein-Umlagerung. Bez. für eine von G. Wagner 1899 aufgefundene u. seit 1914 von *Meerwein systemat. untersuchte *Umlagerung, die zunächst bei Terpenhalogeniden u. Terpenalkoholen, z. B. bei der Umlagerung von Isoborneol in Camphen (s. Abb. bei Umlagerungen), beobachtet wurde, später aber auch bei zahlreichen anderen Verbindungen. Die W.-M.-U. verläuft über *Carbenium-Ionen (s. a. Carbokationen). Die Bildung des stabileren Carbenium-Ions ist die treibende Kraft für die Umlagerung, wobei die Stabilität von *tert.* über *sek.* zu *prim.* abnimmt. Die W.-M.-U. macht die zahlreichen Gerüstumlagerungen bei Terpen-Reaktionen verständlich; sie tritt bes. leicht in Ggw. von *Lewis-Säuren in polaren Lsm. ein. Beisp. für die Reaktionen sind auch die *Neopentyl-Umlagerung, die *Pinakol-Pinakolon- u. die *Retropinakolon-Umlagerungen. Weitere verwandte Reaktionen sind bei Umlagerungen aufgeführt. – *E* Wagner-Meerwein rearrangement – *F* réarrangement de Wagner et Meerwein – *I* trasposizione di Wagner-Meerwein – *S* transposición de Wagner-Meerwein
Lit.: Hassner-Stumer, S. 403 ▪ Krauch u. Kunz, Reaktionen der Organischen Chemie, 6. Aufl., S. 76, Heidelberg: Hüthig 1997 ▪ Laue-Plagens, S. 309 ▪ March (4.), S. 1068 ▪ Trost-Fleming **3**, 705 f.

Wagners Reagenz. Wäss. Iod-Kaliumiodid-Lsg., gibt mit Alkaloiden braune Niederschläge.

Wahre Konzentration s. Aktivität.

Wahrheitsdrogen, Wahrheitsseren s. Geständnismittel.

Wahrscheinlichkeitsrechnung s. Mathematik, Monte-Carlo-Methode, Stochastik u. Statistik.

WAHUHA s. NMR-Spektroskopie.

Waid s. Indican u. Indigo.

Wairakit s. Analcim.

Wairol (3-Hydroxy-7,9-dimethoxycumestan).

$C_{17}H_{12}O_6$, M_R 312,28, Krist., Schmp. 292–294 °C. *Phytoalexin, das nach Infektion mit *Ascochyta imperfecta* aus Luzernen (*Medicago sativa*) isoliert wurde. – *E* = *F* = *S* wairol – *I* wairolo
Lit.: Phytochemistry **19**, 2801 (1980) (Isolierung); **21**, 249 (1982) (Synth.). – [*CAS 77331-73-8*]

Waksman, Selman Abraham (1888–1973), Prof. für Bodenmikrobiologie, Rutgers Univ. New Brunswick, N. J. (USA). *Arbeitsgebiete:* Humusbildung, Bakteriologie, Entdeckung der Antibiotika Actinomycin, Streptomycin (hierfür 1952 Nobelpreis für Physiologie od. Medizin), Neomycin u. a., Enzyme.

Lit.: Lexikon der Naturwissenschaftler, S. 411 ■ Neufeldt, S. 208, 214 ■ Woodruff, Scientific Contributions of Selman A. Waksman, New Brunswick: Rutgers Univ. Press 1968.

Wald, George (1906–1996), Prof. für Biologie, Harvard Univ., Cambridge (Mass.), USA. *Arbeitsgebiete:* Chemismus des Sehprozesses, Sehpigmente, Farbensehen, Vitamin A; 1967 Nobelpreis für Physiologie od. Medizin zusammen mit R. A. *Granit u. H. K. *Hartline für die Aufklärung der physiolog. u. biochem. Prozesse beim Sehvorgang.
Lit.: Lexikon der Naturwissenschaftler, S. 411 ■ Nobel Prize Lectures – Physiology or Medicine 1963–1970, Amsterdam: Elsevier 1972 ■ Pötsch, S. 443 ■ Who's Who in America (51.), S. 5443.

Walden, Paul (1863–1957), Prof. für Chemie, Riga, Petersburg, Rostock u. Tübingen. *Arbeitsgebiete:* Substitutionsreaktionen am asymmetr. C-Atom (s. folgendes Stichwort), flüssiges SO_2 als Lsm., elektr. Leitfähigkeit nichtwäss. Lsg., Affinitätsgrößen organ. Säuren, Osmose-Gesetze, Theorie der Lsg., freie Radikale, Oberflächenspannung, Zusammenhänge zwischen opt. Isomerie u. Konstitution, Geschichte der organ. Chemie.
Lit.: Krafft, S. 339 ■ Lexikon der Naturwissenschaftler, S. 443 ■ Neufeldt, S. 97.

Walden-Umkehr(ung). Von *Walden 1895 erstmals beobachtete *Konfigurations-Umkehr am *asymmetrischen C-Atom, die bei *nucleophilen Substitutionen auftritt, wenn die Reaktion nach dem S_N2-Mechanismus abläuft; Näheres u. Abb. s. bei Inversion u. Retention. Die W.-U. ist nicht nur bei Kohlenstoff-, sondern auch bei anderen chiralen Atomen zu beobachten, z. B. an Metall-organ. Verbindungen. – *E* Walden inversion – *F* inversion de Walden – *I* inversione di Walden – *S* inversión de Walden
Lit.: J. Chem. Phys. **74**, 1499 (1981) ■ Réarrangements Moléculaires et Inversion de Walden (Coll. CNRS **30**), Paris: CNRS 1951 ■ s. a. Inversion, nucleophile Substitution u. Stereochemie.

Waldkalkung. Ausbringen von *Kalk in Wäldern zur *Düngung (Calcium-Mangel in Bäumen z. B. an der Niedersächs. Küste, im Bayr. Wald u. im Schwarzwald[1]) u. zur Neutralisation saurer Böden, oft in Kombination mit anderen Salzen bzw. Nährstoffen. Gekalkt werden bes. Fichtenforste, in denen sich schwer abbaubarer, saurer Rohhumus gebildet hat, Wälder, die durch *Sauren Regen belastet sind, sowie Wälder, die auf sehr *Quarz-reichen, sauren *Gesteinen (z. B. *Granit, *Sandstein) mit geringerer Bodenpufferkapazität (z. B. Schwarzwald, Skandinavien) stehen. – *E* forest liming – *F* chaulage de la forêt – *I* calcinatura forestale – *S* encalado (enmienda caliza) del bosque
Lit.: [1] Umweltbundesamt (Hrsg.), Daten zur Umwelt 1988/89, S. 208, Berlin: Erich Schmidt 1989.
allg.: Allg. Forstz. **39**, 771ff. (1984); **40**, 1148ff. (1985); **41**, 551–554 (1986) ■ Forst-Holzwirt **26**, 433ff. (1971) ■ Forstwiss. Centralbl. **102**, 50–55 (1983); **105**, 218–229, 421–435 (1986) ■ Verband der Chem. Ind., Wald – Ernährungsstörungen – Düngung, Frankfurt: VCI 1987.

Waldmajoran s. Thymian.

Waldmeister s. Cumarin.

Waldschadenserhebung (WSE, Waldschadeninventur). Eine seit 1984 jährlich nach einheitlichem Stichprobenverf. in den alten Bundesländern durchgeführte Schätzung des Umfanges von *Waldschäden[1]. Die WSE erfolgt im Rahmen einer Netzdichte von 4×4 km^2 u. darüber hinaus für eine Schadensermittlung auf EU-Basis[2] im 16×16 km^2-Netz. Insgesamt ist der Anteil der jährlich aus der Stichprobe ausscheidenden Bäume gering (ca. 2%) u. hat keinen Einfluß auf die Gesamtergebnisse der WSE[3].
Die Schädigung der Bäume wird anhand des Nadel- bzw. Blattverlustes in fünf Stufen eingeteilt (*Kronenverlichtung*).

Tab.: Kronenverlichtung.

Schadstufe (Verluststufe)	Nadel- bzw. Blattverlust [%]	Bez.
0	0–10	ohne Schadensmerkmale
1	11–25	schwach geschädigt
2	26–60	mittelstark geschädigt
3	61–99	stark geschädigt
4	100	abgestorben

Das Schadkriterium *Vergilbung* (s. Chlorose) führt bei den Schadstufen 0 bis 2 zur Verschlechterung der Einstufung. Die Schadstufe 1 gilt als Warnstufe, die Schadstufen 2–4 gelten als deutlich geschädigt.
Neben den obigen Schadstufen werden bei der WSE noch Fruchtbildung, Pilz- u. Insektenbefall sowie Sturmschäden ermittelt. – *E* forest die-back inventory – *F* inventaire des détériorations forestières – *I* inventario del danno forestale – *S* inventario de daños forestales
Lit.: [1] Forst Holz **46**, 614–649 (1991). [2] Verordnung (EWG) Nr. 3528/86 des Rates vom 17. 12. 1986 über den Schutz des Waldes in der Gemeinschaft gegen Luftverschmutzung, geändert durch Verordnung (EWG) Nr. 2157/92 des Rates vom 23. 7. 1992 u. Verordnung (EG) Nr. 307/97 des Rates vom 17. 2. 1997. [3] UBA (Hrsg.), Daten zur Umwelt 1997, S. 403–423, Berlin: Schmidt 1997.
allg.: Cramer, Die Entwicklung der Waldschäden 1984–1989. Eine Analyse der Schadenserhebung. Wilhelm-Münker-Stiftung, Nr. 30, S. 17–35, Siegen: Selbstverl. 1990 ■ UBA (Hrsg.), Jahresbericht 1996, S. 65–71, Berlin: UBA 1997 ■ UBA (Hrsg.), Waldschäden in der BRD (Waldschadenskarten), Berlin: UBA jährlich.

Waldschäden. Bez. für Baumschäden in Nadel-, Misch- u. Laubwäldern sowie Forsten, die sich in Blattverlusten u. Blattverfärbung (s. Chlorose) bis hin zum Absterben von Bäumen äußern. Die bes. in den 80er Jahren in der Öffentlichkeit wahrgenommene W. werden als „neuartige Waldschäden[1]" u. im Medienjargon als *Waldsterben bezeichnet. Lokale bis regionale W. sind Realität, ein allg. Waldsterben hingegen gibt es nicht[2,3].
Weiträumige W. sind bereits früher beobachtet u. systemat. untersucht worden[4], wobei Schäden im Harz, bei Freiberg in Sachsen, in Stolberg bei Aachen u. in der Nähe von bestimmten Emissionsquellen als klass. Rauchgasschäden[5] – verursacht v. a. durch *Schwefeldioxid u. seine Folgeprodukte sowie Schwermetalle – identifiziert wurden. Die erste W.-Karte stammt aus dem Jahr 1883. Von Tannensterben wurde bereits im Jahr 1908 gesprochen. Zwischen 1906 u. 1916 erschien eine Schriftenreihe über W. im 19. Jahrhundert. Auf-

grund der früheren Erfahrungen wurden die W. mit der damaligen Zunahme saurer Luftverunreinigungen in Zusammenhang gebracht, die als trockene Deposition od. als *saurer Regen nicht nur das Blattwerk unmittelbar schädigen, sondern auch den pH-Wert des Bodens nachhaltig senken können, insbes. wenn dieser eine nur geringe Pufferkapazität aufweist[4–6].
Die Ursachen für W. sind regional verschieden u. auch heute noch nicht restlos geklärt. Viele W. sind die Nachwirkung von Trockenjahren[7]. Einige der durch eine *Waldschadenserhebung ermittelten Baumschäden sind reversibel u. heilen z. B. bei günstigen Klimabedingungen od. infolge Wald-Kalkung od. Düngung wieder aus (z. B. viele Vergilbungen[8]). Zudem werden natürliche Alterungsvorgänge u. die in Abhängigkeit vom Standort auftretende Anpassung der natürlichen Lebensdauer von Nadeln u. U. als Schaden erfaßt. Von Fachleuten wird die „Schadstufe 1" (= „schwach geschädigt") nicht mehr als Schaden betrachtet[9] (zur Einteilung in Schadstufen s. Waldschadenserhebung). Baumschäden werden meist auf die Wirkung eines od. mehrerer Faktoren zurückgeführt[9] (s. Tab.), die ihrerseits unmittelbar od. über eine Faktorenkette wirken: Als bes. wichtig gilt Saurer Niederschlag (zusammen mit organ. Säuren aus Rohhumus[9]), der die Wasseraufnahme der Bäume durch Tonmineralzerstörung u. Bodenverfestigung stören sowie Aluminium u. Schwermetalle des Bodens mobilisieren u. somit Wurzeln u. Mykorrhiza schädigen kann. Wegen seines Gehaltes an Pflanzen-verfügbaren Stickstoff-Verb. (insbes. Nitrat) führt der Niederschlag den Bäumen mehr Nährstoffe zu (z. B. ca. 15–30 kg N/ha·a) als sie brauchen[10] (ca. 10 kg N/ha·a).
Die Theorien zur W.-Entstehung haben die Einführung der *Entstickung u. *Entschwefelung von Auto-, Kraftwerks- u. a. Ind.-Abgasen in westlichen Ind.-Staaten beschleunigt. Therapievorschläge gegen W. reichen über Walddüngung mit bas., Magnesium-haltigen Düngemitteln (*Waldkalkung) u. über die Verminderung überhöhter Wildbestände bis hin zur Forderung, die Entstaubungsanlagen der Ind. wieder außer Funktion zu setzen, weil der Staub die sauren Abgase neutralisiert u. die Kondensation der sauren Atmosphärenbestandteile fördert (zu den Schutzfunktionen s. Lit.[11]).
Die langjährigen Waldschadenserhebungen zeigen keine Zunahme der W.[3,4], wie man sie für ein „Waldsterben" zu erwarten hätte[4]. Die Klimafaktoren Hitze[7], Dürre[7] u. Frost sowie teilw. Insektenkalamitäten sind maßgeblich am Schadensverlauf beteiligt[3]. Jahresring-Analysen u. a. Untersuchungen zeigen Holzzuwachs-Minima bes. in Jahren mit geringen (Sommer-)Niederschlägen[12], wobei aber generell gute Zuwachsleistungen bestätigt werden[9,13]. – **E** forest damage – **F** dommage de la forêt – **I** danni forestali – **S** daños del bosque

Tab.: Beisp. für vermutete Ursachen von Waldschäden.

*Klima	Frost[5], Frostrisse[1], Schneelast, Hitze[5,9,12] (s. Hitzeresistenz), Feuer (mediterrane Waldverluste, gestörte Verjüngung), Dürre[5], Nässe (Nährstoffauswaschung, *Erosion), Wind
*Immissionen[14] (als Gas, *Staub, *Nebel, *Niederschlag) einschließlich *Strahlung	*Saure Immissionen:* *Saurer Regen, *Schwefeldioxid, *Schwefelsäure, *Stickstoffoxide[1], Salpetersäure[15], *Ammoniak (nach Oxid.), *Flußsäure, *Salzsäure, organ. Säuren (bes. *Essigsäure)
	Photooxidantien[16]: *Ozon[17], *Wasserstoffperoxid, Peroxide, Hydroxyl-Radikale, Terpen-Ozonolyse-Produkte (Autotoxizität!), Peroxyacylnitrate, Peroxyacetylnitrat, organ. Blei-Radikale, Photooxidationsprodukte (Nitrophenole, 4,6-Dinitro-o-kresol[18])
	Sonstige anorgan. Stoffe: *Schwermetalle[19] (bes. *Blei[20], *Mangan[21]), Fluoride, *Streusalz[22,23], Überdüngung z. B. mit pflanzennutzbaren Stickstoff-Verb.[24], *Kohlendioxid (*Treibhauseffekt od. ungünstiges Nährstoffverhältnis[10,13,25])
	Sonstige organ. Stoffe: Polycycl. aromat. Kohlenwasserstoffe (s. PAH), Ethen, Organoblei-Verb. (s. Blei-organische Verbindungen), Methylquecksilber (s. Quecksilber-organische Verbindungen), *Formaldehyd[26]
	Strahlung: Ultraviolettstrahlung[27], Radioaktivität
Schadorganismen	Viroide, Viren[22], *MLO, *RLO, andere *Bakterien[22], *Pilze[22], Insekten[3,22] (durch Fraß od. als Überträger von Krankheiten), Nematoden u.a. Würmer[22], überhöhte Wildbestände[28] (Ausbreitung von Krankheiten sowie mangelhafte Verjüngung durch Wildverbiß)
Wald- u. Forstwirtschaft	*Boden:* Bodenverfestigung (durch Forstmaschinen), Boden-Versiegelung[23] (Wegebau), Standortwahl, Verdrängung auf ungünstige Standorte, Nährstoffentzug[1,6,29] (durch Holzernte), Nährelement-Mangel[29] insbes. an Magnesium[7,29], Calcium[29], Kalium[8,29], Zink, Eisen, Mangan[8], Phosphor[15]
	Biozönose: Monokulturen (Bodenversauerung durch Nadelstreu[4], Schädlingsdruck), ungünstige Baum-Arten- u. -Sorten-Wahl[9], Wildbestände[28], verspätete Umforstung, mangelnde Sturmwurf- u. Unterholzbeseitigung
	Ernährung: Nährstoff-Entzug[29], fehlende od. einseitige *Düngung[8,29]

Lit.: [1] GSF, Mensch u. Umwelt **1987**, 5–64. [2] Verhandlungen Ges. Ökol. **26**, 49–52 (1996). [3] UBA (Hrsg.), Daten zur Umwelt 1997, S. 403–423, Berlin: Schmidt 1997. [4] Naturwiss. Rundsch. **47**, 419–430 (1994). [5] Pflanzenschutz Nachr. Bayer **37**, 97–207, 208–234 (1984). [6] Fonds der Chem. Ind. (Hrsg.), Folienserie **22**, Umweltbereich Luft, S. 57–61, Frankfurt: Oehms 1987. [7] Ministerie van Landbouw, Natuurbeheer en Visserij (Hrsg.), De vitaliteit van bossen in Nederland in 1997, Wageningen: IKC natuur beheer 1997. [8] Naturwissenschaften **83**, 448–458 (1996). [9] Cramer, Patient Wald. Eine forstpathologische Analyse, Köln: Verl. TÜV Rheinland 1992. [10] BMU (Hrsg.), Umweltpolitik: Umweltbericht 1998, S. 90–95, Bonn: BMU 1998. [11] Spektrum Wiss. **1997**, Nr. 4, 52–55. [12] Science **267**, 1595 (1995). [13] UBA (Hrsg.), Jahresbericht 1996, S. 65–71, Berlin: UBA 1997. [14] Environ. Pollut. **96**, 185–193 (1997). [15] Chemosphere **36**, 691–697 (1998). [16] Water Air Soil Pollut. **85**, 111–122 (1995). [17] Chemosphere **36**, 651–690 (1998, mehrere Artikel); Environ. Pollut. **95**, 13–18 (1997); **96**, 117–127 (1997); **98**, 195–208 (1998). [18] Chemosphere **17**,

511–515 (1988). [19]Chemosphere **36**, 979–984 (1998). [20]Environ. Pollut. **97**, 275–279 (1997). [21]Environ. Pollut. **97**, 113–118 (1997). [22]Tainter u. Baker, Principles of Forest Pathology, New York: Wiley 1996. [23]Brod (Hrsg.), Straßenbaum-Schäden, Landsberg: ecomed 1991. [24]Environ. Pollut. **97**, 1–10 (1997); Plant Soil **172**, 73–82 (1995); Spektrum Wiss. **1994**, Nr. 1, 48–53. [25]Global Change Biol. **4**, 55–61 (1998). [26]Water Air Soil Pollut. **86**, 71–91 (1996). [27]Chemosphere **36**, 829–858 (1998, mehrere Artikel). [28]Bild Wiss. **1993**, Nr. 12, 73. [29]Hüttl, Die Nährelementversorgung geschädigter Wälder in Europa u. Nordamerika, Habilitationsschrift, Freiberger Bodenkundl. Abhandlungen **28**, Freiberg 1991.
allg.: Environ. Pollut. **98**, 271–398 (1998, mehrere Artikel) ▪ Hartmann et al., Farbatlas Waldschäden (2.), Stuttgart: Ulmer 1995 ▪ Ullmann (4.) **16**, 129; (5.) **B7**, 442–451. – *Internet-Adresse* (Waldschadensbericht): http://www.dainet.de/sdw/waschb96.htm

Waldsterben. 1. Bez. für großflächige Waldverluste durch Rauchgase, wie sie z.B. regional in Sachsen, Schlesien u. Böhmen (Riesengebirge, Erzgebirge) auftraten[1]. – 2. Medienjargon für sog. neuartige *Waldschäden, die aber kein allg. W. darstellen[2,3]. – 3. Bez. für eine auf landwirtschaftliche Nutzung, großflächige Rohstoffgewinnung (Holz[4], Mineralien), Straßenbau, Urbanisierungsprojekte u.a. anthropogene Nutzung zurückgehende Waldzerstörung (oft unmittelbar durch Brandrodung). Erfolgt diese Art des W. in den trop. Klimazonen, spricht man auch vom Tropen-Waldsterben[5]. Als Maßnahme gegen das Tropen-W. gilt das internat. Tropenholzabkommen, das die nachhaltige Holzwirtschaft fördern soll (vgl. Sustainable Development). – *E* forest decline, waldsterben, forest dieback – *F* mort lente des forêts, dépérissement de la forêt – *I* moria della foresta – *S* muerte lenta del bosque
Lit.: [1]World Resources Inst./Internat. Inst. for Environment and Development (Hrsg.), Internationaler Umweltatlas, Bd. 1, S. 540, Landsberg: ecomed 1988; Environ. Sci. Technol. **26**, 14–21 (1992). [2]Naturwiss. Rundsch. **47**, 419–430 (1994). [3]Verhandl. Ges. Ökol. **26**, 49–52 (1996). [4]Science **248**, 212–215 (1990). [5]Water Environ. Technol. **1989**, 321–327; Ann. Assoc. Am. Geographers **75**, 163–184 (1985).

Wale s. Ambra, Spermöl, Trane u. Walrat.

WAL 2014-FU s. Talsaclidin.

Walken. W. hat in der Technik verschiedene Bedeutungen: 1. Bez. für einen *Textilveredlungs-Prozeß für *Wolle zur Verdichtung u. Verfilzung des Gewebegefüges von Decken-, Tuch- u. Lodenstoffen (vgl. Filz) durch Druck, Wärme u. Feuchtigkeit unter Verw. sog. *Walkhilfsmittel* wie z.B. Walkseife u. *Walkerden.* – 2. Bez. für das Bewegen u. Kneten von Häuten im Walkfaß, um sie aufnahmefähig für Gerbstoffe, Farben, Fettungsmittel usw. zu machen. – 3. Bez. für einen hüttentechn. Prozeß zur mehrmaligen Durchbiegung von Feinblechen. – *E* 1. fulling, 2. milling, drumming – *F* 1. foulage, 2. foulonnage, 3. assouplir par rouleaux – *I* 1. follatura, 2. bottalatura, 3. ammorbidimento – *S* 1., 2. batanado, 3. desnervado

Walkerde (Walkererde, Fuller-Erde). Allg. Bez. für *Tone, die als Sorptionsmittel u. zum Bleichen geeignet sind. Die Bez. W. geht auf die ursprüngliche Verw. beim *Walken (*E* full; fuller = Walker) von Wolle zur Entfernung von Lanolin u. Schmutz zurück. W. gehört zur Gruppe der *Bleicherden, bezieht sich jedoch auf kein bestimmtes Mineral; W. enthalten *Smektite, *Attapulgit od. *Sepiolith. – *E* fuller's earth – *F* argile savonneuse (à foulon) – *I* argilla smettica, terra da follare – *S* tierra de batanes
Lit.: Jasmund u. Lagaly (Hrsg.), Tonminerale u. Tone, S. 203, 361, Darmstadt: Steinkopff 1993 ▪ Lüschen, Die Namen der Steine (2.), S. 341, Thun: Ott 1984.

Walkfilz s. Filz.

Walk-Umlagerung. Die W.-U. beschreibt eine Reaktion, bei der eine Gruppe X (z.B. CR$_2$, NR, O, S) als Teil eines dreigliedrigen Ringes entlang der Oberfläche eines cycl. π-Syst. wandert (*E* walk); z.B. (X=CH–R^2):

Die W.-U. verursacht in diesem Falle ein Scrambling der Ringsubstituenten R^1, R^2, R^3 in Cyclopentadien, über das als Zwischenstufe auftretende Bicyclo[2.1.0]pent-2-en (*Hausen*), das die eigentliche Umlagerung eingeht. Mit der W.-U. verwandt sind die *Karussell-Umlagerung*[1] u. der „*Oxygen walk*", der bei Benzoloxiden (s. Oxepine) auftreten kann. – *E* walk rearrangement – *F* réarrangement de walk – *I* trasposizione di walk – *S* transposición de walk
Lit.: [1]Angew. Chem. **97**, 427 (1985); **98**, 1132 (1986).
allg.: Top. Stereochem. **15**, 1–42 (1984).

Wallach, Otto (1847–1931), Prof. für Organ. Chemie, Univ. Göttingen. *Arbeitsgebiete:* Ether. Öle, Campher u.a. Terpene, alicycl. Verb., erste Entwicklung der Isoprenregel, opt. Aktivität u. asymmetr. Kohlenstoff-Atome, s.a. Wallach-Reaktionen. Nobelpreis für Chemie 1910.
Lit.: Lexikon der Naturwissenschaftler, S. 412 ▪ Pötsch, S. 443.

Wallach-Reaktionen. Sammelbez. für von *Wallach ausgearbeitete Reaktionen. – 1. Reduktive Alkylaminierung von Carbonyl-Verb. (*Leuckart-Wallach-Reaktion*, s. Leuckart-Reaktion). – 2. Umlagerung von Azoxy-Verb. in stark saurem Medium zu *p*-Hydroxyazo-Verb. (*Wallach-Umlagerung*, s. Azoxy-Verbindungen). – 3. Mit der *Favorskii-Umlagerung verwandte Ringverengerung von Sechs- in Fünfringe durch Behandeln von 2,6-Dibromcyclohexanon-Derivaten mit Alkalien, wobei sich 1-Hydroxycyclopentancarbonsäuren bilden, welche leicht oxidativ zu Cyclopentanonen abgebaut werden können (*Wallach-Abbau*).

– *E* Wallach reactions – *F* réactions de Wallach – *I* reazioni di Wallach – *S* reacciones de Wallach
Lit.: Hassner-Stumer, S. 403 ▪ Krauch u. Kunz, Reaktionen der Organischen Chemie, 6. Aufl., S. 150, 362, Heidelberg: Hüthig

1997. – (zu 1.): s. Leuckart-Reaktion. – (zu 2.): Mech. Mol. Migr. **1**, 61–119 (1968) ▪ Shine, Aromatic Rearrangements, S. 272–284, New York: American Elsevier 1969 ▪ Tetrahedron **36**, 3177 (1980) ▪ s.a. Azoxy-Verbindungen. – (zu 3.): React. Intermed. (Plenum) **2**, 527–585 (1982) ▪ s.a. Favorskii-Umlagerung.

Wallenfels, Kurt (1910–1995), Prof. für Biochemie, Univ. Freiburg u. Leiter der Abteilung Biochemie der Boehringer Mannheim GmbH in Tutzing. *Arbeitsgebiete:* Chinone, Wasserstoff-Übertragung mit Pyridinnucleotiden, Enzyme des Polysaccharid-Abbaus, Erbkrankheiten, Stoffwechselanomalien.
Lit.: Kürschner (15.), S. 4913 ▪ Lexikon der Naturwissenschaftler, S. 412 ▪ Pötsch, S. 443 f.

Walnüsse. Einsamige Steinfrüchte von *Juglans regia,* dem in Kleinasien, Mitteleuropa, Nordafrika, Nordamerika u. Japan angebauten Walnußbaum (Welternte 1994: 948 803 t; v.a. USA, China, Türkei, ehem. UdSSR. Je 100 g genießbare Anteile enthalten durchschnittlich 4,38 g Wasser, 14,4 g Eiweiß, 62,5 g Fett, 17 g Kohlenhydrate (davon 2,1 g Faser), ferner bes. die Spurenelemente K, P, S, Mg sowie die Vitamine C, B_6, Nicotin- u. Pantothensäure; Nährwert ca. 2725 kJ (650 kcal). Als Aromastoffe konnten mehr als 30 Verb. identifiziert werden, von denen jedoch keine allein für den typ. W.-Geschmack verantwortlich ist. Für das Aroma bes. wichtig scheinen Hexanal, Pentanal, 2,3-Pentandion, 2-Methylpent-2-enal u. 2,3-Butandion zu sein. Die fettreichen Kerne werden zu *Walnußöl verarbeitet. In den Walnußbaumblättern u. in den fleischigen äußeren Schalen der *Nüsse ist Juglon (5-*Hydroxy-1,4-naphthochinon) enthalten, das zur künstlichen *Hautbräunung benutzt werden kann. Aus den Blättern wurde früher ein *Insektenabwehrmittel für Weidetiere gewonnen. – *E* walnuts – *F* noix – *I* noci – *S* nueces
Lit.: Franke, Nutzpflanzenkunde, 6. Aufl., S. 252, 429, Stuttgart: Thieme 1997. – [HS 0802 31; 0802 32]

Walnußöl (Nußöl). Fettes, farbloses bis leicht gelbliches, trocknendes Öl von angenehm nußartigem Geruch u. Geschmack, das durch kaltes Pressen ölhaltiger *Walnüsse (Ölgehalt ca. 60%) erhalten wird. W. findet Verw. als wertvolles Speiseöl u. als Grundlage für Heilsalben u. Ölfarben (ähnlich dem *Mohnöl)[1]. *Analytik:* D. 0,920–0,924, IZ 156 (143–162), VZ 192 (186–197). Fettsäurespektrum: 16:0 7%; 18:0 2%; 18:1 16,5%; 18:2 60,0%; 18:3 14%. Eine Identifizierung von W. ist anhand des *Tocopherol-Spektrums möglich (α-Tocopherol 2–4%, β-Tocopherol nicht nachweisbar, γ-Tocopherol 81–89%, δ-Tocopherol 8–14%)[2]. Der Gesamttocopherol-Gehalt beträgt 440 mg/kg. Zum Gesamtsterin-Gehalt (ca. 200 mg) u. zum Sterin-Spektrum s. *Lit.*[3]; s.a. Walnüsse. – *E* walnut oil – *F* huile de noix – *I* olio di noce – *S* aceite de nuez
Lit.: [1] Vollmer u. Franz, Chemie in Hobby u. Beruf, S. 86 f., Stuttgart: Thieme 1991. [2] Fat Sci. Technol. **93**, 519–526 (1991). [3] Fat Sci. Technol. **91**, 23–27 (1989). *allg.:* Kirk-Othmer (4.) **7**, 587 ▪ Ullmann (5.) **A 18**, 51. – [HS 1515 90]

Walöle s. Trane.

Walrat (der od. das, Singular; weißer Amber, Spermaceti, Cetin, Cetaceum). Weiße, wachsartige, schuppig-blättrige Masse von eigenartigem Geruch, die sich in der Kälte aus dem Öl-Wachs-Gemisch abscheidet, das aus den Kopfhöhlen, Rückgratknochen u. dem Speck des Pottwals erhalten wird. Durch Abpressen gewinnt man das *Spermöl (W.-Öl), das wiederum durch Hydrieren in sog. *synthet.* W. überführt werden kann. W. besteht im wesentlichen aus Cetylpalmitat, daneben aus Estern der Laurin-, Myristin- u. Stearinsäure mit Myristyl-, Cetyl- u. Stearylalkohol; D. 0,938–0,945, Schmp. 42–50 °C, VZ 120–136, IZ 3–4,4, unlösl. in Wasser, lösl. in Chloroform, Ether, Petrolether, Schwefelkohlenstoff u. heißem Alkohol. W. kann durch Stearin od. Talg verfälscht sein.
Verw.: Früher als Salbengrundlage für kosmet. Präp., als Zusatz zu Kerzen, Appreturmitteln, Seifen, Pomaden u. dgl., medizin. in Kühlsalben; W. spielte auch eine Rolle als Ausgangsmaterial für die Gewinnung von *1-Hexadecanol. Aufgrund des Washingtoner Artenschutzabkommens sind seit dem 1.1.1982 Import u. Verwertung von Walerzeugnissen in den USA u. der EG nicht mehr zugelassen. Als W.-Ersatz bieten sich hydriertes Jojobaöl od. synthet. *Wachse mit vergleichbaren physikal. Eigenschaften an. – *E* spermaceti – *F* blanc de baleine – *I* bianco di cera – *S* espermaceti, blanco de ballena
Lit.: Parfum. Kosmet. **62**, 133 (1981). – [HS 1521 90]

Walratöl s. Spermöl u. Walrat.

Walsh-Diagramme. Von A.D. Walsh[1] eingeführte Diagramme, die die Abhängigkeit der Energien der *Molekülorbitale eines Mol. vom Bindungswinkel darstellen. Die Abb. zeigt das W.-D. für ein Mol. des Typs AH_2; das energet. am tiefsten liegende Rumpforbital ($1 a_1$) ist nicht aufgeführt. Das Original-W.-D. zeigt eine inkorrekte Winkelabhängigkeit für das $2 a_1$-Orbital, worauf Mulliken[2] hingewiesen hat; in der Abb. ist dieser Fehler korrigiert. Nach dem W.-D. erwartet man für den elektron. *Grundzustand des Wasser-Mol. die *Elektronenkonfiguration $(1 a_1)^2 (2 a_1)^2 (1 b_2)^2 (3 a_1)^2 (1 b_1)^2$ mit gewinkelter Gleichgewichtsgeometrie, da das doppelt besetzte $3 a_1$-Orbital die gewinkelte Geometrie energet. stark bevorzugt. Der experimentelle Gleichgewichtsbindungswinkel von H_2O beträgt 105°. Einen ähnlichen Winkel erwartet man für den tiefsten Singulett-Zustand des CH_2-Mol. [Elektronenkonfiguration: $(1 a_1)^2 (2 a_1)^2 (1 b_2)^2 (3 a_1)^2$], da die Energie des $1 b_1$-Orbitals prakt. keine Winkelabhän-

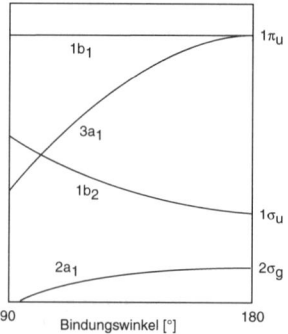

Abb.: Walsh-Diagramm für AH_2-Moleküle; das energet. am tiefsten liegende Rumpforbital ($1 a_1$) ist nicht aufgeführt.

gigkeit zeigt (experimenteller Wert: 102°). Der um 38 kJ mol^{-1} tiefer liegende *Triplett-Zustand hat einen wesentlich größeren Bindungswinkel von 135°, weil hier das 3 a$_1$-Orbital nur einfach besetzt ist; seine Elektronenkonfiguration lautet $(1 a_1)^2 (2 a_1)^2 (1 b_2)^2 (3 a_1)^1 (1 b_1)^1$. Zur quantenmechan. Rechtfertigung der W.-D. s. *Lit.*[3,4]. – *E* Walsh diagrams – *F* diagrammes de Walsh – *I* diagrammi di Walsh – *S* diagramas de Walsh
Lit.: [1] J. Chem. Soc. **1953**, 2260, 2266, 2288, 2296, 2301, 2306. [2] J. Am. Chem. Soc. **77**, 887 (1955). [3] Kutzelnigg, Einführung in die Theoretische Chemie, Bd. 2, 2. Aufl., Weinheim: VCH Verlagsges. 1994. [4] Chem. Rev. **74**, 127 (1974).
allg.: Engelke, Aufbau der Moleküle (3.), Stuttgart: Teubner 1996.

Walsh-Orbitale. Von A. D. Walsh 1949 eingeführte spezielle *Molekülorbitale für kleine Kohlenwasserstoff-Ringe wie *Cyclopropan; Näheres s. *Lit.* – *E* Walsh orbitals – *F* = *S* orbitales de Walsh – *I* orbitali di Walsh
Lit.: Angew. Chem. **91**, 867 (1979) ▪ J. Am. Chem. Soc. **93**, 5699 (1971) ▪ Klessinger, Elektronenstruktur organischer Moleküle, Weinheim: Verl. Chemie 1982 ▪ Top. Curr. Chem. **86**, 197 (1979).

Walter-Kolben. Birnenförmiger Rundkolben mit kurzem, weitem Hals.

Walton, Ernest Thomas Sinton (1903–1995), Prof. für Experimentalphysik, Trinity College, Dublin (Irland). *Arbeitsgebiete:* Atomenergie, Entwicklung von Teilchenbeschleunigern (Cockcroft-Walton-Generator), Kernreaktionen (Elementumwandlung mit beschleunigten Elementarteilchen); 1951 Nobelpreis für Physik (zusammen mit J. D. *Cockroft).
Lit.: Lexikon der Naturwissenschaftler, S. 413 ▪ Neufeldt, S. 179.

Waltran s. Trane.

Walzen. Unter W. wird eine Umformung von Material durch sich drehende zylinder-, kegel- od. scheibenförmige Körper (Walzen) mit glatter od. profilierter Oberfläche verstanden. Das W. findet bei der Herst. von Folien (Kunststoff, Metall), aber auch beim trockenen u. nassen Zerkleinern von sprödem Material Anw. (s. Walzenbrecher). – *E* roll – *F* laminage – *I* laminare – *S* laminado

Walzenbrecher. Zerkleinerungsmaschine mit zwei entgegengesetzt laufenden Walzen. Das Gut wird oben aufgegeben u. von den Walzen eingezogen, wobei eine bestimmte Profilierung der Walzen von Vorteil sein kann. Der Abstand zwischen den Walzen ist einstellbar u. bestimmt den Zerkleinerungsgrad. Daneben gibt es sog. *Einwalzenbrecher,* die das Gut gegen eine Brechplatte fördern. – *E* rolling crusher – *F* broyeur (concasseur) à cylindres – *I* frantumatore a rulli – *S* triturador cilíndrico
Lit.: Ullmann (5.) **B 2**, 5-26.

Walzenstühle. Mühlen, die sich dadurch auszeichnen, daß die Mahlorgane sich relativ zueinander drehende Walzen sind. W. mit zwei od. mehreren glattgeschliffenen Walzen werden bevorzugt zur Verarbeitung von mittelviskosen Suspensionen eingesetzt. Durch unterschiedliche Geschw. der Walzen gelingt die Übergabe der Suspensionsschicht problemlos. – *E* roller frame – *F* moulins à cylindres – *I* supporto a rulli – *S* molinos de cilindros
Lit.: Ullmann (5.) **B 2**, 5-26.

Walzhaut s. Zunder.

Walzöle (Reißöle). Bez. für hochtemperaturbeständige Mineralöle od. wäss. Emulsionen auf Basis z. B. von Fettsäureestern u. Tensiden, die als Schmiermittel beim Walzen von Stahl u. Aluminium-Blechen eingesetzt werden. – *E* rolling oil – *F* huiles de laminage – *I* oli di laminazione – *S* aceites para laminadores

Wanderung s. Migration, Umlagerung u. Weichmacher.

Wandrey, Christian (geb. 1934), Prof. für Biotechnologie, Bonn, Forschungszentrum Jülich. *Arbeitsgebiete:* Biotransformationen (Membranreaktoren), Umweltbiotechnologie; Philip-Morris-Forschungspreis 1987.
Lit.: Kürschner (16.), S. 3948 ▪ Neufeldt, S. 314.

Wandtafeln s. Schiefertafeln.

Wannagat, Ulrich (1923), Prof. (emeritiert) für Anorgan. Chemie, TU Braunschweig. *Arbeitsgebiete:* Peroxidschwefel-Verb., Silicium-Stickstoff-Verb., Sihaltige Pharmaka u. Riechstoffe, chem. Reaktionen in elektr. Entladungen, anorgan. Ringsyst., isostere Beziehungen.
Lit.: Kürschner (16.), S. 3950 ▪ Nachr. Chem. Tech. Lab. **27**, 268 (1979); **36**, 1028 (1988) ▪ Wer ist wer (36.), S. 1512.

Wannenform s. Cycloalkane, Cyclohexan u. Konformation.

Wanzen (Heteroptera, ca. 40 000 Arten). Artenreiche Insekten-Unterordnung der Ordnung Hemiptera (Schnabelkerfe; ca. 90 000 Arten). Wissenschaftlicher Name „Ungleich-Flügler" nach dem Aufbau der Vorderflügel, die aus einem lederig festen Vorder- u. einem häutigen hinteren Teil bestehen. Die zweite Unterordnung Homoptera (hierzu Zikaden, Blattläuse u. Blattflöhe) besitzt einheitliche Vorderflügel. Die W. werden in *Wasser-W.* (Hydrocorisae) u. *Land-W.* (Geocorisae) untergliedert. Alle W. sind Pflanzensaft- od. Blutsauger. Dazu sind die Mundwerkzeuge stechend-saugend ausgebildet, der Körper ist meist flach u. vielfach mit Stinkdrüsen versehen. Zu den als Krankheitsüberträger gefürchteten Schadwanzen gehören z. B. die südamerikan. geflügelte *Triatoma,* die die *Chagas-Krankheit überträgt, u. in unseren Breiten die dunkelgelbe bis braunrote, ca. 5–6 mm lange, flügellose *Bettwanze* (*Cimex lectularius*), die früher nicht selten in Großstadtwohnungen zwischen Mauerritzen, unter Tapeten, zwischen Möbeln, Bildern, Bettritzen usw. zu finden war u. durch Stechen juckende Quaddeln am Körper erzeugt. Die *Bekämpfung* der W. erfolgt durch Besprühen, Einstäuben od. Begasen der befallenen Wohnobjekte mit Insektiziden; ein natürliches W.-Mittel enthalten die *Koloquinthen. – *E* bugs – *F* punaises – *I* cimici – *S* chinches
Lit.: Chinery, Pareys Buch der Insekten, 2. Aufl., Hamburg: Parey 1993 ▪ Jacobs u. Renner, Biologie u. Ökologie der Insekten, 3. Aufl., Stuttgart: Fischer 1998 ▪ s. a. Insekten.

Wanzendill s. Koriander.

Wanzenkümmel s. Römischer Kümmel.

Warburg, Emil Gabriel (1846-1931), Vater von O. H. *Warburg, Prof. für Physik, Freiburg, Präsident der Physikal.-Techn. Reichsanstalt, Berlin. *Arbeitsgebiete:* Atomwärme, Hysterese bei Ferromagnetika, Gasentladungen, galvan. Polarisation, Photochemie, Ozon-Bildung in Entladungen, Aktinometrie.
Lit.: Krafft, S. 204, 342 ▪ Lexikon der Naturwissenschaftler, S. 413.

Warburg, Otto Heinrich (1883-1970), Sohn von E. G. *Warburg, Prof. für Biochemie KWI bzw. MPI für Zellphysiologie, Berlin. *Arbeitsgebiete:* Eisen-haltige Atmungsenzyme, Atmungskette, Flavinenzyme („Gelbes Ferment"), Entdeckung von NADP, Mikromanometrie, Gewebeschnitt-Technik, Glykolyse u. Gärung, Stoffwechsel der Tumoren, Ferredoxin („Rotes Ferment"), Photosynth. der Pflanzen u. Grünalgen u. damit verbundener Quantenbedarf. Für seine Arbeiten zur Zellatmung erhielt W. 1931 den Nobelpreis für Physiologie od. Medizin.
Lit.: Chem. Labor Betr. **37**, 103f. (1986) ▪ Krafft, S. 342 ▪ Krebs u. Schmidt, Otto Warburg, Stuttgart: Wiss. Verlagsges. 1979 u. Oxford: University Press 1981 ▪ Naturwiss. Rundsch. **31**, 349-356 (1978); **36**, 444-447 (1983) ▪ Lexikon der Naturwissenschaftler, S. 413f. ▪ Neufeldt, S. 149 ▪ Pötsch, S. 444f.

Warburganal s. Drimane.

Warburg-Apparatur. Von O. H. *Warburg entwickelter Apparat zur Untersuchung der Gasaufnahme od. -abgabe – unter kontrollierten Temp.- u. Lichtbedingungen – bei Gärungsreaktionen, Gewebsstoffwechsel in Pflanzen u. Tieren, Atmung u. Photosynth. in lebenden Zellen, Blutgasmessungen, Redoxreaktionen, Gasaustausch u. Absorption in Zellen usw. mittels manometr. Messungen kleinster Gasmengen (Respirometrie). Die W.-A. besteht aus Wasserbad, Manometern, Reaktionsgefäßen u. einer Schütteleinrichtung für einen schnellen Gasaustausch. – *E* Warburg apparatus – *F* appareil de Warburg – *I* apparecchio di Warburg – *S* aparato de Warburg

Warburg-Dickens-Horecker-Weg s. Pentosephosphat-Weg od. -Cyclus.

Warburgsches Atmungsferment s. Cytochrom-c-Oxidase.

Warenzeichen s. Marke.

Warfarin.

Common name für (±)-4-Hydroxy-3-(3-oxo-1-phenylbutyl)cumarin, $C_{19}H_{16}O_4$, M_R 308,33, Schmp. 159-161°C, MAK 0,5 mg/m³, LD_{50} (Ratte oral) 186 mg/kg, von der Wisconsin Alumn Research Foundation 1944 entwickeltes Präp., Verw. als *Rodentizid mit blutgerinnungshemmender Wirkung, das bei Ratten keine Köderscheu hervorruft, sowie in der Humanmedizin (auch in Form des Natriumsalzes), um das Risiko von Thrombosen nach Operationen zu verringern. – *E* warfarin – *F* warfarin, coumafène – *I* warfarina – *S* warfarín
Lit.: Beilstein EV **18/4**, 162 ▪ Farm ▪ Perkow ▪ Pesticide Manual ▪ Wirkstoffe iva. – *[HS 293229; CAS 81-81-2; G 6.1]*

Warmfeste Werkstoffe. Im allg. Werkstoffe, die auch bei hohen Temp. langzeitig mechan. Beanspruchungen ohne Schäden standhalten; s. a. Warmfestigkeit. In erster Linie sind dies metall. Werkstoffe, die für ihren betrieblichen Einsatz nicht mehr nach ihrem zeitunabhängigen mechan. Kennwert *Streckgrenze ausgelegt werden, sondern nach ihrem zeitabhängigen Kennwert *Zeitfestigkeit. Ein typ. Anw.-Bereich für w. W. sind Komponenten der Energietechnik, die bei Temp. >500°C mit Dampf >10 MPa beaufschlagt werden. Durch geeignete Leg.-Syst. auf Fe- od. Ni-Basis u. Leg.-Zusätze wie Cr, Mo, V, W od. B wird eine Verminderung der temp.- u. lastabhängigen Verformungsgeschw. (Kriechen) derartiger Komponenten erreicht. Im Gegensatz zu w. W. spricht man von *hitzebeständigen Werkstoffen,* wenn die chem. Beständigkeit (*Hitzebeständigkeit) bei hohen Temp. die vorrangige betriebsseitige Anforderung ist u. nicht die Festigkeit. Oberbegriff für beide Werkstoffgruppen ist *Hochtemperatur-Werkstoffe.* – *E* creep resistant materials – *F* matériaux résistants au fluage – *I* materiali resistenti allo scorrimento – *S* materiales resistentes a la fluencia

Warmfestigkeit. Festigkeitsverhalten (u. -kennwert) von Werkstoffen, die bei höheren Temp. mechan. beansprucht werden. Allg. zeigen Werkstoffe ein von der Temp. u. der mechan. Belastung abhängiges Kriechen (bleibende Verformung mit niedriger Dehnungsgeschw.), so daß eine Bauteilberechnung für eine bestimmte Betriebsdauer auf der Basis von Langzeitprüfungen bis Bruch erfolgt (*Zeitfestigkeit), bei Kraftwerkskomponenten z. B. für 200000 h. Beim Unterschreiten einer werkstoffspezif. Temp. wird diese Kriechgeschw. allerdings so gering, daß die Berechnung auf der Basis von Kennwerten erfolgt, die in Kurzzeitversuchen ermittelt werden (*Streckgrenze). Bei metall. Werkstoffen liegt diese Grenztemp. zwischen 400 u. 650°C, bei organ. Werkstoffen in der Regel <100°C u. bei nichtmetall. anorgan. Werkstoffen >1000°C. – *E* high-temperature strength – *F* résistance au fluage aux températures élevées – *I* resistenza di forma ad alta temperatura – *S* resistencia al calor, termoresistencia
Lit.: Ilschner, Hochtemperatur-Plastizität, Berlin: Springer 1973.

Warmformen s. Schmieden u. Umformen.

Warmgas-Schweißen s. Kunststoff-Schweißen.

Warmhärtende Reaktionsklebstoffe. Bez. für chem. abbindende *Klebstoffe, die oberhalb Raumtemp., insbes. im Bereich von ca. 100-150°C aushärten. Sie werden begrifflich abgegrenzt von *Heißklebstoffen,* die erst bei noch höheren Temp. (bis ca. 250°C) abbinden. Mit w. R. werden höhere Festigkeiten der Klebeverbunde erzielt als mit *kalthärtenden Reaktionsklebstoffen,* da sie stärker vernetzen als diese. – *E* thermosetting reactive adhesives – *F* adhésifs réactifs thermodurcissables – *I* adesivi reattivi termoindurenti – *S* adhesivos reactivos termoendurecibles
Lit.: Habenicht, Kleben, 2. Aufl., S. 124, 388, Berlin: Springer 1990 ▪ s. a. Klebstoffe.

Warmkautschuk. Bez. für einen synthet. Kautschuk, der z. B. durch *Copolymerisation von Styrol u. Butadien in Emulsion (E-SBR, s. Emulsionspolymerisation) bei höherer Temp. (ca. 50 °C) hergestellt wird. Er ist konstitutionell weniger einheitlich als bei niedriger Temp. (z. B. 5 °C) hergestellte Produkte (*Kaltkautschuk). Letztere haben erheblich bessere technolog. Eigenschaften u. haben sich daher gegen W. weltweit durchgesetzt. – *E* hot rubber – *F* caoutchouc chaud – *I* caucciù caldo – *S* caucho caliente

Lit.: Hofmann, Kautschuk-Technologie, S. 85, 105, Stuttgart: Gentner 1980.

Warmklebstoffe s. Schmelzklebstoffe.

Warmpressen s. Formpressen u. Pressen.

Warmschliff s. Holzschliff.

Warmumformen. Formänderungsvorgang an Vorprodukten aus metall. Werkstoffen oberhalb der *Rekristallisationstemperatur, durch den die Querschnittsabmessungen (Dicke, Breite) signifikant verändert werden. Typ. Verf. sind Schmieden, Ziehen u. Walzen. Beim W. kommt es nicht zur *Verfestigung des Werkstoffs, so daß beliebig viele Warmumformschritte ohne Zwischenglühung aufeinander folgen können. – *E* hot shaping – *F* fa(onnage à chaud – *I* lavorazione a caldo, cambiamento di forma a caldo – *S* formación en caliente

Lit.: Flimm, Spanlose Formgebung, 7. Aufl., S. 87 ff., München: Hanser 1966 ▪ Schuler (Hrsg.), Handbuch der Umformtechnik, S. 438 ff., Berlin: Springer 1996 ▪ Spur u. Schmoeckel (Hrsg.), Handbuch der Fertigungstechnik, Bd. 2/1, S. 136 ff., 548 ff., München: Hanser 1983.

Warner-Lambert. Kurzbez. für die 1955 gegr. amerikan. Warner-Lambert-Company, 201 Tabor Road, Morris Plains, N. J. 07950. *Daten* (1997): ca. 40 000 Beschäftigte, ca. 8,2 Mrd. $ Umsatz. *Produktion*: Pharmazeutika, Körperpflegemittel u.a. *Vertretung* in der BRD: Warner-Lambert GmbH, 10587 Berlin.

Warnfarben s. Sicherheitsfarben, Signal.

Warnstoffe s. Alarmstoffe u. Gasodorierung.

Warntracht. W. ist eine Sammelbez. für die in der Regel auffallenden Körpermerkmale wehrhafter, giftiger od. schlecht schmeckender Tiere, die einem Freßfeind diese Eigenschaften signalisieren u. für ihren Träger daher eine gewisse Schutzfunktion ausüben. Neben dieser echten W. gibt es eine „falsche" W.: Manche Tierarten, die die oben genannten Eigenschaften nicht besitzen, haben im Laufe der Stammesgeschichte das Aussehen u./od. andere Merkmale von Trägern echter W. erworben u. werden von Freßfeinden ebenfalls gemieden. Diese Nachahmung wird als *Mimikry bezeichnet. – *E* warning colouration – *F* parure de défense – *I* colorazione d'allarme – *S* coloración de peligro

Lit.: Alcock, Das Verhalten der Tiere, Stuttgart: Fischer 1996 ▪ Franck, Verhaltensbiologie, 3. Aufl., Stuttgart: Thieme 1997 ▪ Mebs, Gifttiere, Stuttgart: Wissenschaftliche Verlagsges. 1992 ▪ Teuscher u. Lindequist, Biogene Gifte, 2. Aufl., Stuttgart: Fischer 1994.

Warnverhalten. W., auch *Alarmverhalten* etwa bei sozialen Insekten genannt, ist eine Sammelbez. für Verhaltensweisen, die ein Tier beim Auftauchen eines Freßfeindes zeigt. Durch das W. werden andere Individuen über die Anwesenheit des Räubers informiert. Am weitesten verbreitet sind *akust.* Warnsignale, etwa die Warn- od. Alarmrufe vieler Vögel sowie die Pfeifu. Schreilaute u. die durch Aufschlagen mit den Extremitäten erzeugten Geräusche mancher Säugetiere. *Chem.* Warnsignale, die auch als „Schreckstoffe" bezeichnet werden, kommen bei Fischen u. staatenbildenden Insekten vor (s. a. Pheromone). So werden z. B. bei Fischarten Drüsensekrete aus der Haut als Warnstoffe an Artgenossen ins Wasser freigesetzt, wenn ein Räuber beim Fang u. Fressen die Haut verletzt hat. Ameisen können Gift- u. Alarmsekrete aus Hinterleibsdrüsen, z. T. zielgerichtet gegen den Feind gespritzt, od. auch aus Kiefer-Drüsen der Mundwerkzeuge abgeben. Bei Bienen kann das aus dem Stachelapparat abgegebene Alarm-Pheromon durch Heben des Hinterleibes u. intensives Schwirren der Flügel beschleunigt an die zu warnende Umgebung verteilt werden. W. wird häufig nicht nur von den Artgenossen, sondern auch von Angehörigen anderer Arten sinngemäß verstanden u. mit den entsprechenden Reaktionen beantwortet. So sind z. B. die bei 8 bis 10 kHz liegenden hochfrequenten „Luftfeind-Alarmlaute" vieler Singvögel bei Auftauchen von Beutegreifern wie Sperber od. Habicht über die Artgrenzen hinweg als interspezif. Auslöser wirksam. – *E* warning behaviour – *F* comportement de mise en garde – *I* comportamento di avvertimento – *S* comportamiento de peligro

Lit.: Alcock, Das Verhalten der Tiere, Stuttgart: Fischer 1996 ▪ Bergmann u. Helb, Stimmen der Vögel Europas, München: BLV 1982 ▪ Franck, Verhaltensbiologie, 3. Aufl., Stuttgart: Thieme 1997.

Warnzeichen s. Gefahrensymbole u. vgl. Sicherheitsfarben.

Warren-Strukturmodell. Bez. für die Netzwerkhypothese des *Glaszustandes, s. Abb. 2 i bei Silicate.

Warzen (latein.: verrucca). Gutartige infektiöse Wucherungen der *Haut, die durch *Viren (humanes *Papilloma-Virus) hervorgerufen werden. Die Übertragung geschieht durch direkten Kontakt mit W.-Trägern od. über unbelebte Träger wie z. B. Fußböden von Schwimmbädern etc. W. gehen mit einer übermäßig starken Hornbildung (*Hyperkeratose*) einher u. sind, je nach auslösendem Virustyp, von ganz unterschiedlicher Gestalt. Nach sehr verschieden langer Zeit (Wochen bis Jahre) verschwinden W. im allg. spontan, was auf eine erfolgreiche körpereigene Abwehr zurückgeführt wird. Die Behandlung erfolgt mit *Keratolytika u. Hauthobeln, ggf. durch chirurg. Entfernung. – *E* warts – *F* verrues – *I* verruche – *S* verrugas

Lit.: Fritsch, Dermatologie, Heidelberg: Springer 1990.

Warzenviren s. Papilloma-Viren.

WAS. Abk. für den Gehalt an *waschaktiven* (grenzflächenaktiven) *Substanzen* in Tensiden, Wasch- u. Reinigungsmitteln.

Wasag-Chemie. Kurzbez. für das 1891 als *Westfälisch-Anhaltische Sprengstoff AG* gegr. Unternehmen Wasag-Chemie AG, 45128 Essen. Zu den *Tochter-* u. *Beteiligungsges.* gehören u. a. WNC-Nitrochemie GmbH, Aschau (100%); WASAG-Chemie Sythen GmbH, Haltern; WANO Schwarzpulver Kunigunde, Zünderwerk Ernst Brün. *Produktion:* Sprengstoffe, Zündmittel, Schwarzpulver, Kunststofftechnik u. a.

Waschaktive Substanzen s. WAS.

Waschbenzin. Zum *Chemisch-Reinigen geeignete *Benzin-Sorte, Sdp. 80–110 °C.

Waschblau. Bez. für die früher zum Aufhellen der Wäsche verwendeten Pigmente *Ultramarin od. *Indigocarmin.

Waschechtheit s. Farbstoffe.

Waschen. 1. Bez. für ein Trennverf., bei dem Schmutz mit Hilfe einer zumeist wäss. Lsg. einer Formulierung aus „waschaktiven" Substanzen (*Waschmittel) unter Zuführung von mechan. Energie u. bei Temp. zwischen 30 u. 95 °C (Kochwäsche) von textilen Oberflächen entfernt wird. Schmutz ist „Materie am falschen Ort". Schmutz kann sehr unterschiedlich zusammengesetzt sein. Neben Partikelschmutz (Pigmentschmutz, z.B. Ruß, Staub, Metalloxide) u. wasserlösl. Stoffen, wie Schweiß od. Harnstoff, sind tier. u. pflanzliche Fette u. Öle, Hautfett, aber auch die oft fest haftenden Eiweiß- u. Stärkeverschmutzungen von Bedeutung. *Reinigung* wird gelegentlich als Oberbegriff für W. u. Reinigen verwendet. Unter *Reinigen* im engeren Sinn versteht man die Schmutzablösung von sog. harten Oberflächen wie Glas, Keramik, Porzellan, Metallen od. Kunststoffen, aber auch z.B. von Teppichböden. Beim Reinigen von Metallen u. beim *Chemisch-Reinigen kommen häufig noch organ. Lsm. mit geringen Anteilen von *Tensiden zum Einsatz.
2. Der Begriff W. bezeichnet im Laboratorium auch die Entfernung von Mutterlauge, die an Niederschlägen haftet, mit dafür geeigneten Flüssigkeiten (*Auswaschen) u. in der Erzaufbereitung bei der *Flotation, in der Edelmetallgewinnung beim Goldwaschen u. in der Gasreinigung die Entfernung bzw. Absorption unerwünschter Bestandteile in Wasser od. selektiven Lösemitteln. – *E* laundering, washing – *F* lavage – *I* lavaggio – *S* lavado

Waschflaschen (Gaswaschflaschen). Bez. für Glasgefäße, die die Entfernung bestimmter Gasanteile aus Gasgemischen (*Gasreinigung) beim Durchleiten durch flüssige Absorptionsmittel ermöglichen.

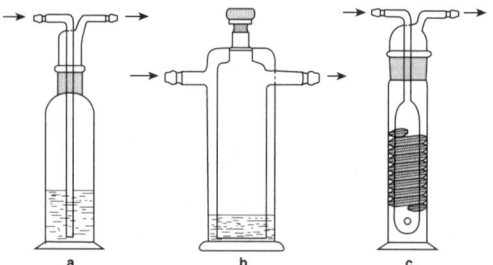

Abb.: Gaswaschflaschen nach Drechsel (a), Thielert (b, Sicherheitswaschflasche) u. Friedrichs (c).

– *E* wash(ing) bottles – *F* barboteurs – *I* bottiglie di lavaggio gas – *S* frascos lavadores
Lit.: s. Gase, Gasanalyse, Gasreinigung.

Waschgold s. Gold.

Waschhilfsmittel s. Waschmittel.

Waschholz s. Panamarinde.

Waschkraftverstärker (Waschmittelverstärker). Bez. für speziell formulierte – häufig flüssige – Flecklöser (mit Tensiden u./od. Bleichsyst.), gelegentlich auch für *Fleckensalze od. für Stoffe, die das Wasch- u. Reinigungsvermögen von Tensiden unterstützen, ohne deswegen selbst über grenzflächenaktive Eigenschaften verfügen zu müssen. Beisp. sind *Fettsäurealkanolamide od. Alkandiole. – *E* detergent boosters – *F* agents de renforcement de la détergence – *I* intensificatore detergente – *S* reforzadores de detergencia

Waschmittel. Bez. für die beim Waschen von Textilerzeugnissen benötigten, in Form von Pulvern, Granulaten, Perlen, Tabl., Pasten, Gelen od. Flüssigkeiten (in einigen Ländern auch Stücken) handelsüblichen Formulierungen aus verschiedenen funktionellen Inhaltsstoffen, die im allg. in wäss. Lsg. (Waschflotte) meist in Waschmaschinen eingesetzt werden. W. werden überwiegend als *Voll-W.* mit universeller Einsatzbreite formuliert, daneben als *Color-W.* für farbige Textilien u. als *Fein-W.* „für alles Farbige u. Feine", z.B. für Seide, Wolle od. Gardinen. Spezielle Formulierungen dienen der Handwäsche, auch auf Reisen. Die W.-Wirkung besteht in einem komplexen Zusammenspiel physikal.-chem. u. chem. Vorgänge. Das Leistungsvermögen (performance) moderner W. wird heute durch fünf Gruppen von Inhaltsstoffen bestimmt: *Tenside, anorgan. polymere *Gerüststoffe* (*Builder), die zusammen mit verschiedenartigen funktionellen organ. Polymeren die Gruppe der *W.-Polymere* bilden, *Bleichsyst.,* *Waschmittel-Enzyme u. – je nach Leistungsprofil – wahlweise *weitere funktionelle Komponenten* wie *optische Aufheller (Weißtöner) u. *Weichspüler-Wirkstoffe.
Voraussetzungen für jedwede Reinigung sind das Benetzen des zu reinigenden Gutes mit der Waschflotte u. die sog. Umnetzung, d.h. der Austausch einer Grenzfläche fest/flüssig (Faser/Öl od. Fett) bzw. fest/fest (Faser/Partikelschmutz) durch eine neue Grenzfläche fest/flüssig (Faser/Waschflotte). Benetzen u. Umnetzen werden durch grenzflächenaktive Stoffe, die Tenside, bewirkt. Zwischen Faser, Schmutzteilchen u. Tensid bildet sich eine *elektrochemische Doppelschicht sowie zwischen Faseroberfläche u. bewegter Lsg. aufgrund elektrokinet. Erscheinungen das sog. *Zeta-Potential aus. Die bereits in reinem Wasser vorliegende Aufladung der Schmutzteilchen der Fasern wird durch *Aniontenside u. Builder wesentlich erhöht, wodurch die Abstoßung zwischen Schmutz u. Faser verstärkt wird. Der abgelöste flüssige Fett- u. Ölschmutz wird durch die von den Tensiden gebildeten *Micellen solubilisiert u. somit in der Waschflotte gehalten. Partikelschmutz wird durch Adsorption von Tensiden elektr. aufgeladen u. infolge der Abstoßung der einzelnen Teilchen in der Waschflotte dispergiert, so daß eine Wiederablagerung (Redeposition) auf dem Gewebe unterbleibt.
Die durch den Gehalt an Calcium- u. Magnesium-Ionen verursachte Wasserhärte bleibt eines der beim Waschen immer zu beachtenden Probleme, um das Ausfällen unlösl. Salze u. damit das Verkrusten von Textilien u. Waschmaschinenteilen zu vermeiden. Nachdem die Phosphate, bes. Pentanatriumtriphosphat,

über Jahrzehnte die beste Lösung für dieses Problem waren, mußten sie wegen der zunehmenden *Eutrophierung (Überdüngung) stehender u. langsam fließender Gewässer durch andere Stoffe ersetzt werden. Heute dominiert anstelle des – in einigen Ländern u. Regionen noch immer eingesetzten – Pentanatriumtriphosphats, das auch eine synergist. Wirkung gegenüber Tensiden zeigt, eine Kombination von *Zeolith A, *Polycarboxylaten u. Soda (*Natriumcarbonat) als leistungsfähiges Buildersystem. Inzwischen sind auch vielfältige Alternativen auf dem Markt. Beim Waschen, das durch die jeweilige „Mechanik" wesentlich unterstützt wird, laufen darüber hinaus vielfältige andere Teilvorgänge ab, darunter der oxidative (Bleiche) u. enzymat. Abbau bestimmter Verschmutzungen. Die wichtigsten Teilprozesse des Waschens sind in Abb. 1 zusammengefaßt.

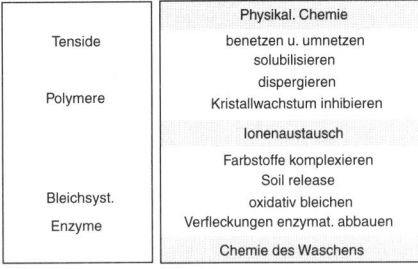

Abb. 1: Teilprozesse des Waschens.

Inhaltsstoffe: W.-Tenside: Die petrochem. zugänglichen linearen *Alkylbenzolsulfonate (LAS) bleiben aufgrund ihres hervorragenden Preis-Leistungs-Verhältnisses, ihrer ökolog. Sicherheit, der mehr als 30jährigen Erfahrung u. der weltweiten Verfügbarkeit auch auf längere Sicht die wirtschaftlich bedeutendsten W.-Tenside („workhorse"-Funktion)[1]. Der klass. synergist. Tensidkombination aus LAS u. *Fettalkoholpolyglykolethern[2], bei denen wegen des besseren Leistungsprofils bei niedrigeren Temp. ein Trend zum Einsatz von Produkten mit niedrigerem Oxethylierungsgrad auszumachen ist, stehen heute auch Formulierungen mit einem höheren Anteil an Tensiden auf Basis nachwachsender Rohstoffe, wie *Fettalkoholsulfate, gegenüber. Doch ist es aus Kostengründen zu keiner tiefgreifenden Substitution gekommen. Neue *Zuckertenside bieten aufgrund ihres hohen Synergiepotentials u. günstiger ökolog. Eigenschaften eine weitere Alternative in Formulierungen v. a. für Flüssigprodukte. So sind *Alkylpolyglucoside (APG) u. *Fettsäureglucamide (GA) Bestandteile von Flüssig-W. u. manuellen *Geschirrspülmitteln, APG auch von *Kosmetika. In Japan spielen α-*Olefinsulfonate u. *Estersulfonate in W.-Formulierungen eine gewisse Rolle. Alle in der BRD für W. u. Reinigungsmittel eingesetzten Tenside übertreffen hinsichtlich ihrer biolog. Abbaubarkeit, die v. a. wegen der aquat. Toxizität von erheblicher Bedeutung ist, seit langem die gesetzlichen Anforderungen. Die Ansprüche an umweltgerechte Rohstoffe gehen heute jedoch über eine gute biolog. Abbaubarkeit weit hinaus. Im Rahmen einer holist. (ganzheitlichen) Betrachtungsweise spielt auch die Frage nach der Herkunft der Rohstoffe, nach ihrer Herst. u. nach möglichen Begleitstoffen eine immer größere Rolle. Die wichtigsten in Europa eingesetzten Tenside waren inzwischen Gegenstand eines Life Cycle Inventory (Teil einer *Ökobilanz)[3]. In Würdigung aller vorliegenden Fakten u. Untersuchungsergebnisse wurde 1997 vom Beratergremium für Altstoffe (*BUA) der *Gesellschaft Deutscher Chemiker im Konsens mit den zuständigen Behörden festgestellt, daß von den für die Herst. von W. eingesetzten wichtigsten Tensiden keine Gefährdungen für die Umwelt ausgehen[4].

W.-Polymere: Zeolithe sind mit ihrem Ionenaustauschvermögen die dominierende Grundkomponente heutiger Buildersysteme. Zeolithe (krist., unlösl. Natriumaluminiumsilicate) besorgen v. a. die Wasserenthärtung u. adsorbieren auch Partikelschmutz. Im Fall der mit Zeolith A formulierten Buildersyst. verbessern Polycarboxylate (Cobuilder) zudem die sog. Austauschkinetik, indem sie die Calcium- u. Magnesium-Ionen rascher als der Zeolith aufnehmen u. an diesen als eine Art Speicher weitergeben (Carrier-Funktion). Außerdem verhindern sie durch Adsorption an Kristallkeimen deren Wachstum (Threshold-Effekt). Soda bildet die – früher ebenfalls von den Phosphaten gelieferte – Alkalireserve für die Waschkraft. In den letzten Jahren hat sich das Angebot an solchen W.-Zeolithen erweitert, die ihrerseits bereits eine günstigere Austauschkinetik u. zudem, wie Zeolith P, eine verbesserte Verträglichkeit mit dem Bleichmittel *Natriumpercarbonat sowie das bei den Herst.-Technologien für *Kompaktwaschmittel erforderliche hohe Feuchtigkeits- u. Tensidaufnahmevermögen (Zeolithe P u. X) aufweisen. Eine interessante Alternative zu den Zeolith-Syst. bieten die amorphen, wasserfreien Natriumsilicate u. die *Schichtsilicate, die auch als alleinige Builder eingesetzt werden können.

Obwohl die biolog. schlecht abbaubaren Polycarboxylate wegen ihrer guten Eliminierbarkeit durch Sorption an Klärschlamm als ökolog. sicher gelten u. bisher auch nicht als Spurenverunreinigungen in Oberflächengewässern od. Grundwasser nachgewiesen werden konnten, wird an Alternativen gearbeitet. Die größten Aussichten haben gegenwärtig die auf Basis Maleinsäureanhydrid u. Ammoniak zugänglichen Polyaspargate (*Polyasparaginsäuren), deren Polyamid-Bindungen Sollbruchstellen für einen erleichterten biolog. Abbau darstellen. Doch verhindern die gegenwärtig noch zu hohen Kosten für diese Produktgruppe einen breiten Einsatz. In vielen Formulierungen wird auch Citronensäure als Cobuilder genutzt. In Kanada u. der Schweiz ist ein begrenzter Einsatz von Natriumsalzen der Nitrilotriessigsäure erlaubt.

Außer den Polycarboxylaten finden sich in aktuellen W.-Formulierungen weitere organ. Polymere: Polyvinylpyrrolidone od. -imidazole als *Farbübertragungsinhibitoren u. lösl. oligomere Terephthalsäureester als *Soil-Release-Polymere (E soil repellents). Im Zusammenhang mit den unten erwähnten Weichpflegern sind zusätzlich auch spezielle Schutzpolymere von Interesse.

Bleichsyst.: Hierfür werden in W. nur Komponenten zur oxidativen Entfernung farbiger Verunreinigungen, wie Obst- u. Teeflecken, eingesetzt. Der generelle Trend, bei niedrigeren Temp. zu waschen, sowie die

Zunahme des Anteils an gegenüber Baumwolle od. Leinen temperaturempfindlicheren Mischgeweben machten den Einsatz von *Bleichaktivatoren nötig, da das in Europa seit Jahrzehnten verwendete Bleichmittel *Natriumperborat erst oberhalb 60 bis 70 °C wirksam ist[5]. Im Zuge der Entwicklung der Kompakt-W. wurde das lange übliche Natriumperborat-tetrahydrat zeitweise durch das teurere Natriumperborat-monohydrat ersetzt. Nachdem die Stabilisierung von Natriumpercarbonat durch Bor-freies Beschichten (Coating) gelungen ist, wird dieses – auch wegen der dadurch möglichen Gewichtseinsparung – nach u. nach die Perborate aus den Formulierungen verdrängen. Natriumpercarbonat ist zudem bifunktionell: Nach Verbrauch des Peroxids verbleibt Soda, so daß diese in den Buildersyst. nicht gesondert zugesetzt werden muß.

Die Wirkung der aktivierten Bleiche bei od. unterhalb 60 °C beruht – bei Verw. von N-Acetyl-Verb. als Bleichmittelaktivatoren – auf der Bildung des Peressigsäure-Anions (*Peroxyessigsäure) in der Waschflotte, das ein höheres Oxid.-Potential als das durch Hydrolyse aus Perborat freigesetzte Hydroperoxid-Anion hat. Zur Übertragung der Acyl-Gruppe auf das Hydroperoxid-Anion eignen sich das auf dem europ. Markt dominierende N,N,N',N'-Tetraacetylethylendiamin (TAED, Bleichaktivator) u. das in den USA u. neuerdings auch in Japan bevorzugte p-Nonanoyloxybenzolsulfonat (*NOBS). In dem aus NOBS u. Perborat in der Waschflotte gebildeten Peroxynonansäure-Anion halten sich Hydrophilie u. Lipophilie eine so gute Balance, daß das Bleichvermögen trotz der gegenüber dem TAED-Syst. geringeren Aktivsauerstoff-Werte in der Flotte insgesamt vergleichbar ist. Nachdem TAED in Europa bis heute der Bleichmittelaktivator der Wahl ist u. zahlreiche Versuche gescheitert sind, Alternativen im Markt zu plazieren, zeichnet sich in jüngster Zeit doch ein Ende der Monopolstellung dieser Verb. ab. Gründe dafür sind zum einen das Bedürfnis nach einer wirksameren Bleiche auch von hydrophoben Flecken u. zum anderen die bessere keimmindernde Wirkung hydrophober Aktivatoren bei weiter sinkenden Waschtemperaturen. In den USA, Südeuropa u. einigen anderen Ländern spielt die – vom Waschvorgang getrennte – Chlor-Bleiche noch eine gewisse Rolle.

Opt. Aufheller: Opt. Aufheller od. Weißtöner sind organ. Substanzen, die in Lsg. od. auf einem Substrat UV-Licht (Tageslicht im Spektralbereich 300–430 nm) absorbieren u. den größten Teil der absorbierten Energie als blaues Fluoreszenzlicht zwischen 400 u. 500 nm wieder emittieren. Auf diese Weise wird nicht nur ein etwaiger Gelbstich von Textilien (auch von Papier od. Kunststoffen) farblich kompensiert, sondern durch die additive Wirkung tritt ein „strahlendes" Weiß in Erscheinung. Mit dem wachsenden Anteil farbiger Textilien u. dem damit verbundenen größeren Marktanteil von Color-W. ist die Bedeutung von opt. Aufhellern in W.-Formulierungen zurückgegangen.

Die seit 1941 bis heute verwendeten heterocycl. substituierten (1,3,5-Triazin-2-ylamino)stilbene werden für Textilien aus Baumwolle, Regeneratfasern u. Polyamid eingesetzt. Für Polyestergewebe eignen sich z. B. substituierte Divinylstilbene. Neben diesen Verb. werden in W. auch Distyrylbiphenyle od. Bis(1,2,3-triazol-2-yl)stilbene eingesetzt. Wie jüngst am Beisp. der Distyrylbiphenyle gezeigt werden konnte, unterliegen solche Inhaltsstoffe, die prim. unter den z. B. für Tenside üblichen Bedingungen biolog. nicht abgebaut werden, einem raschen *Photoabbau. Die kürzerkettigen Spaltprodukte dieses Photoabbaus sind dann biolog. wieder gut abbaubar; s. a. optische Aufheller.

W.-Enzyme: Enzyme sind zur Entfernung bestimmter Schmutzarten unverzichtbar. Der Einsatz von Proteasen, Amylasen, Cellulasen u. teilw. auch Lipasen ist Stand der Technik[5,6]. Ausbeute, Leistungsvermögen u. Stabilität dieser Enzyme werden durch Genetic bzw. Protein Engineering (s. Gentechnologie) weiter verbessert; s. a. Waschmittel-Enzyme.

Weichspüler u. -pfleger: Weichspüler werden überwiegend *nach* dem eigentlichen Waschvorgang in einem Spülgang eingesetzt, da die kation. Wirkstoffe mit LAS u. anderen anion. Tensiden nicht kompatibel sind (2-in-1-Produkte, d. h. Formulierungen mit ausschließlich Nonionics, *nichtionischen Tensiden, als W.-Tensiden u. Weichspülerwirkstoffen, haben sich am Markt nicht dauerhaft durchgesetzt). Als Wirkstoffe für Weichspüler-Formulierungen dienen heute prakt. ausschließlich *Esterquats, die das früher verwendete Distearyldimethylammoniumchlorid wegen seiner unzureichenden biolog. Abbaubarkeit ersetzt haben. Der Produktnutzen der auf die Faser aufziehenden Weichspülerwirkstoffe besteht in einem weichen „Griff", durch die – zwingende – Parfümierung der Formulierungen in einem angenehmen Duft („Frische"), fehlender elektrostat. Auflading (erhöhter Tragekomfort) der behandelten Wäsche sowie der Energieeinsparung beim Einsatz von Wäschetrocknern u. der Erleichterung der Bügelarbeit. Neuerdings werden Weichspüler durch innovative Formulierungen zu *Weichpflegern* weiterentwickelt, die sich außer durch den oben beschriebenen „Sofort"-Nutzen noch durch „Multi-Cyclus"-Vorteile wie geringeren Faserabrieb u. verbesserten Farberhalt (längeren Werterhalt) auszeichnen; s. a. Weichspüler.

Andere funktionelle Inhaltsstoffe: Während zur *Schaumregulierung* der Waschflotte früher langkettige Seifen (Behenate, s. Behensäure) dienten, werden heute eher geringe Anteile an n-Paraffinen od. speziellen Siliconen eingesetzt. Cellulose-Derivate, bes. *Carboxymethylcellulose, sind in W.-Formulierungen noch als *Vergrauungsinhibitoren* (Antiredepositionsadditive) zu finden. *Wasserglas wird als *Korrosionsschutzmittel* verwendet. Phosphonate dienen durch Bindung von Übergangsmetallionen, wie Kupfer-, Mangan- u. Eisen-Ionen, als *Stabilisatoren* für Bleichmittel. Durch Einsatz von Parfümölen werden während des Waschvorgangs auftretende Laugengerüche überdeckt u. der Wäsche ein angenehmer Geruch mitgegeben. *Stellmittel wie Natriumsulfat, welche die Rieselfähigkeit der Pulver begünstigen, sind in Kompakt-W. nicht enthalten.

Als mögliche neue Inhaltsstoffe für W. sind auf Textilien aufziehende UV-Absorber, die beim Tragen leichter (Sommer-)Kleidung *Schutz gegen UV-Strahlung* bieten, u. – bes. in den USA u. Japan – *antimikrobielle Wirkstoffe* in der Diskussion.

Eine Fülle von Produkt- u. technolog. Innovationen hat bewirkt, daß W. heute nicht mehr so im Zentrum der Umweltdiskussion stehen wie noch vor einigen Jahren. Dazu hat die Einführung ökolog. verträglicherer Inhaltsstoffe ebenso beigetragen wie der Siegeszug der *Kompakt-W.* u. sog. *Superkonzentrate*, die zu erheblichen Packmitteleinsparungen geführt haben. In der Tab. sind Rahmenrezepturen für Kompakt-W. u. die daneben weiterhin auf dem Markt befindlichen konventionellen „Pulver" angegeben.

Tab.: Zusammensetzung von Universal-Waschmitteln in Westeuropa 1998.

Inhaltsstoffe	konventionelle „Pulver" [%]	Kompakt-Waschmittel [%]
anion. u. nichtion. Tenside	10–15	10–25
Builder	25–50	25–40
Cobuilder	3–5	3–8
Bleichmittel	10–25	10–20
Bleichmittelaktivatoren	1–3	3–8
Antiredepositionsadditive	0–1	0–1
Korrosionsinhibitoren	2–6	2–6
Stabilisatoren	0–1	0–1
Schauminhibitoren	0,1–4,0	0,1–2,0
Enzyme	0,3–0,8	0,5–2,0
opt. Aufheller	0,1–0,3	0,1–0,3
Soil repellents	+/–	+/–
Füllstoffe/Prozeßhilfen	5–30	keine
Wasser	Balance	Balance
Dichte [g L^{-1}]	500–650	600–900

Herst.: Nach anfänglicher Nutzung einfacher Trockenmisch-Verf. (*Tennen-Verf.*) wurden W. seit etwa 1920 über Jahrzehnte durch *Sprühtrocknung hergestellt. Dazu wurde eine pumpfähige Mischung der therm. stabilen Inhaltsstoffe (slurry) mittels Düsen am Kopf eines Sprühturms zerstäubt, in dem im Gegenstrom heiße Verbrennungsgase entgegengeführt wurden. Das resultierende leicht lösl. sog. Turmpulver (Hohlkugeln) mit Schüttdichten bis max. 650 g L^{-1} wurde nach Zugabe der therm. instabilen Bestandteile, wie Bleichmittel u. -aktivator, Enzyme u. ggf. Parfümöle, zum Fertigprodukt aufbereitet. Mit der Entwicklung der ersten Kompakt-W. in den achtziger Jahren wurde das Turmpulver zusätzlich mechan. agglomeriert, was durch Walzenkompaktierung, Briquettieren (mittels profilierter Walzenpressen) od. Granulation gelang[7]. Mit der weiteren Verdichtung der W. zu sog. Superkonzentraten od. -kompaktaten (Schüttdichten 600–950 g L^{-1}) kommen die aus der Kunststoffverarbeitung bekannten Extrusion mit anschließender Verrundung der mittels rotierender Schnittmesser prim. gewonnenen Zylinder zu perlförmigen Granulaten (Megaperls®) (Abb. 2) u. spezielle Ausführungsformen der Granulation in Trommel-, Teller-, Mischer- u. Wirbelschichtgranulatoren (sog. *Non-Tower-Technologien*) zum Einsatz. Seit 1998 sind W. auch in Form von Zweischicht-Tabl. (Tabs), die auf Rundläuferpressen hergestellt werden, mit D. zwischen 1000 u. 1300 g L^{-1} od. als andere Formkörper auf dem Markt.

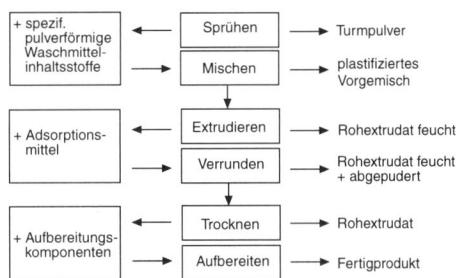

Abb. 2: Herst. von Waschmitteln durch Extrusion (Megaperls).

Fertigungsabhängige Eigenschaften bei der Herst. von W. sind neben dem Schüttgew. Rezepturgenauigkeit, Löslichkeit, Einspülverhalten in die Waschmaschine, Riesel- u. Klump- sowie Rückstandsverhalten, Lagerstabilität u. nicht zuletzt die „Ästhetik" (Sensorik u. Verpackung des Produkts).

Auch bei den Flüssigprodukten[8] kommt es zu einer weiteren Differenzierung der Angebotsformen. So gelangen zunehmend Gele (als „Hightech-Pasten") auf den Markt, bei deren Herst. bes. die rheolog. Eigenschaften der Mischung beherrscht, die Rezepturbestandteile äußerst präzise dosiert u. die Ansatzreihenfolgen streng eingehalten werden müssen.

Produktion: Die Weltproduktion an W. liegt bei jährlich etwa 22 Mio. t, der W.-Verbrauch in der BRD bei 635000 t (1997), davon 66% Voll-W. (25% herkömmliche „Pulver", 36% Kompakt-W. u. 5% Flüssigprodukte), 18% Color-W., 16% Fein-W. u. <1% *Baukasten-Waschmittel. Weltweit haben Pulver u. Kompakt-W. (77:23) einen Anteil von 65%, Flüssig-W. 11%, stückige W. (bars) 22% u. Pasten 2% (1997)[5].

Umwelt: Da die meisten Inhaltsstoffe von W. nach deren bestimmungsgemäßem Gebrauch unverändert in den Abwasserpfad gelangen, müssen sie in Kläranlagen biolog. abgebaut od. durch Fällung bzw. Adsorption aus dem Abwasser entfernt werden[9]. Aus diesem Grund war die Produktgruppe frühzeitig Gegenstand der Umweltgesetzgebung. In die dadurch ausgelösten Innovationen wurde in den letzten Jahren auch die Verpackung mit einbezogen. Die durch innovative Produktentwicklung u. technolog. Fortschritte ermöglichte Reduzierung von Dosierung u. Packmittelverbrauch in den letzten 10–15 Jahren ist durch den dadurch – außer bei Tensiden – verminderten Stoffeintrag in die Umwelt u. die Einsparung von Transport(Energie)- u. Lagerkosten ein wichtiger Beitrag zur Schonung der Umwelt, was auch der gesunkene Pro-Kopf-Verbrauch an W. von 10,6 (1989) auf nunmehr 7,9 kg (BRD 1998) belegt. Abb. 3 auf S. 4928 zeigt 1998 übliche Dosierungen u. Packmittelverbräuche beim W.-Einsatz.

Neuer Schwerpunkt ist – v. a. aus globaler Sicht – die Schonung der Wasserressourcen. Während in der BRD u. a. europ. Ländern hinsichtlich des Wasser- u. Energieverbrauchs der Waschmaschinen die wichtigsten „Hausaufgaben" gemacht sind, haben v. a. die USA noch erheblichen Nachholbedarf. Dies wird nicht zuletzt durch die mit dem Ziel der Energieeinsparung betriebene Entwicklung der High-Efficiency-Waschmaschinen in den USA deutlich, die letztlich zur Substi-

Waschmittel-Enzyme

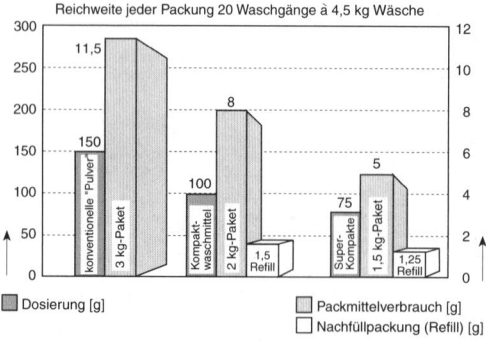

Abb. 3: Dosierung u. Packmittelverbrauch pro Waschgang.

tution der dort üblichen Toplader durch die in Europa seit langem dominierenden Frontlader führen wird. Aber auch in Europa zielt der von der *A. I. S. E. erarbeitete u. am 22. 7. 1998 zur EU-Empfehlung erhobene Code of Good Environmental Practice for Household Detergents (48/480/EC) auf weitere ökolog. Verbesserungen. Danach sollen bis zum Jahr 2002 5% des Energieverbrauchs pro Waschgang, jeweils 10% des W.- u. Packmittelverbrauchs pro Kopf eingespart u. eine Reduzierung von 10% der schwer abbaubaren Inhaltsstoffe, ebenfalls pro Kopf, erreicht werden. Auf ökolog. Gebiet ist darüber hinaus das 1996 begonnene europ. Projekt GREAT-ER (*G*eography-*r*eferenced *R*egional *E*xposure *A*ssessment *T*ool for *E*uropean *R*ivers) zu nennen, das die Ermittlung realist. Expositionswerte für Tenside u. a. chem. Stoffe in Oberflächengewässern für wesentlich verfeinerte Risikoabschätzungen auf europ. Ebene ermöglichen wird.

Die langfristige Strategie für weitere Innovationen bei W. läßt sich durch die Kernsätze „*Weniger Ressourcen – mehr Produktleistung (performance)*", „*Weitere Reduzierung der Stoffeinträge in den Abwasserpfad*" u. „*Kostensenkung*" beschreiben. Erforderliche Innovationen sind bei den *Inhaltsstoffen* spezif. höhere Leistung, Multifunktionalität, gute biolog. Abbaubarkeit, neuartige Leistungsprofile (weiter sinkende Dosierungen), des weiteren *intelligente Formulierungen* (mehr Sauerstoff-Bleiche u. Enzyme) u. *neue Technologien* (darunter in der Formgebung der Produkte).

Geschichte: Das älteste, auch heute noch vielbenutzte W. ist die *Seife; diese war schon Babyloniern u. Römern bekannt. In weitaus geringerem Umfang verwendete man – bei Naturvölkern z. T. noch heute – neben der Seife *Saponin-haltige, schäumende Pflanzenstoffe, wie z. B. Seifenwurzel u. Panamarinde, od. auch Ochsengalle zu Reinigungszwecken. Die Entwicklung der Marken-W. begann in der BRD mit der Einführung von „Henkels Bleichsoda" (Natriumcarbonat u. Silicat), 1907 folgte das erste „selbsttätige" (mit Sauerstoff-Bleiche ausgerüstete) W. Persil® u. 1932 kam mit Fewa® das erste Fein-W. mit synthet. Tensiden (Alkylsulfat) auf den Markt. – *E* detergents, washing agents – *F* détergents, produits de lessive – *I* detersivi, detergenti – *S* detergentes, productos para lavar

Lit.: [1] Stache (Hrsg.), Anionic Surfactants – Organic Chemistry, New York: Dekker 1997. [2] van Os (Hrsg.), Nonionic Surfactants – Organic Chemistry, New York: Dekker 1998. [3] Tenside Surf. Det. **32**, Nr. 2 u. 5 (1995). [4] Gesellschaft Deutscher Chemiker (Hrsg.), Ökotoxikologie ausgewählter Tenside für den Wasch- u. Reinigungsmittelbereich, BUA-Stoffbericht 206, Stuttgart: Hirzel 1997. [5] Cahn (Hrsg.), Proc. 4th World Conference on Detergents: Strategies for the 21st Century, Champaign, IL/USA: AOCS Press 1999. [6] van Ee, Misset u. Baas (Hrsg.), Enzymes in Detergency, New York: Dekker 1998. [7] Showell (Hrsg.), Powdered Detergents, New York: Dekker 1998. [8] Lai (Hrsg.), Liquid Detergents, New York: Dekker 1997. [9] Schwuger (Hrsg.), Detergents in the Environment, New York: Dekker 1997.

allg.: Bohmert, Hauptsache sauber? – Vom Waschen u. Reinigen im Wandel der Zeit, Düsseldorf: Henkel KGaA ■ Stürtz Verl. 1988 ■ Falbe (Hrsg.), Surfactants in Consumer Products, Berlin: Springer 1987 ■ Grugel, Puchta u. Schöberl, Waschmittel u. Wäschepflege, Niedernhausen: Falken-Verl. 1996 ■ SEPAWA-Kongreßschrift **1998**, 70 – 76 ■ Wagner, Waschmittel – Chemie u. Ökologie, 2. Aufl., Stuttgart: Klett 1997.

Waschmittel-Enzyme. Inhaltsstoffe von *Waschmitteln, die zur Beseitigung bestimmter Schmutzarten, bes. von Verfleckungen, unverzichtbar sind. Moderne Kompakt-*Waschmittel enthalten drei od. vier W.-E.: *Proteasen* für Eiweiß-Verschmutzungen als Substrat, *Amylasen* für Stärke-Schmutz, *Cellulasen* für den Abbau geschädigter Fasern in Baumwollgeweben (Mikrofibrillen, „Fusseln") u. – zur Unterstützung der Reinigungswirkung der *Tenside – *Lipasen* für die Spaltung von Fetten u. Ölen; in maschinellen *Geschirrspülmitteln bewährt sich die Kombination aus Proteasen u. Amylasen. Tab. 1 zeigt das Leistungsprofil von W.-E., Tab. 2 gibt einen Überblick über die gentechn. Modifizierung der Mikroorganismen, die Enzyme produzieren, u. über die Enzyme selbst.

Heute werden prakt. alle W.-E. durch genet. modifizierte Mikroorganismen (GMO) erzeugt. Durch Ver-

Tab. 1: Leistungsprofil von Waschmittel-Enzymen.

Enzyme	Substrat	Abbauprodukte	Entfernen von Flecken bzw. Wirkung
Proteasen	Eiweiß (Proteine)	lösl. Peptide, Aminosäuren	Ei, Blut, Milch, Kakao, Gras, Spinat
Amylasen	Stärke	Saccharide, lösl. Zucker	Schokolade, Haferbrei, Bratensoße, Kartoffelbrei, Möhrenmus, Gras
Cellulasen	Cellulose (geschädigte Fasern, Mikrofibrillen, „Fusseln")	Cellobiose, Glucose	Erhaltung/Auffrischung der Textiloberfläche („Glätte", Griff) u. Farbe, indirekte Schmutzentfernung, Beseitigung von Grauschleiern
Lipasen	Fette u. Öle	Di- u. Monoglyceride, Fettsäuren, Glycerin	Kosmetika (z. B. Lippenstift), Bratenfett, Salatöl, Schmalz, Kragenfett (Talg)

Tab. 2: Gentechnik u. Waschmittel-Enzyme.

Ziel	Meth.	Ergebnis
konventionelle Optimierung	klass. Selektionsverf.	Wildtyp-Enzyme (natürliche Enzyme)
höhere Fermentationsausbeute	Vervielfältigung der genet. Information auf den Chromosomen des Wildtyps (Genamplifikation) od. mit Hilfe von Plasmiden	naturident. Enzyme
verbesserte Stabilität bei höheren pH-Werten u. Temp., in Flüssigwaschmitteln, gegen Bleiche	Protein-Engineering (Veränderung der Packungsdichte u./od. Verteilung geladener Aminosäuren an der Oberfläche, Aminosäure-Austausch, ortsspezif. Mutagenese)	Hochleistungsenzyme („neuartige" Enzyme)
höhere Aktivität bei niedrigeren Temp.		

vielfältigung der genet. Information auf den Chromosomen des Wildtyps (Genamplifikation) od. mit Hilfe von *Plasmiden werden höhere Fermentationsausbeuten erzielt (naturident. Enzyme), durch Protein Engineering (z.B. Veränderung der Packungsdichte u./od. Verteilung geladener *Aminosäuren an der Oberfläche des Enzyms od. durch Aminosäure-Austausch) verbesserte Eigenschaften, wie höhere Stabilität bei höheren pH-Werten u. Temp., gegen Bleichsyst. u. in Flüssigwaschmitteln od. höhere Aktivität bei niedrigen Temp. (Hochleistungsenzyme, „neuartige" W.-E.). Manche W.-E., z. B. Lipasen, sind so überhaupt erst zugänglich. Neuerdings wird auch die gezielte mol. Evolution für W.-E. eingesetzt. W.-E. werden zumeist in mikroverkapselter Form (beschichtete Granulate od. sog. Prills) angeboten, um jedwede allergene Belastung auszuschließen. In Europa besteht eine Selbstverpflichtung der Ind. zur Meldung von Stoffdaten von W.-E. gegenüber z.B. dem Umweltbundesamt. Zu Waschmittel-Proteasen liegt eine Ökobilanz vor. Eine Innovation wird in der Entwicklung von Peroxidasen mit einem breiten Leistungsspektrum, die *Bleichaktivatoren ersetzen u. eine Bleiche bei niedrigeren Temp. ermöglichen könnten, erwartet. Der Weltmarkt für W.-E. betrug 1997 fast 600 Mio. US-$. – *E* detergent enzymes – *F* enzyme détergent – *I* enzimi detergenti – *S* enzimas para detergentes

Lit.: Cahn (Hrsg.), Proc. 3rd World Conference on Detergents: Global Perspectives, S. 198–203, Champaign, IL/USA: AOCS Press 1994 ■ Cahn (Hrsg.), Proc. 4th World Conference on Detergents: Strategies for the 21st Century, Champaign, IL/USA: AOCS Press 1999 ■ SÖFW J. **121**, 795–802 (1995); **123**, 723–731 (1997) ■ Tenside Surf. Det. **32**, 438–444 (1995); **34**, 423 (1997) ■ van Ee, Misset u. Baas (Hrsg.), Enzymes in Detergency, New York: Dekker 1998.

Waschmittelgesetz. Kurzbez. für das „Gesetz über die Umweltverträglichkeit von Wasch- u. Reinigungsmitteln" (WRMG) vom 5.3.1987 in der Fassung vom 15.4.1997[1]. Das W. soll dem Schutz der Gewässer dienen u. eine Verbesserung der Umweltverträglichkeit von *Waschmitteln u. *Reinigern erreichen. Aufgrund von Ermächtigungen im W. wurden die Tensidverordnung – TensidV (über die Abbaubarkeit anion. u. nichtion. Tenside) vom 30.1.1977 in der Fassung vom 4.6.1986[2] u. die Phosphathöchstmengenverordnung – PHöchstmengV vom 4.6.1980[3] erlassen. Relevant für Wasch- u. Reinigungsmittel, die zu den sog. Bedarfsgegenständen zählen, sind auch das dem gesundheitlichen Schutz des Verbrauchers dienende Lebensmittel- u. Bedarfsgegenständegesetz – LMBG vom 15.8.1974 in der Bekanntmachung der Neufassung vom 9.9.1997[4] u. das Chemikalienrecht (Einstufung, Kennzeichnung, Verpackung, Inverkehrbringen) mit dem Chemikaliengesetz – ChemG in der Fassung vom 14.5.1997[5] u. der Gefahrstoff-Verordnung – GefahrstoffV vom 26.10.1993 in der Fassung vom 15.4.1993[6] sowie mit der Chemikalien-Verbotsverordnung – ChemVerbotsV vom 14.10.1997 in der Fassung vom 20.6.1996[7]. Zu beachten sind bes. auch die Techn. Anleitungen (Technical Guidelines) der europ. Chemikaliengesetzgebung zur Risikobewertung (*E* risk assessment) von alten u. neuen Stoffen. Zum Redaktionsschluß war die Novellierung der EG-Richtlinien zum biolog. Abbau von *Tensiden 73/405/EWG u. 73/405/EWG (einschließlich der Angleichungs-Richtlinien von 1982) mit dem Ziel, beispielsweise kation. u. amphotere Tenside mit aufzunehmen, noch nicht abgeschlossen.
Nach § 3 WRMG müssen die in Wasch- u. Reinigungsmittel enthaltenen organ. Stoffe biolog. abbaubar sein. Gemäß den in der TensidV geregelten Einzelheiten ist z.B. für anion. u. nichtion. Tenside nach OECD-Meth. ein Primärabbau von mind. 90% zu gewährleisten. Wasch- u. Reinigungsmittel sollen in möglichst geringen Mengen eingesetzt werden. Gemäß § 7 WRMG ist der Verbraucher durch Hinweise auf der Verpackung über die wichtigsten Inhaltsstoffe, die nach Wasserhärtebereichen u. zunehmend auch nach dem Verschmutzungsgrad differenzierte optimale Dosierung sowie die Ergiebigkeit (Reichweite) des Produkts (Anzahl der Wäschen pro Packung od. Mengeneinheit bei einer Beladung der Waschmaschine mit jeweils 4,5 kg normal verschmutzter Trockenwäsche) zu informieren.
Ergänzt wird die Gesetzgebung durch Selbstverpflichtungen der Ind. inzwischen zumeist auf europ. Ebene zum Verzicht auf den Einsatz bestimmter Inhaltsstoffe (z.B. von Alkylphenolethoxylaten in Wasch- u. Reinigungsmitteln für den Haushalt – BRD 1986) od. zur Meldung von Stoffdaten über gentechn. hergestellte *Waschmittel-Enzyme an die Behörden (1996) sowie durch bes. Initiativen wie den Code *Umweltgerechtes Handeln* der *A. I. S. E. mit europ. Zielen für Haushaltswaschmittel. – *E* detergent law – *F* loi sur les detergents – *I* legge sui detersivi – *S* ley sobre detergentes

Lit.: [1] WRMG, BGBl. I, 1987, S. 875; 1997, S. 1440. [2] TensV, BGBl. I, 1977, S. 244; 1986, S. 851. [3] PHöchstMengV, BGBl. I, 1980, S. 664. [4] LMBG, BGBl. I., 1974, S. 1945, 1946; 1997, S. 2296. [5] ChemG, BGBl. I., 1997, S. 1060. [6] GefahrstoffV, BGBl. I, 1993, S. 1782; 1997, S. 783. [7] ChemVerbotsV, BGBl. I, 1993, S. 1720; 1996, S. 1152.
allg.: Stache u. Kosswig (Hrsg.), Tensid-Taschenbuch (3.), S. 137–185, München: Hanser 1990 ■ Tenside Surf. Det. **28**, 121 (1991); **34**, 28–36 (1997); **35**, 454–458 (1998).

Waschmittel-Polymere s. Waschmittel.

Waschmittel-Tenside s. Waschmittel.

Waschmittelverstärker s. Waschkraftverstärker.

Waschrohstoffe. Nicht eindeutig abgegrenzte Bez., unter der man im allg. *Tenside, aber auch *Builder u. Bleichmittel als Bestandteile von *Waschmitteln versteht. – *E* detergent base materials – *F* matières premières pour les detergents – *I* materiali detergenti di base – *S* materias primas para detergentes

Waschturm. Sammelbez. für Anlagen zur Gas- od. *Abluftreinigung, in denen störende Bestandteile (u. a. auch Stäube) mittels eines Waschmediums aus der Gasphase entfernt werden. Der Begriff W. beinhaltet keine Angaben über das spezielle Waschverf. (s. Naßabscheider, Naßwäscher, Entschwefelung). Im Sprachgebrauch der Abluftreinigung wird unter W. sowohl das Herauswaschen leicht lösl. gasf. Komponenten (z. B. Lsm.-Abluft) als auch die Abscheidung bestimmter Staub-Fraktionen in einem turmähnlichen Apparat verstanden, der mit Füllkörpern gefüllt ist u. durch den die Abluft u. das Waschmedium im Gegenstrom geführt werden. – *E* scrubber column, washing tower – *F* tour de lavage – *I* impianti di lavaggio – *S* torre de lavado
Lit.: s. Abluftreinigung.

Wash-and-Wear (engl. = Waschen u. Anziehen). Eine *Pflegeleicht-Ausrüstung für Textilien; s. a. Textilveredlung.

Wash-Primer. Nach DIN 55945: 1996-09 Bez. für Zubereitungen zur Vorbehandlung von Metall-Oberflächen. Sie bestehen meist aus zwei Komponenten, sind dünnflüssig, spritz- u. streichfähig u. ergeben sehr geringe Schichtdicken (3–12 µm) mit passivierender u. haftungsvermittelnder Wirkung. Diese beruht auf der chem. Reaktion der Komponenten miteinander u. mit den Metall-Oberflächen. W.-P. haben nicht die Aufgabe zu entfetten od. zu reinigen. Sie ergeben in der Regel eine lasierende Schicht u. ersetzen nicht eine deckende Grundbeschichtung. Wirksame Komponente ist meist Phosphorsäure mit *Zinktetraoxychromat* (s. Zinkchromate) sowie *Polyvinylbutyral als Bindemittel. W.-P. zählen als *Reaktionsprimer zu den *Haftgrundmitteln.
Lit.: Encycl. Polym. Sci. Eng. **3**, 654f. ▪ Gatz (Hrsg.), Lexikon der Anstrichtechnik, Bd. 1 (8. Aufl.), S. 300, München: Callwey 1987 ▪ Römpp Lexikon Lacke u. Druckfarben, S. 618 ▪ Ullmann (4.) **15**, 704f.; **18**, 638.

Wasser (Wasserstoffoxid). H_2O, M_R 18,015. In reinstem Zustand ist W. eine klare, geruch- u. geschmacklose, farblose – in dicker Schicht jedoch ebenso wie *Eis bläulich schimmernde – Flüssigkeit, Schmp. 0 °C = 273,15 K, Sdp. 100 °C = 373,15 K; durch den *Schmelzpunkt (Gefrier- od. *Erstarrungspunkt) u. *Siedepunkt des W. bei 1013 hPa ist die *Celsius-Temperatur-Skale festgelegt. 1 cm³ W. von 4 °C besitzt die Masse von 1 g; Eis von 0 °C hat die D. 0,9168. Das (berechnete) Litergew. des *Wasserdampfes beträgt unter Normalbedingungen (0 °C u. 1013 hPa) 0,8038 g; seine D. ist 0,6244 (wenn die D. von Luft von 0 °C mit 1 angenommen wird), seine krit. Temp. 373,98 °C, der krit. Druck 220,5 MPa, die krit. D. 0,322, das krit. Molvol. 0,056 L/mol. Beim *Tripelpunkt des W. liegen flüssiges W., Eis u. Wasserdampf im nonvarianten Gleichgew. nebeneinander vor; als zugehörige Temp. ist 273,16 K = 0,01 °C definiert worden – der „wahre" Tripelpunkt liegt bei 0,0099 °C u. 611,3 Pa.

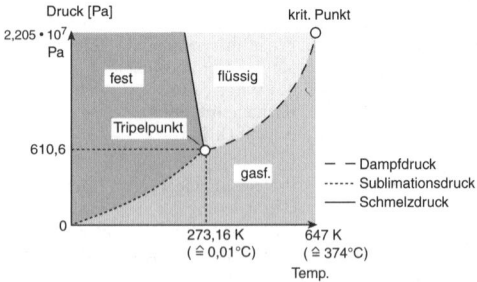

Abb. 1: Zustandsdiagramm von Wasser.

Abb. 1 zeigt vereinfacht das *Zustandsdiagramm von Wasser. Da es mehrere Eis-Modif. gibt (s. unten), sind zahlreiche weitere Tripelpunkte bekannt, z. B. zwischen flüssigem W. u. zwei festen Eis-*Phasen u. zwischen drei Eis-Modifikationen. Die molaren kryoskop. bzw. ebullioskop. Konstanten betragen 1,86 °C bzw. 0,51 °C (s. Molmassenbestimmung). Weitere Daten des W. (im allg. bei 25 °C u. 1013 hPa) sind: Spezif. Wärmekapazität 4,1855 J/g · K (die zur Erwärmung von 1 g H_2O von 14,5 auf 15,5 °C erforderliche Wärmemenge wurde früher als die Wärmeeinheit *Grammcalorie* bezeichnet, 1 cal = 4,1868 J), Bildungsenthalpie 285,89 kJ/mol, Schmelzenthalpie 6,010 kJ/mol (bei 0 °C), Verdampfungsenthalpie 40,651 kJ/mol (bei 100 °C), Sublimationsenthalpie 51,13 kJ/mol (bei 0 °C) Oberflächenspannung $71,96 \cdot 10^{-3}$ N/m, Viskosität 0,8937 mPa · s. Die elektr. Leitfähigkeit 0,0635 µS/cm ist ein Maß für die Reinheit des W.; schon geringe Zusätze verändern die Leitfähigkeit erheblich. Die sehr große *Dielektrizitätskonstante ($\varepsilon = 80,18$) ist fast die höchste unter den Flüssigkeiten. Weitere Daten findet man – z. T. auch in Abhängigkeit von der Temp. aufgeführt – z. B. in Lit.[1] sowie in vielen Beiträgen des J. Phys. Chem. Ref. Data. Einige der physikal. Eigenschaften von W. u. Eis gaben Anlaß zu interessanten Experimenten[2].
Die in mancher Hinsicht anomalen Eigenschaften des Wassers lassen sich auf die Struktur des H_2O-Mol. zurückführen, in dem die beiden Wasserstoff-Atome unter einem Winkel von 104,5° angeordnet sind (Abb. 2a). Aufgrund der unterschiedlichen *Elektronegativitäten von Sauerstoff (3,44, nach *Pauling) u. Wasserstoff (2,20, nach Pauling) ist die O,H-Bindung polarisiert, d. h. die beiden entgegengesetzten elektr. Pole fallen in ihrer räumlichen Lage nicht zusammen, so daß das W.-Mol. einen *Dipol bildet. In der Elektronendichteverteilung überlappen zwei sp³-Hybridorbitale des Sauerstoff-Atoms mit den s-Orbitalen der Wasserstoff-Atome zu σ-Bindungen, etwa wie die Darst. des *Molekülorbitals in Abb. 2b zeigt; die an den Bindungen nicht beteiligten sp³-Hybridorbitale enthalten die freien Elektronenpaare.

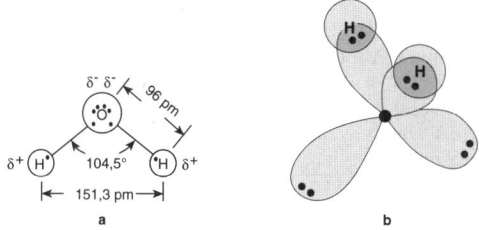

Abb. 2: Struktur (a) u. Molekülorbitale (b) von Wasser.

Das aus der *Polarisation resultierende *Dipolmoment wurde zu µ = 1,85 Debye bestimmt, u. die Differenz der Elektronegativitätswerte erteilt der ansonsten kovalenten Bindung einen partiellen Ionen-Charakter. Diese u. die daraus resultierenden dielektr. Eigenschaften erklären die Eignung des W. als Lsm. für polare Stoffe, die *elektrolytische Dissoziation gelöster Salze, Basen u. Säuren, die Neigung zur Komplex-Bildung (*Aquotisierung u. H_2O-Austausch, vgl. Koordinationslehre), die *Solvatation (*Hydratation; die Bildung von *Hydraten kann mit Erwärmung od. Abkühlung verbunden sein), die Fähigkeit zur Ausbildung von *Wasserstoff-Brückenbindungen u. damit v. a. auch die Struktur des flüssigen Wassers. In diesem herrscht nämlich ein bestimmter Ordnungszustand, dessen Zustandekommen die Chemiker seit langem interessiert. Auch heute sind noch nicht alle Fragen zur Struktur des W. beantwortet. Aus quantenmechan. Berechnungen u. den Ergebnissen von Untersuchungen mittels Röntgen- u. Neutronenbeugung, IR- u. Raman-Spektroskopie wurden die beiden Kontinuum- u. Mischungsmodelle für die W.-Struktur abgeleitet. Letzteres, das man auch *Cluster-Modell* nennt, nimmt an, daß durch Wasserstoff-Brückenbindungen zusammengehaltene Aggregate einer dem Eis I (s. unten) analogen Struktur einzelne ungebundene W.-Mol. auf Zwischengitterplätzen enthalten; Näheres zur W.-Struktur s. *Lit.*[3]. Eine laseropt. Meth. zur direkten photograph. Abb. der hexagonalen Oberflächenstruktur des W. beschreibt *Lit.*[4]. Manche Verb. (*chaotrope Stoffe) können, in W. gelöst, dessen Ordnungszustand herabsetzen, indem sie die H-Brücken zerstören.

Eine Reihe von Eigenschaften heben das W. aus der Gruppe der Wasserstoff-Verb. der dem Sauerstoff benachbarten Elemente heraus: Während alle einkernigen Wasserstoff-Verb. der Nichtmetalle Gase sind, ist W. als einzige flüssig (hypothet. Schmp. –100 °C, hypothet. Sdp. –80 °C); während viele dieser „Hydride" tox. sind, ist W. völlig ungefährlich u. bildet sogar den Hauptbestandteil der Körperflüssigkeit aller Organismen; während sich fast alle Flüssigkeiten beim Gefrieren zusammenziehen u. sich dadurch ihre D. erhöht, dehnt sich W. beim Erstarren aus; vgl. Tab. 1.

Tab. 1: Dichte des Wassers zwischen 0 u. 20 °C.

Temp. [°C]	Dichte [g/mL]
0 (Eis)	0,9168
0 (Wasser)	0,99984
4	1,000000
10	0,99970
20	0,99821

Das D.-Maximum (Vol.-Minimum) des W. liegt bei 4 °C. Diese Eigenschaft bewirkt nicht nur, daß *Eis auf flüssigem W. schwimmt, daß es Eisberge gibt (von denen aufgrund der D.-Differenz zwischen Eis u. *Meerwasser nur 12% sichtbar sind) u. daß – zusammen mit der geringen *Wärmeleitfähigkeit des Eises – Gewässer von der Oberfläche her, nicht aber bis zum Grund gefrieren (Überlebenschance für Organismen), sondern auch, daß gefrierende Wasserleitungen etc. platzen u. Gesteine mit W.-Einschlüssen gesprengt werden können, s. Verwitterung (1.). Eine weitere Anomalie zeigt W. in der Druckabhängigkeit des Schmp.: Unter einem Druck von 200 MPa erstarrt W. erst bei –22 °C, während bei anderen Flüssigkeiten der Schmp. unter Druckeinwirkung im allg. zunimmt. Erst bei 620 MPa schmilzt W. wieder bei 0 °C, u. bei ca. 3,2 GPa ist der Schmp. 100 °C. Reinstes W. läßt sich durch *Unterkühlung bis ca. –20 °C flüssig halten, als Tropfen in organ. Lsm. sogar bis ca. –40 °C u. unter Druckeinwirkung von 200 MPa noch bei –90 °C. Mit den physikal. Eigenschaften von unterkühltem W. beschäftigt sich *Lit.*[5].

Man kennt mind. 14 unterscheidbare Eis-Modif.; Eis I („normales" Eis) krist. hexagonal, u. die Sauerstoff-Atome sind tetraedr. nach Art des β-Tridymit-Gitters angeordnet; Näheres insbes. zu den Hochdruck- u. Tieftemp.-Modif. Eis VI–VIII s. *Lit.*[6]. Festes W. konnte auch im *Glaszustand hergestellt werden[7]; Rechnungen zufolge beträgt die Energie der attraktiven Wechselwirkung ca. 5,4 kJ/mol, der O,O-Abstand 295 pm. Im *Wasserdampf sollen z. T. Dimere $(H_2O)_2$ vorliegen. Im überkrit. Zustand (s. überkritische Flüssigkeiten, überkritische Gase) löst W. manche normalerweise wasserunlösl. Stoffe; dies kann zu Extraktionszwecken genutzt werden u. könnte auch die Entstehung einiger *Lagerstätten erklären (Pneumatolyse, *Hydrothermalsynthese). Das verstärkte Lösevermögen resultiert aus der Kompression, die bei geringerem Abstand eine verstärkte Wechselwirkung mit dem gelösten Stoff bewirkt. Zeitweilig erregte sog. *Polywasser* (auch als Wasser II, anomales W., Superwasser od. Derjagin-W. bezeichnet) Interesse, eine allerdings nicht reproduzierbare „Wasser-Modif." mit seltsamen Eigenschaften, deren Existenz letzten Endes nicht bewiesen werden konnte.

Zu den Anomalien des W. zählt weiterhin die große Erstarrungs(Schmelz)-enthalpie, die wesentlich über derjenigen anderer niedrigschmelzender Verb. liegt; diese Eigenschaft ist für das klimat. Geschehen im Winter, für die Eis-Bildung in Wolken etc. von Bedeutung. Über den Werten vergleichbarer Verb. liegen beim W. auch die Werte von Verdampfungsenthalpie, Oberflächenspannung, spezif. Wärmekapazität, Schallabsorption u. Viskosität. Die Fließeigenschaften des W., z. B. für Löschwasser, lassen sich durch Zusatz sog. *Widerstandsverminderer* (WV) von der Art des Polyethylenoxids verbessern.

W. ist mischbar mit den niederen Alkoholen, Glykolen, cycl. Ethern, Aminen, Carbonsäuren u. Aceton, in den höheren Homologen nimmt die Löslichkeit mit steigender C-Zahl ab, u. in unpolaren Flüssigkeiten wie Kohlenwasserstoffen u. Halogenkohlenwasserstoffen ist es prakt. unlösl., desgleichen in aliphat. Ethern u.

Estern. Bei Raumtemp. ist W. kaum dissoziiert: Die Dissoziationskonstante bei 25 °C beträgt $K_w = 10^{-14}$ mol$^2 \cdot$ L^{-2} (p$K_w = 14$), d. h. in 10 000 m^3 W. ist nur 1 Mol W. (18 g) in ca. 1 g *Protonen (H$^+$ bzw. [H$_3$O]$^+$) u. ca. 17 g *Hydroxid-Ionen (OH$^-$) zerfallen; Näheres s. bei pH, pK-Wert u. Ionenprodukt. Beim Erwärmen auf 100 °C nimmt K_w zu ($10^{-12,265}$ mol$^2 \cdot$ L^{-2}). K_w steigt auch unter Druck u. beträgt $10^{-12,21}$ mol$^2 \cdot$ L^{-2} bei 25 °C u. 10 kbar. Nach Brønsted darf W. als *amphoter, d. h. (als äußerst schwache) Säure u. als (äußerst schwache) Base zugleich gelten; s. a. Säure-Base-Begriff.

Durch *Elektrolyse läßt sich W. in seine Bestandteile zerlegen, wobei sich an der Kathode Wasserstoff u. an der Anode Sauerstoff im Vol.-Verhältnis 2:1 abscheiden; zur Verbesserung der *elektrischen Leitfähigkeit setzt man *Elektrolyte hinzu. Der Prozeß der W.-Elektrolyse wird techn. zur Gewinnung von Wasserstoff (u. Sauerstoff) genutzt. Photochem. läßt sich W. zwar nicht durch sichtbares Licht, aber durch sehr kurzwellige *Ultraviolettstrahlung in H$_2$ u. O$_2$ spalten. Auf dem Umweg über *Sensibilisatoren wie Chlorophyll ist die *Photolyse von W. jedoch zusammen mit der CO$_2$-Red. die bei weitem umsatzstärkste chem. Reaktion auf Erden, nämlich als *Photosynthese od. *Assimilation[8]. Verständlicherweise sind viele Prozesse für die W.-Zers. nach dem Modell der Photosynth. entwickelt worden; dabei wurden im allg. Ruthenium-organ. Verb. od. Titandioxid als Katalysator verwendet. Bei der *Radiolyse des W. entstehen v. a. H-Atome, OH-Radikale u. *solvatisierte (hydratisierte) Elektronen (vgl. Strahlenchemie). Zur direkten therm. Zers. des W. nach 2 H$_2$O → 2 H$_2$ + O$_2$ (der Umkehrung der Bildungsreaktion in der *Knallgas-Reaktion) müssen erhebliche Energiebeträge (mind. 238 kJ/mol) aufgewendet werden – bei ca. 2000 K ist erst etwa 1% der W.-Mol. in H$_2$ u. O$_2$ zerfallen. Auch hier gelingt es auf Umwegen, die zur thermochem. Zers. notwendigen Bedingungen zu verbessern, wobei man ausnutzt, daß W. trotz seiner großen Stabilität vielfältige chem. Reaktionen einzugehen vermag. Hauptreaktionstypen sind: Sauerstoff-Entwicklung bei der Einwirkung von Oxid.-Mitteln (z. B. 2 H$_2$O + 2 Cl$_2$ → 4 HCl + O$_2$), Wasserstoff-Entwicklung bei der Einwirkung von Red.-Mitteln (z. B. Fe + H$_2$O + H$_2$O → FeO + H$_2$, vgl. Rost u. Rosten), *Hydrolyse. Bei hohen Temp. kann W. viele Elemente direkt oxidieren (z. B. C + H$_2$O → CO + H$_2$ bei der *Kohlevergasung), mit Oxiden bildet es Hydroxide od. Säuren [z. B. CaO + H$_2$O → Ca(OH)$_2$ od. SO$_3$ + H$_2$O → H$_2$SO$_4$ od. P$_2$O$_5$ + 3 H$_2$O → 2 H$_3$PO$_4$ usw.]. Viele Verb. werden durch W. gespalten od. zersetzt [z. B. PCl$_3$ + 3 H$_2$O → H$_3$PO$_3$ + 3 HCl od. Al$_4$C$_3$ + 12 H$_2$O → 4 Al(OH)$_3$ + 3 CH$_4$, s. a. Hydrolyse]. Kleine W.-Mengen können viele Reaktionen katalyt. beeinflussen, insbes. *Kettenreaktionen. Einige der chem. Reaktionen von typ. *Trockenmitteln mit W. sind auch zur Entfernung desselben z. B. aus organ. Lsm. geeignet, vgl. Trocknen.

Nachw.: Zum qual. Nachw. u. zur (halb)quant. Bestimmung von W. in Form von *Feuchtigkeit eignen sich W.-freie Verb., die mit W. unter Farbänderung reagieren: Farbloses, mit K[PbI$_3$] getränktes Papier wird gelb (Bildung von PbI$_2$), hellblaues CoCl$_2$ bzw. grünes CoBr$_2$ werden rot (Bildung von Hydraten), farbloses CuSO$_4$ wird blau (Hydrat-Bildung); Propyltitanat, Magnesium- u. Aluminiumalkoholate trüben sich in Ggw. von Wasser. Andere Stoffe entwickeln mit W. Gase, deren volumetr. Bestimmung zur W.-Analyse genutzt wird: Calciumhydrid entwickelt Wasserstoff, Calciumcarbid Acetylen, Magnesiumnitrid Ammoniak, Triethylboran Ethan. Mit Prüfröhrchen läßt sich W.-Dampf im Bereich von 0,1–40 mg/L Luft bestimmen. Das wohl geläufigste chem. Verf. zur W.-Bestimmung (*Aquametrie*) ist die Titration mit dem Karl-Fischer-Reagenz, s. dort u. *Lit.*[9]. Häufig läßt sich auch die Gaschromatographie einsetzen. Daneben existieren viele, z. T. automatisierte, physikal. Bestimmungsmeth., in denen man die Infrarotabsorption od. -reflexion des W., NMR-spektroskop., elektrolyt., dielektr. Meth. zur Feuchtigkeitsbestimmung heranzieht od. mit Wägung nach Zwischentrocknung arbeitet. Ferner gibt es speziell zur W.-Bestimmung entwickelte Geräte wie *Hygrometer – insbes. *Taupunkt-*Hygrometer – u. *Psychrometer.

Physiologie: Für die Organismen ist W. unentbehrlich: Als Löse-, Transport- u. Quellungsmittel ermöglicht W. die zahlreichen chem. u. kolloidchem. Zellreaktionen. Der durchschnittliche W.-Gehalt des erwachsenen *Menschen beträgt ca. 70%. Der tägliche W.-Umsatz beläuft sich auf etwa 2,5 L: Als Trinkflüssigkeit werden ca. 1200 mL, der W.-Gehalt der Nahrungsmittel ca. 1000 mL aufgenommen, u. als Oxid.-Produkt des *Stoffwechsels entstehen ca. 300 mL; ausgeschieden werden als Harn ca. 1500 mL, als *Schweiß 600 mL, durch die Atemluft 300 mL u. im *Kot 100 mL. Die *Regulation des mit dem Elektrolyt-Haushalt gekoppelten W.-Haushalts erfolgt durch das RAS-Syst. (s. Renin), *Vasopressin, Mineralcorticoide (s. Corticosteroide u. Nebennierenhormone) u. andere die Tätigkeit der *Nieren beeinflussende Hormone. Das W. regelt auch die *Körpertemperatur, indem es durch Verdunsten an der Hautoberfläche Wärme entzieht (s. Schweiß). Größere W.-Verluste können bei starkem Fieber, Diarrhoe, Erbrechen, Ödemen u. Verbrennungen auftreten.

Kältetolerante Organismen[10] verhindern die Eis-Bildung mit Hilfe körpereigener *Gefrierschutzmittel, z. B. mit Glykoproteinen (bei arkt. Fischen) od. mit Glycerin, Sorbit, Glucose u. Prolin (bei Gallenfliegenlarven). Eine andere Taktik verfolgen Mikroorganismen, die mit Proteinen als Gefrierkeimen die extrazelluläre Eis-Bildung fördern. Da die Aktivität von Enzymen an die Ggw. von W. gebunden ist, lassen sich Enzym-haltige Nahrungsmittel durch *Trocknen – am schonendsten durch *Gefriertrocknung – dauerhaft konservieren. Andererseits sind manche Organismen in der Lage, durch Bildung von Dauerformen (*Sporen, *Samen) W.-arme od. gar W.-freie Perioden zu überstehen.

Für standortgebundene *Pflanzen ist W. von bes. Bedeutung. Bes. Arten wie *Sukkulenten haben sich einem evtl. W.-Mangel angepaßt, z. B. durch dichte Behaarung, Verminderung der wasserverdunstenden Oberfläche (Kakteen, trop. Euphorbien), Versenkung der Spaltöffnungen, Verstärkung der Kutikula, Erhöhung der Salzkonz. u. des osmot. Drucks in den Wurzeln usw. Im Gegensatz zum W. ist das Erdreich für Pflanzen entbehrlich (s. Hydrokultur). Frische, grüne Wiesenpflanzen bestehen zu 70–80% ihres Gew. aus W., Wassermelonen zu 93%, Gurken zu 96%, Kürbisse, Rhabarber u. Kopfsalat jeweils zu 95%. Eine Sonnenblume dunstet an einem klaren, sonnigen Tag etwa 1 L W. ab, eine Birke mit 200000 Blättern 60–70 L, ein Hektar Buchenwald mit 400 Bäumen im Lauf einer Vegetationsperiode etwa 3,6 Mio. L W.; das wären etwa 60% der *Niederschläge, wenn man eine Niederschlagsmenge von 600 mm zugrunde legt. Bei künstlicher Bewässerung benötigt man 500 t W., um 1 t Getreide zu ernten. Das Wachstum der Pflanzen, von denen sich ein Vegetarier ernährt, erfordert mehrere hundert L W. pro Tag. Für die Produktion eines Hühnereis werden ca. 480 L W. benötigt, für 1 kg Rindfleisch 31 m³.

Vork.: Obwohl ca. 71% der Erdoberfläche von W. bedeckt sind, ist der Anteil des W. an der obersten, 16 km dicken Erdkruste nicht bes. hoch; der Anteil des *Wasserstoffs wird in diesem Bereich nur auf etwa 1% geschätzt. Der gesamte W.-Vorrat in den Meeren, Seen, Flüssen, Sümpfen, Grundwässern, das in Gesteinen adsorbierte W. u. das in der Lufthülle wird auf $1,4 \cdot 10^{18}$ t geschätzt; dazu sind etwa $0,257 \cdot 10^{18}$ t in den Gesteinen chem. gebunden. Zur Verteilung der Gesamtmenge von W. (etwa $1,4 \cdot 10^{18}$ m³) s. Tab. 2.

Tab. 2: Verteilung der Gesamtmenge des auf der Erde vorhandenen Wassers[11].

	Vol. [10³ km³]	Anteil [%]
Meerwasser	1 348 000	97,331
Polareis u. Gletscher	28 200	2,036
Grundwasser	8 450	0,610
Seen u. Flüsse	126	0,009
Salzseen	105	0,008
Bodenfeuchtigkeit	69	0,005
Wasserdampf der Lufthülle	14	0,001

Der atmosphär. W.-Dampf wird durch das UV der Sonnenstrahlen langsam in Wasserstoff (entweicht in den Weltraum) u. Sauerstoff (wird z. T. in geolog. Oxid.-Prozessen gebunden) zerlegt. Eis u. W.-Dampf sind auch im interstellaren Raum bzw. in der Mars- u. Venus-Atmosphäre nachweisbar, flüssiges W. gibt es nur auf der Erde; hierzu s. Lit.[12].

Natürliches W. besteht zwar im wesentlichen aus $H_2^{16}O$, doch kommen auch – nach Maßgabe des natürlichen geochem. Gehalts an *Deuterium u. *Tritium u. den *Sauerstoff-Isotopen – Mol. wie $H_2^{18}O$, $D_2^{16}O$, $D_2^{18}O$, $HT^{16}O$, $H_2^{17}O$ etc. vor; *Schweres W.* (*Deuteriumoxid) ist in gewöhnlichem W. zu etwa 0,02% enthalten u. findet sich angereichert (bis ca. 0,1% in techn. Elektrolytlaugen).

Für die W.-Versorgung des Menschen (Haushalt, Ind. u. Landwirtschaft) stehen als *Süßwasser nur die Vorräte in Seen, Flüssen od. im *Grundwasser zur Verfügung. Im Gegensatz zu anderen, v. a. mineral. *Rohstoffen verringert sich dieser Vorrat wegen des W.-*Kreislaufs nur unwesentlich: Etwa ebensoviel, wie dem W.-Reservoir der Erde entnommen wird, fließt ihm nach Verdunstung (s. Verdampfung) als Niederschlagswasser (Wolken, *Nebel, *Regen, Hagel, Reif, Tau, Schnee) wieder zu. Zur Untersuchung des W.-Kreislaufs u. von Grundwasser-Wanderungen eignen sich Isotope. Das aus dem Kreislauf stammende W. wird gelegentlich *vadoses*, das aus tiefen Quellen erstmals zutage tretende *juveniles Wasser* genannt. Abb. 3 zeigt den globalen Wasserkreislauf[13]. Ähnliche u. z. T. abweichende Darst. od. allg. Angaben zur W.-Bilanz der Erde findet man bei Lit.[14]. Als Wissenschaften befassen sich die *Hydrologie* mit den Gewässern allg. u. die *Potamologie* u. *Limnologie* bes. mit den Binnengewässern (Flüssen u. Seen).

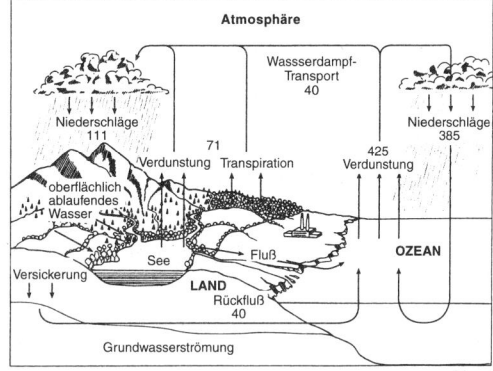

Abb. 3: Globaler Wasserkreislauf (Zahlenangaben in 10^{12} m³, nach Lit.[13]). Es gibt einen äußeren Wasserkreislauf – Verdunstung über dem Meer, Niederschlag über dem Land – u. mehrere innere (kleine) Kreisläufe (Verdunstung u. Niederschlag über dem Meer bzw. dem Land), die sich in die große Zirkulation eingliedern.

Gewinnung: H_2O entsteht bei der *Verbrennung von fossilen Brennstoffen, Motorkraftstoffen, Raketentreibstoffen etc., sofern diese Wasserstoff enthalten, bei der Knallgas-Reaktion, beim autogenen Schweißen, ferner bei vielen chem. Reaktionen; *Beisp.:* Veresterung, Neutralisation, Oxid. u. Red., Kondensation, Dehydratisierung. Außer in bes. Fällen (z. B. in der Raumfahrt) greift man bei der Gewinnung von *Trink-* u. *Brauch-W.* auf die natürlichen W.-Vorräte zurück. Natürliches W., selbst Regen- u. Schnee-W., ist jedoch keinesfalls chem. rein, sondern enthält gelöste u. suspendierte organ. u. anorgan. Stoffe. Bei *Mineralwässern (Tafelwässer) u. solchen Quellwässern, die direkt als *Trinkwasser brauchbar sind, ist ein Gehalt an mineral. Bestandteilen aus gesundheitlichen u. geschmacklichen Gründen erwünscht, nicht jedoch die Anwesenheit organ. Substanzen, insbes. solcher *anthropogener Herkunft.

Wasseraufbereitung: Unter dem Begriff W.-Aufbereitung faßt man die Maßnahmen zur Gewinnung von Trink-W. u. von Brauch-W. für industrielle u. landwirtschaftliche Zwecke zusammen, d. h. von W. für chem. Reaktionen, als Lsm., als Kesselspeisewasser zur Dampferzeugung u. Heizung, zur Kühlung u. Klimatechnik, zur Bewässerung usw. Als Vorräte kommen *Grund-W.* u. *Oberflächen-W.*, v. a. Fluß- u. Talsperren-W., seltener Quell-W., sowie unter bes. regionalen, klimat. u. ökonom. Gesichtspunkten auch Meerwasser u. Brack-W. in Frage. Die Wahl der einzelnen Verf.-Schritte richtet sich sowohl nach der zukünftigen Verw. als auch nach der Beschaffenheit des zu reinigenden Wassers[15]. Bei reinem Quell-W. muß u. U. nur eine „Sicherheitschlorung" vorgenommen werden. Dagegen sind, um brauchbares Trink-W. aus stark verunreinigtem Roh-W., z. B. Uferfiltrat aus Rhein u. Ruhr, zu erhalten, mehrere Reinigungsschritte erforderlich, wie Durchbruchschlorung od. Ozonisierung zur Abtötung pathogener Keime, Flockung, z. B. mittels Eisen- od. Aluminium-Salzen, u. Sedimentation zur Entfernung anorgan. u. organ. Kolloide, Filtration über Sandfilter, Entfernung gelöster anorgan. Verunreinigungen, insbes. der Härtebildner (s. Härte des Wassers) durch chem. Verf., u. organ. Verunreinigungen v. a. durch Aktivkohle-Behandlung. Schließlich dient die Sicherheitschlorung zur Verhinderung einer Reinfektion des aufbereiteten W. im Verteilungssyst.; zur elektrochem. Desinfektion des Trink-W. s. Lit.[16]. Zur Herst. von *ionenarmem* bzw. *ionenfreiem* W. verwendet man *Ionenaustauscher*; durch stufenweise Behandlung über Kationen- u. Anionenaustauscher ist W. mit weniger als 0,02 mg Salz/L erhältlich. Die Herst. von *Reinst-W.* wird in Lit.[17] beschrieben. Zu den Qualitätsanforderungen an hoch- od. ultrareines W. (*Leitfähigkeits-W.*) s. Lit.[18]; hier findet man auch Angaben über Eigenschaften u. Reinheitskriterien von *destilliertem, bidest., demineralisiertem u. *Pyrogenfreiem Wasser (*Aqua). Im *Deutschen Arzneibuch wird zwischen gereinigtem W. u. W. für Injektionszwecke unterschieden[19].

Die Gewinnung von Trink-W. u. auch Bewässerungs-W. aus Meer-W. erfolgt vorwiegend durch vielstufige (Vak.-)*Entspannungsverdampfung* (MSF, von *E m*ultistage *f*lash evaporation. Energet. günstiger ist die *umgekehrte Osmose (RO, von *E r*everse *o*smosis), bei der Meer-W. od. Brack-W. unter Anw. eines äußeren Druckes durch eine semipermeable Membran (z. B. aus Polyamid) hindurchtritt u. dabei in salzarmes W. übergeführt wird; Näheres zu den einzelnen Verf. der W.-Gewinnung u. -Aufbereitung findet man bei den im vorstehenden Text genannten Einzelstichwörtern. Aufwendigere Verf. sind beim Einsatz von Fluß-W. nötig, das durch unzureichend od. überhaupt nicht gereinigte *Abwässer nicht nur mineral., sondern auch organ. Verunreinigungen enthält; *Beisp.:* Sulfate, Phosphate aus Haushalt u. Landwirtschaft, Nitrate u. a. Stickstoff-Verb., Schwermetalle, Tenside, Huminsäuren u. Stoffwechselprodukte aus biolog. Kläranlagen. Zunehmend gibt es auch Probleme mit der Qualität des Grundwassers, das durch Auswaschungen aus Deponien, Straßenverkehr u. Landwirtschaft belastet ist; zur Grundwassersituation s. Lit.[20]. Wenn auch die *Ökosysteme Fluß-W. u. Grund-W. über Mechanismen der *Selbstreinigung verfügen u. die Mikroorganismen in der Lage sind, Mineralöl- u. Tensid-Rückstände durch *biologischen Abbau großenteils unschädlich zu machen, so sind doch viele Schadstoffe persistent u. können über die natürliche Nahrungskette ggf. sogar angereichert werden; *Beisp.:* *PCB u. *Pestizide.

Die *Reinhaltung* des W. zählt zu den Aufgaben des Natur- u. Umweltschutzes sowie der Wasserwirtschaft. Hierbei handelt es sich um den *Gewässerschutz* (s. dort) sowie um die Reinhaltung des in W.-Versorgungsanlagen befindlichen W.; *Beisp.:* Schutz von Brunnen, Behältern usw. vor Verunreinigungen, Verw. geeigneter Werkstoffe für Rohrleitungen (z. B. Bleifreies Lot für Leitungen aus Kupfer), Armaturen usw., Schutz der Anlagen gegen Zerstörung durch aggressive Wässer od. Frost; W.-Leitungsanlagen dürfen nicht mit Entwässerungsleitungen in Verbindung stehen, Trinkwasserleitungen müssen von Nichttrinkwasserleitungen getrennt sein. Zur Verminderung der *W.-Verschmutzung* ist gebrauchtes W., insbes. das *Abwasser aus Ind. u. Gewerbe, *vor der Ableitung* in die Flüsse durch Abwasserbehandlung zu reinigen (s. dort). In prakt. allen Ländern sind W.-Versorgung u. W.-Wirtschaft durch Gesetze geregelt. In der BRD sind dies v. a. das *Wasserhaushaltsgesetz vom 23. 9. 1986 in der geänderten Fassung vom 19. 11. 1996 (BGBl. I, 1996, S. 1696–1711), die Wassergesetze der Länder, die *Trinkwasser-Verordnung, die Trinkwasser-Aufbereitungs-VO, die Wassersicherstellungs-VO, die VO der Länder über das Lagern wassergefährdender Flüssigkeiten, *Abfall- u. *Waschmittelgesetze (s. a. Abfallrecht) u. das *Abwasserabgabengesetz sowie entsprechende Gesetze der Länder u. der EG einschließlich der *Transportbestimmungen, vgl. die Aufstellungen im Wasserkalender (jährlich) u. in Lit.[21,22]. Das Bundesministerium des Inneren veröffentlicht einen Katalog wassergefährdender Stoffe; Näheres s. dort. Im Zusammenhang mit der W.-Aufbereitung u. Abwasserbehandlung hat sich eine eigenständige Analytik entwickelt, die von den Meth. der *Mikro- u. *Spurenanalyse Gebrauch macht, vgl. Lit.[23,24]. In Lit.[25] finden sich neben ausführlichen Beschreibungen der chem., physikal. u. biolog. W.-Untersuchungsmeth. auch allg. Angaben über die verschiedenen W.-Arten, ihre Inhaltsstoffe u. deren Schadwirkungen sowie Informationen über W.-Gesetzgebung u. Normen. Zu den wichtigsten Parametern der W.-Analytik gehören der biolog. u. der chem. *Sauerstoff-Bedarf (*BSB u. *CSB, Lit.[26]) eines W., der Gehalt an organ. Materie (vgl. TOC) u. an organ. Halogen-Verb. (*AOX), der Keimgehalt, die Konz. einzelner Anionen u. Schwermetalle, Trübung (*Detritus), Leitfähigkeit u. pH. Biolog. Untersuchungen werden mit Mikroorganismen (Algen), Kleinkrebsen (Daphnien) u. Fischen (Goldorfen) vorgenommen, s. Algen-, Daphnien- u. Fischtest. In den Gewässergütekarten der BRD (s. Lit.[27]) ist ein wichtiges Kriterium der sog. *Saprobitätsgrad* (s. Saprobie u. Saprobienindex), der aus der Anzahl der in einem Gewässer vorhandenen Organismenarten bestimmt wird[28]. Zu den bestuntersuchten Gewässern gehört der Rhein, dessen W.-Qualität sich seit den 70er Jahren stark gebessert hat[29]. Welche ökolog. (u. ökonom.) Folgen kleinere od. katastrophale Störfälle (*Beisp.:* Basel, 1. 11. 1986) auf die Gewässerqualität haben können, ist dem Rhein-Bericht[30] zu entnehmen. Mit den Problemen bei der Probenahme für W.-Analysen beschäftigt sich Lit.[31].

Verw.: Als Nahrungs-, Reinigungs- u. Lösemittel, Löschwasser, Kühlmittel, Kesselspeisewasser u. Wärmeübertragungsmittel, zur Energiegewinnung durch Wasserkraft, als Transportmittel, als Moderatorflüssigkeit in Reaktoren, zur Bewässerung usw. In der BRD (alte Bundesländer) werden ca. 39 Mrd. m^3 W. im Jahr verbraucht; davon entfallen 10% auf die chem. Ind. u. 80% auf andere Ind. sowie Elektrizitätswerke u. 2%

auf die Landwirtschaft. Die größten industriellen W.-Verbraucher sind 1. die chem., 2. die Eisen- u. Hütten- u. 3. die Papier-Ind. – zur Herst. von 1 t Papier benötigt man 250–400 t (früher 400–500 t) W., für 1 t Bier 20 t, für 1 t Stahl 25–240 t, für 1 t Benzin 480 t, zur Herst. von 1 Pkw 380 t u. zur Herst. von 1 t *Celluloseacetat-Faser 1000 t Wasser. In wesentlich kleineren Mengen wird W. für chem. Reaktionen, z.B. zur Gewinnung von Wasserstoff verbraucht.

Geschichte: In China wurde W. (griech.: hydro, latein.: aqua) schon um 600 v. Chr. als „Element" betrachtet, eine Vorstellung, die bis ins Mittelalter vorherrschte (s. chemische Elemente). Gewöhnlich wird *Cavendish das Verdienst zugesprochen, die Zusammensetzung des W. aus Wasserstoff u. Sauerstoff erkannt zu haben (1784). – *E* water – *F* eau – *I* acqua – *S* agua

Lit.: [1] CRC Handbook of Chemistry and Physics (73.) Boca Raton: CRC Press 1992. [2] Science **256**, 1539 (1992); Chemie Konkret **3**, 134 ff. (1996); Spektrum Wiss. **1986**, Nr. 9, 142–148; **1987**, Nr. 4, 142–146; **1988**, Nr. 7, 130–133. [3] Greenwood u. Earnshaw, Chemie der Elemente, S. 811–817, Weinheim: VCH Verlagsges. 1990. [4] Z. Phys. Chem. **198**, 43–72 (1997). [5] Angew. Chem. **94**, 351–356 (1982). [6] J. Chem. Phys. **81**, 3612 (1984). [7] Nature (London) **298**, 715 (1982). [8] Angew. Chem. **99**, 660–678 (1987). [9] Chem. Tech. (Leipzig) **39**, 25–28 (1987); Chemie in der Schule **1996**, 61–64; DIN 51777-1: 1983-03 u. -2: 1974-09. [10] Chem. Unserer Zeit **20**, 146–155 (1986). [11] Hutzinger **1 D**, 83–124. [12] Recherche (Paris) **21**, 556–562, 689 (1990). [13] FCI-Schriftenreihe, Nr. 22: Umweltbereich Luft, Frankfurt: Fonds der Chemischen Industrie 1995. [14] Hutzinger **1 A**, 17–49. [15] Hutzinger **5 A**, 1–13; Römpp Lexikon Lebensmittelchemie, S. 912. [16] Brauer (3.) **1**, 133–137; Chem. Labor Betr. **41**, 460–463 (1990); Bendlin, Reinstwasser von A bis Z, Weinheim: VCH Verlagsges. 1995. [17] Appl. Microbiol. Biotechnol. **47**, 18–22 (1997). [18] Int. Lab. **15**, Nr. 5, 56–64 (1985). [19] DAB **9**, 1446–1450, Komm. 9/3, 3500–3507. [20] Naturwissenschaften **73**, 538–542 (1986); Lühr, Kongress Grundwassersanierung 1997, Berlin: Inst. für wassergefährdende Stoffe 1997. [21] DIN-Katalog (Sachgruppen 4798, 4800, 4805, 4840, 4856), Berlin: Beuth (jährlich). [22] Roth, Wassergefährdende Stoffe, ecomed-Loseblattausgabe. [23] Deutsche Einheitsverfahren zur Wasser-, Abwasser- u. Schlammuntersuchung, Weinheim: VCH Verlagsges. (seit 1960). [24] Franson et al., Standard Methods for the Examination of Water and Wastewater, Washington: APHA 1989. [25] Hütter, Wasser u. Wasseruntersuchung (4.), Frankfurt/M.: Salle 1990. [26] Townshend, Encyclopedia of Analytical Science, S. 5526–5533 (BSB); 5533–5539 (CSB), London: Academic Press 1995. [27] Bundesverband der deutschen Gas- u. Wasserwirtschaft, Regionale Unterschiede der Wasserversorgung, Bonn 1994. [28] Limnologica **17**, 119 (1986). [29] Chem. Unserer Zeit **25**, 257–267 (1991). [30] Rhein-Bericht (Umweltbrief 34), Bonn: BMUNR 1987. [31] Analyt.-Taschenb. **3**, 23–35; Top. Curr. Chem. **134**, 94–123 (1986).

allg.: Analyt.-Taschenb. **2**, 255–266 ▪ Annual Book of ASTM-Standards 1988, Section 11: Water and Environmental Technology, Vol. 11.02 (2), Philadelphia: ASTM 1988 ▪ Aurand et al., Die Trinkwasser-Verordnung, Einführung u. Erläuterungen für Wasserversorgungsunternehmen u. Überwachungsbehörden (3.) Berlin: E. Schmidt 1991 ▪ Babcock, Handbuch Wasser (7.), Essen: Vulkan 1988 ▪ Behrens u. Kraemer (Hrsg.), Biochemical Methods for Water Analysis, Weinheim: VCH Verlagsges. 1990 ▪ Drews, Chemie des Wassers, Leipzig: Grundstoffind. 1988 ▪ Föhl u. Hamm, Die Industriegeschichte des Wassers, Düsseldorf: VDI-Verl. 1985 ▪ Franks, Water Science Reviews (5. Bd.), Cambridge: University Press 1987–1990 ▪ Fresenius et al. (Hrsg.), Water Analysis, Berlin: Springer 1988 ▪ Gmelin, Syst.-Nr. 3, Sauerstoff, 1964, S. 1109–1296, Water Desalination, 1974, 1979 ▪ Hancke, Wasseraufbereitung Chemie u. chemische Verfahrenstechnik (2.), Düsseldorf: VDI-Verl. 1991 ▪ Held, Kühlwasser, Verfahren u. Systeme der Aufbereitung, Behandlung u. Kühlung von Süßwasser, Brackwasser u. Meerwasser in der Industrie (4.), Essen: Vulkan 1995 ▪ Hutzinger **5 A** ▪ Kirk-Othmer (4.) **25**, 361–614 ▪ Kleeberg, Interactions of Water in Ionic and Nonionic Hydrates, Berlin: Springer 1987 ▪ Klose u. Naberuchin, Wasser – Struktur u. Dynamik, Berlin: Akademie Verl. 1986 ▪ Marcinek, Das Wasser der Erde: eine geographische Meeres- u. Gewässerkunde (2.), Gotha: Perthes 1996 ▪ Netzel, Iske, Abwasser, Untertitel: Gesetze, Kläranlage; Betrieb, Verfahren, Störung, Weinheim: Wiley-VCH 1998 ▪ Quentin et al., Pestizide u. Trinkwasserversorgung (DVGW-Schriftenreihe Wasser, Nr. 53), Frankfurt: ZFGW-Verl. 1987 ▪ Roux, Analyse biologique de l'eau, Paris: Techn. & Doc. 1988 ▪ Rump, Laborhandbuch für die Untersuchung von Wasser, Abwasser u. Boden (3.), Weinheim: Wiley-VCH 1998 ▪ Schliephake et al., Produktionsfaktor Umwelt: Wasser, Düsseldorf: VDI 1988 ▪ Schmidt u. Grigull (Hrsg.), Zustandsgrößen von Wasser u. Wasserdampf in SI-Einheiten, Berlin: Springer 1989 ▪ Ullmann (5.) **A 28**, 1–101 ▪ Vandermeulen u. Hrudey, Oil in Freshwater: Chemistry, Biology, Countermeasure Technology, Oxford: Pergamon 1987 ▪ Vasilescu et al. (Hrsg.), Water and Ions in Biomolecular Systems, Basel: Birkhäuser 1990 ▪ Wagner u. Kruse, Properties of Water and Steam/Zustandsgrößen von Wasser und Wasserdampf, Heidelberg: Springer 1998 ▪ Wasserversorgung, Wasserwinnung, Wasseraufbereitung (DIN-Taschenb. 12), Berlin: Beuth 1995 ▪ Wasserwesen. Begriffe (DIN-Taschenb. 211), Berlin: Beuth 1996 ▪ Wettlaufer, Dash u. Untersteiner, Ice Physics and the Natural Environment, Heidelberg: Springer 1998 ▪ Wieland et al., Taschenbuch Wasserchemie, Essen: Vulkan 1987 ▪ Winnacker-Küchler (4.) **1**, 600–619; **3**, 529–565. – *Zeitschriften u. Serien:* Aqua, London: IWSA (seit 1952) ▪ Aqualine Abstracts (früher: WRC Information/Water Pollution Abstracts), Oxford: Pergamon (seit 1974, 1985) ▪ Aquatic Toxicology (STP 634, 667, etc.), Philadelphia: ASTM (seit 1977) ▪ DVGW-Regelwerk Wasser, Frankfurt: ZfGW-Verl. ▪ DVWK Regeln zur Wasserwirtschaft, Hamburg: Parey ▪ Soviet Journal of Water Chemistry and Technology, New York: Allerton (seit 1982) ▪ Water Chlorination, Ann Arbor: Ann Arbor Sci. 1975–1983, Chelsea: Lewis (seit 1985) ▪ Water Quality International, Oxford: Pergamon (seit 1987). – *Dokumentation:* Centre national du documentation et de l'information sur l'eau, 23 rue de Madrid, F-75008 Paris ▪ Deutsche Dokumentations-Zentrale Wasser e. V., 4000 Düsseldorf ▪ Dokumentationszentrale Wasser der Fraunhofer-Gesellschaft (DZW), Düsseldorf. – *Inst. u. Organisationen* [vgl. a. Wasserkalender (jährlich)]: Association Européenne pour l'aménagement de l'eau (Aqua Europa), 22 rue du Général Foy, F-75008 Paris ▪ Association Française pour l'étude des eaux (AFEE), 21 u. 23 rue de Madrid, F-75008 Paris ▪ Bundesanstalt für Gewässerkunde (BfG), 56068 Koblenz ▪ Deutscher Verband für Wasserwirtschaft u. Kulturbau e. V. (DVWK), 53115 Bonn ▪ Deutscher Verein des Gas- u. Wasserfaches (DVGW), 53123 Bonn ▪ Engler-Bunte-Institut, Univ. Karlsruhe, Abt. Wasserchemie, 76131 Karlsruhe ▪ FIGAWA – Bundesvereinigung der Firmen im Gas- u. Wasserfach, 50968 Köln ▪ *GDCh Fachgruppe Wasserchemie ▪ Institut für Wasser-, Boden- u. Lufthygiene, Berlin ▪ International Association on Water Pollution Research and Control (IAWPRC), Alliance House, 29/30 High Holborn, London WC1V 6BA ▪ International Water Supply Association (IWSA), 1, Queen Anne's Gate, London SW1H 9BT ▪ Kommission für Wasserforschung der DFG, 53175 Bonn ▪ Verein für Wasser-, Boden- u. Lufthygiene, 14195 Berlin. – *[HS 2201 90; CAS 7732-18-5]*

Wasserabscheider. Für die Reaktions-*Destillation, die eine kontinuierliche Entfernung des gebildeten Reaktionswassers erfordert (*Veresterung od. *Enamin-Synth.), kommt der W. zum Einsatz. Dabei wird das Wasser als *Azeotrop mit dem Lsm. abdestilliert (als Lsm. werden meist Benzol, Toluol, Xylol, Chloroform od. Tetrachlorkohlenstoff verwendet). An dem graduierten Sammelrohr läßt sich die gebildete Wassermenge während der Reaktion kontrollieren (s. Abb.).

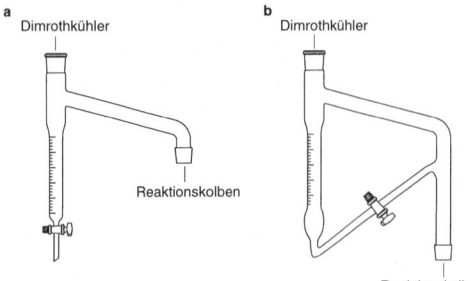

Abb.: a) Wasserabscheider für Benzol, Toluol od. Xylol als Lsm.; b) Wasserabscheider für Chloroform od. Tetrachlorkohlenstoff als Lösemittel.

– *E* water separator, Dean-Stark trap – *F* séparateur d'eau de réaction – *I* separatore d'acqua – *S* separador de agua
Lit.: Organikum (20.), S. 56–57.

Wasserabstoßend, -abweisend s. Hydrophobieren u. wasserdichte Stoffe.

Wasseraufbereitung s. Wasser u. Wasserenthärtung.

Wasseraufnahmevermögen s. Tab. 2 bei Textilfasern.

Wasserbad. Bez. für ein im chem. Laboratorium häufig benutztes *Heizbad mit Wasser als Bad-Flüssigkeit, das z. B. beim Erwärmen hitzeempfindlicher, leicht brennbarer u. niedrigsiedender Flüssigkeiten benutzt wird. Häufig verwendete W. bestehen aus durch konz. Einlageringe abgedeckte Metallbehälter, die elektr. beheizt werden. Von ähnlicher Konstruktion sind *Dampfbäder, in denen Temp. um 100 °C herrschen. W. wurden schon im 5. Jh. v. Chr. in Küchen u. Apotheken verwendet. *Berzelius gab den W. eine handlichere Form; C. R. *Fresenius, *Kekulé u. *Bunsen erzielten weitere Verbesserungen durch Vorrichtungen, welche eine Konstanthaltung des Wasserniveaus ermöglichen usw. – *E* water bath – *F* bain marie – *I* bagnomaria – *S* baño maría (de agua)

Wasserbeckenreaktor s. Kernreaktoren.

Wasserblau (Chinablau, C. I. 42 755, C. I. Acid Blue 22). $C_{32}H_{25}N_3Na_2O_9S_3$, M_R 737,72. Saurer Triarylmethan-Farbstoff (Abb. s. dort), der als trisulfonsaures Salz bei der Sulfonierung von N,N',N''-Triphenylfuchsin (*Anilinblau) entsteht u. als Indikator (pH 9,4–14, Umschlag blaurot-farblos), Blaufarbstoff zum Färben von Baumwolle, Seide, Papier u. zur Tintenherst. sowie zur Bakterien-Nährbödenherst. u. Bindegewebsfärbung verwendet wird. – *E* water blue – *F* bleu marine – *I* blu marino – *S* azul marino
Lit.: Beilstein EI **13**, 768 ▪ Herbst u. Hunger, Industrielle organische Pigmente (2.), Weinheim: VCH Verlagsges. 1995 ▪ Ullmann (4.) **23**, 400. – [HS 3204 12; CAS 28631-66-5]

Wasserblei s. Reißblei.

Wasserblüte s. Algenblüte.

Wasserdampf. Im engeren Sinne Bez. für die Gasphase (*Dampf) des *Wassers. Der bei Verdunstung (s. Verdampfung) u. Dest. des Wassers entstehende W. ist unsichtbar. Umgangssprachlich ist meist ein *Aerosol (*Nebel) aus tröpfchenförmigem Wasser gemeint (s. a. relative Luftfeuchtigkeit u. Taupunkt); aus W. erfolgt auch die Bildung von *Reif. Im W. liegen nur z. T. isolierte H_2O-Mol. vor; aus dem Litergew. des W. ergibt sich eine M_R von 18,31 im Gegensatz zu 18,02 für die Formel H_2O, d. h. ein kleiner Tl. des W. ist offensichtlich zu $(H_2O)_2$ dimerisiert.
Verw.: W. findet vielseitig Verw. als wichtigstes *Wärmeübertragungsmittel in der Technik, zur Energiegewinnung (s. die *Technischen Regeln für Dampfkessel, TRD), zur sek. Erdölförderung, in der Brandbekämpfung, als Reinigungsmittel, als Löse- u. Schleppmittel in der *Wasserdampfdestillation, zum *Kracken von Erdölprodukten (sog. *Steamcracking*), zur *Kohlevergasung u. -verflüssigung, zur Herst. von *Synthese- u. *Wassergas, z. B. für die Ammoniak-Synth. nach dem *Haber-Bosch-Verfahren etc. – *E* steam, water vapor – *F* vapeur d'eau – *I* vapore acqueo – *S* vapor de agua
Lit.: Kirk-Othmer (4.) **22**, 719–765 ▪ McKetta **10**, 325–333 ▪ Winnacker-Küchler (3.) **7**, 574–581 ▪ s. a. Wasser.

Wasserdampfdestillation. Bez. für eine in Laboratorium u. Technik häufig praktizierte Form der *Trägerdampfdest.*, d. h. einer *Destillation mit *Wasserdampf als *Träger. Viele hochsiedende, mit Wasser nicht od. nur wenig mischbare Flüssigkeiten lassen sich schon bei etwa 100 °C destillieren, wenn man sie zusammen mit Wasser erhitzt od. während der Dest. heißen Wasserdampf hindurchleitet. Zu dem *Dampfdruck der destillierenden Flüssigkeit addiert sich bei der W. der Dampfdruck des heißen Wasserdampfes (*Daltonsches Gesetz der *Partialdrücke), so daß je nach Dampfdruckverhältnis (viel) Wasser u. (wenig) hochsiedende Flüssigkeit überdestillieren. Quant. Zusammenhänge stellt die *Duhem-Margulessche-Gleichung her. Die W. findet z. B. bei der Stickstoff-Bestimmung nach Kjeldahl u. bei der Chinon-Herst. im Laboratorium Anw. u. in der Technik bei der Gewinnung von *etherischen Ölen u. *Essenzen, z. B. bei der Trennung von Terpentinöl von *Kolophonium mittels überhitztem Wasserdampf (130 °C). – *E* steam distillation – *F* entraînement à la vapeur d'eau – *I* distillazione con vapore – *S* destilación por arrastre de vapor (de agua)
Lit.: Kirk-Othmer **7**, 243 f.; (3.) **7**, 881 ff. **16**, 313 f. ▪ McKetta **16**, 258–278 ▪ Ullmann (4.) **1**, 45; **2**, 512 ▪ Winnacker-Küchler (4.) **1**, 181 f. ▪ s. a. Destillation.

Wasserdampfstrahlpumpe. Im Gegensatz zu *Wasserstrahlpumpen, die mit Wasser betrieben werden, werden W. mit *Wasserdampf als Treibmittel zur Förderung benutzt. – *E* steam jecter (pump)

Wasserdichte Stoffe. Im allg. versteht man unter w. S. *Textilien, die durch *Beschichtung mit *Kautschuk od. *Kunststoffen undurchlässig für *Wasser (u. im allg. auch *Wasserdampf) gemacht worden sind. Demgegenüber sind *wasserabweisende* od. *wasserabstoßende Textilien* solche, bei denen auch nach dem *Hydrophobieren (wasserabweisende Ausrüstung) die Durchlässigkeit für Dämpfe u. Gase, d. h. also der Luftdurchlässigkeit, erhalten bleibt. Allerdings sind die Übergänge zwischen wasserabweisenden u. w. S.

fließend. Zur Herst. von w. S. bringt man die möglichst hochviskosen Streichmassen als Lsg. des Beschichtungsmittels in organ. Lsm. od. als wäss. Dispersionen auf das Gewebe auf u. verteilt sie gleichmäßig z. B. mit Hilfe von Rakeln (Streichschienen). Bei Verw. von Kautschuk (*Natur- u. *Synthesekautschuk) zur *Gummierung* ist nicht nur die *Vulkanisation, sondern auch der Zusatz von *Alterungsschutzmitteln erforderlich. Kunstharze wie z. B. Polyacryl- u. Polymethacrylsäureester, PVC, PVAC, PIB, PUR erfordern keine Vulkanisation, haben eine bessere Haftung zum Gewebe u. sind ölfest. Nachteilig ist häufig ihre Temp.-Empfindlichkeit (Versprödung bei Kälte, Erweichen u. Klebrigwerden bei Hitze), die man mit Hilfe von *Weichmachern vermindern kann. Das Beschichtungsmittel kann auch mit Hilfe von *Kalandern aufgewalzt werden, u. durch *Kaschieren läßt sich die Alterungsbeständigkeit verbessern. Seit einiger Zeit sind Textilien im Handel, die eine *PTFE-Membran enthalten, deren Poren für Wassertropfen zu klein, für mol. Wasserdampf aber durchlässig sind (bekannte Marken sind Gore-Tex® u. SympaTex®). Verwendet werden w. S. v. a. für Regen-, Wind- u. Wetterschutzkleidung, Zeltstoffe, Planen für Lastwagen, Stoffe für Falt- u. Schlauchboote u. dgl. Neben Textilien können auch Papier u. Leder sowie Beton u. ähnliche Baustoffe für bes. Zwecke wasserdicht gemacht werden. – *E* waterproof materials (fabrics) – *F* matériaux imperméables – *I* materiali impermeabili – *S* materiales (telas) impermeables

Lit.: Kirk-Othmer (4.) **25**, 595 – 614 ■ Rath, Lehrbuch der Textilchemie, S. 118 – 123, Berlin: Springer 1972 ■ s. a. Hydrophobieren, Textilien, Textilveredlung.

Wasserechtheit s. Farbstoffe.

Wasserenthärtung. Die unter *Härte des Wassers beschriebenen Härtebildner können zwar auch im Haushalt zu Problemen bei der Heißwasserbereitung (Heizung etc.) führen, sie werden jedoch nur im Falle außergewöhnlich hoher Konz. im Zuge der *Trinkwasseraufbereitung entfernt. Bei der Verw. von Wasser als Kesselwasser od. Kesselspeisewasser, also bei hohen Temp. u. hohen Drucken, spielt neben dem Calciumcarbonat in Form des Aragonits auch Gips eine große Rolle als *Kesselstein-Bestandteil. Um unerwünschte Kesselsteinbildung zu vermeiden, sind eine Reihe von Verf. zur W. (im Rahmen der *Wasseraufbereitung*) entwickelt worden:

1. *Ionenaustauscher: a) *Enthärtung im Na-Austauscher:* Anfang des 20. Jh. wurden die synthet. Schmelz-Permutite entwickelt, die es ermöglichen, die Härtebildner des Wassers in Natrium-Salze überzuführen. Da bei dem Prozeß Ca- u. Mg- gegen Na-Ionen ausgetauscht werden, nennt man den ganzen Vorgang Kationenaustausch. Durch diesen ist es möglich, das Wasser bis auf eine Resthärte von weniger als 0,05° d (s. Härte des Wassers, Tab.) aufzubereiten. Ein Nachteil des Verf. liegt darin, daß die Carbonat-Härte in $NaHCO_3$ umgewandelt wird. Im Kessel zersetzt sich dieses entsprechend der Gleichung: $2NaHCO_3 \rightarrow Na_2CO_3 + CO_2 + H_2O$. Diese Umsetzung ist je nach dem im Kessel herrschenden Druck mehr od. weniger vollständig, z. B. erfolgt bei 2 MPa eine 80%ige Umsetzung. Hierdurch entsteht ein saurer, CO_2-haltiger Dampf, während das Kesselwasser alkal. wird.

b) *Entcarbonisierung im H-Austauscher:* Die Nachteile der Meth. a lassen sich vermeiden, wenn man Säure- od. H-Austauscher verwendet, die aus den Erdalkalisalzen Säure bilden. Es ist möglich, unter Verw. schwach saurer H-Austauscher nur die Carbonat-Härte auszutauschen, wodurch die Entcarbonisierung des Wassers stattfindet. Die verbliebene Resthärte wird in einem nachgeschalteten Na-Austauscher entfernt. Das freie CO_2 kann durch Entgasung ausgetrieben werden. Man kann aber auch so verfahren, daß ein Teilstrom über einen stark sauren H-Austauscher geleitet u. dieser mit einem anderen Teilstrom vereinigt wird, der über einen Na-Austauscher geführt wurde, so daß sich gerade ein neutrales Wasser ergibt. Aus diesem wird anschließend das CO_2 durch einen Entgaser (Rieseler) entfernt.

c) *Vollentsalzung (Deionisation, Demineralisation):* Es ist möglich, mittels geeigneter stark saurer H-Austauscher, die mit Säure regeneriert werden, alle im Wasser gelösten Kationen gegen H-Ionen auszutauschen (*Entbasung*). Wird das saure Wasser dann über eine Austauschermasse geleitet, die austauschbare OH-Gruppen besitzt, so findet folgende Reaktion statt (A = aktive Gruppen des Austauschers):

$A(OH)_n + H_2SO_4/HCl \rightarrow A(SO_4)(Cl) + nH_2O$.

Die Anionen werden an die aktiven Gruppen des Austauschers gebunden (*Entsäuerung*). Die Wiederbelebung geschieht durch Natronlauge. In der obigen Gleichung ist Carbonat nicht berücksichtigt worden. Man kann den Anionen-Austauscher so wählen, daß er auch die Anionen-Gruppen der schwachen Säuren (wie Carbonat- u. Silicat-Anionen) bindet. Es ist aber auch möglich, mit schwach bas. Austauschern zu arbeiten, die nur die Anionen der starken Säuren (Cl^-, SO_4^{2-}) binden. Die Kohlensäure kann dann durch Ausrieseln entfernt werden. Die Entfernung der Kieselsäure (*Entkieselung*) geschieht in einem nachgeschalteten stark bas. Filter. Der Vorteil dieser Arbeitsweise liegt darin, daß man die sonst zur Bindung des CO_2 notwendige Lauge einspart. Für die Entfernung der letzten Spuren von Kationen u. Anionen aus dem Wasser bzw. für Kleinanlagen u. für salzarme Wässer haben sich die sog. Mischbettfilter bes. gut bewährt. Bei diesen sind in einem Filterbehälter Kationen- u. Anionen-Austauscher nebeneinander vorhanden. Zur Regeneration werden sie durch Aufschlämmen voneinander getrennt, was möglich ist, da sie ein verschiedenes spezif. Gew. besitzen. Nach der Regeneration werden sie wieder unter Einblasen von Luft gemischt.

Außer zur Enthärtung von Brauchwasser sind Ionenaustauscher auch zur Trinkwasseraufbereitung zugelassen. Allerdings wird eine Enthärtung von Trinkwasser großtechn. kaum durchgeführt, zumal eine gewisse Härte (auch aus geschmacklichen Gründen) hier durchaus erwünscht ist; außerdem soll die Na-Konz. nicht zu hoch sein.

2. Enthärtung des Wassers durch Fällungsverf. (s. Ausfällen): Ein altes, heute weitgehend verdrängtes Verf. zur Enthärtung von Wasser ist die *Fällung mit Calciumhydroxid u. Soda,* die im wesentlichen wie folgt abläuft:

$Ca(HCO_3)_2 + Ca(OH)_2 \rightarrow 2 CaCO_3 + 2 H_2O$
$Mg(HCO_3)_2 + 2 Ca(OH)_2 \rightarrow Mg(OH)_2 + 2 CaCO_3 + 2 H_2O$
$CaSO_4 + Na_2CO_3 \rightarrow CaCO_3 + Na_2SO_4$.

Diese Fällungen, die meist bei Temp. über 80 °C durchgeführt werden, führen zu einer Red. der Härte bis etwa 0,18 mmol/L (ca. 1°d). Diese Resthärte kann durch Fällung mit Monophosphat beseitigt werden. Nachteilig ist die nur langsame Ausbildung filtrierbarer Niederschläge. Der Vorteil der Fällungsverf. liegt darin, daß die Carbonat-Härte entfernt wird, ohne daß wesentliche Mengen anderer Salze in das weiche Wasser gelangen. Man erzielt also eine Teilentsalzung. Sofern man noch mit Fällungsverf. arbeitet, beschränkt man sich meistens auf die Entfernung der Carbonat-Härte durch $Ca(OH)_2$.

3. Enthärtung u. Entsalzung durch *Destillation: Wässer, die hohe Härte u. hohen Salz-Gehalt aufweisen, bereitet man zweckmäßigerweise durch Dest. auf. Großtechn. geschieht das in Verdampfern. Am ausgereiftesten ist die Technik in der *Meerwasserentsalzung.

4. Wasserbehandlung mit Substanzen, die einen *Threshold-Effekt* ausüben: Rosenstein beschrieb 1936, daß *kondensierte Phosphate in unterstöchiometr. Mengen (unter Umständen in Mengen von wenigen mg/L) die Ausfällung der Härtebildner erheblich verzögern. Außerdem bewirken diese Zusätze, daß die Härtebildner nicht in krist. Form ausgeschieden werden, sondern in flockig amorpher Form. Solche flockigen Ausscheidungen führen nicht zur Kesselsteinbildung. Später fand man, daß alle *Polyphosphate mit Kettenstruktur (Di-, Triphosphat usw.), dagegen nicht Monophosphat od. die ringförmig gebauten Metaphosphate diesen sog. Threshold-Effekt besitzen. In der Folgezeit entdeckte man, daß auch komplexbildende *Phosphonsäuren sowie niedermol. *Polycarbonsäuren einen Threshold-Effekt ausüben, der in vielen Fällen die Wirksamkeit der Polyphosphate noch übertrifft. Während Polyphosphate bei höheren Temp. oberhalb 60 °C relativ schnell hydrolysieren (letztlich unter Bildung von Monophosphat, das unwirksam ist), sind die komplexbildenden Phosphonsäuren u. niedermol. Polycarbonsäuren auch bei Temp. oberhalb 100 °C noch hydrolysestabil. Techn. Produkte enthalten ggf. noch korrosionsverhütende Zusätze von Monophosphaten u. Silicaten; teilw. werden auch Polyphosphatgläser mit geringen Zusätzen mehrwertiger Kationen in grobstückiger od. kugeliger Form in sog. Schleusen eingebracht, in denen das durchströmende Wasser langsam kleine Mengen der Polyphosphate auflöst. In Prozeß- u. Kühlwässern werden neben – ggf. Zinksalz-haltigen – Polyphosphaten wegen ihrer hydrolyt. Stabilität Produkte auf Basis komplexbildender Phosphonsäuren [1-Hydroxyethan-1,1-diphosphonsäure, Aminotris(methylenphosphonsäure), 2-Phosphonobutan-1,2,4-tricarbonsäure] u. niedermol. Polycarbonsäuren, insbes. auch v. biolog. leicht abbaubaren Aminopolycarbonsäuren, z. B. Methylglycindiessigsäure, bevorzugt. Kondensierte Phosphate werden auch, ggf. zusammen mit Sauerstoff-Bindemitteln, zum Abfangen gelegentlicher „Härtedurchbrüche" bei Kesselspeisewasser eingesetzt (Korrekturaufbereitung).

5. Weitere Verf.: Verhütung der Kesselsteinbildung durch Zugabe von Marmorstückchen u. ä. zum Wasser wird heute kaum noch praktiziert. Ebenfalls keine techn. Bedeutung mehr haben Zusätze von Kolloidgraphit od. organ. Schutzkolloiden, die die Ausfällung des Kalks in flockig amorpher Form bewirken sollen. Dagegen sind Beiträge zur Enthärtung des Wassers von den Verf. der *Elektrodialyse u. der *umgekehrten Osmose zu erwarten, die teilw. zu anderen Zielsetzungen (z. B. zur Meerwasserentsalzung) entwickelt worden sind. – E water softening – F adoucissement de l'eau – I addolcimento dell'acqua – S desendurecimiento (ablandamiento) del agua

Lit.: Chem. Labor Betr. **40**, 108 ff. (1989); **41**, 460 ff. (1990) ▪ Chem. Ztg. **110**, Nr. 5, 197 ff. (1986) ▪ J. Chem. Technol. Biotechnol. **45**, 97 ff. (1989) ▪ Pharm. Ind. **51**, 913 ff. (1989) ▪ SÖFW J. **124**, 344–350 (1998) ▪ Ullmann (6.) ▪ s. a. Ionenaustauscher.

Wasserfarben s. Aquarellfarben u. Gouachefarben.

Wasserfeste Papiere s. Naßfestigkeit.

Wasserfreie Lösemittel s. nichtwäßrige Lösemittel u. Trockenmittel.

Wassergas. Histor. Bez. für ein *Industriegas, das bei der *Vergasung von festen *Brennstoffen – hauptsächlich Steinkohle, Koks u. Braunkohle – mit Wasserdampf u. Luft nach der Gleichung $C + H_2O \rightarrow CO + H_2$ −118,5 kJ/mol entsteht. Ähnlich wie Generatorgas wird W. im allg. im *Wirbelschichtverfahren in Schachtöfen od. Drehrost-Generatoren (z. B. *Winkler-Generatoren*) erzeugt; Näheres zu den zahlreichen, früher diskontinuierlich durchgeführten Verf. s. bei Kohlevergasung. Durch entsprechende Wahl der Verf.-Parameter läßt sich die Zusammensetzung der Produktgase steuern; ein bes. Stickstoff-armes W. nennt man *Nullgas*. Die Produkt-Zusammensetzung kann durch katalyt. *Konvertierung (E water gas shift reaction) variiert werden.

Verw.: Wie *Synthesegas (häufig werden beide Bez. synonym gebraucht) u. als *Brenngas, z. B. im *Stadtgas. – E water gas – F gaz à l'eau – I gas d'acqua – S gas de agua

Lit.: s. Kohlevergasung u. Synthesegas. – *[HS 2705 00]*

Wassergefährdende Stoffe. W. S. sind im Sinne des § 19a *Wasserhaushaltsgesetz Rohöle (s. Erdöl), *Benzine, *Dieselkraftstoffe u. *Heizöle sowie (nach § 19g Wasserhaushaltsgesetz) alle festen, flüssigen u. gasf. Stoffe, die geeignet sind, nachhaltig die physikal., chem. u. biolog. Beschaffenheit von *Gewässern nachteilig zu verändern. W. S. werden nach ihren Eigenschaften in 4 *Wassergefährdungsklassen (WGK) eingestuft[1] u. sind im Katalog w. S. veröffentlicht. Die Einstufung erfolgt nach der Verwaltungsvorschrift wassergefährdender Stoffe[2] (VwwS). Eine vorläufige Einstufung kann von der „Kommission Bewertung wassergefährdender Stoffe" (KBwS) beschlossen werden. Sog. „Selbsteinstufungen" der Ind. werden von der KBwS geprüft u. – wenn als „nachvollziehbar" anerkannt – als „vorläufig sichere Einstufung" (VSE) bezeichnet. Vorläufige Einstufungen werden in die Aktualisierung der VwVwS aufgenommen.

Zur Bewertung des Wassergefährdungspotentials werden in erster Linie akute *Toxizitäten (insbes. gegenüber Säugetieren, Bakterien u. Fischen), das Abbauverhalten sowie Langzeitwirkungen u. physikal.-chem. Merkmale herangezogen[3] (Bewertungsschema der KBwS wird z. Z. überarbeitet). – E substances hazardous to water – *F* substances nocives à l'eau – *I* sostanze pericolose per l'acqua – *S* substancias peligrosas del agua

Lit.: [1] Bundesministerium für Umwelt, Naturschutz u. Reaktorsicherheit: Merkblatt zur Einstufung wassergefährdender Stoffe im Sinne des § 19g Wasserhaushaltsgesetz (WHG), GMBl., Nr. 16, S. 358ff., 18.4.1996 (1996). [2] Bundesministerium für Umwelt, Naturschutz u. Reaktorsicherheit: Allgemeine Verwaltungsvorschrift zum Wasserhaushaltsgesetz über die Einstufung wassergefährdender Stoffe in Wassergefährdungsklassen vom 18.4.1996, GMBl., Nr. 16, S. 327–357 (1996). [3] Umweltbundesamt (Hrsg.), LTWS-Schriftenreihe Nr. 10, Berlin: Verl. Werbung u. Vertrieb 1979; Römpp Lexikon Umwelt, S. 788f.
allg.: Immissionsschutz **4**, 19–21 (1999) ■ Kloepfer, Umweltrecht (2.), S. 863–868, München: Beck 1998 ■ Umweltbundesamt, Institut für Wasser-, Boden- u. Lufthygiene (Hrsg.), Dokumentation wassergefährdender Stoffe, Datensammlung, Stuttgart: Hirzel 1996. – Internet-Adresse: http://www.umweltbundesamt.de/uba-info-daten/daten/wgs-index.htm

Wassergefährdungsklassen (WGK). Einstufung von Stoffen gemäß ihres wassergefährdenden Potentials (s. wassergefährdende Stoffe):
WGK 0: Im allg. nicht wassergefährdend, z. B. Aceton, Ethanol, NaCl
WGK 1: Schwach wassergefährdend, z. B. Methanol, Petrolether, Essigsäure, Schwefelsäure, Schmieröle (Grundöle)
WGK 2: Wassergefährdend, z. B. Ammoniak, Chlor, Dieselöl, Oleum, Phenol
WGK 3: Stark wassergefährdend, z. B. Benzol, Altöle, Hydrazin, Blausäure, Mercaptane, Chromschwefelsäure.
Die Einteilung der Stoffe in WGK liefert Anhaltspunkte für Maßnahmen nach Schadensfällen u. beschreibt Sicherheitsvorkehrungen zum Schutz der *Gewässer beim Lagern, Abfüllen, Umschlagen u. Befördern *wassergefährdender Stoffe. Dazu wurde die Muster-VO über Anlagen zum Umgang mit wassergefährdenden Stoffen u. über Fachbetriebe (Muster-VAwS) der Länderarbeitsgemeinschaft Wasser (*LAWA) in der Fassung vom 8.11.1990 von den Bundesländern weitgehend unverändert in Landes-VAwS umgesetzt, z. B. in Nordrhein-Westfalen[1]. – *E* water hazard classes (WHC) – *F* catégories de nuisance à l'eau – *I* classi di pericolo per l'acqua – *S* clases de peligro del agua
Lit.: [1] MBl. (NRW), S. 44 (1995), S. 1579 (1996).
allg.: Umweltbundesamt (Hrsg.), LTWS-Schriftenreihe Nr. 12, Katalog wassergefährdender Stoffe, 4 Bd., Berlin: Verl. Werbung u. Vertrieb 1996.

Wasserglas. Auf J. N. von *Fuchs zurückgehende Bez. für aus dem Schmelzfluß erstarrte, glasige, wasserlösl. Kalium- u. *Natriumsilicate (Salze von *Kieselsäuren) od. deren wässrige Lösungen. Beim W. kommen 2–4 Mol. SiO_2 auf 1 Mol. Alkalioxid, weshalb die *Natron-* u. *Kali-W.* üblicherweise auch durch das Massen- od. Molverhältnis SiO_2/Alkalioxid sowie die D. (z. T. noch in *Baumé-Graden) der wäss. Lsg. charakterisiert werden. Sie enthalten wegen Hydrolyse in der Hauptsache Hydrogensalze wie M_3HSiO_4, $M_2H_2SiO_4$. MH_3SiO_4 (mit M = K od. Na). Die W. sind in reinem Zustand durchsichtige, farblose, als techn. Produkte durch Spuren von Eisen bläulich bis grünlich od. auch gelblich bis braun gefärbte Gläser, die mit Wasser bei erhöhter Temp. u. Druck kolloidale klare,

stark alkal. reagierende Lsg. bilden. In kaltem Wasser sind W. unlösl., durch das CO_2 der Luft werden sie allmählich neutralisiert, wobei je nach Konz. Sole, Gele od. Fällungen von Kieselsäure entstehen. Durch Zusatz von Säuren wird Kieselsäure zunächst in Form von Polykieselsäuren als klares bis milchig trübes Kieselsol erhalten, welches sich rasch unter weiterer Wasserabspaltung u. Ausbildung von Si-O-Si-Brücken zum Kieselgel vernetzt. Das Kieselgel kann jedoch durch Zusatz von Alkalihydroxid u. Erwärmen auf 60 °C stabilisiert werden. Eine interessante Erscheinung beobachtet man, wenn man Krist. von Kupfersulfat, Eisenchlorid, Calciumchlorid u. dgl. in W.-Lsg. wirft: Ausgefällte Silicate der M^{2+}- u. M^{3+}-Kationen bilden dehnbare, semipermeable Häutchen in den Farben der betreffenden Ionen, die durch den osmot. Druck des von außen eindringenden Wassers platzen. Jedesmal „wächst" sofort ein neues Häutchen, was zur Bildung von merkwürdigen algen- od. gewächsartigen Ausstülpungen am Krist. führt („chem. Garten", s. Kontakte, *Lit.*).

Herst.: Durch Zusammenschmelzen von Quarzsand mit Natrium- od. Kaliumcarbonat bei 1400–1500 °C, wobei CO_2 frei wird. Die erstarrte Schmelze wird entweder in gemahlenem Zustand in den Handel gebracht od. sofort in entsprechende Lsg. gewünschter Konz. überführt.

Verw.: Zur Herst. von *Kieselgelen für die Trocknung von Gasen u. organ. Flüssigkeiten od. für die Chromatographie, zur Bereitung von Kitten (Wasserglaskitt) u. Klebstoffen, als Bindemittel in Anstrichen (s. a. Wasserglasfarben) u. Reaktivfarbstoffen, zur Herst. von Beizen u. Appreturen, zur Bereitung von *Glastinten, zum Entbasten u. Beschweren von Seide, als Stabilisiermittel für Peroxidbleichbäder (in Verb. mit Mg-Salzen), zum Mattieren von Reyon, für weiße Füllstoffe, als Zusatz zu Seifen, Wasch-, Enthärtungs- u. Reinigungsmitteln (s. Bleichsoda), als *Bautenschutzmittel u. zur Herst. rasch erstarrender Kernbinder, zur Bodenabdichtung u. -verfestigung, als Erstarrungsbeschleuniger für Beton, Hilfsmittel für die Trinkwasseraufbereitung etc. (vgl. a. Kieselgele). W. kann bei innerlicher Verabreichung infolge Magen- u. Darmschädigungen tödlich wirken. – *E* water-glass – *F* verre soluble – *I* vetro solubile – *S* vidrio soluble
Lit.: Glastech. Ber. **56**, 294–298 (1983) ■ Kirk-Othmer (4.) **22**, 1–30 ■ Kontakte (Merck) **1984**, Nr. 1, 18–25 ■ Winnacker-Küchler (4.) **3**, 54–63 ■ Z. Chem. **28**, 41–51 (1988). – [HS 28391 I; 28392 O]

Wasserglasfarben (Silicatfarben). Bez. für *Anstrichstoffe, die wäss. Kaliwasserglas-Lsg. als *Bindemittel enthalten. Das *Wasserglas reagiert mit dem kalkhaltigen Untergrund unter Bildung wasserunlösl. Silicate, wodurch man einen harten, lichtechten u. wetterfesten, dabei aber wasserdampfdurchlässigen Anstrich erhält. Man unterscheidet die 2K-Silicatfarben (Reinsilicatfarben) u. die 1K-Silicatfarben (Dispersionssilicatfarben). Zur Farbenherst. wird ausschließlich Kaliwasserglas verwendet, da Natronwasserglas zum Ausblühen neigt. Wegen der stark alkal. Reaktion von Kaliwasserglas sind nur wasserglasechte Pigmente einsetzbar, z. B. Titandioxid, Chromoxide, Eisenoxide,

Cobalt-Pigmente u. a. Ungeeignet sind Bleiweiß, Zinkweiß, Zinkoxid, Chromat-Pigmente u. a. W. werden v. a. für Außenanstriche auf Kalk-, Kalkzement- u. Zementputzen, ferner für Beton u. ä. mineral. Untergründe sowie für die Renovierung alter Silicat- u. a. Mineral-Farbenanstriche eingesetzt. W. in der Wandmalerei werden nach ihrem Erfinder A. W. Keim (1851–1913) auch *Keimsche Mineralfarben* od. *Keim-Farben* genannt. – *E* waterglass paints, potassium silicate paints – *F* couleurs an verre soluble – *I* colori al silicato di potassio – *S* pinturas de vidrio soluble

Lit.: Gatz (Hrsg.), Lexikon der Anstrichtechnik, Bd. 1 (8. Aufl.), S. 254, 301; Bd. 2 (4. Aufl.), S. 210, 250f., München: Callwey 1987, 1988 ▪ Römpp Lexikon Lacke u. Druckfarben, S. 523f. ▪ Ullmann (4.) **15**, 648–650; (5.) **A 18**, 424–429.

Wasserglaskitt s. Kitte u. Wasserglas.

Wasserglasleim. Bez. für einen durch Verdunsten des Lsm. (Wasser) physikal. abbindenden Klebstoff auf Basis von *Wasserglas, insbes. Natronwasserglas, das als wäss. kolloidale Lsg. von Natriumsilicat eingesetzt wird. W. wird hauptsächlich zum Verkleben von Papier u. Pappe verwendet. – *E* water glass glue – *F* colle de verre soluble – *I* colla al silicato di sodio o potassio – *S* cola de vidrio soluble

Lit.: Habenicht, Kleben, 2. Aufl., S. 95, 477, Berlin: Springer 1990.

Wasserhärte s. Härte des Wassers u. Wasserenthärtung.

Wasserhanf s. Hanf.

Wasserhaushaltsgesetz (WHG). Das Gesetz zur Ordnung des Wasserhaushalts (WHG) von 1957 (novelliert 1959, 1964, 1967, 1976, 1986, 1996[1]) ist ein Rahmengesetz des Bundes u. wird u. a. durch Landeswassergesetze ausgestaltet. Das WHG dient dem *Gewässerschutz u. gilt für die oberird. *Gewässer, die Küstengewässer u. das *Grundwasser. Als oberird. Gewässer wird das ständig od. zeitweilig in Betten fließende od. stehende Wasser verstanden. Im Sinne eines vorbeugenden Gewässerschutzes erstreckt sich der sachliche Geltungsbereich des WHG auch auf Regelungen, die nur mittelbar auf ein Gewässer bezogen sind (z. B. Bestimmungen über den Umgang mit *wassergefährdenden Stoffen; s. a. Betriebsbeauftragter für Umweltschutz).
Der erste Teil des WHG enthält die gemeinsamen Bestimmungen für alle Gewässer, der 2. bis 4. Teil die Bestimmungen für oberird. Gewässer, Küstengewässer u. Grundwasser, der 5. Teil die wasserwirtschaftliche Planung u. Dokumentation (Wasserbuch) sowie der 6. Teil Bußgeld- u. Schlußbestimmungen.
Wichtigstes ordnungsrechtliches Instrument nach WHG ist die Erlaubnis- u. Bewilligungserfordernis für Gewässerbenutzungen. Als Benutzung gelten u. a. das Entnehmen von Wasser, das Ableiten von Grundwasser sowie das Einbringen von Stoffen, v. a. durch Abwassereinleitungen. Das WHG regelt Benutzungsbedingungen, Erlaubnis, Bewilligung, Versagung, Auflagen u. Vorbehalte. Eine Erlaubnis zur Einleitung von *Abwasser darf nur erteilt werden, wenn die Schadstofffracht nach dem *Stand der Technik begrenzt ist. Die nach § 7a WHG bundesweit gültigen Mindestanforderungen an das Einleiten von Abwasser in Gewässer sind in der Abwasserverordnung[2] (AbwV), teilw. noch in der *Rahmen-Abwasserverwaltungsvorschrift[3], konkretisiert. Sie sind für ca. 50 Produktionszweige festgesetzt u. machen meist eine *Abwasserbehandlung erforderlich. Als weiteres wichtiges wasserwirtschaftliches Instrument sieht das W. die Möglichkeit vor, Wasserschutzgebiete festzusetzen (s. z. B. die Grundwasserverordnung[4]). Zudem steht eine Reihe umfangreicher Planungsinstrumente bereit.
Neben der AbwV ist dem WHG auch die Grundwasserverordnung[5] nachgeordnet. Sie gilt für die Einleitung bestimmter Stoffe, die nicht in gefährlicher Konz. ins Grundwasser gelangen dürfen, dazu gehören organ. Zinn-Verb., Quecksilber u. Cadmium u. deren Verb., Mineralöle u. Kohlenwasserstoffe sowie Cyanid. Das WHG bildet mit dem *Abwasserabgabengesetz[6], dem *Waschmittelgesetz u. dem Wasserverbandsgesetz[7] den grundlegenden Teil des dtsch. Wasserrechts (s. a. wassergefährdende Stoffe, vgl. Trinkwasser-Verordnung).

Lit.: [1] BGBl. I, S. 1695–1711 (1996). [2] Verordnung über Anforderungen an das Einleiten von Abwasser in Gewässer (Abwasserverordnung, AbwV) vom 21. 3. 1997, BGBl. I, S. 566 (1997), S. 1795 (1998). [3] GMBl., S. 518 (1989), in der Fassung der Bekanntmachung vom 31. 7. 1996, GMBl., S. 729 (1996). [4] BGBl. I, S. 542 (1997). [5] VO zur Umsetzung der Richtlinie 80/68/EWG des Rates vom 17. 12. 1979 über den Schutz des Grundwassers gegen Verschmutzung durch bestimmte gefährliche Stoffe vom 18. 3. 1997, BGBl. I, S. 542 (1997). [6] VO über Anforderungen an das Einleiten von Abwasser in Gewässer u. zur Anpassung der Anlage des Abwasserabgabengesetzes [BGBl. I, S. 566 (1997)]. [7] BGBl. I, S. 405 (1991).
allg.: Abwassertechnische Vereinigung (Hrsg.), ATV-Handbuch Industrieabwasser, Grundlagen (4.), S. 45–70, Berlin: Ernst 1999 ▪ Das neue Wasserrecht für die betriebliche Praxis, Augsburg: WEKA (Loseblatt-Sammlung) seit 1991 ▪ Hofmann, Wasserhaushaltsgesetz (4.), Berlin: Schmidt 1999 ▪ Korrespondenz Abwasser **44**, 130 (1997); **46**, 170–185 (1999) ▪ Vogl et al. (Hrsg.), Handbuch des Umweltschutzes (3.), II-3, Landsberg: ecomed (Loseblatt-Sammlung seit 1992), Stand 1998.

Wasserhülle s. Hydrosphäre.

Wasserhyazinthen s. Hyazinthen.

Wasser-in-Öl-Emulsionen s. Emulsionen.

Wasserkalk. Langsam löschender, hydraul. Kalk mit Magnesia u. über 10% Silicaten. – *E* weakly hydraulic lime – *F* chaux hydraulique – *I* calce idraulica – *S* cal hidráulica

Lit.: Scholz, Baustoffkenntnis (13.), Düsseldorf: Werner 1995 ▪ Wendehorst, Baustoffkunde, 24. Aufl., S. 286, Hannover: Vincentz 1994.

Wasserkies s. Markasit.

Wasserkreislauf s. Wasser.

Wasserkultur s. Hydrokultur.

Wasserlacke. Nach DIN 55945: 1996-09 Kurzbez. für *wasserverdünnbare *Lacke, die noch geringe Mengen organ. Lsm. enthalten können; im Anlieferzustand kann das Wasser ganz od. teilw. fehlen u. wird vor der Anw. bis zur gewünschten Verdünnung zugesetzt. Als wasserverdünnbare *Bindemittel dienen *Polycarbonsäuren, neutralisiert mit Ammoniak od. Aminen, bas. Epoxidharze in Kombination mit *Polyaminen, neutralisiert mit niedermol. Säuren, Maleinsäureanhydrid-Addukte an ungesätt. Fettsäureester sowie Acryl- od. Methacryl-Copolymere. Erstes großes Anw.-Gebiet für W. war seit Mitte der 50er Jahre dieses Jh. die *Elektrotauchlackierung* (*elektrophoretische Lackierung) insbes. von Automobil-Karosserien. Da W. weitgehend ohne umweltbelastende u. evtl. gesundheitsgefährdende Lsm. verarbeitet werden, haben sie zunehmende Bedeutung auch auf anderen Anw.-Gebieten gewonnen. Die lufttrocknenden W. für Malerarbeiten auch für Heimwerker basieren meist auf wasserverdünnbaren Acrylharzen. – *E* water thinnable lacquers – *F* laques à l'eau – *I* idrolacche, lacche ad acqua – *S* lacas de agua

Lit.: Römpp Lexikon Lacke u. Druckfarben, S. 624 ▪ Ullmann (4.) **15**, 658–660; (5.) **A 18**, 434–438.

Wasserlösliche Polymere. Bez. für eine große Gruppe von chem. sehr unterschiedlichen, natürlichen od. synthet. *Polymeren, deren gemeinsames Merkmal ihre Löslichkeit in Wasser od. wäss. Medien ist. Voraussetzung dafür ist, daß diese Polymere eine für die Wasserlöslichkeit ausreichende Anzahl an hydrophilen Gruppen besitzen u. nicht vernetzt sind. Die hydrophilen Gruppen können nichtion., anion., kation. od. zwitterion. sein, z. B.:

—NH₂   —COOH   —COO⁻ M⁺   —NR₂⁺
—NH—R   —SO₃⁻ M⁺ |
                                   (CH₂)ₙ
—OH   —NH—C(=O)—NH₂ —PO₃²⁻ M²⁺ |
                                   SO₃⁻
—SH   NH
       ‖
—O—   —NH—C—NH₂   —NH₃⁺ X⁻   —NR₂
                                   |
                      —NR₂H⁺ X⁻   (CH₂)ₙ
—N—   HN⌇N—NH₂ |
 | ⌇⌇   COO⁻
       N⌇N
         NH₂   —NR₃⁺ X⁻   R
                                   |
                      —PR₃⁺ X⁻   —N⁺—O⁻
                                   |
                                   R

Die einzelnen Polymere können in ihren *Makromolekülen gleichzeitig unterschiedliche hydrophile Gruppen enthalten, z. B. ion. u. nichtion. od., wie bei *Polyampholyten, auch anion. neben kation. Gruppen. Zu den w. P. zählen u. a. natürliche Polysaccharide u. Polypeptide (*Stärke, *Alginate, *Pektine, Pflanzengummen, *Caseine, *Gelatine u. a.), halbsynthet. Polymere (*Celluloseether, *Stärkeether), biotechnolog. erzeugte Produkte (u. a. *Pullulan, *Curdlan, *Xanthan) u. viele synth. Polymere, z. B. *Homo- u. *Copolymere der (Meth)acrylsäure u. ihrer Derivate, der Malein-, Vinylsulfon-, Vinylphosphonsäure, Polyvinylalkohol, Polyethylenimin, Polyvinylpyrrolidon u. a. *Verw.:* W. P. besitzen eine sehr große techn. Bedeutung, da ihre Anw.-Möglichkeiten, die hier nur sehr unvollständig genannt werden können, sehr vielfältig sind: Verdickungsmittel, Emulgatoren, Stabilisatoren, Schutzkolloide, Komplexbildner, (Waschmittel-)Builder, Reinigungsverstärker, Vergrauungs- u. Verfärbungsinhibitoren, Schlichtemittel, Filmbildner, Klebstoffe u. a. (s. a. einzelne w. P.). Entsprechend groß ist auch das Marktpotential dieser Polymer-Klasse. – *E* water-soluble polymers – *F* polymères hydrosolubles – *I* polimeri idrosolubili – *S* polímeros hidrosolubles

Lit.: Bekturov u. Bakanova, Synthetic Water-Soluble Polymers in Solution, Basel: Hüthig u. Wepf 1986 ▪ Davidson, Handbook of Water-Soluble Gums and Resin, New York: McGraw-Hill Book Comp. 1980 ▪ Encycl. Polym. Sci. Eng. **17**, 730–784 ▪ Molyneux, Water-Soluble Synthetic Polymers: Properties and Behavior, Bd. 1 u. 2, Boca Raton: CRC Press 1984.

Wassermann-Reaktion. Von A. von Wassermann (1866–1925) entwickelter *Serodiagnostik-Test auf *Syphilis, der auf einer *Komplement-Bindungsreaktion beruht. – *E* Wassermann reaction – *F* réaction de Wassermann – *I* reazione di Wassermann – *S* reacción de Wassermann

Wasserminze s. Pfefferminze.

Wassermörtel s. Portlandzement.

Wasserparfüms. Veraltete Bez. für *Parfüms, die als wäss. Emulsionen zur *Parfümierung techn. Produkte benutzt werden. – *E* water perfumes – *F* parfums aqueux – *I* profumi acquosi – *S* perfumes acuosos

Wasserpflanzen s. Hydrophyten.

Wasserringpumpe. W. arbeiten nach dem Prinzip der *Verdrängerpumpen. Als selbstansaugende Kreiselpumpe wird zur Entlüftung der Saugleitung eine Hilfsflüssigkeit (hier Wasser) benötigt. Ein exzentr. angeordneter Kreisel mit radial gerichteten Schaufeln dreht sich in einem Gehäuse u. erzeugt einen ungleichmäßigen Wasserring. Die Schaufeln dringen teils mehr teils weniger tief in den Wasserring ein, so daß sich die vom Wasser freien Zellräume während einer Umdrehung vergrößern u. wieder verkleinern, wodurch Luft angesaugt, verdichtet u. durch den Druckschlitz wieder hinausgedrückt wird (s. Abb.). Der erreichbare Unterdruck ist von der Umlaufgeschw. u. der Größe der Dichtungsspalte abhängig.

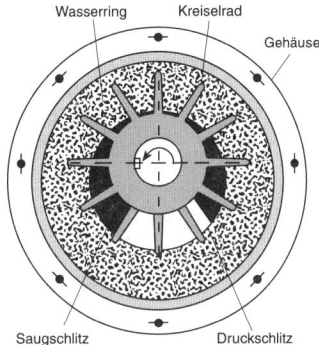

Abb.: Wasserringpumpe.

– *E* liquid seal pump – *F* pompe à anneau d'eau – *I* pompa ad anello a getto d'acqua – *S* bomba de anillo de agua

Lit.: Schulz, Die Pumpen, Berlin: Springer 1977 ▪ Ullmann (5.) **B 4**, 98.

Wasserrückhaltevermögen s. Textilfasern.

Wassersäule s. Meter Wassersäule (m WS) u. Luftdruck.

Wasserschierling s. Schierling.

Wasserstein s. Härte des Wassers.

Wasserstoff (chem. Symbol H, von griech.-latein.: hydrogenium = Wasserbildner). Gasf. Element, Atomgew. 1,00794 ± 0,00007, Ordnungszahl 1. Natürliche Isotope (in Klam-

Wasserstoff

mern evtl. benutzte Eigennamen u. prozentuale Häufigkeit): 1 (*Protium*, 99,985), 2 (*Deuterium*, 0,015), 3 (*Tritium*, Spuren; radioaktiv, HWZ: 12,3 a). In das *Periodensystem läßt sich W. nicht eindeutig einordnen: Zum einen stellt ihn seine *Elektronegativität zwischen Bor u. Kohlenstoff, zum anderen zeigt er Ähnlichkeit mit den Alkalimetallen (H bildet pos. geladene Ionen, *Protonen), aber auch mit den Halogenen (er kann z. B. mit Metallen *Hydride bilden, s. unten), weshalb man ihm die Oxid.-Stufen +1 (*Proton), 0 (atomarer W., H-Radikal) u. −1 (*Hydrid-Ion) zuspricht. In wäss. Syst. liegen die Protonen nicht in freier, sondern in hydratisierter Form vor, hauptsächlich als H_3O^+ (*Oxonium, vgl. Wasserstoff-Ionen). Die IUPAC hat die Benennung der verschiedenen W.-Isotope u. W.-Teilchen geregelt [1], wobei die im folgenden an erster Stelle stehende Bez. für unspezifizierten W. (also ^{1-3}H), die an zweiter Stelle stehende für ^1H gilt: Hydrogen/Protium (Atom), Hydron/Proton (Kation), Hydrid/Protid (Anion), Hydro/Protio (Gruppe), Hydronierung/Protonierung (Kation-Übertragung), /-Protiierung (Substitution von W. durch ein W.-Isotop); analoges gilt für Deuterium u. Tritium. Atomarer W. wird aufgrund seines quantenmechan. Verhaltens als sog. *Quantengas* aufgefaßt [2]. Das Spektrum des H-Atoms (*Lit.*[3], s.a. Abb. 7 bei Spektroskopie, S. 4175) läßt sich mit Hilfe der *Serienformeln berechnen. Das H-Atom besteht aus dem Proton als Kern u. einem *Elektron ($1\,s^1$) in der Elektronenhülle (s. Atombau). Normalerweise liegt W. jedoch als *Molekül, H_2 (M_R 2,016), vor; die *Spins der beiden Kerne können parallel (*Ortho-W.*) od. antiparallel (*Para-W.*) ausgerichtet sein; Näheres s. bei Ortho-Para-Isomerie u. zu 3-atomigem W. s. *Lit.*[4]. Da W. das leichteste aller Elemente ist, hatte man nach J. *Daltons Vorschlag lange Zeit das relative Atomgew. des W. als 1 festgelegt; Näheres s. bei Atomgewicht. Das geringe Gew. des W. erklärt auch das hohe Diffusions- u. Effusionsvermögen dieses Gases.

Reiner W. ist ein farb-, geruch- u. geschmackloses, ungiftiges, brennfähiges Gas, Litergew. 0,0899 g (bei 0 °C u. 101,3 kPa), D. 0,06952 (25 °C, 101,3 kPa, vgl. D. von Luft = 1), D. 0,0708 (bei 101,3 kPa u. −253 °C), Schmp. −259,20 °C, Sdp. −252,77 °C, krit. Temp. −239,97 °C, krit. Druck 1,315 MPa, krit. D. 0,03012; Explosionsgrenzen in Luft 4–75 Vol.-Prozent. Die Inversionstemp., unterhalb der der *Joule-Thomson-Effekt auftritt, liegt bei 193 K. In Wasser ist H_2 nur sehr wenig lösl. (100 g lösen bei 20 °C nur etwa 2 mL H_2), daher kann man das Gas über Wasser auffangen.

Fester W., D. 0,0827 g/cm³ (am Schmp.), krist. hexagonal. Unter extrem hohem Druck ($2-3 \cdot 10^{11}$ Pa) soll eine metall., elektr. leitende Phase existieren, D. >1 g/cm³ (s. unten).

H_2 verbrennt mit kaum sichtbarer, schwach bläulicher Flamme zu Wasserdampf ($2H_2 + O_2 \rightarrow 2H_2O$); Gemische aus W. u. Luft (mit 4–75% H_2) od. W. u. Sauerstoff heißen *Knallgas. Der Heizwert des W. beträgt 11 MJ/m³, der Brennwert 13 MJ/m³. W. verbindet sich – nötigenfalls bei Anw. höherer Temp., Drücke, Katalysatoren – mit den Elementen der 14. bis 17. Gruppe des Periodensyst. sowie mit Bor u. Gallium zu flüchtigen od. gasf. W.-Verb., z. B. mit Schwefel zu Schwefelwasserstoff, mit Stickstoff zu Ammoniak, mit Kohlenstoff zu Methan, mit Halogenen zu den Halogenwasserstoffen usw. Die Reaktionen mit O, Cl, Br, I etc. verlaufen als *Kettenreaktionen (s. a. Knallgas u. die dort folgenden Stichwörter sowie Chlorknallgas). Mit den stark elektropos. Elementen der 1. u. 2. Hauptgruppe, z. B. Na od. Ca bildet W. feste, salzartige *Hydride. Zahlreiche Übergangsmetalle nehmen W. in z. T. beträchtlicher Menge in fester Lsg. auf, indem H-Atome *Zwischengitterplätze besetzen. Ein cm³ Eisen kann z. B. 19, ein cm³ Gold 46, ein cm³ Platin 50 u. ein cm³ Palladium gar 500–900 cm³ W.-Gas aufnehmen. Auch FeTi-, CaNi₅-, TiCo-, MgNi- u. a. Leg. bilden nichtstöchiometr. *Metallhydride. Diese können – da die W.-Aufnahme reversibel ist – als W.- u. damit Energie-Speicher genutzt werden [5]. Über die Verw. von Pd in Detektoren für W.-Spuren s. *Lit.*[6]. Die Löseeigenschaften von Metallen für W. sind teilw. auch bestimmend für deren Eignung als Hydrier-*Katalysatoren; *Beisp.:* *Raney-Katalysatoren. Da sich durch die W.-Aufnahme bei vielen Metallen die *Sprödigkeit erhöht, kann die H_2-Löslichkeit ggf. höchst unerwünscht sein; *Beisp.:* *Versprödung von Stählen. Umgekehrt kann man durch Sättigen von Titan mit W. (~50 Mol-% H), Walzen bei erhöhter Temp. u. anschließende Entfernung von W. im Vak. ein bes. feinkörniges Metall herstellen (längliche Kristallite, 1–3 μm), das sehr gute mechan. Eigenschaften hat.

Auf viele Metalloxide wirkt W. beim Erhitzen reduzierend; *Beisp.:* $CuO + H_2 \rightarrow Cu + H_2O$. Die chem. Vereinigung eines Stoffes mit W. bezeichnet man in der organ. Chemie als *Hydrierung* od. ebenso wie in der anorgan. Chemie (Ausnahme: Reaktion von H_2 mit Metallen) als *Reduktion. Die umgekehrte Reaktion, die Abspaltung von H_2, wird in der organ. Chemie *Dehydrierung* genannt. Im Zusammenhang mit intra- od. intermol. W.-Übertragungs- od. -Wanderungsprozessen (H-Transfer) in der anorgan., organ. od. Metall-organ. Chemie spricht man von *W.-Donatoren* u. *-Akzeptoren*. Die Spaltung von organ. Verb. durch W. bezeichnet man als *Hydrogenolyse. Unter dem Einfluß von Katalysatoren bzw. Basen findet ein Austausch zwischen gebundenem u. gasf. W. statt, was man im Fall der H/D-*Austauschreaktionen zur Herst. *deuterierter Verbindungen bevorzugt *Scrambling* nennt, im Fall des H/T-Austauschs zur Herst. *tritiierter Verbindungen nach dem Erstanwender *Wilzbach-Technik*. Der Ersatz von H durch D od. T hat sog. *Isotopie-Effekte zur Folge. Bei vielen Reaktionen entsteht W. zunächst als metallgebundenes Hydrid-Ion, das wesentlich reaktionsfähiger als mol. W. ist – man spricht hier von W. *in statu nascendi*. Die Spaltung des H_2-Mol. durch sog. stille Entladung (*Gasentladung), durch *Glimmentladung (Wood-Bonhoeffer-Meth.) od. im *Lichtbogen liefert H-Atome ($H_2 + 435$ kJ $\rightleftarrows 2H$). Die bei der Rekombination der beiden H-Atome zum H_2-Mol. wieder freiwerdende Energie wird z. B. in der *Langmuir-Fackel beim *Arcatom-Verfahren zum Schweißen hochschmelzender Metalle genutzt.

Physiologie: Im *Stoffwechsel laufen zahlreiche, durch Enzyme (*Dehydrogenasen, *Hydrogenasen,

*Oxidoreduktasen) katalysierte W.-Transfer-Reaktionen ab, wobei *Coenzyme (NAD, FAD) als intermediäre W.-Akzeptoren bzw. -Donatoren fungieren. W. ist biolog. außerordentlich wichtig; weitaus die meiste Muskelenergie, die von Organismen entwickelt wird, stammt nicht etwa aus der Oxid. des C zu CO_2, sondern aus einer stufenweisen Oxid. des an C-Ketten (in Kohlenhydraten, Fetten) gebundenen W., der im menschlichen Organismus einen Anteil von 10% des Körpergew. hat: Ein 70 kg schwerer *Mensch enthält also ca. 7 kg W., gebunden in organ. Verb. u. Wasser. Auf der Messung u. bildlichen Darst. der Wasser-Verteilung im Organismus beruht übrigens die sog. Kernspin-*Tomographie (NMR-Imaging). Gasf. W. entsteht in geringen Mengen im Dickdarm durch Einwirkung bestimmter Bakterien.

Nachw.: Qual. durch Verbrennung (Nachw. des H_2O als Reaktionsprodukt), Knallgasprobe, W.-Spektrum; quant. durch Gasanalyse, Elementaranalyse, Gaschromatographie u. a. Methoden. Die W.-Bestimmung in Metallen ist durch Aktivierungsanalyse möglich[7]. Na in feindispergierter Form u. Methylmagnesiumiodid (Zerewitinoff-Reagenz) sind selektive Reagenzien zur Bestimmung des sog. *aktiven Wasserstoffs in Amiden, Alkoholen, Phenolen u. Sulfonamiden. Im Bereich von 0,5–3 Vol.-% ist die Bestimmung auch mit Prüfröhrchen möglich.

Vork.: Man schätzt den Anteil des W. an der obersten, 16 km dicken Erdkruste einschließlich Wasser- u. Lufthülle auf etwa 0,74 Gew.-%; hinsichtlich der Häufigkeit steht W. an 9. Stelle zwischen Magnesium u. Titan. Im Spektrum des Nachthimmels bzw. im Polarlicht ist die W.-Linie H_α nachzuweisen. Letzteres entsteht durch Stoßprozesse von H-Atomen, H-Ionen u. Gasmol. der Atmosphäre mit schnellen Teilchen der *kosmischen Strahlung. Seit den 80er Jahren ist bekannt, daß die Erde nicht nur in 2000–20000 km Höhe von einer dünnen W.-Hülle umgeben ist, sondern daß sich im gesamten Planetensyst. innerhalb u. außerhalb der Milchstraße (Magellan-Wolken) als häufigstes Element des interstellaren Raumes W. befindet, der durch Sonnenstrahlung zum Leuchten (Lyman-Serie, s. Atombau, S. 291) angeregt wird. Die *Sonne besteht zu ca. 84 Gew.-% aus W., der der Brennstoff für die Erzeugung der *Sonnenenergie ist. Freier, elementarer W. kommt in einigen Vulkangasen in 0,1–30 Vol.-% vor; er ist auch in kleinen Mengen in manchen Mineralen u. Gesteinen (Granit, Gneis, Basalt, Salzlager) eingeschlossen. Aus Hochdruckexperimenten schließt man, daß W. in metall. Zustand od. in Eisen gelöst im Inneren der Planeten Jupiter u. Saturn bzw. im Erdkern enthalten sein könnte[8]. W. tritt überwiegend gebunden auf, so v. a. als Wasser, ferner in Säuren, Laugen sowie in fast allen organ. Verb.; in den letzteren ist W. an Kohlenstoff gebunden (*Beisp.:* Kohlenwasserstoffe), darüber hinaus auch an O (*Beisp.:* Alkohole, Carbonsäuren, Hydroperoxide), S (Thiole), N (Amine, Stickstoff-Heterocyclen), P (Phosphine) u. a. Elemente. Mit bestimmten Reagenzien kann man derart aciden (vgl. Acidität) u. aktiven W. analysieren. Eine Bindung ganz bes. Art liegt in den sog. *Wasserstoff-Brückenbindungen vor. Beim sog. Extra- od. *indizierten Wasserstoff handelt es sich um einen Begriff der chem. Nomenklatur.

Herst.: Großtechn. zu über 90% durch petrochem. Prozesse; das wichtigste Verf. ist die katalyt. Dampfspaltung (*Steam-Reforming*) von Erdgas (Methan) od. leichten Erdölfraktionen:

$$CH_4 + H_2O \rightarrow 3H_2 + CO,$$

daneben auch die partielle Oxid. von schwerem Heizöl:

$$2C_nH_{2n+2} + nO_2 \rightarrow (2n+2)H_2 + 2nCO.$$

Bis zum 2. Weltkrieg wurde die Hauptmenge des W. durch *Kohlevergasung* erzeugt:

$$3C + O_2 + H_2O \rightarrow H_2 + 3CO;$$

das im entstandenen *Wassergas enthaltene CO wird unter Gewinnung von zusätzlichem W. konvertiert (*Konvertierung):

$$CO + H_2O \rightarrow CO_2 + H_2$$

u. das gebildete CO_2 durch Waschprozesse abgetrennt; s. a. Synthesegas.

Die *Wasserelektrolyse* (insgesamt ca. 4% der weltweiten H_2-Produktion) spielt für die techn. W.-Gewinnung nur eine Rolle, wenn billige elektr. Energie verfügbar ist, etwa in der Nähe von Staudämmen, z. B. in Assuan/Ägypten, bei höheren Reinheitsansprüchen, z. B. in der Lebensmitteltechnologie, od. für Kleinverbraucher. Die elektrolyt. Zerlegung des Wassers (mit Zusatz von Kaliumhydroxid zur Erhöhung der Leitfähigkeit) erfolgt an Elektroden, die durch ein gasundurchlässiges Diaphragma getrennt sind, bei 80–85 °C u. einer prakt. Zers.-Spannung von 1,9–2,3 V:

Kathode: $2H_2O + 2e^- \rightarrow H_2 + 2OH^-$
Anode: $\underline{2OH^- \rightarrow H_2O + 0{,}5O_2 + 2e^-}$
$H_2O \rightarrow H_2 + 0{,}5O_2$

Techn. ist meist eine Vielzahl bipolar verschalteter Einzelzellen nach dem Filterpressenprinzip (s. Filter, Abb. 3, S. 1339) in Blöcken zusammengefaßt. Der effektive Stromverbrauch von rund 4,5 kWh/m³ H_2 kann durch Arbeiten unter erhöhtem Druck um 20% gesenkt werden (*Zdansky-Lonza-Verfahren). Eine Übersicht über moderne Elektrolyseprozesse findet man in *Lit.*[9]. In beträchtlichen Mengen fällt H_2 als Nebenprodukt von petrochem. Prozessen in Raffinerien u. Kokereien an sowie bei manchen chem. u. elektrochem. Verf., z. B. der *Chloralkalielektrolyse. Von anderen Verf. zur W.-Erzeugung erscheinen die therm. Spaltung von W. (bei >2000 °C) od. die chem. Spaltung (mit Hilfe eines im Kreislauf geführten Hilfsstoffes) zu aufwendig, z. B.:

$$I_2 + SO_2 + 2H_2O \rightarrow 2HI + H_2SO_4 \text{ bei 25 °C}$$
$$2HI \rightarrow H_2 + I_2 \text{ bei 300 °C}$$
$$H_2SO_4 \rightarrow H_2O + SO_2 + \tfrac{1}{2}O_2 \text{ bei 871 °C}.$$

Zu einer künftigen biochem. W.-Produktion durch Mikroorganismen, z. B. Cyanobakterien, s. *Lit.*[10]. Im Laboratorium kann W. hergestellt werden durch Auflösen von unedlen Metallen (z. B. Zink) in Salzsäure od. 15–20%iger Schwefelsäure im *Kippschen Apparat (wenn reine Metalle nicht leicht angegriffen werden, gibt man etwas Kupfersulfat-Lsg. als Katalysator dazu) od. durch Elektrolyse von Wasser im *Hofmannschen Zersetzungsapparat. Reinsten W. erhält man, wenn man unreinen W. durch Palladium-Silber-Membranen od. eine Palladium-Wand diffundieren läßt; es wandert nur der reine W. durch Palladium, die Verunreinigungen bleiben zurück. Die Entfernung evtl. vorhandener Sauerstoff-Reste aus Handels-W. kann auch am heißen Cu-Draht od. am *Meyer-Ronge-Katalysator vorgenommen werden; Näheres auch über andere Laboratoriumsmeth. zur Gewinnung von reinem W. s. *Lit.*[11].

W. kommt in Stahlflaschen (Bomben, Farbe rot, Linksgewinde) od. Flaschenbündeln unter z. B. 20 MPa Druck in den Handel, od. er wird flüssig (kyrogen) bei $-253\,°C$ in hochisolierten Drucktankwagen transportiert. Im Rhein-Ruhr-Gebiet wird ein über 200 km langes (Druck-)Rohrleitungsnetz im Verbund mit 14 W. erzeugenden u. verbrauchenden Werken betrieben. Der größte Teil des produzierten W. wird direkt beim Erzeuger weiterverarbeitet.

Verw.: Zur Synth. von Ammoniak, in Raffinerieprozessen zur Herst. von Benzin u. Krackprodukten der Petrochemie, zur Methanol-Synth., zur Fetthärtung u. a. Hydrierungen, als Red.-Mittel zur Gewinnung von W, Mo, Co u. a. Metallen, als reduzierendes Schutzgas bei metallurg. Prozessen, zum *autogenen Schweißen u. Schneiden, als *Brenngas in Mischung mit anderen Gasen (Stadtgas, Wassergas), verflüssigt als Treibstoff in Luft- u. Raumfahrt[12], als Rohstoff in thermonuklearen Reaktionen. In der BRD wurden 1997 3,0 Mrd. m^3 W. produziert, von denen 1,27 Mrd. m^3 für den Absatz bestimmt waren[13].

W.-Wirtschaft[14] ist die Bez. für ein künftiges „umweltfreundliches" Energieversorgungssyst., das zunehmendes Interesse findet in Anbetracht des steigenden Energieverbrauchs durch Bevölkerungswachstum u. Nachholbedarf der Entwicklungsländer bei begrenzten Ressourcen fossiler Energieträger u. v. a. wegen der mit deren Verw. verbundenen CO_2-Problematik (s. Kohlendioxid). W. ist eine Sekundär-Energiequelle. Zu seiner Bereitstellung steht neben der *Kernenergie die *Sonnenenergie, einschließlich der Wasser- u. Windkräfte sowie die nachwachsende Biomasse unerschöpflich zur Verfügung; Wasserkraft hat dagegen nur eine geringe Energiedichte. Insbes. ist die Kopplung von *Photovoltaik* in Sonnenkraftwerken mit Wasserelektrolyseanlagen zur Erzeugung von W. hervorzuheben[15]; hierzu wird in der BRD ein breites Forschungsprogramm bearbeitet, u. a. mit einem 430 kW-Projekt der Bayernwerke AG in der Oberpfalz[16]. Bei seiner Verbrennung liefert W. neben geringen NO_x-Mengen nur H_2O, das keine Umwelt- u. Entsorgungsprobleme aufwirft. Als Kraftstoff kann W. anstelle von Kohlenwasserstoffen in Verbrennungsmotoren[17], als Brennstoff in Heizungsanlagen, Gasturbinenkraftwerken u. Dampferzeugern anstelle fossiler Energieträger verwendet werden. Bereits ein Zusatz von 10–20 Vol.-% W. bei der Verbrennung von Erdgas (entsprechendes gilt auch für Benzinmotoren) kann CO- u. NO_x-Emissionen um bis zu 50% vermindern. Der 1997 vom US-Kongreß gebilligte Hydrogen Future Act u. verwandte Programme fördern die Verw. von W. als Energieträger im Transportsektor. In *Brennstoffzellen läßt sich elektr. Energie direkt aus W. erzeugen. Der Nutzungsgrad ist bei dieser Form der Energieumwandlung 2–3mal so hoch wie im Verbrennungsmotor. Mit NECAR I, II u. III stellte Daimler-Benz 1994, 1996 u. 1997 drei Fahrzeuge mit W.-Brennstoffzellen vor. Seit 1997 fahren in Chicago u. Vancouver einige Busse mit Brennstoffzellen, in denen W. in Drucktanks mitgeführt wird. Optimist. Schätzungen zufolge könnte bei genügend großer Abnahmemenge der Energiepreis (unbesteuert) der W.-Brennstoffzelle nur wenig über dem des Benzinmotors (besteuert) liegen[17]. Trotz vorhandener Erfahrungen in der Raumfahrt u. bei einzelnen Verf.-Schritten sowie eines hohen Entwicklungspotentials ist man vom Ziel einer umfassenden W.-Technologie noch weit entfernt, insbes. sind heute die Gewinnung von Solarstrom u. die Herst. u. Verw. von W. noch zu teuer. Man sieht zwar Marktnischen, z. B. in einer dezentralen u. netzunabhängigen Stromversorgung einzelner Wohngebiete u. entlegener Ansiedlungen sowie auch einen größeren Markt in rohstoffarmen Entwicklungsländern, jedoch kann nach *Lit.*[18] W. nicht als das Energiemittel der Zukunft zu betrachten sein, das die herkömmlichen Energieträger verdrängt.

Geschichte: *Cavendish entdeckte 1766 den W. bei der Auflösung von Metallen in Säuren; er erkannte 1781 auch, daß aus der Verbrennung von W. Wasser hervorgeht. *Lavoisier fand schon 1783 heraus, daß aus heißem Eisen u. Wasserdampf Eisenoxid u. W. entstehen. Er benannte das Element „hydrogène" nach griech.: hydor = Wasser u. *...gen; hiervon leitet sich auch der dtsch. Name W. ab. Ende des 18. Jh. wurden die ersten mit W. gefüllten Ballons konstruiert[19]. Die erste elektrolyt. W.-Herst. (durch Elektrolyse von angesäuertem Wasser) erfolgte 1789 durch den Holländer van Troostwijk, die erste W.-Sauerstoff-Flamme wurde von R. Hare 1802 benutzt, die erste katalyt. Hydrierung 1897 von *Sabatier u. Senderens ausgeführt. 1932 folgte die Entdeckung des Deuteriums durch *Urey, 1934 die des Tritiums durch *Oliphant, *Harteck u. Sir E. *Rutherford. – *E* hydrogen – *F* hydrogène – *I* idrogeno – *S* hidrógeno

Lit.: [1] Pure Appl. Chem. **60**, 1115 f. (1988). [2] Spektrum Wiss. **1982**, Nr. 3, 56–65. [3] Series, Spectrum of Atomic Hydrogen, Singapore: World Sci. Publ. 1987. [4] Ber. Bunsenges. Phys. Chem. **94**, 1231–1348 (1990). [5] Angew. Chem. **102**, 239–250 (1990); Int. J. Hydrogen Energy **14**, 727–735 (1989). [6] J. Appl. Phys. **68**, R1–R30 (1990). [7] Townshend, Encyclopedia of Analytical Science, S. 2035 ff., London: Academic Press 1995. [8] Science **253**, 421–424 (1991). [9] Chem. Ing. Tech. **61**, 349–361 (1989). [10] Rehm-Reed **6b**, 101–134; Int. J. Hydrogen Energy **13**, 407–410 (1988). [11] Brauer (3.) **1**, 128–133, 444 f. [12] Int. J. Hydrogen Energy **15**, 579–595 (1990). [13] Statistisches Bundesamt 1999. [14] DECHEMA-Monogr. **106** (1987); Justi, A Solar Energy System, New York: Plenum 1987; Z. Ver. zur Förderung des mathematisch-naturwissenschaftlichen Unterrichts **1993**, 206–211. [15] Phys. Bl. **45**, 264–269 (1989); DECHEMA-Monogr. **98**, 299–312 (1985); Lewerenz u. Jungblut, Photovoltaik, Heidelberg: Springer 1995. [16] Brennst. Wärme Kraft **41**, 432–438 (1989). [17] Chem. Ind. (London) **1997**, 771–774. [18] Nachr. Chem. Tech. Lab. **39**, 503–508, 1256–1266 (1991). [19] Krätz, Faszination Chemie, S. 59 ff., München: Callwey 1990.

allg.: Büchner et al., S. 14–21 ▪ Encycl. Gaz, S. 889–931 ▪ Hommel, Nr. 205, 205 a ▪ Janev et al., Atomic and Molecular Processes in Hydrogen-Helium Plasma, Berlin: Springer 1987 ▪ Kirk-Othmer (4.) **13**, 838–894 ▪ Kuron et al., Wasserstoff in Korrosion, Bonn: Kuron 1986 ▪ Paál u. Menon (Hrsg.), Hydrogen Effects in Catalysis, New York: Dekker 1988 ▪ Pankove u. Johnson (Hrsg.), Hydrogen in Semiconductors, Boston: Academic Press 1991 ▪ Schlapbach, Hydrogen in Intermetallic Compounds (2 Bd.), Berlin: Springer 1988 ■ Soners, Hydrogen Properties for Fusion Energy, Berkeley: Univ. Calif. Press 1986 ■ Ullmann (5.) **A 13**, 297–442 ■ Verkin, Properties of Condensed Phases of Hydrogen and Oxygen, New York: Hemisphere 1989 ■ Wendt (Hrsg.), Electrochemical Hydrogen Technologies. Electrochemical Production and Combustion of Hydrogen, Amsterdam: Elsevier 1990 ■ Winnacker-Küchler (4.) **2**, 111–145; **5**, 259–268 ■ Winter u. Nitsch, Wasserstoff als Energieträger, Berlin: Springer 1986 ■ Zuckerman u. Hagen, The Formation of Bonds to Hydrogen (Inorg. React. Meth. 1/1), Weinheim: Verl. Chemie 1986. – *Zeitschriften u. Serien:* Advances in Hydrogen Energy, Oxford: Pergamon (seit 1979) ■ International Journal of Hydrogen Energy, Oxford: Pergamon (seit 1975). – *Organisation:* International Association for Hydrogen Energy, Coral Gables, Fla. (USA). – [HS 2804 10; CAS 1333-74-0; G 2]

***ortho*-Wasserstoffabspaltung** s. *β*-Hydrid-Eliminierung.

Wasserstoff-Akzeptoren s. Wasserstoff.

Wasserstoffbakterien s. Knallgasbakterien.

Wasserstoff-Bindung s. Wasserstoff-Brückenbindung.

Wasserstoff-Bombe s. Kernwaffen.

Wasserstoff-Brennen s. Kernfusion.

Wasserstoff-Brücke s. Wasserstoff-Brückenbindung.

Wasserstoff-Brückenbindung (Wasserstoff-Bindung, Wasserstoff-Brücke). Bez. für eine bes. wichtige Form von Nebenvalenzbindung (s. chemische Bindung, S. 677f.), die sich zwischen einem an ein Atom eines elektroneg. Elements (*Protonen-Donator*, X) kovalent gebundenen *Wasserstoff-Atom u. dem *einsamen Elektronenpaar eines anderen elektroneg. Atoms (*Protonen-Akzeptor*, Y) ausbildet. Im allg. formuliert man ein solches Syst. als RX–H···YR′, wobei die punktierte Linie die W.-B. symbolisiert. Als X u. Y kommen hauptsächlich O, N, S u. Halogene in Frage; in manchen Fällen (z. B. HCN) kann auch C als Protonen-Donator fungieren. Die Polarität der kovalenten Bindung des Donators bedingt eine pos. Teilladung, δ^+, des Wasserstoffs (Protons), während das Akzeptoratom eine ensprechende neg. Teilladung, δ^-, trägt. Ebenso wie die kovalente Bindung hat die W.-B. im allg. eine Vorzugsrichtung; bei *intermol.* H-Brücken ist im allg. die W.-B. bei linearer Anordnung der Atome X–H···Y am stärksten. Hierzu gibt es aber Ausnahmen; eine der bekanntesten ist (HF)$_2$. Das HF-Dimere wurde in den letzten Jahren sehr intensiv mit hochauflösender Spektroskopie, v. a. im MW- u. IR-Bereich (*Lit.*[1–3]), u. mit Hilfe von *ab initio-Rechnungen[4] untersucht. Abb. 1 zeigt die *Gleichgewichtsgeometrie von (HF)$_2$; die Gleichgewichtsdissoziationsenergie D_e beträgt 19,1 kJ mol^{-1} (*Lit.*[5]).

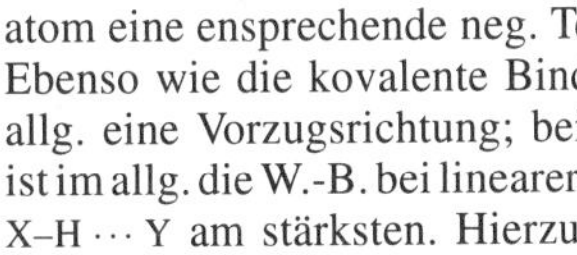

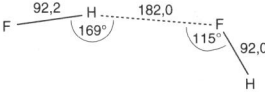

Abb. 1: Gleichgewichtsgeometrie von (HF)$_2$ nach ab initio-Rechnungen[4]; Bindungslängen in pm.

Charakterist. strukturelle u. spektroskop. Eigenschaften eines über eine W.-B. gebundenen Komplexes sind:

a) Der Abstand r_{HY} ist deutlich kleiner als die Summe der Van-der-Waalsschen Radien der Atome H u. Y.

b) Der XH-Gleichgewichtskernabstand wird vergrößert gegenüber dem freien Mol. RX–H. Im (HF)$_2$ (s. Abb. 1) beträgt die Verlängerung 0,56 pm (*Lit.*[4]).

c) Die XH-Streckschwingung (Donator-Streckschwingung) erfährt eine Verschiebung zu längeren Wellenlängen („Rotverschiebung"); zudem nimmt ihre Intensität deutlich zu (bei stärkeren H-Brücken um mehr als eine Größenordnung). Für (HF)$_2$ wurde eine Rotverschiebung von 93,1 cm^{-1} (*Lit.*[1]) u. eine Intensitätszunahme um einen Faktor 4 gemessen[6].

d) Infolge gegenseitiger Polarisation ist das *Dipolmoment des H-Brücken-gebundenen Komplexes größer als dies der Vektorsumme der Dipolmomente der Bestandteile. Für das HF-Dimere beträgt die Vergrößerung ca. 10%

e) Die Elektronendichte am Brücken-Wasserstoff-Atom wird bei der Ausbildung einer W.-B. reduziert. Dieser Effekt äußert sich experimentell in Form verringerter NMR-Verschiebungen (verminderte Abschirmung des Protons). Eine graph. Darst. ist mit Hilfe von Elektronendichtedifferenzen-Plots[7], erhältlich aus Rechnungen nach der *MO-Theorie, möglich.

Die Bindungsenergie einer W.-B. läßt sich näherungsweise in verschiedene Beiträge aufteilen. Zu den langreichweitigen Wechselwirkungen zählen die *elektrostat. Wechselwirkung* zwischen den permanenten elektr. Momenten der Monomeren, wobei im allg. die Dipol-Dipol-Wechselwirkung am größten ist, die *Induktions-Wechselwirkung* (gegenseitige Polarisierung der Monomeren) u. die *Dispersions-Wechselwirkung* (s. zwischenmolekulare Kräfte). Bei kürzeren intermol. Abständen überlappen sich die Elektronenhüllen der Monomeren. Dabei kann sich eine mit einem gewissen Ladungstransfer verknüpfte chem. Bindung vom Typ einer *4-Elektronen-3-Zentren-Bindung*[8] ausbilden; daneben liegt *Austausch-Repulsion* vor, da das *Pauli-Prinzip Elektronen mit gleichen *Spins auf Distanz hält u. verhindert, daß sich 2 Monomere zu nahe kommen.

Die *Dissoziationsenergien $D_0 = \Delta H_0^0$ (molare *Enthalpien der Reaktion RX–H···YR′ → RX–H+YR′ beim abs. Nullpunkt) liegen im allg. zwischen 1 u. 50 kJ mol^{-1}; einige Beisp. sind in der Tab. angegeben. Zu ihrer experimentellen Bestimmung werden thermochem. Messungen (2. *Virialkoeffizienten, therm. Leitfähigkeiten) od. spektroskop. Untersuchungen herangezogen; Näheres s. *Lit.*[9]. Eine bes. starke W.-B. liegt in FHF$^-$ vor. Dieses Anion konnte in der Gasphase mit hochauflösender *IR-Spektroskopie untersucht

Tab.: Dissoziationsenergien einiger Wasserstoff-Brückengebundener Komplexe RX–H···YR′.

RXH	YR′	D_0 [kJ/mol]
HCl	Ar	1,4
HCl	HCl	5,1
HF	HF	12,7
H$_2$O	H$_2$O	15,0
HF	HCN	18,9
HF	HC$_3$N	20,4
HF	CH$_3$CN	26,1

werden[10], womit die von ab initio-Rechnungen vorhergesagte lineare zentrosymmetr. Gleichgewichtsgeometrie experimentell verifiziert wurde. Der FH-Gleichgewichtskernabstand ergab sich zu $1{,}139 \cdot 10^{-10}$ m. Die Bindung in FHF^- kann man mit der MO-Theorie als 4-Elektronen-3-Zentren-Bindung beschreiben[8].

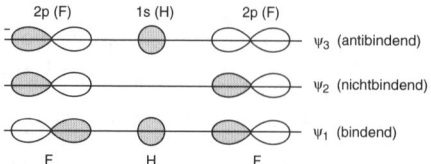

Abb. 2: Schemat. Darst. der relevanten Molekülorbitale im FHF^--Ion.

Die relevanten Molekülorbitale (MO) werden hierbei aus dem 1s-*Atomorbital (AO) am Wasserstoff-Kern u. den beiden $2p_z$-AOs an den Fluor-Kernen aufgebaut (s. Abb. 2). Es resultiert ein bindendes MO ψ_1, ein nichtbindendes ψ_2 u. ein antibindendes ψ_3. Die beiden ersten MO werden mit jeweils 2 Elektronen besetzt, so daß eine Bindungsordnung von etwa ½ resultiert. Die experimentelle Bindungsenergie von $D_0 = 163\ kJ\ mol^{-1}$ macht 29% des D_0-Wertes von HF aus.

In manchen Dimeren wird mehr als eine W.-B. ausgebildet, so z.B. in Dimeren von Carbonsäuren (s. Abb. 3), welche cycl. Strukturen ausbilden. In gesätt. Essigsäure-Dampf bei 118 °C liegt ein hoher Gehalt (ca. 50%) an Dimeren vor; die zur Trennung in Monomere aufzuwendende Enthalpie beträgt bei dieser Temp. $62{,}4\ kJ \cdot mol^{-1}$. Cycl. Strukturen werden häufig auch in höheren Oligomeren energet. favorisiert, z.B. in Oligomeren des Methanols ab den Trimeren[11]. Die Dissoziationsenergie des Trimeren in 3 Monomere ist mit $52\ kJ \cdot mol^{-1}$ nahezu viermal so groß wie die des Dimeren[9]. *Nichtadditivität* in den Dissoziationsenergien pro Monomer ist eine typ. Eigenschaft von über W.-B. gebundenen Komplexen.

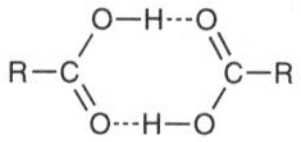

Abb. 3: Dimere von Carbonsäuren.

Neben intermol. H-Brücken gibt es auch *intramol.* (X u. Y gehören demselben Mol. an). Eine intramol. W.-B. liegt z.B. in der *Salicylsäure vor. Die Atome sind in solchen H-Brücken gewinkelt angeordnet.

Die W.-B. als *zwischenmolekulare Kräfte sind u.a. verantwortlich für viele *Assoziationen; Beisp.: Die im Vgl. zu ihren Ethern hohen Sdp. von niederen Alkoholen, der hohe Sdp. von HF, die mangelnde Stabilität mancher Komplexe in *protischen Lösemitteln[12], die Bindungen von Farbstoffen u. a. Textilhilfsmitteln auf Fasern, die Wasserlöslichkeit von Alkoholen, Glykolen, Hexosen, Disacchariden, Polyvinylalkohol u. Polyethylenglykolen sowie ganz allg. die ungewöhnlich hohen Schmp. u. Sdp. u. Verdampfungsenthalpien von OH- u. NH-Gruppen enthaltenden Molekülen. Mit einiger Berechtigung kann man sagen, daß erst die Bildung von W.-B. Leben auf der Erde ermöglicht – ohne

*Hydratation durch W.-B. wäre *Wasser bis zu tiefen Temp. ein Gas: Bei Extrapolation der Werte analoger *Hydride sollte Wasser bei −90 °C schmelzen u. bei −80 °C sieden. Umgekehrt können durch intramol. W.-B. (*Lit.*[13]) Schmp. u. Flüchtigkeit erniedrigt werden; *Beisp.: o*-Nitrophenol mit Schmp. 46 °C gegenüber den *m*- u. *p*-Verb. mit Schmp. 97 °C u. 115 °C. Neben den normalen W.-B. des Typs O–H⋯O, bei denen Saenger[14] formal zwischen gleichlaufenden (*homodromen*), gegenlaufenden (*antidromen*) u. richtungslosen (*heterodromen*) unterscheidet, können bei bestimmten räumlichen Anordnungen auch solche auftreten, bei denen die H-Atome zwischen zwei symmetr. Gleichgew.-Lagen oszillieren, sog. *Flip-Flop-W.-B.* (*Lit.*[15]).

Eine zentrale Rolle spielt die W.-B. in der *Biochemie. Die spezif. Strukturen (*Beisp.:* *Helix) von Biopolymeren werden durch W.-B. bewirkt u. stabilisiert, z.B. bei *Polysacchariden wie *Stärke od. *Cellulose, bei *Nucleinsäuren[16] (s. Abb. 2 bei Desoxyribonucleinsäure; die Nucleobasen *Adenin u. *Thymin sind durch 2 W.-B., *Guanin u. *Cytosin durch 3 W.-B. miteinander verknüpft) od. bei *Proteinen. Eine detaillierte quant. Beschreibung der verschiedenen Typen von W.-B. in Proteinen findet man in *Lit.*[17]. Die Ausbildung von W.-B. spielt auch eine wichtige Rolle bei der biolog. Erkennung[18] u. der enzymat. *Katalyse[19].

Eine wichtige Rolle spielen W.-B. bei *schnellen Reaktionen wie der Protolyse (*Protonenübertragungsreaktion), d. h. bei allen durch *Protonen katalysierten Reaktionen in wäss. Medium. Das Studium dieser Reaktion wird v. a. durch *Relaxations-Meth. ermöglicht.

– *E* hydrogen bond(ing) – *F* liaison (de pont) hydrogène – *I* legame di idrogeno, legame a idrogeno, ponte a idrogeno – *S* enlace por puente de hidrógeno

Lit.: [1] J. Chem. Phys. **56**, 2442 (1972); **78**, 2154 (1983); **81**, 2939, 5417 (1984); **83**, 2070 (1985); **84**, 590 (1986); **95**, 28 (1991). [2] Mol. Phys. **62**, 1047 (1987). [3] Chem. Phys. Lett. **171**, 517 (1990). [4] J. Chem. Phys. **102**, 2032 (1995). [5] J. Chem. Phys. **108**, 10096 (1998). [6] J. Chem. Phys. **101**, 7480 (1994). [7] Huyskens et al., Intermolecular Forces, S. 31–53, Berlin: Springer 1991. [8] Kutzelnigg, Einführung in die Theoretische Chemie, Bd. 2, Weinheim: VCH Verlagsges. 1994. [9] Chem. Rev. **88**, 827–841 (1988). [10] J. Chem. Phys. **87**, 6838–6841 (1987). [11] J. Chem. Phys. **92**, 6017–6029 (1990). [12] Pure Appl. Chem. **51**, 2019–2039 (1979). [13] Top. Stereochem. **11**, 1–52 (1979). [14] Angew. Chem. **92**, 404 f. (1980). [15] Angew. Chem. **95**, 908 f. (1983). [16] Saenger, Principles of Nucleic Acid Structure, Berlin: Springer 1983. [17] Nature (London) **255**, 609 (1975). [18] Sund u. Veeger, Mobility and Recognition in Cell Biology, Berlin: de Gruyter 1983. [19] Fersht, Enzyme Structure and Mechanism, 2. Aufl., New York: Freeman 1985.

allg.: Geiseler u. Seidel, Die Wasserstoffbrückenbindung, Braunschweig: Vieweg 1977 ▪ Israelachvili, Intermolecular and Surface Forces, 2. Aufl., London: Academic Press 1992 ▪ Joessten u. Schaad, Hydrogen Bonding, New York: Dekker 1974 ▪ Pimentel u. McClellan, The Hydrogen Bond, San Francisco: Freeman 1960 ▪ Schuster et al., The Hydrogen Bond, 4 Bd., Amsterdam: North Holland 1976 ▪ Vinogradov u. Linnell, Hydrogen Bonding, New York: Van Nostrand 1971 ▪ Weber, Structure and Dynamics of Weakly Bound Molecular Complexes, Dordrecht: Reidel 1987.

Wasserstoff-Dehydrogenase s. Hydrogenasen.

Wasserstoff-Donatoren s. Wasserstoff.

Wasserstoff-Elektrode s. Gaselektroden.

Wasserstoff-Ionen. Von der IUPAC empfohlene Sammelbez. für alle Ionen, die sich vom Wasserstoff-Atom (alle Isotope) durch Aufnahme od. Abgabe eines Elektrons ableiten. Bes. Namen für die *Kationen* sind: Hydron (unspezifiziert), *Proton ($^1H^+$), Deuteron ($^2H^+$, D^+), Triton ($^3H^+$, T^+) u. für die *Anionen:* *Hydrid (unspezifiziert), Protid ($^1H^-$, bisher *Hydrid-Ion), Deuterid ($^2H^-$, D^-), Tritid ($^3H^-$, T^-). Außerdem sollen H_3O^+ als *Oxonium u. alle anderen Spezies (z.B. $H_5O_2^+$, $H_7O_3^+$, $H_9O_4^+$, $H_{13}O_6^+$) als W.-I. bezeichnet werden. Bei diesen solvatisierten W.-I. (vgl. Hydratation, Solvatation) gruppiert sich um die innere *Hydrat-Hülle eine äußere, locker gebundene Hydrathülle, deren Zahl an H_2O-Mol. mit steigender Temp. sinkt. – *E* hydrogen ions – *F* ions hydrogène – *I* ioni d'idrogeno – *S* iones hidrógeno

Lit.: Holleman-Wiberg (101.), S. 258 ff. ■ Pure Appl. Chem. **60**, 1115 f. (1988) ■ Science **190**, 151 (1975).

Wasserstoffionen-Konzentration s. pH.

Wasserstoff-Lampe. Bez. für eine in der *UV-Spektroskopie benutzte *Entladungslampe* mit Wasserstoff-Füllung, die ein Kontinuums-Spektrum aussendet. – *E* hydrogen lamp – *F* lampe à hydrogène – *I* lampada a idrogeno – *S* lámpara de hidrógeno

Wasserstoff-Lyase s. Hydrogenasen.

Wasserstoffoxide. Neben dem *Wasser als einfachem Oxid des *Wasserstoffs gibt es noch eine Reihe von *Peroxiden* der allg. Formel $H-O_n-H$ mit $n = 2-4$, von denen lediglich das *Wasserstoffperoxid techn. Bedeutung hat. Die W. mit $n = 3, 4$ entstehen bei der Zers. von gasf. H_2O bzw. H_2O_2 bei niedrigem Druck durch eine elektr. Entladung. Dabei werden vermutlich $HO^·$- u. $HO_2^·$-Radikale gebildet, die zu H_2O_3 od. H_2O_4 rekombinieren. – *E* hydrogen oxides – *F* oxydes d'hydrogène – *I* ossidi d'idrogeno – *S* óxidos de hidrógeno

Lit.: Holleman-Wiberg (101.), 531 f.

Wasserstoffperoxid (veraltete Bez.: Wasserstoffsuperoxid). H–O–O–H, M_R 34,015. Reines W. ist eine farblose, mit Wasser mischbare u. in vielen organ. Lsm. lösl. Flüssigkeit, D. 1,71 (fest, –20 °C), 1,45 (flüssig, 20 °C), Schmp. –0,41 °C, Sdp. 150,2 °C (101,3 kPa), krit. Temp. 457 °C, krit. Druck 20,99 MPa. Die Viskosität liegt mit 1,249 mPa · s bei 20 °C nicht wesentlich höher als die des Wassers (1,002 mPa · s); in wäss. Lsg. werden jedoch *Wasserstoff-Brückenbindungen ausgebildet, welche diejenigen in den reinen Komponenten an Stärke übertreffen. Dieser Effekt zeigt sich in der Mischungswärme u. hat u. a. die erhöhte Viskosität zur Folge. Sehr reines W. ist bei 20 °C beständig, doch nimmt die Zers.-Neigung mit steigender Temp. zu, insbes. bei Anwesenheit von Spuren katalyt. wirkender organ. Substanzen od. Cu-, Fe- od. a. Schwermetall-Salze.

$$H_2O_2 \rightarrow H_2O + \tfrac{1}{2}O_2; \Delta H° = -98,20 \text{ kJ/mol}$$

Die Zers. kann dabei ggf. explosionsartig erfolgen, während 90%ige wäss. Lsg. bei 20 °C nicht zur Detonation gebracht werden kann. Mit Wasser ist W. in jedem Verhältnis mischbar; 90%iges H_2O_2 gefriert bei –11,9 °C, Schmp. eines eutekt. Gemischs aus 60% H_2O_2 u. 40% H_2O –54 °C.

Wäss. 3- od. 30%iges H_2O_2 (*Lit.*[1]) – im Handel ist bis zu 70%iges H_2O_2 – ist eine wasserklare, farb- u. geruchlose Flüssigkeit, die ganz schwach sauer reagiert (schwächer als Kohlensäure) u. bes. in der Wärme, im Licht, in Ggw. von Staub, Schwermetallen u. Alkalien (z. B. Ammoniak od. den aus Glas freiwerdenden Alkalien) allmählich in Wasser u. Sauerstoff zerfällt, der *in statu nascendi bleichend u. desinfizierend wirkt. Der oxidative Zerfall läßt sich durch spezielle Aktivatoren u. Katalysatoren beschleunigen. Die Zers.-Reaktion verläuft über freie Radikale

$$HOOH \rightarrow H^· + {^·OOH} \text{ od. } HOOH \rightarrow 2{^·OH}$$

Um den Zerfall des H_2O_2 während der Aufbewahrung zu verzögern, gibt man wäss. W.-Lsg. kleine Mengen von *Stabilisatoren zu, z. B. Natriumphosphate u. -stannate. Chelat-Bildner bilden mit Schwermetall-Salzen Komplexverb., so daß diese das H_2O_2 nicht mehr zersetzen können. Beim Durchleiten von Chlor durch eine alkal. W.-Lsg. läßt sich eine rote Chemilumineszenz beobachten, die durch *Singulett-Sauerstoff hervorgerufen wird. Durch Photosensibilisierung können auch karminrote od. lavendelblaue Lumineszenzerscheinungen erzeugt werden[2]. Chemilumineszenz tritt auch auf in alkal. *Lucigenin-Lsg. in Ggw. von H_2O_2. W. kann sowohl oxidierend als auch (gegenüber stärkeren Oxid.-Mitteln) reduzierend reagieren. Beispielsweise wirkt es auf Kaliumpermanganat-Lsg. u. Chlorkalk reduzierend, wobei es selbst zu O_2 oxidiert wird. Die meisten übrigen Stoffe oxidiert es: Eisen(II)-sulfat zu Eisen(III)-sulfat, Schweflige Säure zu Schwefelsäure, Salpetrige Säure zu Salpetersäure, Bleisulfid zu Bleisulfat, Iodwasserstoffsäure zu Iod, Alkohole zu Aldehyden u. Säuren; >60%iges H_2O_2 kann brennbare Stoffe entzünden. W. bildet zahlreiche Peroxohydrate, von denen einige, wie z. B. *Natriumpercarbonat u. *Percarbamid („festes W."), als Bleichmittel u. Antiseptikum Verw. finden. Techn. weit wichtiger sind jedoch die Substitutionsverb., insbes. die *Peroxide u. *Persäuren sowie andere *Dioxy- u. *Peroxy-Verbindungen. Die Umsetzungen verlaufen allg. nach dem Schema

$$H_2O_2 + R-X \rightarrow R-O-OH + HX \text{ bzw.}$$
$$H_2O_2 + 2R-X \rightarrow R-O-O-R + 2HX.$$

Nachw.: Qual. durch die intensive Gelbfärbung von Titanoxidsulfat-Lsg. infolge Bildung von Titanperoxosulfat (s. Titansulfate) od. durch die vorübergehende Blaufärbung (infolge Bildung von CrO_5) mit Kaliumdichromat-Lsg. u. verd. Schwefelsäure; die Blaufärbung kann durch Extraktion mit Ether, Ethylacetat od. Pentanol stabilisiert werden. Die quant. Bestimmung erfolgt im allg. durch oxidimetr. Titration mit Kaliumpermanganat nach

$$2 KMnO_4 + 5 H_2O_2 + 3 H_2SO_4 \rightarrow K_2SO_4 + 2 MnSO_4 + 8 H_2O + 5 O_2,$$

mit Iodid od. Cer(IV)-sulfat. Kleinste H_2O_2-Mengen in Luft lassen sich durch photometr. Bestimmung mit Titan(IV)-chlorid erfassen.

Physiologie: In tier. od. pflanzlichen Geweben wird W. durch Enzyme wie die *Oxidasen gebildet u. durch Enzyme wie *Katalasen bzw. *Peroxidasen unter Abgabe von Sauerstoff bzw. unter Substrat-Oxid. zersetzt. Höher konz. W.-Lsg. u. W.-Dämpfe wirken stark ätzend auf Haut u. Schleimhäute, insbes. auf die Atemwege u. die Augenschleimhaut. Eingenommen führt W. zu inneren Blutungen; MAK-Wert 1,4 mg/m^3, s. a. *Lit.*^{3}. Verd. (3%ige) wäss. Lsg. wurden früher zur Munddesinfektion benutzt, doch wird von dieser Verw. zunehmend abgeraten.

In der Natur entsteht H_2O_2 in kleinen Mengen bei biolog. Vorgängen wie Atmung, Gärung, Oxid. der Harnsäure durch Uricase, aus reaktiven Sauerstoff-Spezies^4 wie dem *Hyperoxid-Radikal unter dem Einfluß von *Superoxid-Dismutasen usw. W. findet sich auch in der Atmosphäre (bes. nach Gewittern u. starken Niederschlägen) in geringen Mengen (z.B. 0,04–1 mg/kg Luft); zu seinen Bildungs- u. Zers.-Reaktionen sowie zur Oxid. von SO_2 durch W. s. *Lit.*^{5}. Nach *Lit.*^{6} soll W.-haltiger saurer Nebel maßgeblich an der Entstehung der *Waldschäden beteiligt sein.

Herst.: Die erste W.-Herst. von *Thénard (1818) durch Einwirkung von Schwefelsäure auf Bariumperoxid ergab nur verd. wäss. Lösungen. Die 1908 in Weißenstein entwickelte, 1924 von Löwenstein abgewandelte elektrolyt. Herst. aus Peroxodischwefelsäure od. Ammoniumperoxodisulfat, die über die *Carosche Säure als Zwischenprodukt verläuft, bzw. das über *Kaliumperoxodisulfat verlaufende Pietzsch-Adolph-Verf. liefern 35- bis 45%ige Lsg. von H_2O_2; über die Weiterentwicklung der elektrolyt. Verf. s. *Lit.*^{7}. Das nicht mehr verwendete Verf. der Luftoxid. von 2-Propanol:

$H_3C-CH(OH)-CH_3 + O_2 \longrightarrow H_3C-C(O)-CH_3 + H_2O_2$

lieferte neben W. (in 20%iger Lsg.) auch Aceton. Heute wird H_2O_2 zu über 95% nach verschiedenen Varianten des *Anthrachinon-Verf.* hergestellt, dem auf Riedl u. Pfleiderer (1935) zurückgehenden AO (=Autoxid.)-Verf. der IG-Farben-Ind. (1942):

R=C_2H_5, $C(CH_3)_3$, $CH_2-C(CH_3)_3$, $CH(CH_3)-n-C_3H_7$ od. Mischungen.

Die organ. „Reaktionsträger" werden in einem komplexen Lsm.-Gemisch aus Aromaten (als Chinon-Löser), u. polaren Verb., z.B. Methylcyclohexanolacetat (als Hydrochinon-Löser), im Kreislauf geführt; das durch Oxid. mit Luft bei 30–80 °C/500 kPa gebildete H_2O_2 wird mit Wasser extrahiert. Die dabei anfallende ca. 15–35%ige H_2O_2-Rohlsg. wird im allg. auf 70% konzentriert. Die direkte Herst. von 20%iger H_2O_2-Lsg. aus den Elementen gelingt mit Hilfe eines Katalysators aus Pt- u. Pd-Salzen auf einem Trägermaterial aus kolloidalem SiO_2(aq) unter Druck bei 10–17 °C. Über die W.-Herst. im Laboratoriumsmaßstab s. *Lit.*^{8}. Weltweit wurden Anfang der 90er Jahre ca. 1,8–1,9 Mio. t W. jährlich produziert, davon etwa 50% in Europa.

Verw.: Zum Bleichen von Holz, Textilien, Papier, Ölen, Fetten, zur Herst. von Bleichmitteln für die Waschmittel-Ind. (insbes. von *Natriumperborat) u. für Reinigungs- u. Desinfektionsmittel, Kosmetika, zur Haarbleiche (z.T. in Form des Harnstoff-Addukts Percarbamid), in der chem. Ind. als Ausgangsprodukt für Epoxide, Peroxid-Katalysatoren, Glycerin, Weichmacher, Alkyl- u. Acyl-Peroxide, Peroxocarbonsäuren. Im Rahmen des Umweltschutzes verwendet man H_2O_2 zunehmend anstelle von Cl_2 u. Cl-haltigen Oxid.-Mitteln zur Reinigung, Entgiftung u. Desodorierung von Abwässern^9, Trink- u. Schwimmbadwasser (zu Fragen der Toxikologie hierbei s. *Lit.*^{10}), zur *Zellstoffbleiche sowie zum *De-inking von Altpapier. W. dient ferner zum Reinigen von Si-Chips in der Elektronik-Ind., zum Ätzen u. Beizen von Buntmetallen, Messing u.a. Legierungen. Hochprozentige W.-Lsg. (80%ig, „T-Stoff") fanden im 2. Weltkrieg in dtsch. Raketen als *Raketentreibstoffe Verw. u. dienten auch zur Herst. von U-Boot-Antriebsmitteln. – *E* hydrogen peroxide – *F* peroxyde d'hydrogène – *I* perossido d'idrogeno, acqua ossigenata – *S* peróxido de hidrógeno

Lit.: ^{1}Ph. Eur. **1997**, S. 1824 f. ^{2}Roesky u. Möckel, Chemische Kabinettstücke, S. 168–172, Weinheim: VCH Verlagsges. 1996. ^{3}Merkblatt: Wasserstoffperoxid (M 009), Heidelberg: BG Chem. Ind. 1984. ^{4}Pharm. Unserer Zeit **17**, 71–80 (1988). ^{5}Environ. Sci. Technol. **24**, 1452–1462 (1990). ^{6}Int. J. Environ. Anal. Chem. **27**, 183–213 (1986). ^{7}Chem. Tech. (Leipzig) **39**, 279–284 (1987); EP 342047, Du Pont, 1989. ^{8}Brauer (3.) **1**, 156 ff. ^{9}Industrieabwässer **38**, 10–15 (1990). ^{10}Z. Wasser Abwasser Forsch. **21**, Nr. 4, 133–140 (1988); Schriftenr. Ver. Wasser-, Boden-, Lufthyg. (Berlin-Dahlem) **81**, 59–72 (1989).

allg.: Blaue Liste, O 107 ■ Braun-Dönhardt, S. 394 ■ Büchner et al., S. 21–30 ■ Gmelin, Syst.-Nr. 3, Sauerstoff, 1966, 1969, S. 2097–2356, 2624–2632 ■ Hommel, Nr. 206, 206 a, 206 b ■ Snell-Ettre **14**, 427–439 ■ Strukul, Catalytic Oxidations with Hydrogen Peroxide as Oxidant, Dordrecht: Kluwer 1992 ■ Ullmann (5.) A **13**, 443–466 ■ Winnacker-Küchler (4.) **2**, 563–584 ■ s.a. Hydroperoxide, Peroxide. – *[HS 284700; CAS 7722-84-1; G 5.1]*

Wasserstoffperoxid-Oxidation. Bez. für Verf., bei denen *Wasserstoffperoxid als Oxidationsmittel für die Behandlung von *Abwasser od. *Abluft – insbes. zur Oxid. von organ. Verunreinigungen – eingesetzt wird. Bei der *Abwasserbehandlung dienen u.a. Eisen-Ionen als Katalysator, an denen – wie bei *Fentons Reagenz – Wasserstoffperoxid OH-Radikale u.ä. bildet. Diese stellen das eigentliche Oxidationsmittel dar. Angewandt wird Wasserstoffperoxid auch zur Cyanid-Oxidation^1. Beim eleganten *LOPROX-Verf. hingegen ist kein Wasserstoffperoxid-Einsatz erforderlich, sondern die Oxidationsmittel werden katalyt. aus Sauerstoff gebildet. Wasserstoffperoxid kann manchmal zur Beseitigung von halogenierten *Dioxinen u. *Dibenzofuranen aus Abluft eingesetzt werden^2. Die W.-O. oxidiert viele biolog. schwer abbaubare Substanzen zumindest teilw. u. macht sie so einem *biologischen Abbau leichter zugänglich. – *E* hydrogen peroxide oxidation – *F* oxydation par peroxyde d'hydrogène – *I* ossidazione coll'acqua ossigenata – *S* oxidación por peróxido de hidrógeno

Lit.: ^{1}Brauer (Hrsg.), Handbuch des Umweltschutzes u. der Umwelttechnik, Bd. 4, Additiver Umweltschutz, Behandlung von Abwässern, S. 575–596, Berlin: Springer 1996. ^{2}Brauer (Hrsg.), Handbuch des Umweltschutzes u. der Umwelttechnik, Bd. 3, Additiver Umweltschutz, Behandlung von Abluft u. Abgasen, S. 473–492, Berlin: Springer 1996.

allg.: Abwassertechnische Vereinigung (Hrsg.), ATV-Handbuch Industrieabwasser, Grundlagen (4.), S. 131–222, Berlin: Ernst 1999 ■ Roques (Hrsg.), Chemical Water Treatment, Principles and Practice, S. 446–453, 479–536, New York: VCH Publ. 1996.

Wasserstoffsäuren. Bez. für *Säuren, deren Mol. außer Wasserstoff nur ein einziges Element (*Beisp.:* HCl, Salzsäure) od. eine bestimmte einfache Gruppe (*Beisp.:* HCN, Blausäure) enthalten. – *E* hydrogen acids – *F* hydracides – *I* idracidi – *S* hidrácidos

Wasserstoff-Speicher s. Hydrid-Speicher u. Metallhydride.

Wasserstoffsuperoxid s. Wasserstoffperoxid.

Wasserstoff-Transfer s. Hydrierung.

Wasserstoffversprödung. Zähigkeitsverminderung metall. Werkstoffe als Folge von *Wasserstoff-Gehalten. Dabei liegt Wasserstoff entweder aufgrund von metallurg. Prozessen (einschließlich Schweißvorgänge) od. von Fertigungsverf. im Gefüge vor, od. wird aus der Umgebung aufgenommen u. diffundiert atomar in den Werkstoff ein. Die Versprödungseffekte ergeben sich aus Wechselwirkungen od. Reaktionen zwischen Wasserstoff u. Gefügebereichen u. können im Grenzfall zu Rißbildung od. Bruch führen; s. a. Versprödung. – *E* hydrogen embrittlement – *F* fragilité due à l'hydrogène – *I* fragilità da decapaggio, fragilità da idrogeno – *S* fragilidad debida al hidrógeno
Lit.: VDI-Richtlinie 3822, Bl. 3 (1990) ▪ s. a. Korrosion.

Wasserstrahlpumpen. Kleine, einfach konstruierte *Pumpen aus Glas, Kunststoff od. Metall, mit denen man im Laboratorium zur *Destillation od. *Filtration ein Vak. von ca. 15 mbar erhält (entsprechend dem *Dampfdruck des Wassers bei der jeweiligen Temp.).

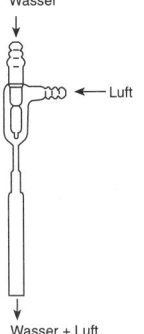

Abb.: Funktionsweise der Wasserstrahlpumpe.

Funktionsweise: Die W. in ihrer einfachsten Form wird mit Hilfe eines Vak.-Schlauches am oberen Stutzen an einem Wasserleitungshahn angeschlossen. Öffnet man den Hahn, so reißt das ausfließende Wasser Luft mit, die dem am seitlichen Stutzen angeschlossenen Vak.-Gefäß entnommen wird, so daß sich in diesem der Luftdruck zunehmend verringert. Damit bei einem evtl. Nachlassen des Wasserdrucks kein Wasser in das evakuierte Gefäß gesaugt wird, schaltet man eine *Woulfe-Flasche zwischen W. u. evakuierter Apparatur, s. die Abb. 2 bei Destillation (S. 915). Es gibt auch W. mit Rückschlagventil. Die Entwicklung der W. geht auf *Bunsen (1868) zurück. – *E* water jet vacuum pumps – *F* pompes à vide à jet d'eau – *I* pompe a getto d'acqua – *S* trompas de agua
Lit.: s. Pumpen.

Wassersucht s. Ödem.

Wassertropfenprobe s. Fluor.

Wasserverdünnbare Lacke s. Wasserlacke.

Wasserwelle s. Haarbehandlung.

Wasserzeichen. Bez. für eine Zeichnung im *Papier, die beim Betrachten in durchfallendem Licht sichtbar wird (vgl. DIN 6730: 1996-05). Derartige W. entstehen auf dem Sieb durch Eindrücken einer Relief- od. Hohlform in den nassen Faserfilz. Der Gebrauch von W. ist seit dem 13. Jh. bekannt. – *E* watermark – *F* filigrane – *I* = *S* filigrana
Lit.: s. Papier.

Watson, James Dewey (geb. 1928), Prof. für Biochemie, Harvard Univ. Cambridge (Mass.). Seit 1968 Direktor des Cold Spring Laboratory (NY), seit 1989 Direktor des National Center for Human Genome Research of the National Inst. of Health. *Arbeitsgebiete:* Molekularbiologie, Struktur von Nucleinsäuren u. a. Biopolymeren, Tumorviren, genet. Code, Entwicklung des Doppelhelix-Modells der DNA (Watson-Crick-Modell); Nobelpreis für Physiologie od. Medizin 1962 zusammen mit *Crick u. *Wilkins.
Lit.: Lexikon der Naturwissenschaftler, S. 414 ▪ Neufeldt, S. 231 ▪ Pötsch, S. 446 ▪ Science **138**, 498–500 (1962) ▪ Who's Who in the World, S. 1510.

Watson-Crick-Basenpaarung s. Desoxyribonucleinsäuren, S. 911.

Watt. 1. Nach dem engl. Ingenieur James Watt (1736–1819) benannte abgeleitete *SI-Einheit* (Symbol W) der Leistung, des Energie- u. des Wärmestroms, die definiert ist als diejenige Leistung, bei der in der Zeit 1 s die Energie 1 J (*Joule) umgesetzt wird: $1\,W = 1\,J/s = 1\,Nm/s = 1\,m^2 \cdot kg/s^3 = 10^7\,erg/s$. Bei der Angabe von elektr. Scheinleistungen darf W auch als VA (*Voltampere*), bei der Angabe von elektr. Blindleistungen auch als var (*Var*) bezeichnet werden. Dagegen sind das frühere *internat. W.* (W_{int}, Fehler –0,19‰) seit dem 1.1.1975 u. die *Pferdestärke* (PS, 1 kW = 1,359621 PS; 1 PS = 0,73549875 kW) seit dem 1.1.1978 nicht mehr als Einheit zugelassen. Von Watt leiten sich Einheiten der Arbeit u. der *Energie ab: 1 kWh (*Kilowattstunde*) = $3{,}6 \cdot 10^6$ Ws (*Wattsekunden*) = 3,6 MJ = 860 kcal.

2. *Gezeitenbereich* (Mehrzahl Watten) flacher Meeresküsten, der bei Ebbe weitgehend trockenfällt, bei Flut vom Wattenmeer überspült wird. Die W. an der dtsch., dän. u. niederländ. Nordseeküste erstrecken sich über ca. 450 km, sind im Mittel 7–10 km u. max. 25 km breit. Das W. wird von verzweigten Rinnen zerteilt, wovon die kleinsten, mit höchstens 1 m Wasserhöhe bei Niedrigwasser als *Priele*, die größeren mit Einzugsbereich im W. als *Baljen*, die mit Süßwasserzufluß als *Tiefs*, die Durchlässe zwischen Inseln als *Seegaten* u. kurze flache, aber breite Rinnen als *Legden* bezeichnet werden.

Untergrund: Der W.-Boden besteht aus *Sand u. *Schlick, der darunter liegende Untergrund des im Nordseebereich seit ca. 10000 Jahren ansteigenden Meeresspiegels z. T. außerdem aus Torfen, Kiesen u. a. Sedimenten. Fels-W. findet sich z. B. in Helgoland. Die W.-Sedimente verteilen sich in Abhängigkeit von Was-

sertiefe, Strömungen u. Seegang u. werden generell küstenseits feinkörniger. Die Sande stammen weitgehend aus dem aufgearbeiteten Meeresgrund, während der Schlick mit den Flüssen herantransportiert od. durch Erosion u. von Plankton u. von Seegras neu gebildet wird. Für die Sedimentation sind die Höheren Pflanzen (Seegräser) wichtig, für die Verfestigung auch die von Tieren u. Algen ausgeschiedenen Schleime. Die Sande bestehen zu ca. 80% aus *Quarz u. zu 20% aus *Feldspäten, *Glimmer u. *Carbonaten. Die Feinsandfraktion enthält an der dtsch. Nordseeküste natürlicherweise 0,2–3,5% Schwerminerale (im Bereich ehemaliger Urstromtäler wesentlich mehr), hauptsächlich *Epidot, *Hornblende, *Granat, *Turmalin, *Zirkon, *Topas, *Apatit u. *Titanit. Auch stark radioaktive Sande kommen vor[1]. Die Sande enthalten etwa 1% organ. Substanz, der Schlick 5–10%. Mit der organ. Substanz sind Eisenhydroxide, -sulfate, -sulfide u. -phosphate sorbiert; aufgrund der vorliegenden Eisen-Verb. lassen sich im Profil 3 Zonen unterscheiden: *Hydroxid-Zone* = Oxid.-Zone, bräunlich-gelblich-grau, im Schlick bis wenige Zentimeter, im Sand einige Zentimeter mächtig; *Monosulfid-Zone*, schwarz-blau durch Eisensulfid (das im Anaeroben mit Schwefelwasserstoff, aus der Sulfat-Red. = Sulfat-Atmung, gefällt wurde), typischerweise 20–40 cm, stellenweise mehrere Meter mächtig; *Disulfid-Zone*, grau gefärbt durch Umsetzung von Eisensulfiden zu *Pyrit; zu weiterer Mineralbildung s. *Lit.*[2]. Typ. Sande enthalten bis 2%, Schlick 2–4% Carbonate. Im sog. Schill sind Muschelschalen-Fragmente u. damit Carbonate angereichert. Als Farbstreifen-W. bezeichnet man eine typ., auf Mikroorganismen zurückgehende farbige Schichtung, die von der Oberfläche beginnend grau (Diatomeen = Kieselalgen), grün (Grünalgen u. *Cyanobakterien), violett-rot (Purpurbakterien, s. Schwefelbakterien; an der Grenze zum Anaeroben) sowie schwarz (Monosulfid-Zone) gefärbt ist.
Ökologie: Das W. kann von Land- zu Seeseite folgendermaßen untergliedert werden: Salzwiesen werden nur bei Springflut überflutet u. haben eine weitgehend geschlossene Pflanzendecke z. B. aus Schwingel (*Festuca rubra*), Salzbinse (*Juncus gerardi*), Grasnelke (*Armeria maritima*), Andelgras (*Puccinellia maritima*) u. Salzmelde (*Suaeda maritima*). Der Verlandungsgürtel steht unter dem ständigen Einfluß von Ebbe u. Flut; dort siedeln Queller (*Salicornia herbacea*) u. Reisgras (*Spartina townsendi*). Die W.-Flächen sind weitgehend von Höheren Pflanzen frei; seeseitig u. in den Rinnen finden sich Seegras (*Zostera nana*) sowie auf verdrifteten Muschelschalen u. a. Hartsubstrat die Darmtange (*Enteromorpha*), der Meersalat (*Ulva lactuca*) u. der Gemeine Blasentang (*Fucus vesiculosus*). Manche Tiere besiedeln das W. weitgehend unabhängig von der Sedimentkorngröße, z. B. die Tellmuschel (*Macoma baltica*), die Klaffmuschel (*Mya arenaria*) u. der Wattringelwurm (*Nereis diversicolor*), andere sind auf kleinere Bereiche beschränkt. Im Schlick-W. finden sich z. B. der Schlickkrebs (*Corophium volutator*), die W.-Schnecke (*Hydrobia ulvae*) u. die Strandschnecke (*Littorina littorea*), im Misch-W. mit höherem Sandanteil im Boden z. B. die Herzmuschel (*Cardium edule*) od. der (erwachsene) Pierwurm (*Arenicola marina*) sowie im Sand-W. z. B. der Borstenwurm (*Scoloplos armiger*).

Das W. ist durch die Nährstoffzufuhr von Lande bzw. über Flüsse stets nährstoffreicher u. damit produktiver als die übrige See. Von den dicht besiedelten, in die Nordsee entwässernden Landschaften Europas gelangen Schwermetalle, anorgan. Nährstoffe u. organ. Stoffe, aus Großbritannien Klärschlämme u. Ind.-Abfälle, von Schiffen, Häfen (z. B. Rotterdam) u. Bohrinseln bes. Mineralölprodukte in die W., wo sich Schwermetalle u. a. Belastungen in *Sedimenten, Wasser u. *Biozönosen nachweisen lassen. Zudem wird die Wattfläche durch Eindeichungen (z. B. Rotterdam, Ijsselmeer) vermindert. Über 5000 km^2 W. sind als Nationalparke allein in der BRD unter Schutz gestellt[3]. – *E* 1. watt, 2. tidal flat , Wadden Sea – *F* 1. watt, 2. mer des Wadden – *I* 1. watt, 2. bassofondo – *S* 1. watt, vatio, 2. marisma, bajo, bajío, aguas bajas
Lit.: [1] Umschau **80**, 305 f. (1980). [2] Oceanologica Acta **12**, 175–185 (1989). [3] Umweltbundesamt (Hrsg.), Daten zur Umwelt, S. 387 f., Berlin: E. Schmidt 1997.
allg.: (zu 2.): Abrahmse et al. (Hrsg.), Wattenmeer (4.), Neumünster: Wachholtz 1984 ▪ Reineck (Hrsg.), Das Watt – Ablagerungs- u. Lebensraum (3.), Frankfurt: Kramer 1982 ▪ Reise, Tidal Flat Ecology, Heidelberg: Springer 1985 ▪ Spektrum Wiss. **1991**, Nr. 5, 52–63 ▪ Sündermann (Hrsg.), Circulation and Contaminant Fluxes in the North Sea, Berlin: Springer 1994. – *Zeitschriften:* Helgoländer wissenschaftliche Meeresuntersuchungen (seit 1937) ▪ Senckenbergiana maritima (seit 1969).

Watte. Lockere, aus Faserfloren aufgebaute u. verdichtete Fasermassen aus bis zur einzelnen Faser aufgeschlossenen Faserstoffen, wobei die Fasern durch ihre natürliche Haftung zusammengehalten werden. Sie bestehen aus Baumwollhaaren, Wolle, Tillandsia, Zellstoff, auch Quarz- u. a. Mineralfasern.
Verw.: Aus gereinigter, gebleichter u. entfetteter Baumwolle bzw. Zellwolle (regenerierte Cellulose, Viskose-Faser) allein od. in Mischung als Wund- od. Verband-W., als blutstillende Thromboplastin-haltige W., ferner als Polster-W. für Kleidungsstücke (Wattieren), Steppdecken u. dgl., als Ind.-W. für verschiedene Zwecke, z. B. als Milchfilter-W., Polier-W., Abdichtungsmaterial usw., als W.-Stopfen zum Verschluß von Reagenzgläsern etc. – *E* wad(ding) – *F* ouate – *I* ovatta – *S* guata
Lit.: Hager (4.) **7 a**, 887–906; (5.) **1**, 17–29 ▪ Ph. Eur. **1997** u. Komm. (Verbandwatte) ▪ s. a. Verbandstoffe.

Wattlerinde s. Mimosen.

Wattsekunde s. Watt.

Wau s. Luteolin.

Wavellit. Al$_3$[(OH)$_3$/(PO$_4$)$_2$] · 5 H$_2$O; in verschiedenen Tönungen grünes, auch farbloses, weißes, graues, gelbliches od. braunes, teilw. gebändertes rhomb. *Aluminiumphosphat-Mineral, Kristallklasse mmm-D$_{2h}$; Kristallstruktur s. *Lit.*[1,2]. Überwiegend radialstrahlige Büschel von Krist.-Nadeln, sternförmige u. kugelige strahlige Aggregate, nierige u. warzige Gebilde u. Krusten. H. 3,5–4, D. 2,3–2,4, Spaltbarkeit vollkommen, spröde; Glasglanz u. Seidenglanz. Lösl. in Salzsäure. Chem. Analysen zeigen bis 3 Gew.-% Fe$_2$O$_3$; V^{4+} u. V^{5+} sind nach *Lit.*[3] für die gelben, grünen u. bläulichen Farben verantwortlich. W. entsteht hydrothermal u. aus

Verwitterungs-Lsg. bei der Umlagerung des Phosphat-Gehaltes prim. Phosphat-Mineralien, v. a. des *Apatits.

Vork.: Auf Klüften u. Schichtfugen in *Kieselschiefer, z. B. Ronneburg/Thüringen, Devonshire/England; auf Phosphorit-Lagerstätten (*Apatit); auf Klüften einer Breccie (s. klastische Gesteine, Tab.) in Arkansas/USA. – $E = I$ wavellite – F wavéllite – S wavelita

Lit.: [1] Z. Kristallogr. **127**, 21–33 (1968). [2] Angew. Chem. **98**, 520–529 (1986). [3] Am. Mineral. **51**, 422–428 (1966). **allg.:** Lapis **11**, Nr. 1, 5–7 (1986) („Steckbrief") ▪ Nriagu u. Moore (Hrsg.), Phosphate Minerals, S. 128 f., 192, 302–313, Berlin-Heidelberg: Springer 1984 ▪ Ramdohr-Strunz, S. 649. – [HS 285 29; CAS 1319-40-0]

Waver. Eine hochreine, polierte u. geätzte Scheibe aus einem Halbleiter (Si, GaAs etc.), in die durch Diffusion u. a. Prozeßschritte Halbleiterbauelemente wie *Dioden od. *Transistoren eingebaut werden; s. a. Halbleiter. – $E = F = I = S$ waver

Wawa s. Abachi.

Wax-Cracker-Olefine. Aus Mineralölen gewonnene Fraktionen geradkettiger 1-Alkene mit 6–15 C-Atomen zur Herst. von organ. Zwischenprodukten u. α-*Olefinsulfonaten.

Waxit®. Präp. zur Oberflächenbehandlung von Wachsmodellen in der Dentaltechnik. **B.:** Degussa-Hüls.

Wb. In der Physik Kurzz. für *Weber.

WBL. Abk. für Wissenschaftsgemeinschaft Blaue Liste, s. Blaue Liste u. WGL.

WCOT (Abk. von E *wall coated open tubular*). Bez. für in der *Gaschromatographie verwendete Trennkapillaren, bei denen die Trennflüssigkeit als *Film* auf der Kapillarinnenwand aufgebracht ist. PLOT (Abk. von E *porous layer open tubular*) ist dagegen die Bez. für Trennkapillaren mit einer *Schicht* von Partikeln (Al_2O_3 od. organ. Polymer) als Trennschicht. – E WCOT

WCP. Abk. für E World Climate Programme, das Welt-Klima-Programm von WMO (World Meterological Organization) u. *UNEP, 1979 auf der Weltklimakonferenz in Genf initiiert. Unterprogramme sind das World Climate Data Programme (WCDP), das World Climate Applications Programme (WCAP), das World Climate Research Programme (WCRP) u. das World Climate Impact Studies Programme (WCIP). Das Forschungsprogramm WCRP hat die Komponenten ACSyS (Arctic Climate System Study), CLIVAR (Climate Variability and Predictability Programme), GEWEX (Global Energy and Water Cycle Experiment), SPARC (Stratospheric Processes and their Role in Climate), WGNE (Working Group on Numerical Experimentation) u. WOCE (World Ocean Circulation Experiment).

Lit.: Houghton et al., Climate Change 1995, The Science of Climate Change, Cambridge: University Press 1996 ▪ Umwelt (BMU) **1995**, 436 ff.; **1996**, 64–66.

WC-Reiniger. s. Sanitärreiniger.

Weben. Verf. der Textil-Ind. zur Herst. von *Geweben auf sog. Webstühlen mittels Verflechten von *Kettfäden*, die im Gewebe in Längsrichtung parallel zur Leiste verlaufen, mit rechtwinklig kreuzenden *Schußfäden* („Kette u. Schuß"). Um die *Garne für das W. widerstandsfähig zu machen, werden sie mit Schlichtemitteln (*Schlichte) behandelt. – E weaving – F tissage – I tessitura – S tejeduría

Lit.: s. Textilien.

Weber (Kurzz. Wb). Nach dem dtsch. Physiker Wilhelm Eduard Weber (1804–1891) benannte Einheit für denjenigen magnet. Fluß, der in einer ihn umschlingenden Windung der elektr. Spannung 1 Volt induziert, wenn er innerhalb einer Sekunde gleichmäßig auf Null abnimmt: 1 Wb = 1 V · 1 s (Vs, *Voltsekunde*) = 1 m² · kg/(s² · A). Die früher gebräuchliche Einheit 1 Maxwell (Mx) ist mit dem Weber nach 1 Wb = 10^8 Mx verknüpft. Weiter gilt: 1 Wb = 1 T · 1 m² (s. Tesla) u. 1 Wb = 1 H · 1 A (s. Henry). – $E = F = I = S$ weber

Webfilz s. Filz.

Web-Flor-Teppiche s. Teppiche.

Webwaren s. Textilien.

Wechsellagerungs-Minerale (Wechselschicht-Minerale). Bez. für Minerale, die aus in Richtung der kristallograph. c-Achse (*Kristallsysteme) regelmäßig od. unregelmäßig (statist.) gestapelten Abfolgen von 2 od. 3 verschiedenen *Tonmineralien (z. T. auch unter Beteiligung von *Glimmern) zusammengesetzt sind; Kriterien zur Klassifikation s. *Lit.*[1,2]. Am häufigsten sind 1:1- od. ca. 2:1-Wechsellagerungen (vgl. Tonmineralien) von Vierschicht- (*Chlorite) od. nicht quellfähigen Dreischicht-Mineralien (z. B. *Illit) mit aufgeweiteten (quellfähigen) Dreischicht-Mineralien (bes. *Smektite, hier v. a. *Montmorillonit). Die verbreiteten *Illit/Smektit*-Wechsellagerungen (Abk.: I/S-W.-M.) entstehen überwiegend als Zwischenstadium der Umwandlung Smektit → Illit (kinet. Modelle dazu s. *Lit.*[3,4]) während der Diagenese (Komaktion u. Verfestigung) von *Tonen u. a. *Sedimenten (*Lit.*[5,6]), bei hydrothermaler Umwandlung von Gesteinen (*Lit.*[7]) u. auch während niedriggradiger Metamorphose (*Lit.*[8,9]); zu ihrer Struktur s. *Lit.*[10–12], zur chem. Zusammensetzung *Lit.*[13]. Zu W.-M. mit Chloriten als Komp. s. Bailey (*Lit.*).

In Böden (*Boden) treten bes. W.-M. zwischen Chlorit u. Illit einerseits u. Vermiculit u. Smektit andererseits auf. Für die Erdöl.-Ind. wichtig sind die diagenet. Umwandlung von hochquellfähigen Smektiten über weniger quellfähige W.-M. bis zu Illiten bzw. Chloriten u., damit einhergehend, der Anteil an Ammonium-Ionen (von NH_3 aus organ. Substanz stammend; *Lit.*[14,15]) in den Zwischenschichten der Illite; die Zone der max. Kohlenwasserstoff-Bildung liegt oft im Bereich einer 60–80prozentigen Illitisierung der Smektite.

Regelmäßige W.-M. (Nomenklatur s. *Lit.*[16]) führen z. T. eigene Namen: *Rectorit*[17] besteht aus 1:1-Wechsellagerungen von *Muscovit u. Montmorillonit, *Tosudit* aus solchen von dioktaedr. (vgl. Glimmer) Chlorit (*Sudoit) u. Smektit, *Hydrobiotit* aus solchen von Biotit (*Glimmer) u. *Vermiculit. Als *Corrensit* werden 1:1-W.-M. bezeichnet, die aus Chlorit/Vermiculit od. Chlorit/Smektit bestehen; s. aber die Diskussion in *Lit.*[18]. Diskutiert wird die Einstufung von sog. *R1 I/S-W.-M.* mit 50% Illit-Anteil als eigenständiges Mineral[9].

Die Untersuchung der W.-M. erfolgt außer mit röntgenograph. Meth. am. besten unter dem hochauflösenden Transmissions-*Elektronenmikroskop, u. zwar an Ultramikrotom-Schnitten (*Mikroskopie) senkrecht zur Basisfläche, wenn die quellbaren Komponenten mit *n*-Alkylammonium-Ionen aufgeweitet werden [19,20]. – *E* mixed-layer minerals, interstratified clay minerals – *F* mineraux d'interstratification – *I* minerali con strati alterni – *S* minerales de interestratificación

Lit.: [1] Clays Clay Miner. **37**, 189 ff. (1989). [2] Am. Mineral. **79**, 644–653 (1994). [3] Clays Clay Miner. **44**, 77–87 (1996). [4] Clays Clay Miner. **41**, 162–177 (1994). [5] Am. J. Sci. **291**, 473–506 (1991). [6] Clays Clay Miner. **39**, 54–69 (1991). [7] Am. Mineral. **73**, 1325–1334 (1988). [8] Geol. Soc. Am. Bull. **87**, 725–737 (1976). [9] Am. Mineral. **82**, 379–391 (1997). [10] Nature (London) **331**, 699–702 (1988). [11] Eur. J. Mineral. **10**, 111–124 (1998). [12] Clays Clay Miner. **44**, 257–275 (1996). [13] Clays Clay Miner. **34**, 368–378 (1986). [14] Clay Miner. **29**, 527–537 (1994). [15] Am. Mineral. **82**, 79–87 (1997). [16] Am. Mineral. **67**, 394–398 (1982). [17] Am. Mineral. **80**, 247–252 (1995). [18] Am. Mineral. **82**, 109–124 (1997). [19] Clay Miner. **21**, 827–859 (1986). [20] Clays Clay Miner. **38**, 373–379 (1990). *allg.:* Bailey (Hrsg.), Hydrous Phyllosilicates (Reviews in Mineralogy, Vol. 19), S. 601–629, Washington (D. C.): Mineralogical Society of America 1988 ▪ Heim, Tone u. Tonminerale, S. 35 f., 87–92, Stuttgart: Enke 1990 ▪ Jasmund u. Lagaly (Hrsg.), Tonminerale u. Tone, S. 7–11, 58–64, 179 f., Darmstadt: Steinkopff 1993 ▪ Moore u. Reynolds, X-ray Diffraction and the Identification and Analysis of Clay Minerals, S. 247–271, New York: Oxford University Press 1989 ▪ s. a. Tonmineralien, Tone.

Wechselschicht-Minerale s. Wechsellagerungs-Minerale.

Wechselwirkung. 1. In der Physik kennt man vier sog. fundamentale W., d. h. vier *Kräfte die zwischen den Teilchen (s. a. Elementarteilchen) wirken. Nach den neuen Modellen der theoret. Physik vereinigen sich die Kräfte bei sehr hohen Energien (s. a. Urknall). – 2. In der Chemie spricht man von W. z. B. bei den Van-der-Waals- u. a. *zwischenmolekularen Kräften, bei *Resonanz- u. a. Effekten bes. bei ion. od. biradikal. Spezies, bei *Wirt-Gast-Beziehungen, bei *through-bond- od. *through-space-W. zwischen Elektronenpaaren, bei *Charge-transfer-Komplexen usw. – 3. In der Biochemie sind W.-Prozesse allgegenwärtig, z. B. Antigen-Antikörper-W., Operator-Repressor-W., Enzym-Substrat-W., Arzneimittel-Rezeptor-W., hydrophobe Protein-Lipid-W. in Membranen usw.; die Arzneimittel-Arzneimittel-W. wird fachsprachlich *Interaktion* genannt. – *E* = *F* interaction – *I* interazione – *S* interacción

Wechselzahl s. Enzyme, S. 1178.

Weckamine. Bez. für eine zu den Psychostimulantien gerechnete Gruppe von Wirkstoffen, deren Vertreter chem. mit den körpereigenen bzw. pflanzlichen Phenylethylaminen *Adrenalin bzw. *Ephedrin verwandt sind; *Beisp.:* *Amphetamin, *Methamphetamin, *Fenetyllin, *Amfetaminil. W.-wirksame Bestandteile enthält auch *Kat. W. sind lipophiler als Adrenalin u. Ephedrin u. wirken daher stark zentral erregend. Von der Wirkungsweise her gehören sie zu den *Sympath(ik)omimetika. Die meisten der als *Rauschgifte eingeschätzten W. unterliegen dem Betäubungsmittelgesetz. Sie werden mißbräuchlich als Dopingmittel u. Appetitzügler verwendet. – *E* analeptic amines – *F* amines analéptiques – *I* ammine analettiche – *S* aminas analépticas

Lit.: Ullmann (5.) **A 2**, 314 ff.

Wecker, Eberhard (geb. 1923), Prof. für Virologie u. Immunbiologie, Univ. Würzburg. *Arbeitsgebiete:* Immunbiologie, Virologie, Zellkooperation bei Immunantwort, Interaktion Virus–Zelle.

Lit.: Kürschner (16.), S. 3974 ▪ Wer ist wer (36.), S. 1519.

Weddel(l)it s. Calciumoxalat u. Whewellit.

Wedelolacton (1,8,9-Trihydroxy-3-methoxycumestan).

$C_{16}H_{10}O_7$, M_R 314,25, grüngelbe Nadeln, Schmp. 327–330 °C (Zers.). Cumestan-Derivat aus *Eclipta prostrata, E. alba* u. *Wedelia calendulacea* (Korbblütler, Asteraceae). W. ist die wichtigste hepatoprotektive Komponente dieser Pflanzen. *In vitro* schützt W. Leberzellen vor den tox. Effekten von Tetrachlormethan (s. Chlormethane), *Galactosamin u. *Phalloidin. Die leberprotektive Wirkung ist bei Derivaten, die am C-Atom 8 keinen Substituenten besitzen, nicht vorhanden, wichtig ist auch die freie Hydroxy-Gruppe in 1-Stellung [1]. Im Tierversuch wirkt W. lebensrettend gegen das Gift der brasilian. Klapperschlange (*Bothrops jararaca*) [2]. W. hemmt die 5-Lipoxygenase u. wirkt damit antiphlogistisch [1,3]. – *E* wedelolactone – *F* wédélolactone – *I* wedelolattone – *S* wedelolactona

Lit.: [1] Arzneim. Forsch. **38**, 661–665 (1988). [2] Toxicon **27**, 1003–1009 (1989). [3] Planta Med. **1986**, 374–377. *allg.:* Beilstein E V **19/7**, 60 ▪ J. Chem. Soc. **1956**, 629; **1957**, 545, 548 ▪ J. Heterocycl. Chem. **20**, 635 (1983) (Synth.) ▪ Planta Med. **1986**, 370–374. – [CAS 524-12-9]

Wedgwood-Porzellan s. Porzellan.

Wedler, Gerd (geb. 1929), Prof. für Physikal. Chemie, Univ. Erlangen-Nürnberg. *Arbeitsgebiete:* Untersuchungen zur Adsorption, Koadsorption u. Reaktion kleiner Mol. an Metalloberflächen unter dem Aspekt der heterogenen Katalyse, Arbeiten über strukturelle u. elektrische Eigenschaften sehr dünner, metall. Aufdampfschichten. Autor mehrerer Bücher, u. a. eines Lehrbuchs der Physikal. Chemie.

Lit.: Kürschner (16.), S. 3976 ▪ Wer ist wer, S. 1520.

Weglänge, mittlere, freie s. Gasgesetze u. Vakuum.

Wegmarkierungsstoffe s. Pheromone.

Wegner, Gerhard Otto Johannes (geb. 1940), Prof. für Physikal. Chemie, Univ. Mainz (bis 1974), Prof. für Makromol. Chemie, Univ. Freiburg (bis 1984), Direktor am MPI für Polymerforschung, Mainz. *Arbeitsgebiete:* Organ. Festkörperchemie, Synth., Struktur u. Festkörpereigenschaften von Polymeren.

Lit.: Kürschner (16.), S. 3980; (17.), S. 1500 ▪ Wer ist wer, S. 1522.

Wegwarte s. Zichorien.

Wehenmittel. Bez. für Mittel zur *Wehenanregung* od. -verstärkung während der Geburt od. in der Nachgeburtsphase (auch als *Abortiva gebraucht). Zu den W. gehören z. B. Präp. auf der Basis von Hormonen aus dem *Hypophysen-Hinterlappen wie *Oxytocin, auch *Prostaglandine, für die Nachgeburt bevorzugt *Ergot-Alkaloide. Zur *Wehenhemmung* bei drohender Frühgeburt können β-*Sympath(ik)omimetika wie *Fenoterol, *Hexoprenalin u. *Ritodrin als *Tokolytika* (von griech.: tokos = Geburt) eingesetzt werden. – *E* oxytocics – *F* oxytociques – *I* ossitocici – *S* oxitócicos

Wehrchemie. Sammelbegriff für 1. *Militärchemie u. – 2. die chem. Zusammensetzung u. Wirkungsweise von *Tiergiften, wie *Insektengiften, *Schlangengiften etc., die von vielen Tierarten zu Abwehr- u. Angriffszwecken produziert u. angewendet werden. Auch *Phytonzide werden als *Wehrstoffe* der W. zugerechnet. – *E* defense chemistry – *F* chimie de défense – *I* chimica di difesa – *S* química de defensa

Wehrstoffe. W. sind chem. Substanzen, die von Tieren bei Beunruhigung, Bedrohung od. direkter körperlicher Gefährdung u. auch noch bei Verletzung bzw. Tötung durch Störungen bzw. durch Räuber aktiv gezielt od. passiv freigesetzt werden. Dadurch werden z. T. andere Artgenossen od. auch Individuen anderer Arten gewarnt. Bei Insekten sind W. in verschiedenen Gruppen weit verbreitet. In der Regel befinden sich die abgesonderten Stoffe in bes. Wehrdrüsen u. können bei Larven wie auch bei Erwachsenen vorkommen, z. B. bei Laufkäfern (Carabidae), Bockkäfern (Cerambycidae: Moschusbockkäfer *Aromia moschata*), Blattkäfern (Chrysomelidae), Ohrwürmern (Dermaptera), Gelbrandkäfern (Dytiscidae), Schnabelkerfen (Hemiptera), Kurzflüglern (Staphylinidae) u. Schwarzkäfern (Tenebrionidae). W. sind auch die aus den Rückenröhren von Blattläusen (Aphididae) austretende Flüssigkeit sowie im Blut gelöste, schlecht schmeckende Stoffe. Letztere schützen allerdings weniger das Einzelindividuum als die anderen Individuen der gleichen Art, nachdem der Feind schlechte Erfahrungen gemacht hat, z. B. bei Ölkäfern (Meloidae) u. Widderchen (Zygaenidae). Durch *Mimikry (Gestalt-Nachahmung bei Tieren) können auch andere, W.-lose Tiere von dieser Wehrhaftigkeit zum eigenen Schutz profitieren. – *E* antibody – *F* produits de défense – *I* anticorpo – *S* anticuerpos

Lit.: Jacobs u. Renner, Biologie u. Ökologie der Insekten, 3. Aufl., Stuttgart: Fischer 1998 ▪ Mebs, Gifttiere, Stuttgart: Wissenschaftliche Verlagsges. 1992 ▪ Teuscher u. Lindequist, Biogene Gifte, 2. Aufl., Stuttgart: Fischer 1994.

Weichagarmedien. Halbfeste Nährböden (s. Nährmedium), die ca. 0,5% *Agar enthalten u. nicht so stark erstarren wie die Nährböden, die für die Anzucht von *Mikroorganismen, Zellen u. Geweben verwendet werden. Diese enthalten ca. 1,5% Agar. W. können mit *Bakterien- od. *Phagen-Suspensionen sowie mit tier. Zellen vermischt werden u. ermöglichen die räumlich getrennte Fixierung der Bakterien, Phagen od. Zellen. In der *Mikrobiologie werden W. v. a. für den Nachw. u. die quant. Bestimmung von Bakteriophagen (s. Phagen) verwendet[1]. W. werden außerdem eingesetzt zur Etablierung von Dauerzellinien transformierter tier. Zellen od. für das *Screening nach transformierten tier. Zellen mit bestimmten neuen Eigenschaften[2]. – *E* soft agar media – *F* milieux d'agar mou – *I* mezzo di agar dolce – *S* medios de agar blando

Lit.: [1] Brock, Biology of Microorganisms (8. Aufl.), S. 256, Upper Saddle River, USA: Prentice Hall 1997. [2] Morgan u. Darling, Kultur tierischer Zellen, S. 119, Heidelberg: Spektrum 1994.

Weichbraunkohle s. Braunkohle.

Weiche s. Gerberei.

Weiche Basen, Säuren s. HSAB-Prinzip u. Säure-Base-Begriff.

Weiche Zinkpaste s. Zinkoxid.

Weichglas s. Hartglas.

Weichgummi. Bez. für unter Verw. von 1 – 4% Schwefel vulkanisierte, ggf. *Füllstoffe enthaltende Kautschuke. – *E* soft rubber – *F* caoutchouc souple (mou) – *I* gomma molle – *S* goma blanda

Weichharze. Bez. für *natürliche Harze od. *synthetische Harze, die bei Normaltemp. flüssig sind. W. können bei Einwirkung von z. B. Sauerstoff, Katalysatoren od. Wärme zu einem festen Film trocknen od. als Film klebrig bleiben. Die nicht trocknenden W. können auch den *Weichmachern zugerechnet werden. W. sind z. B. mittel- bis höhermol. *Polyolefine, *Polyester, *Polyether, *Polyacrylate od. *Aminoplaste. Einige davon werden wegen ihrer Eigenschaften u. Funktionen bei der Anw. auch als *Oligomer-* od. *Polymer-Weichmacher* bzw. als *Weichmacherharze* bezeichnet. *Verw.:* U. a. zum *Plastifizieren von *Hartharzen, zur Elastifizierung u. Verbesserung der Eigenschaften (Glanz, Haftung) von Lacken od. als Reaktionspartner für härtbare Harze u. Lacke. – *E* flexible (soft) resins – *F* résines molles – *I* resine flessibile e morbide – *S* resinas blandas (flexibles)

Weichkäse. Gereifter *Käse, der nach § 3, Absatz 3 der Käse-VO[1] aus pasteurisierter od. in Ausnahmen auch aus nicht pasteurisierter Käsereimilch hergestellt werden darf, wird als W. bezeichnet. Zur Klassifizierung von Käse s. auch *Lit.*[2]. W. muß nach § 6, Absatz 1 der Käse-VO[1] in der fettfreien Käsemasse mindestens 67% Wasser enthalten. W. wird in Sorten ohne Schimmel (Limburger, Romadur, Münsterkäse) u. mit Schimmel (Weißschimmelkäse: Camembert, Brie; Blauschimmelkäse: Roquefort, Gorgonzola) angeboten. Die ca. 2-wöchige Reifung verläuft von außen nach innen u. ist durch eine Vielzahl chem. u. mikrobieller Veränderungen geprägt (s. Käse). W. wird in den Fettstufen von Doppelrahmstufe (≥55% Fett in Trockenmasse) bis Halbfettstufe (>35%) angeboten. – *E* soft cheese – *F* fromage mou (à pâte molle) – *I* formaggio tenero – *S* queso blando (de pasta blanda)

Lit.: [1] Käse-VO vom 14. 4. 1986 i. d. F. vom 3. 2. 1997 (BGBl. I, S. 144). [2] Spreer, Technologie der Milchverarbeitung, S. 302–304, Hamburg: Behr 1995.
allg.: Belitz-Grosch (4.), S. 479–481 ▪ Lindner, Toxikologie der Nahrungsmittel (4.), S. 146–148, Stuttgart: Thieme 1990 ▪ Vollmer et al., Lebensmittelführer (2.), Bd. 2, S. 84–96, Stuttgart: Thieme 1995 ▪ Zipfel, C 277 *3*, 26, 27a. – [*HS 0406..*]

Weichkaramellen. W., die aus *Milch, Stärkesirup, Fett u. einer *Saccharose-Lsg. unter Einkochen hergestellt werden, bezeichnet man als *Toffees*. Sie setzen sich zusammen aus: Saccharose 30–60%, Stärkesirup 20–50%, Invertzucker 1–10%, Lactose 0–6%, Fett 2–15%, Milcheiweiß 0–5%, Gelatine 0–0,5%, Wasser 4–8%, Mineralstoffe 0,5–1,5%, außerdem Sorbit, Säuren u. Aromastoffe. Die gegenüber Hartkaramellen elastischere Konsistenz wird durch den höheren Fett- u. Wasseranteil, sowie durch das Einschlagen von Luft erzielt. W. werden auch mit Füllung angeboten. Als Fettkomponente für die W.-Herst. kommen emulgatorhaltige Triglyceride auf der Basis von Palmkern od. Sojafett in Frage (z. B. TOFFIX®). Zur Technologie der Karamell- u. Toffee-Herst. s. *Lit.*[1]. Produktion 1997 in der BRD: 56 089 t; s. a. Karamellen. – *E* toffees – *F* caramels mous – *I* caramelle tenere – *S* caramelos blandos

Lit.: [1] Candy Industry **161**, 27 (1996).
allg.: Belitz-Grosch (4.), S. 793 ▪ Frede (Hrsg.), Taschenbuch für Lebensmittelchemiker u. -technologen, Bd. 1, S. 420, Berlin: Springer 1991 ▪ Heiss (Hrsg.), Lebensmitteltechnologie (5.), Berlin: Springer 1996 ▪ Vollmer et al., Lebensmittelführer (2.), Bd. 1, S. 254, 259, Stuttgart: Thieme 1995 ▪ Zipfel, C 355. – [HS 1704 90, 1806 90]

Weichlöten s. Löten.

Weichlote s. Goldlote u. Lote.

Weichmacher (Weichmachungs-, Plastifikations-, Plastifizierungs-, Elastifizierungsmittel). 1. Bez. für flüssige od. feste, indifferente organ. Substanzen mit geringem Dampfdruck, überwiegend solche esterartiger Natur, welche ohne chem. Reaktion, vorzugsweise durch ihr Löse- u. Quellvermögen, u. U. aber auch ohne ein solches, mit hochpolymeren Stoffen in physikal. Wechselwirkung treten u. ein homogenes Syst. mit diesen bilden können. W. verleihen den mit ihnen hergestellten Gebilden bzw. Überzügen bestimmte angestrebte physikal. Eigenschaften, wie z. B. erniedrigte Einfriertemp., erhöhtes Formveränderungsvermögen, erhöhte elast. Eigenschaften, verringerte Härte u. ggf. gesteigertes Haftvermögen.
W. finden in großen Mengen u. in vielfältiger Weise Verw. in Kunststoffen, Lacken, Anstrich- u. Beschichtungsmitteln, Dichtungsmassen, Kautschuk- u. Gummi-Artikeln (hier gelegentlich Elastifikatoren genannt), Klebstoffen u. a. Produkten. Der erste, bereits 1870 patentierte W. war *Campher (ergibt mit Nitrocellulose *Celluloid).
Ein idealer W. soll geruchlos, farblos, licht-, kälte- u. wärmebeständig, unhygroskop., wasserbeständig, nicht gesundheitsschädlich, schwer brennbar u. möglichst wenig flüchtig, neutral reagierend, mit Polymeren u. Hilfsstoffen mischbar sein u. ein gutes Gelierverhalten aufweisen. Die drei wichtigsten W.-Eigenschaften gegenüber Hochpolymeren sind Verträglichkeit, Geliervermögen u. weichmachende Wirksamkeit. *Thermoplaste u. *Duroplaste haben einen *Elastizitäts-Modul von etwa 200–4000 MPa, *Elastomere von 5–600 MPa. Vernetzte Elastomere eignen sich für die Herst. von elast. Kunststoffteilen nur bedingt. Durch den Zusatz von W. zu geeigneten Thermoplasten (z. B. PVC) werden Elastizitätsmodul u. Glasübergangstemp. gezielt erniedrigt.
Für einige Eigenschaftskriterien von W. gibt es Prüfnormen: DIN 53400: 1988-06 für physikal. u. chem. Kennzahlen; DIN-EN-ISO 3681: 1998-06 für VZ; DIN-EN-ISO 3682: 1998-06 für SZ.
Weichmachung (*Plastifizieren) bedeutet die Verschiebung des thermoplast. Bereiches zu niederen Temperaturen. In den gewünschten thermoelast. Zustand kann man Thermoplaste entweder durch eine *Copolymerisation (innere Weichmachung) od., was in der Praxis überwiegend angewandt wird, durch Zusatz von W. (äußere Weichmachung) bringen. Bei der *inneren Weichmachung* durch die Copolymerisation von z. B. Vinylchlorid mit Comonomeren mit raumfüllenden Seitengruppen (Acrylsäuremethylester etc.) werden die Abstände der einzelnen *Makromoleküle erweitert, die intermol. Anziehungskräfte verringert u. die Kettenbeweglichkeit erhöht. In der Praxis haben die Copolymerisate des Vinylchlorids eine gewisse Bedeutung für Verarbeitungstechniken bei niedrigen Temp. u. als Lack- u. Klebstoffrohstoffe. Bei der *äußeren Weichmachung* treten die polaren Gruppen (*Dipole) des W. mit den polaren Gruppen des Kunststoffs [besteht aus langgestreckten Kettenmol. (s. Makromoleküle) mit regelmäßig angeordneten Dipolen; Ausnahmen: Polyolefine, Kautschuk] in Wechselwirkung. Dabei schieben sich die kleinen, beweglichen W.-Dipole zwischen die Kettenmol. des Kunststoffs u. binden sich an deren Dipole. Die Kettenmol. werden dadurch aufgelockert u. beweglicher; gleichzeitig nehmen Weichheit u. Dehnung des weichgemachten Kunststoffs zu u. die Zugfestigkeit vermindert sich. Man spricht dabei von *Scharnier-* u. *Abschirm-W.*, vgl. Abb. 1 u. 2.
*Polar, d. h. dipolbildend, wirken bei den W. v. a. die Sauerstoff-Atome der COOR-Gruppen; daher sind z. B. Dicarbonsäureester als W. bes. geeignet. In einigen Fällen kommen noch Phosphor- u. Schwefel-Atome dazu. Bei W., die noch polarisierbare aromat. Ringe enthalten, ergeben sich z. B. für Weich-PVC andere mechan. u. elektr. Eigenschaften als mit aliphat. Dicarbonsäureestern.
Bes. in der PVC-Verarbeitung begegnen einem häufig die Begriffe *Primär-W.*, *Sekundär-W.* u. *Extender*, die sich auf die Verarbeitungseigenschaften beziehen. Zu den ersteren gehören Phthalsäure-, Trimellitsäure- u. Phosphorsäureester sowie Polymer-W., zu den Sek.-W. Adipin-, Azelain-, Sebacinsäureester u. Alkylfettsäureester u. zu den Extendern aromat. Kohlenwasserstoffe u. Chlorparaffine.
Eine bes. für die Anw. von weichgemachten Kunststoffen wichtige Eigenschaft der W. ist ihre Fähigkeit zur *Wanderung* od. *Migration*, die durch Diffusions-, Dampfdruck- u. Konvektionsvorgänge zustande kommt, u. die sich v. a. bei Berührung des Kunststoffs mit anderen flüssigen od. festen Stoffen bemerkbar macht. Der W. dringt in den anderen Stoff (meist sind es andere polymere Kunststoffe) ein. Dieser wird angelöst, korrodiert od. es treten Quellerscheinungen u. schließlich sogar ein Ankleben an der Oberfläche des Kontaktstoffes auf. Die Migrationsgeschw. ist bei Raumtemp. sehr gering, nur niedermol. W. zeigen in kurzer Zeit eine deutliche Migration. Mit der Temp. nimmt die Migrationsgeschw. rasch zu, von 20°C bis 50°C ca. um den Faktor 10, von 20°C bis 70°C ca. um den Faktor 100–200. Die Geschw. ist auch abhängig

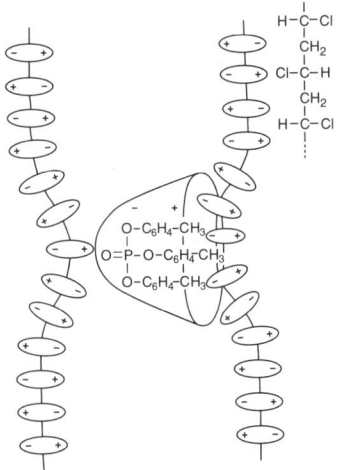

Abb. 1: Weichmachung durch Scharnierweichmacher (Überträgerwirkung): TCF-Mol. zwischen zwei PVC-Kettenmolekülen.

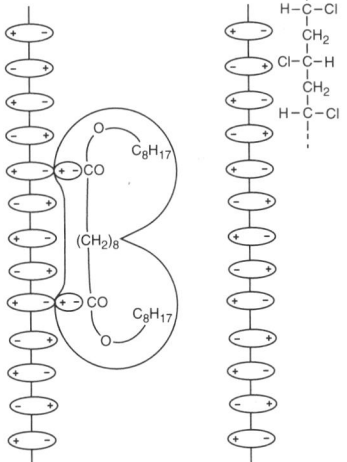

Abb. 2: Weichmachung durch Abschirmweichmacher (Trennwirkung): DOS-Mol. zwischen zwei PVC-Kettenmolekülen.

von Konz. u. Zusammensetzung des W. sowie von der Natur des Kontaktstoffs; zur Prüfung der Wanderungstendenz von W. s. DIN 53405: 1981-12. Die W.-Migration spielt bes. für die physiol. Unbedenklichkeit von Lebensmittelverpackungen eine Rolle, s. Lit.[1]. Mit Rücksicht auf den *Umweltschutz sind die polychlorierten Biphenyle (*PCB) als W. nicht mehr in Verwendung.

Einteilung u. Verw.: Die wichtigsten W., die im allg. in Einzelstichwörtern mit Hinweisen auf evtl. Gesundheitsrisiken (z. B. *Trikresylphosphat) behandelt sind, lassen sich in 9 größere Gruppen einteilen (in Klammern die Kurzz. nach DIN 7723: 1987-12).

Phthalate (*Phthalsäureester): Dioctylphthalat [DOP, Bis(2-ethylhexyl)-phthalat] für PVC, Lacke usw.; Diisononyl- (DINP), Diisodecylphthalat (DIDP) für Weich-PVC-Kabelisoliermassen u. a. Anw.; Phthalsäureester mit (überwiegend) linearen C_6- bis C_{11}-Alkoholen (sog. W.-Alkohole) für Weich-PVC mit guter Kälteelastizität u. niedriger Flüchtigkeit; Dibutylphthalat (DBP), Diisobutylphthalat (DIBP) für Cellulose-Derivate, Lacke, Klebstoffe, PVA-Dispersionen; Dicyclohexylphthalat (DCHP) für heißsiegelfähige Cellulosenitrat-Lacke u. Zellglasfolien; Dimethylphthalat (DMP) u. Diethylphthalat (DEP) für Celluloseacetat-Formmassen u. -Lacke. Für Spezialzwecke sind Mischester aus Benzylbutyl- (BBP), Butyloctyl-, Butyldecyl- u. Dipentylphthalat, Bis(2-methoxyethyl)-phthalat, Dihexyl-dicaprylphthalat (DCP) u. dgl. geeignet.

Trimellitate: *Trimellit(h)säure-Ester mit (überwiegend) linearen C_6- bis C_{11}-Alkoholen für Weich-PVC mit niedriger Flüchtigkeit u. guter Kälteelastizität; *Beisp.:* Tris(2-ethylhexyl)trimellitat (TOTM) für PVC, Lacke usw.

Acycl. (aliphat.) Dicarbonsäureester: Ester der Adipinsäure wie Dioctyladipat [DOA; Bis(2-ethylhexyl)-adipat], Diisodecyladipat (DIDA) für kälteelast. Weich-PVC in Mischung mit Phthalaten. Ferner werden noch Dibutylsebacat (DBS), Dioctylsebacat [DOS, Bis(2-ethylhexyl)-sebacat; vgl. Abb. 2] u. Ester der Azelainsäure in Mischung mit Phthalaten verwendet, Dibutylsebacat auch als W. für PVDC.

**Polymerweichmacher:* *Polyester aus Adipin-, Sebacin-, Azelain- u. Phthalsäure mit Diolen wie 1,3-Butandiol, 1,2-Propandiol, 1,4-Butandiol, 1,6-Hexandiol u. a. (M_R ca. 1800–13 000) werden – im Gegensatz zu monomeren W. – von aliphat. Kohlenwasserstoffen aus dem Weich-PVC nicht extrahiert. *Verw.:* Öl- u. Benzin-Schläuche, Profile u. Folien, ölbeständige Kabel u. Leitungen; öl- u. fettbeständige Polymer-W. auf Sebacinsäure-Basis mit speziellen Diolen weisen auch gegenüber der Gruppe Styrolhomo- u. Styrolcopolymere keine Migration u. Korrosion auf. Auch Butadien-Acrylnitril-Copolymere können als polymere W. in Betracht kommen, z. B. in Klebefolien, PVC, Chlorkautschuk, Nitrolacken, für Cellulose-Decklacke auf Zellglas, zu Einbrennlacken (epoxidierte Öle kombiniert mit Cellulosenitrat u. Aminoplasten).

Phosphate (*Phosphorsäureester): Trikresylphosphat (TCF, vgl. Abb. 1) für PVC- u. Nitrolacke, Triphenylphosphat (TPF) für Acetat-Sicherheitsfilme u. Celluloseacetat, kombiniert mit Trikresylphosphat u. Phthalaten für Acetyl- u. Nitrocellulosen sowie schwer entflammbare Weich-PVC-Artikel, Diphenylkresylphosphat (DPCF) für PVC, Diphenyloctylphosphat [DPOF, (2-Ethylhexyl)-diphenylphosphat] für PVC, Tris(2-ethylhexyl)-phosphat (TOF) für PVC, Tris(2-butoxyethyl)phosphat für einige Synth.-Kautschuktypen. Größere Mengen von Phosphat-W. finden in hydraul. Flüssigkeiten, Schmiermitteln, Benzinzusätzen u. dgl. Anwendung.

Fettsäureester: Kleine Mengen von Butyloleat od. Butylstearat können bei PVC-Produkten die Kältebeständigkeit verbessern u. die Verarbeitung infolge Schmierwirkung erleichtern. Methyl- u. Butylester der acetylierten Ricinolfettsäure werden in Synth.-Kautschuk, PVC u. Cellulosenitrat eingesetzt, Fettsäureglykolester bilden kältefeste, antistat. W. für Vinylharze (Fußbodenbeläge, Förderbänder), Triethylenglykol-bis(2-ethylbutyrat) ist ein W. für Polyvinylbutyral.

Hydroxycarbonsäureester: *Citronensäureester sind wegen ihrer Ungiftigkeit für *Lebensmittelumhüllungen u. für Lacke auf Lebensmittelverpackungsmaterial von Bedeutung: Tributyl-*O*-acetylcitrat für PVC-Folien im Nahrungsmittelgewerbe, Triethyl-*O*-acetylcitrat für Cellulose-Produkte. Von ähnlichen Eigenschaften sind entsprechende *Weinsäureester*, die ebenso wie die Citrate auch Anw. in der pharmazeut. Technologie finden, sowie *Milchsäureester*.
Epoxidweichmacher: Epoxidierte Fettsäure-Derivate, insbes. Triglyceride u. Monoester, die dank ihrer Epoxy-Gruppe im Mol. als Säureakzeptoren stabilisierende Wirkung für Halogen-haltige Polymere (PVC etc.) besitzen u. synergist. die Wirkung von Metall-*Stabilisatoren erhöhen; *Beisp.:* Ester der Epoxystearinsäure u. epoxidierte Sojaöle (EPSO), Leinöle (EPLO).
Polyamidweichmacher: Benzolsulfonamide, *p*-Toluolsulfonamide.
Außer diesen Hauptgruppen gibt es noch viele andere W.; in DIN 7723 (s. oben) sind insgesamt 55 W. mit ihren Kurzz. aufgeführt.
Nur selten vereinigt ein W. alle vorteilhaften, erwünschten Eigenschaften in sich. Daher werden in der Praxis oft mehrere W. miteinander kombiniert. Beispielsweise sind die Phthalate durch gute Verträglichkeit, die Trimellitate durch höhere Temp.-Beständigkeit u. geringe Flüchtigkeit, die Phosphate durch Unbrennbarkeit, die Adipate u. Sebacate durch gute Kältebeständigkeit, die polymeren W. durch gute Öl-, Benzin- u. Bitumenbeständigkeit ausgezeichnet. Die Ind. stellt mehrere hundert verschiedener W. für die verschiedensten Zwecke her. Den höchsten Verbrauch haben die PVC-Polymerisate (Folien, Profile, Kunstleder, Fußbodenbeläge, Gießartikel, Platten usw.), dann folgen die Lacke, Klebstoffe, Cellulose-Derivate u. andere. Den größten Marktanteil haben die Phthalsäureester, von denen mengenmäßig DOP das bedeutendste Produkt ist wegen seiner vielseitigen Anw.-techn. Eigenschaften u. seiner preisgünstigen Herstellung.
2. Von W. spricht man nicht nur in der Kunststoff-Industrie. Als *Textilhilfsmittel dienen *Weichmachungsmittel* (*E* softening agents) wie Fettsäure-Kondensate, PE-Dispersionen u. Silicon-Emulsionen zur *Appretur, die Textilien den gewünschten „Griff" verleiht. In Waschmitteln übernehmen *Wäscheweichspülmittel* (Weichspüler) diese Aufgabe. In der *Gerberei werden W. beim Zurichten eingesetzt, um die Elastizität des Leders zu erhöhen. *Papier-Massen setzt man Fettsäure-Derivate, Polyether, -glykole, -alkohole u. Wachsdispersionen zu, um sie geschmeidig, satinierbar u. saugfähig zu machen u. die Staubentwicklung zu verhindern. – *E* (1.) plasticizers, (2.) softeners – *F* 1. plastifiants – *I* 1. plastificanti, flessibilizzanti, 2. ammorbidenti – *S* 1. plastificantes, 2. suavizantes
Lit.: [1] Römpp Lexikon Lebensmittelchemie, S. 918 f. *allg.:* Encycl. Polym. Sci. Eng. **S**, 568–647 ▪ Kirk-Othmer (4.) **19**, 258–290 ▪ Pritchard (Hrsg.), Plastic Additives, S. 499–512, London: Chapman u. Hall 1998 ▪ Römpp Lexikon Lacke u. Druckfarben, S. 797 f. ▪ Ullmann (4.) **24**, 349–380; (5.) **A 20**, 439–458.

Weichmacheralkohole. Sammelbez. für (un)verzweigte prim. Alkohole mit ca. 6–13 C-Atomen, die, auch als Gemisch, zur Herst. von Ester-*Weichmachern dienen. – *E* plasticizer alcohols – *F* alcools de plastifiants – *I* alcoli di ammorbidenti – *S* alcoholes de los plastificantes
Lit.: s. Weichmacher.

Weichmachungsmittel s. Weichmacher.

Weichmanganerz s. Pyrolusit.

Weichpfleger. Bez. für Nachbehandlungsmittel beim *Waschen zur regelmäßigen Pflege von Textilien, die über den sog. Primär- od. Sofortnutzen von *Weichspülern hinaus einen Zusatzeffekt ergeben („Multiclusnutzen"); durch Ergänzung der Formulierungen mit speziellen Polymeren, die – wie auch *Esterquats – auf die Faser aufziehen, werden ein verbesserter Farbschutz u. ein verringerter Faserabrieb erreicht, so daß die so behandelten Textilien länger getragen werden können (längerer Werterhalt). – *E* fabric care softeners – *F* segments souples – *I* ammorbidenti – *S* suavizantes

Weichporzellane s. Porzellan.

Weich-PVC s. Polyvinylchlorid.

Weichschäume s. Polyurethane u. Weichschaumstoffe.

Weichschaumstoffe (Weichschäume). Bez. (nach DIN 7726: 1982-05) für *Schaumstoffe, die bei Druckbelastung einen relativ geringen Verformungswiderstand aufweisen (Druckspannung bei 10% Stauchung nach DIN 53421 ≤ 15 kPa). Polymer-Basis für W. sind in vielen Fällen *Polyurethane. W. dienen u. a. zur Herst. von Schaumpolstern, z. B. für Automobilsitze od. den Möbelsektor. – *E* flexible foam, flexible cellular plastics – *F* plastique alvéolaires flexibles (souples) – *I* schiuma flessibile – *S* espuma flexible

Weichsegmente. Bez. für die Kettensegmente eines *Blockcopolymers (z. B. *Triblockcopolymers), deren *Glasübergangstemperatur deutlich unterhalb der Gebrauchstemp. liegt. Mit dieser Definition erfolgt eine Abgrenzung von den sog. *Hartsegmenten*. Letztere weisen Glasübergangstemp. auf, die deutlich oberhalb der Gebrauchstemp. liegen; in einigen Fällen liegen sie bei der Gebrauchstemp. sogar (teil)krist. vor. Das Zusammenspiel von W.- u. Hartsegmenten in Blockcopolymeren führt zu völlig neuartigen Materialeigenschaften (s. z. B. thermoplastische Elastomere, physikalische Vernetzung, Schlagzähigkeit). – *E* soft segments – *F* bois de griottier – *I* segmenti soffici – *S* segmentos no rígidos

Weichselholz. Rötliches, festes, dichtes, nach *Cumarin riechendes Holz der türk. Weichselkirsche (Felsenkirsche, Steinweichsel, *Prunus mahaleb*), einem bis 6 m hohen Strauch in den Gebirgswäldern Süd- u. Mitteleuropas. W. wird zu feinen Drechsler- u. Tischlerarbeiten (z. B. Spazierstöcken, Tabakspfeifen, Zigarettenspitzen usw.) verwendet. – *E* mahaleb wood – *I* legno di visciolo – *S* madera de guindo

Weichspüler. Bez. für Nachbehandlungsmittel beim *Waschen zur regelmäßigen Pflege von Textilien. Wirkstoffe in W.-Formulierungen sind *Esterquats, quartäre Ammonium-Verb. mit zwei hydrophoben Resten, die jeweils eine Ester-Gruppe als sog. Sollbruchstelle für einen leichteren biolog. Abbau enthalten u. die als früher dominierende Distearyldimethylammoniumchlorid wegen dessen unzureichender biolog. Abbaubarkeit weithin ersetzt haben. Die Wirkstoffe ziehen auf die Faser auf; Baumwolle nimmt wegen deren neg. Oberflächenladung bis zu 3,5 g pro kg Wäsche auf, die in der Regel unpolaren, hydrophoben synthet. Fasern (van-der-Waals-Wechselwirkungen) deutlich weniger. Der Produktnutzen der W.-Wirkstoffe besteht in einem weichen „Griff" (*Avivage), durch die – vom Markt geforderte – Parfümierung der Formulierungen in einem angenehmen Duft („Frische"), fehlender elektrostat. Aufladung (erhöhter Tragekomfort) der behandelten Textilien sowie der Energieeinsparung beim Einsatz von Wäschetrocknern u. der Erleichterung der Bügelarbeit. Die heutigen Formulierungen stellen in der Regel wäss. Dispersionen mit Feststoffgehalten bis zu 25% dar. Marktgängig sind v. a. Konzentrate u. Nachfüllpackungen, aber auch – v. a. in den USA u. Kanada – mit W. imprägnierte Vliese od. Tücher (sheets), die im Wäschetrockner Einsatz finden. Ein Beisp. für die Zusammensetzung eines Konzentrats zeigt die Tabelle. Der Weltmarkt für W. betrug 1997 3,56 Mrd. US-$. In Europa, den USA u. Japan werden pro Jahr u. Anwenderhaushalt rund 17 L W. verbraucht.

Tab.: Zusammensetzung von Weichspüler-Konzentrat

Komponente	Beisp.	Anteile [Gew.-%]
Kationtenside	Esterquat	20
Co-Tenside	Glycerinmonostearat	3
	Stearinsäure	
	Fettalkohole	
	Fettalkoholethoxylate	
Emulgatoren	Fettaminethoxylate	2
Duftstoffe		<1
Farbstoffe		ppm-Bereich
Stabilisatoren		ppm-Bereich
Lösemittel	Wasser	75

– *E* fabric softeners – *F* (produits) assouplissants, agents adoucissants – *I* ammorbidente – *S* ablandadores

Lit.: Cahn (Hrsg.), Proc. 3rd World Conference on Detergents: Global Perspectives, S. 88–94, Champaign, IL/USA: AOCS Press 1994 ▪ Cahn (Hrsg.), Proc. 4th World Conference of Detergents: Strategies for the 21st Century, Champaign, IL/USA: AOCS Press 1999 ▪ Tenside Surf. Det. **30**, 394–399 (1993).

Weichtiere s. Mollusken.

Weidekrankheit s. Vitamine D.

Weidel-Kossel-Reaktion. Dampft man *Xanthin mit Chlorwasser ein, so zeigt der Rückstand beim Zusammenbringen mit Ammoniak-Dämpfen eine rosarote Färbung. – *E* Weidel-Kossel reaction – *F* réaction de Weidel et Kossel – *I* reazione di Weidel-Kossel – *S* reacción de Weidel-Kossel

Weidemanns Tee s. Vogelknöterich.

Weidenrinde. Rindenstückchen von Weiden-Arten, u. a. *Salix purpurea* L. u. *S. daphnoides* Vil. (Salicaceae), sofern sie einen Mindestgehalt von 1% Salicin (s. Salicylalkohol) nicht unterschreiten. Die Gattung *Salix*, zweihäusige Bäume od. Sträucher, ist auf der Nordhalbkugel weit verbreitet u. wird in etwa 500 Arten eingeteilt. W. wird von zwei- bis dreijährigen Zweigen geschält u. enthält 1–12% Salicylalkohol-Derivate, andere phenol. Verb. sowie 8–20% Gerbstoffe. Sie stellt sozusagen ein „*Prodrug" für *Salicylsäure dar u. wurde entsprechend gegen Fieber, rheumat. Beschwerden, Kopfschmerzen u. Entzündungen eingesetzt. Wegen der vergleichsweise schlechten Verträglichkeit von W. ist sie in der Therapie von *Acetylsalicylsäure u. Arylessigsäuren (z. B. *Diclofenac, *Ibuprofen) abgelöst worden. – *E* willow bark – *F* écorce de saule – *I* corteccia del salice – *S* corteza de sauce

Lit.: Bundesanzeiger 228/05. 12. 1984 ▪ DAB **1997** u. Komm. ▪ Hager (5.), Folgebd. **3**, 469–496 ▪ Wichtl (3.), S. 517–520.

Weidenröschen. Die kleinblütigen W.-Arten der Gattung *Epilobium*, z. B. *E. parviflorum* Schreb. (Oenotheraceae), sind in Europa verbreitete, ca. 50 cm hohe Stauden mit vierzähligen rosa Blüten. Ihr Kraut enthält Flavonoide; von Myricetin-3-*O*-β-D-glucuronid ist im Tierversuch eine sehr starke antiphlogist. Wirkung gezeigt worden [1]. Verw. findet die Droge volksmedizin. bei Prostata-Beschwerden, ohne daß für die Wirkung ein Beleg vorliegt. – *E* willow herb – *F* epilobe – *I* epilobio

Lit.: [1] Planta Med. **59**, A 631 ff. (1993). *allg.:* DAB **1997** u. Komm. ▪ Hager (5.) **5**, 57–64 ▪ Wichtl (3.), S. 203–206.

Wei-Fa s. Rutin.

Weigert-Effekt. Nach Weigert (1919) benannter Effekt aus der *Photographie, der zur Ermittlung der Schwingungsebene polarisierten Lichtes herangezogen werden kann. – *E* Weigert effect – *F* effet Weigert – *I* effetto Weigert – *S* efecto Weigert

Weigert-Lösung. In der Mikroskopie gebräuchliches Färbemittel für Elastin-Fasern; wird (nach C. W. Weigert) aus Neufuchsin u. Resorcin mit Eisen(III)-chlorid, Lösen des entstandenen Niederschlages in Ethanol u. Ansäuern mit HCl hergestellt. – *E* Weigert's solution – *F* solution de Weigert – *I* soluzione di Weigert – *S* solución de Weigert

Weihnachtsrose s. Nieswurz.

Weihrauch s. Olibanum u. Räuchermittel.

Weil, Konrad G. (geb. 1927), Prof. für Physikal. Chemie u. Elektrochemie, TH Darmstadt. *Arbeitsgebiete:* Grenzflächenelektrochemie, Quarzmikrowaage, Transporteigenschaften in Salzschmelzen u. konz. Lsg.; metall. u. ion. Gläser; Hochtemp.-MS; FT-ICR-Massenspektrometrie. Seit 1971 Hrsg. der Berichte der Bunsen-Gesellschaft.

Lit.: Kürschner (16.), S. 3994.

Weiler, Elmar Wilhelm (geb. 1949), Prof. für Pflanzenphysiologie, Univ. Osnabrück, Ruhr-Univ. Bochum (seit 1988). *Arbeitsgebiete:* Signalstoffe Höherer Pflanzen; Mechanismen der Wachstumsregulation bei Pflanzen, Phytohormone; Molekularbiologie der pflanzlichen Zellmembran; Osmot. gesteuerte Bewegungen im Pflanzenreich; Immunolog. Verf. in der Botanik; Nachw. von Mykotoxinen.

Lit.: Kürschner (16.), S. 3994.

Weimarn, Peter von (1879–1935), Prof. für Kolloidchemie, Univ. Petersburg u. Osaka. *Arbeitsgebiete:* Allg. Kolloidchemie, Bildung kolloidaler Niederschläge, Feinbau der Kolloidteilchen. W. zeigte (unabhängig von Ostwald), daß grundsätzlich alle Stoffe in den Kolloidzustand übergehen können.
Lit.: Pötsch, S. 447 f.

Wein. Nach Anhang I, Nr. 10 der VO (EWG) Nr. 822/87 über die gemeinsame Marktorganisation für W.[1] ist W. das Erzeugnis, das ausschließlich durch vollständige od. teilweise alkohol. Gärung der frischen, auch eingemaischten *Weintrauben od. des *Traubenmostes gewonnen wird.
Rechtliche Beurteilung: Zur Beurteilung von W. sind bis auf das W.-Gesetz[2], die W.-VO[3], die W.-Überwachungs-VO[4] u. entsprechende Landes-VO zur Durchführung des W.-Gesetzes nur EG-Verordnungen ausschlaggebend. Ziel der EG ist es, das gesamte W.-Recht zu vereinheitlichen u. den nationalstaatlichen Charakter der W.-Gesetzgebung gänzlich zu verdrängen. W. unterliegt nicht dem LMBG (*Lebensmittel- u. Bedarfsgegenstandegesetz*). Die Kontrolle der Winzer, die u. a. zu einer speziellen Buchführung der sog. „Weinbuchführung" verpflichtet sind (s. Anlage 1 bis 4 der W.-Überwachungs-VO[4]), obliegt den W.-Kontrolleuren, die den chem. Untersuchungsämtern zugeordnet sind. Einen detaillierten Überblick über das äußerst komplexe W.-Recht gibt *Lit.*[5]. Die Kennzeichnung des W. ist exemplar. an dem in der Abb. wiedergegebenen Etikett dargestellt. Es handelt sich um das Etikett eines *Qualitätsweines mit Prädikat.*

Abb.: Musteretikett für einen Qualitätswein mit Prädikat.

Die vorgeschriebenen u. zulässigen Angaben für *Tafelwein* u. für Qualitätswein sind der folgenden Tab. 1 zu entnehmen.
Diese Grundeinteilung in Qualitätswein u. Tafelwein (*Landwein* = gehobener Tafelwein) ist Kernstück des W.-Rechtes u. wird im Bereich der Qualitätsweine wie folgt weiter aufgefächert: Qualitätswein b. A., u. Qualitätswein mit Prädikat. Prädikate sind: Kabinett, Spätlese, Auslese, Beerenauslese, Trockenbeerenauslese u. Eiswein. Für die Bez. „Qualitätswein" sind bestimmte Voraussetzungen zu erfüllen. Dies sind u. a. eine sensor. u. analyt. Prüfung (s. unten bei Analytik), die dann zur Erteilung einer amtlichen Prüfnummer (A. P. Nr.) führt. *W. für Diabetiker* müssen den Zusatz „nur nach Befragen des Arztes" tragen u. folgende analyt. Kenngrößen erfüllen: – Restzucker <4 g/L; – vorhandener Alkohol-Gehalt: <12% vol; – freie schweflige Säure: <40 mg/L sowie – gesamte schweflige Säure: <150 mg/L. Der *physiologische Brennwert muß ebenfalls angegeben sein.

Tab. 1: Obligate u. fakultative Angaben bei der Kennzeichnung von Wein.

1. Vorgeschriebene Angaben

a) Tafelwein:
- Angabe „Tafelwein"; bei inländ. Wein „Deutscher Tafelwein". Die Angabe „Roséwein" od. „Rotling", die Angabe „Weißwein" od. „Rotwein", sofern keine nähere Herkunftsangabe als „deutsch" gewählt ist
- Nennvolumen (Flascheninhalt)
- Name (Firma) des Abfüllers sowie Mitgliedstaat, Gemeinde (Ortsteil) seines Hauptsitzes bzw. Angabe des tatsächlichen Abfüllungsortes
- bei Versand in andere EG-Mitgliedstaaten od. Exporte in Drittländer ist der Erzeugermitgliedstaat angabepflichtig
- bei Verschnitt von Erzeugnissen mit Ursprung in mehreren Mitgliedstaaten der EG: „Verschnitt von Weinen aus mehreren Ländern der Europäischen Gemeinschaft"
- bei Weinbereitung in einem Mitgliedstaat, in dem die Trauben nicht geerntet wurden: „in (z. B. Deutschland) aus in (z. B. Frankreich) geernteten Trauben hergestellter Wein"
- Alkoholgehalt (Angaben in %vol)

b) Qualitätswein b. A.:
- das bestimmte Anbaugebiet, aus dem der Wein stammt
- „Qualitätswein", „Qualitätswein b. A." oder „Qualitätswein mit Prädikat" in Verb. mit einem Prädikat, z.B. „Kabinett"
- Nennvolumen (Flascheninhalt)
- Name (Firma) des Abfüllers sowie Mitgliedstaat, Gemeinde (Ortsteil) seines Hauptsitzes bzw. Angabe des tatsächlichen Abfüllungsortes
- bei Versand in andere Mitgliedstaaten od. Export ist der Name des Erzeugermitgliedstaates angabepflichtig
- die zugeteilte amtliche Prüfungsnummer
- Alkoholgehalt (Angabe in % vol)

2. Zulässige Angaben (auf gleichem Etikett od. Zusatzetikett)
- engere geograph. Herkunftsangaben
- eine od. höchstens zwei Rebsorten u. Jahrgang
- Weingut, Erzeugerabfüllung, Weinhändler, Winzer, Importeur, Burg, Domäne, Kloster
- Geschmacksangaben: „trocken", „halbtrocken", „lieblich", „süß"
- bestimmte Empfehlungen an den Verbraucher, Angaben zur Geschichte des Weines
- Auszeichnung bei Prämierungen, Verleihung von Gütezeichen, soweit ausdrücklich zugelassen
- EWG-Verpackungszeichen „e".

Zur Herst. u. Behandlung von W. sind nur die in Anhang IV, Nr. 3 der VO (EWG) 822/87[1] genannten Behandlungsstoffe unter Beachtung der genannten Höchstmengen zulässig. Die Belastung von W. mit chem. Stoffen darf die in der Tab. 2 genannten Höchstmengen nicht überschreiten (Anlage 3, W.-VO[3]). Darüber hinaus ist der Richtwert für *Quecksilber im W. (0,01 mg/L) zu beachten[6]. Überschreitungen dieser Höchstmengen sind selten. Eine Ausnahme stellt *Blei dar, das häufig über korrodierte „Stanniol-Kapseln" in den W. gelangt[7,8]. Zur gesundheitlichen Relevanz dieser Expositionsquelle s. *Lit.*[9]. Durch eine EG-VO, die ab dem 1. 1. 1993 eine Verw. von Blei-haltigen „Staniol-Kapseln" für W., Traubenmost u. Schaumwein verbieten wird, soll die Blei-Belastung von W. gesenkt werden. Auskunft über die Belastung des W. mit anderen metall. Elementen u. deren Herkunft geben *Lit.*[10,11]. Zur *Histamin-Bildung u. -Gehalt in W.

Tab. 2: Höchstmengen für chem. Stoffe im Wein (Angaben in mg/L).

Aluminium	8
Arsen	0,1
Blei	0,3
Bor, berechnet als Borsäure	35
Brom, gesamtes	0,5
Fluor	0,5
Cadmium	0,01
Kupfer	2
Zink	5
Zinn	1

s. *Lit.*[12]; 2 mg/L W. wird meist als Höchstgrenze angegeben. Eine Zusammenfassung von Mediendebatten zur Problematik „Wein u. Gesundheit" gibt *Lit.*[13]. Es wird geschlußfolgert, daß bis auf einige Ausnahmen ein moderater W.-Konsum harmlos u. ggf. sogar heilsam ist. In *Lit.*[14] werden sogar experimentelle Studien zitiert, nach denen ein moderater W.-Genuß (0,3–0,5 L/d) eindeutige gesundheitliche Vorteile u. pos. Effekte mit sich bringt. Eine bes. Wirkung wird dabei der Substanz Resveratrol (s. Pinosylvin) zugeschrieben. Sie zählt zu einer Gruppe von Verb., die von Pflanzen u. a. zur Hemmung des Wachstums pathogener Pilze ausgeschüttet werden; s. a. Weinphenole. Zur Chemie u. Technologie s. *Lit.*[15–17].

Analytik: Bei der Analytik von W. ist prinzipiell nach sensor.-organolept. u. chem.-physikal. Analysen zu trennen. Die sensor.-organolept. Prüfung von W., die eine erhebliche Rolle bei der Erteilung einer amtlichen Prüfnummer für Qualitätsweine bestimmter Anbaugebiete (Q. b. A.) spielt (Qualitätsweinprüfung), ist nach einem speziellen Schema der Deutschen Lebensmittelges. durchzuführen. Daneben spielt das *OIV-Schema eine untergeordnete Rolle. Ziel der chem.-physikal. W.-Analytik ist, Verfälschungen nachzuweisen u. die Richtigkeit der Kennzeichnung zu überprüfen. Eine Verfälschung größten Ausmaßes wurde 1985/86 aufgedeckt, als süße, extraktreiche W. scheinbar hoher u. höchster Qualitätsstufen (Spätlese bis Trockenbeerenauslese) aus minderwertigen W. durch den Zusatz von *Diethylenglykol hergestellt worden sind[18]. Zur toxikolog. Bewertung von Diethylenglykol, das auch als *Weichmacher für Zellglasfolien Verw. findet, s. *Lit.*[19]. Einen Überblick zur Analytik qualitätsbestimmender Parameter im W. (z. B. Extrakt, Zucker, Säure u. a.) gibt *Lit.*[20]. Zur Analytik der *Aminosäuren u. zum Nachw. von Verfälschungen des W. mit Rübenzucker sind die ^{13}C- u. Deuterium-*NMR-Spektroskopie geeignet[21,22]. Zum Nachw. von Schwefeldioxid im W. s. *Lit.*[23]. Neue Aspekte zur Festphasen-Mikroextraktion von W. zur Bestimmung der für das W.-Bouquet verantwortlichen Verb. (mittels GC-MS) sind *Lit.*[24] zu entnehmen.

Aroma: Das Aroma des W. besteht aus ca. 800 Komponenten, Näheres s. Weinaroma. Die Aromastoffe des W. unterliegen im Verlauf der Alterung erheblichen Veränderungen. Unerwünschte Aromanoten sind unter *Weinfehler behandelt. Fehlaromen in Zusammenhang mit Rückständen von Pflanzenschutzmitteln sind nach *Lit.*[14] weitgehend auszuschließen. Von einer Mykotoxin-Belastung in W. kann zumindest bei W. aus nördlichen Gebieten nicht gesprochen werden. Eine kurze Auswahl der flüchtigen Verb. des W. ist Tab. 3 zu entnehmen.

Tab. 3: Flüchtige Verb. im Wein.

Verbindung	Weißwein (mg/L)	Rotwein (mg/L)
Methanol	38–118	43–222
1-Propanol	9–48	11–52
2-Methyl-1-propanol	28–170	45–140
1-Butanol	1,4–8,5	2,1–2,3
2-Methyl-1-butanol	17–82	48–150
3-Methyl-1-butanol	70–320	117–490
1-Hexanol	3–10	3–10
Ethylformiat	0,02–0,84	0,03–0,20
Methylacetat	0–0,11	0,08–0,15
Ethylacetat	4,5–180	22–190
Ethylpropionat	0–7,50	0,07–0,25
Propylacetat	0–0,04	0–0,08
Ethylisobutyrat	0–0,60	0,03–0,08
Isobutylacetat	0,03–0,60	0,01–0,08
Ethylbutyrat	0,04–1,0	0,01–0,20
Ethyl-2-methylbutyrat	0–0,02	0–0,08
Ethyl-3-methylbutyrat	0–0,04	0–0,09
3-Methylbutylacetat	0,04–6,10	0,04–0,15
Ethylhexanoat	0,06–0,60	0,06–0,13
Hexylacetat	0–0,63	0–0,60
Ethyllactat	3,80–15	9–17
Ethyloctanoat	1,10–5,10	1,0–6,0
Ethyldecanoat	0,90–3,50	0,60–4,0
Diethylsuccinat	0,01–0,80	
(2-Phenylethyl)acetat	0,20–5,10	
Ethyllaurat	0,10–1,20	
Ethylmyristat	0,10–1,20	
Ethylpalmitat	0,10–0,85	

Einen exzellenten Überblick über alle Belange des W. gibt *Lit.*[17].

Als *Federweißer* (= teilweise gegorener Traubenmost) wird ein junger, noch in Gärung befindlicher W. bezeichnet, der neben unvergorenem Zucker frisch schmeckende Hefe u. betonte Kohlensäure enthält. Die Vorstufe (beginnende Gärung, viel Zucker, wenig Hefe) nennt man dagegen „Bitzler" od. auch „Krätzer", „Sauser", „Brauser". Eine feste Grenze des Zuckergehaltes ist nicht bekannt.

Unter *Glühwein* versteht man ein aromatisiertes W.-ähnliches Getränk, das ausschließlich aus Rotwein od. Weißwein u. Zucker gewonnen u. hauptsächlich mit Zimt u. Gewürznelken gewürzt wird. Im Fall der Zubereitung von Glühwein aus Weißwein muß die Verkehrsbez. „Glühwein" durch die Worte „aus Weißwein" ergänzt werden (s. allg. *Lit.* Jacob).

Produktions- u. Verbrauchszahlen[25–27]: Die gesamte Rebenfläche auf der Welt betrug 1989 ca. 8,8 Mio. Hektar, in der BRD betrug sie 1996 ca. 102 400 Hektar. Die W.-Ernte betrug weltweit 1995 53,6 Mio. t, in der BRD 0,85 Mio. t; 1996 wurden in der BRD 8,6 Mio. hL W. erzeugt; der W.-Konsum (pro Kopf in L, 1996): Frankreich: 60,0, BRD: 27,0 (12,9 L dtsch. W.; 9 L ausländ. W.; 5,1 L Schaumw.), USA: 8,0.

Physiologie: Dem W. (insbes. Rotwein) werden in jüngster Zeit immer häufiger positive physiolog. Effekte (z. B. Verringerung der Herzinfarktanfälligkeit) nachgesagt. Eine mögliche Erklärung ist auf den Inhaltsstoff „Resveratrol" zurückzuführen u. wird unter dem Begriff „french paradox" zusammengefaßt [28,29]; s. a. Mäuseln, Oechsle Grad, OIV, rektifiziertes Traubenmostkonzentrat, Weinfehler, Restsüße, Rosé-Wein, Sherry, Süßreserve, Traubenmost, Vermouth, Weintrauben, Weinschönung, Weintrauben u. alkoholische Getränke. – *E* wine – *F* vin – *I* = *S* vino

Lit.: [1] VO (EWG) Nr. 822/87 über die gemeinsame Marktorganisation für Wein vom 16.3.1987 in der Fassung vom 17.3.1997 (Amtsblatt Nr. 83/5). [2] Weingesetz vom 27.8.1982 in der Fassung vom 29.5.1991 (BGBl. I, S. 1206). [3] Wein-VO vom 9.5.1995 i.d.F. vom 16.7.1996 (BGBl. I, S. 1001). [4] Wein-Überwachungs-VO vom 9.5.1995 (BGBl. I, S. 630). [5] Pillmayer (Hrsg.), Weinrecht in der EWG, der Bundesrepublik Deutschland u. den Ländern, Regensburg: Walhalla u. Praetoria Verl., Loseblattsammlung 1990. [6] Bundesgesundheitsblatt **34**, 226f. (1991). [7] Food Add. Contam. **7**, 93–99 (1990). [8] Mit. Geb. Lebensmittelunters. Hyg. **82**, 159–173 (1991). [9] Food Add. Contam. **5**, 641–644 (1988). [10] Z. Lebensm. Unters. Forsch. **186**, 295–300 (1988). [11] Dtsch. Lebensm. Rundsch. **84**, 16–19 (1988). [12] Alimentaria **269**, 69–70 (1996). [13] J. Wine Res. **7**, 157–196 (1996). [14] Chem. Unserer Zeit **32**, 87–93 (1998). [15] Osteroth (Hrsg.), Taschenbuch für Lebensmittelchemiker und -technologen 2, S. 315–336, Berlin: Springer 1991. [16] Tscheuschner (Hrsg.), Grundzüge der Lebensmitteltechnik, S. 277, 281, 460–465, Hamburg: Behr 1996. [17] Würdig u. Woller, Chemie des Weines, Stuttgart: Ulmer 1989. [18] Dtsch. Lebensm. Rundsch. **82**, 148–152, 257f. (1986). [19] Bundesgesundheitsblatt **29**, 141–145 (1986). [20] Analyt.-Taschenb. **5**, 237–285. [21] Labor Praxis, Labor 2000 **1991**, 113–120. [22] Z. Lebensm. Unters. Forsch. **192**, 1–6 (1991). [23] Food Add. Contam. **7**, 433–454, 575–581 (1990). [24] HRC **19**, 257–262 (1996). [25] Dtsch. Weinbauverband (Hrsg.), Zahlen u. Fakten, Die dtsch. Weinwirtschaft im Internationalen Vergleich, Bonn; Dr. Fraund 1990. [26] Weinwirtschaft-Markt Nr. 25 vom 7.12.1990, S. 17–28. [27] Baratta, Der Fischer Weltalmanach 98, S. 1065, Frankfurt a. Main: Fischer Taschenbuchverl. 1997. [28] J. Agric Food Chem. **41**, 521–523 (1993). [29] Food Technol. **1993** (Nr. 4), 85–89.

allg.: Beeston, The Wine Men, London: Sinclair Stevens 1991 ■ Belitz-Grosch (4.), S. 818–838 ■ Farkas, The Technology and Biochemistry of Wine, 2 Bd., New York: Gordon and Breach 1987, 1988 ■ Frede (Hrsg.), Taschenbuch für Lebensmittelchemiker u. -technologen, Bd. 1, S. 371–383, Berlin: Springer 1991 ■ Heiss (Hrsg.), Lebensmitteltechnologie (5.), Berlin: Spinger 1996 ■ Jakob, Lexikon der Önologie (2.), Meininger: Neustadt 1986 ■ Mohr, Schwermetalle in Boden, Rebe u. Wein, Münster-Hiltrup: Landwirtschaftsverl. 1985 ■ Osteroth (Hrsg.), Taschenbuch für Lebensmittelchemiker u. -technologen, Bd. 2, S. 315–336, Berlin: Springer 1991 ■ Rehm-Reed **5**, 81–163 ■ Spurrier et al., Große Weinkunde, Rüschlikon-Zürich: Müller 1990 ■ Troost, Technologie des Weines (6.), Stuttgart: Ulmer 1988 ■ Ullmann (5.) **A 28**, 269 ■ Vollmer et al. (Hrsg.), Lebensmittelführer (2.), Bd. 2, S. 215–230, Stuttgart: Thieme 1995 ■ Zipfel, C 402, C 403. – *Zeitschriften:* Journal of Wine Research ■ Mitteilungen Klosterneuburg ■ Vignes et Vins ■ Vini d'Italia ■ Vitis ■ Wein-Wissenschaft ■ Weinwirtschaft-Markt ■ Weinwirtschaft-Technik. – *Organisationen:* *OIV ■ Dtsch. Weinbauverband, Heussallee 26, 53113 Bonn ■ Bundesverband der dtsch. Weinkellereien, Baumschulenallee 6, 53115 Bonn ■ Dtsch. Weinsiegel-Gesellschaft, Zimmerweg 16, 60325 Frankfurt ■ Dtsch. Weininstitut GmbH, Gutenberg Platz 3–5, 55116 Mainz. – *Institute:* Inst. für Rebenzüchtung Geilweilerhof der Bundesanstalt für Züchtungsforschung im Wein- u. Gartenbau, 76833 Siebeldingen. – *[HS 2204..]*

Weinaroma. Im W. sind bisher ca. 800 Inhaltsstoffe bekannt, deren Beitrag zum Weinbouquet aber noch wenig erforscht ist. Quant. u. qual. dominieren Ethylester u. Acetate, von denen Ethyl-, 3-Methylbutyl- u. Hexylacetat, sowie Hexan- u. Octansäureethylester höhere Aromawerte aufweisen (s. a. Tab. 3 bei Wein). Von den Lactonen sind *Weinlacton*[1] [(3*R*,4*S*,8*S*)-*p*-Menth-1-en-9,3-olid, $C_{10}H_{14}O_2$, M_R 166,22], (*R*)-*4-Nonanolid* $\{C_9H_{16}O_2$, M_R 156,22, Sdp. 136 °C (1,7 kPa), $[\alpha]_D$ +51,8° (*R*)} in Spätburgunder u. Merlot, Whiskylacton in faßgelagerten u. *Sotolon in Botrytis-infizierten Weinen von einiger Bedeutung. Charakterist. für bestimmte Weinsorten sind: Ethylcinnamat, *Linalool, *Geraniol, Nerol (s. Geraniol) u. β-*Jonon in Muskateller, β-*Damascenon in Riesling u. Chardonnay; *4-Vinylguajacol in Gewürztraminer u. 2-Alkyl-3-methoxypyrazine in roten u. weißen Sauvignon-Weinen. Zur Sortdifferenzierung von Weißweinen ist das Verteilungsmuster der Monoterpen-Verb. geeignet[2]. Wichtige Aromakomponente von Semillon-Weinen ist (3*S*,5*R*,6*S*,9Ξ)-7-Megastigmen-3,6,9-triol[3] ($C_{13}H_{24}O_3$, M_R 228,33). *Vitispiran u. *Dimethylsulfid findet man in gereiften Weißweinen, Phenole, z. B. *4-Ethylphenol* ($C_8H_{10}O$, M_R 122,17) u. *4-Ethylguajakol* ($C_9H_{12}O_2$, M_R 152,19), v. a. in Rotweinen. Ein häufiger Geschmacksfehler, der Korkgeschmack, beruht auf einer Konz. >20 ppt an *2,4,6-Trichloranisol* (1,3,5-Trichlor-2-methoxybenzol, $C_7H_5Cl_3O$, M_R 211,48), das in Chlor-gebleichten Korken mikrobiell gebildet werden kann. Andere Autoren rechnen den „Korkgeschmack" chlorierten Cyclohexanen vom Typ des *Dieldrins (Pestizid in Korkeichenplantagen) od. bestimmten Inhaltsstoffen des Mycels von *Armillariella mellea* (Hallimasch) zu, einem Basidiomyceten, der die Rinde von Korkeichen befällt[4].

– *E* wine flavour – *F* arôme du vin – *I* aroma del vino – *S* aroma de vino

Lit.: [1] Helv. Chim. Acta **79**, 1559–1571 (1996). [2] Fresenius J. Anal. Chem. **337**, 777–785 (1990); Z. Lebensm. Unters. Forsch. **197**, 249–254 (1993). [3] Aust. J. Grape Wine Res. **2**, 179 (1996). [4] Alles über Wein **1998**, Nr. 6.

allg.: Belitz-Grosch (4.), S. 831–835 ■ Chem. Eng. News, 11.9.**1995**, 39f. ■ Chem. Ind. (London) **1995**, 338–341 ■ Chem. Unserer Zeit **26**, 273–284 (1992); **32**, 87–93 (1998) (Review) ■ J. Agric. Food Chem. **39**, 1833ff. (1991); **46**, 1474 (1998) ■ Maarse (Hrsg.), Volatile Compounds in Food and Beverages, S. 483–546, New York: Dekker 1991 ■ Spec. Publ.-R. Soc. Chem. **197**, 163–167 (1996) ■ Würdig u. Woller, Chemie des Weines, Stuttgart: Ulmer 1989. – *[CAS 104-61-0 (4-Nonanolid); 63357-96-0 ((R)-4-Nonanolid); 123-07-9 (4-Ethylphenol); 2785-89-9 (4-Ethylguajakol); 87-40-1 (2,4,6-Trichloranisol); 182699-77-0 (Weinlacton)]*

Weinbeere s. Weintrauben.

Weinbeeröl s. Weinhefeöl.

Weinberg, Steven (geb. 1933), Prof. für Kernphysik in Berkeley u. Cambridge, Massachusetts. *Arbeitsge-*

biete: Kosmologie, Elementarteilchenphysik, elektroschwache Wechselwirkungen, Quantenchromodynamik. 1979 erhielt er zusammen mit S. L. *Glashow u. A. *Salam den Nobelpreis für Physik.
Lit.: Lexikon der Naturwissenschaftler, S. 417.

Weinbrand (Qualitätsbranntwein aus Wein). Qualitätshervorhebende Bez. für die nach § 1 u. § 2 der VO über Spirituosen[1] u. Artikel 1, Absatz 4, Buchstabe d u. e der Spirituosen-VO[2] als *Branntwein aus Wein* bzw. *Branntwein* zu bezeichnende *Spirituose. Die bes. Anforderungen an W. bezüglich Rohstoffen u. Herst. sind den § 1 u. § 2 der VO über Spirituosen[1] zu entnehmen. W. wird ausschließlich durch Dest. aus *Wein, Brennwein od. Branntweindestillaten (meist ausländ. Herkunft) so hergestellt, daß maximal 150 mg/100 mL höhere Alkohole [Isobutylalkohol (s. Butanole), *1-Propanol, Isoamylalkohol (s. Methylbutanole)] nachweisbar sind. Der Alkohol darf ausschließlich aus der Verarbeitung von empfohlenen u. zugelassenen Rebsorten entstammen. Im Verlauf der Herst. wird zweimal dest. (Rohbrand ca. 40% vol, Feinbrand ca. 70% vol) u. nach 6 monatiger Lagerung in Eichenholzfässern (höchstens 1000 L Fassungsvermögen) auf mindestens 36% vol eingestellt (Artikel 3, Absatz 1 Spirituosen-VO[2]). Wird im Rahmen der Kennzeichnung auf ein bes. Alter des W. hingewiesen, beträgt die Mindestlagerzeit 12 Monate (s. V. S. O. P.)[1]. Nach abschließender Prüfung wird dem W. eine Prüfnummer erteilt. Zur Abrundung des Geschmacks darf W. ein ethanol. Auszug aus Eichenholzspänen, Pflaumen u. Nüssen bzw. grünen Walnußschalen (*Typage*) zugesetzt werden. Entsprechend der VO über Spirituosen, § 11[1], gilt eine Übergangsregelung, nach der bis zum 5.2.1999 W., Brandy od. Deutscher W. noch nach den bisher geltenden Vorschriften hergestellt u. so hergestellte Erzeugnisse über diesen Zeitpunkt hinaus in den Verkehr gebracht werden dürfen.
Bei der Bez. „Cognac" handelt es sich um eine Herkunftsbez., die nur dem französ. Produkt vorbehalten ist.
Analytik: Eine Unterscheidung zwischen W. u. Cognac ist anhand des Spektrums an flüchtigen *Fettsäuren[3], a phenol. Verb.[4] u. anhand des Aromastoffspektrums[5] möglich. Flüchtige Komponenten wurden mittels Kapillar-GC-MS in dtsch., italien., französ. u. span. W. bestimmt[6]. Demnach liegt der absolute Gehalt an flüchtigen Verb. zwischen 268–615 mg/100 mL reinem Alkohol. Dabei stellen Alkohole die Hauptfraktion dar (67%), es folgen Ester (12,8%) u. Carbonyl-Verb. (5,5%). Über eine neue phenol. Komponente aus in Holzfässern gelagertem W. berichtet *Lit.*[7]; dabei handelt es sich um 2,3-Dihydroxy-1-(4-hydroxy-3-methoxyphenyl)-1-propanon. Es wurde gefunden, daß die Konz. dieser Verb. im Verhältnis zum Alter des W. steht. Zum Auftreten von *Acrolein im W. s. *Lit.*[8,9].
Geschichte: Einen histor. Abriß des Weinbrennens gibt *Lit.*[10]. 1990 wurden in der BRD 34,2 Mio. L (Angabe als reiner Alkohol) erzeugt; s. Spirituosen u. Urethan. – *E* brandy – *F* eau-de-vie, cognac – *I* acquavite – *S* brandy, coñac

Lit.: [1] Verordnung über Spirituosen vom 29.1.1998 (BGBl. I, S. 310, 311). [2] VO (EWG) 1576/89 zur Festlegung allg. Regeln für die Begriffsbest., Bez., u. Aufmachung von Spirituosen vom 29.5.1989 i.d.F. vom 1.1.1995 (Amtsblatt Nr. L 1/1). [3] Dtsch. Lebensm. Rundsch. **86**, 150 f. (1990). [4] Z. Lebensm. Unters. Forsch. **186**, 130–133 (1988). [5] Z. Lebensm. Unters. Forsch. **188**, 11–15 (1989). [6] Branntweinwirtschaft **136**, 66–74 (1996). [7] J. Agric. Food Chem. **45**, 873–876 (1997). [8] Lebensm.-Ind. **37**, 156–159 (1990). [9] Branntweinwirtschaft **130**, 286–289 (1990). [10] Verband dtsch. Weinbrennereien (Hrsg.), Die Weinbrennerzunft, Wiesbaden: Graph. Betriebe 1991.
allg.: Belitz-Grosch (4.), S. 313, 840 ▪ Branntweinwirtschaft **130**, 278–280; 292–295; 342–346 (1990) ▪ Koch (Hrsg.), Getränkebeurteilung, S. 205–230, Stuttgart: Ulmer 1986 ▪ Ullmann (5.) **A 24**, 554 ▪ Verband der dtsch. Weinbrennereien (Hrsg.), Weinbrand Wörterbuch, Wiesbaden: Breuer 1987 ▪ Zipfel, C 403. – *Organisationen:* Verband der dtsch. Weinbrennereien e. V., Sonnenbergstraße 46, 65191 Wiesbaden. – *[HS 2208 20]*

Weinessig. Nach VO (EWG) 822/87[1], Anhang I, Nr. 19 darf *Essig, der ausschließlich durch Essigsäure-Gärung aus *Wein hergestellt wird u. einen Säure-Gehalt von mindestens 60 g/L (berechnet als Essigsäure) aufweist, als W. bezeichnet werden. Entsprechend § 1, Absatz 3 der Essig-VO[2] unterliegt W. ausschließlich den weinrechtlichen Bestimmungen, so daß bei der Herst. von W., entsprechend der Weinbereitung, genau Buch zu führen ist (s. *Lit.*[3]).
Herst.: Im Verlauf der mikrobiellen *Oxidation (v. a. durch *Acetobacter*-Arten) entstehen aus dem Weinalkohol Essigsäure u. kleinere Mengen an Gärungsnebenprodukten (z.B. *Propionsäure). Eine Spezialität unter den W. ist der *Balsamico*, der nach traditionellen Verf. (mehrere Reifungs- u. Konzentrierungsschritte) in der Gegend von Modena hergestellt wird[4].
Analytik: Qualitätsbestimmung im W. sind die Gehalte an Essigsäure u. flüchtigen Säuren[5]. Eine Unterscheidung zwischen W., Obstessig u. Balsamico ist anhand des Glycerin-Gehaltes möglich[4]. Gärungsessig u. Syntheseessig sind anhand des $^{12}C/^{13}C$ Isotopenverhältnis zu unterscheiden; Gärungsessig enthält 5% mehr ^{13}C als synthet. Essig. Als einfache Qualitätssicherungsmaßnahme wird für Rotweinessig eine Farbmessung vorgeschlagen[6]. Die Anw. einer spektrophotometr. Meth. zur Bestimmung von Procyanidin in W. ist *Lit.*[7] zu entnehmen. – *E* wine vinegar – *F* vinaigre de vin – *I* aceto di vino – *S* vinagre de vino

Lit.: [1] VO (EWG) 822/87 über die gemeinsame Marktorganisation für Wein vom 16.3.1987 i.d.F. vom 17.3.1997 (Amtsblatt Nr. 83/5). [2] VO über den Verkehr mit Essig u. Essigessenz vom 25.4.1972 i.d.F. vom 13.3.1990 (BGBl. I, S. 1053). [3] Wein-Überwachungs-VO vom 9.5.1995 (BGBl. I, S. 630). [4] Agric. Biol. Chem. **52**, 25–30 (1988). [5] J. Assoc. Off. Anal. Chem. **74**, 346–350 (1991). [6] Ind. Obst-Gemüseverwert. **76**, 42–51 (1991). [7] Talanta **44**, 119–123 (1996).
allg.: Der deutsche Weinbau 1994, Nr. 5, 18 f. ▪ Ullmann (4.) **11**, 42, 53 ▪ Vollmer et al., Lebensmittelführer, Bd. 2, S. 150–154, Stuttgart: Thieme 1990 ▪ Zipfel, A 402 a, C 386, C 403. – *[HS 2209 00]*

Weinfehler. Nachteilige Veränderungen des *Weines, die Aussehen, Geruch od. Geschmack betreffen u. durch chem.-physikal. Reaktionen od. durch Aufnahme fremder Stoffe hervorgerufen werden, bezeichnet man als *Weinfehler* (s. die Tab., S. 4962). *Mängel* des Weines liegen vor, wenn aufgrund der Verarbeitung minderwertiger Rohstoffe od. sonstiger technol. Unzulänglichkeiten eine unharmon. Zusammensetzung (unausgeglichenes Zucker/Säure-Verhältnis, fehlendes Bukett) vorliegt. Typ. W. sind der

Tab.: Weinfehler u. -krankheiten.

Aroma-Note	verursachende Komponente(n)	Wein-fehler	Wein-krank-heit
grün	Hexanal, Hexenale		
Kartoffelkeimton	3-Isopropyl-2-methoxypyrazin	+	
grüne Paprika, krautig-grasig	3-Isobutyl-2-methoxypyrazin, Methoxypiperazin		
Erdbeerton, Johannisbeerton	2,5-Dimethyl-4-methoxy-3(2H)-furanon, 2,5-Dimethyl-4-hydroxy-3(2H)-furanon	+	
Foxton	Anthranilsäuremethylester	+	
Geranienton	2-Ethoxyhexa-3,5-dien		+
Mäuselton	2-Ethyl-3,4,5,6-tetrahydropyridin, 2-Acetyl-3,4,5,6-tetrahydropyridin	+	+(?)
Holzton	3-Methyl-γ-octanolid		
Kork-Muffton	Methyltetrahydro-naphthaline, 2,4,6-Trichloranisol, Sesquiterpene, gebildet von *Penicillium roqueforti*	+ +	+ +
Naphthalin-Note	1,2-Dihydro-1,1,6-trimethyl-naphthalin	+	
Essigstich	Essigsäure		+
Milchsäurestich	Milchsäure		+
Mannitstich	Milchsäure, 2-Butanol		+
Böckser	Schwefelwasserstoff, Tetrahydro-2-methyl-thiophen-3ol	+	+

Braune Bruch (oxidative Farbveränderung gerbstoffreicher Weine) od. die *Kristalltrübung*. Eine Übersicht zu unerwünschten sensor. Veränderungen in Wein, welche z. B. durch die Bildung geringer Mengen flüchtiger phenol. Verb. hervorgerufen werden können, ist *Lit.*[1] zu entnehmen. Eine Zwischenstellung zwischen W. u. Weinkrankheit nimmt die als *Böckser* bezeichnete, sowohl auf mikrobiolog. als auch auf chem. Prozesse zurückzuführende Schwefelwasserstoff-Bildung ein. *Weinkrankheiten* sind ebenfalls nachteilige Veränderungen des Weines, die allerdings von Mikroorganismen verursacht werden (z. B. *Essigstich, Geranienton*); s.a. Mäuseln. – *E* defects in wine – *F* défauts du vin – *I* difetti di vino – *S* defectos del vino
Lit.: [1] Alimentaria **272**, 25–27 (1996); Der deutsche Weinbau **1994**, Nr. 2, 18–23.
allg.: Belitz-Grosch (4.), S. 834 ▪ Dtsch. Lebensm. Rundsch. **86**, 39–44 (1991) ▪ Fresenius J. Anal. Chem. **337**, 777–785 (1990) ▪ Koch (Hrsg.), Getränkebeurteilung, S. 170, Stuttgart: Ulmer 1986 ▪ Troost, Technologie des Weines (6.), Stuttgart: Ulmer 1988 ▪ Würdig u. Woller, Chemie des Weines, S. 385–465, 610–615, Stuttgart: Ulmer 1989.

Weingärtners Tannin-Reagenz. Lsg. von 10 g Tannin u. 10 g Natriumacetat in 100 mL Wasser; gibt beim Erhitzen mit bas. (nicht mit sauren!) Farbstoffen einen Niederschlag.

Weingeist. Histor. Name für *Ethanol.

Weingeläger. Der beim ersten Abstich des *Weines anfallende, vorwiegend aus Hefe u. Weinstein (s. Kaliumhydrogentartrat u. Weinsäure) bestehende *Trub wird auch als W. bezeichnet. – *E* lees – *F* lie – *I* depositi di vino – *S* sedimentos, lías

Weinhefeöl (Cognacöl, Weinbeeröl, Oenanthether, Oleum Vini).
Herst.: Durch *Wasserdampfdestillation in Ggw. von *Schwefelsäure erhält man aus dem *Weingeläger ein je nach Konz. u. Zusammensetzung unangenehm bis fruchtig riechendes *etherisches Öl (D. 0,872–0,89), das als W. bezeichnet wird. Daneben kann W. auch durch eine spezielle Dest.-Technik bei der Herst. von Tresterbrand (s. Trester) abgeschieden werden.
Zusammensetzung: *Ester (v. a. der *Octan- u. *Decansäure mit Ethanol u. *Methylbutanolen) u. freie Fettsäuren (*Oenanth-, *Laurin- u. *Myristinsäure) sind die Hauptinhaltsstoffe des Weinhefeöls.
Verw.: Zur Herst. von Trinkbranntwein, Likör u. Parfümessenzen. Der Zusatz zu *Weinbrand gilt als Verfälschung, s. *Lit.*[1]. – *E* oil from wine lees – *F* huile de lie de vin – *I* olio degli acini d'uva – *S* aceite vínico (enántico), aceite de heces de vino
Lit.: [1] Lindner, Toxikologie der Nahrungsmittel (4.), S. 71, Stuttgart: Thieme 1990.
allg.: Ullmann (5.) **A 28**, 471 ▪ Würdig u. Woller, Chemie des Weines, S. 694, 699 f., Stuttgart: Ulmer 1989. – [HS 330 l 29]

Weinhold-Gefäße s. Dewar-Gefäße.

Weinkrankheiten s. Weinfehler.

Weinlacton s. Weinaroma.

Weinland-Effekt s. Photographie, S. 3310.

Weinphenole. Neben den flüchtigen Bestandteilen des *Weinaromas, Alkoholen, *Weinsäure u. Weinstein enthalten v. a. Rotweine phenol. Bestandteile: Stilbene, z. B. Resveratrol (s. Pinosylvin), die Vitisine[1], Viniferine (cyclotrimeres Resveratrol)[4], andere Oligostilbene[5], *Tannine u. a. Polyphenole wie *Ellagsäure, denen die anti-atherosklerot. u. Infarkt-prophylakt. Wirkung zugeschrieben u. damit das sog. „French Paradoxon" erklärt wird. Polyphenole/Tannine entstammen häufig dem Ausbau der Jungweine in Eichenholzfässern, die Vitisine od. Castavinole[2] jedoch entstammen Traubenhäuten u. Holzteilen der Weinrebe selbst.

Vitisin D
Vitisin E

R = H : Castavinol
R = OCH$_3$: 5'-Methoxy-Castavinol
R = OH : 5'-Hydroxy-Castavinol

Tab.: Daten von Weinphenolen.

	Summen-formel	M_R	CAS
Vitisin D	$C_{56}H_{42}O_{12}$	906,93	
Vitisin E	$C_{42}H_{32}O_9$	680,71	
Castavinol	$C_{26}H_{30}O_{13}$	550,52	183607-09-2
5'-Methoxy-castavinol	$C_{27}H_{32}O_{14}$	580,54	183607-16-1
5'-Hydroxy-castavinol	$C_{26}H_{30}O_{14}$	566,52	183607-17-2

Auch *flavonoide Bestandteile des Rotweins tragen zur antioxidativen Wirkung der W. bei u. werden wie die Polyphenole durch mikrobiolog. Prozesse u. Alterung (Luftaustausch durch den Korken) verändert. Phenol. Inhaltsstoffe hemmen die Oxidation von humanem Low Density Lipoprotein (LDL) in vitro[3]. – *E* phenolic wine constituents – *F* phénols du vin – *I* fenoli del vino – *S* fenoles del vino

Lit.: [1] J. Org. Chem. **58**, 850 (1993); Tetrahedron **51**, 11 979 (1995); Heterocycles **46**, 169 (1997). [2] Tetrahedron Lett. **37**, 7739 (1996). [3] J. Agric. Food. Chem. **45**, 1638 (1997). [4] Planta Med. **64**, 204 (1998). [5] Chem. Pharm. Bull. **46**, 655 (1998); Tetrahedron **54**, 6651 (1998).
allg.: ACS Symp. Ser. **661**: Wine, Nutritional and Therapeutic Benefits (1997) ▪ Bull. Soc. Pharm. Bordeaux **136**, 19–36 (1997) ▪ GIT Fachz. Labor **1997**, 882–886, 890.

Weinsäure (2,3-Dihydroxybutandisäure, 2,3-Dihydroxybernsteinsäure, Tetrarsäure, Weinsteinsäure).

```
       COOH
    H—C—OH         L-(+)-Weinsäure,
   HO—C—H          (2R,3R)-Weinsäure
       COOH        L-Threarsäure
```

$C_4H_6O_6$, M_R 150,09. W. tritt in 3 stereoisomeren Formen auf: Die L-(+)-Form [sog. *natürliche W.* (2*R*,3*R*)-Form, Schmp. 169–170 °C, D_4^{20} 1,7598], die D-(–)-Form [(2*S*,3*S*)-Form, Schmp. 169–170 °C, D_4^{20} 1,7598] u. die *meso*-Form [Erythrarsäure, Schmp. 159–160 °C, D_4^{20} 1,666 (andere Angabe 1,737)]. W. ist eine starke Säure (pK_{a1} 2,98, pK_{a2} 4,34, andere Angabe: pK_{a1} 2,93, PK_{a2} 4,23, jeweils bei 25 °C), in wäss. Lsg. von erfrischendem Geschmack, gut lösl. in Wasser (die L-Form besser als das Racemat), Methanol, Ethanol, 1-Propanol, Glycerin, unlösl. in Chloroform. W. reduziert Diamminsilber-Ionen in ammoniakal. Lsg., bildet bei vorsichtigem Erhitzen Anhydride, die beim Kochen in Wasser wieder in W. übergehen. Bei weiterem Erhitzen tritt unter Aufblähung u. Entwicklung von Karamelgeruch Verkohlung ein. Die DL-(±)-Form von W. (*racem. W., Traubensäure, Vogesensäure*, Schmp. 205–206 °C) kommt nicht in der Natur vor, bildet sich jedoch in geringen Mengen bei der Weinherst. bzw. neben *meso*-W. durch Erhitzen von L-W. in Natronlauge; es war das erste *Racemat, das in seine Antipoden aufgetrennt werden konnte (s. u.). Die Salze der W. heißen *Tartrate (latein. Bez. für W.: acidum tartaricum). W. komplexiert Schwermetall-Ionen wie Kupfer, Eisen u. Blei (z. B. *Fehlingsche Lösung).

Vork.: Die L-Form kommt in vielen Pflanzen u. Früchten vor, in freier Form u. als Kalium-, Calcium- od. Magnesium-Salz, z. B. im Traubensaft teils als freie W., teils als *Kaliumhydrogentartrat, das sich als *Weinstein* zusammen mit Calciumtartrat nach der Gärung des Weins abscheidet[1]. D-W., die auch als *unnatürliche W.* bezeichnet wird, ist in der Natur sehr selten, sie findet sich in den Blättern des westafrikan. Baumes *Bauhinia reticulata*.

Herst.: Weinstein wird z. B. mit Calciumchlorid od. Calciumhydroxid in Calciumtartrat umgewandelt. Hieraus werden mit Schwefelsäure W. u. Gips freigesetzt, W. ist damit ein Nebenprodukt der Weinerzeugung. DL- bzw. *meso*-W. erhält man bei der Oxid. von *Fumarsäure od. *Maleinsäureanhydrid mit Wasserstoffperoxid, Kaliumpermanganat, Persäuren, in Ggw. von Wolframsäure in techn. Maßstab. In kleinen Mengen kann man D-W. aus racem. W. mit *Penicillium glaucum*, das nur L-W. abbaut, erhalten.

Verw.: In der Textil-Ind. beim Färben u. Drucken als Säure u. Reduktionsmittel [z. B. um das sechswertige Chrom-Ion des Kaliumdichromats zum Cr(III)-Ion zu reduzieren], zu Anilinschwarzfärbungen, zum Avivieren u. Griffichmachen von Seide u. Kunstseide, zur Bereitung von Speiseeis, Kunsthonig, Obstprodukten, Backpulver, Brausepulver, Limonaden, Gelees u. Konditorwaren, zur Säuerung säurearmer südländ. Weine, in der Galvanotechnik, zur Glasversilberung, zum Metallfärben, zur Herst. von *Fehlingscher Lösung, *Brechweinstein, Weichmachern usw. Im Laboratorium benutzt man die opt. aktive W. u. Derivate wie die (–)-O^2,O^3-Dibenzoyl-L-weinsäure zur *Racemattrennung u. zur Herst. chiraler Bausteine (*Synthons) für die organ. Synth.[2]. Tartrate sind als Kochsalzersatzmittel u. Kutterhilfsmittel, Einkristalle als piezoelektr. Wandler geeignet. *Metaweinsäure*, für die verschiedene Konstitutionen (als cycl. Dimeres vom *Lactid-Typ, als etherartig gebundenes Trimeres, als oligomerer Ester) angegeben werden, kann als Kellereihilfsmittel zur Säuerung säurearmer südländ. Weine eingesetzt werden.

Geschichte: Natürliche W. wurde 1769 erstmals von *Scheele aus Weinstein abgeschieden u. krist. dargestellt. Die Traubensäure (DL-W.) wurde 1819 von dem Fabrikanten Kestner unter den Nebenprodukten der W.-Fabrikation entdeckt, u. 1826 stellte *Gay-Lussac ihre Isomerie mit W. fest. 1853 fand *Pasteur die *meso*-W., als er sich mit der Zerlegung des Racemates in seine aktiven Komponenten beschäftigte. Die abs. Konfiguration der (+)-W. wurde erst 1951 experimentell bewiesen. Zur wirtschaftlichen Bedeutung der W. s. Lit.[3]. – *E* tartaric acid – *F* acide tartarique – *I* acido tartarico – *S* ácido tartárico

Lit.: [1] Wein Wiss. **42**, 241–265 (1987). [2] Helv. Chim. Acta **64**, 687–702, 1467–1487 (1981); Seebach u. Hungerbühler, in Scheffold (Hrsg.), Modern Synthetic Methods, Bd. 2, S. 91–172, Frankfurt: Sauerländer-Salle 1980. [3] Int. Food Ingr. **3**, 17–21 (3/1994).
allg.: Beilstein E IV **3**, 1219 ▪ DAB **9**, 66, 1451 f.; Komm.: **9/1**, 107 f.; **9/3**, 3512–3515 ▪ Hager (5.) **4**, 298, 797, 1061 ▪ Karrer, Nr. 859–861 ▪ Kirk-Othmer (4.) **5**, 768; **23**, 745 ▪ Merck-Index (12.), Nr. 9235–9238 ▪ Sax (8.), TAF 750 ▪ Ullmann (4.) **24**, 431–438; (5.) **A 13**, 508; **A 18**, 180. – *Konfiguration:* Angew. Chem. **97**, 503 (1985). – [HS 2918 12; CAS 87-69-4 [L-(+)-W.]; 147-71-7 [D-(–)-W.]; 147-73-9 (meso-W.); 133-37-9 (DL-W.)]

Weinsauerkraut. *Sauerkraut, dem vor, während od. nach der Gärung mindestens 1 L Wein auf 50 kg Kraut zugesetzt wurde, darf nach Punkt 5.3 der Richtlinie für

Sauerkraut[1] als W. bezeichnet werden; s. Sauerkraut. – *E* wine sauerkraut – *F* choucroute au vin – *I* cavoli acidi al vino – *S* chucrut al vino

Lit.: [1] Bund für Lebensmittelrecht u. Lebensmittelkunde (BLL) (Hrsg.), Richtlinie für Sauerkraut, Hamburg: Behr 1985. – [HS 2005 90]

Weinschönung (Vorklärung). Klär- u. Stabilisationsverf., die auf der chem. Ausflockung od. adsorptiven Bindung von Trubstoffen (s. Trub) des *Weines beruhen, werden unter dem Begriff W. zusammengefaßt. Grundlage der chem. Ausflockung von Trubstoffen sind kolloidchem. Prozesse. Eine mechan. Entfernung ist möglich (Separation, *Filtration). Zum Schönen von Wein sind nur die in Anhang VI der VO (EWG) 822/87[1] genannten organ. (z. B. Speisegelatine, *Casein, *Polyvinylpyrrolidon) u. anorgan. [z. B. *Bentonit, *Aktivkohle, Kaliumhexacyanoferrat(II), s. Blutlaugensalze] Stoffe u. Verf. zugelassen. Zum Mechanismus der W. mit Gelatine s. *Lit.*[2]. Nachtrübungen des Weines, die auf Eiweiße od. Metall-Ionen zurückzuführen sind, lassen sich ebenfalls durch Schönen verhindern (*Weinstabilisierung*). Ein klass. Beisp. ist die *Blauschönung*, in deren Verlauf Metall-Ionen (z. B. Eisen, Zink, Kupfer), die zu Nachtrübungen im Wein führen können, durch den Zusatz von Kaliumhexacyanoferrat(II) (s. Blutlaugensalze) gefällt werden. Der Name ist auf die überwiegende Blaufärbung der gefällten Eisen-Verb. zurückzuführen. – *E* wine fining – *F* clarification – *I* chiarificazione del vino – *S* clarificación

Lit.: [1] VO (EWG) 822/87 über die gemeinsame Marktorganisation für Wein vom 16. 3. 1987 i. d. F. vom 17. 3. 1997 (Amtsblatt Nr. 83/5). [2] Rev. Oenolog. Techn. Vitivinicoles Oenologiques **80**, 21–25 (1996). *allg.:* Belitz-Grosch (4.), S. 829 ▪ Ullmann (4.) **23**, 324 ▪ Würdig u. Woller (Hrsg.), Chemie des Weines, S. 244–307, Stuttgart: Ulmer 1989 ▪ Zipfel, C 403 **8**, 42.

Weinstein (Tartarus) s. Kaliumhydrogentartrat u. Weinsäure.

Weinsteinsäure s. Weinsäure.

Weintrauben (umgangssprachl.; im biolog. Sinne Weinbeeren, s. unten). Die zur Familie der Rebengewächse (Vitaceae) gehörende Art *Vitis vinifera* L. umfaßt alle wichtigen in Europa kultivierten Ertragsrebsorten. Die Kulturrebsorten sind das Ergebnis der Selektion u. Kreuzung von Wildreben. In Nordamerika sind die Rebsorten anderer *Vitis*-Arten (*V. riparia*, *V. rupestris* u. a.) verbreitet, die wegen ihrer Reblausresistenz auch in Europa als Pfropfrebe verwendet werden. Aus den reifen Früchten der Weinrebe, die als W. (Rispe) bezeichnet werden, läßt sich durch Einmaischen od. Keltern mit den üblichen kellertechn. Verf. nach spontaner alkohol. Gärung *Wein erzeugen. Zur Weinbereitung sind nur die in der Tab. genannten Rebsorten zugelassen.
Nach VO (EWG) 2389/89[2], Artikel 2, werden W. nach der Verw. als *Keltertrauben* (Weinbereitung), *Tafeltrauben* (Verzehr in frischem Zustand) od. *Trauben zur besonderen Verwendung* (zur Erzeugung von *Traubensaft, getrockneten Trauben od. Branntwein aus Wein) klassifiziert.

Zusammensetzung: Frische *Weinbeeren* enthalten ca. 81,4% Wasser, 0,6% Eiweiß, 0,3% Fett, 17,3% Kohlenhydrate, 0,5% *Rohfaser sowie größere Mengen an *Äpfel- u. *Weinsäure. W. sind Kalium-reich (ca. 255 mg/100 g). Die Bez. W. umfaßt im engeren biolog. Sinne den gesamten Fruchtstand, der aus *Weinbeeren* u. *Rappen* (Kämmen) besteht. Die Beeren wiederum bestehen aus Beerenhülse, Kernen u. Fruchtfleisch. Im Verlauf der Reifung nimmt der Säure- u. Wassergehalt ständig ab, während der Zuckergehalt zunimmt. Als Hauptaromastoffe sind Terpene beschrieben (s. Vitispirane u. Weinaroma). Zu den Schlüsselkomponenten der W. zählen weiterhin *Polyphenole, *Isoprene u. *Pyrazine[3]. Zur antioxidativen Aktivität phenol. Extrakte aus W. s. *Lit.*[4].

Verw.: Zur Herst. von Wein, Traubensaft u. Branntwein aus Wein, als Tafelobst od. *Rosinen. Edelfaule *Botrytis cinerea*-befallene u. überreife W. bilden die Grundlage zur Herst. von *Beerenauslesen*, während

Tab.: Weiße u. rote Rebsorten, die in der BRD zugelassen sind, geordnet nach Anbaufläche (Auswahl)[1].

Rebsorte	Reifezeit	Ertrag	Mostgewicht	Säure	Charakter des Weines
Weißwein					
Müller-Thurgau	früh	hoch	mittel	gering	leicht, mild, blumig, dezentes Muskatbukett
Riesling	spät	mittel	mittel	hoch	rassig, fruchtig, elegant
Silvaner	mittelspät	hoch	mittel	mittel	kräftig, teils fruchtig, teils breit
Kerner	mittelspät	mittelhoch	hoch	mittel	gehaltvoll, rassig, fruchtig
Scheurebe	mittelspät	mittel	mittel	hoch	kräftig, rassig, feines, rieslingähnliches Bukett
Bacchus	mittelfrüh	hoch	mittelhoch	mittel	blumig, fruchtig, würziges Muskatbukett
Ruländer	mittelspät	mittelhoch	hoch	mittel	körperreich, wuchtig
Morio-Muskat	mittelfrüh	hoch	gering	mittel	leicht, blumig, kräftiges Muskatbukett
Faber	früh	mittelhoch	hoch	mittel	voll, blumig, fruchtig
Huxelrebe	früh	mittelhoch	mittelhoch	mittel	leicht, blumig, fruchtig
Gutedel	mittelfrüh	hoch	mittel	mittelgering	leicht, mild, neutral, sehr bekömmlich
Rotwein					
Blauer Spätburgunder	mittelspät	mittelhoch	hoch	mittel	vollmundig, gehaltvoll
Portugieser	mittelfrüh	sehr hoch	gering	gering	leicht, mild, neutral
Trollinger	spät	hoch	mittel	mittel	leicht, frisch, rassig, neutral
Müller-Rebe	mittelspät	mittelhoch	hoch	hoch	kräftig
Dornfelder	mittelspät	hoch	mittel	mittel	gehaltvoll, farbkräftig
Limberger	spät	mittel	mittel	hoch	leicht, fruchtig, säurebetont, neutral

aus W., die am Stock gefroren sind, *Eiswein* erzeugt wird (= Qualitätsweine mit Prädikat, s. Wein). Aus den Kernen kann *Traubenkernöl gewonnen werden, aus den Beerenhülsen durch *Extraktion mit Alkohol *Anthocyane u. *Anthocyanidine[5], die als Lebensmittelfarbstoffe (E 163) für bestimmte *Lebensmittel zugelassen sind (Anlage 6, Liste A u. B der Zusatzstoff-Zulassungs-VO[6]).
Analytik: Einen allg. Überblick zu chem. Meth. der Charakterisierung von W. gibt *Lit.*[3]. Die Bestimmung freier u. gebundener Aromastoffe wird in *Lit.*[7] beschrieben; die ermittelten Gehalte werden mit den Hauptinhaltstoffen des W. (*Zucker, *Säuren, *Polyphenole, Saftgehalt) ins Verhältnis gesetzt. Die Qualität von Rotwein steht in direktem Verhältnis zur Konz. an Polyphenolen u. Polysacchariden; zur Analytik dieser Verb. s. *Lit.*[8]. Die Ermittlung der Identität von W. mittels DNA-Profil ist *Lit.*[9] zu entnehmen. Traubenernte (Welt, 1995): 53,6 Mio. t; s. Traubenmost, Traubensaft u. Wein. – *E* grapes – *F* (grappes) de raisin – *I* grappoli d'uva – *S* uva

Lit.: [1] Würdig u. Woller (Hrsg.), Chemie des Weines, S. 24 f., Stuttgart: Ulmer 1989. [2] VO (EWG) 2389/89 über die Grundregeln für die Klassifizierung der Rebsorten vom 24.7.1989 i.d.F. vom 4.12.1990 (Amtsblatt Nr. L 353/23). [3] Rivista Viticoltura Enologia **49**, 51–56 (1996). [4] J. Agric. Food Chem. **45**, 1638–1643 (1997). [5] Vitis **26**, 65–78 (1987). [6] Zusatzstoff-Zulassungs-VO vom 22.12.1981 i.d.F. vom 8.3.1996 (BGBl. I, S. 460). [7] J. Agric. Food Chem. **45**, 1729–1735 (1997). [8] Italien J. Food Sci. **8**, 13–24 (1996). [9] Rivista Viticoltura Enologia **49**, 65–68 (1996).
allg.: Belitz-Grosch (4.), S. 733, 752, 824–825 ▪ Würdig u. Woller (Hrsg.), Chemie des Weines, S. 23–44, Stuttgart: Ulmer 1989 ▪ Zipfel, A 402 a, C 403. – *[HS 0806 10, 0806 20]*

Weintraubenkernöl s. Traubenkernöl.

Weiselfuttersaft s. Gelée Royale.

Weiss, Alarich Michael Wolfgang (geb. 1925), Prof. für Physikal. Chemie, Univ. Münster, Darmstadt. *Arbeitsgebiete:* Physikal. Chemie der kondensierten Materie, Festkörperspektroskopie, Transportvorgänge, Quantentheorie des Festkörpers. Erster Vorsitzender der Dtsch. Bunsenges. für Physikal. Chemie 1987/88.
Lit.: Kürschner (16.), S. 4007 ▪ Nachr. Chem. Tech. Lab. **34**, 588 (1986); **40**, Nr. 7/8, 905 (1992); **43**, Nr. 11, 1230 (1995).

Weiss, Hanns (geb. 1940), Prof. für Biochemie, Univ. Düsseldorf, Gruppenleiter beim Europ. Laboratorium für Molekularbiologie (EMBL), Heidelberg. *Arbeitsgebiete:* Biogenese von Mitochondrien, Struktur u. Funktion der mitochondrialen Atmungsketten-Komplexe.
Lit.: Kürschner (16.), S. 4008; (17.), S. 1509.

Weißätzen s. Ätzdruck.

Weissberger, Arnold (1899–1985), Eastman Kodak Comp., Rochester, N.Y. (USA). *Arbeitsgebiete:* Farbstoffe, Entwickler, Farbphotographie.
Lit.: Chem. Britain **21**, 1098 (1985).

Weißblech. Aus unlegiertem *Stahl gewalztes Blech bis 0,5 mm Dicke mit einer Reinzinnauflage von mind. 20 g/m^2 durch Feuerverzinnen bzw. mind. 5 g/m^2 bei elektrolyt. Verzinnung[1], s. Verzinnen. – *E* tin plate – *F* fer blanc – *I* latta stagnata (bianca), lamiera bianca, banda stagnata – *S* hojalata

Lit.: [1] DIN EN 10203: 1991-08.
allg.: s. Verzinnen.

Weißbleierz s. Cerussit.

Weißbrandmittel s. Tabak.

Weißdorn. In gemäßigten Klimazonen heim., weiß blühende, dornige Sträucher {*Crataegus laevigata* (Poir.) DC., syn. *C. oxyacantha* auct. [zweigriffeliger W.], *C. monogyna* Jacq. [eingriffeliger W.] u. a. Arten; Rosaceae}. W. enthält in seinen Blättern, Blüten u. Früchten (Mehlbeeren): Oligomere Procyanidine (= *Leukoanthocyanidine); Flavonoide, bes. Hyperin (= Hyperosid-*Quercetin-3-β-D-galactosid), Vitexin-2''-O-α-L-rhamnosid (Vitexin = 8-β-D-Glucopyranosyl-*apigenin). *Rutin; Amine, z.B. *Spermidin u. *Tyramin – frische W.-Blüten weisen einen deutlichen Amin-Geruch auf; Phenolcarbonsäuren; Triterpencarbonsäuren u.a.
Maßgeblich für die Wirkung sind die beiden erstgenannten Inhaltsstoffgruppen. Sie hemmen die cAMP-Phosphodiesterase, wodurch es zu einer verbesserten Durchblutung des Myokards u. der Koronargefäße kommt. W.-Präp. u. -Tees werden daher bei leichten Formen von Herzmuskelinsuffizienz, Druckbeschwerden in der Herzgegend u. leichten Formen bradykarder Herzrhythmusstörungen verordnet. Im Arzneibuch sind „W.-Blätter mit Blüten" u. W.-Fluidextrakt monographiert; für erstere wird ein Mindestgehalt von 0,7% Flavonoiden, berechnet als Hyperosid, gefordert. W.-Früchte weisen einen wesentlich geringeren Gehalt an Flavonoiden auf; auch konnten für sie die genannten Wirkungen nicht belegt werden. – *E* hawthorn – *F* aubépine, cratægus – *I* biancospino – *S* espino blanco, majuelo

Lit.: Bundesanzeiger 1/03.01.1984, 85/05.05.1988, 133/19.07.1994 u. Komm. ▪ Hager (5.) **4**, 1040–1062 ▪ Kaul, Der Weißdorn, Stuttgart: Wissenschaftliche Verlagsges. 1998 ▪ Wichtl (3.), S. 168–174. – *[HS 1211 90]*

Weiße Blutkörperchen s. Leukocyten.

Weißeisenerz s. Siderit.

Weiße Minze s. Pfefferminze.

Weissenberg-Effekt. Bez. für das bei strukturviskosen Flüssigkeiten (s. Nichtnewtonsche Flüssigkeiten u. Strukturviskosität) beobachtete *Viskoelastizitäts-Phänomen, daß die gerührte Lsg. am Rührerschaft bis zu ca. 30 cm emporkriecht. Beim Rühren einer *Newtonschen Flüssigkeit (s.a. Viskosität) sinkt der Flüssigkeitsspiegel dagegen am Rührerschaft unter das sonstige Flüssigkeitsniveau ab (s. Abb., S. 4966).
Ursache des W.-E. sind Normalspannungen, die sich in den Lsg. der temporär verhakten Polymermol. bei den hohen Schergeschw. in der Nähe des Rührerschaftes senkrecht zu den Strömungslinien aufbauen. Sie relaxieren durch eine Ausdehnung der Lsg. senkrecht zur Strömungsrichtung, wodurch das Emporkriechen ausgelöst wird. Der W.-E. hat damit die gleiche mol. Ursache wie z.B. die *Schmelzelastizität. Gut zu beobachten ist er anhand 1%iger wäss. Lsg. sehr hochmol. Polyacylamide. – *E* Weissenberg effect, rod-climbing effect – *F* effet Weissenberg – *I* effetto Weissenberg – *S* efecto Weissenberg

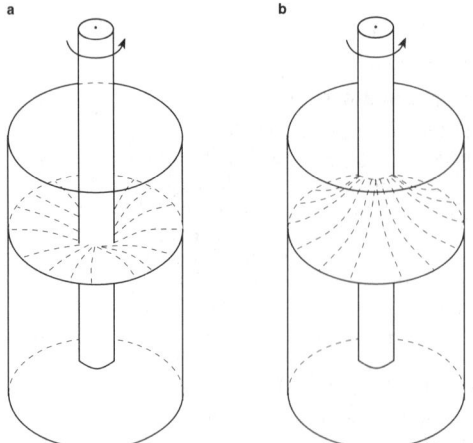

Abb.: Verhalten einer Newtonschen (a) u. einer Nichtnewtonschen (b) Flüssigkeit unter Rühren; (b) zeigt den Weissenberg-Effekt (nach Elias, s. *Lit.*).

Lit.: Eitelberg, Numerische u. optische Experimente zum Weissenberg-Effekt (Forschungsber. 84–04), Köln-Porz: DFVLR 1984 ▪ Elias (5.) **1**, 910.

Weißer Amber s. Walrat.

Weiße Raucher s. Lagerstätten.

Weißer Germer s. Nieswurz.

Weißer Maulbeerbaum s. Seide.

Weissermel, Klaus (1922–1997), Prof. für Chemie, TU Braunschweig. Ehem. Leiter der Forschung u. Mitglied des Vorstandes der Hoechst AG. Vorsitzender (bis 1986) des engeren Kuratoriums des *Fonds der chemischen Industrie (FCI); Mitglied des Vorstandes der GDCh von 1971–1973. *Arbeitsgebiete:* Industrielle organ. Chemie.
Lit.: Kürschner (16.), S. 4013 ▪ Nachr. Chem. Tech. Lab. **40**, Nr. 5, 637 (1992).

Weißer Riese®. Universalwaschmittel mit anionaktiven u. nichtion. *Tensiden, *Zeolith A (*SASIL®), *Wasserglas, *Natriumcarbonat, *Polycarboxylaten, *optischen Aufhellern u. *Perborat als Bleichmittel; auch als *W. R. color* u. *W. R. *Megaperls* erhältlich. *B.*: Henkel.

Weißer Rost s. Rost u. Zink.

Weißer Temperguß s. Temperguß.

Weißer Ton s. Bolus (alba) u. vgl. Ton, Tone.

Weiße Strahlung s. Strahlung.

Weißfäulepilze. Holz-zerstörende *Pilze, die v. a. *Lignin, aber auch *Cellulose abbauen. Zu den W. zählen der Schmetterlingsporling (*Polyporus versicolor*), die Schichtpilze (z. B. *Stereum hirsutum*) u. der Zunderschwamm (*Fomes fomentarius*). Sie scheiden in großen Mengen Phenol-Oxidasen aus. Befallen werden v. a. Koniferen, Hart- u. Grubenhölzer. – *E* white rot fungi – *F* champignons de la pourriture blanche – *I* funghi putrefattivi bianchi – *S* hongos de la podredumbre blanca
Lit.: Schlegel (7.), S. 454 ▪ Weber, Allgemeine Mykologie, S. 398, 404, 406, Jena: Fischer 1993.

Weißfeuer (griech. Weißfeuer). Blendendweißes Licht, das beim Abbrennen eines Gemisches aus Salpeter, Schwefel u. Realgar (s. Arsensulfide) entsteht; Realgar verbrennt dabei zu Arsentrioxid (giftig!) u. Schwefeldioxid. *Leuchtsätze dieser Art waren schon den arab. Chemikern im Mittelalter bekannt; man erhält sie z. B. durch Mischen von 24 Tl. Salpeter, 7 Tl. Schwefel u. 2 Tl. Realgar. – *E* white flame – *F* flamme blanche – *I* fiamma bianca – *S* llama blanca
Lit.: s. Leuchtsätze.

Weißgerberei s. Gerberei, S. 1507.

Weißglut s. Glut.

Weißherbst s. Rosé-Wein.

Weißkäse s. Quark.

Weißkalk s. Calciumoxid.

Weißklee s. Klee.

Weißkohl, Weißkraut s. Kohl.

Weißkreuzkampfstoffe. Bez. aus dem 1. Weltkrieg für *Kampfstoffe mit Augen- u. Nasenschleimhautreizender Wirkung, s. die bei Kampfstoffe u. Tränenreizstoffe genannten Beispiele. – *E* white cross harassing agents – *I* aggressivi chimici croce bianca – *S* agresivos químicos cruz blanca
Lit.: s. Kampfstoffe.

Weißmetalle. Nicht mehr genormte Bez. für eine Werkstoffgruppe zum Ausguß von Mehrschichtgleitlagern mit max. 90% Sn, max. 16% Sb, max. 9% Cu, max. 80% Pb sowie ggf. geringen Anteilen an Cd, Ca, Ni u. As. Nach dem Sn-Gehalt erfolgt eine Unterteilung in Sn-arme W. (<10% Sn) u. Sn-reiche W. (≥80% Sn), letztere für stoß- u. schlagbeanspruchte Gleitlager. – *E* antifriction (white) metals – *F* métaux blancs (d'antifriction) – *I* metalli bianchi, metalli antifrizione – *S* metales blancos (antifricción)
Lit.: DIN ISO 4381: 1992-11 ▪ s. a. Lagermetalle.

Weißnickelkies s. Rammelsbergit.

Weißöle s. Paraffin.

Weißpigmente. Sammelbez. für farblose anorgan. *Pigmente mit großem Brechungsindex (s. Refraktion) u. hohem *Remissions-Grad. Neben dem in der Technik meistverwendeten *Titandioxid werden noch *Lithopone u. Zinkweiß (*Zinkoxid) eingesetzt, während ältere W. wie *Bleiweiß u. Antimontrioxid (s. Antimonoxide) heute keine Bedeutung mehr haben. – *E* white pigments – *I* pigmenti bianchi – *S* pigmentos blancos
Lit.: s. Pigmente. – [HS 2817 00, 2823 00]

Weiss-Reaktion. Mit Hilfe der W.-R. lassen sich in einem Eintopfverf. aus einer 1,2-Dicarbonyl-Verb. u. 3-Oxoglutarsäurediester Perhydropentalen-Derivate aufbauen. Miteinander kondensierte Fünfringe (vgl. Polyquinane) sind häufig Bestandteile von Naturstoffen, so daß die W.-R. einen guten synthet. Zugang zu diesen Syst. bietet. Daneben lassen sich auch reizvolle Mol. wie Semibullvallene, Fenestrane u. a. kondensierte u. polycycl. Verb. synthetisieren. – *E* Weiss reaction – *F* réaction de Weiss – *I* reazione di Weiss – *S* reacción de Weiss

[5.5.5.5]Fenestran

Lit.: Aldrichimica Acta **25**, 43 (1992) ▪ Hassner-Stumer, S. 408 ▪ Laue-Plagens, S. 311 ▪ Mulzer et al., Organic Synthesis Highlights, S. 121–125, Weinheim: VCH Verlagsges. 1991 ▪ Tetrahedron **47**, 3665–3710 (1991).

Weißrost s. Zink.

Weiss'sche Bezirke. Nach dem französ. Physiker Pierre Weiss (1865–1940) benannte kleinste *Domänen mit Vol. von 10^{-4}–10^{-6} mm^3, aus denen man sich die Kristallite von *Ferromagnetika zusammengesetzt denken muß. Innerhalb der W. B. sind die atomaren magnet. Dipole gleichgerichtet. Da jedoch im (nichtmagnetisierten) Kristallit die Ausrichtung der einzelnen W. B. statist. verteilt ist, tritt nach außen Magnetismus (vgl. Magnetochemie) nicht in Erscheinung. Unter dem Mikroskop lassen sich die W. B. mit Hilfe feinsten Fe-Pulvers od. dünner Schichten sichtbar machen; bezüglich der W. B. bei amorphen u. nanokrist. Metallen s. *Lit.*[1]. Bei Magnetisierung durch ein äußeres Magnetfeld kann ggf. der *Barkhausen-Effekt beobachtet werden. – *E* Weiss zones – *F* zones de Weiss – *I* zone di Weiss – *S* zonas de Weiss

Lit.: [1] Spektrum Wiss. 1994, Nr. 7, 108.

allg.: s. Ferromagnetika, Magnetochemie.

Weiss'sche Koeffizienten. Kennt man das einer Kristallstruktur zugrunde liegende Achsenkreuz mit dem Achsenverhältnis $a:b:c$, dann lassen sich alle an einem *Einkristall der betreffenden Substanz beobachtbaren Flächen im Verhältnis ganzzahliger Koeff., den W. K., auf dieses Achsenverhältnis beziehen (s. Rationalitätsgesetz). Eine Ebene mit den Achsenabschnitten $1 \cdot a, 1 \cdot b$ u. $\infty \cdot c$ (d. h. parallel zu c) wird durch die W. K. 1, 1, ∞ beschrieben. Für Berechnungen eignen sich jedoch die *Millerschen Indizes (s. a. Kristallgeometrie) besser. Sie werden aus den W. K. durch Bildung des Kehrwerts u. Multiplikation mit dem Generalnenner erhalten; für das Beisp. ergibt sich daher die Flächenindizierung (110). – *E* Weiss indices – *F* indices de Weiss – *I* indici di Weiss – *S* índices de Weiss

Lit.: Ramdohr-Strunz, S. 20 f.

Weißschiefer s. Talk u. Hochdruckmetamorphose.

Weißschliff s. Holzschliff.

Weißspießglanz s. Valentinit.

Weißtöner s. optische Aufheller.

Weißtrübungsmittel s. Trübungsmittel.

Weißzucker s. Saccharose.

Weisz-Ringofen-Technik. Von H. Weisz (geb. 1922) 1954 entwickelte Spezialtechnik der *Tüpfelanalyse. Auf einem Heizblock (kein *Ringofen im üblichen Sinn!) werden einem auf Papier fixierten Substanztropfen unter gleichzeitiger Erwärmung verschiedene Lsm. zugeführt, die das Substanzgemisch in mehrere Ringe u. einen restlichen Tüpfelfleck auftrennen. Anschließend werden Ringe u. Tüpfelfleck in Sektoren aufgeteilt u. mit Spezialreagenzien identifiziert. – *E* Weisz ring oven technique – *F* technique du four annulaire de Weisz – *I* tecnica del forno anulare di Weisz – *S* técnica del horno anular de Weisz

Lit.: Burns et al., Inorganic Reaction Chemistry, Bd. 1, Chichester: Horwood 1980 ▪ Spektrum Wiss. 1981, Nr. 4, 131–137 ▪ Weisz, Microanalysis by the Ring Oven Technique, Braunschweig: Vieweg 1971.

Weiterverwertung s. Recycling.

Weizen. In verschiedenen Kulturarten weltweit verbreitetes u. wichtigstes Brot-*Getreide (*Triticum aestivum*, Poaceae). W. stellt hohe Anforderungen an den Boden; je nach Beschaffenheit schwanken die Erträge zwischen 10 u. 100 Dezitonnen/Hektar (BRD 50–60 Dezitonnen/Hektar).

Zusammensetzung: 100 g W.-Vollmehl enthalten durchschnittlich 12,6 g Wasser, 12,1 g Protein, 2,1 g Fett (0,4 g gesätt. u. 1,7 g ungesätt. Fettsäuren), 69,4 g Kohlenhydrate u. 2,1 g Ballaststoffe sowie *Mineralstoffe (in mg): Calcium 50, Eisen 10, Magnesium 160, Phosphor 360, Kalium 520, u. *Vitamine (in mg): *Thiamin 2,0, *Riboflavin 0,7, Niacin (s. Nicotinsäure) 4,2, Vitamin B$_6$ 0,9. *Nährwert: 1390 kJ (331 Kcal). *Nicotinsäure ist allerdings Teil eines unverdaubaren Komplexes mit *Polysacchariden (Niacytin) u. steht für den Organismus daher nicht zur Verfügung. Die W.-Kohlenhydrate bestehen aus 95,8% Stärke (s. die Abb. dort), 2,4% *Pentosanen u. Polyosen, 1,5% *Zucker u. 0,3% *Cellulose. *Hartweizen* (*Triticum durum*), der bes. zur Herst. von *Teigwaren dient, enthält ca. 30% mehr *Carotin als der für *Backwaren bevorzugte *Weichweizen*. Bei einseitiger Ernährung mit *Phytinsäure-reichen W.-Produkten können Zink- u. Eisen-Mangelerscheinungen auftreten; im W.-Brot ist Phytinsäure jedoch kaum mehr enthalten, da mikrobielle Phytasen diese hydrolysieren. Die W.-Keime enthalten ein *Lektin (*Weizenkeimagglutinin*, engl. Abk. WGA)[1]. Die W.-*Proteine* lassen sich in 4 Fraktionen trennen (in Klammern die histor., W.-spezif. Namen): In der Aleuronschicht (s. die Abb. bei Getreide) *Albumin (Leukosin) u. *Globulin (Edestin) u. im *Kleber die Reserveproteine der *Prolamine (Gliadin, kann *Zöliakie auslösen) u. *Gluteline (Glutenin), die für die *Viskoelastizität eines *Teiges aus W.-Mehl verantwortlich sind[2]. Einen Überblick über die funktionellen Eigenschaften von W.-*Gluten gibt *Lit.*[3]. Im Laufe der Reifung auftretende Veränderungen in der Proteinfraktion beschreibt *Lit.*[4]. Effekte u. Auswirkungen von W.-Allergien sowie Gluten-Intoleranz werden in *Lit.*[5] diskutiert.

Analytik: Verfälschungen des W.-Mehls durch *Roggen-Mehl sind an dessen Polyfructosan-Gehalt (Graminin) zu erkennen. Die Belastung von W.-Mehl mit *Ergot-Alkaloiden[7] u. *Mykotoxinen (z. B. *Aflatoxinen, Fusarium-Toxinen[8,9] u. *Ochratoxin A) schwanken je nach Ernteumständen erheblich. Der Anteil an Wasser, Fetten od. Kohlenhydraten läßt sich ne-

ben den klass. naßchem. Meth. auch durch *NIR-Techniken bestimmen[10]. Der Einsatz der Biotechnologie zur Verbesserung der W.-Qualität wird in Lit.[11] beschrieben.
Verw.: Zur Herst. von *Mehl, Brot, Gebäck aller Art, Grieß, *Teigwaren, Nährmitteln, *Stärke, *Malz, *Kaffee-Ersatzstoffen. W.-Kleber wird zur Herst. von *Würzen, *Glutaminsäure u. Diabetikergebäck, W.-Keime u. *Weizenkleie zur Herst. von Extrakten u. Ölen (s. Weizenkeimöl) verwendet. Sog. Giftweizen (s. Giftgetreide) dient zur Schädlingsbekämpfung. Die jährlichen Ernteverluste durch Schädlinge schätzt man auf 24% weltweit (s. a. Pflanzenschutz). Eine Kreuzung aus Roggen u. W. wird *Triticale* genannt. *Buchweizen gehört trotz seines Namens nicht zu den *Gräsern, sondern zu den Knöterichgewächsen. Zur technolog. Verarbeitung s. Mehl u. Lit.[6].
In der BRD wurden 1990 2,49 Mio. t W.-Mehl, in der Welt (1984) 521,6 Mio. t W. erzeugt; Hauptanbauländer sind China, die USA, GUS u. Indien; s. a. Getreide, Mehl, Weizenkeimöl u. Weizenkleie. – *E* wheat – *F* blé – *I* grano, frumento – *S* trigo
Lit.: [1] Nachr. Chem. Tech. Lab. **38**, 14–23 (1990). [2] Z. Lebensm. Unters. Forsch. **187**, 27–34 (1988). [3] J. Cereal Sci. **23**, 1–18 (1996). [4] Z. Lebensm. Unters. Forsch. **191**, 99–103 (1990). [5] Food Ind. **49**, 3 (1996). [6] Osteroth (Hrsg.), Taschenbuch für Lebensmittelchemiker u. -technologen, Bd. 2, S. 137–150, Berlin: Springer 1991; Heiss (Hrsg.), Lebensmitteltechnologie (4.), S. 119–131, Berlin: Springer 1991. [7] J. Agric. Food Chem. **35**, 359 ff. (1987); **38**, 1130–1134 (1990). [8] Food Add. Contam. **6**, 35–48 (1989). [9] J. Assoc. Off. Anal. Chem. **72**, 38–40 (1989). [10] Getreide Mehl Brot **43**, 174–177 (1989). [11] J. Sci. Food Agric. **73**, 397–406 (1997).
allg.: Belitz-Grosch (4.), S. 608–638 ▪ Dtsch. Ärztebl. **75**, 2735–2741 (1988) ▪ Frede (Hrsg.), Taschenbuch für Lebensmittelchemiker u. -technologen, Bd. 1, S. 313–325, Berlin: Springer 1991 ▪ Lorenz u. Kulp (Hrsg.), Handbook of Cereal Science and Technology, S. 1–53, New York: Dekker 1991 ▪ Pomeranz (Hrsg.), Advances in Cereal Science and Technology, Vol. X, St. Paul: Am. Assoc. Cereal Chemists 1990 ▪ Ullmann (5.) **A 6**, 93–96, 104–109, 116–121; **A 10**, 176, 226, 419 ▪ Vollmer et al., Lebensmittelführer (2.), Bd. 1, S. 151–178, Stuttgart: Thieme 1995 ▪ Zipfel, C 100 *1*, 20; C 305 Vorb. 7. – *[HS 1001 10, 1001 90]*

Weizenkeimagglutinin s. Lektine.

Weizenkeimöl. Fettes, goldgelbes *Getreidekeimöl, das zu 8–12% im Weizenkeimling (ca. 2% des Korngew.) enthalten ist. W. riecht charakterist. nach *Getreide u. wird durch Pressen od. *Extraktion der Weizenkeime erhalten. W. gelangt z. T. auch raffiniert in den Handel.
Zusammensetzung: Zum *Fettsäure-Spektrum von W.[1] s. die Tabelle.
Auffällig ist der hohe Gehalt an *Palmitinsäure (ca. 13%), der auch analyt. genutzt wird. Der Unverseifbare Anteil beträgt 3,5–6,0% u. setzt sich v. a. aus *Sterinen (Gesamtsterin-Gehalt ca. 1700 mg/kg, Lit.[2]) u. *Tocopherolen (ca. 2500 mg/kg) zusammen, wobei α- u. β-Tocopherol den Hauptanteil bilden (60–70% α-Tocopherol, 16–25% β-Tocopherol)[3]. Daneben werden *Phospholipide nachgewiesen.
Analytik: IZ 115–126, SZ 6–20, VZ 180–189, D. 0,925–0,933. Neben dem Fettsäure-Spektrum dient das charakterist. Tocopherol-Muster der Identifizierung von Weizenkeimöl[3]. Zur Belastung von W. mit

Tab.: Fettsäure-Spektrum von Weizenkeimöl.

Fettsäure	Schwankungsbreite (mittlerer Wert) [%]
C < 14	
C 14:0	<0,2
C 16:0	11–20 (13)
C 16:1	<1
C 18:0	0,3–6 (2)
C 18:1	13–30 (22)
C 18:2	44–65 (57)
C 18:3	2–13 (5)
C 20:0	<1,0 (0,5)
C 20:1	<1,0 (0,5)
C 22:1	<0,5

polycycl. aromat. Kohlenwasserstoffen u. zum Nachw. von Furanfettsäuren s. Lit.[4,5].
Verw.: Aufgrund des hohen Tocopherol-Gehaltes ist W. ein beliebtes Diätöl, das allerdings bedingt durch den hohen *Linolensäure-Gehalt nur kürzere Zeit haltbar ist (s. Ranzigkeit). In der Kosmetik wird W. als Salbengrundlage u. zur Herst. von Haut- u. Haarpflegemitteln verwendet. Vermahlene Weizenkeime sind als Mischung mit Walnuß-Schalen-Abrasiven häufig Grundlage für *Gesichtspackungen u. mechan. Hautreinigungsmittel. – *E* wheat germ oil – *F* huile de germes de blé – *I* olio dei germi di frumento – *S* aceite de gérmenes de trigo
Lit.: [1] Zipfel, C 296. [2] Fat Sci. Technol. **91**, 23–27 (1989). [3] Fat Sci. Technol. **93**, 519–526 (1991). [4] GIT Fachz. Lab. Suppl. **1989**, Nr. 2, 16–21. [5] Fat Sci. Technol. **93**, 249–255 (1991).
allg.: Belitz-Grosch (4.), S. 160, 589 ▪ Merck-Index (12.), Nr. 10 178 ▪ Ullmann (4.) **11**, 466–467; (5.) **A 10**, 226 ▪ Zipfel, C 296, II Anlage. – *[HS 1515 90]*

Weizenkleie. Das Mühlennachprodukt, welches beim Vermahlen von Weizen in Mengen um 15% anfällt, wird als W. bezeichnet. W. ist protein- u. ballaststoffreich u. wird heute in aufbereiteter Form als Nahrungsergänzungsmittel im Rahmen der Vollwertkost, auch wegen des hohen Vitamin-Gehaltes (*Vitamin E u. *Folsäure), verwendet. Darüber hinaus ist W. ein mildes Laxans. Ungereinigte W. ist ein wertvolles Futtermittel. Zur Identifikation glykosid. gebundener *Flavonoide in W. s. Lit.[1]. Zum möglichen Einsatz von W. als Anticarcinogen s. Lit.[2,3]. Meth. zur Entfernung von Phytaten (s. Phytinsäure) werden in Lit.[4] verglichen; s. a. Kleie u. Weizen. – *E* wheat bran – *F* son de blé – *I* crusca di frumento – *S* salvado (afrecho) de trigo
Lit.: [1] Cereal Chem. **65**, 452–456 (1988). [2] J. Agric. Food Chem. **45**, 661–667 (1997). [3] Biosci., Biotechnol. Biochem. **60**, 2084 f. (1996). [4] Food Chem. **58**, 5–12 (1997). – *[HS 2302 30]*

Weizenstärke s. Stärke.

Weizmann Institute of Science. 1949 in Rehovot (Israel) gegr. u. nach. C. Weizmann benannte private Hochschule für theoret. u. angewandte Naturwissenschaften. – INTERNET-Adresse: http://www.weizmann.ac.il

Weizsäcker, Carl-Friedrich Freiherr von (geb. 1912), Prof. für Physik, Göttingen u. Straßburg, Prof. für Philosophie, Hamburg, ehem. Direktor des MPI Erforschung der Lebensbedingungen der wissenschaftlich-

techn. Welt, Starnberg. *Arbeitsgebiete:* Atomphysik, Mesonen, Feldtheorie, Astrophysik, thermonukleare Reaktionen in der Sonne (Bethe-Weizsäcker-Cyclus, s. Sonne), Naturphilosophie, Wissenschaftsgeschichte u. -theorie, Ethik in den Naturwissenschaften, Friedens- u. Zukunftsforschung.
Lit.: Kürschner (16.), S. 4015 ▪ Lexikon der Naturwissenschaftler, S. 418 ▪ Neufeldt, S. 191, 208, 381 ▪ Wer ist wer (36.), S. 1535.

Weldon, Walter (1832–1885), engl. Chemiker, Erfinder u. Industrieller. *Arbeitsgebiete:* Herst. von Chlor u. Chloraten, Extraktion von Kupfer; s. a. folgendes Stichwort.
Lit.: Neufeldt, S. 57 ▪ Pötsch, S. 449.

Weldon-Verfahren. 1866 von *Weldon erfundener, heute bedeutungslos gewordener Prozeß zur Wiedergewinnung von Mn(IV)-oxid aus Mn(II)-chlorid-Lsg., die bei der Herst. von Chlor aus Braunstein u. Salzsäure anfällt. Man läßt HCl auf Braunstein einwirken (Chlor-Entwicklung) u. gewinnt aus den entstehenden Mangan(II)-chlorid-Laugen den Braunstein durch Zugabe von gelöschtem Kalk u. Einblasen von Luft zurück. – *E* Weldon process – *F* procédé Weldon – *I* processo Weldon – *S* procedimiento Weldon

Welke, Welken. Bez. für die Erschlaffung der Blätter von *Pflanzen. Beim Welken erniedrigt sich der *Turgor* in den *Zellen (s. a. Osmose) infolge Störung des Wasserhaushalts der Pflanzen. *Welkstoffe, sind wohl am jahresperiod. Blattabfall (vgl. Seneszenz) beteiligt. Bei Schnittblumen kann man in manchen Fällen den Beginn des W. mit *Blumenfrischhaltemitteln hinauszögern. – *E* wilt, withering – *F* fanaison, flétrissement – *I* avvizzimento, avvizzito, avvizzire – *S* marchitez, marchitamiento

Welkstoffe. Sammelbez. für alle Stoffe, denen man das *unphysiolog.* *Welken von *Pflanzen anlasten kann – in erweitertem Sinn könnte man auch *Entlaubungsmittel zu den W. rechnen, doch sollen diese hier außer Betracht bleiben. W. werden gelegentlich auch *Marasmine* genannt, von griech.: marasmos = Welkheit. Beispielsweise produzieren parasitiert u. symbiont. lebende phytopathogene Kleinpilze (z. B. *Fusarium*-Arten sog. *Welketoxine,* die bei Höheren Pflanzen sowohl an den direkt befallenen Stellen (Nahsymptome) als auch an weiter von den Pilzfäden entfernten Blättern, Stengeln usw. (Fernsymptome) irreversible Welkeerscheinungen hervorrufen („Fusarienwelke"). Die W. schädigen die Atmung u. die Permeabilität: Die Durchlässigkeit des Zellplasmas für Wasser u. gelöste Stoffe wird erhöht. Einige solcher W. sind in ihrer Konstitution aufgeklärt worden, z. B. *Lycomarasmin u. *Fusarinsäure (5-Butylpyridin-2-carbonsäure, $C_{10}H_{13}NO_2$, M_R 179,22, s. Abb.).

Fusarinsäure

Das Toxin von *Pseudomonas tabaci* (parasitiert auf Tabak) ist ein Methionin-Derivat, das Methionin aus biochem. Reaktionen verdrängt. Der als Stoffwechselprodukt von *Fusarium culmorum* isolierte W. Culmomarasmin soll ein Peptid aus Cys-Leu-Ser-Asp-Glu-Ala-Val-α-Ile-Pro-Gly-Thr von ca. 200mal höherer Wirksamkeit als Lycomarasmin sein. Die W. spielen vermutlich nach Art von *Pflanzenwuchsstoffen auch bei der natürlichen *Welke u. *Winterruhe (vgl. Hibernation u. Seneszenz) eine Rolle. Welkeerscheinungen können auch als Mangelsymptom auftreten (z. B. an Baumwolle bei *Vanadium-Mangel) od. unter dem Einfluß konkurrierender Pflanzen (*Beisp.:* *Canavanin). Eine Reihe von Pflanzen können W. entgiften; so wird z. B. die Fusarinsäure von verschiedenen Tomatensorten durch Methylierung unschädlich gemacht. Im Fall pilzbedingter Welkekrankheiten benutzt man Fungizide zur Bekämpfung der Erreger. – *E* wilting (withering) agents – *F* agents de fanaison – *I* agenti di avvizzimento – *S* agentes de marchitamiento, marchitadores
Lit.: s. Pflanzen(physiologie). – [HS 2933 39; CAS 536-69-6 (Fusarinsäure)]

Wella. Kurzbez. für das 1880 gegr., zu 52% (1995) in Familienbesitz befindliche Unternehmen Wella AG, 64274 Darmstadt. Zu den zahlreichen *Tochter- u. Beteiligungsges.* zählen Rochas (100%, seit 1987), Tondeo-Werk GmbH (100%), Oudal Industrietechnik GmbH (100%), Londa GmbH (100%) u. a. *Daten* (1997, Konzern): ca. 15 500 Beschäftigte, 4,246 Mrd. DM Umsatz. *Produktion:* Haarkosmetika, Körperpflegemittel, Duftstoffe, Friseureinrichtungen u. -technik, Naturheilmittel, techn. Erzeugnisse.

Wellenfunktion. In der *Quantentheorie u. *Quantenchemie versteht man unter der W. eine mathemat. Funktion, die den Zustand eines quantenmechan. Syst. (z. B. eines Atoms od. Mol.) vollständig beschreibt. Sie hängt von den Koordinaten der Teilchen des Syst. (Orts- u. *Spin-Koordinaten) u. evtl. von der Zeit ab. Man kann sie durch Lsg. der *Schrödinger-Gleichung erhalten; im allg. gelingt dies nur näherungsweise. *Beisp.:* Die den *Grundzustand des Wasserstoff-Atoms beschreibende W. hat die mathemat. Form $\Psi(r) = (\pi a_0^3)^{-1/2} e^{-r/a_0}$ (s. a. Atombau); hierbei ist r der Abstand zwischen Elektron u. Proton u. a_0 der Bohrsche Radius (s. Atombau u. atomare Einheiten). – *E* wave function – *F* fonction d'onde – *I* funzione d'onda – *S* función de onda
Lit.: s. Quantentheorie u. Quantenchemie.

Wellenlänge s. Spektroskopie u. deren einzelne Varianten, Strahlung u. Wellenzahl.

Wellenleiter s. Faseroptik, Glasfasern u. Röntgenstrahlung.

Wellenmechanik. Spezielle Darst. der *Quantenmechanik, die sich zur Behandlung chem. Probleme bes. gut eignet (s. a. Quantenchemie). Ausgehend von dem Konzept der Materiewellen von de *Broglie (1924) formulierte *Schrödinger 1926 die Grundlagen der Wellenmechanik. Eine alternative Darst. der Quantenmechanik, die *Matrizenmechanik, wurde ein Jahr zuvor von *Heisenberg, *Born u. *Jordan veröffentlicht; Schrödinger konnte noch 1926 die Äquivalenz der beiden Darst. zeigen. Eine zentrale Stellung in der W. nehmen die *zeitabhängige* u. die *zeitunabhängige* *Schrödinger-Gleichung ein. Erstere ist als nicht beweisba-

res Postulat aufzufassen u. beschreibt die zeitliche Entwicklung eines quantenmechan. Syst. mit Hilfe einer *Wellenfunktion, die eine Funktion aller Teilchenkoordinaten des Syst. (z. B. der Elektronen in einem Atom od. Mol.) u. der Zeit ist. Weitere Einzelheiten findet man bei Einzelstichwörtern wie Hamilton-Operator, Schrödinger-Gleichung od. Wellenfunktion; Näherungsmeth. der W. sind unter Quantenchemie u. den hierin erwähnten Stichwörtern aufgeführt. – *E* wave mechanics – *F* mécanique ondulatoire – *I* meccanica ondulatoria – *S* mecánica ondulatoria
Lit.: Price et al., Wave Mechanics, The First 50 Years, New York: Halsted 1973 ▪ s. a. ab initio, Atombau, Quantenchemie, Quantentheorie u. theoretische Chemie.

Wellenzahl. In der Spektroskopie anstelle der *Frequenz (Symbol: v, Dimension: s^{-1}) zur Kennzeichnung von Spektrallinien gebrauchte Angabe (vgl. die Abb. bei IR- u. UV-Spektroskopie). Unter der W. (Symbol: $\tilde{v}$, Dimension: cm^{-1} od. *Kayser) versteht man die Zahl der *Schwingungen, die Licht einer bestimmten *Wellenlänge* auf einer Wegstrecke von 1 cm ausführt (s. die Tab. bei UV-Spektroskopie). Das Produkt aus λ u. W. muß immer 1 sein, da $\tilde{v} = 1/\lambda = v/c$. – *E* wave number – *F* nombre d'ondes – *I* numero d'onda – *S* número de ondas

Weller, Albert (1922–1997), Prof. für Physikal. Chemie, MPI Biophysikal. Chemie, Göttingen. *Arbeitsgebiete:* Spektroskopie, Anregungsprozesse, Energieübertragung, Excimere, Photochemie, schnelle Reaktionen, Säure-Basen-Reaktionen, Chemilumineszenz, Photoleitfähigkeit.
Lit.: Kürschner (16.), S. 4017f. ▪ Wer ist wer, S. 1441.

Welle-Teilchen-Dualismus. Begriff zur Bez. des Sachverhalts, daß die Objekte der Mikrophysik (z. B. *Elektronen od. *Photonen) weder nur reine Teilchen noch nur reine Welleneigenschaften haben. Teilchen- u. Wellencharakter sind vielmehr nur Teilaspekte des gleichen Objektes; je nach Experiment sieht es so aus, als verhalte sich das zu untersuchende Objekt als Teilchen od. als Welle. Histor. begann der W.-T.-D. mit *Einsteins Lichtquantenhypothese (1905) zur Erklärung der *Photoeffekte. Damit wurden der elektromagnet. Strahlung auch Teilcheneigenschaften zugeschrieben. 1924 postulierte *de Broglie für Objekte mit endlicher Ruhemasse (z. B. Elektronen od. Atomkerne) Welleneigenschaften; die experimentelle Bestätigung für Elektronen erfolgte 1927 durch *Davisson u. Germer (s. Elektronenbeugung). Die *Quantentheorie führt zu einer widerspruchsfreien, allerdings unanschaulichen Beschreibung des W.-T.-Dualismus. – *E* wave-particle duality – *F* dualisme onde-particule – *I* dualità particella-onda – *S* dualismo onda-partícula
Lit.: Haken u. Wolf, Atom- u. Quantenphysik, 6. Aufl., Berlin: Springer 1996 ▪ Heisenberg, Physikalische Prinzipien der Quantentheorie, Mannheim: Bibliograph. Institut 1958 ▪ von Weizsäcker, Aufbau der Physik, München: Hanser 1985.

Wellmann-Lord-Verfahren s. Entschwefelung.

Wellmispel s. Japanische Mispeln.

Wellpapier, Wellpappe s. Pappe.

Welschkohl s. Kohl.

Welschkorn s. Mais.

Weltäther s. Ether.

Weltgesundheitsorganisation s. WHO.

Welt-Klima-Programm s. WCP.

Weltraumchemie s. Kosmochemie.

Wendelrührer s. Rühren.

Wendorff, Joachim H. (geb. 1941), Prof. für Polymerchemie, TH Darmstadt. *Arbeitsgebiete:* Polymere Flüssigkrist., Polymerblend, amorphe Polymere, Elektrete (Strukturanalyse, Eigenschaftscharakterisierung, Simulation, Theorie).
Lit.: Kürschner (16.), S. 4025.

Went-Test s. Pflanzenwuchsstoffe.

Werg. Bez. für die als Abfälle bei der Verarbeitung von Hanf, Flachs u. a. *Bastfasern anfallenden Wirrfasern, die zu Reinigungszwecken, Rohrabdichtungen usw. Verw. finden. – *E* oakum – *F* étoupe – *I* stoppa, filaccia, capechio – *S* estopa, hilaza

Werkstoffe. Teilbereich des Syst. der Stoffe, gekennzeichnet durch Festkörpereigenschaften. Der feste Aggregatzustand ist ein Charakteristikum der W., Angaben zu W. werden in der Regel durch deren äußere Form u. Abmessung beeinflußt. W. weisen im Temp.-Bereich ihrer Anw. einen erheblichen mechan. Widerstand gegen jede Formänderung auf u. werden häufig wegen dieser Eigenschaft techn. verwendet. Im Syst. der Stoffe unterscheiden sich die W. von *Brennstoffen* (Stoffe aller Aggregatzustände, mit der Aufgabe der Erzeugung therm. Energie), von *Hilfs-* u. *Nebenstoffen* (Stoffe aller Aggregatzustände, für bes. physikal.-techn. Anw.) sowie *Rohstoffen* (Stoffe aller Aggregatzustände, mit der Zielvorgabe einer techn. Verarbeitung zu W., Brennstoffen od. Hilfs- u. Nebenstoffen). Eine Strukturierung des Syst. der W. hängt vom Blickwinkel der Betrachtung ab. Unterteilungen sind beispielsweise möglich nach dem period. Syst. (metall. u. nichtmetall. W.), nach spezif. Stoffeigenschaften (z. B. magnet. u. nichtmagnet. W.), nach Anwendungsgebieten (W. der Chemietechnik, der Elektrotechnik, der Kraftfahrzeugtechnik usw.) od. nach dem Aufbau (homogene W., *Verbundsysteme) mit weiteren entsprechenden Unterscheidungen.
Die *W.-Wissenschaft*[1] bildet die Grenze zur Metallphysik, die *W.-Kunde*[2] befaßt sich mit den Eigenschaften der W. u. ihrer Einflußgrößen. Die *W.-Technik*[3] bildet die Grenze zur prakt. Anwendung. Die *W.-Mechanik*[4] schließlich behandelt den Teilaspekt des mechan. Verhaltens von W., die *Werkstoffprüfung* betrachtet die techn. Fragen der Erfassung von W.-Eigenschaften u. ihrer Übertragbarkeit auf das Bauteil. Eine klare Trennung zwischen den einzelnen Bereichen ist nicht möglich. – *E* materials – *F* matériaux – *I* materiali – *S* materiales
Lit.: [1] Schatt u. Worch (Hrsg.), Werkstoffwissenschaft, 8. Aufl., Stuttgart: Dtsch. Verl. Grundstoffind. 1996; Brotow, Einstieg in die moderne Werkstoffwissenschaft, München: Hanser 1984. [2] Bargel u. Schulze (Hrsg.), Werkstoffkunde, 6. Aufl., Düsseldorf: VDI-Verl. 1994; Ondracek, Werkstoffkunde, 3. Aufl., Ehningen: Expert-Verl. 1992. [3] Bergmann, Werkstofftechnik, Tl. 1 u. 2, München: Hanser 1987. [4] Altenbach, Werkstoffmechanik, Leipzig: Dtsch. Verl. für Grundstoffind. 1993.

allg.: Ashby u. Jones, Ingenieurwerkstoffe, Berlin: Springer 1986 ▪ Hornbogen, Werkstoffe, 6. Aufl., Berlin: Springer 1994 ▪ Kretschmer u. Kohlhoff (Hrsg.), Neue Werkstoffe, Berlin: Springer 1995 ▪ Weber (Hrsg.), Neue Werkstoffe, Düsseldorf: VDI-Verl. 1989.

Werkstoffkunde, Werkstoffmechanik s. Werkstoffe.

Werkstoffprüfung. Die W. befaßt sich mit der Ermittlung der Eigenschaften von *Werkstoffen im weitestem Sinne. Im Rahmen der Untersuchung von chem. u. physikal. Eigenschaften wird eine Großzahl unterschiedlicher, überwiegend genormter Prüfverf. angewandt. Wichtige Aufgaben der W. sind: Ermittlung von Kennwerten, die der Bemessung von Bauteilen zugrundeliegen; Qualitätssicherung von Werkstoffen vor u. nach Fertigungsvorgängen; vergleichende Bewertung von Werkstoffen; Ermittlung von Eigenschaften, die zwar für das Gebrauchsverhalten bedeutend sind, jedoch nicht als quant. Bemessungsgrößen verwendet werden können. Üblicherweise wird der Aufgabenbereich der W. unterteilt in die *zerstörungsfreie Werkstoffprüfung* u. die *zerstörende Werkstoffprüfung.* Letztere ist in der Regel mit einer Zerstörung des untersuchten Teils verbunden; hierzu zählen: 1. *Chem.-analyt. Verf.*, die eine Entnahme von Spänen voraussetzen. – 2. *Metallograph.* u. *röntgenograph. Verf.* für Gefüge- u. Strukturuntersuchungen, die auf der Anw. von Elektronen- u. Ionenstrahlen beruhen, wie beispielsweise die Elektronenstrahl-Mikroanalyse (ESMA), die Rasterelektronenmikroskopie (REM), die Elektronendurchstrahlung/Beugung (TEM) u. die Ionenmikroskopie (SIMA). – 3. *Prüfverf. zur Bestimmung von Festigkeits- u. Zähigkeitseigenschaften,* z.B. a) Versuche mit langsam u. stetig ansteigender Belastung wie Zug-, Druck-, Biegeversuch, b) Versuche mit schlagartig aufgebrachter Last wie Kerbschlagbiegeversuch u. Schlagzugversuch, c) Versuche mit period. sich verändernder Last wie Dauerschwingversuch, d) Versuche mit langzeitig wirkender Belastung bei höherer Temp. wie Zeitstandversuch. – 4. *Untersuchung des Korrosionsverhaltens* der Werkstoffe durch chem. u. elektrochem. Prüfverfahren. – 5. *Untersuchungsverf. für das Verhalten bei Erosions-, Kavitations-* u. *Verschleißbeanspruchungen.* – 6. *Physikal. Prüfverf.* zur Untersuchung der therm., opt. magnet. od. elektr. Eigenschaft, die alternativ der zerstörungsfreien od. der zerstörenden W. zugeordnet werden können. – 7. Während die bisher aufgelisteten Verf. quant. Kennwerte liefern, wird in *technolog. Versuchen* wie Biege-, Falt- u. Aufweitprüfungen die Eignung von Werkstoffen für bestimmte prakt. Anwendungsfälle überprüft.

Die Entwicklung der W. verläuft einerseits parallel zur *Werkstoffentwicklung*, andererseits kommen naturgemäß entscheidende Anregungen aus dem Bereich *Werkstoffanwendung.* Beschleunigt werden die Veränderungen schließlich durch die Entwicklungen in der *Meßtechnik* unter bes. Berücksichtigung von *Datenerfassung* u. -*verarbeitung.* Die Tendenz geht bevorzugt in Richtung naturwissenschaftlich fundierter Prüfverf. mit breiter Anwendbarkeit der Prüfergebnisse. Im Falle der zerstörungsfreien W. bedeutet dies eine ständige Verbesserung der Aussage über Istzustand u. Eigenschaft von Bauteilen einschließlich der vollständigen Beschreibung von Lage, Abmessung u. Geometrie von Volumenfehlern, im Falle der zerstörenden W. die Entwicklung von Prüfverf. mit weitgehender Übertragbarkeit der Prüfergebnisse auf das Bauteilverhalten. Der Einsatz der *Bruchmechanik* als Bewertungskriterium für das mechan. Verhalten fehlerbehafteter Bauteile schließlich hat deutlich gemacht, daß die Entwicklungen in beiden Bereichen der W. einem gemeinsamen Ziel zustreben: Eine quant. Bewertung setzt sowohl genaue Kenntnis vorhandener Fehler voraus als auch die Kenntnis über lokale Werkstoffeigenschaften u. -beanspruchungen. – *E* testing of materials – *F* essai des métaux et matériaux – *I* prova dei materiali – *S* ensayo de materiales

Lit.: Blumenauer (Hrsg.), Werkstoffprüfung, 6. Aufl., Leipzig: Dtsch. Verl. für Grundstoffind. 1994 ▪ Domke, Werkstoffkunde u. Werkstoffprüfung, 10. Aufl., Berlin: Cornelsen 1994 ▪ Siebel u. Ludwig (Hrsg.), Standardwerk: Handbuch der Werkstoffprüfung, 2. Aufl., 5 Bd., Berlin: Springer 1958.

Werkstofftechnik s. Werkstoffe.

Werkstoffwissenschaft s. Werkstoffe.

Wermut. Unter W. versteht man im botan. Sinne das W.-Kraut, d.h. die oberird. Pflanzenteile von *Artemisia absinthium* (*Asteracee), einem in Südeuropa, Nordafrika u. Asien weit verbreiteten verästelten Halbstrauch mit silbrig behaarten Blättern u. Trieben u. kugeligen, gelben Blütenköpfchen, der vielfach in großem Maßstab angebaut wird. Daneben bezeichnet W. auch den aus Wein u. Weinextrakten hergestellten *Vermouth* od. *Wermutwein,* aus dem man (mit *Gin) *Martinis* (Cocktails) mixt. Schließlich meint man im Jargon mit „W." auch den mit *Wermutöl hergestellten Trinkbranntwein (*Absinth), der das giftige *Thujon* enthält.

Zur Herst. von Trinkbranntwein dürfen Thujon-haltige Pflanzenteile verwendet werden, wobei der Thujon-Gehalt im Endprodukt auf 5 bzw. 10 mg/L (je nach Alkohol-Gehalt) beschränkt ist. Bitter-Spirituosen dürfen bis zu 35 mg/kg α- u. β-Thujon enthalten (Anlage 4 der Aromen-VO[1]); zum Nachw. von Thujon in Trinkbranntwein s. *Lit.*[2]. Vom Verw.-Verbot für W.-Öl ausgenommen ist das W.-Kraut (Herba Absinthii cum floribus), das ca. 0,2–0,5% *etherische Öle enthält. Für die Bereitung der W.-Weine können heute Thujon-freie *Artemisia*-Arten (z.B. *A. pontica* = Röm. Beifuß) zur Anw. kommen. Im W.-Tee ist Thujon aufgrund seiner Wasserunlöslichkeit nicht enthalten, dagegen aber *Flavone, das Proazulen Artabsin u. die *Bitterstoffe *Absinthin u. Anabsinthin (Sesquiterpenlactone), weshalb der *Tee als Amarum, *Stomachikum u. Carminativum sowie als *Cholagogum dienen kann. Ein Teil der genannten Flavone liegt im W.-Kraut glucosid. gebunden vor. Auch *Syringasäure-, *Vanillinsäure- u. *p*-Hydroxy-benzoesäureglucoside konnten nachgewiesen werden[3]. Bestimmte *Artemisia*-Arten (z.B. *Beifuß, Estragon u. *Zitwer) finden arzneiliche u./od. gewürzliche Verw.; andere Arten (*A. chinensis, A. indica, A. moxa*) finden in China u. Japan Anw. zur Moxibustion, u. *A. annua* enthält in ihren Samen ein gegen *Malaria wirksames 1,2,4-Trioxan-Derivat (*Qinghaosu*)[4]. Die aus Südostafrika stammende *A. afra* ist stark *Campher-haltig u. dort eine populäre Droge gegen Erkältungen u. Fieber.

Wermutöl

Geschichte: Der als Absinth bezeichnete, grünlich schimmernde Bitterlikör aus W. erfreute sich im 19. Jh. großer Beliebtheit. Hauptgrund war neben dem Geschmack eine gelbliche *Opaleszenz, die auftrat, wenn Absinth nach einem traditionellen Ritual mit Wasser verdünnt wurde (Aussondern von ether. Ölen aus der ethanol. Lsg. beim Verdünnen mit Wasser). Teilw. werden psychotrope Veränderungen einer Reihe berühmter Persönlichkeiten (z. B. Vincent van Gogh) auf deren exzessiven Absinthkonsum zurückgeführt (Absinthismus)[5]. Eine in der Tradition des Absinth stehende, aber ohne W.-Öl hergestellte Spirituose, ist der *Pastis*; s. a. Absinth, Absinthin, Vermouth u. Wermutöl. – *E* wormwood [Pflanze]; vermouth [Wein] – *F* absinthe commune [Pflanze]; vermouth [Wein] – *I* assenzio [Pflanze]; vermut [Wein] – *S* ajenjo [Pflanze]; vermut [Wein]
Lit.: [1] Aromen-VO vom 22.12.1981 i. d. F. vom 20.12.1993 (BGBl. I, S. 2304). [2] Lebensmittelchemie **43**, 126 f. (1989); **44**, 117 (1990). [3] Z. Lebensm. Unters. Forsch. **187**, 444–450 (1988). [4] J. Med. Chem. **31**, 645, 713 (1988). [5] J. Chem. Educ. **68**, 27 f. (1991).
allg.: Frede (Hrsg.), Taschenbuch für Lebensmittelchemiker u. -technologen, Bd. 1, S. 414, Berlin: Springer 1991 ▪ Gassner, Mikroskopische Untersuchung pflanzlicher Lebensmittel (5.), S. 362, Stuttgart: Fischer 1989 ▪ Giftliste (5.), Kapitel IV-1, S. 124 f. ▪ Lindner, Toxikologie der Nahrungsmittel (4.), S. 63, Stuttgart: Thieme 1990 ▪ Schreier et al., Erarbeitung von Methoden zum Nachweis u. zur Bestimmung von natürlichen u. naturidentischen Aromastoffen, MvP-Hefte 1/91, S. 29–34, Berlin: Max-von-Pettenkofer-Institut 1991. – [HS 1211 90]

Wermutöl (Absinthöl). Dunkelgrünes bis braunes od. blaues, stark riechendes, kratzend bitter schmeckendes *etherisches Öl, das aus den oberen Sproßteilen u. Laubblättern des *Wermut-Krauts in einer Ausbeute von ca. 0,3–1% durch Wasserdampfdest. gewonnen wird. W. enthält *Thujon (40–70%) u. Thujylalkohol (in freier Form u. verestert) neben *Absinthin, *Phellandren, *Cadinen, *Pinen, *Azulenen, *Cineol, *Salicylsäure u. a.; D. 0,895–0,955, lösl. in Alkohol u. Ether.
Verw.: In der Gewürz- u. Parfümerie-Ind., medizin. als *Carminativum u. *Anthelmintikum; s. a. Wermut. – *E* wormwood oil – *F* essence d'absinthe – *I* essenza di assenzio – *S* esencia de ajenjo
Lit.: Concon, Food Toxicology, Part A, S. 358, New York: Dekker 1988 ▪ Ohloff, S. 183 ▪ Zipfel, C 381 2, 10–12. – [HS 3301 29]

Wermutwein s. Vermouth u. Wermut.

Werner, Abraham Gottlob (1749–1817), Prof. für Mineralogie u. Bergbaukunde, Bergakademie Freiberg. *Arbeitsgebiete:* Geolog. Formationskunde, Mineralsyst. u. systemat. Mineralbeschreibung unter Berücksichtigung von Farbe, Strich, Glanz, Härte, Bruch, Dichte, Oberflächenbeschaffenheit, Durchsichtigkeit, Kristallform.
Lit.: Guntau, Abraham Gottlob Werner, Leipzig: Teubner 1984 ▪ Krafft, S. 396 f. ▪ Lexikon der Naturwissenschaftler, S. 419.

Werner, Alfred (1866–1919), Prof. für Chemie, Zürich. *Arbeitsgebiete:* Begründung der Koordinationslehre, Stereochemie des Stickstoffs, Oxime, Oxoniumsalze, opt. Aktivität, Periodensyst.; Nobelpreis für Chemie 1913.
Lit.: Kauffman, Alfred Werner, Berlin: Springer 1966 ▪ Krafft, S. 347 f. ▪ Lexikon der Naturwissenschaftler, S. 419 ▪ Naturwissenschaften **63**, 324–327 (1976) ▪ Neufeldt, S. 91 ▪ Pötsch, S. 449 f. ▪ Pure Appl. Chem. **60**, 1379–1384 (1988). – Ein kleines Alfred-Werner-Museum befindet sich im Organ.-Chem. Inst. der Univ. Zürich.

Werner, Helmut (geb. 1934), Prof. für Anorgan. Chemie, Univ. Zürich, Würzburg. *Arbeitsgebiete:* Tripeldeckersandwich-Komplexe, C–H-Aktivierung, Metall-organ. Lewis-Basen (hierfür Alfred-Stock-Gedächtnispreis der GDCh 1988), Alkin- u. Vinyliden-Metallkomplexe, homogene Katalyse.
Lit.: Kürschner (16.), S. 4038 ▪ Nachr. Chem. Tech. Lab. **36**, 1247 f. (1988); **42**, Nr. 10, 1056 (1994) ▪ Neufeldt, S. 295.

Wernerit s. Skapolith.

Werner & Pfleiderer. Kurzbez. für die 1879 gegr. Werner & Pfleiderer GmbH, 70469 Stuttgart, an der seit 1994 *Krupp zu 100% beteiligt ist. *Produktion:* Maschinen u. Anlagen für die Kunststoff-, Kunstfaser- u. allg. chem. Ind., sowie für Nahrungsmittel- u. Tierfutterextrusion.

Wertigkeit. Von E. Frankland[1] 1852 eingeführte Bez. für die Eigenschaft eines Atoms, Ions od. Radikals, sich mit anderen Atomen, Ionen od. Radikalen in definierten Verhältnissen zu vereinigen. Synonym hierzu wird der Begriff *Valenz verwendet. In ihrer histor. Ableitung wird die W. ausgedrückt durch die Anzahl von H- od. a. einwertigen Atomen (z. B. Cl, Na), mit denen sich ein Atom des betreffenden Elements formal zu einem Mol. od. einer Formeleinheit verbinden könnte. Nach der frühen Valenzlehre von G. N. *Lewis (vor der Entwicklung der *Quantenmechanik) beruht die Neigung von Atomen od. Ionen zur Bildung *chemischer Bindungen auf dem Bestreben, Elektronenschalen zu komplettieren, insbes. die Edelgas-Konfiguration zu erreichen. Man nennt diese, im strengen Sinne nur für die erste Achterperiode des *Periodensystems gültige Gesetzmäßigkeit die *Oktett-Regel (s. a. Bindigkeit). Die W. wird also durch die Anzahl der *Valenzelektronen bestimmt. Dementsprechend spricht man von 0-, 1- bis 8-W., wobei am häufigsten die W. 1–3 auftreten. Auch Atomgruppierungen, Ionen u. Komplexionen schreibt man bestimmte W. zu. Bei Schwefelsäure u. Phthalsäure bzw. Phosphorsäure spricht man von zwei- bzw. dreiwertigen (früher: zwei- bzw. dreibasigen) Säuren u. entsprechend bei Calciumhydroxid von einer zweiwertigen (früher: zweisäurigen) Base. Aus Formulierungen wie „Sauerstoff ist minus (neg.) zweiwertig, Magnesium sind zweiwertig" geht jedoch deren unterschiedliche Verhaltensweise nicht hervor, weshalb man der Einfachheit halber – auch in diesem Werk – oft statt der W. stillschweigend die *Oxidationszahl (*Valenzzahl* od. die *elektrochem. Wertigkeit*) angibt wie in der Formulierung „Sauerstoff ist minus (neg.) zweiwertig, Magnesium plus (pos.) zweiwertig". In der Formel- u. *chemischen Zeichensprache kennzeichnet man diese W. als – II bzw. II [*Stock-System; *Beisp.:* Fe(II), Chrom(III)-chlorid] od. durch die – eigentlich für die sog. *Ionenwertigkeit* (*Ladungszahl*, Symbol z) reservierte – Schreibweise 2– bzw. 2+ [Beisp.: Chrom(3+)-chlorid, *Ewens-Bassett-System]. Nach DIN 32640: 1986-12 soll die Oxid.-Zahl („W.") *über*,

die Ladungszahl *rechts oben neben* das Elementsymbol geschrieben werden.
Das gleiche Element kann verschiedene W. aufweisen. So ist z. B. das Eisen im grünen $FeCl_2$ pos. zweiwertig, im braunen $FeCl_3$ dagegen pos. dreiwertig, Selen kann in den „Wertigkeiten" (Oxid.-Stufen) 2–, 0, 2+, 4+, 6+ auftreten [vgl. Abeggsche Regel, wonach ein Element seine W. (Oxid.-Zahl) um max. 8 Einheiten ändern kann], Stickstoff ist in NF_3 pos. dreiwertig, in NBr_3 dagegen neg. dreiwertig (mit einem zusätzlichen *einsamen Elektronenpaar); welche „W." (Oxid.-Stufe) in NCl_3 od. N_4S_4 vorliegt, ist angesichts der ähnlichen *Elektronegativitäten schwierig zu entscheiden. Früher brachte man W.-Unterschiede im Verb.-Namen zum Ausdruck, vgl. Ferro-/Ferri-, Cupro-/Cupri- u. die bes. variantenreiche Prä- u. Suffixsprache der Oxide (Oxydul, Hyper-, Super-, Proto-, Suboxide). Bei manchen Elementen, z. B. bei Mangan(aten), beobachtet man einen Austausch verschiedener Oxid.-Stufen („W.") bei Reaktionen, die hier als *Kom- u. *Disproportionierung z. B. nach

$$M(II) + M(VI) \xrightleftharpoons[\text{Disproportionierung}]{\text{Komproportionierung}} 2\,M(IV)$$

ablaufen. Auf dem leicht eintretenden Valenzwechsel beruht die katalyt. Wirksamkeit v. a. von Verb. der *Übergangsmetalle, bei denen darüber hinaus auch Null-W. häufig zu beobachten ist; *Beisp.:* *Metallcarbonyle, *Carbonylkomplexe u. a. *Metall-organische Verbindungen, s. a. Koordinationslehre. Die Leichtigkeit der Elektronenübergänge – Edelgas-Konfigurationen der Elektronenhüllen sind sowohl durch Aufnahme (*Reduktion) als auch durch Abgabe (*Oxidation) von Elektronen erreichbar – prädestiniert viele Elemente (nicht nur der Übergangsmetalle) zu Partnern in *Redoxsystemen. Nicht wenige Elemente bilden sog. *valenzgemischte Verb.*, in denen sie in verschiedenen W.-Stufen gleichzeitig vorliegen (*Mischvalenzen*); *Beisp.:* Mennige
$(Pb)_2^{2+} Pb^{4+}O_4$
(s. Bleioxide), *Berliner Blau, *Magnetit, *Wolframbronzen, s. a. *Lit.*[2]. Solche Verb. sind oft farbig bis schwarz, da *Charge-transfer-Übergänge* stattfinden können. Spezielle W.-Verhältnisse liegen vor in *Dreizentrenbindungen od. in den Clustern u. *Suboxiden von Alkalimetallen u. a. valenzelektronenarmen Metallen[3]. Nicht mit dem herkömmlichen W.-Begriff vereinbar ist auch, daß an u. in der Oberfläche von *Festkörpern chem. Reaktionen (s. Oberflächenchemie) dadurch möglich werden, daß dort sog. *Restvalenzen* vorhanden sind. Die Entdeckung der Hochtemp.-Supraleitung bei bestimmten oxidkeram. Verb. (Physik-Nobelpreis 1987 für K. A. Müller u. J. G. *Bednorz) hat weitere Denkanstöße zu neuen Vorstellungen über die W.[4] gegeben, u. schließlich ist auch die Existenz sog. *hypervalenter Moleküle* (*Beisp.:* *Edelgas-Verbindungen, einige *Interhalogen-Verbindungen etc., zur Beschreibung der Bindungsverhältnisse s. *Lit.*[5]) ein Beleg dafür, daß die histor. Definition des Begriffs „W." zu eng gefaßt ist. Darum hat es auch nicht an Bestrebungen gefehlt, zu einem neuen Verständnis der W. zu gelangen, stöchiometr. W., Ionen-W., Bindungs-W., Oxid.-Zahl, Koordinationszahl, Bindungs-W. (*Bindigkeit) u. formale Ladung neu zu definieren u. gegeneinander abzugrenzen. – *E* valency, valence – *F* valence – *I* valenza – *S* valencia

Lit.: [1] Philos. Trans. Roy. Soc. London **142**, 417 (1852). [2] Brown, Mixed-Valence Compounds, Theory and Applications in Chemistry, Physics, Geology and Biology, Dordrecht: Reidel 1980. [3] Angew. Chem. **99**, 602 ff. (1987); **100**, 163 – 188 (1988). [4] Angew. Chem. **99**, 1313 – 1316, 1316 ff. (1987). [5] Kutzelnigg, Einführung in die Theoretische Chemie, Bd. 2, 2. Aufl., Weinheim: VCH Verlagsges. 1994.

Wertstoff. Abfallbestandteil od. Abfallfraktion, geeignet zur Wiederverw. od. für die Herst. verwertbarer Zwischen- od. Endprodukte, z. B. *Altglas, *Altmetall od. *Altpapier. – *E* valuable substance – *F* matériau – *I* sostanza di valore – *S* material de valor

Wespen. Ebenso wie *Bienen zur artenreichen Ordnung der Hautflügler (Hymenoptera; über 100 000 Arten) gehörende Insekten, die sich von Obst u. dessen Säften, aber auch von Fleisch u. Kleininsekten (v. a. für die Fütterung der Larven) ernähren; die Mundwerkzeuge sind zum Kauen u. Lecken, z. T. auch Saugen ausgebildet. Die zu den Lege-W. zählenden *Gall-* u. *Schlupf-W.* leben als *Parasiten; insbes. letztere sind mit Erfolg zur biolog. *Schädlingsbekämpfung eingesetzt worden, da ihre Larven das Wirtsinsekt, in das die Eier gelegt wurden, nach dem Schlüpfen von innen aufzehren. W. mit einem Wehrstachel am Hinterleibsende bezeichnet man als *Stech-W.* (Aculeata); typ. Vertreter sind die meist charakterist. gelb (von *Xanthopterin) u. schwarz gebänderten, in staatlichen Organisationen lebenden *Falten-W.* der Gattungen *Vespa, Vespula, Dolichovespula* u. *Polistes*, zu denen auch als größte einheim. Art die Hornissen (*Vespa crabro*) zählen. Für die Anfertigung der Nestbauten sondern die W. ein Chitin-haltiges Speichelsekret ab, das an der Luft hornartig fest erstarrt u. als Bauelement für die sog. Papierhüllen dient. In den Giften von W. u. Hornissen sind u. a. *Histamin, *Serotonin, *Kinine, *Acetylcholin, *Phospholipasen (A, B) u. *Hyaluronidasen enthalten, wobei deren – ggf. bei einzelnen Stichen bereits tödliche – Wirkung weniger auf ihre Toxizität als auf ihre *Allergien auslösende Antigen-Natur u. die dadurch verursachte *Anaphylaxie zurückzuführen ist. W. können evtl. pathogene Keime auf Nahrungsmittel übertragen u. müssen auch wegen der Wirkung ihrer Stiche zu den Gesundheitsschädlingen des Menschen gerechnet werden. Zur W.-Bekämpfung dienen *Insektizide in Pulverform (für Erdnester) od. als Sprays (für Nester in Mauerwerk u. auf Dachböden), ferner das Ausräuchern von Erdnestern in der Morgen- od. Abenddämmerung. Wegen ihrer zunehmenden Seltenheit stehen verschiedene W.-Arten inzwischen unter Schutz. – *E* wasps – *F* guêpes – *I* vespe – *S* avispas

Lit.: Chinery, Pareys Buch der Insekten, 2. Aufl., Hamburg: Parey 1993 ∎ Jacobs u. Renner, Biologie und Ökologie der Insekten, 3. Aufl., Stuttgart: Fischer 1998 ∎ Mebs, Gifttiere, Stuttgart: Wissenschaftliche Verlagsges. 1992 ∎ Teuscher u. Lindequist, Biogene Gifte, 2. Aufl., Stuttgart: Fischer 1994 ∎ s. a. Bienengift, Insekten, Toxine.

Wespengift. Sekret aus der Giftblase von *Wespen (ähnlich dem *Hornissengift), das aus den biogenen

Wespenkinin

Aminen *Histamin u. *Serotonin, Peptiden wie *Mastoparan u. Wespenkininen (dem *Bradykinin ähnlich) sowie Enzymen wie *Hyaluronidasen u. *Phospholipasen besteht. In letzter Zeit wurden wie bei den *Spinnengiften niedermol. Polyacylamine identifiziert, wie z. B. *δ-Philanthotoxin. Gefahr droht dem Menschen durch Allergien auslösende antigene Wirkung des W. sowie darauf zurückzuführende anaphylakt. Schockzustände nach einem Stich. – *E* wasp venom – *F* venin de guêpe – *I* veleno di vespe – *S* veneno de avispa
Lit.: Habermehl, Gift-Tiere u. ihre Waffen (5.), S. 70–75, Berlin: Springer 1994 ▪ Mebs, Gifttiere, S. 164–170, Stuttgart: Wissenschaftliche Verlagsges. 1992 ▪ Teuscher u. Lindequist, Biogene Gifte (2.), Berlin: Akademie Verl. 1994 ▪ Toxikon **29**, 139–149 (1991).

Wespenkinin s. Kinine.

Western Blot, -Blotting s. Blotting u. Immunoblot.

Westindische Kirsche s. Acerola.

West-Lösung. Von West (*Lit.*) entwickelte, zur Bestimmung der Brechungsindizes von Mineralien (s. Refraktion) geeignete, leicht entflammbare u. giftige, heute im allg. nicht mehr benutzte Immersionsflüssigkeit aus gelbem Phosphor, Schwefel u. Methyleniodid im Gewichtsverhältnis 8:1:1 mit dem Brechungsindex 2,06, der durch Verdünnen der Lsg. mit Methyleniodid bis 1,74 erniedrigt werden kann. – *E* West's solution – *F* solution de West – *I* soluzione di West – *S* solución de West
Lit.: Am. Mineral. **21**, 245–249 (1936).

Weston-Normalelement s. galvanische Elemente.

Westphalen-Lettré-Umlagerung. Von Westphalen 1915 aufgefundene u. von Lettré 1937 näher untersuchte Umlagerung in der Steroid-Reihe, die über Carbenium-Ionen verläuft. Wenn Steroide mit einer Hydroxy-Gruppe in 5α-Stellung u. Acetoxy- od. Halogen-Substituenten in 6β-Stellung dehydratisiert werden, wandert die anguläre Methyl-Gruppe aus der 10β- in die 5β-Stellung, u. es entsteht eine Doppelbindung zwischen C-9 u. C-10 (vgl. Formelbild der Steroide).

– *E* Westphalen-Lettré rearrangement – *F* réarrangement de Westphalen et Lettré – *I* trasposizione di Westphalen e Lettré – *S* transposición de Westphalen-Lettré
Lit.: Collect. Czech. Chem. Commun. **44**, 234 (1979) ▪ Helv. Chim. Acta **41**, 774–785 (1958) ▪ Justus Liebigs Ann. Chem. **726**, 152–160 (1969) ▪ Tetrahedron **21**, 1567–1580 (1965); **23**, 159–165 (1967).

Wetblue s. Gerberei, S. 1507.

Wetter s. Klima, Bewitterung, Schlagwetter.

Wetteranzeigende Bilder s. Cobalt(II)-chlorid u. relative Luftfeuchtigkeit.

Wetterechtheit. W. dient zur Bestimmung der Widerstandsfähigkeit von Färbungen u. Drucken auf Textilien jeder Art gegenüber der gleichzeitigen Einwirkung von Strahlung u. atmosphär. Einflüssen (erfolgt nach DIN EN-ISO 105-B04: 1997-05). Diese führen zu Veränderungen bzw. Zerstörung von Pigmenten in Bindemittelsystemen. Da diese Einflüsse variabel sind, ist nur eine relative Bewertung im Vgl. mit einem Standard möglich. – *E* weather fastness – *I* resistenza all'alterazione superficiale, resistenza alla degradazione – *S* solidez a la intemperie

Wetterlampe s. Davysche Sicherheitslampe.

Wettersprengstoffe. Bez. für *schlagwettersichere *Sprengstoffe*, eine Gruppe von *Explosivstoffen, die als *Sicherheitssprengstoffe* für den Untertageeinsatz im Kohlebergbau (*Bergbausprengmittel*) eine wichtige Rolle spielen (vgl. DIN 20163: 1994-11, S. 9). Aufgrund ihrer chem. Zusammensetzung weisen W. nur kurze Detonationsflammen auf u. erschweren od. verhindern die Zündung der sog. *Schlagwetter. In Deutschland müssen W. seit 1917 auf Sauerstoff-Überschuß basieren, womit die Entwicklung von giftigen od. brennbaren Gasen bei der Zündung verhindert werden soll.
DIN 20164-1: 1993-07 definiert Anforderungen, Prüfung u. Kennzeichnung pulverförmiger Wettersprengstoffe. Sie werden nach dem Grad ihrer Sicherheit gegen Schlagwetter u. Kohlenstaub in die Sicherheitsklassen I, II u. III eingeteilt. In dieser Reihenfolge nehmen Schlagwetter- u. Kohlenstaub- sowie Deflagrationssicherheit zu, das Arbeitsvermögen u. die Detonationsgeschw. dagegen ab. W. im Sinne der angegebenen Norm enthalten als Hauptbestandteil das sog. „inverse Salzpaar" Alkalinitrat/Ammoniumchlorid mit etwa 10% Sprengöl (Glycerintrinitrat-Ethylenglykoldinitrat-Gemisch). Außerdem sind Zusätze zur Verbesserung der Wasser- u. Deflagrationssicherheit sowie Ammoniumnitrat-Zusätze zur Energiesteigerung üblich.
W. anderer Zusammensetzung, wie z. B. pulverförmige W. mit Ammoniumnitrat/Alkalichlorid-Gemisch, gelatinöse W., Wettersprengschlämme, Wetteremulsionssprengstoffe können sinngemäß nach den Vorschriften der DIN 20164 daraufhin geprüft werden, ob die sicherheitstechn. Anforderungen für den beabsichtigten Anwendungszweck zutreffen bzw. ausreichen. – *E* firedamp proof explosives, permissible explosives – *F* explosifs de sûreté, explosifs antigrisouteux – *I* esplosivi antideflagranti – *S* explosivos de seguridad contra el grisú
Lit.: Köhler u. Meyer, Explosivstoffe (8.), Weinheim: VCH Verlagsges. 1995 ▪ Ullmann (4.) **21**, 676 ff.; (5.) **A 10**, 164 ff. ▪ Winnacker-Küchler (4.) **7**, 392 f. ▪ s. a. Sprengstoffe. – [HS 36 02; G 1.1 D]

Wettstein, Albert (1907–1974), Prof. für Organ. Chemie, Univ. Freiburg, Ciba-Geigy, Basel. *Arbeitsgebiete:* Steroidhormone, Aldosteron, Synth. von Testosteron aus Cholesterin, von Cortison aus Gallensäuren, Isolierung von Progesteron, Zusammenhänge zwischen Konstitution u. biochem. Wirkung, Synth. von Antibiotika.
Lit.: Helv. Chim. Acta **55**, 328–338 (1972); **57**, 2325 ff. (1974) ▪ Lexikon der Naturwissenschaftler, S. 420.

Wetzschiefer (Wetzsteinschiefer). Bez. für bestimmte *Tonschiefer u. auch verkieselte *Kalke, die früher zu *Wetzsteinen* (*Abziehsteine) verarbeitet wurden. W.

weisen ein dichtes Gefüge, Gleichmäßigkeit u. eine hohe Härte auf; letztere resultiert aus Gehalten der W. teils an *Granat (z.B. in den W. der Ardennen/Belgien), teils an *Quarz. – *E* whet slate, coticule, novaculite – *F* coticule, novaculite – *I* cote scistosa
Lit.: Dietrich u. Skinner, Die Gesteine u. ihre Mineralien, S. 253, Thun: Ott 1984 ▪ Lüschen, Die Namen der Steine (2.), S. 343, Thun: Ott 1979.

Wetzsteine s. Abziehsteine.

Weygand, Conrad (1890–1945), Prof. für Organ. Chemie, Univ. Leipzig. *Arbeitsgebiete:* Elementaranalyse, Polymorphismus, Enolisierung, Isomerieerscheinungen, flüssige Kristalle.

Weygand, Friedrich (1911–1969), Prof. für Organ. Chemie, TU München. *Arbeitsgebiete:* Amadori-Umlagerung, Zucker, Osazone, Synth. von Aldehyden u. Ketoaldehyden, trifluoracetylierte Aminosäuren, markierte Verb., Biogenese von Purinen, Pyrimidinen, Ergot-Alkaloiden.
Lit.: Nachr. Chem. Tech. **9**, 311 (1961) ▪ Pötsch, S. 451.

Weyl. Kurzbez. für die 1877 gegr. Weyl GmbH, 68305 Mannheim-Waldhof, eine Tochterges. der VFT AG. *Daten* (1995): 270 Beschäftigte. *Produktion:* Organ. Zwischenprodukte u. Wirkstoffe für die pharmazeut. u. kosmet. Ind.; Biozide für techn. Anw., Holz- u. Brandschutzprodukte.

Weyl, Theodor (1851–1913), Prof. für Physiolog. Chemie, Univ. Erlangen, TH Charlottenburg, Univ. Berlin. *Arbeitsgebiete:* Eiweißspaltung, Kreatinin-Nachw., Stoffwechsel, Cholesterin, Bakteriologie, Hygiene, allg. Gesundheitswesen, erster Hrsg. des *Houben-Weyl.

Weylsche Reaktion s. Lutein.

Weyrich, Wolf Carl Rudolf (geb. 1941), Prof. für Physikal. Chemie, Univ. Konstanz, Dr. phil. h. c. (Uppsala, 1991). *Arbeitsgebiete:* γ-, Röntgen- u. Compton-Spektroskopie, Streuprozesse, elektron. Struktur von Atomen, Mol., Flüssigkeiten u. Festkörpern, Phasenraum der Elektronen, chem. Bindung u. intermol. Wechselwirkungen.
Lit.: Kürschner (16.), S. 4055.

WFK. Kurzz. (nach DIN 7728-1: 1988-01) für Whisker-*verstärkte Kunststoffe, s. a. Faserverstärkung.

WG. Nach DIN 60001-4: 1991-08 Kurzz. für feine Tierhaare des Vikunjas (s. Vikunjawolle).

WGA. *E* Abk. für Weizenkeimaglutinin, s. Lektine.

WGK. Abk. für *Wasser*gefährdungs*klasse.

WGL. Abk. für *Wissenschafts*gemeinschaft Gottfried Wilhelm *Leibniz* mit Sitz in 53175 Bonn, Ahrstraße 45. Die WGL ist 1997 durch Namensänderung aus der *Wissenschaftsgemeinschaft Blaue Liste* (WBL) hervorgegangen, die wiederum Nachfolgerin der *Blauen Liste war. In der WGL sind 77 Forschungs-Inst. zusammengeschlossen, die in fünf Sektionen gegliedert sind: Geisteswissenschaften u. Bildungsforschung; Wirtschafts- u. Sozialwissenschaften, Raumwissenschaften; Lebenswissenschaften; Mathematik, Natur- u. Ingenieurwissenschaften; Umweltwissenschaften. Die WGL-Inst. sehen ihr Aufgabenspektrum zwischen Grundlagenforschung u. Anw.-orientierter Forschung. Sie verstehen sich als Partner der Univ., der Wirtschaft u. der Politik u. im Forschungssyst. der BRD als Brücke zwischen traditionell angebotsorientierter Vorhaltung erkenntnisorientierter Forschung u. kundenorientierter Wegbereitung für technolog. u. gesellschaftliche Innovation. – INTERNET-Adresse: http://www.wgl.de
Lit.: Faktenbericht 1998, S. 298 ff., Bonn: BMBF 1998.

Whewellit. $Ca[C_2O_4] \cdot H_2O$. Farbloses bis weißes, durchsichtiges bis durchscheinendes, glasglänzendes, monoklines Mineral aus Calciumoxalat-Monohydrat, bildet vollkommen spaltbare, kurz- bis langprismat. od. nadelige Krist. u. herzförmige *Zwillinge; H. 2,5, D. 2,23. Kristallklasse $2/m$-C_{2h}, Struktur s. *Lit.*[1]; zur Struktur der oberhalb von 45 °C stabilen u. ebenfalls monoklinen Hochtemp.-Modif. von W. s. *Lit.*[2], zur Struktur von W. u. dem Calciumoxalat-Dihydrat *Weddelit*, $Ca[C_2O_4] \cdot (2+x)H_2O$ ($x \leq 0,5$) s. *Lit.*[3], zur Kohlenstoff-Isotopenzusammensetzung von W. aus verschiedener geolog. Umgebung s. *Lit.*[4].
Vork.: Überwiegend im Umfeld von Kohle- u. Erdöl-Lagerstätten, z.B. Döhlener Becken bei Dresden, Zwickau/Sachsen, Ibbenbüren bei Osnabrück; im nördlichen Kaukasus/GUS (Erdöl-Vork.). In Sphärosiderit-*Konkretionen (*Siderit), z.B. Hoheneggelsen bei Hildesheim, Kladno/Mähren, Département Drôme/Frankreich. In Harnsteinen (Nierensteinen u. Blasensteinen) von Mensch u. Tier sowie in tier. u. pflanzlichen Geweben. W. u. Weddelit wurden zusammen mit *Gips als Bestandteil der Patina auf Kunstwerken u. Bauwerken in Städten des Mittelmeer-Raumes, z.B. Palermo/Sizilien, gefunden[5]. – $E = F = I$ whewellite – S whewellita
Lit.: [1] Neues Jahrb. Mineral. Monatsh. **1981**, 81–88. [2] Acta Crystallogr. Sect. B **37**, 826–829 (1981). [3] Am. Mineral. **65**, 327–334 (1980). [4] Chem. Geol. incl. Isotope Geol. **106**, 123–131 (1993). [5] Neues Jahrb. Mineral., Abhandl., **165**, 143–153 (1993).
allg.: Int. Lab. **18**, Nr. 1, 32–39 (1988) ▪ Lapis **21**, Nr. 1, 8–11 (1996) („Steckbrief") ▪ Ramdohr-Strunz, S. 798. – [CAS 14488-96-1]

WHG. Abk. für *Wasser*haushaltsgesetz.

Whiskers (von *E* whiskers = Bart-, Schnurrhaare). Bez. für auch *Haarkrist.* genannte, faserförmige *Einkristalle aus Metallen, Oxiden, Boriden, Carbiden, Nitriden, Polytitanat, Kohlenstoff usw. mit meist polygonalem Querschnitt. W. wurden bereits früh entdeckt u. beschrieben. W. weisen im allg. einen Durchmesser von 0,1–10 µm u. eine Länge in der Größenordnungen von Millimetern od. Zentimetern auf. R. Boyle nahm an, daß z. B. das Wachstum von Silber-W. auf einem dem Graswachstum verwandten Phänomen beruht. Erst nach der Entdeckung der im Vgl. zu kompaktem Zinn um Größenordnungen höheren Festigkeit von Zinn-W., die nahe an dem Wert der theoret. Festigkeit liegt, wurden W. eingehend untersucht. W. mit hohen Zugfestigkeiten werden vorwiegend nach zwei unterschiedlichen Meth. hergestellt, entweder durch *Abscheidung aus der Gasphase* am Festkörper (VS-Mechanismus) od. aus einem *Drei-Phasen-Syst.* (VLS-Mechanismus). Bei letzterem erfolgt die Abscheidung aus der Gasphase an einem winzigen Schmelztröpfchen, das die Substanz für den wachsenden W. liefert; das Tröpfchen bleibt dabei auf der W.-Spitze sitzen. Für die Entstehung von W. sind allg. ein Substrat als Quelle für *Schraubenversetzungen (s. a. Kristallbaufehler), z. B. ein Schmelztröpfchen, u. eine Transportreaktion über die Gasphase erforderlich. Mit dem *Schmelzzieh-Verf.* können z. B. meterlange Korund-W. mit ca. 50 μm Durchmesser erhalten werden. Wegen ihrer hohen Zugfestigkeit sind W. für die Herst. von *Verbundwerkstoffen außerordentlich interessant. Die erzielten Ergebnisse sind jedoch noch bescheiden u. haben eine umfangreiche Verw. von W. bislang verhindert. Dies liegt einerseits an den meist hohen Preisen, andererseits auch an den Schwierigkeiten, die W. auszurichten u. eine ausreichende Bindung zwischen den W. u. dem Matrixmaterial zu erzielen. Aus bestimmten Leg. können unter ungünstigen Bedingungen ungewollt W. herauswachsen u. z. B. in integrierten Schaltungen Kurzschlüsse hervorrufen. – *E* whiskers – *F* whiskers, fils monocristallin – *I* whiskers, monocristalli aciculari – *S* whiskers, hilos monocristalinos

Lit.: Angew. Chem. **84**, 866–875 (1972) ▪ Belitskus, Fiber and Whisker Reinforced Ceramics for Structural Applications, New York: Dekker 1993 ▪ Ullmann (5.) **A 28**, 229–241 ▪ s. a. Verbundwerkstoffe.

Whiskey s. Whisky.

Whisk(e)y- u. Cognac-Lactone. Aromastoffe mit γ-Butyrolacton-Struktur, die in Eichenholz u. gealterten Branntweinen wie Whisk(e)y u. Weinbrand (vgl. Spirituosen) vorkommen (s. Abb. u. Tab. unten).

Sie werden während der Lagerung der Branntweine aus dem Eichenholz der Fässer extrahiert. Sie riechen nach Sellerie u. Kokos. Die *trans*-Verb. sind stärker aromawirksam; s. a. Whisky. – *E* whisk(e)y/cognac lactones – *F* lactones du whisky et du cognac – *I* lattoni del whisky e cognac – *S* lactonas del whisky (güisqui) y del coñac

Lit.: Dev. Food Sci. **29**, 469 (1992); **37B**, 1767 (1998) ▪ Maarse, Volatile Compounds in Food and Beverages, S. 501–504, New York: Dekker 1991. – Synth.: J. Org. Chem. **60**, 5628 (1995); **63**, 1102 (1998) ▪ Tetrahedron: Asymmetry **9**, 1165 (1998).

Whisky (Whiskey). Nach VO (EWG) 1576/89[1], Artikel 1, Absatz 4, Buchstabe b handelt es sich bei W. um eine goldgelbe bis goldbraune *Spirituose, die durch Dest. von Getreidemaische gewonnen wird. Die Verzuckerung erfolgt durch Malzamylasen od. andere natürliche *Enzyme. Nach dem Vergären durch Hefe wird so dest., daß das Erzeugnis weniger als 94,8% vol Alkohol u. den Geschmack u. das Aroma der verwendeten Rohstoffe enthält. Die Lagerung (mind. 3 a) erfolgt in Eichenholzfässern mit höchstens 700 L Fassungsvermögen. Nach Ende der Lagerzeit wird auf Trinkstärke eingestellt (nach Artikel 3, Absatz 1 der Spirituosen-VO[1] mind. 40% vol). Zur weiteren Beurteilung s. Lit.[2].

Herst.: Je nach Typ (Malt W., Grain W., Blended W.) werden zur Herst. von W. unterschiedliche Rohstoffe u. Verf. eingesetzt. *Malt W.* wird durch Einmaischen von *Malz hergestellt, das zuvor über Torffeuern gedarrt wurde (charakterist. Raucharoma). Nach dem Kochen der *Würze (60 °C) wird bei 30–32 °C vergoren. In einer zweistufigen Dest. wird der Rauhbrand durch Abtrennung des Vor- u. Nachlaufs von unerwünschten Komponenten befreit. *Grain W.* wird aus weniger wertvollen Rohstoffen (*Mais, *Roggen, aber kein *Reis) meist in kontinuierlichen Verf. hergestellt. *Blended W.* ist ein Verschnitt von Malt- u. Grain-W., dessen Qualität sich nach dem Malt-W.-Anteil richtet. Die Lagerung (s. oben) kann in Holzfässern erfolgen, wobei alte *Sherry-Fässer zu einer bes. W.-Qualität führen.

Tab.: Flüchtige Verb. in schott. Whisky.

	Malt Whisky	Blended Whisky	Grain Whisky
1-Propanol	36	44	49
1-Butanol	1,0	0,3	+
2-Methyl-1-propanol	104	66	62
2-Methyl-1-butanol	67	23	6
3-Methyl-1-butanol	151	47	15
2-Phenylethanol	6,2	2,0	1,1
Furfural	2,5	0,7	0,3
Isoamylacetat	2,1	1,0	0,2
(2-Phenylethyl)-acetat	1,0	0,4	+
Ethyllactat	3,5	1,0	0,3
Ethyloctanoat	2,7	0,9	0,2
Ethyldecanoat	7,1	2,7	0,4
Ethyllaurat	5,4	2,4	0,3

Aromastoffe: Neben den in der Tab. aufgeführten Aromastoffen liefern v. a. die beiden Isomeren der als *Whisky-* od. *Quercus-Lacton* (3-Methyl-4-octanolid, 5-Butyl-4-methyl-4,5-dihydrofuran-2(3H)-on) bezeichneten Verb. einen entscheidenden Beitrag zum W.-Aroma[3]. Im Eichenholz liegen 77% (–)-(4S)-*cis*- u. 23% (+)-(4R)-*trans*-Whisky-Lacton vor. Anhand ihrer Verteilung läßt sich erkennen, ob einem W. Quercus-Lacton als naturident. Aromastoff zugesetzt wurde[4]. Zum Einfluß des Holzes auf das Aroma von W. s. Lit.[5].

Tab.: Daten zu Whisky- u. Cognac-Lacton.

	Summenformel	M_R	n	Konfiguration	Sdp. [°C]	Drehwerte in Methanol	CAS
Whisky-Lacton (Quercus-Lacton a)	$C_9H_{16}O_2$	156,22	3	(4S,5R) *trans*	67–68 (800 Pa)	$[\alpha]_D^{25} + 84,5°$	80041-01-6
Whisky-Lacton (Quercus-Lacton b)				(4S,5S) *cis*		$[\alpha]_D^{15} - 87°$	80041-00-5
Cognac-Lacton	$C_{10}H_{18}O_2$	170,25	4	(4S,5R) *trans*	80 (800 Pa)	$[\alpha]_D + 83°$	114485-30-2

Analytik: Eine Abschätzung der Lagerzeiten von W. ist anhand der Gehalte an phenol. *Aldehyden u. Phenolcarbonsäuren, den Abbauprodukten herausgelöster Holzinhaltsstoffe, möglich [6,7]. Die Klassifizierung einzelner W.-Sorten u. Arten ist anhand der Aromastoffanalyse [8,9] od. mittels Curie-Punkt-Pyrolyse (s. Curie-Temperatur)/Massenspektroskopie (s. Massenspektrometrie) möglich [10]. Zum Nachw. von *Methanol u. *Fuselölen s. *Lit.*[11]. Die Gehalte an *Urethan liegen zwischen 10 u. 350 ng/g [12]. Zur Belastung von W. mit *Nitrosaminen (z.B. *NDMA < 2 µg/kg) s. *Lit.*[13]. Nach *Lit.*[14] wird der W.-Konsum in Zusammenhang mit dem Krebsrisiko diskutiert; der geringe Gehalt der in W. enthaltenen *PAH sollte aber nicht dafür verantwortlich zu machen sein. Der physiolog. Brennwert von W. beträgt 10460 KJ/L.
Geschichte: Die Bez. W. (amerikan. whiskey) leitet sich vom latein. aqua vitae = Lebenswasser u. dem gälischen uisge beatha (usquebaugh) ab. Erste Hinweise auf die Herst. von W. finden sich ab dem 12. Jh. in Irland u. ab dem 15. Jh. unter dem Namen *uiskie* in Schottland. Die Produktion in der BRD betrug 1995 2,6 Mio. L, 1996 2,7 Mio. L u. 1999 2,3 Mio. L. – *E* whisky, whiskey – *F* = *I* whisky – *S* whisky, güisqui
Lit.: [1] VO (EWG) 1576/89 zur Festlegung der allg. Regeln für die Begriffsbest., Bez. u. Aufmachung von Spirituosen vom 29.5.1989 i. d. F. vom 1.1.1995 (Amtsblatt Nr. L 1/1). [2] Zipfel, C 419. [3] Z. Lebensm. Unters. Forsch. **185**, 1–4 (1987). [4] Lebensmittelchem. Gerichtl. Chem. **42**, 22 f. (1988). [5] Food Rev. Int. **5**, 39–99 (1989). [6] Z. Lebensm. Unters. Forsch. **186**, 130–133 (1988). [7] Lebensm. Wiss. Technol. **19**, 469 ff. (1987). [8] J. Sci. Food Agric. **45**, 347–358 (1988). [9] J. Food Sci. **54**, 1351–1354, 1358 (1989). [10] Nachr. Chem. Tech. Lab. **39**, 836–840 (1991). [11] J. Assoc. Off. Anal. Chem. **74**, 248–256 (1991). [12] Food Add. Contam. **6**, 383–389 (1989). [13] Mutat. Res. **259**, 277–289 (1991). [14] Lancet **348**, 1731 (1996).
allg.: Belitz-Grosch (4.), S. 842 ▪ Lindner, Toxikologie der Nahrungsmittel (4.), S. 72, Stuttgart: Thieme 1990 ▪ Ullmann (5.) **A 24**, 553 ▪ Zipfel, C 415 *101*, 15; C 419 *17*. – [HS 2208 30]

White Spirits. Engl. Bez. für *Testbenzine u. *Terpentinölersatz.

WHO. Abk. für *World Health Organization* (Weltgesundheitsorganisation), eine 1948 als Sonderorganisation der UNO gegr. Organisation mit Sitz in CH-1211 Genève 27, Avenue Appia 20, mit 191 (Stand 1998) Mitgliedsstaaten u. einem assoziierten Mitglied. Die Ziele der WHO umfassen die Förderung der internat. Zusammenarbeit auf den Gebieten Gesundheitsschutz, Seuchen- u. Suchtbekämpfung, Arzneimittelherst. u. -qualitätskontrolle [z.B. durch Erlaß von Richtlinien wie den sog. *Good Manufacturing Practices (GMP), vgl. pharmazeutische Industrie], Ernährungswesen, Umweltschutz, Arbeitssicherheit, biolog. Standardisierung, Weiterentwicklung systemat. Nomenklaturen für Pharmaka (s. Freinamen), für Pestizide u. Krankheiten, Erarbeitung von Statistiken etc. sowie die Unterstützung von Entwicklungsländern beim Aufbau ihrer Gesundheitsdienste. In ihren Programmen arbeitet die WHO eng mit anderen internat. u. nat. Organisationen zusammen, z.B. mit UNICEF, UNESCO, *FAO, IARC, *ISO. *Publikationsorgane:* Bulletin of the WHO, WHO Drug Information, World Health Statistics Quarterly, World Health Forum, World Health Magazine. – INTERNET-Adresse: http://www.who.ch

Wibarco. Kurzbez. für die 1969 gegr. Chemische Fabrik Wibarco, 49466 Ibbenbüren-Uffeln, eine 100%ige Tochterges. der *BASF. *Daten* (1995): ca. 82 Beschäftigte, 70 Mio. DM Umsatz. *Produktion:* Alkylbenzole für Tenside, Alkylate für Wärmeübertragungsmittel, Weichmacher, Korrosionsschutz- u. Schmiermittel, Salzsäure.

Wiberg, Egon (1901–1976), Prof. für Anorgan. Chemie, Univ. München. *Arbeitsgebiete:* Hydride von Be, Mg, B, Al u. a. Metallen, Phosphor-, Bor- u. Silicium-Verb., Borstickstoff-Verb., Neubearbeitung von *Hollemans Lehrbuch der Anorgan. Chemie (s. a. häufig zitierte Werke).
Lit.: Neufeldt, S. 155, 212, 227 ▪ Pötsch, S. 451.

Wichte. Veraltete Bez. für *spezif. Gew.* (p/cm³), die seit der Gleichsetzung von Masse u. Gew. (Gesetz über *Einheiten im Meßwesen) durch den Begriff *Dichte (g/cm³) ersetzt ist. – *E* specific weight – *F* poids spécifique – *I* peso specifico – *S* peso específico

Wickbold-Methoden. 1. Bez. für ein nach DIN 38409-23: 1980-05 genormtes Verf. zur Bestimmung *nichtionischer Tenside (bismutaktive Substanzen, BiAS) in wäss. Lsg. durch Fällung mit *Dragendorffs Reagenz (KBiI$_4$). u. BaCl$_2$ sowie durch photometr. od. potentiometr. Bestimmung des Bismuts.
2. Bez. für ein nach DIN EN 24260: 1994-05 genormtes Verf. zur Bestimmung von Schwefel in Mineralölen durch Verbrennung des Mineralöls in der Knallgasflamme, Oxid. des entstandenen SO$_2$ zu H$_2$SO$_4$ u. Titration der Schwefelsäure. – *E* Wickbold methods – *F* procédés de Wickbold – *I* metodi Wickbold – *S* métodos de Wickbold

Wicke, Ewald (geb. 1914), Prof. (emeritiert) für Physikal. Chemie, Univ. Göttingen, Hamburg u. Münster. *Arbeitsgebiete:* Thermodynamik, Transportprozesse, heterogene Katalyse, Wasserstruktur u. Ionenhydration, Trennverf., chem. Verfahrenstechnik, Metall/Wasserstoff-Syst., Oszillationen u. Chaos bei heterogenen Reaktionen.
Lit.: Ber. Bunsenges. Phys. Chem. **83**, 753 (1979) ▪ Kürschner (16.), S. 4058; (17.), S. 1527 ▪ Pötsch, S. 452 ▪ Wer ist wer, S. 1551.

Wicken. Bez. für die zu den Hülsenfrüchtlern (Leguminosen, s. Hülsenfrüchte) zählenden *Vicia*-Arten (Fabaceae, Schmetterlingsblütler), zu denen einige wichtige eiweißliefernde Futterpflanzen gehören; *Beisp.:* Futter- od. Ackerwicke (*Vicia sativa*), Vogelwicke (*V. cracca*), *Puffbohne* (*V. faba*; zu den Inhaltsstoffen s. dort). Die Vogelwicke enthält Hämagglutinine (s. Lektine), die zur Blutgruppenbestimmung herangezogen werden können. Aus den Samen der Ackerwicke lassen sich *Vicilin (ein Globulin) u. glykosid. Verb. isolieren wie *Vicin u. *Vicianin*, C$_{19}$H$_{25}$NO$_{10}$, ein Glykosid der *Vicianose* (6-O-α-L-Arabinopyranosyl-D-glucopyranose) mit Mandelsäurenitril. – *E* vetches – *F* vesces – *I* vecce – *S* vezas, arvejas
Lit.: Franke, Nutzpflanzenkunde, 6. Aufl., S. 401, Stuttgart: Thieme 1997.

Wickersheimer-Lösung. *Konservierungs-Mittel für anatom. Präp., enthält 1,2 g As$_2$O$_3$, 6 g NaCl, 15 g K$_2$SO$_4$ u. 1,8 g KNO$_3$ im Liter Wasser. Der Lsg. fügt man nachträglich 400 g Glycerin u. 50 g Methanol hinzu. – *E* Wickersheimer's fluid – *F* solution de Wickersheimer – *I* soluzione di Wickersheimer – *S* solución de Wickersheimer

Widerstandsbeiwert. Bei der Umströmung eines Körpers mit einem viskosen Fluid wirken von diesem viskose Reibungskräfte auf den Körper, die den Strömungswiderstand ausmachen. Der Strömungswiderstand wird meist mit Hilfe des W. ausgedrückt. Der W. c_w ist der Strömungswiderstand W bezogen auf die umströmte Fläche A u. die mittlere Vol.-spezif. kinet. Energie der Strömung $\rho/2 \cdot u^2$.

$$c_w = \frac{W}{\frac{\rho}{2} u^2 \cdot A}$$

Turbulente Strömungen sind im Vgl. zu *laminaren Strömungen viel besser in der Lage, Druckunterschiede an Formkörpern zu überwinden. Die Herabsetzung von c_w spielt z.B. bei der Entwicklung neuer Fahrzeugformen eine wichtige Rolle. In der Technik ist z.B. der Druckverlust in Rohrleitungen von c_w abhängig, der je nach Strömungsart verschiedene Werte annimmt. – *E* resistance coefficient – *F* coefficient de résistance – *I* coefficente di resistenza – *S* coeficiente de resistencia

Lit.: s. Lehrbücher der Strömungstechnik u. Strömungsmechanik.

Widerstandshygrometer s. Hygrometer.

Widerstandsschweißen s. Schweißverfahren.

Widerstandsthermometer. Bez. für Geräte zur elektr. *Temperaturmessung. Der elektr. Widerstand reiner Metalle steigt beim Erwärmen regelmäßig an, u. zwar nimmt er bei der Erwärmung um 1 K um etwa 4‰ seines Wertes bei 0 °C zu; nach *E* positive *t*emperature *c*oefficient werden Metalle als PTC bezeichnet. Bei *Halbleitern dagegen sinkt der Widerstand mit zunehmender Temp. (s. Thermistoren), weshalb man sie als NTC (von *E* negative *t*emperature *c*oefficient) bezeichnet. In den W. mißt man den Widerstand eines um Glimmer- u. Quarzglas gewickelten, in einem engen Rohr aus Porzellan u.dgl. befindlichen Metalldrahts, wobei Kupfer, Nickel, Wolfram u. bes. Platin geeignet sind; mit Platin-W. kann man Temp. bis 1000 °C messen. Die für industrielle Zwecke bestimmten W. werden hauptsächlich bei Temp. von –200 °C bis +750 °C gebraucht; die Messung der Widerstände erfolgt z.B. mit der Wheatstoneschen Brücke od. mit Kreuzspulgeräten. – *E* resistance thermometers – *F* thermomètres de résistance – *I* termometro a resistenza – *S* termómetros de resistencia

Lit.: Achema-Jahrbuch **1991** ■ Kohlrausch, Praktische Physik 1, S. 316, Stuttgart: Teubner 1996.

Widerstandsverminderer s. Wasser.

Widmannstätten-Figuren s. Meteoriten.

Widmark-Methode. Von dem schwed. Physiologen Eric Matho Prochet Widmark (1889–1945) entwickelte Meth. zur Bestimmung des Alkoholgehaltes im Blut, s.a. Blutalkohol. – *E* Widmark method – *F* méthode de Widmark – *I* metodo di Widmark – *S* método de Widmark

Wiedemann-Franzsches-Gesetz. Nach dem dtsch. Physiker G. H. Wiedemann (1826–1899) u. dem dtsch. Gymnasiallehrer R. Franz (1827–1902) benanntes Gesetz, nach dem das Verhältnis der *Wärmeleitfähigkeit λ u. der *elektrischen Leitfähigkeit χ bei konstanter Temp. T bei allen Metallen nahezu gleich ist: $\frac{\lambda}{\chi}$ = konstant.

Nach dem *Wiedemann-Franz-Lorenzschen Gesetz* (dän. Physiker Lorenz, 1829–1891) gilt für die Temp.-(T-)Abhängigkeit dieses Verhältnisses: $\lambda/\chi = L \cdot T$, wobei die Lorenz-Konstante L den Wert $L = 2 \cdot 10^{-8}$ V^2/K^2 hat. Diese Gesetze gelten, wenn die Wärmeleitung durch das Elektronengas (u. nicht durch Phononenleitung) bestimmt ist. – *E* Wiedemann-Franz law – *F* loi de Wiedemann et Franz – *I* legge di Wiedemann-Franz – *S* ley de Wiedemann-Franz

Wiedendiole.

W. A   W. B

$C_{22}H_{32}O_3$, M_R 344,48, amorphe Feststoffe. Merosesquiterpene aus dem Schwamm *Xestospongia wiedenmayeri*. W. hemmen das Cholesterylester-Transferprotein (CETP) u. stellen somit ein anti-atherosklerot. Wirkprinzip dar. – *E* wiedendiols – *I* wiedendioli – *S* wiedendioles

Lit.: Tetrahedron **54**, 5635–5650 (1998) (Synth.) ■ Tetrahedron Lett. **38**, 8101 (1997) ■ s.a. Avarol. – *[CAS 162341-30-2 (W. A); 162341-31-3 (W. B)]*

Wiederaufarbeitung s. Wiederaufbereitung.

Wiederaufbereitung. Bez. für die Aufbereitung von *Altmaterial zwecks Rückgewinnung verwertbarer Stoffe – heute zieht man meist den umfassenden Begriff *Recycling vor. In bezug auf Kernbrennstoffe spricht man statt von W. von *Wiederaufarbeitung*, wenn man die Abtrennung radioaktiver Abfälle u. gleichzeitige Rückgewinnung spaltbaren Materials aus abgebrannten Brennelementen meint. – *E* reprocessing – *F* régénération, retraitement – *I* rigenerazione – *S* reprocesado, retratamiento, regenerado

Wiederholbarkeit s. Reproduzierbarkeit u. Ringversuche.

Wiederholungseinheit. Synonyme Bez. für *konstitutionelle Repetiereinheit.

Wiederverwertung s. Recycling.

Wiegen s. Waagen.

Wieghardt, Karl Ernst (geb. 1942), Prof. für Anorgan. Chemie, Univ. Bochum, MPI für Strahlenchemie, Mülheim/Ruhr. *Arbeitsgebiete:* Koordinationschemie mit makrocycl. Liganden, anorgan. Reaktionsmechanismen (Elektronentransferreaktionen), bioanorgan. Chemie (Modellierung der mehrkernigen aktiven Zentren von Metalloproteinen, z.B. Photosystem II).

Lit.: Angew. Chem. **101**, 1179 (1989) ▪ J. Am. Chem. Soc. **112**, 6387 (1990) ▪ Kürschner (16.), S. 4067 f. ▪ Nachr. Chem. Tech. Lab. **42**, Nr. 9, 929 (1994) ▪ Prog. Inorg. Chem. **35**, 329 (1987); **39**, 3355 (1990) ▪ Wer ist wer, S. 1555.

Wieland, Heinrich Otto (1877–1957), Vater von Theodor *Wieland, Prof. für Organ. Chemie, München. *Arbeitsgebiete:* Organ. Stickstoff-Verb., Oxid.-Vorgänge der lebenden Zelle, Stickstoff-Radikale, Dehydrierungsmechanismen, Konstitutionsermittlung an Naturstoffen, z. B. Lobelin, Morphin, Digitalisglykoside, Sexualhormone, Krötengifte, Gallensäuren, Pterine, Curare, Hopfenbitterstoffe, Knollenblätterpilzgift. 1927 erhielt er den Nobelpreis für Chemie für die Strukturermittlung der Gallensäure.
Lit.: Angew. Chem. **89**, 575–589 (1977) ▪ Chem. Unserer Zeit **11**, 142–149 (1977) ▪ Krafft, S. 353, 356 ▪ Lexikon der Naturwissenschaftler, S. 422 ▪ Neufeldt, S. 130, 178 ▪ Pötsch, S. 452 f.

Wieland, Theodor (1913–1995), Sohn von Heinrich Otto *Wieland, Prof. für Organ. Chemie, Univ. Frankfurt, Mainz, MPI Medizin. Forschung, Heidelberg. *Arbeitsgebiete:* Aminosäuren, Cyclo- u. Polypeptide, Indol-Körper, Papierelektrophorese, Pantothensäure, Enzyme u. Isoenzyme, Toxine u. Antitoxine, Peptide des Knollenblätterpilzes, Phalloiden u. Aktin.
Lit.: Lexikon der Naturwissenschaftler, S. 422 ▪ Nachr. Chem. Tech. **16**, 243 f. (1968) ▪ Naturwiss. Rundsch. **36**, 261–275 (1983) ▪ Pötsch, S. 453.

Wien, Wilhelm (1864–1928), Prof. für Physik, Aachen, Gießen, Würzburg, München. *Arbeitsgebiete:* Theorie der Temp.-Strahlung von *Schwarzen Körpern, Kathodenstrahlung, Kanalstrahlen, Lichtverhalten im Hochvakuum. 1911 Nobelpreis für Physik für die Formulierung des später nach ihm benannten Verschiebungs- u. Strahlengesetzes (s. Wien-Gesetz).
Lit.: Lexikon der Naturwissenschaftler, S. 422.

Wiener Kalk s. Dolomit.

Wiener Rot s. Chrom-Pigmente.

Wiener Türkis s. Türkis.

Wien-Filter (Wiensches Geschwindigkeitsfilter).

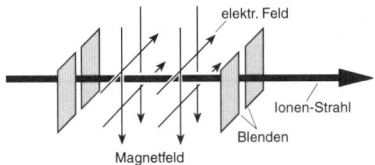

Abb.: Aufbau eines Wien-Filters.

Anordnung, bei der ein homogenes Magnetfeld B senkrecht zu einem homogenen elektr. Feld E u. beide senkrecht zur Flugrichtung von geladenen Teilchen stehen. Das W.-F. wirkt als Geschw.-Monochromator, da nur für Teilchen (q = Ladung des Teilchens) einer selektiven Geschw. v die *Lorentz-Kraft $F_1 = q \cdot v \cdot B$ u. die elektr. Beschleunigungskraft $F_2 = q \cdot E$ sich gegenseitig kompensieren, wodurch das Teilchen geradeaus weiterfliegt. Das W.-F. kann auch zur Massenselektion atomarer u. mol. Ionen eingesetzt werden (genauer zur Selektion eines bestimmten q/m-Verhältnisses; m = Masse), indem der Ionenstrahl durch eine Spannung U beschleunigt wird u. dann das W.-F. durchläuft. Durch die Beschleunigung haben die verschiedenen Ionen die kinet. Energie $E_{kin} = q \cdot U$ u. somit unterschiedliche Geschw.

$$v = \sqrt{2 \cdot E_{kin}/m} = \sqrt{2 \cdot U \cdot q/m}.$$

– *E* Wien selector – *I* selettore di Wien – *S* selector Wien

Wien-Gesetz (Verschiebungsgesetz). Von *Wien aufgefundene gesetzmäßige Beziehung zwischen *Temperatur u. *Strahlung eines *Schwarzen Körpers. Nach $\lambda_{max} \cdot T = 0,289779$ cm/K verschiebt sich das Maximum der Emission mit steigender Temp. T nach kürzeren Wellenlängen λ (s. a. Plancksche Strahlungsformel). – *E* Wien's law – *F* loi de Wien – *I* legge di Wien – *S* ley de Wien

Wiensches Geschwindigkeitsfilter s. Wien-Filter.

Wieschaus, Eric F. (geb. 1947), Prof. für Entwicklungsbiologie, Univ. Princeton, N. Y. (seit 1987). *Arbeitsgebiete:* Genetik, Molekularbiologie. Zusammen mit C. *Nüsslein-Volhard entdeckte er während seines Aufenthaltes am Europ. Laboratorium für Molekularbiologie in Heidelberg (1978–1981) den Einfluß der Gene auf die frühe Embryonalentwicklung. 1995 erhielt er zusammen mit Nüsslein-Volhard u. E. B. *Lewis den Nobelpreis für Physiologie od. Medizin.
Lit.: Lexikon der Naturwissenschaftler, S. 423.

Wiesel. Säugetier aus der Familie der *Musteliden. 63 Arten aus 24 Gattungen sind weltweit bekannt. Die Vertreter kommen in verschiedensten Lebensräumen vor – landbewohnend, baumbewohnend od. amphib. – u. sind Allesfresser, Fleischfresser, Fischfresser od. Insektenvertilger. Die Musteliden werden in 5 Unterfamilien unterteilt: W. (Mustelinae; mit W., Marder, Hermelin, Iltis u. Vielfraß), Honigdachse (Mellivorinae), Dachse (Melinae), Skunke (Mephitinae) u. Otter (Lutrinae). – *E* weasel – *F* belette – *S* comadreja
Lit.: Wehner u. Gehring, Zoologie, 23. Aufl., Stuttgart: Thieme 1995 ▪ Ziswiler, Wirbeltiere, Stuttgart: Thieme 1976.

Wiesel, Torsten Nils (geb. 1924), Prof. für Neurobiologie, Harvard Medical School, Boston. *Arbeitsgebiete:* Neurophysiologie, Sehprozeß, Verarbeitung visueller Reize im Gehirn. Nobelpreis 1981 für Physiologie od. Medizin (zusammen mit P. H. *Hubel u. R. W. *Sperry).
Lit.: Lexikon der Naturwissenschaftler, S. 423 ▪ Naturwissenschaften **69**, 101–106 (1982) ▪ Naturwiss. Rundsch. **34**, 531 f. (1981) ▪ Who's Who in the World, S. 1531.

Wiesengeißbart s. Spierstaude.

Wiesner-Reagenz. Zum Nachw. verholzter Zellen behandelt man Pflanzenzellen nacheinander mit 2%iger alkohol. Phloroglucin-Lsg. u. 25%iger Salzsäure. Bei *Verholzung* (*Lignin-Einlagerung) tritt eine violettrote Färbung auf. – *E* Wiesner('s) reagent – *F* réactif de Wiesner – *I* reattivo di Wiesner – *S* reactivo de Wiesner
Lit.: DAB **9/1** Komm., 173 ff.

Wigner, Eugene Paul (1902–1995), Prof. für Physik, Berlin u. Princeton (N. J.). *Arbeitsgebiete:* Atombau, insbes. Schalenstruktur des Atomkerns, Kernkräfte, Kristallphysik, Elementarteilchen, Parität, Multipli-

zitätserhaltung, Invarianz, s. a. folgendes Stichwort. Er erhielt für die Entwicklung der Grundlagen der Theorie der Symmetrie in der Quantenmechanik u. für seine Arbeiten zur Kernphysik 1963 zusammen mit H. D. *Jensen u. M. *Goeppert-Mayer den Nobelpreis für Physik.
Lit.: Adv. Nucl. Sci. Technol. **19**, 1 ff. (1987) ▪ Lexikon der Naturwissenschaftler, S. 423 f.

Wigner-Effekt. Von *Wigner vorausgesagte „Änderung in den physikal. Eigenschaften keram. Materialien (z. B. Graphit) als Folge der durch Neutronen hoher Energie od. durch andere energiereiche Teilchen bewirkten atomaren Gitterstörungen" (DIN 25401-2: 1986-09). Der W.-E. führt u. a. zu Energiespeicherung, Dimensionsveränderung von Kristallgittern u. Änderung der Molekülgestalt. Die bei *Kernreaktoren mit entsprechender Bauart (*Beisp.:* Graphit-moderierter Reaktor Windscale, England, RBMK-Reaktoren *Tschernobyl) im Graphit-Gitter gespeicherte sog. *Wigner-Energie* muß von Zeit zu Zeit durch Ausheizen abgeführt werden. Manchmal werden auch *Strahlenschäden an anderen Materialien (auch in der Strahlenbiologie) als W.-E. bezeichnet. – *E* Wigner effect – *F* effet Wigner – *I* effetto Wigner – *S* efecto Wigner
Lit.: Musiol et al., Kern- u. Elementarteilchenphysik, S. 744 ff., Weinheim: VCH Verlagsges. 1988.

Wigner-Witmer-Regeln. Von E. P. *Wigner u. E. E. Witmer [1] aufgestellte Regeln, die eine Korrelation zwischen den elektron. Zuständen von Atomen u. zwei- od. mehratomigen Mol. herstellen. – *E* Wigner-Witmer rules – *F* règles de Wigner et Witmer – *I* regole di Wigner-Witmer – *S* reglas de Wigner-Witmer
Lit.: [1] Z. Physik **51**, 859 (1928).
allg.: Herzberg, Molecular Spectra and Molecular Structure, Bd. 1 u. 3, New York: van Nostrand 1950, 1966.

WIG-Schweißen. *Schweißverfahren der Gruppe Wolfram-Schutzgasschweißverf. (aus *Wolfram-Inert-Gas* gebildete Abk.). Das WIG-Verf. arbeitet mit einem zwischen einer Wolfram-Elektrode u. dem Werkstück erzeugten *Lichtbogen mit Argon od. Helium als Schutzgas, das den Lichtbogen u. das darin befindliche Schweißgut umgibt. Der Schweißzusatz wird als (Endlos-)Draht zugeführt. Das Verf. eignet sich bes. für dünne Bleche aus hochlegierten, rost-, säure- u. hitzebeständigen Stählen, für NE-Metalle wie Al, Cu, Mo, Ti, Zr u. deren Leg. sowie zur Automatisierung. Wenn statt der (nicht abschmelzenden) Wolfram-Elektrode der (Endlos-)Schweißdraht selbst als Elektrode benutzt wird, spricht man von *MIG-Verf.* (*Metall-Inert-Gas-Verf.*). – *E* TIG (Tungsten Inert Gas) Welding – *F* soudage à l'arc tungstene en atmosphère inerte – *I* saldatura ad arco con elettrodo di tungsteno in atmosfera di gas inerte – *S* soldadura de arco con electrodos tungsteno en gas inerte
Lit.: Behnisch, Kompendium der Schweißtechnik, S. 42 ff., Düsseldorf: DVS-Verl. 1997 ▪ Fahrenwald, Schweißtechnik, 2. Aufl., S. 47 ff., Braunschweig: Vieweg 1992 ▪ Krist, Schweißen Schneiden Löten Kleben, 3. Aufl., Darmstadt: Technik-Tab.-Verl. Fikentscher 1985.

Wijs-Lösung s. Iodmonochlorid unter Iodchloride.

Wikstromol [cis-(+)-Dihydro-3-hydroxy-3,4-bis(4-hydroxy-3-methoxybenzyl)-2(3H)-furanon].

(−)-W.
(3S,4S)

$C_{20}H_{22}O_7$, M_R 374,39, Pulver, unterschiedliche Angaben zum opt. Drehwert [1]. W. ist ein *Lignan. Die (+)-Form ist in den chines. Drogen „Nan-Ling-Jao-Hua" od. „Po-Lun", die in der chines. Volksmedizin für diverse Krankheiten einschließlich Krebs Verw. finden, sowie in *Wikstroemia indica* (Thymelaeaceae, Seidelbastgewächse) u. a. *Wikstroemia*-Arten enthalten. Die (−)-Form (*Pinopalustrin*, Nortrachelogenin), amorph, $[\alpha]_D^{17}$ −16,8° (C_2H_5OH), findet sich in der Waldkiefer (*Pinus sylvestris*) u. in *Trachelospermum asiaticum* (Apocynaceae). (−)-W. ist *in vitro* wirksam gegen HIV u. Leukämie P388. – $E = F = S$ wikstromol – I wikstromolo
Lit.: [1] Tetrahedron **48**, 10115–10126 (1992) (Synth.).
allg.: Beilstein E V **18/5**, 463 ▪ J. Nat. Prod. **42**, 159 (1979); **53**, 1587–1592 (1990) ▪ Nat. Prod. Rep. **12**, 183–205 (1995). – *Synth.:* J. Org. Chem. **53**, 4724–4729 (1988) ▪ Tetrahedron Lett. **30**, 2221–2224 (1989). – *[CAS 34444-37-6 ((−)-Form); 61521-74-2 ((+)-Form)]*

Wilchek-Bayer-Methode s. Vitamine (Biotin).

Wildfeuer-Toxin s. Tabtoxin.

Wildkautschuk. Bez. für *Naturkautschuk, der nicht in Plantagenkulturen, sondern aus „wildlebenden" Pflanzen gewonnen wird. W. besitzt mengen- u. qualitätsmäßig bedingt keine techn. Bedeutung. – *E* wild rubber – *F* caoutchouc sylvestre – *I* caucciù selvatico – *S* caucho silvestre
Lit.: Roberts, Natural Rubber Science and Technology, S. 3, 9 f., Oxford: Oxford University Press 1988. – *[HS 4001..]*

Wildleder s. Velours.

Wildtyp. 1. In der *Genetik üblicherweise Bez. für die in der Natur gefundene, nicht mutierte u. am häufigsten auftretende Form eines Organismus od. eines *Gens. Je nach Zusammenhang bezieht sich der Begriff sowohl auf den *Phänotyp als auch auf den *Genotyp. – 2. In der *Stammentwicklung Bez. für den Ausgangsstamm einer Bearbeitung, unabhängig davon, ob dieser bereits *Mutationen trägt, d. h. sich vom ursprünglichen Isolat unterscheidet. – *E* wild type – *F* type sauvage – *I* tipo selvatico – *S* tipo salvaje

Wildverbißmittel. Bez. für Mittel zum Schutz vor Schäden durch Wildäsung im Forst u. in der Landwirtschaft. Hauptverursacher dieser Wildschäden sind Hasen, Kaninchen, Reh- u. Rotwild. Bei den W. handelt es sich um Substanzen, die v. a. durch ihren Geruch das Wild abschrecken sollen (*Repellentien). Im Forst werden sie durch Streichen, Spritzen od. Tauchen auf die Pflanzen aufgebracht. Zur Anw. kommen dabei *Acridin-Basen, *Dicyclopentadien, *Kupfernaphthenat, Harze, Tierkörpermehl, natürliche Fette u. Rinderblut sowie Beläge aus grobkörnigen Mineralstoffen. In der Landwirtschaft ist in der BRD zur Verhütung von Wildschäden das Aufstellen von mit natürlichen Fetten u. mineral. Ölen getränkten Lappen an hohen Stöcken am Ackerrand sowie das Spritzen mit

Parfümöl zugelassen. Die gegen Wildverbiß eingesetzten Mittel eignen sich in der Regel auch zur Verhütung von Schäl- u. Fegeschäden. – *E* deer deterrents, game repellents, anti-game protective agents – *F* produits pour éviter le dégât causé par le gibier – *I* deterrenti (repellenti) per selvaggina – *S* productos para evitar los daños causados por animales de caza

Lit.: Kirk-Othmer (4.) **21**, 257–260 ▪ Pflanzenschutzmittel-Verzeichnis der Biologischen Bundesanstalt, Teil 1, 2, 4 ▪ Prien, Wildschäden im Wald, Berlin: Parey 1997.

Wilhelmy, Ludwig Ferdinand (1812–1864), Privatgelehrter in Berlin u. Heidelberg. *Arbeitsgebiete:* Vorarbeiten zu einem Massenwirkungsgesetz, Definition der Reaktionsgeschw. am Beisp. der Rohrzucker-*Inversion durch Säuren, Oberflächenspannung.

Lit.: Neufeldt, S. 40.

Wilhelmy-Methode. Von *Wilhelmy entwickelte Meth. zur Messung der *Oberflächenspannung von Flüssigkeiten durch Ermittlung der Kraft, die auf ein in die Flüssigkeit eintauchendes Glas- od. Platin-Plättchen einwirkt. Heute wird auch häufig ein Filterpapierstreifen verwendet, wenn *monomolekulare Schichten an der Wasser-Luft-Grenzfläche mit Hilfe einer *Langmuirschen Waage untersucht werden. – *E* Wilhelmy method – *F* méthode de Wilhelmy – *I* metodo di Wilhelmy – *S* método de Wilhelmy

Lit.: Adamson, Physical Chemistry of Surfaces, 6. Aufl., New York: Wiley 1997 ▪ Kohlrausch, Praktische Physik 1, S. 231 f., Stuttgart: Teubner 1985.

Wilke, Günther (geb. 1925), Prof. für Organ. Chemie, Univ. Bochum, Direktor des MPI Kohlenforschung Mülheim/Ruhr. *Arbeitsgebiete:* Synth. u. Struktur von Übergangsmetallkomplexen u. a. Metall-organ. Verb. (insbes. mit Nickel), homogene Katalyse, Cyclooligomerisation von Olefinen, asymmetr. Synth., Grundlagenforschung der Kohlechemie. 1993 wurde ihm das Österreich. Ehrenzeichen für Wissenschaft u. Kunst verliehen.

Lit.: Intra-Sci. Chem. Rep. **5**, 143–148 (1971) ▪ Kürschner (16.), S. 4086 ▪ Nachr. Chem. Tech. **18**, 381 f. (1970); **22**, 511 (1974); **39**, Nr. 11, 1330 (1991); **41**, Nr. 5, 620 (1993) ▪ Neufeldt, S. 251, 264 ▪ Pötsch, S. 453 ▪ Wer ist wer, S. 1561.

Wilkins, Maurice Hugh Frederick (geb. 1916), Prof. für Biophysik, Kings College, London. *Arbeitsgebiete:* Atomforschung (mitbeteiligt am „Manhattan-Projekt" zur Herst. der amerikan. Atombombe), Lumineszenz, Molekularbiologie, Struktur der Nucleinsäuren, Informationstransfer in der lebenden Materie. Nobelpreis für Physiologie od. Medizin 1962 zusammen mit *Watson u. *Crick.

Lit.: Lexikon der Naturwissenschaftler, S. 424 ▪ Neufeldt, S. 239, 375 ▪ Pötsch, S. 453 ▪ Science **138**, 498 ff. (1962) ▪ Who's Who in the World, S. 1534.

Wilkinson, Geoffrey (geb. 1921), Prof. (emeritiert) für Anorgan. Chemie, Imperial College, London. *Arbeitsgebiete:* Uranisotope, Verteilung der Spaltprodukte, Übergangsmetall-Carbonyle, Ferrocen u. a. Sandwich-Verb. mit Cyclopentadienyl; 1973 (zusammen mit E. O. *Fischer) Nobelpreis für Chemie.

Lit.: Bild Wiss. 1974, Nr. 1, 67 f. ▪ Lexikon der Naturwissenschaftler, S. 424 ▪ Nachr. Chem. Tech. **21**, 545 f. (1973) ▪ Pötsch, S. 453 f.

Wilkinson-Katalysator [Chlorotris(triphenylphosphan)rhodium(I)]. $Cl-Rh[P(C_6H_5)_3]_3$, $C_{54}H_{45}ClP_3Rh$, M_R 925,23. Rote Krist., Schmp. 157–158 °C (Zers.), lösl. in Chloroform, Methylenchlorid, Benzol. Herst. durch Red. einer alkohol. Lsg. von $RhCl_3 \cdot 3 H_2O$ in Ggw. von $P(C_6H_5)_3$. Der W.-K. addiert H_2 unter Bildung von *mer*-$\{Rh[P(C_6H_5)]_3(H)_2Cl\}$ u. reagiert mit vielen Donorliganden L zu den Phosphan-Substitutionsprodukten *trans*-$\{Rh[P(C_6H_5)]_2(L)Cl\}$ (mit L z. B. CO, C_2H_4, O_2). Verw. als Katalysator im homogenen Syst. für Hydrierungen, Hydroformylierungen u. a. Reaktionen; s. Rhodium-Verbindungen. – *E* Wilkinson's catalyst – *F* caliseur de Wilkinson – *I* catalizzatore di Wilkinson – *S* catalizador de Wilkinson

Lit.: Brauer (3.) **3**, 2010 ▪ Prog. Inorg. Chem. **28**, 63–202 (1981) ▪ s. a. Rhodium-Verbindungen. – [HS 2843 90; CAS 14694-95-2]

Willagenin s. Hecogenin.

Willardiin (β-Uracil-1-yl-L-alanin).

$C_7H_9N_3O_4$, M_R 199,17, Schmp. 206–211 °C (Zers.), $[\alpha]_D$ –20° (1 M HCl). Nichtproteinogene Aminosäure in *Acacia willardiina*[1] u. in anderen Akazienarten[2], auch in Mimosaidae. – *E* = *F* = *I* willardiine – *S* willardiina

Lit.: [1] Z. Physiol. Chem. **316**, 164 (1959). [2] Phytochemistry **16**, 565–570 (1977); **17**, 1571 (1978) (Biosynth.).
allg.: Beilstein E V **24/6**, 87 ▪ Org. Magn. Res. **29**, 641 (1991). – [CAS 21416-43-3]

Von-Willebrand-Faktor. Ein *Glykoprotein (Mensch: M_R 225 000), dessen Vorstufe (M_R 309 000) in Endothelzellen (Gefäßwand-Zellen) u. Megakaryocyten, den Vorläuferzellen der *Thrombocyten, synthetisiert u. gespeichert wird. Mit Hilfe von *Furin wird der Faktor kurz vor seiner Sekretion aus Endothelzellen u. Thrombocyten durch proteolyt. Spaltung seiner Vorstufe freigesetzt. Im Blutplasma kommt er in multimeren Aggregaten (M_R bis ca. 20 Mio.) vor. Der V.-W.-F. bildet an Orten der Gefäßverletzung mit dem Faktor VIII der *Blutgerinnung einen Komplex, der notwendig ist, damit die *Thrombocyten an das *Collagen des Bindegewebes binden u. so einen Pfropf zur Abdichtung verletzter Blutgefäße bilden können. Der V.-W.-F. ist dadurch von Bedeutung für die Stillung von Blutungen (Hämostase). Bei seinem Funktionsverlust kommt es zur *Von-Willebrand-Krankheit*[1] (1931 als „Pseudohämophilie" durch von Willebrand entdeckt), die durch häufige Blutungen charakterisiert ist. – *E* von Willebrand factor – *F* facteur von-Willebrand – *I* fattore von-Willebrand – *S* factor von-Willebrand

Lit.: [1] Am. J. Med. Sci. **316**, 77–86 (1998).
allg.: Annu. Rev. Biochem. **67**, 395–424 (1998) ▪ Ruggeri, Von Willebrand Factor and the Mechanisms of Platelet Function, Berlin: Springer 1998.

Willebrand-Reagenz. Flüssigkeit zum Färben von Blutpräp. aus einem Gemisch von 50 mL gesätt., wäss. Methylenblau-Lsg., 50 mL einer 0,5%igen Lsg. von Eosin in 70%igem Alkohol u. 20–30 Tropfen 1%iger

Essigsäure; die roten Blutkörperchen färben sich rot, die Kerne dunkelblau. – *E* Willebrand's reagent – *F* réactif de Willebrand – *I* reattivo di Willebrand – *S* reactivo de Willebrand

Willecke, Klaus (geb. 1940), Prof. für Genetik, Univ. Bonn. *Arbeitsgebiete:* Molekularbiologie von gap junctions in Säugetierzellen, Immortalisierung menschlicher lymphoider Zellen, Oncogen-Transformation.
Lit.: Kürschner (16.), S. 4090.

Willemit. $Zn_2[SiO_4]$. Farblose od. farbige (oft grüngelbe), glasglänzende, durchsichtige bis durchscheinende, prismat. od. nadelige, trigonal-rhomboedr. Krist., Kristallklasse $\bar{3}$-C_{3i}, grob- bis feinkörnige derbe krist. u. erdige Massen; zur Kristallstruktur s. *Lit.*[1,2] H. 5,5, D. 3,9–4,2, Bruch muschelig bis splittrig. W. einiger Vork. (bes. New Jersey/USA) fluoreszieren im UV-Licht stark gelblichgrün. Zur Kinetik der Auflösung von W. s. *Lit.*[3,4] *Troostit* ist ein rosafarbiger W. mit hohem Mn-Gehalt.
Vork.: In *Oxidationszonen von Zink-haltigen Lagerstätten, z. B. Broken Hill/Sambia, Tsumeb/Namibia, mehrorts in Arizona u. New Mexico/USA. In Franklin u. Sterling Hill in New Jersey wurde W. früher als Zinkerz abgebaut u. verhüttet. Gute synthet. Krist. im Ofenbruch von Zinkhütten. Zur Verw. von W. s. Zinksilicate. – *E = I* willemite – *F* willémite – *S* willemita
Lit.: [1] Sov. Phys. Crystallogr. **15**, 387–390 (1970). [2] Acta Crystallogr. **34**, 3324f. (1978). [3] Am. J. Sci. **293**, 869–893 (1993). [4] Geochim. Cosmochim. Acta **57**, 27–35 (1993).
allg.: Anthony et al., Handbook of Mineralogy, Vol. II, Tl. 2, S. 873, Tucson (Arizona): Mineral Data Publishing 1995 ▪ Ramdohr-Strunz, S. 662 ▪ Schröcke-Weiner, S. 653 f. ▪ [CAS 14374-77-7]

Willemseit s. Talk.

Willgerodt-Kindler-Reaktion s. Willgerodt-Reaktion.

Willgerodt-Reaktion. Von C. Willgerodt (1841–1930) aufgefundene Umwandlung von Ketonen, insbes. substituierten Alkylarylketonen, in Säureamide von gleicher Kohlenstoff-Zahl u./od. in Ammonium-Salze der entsprechenden Carbonsäure durch Erwärmen mit wäss. Ammoniumpolysulfid.

$$Ar-\underset{O}{\underset{\|}{C}}-CH_3 \xrightarrow{+(NH_4)_2S_x} Ar-CH_2-\underset{O}{\underset{\|}{C}}-NH_2 + Ar-CH_2-COO^- NH_4^+$$

Willgerodt-Reaktion

$$Ar-\underset{O}{\underset{\|}{C}}-CH_3 \xrightarrow{+O\diagup NH/S_8} Ar-CH_2-\underset{S}{\underset{\|}{C}}-N\diagdown O$$

Willgerodt-Kindler-Reaktion

Analog verläuft die sog. *Willgerodt-Kindler-Reaktion,* die beim Erhitzen der Ketone mit prim. od. sek. Aminen u. Schwefel zu *Thioamiden führt. Der Reaktionsmechanismus der W.-(K.-)R. ist noch weitgehend unbekannt. – *E* Willgerodt reaction – *F* réaction de Willgerodt – *I* reazione di Willgerodt – *S* reacción de Willgerodt
Lit.: Angew. Chem. **75**, 1050–1059 (1963) ▪ Hassner-Stumer, S. 416 ▪ Houben-Weyl **8**, 665 ▪ Krauch u. Kunz, Reaktionen der Organischen Chemie, 6. Aufl., S. 600, Heidelberg: Hüthig 1997 ▪ Laue-Plagens, S. 314 ▪ March (4.), S. 1236 ▪ Org. React. **3**, 83 (1946); **6**, 439 (1951) ▪ Synthesis **1975**, 358–375; **1985**, 77–80 ▪ s. a. Thioamide.

Williams, Roger John (1893–1978), Prof. für Chemie, Univ. Texas, Austin. *Arbeitsgebiete:* Biochemie der Ernährung, Pantothensäure, Hefebestandteile, Folsäure, Vitamin B-Komplex, Alkoholismus.
Lit.: Neufeldt, S. 175, 211 ▪ Pötsch, S. 455.

Williamson, Alexander William (1824–1904), Prof. für Chemie, London. *Arbeitsgebiete:* Ether-Bildung aus Alkohol, Herst. von Ketonen durch Dest. von Calciumsalzen organ. Säuren, Aldehyd-Synth., Kresol-Herst. aus Teer, Synth. der Chlorsulfonsäure, chem. Gleichgew.; s. a. folgendes Stichwort.
Lit.: Krafft, S. 197 ▪ Lexikon der Naturwissenschaftler, S. 424 ▪ Neufeldt, S. 40 f. ▪ Pötsch, S. 455 f.

Williamsonsche Ethersynthese. Beste Herst.-Möglichkeit für Ether, bes. unsymmetr. Ether aus Alkylhalogeniden u. Alkali-Alkoholaten:

$$R^1-X + {}^-O-R^2 \xrightarrow{-X^-} R^1-O-R^2$$

Die W. E. verläuft als *nucleophile Substitution nach dem S_N2-Mechanismus u. geht daher bes. gut mit prim. R^1-Resten. Mit tert. Resten beobachtet man in der Regel Eliminierung zu Alkenen, z. B.:

$$\underset{\underset{H}{|}}{\overset{\underset{H}{|}}{H-C}}-\underset{\underset{CH_3}{|}}{\overset{\underset{CH_3}{|}}{C}}-Cl + {}^-O-CH_3 \xrightarrow[-CH_3OH]{-Cl^-} \underset{H}{\overset{H}{\diagdown}}C=C\underset{CH_3}{\overset{CH_3}{\diagup}}$$

Will man einen Ether mit einem *tert*-Alkyl-Rest herstellen, so gelingt dies nur, wenn der *tert*-Alkyl-Rest über das Alkoholat eingeführt wird. – *E* Williamson synthesis – *F* synthèse de Williamson – *I* sintesi di Williamson – *S* síntesis de Williamson
Lit.: Chem. Ber. **114**, 477 ff. (1981) ▪ Hassner-Stumer, S. 419 ▪ Houben-Weyl **6/3**, 24 ▪ Krauch u. Kunz, Reaktionen der Organischen Chemie, 6. Aufl., S. 73, Heidelberg: Hüthig 1997 ▪ Laue-Plagens, S. 316 ▪ March (4.), S. 386 ▪ Patai, The Chemistry of the Ether Linkage, S. 446, London: Wiley 1967 ▪ s. a. Ether.

Willmitzer, Lothar (geb. 1952), Prof. für Genetik, FU Berlin, wissenschaftlicher Geschäftsführer im Inst. für Genbiolog. Forschung Berlin GmbH. *Arbeitsgebiete:* Mol. Pflanzenbiologie (*Agrobacterium tumefaciens*-vermittelter Gentransfer, Isolierung pflanzlicher Gene, transgene Pflanzen).
Lit.: Kürschner (16.), S. 4093.

Willstätter, Richard (1872–1942), Prof. für Organ. Chemie, Zürich, Berlin u. München; trat 1924 aus Protest gegen die antisemit. Haltung des Lehrkörpers von seinem Amt zurück u. emigrierte 1939 in die Schweiz. *Arbeitsgebiete:* Cyclooctatetraen, *o*-Chinone u. chinoide Farbstoffe, Chlorophyll, Carotin, Xanthophyll usw., Holzverzuckerung, Blüten- u. Beerenfarbstoffe, Anthocyane, Entdeckung der chem. Verwandtschaft zwischen Blutfarbstoff u. Blattgrün, Synth. von Betain, Lecithin, Cocain u. Tropanol, Herzglykoside, Photosynth., Wirkung von Katalysatoren u. Enzymen, s. a. die folgenden Stichwörter. Chemie-Nobelpreis 1915 für seine Forschungen über Farbstoffe im Pflanzenreich, bes. über Chlorophyll.
Lit.: Chem. Labor. Betr. **33**, 365 f. (1982) ▪ Chem. Rundsch. **35**, Nr. 46 (1982) ▪ Helv. Chim. Acta **54**, 2601–2615 (1971); **56**, 1–14 (1973) ▪ Krafft, S. 252 ff. ▪ Lexikon der Naturwissenschaftler, S. 425 ▪ Neufeldt, S. 107 ▪ Pötsch, S. 456.

Willstätter-Schudel-Methode. Titrimetr. Bestimmung von Aldosen durch Einwirkung alkal. Iod-Lsg. nach R–CHO + I_2 + 3 NaOH → R–COONa + 2 NaI + 2 H_2O; das überschüssige Iod wird mit Thiosulfat-Lsg. zurücktitriert.

Willstätter-Waldschmidt-Leitz-Methode. Titration von Aminosäuren in alkohol. Lsg. mit Thymolphthalein als Indikator.

Wilson, Charles Thomson Rees (1869–1959), Prof. für Physik, Univ. Cambridge, England. *Arbeitsgebiete:* Radioaktivität, Leitfähigkeit der Luft, Nebelbildung durch Ionen, Konstruktion der *Wilson-Kammer, Nachw. des Rückstoßelektrons beim Comptoneffekt. Nobelpreis für Physik 1927 zusammen mit A. H. *Compton.
Lit.: Krafft, S. 354 f. ▪ Lexikon der Naturwissenschaftler, S. 425 ▪ Neufeldt, S. 123, 357.

Wilson, Kenneth G. (geb. 1936), Prof. für Physik, The Ohio State University, Columbus, Ohio. *Arbeitsgebiete:* Theorie der Elementarteilchen, bes. Quarks. Mathemat. Behandlung krit. Phänomene u. Phasenumwandlungen. Hierfür Nobelpreis für Physik 1982. In jüngster Zeit befaßt sich Wilson mit mathemat.-naturwissenschaftlichen Unterrichtskonzepten.
Lit.: Lexikon der Naturwissenschaftler, S. 425 ▪ Who's Who in the World, S. 1540.

Wilson, Robert Woodrow (geb. 1936), Physiker, Bell Laboratories, Holmdel, N. J. *Arbeitsgebiete:* Astrophysik, Radioastronomie, Entdeckung der kosm. Mikrowellen-Hintergrundstrahlung; Nobelpreis für Physik 1978 (zusammen mit *Penzias u. *Kapitza).
Lit.: Lexikon der Naturwissenschaftler, S. 426 ▪ Who's Who in the World, S. 1541.

Wilson-Kammer (Wilsonsche Nebelkammer). Bez. für eine 1912 von C. T. R. *Wilson entwickelte Apparatur zum Sichtbarmachen der Flugbahnen von elektr. geladenen *Teilchen, die auch die Verfolgung von *Kernreaktionen ermöglicht. Das Prinzip der W.-K. beruht auf der Eigenschaft von Ionen, als *Keime für die Kondensation von übersätt. *Dampf zu wirken. Als Füllgas der W.-K. dienen Luft od. Edelgase, zur Dampferzeugung Wasser od. Alkohol. Man unterscheidet zwei Arten von Wilson-Kammern: Die sog. *Expansions-Nebelkammer* besteht im wesentlichen aus einem Glaskasten mit beweglicher Rückwand, der z. B. wasserdampfgesätt. Argon enthält. Durch Herausziehen der Wand wird das Vol. plötzlich adiabat. vergrößert, das Gas wird dadurch unter den *Taupunkt des Wasserdampfes abgekühlt u. infolge dieser *Unterkühlung wird eine *Übersättigung des Dampfes erzeugt. Beim Hindurchfliegen energiereicher, geladener Teilchen werden entlang deren Flugbahnen Gas-Mol. ionisiert, was zur Bildung feiner Flüssigkeits-Tröpfchen führt, die als Nebelstreifen – ähnlich den Kondensstreifen von Flugzeugen – kurzzeitig (ca. 0,1 s) sichtbar sind u. photograph. festgehalten werden können. Durch langsame Nachexpansion kann die Dauer der Empfindlichkeit für den Nachw. auf 1 s u. mehr gesteigert werden. Bei der sog. *Diffusions-Nebelkammer* wird die zur Kondensation notwendige Übersättigung durch ein stationäres Temp.-Gefälle erzeugt u. aufrechterhalten; die Diffusion des Dampfes u. die dabei entstehende Übersättigungszone sind in diesem Falle kontinuierlich, weshalb diese Kammer mehrere Stunden lang „spurbereit" ist. Legt man an die W.-K. ein starkes, homogenes Magnetfeld, so beobachtet man eine Krümmung der Teilchenbahnen. Aus der Richtung der Krümmung läßt sich das Ladungsvorzeichen der Teilchen u. aus dem Krümmungsradius ihre Energie ermitteln. Mit Hilfe von W.-K. wurden Positronen, Myonen, der Compton-Effekt u. die kosm. Strahlung erstmals nachgewiesen. Heute sind die W.-K. durch die nach einem ähnlichen Prinzip – mit überhitzten Flüssigkeiten – arbeitenden *Blasenkammern verdrängt worden. – *E* Wilson (cloud) chamber – *F* chambre (à détente) de Wilson – *I* camera di Wilson, camera a nebbia – *S* cámara de Wilson
Lit.: J. Chem. Phys. **80**, 5266 (1984) ▪ Musiol et al., Kern- u. Elementarteilchenphysik, S. 171 f., Weinheim: VCH Verlagsges. 1988 ▪ Naturwissenschaften **74**, 111–119 (1987) ▪ s. a. Blasenkammer, Elementarteilchen, Kernphysik.

Wilsonsche Krankheit s. Kupfer-Proteine.

Wilson-Wilson. Kurzbez. für das ursprünglich von C. L. Wilson u. D. W. Wilson herausgegebene Handbuch „Comprehensive Analytical Chemistry", das seit 1959 bei Elsevier, Amsterdam, erscheint u. z. Z. (1998) 38 Bd. umfaßt.

Wiluit s. Vesuvian.

Wilzbach-Technik s. tritiierte Verbindungen.

Wimpernkosmetika. Sammelbez. für – schon im Altertum benutzte – Mittel, die der Wimpernpflege dienen u./od. opt. Hervorhebung der Wimpern die *Augen ausdrucksvoller erscheinen lassen – also eigentlich *Augenkosmetika.* Hier ist zu denken an *Wimpernöle, Wimpernschminken* u. *-tuschen* (Mascaras) u. Klebemittel zum Befestigen künstlicher Wimpern. Näheres s. bei Augenkosmetika. – *E* eyelash cosmetics, mascaras – *F* cosmétiques pour cils – *I* cosmetici per ciglia – *S* cosméticos para pestañas
Lit.: s. Augenkosmetika.

Wimperntierchen s. Protozoen.

Windaus, Adolf (1876–1959), Prof. für Chemie, Univ. Göttingen. *Arbeitsgebiete:* Naturstoffe, Konstitution von Cholesterin, Ergosterin u. a. Sterinen, Gallensäuren, Herzglykosiden, Saponinen, Gewinnung u. Strukturaufklärung der antirachit. Vitamine (D_2 u. D_3), Konstitution des Thiamins (Vitamin B_1), Synth. von Histidin u. Histamin. Nobelpreis für Chemie 1928 für seine Forschung über Vitamine.
Lit.: Chem. Unserer Zeit **10**, 75–179 (1976) ▪ Krafft, S. 355 f. ▪ Naturwiss. Rundsch. **30**, 113 f. (1977) ▪ Lexikon der Naturwissenschaftler, S. 426 ▪ Neufeldt, S. 174 f. ▪ Pötsch, S. 457.

Windeln s. Papier (Hygiene-Papier), S. 3113.

Windenergie s. Windkraftwerke.

Windengewächse (Convolvulaceae). Weltweit in allen gemäßigten, trop. u. subtrop. Zonen verbreitete Pflanzenfamilie, deren Arten z. T. wirtschaftlich (s. Batate, Ipomoea-Harz) bzw. als Zierpflanzen genutzt werden. – *E* convoluses – *F* convolvulacées – *I* convolvolacee – *S* convolvuláceas

Windfrischen. Arbeitsschritt der heute veralteten *Bessemer- u. *Thomas-Verfahren der *Stahl-Herst., bei dem ein Strom heißer Luft („Wind") durch schmelzflüssiges Roheisen gepreßt wurde, um diesem einen Tl. des Kohlenstoffs u. sonstiger unerwünschter, bevorzugt nichtmetall. Beimengungen durch Überführung in Oxide zu entziehen. Die Oxide gingen gasf. od. in die *Schlacke ab. – *E* air blast conversion – *F* affinage au vent, affinage par soufflage – *I* affinazione al vento – *S* afinado por soplado de aire
Lit.: s. Stahl, Thomas-Verfahren.

Windkraftwerke. Techn. Anlagen, meist Rotoren, die Windenergie in andere Energieformen, z. B. elektr. Energie, umwandeln. In der BRD waren 1996 rund 4500 W. mit einer Gesamtleistung von 1,6 GW installiert [1] (weltweit rund 5 GW). Mit einer gesamten elektr. Energie von $2,5 \cdot 10^9 - 2,7 \cdot 10^9$ kWh tragen W. somit ~0,5% zur gesamten Stromversorgung in der BRD bei. Obwohl *Windenergie* gemeinhin als umweltfreundlich gilt, ist ihre Nutzung mit erheblichen Problemen verbunden. Neben techn. Problemen der Rotoranlagen zählen hierzu das stark schwankende u. nicht vorsehbare Windenergieangebot; um keine Energieengpässe zu erleiden, wird durch andere Kraftwerke permanent Reserve bereitgehalten, so daß ein schlechter Wirkungsgrad dieser Kraftwerke resultiert. Die techn. Aspekte, die Flächenpotentiale für Windenergienutzung in der BRD sowie die wirtschaftliche Bewertung sind in *Lit.*[2] beschrieben. – *E* wind energy converter – *F* générateurs éoliens – *I* impianti aeroelettrici – *S* central eólica
Lit.: [1] Phys. Unserer Zeit **28**, 89 (1997); Stromthemen **1997**, Nr. 1, 4; Nr. 2, 5. [2] Phys. Unserer Zeit **27**, 62 (1996).

Windpocken s. Herpes.

Windschief s. Konformation u. vgl. gauche.

Windsichten. Bez. für ein Verf. des *Klassierens (*Sichten*), bei dem *Staub aus Gemischen von Teilchen verschiedener *Korngrößen mit Hilfe eines Luftstromes abgetrennt wird, wobei entweder die Schwerkraft od. die Fliehkraft der Luftreibungskraft entgegenwirkt – ähnliche Erscheinungen beobachtet man auf staubigen Landstraßen bei Windstößen. Maschinen zum W. haben entsprechend ihrer Wirkungsweise sehr unterschiedliche Bauweisen. *Schwerkraftsichter*, die z.B. als Zickzack-Sichter konstruiert sein können, sind für grobe Trennungen etwa im Korngrößen-Bereich zwischen 200 µm u. 1 mm geeignet. Für Trennungen feinerer Teilchen benutzt man *Fliehkraftsichter* wie z. B. Umlauf-, Streuwind-, Vibrations-, Kreisel-, Wirbel- od. Spiralwind-Sichter, die bis hinab zu Bereichen von 3–20 µm Korngröße wirksam sind. Ein dem W. verwandtes Verf. ist die *Elutriation.
W. als *Aufbereitungs-, *Entstaubungs- u. *Trennverfahren wird in der Technik durchgeführt bei der Herst. von Schleifmitteln, Spezialzementen, Glaspulver für Glasfilter, keram. Massen, Farbstoffen (Ruß, Kalkspat, Schwerspat), Füllstoffen (Tonerde, Kalk, Ruß), Kakaopulver, in der *Granulometrie* usw. – *E* air sifting, air classifying – *F* criblage à air, élutriation – *I* cernita al vento – *S* aventado, aeroclasificación
Lit.: Kirk-Othmer (3.) **S**, 862–871 ■ Ullmann (5.) **B 2**, 15-11 ■ Winnacker-Küchler (3.) **7**, 91 f., 96–100; (4.) **1**, 76–80.

Wingless s. Wnt-Proteine.

Winkelverteilung. Im Zusammenhang mit Stoßprozessen (z. B. zwischen Atomen u./od. Mol.) verwendeter Begriff, der der Winkelabhängigkeit des *Wirkungsquerschnittes für den betreffenden Stoßprozeß Rechnung trägt. Die W. der Produkte einer chem. Reaktion läßt sich mit Hilfe eines Experiments mit gekreuzten *Molekularstrahlen messen. Z.B. wurde die W. der Reaktion

$$F + p\text{-}H_2 \rightarrow HF + H$$

(p-H_2 = Para-Wasserstoff; s. Ortho-Para-Isomerie) von Y. T. Lee (Nobelpreisträger für Chemie 1986) u. Mitarbeitern untersucht[1]. Die Produkte HF u. H werden stark in Vorwärtsrichtung gestreut, wie dies für eine direkte Reaktion (ohne Komplexbildung) zu erwarten ist. Für v = 3 (v: *Schwingungsquantenzahl des HF-Mol.) beobachtet man aber auch eine merkliche Vorwärtskomponente, für die eine reaktive *Resonanz verantwortlich gemacht wird. – *E* angular distribution – *F* distribution angulaire – *I* distribuzione angolare – *S* distribución angular
Lit.: [1] J. Chem. Phys. **82**, 3045 (1985).
allg.: Levine u. Bernstein, Molekulare Reaktionsdynamik, Stuttgart: Teubner 1991.

Winkler, Clemens (1838–1904), Prof. für Analyt. Chemie u. Chem. Technologie, Bergakademie Freiberg. *Arbeitsgebiete:* Entdeckung des Germaniums, Oxid. von SO_2 zu SO_3 mit Pt als Katalysator, Kontaktverf. der Schwefelsäure-Herst., techn. Gasanalyse.
Lit.: Lexikon der Naturwissenschaftler, S. 426 ■ Neufeldt, S. 66, 79 ■ Pötsch, S. 457 f.

Winkler, Fritz (1888–1950), Chemiker bei der BASF. *Arbeitsgebiete:* Entwicklung des *Wirbelschichtverfahrens, insbes. zur Vergasung von Brennstoffen (*Winkler-Generator), Entschwefelung von Synthesegas, Verf. zur Herst. von Aktivkohle, Kolloidschwefel.
Lit.: Feiler, Die Wirbelschicht (Schriftenreihe des Firmenarchivs der BASF 9), S. 35–41, Ludwigshafen: BASF 1972 ■ Neufeldt, S. 143.

Winkler-Flasche. Enghals-*Steilbrustflaschen, deren Inhalt genau justiert u. auf die Flasche graviert ist. Sie dienen zur Bestimmung des im Wasser gelösten Sauerstoffs nach der klass. maßanalyt. Meth. von Winkler. – *E* Winkler bottle – *F* bouteille de Winkler – *I* bottiglia di Winkler – *S* botella Winkler
Lit.: Hütter, Wasser u. Wasseruntersuchung, S. 391–393, Frankfurt: Salle u. Sauerländer 1994.

Winkler-Generator. Von F. *Winkler 1921 entwickelte Anlage zur Erzeugung von *Generatorgas, *Synthesegas u. *Wassergas im *Wirbelschichtverfahren. – *E* Winkler generator – *F* générateur de Winkler – *I* generatore Winkler – *S* generador de Winkler

Winnacker, Ernst-Ludwig (geb. 1941), Prof. für Biochemie, Univ. München; Leiter des Laboratoriums für Molekulare Biologie–Genzentrum. Präsident der *Deutschen Forschungsgemeinschaft (seit 1998). *Arbeitsgebiete:* Mol. Biologie; Genregulation, DNA-Replikation.
Lit.: Kürschner (16.), S. 4107 ■ Nachr. Chem. Tech. Lab. **39**, Nr. 5, 587 (1991) ■ Wer ist wer, S. 1567.

Winnacker, Karl (1903–1989), Prof. für Angewandte Chemie, Univ. Frankfurt, langjähriger Vorstandsvorsitzender u. Aufsichtsrats-Vorsitzender der Hoechst AG, Frankfurt. *Arbeitsgebiete:* Chem. Technologie, Farbstoffe, Verfahrenstechnik, Kinetik von Polymerisations- u. Grenzflächenvorgängen, Entaschung der Kohle, Gewinnung von Schwefel aus Pyrit, von Thallium u. Cadmium aus Kupferkiesabbränden, von reinem Zinkoxid etc., Mithrsg. des *Winnacker-Küchler.
Lit.: Chem. Ind. (Düsseldorf) **20**, 578 (1968) ▪ Kürschner (15.), S. 5128 f. ▪ Nachr. Chem. Tech. **11**, 328 f. (1963).

Winnacker-Küchler. Kurzbez. für das von Harnisch, Steiner u. K. *Winnacker herausgegebene Handbuch „Chemische Technologie", das in 4. Aufl. in 7 Bd. im Verl. Hanser, München, erschienen ist. Das Werk gliedert sich wie folgt: Bd. 1: Allgemeines (1984), Bd. 2, 3: Anorgan. Technologie (1982, 1983), Bd. 4: Metalle (1986), Bd. 5–7: Organ. Technologie (1981, 1982, 1986). Die 1. Aufl. erschien unter den Hrsg. Winnacker u. Weingärtner 1950–1954 (5 Bd.), die 2. bzw. 3. unter den Hrsg. Winnacker u. *Küchler 1958–1961 (5 Bd.) bzw. 1970–1975 (7 Bd.), ebenfalls bei Hanser.

Winogradsky (Vinogradski), Sergei Nikolaevich (1856–1946), Prof. für Agrikulturchemie, Zürich, Paris, St. Petersburg. *Arbeitsgebiete:* Cellulose-Abbau, Bakteriologie, Entwicklung von Nährstofflsg., Nitrifikation u. Nitrifikationsbakterien, Stickstoff-Fixierung; gilt als Begründer der Bodenmikrobiologie.
Lit.: Lexikon der Naturwissenschaftler, S. 426 f.

Winstein, Saul (1912–1969), Prof. für Physikal. Chemie, Univ. of California, Los Angeles. *Arbeitsgebiete:* Reaktionsmechanismen der organ. Chemie, nichtklass. Ionen, Nachbargruppen-Effekte, Solvolyse, Homokonjugation u. Homoaromatizität, Käfigverb., Spirodienone, Konformation.
Lit.: Nachr. Chem. Tech. **18**, 7 (1970) ▪ Prog. Phys. Org. Chem. **9**, 1–24 (1972).

Winterfeldt, Ekkehard (geb. 1932), Prof. für Organ. Chemie, Univ. Hannover. *Arbeitsgebiete:* Stereoselektive Naturstoffsynth., biomimet. Synth. u. Herst. homochiraler Verbindungen. Mithrsg. zahlreicher Zeitschriften, u. a. „Chem. Berichte" u. „Organic Synthesis"; erhielt 1990 die Emil-Fischer-Medaille.
Lit.: Kürschner (16.), S. 4110 ▪ Nachr. Chem. Tech. Lab. **39**, Nr. 4, 454 (1991); **40**, Nr. 6, 738 f. (1992) ▪ Wer ist wer, S. 1568.

Wintergrünöl (Gaultheriaöl). Ether. Öl, das in 0,7%iger Ausbeute durch Wasserdampfdest. aus den Blättern des in Nordamerika u. Kanada heim. immergrünen Strauches Wintergrün (*Gaultheria procumbens,* Ericaceae) nach vorausgegangener *Mazeration gewonnen wird.

Gaultherin

Hierdurch wird das Glykosid *Gaultherin* {Monotropitosid, $C_{19}H_{26}O_{12}$, M_R 446,41, Schmp. 180 °C, $[\alpha]_D$ $-58,2°$ (H_2O)} enzymat. in Salicylsäuremethylester u. das Disaccharid *Primverose gespalten. Auch die amerikan. Zuckerbirke (*Betula lenta*), die Schlangenwurzel od. Kreuzblumen, Mädesüß od. *Spierstaude sind reich an Gaultherin. W. ist ein farbloses bis gelbliches Öl von starkem, angenehm aromat.-würzigem Geruch, D. 1,174–1,187, das bis zu 99% aus Salicylsäuremethylester (s. Salicylsäureester) u. kleineren Beimengungen anderer Stoffe besteht; letztere sind je nach Herkunft verschieden u. ermöglichen durch ihren Einfluß auf das Aroma eine Unterscheidung nach der Stammpflanze – echtes W. soll aus *G. procumbens* stammen – wogegen künstliches W. aus synthet. Salicylsäuremethylester besteht.
Verw.: Äußerlich zur Einreibung gegen Rheuma, zur Aromatisierung von Kaugummi, als mildes Antiseptikum in Mundpflegemitteln, in der Parfümerie in blumigen Duftnoten. Die Blätter des Wintergrün (auch das *Kleine *Immergrün* wird mitunter Wintergrün genannt) werden in Amerika auch für Tee verwendet (*Kanad. Tee*). – *E* wintergreen oil – *I* olio essenziale di pervinca – *S* esencia de Wintergreen
Lit.: Braun-Frohne (6.), S. 277 ▪ Gildemeister **2**, 35, 273; **3d**, 561; **6**, 539, 544 ▪ Hager (5.) **1**, 640; **8**, 959 ▪ Janistyn **2**, 85 ▪ Roth u. Kormann, S. 269 ▪ Ullmann (5.) **A 18**, 211. – [*HS 330129; CAS 490-67-5 (Gaultherin)*]

Winterin.

$C_{15}H_{20}O_3$, M_R 248,31, Krist., Schmp. 158 °C, $[\alpha]_D$ +109° ($CHCl_3$). Sesquiterpen aus der Winterrinde *Drimys winteri*, einem südamerikan. Baum od. Strauch, der in Irland u. am Mittelmeer als Ziergehölz angepflanzt wird, vgl. Drimane. – *E* winterin – *F* winterine – *I = S* winterina
Lit.: Aust. J. Chem. **45**, 969 (1992) ▪ Beilstein E V **17/11**, 229 ▪ Tetrahedron **19**, 635 (1963); **33**, 1021 (1977); **45**, 1567 (1989). – [*CAS 6754-56-9*]

Winterisierung. Verf. zur Trennung von Stoffgemischen durch fraktionierte *Kristallisation. *Beisp.:* *Ausfrieren von Stearylalkohol aus techn. Oleylalkohol-Fraktionen. – *E* winterization – *F* winterisation – *S* winterización

Winterkohl s. Kohl.

Winterruhe. Unter W. der *Pflanzen* versteht man bei Laubbäumen, Sträuchern u. a. perennierenden (überwinternden) Pflanzen der gemäßigten *Klima-Zonen den mit Beginn der kalten Jahreszeit eintretenden Zustand, der durch Blattwelke, *Laubfärbung u. -abfall sowie Knospenbildung u. *Samen-Ruhe charakterisiert ist. Ausgelöst wird die W. durch Kältereize u. Lichtmangel (Tageslänge), worauf die Pflanze zunächst mit einer starken Beschleunigung des Stoffwechsels reagiert, um die Nährstoffe (N, Fe, P, K) in den Stamm zurückzuführen u. sodann, nach erfolgtem Laubfall u. der Anlegung von Ruheknospen, die Transpiration u. den aktiven Stofftransport stark einzuschränken. Gesteuert werden diese Vorgänge (*Seneszenz*) durch *Pflanzenwuchsstoffe wie *3-Indolylessigsäure od. *Xanthoxin u. *Abscisinsäure, evtl. *Welkstoffe u. *Hemmstoffe; auch die Mitwirkung eines sog. *Schlafhormons* (*E* dormancy hormone) wird postuliert. Die photoperiod. Reaktionen werden allg. über das *Phytochrom-Syst. gesteuert.

Bei *Tieren* versteht man im Unterschied zum *Winterschlaf unter W. das bei ungünstiger Witterung stattfindende Zurückziehen in den Bau. Hierbei sinken die Tiere in einen tiefen, ruhigen Schlaf, ohne daß Körpertemp., Atemfrequenz u. Blutdruck unter die Werte des normalen Schlafs sinken. – *E* dormancy – *F* dormance – *I* dormienza – *S* dormición

Lit.: Alcock, Das Verhalten der Tiere, Stuttgart: Fischer 1996 ▪ Mohr u. Schopfer, Lehrbuch der Pflanzenphysiologie, Berlin: Springer 1985 ▪ Ziswiler, Wirbeltiere, Stuttgart: Thieme 1976 ▪ s. a. Hibernation u. a. Textstichwörter.

Winterschlaf. Bei einigen Säugetieren u. wechselwarmen Tieren der gemäßigten u. kalten *Klima-Bereiche mit Beginn der kühlen Jahreszeit eintretender, meist mehrere Monate andauernder, fachsprachlich *Hibernation genannter Schlafzustand, der die Zeit der Nahrungsknappheit durch angefressene Fettreserven überbrücken hilft u. mit einer drast. Reduzierung des *Stoffwechsels u. damit des *Grundumsatzes verbunden ist. Durch hormonell gesteuerte Hemmung des vegetativen Nervensyst. (z. B. durch *Schilddrüsen-Hormone; die Schilddrüse der Winterschläfer ist stark verkleinert, u. Thyroxin-Injektionen unterbrechen den W.) tritt eine starke Senkung der *Körpertemperatur ein. Dieser Zustand der *Hypothermie läßt sich zu medizin. Zwecken auch künstlich hervorrufen. Auch Atmung u. Blutzirkulation werden auf ein Minimum abgesenkt, z. B. bei Igel, Fledermäusen, Wiesel, Murmeltier u. Hamster, außerdem beim Schnabeltier Australiens u. bei Beuteltieren. Beim Igel tritt der W. etwa bei einer Körpertemp. von 14,5 °C ein, sein Körper kann sich weiter bis auf ca. +1 °C abkühlen. Im W. werden die körpereigenen *Reservestoffe allmählich abgebaut; eine Nahrungsaufnahme (meist aus angelegten Vorräten) findet nur während gelegentlicher Unterbrechungen des W. statt. Vgl. im Unterschied zum W. die *Winterruhe bei Tieren u. Pflanzen. – *E* = *F* hibernation – *I* ibernazione – *S* hivernación

Lit.: Alcock, Das Verhalten der Tiere, Stuttgart: Fischer 1996 ▪ Ziswiler, Wirbeltiere, Stuttgart: Thieme 1976.

Wintersmog s. Saurer Smog.

Winterstein, Alfred (1899–1960), PD für Biochemie, ETH Zürich, Hoffmann-La Roche AG, Basel. *Arbeitsgebiete:* Saponine, Carotinoide, Blutgerinnung, Heparin, Thrombin, Cumarin, Entdeckung des Vitamins K$_{2(30)}$, präparative Säulenchromatographie.

Lit.: Chimia **13**, 65 (1959) ▪ Nachr. Chem. Tech. **8**, 301 (1960).

Wintersteinsäure [(*R*)-3-(Dimethylamino)-3-phenylpropionsäure].

$C_{11}H_{15}NO_2$, M_R 193,24. Nichtproteinogene *Aminosäure, die Bestandteil einiger *Taxus-Alkaloide ist. – *E* Winterstein's acid – *F* acide de Winterstein – *I* acido di Winterstein – *S* ácido de Winterstein

Lit.: Arch. Pharm. (Weinheim, Ger.) **289**, 364, 368 (1956) ▪ Justus Liebigs Ann. Chem. **613**, 111, 118 (1958) ▪ Tetrahedron: Asymmetry **1**, 279 f. (1990). – *[CAS 94099-69-1]*

WIPO. Abk. für *World Intellectual Property Organization*. Die WIPO befaßt sich als Sonderorganisation der UN mit der Förderung des weltweiten Schutzes des geistigen Eigentums; s.a. Patente. – INTERNET-Adresse: http://www.wipo.int

Wipp express®. Als Paste für die Reise u. für zu Hause. Spezialwaschmittel für die aktuelle Zwischendurchwäsche im Handwaschbecken auf Basis von anion. u. nichtion. Tensiden, Zeolith u. anderen Zusätzen. W. e. enthält keine opt. Aufheller u. kein Bleichmittel. *B.:* Henkel.

Wirbelbett-Reaktor s. Fließbett-Reaktor.

Wirbelbettverfahren s. Wirbelschichtverfahren.

Wirbelkammer. Bei der *Kohlevergasung im W.-Verf. wird feinkörnige Kohle zur Erhöhung der Reaktionsgeschw. mit großer Geschw. in eine zylindr. Kammer bei 1200 °C eingeblasen. Die Teilchen reagieren dort mit dem Vergasungsmittel (s. Kohlevergasung). Die Schlacke fließt an der Wand ab, während das Rohgas in höher befindlichen Anlagenteilen mit dem mitgeführten Staub reagiert. – *E* turbulence chamber – *F* chambre de turbulence (tourbillonnement) – *I* camera vorticosa – *S* cámara de turbulencia

Lit.: Ullmann (5.) **A 12**, 218 ff..

Wirbellose Tiere s. Invertebraten.

Wirbelpunkt. Zustand, bei dem in einer *Wirbelschicht das *Festbett in ein *Fließbett übergeht. Neben Konstruktion der Anlage u. Art des Feststoffs bestimmt die Gasgeschw. das Erreichen des Wirbelpunkts. Trägt man den Druckverlust über das Festbett gegen die Strömungsgeschw. auf, läßt sich der W. bestimmen, da ab dem W. der Druckverlust nicht mehr ansteigt. – *E* fluidizing point – *F* point de fluidisation – *I* punto vorticoso – *S* punto de fluidización

Wirbelrohr. Apparatur, die unter Ausnutzung der Druckdiffusion (*Diffusion aufgrund eines Druckunterschieds) die Trennung eines Gasgemisches bewirkt. Das tangential einströmende Gasgemisch strömt mit einer zirkulierenden Bewegung durch das Rohr. Mit Hilfe eines dünneren Rohres kann der mittlere Strömungskern abgezogen werden.

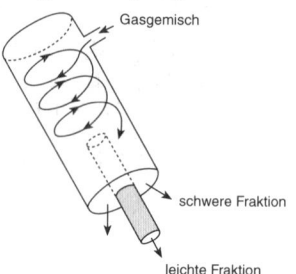

Abb.: Funktionsweise des Wirbelrohrs.

– *E* vortex tube – *F* tube à cyclone (tourbillonnement) – *I* tubo vorticoso – *S* tubo de vórtice (torbellino)

Lit.: Ullmann (4.) **2**, 638.

Wirbelschicht. Wenn auf waagerechten, perforierten Böden lagerndes feinkörniges Schüttgut von unten von Gasen durchströmt wird, stellt sich unter bestimmten Strömungsbedingungen ein Zustand ein, der dem einer kochenden Flüssigkeit ähnelt; die Schicht wirft Blasen auf, u. die Teilchen des Schüttgutes befinden sich innerhalb der Schicht in einer ständigen, wirbelnden Auf- u. Abbewegung u. bleiben so gewissermaßen in der Schwebe. Man spricht deshalb auch von *Schwebebett, Wirbelbett,* *Fließbett (im Gegensatz zum *Festbett) od. *Fluidatbett* sowie von **Fluidisieren.* Die W. entsteht, wenn ein bestimmter Grenzwert der Geschw. des von unten durchströmenden Gases erreicht wird. Dieser Punkt, an dem die ruhende in eine wirbelnde Schicht, das Festbett in ein Wirbelbett übergeht, wird als *Lockerungs-* od. *Wirbelpunkt bezeichnet. Im wesentlichen wird am Wirbelpunkt die Schwerkraft der Feststoffteilchen durch die Widerstandskraft gegenüber der Strömung kompensiert. Das Erreichen dieses Punktes hängt von einer Reihe physikal. Faktoren ab wie z. B. D., Größe, Verteilung u. Form der Teilchen, Eigenschaften des *Wirbelmittels* u. Bauart der Apparatur.
Die W. kann wie eine Flüssigkeit durch Öffnungen ausströmen, durch Rohre befördert werden, auf geneigter Unterlage, z. B. einer Förderrinne, abfließen etc. Bei weiterer Erhöhung der Geschw. des Wirbelmittels expandiert die Schicht immer stärker u. es bildet sich *Blasen (man spricht von *Sprudelbett*). Oberhalb einer Grenzgeschw. werden die Teilchen als Flugstaub aus dem Behälter hinausgetragen, können aber in einem nachgeschalteten *Zyklon wieder abgeschieden u. in den Reaktor zurückgeführt werden. Man erhält so eine sog. *zirkulierende W.* (ZWS), in der wegen der hohen Geschw. der Teilchen ein wesentlich besserer Wärme- u. Stoffaustausch stattfindet als in der *stationären Wirbelschicht*. Die große Oberfläche des *Wirbelgutes* ermöglicht nicht nur die Umsetzungen von Gasen, Dämpfen u. Flüssigkeiten an feinkörnigen Katalysatoren u.a. Material in speziellen *Wirbelschichtverfahren u. bes. zweckmäßige *Verbrennungs- u. Röstvorgänge, sondern erleichtert auch das *Trocknen u. die *Pulverbeschichtung durch *Sintern von Kunststoffen auf Werkstücke *(Wirbelsintern).* Auch *Klassieren kann man in der W. durchführen, vgl. Windsichten. – *E* fluidized bed – *F* lit fluidisé – *I* strato vorticoso – *S* lecho fluidizado
Lit.: s. Wirbelschichtverfahren.

Wirbelschichtverbrennung. Verbrennungsprozeß, in dem die Vorteile der *Wirbelschicht ausgenutzt werden. Auf einem Rost befindet sich eine Schicht granulierten, inerten Materials (z. B. Sand), das mit durchtretender Verbrennungsluft aufgewirbelt wird. Das Material verhält sich dabei wie eine siedende Flüssigkeit. In diese Wirbelschicht wird der zu verbrennende Stoff eingebracht (flüssige od. gasf. Stoffe durch Düsen quer zur aufsteigenden Luft, feste Stoffe von oben). Der intensive Wärmeaustausch führt prakt. zu einer vollständigen Verbrennung bei relativ niedrigen Temp. (750–900 °C). – *E* fluidized bed combustion – *F* combustion à lit fluidisé – *I* combustione a strato vorticoso – *S* combustión de lecho fluidizado
Lit.: Ullmann (5.) **B 3**, 14-4.

Wirbelschichtverfahren (Wirbelbettverf.). Bez. für ein von F. *Winkler zunächst für die *Vergasung ballastreicher Braunkohle entwickeltes Verf., bei dem in der *Wirbelschicht des *Winkler-Generators durch aufströmende heiße Verbrennungs- bzw. Reaktionsgase (Luft, Wasserdampf) *Generatorgas, *Wassergas od. *Synthesegas erzeugt wird. In der Folgezeit erwies sich das W. – man nennt es auch *Fließbett-* od. *Staubfließverf.* – für eine große Zahl techn. Prozesse als äußerst nützlich. Dabei kann der Feststoff der Wirbelschicht entweder als Katalysator (*Fließbett-Katalysator) od. als *Wärmeübertragungsmittel wirken, od. er kann selbst an der Reaktion teilnehmen. Wichtige Prozesse, die als W. ausgeführt werden, sind: *Kohlevergasung, *Kohleverflüssigung u. *Fischer-Tropsch-Synthese, katalyt. *Kracken (FCC-Verf., s. Fließbett) zur Erzeugung von Ethylen u. a. gasf. Olefinen, *Rösten sulfid. Erze, *Calcinieren von Tonerdehydrat, Kalkbrennen, *Entschwefelung von Gasen, katalyt. Dehydrierung Benzin-reicher Naphthen-Fraktionen, Dest. von Öl aus bituminösem Sand, Oxid. von Naphthalin zu Phthalsäureanhydrid an Vanadiumoxid, Beseitigung von Fluor bei der Phosphat-Gewinnung, Herst. von Acrylnitril, Dichlorethan, CCl_4, $TiCl_4$, Trocknung von Braunkohle, Pulvern u. Granulaten (z. B. PVC, Salpeter, Kalisalzen, Holzmehl, Kochsalz, Farben, pharmazeut. Präp., Feuerlösch-Pulvern, Insektiziden, selbst Mikroorganismen), aromaschonende Trocknung od. Röstung von Nahrungs- u. Genußmitteln (Bohnenkaffee, Kakao, Erdnüssen, Getreideprodukten, Maisstärke, Reis, Tee u. vielen anderen), die Verbrennung von Abfällen, Müll, Sondermüll u. Klärschlamm usw. Durch Kohleverbrennung im W. sucht man die konventionelle Kohlestaubfeuerung zu ersetzen, wodurch der Einsatz ballastreicher Kohle infolge Bindung des in der Kohle enthaltenen Schwefels in der Asche durch Calciumcarbonat-Zuschläge möglich würde. Dabei sollte sich bei optimaler Anw. der *zirkulierenden Wirbelschicht* (ZWS) nicht nur die Rauchgas-Entschwefelung erübrigen, sondern auch wegen der relativ niedrigen Verbrennungstemp. die Bildung der „therm." Stickstoffoxide vermeiden lassen. – *E* fluid(ized) bed process – *F* procédé à lit fluidisé – *I* processo a strato vorticoso – *S* procedimiento de lecho fluidizado
Lit.: Kirk-Othmer **9**, 398–445; (3.) **10**, 548–581 ▪ Ullmann (5.) **B 4**, 239 ff. ▪ Winnacker-Küchler (3.) **7**, 31–63; (4.) **1**, 40–46.

Wirbelsintern s. Wirbelschicht.

Wirbelströmung s. Strömung.

Wirbeltiere s. Vertebraten.

Wirken. Dem *Stricken* ähnliches Verf. zur Herst. von dehnbaren textilen Flächengebilden *(Wirk- u. Strickwaren),* die aus *maschenförmig* verbundenen Fadenschleifen bestehen; im Gegensatz zu solchen *Gewirken* u. *Gestricken* sind *Gewebe durch *Weben aus rechtwinklig gekreuzten Fäden gebildet. Man unterscheidet waagerechtes W. *(Kulierware)* zur Anfertigung von Strümpfen, Handschuhen, Pullovern usw. u. senkrechtes W. *(Kettenware)* für die Herst. von Trikotagen, Jersey u. dgl. für Unter- u. Oberbekleidung. – *E* knitting – *F* tricotage – *I* tessitura a maglia, lavoro a maglia, lavoro ai ferri – *S* tricotado, tejeduría de géneros de punto de urdimbre

Wirksame Konzentration s. Aktivität.

Wirksames Chlor s. Chlor.

Wirkstoffe. Im weitesten Sinne Bez. für solche Stoffe, die – in relativ kleinen Mengen vorkommend od. zugeführt – große physiolog. Wirkung entfalten können. Hier ist in erster Linie an Hormone, Vitamine, Enzyme, Spurenelemente etc. zu denken, sodann an Pharmaka (Arzneistoffe), weiterhin Futterzusätze, Düngemittel u. Schädlingsbekämpfungsmittel. Nicht selten kann man auch *Synergismus beobachten. – *E* active substances – *F* substances actives – *I* sostanze attive – *S* substancias activas

Wirkstoff-Screening (Leitstruktursuche, s. a. Screening). Meth. zum Durchmustern einer Vielzahl von potentiellen Wirkstoffen auf eine gewünschte biolog. Aktivität, häufig mit mol. biolog. Targets. Mit sog. Hochdurchsatz-Screening (high-throughput screening) zielt man hierbei auf das effiziente Auffinden neuartiger Wirkstoffe für pharmazeut. u. agrochem. Anwendungen. – *E* drug screening
Lit.: Grabley u. Thiericke, Drug Discovery from Nature (1. Aufl.), 38 ff., Berlin: Springer 1999.

Wirkungsgrad (Symbol: η). Verhältnis zwischen gewonnener Arbeit u. zugeführter Energie. Aufgrund theoret. Gesichtspunkte (s. Carnotscher Kreisprozeß) ist es nicht möglich, Energie quant. in Arbeit umzuwandeln, so daß selbst der theoret. W. stets unter 100% ($\eta < 1$) liegt. Bei Energie/Arbeit-gekoppelten Maschinen od. Anlagen liegt der in der Praxis erzielte W. deutlich unter den theoret. Werten; z. B. haben konventionelle Kraftwerke einen W. von ca. 0,4, gebräuchliche Pumpen im allg. von nicht höher als 0,8 u. Solarzellen von etwa 0,25. – *E* efficiency – *F* rendement – *I* efficienza, rendimento – *S* rendimiento

Wirkungsquantum s. Plancksches Wirkungsquantum.

Wirkungsquerschnitt (Symbol σ). Bez. für den senkrecht zu einem einfallenden *Teilchen-Strahl (*Elementarteilchen, *Photonen) stehenden Querschnitt desjenigen Bereichs um ein Mol., ein Atom od. einen Atomkern herum, in den der Strahl eindringen muß, um in Wechselwirkung (Streuung, Absorption etc.) mit dem betreffenden Teilchen treten zu können. Der W. ist also ein Maß für die Wahrscheinlichkeit des Eintretens einer Reaktion. Die totalen W. liegen im allg. in der Größenordnung der geometr. Dimensionen der betreffenden Teilchen, bei Mol. bzw. Atomen etwa in der Größenordnung von 10^{-15} cm^2, bei Atomkernen bei etwa 10^{-24} cm^2 = 1 b. Die Einheit *Barn (b) hat sich für 10^{-24} cm^2 eingebürgert; sie ist abgeleitet von der engl. Bez. für Scheune u. soll auf die erstaunliche „Größe" mancher W. von Kernen hinweisen. Bes. große *Neutronen-Einfang-W. haben einige *Seltenerdmetalle – Gadolinium hat mit ca. 49000 b z. B. den größten W. aller chem. Elemente. Noch größere W. weisen einzelne Isotope auf: ^{157}Gd mit 255000 b, ^{135}Xe mit $2{,}6 \cdot 10^6$ b. Bei Gasen spielt der W. (*Stoßquerschnitt*) v. a. bei *Stoßprozessen eine wichtige Rolle. – *E* cross-section – *F* section efficace – *I* sezione efficace, sezione d'urto – *S* sección eficaz
Lit.: s. Atombau, Elementarteilchen, Kernphysik.

Wirkungsumkehr s. Kombinationswirkung.

Wirrstoffe. Genauer als *Verwirrstoffe* zu bezeichnende *Kampfstoffe, die als *Psychokampfstoffe* den Gegner benommen u. orientierungsunfähig machen sollen. – *E* = *F* incapacitants – *I* agenti sconcertanti – *S* incapacitantes
Lit.: s. Kampfstoffe u. Psychopharmaka.

Wirrvliese. Nach DIN 61210: 1982-01 Bez. für Vliese, bei denen die Spinnfasern bzw. Filamente jede beliebige Richtung einnehmen; s. a. Vliesstoffe.

Wirsing s. Kohl.

Wirt-Gast-Beziehung. 1. Unter der in der *Chemie* von manchen Autoren benutzten Bez. W.-G.-B. od. *Wirt-Gast-Komplex-Chemie* kann man alle zwischen *Wirtsmol.* u. *Gastmol.* od. -atomen bestehenden Wechselwirkungen verstehen, die auf intra- u./od. intermol. Bindungskräfte von der Art der van-der-Waals-Kräfte bzw. der *zwischenmolekularen Kräfte zurückgehen, also derselben Kräfte, wie sie auch in *Molekülverbindungen od. zwischen *Rezeptor u. *Substrat wirksam sind. Bei den Wirtsmol. kann man unterscheiden zwischen solchen, die Gastmol. in stöchiometr. Verhältnis *intramol.* einlagern (*Cavitanden* wie Koronanden od. Kronenether, Cyclophane, Cyclodextrine, Kryptanden), u. solchen nur im krist. Zustand wirksamen, die ihre Gastmol. *intermol.* in Hohlräume im krist. Gefüge einlagern (*Clathranden* wie Harnstoff, Amylose, Siliciumdioxid, Graphit, Perhydrotriphenylen). Während die letztgenannten W.-G.-B. als nichtstöchiometr. *Einschlußverbindungen u. *Clathrate schon länger bekannt sind, werden solche der ersten Art mit *makrocyclischen Verbindungen erst seit den 60er Jahren intensiver untersucht [1]; für ihre Forschungen auf dem Gebiet der W.-G.-B. in *Kronenverbindungen, *Kryptaten, *Ionophoren etc. erhielten *Cram, *Lehn u. *Pederson 1987 den Nobelpreis für Chemie. Inzwischen sind eine Vielzahl von – ebenso wie die oben erwähnten Verb. im allg. in Einzelstichwörtern behandelten – weiteren *Wirtsmol.* synthetisiert worden: Katapinanden, Podanden, Spheranden, Speleanden, Calixarene etc.
2. In verwandtem Sinne sind W.-G.-B. auch gegeben bei *Einlagerungsverbindungen*, in denen Atome auf *Zwischengitterplätzen von *Wirtskrist.* od. *Wirtsgittern* untergebracht werden.
3. In der *Medizin* u. *Parasitologie* versteht man unter – hier durchaus unerwünschten – W.-G.-B. die meist einseitigen Abhängigkeiten zwischen einem parasitierenden Organismus u. seinem Wirtsorganismus. Die W.-G.-B. dieser Art sind selten für den Wirt unschädlich (z. B. Kommensalen, s. Protozoen) od. gar nützlich (*Symbiose), in den meisten Fällen nachteilig. *Beisp.:* Befall durch *Würmer od. a. *Parasiten; nicht selten benötigen diese im Laufe ihrer Entwicklung verschiedene *Zwischenwirte* (z. B.: Filariasis, Malaria, Chagas-Krankheit, Trichinen). – *E* host – guest relation – *F* 1., 2. relation hôte-pensionnaire, 3. relation hôte-

parasite – *I* relazione oste-ospite – *S* 1., 2. relación hospedante-hospedado, 3. relación huésped-parásito
Lit.: [1] Pure Appl. Chem. **60**, 445–451 (1988).
allg. (zu 1.): Vögtle, Supramolekulare Chemie (2.), Stuttgart: Teubner 1992.

Wirtschaftsgut. Früher häufig im Rahmen der Abgrenzungsdiskussion der Begriffe Produkt, *Abfall u. *Reststoff verwendeter Terminus. In der Praxis verstand man darunter bewegliche Sachen, die nicht Abfall waren u. demzufolge nicht dem *Abfallgesetz unterlagen. Zu W. zählten z. B. *Reststoffe, die verwertet wurden u. somit im Wirtschaftskreislauf verblieben.
Mit Inkrafttreten des *Kreislaufwirtschafts- u. Abfallgesetzes u. der damit verbundenen Ausdehnung des Abfallbegriffes auf verwertbare Reststoffe ist der W.-Begriff abfallwirtschaftlich nicht mehr von Belang.

Wirtz, Karl (1910–1994), Prof. für Neutronenphysik u. Reaktortechnik, Kernforschungszentrum Karlsruhe. *Arbeitsgebiete:* Reaktor- u. Kernphysik, kosm. Strahlung, Deuterium, Wasserstoff-Bindung, Energiegewinnung aus Atomkernen, Thermodiffusion, Wasserstruktur, Mesonen, Ultraschallwirkungen.
Lit.: Kürschner (16.), S. 4115.

Wischbeständigkeit (Wischfestigkeit). Nach DIN 55945: 1996-09 Bez. für die Eigenschaft einer Beschichtung, bei leichtem, trockenem Reiben nicht abzufärben. – *E* resistance to wiping – *F* résistance au frottage – *I* resistenza alla pulitura – *S* resistencia a ceder color al frotar

Wischglanzmittel, Wischpflegemittel s. Fußbodenpflegemittel, Selbstglanzpflegemittel.

Wislicenus, Johannes (1835–1902), Prof. für Chemie, Zürich, Würzburg u. Leipzig. *Arbeitsgebiete:* Vorarbeiten zur Lehre vom asymmetr. Kohlenstoff-Atom, Milchsäure-Synth., stereochem. Isomere, Synth. der Adipinsäure aus Iodpropionsäure u. Silber, Acetessigester-Synthesen.
Lit.: Chem. Unserer Zeit **8**, 129–134 (1974) ▪ Chem.-Ztg. **100**, 182–191 (1976) ▪ Krafft, S. 177 ▪ Lexikon der Naturwissenschaftler, S. 427 ▪ Neufeldt, S. 84 ▪ Pötsch, S. 458 f.

Wismut. 1. Gemäß der autorisierten dtsch. Fassung der IUPAC-Nomenklaturregeln sind in diesem Werk Bi u. seine Verb. unter *Bismut, der von *Agricola latinisierten Form (Bisemutum) des alten dtsch. Namens Wiesemutung (Näheres s. bei Bismut) beschrieben. Eine Ausnahme bilden die Namen von *Mineralien, s. die folgenden Stichwörter.
2. Name der 1946 gegr. Sowjet.-Dtsch. Aktien-Ges., die unter strengster Geheimhaltung den Abbau des *Uran-Vork. im sächs. Erzgebirge betrieb. Von dem einst drittgrößten U-Produzenten der Welt wurden bis zur Einstellung des Bergbaus im Jahre 1989 etwa 220 000 t Uran gewonnen u. in die ehem. UdSSR geliefert. Infolge Vernachlässigung des Arbeits- u. Strahlenschutzes traten zahlreiche, z. T. tödlich endende Erkrankungen auf; die hinterlassenen radioaktiven *Altlasten stellen ein beträchtliches Gefährdungspotential für die Umwelt dar.

Wismutblende s. Eulytin.

Wismutglanz s. Bismuthinit.

Wismutocker (Bismit). α-Bi_2O_3; eine der 4 Modif. des Bi_2O_3, krist. monoklin, Kristallklasse 2/m-C_{2h}, dimorph mit dem kub. *Sillenit*, γ-Bi_2O_3. Derbe u. körnige, diamantglänzende, oft aber matte u. erdige, graugrüne bis gelbgrüne Massen, H. 4,5, D. ≈ 9, Strich graugelb. *Vork.:* Als Verwitterungsprodukt von gediegenem Wismut (*Bismut) u. *Bismuthinit in Schneeberg/Sachsen, mehrorts in den USA, in Bolivien u. Japan; s. a. Bismutoxide. – *E = F = I* bismite – *S* bismita
Lit.: Anthony et al., Handbook of Mineralogy, Vol. III, S. 60, Tucson (Arizona): Mineral Data Publishing 1997 ▪ Schröcke-Weiner, S. 388. – [HS 2617 90; CAS 1318-21-4]

Wismutspat s. Bismutcarbonate.

Wissenschaftsgemeinschaft Blaue Liste s. Blaue Liste u. WGL.

Wissenschaftsgemeinschaft Gottfried Wilhelm Leibniz s. WGL.

Wissenschaftsrat. Der W. mit Sitz der Geschäftsstelle in 50968 Köln, Brohler Straße 11 wurde 1957 durch ein Abkommen der Bundesregierung u. der Regierungen der Länder gegründet. Das Abkommen gilt jeweils 5 Jahre; mit dem Änderungsabkommen vom 30. 6. 1995 ist es bis zum 30. 6. 2000 gültig. Der W. hat die Aufgabe, Empfehlungen zur Entwicklung der Hochschulen, der Wissenschaft u. der Forschung zu erarbeiten, die den Erfordernissen des sozialen, kulturellen u. wirtschaftlichen Lebens entsprechen. Die Empfehlungen sollen mit Überlegungen zu den Auswirkungen u. ihrer Verwirklichung verbunden sein. Bundes- u. Landesregierungen berücksichtigen die Empfehlungen des W. im Rahmen ihrer finanziellen Möglichkeiten. – INTERNET-Adresse: http://www.wrat.de

Wistarin.

$C_{25}H_{32}O_4$, M_R 396,53, Öl, $[\alpha]_D^{20}$ +130° (CH_2Cl_2). Sesterterpenoider Inhaltsstoff des Schwammes *Ircinia wistarii*. – *E* wistarin – *F* wistarine – *I = S* wistarina
Lit.: J. Nat. Prod. **45**, 412 (1982) (Isolierung) ▪ J. Org. Chem. **62**, 1691 (1997) (Synth.). – [CAS 83995-04-4]

Witco. Kurzbez. für das Chemieunternehmen Witco Chemical Corporation, Greenwich, CT 06831-2559. *Daten* (1997): ca. 5970 Beschäftigte, ca. 2,2 Mrd. $ Umsatz. *Produktion:* Erdöl-Derivate, organ. Si-Verb., organ. Peroxide, Tenside, Fettsäure-Derivate, Metallorgan. Produkte, Katalysatoren, Additive, Polymere, Polyurethan-Vorprodukte, Schmiermittel u. a. Witc(o)... ist auch anlautender Namensbestandteil von Marken für verschiedene Produkte.

Witeg. Kurzbez. für die Firma Witeg Labortechnik GmbH 97877 Wertheim, die Laboratoriumsgeräte aus Glas u. Kunststoffen sowie Liquid-Handling-Produkte u. für Biochemie u. Gentechnik elektrotechn. Laborgeräte herstellt.

Withanolide. Pflanzliche hochsubstituierte C_{28}-*Steroide, die sich vom Ergostan ableiten u. eine charakterist. 17ständige δ-Lacton-, gelegentlich auch γ-Lacton-Seitenkette besitzen. Man kennt heute über 100 W., die aus den Solanaceen-Gattungen *Withania, Acnistus, Datura, Dunalia, Lycium, Nicandra* u. *Physalis* isoliert wurden. Sie kommen in der Regel in freier Form, in einigen wenigen Fällen auch als Glykoside vor. Wichtigstes u. am längsten bekanntes W. ist *Withaferin A* aus *Withania somnifera* u. *Acnistus arborescens*, dem Antitumor-Wirkung zugesprochen wird, *Withanolid E* ist ein weiteres Beispiel.

Withaferin A (1)   Withanolid E (2)

Tab.: Daten von Withanoliden.

	Summen-formel	M_R	Schmp. [°]	$[\alpha]_D$ (CHCl$_3$)	CAS
1	$C_{28}H_{38}O_6$	470,61	252–253	+125°	5119-48-2
2	$C_{28}H_{38}O_7$	486,61	167–168	+103,5°	38254-15-8

– $E = F$ withanolides – I withanolidi – S withanólidos
Lit.: Chem. Nat. Cmpd. (Trans. of Khim. Prir. Soedin) **33**, 133–145 (1997) ▪ Indian J. Chem. Sect. **B35**, 1311 (1996) ▪ J. Am. Chem. Soc. **113**, 1057ff. (1991) ▪ J. Chem. Soc., Perkin Trans. 1 **1991**, 739–745 ▪ J. Nat. Prod. **54**, 554–563, 599–602 (1991) ▪ Pharm. Acta Helv. **61**, 242–246 (1986) ▪ Pharm. Unserer Zeit **18**, 129–139 (1989) ▪ Phytochemistry **26**, 1797 (1987); **31**, 3648 (1992); **44**, 1163 (1997); **47**, 1427 (1998).

Witherit. $BaCO_3$; mit *Aragonit isotypes (*Isotypie), giftiges, rhomb. Mineral, Kristallklasse mmm-D_{2h}, Struktur s. *Lit.*[1]. Farblose, weiße, graue od. gelbliche, durchscheinende, bipyramidale, durch Bildung von Drillingen meist pseudohexagonale Krist., faserige od. blättrige Aggregate; auch derb, traubig, nierenförmig. H. 3-3,5, D. 4,28, Bruch uneben mit Fettglanz, sonst Glasglanz od. matt; spröde. W. zeigt *Polymorphie; bei 10^5 Pa CO_2-Druck wandelt sich die rhomb. Modif. bei 802 °C in eine hexagonale („ungeordnet rhomboedr.") Modif. (*Lit.*[2,3]) u. weiter bei 975 °C in eine kub. Modif. um (*Lit.*[3]); zwischen 2 u. 8 GPa Druck ist eine Hochdruck-Modif. $BaCO_3$ II stabil[4]. Mit $SrCO_3$ ist W. bei experimentellen Untersuchungen vollständig mischbar[5,6]; natürliche W. enthalten nur bis ca. 6% SrO.
Vork.: V. a. in hydrothermalen *Gängen (mit *Bleiglanz u. *Baryt), z. B. in Nordengland, Sibirien/Rußland (hier auch in *Ölschiefern) u. in den USA. In Schwarzschiefern in China.
Verw.: Gegenüber Schwerspat (*Baryt) als Barium-Erz sehr zurücktretend; als Rattengift. – E witherite – F withérite – I barolite – S witherita
Lit.: [1] Am. Mineral. **56**, 758–767 (1971). [2] Phys. Chem. Miner. **19**, 289–297 (1992). [3] J. Geol. **73**, 346–368 (1965). [4] Eur. J. Mineral. **9**, 785–792 (1997). [5] Phys. Chem. Miner. **21**, 392–400 (1994). [6] Eur. J. Mineral. **9**, 519–528 (1997).
allg.: Am. Mineral. **64**, 742–747 (1979) ▪ Chang, Howie u. Zussman, Rock-Forming Minerals (2.), Vol. 5B, S. 263–271, Harlow (U. K.): Longman 1996 ▪ Lapis **12**, Nr. 5, 7ff. (1987) („Steckbrief") ▪ Ramdohr-Strunz, S. 575 ▪ Reeder (Hrsg.), Carbonates (Reviews in Mineralogy, Vol. 11), S. 145–190, Washington (D. C.): Mineralogical Society of America 1983. – [HS 251120; CAS 14941-39-0]

Witisol®. Marke von Bayer für 5-Methyl-2-phenyl-benzoxazol, einen in organ. Lsm. leichtlösl. Sonnenschutzstoff für Kosmetika. *B.:* Drugofa.

Witkop, Bernhard (geb. 1917), Prof. für Chemie, Inst. Arthritis Metabolic Diseases *NIH, Bethesda (Md), Gast-Prof. Kyoto Univ., Japan. *Arbeitsgebiete:* Antibiotika, tier. Toxine, Batrachotoxin, Proteine u. Nucleotide, Stoffwechselprozesse, *NIH-Verschiebung, Photochemie, Geschichte der Chemie.
Lit.: Pötsch, S. 459 ▪ Who's Who in America (51.), S. 4682.

Witt, Horst Tobias (geb. 1922), Prof. für Physikal. Chemie, TU Berlin. *Arbeitsgebiete:* Biophysikal. Chemie, Analyse schneller Reaktionen mit repetierenden Impulsverf., Elementarvorgänge in der Photosynth.-Membran.
Lit.: Kürschner (16.), S. 4122; (17.), S. 1552 ▪ Neufeldt, S. 251 ▪ Wer ist wer, S. 1572.

Witt, Otto Nicolaus (1853–1915), Industriechemiker u. Prof. für Chem. Technologie, TH Berlin-Charlottenburg. *Arbeitsgebiete:* Entdeckung des Chrysoidins u. a. Azo- u. Azinfarbstoffe, Diazotierung, Theorie der Textilfärbung als Verteilung zwischen Faser u. Färbelsg., Entwicklung des Konzepts von Chromophor u. Auxochrom (*Wittsche Farbtheorie*).
Lit.: Lexikon der Naturwissenschaftler, S. 427 ▪ Neufeldt, S. 67 ▪ Pötsch, S. 459 f. ▪ Z. Chem. **10**, 133, 168 (1970).

Witterung s. Klima.

Wittichenit. Cu_3BiS_3 bzw. $3Cu_2S \cdot Bi_2S_3$; stahlgraues bis zinnweißes, metallglänzendes, muschelig brechendes, bei Raumtemp. rhomb. Mineral, Kristallklasse 222-D_2. Zur Struktur (s. a. *Lit.*[1]) u. *Polymorphie von W. u. dem Sb-Analogon *Skinnerit* s. *Lit.*[2]; W. ist oberhalb von ca. 135 °C ein Ionenleiter. Meist derbe u. feinkörnige Massen, selten tafelige od. kurzprismat. Krist.; H. 2,5, D. 6,2. Chem. Analyse eines W. von Wittichen/Schwarzwald (*Lit.*[1]; Name!): 37,79% Cu, 42,56% Bi, 19,13% S. Weitere Vork. v. W. gibt es im Vorderen Odenwald, in Cumberland/England (Daten s. *Lit.*[3]), Bulgarien, Silverton/Colorado u. Butte/Montana/USA u. in Peru. – $E = I$ wittichenite – F wittichénite – S wittichenita
Lit.: [1] Acta Crystallogr. Sect. B **29**, 2528–2535 (1973). [2] Neues Jahrb. Mineral., Abhandl., **168**, 185–212 (1994). [3] Mineral. Mag. **43**, 109–113 (1979).
allg.: Anthony et al., Handbook of Mineralogy, Vol. I, S. 577, Tucson (Arizona): Mineral Data Publishing 1990 ▪ Ramdohr, Die Erzmineralien u. ihre Verwachsungen, S. 774 f., Berlin: Akademie 1975 (erzmikroskop. Beschreibung) ▪ Ramdohr-Strunz, S. 474 ▪ Schröcke-Weiner, S. 289 f. – [CAS 12010-40-1]

Wittig, Burghardt (geb. 1947), Prof. für Molekularbiologie, Biochemie u. Informatik, FU Berlin. *Arbeitsgebiete:* Dynam. Struktur des Chromatins, Analyse u. Interpretation von DNA- u. Protein-Sequenzen.
Lit.: Kürschner (16.), S. 4126.

Wittig, Georg (1897–1987), Prof. für Chemie, TH Braunschweig, Univ. Freiburg, Tübingen u. Heidelberg. *Arbeitsgebiete:* Theoret. u. präparative Metallorgan. Chemie, freie Radikale, Heterocyclen, Autoxid., Carbanionen, at-Komplexe, Natriumtetraphenylborat (*Kalignost®), Phenyllithium, Koordinationslehre, Entdeckung des Dehydrobenzols u. der Ylide (*Wittig-Reaktion*), Stereochemie, Mechanismus der Aldoladdition; Nobelpreis für Chemie 1979 zusammen mit H. C. *Brown; s. a. folgende Stichworte.
Lit.: Chem. Labor Betr. **38**, 542 f. (1987) ▪ Chem. Unserer Zeit **1**, 158–151 (1967) ▪ Kürschner (15.), S. 5151 ▪ Nachr. Chem. Tech. Lab. **27**, 692 (1979) ▪ Naturwiss. Rundsch. **32**, 512 f. (1979) ▪ Lexikon der Naturwissenschaftler, S. 427 ▪ Neufeldt, S. 170 f. ▪ Pötsch, S. 460.

Wittig-Horner-Reaktion s. Horner-Emmons-Reaktion.

Wittig-Reagenzien. Zu Ehren G. *Wittigs geprägte Bez. 1. für *Ylide u. 2. für *Natriumtetraphenylborat. – *E* Wittig reagents – *F* réactifs de Wittig – *I* reattivi di Wittig – *S* reactivos de Wittig

Wittig-Reaktion. Die Reaktion eines Phosphonium-*Ylides mit einem Aldehyd od. Keton wird als W.-R. bezeichnet. Als Endprodukt erhält man ein Alken u. ein Phosphanoxid (Abb. 1).

X,Y=H, Alkyl, Ar, COOR' u.a.
Abb. 1: Olefinierungsreaktion nach Wittig.

Diese *Olefinierungsreaktion* hat wegen ihrer einfachen Durchführung u. ihrer Effizienz große Anw. in der synthet. organ. Chemie u. in der industriellen Chemie gefunden. Man findet eine große Diastereoselektivität [s. diastereoselektive Reaktionen (Synthesen)] bezüglich des gebildeten (*Z*)- od. (*E*)-Alkens in Abhängigkeit vom Ylid-Typ (stabilisiertes Ylid, X od. Y = COOR od. nicht stabilisiertes Ylid, X od. Y = H, Alkyl), von der Carbonyl-Verb. (Aldehyd od. Keton) u. den Reaktionsbedingungen (z. B. Anwesenheit od. Abwesenheit von Salzen). Man nimmt an, daß die Reaktion über ein *Oxaphosphetan* u./od. über ein *Zwitterion* od. *Betain* verläuft (Abb. 2); bei ster. gehinderten Reaktionspartnern diskutiert man auch Ein-Elektronentransfer-Prozesse[1] (*single electron transfer).
Experimentelle u. theoret. Daten sprechen dafür, daß bei salzfreien Yliden ein viergliedriger *Übergangszustand, der direkt zu einem Oxaphosphetan-Ring führt, den Mechanismus am besten beschreibt u. daß ein Betain der Oxaphosphetan-Bildung nicht vorgeschaltet ist[2–4]. Die meist als Eintopfreaktion ausgeführte W.-R. – man legt das quartäre *Phosphonium-Salz vor u. fügt nacheinander die starke Base (zur Ylid-Bildung) u. die Carbonyl-Verb. hinzu – hat sich als bes. nützlich in der Synth. von olefin. Naturstoffen wie Vitamin A u. Carotinoiden, Vitamin D, Squalen, ungesätt. Pheromonen u. Insektenhormonen, Riechstoffen, Prostaglandinen etc.[5] erwiesen. Eine präparativ ebenso nützliche Variante der W.-R. ist die von manchen Seiten *Wadsworth-Emmons*-, von anderen *Wittig-Horner-* u. in diesem Lexikon *Horner-Emmons-Reaktion* genannte Olefin-Synth., die von *Phosphonaten ausgeht. Die Aza- u. Phospha-Wittig-Reaktion[6,7] sind zur Synth. von Iminen bzw. Phosphaalkenen geeignet, wobei letztere eher eine Variante der Horner-Emmons-Reaktion darstellt (Abb. 3).

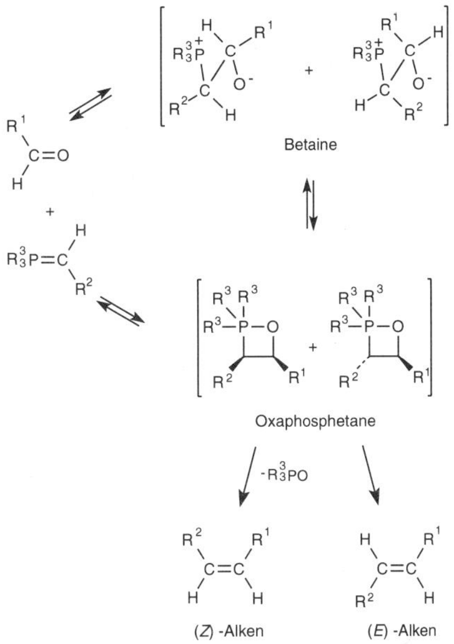

Abb. 2: Mechanismus der Wittig-Reaktion.

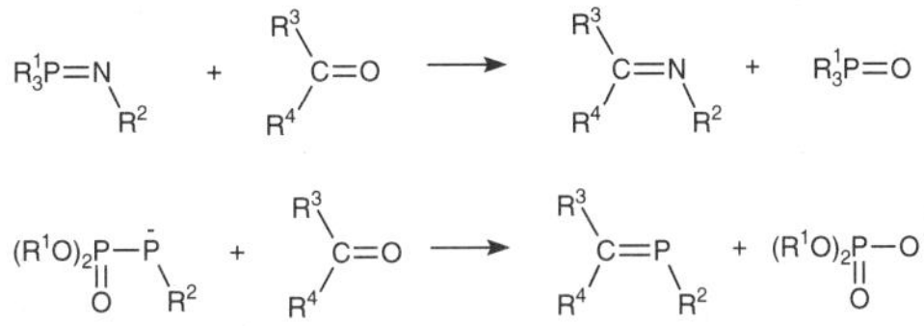

Abb. 3: Aza- (a) u. Phospha-Wittig-Reaktion (b).

Verwandt mit der W.-R. sind auch die *Peterson-Reaktion u. die *Tebbe-Grubbs-Reaktion* (s. Tebbe-Grubbs-Reagenzien). – *E* Wittig reaction – *F* réaction de Wittig – *I* reazione di Wittig – *S* reacción de Wittig
Lit.: [1] Nachr. Chem. Tech. Lab. **32**, 436–439 (1984). [2] J. Am. Chem. Soc. **103**, 2823 (1981); **110**, 3948 (1988). [3] Pure Appl. Chem. **52**, 771 (1980). [4] Top. Curr. Chem. **109**, 85 (1983). [5] Angew. Chem. **89**, 437–443 (1977). [6] Org. React. Prep. Proc. Int. **24**, 209 (1992). [7] Dillon, Mathey u. Nixon, Phosphorus: The Carbon Copy, S. 111–114, Chichester: Wiley 1998.
allg.: Chem. Rev. **74**, 87 ff. (1974); **89**, 863–927 (1989) ▪ Chem. Soc. Rev. **17**, 1 ff. (1988) ▪ Hassner-Stumer, S. 421 ▪ Heterocycles **41**, 2357 (1995) ▪ Houben-Weyl **E 1**, 710–735 ▪ Krauch u. Kunz, Reaktionen der Organischen Chemie, 6. Aufl., S. 201, Heidelberg: Hüthig 1997 ▪ Laue-Plagens, S. 319 ▪ March (4.), S. 956 ▪ Org. React. **14**, 270 ff. (1965); **25**, 73 (1977) ▪ Tetrahedron **36**, 1717–1745 (1990) ▪ Top. Curr. Chem. **109**, 165 ff. (1983) ▪ Top. Stereochem. **5**, 1 ff. (1970).

Wittig-Umlagerung. Von G. *Wittig 1942 entdeckte Umlagerung von metallierten Ethern zu Alkoholaten. Die Umlagerung profitiert von dem Energiegewinn beim Übergang der neg. Ladung vom Kohlenstoff zum Sauerstoff:

$$Ar-CH_2-O-R^1 \xrightarrow[-R^2-H]{+R^2-Li} Ar-\overset{Li^+}{\overset{-}{C}H}-O-R^1 \longrightarrow$$

$$Ar-\underset{R^1}{\overset{}{C}H}-O^- Li^+ \xrightarrow{H^+/H_2O} Ar-\underset{R^1}{\overset{}{C}H}-OH$$

Die W.-U. besitzt gewisse Analogien zur *Stevens-Umlagerung. In mechanist. Hinsicht wird bei beiden ein Radikal-Paar, das in einem Lösungskäfig zusammengehalten wird, als entscheidende Zwischenstufe der Umlagerung angenommen [1]. Neben dieser eigentlichen W.-U. gewinnt die [2,3]-sigmatrope Variante (s. a. Allyl-Umlagerung) zunehmend an Bedeutung. Dabei lagert ein Allyloxy-*Carbanion in ein Homoallylalkoholat um:

$$R^1-CH_2-O \atop H_2C=CH CH_2 \xrightarrow[-R^2-H]{+R^2-Li} R^1-CH-O \atop H_2C=CH CH_2 \xrightarrow{} \underset{CH_2-CH=CH_2}{R^1-CH-O^- Li^+}$$

Die [2,3]-W.-U. wird zunehmend in der stereoselektiven Synth. eingesetzt [2,3]. – *E* Wittig rearrangement – *F* réarrangement de Wittig – *I* trasposizione di Wittig – *S* transposición de Wittig

Lit.: [1] Angew. Chem. **82**, 795–805 (1970). [2] Nachr. Chem. Tech. Lab. **38**, 1506–1510 (1990). [3] Kontakte (Merck) **1991** (2), 3–14; (3), 3–15.

allg.: Angew. Chem. **91**, 625–634 (1979) ■ Chem. Rev. **86**, 885 (1996) ■ Hassner-Stumer, S. 422 ■ Houben-Weyl **13/1**, 228 ■ Krauch u. Kunz, Reaktionen der Organischen Chemie, 6. Aufl., S. 321, Heidelberg: Hüthig 1997 ■ Laue-Plagens, S. 324 ■ March (4.), S. 1102 ■ Nachr. Chem. Tech. Lab. **30**, 483–487 (1982) ■ Org. React. **46**, 105 ff. (1995) ■ Pure Appl. Chem. **69**, 595 (1997) ■ Synthesis **1991**, 595–604 ■ Trost-Fleming **3**, 975 f.

Wittsche Farbentheorie s. Auxochrome.

Wittscher Topf. Großes, zylindr. Glasgerät mit Schliffdeckelverschluß, das für *Filtration u. *Destillation unter normalem od. vermindertem Druck eingesetzt werden kann. Nach dem Baukastenprinzip können in die 4 Deckeltuben mit Normschliffen wahlweise verschiedene Aufsätze zur Beschickung, Evakuierung, Begasung od. Probenahme eingeführt werden. – *E* Witt jar – *F* récipient de Witt – *I* recipiente Witt – *S* frasco de Witt

Wizinger-Aust, Robert Karl (1896–1973), Prof. für Chemie, Univ. Basel. *Arbeitsgebiete:* Konstitution u. Farbe, Mechanismus aromat. Substitutionsreaktionen, Methin-Farbstoffe u. Formazane, Archäologie.

Lit.: Chem. Labor Betr. **24**, 399–401 (1973) ■ Lexikon der Naturwissenschaftler, S. 428.

WK. Nach DIN 60001-4: 1991-08 Kurzz. für *Kamelhaar.

WKB-Methode. Von *W*entzel, *K*ramers u. *B*rillonin entwickeltes *semiklassisches Näherungs-Verf., das v. a. in der *Spektroskopie u. *Reaktionsdynamik Anw. findet.

WL. Nach DIN 60001-4: 1991-08 Kurzz. für Lamawolle (s. Wolle).

WLD. Abk. für *Wärmeleitfähigkeitsdetektor.

WM. Nach DIN 60001-4: 1991-08 Kurzz. für *Mohair.

WMF. Kurzbez. für die *W*ürttembergische *M*etallwaren*f*abrik AG. Das 1853 gegr. Unternehmen mit Sitz in 73309 Geislingen/Steige stellt Besteck, Tafelgeräte, Kochgeschirr, Küchenwerkzeuge u. Kaffeemaschinen für gewerbliche Zwecke her. Marke *Cromargan®.

WN. Nach DIN 60001-4: 1991-08 Kurzz. für *Kaninhaar.

Wnt-Proteine. Familie von sezernierten Cystein-reichen *Glykoproteinen (ca. 330–370 Aminosäure-Reste), die bei Tieren als Signalmol. für die interzelluläre Kommunikation bei der Embryonalentwicklung von Bedeutung sind, indem sie die Zellschicksale bestimmen u. für die Ausbildung des Gewebsmusters sorgen (*Morphogene). Auch in manchen Geweben erwachsener Säuger bewirken sie Wachstum u. *Differenzierung. Die sezernierten Formen gehen aus längeren Vorläufer-Proteinen durch Abspaltung *N*-terminaler hydrophober *Signalpeptide (ca. 20–30 Aminosäure-Reste) hervor. Bekannte Familienmitglieder sind Wnt-1 (Int-1), Wnt-2 (Irp), Wnt-3, -3 A, -4, -5 A, -5 B, -6, -7 A, -7 B, -8, -8 B, -9, -10 u. -10 B. Das Muster der 22 Cystein-Reste, die wahrscheinlich *Disulfid-Brücken bilden, ist in allen Wnt-P. erhalten. Die Wnt-P., ansonsten *Wachstumsfaktoren nicht unähnlich, scheinen an der Oberfläche der sezernierenden Zelle zu kleben u. können wahrscheinlich nur über Entfernungen von wenigen Zelldurchmessern signalisieren. Wnt-1 ist ein Proto-*Onkogen, das an der Entwicklung des Zentralnervensyst. beteiligt ist. Der *Rezeptor für das menschliche Homolog des Wnt-5 A ist Frizzled-5 [1]. Ein Wnt-Homolog bei *Drosophila melanogaster* ist das Protein *Wingless* [2] (Wg), das bei der Körpersegmentation mitwirkt. Als *Antagonisten der Wnt-P. fungieren die Dickkopf(Dkk)-Proteine, die in Froschembryonen die Ausbildung von Köpfen induzieren [3]. – *E* Wnt proteins – *F* protéines Wnt – *I* proteine Wnt – *S* proteínas Wnt

Lit.: [1] Science **275**, 1652 ff. (1997); Trends Genet. **14**, 452–458 (1998). [2] Curr. Biol. **8**, R140–R144 (1998). [3] Nature (London) **391**, 357–362 (1998).

allg.: Annu. Rev. Cell Develop. Biol. **14**, 59–88 (1998) ■ Biochem. J. **329**, 209–223 (1998) ■ Curr. Biol. **9**, R4 (1999) ■ Genes Develop. **15**, 3286–3305 (1997) ■ Trends Genet. **13**, 157–162 (1997).

WO. Nach DIN 60001-4: 1991-08 Kurzz. für *Wolle (Schafwolle).

W/O. Abk. für „Wasser in Öl" bei *Emulsionen.

Wobbeindex. Eine Kenngröße für die Austauschbarkeit von *Brenngasen für Gasverbrauchseinrichtungen. Die W. eines Gases sind die Quotienten aus dem Vol.-bezogenen *Brennwert bzw. dem Vol.-bezogenen *Heizwert u. der Quadratwurzel aus der relativen D. des Gases. – *E* Wobbe index – *I* indice di Wobbe

Lit.: DIN 51857: 1994-09.

Wobble-Base s. genetischer Code.

Wobble-Hypothese s. Transfer-Ribonucleinsäuren.

Wodka (russ. = Wässerchen). Bei W. handelt es sich nach Artikel 1, Absatz 4, Buchstabe q der VO (EWG) 1576/89 [1] um eine *Spirituose, die aus *Ethanol landwirtschaftlichen Ursprungs durch *Rektifikation od. *Filtration über *Aktivkohle so hergestellt wird, daß die organolept. Merkmale der Ausgangsstoffe (meist *Getreide od. *Kartoffeln) selektiv abgeschwächt werden. Durch Zusatz anderer Aromastoffe, die geschmacklich nicht hervortreten dürfen, wird eine Weichheit des Geschmacks erzielt. Ein neues Verf. zur Herst. von W. ist in Lit.[2] patentiert. Der Mindestalkohol-Gehalt beträgt nach Artikel 3 der Spirituosen-VO[1] 37,5% vol; der Extraktgehalt höchstens 3 mg/L; Produktionszahlen (BRD 1997): 29 Mio. L. – $E = F = I = S$ vodka

Lit.: [1] VO (EWG) 1576/89 zur Festlegung der allg. Regeln für die Begriffsbest., Bez. u. Aufmachung von Spirituosen vom 29.5.1989 in der Fassung vom 1.1.1995 (ABl. der EG Nr. L 1/1). [2] USP 5618573 (1997).
allg.: Belitz-Grosch (4.), S. 844 ■ Koch (Hrsg.), Getränkebeurteilung, S. 244, 263, Stuttgart: Ulmer 1986 ■ Ullmann (5.) A **24**, 555 ■ Zipfel, C 415 **100**, 5; C 419 **31**. – [HS 2208 90]

Wöhler, Friedrich (1800–1882), Prof. für Chemie, Berlin, Kassel, Göttingen. *Arbeitsgebiete:* Iodcyan, Cyansäure u. deren Isomerie mit Knallsäure, Hydrochinon, Acetylen, Calciumcarbid (aus Zink-Calcium u. Kohle), Phosphor (aus Knochen), Benzoesäure, Benzoyl-Radikal, Überlegungen über Substitutions-Reaktionen, katalyt. Zerlegung von Amygdalin, Harnsäure-Derivate, Metalloxide als Kontaktkörper für katalyt. Reaktionen, Arbeiten bei hohen Temp. u. Drücken (Bombenrohr), Silane, Reinherst. von Aluminium, Beryllium u. Yttrium. Die Herst. von „organ." Harnstoff aus „anorgan." Ammoniumcyanat (1828) betrachtet man häufig als einen Markstein in der *Geschichte der Chemie u. W. als Kronzeugen gegen den Vitalismus; vgl. organische Chemie.
Lit.: Chem. Labor Betr. **29**, 177–179 (1978) ■ Krafft, S. 356 f. ■ Naturwiss. Rundsch. **35**, 406–413 (1982) ■ Lexikon der Naturwissenschaftler, S. 428 ■ Neufeldt, S. 19 f., 23, 26 f., 29 ■ Pötsch, S. 460 f. ■ Z. Chem. **23**, 125–136 (1983) ■ s. a. Geschichte der Chemie.

Wöhler, Lothar (1870–1952), Prof. für Chemie, TH Karlsruhe u. Darmstadt. *Arbeitsgebiete:* Edelmetall-Verb., Silicium, Erdalkalisilicide, anorgan. Explosivstoffe, Initialzündung, heterogene Gleichgewichte.

Wöhlerit s. Nephelinsyenit.

Wöhler-Kurven s. Zeitfestigkeit.

Woelm. Kurzbez. für das 1907 gegr. Unternehmen Woelm Pharma GmbH, 37629 Eschwege, seit 1991 zu *Johnson & Johnson MSD gehörig. *Daten* (1995): ca. 300 Beschäftigte. *Produktion:* Chem.-pharmazeut. Präparate.

Woermann, Dietrich (geb. 1931), Prof. (emeritiert) für Physikal. Chemie, Univ. Köln. *Arbeitsgebiete:* Stofftransport durch Membranen, Phasenumwandlung in Fluiden.
Lit.: Kürschner (16.), S. 4135 ■ Nachr. Chem. Tech. Lab. **39**, Nr. 6, 719 (1991).

Wörterbücher. Ebenso wie die verwandte Bez. *Lexika* u. die fremdsprachigen Synonyme dieser Bez. mehrdeutige Sammelbez. für alphabet. geordnete Wörterverzeichnisse in einer, zwei od. mehreren Sprachen, die Wörter erklären (*Glossarien*) u./od. in andere Sprachen übersetzen (*Sprach-W.*) od. Gegenstände beschreiben (*Fach- u. Sach-W.*). Letztere – auch *Enzyklopädien* genannt – haben die Funktion von *Nachschlagewerken u. oft den Charakter von *Handbüchern. Zwei- od. mehrsprachige Sprach-W. sind Hilfsmittel für die Übersetzung von Texten in eine andere Sprache. Zwischen den W.-Arten gibt es natürliche Übergänge, z. B. ist dieses Chemie-Lexikon sowohl Sach- als auch Sprachwörterbuch. Nicht im Buchhandel erhältlich sind Spezial-W., die von Firmen (teilw. als *Firmenschriften mit werbendem Charakter) herausgegeben werden. Auch Werke mit ursprünglich anderer Zielsetzung sind als Spezial-W. brauchbar, z. B. mehrsprachige Ausgaben der *Dezimalklassifikation u. von *Thesauri, auch *Bezugsquellenverzeichnisse od. Firmenhandbücher. – *E* dictionaries, glossaries, lexicons, vocabularies, wordbooks – *F* dictionnaires, glossaires, lexiques, vocabulaires – *I* dizionari, vocabolari – *S* diccionarios, glosarios, vocabularios

Wohl-Abbau. Von A. Wohl 1893 ausgearbeiteter Abbau von *Aldohexosen zu *Aldopentosen.

$$\underset{R}{\overset{CH=O}{\underset{|}{H-C-OH}}} \xrightarrow[-H_2O]{+H_2N-OH} \underset{\text{Oxim}}{\overset{CH=N-OH}{\underset{|}{H-C-OH}}} \xrightarrow{(H_3C-CO)_2O/ZnCl_2, \ Na^+ \cdot O-CO-CH_3}$$

$$\underset{\text{Nitril}}{\overset{C\equiv N}{\underset{|}{H-C-O-CO-CH_3}}} \xrightarrow[-AgCN]{Ag_2O/NH_3} \underset{\text{Aminal}}{\overset{NH-CO-CH_3}{\underset{|}{H-C-NH-CO-CH_3}}}$$

$$\xrightarrow{\text{Hydrolyse}} R-CHO$$

$$R = \underset{|}{\overset{(HC-OH)_3}{CH_2-OH}}$$

Das *Oxim der Aldohexose wird zum Nitril dehydratisiert, welches mit ammoniakal. Silberoxid-Lsg. zum Aminal abbaut. Diese Reaktion ist die Umkehrung der Cyanhydrin-Synth. nach Kiliani (s. Kiliani-Synthese) zum Zucker-Aufbau (vgl. a. Ruff-Abbau). Bessere Ausbeuten bei diesem *Zuckernitril* erhält man bei Verw. von Natriummethylat in wasserfreier Chloroform-Methanol-Lsg. (*Zemplén-Reaktion*). – *E* Wohl degradation – *F* dégradation de Wohl – *I* degradazione di Wohl – *S* degradación de Wohl
Lit.: Adv. Carbohydr. Chem. **4**, 129, 138 (1949) ■ Hassner-Stumer, S. 424 ■ Krauch u. Kunz, Reaktionen der organischen Chemie, 6. Aufl., S. 675, Heidelberg: Hüthig 1997.

Wohl-Ziegler-Reaktion s. Ziegler-Reaktionen.

Wolff. Kurzbez. für die Dr. August Wolff Chem.-pharmazeut. Fabrik GmbH & Co., 33532 Bielefeld.

Wolff-Kishner-Reduktion. Von Ludwig Wolff (1857–1919)[1] u. N. M. Kishner (1867–1935) unabhängig voneinander entdeckte Meth. zur Red. von Carbonyl-Gruppen zu Methylen-Gruppen. Hierbei werden Aldehyde u. Ketone in ihre *Hydrazone übergeführt u. diese in Ggw. einer starken Base auf ca. 200 °C erhitzt, worauf – wie in der Abb. gezeigt – unter Stickstoff-Abspaltung die entsprechenden Kohlenwasserstoffe gleicher C-Atomzahl entstehen (s. Formel S. 4994).
Bei Verw. von Dimethylsulfoxid als Lsm. u. Kalium-*tert*-butoxid als Base läßt sich die Red. sehr viel scho-

nender bei 20 °C ausführen. Eine weitere method. Verbesserung der W.-K.-R. ist die Huang-Minlon-Reduktion (*Wolff-Kishner-Huang-Minlon-Red.*), bei der auf die Isolierung der Hydrazone verzichtet u. mit einem Überschuß Hydrazinhydrat in Diethylenglykol unter Zusatz einer Base am Rückfluß erhitzt wird. In geeigneten Fällen läßt sich N_2 auch photochem. aus den Hydrazonen abspalten. – *E* Wolff-Kishner reduction – *F* réduction de Wolff-Kishner – *I* riduzione di Wolff-Kishner – *S* reducción de Wolff-Kishner

Lit.: [1] Ber. Dtsch. Chem. Ges. **52**, A 67 (1919); **62**, A 145 (1929).
allg.: Angew. Chem. **80**, 141–149 (1968) ▪ Chem. Rev. **65**, 63 (1965) ▪ Hassner-Stumer, S. 426 ▪ Houben-Weyl **5/1 a**, 251, 456; **5/1 b**, 629; **E 14 b**, 596 f. ▪ Krauch u. Kunz, Reaktionen der Organischen Chemie, 6. Aufl., S. 198, Heidelberg: Hüthig 1997 ▪ March (4.), S. 1209 ▪ Org. React. **4**, 378–422 (1948) ▪ Trost-Fleming **8**, 327 f. ▪ s. a. Hydrazone u. Reduktion.

Wolff-Umlagerung. Bez. für eine von L. Wolff (vgl. vorstehendes Stichwort) aufgefundene Reaktion, in deren Verlauf α-*Diazocarbonyl-Verbindungen nach Stickstoff-Verlust eine Gerüstumlagerung erleiden:

Die N_2-Abspaltung wird bewirkt durch die Katalyse von Ag, Cu, deren Ionen od. Edelmetall-Katalysatoren, durch Bestrahlen od. Erhitzen wobei über Carbonylcarbene *Ketene gebildet werden. Bei der photochem. Variante der W.-U. gelang es durch *Isotopen-Markierung, das antiaromat. *Oxiren als Zwischenstufe nachzuweisen[1]; zum Mechanismus der W.-U. s. *Lit.*[2,3]. Die Ketene reagieren mit ggf. vorhandenem Wasser, Alkohol od. Amin sofort zu Säuren, Estern od. Amiden. In dieser Form ist die W.-U. ein Bestandteil der *Arndt-Eistert-Reaktion. Ist die α-Diazocarbonyl-Gruppierung Teil eines Ringsyst. (*Beisp.:* o-*Chinondiazide), so resultiert die W.-U. in einer *Ringverengerung* (*Süs-Reaktion). In diesem Zusammenhang sind 2-Diazo-Derivate der 1,2-Naphthochinone (DNQ) zu nennen, deren W.-U. zu 1*H*-Inden-3-carbonsäuren (3-ICA) vielfältige Anw. in der *Photoresist-Technologie gefunden hat[4,5]:

Ähnliche Umlagerungen lassen sich auch bei Diazosulfonen beobachten, wo *Sulfene entstehen. – *E* Wolff rearrangement – *F* réarrangement de Wolff – *I* trasposizione di Wolff – *S* transposición de Wolff

Lit.: [1] Chem. Ber. **115**, 2192 (1982). [2] Angew. Chem. **87**, 52–63 (1975). [3] J. Org. Chem. **45**, 5278 f. (1980); **56**, 4289 f. (1991). [4] Reiser, Photoreactive Polymers: The Science and Technology of Resist, S. 409, New York: Wiley 1989. [5] J. Am. Chem. Soc. **114**, 2630 (1992).
allg.: Chem. Rev. **83**, 519 (1983); **94**, 1091, 1135 (1994) ▪ Hassner-Stumer, S. 425 ▪ Houben-Weyl **4/5 b**, 1173; **10/4**, 855; **E 19 b**, 1232 f. ▪ Krauch u. Kunz, Reaktionen der Organischen Chemie, 6. Aufl., S. 271, Heidelberg: Hüthig 1997 ▪ Laue-Plagens, S. 328 ▪ March (4.), S. 1083 ▪ Org. React. **1**, 39 (1942); **18**, 217 (1970) ▪ Pure Appl. Chem. **52**, 1623–1643 (1980) ▪ Rev. Chem. Intermed. **7**, 243 (1986) ▪ Top. Curr. Chem. **62**, 179 f. (1976) ▪ Trost-Fleming **3**, 887 f. ▪ s. a. Diazo-Verbindungen.

Wolff Walsrode. Kurzbez. für das 1815 gegr. Unternehmen Wolff Walsrode AG, 29655 Walsrode, eine 100%ige Tochterges. von *Bayer. *Daten* (1995): ca. 2600 Beschäftigte, 746 Mio. DM Umsatz. *Produktion:* Zellglas-, Kunststoff- u. Verbundfolien für Verpackungen u. techn. Anw., Cellulosenitrate, Celluloseether, Kunstdärme für die Wurst-Ind. (Handelsname: *Walsroder*) usw.

Wolfin®. Gleit- u. Abdichtbahnen u. -folien aus PVC u. a. Kunststoffen für Bauzwecke. *B.:* Degussa-Hüls.

Wolfin IB®. Dach- u. Dichtungsbahnen auf der Basis von Weich-PVC für Abdichtungen im Hoch-, Tief- u. Ingenieurbau. *B.:* Grünau.

Wolfram (chem. Symbol W). Metall. Element, Ordnungszahl 74, Atomgew. 183,84. Natürliche Isotope (Häufigkeit in Klammern): 180 (0,1%), 182 (26,3%), 183 (14,3%), 184 (30,7%), 186 (28,6%); außerdem kennt man noch zahlreiche künstliche Isotope u. Isomere ^{158}W–^{190}W mit HWZ zwischen 0,9 ms (^{158}W) u. 121,2 d (^{181}W). Entsprechend seiner Stellung in der 6. Gruppe des Periodensyst. tritt W. in den Wertigkeiten –2, –1, 0, +2, +3, +4, +5 u. +6 auf (typ. *Übergangsmetall); die 6-wertigen Verb. sind am häufigsten u. beständigsten. In geschmolzenem Zustand ist W ein weißglänzendes Metall, das Pulver ist mattgrau, D. 19,25, Schmp. ca. 3415 °C, Sdp. ca. 5936 °C. Die elektr. Leitfähigkeit beträgt bei 0 °C etwa 28% von der des Silbers. W. besitzt den kleinsten Ausdehnungskoeff. u. den höchsten Schmp. aller Metalle. In reinstem Zustand ist W ein schmiegsames, leicht bearbeitbares Metall; in der Regel enthält es aber geringe Mengen von Kohlenstoff u. Sauerstoff, die ihm große Härte u. Sprödigkeit verleihen. Wegen der wechselnden Kohlenstoff-Beimengungen schwanken die Härteangaben zwischen 4,5 u. 8. Ultrareine W-Einkrist. sind bei –196 °C noch duktil. Gegen Säuren (auch Salpetersäure) ist W infolge *Passivität sehr beständig, dagegen wird es von Soda-Salpeter-Schmelzen u. von Flußsäure-Salpetersäure-Gemischen angegriffen. Von W leiten sich *Wolframsäuren u. von diesen wiederum *Heteropolysäuren u. *Isopolysäuren her. Mit Fluor reagiert W bereits bei Raumtemp., mit Chlor bei 200–300 °C. An trockener Luft u. in trockenem Sauerstoff-Gas wird W bei Raumtemp. nicht verändert, dagegen reagiert es in der Rotglut mit Sauerstoff u. Wasserdampf zu Wolframtrioxid WO_3 bzw. Wolframsäure $WO_3 \cdot H_2O$. Feinstverteiltes W-Pulver ist pyrophor. Im Temp.-Bereich zwischen etwa 1130 °C u. dem Schmp. oxidiert W zu W_3O_9, W_2O_6, WO_3 u. WO_2 in einem vom Sauerstoff-Druck u. der Temp. der Metalloberfläche abhängigen Mengenverhältnis. Durch Überzüge von Cu, Ni od. Cr kann man W gegen Oxid. bei höheren Temp. schützen.

Physiologie: Über die Toxizität des W ist noch wenig bekannt; in den USA gilt für Stäube ein *TLV-Wert von 1 bzw. 5 mg/m^3 bei lösl. bzw. unlösl. W.-Verb.; in der BRD ist noch kein MAK-Wert festgesetzt worden. Biolog. ist W ein Antagonist des *Molybdäns: Die Aufnahme hoher *Wolframat-Mengen ruft bei Ratten einen Aktivitätsabfall der Leber-*Xanthin-Oxidase hervor, u. auch in bakteriellen Molybdän-Proteinen bewirkt ein Austausch gegen W einen Aktivitätsverlust. *Termiten lassen sich mit höheren Konz. von Molybdat- od. Wolframat-Salzen bekämpfen, weil die *Stickstoff-Fixierung der mit den Termiten in Symbiose lebenden Darmbakterien gestört wird[1].

Nachw.: Qual. mit der Phosphorsalzperle, durch Überführung in Wolframate u. Fällung der Wolframsäure mit HNO_3 od. Red. der Wolframate mit HCl u. Zn, Sn od. Al (gibt *Wolframblau*; s. Wolframoxide). Die quant. Bestimmung erfolgt gravimetr. als WO_3, mit 8-Chinolinol, kolorimetr. mit Rhodamin B, Cupron od. bes. Toluol-3,4-dithiol[2,3]. Zur Spurenanalyse von W bzw. von anderen Elementen in W s. *Lit.*[4]; insbes. die Aktivierungsanalyse ist hier nützlich[5].

Vork.: Etwa 1,5 ppm der obersten 16 km der Erdkruste besteht aus W, das damit in der Häufigkeitsliste der Elemente zwischen Arsen u. Molybdän steht. In der Natur findet man W meist in Form von Wolframaten. Die wichtigsten W-Mineralien sind *Wolframit u. *Scheelit, weitere sind Scheelbleierz (*Stolzit) u. *Wolframocker (Tungstit). In Uganda wurde das Mineral Mpororoite, $(Al,Fe)_2(WO_3)_2 \cdot 6 H_2O$, aufgefunden. Die größten W-Vorräte hat China, gefolgt von Kanada, der ehem. UdSSR, USA, Korea, Australien, Bolivien u. Burma. Gut die Hälfte der Weltvorräte liegen in China, ca. 16% in Nordamerika u. ca. 11% in Europa einschließlich der ehem. UdSSR (8%). Die größten europ. Reserven liegen in Portugal u. Österreich, kleinere in Großbritannien, Frankreich, Spanien, Schweden sowie in Tschechien u. Slowenien u. im Erzgebirge. Die kleineren europ. Vork. werden z.Z. nicht abgebaut. Im Jahre 1994 betrug die Weltproduktion an W-Erzkonzentrat, bezogen auf den W-Gehalt, ca. 25 500 t (1989: 43 700 t), die sich wie folgt verteilten: VR China 16 500 t, Rußland 4000 t, Mongolei 250 t, Australien 11 t, Portugal 1000 t, Bolivien 450 t, Brasilien 250 t, Peru 800 t, Thailand 20 t, Nordkorea 900 t (*Lit.*[6]).

Herst.: Die gängigsten der zahlreichen Verf. zur Gewinnung von W. sind folgende: Aus den Roherzen mit meist 0,5–1% W wird mittels Schwerkraftverf., Magnetscheidung u./od. Flotation ein Erzkonzentrat mit 20–60% W hergestellt. Das Konzentrat wird unter Druck mit Natronlauge od. Soda-Lsg. od. durch Rösten mit Soda aufgeschlossen, wobei lösl. Natriumwolframat entsteht. Nach Abtrennung der Löserückstände werden mitgelöste Verunreinigungen ausgefällt u. abfiltriert. Die Wolframat-Ionen werden mit langkettigen aliphat. Aminen extrahiert u. durch Strippen des Extrakts mit wäss. Ammoniak-Lsg. in Ammoniumwolframat-Lsg. überführt. Alternativ zur Extraktion erfolgt die Fällung des W als Calciumwolframat, dessen Zers. mit Salzsäure zu festem Wolframtrioxid-Hydrat führt, welches abfiltriert u. in Ammoniakwasser gelöst wird. Wie das gefällte $CaWO_4$ läßt sich auch natürlicher Scheelit verarbeiten. Zur weiteren Reinigung wird aus der Ammoniumwolframat-Lsg. Ammoniumparawolframat, $(NH_4)_{10}W_{12}O_{41} \cdot 5 H_2O$, gefällt, wobei sich Verunreinigungen in der Mutterlauge anreichern. Daraus hergestelltes WO_3 kann man durch Glühen im Wasserstoff-Strom od. durch Erhitzen mit Kohle zu pulverförmigem W reduzieren; dieses läßt sich durch Sintern u. Hämmern in das massive Metall überführen. Angesichts des hohen Schmp. wird W meist durch *Pulvermetallurgie verarbeitet; zur Reinherst. s.a. *Lit.*[7], u. zur Gewinnung des techn. wichtigen *Ferrowolframs s. *Lit.*[8].

Verw.: Ca. 16% der W-Produktion werden als W-Metall od. -Leg. verwendet. In der Beleuchtungs-Ind. ist W infolge seines hohen Schmp. u. Sdp. unentbehrlich geworden; fast alle elektr. *Glühlampen haben (bis zu 0,01 mm dünne) Glühdrähte aus Wolfram. Eine höhere Lichtausbeute weisen Glühlampen auf, die außer einer Edelgasfüllung noch etwas Iod enthalten: Gasf. Iod verbindet sich mit dem auf der Kolbeninnenwand aufgedampften W-Metall zu Wolframdiiodiddioxid (WO_2I_2), das bei genügend hoher Temp. verdampft u. durch Zers. in mehreren Stufen schließlich W-Metall bildet; dieses schlägt sich an den kühleren Stellen des Glühdrahtes nieder. Dadurch wird der Kolben gereinigt u. die Lichtausbeute erhöht. Versuche, W-Metall an der heißesten u. schwächsten Stelle des Glühdrahtes abzuscheiden, haben noch nicht zu einer erhöhten Lebensdauer geführt. Näheres zur W-Chemie in Glüh- u. *Halogenlampen s. *Lit.*[9]. Außerdem verwendet man W für Antikathoden von Röntgenröhren, in Thermoelementen, für Elektroden beim *WIG-Schweißen (*W*-*I*nert-*G*as), als Heizleiter in Hochtemp.-Öfen, für elektr. Kontakte, Raketendüsen u. Hitzeschilde in der Raumfahrt, in hochwarmfesten *Superlegierungen, *Schnellarbeitsstählen u. *Sintermetallen. W läßt sich mit Eisen, Cobalt, Nickel u. Molybdän weitgehend, mit Blei, Bismut, Zinn u. Antimon wenigstens teilw. legieren; es überträgt seine Härte u. Säurebeständigkeit mehr od. weniger stark auf die Legierungen. Beispielsweise dienen *Ferrowolfram u. Calciumwolframat zum Veredeln von Stahl, wobei sog. *W-Stähle* (*Wolfram-Stähle*) erhalten werden. Große techn. Bedeutung haben auch die äußerst harten u. hitzebeständigen *Hartmetalle, die aus *Wolframcarbid mit einem metall. Bindemittel bestehen. Die hohe D. des W wird genutzt in W-Schwermetall, einer gesinterten Pseudoleg. mit 90–95% W u. Ni-Fe od. Ni-Cu als Bindemittel. Daraus hergestellt werden Schwungmassen, Trimmgew., Strahlenschutzeinrichtungen u. Wuchtgeschosse. In Form von Wolframaten u. *Wolframoxid dient W. zur Herst. von Katalysatoren. Wegen seines niedrigen Ausdehnungskoeff. eignet sich W zur Beschichtung von Glas (dichte Glas-Metall-Verb.) u. von Halbleitern. Auch Kernbrennstoffe werden zu verschiedenen Zwecken (Erhöhung der Abriebfestigkeit, Korrosions- u. Temperaturbeständigkeit) mit W beschichtet.

Geschichte: Die Bergleute des sächs. Erzgebirges beobachteten schon im ausgehenden Mittelalter, daß W-Erze die Red. des Zinnsteins (*Kassiterit) stören u. die Verschlackung begünstigen; sie „reißen das Zinn fort u. fressen es auf wie der Wolf das Schaf" – so heißt es in der bilderreichen Sprache des Mittelalters. Wahrscheinlich hatte der Ausdruck „Wolfram" in diesem Zusammenhang vor einigen Jh. die Bedeutung „Wolfsdreck". Im Jahre 1758 entdeckte u. beschrieb *Cronstedt ein schweres Mineral, dem er den schwed. Namen Tungsten (= Schwerstein) gab. Er fand, daß dieses Mineral ein neues, unentdecktes Element enthalten müsse, doch gelang es erst *Scheele (1781), daraus ein Oxid zu isolieren (Wolframtrioxid). Unabhängig von letzterem hatten zwei span. Chemiker, die Brüder Elhuyar de Suvisa, 1783 ein Mineral (Wolframit) zu W-Metall reduziert. *Berzelius gab dem neuen Metall den Namen Wolframium. In der BRD u. Skandinavien hat sich die Bez. W. allg. durchgesetzt; in anderen Ländern ist dagegen der Cronstedtsche Name Tungsten (noch) üblich, der nach den IUPAC-Regeln der 1990er-Jahre in der engl. Fassung weiterhin bevorzugt bleibt. – *E* wolfram, tungsten – *F* wolfram, tungstène – *I* tungsteno, wolframio – *S* volframio, tungsteno

Lit.: [1] Naturwissenschaften **74**, 494 f. (1987). [2] Fries-Getrost, S. 394 f. [3] Fresenius Z. Anal. Chem. **228**, 337 ff. (1977). [4] Z. Chem. **23**, 365–369 (1983); **25**, 393–397 (1985). [5] Townshend, Encyclopedia of Analytical Science, S. 5281–5288, London: Academic Press 1995. [6] UNCTAD Tungsten Statistics 1990, Geneva: UN Publ. 1990. [7] Brauer (3.) **3**, 1554–1578. [8] Winnacker-Küchler (4.) **4**, 215–218. [9] Chem. Unserer Zeit **20**, 141–145 (1986).

allg.: Gmelin, Syst.-Nr. 54, W, 1933, mit Erg.-Bd. seit 1979 ▪ Kirk-Othmer (4.) **24**, 572–602 ▪ Pure Appl. Chem. **54**, 787–806 (1982) ▪ Ullmann (5.) **A 27**, 229–266 ▪ Winnacker-Küchler (4.) **4**, 4 f., 215–218, 528–534, 601 f. ▪ Yih u. Wang, Tungsten, New York: Plenum 1978. – *Zeitschrift:* Tungsten and Other Advanced Metals for VLSI ULSI Applications, Pittsburgh: Materials Research Society (seit 1990). – *[HS 8101 10, 8101 91; CAS 7440-33-7]*

Wolframate. Bez. für die Salze der *Wolframsäure. Die *Monowolframate*, $M^I_2WO_4$ (M^I = einwertiges Metall), gehen bei abnehmendem pH in *Diwolframate*, $M^I_2W_2O_7$, u. schließlich in *Isopolywolframate*, $M^I_6W_6O_{21}$ (Hexawolframate) u. $M^I_{10}W_{12}O_{41}$ (Dodekaod. *Parawolframate*), über. Letztere zeigen nur geringe Wasserlöslichkeit. Bei schwach saurem pH erhält man die sehr gut wasserlösl. *Metawolframate*, $M^I_6H_2W_{12}O_{40}$. Aus stark saurer Lsg. bilden sich hydratisierte polymere *Wolframoxide (Wolframsäure); Näheres zu den *Isopolysäuren des Wolframs s. *Lit.*[1]. Auch *Heteropolywolframate* sind bekannt, z.B. Salze der *12-Wolframatokieselsäure u. *12-Wolframatophosphorsäure; Näheres zu den Heteropolyanionen des Wolframs s. *Lit.*[2] u. zur Nomenklatur der Polyanionen des Wolframs s. *Lit.*[3].

Verw.: Techn. bedeutsam sind *Natriumwolframat $Na_2WO_4 \cdot 2H_2O$, Ammoniumparawolframat $(NH_4)_{10}W_{12}O_{41} \cdot 11H_2O$ u. Ammoniummetawolframat $(NH_4)_6H_2W_{12}O_{40}$. *Natriumwolframat* wird verwendet u. a. als Vorstoff für Pigmente, *Wolfram-organische Verbindungen, Wolframsäure u. Röntgenleuchtstoffe. *Natriummetawolframat* dient zur Herst. von *Schwerflüssigkeiten. *Ammoniumparawolframat* ist das wichtigste Wolfram-Zwischenprodukt; es dient als Vorstoff für Wolframoxid u. Wolfram-Metallpulver. *Ammoniummetawolframat* wird für die Herst. von Katalysatoren verwendet, die z. B. in der Petrochemie zur Hydrodesulfurierung von Erdöl-Kohlenwasserstoffen od. zur Stickoxid-Entfernung aus Kraftwerksabgasen durch selektive Red. mit Ammoniak eingesetzt werden. – *E* tungstates – *F* wolframates, tungstates – *I* wolframati – *S* volframatos, tungstatos

Lit.: [1] Compr. Coord. Chem. **3**, 1023–1058 (1987). [2] Angew. Chem. **103**, 56–70 (1991). [3] Pure Appl. Chem. **59**, 1529–1548 (1987).

allg.: Brauer (3.) **3**, 1778 f., 1794–1798 ▪ Gmelin, Syst.-Nr. 54, W, 1933, S. 141–152, Erg.-Bd. B 3–B 6, (1979–1984) ▪ Holleman-Wiberg (101.), S. 1461–1469 ▪ J. Solid. State Chem. **66**, 283 (1987) ▪ Kirk-Othmer (4.) **24**, 593–596 ▪ Ullmann (5.) A 6, 223 f. – *[HS 2841 80]*

12-Wolframatokieselsäure (Kieselwolframsäure, Silicowolframsäure, Dodecawolframokieselsäure). $H_4[Si(W_{12}O_{40})] \cdot 26H_2O$, M_R 3346,57. Kleine, weiße od. schwach gelbliche Krist., leicht lösl. in Alkohol u. Wasser mit saurer Reaktion, die als Reagenz auf Alkaloide, als Textilbeizmittel u. in der Elektronenmikroskopie Verw. finden. Einige Salze der W. haben virostat. Eigenschaften. – *E* 12-tungstosilicic acid – *F* acide 12-wolframatosilicique (12-tungstosilicique) – *I* acido 12-wolframatosilicico, 12-tungstosilicico – *S* ácido 12-volframatosilícico (12-tungstosilícico)

Lit.: [1] Z. Chem. **27**, 157–170 (1987).

allg.: s. Wolfram(ate). – *[HS 2811 19; CAS 12027-43-9]*

12-Wolframatophosphorsäure (Phosphorwolframsäure, Dodecawolframophosphorsäure). $H_3[P(W_{12}O_{40})] \cdot xH_2O$, M_R (wasserfrei) 2880,05. Weiße od. leicht gelblichgrüne Krist. od. Kristallpulver, lösl. in 0,5 Tl. Wasser, Ethanol, Ether. Die zu den *Heteropolysäuren gehörende, nach IUPAC-Regel I-9.7.4 als Trihydrogenphosphododecawolframat zu bezeichnende W. kann aus *Natriumwolframat u. Phosphorsäure hergestellt werden. Sie dient unter der Bez. *Scheiblers Reagenz* zum Nachw. von Alkaloiden (geben einen amorphen, flockigen Niederschlag) u. als *Folins Reagenz* zum Harnsäure-Nachw. im Harn. Weitere Verw. für W. u. ihre Salze: Reagenz für Phenole, Eiweißstoffe, Peptone, Aminosäuren u. dgl., antistat. Ausrüstung in der Textil-Ind., Druckfarben (*Beisp.:* Fanal®-Pigmente), Papierfarbstoffe, Pigmentierung von Wachsen, Beizen von Fellen. – *E* wolframatophosphoric acid, tungstophosphoric acid – *F* acide 12-wolframatophosphorique – *I* acido 12-wolframatofosforico, acido 12-tungstofosforico – *S* ácido 12-volframatofosfórico (12-tungstofosforico)

Lit.: s. Wolframate. – *[HS 2811 19; CAS 12067-99-1]*

Wolframblau(oxid) s. Wolframoxide.

Wolframbronzen. Gut kristallisierende, in Säuren mit Ausnahme von Flußsäure unlösl. Substanzen, die bei der Behandlung von geschmolzenen Alkali-, Erdal-

kali- od. Polywolframaten mit Reduktionsmitteln wie Wasserstoff, Natrium u. Zink entstehen u. ein bronzeartiges Aussehen haben. Die W. sind nichtstöchiometr. Substanzen, im Falle der Na-Verb. mit der Formel Na_xWO_3 mit $0 < x < 1$ ($NaWO_3$ ist bisher nicht synthetisiert worden). Die Farbe variiert mit der Zusammensetzung von goldgelb (x = 0,9) bis blauviolett (x = 0,3). Strukturell sind die W. als Na-Unterschuß-$NaWO_3$-Phasen mit Perowskit-Struktur (kub.) anzusehen. Mit abnehmendem Na-Gehalt geht die Struktur von kub. in rhomb. u. schließlich bei x = 0,3 in eine trikline, wie WO_3, über. Das Gitter der W. enthält Wolfram-Atome in den Wertigkeitsstufen 5 u. 6, die kristallograph. ident. Plätze besetzen. Die x-Überschußelektronen pro WO_3-Einheit sind wie bei den Metallen in Energiebänder aufgeteilt, was die halbmetall. Eigenschaft u. die intensiven Farben bewirkt. – *E* tungsten bronzes – *F* bronzes au tungstène – *I* bronzi al wolframio – *S* bronces al tungsteno
Lit.: Ullmann (4.) **24**, 483.

Wolframcarbide. a) *Diwolframcarbid*, W_2C, M_R 379,69. Graue, metall. glänzende, sehr harte Krist., D. 17,15, Schmp. 2860 °C. W_2C wird bei 1500 °C aus W u. C erhalten od. kann aus gasf. Vorstoffen in *dünnen Schichten chem. abgeschieden werden. Solche Schichten finden Verw. in der Oberflächentechnik.
b) *Wolframmonocarbid*, WC, M_R 195,85. Graue, metall. glänzende Krist. von hoher Härte, D. 15,7, Schmp. ca. 2800 °C (Zers.). WC wird meist aus W u. C bei 1400 bis 2200 °C unter Schutzgas od. im Vak. hergestellt. Von allen *Carbiden unter den *Hartstoffen ist WC für die Herst. von *Hartmetallen das wichtigste (z. B. Widia®, von „Wie Diamant"). Die Eigenschaften der Hartmetalle werden wesentlich bestimmt durch die des verwendeten WC, so daß je nach Verwendungszweck des Hartmetalls unterschiedliche WC-Typen eingesetzt werden: Pulver mit Durchschnittskorngrößen von 0,5–50 µm mit genau definierter (meist sehr enger) Korngrößenverteilung. Weitere Verw. findet WC in WC-Co-Leg.-Körnungen mit 6–20 Gew.-% Co zur Erzeugung verschleißfester Schichten, die durch therm. Spritzen od. durch Schweißen mit Fülldrähten aufgebracht werden, als Anodenmaterial für Brennstoffzellen u. als Ersatz für Platin-Katalysatoren bei der elektrochem. Oxid. von CO, Aldehyden u. Ameisensäure.
c) *Wolframschmelzcarbid*. Auf dem Schmelzweg hergestelltes, „eutekt." Gemisch aus WC u. W_2C, im Handel oft fälschlich als W_2C bezeichnet. Für die Verw. wesentlich ist ein sehr feinkörniges Kristallgefüge („Federstruktur"), das durch schnelles Abschrecken der Carbidschmelze erreicht wird. Es dient als Basismaterial in Diamant-Bohrkronen, als harte Komponente in zäh-harten u. verschleißfesten Oberflächenschichten, die durch therm. Spritzen od. durch Schweißen mit Fülldrähten aufgebracht werden. Der Vorteil des Schmelzcarbides in diesen Anw. liegt in der größeren Zähigkeit im Vgl. zu WC. – *E* tungsten carbides – *F* carbures de tungstène – *I* carburi di tungsteno – *S* carburos de tungsteno (volframio)
Lit.: DECHEMA Monogr. **102**, 413–417 (1986) ▪ Gmelin, Syst.-Nr. 54, W, 1933, S. 187–199 ▪ Kirk-Othmer (4.) **4**, 863f., 873f.; **24**, 597 ▪ Schedler, Hartmetall für den Praktiker, Düsseldorf: VDI-Verl. 1988 ▪ Ullmann (5.) **A 5**, 65–68, 75f. ▪ Winn-

acker-Küchler (4.) **4**, 532, 576 ▪ s. a. Wolfram. – *[HS 284990; CAS 12070-13-2 (a); 12070-12-1 (b)]*

Wolframchloride. a) *Wolframdichlorid*, WCl_2, M_R 254,45. Graue, an der Luft unbeständige Massen, D. 5,436, die mit Wasser Wasserstoff entwickeln. WCl_2 entsteht bei mäßiger Red. von Wolframhexachlorid mit Wasserstoff u. bildet ein Kristallgitter aus $[W_6Cl_8]^{4+}$-Kationen (W_6-Oktaeder mit einem Cl über jeder Dreiecksfläche, 4 Cl⁻-Gegenionen im Gitter).
b) *Wolframtetrachlorid*, WCl_4, M_R 325,621. Graubraune, lockere, hygroskop. Krist., D. 4,62, die durch Wasser hydrolysiert werden. WCl_4 entsteht bei der Dest. von Wolframhexachlorid im Wasserstoff-Strom u. besteht aus Ketten von WCl_6-Oktaedern.
c) *Wolframpentachlorid*, WCl_5, M_R 361,104. Glänzende, schwarzgrüne Nadeln, D. 3,87, Schmp. 248 °C, Sdp. 276 °C, lösl. in Alkohol, Ether, Schwefelkohlenstoff; mit Wasser erfolgt Hydrolyse. WCl_5 entsteht bei mäßigem Erwärmen des Wolframchlorids u. krist. als Dimer mit Chlorobrücken (kantenverknüpfte WCl_6-Oktaeder).
d) *Wolframhexachlorid*, WCl_6, M_R 396,56. Dunkelviolette bis blauschwarze Krist. aus WCl_6-Oktaedern, D. 3,52, Schmp. 275 °C, Sdp. 347 °C, unlösl. in Wasser (mit heißem Wasser Zers.), lösl. in Alkohol, Ether u. anderen organ. Lsm., neigt zur Bildung von Oxidchloriden (wie z. B. rotem $WOCl_4$ od. gelbem WO_2Cl_2). WCl_6 zersetzt sich unter Lichteinwirkung zu niederen W. u. Chlor. Seine Herst. erfolgt durch Einwirkung von Chlor auf frisch mit Wasserstoff reduziertes Wolfram bei dunkler Rotglut; beim Abkühlen geschmolzener WCl_6-Krist. erfolgt bei 168–170 °C schlagartig eine Vol.-Vergrößerung. WCl_6 dient zur Katalyse ringöffnender Polymerisationen. – *E* tungsten chlorides – *F* chlorures de tungstène – *I* clorui di tungsteno – *S* cloruros de tungsteno
Lit.: Brauer (3.) **3**, 1555–1559 ▪ Gmelin, Syst.-Nr. 54, W, 1933, S. 158–178 ▪ Holleman-Wiberg (101.), S. 1461 f. ▪ Kirk-Othmer (4.) **24**, 590 ▪ s. a. Wolfram. – *[HS 282739; CAS 13470-12-7 (a); 13470-14-9 (b); 13470-13-8 (c); 13283-01-7 (d); G 8 (d)]*

Wolframhexacarbonyl. $W(CO)_6$, M_R 351,90. Farblose, rhomb. Krist., D. 2,65, Schmp. ca. 150 °C (Zers.), wasserunlösl., lösl. in organ. Lsm. (z. B. Benzol), ziemlich beständig gegen Säuren u. Alkalien, bei vermindertem Druck unzersetzt sublimierbar. W. entsteht, wenn Kohlenoxid oberhalb 225 °C bei ca. 20 MPa auf Wolfram einwirkt od. aus WCl_6 durch Red. mit Al unter CO-Atmosphäre bei 70 °C. Aus $W(CO)_6$ lassen sich *Wolfram-organische Verbindungen herstellen. – *E* tungsten hexacarbonyl – *F* tungstène hexacarbonyle, hexacarbonyltungstène – *S* tungsteno hexacarbonilo
Lit.: Brauer (3.) **3**, 1822f. ▪ Gmelin, Syst.-Nr. 54, W, 1933, S. 199f. ▪ Kirk-Othmer (4.) **24**, 589 ▪ Ullmann (5.) **A 27**, 256. – *[HS 293100; CAS 14040-11-0]*

Wolframhexafluorid. WF_6, M_R 297,83. Plast. Krist., blaßgelbe Flüssigkeit od. farbloses Gas, D. 3,44 (flüssig), Schmp. 2,5 °C, Sdp. 17,5 °C. WF_6 ist äußerst giftig, wirkt ätzend auf Augen u. Haut u. wird sehr rasch hydrolysiert; MAK 2,5 mg/m³. W. gibt mit SO_3, NH_3 od. Pyridin Additionsverbindungen. Man kann durch Zers. von WF_6

dünne, korrosionsverhütende W-Schichten auf kompliziert gebauten Metallgegenständen niederschlagen. Glühlampen mit einem Zusatz von WF_6 könnten bei Fadentemp. über 3000°C unter 50%iger Steigerung der Lichtausbeute u. Verdreifachung der Helligkeit betrieben werden, s. Halogenlampen (*Lit.*[1]). – *E* tungsten hexafluoride – *F* hexafluorure de tungstène – *I* esafluoruro di tungsteno – *S* hexafluoruro de tungsteno
Lit.: [1] Chem. Unserer Zeit **20**, 141–145 (1986).
allg.: Brauer (3.) **1**, 267 f. ■ Gmelin, Syst.-Nr. 54, W, 1933, S. 155 ff. ■ Hommel, Nr. 957 ■ Kirk-Othmer (4.) **11**, 457–461; **24**, 589 f. ■ Merkblatt M 005: Fluorwasserstoff, Flußsäure u. anorganische Fluoride (ZH 1/161), Heidelberg: BG Chem. Ind. 1988 ■ Merkblatt 051: Gefährliche Chem. Stoffe (ZH 1/81), Heidelberg: BG Chem. Ind. 1994 ■ Ullmann (5.) **A 27**, 259. – *[HS 2826 19; CAS 7783-82-6; G 2]*

Wolframit. $(Fe,Mn)WO_4$; monoklines Mineral, Kristallklasse $2/m$ - C_{2h}, *Mischkristalle aus den Endgliedern *Hübnerit* ($MnWO_4$; braunrot bis gelblichbraun durchscheinend; H. 4–4,5; Kristallstruktur s. *Lit.*[1]; Struktur bei hohen Drücken s. *Lit.*[2]) u. *Ferberit* ($FeWO_4$; fast völlig undurchsichtig tiefschwarz; Struktur s. *Lit.*[3]). Fettartig bis metall. glänzende, dunkelbraune bis schwarze, plattig-keilförmige, kurzprismat.-tafelige od. nadelige Krist. sowie derbe, strahlige bis büschelförmige Aggregate; H. 5–5,5, D. 7,12–7,60, spröde, vollkommen spaltbar; Strich schwärzlichbraun, bei Hübnerit rötlichbraun. Im W.-Gitter können eine Reihe von Elementen wie Mo, Nb, Ta, Ti, Sc, Y, In u. Ca in geringen Mengen isomorph eingebaut werden. Untersuchung von W. mit *Mößbauer-Spektroskopie s. *Lit.*[4]. W. ist neben *Scheelit das wichtigste Wolframerz; Eisen-reichere W. sind magnet. u. lassen sich daher von anderem Gestein durch Magnetscheidung abtrennen. Aussagen über die Herkunft der wäss. fluiden Phasen, aus denen W. abgesetzt wird, ermöglicht die Sauerstoff-Isotopen-Fraktionierung zwischen W., *Quarz u. Wasser[5] od. zwischen W. u. *Kassiterit[6].
Vork.: In Granit-*Pegmatiten u. pneumatolyt. *Lagerstätten, oft zusammen mit Kassiterit, z.B. im sächs.-böhm. Erzgebirge, in Cornwall/England u. in Panasqueira/Portugal. In hydrothermalen u. subvulkan. *Gängen, z.B. in der VR China, in Bolivien u. in Peru (Pasto Bueno, wo dort auch Hübnerit; Cerro del Pasco). Verw. zur Herst. von Ferrowolfram u. Wolfram. – *E* = *F* = *I* wolframite – *S* wolframita
Lit.: [1] Z. Kristallogr. **125**, 120–129 (1967). [2] Z. Kristallogr. **207**, 193–208 (1993). [3] Z. Kristallogr. **127**, 61–72 (1968). [4] Phys. Chem. Miner. **8**, 83–86 (1982). [5] Eur. J. Mineral. **4**, 1331–1335 (1992). [6] Econ. Geol. **89**, 150–157 (1994).
allg.: Lapis **17**, Nr. 12, 7–11 (1992) („Steckbrief") ■ Pohl, Lagerstättenlehre (4.), S. 143–149, Stuttgart: Schweizerbart 1992 ■ Ramdohr, Die Erzmineralien u. ihre Verwachsungen, S. 1150–1157, Berlin: Akademie Verl. 1975 (erzmikroskop. Beschreibung) ■ Ramdohr-Strunz., S. 539 f.; s. a. Erz, Lagerstätten. – *[HS 2611 00; CAS 1332-08-7]*

Wolfram-Legierungen s. Wolfram.

Wolframmetalle. Chem. dem Wolfram verwandte metall. Elemente (Zirconium, Niob, Molybdän, Hafnium, Tantal,); s.a. Periodensystem (Tab. 3). – *E* tungsten group metals – *F* métaux du groupe du tungstène – *I* metalli affini al tungsteno – *S* metales del grupo del tungsteno

Wolframocker (Tungstit). $WO_3 \cdot H_2O$; gewöhnlich erdiges bis pulveriges, auch derbes, hellgelbes, goldgelbes od. gelblichgrünes Mineral, krist. (auch synthet. W.) rhomb., Kristallklasse mmm-D_{2h}, Struktur s. *Lit.*[1]. H. 2,5, D. 5,5–5,8. Wachsglanz, auf Spaltflächen Perlmuttglanz.
Vork.: Als Oxidationsprodukt von *Wolframit u. a. Wolfram-Mineralien in Connecticut/USA, mehrorts in Kanada u. Oruro/Bolivien; ferner in Uganda, Kongo (Zaire) u. Panasqueira/Portugal. – *E* tungstic ochre – *F* ocre de wolfram, tungstite – *I* ocra di tungsteno – *S* ocre de tungsteno, tungstita
Lit.: [1] Can. Mineral. **22**, 681–688 (1984).
allg.: Anthony et al., Handbook of Mineralogy, Vol. III, S. 579, Tucson (Arizona): Mineral Data Publishing 1997 ■ Ramdohr-Strunz, S. 548 ■ Schröcke-Weiner, S. 479. – *[HS 2611 00; CAS 13783-36-3]*

Wolframophosphorsäure s. 12-Wolframatophosphorsäure.

Wolfram-organische Verbindungen. Bei der Mehrzahl der bisher bekannten W.-o. V. handelt es sich um Komplexe von der Art der *Carbonylkomplexe, die aus *Wolframhexacarbonyl entstehen, u. zwar meist durch Belichtung in Ggw. anderer als Liganden geeigneter organ. Verb. wie Phosphanen, Aminen, Boranen, Aromaten. In diesen W.-o. V. der allg. Formel $W(CO)_{6-x}L_x$ mit L = Ligand ist W nullwertig.
Zur Bestimmung der *formalen* Oxidationszahl u. der Ableitung der 18-(Valenz)Elektronen-Regel für Übergangsmetall-Komplexe s. die Ausführungen bei Metall-organischen Verbindungen. Eine ausschließlich σ-Bindungen enthaltende W.-o. V. ist das rote, explosive *Hexamethylwolfram* [$W(CH_3)_6$, $C_6H_{18}W$, M_R 274,06, Schmp. ca. 30°C]. Auch heterocycl. Verb. mit W konnten synthetisiert werden, z.B. 1,3-Diwolframacyclobutadien. Verschiedene W.-o. V. enthalten W≡W-Dreifachbindungen. Intermediär aus $WOCl_3$ u. Methyllithium erzeugte μ-Methylenwolfram-Komplexe sind regioselektive *Methylenierungs-Reagenzien für Ketone; vgl. a. Alkylidenierung. Ähnlich wie andere *Übergangsmetall-Komplexe finden komplexe W.-o. V. Verw. als Katalysatoren der homogenen Katalyse. – *E* organotungsten compounds – *F* composés organotungstiques – *I* composti organici di tungsteno – *S* compuestos organotúngsticos
Lit.: Brauer (3.) **3**, 1914 ff. ■ Houben-Weyl **13/7**, 485–520 ■ Wilkinson-Stone-Abel **3**, 1225–1384; II **5**, 155 ff. ■ s. a. Metall-organische Chemie u. einzelne Textstichwörter. – *[CAS 36133-73-0 (Hexamethylwolfram)]*

Wolframoxide. a) *Triwolframoxid*, W_3O, M_R 567,55, auch β-Wolfram genannt, entsteht als Zwischenstufe bei der Red. von W. mit Wasserstoff als graues Pulver, D. 14,4.
b) *Wolframdioxid* [Wolfram(IV)-oxid], WO_2, M_R 215,839. Braunes Pulver, D. 11,05, unlösl. in Wasser, Säuren u. Alkalien. WO_2 entsteht beim Glühen stöchiometr. Mengen von Wolframtrioxid- u. Wolfram-Pulver bei 1000°C unter Inertgas od. durch Red. von WO_3 mit H_2 bei 575–600°C.
c) *Wolframtrioxid* [Wolfram(VI)-oxid], WO_3, M_R 231,84. Zitronengelbes Pulver, das durch oberflächliche Bildung von Suboxiden (durch Einfluß von Licht od. Atmosphäre) leicht grünstichig wird, D. 7,29,

Schmp. 1473 °C. WO_3 ist das Anhydrid der *Wolframsäure; es ist in Wasser u. Säuren unlösl., in Alkalien unter Bildung von *Wolframaten dagegen löslich. WO_3 kommt in der Natur als *Wolframocker vor u. entsteht beim Erhitzen von W an der Luft.

d) *Wolframblauoxid* ist ein Gemisch der Suboxide $W_{18}O_{49}$ u. $W_{20}O_{58}$. Es wird in techn. Maßstab hergestellt durch Glühen von Ammoniumparawolframat unter Luftabschluß od. in Wasserstoff-haltiger Atmosphäre. Die Farbe variiert von dunkelviolett ($W_{18}O_{49}$) bis dunkelblau ($W_{20}O_{58}$).

Verw.: Wolframblauoxid u. in geringerem Umfang Wolframtrioxid sind die gebräuchlichsten Vorstoffe für die Herst. von Wolfram-Pulver durch Red. mit Wasserstoff. W. sind Bestandteil von Katalysatoren für die Petrochemie u. für die selektive katalyt. Red. (SCR) von Stickoxiden mit NH_3 in Verbrennungsabgasen von Kraftwerken (DeNOx-Katalysatoren). In geringerem Umfang werden W. eingesetzt in Gläsern, Glasuren u. Keramiken. Die leichte Umwandelbarkeit des gelben WO_3 in dunkles Wolframblauoxid läßt sich u. a. für Displays nutzen. – *E* tungsten oxides – *F* oxydes de tungstène – *I* ossidi di tungsteno – *S* óxidos de tungsteno

Lit.: Brauer (3.) **3**, 1564 ff. ▪ Gmelin, Syst.-Nr. 54, W, 1933, S. 111–127 u. Tl. B 2 Oxide, 1979 ▪ Kirk-Othmer (4.) **24**, 591 ff. ▪ Ullmann (5.) **A 27**, 256 f. – *[HS 2825 90; CAS 39368-90-6 (W_3O); 12036-22-5 (WO_2); 12037-57-9 ($W_{18}O_{49}$); 12037-58-0 ($W_{20}O_{58}$); 1314-35-8 (WO_3)]*

Wolframsäure. H_2WO_4 od. $WO_3 \cdot H_2O$, M_R 249,853. Gelbes Pulver, D. 5,5, in Wasser u. Säuren unlösl., entsteht, wenn *Wolframat-Lsg. in der Hitze starken Säuren zugesetzt werden. W. löst sich bereitwilliger in Alkalien u. läßt sich wesentlich feinkörniger herstellen als WO_3. Dementsprechend wird sie oft anstelle von WO_3 verwendet. Von der W. leiten sich zahlreiche *Isopolysäuren u. *Heteropolysäuren her, vgl. Wolframate. – *E* tungstic acid – *F* acide tungstique – *I* acido tungstico – *S* ácido túngstico

Lit.: Brauer (3.) **3**, 1566 f. ▪ Gmelin, Syst.-Nr. 54, W, 1933, S. 127–140 u. Tl. B 2 Oxide, 1979 ▪ Kirk-Othmer (4.) **24**, 593–596 ▪ Ullmann (5.) **A 27**, 257 f. – *[HS 2825 90; CAS 7783-03-1]*

Wolframschmelzcarbid s. Wolframcarbide.

Wolframsilicid. WSi_2, M_R 240,01. Blaugrüne Krist., D. 9,4, Schmp. 2165 °C. In Reinheiten 4 N bis >5 N werden WSi_2 u. W_5Si_3 (ersteres mit freiem Si als $WSi_{2,4}$–$WSi_{2,7}$) in der Elektronik als Kontaktmaterial in integrierten Schaltkreisen verwendet. Überwiegend werden die Silicid-Schichten mit *PVD-Verfahren abgeschieden (teilw. aber auch mit *CVD-Prozessen als Wolfram-Metall) u. durch Nachglühung mit dem Silicium des Substrates *in situ* gebildet. – *E* tungsten silicide – *F* siliciure de tungstène – *I* siliciuro di tungsteno – *S* siliciuro de tungsteno

Lit.: Gmelin, Syst.-Nr. 54, W, 1933, S. 204 f. ▪ Kirk-Othmer (4.) **24**, 597 f. ▪ Ullmann (5.) **A 27**, 256. – *[CAS 12039-88-2 (WSi_2); 12039-95-i (W_5Si_3)]*

Wolfram-Stahl s. Wolfram.

Wolframsulfide. a) *Wolframdisulfid* [Wolfram(IV)-sulfid], WS_2, M_R 247,97. Metall. glänzende, bleigraue hexagonale Krist., Strich dunkelgrau, D. 7,5, H. 1–1,5, in Ggw. von Luft bis ca. 440 °C stabil (MoS_2 ist nur bis 350 °C stabil), unter Schutzgas od. im Vak. bis ca. 1050 °C. Durch Wasserstoff wird WS_2 ab 800 °C reduziert; von Halogenen, oxidierenden Säuren u. Alkalischmelzen wird es angegriffen. Die Herst. erfolgt durch Umsetzung von Wolfram-Pulver mit elementarem Schwefel bei 900 °C. WS_2 dient als Hochleistungs-Festschmierstoff, der auch bei sehr hohen Preßdrücken die Schmiereigenschaften beibehält. Die Hauptanw. liegen in der Luft- u. Raumfahrt, als Zusatz zu höchstbeanspruchten Bremsbelägen, zur Schmierung in Hochvak.-Syst., als Trenn- u. Schmiermittel bei Metallumformungen, z. B. Drahtziehen.

b) *Wolframtrisulfid* [Wolfram(VI)-sulfid], WS_3, M_R 280,038. Rötlich-braunes Pulver, Schmp. 170 °C (Zers.), hat keine prakt. Bedeutung. – *E* tungsten sulfides – *F* sulfures de tungstène – *I* solfuri di tungsteno – *S* sulfuros de tungsteno

Lit.: Gmelin, Syst.-Nr. 54, W, 1933 ▪ Kirk-Othmer (4.) **24**, 596. – *[HS 2830 90; CAS 12138-09-9 (WS_2); 12125-19-8 (WS_3)]*

Wolfrum, Jürgen Manfred (geb. 1939), Prof. für Physikal. Chemie, Univ. Heidelberg, MPI für Strömungsforschung, Göttingen. *Arbeitsgebiete:* Laserinduzierte chem. Elementarprozesse (Nernst-Haber-Bodenstein-Preis 1978), Laserdiagnostik von Verbrennungsprozessen (Philip-Moris-Preis 1987), Laseranw. in der Biotechnologie.

Lit.: Kürschner (16.), S. 4154.

Wolfsbergit (Chalkostibit, Kupferantimonglanz). $CuSbS_2$ bzw. $Cu_2S \cdot Sb_2S_3$; metallglänzende, graue bis schwarze, zuweilen bunt angelaufene, tafelige bis prismat. rhomb. Krist. od. derbe bis feinkörnige Massen; Kristallklasse mmm-D_{2h}, H. 3–4, D. 4,8–5,0; Bruch muschelig bis uneben, Strich schwarz.

Vork.: Auf hydrothermalen *Gängen von Wolfsberg/Harz (Name!), in Marokko, Bolivien, Kanada u. Spanien. – *E* = *I* chalcostibite – *F* chalcostibine – *S* calcoestibina

Lit.: Anthony et al., Handbook of Mineralogy, Vol. I, S. 90, Tucson (Arizona): Mineral Data Publishing 1990 ▪ Gmelin, Syst.-Nr. 60, Cu, Tl. A, 1955, S. 170 ▪ Ramdohr, Die Erzmineralien u. ihre Verwachsungen, S. 769 ff., Berlin: Akademie 1975 ▪ Ramdohr-Strunz, S. 473. – *[CAS 15123-86-1]*

Wolfsmilchgewächse. Dtsch. Name für die v. a. in den Tropen beheimatete, artenreiche Familie der Euphorbiaceae (mehr als 5000 Arten in über 300 Gattungen), die Sträucher, Bäume u., in Trockengebieten, Stamm-*Sukkulenten umfaßt. Viele W. sezernieren bei Verletzung einen *Milchsaft* (*Exsudat), der Isoprenoide in Form von *Kautschuk (bes. *Hevea brasiliensis*) u. cycl. Terpene enthält. Die Wüstenpflanze *Euphorbia lathyris*, die man zeitweilig als *nachwachsenden Rohstoff für Kraftstoffe diskutierte, könnte für die Fettchemie interessant werden, da ihr reichlich vorhandenes Öl zu fast 90% aus Ölsäureestern besteht. Seit alters her wird sie als „Maulwurfskraut" in Gärten gehalten, um Maulwürfe u. Wühlmäuse zu vertreiben. Wichtige Inhaltsstoffe anderer W. sind *Crotonöl, *Kamala-Öl, *Ricinusöl, *Tungöl u. Kaskarillaöl; eine wichtige Nahrungspflanze ist *Maniok. Viele W. enthalten in ihren Samen giftige Proteine (z. B. *Ricin) u. im Milchsaft hautreizende *Pflanzengifte, die

u. a. als Fraßschutz fungieren. Der Gehalt an – als *Co-carcinogene bekannten – 4β-Phorbolestern verbindet die W. mit den Seidelbastgewächsen (Thymelaeaceae, s. Mezerein). – *E* spurge – *F* épurge, euphorbe – *I* euforbiacee – *S* euforbia, lechetrezna
Lit.: Franke, Nutzpflanzenkunde, 6. Aufl., S. 170, 472, Stuttgart: Thieme 1997.

Wollaston, William Hyde (1766–1828), Arzt u. Chemiker, London. *Arbeitsgebiete:* Emissions- u. Absorptionsspektren, Erfindung eines Refraktometers u. eines Reflexionsgoniometers zur Bestimmung der Neigungswinkel von Kristallflächen, techn. Platin-Bearbeitung, Gesetz der multiplen Proportionen, erste Tetraeder-Theorie, Entdeckung von Palladium, Rhodium u. Cystin.
Lit.: Chem. Br. **2**, 525–527 (1966) ▪ J. Chem. Educ. **43**, 673–676 (1966) ▪ Lexikon der Naturwissenschaftler, S. 429 ▪ Neufeldt, S. 59 ▪ Pötsch, S. 461 f.

Wollastonit. $Ca_3[Si_3O_9]$, auch: $Ca[SiO_3]$; nach *Wollaston benanntes, zu den *Pyroxenoiden gehörendes, gewöhnlich weißes, aber auch gelblich, rötlich od. blaßgrün gefärbtes Mineral, das als Grundbausteine der Struktur Einfach-Ketten aus $[SiO_4]$-Tetraedern mit einer Identitätsperiode von 3 Tetraedern enthält (s. Abb. b bei Pyroxenoide). W. bildet derbe, strahlige, stengelige, blättrige od. feinfaserige Massen, selten auch tafelige bis nadelige Krist. mit Glas- od. Seidenglanz. H. 4,5–5, D. 2,8–3,1, vollkommene Spaltbarkeit. Thermodynam. Eigenschaften s. *Lit.*[1]. W. wird von Säuren unter Gelatinieren zersetzt; Ca wird rasch aus der Mineral-Oberfläche entfernt u. gegen H^+ ausgetauscht[2].
W. kommt in mehreren Modif. u. Polytypen (s. Polymorphie, Polytypie) vor, s. *Lit.*[3]: Trikliner *W.-Tc* (Kristallklasse $\bar{1}$-C_i); monokliner *W.-2M* (*Para-W.*; Kristallklasse $2/m$-C_{2h}, Struktur s. *Lit.*[4]); oberhalb von ca. 1150 °C als trikliner *Pseudo-W.* (auch: *Cyclo-W.*) mit Dreierringen aus $[SiO_4]$-Tetraedern. Weitere Polytypen sind: W.-4Tc u. W.-4M; in Japan wurden noch W.-3Tc, W.-5Tc u. W.-7Tc gefunden[5]. Schmp. 1540 °C. Bei Drücken >2,5 GPa wandelt sich W. in eine als *W.-II* bezeichnete Hochdruck-Form um. Chem. Analysen s. Deer et al. (*Lit.*); Ca kann zu beträchtlichen Teilen durch Fe u. Mn^{2+} (s. *Lit.*[6]), in geringerem Ausmaß auch durch Mg ersetzt werden.
Vork.: Als typ. Mineral der *Kontaktmetamorphose in *Kalken (z. B. W.-*Marmore), oft durch die Reaktion $CaCO_3 + SiO_2 \rightleftharpoons CaSiO_3 + CO_2$ gebildet; *Beisp.:* Auerbach/Bergstraße; in solchen Vork. wird W. u. a. in Finnland, im Staate New York/USA, in Indien, der VR China als Hauptförderländer abgebaut. In *Karbonatiten, z. B. Oka/Kanada. W.-2M in Auswürflingen des Monte Somma/Vesuv u. in Crestmore u. der Sierra Nevada/Kalifornien.
Verw.: Als keram. Werkstoff, Füllstoff in Kunststoffen (*Lit.*[7]), Anstrichmitteln, Klebstoffen, Isolierstoffen, Bauelementen u. als *Asbest-Ersatz. W. wird auch synthet. aus *Kalk u. Quarzsand hergestellt. – *E = F = I* wollastonite – *S* wollastonita
Lit.: [1] Eur. J. Mineral. **3**, 475–484 (1991). [2] Geochim. Cosmochim. Acta **58**, 2587–2598 (1994). [3] Contrib. Mineral. Petrol. **22**, 238–247 (1969). [4] Z. Kristallogr. **169**, 93–98 (1984); **174**, 309 ff. (1986). [5] Am. Mineral. **68**, 156–163 (1983). [6] Am. Mineral. **75**, 262–266 (1990). [7] Kunststoffe **77**, 602–606 (1987).
allg.: Anthony et al., Handbook of Mineralogy, Vol. II, Tl. 2, S. 879, Tucson (Arizona): Mineral Data Publishing 1995 ▪ Deer et al., S. 203–207 ▪ Deer, Howie u. Zussman, Rock-Forming Minerals (2.), Vol. 2 A, Single-Chain Silicates, S. 547–563, London: Longman 1978 ▪ Harben u. Bates, Industrial Minerals, Geology and World Occurrence, S. 299 ff., London: Industrial Minerals Division Metal Bulletin Plc 1990 ▪ IARC Monogr. **42**, 145–158 (1987); Suppl. **7**, 377 f. (1987) ▪ Ramdohr-Strunz, S. 731 f. ▪ Winnacker-Küchler (4.) **3**, 44. – *[HS 28390; CAS 13983-17-0]*

Wollblumen (Königskerzen). In Europa u. dem Mittelmeerraum heim. krautige, filzig behaarte, bis 2 m hoch werdende Pflanze (*Verbascum densiflorum* Bertol. = *V. thapsiforme* Schrad. u. *V. phlomoides* L., Scrophulariaceae) mit großen, grauweißen Rosetten- u. wechselständigen Stengel-Blättern. Die bis zu 5 cm großen gelben Blüten sind auf einer aufrechten Ährentraube angeordnet. Sie enthalten etwa 3% Schleimstoffe u. werden daher als mildes Expektorans bei Husten eingesetzt. – *E* mullein flowers, verbascum flowers – *F* fleurs de bouillon blanc, fleurs de molène – *I* vulnerarie, verbaschi – *S* flores de verbasco, flores de gordolobo
Lit.: Bundesanzeiger 22a/01. 02. 1990 ▪ Bundesvereinigung Dtsch. Apothekerverbände (Hrsg.), Dtsch. Arzneimittelcodex 1986, Stuttgart u. Eschborn: Dtsch. Apotheker-Verl. u. Govi-Verl. 1986 ▪ Hager (5.) **3**, 758–770 ▪ Wichtl (3.), S. 608 ff.

Wolle. Im allg. versteht man unter W. die *Schafwolle* (Kurzz.: WO), d. h. die 5–30 cm langen *Haare des Hausschafes mit seinen verschiedenen Rassen (*Beisp.:* *Merino). Nach DIN 60001:1990-10 zählt man jedoch noch eine Reihe weiterer *Wollen* zu diesen mengenmäßig wichtigsten tier. *Textilfasern, nämlich die feinen Unterhaare der südamerikan. Lamas (Alpaka-, Vikunja-, Lama-, Guanako-W.), der Kamele, Kaninchen (Angora-W.), Ziegen (Mohair-, Kaschmir-W.) u. Rinder (Yak-W.), während die groben Oberhaare (Stichel-, Grannen- od. Deckhaare) dieser Tiere als *Haare* bezeichnet werden. Aus Gründen der Ähnlichkeit spricht man auch von Zellwolle, Stahl-, Hütten-, Schlacken-, Gesteins-, Basalt-, Glas-, früher auch Asbestwolle, obwohl diese eine ganz andere Zusammensetzung aufweisen.
Als *Eiweißfaser* besteht die W. (Schafwolle) hauptsächlich aus zu den *Skleroproteinen zählenden *Keratinen, D. 1,32. Die Wasseraufnahme beträgt bei 21 °C 15–17%, der Quellwert 40–45%. Bei Bewegung in kochendem Wasser verfilzen die W.-Fasern, d. h. sie lassen sich *walken u. zu *Filz verarbeiten. In trockener Atmosphäre ist W. bis ca. 150 °C beständig, Zers. tritt bei 250 °C, Selbstentzündung bei 590–600 °C ein. Die Stabilität der W. in heißem Wasser hängt stark vom pH-Wert ab; am stabilsten ist sie am isoion. Punkt (pH 4,9). W. ist ziemlich säurebeständig, wird aber beim Kochen mit verd. Laugen zu Aminosäuren, Fettsäuren, Ammoniak u. Schwefelwasserstoff hydrolysiert. Die Elementaranalyse der W. ergibt ca. 50% C, 22–25% O, 16–17% N, 7% H u. 3–4% S; letzterer findet sich hauptsächlich im Cystin. Am Aufbau der langen Polypeptid-Ketten sind 24 Aminosäuren beteiligt (darunter das seltene *Lanthionin), die als *Polyamide durch *Peptid-Bindungen,

*Disulfid-Brücken u. (wenige) *Isopeptid-Bindungen miteinander verbunden sind. W. enthält 10 verschiedene Keratine, die man in saure (Typ I) u. neutrale bis bas. (Typ II) unterteilt. Je ein Typ I- u. Typ II-Keratin bilden ein Dimeres, 4 Dimere ein Protofilament, 8 Protofilamente bauen ein *intermediäres Filament (IF) auf. In den Makrofibrillen sind die IF in einer Schwefel-reichen Matrix, dem Interfilamentmaterial eingebettet. Makrofibrillen, Zellkernreste u. Zellmembran – sie liefert den *Lipid-Anteil der W. (ca. 1%) – bilden die Cortexzelle. Um den Cortex od. Faserstamm lagern sich überlappend die plattenförmigen Zellen der Cuticula od. Schuppendecke. Wie die Abb. zeigen, kann W. als Kombination von Verbundstrukturen od. *Verbundwerkstoff angesehen werden. Der Aufbau der W. (Schafwolle) entspricht dem unter *Haar beschriebenen, der für Humanhaar u. tier. Haare im Prinzip gleich ist. Den aktuellen Stand der Forschung von Chemie u. Aufbau der W. beschreibt Lit.[2].

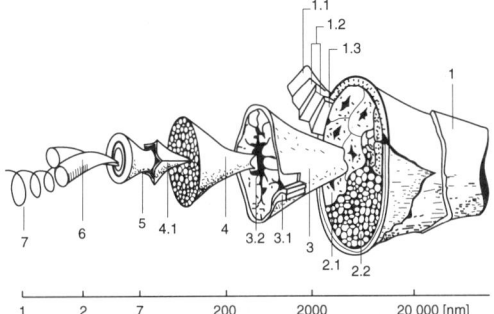

Abb. 1: Hierarchie einer feinen Merinowollfaser (nach Lit.[1]); Begriffe s. Abb. 2.

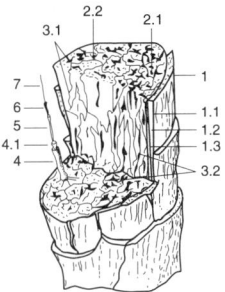

Abb. 2: Längs- u. Querschnitt einer feinen Merinowollfaser (nach Lit.[1]); Begriffe:
1 Cuticula
1.1 Epicuticula
1.2 Exocuticula
1.3 Endocuticula
2 Cortex
2.1 Zelle im Paracortex
2.2 Zelle im Orthocortex
3 Cortexzelle
3.1 Zellmembrankomplex
3.2 Zellkernrest
4 Makrofibrille
4.1 Interfilamentmaterial
5 intermediäres Filament
6 Keratin-Dimer (linksgängiger Doppelstrang)
7 rechtsgängige α-*Helix.

Nachw.: Beim Verbrennen von W. entstehen schwarze, knollige Rückstände; die Verbrennungsgase riechen wie verbranntes Haar od. Horn u. bläuen infolge ihres Ammoniak-Gehalts rotes, feuchtes Lackmuspapier. Chem. gelingt der Nachw. durch die *Plumbat-Reaktion.
Die bei der mechan. Schafschur anfallende *Rohwolle* enthält nur 20–50% reine Faser. Sie muß von anhaftendem *Wollwachs* (*Lanolin, 6–17%) u. dem *Wollschweiß* (10–30%, einem durch Eintrocknen tier. Hautausscheidungen entstandenen Gemenge aus Kaliumsalzen von Fettsäuren, Hydroxy-, Amino- u. a. organ. Säuren) sowie von Sand, Schmutz u. a. Verunreinigungen durch Waschen befreit werden. Neuerdings werden auch Versuche zur sog. *chem. Schafschur* mit Hilfe von biotechnol. hergestelltem *epidermalem Wachstumsfaktor unternommen, der, in den Schafkörper injiziert, die Haare über der Haut abbrechen läßt, so daß sie manuell abzustreifen sind. Mit gleicher Zielsetzung hatte man schon früher Untersuchungen mit dem allerdings nicht nebenwirkungsfreien *Cyclophosphamid vorgenommen. Techn. unterscheidet man nach der Art der Gewinnung: Die qual. höchstwertige *Schurwolle* als vom lebenden Schaf durch Scheren gewonnene W., *Sterblingswolle* (von verendeten Schafen), *Haut-* od. *Fellwolle* (von geschlachteten Tieren, wobei je nach Fellbehandlung zwischen Schwitz-, Schwöde- u. Enzym-W. unterschieden wird) u. *Gerberwolle* (bei der *Gerberei anfallende W.), s. a. DIN 60004: 1974-11. Dagegen ist *Reißwolle aus Altmaterial zurückgewonnene Wolle. Die gereinigte W. wird je nach Länge u. Kräuselung der Fasern auf *Kammgarn (wenig gewellt, 170–550 mm lang) od. auf *Streichgarn* (stark gekräuselt, 36–250 mm lang) verarbeitet. Außerdem erfolgt noch eine Einteilung nach dem Durchmesser (Feinheit) der W.-Faser, wobei 10 Feinheitsgrade zwischen AAAA-W. (< 17 μm) u. F-W. (> 60 μm) unterschieden werden. Produkte aus „reiner W." müssen zu ≥95%, solche aus „W." zu ≥62% aus reiner Schafwolle bestehen. In „Wollgemischen" muß der Anteil der letzteren 51–70% betragen. Zur Weiterverarbeitung kann die W. noch bestimmten, im allg. als Einzelstichwörter behandelten Verf. der *Textilveredlung unterworfen werden wie z. B. Walken, Carbonisieren, Chlorung, Bleichen (s. a. Harris-Verfahren) – die Verw. von *optischen Aufhellern ist problemat., da sich damit keine gute Lichtechtheit erreichen läßt. Ein wichtiges Verf. ist die *Krumpffrei- bzw. *Filzfrei-Ausrüstung z. B. nach dem Bancora- od. IFP-Verfahren. Zum Färben von W. sind Beizenfarbstoffe geeignet, aber es können auch Säurefarbstoffe, Metallkomplexfarbstoffe, Reaktivfarbstoffe u. – bes. für *Teppich-Wollgarne – Küpenfarbstoffe verwendet werden, s. a. die einzelnen Färbemittel. Den Textildruck auf W. nimmt man als *Vigoureux-Druck vor. Eine flammhemmende Ausrüstung ist mit Kaliumhexafluortitanat od. -zirkonat zu erreichen. Häufig wird W. mit Mitteln zur *Mottenbekämpfung behandelt.
Verw.: Außer für *Textilien wird W. auch für bestimmte Sorten von *Watte (z. B. zum Auswattieren), zur *Wärmeisolierung von Häusern sowie zur Herst. von *Filz z. B. für die Hut-Ind. benutzt. Die Weltproduktion an gereinigter W. betrug 1996/97 insgesamt

Tab.: Wollproduktion in 1000 t (*Lit.*[3]).

	1996/97	2001/02
Australien	453	512
Neuseeland	203	193
China	151	157
GUS u. Baltikum	85	81
UK	45	46
Argentinien	41	43
Süd-Afrika	39	40
Spanien	16	16
USA	16	16
sonstige	352	356
Welt, insgesamt	1461	1519

1,461 Mio. t, für 2001/02 werden 1,519 Mio. t erwartet, s. die Tabelle.
Zum Anteil der Wollfasern an der Gesamtproduktion der Textilfasern s. dort Tab. 3. – *E* wool – *F* laine – *I* = *S* lana
Lit.: [1]Chemiefasern Text. **41/93**, 521–553 (1991). [2]Chem. Unserer Zeit **31**, 280–290 (1997). [3]Melliand Textilber. **4**, 215 (1998).
allg.: Dineen, Wool, Hillside: Enslow Publ. 1988 ▪ Encycl. Polym. Sci. Eng. **12**, 673–677 ▪ Kirk-Othmer (4.) **25**, 664–712 ▪ Ullmann (4.) **24**, 489–506; (5.) **A 28**, 395–421. – *Inst. u. Organisationen:* Deutsches Wollforschungsinstitut, 52062 Aachen ▪ Deutsche Wollvereinigung, 65728 Eschborn ▪ Interlaine, Rue de Luxembourg 19, Bte 14, B-1040 Bruxelles ▪ Internationales Woll-Sekretariat (IWS), Geschäftsstelle für Deutschland, Österreich u. Schweiz, 40211 Düsseldorf ▪ International Wool Textile Organization (IWTO), 63, Albert Drive, GB-London SW19 6LB ▪ Vereinigung des Wollhandels, 65728 Eschborn ▪ s.a. Textilfasern. – *[HS 5101..]*

Wollfett s. Lanolin.

Wollgrün S [Brillantsäuregrün BS, Lissamingrün B od. BN, Bis[4-(dimethylamino)phenyl](2-hydroxy-3,6-disulfo-1-naphthyl)methylium-Zwitterion-Natriumsalz, C.I. 44090, C.I. Acid Green 50, C.I. Food Green 4, E 142].

$C_{27}H_{25}N_2NaO_7S_2$, M_R 576,61. Der *Triarylmethan-Farbstoff W. wird zum Färben von Wolle u. zur Herst. kosmet. Mittel verwendet. W. ist als Lebensmittelfarbstoff für Süßspeisen u. Zuckerwaren zugelassen. – *E* wool green – *F* vert de laine – *I* verde S per lana – *S* verde para lana
Lit.: Bundesverordnung zur Änderung der Zusatzstoff-Zulassungsverordnung u. anderer Lebensmittelrechtlicher Verordnungen vom 13.6.1990 (BGBl. I, S. 1053–1067) ▪ Ullmann (4.) **23**, 393 ff. – *[CAS 3087-16-9]*

Wolliger Fingerhut s. Digitalis-Glykoside.

Wollmispel s. Japanische Mispeln.

Wollschweiß s. Wolle.

Wollwachs s. Lanolin, vgl. auch Wolle.

Wollwachsalkohole s. Lanolin u. Wachsalkohole.

Wolman GmbH. Kurzbez. für die 1903 gegr. u. seit 1980 zur *BASF-Gruppe gehörende Firma Dr. Wolman GmbH, 76547 Sinzheim. *Produktion:* Entwicklung, Produktion u. Vertrieb von Holz- u. Feuerschutzmitteln.

Wonderstone s. Pyrophyllit.

Wood-Bonhoeffer-Methode. Nach R. W. Wood u. *Bonhoeffer benannte Herst.-Weise von atomarem *Wasserstoff durch *Glimmentladung bei Drücken von ca. 10–100 Pa. – *E* Wood-Bonhoeffer method – *F* méthode de Wood et Bonhoeffer – *I* metodo di Wood-Bonhoeffer – *S* método Wood-Bonhoeffer

Wood-Legierung s. Woodsches Metall.

Woodlicht-Lampen. Nach dem amerikan. Physiker Robert Williams Wood (1868–1955) benannte Quecksilber-Dampflampen als Quelle für *Ultraviolettstrahlung. – *E* Woodlight lamps – *F* lampes (lumières) de Wood – *I* lampade di Wood – *S* lámparas de Wood

Woodruffit s. Braunsteine.

Woodsches Metall (Wood-Metall, Wood-Leg.). Niedrigschmelzende Lsg. ($T_S = 60$ °C) aus 50% Wismut, 25% Blei, 12,5% Cadmium u. 12,5% Zinn, s.a. Schmelzlegierungen. – *E* Wood's alloy (metal) – *F* alliage Wood – *I* metallo di Wood – *S* aleación Wood
Lit.: s. Schmelzlegierungen.

Woods-Saxon-Potential s. Kernmodelle.

Woodward, Robert Burns (1917–1979), Prof. für Organ. Chemie, Harvard Univ., Cambridge, Mass. (USA); ab 1963 Leiter des von CIBA finanzierten Woodward Research Institute in Basel. *Arbeitsgebiete:* Präparative u. theoret. Chemie, UV-Spektroskopie von Ketonen, Strukturermittlung, Partial- u. Totalsynth. von organ. Naturstoffen: Makrolide, Peptide, Steroide, Cinchona- u. Indol-Alkaloide, im einzelnen Chinin, Penicillin, Strychnin, Patulin, Cholesterin, Cortison, Cevin, Ferrocen, Carbomycin, Colchicin, Lanosterin, Reserpin, Chlorophyll, Tetracyclin, Tetrodotoxin, Cephalosporin, Prostaglandin, Vitamin B_{12}. Für seine die präparative u. theoret. organ. Chemie gleichermaßen befruchtenden Forschungen erhielt W. 1965 den Nobelpreis für Chemie; s.a. folgendes Stichwort.
Lit.: Chem. Unserer Zeit **13**, A 46 (1979); **18**, 109–119 (1984) ▪ Chem.-Ztg. **103**, 303 (1979) ▪ Nachr. Chem. Tech. **20**, 147–150 (1972) ▪ Lexikon der Naturwissenschaftler, S. 429 ▪ Neufeldt, S. 120, 204, 218, 222, 232 ▪ Pötsch, S. 462.

Woodward-Hoffmann-Regeln. Kurzbez. für die 1965 von *Woodward u. R. *Hoffmann erstmals formulierten *Regeln von der Erhaltung der Orbitalsymmetrie*[1,2], die ursprünglich nur ein „Nebenprodukt" der Woodwardschen Arbeiten zur Totalsynth. des *Vitamin B_{12} darstellten[3], dann aber v.a. für den organ. Chemiker zu einer wichtigen Grundlage qual. reaktionstheoret. Betrachtungen wurden. Als Vorläufer der W.-H.-R. können die bereits 1928 von E. *Wigner u. E. E. Witmer angestellten *Symmetrie-Betrachtungen bei Reaktionsabläufen (*Wigner-Witmer-Regeln*) u. theoret. Arbeiten von Evans aus den 30er Jahren betrachtet werden. Die W.-H.-R. liefern eine Handhabe zum Verständnis chem. Reaktionen, die synchron od. konzertiert über einen cycl. *Übergangszustand ablaufen (*pericyclische Reaktionen). Solche Reaktionen laufen nur dann leicht ab, wenn die *Orbitalsymmetrie* während des Reaktionsverlaufs erhalten bleibt. Man redet dann von einer *symmetrieerlaubten* Reaktion. Wenn Edukte u. Produkte verschiedene Orbitalsymmetrie-Eigenschaften aufweisen, dann ist die Reaktion *symmetrieverboten*. Hierbei ist zu unterscheiden, ob die betrachtete Reaktion *therm.* abläuft, d. h. von den elektron. *Grundzuständen* der Edukte ausgeht, od. ob sie auf *photochem.* Weg unter Beteiligung elektron. *angeregter Zustände* der Edukte stattfindet. Als Beisp. für die Anw. der W.-H.-R. sei die Ringschlußreaktion Butadien → Cyclobuten, eine sog. *elektrocyclische Reaktion ausführlicher behandelt. Wenn von Deuterium-substituiertem Butadien ausgegangen wird, lassen sich 2 verschiedene Produkte unterscheiden (s. Abb. 1).

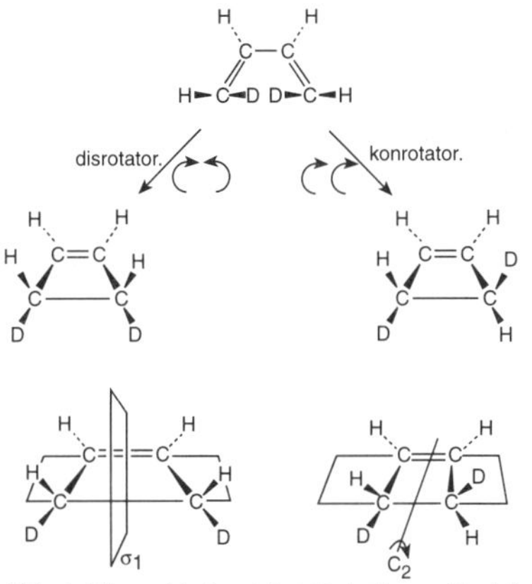

Tab.: Symmetrie-Eigenschaften der Mol.-Orbitale (MO) von Butadien u. Cyclobuten.

MO	σ_1	C_2	MO	σ_1	C_2
Butadien			Cyclobuten		
π_1	S	A	σ	S	S
π_2	A	S	π	S	A
π_3	S	A	π^*	A	S
π_4	A	S	σ^*	A	A

S: symmetr., A: antisymmetr.

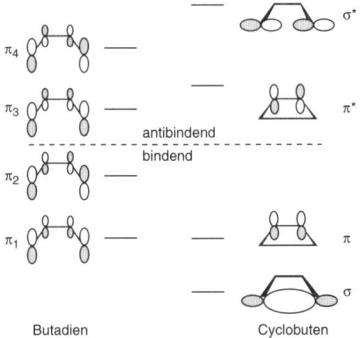

Abb. 1: Ringschlußreaktion Butadien → Cyclobuten.

Der Ringschluß kann entweder *konrotatorisch od. disrotator.* ablaufen. Im ersten Fall bleibt die C_2-Achse (Drehung um 180°) als Symmetrieelement erhalten, im zweiten die σ_1-Spiegelebene. Die Form der bei diesem Prozeß relevanten Mol.-Orbitale von Butadien u. Cyclobuten ist in Abb. 2 dargestellt; ihre Symmetrie-Eigenschaften sind in der Tab. angegeben.

Abb. 2: Mol.-Orbitale von Butadien u. Cyclobuten.

Die beiden energet. tiefsten Mol.-Orbitale von Butadien (π_1 u. π_2) verhalten sich hinsichtlich der Drehung um 180° um die C_2-Achse antisymmetr. (A) bzw. symmetr. (S). Beim Produkt Cyclobuten verhält sich das energet. tiefste σ-Orbital symmetr., das darüberliegende π-Orbital antisymmetrisch. Da Mol.-Orbitale gleicher Symmetrie miteinander korrelieren, geht bei der konrotator. Bewegung das π_1-Orbital des Butadiens in das π-Orbital des Cyclobutens u. das π_2-Orbital des Butadiens in das σ-Orbital des Cyclobutens über. Dieser Übergang verknüpft nur Orbitale, die im elektron. Grundzustand besetzt sind u. ist daher therm. erlaubt. Beim disrotator. Ringschluß (Symmetrieelement: σ_1-Ebene) korreliert π_1 mit σ, π_2 korreliert aber mit dem antibindenden π^*-Orbital. Dieser Reaktionsweg führt zu einem energet. unvorteilhaften elektron. angeregten Zustand des Cyclobutens; die Reaktion ist therm. verboten. Sie ist aber photochem. erlaubt, da π_3 mit π korreliert.

Die Ringschlußreaktion des Hexatriens zum Cyclohexadien ist ausführlich bei elektrocyclische Reaktionen (S. 1111 f.) behandelt. Hier liegen umgekehrte Verhältnisse vor: Der disrotator. Ringschluß, der über einen Übergangszustand mit aromat. Charakter (s. Aromatizität) abläuft, ist therm. erlaubt; der konrotator. ist therm. verboten u. photochem. erlaubt. Allg. lautet eine der W.-H.-R.: Die therm. elektrocycl. Reaktion eines Syst. mit n π-Elektronen verläuft konrotator. für n = 4 k (k = 0, 1,...) u. disrotator. für n = 4 k + 2 (s. a. Hückel-Regel); für die photochem. initiierten Reaktionen gelten die umgekehrten Verhältnisse. Die Verallgemeinerung auf andere pericycl. Reaktionen ist leicht möglich, z. B. sind *Diels-Alder-Reaktionen ([4 + 2]-*Cycloadditionen) therm. begünstigt, Cycloadditionen des Typs $n_1+n_2 = 4n$ (z. B. Ethylen-Dimerisierung zum Cyclobutan) therm. verboten u. photochem. erlaubt. Weitere Anw. betreffen *cheletrope Reaktionen od. sigmatrope Reaktionen. Bei dem bei *sigmatrop abgebildeten Beisp. sollte die antarafaciale Wanderung des H-Atoms therm. „erlaubt" sein (da b = 3 u. i = 0), die suprafaciale dagegen nicht. Ein bes. interessantes Beisp. dafür, daß einander sehr ähnliche Verb. bei photochem. u./od. therm. Reaktionen zu ganz verschiedenen Produkten reagieren, ist das des Ergosterins u. seiner Stereoisomeren. Die auf breiter empir. Grundlage basierenden W.-H.-R. erlauben nicht nur Voraussagen, ob eine Reaktion vom Grund- od. vom angeregten Zustand ausgeht u. ob sie therm. od. photochem., ggf. auch Metall-organ. katalysiert ausgelöst werden kann, sondern auch, welche *Stereochemie die zu erwartenden Produkte zeigen sollten. Dieser Aspekt wird teilw. bei den genannten Einzelstichwörtern behandelt. Freilich gab u. gibt es alternative, nicht selten zu anderen Resultaten führende Formulierungen für *Reaktionsmechanismen der hier erwähnten Verb.-Klassen; *Beisp.:* Das HOMO/LUMO- od. Frontorbital-Konzept (s. HOMO-LUMO-Modell) von Fukui (Nobel-

preis 1981), das Evans-Prinzip[4,5], der Hückel-Möbius-Ansatz od. OCAMS[6]. – *E* Woodward-Hoffmann rules – *F* règles de Woodward-Hoffmann – *I* regole di Woodward-Hoffmann – *S* reglas de Woodward-Hoffmann
Lit.: [1] Angew. Chem. **81**, 797–869 (1969). [2] Woodward u. Hoffmann, Die Erhaltung der Orbitalsymmetrie, Weinheim: Verl. Chemie 1970. [3] Nachr. Chem. Tech. **20**, 147–150 (1972). [4] Angew. Chem. **83**, 859–875 (1971). [5] J. Am. Chem. Soc. **106**, 209–219 (1984). [6] Angew. Chem. **88**, 664–679 (1976).
allg.: Anh, The Woodward-Hoffmann Rules, New York: McGraw-Hill 1980 ▪ Pearson, Symmetry Rules for Chemical Reactions, New York: Wiley 1976 ▪ Wieland u. Kaufmann, Die Woodward-Hoffmann-Regeln. Einführung u. Handhabung, Basel: Birkhäuser 1972.

Woorari. Indian. Bez. für *Curare.

Worcester-Sauce (Worcestershire-Sauce). Aus England stammende pikante, flüssige Würzsauce, die unter Verw. von Sojasauce aus *Tamarinden-Mus, *Weinessig-Extrakten, *Zucker, *Wein sowie *Gewürzen (z. B. *Pfeffer, *Nelken) u. *Kochsalz hergestellt wird. W.-S. wird zur Abrundung von Suppen u. Saucen, zu Eintopfgerichten u. Pasteten verwendet; s. a. Würze u. Suppenwürze. – *E* worcester sauce – *F* sauce Worcester – *I* salsa di Worcester – *S* salsa de Worcester
Lit.: Herrmann, Exotische Lebensmittel (2.), S. 59, 112, Berlin: Springer 1987. – *[HS 2103 90]*

WORCRA-Verfahren. Von *Wor*ner (dem Erfinder) u. *C*onzinc *R*iotinto of *A*ustralia abgeleitete Bez. für ein Verf. zur kontinuierlichen Gewinnung von Kupfer in Rinnenöfen durch Aufblasen von Sauerstoff.
Lit.: Ullmann (5.) **A 7**, 500.

World Climate Programme s. WCP.

World Health Organization s. WHO.

World Intellectual Property Organization s. WIPO.

World Trade Organization s. WTO.

Wortmannin.

R = O—CO—CH$_3$: Wortmannin
R = H : 11-Desacetoxywortmannin

Viridin

$C_{23}H_{24}O_8$, M_R 428,44, Nadeln, Schmp. 240 °C, $[\alpha]_D$ +89° (CHCl$_3$). Steroid-Abkömmling aus Kulturen der Pilze *Penicillium wortmannii* u. *Myrothecium roridum*[1]. W. besitzt antifung. u. antiinflammator. Wirkungen u. ist cytotoxisch. Sein *11-Desacetoxy*-Derivat {$C_{21}H_{22}O_6$, M_R 370,40, Krist., Schmp. 178–180 °C, $[\alpha]_D$ +104° (CHCl$_3$)}[2] wird zur Rheumabehandlung eingesetzt. Nahe verwandt ist das stark antifung. wirkende *Viridin* {$C_{20}H_{16}O_6$, M_R 352,34, Prismen, Schmp. 208–217 °C (245 °C Zers.), $[\alpha]_D$ –224° (CHCl$_3$)}[3] aus Kulturen von *Trichoderma viride* u. *Gliogladium virens*. Die Biosynth. dieser Pilzmetabolite verläuft wie bei Steroiden über Squalen u. Lanosterin[1,4]. – *E* wortmannin – *F* wortmannine – *I* = *S* wortmannina
Lit.: [1] Merck-Index (12.), Nr. 10188. [2] Helv. Chim. Acta **56**, 2901 (1973). [3] J. Chem. Soc. (C) **1966**, 743; J. Chem. Soc., Perkin Trans. 2 **1972**, 760; Phytochemistry **27**, 387 (1988). [4] J. Chem. Soc., Perkin Trans. 1 **1980**, 422; Can. J. Microbiol. **33**, 963 (1987).
allg.: J. Med. Chem. **39**, 5021 (1996) ▪ J. Org. Chem. **48**, 741 (1983) ▪ Nat. Prod. Rep. **12**, 381 (1995) (Review) ▪ Tetrahedron Lett. **37**, 6141 (1996) (Synth.). – *[CAS 19545-26-7 (W.); 31652-69-4 (11-Desacetoxy-W.); 3306-52-3 (Viridin)]*

Wortmin s. Mitorubrin.

Woulfe-Flaschen. Nach DIN 12480: 1978-02 u. 12481: 1978-02 genormte starkwandige, zylindr. Glasflaschen mit früher 2, heute vorwiegend 3 Hälsen (s. Abb. 2 bei Destillation, S. 915), die als Gasentwicklungsflaschen, Absorptionsgefäße od. Vorschaltflaschen beim Arbeiten im Vak. verwendet werden können. Die ersten zum Waschen von Gasen dienenden Flaschen beschrieb Peter Woulfe (1727–1803) im Jahre 1784. – *E* Woulfe bottles – *F* flacons de Woulfe – *I* bottiglie di Woulfe – *S* botellas de Woulfe

WP. Nach DIN 60001-4: 1991-08 Kurzz. für Wolle des *Alpaka.

WRMG. Gesetz über die Umweltverträglichkeit von Wasch- u. Reinigungsmitteln, s. Waschmittelgesetz.

W · s. Symbol für Wattsekunde, s. Watt.

WS. 1. Nach DIN 60001-4: 1991-08 Kurzz. für *Kaschmir-Wolle. – 2. Abk. für Wassersäule, s. Meter Wassersäule u. Luftdruck.

WS 75 624-A u. -B. Endothelin-Converting-Enzyme(ECE, s. Endotheline)-Inhibitoren aus Kulturbrühen von *Saccharothrix* sp. Nr. 75624. ECE-Inhibitoren sind ein neues Therapieprinzip zur Behandlung von Herzinsuffizienz, Nierenversagen u. a. Herz-, Kreislauferkrankungen. W. gehören zu den ersten nichtpeptid. kleinen Mol. mit dieser Wirkung. Man unterscheidet *WS 75 624-A* ($C_{18}H_{24}N_2O_5S$, M_R 380,46, Pulver, Schmp. 53–54 °C) u. *WS 75 624-B* {$C_{18}H_{24}N_2O_5S$, M_R 380,46, Pulver, Schmp. 139–140 °C, $[\alpha]_D$ +3° (CH$_3$OH)}.

R = —(CH$_2$)$_4$—C(OH)(CH$_3$)—CH$_3$: WS 75624-A

R = —(CH$_2$)$_5$—CH(OH)—CH$_3$: WS 75624-B

Lit.: J. Antibiot. **48**, 1066, 1073 (1995) ▪ Tetrahedron Lett. **38**, 1297 (1997). – *[CAS 170663-44-2 (A); 157242-75-6 (B)]*

WSE. Abk. für *Waldschadenserhebung.

WTO. Abk. für die am 1. 1. 1995 gegr. World Trade Organization mit Sitz in Centre William Rapard, Rue de Lausanne 154, CH-1211 Genf. Die Welthandelsorganisation, der heute über 150 Mitgliedsstaaten an, steht in direkter Nachfolge des *GATT, wenngleich die WTO kein Nachfolger im völkerrechtlichen Sinne ist. Ziel der WTO ist, die globale wirtschaftliche Kooperation im Bereich des internat. Handels zwischen den Staaten zu stärken, um die Wohlfahrt der Nationen durch freien u. fairen Handel zu erhöhen. *Publikationen:* Focus. – INTERNET-Adresse: http://www.wto.org

Lit.: Knoke, Kühne neue Welt – Leben in der Placeless Society des 21. Jahrhunderts, Wien: Signum Verl. 1996 ▪ The World Trade Organization, Genf: WTO 1997 ▪ The WTO Annual Report, Genf: WTO 1997.

WU. Nach DIN 60001-4: 1991-08 Kurzz. für Guanako-*Wolle.

Wuchsstoffe. Sammelbez. für Stoffe, die das Wachstum fördern; bei Pflanzen die *Pflanzenwuchsstoffe u. -regulatoren, bei Mikroorganismen manche *Vitamine, bei Tieren *Hormone – beim Menschen z. B. *Somatotropin, bei Insekten *Insektenhormone – u. einzelne Vitamine sowie eine ganze Anzahl von z. T. erst in jüngerer Zeit entdeckten *Wachstumsfaktoren. – *E* growth substances – *F* facteurs (substances) de croissance – *I* fattori (sostanze) di crescita – *S* factores (substancias) de crecimiento

Wuchsstoffherbizide s. Herbizide.

Wühlmausbekämpfung s. Rodentizide.

WUELFEL. Kurzbez. für die 1871 gegr. Chem. Fabrik Wülfel GmbH & Co., 30519 Hannover. *Produktion:* meta-Phosphorsäure, Phosphide u. Pflanzenschutzmittel aus Calciumphosphid (POLYTANOL) u. Zinkphosphid (Pollux-Giftkörner) sowie als Dienstleistung Sachkundenlehrgänge für die Anw. von Begasungsmitteln wie Phosphorwasserstoff, Cyanwasserstoff u. Brommethan im Vorratsschutz, zur Sterilisation (Ethylenoxid, Formaldehyd), Asbestsanierung usw.

Wünsch, Erich (geb. 1923), Prof. für Biochemie, TU München, Direktor am MPI für Biochemie, Martinsried. *Arbeitsgebiete:* Organ. Chemie, Naturstoffchemie, Biochemie, Synth. des Polypeptids Glucagon, dem Antagonisten des Insulins.
Lit.: Kürschner (16.), S. 4165 ▪ Neufeldt, S. 280 ▪ Wer ist wer, S. 1587.

Würfelzeolithe s. Zeolithe.

Würfelzucker s. Saccharose, S. 3894.

Würmer. Dem Latein. (Vermes) entlehnte dtsch. Bez. für zu den *Invertebraten gehörende Organismen, die zwar untereinander phänomenolog. Ähnlichkeit aufweisen (Helminthes), aber systemat. ganz verschiedenen Stämmen angehören können. Da unter den W. nicht wenige pflanzen-, tier- u. auch humanpathogene *Parasiten sind, die für den befallenen Organismus im allg. nachteilige *Wirt-Gast-Beziehungen herstellen, sei an dieser Stelle ein Ausschnitt aus der Systematik der W. vorgestellt. Die wichtigsten Stämme sind: 1. *Platt-W.* (Plathelminthes) mit den *Band-W.* (Cestodes), *Saug-W.* (*Trematoden), *Strudel-W.* (Turbellaria). – 2. *Rund-* od. *Schlauch-W.* (Nemathelminthes) mit den *Faden-W.* (*Nematodes), zu denen die Spul-W. (Askariden), Gruben- od. Haken-W., Maden-W. (*Oxyuren), Filarien (s. Filariasis) u. Trichinen sowie Rüben- u. Kartoffelälchen u. a. Pflanzenschädlinge gehören, dazu u. a. die *Saiten-W.* (Nematomorpha). – 3. *Ringel-* od. *Glieder-W.* (Annelida) mit *Wenigborstern* (Oligochaeta) wie den Regen-W., *Vielborstern* od. *Borsten-W.* (Polychaeta) u. *Egeln* (Hirudinea) wie den Blutegeln (vgl. Hirudin). Die Pärchenegel (Erreger der *Schistosomiasis) zählen dagegen *nicht* zu den Egeln, sondern zu den Saugwürmern. Daneben gibt es noch Schnur-, Stern- od. Igel-, Spritz-, Zungen-, Kelchwürmer u. a. Manche der tierpathogenen W. sind Verursacher schwerer *Zoonosen u. Zwischenwirte bei *Tropenkrankheiten. Zur Bekämpfung solcher W. dienen verschiedene *Wurmmittel,* die in der Medizin *Vermifuga* bzw. *Vermizide* (von latein.: fugare = in die Flucht schlagen, vertreiben bzw. *...zid) od. *Helminthagoga* (von griech.: agogos = treibend, leitend), meist jedoch *Anthelmintika* genannt werden. Im *Pflanzenschutz bekämpft man W. mit *Nematiziden. – *E* worms, helminths – *F* vers, helminthes – *I* vermi – *S* gusanos, helmintos

Lit.: Dönges, Parasitologie, 2. Aufl., Stuttgart: Thieme 1988 ▪ Kaestner, Lehrbuch der Speziellen Zoologie, Bd. I, 1. Teil, Stuttgart: Fischer 1969 ▪ Matthes, Tierische Parasiten, Braunschweig: Vieweg 1988 ▪ Mehlhorn u. Piekarski, Grundriß der Parasitenkunde, 5. Aufl., Stuttgart: Fischer 1998 ▪ Osche, Die Welt der Parasiten, Berlin: Springer 1966 ▪ Wehner u. Gehring, Zoologie, 23. Aufl., Stuttgart: Thieme 1995.

Württembergische Metallwarenfabrik AG s. WMF.

Würtz, C. A. s. Wurtz.

Würze. 1. Bez. für die im Verlauf der Bierherst. anfallende Flüssigkeit, die durch Eindampfen („konzentrieren der W.") auf einen bestimmten Gehalt (*Stammwürze*) eingestellt u. unter Zugabe von Hefe zu *Bier vergoren wird. Die W. (eingemaischtes Malz) wird unter Zusatz von *Hopfen in Sudpfannen gekocht u. anschließend von den unlösl. Malzbestandteilen befreit (*läutern*). Zu Prinzipien des W.-Kochens u. -Läuterns s. *Lit.*[1]. Der in einigen Bieren nachweisbare Gehalt an *biogenen Aminen ist weitgehend auf mikrobiell kontaminierte W. zurückzuführen, deren Gesamtkonz. an biogenen Aminen 20mal höher bestimmt wurde als in vergleichbaren sterilen Proben. Für die Bildung biogener Amine sind v. a. *Serratia marcescens, Enterobacter agglomerans* sowie *E. cloacae* verantwortlich zu machen[2].

2. Bez. für alle der Geschmacksverbesserung von Speisen dienenden flüssigen od. pastösen Zubereitungen wie *Suppenwürze u. *Gewürze, *Fleischextrakte in *Fleischbrühwürfeln u. im weitesten Sinne für Würzsoßen (*Relishes, Dressings*). Während der Herst. von W. aus pflanzlichen Rohstoffen (Weizenkleber, Sojaschrot), im allg. durch saure *Hydrolyse, kann es zur Bildung von *Chlorpropanolen kommen[3]. Zur Technologie der W.-Herst. s. *Lit.*[4].

Bisher wurden 3-Chlor-1,2-propandiol[5], 1,3-*Dichlor-2-propanol, 2-Chlor-1,3-propandiol u. 2,3-Dichlor-1-propanol sowie deren Reaktionsprodukte mit *Aminosäuren nachgewiesen[6], s. a. Tab. auf S. 5006. Die Gehalte dieser toxikolog. bedenklichen Stoffe liegen bei 100–750 mg/kg u. konnten durch Umstellungen im Herstellungsprozeß auf 1–10 mg/kg u. darunter gesenkt werden[7]. Gehalte weit unter 1 mg/kg sind wünschenswert[8]. Das ehem. *Bundesgesundheitsamt (BGA) empfiehlt einen vorläufigen Richtwert von 0,05 mg/kg. 1,3-Dichlor-2-propanol ist mutagen im *Ames-Test[9] u. hat sich als genotox. *Carcinogen erwiesen, so daß die Substanz durch die *MAK-Kommission in Liste III A 2 (im Tierversuch eindeutig carcinogen) eingestuft wurde[10,11]. Der Bundesverband der dtsch. Suppen-Ind. garantiert heute Chlorpropanol-Gehalte unter 0,1 mg/kg, die vom BGA in den

Bereich eines geringen Risikos eingestuft werden. Die Food Chemical Codex Monographie sieht einen Grenzwert für 3 Chlor-1,2-propandiol von 2,5 mg/kg Protein (berechnet auf Trockensubstanzgehalt) vor. Aus Gründen des vorsorglichen Verbraucherschutzes sollten Chlorpropanole in Lebensmitteln nur in nicht mehr nachweisbaren Konz. vorkommen. Gehalte zwischen 1 u. 4 mg/kg u. darüber sind auch heute nicht ungewöhnlich [12,13].

Tab.: Monochlorpropandiol-Gehalte in Saucen u. Würzen (Handelsprodukte)[12].

Probe		Anzahl	3-Chlor-1,2-propandiol [mg/kg]	2-Chlor-1,3-propandiol [mg/kg]
Flüssigwürzen	1989	4	1,7–3,9	< 3–8
	1990	5	0,2–2,6	0,1–8,3
Sojawürzen	1989	1	43	7
	1990	4	0,2–37	0,3–6,1
Sojasaucen	1989	3	n.n.	n.n.
	1990	2	n.n.	n.n.
Brühen, Suppen	1989	6	3,4–46	++
	1990	6	0,1–0,4	n.n.–1,3
Würzmischungen	1990	4	0,2–3,9	n.n.–0,5

n.n. = nicht nachweisbar

1996 wurden in der BRD 21400 t W. (2.) hergestellt. – *E* 1. malt liquor, wort, 2. seasoning – *F* 1. moût, 2. condiment – *I* = *S* 1. mosto, 2. condimento
Lit.: [1] Brew. Guardian **125**, 37–39, 41 (1996). [2] Brauwelt **136**, 254–255, 258 (1996). [3] Z. Lebensm. Unters. Forsch. **167**, 241–244 (1978). [4] Heiss (Hrsg.), Lebensmitteltechnologie (4.), S. 80–84, Berlin: Springer 1991. [5] J. Food Sci. **56**, 136–138 (1991). [6] J. Food Sci. **56**, 139–142 (1991). [7] Der Lebensmittelkontrolleur **4**, Nr. 2, 32 (1989). [8] Dtsch. Lebensm. Rundsch. **85**, 228 (1989). [9] Mutat. Res. **103**, 77–81 (1982). [10] DFG-Senatskommission zur Prüfung gesundheitsschädlicher Arbeitsstoffe, Mitteilung XXVII, Weinheim: VCH Verlagsges. 1991. [11] Henschler (Hrsg.), Toxikologisch-arbeitsmedizinische Begründung der MAK-Werte, Weinheim: VCH Verlagsges. (Loseblattsammlung Stand 1990); Chem.-Biol. Interact **80**, 73–88 (1991). [12] Lebensmittelchemie **45**, 89f. (1991). [13] Z. Lebensm. Untersuch. Forsch. **193**, 224–229 (1991).
allg. (zu 1.): Belitz-Grosch (4.), S. 811 ▪ Food Chem. News **1995**, 6 (1.6.) ▪ Food Chem. Toxicol. **31**, 981–987 (1993) ▪ Heiss, Lebensmitteltechnologie (4.), S. 297–305, Berlin: Springer 1991 ▪ Koch (Hrsg.), Getränkebeurteilung, S. 368–369, Stuttgart: Ulmer 1986 ▪ Narziß, Die Bierbrauerei (6.), Bd. 2, S. 197–354, Stuttgart: Enke 1985 ▪ Ullmann (5.) A **3**, 439–446. – *(zu 2.):* Belitz-Grosch (4.), S. 546, 547 ▪ Frede (Hrsg.), Taschenbuch für Lebensmittelchemiker u. -technologen, Bd. 1, S. 478–482, Berlin: Springer 1991 ▪ Osteroth (Hrsg.), Taschenbuch für Lebensmittelchemiker u. -technologen, Bd. 2, S. 460–462, Berlin: Springer 1991 ▪ WHO (Hrsg.), Tech. Report Series Nr. 837, S. 30–32, Geneva: WHO 1993 ▪ Zipfel, C 240; C 380 II, 35.

Wüstenrose s. Gips.

Wüstit s. Eisenoxide.

Wulfenit (Gelbbleierz). $PbMoO_4$; meist gelbe od. orangerote, durchsichtige bis durchscheinende, quadrat. dünn- bis dicktafelige od. pyramidale Krist. u. derbe, dichte od. drusige Aggregate. Kristallklasse 4-C_4, mit verzerrter *Scheelit-Struktur; H. 3, D. 6,7–6,9, Bruch muschelig, spröde. W. wird durch Säuren zersetzt. Zusammensetzung nach der Formel 60,8% PbO u. 39,2% MoO_3; kleine Gehalte an Ca u. V u. höhere Gehalte an W (Bildung von *Mischkristallen mit *Stolzit) sind möglich.
Vork.: In der *Oxidationszone von Bleierz-Lagerstätten (oft als hervorragende Krist.); *Beisp.:* Bleiberg-Kreuth/Kärnten (*Lit.*[1]), Mezica/Slowenien[2], Příbram/Böhmen, Los Lamentos/Mexiko, Tsumeb/Namibia u. Arizona/USA. W. wurde in einigen dieser Vork. zeitweise als Bleierz abgebaut. – *E* = *I* wulfenite – *F* wulfénite – *S* wulfenita
Lit.: [1] Lapis **13**, Nr. 7/8, 19–65 (1988). [2] Mineral. Rec. **22**, 97–104 (1991).
allg.: Lapis **5**, Nr. 11, 5 ff. (1980) („Steckbrief") ▪ Ramdohr-Strunz, S. 620 f. – *[HS 260700; CAS 14913-82-7]*

Wulff-Verfahren. Ein 1926 entwickeltes Verf. zur Herst. von Acetylen durch Spaltung von Kohlenwasserstoffen mittels indirekt zugeführter Wärmeenergie, das auch zu einem Acetylen-Ethylen-Verf. modifiziert werden kann. Die Wärmeübertragung erfolgt hierbei durch Rekuperatoren, die abwechselnd aufgeheizt bzw. im aufgeheizten Zustand zur Synth. eingesetzt werden. – *E* Wulff process – *F* procédé Wulff – *I* processo Wulff – *S* procedimiento Wulff
Lit.: Kirk-Othmer (3.) **1**, 224 ff. ▪ Ullmann (5.) A **1**, 126; (4.) **3**, 338; **7**, 50 ▪ Winnacker-Küchler (4.) **5**, 168, 199 f.

Wundbenzin s. Petroleumbenzin.

Wunde. Trennung des Zusammenhangs von Körpergeweben, ggf. mit Substanzverlust, durch mechan., entzündliche, chem. od. physikal. Gewebebeschädigung. So unterscheidet man die mechan. W. (Schnitt-, Riß-, Quetsch-, Platz- u. Schürffw.) von den therm. W. wie Erfrierungen u. Verbrennungen sowie den chem. W. durch Verätzung mit Säuren od. Laugen u. den W. durch ionisierende Strahlen; s. a. Wundheilung. – *E* wound – *F* blessure – *I* ferita – *S* herida

Wunderkerzen. Pyrotechn. Erzeugnisse in Form von 20–30 cm langen Drähten, welche auf etwa 2/3 ihrer Länge mit einer nach dem Entzünden funkensprühend abbrennenden Masse beschichtet sind. Typ. Zusammensetzung einer solchen Masse: 55 Tl. Bariumnitrat, 5 Tl. Aluminium- u. 25 Tl. Eisen-Pulver sowie 15 Tl. Dextrin als Bindemittel, in kochendem Wasser angeteigt u. nach dem Trocknen ggf. stabilisiert mit Collodium. – *E* sparklers – *F* bougies magiques – *I* candele magiche – *S* velas mágicas
Lit.: s. Pyrotechnik.

Wundethylen s. Pflanzenwuchsstoffe.

Wundheilung. Vorgang der Regeneration von verletztem Gewebe mit Verschluß einer *Wunde. Dabei entsteht zunächst eine entzündliche Reaktion mit Einwanderung von *Leukocyten aus dem Blut, die zur Abräumung des toten Gewebes durch *Phagocytose u. zur Reinigung des Wundbettes führt. Die *Entzündung wird durch lokal abgesonderte *Mediatoren (*Wundhormone) in Gang gesetzt u. unterhalten. Unter Einfluß von *Wachstumsfaktoren (z.B. *Fibroblasten-Wachstumsfaktoren) werden vom Wundrand her kleine Gefäße (Kapillaren) u. junges Bindegewebe neu gebildet (Granulationsgewebe), bis der Defekt vollkommen ausgefüllt ist. Anschließend wird das Granulationsgewebe durch Veränderung seiner Zusammensetzung in Narbengewebe umgewandelt. – *E* wound

healing – *F* guérison de blessures – *I* cura della ferita – *S* curación de heridas
Lit.: Cohen u. Diegelmann, Wound Healing: Biochemical and Clinical Aspects, Philadelphia: Saunders 1992 ▪ Riede, Schaefer u. Wehner, Allgemeine u. spezielle Pathologie, Stuttgart: Thieme 1995.

Wundhormone (Nekrohormone). Bez. für *Mediatoren, die in verletztem Gewebe im Rahmen der dort ablaufenden *Entzündung freigesetzt werden. Die meisten W. werden von den Entzündungszellen (Granulocyten, Lymphocyten, Makrophagen, s. a. Leukocyten) freigesetzt wie *Histamin, *Serotonin, *Interferone, *Lymphokine, Tumornekrosefaktor, *Interleukine, *Prostaglandine, *Leukotriene u. *PAF. Andere Mediatoren liegen als inaktive Vorstufen im Blutplasma vor u. werden durch enzymat. Vorgänge aktiviert wie *Bradykinin, das *Komplement-Syst. u. das *C-reaktive Protein. – *E* necrohormones – *F* nécrohormones – *I* necroormoni – *S* necrohormonas
Lit.: Gallin u. Goldstein, Inflammation: Basic Principles and Clinical Correlates, Philadelphia: Lippincott-Raven 1992 ▪ Riede, Schaefer u. Wehner, Allgemeine u. spezielle Pathologie, Stuttgart: Thieme 1995.

Wundstarrkrampf s. Tetanus.

Wurmartige Kette s. Kratky-Porod-Kette.

Wurmfarn s. Filixsäuren.

Wurmkraut (*Artemisia cina* Berg, Asteraceae). Stammpflanze von Flores Cinae (Zitwerblüten), die oft fälschlich auch als Zitwer- bzw. Wurmsamen bezeichnet werden. Zu Inhaltsstoffen, Verw. etc. s. Zitwer. – *E* worm herb – *F* armoise de Barbarie – *I* asteracee cina Berg, artemisia – *S* cina, santónico
Lit.: s. Zitwer. – [HS 1211 90]

Wurmmittel s. Anthelmintika u. vgl. Würmer.

Wurmsamen vgl. Wurmkraut.

Wurster-Reagenz s. *N,N,N',N''*-Tetramethyl-*p*-phenylendiamin.

Wurster-Salze.

Sammelbez. für stark gefärbte Salze, deren Bildung erstmals von Casimir Wurster (1856–1913) bei der partiellen Oxid. von *N*-Alkyl-*p*-phenylendiaminen (z. B. mit Bromwasser) beobachtet wurde. Ursprünglich erachtete man die W.-S. als Iminium-Salze. Aufgrund der Untersuchungen von *Michaelis u. Weitz weiß man jedoch, daß es sich bei ihnen um paramagnet. *Radikal-Kationen* (s. Radikal-Ionen) der abgebildeten u. mesomerer Formen handelt; das W.-S. mit R = H aus *N,N-Dimethyl-p-phenylendiamin bezeichnet man als *Wursters Rot*, die entsprechende Verb. mit R = CH₃ aus *N,N,N',N'-Tetramethyl-p-phenylendiamin (*Wurster-Reagenz*) als *Wursters Blau*. Die W.-S. sind verwandt mit den *Semichinonen (*Radikal-Anionen*), mit denen zusammen sie von Weitz als *merichinoide Verbindungen* (heute: *Radikal-Ionen*) aufgefaßt wurden. Ungeklärt scheint noch, ob die bei Belichtung von Wurster-Reagenz in Wasser auftretende Blaufärbung auf die Bildung von Wursters Blau od. von *solvatisierten Elektronen zurückgeht. – *E* Wurster salts – *F* sels de Wurster – *I* sali di Wurster – *S* sales de Wurster
Lit.: s. Radikal-Ionen.

Wursters Blau bzw. Rot s. Wurster-Salze.

Wursthüllen. Äußere Umhüllungen von Wurstbrät u. Wurstmassen werden als W. bezeichnet. W. können als Schlachtabgänge (Speiseröhre, Magen, Darm) von Tieren stammen od. künstlich hergestellt werden (*Kunstdärme*). Zur Herst. von W. dürfen die in Anlage 1, Nr. 11–13 der Fleisch-VO[1] genannten Stoffe (*Carboxymethylcellulose, *Cellulose, *Glyoxal) verwendet werden, wobei die genannten Höchstmengen (z. B. max. 0,2 mg freies Glyoxal/kg Kunstdarm) einzuhalten sind. Des weiteren sind die Empfehlungen der Kunststoffkommission des ehem. *Bundesgesundheitsamts bezüglich Kunstdärmen zu beachten[2]. Einen Überblick zur rechtlichen Situation (auch auf EG-Ebene) gibt *Lit.*[3]; einen allg. Überblick gibt *Lit.*[4]; s. a. Lebensmittelumhüllungen. – *E* sausage casing (skin) – *F* peaux de saucisse – *I* involucri della salsiccia – *S* piel del embutido
Lit.: [1]Fleisch-VO vom 21.1.1982 in der Fassung vom 15.12.1995 (BGBl. I, S. 1777). [2]Bundesgesundheitsblatt **28**, 306 (1985). [3]Fleischwirtschaft **68**, 964–969 (1988). [4]Effenberger, Wursthüllen-Kunstdarm. Herstellung, Eigenschaften u. Anwendung (2), Bad Wörishofen: Holzman 1991.
allg.: Prändl (Hrsg.), Fleisch, S. 510–513, 536–538, 558–560, Stuttgart: Ulmer 1988 ▪ Zipfel, C 100 *1*, 6; 2, 68; 5, 24 a. – [HS 0504 00, 3917 10]

Wurtz (Würtz), Charles Adolphe (1817–1884), Prof. für Chemie, École de Médecine u. Univ. Paris. *Arbeitsgebiete:* Atomtheorie, organ. Chemie, insbes. Synth. von Alkylaminen, Glykolen, Glycerin, Ethylenoxid, Aldol, Red. von Aldehyden zu Alkoholen, Milchsäure, Isocyanate, Wurtz-Synthese s. dort.
Lit.: Chem. Unserer Zeit **15**, 115–121 (1981) ▪ Krafft, S. 76, 177 ▪ Lexikon der Naturwissenschaftler, S. 430 ▪ Neufeldt, S. 39, 44, 63 ▪ Pötsch, S. 463.

Wurtz-Fittig-Synthese s. Wurtz-Synthese.

Wurtzit. ZnS; nach *Wurtz benannte Hochtemp.-Modif. der *Zinkblende bzw. des *Zinksulfids, die aus diesem bei 1020 °C entsteht, in der Natur aber im allg. weit unterhalb dieser Temp. als metastabile Phase gebildet wird. W. krist. hexagonal, Kristallklasse 6mm-C_{6v}, mit einer hexagonal dichtesten Packung (*2H-Struktur*) von Zn- u. S-Schichten mit der Abfolge ABAB, s. die Abb. u. *Lit.*[1].

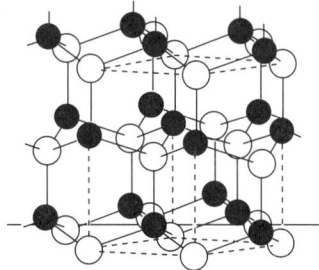

Abb.: Kristallstruktur von Wurtzit (nach Ramdohr-Strunz, S. 436, *Lit.*).

Von W. gibt es zahlreiche *h*exagonale u. *r*homboedr. (trigonale) polytype (*Polytypie) Struktur-Varianten; bisher sind bekannt: W.-2H, W.-4H usw. bis W.-10H sowie W.-3R, W.-6R, W.-9R usw. bis W.-21R; s. dazu *Lit.*^{2} u. die Arbeiten in *Lit.*^{3}.
W. bildet überwiegend derbe, braungelbe od. dunkelbraune bis bräunlichschwarze strahlige Massen sowie feinfaserige bis dichte schalige Lagen, Krusten u. Zapfen, selten auch hexagonale Krist.; H. 3,5–4, D. 4,0–4,1, harziger, auf Krist.-Flächen halbmetall. Glanz, Strich hellbraun. W. enthält theoret. 67,10 Gew.-% Zn u. 32,90% S, ist aber stets durch Eisen (meist 0,5–1,5%) u. Cadmium (0,4–3,6%) verunreinigt; daneben finden sich noch Sb, Pb, Ag (bis 0,2%) u. Spuren von In u. Ga. Von Zinkblende kann er durch *Doppelbrechung u. *Pleochroismus, öfters aber nur röntgenograph. unterschieden werden. W. ist in Form feiner Schüppchen u. Nadeln oft neben Zinkblende u. Bleiglanz Bestandteil der schalig-lagenartig aufgebauten, manchmal *Achat-artig gebänderten *Schalenblende*.
Vork.: In hydrothermalen, Blei u. Zink enthaltenden Lagerstätten, z. B. in Příbram/Böhmen u. Oruro/Bolivien. In Schalenblende z. B. in Stolberg bei Aachen, Oberschlesien u. Missouri/USA. – *E* = *F* = *I* wurtzite – *S* wurtzita
Lit.: ^{1}Acta Crystallogr., Sect. **C45**, 1867–1870 (1989). ^{2}Neues Jahrb. Mineral. Monatsh. **1988**, 438–445. ^{3}Bull. Minéral. **109**, 89–98, 99–116, 131–142 (1986). *allg.*: Anthony et al., Handbook of Mineralogy, Vol. I, S. 579, Tucson (Arizona): Mineral Data Publishing 1990 ■ Lapis **18**, Nr. 4, 7–11 (1993) („Steckbrief") ■ Ramdohr, Die Erzmineralien u. ihre Verwachsungen, S. 618–623, Berlin: Akademie 1975 (erzmikroskop. Beschreibung) ■ Ramdohr-Strunz, S. 436 f. ■ s. a. Zinksulfid. – *[HS 2830 20; CAS 12138-06-6]*

Wurtz-Synthese. Von *Wurtz 1855 entdeckte Synth. von Alkanen durch *Dehalogenierung von Alkylhalogeniden (im allg. -bromiden u. -iodiden) mittels metall. Natrium.

$$R-X + 2\,Na \xrightarrow{-NaX} R-Na \xrightarrow{+R-X}_{-NaX} R-R$$

Der Mechanismus der W.-S. verläuft zweistufig; zunächst bildet sich unter Halogen-Metall-Austausch eine *Natrium-organische Verbindung, die im weiteren mit einem zweiten Mol. Alkylhalogenid reagiert. Dieser zweite Schritt kann als *nucleophile Substitution (S_N2-Mechanismus) od. über freie Radikale (s. radikalische Reaktionen) ablaufen. Im allg. wird die W.-S. nur zur Herst. von symmetr. Alkanen benutzt. Die Ausbeuten sind in der Regel schlecht u. nur die intramol. Variante, die zu Carbocyclen führt, ist für die Herst. von kleinen Ringen von Bedeutung; z. B.:

$$\begin{array}{c} CH_2-Br \\ H_2C \\ CH_2-Br \end{array} \xrightarrow[-2\,NaBr]{+2\,Na} \triangleleft$$

Eine 1864 von *Fittig erprobte Variante (*Wurtz-Fittig-Synthese*) liefert – ggf. unter Erhaltung der opt. Aktivität – Alkylarylkohlenwasserstoffe auf analogen Wegen:

$$Ar-Br + R-Br \xrightarrow[-2\,NaBr]{+2\,Na} Ar-R$$

Nach demselben Prinzip läuft auch die *Ullmann-Reaktion ab. – *E* Wurtz synthesis – *F* synthèse de Wurtz – *I* sintesi di Wurtz – *S* síntesis de Wurtz
Lit.: Hassner-Stumer, S. 429 ■ Houben-Weyl **5/1 a**, 480–484; **5/1 b**, 451 ■ Krauch u. Kunz, Reaktionen der Organischen Chemie, 6. Aufl., S. 79, Heidelberg: Hüthig 1997 ■ Laue-Plagens, S. 332 ■ March (4.), S. 449 ■ Tetrahedron **25**, 5771–5776 (1969) ■ Trost-Fleming **3**, 413.

Wurzelfüßer s. Protozoen.

Wurzelgemüse. Handelsübliche Sammelbez. für *Möhren, *Sellerie, Rüben, *Rettich u. Schwarzwurzeln (s. Zichorien). Neben dem W. wird Gemüse z. B. in Blattgemüse u. Zwiebelgemüse unterteilt; s. a. Gemüse.
Lit.: Zipfel, C 315 Vorb. 2.

Wurzelhalsgallen s. Pflanzenkrebs.

Wurzelharz s. Holzterpentinöl, Kolophonium.

Wurzeln s. Gemüse, Radix, Rhizoma u. vgl. Keimung.

Wurzelraumverfahren s. biologische Abwasserbehandlung.

Wurzschmitt, Bernhard (1895–1975), Prof. für Analyt. Chemie, TH Karlsruhe, BASF. *Arbeitsgebiete:* Arylamino-Oxid., Pigmente, Mikroanalysen, Elementaranalyse von Halogenen u. N, O, S, H mit der *Universalbombe, Analysenwaagen, Kapillaraktivität.
Lit.: Neufeldt, S. 228.

WV. Abk. für Widerstandsverminderer, s. Wasser.

WY. Nach DIN 60001-4: 1991-08 Kurzz. für feine Haare des Yak (*Bos grunnicus*, eine innerasiat. Rinderart), s. Wolle.

Wyeron(säure) s. Phytoalexine.

Wyeth-Pharma. Kurzbez. für die Wyeth Pharma GmbH, 48159 Münster. Gesellschafter ist die American Home Products Corp., Madison NJ (USA). *Daten* (1996): 640 Beschäftigte, 130 Mio. DM Umsatz. *Produktion:* Analgetika, Antianämika, Gynäkologika (Orale Kontrazeptiva, HRT, Antimykotika), Magen-Darm-Mittel, Psychopharmaka (Tranquilizer, Antidepressiva), Schilddrüsentherapeutika, Cytostatika.

Wz. Abk. für Warenzeichen, s. Marke.

X

ξ (xi). 14. Buchstabe im *griechischen Alphabet; Symbol für Mol.-Magnetisierbarkeit, Massenverhältnis (s. Konzentration) u. Reaktionsumsatz [$\xi = \Delta n_A/\nu_A$ mit Δn_A: Änderung der *Stoffmenge von A (in mol) u. ν_A: *stöchiometrischer Faktor für A; Umsatzgeschw. (vgl. Reaktionsgeschwindigkeit) ist der Differentialquotient $\dot\xi = d\xi/dt$]. Die IUPAC-Regeln F-4.1, FR-10.1 u. 3S-3.3 empfehlen „-ξ-" statt der Schrägstrichkombination „α/β-" für ein Atom unbestimmter *Konfiguration (in Stereoformeln mit Wellenlinien-Bindung od. ohne Stereobindung gezeigt: Regel E-6.3; s. chemische Zeichensprache). So ist auch „c/t-", „cis/trans-", „endo/exo-" u. „anti/syn-" durch ξ- sowie (r/s)- durch (ξ)- ersetzbar (unbestimmte *Pseudoasymmetrie); vgl. Ξ.

Ξ (Xi). Großschreibform von *ξ; Symbol für großes kanon. Ensemble in der *statistischen Mechanik; Symbole Ξ^-, Ξ^0, $\bar\Xi^-$, $\bar\Xi^0$ für *Elementarteilchen u. *Antiteilchen Xi-minus u. -null. Beilstein's Handbuch gibt für unbestimmte *Konfiguration Ξ- statt „D/L-" u. (Ξ)- statt „(E/Z)-" u. „(R/S)-" an [IUPAC-Regel fehlt; CAS setzt bezifferte Stereobez. „?" ein; Beisp.: (2R,3Ξ)- = (2R*,3?)-2,3-Hexandiol]; Bez. für *Racemate sind dagegen *rac-, (±)-, *DL- od. (*RS)-; vgl. ξ.

x. Symbol für physikal.-chem. Größen: Abszissenabstand im ebenen u. kartes. räumlichen Koordinatensyst., *Anharmonizitätskonstante, Energieparameter in der *HMO-Theorie, *Molenbruch; Symbol für unbestimmte Zahl, auch in *Markush-Formeln u. kursiv als *Lokant.

X. a) Veraltetes französ. Symbol des chem. Elements *Xenon (Xe). – b) Symbol für Heteroatom-Rest, z. B. Halogen, in *Markush-Formeln, für unbestimmte *Aminosäure in *Peptiden (IUPAC/IUB-Regel 3AA-1) u. für das seltene *Nucleosid *Xanthosin (Regel N-3.2.1). – c) Symbol für Reaktanz (Wechselstrom-Blindwiderstand) u. für die veraltete x-Einheit (X ≈ 0,1002 pm) der Wellenlänge von *Röntgenstrahlung (E X radiation, F radiation X). – d) X wird manchmal mit *χ (chi; Bd. 1, S. 562) verwechselt.

Xaa. Kurzz. (Drei-Buchstaben-Notation) für *Aminosäuren unbekannter Konstitution in Peptid-Formeln.

XABS. Kurzz. (nach ISO) für *Copolymere aus Acrylnitril, Butadien, Styrol u. einem weiteren *Monomeren.

XAD-Absorberharze®. Spezialharze, die aus *Amberlite® durch Mahlen, Sieben u. Reinigung für den Einsatz in der Flüssigchromatographie gewonnen werden. **B.:** Rohm and Haas.

XAES. Engl. Akronym für röntgenstrahlinduzierte *Auger-Spektroskopie.

Xan. Kurzz. für a) *Xanthin (IUPAC/IUB-Regel N-2.2; s. a. Nucleoside) u. – b) *Xanthogenat.

Xanef® (Rp). Tabl. mit dem Hydrogenmaleat von *Enalapril, Ampullen mit Enalaprilat gegen Bluthochdruck. **B.:** MSD.

XANES. Abk. für E X-ray absorption near edge structure, s. Röntgenspektroskopie.

Xantalgin®. Abformmaterial auf *Alginat-Basis zum Einsatz in der Zahnheilkunde. **B.:** Heraeus Kulzer GmbH & Co. KG.

Xanth... s. Xanth(o)...

Xanthan.

Grundeinheit von Xanthan

Bez. für ein von *Xanthomonas campestris*, *X. juglandis*, *Pseudomonas aeruginosa* od. *Azobacter vinelandii* unter aeroben Bedingungen gebildetes anion. *Heteropolysaccharid. X. wird in ca. zweitägigen *Batch-Fermentationen mit Ausbeuten von 25–30 g/L produziert (Weltproduktion ca. 10 000 t). X. wird anschließend ausgefällt (z. B. mit 2-Propanol), getrocknet u. gemahlen. X. besitzt eine Molmasse von $2-12 \times 10^6$ u. besteht aus einer Hauptkette (Cellulose-Kette) mit β-1,4-verknüpften *Glucose-Bausteinen u. 3gliedrigen Seitenketten, die mit jeder zweiten Glucose-Einheit verknüpft sind. Das molare Verhältnis der Einzelbausteine D-Glucose, D-*Mannose, D-*Glucuronsäure, *Acetat u. *Pyruvat beträgt 2,8;3,0;2,0;1,7;0,51 u. 0,63. Die Anzahl der Pyruvat-Einheiten bestimmt die *Viskosität des gut wasserlösl. Xanthans.
Verw.: Strukturviskose X.-Lsg. werden als *Verdickungsmittel u. *Stabilisatoren für *Emulsionen in *Nahrungsmitteln (z. B. Marmeladen, Gelees, Mayonnaisen, Saucen, Speiseeis), *Kosmetika, Farben u. in der Erdöl-Ind. als Drill-Hilfsmittel beim Bohren u. zur tert. *Erdöl-Förderung eingesetzt. – E xanthan – F xanthane – I = S xantano
Lit.: Präve et al. (4.), S. 607, 922 ■ Rehm-Reed (2.) **6**, 620 f. – [CAS 11138-66-2]

Xanthano®. Schnellabbbindender Spezial-Abform- u. Artikulationsgips zum Einsatz in der Zahnheilkunde. *B.*: Heraeus Kulzer GmbH & Co. KG.

Xanthate. Aus dem Engl. kommende Bez. für *Xanthogenate.

Xanthen (Dibenzo-γ-pyran).

X	R	
O	H, H	Xanthen
O	O	Xanthon
O	OH, H	Xanthydrol
S	H, H	Thioxanthen

$C_{13}H_{10}O$, M_R 182,23. Gelbliche Blättchen, Schmp. 100°C, Sdp. 310–312°C, unlösl. in Wasser, wenig lösl. in Alkohol, lösl. in Ether, Chloroform, Essigsäure, Benzol, Ligroin. X. entsteht durch Zinkstaub-Dest. od. katalyt. Red. aus *Xanthon u. bildet das Grundgerüst der *Xanthen-Farbstoffe. Eine allg. anwendbare einstufige Synth. von X.-Derivaten aus substituierten Phenylmagnesiumbromiden u. Triethylorthoformiat in Ggw. von Butoxymagnesiumbromid ist möglich. – *E* xanthene – *F* xanthène – *I* xantene – *S* xanteno
Lit.: Beilstein E V **17**/2, 252 ▪ Heterocycl. Compd. **2**, 419–500 (1951) ▪ Houben-Weyl E **7 b** (Tl. 2), 28 f. ▪ Synthesis **1974**, 564. – [HS 2932 99; CAS 92-83-1]

Xanthen-Farbstoffe. Sammelbez. für organ. Farbstoffe, denen das Gerüst des *Xanthens zugrunde liegt u. die in 3- u. 6-Stellung Hydroxy- u./od. Amino-Gruppen tragen. Als Chromophore werden die X.-F. im allg. als chinoide Formen od. als kation. *Xanthylium-Salze* formuliert. Mit Ausnahme der *Pyronine u. verwandt. Verb. sind die X.-F. in 9-Stellung durch Phenyl-Reste substituiert (*Beisp.*: *Rosamine); diese wiederum tragen meist in 2'-Stellung Carboxy- od. Sulfo-Gruppen, was sie ggf. zur Bildung von *Phthaliden befähigt, vgl. die Abb. bei Fluorescein. Von *Triarylmethan-Farbstoffen unterscheiden sich die 9-Aryl-X.-F. durch die eingefügte Sauerstoff-Brücke. Die wichtigsten, als Mikroskopier-, Textil-, Laser- u. Tintenfarbstoffe gebräuchlichen, z. T. fluoreszierenden Vertreter, die zu den *Phthaleinen* gezählt werden (vgl. Phenolphthalein), sind *Fluorescein, *Bengalrosa, *Eosin, *Erythrosin, *Gallein, *Phloxin u. bes. die *Rhodamine. In der Natur auftretende X.-F. anderer Art sind die *Ergochrome u. a. *Xanthon-Derivate. – *E* xanthene dyes – *F* colorants xanthéniques – *I* coloranti dello xantene – *S* colorantes xanténicos
Lit.: Kirk-Othmer (4.) **6**, 962 ▪ Ullmann (5.) **A 5**, 370; **A 27**, 185, 209 ▪ Valcl et al., CRC Handbook of Triarylmethane and Xanthene Dyes: Spectrophotometric Determination of Metals, Boca Raton: CRC Press 1985 ▪ Winnacker-Küchler (3.) **4**, 247–260; (4.) **7**, 41 ▪ Zollinger, Color Chemistry, 2. Aufl., Weinheim: VCH Verlagsges. 1991.

9-Xanthenol s. Xanthydrol.

9-Xanthenon s. Xanthon.

Xanthin (3,7- u. 3,9-Dihydro-1*H*-purin-2,6-dion, 7*H*- u. 9*H*-Purin-2,6-diol, Kurzz. Xan).

7*H*-Dioxo-Form

$C_5H_4N_4O_2$, M_R 152,11, Krist., Schmp. >350°C, bei weiterem Erhitzen Zers. in Kohlendioxid, Ammoniak u. Blausäure. X. ist leicht lösl. in Säuren u. Basen, wenig lösl. in heißem Wasser u. Ethanol, mit Salpetersäure zeigt X. eine Gelbfärbung (griech.: xanthos = gelb). Der X.-Nachw. kann durch *Murexid- od. *Weidel-Kossel-Reaktion erfolgen. X. kann tautomer in Oxo- od. Hydroxy-Form vorliegen.[1]
Vork.: In kleinen Mengen in Muskeln, Leber, Harnsteinen, Rübensäften, Gerstenkeimlingen, Fliegenpilzen, Erdnußkernen, Kartoffeln, Hefe, Kaffeebohnen, Teeblättern. Im Stoffwechsel der Höheren Tiere entsteht X. bei der Desaminierung von *Guanin (Nucleinsäure-Bestandteil) od. der Oxid. von *Hypoxanthin durch die in den Muskeln verbreitete *Xanthin-Oxidase, die X. anschließend auch weiter zu *Harnsäure oxidiert, dem Endprodukt des *Purin-Stoffwechsels des Menschen. Das sich vom X. ableitende Nucleosid ist *Xanthosin. Obwohl X. mit *Coffein u. a. *Methylxanthinen* chem. nahe verwandt ist, ist seine Wirkung verschieden. Die Erregung des Zentralnervensyst. tritt in den Hintergrund, Lähmungserscheinungen überwiegen, u. die Herzmuskulatur wird stark geschädigt. X. wurde 1817 von Marcet in bestimmten *Harnsteinen gefunden; seine Herst. gelang erstmals *Strecker 1858 aus Guanin, u. die Konstitution wurde 1897 von Emil *Fischer aufgeklärt. – *E* xanthin – *F* xanthine – *I* = *S* xantina
Lit.: [1] Struct. Chem. **6**, 281 (1995).
allg.: Adv. Chromatogr. **25**, 245–278 (1986) ▪ Beilstein E V **26**/13; 527 f. ▪ Karrer, Nr. 2554 ▪ Merck Index (12.), Nr. 10 193 ▪ Martindale (30.), S. 1317 ▪ Neish, Xanthines and Cancer, Oxford: Pergamon Press 1988 ▪ Prog. Clin. Biol. Res. **158** (The Methylxanthine Beverages and Foods) (1984) ▪ Sax (8.), Nr. XCA 000 ▪ Ullmann (5.) **A 2**, 461 ff. ▪ s. a. Theophyllin. – [HS 2933 59; CAS 69-89-6]

Xanthin-Dehydrogenase s. Xanthin-Oxidase.

Xanthin-Oxidase (XOD, EC 1.1.3.22). Zu den *Flavoproteinen* zählende gelbe *Oxidase, M_R ca. 300 000 (menschliche Leber), die in jeder ihrer zwei Untereinheiten ein Mol. *Flavin-Adenin-Dinucleotid (FAD), ein Molybdopterin (ein Pterin-Molybdän-Komplex, s. *Lit.* bei Molybdän-Enzyme) u. zwei Eisen-Schwefel-Zentren (Fe_2S_2) vom *Ferredoxin-Typ (s. a. Eisen-Proteine) enthält.
Vork.: In nicht erhitzter Milch, in Leber, Milz, Niere u. Lunge von Säugetieren sowie in Vögeln, Insekten u. Bakterien. Beim Pasteurisieren der Milch denaturiert XOD. Serum u. Plasma des menschlichen Blutes enthalten beim Erwachsenen ebenfalls geringe Mengen XOD, doch ist bei Leberschäden die Menge erhöht. Die Verteilung der XOD im Gewebe läßt sich durch Markierung des Enzyms mit dem radioaktiven Molybdän-Isotop ^{99}Mo autoradiograph. zeigen.
Wirkungen: XOD katalysiert beim Abbau der *Purine die Oxid. von *Hypoxanthin zu *Xanthin, von Xanthin zu *Harnsäure u. allg. von Aldehyden zu Säuren; sie ist selbst in wasserfreien organ. Lsm. aktiv. Natürlicher Elektronen-Akzeptor ist Sauerstoff. Dieser wird zum *Hyperoxid-Anion (Superoxid-Anion) reduziert, welches, sofern es nicht sofort durch *Superoxid-Dismutasen desaktiviert wird, durch Reaktion mit *Lipiden den sog. Oxid.-Geschmack der Milch hervorrufen soll. In der Dünndarm-Schleimhaut ist XOD beteiligt am Einbau von Eisen in *Transferrin, wodurch es für

den Körper-Haushalt verfügbar wird. XOD wurde früher *Schardinger-Enzym* genannt: Bei der *Schardinger-Reaktion* wurde durch die in frischer Milch enthaltene XOD zugefügtes Methylenblau in Ggw. eines Aldehyds als Substrat entfärbt. Außer Methylenblau reduziert das Enzym auch Dichlorindophenol, Kaliumhexacyanoferrat(III) u. Cytochrom c.
Inhibitoren: Als Inhibitoren der XOD wirken z. B. 2-Amino-4-hydroxy-6-formylpteridin, Folsäure, 4-Chlormercuribenzoat, bestimmte Additive in Pharmazeutika, Tenside, Schwermetall-Ionen, Cyanide, Harnstoff u. eine Reihe heterocycl. Verbindungen. Auf der Hemmung der XOD beruht auch die Wirkung des *Suizid-Substrats *Allopurinol als *Urikostatikum. Der Ersatz des Molybdäns durch Wolfram inaktiviert das Enzym ebenfalls.
Pathologie: XOD entsteht durch reversible Oxid. von *Thiol-Gruppen od. bei *Ischämie* (Sauerstoff-Mangel infolge Minderdurchblutung) durch Proteolyse aus einer *Xanthin-Dehydrogenase* (XDH, EC 1.1.1.204), die NAD$^+$ statt Sauerstoff als Elektronen-Akzeptor verwendet. Bei der *Reperfusion* (Wiederdurchblutung) ischäm. Gewebes kommt es durch vermehrte Bildung von Hyperoxid zu Schädigungen; u. a. werden XOD-Inhibitoren therapeut. eingesetzt. Bei Mangel an XOD wird Hypoxanthin u. bes. Xanthin im Urin ausgeschieden (*Xanthinurie*).
Geschichte: Schon 1899 wurde die Oxid. von Hypoxanthin u. Xanthin zu Harnsäure von Spitzer als enzymat. Prozeß erkannt. Später wurde die Identität des von Burian (1905) X.-O. genannten Enzyms mit dem von Schardinger (1902) entdeckten bewiesen, u. 1954 konnten Avis et al. die XOD krist. darstellen. – *E* xanthine oxidase – *F* xanthine-oxydase – *I* xantina ossidasi – *S* xantina-oxidasa
Lit.: Age **20**, 127–140 (1997) ■ Histochem. J. **26**, 889–915 (1994) ■ s. a. Molybdän-Enzyme. – [HS 3507 90]

Xanthin-Steine s. Harnsteine, Hypoxanthin.

Xanthinurie s. Hypoxanthin, Xanthin-Oxidase.

Xanth(o)... Wortteil in chem. u. allg. Bez., von griech.: xanthós = (sand)gelb, blond; *Beisp.:* benachbarte Stichwörter, *Cryptoxanthin, Hepaxanthin (*Retinol-5,6-Oxid), *Hypoxanthin, Hetero- u. Paraxanthin (7-Methyl- u. 1,7-Dimethyl-*Xanthin), *Zeaxanthin. – *E* xanth(o)... – *F* xantho... – *I* xant(o)... – *S* xanto...

Xanthocilline s. Xantocilline.

Xanthodermin {L-Glutaminsäure-5-[N'-(4-hydroxyphenyl)hydrazid]}.

$C_{11}H_{15}N_3O_4$, M_R 253,26, Krist., Schmp. 164–166 °C, [α]$_D$ +4,5° (1 n HCl), lösl. in Wasser, Methanol. X. liefert in schwach alkal. Lsg. mit Kaliumhexacyanoferrat(III) eine intensive Gelbfärbung. X. kommt im Karbolegerling (*Agaricus xanthoderma*, *Basidiomyceten) vor u. ist für die chromgelbe Verfärbung des Pilzes bei Verletzungen verantwortlich. Aus X. wird enzymat. das Chromogen *Leukoagaricon* ($C_{10}H_{13}N_3O$, M_R 191,23) gebildet, das bei Kontakt mit Luftsauerstoff (Oxidasen) zum orangegelben *Agaricon* [$C_{10}H_{11}N_3O$, M_R 189,21, rote Krist., Schmp. 115 °C (Zers.)] oxidiert wird. – *E* = *F* xanthodermine – *I* = *S* xantodermina
Lit.: Angew. Chem. **97**, 1063f. (1985) ■ Zechmeister **51**, 238–242 (Übersicht). – [CAS 99020-76-9 (X.); 99020-73-6 (Agaricon); 99020-75-8 (Leukoagaricon)]

Xanthogenate (Kurzz. Xan). Im dtsch. Sprachgebrauch statt *Xanthate* früher übliche Bez. für die Salze od. Ester der *Xanthogensäuren von der allg. Formel RO-C(S)-SM^I (M^I = einwertiges Metall) od. R^{1}O-C(S)-SR^2, die nach IUPAC-Regel C-544.1 systemat. als Derivate der Dithiokohlensäure-*O*-ester zu bezeichnen sind; *Beisp.:* Kalium-*O*-ethyldithiocarbonat = Kalium-ethylxanth(ogen)at (s. Kaliumxanthate). Man erhält die Alkalixanthogenate durch Einwirkung von Alkoholaten auf Schwefelkohlenstoff (*Xanthogenierung); sie krist. in gelblichen, glänzenden Nadeln. Vermischt man die Lsg. eines Alkali-X. mit Kupfersulfat-Lsg., so entsteht tiefgelbes Kupfer(II)-X.; aufgrund dieser Erscheinung ist der Name X. [von *Xanth(o)...] gewählt worden. Von präparativem Interesse sind die zu *Thiophenolen od. Sulfiden führende Spaltung der X. bei der *Leuckart-Reaktion u. die Pyrolyse bei der *Tschugaeff-Reaktion, die zur Herst. von *Alkenen (*Olefinen*) benutzt werden kann.
Verw.: In der Erzaufbereitung werden Kalium- u. Natrium-X. in großem Umfang als sog. *Sulfhydryl-Sammler* zur *Flotation verwendet. Außerdem finden X. Anw. als Reglersubstanzen für die Polymerisation u. als Vulkanisationshilfsmittel. *Cellulosexanthogenat ist das Ausgangsprodukt für *Viskosefasern. Mit einer X.-Lsg. kann ein hochempfindlicher, spezif. Molybdän- u. Alkohol-Nachw. ausgeführt werden (*Xanthogenat-Reaktion*), u. Stärke-X. läßt sich zur Abscheidung von Schwermetall-Spuren aus Abwässern benutzen, wobei gleichzeitig eine Rückgewinnung dieser Metalle möglich wird. Als erstes X. wurde das Kalium-ethylxanthogenat 1822 von Zeise aus KOH, CS_2 u. Ethanol hergestellt. – *E* xanth(ogen)ates – *F* xanth(ogén)ates – *I* xant(ogen)ati – *S* xant(ogen)atos
Lit.: ^{1}IUPAC, Nomenklatur der Organischen Chemie, S. 136, Weinheim: VCH Verlagsges. 1997.
allg.: Beilstein E IV **3**, 400–411 ■ Gmelin, Syst.-Nr. 14, C, Tl. D4, 1977, S. 238–264 ■ Houben-Weyl **9**, 810ff.; E4, 426–433 ■ Kirk-Othmer (3.) **24**, 645–661; (4.) **25**, 713ff. ■ Ullmann (5.), A **28** 423ff. ■ Winnacker-Küchler (4.) **6**, 714.

Xanthogenat-Reaktion. s. Xanthogenate.

Xanthogenat-Spaltung s. Leuckart-Reaktion.

Xanthogenierung. Bez. für die *Einschiebungsreaktion von CS_2 in die O-Metall-Bindung von Alkoholaten, die zur Bildung von *Xanthogenaten führt.

$$R^1-OH \xrightarrow[-H_2O]{+CS_2 / KOH} R^1-O-\underset{S}{\underset{\|}{C}}-S^- K^+ \xrightarrow[-KX]{+R^2-X} R^1-O-\underset{S}{\underset{\|}{C}}-S-R^2$$

Ein techn. wichtiges Beisp. ist die – hier fachsprachlich auch *Sulfidierung* genannte – Bildung von *Cellulosexanthogenat bei der Herst. von *Viskosefasern. – *E* = *F* xanthation – *I* xantazione – *S* xant(ogen)ación

Xanthogensäuren. Von *Xanth(o)... abgeleitete Bez. für die systemat. als *O*-Ester der Dithiokohlensäure zu benennende Verb. der allg. Formel RO–C(S)–SH. Die X. sind im allg. unbeständige, saure, in Wasser kaum lösl. ölige Flüssigkeiten, die in saurer Lsg. in CS$_2$ u. den zugrundeliegenden Alkohol zerfallen. Beständiger sind dagegen die Salze u. Ester der X., die *Xanthogenate, von denen z. B. *Cellulosexanthogenat, die *Kaliumxanthate u. *Natriumxanthate techn. Bedeutung besitzen. – *E* xanthogenic acids – *F* acides xanthogèniques – *I* acidi xantogenici – *S* ácidos xantógenicos

Lit.: s. Xanthogenate.

Xanthokermessäure s. Laccainsäure.

Xanthokon s. Proustit.

Xanthommatin s. Ommochrome.

Xanthon (9-Xanthenon). C$_{13}$H$_8$O$_2$, M$_R$ 196,21. Abb. s. bei Xanthen. Farblose Nadeln, Schmp. 174 °C, Sdp. 351 °C, fast unlösl. in kaltem, wenig lösl. in heißem Wasser, Petrolether, lösl. in Alkohol, Ether, Chloroform, Benzol sowie in konz. H$_2$SO$_4$ mit gelber Farbe u. hellblauer Fluoreszenz. X. läßt sich reduktiv in *Xanthen u. *Xanthydrol überführen. X. wird durch Dest. von Phenylsalicylat hergestellt u. kommt in der Natur nicht vor, jedoch enthalten verschiedene Naturfarbstoffe aus Pflanzen das X.-Stammgerüst (*Beisp.:* *Enzian). – *E* = *F* xanthone – *I* xantone – *S* xantona

Lit.: Beilstein E V **17/10**, 430 ▪ Kirk-Othmer (4.) **14**, 455 ▪ Merck-Index (12.), Nr. 10 196. – [HS 2932 99; CAS 90-47-1]

Xanthophoren s. Chromatophoren.

Xanthophylle [von *Xanth(o)... u. *Phyll(o)...]. Gruppenname für Sauerstoff-haltige, unverseifbare *Carotinoide (Hydroxy-, Epoxy-, Oxo-Derivate) tier., pflanzlicher u. mikrobieller Herkunft. Viele der als *Blütenfarbstoffe fungierenden u./od. an der *Laubfärbung beteiligten *Pflanzenfarbstoffe tragen Trivialnamen, die auf ...*xanthin* enden; *Beisp.:* *Rhodo-, Rubi-, *Crypto-, *Zea-, Viola-, *Citrana-, *Cantha-, *Flavoxanthin, Siphonaxanthin (s. die Aufstellung in *Lit.*[1]). Manche dieser X. sind als *Lebensmittelfarbstoffe (E 161 a–g) zugelassen, darunter auch das früher *Xanthophyll* genannte *Lutein. X. sind biogenet. Vorläufer der *Retinoide[2]. – *E* xanthophylls – *F* xanthophylles – *I* xantofilli – *S* xantofilas

Lit.: [1] Pure Appl. Chem. **41**, 405–431 (1975). [2] Pure Appl. Chem. **63**, 81–88 (1991).
allg.: Acta Chem. Scand. **50**, 637 (1996) ▪ Czygan, Pigments in Plants (2.), S. 31–79, Stuttgart: Fischer 1980 (Biosynth.) ▪ Merck-Index (12.), Nr. 10 197 ▪ Phytochemistry **44**, 1087 (1997) ▪ Schweppe, S. 167–171 ▪ Straub et al., Key to Carotinoids (2.), Basel: Birkhäuser 1987 ▪ s. a. Carotinoide u. die Einzelverbindungen. – [HS 3203 00]

Xanthoprotein-Reaktion. Von griech.: xanthos = gelb u. *Protein abgeleitete Bez. für die Gelbfärbung, die beim Erwärmen von solchen Eiweißstoffen mit konz. Salpetersäure auftritt, die aromat. *Aminosäuren (Phenylalanin, Tyrosin, Tryptophan) enthalten. Die auf Nitrierung der aromat. Ringsyst. zurückzuführende Gelbfärbung – die man z. B. auch bei der Einwirkung von Salpetersäure auf die Haut beobachten kann – schlägt nach Zusatz von Ammoniak in Orange um. Die X.-R. dient zum qual. Nachw. aromat. Aminosäuren z. B. in Milch, Käse, Hühnereiweiß etc. – *E* xanthoprotein reaction – *F* réaction xanthoprotéique – *I* reazione xantoproteica – *S* reacción xantoproteica

Xanthopterin (2-Amino-1,5- u. 3,5-dihydro-4,6-pteridindion; tautomere Form: 2-Amino-4,6-pteridindiol).

C$_6$H$_5$N$_5$O$_2$, M$_R$ 179,14. Als Monohydrat orangegelbe Krist., Schmp. >360 °C (Zers.), unlösl. in Wasser, lösl. in verd. Ammoniak u. Natronlauge. X. ist ein gelbes Pigment aus Schmetterlingsflügeln, Wespen u. a. Insekten u. Bestandteil des menschlichen Urins; Mikroorganismen können es in *Folsäure umwandeln. In der Haut von Feuersalamandern findet sich das Isomere 2-Amino-4,7(1*H*,8*H*)-pteridindion (*Isoxanthopterin*, Schmp. 310 °C). – *E* xanthopterin – *F* xanthoptérine – *I* = *S* xantopterina

Lit.: Beilstein E III/IV **26**, 4000 ▪ Int. J. Biochem. **25**, 1873 (1993) ▪ J. Heterocycl. Chem. **29**, 583 (1992) (Review) ▪ Karrer, Nr. 7101 ▪ Merck-Index (12.), Nr. 10 198 ▪ Naturwissenschaften **74**, 563–572 (1987) ▪ s. a. Pteridine. – [HS 2933 59; CAS 119-44-8 (X.); 529-69-1 (Iso-X.)]

Xanthorrhizol s. Temoe Lawak.

Xanthosalze. Veraltete Bez. für *Cobaltammine mit dem Pentaammin(nitrito-*N*)cobalt(2+)-Ion. – *E* xantho salts – *F* sels xantho – *I* sali xanto – *S* sales xanto

Xanthosin (Ribosylxanthin, 9-β-D-Ribofuranosyl-3,9-dihydro-purin-2,6-dion; tautomere Form: 9-β-D-Ribofuranosyl-9*H*-purin-2,6-diol, als Kurzz.: Xao od. X).

C$_{10}$H$_{12}$N$_4$O$_6$, M$_R$ 284,23. Xao bildet als Dihydrat lange, farblose Prismen, die sich beim Erhitzen ohne scharfen Schmp. zersetzen, wenig lösl. in kaltem, leicht lösl. in heißem Wasser u. heißem Alkohol, wird durch Säuren leicht hydrolysiert. Xao ist ein *Nucleosid aus *Xanthin u. D-*Ribose, das innerhalb des Stoffwechsels der *Purine auftritt, ohne eine bekannte Funktion zu haben. Das in *Nucleinsäuren nicht auftretende *Nucleotid *Xanthosin-5′-monophosphat*[1] (XMP; als freie Säure: Xanthylsäure, C$_{10}$H$_{13}$N$_4$O$_9$P, M$_R$ 364,21) entsteht im Purinnucleotid-Stoffwechsel aus *Inosin-5′-monophosphat u. ist die Vorstufe von Guanosin-5′-monophosphat (s. Guanosinphosphate). Ähnlich wie diese beiden besitzt auch XMP eine *Geschmacksverstärker-Wirkung, u. zwar für die Empfindung „salzig"

(s. Geschmack). Es wird deshalb für diese Zwecke durch enzymat. Hydrolyse von Hefe od. durch bakterielle Fermentation in techn. Umfang gewonnen. – *E* = *F* xanthosine – *I* = *S* xantosina

Lit.: [1] Beilstein E V **26/13**, 539 f.
allg.: Beilstein E V **26/13**, 538 f. – [HS 2934 90; CAS 146-80-5]

Xanthosin-5′-monophosphat s. Xanthosin.

Xanthothricin s. Toxoflavin.

Xanthotoxin (9-Methoxy-7*H*-furo[3,2-*g*][1]benzopyran-7-on, 8-Methoxypsoralen, 8-MOP, Meloxin; internat. Freiname: Methoxsalen).

$C_{12}H_8O_4$, M_R 216,18. Farblose Nadeln od. Prismen, Schmp. 148 °C, schmeckt bitter mit einem kribbelnden Nachgeschmack, unlösl. in kaltem, wenig lösl. in heißem Wasser, Ether, lösl. in siedendem Alkohol, Aceton, fetten Ölen. X. kommt in dem afrikan. Baum *Fagara xanthoxyloides*, in der Gartenraute (s. Rautenöl), *Ammi majus*, Engelwurz u. a. *Umbelliferae vor; in *Pastinak-Wurzeln wirkt es als *Phytoalexin. X. ist für wechselwarme Tiere giftig. Ebenso wie andere *Furocumarine ruft es eine Sensibilisierung der *Haut gegenüber UV-Strahlen hervor, woraufhin verstärkt *Hautbräunung eintritt. Der Verw. von X. in bräunenden *Sonnenschutzmitteln steht jedoch die phototox. Wirkung im Wege, die aus photochem. Reaktionen des X. mit Nucleinsäuren resultiert. Aus den gleichen Gründen wird die *Photochemotherapie von *Psoriasis u. *Vitiligo mit X. nicht mehr durchgeführt, da dieses in Verbindung mit langwelliger *Ultraviolettstrahlung carcinogen u. mutagen wirkt.[1] *Cytochrom P-450 wird durch reaktive X.-Metabolite, welche kovalent an das Apoprotein binden, desaktiviert.[2] X. inhibiert den Abbau von Coffein im Blut[3]. Es ist für humane Lymphocyten bei einer Konz. von 100 µM cytotoxisch. – *E* xanthotoxin – *F* xanthotoxine – *I* xantotossina – *S* xantotoxina

Lit.: [1] Pharm. Unserer Zeit **10**, 18–28 (1981); Annu. Rev. Pharmacol. Toxicol. **20**, 235–258 (1980); Z. Hautkr. **56**, 1379–1399 (1981); IARC Monogr. **24**, 101–124 (1980); Suppl. **4**, 158 ff. (1982); Suppl. **6**, 380–385 (1987); Suppl. **7**, 243 ff. (1987). [2] J. Pharmacol. Exp. Ther. **236**, 364 (1986); **254**, 720–731 (1990). [3] Clin. Pharmacol. Ther. **42**, 621 (1987).
allg.: Beilstein E V **19/6**, 15 ▪ Karrer, Nr. 1375 ▪ Martindale (30.), S. 763 ▪ Pharm. Int. **7**, 259 (1986) ▪ Sax (8.), Nr. XDJ 000 ▪ s. a. Photochemotherapie. – [HS 2932 29; CAS 298-81-7]

Xanthoxin (Xanthoxal).

$C_{15}H_{22}O_3$, M_R 250,34. *Sesquiterpen, das oxidativ aus *Violaxanthin entsteht. Nachgewiesen in mehreren marinen u. Höheren Pflanzen. Natürlich vorkommendes X. enthält ein *E/Z*-Isomerengemisch an der 2,3-Doppelbindung des 2,4-Pentadienals. Es ist ein Inhibitor des Pflanzenwachstums[1] u. beteiligt an der *Winterruhe der Pflanzen (Seneszenz)[2], u. U. wirkt es auch an der Entstehung von Waldschäden[3] mit. X. ist strukturell u. in der biolog. Wirkung eng verwandt mit der *Abscisinsäure u. stellt vermutlich ein Zwischenprodukt bei deren Biosynth. dar. – *E* xanthoxin – *F* xanthoxine – *I* = *S* xantoxina

Lit.: [1] Phytochemistry **9**, 2217 (1970). [2] Leshem et al., Processes and Control of Plant Senescence, Amsterdam: Elsevier 1986. [3] Naturwiss. Rundsch. **37**, 52–61 (1984); Agric. Biol. Chem. **54**, 2723 (1990).
allg.: Agric. Biol. Chem. **54**, 2723 (1990) (Review) ▪ Beilstein E V **18/1**, 219 ▪ Phytochemistry **44**, 977 (1997) (Review). – *Synth.:* Helv. Chim. Acta **61**, 2616 (1978) ▪ Phytochemistry **30**, 815 (1991) ▪ Tetrahedron **48**, 8229–8238 (1992). – [HS 2934 90; CAS 8066-07-7]

Xanthurensäure s. Vitamine (B_6).

Xanthydrol (9-Xanthenol). $C_{13}H_{10}O_2$, M_R 198,22. Abb. s. bei Xanthen. Weißes Krist.-Pulver, Schmp. 122–123 °C, wenig lösl. in Wasser, lösl. in Alkohol u. Chloroform, bildet mit Mineralsäuren Xanthyliumsalze (s. Xanthen-Farbstoffe); kann durch Red. von *Xanthon hergestellt werden. X. wird in ca. 10%iger methanol. Lsg. zur Harnstoff-Bestimmung im Blut, zur Phenol-Bestimmung sowie als Anfärbereagenz für die dünnschicht- u. papierchromatograph. Bestimmung von Tryptophan u. a. Indol-Derivaten verwendet. – *E* = *F* xanthydrol – *I* xantidrolo – *S* xantidrol

Lit.: Anal. Chem. **33**, 314 (1961) ▪ Beilstein E V **17/4**, 502 ▪ Z. Anal. Chem. **166**, 387 (1959). – [HS 2932 99; CAS 90-46-0]

Xanthylium-Salze s. Xanthen-Farbstoffe.

Xanthylsäure s. Xanthosin.

Xantinolnicotinat.

Internat. Freiname für das durchblutungsfördernde Salz der *Nicotinsäure mit (±)-7-{2-Hydroxy-3-[(2-hydroxyethyl)methylamino]propyl}theophyllin, $C_{19}H_{26}N_6O_6$, M_R 434,45, Krist., Schmp. 180 °C, λ_{max} (H_2O) 270 nm ($A_{1cm}^{1\%}$ 255), sehr leicht lösl. in Wasser. X. dient als peripherer *Vasodilatator. Es wurde 1961 von Wülfing (Complamin®, Smith-Kline Beecham) patentiert u. ist als Generikum im Handel. – *E* xanthinol nicotinate – *F* nicotinate de xantinol – *I* xantinolo nicotinato – *S* nicotinato de xantinol

Lit.: Hager (5.) **9**, 1209 f. ▪ Martindale (31.), S. 972. – [HS 2939 50; CAS 437-74-1]

Xantocilline (Xanthocilline).

Tab.: Daten von Xantocillinen.

Verb.	Summenformel	M_R	Schmp. [°C]	CAS
X. X	$C_{18}H_{12}N_2O_2$	288,31	200	580-74-5
X. Y_1	$C_{18}H_{12}N_2O_3$	304,30		38965-69-4
X. Y_2	$C_{18}H_{12}N_2O_4$	320,30		38965-70-7

Ein aus Kulturen von *Penicillium notatum* u. *Eupenicillium egyptiacum* gewonnenes *Antibiotika-Gemisch aus verschiedenen Diisocyaniden. Als Hauptkomponente läßt sich X. X [4,4'-(2,3-Diisocyano-1,3-butadien-1,4-diyl)bisphenol] isolieren[1], das auch totalsynthet. zugänglich ist. X. X wirkt antifung. u. bakteriostat. gegen Gram-pos. u. -neg. Erreger u. findet Anw. in der Dermatologie u. bei Infektionen des Rachenraumes. Weitere Komponenten des Gemisches sind u. a. *X. Y₁* (3-Hydroxy-X. X) u. *X. Y₂* (3,3'-Dihydroxy-X. X). – *E* xantocillins – *F* xantocillines – *I* xantocilline – *S* xantocilinas

Lit.: [1] J. Chem. Soc., Perkin Trans. 1 **1991**, 595. *allg.:* Gräfe, Biochemie der Antibiotika, Heidelberg: Spektrum 1992 ▪ Merck-Index (12.), Nr. 10 195 ▪ Sax (8.), Nr. DVU 000, XCS 680. – *[HS 2941 10]*

Xantofylpalmitat. Internat. Freiname für Lutein-dipalmitat (*Helenien).

Xantopren®. Abformmaterial auf der Basis kondensationsvernetzender *Silicone für zahnärztliche Zwecke. *B.:* Heraeus Kulzer GmbH & Co. KG.

Xantygen®. Thermoplast. Abdruckmasse (Platten u. Stangen) für zahnärztliche Zwecke. *B.:* Bayer.

Xao. Kurzz. für *Xanthosin (IUPAC/IUB-Regel N-2.3; s. a. Nucleoside).

XDH. Abk. für Xanthin-Dehydrogenase, s. Xanthin-Oxidase.

XDI. Kurzz. für *Xylylendiisocyanat.

Xe. Chem. Symbol für das Element *Xenon.

Xemilofiban (Rp).

Internat. Freiname für das *Fibrinolytikum (S)-Ethyl-3-{3-[(4-amidinophenyl)carbamoyl]-propionamido}-pent-4-inoat, $C_{18}H_{22}N_4O_4$, M_R 358,40. X., eine Entwicklung der Firma Searle (Codebez. CS551), soll als Hydrochlorid verwendet werden u. befindet sich in Phase-III-Studien. Es ist ein oral wirksamer spezif. Inhibitor des Glykoprotein IIb/IIIa-Rezeptors u. soll als solcher zur Prävention von Thrombosen, insbes. der Herzkranzgefäße, in den Handel kommen. – *E = I* xemilofiban – *F* xémilofiban – *S* xemilfibán

Lit.: Circulation **96**, 76–81 (1997) ▪ Tetrahedron Lett. **39**, 3449f. (1998). – *[CAS 149820-74-6 (X.); 156586-91-3 (Hydrochlorid)]*

Xeno… Von griech.: xenos = Gast, Fremder, fremd abgeleitete Vorsilbe in Wortzusammensetzungen mit entsprechendem Bedeutungsinhalt, vgl. die folgenden Stichwörter. – *E = I* xeno… – *F* xéno…

Xenobiotika. Im weitesten Sinne Stoffe, die einem bestimmten *Ökosystem, Organismus od. Gestein fremd sind (s. Xeno… u. allothigen). Im engeren Sinne Sammelbez. für in der *Umwelt des *Menschen – im engsten Sinne: In seiner Nahrung – nicht natürlich vorkommende Stoffe anthropogenen Ursprungs (vgl. Umweltchemikalien). Insofern hat X. begrifflich weniger mit *Zusatzstoffen zu tun als vielmehr mit Fremdstoffen in Nahrungsmitteln (*Beisp.:* *Rückstände von Extraktionsmitteln od. von Pflanzenbehandlungs- u. Arzneimitteln) u. allg. mit anthropogenen Boden-, Luft- u. Gewässerverunreinigungen, deren *biologischer Abbau nur langsam vonstatten geht. Persistente X. (s. Persistenz) sind solche, die auch gegen abiot. Abbau z. B. Photolyse od. Luft-Oxid., recht stabil sind. Die Untersuchung des *Transfers u. *Transports von X. – z. B. in der *Nahrungskette – gehört zu den Aufgaben der *Ökochemie, die Untersuchung der Metabolisierung u. Ausscheidung zu denen der *Ökotoxikologie. Manchmal werden unter X. auch körperfremde Stoffe verstanden, die einen Organismus zur Entwicklung von Abwehrmechanismen u. -stoffen anregen können, z. B. *Gifte, *Toxine u. *Antigene. – *E* xenobiotics – *F* xénobiotiques – *I* xenobiotici – *S* xenobióticos

Lit.: Finley u. Schwass, Xenobiotics in Foods and Feeds. Xenobiotic Metabolism: Nutritional Effects (ACS Symp. Series 234, 277), Washington: ACS 1983, 1985 ▪ Ford et al., Combating Resistance to Xenobiotics, Chichester: Horwood 1987 ▪ Gorrod et al., Metabolism of Xenobiotics, London: Taylor & Francis 1987 ▪ Heldt, Pflanzenbiochemie, S. 328f., Heidelberg: Spektrum 1996 ▪ Hutzinger **2 A**, 193–219; **2 B**, 141–178. – *Zeitschrift:* Xenobiotica, London: Taylor & Francis (seit 1971).

Xenol. Trivialname für 2-, 3- u. 4-*Biphenylol (*o*-, *m*- u. *p*-Xenol). – *E = S* xenol – *F* xénol – *I* xenolo

Xenolith s. Peridotite.

Xenologie s. Xenon.

Xenomorphie s. Allotriomorphie.

Xenon (chem. Symbol Xe, im Französ. früher: X). Gasf. Element, einatomiges *Edelgas, Ordnungszahl 54, Atomgew. 131,29. Natürliches Xe enthält die Isotope (Häufigkeit in Klammern): 124 (0,10%), 126 (0,09%), 128 (1,91%), 129 (26,44%), 130 (4,08%), 131 (21,18%), 132 (26,89%), 134 (10,44%), 136 (8,87%). Es bildet außerdem zahlreiche künstliche Isotope ^{110}Xe–^{142}Xe mit HWZ zwischen 0,2 s u. 36,4 d (^{127}Xe), von denen das Isotop Xe-133 (HWZ 5,25 d) in steriler isoton. Kochsalzlsg. od. als Gas in der *Nuklearmedizin, z. B. bei der Untersuchung der Durchblutung von Gehirn, Muskeln, Haut u. a. Organen, verwendet wird. Gemische von Xe mit Sauerstoff wirken narkotisierend (s. unten). Xe ist ein schweres (ca. 5mal schwerer als Luft), farb-, geruch- u. geschmackloses Gas, Litergew. 4,907 g bei 50 °C, D. 3,52 (flüssig, –100 °C), 2,7 (fest), Schmp. –111,77 °C, Sdp. –107,95 °C, krit. D. 1,100, krit. Temp. 16,6 °C, krit. Druck 5,84 MPa, in Wasser wenig löslich. Festes Xe leitet bei 32 K u. 33 GPa Druck elektr. Strom wie ein Metall. Früher betrachtete man Xe als völlig inert u. nullwertig, doch kennt man heute – neben *Clathraten u. a. *Einschlußverbindungen – auch echte *Edelgas-Verbindungen, in denen es in den Oxid.-Stufen +2, +4, +6 u. +8 auftritt; Näheres s. bei Xenon-Verbindungen. *Nachw.:* Der Nachw. erfolgt spektralanalyt.; bei der Glimmentladung strahlt Xe violett. Die Analyse von Xe-Verb. läßt sich anhand von angeregtem ^{129}Xe (entsteht aus ^{129}I) mittels *Mößbauer-Spektroskopie vornehmen.

Vork.: Xe gehört zu den seltensten Elementen der Erde; sein Anteil an der obersten, 16 km dicken Erdkruste einschließlich Luft- u. Wasserhülle wird auf nur 24 ppt geschätzt. Der volumenmäßige Anteil des Xe an der Luft ist, verglichen mit dem des Argons (0,93%), mit 86 ppb nur winzig; ein normaler Wohnraum (50 m^3) enthält in der Atemluft aber immer noch 4 mL Xenon. Xe aus chondrit. *Meteoriten hat eine etwas andere Isotopen-Zusammensetzung u. damit ein anderes Atomgew. als solches aus terrestr. Quellen; auch dieses kann je nach Herkunft recht uneinheitlich sein [1]. Mit dem Vork. u. der Isotopen-Verteilung von Xe in ird. u. außerird. Materie befaßt sich die sog. *Xenologie* [2]. In Kernreaktoren fallen Xe-Isotope zusammen mit *Strontium-Isotopen als Spaltprodukte von ^{235}U u. ä. Kernbrennstoffen an. Bei größeren Störfällen können diese ggf. freigesetzt werden; beim Three-Mile-Island-Störfall (Harrisburg) waren es Mengen von 2,5 Mio. Curie (ca. $9 \cdot 10^{16}$ Bq). Normalerweise wird die Entfernung der Xe-Radioisotope aus Reaktorabgasen tieftemperaturdestillativ, adsorptiv od. chem. vorgenommen. Im Falle einer Wiederaufarbeitung könnten Xe-Isotope abgetrennt u. – wegen der kurzen HWZ – nach 1 Jahr für techn. Zwecke verwendet werden [3].

Herst.: Man gewinnt Xe zusammen mit *Krypton aus Luft als Nebenprodukt der Sauerstoff-Herst. durch Luftzerlegung, d. h. durch destillative Trennung von *flüssiger Luft, wobei weit mehr als 10 Mio. m^3 Luft zerlegt werden müssen, damit 1 m^3 Xe erhalten wird. In einem Verf. nach Claude verflüssigt man zunächst ca. 10% der zur Verfügung stehenden Luftmenge u. wäscht mit dieser die stark abgekühlte, restliche Luft aus, wobei die (leichter zu verflüssigenden) schweren Edelgase Xe u. Krypton u. ein kleiner Teil des Sauerstoffs in die flüssige Luft übergehen u. aus dieser durch Rektifizierung in reinem Zustand erhalten werden können. Radioaktive u. stabile Xe-Isotope entstehen beim Reaktorbetrieb; eines davon (^{135}Xe) hat einen sehr großen *Wirkungsquerschnitt ($2,6 \cdot 10^6$ b) u. wirkt infolge Neutroneneinfangs nachteilig auf die Energieausbeute in *Reaktoren (*Xe-Vergiftung*).

Verw.: Den zahlreichen Einsatzmöglichkeiten des Xe steht sein hoher Preis entgegen (1993 ca. 6000 DM/m^3) – beispielsweise wäre ein Gemisch aus 80% Xe u. 20% Sauerstoff als Narkotikum bei Operationen verwendbar. Glühbirnen mit Krypton-Xe-Füllung können gegenüber den Lampen mit Argon-Füllung höher beheizt werden, was eine bessere Ausbeute an weißem Licht ermöglicht. Xe dient als Füllgas in Thyratrons, in Bauteilen für Radaranlagen u. in sog. Xe-Hochdrucklampen, die in der Photochemie, UV-Spektroskopie sowie zur Beleuchtung großer Flächen eingesetzt werden. Das Emissionsspektrum derartiger *Xe-Lampen* ähnelt dem der Sonne. Sog. *Xe-Laser* sind Excimer-*Laser, deren angeregte Spezies XeF Licht von 354 nm ausstrahlt. Das Radioisotop ^{133}Xe findet Anw. in der Nuklearmedizin (s. oben).

Geschichte: Xe wurde von *Ramsay im Jahre 1898 bei der genaueren Untersuchung des aus Luft gewonnenen Rohargons entdeckt u. nach griech.: xenos = Gast, Fremder, fremd benannt. – *E* xenon – *F* xénon – *I* xeno – *S* xenón

Lit.: [1] Pure Appl. Chem. **56**, 686, 752 (1984). [2] Naturwissenschaften **59**, 285–291 (1972). [3] Chem.-Ztg. **103**, 207–210 (1979).
allg.: Bailar et al., Comprehensive Inorganic Chemistry, Bd. 1, S. 139–330, Oxford: Pergamon 1979 ▪ Clever, Krypton, Xenon and Radon (Solubility Data Series 2), Oxford: Pergamon 1979 ▪ DAB **9**, 1462 f., Komm.: **9**/3, 3539–3542 ▪ Encycl. Gaz, S. 1145–1150 ▪ Gmelin, Syst.-Nr. 1, Edelgase, 1926, S. 182–192, Erg.-Werk Bd. 1, Edelgasverbindungen, 1970 ▪ Hommel, Nr. 990, 990 a ▪ Kirk-Othmer (4.) **13**, 1 ff., 19, 22 ff. ▪ Rabinovich et al., Thermophysical Properties of Neon, Argon, Krypton and Xenon (Nat. Standard Ref. Data Service USSR 10), Berlin: Springer 1987 ▪ Ullmann (5.) **A 8**, 486; **A 17**, 486, 488, 497–502 ▪ Winnacker-Küchler (4.) **3**, 624 ff. ▪ s. a. Edelgase. – [*HS 2804 29; CAS 7440-63-3; G 2*]

Xenon-Lampe s. Xenon.

Xenon-Laser s. Xenon.

Xenon-Verbindungen. Die Verb. des *Xenons, deren erste Vertreter 1962 von N. *Bartlett synthetisiert wurden (zur Entdeckungsgeschichte s. *Lit.*[1]), stellen das Hauptkontingent der bisher bekannten *Edelgas-Verbindungen. Von hinreichender Stabilität sind die monoklin. kristallisierenden *Xenonfluoride* XeF$_2$ (M$_R$ 169,29, Schmp. 129,03 °C, lineares Mol., Xe,F-Abstand im Gas 197,7 pm), XeF$_4$ (M$_R$ 207,28, Schmp. 117,10 °C, quadrat.-planares Mol., Xe,F-Abstand im Gas 194 pm, im Krist. 195,3 pm) u. XeF$_6$ (M$_R$ 245,28, Schmp. 49,48 °C, Sdp. 75,57 °C, verzerrt oktaedr. Mol., Xe,F-Abstand im Gas 189,0 pm), von denen XeF$_2$ sich sogar unzersetzt in Wasser löst u. auch in saurer Lsg. einige Zeit stabil ist. XeF$_6$ tetramerisiert in Lösung. Die Xenonfluoride lassen sich aus den Elementen unter erheblichem apparativem Aufwand (elektr. Entladung, Bestrahlung, Anw. höherer Temp.) herstellen, XeF$_2$ auch durch Reaktion von Xenon mit IF$_7$. Die X.-V. besitzen keine techn., wohl aber wegen der Bindungseigenarten (*Einelektronenbindung*, *hypervalente Moleküle) theoret. Bedeutung [2]. Allenfalls werden Xe-Fluoride als Fluorierungsmittel verwendet, z. B. XeF$_2$ zur direkten Fluorierung von aromat. Verb. (s. a. *Lit.*[3]). XeF ist die UV-Strahlung emittierende Spezies in Lasern. Mit einigen Metallfluoriden reagieren die Fluoride unter Bildung stabiler Komplexe.

Xenondichlorid (XeCl$_2$, M$_R$ 202,20) erhält man aus einem Gemisch von Xe, F$_2$ u. SiCl$_4$ bzw. CCl$_4$ durch Hochfrequenzanregung. Auch Xenonoxidhalogenide sind bekannt, z. B. das *Xenondifluoridoxid* [XeOF$_2$, M$_R$ 185,29, Schmp. ca. 0 °C (Zers.), explosiv], *Xenontetrafluoridoxid* (XeOF$_4$, M$_R$ 223,28, Schmp. −46 °C) u. *Xenondifluoriddioxid* (XeO$_2$F$_2$, M$_R$ 201,29, Schmp. 31 °C, explosiv).

Xenontrioxid (XeO$_3$, M$_R$ 179,29) bildet weiße, *Xenontetroxid* (XeO$_4$, M$_R$ 195,29) gelbe, extrem leicht explodierende Kristalle. Durch Hydrolyse entsteht aus XeO$_3$ die nur in Form von Salzen (M^{I}HXeO$_4$) bekannte *Xenonsäure* (H$_2$XeO$_4$, M$_R$ 197,30), in Ggw. von Ozon auch die frei ebenfalls nicht bekannte *Perxenonsäure* (H$_4$XeO$_6$, M$_R$ 231,32), deren Salze als *Perxenate* (M$^I_4$XeO$_6$, M^I = einwertiges Metall) bezeichnet werden. Außer Verb. mit Xe,N-Bindung (z. B. das kristallograph. charakterisierte FXeN(SO$_2$F)$_2$, s. *Lit.*[4]) kennt man auch solche mit Xe,C-Bindung, z. B.: [Xe(C$_6$F$_5$)]$^+$[B(C$_6$F$_5$)$_2$F$_2$]$^-$ (*Lit.*[5]) u.

[(H₃C)₃C–C≡C–Xe]⁺[BF₄]⁻ (*Lit.*[6]). Von der bis 85 °C stabilen Acyloxy-Verbindung C_6F_5–Xe–O–CO–C_6F_5 wurde eine Kristallstrukturanalyse angefertigt[7]. – *E* xenon compounds – *F* composés de xénon – *I* composti di xeno – *S* compuestos de xenón

Lit.: [1] Angew. Chem. **100**, 495–506 (1988); Struct. Bonding (Berlin) **73**, 1–15 (1990). [2] Chemtracts: Anal. Phys. Inorg. Chem. **2**, 277 ff. (1990). [3] German u. Zemskov (Hrsg.), New Fluorinating Agents Org. Synth., S. 1–34, Berlin: Springer 1989. [4] J. Am. Chem. Soc. **100**, 6270 (1978). [5] Angew. Chem. **101**, 1534 ff. (1989). [6] J. Chem. Soc., Chem. Commun. **1992**, 578. [7] Angew. Chem. **105**, 114 f. (1993).

allg.: Brauer (3.) **1**, 285 ff. ▪ Gmelin, Erg.-Werk, Bd. 1, 1970 ▪ J. Fluorine Chem. **33**, 149–157 (1986) ▪ Kirk-Othmer (4.) **13**, 40–45 ▪ Top. Curr. Chem. **124**, 35–90 (1984) ▪ Ullmann (5.) **A 11**, 342 ▪ s. a. Xenon. – *[CAS 13709-36-9 (XeF₂); 13709-61-0 (XeF₄); 13693-09-9 (XeF₆); 13780-64-8 (XeOF₂); 13776-58-4 (XeO₃); 12340-14-6 (XeO₄)]*

Xenon-Vergiftung s. Xenon.

Xenorhabdine.

R¹	R²	
CH₂—CH₃	H	X. I
CH(CH₃)₂	H	X. II
(CH₂)₃—CH₃	H	X. III
CH₂—CH₃	CH₃	X. IV
CH(CH₃)₂	CH₃	X. V

Tab.: Daten der Xenorhabdine.

	Summenformel	Schmp. [°C]		CAS
X. I	$C_{11}H_{14}N_2O_2S_2$	270,36	192	92680-94-9
X. II	$C_{12}H_{16}N_2O_2S_2$	284,40	210–213	92680-90-5
X. III	$C_{12}H_{16}N_2O_2S_2$	284,40	360	92680-91-6
X. IV	$C_{12}H_{16}N_2O_2S_2$	284,40	165	92680-92-7
X. V	$C_{13}H_{18}N_2O_2S_2$	298,41		92680-93-8

Gruppe von *N*-(4,5-Dihydro-5-oxo-1,2-dithiolo[4,3-*b*]pyrrol-6-yl)-alkanamiden aus *Xenorhabdus nematophila* u. *X. luminescens* mit antibakteriellen, antifung. u. insektiziden Eigenschaften. Es handelt sich z. B. um Hexan-, Isoheptan- u. Octansäureamide, teilw. ist der Lactam-Stickstoff mit einer Methyl-Gruppe substituiert. Die X. sind gelborange bis orangerot gefärbt. – *E* xenorhabdins – *F* xénorhabdines – *I* xenorabdine – *S* xenorhabdinas

Lit.: ACS Symp. Ser. **504**, 384 (1992) (Synth.) ▪ J. Nat. Prod. **54**, 774 (1991); **58**, 1081 (1995).

Xenotim (Ytterspat). Y[PO₄]; mit *Zirkon isotypes farbloses, gelbliches, braunes, rötliches od. graues, durchsichtiges bis undurchsichtiges, glas- bis fettglänzendes, tetragonales Seltenerd-(SE-)Mineral, Kristallklasse 4/mmm-D_{4h}; Kristallchemie u. Vgl. der Strukturen von X. u. *Monazit s. *Lit.*[1]. Prismat., bipyramidale od. dicktafelige, dem Zirkon ähnliche, aber vollkommen spaltbare Krist., eingesprengte Körner u. derbe Massen; H. 4–4,5, D. 4,5–5,1, Bruch muschelig, spröde. Die chem. Zusammensetzung schwankt, da X. zusätzlich zu Y schwere Seltenerd-Elemente (SEE, Tb bis Lu), darunter oft v. a. Dy, Er u. Yb (z. B. *Lit.*[2]), enthalten kann, max. SEO-Gehalt 62%. Der – für die Verw. von X. störende – Einbau geringer Mengen an Actiniden (Gehalte <2 Gew.-%; U>Th) erfolgt v. a. über die Substitution $(U,Th)^{4+} + Si^{4+} \leftrightarrow SEE^{3+} + P^{5+}$ (*Lit.*[3]).

Vork.: In *Graniten u. *Pegmatiten, z. B. in Südnorwegen, Schweden, Grönland, mehrorts in den USA u. in Brasilien. In *metamorphen Gesteinen, z. B. in Nordost-Bayern[4]. Auf alpinen Klüften (*Lit.*[5], mit chem. Analysen), z. B. in Österreich. Wirtschaftlich von Bedeutung sind die Vork. als *Schwermineral in Küstensanden u. a. *Seifen in Malaysia, Thailand u. Australien; mögliche Reserven für die Zukunft sind die Vork. in laterit. (*Laterit) Verwitterungszonen (oft zusammen mit *Monazit) im Bereich von *Karbonatiten, z. B. in Mt. Weld/West-Australien (mit 17% SEE) u. Südafrika.

Verw.: X. ist Hauptmineral für die Gewinnung der *Ytererden. Wegen des zunehmenden Bedarfs an Y für Laser (z. B. als YAG-Laser, s. Yttrium u. Granate) u. Phosphore besteht eine steigende Nachfrage nach X.-Konzentraten[6]. Die Verteilung von SEE, u. a. Gadolinium, u. Y auf in Gesteinen koexistierende X. u. Monazite ist abhängig von Druck u. Temp. u. kann daher für die *Thermobarometrie an metamorphen Gesteinen verwendet werden[7]. – *E* xenotime – *F* xénotime – *I* xenotimo – *S* xenotima

Lit.: [1] Am. Mineral. **80**, 21–26 (1995). [2] Can. Mineral. **35**, 937–946 (1997). [3] Can. Mineral. **35**, 95–104 (1997). [4] Eur. J. Mineral. **8**, 1097–1118 (1997). [5] Can. Mineral. **29**, 69–75 (1991). [6] Eur. J. Mineral. **3**, 641–650 (1991). [7] Eur. J. Mineral. **10**, 579–588 (1998).

allg.: Harben u. Bates, Industrial Minerals, Geology and World Deposits, S. 224–228, London: Industrial Minerals Division Metal Bulletin Plc 1990 ▪ Lipin u. McKay (Hrsg.), Geochemistry and Mineralogy of Rare Earth Elements (Reviews in Mineralogy, Vol. 21), S. 274 ff., 322 ff., Washington (D. C.): Mineralogical Society of America 1989 ▪ Nriagu u. Moore (Hrsg.), Phosphate Minerals, S. 134 f., 233–237, Berlin: Springer 1984 ▪ Schröcke-Weiner, S. 613 ▪ Ullmann (5.) **A 22**, 610 f. – *[HS 2530 90; CAS 13817-22-6]*

Xenyl... Trivialname für 2-, 3- u. 4-*Biphenylyl... (*o-, m-* u. *p*-Xenyl...). – *E* xenyl... – *F* xényl... – *I* = *S* xenil...

Xenytropiumbromid.

Kurzbez. für das als Ganglienblocker wirkende Anticholinergikum 8-(Biphenyl-4-ylmethyl)-atropiniumbromid, $C_{30}H_{34}BrNO_3$, M_R 536,50, Krist., Zers. bei 220–222 °C, λ_{max} (CH₃OH) 258 nm ($A_{1cm}^{1\%}$ 421). X. wurde 1958 von Lincenia-Budapest patentiert. – *E* xenytropium bromide – *F* bromure de xénytropium – *I* xenitropio bromuro – *S* bromuro de xenitropio

Lit.: Beilstein E III/IV **21**, 221 ▪ Hager (5.) **9**, 1211 f. ▪ Martindale (31.), S. 509. – *[HS 2939 90; CAS 511-55-7]*

Xereswein. Veraltete Bez. für Jerezwein, s. Sherry.

Xero... Von griech.: xērós = trocken abgeleitetes Wortteil in chem. u. allg. Bez.; *Beisp.*: folgende Stichwörter. – *E* = *I* = *S* xero... – *F* xéro...

Xerocomsäure (3,4,4'-Trihydroxypulvinsäure).

$C_{18}H_{12}O_8$, M_R 356,29, orange Krist., Schmp. 295 °C. X. ist wie andere hydroxylierte *Pulvinsäuren (*Gomphidsäure, *Variegatsäure) für die Bläuung des Fruchtfleisches von Röhrlingen u. anderen Pilzen der Ordnung Boletales verantwortlich. Für die Farbreaktion ist Sauerstoff in Anwesenheit von Oxidasen erforderlich. Aufgrund der unsymmetr. Substitution der Phenyl-Ringe mit Hydroxy-Gruppen existieren zwei isomere Formen von X., X. u. Iso-X. (3',4,4'-Trihydroxypulvinsäure). Iso-X. liefert wie Variegatsäure bei der Oxid. mit Wasserstoffperoxid ein Benzofuran-2-on (Xerocomorubin). X. wirkt gegen phytopathogene Bakterien. – *E* xerocomic acid – *F* acide xérocomique – *I* acido xerocomico – *S* ácido xerocómico
Lit.: Beilstein E V **18/9**, 399 ▪ J. Chem. Soc., Perkin Trans. 1 **1984**, 1547–1553 (Synth.) ▪ Zechmeister **51**, 32–51 ▪ Z. Naturforsch. Teil B **24**, 941f. (1969); **29**, 96ff. (1974). – [CAS 25287-88-1 (X.); 27711-61-1 (Iso-X.)]

Xeroderm®. Meist aus Siliconen aufgebaute Hydrophobiermittel für Leder u. a. Fasermaterialien. *B.*: Bayer.

Xerodermie (von *Xero... u. griech.: dérma = Haut). Bez. für Hautaustrocknung als medizin. Symptom z. B. bei Altershaut, leichten Ichthyosis-Formen, Neurodermitis u. *Psoriasis. – *E* xeroderma – *F* xérodermie – *I* xerodermia – *S* xerodermía

Xerogele s. Gele u. Kieselgele.

Xerographie. Von *Xero... u. griech.: graphein = schreiben abgeleitete Bez. für ein 1942 von dem amerikan. Patentanwalt Carlson erfundenes Verf. der Elektrophotographie; Näheres s. dort u. in *Lit.*[1]. – *E* xerography – *F* xérographie – *I* xerografia – *S* xerografía
Lit.: [1] Winnacker-Küchler (4.) **7**, 574–579.
allg.: Vincett, Photographic Processes and Materials, in Encyclopedia of Physical Science and Technology, Vol. 12, S. 599–650, New York: Academic Press 1992 ▪ Williams, The Physics and Technology of Xerographic Processes, New York: Wiley 1984 ▪ s. a. Elektrophotographie.

Xerophthalmie s. Vitamine (A).

Xerophyten (Trockenpflanzen). Von griech.: xeros = trocken u. phyton = Pflanze abgeleitete Bez. für Pflanzen trockener Standorte. Die X. weisen meist verschiedene Anpassungen (*Adaptationen) an klimat. od. bodenbedingte Trockenheit (einschließlich der durch Frost bedingten Trocknis; *Aridität) auf: Austrocknungsfähigkeit (z. B. *Flechten, Luft-*Algen u. höhere Pflanzen der Gattungen *Ramonda* u. *Haberlea*), Austrocknungsvermeidung durch Xeromorphie wie Blattverkleinerung (u. Versteifung: Hartlaubvegetation) od. völlige Blattred. (z. B. bei Kakteen u. Akazien), Blatteinrollung (z. B. bei Heidekrautgewächsen), dicke *Cuticula (Ölbaum, Eukalypten), Haarbildung (*Senecio cineraria* u. Kakteen), Blattstellung parallel zur Lichteinfallsrichtung [z. B. Stachel-Lattich (Kompaß-Pflanze), Eukalypten] u. Einsenkung der Spaltöffnungen (Oleander, Nadelbäume). Manche X. speichern Wasser (s. Sukkulenten) in Blättern (z. B. Crassulaceen = Dickblattgewächse), Sproß (Kakteen, Flaschenbäume) u. Wurzeln (z. B. bei *Pelargonium* u. *Oxalis*) od. haben die Wasserversorgung verbessert, z. B. durch tief- od. weitreichende Wurzeln (z. B. Tamarisken u. Eukalypten) od. *Allelopathie. Biochem. Anpassungen sind z. B. bei der Photosynth. verbreitet (s. CAM-Pflanzen). Als sog. passive X. weichen viele X. der Trockenheit aus, z. B. Geophyten, die Trockenzeiten mit Erneuerungsknospen im Boden überstehen, Therophyten, die nur eine kurze Lebensdauer haben u. als Samen überdauern, sowie ganze Pflanzen, die in *Anabiose verfallen. Gegensatz: *Hydrophyten (Wasserpflanzen), *Helophyten (Sumpfpflanzen), *Hygrophyten (Feuchtpflanzen). – *E* xerophytes – *F* xérophytes – *I* xerofiti – *S* xerófitas
Lit.: Fisher, The Spartial Distribution of Desert Plants, Berlin: Springer 1992 ▪ Gibson, Structure-Function Relations of Warm Desert Plants, Berlin: Springer 1996 ▪ Odum, Grundlagen der Ökologie (3.), S. 416–418, Stuttgart: Thieme 1998 ▪ Smith et al., Adaptations of North American Desert Plants, Berlin: Springer 1991.

Xerulin.

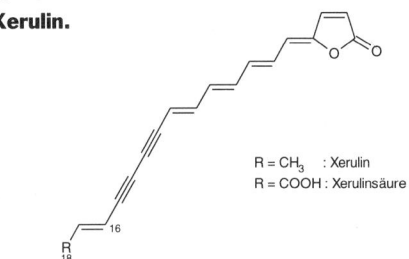

$C_{18}H_{14}O_2$, M_R 262,31, gelb-orange Krist., Schmp. 143–153 °C. Konjugiertes Polyendiin-Furanon aus dem Basidiomyceten *Xerula melanotricha*. X. kommt zusammen mit der 16,17-Dihydro-Verb. ($C_{18}H_{16}O_2$, M_R 264,32) u. *Xerulinsäure* [$C_{18}H_{12}O_4$, M_R 292,29, gelb-orange Krist., Schmp. 250 °C (Zers.)] vor. Alle X.-Derivate hemmen die Cholesterin-Biosynthese. – *E* xerulin – *F* xéruline – *I* = *S* xerulina
Lit.: J. Antibiot. (Tokyo) **43**, 1413 (1990) (Isolierung). – [CAS 132971-61-0 (X.); 132971-60-9 (Dihydro-X.); 132971-62-1 (Xerulinsäure)]

Xerulinsäure s. Xerulin.

Xestospongine. Mit *Petrosin u. Araguspongin strukturverwandte Alkaloide (X. A–E) aus dem Meeresschwamm *Xestospongia exigua*, z. B. X. A: $C_{28}H_{50}N_2O_2$, M_R 446,72, Krist., Schmp. 135–136 °C, $[\alpha]_D$ +7° (CHCl$_3$) (Formel s. S. 5018). X. zeigen vasodilator. u. antimikrobielle Wirkung u. binden sich an den Inosit-1,4,5-trisphosphat-(IP$_3$-)Rezeptor[1] (s. Adrenozeptoren).

– $E=F$ xestospongines – I xestospongine – S xestoesponginas

Lit.: [1] Neuron **19**, 723–733 (1997).
allg.: Bioorg. Med. Chem. Lett. **6**, 1313 (1996) ▪ Chem. Pharm. Bull. **37**, 1676 (1989) ▪ J. Am. Chem. Soc. **116**, 2617 (1994) ▪ Tetrahedron Lett. **25**, 3227 (1984). – *[CAS 88840-02-2 (X. A)]*

XF-Harze. Abk. für *Xylol-Formaldehyd-Harze.

Xi. a) Name eines griech. Buchstaben, s. ξ u. Ξ (vor Buchstabe x). – b) Kurzz. im *Gefahrensymbol für Augen-, Haut- u./od. Schleimhaut-*reizende (*E i*rritant) *Xenobiotika; vgl. Xn.

Ximovan (Rp). Schlaftabl. mit *Zopiclon. *B.*: Rhône-Poulenc Rorer.

Xipamid (Rp).

Internat. Freiname für das *Diuretikum 4-Chlor-2',6'-dimethyl-5-sulfamoylsalicylanilid, $C_{15}H_{15}ClN_2O_4S$, M_R 354,81, Krist., Schmp. 256 °C, λ_{max} (CH_3OH) 318 nm ($A_{1cm}^{1\%}$ 100), pK_{a1} 4,8, pK_{a2} 10,0. X. wurde 1966 u. 1970 von Beiersdorf (Aquaphor®, Beiersdorf-Lilly/Lilly) patentiert. – $E=F=I$ xipamide – S xipamida

Lit.: ASP ▪ Drugs **30**, 313–332 (1985) ▪ Hager (5.) **9**, 1212–1215 ▪ Martindale (31.), S. 972 ▪ Rowedder, Xipamid, München: Urban & Vogel 1990. – *[HS 293500; CAS 14293-44-8]*

XMP. Abk. für Xanthosin-5'-monophosphat, s. Xanthosin.

Xn. Kurzz. im *Gefahrensymbol für *gesundheitsschädliche (*E n*oxious) *Xenobiotika; vgl. Xi.

XNBR. Kurzz. (nach ISO) für Carboxy-Gruppen enthaltende Acrylnitril-Butadien-Kautschuke.

XOD. Abk. für *Xanthin-Oxidase.

Xographie s. Photographie.

Xonotlit. $Ca_6[Si_6O_{17}](OH)_2$; monoklines Calciumsilicat-Hydroxid-Mineral; feine weiße bis graue Nädelchen, faserige radialstrahlige Bündel u. Rosetten u. zähe kompakte Massen. H. 6,5, D. 2,7, Kristallklasse 2/m-C_{2h}. Die Struktur (*Lit.*[1,2]) ist der von *Wollastonit ähnlich, in den sich X. beim Erhitzen umwandelt. Zu den zahlreichen, darunter auch triklinen (*Lit.*[2]) Polytypen (*Polytypie) von X. s. *Lit.*[1–3].
Vork.: In bas. u. ultrabas. *magmatischen Gesteinen, oft im Kontaktbereich zwischen *Vulkaniten u. Serpentiniten (s. Serpentin); *Beisp.*: Tetela di Xonotla/Mexiko (Name!), Crestmore/Kalifornien, Puerto Rico u. mehrorts in Japan. Ferner in Kuruman/Südafrika u. als Bindemittel in dampfgehärteten Baustoffen. – $E=F=I$ xonotlite – S xonotlita
Lit.: [1] Z. Kristallogr. **154**, 271 f. (1981). [2] Mineral. J. (Japan) **9**, 349–373 (1979). [3] Nature (London) **211**, 1078 f. (1966).
allg.: Anthony et al., Handbook of Mineralogy, Vol. II, Tl. 2, S. 881, Tucson (Arizona): Mineral Data Publishing 1995 ▪ Ramdohr-Strunz, S. 733. – *[CAS 12141-77-4]*

XPES. Abk. für *E* X-Ray *P*hoto*e*lectron *S*pectroscopy, s. ESCA u. vgl. XPS.

X-Prep®. Lsg. mit standardisiertem Trockenextrakt aus Alexandriner Sennesfrüchten als Abführmittel zur Diagnosevorbereitung. *B.*: Mundipharma.

XPS. 1. Kurzz. für expandiertes *Polystyrol. – 2. Abk. für *E* X-Ray *P*hoto*e*lectron *S*pectroscopy, ein hier unter *ESCA behandeltes Verf. der *Elektronenspektroskopie.
Lit. (zu 2.): Pure Appl. Chem. **59**, 1348 ff. (1987) ▪ Windawi u. Ho, Applied Electron Spectroscopy for Chemical Analysis, New York: Wiley 1982.

XRF(A). Abk. für *E* X-ray *F*luorescence (*A*nalysis), s. Röntgenfluoreszenzspektroskopie.

XSBR. Kurzz. (nach ISO) für Carboxy-Gruppen enthaltende *Styrol-Butadien-Kautschuke.

X-Strahlen s. Röntgenstrahlung.

XUV s. Ultraviolettstrahlung.

Xydar. Handelsname für einen thermotrop-flüssigkrist., aromat. *Polyester mit den Repetiereinheiten

Lit.: Elias (5.) **1**, 777; **2**, 195, 456 f.

Xyladecor®/Basimont®. Dekorative Holzschutzlasuren auf Lsm.- bzw. Wasserbasis, in vielen Farbtönen u. farblos; schützen vor Fäulnis, Bläue u. (falls erforderlich) Insekten. Ausgezeichnet mit dem Gütezeichen RAL-Holzschutzmittel. *B.*: Desowag.

Xylamon®. Farblose, wäss. Holzschutzgrundierung, vorbeugend wirksam gegen Fäulnis, Bläue u. Insekten sowie pigmentiertes Holzschutzmittel auf Lsm.-Basis zum Schutz vor Fäulnis u. Insekten. Ausgezeichnet mit dem Gütezeichen RAL-Holzschutzmittel. *B.*: Desowag.

Xylanasen s. Xylane.

Xylane. Polysaccharide, die D-Xylose-Bausteine enthalten. Reine X. sind sehr selten. Im Holz vieler Landpflanzen finden sich X. in Form von Heteroxylanen, z. B. im Laubholz zu 10–35% *O-Acetyl-(4-O-methylglucuronosyl)-xylan*[1], das aus 4-*O*-glykosylierter β-D-Xylopyranose u. 2-*O*-glykosylierter 4-*O*-Methyl-α-D-glucopyranuronsäure besteht, die Sauerstoff-Atome sind teilw. acetyliert. Im Nadelholz findet man ca. 10–15% *Arabino-(4-O-methylglucuronosyl)-xy-*

lan[1,2], das keine Acetyl-Gruppen enthält, jedoch sind die Sauerstoff-Atome in 3-Stellung der D-Xylose mit einer L-Arabinofuranose-Einheit verknüpft. Zur Biosynth. der X. s. *Lit.*[1]. Durch *Xylanasen*, spezielle Hemicellulasen, werden X. zu Xylose u. a. Pentosen hydrolysiert. Solche Xylanasen werden von Pilzen gebildet[2]. Gentechnolog. modifizierte *Zymomonas mobilis*-Bakterien können X. zu Ethanol vergären. – *E* xylans – *F* xylanes – *I* xilani – *S* xilanos

Lit.: [1] Phytochemistry **11**, 2489–2495 (1972). [2] ACS Symp. Ser. **399** (Plant Cell Wall Polym.), 619–629 (1989); Appl. Microbiol. Biotechnol. **33**, 506–510 (1990).
allg.: Infect. Agents Dis. **3**, 54 (1994) ▪ Microbiol. Rev. **52**, 305–317 (1988) ▪ Thromb. Res. **64**, 301 (1991) ▪ Topics Enzyme Ferment. Biotechnol. **8**, 9 ff. (1984) ▪ Ullmann (5.) **A 12**, 122 ▪ s. a. Polyosen. – *[CAS 9014-63-5]*

Xylaral.

$C_{23}H_{30}O_7$, M_R 418,49, farblose Krist., Schmp. 180–183 °C. Hydroxyphthalid-Derivat aus Fruchtkörpern der Vielgestaltigen Holzkeule (*Xylaria polymorpha*, Ascomycetes), das sich mit Ammoniak violett u. in verd. Alkalilauge gelb verfärbt. – *E* = *F* xylaral – *I* xilarale – *S* xilaral

Lit.: Justus Liebigs Ann. Chem. **1990**, 825 ff. – *[CAS 127913-82-0]*

Xylem.
Bei höheren *Pflanzen Bez. für das im Stengelinneren gelegene, von verholztem Parenchym begrenzte Röhrensyst., in dem der aufsteigende Wasser- u. Nährsalztransport stattfindet. – *E* xylem – *F* xylème – *I* = *S* xilema

Xylenolblau
{3,3-Bis-4-hydroxy-(2,5-dimethylphenyl)-3H-benz[c]isoxathiol-1,1-dioxid, *p*-Xylenolsulfonphthalein}.

$R^1 = CH_3$, $R^2 = H$, $R^3 = CH_3$: Xylenolblau
$R^1 = H$, $R^2 = CH_3$, $R^3 = CH_2-N(CH_2-COOH)_2$: Xylenolorange

$C_{23}H_{22}O_5S$, M_R 410,50. Dunkelrotes Pulver, lösl. in Alkohol, wenig lösl. in Wasser. X. ist wie *Thymolblau ein *Triarylmethan-Farbstoff, dessen Sulfonsäure-Rest als *Sulton vorliegt; die ringgeöffnete Sulfonsäure-Form ist bei *Bromphenolblau abgebildet.
Verw.: Indikator für pH-Bestimmungen in 0,04%iger wäss. Lsg., Umschlag im sauren Bereich pH 1,2–2,8 rot nach gelb, im alkal. Bereich pH 8,0–9,6 gelb nach blau. – *E* xylenol blue – *F* bleu de xylénol – *I* blu di xilenolo – *S* azul de xilenol

Lit.: Beilstein E V **19/3**, 461 ▪ Ullmann (5.) **A 14**, 130. – *[HS 2934 90; CAS 125-31-5]*

Xylenole s. Dimethylphenole.

Xylenol-Harze s. Xylol-Formaldehyd-Harze.

Xylenolorange
(3,3-Bis{3-[*N,N*-bis(carboxymethyl)aminomethyl]-4-hydroxy-5-methylphenyl}-3*H*-benz[*c*]isoxathiol-1,1-dioxid) Tetranatrium-Salz: $C_{31}H_{28}N_2Na_4O_{13}S$, M_R 760,64; Formelbild s. bei Xylenolblau. Braunrotes, krist. Pulver, lösl. in Alkohol u. Wasser, in Lsg. wenig haltbar. X. wird als Metallindikator für komplexometr. Titrationen od. als Komplexpartner in der photometr. Bestimmung von Bi, Ga, Zn u. Zr verwendet. – *E* xylenol orange – *F* orange de xylénol – *I* arancio di xilenolo – *S* anaranjado de xilenol

Lit.: Beilstein E V **19/8**, 618 ▪ Ullmann (5.) **A 14**, 141, 145. – *[HS 2934 90; CAS 1611-35-4 (X.); 3618-43-7 (X.-Na$_4$-Salz)]*

p-Xylenolsulfonphthalein s. Xylenolblau.

...xylid.
*Suffix in Namen der von *Xylidinen abgeleiteten *Anilide; *Beisp.:* $H_3C-CO-NH-C_6H_3-3,4-(CH_3)_2$ = Aceto-3,4-xylidid, Essigsäure-3,4-xylidid, 3',4'-Dimethylacetanilid od. *N*-(3,4-Xylyl)acetamid; CAS: *N*-(3,4-Dimethylphenyl)acetamid. – *E* = *F* ...xylidide – *I* ...xilidide – *S* ...xilidida

Xylidine
(*ar,ar*-Dimethylaniline, *ar*-Aminoxylole). $C_8H_{11}N$, M_R 121,18, physikal. Daten s. Tabelle. Die X. sind in vielen organ. Lsm. gut, in Wasser dagegen schlecht lösl.;

T
N

2,3-X.   2,4-X.   2,5-X.

2,6-X.   3,4-X.   3,5-X.

Tab.: Daten von Xylidinen.

	D.	Schmp. [°C]	Sdp. [°C]	CAS
2,3-X.	0,9931	3,5	222,7–222,9	87-59-2
2,4-X.	0,9763	−12,5 bis −14,3	214,3	95-68-1
2,5-X.	0,9755	14,2–15,0	217	95-78-3
2,6-X.	0,9796	11,2	214,8–215,1	87-62-7
3,4-X.	1,0755	50–51	225	95-64-7
3,5-X.	0,9704	9,8–10,0	218	108-69-0

WGK 2. Ihre Toxizität ist der des Anilins ähnlich; MAK für alle Isomeren (außer 2,4-X.) 5 ppm = 25 mg/m^3. 2,4-X. gilt als Stoff mit begründetem Verdacht auf krebserzeugendes Potential (Gruppe III B MAK-Werteliste 1997); TRK 5 ppm = 25 mg/m^3 (TRGS 905).
Herst.: Für alle X. – außer 3,5-X. u. 2,6-X. – ist die Red. der Nitroxylole der techn. wichtigste Herst.-Weg (s. Ullmann, *Lit.*).
Verw.: Die X. werden hauptsächlich zur Produktion von Farbstoffen verwendet; weitere Verw. finden sie bei der Herst. von Vitaminen, Pharmazeutika u. Pflanzenschutzmitteln. Im 2. Weltkrieg wurde Rohxylidin in großen Mengen als Antiklopfmittel für Flugzeugbenzin verwendet. Die X. finden weiterhin Verw. als

Antioxidantien für Schmieröle u. Kautschuk. Die Verw. der X. (ebenso ihrer Salze, ihrer halogenierten u. ihrer sulfonierten Derivate) in kosmet. Mitteln ist verboten. – *E = F* xylidines – *I* xilidine – *S* xilidinas
Lit.: Beilstein E IV **12**, 2497–2567 ▪ Hommel, Nr. 207 ▪ Kosmetik-VO vom 7.10.1997, zuletzt geändert 25.6.1998, Anl. 1, Nr. 33 ▪ Merck-Index (12.), Nr. 10217 ▪ Ullmann (4.) **24**, 519–524; (5.) **A 2**, 310 f.; **A 28**, 455. – *[G 6.1]*

Xylidino... [(*ar,ar'*-Dimethylanilino)...]. Präfix für einen N-verknüpften *Xylidin-Rest –NH–C$_6$H$_3$(CH$_3$)$_2$ in organ. Verb. (IUPAC-Regel C-811.4); *x,y*-X. mit *x,y*- = 2,3-, 2,4-, 2,5-, 2,6-, 3,4- od. 3,5- = (*x,y*-Dimethylanilino)...; CAS [(*x,y*-Dimethylphenyl)amino]... – *E = F* xylidino... – *I = S* xilidino...

Xyligen®-Marken. Wirkstoffe für Holzschutzformulierungen. Schutzmittel gegen holzzerstörende Pilze; Additiv zur Leimflotte zum Schutz von Holzwerkstoffen. *B.:* BASF.

Xylit. 1. Synonym für *Lignit. – 2. Synonym für 2,4,6-Trinitro-*m*-xylol als *Explosivstoff, hat ähnliche Eigenschaften wie *2,4,6-Trinitrotoluol (TNT), wurde im 1. Weltkrieg bei TNT-Knappheit im Gemisch mit diesem als Granatenfüllung verwendet, hat als *Sprengstoff keine Bedeutung mehr, s. *Lit.*[1]. – 3. Zu den *Pentiten (5-wertige Alkohole) gehörendes Polyol (*xylo*-1,2,3,4,5-Pentanpentol, Xylitol), C$_5$H$_{12}$O$_5$, M$_R$ 152,14. Formel s. bei Xylose. In Wasser leicht, in Alkohol wenig lösl., süß schmeckende Krist. mit metastabiler (Schmp. 61 °C) u. stabiler Form (Schmp. 94 °C); X. ist nicht opt. aktiv (*meso*-Form). Es kommt in geringen Mengen in manchen eßbaren Pilzen, in Obst u. Gemüse vor u. ist ein Zwischenprodukt beim Glucuronsäure-Abbau in der Leber. Die Herst. des X. erfolgt durch katalyt. Hydrierung von *Xylose.
Physiologie[2]: Die Resorption von X. erfolgt im Dünndarm durch passive Diffusion, wobei die Resorptionsrate (~75%) stark von der vorliegenden Dosis abhängt. Geringe Dosen werden bedeutend besser resorbiert als hohe. Dies hat Auswirkungen auf den *physiologischen Brennwert von X., der nach Nährwert-Kennzeichnungs-VO[3], § 2 Punkt 3 mit 17 kJ/g angegeben wird, während andere Autoren[4] 12 kJ/g vorschlagen. Orte der Metabolisierung sind v.a. die Leber (80–85%) u. in geringem Umfang auch die Erythrocyten, in denen aus X. Milchsäure gebildet wird. Die Hauptmetaboliten sind der Abb. zu entnehmen. Probleme bei einer parenteralen X.-haltigen Ernährung als Folge einer Oxalsteinbildung in der Niere sind beschrieben.

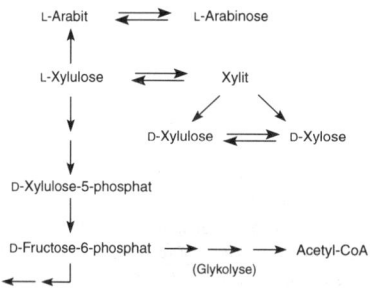

Abb.: Humanmetabolismus von Xylit (vereinfacht).

*Glucose wird nur in sehr geringem Umfang gebildet, so daß der Metabolismus von X. als nahezu Insulin-unabhängig bezeichnet werden kann (Diabetiker). Da X. bei hoher Dosierung laxierend wirkt, werden folgende Toleranzschwellen angegeben (in g)[5] (s. Tab.).

Tab.: Toleranzschwellen (in g) für die Xylit-Dosierung.

	Erwachsener	Kind (jeweils nicht adaptiert)
Einzeldosis:	20	10
Tagesdosis:	50	30

Ein *ADI-Wert für Xylit ist nicht spezifiziert; der SCF (Wissenschaftlicher Lebensmittelausschuß der EG) hat X. unter Berücksichtigung der laxierenden Wirkung für „akzeptabel" erklärt.
X. besitzt die gleiche Süßkraft wie *Saccharose, hat aber aufgrund seiner hohen Lösungswärme von –23,27 kJ/mol (*Saccharose 6,21 kJ/mol) beim Auflösen in der Mundhöhle einen kühlenden Effekt. Dies macht man sich bei einigen *Süßwaren (sog. Eisbonbons od. Fondantmassen) zu Nutze. Aufgrund des minimalen Einflußes von X. auf den pH-Wert der Plaque wirkt X. nicht kariogen bzw. sogar antikariogen, was den Einsatz in zahnschonenden Kaugummis rechtfertigt[6]. Hierzu liegen umfangreiche WHO-Studien vor.
Lebensmittelrechtliche Beurteilung: X. ist nach Anlage 2 der Zusatzstoff-Zulassungs-VO[7] für Lebensmittel allg., ausgenommen Getränke, bis zu 100 g/kg verzehrfertiges Erzeugnis zugelassen. Für Zuckerwaren, Kaugummi, Marzipan (u. ähnliche Erzeugnisse) u. Nougaterzeugnisse bestehen keine Mengenbegrenzungen. Bei Einsatzkonz. über 100 g hat bei diesen Lebensmitteln jedoch nach § 8 Absatz 1 Nr. 6 der Zusatzstoff-Zulassungs-VO[7] eine spezielle Kenntlichmachung zu erfolgen. Der Warnhinweis „kann bei übermäßigem Verzehr abführend wirken" ist dann zwingend vorgeschrieben. Die EG-Süßstoff-Richtlinie sieht für X. (E 967) eine generelle Zulassung für alle Lebensmittel außer aromatisierte, nicht alkohol. Getränke auf Wasserbasis vor. Nach Diät-VO[8] § 1 Absatz 3 Nr. 2 ist X. ein diätet. Lebensmittel.
Verw.: Als *Zuckeraustauschstoff u. als Feuchthaltemittel für Zahnpasten (Einsatzkonz. neben anderen *Polyolen um 5%).
Analytik: Zum Nachweis von X. stehen enzymat.[9], ionenchromatograph.[10] u. dünnschichtchromatograph. Meth. zur Verfügung.
Handelsname: Bonadent®; s. Zuckeraustauschstoffe. – *E = F* xylite (1., 2.), xylitol (3.) – *I* xilite (1., 2.), xilitolo (3.) – *S* xilito (1.), xilita (2.), xilitol (3.)
Lit.: [1]Winnacker-Küchler (4.) **7**, 371. [2]Dtsch. Med. Wochenschr. **1980**, 997. [3]VO zur Neuordnung der Nährwertkennzeichnungsvorschriften für Lebensmittel vom 25.11.1994 (BGBl. I, S. 3526), Artikel 1 (Nährwert-Kennzeichnungs-VO). [4]Ernährungsumschau **36**, 395–401 (1989). [5]Bundesgesundheitsblatt **33**, 578–581 (1990). [6]Zucker Süßwaren Wirtsch. **41**, 360–365 (1988). [7]Zusatzstoff-Zulassungs-VO vom 22.12.1981 i.d.F. vom 8.3.1996 (BGBl. I, S. 460). [8]Diät-VO vom 25.8.1988 i.d.F. vom 21.11.1996 (BGBl. I, S. 1812). [9]Dtsch. Lebensm. Rundsch. **73**, 182–187 (1977). [10]Merck Spectrum **1989**, Nr. 2, 25–26; Sonderheft „Chromatographie" **1991**, 44–45.

allg.: Beilstein E IV **1**, 2832 ■ Belitz-Grosch (4.), S. 776–780 ■ Beutler, in Bergmeyer, Methods of Enzymatic Analysis, Bd. 6, S. 484–490, Weinheim: Verl. Chemie 1984 ■ Hager (5.) **9**, 1216 ■ Karrer, Nr. 5401 ■ Kirk-Othmer (4.) **4**, 925; **23**; 95 ■ Merck-Index (12.), Nr. 10218 ■ Sax (7.), S. 3501 ■ Süßwaren **33**, 245–248, 315–319 (1989) ■ Winnacker-Küchler (4.) **7**, 490–492 ■ s. a. Zuckeraustauschstoffe. – [HS 290549; CAS 87-99-0]

xylo-. Kursiv gesetzte Bez. für *Xylose-artige Konfiguration von 3 Stereozentren, Abb. s. Aldopentosen u. Kohlenhydrate. – *E* = *F* xylo- – *I* = *S* xilo-

Xylocandine. Gruppe antifung. wirksamer Cyclo-Peptide aus *Pseudomonas cepacia*. Man unterscheidet X. A_1, A_2, B_1, B_2, C_1, C_2, D_1 u. D_2. Die X. enthalten 1 Mol Glycin, 2 Mol Serin, 1–3 Mol Asparagin, 1 Mol β-Hydroxytyrosin u. eine ungewöhnliche Aminosäure ($C_{18}H_{37}NO_5$, M_R 347,48), in einigen X. sind auch *erythro*-β-Hydroxyasparagin (X. A_1, B_1, C_1, D_1), 2,4-Diaminobuttersäure (X. A_1, A_2, D_1 u. D_2) u. Xylose (X. A_1, A_2, B_1, B_2) enthalten. Die stärkste antifung. Wirkung zeigt das Paar X. A_1 ($C_{52}H_{85}N_{11}O_{22}$, M_R 1216,31) u. X. A_2 ($C_{52}H_{85}N_{11}O_{21}$, M_R 1200,31). – *E* xylocandins – *F* xylocandines – *I* xilocandine – *S* xilocandinas

Lit.: J. Antibiot. (Tokyo) **40**, 1515–1519, 1520–1529 (1987) ■ s. a. Echinocandin. – [CAS 112354-01-5 (Antibiotika-Komplex); 112354-02-6 (X. A_1); 112354-03-7 (X. A_2)]

Xyloidin s. Stärkenitrate.

Xylole (Dimethylbenzole). C_8H_{10}, M_R 106,16. Techn. X. liegt als Gemisch aus den

o-X.   m-X.   p-X.

3 Isomeren vor u. wird in der Technik selten getrennt. Es ist eine farblose, stark lichtbrechende, charakterist. aromat. riechende, brennfähige Flüssigkeit, die mit stark rußender Flamme verbrennt, D. ca. 0,86, Sdp. 137–140°C, FP. 26–27°C c.c. (variiert je nach Gemisch); Zündgrenzen für explosionsfähige X.-Luftgemische ca. 1–7 Vol.-%. Die X. sind in Wasser unlösl., leichtlösl. in Alkohol, Ether, Benzol, Benzin usw., gute Lsm. für Kautschuk, Harze, Fette u. Öle.

o-X. (1,2-Dimethylbenzol), D. 0,881, Schmp. –25°C, Sdp. 144°C; – *m-X.* (1,3-Dimethylbenzol), D. 0,866, Schmp. –48°C, Sdp. 139°C; – *p-X.* (1,4-Dimethylbenzol), D. 0,861, Schmp. 13°C, Sdp. 138°C. Die X. bilden beim Abkühlen eutekt. Gemische; das Eutektikum mit 9% *p-X.*, 30% *o-X.* u. 61% *m-X.* erstarrt bei –63°C. Der Siedeverlauf nach Kraemer-Spilker wird gemäß DIN 51761: 1987-10 bestimmt. Die Flüssigkeit wirkt haut- u. schleimhautreizend, die Dämpfe reizen Augen u. Nase u. erzeugen Benommenheit; nach wiederholtem Kontakt mit X. kann eine Dermatitis entstehen (näheres zur Gesundheitsgefährdung s. *Lit.*[1]). Der MAK-Wert beträgt 100 ppm bzw. 440 mg/m³, zur Bestimmung des BAT-Wertes s. *Lit.*[2], WGK 2.

X. wurde 1850 von Cahours erstmals aus rohem Holzgeist isoliert. Zwar kommen X. im *Steinkohlenteer vor, doch werden sie heute v. a. in den beim *Reformieren u. *Kracken von Erdöl anfallenden *Aromaten-Fraktionen (BTX) zusammen mit dem isomeren Ethylbenzol gewonnen. Die Ausbeute an X. kann durch Disproportionierung von Toluol in Benzol u. X. erhöht werden. Zur Auftrennung der sog. C_8-Aromaten (Ethylbenzol u. Xylol-Gemisch) in die einzelnen Isomeren sind zahlreiche Verf. ausgearbeitet worden, s. Kirk-Othmer, Ullmann, Weissermel-Arpe (*Lit.*).

Verw.: Ein großer Teil des techn. X.-Gemisches dient in Ottokraftstoffen zur Erhöhung der *Octan-Zahl, weshalb die X. eine gewisse Rolle als Luftverunreinigungskomponenten spielen[3]. Weiter werden die X. allein od. anteilig als Lsm. – häufig anstelle des giftigeren *Benzols – für Natur- u. Kunstharze, Fette, Wachse, Bitumen, Teer, bei der Herst. von Lacken, Farben, Druckfarben, Szintillations-Cocktails, Klebstoffen, Bautenschutzmitteln, Insektiziden etc. verwendet. Eine Emulsion von X. mit Seife od. Türkischrotöl überzieht das Wasser mit einer Schutzschicht u. vernichtet noch in der Verdünnung 1 : 20000 die im Wasser befindliche Stechmückenbrut. Als Chemierohstoffe werden reines *o*-X. u. reines *p*-X. meist der Luftoxid. unterworfen, denn *o*-X. dient als Ausgangsmaterial für *Phthalsäure(anhydrid), ein wichtiges Zwischenprodukt für die Herst. von Weichmachern, Alkydharzen u. Polyestern, während *p*-X. vornehmlich zur Herst. von *Terephthalsäure(estern) für Polyester-Kunstfasern benutzt wird. Auch die *Parylene sind aus *p*-X. zugänglich (vgl. das Schema dort). *m*-X., dessen Isolierung bes. Schwierigkeiten bereitet, wird häufig zu *o*- u. *p*-X. isomerisiert, kann jedoch auch zur Herst. von Isophthalsäure als Zwischenprodukt für ungesätt. Polyesterharze dienen sowie über die Nitro-Verb. zu *Xylidinen, *Trimellit(h)säure usw. verarbeitet werden. Die jährliche Weltproduktion wird auf etwa 6–8 Mio. t geschätzt. – *E* xylenes – *F* xylènes – *I* xileni – *S* xilenos

Lit.: [1] Gesundheitsschädliche Arbeitsstoffe: toxikologisch-arbeitsmedizinische Begründung von MAK-Werten, Weinheim: Verl. Chemie 1972–1998. [2] Maximale Arbeitsplatzkonzentrationen u. Biologische Arbeitsstofftoleranzwerte 1997, Weinheim: VCH Verlagsges. 1997. [3] Hutzinger **3B**, 117–161.
allg.: Beilstein E IV **5**, 917, 932, 951 ■ Franck u. Stadelhofer, Industrielle Aromatenchemie, Berlin: Springer 1987 ■ Hommel, Nr. 208 ■ Kirk-Othmer (3.) **4**, 264–277; **24**, 709–744; (4.) **5**, 831 ff. ■ Koch, Umweltchemikalien (3.), Weinheim: Verl. Chemie 1995 ■ Merck-Index (12.), Nr. 10214 ■ Rippen ■ Ullmann (4.) **24**, 525–544; (5.) **A 3**, 475–505 ■ Weissermel-Arpe (4.), S. 360f., 417f. – [HS 290241, 290242, 290243; CAS 1330-20-7 (X.); 95-47-6 (o-X.); 108-38-3 (m-X.); 106-42-3 (p-X.); G 3]

Xylol-Formaldehyd-Harze (XF-Harze, Xylenol-Harze). *Novolake (vgl. Abb. bei Phenol-Harze), die bei der Kondensation von Xylenolen (*Dimethylphenolen) mit Formaldehyd bei Anwesenheit von Schwefelsäure entstehen. Die X.-F.-H. werden in der Lack-Ind. mit Nitrocellulose kombiniert u. bilden harte, sehr rasch trocknende Lacke. – *E* xylene formaldehyde resins – *F* résines de xylène-formaldéhyde – *I* resine di xilolo e formaldeide – *S* resinas de xileno-formaldehído

Lit.: Ullmann (4.) **12**, 542.

Xylolith s. Sorelzement.

Xylolmoschus.

Bez. für 1-*tert*-Butyl-3,5-dimethyl-2,4,6-trinitrobenzol, $C_{12}H_{15}N_3O_6$, M_R 297,27. Moschusartig riechende gelbliche Krist., Schmp. 114 °C, in Alkohol schwer, in Benzylbenzol u. Benzylsalicylat leichter lösl., vollsynthet. herstellbar aus *m*-Xylol durch Alkylierung mit Isobuten zu 1-*tert*-Butyl-3,5-dimethylbenzol u. anschließende Nitrierung mit Salpeter-/Schwefelsäure-Gemisch. X. wird in großen Mengen als preisgünstiger *Moschus-*Riechstoff hauptsächlich für techn. Parfümierungen hergestellt. – *E* musk xylene – *F* musc de xylène – *I* muschio di xilolo – *S* almizcle de xileno

Lit.: Beilstein E IV **5**, 1132 ▪ Ohloff, S. 208 f. ▪ Ullmann (4.) **20**, 239 f.; (5.) **A 11**, 194. – *[HS 2904 20; CAS 81-15-2]*

Xylolsulfonate.
Anticakingmittel für Waschpulver bzw. Solubilisierungsmittel (hydrotrop) für flüssige *Waschmittel u. *Reiniger. – *E* xylene sulfonates – *F* sulfonates de xylène – *I* toluensolfonati – *S* sulfonatos de xileno

Xylometazolin.

Internat. Freiname für den *Vasokonstriktor 2-(4-*tert*-Butyl-2,6-dimethylbenzyl)-4,5-dihydro-1*H*-imidazol, $C_{16}H_{24}N_2$, M_R 244,37, Schmp. 131–133 °C. Verwendet wird meist das Hydrochlorid, Schmp. 317–324 °C (Zers.), λ_{max} (0,01 M HCl) 265 nm ($A_{1cm}^{1\%}$ 10), pK_a 10,6. X. wird als abschwellendes Schnupfenmittel eingesetzt. Es wurde 1959 von Ciba (Otriven®) patentiert u. ist als Generikum im Handel. – *E* xylometazoline – *F* xylométazoline – *I* = *S* xilometazolina

Lit.: Beilstein E V **23/7**, 109 ▪ Florey **14**, 135–156 ▪ Hager (5.) **9**, 1217 ff. ▪ Martindale (31.), S. 1595 ▪ Ph. Eur. **1997** u. Komm. – *[HS 2933 29; CAS 526-36-3 (X.); 1218-35-5 (Hydrochlorid)]*

Xylonest®.
Infiltrations- u. Leitungsanästhetikum mit *Prilocain-Hydrochlorid, auch mit zusätzlichem *Adrenalin od. *Felypressin (diese Rp) zur Verw. bes. in der Zahnheilkunde. *B.:* Astra Chemicals.

D-Xylose (Holzzucker).

R = CHO : Xylose
R = CH₂OH : Xylit

α-D-Xylopyranose

$C_5H_{10}O_5$, M_R 150,13, Schmp.: 153 °C, $[\alpha]_D^{20}$ +94 → +19° (H_2O). In Pflanzen, bes. Holz, weitverbreitete Pentose, kommt allerdings nicht in freier Form, sondern in *Xylanen u. in Glykosiden (z. B. *Primverose), zusammen mit Cellulose in zahlreichen Laub- u. Nadelhölzern, Stroh, Kleie, Pflanzengummen, Erdnuß- u. Baumwollsamen, in Schalen von Aprikosenkernen etc. vor. X. liegt sowohl in der Pyranose-, in der Furanose- Form u. als freier Aldehyd vor. L-*Xylofuranose:* Schmp. 144 °C; α-L-*Xylopyranose:* Schmp. 146–150 °C, $[\alpha]_D^{20}$ –75° → –19° (H_2O); β-DL-*Xylopyranose*, DL-Form, Schmp. 129–131 °C. Die L-Formen sind keine Naturstoffe. Eine wäss. Lsg. von X. enthält z. B. bei 31 °C 36,5% α-Pyranose, 63% β-Pyranose, <1% α- u. β-Furanose u. 0,02% Aldehyd. Diese Lsg. reduziert Fehlingsche Lösung. Beim Erhitzen mit verd. Schwefelsäure bildet sich *Furfural. Techn. kann X. bei der *Holzverzuckerung u. aus Abfällen der Cellulose-Produktion erhalten werden, ebenso durch Isolierung aus *Xylan od. aus Maiskolben (saure Hydrolyse). Durch Red. von X. gewinnt man den als *Zuckeraustauschstoff verwendbaren *Xylit. Auch X. selbst wäre als Süßungsmittel geeignet, hat aber nur die Hälfte der Süßkraft von Saccharose u. wirkt außerdem abführend. – *E* = *F* xylose – *I* xilosio – *S* xilosa

Lit.: Adv. Biochem. Eng./Biotechnol. **27**, 1–83 (1983) ▪ Beilstein E IV **1**, 4223–4229 ▪ Carbohydr. Res. **232**, 17 (1992); **258**, 27, 49 (1994) ▪ Collins-Ferrier, Monosaccharides, their Chemistry and Roles in Natural Products, S. 47, 54, Chichester: Wiley 1995 (Synth., Biosynth.) ▪ Justus Liebigs Ann. Chem. **1992**, 95 (Synth.) ▪ Karrer, Nr. 585 ▪ Merck-Index (12.), Nr. 10220 ▪ R. D. K. (3.), S. 204. – *[HS 1702 90, 2940 00; CAS 6763-34-4 (α-D-Pyranose); 2460-44-8 (β-D-Pyranose); 37110-85-3 (β-D-Furanose); 58-86-6 (D-X.); 609-06-3 (L-X.); 7296-58-4 (α-L-Pyranose)]*

Xylose-Isomerase
(D-Xylose-Ketol-Isomerase, EC 5.3.1.5). Bez. für eine *Isomerase, die in Mikroorganismen (z. B. *Bacillus coagulans* od. *Streptomyces*-Arten) die Umwandlung der *Aldose *D-Xylose in die entsprechende *Ketose D-Xylulose katalysiert. Auch die um ein Kohlenstoff-Atom reichere *D-Glucose kann in *D-Fructose überführt werden, weshalb (meist immobilisierte) X.-I. unter der Bez. *Glucose-Isomerase zur Herst. von D-Fructose-haltigem *Isosirup* (high-fructose corn syrup) techn. Verw. findet. Dieser wird wegen der höheren Süßkraft der D-Fructose in Relation zum Energiegehalt als Flüssigzucker gebraucht. Zur Isolierung u. Charakterisierung der X.-I. aus einem *Arthrobacter*-Stamm s. *Lit.*[1]. – *E* xylose isomerase – *F* xylose-isomérase – *I* xilosio isomerasi – *S* xilosa-isomerasa

Lit.: [1] Biochem. J. **277**, 255–271 (1991).
allg.: Biochem. Biophys. Res. Commun. **159**, 457–463 (1989) ▪ Biochemistry (USA) **28**, 7289–7297 (1989) ▪ Proc. Natl. Acad. Sci. USA **86**, 4440–4444 (1989).

D-Xylose-Ketol-Isomerase s. Xylose-Isomerase.

Xylotil.
Faseriger, verfilzter *Serpentin-*Asbest [auch Aktinolith, (*Amphibole), *Attapulgit u. *Sepiolith] von leder- od. holzartigem Aussehen, wird auch als *Bergleder* od. *Bergholz* bezeichnet. – *E* = *F* xylotile – *I* xilotile – *S* xilotilo

Lit.: Ramdohr-Strunz, S. 762. – *[CAS 12426-01-6]*

Xylulose s. Xylit u. Xylose-Isomerase.

Xylyl...
Bez. der alkylaromat. Reste $-C_6H_3(CH_3)_2$ in chem. Namen [IUPAC-Regel A-13.1: (x,y-Xylyl)... mit x,y = 2,3-, 2,4-, 2,5-, 2,6-, 3,4- od. 3,5-; CAS u. neue Regeln R: (x,y-Dimethylphenyl)...]. Veraltete Bez.: α-*o*-, α-*m*-. α-*p*-Xylyl... (= 2-, 3- u. 4-*Methylbenzyl...). – *E* xylyl... – *F* xylil... – *I* = *S* xilil...

Xylylbromide.
Falsche Bez. (vgl. Xylyl...) für die α-Bromxylole [*Methylbenzylbromide*, (Brommethyl)-

methylbenzole].

o-X.   m-X.   p-X.

C_8H_9Br, M_R 185,07. Die 3-Isomeren o-X. (D. 1,38, Schmp. 21 °C, Sdp. 224 °C), m-X. (D. 1,37, Sdp. 215 °C) u. p-X. (D. 1,324, Schmp. 38 °C, Sdp. 220 °C) sind in Wasser unlösl., in Alkohol, Ether u. Chloroform löslich. Alle Isomeren sind heftig wirkende *Tränenreizstoffe; insbes. o-X. ist unter der Bez. *T-Stoff* als Tränengas u. Kampfstoff (Weißkreuz-Kampfstoff) bekannt geworden. Staub u. Dämpfe führen bereits bei sehr geringen Konz. zu sehr starkem bis unerträglichem Tränenfluß. Bei darüber liegenden Konz. sehr starke Reizung u. Schädigung der Atemwege u. der Atmungsorgane, Lungenödem möglich. Die X. sind aus den entsprechenden Xylolen mit N-Bromsuccinimid herstellbar. – *E* xylyl bromides – *F* bromures de xylyle – *I* bromuri di xilile – *S* bromuros de xililo

Lit.: Beilstein E IV **5**, 928, 945, 969 ▪ Hommel, Nr. 989, 989 a ▪ Kirk-Othmer (4.) **4**, 578 ▪ Merck-Index (12.), Nr. 10 223. – [HS 290369; CAS 89-92-9 (o-X.); 620-13-3 (m-X.); 104-81-4 (p-X.); G 6.1]

Xylylen(...). a) Trivialbez. zweibindiger *Xylol-Brückenglieder (s. Tab.) in *Multiplikativnamen, *radikofunktionellen Namen, Metall-organ. Verb. u. *Polymer-Nomenklatur.
b) Trivialname der Biradikale ˙CH_2–C_6H_4–CH_2˙: o-, m- u. p-X.; Regel[1] RC-81.3.2: o-, m- u. p-Phenylendimethyl od. Benzol-1,2-, -1,3- u. -1,4-diyldimethyl; CAS:

Tab.: Trivialbez. u. systemat. Synonyme für Xylol-Brücken.

Strukturtyp	Xylylen-Bez. (*Beisp.*)	IUPAC-Bez.[a]
–$C_6H_2(CH_3)_2$–	(3,6-o-Xylylen)...	= (2,3-Dimethyl-p-phenylen)...
–$C_6H_3(CH_3)$–CH_2–	(α,5-o-Xylylen)...	[b]
–CH_2–C_6H_4–CH_2–	(α,α'-o-Xylylen)... = „o-Xylylen..."	= [o-Phenylenbis(methylen)]...

[a] Regel A-13.2. [b] Regel A-72.2: systemat. Bez. unmöglich.

1,2-, 1,3- u. 1,4-Phenylenbis[methyl]. o- u. p-X. sind *Triplett-Zustände der hochreaktiven, wenig stabileren o- u. p-*Chinodimethane. o-X. dimerisiert od. reagiert unter Cycloaddition mit ungesätt. Verb.[2]; p-X. polymerisiert zu „*Poly(p-xylylen)*", s. Parylene. – *E* xylylene(...) – *F* xylylène... – *I* = *S* xililen...

Lit.: [1] Pure Appl. Chem. **65**, 1357–1455 (1993). [2] Acc. Chem. Res. **13**, 270–276 (1980).

Xylylendiisocyanat (Kurzz. XDI). Bez. für ein Diisocyanat der allg. Struktur

O=C=N–CH_2– –CH_2–N=C=O

X. findet v. a. bei der Synth. von *Polyurethanen für Beschichtungszwecke Einsatz, die sich durch gute therm. u. photooxidative Beständigkeit auszeichnen. Das kommerzielle X. besteht aus einer 70:30-Mischung von *meta*- u. *para*-Isomer. – *E* xylylene diisocyanate – *F* xylyène diisocyanate – *I* diisocianato di xililene – *S* diisocianato de xilileno

X-Zeolithe s. Zeolithe.

y. In der physikal. Chemie Symbol für den konzentrationsbezogenen *Aktivitäts-Koeffizienten. Mathemat. dient y zur Kennzeichnung einer der 3 Raumkoordinaten, bei zweidimensionalen Darst. zu der der Ordinate.

Y. 1. Chem. Symbol für das Element *Yttrium. – 2. In der Ein-Buchstaben-Notation für *Aminosäuren in Peptid-Formeln kennzeichnet Y die Aminosäure *Tyrosin. – 3. In der Ein-Buchstaben-Notation der *Nucleoside Symbol für ein nicht näher spezifiziertes Pyrimidinnucleosid. – 4. In der Physik steht Y für die Admittanz od. den Scheinleitwert u. damit für die reziproke Impedanz: $Y = 1/Z$. – 5. In der Thermodynamik kennzeichnet Y die Plancksche Funktion: $Y = -G/T$ mit G = freie Enthalpie u. T = abs. Temperatur. – 6. Bei *Elementarteilchen kennt man das Y-Teilchen, das etwa 10fache Protonenmasse besitzt u. aus einem b-Quark (s. Quarks, Beauty od. Bottom) u. dessen Antiquark besteht. Beim Zerfall kann ein Zeta-Teilchen entstehen.

YAC (Abk. für yeast artificial chromosome, auch YAC-Vektoren). Bez. für stabile Hefe-*Vektoren mit Replikationsursprung, *Telomer u. *Centromer, mit denen *DNA-Fragmente von mehreren hundert *Kilobasen-Paaren (kBp) in die Hefe *Saccharomyces cerevisiae* als künstliche *Chromosomen eingebracht werden können. Vorteil dieses Syst. ist die große Kapazität, Nachteile ergeben sich aus der Handhabung der großen DNA-Fragmente (z. B. Scherkräfte, nur eine Kopie pro Zelle). – *E* yeast artificial chromosome – *F* chromosome artificiel de la levure – *I* cromosoma artificiale di lievito – *S* cromosoma artificial de la levadura
Lit.: Glick u. Pasternak, Molekulare Biotechnologie, S. 126 f., Heidelberg: Spektrum 1995 ▪ Knippers (7.), S. 269 f. ▪ Lodish et al., Molekulare Zellbiologie (2.), Berlin: Walter de Gruyter 1996.

YAG. Engl. Abk. für *Y*ttrium-*A*luminium-*G*ranat, s. Yttrium(-Verbindungen).

Yagein s. Harmin.

YAG-Laser. Sammelbegriff für *Festkörper-Laser, bei denen das Trägermaterial aus Yttrium-Aluminium-Granat besteht. Dotierungselemente, deren Ionen den Laserübergang bewirken, sind u. a. Neodym (s. Neodym-Laser), Erbium (s. Erbium-Laser) od. Holmium (s. Holmium-Laser).

Yakee s. Epená.

Yalow, Rosalyn S. (geb. 1921), Prof. für Physik u. Nuklearmedizin, Mount Sinai School of Medicine, New York. Seit 1970 Leiterin der nuklearmedizin. Abteilung des Veteran Administration Hospital in Bronx (N. Y.). *Arbeitsgebiete:* Peptidhormone, Radioisotope, Antigen-Antikörper-Reaktionen, Entwicklung der *Radioimmunoassay-Meth. bei der 10^{-12} mol/L u. weniger in Körperflüssigkeiten u. Gelenken bestimmt werden kann. 1977 Nobelpreis für Physiologie od. Medizin (zusammen mit R. C. L. *Guillemin u. A. V. *Schally).
Lit.: Lexikon der Naturwissenschaftler, S. 431 ▪ Pötsch, S. 463 ▪ Who's Who in the World, S. 1563.

Yam, Yams (Yamswurz, Yamswurzel). Von senegales.: nyami = essen abgeleiteter Name für trop. u. subtrop. *Dioscorea*-Arten (ca. 10 von etwa 600 Arten), die ihrer eßbaren Wurzelknollen wegen in Westafrika, Ostasien, Mittelamerika u. der Karibik kultiviert werden. Die Knollen, die bis zu 20 kg schwer sein können, enthalten ca. 69% Wasser, 22% Stärke, 2% Eiweiß u. 1% Zucker; relativ hoch ist der Kalium-Gehalt, der Vitamingehalt dagegen niedrig (Vitamin C 10 mg). Einige Y.-Arten liefern *Diosgenin, das seinerseits chem. Rohstoff für die in *Antikonzeptionsmitteln einzusetzenden *Gestagene ist. Es sei darauf hingewiesen, daß in verwirrender Weise die Bez. Y. auch auf andere knollenliefernde Pflanzen angewendet wird, z. B. auf *Ipomoea*-Arten (*Bataten), *Colocasia*-Arten (*Taro), Marantaceae (Pfeilwurz, *Maranta, vgl. Arrowroot) u. a. – *E* yams – *F* = *I* igname – *S* ñame, yame
Lit.: Franke, Nutzpflanzenkunde, 6. Aufl., S. 69 ff., Stuttgart: Thieme 1997. – *[HS 0714 90]*

Yamatoit s. Granate.

Yamogenin s. Diosgenin.

Yang, Chen Ning (geb. 1922), Prof. für Theoret. Physik, State Univ. of New York, Inst. of Theoretical Physics, Volksrepublik China. *Arbeitsgebiete:* Statist. Mechanik, Feldtheorie, Mesonenphysik, Paritätsprinzip; 1957 Nobelpreis für Physik (zusammen mit T. D. *Lee).
Lit.: Lexikon der Naturwissenschaftler, S. 431 ▪ Neufeldt, S. 250 ▪ Nobel Prize Lectures Physics 1942–1962, S. 389–405, Amsterdam: Elsevier 1964 ▪ Who's Who in America (51.), S. 4738.

Yangonin s. Kawain.

Yara-Nerolin, Yara-Yara s. Methyl-2-naphthylether.

Yard. In Großbritannien u. den USA unterschiedlich verwendete Längeneinheit mit den allg. Beziehungen 1 Yard = 3 Feet = 36 Inches. 1. Großbritannien (Abk. *imp. yd*): 1 imp. yd = 0,91439921 m, für wissenschaftliche Untersuchungen 1 imp. yd = 0,91439841 m. – 2. USA (Abk. *US yd*): 1 US yd = 0,914401829 m. Für Normzwecke gilt in beiden Staaten: 1 yd = 0,9144 m u. 1 m = 1,09361 yd = 39,3701 inches.

Yarrowit s. Covellin.

Yb. Symbol für das chem. Element *Ytterbium.

Yeast artificial chromosome s. YAC.

Yeast centromere plasmid s. YRp-Vektor.

Yeast replicating plasmid s. YRp-Vektor.

Yellow Cake s. Uran.

Yerba-Mate s. Mate.

Yessotoxin (YTX).

(absolute Konfiguration)

$C_{55}H_{82}O_{21}S_2$, M_R 1143,38, amorpher Feststoff (als Dinatrium-Salz), $[\alpha]_D$ +3° (CH$_3$OH). Dinoflagellaten-Toxin, das wie *Okadainsäure od. *Brevetoxine zu schweren Vergiftungen beim Menschen führen kann, vgl. PSP. Y. wurde aus der Kammuschel *Patinopecten yessoensis* isoliert, der eigentliche Produzent ist der Dinoflagellat *Dinophysis fortii*, der über die Nahrungsaufnahme in Muscheln angereichert wird. Die Struktur von Y. gleicht *Brevetoxin. – *E* yessotoxin – *F* yessotoxine – *I* yessotossina – *S* yessotoxina

Lit.: Tetrahedron Lett. **28**, 5869–5872 (1987); **37**, 5955, 7087 (1996) (abs. Konfiguration) ▪ Toxicon **28**, 1095 (1990). – *[CAS 112514-54-2]*

Yield-Punkt s. Spannungs-Dehnungs-Diagramm.

...yl. a) *Suffix von Bez. einbindiger *Reste in *Substitutionsnamen (IUPAC-Regel R-2.5), *radikofunktionellen Namen u. a. Namen u. für *Radikale (Regeln R-5.8 u. RC-81 [1]); *Beisp.*: *Ethylbenzol, *Acetylchlorid, *Nitryl..., *Silyl..., *Biphenyl, *Phenyllithium, *Trityl, *Verdazyl. Suffixe für verbrückende od. ringbildende mehrbindige Reste u. für Polyradikale sind ...diyl (u. *...ylen), ...triyl, ...tetrayl, für die über Mehrfachbindung gebundenen Reste u. für *Carbene u. *Carbine aber *...yliden u. *...ylidin. Die Endung ...yl [von griech.: hýle = (Bau)holz, Stoff, Materie] benutzten *Liebig u. F. *Wöhler erstmals für *Benzoyl (1832) u. *Ethyl... (1834), die als hypothet. „Radikale" (latein.: radicale = „Wurzel-", Ursprungs-, Grundstoff) der Benzoesäure u. des Ethers galten.
b) Suffix für ein- u. mehrwertige anorgan. Atomgruppen (Regeln I-5.3.1, I-8.4.2.2); *Beisp.*: *Carbonyl..., *Chromyl..., *Nitrosyl..., *Phosphoryl..., *Sulfuryl..., *Thionyl..., Uranyl...). – *E* ...yl – *F* ...yl – *I* ...ile – *S* ...ilo

Lit.: [1] Pure Appl. Chem. **65**, 1357–1455 (1993).

Ylang-Ylang-Öle. Aus den Blüten des Kanangabaumes (*Cananga*-Arten) werden je nach Blütenvarietät u. Destillationstechnik unterschiedlich zusammengesetzte ether. Öle gewonnen.

1. **Ylang-Ylang-Öle:** Gelbliche bis dunkelgelbe Öle mit einem typ. strahlenden, narkot.-süßen, blumigen, jasminartigen Geruch.
Herst.: Durch Wasserdampfdest. aus den Blüten des Ylang-Ylang-Baumes (*Cananga odorata* subsp. *genuina*, Annonaceae), der auf Madagaskar, den Komoren u. Nosy Bé kultiviert wird. Die Weltjahresproduktion dürfte z. Z. etwas mehr als 50 t betragen.
Zusammensetzung [1]: In den ersten Fraktionen sind die für den typ. Ylang-Geruch verantwortlichen Komponenten am stärksten vertreten, z. B.: *Linalool (bis ca. 10%), *p-Kresolmethylether* (4-Methylanisol, bis ca. 10%, $C_8H_{10}O$, M_R 122,17), *Methylbenzoat* (bis ca. 10%, s. Benzoesäuremethylester) u. *Benzylacetat* (s. Essigsäurebenzylester) (bis ca. 25%). Im Verlaufe der Dest. nimmt der Gehalt an diesen Komponenten ab, u. in zunehmendem Maße werden Sesquiterpenkohlenwasserstoffe wie *Caryophyllene, Germacren-D, trans,trans-α-Farnesen* usw. gebildet.
Verw.: Ein Parfümbaustein mit einer großen Anw.-Breite, hauptsächlich eingesetzt in Kompositionen mit betonter blumig-warmer Note.

2. **Kanangaöl** (Canangaöl): Hellgelbes bis dunkelgelbes, leicht viskoses Öl mit einem süß-blumigen, warmen, etwas holzigen Geruch, der schwerer u. haftfester ist als der von Y.-Y.-Öl.
Herst.: Durch Wasserdampfdest. aus den Blüten einer hauptsächlich auf Java wachsenden Unterart des Ylang-Ylang-Baumes, *Cananga odorata* subsp. *macrophylla*. Die Weltjahresproduktion liegt zwischen 50 u. 100 t.
Zusammensetzung [1]: Qual. ähnelt Kanangaöl den späten Fraktionen des Y.-Y.-Ö., allerdings enthält es noch größere Mengen der Sesquiterpenkohlenwasserstoffe, aber nur sehr wenig *Methylbenzoat* u. *Benzylacetat*.
Verw.: Ähnlich wie Y.-Y.-Öl. Wegen des geringeren Ester-Gehalts ist Kanangaöl besser für den Einsatz in Seifenparfüms geeignet. – *E* ylang-ylang oil (1.), cananga oil (2.) – *F* essence d'ylang-ylang – *I* olio essenziale di ylang-ylang – *S* esencia de ylang-ylang

Lit.: [1] Perfum. Flavor. **1** (1), 4 (1976); **11** (5), 118 (1996); **14** (3), 79 (1989); **20** (2), 57 (1995).
allg.: Bauer et al. (2.), S. 181 f. ▪ Gildemeister **4**, 641 ▪ Das H & R Buch Parfüm, Aspekte des Duftes, Lexikon der Duftbausteine, S. 207, 147, Hamburg: Glöss 1991 ▪ ISO 3063 (1983), 3523 (1976) ▪ Kirk-Othmer (4.) **17**, 607, 667; **18**, 188. – *Toxikologie*: Food Cosmet. Toxicol. **11**, 1049 (1973); **12**, 1015 (1974). – *[HS 3301 29; CAS 8006-81-3 (1.); 68608-83-7 (2.); 104-93-8 (p-Kresolmethylether)]*

...ylat. Veraltetes *Suffix in dtsch. Namen für Salze der gesätt. Alkohole, s. Alkoholate. Empfohlene Bez.: ...anolat; für C_1- bis C_4-Alkyl-Reste auch: ...oxid (IUPAC-Regeln C-206, R-5.5.3); *Beisp.*: Kalium-2-methyl-2-propanolat = *Kalium-*tert*-butoxid (veraltet: Kalium-*tert*-butylat). – *E* ...ylate – *F* ylate – *I* ...ilato – *S* ilato

...ylen. a) *Suffix von Bez. zweibindiger Brückenglieder in *Multiplikativnamen (IUPAC-Regeln A-4, -11.6, -24.4 u. -55; neue Regel R-2.5: ...*diyl*), *radikofunktionellen Namen, *Polymer-Nomenklatur u. a. Namen; *Beisp.*: s. Methylen... –CH$_2$–, Ethylen... –CH$_2$–CH$_2$–, Propylen... –CH$_2$–CH(CH$_3$)–, Vinylen... –CH=CH– u. Phenylen... –C$_6$H$_4$–; vgl. ...yliden.

b) Suffix in Bez. einatomiger Carben-artiger Stammverb. (Regel R-5.8.1.2 u. RC-81.1.3.1[1]); *Beisp.:* Methylen (s. Carbene), Aminylen (s. Nitrene), *Silylen; vgl. ...yl u. ...yliden. – *E* ...ylene – *F* ...ylène – *I* ...ilen(e) – *S* ...ilen(o)

Lit.: [1] Pure Appl. Chem. **65**, 1357–1455 (1993).

Ylene s. Ylide.

Ylide. Von G. *Wittig[1] geprägte Bez. für eine 1947 entdeckte Gruppe von Verb., die bei Einwirkung von Phenyllithium auf geeignete *quartäre Ammonium-Verbindungen entstehen.

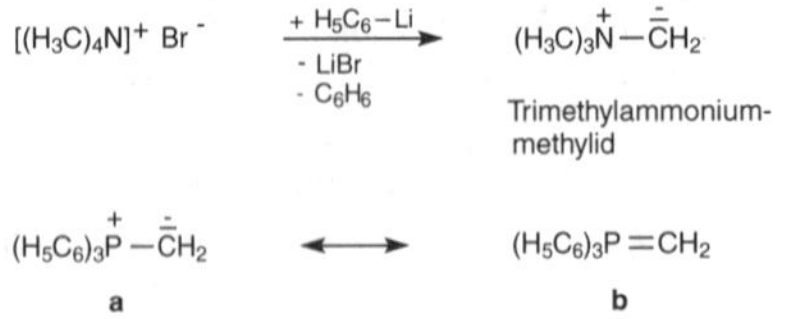

$[(H_3C)_4N]^+ Br^- \xrightarrow[-LiBr, -C_6H_6]{+H_5C_6-Li} (H_3C)_3\overset{+}{N}-\overset{-}{C}H_2$

Trimethylammoniummethylid

$(H_5C_6)_3\overset{+}{P}-\overset{-}{C}H_2 \quad\longleftrightarrow\quad (H_5C_6)_3P=CH_2$

a   b

Die Bez. „Y." wurde gewählt, weil man der C,N-Bindung sowohl kovalenten (*...yl) als auch ion. (*...id) Charakter zuschreiben kann. Eingehender wurden die Bindungsverhältnisse an den etwas später aufgefundenen *Phosphor-Yliden* untersucht. Diese formulliert man nach IUPAC (Regeln D-5.4) entweder als *Ylide*, d. h. innere *Phosphonium-Salze mit Kohlenstoff als *Carbanion [*Beisp.:* (Triphenylphosphonio)methanid = **a**][2] od. als mesomere *Ylene* [*Beisp.:* (Methylen)triphenylphosphoran od. (Methylen)triphenyl-λ^5-phosphan = **b**]. Zur Herst. der Y. geht man meist von den *Onium-Verbindungen aus, die mit starken Basen umgesetzt werden, aber auch elektrolyt. od. pyrolyt. Herst.-Meth. sind bekannt. Außer den *Stickstoff-Y.* u. den präparativ wichtigsten *Phosphor-Y.* (Phosphonium-Y.) sind Vertreter zahlreicher anderer Y.-Syst. synthetisiert worden, z. B.:

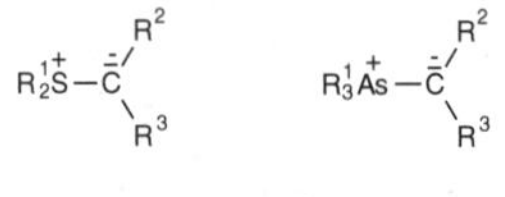

$R_2^1\overset{+}{S}-\overset{-}{C}\begin{smallmatrix}R^2\\R^3\end{smallmatrix}$ $R_3^1\overset{+}{As}-\overset{-}{C}\begin{smallmatrix}R^2\\R^3\end{smallmatrix}$

Sulfonium-Ylide   Arsonium-Ylide
(*Schwefel-Ylide*)[3-5]   (*Arsen-Ylide*)[6]

Daneben gibt es auch Phosphor-Stickstoff-Y. (s. Phosphazene), Nitril-Y. (s. 1,3-dipolare Cycloaddition) u. Metall-organ. Y. (s. *Lit.*[7,8]). Die Stabilität der Y. ist dabei sehr unterschiedlich; das einfachste Phosphor-Y. [$(H_3C)_3P=CH_2$] reagiert explosionsartig mit Luft u. Wasser, während höher substituierte v. a. mit Akzeptorresten am ylid. Kohlenstoff stabiler sind. Im allg. werden die Y. *in situ* erzeugt u. sofort weiter umgesetzt. Als Zwischenprodukte treten Stickstoff-Y. bei der *Stevens- u. der *Sommelet-Umlagerung auf.
Waren die Y. zunächst wegen ihrer speziellen Bindungsverhältnisse von mehr theoret. Interesse, so stellten sich bald die Phosphor-Y. als präparativ sehr nützliche Verb. heraus, seit nämlich G. *Wittig u. *Schöllkopf 1954 fanden, daß Triphenylphosphonium-alkylide (*Wittig-Reagenzien*) mit Aldehyden u. Ketonen unter Bildung von Olefinen u. Triphenylphosphanoxid reagieren (s. Wittig-Reaktion). – *E* ylides – *F* ylures – *I* ilidi – *S* iluros

Lit.: [1] Angew. Chem. **92**, 671–675 (1980). [2] IUPAC, Nomenklatur der Organischen Chemie, S. 76, Weinheim: VCH Verlagsges. 1997. [3] Top. Curr. Chem. **133**, 3–82 (1986). [4] Angew. Chem. **95**, 539–551 (1983). [5] Org. React. **39**, 297–572 (1990). [6] Adv. Organomet. Chem. **20**, 115–157 (1984). [7] Acc. Chem. Res. **8**, 62–70 (1975). [8] Angew. Chem. **95**, 980–1000 (1983). *allg.:* Houben-Weyl E2, 616–782; E11/2, 1359–1468 ▪ Johnson, Ylides and Imines of Phosphorus, Chichester: Wiley 1993 ▪ s. a. Phosphor-organische u. Schwefel-organische Verbindungen, Wittig-Reaktion u. a. Textstichwörter.

...yliden. a) *Suffix für mit Doppelbindung verknüpfte *Reste (IUPAC-Regeln A-4, -11.5, -24.3, R-2.5) od. mit 2 geminalen Einfachbindungen verknüpfte Brückenglieder (Regel A-4; neue Regel R-2.5 aber: ...diyl); *Beisp.:* *Ethyliden... [=CH–CH$_3$ od. –CH(CH$_3$)– (Ethan-1,1-diyl...)], *Vinyliden... [=C=CH$_2$ od. –C(=CH$_2$)– (Ethen-1,1-diyl...)], Methandiyliden... (=C=), Phosphoranyliden... [=PR$_3$ od. –PR$_3$– (λ^5-Phosphandiyl...)]; *Ausnahme:* *Methylen... (=CH$_2$); vgl. ...yl u. ...ylen.
b) Suffix für mehratomige *Carben-artige Stammverb. (Regeln R-5.8.1.2 u. RC-81.1.3.1; vgl. ...ylen); *Beisp.:* Diazanyliden (H$_2$N–N¨), Ethyliden (H$_3$C–HC¨). – *E* ...ylidene – *F* ...ylidène – *I* ...iliden(e) – *S* ...iliden(o)

...ylidin. a) *Suffix für mit Dreifachbindung verknüpfte *Reste (IUPAC-Regeln A-4, R-2.5) od. für Brückenglieder, in denen ein Atom über eine Einfach- u. eine Doppelbindung od. über drei Einfachbindungen verknüpft ist (Regel A-4; neue Regel R-2.5 aber: ...ylyliden od. ...triyl); *Beisp.:* Methylidin... (≡CH od. =CH– od. ⟩CH–); vgl. Methin, ...yl u. ...yliden. – b) Suffix für Carbin-artige Stammverb. (Regeln R-5.8.1.2 u. RC-81.1.3.1 + 2; vgl. ...yl, ...ylen u. ...yliden); *Beisp.:* Methylidin (HC¨, s. Carbine). – *E* ...ylidyne – *F* ...ylidine – *I* ...ilidina – *S* ...ilidino

Ylid-Polymere. Bez. für *Polymere, die Ylid-Gruppen des Typs

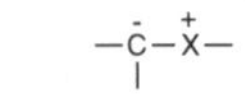

$-\overset{|}{\underset{|}{C}}-\overset{+}{X}-$

mit X = $^+NR_2$, $^+PR_2$ od. ^+SR als Bestandteil der Hauptkette (I) od. seitenständig zu dieser (II) enthalten.

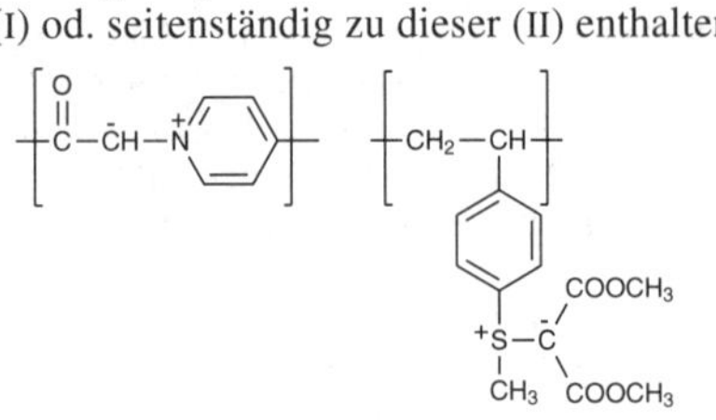

I   II

Polymere des Typs I sind durch *Polykondensation von 2-Brom-1-(4-pyridyl)ethanon, solche des Typs II durch *Polymerisation des Basis-*Vinylmonomeren Methyl-(4-vinylphenyl)sulfonium-[bis(methoxycarbonyl)methylid] zugänglich. Ylide können auch als Initiatoren für die *(Ylid-)Polymerisation* von Monomeren fungieren. Ein Beisp. hierfür ist α-Piciliniump-chlorphenacylid (III), das bei höherer Temp. unter Bildung des Carbens IV dissoziert. Dieses ist z. B. in der Lage, die Polymerisation von (Meth)acrylaten zu starten:

III   IV

– *E* ylide polymers – *F* polymères d'ylures – *I* polimeri ilidi – *S* polímeros de iluros
Lit.: J. Macromol. Sci.-Rev. Macromol. Chem. Phys. C **29** (1), 39–53 (1989).

Ylid-Polymerisation s. Ylid-Polymere.

...ylium. *Suffix in Bez. für *Kationen, die formal aus einer neutralen Stammverb. durch Abspalten eines Hydrid-Anions H$^-$ od. aus einem *Radikal durch Entzug des ungepaarten Elektrons entstehen (IUPAC-Regeln C-83, -87, R-5.8.2 u. RC-82.2 ff.[1]), *Beisp.:* Ethylium (H$_3$C–CH$_2^+$; auch: Ethyl-Kation, Ethenium), *Cyclopropenylium-Kation, *Pyrylium-Salze, *Tropylium; vgl. Carbenium-Ionen, Carbokationen u. ...ium. – *E = F* ...ylium – *I = S* ...ilio
Lit.: [1] Pure Appl. Chem. **65**, 1357–1455 (1993).

„y"-Nomenklatur. Neuer IUPAC-Nomenklaturvorschlag bes. für anorgan. Gerüste, deren wahre Bindungsordnungen in Name u. Formel schlecht anzugeben sind. Die Gerüstatome benennt man mit Präfixen, die auf ...y enden (*Beisp.:* N = Azy..., C = Carby..., O = Oxy..., S = Sulfy...), u. die Gerüste mit Zahlensätzen (nach Prinzipien der Nodal-*Nomenklatur) u. mit den Gerüsttyp-Bez. ...catena für lineare Ketten u. ...cycle für Ringsyst. (*Beisp.:* ...dicatenatricycle für Gerüste aus zwei Kettenstücken u. drei Ringen). Die y-N. findet bisher wenig Anw., da sie meist kaum Vorteile vor anderen Nomenklaturen bietet u. wenig bekannt ist. – *E* „y" nomenclature – *F* nomenclature „y" – *I = S* nomenclatura a „y"
Lit.: Pure Appl. Chem. **69**, 1659–1692 (1997).

Yoghurt s. Joghurt.

Yohimbin (veraltete Synonyme: Johimbin, Quebrachin, Aphrodin, Corynin, Corymbin, Yohimvetol). C$_{21}$H$_{26}$N$_2$O$_3$, M$_R$ 354,45. Indol-*Aspidosperma-Alkaloid, das in der (+)-Form natürlich vorkommt, das Racemat ist synthet. zugänglich[1]. Von Y. sind weitere natürliche Stereoisomere isoliert worden: α-Y. (Rauwolscin, Corynanthidin, Isoyohimbin, Mesoyohimbin, 16β,17α,20α-Y.), *allo*-Y. (16α,17α,20α-Y.), 3-epi-α-Y. (Isorauhimbin), β-Y. (Amsonin) u. *Corynanthin* (Rauhimbin, 16β,17α-Y.) vgl. Tabelle.

R=H : Yohimbinsäure
R=CH$_3$: Yohimbin

allo-Yohimbin

α-Yohimbin (20-Epimer: Corynanthin)

β-Yohimbin

Y. ist das Hauptalkaloid der *Aspidosperma*-Alkaloide, es ist in Rubiaceen wie *Corynanthe johimbe* u. verwandten Bäumen, aber auch in Apocynaceen (z. B. *Rauwolfia*- u. *Vinca*-Arten) enthalten. Y. ist strukturverwandt mit den *Rauwolfia-Alkaloiden, z. B. *Reserpin. Y. ist der Methylester der *Yohimbinsäure* (C$_{20}$H$_{24}$N$_2$O$_3$, M$_R$ 340,42, Schmp. 280–300 °C). Medizin. wird Y. insbes. in Form des leichter wasserlösl. Hydrochlorids (Zers. bei 302 °C) als *Sympatholytikum, α$_2$-Adrenozeptorenblocker, *Antihypertonikum u. wegen seiner – allerdings nur in hohen Dosen – die Penisgefäße erweiternden u. bestimmte, im Rückenmark gelegene Genitalzentren spezif. erregenden Wirkung als *Aphrodisiakum (insbes. veterinärmedizin.) verwendet[2]. Von Yohimbinsäure sind synthet. Bibliotheken beschrieben[3]. – *E = F* yohimbine – *I = S* yohimbina

Tab.: Daten zu Yohimbin u. seinen Stereoisomeren.

Stereoisomer		Schmp. [°C]	$[\alpha]_D^{20}$	CAS
Yohimbin	(+)-Form	241 (235–236)	+108° (Pyridin)	146-48-5
	(±)-Form	218–220		24252-70-8
α-Yohimbin	(–)-Form	243	–27° (C$_2$H$_5$OH)	131-03-3
3-epi-α-Yohimbin	(–)-Form	225		483-09-0
β-Yohimbin	(–)-Form	236	–47° (Pyridin)	549-84-8
	(±)-Form	232–236		
allo-Yohimbin	(–) Form	165–170 (135–140)	–84° (Pyridin)	522-94-1
	(±) Form	136–137		

Lit.: [1] Atta-ur-Rahman (Hrsg.), Studies in Natural Products Chemistry, Bd. 3, S. 399–416, Amsterdam: Elsevier 1989; Justus Liebigs Ann. Chem. **1986**, 655; J. Org. Chem. **56**, 2701–2712, 2947 ff., 2960–2964 (1991); Pure Appl. Chem. **58**, 685–692 (1986); Sax (8.), Nr. XBJ000, YBS000; Tetrahedron Lett. **26**, 5227 (1985); **31**, 4755 (1990). [2] J. Psychoact. Drugs **17**, 131 f. (1985). [3] Bioorg. Med. Chem. **4**, 1097 (1996). *allg.:* Adv. Heterocycl. Nat. Prod. Synth. **1996**, 99–150 (Synth.) ▪ Atta-ur-Rahman u. Basha, Biosynthesis of Indole Alkaloids, Oxford: Clarendon Press 1983 ▪ Beilstein E V **25/6**, 358–362 ▪ Chem. Heterocycl. Compd. **25**, 147–199 (1983) ▪ Dtsch. Apoth. Ztg. **131**, 1427 (1991) ▪ Florey **16**, 731–768 ▪ Hager (5.) **4**, 402 f., 1030; **6**, 361–380; **9**, 1221–1225 ▪ J. Clin. Pharmacol. **34**, 418 (1994) ▪ Manske **27**, 131–268, 407 ff. ▪ Merck-Index (12.), Nr. 10236–10238 ▪ Pharm. Unserer Zeit **15**, 53 ff., 96 (1986) ▪ Phillipson u. Zenk (Hrsg.), Indole and Biogenetically Related Alkaloids, S. 113–141, 184–200, London: Academic Press 1980. – *[HS 293990; CAS 65-19-0 (Y.×HCl); 522-87-2 (Yohimbinsäure)]*

Yohimbinsäure s. Yohimbin.

Yomesan®. Tabl. mit *Niclosamid gegen Bandwürmer. *B.:* Bayer Pharma Deutschland.

Yopo. Von südamerikan. Indianern als halluzinogenes *Rauschgift verwendetes Schnupfpulver aus Bohnen der mimosenähnlichen Bäume der Gattung *Anadenanthera* [z. B. *A. peregrina* (L.) Speg.; Fabaceae]. Es wird auch Cohoba od. Parica genannt. Dem Pulver wird zum Alkalisieren Kalk od. Schneckenhaus-Pulver zugesetzt; es enthält nämlich Alkaloide, hauptsächlich Derivate von *Tryptamin, v. a. 5-Methoxy-*N,N*-dimethyltryptamin, u. wenig β-*Carboline. – *E* yopo, cohoba – *F = I* yopo – *S* cohoba

Lit.: Hager (5.), Folgebd. **2**, 81–85 ▪ Schultes u. Hofmann, The Botany and Chemistry of Hallucinogenic Plants, S. 84–93, Springfield (Ill.): Ch. C. Thomas 1973.

York-Lösung. Ein flüssiges *Faserreagenz aus Iod, Kaliumiodid u. Zinkchlorid zum Nachw. von Kunstseide (bzw. Zellwolle) in Fasergemischen. Y.-L. gibt mit Acetat-Fasern Gelbfärbung, mit *Kupferseide Braunfärbung, mit *Viskosefasern Bläulichgrün-Färbung; die übrigen Fasern färben sich nicht. – ***E*** York('s) solution – ***F*** solution de York – ***I*** soluzione di York – ***S*** solución de York

Yost, Don Merlin Lee (1893–1977), Prof. für Anorgan. Chemie, Caltech, Pasadena, CA. *Arbeitsgebiete:* Reaktionsgeschw., Ramanspektren, Gasgleichgew., chem. Wirkung der Röntgenstrahlen, Seltene Erden, Platinmetalle, Fluor usw., Edelgasverbindungen.

Young-Verfahren. Bez. für die Herst. von prakt. wasserfreiem *Ethanol durch azeotrope Dest. mit Benzol. – ***E*** Young process – ***F*** procédé Young – ***I*** processo Young – ***S*** procedimiento Young

Yperit. Deckname aus dem 1. Weltkrieg für den erstmals bei Ypern (Belgien) eingesetzten *Kampfstoff *Lost [*Bis-(2-chlorethyl)sulfid].

Ypsilon-Teilchen s. Y.

YRp-Vektor (Abk. für yeast replicating plasmid). Für die Hefe *Saccharomyces cerevisiae* entwickelter Klonierungsvektor, der ein Hybrid aus einer Hefe-DNA-Sequenz mit einem chromosomalen Replikationsursprung (*ARS) u. dem Plasmid *pBR322, einem Klonierungsvektor des Bakteriums *Escherichia coli*, darstellt. YRp-V. kann als *Shuttle-Vektor eingesetzt werden u. erzielt hohe Transformations-Häufigkeiten (bis zu 10^{-3} Transformanten pro mg DNA), ist jedoch instabil. Nach zusätzlichem Einbau des *Centromers vom Chromosom III der Hefe verhält sich der Vektor (YCp-Vektor, yeast centromere plasmid) wie ein zirkuläres Minichromosom u. wird stabil vererbt. – ***E*** YRp vector – ***F*** vecteur YRp – ***I*** vettore YRp – ***S*** vector YRp

Ysamber® K. Duftstoff mit holziger Ambra-Note zur Anw. u. a. in Seife, Duschgel, Shampoo, Haushaltsreiniger, Deospray, kosmet. u. alkohol. Anwendungen. Spiro{1,3-dioxolane-2,8'(5'*H*)-[2*H*-2,4a]-methanonaphthalene}-hexahydro-1',1',5',5'-tetramethyl. ***B.:*** Dragoco.

Ysopöl. Ether. Öl aus den Blättern des Ysop, einem im Mittelmeergebiet u. in Mittelasien heim., blau od. weiß blühenden Kraut (*Hyssopus officinalis*, Lamiaceae). Farblose bis grünlich-gelbe Flüssigkeit von würzigem, Campher-artigem Geruch, D. 0,925–0,97, Sdp. ca. 200 °C, lösl. in 80%igem Alkohol, unlösl. in Wasser. Y. enthält Terpinene, Pinene, Camphen, 3-Caren, Cymol, Pinocamphon, Sesquiterpene, Gerbstoffe, ferner *Diosmin, ein Flavonglykosid.
Verw.: In der Gewürz-Ind., medizin. für Gurgel- u. Augenwässer, als leichtes Expektorans u. *Antihidrotikum. – ***E*** hyssop oil – ***F*** essence d'hysope – ***I*** olio essenziale d'issopo – ***S*** esencia de hisopo
Lit.: Hager (5.) **5**, 959 ▪ Janistyn **2**, 43 ▪ Parfüm. Kosmet. **67**, 116, 118 (1986). – *[HS 3301 29]*

Y-Teilchen s. Y.

Ytterbinerden s. Yttererden.

Ytterbium (chem. Symbol Yb). Metall. Element aus der *Lanthanoiden-Gruppe (*Seltenerdmetall), Ordnungszahl 70, Atomgew. 173,040. Natürliche Isotope (Häufigkeit in Klammern): 168 (0,13%), 170 (3,05%), 171 (14,30%), 172 (21,90%), 173 (16,12%), 174 (31,80%), 176 (12,70%). Daneben kennt man noch künstliche Isotope ^{151}Yb–^{180}Yb mit HWZ zwischen 0,4 s u. 32 d. Das Metall ist grau, weich u. ziemlich duktil, Schmp. 824 °C, Sdp. 1196 °C; es krist. unterhalb 798 °C kub. flächenzentriert mit einer D. von 6,966, bei höheren Temp. kub. raumzentriert mit einer D. von 6,52. Yb ist an der Luft stabil u. reagiert mit Wasser nur langsam. Yb liegt normalerweise in der Oxid.-Stufe +3 vor (in wäss. Lsg. farblos), kann jedoch relativ leicht zur Oxid.-Stufe +2 reduziert werden (gelbgrün) u. färbt den elektr. Flammenbogen grün. Yb bildet mit Mineralsäuren sowie organ. Säuren leicht die entsprechenden Verb. u. ist in flüssigem Ammoniak mit blauer Farbe löslich. Y.-Organyle mit Yb(II)- od. Yb(III)-Zentralatom sind bekannt, z. B. Decamethylytterbocen u. der daraus erhältliche gemischtvalente Alkinyl-Komplex[1]:

$$3[C_5(CH_3)_5]_2Yb(THF) + 4HC≡C-C_6H_5 →$$
$$\{[C_5(CH_3)_5]_2Yb(\mu-C≡C-C_6H_5)_2\}_2Yb + 2HC_5(CH_3)_5 + H_2$$
THF = Tetrahydrofuran

Vork.: Yb begleitet das *Yttrium in den *Yttererden. In seiner Häufigkeit in der Erdkruste liegt Yb mit 2,7 ppm zwischen Uran u. Erbium an 55. Stelle.
Herst.: Durch metallotherm. Red. des Yb$_2$O$_3$ mit Cer od. Lanthan im Vak. u. Dest. des Yb-Metalls zur Trennung von den übrigen Seltenerdmetallen, durch Amalgamieren od. durch Elektrolyse an Amalgam-Elektroden. Die Anreicherung des Yb erfolgt in erster Linie durch Ionen-Austauschverfahren.
Verw.: Für Yb-Metall u. Yb-Verb. existiert z. Z. keine techn. Verwendung. Yb ist vorgeschlagen worden als Aktivator für *Leuchtstoffe zur Umwandlung von Infrarotstrahlung in sichtbares Licht, für Halbleiter aufgrund der Widerstandsanomalie, für spezielle Katalysatoren u. zur Herst. von *Verschiebungsreagenzien mit *2,2,6,6-Tetramethyl-3,5-heptandion. ^{169}Yb mit einer HWZ von 32 d ist als γ-Strahlenquelle für die Nuklearmedizin u. für die Radiographie geeignet.
Geschichte: Die Entdeckung des Yb erfolgte 1878 durch de *Marignac, doch bestand das von ihm isolierte Oxid tatsächlich aus den Oxiden von Yb u. Lu; die Auftrennung der Komponenten gelang erst 1907, u. zwar *Urbain u. etwa zur gleichen Zeit auch *Auer von Welsbach (auf diesen geht die aufgegebene Bez. Aldebaranium zurück). Der Name leitet sich von dem Fundort der *Yttererden Ytterby bei Stockholm (Schweden) ab. – ***E*** = ***F*** ytterbium – ***I*** itterbio – ***S*** iterbio
Lit.: [1] J. Chem. Soc. Chem. Commun. **1984**, 710.
allg.: Brauer (3.) **2**, 1066ff. ▪ Chem. Unserer Zeit **18**, 24–34 (1984) ▪ Comments Inorg. Chem. **19**, 153–184 (1997) ▪ Gmelin, Syst.-Nr. 39, Seltenerdelemente 1938, 1974ff. ▪ s. a. Seltenerdmetalle. – *[HS 2805 30; CAS 7440-64-4]*

Yttererden. Die *Seltenen Erden* (also die Oxide der *Seltenerdmetalle) werden aufgrund ihres Vork. in der Natur in 2 Gruppen eingeteilt, nämlich in die *Ceriterden (La–Eu) mit *Cer als Hauptbestandteil u. in die

1794 von J. Gadolin entdeckten u. zuerst untersuchten Y. (Gd-Lu u. Y) mit *Yttrium als Hauptbestandteil; Scandium bildet eigene Mineralien. Die Y. finden sich in erster Linie im *Xenotim, *Gadolinit u. in vielen komplexen Erzen vergesellschaftet mit Titan, Niob, Tantal u. Uran, z. B. in *Euxenit, *Samarskit u. Betafit (s. Pyrochlor). Innerhalb der Y. trennt man begrifflich gelegentlich noch die *Ytterbinerden* als den am schwächsten bas. Anteil der Y. ab. Nach *Auer von Welsbach handelt es sich bei den Ytterbinerden um die Oxide von Ytterbium u. Lutetium. Der Name Y. leitet sich ab vom ersten Fundort Ytterby, einer alten schwed. Siedlung nördlich von Stockholm, an die auch die Element-Namen Ytterbium, Erbium, Terbium u. Yttrium erinnern. – *E* yttric earths – *F* terres yttriques – *I* terre itterice – *S* tierras ítricas
Lit.: s. Seltenerdmetalle.

Ytterspat s. Xenotim.

Yttrium (chem. Symbol Y). Anisotopes, metall. Element der *Seltenerdmetalle, Ordnungszahl 39, Atomgew. 88,90585. Daneben kennt man noch künstliche Isotope u. Isomere $^{79}Y - ^{103}Y$ mit HWZ zwischen 0,30 s u. 106,6 d, von denen ^{90}Y (HWZ 64 h) aus ^{90}Sr entsteht. Y krist. <1478 °C hexagonal (D. 4,47) u. bei höherer Temp. kub. raumzentriert (D. 4,25), Schmp. 1526 °C, Sdp. 3338 °C. Y.-Metall ist von bleigrauer Farbe, wird an feuchter Luft oxidiert u. entzündet sich an der Luft bei etwa 500 °C, wobei es mit hellrötlicher Flamme verbrennt. Y. ist ein Nervengift, das zunächst Erregung, Schwindel, Krämpfe u. Gleichgewichtsstörungen, dann Atemdepression, -stillstand u. Koma bewirkt, MAK 5 mg/m³. Y reagiert allmählich mit Wasser u. löst sich leicht in verd. Mineralsäuren; in wäss. Lsg. liegt es in der Oxid.-Stufe +3 (farblos) vor. Mit Mineralsäuren sowie organ. Säuren bilden sich leicht die entsprechenden Verbindungen. Zur Koordinationschemie des Y s. *Lit.*[1]. Nachw. u. Bestimmung des Y können mit Alizarin S, Oxin u. Arsenazo III (*Lit.*[2]) vorgenommen werden, doch wird dabei häufig Thorium miterfaßt. Zur Abtrennung von störenden Begleitelementen u. zur quant. Bestimmung s. *Lit.*[3].
Vork.: Y ist Hauptbestandteil der *Yttererden u. findet sich in *Xenotim, *Gadolinit sowie in komplexen Mineralien wie z. B. *Euxenit, *Samarskit u. Betafit (s. Pyrochlor). Die Häufigkeit in der Erdkruste liegt bei etwa 26 ppm; damit steht Yttrium in der Häufigkeitsliste der Elemente an 32. Stelle zwischen Kupfer u. Lanthan u. ist somit häufiger als Cobalt, Blei od. Bor.
Herst.: Durch metallotherm. Red. (z. B. mit Calcium) von Y_2O_3 od. Yttriumchlorid bzw. -fluorid, ggf. nach Anreicherung über das schwerlösl. Carbonat. Die Abtrennung der übrigen Seltenerdmetalle vom Y erfolgt in erster Linie durch Ionenaustausch- u. Flüssig-Flüssig-Verteilungsverfahren.
Verw.: Y.-Metall ist vorgeschlagen worden für Superleg. sowie zur Verbesserung der Oxid.-Beständigkeit von Heizleiterleg. u. Cr-Ni-Stahl. Verb. vom Typ YCo_5 u. Y_2Co_{17} eignen sich als ferromagnet., vom Typ YCo_3 als ferrimagnet. Werkstoffe. Die Hauptanw. für Y in Form des Oxids, Oxidsulfids od. Vanadats in Kombination mit Europium als Aktivator besteht in der Verw. als Luminophor für das Farbfernsehen (Y_2O_3 mit Eu^{3+} dotiert zeigt rote, Y_2O_2S mit Tb^{3+} grüne od. blaue Fluoreszenz) u. für *Leuchtstoff-Röhren. Y.-orthoferrite bzw. -aluminate, Y.-Eisen- bzw. Y.-Aluminium-Oxide des Granat-Typs (*E* yttrium *iron* garnet bzw. yttrium *aluminium* garnet, YIG bzw. YAG = $Y_3Al_5O_{12}$) u. verwandte Verb. mit Seltenerdmetallen [SE]; allg. Formel $Y_{3-x}SE_xFe_{5-y}(Ga,Al)_yO_{12}$) besitzen Anw.-Möglichkeiten in der Elektronik u. Informationsverarbeitung als Speicherelemente u. Modulatoren, in der *Laser-Technik (*YAG-Laser*) u. als Schmucksteine (Diamanten-Ersatz[4]). Krist. Barium-Yttrium-Cuprate der ungefähren Formeln $Ba_xY_{2-x}CuO_4$ bzw. $Ba_2YCu_3O_7$ gehören zur Gruppe der seit 1986 entwickelten Hochtemperatur-Supraleiter (s. dort u. z. B. *Lit.*[5]), mit denen Sprungtemp. (s. Supraleitung) von –180 °C (93 K) erreicht wurden. Noch höhere Übergangstemp. bis 135 K, unter Druck sogar bis 150 K wurden an Proben aus dem Syst. H–Ba–Ca–Cu–O gefunden[6].
Geschichte: *Mosander entdeckte 1843 Yttriumoxid als Bestandteil der 1794 von Gadolin erstmals untersuchten Yttererden (s. dort zur Namensableitung). Die erste Herst. eines (unreinen) Y erfolgte 1824 durch F. *Wöhler (Red. von Yttriumchlorid mit Kalium); die Gewinnung von reinem Y gelang West u. Hopkins erst 1935. – *E* = *F* yttrium – *I* ittrio – *S* itrio
Lit.: [1] Wilkinsen-Stone-Abel II, **4**, 1–212. [2] Fries-Getrost, S. 396. [3] Townshend, Encyclopedia of Analytical Science, S. 4699 (Extraktion), 2312 (Ionenaustausch), 96 (Amperometrie), 898 (Coulometrie), 4024 (Polarographie), 227 (Atomabsorptionsspektrometrie), London: Academic Press 1995. [4] Kirk-Othmer (4.) **14**, 111. [5] Chem. Unserer Zeit **22**, 1–8 (1988); Buckel, Supraleitung (5.), Weinheim: VCH Verlagsges. 1994. [6] Nature (London) **365**, 323 (1993).
allg.: Gmelin, Syst.-Nr. 39, Seltenerdelemente, 35 Bd., 1938, 1973–1991 ■ Seiler u. Sigel (Hrsg.), Handbook on Toxicity of Inorganic Compounds, S. 769–785, New York: Dekker 1988 ■ s. a. Seltenerdmetalle. – *[HS 2805 30; CAS 7440-65-5]*

Yttriumaluminiumgranat s. Yttrium u. Yttrium-Verbindungen.

Yttriumoxid s. Yttrium-Verbindungen.

Yttrium-Verbindungen. Von den zahlreichen salzartigen u. komplexen Verb. des *Yttriums sind nur wenige von techn. Bedeutung. (a) *Yttriumoxid*, Y_2O_3, M_R 225,81. Farblose bis gelbliche, wasserunlösl. Krist. od. Pulver, D. 5,01, Schmp. 2432 °C. Verw. in Gasglühkörpern u. elektr. Widerstandsöfen, zusammen mit ZrO_2 (15% Y_2O_3) in sog. *Nernst-Stiften, als Leuchtstoff in Farbfernsehröhren, in Spezialgläsern wie Yttralox, zur Zähigkeitserhöhung spröder keram. Werkstoffe (Al_2O_3 mit 18% ZrO_2/Y_2O_3), zur Stabilisierung von Zirconiumoxid (als Tiegelmaterial bzw. für keram. Auskleidungen), für keram. Farbkörper, in Hochtemp.-Elektroden für sog. Lambda-Sonden bei der PKW-Abgasnachverbrennung u. als Schmuckstein.
(b) *Yttriumchlorid*, YCl_3, M_R 195,26. Farblose, durchscheinende Blätter, D. 2,67, Schmp. 721 °C, Sdp. 1507 °C, lösl. in Wasser, Alkohol, Pyridin, bildet ein Mono- u. ein Hexahydrat.
(c) *Yttriumnitrat:* Als Tetrahydrat $Y(NO_3)_3 \cdot 4H_2O$, M_R 346,98, rötlichweiße, wasserlösl. Prismen, D. 2,682, bildet auch ein Hexahydrat, $Y(NO_3)_3 \cdot 6H_2O$, M_R

383,01, farblose bis rötliche, zerfließliche Krist., D. 2,68, die bei ca. 100 °C 3 H_2O verlieren u. schmelzen. (d) *Yttriumaluminiumgranat* (YAG), $Y_3Al_5O_{12}$, M_R 593,62. Farblose, stark lichtbrechende kub. Krist., D. 4,65, H. 8,5, dienen als Ersatz für Diamanten für Schmuckzwecke u. zur Herst. von *Lasern (*YAG-Laser mit Neodym-Dotierung), s. Yttrium. – *E* yttrium compounds – *F* composés d'yttrium – *I* composti d'ittrio – *S* compuestos de itrio

Lit.: s. Yttrium. – *[HS 2846 90; CAS 1314-36-9 (Y_2O_3); 10361-92-9 (YCl_3); 13773-69-8 ($Y(NO_3)_3 \cdot 4 H_2O$); 12005-21-9 (YAG); G 5.1 (Yttriumnitrat)]*

Yttrofluorit s. Fluorit.

Yttrotantalit s. Tantalit.

YTX. Abk. für *Yessotoxin.

Yucca (Palmlilie, Faserlilie, Bajonettbaum). Eine im südlichen Nordamerika u. in Mittelamerika heim., in gemäßigten Klimaten als Zierpflanze kultivierte Wüstenpflanze (*Yucca filamentosa* L., Agavaceae). Aus den schmalen, harten u. spitzen Blättern wird eine grobe Spinn- u. Seilerfaser gewonnen, die Jute u. Sisal ersetzen kann. Außerdem könnte Y. auch auf Ethanol u. Zellstoff für Papier aufgearbeitet werden. In der Medizin wurde die Pflanze wegen ihres Saponin-Gehalts zur Herst. von Leber- u. Magenmitteln verwendet, doch steht heute der Nutzen als Lieferant für Smilagenin (s. Steroid-Sapogenine), Yuccagenin, *Hecogenin u. a. *Saponin-Aglykone im Vordergrund, die als Rohstoffe für Steroidhormone dienen. – Yuca ist auch das span. Wort für *Maniok. – *E* Adam's needle – *F* = *I* yucca – *S* yuca

Lit.: Hager (5.), Folgebd. 3, 803 ff. ▪ s. a. Saponine. – *[HS 0602 99]*

Yugawaralith (YUG). $Ca[Al_2Si_6O_{16}] \cdot 4H_2O$; zu den *Zeolithen gehörendes, farblos durchsichtiges bis trübweißes od. rosafarbiges Mineral, Kristallklasse m-C_2. Die Struktur (*Lit.*[1,2]) enthält Ketten aus *Viererringen* aus [($Si,Al)O_4$]-Tetraedern. Tafelige, sechsseitige, glasglänzende Krist., H. 4,5–5, D. 2,2, Bruch muschelig; Y. zeigt *Piezoelektrizität u. *Pyroelektrizität. Zu den von Fundort zu Fundort u. sogar in demselben Krist. unterschiedlichen opt. Eigenschaften s. *Lit.*[3]; chem. Analysen s. Gottardi-Galli (*Lit.*); Y. enthält meist etwas Na. Beim Erhitzen auf 150 °C verliert Y. 53% Wasser; dieses wird beim Abkühlen auf Raumtemp. wieder aufgenommen, s. dazu u. zu Phasenübergängen bei Y. *Lit.*[4].

Vork.: Überwiegend in Hohlräumen in veränderten *Vulkaniten; *Beisp.:* Island, Osilo/Sardinien, Bombay/Indien sowie Yugawara Hot Springs (Name!) u. andernorts in Japan. – *E* = *F* = *I* yugawaralite – *S* yugawartalita

Lit.: [1] Z. Kristallogr. **174**, 265–281 (1986). [2] Acta Crystallogr. Sect. B **25**, 1183–1190 (1969). [3] Mineral. Mag. **51**, 615–620 (1987). [4] Eur. J. Mineral. **8**, 1273–1282 (1996).
allg.: Anthony et al., Handbook of Mineralogy, Vol. II, Tl. 2, S. 890, Tucson (Arizona): Mineral Data Publishing 1995 ▪ Gottardi-Galli, Natural Zeolites, S. 110–117, Berlin: Springer 1985 ▪ Tschernich, Zeolites of the World, S. 520–526, Phönix (Arizona): Geoscience Press 1992 ▪ s. a. Zeolithe. – *[CAS 12343-47-4]*

Yukawa, Hideki (1907–1981), Prof. für Theoret. Physik, Univ. Kyoto u. Columbia Univ., New York. *Arbeitsgebiete:* Kernphysik, Atombau, Elementarteilchen, Kernkräfte, Feldtheorien, Voraussage der Existenz von Mesonen. 1949 Nobelpreis für Physik.

Lit.: Naturwiss. Rundsch. **38**, 516–520 (1985) ▪ Lexikon der Naturwissenschaftler, S. 432 ▪ Neufeldt, S. 190 ▪ Yukawa, Tabibito – Ein Wanderer, Stuttgart: Wiss. Verlagsges. 1985.

YULE CATTO. Kurzbez. für die 1908 gegr. Yule Catto & Co. plc, Temple fields, Harlow; Essexx, CM20 2BH, UK. Produktionsstätten für Chemikalien u. Baustoffe in Großbritannien, in der BRD, Holland, Belgien, Südafrika, Kenia, Malaysia u. Thailand. *Daten* (1995): 870 Mio. DM Umsatz. *Produktion:* Natürliche u. synthet. Polymerlatices, Polyvinylalkohole u. Phthalat-Weichmacher.

Y-Virus s. Tabak.

Yxin®. Tropfen mit *Tetryzolin-hydrochlorid gegen Augenerkrankungen verschiedener Genese. *B.:* Pfizer.

Y-Zeolithe s. Zeolithe.

Z

ζ (zeta). 6. Buchstabe im *griechischen Alphabet; Symbol für das Massenverhältnis (s. Konzentration) bei Mischphasen, für die Coriolis-Kopplungskonstante der Mol.-*Rotationskonstanten u. das elektrokinet. *Zeta-Potential. ζ-Carotin ist die biolog. 7,7′,8,8′-Tetrahydro-Vorstufe für *Lycopin.

z. Symbol für physikal.-chem. Größen: mol. Stoßfrequenz in der *Kinetik, Ladungszahl von *Ionen u. *Wertigkeit (s. Val) von chem. Reagenzien, vertikale Raumkoordinate im kartes. u. im zylindr. Syst., Verteilungsfunktion für ein Mol. (*statistische Mechanik; auch: q); Vorsatz-Kurzz. für Zepto… (10^{-21}) bei Einheiten im *Dezimalsystem.

Z. a) Symbol für Eichboson: Z od. Z^0; s. Elementarteilchen. – b) Kurzz. für die *Benzyloxycarbonyl-Schutzgruppe (auch Cbz; IUPAC/IUB-Regel 3AA-18.1), für ungewisses Glutaminsäure-Derivat [= Glx = *Glutaminsäure (E), *Pyroglutaminsäure (Glp), *Glutamin (Q) od. 4-Carboxyglutaminsäure (Gla)] in Peptiden (Regel 3AA-1) u. für *Azelat in Abk. für Polymere u. *Weichmacher (DIN 7723: 1987-12; *Beisp.:* *DOZ. – c) Kursives Stereosymbol (Z)- zeigt an, daß die nach den *CIP-Regeln ranghöheren Reste an beiden Enden einer Doppelbindung zur selben Seite zeigen (s. cis-trans-Isomerie; IUPAC-Regeln E-2.2.1 u. R-7.1.2). – d) Symbol Z für pyhsikal.-chem. Größen: *Impedanz, kanon. Ensemble der *statistischen Mechanik (auch: Q), Kompressionsfaktor für *reale Gase (Z = pV/nRT), *Ordnungszahl (s. Atombau u. Periodensystem), Stoßdichte (Stoßzahl pro Vol.), Ionisierungsstärke von Lsm. (selten; s. Z-Wert). – e) Vorsatz-Kurzz. für Zetta… (10^{21}) bei Einheiten im *Dezimalsystem.

ZAAS s. Zeeman-Effekt.

Zachariasen-Regel s. Struktur.

Zachau, Hans Georg (geb. 1930), Prof. für Physiolog. Chemie, Univ. München. *Arbeitsgebiete:* Protein-Biosynth., Chemie u. Biochemie der Nucleinsäuren, Immungene.
Lit.: Kürschner (16.), S. 4183; (17.), S. 1579 ■ Nachr. Chem. Tech. **16**, 333 (1968); **39**, Nr. 5, 584 (1991) ■ Wer ist wer, S. 1592 f.

Zaditen® (Rp). Kapseln u. Sirup mit *Ketotifen-hydrogenfumarat zur Vorbeugung von asthmat. Anfällen, allerg. Schnupfen u. Hauterkrankungen. *B.:* Novartis.

Zähigkeit s. Duktilität, Newtonsche Flüssigkeiten u. Viskosität.

Zähligkeit. Bez. aus der *Kristallographie u. *Gruppentheorie, worunter man die Anzahl möglicher Deckoperationen an *Drehachsen* (*Symmetrie-Achsen, vgl. Kristallsysteme u. Kristallgeometrie) versteht. Ein Würfel z. B. hat 2-, 3- u. 4-zählige Symmetrieachsen. – *E* multiplicity – *F* multiplicité – *I* molteplicità – *S* multiplicidad

Zählkammer. Ein spezieller Objektträger für die Mikroskopie, mit dem die *Zellzahl bzw. Zelldichte visuell durch Auszählen in einer definierten Volumeneinheit bestimmt werden kann. Häufig wird auch eine Relativzählung zu bekannten Zahlen von Partikeln durchgeführt. Die visuelle Analyse wird zunehmend durch elektron. Verf. (Messungen über Leitfähigkeitsunterschiede, CCD-Kamera-gestützte Analyse, Turbidität etc.) abgelöst. – *E* counting cell chamber – *F* cellule de comptage – *I* camera di conteggio – *S* cámara de recuento
Lit.: Lindl, Zell- u. Gewebekultur, Stuttgart: Fischer 1989 ■ Schlegel (7.), S. 207 f.

Zählrohre (Teilchenzähler, Teilchendetektoren). Bez. für Geräte zur Zählung ionisierender Teilchen, d. h. von α-, β- u. γ-Strahlen (s. Radioaktivität), od. von geladenen Teilchen, die unter der Einwirkung *ionisierender Strahlung (*Gammastrahlen, *Röntgenstrahlen) entstehen. Da allerdings auch Myonen u. a. Teilchen aus der *kosmischen Strahlung u. die natürliche *Radioaktivität (vgl. Strahlenbiologie) Impulse im Z. auslösen können, muß – im allg. – vor der Messung radioaktiver Proben die sog. *Nullrate* bestimmt werden. Man unterscheidet *Auslöse-Z.* u. *Proportional(itäts)-Z.*, von denen die ersteren auch unter den Namen der Erfinder *Geiger (1913) u. W. Müller (1928, Schüler von Geiger) als Geiger-Zähler od. Geiger-Müller-Z. bekannt sind. Der ursprüngliche *Geiger-Zähler (Spitzenzähler)* bestand aus einem als Spitze ausgebildeten Draht, der in der Mitte eines zylindr. Metallrohrs zentriert u. gegen dieses isoliert ist. Zwischen Draht u. Wandung wird eine Spannung von ca. 1000 V angelegt u. das Syst. evakuiert. Den prinzipiellen Aufbau zeigt Abb. 1.

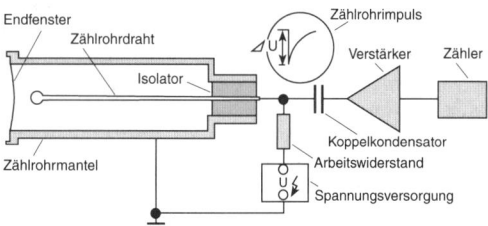

Abb. 1: Aufbau u. Meßprinzip eines Zählrohres.

Die heute verwendeten *Geiger-Müller-Z.* besitzen eine Gas- od. Dampffüllung, z. B. aus Ne, Ar od. He u. niederen Alkanen od. Halogenen; es sind auch Z. bekannt, in denen das Zählgas das Meßrohr durchströmt (*Durchfluß-Z.*). In die Ionisationskammer des Z. eindringende α- od. β-Strahlen bewirken eine *Ionisation im Gasvol.; bei γ-Strahlen wird diese Ionisation durch Teilchen bewirkt, die sek. in der Wand od. dem Eintrittsfenster des Z. entstehen (*Photoelektronen, *Photoionisation). In der Nähe des Zähldrahts werden die eingefallenen Ladungsträger durch das elektr. Feld so stark beschleunigt, daß sie durch Stoßionisation (s. Stoßprozesse) weitere Elektronen – *Sekundärelektronen – freisetzen; der Multiplikationsfaktor dieser Elektronen-„Lawine" beträgt je nach angelegter Spannung $10^6 - 10^8$. Die an dem als Anode geschalteten Zähldraht eintreffenden Elektronen verursachen einen elektr. verstärkbaren Stromstoß, der – je nach Meßprinzip – ein Maß für Zahl, Art u. Energie der zu messenden Teilchen-*Strahlung darstellt. Die Impulsamplitude ist in Abhängigkeit von der Z.-Spannung in Abb. 2 dargestellt.

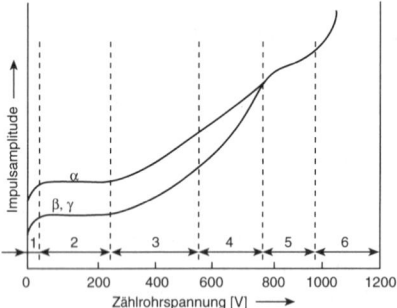

Abb. 2: Arbeitsbereiche eines Zählrohres (Details s. Text).

Im *Rekombinationsbereich* (1) wird aufgrund der Rekombination von Elektronen u. Ionen nur unvollständige Ladungssammlung erreicht. Im *Ionisationskammerbereich* (2) werden bereits alle von den Primärteilchen erzeugten Ladungen gesammelt, aber erst im *Proportionalitätsbereich* (3) findet eine Verstärkung der Primärladung durch Stoßionisation statt. Da die Verstärkung noch nicht gesät. ist, erhält man eine Impulsamplitude, die porportional zur Primärladung ist. Die in diesem Bereich betriebenen sog. Proportionalitätszähler eignen sich zur Unterscheidung von α- u. β-Strahlen u. zur Bestimmung von Energiespektren. Der *beschränkte Proportionalitätsbereich* (4) wird nicht zu Meßzwecken verwendet, aber der *Auslösebereich* (5), der auch Geiger-Müller-Bereich genannt wird. Hier findet eine so große Verstärkung der Primärladung statt, daß die Entladung nicht mehr auf einen kleinen Bereich begrenzt bleibt, sondern sich entlang des Zünddrahtes ausbreitet; die Impulshöhe ist nun unabhängig von der Primärladung. Noch höhere Spannung führt zur *selbständigen Entladung* (6), die zu vermeiden ist, weil dann durch Weiterbrennen der Entladung das Z. zerstört werden kann.

Bereits im Bereich (5) bricht die Entladung nicht mehr von selbst ab, sondern muß gelöscht werden. Bei *nicht selbstlöschenden Z.* wird (z. T. elektron.) die angelegte Spannung abgesenkt bis alle Ionen an den Elektroden gesammelt sind. Heute werden aber überwiegend *selbstlöschende Z.* eingesetzt, bei denen mehratomige, organ. Gase od. Dämpfe zugesetzt werden (typ. Mischung: 10 mbar Ar u. 1 mbar Ethanol). Da sich der organ. Löschzusatz durch *Dissoziation langsam verbraucht, können solche Z. nur rund $10^8 - 10^9$ Impulse detektieren. Als *Totzeit* des Z. bezeichnet man das der Entladung folgende Intervall von $10^{-4} - 10^{-5}$ s Dauer, während dessen das Gerät wegen der Regeneration der Aufladung nicht ansprechen kann; würde während dieser Zeit ein weiteres Primärteilchen eintreffen, könnte es nicht registriert werden, woraus eine zu geringe Zählrate resultiert.

Verw.: Zum Nachw. radioaktiver Strahlung in Bergbau, Geologie u. Umweltschutz, zur zerstörungsfreien Werkstoffprüfung, zur Dosisleistungsmessung in Nuklearmedizin u. Strahlenschutz, zum Nachw. von Kernreaktionen in Teilchenbeschleunigern, in der Kristallstrukturanalyse, Spektroskopie etc. In manchen Bereichen sind die Z. durch *Szintillationszähler verdrängt worden. – ***E*** (radiation) counters – ***F*** tubes compteurs – ***I*** contatore di particelle, turbo indicatore, contatore Geiger – ***S*** (tubos) contadores

Lit.: Bock u. Vasilescu, The Particle Detector Briefbook, Berlin: Springer 1988 ■ Petzold u. Krieger, Strahlenphysik, Dosimetrie u. Strahlenschutz (3.), Bd. 1, Stuttgart: Teubner 1992 ■ Reich et al., Dosimetrie ionisierender Strahlung, Stuttgart: Teubner 1990 ■ Valvo-Handbuch Zählrohre, Hamburg: Valvo GmbH 1981.

Zähne. Knochenartige Hartgebilde der Mundhöhle der meisten Wirbeltiere u. des Menschen. Ursprünglich entstammen Z. dem *Haut-Gewebe. So können bei manchen Fischen zahnartige Strukturen im gesamten Hautbereich entstehen, die sich z. B. bei den Knorpelfischen (Haie u. Rochen) bis in die Speiseröhre hinein erstrecken. Bei Höheren Wirbeltieren sind Z. auf die Mundhöhle beschränkt.

Im Laufe der ontogenet. Entwicklung entstehen an den zahnbildenden Stellen Gewebe, die aus der embryonalen Schleimhaut in die Unterhaut versenkt werden, die Zahnleisten. Aus diesen können neue Zähne entstehen, um ausgefallene zu ersetzen. Bei Niederen Wirbeltieren geschieht der Zahnwechsel dauernd, während bei Säugern ein einmaliger Zahnwechsel die Regel ist.

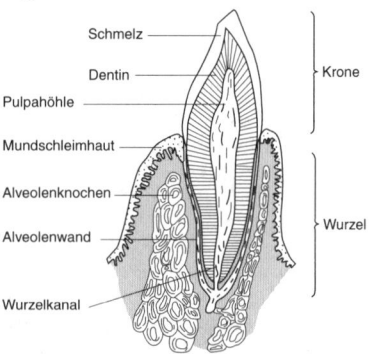

Abb.: Menschlicher Zahn (nach Leonhardt, s. *Lit.*, dort S. 421).

Die Z. des Menschen bestehen aus einem Gerüst aus *Dentin*, das im Bereich des frei aus dem Zahnfleisch herausragenden Teiles (*Zahnkrone*) von dem bes. harten *Zahnschmelz* überzogen ist. Der in den *Zahn-*

fächern (Alveolen) des Kieferknochens verankerte Teil des Zahnes (*Zahnwurzel*) ist von einem dünnen Knochengewebe (*Zahnzement*) umgeben. Das Innere des Zahnes bildet die von Dentin umgebene *Zahnhöhle* (*Pulpahöhle*). Sie wird ausgefüllt von dem *Zahnmark* (*Pulpa*) aus faserigem Bindegewebe sowie Nerven u. Blutgefäßen, die am unteren Ende aus dem Kiefer durch den Wurzelkanal in den Zahn eintreten. Dentin u. Schmelz sind chem. prinzipiell ähnlich wie Knochen zusammengesetzt, unterscheiden sich aber in den Mengenverhältnissen von Wasser, organ. u. anorgan. Substanz. Die anorgan. Salze bestehen zum größten Teil aus Calciumphosphat bzw. Hydroxyapatit (s. Apatit), zu kleineren Teilen aus Calciumcarbonat, Magnesiumphosphat, Calciumfluorid u. Calciumchlorid.

Dentin besteht pro 100 g aus 10 g Wasser, 3,4 g N, 27 g Ca, 13 g P, 0,9 g Mg, 3,3 g CO_3^{2-}, bis 0,03 g Cl, bis 0,076 g F, bis 0,3 g Na, bis 0,1 g K, Fe sowie Pb, ferner 0,2–0,6 g *Glykosaminoglykane u. 0,4 g Cholesterin. Zahnschmelz besteht pro 100 g aus 3 g Wasser, 0,03 g N, 36 g Ca, 17 g P, 0,4 g Mg, 2,5 g CO_3^{2-}, 0,25 g Cl, 0,034 g F, 0,9 g Na, 0,3 g K, Fe u. Cu sowie 0,1 g Glykosaminoglykane.

Der Zahnschmelz ist von einer dünnen Eiweißschicht (*Pellicula*) aus Proteinen des *Speichels umgeben, die leicht durch Farbstoffe aus der Nahrung (z. B. Heidelbeeren) verfärbt wird. Außerdem können die Z. Blei u. a. Schwermetalle speichern. Da Z. gegen mechan. Beanspruchung sehr widerstandsfähig sind, spielen sie in der *forensischen Chemie sowie als *Fossilien u. archäolog. Fundstücke eine wichtige Rolle. Das Alter von lebenden Säugetieren ist am Ausmaß der *Racemisierung der im Zahnschmelz enthaltenen Asparaginsäure ablesbar.

Zusammen bilden die Z. das *Gebiß*. Bei Fischen, Amphibien u. Reptilien besteht dieses aus nur einem Zahntyp (*homodontes Gebiß*), während das Säugergebiß vier verschiedene Zahnformen aufweist (*heterodontes Gebiß*): Schneide-Z. (Incisivi), Eck-Z. (Canini), vordere Backen-Z. (Praemolares) u. hintere Backen-Z. (Molares). Beim Menschen unterscheidet man das Milchgebiß aus 20 Z. von dem bleibenden Gebiß aus 32 Z., die sich in zwei Zahnungen (*Dentitionen*) im Alter von 6–30 Monaten u. 6–12 Jahren herausbilden. Infolge von Abnutzung u. schädigenden Einflüssen wie z. B. Infektionen unterliegen die Z. einem allmählichen Zerstörungsprozeß. Die häufigste Erkrankung der Z. ist die *Karies. Mit der Vorbeugung u. Behandlung von Erkrankungen der Z. beschäftigt sich die *Zahnheilkunde* (Zahnmedizin). Defekte der Z. werden durch konservierende Therapie mit Füllmaterialien wie *Amalgam od. Gold behoben. Ein endgültiger Zahnverlust läßt sich heute durch Prothesen ausgleichen, wodurch das Kauvermögen weitgehend erhalten bleibt. – *E* teeth (Singular: tooth) – *F* dents – *I* denti – *S* dientes

Lit.: Leonhardt, Histologie, Zytologie u. Mikroanatomie des Menschen (8.), Stuttgart: Thieme 1990 ▪ Schröder, Orale Strukturbiologie (4.), Stuttgart: Thieme 1992 ▪ Börnig et al., Anatomie u. Biochemie der Zähne, Stuttgart: Fischer 1990.

Zähner, Hans (geb. 1929), Prof. für Mikrobiologie, Univ. Tübingen. *Arbeitsgebiete:* Antibiotika, Siderophore, mikrobieller Sekundärstoffwechsel.

Lit.: Kürschner (16.), S. 4184 ▪ Wer ist wer, S. 1593.

...zähnig s. Koordinationslehre.

Zäpfchen s. Suppositorien.

Zafirlukast (Rp).

Internat. Freiname für das *Antiasthmatikum Cyclopentyl-*N*-{3-[2-methoxy-4-(*o*-tolylsulfonylcarbamoyl)-benzyl]-1-methyl-1*H*-indol-5-yl}carbamat, $C_{31}H_{33}N_3O_6S$, M_R 575,67, Schmp. 138–140 °C. Z. wurde 1986 u. 1989 von ICI patentiert. Es wirkt als Leukotrien-D_4-Antagonist u. ist von ICI (Accolate®) in den USA im Handel. – *E* = *F* = *I* = *S* zafirlukast

Lit.: J. Med. Chem. **33**, 1781–1790 (1990) ▪ Martindale (31.), S. 1448 ▪ Merck-Index (12.), Nr. 10241. – *[CAS 107753-78-6]*

Zahlenmittel. Die einzelnen *Makromoleküle eines *Polymers weisen in der Regel nicht alle die gleiche *Molmasse auf. Vielmehr liegt eine *Molmassenverteilung vor. Diese läßt sich durch die Angabe verschiedener Mittelwerte beschreiben. Einer dieser Mittelwerte ist das Z. M_n, das definiert ist als

$$M_n = \sum_i x_i M_i.$$

Mit der Definition des Molenbruches $x_i = N_i/N$ u. $N = \sum_i N_i$ folgt alternativ

$$M_n = \frac{\sum_i N_i M_i}{\sum_i N_i},$$

wobei N_i die Zahl der Makromol. in der Probe mit genau i Repetiereinheiten u. der Molmasse M_i ist. Das Z. wird meist durch Membran- od. Dampfdruck-Osmometrie bestimmt (s. a. Molmassenbestimmung, 4.). Es fällt bei monomodalen Molmassenverteilungen in der Regel mit dem Maximum der Verteilungskurve zusammen. Das Z. sagt daher aus, Makromol. welcher Länge in der Polymer-Probe die zahlenmäßig häufigsten sind. – *E* number-average molecular weight – *F* moyenne arithmétique – *I* peso molecolare medico numerico – *S* valor promedio del peso molecular

Zahlpräfixe s. Multiplikationspräfixe.

Zahncremes, Zahnhölzer, Zahnpasten s. Zahnpflegemittel.

Zahnpflegemittel. Bez. für eine umfangreiche, den *Mundpflegemitteln zugehörige Gruppe von Pasten, Gelen, Pulvern, medizin. Kaugummis etc., die bei der Pflege der *Zähne im Rahmen der Mundhygiene sowohl therapeut. als auch kosmet. Funktionen erfüllen. Die wesentlichen Aufgaben der Z. bestehen in der mechan. u. chem. Reinigung der Zähne u. Zahnzwischenräume, dem Polieren u. Aufhellen der Zähne, der Prophylaxe bzw. Heilung (umstritten) von Zahn- u. Zahnfleischerkrankungen wie *Karies u. *Parodontose sowie der Beseitigung bzw. Überdeckung von Mundgeruch; hierbei leisten mechan. Hilfsmittel wie insbes. Zahnbürsten (auch elektr.) sowie Zahnseide u. -hölzchen, Mundduschen u. dgl. wertvolle Dienste. In trop. Ländern noch verbreitet ist die Zahnpflege durch Kauen von *Zahnhölzern*, die Saponine, Alkaloide,

Tannine u. antimikrobiell wirksame Verb. enthalten können; *Beisp.:* *Nimbaum, *Ratanhiawurzel. Zum mechan. Entfernen von Speiseresten dienende *Zahnstocher* werden meist aus dem Holz von Kiefern, Pappeln, Weiden u. Balsa gefertigt.
Die heute meist verwendeten *Zahncremes* od. *Zahnpasten* enthalten in der Trockenmasse (Wassergehalt durchschnittlich 40%) hauptsächlich folgende Bestandteile:
1. *Putzkörper* (15–60%), d. h. Schleif- u. Poliermittel, welche Zahnbelag (*Plaque) schonend, d. h. unter möglichst geringem *Dentin-Abrieb (s. a. Zähne), vom Zahnschmelz entfernen u. die in ihrer Härte deshalb zwischen 2 u. 3 der Mohsschen Härteskale liegen sollen; in Frage kommen insbes. Calciumphosphate, Calciumdiphosphat, Aluminiumoxid, Calciumcarbonat, gefällte Kieselsäuren etc.
2. *Feuchthaltemittel* (bis 40%), die das Austrocknen der Pasten verhindern sollen, z. B. Glycerin, Sorbit u. Xylit.
3. *Binde-* u. *Verdickungsmittel* (ca. 1%) wie Carboxymethylcellulose, Alginate etc., welche die Viskosität u. cremige Konsistenz des Stranges bedingen. Hochdisperse Kieselsäure (in Zusätzen bis ca. 3,5%) dient wegen ihres *Thixotropie-Effekts zur Viskositätssteuerung u. aufgrund ihrer großen Oberfläche als Träger für diverse Wirksubstanzen.
4. *Schäumer* (bis 2%), bes. Natriumdodecylsulfat, Fettsäuresalze u. -sarkosinate u. a. Aniontenside anstelle der früher üblichen *Seifen (*Zahnseifen*).
5. *Konservierungsmittel* (bis 0,2%) zur Verhütung der bakteriellen Zers. von Binde- u. Feuchthaltemitteln, z. B. 4-Hydroxybenzoesäureester od. Natriumbenzoat.
6. *Süßungsmittel* (ca. 0,1%) zur Geschmacksverbesserung, bes. Saccharin, Natrium- u. Calciumcyclamat, Sorbit u. a. Süßstoffe.
7. *Aromatisierungsmittel* (0,5–1%), z. B. Pfefferminzöl, Krauseminzöl, Wintergrünöl u. Myrrhe sowie – insbes. bei Kinderzahnpasten – Fruchtaromen.
8. *Spezielle Wirkstoffe* (soweit nach Lebensmittel-Gesetz u. Kosmetik-VO zulässig): Zur *Karies-Prophylaxe dienen Fluor-Verb. wie *Natriumfluorophosphat, Alkalifluoride, SnF_2 u. quartäre Ammoniumfluoride. Der *Zahnstein-Bildung sollen z. B. Natriumricinoleat u. (1-Hydroxyethyliden)-diphosphonsäure (s. Etidronsäure) entgegenwirken; eine Entfernung schon gebildeten Zahnsteins ist jedoch mit Z. nicht möglich, sondern nur vom Zahnarzt auf mechan. Wege zu erreichen. Weitere Zusätze können sein: Osmot. wirkende Meeressalze zur Kräftigung des Zahnfleisches, Adstringentien wie Aluminium-Verb. od. Gerbstoffe, Schutzstoffe für die Mundschleimhaut wie Lanolin, Lecithin od. bestimmte Vitamine, Strontium-Verb.; ferner – bes. bei sog. Kinderzahnpasten – Farbstoffe wie Indanthrenbrillantrosa R u. Lebensmittelfarbstoffe wie Karmin od. Chlorophyll, das darüber hinaus desodorierend wirken soll (Wirkung umstritten). Eine Sammlung von Rezepturbeisp. sowie Angaben zur Analytik u. Prüfung von Z. findet sich in *Lit.*[1].
Ebenfalls zu den Z. muß man die *Gebißpflegemittel* rechnen, mit denen Zahnprothesen über Nacht gereinigt werden. Diese können ggf. aggressivere Agenzien enthalten, wie z. B. Hypochlorite, od. Enzyme, wie z. B. Papain.
Geschichte: Bereits im 3. Jahrtausend v. Chr. werden in chines. u. ind. Schriften Z. aus pflanzlichen Extrakten erwähnt; vielfach war die Zahnpflege eine kult. Handlung, wobei z. T. solche Mittel wie Mäusekot, Asche von Krebsaugen od. Wolfsschädeln, Grünspan, Weihrauch u. a. Verw. fanden. Im 18. Jh. kannte man diverse Zahnpulver, die seit etwa 1860 aus Kreide, Bimsstein u. Seife bestanden; hieraus entwickelten sich die heute kaum noch gebräuchlichen Zahnseifen. Die ersten Zahnpasten in Tuben kamen 1896 in den USA (Colgate) u. 1905 in Deutschland (Chlorodont) auf den Markt.
Wirtschaft: In der BRD betrug 1997 der Umsatz an Z. 2045 Mio. DM = 12,5% vom Gesamtumsatz an Körperpflegemitteln (zu Endverbraucherpreisen)[2]. – *E* = *F* dentifrices – *I* dentifrici – *S* dentríficos, productos para la higiene dental
Lit.: [1] Umbach (Hrsg.), Kosmetik, 2. Aufl., S. 193–210, Stuttgart: Thieme 1995. [2] IKW Tätigkeitsbericht 1997/98, Frankfurt: Industrieverband Körperpflege u. Waschmittel 1998.
allg.: Janistyn (2.) **3**, 777–834 ▪ Kirk-Othmer (4.) **7**, 605, 1023–1030 ▪ Pader, Oral Hygiene Products and Practice, Basel: Dekker 1988 ▪ Ullmann (4.) **10**, 20–27; (5.) **A 18**, 209–214 ▪ Vollmer u. Franz, Chemie in Bad u. Küche, S. 86–95, Stuttgart: Thieme 1991 ▪ Vollmer u. Franz, Chemische Produkte im Alltag, S. 154–164, Stuttgart: Thieme 1985.

Zahnradpumpe. Z. gehören zu den *Verdrängerpumpen. Auf der Saugseite füllen sich die Zahnradlücken der beiden ineinander greifenden Zahnräder mit der vom Saugstutzen entgegen der Drehrichtung zuströmenden Flüssigkeit, die nach Absperrung durch die umschließenden Gehäusewandungen zur Druckseite mitgenommen wird.

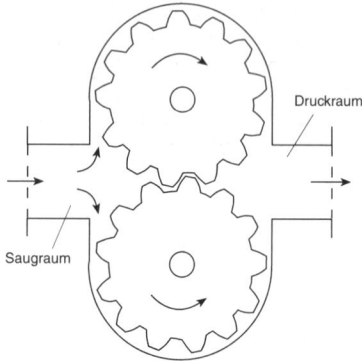

– *E* gear pump – *F* pompe à engrenages – *I* pompa a ingranaggi – *S* bomba de engranajes
Lit.: Ullmann (4.) **3**, 169 ▪ s. a. Pumpen.

Zahnschmelz s. Zähne.

Zahnseifen s. Zahnpflegemittel.

Zahnstein. Dunkel gefärbte Ablagerung auf den *Zähnen. Z. besteht aus Calciumphosphaten u. -carbonaten, Kalium- u. Natriumsalzen aus dem Speichel, Geweberesten sowie Mikroorganismen. Die Ablagerungen schädigen den Zahn selbst nicht, begünstigen aber durch ihre rauhe Oberfläche die Bildung von *Plaque u. damit von *Karies. – *E* tartar, odontolith – *F* tartre – *I* tartaro – *S* sarro dentario, toba

Zahnstocher s. Zahnpflegemittel.

Zahntürkis s. Türkis u. Vivianit.

Zahn-Wellens-Test. Bez. für ein internat. anerkanntes Prüfverf. zur Bestimmung der „potentiellen Abbaubarkeit" (*E* inherent biodegradability) von organ. Substanzen. Der Z.-W.-T. erfaßt neben dem biolog. Abbau alle wesentlichen Eliminationsmechanismen einer biolog. Abwasserbehandlungsanlage (Stripping, Adsorption). Der Z.-W.-T. wird als stat. Belebtschlammtest in Glasgefäßen durchgeführt, in denen sich mineral. Kultur-Lsg. u. Belebtschlamm befinden. Die Lsg. wird gerührt u. belüftet. Die Prüfsubstanz wird in Massenkonz. von 50 bis 400 mg L^{-1} zugesetzt. Die Ansätze werden bei 20 bis 25 °C 28 d inkubiert. Zur Kontrolle wird eine gut abbaubare Referenzsubstanz, z. B. Diethylenglykol, parallel untersucht. Stoffe, für die eine *DOC- od. *CSB-Abnahme von mehr als 20% gemessen wird, gelten wie bei einem ähnlichen Testsyst. gemäß OECD-Richtlinie 302A (SCAS-Test) als potentiell od. grundsätzlich (inherently) biolog. abbaubar. – *E* Zahn Wellens test

Lit.: Rahmenabwasser-VwV (GMBl. 1996, S. 463–475) ▪ Seifen, Öle, Fette, Wachse **117**, 743 (1991) ▪ Tenside Surf. Det. **33**, 120–129 (1996).

Zahnzement. 1. Bez. für Gerüstmaterial der *Zähne. – 2. Bez. für zur Füllung von Kavitäten u./od. zur Verankerung von Prothesen dienende, meist pastöse *Dentalmaterialien, z. B. auf der Basis von Zinkoxid-Eugenol, von Zink-Magnesiumphosphaten, Aluminium-, Zink- u. a. Silicaten od. von Kunstharzen (Methacrylaten). – *E* tooth cement, dental cement – *F* ciment dental – *I* cemento dentario – *S* cemento dental

Lit.: Encycl. Polym. Sci. Eng. **4**, 705–710 ▪ Kirk-Othmer (4.) **7**, 951–961 ▪ Ullmann (4.) **10**, 11 ff.; (5.) A **8**, 274–277 ▪ s. a. Zähne.

Zakaton. Wurzeln mehrerer *Epicampes*-Arten (Gräser), die in Mexiko gesammelt u. als grobes Bürstenmaterial sowie zum Abdecken von Häusern, zur Herst. von Matten usw. verwendet werden. – *E* = *F* = *I* zacaton – *S* zacatón – [HS 1403 90]

Zalcitabin (Rp).

Internat. Freiname für das *Virostatikum, ein Inhibitor viraler reverser Transcriptase, 2′,3′-Didesoxycytidin, $C_9H_{13}N_3O_3$, M_R 211,22, Schmp. 215–217 °C, auch 209–210 °C angegeben, $[\alpha]_D^{25}$ +81° (c 0,635/H_2O), λ_{max} (0,1 M HCl) 280 nm ($A_{1cm}^{1\%}$ 839), LD_{50} (Ratte oral) 2000 mg/kg. Z. wurde 1967 erstmals hergestellt[1] u. ist von Roche (HIVID Roche®) zur AIDS-Therapie im Handel. – *E* = *F* zalcitabine – *I* = *S* zalcitabina

Lit.: [1] J. Org. Chem. **32**, 817f. (1967).
allg.: Acta Crystallogr. Sect. C **49**, 1095 ff. (1993) ▪ ASP ▪ Drugs Today **29**, 19–27 (1993) ▪ Martindale (31.), S. 664 ▪ Merck-Index (12.), Nr. 10242 ▪ Pharm. Ztg. **142**, 4494–4504 (1997). – [CAS 7481-89-2]

Zanamivir (Rp).

Internat. Freiname für das *Virostatikum, ein *Neuraminidase-Hemmer, 5-Acetamido-2,6-anhydro-3,4,5-tridesoxy-4-guanidino-D-*glycero*-D-*galacto*-2-nonenonsäure, $C_{12}H_{20}N_4O_7$, M_R 332,32, Schmp. 256 °C, $[\alpha]_D^{20}$ +40,9° (c 0,9/H_2O). Z. wurde 1991 von Glaxo patentiert (Codebez. GG167) u. soll von Glaxo Wellcome gegen Influenza voraussichtlich 1999 in der BRD in den Handel gebracht werden. – *E* = *F* = *I* = *S* zanamivir

Lit.: Carbohydr. Res. **259**, 301–305 (1994) ▪ Dtsch. Apoth. Ztg. **138**, 3739–3742 (1998) ▪ Drugs **55**, 721–725 (1998) ▪ New Eng. J. Med. **337**, 874–880 (1997). – [CAS 139110-80-8]

Zantic® (Rp). Ampullen, Brause- u. Filmtabl. mit *Ranitidin-hydrochlorid gegen Magen- u. Zwölffingerdarmgeschwüre, vor Operationen zur Verhütung von Säure-Aspiration. *B.:* Glaxo Wellcome.

Zapon®-Farbstoffe. Metallkomplex-Farbstoffe; für lufttrocknende, Säure-härtende, Amin-härtende Transparentlacke, Einbrennlacke, Polyurethan-Lacke, Peroxid-härtende Polyester-Lacke sowie Holzbeizen. *B.:* BASF.

Zaponlack. Nach DIN 55945: 1996-09 Bez. für einen physikal. trocknenden Klarlack od. Transparentlack mit geringem Bindemittelgehalt zumeist auf Cellulosenitrat-Basis, der den Charakter des Untergrundes erkennen läßt, auch wenn er angefärbt ist (z. B. mit *Zapon®-Farbstoffen), zum Lackieren von Holz, Glas, Metallen u. Leder. – *E* zapon lacquer, zapon varnish – *F* vernis zapon – *I* zapon – *S* barniz zapón, laca zapónica

Lit.: Gatz (Hrsg.), Lexikon der Anstrichtechnik, Bd. 1, 10. Aufl., München: Callwey 1994 ▪ Römpp Lexikon Lacke u. Druckfarben, S. 636.

Zaragonsäuren s. Saragossasäuren.

Zart-Lösung. Flüssiges Faserreagenz aus gleichen Tl. 0,2%iger wäss. Lsg. von Eosin u. Siriuslichtblau B zur Unterscheidung von *Kupferseide (Violett-Blaufärbung) u. *Viskosefasern (Rosa-Rotfärbung) in Fasergemischen. – *E* Zart solution – *F* solution de Zart – *I* soluzione di Zart – *S* solución de Zart

Zaubernuß s. Hamamelis.

Zaubertinten s. Geheimtinten.

Zaunrübe. In Mittel- u. Südeuropa heim., 2–4 m lange, zu den Kürbisgewächsen (Cucurbitaceae) zählende ausdauernde Kletterpflanzen mit 10 Arten, darunter die Weiße od. Schwarzbeerige Z. (*Bryonia alba*) u. die Rote od. Rotbeerige Z. (*B. dioica*). Beide Arten enthalten einen scharf schmeckenden Milchsaft u. sind stark giftig; 40 Beeren gelten für Erwachsene, 15 Beeren für Kinder als tödliche Dosis. Die rettichförmigen, fleischig-saftigen, bis 50 cm langen Wurzeln enthalten tox. wirkende glykosid. Bitterstoffe, Alkaloide (Bryonicin) u. ein sehr süß schmeckendes

Triglykosid (Bryodulcosid). Die meisten Inhaltsstoffe, deren Namen (Bryo...) die Herkunft erkennen lassen, leiten sich als Glykoside von tetracycl. *Triterpenen, z. B. den *Cucurbitacinen, ab. Daneben enthalten Z. noch Phytosterine, triterpenoide Saponine, Kaffeesäure, Harze u. Gerbstoffe. Z.-Saft wirkt äußerlich als *Reizstoff u. *Vesikans, innerlich stark abführend u. in höheren Dosen zentral lähmend.

Verw.: Früher als drast. Abführmittel, in der Homöopathie heute ein Basismittel gegen fieberhafte Katarrhe u. Rheuma.

Nicht verwandt mit diesen Z. ist die sog. Gemeine Schmerwurz, Schwarze Bryonie od. Schwarzwurzel (*Tamus communis*), die zu den Dioscoreaceae (vgl. Diosgenin) zählt. – *E* bryony – *F* couleuvrée – *I* = *S* brionia

Lit.: Altmann, Giftpflanzen – Gifttiere, München: BLV 1991 ▪ Frohne u. Pfänder, Giftpflanzen (4.), Stuttgart: Wissenschaftliche Verlagsges. 1997.

Zavedos® (Rp). Trockensubst. zur Injektion mit dem *Cytostatikum *Idarubicin, Kapseln mit dessen Hydrochlorid zur Remissionsinduktion u. Konsolidierung bei akuten myelo. Leukämien (AML, ANL) im Erwachsenenalter. *B.:* Pharmacia & Upjohn.

Zdansky-Lonza-Verfahren. Elektrolyt. Verf. zur Herst. von reinem Wasserstoff (99,9%) u. Sauerstoff (99,3–99,5%), wobei KOH-haltiges dest. Wasser unter einem Druck von 30 bar mit 6600 A zerlegt wird. – *E* Zdansky-Lonza process – *F* procédé Zdansky-Lonza – *I* processo Zdansky-Lonza – *S* procedimiento Zdansky-Lonza

Z-DNA s. Desoxyribonucleinsäuren.

Zeanin. Gelegentlich verwendete Bez. für das *Glutelin des Maises; s. a. Zein.

Zearalanole s. Zearalenon.

Zearalenon.

R¹, R² = O : Zearalenon
R¹ = H, R² = OH, an C-11/12 gesättigt : Zeranol

$C_{18}H_{22}O_5$, M_R 318,37. Farblose, hautreizende Krist., Schmp. 164–165 °C, $[\alpha]_D$ –190° ($CHCl_3$); fast unlösl. in Wasser, gut lösl. in Alkohol u. Aceton. Das Nonaketid Z. (vgl. Polyketide) ist ein – als *Carcinogen verdächtigtes – *Mykotoxin mit estrogener Wirkung. Das von *Fusarium*-Arten wie *Fusarium roseum, F. graminearum* (*Gibberella zeae*) u. a. in Heu, Futtermitteln u. Getreiden (v. a. Mais = *Zea mays*) insbes. bei 12–14 °C gebildete Z. kann bei Weidetieren Fertilitätsstörungen u. Früh- bzw. Totgeburten hervorrufen, ist aber nicht akut toxisch. Zur Biosynth. von Z. s. *Lit.*[1], u. zur analyt. Bestimmung (z. B. durch Gaschromatographie, HPLC u. a. Meth.) s. *Lit.*[2]. Z. wird in Submerskultur hergestellt u. dient als Zwischenprodukt für die Herst. von α-Zearalanol (internat. Freiname: Zeranol), das neben weiteren Diastereoisomeren bei der katalyt. Red. entsteht. Zeranol {$C_{18}H_{26}O_5$, M_R 322,41, (3*S*,7*R*-Form): Schmp. 182–184 °C, $[\alpha]_D$ +46,3° ($CHCl_3$)} wird als veterinärmedizin. Anabolikum (Ralgro®, Ralabol® u. a.)[3] verwendet. Zeranol bindet an den Estrogen-Rezeptor u. stimuliert in empfindlichen Tieren u. Säugetierzellkulturen die Synth. von Proteinen, DNA u. RNA. β-Zearalanol als an C-7 epimeres Red.-Produkt aus der Fermentationskultur (internat. Freiname: Taleranol) ist ein sehr wirksamer Gonadotropin-Inhibitor. Neben Z., 14-*O*-Acetyl-Z., 5-Hydroxy-Z., 13-Formyl-Z. wird auch Z.-14-sulfat als natürlicher Pilzmetabolit gebildet. Die erwähnten Verb. werden manchmal als *Resorcylsäurelactone* (engl. Abk.: RAL) zusammengefaßt. – *E* = *I* zearalenone – *F* zéaralénone – *S* zearalenona

Lit.: [1] Pure Appl. Chem. **52**, 189–204 (1980). [2] IARC Monogr. **31**, 279–291 (1983); Williams (Hrsg.), Official Methods of Analysis of the Assoc. Off. Anal. Chem., S. 477–500, Arlington: AOAC Inc. 1984; J. Assoc. Off. Anal. Chem. **68**, 958 (1985); Appl. Environ. Microbiol. **45**, 15 (1983); **50**, 332 (1985). [3] Proc. Natl. Acad. Sci. USA **89**, 1085 (1992); Rev. Med. Vet. (Buenos Aires) **1986**, 32.

allg.: Acta Crystallogr. Sect C **52**, 1995 (1996) ▪ Adv. Cancer Res. **45**, 217–290 (1985) ▪ Beilstein E V **18**/4, 309, 365, 424 ▪ Betina (Hrsg.), Mycotoxins, Kapitel 12, Amsterdam: Elsevier 1984 ▪ Hager (5.) **9**, 1228 ▪ Naturwissenschaften **75**, 309 f. (1988) ▪ Sax (8.), RBF 100, ZAT 000. – *Synth.:* Helv. Chim. Acta **69**, 734–748 (1986) ▪ J. Org. Chem. **56**, 2883 (1991) ▪ J. Chem. Soc., Perkin Trans. 1 **1992**, 1323–1328. – *Vork.:* Chelkowski (Hrsg.), Fusarium – Mycotoxins, Taxonomy and Pathogenicity, S. 441–472, Amsterdam: Elsevier 1989 ▪ J. Agric. Food Chem. **36**, 979 (1988). – *[CAS 17924-92-4 (Z.); 26538-44-3 (Zeranol); 42422-68-4 (β-Zeranol)]*

Zeatin.

R = CH_2–CH=C(CH_3)–CH_2OH : Zeatin
R = CH_2–CH=C(CH_3)$_2$: N^6-Isopentenyladenin

9-(β-D-Ribofuranosyl)-*trans*-zeatin

Tab.: Daten von Zeatinen u. Derivaten.

Name	Summenformel	M_R	Schmp. [°C]	CAS
trans-Z.	$C_{10}H_{13}N_5O$	219,25	212–213; andere Angabe: 207–208	1637-39-4
N^6-Isopentenyladenin	$C_{10}H_{13}N_5$	203,25	221–223 (Pikrat)	2365-40-4
9-(β-D-Ribofuranosyl)-*trans*-zeatin	$C_{15}H_{21}N_5O_5$	351,36	180–182	6025-53-2

trans-Z. [(*E*)-2-Methyl-4-(9*H*-purin-6-ylamino)-2-buten-1-ol], ist wie *Kinetin ein *Cytokinin u. wurde ursprünglich aus den Körnern von Mais (*Zea mays*)[1] sowie vielen anderen Pflanzen isoliert. *trans*-Z. wirkt

bei Höheren Pflanzen zellteilungsanregend u. zusammen mit *Pflanzenwuchsstoffen regulierend auf verschiedene pflanzliche Wachstumsvorgänge. Es ist das wirksamste natürlich vorkommende Cytokinin u. mind. 50fach aktiver als die cis-Form.
Z. wird in der Gewebezüchtung von Kulturpflanzen, z. B. in der in vitro-Regenerierung[2] verwendet. Für trans-Z. wurden mehrere Synth. beschrieben[3]. Die Biosynth. erfolgt aus Adenin[4]. – *E* zeatin – *F* zéatine – *I* = *S* zeatina

Lit.: [1] Merck-Index (12.), Nr. 10 247. [2] Plant Cell, Tissue Organ Cult. **28**, 45 (1992). [3] Synthesis **1983**, 488; J. Chem. Soc., Perkin Trans. 1 **1976**, 1446; Chem. Pharm. Bull. **37**, 3119 ff. (1989); **40**, 1937 (1992). [4] J. Exp. Bot. **44**, 1411 (1993).
allg.: Beilstein E V **26/16**, 193 f., 497 f. ▪ Karrer, Nr. 7099, 7100 ▪ Tetrahedron **45**, 3889 (1989). – *Pflanzenphysiologie:* Annu. Rev. Plant Physiol. **34**, 163–197 (1983).

Zeaxanthin [(3*R*,3′*R*)-β,β-Carotin-3,3′-diol; C. I. 75137].

$C_{40}H_{56}O_2$, M_R 568,89, orangegelbe Krist. von stahlblauem metall. Glanz, Schmp. 215 °C (andere Angabe 207 °C), lösl. in Petrolether, Methanol, unlösl. in Wasser, λ_{max} 452, 483 nm, opt. inaktiv. In der Natur häufig vorkommender *Carotinoid-Alkohol (s. a. Xanthophylle). Das gelbe Pigment Z. ist z. B. in *Mais (*Zea mays*, Poaceae), aus dem es 1939 von P. *Karrer erstmals isoliert wurde, in Gerste, im Eidotter, in Krustentieren, Fischen, Vögeln, Pilzen u. Bakterien[1] enthalten, teilw. od. vollständig verestert in vielen Blüten u. Früchten, z. B. von Krokus, Safran, Hagebutten, Paprika, Orangen usw. Das Dipalmitat von Z. *Physalien* ($C_{72}H_{116}O_4$, M_R 1045,71, rote Krist., Schmp. 98–99 °C) ist der rote Farbstoff von *Physalis*-Arten (Pfaffenhütchen, Sanddorn, Judenkirsche, vgl. Helenien). Im Roten Paprika (*Capsicum annuum*) findet sich 5,6-*Dihydro-5β,6α-dihydroxyzeaxanthin* ($C_{40}H_{58}O_4$, M_R 602,89, gelbe Krist., Schmp. 174 °C). Durch photochem. Oxid. entstehen aus Z. *Violaxanthin, *Xanthoxin, Capsorubin (s. Capsanthin) u. a.[2] Z. wird als Lebensmittelfarbstoff (E 161) verwendet. – *E* zeaxanthin – *F* zéaxanthine – *I* = *S* zeaxantina

Lit.: [1] J. Appl. Bacteriol. **70**, 181–191 (1991). [2] Hager, in Czygan, Pigments in Plants, S. 57–79, Fischer: Stuttgart 1980.
allg.: Beilstein E IV **6**, 7017 ▪ Karrer, Nr. 1839, 1842 ▪ Merck-Index (12.), Nr. 10 248 ▪ Tetrahedron Lett. **27**, 2535 (1986). – *Biosynth.:* J. Chem. Soc., Chem. Commun. **1977**, 655. – *Synth.:* Acta Chem. Scand. **50**, 637 (1996) ▪ Helv. Chim. Acta **73**, 861–873 (1990); **74**, 969–982 (1991) ▪ J. Nat. Prod. **60**, 371 (1997) ▪ J. Org. Chem. **56**, 2883 (1991) ▪ Pure Appl. Chem. **63**, 35–44 (1991) ▪ s. a. Carotinoide u. Xanthophylle. – [HS 3203 00; CAS 144-68-3 (Z.); 144-67-2 (Physalien)]

ZEBET. Abk. für die 1989 beim ehemaligen *Bundesgesundheitsamt eingerichtete „Zentralstelle zur *Erfassung u. *Bewertung von *Ersatz- u. *Ergänzungsmethoden zu *Tierversuchen", deren Aufgabe es ist, Alternativmeth. zu erfassen, zu bewerten u. ggf. anzuerkennen. Weitere Ziele der in drei Fachgebiete gegliederten Behörde (Erfassung, Bewertung, Forschung; ZEBET 1 bis 3) sind die Validierung von Ersatzmeth. im Rahmen internat. Prüfrichtlinien u. der Aufbau einer Datenbank (Auskunftstelle).

Lit.: Alternat. Tierexp. **13**, 61 ff. (1991) ▪ Bulling u. Spielmann (Hrsg.), Wege zur Bewertung u. Anerkennung von Alternativen zum Tierversuch, Berlin: MMV 1989 ▪ Bundesgesundheitsblatt **32**, 360–363 (1989); **33**, 358 f. (1990) ▪ Schäffel et al. (Hrsg.), Möglichkeiten u. Grenzen der Reduktion von Tierversuchen, Berlin: Springer 1992. – *Anschrift:* ZEBET, Bundesamt für den gesundheitlichen Verbraucherschutz, Berlin.

Zebra-Batteriesystem (von *E zero emission batterie research activity* = Aktivität zur Erforschung emissionsfreier Batterien). Batteriekonzept zum Betreiben von Elektrofahrzeugen (s. a. Zink-Luft-Batterie), z. B. NaNiCl-Batterien, die zu 200 bis 500 Zellen zusammengefaßt etwa 300 V liefern. Die Vorteile gegenüber anderen Batterien u. die bereits erreichte Alltagstauglichkeit sind in *Lit.*[1] beschrieben. – *E* zebra-battery system – *F* système d'accumulateurs en zèbre – *I* sistema di batteria zebra – *S* sistema pila-cebra

Lit.: [1] Spektrum Wiss. **1996**, Nr. 10, 96.
allg.: s. Akkumulatoren.

ZEBS. Abk. für Zentrale *Erfassungs- u. *Bewertungsstelle für Umweltchemikalien des ehemaligen *Bundesgesundheitsamtes. Die ZEBS gibt in unregelmäßigen zeitlichen Abständen Berichte[1], ZEBS-Hefte[2] u. Richtwerte für Schadstoffe in Lebensmitteln[3] heraus. Die ZEBS-Hefte befassen sich u. a. mit dem bundesweiten Lebensmittelmonitoring (*Pestizide, *PCB, *Nitrat in *Lebensmitteln), während es Ziel der Richtwerte ist, zur Minimierung des Schadstoffgehaltes von Lebensmitteln im Sinne eines vorbeugenden Verbraucherschutzes beizutragen.

Lit.: [1] ZEBS-Berichte, Berlin: D. Reimer Verl., Periodika seit 1978. [2] ZEBS-Hefte, Berlin: D. Reimer Verl., Periodika seit 1984. [3] Bundesgesundheitsblatt **34**, 226 f. (1991).
allg.: Dtsch. Ges. für Ernährung (Hrsg.), Ernährungsbericht 1988, S. 72, 324 ff., Frankfurt: Heinrich 1988.

Zechmeister. Kurzbez. für die von L. *Zechmeister begründete Reihe „Fortschritte der Chemie organischer Naturstoffe/Progress in the Chemistry of Organic Natural Products", die seit 1938 im Springer-Verl. erscheint (s. häufig zitierte Werke).

Zechmeister, László (1889–1972), Prof. für Chemie, Univ. Pécs (Ungarn) u. Caltech, Pasadena, CA; emigrierte 1940 in die USA. *Arbeitsgebiete:* Carotinoide, Chromatographie, Photochemie, Spektroskopie u. Stereochemie der Polyene, Paprikafarbstoffe, säulenchromatograph. Trennung von (*Z*)- u. (*E*)-Isomeren.

Lit.: Chem. Eng. News **50**, Nr. 13, 54 (1972) ▪ Chromatographia **5**, 317 (1972) ▪ Nachmansohn, S. 222 ▪ Pötsch, S. 465.

Zechstein s. Erdzeitalter.

Zecken (Familie Ixodes). Z. gehören zu den Spinnentieren (Arachnida) u. dort zur Ordnung der Milben (Acari). Alle Z. leben als Ektoparasiten (s. Parasiten) u. saugen mit dafür umgebildeten Mundwerkzeugen Blut an Reptilien u. Warmblütern, darunter auch beim Menschen. Normalerweise sind die Wirte der adulten Z. z. B. Reh- u. Rotwild, der Larven u. Nymphen Wald- u. Brandmäuse. Die Kleinnager stellen „Reservoir-Wirte" für die Erreger-Bakterien dar. Einige Arten bleiben das ganze Leben über auf demselben Wirt, die meisten sind zwei- bzw. dreiwirtig. Die Entwicklung läuft über ein Larven- u. ein Nymphenstadium. Ein in den Tarsen der Vorderbeine befindliches grubenartiges Sinnesorgan (*Hallersches Organ*) hilft bei der geruch-

lich orientierten Wirtsfindung, z. B. in Form der Buttersäure, wie sie etwa im Schweiß des Menschen auftritt. Hygro- u. Thermorezeption werden als weitere Funktionen vermutet.
Z. können auf Haustiere u. Mensch sehr gefährliche Krankheitserreger übertragen, die zu Z.-Encephalitis (Meningitis), Rückfallfieber, Z.-Bißfieber, Babesiosen, Theileriosen u. Rickettsiosen führen können. *Ixodes*-Arten in den USA, aber auch die häufigste europ. Z.-Art *Ixodes ricinus* (Zecke, Holzbock) übertragen die erst seit 1975 nach ihrem Entdeckungsort Old Lyme im Nordosten der USA benannte *Lyme-Krankheit* (Borreliosis, Erreger: Spirochaeten-Bakterium *Borrelia burgdorferi*). Die Krankheitssymptome, z. B. Hautkrankheit, Gelenkentzündung sowie Nervenlähmung, sind oft schwer erkennbar u. einzuordnen. Die Symptome können Wochen, Monate od. Jahre nach Zeckenbissen auftreten. Durch das heutige Freizeit- u. Sportverhalten des Menschen kommt es deshalb zu zunehmenden Infektionskontakten in Wäldern, an Waldrändern, auf Wiesen u. in Gärten. – *E* tick – *F* tique – *I* zecche – *S* garrapata, caparra

Lit.: Altmann, Giftpflanzen – Gifttiere, München: BLV 1991 ▪ Institut für den Wissenschaftlichen Film, Die Zecke Ixodes ricinus u. die Lyme-Krankheit, Göttingen: IWF 1992 ▪ Jones, Der Kosmos-Spinnenführer, Stuttgart: Franckh 1987 ▪ Kühnert, Veterinärmedizinische Toxikologie, Stuttgart: Fischer 1991 ▪ Mehlhorn u. Piekarski, Grundriß der Parasitenkunde, 5. Aufl., Stuttgart: Fischer 1998 ▪ Wehner u. Gehring, Zoologie, 23. Aufl., Stuttgart: Thieme 1995.

Zedern s. Zedernöle.

Zedernblätteröl s. Thujaöl.

Zederncampher s. (+)-Cedrol.

Zedernholzöl s. Zedernöle.

Zedernöle (Cedernöle). Unter den Bez. Zedernblätteröl u. Zedernholzöl werden ether. Öle gewonnen, die verschiedenen botan. Ursprung haben, wobei das sog. *Zedernblätteröl* unter *Thujaöl abgehandelt ist. Beide Öle sind, ebenso wie die verwandten *Zypressen- u. *Wacholderbeeröle, Koniferenöle. *Zedernholzöl* ist eine Sammelbez. für ether. Öle chem. ähnlicher Zusammensetzung aus dem Holz verschiedener Zedernarten, insbes. der in Nordamerika heim. Texas- u. Virginia-Zedern (*Juniperus mexicana* bzw. *J. virginiana*, *Cupressaceae), aus deren Kernholz das Öl durch Wasserdampfdest. in einer Ausbeute von ca. 2–4% erhalten wird. Das amerikan. Zedernholzöl ist eine farblose bis schwach gelbliche, ölige Flüssigkeit mit würzig-pinienartigem, typ. (Bleistifte!) Geruch, D. 0,940–0,960, unlösl. in Wasser, lösl. in 90%igem Alkohol u. in Ether, die ca. 80% α- u. β-Cedren, *(+)-Cedrol u. a. Sesquiterpene (u. a. Thujopsen, bis zu 35%)[1] enthält, Jahresproduktion: ca. 1500 t. Von ähnlicher Zusammensetzung ist chines. Zedernholzöl aus *Cupressus funebris* (Trauerzypresse, Jahresproduktion ca. 200–300 t). Das v. a. aus Indien stammende Öl der Himalajazeder (*Cedrus deodara*, Pinaceae) wird nicht nur aus deren Holz, sondern auch aus den unterird. Strünken – u. zwar in einer Ausbeute bis zu 8% – gewonnen. Es enthält ebenfalls überwiegend Sesquiterpene wie Atlanton u. Himachalol-Derivate; die Ausbeute kann durch Lsm.-Extraktion erheblich gesteigert werden[1]. Außerdem zeigt es ausgesprochen insektizide Wirkung auf Stechmücken[2]. Weitere Zedernholzöle stammen von der marokkan. Atlaszeder (*C. atlantica*) u. der Libanonzeder (*C. libani*, beide Pinaceae) u. Cupressaceen wie der ostafrikan. Zeder (*J. procera*).

Verw.: Z. finden breite Verw. bei der Parfümherst.; die Rektifikation führt zu Ausgangsmaterialien für weitere Parfümrohstoffe, z. B. Cedrolmethylether[2] u. Cedrylacetat[3] aus Cedrol, Acetylcedren[4] aus dem Gemisch von *Cedren/Thujopsen u. Cedrenepoxid[5] aus α-Cedren. – *E* cedarwood oil – *F* essences de bois de cèdre – *I* essenze di legno di cedro – *S* esencia de cedro

Lit.: [1] Perfum. Flavor **5** (3), 63 (1980); **16** (5), 79 (1991). [2] Bauer et al. (2.), S. 49. [3] Bauer et al. (2.), S. 60. [4] Bauer et al. (2), S. 57. [5] Ohloff, S. 171.
allg.: Bauer et al. (2.), S. 143 ▪ Gildemeister **4**, 284 ▪ ISO 4724 (1984), 4725 (1986), 9843 (1991) ▪ Ohloff, S. 170 ▪ Ullmann (5.) **A 11**, 219. – *[HS 330129; CAS 8000-27-9 (Virginia-Z.); 8023-85-6 (Atlas-Z.)]*

Zedernsäure s. Syringasäure.

Zedoariaöl s. Zitwer.

Zedrat (Zederatcitronat, Citronatcitronen). Die Frucht von *Citrus medica* var. *bajoura*, einer 1–2 kg schweren, in Italien u. Griechenland angebauten Zitronen-Varietät. Aus der Fruchtschale wird nach Einlegen in Kochsalz-Lsg., Blanchieren u. Eintauchen in Zucker-Lsg. mit stetig steigender Konz. Citronat hergestellt; s. a. Citronen u. Sukkade. – *E* cedrat, citron – *F* cédrat – *I* = *S* cedrato

Lit.: Herrmann, Exotische Lebensmittel (2.), S. 41, Berlin: Springer 1987. – *[HS 080590]*

Zeeman, Pieter (1865–1943), Prof. für Physik, Univ. Amsterdam. *Arbeitsgebiete:* Elektrizität, Magnetooptik, Lichtfortpflanzung in bewegten Medien, 1902 Nobelpreis für Physik gemeinsam mit seinem Lehrer H. A. *Lorentz.

Lit.: Hist. Stud. Phys. Sci. **2**, 153–261 (1970) ▪ Krafft, S. 361 f. ▪ Lexikon der Naturwissenschaftler, S. 432 ▪ Neufeldt, S. 99.

Zeeman-Effekt. Von *Zeeman 1896 entdeckter *magnetoopt. Effekt*, der sich darin äußert, daß Spektrallinien in mehrere Einzellinien aufgespalten werden, wenn sich die emittierende Lichtquelle in einem starken Magnetfeld befindet. Die Zusatzenergie E', die ein Energieniveau mit dem Drehimpuls $\vec{J}$ erhält, ist begründet in dem Magnetfeld B u. dem magnet. Dipolmoment $\vec{\mu}_J$, das von dem Drehimpuls $\vec{J}$ hervorgerufen wird. Wenn $\vec{J}$ der Bahndrehimpuls $\vec{L}$ des Elektrons ist, so gilt $\vec{\mu}_L = -\mu_B \cdot \vec{L}$ ($\mu_B =$ Bohrsches Magneton), ist $\vec{J}$ gleich dem Elektronen-*Spin $\vec{S}$, gilt $\vec{\mu}_S = -g_S \cdot \mu_B \cdot M_S$ (g_S ist das gyromagnet. Verhältnis, $g_S = 2,0023...$, was meist mit $g \approx 2$ abgekürzt wird).
Für den Gesamtdrehimpuls $\vec{J}$ gilt $\vec{J} = \vec{L} + \vec{S}$ u. $\vec{\mu}_J = \vec{\mu}_L + \vec{\mu}_S$. Da J nur endlich viele Werte für die Projektion M_J auf die Magnetfeldrichtung annehmen kann ($M_J = J, J-1, ..., 0, ..., -J$, insgesamt $2J+1$) gibt es $2J+1$ verschiedene Energieniveaus gemäß $E_M = \mu_B \cdot g_J \cdot B \cdot M_J$ wobei g_J der *Landé-Faktor ist. Die Abb. zeigt, wie ein $^3S_1$-Niveau (zur Nomenklatur s. Term) u. ein $^3P_2$-Niveau in 3 bzw. 5 Niveaus u. entsprechend die Linie des Übergangs in 9 Linien aufgespalten wird.

Das Licht der Übergänge, bei denen sich M_J nicht ändert ($\Delta M_J = 0$) ist parallel zum Magnetfeld polarisiert (Bez.: π-Übergang von *p*arallel), das Licht der anderen Übergänge ($\Delta M_J = \pm 1$) ist senkrecht polarisiert (Bez.: σ-Übergang von *s*enkrecht). Unter dem *normalen Z.-E.* versteht man Übergänge im *Singulett-Syst. (hier ist $S = 0$ u. $g_J = 1$); da man zunächst alle anderen Fälle (mit $S \neq 0$) theoret. nicht erklären konnte, wurden sie als *anormaler Z.-E.* bezeichnet.

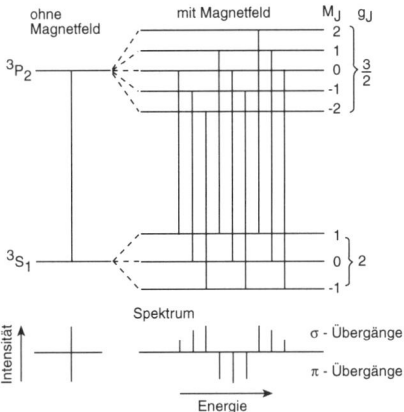

Abb.: Zeeman-Aufspaltung.

Die Wellenlänge dieser *Zeeman-Linien* sind um einige pm größer od. kleiner als die der ursprünglichen Linien, u. aus der Größe der Aufspaltung kann man auf die Stärke, aus der Polarisation auf die Richtung des Magnetfeldes schließen.
Anw.: In der Astronomie zur Ermittlung von Sternmagnetfeldern u. deren Richtung u. Stärke, in der *EPR-Spektroskopie (die Untersuchung des Z.-E. in der *Mikrowellen-Spektroskopie führte zum Postulat des Elektronen-Spins) sowie zum Studium der Elektronenstruktur von diamagnet. Molekülen. Man kann den Z.-E. zur Untergrund-Kompensation bei der *Atomabsorptionsspektroskopie heranziehen u. spricht deshalb bei entsprechend ausgestatteten Geräten von ZAAS. Unter Einwirkung von elektr. statt magnet. Feldern tritt der analoge *Stark-Effekt in Erscheinung. Die Entdeckung des Z.-E. ist in *Lit.*[1] beschrieben. – *E* Zeeman effect – *F* effet Zeeman – *I* effetto Zeeman – *S* efecto Zeeman
Lit.: [1] Phys. Bl. **52**, 1232 (1996).
allg.: Hollas, High-Resolution Spectroscopy, London: Butterworth 1982 ▪ Lenk (Hrsg.), Physik abc, Leipzig: Brockhaus 1989 ▪ Stöcker, Taschenbuch der Physik, Frankfurt: Harri Deutsch 1998 ▪ Svanberg, Atomic and Molecular Spectroscopy, Berlin: Springer 1991 ▪ Weissbluth, Atoms and Molecules, London: Academic Press 1978 ▪ s.a. Spektroskopie.

ZefU. Abk. für die *Zentralstelle für Unfallverhütung und Arbeitsmedizin.

Zehrkraut s. Ziest.

Zehrschicht (tropholyt. Schicht). In der Hydrologie Bez. für die unteren Wasserschichten in Meer u. Seen, in denen eingespülte od. in den oberen Wasserschichten gebildete organ. Stoffe verbraucht werden, z. B. durch Bakterien u. bodenbewohnende Tiere. Im Gegensatz zur Z. werden die oberen Wasserschichten, die „Aufbauschichten", auch als *trophogene Zone* bezeichnet. – *E* tropholytic layer – *F* couche tropholytique – *I* strato trofolitico – *S* capa trofolítica
Lit.: Bick, Grundzüge der Ökologie (3.), S. 128 f., Stuttgart: Fischer 1998.

Zeichensprache s. chemische Zeichensprache.

Zeigerarten. Organismen-*Arten od. -Ges. (*Bioindikatoren), deren Vork. od. Fehlen auf (abiot.) Umwelteigenschaften (*Ökofaktoren) hinweist, z. B. auf Bodeneigenschaften („Bodenzeiger", s. Indikatorpflanzen). – *E* indicator organisms (species) – *F* organismes indicateurs – *I* organismi indicatori – *S* organismos indicadores
Lit.: Fischer, Forstliche Vegetationskunde, S. 258–265, Berlin: Blackwell Wiss. Verl. 1995.

Zeigerpflanzen s. Indikatorpflanzen.

Zeigerwert. Bedeutung eines Organismus als *Bioindikator für eine Standorteigenschaft, z. B. Klima, Bodenfeuchtigkeit, Bodenreaktion, Stickstoff-Versorgung, Schwermetalle, Salze od. Lichtverhältnisse. Der Z. einer Pflanze wird u. a. durch die Wahrscheinlichkeit, den Bioindikator an seinem typ. Standort anzutreffen, bestimmt (s. a. ökologische Nische u. ökologische Potenz). Bei Tieren, die zur *Gewässergütebestimmung herangezogen werden, spricht man anstelle von Z. von *Saprobie-Wert u. *Indikationsgewicht* (s. Saprobienindex u. Saprobiensystem). – *E* indicator value – *F* valeur indicatrice – *I* valore indicatore – *S* valor indicador
Lit.: Ellenberg et al., Zeigerwerte von Pflanzen in Mitteleuropa (2.), Göttingen: Goltze 1992 ▪ Glavac, Vegetationsökologie, S. 184–193, Jena: Fischer 1996 ▪ Rev. Ecol. Alp. Grenoble **4**, 1–12 (1997).

Zein. Zu den *Prolaminen gerechnete Proteine aus dem *Kleber von *Mais (*Zea mays*, daher Name). Hauptbestandteil sind die verschiedenen Formen des α-Z. (früher aufgrund der aus SDS-Gel-*Elektrophorese gewonnenen scheinbaren M_R-Werte 19- bzw. 22-kDa-Z. genannt, M_R aus Sequenzanalyse 23000–26000), ferner kennt man β-Z. (früher: 15-kDa-Z., M_R aus Sequenz 19000), γ-Z. (27-kDa-Z., Glutelin 2, M_R aus Sequenz 23000) u. δ-Z. (18-kDa-Z.). Das Gemisch ist ein geruchloses, weißes bis gelbliches Pulver, D. 1,226, unlösl. in Wasser, lösl. in 70–90%igem Ethanol, ferner in Glykolen u. Furfurylalkohol; die Gelbfärbung beruht auf restlichem *Zeaxanthin. Z. enthält 23% L-Glutaminsäure, 19% L-Leucin, 9% L-Prolin u. 9% L-Alanin. Wegen des Mangels an den essentiellen Aminosäuren L-Lysin u. L-Tryptophan zählt es jedoch wie das ähnlich zusammengesetzte *Gliadin nicht zu den vollwertigen Pflanzeneiweißen. Dementsprechend versucht man, gentechn. veränderte *Gene für ein L-Lysin- u. L-Tryptophan-haltiges Z. in Maispflanzen einzuführen. Das dem Prolamin Z. entsprechende *Glutelin ist das *Zeanin*.
Herst.: Durch Extraktion, meist mit 80%igem 2-Propanol, aus Maiskleber bei 60–70 °C, anschließendes Abtrennen von Nebenprodukten u. Ausfällen mit Wasser von 50 °C.
Verw.: Zu Klebstoffen, zum Überziehen von Papier, Dragées, Lebensmitteln, zur Herst. von Emulsionen, Druckfarben u. *Eiweißfasern (*Zein-Fasern*, Kurzz.:

ZE), zur Gewinnung von L-Glutaminsäure. – *E* zein – *F* zéine – *I* zeina – *S* zeína
Lit.: Plant Physiol. **116**, 1563–1571 (1998).

Zeise s. Zeise-Salz u. Xanthogenate.

Zeisel-Methode. Von Simon Zeisel (1854–1933) entwickeltes Verf. zur Bestimmung von Alkoxy-, insbes. Methoxy- u. Ethoxy-Gruppen in Ethern durch Abspalten des Alkyl-Restes mit siedender Iodwasserstoffsäure nach der Gleichung

$$R-O-Alkyl + HI \rightarrow R-OH + Alkyl-I,$$

wobei das entstehende Alkyliodid in eine alkohol. Silbernitrat-Lsg. dest. u. als Silberiodid gravimetr. bestimmt wird. In einer maßanalyt. Variante der Z.-M. setzt man das Alkyliodid in einer essigsauren Lsg. in Ggw. von Kalium- bzw. Natriumacetat mit Brom um, hydrolysiert das IBr, oxidiert zu Iodat u. titriert das nach Zusatz von Kaliumiodid gebildete freie Iod mit Natriumthiosulfat-Lösung. – *E* Zeisel method – *F* méthode de Zeisel – *I* metodo di Zeisel – *S* método Zeisel
Lit.: Walter, Beyer/Walter, Lehrbuch der Organischen Chemie, S. 153, Stuttgart: Hirzel 1998 ▪ Chem. Rev. **54**, 615–685 (1954) ▪ Houben-Weyl **6/3**, 143–171 ▪ Patai, The Chemistry of the Ether Linkage, S. 21–80, New York: Wiley 1967.

Zeise-Salz. Nach dem dän. Chemiker William Christopher Zeise (1789–1847) benannte krist. Metall-organ. Verb. der Formel

$$\begin{bmatrix} Cl & CH_2 \\ Cl-Pt-\| & \\ Cl & CH_2 \end{bmatrix} K^+$$

$C_2H_4Cl_3KPt$, M_R 368,59. Diese 1827 erstmals durch Kochen einer ethanol. Lsg. von Tetrachloroplatin(II)-säure, H_2PtCl_4, unter Zugabe von KCl hergestellte Verb. dürfte der erste bekannte Übergangsmetall-*Pi-Komplex gewesen sein. – *E* Zeise's salt – *F* sel de Zeise – *I* sale di Zeise – *S* sal de Zeise – *[CAS 16405-35-9]*

Zeiss. Kurzbez. für die 1846 von Carl *Zeiss in Jena gegr. u. 1951 nach Heidenheim (Hauptwerk: 73446 Oberkochen) verlegte Firma Carl Zeiss. Ebenso wie F. O. *Schott ist auch Zeiss Eigentümer der 1889 von Ernst *Abbe gegr. *Carl-Zeiss-Stiftung* mit Sitz in Heidenheim, die keine privaten od. staatlichen Eigentümer od. Beteiligung von Fremdkapital kennt. *Daten* (1994/95, in Klammern Daten der Stiftung): ca. 6000 (31 000) Beschäftigte, 1,3 (5,2) Mrd. DM Umsatz. *Produktion:* Mikroskope, Elektronenmikroskope, Spektrometer, Refraktometer, Polarimeter, opt. Konsumgüter, Laser-Optik, Geräte für die industrielle Meßtechnik, Medizin, Weltraumforschung, Astronomie, Vermessung, Photogrammetrie usw.

Zeiss, Carl (1816–1888), Mechaniker u. Unternehmer; gründete 1846 an der Jenaer Univ. eine Werkstatt für feinmechan. u. opt. Erzeugnisse, bes. für den Bau von Mikroskopen. Mit der Zusammenarbeit mit E. *Abbe 1867 setzte der Aufstieg des Unternehmens ein.
Lit.: Weimer, Kapitäne des Kapitals, S. 325 ff., Frankfurt a. M.: Suhrkamp 1995.

Zeit. Im *SI hat die Basisgröße Zeit die *Grundeinheit *Sekunde u. ist definiert durch das 9 192 631 770fache der Periodendauer der beim Übergang zwischen den beiden Hyperfeinstrukturniveaus des Grundzustandes von ^{133}Cs-Atomen frei werdenden Strahlung; sie ist unterteilt in die Bruchteile Milli-, Mikro-, Nano- u. Pikosekunde (ms, µs, ns, ps). Abgeleitete Einheiten haben als Abk. (latein. Herkunft in Klammern): min (minutus = klein, gering), h (hora = Stunde), d (dies = Tag), a (annus = Jahr). Für die Zeitangabe in der BRD ist die *Physikalisch-Technische Bundesanstalt (PTB) in Braunschweig zuständig. Für die Realisierung der Z.-Einheit werden als prim. Standard Cs-*Atomuhren betrieben. Die Weitergabe der gesetzlichen Z. an die Nutzer in Ind., Wirtschaft u. Forschung erfolgt über Satelliten, den Langwellensender DCF 77 u. einen Telefondienst. Andere atomare Uhren sind Gegenstand aktueller Forschung[1,2]. – *E* time – *F* temps – *I* tempo – *S* tiempo
Lit.: [1] Phys. Bl. **49**, 234 (1993); Phys. Unserer Zeit **25**, 188 (1994); **26**, 60 (1995). [2] Spektrum Wiss. **1993**, Nr. 9, 32.
allg.: Hellwig, Time and Frequency, in Encyclopedia of Physical Science and Technology, Vol. 16, S. 763–780, New York: Academic Press 1992.

Zeitaufgelöste Kristallographie. Meth. zur kristallograph. Untersuchung von dynam. Vorgängen. Die Datensammlung für die *Röntgenstrukturanalyse dauert heute in der Regel einige Stunden bis zu einigen Tagen, bei sehr großen Mol. noch wesentlich länger. Phasenübergänge od. Reaktionen im Krist. können daher mit dieser Meth. nicht untersucht werden. Darüber hinaus sind solche Vorgänge meist mit dem Verlust der Kristallinität verbunden. Eine Ausnahme bilden oftmals biolog. relevante Syst. mit hohem Kristallwasser-Gehalt; z. B. kann das Kristallgitter bei enzymat. Reaktionen erhalten bleiben.
Kristallograph. Strukturuntersuchungen als Funktion der Zeit ergeben nur dann interpretierbare Ergebnisse, wenn die Messung wesentlich schneller ist als die zu untersuchende Reaktion. Voraussetzung für eine schnelle Datensammlung ist eine intensive Röntgenquelle (meistens wird *Synchrotronstrahlung eingesetzt). Die Zeitdauer der Datensammlung kann damit auf ca. eine Stunde reduziert werden. Will man die Meßzeit jedoch wesentlich verringern, greift man auf Laue-Verf. (s. Kristallstrukturanalyse) zurück. Zwar erhält man hierbei Datensätze mit geringerem Informationsgehalt, die Zeitdauer für eine Messung liegt jedoch im Millisekundenbereich. *Beisp.:* Durch Temp.-Änderungen kann man im Krist. Phasenübergänge initiieren od. im „stop-and-go"-Verf. Reaktionen verfolgen. Neuerdings wird sogar von Röntgenbeugungsexperimenten an *Langmuir-Blodgett-Filmen im Femtosekundenbereich berichtet[1], wobei die Intensität einzelner Bragg-Reflexe gemessen wird. – *E* time-resolved crystallography – *I* cristallografia a tempo risolubile – *S* cristalografía resuelta por el tiempo
Lit.: [1] Nature (London) **390**, 490 ff. (1997).
allg.: Chem. Unserer Zeit **29**, 230–240 (1995) ▪ Cruickshank u. Helliwell (Hrsg.), Time-resolved Macromolecular Crystallography, Oxford: University Press 1992.

Zeitaufgelöste Spektroskopie. Spektroskop. Arbeitstechnik, bei der kurzlebige Spezies wie *Radikale od. angeregte Zustände von Atomen u. Mol. u. in jüngerer Zeit auch Übergangszustände von chem. Reaktionen untersucht werden. Meist wird eine Pump-Probe-Anordnung eingesetzt, d. h. durch einen Pumppuls wird das Syst. präpariert u. durch einen zeitversetzten Probepuls wird abgefragt, in welchem Zustand sich das Syst. befindet. Klass. Meth. wie die *Blitzlicht-Photolyse, sind heute meist durch Laseranregung ersetzt worden. Wie bei *Farbstoff-Laser, *Modenkopplung u. *Q-switched beschrieben, können Laserpulse mit Pulszeiten von 10^{-9} s bis wenige 10^{-15} s erzeugt werden; letztere werden auch als *ultra-kurze Pulse* bezeichnet, denn sie sind bereits kurz im Vgl. zu den Schwingungs- (10^{-13}–10^{-14} s), den Rotations- (10^{-9}–10^{-12} s) od. den Dissoziationszeiten (~10^{-13} s) von Mol., wie u. a. in der Abb. dargestellt.

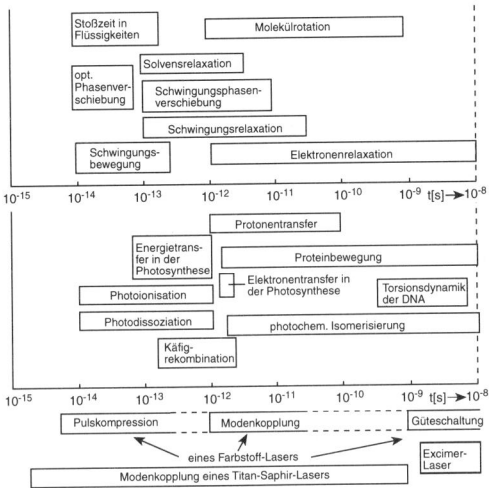

Abb.: Durch zeitaufgelöste Spektroskopie können heute schnellste, für die Chemie interessierende Prozesse untersucht werden[1].

In *Lit.*[2] ist beschrieben, wie Femtosekunden(10^{-15} s)-Pulse zur Untersuchung der chem. Reaktionsdynamik eingesetzt werden können u. in *Lit.*[3] ist ihr Einsatz zur Untersuchung der Dynamik in Metallen dargestellt. U. a. kann in Verbrennungsmotoren die Ausbreitung der Flammenfronten ausgemessen u. in zweidimensionalen Bildern dargestellt werden[4]. – *E* time resolved spectroscopy – *F* spectroscopie par résolution en intervalles de temps – *I* spettroscopia a tempo risolubile – *S* espectroscopia disuelta en el tiempo

Lit.: [1] Angew. Chem. **102**, 1247–1257 (1990); Phys. Today **43**, 36 (1990). [2] Phys. Bl. **50**, 661 (1994). [3] Phys. Bl. **54**, 98 (1998). [4] Phys. Bl. **47**, 193–200 (1991).
allg.: Barbara et al., Ultrafast Phenomena IX, Berlin: Springer 1994 ■ Chergui, Femtochemistry, Ultrafast Chemical and Physical Processes in Molecular Systems, London: World Scientific 1996 ■ Delfyett, Gayen u. Alfano, Ultrafast Laser Technology, in Encyclopedia of Physical Science and Technology, Vol. 17, S. 119–144, New York: Academic Press 1992 ■ Knee, Ultrashort Laser Pulse Chemistry and Spectroscopy, in Encyclopedia of Physical Science and Technology, Vol. 17, S. 145–153, New York: Academic Press 1992 ■ Nelson, Time-Resolved Spectroscopy, in Encyclopedia of Physical Science and Technology, Vol. 16, S. 781–790, New York: Academic Press 1992 ■ Zewail, Femtochemistry, Ultrafast Dynamics of Chemical Bonds, London: World Scientific 1994.

Zeitfestigkeit (Zeitstandfestigkeit). Werkstoffe zeigen bei Beanspruchung oft erst nach einiger Zeit Schädigungen. Um dies zu quantifizieren, wurden Begriffe wie Dauerfestigkeit u. Z. eingeführt, d. h. mechan. Kennwerte von Werkstoffen im Bereich der *Warmfestigkeit. Unter *Dauerfestigkeit* versteht man die Beanspruchung, bei der ein Werkstoff selbst nach unendlich langer Zeit noch keinen Schaden erleidet. Als Z. bezeichnet man hingegen die Beanspruchung, bei der nach einer bestimmten Zeit das Material beschädigt od. zerstört wird. Erfolgt die Beanspruchung durch Zug, so spricht man von *Zeitstandzugfestigkeit*, bei Druckbeanspruchung entsprechend von *Zeitstanddruckfestigkeit*.

Aufgrund des Kriechens bei hohen Beanspruchungstemp. wird als Berechnungskennwert für Komponenten die Spannung ermittelt, bei der nach x Stunden bei y°C der Bruch eintritt. Dazu trägt man gewöhnlich eine der einwirkenden Kraft proportionale Größe (z. B. die Zugspannung) direkt od. logarithm. gegen den Logarithmus der Zeit auf. Die so bestimmten Z. variieren bei *Polymeren stark. So weisen z. B. gängige *Polystyrol-Typen bei einer Belastung durch 40 MPa Z. von 0,01–10 h auf, schlagfeste Polystyrole dagegen von bis zu 10000 h. Bei einem Bruch nach 200 000 h u. 550 °C kennzeichnet man den entsprechenden Wert der Z. mit $\sigma_{B/200000/550}$. Für Langzeitberechnungen in Kraftwerken werden 200 000 h angesetzt. In der Praxis werden derartige Kennwerte überwiegend durch Extrapolation aus Versuchen kürzerer Dauer ermittelt. Neben der stat. kann auch eine period. Beanspruchung erfolgen. Bei diesen unterscheidet man zwischen solchen mit Lastwechsel u. solchen unter Drehbeanspruchung; durch erstere wird die *Biegewechselfestigkeit*, durch letztere die *Torsionsbiegefestigkeit* gemessen (s. a. Torsionspendel). Analog zur Ermittlung der Z. trägt man auch hier zur Ermittlung der *Zeitschwingungsfestigkeit* die der Kraft proportionale Größe logarithm. gegen die Zahl der Lastwechsel bzw. der Umdrehungen auf. In den resultierenden *Wöhler-Kurven* zeigen z. B. normale u. schlagfeste Polystyrole große Unterschiede. Bei Biegespannungen von ca. 40 MPa brechen normale Polystyrole schon nach ca. 300 Lastwechseln, schlagfeste aber erst nach 1 Million. – *E* fatigue endurance, fatigue-strength – *I* resistenza nel tempo, resistencia temporal

Lit.: Elias (5.) **1**, 979 ■ Evans u. Wilshire, Creep of Metals and Alloys, London: The Inst. of Metals 1985 ■ Pomeroy (Hrsg.), Creep of Engineering Materials, London: Mechan. Engng. Public 1978.

Zeitgesetz s. Kinetik.

Zeitkonstante. Ein für den zeitlichen Ablauf eines vorgegebenen Prozesses typ. Richtwert, um die Dauer dieses Prozesses abzuschätzen. Für chem. Reaktionen ist die Zeitrelation in Abhängigkeit von der Reaktionsordnung anhand der Geschw.-Gleichung anzugeben. Dagegen gibt es Vorgänge, für die kein definiertes Zeitgesetz existiert u. die mit Hilfe einer Z. beschrieben werden können. Im allg. kann die Z. je nach den erwünschten Erkenntnissen aus einem Prozeß frei gewählt werden, indem man bekannte Größen derart miteinander kombiniert, daß die Dimension einer Zeit resultiert. *Beisp.:* Um die Dauer des *Diffusions-Vorgangs in einem Becken der Tiefe h abzuschätzen, bietet sich das Verhältnis von h u. Diffusionskoeff. D an,

$h^2/D = [t]$. Da die Faktoren für die einzelnen Größen willkürlich gewählt werden, dient die jeweilige Relation nur zur Größenabschätzung des untersuchten Prozesses. – *E* time constant – *F* constante de temps – *I* costante di tempo – *S* constante de tiempo

Zeitreaktionen. Gelegentlich in der Lit. anzutreffende, wenig präzise Bez. für solche chem. *Reaktionen, die – im Gegensatz zu den für die anorgan. Chemie typ. *Ionenreaktionen u. anderen *schnellen Reaktionen (deren *Reaktionsgeschwindigkeiten oft nur mit Hilfe speziell entwickelter Meth. meßbar sind) – nicht augenblicklich ablaufen, sondern erst im Verlaufe von deutlich meßbaren Zeitperioden (Stunden, Tage) od. unter dem Einfluß von Katalysatoren. Solche Reaktionen treten v. a. in der organ. Chemie auf; *Beisp.:* Die *Veresterung od. *Verseifung von *Estern. Eine bes. Form von Z. sind die sog. *chem. Uhren*, d. h. als *Stufenreaktionen verlaufende Reaktionen, deren Eintritt nach definierten Zeiträumen erfolgt u. sich z. B. durch Farbänderung kenntlich macht; *Beisp.:* Die *Landoltsche Zeitreaktion, die für Demonstrationszwecke sehr anschauliche sog. „synthet. Golduhr", *oszillierende Reaktionen von der Art der *Belousov-Zhabotinskii-Reaktion od. Reaktionen mit *freien Radikalen (sog. radikal. Uhren[1]). – *E* clock (time) reactions – *F* réactions à long terme – *I* reazioni a tempo – *S* reacciones en el tiempo

Lit.: [1] Acc. Chem. Res. **9**, 13–19 (1976).
allg.: J. Chem. Educ. **52**, 524f. (1975) ▪ Kontakte (Merck) **1984**, Nr. 1, 18–25, Nr. 2, 42–47 ▪ Top. Curr. Chem. **118**, 1–118 (1983).

Zeitschriften. Für den Wissenschaftler sind Z. neben der rasant wachsenden Verw. elektron. Medien (z. B. *Internet) das wichtigste Mittel, um seine Ideen, Erfahrungen u. Forschungsergebnisse einem möglichst großen Kreis von Interessenten bekannt zu machen. Umgekehrt setzt ihn das Studium der Z. in die Lage, die Erkenntnisse anderer Wissenschaftler kennenzulernen u. zu nutzen. Ähnliche Funktionen erfüllen Z. für die Ind., den Handel u. die Wirtschaft. Freilich liegt es in der Natur der Z.-Publikationen, daß ihre „wissenschaftliche *Lebensdauer" (Aktualität) rasch abnimmt; man spricht deshalb in der *Dokumentation auch von der *Halbwertszeit (HWZ) der Information. Die größte Informations-HWZ unter den Naturwissenschaften hat die Geologie mit 12 a. Es folgen die Mathematik mit 11 a u. die Botanik mit 10 a. Am schnellsten überholt sind wissenschaftliche Veröffentlichungen zur metallurg. Technik mit 4 a HWZ. Auf medizin. Sektor liegen die HWZ zwischen 9 a (Physiologie) u. 3 a (Gynäkologie). Ähnlich kurzlebig dürften Informationen aus Immunologie u. Virologie sein.
Nach einer älteren (u. häufig fehlinterpretierten) Untersuchung von de Solla Price (1961) soll sich weltweit die Zahl wissenschaftlicher Z. auf ca. 90000 belaufen – hierin war allerdings eine sehr große Anzahl nicht mehr existierender Periodika eingeschlossen. Nach Schätzungen von Drubba[1] kann man von ca. 50000–60000 allg. Z. ausgehen. Bei den wissenschaftlichen Z. (30000?) stellen die der Technik das Hauptkontingent (ca. 9500), ca. 4000 entfallen auf die Landwirtschaft u. je ca. 3000 auf die Medizin u. die Naturwissenschaften. Nach Statist. Jahrbuch der BRD wurden 1990 ca. 6900 Z. publiziert, wovon ca. 3000 als Fach-Z. gelten konnten; die Zahl eigentlich wissenschaftlicher Z. ist natürlich noch kleiner. Näheres zur Frage, wie Wissenschaftler ihren Informationsbedarf decken, s. chemische Literatur u. Dokumentation u. zur sehr unterschiedlich gehandhabten Zitierweise in wissenschaftlichen Z. s. *Lit.*[2]. Ebenso wie es vorkommt, daß Z. ihren Periodika-Charakter verlieren u. in Monographien(-Reihen) übergehen, können sich – was häufiger ist – auch *Serien in Z. verwandeln. Nimmt schon auf diese Weise die Zahl der wissenschaftlichen Z. ständig zu, so ist auf dem Gebiet der Z.-Neugründungen insbes. bei Spezialgebieten eine oftmals derart wuchernde Zunahme zu beobachten, daß viele *Bibliotheken – erst recht unter dem Druck von Etatkürzungen – ihrer vornehmsten Aufgabe, der optimalen Informationsversorgung ihrer Leser, nicht mehr nachkommen können. Naturgemäß ist es nicht leicht, einen Kompromiß zwischen dem Informationsbedürfnis des einzelnen u. der Informationsflut aus Z. zu finden. Ansätze zur Problemlösung ergeben sich aus der Vervollkommnung der *Referateorgane, *Schnellinformationsdienste u. insbes. der Online-*Recherchen in *Datenbanken u. zunehmend in online u. auf *CD-ROM aufgelegten Z. sowie aus der Verbesserung der Direktinformation durch *SDI – also aus Maßnahmen von seiten der *Dokumentation. – *E* journals, periodicals – *F* journaux, périodiques – *I* giornali, periodici – *S* revistas, periódicos

Lit.: [1] Nachr. Dok. **27**, 115ff. (1976). [2] Nachr. Dok. **31**, 200f. (1980); Webster's New Encyclopedic Dictionary, S. 1383–1394, New York: BD & L 1993.
allg.: Braun et al., Scientometric Indicators, Singapore: World Scient. Publ. 1985 ▪ *CASSI ▪ *CODEN ▪ Documentation, International Code for the Abbreviation of Titles of Periodicals, Geneva: ISO 1990 ▪ weitere einschlägige z. T. period. erscheinende Titel werden bei Bowker (New York) publiziert.

Zeitschwingungsfestigkeit s. Zeitfestigkeit.

Zeitstanddruckfestigkeit s. Zeitfestigkeit.

Zeitstandfestigkeit s. Zeitfestigkeit.

Zeitstandzugfestigkeit s. Zeitfestigkeit.

Zeitungs(druck)papier s. Papier, S. 3114.

ZEKE-Spektroskopie. Von Müller-Dethlefs, Schlag u. Mitarbeitern[1-3] entwickelte Technik der Spektroskopie von *Elektronen, die auf dem Nachw. von Photoelektronen ohne kinet. Energie (Abk. ZEKE von *E* zero *k*inetic *e*nergy) beruht bzw. auf dem Nachw. von Elektronen, die durch angeregte, gepulste Felder aus nahe den Schwellen liegenden Rydberg-Niveaus erzeugt werden. Die Meth. baut auf Messungen von Elektronen an spektroskop. Schwellenenergien von Peatman u. Schlag auf[4]. Ihre Auflösung ist um 2–3 Größenordnungen besser als diejenige der herkömmlichen *Photoelektronen-Spektroskopie (PES); damit ist in vielen Fällen die Auflösung der Rotationsstruktur möglich. Ein klass. Beisp. für Untersuchungen mittels ZEKE-S. stellt das NO-Radikal dar, welches im physiolog. Geschehen des Menschen eine wichtige Rolle spielt (Nobelpreis für Medizin 1998[5]).

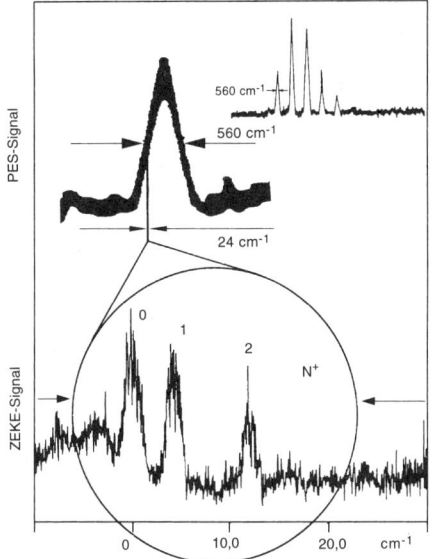

Abb.: PES- u. ZEKE-Spektrum von NO.

Die Abb. zeigt das gemessene ZEKE-Spektrum [1,2] (unten) im Vgl. zu dem lediglich schwingungsaufgelösten konventionellen Photoelektronenspektrum (oben rechts u. vergrößerter Ausschnitt des Übergangs zum Schwingungsgrundzustand des NO⁺-Ions). Der Kreis bezieht sich auf eine Auflösung von 24 cm^{-1}, die etwa der Strichstärke des sich darüber befindlichen Spektrums entspricht. Das ZEKE-Spektrum zeigt volle Rotationsauflösung für den Schwingungsgrundzustand; erstmals wird der rotationslose Zustand am Ionisationspotential bei der *Quantenzahl $N^+ = 0$ gesehen. Die Auflösung der ZEKE-S. ist im wesentlichen durch die Bandbreite eines durchstimmbaren Farbstoff-Lasers bestimmt u. liegt bei etwa 0,1 cm^{-1}. Die ZEKE-S. wurde inzwischen auf eine große Anzahl von stabilen Mol., *Clustern u. van-der-Waals-Mol. angewendet. Auch *freie Radikale wie ·CH₃ (*Lit.*[6]) konnten mit dieser spektroskop. Meth. untersucht werden. Ausgehend von *Anionen liefert eine ähnliche Technik, das präzise *Photodetachment, Information über die zugehörigen Neutralmoleküle. Die Auflösung liegt hier allerdings etwa um eine Größenordnung niedriger als bei ZEKE-S. an neutralen Systemen. Mit dieser Technik lassen sich auch die *Übergangszustände von Radikalreaktionen untersuchen [7]. – *E* ZEKE spectroscopy – *F* spectroscopie ZEKE – *I* spettroscopia ZEKE – *S* espectroscopia ZEKE

Lit.: [1] Z. Naturforsch. Tl. A **39**, 1089 (1984). [2] Chem. Phys. Lett. **112**, 291 (1984); **152**, 119 (1988). [3] Annu. Rev. Phys. Chem. **42**, 109–136 (1991). [4] Chem. Phys. Lett. **3**, 492 (1969). [5] Nachr. Chem. Tech. Lab. **46**, 1041 (1998). [6] J. Chem. Phys. **98**, 3557 (1993). [7] J. Phys. Chem. **94**, 2240 (1990).
allg.: Adv. Chem. Phys. **90**, 1 (1995) ■ Angew. Chem. **110**, 1414 (1998) ■ Schlag, ZEKE Spectroscopy, Cambridge: Cambridge University Press 1998.

Zell-Adhäsionsmoleküle. Bez. für auf Oberflächen tier. *Zellen auftretende *Rezeptor-Mol. (meist *Glykoproteine), die spezif. an andere Zellen binden (Zell-Z.-A.) od. mit Bestandteilen der *extrazellulären Matrix (ECM; z. B. mit dem *Laminin der Basalmembran) in Wechselwirkung treten (Zell-Matrix-Adhäsionsmol., ECM-Rezeptoren). Durch die Z.-A. kommt es zum notwendigen Zusammenhalt der Zellverbände u. der Matrix in den Geweben u. Organen sowie zu einer Regulation von Organwachstum u. -gestalt auf verschiedenen Entwicklungsstufen. Sie können daher auch als Elemente eines „morphogenet. Codes" gelten. Man unterscheidet bei der Zell-Zell-Adhäsion das *homophile* u. das *heterophile Binden*, je nachdem, ob die Z.-A. der beiden beteiligten Zellen gleichartig od. verschieden sind; weiterhin ist an ein Binden zweier Zellen an ein gemeinsames extrazelluläres *Linker-Mol.* zu denken. Die Identifizierung von Z.-A. gelingt in Zellkulturen mit spezif. monovalenten *Antikörper-Fragmenten, die die Adhäsion blockieren od. durch Einführen der *Gene der Z.-A. (*Transfektion*) in nicht-adhäsive Zellinien.

Beisp.: Das *neurale Z.-A.* (*E* neural cell adhesion molecule, Abk.: NCAM) der Wirbeltiere, ein Mitglied der *Protein-Superfamilie* der *Immunglobuline, sorgt für den Zusammenhalt von Nervenzellen (s. a. Neuronen) u. ist notwendig für die normale Ausbildung von deren Axonen [1]. Daneben kennt man noch *neural-gliale* u. *Leber-Z.-A.* (NgCAM bzw. LCAM) sowie ein CCAM. Die verschiedenen Typen der *Cadherine wirken Gewebe-spezif. u. Calcium-abhängig.
Verschiedene Z.-A. finden sich auf den Zellen des *Immunsystems, die meist keine festen Gewebe bilden, aber zur Ausübung ihrer Funktionen auf vorübergehende Zell-Zell-Wechselwirkungen angewiesen sind (Erkennungsprozesse). So bindet z. B. das *lymphocyte function-associated antigen 1* (LFA-1) der cytotox. T-Lymphocyten u. *natürlichen Killer-Zellen an das *intercellular adhesion molecule 1* od. *2* (ICAM-1 od. -2) von Zielzellen. Das *endotheliale Leukocyten-Adhäsionsmol. 1* (ELAM-1) zeigt Struktur-Verwandtschaft mit gewissen *Lektinen, dem *epidermalen Wachstumsfaktor u. *Komplement-Regulations-Proteinen (*Selectin- od. *LECCAM-Superfamilie*) u. ist bei der Anheftung von *Leukocyten u. bestimmter T-*Lymphocyten an Entzündungsherde beteiligt. Durch Bindung von *Homing-Rezeptoren an *Adressine werden den Lymphocyten spezif. Kontakte mit der Gefäßwand ermöglicht. Als Zell-Matrix-Adhäsionsmol. hat man die *Integrine u. die ihnen verwandten *very late(-appearing) antigens erkannt (*Integrin-Superfamilie*); die Integrine binden an das Tripetid-Motiv RGD (Arg-Gly-Asp).

Pathologie: Entsprechend ihrer allg. großen Bedeutung für zelluläre Wechselwirkungen im tier. Organismus wirken die Z.-A. auch an zahlreichen patholog. Prozessen mit, von denen hier nur einige genannt werden können: Als Rezeptoren bei Tumor-Metastase, -Invasion u. -Progression [2], bei Entzündungen (z. B. Asthma [3], Ischämie/Reperfusions-Trauma [4] u. Leberentzündungen [5]) u. viralen Infektionen sowie als Antigene bei Autoimmunerkrankungen (s. Autoimmunität) [6] u. Transplantat-Abstoßung [7]. Mutante Z.-A. sind an Entwicklungsstörungen des Nervensyst. beteiligt [8]. – *E* cell adhesion molecules – *F* molécules de l'adhésion cellulaire – *I* molecola per l'adesione tra le cellule, proteina di adesione cellulare – *S* moléculas de la adhesión celular

Lit.: [1] Annu. Rev. Cell Develop. Biol. **13**, 425–456 (1997). [2] Pathologe **18**, 117–123 (1997). [3] Clin. Exp. Allergy **27**, 128–141 (1997); Eur. Respir. J. **11**, 949–957 (1998). [4] Basic Res. Cardiol. **92**, 201–213 (1997). [5] Am. J. Physiol. – Gastroint. Liver Physiol. **36**, G602–G611 (1997). [6] Mol. Med. Today **3**, 310–321 (1997); Virchows Arch. – Int. J. Pathol. **432**, 487–504 (1998). [7] Acta Haematol. **97**, 105–117 (1997); Transplantation **65**, 763–769 (1998). [8] Annu. Rev. Neurosci. **21**, 75–125 (1998); Bioessays **20**, 668–675 (1998).
allg.: Alberts et al., Molekularbiologie der Zelle, 3. Aufl., S. 1137–1147, 1175–1181, Weinheim: VCH Verlagsges. 1995 ▪ Annu. Rev. Biochem. **66**, 823–862 (1997) ▪ J. Clin. Pathol. – Clin. Mol. Pathol. Ed. **51**, 175–184 (1998) ▪ Mousa, Cell Adhesion Molecules and Matrix Proteins. Role in Health and Disease, Berlin: Springer 1998 ▪ Pharmacol. Rev. **50**, 197–263 (1998).

Zellaufschluß. Bez. für verschiedene Meth. zur Freisetzung von Inhaltsstoffen bzw. Bestandteilen pflanzlicher, tier. u. mikrobieller Zellen, s.a. Aufschluß von Mikroorganismen.

Zellcyclus s. Wachstum.

Zellen. Von latein.: cella = Kammer abgeleiteter, in Naturwissenschaft u. Technik – mit sehr unterschiedlicher Bedeutung – häufig gebrauchter Begriff. In der *Biologie* versteht man unter Z. die meist mikroskop. kleinen Bau- u. Funktionseinheiten der Organismen, die das „Ausgangsmaterial" für viele biolog.-chem. Forschungsdisziplinen darstellen. Z. sind v.a. durch ihre Fähigkeit zu Wachstum u. Vermehrung gekennzeichnet, sie sind der Ort des intermediären Stoffwechsels, können sich durch *Endocytose (*Phago- u. *Pinocytose) Stoffe einverleiben u. besitzen Selbststeuerungs- u. Regulationsmechanismen. Aus verständlichen Gründen muß hier auf eine detaillierte Darst. von Biologie u. Chemie der Z. (*Cytobiologie u. *Cytochemie) verzichtet werden. Einzelaspekte sind ggf. in eigenen Stichwörtern behandelt, solche pflanzlicher Z. z.B. den Pflanzen…-Stichwörtern. Viele in Einzelstichwörtern behandelte Z. tragen griech. Bez. mit der Endung …cyten; *Beisp.:* Erythro-, Leuko-, Thrombo-, Lympho-, Thymo-, Granulo-, Monocyten usw.
Organismen aus primitiven Z. ohne endoplasmat. Retikulum, Mitochondrien, Chromosomen u. dgl. Organellen nennt man *Prokaryo(n)ten (Blaualgen, Bakterien, Viren) im Gegensatz zu Organismen mit höher entwickelter Struktur [*Eukaryo(n)ten].

Vermehrung: Die Vermehrung der Z. erfolgt im allg. durch *Mitose u. anschließende *Zellteilung;* bei Geschlechts-Z. erfolgt zunächst *Meiose (Reduktionsteilung). *Mitosehemmer od. *Mitosegifte wirken störend auf den Cyclus ein, u. augenfällige Entartungen in Zellbau u. -funktion werden durch Carcinogene, Mutagene u. Teratogene hervorgerufen, treten jedoch auch als normale Folge des Alterns von Z. auf. Für die krebsige Entartung von Z. macht man sog. *Onkogene verantwortlich, die man zunächst in *Retroviren entdeckt hatte, heute aber als allg. Bestandteil normaler Z. ansieht.
Während sich bei den Einzellern (Bakterien, Hefen u.a. Kleinpilze, Protozoen, Algen) die Tochterzellen nach der Teilung meist vollständig voneinander trennen u. selbständige Organismen bilden, in denen sämtliche für die Lebensvorgänge notwendigen Strukturen enthalten sind, bleiben die Tochterzellen bei den Vielzellern vereinigt. Durch Differenzierung bilden sich bestimmte Zelltypen heraus, die jeweils spezielle Funktionen übernehmen; gleichartig differenzierte Z. treten zu Zellverbänden, den sog. Geweben zusammen, aus denen Pflanzen, Tiere u. Menschen aufgebaut sind. Mit Bau u. Funktion der Gewebe beschäftigt sich die Histologie, während sich die Histochemie mit den chem. Vorgängen innerhalb der Z. (*Cytochemie*) befaßt. Für die Steuerung der Differenzierung – schließlich geht jeder höhere Organismus aus einer *einzigen* Z., nämlich der Eizelle hervor – sind verschiedene Auslöser verantwortlich gemacht worden: sog. Zelladhäsionsmol., bestimmte DNA-Sequenzen (sog. Homöobox) od. sog. Morphogene, deren Wirkung auf einem Konz.-Gefälle beruhen soll.

Morphologie: Eukaryont. Z. (s.a. die Abb. auf S. 5045) bestehen aus einem *Zellkern* (Nucleus) u. dem ihn umgebenden Plasma (Zellplasma, *Cytoplasma*). Sie sind von einer dünnen, semipermeablen *Zellmembran* umschlossen, die einen Stoffaustausch mit der Umgebung ermöglicht (vgl. Membranen, biolog.). Pflanzliche Z. sind darüber hinaus von einer festen, Cellulose-haltigen *Zellwand* begrenzt. Der *Zellkern* enthält u.a. den *Nucleolus* (Kernkörperchen), ein rundlich-ovales, bisweilen vakuolisiertes, mikroskop. kleines Organell, das sich im Phasenkontrastmikroskop od. nach geeigneten Färbungen (z.B. mit Methylgrün-Pyronin, Boraxcarmin u.a.) vom übrigen Kerninhalt differenziert darstellen läßt. Die Nucleolen (od. Nucleoli) enthalten im allg. *Ribonucleinsäure (RNA), bas. u. saure Proteine, Phospholipide, alkal. Phosphatasen, *Desoxyribonucleinsäure (DNA) u. RNA-*Polymerase. Sie sind der Bildungsort für die bei der Proteinbiosynth. benötigte ribosomale RNA, möglicherweise auch für *Ribosomen-Proteine. Die Synth.-Produkte werden bis zur Ausschleusung aus dem Zellkern im Nucleolus gespeichert u. machen vielfach die Hauptmenge seiner Substanz aus. Neben diesem enthält der Zellkern die *Chromosomen, die als Träger des *genetischen Codes die Desoxyribonucleinsäuren enthalten. Das den Kern umgebende *Cytoplasma* bildet die zähe bis dünnflüssige, durchscheinende, elast. Masse, die außer Wasser im wesentlichen Proteine u. Reservestoffe wie Glykogen u.a. enthält. Das Plasma ist erfüllt von einem Gewirr aus *Mikrofilamenten, *Mikrotubuli u. intermediären Filamenten (*Cytoskelett, Zellskelett). In dieses sog. Mikrotrabekel-Netzwerk sind die *Zellorganellen* eingebettet, die jeweils durch eine Membran vom Plasma abgegrenzt sind. Dadurch entstehen umschriebene, intrazelluläre Reaktionsräume (*Kompartimente*) mit chem. unterschiedlichem Innenmilieu, so daß die verschiedenen biolog.-chem. Aktivitäten der Z. nebeneinander ablaufen können. Andererseits ist ein gesteuerter Stoffaustausch durch die Kompartimentmembranen hindurch möglich; am Transport sind die Mikrotubuli aktiv beteiligt. Das erwähnte Cytoskelett befähigt isolierte Z. auch zu einer aktiven Eigenbewegung, die durch *Fibronectine gesteuert wird.
Die wesentlichen *Zellorganellen* sind in der Abb. auf S. 5045 gezeigt, aus der auch hervorgeht, welche Organellen tier. Z. (links) u. pflanzlichen Z. (rechts) ge-

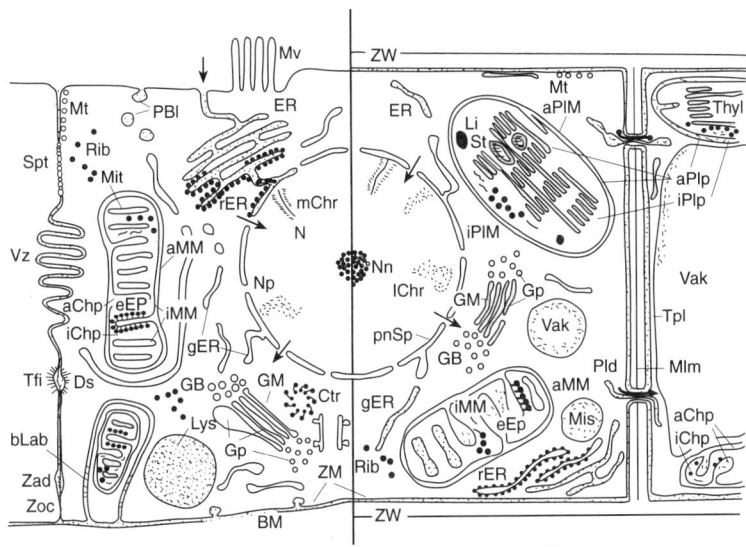

Abb.: Schema einer höheren tier. (a, links) u. einer pflanzlichen (b, rechts) Zelle. Es bedeuten (vgl. die evtl. Einzelstichwörter): aChp = äußeres Chondrioplasma, aMM = äußeres Mitochondrienmembran, aPIM = äußeres Plastiden-Membran, aPlp = äußeres Plastidoplasma, bLab = basales Labyrinth (mit Mitochondrien), BM = Basalmembran, Ctr = Centriol, Ds = Desmosom, eEP = „Elementarteilchen" (= ATPase), ER = endoplasmat. Retikulum, GB = Golgi-Bläschen, gER = glattwandiges endoplasmat. Retikulum, GM = Golgi-Membran, Gp = Golgi-Plasma, iChp = inneres Chondrioplasma, IChr = Chromosomen-Material in der Interphase, iMM = innere Mitochondrienmembran, iPIM = innere Plastidenmembran, iPlp = inneres Plastidoplasma, Li = Lipidtropfen, Lys = Lysosom, mChr = Chromosomen-Material in der Prophase der Meiose, Mis = Mikrosomen, Mit = Mitochondrien, Mlm = Mittellamelle (Primärwand), Mt = Mikrotubuli, Mv = Mikrovilli, N = Nucleus (Zellkern), Nn = Nucleolus, Np = Kernporen, PBI = pinocytot. Bläschen, Pld = Plasmodesmen, pnSp = perinuclearer Spalt, rER = rauhwandiges endoplasmat. Retikulum mit Polysomen, Rib = freie Ribosomen, Spt = Ausbildung von Septen zwischen den Zellmembranen, St = Stärkekorn, Tfi = Tonofilamente, Thyl = Thylakoid, Tpl = Tonoplast, Vak = Vakuole, Vz = Verzahnungen der Zellen, Zad = Zonula adherens (Sonderbildung des Zellkontaktes), ZM = Zellmembran, Zoc = Zonula occludens (Sonderbildung des Zellkontaktes), ZW = Zellwand.

meinsam sind. Von den dort abgebildeten Zellkomponenten seien hier nur diejenigen erwähnt, die in Einzelstichwörtern behandelt sind, z.B. die *Mitochondrien, in denen die für die Z.-Atmung u. Energiegewinnung erforderlichen Enzyme der Atmungskette lokalisiert sind, das *endoplasmatische Retikulum als Träger der Polysomen (Ribosomen) u. damit Ort der Eiweiß-Synth., der *Golgi-Apparat, die *Lysosomen, die v. a. durch ihren Gehalt an hydrolyt. wirksamen Enzymen, insbes. der sauren Phosphatase, gekennzeichnet sind u. die mit *Peroxisomen, Glyoxysomen u. a. Enzym-haltigen Organellen als *Microbodies zusammengefaßt werden. Einen Begriff von der Synth.-Leistung einer wachsenden Z. mögen die folgenden Angaben (Anzahl der pro s synthetisierten Mol., in Klammern % der aufgewendeten Biosynth.-Energie) für das Bakterium *Escherichia coli geben: DNA 0,033 (2,5), RNA 12,5 (3,1), Proteine 1400 (88,0), Lipide 12 500 (3,7) u. Polysaccharide 32,5 (2,7) – eine Bakterienzelle wendet also ca. 88% ihrer Energie für die Eiweiß-Synth. auf. In grünen Pflanzen sind im Cytoplasma zudem *Chloroplasten u. a. *Plastiden lokalisiert. Sie enthalten Thylakoide, die Träger des *Chlorophylls, u. Grana. Aus den Grana (scheibenförmige Bestandteile der Chloroplasten) kann man auf mechan. Wege die elektronenmikroskop. sichtbaren Quantasomen isolieren. Diese haben einen Durchmesser von ca. 20 nm; sie enthalten 200–300 Chlorophyll-Mol. u. Protein, können Licht absorbieren u. einige *Photosynthese-Schritte ausführen.

Die *Zellmembran* ist aus Lipiden u. Proteinen od. Kohlenhydraten – *Lipoproteinen u./od. *Lipopolysacchariden – aufgebaut u. erlaubt den Transport von Nährstoffen in die bzw. von Abfallstoffen aus der Z. auf den Wegen Osmose, Diffusion od. Carrier-Transport. Die Durchlässigkeit der Membran u. die zelluläre Signalübertragung (*Signaltransduktion) werden einerseits durch – meist Rezeptor-spezif. – Enzyme u. andererseits durch Hormone u. Neurotransmitter reguliert. Außerdem ist die Membranpermeabilität von der Stoffwechselenergie abhängig. Die Oberfläche der Membran kann je nach Funktion der Z. mehr od. weniger differenziert sein wie z.B. bei den Epithelzellen des Dünndarms od. den Nierentubuli.
Die Zusammensetzung der Zellmembran ist von Bedeutung für ihre Funktion als Träger von Rezeptoren z.B. für die Bindung von Mediatoren u. Viren an die Zelloberfläche u. auch in der Immunologie spielt die Oberflächenstruktur der Z. eine wichtige Rolle, z.B. für die Antigen-Antikörper-Reaktionen u. die Lokalisierung der Immunglobuline, Histokompatibilitäts-Antigene, Blutgruppensubstanzen u.a. immunolog. wirksamer Glykoproteine. Der Erkennungs- u. Kontrollmechanismus, der sich an den Zelloberflächen abspielt, ist von bes. Interesse für die *Molekularbiologie;* Beisp.: Erkennung bestimmter *Wachstumsfaktoren bei Nervenzellen od. Strukturänderungen, die zur Entartung gesunder Z. zu Tumor-Z. führen. Überhaupt könnten Störungen der Signalübertragungs-Mechanismen, die auf Defekte an den Mediatoren od. Rezepto-

Zellendolomit

ren zurückgehen, die Ursache mancher Krankheiten sein.

Geschichte: Bei der Mikroskopie von Kork erkannte der engl. Physiker Robert Hooke den zellulären Aufbau der Organismen; der von ihm erstmals geprägte Ausdruck „Zelle" („cells" od. „boxes") für die Baueinheit pflanzlicher u. tier. Gewebe setzte sich später allg. durch. Die Erkenntnis, daß Pflanzen aus Z. aufgebaut sind u. aus ihnen entstehen, geht auf mikroskop. Beobachtungen Schleidens (1838) zurück, u. der erste Nachw. kernhaltiger tier. Z. stammt von Schwann (1810–1882). Infolge der Kleinheit der Objekte gelangte man jedoch erst mit der Entwicklung der Elektronenmikroskopie u. insbes. der Rasterelektronenmikroskopie mit ihren plast. Bildern zu einer vertieften Kenntnis der Z.-Feinstruktur. Isolierung u. Analyse der verschiedenen Zellfraktionen gelingen durch differenzielle Zentrifugierung der Zellbestandteile mit der Ultrazentrifuge u. a. verfeinerte physikal., chem. u. biolog. Methoden.

Anw.: Die moderne *Cytologie (Lehre von Aufbau u. Funktion der Z.) hat das Stadium der Analyse bereits hinter sich gelassen (wenn auch immer wieder neue Erkenntnisse gewonnen werden) u. die Anw.-Phase erreicht. Beispielsweise ist die Biotechnologie heute in der Lage, aus *Zellkulturen von Pflanzen z. B. Arzneistoffe zu gewinnen, während die Gentechnologie ganz neue Sorten mit speziellen Eigenschaften zu züchten vermag. Dabei kann sie auch von isolierten Protoplasten ausgehen, d. h. von Pflanzen-Z., deren Zellwand enzymat. aufgelöst wurde. Als neuartige Technik, die sowohl bei pflanzlichen als auch bei tier. Z. die Untersuchung von Zellfunktionen usw. gestattet, gilt die Z.-Fusion mittels elektr. Felder: Auf diese Weise lassen sich z. B. Hybridoma-Z. herstellen, die *monoklonale Antikörper produzieren od. zur Untersuchung von Arzneimittel-Wirkungen dienen u. damit Tierversuche einsparen, lassen sich Kulturpflanzen züchten, die mit Salzwasser (*Meerwasser) bewässert werden können od. die zur *Stickstoff-Fixierung befähigt sind usw. Übrigens erhält man sog. „unsterbliche" Zellstämme – normale Zellkulturen sterben nach einer bestimmten Anzahl (bei menschlichen Bindegewebs-Z. ca. 50) von Verdoppelungen ab – durch Hybridisierung von normalen Z. mit Tumor-Z.; ein natürlich entstandener, heute noch vermehrungsfähiger Stamm ist z. B. der der *HeLa-Zellen. Bes. faszinierende Themen der Zellforschung sind die Frage, wie es zur Entwicklung der lebenden Z. überhaupt kam – die „Evolution der Z." – u. die Fusion menschlicher u. pflanzlicher Zellen. – *E* cells – *I* cellules – *I* cella, cellula – *S* células

Lit.: Hausmann u. Hülsmann, Protozoology, 2. Aufl., Stuttgart: Thieme 1996 ▪ Nultsch, Allgemeine Botanik, 10. Aufl., Stuttgart: Thieme 1996 ▪ Plattner u. Hentschel, Taschenbuch Zellbiologie, Stuttgart: Thieme 1997 ▪ Strasburger, Lehrbuch der Botanik, 34. Aufl., Stuttgart: Fischer 1998 ▪ Wehner u. Gehring, Zoologie, 23. Aufl., Stuttgart: Thieme 1995 ▪ s. a. die Textstichwörter.

Zellendolomit s. Zellenkalk.

Zellenkalk. Zelliger, löcheriger *Kalk, der entsteht, wenn sich z. B. durch Erdbewegungen in *Mergeln u. *Tonen Risse bilden, die nachträglich mit Kalk ausgefüllt werden, u. sodann eine *Verwitterung der weichen Tone u. Mergel stattfindet. In analoger Weise kann sich *Zellendolomit* bilden. Z. entsteht auch aus mit *Calcit zementierten Dolomit-Breccien (s. klastische Gesteine, Tab.), aus denen der Dolomit durch Verwitterung herausgelöst ist (*Rauhwacke*, z. B. im Lukmanier-Gebiet/Schweiz). – *E* cellular lime – *F* chaux cellulaire – *I* calce cellulare – *S* cal celular

Lit.: Füchtbauer (Hrsg.), Sedimente u. Sedimentgesteine (Sediment-Petrologie Teil II) (4.), S. 417 f., Stuttgart: Schweizerbart 1988 ▪ s. a. Kalke.

Zellfraktionierung (Zellseparation, Zellsortierung). Bez. für Meth. zur Trennung von Zellgemischen in Einzelpopulationen. Man nutzt u. a. die Gradientenzentrifugation, *Affinitätschromatographie, *Adsorption, *Zellsortierer (Durchflußcytometer) od. Magnet-aktivierte Zellsortierung über an Magnetpartikel gekoppelte *Antikörper. Zur Herst. von reinen Zellpopulationen nutzt man häufig *monoklonale Antikörper für spezif. *Oberflächenantigene. – *E* cell separation – *F* division cellulaire – *I* frazionamento cellulare – *S* separación de células

Lit.: Glick u. Pasternak, Molekulare Biotechnologie, S. 242 f., Heidelberg: Spektrum 1995 ▪ Lodish et al., Molekulare Zellbiologie (2.), S. 167–173, Berlin: Walter de Gruyter 1996.

Zellfreier Extrakt (zellfreies Syst.). Durch möglichst schonenden *Zellaufschluß hergestellter Zellextrakt für biochem. *in vitro*-Analysen (z. B. komplexe biochem. Reaktionsketten, funktionelle Zusammenhänge), der auch zur Anreicherung bzw. Isolierung gewünschter Zellbestandteile verwendet werden kann. – *E* cell-free extract – *F* extrait acellulaire – *I* estratto libero da cellule – *S* extracto acelular

Lit.: Alberts et al., Molekularbiologie der Zelle (3.), S. 190 f., Weinheim: VCH Verlagsges. 1997 ▪ Watson et al., Rekombinierte DNA (2.), S. 34 f., Heidelberg: Spektrum 1993.

Zellglas. Glasklare, mikrobiolog. abbaubare Folie hoher Brillanz aus regenerierter *Cellulose (sog. *Cellulosehydrat*, bekannteste Marke: *Cellophan® – in den USA ist dies allerdings ein Freiname). Die Eigenschaften des Z. sind vom Wassergehalt der Folie abhängig; seine besten Gebrauchseigenschaften besitzt es bei einem Wassergehalt von 7–8%. Dieser Wert ist z. B. bei einer relativen Luftfeuchtigkeit von 50% der Gleichgewichtswert.

Herst.: Man läßt *Viskose-Lsg. (s. a. Cellulosexanthogenat) aus trichterartigen Behältern durch feine, verstellbare, in angesäuerte Fällbäder tauchende Schlitze ausfließen, wobei ähnlich wie bei *Viskosefasern eine Härtung der Folien stattfindet. Das ausgefällte Z. wird in endlosen Bahnen als Rollen gewickelt u. zur weiteren Behandlung nacheinander durch Bäder von Wasser, Natriumsulfid-Lsg., Wasser, Schwefelsäure, Wasser, Hypochlorit, Thiosulfat, Wasser u. Glycerin geleitet, gereinigt u. zuletzt auf beheizten Walzen getrocknet. Prinzipiell ist zur Z.-Herst. auch das *Cuoxam-Verf. (s. a. Kupferseide) geeignet.

Z. kommt unbeschichtet, mit Cellulosenitrat-Lacken lackiert, mit PVDC-Beschichtungen versehen u. als Verbundfolie in Kombination mit anderen Folien aus Kunststoff (z. B. PE) od. Metall (z. B. Aluminium) in den Handel. Beschichtungen bestimmen wesentlich die Eigenschaften der Z.-Folie, d. h. die Wasserdampfdurchlässigkeit, Siegel- u./od. Schweißbarkeit

etc. Zur Herst. von Z. als Lebensmittelverpackung dürfen nur die nach der Zellglas-Bedarfsgegenstände-VO vom 23.4.1997 [BGBl. I, 1998 (Nr. 1), S. 5–36] zugelassenen Ausgangs- u. Hilfsstoffe verwendet werden. Z. wird zunehmend durch Folien u. Filme aus *Kunststoffen, insbes. aus orientiertem *Polypropylen, ersetzt.
Verw.: Überwiegend als Verpackungsfolie u. für *Lebensmittelumhüllungen (z.B. als Kunst-*Darm für Wurst), daneben auch zu Klebestreifen, Trennfolien usw. Durch Eigenschaften wie Steifigkeit u. Fehlen elektrostat. Aufladbarkeit ist Z. v. a. für die Verarbeitung auf schnellaufenden Verpackungsmaschinen geeignet. Zur Geschichte des Z. vgl. Cellophan®. – *E* cellophane – *F* feuilles cellulosiques – *I* cellofan – *S* celofán, vidrio de celulosa
Lit.: Ullmann (4.) **11**, 678 ff., 436 f.; **A 5**, 401–404 ▪ Ward-Jackson, The Cellophane Story, Bridgewater-Somerset: British Cellophane Ltd. 1977.

Zellgummi (Zellkautschuk). Sammelbez. für *Schaumgummi, *Moosgummi u. Schwammgummi.

Zellhormone s. Autacoide, Hormone, S. 1804.

Zellhorn s. Celluloid.

Zellinie. a) In der Embryoentwicklung Bez. für eine Abfolge von Zellteilungen, die zu einem Zellstammbaum führt u. somit die Herkunft einer *Zelle beschreibt. – b) Bez. für *in vitro* wachsende Zellen mit einheitlicher Morphologie u. funktionellen Eigenschaften, die häufig aus Tumor-Zellen erhalten werden u. sich unendlich oft teilen können (unsterbliche Zellen). – *E* cell line – *F* lignée cellulaire – *I* linia cellulare – *S* linea celular
Lit.: Alberts et al., Molekularbiologie der Zelle (3.), S. 184 f., Weinheim: VCH Verlagsges. 1997.

Zellkautschuk s. Zellgummi.

Zellkern s. Zellen.

Zellklonierung. Bez. für die Vermehrung von Einzelzellen einer Population mit ident. *Genotyp (*Klon). Den Kultivierungsbedingungen (*Serum, *pH-Wert, Atmosphäre) kommt hierbei bes. Bedeutung zu. Als Z.-Techniken werden u. a. benutzt: Die Verdünnungstechnik, die Agar-Suspensionstechnik, Klonierung im Plasmagerinnsel, Klonierung in Fibrin-Gelen; s. a. Klonieren. – *E* cell cloning – *F* clonage cellulaire – *I* clonaggio cellulare – *S* clonación de célular
Lit.: Lodish et al., Molekulare Zellbiologie (2.), S. 197–222, 237, 1281–1289, Berlin: Walter de Gruyter 1996 ▪ Römpp Lexikon Biotechnologie, S. 832.

Zellkultur. 1. *Tier. Z.:* Kultivierung von *Zellen eukaryot. Vielzeller unter sterilen Bedingungen im synthet. *Nährmedium in speziellen Kulturgefäßen. Direkt dem Organismus entnommene Zellen bzw. Gewebe werden als *Primärkulturen*, daraus entwickelte Z. als *Sekundärkulturen* bezeichnet. Während viele Wirbeltierzellen nur für einen begrenzten Zeitraum kultivierbar sind u. dann absterben, lassen sich einige Zelltypen als permanente *Zellinien* unbegrenzt weiterzüchten (z.B. Tumor-Zellinien).
2. *Pflanzliche Z.:* Z. werden hier vorrangig aus *Kalluskulturen*, d.h. aus Zellwucherungen an explantierten Organstückchen angelegt. Das Nährmedium besteht neben Mineralien u. Vitaminen auch aus organ. Kohlenstoff-Quellen, z.B. Saccharose.
3. *Mikrobiologie:* Künstliche Anzucht von Mikroorganismen (z.B. Bakterien) zu diagnost., industriellen u. Forschungszwecken. – *E* cellculture – *F* culture cellulaire – *I* coltura cellulare, coltura di tessuto – *S* cultivo celular
Lit.: Strasburger, Lehrbuch der Botanik, 34. Aufl., Stuttgart: Fischer 1998.

Zellkultur-Reaktoren. In Z.-R. können pflanzliche u. tier. *Zellen vermehrt werden. Die häufig Scherkraftempfindlichen u. relativ langsam wachsenden Pflanzen-*Zellkulturen lassen sich z.T. gut in sog. *Airlift-Fermentern mit konzentr. Kernrohr od. Schlaufenreaktoren, aber auch in *Bioreaktoren mit Paddel-Rührern kultivieren. Spinner- u. Rollerflaschen od. andere Glas- bzw. Plastikgefäße nutzt man im Labormaßstab für *Tierzellkulturen, Probleme bereiten jedoch größere Kulturvolumina. Hier gibt es individuelle Lsg. von der Automatisierung des Spinner- u. Rollerflaschensyst. zur Durchsatzerhöhung über klass. Rührtank- u. Airlift-Fermenter z.T. mit blasenfreier Begasung durch dünnwandige Silicon-Schläuche bis zu Wirbelbett-Reaktoren (s. Fließbett-Reaktor) mit immobilisierten Zellen. Mikrocarrier- od. Kapillarmembran-Module werden für adhärente Zellen verwendet. – *E* cell culture reactors – *F* réacteurs de cultures cellulaires – *I* reattori di coltura cellulare – *S* reactores de cultivos celulares
Lit.: Präve et al. (4.), S. 185 f.

Zellmasse s. Biomasse.

Zell-Matrix-Adhäsionsmoleküle s. Zell-Adhäsionsmoleküle.

Zellmembran s. Membranen (biolog. Membranen).

Zellseide. Aus *Zellstoff hergestellte *Kunstseide (Viskoseseide, Kupferseide) auf Cellulose-Basis. – *E* cellulose silk – *F* soie cellulosique – *I* seta di cellulosa – *S* seda celulósica

Zellseparation s. Zellfraktionierung.

Zellskelett s. Zellen.

Zellsortierer. Mit Durchfluß-Cytometern können verschiedene Zellarten auf Basis unterschiedlicher *Lichtstreuung od. durch emittiertes Fluoreszenzlicht unterschieden u. getrennt werden. Der zu untersuchende Zellstrom wird auf dem Weg durch eine *Kapillare in Einzelzellen aufgetrennt, die einen Laserstrahl mit Meßkammer (u. a. Fluoreszenz- bzw. Streulichtdetektor) sowie nach gesteuerter Ladungsübertragung elektrostat. Ablenkplatten passieren. Hiermit lassen sich spezif. *Zellen erkennen u. vereinzeln. Neben der Zellsortierung (*Zellfraktionierung) wird die Durchfluß-Cytometrie auch zur Messung des *DNA- u. *RNA-Gehaltes sowie zur Analyse von Zellgröße u. -Form herangezogen. – *E* cell sorter – *F* tamis cellulaire – *I* selezionatore di cellule – *S* seleccionador de células
Lit.: Lodish et al., Molekulare Zellbiologie (2.), S. 167 f., Berlin: Walter de Gruyter 1996.

Zellsortierung s. Zellfraktionierung.

Zellspannung. In einer galvan. Zelle (s. galvanische Elemente), bestehend aus zwei Elektroden u. einer Elektrolyt-Lsg., weisen die beiden Elektroden, an denen die Teilvorgänge Oxid. u. Red. ablaufen, einen Potentialunterschied E auf. Der dadurch fließende Strom kann die Arbeit $z \cdot F \cdot E$ leisten, wobei F (Faraday-Konstante) die zur Abscheidung eines Äquivalents eines Stoffes notwendige Ladungsmenge u. z die Anzahl der pro Reaktion umgesetzten Elektronen sind. Wird der Prozeß reversibel bei unendlich kleiner Stromentnahme durchgeführt, entspricht die vom Syst. geleistete Arbeit der Abnahme der *freien Enthalpie:

$$\Delta G = -z \cdot F \cdot E = \Delta G_0 + RT \ln Q$$

mit $\Delta G_0 = -RT \ln K$, wobei K die Gleichgewichtskonstante (s. Massenwirkungsgesetz) ist, u. $Q = \prod_i (a_i)^{v_i}$, wobei a_i die Aktivitäten u. v_i die stöchiometr. Koeff. der beteiligten Spezies sind (s. chemische Gleichgewichte). Werden die chem. Standardpotentiale in einem Glied $E_0 = -\dfrac{\Delta G_0}{z \cdot F}$ zusammengefaßt, ergibt sich für die Z. die Beziehung:

$$E = E_0 - \frac{RT}{z \cdot F} \ln Q$$

Die Z. wird auch als EMK (*elektromotorische Kraft*) bezeichnet. – *E* cell voltage – *F* tension d'élément – *I* voltaggio cellulare – *S* tensión de elemento (célula)

Lit.: Hamann u. Vielstich, Elektrochemie, 3. Aufl., Weinheim: Wiley-VCH 1998 ▪ Rieger, Electrochemistry, 2. Aufl., New York: Chapman and Hall 1994.

Zellstoff. Bez. für die beim Aufschluß von Holz od. anderen Pflanzenfasern anfallende, feinfaserige, vorwiegend aus *Cellulose bestehende Masse. Nach dem Verw.-Zweck differenziert man Z. u. a. in *Papier*- bzw. *Kunstfaser-/Edel-Z.*, nach dem Aufschlußverf. in *Sulfit-, Sulfat-, Natron-* od. *Salpeter-Z.* (s. a. Cellulose), nach der Herkunft z. B. in *Nadelholz-, Laubholz-* od. *Stroh-Z.*, nach dem Veredelungsgrad in ungebleichte, angebleichte od. gebleichte Z., nach dem Aufschlußgrad in harte u. weiche od. *Halbzellstoffe*. Bei der *Zellstoffgewinnung werden aus den pflanzlichen Materialien nach unterschiedlichen *Aufschluß*-Verf. die nicht aus Cellulose bestehenden Bestandteile (*Lignin, *Polyosen, *Harze u. a.) je nach vorgesehenem Anw.-Zweck des Z. mehr od. weniger vollständig entfernt. Insbes. die Kunst-/Edel-Z., auch *Chemie*-Z. genannt, bestehen zu über 90% aus Cellulose; die Begriffe Cellulose u. Z. werden daher oft auch synonym verwendet. Zu den bei der Papierherst. verwendeten, auf rein mechan. Wege aus Holz gewonnenen Produkten, die alle Bestandteile des Holzes noch weitgehend enthalten, s. Holzschliff u. Holzstoff.

Z. fällt bei der Z.-Gewinnung als Vlies an u. wird feucht in Rollen od. Ballen od. getrocknet in Rollen od. pappeähnlichen Bögen vermarktet. In der BRD (alte Bundesländer) wurden 1990 ca. 717000 t Sulfit-Z. (Sulfat-Z. wird in dieser Region nicht hergestellt) erzeugt, davon ca. 105000 t Kunstfaser-/Edel-Z., bei einem Verbrauch von ca. 802000 t Sulfit-, 2585000 t Sulfat- u. 235000 t Kunstfaser-/Edelzellstoffen[1]. Einen Überblick über die Z.-Erzeugung 1989 weltweit gibt die Tabelle.

Tab.: Zellstoff-Erzeugung 1989 weltweit[1]; Angaben in 1000 t (lufttrockener Zellstoff mit ca. 90% Cellulose).

Land/Region	Zellstoff insgesamt	Sulfit-Zellstoff	Sulfat-Zellstoff	Kunstfaser-/Edel-Zellstoff
Belgien/Luxemburg	235	–	235	–
Deutschland (West)	874	654	–	138
Dänemark	105	–	–	–
Frankreich	1727	258	1349	3
Griechenland	5	–	–	–
Großbritannien	446	–	–	–
Italien	305	78	102	91
Niederlande	3	–	–	–
Portugal	1482	120	1362	–
Spanien	1506	–	1375	–
EG	**6688**	**1110**	**4423**	**232**
Finnland	5916	154	5224	164
Norwegen	893	148	484	–
Österreich	1204	491	576	137
Schweden	7337	749	6003	300
Schweiz	120	120	–	–
EFTA	**15470**	**1662**	**12287**	**601**
Australien	524	–	250	–
Brasilien	4046	29	3734	78
China	8894	–	1032	–
ehem. CSFR	960	420	470	–
Deutschland (Ost)	503	369	126	8
Japan	8609	31	8394	175
Kanada	13195	1627	10850	294
Polen	754	63	539	45
Türkei	290	75	140	–
ehem. UdSSR	7950	2080	4585	–
USA	50775	1418	44106	1293
übrige Länder	9659	1000	6000	100
Welt	**128317**	**9884**	**96936**	**2826**

Verw.: U. a. zur Herst. von hochwertigen Papieren, Watte, Verbandstoffen, Zellwolle, Cellulose-Fasern (Rayon, Kupferseide, Viskose-Fasern) u. *Cellulose-Derivaten (*Celluloseester, *Celluloseether). – *E* cellulose, pulp – *F* cellulose; pâte chimique – *I* cellulosa – *S* celulosa; pasta química

Lit.: [1] Ein Leistungsbericht der deutschen Zellstoff- u. Papierindustrie, Bonn: Verband Deutscher Papierfabriken e. V. 1991. *allg.:* Casey, Pulp and Paper, Chemistry and Technology, 3. Aufl., Bd. 1–3, New York: John Wiley and Sons 1986 ▪ Encycl. Polym. Sci. Technol. **3**, 60–269 ▪ s. a. Cellulose. – [HS 4701.., 4702.., 4703.., 4704..]

Zellstoffgewinnung. *Zellstoffe werden aus Lignocellulose-haltigen, natürlichen Rohstoffen wie Stroh, Bagasse od. Schilf, insbes. aber aus Holz, durch sog. *Aufschlußverf.* gewonnen. Von diesen haben das *Sulfat-* u. das *Sulfit*-Verf., die den *Sulfat-* u. den *Sulfit-Zellstoff* zugänglich machen, die techn. größte Bedeutung. Neben diesen beiden Verf. werden andere, wie z. B. der Aufschluß mit Natronlauge (*Natron-Zellstoff*) od. Salpetersäure (*Salpeter-Zellstoff*), nur in sehr geringem Umfang durchgeführt; Einzelheiten zu den genannten Aufschlußverf. s. bei Cellulose.

Alle Aufschlußverf. haben zum Ziel, *Lignin u. a. *Cellulose-Begleitstoffe (*Polyosen, *Harze) möglichst weitgehend zu entfernen. Das wird beim Sulfat- u. Sulfit-Aufschluß auch erreicht; beide Verf. sind aber aus ökolog. Gründen – gravierende Abwasser- u. Ab-

luftprobleme – bedenklich. Die Umweltbelastung ist bes. groß beim (in der BRD nicht mehr praktizierten) auch als *Kraft-Prozeß* bezeichneten Sulfat-Verf., das generell Zellstoffe mit höheren Festigkeitswerten liefert als das Sulfit-Verfahren. Zum Zellstoff-Aufkommen nach diesem Verf., bei dem der *Sulfat-Zellstoff* deutlich überwiegt, s. Zellstoff (Tab.).
Angesichts der ständig wachsenden Umweltprobleme wurde die Suche nach ökolog. unbedenklich(er)en Aufschlußverf. zunehmend intensiviert. Eine dominierende Rolle nehmen dabei solche Prozesse ein, bei denen die Extraktion der Holzbegleitstoffe mit organ. Lsm. bei erhöhter Temp. u. erhöhtem Druck versucht wird, die sog. *Organosolv-Verfahren*. Pionierarbeit auf diesem Gebiet leistet *T. N. Kleinert*, der bereits 1931 über Versuche zum Holzaufschluß mit Wasser/Ethanol-Gemischen berichtete; zu Chemie u. Kinetik der beim Lsm.-Aufschluß ablaufenden Prozesse s. *Lit.*[1,2]. Nachteilig bei den Organosolv-Verf. waren lange insbes. die niedrigen Festigkeiten der resultierenden Zellstoffe.
Die Weiterentwicklung half aber, diese Schwierigkeiten zu überwinden. Vorteil der Organosolv-Verf. ist u. a., daß die Cellulose-Begleitstoffe in reiner u. leicht isolierbarer Form als Lsg. in der Extraktionsflüssigkeit anfallen. Ein anderes aussichtsreiches Holz-Aufschlußverf. ist der sog. *ASAM-Prozeß*, der *a*lkal. *S*ulfit-Lsg. unter Zusatz von *A*nthrachinon u. *M*ethanol als Aufschlußflüssigkeit verwendet. Das Verf. hat die Vorteile, daß mit ihm alle einheim. (in der BRD) Holzarten aufgeschlossen u. Apparaturen des normalen Sulfit-Prozesses verwendet werden können, Zellstoffe mit heller Farbe anfallen, die Chlor-frei gebleicht werden können, Geruchsprobleme nicht auftreten sowie hohe Ausbeuten erzielt u. Zellstoffe mit hoher Reißfestigkeit u. -dehnung erhalten werden.
Varianten des Organosolv(Organocell)-Verf. sind u. a. der Holzaufschluß mit Ethanol bzw. Ethanol/Wasser-Gemischen im Gegenstrom, bzw. die Verw. von Tetrahydrofurfurylalkohol, von Chlorethanol od. Essigsäure/Ethylacetat/Wasser-Gemischen bzw. Ameisensäure/Perameisensäure als Extraktionsflüssigkeiten. Breiter untersucht wurde auch der *enzymat. Holzaufschluß (E biopulping, biomechanical pulping)*. – *E* pulping – *F* production de cellulose – *I* produzione di cellulosa – *S* obtención de celulosa
Lit.: [1] Tappi J. **74**, Nr. 5, 191 ff. (1991). [2] Tappi J. **73**, Nr. 10, 215–219 (1990).
allg.: Casey, Pulp and Paper, Chemistry and Technology, 3. Aufl., Bd. 1, New York: John Wiley and Sons 1980 ▪ Göttsching, Papier in unserer Welt, S. 109–139, Düsseldorf: Econ 1990 ▪ Lengyel u. Morvay, Chemie u. Technologie der Zellstoffherstellung, Biberach/Riss: Günther-Staib 1973 ▪ Ullmann (4.) **17**, 531–561 ▪ s. a. Cellulose.

Zellteilung(s-Gifte) s. Mitosehemmer u. vgl. Zellen.

Zelltherapie s. Organotherapie.

Zellu... s. Cellu...

Zelluläres Retinol-bindendes Protein s. Retinol-bindendes Protein, Vitamine (A).

Zelluläres Retinsäure-bindendes Protein s. Retinoid-Rezeptoren.

Zelluloid s. Celluloid.

Zellwand s. Pflanzen u. Zellen.

Zellwolle. Bez. für nach dem *Viskose-Verf. (s. a. Cellulosexanthogenat u. Viskosefasern) gesponnene *Chemiefasern aus regenerierter *Cellulose, die zu beliebigen *Stapeln zerschnitten werden. Der Ausdruck „Z." ist ebenso wie der nicht mehr gebräuchliche „*Zellseide" von *Zellstoff hergeleitet; als exaktere Bez. bürgert sich allmählich *Cellulose-Spinnfasergarn* ein. – *E* rayon staple – *F* laine artificielle (de cellulose) – *I* lana di cellulosa, lana sintetica – *S* viscosilla, lana de celulosa

Zellzahl. Bez. für die Anzahl von *Zellen in einem bestimmten Vol. (Zelldichte, Zellmasse), die sich z. B. mit Hilfe einer *Zählkammer bestimmen läßt. Zur Unterscheidung von toten u. lebenden Zellen können spezif. Färbereaktionen herangezogen werden (Lebendkeimzahl, auch *Vitalfärbung). – *E* cell number – *F* nombre de cellules – *I* numero cellulare – *S* número de células
Lit.: Präve et al. (4.), S. 350 f. ▪ Schlegel (7.), S. 206 f., 209 f.

Zell-Zell-Adhäsionsmoleküle s. Zell-Adhäsionsmoleküle.

Zement (von latein.: caementum = Bruchstein, Mörtel). Bez. für feingemahlene *hydraul. *Bindemittel*, d. h. solche mineral. Stoffe, die unter Wasseraufnahme an Luft u. selbst unter Wasser steinartig erhärten u. nach dem Aushärten wasserbeständig sind. Chem. besteht Z. überwiegend aus Calciumsilicaten, -aluminaten u. -ferriten, d. h. aus CaO mit SiO_2, Al_2O_3 u. Fe_2O_3 in unterschiedlichen Mengenverhältnissen, die beim „Brennen" der Rohstoffe (Kalkstein, Ton, Kalkmergel, Tonmergel u. a.) bei Temp. bis zu ca. 1500 °C im *Klinker entstehen. Diese „Klinkerphasen" werden mit Kurzz. charakterisiert, in denen C für CaO, S für SiO_2, A für Al_2O_3 u. F für Fe_2O_3 steht. Die Tab. gibt eine Übersicht über die wichtigsten Klinkerphasen.

Tab.: Zusammensetzung von verschiedenen Zement-Klinkerphasen.

Name	Zusammensetzung	Kurz.	Anteile im Klinker [%]
Tricalciumsilicat (Alit)	$3\,CaO \cdot SiO_2$	C_3S	40–80
Dicalciumsilicat (Belit)	$2\,CaO \cdot SiO_2$	C_2S	0–30
Tricalciumaluminat (Aluminatphase)	$3\,CaO \cdot Al_2O_3$	C_3A	7–15
Calciumaluminatferrit (Ferritphase)	$2\,CaO \cdot (Al_2O_3, Fe_2O_3)$	$C_2(A,F)$	4–15

Die jeweiligen Mengenverhältnisse der Rohstoffe werden mit folgenden Kennzahlen (*Modula) beschrieben:
– Kalkstandard = CaO zu $SiO_2 + Al_2O_3 + Fe_2O_3$;
– Silicatmodul = SiO_2 zu $Al_2O_3 + Fe_2O_3$;
– Tonerdemodul = Al_2O_3 zu Fe_2O_3.
Unter dem „hydraul. Modul" versteht man das Verhältnis von bas. zu sauren Oxiden.
Bei Zusatz von Wasser zum feingemahlenen Z. („Anmachen") erfolgt das Erstarren u. Erhärten des *Zementleims* bzw. der *Zementpaste* durch exotherme Hydratation der Z.-Inhaltsstoffe, wobei ca. 25% Wasser

Zement

(bezogen auf das Z.-Gew.) chem. u. weitere ca. 10–15% adsorptiv gebunden werden u. der *Zementstein* entsteht.

Herst.: Diese läßt sich in 3 Hauptschritte untergliedern:
1. Gewinnung, Brechen, Mahlen, Homogenisieren u. Mischen der Rohstoffe;
2. Brennen der Rohstoffe zum Klinker, heute fast ausschließlich in Drehrohröfen mit Rost- od. Zyklon-Vorwärmung, früher auch in Schachtöfen;
3. Vermahlen der Klinker zusammen mit $CaSO_4$ (zur Regulierung der Erstarrungsgeschw.) u. ggf. mit weiteren latent hydraul. Stoffen wie granulierter *Hochofenschlacke (*Hüttensand*), *Puzzolanen* (*Puzzolanerde) wie *Traß od. gebranntem *Ölschiefer.

Ausführliche Darst. der Herstelltechnologien finden sich in *Lit.*[1], übersichtliche Zusammenfassungen (auch zu den chem. Vorgängen beim Brennen u. Erstarren/Erhärten) in *Lit.*[2], s. a. Portlandzement. Die wesentlichen Eigenschaften von Z. wie zeitlicher Ablauf von Erstarrung u. Erhärtung, Festigkeitseigenschaften u. chem. Widerstandsfähigkeit sind abhängig von Zusammensetzung der Rohstoffe, Mengenanteil der zugemahlenen Bestandteile u. von der Mahlfeinheit. In der Neufassung der DIN 1164-1: 1994-10 wurden unter Einbeziehung europ. Normen bisher gültige Bez. u. Kurzz. geändert. Die Z.-Arten sind jetzt in 3 Hauptarten unterteilt: CEM I (*Portlandzement), CEM II (Portlandkomposit-Zement) u. CEM III (*Hochofenzement). In der Tab. sind neue u. alte Bez. u. Kurzz. der genormten Z.-Arten einander gegenübergestellt:

Tab.: Neue u. alte Zement-Bez. u. Kurzz. gemäß DIN 1164-1: 1994-10.

neu	alt
Portlandzement (CEM I)	Portlandzement (PZ)
Portlandhüttenzement (CEM II/A-S, CEM II/B-S)	Eisenportlandzement (EPZ)
Portlandpuzzolanzement (CEM II/A-P, CEM II/B-P)	Traßzement (TrZ)
Portlandflugaschezement (CEM II/A-V)	Flugaschezement (FAZ)
Portlandölschieferzement (CEM II/A-T, CEM II/B-T)	Portlandölschieferzement (PÖZ)
Portlandkalksteinzement (CEM II/A-L)	Portlandkalksteinzement (PKZ)
Portlandflugaschehüttenzement (CEM II/B-SV)	Flugaschehüttenzement (FAHZ)
Hochofenzement (CEM III/A, CEM III/B)	Hochofenzement (HOZ)

Diese sind nach Zusammensetzung u. Anforderungen an physikal. u. chem. Eigenschaften spezifiziert. Für die Prüfverf. gelten weitere auch europ. Normen, vgl. *Lit.*[3].
Von den Norm-Z.-Arten sind Portlandzement, *Eisenportlandzement (neue Bez. Portlandhüttenzement), *Traß-Zement (neue Bez. Portlandpuzzolanzement) sowie *Hochofenzement in eigenen Stichwörtern beschrieben.
Weitere bauaufsichtlich zugelassene, jedoch in Deutschland nicht genormte Z.-Sorten, z. T. nur noch von histor. Interesse sind z. B.

– *Traßhochofen-Z. (TrHOZ)* aus 25–50% PZ-Klinker, 15–25% Traß u. 35–50% Hüttensand, entwickelt nur geringe Hydratationswärme, Verw. für massige Bauteile u. im Wasserbau.
– *Phonolith-Z. (PUZ)* aus 65–80% PZ-Klinker u. 20–35% bei ca. 400 °C getempertem *Phonolith (z. B. aus Bötzingen/Kaiserstuhl), Verw. wie Traß-Z., nicht zugelassen für *Spannbeton;
– *Vulkan-Z. (VKZ)* aus 67–83% PZ-Klinker u. 17–33% *Lava-Mehl (z. B. aus Niederlützen bei Andernach/Rhein), Verw. wie PUZ;
– *Sulfathütten-Z. (SHZ)* aus (hoch)bas. Hochofenschlacke mit $CaSO_4$-Zusatz (mindestens 3% SO_3), wird in Deutschland nicht mehr hergestellt;
– *Tonerde-Z. (früher ToZ), Tonerdeschmelz-Z. (TSZ)* aus Bauxit u. Kalkstein durch Sintern u. Schmelzen bei ca. 1500–1600 °C hergestellt, besteht hauptsächlich aus Calciumaluminat mit ca. 30–80% Al_2O_3, 35–40% CaO, 5–15% Fe_2O_3 u. 3–8% SiO_2, erhärtet relativ schnell mit höherer Wärmetönung, hat gute chem. Widerstandsfähigkeit u. ist mit geeigneten Zuschlägen verarbeitet hitzebeständig bis 1600 °C, Verw. im Feuerungs- u. Schornsteinbau, für tragende Bauteile nicht zugelassen;
– *Quell-Z.* aus PZ-Klinker mit Tonerdeschmelz-Z., Kalk u. Gips, quillt beim Erstarren durch Bildung von höheren *Ettringit-Anteilen, hat nur geringe baupraktische Bedeutung.
– *Tiefbohr-Z.*, ein Spezial-Portland- od. Puzzolan-Z. mit vermindertem Aluminat-Gehalt, verzögerter Erstarrung bei hohem Druck u. hoher Temp. sowie guter Sulfat-Beständigkeit, Verw. für die Auskleidung von Öl- u. Gas-Bohrlöchern;
– *Schnell-Z. (Regulated Set Cement)* aus kalkreichem PZ mit zusätzlichen Anteilen von Aluminat u. CF_2, schnell erstarrend u. erhärtend, Verw. für Ausbesserungsarbeiten, Befestigen von Dübeln, Ankern u. dergleichen.

Wirtschaftliche Aspekte: Weltweit wurden 1997 ca. 1516 Mio. t Z. produziert. In der BRD betrug die Produktionsmenge ca. 31,2 Mio. t = ca. 2,06% der Welt-Produktion. Hieran waren 37 Unternehmen mit 65 Werken u. ca. 12400 Beschäftigten beteiligt. Es wurde ein Gesamtumsatz von ca. 5,5 Mrd. DM erzielt. Die Verteilung auf die Z.-Sorten betrug: Portland-Z. ca. 75,1%, Hochofen-Z. ca. 13,6%, Portlandkalkstein-Z. ca. 5,6%, Portlandhütten-Z. ca. 3,6%, Portlandölschiefer-Z. ca. 1,2%, sonstige Z.-Sorten ca. 0,9% (alle Zahlenangaben aus *Lit.*[4]).

Umweltaspekte: Bereits vor über 100 Jahren begann die deutsche Z.-Ind. mit Maßnahmen zur Minderung der bei allen Produktionsstufen auftretenden *Staubemissionen. Durch Verbesserung der Filter-Technologie nach dem 2. Weltkrieg sank von 1950 bis 1985 das Ausmaß der Staubemission von ca. 3,5% auf ca. 0,05% u. lag ab 1995 bei ca. 0,02% der Produktionsmenge, s. Abb. auf S. 5051 (*Lit.*[5]).
Mit einem *Staub-Grenzwert von 50 mg/m³ *Abluft hat Deutschland gemeinsam mit den Niederlanden in Europa die strengsten Werte.
Bei den gasf. Emissionen spielt SO_2 nur eine untergeordnete Rolle, da der Schwefel – hauptsächlich aus den

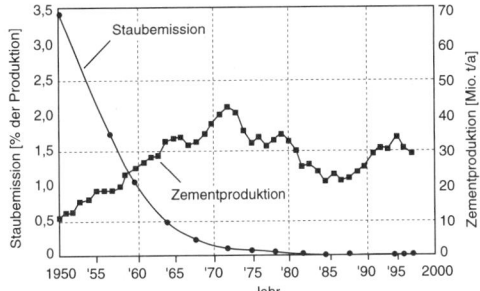

Abb.: Staubemissionen bei der Zementproduktion.

verwendeten Brennstoffen – beim Brennprozeß in den Z.-Klinker als Sulfat eingebunden wird. An funktionsfähigen Verf. zur Minderung der beim Brennprozeß entstehenden Stickoxid (NO_x)-Emissionen ist intensiv gearbeitet worden. Zum aktuellen Stand der Entwicklungen berichtet Lit.[6].
Mit den Rohstoffen werden geringe Mengen von Schwermetallen eingeschleppt, die größtenteils in unschädlicher Form in den Z.-Klinker eingebunden werden. Eine Ausnahme bilden Thallium u. Quecksilber, deren Emission durch verfahrenstechn. Maßnahmen begrenzt werden muß. Die Entwicklung solcher Verf. wurde beschleunigt betrieben, seit Ende der 70er Jahre die Kontamination der Umgebung einer Z.-Fabrik in Westfalen mit Thallium-haltigen Emissionen bekannt geworden war (s. Lit.[7]). Nach Erforschung der Ursachen wurden Maßnahmen u. Verf. entwickelt[8], deren Umsetzung in die Produktion zur Minimierung der Thallium-haltigen Staubemissionen unterhalb umweltgefährdender Grenzwerte geführt haben[9].
Im Z. können Spuren (20 – 100 ppm) von Chromat vorhanden sein, wodurch – ggf. verstärkt durch alkal. Milieu – bei regelmäßig mit Z. in Berührung kommenden Personen allerg. Dermatosen auftreten können. Diese früher häufiger beobachtete „Maurerkrätze" ist als Berufskrankheit melde- u. entschädigungspflichtig. Über Schutzmaßnahmen beim Umgang mit Z. am Bau informiert ein Merkblatt, herausgegeben von den Berufsgenossenschaften der Bauwirtschaft, der IG Bauen-Agrar-Umwelt sowie den Verbänden der Bauwirtschaft u. Z.-Industrie.
Eine Reihe von Bindemitteln, die im Sprachgebrauch mit dem Wortteil ...zement bezeichnet werden, gehören nach heutiger Definition nicht zu den Z.-Sorten, weil sie entweder nicht hydraul. erhärten od. nicht die für Z. geforderten Mindestfestigkeiten erreichen. Hierzu gehören *Magnesitbinder* (*Magnesia-Z.*, *Sorelzement), *Phospatbinder* (frühere Bez. *Phosphat-Z.*, Verw. z. B. als *Zahnzement), *Marmor-Z.* (*Marmorgips), *hydraul. Kalke* (frühere Bez. *Romankalk, *Roman-Z.* od. *Zementkalk), sog. *feuerfeste Z.* wie *Krater-Z.*, als *Knochen-Z.* bezeichneter *Knochenklebstoff.
Eine wiederum andere Bedeutung hat der Begriff Z. im Zusammenhang mit *Zementation. – E cement – F ciment – I = S cemento

Lit.: [1] Duda, Cement Data Book, Bd. 1, Internationale Verfahrenstechniken der Zementindustrie, 3. Aufl., Wiesbaden: Bauverl. 1985. [2] Ullmann (5.) **A 5**, 489 – 516; Winnacker-Küchler (4.) **3**, 214 – 253. [3] DIN-Katalog Sachgruppe 5875, Berlin: Beuth (jährlich). [4] Zahlen u. Daten 97/98, Köln: Bundesverband der Deutschen Zementind. 1998. [5] ZKG International **49**, Nr. 8, S. 413 – 423 (1996). [6] ZKG International **51**, Nr. 3, S. 144 – 150; Nr. 4, S. 208 – 218 (1998). [7] Reinhalt. Luft **39**, Nr. 12, S. 457 – 462 (1979). [8] ZKG International **40**, Nr. 3, S. 134 – 144 (1987). [9] Zement-Jahresbericht 1997/98, S. 30, Köln: Bundesverband der Deutschen Zementind. 1998.
allg.: Härig et al., Technologie der Baustoffe, 13. Aufl. Karlsruhe: Müller 1996 ▪ Kirk-Othmer (4.) **5**, 564 – 598 ▪ Scholz, Baustoffkenntnis, 13. Aufl., Düsseldorf: Werner 1995 ▪ Ullmann (4.) **24**, 545 – 574; (5.) **A 5**, 490 – 516 ▪ Wendehorst, Baustoffkunde (24. Aufl.), S. 290 – 321, Hannover: Vincentz 1994. – *Organisationen:* Bundesverband der Deutschen Zementindustrie e. V., Pferdmengesstr. 7, 50968 Köln ▪ Europäischer Zementverband (CEMBUREAU), Rue d'Arlon 55, B-1040 Brussels, Belgium ▪ Verein Deutscher Zementwerke e. V. mit Forschungsinstitut der Zementindustrie, Tannenstr. 2, 40476 Düsseldorf ▪ s. a. Portlandzement. – *[HS 2523..]*

Zementat s. Zementation (2.).

Zementation. Mit sehr unterschiedlicher Bedeutung verwendete Bez.: 1. Bei der Wärmebehandlung von Stahl ein Synonym für die *Aufkohlung als Maßnahme zur *Härtung u. zum *Vergüten von Stahl, wobei sich in oberflächennahen Schichten *Eisencarbid (*Cementit*) bildet. In Erweiterung dieser in DIN 17014-1: 1988-08 definierten Bedeutung u. bes. im engl. Sprachgebrauch bedeutet Z. den Prozeß der Bildung eines schützenden Leg.-Überzuges durch Erhitzen eines Grundmetalls in innigem Kontakt mit einem gepulverten Überzugsmetall; Z. wäre damit Oberbegriff für *Alitieren, *BDS-Inkrom-Verfahren, *Inchromverfahren, *Sherardisieren u. *Diffusions-Verfahren.
2. Als Z. bezeichnet man häufig auch die techn. Anw. der elektrochem. Abscheidung eines Metalls aus Lsg. durch Zusatz eines unedleren Metalls, das in der elektrochem. *Spannungsreihe vor dem auszufällenden Metall steht u. anstelle des edleren Metalls in Lsg. geht; *Beisp.: Zementkupfer*-Bildung (Kupferzement) aus $CuSO_4$-Lsg., die man beim Auslaugen Cu-haltiger Kiesabbrände od. Cu-armer Erze erhält, mit Schrott od. Eisenschwamm ($CuSO_4 + Fe \rightarrow FeSO_4 + Cu$). Z.-Verf. sind auch das *Verkupfern von Gegenständen aus Eisen od. a. unedleren Metallen, z. B. von Drähten od. die Abscheidung von Zn, Co, Cd, Tl aus Lsg., wobei das Abscheidungsprodukt metallurg. oft als *Zementat* bezeichnet wird.
Auch der Begriff *Zementationszone* (s. Oxidationszone) geht auf diese Bedeutung von Z. zurück. – *E* cementation – *F* cémentation – *I* cementazione – *S* cementación

Lit. (zu 1.): Kirk-Othmer **13**, 263 – 266, 304 – 308; (3.) **15**, 247; **20**, 51 – 55 ▪ Ullmann (5.) **A 16**, 383 ▪ Winnacker-Küchler (4.) **4**, 681, 687, 692 f. – (zu 2.): Kirk-Othmer **S**, 253 f.; (3.) **9**, 757 f. ▪ Winnacker-Küchler (3.) **6**, 254 f., 328, 355 f.; (4.) **4**, 25, 387 f.

Zementationszone s. Oxidationszone.

Zementblau s. Manganblau.

Zementfarben. Bez. für *Pigmente, die von den *Zement-Bestandteilen nicht angegriffen werden u. daher zum Einfärben von Zement u. *Beton sowie von Beschichtungsstoffen für Beton geeignet sind. Da Zement alkal. reagiert, müssen die Z. alkali-beständig sein. Bekannte Z. für die verschiedenen Färbungen sind *Ockergelb bis Rötlichgelb*: Eisenoxidgelb; *Hellgelb bis Mittelgelb*: Neapelgelb, Rutilgelb; *Schwarz*: Eisenoxidschwarz, *Manganschwarz, Ruß, Schiefer; *Grün:* Chromoxidgrün, Chromoxidhydratgrün, *Cobaltgrün; *Blau:* *Ultramarin, *Cobaltblau, *Manganblau; *Rot:* Eisenoxidrot. Als Bindemittel kommen Cyclo-, Chlorkautschuk, Chlorpolypropylen, Bitumina, PVC-Mischpolymerisate in gelöster Form u. verseifungsbeständige Polymerdispersionen in Betracht. – *E* cement colours – *F* couleurs pour ciment – *I* coloranti per cemento – *S* pigmentos para cemento

Lit.: Gatz (Hrsg.), Lexikon der Anstrichtechnik, Bd. 1, 10. Aufl., München: Callwey 1994 ▪ Ullmann (4.) **8**, 338 ▪ Winnacker-Küchler (4.) **3**, 376–390 ▪ s. a. Pigmente.

Zementit s. Eisencarbid.

Zementkalk. Veraltete Bez. für hydraul. erhärtende Kalke. Die Herst. erfolgt durch Brennen von Ton-haltigen Kalken od. Mischen von gebranntem bzw. gelöschtem Kalk mit hydraul. Bindemitteln (z. B. *Zement). Man unterscheidet:
– *Wasserkalk* (geringe Anteile hydraul. Verb., ca. 7 Tage Carbonat-Härtung an der Luft, danach kann weitere Härtung unter Wasser erfolgen);
– *hydraul. Kalk* (höherer Anteil hydraul. Verb., ca. 5 Tage Carbonat-Härtung an der Luft vor Wasser-Härtung);
– *hochhydraul. Kalk* (überwiegender Anteil hydraul. Verb. mit geringem Anteil an freiem Kalk, nur 1–3 Tage Carbonat-Härtung an der Luft vor Wasser-Härtung). – *E* lime cement – *F* chaux de ciment – *I* cemento e calce – *S* cal de cemento, mezola de cemento y cal

Lit.: Scholz, Baustoffkenntnis, 13. Aufl., Düsseldorf: Werner 1995 ▪ s. a. Calciumhydroxid. – *[HS 2522 30]*

Zementkupfer s. Zementation (2.) u. Kupfer.

Zementleim, -paste s. Portlandzement, Zement.

Zementquarzit s. Quarzite.

Zementschwarz s. Manganschwarz.

Zementstein s. Portlandzement, Zement.

Zemplén-Reaktion s. Wohl-Abbau.

Zenapax®. In den USA 1997 zugelassener humanisierter anti-TAC-*Antikörper (aus Mäusen; gegen die α-Kette des *Interleukin-2-Rezeptors) mit dem internat. Freinamen *Daclizumab*. Z. ist der erste *monoklonale Antikörper, der für die Unterdrückung der Abstoßung des fremden Gewebes nach Organtransplantationen auf den Markt gebracht wurde. *B.:* Roche Laboratories.

Lit.: Harris et al. (Hrsg.), Antibody Therapy, S. 277–300, Boca Raton: CRC Press 1997.

Zener-Diode s. Halbleiter.

Zengel, Hans Georg (geb. 1935), Dr.-Ing., Geschäftsführer der AKZO Internat. Research GmbH, Wuppertal, Direktor des AKZO-Forschungsinst., Obernburg, sowie der AKZO Forschung, Entwicklung, Technologie, Arnheim.

Lit.: Wer ist wer, S. 1598.

Zenk, Meinhart Hans (geb. 1933), Prof. für Pflanzenphysiologie, Univ. Bochum, u. für Pharmazeut. Biologie, Univ. München. *Arbeitsgebiete:* Sekundärstoffproduktion durch pflanzliche Zellkulturen; Alkaloid-Biosynth. u. Schwermetall-Entgiftung.

Lit.: Kürschner (16.), S. 4203 ▪ Wer ist wer (36.), S. 1598.

Zenker-Lösung. Als *Fixiermittel für zoolog. Präp. geeignete Lsg. von 5 g Quecksilber(II)-chlorid, 2,5 g Kaliumdichromat u. 1 g Natriumsulfat in 100 mL Wasser, das mit 5 mL Essigsäure angesäuert ist. – *E* Zenker's solution – *F* solution de Zenker – *I* soluzione di Zenker – *S* solución de Zenker

Zenti... s. Centi...

Zentralatom s. Koordinationslehre.

Zentrale Chiralität s. Chiralität, chiral.

Zentrale Kommission für die Biologische Sicherheit s. ZKBS-Richtlinien.

Zentrales Dogma. Das z. D. der Molekularbiologie besagt, daß beim Aufbau von *Nucleinsäuren u. *Proteinen die genet. Information von den *Desoxyribonucleinsäuren (DNA) auf die Proteine übertragen wird u. nicht umgekehrt. In dieser Form ist es trotz der Auffindung der *reversen Transcriptasen, die die Bildung von DNA nach Vorlage von *Ribonucleinsäuren (RNA) katalysieren, noch gültig. – *E* central dogma – *F* dogme central – *I* dogma centrale – *S* dogma central

Zentralnervensystem s. Nervensystem.

Zentralstelle für Unfallverhütung und Arbeitsmedizin (ZefU). Seit 1994 umbenannt in Berufsgenossenschaftliche Zentrale für Sicherheit u. Gesundheit (BGZ). Sie ist eine Hauptabteilung des Hauptverbandes der gewerblichen *Berufsgenossenschaften u. koordiniert Präventionsaufgaben der Berufsgenossenschaften.

Zentramin „Bastian"® N. Ampullen mit Magnesium-, Calcium- u. Kalium-Chlorid od. Tabl. mit Magnesium-, Calcium- u. Kalium-Citrat gegen juckende Dermatosen, Störungen im Mineralstoff- u. Elektrolythaushalt, psychosomat. Beschwerden. *B.:* Bastian-Werk.

Zentrifugal-Chromatographie. Eine Form der *Dünnschicht- u. *Papierchromatographie, bei der im Unterschied zur konventionellen Form die Wanderungsgeschw. der beweglichen Phase durch die Einwirkung der Zentrifugalkraft erhöht wird. – *E* centrifugal chromatography

Zentrifugaldehnungskonstante. Begriff aus der *Molekülspektroskopie. Bei einem zweiatomigen Mol. trägt die Z. der Beobachtung Rechnung, daß das Mol. nicht starr rotiert, sondern daß sich mit zunehmender Anregung der Rotation der Kernabstand vergrößert (sog. *Zentrifugaldehnung*). Die Rotationsenergieterme eines solchen Mol. lassen sich näherungsweise durch die Formel

$$T_{rot}(J) = BJ(J+1) - DJ^2 \cdot (J+1)^2$$

beschreiben. Hierbei ist B die Rotationskonstante, D die (quart.) Z. u. J die Rotationsquantenzahl. Die numer. Werte von D, die üblicherweise in cm^{-1} od. kHz angegeben werden, sind im allg. mehrere Größenordnungen kleiner als die zugehörigen B-Werte. Z. lassen sich mit hochauflösender Molekülspektroskopie (z. B. *Mikrowellen-Spektroskopie od. *IR-Spektroskopie) bestimmen. – *E* centrifugal distortion constant – *F* constante d'allongement des liaisons par force centrifuge – *I* costante di distorsione centrifuga – *S* constante de alargamiento de los enlaces por fuerza centrífuga

Zentrifugalpotential. *Elektronen in einem Atom, die einen endlichen *Bahndrehimpuls u. damit eine von Null verschiedene Bahndrehimpulsquantenzahl l (s. Atombau) besitzen, bewegen sich nicht in einem *Coulomb-Potential (proportional zu r^{-1}; r: Abstand zwischen Elektron u. Atomkern), sondern in einem das Z. beinhaltenden *effektiven Potential*. Das Z. ist proportional zu r^2 u. wird daher unendlich groß für $r \to 0$. Dies hat zur Folge, daß *Atomorbitale mit $l \neq 0$ (z. B. p-Orbitale mit $l = 1$) am Ort des Atomkerns den Wert Null besitzen. – *E* centrifugal potential – *F* potentiel centrifuge – *I* potenziale centrifuga – *S* potencial centrífugo

Zentrifugen s. Zentrifugieren.

Zentrifugieren (Schleudern). Bez. für ein Verf. zum *Trennen von Stoffgemischen durch Anw. erhöhter Schwerkräfte. Das im Inneren der schnell rotierenden *Zentrifugen* (kon. od. zylindr. Trommeln mit Sieb- od. Filtereinsätzen u.dgl.) befindliche Trenngut wird durch die Rotation einer hohen Zentrifugalbeschleunigung ausgesetzt, die zur Separation von Dispersionen bei nur geringem Dichteunterschied zwischen dispergierten Teilchen u. Dispersionsmittel führt. Die Zentrifugalbeschleunigung ist gegeben durch

$$g_z = v^2/r = r\omega^2,$$

wobei v die Geschw. auf dem Radius r ist u. w die Winkelgeschwindigkeit. Als *Trennverfahren läßt sich das Z. als *Sedimentation unter dem Einfluß stark erhöhter Fallbeschleunigung ansehen. Dieselben Kräfte werden übrigens auch in *Zyklonen wirksam. Die Leistung von Zentrifugen wird häufig in Form der *relativen Zentrifugalbeschleunigung* (RZB) od. in Vielfachen der Erdbeschleunigung g angegeben, die ein Teilchen beim Z. erfährt. Wäscheschleudern rotieren mit ca. 500–1500 U/min, techn. Zentrifugen mit 4000–8000 U/min u. *Ultrazentrifugen mit 10^4–10^6 U/min.
Die durch Z. trennbaren Gemische können fest-flüssig (nasse Wäsche, Schlamm), fest-gasf. (Staub in Luft), flüssig-flüssig (Milch), flüssig-gasf. (Aerosole, Nebel) od. gasf.-gasf. (Isotopengemische) sein. Je nach dem vorgesehenen Verw.-Zweck bietet der Handel eine Vielzahl von entsprechend konstruierten Zentrifugen zum Filtrieren, Klären, Eindicken u. Konzentrieren, d. h. allg. zum Trennen an. Auf die zahlreichen Varianten – ob horizontal od. vertikal, kontinuierlich od. diskontinuierlich arbeitend, beheizt od. gekühlt, bei Über- od. Unterdruck betrieben usw. – wird an dieser Stelle nicht gesondert eingegangen.
In den sog. *sieblosen* od. *Vollmantel-Zentrifugen* werden Substanzen unterschiedlicher D. getrennt, wobei die wegen ihrer geringen Größe oft nicht filtrierfähigen Feststoffe gegen den zylindr. Trommelmantel sedimentiert werden, während die gereinigte od. abzutrennende Flüssigkeit über den inneren Rand der Zentrifuge tritt (*Überlaufzentrifuge*) od. abgezogen wird (*Schöpfzentrifuge*). Die einfachste Form von Vollmantel-Zentrifugen bilden die in chem., biolog. u. medizin. Laboratorien häufig verwendeten *Flaschen-Zentrifugen*.

Zur Entwässerung des bei der Abwasseraufbereitung in großen Mengen anfallenden *Schlammes werden meist kon., liegende, vielfach kontinuierlich arbeitende Schneckenaustrag-Zentrifugen eingesetzt (*Dekantierzentrifugen*). In den sog. *Sieb-* od. *Filterzentrifugen* (Separatoren) zum Abscheiden von Feststoffen aus Flüssigkeiten ist der Dichteunterschied nur von untergeordneter Bedeutung. Hier ist der gelochte Mantel der Lauftrommel (Korb) mit einem Feinsieb od. Filter belegt, das den Feststoff zurückhält, während die Flüssigkeit hindurchtritt. Eine Leistungssteigerung ist in diskontinuierlichen Filterzentrifugen mittels eines mitrotierenden Siphons erreichbar. Kontinuierlich arbeitende Filterzentrifugen sind häufig als sog. *Schubzentrifugen* ausgelegt. In den gleichfalls kontinuierlichen *Tellerzentrifugen* rotieren kon. Schleuderbleche, an denen die schwereren Komponenten nach außen geleitet werden, während sich die leichteren in Achsennähe sammeln, von wo sie nach außen abgeleitet werden. Weitere Typen sind Röhren-, Kammer-, Schäl-, Strömungs-, Gegenstrom- u. Extraktionszentrifugen. – *E* = *F* centrifugation – *I* centrifugazione – *S* centrifugación
Lit.: Kirk-Othmer **4**, 710–758; (3.) **5**, 194–233 ▪ McKetta **7**, 96–153 ▪ Müller, Mechanische Trennverfahren, Bd. 2 (Zentrifugieren, Filtrieren), Frankfurt: Diesterweg 1983 ▪ Ullmann (5.) **B 2**, 11-1, 11-5, 11-18 ▪ Winnacker-Küchler (4.) **1**, 382.

Zentromer s. Centromer, Chromosomen.

Zentropil® (Rp). Tabl. mit *Phenytoin gegen Epilepsie u. Trigeminusneuralgie. *B.*: Knoll.

ZEOCHEM®. Adsorbentien, insbes. *Molekularsiebe, für den Einsatz als Trockenmittel, Katalysatoren od. Katalysatorträger. *B.*: Uetikon.

Zeolithe. Von dem schwed. Mineralogen *Cronstedt 1756 eingeführte, von griech.: zein = sieden u. *Lith(o)... abgeleitete Bez. für eine weitverbreitete Gruppe von krist. *Silicaten, u. zwar von wasserhaltigen *Alkali-* bzw. *Erdalkali-Alumosilicaten* (ähnlich den *Feldspäten) der allg. Formel $M_{2/z}O \cdot Al_2O_3 \cdot x\, SiO_2 \cdot y\, H_2O$, wobei M = ein- od. mehrwertiges Metall (meist ein Alkali- od. Erdalkali-Kation), H od. NH_4 u. a., z = Wertigkeit des Kations, x = 1,8 bis ca. 12 u. y = 0 bis ca. 8. Das stöchiometr. Verhältnis von SiO_2 zu Al_2O_3 (Modul) ist eine wichtige Kenngröße der Zeolithe. Charakterist. für die meisten Z. ist, daß sie ihr Wasser beim Erhitzen stetig u. ohne Änderung der Kristallstruktur abgeben, andere Verb. anstelle des entfernten Wassers aufnehmen u. auch als *Ionenaustauscher u. *Katalysatoren wirken können. Heute kennt man mehr als 150 natürliche u. synthet. Z., die sich jeweils durch Einbau von Fremdatomen während od. durch Austauschreaktionen nach der Synth. (Entstehung) modifizieren lassen. Die prim. EO_4-Strukturelemente (E = Si, Al) bilden Ringe, Prismen u. a. sek. Baueinheiten (secondary building units, SBU), die jeweils bis zu 16 EO_4-Einheiten enthalten u. eine große Strukturvielfalt begründen. Die Kristallgitter der Z. bauen sich aus SiO_4- u. AlO_4-Tetraedern auf, die über Sauerstoff-Brücken verknüpft sind. Dabei entsteht eine räumliche Anordnung gleichgebauter (Adsorptions-)Hohlräume, die über – untereinander gleich große – Fenster (Porenöffnungen) bzw. Kanäle zugänglich sind (s. Abb. auf S. 5054).

Zeolithe

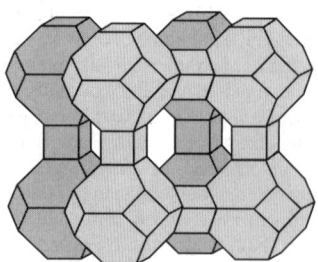

Abb.: Synthet. Zeolith A.

Ein derartiges Kristallgitter vermag gleichsam als Sieb zu wirken, welches Mol. mit kleinerem Querschnitt als die Porenöffnungen in die Hohlräume des Gitters aufnimmt, während größere Mol. nicht eindringen können, z. B. geradkettige Alkane im Gegensatz zu cycl. u. verzweigten (Cyclo- u. Isoalkane). Z. werden deshalb häufig *Molekularsiebe genannt. Für die Adsorption spielen auch elektrostat. Wechselwirkungen, *Wasserstoff-Brückenbindungen u. a. *zwischenmolekulare Kräfte eine Rolle. Viele chem. u. physikal. Eigenschaften der Z. sind abhängig vom Al-Gehalt. Steigender SiO_2/Al_2O_3-Modul bewirkt erhöhte Temp.-Stabilität (von 700 °C bei A- u. X-Typen bis zu 1300 °C bei Silicalit, einem Z. mit reinem SiO_2-Gitter; zur Benennung der Z. s. Herst.); auch die Widerstandsfähigkeit gegenüber konz. Mineralsäuren nimmt zu, die gegen Basen dagegen ab. Die Selektivität der inneren Oberflächen ändert sich von stark polar u. hydrophil bei den Al-reichen Z. zu apolar u. hydrophob bei einem SiO_2/Al_2O_3-Modul >10. Die Regenerierung der Z., d. h. die *Desorption der adsorbierten Substanzen, erfolgt durch Erhitzen auf etwa 350–400 °C, durch Druckerniedrigung od. mit Pentan, Hexan u. Octan als Desorptionsmittel.

Die zum Ausgleich der neg. Ladung der AlO_4-Tetraeder im Alumosilicat-Gerüst (s. a. Aluminiumsilicate) notwendigen Kationen sind im hydratisierten Gitter relativ beweglich u. können leicht gegen andere Metallionen ausgetauscht werden, was die Ionenaustauscher-Eigenschaften bedingt. *Beisp.:* In *Waschmitteln mindern die Z. (insbes. Z. A) die *Härte des Wassers, weil sie die Calcium-Ionen aus dem Wasser u. den Anschmutzungen entfernen. Über die Sorption u. Diffusion von Mol. an Z. existiert umfangreiche Literatur.

Vork.: Die natürlich vorkommenden Z. sind meist farblos, seltener durch Beimengungen gefärbt. Sie haben eine niedrige D. u. die Härte 3–5, zerfallen beim Kochen mit Salzsäure unter Abscheidung gallertiger Kieselsäure u. sind vor dem Lötrohr meist leicht zum Schmelzen zu bringen, wobei sie aufblähen („sieden", Name!). Die Z.-Minerale sind durch hydrothermale Umwandlung aus vulkan. Gläsern bzw. aus *Tuff-haltigen Ablagerungen entstanden. Nach ihren Kristallgittern lassen sich die natürlichen Z. einteilen in *Faser-Z.* (*Natrolith, *Laumontit, *Mordenit, *Thomsonit), *Blätter-Z.* (*Heulandit, *Stilbit, *Phillipsit, *Harmotom) u. die sog. *Würfel-Z.* (*Faujasit, *Gmelinit, *Chabasit, *Offretit), die ein kub. od. pseudokub. Gitter besitzen. Die beiden erstgenannten, meist pseudotetragonal bzw. pseudohexagonal kristallisierenden Gruppen lassen sich oft nur schwer gegeneinander abgrenzen. Ebenfalls zu den Z. lassen sich *Feldspatoide* wie *Lapislazuli u. die mit ihm verwandten Minerale *Sodalith, *Nosean u. *Hauyn sowie die künstlich hergestellten *Ultramarine stellen; manchmal wird auch der *Analcim zu den Z. gezählt. Von den natürlich vorkommenden über 30 verschiedenen Z.-Typen zählen Chabasit, Clinoptilolith (eine Varietät des Heulandits), Erionit u. Mordenit zu den auch techn. eingesetzten, die teilw. in umfangreichen Sediment-Lagerstätten vorkommen u. wirtschaftlich abgebaut werden. Aufgrund seiner faserigen, *Asbest-ähnlichen Struktur gilt Erionit (s. Offretit) als *Carcinogen[1]; Näheres zu Nomenklatur u. Systematik der natürlichen u. synthet. Z. s. *Lit.*[2].

Herst.: Zur Herst. der synthet. Z. geht man von SiO_2-haltigen (z. B. Wassergläser, Kieselsäure-Füllstoffe, Kieselsole) u. von Al_2O_3-haltigen (z. B. Aluminiumhydroxide, Aluminate, Kaoline) Substanzen aus, die zusammen mit Alkalihydroxiden (meist NaOH) bei Temp. >50 °C in wäss. Phase zu den krist. Z. umgesetzt werden[3]. In neuerer Zeit bekannt gewordene, hoch SiO_2-reiche Z. (z. B. ZSM 5) werden häufig in Ggw. von Tetraalkylammonium-Kationen od. anderen kation. Templat-Verb. synthetisiert, im allg. bei Temp. oberhalb 100 °C (*Lit.*[4,5]). Kürzlich wurde z. B das Decamethylcobaltocenium-Kation als Templat für die Synth. des großporigen (ca. 750 pm × 100 pm) Z. VTD-1 eingesetzt[6]. Eine weitere Klasse mikroporöser Festkörper bilden die Alumophosphate, Silicoalumophosphate u. Metallalumophosphate, die in Ggw. von organ. Verb. aus Phosphorsäure u. Aluminium-Verb. bei Temp. oberhalb 100 °C erhalten werden. Die synthet. Z. werden nach Porenweiten (meist noch in *Angström-Einheit) in eng-, mittel- u. weitporige Typen eingeteilt. Innerhalb dieser Gruppe existieren mehr als 150 verschiedene Strukturen, die sich häufig im SiO_2/Al_2O_3-Verhältnis (Modul) unterscheiden lassen. Bei den SiO_2-reichen Z. besteht im allg. eine Bandbreite beim Modul. Eine Sammlung der bisher aufgeklärten Z.-Strukturen befindet sich in *Lit.*[2]. In der allg. Lit. u. Patentlit. wurden synthet. Z. häufig mit Trivialnamen belegt: Z. A [Modul 2, Porenweite 0,4 nm (Na)], Z. X [Modul 2–3, Porenweite 0,7 nm (Na)], Z. Y [Modul 3–6, Porenweite 0,7 nm (Na)], Z. L [Modul 6–10, Porenweite 0,7 nm (K)], *synthet. Mordenit* (Modul ca. 10, Porenweite 0,7 nm). Inzwischen verwendet man mnemon. Codes aus drei Buchstaben, z. B. ZSM-Typen [z. B. ZSM-5: Modul ca. 30, Porenweite 0,6 nm (H, Na)] u. a. So bedeutet EMT Elf Mulhouse Two u. UTD University of Texas at Dallas. Zur Charakterisierung werden v. a. Röntgendiffraktometrie, Festkörper-NMR, FT-IR-Spektroskopie, Thermoanalysen, Elektronenmikroskopie, Adsorptionsmessungen u. katalyt. Reaktionen herangezogen[7]. Für den techn. Einsatz als Adsorptionsmittel u. bes. als Katalysatoren werden synthet. Z. einer umfangreichen Palette an Modifizierungen unterworfen, z. B. beeinflußt ein Ionenaustausch mit Metall-Kationen die Adsorptionseigenschaften, während die Erzeugung saurer Zentren od. von Metall-Partikeln von großer Bedeutung für die Eigenschaft als Katalysator ist. Eine bes. Eigenschaft von Z.-Katalysatoren ist ihre Formselektivität, die bei chem. Reaktionen bestimmte Isomere (häufig die *p*-Isomeren) mit hoher Selektivität entstehen läßt.

Verw.: Die synth. Z. werden pulver- u. pastenförmig (z. B. als Anteigung in Ricinusöl) sowie als Formkörper (Perlgranulate, Strangpresslinge, Tabl.) sowohl mit Bindern (z. B. Kieselgele, Tone) als auch in bindemittelfreier Form in großem Maßstab in Waschmitteln, in der Adsorptionstechnik, in der Gaschromatographie sowie für katalyt. Prozesse eingesetzt. Im Vgl. zu amorphen Adsorptionsmitteln (z. B. Kieselgele, aktive Tonerde) zeigen sie bes. steile Adsorptionsisothermen, d. h. sie können schon im Bereich niedriger Partialdrücke zur Intensivtrocknung verwendet werden. Da der Adsorptionsvorgang reversibel ist, können Z. einer Vielzahl von Adsorptions-Desorptionscyclen unterworfen werden. Zur Anzeige der Wasserbeladung können Feuchtigkeitsindikatoren verwendet werden. Techn. wichtige Einsatzgebiete sind z. B. Trocknung u. Reinigung von Gasen u. Flüssigkeiten (z. B. Entfernung von H_2O, CO_2 u. Schwefel-haltigen Verb. aus Erdgas, Entfernung von H_2O aus organ. Lsm.), Isomerentrennung (z. B. Trennung von geradkettigen u. verzweigten Paraffinen, von *o*- u. *p*-Xylolen, vgl. Parex®-Verfahren, Trennung von Fructose u. Glucose), Fernhalten von Wasser aus abgeschlossenen Syst. (z. B. Trocknung der Luft in Mehrscheibenisolierglas, Entfernung des Wassers aus Kältemitteln in Kühlaggregaten), Bindung des Wassers in wasserempfindlichen Lack- u. Kunststoffsyst. (z. B. in Polyurethan-Syst.), Bindung von Reaktionswasser (z. B. bei der Acetalisierung od. Veresterung), Anreicherung von Sauerstoff aus Luft (s. Sauerstoff, Herst., S. 3939), katalyt. Prozesse in der Erdölverarbeitung u. Petrochemie u. zunehmend bei chem. Synt.[8,9] (z. B. Isomerisierung von Paraffinen u. substituierten Aromaten, Alkylierungen, selektive Oxid. od. Umwandlung von Methanol in Kohlenwasserstoffe). Eine bes. Rolle bei der Verminderung der Härte des Wassers spielen die Z. zusammen mit Polycarboxylaten als Ersatz für Phosphate in Waschmitteln[10]. Ein neues, großes Anw.-Gebiet für Z. wird in mikroelektron. Gassensoren erwartet[11]. Einen anschaulich bebilderten Überblick über Struktur, Herst. u. Anw. der Z. findet man in *Lit.*[12,13]. Über Neuentwicklungen auf dem Z.-Gebiet informieren die Konferenzen der Int. Zeolite Assoc., z. B. *Lit.*[3]. Die Möglichkeiten der formselektiven Katalyse mit Z. auf dem Gebiet der organ. Synth. lassen in den nächsten Jahren eine stürm. Entwicklung erwarten[14]. – *E* zeolites – *F* zéolithes – *I* zeolite – *S* zeolitas

Lit.: [1] IARC Monogr. **42**, 225–239 (1987). [2] Meier u. Olsen, Atlas of Zeolite Structure Types (3.), London: Butterworths 1992; Zeolites **12**, 449–656 (1992). [3] Weitkamp et al., Zeolites and Related Microporous Materials: State of the Art 1994, Amsterdam: Elsevier 1994; Chon, Woo u. Park, Recent Advances and New Horizons in Zeolite Science and Technology, Amsterdam: Elsevier 1994. [4] Nachr. Chem. Tech. Lab. **36**, 624–630 (1988). [5] Stud. Surf. Sci. Catal. **85**, 1–113, 587–631 (1994). [6] Balkus et al., in Chon, Woo u. Park, Recent Advances and New Horizons in Zeolite Science and Technology, S. 415–421, Amsterdam: Elsevier 1994. [7] NATO ASI Ser., Ser. B **221**, 99–120 (1990). [8] Ertl, Knözinger u. Weitkamp, Handbook of Heterogeneous Catalysis, Weinheim: Wiley-VCH 1997. [9] J. Mol. Catal. **61**, 173–196 (1990). [10] Chem. Ind. (Düsseldorf) **40**, 28–32 (1988). [11] Chem. Ing. Tech. **63**, 838 f. (1991). [12] Chem. Unserer Zeit **20**, 117–127 (1986). [13] Chemie in der Schule **37**, 311–316 (1990). [14] Angew. Chem. **109**, 1190–1211 (1997).
allg.: Van Bekkum, Flanigen u. Jansen, Introduction to Zeolite Science and Practice, Amsterdam: Elsevier 1991 ▪ Catalysis Today (Special Issues) **38**, Nr. 2 (1997) ▪ Chem. Eng. Prog. **84**, 25–31 (1988) ▪ Chem. Rev. **93**, 803–826 (1993) ▪ Chon, Woo u. Uh, Progress in Zeolite and Microporous Materials, Amsterdam: Elsevier 1997 ▪ Dyer, Introduction to Zeolite Molecular Sieves, New York: Wiley 1988 ▪ Engelhardt u. Michel, High Resolution Solid-State NMR of Silicates and Zeolites, New York: Wiley 1987 ▪ Kirk-Othmer (4.) **16**, 888–925 ▪ Szostak, Handbook of Molecular Sieves, New York: Van Nostrand Reinhold 1992 ▪ Ullmann (4.) **13**, 282, 292 f.; **17**, 9–18; **24**, 94 ff., 575–578; (5.) **A 8**, 391 f.; **A 28**, 475–504 ▪ Winnacker-Küchler (4.) **3**, 53 f., 63–75, 608 f.; **5**, 73 f., 258 f. – *Organisation:* International Zeolite Association, ETH Zürich, CH-8092 Zürich (INTERNET-Adresse: http://www.iza-sc.ethz.ch/IZA-SC/).

Zeophyllit. $Ca_4[F_2/(OH)_2/Si_3O_8] \cdot 2 H_2O$; nach *Lit.*[1]: $Ca_{13}Si_{10}O_{28}F_{10} \cdot 6 H_2O$. Trigonales, zu den *Phyllosilicaten gehörendes, mit *Radiophyllit* ident. Mineral. Kristallklasse $\bar{3}\text{-}C_{3i}$, Struktur s. *Lit.*[1,2]; mit *IR-Spektroskopie wurden Si-OH-Gruppen nachgewiesen[1]. Z. bildet meist weiße, matte od. perlmutglänzende, radialblättrige od. faserige Kugeln; H. 3, D. 2,75.
Vork.: U. a. Schellkopf bei Brenk/Eifel (in *Phonolith, s. *Lit.*[3]), Vesuv/Italien[4] u. mehrorts in Böhmen[1]. – *E* zeophyllite – *F* zéophyllite – *I* zeofillite – *S* zeofilita
Lit.: [1] Mineral. Petrol. **61**, 199–209 (1997). [2] Acta Crystallogr. Sect. B **28**, 2726–2732 (1972). [3] Hentschel, Die Mineralien der Eifelvulkane (2.), S. 107 f., München: Weise 1987. [4] Mineral. Mag. **47**, 397–400 (1983).
allg.: Anthony et al., Handbook of Mineralogy, Vol. II, Tl. 2, S. 894, Tucson (Arizona): Mineral Data Publishing 1995 ▪ Mineral. Mag. **31**, 726–735 (1958) ▪ Ramdohr-Strunz, S. 765. – [CAS 61159-25-9]

Zephirol®. Wäss. Lsg. von *Benzalkoniumchlorid zur Hände- u. Instrumentendesinfektion sowie zur Körperhygiene. *B.:* Bayer.

Zeranol (Rp). Von der WHO vorgeschlagener Freiname für ein veterinärmedizin. als Anabolikum verwendbares Hydrierungsprodukt von Zearalenon; Näheres u. Formel s. dort. – *E* = *I* = *S* zeranol – *F* zéranol
Lit.: Martindale (31.), S. 1510 ▪ s. a. Zearalenon. – [HS 2932 29; CAS 26538-44-3]

Zeresin s. Ceresin.

Zerewitinoff-Reagenz, -Reaktion s. aktiver Wasserstoff.

Zerfall. Unter Z. muß man den *spontan*, d. h. ohne erkennbare äußerliche Einwirkung erfolgenden Vorgang ansehen, in dessen Verlauf Stoffe in einzelne Teile zerfallen; *Beisp.:* *Radioaktivität mit *Alpha- od. *Beta-Zerfall, Z. von Elementarteilchen (s. dort, Tab. 1), Z. als sog. *Spontanspaltung* bei *Kernreaktionen etc. In diesem Sinne spricht man auch von Z.-*Reihen* (s. Radioaktivität) u. Z.-*Konstanten* (s. Radionuklide). Die Z.-Konstante $\lambda = 1/\tau$ (τ = *Lebensdauer) ergibt sich zu $\lambda = -dN/N \cdot dt = 0,6931/T_{1/2}$ wobei N = Zahl der Kerne, dt = Zeitspanne ist. $T_{1/2}$ = *Halbwertszeit ist. Die Anzahl der Z. pro Zeiteinheit wird heute in der Einheit *Becquerel (1 Bq = 1 s^{-1}) angegeben. Der nach DIN 25401-1: 1986-09 als radioaktive *Umwandlung zu bezeichnende radioaktive Z. ist ein typ. Beisp. für eine *unimolekulare Reaktion*, ebenso wie der Z. von Peroxi-

Zerfallhilfsmittel

den, N_2O_5 u. a. instabilen Verb., die ggf. unter Bildung von *Radikalen zerfallen können. Fachsprachlich bezeichnet man als *Korn-Z.* die interkrist. *Korrosion. In begrifflich anfechtbarer Weise findet man häufig die Bez. *Spaltung* anstelle von Z. (u. umgekehrt), obwohl Spaltung gleichbedeutend mit der durch äußerliche Einwirkung (z. B. von Energie) bewirkten *Zerlegung* eines Stoffes in einzelne Teile ist (s. a. Zersetzung). Statt vom „Z." von Tabl., Kapseln u. Suppositorien in Körperflüssigkeiten bzw. Wasser (zur Bestimmung der Z.-Zeit, s. *Lit.*) müßte man also eigentlich von deren Spaltung sprechen. – *E* decay, disintegration – *F* désintegration – *I* decadimento, disintegrazione – *S* desintegración

Zerfallhilfsmittel s. Tablettensprengmittel.

Zerfallskonstante (Kurzz.: λ). Vom Material u. der Reaktionsart abhängige Konstante mit der der *Zerfall eines instabilen *Zustandes beschrieben wird. Das Reziproke der Z. ist die mittlere *Lebensdauer τ; Details s. Radioaktivität u. Zerfall. – *E* decay constant – *F* constante de désintegration – *I* costante di decadimento – *S* constante de desintegración

Zerfallsreaktionen s. Kernreaktionen, S. 2127.

Zerkleinern. Bez. für eine Grundoperation der mechan. *Verfahrenstechnik, die Zerteilung von festen Stoffen (*Festkörper) in kleinere Tl. durch Einwirkung mechan. Kräfte. Dabei erfährt das zu zerkleinernde Gut eine Oberflächenvergrößerung u. nicht selten treten *Triboluminiszenz-Vorgänge auf, s. a. Mechanochemie. Das Z. erfolgt – je nach Konsistenz u. *Bruchverhalten des Feststoffes – als *Hartzerkleinerung* od. *Weichzerkleinerung* durch Druck, Prall, Scheren, Schneiden, Reiben, Reißen u. a. *Deformations-Techniken in entsprechend konstruierten Zerkleinerungsmaschinen, die man wie folgt einteilt:

a) Nach dem Zerkleinerungsgrad des Fertiggutes in *Brecher (Grob- u. Feinbrecher) mit erreichbaren *Korngrößen >1 mm u. in *Mühlen (Grieß-, Fein-, Feinstmühlen) mit Korngrößen <1 mm;

b) nach der Ausführungsform in Prall-, Hammer-, Stiftmühlen u. a. für die sog. *Prallzerkleinerung*, Walzenbrecher u. -mühlen für die *Druckzerkleinerung*, Schneidmühlen zum Z. (Granulieren) von Kunststoffen, Zahnscheibenmühlen u. Holländer für die *Scherzerkleinerung* u. *Zerfaserung* z. B. von Holz, Gummi, Leder u. Papier usw.

Die meisten Zerkleinerungsapparate sind für die *Trockenzerkleinerung* ausgelegt. Eine *Naßzerkleinerung* für pastöse bis flüssige Suspensionen kann auf Walzenstühlen, in Kugel-, Planscheiben-, Zahnring- u. Rührwerksmühlen durchgeführt werden. Für sehr feine Trockenzerkleinerungen auf Korngrößen <10 μm (gelegentlich als *Mikronisieren* bezeichnet), z. B. von organ. Chemikalien, Pigmenten u. dgl., werden Strahlmühlen, die mit Luft od. Stickstoff arbeiten, eingesetzt. Beim Z. von viskoelast. Stoffen wie Gummi, Kunststoffen u. dgl. sowie von oxid.- od. aromaempfindlichen Substanzen sind ggf. spezielle Techniken wie die *Kalt- od. Gefriermahlung erforderlich, z. B. in Gegenstrahlmühlen. Häufig enthalten Zerkleinerungsapparate zusätzliche Einrichtungen zum *Sieben, *Klassieren u. *Sichten sowie Filter od. *Zyklone zur *Entstaubung. Oft sind sicherheitstechn. Probleme mit dem Fein-*Mahlen verbunden, weil die anfallenden *Pulver *Staubexplosionen hervorrufen können. – *E* crushing – *F* concassage, broyage – *I* frantumazione – *S* desmenuzamiento, trituración

Lit.: Höffl, Zerkleinerungs- u. Klassiermaschinen, Berlin: Springer 1986 ▪ Kirk-Othmer **18**, 324–365; (3.) **21**, 132–162 ▪ Ullmann (5.) **B 2**, 5-1 ▪ Winnacker-Küchler (3.) **2**, 270–273, 294–297; **6**, 31–35; **7**, 75–79, 118–127; (4.) **1**, 80–93; **4**, 43–45; **7**, 57–63.

Zerlegung s. Spaltung, Trennen u. vgl. Zerfall.

Zernike, Frederik (Frits) (1888–1966), Prof. für Mathematik, Physik u. Theoret. Mechanik, Univ. Groningen. *Arbeitsgebiete:* Theoret. Optik, Brownsche Molekularbewegung, Röntgenstreuung in Flüssigkeiten, Astrophysik, Mechanik, Entwicklung des Phasenkontrastmikroskops; Nobelpreis für Physik 1953.
Lit.: Lexikon der Naturwissenschaftler, S. 433 f.

Zersetzer s. Destruenten.

Zersetzung. Oft recht pauschal benutzte Bez. für (meist unerwünschte) Vorgänge, bei denen ein Material durch äußere Einflüsse in seinem Aufbau verändert u. dadurch in einen für seinen ursprünglichen Verw.-Zweck od. seine eigentliche Aufgabe nicht mehr geeigneten Zustand überführt wird. Eine Z. kann z. B. durch elektromagnet. Strahlung wie Licht, Wärme u. a. Energieformen od. auch durch chem. od. biolog. Einwirkung hervorgerufen werden; *Beisp.:* Die *Alterung von Kunststoffen, die Selbst-Z. von Radiochemikalien, der *biologische Abbau bei *Fäulnis-Prozessen, die *Ranzigkeit von Fetten infolge *Autoxidation, die therm. Z. am Schmp. od. Sdp. od. allg. beim Erhitzen organ. Substanzen u. mancher Salze (Carbonate, Salze organ. Säuren etc.), die erwünschte Z. von *Abfällen in Deponien, die Z. durch *Korrosion, die unerwünschte Z. von Werkstoffen durch Mikroorganismen, die elektrochem. Z. bei der Elektrolyse, Z. durch Autokatalyse u. a. mehr.

Schonende Trennverf. wie Vak.-Dest. u. Gefriertrocknung, Konservierung, Zusatz von Additiven wie Antioxidantien, Lichtschutzmitteln etc. können Z.-Prozesse verzögern od. auch unterbinden. In der Chemie werden Z. jedoch häufig mit der Absicht einer Stoff-*Zerlegung* herbeigeführt, vgl. den begrifflichen Unterschied zwischen *Spaltung u. *Zerfall. Wegen der Ungenauigkeit des Begriffs Z. empfiehlt es sich daher, eine den jeweiligen Vorgang exakter charakterisierende Bez. zu benutzen, wie z. B. Abbau, Photooxid., Desaminierung, Decarboxylierung od. lyt. Prozesse beschreibende Ausdrücke wie Elektro-, Pyro-, Thermo-, Hämo-, Proteo-, Hydrolyse u. dgl. – *E* decomposition, deterioration – *F* décomposition, détérioration – *I* decomposizione – *S* descomposición, deterioración

Zersetzungsdestillation s. Pyrolyse u. Destillation, S. 918.

Zersetzungspunkt s. Schmelzpunkt u. Siedepunkt.

Zersetzungsspannung (heute bevorzugte Bez.: Abscheidungspotential). Bez. für das Potentialminimum (ohne den Ohmschen Spannungsabfall), bei dem ein elektrochem. Prozeß kontinuierlich mit wahrnehmbarer Geschw. ablaufen kann. – *E* decomposition voltage – *F* tension de décomposition – *I* potenziale di decomposizione, tensione di decomposizione – *S* tensión de descomposición

Zersetzungswasser s. Schwelung.

Zerstäuben. Bez. für die Feinstverteilung (*Atomisierung*) von Flüssigkeiten u. Festkörpern in Gasen (*Aerosole) mit Hilfe geeigneter *Zerstäuber; s.a. Sputtering. Typ. Geräte zum Z. sind sog. Zweistoffzerstäuber, bei denen die Z. durch ein Hilfsgas erfolgt, z. B. Spritzpistolen, Sprühdosen, Druckzerstäuber, bei denen das zu zerstäubende Medium mit hohem Druck aus einer Düse gedrückt wird, z. B. Einspritzdüsen u. dgl. Verw.: Zur *Beschichtung u. Lackierung, beim *Metallspritzverfahren, *Kunststoff-*Flammspritzen, bei der *Zerstäubungstrocknung, zur *Ionenimplantation, zum Versprühen (Vernebeln) von Pflanzenschutzmitteln, in Kosmetik u. Medizin zur Herst. von *Sprays, zum Z. von Brennstoffen (Heizöl, Schweröl) od. Kraftstoffen (Dieselmotoren, Ottomotoren) usw. – *E* spraying, atomizing – *F* vaporiser, atomiser, pulveriser – *I* nebulizzare, polverizzare – *S* vaporizar, atomizar, pulverizar, difundir

Zerstäuber. Vorrichtung zur Feinstverteilung (*Atomisierung*) von Flüssigkeiten u. Festkörpern als Dispersionen in Gasen (*Aerosole). – *E* atomizer – *F* atomiseur, pulvérisateur – *I* atomizzatore – *S* atomizador, pulverizador, nebulizador

Zerstäubungstrocknung. Bez. für ein Spezialverf., um wäss. od. nichtwäss. Lsg., Suspensionen, Emulsionen etc. von der flüssigen Phase zu befreien u. das Trockengut in fein verteilter Form zu gewinnen. Dabei zerstäubt man die Lsg. in einem weiten, senkrecht stehenden Rohr od. einem Schacht, indem man sie von oben durch Düsen einpreßt od. sie auf eine rasch rotierende Zerstäuberscheibe fließen läßt. Dem sich ausbildenden Sprühkegel, der sich aus einer Vielzahl kleiner Tröpfchen zusammensetzt, wird im Gegenstrom Heißluft (bei Oxid.-empfindlichen Stoffen wird man Inertgase benutzen) entgegengeführt, die das Lsgm. rasch zur Verdunstung bringt. Das vorher Gelöste fällt nun als mehr od. weniger feines Pulver, als Granulat, Perlen, Kügelchen u. dgl. nach unten, wo es (vielfach pneumat.) abgeführt u. in einem Fliehkraftabscheider separiert wird. Die Z. (vgl. Prillen) hat sich beim *Trocknen Temp.-empfindlicher Stoffe vielfach bewährt, z. B. von Trockenmilch, Instantkaffee, Holzzucker, Gerbstoffen, Hefe-, Ei-, Fruchtsaft-, Bluttrockenpulver, Polyvinyl- u. Polyethylen-Pulver, Leim, Seren, Waschmitteln (zur Z. von Waschmitteln s. Sprühtrocknung), u. pharmazeut. Präparaten. Bei bes. hitzeempfindlichem Trockengut wendet man auch „Gleichstromführung" an; hier bewegt sich das versprühte Trockengut von vornherein in Richtung der Warmluft. – *E* spray drying – *F* séchage à pulvérisation – *I* essiccamento per polverizzazione – *S* (de)secado por pulverización
Lit.: s. Trocknen.

Zerstörungsfreie Werkstoffprüfung (Abk. zfP). Bez. für eine Gruppe von Meth. zur Untersuchung von Werkstoffen od. Bauteilen auf deren Eigenschaften, Fehlerfreiheit od. Gebrauchstauglichkeit. Im Gegensatz beispielsweise zur mechan.-technolog. *Werkstoffprüfung, bei der im allg. speziell angefertigte Probekörper zerstört werden, werden bei der zfP Verf. angewandt, die die physikal. Eigenschaften des Prüfgegenstandes erfassen, ohne ihn hierdurch zu verändern. Grundsätzlich lassen sich zwei Anwendungsgebiete der zfP unterscheiden: Die Untersuchung der Werkstoffe auf ihre Eigenschaften u. die der Bauteile auf deren Homogenität bzw. Integrität. Die Feststellung der Werkstoffeigenschaften ist z. B. nützlich bei der Prüfung auf *Werkstoffverwechslung.* Hier kommen die ambulant anzuwendenden Verf. der *Härteprüfung,* der *Legierungskontrolle* (z. B. *Tüpfelprobe* mit Reagenzien, die auf Vorhandensein charakterist. Legierungsbestandteile in Stahl hinweisen, *Spektroskopie, Röntgenfluoreszenzanalyse*), der Feststellung der elektr. u. magnet. Eigenschaften u. der Gefügeuntersuchung (ambulante *Metallographie mittels *Replica*-Technik) in Frage. Für die Untersuchung des Bauteilzustandes werden zahlreiche Verf. angewandt. Im folgenden werden die gebräuchlichsten genannt u. ihre Wirkungsweise beschrieben:

Sichtprüfung: Betrachtung mit bloßem Auge od. mit Hilfsmitteln (Lupe, Mikroskop, Innensehrohr, flexibles Glasfaser-Endoskop, Video-Kamera mit Monitor) läßt Oberflächenschädigungen durch Risse, abtragende Korrosion, Erosion, Verschleiß, Beläge usw. erkennen.

Eindringprüfung: Zum Nachw. von direkt von der Oberfläche ausgehenden Trennungen, Poren mit Hilfe einer Flüssigkeit mit hoher Kapillarität.

Magnetstreuflußprüfung: Bei magnetisierten Werkstücken aus ferromagnet. Werkstoffen tritt an Inhomogenitäten in od. dicht unter der Oberfläche ein magnet. Streufluß aus, der in der Lage ist, feine magnet. Partikel (z. B. Fe_2O_3-Pulver in einer Suspension) festzuhalten.

Durchstrahlungsprüfungen: Röntgen-, Gamma- u. andere hochenerget. Strahlen sind in der Lage, Materie zu durchdringen. Sie werden hierbei in Abhängigkeit von der Dicke der zu durchdringenden Materie u. deren Ordnungszahl geschwächt. Wird hinter einem durchstrahlten Objekt z. B. ein Fluoreszenzschirm od. ein photograph. Film angeordnet, so liefern diese ein getreues Projektionsbild des Gegenstandes, bei dem sich die Bereiche geringerer Absorption wie z. B. Hohlräume od. nichtmetall. Einschlüsse in Stahl von der homogenen metall. Matrix deutlich abzeichnen.

Ultraschallprüfung: Metall. u. nichtmetall. Werkstoffe sind oftmals gute Schalleiter. Wird ein mechan. Impuls (Schallimpuls) in die Oberfläche eingebracht (z. B. durch einen Schlag), so pflanzt sich dieser mit Schallgeschw. im Innern fort, wird an Grenzflächen (Werkstoffoberflächen ebenso wie Ungänzen im Innern) reflektiert, gebrochen od. gestreut. Aus der Laufzeit des Impulses läßt sich bei bekannter Schallgeschw. der zurückgelegte Weg errechnen u. daraus die Position eines Reflektors angeben (Wanddickenmessung, Bestimmung der Fehlertiefenlage). Als Schallerzeuger dienen bei der Ultraschallprüfung elektromechan. Wandler (piezoelektr. Schwinger), die bei der meistverwandten Impuls-Echo-Technik sowohl den Sendeimpuls erzeugen als auch das Echosignal empfangen. Für spezielle Prüfaufgaben stehen weitere Verf. zur Verfügung: *Dichtheitsprüfungen* (Lecksuche z. B. mittels Prüfgasen wie Helium, SF_6 od. Frigenen), *Thermographie* (Darst. von Wärmequellen), *Interferenz- *Holographie* (Darst. von Verformungen unter Belastung), *Wirbelstrom-Prüfung* (Feststellung von elektr. od. magnet. Inhomogenitäten), *Schallemissionsprüfung* (Nachw. von unter Belastung auftretenden Geräuschen), *Potentialsonden-Messungen* (Rißtiefenbestimmung durch Messung elektr. Strompfade), *Schichtdickenmessungen* nach dem Magnet-Haftkraft-Verf., dem Wirbelstrom-Verf. usw. – *E* nondestructive testing (GB), nondestructive evaluation (US) – *F* analyse de matériau non-destructive – *I* prova non distruttiva dei materiali – *S* ensayos no destructivos

Lit.: Deutsch, Ultraschallprüfung, Berlin: Springer 1997 ▪ Reling, Industrielle Endoskopie, Landsberg: Verl. Moderne Industrie 1988 ▪ Steeb, Praxislexikon Zerstörungsfreie Materialprüfung, Renningen: Expert 1997 ▪ Steeb (Hrsg.), Zerstörungsfreie Werkstück- u. Werkstoffprüfung, Ehningen: Expert 1988.

Zerstrahlung. Fachsprachliche Bez. für die Umwandlung von Masse in *Strahlungs-Energie, wie sie beim Zusammentreffen von *Elementarteilchen mit ihren *Antiteilchen beobachtet werden kann. Beispielsweise wird beim Aufeinandertreffen eines *Elektrons mit einem *Positron (*Paarvernichtung*, die Umkehrung der *Paarbildung, s. die Abb. bei Kernreaktionen) die sog. *Vernichtungsstrahlung* (*E* annihilation radiation) frei. Da hierbei sowohl der Energie- als auch der Impulserhaltungssatz gilt, werden zwei Photonen mit je 0,511 MeV ($\triangleq$ *Ruhemasse des Elektrons) in entgegengesetzter Richtung emittiert. Außer Strahlungsquanten können bei der Z. auch *Mesonen entstehen. – *E* = *F* annihilation – *I* annichilazione – *S* aniquilación

Lit.: Sharma, Positron Annihilation Studies of Fluids, Singapore: World Scient. Publ. 1988 ▪ Spektrum Wiss. **1980**, Nr. 2, 38–47 ▪ s. a. Elementarteilchen, Kernphysik, Positronen.

Zertifizierung s. Richtigkeit u. Standard.

Zeta s. ζ (vor Buchstabe z).

Zeta-Cypermethrin. *Insektizid, das nur die (S)-α-Cyano-Isomeren des Cypermethrin (s. dort) enthält. – *E* zeta-cypermethrin – *I* cipermetrina zeta – *S* zeta-cipermetrina

Zeta-Potential (ζ-Potential). Bez. für die *Galvanispannung im diffusen Teil der *elektrochemischen Doppelschicht an der Phasengrenze Metall/Elektrolyt-Lsg. od. allg. an der *Grenzfläche zweier nicht mischbarer Phasen. Das Z.-P. ist das nach außen wirksame Potential der Teilchen, das für deren *elektrokinetische Erscheinungen verantwortlich ist u. deshalb auch *elektrokinet. Potential* genannt wird. Das Z.-P. läßt sich durch mikroskop. Beobachtung der elektrophoret. Wanderung suspendierter Teilchen bestimmen. Für große Teilchen, bei denen die Dicke der diffusen Schicht klein ist gegenüber ihrem Durchmesser, gilt dann:

$$\zeta = \frac{\eta}{\varepsilon_r \, \varepsilon_0 \, |E|} \cdot v,$$

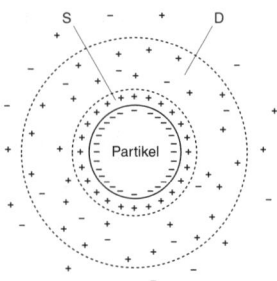

Abb.: Aufbau der elektrochem. Doppelschicht. Es bedeuten: S = *Stern-Schicht* fest adsorbierter Ionen mit dem sog. Oberflächen- od. Nernst-Potential (zur Partikel) u. dem sog. *Stern-Potential* (zu D), D = diffuse Schicht (Gouy-Chapman-Doppelschicht) mit dem Zeta-Potential (vgl. auch die Abb. bei Gegenionen).

wobei v die Wanderungsgeschw., η die Viskosität des Lsm., ε_0 die abs. u. ε_r die relative Dielektrizitätskonstante u. E die angelegte Feldstärke ist (Helmholtz-Smoluchowski-Gleichung). Das Z.-P. spielt eine Rolle bei Dispergiervorgängen in der Pigment-Ind., beim Waschprozeß, bei Solubilisation, Filtration u. Flotation u. bei der Stabilisierung von Suspensionen u. Emulsionen; in letzteren ist das Z.-P. vom HLB-Wert (s. HLB-System) abhängig. *Flockungsmittel wirken dadurch, daß sie das Z.-P. dispergierter Partikeln herabsetzen od. ganz aufheben. – *E* zeta potential, electrokinetic potential – *F* potentiel zeta (électrocinétique) – *I* potenziale zeta – *S* potencial zeta (electrocinético)

Lit.: Evans u. Wennerström, The Colloidal Domain. Where Physics, Chemistry, Biology, and Technology Meet, New York: VCH Verlagsges. 1994 ▪ Hiemenz u. Rajagopalan, Principles of Colloid and Surface Chemistry, 3. Aufl., New York: Dekker 1997 ▪ Kirk-Othmer (4.) **9**, 356–376; **19**, 1093–1113 ▪ Winnacker-Küchler (3.) **4**, 438–440 ▪ s. a. elektrochemische Doppelschicht, elektrokinetische Erscheinungen, Grenzflächen, Kolloidchemie.

Zetesol®. Anion. Waschrohstoffe auf der Basis von Fettalkoholethersulfaten zur Herst. von Haarshampoos, Badepräp. u. dgl. *B.:* Zschimmer & Schwarz.

Zettnow-Flüssigkeit. Veraltete Bez. für *Chromschwefelsäure.

Zeugdruck s. Textildruck.

Zeugmatographie. Von griech.: zeûgma = Verbindung, Zusammenfügung u. gráphein = schreiben abgeleitete Bez. für ein von Lauterbur entwickeltes Spezialverf. der *NMR-Spektroskopie, das zwei- od. dreidimensionale Abb. von Objekten liefern kann u. heute unter der Bez. *Kernspin-*Tomographie* od. *NMR-Imaging* in der Medizin Anw. findet. – *E* zeugmatography – *F* zeugmatographie – *I* zeugmatografia – *S* zeugmatografía

Lit.: Br. J. Radiol. **57**, 955–976 (1984) ▪ Nachr. Chem. Tech. Lab. **28**, 860–865 (1980) ▪ Prog. Inorg. Biochem. **2**, 1–19 (1986) ▪ Science **226**, 288–298 (1984) ▪ Townshend, Encyclopedia of Analytical Science, Bd. 6, S. 3367f., New York: Academic Press 1995 ▪ s. a. NMR-Spektroskopie u. NMR-Bildgebung.

Zeunerit. $Cu[UO_2/AsO_4]_2 \cdot 8–12\,H_2O$, u. *Meta-Z.*, $Cu[UO_2/AsO_4]_2 \cdot 8\,H_2O$. Dem *Torbernit sehr ähnliches, zu den *Uranglimmern gehörendes,

smaragdgrünes, radioaktives tetragonales Uran-Mineral. Tafelige bis bipyramidale, auf Spaltflächen perlmuttartig glänzende Krist., Schuppen od. krist. Krusten. H. 2–2,5, D. 3,79.
Vork.: Wittichen/Schwarzwald, Schneeberg/Sachsen; in *Rhyolith in Ellweiler/Rheinland-Pfalz u. Obersailauf/Spessart; Provinz Shaba/Zaire. – *E = I* zeunerite – *F* zeunérite – *S* zeunerita
Lit.: Hochleitner, GU Naturführer Mineralien u. Kristalle, S. 52 f., München: Gräfe & Unzer 1986 ▪ Ramdohr-Strunz, S. 655 ▪ s. a. Torbernit. – *[HS 2612 10; CAS 12255-21-9]*

ZfP. Abk. für *zerstörungsfreie Werkstoffprüfung.

Zhamanshinite s. Tektite.

ZIB. Abk. für *Konrad-Zuse-Zentrum-für *Informationstechnik *Berlin*.

Zibeben s. Rosinen.

Zibet (von arab.: zabad = Schaum). Z. ist ein durch Ausdrücken („curetage") des Analbeutels gewonnenes Sekret der Zibetkatze, zu der man die folgenden Arten zählt: *Civetticitis civetta* (Afrikan. Zibetkatze), *Viverra zibetha* (Asiat. Zibetkatze) u. *Viverricula indica* (Chines. Zibetkatze). Zur Gewinnung von Z. werden die Tiere in Gefangenschaft gehalten. Hauptproduzent ist Äthiopien mit ca. 2 t/a. Frisch entnommenes Z. ist eine helle bis gelbe, salbenartige Masse, die an der Luft zunehmend dunkler u. härter wird.
Für die Verw. in Parfümölen bereitet man eine alkohol. Lsg. (Z.-Tinktur) od. extrahiert das rohe Z. mit einem geeigneten Lsm. wie Ethanol od. Aceton. Das Produkt (Z.-Absolue) ist eine viskose, graue bis graubraune Masse mit einem starken animal., moschusartigen, leicht fäkal. Geruch.
Zusammensetzung[1]: Z.-Absolue besteht zu mehr als der Hälfte aus Fettsäuren. Wesentlicher geruchsgebender Bestandteil ist das makrocycl. Keton *Zibeton*, das zu ca. 3–5% enthalten ist.
Verw.: Als Parfümingredienz, wird wegen seines hohen Preises aber nur in kleinen Mengen in teuren Parfüms verwendet. – *E* civet – *F* civette – *I* zibetto – *S* civeto
Lit.: [1] Ohloff, S. 199.
allg.: Dev. Food Sci. **18**, 587 (1988) ▪ Parfum. Cosmet. Arom. **63**, 65 (1985); **90**, 79 (1990) ▪ Ullmann (5.) **A 11**, 216; **A 19**, 172. – *Toxikologie:* Food Cosmet. Toxicol. **12**, 863 (1974). – *[HS 051000; CAS 68991-27-5]*

Zibeton [(Z)-9-Cycloheptadecen-1-on, Civeton].

(Z)-Form

$C_{17}H_{30}O$, M_R 250,41, farblose, flüchtige, widerwärtig (süß-animal. nach Moschus) duftende Krist., Schmp. 32,5 °C, Sdp. 103 °C (6,7 Pa), D. 0,917, in Wasser kaum, in Alkohol löslich. Z. ist der Hauptgeruchsträger von *Zibet, in sehr großer Verdünnung ähnelt sein Duft dem von *Moschus. Z. ist auch synthet., z. B. aus Aleuritinsäure (s. Schellack) zugänglich. Das (E)-Isomer schmilzt bei 37–38 °C. Z. wurde 1915 erstmals von Sack aus Zibet isoliert, Strukturaufklärung u. Synth. gelangen Ruzicka 1926[1]. Z. wird in der Parfüm-Ind. als Fixateur verwendet. – *E = I* civetone – *F* civet(t)one – *S* civetona
Lit.: [1] Helv. Chim. Acta **9**, 230 (1926); **10**, 695 (1927).
allg.: Beilstein E III **7**, 524 ▪ Experientia **37**, 917–922 (1981) ▪ Merck Index (12.), Nr. 2396 ▪ Theimer (Hrsg.), Fragrance Chemistry, S. 433–494, San Diego: Academic Press 1982 ▪ Ullmann (5.) **A 11**, 178; **A 18**, 234. – *Synth.:* J. Am. Oil Chem. Soc. **71**, 911ff. (1994) ▪ Tetrahedron Lett. **1977**, 3285. – *[CAS 542-46-1 (Z-Form); 1502-37-0 (E-Form)]*

Zichorien (Gemeine Wegwarte, *Cichorium intybus*). Zur Familie der Korbblütler (Asteraceae) gehörende, in Sibirien, Vorderasien u. Nordafrika beheimatete, in Mitteleuropa auf trockenen Böden u. an Wegrändern (dtsch. Name) anzutreffende Pflanzen mit hellblauen Blüten. 2 Varianten der Z. werden kultiviert, z.B. die sog. *Salat-Z.* od. *Chicorée* (*C. intybus* var. *foliosum* Hegi), deren gebleichte u. getriebene Blattknospen als aromat. bitter schmeckender Wintersalat verzehrt werden. Je 100 g eßbare Substanz haben einen Nährwert von 67 kJ (16 kcal) u. enthalten ca. 94,4 g Wasser, 1,3 g Proteine, 0,2 g Fette, 2,4 g Kohlenhydrate (davon 1,3 g Faserstoffe), ferner die Vitamine B_1, B_2, C u. Nicotinsäure sowie Spurenelemente. Die graubraune Wurzel (Radix Cichorii) der *Wurzel-* od. *Kaffee-Z.* (*C. intybus* var. *sativum* Lam. et DC.) enthält *Inulin, Cholin, ether. Öl, Harze, Bitterstoffe (*Lactucopicrin*, Intybin, ein Sesquiterpen-Derivat, $C_{23}H_{22}O_7$, M_R 410,42, s. Abb.), Gerbstoffe etc., nach dem Rösten auch Harman-Alkaloide.

Lactucopicrin

In gemahlenem Zustand dient die geröstete Z.-Wurzel als *Kaffee-Ersatz bzw. -Zusatz; umgangssprachlich wird das Röstgut ebenfalls als Z. od. *Zichorienkaffee* bezeichnet („Blümchen-Kaffee"; es gibt allerdings auch andere Deutungen der Bez.). Medizin. ist Z. bereits seit alters her als Blutreinigungsmittel u. Stomachikum im Gebrauch. Weitere kultivierte Abarten der Wegwarte sind die *Endivie* (*Cichorium endivia*), die sowohl als Salat wie auch als Gemüse (Eskariol-Endivie) geschätzt ist, u. der rotblättrige *Radicchio*. Mit den Z. entfernt verwandt sind der *Lattich u. die als Gemüse geschätzte *Schwarzwurzel* (*Scorzonera hispanica*). – *E* chicories – *F* chicorées – *I* cicorie – *S* achicorias
Lit.: Franke, Nutzpflanzenkunde, 6. Aufl., S. 111f., 221f., Stuttgart: Thieme 1997. – *[HS 060120, 1212 99]*

...zid [...cid; von latein.: ...cida = ...mörder, ...töter; ...cidium = ...mord; caedere = (er)schlagen, töten]. Endung von Bez. für a) Wirkstoffe, die spezif. Organismen abtöten (*Beisp.:* *Avizide, *Bakterizide, *Fungizide, *Herbizide, *Insektizide, *Mikrobizide, *Pestizide, *Phytonzide, *Rodentizide u. *Viruzide; vgl. ...statikum); – b) Tötungen [*Beisp.:* Genozid (Völkermord), Suizid]. – *E* ...cide (a, b) – *F* ...cide – *I = S* ...cida

Zidovudin (Rp).

Internat. Freiname für das *Virostatikum 3'-Azido-3'-desoxythymidin (AZT), $C_{10}H_{13}N_5O_4$, M_R 267,24, Nadeln, Schmp. 106–112°C, auch 120–122°C (getrocknete Substanz), $[\alpha]_D^{25}$ +99° (c 0,5/H_2O), λ_{max} (H_2O) 234,5, 266,5 nm ($A_{1cm}^{1\%}$ 98, 436), LD_{50} (Maus oral) 3062, (Maus i.v.) >750 mg/kg. Z. ist ein Pyrimidin-Nucleosid-Analogon, das als Inhibitor der *reversen Transcriptase wirkt u. zur Behandlung von *AIDS eingesetzt werden kann. Z. wurde 1986 u. 1988 von Burroughs Wellcome (Retrovir®, Glaxo Wellcome) patentiert. – $E = F$ zidovudine – $I = S$ zidovudina
Lit.: ASP ▪ Florey **20**, 729–765 ▪ Hager (5.) **9**, 1229 ff. ▪ Martindale (31.), S. 664–667 ▪ Ph. Eur. **1997** u. Komm. – [CAS 30516-87-1]

Ziegel. Bez. für keram. Massenprodukte, die als *Baustoffe Verw. finden. Innerhalb der *keramischen Werkstoffe sind Z. in die Gruppe der groben porösen tonkeram. Werkstoffe eingeordnet. Sie werden hergestellt durch Brennen von geformtem Lehm, Ton u. tonigen Massen mit Zuschlägen von Sand, Ziegelmehl, Hochofenschlacke od. Asche (*Magerungsmittel) bei Temp. von 900–1200°C. Hierbei verliert der Ton das Hydratwasser, was von teilw. *Sintern u. Porenbildung begleitet ist. Ein wichtiges Merkmal von Z. ist ihre *Porosität, die die *Wärmeisolierung verbessert u. einen Luftaustausch ermöglicht – Z. „atmen". Die Gesamtporosität von Z. beträgt 10–40%, wobei 60–90% der *Poren durchströmbar sind. Bei der Herst. von Z. wurden die *Tone früher zum Aufschließen auf Halden einer längeren Klimaeinwirkung ausgesetzt (Sumpfen), was die Herst. sehr zeitaufwendig machte. Heute wird das trockene od. grubenfeuchte Material nach Zerkleinern in Kollergängen, Hammermühlen od. Tonrasplern auf Naßkollergängen mit Wasser u. den Magerungsmitteln verknetet. Die Weiterverarbeitung umfaßt Formgebung (durch Strangpressen, in Exzenter- u. Revolverpressen u. dgl.), Schneiden, Trocknen (auf Darren im Freien od. in warmluftbeheizten Kammer- od. Kanaltrocknern) u. Brennen in Ring-, Kammer-, Hallen- od. Tunnelöfen mit direkter od. indirekter Beheizung durch Kohle, Öl od. Gas. Über eine Verw. von Klärschlamm zur Z.-Herst. berichtet *Lit.*[1]. Die Farbe der Z. hängt von der Zusammensetzung der Rohstoffe, insbes. von dem Eisen- u. Kalkgehalt u. der Verarbeitung ab: Beim normalen oxidierenden Brennen ergibt hoher Al_2O_3-Gehalt braune, hoher Kalk-Gehalt gelbe u. hoher Fe_2O_3-Gehalt rote Farbtöne. Bei hohen Brenntemp. od. unter reduzierenden Bedingungen geht hingegen Fe_2O_3 in FeO über, was den Z. eine blaugraue bis blauschwarze Farbtönung verleiht. Durch lösl. Salze, insbes. Sulfate, können Ausblühungen hervorgerufen werden, die durch Zugabe von $BaCO_3$ zur Masse vermieden werden können. Eine zur Wärme- u. Schalldämmung erwünschte zusätzliche Porosität erzielt man durch Zumischen von brennbaren Stoffen wie Sägemehl, Sägespänen od. Polystyrolkügelchen zur Brennmasse vor dem Brand (*Leichtziegel*, *Leichtbausteine*). Einen Witterungsschutz erreicht man durch nachträgliche Anw. von *Bautenschutzmitteln.
Bei den Z. unterscheidet man im wesentlichen Dach- u. Mauerziegel. *Dachziegel*, gewöhnlich auf Exzenter- od. Revolverpressen geformt, waren nach DIN 456: 1976-08 genormt; diese Norm wird ersetzt durch DIN-EN 1304: 1998-10. Sie sollen gut gebrannt, rißfrei, wasserundurchlässig, wetterbeständig u. frei von Ausblühungen sein. Man unterscheidet folgende Haupttypen: *Flachziegel* (Plattenziegel, Biberschwänze, flache Platten), *Hohlziegel* (Dachziegel mit stark gekrümmten Flächen, z. B. Firstziegel), *Falzziegel* (flache Ziegel, die mit ineinandergreifenden Falzen versehen sind). Sie dienen zur schuppenartigen Eindeckung von Steildächern.
Zum Bau von Mauerwerk geeignete *Mauerziegel* (*Backsteine*, *Ziegelsteine*) werden nach DIN 105 unterschieden in Vollziegel u. Hochlochziegel (-1: 1989-08), Leichthochlochziegel (-2: 1989-08), hochfeste Ziegel u. Klinker (-3: 1984-05), Keramikklinker (-4: 1984-05) sowie Leichtlanglochziegel u. Leichtlangloch-Ziegelplatten (-5: 1984-05). Unter *Mauersteinen* versteht man dagegen Wandbausteine, die nicht gebrannt, sondern durch einen bei Zimmertemp. stattfindenden Abbinde- u. Erhärtungsvorgang gewonnen wurden, wobei man z. B. Steintrümmer, Kies, Schlacke, Bimssteinmehl u. dgl. durch Bindemittel wie Zement, Hochofenzement (für *Hüttenziegel*), gelöschten Kalk od. Gips vereinigt.
Bei der Herst. von Dach- u. Mauerziegeln fällt Abfall in Form von *Splitt od. sog. *Ziegelschotter* an; letzterer besteht aus Z.-Bruchstücken, die durch Sieben von den staubförmigen Bestandteilen getrennt u. zum Bestreuen von Gehwegen, als wärmedämmender Zusatz bei der Herst. von zementgebundenen Mauersteinen usw. verwendet werden. Der – evtl. nach weiterem Zerkleinern – abgesiebte Staub bildet je nach Ziegelsorte gelb, braun, rot od. blauschwarz gefärbtes *Ziegelmehl*, das z. B. in der Keramik als Magerungsmittel für fette Tone, als farbgebender u. wärmedämmender Zusatz in der Kunststoff-Ind., zum Belag von Tennisplätzen usw. Verw. findet.
Geschichte: Die Z.-Herst. ist seit Jahrtausenden bekannt – in Ägypten fand man 15 000 Jahre alte Gebäude aus luftgetrockneten Z., u. gebrannte Z. wurden in Mesopotamien bereits vor 5000 Jahren hergestellt. Nach Pindar (500 v. Chr.) sollen Dachziegel (latein.: tegula, Name!) ursprünglich in Korinth erfunden worden sein. – *E* bricks, clay bricks, tiles, roofing tiles – *F* tuiles, briques – *I* tegole – *S* ladrillos, tejas
Lit.: [1] BMBF Forschungsinfo **1996**, Nr. 8.
all.: Härig et al., Technologie der Baustoffe, 13. Aufl., Karlsruhe: Müller 1996 ▪ Ullmann (4.) **24**, 579–589; (5.) A **7**, 425–439 ▪ Wendehorst, Baustoffkunde, 24. Aufl., S. 190–217, Hannover: Vincentz 1994 ▪ Winnacker-Küchler (4.) **3**, 200–202. – *Organisationen:* Bundesverband der Deutschen Ziegelindustrie e. V., Schaumburg-Lippe-Str. 4, 53113 Bonn. – [HS 6904 10, 6904 90, 6905 10, 6905 90]

Ziegelerz s. Cuprit.

Ziegelmehl. 1. s. Ziegel. – 2. Medizin. versteht man unter Z.-*Sediment* einen feinen rötlich-gelben Niederschlag von Harnsäuresalzen in saurem Harn, der sich bei Erwärmung u. Zusatz von Lauge wieder löst. – *E* latericeous sediment – *I* 1. farina di mattoni, 2. sedimento laterizio – *S* 1. polvo de ladrillo, 2. sedimento laterico

Ziegelschotter s. Ziegel.

Ziegenhaare. Aus den Haaren verschiedener Ziegenarten gewinnt man *Textilfasern, die nach DIN 60001-1: 1990-10 eingeteilt werden in (in Klammern die Kurzz. nach DIN 60001-4: 1991-08): *Mohair (WM), Kaschmir-Wolle (WS) u. die *Wolle der Hausziege (HZ). – *E* goat hairs – *F* poil de chèvre – *I* peli di capra – *S* pelo de cabra – *[HS 5102 10]*

Ziegenleder. Auch *Chevreau* genanntes weiches Leder von verschiedenen Ziegenrassen für Schuhobermaterial, Taschen, Brieftaschen, Handschuhe (z.B. *Saffian). – *E* goat skin leather, chevreau leather – *F* peaux de chèvres tannées – *I* pelle di capra – *S* cuero cabrito, cabritilla
Lit.: Herfeld (Hrsg.), Bibliothek des Leders, Bd. 3, S. 294 f., Frankfurt: Umschau Verl. 1985 ▪ Ullmann (4.) **16**, 115; (5.) A **15**, 280. – *[HS 4106..]*

Ziegensteine (Gamskugeln, Bezoar-Steine, von pers.: bâdzahr = Gegengift). Im Verdauungstrakt der Bezoarziege (*Capra aegagrus*) u.a. Ziegen, Antilopen, Gemsen u. Lamas entstehende, 2–3 cm große, kugelförmige Verkrustungen, die Calciumcarbonat u. -phosphat (Brushit), Haare u. Pflanzenfasern enthalten. Die an mittelalterlichen Höfen zum Schutz vor *Arsen-Vergiftungen innerlich verwendeten Z. entfalteten ihre Schutzwirkung vermutlich dadurch, daß das Gift an den Protein-Schwefel der anverdauten Haare gebunden bzw. gegen Phosphat ausgetauscht wurde.
Beim Menschen können sich Bezoare als Fremdkörper im Magen bilden, wenn unverdauliches Material in großen Mengen aufgenommen wird. So kann sich z.B. bei Kindern, die ihr eigenes Haar verschlingen (Trichophagie), im Magen ein lebensbedrohlicher sog. Haarball od. *Trichobezoar* mit Ausläufern in den Darm bilden. – *E* = *S* bezoar – *F* bézoard – *I* bezoario
Lit.: Naturwiss. Rundsch. **33**, 114 (1980).

Ziegler, Erich (1912–1993), Prof. für Organ. u. Pharmazeut. Chemie, Univ. Graz. *Arbeitsgebiete:* Härtung von Phenol-Formaldehyd-Harzen, Phenolalkohole, Novolak-Bildung, Synth. von Isatin-Derivaten u.a. Heterocyclen, Alkaloide, Indigo, Ketene, Kohlensuboxid, Ninhydrin-Reaktion, Synth. von Yliden aus *N*- u. *S*-Betainen.
Lit.: Kürschner (16.), S. 4210 ▪ Nachr. Chem. Tech. Lab. **41**, Nr. 6, 754 (1993).

Ziegler, Hubert (geb. 1924), Prof. für Botanik u. Mikrobiologie, TU München. *Arbeitsgebiete:* Biochem. Anpassungen von Pflanzen an extreme Umweltbedingungen, stabile Isotopen im pflanzlichen Stoffwechsel, Lichtaktivierung von Photosynth.-Enzymen, Stofftransport u. -abscheidung bei Pflanzen.
Lit.: Kürschner (16.), S. 4210; (17.), S. 1590 ▪ Wer ist wer, S. 1602.

Ziegler, Karl (1898–1973), Prof. für Chemie, Univ. Heidelberg, Halle, Aachen, MPI für Kohlenforschung, Mülheim/Ruhr. *Arbeitsgebiete:* Freie organ. Radikale, Bromierung mit Bromsuccinimid, Cantharidin, Katalyse, Synth. von Makrocyclen, Metall-, insbes. Aluminium-organ. Verb., Tetraethylblei, Fettalkohole u. Polyolefine, insbes. Polyethylen durch Niederdruckverf.; Chemie-Nobelpreis 1963 zusammen mit G. *Natta; s.a. nachfolgende Stichwörter.
Lit.: Chem. Labor Betr. **34**, 356 f. (1983) ▪ Chem. Unserer Zeit **2**, 194–200 (1968) ▪ Justus Liebigs Ann. Chem. **1975**, 804–833 ▪ Lexikon der Naturwissenschaftler, S. 434 ▪ Neufeldt, S. 128, 170, 213, 239 ▪ Pötsch, S. 466 f.

Ziegler-Alkohole. Bez. für prim., geradzahlige, lineare Alkohole mit vorwiegend 10 bis 22 Kohlenstoff-Atomen (Alfole), die nach dem Zieglerschen Alfol-Verf. durch Oligomerisierung von Ethylen u. anschließende Oxid. hergestellt werden u. ein petrochem. Pendant zu den oleochem. *Fettalkoholen darstellen. – *E* Ziegler alcohols – *F* alcools de Ziegler – *I* alcooli di Ziegler – *S* alcoholes de Ziegler

Ziegler-Katalysatoren s. Ziegler-Natta-Katalysatoren.

Ziegler-Natta-Katalysatoren. Sammelbez. für Katalysatorsyst. aus Metall-, insbes. *Aluminium-organischen Verbindungen (z.B. Trialkylaluminium) u. Verb. der *Übergangsmetalle, die die stereospezif. Polymerisation u./od. Oligomerisation von Olefinen bei Normaldruck katalysieren; *Beisp.:* Großtechn. Herst. von Niederdruck-Polyethylen, Polypropylen u.a. *Polyolefinen u. *Elastomeren, von langkettigen 1-Alkanonen etc. Die eingesetzten Mischkatalysatoren (*Ziegler-Katalysatoren*) aus Triethylaluminium u. Verb. des Titans (z.B. $TiCl_3$ od. $TiCl_4$), des Zirconiums u.a. Übergangsmetalle, die heute zusätzlich entweder Magnesium-Verb. od. Chrom-Verb. enthalten, sind meist auf einem Träger fixierte, heterogene Katalysatoren. Homogene Z.-N.-K. aus $VOCl_3$ u. $Al(C_2H_5)_3 \cdot AlCl_3$ werden für die techn. Herst. von EPDM u. EPM eingesetzt. Daneben gewinnen lösl. Katalysator-Syst. auf Metallocen-Basis zunehmend an Bedeutung. Zum Mechanismus der durch Z.-N.-K. ausgelösten *Polymerisationen s. Koordinationspolymerisation.
Mit Z.-N.-K., die Nickel- statt Titan-Verb. enthalten, wird weiterhin Butadien cyclotrimerisiert, was bes. von *Wilke untersucht worden ist (s. Nickel-organische Verbindungen u. π-Allyl-Übergangsmetall-Verbindungen). Einige Z.-N.-K. haben sich auch bei der *Stickstoff-Fixierung als wirksam erwiesen, andere, wie die verwandten *Tebbe-Grubbs-Reagenzien (s.a. Titan-organische Verbindungen), bei organ. Synth. über *Ylide. – *E* Ziegler-Natta catalysts – *F* catalyseurs de Ziegler et Natta – *I* catalizzatori di Ziegler-Natta – *S* catalizadores de Ziegler-Natta
Lit.: Adv. Polym. Sci. **51**, 61–154 (1983); **81**, 1–120 (1986) ▪ Kaminsky u. Sinn, Transition Metals and Organometallics as Catalysts for Olefin Polymerization, Berlin: Springer 1988 ▪ Ullmann (4.) **19**, 199 ff. ▪ s.a. Aluminium- u. Titan-organische Verbindungen, Katalyse.

Ziegler-Natta-Polymerisation (Ziegler-Polymerisation). Bez. für techn. sehr bedeutende Polymerisationsreaktionen, die unter Verw. von *Ziegler-Natta-Katalysatoren initiiert werden. Z.-N.-P., z.B. die von Olefinen, verlaufen bei milden Temp. mit hoher Stereoselektivität zu *Polymeren mit hohen *Molmassen. Beisp. hierfür sind die Polymerisation von Propylen zu isotakt. *Polypropylen od. die von Isopren bzw. Buta-

dien zu Polymeren mit hoher *Taktizität. Die Z.-N.-P. verläuft nach Mechanismen der *Koordinationspolymerisation. – *E* Ziegler-Natta polymerization – *F* polymérisation de Ziegler et Natta – *I* polimerizzazione di Ziegler e Natta – *S* polimerización de Ziegler-Natta
Lit.: s. Koordinationspolymerisation, Ziegler-Natta-Katalysatoren.

Ziegler-Polymerisation s. Ziegler-Natta-Polymerisation.

Ziegler-Reaktionen. Eine Reihe präparativ wichtiger Meth. sind mit dem Namen K. *Zieglers verbunden, der diese Reaktionen entdeckt od. wiederentdeckt u. weiterentwickelt hat.
1. Die *Niederdruck-Polymerisation* von Ethylen mit Hilfe von *Ziegler-Natta-Katalysatoren.
2. Die *1-Alkanol-Synth.*, bei der zunächst aus Aluminiumhydrid u. endständigen Alkenen Trialkylaluminium-Verb. hergestellt werden, die zu Aluminiumalkoholaten oxidiert werden; deren Hydrolyse liefert prim. Alkohole:

$$AlH_3 + 3R-CH=CH_2 \longrightarrow (R-CH_2-CH_2)_3Al \xrightarrow{+O_2}$$
$$(R-CH_2-CH_2-O)_3Al \xrightarrow{H_2O} R-CH_2-CH_2-OH$$
$$R = C_{10}-C_{14}$$

Die AlH$_3$-Addition erfolgt im Hinblick auf die Alkohol-Synth. als Anti-Markownikoff-Addition; vgl. Hydroborierung.
3. Bei der oft als *Wohl-Ziegler-Reaktion* (Wohl 1919, Ziegler 1942) bezeichneten Bromierung setzt man Olefine od. Verb. mit aktivierten Methylen-Gruppen bei höherer Temp. mit *N*-*Bromsuccinimid um, wobei radikal. Substitution in der Allyl-Stellung bzw. in α-Stellung zur aktivierenden Gruppe (Carbonyl-Gruppe, Phenyl-Rest etc.) eintritt:

$$R^1-CH_2-CH=CH-R^2 + \underset{(NBS)}{\text{N-Br}} \longrightarrow R^1-CH-CH=CH-R^2$$
$$+ R^1-CH=CH-CH-R^2$$
$$| Br$$

4. Unter *Thorpe-Ziegler-Reaktion* versteht man die Übertragung der *Thorpe-Reaktion durch Ziegler (1933) auf langkettige α,ω-Dinitrile, die in Ggw. von Alkali-dialkylamiden cyclisieren, wenn sie in genügend hoher Verdünnung (s. Ziegler-Verdünnungsprinzip) vorliegen (s. Thorpe-Reaktion).
5. Das *Ruggli-Zieglersche Verdünnungsprinzip* (s. Ziegler-Verdünnungsprinzip) kann bei der Synth. von Makrocyclen nützlich sein. – *E* Ziegler reactions – *F* réactions de Ziegler – *I* reazioni di Ziegler – *S* reacciones de Ziegler
Lit. (zu 1.): s. Ziegler-Natta-Katalysatoren. – (zu 2.): Houben-Weyl **6/1a**, 554; **13/4**, 207 ▪ Krauch u. Kunz, Reaktionen der organischen Chemie, 6. Aufl., S. 97, Heidelberg: Hüthig 1997. – (zu 3.): Hassner-Stumer, S. 423 ▪ Houben-Weyl **4/5a**, 155; **5/4**, 221; **8**, 657; **E 8d**, 80 ▪ Krauch u. Kunz, Reaktionen der Organischen Chemie, 6. Aufl., S. 93, Heidelberg: Hüthig 1997 ▪ Laue-Plagens, S. 325 ▪ March (4.), S. 694 ▪ s. a. *N*-Bromsuccinimid u. Bromierung. – (zu 4.): s. Thorpe-Reaktion. – (zu 5.): s. Ziegler-Verdünnungsprinzip.

Ziegler-Verdünnungsprinzip. Von P. Ruggli bereits 1912 erkanntes u. von K. *Ziegler 1933 systemat. weiterentwickeltes Prinzip, demzufolge in α- u. ω-Stellung geeignet substituierte Verb. dann *intra*molekular reagieren (cyclisieren), wenn sie in stark verd. Syst. vorliegen, die Chance zur *inter*molekularen Reaktion also sehr klein ist. Die Verdünnung erreicht man zweckmäßigerweise nicht durch Vol.-Vergrößerung der Reaktionssyst., sondern durch äußerst langsame Zuführung der zu cyclisierenden Komponente in speziell konstruierten Apparaturen, z. B. bei der *Thorpe-Ziegler-Reaktion* (s. Thorpe-Reaktion, Ziegler-Reaktionen). Das Z.-V., das zur Synth. von *Cyclophanen u. a. *makrocyclischen Verbindungen dienen kann, war früher, bevor alternative *Ringreaktionen, wie in neuerer Zeit die Ringschluß-Olefin-*Metathese entwickelt worden waren, oft das einzige Verf. zur Herst. größerer *Ringsysteme. – *E* Ziegler dilution principle – *F* principe de dilution de Ziegler – *I* principio della diluzione di Ziegler – *S* principio de dilución de Ziegler
Lit.: Chem. Ztg. **96**, 396 – 403 (1972) ▪ Hassner-Stumer, S. 434 ▪ Houben-Weyl **4/2**, 738 – 740, 755 – 764 ▪ Krauch u. Kunz, Reaktionen der Organischen Chemie, 6. Aufl., S. 648, Heidelberg: Hüthig 1997 ▪ Top. Curr. Chem. **113**, 1 – 86 (1983) ▪ s. a. makrocyclische Verbindungen.

Ziehfett. Bez. für auch *Ziehseifen* genannte Schmiermittel beim Ziehen von *Draht. Nichtreaktives Z.: 83 – 85% Natrium- od. Kalium-Salze von Talg-, Soja- u./od. Kokosfettsäuren. Reaktive Z. (Natrium- od. Kalium-Salze der Stearinsäure) bilden bei der Reaktion mit Zinkphosphat-Schichten in heißer wäss. Lsg. festhaftende Zinkstearat-Schichten. – *E* wire drawing grease – *F* graisse d'étirage – *I* grassi di trazione – *S* grasa para estirado
Lit.: Ullmann (4.) **20**, 623 f.; (5.) **A 15**, 482 ff.

Ziehformen s. Ziehverfahren.

Ziehl-Neelsen-Karbolfuchsin-Lösung s. Karbol-Fuchsin-Lösung.

Ziehschleifverfahren s. Honen.

Ziehseifen s. Ziehfett.

Ziehverfahren. Sammelbez. für Verf. zur Verarbeitung von *Kunststoffen. Beim *Ziehen* (Warmformen) wird eine vorgewärmte Kunststoffplatte od. -folie zwischen die beiden Teile des Werkzeugs, das Positiv u. das Negativ, eingeführt u. diese dann zusammengedrückt, wodurch das Kunststoffteil seine Form erhält. Ähnlich verläuft die sog. *Kaltverformung*; hier wird die zu verformende Platte bzw. Folie allerdings nicht vorgewärmt. Das *Streckformen* od. *Strecken* (s. a. Recken) ist eine Art Ziehen unter weitgehender Verstreckung der Folien. Ein Ziehen mit federnden Niederhaltern wird *Ziehformen* genannt. Ist kein Negativ-Werkzeug vorhanden, so spricht man von *Tiefziehen*. Die Verformung durch ein Vak. wird *Vakuumformen* genannt. – *E* drawing process – *I* procedimento di trazione – *S* proceso de estirado

Ziehvermögen. Z. ist ein Ausdruck für den Grad der *Substantivität eines Farbstoffes od. Hilfsmittels, d. h. seiner Fähigkeit aus einem flüssigen Medium auf ein textiles Substrat aufzuziehen. Das Maß für die Kraft, mit welcher der Farbstoff bzw. das Hilfsmittel von dem Substrat festgehalten wird, bezeichnet man dagegen mit *Affinität. – *E* absorptive capacity of dyestuffs –

F pouvoir d'absorption des colorants – *I* capacità di trazione, capacità adsorbente dei coloranti – *S* poder absorbente de los colorantes

Ziest. In Europa heim. ausdauernde od. einjährige Stauden der Gattung *Stachys* (Labiatae). Der Heilziest [Betonie, Zehrkraut, *Stachys officinalis* (L.) Trev.] mit karminroten, selten weißen Blüten wird als Adstringens u. in der Homöopathie verwendet. Sein Kraut enthält u. a. Gerbstoffe u. *Pyrrolidin-Alkaloide, die als Betaine vorliegen, nämlich von 1,1-Dimethyl-L-prolin (*Stachydrin*), (−)-(2*S*)-*trans*- bzw. (+)-(2*R*)-*cis*-1,1-Dimethyl-4-hydroxyprolin (*Betonicin* bzw. *Turicin*). Gegen Katarrh, Epilepsie, Fieber u. a. Beschwerden sollen auch der *Aufrechte Z.* (*S. recta* L.) u. der Einjährige Z. (*S. annua* L.) wirksam sein. In *S. recta* wurden neben den erwähnten Alkaloiden noch *Trigonellin u. *Allantoin, ether. Öle u. *Stachyose (in der Wurzel) gefunden. Bes. reich an Stachyose ist der als Gemüse verwendbare Japan- od. Knollenziest (*S. affinis* Bunge)[1]. – *E* betony, woundwort – *F* bétoine, crapaudine, épiaire – *I* stachide – *S* betonica

Lit.: [1] Franke, Nutzpflanzenkunde, S. 203 f., Stuttgart: Thieme 1997.

allg.: Hager (4.) **6 b**, 506–511 ▪ Miltitzer Ber. **1982**, 27–29 ▪ Schönfelder u. Schönfelder, Der Kosmos-Heilpflanzenführer, S. 174f., Stuttgart: Francksh 1988. – *[HS 1211 90]*

Zigaretten. Nach § 2, Absatz 2 des Tabaksteuergesetzes[1] sind Z. als solche zum Rauchen geeignete umhüllte Tabakstränge definiert, die keine *Zigarren od. Zigarillos nach Absatz 1 sind. Als Umhüllungen werden nach § 2, Absatz 6 u. 9, Z.-Hüllen (Blättchen u. Hülsen aus Z.-Papier zum Herst. von Z. durch den Verbraucher) u. Z.-Papier (zur Herst. von Z. od. Z.-Hüllen bestimmtes Papier) definiert. Z. dürfen nach § 6 des Tabaksteuergesetzes nur in geschlossenen verkaufsfertigen Kleinverpackungen in Verkehr gebracht werden. Als *Zusatzstoffe zur Herst. von Z. sind nur die in Anlage 1 der Tabak-VO[2] genannten Stoffe (z.B. Feuchthaltemittel, Klebe- u. Haftstoffe, *Verdickungsmittel) zu verwenden, während die Anw. der in Anlage 2 genannten Geruchs- u. Geschmacksstoffe verboten ist.

Um auf die toxikolog. Relevanz des Z.-Rauchens (carcinogene Wirkung, erhöhtes Infarktrisiko u. a., s. Tabakrauch) hinzuweisen, ist nach § 3 Absatz 1 der Tabak-VO[2] der Warnhinweis: „Der Bundesgesundheitsminister: Rauchen gefährdet Ihre Gesundheit" für Tabakerzeugnisse zwingend vorgeschrieben. Ferner muß die Formulierung „Der Rauch einer Z. dieser Marke enthält nach ISO ∅ . . . mg *Nicotin u. ∅ . . . mg Kondensat (Teer)" auf jeder Z.-Packung zu finden sein (Alternativformulierungen sind möglich, s. Tabak-VO[2]). Unter „Nicotin" ist der Alkaloid-Gehalt des trockenen Rauchkondensates u. unter „Kondensat (Teer)" das Nicotin-freie trockene Rauchkondensat zu verstehen. Im Rahmen der EG-Richtlinie über den höchstzulässigen Teer-Gehalt von Z.[3] u. im Rahmen der Umsetzung dieser Richtlinie in nat. Recht durch die VO über die Kennzeichnung von Tabakerzeugnissen[4] traten ab 1. 1. 1993 bzw. 1. 1. 1998 Höchstwerte von 15 bzw. 12 mg Teer pro Z. in Kraft (diese Werte werden von einigen dtsch. u. vielen französ. Z.-Marken überschritten). Daneben schreibt diese VO einen bes. Warnhinweis vor, der alternativ aus einer der folgenden Formulierungen abwechselnd zu wählen ist:
– „Rauchen verursacht Krebs"
– „Rauchen verursacht Herz- u. Gefäßerkrankungen"
– „Rauchen gefährdet die Gesundheit ihres Kindes bereits in der Schwangerschaft"
– „Wer das Rauchen aufgibt, verringert das Risiko schwerer Erkrankungen".

Für die Ermittlung der Teer- u. Kondensat-Gehalte, sowie zur Überprüfung dieser Angaben sind nur bestimmte analyt. Verf. zugelassen (*ISO-Normen 3406 bzw. 4387 u. 8243). Zur Etikettierung u. Kennzeichnung von Tabakerzeugnissen s. die Richtlinie (89/662/EWG) über die Etikettierung von Tabakerzeugnissen[5] sowie die VO über die Kennzeichnung von Tabakerzeugnissen[4]. Daneben plant die EG-Kommission ein nahezu generelles Werbeverbot für Tabakerzeugnisse (Ausnahme: Werbung in Tabakgeschäften). Die Angaben zu „Nicotin" u. „Kondensat (Teer)" (s. a. die Abb.) korrelieren nicht zwangsläufig mit der Menge an toxikolog. relevanten Inhaltsstoffen der Z. u. des Z.-Rauches (z.B. tabakspezif. *Nitrosamine, TSNA), so daß der präventivmedizin. Sinn dieser Angaben umstritten ist[6–8].

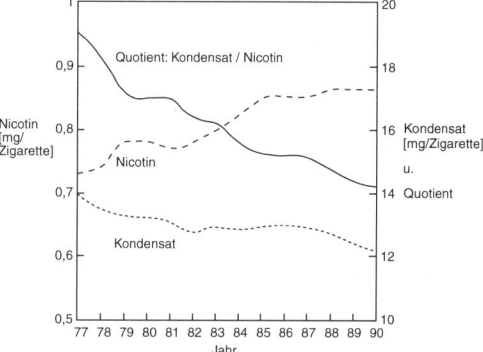

Abb.: Mittelwerte Nicotin u. Kondensat der 50 führenden Markenzigaretten in der BRD. Berechnungsgrundlage ist ein Marktanteil von über 90%.

Als Alternative wird u. a. der sog. *Herzfeld-Index* diskutiert, der weitere toxikolog. relevante Rauchinhaltsstoffe wie Kohlenmonoxid, *Blausäure u. *Acrolein berücksichtigt. TSNA werden nicht nur im Verlauf des Abrauchens einer Z. im Haupt- u. Nebenstromrauch gebildet, sondern liegen, wenn auch in bedeutend geringeren Konz., bereits präformiert im Z.-Tabak vor[9,10]. Der Gehalt an TSNA hängt u. a. vom Nitrat-Gehalt des *Tabaks ab.

Neben der tox. Wirkung des Z.-Rauchens an sich, spielt Rauchen als potenzierende Noxe in Kombination mit Asbest[11]- od. Radon-Exposition[12] eine erhebliche Rolle. Der Nachw. einer Korrelation zwischen dem Auftreten von DNA-Addukten in menschlichem Lungengewebe[13,14] u. Lymphocyten[15] u. dem Z.-Rauchen weist auch auf mol. Ebene auf einen kausalen Zusammenhang zwischen Rauchen u. *Krebs hin. Zu Vergiftungen von Kleinkindern durch den „Verzehr" von Z. s. *Lit.*[16]. Um Suchtphänomene, die bei der Raucherentwöhnung u. a. auf Grund des Nicotin-Mangels auf-

treten können, zu mildern, stehen Nicotin-Kaugummis u. transdermale Nicotin-Applikationsformen zur Verfügung. In diesen *Kaugummis konnten TSNA u. deren Migration in den Speichel nachgewiesen werden[17].
Man kennt mehrere Z.-Arten: Blend-Z., die aus Virginia-, Orient- u. Burley-Tabak (s. Tabak) hergestellt werden, Z. aus reinem Virginia-Tabak, aus dunklem, naturfermentiertem, unsoßiertem Tabak (sog. „Schwarze Zigaretten") sowie aus reinen Orientmischungen. Gebietsweise werden auch aromatisierte Z. konsumiert (Kretek = Nelken-Z. in Indonesien, Menthol-Z. etc.). Das carcinogene Potential von Menthol-Z. ist nicht höher als das herkömmlicher Zigaretten[18]. Der Durchmesser üblicher Z. beträgt 6–11 (im allg. 8) mm, die Länge 70 mm (King-Size 90 mm), der Wassergehalt 10 bis 12,5%. Man unterscheidet ferner zwischen *Strang-Z.* u. *Filter-Z.* (85% des Verbrauchsvol.), deren Mundstücke adsorptiv wirkende Filter mit faseriger Struktur, z. B. *Aluminiumoxid, *Celluloseacetat, *Kieselgel, Meerschaum (*Sepiolith), *Polyethylen etc. enthalten. Diese *Zigarettenfilter* bezwecken die mechan. Retention von Partikeln u. *Alkaloiden (z. B. Nicotin) aus dem *Tabakrauch: Aktivkohlefilter absorbieren selektiv Gas/Dampfphasenbestandteile, Faser-, Papier- u. Pulver-Filter (außer Aktivkohle) retinieren bevorzugt die Partikelphase. Jedes Filtermaterial hat seinen spezif. Filtrationskoeff., z. B. Celluloseacetat 0,232, Tabak 0,130 u. Papier 0,244. Aktivkohle retiniert je nach verfügbarer innerer Oberfläche bis zu 85% der Gas/Dampf-Phase, dagegen so gut wie keine Partikelphase. Durch spezielle Filterkonstruktionen (Doppelfilter aus Cellulose direkt am Tabak-Strang u. lockerer Acetatfilter dahinter) ist es gelungen, die Verweildauer des Rauches im Filter zu verlängern u. eine Bündelung zu erzielen. Dies führt in Verbindung mit Perforationslöchern am Filter (Frischlufteinstrom) zu einem intensiven Geschmack auch leichter Zigaretten. Zur Untersuchung von Z. sind die *Methoden nach § 35 LMBG T 60.05-1 bis T 60.05-6 heranzuziehen. In der BRD wurden im Jahre 1996 ca. 201 Mrd. Z. produziert. – Zur Inhalationstherapie bei Bronchial-*Asthma wurden zeitweilig tabakfreie, getrocknete u. mit Kaliumnitrat-Lsg. behandelte Blätter von Stechapfel u. a. Drogen enthaltende Z. propagiert (*Lit.*[19]). Zur wirtschaftlichen Relevanz der Z. s. *Lit.*[20]; s. a. Tabak u. Tabakrauch. – *E* = *F* cigarettes – *I* sigarette – *S* cigarrillos

Lit.: [1] Tabaksteuergesetz vom 21.12.1992 in der Fassung vom 12.7.1996 (BGBl. I, S. 962). [2] Tabak-VO vom 20.12.1977 in der Fassung vom 29.10.1991 (BGBl. I, S. 2053). [3] Richtlinie (90/239/EWG) des Rates der EG über den höchstzulässigen Teergehalt von Zigaretten vom 17.5.1990, ABl. der EG **33**, Nr. L 137, 36 (1990). [4] VO über die Kennzeichnung von Tabakerzeugnissen u. über Höchstmengen von Teer im Zigarettenrauch vom 29.10.1991 in der Fassung vom 8.3.1996 (BGBl. I, S. 460). [5] Richtlinie (89/622/EWG) des Rates der EG über die Etikettierung von Tabakerzeugnissen vom 13.11.1989, ABl. der EG **32**, Nr. L 359, 1 (1989). [6] Carcinogenesis **10**, 169–173, 1059–1066, 1511–1517 (1989). [7] Lebensmittelchemie **44**, 50–52 (1990). [8] Crit. Rev. Toxicol. **21**, 295–304 (1991). [9] Carcinogenesis **12**, 257–261 (1991). [10] J. Agric. Food Chem. **37**, 1372–1377 (1989). [11] Cancer Res. **51**, 2263–2267 (1991). [12] Rev. Environ. Contam. Toxicol. **111**, 1–60 (1990); Cancer Res. **50**, 6520–6524 (1990). [13] Nature (London) **336**, 790–792 (1988). [14] IARC Sci. Publ. **104**, 421–442 (1990). [15] Carcinogenesis **12**, 503–508 (1991). [16] Velvart, Toxikologie der Haushaltsprodukte (2.), S. 326–329, Bern: Huber 1989. [17] Food Chem. Toxicol. **28**, 619–622 (1990). [18] Cancer Res. **51**, 6510–6513 (1991). [19] Hager **7a**, 1015. [20] Rundsch. Lebensm.-Handel **1992** (Nr. 11), 64–68. *allg.:* s. Tabak. – *Organisationen:* Verband der Cigarettenindustrie, Königswinterer Str. 550, 53227 Bonn. – *Zeitschriften:* Beiträge zur Tabakforschung, International ▪ Smoking and Health Review ▪ Tabak Zeitung. – *[HS 2402 20, 2402 90]*

Zigarettenpapier s. Papier, S. 3114.

Zigarillos s. Zigarren.

Zigarren. Z. sind zum Rauchen geeignete Tabakstränge ganz aus natürlichem *Tabak, die mit einem Deckblatt aus Tabak od. einem Deck- u. Umblatt aus homogenisiertem od. rekonstituiertem Tabak umhüllt sein können. Das Tabaksteuergesetz (vgl. Zigaretten) legt außerdem Abmessungen, Gew.-Anteile, Umfang u. dgl. von Z. fest u. definiert daraus Zigaretten als Tabakstränge, die *keine* Z. od. Zigarillos (Z. mit Gew. ≤3 g) sind. Z. haben verschiedene Formen (Fassons). *Zigarillos* sind kleine Z. ohne Kopf u. mit einem sich zum Ende hin verjüngenden Querschnitt, während *Stumpen* ebenfalls Z. ohne Kopf sind, aber von gleichmäßiger Dicke in runder od. viereckig gepreßter Form; s. a. Tabak, Tabakrauch u. Zigaretten. Produktionszahlen (BRD 1997) Z. (ganz aus Tabak) 208 Mio. Stück (567 Mio. DM); Zigarillos 1,2 Mrd. Stück (2,4 Mrd. DM). – *E* cigars – *F* cigares – *I* sigari – *S* cigarros

Lit.: s. Tabak. – *[HS 2402 10]*

Zileuton (Rp).

Internat. Freiname für das *Antiasthmatikum, einen 5-Lipoxygenase-Inhibitor (±)-*N*-Hydroxy-*N*-(1-benzo[*b*]-thiophen-2-ylethyl)harnstoff, $C_{11}H_{12}N_2O_2S$, M_R 236,29, Schmp. 157–158 °C. Z. wurde 1988 u. 1989 von Abbott patentiert u. ist von dieser Firma (Zyflo®) in den USA im Handel. – *E* = *F* zileuton – *I* zileutone – *S* zileutona

Lit.: Ann. Pharmacother. **30**, 858–864 (1996) ▪ J. Chromatogr. **623**, 390–394 (1992) ▪ J. Org. Chem. **57**, 5020–5023 (1992) ▪ Martindale (31.), S. 1247 ▪ Merck-Index (12.), Nr. 10 253. – *[CAS 111406-87-2]*

Zimate®. Vulkanisationsbeschleuniger auf der Basis von Zinkdipentyl-, Zinkdibutyl-, Zinkdiethyl- u. Zinkdimethyldithiocarbamat. *B.:* Erbslöh; Vanderbilt.

Zimen, Karl-Erik (geb. 1912), Prof. für Kernchemie, TU u. Hahn-Meitner-Inst. Berlin. *Arbeitsgebiete:* Kernchemie, Reaktorchemie, natürliche Radionuklide in der Umwelt, Transportprozesse in Festkörpern.

Lit.: Kürschner (16.), S. 4216 ▪ Wer ist wer (36.), S. 1604.

ZIMET s. Hans-Knöll-Institut für Naturstoff-Forschung.

Zimmerman, Howard E. (geb. 1926), Prof. für Organ. Chemie, Univ. Wisconsin, Madison. *Arbeitsgebiete:* Organ. Photochemie, Reaktionsmechanismen, MO-Theorie, Möbius-Hückel-Regel, organ. Synth., Stereochemie kinet. Protonierungen.

Lit.: Who's Who in America (51.), S. 4781.

Zimmermann, Herbert Werner (geb. 1928), Prof. für Theoret. Organ. Chemie, Univ. München, Prof. für Physikal. Chemie, Univ. Freiburg. *Arbeitsgebiete:* Mol.-Spektroskopie, Wasserstoff-Brückenbindungen, Flüssigkeitsstrukturen, organ. Radikale, Bindung kleiner Mol. an DNA, Farbstoffe u. Färbungen für die Cytodiagnostik, Vitalfluorochromierung von Mitochondrien.
Lit.: Kürschner (16.), S. 4223 ▪ Wer ist wer, S. 1606.

Zimmermann-Reaktion (von W. Zimmermann, 1935). Eine auf der Bildung von violetten 2-(Polynitroaryl)enolaten beruhende Reaktion zwischen prim.-Alkyl-Ketonen, Alkalien u. einem Überschuß an aromat. Polynitro-Verbindungen. Die Addition des Keton-Enolats an das Nitroaren ergibt zuerst einen gelben *Meisenheimer-Komplex, der an der Luft zum Endprodukt oxidiert wird. In der medizin. Diagnostik ist die Z.-R. mit 1,3-*Dinitrobenzol von Bedeutung für die Bestimmung von 17-Ketosteroiden aus der Nebennierenrinde. – *E* Zimmermann reaction – *F* réaction de Zimmermann – *I* reazione di Zimmermann – *S* reacción de Zimmermann
Lit.: Hager **7**, 1373 ▪ Microchem. J. **22**, 201 (1977) ▪ Tetrahedron **18**, 1131 ff. (1962) ▪ s. a. Meisenheimer-Komplexe.

Zimmermann-Reinhardt-Methode s. Reinhardt-Zimmermann-Titration.

Zimmertemperatur (Raumtemperatur). In wissenschaftlichen Arbeiten versteht man unter Z. meist eine Temp. von 20 °C. Das Wärme-Wohlgefühl des Menschen ist nicht nur von der Lufttemp., sondern auch von Luftbewegungen, der Luftfeuchtigkeit u. bes. vom Strahlungsgleichgew. mit der Umgebung (d. h. Temp. der Wände etc.) bestimmt. – *E* room temperature – *F* température ambiante – *I* = *S* temperatura ambiente
Lit.: Phys. Unserer Zeit **20**, 97 – 103 (1989).

Zimt [Cane(e/h)l, Kane(e/h)l]. Bez. für die getrocknete, zumeist von Kork- u. prim. Rindenschicht ganz od. teilw. befreite Rinde junger Stämme, Äste od. Wurzelschößlinge verschiedener trop. *Cinnamomum*-Arten (Lauraceae), die im südostasiat. Raum weit verbreitet sind. Als wichtigste Handelssorten sind zu nennen:
1. *Ceylon-Z.* (edler, echter Z.) von dem v. a. auf Sri Lanka u. Java, aber auch auf den Seychellen, Madagaskar, Martinique, Jamaica, in Cayenne u. Brasilien kultivierten *Cinnamomum zeylanicum*, die geschmacklich feinste u. deshalb teuerste Z.-Rinde, die zur Anw. als *Stomachikum, Geruchs- u. Geschmackskorrigens offizinell ist.
2. *Padang-Zimt* (Burma-Z., Java-Z., Fagot-Z.) von dem aus Indonesien stammenden u. v. a. auf Sumatra angebauten *C. burmanii*, der die Hauptmenge des bei uns verwendeten Z. stellt.
3. *Chines. Z.* (gemeiner Z., Cassia-Z.) aus der Zweigrinde des in Südostchina heim., auch auf den Sundainseln, in Vietnam, Japan u. an der Malabarküste kultivierten *C. cassia* (*aromaticum*); im dtsch. Handel selten.
Andere, weniger geschätzte Sorten sind Seychellen-, Philippinen- u. der auf den Molukken gewonnene Culilawan-Zimt. Zur selben Pflanzenfamilie gehört auch der bis 40 m hoch wachsende *Campher-Baum (*C. camphora*). Z. besitzt einen aromat.-würzigen Geruch, süßlichen, z. T. feurig brennenden Geschmack u. ist meist gelblich bis dunkelbraun gefärbt. Die Z.-Rinden enthalten unterschiedliche Mengen an *etherischen Ölen [Zimt(rinden)öl, s. a. Zimtöle, 2.], die 2% *Eugenol u. als geschmackgebenden Stoff *Zimtaldehyd (ca. 75%) enthalten. Eugenol wird für die antimikrobiellen Eigenschaften des Zimtöls verantwortlich gemacht. Weitere Geschmacksstoffe sind *Safrol (10 – 15%), *Linalool (3%) u. Campher. Z. enthält neben dem Zimt(rinden)öl (Ceylon-Z.: 1 – 1,5%; Padang-Z.: bis 3,5%; Chines. Z.: 1 – 2%) *Stärke, *Kohlenhydrate, *Calciumoxalat (bis 6%) sowie Schleim- u. *Gerbstoffe.
Analytik: Z.-Pulver kann mikroskop. analysiert werden, wobei Verfälschungen durch Holzmehl, Kakaoschalen od. Baumrinde (heute selten) leicht zu erkennen sind. Die Varietäten des Z. lassen sich mittels *Dünnschichtchromatographie anhand der Inhaltsstoffe der ether. Öle unterscheiden.
Verw.: Als Gewürz für Kompott, Süßspeisen, *Curry-Pulver, Glühwein sowie in Feinbackwaren u. *Schokoladen. Zimtöle (heute meist Zimtaldehyd) wird zur Aromatisierung kosmet. Mittel verwendet.
Toxikologie: Zimt(rinden)öl ist als potentes Kontaktallergen in Nahrungs- u. kosmet. Mitteln beschrieben. Bei oraler Aufnahme wirkt Zimtöl erregend auf Nerven u. Muskeln (v. a. am Uterus). Auch ein Mißbrauch mit dem Ziel, rauschähnliche Zustände hervorzurufen, wird immer häufiger beschrieben; s. a. Padang-Zimt, Zimtöle, Zimtalkohol u. Zimtaldehyd. – *E* cinnamon – *F* cannelle – *I* cannella – *S* canela
Lit.: Franke, Nutzpflanzenkunde, 6. Aufl., S. 357 f., Stuttgart: Thieme 1997. – [*HS 0906 10, 0906 20*]

Zimtaldehyd (Cinnamaldehyd, 3-Phenyl-2-propenal, 3-Phenylacrolein). H_5C_6–CH=CH–CHO, C_9H_8O, M_R 132,15. Gelbliche, stark nach Zimt riechende, wasserdampfflüchtige, ölige Flüssigkeit, D. 1,0497, Schmp. –7,5 °C, Sdp. 253 °C (*trans*-Isomeres), unlösl. in Wasser, mischbar mit Alkohol, Ether, Chloroform, Ölen; WGK 2 (Selbsteinst.). Z. wird an der Luft zu *Zimtsäure oxidiert, ist gegen Licht, Wärme, Alkalien u. einige Metalle empfindlich u. zeigt die üblichen Aldehyd- u. Olefin-Reaktionen.
Vork. (*trans*-Z.): Im Ceylon-Zimt(rinden)öl (65 – 75%), *Kassiaöl (75 – 90%), Zimtblätteröl, *Patchouli- u. *Lavendelöl, Jasminöl (s. Jasminabsolue). Häufiges Kontaktallergen in der Parfümerie u. Kosmetik; s. a. Zimt u. Zimtöle.
Herst.: Aus Kassiaöl mit Hilfe von Natriumhydrogensulfit-Lsg. od. synthet. aus Benzaldehyd, Acetaldehyd u. Natronlauge.
Verw.: Zur Parfümierung von Seifen, zu Gewürzen, Aromen, zur Herst. des Zimtalkohols usw. In der Dünnschicht- u. Papierchromatographie wird Z. in ethanol. HCl als Anfärbereagenz für Indol-Derivate, in Acetanhydrid-H_2SO_4 für Steroid-Sapogenine benutzt. Z. wurde schon 1834 von Dumas aus Zimtöl gewonnen. – *E* cinnamaldehyde – *F* cinnamaldéhyde, aldéhyde cinnamique – *I* aldeide cinnamica – *S* aldehído cinámico
Lit.: Beilstein E IV **7**, 984 ▪ Hager (5.) **4**, 887 f. ▪ Merck-Index (12.), Nr. 2356 ▪ Ullmann (4.) **20**, 235; (5.) **A 1**, 340, 344;

Zimtalkohol

A 11, 188. – *[HS 291229; CAS 104-55-2 (Z.); 14371-10-9 (trans-Z.)]*

Zimtalkohol (Cinnamylalkohol, 3-Phenyl-2-propen-1-ol, γ-Phenylallylalkohol, Styron). H_5C_6–CH=CH–CH_2–OH, $C_9H_{10}O$, M_R 134,17. Farblose, süß-balsam. nach *Hyazinthen riechende Nadeln, D. 1,010–1,030, Schmp. 34°C, Sdp. 258°C (*trans*-Isomeres), kaum lösl. in Wasser, leicht lösl. in Alkohol u. Ether; WGK 2 (Selbsteinst.). Z. wird durch Luft in der Wärme u. am Licht allmählich oxidiert. Mit organ. Säuren bildet Z. die in der Parfümerie als Fixateure verwendeten *Zimtalkoholester* wie z.B. Cinnamylacetat (s. Essigsäurecinnamylester), die meist hyazinthenartig riechen. In Form solcher Ester ist *trans*-Z. auch in der Natur zu finden, z.B. im *Styrax u. im *Perubalsam, im Zimtblätter-, Narzissen- u. Hyazinthenöl. Man gewinnt Z. durch alkal. Hydrolyse von Styrax od. durch Red. von *Zimtaldehyd.
Verw.: In der Parfümerie vorwiegend als Fixateur für blumige Düfte, zur Herst. der Ester u. als Zwischenprodukt für organ. Synthesen. – *E* cinnamyl alcohol – *F* alcool cinnamylique – *I* alcool cinnamico – *S* alcohol cinamílico
Lit.: Beilstein E IV **6**, 3799 ■ Merck-Index (12.), Nr. 2362 ■ Ullmann (4.) **20**, 233f.; (5.) **A 11**, 187. – *[HS 290629; CAS 104-54-1]*

Zimtblätteröl s. Zimtöle (1.).

Zimtöle. Rinde u. Blätter des Zimtbaumes ergeben zwei unterschiedlich zusammengesetzte Öle.
Herst.: Durch Wasserdampfdest. aus den Blättern od. der Rinde des Ceylon-Zimtbaumes[1] *Cinnamomum verum*.

1. *Zimtblätteröl:* Warmer, würziger Geruch nach Zimt u. Nelken; warmer, würziger Geschmack.
Zusammensetzung[2]: Hauptbestandteil ist *Eugenol (ca. 70%); typ. Begleitkomponenten sind *Linalool (2%), *Zimtaldehyd (2%), *Safrol (2%), Eugenylacetat (4-Allyl-2-methoxyphenyl-acetat, $C_{12}H_{14}O_3$, M_R 206,24) (2%) u. *Benzylbenzoat* (s. Benzoesäurebenzylester) (4%).
Verw.: Zur Parfümherst. für würzig-oriental. Noten; zur Herst. von geruchlich hochwertigem Eugenol; zur Aromatisierung von Lebensmitteln wie Süßwaren, Erfrischungsgetränken, Likören usw.

2. *Zimt(rinden)öl:* Starker, warmer, würzig-süßer Duft nach Zimt; süßer, würziger Geschmack.
Zusammensetzung[2]: Hauptbestandteil ist *Zimtaldehyd* (um 75%); typ. Nebenbestandteile sind *Linalool* (3%), *Eugenol* (2%) u. *Cinnamylacetat* (s. Essigsäurecinnamylester) (5%).
Verw.: Zur Parfümherst. für warme, oriental. Noten; zur Aromatisierung von Lebensmitteln wie Süßspeisen, Süß- u. Backwaren, Likören u. Erfrischungsgetränken (Cola-Limonaden); in der Medizin in Karminativa u. wegen seiner antimikrobiellen Wirkung in Mund- u. Rachentherapeutika. Zur Toxikologie s. Zimt. – *E* cinnamon oils – *F* essences de cannelle – *I* oli di cannella – *S* esencias de canela
Lit.: [1] Perfum. Flavor. **2** (3), 53 (1977); **3** (4), 55 (1978); **19** (2), 69 (1994). [2] Perfum. Flavor. **3** (4), 55 (1978); **19** (3), 59 (1994); Dev. Food Sci. **34**, 411–425 (1994).
allg.: Bauer et al. (2.), S. 145, 146 ■ Gildemeister **5**, 3 ■ ISO 3524 (1977). – *[HS 330129; CAS 8015-96-1 (1.); 8015-91-6 (2.); 93-28-7 (Eugenylacetat)]*

Zimtsäure (3-Phenylacrylsäure).

trans-Z. = (*E*)-Z.   *cis*-(*allo*-)Z. = (*Z*)-Z.

$C_9H_8O_2$, M_R 148,16. Z. findet sich in der Natur fast ausschließlich in der (*E*)-Form, z.B. im *Styrax (0,1–4%), *Perubalsam u. anderen Harzen. Die (*E*)-Form bildet flüchtige Nadeln od. Prismen, Schmp. 133°C, Sdp. 300°C, D. 1,2475, pK_a (25°C) 4,46, in Wasser wenig, in organ. Lsm. sehr leicht lösl., wasserdampfflüchtig. Die (*Z*)-Form existiert in drei ineinander überführbaren krist. Formen, Schmp. 42, 58 od. 68°C, pK_a (25°C) 3,85. Die bei 68°C schmelzende Modif. wird auch als *Allozimtsäure* bezeichnet, die beiden anderen als *Isozimtsäuren*. Die Doppelbindung der Z. ist zu Additionen befähigt. Die Photo-Dimerisierung liefert z.B. *Truxillsäuren u. Truxinsäuren.
Biosynth.: Z. gehört zu den ArC_3-Metaboliten, den Phenylpropanoiden, die sich von Phenylalanin ableiten[1].
Verw.: Zur Herst. von *Zimtsäureestern, Pharmaka[2] u. *Hydrozimtsäure, zur enzymat. Gewinnung von *Phenylalanin, in Korrosionsschutzmitteln, als Additiv in Kunststoffen, als Lichtschutzmittel u. UV-Absorber, zur Herst. von Polyvinylcinnamat, das als lichtempfindliche Masse für Negativ-*Photoresists, im Offsetdruck u. in der Elektrophotographie eingesetzt wird. – *E* cinnamic acid – *F* acide cinnamique – *I* acido cinnamico – *S* ácido cinámico
Lit.: [1] Mann, Secondary Metabolism (2.), S. 177f., Oxford: Clarendon Press 1987. [2] Negwer (7.), S. 1343.
allg.: Beilstein E IV **9**, 2001 ■ Chem. Pharm. Bull. **67**, 1475, 2574 (1994) (Struktur) ■ Gildemeister **3 d**, 165 ff. ■ GIT Fachz. Lab. **30**, 691–696 (1986) ■ J. Org. Chem. **58**, 6364 (1993) (Synth.) ■ Karrer, Nr. 946 ■ Kirk-Othmer (4.) **6**, 344 (Review) ■ Merck-Index (12.), Nr. 2358 ■ Sax (8.), MIO 500 ■ Ullmann (5.) **A 7**, 99–101. – *[HS 291639; CAS 621-82-9 (Z.); 140-10-3 (E-Form); 102-94-3 (Z-Form)]*

Zimtsäureester (Cinnamate). Ester der *Zimtsäure mit der allg. Formel H_5C_6–CH=CH–COOR, worin R ein aliphat. od. aromat. Rest ist. Die z.T. in der Natur vorkommenden Z. sind meist angenehm balsam. od. fruchtig riechende Flüssigkeiten od. Krist., unlösl. in Wasser, lösl. in Alkohol u. Ether. die synthet. durch Veresterung der Zimtsäure mit den entsprechenden Alkoholen zugänglich sind. In der Parfümerie finden sie ebenso wie die Ester des *Zimtalkohols als Riechstoffe verbreitet Anw., andere dienen als kosmet. Sonnenschutzmittel. Die techn. bedeutendsten Z. sind (s.a. die Tab.):
Zimtsäuremethylester, erdbeerartig riechende Krist., D. 1,042, Hauptbestandteil des ether. Öls des Campherbasilikums (*Ocimum canum*) u. des Wurzelöls der *Galgantwurzel. – *Zimtsäureethylester*, farbloses Öl, D. 1,049, dessen fruchtig-balsam. Geruch an Zimt mit leichter Ambra-Note erinnert, kommt im *Styrax-Öl u. im Öl von *Kaempféria galanga* (Zingiberaceae, indones. Ingwergewächs) vor. – *Zimtsäurebenzylester*, farblose Prismen, D. 1,106, kommt z.B. in Styrax-Öl, Peru- u. Tolubalsam vor, riecht balsam. süß; Fixiermittel für schwere Düfte in Aromen für Ananas, Honig usw. – *Zimtsäurecinnamylester*, Geruch

Tab.: Techn. bedeutende Zimtsäureester.

Zimtsäureester (Synonyma)	R	Summenformel	M_R	Schmp. [°C]	Sdp. [°C]	CAS
(Z)-Zimtsäuremethylester (Methyl-cis-cinnamat)	CH_3	$C_{10}H_{10}O_2$	162,19	Öl		19713-73-6
(E)-Zimtsäuremethylester (Methyl-trans-cinnamat)				36	263, 130 (2 kPa)	103-26-4
(Z)-Zimtsäureethylester (Ethyl-cis-cinnamat)	C_2H_5	$C_{11}H_{12}O_2$	176,22		271, 159 (3,2 kPa)	4192-77-2
(E)-Zimtsäureethylester (Ethyl-trans-cinnamat)				12	125 (1,6 kPa)	103-36-6
(E)-Zimtsäurebenzylester (Benzyl-trans-cinnamat)	CH_2–C_6H_5	$C_{16}H_{14}O_2$	238,29	33–35 39	244 (5,9 kPa)	103-41-3
(E,E)-Zimtsäurecinnamylester (Cinnamylcinnamat, Styracin)	–CH_2–CH=CH–C_6H_5	$C_{18}H_{16}O_2$	264,32	44		122-69-0

süß, balsam. haftend, Bestandteil von Styrax u. Perubalsam.
Ähnliche Eigenschaften u. Verw. haben auch Zimtsäurepentyl-, -isopentyl-, -butyl- u. -isobutylester. Der Z. des Polyvinylalkohols (Polyvinylcinnamat) findet Verw. in der photochem. Industrie. – *E* = *F* cinnamates – *I* cinnamati – *S* cinamatos
Lit.: Beilstein E IV 9, 2005 ff. ■ Heterocycles 32, 1089 (1991) ■ J. Org. Chem. 58, 2478 (1993) ■ Ullmann (5.) A 7, 100; A 11, 193 ■ Zechmeister 54, 12–16, 108–112 ■ s. a. Aromen, Riechstoffe, Zimtsäure. – *[HS 2916 39]*

Zincke, Theodor (1843–1928), Prof. für Chemie, Univ. Marburg. *Arbeitsgebiete:* Benzol-Derivate, Chinone, Einwirkung von Halogenen u. Salpetersäure auf Phenole, Kresole usw., Entdeckung der Arylschwefelchloride, Spaltung von Diaryldisulfiden, Phenol → Dienon-Umwandlung, s. a. folgende Stichwörter.
Lit.: Krafft, S. 153 ■ Pötsch, S. 467.

Zincke-Aldehyd. *Pyridinium-Verbindungen mit Elektronen-ziehenden Substituenten am Stickstoff-Atom, z. B. CN, 2,4-Dinitrophenyl, gehen mit nucleophilen Reagenzien leicht *Ringöffnung* unter anschließender Eliminierung des Ringstickstoff-Atoms ein. Wird ein sek. Amin, z. B. *N*-Methylanilin, als Nucleophil benutzt, so bildet sich über die Zwischenstufe des *Königschen Salzes* der Z.-A. (Zincke-König-Reaktion, s. Abb. 1).

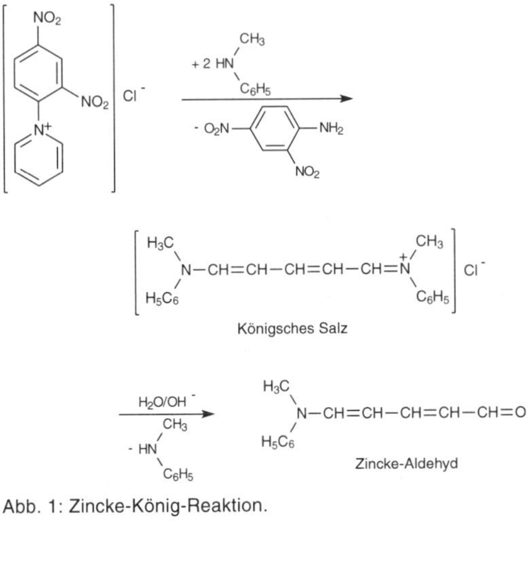

Abb. 1: Zincke-König-Reaktion.

Der Z.-A. ist Ausgangsverb. einer eleganten *Azulen-Synth.* nach König u. Hafer, wenn er mit Cyclopentadien umgesetzt wird. Das prim. gebildete *Fulven-Derivat cyclisiert beim Erhitzen auf ca. 250 °C zum Azulen (Abb. 2).

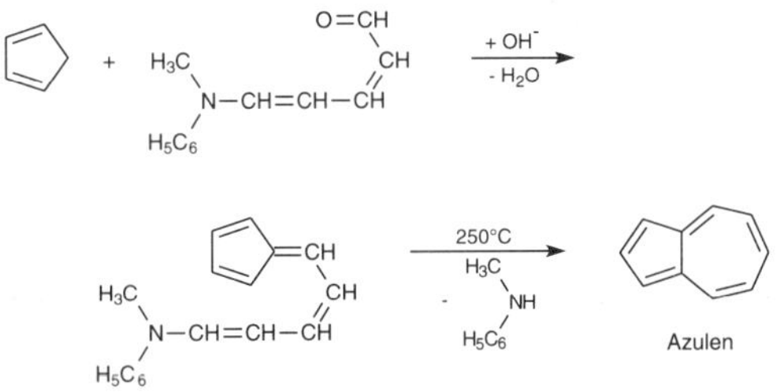

Abb. 2: Azulen-Synth. nach König u. Hafer.

– *E* Zincke aldehyd – *F* aldéhyde de Zincke – *I* aldeide di Zincke – *S* aldehído de Zincke
Lit.: Angew. Chem. 75, 317–329 (1963) ■ Krauch u. Kunz, Reaktionen der Organischen Chemie, 6. Aufl., S. 587, Heidelberg: Hüthig 1997 ■ Weissberger 14/2, 58 ■ s.a. Azulene.

Zincke-König-Reaktion s. Zincke-Aldehyd.

Zinckenit (Zinkenit, Bleiantimonglanz). $Pb_9Sb_{22}S_{42}$; zu den *Sulfosalzen gehörendes stahlgraues, zuweilen bunt angelaufenes, metallglänzendes (pseudo)hexagonales Mineral, Kristallklasse 6-C_6, mit einer *Überstruktur (s. *Lit.*[1–3]), die tunnelartige, z. T. mit Kationen besetzte Hohlräume enthält[1]. Z. bildet stengelige bis nadelige, längsgestreifte, gewöhnlich zu büscheligen Aggregaten verwachsene, leicht zerbrechliche Krist.; H. 3–3,5, D. 5,3, Bruch uneben, Strich stahlgrau.
Vork.: Auf hydrothermalen Gängen zusammen mit *Antimonit, z. B. bei Wolfsberg/Harz, in Puy-de-Dôme/Frankreich u. Oruro/Bolivien. – *E* zinkenite, zinckenite – *F* zinckénite – *S* zinckenita
Lit.: [1] Am. Mineral. 71, 194–201 (1986). [2] Z. Kristallogr. 141, 79–96 (1975). [3] Bull. Soc. Fr. Minéral. Cristallogr. 99, 351–360 (1976).
allg.: Anthony et al., Handbook of Mineralogy, Vol. I, S. 586, Tucson (Arizona): Mineral Data Publishing 1990 ■ Lapis 22, Nr. 4, 9 ff. (1997) („Steckbrief") ■ Ramdohr, Die Erzmineralien u. ihre Verwachsungen, S. 817 f., Berlin: Akademie 1975 ■ Ramdohr-Strunz, S. 479 f. – *[CAS 12202-56-1]*

Zincke-Reaktionen. Sammelbez. für eine Reihe präparativ nützlicher Reaktionen, die von *Zincke aufgefunden wurden.

Zincke-Suhl-Reaktion

1. Die *Disulfid-Spaltung* mit Chlor od. Brom unter Bildung von Sulfensäurehalogeniden:

$$R-S-S-R \xrightarrow{Cl_2} 2\,R-S-Cl$$

Chlorolyse von Disulfiden

2. Die *Nitrierung* aromat. *o*- od. *p*-Brom- od. -Iodphenole durch Austausch von Br od. I gegen die NO_2-Gruppe aus $NaNO_2$ in Ggw. von Eisessig.
3. Die *Pyridin-Ringöffnung* (Zincke-König-Reaktion), s. Zincke-Aldehyd.
4. Die *Phenol → Dienon-Umwandlung* (Zincke-Suhl-Reaktion), bei der unter dem Einfluß von $AlCl_3$ aus *p*-Kresolen u. Tetrachlormethan 4-Methyl-4-(trichlormethyl)-2,5-cyclohexadien-1-one entstehen.

Phenol-Dienon-Umlagerung

– *E* Zincke reactions – *F* réactions de Zincke – *I* reazioni di Zincke – *S* reacciones de Zincke

Lit. (*zu 1.*): Chem. Rev. **39**, 269–332 (1946) ▪ Houben-Weyl **9**, 268; **E 11/1**, 72–76 ▪ Krauch u. Kunz, Reaktionen der Organischen Chemie, 6. Aufl., S. 301, Heidelberg: Hüthig 1997. – (*zu 2.*): Houben-Weyl **10/1**, 821 ▪ Krauch u. Kunz, Reaktionen der Organischen Chemie, 6. Aufl., S. 363, Heidelberg: Hüthig 1997. – (*zu 3.*): s. Zincke-Aldehyd. – (*zu 4.*): Hassner-Stumer, S. 435 ▪ Houben-Weyl **7/2 b**, 1414 ▪ Krauch u. Kunz, Reaktionen der Organischen Chemie, 6. Aufl., S. 536, Heidelberg: Hüthig 1997.

Zincke-Suhl-Reaktion s. Zincke-Reaktionen.

Zinc Omadine®. Antimikrobielle Mittel auf der Basis von *Pyrithion; Pulver u. Dispersionen. **B.**: Olin Chemicals.

Zincon {2-[5-(2-Hydroxy-5-sulfophenyl)-3-phenylformazano]benzoesäure}.

Zincon-Dinatriumsalz

$C_{20}H_{16}N_4O_6S$, M_R 440,44, Schmp. 203 °C (Zers.). Z. bildet mit Cu u. Zn blaue Komplexe u. dient deshalb – meist in Form seines Mono- od. Dinatriumsalzes (s. Abb.) – zur photometr. Bestimmung der beiden Elemente. – *E = F* zincon – *I* zincone – *S* zincón

Lit.: Beilstein E IV **16**, 421 ▪ Fries-Getrost, S. 230, 402 f. ▪ Pure Appl. Chem. **55**, 1226 ff. (1983) ▪ Ullmann (5.) **A 14**, 141; (6., 1998 electronic release) Indicator Reagents. – *[CAS 135-52-4 (Z.); 62625-22-3 (Z.-Na_2-Salz)]*

Zincophorin (Griseochelin).

$C_{33}H_{60}O_7$, M_R 568,83, Krist., Schmp. 72–74 °C (66–67 °C), LD_{50} (Maus i. v.) 0,5–5 mg/kg. Zinkkomplexierendes Antibiotikum aus *Streptomyces griseus*, wirkt gegen Gram-pos. Bakterien sowie *Clostridium coelchii*, Anw. bei Coccidiose (Geflügelhaltung) möglich. – *E* zincophorin – *F* zincophorine – *I* = *S* zincoforina

Lit.: J. Antibiot. **37**, 836, 1501 (1984); **42**, 1213 (1989) ▪ Pharmazie **46**, 781 (1991). – *Synth.*: J. Am. Chem. Soc. **110**, 4368–4378 (1988) ▪ Tetrahedron Lett. **29**, 6905–6908 (1988). – *[HS 294190; CAS 95673-10-2 (Z.-Zn-Salz); 91920-88-6 (Z.)]*

Zineb.

Common name für polymeres Zink-*N*,*N*′-ethylenbis(dithiocarbamat), Zers. bei 157 °C ohne zu schmelzen, LD_{50} (Ratte oral) >5200 mg/kg, von Rohm & Haas u. DuPont 1943 eingeführtes breit wirksames Blatt-*Fungizid mit protektiver Wirkung zur Anw. in zahlreichen Kulturen. – *E = I = S* zineb – *F* zinèbe

Lit.: Farm ▪ Perkow ▪ Pesticide Manual. – *[HS 392390; CAS 12122-67-7]*

Zineryt® (Rp). *Akne-Mittel mit *Erythromycin u. Zinkdiacetat. **B.**: Hermal.

Zingeron [Zingiberon, Vanillylaceton, 4-(4-Hydroxy-3-methoxyphenyl)-2-butanon].

R = H : Rheosmin
R = OCH_3 : Zingeron

$C_{11}H_{14}O_3$, M_R 194,22, farblose, scharf schmeckende Krist., Schmp. 40 °C, Sdp. 187–188 °C (1,9 kPa), wenig lösl. in Wasser, lösl. in Ether u. verd. Alkalien. Z. ist der Scharfstoff im Oleoresin des *Ingwers, aus dem es isoliert werden kann. 4-(4-Hydroxyphenyl)-2-butanon (*Rheosmin*, Himbeerketon, Frambinon), $C_{10}H_{12}O_2$, M_R 164,20, Nadeln, Schmp. 82 °C, ist eine Komponente des *Himbeeraromas. Es wirkt auf die Melonenfliege *Dacus cucurbitae* u. verwandte Arten als *Kairomon. Verw. als Aromastoffe. – *E = I* zingerone – *F* zingérone – *S* zingerona

Lit.: Beilstein E IV **8**, 1866 ▪ Chem. Ber. **112**, 3703–3714 (1979) ▪ J. Agric. Food Chem. **40**, 263 ff. (1992); **41**, 1452 (1993) ▪ Karrer, Nr. 512 ▪ Merck-Index (12.), Nr. 10301. – *Toxikologie*: Sax (8.), VFP 100, AAR 500, RBU 000. – *[CAS 122-48-5 (Z.); 5471-51-2 (Rheosmin)]*

Zingiberen [(4*R*,7*S*)-1,5,10-Bisabolatrien].

$C_{15}H_{24}$, M_R 204,36. Flüssigkeit, Sdp. 128–130° (1,46 kPa), $[\alpha]_D$ –111,6° (unverd.), *Sesquiterpen vom Bisabolan-Typ. Bestandteil des *Ingweröls (ca. 70%), Curcumaöls (bis zu 25%), Veilchenblütenöls (ca. 17%) u. Zedoariaöls (ether. Öl des Zitwers), welche in der Nahrungs- u. Genußmittel-Ind. u. in der Parfümerie verwendet werden. Nicht selten kommt Z. vergesellschaftet mit *Bisabolen vor. – *E = I* zingiberene – *F* zingibérène – *S* zingibereno

Lit.: Beilstein E III **5**, 1078 ▪ Karrer, Nr. 1869. – *Isolierung*: Tetrahedron **50**, 11 123 (1994). – *Synth.*: Ind. J. Chem. Sect. B **33**, 313 (1994) ▪ s. a. Zingeron. – *[HS 290219; CAS 495-60-3]*

Zingiberon s. Zingeron.

Zinin, Nikolai N. (1812–1880), Prof. für Chemie, Univ. Kasan u. St. Petersburg. *Arbeitsgebiete:* Red. aromat. Nitro-Verb. mit Sulfiden zu Aminen, Entdeckung von Azoxybenzol u. Azobenzol, Synth. von Senföl, *Benzilsäure-Umlagerung.
Lit.: Neufeldt, S. 19 ▪ Pötsch, S. 467.

Zinin-Reduktion. Von *Zinin 1842 entdeckte Red. von aromat. Nitro-Verb. zu aromat. Aminen mit Hilfe von Sulfiden, Hydrogensulfiden od. Polysulfiden.

$$Ar-NO_2 \xrightarrow{R-(S)_n-R/H_2O} Ar-NH_2$$

– *E* Zinin reduction – *F* réduction de Zinin – *I* riduzione di Zinin – *S* reducción de Zinin
Lit.: Org. React. 20, 455–481 (1973).

Zink (chem. Symbol Zn). Metall. Element, Ordnungszahl 30, Atomgew. 65,39. Natürliche Isotope (Häufigkeit in Klammern): 64 (48,6%), 66 (27,9%), 67 (4,1%), 68 (18,8%), 70 (0,6%); daneben sind noch künstliche Isotope u. Isomere (^{57}Zn bis ^{80}Zn) mit HWZ zwischen 40 ms (^{57}Zn) u. 243,8 d (^{65}Zn) bekannt. Zn ist in Übereinstimmung mit seiner Stellung in der 12. Gruppe des *Periodensystems 2-wertig; die Zn-Verb. sind in der Regel farblos. In vielen Reaktionen (auch im Isomorphismus mancher Verb.) zeigt Zn Ähnlichkeit mit *Magnesium. Zn ist ein bläulichweißes, an blanken Oberflächen stark glänzendes, in hexagonal dichtester Kugelpackung (s. Abb. 3 b bei Kristallstrukturen) kristallisierendes Metall, D. 7,13 (*Schwermetall), Schmp. 419,505 °C (vom *NBS vorgeschlagener Gefrierpunktsstandard), Sdp. 907 °C. Beim Erhitzen findet erst ab 225 °C stärkere Oxid. statt; bei Temp. >900 °C verbrennt Zn mit bläulichgrüner Flamme zu einem weißen Rauch von Zinkoxid od. ggf. zu *Lana philosophica. Die H. von reinem Zn liegt bei etwa 2,5, sie kann durch geringe Zusätze von anderen Metallen beträchtlich erhöht werden. Brinellhärte: 300–450 N/mm^2, Zugfestigkeit: 30–40 (gegossen), 140–150 (gepreßt), 120–140 N/mm^2 (gewalzt). Die elektr. Leitfähigkeit beträgt etwa 27% von der des Silbers; damit ist Zn nach Silber, Kupfer, Gold u. Aluminium der fünftbeste Elektrizitätsleiter. Zn ist bei gewöhnlicher Temp. spröde, zwischen 100 u. 150 °C jedoch so dehnbar, daß es zu Blechen ausgewalzt u. zu Drähten gezogen werden kann. Ab 200 °C wird es wieder so spröde, daß es sich zu Pulver mahlen läßt. Zn verändert sich an trockener Luft auch während langer Lagerung nicht. An feuchter Luft entstehen an der Oberfläche in Abhängigkeit von der Konz. an SO_2 od. HCl in der Atmosphäre schwer wasserlösl. Deckschichten des Typs: $Zn_5(OH)_6(CO_3)_2$ (Idealatmosphäre), $ZnSO_4$ bzw. $2ZnSO_4 \cdot Zn(OH)_2$ (Ind.-Atmosphäre), $ZnCl_2 \cdot 4Zn(OH)_2$ bzw. $ZnCl_2 \cdot 6Zn(OH)_2$, die als Schutzschichten den Metall-Abtrag vermindern. Diese Deckschichten blättern auch bei Temperaturschwankungen nicht ab. Daher kann man z. B. Eisen durch *Verzinken korrosionsbeständig machen, obwohl Zn unedler ist als Fe (s. Spannungsreihe). Durch Säuren u. starke Laugen wird die Schutzschicht schnell aufgelöst od. ihre Bildung verhindert; die Säure greift dann auch das Metall an u. löst es rasch unter Bildung von Zn-Salzen, in Laugen löst sich Zn unter Bildung von *Zinkaten, z. B. $Na_2[Zn(OH)_4]$. In Ggw. von Tau u. Schwitzwasser, in Abwesenheit von Sauerstoff u. v. a. CO_2 können bei falscher Lagerung bzw. Transport an Zn-Oberflächen lockere, porige u. großvolumige Oxid.-Produkte [z. B. $Zn(OH)_2$] auftreten. Diese Korrosionsprodukte werden als *Weißer *Rost* bzw. *Weißrost* bezeichnet u. haben keine Schutzfunktion. Vermeiden läßt sich diese unerwünschte Korrosionserscheinung nur bei sachgerechter Lagerung (Stapelung zur ausreichenden Belüftung) bzw. durch Oberflächenbehandlungen (z. B. Chromatieren). Heißes Wasser u. Dampf greifen Zn stark an. In pulveriger Form (*Zn-Staub*) ist das Metall sehr reaktionsfähig; es reagiert z. B. mit Wasser schon bei 20 °C.

Zn ist ferner empfindlich gegen konz. od verd. Lsg. von Ammoniumchlorid, Ammoniumcarbonat, Kaliumchlorid, Kaliumsulfat, Kupfersalzen, Magnesiumsulfat, Laugen (erst bei pH über 12,5 Angriff unter Bildung von *Zinkaten), anorgan. u. organ. Säuren (auch gegen säurehaltige Nahrungs- u. Genußmittel wie z. B. Bier, Wein, Essig, Obst, Salate), Tetrachlormethan, Trichlorethylen usw., dagegen widersteht es Alkohol, Benzin, Benzol, Mineralölen, Aceton, Ether, Schwefelwasserstoff, Kohlendioxid, trockenem Chlor (Gefahr der Entzündung beim Erwärmen) u. trockenem Ammoniak. Mit vielen Metallen läßt sich Zn legieren, z. B. mit Cu, Al, Pb, Mg, Cd; die bedeutendsten Leg. sind CuZn-Werkstoffe, früher *Messinge* genannt, welche in unterschiedlichen Gittertypen krist. (s. a. Hume-Rothery-Phasen). Eine spezif. Form der Korrosion bei Zn-Leg. ist die *Entzinkung* (*Spongiose).

Physiologie: Zn ist ein für Menschen, Tiere, Pflanzen u. Mikroorganismen lebensnotwendiges *Spurenelement[1]. Größere Mengen von Zn-Salzen (z. B. Zinkchlorid) rufen jedoch äußerlich Verätzungen, innerlich stark schmerzhafte Entzündungen der Verdauungsorgane hervor. Außerdem ist die Einnahme mit Metallgeschmack, Erbrechen usw. verbunden. Die tox. Grenzen von metall. u. Zn-Salzen liegen weit höher als bei anderen essentiellen Spurenelementen, wie z. B. Kupfer. Die orale Aufnahme von 1–2 g Zn-Salzen wie Zinkchlorid od. Zinksulfat (entsprechend 275 bzw. 550 mg Zn) führt beim Menschen zu einer akuten, aber vorübergehenden Übelkeit wenige Minuten nach der Aufnahme. Die Symptome können Unpäßlichkeit, Schwindel, zugeschnürter Hals, Erbrechen, Kolik u. Durchfall einschließen. Zinkchlorid u. Zinksulfat können sich bilden, wenn saure Lebensmittel wie Salate, Früchte, Säfte in verzinkten Behältern zubereitet bzw. aufbewahrt werden. Einmaliges Einatmen von Zink(oxid)-Dämpfen verursacht das sog. *Gießfieber*, das jedoch nach ca. 24 h ohne bleibende Schäden zurückgeht. Chron. Zn-Vergiftungen sind außer im Fall des Zinkchromats u. der Zinkoxid-Stäube nicht sicher bekannt. Einige Pflanzenkrankheiten (Rosettenkrankheit, Zwergwuchs, Chlorophyll-Defekt) können durch sehr geringe Zn-Gaben geheilt werden; Dosen >100 mg/L Nährlsg. sind jedoch bereits schädlich. Der Zn-Gehalt des menschlichen Organismus beträgt 2–4 g. Blut enthält 6–12 mg Zn/L, die Leber 15–93 mg/kg, das Gehirn 5–15 mg/kg, u. am Zn-reichsten ist die Prostata (ca.

9 mg/g). Beobachtete Schwankungen dürften im Zusammenhang mit dem *Insulin-Stoffwechsel stehen, denn Insulin kann Aggregate mit 2 od. 4 Zn^{2+}-Ionen bilden. Mit einer durchschnittlichen Aufnahme von 10–20 mg Zn/d, von denen ca. 2–3 mg resorbiert werden, ist die Versorgungsbilanz meist ausgeglichen. Bei erhöhtem Zn-Bedarf (Kinder, Jugendliche, Leistungssportler, Schwangere u. Stillende) ist medikamentöse Zn-Zufuhr empfehlenswert. Zn spielt auch eine wichtige Rolle in der Wundheilung: Man nimmt an, daß *Vitamin A als wesentlicher Faktor der Gewebeheilung nur in Ggw. ausreichender Zn-Mengen verwertet werden kann. Medizin. wird Zn in speziellen *Zink-Präparaten verwendet.

Bei Mikroorganismen ist Zn ein begrenzender Faktor der Biosynth. von DNA u. Protein. Bei Säugern u. Vögeln äußert sich Zn-Mangel in Hauterscheinungen vom Typ der Pellagra u. in Wachstumsverzögerungen da Zn für die normale Keratinisation der Haut verantwortlich ist. Zn-Mangel wird weiterhin für Veränderungen am Knochenbau, bei Säugern für Atrophie der Samenbläschen u. für arthritisähnliche Erkrankungen verantwortlich gemacht. In Form des Zn-Salzes scheint Cystein eine Rolle beim Nachtsehvermögen mancher Säugetiere zu spielen; in der Aderhaut (Tapetum lucidum) von Mardern ist ca. 3%, in der von Seehunden bis zu 19% Zinkcystein enthalten.

Verringerte Zn-Aufnahme in der Nahrung od. Zn-Ausschwemmung rufen bei Menschen u. Versuchstieren auch einen Verlust der Geschmacksempfindung (Hypogeusie) u. Appetitmangel hervor, bei Kindern Störungen des Immunsystems. Die Mehrzahl der physiolog. Wirkungen des Zn dürfte auf dessen Funktion im Enzymsyst. zurückgehen: Zn ist nämlich metall. Bestandteil von über 200 Enzymen. Wichtige Zn-Metalloenzyme sind z. B. die teilw. in Einzelstichwörtern näher beschriebenen Carboanhydrase, Carboxypeptidase A, Superoxid-Dismutasen, Malat-, Glutamat- u. Alkohol-Dehydrogenasen u. alkal. Phosphatasen. Andere Enzyme wie z. B. Oxidoreduktasen u. die für die Nucleinsäure-Synth. benötigten Polymerasen werden durch Zn aktiviert. Zn aktiviert die Metallothionein-Synthese[2]. Die DNA-Erkennungssequenzen von Steroidrezeptoren enthalten Zn als Zentralatom. Einen Überblick über die biolog. Rolle des Zn gibt Lit.[3]. Nach Auffassung der WHO benötigt der Erwachsene täglich 22 mg Zn, Kinder u. werdende bzw. stillende Mütter mehr, ältere Menschen weniger (ca. 2,2 mg). Zn wird im allg. mit Fleisch, Milch u. Fisch sowie mit Getreideprodukten in ausreichender Menge aufgenommen.

Nachw.: Feste, Zn-haltige Verb. geben nach Vermischung mit Soda beim Erhitzen mit dem Lötrohr (Red.-Flamme) auf der Kohle einen in der Hitze gelben, in der Kälte weißen Beschlag von Zinkoxid; wird dieser mit wenig Cobaltnitrat-Lsg. befeuchtet u. von neuem erhitzt, so färbt er sich (bei Anwesenheit von Zn) grün [Rinman(n)s Grün, s. Cobaltgrün]. Qual. u./od. quant. gravimetr. od. photometr. Bestimmungen lassen sich mit einer Reihe von Reagenzien vornehmen, z. B. mit Chinaldinsäure, Dithizon, Zincon, 8-Chinolinol, Xylenolorange, Na-Diethyldithiocarbamat, 3,3'-Dimethylnaphthidin u. a.[4]. In der Eisen- u. Stahl-Ind. wird auch die Voltammetrie praktiziert, heute vielfach als sog. Cyclovoltammetrie. Bes. zur Bestimmung von Zn in biolog. Materialien[5] geeignete quant. Meth. beruhen auf Atomabsorptionsspektrometrie[6] u. Neutronenaktivierungsanalyse.

Vork.: Der Anteil des Zn an der obersten, 16 km dicken Erdkruste wird auf 120 ppm geschätzt; damit steht Zink in der Häufigkeitsliste der Elemente an 24. Stelle in der Nähe von Strontium, Vanadium u. Kupfer. Die wichtigsten Zn-Erze sind Zinkspat (*Smithsonit, *Galmei), *Zinkblende, *Hemimorphit (Kieselzinkerz), Franklinit (s. Spinelle), *Willemit u. *Zinkit (Rotzinkerz). Da Zn ein sehr unedles Metall ist, kommt es in der Natur nur in Form von Verb. vor, u. zwar meist mit Pb u. Cd vergesellschaftet. Die größten Zn-Lager der Welt befinden sich in Kanada, den USA, Australien, der ehem. UdSSR, Peru u. Südafrika (Namib-Wüste), kleinere auch in der Umgebung von Aachen, Barmen, Iserlohn, in Kärnten, Tirol, Italien, Griechenland, Schweden, England (Wales), Irland, Algerien u. Tunesien. Auch im Roten Meer sind in hydrothermalen Schlammablagerungen Zn-Erze in abbauwürdigen Mengen vorhanden (Zn-Gehalt bis 10%); zur allg. Rohstoff-Situation bei Zn s. dort. In der BRD wurden Zn-Erze im Sauerland, Harz u. Berg. Land gefördert; der letzte Metallerz-Bergbau in der BRD wurde im März 1992 geschlossen. Zusätzlich zum natürlichen Zn-Gehalt der meisten Böden sind neben den Zn- u. Pb-Hütten, der NE-Metall-, Eisen- u. Stahl-Ind. auch die Kohleverbrennung, Herst. von Zement u. Phosphat-Dünger sowie die Abfallverbrennung als Zn-Quelle zu nennen; Schätzungen über die weltweit emittierten Mengen liegen zwischen 0,9 u. 2,34 Mio. t/a[7].

Zn-Spuren gehen vom Boden auch in Pflanzen u. Tiere über. Getreide kann z. B. 40–50, frische Muskelsubstanz (vom Pottwal) 40, Muschelfleisch (von Austern) etwa 65 mg Zn je kg enthalten; bestimmte Quallenarten reichern Zn auf das 32 000-fache des umgebenden Meereswassers an. Im Süden der USA existiert eine Grasart, die ca. 500 mg Zn/kg Pflanzensubstanz speichern kann.

Herst.: Die wichtigsten u. häufigsten Zn-Erze, Zinkblende (ZnS) u. Zinkspat ($ZnCO_3$), werden vor der Verhüttung durch *Rösten in Zinkoxid umgewandelt:

$$2\,ZnS + 3\,O_2 \rightarrow 2\,ZnO + 2\,SO_2 \text{ od.}$$
$$ZnCO_3 \rightarrow ZnO + CO_2.$$

Das Rösten der Zinkblende-Konzentrate (45–62% Zn u. 28–32% S), die durch selektive *Flotation erhalten werden, geschieht im Schwebe-, Wirbelschicht- od. Sinter-Röstverfahren. Die Konzentrierung Zn-armer Erze erfolgt mit Hilfe sog. Wälz- od. Verblaseverf., nach denen man auch Zn-reiche Schlacken aus dem QSL-Verf. (nach *Queneau*, *Schuhmann*, *Lurgi*; ein Blei-Gewinnungsverf. durch Röstreaktion im schmelzflüssigen Zustand) entzinken kann. Eine Konzentrierung kann auch durch *Auslaugen mit Hilfe von Bakterien (*Bioleaching*) erreicht werden. Dabei tolerieren *Thiobacillus*-Arten Zn-Konz. bis zu 100 g/L. Die Red. des ZnO mit Kohlenstoff wird in liegenden od. stehenden Muffeln (ersteres nur noch selten) od. elektrotherm. nach den Josephtown-, Sterling- od. Duisburger Kupferhütte-Verf. vorgenommen; der dabei gebildete Zn-Dampf wird zu *Hüttenzink* kondensiert, als Nebenprodukt fällt *Zn-Staub* an. Nach dem Schachtofenprozeß von Avonmouth (auch als Imperial Smelting-Verf. bezeichnet) gewinnt man sowohl Zn als auch Blei. Den erwähnten Prozessen schließt sich die Raffination durch Umschmelzen od. Dest. an. Das heute produzierte Zn ist zu ca. 80% sog. *Elektrolytzink*. Dieses gewinnt man, indem man der Röstung eine Laugung mit H_2SO_4 anschließt u. durch Eintragen von Zn-Staub edlere Begleitmetalle (Pb, Ni, Cd, Co, Ag usw.) abscheidet. Beim „rückstandsfreien" hydrometallurg. Verf. der Ruhr-Zink GmbH fällt anstelle metallurg. Abfallprodukte, die deponiert werden müßten, Hämatit an, der als Rohstoff in der Zement-Ind. u. evtl. bei der Stahlerzeugung verwendet werden kann[8]. Die Elektrolyse erfolgt bei Zn-Gehalten von 60–70 g/L mit 400–600 A/m^2 u. 3,3–3,5 V an Aluminium-Kathoden. Das so erhaltene Zn hat einen Reinheitsgrad von 99,99%. Prinzipiell gleichartig wurde bei den älteren Anaconda-, Tainton- u. dem Magdeburger Verf. elektrolysiert. In steigendem Umfang wird Zn durch *Entzinkung* von Zn-haltigen Rücklauf- u. Rückstandsmaterialien gewonnen[9]. Die Schrottentzinkung kann durch Erhitzen in Drehöfen, durch ein Chlorgas-Verf. (ähnlich wie bei Entzinnung), durch Einwirkung 10–12%iger Salzsäure mit Sparbeizenzusatz, durch Einwirkung von 15–20%igen Laugen od. durch Anw. alkal. Cyanid-Bäder ausgeführt werden. Zur Laboratoriumsherst. – auch von Zn-Verb. – s. *Lit.*[10].

Zn kommt in verschiedenen Reinheitsgraden als sog. *Umschmelzzink* (≥96% Zn), als *Hüttenzink* (97,5–99,5% Zn) od. als *Feinzink* (99,9–99,995% Zn) in den Handel. Die gesamte Hüttenproduktion betrug 1996 weltweit 7 223 000 t; davon entfielen auf die wichtigsten Erzeugerländer ehem. UdSSR 305 000, Kanada 1 234 000, Japan 80 000, VR China 1 040 000, USA 603 000 t.

Verw.: Die Hauptmenge des erzeugten Zn wird zum *Verzinken von Stahl gebraucht, u. zwar durch Feuerverzinkung (hierzu zählt auch das *Sendzimir-Verfahren), durch *Sherardisieren, *Metallspritzverfahren u. Galvanisieren mit Hilfe von Anoden aus Feinzink[11]. Auch Anstrichstoffe mit hochpigmentierten Zinkstaubfarben u. neutralen Bindemitteln (z. B. Polyester, Chlorkautschuk) wirken korrosionsschützend. Große Mengen Zn dienen ferner der Erzeugung von *Messing, Tombak, *Rotguß, *Neusilber u. a. *Zn-Leg.*, von denen bes. die *Zn-Druckgußleg.* (Hauptbestandteile 3,5–6% Al, max. 2,8% Cu u. etwas Mg) Bedeutung erlangt haben; Leg. des Zn mit 0,1–0,2% Ti u. 0,2–1% Cu dienen zur Herst. von Blech u. Bändern (sog. Rein- bzw. Titanzink) für die Bau-Industrie. Das Zulegieren dieser geringen Zusätze führt zur deutlichen Steigerung der Rekristallisationstemp., einer verbesserten Dauerfestigkeit u. einer guten Verarbeitbarkeit unabhängig von der Walzrichtung. Leg. mit 30% Al u. 5% Cu werden als Lagerwerkstoffe verwendet, 22% Al enthaltende Leg. haben superplast. Eigenschaften. Neuerdings werden auch Al-haltige Zn-Überzüge (5 od. 55% Al) auf Stahlbändern bzw. Blechen hergestellt.

Zn dient ferner zur Herst. von galvan. Elementen, Druckplatten (s. Chemigraphie = Zinkographie), zum kathod. Rostschutz, als Ätzmittel im Textildruck (Zn-Staub) u. als Red.-Mittel in der Metallurgie zur Gewinnung von Silber (*Parkes-Verfahren) od. Gold sowie zur Herst. von Zn-Verb., z. B. in Pigmenten u. Metallseifen. Im chem. Laboratorium verwendet man Zn zur Herst. von Wasserstoff im Kippschen Apparat, als Staub zur *Zinkstaub-Destillation, *Clemmensen-Reduktion u. *Reformatsky-Reaktion, als Granalien für Red., als Zn/Cu-Paar zur *Simmons-Smith-Reaktion usw., vgl. *Lit.*[12]. In den USA gliederte sich 1996 der Zn-Verbrauch von 1 210 000 t wie folgt auf: Verzinkung 654 000 t, Messing u. Bronze 155 000 t, andere Zn-Leg. 229 000 t, ZnO 80 000 t, Zinkweiß u. a. Zn-Verb. 92 000 t; s. a. *Lit.*[7].

Geschichte: Metall. Zn soll in Persien bereits im 6. Jh. gewonnen worden sein, doch dürfte dies höchstens unbeabsichtigt der Fall gewesen sein; erst später lernten es die Inder u. Chinesen kennen. In der 1. Hälfte des 16. Jh. hielten *Agricola u. *Paracelsus schon metall. Zn, das damals oft *Konterfei* genannt wurde, in Händen, u. *Libavius erhielt 1595 eine über Holland aus China eingeführte Zn-Probe. Der *Galmei wurde schon von den Griechen u. Römern zur Herst. von *Messing verwendet; eine Herst. von reinem Zn aus Galmei war damals noch nicht möglich. Wegen der nicht ganz einfachen Verhüttung von Zn-Erzen konnte man annähernd reines Zn in Europa erst im 18. Jh. in größerem Umfang gewinnen. Eine der zuverlässigen Beschreibungen des Metalls stammt von Henckel (1721). *Marggraf zeigte 1746, daß beim Erhitzen von Zinkoxid u. Kohle unter Luftabschluß Zn entsteht. Der Name Z. ist dtsch. Ursprungs, er wurde zuerst in den Alpenländern für die Zinken = zackenartige Form des Galmei – nach anderen Quellen auf die Form erstarrter Zn-Schmelzen – angewendet; Näheres zur Geschichte des Metalls u. seines Namens s. *Lit.*[13]. – *E = F* zinc – *I* zinco – *S* cinc, zinc

Lit.: [1] Z. Ernährungswiss. (Eur. J. Nutrition) **35**, 123–142 (1996). [2] Chem. Unserer Zeit **23**, 193–199 (1989). [3] Spektrum Wiss. **1993**, Nr. 4, 54–61; Dtsch. Apoth. Ztg. **128**, 996–1001, 1040–1046 (1988). [4] Fries-Getrost, S. 397–407. [5] Townshend, Encyclopedia of Analytical Science, S. 5656ff., London: Academic Press 1995. [6] IARC Scient. Publ. **71**, 421–428 (1996). [7] Metallstatistik **77**, 4, 38–44, 357–424 (1990). [8] Erzmetall **42**, 125–129 (1989). [9] Erzmetall **44**, 81–96 (1991). [10] Brauer (3.) **2**, 1022–1039. [11] Galvanotechnik **81**, 2352–2357 (1990); **82**, 499ff. (1991). [12] Synthetica **1**, 529–539. [13] Endeavour N. S. **11**, 183–191 (1987); Lüschen, Die Namen der Steine, S. 347f., Thun: Ott 1968.

allg.: Bertini et al., Zinc Enzymes (Progr. Inorg. Biochem. Biophys. 1), Basel: Birkhäuser 1986 ▪ Braun-Dönhardt, S. 399 ▪ DAB **9**, 1465–1474, Komm.: **9/3**, 3545–3569 ▪ DIN-Normen zur Verwendung von Zink, Berlin: Beuth 1998 ▪ Forth et al. (7.), S. 659f. ▪ Gmelin, Syst.-Nr. 32, Zn, 1924, Erg.-Bd. 1956 ▪ Hommel, Nr. 339 ▪ Janistyn **1**, 1013–1016 ▪ Kirk-Othmer (4.) **25**, 789–853 ▪ Mills (Hrsg.), Zinc in Human Biology, London: Springer 1989 ▪ Snell-Ettre **19**, 544–577 ▪ Ullmann (5.) **A 28**, 509–542 ▪ Winnacker-Küchler (4.) **4**, 415–435 ▪ s.a. Führer durch die technische Literatur, Hannover: Weidemanns Buchhandlung (jährlich) u. Scientific and Technical Books and Serials in Print, New York: Bowker (jährlich). – *Zeitschriften:* Zinc, Düsseldorf: Zinkberatung e. V. (seit 1961) ▪ Zinc Coated Steel Sheet, London: Zinc Development Association (seit 1985). – *Organisationen:* Zinc Development Association (ZDA), 34, Berkeley Square, London W1X 6AJ ▪ Zinkberatung, 40210 Düsseldorf. – *[HS 7901 11, 7901 12, 7901 20; CAS 7440-66-6; G 4.3]*

Zinkacetat. $(H_3C-CO-O)_2Zn$, $C_4H_6O_4Zn$, M_R 183,46. Das Dihydrat bildet glänzende, farblose, monokline Schuppen, D. 1,735, Schmp. 237 °C, in Wasser leicht lösl.; die Normallsg. ist zu etwa 1% hydrolyt. gespalten, daher saure Reaktion. Z. wird durch Auflösung von Zinkoxid in Essigsäure erhalten.
Verw.: Beize in der Färberei, Flammschutzmittel in der Textil-Ind., zur Holzkonservierung, in der Medizin als mildes Adstringens, früher als Brechmittel; auch als Seidenbeschwerungsmittel u. Zusatz zu Silberputzmitteln verwendbar; s. a. Schlesingers Reagenz. – *E* zinc acetate – *F* acétate de zinc – *I* acetato di zinco – *S* acetato de cinc
Lit.: Beilstein E IV **2**, 114 ▪ Gmelin, Syst.-Nr. 32, Zn, 1924, S. 253–256, Erg.-Bd. 1956, S. 980–982 ▪ Hager (5.) **9**, 1233 ▪ Merck-Index (12.), Nr. 10256. – *[HS 291529; CAS 557-34-6 (Z.); 5970-45-6 (Dihydrat)]*

Zinkate. Gruppenbez. für Salze der theoret. Oxo- u. Hydroxosäuren des Zinks, die sich beim Auflösen des amphoteren Zinkhydroxids in überschüssigem Alkalihydroxid bilden. Dabei treten die folgenden Anionen auf: ZnO_2^{2-}, ZnO_4^{6-}, $Zn(OH)_3^-$, $Zn(OH)_4^{2-}$ od. $Zn(OH)_6^{4-}$. – *E* = *F* zincates – *I* zincati – *S* cincatos
Lit.: Brauer (3.) **3**, 1752 ff. ▪ Gmelin, Syst.-Nr. 32, Zn, 1924, S. 294 f., 302 f., Erg.-Bd., 1956, S. 1001–1004, 1009. – *[HS 284190]*

Zink-bis(dimethyldithiocarbamat) s. Ziram.

Zinkblende (Sphalerit). ZnS, auch (Zn,Fe)S; wichtigstes Zinkerz. Undurchsichtige bis durchscheinende, braune, schwarze, gelbe, honiggelbe (*Honigblende*), rote (*Rubinblende*), grünliche, selten fast farblose, halbmetall.-diamantartig glänzende (*Blendeglanz*; bes. auf Spaltflächen) od. auch matte, kub.-hexakistetraedr. Krist. (Kristallklasse $\bar{4}3m$-T_d) od. derbe, grob- bis feinkörnige Aggregate, die zuweilen eine schalige, nierige od. feinfaserige Oberfläche u. lagigen Aufbau zeigen (*Schalenblende*, s. Wurtzit). Struktur wie *Diamant, s. Abb. 4b (S. 2283) bei Kristallstrukturen. Zur Elektronenverteilung in Z. s. *Lit.*[1]; zur Umwandlung der Z. in die bei Raumtemp. metastabile, gelegentlich zusammen mit Z. auftretende, hexagonale Hochtemp.-Modif. *Wurtzit (vgl. a. Zinksulfid) s. *Lit.*[2]. H. 3,5–4, D. 3,9–4,2, Z. weist vollkommene Spaltbarkeit u. einen lederbraunen bis gelblichweißen Strich auf. Beim Zerkleinern kann Triboluminiszenz auftreten.
Z. kann als Beimengungen u. a. Cd, Co, Ni, In, Ga, Tl, Ge u. v. a. Fe (bis 20% FeS; in synthet. Z. bis 56 Mol-% FeS) enthalten; bes. Eisen-reiche Z. heißt *Marmatit*. Experimentelle Untersuchungen zu den *Mischkristall-Bildungen im Syst. Cu-Fe-Zn-S s. *Lit.*[3]. Der Einbau von Cu u. In (Mischkristallbildung von ZnS mit *Roquesit*, $CuInS_2$) erfolgt über die Substitution $Cu^+ + In^{3+} \leftrightarrow 2Zn^{2+}$, s. dazu *Lit.*[4–6]. Krist. im Ungleichgew. führt bei vielen Z. zu Bänderung durch *Zonierungen*, z. B. mit Cu- u. In-reichen Bändern[7] od. abwechselnden Zn- od Fe-reichen Bändern[8]. Intensiv untersucht wurde in jüngster Zeit die als „*chalcopyrite disease*" (nach *Lit.*[9] besser: „diffusion-induced segregations", Abk.: DIS) bezeichnete Ausscheidung von *Kupferkies in Z. in Form von submikroskop. kleiner unregelmäßiger, dreieckiger, rundlicher, tropfenförmiger od. wassermelonenartig aufgebauter Körper, s. *Lit.*[6,9,10].

Im Z.-Kristallgitter krist. zahlreiche Verb. vom Typ A^IB^{VII}, $A^{II}B^{VI}$, $A^{III}B^V$, s. die Beisp. bei Halbleiter (*Zinkblende-Regel* von Grimm u. Sommerfeld). Z. selbst ist ein *II-VI-Halbleiter*; durch gezielte *Dotierung, z. B. mit Mn, Cu, In u. Cd (*Lit.*[11]), kann die Breite der Bandlücke mit großer Genauigkeit verändert werden. Die Verw. von Z. u. strukturell verwandter Verb. wie GaAs, ZnSe, CdTe als Halbleiter gab Anlaß zu Untersuchungen der Oberflächen-Struktur u. -Stabilität dieser Verb., für Z. z. B. in *Lit.*[12].
Vork.: Zahlreich, meist zusammen mit *Bleiglanz. *Beisp.:* In massiven Sulfiderz-*Lagerstätten, z. B. Meggen/Westfalen, Rammelsberg/Harz, Mount Isa/Australien, Sullivan/British Columbia, Broken Hill/Australien u. Gamsberg/Südafrika. In schichtgebundenen Blei-Zink-Lagerstätten in *Kalken (Mississippi Valley type, MVT), z. B. Mississippi, Missouri u. Illinois/USA, Pine Point u. Nanisivik/Kanada, Bleiberg-Kreuth/Kärnten. In hydrothermalen *Gängen, z. B. Bad Grund/Harz, Siegerland. Gute Z.-Krist. in Dalnegorsk/Ost-Sibirien u. Naica/Mexiko; für die Herst. von Schmucksteinen u. kunstgewerblichen Gegenständen verwendbare honigfarbige Z. am Picos de Europa/Spanien.
Verw.: Wichtigster Rohstoff für die Gewinnung von Zink, Cadmium, Indium, Gallium u. Germanium. In Wasserreinigungs-Syst., *Leuchtstoffen u. Solarzellen. Als *Pigment u. als Halbleiter. – *E* sphalerite, zincblende – *F* sphalérite, zincate, blende – *I* sfalerite, blenda lamellare – *S* esfalerita, blenda de zinc
Lit.: [1]Phys. Chem. Miner. **20**, 489–499 (1994). [2]Bull. Minéral. **109**, 117–129 (1986). [3]Econ. Geol. **75**, 742–751 (1980); **80**, 158–171 (1985). [4]Mineral. Petrol. **39**, 211–229 (1988). [5]Chem. Erde **51**, 291–295 (1991). [6]Mineral. Petrol. **53**, 285–305 (1995). [7]Can. Mineral. **31**, 105–117 (1993). [8]Can. Mineral. **34**, 1211–1222 (1996). [9]Eur. J. Mineral. **5**, 465–478 (1993). [10]Am. Mineral. **72**, 451–467 (1987). [11]Eur. J. Mineral. **10**, 239–249 (1998). [12]Am. Mineral. **83**, 141–146 (1998).
allg.: Anthony et al., Handbook of Mineralogy, Vol. I, S. 488, Tucson (Arizona): Mineral Data Publishing 1990 ▪ Gmelin, Syst.-Nr. 32, Erg.-Bd., 1956, S. 118–124 ▪ Lapis **2**, Nr. 11 (1977) (Themenheft „Zinkblende") ▪ Ramdohr, Die Erzmineralien u. ihre Verwachsungen, S. 543–559, Berlin: Akademie Verl. 1975 ▪ Sawkins, Metal Deposits in Relation to Plate Tectonics (2.), S. 129–144, 300–323, 340–354, Berlin: Springer 1990 ▪ Schröcke-Weiner, S. 142–153 ▪ Ullmann (5.) **A 14**, 158; **A 17**, 549; **A 18**, 456; **A 20**, 291 ▪ s. a. Zinksulfid. – *[HS 260800; CAS 12169-28-7]*

Zinkblüte s. Hydrozinkit.

Zinkborate. Es sind verschiedene Hydrate der Z. bekannt, z. B. a) $ZnO \cdot B_2O_3 \cdot 2H_2O$ (D. 3,64, bis 190 °C gegen Wasserverlust stabil) u. b) $2ZnO \cdot 3B_2O_3 \cdot 3,5H_2O$ (D. 2,69, verliert ab 290–300 °C Kristallwasser). Die Z. sind wasserunlösl., weiße Pulver, die aus Zinkoxid u. Borsäure entstehen. Sie finden Verw. als Flammschutzmittel für Kunststoffe, bes. PVC, halogenierte Polyester u. Nylon, Flußmittel für keram. Erzeugnisse, Fungizide. – *E* zinc borates – *F* borates de zinc – *I* borati di zinco – *S* boratos de cinc
Lit.: Gmelin, Syst.-Nr. 32, Zn, 1924, S. 248, Erg.-Bd., 1956, S. 971 f. ▪ Kirk-Othmer (4.) **4**, 407 f.; **10**, 942 ▪ Ullmann (5.) **A 4**, 276 ▪ Winnacker-Küchler (4.) **2**, 556. – *[HS 284020; CAS 27043-84-1 (a); 12513-27-8 (b)]*

Zinkcarbonate. Das *neutrale Z.*, $ZnCO_3$, M_R 125,40, bildet ein weißes Pulver, D. 4,398, das bei 300 °C CO_2 verliert, in Wasser unter Bildung von bas. Z. wenig lösl. ist u. in der Natur als Zinkspat (*Smithsonit) vorkommt. *Bas. Z.* hat die ungefähre Zusammensetzung $5 ZnO \cdot 2 CO_2 \cdot 4 H_2O$. Es ist ein weißes Pulver, unlösl. in Wasser, lösl. in verd. Säuren u. kommt in der Natur als Zinkblüte (s. Hydrozinkit) vor.
Verw.: Als Zwischenprodukt bei der Herst. von Zinkoxid-Pigmenten, Hilfsmittel in der Textilfärberei, Zusatz zu pharmazeut. Zubereitungen sowie zur Absorption von Schwefelwasserstoff bei der Spülung von Tiefbohrungen. Bas. Z. wird als Pigment, in Pudern, im Textildruck (Weißreserven), als Ätze für beschwerte Seide verwendet. – *E* zinc carbonates – *F* carbonates de zinc – *I* carbonati di zinco – *S* carbonatos de cinc
Lit.: Brauer (3.) **2**, 1035 ▪ Gmelin, Syst.-Nr. 32, Zn, 1924, S. 250 ff., Erg.-Bd., 1956, S. 973–978 ▪ Kirk-Othmer (3.) **24**, 852 ▪ Ullmann (4.) **24**, 634. – [HS 2836 99; CAS 3486-35-9 ($ZnCO_3$); 5970-47-8 (bas. Z.)]

Zinkchlorid. $ZnCl_2$, M_R 136,30. Weißes, körniges Pulver aus hexagonal-rhomboedr. Blättchen od. (beim Erstarren der Schmelze) porzellanartige, weiße, undeutlich krist. Masse, D. 2,91, Schmp. 283 °C, Sdp. 732 °C, in der Gasphase bis 900 °C stabil, in Wasser extrem gut lösl. (432 g Z. lösen sich in 100 g Wasser bei 25 °C), auch in Alkohol, Ether, Aceton, Glycerin u. Pyridin löslich. Z. ist außerordentlich hygroskopisch. Bei der Auflösung von $ZnCl_2$ in Wasser tritt starke Erwärmung ein, die Lsg. reagiert infolge Hydrolyse deutlich sauer; konz. $ZnCl_2$-Lsg. wirken desinfizierend u. desodorierend bei brandigen u. übelriechenden Wunden. Z. bildet Hydrate mit 1, 1½, 2½, 3 u. 4 Mol. Kristallwasser pro Formeleinheit.
Herst.: Durch Auflösen von Zink, Zinkoxid, Zinkcarbonat, Zinkblenden u. dgl. in Salzsäure u. anschließendem Eindampfen der Lösung.
Verw.: Für Salzbäder bei der Herst. von Polyacrylfasern, als Elektrolyt in Hochleistungszellen (Leclanché-Elementen), in Lötwasser od. -paste, als Lewis-Säure zur Wasserabspaltung u. Kondensation bei organ. Synth., zum Raffinieren in der Öl-Ind., zum Verzinken, Verzinnen, Verbleien von Metallen, zur Herst. von Aktivkohle, als konservierender u. hygroskop. Zusatz bei Schlicht- u. Appreturflotten, zum Reservieren von Schwefel- u. Küpen-Farbstoffen, als Stabilisierungsmittel für Diazonium-Verb., bei der Farbstoff-Fabrikation, zur Herst. von Papiermaché u. Vulkanfiber, in der Medizin z. B. in Form von Waschwässern, Ätzstiften u. Pasten zur Behandlung von infizierten Wunden u. Geschwüren, soll auch gegen *Schnupfen wirken, in der Photographie zur Herst. von Emulsionen u. Kopierpapier, als Anfärbereagenz in der Dünnschicht- u. Papierchromatographie zum Nachw. von Steroid-Sapogeninen u. Steroiden, als *Chlorzinkiod-Lösung zum Cellulose-Nachw., als *Jorissens Reagenz zum Nachw. von Alkaloiden, als Lsm. für Cellulose. – *E* zinc chloride – *F* chlorure de zinc – *I* cloruro di zinco – *S* cloruro de cinc

Lit.: Brauer (3.) **2**, 1023 ▪ Braun-Dönhardt, S. 399 ▪ Gmelin, Syst.-Nr. 32, Zn, 1924, S. 158–176, Erg.-Bd., 1956, S. 847–882 ▪ Hommel, Nr. 212, 212a ▪ Janistyn **1**, 1013 ▪ Kirk-Othmer (4.) **25**, 850 ▪ Ph. Eur. 1997, 1839 ▪ Winnacker-Küchler (3.) **6**, 331. – [HS 2827 36; CAS 7646-85-7; G 8]

Zinkchromate. (a) Das normale *Zinkchromat*, $ZnCrO_4$, M_R 181,38, ist ein zitronengelbes Pulver, D. 3,40, gering lösl. in Wasser, lösl. in Säuren; es besitzt keine techn. Bedeutung. – (b) *Zink-Kalium-Chromat* [Zinkgelb, $KZn_2(CrO_4)_2OH$, gelbes Pulver] u. bas. *Zink-Kalium-Chromat* [Zitronengelb, $K_2CrO_4 \cdot 3 ZnCrO_4 \cdot Zn(OH)_2 \cdot 2 H_2O$, gelbe, trikline Blättchen, D. 3,47] zählen zu den anorgan. *Chrom-Pigmenten u. wurden früher im aktiven Korrosionsschutz verwendet; sie sind kaum lösl. in Wasser, jedoch lösl. in Säuren. – (c) Das *Zinktetraoxychromat* (bas. Zinkchromat, ZTO-Chromat), $ZnCrO_4 \cdot 4 Zn(OH)_2$, wurde früher als gelbes Pigment für korrosionsschützende Anstriche eingesetzt. – (d) Das *Zinkdichromat*, $ZnCr_2O_7 \cdot 3 H_2O$, das aus ZnO u. CrO_3 als orangerote, in Wasser lösl. Prismen erhalten wird, findet Verw. als Oxid.-Mittel für organ. Verbindungen[1].
Die Zinkchromate sind giftig (s. Chrom u. Chromate) u. sensibilisieren die Haut (Chromat-Allergie). Die dtsch. MAK-Kommission hat die Z. in Form atembarer *Stäube als eindeutig krebserzeugend eingestuft; für sie gilt ein TRK-Wert von 0,1 mg/m^3 (berechnet als CrO_3 im Gesamtstaub).
Verw.: Z. fanden früher mit Ausnahme des normalen Z. ausgedehnte Verw. in Lackprimern als Korrosionsinhibitor, da sie mit Eisen unlösl. Eisen(III)-chromate bilden bzw. Metalloberflächen oxidativ passivieren. Wegen der Gesundheitsgefährdung beim Arbeiten mit Z. haben sich in den 90er Jahren (TRGS 602) Ersatzstoffe u. -verf. für den Korrosionsschutz durchgesetzt. – *E* zinc chromates – *F* chromates de zinc – *I* cromati di zinco – *S* cromatos de cinc
Lit.: [1] Synthesis **1986**, 285 ff.
allg.: Braun-Dönhardt, S. 399 ▪ Kirk-Othmer (4.) **6**, 295 ▪ Merkblatt M 026: Zinkchromat, Strontiumchromat (ZH 1/88), Heidelberg: BG Chem. Ind. 1985 ▪ Technische Regeln für Gefahrstoffe TRGS 602: Ersatzstoffe u. Verwendungs-Beschränkungen – Zinkchromate u. Strontiumchromat als Pigmente für Korrosionsschutz-Beschichtungsstoffe, Köln: Heymanns 1988 ▪ Ullmann (5.) **A7**, 88 f.; **A20**, 341 f. – [HS 2841 20; CAS 13530-65-9 (a); 11103-86-9 (b); 15930-94-6 (c)]

Zinkcyanid. $Zn(CN)_2$, M_R 117,43. Weißes, sehr giftiges (MAK 5 mg/m^3), schwach bittermandelartig riechendes Pulver, D. 1,852, bei 800 °C Zers., unlösl. in Wasser, lösl. in Mineralsäuren unter HCN-Entwicklung, leicht lösl. in Alkalicyanid-Lsg. unter Bildung von Cyanozinkaten vom Typ $M^I_2[Zn(CN)_4]$ (M^I = einwertiges Metallion) sowie in Alkalihydroxid- u. NH$_3$-Lösungen. Z. wird in der Galvanotechnik zur elektrolyt. Abscheidung von Zink u. Messing verwendet. – *E* zinc cyanide – *F* cyanure de zinc – *I* cianuro di zinco – *S* cianuro de cinc
Lit.: Beilstein E III **2**, 86 ▪ Brauer (3.) **2**, 1036 ▪ Braun-Dönhardt, S. 75 ▪ DIN 50971: 1996-03 ▪ Gmelin, Syst.-Nr. 32, Zn, 1924, S. 257 f., Erg.-Bd., 1956, S. 984 f. ▪ Hommel, Nr. 991 ▪ Kirk-Othmer (3.) **24**, 852 ▪ Ullmann (5.) **A8**, 175 f. – [HS 2837 19; CAS 557-21-1; G 6.1]

Zinkdialkyldithiocarbamate, -phosphate s. Zink-organische Verbindungen.

Zinkdichromat s. Zinkchromate.

Zinkdiethyl s. Zink-organische Verbindungen.

Zinkdithionit s. Dithionite u. Harris-Verfahren.

Zinkenit s. Zinckenit.

Zinkernagel, Volker (geb. 1938), Prof. für Medizin u. Phytopathologie, TU München. *Arbeitsgebiete*: Epidemiologie der Krankheitserreger, Pathogenese, chem. Bekämpfung, Überprüfung von Resistenzen in Kulturpflanzen. Vorsitzender der Dtsch. Phytomedizin. Gesellschaft.

Zink-Finger. Strukturmotiv einiger Familien von *Proteinen, die Sequenz-spezif. an Desoxyribonucleinsäuren (vgl. dort; Abk.: DNA) binden u. ihrer Funktion nach *Transkriptionsfaktoren darstellen. Die in dem jeweiligen Protein-Mol. in regelmäßiger Anordnung mehrfach vorhandenen Z.-F. bestehen aus kurzen, schleifenförmigen Abschnitten des Proteins mit L-Cystein u./od. L-Histidin-Resten, die ein Zink(II)-Ion vierfach koordinieren. Die Geometrie der Protein-DNA-Wechselwirkung konnte durch *Röntgenstrukturanalyse von Z.-F.-Protein/DNA-Komplexen untersucht werden. Die Z.-F. berühren die große Furche der DNA-Doppelhelix. Man hat strukturell unterschiedliche Z.-F. gefunden, z. B. solche, bei denen die vier Zink-komplexierenden Aminosäure-Reste paarweise je einer α-Helix u. einem β-Faltblatt (s. Proteine) angehören, u. solche, die durch zwei α-Helices gebildet werden. Beisp. sind der *eukaryontische Transkriptionsfaktor TFIIIA, der *Thyroid-Hormon-Rezeptor u.a. im Zellkern befindliche Rezeptoren, z. B. für *Steroide. Zu pflanzlichen Z.-F.-Transkriptionsfaktoren s. *Lit.*[1], zu verschiedenen Familien von Z.-F. in dem Fadenwurm *Caenorhabditis elegans* s. *Lit.*[2]. – *E* zinc finger – *F* doigt à zinc – *I* zinc finger, dito di zinco – *S* dedo de cinc

Lit.: [1] Cell. Mol. Life Sci. **54**, 582–596 (1998). [2] Science **282**, 2018–2022 (1998).
allg.: Acc. Chem. Res. **28**, 14–19 (1995) ■ Alberts et al., Molekularbiologie der Zelle, 3. Aufl. S. 484ff., Weinheim: VCH Verlagsges. 1995 ■ Annu. Rev. Biophys. Biomol. Struct. **26**, 357–371 (1997) ■ FASEB J. **9**, 597–604 (1995) ■ Sluyser et al., Zinc-Finger Proteins in Oncogenesis. DNA-Binding and Gene Regulation, New York: New York Acad. Sci. 1993.

Zinkfluorid. ZnF_2, M_R 103,39. Durchsichtige, giftige, monokline Krist., D. 4,95, Schmp. 872 °C, Sdp. ca. 1500 °C, in Wasser sehr wenig, in Ammoniakwasser leicht lösl., krist. mit 4 Mol. H_2O pro Formeleinheit. Z. entsteht, wenn man Zinkoxid mit HF bei Rotglut erhitzt od. $ZnCO_3$ in Flußsäure löst.
Verw.: Zu galvan. Verzinkungsbädern, zu Glasuren u. Emails auf Porzellan, zu Spezialgläsern mit hohem Brechungsindex, als Flußmittel in der Schweiß- u. Löttechnik, als Fluorierungsmittel in der organ. Synth., bei der Herst. von Zr-Zn-Leg., in Verb. mit Natriumfluorid zur Holzkonservierung. – *E* zinc fluoride – *F* fluorure de zinc – *I* fluoruro di zinco – *S* fluoruro de cinc

Lit.: Brauer (3.) **1**, 251 ■ Gmelin, Syst.-Nr. 32, Zn, 1924, S. 157f., Erg.-Bd., 1956, S. 844ff. ■ Kirk-Othmer (3.) **10**, 826 ■ Ullmann (5.) **A 28**, 537. – *[HS 2826 19; CAS 7783-49-5]*

Zinkformaldehydsulfoxylat s. Hydroxymethansulfinsäure u. Harris-Verfahren.

Zinkgelb s. Zinkchromate.

Zinkgrau. Mischung aus Zink-Farben mit Ruß u. dgl., unreines, Zink-haltiges *Zinkoxid (*Steingrau) od. gemahlene *Zinkblende bzw. Zinkstaub, die mit Bindemittel angerührt u. als Malerfarbe verwendet werden. – *E* zinc gray – *F* gris de zinc – *I* griggio di zinco – *S* gris de cinc – *[HS 3206 49]*

Zinkgrün. Mischfarbe aus Zinkgelb (s. Zinkchromate) u. *Berliner Blau, wird meist mit Öl, seltener mit Leim angerührt u. auch zu Außenanstrichen verwendet; Z. ist lichtecht, aber kalkempfindlich. – *E* zinc green – *F* vert de zinc – *I* verde di zinco – *S* verde de cinc
Lit.: Ullmann (4.) **18**, 616. – *[HS 3206 20]*

Zinkharze. Bez. für *Hartharze auf Basis von Zinksalzen.

Zinkhexafluorosilicat (Zinksilicofluorid). $Zn[SiF_6]$, M_R 315,56. Das Hexahydrat bildet farblose, hexagonale Prismen, D. 2,104, Schmp. 100 °C (Zers.), in Wasser leicht löslich. Z. findet Verw. zum Wasserdichtmachen (*Fluatieren*) von Zement, in Kombination mit anderen Fluoriden zur Erhöhung der Korrosionsbeständigkeit der Oberflächen von Al u. Al-Leg., in der Textil-Ind. als Härtungsbeschleuniger für Imprägnierlsg. auf Melamin- u. Harnstoffharzbasis u. im Holzschutz als Fungizid. – *E* zinc hexafluorosilicate – *F* hexafluorosilicate de zinc – *I* esafluorosilicato di zinco – *S* hexafluorosilicato de cinc

Lit.: Brauer (3.) **2**, 1037f. ■ Gmelin, Syst.-Nr. 32, Zn, 1924, S. 274, Erg.-Bd., 1956, S. 993f. ■ Kirk-Othmer (3.) **24**, 853. – *[HS 2826 90; CAS 16871-71-9 (Z.); 18433-42-6 (Hexahydrat); G 6.1]*

Zinkhydroxid. $Zn(OH)_2$, M_R 99,41. Von 6 verschiedenen krist. Modif. ist nur das farblose rhomb. ε-$Zn(OH)_2$, D. 3,05, im Gleichgew. mit Wasser unterhalb 39 °C stabil. Die Verb. bildet sich durch Fällung aus Zinksalz-Lsg. mit der berechneten Menge Alkalilauge od. Ammoniak als amorpher Niederschlag, der sich langsam in die krist. Form umwandelt. Z. ist *amphoter: Es löst sich in Säuren unter Bildung von Zn-Salzen u. in überschüssigem Alkalihydroxid zu Hydroxozinkaten (s. Zinkate), z. B. $Na[Zn(OH)_3]$. Mit Ammoniak erhält man *Ammin-Salze, $[Zn(NH_3)_4]^{2+}$. Bei höherer Temp. zerfällt Z. teilw. in *Zinkoxid u. Wasser. – *E* zinc hydroxide – *F* hydroxyde de zinc – *I* idrossido di zinco – *S* hidróxido de cinc

Lit.: Brauer (3.) **2**, 1026f. ■ Gmelin, Syst.-Nr. 32, Zn, 1924, S. 137–145 ■ s. a. Zinkoxid. – *[HS 2825 90; CAS 20427-58-1]*

Zinkiodid s. Iodstärke-Reaktion u. Chlorzinkiod-Lösung.

Zinkiodidstärke s. Iodstärke-Reaktion.

Zinkit (Rotzinkerz). $(Zn,Mn)O$; körnige u. spätige, orangegelbe bis blutrote, vollkommen spaltbare, fettglänzende, meist Mangan-haltige Massen, selten auch hexagonale Krist., Kristallklasse 6mm-C_{6v}. H. 4–4,5, D. 5,6–5,7, säurelöslich. Z. ist isotyp mit *Wurtzit; zur Struktur u. *Pyroelektrizität von ZnO s. *Lit.*[1].
Vork.: Franklin u. Sterling Hill in New Jersey/USA (dort früher als Zinkerz abgebaut), Tsumeb/Namibia;

in vulkan. Aschen vom Mount St. Helens in Washington/USA. Krist. als Hüttenprodukt. – $E = F = I$ zincite – S zincita, cincita
Lit.: [1] Acta Crystallogr. Sect. B **45**, 34–40 (1989).
allg.: Anthony et al., Handbook of Mineralogy, Vol. III, S. 624, Tucson (Arizona): Mineral Data Publishing 1997 ■ Ramdohr-Strunz, S. 409 ■ Schröcke-Weiner, S. 347 ■ s. a. Zinkoxid. – *[HS 260800; CAS 20431-17-8]*

Zink-Kalium-Chromat s. Zinkchromate.

Zink-Krone. Gruppe von *optischen Gläsern (*Kronglas) mit niedrigen Brechungsindizes n_e u. mittleren Werten der Abbeschen Zahl v_e, z. B. $n_e = 1,53534$, $v_e = 57,87$. – E zinc crown glass – F crown de zinc – I vetro crown di zinco – S crown-glass de cinc

Zink-Legierungen s. Zink.

Zinkleim s. Zinkoxid.

Zink-Luft-Batterie (Abk. Zoxy-Batterie, von E Zinc-Oxygen). Speziell zum Betreiben von Elektro-Pkw entwickelte Batterien, die mit einer Energiespeicherdichte von 150–200 Wh/kg Batteriegew. wesentlich besser sind als Blei- u. a. *Akkumulatoren (s. Abb.). Nachteilig bei Z.-L.-B. ist allerdings, daß sich beim Laden feine Zink-Nadeln auf den Elektroden bilden, die zu Kurzschlüssen führen. Beim ersten Flächentest müssen die Z.-L.-B. vor jedem Ladevorgang gereinigt werden[1], s. a. Zebra-Batteriesystem.

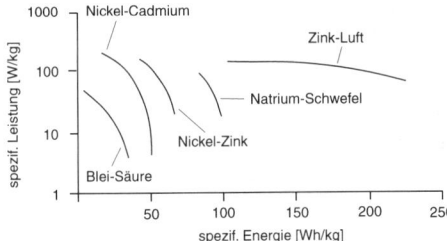

Abb.: Spezif. Leistung u. Energie von Batterien zum Betreiben von Elektrofahrzeugen.

– E zinc oxygen battery – F accumulateur zinc-oxygène – I batteria zinco-ossigeno – S pila de óxido-aire
Lit.: [1] Stromthemen **1997**, Nr. 8, 5.
allg.: Phys. Unserer Zeit **28**, 279 (1997) ■ Spektrum Wiss. **1996**, Nr. 10, 100.

Zinknitrat. $Zn(NO_3)_2$, M_R 297,49. Das Hexahydrat bildet farblose Krist., D. 2,065, Schmp. 36,4 °C, sehr gut lösl. in Wasser u. Alkohol; bei Erwärmen über 140 °C geht es in Zinkoxid über. Z. findet Verw. in der Galvanotechnik, beim Färben von Acetatfasern mit kation. Farbstoffen, als Katalysator beim Knitterfestmachen von Textilwaren u. als Bestandteil von Latex-Koagulierungsbädern. – E zinc nitrate – F nitrate de zinc – I nitrato di zinco – S nitrato de cinc
Lit.: Gmelin, Syst.-Nr. 32, Zn, 1924, S. 149–156, Erg.-Bd., 1956, S. 836–843 ■ Hommel, Nr. 885 ■ Kirk-Othmer (3.) **24**, 853. – *[HS 283429; CAS 10196-18-6 (Hexahydrat); G 5.1]*

Zinkoctoat s. Octoate.

Zinköl s. Zinkoxid.

Zink-organische Verbindungen. Unter Z.-o. V. im engeren Sinne versteht man Verb. der allg. Formeln R_2Zn u. $R-Zn-X$, in denen R = organ. Alkyl- u./od. Aryl-Reste u. X = Halogene sind u. die am besten durch Einschiebung von metall. Zink in Kohlenstoff-Halogen-Bindungen hergestellt werden. Auch die *Transmetallierung von $ZnCl_2$ mit Magnesium- od. Lithium-organ. Verb. ist zur Herst. geeignet (s. Abb. 1).

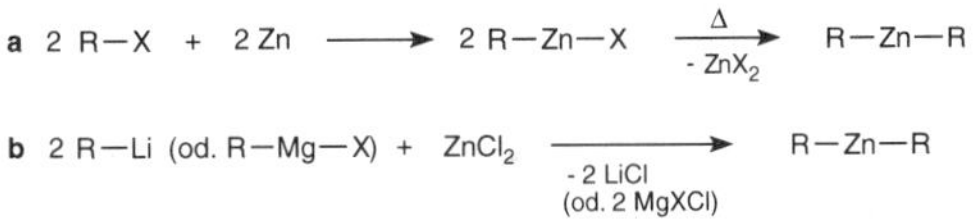

a $2 R-X + 2 Zn \longrightarrow 2 R-Zn-X \xrightarrow[-ZnX_2]{\Delta} R-Zn-R$

b $2 R-Li$ (od. $R-Mg-X$) $+ ZnCl_2 \xrightarrow[\text{(od. 2 MgXCl)}]{-2\,LiCl} R-Zn-R$

Abb. 1: Herst. von Zink-organischen Verbindungen durch Direktsynth. (a) bzw. Transmetallierung (b).

Das von Frankland 1848 hergestellte $Zn(C_2H_5)_2$, „Zinkdiethyl" (*Diethylzink*)[1] war eine der ersten *Metall-organischen Verbindungen, $C_4H_{10}Zn$, M_R 123,50, Flüssigkeit, D. 1,187, Sdp. 118 °C; die Verb. ist pyrophor u. wird als Polymerisationskatalysator verwendet. $Zn(C_6H_5)_2$, *Diphenylzink*, $C_{12}H_{10}Zn$, M_R 219,59, bildet Nadeln vom Schmp. 107 °C; Polymerisationskatalysator. Die niederen aliphat. Z.-o. V. sind an Luft selbstentzündliche Flüssigkeiten, die höheren u. die aromat. Z.-o. V. sind fest. Z.-o. V. spielen eine Rolle in Synth., die analog zur *Grignard-Reaktion verlaufen, bei der *Reformatsky-Reaktion, bei der Cyclopropanierung[2] nach Simmons-Smith (*Simmons-Smith-Reaktion) u. der *Aldol-Addition[3] aufgrund ihrer abgestuften Reaktivität. In neuerer Zeit wurde gefunden, daß Z.-o. V. Transmetallierung (s. a. Metall-organische Reaktionen) mit einer Reihe von Übergangsmetallen (Cu, Co, Fe, Mn, Pd, Ni) eingehen, wodurch ihre Anwendungsbreite für die organ. Synth. beträchtlich erweitert wurde. Diese Transmetallierungen lassen sich auch katalyt. durchführen u. viele funktionelle Gruppen im Zinkorganyl werden toleriert. Unter den Reaktionen sind die stereoselektive Addition von Dialkylzink-Verb. an Aldehyde (Abb. 2a) u. die enantioselektive Cyclopropanierung (Abb. 2b) an herausragender Stelle zu nennen.

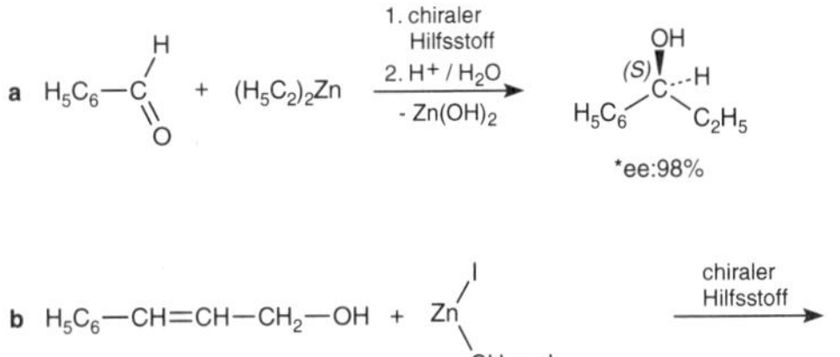

Abb. 2: *Enantioselektive Synthese von (S)-1-Phenyl-1-propanol (s. Phenylpropanole u. CIP-Regeln) (a) u. (1R,2R)-2-Phenylcyclopropanmethanol (b) mit Hilfe von Zink-organischen Verbindungen.

Eine spezielle Anw. findet Diethylzink in der Konservierung von Büchern[4]. Im weiteren Sinne rechnet man zu den Z.-o. V. auch die Zinksalze der Fettsäuren u. Naphthensäuren; *Beisp.:* *Zinkacetat, *Zinkstearat u. a. *Zinkseifen*, die techn. eine Rolle als *Trockenstoffe u. *Metallseifen spielen. Hierher gehören auch andere organ. Zn-Salze (z. B. Zinksalicylat), die nützliche physiolog. Wirkung in *Zink-Präparaten entfalten, u. ferner die Zn-Dialkyldithiocarbamate vom Typ *Zineb u. *Ziram, die durch fungizide Wirkung ausgezeichnet sind, sowie Zn-O,O-Dialkyldithiophosphate, die als Antioxidantien geeignet sind. Koordinationsverb. des Zn sind in größerer Zahl bekannt, u. einige von ihnen sind katalyt., z. B. für Polymerisationen, wirksam. – *E* organozinc compounds – *F* composés d'organozinc – *I* composti organici di zinco – *S* compuestos de organocinc

Lit.: [1] Justus Liebigs Ann. Chem. **71**, 171 (1849). [2] Org. React. **20**, 1 ff. (1972). [3] Synthesis **1989**, 571. [4] Kirk-Othmer (3.) **16**, 585 f.
allg.: Adv. Organomet. Chem. **12**, 215 (1974) ▪ Chemtracts: Org. Chem. **8**, 205 (1995) ▪ Erdik, Organozink Reagents in Organic Synthesis, Boca Raton: CRC 1996 ▪ Houben-Weyl **13/2 a**, 553–858 ▪ Krause, Metallorganische Chemie, S. 65, Heidelberg: Spektrum Akadem. Verl. 1996 ▪ Tetrahedron **54**, 8275 (1998) ▪ Wilkinson-Stone-Abel **2**, 824–851; II **3**, 175 f. ▪ s. a. Metallorganische Chemie u. Zink. – *[HS 291570, 293100; CAS 557-20-0 (Diethylzink); 1078-58-6 (Diphenylzink)]*

Zinkorotat®. Tabl. mit *Orotsäure-Zinksalz zur oralen Zinksubstitution u. Aktivierung des Immunsyst. bei Abwehrschwäche. *B.:* Ursapharm.

Zinkosit s. Zinksulfat.

Zinkoxid. ZnO, M_R 81,39. Farblose, hexagonale Krist. od. weißes, lockeres Pulver, D. 5,606, Verdampfung ab 1300 °C, Subl. etwa ab 1800 °C, Schmp. 1975 °C (unter Druck), unlösl. in Wasser, lösl. in verd. Säuren unter Salzbildung; mit Alkalien frisch gefälltes, hydratisiertes Z. geht bei einem Überschuß an Alkalien als *Zinkat wieder in Lösung. Frisch gebildeter ZnO-Rauch (z. B. beim Schweißen) reizt die Atemwege u. kann Fieber („Gießfieber") u. Leukocytose hervorrufen; MAK-Wert 5 mg/m^3. In der Natur tritt ZnO als Mineral in grobkörnigen Massen (*Zinkit) auf. Beim Erhitzen färbt sich ZnO zitronengelb, bei der Abkühlung wird es wieder weiß (*Thermochromie). Im Dunkeln sieht man nach dem Erkalten noch ein schwaches Nachleuchten. Z. mit kleinen Mengen von Fremdbestandteilen können farbig sein.
Herst.: Man unterscheidet *Zinkweiß*, das nach dem sog. *französ. Verf.* aus Zink-Dampf u. Luftsauerstoff gewonnen wird, u. *Zinkoxide*, die nach dem sog. *amerikan. Verf.* aus Zinkerzen od. -Schrott durch Röstung, Red. mit Kohle u. direkt anschließende Reoxid. erhältlich sind od. *naßchem.* durch Fällung als Hydroxid od. Carbonat aus gereinigten Zn-Salzlsg. u. anschließender Calcination hergestellt werden. Durch Wahl der Reaktionsbedingungen werden die verschiedenen, den Anw.-Bereichen angepaßten Produktqualitäten des Handels eingestellt; techn. ZnO-Pigmente sind häufig Blei-haltig u. müssen dann durch das Gefahrensymbol Xn gekennzeichnet sein. Durch Verbrennen von Zink kann sich ZnO in feinfilziger, wollartiger Form (*Lana philosophica) bilden.
Verw.: In der Anstrichtechnik als graue Malerfarbe (ZnO u. Zinkstaub; *Steingrau* od. *Zinkgrau*), als *Weißpigment (*Zinkweiß*; ZnO mit 45–50% Öl deckt mittelgut, trocknet hart infolge Zinkseifen-Bildung u. ist beständig gegen Schwefelwasserstoff), in der Kunstmalerei (Zinkweiß mit Mohnöl, auch in der Tempera- u. Aquarelltechnik verwendbar), zur Herst. von Lacken, für Grundierungen, als Porenfüller, zu Spachtelmassen usw. Umsatzstärkstes Einsatzgebiet ist die Gummi-Ind.; hier dient Z. als Aktivator für den Vulkanisationsprozeß. Z. verwendet man weiterhin als Katalysator bei der Methanol-Synth., zur Fettspaltung, bei Hydrierungen u. Isomerisierungen, zur Herst. von Photokopierpapieren (s. Elektrophotographie), in der Färberei in Dithionit-Ätzen, als Reserve für Anilinschwarz, zur Herst. von Sikkativen, Kitten, Klebstoffen, Emails, keram. Erzeugnissen, Pudern, Schminken u. a. kosmet. Erzeugnissen, als Düngemittel- u. Futtermittelzusatz bei Zink-Mangel. Aufgrund seiner adstringierenden u. antisept. Wirkung dienen Z. enthaltende *Zink-Präparate* zur Haut- u. Wundbehandlung, z. B. bei Ulcus cruris; *Beisp.: Zinköl* (eine Anreibung von Z. mit Olivenöl), *Zinkleim* (10 Tl. ZnO, 40 Tl. Glycerin, 15 Tl. Gelatine u. 35 Tl. Wasser), *Zinkpaste* (25 Tl. ZnO, 25 Tl. Weizenstärke u. 50 Tl. weißes Vaselin), *Weiche Zinkpaste* (30 Tl. ZnO, 20 Tl. mittelkettige Triglyceride u. 50 Tl. Wollwachsalkoholsalbe) u. *Zinksalbe* (10 Tl. ZnO u. 90 Tl. Wollwachsalkoholsalbe). – *E* zinc oxide – *F* oxyde de zinc – *I* ossido di zinco – *S* óxido de cinc

Lit.: Am. Ceram. Soc. Bull. **69**, 887 f. (1990) ▪ Blaue Liste C 158 ▪ Der inform. Arzt **11**, Nr. 14, 38–41 (1983) ▪ Gmelin, Syst.-Nr. 32, Zn, 1924, S. 125–136, Erg.-Bd., 1956, S. 772–818 ▪ Kirk-Othmer (4.) **19**, 18–22; **25**, 840–850 ▪ Parfüm. Kosmet. **68**, 425–428 (1987) ▪ Ph. Eur. **1997**, 1840 ▪ Ullmann (5.) A **20**, 294–297 ▪ Winnacker-Küchler (4.) **3**, 374 f. – *[HS 281700; CAS 1314-13-2]*

Zinkpaste s. Zinkoxid.

Zinkphosphate. (a) *Zinkdihydrogenphosphat* (prim. Zinkphosphat), $Zn(H_2PO_4)_2$, M_R 295,40. Das Dihydrat bildet farblose, trikline Krist., bei Erwärmen auf 100 °C od. Lösen in Wasser Zers., spielt beim Phosphatieren eine wichtige Rolle (s. die Reaktionsgleichung dort). – (b) *Zinkphosphat* (tert. Zinkphosphat), $Zn_3(PO_4)_2$, M_R 386,11. Farblose Krist., D. 3,998, Schmp. 900 °C, unlösl. in Wasser, lösl. in verd. Mineralsäuren; es entsteht zusammen mit *Hopeit, *Phosphophyllit u. *Scholzit beim Phosphatieren u. wird zu Zahnzementen verwendet. – (c) *Zinkdiphosphat*, $Zn_2P_2O_7$, M_R 304,72. Farbloses, krist., in Wasser unlösl., in verd. Mineralsäuren lösl. Pulver. – *E* zinc phosphates – *F* phosphates de zinc – *I* fosfati di zinco – *S* fosfatos de cinc

Lit.: Brauer (3.) **2**, 1032 f. ▪ DIN 55971: 1976-12 ▪ Gmelin, Syst.-Nr. 32, Zn, 1924, S. 277–279, Erg.-Bd., 1956, S. 995 f. ▪ s. a. Phosphatieren. – *[HS 283529; CAS 7779-90-0 (b); 7446-26-6 (c)]*

Zinkphosphid. Zn_3P_2, M_R 258,12. Dunkelgraue, giftige Würfel, D. 4,55, Schmp. >420 °C, Sdp. 1100 °C, unlösl. in Wasser, lösl. in Salzsäure u. Schwefelsäure unter Entwicklung von spontan entzündlichem *Phosphan. Z. wird im *Vorratsschutz als *Rodentizid verwendet, u. zwar ausschließlich als Ködermittel. Nach der Neufassung des Pflanzenschutzgesetzes vom 14. 5. 1998 muß Z. als Ködermittel außerhalb von Forsten verdeckt ausgebracht werden. – *E* zinc phosphide – *F* phosphure de zinc – *I* fosfuro di zinco – *S* fosfuro de cinc

Lit.: Brauer (3.) **2**, 1031 ▪ Gmelin, Syst.-Nr. 32, Zn, 1924, S. 275 f., Erg.-Bd., 1956, S. 994 f. ▪ Hommel, Nr. 992 ▪ Perkow ▪ Wirkstoffe iva, S. 324 f. – *[HS 2848 90; CAS 1314-84-7; G 4.3]*

Zink-Präparate. Angesichts der physiol. Eigenschaften u. der geringen Toxizität des *Zinks finden Z.-P. – meist als externe *Dermatika – vielfache Verw., z. B. in Form von Zinkleim, Zinkpasten u. Zinksalben; zur Zusammensetzung s. Zinkoxid. Diese enthalten als Wirkstoff Zinkoxid, das mit Wundsekreten adstringierende u. antisept. Zinksalze bildet. Manche Augentropfen enthalten zur Konservierung u. Antisepsis lösl. Zinksalze. Einige ebenfalls äußerlich anzuwendende Zink-Verb. wie Zinkundecenat u. Zink-*Pyrithion werden wegen ihrer fungistat. Wirkung Antischuppenmitteln zugesetzt. Verschiedene organ. Zinksalze wie Zinkgluconat u. Zinkorotat dienen zur Supplementierung bei Zink-Mangelerscheinungen. Zink-haltiges *Insulin hat Depotwirkung. Zur Physiologie u. Toxikologie s. *Lit.*[1]. – *E* zinc preparations – *F* préparations de zinc – *I* preparati di zinco – *S* preparados de cinc

Lit.: [1] Dtsch. Apoth. Ztg. **131**, 1039–1047 (1991). *allg.:* DAB **9**, 1465–1474; Komm. **9/3**, 3545–3569 ▪ Hager (4.) **6b**, 554 ff. ▪ Holtmeier u. Kruse-Jarres, Zink, Stuttgart: Wiss. Verlagsges. 1991 ▪ Pharm. Ztg. **142**, 111–123 (1997).

Zinkpyrithion s. Pyrithion.

Zinkresinate s. Hartharze u. Harzseifen.

Zinkricinoleat s. Ricinoleate.

Zinksalbe s. Zinkoxid.

Zinkseifen s. Zink-organische Verbindungen.

Zinksilicate. (a) *Zinkorthosilicat*, Zn_2SiO_4, M_R 222,86. Weißes Pulver, D. 4,103, Schmp. 1509 °C, unlösl. in Wasser. Das Orthosilicat kommt in der Natur als *Willemit vor u. wird als *Leuchtstoff in Fernsehbildschirmen, früher auch im „Mag. Auge" von Rundfunkgeräten, ferner zur Herst. von im UV-Licht fluoreszierenden Sorptionsschichten für die Dünnschichtchromatographie verwendet. – (b) *Zinkmetasilicat*, $ZnSiO_3$, M_R 141,47. Farblose, rhomb. Krist., D. 3,42, Schmp. 1437 °C, wasserunlöslich. Das Metasilicat bildet sich beim Aushärten von sog. *Zinksilicat-Anstrichen*, das sind harte, korrosionsschützende Anstriche, die durch Mischen von Zinkstaub mit einer Silicat-Lsg. (z. B. Ethylsilicat) entstehen. – *E* zinc silicates – *F* silicates de zinc – *I* silicati di zinco – *S* silicatos de cinc

Lit.: Brauer (3.) **2**, 1036 f. ▪ Gmelin, Syst.-Nr. 32, Zn, 1924, S. 272 ff., Erg.-Bd., 1956, S. 989–993 ▪ Winnacker-Küchler (4.) **3**, 394 ff. – *[HS 2839 90; CAS 13597-65-4 (a)]*

Zinksilicofluorid s. Zinkhexafluorosilicat.

Zinkspat s. Smithsonit.

Zinkspinell s. Spinelle.

Zinkstaub s. Zink u. die nachstehenden Stichwörter.

Zinkstaubdestillation. Von A. von *Baeyer bei seinen Untersuchungen über Indigo 1867 aufgefundene Meth. zur Red. von Phenolen zu ihren Stammkohlenwasserstoffen. Dazu wird das Phenol entweder über auf Rotglut erhitzten Zinkstaub destilliert od. zusammen mit diesem in einem zugeschmolzenen Glasrohr erhitzt. Bei der Red. wird Sauerstoff abgespalten, der mit dem Zink zu Zinkoxid reagiert. Die Meth. war bes. bei der Strukturaufklärung von Naturstoffen nützlich. So wurden z. B. mit Hilfe der Z. Morphin als Phenanthren-Derivat u. *Alizarin als Anthracen-Derivat erkannt. Techn. wird die Z. (mit Zn, NaOH) bei der Herst. von Hydrazo-Verb. aus Nitro-Verb. praktiziert. – *E* zinc dust distillation – *F* distillation sur poudre de zinc – *I* distillazione con povere di zinco – *S* destilación sobre polvo de cinc

Lit.: Winnacker-Küchler (4.) **6**, 215–218.

Zinkstaubfarben. Hochpigmentierte, korrosionsschützende Anstriche, deren Pigment 92–95% Zinkstaub (Rest z. B. ZnO) enthält. Als Bindemittel verwendet man Polystyrol, Cyclokautschuk, Chlorkautschuk, Chlorpolypropylen, PVC, Polyvinylacetat, Alkydharze, Öle, Epoxidharze u. Epoxidharz-Ester, von denen sich bes. die Epoxid-Ricinenfettsäureester bewährt haben. Die Z. sind im Gegensatz zu Bleimennige physiol. unbedenklich. – *E* zinc dust paints – *F* peinture de poussière de zinc – *I* colori a polvere di zinco – *S* pintura de polvo de cinc

Lit.: Gatz (Hrsg.), Lexikon der Anstrichtechnik, Bd. 1, 8. Aufl., S. 310 f.; Bd. 2, 4. Aufl., S. 260, München: Callwey 1987, 1988 ▪ Römpp Lexikon Lacke u. Druckfarben, S. 639.

Zinkstearat. $[H_3C-(CH_2)_{16}-CO-O]_2Zn$, $C_{36}H_{70}O_4Zn$, M_R 632,33. Weißes, neutrales, amorphes, flaumiges, wasserabweisendes Pulver, Schmp. 130 °C, unlösl. in Wasser, Alkohol u. Ether, lösl. in Benzol, Xylol, Fetten u. Ölen. Z. ist ein mildes Antiseptikum mit desodorierender u. adstringierender Wirkung.

Verw.: Als typ. Vertreter der *Metallseifen (*Zinkseife*) für Trockenstoffe in Farben u. Lacken, als Gleitmittel für Kunststoffe, als Mattierungsmittel, zur Wasserdichtimprägnierung von Papier, Textilien, Holz, zur PVC-Stabilisierung, zur Herabsetzung der Hygroskopizität von Sprengstoffen, als Zusatz zu Gesichtspudern (sehr gute Haftfestigkeit). Wegen Resorptionserscheinungen ist die letztgenannte Anw. in einigen Ländern verboten; bes. Vorsicht ist bei Zusatz zu Kinderpuder geboten. – *E* zinc stearate – *F* stéarate de zinc – *I* stearato di zinco – *S* estearato de cinc

Lit.: Beilstein E IV **2**, 1214 ▪ DAB **10**, Komm. Z 8 (1995) ▪ Hager (5.) **2**, 860, 946 ▪ Kirk-Othmer (4.) **8**, 434; **21**, 473 ▪ Ullmann (4.) **21**, 225; (5.) **A 16**, 371 ▪ s. a. Metallseifen. – *[HS 2915 70; CAS 557-05-1]*

Zinksulfat. $ZnSO_4$, M_R 161,45. Farblose, rhomb. Krist., D. 3,54, ab ca. 680 °C Zers. unter partieller SO_3-Abspaltung, oberhalb 930 °C verbleibt ZnO. Z. bildet mehrere Hydrate. Das Heptahydrat, D. 1,96, wird auch *Zinkvitriol* genannt; dieses bildet sich aus gesätt. wäss. Z.-Lsg. in Form farbloser, glasglänzender, säulenförmiger, rhomb. Kristalle. Oberhalb 39 °C erfolgt Umwandlung zu $ZnSO_4 \cdot 6 H_2O$, u. bei 70 °C liegt nur noch $ZnSO_4 \cdot H_2O$ vor; das letzte H_2O-Mol. entweicht bei 240 °C. $ZnSO_4 \cdot 7 H_2O$ bildet Mischkrist. mit den Sulfaten von Eisen, Magnesium, Mangan, Cobalt u. Nickel. Es ist in Wasser sehr leicht lösl.; die Lsg. reagiert infolge Hydrolyse schwach sauer. Bei der Auflösung von $ZnSO_4$ in Wasser tritt Erwärmung, bei $ZnSO_4 \cdot 7 H_2O$ dagegen Abkühlung auf. Z. kommt als Mineral in der Natur vor, u. zwar findet

man $ZnSO_4 \cdot 7H_2O$ (*Goslarit*) im Harz, wasserfreies $ZnSO_4$ (*Zinkosit*) in Spanien.
Herst.: Techn. durch vorsichtiges Rösten der Zinkblende ($ZnS + 2O_2 \rightarrow ZnSO_4$), im Laboratorium durch Auflösen von Zink-Abfällen od. Zinkoxid in verd. Schwefelsäure u. Eindampfen der Lösung.
Verw.: Z. ist das techn. wichtigste u. meistverwendete Zinksalz. Man benutzt es u. a. zu galvan. Verzinkungsbädern, zur Herst. von Zinksulfid-Pigmenten (z. B. *Lithopone) u. a. Zn-Verb., als Zusatz zu Fällbädern bei der Kunstseidegewinnung, zur Flotation von Erzen, zur Gewinnung von Elektrolytzink, als Brechmittel, in der Textil-Ind. als Beize für Alizarin-, Reserve- u. Schwefel-Farbstoffe, zum Beschweren von Baumwolle, als Konservierungsmittel in Schlicht- u. Appreturflotten sowie als Spurennährstoff in Düngemitteln [1]; s. a. Zink-Präparate. – *E* zinc sulfate – *F* sulfate de zinc – *I* solfato di zinco – *S* sulfato de cinc

Lit.: [1] Ullmann (5.) **A 10**, 360 f.
allg.: Gmelin, Syst.-Nr. 32, Zn, 1924, S. 220–240, Erg.-Bd. 1956, S. 936–961 ▪ Kirk-Othmer (4.) **25**, 850–851 ▪ Ph. Eur. **1997**, 1842 ▪ Ullmann (5.) **A 28**, 539. – *[HS 2833 26; CAS 7446-19-7 ($ZnSO_4 \cdot H_2O$); 13986-24-8 ($ZnSO_4 \cdot 6H_2O$); 7446-20-0 ($ZnSO_4 \cdot 7H_2O$)]*

Zinksulfid. ZnS, M_R 97,46. In reinem Zustand bildet ZnS ein weißes Pulver, das in zwei verschiedenen Kristallformen auftritt: α-Z. (hexagonal, in der Natur als *Wurtzit), D. 4,087, Schmp. 1850 °C (bei 15 MPa), bei 1185 °C Subl., u. β-Z. (kub., in der Natur als *Zinkblende), D. 4,102, bei 1020 °C Umwandlung in die α-Modifikation. Man erhält ZnS als amorphen, weißen Niederschlag beim Zusammengießen von Zink-Salzlsg. u. Ammoniumsulfid-Lsg.; frisch gefälltes ZnS ist in verd. Säuren leicht lösl., wandelt sich aber allmählich in eine schwerlösl. Form um, die beim Erhitzen mit H_2S in wäss. Lsg. β-Z., mit H_2S-Gas α-Z. bildet.
Verw.: Wegen des hohen Brechungsindex (n~2,37) wird ZnS – v. a. in der Wurtzit-Modif. – in Weißpigmenten, z. B. *Lithopone, verwendet; in *Cadmium-Pigmenten dient ZnS zur Variation der Farbtöne. Mit Cu, Ag, Mn, Al u. dgl. dotiertes ZnS wird als *Leuchtstoff verwendet, seit Sidot 1866 die nach ihm benannte Sidotblende einführte, vgl. a. Lenard-Phosphore, Spinthariskop u. Szintillatoren. – *E* zinc sulfide – *F* sulfure de zinc – *I* solfuro di zinco – *S* sulfuro de cinc
Lit.: Brauer (3.) **2**, 1027 ▪ Gmelin, Syst.-Nr. 32, Zn, 1924, S. 193–219, Erg.-Bd., 1956, S. 903–934 ▪ J. Phys. Chem. Ref. Data **13**, 103–150 (1984) ▪ Kirk-Othmer (4.) **19**, 19–22 ▪ Ramdohr-Strunz, S. 73 ff., 133 f., 166–169 ▪ Ullmann (5.) **A 20**, 290–294 ▪ Winnacker-Küchler (4.) **3**, 373 f. ▪ s. a. Leuchtstoffe, Wurtzit u. Zinkblende. – *[HS 2830 20; CAS 1314-98-3]*

Zinksulfoxylat-Formaldehyd s. Hydroxymethansulfinsäure u. Harris-Verfahren.

Zinktetraoxychromat s. Zinkchromate.

Zinkundec(yl)enat s. Zink-Präparate u. Undecensäure.

Zinkvitriol s. Zinksulfat.

Zinkweiß s. Zinkoxid u. Weißpigmente.

Zinn (chem. Symbol Sn; von latein.: stannum). Metall. Element, Ordnungszahl 50, Atomgew. 118,710. Natürliche Isotope (Häufigkeit in Klammern): 112 (0,97%), 114 (0,65%), 115 (0,36%), 116 (14,53%), 117 (7,68%), 118 (24,22%), 119 (8,58%), 120 (32,59%), 122 (4,63%), 124 (5,79%). Sn hat damit die meisten stabilen Isotope unter allen Elementen. Daneben kennt man noch künstliche Isotope u. Isomere ($^{103}Sn – ^{135}Sn$) mit HWZ zwischen 1,04 s (^{134}Sn) u. 10^5 a (^{126}Sn). Das *Schwermetall Sn tritt in mehreren *Modifikationen auf. Bei Raumtemp. ist tetragonales sog. β-Sn stabil, silberweißes, glänzendes Metall, D. 7,29, Schmp. 231,89 °C, Sdp. 2625 °C, Zugfestigkeit 20–30 N/mm². Sn gehört zu den weichsten Metallen (H. 1,8): Es läßt sich mit dem Messer anritzen, einige Käfer können es mit ihren Kiefern benagen, u. Feilenrillen werden von ihm leicht „verschmiert". Aufgrund seiner Duktilität läßt sich das Metall leicht zu 0,02–0,09 mm dicken Folien (*Stanniol) auswalzen. Beim Verbiegen einer Sn-Stange hört man ein eigenartiges Geräusch (*Zinngeschrei*), das von der gegenseitigen Reibung der Kristallite herrührt. Beim Erwärmen auf 162 °C entsteht das rhomb. γ-Sn (auch *sprödes Sn* genannt), D. 6,54, eine feinkörnige, spröde Masse, die beim Fall in Stücke zerspringt u. im Mörser pulverisiert werden kann. Im allg. wird dieses γ-Sn jedoch nicht als eigenständige Modif. betrachtet. Unterhalb 13,2 °C ist eine weitere Sn-Modif., das im Diamant-Gittertyp kristallisierende sog. α-Sn od. *graue Sn* (graues Pulver mit Halbleitereigenschaften, D. 5,75) stabil, das man als ein *Halbmetall ansehen kann. Zwischen 0 u. 13,2 °C verläuft die Umwandlung des weißen β-Sn in das pulverige, graue Sn außerordentlich langsam; dagegen kann bei tieferen Temp. die Umwandlung schon in wenigen Stunden vollzogen sein. Das Sn zersetzt sich von verschiedenen Stellen aus zu grauem Pulver, so daß ganze Sn-Geräte schließlich völlig zerfallen. Man bezeichnet diese Erscheinung als *Zinnpest*, denn man kann Geräte aus β-Sn mit α-Sn „infizieren", vgl. die Untersuchungen in Lit.[1]. Die Umwandlung verläuft unter Abgabe von 2,09 kJ/mol (bei 13,2 °C). Mit sinkender Temp. nimmt die Differenz der freien Enthalpie der beiden Sn-Modif., die treibende Kraft der Umwandlung, zu, gleichzeitig sinkt die Reaktionsgeschw., woraus die max. Geschw. der Umwandlung bei etwa –48 °C resultiert. Legiert man zum Sn geringe Mengen Arsen, Germanium, Indium, Blei, Antimon od. Bismut, so tritt die *Pest (3.) nicht auf; umgekehrt kann man sie durch geringe Zusätze von Aluminium, Cobalt, Magnesium, Mangan od. Zink erheblich beschleunigen od. auch durch Kontakt mit CdTe od. InSb induzieren. Erhitzt man die graue Sn-Modif. auf dem Wasserbad, so geht sie wieder in gewöhnliches, weißes Sn über. Mit Metallen wie Kupfer, Blei, Cadmium, Antimon u. Bismut läßt sich Sn leicht legieren, vgl. Zinn-Legierungen.
Bei Raumtemp. behält Sn seinen Glanz an der Luft u. im Wasser fast unbegrenzt lange bei; es bedeckt sich an seiner Oberfläche mit einer sehr dünnen, durchsichtigen Oxidschicht. Infolge der Stellung von Sn in der *Spannungsreihe widersteht es dem Angriff vieler Chemikalien ziemlich gut. Taucht man einen Sn-Stab in die Lsg. eines Sn-Salzes, so erhält man eine lockere Abscheidung von Sn (*Zinnbaum*). Beim Erhitzen an der Luft verbrennt Sn – bes. als feinteiliges Pulver – mit intensiv weißem Licht zu Zinndioxid (*Zinnasche*).

Aufgrund seiner Stellung in der 14. Gruppe des Periodensyst. – zwischen Germanium u. Blei – tritt Zinn in seinen Verb. in den Oxid.-Stufen +2 u. +4 auf; beide Wertigkeiten sind etwa gleich stark vertreten. Die Sn-Verb. sind farblos, sofern der Säurerest nicht farbig ist; Sn(II)-Verb. wurden früher als Stanno-, Sn(IV)-Verb. als Stanni-Verb. bezeichnet, die entsprechenden Koordinationsverb. $M^I Sn^{II} X_3$ bzw. $M^I_2 Sn^{IV} X_6$ als *Stannite* bzw. *Stannate*. Die Analogie der *Stannane (Sn-Wasserstoff-Verb.) zu den Alkanen ist nicht sehr ausgeprägt, wenn auch Ketten mit Sn,Sn-Bindungen synthetisiert werden konnten[2]. Ferner kennt man Metall-*Stannide*, $M_m Sn_n$ (M = insbes. Alkali- u. Erdalkalimetall), mit anion. Sn, die als *Zintl-Phasen aufzufassen sind. Mit Chlor bildet Sn leicht Zinntetrachlorid ($SnCl_4$), mit Schwefel unter Erwärmen Zinnsulfide, mit Salzsäure Zinn(II)-chlorid ($Sn + 2 HCl \rightarrow SnCl_2 + H_2$, s. a. Zinnchloride) mit Salpetersäure entsteht unter lebhafter Reaktion ein unlösl. weißes Pulver mit hochmol. β-Zinnsäure, beim Kochen mit Natronlauge bildet sich Natriumhexahydroxostannat $\{Sn + 4 H_2O + 2 NaOH \rightarrow Na_2[Sn(OH)_6] + 2 H_2\}$. Von schwachen Säuren (z. B. *Fruchtsäuren) wird Sn anaerob nicht angegriffen; daher kann man Nahrungsmittel in Konservendosen aus verzinntem Eisen-Blech (*Weißblech*, s. Verzinnen) aufbewahren. Allerdings kann Kondensmilch in geöffneten Weißblechdosen bei längerer Lagerung im Kühlschrank durch Auflösen von Sn vergrauen; zum Korrosionsverhalten von Weißblech vgl. die Abb. bei Lokalelemente.

Physiologie: Metall. Sn wird im allg. als ungiftig betrachtet, weshalb man es seit dem Mittelalter für sog. Sn-Geschirr (Teller, Krüge, Becher) verwendet. Selbst größere Mengen von Sn-Salzen rufen im Verdauungskanal nur vorübergehende Störungen hervor; offenbar kann das Sn nur sehr schwer durch die Darmwände ins Blut wandern. Von bemerkenswerter Giftigkeit sind *Stannan u. eine Reihe von *Zinn-organischen Verbindungen. Der (auf Sn bezogene) MAK-Wert für anorgan. Sn-Verb. wurde auf 2 mg/m^3 festgesetzt. Dagegen sind unter den Zinn-organ. Verb. (MAK $0,1 \text{ mg/m}^3$) zahlreiche tox. Stoffe zu finden; zur Toxikologie u. Therapie s. *Lit.*[3]. Andererseits gibt es unter den Zinn-organ. Verb. auch eine Reihe nützlicher Therapeutika[4]. In pflanzlichen u. tier. Geweben ist Sn in Spuren weit verbreitet, zumal es, z. B. durch *Methylierung, aus anorgan. in organ. Bindung leicht überführbar ist[5]. Der Körper eines Erwachsenen enthält 15–30 mg Sn, die tägliche Aufnahme beträgt 1,5–3,5 mg, Sn-Mangelkrankheiten sind nicht bekannt.

Nachw.: Eine qual. Prüfung auf Sn kann mit Hilfe der sog. *Leuchtprobe* erfolgen, bei der ein mit kaltem Wasser gefülltes Reagenzglas, das vorher von außen mit der mittels Zn u. Salzsäure reduzierten Probe befeuchtet wurde, kurz in die nicht leuchtende Flamme eines Bunsenbrenners gehalten wird. Die Anwesenheit von Sn ist an einem blau leuchtenden Saum erkennbar, der durch brennenden Zinnwasserstoff (Stannan) hervorgerufen wird. Durch H_2S wird Sn^{2+} als braunes, Sn^{4+} als gelbes Sulfid gefällt. Bei der Lötrohranalyse werden Sn-Verb. leicht zum Metall reduziert. Qual. Nachw. sind auch mit Dimethylglyoxim, Kakothelin, Morin u. Toluol-3,4-dithiol möglich, mikroanalyt. durch Bildung von *Cassius'schem Goldpurpur od. der Hexachlorostannate mit Rb od. Cs. Die quant. Bestimmung von Sn kann mit N-Benzoyl-N-phenylhydroxylamin, Thionalid, Kupferron, (4-Hydroxy-3-nitrophenyl)arsonsäure u. photometr. mit Toluol-3,4-dithiol, 1,5-Diphenylcarbazon, Morin, Phenylfluoron u. Pyridylfluoron erfolgen[6]. Zur Bestimmung von Sn in Lebensmitteln u. biolog. Proben s. *Lit.*[7]. Für die Spurenanalyse ist die Atomabsorptionsspektroskopie geeignet[8], Festkörper können mit ^{119}Sn-Mößbauer-Spektroskopie, lösl. Verb. mit ^{119}Sn-NMR-Spektroskopie[9] untersucht werden.

Vork.: Ca. 2 ppm der obersten, 16 km dicken Erdkruste dürften aus Sn bestehen; damit steht es in der Häufigkeitsliste der Elemente in der Nähe von Tantal, Uran u. Arsen. Das bei weitem wichtigste Sn-Erz ist der *Kassiterit od. Zinnstein (SnO_2), neben dem der Zinnkies (*Stannit) nur von untergeordneter Bedeutung ist. Zinnstein kommt sowohl auf prim. Lagerstätten (sog. *Bergzinn*) als auch auf sek. vor (sog. *Zinnseifen*); Näheres zur Verbreitung von Sn s. *Lit.*[10]. Über ca. 2/3 der Weltvorräte an Sn-Erzen verfügen die Entwicklungsländer, über 1/4 die Länder des ehem. Ostblocks (s. Rohstoffe). Im Jahre 1956 schlossen sich die Länder Australien, Bolivien, Indonesien, Malaysia, Nigeria, Thailand u. Zaire zu einem *Kartell, dem *Internat. Zinnrat* (ITC) zusammen, an dessen Stelle 1983 die *Vereinigung Zinn-produzierender Länder* (ATPC) getreten ist.

Herst.: Im Tagebau gelten Sn-Erze mit einem Sn-Gehalt von 0,1%, im Untertagebau solche mit 0,3% Sn noch als abbauwürdig. Sie werden nach Zerkleinerung aufgrund der hohen D. von SnO_2 mittels naßmechan. Meth. durch Aufschlämmen, Flotation u. Entfernung von Beimengungen durch Magnet- u. elektrostat. Scheidung bis auf 35–75% Sn konzentriert. Auch Sn-reiche Abstiche u. Flugstäube aus der Blei-Verhüttung, Weißblechabfälle u. Sn-haltige Altmetalle sind als Ausgangsmaterialien für die Sn-Gewinnung von Bedeutung. Die SnO_2-Konzentrate werden zusammen mit Zuschlägen wie Kalk, Sand, Pyrit u. Flugstäuben bei etwa 1100 °C in Wassermantelschacht-, Elektro-, Flamm- od. Kurztrommelöfen geschmolzen u. mittels Kohlenstoff reduziert (sog. *Erzarbeit*). Hierbei erhält man Roh-Sn von hohem Reinheitsgrad (97–99% Sn) sowie Sn-haltige Schlacken (Silicate). Die sich an die Erzarbeiten anschließende sog. *Schlackenarbeit* bezweckt die möglichst vollständige Gewinnung des Metalls aus den Schlacken. Zur Raffination des Roh-Sn bedient man sich der *Seigerung u./od. des Polens, der Elektrolyse od. a. Verfahren. Unter *Polen* versteht man einen Oxid.-Vorgang. Dazu rührte man früher geschmolzenes Sn mit grünen Birkenstämmen um, wobei die entweichenden Gase eine Oxid. u. Abscheidung der Verunreinigungen – sog. *Zinnkrätze*, Dross od. *Poldreck* – ermöglichten. Heute leitet man Luft od. Wasserdampf in die Metallschmelze. Zur Herst. von reinem Sn u. von Sn-Verb. im Labor s. *Lit.*[11]. Zum *Entzinnen von Weißblechabfällen u. a. Sn-haltigen Altmetallen werden naßmetallurg. Verf. herangezogen; der Anteil an dem *Recycling zugeführten Weißblechdosen beträgt in Europa durchschnittlich 32% (in der BRD über 50%).

Sn gelangt mit Reinheitsgraden von ca. 99,00–99,95% (z.B. *Banka-* u. *Straits-Sn*) u. 99,95–99,99% Sn (*Kathoden-Sn*) in den Handel, der sich seit 1985 auf die Kuala Lumpur Commodity Exchange konzentriert[12]. Ausführliche Übersichten über die Sn-Gewinnung u. die in Normen festgelegten Reinheitsanforderungen an die einzelnen Sn-Marken (in der BRD DIN 1704: 1995-09) findet man in *Lit.*[13]. Im Jahre 1990 belief sich weltweit die Hüttenproduktion (einschließlich sek. Rein-Sn) auf 210 700 t Sn; davon entfielen auf Malaysia 28 500, Brasilien 39 100, Indonesien 31 700, Thailand 14 600 u. Großbritannien 3400. Hinzu kommen insgesamt 34 700 t Sn aus Schrott. Der Weltverbrauch betrug 232 700 t.

Verw.: Zur Herst. von *Weißblech* für die Konserven-Ind. (s. Verzinnen), für Weichlote (*Lötzinn:* 64% Sn, 36% Pb, Schmp. 181 °C), *Letternmetall, *Lagerwerkstoffe (*Babbitt-Metalle), Schmelzleg., Bronzen u. a. Zinn-Legierungen (s. dort). Geschmolzenes Sn wird aufgrund seines niedrigen Schmp. u. des geringen Dampfdrucks bei der Herst. von *Floatglas* eingesetzt (s. Glas). Als Material für Verpackungsfolien u. Lametta (*Stanniol) ist Sn heute prakt. vollständig durch Aluminium ersetzt. Sn-Chemikalien werden u. a. als Flammschutzmittel für Textilfasern u. synthet. Polymere[14], zum Färben von anod. oxidiertem Aluminium u. zur Glasbeschichtung verwendet, ferner in Form von hochreinen Einkrist. für elektron. Bauteile. *Zinn-organische Verbindungen finden in der Landwirtschaft als Fungizide, in Krankenhäusern als Desinfektionsmittel, in der Farben-Ind. als Antifoulingmittel u. in der Kunststoff-Ind. als Stabilisatoren Anwendung. Über organ. Synth. mit Sn s. *Lit.*[15]. Vom gesamten Sn-Verbrauch dürften fast 40% auf Weißblech, etwa 30% auf Lötleg. (davon allein 3/4 für die Elektronik-Ind.) u. etwa 15% auf Sn-Chemikalien entfallen. Zur Entwicklung des Sn-Verbrauchs s. *Lit.*[16].

Geschichte: Der Elementname Z. leitet sich von althochdtsch.: zin u. altnord.: tin ab. Das Element wurde wegen seines Glanzes u. seiner Weichheit meist dem Planeten Jupiter, seltener dem Planeten Venus zugeordnet. Das Elementsymbol Sn geht nach einem Vorschlag von *Berzelius auf die latein. Bez. für das Element *stannum* zurück. Der Zinnstein ist an einigen Stellen der Erde erheblich angereichert, er regt schon durch seine auffällige Schwere zu metallurg. Maßnahmen an u. kann durch Kohle verhältnismäßig leicht reduziert werden – aus diesen Gründen kann die Sn-Herst. schon vor Jahrtausenden gelungen sein. Die ältesten Funde weisen nicht auf reines Sn, sondern auf Sn-Kupfer-Leg. (*Bronze) hin; diese kamen um 3500–3200 v. Chr. auf u. wurden zur Herst. von Beilen, Speerspitzen usw. verwendet. Offenbar hat man damals Kupfer- u. Zinnerze gemeinsam verhüttet u. auf die Herst. von Sn als solchem verzichtet. In China u. Japan soll reines Sn etwa 1800 v. Chr. hergestellt worden sein; die Ägypter haben um 600 v. Chr. gelegentlich reines Sn den Mumiengräbern beigegeben. Zu Homers Zeiten war Sn gut bekannt; man verwendete es zur Verzierung von Panzern, Schilden u. Beinschienen, auch diente es öfters als „Silber-Ersatz". Cäsar berichtet über die Sn-Vork. in Britannien, u. zu Plinius' Zeiten wurden Kupfer-Gefäße mit dünnen Sn-Überzügen versehen. Da in den Mittelmeerländern größere Sn-Lager nirgends anzutreffen sind, muß das Metall (od. das Zinnerz) aus fernen Ländern (England, Indien) eingeführt worden sein. In Pfahlbauten der Schweiz fand man ebenfalls Nadeln, Knöpfe u. Ringe aus Sn. In Peru haben die Inkas Sn hergestellt; auch die Azteken in Mexiko haben Sn seit langem gekannt. Bis ins 13. Jh. lieferte England (Cornwall) den Hauptanteil des europ. Sn; heute sind diese Lager weitgehend erschöpft. Um 1146 sollen die ersten Sn-Gruben in Böhmen eröffnet worden sein. Auch in Sachsen entstanden in jenen Zeiten die ersten Sn-Bergwerke; diese deckten bis zu ihrer Zerstörung im Dreißigjährigen Krieg den dtsch. Sn-Bedarf. Nach der allmählichen Erschöpfung dieser Lager traten die übersee. Sn-Vork. in den Vordergrund. Zur Geschichte des Sn s. a. *Lit.*[17]. – *E* tin – *F* étain – *I* stagno – *S* estaño

Lit.: [1] Chem. Labor Betr. **34**, 17 f. (Beilage Lernen + Leisten) (1983). [2] Acc. Chem. Res. **27**, 191–197 (1994). [3] Braun-Dönhardt, S. 400. [4] Drugs of the Future **12**, 255–275 (1987); Gielen (Hrsg.), Tin-Based Antitumor Drugs (NATO ASI Series H: Cell Biology, Vol. 37), Berlin: Springer 1990. [5] Hutzinger **1A**, 169–227; Sci. Total Environ. **73**, 127–133 (1988). [6] Fries-Getrost, S. 408–417. [7] Pure Appl. Chem. **54**, 1737–1742 (1982). [8] Townshend, Encyclopedia of Analytical Science, S. 5232, London: Academic Press 1995; Int. Lab. **11**, Nr. 7, 32–35 (1981). [9] Chem. Br. **26** (1.), 48 f., 51 (1990). [10] Hutchinson, Geology of Tin Deposits, Berlin: Springer 1989. [11] Brauer (3.) **2**, 750–770. [12] Münster et al. (Bearbeiter), Taschenbuch des Metallhandels (8.), S. 87–94, 552 f., Berlin-Heidelberg: Metall-Verl. 1989. [13] Metall (Berlin) **42**, 915–918 (1988); **43**, 131–136 (1989). [14] ACS Symp. Ser. **425**, 189–210 (1990). [15] Synthetica **1**, 540 ff.; Davies, Organotin Chemistry, Weinheim: Wiley-VCH 1997. [16] Metall (Berlin) **44**, 870 ff. (1990). [17] Penhallurick, Tin in Antiquity, London: Inst. Metals 1986; Chem. Labor Betr. **27**, 320 ff. (1976).

allg.: Blei, Magnesium, Nickel, Titan, Zink, Zinn u. deren Legierungen: Normen (3.), Berlin: Beuth 1991 ■ Evans, Tin Handbook (3.), Heidelberg: Hüthig 1994 ■ Gmelin (8.), Syst.-Nr. 46, Tl. A (1971), B (1971), C 1 – C 6 (1972–1978), D (1974), Zinn-Organische Verbindungen, Tl. 1 (1975) – Tl. 17 (1989) (Titel ab Tl. 8: Organotin Compounds) ■ Harrison (Hrsg.), Chemistry of Tin, Glasgow: Blackie 1989 ■ Kirk-Othmer (4.) **24**, 105–161 ■ Kumar Das, Chemistry and Technology of Silicon and Tin, Oxford: Oxford University Press 1992 ■ Landolt-Börnstein NS 3/7 d 1 *γ* ■ Merian (Hrsg.), Metalle in der Umwelt, S. 631–644, Weinheim: Verl. Chemie 1984 ■ Neue Hütte **35**, 432 ff. (1990) ■ Patai, The Chemistry of Organic Germanium, Tin and Lead Compounds, Chichester: Wiley 1995 ■ Snell-Ettre **19**, 21–80 ■ Ullmann (5.) **A 27**, 49–81 ■ Winnacker-Küchler (4.) **4**, 4 f., 460–471, 680, 684 ■ Zuckerman (Hrsg.), Tin and the Malignant Cell Growth, Boca Raton: CRC Press 1988. – *Zeitschriften u. Serien:* Silicon, Germanium, Tin and Lead Compounds, Tel Aviv: Freund (seit 1972) ■ Tin International, London: Tin publishers Ltd. (seit 1928) ■ Main Group Metal Chemistry Incorporating Silicon, Germanium, Tin and Lead Compounds, London: Freund (seit 1987). – *Organisationen:* Association of Tin Producing Countries (ATCP), Kuala Lumpur, Malaysia (seit 1985) ■ International Tin Research Institute (ITRI), Uxbridge, Middlesex (England). – *[HS 8001 10; CAS 7440-31-5]*

Zinnabarit s. Zinnober.

Zinnasche s. Zinnoxide.

Zinnat® (Rp). Tabl. mit *Cefuroxim-axetil gegen Infektionen. **B.:** Glaxo Wellcome.

Zinnbaum s. Zinn.

Zinnbronzen s. Bronzen.

Zinnbutter s. Zinnchloride.

Zinnchloride. Zum MAK-Wert s. Zinn. (a) *Zinn(II)-chlorid* (Zinndichlorid), $SnCl_2$, M_R 189,62. Weiße, rhomb. Krist. od. fettglänzende Massen, D. 3,95, Schmp. 246,8 °C, Sdp. 652 °C, sehr gut lösl. in Wasser, bildet ein in Alkohol, Eisessig u. a. organ. Lsm. lösl. Dihydrat [sog. *Zinnsalz*, D. 2,71, Schmp. 40,5 °C (Zers.)]. Beim Verdünnen der wäss. Lsg. mit viel Wasser erfolgt Hydrolyse unter Abscheidung eines bas. Salzes $[Sn_{21}Cl_{16}(OH)_{14}O_6 \triangleq 8\,SnCl_2 \cdot 7\,Sn(OH)_2 \cdot 6\,SnO]$. Durch Luftsauerstoff wird wäss. Zinn(II)-chlorid-Lsg. oxidiert:

$$3\,SnCl_2 + 0{,}5\,O_2 + H_2O \rightarrow SnCl_4 + 2\,Sn(OH)Cl.$$

Zinn(II)-chlorid scheidet Gold, Silber u. Quecksilber aus ihren Lsg. aus, reduziert Eisen(III)-salze zu Eisen(II)-salzen, Arsenate zu Arseniten, Chromate(VI) zu Chrom(III)-salzen, Permanganate zu Mangan(II)-salzen u. Nitro-Verb. zu Aminen.
Herst.: Man erhält $SnCl_2$ durch Auflösen von Zinn-Drehspänen in Salzsäure u. Eindampfen.
Verw.: Als Red.-Mittel (Gehaltsbestimmung durch *Iodometrie), bei der maßanalyt. Bestimmung von Eisen(III)-Verb., zum Nachw. von As (s. a. Bettendorf-Test), in der Textil-Ind. zur Herst. von Zinn-Beizen (Zinnsalz-Ätze), in der Türkischrotfärberei als Beize auf Wolle, als Reservierungsmittel für Wolle, Seide, Polyamidfasern u. dgl. gegen Säurefarbstoffe, zum Avivieren von Alizarin-Färbungen, Beschweren von Seide, als Reagenz auf Bi, Au, Hg, Pt, Re u. Sesamöl, zur Herst. von Lackfarben u. *Cassius'schem Goldpurpur, zur galvan. Verzinnung, zur Einlagerung von SnO_2 in Glasoberflächen zur Erhöhung des Abriebwiderstandes (Vergüten von Hohlglas; *Lit.*[1]), zur Red. organ. Nitro-, Azo- u. Diazonium-Verb. in Tintenentfernungsmitteln (reduziert organ. Farbstoffe zu Leukobasen), als Stabilisator u. Katalysator bei organ. Synthesen.
(b) *Zinn(IV)-chlorid* (Zinntetrachlorid), $SnCl_4$, M_R 260,52. Farblose, an der Luft rauchende, Augen, Haut u. Schleimhäute ätzende Flüssigkeit, D. 2,229 (20 °C), Schmp. −33,3 °C, Sdp. 114,1 °C, löst sich in Wasser unter starker Erwärmung; aus der Lsg. krist. je nach Versuchsbedingungen folgende Hydrate: Unterhalb 19 °C $SnCl_4 \cdot 8\,H_2O$, von 19–56 °C $SnCl_4 \cdot 5\,H_2O$ (halbfeste Masse, sog. *Zinnbutter*), von 56–65 °C $SnCl_4 \cdot 4\,H_2O$ u. von 65–83 °C $SnCl_4 \cdot 3\,H_2O$. Wäss. $SnCl_4$-Lsg. ist weitgehend hydrolyt. gespalten: $SnCl_4 + 2\,H_2O \rightarrow SnO_2 + 4\,HCl$; SnO_2 bleibt kolloidal gelöst. Die gleichzeitig gebildete Salzsäure reagiert sich mit unzersetztem $SnCl_4$ zu *Hexachlorozinn(IV)-säure*, $H_2[SnCl_6]$, von der sich Chlorostannate der Formel $M_2^I[SnCl_6]$ (M^I = einwertiges Metallion) herleiten; *Beisp.:* Ammoniumhexachlorostannat(IV), $(NH_4)_2[SnCl_6]$, M_R 367,50, D. 2,387, das als sog. *Pinksalz* in der Textilfärberei zum Beizen verwendet wird. $SnCl_4$ ist lösl. in Kohlenwasserstoffen, Tetrachlormethan u. Ether. Mit Schwefelkohlenstoff u. Brom mischt sich $SnCl_4$ in jedem Verhältnis; außerdem ist es ein gutes Lsm. für Phosphor, Schwefel, Iod u. Arsen(III)-iodid.
Herst.: Vorwiegend durch Einwirkung von Chlor auf metall. Zinn (Entzinnung von Weißblechabfällen).
Verw.: Als Katalysator bei Friedel-Crafts-Alkylierungs- od. Cyclisierungsreaktionen, für Chlorierungen u. Kondensationsreaktionen in der organ. Chemie, als nichtwäss. Lsm., als Beizmittel im Textildruck, zum Avivieren von Alizarin-Färbungen (daher die Bez. *Rosiersalz* für das Pentahydrat), zur Fuchsin-Herst., zum Beschweren von Seide [s. Phosphatieren (2.)], hauptsächlich jedoch zur Herst. von anorgan. Sn-Verb. u. von *Zinn-organischen Verbindungen. Militär. Anw. findet $SnCl_4$ ggf. in Mischung mit Thiophosgen als *Kampfstoff (Lacrimite) od. bei der Herst. tarnender *Nebel.
Geschichte: Zinntetrachlorid wurde von *Libavius um 1600 erstmals durch Erhitzen eines Gemischs aus amalgamiertem Zinn und Quecksilber(II)-chlorid (Sublimat) gewonnen u. daher „Spiritus fumans Libavii" genannt. – *E* tin chlorides – *F* chlorures d'étain – *I* cloruri di stagno – *S* cloruros de estaño
Lit.: [1] Glass *1978*, 208–234.
allg.: Brauer (3.) **2**, 752–756 ▪ Gmelin, Syst.-Nr. 46, Sn, C 1, 1972, S. 186–357 ▪ Hommel, Nr. 902, 1007 ▪ Kirk-Othmer (4.) **24**, 124–126 ▪ Synthetica **1**, 543–545 ▪ Ullmann (5.) **A 27**, 74 f. – [HS 282739; CAS 7772-99-8 ($SnCl_2$); 10025-69-1 ($SnCl_2 \cdot 2\,H_2O$); 7646-78-8 ($SnCl_4$); G 8 (für $SnCl_4$)]

Zinndioxid s. Zinnoxide.

Zinnfluoride. (a) *Zinn(II)-fluorid*, SnF_2, M_R 156,71. Farblose, monokline Prismen, in Wasser schwer lösl., entsteht beim Auflösen von Zinn in Flußsäure. SnF_2 wird manchen Zahnpasten u. a. *Zahnpflegemitteln zur *Fluoridierung u. *Karies-Prophylaxe zugesetzt. – (b) *Zinn(IV)-fluorid*, SnF_4, M_R 194,70. Farblose, strahlig krist., hygroskop. Massen, D. 4,78, bei 705 °C Subl., gut lösl. in Wasser, bildet Hexafluorostannate(IV), $M_2^I[SnF_6]$ (M^I = einwertige Metallionen). Zum MAK-Wert s. Zinn. – *E* tin fluorides – *F* fluorures d'étain – *I* fluoruri di stagno – *S* fluoruros de estaño
Lit.: Brauer (3.) **1**, 231 f. ▪ Gmelin, Syst.-Nr. 46, Sn, C 1, 1972, S. 151–183 ▪ Kirk-Othmer (4.) **11**, 451–454; **24**, 124 f. ▪ Ullmann (5.) **A 27**, 75. – [HS 282619; CAS 7783-47-3 (a); 7783-62-2 (b)]

Zinn-Folie s. Stanniol.

Zinngeschrei s. Zinn.

Zinnhydrid s. Stannan.

Zinnkies s. Stannit.

Zinnkrätze s. Zinn (Herst.).

Zinnkraut s. Schachtelhalme.

Zinn-Legierungen. Sammelbez. für alle Leg., die *Zinn als Legierungsbestandteil enthalten u. die nicht von anderen Bez. erfaßt werden, vgl. Kupfer-Legierungen mit ihren Untergruppen, Blei-Legierungen, Lagermetall, Weißmetalle. Zinn findet sich wegen seiner bes. Eigenschaften als Leg.-Element in Werkstoffen für Gleitlager, niedrigschmelzende Komponenten, korrosionsbeständige Bauteile u. Ziergegenstände. – *E* tin alloys – *F* alliages d'étain – *I* leghe di stagno – *S* aleaciones de estaño
Lit.: s. einzelne Begriffe.

Zinnlote s. Lote.

Zinnober (Cinnabarit, Zinnabarit). HgS, scharlachrote, zinnoberrote, braunrote (*Korallenerz*) od. bleigraue, derbe, körnige, auch erdige Massen, Einsprenglinge u. Anflüge; seltener dicktafelige od. dick- bis schlanksäulige trigonal-trapezoedr., diamant- bis blendeartig gänzende Krist., Kristallklasse 32-D_3, deren Struktur (s. *Lit.*[1]) sich aus der von *Steinsalz durch Verkürzung einer Raumdiagonale ableiten läßt. H. 2–2,5, D. 8–8,2 (rein: 8,1). Bruch splittrig, uneben, Strich cochenillerot. Z. ist ungiftig u. nur in Königswasser löslich. Z. [*Quecksilber(II)-sulfid] enthält in reinem Zustand 86,2% Hg. Neben Z. (β-HgS) gibt es zwei weitere Modif., den kub. schwarzen *Metacinnabarit* (α-HgS) u. den hexagonalen roten *Hypercinnabarit*[2] (γ-HgS, von der Mount Diablo Mine/Kalifornien).

Vork.: In verschiedener geolog. Umgebung, meist bei niedrigen Temp. um ca. 100 °C entstanden; *Beisp.:* Moschellandsberg/Pfalz, Idria/Slowenien, Almadén/Spanien, Nikitovka/Ukraine, Mexiko, USA; schöne Krist. aus der Provinz Hunan/VR China. Z. wird auch aus Thermen (*Thermalwässer) abgeschieden.

Verw.: Techn. wichtigstes Quecksilber-Erzmineral. Früher auch unter der Bez. *Vermeil od. Vermillon (französ. Name für *Cochenille) als rote Malerfarbe. – *E* cinnabar, cinnabarite – *F* cinabre – *I* cinabro – *S* cinabrio

Lit.: [1] Bull. Soc. Fr. Minéral. Cristallogr. **96**, 218f. (1973). [2] Am. Mineral. **63**, 1143–1152 (1978).

allg.: Anthony et al., Handbook of Mineralogy, Vol. I, S. 100, Tucson (Arizona): Mineral Data Publishing 1990 ▪ Gmelin, Syst.-Nr. 34, Hg, 1960, S. 160f. ▪ Lapis **11**, Nr. 3, 7–11 (1986) („Steckbrief") ▪ Ramdohr-Strunz, S. 443 f. ▪ Ullmann (5.) **A 16**, 270, 287 ff. – *[HS 2617 90; CAS 19122-79-3]*

Zinnobergrün s. Chrom-Pigmente.

Zinn-organische Verbindungen. Sammelbez. für *Metall-organische Verbindungen mit einer od. mehreren Sn–C-Bindungen, die sich mit wenigen Ausnahmen vom vierwertigen Zinn ableiten. Die Sn(IV)-organ. Verb. haben die allg. Formel $R_{(n+1)}SnX_{(3-n)}$ mit R = Alkyl- u./od. Aryl-Gruppen u. X = Halogene, H, Hydroxy- od. Acyloxy-Gruppen; Verb. des Typs R_2SnO haben sich als Polymere $\{Sn(R_2)\text{-}O\}_n$ erwiesen. Die Nomenklatur nach den IUPAC-Regeln D-3 benennt die Z.-o. V. entweder als Substitutionsprodukt des Metalls od. des abgeleiteten Metallhydrids (*bevorzugt*[1]) (*Stannan); die im folgenden erwähnte Verb. kann also als Diethyldiiodozinn, Diethyldiiodstannan od. Diethylzinndiiodid bezeichnet werden. Von den bereits sehr zahlreichen Z.-o. V., deren erster Vertreter (H_5C_2)$_2SnI_2$ bereits 1849 von *Frankland synthetisiert wurde, haben eine ganze Reihe erhebliche techn. Bedeutung erlangt, insbes. die Di- u. Tributyl-, Dioctyl- u. Triphenylzinn-Derivate. Bei der Herst. dieser u. a. Z.-o. V. geht man häufig von den Tetraalkylzinn-Verb. aus, die aus den Sn-Halogeniden durch Grignard-Reaktion od. *Transmetallierung mit Al-, Li- od. Na-organ. Verb. od. aus Alkylhalogeniden mit Zinntetrachlorid u. Natrium nach dem Muster der *Wurtz-Synthese zugänglich sind. Tetraorganozinn-Verb. mit vier verschiedenen Resten sind chiral u. daher opt. aktiv. Umsetzung der Verb. R_4Sn mit Sn-Halogeniden liefert durch *Komproportionierung Alkylzinnhalogenide:

$$R_4Sn + 2\,SnCl_4 \rightarrow R_2SnCl_2 + 2\,R\text{-}SnCl_3,$$

aus denen die meisten übrigen Z.-o. V. hergestellt werden können, z.B. Alkylzinnhydroxide, -oxide, -hydride. Die Z.-o. V. sind fest od. flüssig, insbes. die Vertreter mit kleinen Alkyl-Resten wirken sehr tox. u. schädigen ggf. das *Myelin (R_3Sn-Verb.), s. *Lit.*[2]. Aufgrund ihrer Toxizität werden Trimethylzinn-Verb. techn. nicht mehr hergestellt. Der auf Sn bezogene allg. MAK-Wert für Z.-o. V. beträgt 0,1 mg/m^3. Mit Sauerstoff, Wasser u. Alkoholen reagieren Tetraorganozinn-Verb. nicht, die Halogenide mehr od. weniger träge, während die Hydride weit empfindlicher sind. Letztere können sich an ungesätt. Syst. anlagern (*Hydrostannierung*) u. als *Radikal-Fänger od. durch Wasserstoff-Abgabe als Red.-Mittel wirken. Seit einigen Jahren finden auch Z.-o. V. mit 2-wertigem Zinn einschließlich Bis(η^5-cyclopentadienyl)zinn (*Stannocen*) Interesse, die als *Carben-Analoga aufgefaßt werden können[3,4]; mit sperrigen Substituenten trimerisieren die *Stannylene*, wie die Carben-Analoga des Zinn genannt werden, zu Tristannacyclopropanen (Cyclotristannan), die wiederum beim Erhitzen in Stannylen u. eine Verb. mit einer Sn,Sn-Doppelbindung zerfallen[5,6]; Verb. mit einer Sn,C-Doppelbindung sind ebenfalls bekannt[7].

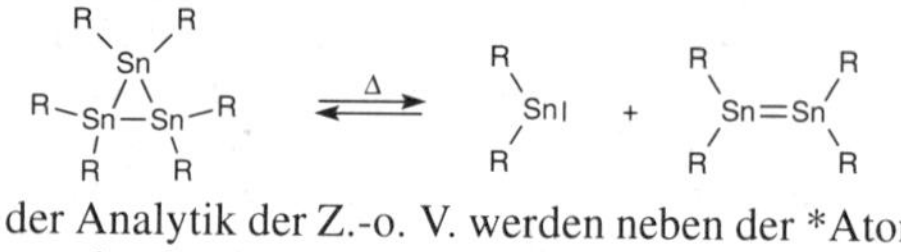

$$\underset{R}{\overset{R}{Sn}}\underset{R}{\overset{R}{-Sn-}}\underset{R}{\overset{R}{Sn}} \quad \overset{\Delta}{\rightleftharpoons} \quad \underset{R}{\overset{R}{Sn:}} \quad + \quad \underset{R}{\overset{R}{Sn}}=\underset{R}{\overset{R}{Sn}}$$

In der Analytik der Z.-o. V. werden neben der *Atomabsorptionsspektroskopie auch häufig Gas- u. Dünnschichtchromatographie sowie die *NMR-Spektroskopie eingesetzt; zur komplexometr. Bestimmung eignet sich *1-(2-Thiazolylazo)-2-naphthol. In der Natur vorkommende Z.-o. V. sind durch *Biomethylierung* (enzymat. *Methylierung) entstanden (vgl. die Biomethylierung von Quecksilber-organischen Verbindungen). Zur Problematik der Z.-o. V. in der Umwelt, z.B. in Flüssen u. Fließsedimenten u. den damit verbundenen Gefahren für die darin lebenden Organismen u. das Trinkwasser s. *Lit.*[8,9]. Im folgenden seien einige techn. wichtige Z.-o. V. erwähnt, die man fachsprachlich manchmal als OZV (*Organozinn-Verb.*) zusammenfaßt (s. Tab. S. 5083).

Die Gefahrstoff-VO sieht vor, daß die Triorganozinn-Verb. mit R = CH_3, C_2H_5, C_3H_7, C_4H_9 u. C_6H_5 mit dem Symbol T, die mit R = C_5H_{11}, C_6H_{13} u. C_6H_{11} mit den Symbolen Xn bzw. Xi gekennzeichnet werden müssen.

Verw.: Die Tetraorganozinn-Verb. dienen zur Herst. der entsprechenden Mono-, Di- u. Triorganozinn-Verb. durch *Komproportionierung mit $SnCl_4$. Z.-o. V. können in vielfältiger Weise in der organ. Synth. eingesetzt werden. So lassen sich Veresterungen, Umesterungen u. Lactonisierungen mit ihrer Hilfe auch katalyt. leicht durchführen (s. Abb. 1).

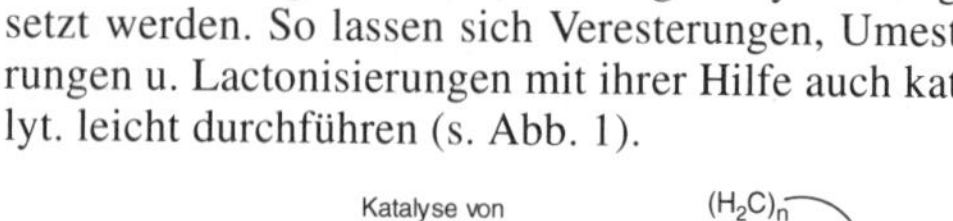

$$HO-(CH_2)_n-COOH \quad \xrightarrow[-H_2O]{\text{Katalyse von } [H_3C-(CH_2)_3]_2Sn=O} \quad \underset{O}{\overset{(H_2C)_n}{\diagup}}C=O$$

Abb. 1: Lactonisierung unter Katalyse von Dibutylzinnoxid.

Zinn(II)-Enolate sind hervorragende Reagenzien in der *Aldol-Addition u. *Michael-Addition (s.a. Mukaiyama-Reaktion). Allylstannane reagieren unter Lewis-Säure-Katalyse zu Allylalkoholen unter *Allyl-

Tab.: Einige Zinn-organische Verbindungen.

Name [CAS]	Summenformel	M_R	Sdp. (hPa)/ [Schmp.] [°C]	D.	Eigenschaften
Tetrabutylzinn [$H_3C-(CH_2)_3]_4Sn$ [1461-25-2]	$C_{16}H_{36}Sn$	347,16	132 (4)	1,057	farblos-gelb
Tetraoctylzinn [$H_3C-(CH_2)_7]_4Sn$ [3590-84-9]	$C_{32}H_{68}Sn$	571,59	195–198 (0,01)	0,96	gelblich
Tetraphenylzinn $(H_5C_6)_4Sn$ [595-90-4]	$C_{24}H_{20}Sn$	427,12	[226]	1,49	farblos
Tributylzinnacetat [$H_3C-(CH_2)_3]_3Sn-O-CO-CH_3$ [56-36-0]	$C_{14}H_{30}O_2Sn$	349,08	[80–83]	1,27	farblos, wachsartig
Tributylzinnchlorid [$H_3C-(CH_2)_3]_3Sn-Cl$ [1461-22-9]	$C_{12}H_{27}ClSn$	325,40	140 (13)	1,19–1,22	farblos-gelblich
Tributylzinn(1+)-oxid (TBTO, Hexabutyldistannoxan) [$H_3C-(CH_2)_3]_3Sn-O-Sn[(CH_2)_3-CH_3]_3$ [56-35-9]	$C_{24}H_{54}OSn_2$	596,08	220–230 (13) [−45]	1,15–1,17	farblos-gelblich
Triphenylzinnchlorid $(H_5C_6)_3Sn-Cl$ [639-58-7]	$C_{18}H_{15}ClSn$	385,46	240 (18) [106]		farblos
Dibutylzinndichlorid [$H_3C-(CH_2)_3]_2SnCl_2$ [683-18-1]	$C_8H_{18}Cl_2Sn$	303,83	135 (14) [38–41]		Paraffin- artige Schuppen
Dibutylzinnoxid [$H_3C-(CH_2)_3]_2SnO$ [818-08-6]	$C_8H_{18}OSn$	248,92	polymer		farbloses Pulver
Dioctylzinndichlorid [$H_3C-(CH_2)_7]_2SnCl_2$ [3542-36-7]	$C_{16}H_{34}Cl_2Sn$	416,05	[30–35]		Paraffin- artige Masse
Dioctylzinnoxid [$H_3C-(CH_2)_7]_2SnO$ [870-08-6]	$C_{16}H_{34}OSn$	361,14	polymer		farbloses Pulver
Butylzinntrichlorid $H_3C-(CH_2)_3-SnCl_3$ [1118-46-3]	$C_4H_9Cl_3Sn$	282,17	102 (16)		

Tricyclohexylzinnhydroxid s. Cyhexatin
Tricyclohexyl(1H-1,2,4-triazol-1-yl)zinn s. Azocyclotin
Triphenylzinnacetat s. Fentinacetat
Triphenylzinnhydroxid s. Fentin-hydroxid
Hexakis(2-methyl-2-phenylpropyl)distannoxan s. Fenbutatinoxid

Umlagerung. Diese breit anwendbare Reaktion läßt sich auch *stereoselektiv gestalten (s. Abb. 2).

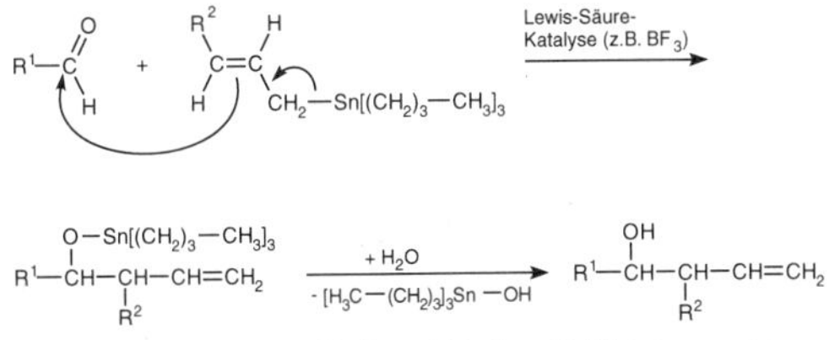

Abb. 2: Allylierung von Carbonyl-Verb. mit Allylstannanen.

Kupp(e)lungs-Reaktionen können mit einer großen Anzahl von Z.-o. V. erreicht werden. Diese C-C-Verknüpfungen bedürfen der Katalyse von Übergangsmetallen, zumeist Palladium, u. es lassen sich auch Kreuzkupp(e)lungen realisieren; Näheres s. bei Metall-organische Reaktionen, Heck- u. Stille-Reaktion. Eine weitere wichtige Anw. von Z.-o. V. in der organ. Synth. ist ihre Fähigkeit *Radikale zu erzeugen. Dazu werden Halogenalkane mit Trialkylstannanen in Ggw. eines Alkens zur Reaktion gebracht (s. Abb. 3).

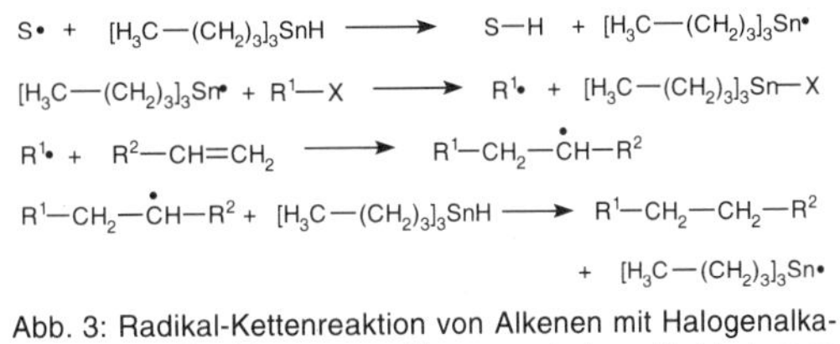

$$S• + [H_3C-(CH_2)_3]_3SnH \longrightarrow S-H + [H_3C-(CH_2)_3]_3Sn•$$
$$[H_3C-(CH_2)_3]_3Sn• + R^1-X \longrightarrow R^{1}• + [H_3C-(CH_2)_3]_3Sn-X$$
$$R^{1}• + R^2-CH=CH_2 \longrightarrow R^1-CH_2-\overset{•}{C}H-R^2$$
$$R^1-CH_2-\overset{•}{C}H-R^2 + [H_3C-(CH_2)_3]_3SnH \longrightarrow R^1-CH_2-CH_2-R^2 + [H_3C-(CH_2)_3]_3Sn•$$

Abb. 3: Radikal-Kettenreaktion von Alkenen mit Halogenalkanen unter Einwirkung von Zinn-organischen Verbindungen (S˙ ≡ Radikal-Kettenstarter).

Monoalkylzinn-Verb. werden zur Beschichtung von Glas u. zur Hydrophobierung von Textilien verwendet. Manche Mono- u. bes. die Dialkylzinn-Verb. sind Stabilisatoren für Polyvinylchlorid, Katalysatoren für die Herst. von PUR-Schaumkunststoffen u. RTV-*Siliconen sowie Veresterungskatalysatoren. Die Trialkylzinn-Verb. sind Desinfektionsmittel u. fungizide Schutzmittel für Textilien, Leder, Papier, Holz u. dgl. Insbes. dienen Z.-o. V. als algizide u. molluskizide Bestandteile in *Schiffsanstrichen (*Antifoulingfarben) sowie als Fungizide, Akarizide u. Saatbeizmittel im Pflanzenschutz; manche wirken auch als Fraßhemmstoffe auf Insekten; Näheres s. Lit.[10-12]. Im erweiterten Sinne kann man den Z.-o. V. auch Salze wie Zinnacetat, Zinnoctoat u. Zinn(II)-triflat zurechnen. Fortschritte auf dem Gebiet der Z.-o. V. referiert die Zeitschrift J. Organomet. Chem. Library in jährlichen Zusammenfassungen. – *E* organotin compounds – *F* composés d'organoétain – *I* composti organici di stagno – *S* compuestos de organoestaño

Lit.: [1] IUPAC, Nomenklatur der Organischen Chemie, S. 96, Weinheim: VCH Verlagsges. 1997. [2] BJA-Report, Gefahrstoffliste 1998 (Gefahrstoffe am Arbeitsplatz), S. 606, Sankt Augustin: Hauptverband der gewerblichen Berufsgenossenschaften (HVBG) 1998 u. dort zit. Literatur. [3] Nachr. Chem. Tech. Lab. **30**, 190–194, 940–943 (1982). [4] Top. Curr. Chem. **104**, 1–55 (1982). [5] Chem. Rev. **91**, 311–334 (1991). [6] Angew. Chem. **103**, 916–944 (1991). [7] Pure Appl. Chem. **59**, 1011–1014 (1987). [8] Buch der Umweltanalytik, Bd. 2, Darmstadt: GIT-Verl. 1991. [9] Merian, Metals and Their Compounds in the Environment, S. 1243–1260, Weinheim: VCH Verlagsges. 1991 (umfassende Übersicht über Zinn u. seine Verb. in der Umwelt). [10] Organomet. Chem. **325**, 141–152 (1987). [11] Appl. Organomet. Chem. **1**, 143–155, 331–346 (1987). [12] Toxicology **32**, 57–66 (1984).
allg.: Monographien: Carey-Sundberg, S. 1227 ff. ▪ Davies, Organotin Chemistry, Weinheim: VCH Verlagsges. 1997 ▪ Evans u. Karpel, Organotin Compounds in Modern Technology, Amsterdam: Elsevier 1985 ▪ Harrison, Chemistry of Tin, Glasgow: Blackie 1989 ▪ Nozaki, Organometallics in Synthesis, Schlosser (Hrsg.), Chichester: Wiley 1994 ▪ Rahm et al., Tin in Organic Synthesis, London: Butterworth 1987. – *Übersichtsartikel u. Handbücher:* Aldrichimica Acta **30**, 55 (1997) ▪ Angew. Chem. **97**, 555 (1985); **98**, 504 (1986) ▪ Chem. Rev. **96**, 31 (1996) ▪ Gmelin, Zinn-Organische Verbindungen (Erg.-Werk) ▪ Houben-Weyl **13/6**, 181 ff. ▪ Kirk-Othmer (3.) **16**, 573–579; **23**, 52–77; (4.) **24**, 131 ff. ▪ Org. React. **46**, 1 ff. (1994) ▪ Pure Appl. Chem. **52**, 657–667 (1980); **53**, 2401 (1981); **58**, 505–512, 639–646 (1986); **68**, 73 (1996) ▪ Top. Curr. Chem. **104** (1982) ▪ Top. Stereochem. **12**, 217–258 (1981) ▪ Ullmann (5.) **A 27**, 76 f. ▪ Wilkinson-Stone-Abel **2**, 519–627; II/2, 217 f. ▪ Winnacker-Küchler (4.) **6**, 134 f.; **7**, 322. – *Zeitschrift:* Main Group Metal Chemistry, London: Freund Publishing House, seit 1989. – *Organisation:* Organotin Environmental Programme Association (OR-TEPA), Koninginnegracht 27, Postbus 30448, NL-2500 GK Den Haag, Niederlande ▪ s. a. Metall-organische Chemie, Metall-organische Verbindungen u. Zinn. – *[HS 2931 00]*

Zinnoxide. Zum MAK-Wert s. Zinn. (a) *Zinn(II)-oxid*, SnO, M_R 134,71. Blauschwarze, metallglänzende, kub. Krist., D. 6,44, Schmp. 1080 °C (Zers.), unlösl. in Wasser, lösl. in Säuren. SnO ist stabil, beim Erhitzen unter Inertgas (ab ca. 385 °C) u. beim Erstarren der Schmelze (1040 °C) findet z. T. eine Disproportionierung statt: $2 SnO \rightarrow Sn + SnO_2$. SnO ist flüchtiger als Sn u. SnO_2; es entweicht beim Verblasen Zinn-haltiger Schmelzen mit Luft in Ggw. von Kohle in erheblichem Umfang.
Herst.: Durch Ausfällen von *Zinnoxidhydrat* aus $SnCl_2$-Lsg. mit Alkalien u. Erhitzen in Wasser nahe dem Sdp., wobei Umwandlung in das Oxid erfolgt.

Verw.: Zur Herst. anderer Sn(II)-Verb. u. in der Glas-Ind. bei der Herst. von Rubingläsern.
(b) *Zinn(IV)-oxid* (Zinndioxid), SnO_2, M_R 150,71. Amorphes, weißes Pulver od. hexagonale, tetragonale bzw. rhomb. Krist., D. 6,95, zersetzt sich >1500 °C zu SnO u. O_2 ohne zu schmelzen, läßt sich in O_2-Atmosphäre oberhalb 1800 °C sublimieren, in Wasser unlösl., in konz. Salzsäure u. Salpetersäure lösl.; wird durch Kohle od. Kaliumcyanid beim Erhitzen leicht zu Zinn reduziert. SnO_2 ist ein n-*Halbleiter, dessen elektr. Leitfähigkeit durch adsorbierte Gase verändert wird, weshalb es zum Einsatz in Gasspürgeräten geeignet ist.
Herst.: Man bläst einen heißen Luftstrom über geschmolzenes Zinn (das Oxid.-Produkt nannte man früher *Zinnasche*), leitet Dämpfe von Zinn(IV)-chlorid u. Wasserdampf durch rotglühende Porzellanröhren (gibt krist. SnO_2) od. erwärmt Zinnsäure bzw. Zinnsulfide an offener Luft (gibt amorphes SnO_2). In der Natur kommt mehr od. weniger gereinigtes Zinndioxid als *Kassiterit vor.
Verw.: Als Poliermittel für Stahl u. Glas, als Weiß-*Trübungsmittel bei der Herst. von Milchglas u. Email, als Trägermaterial für Katalysatoren, in Mischoxiden mit Antimonoxid, als Katalysator für organ. Synth., als Elektrodenmaterial zum Erschmelzen von Bleiglas. Dünne Schichten von Z., aus $SnCl_2$ od. Zinn-organ. Verb. hergestellt, erhöhen den Abriebwiderstand von Glasgeräten. – *E* tin oxides – *F* oxydes d'étain – *I* ossidi di stagno – *S* óxidos de estaño
Lit.: Adv. Catal. **30**, 97–132 (1981) ▪ Brauer (3.) **2**, 759 f. ▪ Gmelin, Syst.-Nr. 46, Sn, C 1, 1972, S. 24–136 ▪ Kirk-Othmer (4.) **24**, 127 f. ▪ Ullmann (5.) **A 27**, 74 f. ▪ Winnacker-Küchler (4.) **3**, 184 ff., 391 ▪ Zinn u. seine Verw. **132**, 5–8 (1982). – *[HS 2825 90; CAS 21651-19-4 (a); 18282-10-5 (b)]*

Zinnoxidhydrate s. Zinnsäuren.

Zinnpest s. Zinn.

Zinn-Reduktion. Bez. für die Herst. von aromat. Aminen, z. B. Anilin durch Red. einer aromat. Nitro-Verb. mit Zinn in salzsaurer Lösung.

$$H_5C_6-NO_2 \xrightarrow{Sn/HCl/H_2O} H_5C_6-NH_2$$

Die laboratoriumsmäßig durchführbare Herst.-Meth. für aromat. Amine läßt sich auch zur techn. Anilin-Gewinnung einsetzen. Als Red.-Mittel wird in diesem Fall allerdings Eisen eingesetzt. – *E* tin reduction – *F* réduction par l'étain – *I* riduzione collo stagno – *S* reducción por estaño

Zinnsäuren. Beim Ansäuern alkal. Lsg. von *Stannaten, denen die hypothet. *Zinnsäure*, $H_2[Sn(OH)_6]$, zugrunde liegt, entstehen weiße, voluminöse, gelartige Niederschläge aus Zinnoxidhydrat (vgl. Zinnoxide) von unterschiedlichem Gehalt an gebundenem Wasser. Dieses Hydrat geht bei längerem Stehen, noch schneller beim Erwärmen, unter fortschreitender Wasserabspaltung analog den Umwandlungen bei *Kieselsäure u. *Silicaten in *Zinndioxid* (SnO_2) über. Allerdings wird die Existenz diskreter Z. wie der *Orthozinnsäure* (H_4SnO_4), *Orthodizinnsäure* ($H_6Sn_2O_7$), *Metazinnsäure* ($[H_2SnO_3]_n$), *Metadizinnsäure* ($[H_2Sn_2O_5]_n$) heute sehr angezweifelt, u. statt dessen spricht man die „Z." als *Zinnoxidhydrate* an. Die frisch gefällten, wasserreichen Gele sind in Säuren u. Alkalien noch leicht lösl.;

man nannte sie früher α-Zinnsäure. Die gealterten, wasserärmeren Gele lösen sich in Säuren nicht mehr auf, sie hießen früher β-Z. od. Meta-Zinnsäure. Die Umwandlung von α-Z. in β-Z. ist irreversibel. Die β-Z. erhält man auch direkt bei der Einwirkung von Salpetersäure auf Zinn. Bronze-Geräte werden nach Lit.[1] nach jahrtausendelanger Lagerung (bes. in Sandböden) unter Erhaltung ihrer Form durch Oxid.- u. Ausschwemmungsprozesse allmählich in Z. übergeführt. – *E* stannic acids – *F* acides stanniques – *I* acidi stannici – *S* ácidos estánnicos

Lit.: [1] Angew. Chem. **68**, 201–211 (1956).
allg.: Brauer (3.) **2**, 760 f. ■ Gmelin, Syst.-Nr. 46, Sn, C 1, 1972, S. 113–140 ■ Kirk-Othmer (4.) **24**, 127 f. ■ Ullmann (5.) **A 27**, 75 f.

Zinnsalz s. Zinn(II)-chlorid unter Zinnchloride.

Zinnstein s. Kassiterit.

Zinn(II)-sulfat. $SnSO_4$, M_R 214,77. Weiße bis gelbliche Krist., lösl. in verd. H_2SO_4; MAK 2 mg/m³ (bezogen auf Sn). Die wäss. Lsg. scheidet beim Stehen bas. Sulfat ab; die Löslichkeit in Wasser sinkt mit steigender Temp. u. wird durch Sulfat-Ionen ebenfalls herabgesetzt. Beim Erhitzen auf 360 °C tritt Zers. ein. Z. findet Verw. zur galvan. Verzinnung u. zur elektrolyt. Metallsalz-Einfärbung von Aluminium, zur Tauchplattierung von Stahldraht vor dem Ziehen. – *E* tin(II)sulfate, stannous sulfate – *F* sulfate d'étain(II) – *I* solfato di stagno(II) – *S* sulfato de estaño(II)

Lit.: Gmelin, Syst.-Nr. 46, Sn, C 2, 1975, S. 59–67 ■ Kirk-Othmer (4.) **24**, 128 f. ■ Ullmann (4.) **24**, 671. – [HS 2 83 29; CAS 7488-55-3]

Zinnsulfide. Zum MAK-Wert s. Zinn. a) *Zinn(II)-sulfid*, SnS, M_R 150,78. Blaugraue, monokline, glänzende Krist., D. 5,22, Schmp. 882 °C, Sdp. ca. 1230 °C, läßt sich im Wasserstoff-Strom unzersetzt sublimieren, unlösl. in Wasser, lösl. in konz. Salzsäure u. gelbem Ammoniumhydrogensulfid, wird durch konz. Salzsäure beim Erhitzen unter Schwefelwasserstoff-Entwicklung in $SnCl_2$ überführt. SnS wird durch Verschmelzen von Zinn u. Schwefel hergestellt. Beim Einleiten von Schwefelwasserstoff in eine Zinn(II)-Salzlsg. erhält man SnS in Form dunkelbrauner Niederschläge.
b) *Zinn(IV)-sulfid* (Zinndisulfid), SnS_2, M_R 182,84. Goldgelbe, metallglänzende Kristallschuppen, D. 4,5, bei 600 °C Zers., in Salzsäure u. Salpetersäure unlösl., in Alkalisulfid-Lsg. unter Bildung von *Thiostannaten* löslich. Beim Einleiten von H_2S in eine schwach saure Zinn(IV)-chlorid-Lsg. entstehen gelbe, amorphe Niederschläge von SnS_2, die schon in mäßig konz. warmer Salzsäure lösl. sind. SnS_2 wird techn. durch Erhitzen von Sn od. Sn-Amalgam mit Schwefelblume in Ggw. von NH_4Cl hergestellt, wobei man es in krist. Form als goldglänzende, durchscheinende Blättchen (sog. *Musivgold*, s. Messing) erhält; über natürlich vorkommende Z.-Minerale s. Lit.[1] SnS_2 findet in Form von Musivgold als Pigment in sog. Zinnbronzen Verwendung. – *E* tin sulfides – *F* sulfures d'étain – *I* solfuri di stagno – *S* sulfuros de estaño

Lit.: [1] Naturwissenschaften **59**, 361 (1972).
allg.: Brauer (3.) **2**, 762–766 ■ Gmelin, Syst.-Nr. 46, Sn, C 2, 1975, S. 1–55 ■ Ullmann (5.) **A 27**, 76. – [HS 2830 90; CAS 1314-95-0 (a); 1315-01-1 (b)]

Zinnwaldit (Lithiumeisenglimmer). $K_2Fe_{3-1}^{2+}Li_{1-3}(Al,Fe^{3+})_2[(F,OH)_4/(Si_{5-7}Al_{3-1})O_{20}]$ (Formel nach Deer et al., *Lit.*); silbergrauer, gelblicher, brauner, manchmal auch dunkelgrüner bis schwarzer trioktaedr. *Glimmer, der überwiegend als monokliner 1M-Polytyp (s. Polytypie u. Glimmer) kristallisiert; zur Struktur s. Lit.[1,2], zur Struktur des Polytyps Z.-$2M_1$ s. Lit.[3] Z. bildet tafelige bis prismat., auf den Spaltflächen perlmuttartig glänzende Krist. u. blättrig-schuppige od. wirrblättrige Aggregate; H. 2–3, D. 2,83–3,02. Z. wird von Säuren zersetzt u. färbt die Flamme rot (Lithium).

Vork.: In Zinn-führenden pneumatolyt. Lagerstätten, v. a. in *Greisen u. in damit vergesellschafteten Gängen, z. B. im Erzgebirge (u. a. Zinnwald, Name! u. Cínovec/Böhmen), in Cornwall/England u. auf Madagaskar, sowie in einigen *Graniten u. *Pegmatiten. – *E* = *F* = *I* zinnwaldite – *S* zinnwaldita

Lit.: [1] Am. Mineral. **62**, 1158–1167 (1977). [2] Science **160**, 1338 f. (1968). [3] Eur. J. Mineral. **8**, 1241–1248 (1996).
allg.: Anthony et al., Handbook of Mineralogy, Vol. II, Tl. 2, S. 897, Tucson (Arizona): Mineral Data Publishing 1995 ■ Bailey (Hrsg.), Micas (Reviews in Mineralogy, Vol. 13), Washington (D. C.): Mineralogical Society of America 1984 ■ Deer et al., S. 312 f. ■ Ramdohr-Strunz, S. 749. – [CAS 1318-04-3]

Zinnwasserstoff s. Stannan.

Zinostatin. Internat. Freiname für *Neocarzinostatin A.

Zinoxyd aktiv®. Hochdisperses, über den Fällungsweg hergestelltes *Zinkoxid für die Aktivierung der Vulkanisation u. als heller Verstärkerfüllstoff für die Herst. von Gummiartikeln mit hoher Elastizität u. guter Wärmebeständigkeit. *B.:* Bayer.

Zinsser. Kurzbez. für die Firma Zinsser Analytic GmbH, 60489 Frankfurt. *Produktion:* Opt. Geräte, Meßgeräte u. Zubehör, Laborgeräte.

Zintl, Eduard (1898–1941), Prof. für Anorgan. Chemie, Freiburg i. Br. u. Darmstadt. *Arbeitsgebiete:* Röntgenometr. Untersuchungen an Krist., Bindungszustände in intermetall. Verb., Untersuchungen von Phasen, Reaktionen in nicht-wäss. Lsg., Orthosalze u. polyanion. Verb.; s. a. Zintl-Phasen.
Lit.: Neufeldt, S. 203 ■ Pötsch, S. 468.

Zintl-Phasen. Von F. Laves zu Ehren von E. *Zintl geprägte Bez. für eine zahlenmäßig große Gruppe von *intermetallischen Verbindungen, deren Bindungszustände Übergangsformen zwischen Metall- u. Ionen-Bindung darstellen. Als Z.-P. werden solche intermetall. Verb. bezeichnet, die einen starken heteropolaren Bindungsanteil aufweisen u. im Einklang mit einer idealen Formulierung in ihrem Anionenteilgitter – ggf. nach einer Aufspaltung gebrochener Ladungszahlen in die benachbarten ganzzahligen Werte – die (8-N)-Regel befolgen. Z.-P. werden hauptsächlich von Alkali- u. Erdalkali-Metallen mit den Elementen der 3. bis 6. Hauptgruppe des *Periodensystems sowie den Übergangsmetallen mit nahezu aufgefüllter d-Schale gebildet; *Beisp.:* LiAl, Li_3Al, NaTl, $NaGa_4$, K_2Se_2, Rb_3As, CsSi, Mg_3Ag, Mg_2Zn, Mg_2Ga_2, Mg_2Pb, Mg_3Bi_2, $CaAl_2$, Ca_2Sn, Ca_2Sb_4, CaS, $SrGa_2$, $BaAl_4$, BaS_3. Z.-P., die ein Element aus der 4.–6. Hauptgruppe enthalten, haben salzartige Koordinationsgitter u. können in flüssigem Ammoniak

u. organ. Diaminen unter Bildung von Polyanionen, den sog. *Zintl-Anionen*, lösl. sein. Die sog. *Zintl-Linie* od. *Zintl-Grenze*, die zwischen 3. u. 4. Hauptgruppe (13. u. 14. Gruppe) gezogen werden kann, trennt diese salzartigen *Phasen von solchen mit typ. Legierungsstrukturen, wie sie von Elementen der 3. Hauptgruppe u. der Nebengruppen 1. u. 2. gebildet werden. – *E* Zintl phases – *F* phases de Zintl – *I* fasi di Zintl – *S* fases de Zintl

Lit.: Angew. Chem. **85**, 742–760 (1973).

Zippeit. $K[(UO_2)_2/(SO_4)/(OH)_3] \cdot H_2O$; orangegelbes, goldgelbes od. rötlichbraunes, radioaktives, bei Bestrahlung mit UV-Licht kräftig gelbgrün fluoreszierendes, sek., aus Uraninit (*Uranpecherz) entstandenes, monoklines [1] (Kristallklasse $2/m-C_{2h}$) bas. Uranylsulfat-Mineral; zu Struktur, Synth. u. obiger Formel s. *Lit.*[1]; zu *Na-Z.* (mit Na statt K) s. *Lit.*[2]. Z. bildet Aggregate rosetten- u. fächerartig gruppierter winziger seidenartiger, z. T. haarförmiger Krist.; H. ≈ 2; D. 3,7; leicht lösl. in Säuren.

Vork.: In Uran-Vanadium-haltigen *Sandsteinen des Colorado-Plateaus/USA. Auf alten Strecken u. Halden als Ausblühung in Jachymov (St. Joachimsthal) u. Příbram/Böhmen, Wölsendorf/Bayern u. Shinkolobwe/Zaire (Kongo). – *E* = *I* zippeite – *F* zippéite – *S* zippeíta

Lit.: [1] Can. Mineral. **33**, 1091–1101 (1995). [2] Mineral. Mag. **57**, 352 ff. (1993).
allg.: Can. Mineral. **14**, 429–436 (1976) ▪ Ramdohr-Strunz, S. 617 ▪ Roberts, Campbell u. Rapp, Encyclopedia of Minerals (2.), S. 974 f., New York: Van Nostrand Reinhold 1990. – [CAS 71340-50-6]

Ziprasidon (Rp).

Internat. Freiname für das *Neuroleptikum, ein Hemmstoff an Dopamin-D_2- u. Serotonin-($5HT_2$)-Rezeptoren, 5-{2-[4-(1,2-Benzisothiazol-3-yl)piperazino]ethyl}-6-chlor-1,3-dihydro-2*H*-indol-2-on, $C_{21}H_{21}ClN_4OS$, M_R 412,94, Schmp. des Hydrochlorid-Monohydrats >300 °C. Z. wurde 1988/1989 von Pfizer patentiert. – *E* = *F* = *I* ziprasidone – *S* ziprasidona
Lit.: Drug Metab. Dispos. **25**, 863–872, 897–901 (1997) ▪ J. Chromatogr. B **668**, 133–139 (1995) ▪ J. Pharmacol. Exp. Ther. **275**, 101–113 (1995) ▪ Merck-Index (12.), Nr. 10304. – [CAS 146939-27-7 (Z.); 138982-67-9 (Hydrochlorid-Monohydrat)]

Zip-Reaktion. Von M. *Hesse u. Hans Schmid in Anlehnung an den Mechanismus eines Reißverschlusses (*E* zipper) geprägte Bez. für eine *Ringreaktion zur Herst. *makrocyclischer Verbindungen. Die erste Anw. der Z.-R. galt der Synth. cycl. *Polyamine, wobei ein Lactam-*Ringsystem um eine od. mehrere 3-Aminopropyl-Einheiten erweitert wurde. Die solcherart als *Cyclooligomerisation auffaßbare Z.-R. konnte später auf Carbocyclen übertragen werden: Aus einem cycl. Keton, das in α-Stellung eine Nitro- od. Cyano-Gruppe enthält, entsteht in einem Schritt ein um 4 Glieder vergrößerter Makrocyclus. – *E* zip reaction – *F* réaction en mode alternatif – *I* reazione zip – *S* reacción zip

Lit.: Angew. Chem. **89**, 899 f. (1977); **90**, 210 f. (1978); **93**, 1077 f. (1981) ▪ Helv. Chim. Acta **61**, 1342–1352 (1978); **66**, 845–860 (1983); **68**, 1986–1997 (1985).

Ziram.

Common name für Zink-bis(dimethyldithiocarbamat), $C_6H_{12}N_2S_4Zn$, M_R 305,79, Schmp. 246 °C (techn. 240–244 °C), LD_{50} (Ratte oral) 1400 mg/kg, von DuPont 1930 eingeführtes protektives Blatt-*Fungizid mit breitem Wirkungsspektrum gegen pilzliche Krankheitserreger im Obst-, Wein-, Gemüse- u. Zierpflanzenanbau, das auch als *Repellent gegen Wildverbiß u. Vogelfraß eingesetzt wird. – *E* = *S* ziram – *F* = *I* zirame
Lit.: Beilstein E IV **4**, 234 ▪ Farm ▪ Perkow ▪ Pesticide Manual ▪ Wirkstoffe iva. – [HS 293020; CAS 137-30-4]

Zirbeldrüse s. Epiphyse.

Zirconate(IV). Bez. für Salze u. Ester der hypothet. Zirconiumsäure H_2ZrO_3 (*Metazirconiumsäure*); die Existenz von Z. der *Orthozirconiumsäure* (H_4ZrO_4) ist umstritten. Dagegen leiten sich die organ. Z. $(RO)_4Zr$ von letzterer ab, s. Zirconium-organische Verbindungen. Von den anorgan. Z., für die ein MAK-Wert von 5 mg/m³ (bezogen auf Zr) gilt, sind Meta-Z. der Zusammensetzung $M_2^IZrO_3$ bekannt (M^I = einwertiges Metall); die Alkali-Z. können z. B. durch Schmelzen der Alkalihydroxide mit *Zirconiumdioxid erhalten werden. Barium- u. *Bleizirkonat zeichnen sich ähnlich wie die *Titanate durch interessante dielektr. Eigenschaften aus: Mischkrist. aus $PbZrO_3$ u. $BaZrO_3$ (3:1) haben eine Dielektrizitätskonstante von ca. 11 000. Polykrist. Blei-Zirconat-Titanate (*PLZT) mit *Perowskit-Struktur zeigen *Piezoelektrizität u. finden in der Elektronik, in Ultraschall-Geräten u. beim Bau opt. Datenspeicher Verwendung. – *E* = *F* zirconates(IV) – *I* zirconati (IV) – *S* circonatos(IV)
Lit.: s. Zirconium. – [HS 284190]

Zirconium (chem. Symbol Zr). Neben der fachsprachlichen u. in der dtsch. Fassung der IUPAC-Regeln empfohlenen Schreibweise ist das in der dtsch. Rechtschreibung seit altersher übliche *Zirkonium* gelegentlich auch in der Fachlit. u. der vorliegenden Auflage des Römpp anzutreffen. Die Bez. *Zirkon (od. Zircon) für Zr ist inkorrekt; sie trifft nur auf das Mineral Zirkon zu (s. dort). Zr ist ein metall. Element der 4. Gruppe des *Periodensystems, Ordnungszahl 40, Atomgew. 91,224. Natürliche Isotope (Häufigkeit in Klammern): 90 (51,45%), 91 (11,27%), 92 (17,15%), 94 (17,35%), 96 (2,78%); daneben kennt man noch zahlreiche künstliche Isotope u. Isomere $^{81}Zr-^{105}Zr$ mit HWZ zwischen 0,6 s u. $1,5 \cdot 10^6$ a. Geschmolzenes, reines, massives Zr ist stahlartig glänzend, das Pulver dagegen schwarz, D. 6,50, Schmp. 2125 °C, Sdp. 4577 °C. Unterhalb 1136 °C krist. das sog. α-Zr hexagonal, oberhalb des Umwandlungspunktes β-Zr kub. raumzentriert. Chem. reines Zr ist verhältnismäßig weich, biegsam u. hämmerbar, es läßt sich zu Blechen auswalzen u. zu Drähten von 0,03 mm Dicke ausziehen, H. 7–8 (schon 0,3%

Sauerstoff-Gehalt kann die Brinellhärte verdreifachen), Zerreißfestigkeit 950 N/mm². Die elektr. Leitfähigkeit des Zr ist ähnlich wie bei den Widerstandsleg. Manganin od. Konstantan, der Wärmeausdehnungskoeff. ist relativ niedrig. Zr besitzt einen sehr kleinen Einfangquerschnitt für therm. Neutronen, ganz im Gegensatz zu dem im Periodensyst. unter ihm stehenden *Hafnium, daher ist die Trennung techn. bedeutsam.

Zr-Schwamm u. -Pulver sind bei Erwärmung an Luft leicht entzündlich (Zündtemp. 80–350 °C) u. können sich bereits durch Reibung, Schlag od. Entladung stat. Elektrizität entzünden. Brennendes Zr kann nicht mit Wasser-, CO_2- od. Chlorkohlenstoff-Löschern gelöscht werden (Gefahr des Verspritzens, bei Wasser auch der Explosivität), sondern es muß mit trockenem Sand ode. Salz abgedeckt werden. Wegen der leichten Entzündlichkeit wird Zr-Schwamm unter Argon, Zr-Pulver oft unter Methanol aufbewahrt. Massives Zr-Metall wird ab 600 °C rasch oxidiert u. verbrennt im Sauerstoff-Strom bei Weißglut zu Zirconiumdioxid, die Verbrennungswärme ist noch höher als bei Titan. Feinverteiltes Zr gibt bei der Verbrennung in O_2 die für Metallflammen höchste Temp. von ca. 4660 °C.

Zr widersteht den Angriffen von Wasser, Salzsäure, Salpetersäure[1], Phosphorsäure u. Laugen, dagegen wird es von Flußsäure (bei Zimmertemp.), heißer konz. Schwefelsäure, geschmolzenen Ätzalkalien, Chlorwasserstoff (bei dunkler Rotglut), Chlor u. dgl. angegriffen. In seinen chem. Verb. tritt Zr in den Oxid.-Stufen +1, +2, +3 u. +4 auf; im $[Zr(CO)_6]^{2-}$ liegt formal die Oxid.-Stufe -2 vor. Zr(IV)-Verb. überwiegen, sie sind in der Regel farblos. Bei den Halogeniden findet man alle pos. Oxid.-Stufen, s. Zirconiumchloride. Bei etwa 1000 °C verbindet sich Zr mit Stickstoff zu einem stabilen Nitrid (ZrN); reines Zr benötigt 1300 °C zur vollständigen Nitridierung u. geschmolzenes Zr reagiert mit dem Stickstoff der Luft bei plötzlichem Erhitzen (z.B. durch die Wärmeeinstrahlung einer kapazitiven Lichtentladung) schneller als mit Sauerstoff. Bei Zimmertemp. kann Zr bis zu 33 Atom-% Wasserstoff od. bis zu 10% Sauerstoff bzw. Stickstoff in sein Kristallgitter aufnehmen. Zr bewirkt in Leichtmetallen u. deren Leg. eine Kornverfeinerung im Gefüge u. so eine Härtung dieser Metalle bzw. ihrer Legierungen.

Physiologie: Der menschliche Körper soll ca. 300 mg Zr enthalten; seine physiolog. Funktion ist unbekannt. Das Metall selbst gilt nicht als toxisch. Zr-Verb. (MAK-Wert 5 mg/m³, berechnet als Zr) werden, soweit sie im Verdauungstrakt resorbierbar sind, an Plasma-Proteine gebunden u. in den Knochen gespeichert. In der BRD ist die Verw. von Zr-Verb. in Körperpflegemitteln verboten; Ausnahmen: Aluminiumzirconiumchloridhydroxid in *Antihidrotika (allerdings nicht in Sprayform) u. Zr als Verlackungskomponente in kosmet. Färbemitteln.

Nachw.: Qual. u. quant. Zr-Analysen können mit Arsenazo III, Brenzcatechinviolett, Oxin, Alizarin S, Kupferron, Phenylfluoron, 1-(2-Pyridylazo)-2-naphthol, Xylenolorange, Morin, Nitrosonaphthol etc. vorgenommen werden[2]. Für eine genaue quant. Bestimmung ist wegen der fast ident. Ionenradien von Zr^{4+} u. Hf^{4+} (80 pm; 79 pm) meist eine Reinigung durch Extraktions- od. Ionenaustausch-Verf. erforderlich. Als instrumentelle Meth. kommen Spektrophotometrie, Neutronenaktivierungsanalyse u. Atomabsorptionsspektrometrie (kein Graphit-Tiegel wegen Carbid-Bildung) in Frage[3].

Vork.: Der Anteil des Zr an der obersten, 16 km dicken Erdkruste wird auf 160 ppm geschätzt; damit steht Zr in der Häufigkeitsliste der Elemente an 20. Stelle zwischen Stickstoff u. Vanadium, ist also wesentlich häufiger als Nickel, Kupfer, Zink u. die Edelmetalle. Trotzdem wurde Zr erst verhältnismäßig spät bekannt, da es nur in geringen Konz. vorkommt u. stärkere Anreicherungen in Erzen selten sind. Das techn. wichtigste Zr-Mineral ist der *Zirkon ($ZrSiO_4$) mit Verunreinigungen an Hafnium (0,5–4%), Fe_2O_3 (bis 0,35%) u. CaO (bis 4%). Er findet sich in der Hauptsache in den *Zirkonsanden* an den Küsten Australiens, ferner an denen von Florida, Südamerika, Indien, Sri Lanka, Madagaskar, Natal (Südafrika), der ehem. UdSSR u. der Ostsee. Häufig wird der Zirkonsand als Nebenprodukt beim Abbau der Titanerze Rutil u. Ilmenit gefördert. Weitere, techn. weniger bedeutende Zr-Minerale sind *Baddeleyit* (Zirkonerde, ZrO_2), *Zirkit* (Mischgestein aus Zirkon u. Baddeleyit), *Zirkelit* (Calciumeisenzirconat) u. *Eudialyt*. Zr ist in Pyroxenen u. Amphibolen, Ägirinen, ferner in Rutil, Titanit, Magnetit, Ilmenit, Apatit bis zu einigen Zehntelprozent verbreitet. Von ca. 20 Zr-Erzen haben als Rohstoff jedoch nur hauptsächlich Zirkon, danach auch Baddeleyit u. Eudialyt in den Zirkonsanden techn. Bedeutung.

Herst.: Die Zr-Gewinnung erfolgt durch Aufschluß von Zirkon in einer Natriumhydroxid-Schmelze, wobei man ZrO_2 erhält, od. mittels Kohle im Lichtbogenofen; im zweiten Fall erhält man ein als Zirconiumcarbonitrid bezeichnetes Gemisch aus Zirconiumnitrid u. Zirconiumcarbid, das durch Chlorierung in Zirconiumtetrachlorid übergeführt wird. Dieses wird – in Analogie zur *Titan-Herst. – nach einem von Kroll entwickelten *Metallothermie-Verf. in einer Helium-Atmosphäre durch Magnesium zu Zr reduziert. Das Reinstmetall ist nach dem van-Arkel-de-Boer-Verf. (s. Aufwachsverfahren) erhältlich. Bei der Herst. von sog. *reactor grade-Z.* als Hüllmaterial für *Brennelemente von Kernreaktoren muß Hafnium vom Zr abgetrennt werden, da Hf einen hohen Neutroneneinfangquerschnitt hat. Eine Aufzählung der dabei angewendeten Verf. findet man bei Hafnium; zur Trennung durch Verteilung des Thiocyanates nutzt man heute die Flüssig-Flüssig-Extraktion mit Tributylphosphat od. 4-Methyl-2-pentanon (MIBK) aus. Im Jahre 1995 betrug die Förderung an Zr-Mineralen weltweit ca. 10^6 t (berechnet als Zirkon), davon entfielen 50% auf Australien, 25% auf Südafrika, 10% auf die USA u. 10% auf die Ukraine.

Verw.: Wegen seiner Korrosionsbeständigkeit eignet sich Zr als Konstruktionswerkstoff in der chem. Ind. bes. zur Herst. von der Korrosion stark ausgesetzten Anlagenteilen, z.B. Spinndüsen, Ventile, Pumpen, Rührer, Rohre in Verdampfern u. Wärmeaustauschern. Größere Reaktionsapparate können durch

*Explosionsplattierung mit Zr-Blech ausgekleidet werden[4]. Über mechan. u. Korrosionseigenschaften u. die Verw. von Zr u. Zr-Leg. in der chem. Ingenieurtechnik s. Lit.[5]. In der Elektrotechnik verwendet man Zr für Bauteile in Vak.-Röhren (Herst. von Glüh-Kathoden, Gittern u. als Getter). In der Pyrotechnik dient Zr-Pulver zur Herst. von Leuchtkugeln u. Leuchtspurmunition. In der Metallurgie hat sich Zr zur Bindung von Sauerstoff, Stickstoff u. Schwefel bewährt, wobei es in Form von Ferrosiliciumzirconium z. B. bei der Stahlherst. eingesetzt wird. Auch ist Zr Leg.-Bestandteil bei einigen Nichteisen-Leg. (z. B. Cu-Zr-Leg.) u. bei Mg-Leg., denen es zu größerer Härte verhilft. Als Hüllmaterial für Kernbrennstoffe in Brennelementen von Kernreaktoren wird reactor grade-Z. (s. o.) im allg. in Form von Zr-Leg. mit Sn, Fe, Cr u. Ni od. auch Niob-haltigen Leg. eingesetzt. Zr-Verb. werden benötigt zur hydrophobierenden Imprägnierung von Textilien, zur Herst. von Pigmenten u. Druckfarben, zur Weißgerbung von Leder, in Antihidrotika (s. jedoch oben), bei der Herst. von Feuerfestmaterialien, Keramik, Gläsern u. Email. Einige *Zirconium-organische Verbindungen lassen sich als Katalysatoren u. in der Lack-Ind. gebrauchen.

Geschichte: Stark verunreinigtes ZrO_2 wurde bereits 1789 von dem dtsch. Chemiker *Klaproth aus ceylones. Zirkon abgeschieden. *Berzelius erhielt 1824 pulverförmiges, unreines Zr durch Red. von Kaliumfluorozirconat mit Kalium. Die Z.-Präp. des vorigen Jh. enthielten noch viele Verunreinigungen aus Hafnium, Zirconiumoxid u. Zirconiumnitrid; ein 98,7%iges Zr-Metall wurde erst 1907 von Burger hergestellt. Unter „Zirkon" verstand man schon früher einen Halbedelstein aus Zirconiumsilicat, dessen farbige Verunreinigungen nach dem Glühen verschwanden, so daß er wegen seines hohen Glanzes als „Diamant" verkauft werden konnte. Wegen dieser Verfälschung gab man ihm den französ. Namen Jargon (Kauderwelsch, s. Zirkon). Zirkon (Mineralname) u. Zirconium (Elementname) sind also vielleicht von französ.: jargon herzuleiten, nach anderer Auffassung jedoch von pers.: zargun = goldfarben. – $E = F$ zirconium – I zirconio – S circonio

Lit.: [1] Chem. Tech. (Heidelberg) **14**, 249–252 (1985). [2] Fries-Getrost, S. 418–425; Chem. Rundsch. **36**, Nr. 37, 1 f. (1983). [3] Townshend, Encyclopedia of Analytical Science, S. 5663–5668, London: Academic Press 1995. [4] Chem. Ind. (Düsseldorf) **35**, 83–87 (1983). [5] Mater. Tech. (Paris) **77** (4–5), 1–32 (1989); Materialwiss. Werkstofftech. **21**, 407–430 (1990); Inf. Chim. **320**, 193–199 (1990).

allg.: Bard, Encyclopedia of the Electrochemistry of the Elements, Bd. 9 B, New York: Dekker 1986 ▪ Brauer (3.) **2**, 1328–1398 ▪ Gmelin, Syst.-Nr. 42, Zr, 1958 u. Erg.-Werk, Bd. 10/11 (Zr-Org. Verb.), 1973 ▪ Kirk-Othmer (4.) **25**, 853–896 ▪ Seiler u. Sigel (Hrsg.), Handbook on Toxicity of Inorganic Compounds, S. 801–804, New York: Dekker 1988 ▪ Snell-Ettre **14**, 103–152 ▪ Ullmann (5.) **A 28**, 543–567 ▪ Winnacker-Küchler (4.) **4**, 3ff., 513–518 ▪ Zirconium in the Nuclear Industry (STP 633, 681, 754, 815, 824, 939, 1023), Philadelphia: ASTM 1977–1989 ▪ s. a. Zirconium-organische Verbindungen. – *[HS 810910; CAS 7440-67-7; G 4.2 (für Zr-Schwamm)]*

Zirconiumacetylacetonat s. Zirconium-organische Verbindungen.

Zirconiumchloride. Zum MAK-Wert s. Zirconium. (a) *Zirconium(I)-chlorid*, $ZrCl$, M_R 126,67. Schwarze, Graphit-artige Schuppen, disproportioniert im Vak. bei 610 °C u. absorbiert H_2 zu ZrHCl.

(b) *Zirconium(II)-chlorid*, $ZrCl_2$, M_R 162,13. Schwarze Krist., D. 3,6, bei 350 °C Zers., in Wasser Zers. unter Wasserstoff-Entwicklung.

(c) *Zirconium(III)-chlorid*, $ZrCl_3$, M_R 197,58. Braune, hexagonale Krist., D. 3,00, disproportioniert oberhalb 200 °C in $ZrCl_4$ u. niedere Halogenide ($ZrCl_{2,8}$ ab 200 °C, $ZrCl_{1,6}$ ab 300 °C, dann ZrCl) u. ab 610 °C bleibt Zr-Metall zurück, wenn $ZrCl_4$ im Vak. entfernt wird. In Wasser ist $ZrCl_3$ unter Zers. (Wasserstoff-Entwicklung) löslich. $ZrCl_3$ läßt sich durch Red. von $ZrCl_4$ mit Al in einer Schmelze von Aluminiumchlorid od. mit Zr in Ta-Ampullen gewinnen; es bildet mit ein- u. zweizähnigen Liganden Addukte.

(d) *Zirconium(IV)-chlorid*, $ZrCl_4$, M_R 233,04. Farblose Krist., D. 2,803, Schmp. (unter Druck, ca. 2,5 MPa) 437 °C, bei 331 °C Sublimation. $ZrCl_4$ ist stark hygroskop. u. zersetzt sich an feuchter Luft u. in Wasser unter Bildung von Zirconiumdichloridoxid (s. Zirconyl-Verbindungen): $ZrCl_4 + H_2O \rightarrow ZrOCl_2 + 2 HCl$.

Die Herst. erfolgt durch Behandlung von ZrO_2 od. $ZrSiO_4$ mit Kohle u. Chlor bei 1000–1500 °C. $ZrCl_4$ findet Verw. zur Herst. von *Zirconium-organischen Verbindungen (insbes. Zirconiumalkoxiden), von Zirconiumdichloridoxid u. als Katalysator bei *Friedel-Crafts-Reaktionen u. Polymerisation von Olefinen, Vinylmonomeren u. Epoxiden. $ZrCl_4$ ist das wichtigste Zwischenprodukt bei der Gewinnung von metall. Zirconium. – E zirconium chlorides – F chlorures de zirconium – I cloruri di zirconio – S cloruros de circonio

Lit.: Brauer (3.) **2**, 1353–1359 ▪ Gmelin, Syst.-Nr. 42, Zr, 1958, S. 285–300 ▪ Hommel, Nr. 1008 ▪ Inorg. Chem. **25**, 283 (1986) ▪ Kirk-Othmer (4.) **25**, 874–879 ▪ Ullmann (5.) **A 28**, 558 f. – *[CAS 14989-34-5 (a); 13762-26-0 (b); 10241-03-9 (c); 10026-11-6 (d); G 8 (für $ZrCl_4$)]*

Zirconiumdiacetatoxid s. Zirconyl-Verbindungen.

Zirconiumdichloridoxid s. Zirconyl-Verbindungen.

Zirconiumdioxid [Zirconium(IV)-oxid, Zirconia]. ZrO_2, M_R 123,22. Vier Modif.: Die in der Natur als *Baddeleyit (*Zirkonerde) vorkommende monokline Form, D. 5,6 ist bis mind. 1000 °C stabil. Zwischen 1000 °C u. 1150 °C bildet ZrO_2 eine tetragonale Form mit D. 6,1, die sich unter Hochdruck (10 GPa) bei 1000 °C in eine orthorhomb. Phase u. unter Normaldruck oberhalb 2350 °C in das kub. ZrO_2 umwandelt, D. 6,27, Schmp. 2715 °C. ZrO_2 ist in Wasser, HCl, HNO_3 u. in verd. H_2SO_4 unlösl., in HF lösl. u. kann mit heißer, konz. H_2SO_4 aufgeschlossen werden. Gegen Laugen ist es ebenfalls sehr beständig. ZrO_2 hat die H. 7–9, es ist ungiftig (allg. MAK-Wert für Zr-Verb. 5 mg/m^3, berechnet als Zr) u. absorbiert Röntgenstrahlen stark. Z. ist ein schlechter Elektrizitätsleiter; beim Erhitzen strahlt es ein sehr helles Licht aus, was man in sog. *Nernst-Stiften (enthalten 15% Y_2O_3) zur Emission von Infrarotstrahlung ausnutzt. Der Ausdehnungskoeff. des ZrO_2 ist ähnlich niedrig wie der des Aluminiumoxids, u. ebenso wie dieses u. zusammen mit diesem eignet es sich zum Einsatz in *Oxidkeramiken u. Schleifmitteln (*Zirkonkorund*)[1]. Die große

Differenz in den D. von tetragonalem u. monoklinem ZrO_2 kann in Z.-Werkstücken jedoch leicht zur Bildung von Rissen u. Sprüngen führen, die durch den Modif.-Wechsel verursacht werden. Daher muß bei Verw. von ZrO_2 für techn. Zwecke die kub. Form stabilisiert werden. Dies erfolgt durch Zusätze von CaO, MgO u. Y_2O_3, die mit ZrO_2 kub. Mischkrist. bilden, die keiner Modif.-Änderung mehr unterworfen sind. Sog. teilstabilisiertes ZrO_2 ist beständig gegen Temp.-Schocks durch Ausbildung von Mikrorissen; in ähnlicher Weise benutzt man die Rißbildung gezielt zur Erhöhung der Zähigkeit von Al_2O_3-Werkstoffen.

Verw.: Da ZrO_2 von den meisten metall. Schmelzen nicht benetzt wird, kann es zur Herst. feuerfester Schmelztiegel u. dgl. verwendet werden. ZrO_2 ist ein wichtiges Ausgangsmaterial zur Herst. von verschiedenen Zr-Verb., z. B. von *Zirconaten(IV), die für Dielektrika z. B. auf der Basis von Blei-Zirconat-Titanat (s. PLZT) wichtig sind, u. von *Zirconiumsilicaten bzw. -phosphaten, die als keram. Pigmente bzw. als Ionenaustauscher eingesetzt werden. Mit Seltenerdmetallen dotiertes ZrO_2 wird als Feststoffelektrolyt in elektrochem. Zellen zur Sauerstoff-Messung eingesetzt. Anw. finden solche Sensoren (bes. als sog. *Lambda-Sonden*) bei der Regelung des Kraftstoff-Luft-Gemisches für Autoabgas-Katalysatoren, andere Typen auch in Feuerungsanlagen von Kraftwerken sowie zur Sauerstoff-Bestimmung in flüssigem Eisen[2]. Weitere Verw. für ZrO_2: Zusammen mit Vanadiumoxid als Pigment (gelb bis türkis), als Katalysatorträger, *Trübungsmittel für Email u. Gläser, Ersatz für Schmuckdiamanten, Röntgenkontrastmittel, Neutronenreflektor in der Kernreaktor-Technologie. – *E* zirconium dioxide, zirconia – *F* dioxyde de zirconium – *I* biossido di zirconio – *S* dióxido de circonio

Lit.: [1] VDI-Ber. **670**, 761–771 (1988). [2] Chem. Tech. (Heidelberg) **16**, Nr. 2, 28–35 (1987).
allg.: Brauer (3.) **2**, 1370 f. ■ Gmelin, Syst.-Nr. 42, Zr 1958, S. 215–261 ■ Kirk-Othmer (4.) **25**, 868 f. ■ Science and Technology of Zirconia (2 Bd.), Columbus: Am. Ceramic Soc. 1981, 1984 ■ Ullmann (5.) **A 6**, 50; **A 28**, 556–558 ■ Winnacker-Küchler (4.) **3**, 197. – *[HS 282560; CAS 1314-23-4]*

Zirconiumdioxid-Keramik s. Oxidkeramik.

Zirconiumhydrid. ZrH_2, M_R 93,24. Grauschwarzes, an Luft stabiles Pulver, D. 5,61, wird durch Wasser nicht zersetzt, gegenüber Flammen u. elektrostat. Aufladungen sind die gleichen Vorsichtsmaßnahmen erforderlich wie bei feinverteiltem *Zirconium; MAK-Wert 5 mg/m³ (bezogen auf Zr). Man erhält Z. in nicht ganz stöchiometr. Zusammensetzung durch Red. von ZrO_2 mit Calciumhydrid in Ggw. von Wasserstoff. Das reine Hydrid ZrH_2 ist aus Zr-Schwamm u. Wasserstoff bei 300 °C erhältlich. Die Wasserstoff-Aufnahme ist reversibel u. erfolgt über die Phasen ZrH, $ZrH_{1,58-1,67}$ bis $ZrH_{1,67-2,00}$.

Verw.: Als starkes Red.-Mittel, in der Pyrotechnik, in der Pulvermetallurgie, als Getterstoff in Vak.-Röhren, zur Herst. von geschäumten Metallen sowie als Moderator in Kernreaktoren. Der Hauptverwendungszweck ist militär. Art als Bestandteil von Brandsätzen u. Leuchtsätzen. – *E* zirconium hydride – *F* hydrure de zirconium – *I* idruro di zirconio – *S* hidruro de circonio

Lit.: Acc. Chem. Res. **13**, 121 ff. (1980) ■ Brauer (3.) **2**, 1333 f. ■ Gmelin, Syst.-Nr. 42, Zr, 1958, S. 197–208 ■ Kirk-Othmer (4.) **25**, 871 f. ■ Ullmann (5.) **A 13**, 221; **A 28**, 561. – *[HS 285000; CAS 7704-99-6; G 4.1]*

Zirconium(IV)-oxid s. Zirconiumdioxid.

Zirconium-Legierungen. Leg. mit dem Hauptelement *Zirconium. Anw. in der Kerntechnik u. im Chemieapparatebau. Zr- u. Hf-Verb. kommen in der Natur gemeinsam vor. Da beide Elemente chem. sehr ähnlich sind, lassen sie sich metallurg. nur mit hohem Aufwand trennen. Für die *Chemietechnik* bringt die Anwesenheit von Hf in Z.-L. keinen Nachteil mit sich. Von den handelsüblichen Commercial Grades mit bis zu 4,5% Hf wird dabei hauptsächlich Grade 702 mit max. 0,2% (Fe+Cr) eingesetzt. Z.-L. sind wegen ihrer außerordentlichen chem. Beständigkeit in einer Vielzahl aggressiver Produkte für den Chemieapparatebau interessant. Sie sind geeignet zum Handhaben der meisten organ. u. Mineralsäuren, alkal. Lsg., Salzlsg. u. auch einiger Salzschmelzen. Sie werden dagegen angegriffen von HF, Königswasser, heißer konz. H_2SO_4, feuchtem Cl_2 sowie Fe(III)- u. Cu(II)-chlorid. In aggressiver Umgebung kann es zur Bildung von Korrosionsprodukten mit pyrophorem Verhalten kommen (rauchende HNO_3), s. Pyrophore. Durch die Aufnahme von Wasserstoff verspröden Z.-L. sehr stark (*Wasserstoffversprödung). In der *Kerntechnik* erfolgt der Einsatz von Z.-L. wegen ihres niedrigen Einfangquerschnitts für therm. Neutronen (*Wirkungsquerschnitt). Allerdings muß der Hf-Gehalt auf max. 0,01% begrenzt werden (sog. Zircaloy-Leg.). Auch hier ist die chem. Beständigkeit gegen Hochtemp.-Wasser u. -Dampf neben den guten Festigkeitseigenschaften bei höheren Temp. von Bedeutung. Hinsichtlich der Verarbeitung (z.B. Schweißen) sind Z.-L. unproblematisch. – *E* zirconium alloys – *F* alliages de zirconium – *I* leghe di zirconio – *S* aleaciones de circonio

Lit.: Kleefisch (Hrsg.), Industrial Applications of Titanium and Zirconium, STP 728, Philadelphia: Am. Soc. Test. Mater. 1984.

Zirconium-organische Verbindungen. Vom *Zirconium sind weit weniger Metall-organ. Verb. mit kovalenter Zr-C-Bindung als π-Komplexe mit Olefinen bekannt, z. B. mit *Cyclopentadienyl:

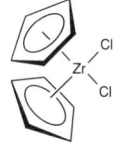

a

a) *Dichlorobis(η⁵-cyclopentadienyl)zirconium*, [Bis-(η⁵-cyclopentadienyl)zirconiumdichlorid, Zirconocendichlorid], $C_{10}H_{10}Cl_2Zr$, M_R 292,32, farblose Krist., Schmp. 248 °C.

b

b) *Chlorobis(η⁵-cyclopentadienyl)hydridozirconium*, [Bis-(η⁵-cyclopentadienyl)hydridozirconiumchlorid, Zirconocenchloridhydrid, Schwarz-Reagenz], $C_{10}H_{11}ClZr$, M_R 257,87, polymerer, farbloser Feststoff[1].
Das *Schwarz-Reagenz* wird in der organ. Synth. zur Hydrozirconierung verwendet[2], da es sich leicht an Alkene u. Alkine anlagert; s. Schwarz-Neghishi-Reaktion. Ausgehend von Zirkonocendichlorid lassen sich C–C-Verknüpfungsreaktionen realisieren (s. Abb. 1).

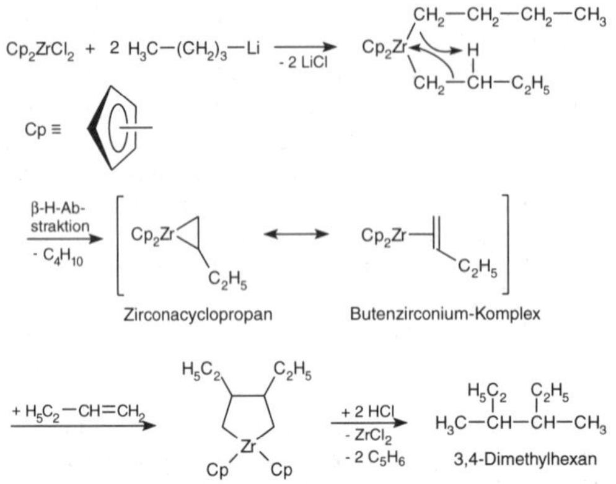

Abb. 1: Zirkonocen-gesteuerte C,C-Verknüpfung von Alkanen mit Alkenen; Synth. von 3,4-Dimethylhexan.

Weitere Anw. von Z.-o. V. in der organ. Synth. finden sich in *Lit.*[3-6].
In der *Polyethylen-Niederdrucksynth.* mittels *Ziegler-Natta-Katalysatoren kann Zr anstelle von Ti eingesetzt werden, weshalb auch hier Z.-o. V. intermediär entstehen[7]. Techn. Bedeutung haben v. a. die *Zirconiumalkoxide* $(RO)_4Zr$, wobei R = niedere Alkyl-Reste bedeutet [Alkyl-*zirconate(IV), *Zirconsäureester*]. Diese u. *Zirconiumacetylacetonat* [Tetrakis(2,4-pentandionato)zirconium, $Zr(acac)_4$ (s. Formel c), $C_{20}H_{28}O_8Zr$, M_R 487,66] finden Verw. bei der Vernetzung u. Härtung von Epoxid-, Silicon-, Harnstoff-, Melamin- u. a. Harzen, als Katalysatoren der Polymerisation ungesätt. Verb., der Polykondensation bei der Polyester-Herst. sowie als Hydrophobierungsmittel für Baustoffe u. Lederwaren. Auch für Z.-o. V. gilt ein MAK-Wert von 5 mg/m³ (bezogen auf Zr).

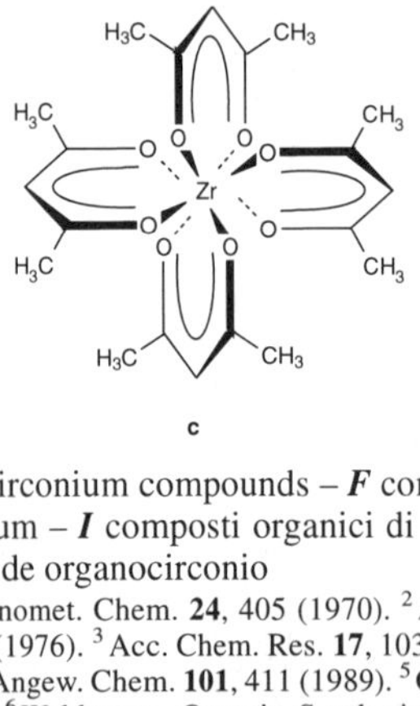

– *E* organozirconium compounds – *F* composés d'organozirconium – *I* composti organici di zirconio – *S* compuestos de organocirconio
Lit.: [1] J. Organomet. Chem. **24**, 405 (1970). [2] Angew. Chem. **88**, 402–409 (1976). [3] Acc. Chem. Res. **17**, 103 ff. (1984); **18**, 120 (1985). [4] Angew. Chem. **101**, 411 (1989). [5] Chem. Rev. **88**, 1047 (1988). [6] Waldmann, Organic Synthesis Highlights II, S. 99 f., Weinheim: VCH Verlagsges. 1995; Mulzer u. Waldmann, Organic Synthesis Highlights III, S. 153, Weinheim: Wiley-VCH 1998. [7] Nachr. Chem. Tech. Lab. **29**, 373–377 (1981); Chem. Labor Betr. **38**, 398–402 (1987); Kaminsky u. Sinn, Transition Metals and Organometallics as Catalysts for Olefin Polymerization, Berlin: Springer 1988.
allg.: Adv. Organomet. Chem. **25**, 317–379 (1986) ▪ Angew. Chem. **99**, 745–764 (1987) ▪ Cardin et al., Chemistry of Organo-Zirconium and Hafnium Compounds, Chichester: Horwood 1985 ▪ Gmelin, Erg.-Werk, Bd. 10/11, Zirconium-Organische Verbindungen, 1973 ▪ Houben-Weyl **13/7**, 335–350 ▪ Kirk-Othmer (3.) **24**, 890 f.; (4.) **25**, 884 f. ▪ Pure Appl. Chem. **69**, 639 (1997) ▪ Paquette **2**, 1082; **3**, 1667 ▪ Synthesis **1988**, 1–19 ▪ Science **261**, 1696 (1993) ▪ Trost-Fleming **5**, 1163 ▪ Wilkinson-Stone-Abel **3**, 549–646; II **4**, 433 ff. ▪ s. a. Zirkon.
– [CAS 1291-32-3 (a); 37342-97-5 (b); 17501-44-9 (c)]

Zirconiumoxid... s. Zirconyl-Verbindungen.

Zirconiumsäuren s. Zirconate.

Zirconiumsilicat (Zirconiumorthosilicat). $ZrSiO_4$, M_R 183,31. Farblose, tetragonale Krist., D. 4,70, Schmp. 2420 °C, unlösl. in Wasser; MAK-Wert 5 mg/m³ (bezogen auf Zr). $ZrSiO_4$ ist eine inerte Verb. u. v. a. gegen Säuren (auch siedende Flußsäure) beständig. In der Natur kommt Z. als *Zirkon* vor (s. dort), v. a. in den *Zirkonsanden* (s. Zirconium), die Rohstoffe für die *Zirconium- u. *Hafnium-Herst. sind.
Verw.: Als Formsand in der Stahl-Ind., zur feuerfesten Auskleidung von Öfen in der Glas- u. Stahl-Ind., als Füllstoff für Kunstharze etc., v. a. als Trübungsmittel für Emails u. Glasuren, zur Färbung der Glasuren von Sanitärkeramik u. Kacheln. Zur Herst. *keramischer Pigmente mit Z. als Wirtsgitter werden *Zirconiumdioxid, Siliciumdioxid, ein farbgebendes Oxid (Vanadiumoxid für blaue, Praseodymoxid für gelbe u. Eisenoxid für rote u. orangefarbene Töne) u. ein Mineralisator zusammen geglüht[1]. – *E* zirconium silicate – *F* silicate de zirconium – *I* silicato di zirconio – *S* silicato de circonio
Lit.: [1] Chem. Unserer Zeit **20**, 182–190 (1986).
allg.: Gmelin, Syst.-Nr. 42, Zr, 1958, S. 382–389 ▪ Kirk-Othmer (4.) **25**, 875 ▪ Ullmann (5.) **A 28**, 556 ▪ Winnacker-Küchler (4.) **3**, 168. – [HS 283990; CAS 10101-52-7]

Zirconium(IV)-sulfat. $Zr(SO_4)_2$, M_R 283,35. Das Tetrahydrat bildet ein weißes Kristallpulver, D. 3,22, gut lösl. in Wasser, MAK-Wert 5 mg/m³ (bezogen auf Zr); zur Herst. s. *Lit.*[1]. Z. findet als sog. *bas. Sulfat* ungesicherter Zusammensetzung bei der Weißgerbung von Leder, zum Beschweren von Seide, zur Farbstoff-Fixierung, Griffverbesserung, Flamm- u. Wasserfest-Imprägnierung in der Textil-Ind. techn. Anwendung. – *E* zirconium(IV) sulfate – *F* sulfate de zirconium(IV) – *I* solfato di zirconio(IV) – *S* sulfato de circonio(IV)
Lit.: [1] Brauer (3.) **2**, 1376 f.
allg.: Gmelin, Syst.-Nr. 42, Zr, 1958, S. 334–342 ▪ Kirk-Othmer (4.) **25**, 881. – [HS 283329; CAS 7446-31-3 $(Zr(SO_4)_2 \cdot 4H_2O)$]

Zirconocendichlorid s. Zirconium-organische Verbindungen.

Zirconocenchloridhydrid s. Zirconium-organische Verbindungen.

Zirconylacetat s. Zirconyl-Verbindungen.

Zirconylcarbonat s. Zirconyl-Verbindungen.
Zirconylchlorid s. Zirconyl-Verbindungen.
Zirconyl-Verbindungen. Veraltete Bez. für systemat. als *Zirconiumoxid...-Verb.* zu benennende Salze des *Zirconiums der allg. Formeln $ZrOX_2$ u. $ZrO(OH)X$ (X=einwertiger Rest). Das Kation ZrO^{2+}, ein Oxokation (vgl. Oxo...), wurde früher in Analogie zu Titanyl-, Uranyl- u. ä. Ionen *Zirconyl...* genannt. Von den Z.-V., für die der MAK-Wert 5 mg/m³ (bezogen auf Zr) gilt, haben Bedeutung:
(a) *Zirconiumdiacetatoxid* (Zirconylacetat), $OZr(O-CO-CH_3)_2$, M_R 225,31, kommt in Form einer wäss. milchweißen Lsg. (enthält ca. 22% ZrO_2) in den Handel u. dient (zusammen mit Wachsen od. Siliconen) zur wasserabweisenden Ausrüstung von Textilien u. Leder, als Nachgerbstoff in der Leder-Ind. sowie zur Herst. anderer Zirconium-Verbindungen.
(b) „*Zirconylcarbonat*", $3ZrO_2 \cdot CO_2 \cdot H_2O$ od. $2ZrO_2 \cdot CO_2 \cdot 8H_2O$, ist in Form einer 41%igen Paste im Handel. Es dient in der Textil-Ind. zur wasserabweisenden u. fungiziden Ausrüstung, in der Papier-Ind. zum Unlöslichmachen von natürlichen u. synthet. Bindemitteln u. zur fettabstoßenden Ausrüstung, zur Herst. von Trockenstoffen für Anstrichmittel, zur Herst. von Ledergerbstoffen, die hauptsächlich bei der Chromnachgerbung eingesetzt werden u. zur Herst. von Zirconylacetat.
(c) *Zirconiumdichloridoxid* (Zirconylchlorid). Die gewöhnlich als Octahydrat, $ZrOCl_2 \cdot 8H_2O$, M_R 178,13, vorliegende Verb. bildet lange, in Wasser lösl. Kristallnadeln, Schmp. 150 °C (unter Abgabe von $6H_2O$), Schmp. 210 °C (unter Abgabe weiterer $2H_2O$). Das aus $ZrCl_4$ durch Hydrolyse hergestellte $ZrOCl_2$ wird als Reagenz auf Fluor u. (in etwa 2%iger wäss. Lsg.) als Fällungsmittel für organ. Kolloide (Pektine, Natriumalginat, Celluloseglykolat, Gummi arabicum usw.) verwendet, ferner zur Textilimprägnierung im wäss. Medium u. als Anfärbereagenz für Fluorid-Ionen u. Glykoside in der Dünnschicht- u. Papierchromatographie. – *E* zirconyl compounds – *F* composés de zirconyle – *I* composti di zirconile – *S* compuestos de circonilo
Lit.: Brauer (3.) **2**, 136f. ▪ Gmelin, Syst.-Nr. 42, Zr, 1958, S. 300–312, 370f. ▪ Kirk-Othmer (4.) **25**, 880. – *[CAS 20645-04-9 (a); 13520-92-8 (c); 122535-73-3 (b)]*

Zirkelit s. Zirconium (Vork.).
Zirkit s. Zirconium (Vork.).
Zirkon. $Zr[SiO_4]$; wichtigstes *Zirconium-Mineral. Ditetragonal-dipyramidale (Kristallklasse 4/mmm-D_{4h}), meist trübe bis undurchsichtige, gewöhnlich braun od. braunrot, seltener auch rot, grün, gelb od. blau gefärbte od. graue bis farblose, lang- bis kurzprismat. od. dipyramidale Krist. od. Körner, die oft aus mehreren Zonen unterschiedlicher chem. Zusammensetzung aufgebaut sind[1-4]; zur Mikrostruktur von Z. s. *Lit.*[5]. H. 7,5, D. 4,67–4,71, Bruch muschelig; diamantod. fettartiger Glanz od. matt. Die Struktur des zu den Neso-*Silicaten gehörenden Z. (s. Deer et al., *Lit.*) enthält Ketten von alternierenden, über gemeinsame Kanten verbundenen $[SiO_4]$-Tetraedern u. $[ZrO_8]$-Koordinationspolyedern („trigonale Dodekaeder"). Z. enthält in reinem Zustand 67,1% ZrO_2 u. 32,9% SiO_2. In chem. Analysen (s. Deer et al., *Lit.*) wurden neben dem stets (bis zu 7 Gew.-%) vorhandenen Hafnium mehr als 50 weitere Elemente, darunter U^{4+}, Th^{4+}, Y^{3+}, SEE^{3+} (Seltenerd-Elemente), Ti, Fe, P^{5+}, Nb^{5+} u. Al^{3+} gefunden.
Metamikte Z.: Die in der Natur vorkommenden Z. sind nicht immer vollständig krist., sondern befinden sich gewöhnlich in einem teilw. od. vollständig glasartig amorphen, sog. metamikten[5] Zustand als Folge von Bestrahlungsschäden (sek. Atom-Versetzungen), die durch die Aussendung von α-Teilchen beim natürlichen radioaktiven Zerfall von Uran u. Thorium verursacht werden, s. dazu *Lit.*[6-10] u. *Lit.*[4,11,12] (Untersuchung mit *Raman-Spektroskopie); im Mikrobereich kann die Metamiktisierung ungleichmäßig erfolgen[6,13]. Die Bestrahlungsschäden können wieder ausheilen[14]; durch Glühen bei über 1000 °C ist der krist. Zustand wieder herstellbar. Z. enthalten im Durchschnitt 5–4000 ppm Uran u. 2–2000 ppm Thorium; im Lauf ihrer geolog. Lebensdauer können sie bis zu $10^{15}-10^{16}$ α-Zerfalls-Ereignissen pro mg betroffen werden. Metamikte Z. enthalten $[ZrO_7]$-Koordinationspolyeder, OH (*Lit.*[15]), nach *Lit.*[16] auch H_2O, haben eine geringere D. (3,9–4,1), H. (6–6,5) u. Lichtbrechung (*Refraktion); die *Doppelbrechung verschwindet weitgehend bis völlig (*Isotropisierung*). Zum möglichen diffusiven Verlust von radiogenem Blei als Folge der mit der Metamiktisierung einhergehenden Vol.-Zunahme (Rißbildung!) u. Abnahme der chem. Stabilität liegt wegen der Bedeutung von Z. für die *Altersbestimmung u. im Zusammenhang mit der Verw. von Z. bei der Lagerung radioaktiver Abfälle (*Lit.*[17]) eine Anzahl von Untersuchungen vor, z. B. *Lit.*[12,18,19]; zur Diffusion vierwertiger Kationen in Z. s. *Lit.*[20]. Metamikte Abarten von Z. sind *Cyrtolit* u. *Malakon*. Z. ist chem. u. mechan. sehr stabil u. kann mehrere Cyclen von *Erosion, Transport u. *Metamorphose überstehen.
Vork.: Verbreitet als Begleitmineral („akzessor. Bestandteil") in fast allen Gesteinstypen, v. a. in *Graniten, *Nephelinsyeniten u. deren *Pegmatiten (z. B. in Südnorwegen, Pakistan u. dem Ural). In *Mondgesteinen[4] u. in *Meteoriten. In fluviatilen u. marinen *Seifen; diese sind die Hauptquelle für als Edelsteine verwendete Z., z. B. in Sri Lanka, Kambodscha u. Madagaskar. Auf Titan-Mineralien (*Ilmenit, *Rutil) abgebaute Küstensande (*Zirkonsande*, s. Zirconium) sind die wichtigsten Quellen für die Rohstoffgewinnung von Z., z. B. in Westaustralien u. Südafrika (Hauptexportländer für Z.), Florida, Indien, Rußland u. Kasachstan.
Verw.: V. a. als Trübungsmittel für Emails u. Glasuren in der Keramik. In der Stahl-Ind. als Formsand in Gießereien; als *Feuerfestmaterial zur Auskleidung von Öfen in der Glas- u. Stahl-Ind.; als Schleifmittel u. in Sandstrahlgebläsen. Als Ausgangsmaterial für die Herst. von Zirconium, Zirconium-Verb. u. *Hafnium. Schön gefärbte Abarten, darunter *Hyazinth* (gelbrot bis „hyazinthrot") u. *Jargon* (blaß strohgelb bis farblos), als *Edelsteine. Wegen der Gehalte an Throrium-, Uran- u. Blei-Isotopen in der *Geochronologie u. in der *Thermobarometrie; s. a. Zirconiumsilicat. – *E* = *F* zircon – *I* zircone – *S* circonio

Zirkonate(IV)

Lit.: [1] Chem. Geol. **110**, 1–14 (1993). [2] Geochim. Cosmochim. Acta **55**, 1663–1673 (1991). [3] Can. Mineral. **31**, 637–647 (1993). [4] Am. Mineral. **81**, 902–912 (1996). [5] Mat. Res. Soc. Bull. **12**, 58–66 (1987). [6] Science **236**, 1556–1559 (1987). [7] J. Mater. Res. **5**, 2687–2697 (1990); **9**, 688–698 (1994). [8] Am. Mineral. **76**, 60–73, 74–82, 1510–1532 (1991). [9] J. Appl. Cryst. **25**, 519–523 (1992). [10] Phys. Chem. Miner. **21**, 140–149 (1994). [11] Eur. J. Mineral. **7**, 471–478 (1995). [12] Mineral. Petrol. **62**, 1–27 (1998). [13] Geochim. Cosmochim. Acta **60**, 1091–1097 (1996). [14] Contrib. Mineral. Petrol. **110**, 463–472 (1992). [15] Am. Mineral. **76**, 1533–1546 (1991). [16] Am. Mineral. **70**, 1224–1231 (1985). [17] J. Mater. Res. **10**, 243–246 (1995). [18] Science **223**, 835 (1984). [19] Geochim. Cosmochim. Acta **55**, 1663–1673 (1991); **58**, 993–1005 (1994). [20] Contrib. Mineral. Petrol. **127**, 383–390 (1997).
allg.: Chem. Unserer Zeit **15**, 88–97 (1981) ▪ Deer, Howie u. Zussman, Rock-Forming Minerals (2.), Vol. 1 A, Orthosilicates, S. 418–442, London: Longman 1982 ▪ Eppler, Praktische Gemmologie (5.), S. 229–237, Stuttgart: Rühle-Diebener 1994 ▪ Harben u. Bates, Industrial Minerals, Geology and World Occurrence, S. 282–294, London: Industrial Minerals Division of Metal Bulletin Plc 1990 ▪ Ramdohr-Strunz, S. 669 ff. ▪ Ribbe (Hrsg.), Orthosilicates (Reviews in Mineralogy, Vol. 5), S. 67–112, Washington (D. C.): Mineralogical Society of America 1980 ▪ Ullmann (5.) **A 28**, 546, 555 f. ▪ s. a. Zirconium u. Zirconiumsilicat. – *[HS 8109 10]*

Zirkonate(IV). Dem im Dtsch. bisher üblichen Elementnamen Zirkonium entsprechende Schreibweise für die fachsprachlich als Zirconate(IV) zu bezeichnenden Verb. (s. dort).

Zirkonerde s. Baddeleyit u. Zirconiumdioxid.

Zirkonia s. Diamanten.

Zirkonium... Herkömmliche, in der dtsch. Rechtschreibung übliche u. gelegentlich in der Fachlit. noch anzutreffende Schreibweise für das fachsprachlich als *Zirconium zu bezeichnende Element u. dessen Verb. (s. die Stichwörter Zirconium..., Zirconyl-Verbindungen).

Zirkonsand s. Zirconium.

Zirkulardichroismus s. Circulardichroismus.

Zistrosenöl (Cistrosenöl). Bez. für bei der Wasserdampf-Dest. von *Labdanum-Harz gewonnenes Labdanumöl aus Zistrosen-Arten (Cistaceae, bes. *Cistus ladanifer* u. *C. creticus*). – *E* ladanum shrub oil, sweet cistus oil – *F* huile de ciste ladanifère – *I* olio di cisto – *S* aceite de cisto ladanífero

Zithromax® (Rp). Kapseln, Saft mit dem *Makrolid-Antibiotikum *Azithromycin-Dihydrat gegen Infektionen der oberen Atemwege u. Genitalinfektionen. *B.:* Bayer Vital, Mack, Illert.

Zitierindex s. Citation Index u. Science Citation Index®.

Zitr... s. Citr... (in der chem. Fachsprache).

Zitronat s. Citronen, Sukkade u. Zedrat.

Zitronengelb s. Zinkchromate.

Zitronenmelisse s. Melissenöl.

Zitronensäure s. Citronensäure.

Zitwer (Zittwer). Unter der Bez. „Z." versteht man 2 völlig verschiedene pflanzliche Produkte. 1. Der früher offizinelle Z.-Samen (eigentlich die getrockneten Blütenköpfe, Z.-Blüten) entstammt dem mit *Beifuß u. *Wermut verwandten *Wurmkraut od. Z. (*Artemisia cina* Berg ex Poljak, Compositae). Wegen seines Gehalts an *Santonin – neben ether. Öl u. Bitterstoffen wie *Artemisin – wurde er früher zusammen mit Laxantien als *Anthelmintikum angewandt, wird aber heute wegen der Giftigkeit des Santonins nicht mehr eingesetzt.
2. Ebenfalls als Z. bezeichnet man ein nur noch selten als Gewürz verwendetes *Rhizom (Z.-Wurzel) der in Indien u. auf Sri Lanka kultivierten *Curcuma zedoaria* Roscoe (Zingiberaceae). Aus diesem Z. wird das nach *Ingwer riechende, dickflüssige, grünliche Zitwerwurzelöl – seit Jh. als sog. *Zedoariaöl* bekannt – gewonnen, das zu ca. 60% Sesquiterpene wie *Zingiberen, Zederon, Curcumene u. a. enthält, daneben Kohlenwasserstoffe u. Sauerstoff-Verb. der Monoterpen-Reihe.
Verw.: Das Rhizom in der Medizin als Stomachikum, das ether. Öl in der Likör-Ind. (Magenbitter). – *E* 1. levant wormwood, 2. zedoary – *F* 1. semencine, 2. zédoaire – *I* 1. semi della curcuma, 2. radice della curcuma – *S* 1. cina, santonica, 2. zedoaria
Lit.: Chem. Nat. Compd. (Engl. Transl.) **21**, 380 f. (1985) (*A. cina*) ▪ DAB 6 u. Komm. ▪ Giftliste ▪ Gildemeister **3 a**, 234 ▪ Hager (5.) **4**, 368–371, 375 ff. (*A. cina*); **4**, 1098–1102 (*Curcuma*) ▪ Pharm. Unserer Zeit **15**, 157 f. (1986) ▪ Phytochemistry **34**, 415–420 (1993) (*Curcuma*). – *[HS 1211 90]*

Zizanin s. Ophiobolinen.

ZKBS. Abk. für die Zentrale Kommission für biolog. Sicherheit im Bundesgesundheitsamt (s. a. ZKBS-Richtlinien).

ZKBS-Richtlinien. Kurzform für die „Richtlinien zum Schutz vor Gefahren durch *in vitro* neukombinierte Nucleinsäuren" der *Zentralen Kommission für die Biolog. Sicherheit* (ZKBS). Die ZKBS wurde ursprünglich 1978 im Auftrag des Bundesministers für Forschung u. Technologie eingerichtet. Heute ist das Wissenschaftliche Sektretariat der ZKBS das *Bundesinstitut für Infektionskrankheiten u. nicht übertragbare Krankheiten (Robert-Koch-Inst.). Grundlage für ihre Aufgaben ist das *Gentechnik-Gesetz sowie die VO über die Zentrale Kommission für Biolog. Sicherheit (ZKBS-VO) vom 6.8.1996 (BGBl. I, S. 1232). Danach überprüft u. bewertet die Kommission sicherheitsrelevante Fragen nach den Vorschriften dieses Gesetzes, gibt hierzu Empfehlungen u. berät die Bundesregierung u. die Länder in sicherheitsrelevanten Fragen der Gentechnik. Bei ihren Empfehlungen soll die Kommission auch den Stand der internat. Entwicklung auf dem Gebiet der gentechn. Sicherheit angemessen berücksichtigen. – *E* ZKBS guidelines – *F* directives de la ZKBS – *I* criteri di massima ZKBS – *S* directrices de la ZKBS
Lit.: s. Gentechnik-Gesetz.

Z-Mittel s. Polydispersität.

Zn. Chem. Symbol für das Element *Zink.

ZNS. Abk. für Zentralnervensystem, s. Nervensystem.

ZO-1, ZO-2 s. tight junction.

Zoanthoxanthin.

$C_{13}H_{16}N_6$, M_R 256,31, stark fluoreszierende gelbe Nadeln, Schmp. 275–277 °C (Zers.). Hauptfluoreszenzpigment aus Krustenanemonen des Mittelmeers (*Parazoanthus*) u. Indonesiens (*Zoanthus*-, *Palythoa*-Arten). – *E* zoanthoxanthin – *F* zoanthoxanthine – *I* = *S* zoantoxantina

Lit.: Comp. Biochem. Physiol. B **63**, 77 (1979) (Isolierung) ▪ J. Org. Chem. **61**, 9569 (1996) (Synth.). – *[CAS 40451-47-6]*

Zobel s. Musteliden.

Zocor® (Rp). Tabl. mit *Simvastatin gegen prim. Hypercholesterinämie. *B.*: Dieckmann.

Zölestin s. Cölestin.

Zöliakie (Coeliakie, Gluten-induzierte Enteropathie, intestinaler Infantilismus, von griech.: koilia = Bauchhöhle). Im Säuglings- u. Kindesalter auftretende Erkrankung der Dünndarmschleimhaut. Die bei Erwachsenen auftretende Z. wird als endemische Sprue bezeichnet. Die Z. führt zu einer Schädigung der für die Resorption der Nahrungsbestandteile notwendigen Schleimhautoberfläche. Dadurch kommt es zur Störung der Resorption aller Nährstoffe einschließlich der *Vitamine, die zu Durchfällen, Unterernährung, Vitamin- u. Eisen-Mangel etc. führt. Ursache der Schleimhautschädigung sind die in *Getreide (*Weizen, *Roggen u. *Gerste) vorkommenden *Kleber-Eiweiße Gluten u. Gliadin (s. a. Prolamine). Der genaue Mechanismus ist nicht bekannt. Man nimmt an, daß entweder eine direkte tox. Wirkung des im Darm mangelhaft hydrolysierten Glutens bzw. Gliadins od. eine abnorme immunolog. Reaktion auf die Peptide die Schädigung herbeiführt. Die Behandlung besteht aus Gluten-freier Kost, bei der die entsprechenden Getreidearten durch *Mais, *Hirse u. *Reis ersetzt werden. – *E* celiac disease, nontropical sprue – *F* maladie coeliaque – *I* malattia celiaca, morbo celiaco, celiachia, enteropatia da glutine – *S* enfermedad celíaca

Lit.: Gastroenterology **115**, 206–210 (1998) ▪ Schweiz. Rundsch. Med. Prax. **86**, 1147–1150 (1997).

Zofran® (Rp). Filmtabl. u. Injektionslsg. mit *Ondansetron-hydrochlorid gegen Übelkeit, Brechreiz u. Erbrechen bei Cytostatikatherapie, Tabl. auch bei Strahlentherapie. *B.*: Glaxo Wellcome.

Zoisit. $Ca_2Al_3[O/OH/SiO_4/Si_2O_7]$; zu den Soro-*Silicaten gehörendes, asch- bis braungraues od. grünes, glasglänzendes, auf Spaltflächen perlmuttartig glänzendes, rhomb. Mineral, Kristallklasse mmm-D_{2h}, Struktur s. *Lit.*[1,2]; zu *Polytypie-Beziehungen zwischen Z. u. dem monoklinen *Klinozoisit* s. *Lit.*[3]. Z. bildet undeutlich ausgebildete eingewachsene Krist., stengelige, faserige od. spätige Aggregate u. derbe Massen, H. 6–7, D. 3,15–3,37. Chem. Analysen (s. Deer et al., *Lit.*) zeigen beschränkten Ersatz von Al^{3+} durch Fe^{3+}, etwas Mn^{2+}, V^{4+} (*Lit.*[4]) u. Cr^{3+}. Wegen der Bedeutung von Z. als möglicher Träger von Wasser-Gehalten in Subduktionszonen (*Erde) zahlreiche experimentelle Untersuchungen zu Stabilität u. Verhalten von Z. u. Klino-Z. bei hohen Temp. u. Drücken, z. B. *Lit.*[5,6] (Wärmeausdehnung, Kompressibilität) u. *Lit.*[7–9].

Vork.: V. a. in *metamorphen Gesteinen; *Beisp.*: In den Hohen Tauern, in Spanien, Schottland, Norwegen u. Tansania/Ostafrika. In *Eklogiten, z. B. im Münchberger Gneisgebiet/Bayern u. auf der Saualpe/Kärnten. Varietäten des Z. sind der durch geringe Mn(II)-Gehalte rosa gefärbte *Thulit* (z. B. von Lom/Norwegen), grüner *Chrom*-Z. (z. B. von Neuseeland) u. der *Tansanit*. – *E* = *F* = *I* zoisite – *S* zoisita

Lit.: [1] Am. Mineral. **53**, 1882–1898 (1968). [2] Z. Kristallogr. **179**, 305–321 (1987). [3] Bull. Minéral. **109**, 667–685 (1986). [4] Science **171**, 174 ff. (1971). [5] Earth Planet. Sci. Lett. (EPSL) **124**, 105–118 (1994). [6] Am. Mineral. **81**, 335–340, 341–348 (1996). [7] Am. Mineral. **82**, 61–68 (1997). [8] Contrib. Mineral. Petrol. **130**, 162–175 (1998). [9] Am. Mineral. **83**, 1030–1036 (1998).

allg.: Anthony et al., Handbook of Mineralogy, Vol. II, Tl. 2, S. 901, Tucson (Arizona): Mineral Data Publishing 1995 ▪ Deer, Howie u. Zussman, Rock-Forming Minerals (2.), Vol. 1 B, Disilicates and Ring Silicates, S. 4–43, Harlow (England): Longman Scientific & Technical 1986 ▪ Lapis **22**, Nr. 9, 8–11 (1997) („Steckbrief") ▪ Schröcke-Weiner, S. 722 f. – *[CAS 1319-42-2]*

Zoladex (Rp). Implantat (in Fertigspritze) mit *Goserelin-acetat (ein *Gonadoliberin-Analogon) gegen Prostata- u. Mammacarcinom. *B.*: Zeneca.

Zoldine™ MS Plus. Feuchtigkeitsfänger zur sicheren u. schnellen Beseitigung von Feuchtigkeit während der Produktion u. Anw. von Polyurethan-Beschichtungen, Dichtungsmitteln u. Elastomeren. *B.*: Angus Chemie GmbH.

Zoldine™ RD-20/Zoldine™ RD-4. Reaktivverdünner zur Viskositäts- u. *VOC-Verminderung in Polyurethan-Beschichtungen. Gewährleistet flexible Topf- u. Aushärtungszeiten in Verbindung mit verbesserter Scheuer- u. Witterungsbeständigkeit sowie Schlagfestigkeit. *B.*: Angus Chemie GmbH.

Zoll s. Inch.

Zollkennziffern, Zolltarif s. harmonisiertes System.

Zolmitriptan (Rp).

Internat. Freiname für das *Migräne-Therapeutikum, ein Serotonin-(5 HT$_{1D}$)-Agonist, (*S*)-4-{3-[2-(Dimethylamino)ethyl]-1*H*-indol-5-ylmethyl}oxazolidin-2-on, $C_{16}H_{21}N_3O_2$, M_R 287,36, Schmp. 139–141 °C (krist. mit 1 Mol 2-Propanol u. 0,5 Mol Wasser), $[\alpha]_D^{22}$ −5,79° (c 0,5/CH_3OH), letale Dosis (akut; Maus oral) 1000 mg/kg. Z. wurde 1991 von der Wellcome Foundation patentiert (Codebez. 311C90) u. ist von Zeneca (Asco Top®) im Handel. – *E* zolmitriptan – *F* zolmitriptane – *I* = *S* zolmitriptano

Lit.: Cephalalgia **17**, Suppl. 18, 53–59 (1997) ▪ J. Med. Chem. **38**, 3566–3580 (1995) ▪ Neurology **46**, 522–526 (1996). – *[CAS 139264-17-8 (Z.); 139264-82-7 ((±)-Z.); 139264-25-8 ((R)-Z.); 139264-17-8 ((S)-Z.); 139264-19-0 ((S)-Z.-Hydrochlorid)]*

Zolpidem (Rp).

Internat. Freiname für *N,N*,6-Trimethyl-2-*p*-tolylimidazo[1,2-*a*]pyridin-3-acetamid, $C_{19}H_{21}N_3O$, M_R

307,40, Schmp. 196°C, pK$_a$ 6,2. Verwendet wird meist das L-(+)-Hemitartrat, C$_{42}$H$_{48}$N$_6$O$_8$, M$_R$ 764,88. Z. ist ein Hypnotikum, das am Omega-1-Rezeptor (Subrezeptor des Benzodiazepin-Rezeptor-Syst.) agonist. wirkt. Nach bisherigen Untersuchungen wird das physiolog. Schlafmuster durch Z. nicht wesentlich verändert. Im Vgl. zu klass. *1,4-Benzodiazepinen scheint das Nebenwirkungsprofil günstiger zu sein. Z. wurde 1982 u. 1983 von Synthelabo (Stilnox®) patentiert u. ist auch von Byk Gulden (Bikalm®) im Handel. – *E* = *F* = *I* = *S* zolpidem
Lit.: ASP ▪ Martindale (31.), S. 743. – [HS 2933 90; CAS 82626-48-0 (Z.); 99294-93-6 (L-(+)-Hemitartrat)]

Zomepirac (Rp).

Internat. Freiname für die analget. u. entzündungshemmend wirksame 5-(4-Chlorbenzoyl)-1,4-dimethyl-1*H*-pyrrol-2-essigsäure, C$_{15}$H$_{14}$ClNO$_3$, M$_R$ 291,74, weiße Krist., Schmp. 178–179°C, λ$_{max}$ (CH$_3$OH) 252, 322 nm, pK$_a$ 4,75. Verwendet wird meist das Natriumsalz-Dihydrat, Schmp. 295–296°C. Das als starkes Schmerzmittel (Zomax®) vorübergehend eingesetzte Z. wurde 1971 u. 1973 von McNeil patentiert, aber wegen schwerer anaphylakt. Reaktionen mit z. T. tödlichem Ausgang in der BRD wieder vom Markt genommen. – *E* = *I* zomepirac – *F* zomépirac – *S* zomepiraco
Lit.: Beilstein E V 22/6, 393 ▪ Drugs 23, 250–275 (1982) ▪ Florey 15, 673–698 ▪ Hager (5.) 9, 1246 f. ▪ Martindale (31.), S. 102 ▪ Ph. Eur., Suppl. 1998 ▪ Ullmann (5.) A 2, 275. – [HS 2933 90; CAS 33369-31-2 (Z.); 64092-49-5 (Natriumsalz-Dihydrat)]

Zona pellucida s. Vitellin.

Zone. In *Papier- u. *Dünnschichtchromatographie Bez. für eine begrenzt flächenförmig in u. auf der Schicht ausgebreitete Substanz. – *E* = *F* zone – *I* = *S* zona

Zonenelektrophorese. Nicht mehr gebräuchliche Bez. für die Standardausführung der *Elektrophorese.
Lit.: Analyt.-Taschenb. 3, 140–146.

Zonenschmelzen. Bez. für ein Verf. zur *Reinigung unzersetzt schmelzender Feststoffe, das als Modif. der fraktionierten *Kristallisation bzw. der *Umkristallisation auf der unterschiedlichen Löslichkeit einer *Verunreinigung in der festen od. flüssigen Phase (des Lsm.) beruht. Bei diesem 1952 von W. G. Pfann ursprünglich für die Reinstdarst. von Transistor-Germanium erfundenen, später von *Schildknecht für die bes. Verhältnisse bei organ. Verb. (insbes. Naturstoffen) weiterentwickelten Verf. werden eine stabförmige Probe u. eine schmale, ringförmige Heizzone relativ zueinander bewegt. Induktions-, Hochfrequenz- od. Widerstandsheizung, IR-, Elektronen- od. Laserstrahlen bringen die Probe zum *Schmelzen. Die so entstehende schmale Schmelzzone, hinter der die Substanz sofort abgekühlt wird, läßt man langsam von A nach B durch die Probe wandern (s. Abb.). Dabei reichern sich die in der flüssigen Phase leichter lösl. Komponenten (im allg. die Verunreinigungen) in der zum Probenende wandernden Schmelze an, wo sie z. B. durch Abschneiden des Stabendes abgetrennt werden können.

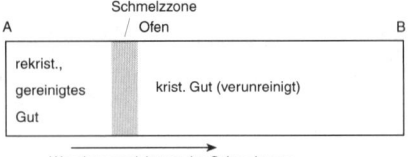

Abb.: Prinzip des Zonenschmelzens.

Sind umgekehrt die Verunreinigungen in der festen Phase leichter lösl., dann enthält die Schmelze das Reinprodukt u. der Stabanfang die Verunreinigungen. Als *Trennverfahren ist das Z. auf kleine Substanzmengen begrenzt, da der Trenneffekt von dem gleichmäßigen Durchschmelzen der Zonen abhängig ist u. bei größeren Durchmessern techn. schwierig zu realisieren ist. Der Effekt der Reinigung hängt von dem Verteilungs-Koeff. ab. In den meisten Fällen ist eine mehrmalige Wiederholung der Operation erforderlich, od. man ordnet mehrere (5–15) Heiz- u. Kühlzonen nebeneinander an. Neben horizontalen sind auch vertikale Arbeitsweisen gebräuchlich (sog. *tiegelfreies Z.* od. *Zonenziehverf.*), wie sie z. B. zur Herst. von Si-Einkrist. praktiziert werden, die bei Durchmessern von 5–20 cm bis zu einigen Metern lang sein können. Auch bei Raumtemp. flüssige Substanzen können durch Z. gereinigt werden; dabei verschiebt man eine Heizvorrichtung in einem zentralen Rohr, das innerhalb der mittels eines Kältebades eingefrorenen Substanz angebracht ist (*Eis-Z.*). Eng mit dem Z. verwandt sind die Verf. des *Normalen Erstarrens* (Näheres s. dort), des *Ausfrierens, verschiedene Meth. der *Einkristall-Züchtung, des Umschmelzens u. der *Kolonnenkristallisation.* – *E* zone refining (melting) – *F* fusion de zone – *I* fusione zonale – *S* fusión zonal (de zona)
Lit.: Kirk-Othmer 22, 680–702; (3.) 24, 903–917 ▪ Ullmann (5.) A 8, 124 ff.; A 14, 577; A 16, 385 ▪ Winnacker-Küchler (4.) 3, 427–430, 451 f. ▪ s. a. Kristallisation, Trennverfahren

Zonobiom s. Klimazonen.

Zonulae adhaerentes s. Adhärenz-Verbindungen.

Zonula occludens s. tight junction.

Zonyl® PTFE-Mikropulver. Marke von DuPont für ein speziell modifiziertes *PTFE, das sich zur Einarbeitung in verschiedenste Syst. (Beschichtungen, Kunststoffe, Gumme, Druckfarben etc.) eignet. *B.:* Erbslöh.

Zoo... (griech.: zoon=Lebewesen, Tier). Vorsilbe, die eine Beziehung zu Tieren ausdrückt; *Beisp.:* Zoologie, Zoosterine, s. a. die folgenden Stichwörter.

Zoobionten s. Symbiose.

Zooecdysteroide s. Ecdyson.

Zooflagellaten s. Flagellaten.

Zoogen. Von *Zoo... u. *...gen abgeleitetes Adjektiv mit der Bedeutung: Von Tieren stammend; *Beisp.:* Kreide u. Muschelkalk (s. Kalke) sind aus Muscheln u. a. Meerestieren entstandene *zoogene *Sedimentgesteine.* – *E* zoogen – *F* zoogène – *I* zoogenico – *S* zoógeno

Zoologie (von *Zoo...). Bez. für dasjenige Teilgebiet der *Biologie, das sich wissenschaftlich mit Tieren befaßt. – *E* zoology – *F* zoologie – *I* zoologia – *S* zoología

Zoologische Präparate s. Konservierung.

Zoonosen (griech.: *zoo... u. nosos = Krankheit). Krankheiten u. *Infektionen, die auf natürlichem Wege vom Tier auf den Menschen (*Zooanthroponosen*) od. vom Menschen auf das Tier (*Anthropozoonosen*) übertragen werden. Erreger sind dabei u.a. *Viren, *Rickettsien, *Bakterien, *Protozoen u. Würmer. *Beisp.*: Brucellose, Salmonellose (s. Salmonellen), Leptospirosen, Milzbrand, Ornithose (Psittakose), Q-Fieber, Tollwut, *Toxoplasmose, Yersiniose, *Pest. – *E* = *F* zoonoses – *I* zoonosi – *S* zoonosis
Lit.: Krauss et al., Zoonosen, Köln: Dtsch. Ärzte-Verl. 1997.

Zoosterine. Sammelbez. für solche *Sterine, die – frei od. verestert – in tier. Organismen auftreten (vgl. Zoo...), z.B. *Cholesterin, *Lanosterin, Koprosterin. – *E* zoosterols – *F* zoostérols – *I* zoosteroli – *S* zooesteroles

Zootoxine s. Tiergifte.

Zopiclon.

Internat. Freiname für das Hypnotikum u. *Sedativum (±)-[6-(5-Chlor-2-pyridyl)-6,7-dihydro-7-oxo-5*H*-pyrrolo[3,4-*b*]pyrazin-5-yl]-4-methyl-1-piperazincarboxylat, $C_{17}H_{17}ClN_6O_3$, M_R 388,82, Krist., Schmp. 178 °C. Es greift ähnlich wie die *1,4-Benzodiazepine am γ-*Aminobuttersäure-Syst. an, allerdings bindet Z. an einer anderen Stelle der *GABA-Rezeptoren. Außerdem scheinen nur zentrale (Hirnrinde, Hippocampus, Kleinhirn) u. keine peripher gelegenen Rezeptoren besetzt zu werden. Aufgrund seiner HWZ zählt man Z. zu den Ein- u. Durchschlafmitteln. Z. wurde 1973 u. 1975 von Rhône Poulenc (Ximovan®, Rhône Poulenc Rorer/Nattermann) patentiert. – *E* = *F* = *I* zopiclone – *S* zopiclona
Lit.: ASP ▪ Drugs **32**, 48–65 (1986) ▪ Hager (5.) **9**, 1248ff. ▪ Martindale (31.), S. 743f. ▪ Ph. Eur. **1997**, Komm., Suppl. **1998** u. **1999**. – *[HS 293359; CAS 43200-80-2]*

Zorubicin (Rp).

Internat. Freiname für das als *Cytostatikum wirksame Benzoylhydrazon des *Daunorubicins, $C_{34}H_{35}N_3O_{10}$, M_R 645,67, das gegen *Leukämie eingesetzt wird. Verwendet wird auch das Hydrochlorid, Schmp. 245–248 °C, $[α]_D^{20}$ –50° (c 0,2/H_2O); $λ_{max}$ (CH_3OH) 232,5, 253, 480, 495 nm ($A_{1cm}^{1\%}$ 623, 547, 162, 160); LD_{50} (Maus s.c.) 13,66, (Maus i.p.) 4,42, (Maus i.v.) 8,5 mg/kg. Z. wurde 1974 von Rhône Poulenc patentiert. – *E* zorubicin – *F* zorubicine – *I* = *S* zorubicina
Lit.: ASP ▪ Beilstein E V **18/10**, 350 ▪ Hager (5.) **9**, 1250f. ▪ Martindale (31.), S. 608. – *[HS 294190; CAS 54083-22-6 (Z.); 36508-71-1 (Hydrochlorid)]*

Zosimos von Panopolis (350–420 n.Chr.?). Aus Oberägypten stammender ältester alchemist. Schriftsteller, der in Alexandria als Gnostiker gelehrt u. geschrieben haben soll. Sein Hauptwerk ist die „Enzyklopädie", welche das gesamte alchimist. Wissen seiner Zeit zusammenfaßt. In den Schriften des Zosimos wird die von ägypt. Priestern stammende Kunst der Metallveredelung erstmals „Chemeia" genannt; auch erwähnt er zum ersten Mal das „große Mysterium", das, als Streupulver angewandt, unedle Metalle in Gold verwandeln soll (*Stein der Weisen).
Lit.: Bugge, Das Buch der großen Chemiker, Bd. 1, S. 1–17, Weinheim: Verl. Chemie 1929 (1961) ▪ Lexikon der Naturwissenschaftler, S. 435 ▪ Pötsch, S. 468f.

Zotepin (Rp).

Internat. Freiname für das *Neuroleptikum 2-(8-Chlordibenzo[*b,f*]thiepin-10-yloxy)-*N,N*-dimethylethylamin, $C_{18}H_{18}ClNOS$, M_R 331,86, Krist., Schmp. 90–91 °C, $λ_{max}$ (C_2H_5OH, 95%) 266 nm, LD_{50} (Maus oral) 108, (Maus i.p.) 40,0, (Maus i.v.) 43,3, (Maus s.c.) 84,9 mg/kg. Z. wurde 1969 u. 1972 von Fujisawa patentiert u. ist von Rhône Poulenc Rorer (Nipolept®) im Handel. – *E* zotepine – *F* zotépine – *I* = *S* zotepina
Lit.: Beilstein E V **17/4**, 588 ▪ Martindale (31.), S. 744 ▪ Merck-Index (12.), Nr. 10327. – *[HS 293490; CAS 26615-21-4]*

Zovirax® (Rp). Tabl., Infusionslsg., Suspension, Creme u. Augensalbe mit *Aciclovir gegen *Herpessimplex-Infektionen. *B.*: Glaxo Wellcome.

Zoxy-Batterie s. Zink-Luft-Batterie.

Zr. Chem. Symbol für das Element *Zirconium.

ZRM. Abk. für zertifizierte Referenz-Materialien, s. Standard.

Zschimmer & Schwarz. Kurzbez. für die 1894 gegr. Firma Zschimmer & Schwarz GmbH & Co., Chem. Fabriken, 56108 Lahnstein. *Produktion*: Hilfsmittel für die Leder-, Pelz-, Chemiefaser- u. Keramik-Ind., Tenside für die Kosmetik- u. Reinigungsmittel-Ind., Chemikalienhandel.

Zsigmondy, Richard Adolf (1865–1929), Prof. für Chemie, Univ. Göttingen, Schott-Werke Jena. *Arbeitsgebiete*: Konstruktion des ersten Ultramikroskops (zusammen mit Henry Siedentopf, 1872–1940, Prof. für Physik, Univ. Jena, Zeisswerke Jena), Dialyse, Membran- u. Ultrafiltration, Schutzkolloide, Gallerten. Er erhielt 1925 für seine Arbeiten zur Kolloidchemie den Nobelpreis für Chemie.
Lit.: Lexikon der Naturwissenschaftler, S. 435 ▪ Neufeldt, S. 111, 365 ▪ Pötsch, S. 469.

ZSM-Zeolithe s. Zeolithe.

Z-Stoff s. Raketentreibstoffe.

ZTA-Werkstoffe s. Oxidkeramik.

ZTO-Chromat s. Zinkchromate.

Zubereitung. Nach § 3.4 *Chemikaliengesetz ist eine Z. ein Gemisch, ein Gemenge od. eine Lsg. u. besteht aus zwei od. mehr Stoffen. – *E* preparations – *F* préparations – *I* preparazione – *S* preparaciones

Zucker (zur Wortherkunft s. Sacchar...). Umgangssprachlich versteht man unter Z. v. a. die in Anlage 1, Buchstabe D, Nummer 1 bis 3 der Zuckerarten-VO [1] genannten Erzeugnisse (raffinierter Z., Z. u. Halbweißzucker) u. damit das *Disaccharid *Saccharose. Für den Gesetzgeber umfassen die Begriffe „Zucker" bzw. „Zuckerarten" auch die unter Nummer 4 bis 10 beschriebenen Produkte, die als Flüssigzucker, Invertflüssigzucker, Invertzucker-Sirup, Glucose-Sirup, getrockneter Glucose-Sirup u. Dextrose (Kristallwasserhaltig u. Kristallwasser-frei) bezeichnet werden. Die Anforderungen an einen Teil dieser Produkte sind der Tab. zu entnehmen. Weiteres s. oben genannte Anlage. Ein Bleichen von Z. od. der Zusatz opt. Aufheller ist in der BRD nicht zulässig.

Weitere Handelsprodukte sind Würfelzucker (angefeuchtete u. zu Würfeln gepresste *Raffinade), Puderzucker (fein vermahlener Z.), Gelierzucker (Raffinade mit Zusatz von reinem *Pektin), *Kandis (grobe Zucker-Krist., die durch Auskrist. aus reiner Zucker-Lsg. erhalten werden), Kandisfarin (brauner Kandis geringerer Kristallgröße u. minderer Reinheit), Hagelzucker (hagelkornähnlich ausgeformte Raffinade), Zuckerhut (Raffinade in Kegelform), Vanillezucker (Mischung aus Z. u. Vanillemark) u. Vanillinzucker (Gemisch aus Z., dem naturident. Aromastoff Vanillin u. mindestens 0,1% des künstlichen Aromastoffs Ethylvanillin). Fachsprachlich versteht man unter *Zuckern* (Plural) organ. Verb. mit einer – *Halbacetal-bildenden – Carbonyl- u. mehreren Hydroxy-Gruppen im Mol., also *Polyhydroxyaldehyde* (*Aldosen) bzw. -ketone (*Ketosen). Bei den *Monosacchariden spricht man oft von *einfachen Zuckern*. *Disaccharide (wichtigstes *Beisp.*: Saccharose = der Zucker, s. oben), *Trisaccharide u. höhere *Oligosaccharide (mit bis zu 10 Monosaccharid-Einheiten) faßt man gelegentlich als *zusammengesetzte Zucker* zusammen. Als *Pseudo-Zucker* bezeichnet man Z., bei denen das Ring-O-Atom der Pyranose durch eine Methylen-Gruppe ersetzt ist, als *Desoxyzucker* bzw. *Aminozucker solche, bei denen eine CH(OH)-Gruppe durch eine CH_2- bzw. $CH(NH_2)$-Gruppe ersetzt ist.

Eigenschaften, Vork. u. Herst.: s. Saccharose.

Analytik: Zur Untersuchung der in der Tab. genannten Parameter sind die in Anlage 2 der Zuckerarten-VO [1] genannten Meth. heranzuziehen. Zum Nachw. u. zur Quantifizierung von Z. in Lebensmitteln stehen enzymat., polarimetr., dünnschichtchromatogr. u. naßchem. Meth. (z. B. Luff-Schoorl) für eine Reihe von Lebensmitteln (Milch, Kondensmilch, Speiseeis, Fruchtsaft usw.) zur Verfügung (s. Methoden nach § 35 LMBG). Darüber hinaus sind gaschromatograph., ionenchromatograph.[2] u. *HPLC-Verf.[3] etabliert. Zur Detektion eignet sich in der GC nach entsprechender Derivatisierung (z. B. Silylierung) ein universeller Detektor (z. B. *FID), während in der HPLC refraktometr. u. elektrochem. Detektoren üblich sind. Neuerdings gelangen auch Lichtstreudetektoren[4] u. Enzymdetektoren[5] zum Einsatz. Einen Überblick über die Analytik von Z. geben die als Periodika erscheinenden Sitzungsberichte der ICUMSA[6] (*International Commission for Uniform Methods of Sugar Analysis*). Zu neuen Meth. der Verfolgung des Kristallisierungsprozesses bzw. zu Farbmessungen in Z. s. *Lit.*[7].

Physiologie: Die kariogene Wirkung des Z. ist unbestritten[8,9], wobei der Grad der Vergärbarkeit eine entscheidende Rolle für das kariogene Potential der einzelnen Zuckerarten spielt[10]. Nicht die pro Tag aufgenommene Menge an Z., sondern die Verweilzeit in der Mundhöhle u. die Häufigkeit des Zuckerverzehrs sind die entscheidenden Parameter in der Genese der *Ka-

Tab.: Zusammenstellung verschiedener Zucker bzw. Zuckerarten.

Verkehrsbez.	Stoffliche Zusammensetzung	Analyt. Anforderungen	
1. raffinierter Zucker raffinierter Weißzucker *Raffinade (EG-Qualität I)	gereinigte krist. *Saccharose	Polarisation: Invertzucker: Trockenverlust:	99,7° <0,04% <0,1%
2. Zucker Weißzucker (EG-Qualität II)	Saccharose	Polarisation: Invertzucker: Trockenverlust:	99,7° <0,04% <0,1%
3. Halbweißzucker	gereinigte krist. Saccharose	Polarisation: Invertzucker: Trockenverlust:	99,5° <0,1% <0,1%
4. Flüssigzucker	wäss. Lsg. von Saccharose	Trockenmasse: Invertzucker: Leitfähigkeitsasche: Farbe der Lsg.:	>62% <3% <0,1% <45 ICUMSA-Einheiten
5. Invertzucker-Sirup	wäss. Lsg. von teilweise durch *Hydrolyse invertierter Saccharose, auch krist.	Trockenmasse: Invertzucker: Leitfähigkeitsasche:	>62% >50% <0,4%
6. Dextrose kristallwasserfrei	gereinigte, krist. D-Glucose mit einem Mol. *Kristallwasser	Dextrose: Trockenmasse: Sulfatasche:	>99,5% >90% <0,25%

ries. Die Z.-Clearance ist für Getränke bedeutend kürzer als für feste Lebensmittel (z. B. Zuckerwaren). Die kariogene Potenz von Z. ist anhand tierexperimenteller Testungen od. durch Plaque-pH-Telemetrie zu erfassen[11]. Aussagen über eine krankheitsbegünstigende Wirkung des Z. (z. B. „Vitamin-B_1-Räuber") sind unter wissenschaftlichen Aspekten nicht haltbar. Einen exzellenten u. umfassenden Überblick zu diesem Themenkomplex gibt *Lit.*[12]. Danach ist zu bedenken, daß Z. ein *Lebensmittel mit hoher Energiedichte ist, das weder *essentielle Nährstoffe noch *Ballaststoffe enthält. Die Verw. alternativer Produkte wie *Honig od. *Obstdicksäfte ist aus zahnmedizin. Sicht ebenfalls bedenklich (gleiches kariogenes Potential bei hoher „Klebrigkeit"). Z. hat bei der Entwicklung von Übergew. keine spezif. Wirkung, kann aber wie jedes Lebensmittel dazu beitragen. Übergew. begünstigt die Ausbildung bestimmter *Diabetes-Formen, an deren Entwicklung Z. aber nicht kausal beteiligt ist. Eine ernährungswissenschaftliche Beurteilung zum Thema „Z. in unserer Ernährung" ist *Lit.*[13] zu entnehmen; dabei werden u. a. Themen wie Z.-Resorption u. *Insulin-Ausschüttung, Diabetes, *Fettstoffwechsel u. Karies diskutiert. Entsprechend dieser Beurteilung wird der Zusammenhang zwischen Z.-Konsum u. daraus möglicherweise resultierenden gesundheitlichen Nachteilen gegenüber dem diesbezüglichen Einfluß anderer Nährstoffe überschätzt. Die Deutsche Gesellschaft für Ernährung (DGE) gibt in ihren „Empfehlungen für die Nährstoffzufuhr" im Jahre 1991 erstmals einen Richtwert für die Saccharose-Zufuhr (10% der Energiezufuhr) an[14].

Verw., Verbrauch: Trends der Welt-Z.-Ind. in den letzten 20 Jahren werden in *Lit.*[15] zusammengefaßt, ebenso wird eine Einschätzung der internat. Z.-Organisation (ISO) des Welt-Z.-Marktes gegeben sowie die Welt-Z.-Produktion u. der Z.-Verbrauch diskutiert u. kommentiert. Die Welterzeugung von Z. stieg 1996 auf rund 125,5 Mio. t an. Da sich der Verbrauch trotz starker Zuwächse v. a. in Ostasien nur auf 116,8 Mio. t erhöhte, vergrößerten sich die weltweiten Überschüsse erneut, was v. a. den Z.-exportierenden Entwicklungsländern große Schwierigkeiten verursacht. Die Welt-Lagerbestände an Z. betrugen Ende 1996 rund 40% eines Jahresverbrauchs.

EU:	Z.-Erzeugung (1996):	16,3 Mio. t
	Verbrauch (1996):	12,6 Mio. t
BRD:	Z.-Erzeugung (1996):	3,8 Mio. t
	Verbrauch (1996):	2,7 Mio. t

Im Gegensatz zu den großen asiat. Entwicklungsländern ist der Z.-Verbrauch in den westlichen Industrieländern seit längerem rückläufig (Konkurrenz von *Süßstoffen, Gesundheitsgründe). Um den Z.-Absatz zu erhöhen, wird weltweit nach weiteren Verwendungsmöglichkeiten gesucht (z. B. Treibstoff-*Alkohol aus Z.)[16]. Auch zwischen den Verzehrs- u. Verbrauchszahlen bestehen beim Z. erhebliche Differenzen:

Verbrauchszahlen: BRD (1996) = 32,8 kg/Kopf.
Verzehrszahlen nach der Nationalen Verzehrstudie[17]:
BRD (1985–1989): Männer 3,7 kg, Frauen 3,0 kg (alle Angaben in kg/Kopf/Jahr). Die Gründe für diese Diskrepanz sind noch nicht restlos geklärt, doch gehört die Lagerung von Z. im privaten Haushalt sicherlich dazu. Im Haushalt verarbeiteter Z. (zum Einkochen von *Konfitüren u. Backen von Kuchen) wird in der nationalen Verzehrstudie unter den Endprodukten u. nicht unter Zucker erfaßt; s. a. Maillard-Reaktion, Saccharose u. Kohlenhydrate. – *E* sugar – *F* sucre – *I* zucchero – *S* azúcar

Lit.: [1] Zuckerarten-VO vom 8.3.1976 i. d. F. vom 27.4.1993 (BGBl. I, S. 512). [2] GIT Suppl. Lebensmittelchemie **1989**, Nr. 2, 32–38; Bio Techniques **10**, 650–655 (1991). [3] GIT Fachz. Lab. **33**, 624–630 (1989). [4] Henkel Ref. **25**, 78–83 (1989). [5] Lebensmittelchemie **44**, 106 (1990). [6] ICUMSA, Publication Department (Hrsg.), Sugar Analysis, British Sugar PLC Research Laboratories, Colney, Norwich. [7] Int. Sugar J. **98**, 521–527 (1996). [8] Schraitle u. Siebert, Zahngesundheit u. Ernährung, München: Hanser 1987. [9] Glinsmann et al., Evaluation of Health Aspects of Sugar Contained in Carbohydrate Sweeteners, Washington: Department Health Human Services 1986. [10] Dtsch. Ges. für Ernährung (Hrsg.), Ernährungsbericht 1988, S. 34, Frankfurt: Henrich 1988; AID-Verbraucherdienst **37** (1), 6–11 (1992). [11] J. Dent. Res. **65**, 1473–1544 (1986). [12] Z. Ernährungswiss. **29**, Suppl. 1, 1–68 (1990). [13] Zuckerindustrie **121**, 954–956 (1996). [14] Dtsch. Ges. für Ernährung (Hrsg.), Empfehlungen für die Nährstoffzufuhr (5.), Frankfurt: Umschau 1991. [15] Internat. Sugar J. **99**, 18, 29–30, 154, 161–162 (1997). [16] Baratta, Der Fischer Weltalmanach 98, S. 1067–1070, Frankfurt am Main: Fischer Taschenbuch Verl. 1997. [17] Dtsch. Forschungsanstalt für Luft- u. Raumfahrt (Hrsg.), Die Nationale Verzehrstudie (3.), Bremerhaven: Wissenschafts-Verl. 1991.
allg.: Annu. Rev. Physiol. **50**, 257–272 (1988) ▪ Bartens u. Moschtt, Zuckerwirtschaft 1994/95, 41. Jahrgang, Berlin: Dr. Bartens 1995 ▪ Belitz-Grosch (4.) ▪ Dobbing (Hrsg.), Dietary Starches and Sugar in Man: A Comparison, Berlin: Springer 1989 ▪ Food Technol. **47**, 130–133 (1/1993) ▪ Heiss (Hrsg.), Lebensmitteltechnologie (4.), S. 251–261, Berlin: Springer 1991 ▪ Hoffmann et al., Zucker u. Zuckerwaren, Berlin: Parey 1985 ▪ Mintz, Die süße Macht. Kulturgeschichte des Zuckers, Frankfurt: Campus 1987 ▪ Osterroth (Hrsg.), Taschenbuch für Lebensmittelchemiker u. -technologen, Bd. 2, S. 215–244, Berlin: Springer 1991 ▪ von Rymon Lipinski u. Schiweck (Hrsg.), Handbuch Süßungsmittel, Hamburg: Behr 1991 ▪ Ullmann (5.) **A 5**, 79–93 ▪ Zipfel, C 355, C 355 e ▪ Zucker Süßwaren Wirtsch. **41**, 308–319 (1988). – *Verband:* Wirtschaftliche Vereinigung Zucker (WVZ), Verein der Zucker-Industrie, Postfach 2545, Am Hofgarten, 53113 Bonn. – *Museum:* Deutsches Zuckermuseum, Amrumer Str. 32, 13353 Berlin. – [HS 1701.., 1702.., 294000]

Zuckeracetate s. Zuckerester.

Zuckeralkohole. Gruppenbez. für die aus *Monosacchariden durch Red. der *Carbonyl-Gruppe entstehenden Polyhydroxy-Verb., die *keine* *Zucker sind, gleichwohl aber süß schmecken u. deshalb ggf. Verw. als *Zuckeraustauschstoffe finden können. Man unterscheidet bei diesen im allg. krist., wasserlösl. *Polyolen nach der Anzahl der im Mol. enthaltenen Hydroxy-Gruppen *Tetrite, *Pentite, *Hexite usw. Natürlich vorkommende Z. sind z. B. Glycerin, Threit u. Erythrit, Adonit (Ribit), Arabit (früher: Lyxit) u. Xylit, Dulcit (Galactit), Mannit u. Sorbit (Glucit). Eigenschaften u. denkbare Einsatzmöglichkeiten von Erythrit als Zuckeraustauschstoff werden in *Lit.*[1] ausführlich diskutiert. – *E* sugar alcohols – *F* alcools sacchariques – *I* alcooli di zucchero – *S* alcoholes sacáricos

Lit.: [1] Confect. Prod. **62**, 6–7 (1996).
allg.: Belitz-Grosch (4.), S. 238.

Zuckeranhydride

Zuckeranhydride. Gruppenbez. für *Disaccharide, die durch Wasserabspaltung aus zwei Mol. Zucker intermol. gebildet werden; z. B.:

α-D-Fructopyranose-β-D-fructopyranose-1,2':1',2-dianhydrid

Von diesen zu unterscheiden sind die *Anhydrozucker*, die intramol. aus einem Zucker-Mol. durch Wasserabspaltung entstehen. Erfolgen weitere Dehydratisierungen, so spricht man von Dianhydro... usw. -Zuckern.

D-Glucopyranose → 3,6-Anhydro-D-glucopyranose

Weitere Beisp. sind: 1,6-Anhydro-β-D-glucopyranose (früher Lävoglucosan genannt), *Sorbid (Formel vgl. Isosorbid-dinitrat) u. *Sorbitan, die beide eigentlich Anhydro-*Zuckeralkohole sind. – *E* sugar anhydrides – *F* anhydrides saccharique – *I* anidridi di zucchero – *S* anhídridos sacáricos

Lit.: Adv. Carbohydr. Chem. Biochem. **34**, 23–177 (1977); **39**, 157–213 (1981) ■ Kirk-Othmer (3.) **1**, 760f. ■ s. a. Zucker.

Zuckeraustauschstoffe. Z. u. *Süßstoffe werden gemeinsam als Süßungsmittel bezeichnet. Im Gegensatz zu den intensiv schmeckenden Süßstoffen werden Z. technolog. wie *Saccharose eingesetzt, d. h. sie besitzen „Körper" u. einen *physiologischen Brennwert (*nutritive* Z.). Die Süßkraft entspricht in weiten Grenzen etwa der von *Saccharose (s. unten). Der physiolog. Vorteil der Z. im Vgl. zu Saccharose liegt in der Insulin-unabhängigen Metabolisierung (Diabetiker) u. in der z. T. verminderten kariogenen Wirkung. Für einige Z. (z. B. *Xylit) ist eine antikariogene Wirkung beschrieben[1].

Rechtliche Beurteilung: Nach der Zusatzstoff-Verkehrs-VO[2], Anlage 2, Liste 9 sind in der BRD *Mannit (E 421), *Xylit (E 967), *Sorbit (E 420), Isomalt (E 953, s. Palatinit®) u. Maltit-Sirup (E 965) als Z. zugelassen. Die Zusatzstoff-Verkehrs-VO[2] gibt nur für Mannit u. Sorbit EG-Nummern an, während in einem Entwurf der EG-Richtlinie über Süßungsmittel auch für Isomalt, Maltit-Sirup u. Xylit EG-Nummern zu finden sind. Zur Chemie dieser bisher zugelassenen Z. s. Textstichwörter u. Tab. 1.

*Fructose ist in Tab. 1 nicht aufgeführt, da es sich nicht um einen *Zusatzstoff handelt. Weitere Z., deren Zulassung von der EG geplant ist (z. B. Lactit; E 966) od. deren Verw. in der BRD per Ausnahmegenehmigung beantragt werden kann, sowie bisher nicht zugelassene Z. sind in Tab. 2 zusammengefaßt.

*Polydextrose, die teilw. zu den Z. gerechnet wird, ist in Tab. 2 nicht aufgeführt, da sie nicht süß schmeckt (Süßgeschmack nur durch Süßstoffzusatz zu erzielen) u. eher als „bulking agent" (Füllstoffe) wirkt. Die Diät-VO[3] rechnet Fructose, Mannit, Sorbit u. Xylit zu den diätet. Lebensmitteln (§ 1, Absatz 3) u. schreibt die Kenntlichmachung als „Zuckeraustauschstoff" sowie den Hinweis „kann bei übermäßigem Verzehr abführend wirken" (Ausnahme: Fructose) vor (§ 20).

Tab. 1: Zur Verw. in der BRD zugelassene Zuckeraustauschstoffe.

Verkehrsbez. (EG-Nummer)	Summenformel	chem. Bez.	Handelsname
Mannit (E 421)	$C_6H_{14}O_6$	D-Mannit (D-Mannitol)	–
Xylit (E 967)	$C_5H_{12}O_5$	Xylit (Xylitol)	Bonadent®
Sorbit (E 420)	$C_6H_{14}O_6$	D-Sorbit (D-Sorbitol, D-Glucit)	–
Isomalt (E 953)	$C_{12}H_{24}O_{11} \cdot H_2O$	s. Palatinit®	Palatinit®
Maltit-Sirup (E 965)	hydrierte spezielle *Glucose-Sirupe, hydrierte Maltose-Sirupe $C_{12}H_{24}O_{11}$	Dimere u. Oligomere der D-Glucose, die endständig zu Sorbit hydriert sind	Lycasin® 80/55 Finnmalt® Maltidex® (flüssig) Malbit® (fest)

Tab. 2: Weitere Zuckeraustauschstoffe.

Verkehrsbez.	Summenformel	chem. Bez.	Handelsname	Zulassung
Lactit (E 966)	$C_{12}H_{24}O_{11} \cdot H_2O$	Lactitol (4-O-β-D-Galactopyranosyl-D-sorbit)	Lacty®	EG-geplant; BRD: Ausnahmegenehmigung möglich
Leucrose	$C_{12}H_{22}O_{11}$	5-O-α-D-Glucopyranosyl-D-fructopyranose		
Fructooligosaccharide		Gemisch aus 1-*Kestosen, Nystose, Fructosyl-Nystose mit Glucose u. Fructose	Neosugar®, Actilight	
Glucane		Polyglucose PL-3		

Tab. 3: Zuckeraustauschstoffe u. süße Kohlenhydrate; Angaben zur Süßkraft u. zum Herstellungsprozeß (nach Belitz-Grosch, *Lit.*).

Name	relative Süße [bezogen auf Saccharose]	Ausgangsmaterial, Herstellungsprozeß
Saccharose	1,00	Isolierung aus Zuckerrüben, Zuckerrohr
Glucose	0,5–0,8	Hydrolyse von Stärke mit Säuren u./od. Enzymen (α-Amylasen + Glucoamylasen)
Fructose	1,1–1,7	a) Hydrolyse von Saccharose u. chromatograph. Trennung des Hydrolysats b) Hydrolyse von Stärke zu Glucose, Isomerisierung u. chromatograph. Trennung
Mannit	0,4–0,5	Hydrierung von Fructose
Sorbit	0,4–0,5	Hydrierung von Glucose
Xylit	1,0	Hydrierung von Xylose
Glucose-Sirup (Stärke-Sirup)	0,3–0,5	Hydrolyse von Stärke mit Säuren u./od. Enzymen, Zusammensetzung je nach Prozeßführung sehr unterschiedlich (Glucose, Maltose, Maltotriose, höhere Saccharide)
Glucose/Fructose-Sirup (Isoglucose, high-fructose corn syrup = HFCS)	0,8–0,9	Isomerisierung von Glucose mit Glucose-Isomerase zu Glucose/Fructose-Gemisch, Konversionsgrad 45–50%
hydrierter Glucose-Sirup	0,3–0,8	Hydrierung von Stärkehydrolysaten (Glucosesirup), Zusammensetzung je nach Ausgangsmaterial sehr unterschiedlich (Sorbit, Maltit, hydrierte Oligosaccharide)
Maltit-Sirup		Hydrierung von Maltose-Sirup
Maltit	ca. 0,9	Hydrierung von Maltose
Palatinit®	0,45	Isomerisierung von Saccharose zu Isomaltulose (Palatinose), Hydrierung zu Epimerengemisch (s. Palatinit)
Isomaltit	0,5	Hydrierung von Isomaltose
Lactit	0,3	Hydrierung von Lactose

Tab. 4: Ernährungsphysiolog. Aspekte von Zuckeraustauschstoffen u. süßen Kohlenhydraten (nach Belitz-Grosch, *Lit.*).

Name	Resorption	Verwertung im Stoffwechsel	Einfluß auf Blutzuckerspiegel u. Insulin-Sekretion	Bemerkungen
Saccharose	aktiv nach Hydrolyse	Hydrolyse zu Glucose u. Fructose	mäßig groß	kariogen
Glucose	aktiv	Insulin-abhängig in allen Geweben	groß	weniger kariogen als Saccharose
Fructose	schneller als Diffusion	80% in der Leber	gering	beschleunigt Umsatz von Alkohol in der Leber
Sorbit	Diffusion	Oxidation zu Fructose	klein	leicht kariogen, laxierend
Mannit	Diffusion	partielle Verwertung in der Leber	klein	leicht kariogen, laxierend
Xylit	Diffusion	vorwiegend in der Leber, in Erythrocyten	klein	nicht kariogen, wahrscheinlich antikariogen, etwas laxierend
hydrierter Glucose-sirup	nach Hydrolyse: Glucose aktiv, Sorbit durch Diffusion	Hydrolyse zu Glucose u. Sorbit	unterschiedlich je nach Zusammensetzung	leicht kariogen, etwas laxierend
Palatinit	keine	partielle Hydrolyse zu Glucose, Sorbit u. Mannit	wahrscheinlich gering	nicht kariogen, laxierend
Isomaltit	keine	partielle Hydrolyse zu Glucose, Sorbit u. Mannit	ohne	Nebenwirkungen unbekannt, stark laxierend
Lactit	keine	partielle Hyrolyse zu Galactose u. Sorbit	ohne	Nebenwirkungen unbekannt, stark laxierend, nicht kariogen
Maltit	nach Hydrolyse: Glucose aktiv, Sorbit durch Diffusion	langsamer aber vollständiger Umsatz	wahrscheinlich gering	Nebenwirkungen unbekannt, laxierend, nicht kariogen

Gleiches gilt nach § 8 Absatz 1, Satz 6 der Zusatzstoff-Zulassungs-VO[4] auch allg. für die Verw. von Z. in Lebensmitteln. Nur für Maltit-Sirup wird der weitere Hinweis „für Diabetiker nicht geeignet" gefordert. Die allg. Verw. ist auf 100 g/kg verzehrfertiges Erzeugnis einzeln od. insgesamt begrenzt (Anlage 2 der Zusatzstoff-Zulassungs-VO[4]). Die physiolog. Brennwerte der Z. sind nach § 2, Absatz 2 der Nährwert-Kennzeichnungs-VO[5] wie folgt festgelegt: Xylit, Sorbit je 17 kJ/g, Isomalt 10 kJ/g.
Die EG-Richtlinie über Süßungsmittel sieht dagegen für alle Zuckeralkohole einen einheitlichen physiolog. Brennwert von 10 kJ/g vor.

Toxikologie: *ADI-Werte können für Polyole sinnvollerweise nicht erstellt werden[6]. Der wissenschaftliche Lebensmittelausschuß der EG-Kommission (SCF) hat alle in Tab. 1 genannten Z. u. Lactit für akzeptabel erklärt, wobei für Verzehrmengen unter 20 g/Person/d keine laxierenden Effekte zu erwarten sind. Dieser vergleichsweise geringe „Nachteil" ist unter Berücksichtigung der Vorteile (kalor. Mindernutzung, antikariogene Wirkung[7]) vertretbar. Zur weiteren gesundheitlichen Bewertung s. *Lit.*[8].

Sensorik u. Herst.: Angaben zu Sensorik u. Herst. sind Tab. 3 zu entnehmen (Saccharose u. Glucose als Vergleichssubstanzen).

Analytik: Zur Analytik der Z. stehen enzymat.[9], ionenchromatograph.[10], ionenaustauschchromatograph.[11] u. dünnschichtchromatograph. Multimeth. zur Verfügung. Zur Analytik der Einzelstoffe s. die Textstichwörter.

Physiologie: Eine Zusammenfassung ernährungsphysiolog. Aspekte ist Tab. 4 auf S. 5100 zu entnehmen (Saccharose u. Glucose als Vergleichssubstanzen). Einzelheiten s. Textstichwörter (z.B. *Xylit); s.a. Textstichwörter sowie Süßstoffe u. Zuckeralkohole. – *E* sugar substitutes – *F* succédanés (substituts) du sucre – *I* dolcificanti, surrogati dello zucchero – *S* sucedáneos del azúcar

Lit.: [1] Süsswaren **41**, 12–14 (1997). [2] Zusatzstoff-Verkehrs-VO vom 10.7.1984 i.d.F. vom 14.12.1993 (BGBl. I, S. 2092). [3] VO über diätetische Lebensmittel vom 25.8.1988 i.d.F. vom 21.11.1996 (BGBl. I, S. 1812). [4] Zusatzstoff-Zulassungs-VO vom 22.12.1981 i.d.F. vom 8.3.1996 (BGBl. I, S. 460). [5] Nährwert-Kennzeichnungs-VO vom 25.8.1988 i.d.F. vom 21.11.1991 (BGBl. I, S. 2129). [6] Bundesgesundheitsblatt **33**, 578–581 (1990). [7] Großklaus et al. (Hrsg.), Einsatz von Zuckersubstituenten im Kampf gegen Karies, bga Schriften 1/88, Berlin: MMV-Verl. 1988. [8] Hildebrand et al. (Hrsg.), bga-Schriften 12/86, Gesundheit u. Umwelt '86, S. 51–55, Berlin: MMV-Verl. 1986. [9] Dtsch. Lebensm. Rundsch. **73**, 182–187 (1977). [10] Merck-Spectrum **1989**, Nr. 2, 25f.; **1991**, Sonderheft Chromatographie, 44f.; Bio Techniques **10**, 650–655 (1991). [11] Jpn. J. Toxicol. Environmental Health **42**, 417–421 (1996). *allg.:* Belitz-Grosch (4.), S. 238, 388 ▪ Ernähr. Umsch. **38**, B 9–B 12 (1991) ▪ Fülgraff, Lebensmitteltoxikologie, S. 102, Stuttgart: Ulmer 1989 ▪ Nabors et al. (Hrsg.), Alternative Sweeteners, (2.), New York: Dekker 1991 ▪ Rymon Lipinski u. Schiweck (Hrsg.), Handbuch Süßungsmittel, Hamburg: Behr 1991 ▪ Ullmann (5.) **A 25**, 413; **A 26**, 23 ▪ Zipfel, C 20; C 120.

Zuckercarbonsäuren s. Zuckersäuren.

Zuckercouleur. Nach Anlage 6, Liste A, Nr. 3 der Zusatzstoff-Zulassungs-VO[1] ist Z. (E 150) ein für Lebensmittel mit Ausnahme von Brot u. Kleingebäck zugelassener Lebensmittelfarbstoff. Die Verwendungsbeschränkung trifft auch für den Fall zu, daß bei Lebensmitteln, die mit *Malz, *Karamel, *Kakao, *Schokolade, *Kaffee od. *Tee hergestellt werden, durch den Zusatz von Z. eine bessere als die tatsächlich vorhandene Qualität vorgetäuscht wird. Die Reinheitsanforderungen (z.B. maximal 200 mg/kg *4-Methylimidazol) sind der Anlage 2, Liste 1 der Zusatzstoff-Verkehrs-VO[2] zu entnehmen. Z. ist in allen Mitgliedstaaten der EG u. weltweit in 155 Staaten als *Lebensmittelzusatzstoff zugelassen.

Herst.: Z. wird aus *Saccharose od. anderen genußtauglichen Zuckerarten unter Zusatz von Säure (z.B. *Essig- od. *Phosphorsäure), *Schwefeldioxid, *Natriumsulfit sowie Ammonium-Verb. durch kontrollierte Hitzeeinwirkung hergestellt (s. Tab. S. 5101). Prim. entsteht eine Vielzahl reaktiver Spaltprodukte (z.B. *Furfural, *Glyoxal), die dann unter Farbvertiefung u. Einbau von Stickstoff-Verb. zu heterocycl. Endprodukten polymerisieren bzw. kondensieren können (s. Melanoidine u. Maillard-Reaktion). Die Molmasse dieser farbgebenden Verb. schwankt zwischen 5000 u. 10 000 *Dalton[3]. Einen Überblick zur Herst. von Z. (auch Ammoniak-frei) gibt *Lit.*[4]. Zu den bisher identifizierten Inhaltsstoffen s. *Lit.*[3,5].

Analytik: Leitsubstanz zum Nachw. von Z. (Klasse III u. IV) in Backwaren ist 4-Methylimidazol[6]. Der Nachw. in flüssigen Lebensmitteln (Limonade, Bier) gelingt mittels Curie-Punkt-Pyrolyse (s. Curie-Temperatur)/*Gaschromatographie/*Massenspektrometrie[7].

Toxikologie: Die *ADI-Werte der einzelnen Z.-Klassen sind der Tab. S. 5101 zu entnehmen. Neben dem 4-Methylimidazol erscheint das 2-Acetyl-4-(1,2,3,4-tetrahydroxybutyl)-1H-imidazol (Antipyridoxin-Faktor) aus toxikolog. Sicht interessant[8]. Zum Nachw. dieses Stoffes s. *Lit.*[9]. Die EG plant auch für diesen Stoff Höchstmengenregelungen.

Verw.: Zum Färben von obergärigem *Bier u. zur Herst. sog. „Farbebiere" (§ 9, Absatz 2 u. 4 des vorläufigen Biergesetzes)[10], als *Farbstoff für Branntwein (s. Spirituosen), *Essig, *Fleischbrühwürfel, Würzsoßen (z.B. *Worcester-Sauce) u. Limonaden (z.B. Cola-Getränke). Eine Verw. in Zitronentees u. *Backwaren ist nur bei ausreichender Kenntlichmachung erlaubt[11]. Eine Anw. in kosmet. Mitteln ist bei Beachtung der allg. Reinheitsanforderungen nach Anlage 3, Teil A, Nr. 153 der Kosmetik-VO möglich[12]; s.a. 4-Methylimidazol, Karamel u. Lebensmittelfarbstoffe. – *E* caramel colour – *F* couleur de caramel – *I* caramello – *S* color de caramelo

Lit.: [1] Zusatzstoff-Zulassungs-VO vom 22.12.1981 i.d.F. vom 8.3.1996 (BGBl. I, S. 460). [2] Zusatzstoff-Verkehrs-VO vom 10.7.1984 i.d.F. vom 14.12.1993 (BGBl. I, S. 2092). [3] Z. Lebensm. Unters. Forsch. **188**, 540–544 (1989). [4] Stärke **39**, 28–32 (1987); **41**, 318–321 (1989). [5] Fresenius Z. Anal. Chem. **331**, 433f. (1988). [6] Getreide Mehl Brot **40**, 29 (1986); **42**, 142–148 (1988). [7] Fresenius Z. Anal. Chem. **328**, 495–498 (1987). [8] Food Chem. Toxicol. **26**, 195–203 (1988). [9] J. Chromatogr. **466**, 421–426 (1989); J. Agric. Food Chem. **39**, 1954–1957 (1991). [10] Vorläufiges Biergesetz vom 29.7.1993 (BGBl. I, S. 1399). [11] Bundesgesundheitsblatt **31**, 395, 397 (1988). [12] Kosmetik-VO vom 19.6.1985 i.d.F. vom 25.3.91 (BGBl. I, S. 802).

Tab.: Klassifizierung von Zuckercouleuren.

Klasse		EWG-Nr.	Bez.	Bräunungsbeschleuniger	Einsatzgebiete	ADI-Wert (mg/kg Körpergewicht)
I	CP	150a	kaustische Couleur	Na_2CO_3, K_2CO_3, NaOH, KOH, Essig-, Citronen- u. Schwefelsäure	stark Alkohol-haltige Erzeugnisse	nicht spezifiziert
II	CCS	150b	kaustische Sulfit-Couleur	SO_2, H_2SO_4, Na_2SO_3, K_2SO_3, NaOH, KOH	Speiseeis (nur in USA)	noch kein Wert zuerkannt
III	AC	150c	Ammoniak-Couleur	NH_3, $(NH_4)_2CO_3$, Na_2CO_3, K_2CO_3 sowie die entsprechenden Hydroxide, Schwefelsäure	Bier u. andere alkohol. Getränke, saure Lebensmittel	0–200
IV	SAC	150d	Ammoniumsulfit-Couleur	NH_3, SO_2, Ammonium-, Natrium- u. Kaliumsulfit, -carbonat u. -hydroxid, Schwefelsäure	saure Lebensmittel, Alkohol-freie Erfrischungsgetränke	0–200

allg.: Belitz-Grosch (4.), S. 245 ▪ Bertram, Farbstoffe in Lebensmitteln, S. 81–83, Stuttgart: Wiss. Verlagsges. 1989 ▪ Classen et al., Toxikologisch-hygienische Beurteilung von Lebensmittelinhalts- u. -zusatzstoffen sowie bedenklicher Verunreinigungen, S. 154–155, Berlin: Parey 1987 ▪ Dtsch. Lebensm. Rundsch. **83**, 171–174 (1987) ▪ J. Agric. Food Chem. **39**, 1422–1425 (1991) ▪ Ullmann (5.) **A 7**, 416, 420 ▪ Zipfel, C 100 *17*, 160; C 120 *6*, 4–6; C 355 *1*, 22; C 403 *38*, 11; C 410 *9*, 45. – [HS 1702 90]

Zuckerester. Bez. für Ester von Mono- od. Oligosacchariden, im weiteren Sinne auch von *Zuckeralkoholen, mit organ. od. anorgan. Säuren, die ggf. – je nach Säure-Rest sehr unterschiedliche – techn. Verw. finden. *Zuckernitrate* werden mit *Nitriersäure erhalten u. besitzen *Sprengstoff-Eigenschaften; *Beisp.:* *Mannit(ol)hexanitrat u. *Saccharosenitrate* (Nitrozucker), die in Mischung mit *Glycerintrinitrat als *Sprengöl brauchbar sind, s. a. Salpetersäureester. Diesen Zuckernitraten wird manchmal auch *Pentaerythrittetranitrat zugezählt. *Zuckerphosphate* spielen im *Stoffwechsel bei *Phosphorylierungen, bei Gluconeogenese u. Glykolyse eine bedeutende Rolle. Die durch Veresterung mit *Chloroschwefelsäure zugänglichen *Zuckersulfate* haben techn. kaum Bedeutung, finden sich jedoch verbreitet in der Natur z.B. als *Chondroitinsulfate, *Glykosaminoglykane u. Heparin (s. die Abb. dort). Das synthet. *Sucralfat dient als Gastritis- u. Ulcusmittel. Analyt. u. synthet. nützlich sind die *Zuckeracetate*, die man mit Eisessig od. Essigsäureanhydrid herstellt, ggf. in Ggw. von Katalysatoren wie Zinkchlorid, Schwefelsäure, Pyridin usw. *Saccharoseacetatisobutyrat* (SAIB) ist verträglich mit vielen Harzen, Filmbildnern u. Weichmachern u. dient zum Modifizieren von Schutzanstrichen für elektr. Isolierungen, Celluloseacetat-Kunststoffen u. hochschmelzenden Anstrichen. *Saccharoseoctaacetat* eignet sich zur Papierimprägnierung, als Weichmacher für Celluloseester u. synthet. Harze, in Klebstoffen, zur Denaturierung von Alkohol (schmeckt bitter). Z. von Phenolcarbonsäuren (z.B. Salicylate) kommen vielfach als natürliche *Gerbstoffe vor; *Beisp.:* Die Tannine (s. die Abb. dort) sind Digalloylester der Glucose. Neben cycl. Z. sind auch *Orthoester von Zuckern bekannt. Die techn. wichtigsten Z. sind die Mono- u. Diester der Zucker, insbes. der Saccharose, mit höheren Fettsäuren wie Laurin-, Myristin-, Palmitin-, Stearin-, Ölsäure od. mit Talgfettsäuren. Diese Z. besitzen ausgeprägte grenzflächenaktive Eigenschaften, weshalb man sie heute als eigenständige Verb.-Klasse (sog. *Zuckertenside) betrachtet. *Saccharosepolyester* mit 6–8 Fettsäure-Resten könnten als vom Organismus nicht verwertbares Fettsubstitut in der Ernährung übergewichtigen Personen dienen u. sollen außerdem LDL-Cholesterin im Darm binden [1]. Es sei darauf hingewiesen, daß die Ester der *Zuckersäuren *nicht* als Z. aufgefaßt werden dürfen, sondern als Aldon-, Aldar-, Uronsäureester etc. – *E* sugar esters – *F* esters sacchariques – *I* esteri degli zuccheri – *S* ésteres sacáricos

Lit.: [1] Am. J. Clin. Nutr. **35**, 1352 (1982).
allg.: Belitz-Grosch (4.), S. 257, 417 ▪ Janistyn (3.) **1**, 888–891 ▪ Kirk-Othmer (4.) **23**, 66–69 ▪ Winnacker-Küchler (4.) **7**, 129 ▪ s. a. Kohlenhydrate u. Zucker.

Zuckerether. Gruppenbez. für Mono-, Di-, Tri- u. a. Oligosaccharide, deren Hydroxy-Gruppen verethert sind – Verb., die an der anomeren Hydroxy-Gruppe organ. Reste tragen, bezeichnet man allerdings als *Glykoside (z. B. Methyl-α-glucosid; s. Abb.). Die Bildung von Methylglykosiden verläuft sehr leicht, während die Methylierung anderer Hydroxy-Gruppen drastischere Bedingungen wie Methyliodid u. Silberoxid od. Dimethylsulfat in alkal. Lsg. erfordert. Als Schutzgruppen benutzt man gelegentlich die Benzyl-, Triphenylmethyl- u. Trimethylsilyl-Reste. In der Natur kommen Z. z. B. als Methylether in *Digitalis*- u. *Strophanthus*-Arten u. a. Cardenolid-haltigen Pflanzen vor.

– *E* sugar ethers – *F* éthers sacchariques – *I* eteri di zucchero – *S* éteres sacáricos
Lit.: s. Glykoside, Kohlenhydrate u. Zucker.

Zuckerhirse s. Hirse u. Sorghum.

Zuckerkalk. Bez. für eine Verb., die beim Eindampfen einer mit Calciumoxid od. -hydroxid versetzten wäss. *Saccharose-Lsg. entsteht, Zucker u. Calciumoxid in wechselnden Mengenverhältnissen enthält u. *nicht* mit *Calciumsaccharat (dieses ist ein Salz der *Glucarsäure) ident. ist. Weißes Pulver von süßlichem bis laugenartigem Geschmack, lösl. in Wasser, unlösl. in Alkohol.
Verw.: Medizin. als *Antacidum bei Diarrhöe u. Säurevergiftungen. – *E* saccharated lime – *F* chaux sucrée – *I* calce saccifera – *S* cal azucarada
Lit.: Gmelin, Syst.-Nr. 28, Ca, B 3, 1961, 1021–1029. – [HS 2918 19]

Zuckerkrankheit s. Diabetes (1.), Insulin.

Zuckernitrate s. Zuckerester.

Zuckernitril-Abbau s. Wohl-Abbau.

Zuckernucleotide s. Nucleotide u. Kohlenhydrate.

Zuckerphosphate s. Zuckerester.

Zuckerrohr s. Saccharose, S. 3892.

Zuckerrohrwachs. Kutikulares *Wachs an der Oberfläche der Zuckerrohrstengel, das in Nebenprodukten der *Saccharose-Gewinnung im Zuckerrohrsaft u. in den Preßkuchen anfällt u. sich aus letzteren mit Benzin extrahieren läßt. Reines Z. besteht hauptsächlich aus autoxidablen Polymeren von langkettigen (bes. C-28) Wachsaldehyden, Sterinen u. Triterpenen. Z. dient gelegentlich als Ersatz für *Carnaubawachs, z. B. bei der Herst. von Kohlepapier od. Druckfarben. – *E* sugar cane wax – *F* cire de canne à sucre – *I* cera di canna da zucchero – *S* cera de caña de azúcar
Lit.: Kirk-Othmer (4.) **23**, 20, 602. – [HS 1521 10]

Zuckerrüben s. Saccharose, S. 3892.

Zuckersäuren. Sammelbez. für zur Lacton-Bildung neigende Polyhydroxycarbonsäuren, die durch Oxid. der Aldehyd- u./od. der prim. Alkohol-Gruppen von einfachen *Zuckern (*Monosacchariden) zu Carboxy-Gruppen entstehen; die Benennung erfolgt nach den IUPAC-Regeln 2-Carb-20 bis -23, s. Nomenklatur (Tab.). Etliche der Z. treten als Stoffwechselprodukte auf u./od. sind Bestandteile polymerer Naturstoffe, z. B. der Pektine, Glykosaminoglykane, des Chondroitinsulfats etc. Milde Oxid. der Zucker führt zur Bildung von *Aldonsäuren, wenn die *Aldehyd-* zur Carboxy-Gruppe oxidiert ist; *Beisp.:* D-Glucose → D-*Gluconsäure; *Ascorbinsäure (*Vitamin C) ist ein Aldonsäure-γ-lacton.

```
   COOH            CH=O             COOH
   |               |                |
H—C—OH          H—C—OH           H—C—OH
   |    mikrobielle |                |
HO—C—H    Oxid.  HO—C—H    HNO₃  HO—C—H
   |        →      |         →      |
H—C—OH          H—C—OH           H—C—OH
   |               |                |
H—C—OH          H—C—OH           H—C—OH
   |               |                |
   CH₂OH           CH₂OH            COOH

D-Gluconsäure    D-Glucose        D-Glucarsäure
```

Wird dagegen (im Beisp. bei der Pyranose-Form) die prim. *Alkohol-* zur Carboxy-Gruppe oxidiert, so erhält man *Uronsäuren; Beisp.:* D-Glucose (α-D-Glucopyranose) → D-*Glucuronsäure (α-D-Glucopyranuronsäure), *Galacturonsäure.

α-D-Glucopyranose → Oxid. → D-Glucuronsäure

Ketoaldonsäuren entstehen formal durch Oxid. einer prim. OH-Gruppe von *Ketosen, techn. durch Oxid. einer sek. OH-Gruppe von Aldonsäuren; *Beisp.:* D-Fructose → 2-Oxo-D-gluconsäure. Energischere Oxid. der Zucker führt zu *Aldarsäuren; Beisp.:* Threose → Threarsäure od. Erythrarsäure (bekannt als *Weinsäure), Galactose → *Schleimsäure (Galactarsäure, ebenso wie die Glucarsäure eine Tetrahydroxyadipinsäure). Die durch Salpetersäure-Oxid. von Zucker gebildete *Oxalsäure wurde früher *Zuckersäure* genannt. Heute wird im Technikerjargon die durch Oxid. von D-Glucose od. Saccharose od. besser aus Stärke mit Salpetersäure entstehende *Glucarsäure als „*Zuckersäure*" schlechthin bezeichnet, von der sich die *Saccharate (*Zuckerester* sind jedoch etwas anderes!) ableiten. – *E* sugar (saccharic) acids – *F* acides sacchariques – *I* acidi saccarici – *S* ácidos sacáricos
Lit.: Kirk-Othmer (3.) **21**, 925; (4.) **23**, 73 ▪ s. a. Zucker u. die a. Textstichwörter.

Zuckersirup (Flüssigzucker). Bez. für die 64%ige Lsg. von *Saccharose in Wasser (s. *Lit.*).
Lit.: DAB **9**, 1475. – [HS 1702.., 2106 90]

Zuckersulfate s. Zuckerester.

Zuckertenside. Bez. für grenzflächenaktive Stoffe, die auf der Basis von Zuckern hergestellt werden u. sich in der Regel durch eine bes. vorteilhafte dermatolog. u. ökotoxikolog. Verträglichkeit auszeichnen. *Beisp.:* *Alkylpolyglucoside, *Fettsäureglucamide, *Zuckerester, *Sorbitanester, *Polysorbate etc. – *E* sugar surfactants – *F* tensioactifs de sucre – *I* tensioattivi di zucchero – *S* tensioactivos (a base) de azúcar
Lit.: Hill, von Rybinski u. Stoll (Hrsg.), Alkyl Polyglycosides, Weinheim: Wiley-VCH 1997 ▪ Holmberg (Hrsg.), Novel Surfactants, New York: Dekker 1998 ▪ Tenside Surf. Det. **31**, 146–150 (1994); **33**, 102–110 (1996) ▪ s. a. die Einzelstichwörter.

Zuckerwaren. Sammelbez. für eine Untergruppe der *Süßwaren. Z. sind Erzeugnisse, deren wesentliche Bestandteile *Zucker jeglicher Art sind, darunter *Saccharose, *Invertzucker, *Glucose, *Fructose, *Maltose u. a., häufig unter Zusatz von anderen Nahrungs- u. Genußmitteln wie Stärke-Sirup (s. Glucose-Sirup), Milchprodukten, *Honig, *Kakao, *Schokolade, Früchten, Gewürzen, Gelees, Fetten u. Essenzen. Man unterscheidet: 1. Hart- u. *Weichkaramellen (Bonbons, Toffees), – 2. Fondant-Erzeugnisse, – 3. Gelee-Erzeugnisse, Gummibonbons u. Fruchtpasten, – 4. Schaumzuckerwaren, – 5. Dragées, – 6. Preßlinge, – 7. Komprimate, – 8. *Marzipan-, *Persipan- u. *Nugat-Erzeugnisse, Edelmarzipan, – 9. *Trüffel, – 10. Eiskonfekt, – 11. *Krokant, – 12. Weißer Nugat u. verwandte Erzeugnisse, – 13. Kaugummi, – 14. kandierte Früchte u. andere kandierte Pflanzenteile, – 15. pulverförmige Z. wie Brause-Pulver, Limonaden-Pulver

u. Trockenfondant, – 16. Füllung- u. Glasurmassen wie Marzipancreme, Nugatcreme, Trüffelmassen, Knickebeinfüllungen, Fondantmasse, Glasur-, Füllungs- u. Konfektmassen (Kakaoglasur, Kakaocreme u. Kakaokonfekt), Pralinécreme. Zwischen den genannten Z. sind keine scharfen Grenzen zu ziehen. Die Begriffsbestimmung sowie die Abgrenzung gegenüber Dauerbackwaren, Kakaoerzeugnissen u. Arzneimitteln sind den Verkehrsregeln für Z. u. verwandte Erzeugnisse zu entnehmen[1]. Wird bei Z. auf qualitätsbestimmende od. geschmacksgebende Inhaltsstoffe hingewiesen, sind bestimmte Mindestanforderungen zu erfüllen (z. B. Honigbonbons müssen 5% Honig enthalten). Nicht zu den Z. zu zählen sind *Schokolade, Rohmassen, *Pralinen u. Invertzuckercreme (*Kunsthonig). Zur Technologie der Z.-Herst. s. Lit.[2]. 1990 wurden in der BRD 510 940 t Z. im Wert von 3,41 Mrd. DM produziert. Dies entspricht dem 2. Platz in der internat. Produktions-Statistik (hinter USA) u. einem Pro-Kopf-Verbrauch von 6,5 kg; s. a. Süßwaren. – *E* candies, confections, confectioneries – *F* sucreries, confiseries – *I* dolciumi – *S* confites, caramelos, dulces

Lit.: [1] Zipfel, C 355 c. [2] Heiss (Hrsg.), Lebensmitteltechnologie (4.), S. 262–272, Berlin: Springer 1991. *allg.:* Belitz-Grosch (4.), S. 792 f. ▪ Bundesverband der dtsch. Süßwarenind. (Hrsg.), Süßwarenhandbuch, Bonn: Bundesverband der dtsch. Süßwaren-Ind. 1990 ▪ Hoffmann et al., Zucker u. Zuckerwaren, S. 129–256, 300–396, Berlin: Parey 1985 ▪ Osteroth (Hrsg.), Taschenbuch für Lebensmittelchemiker u. -technologen, Bd. 2, S. 245–268, Berlin: Springer 1991 ▪ Ullmann (5.) A 7, 411–424 ▪ Zipfel, C 370. – *Periodika:* Café, Cacao, Thé. IRCC, 42 rue Scheffer, F-75116 Paris ▪ Confectionery Productions. Specialised Publications Limited, 5 Grove Road, Surbitan, Surrey KT6 4B5, UK ▪ MC – The Manufacturing Confectioner. The MC Publishing Company, 175 Rock Road, Glen Rock, NJ 07452 USA ▪ Süßwaren, Technik und Wirtschaft. Rhenania-Fachverlag GmbH, Possmoorweg 5, D-22301 Hamburg ▪ Zucker- und Süßwarenwirtschaft. Verlag Eduard F. Beckmann KG, D-31275 Lehrte, Haus Heideck, Postfach 11 20

Zuclopenthixol (Rp). Internat. Freiname für das neurolept. wirksame *cis-*=(Z)-*Clopenthixol, Schmp. 84–85 °C. Verwendet wird meist das Dihydrochlorid, Schmp. 250–260 °C (Zers.), LD_{50} (Maus i.v.) 105 mg/kg. Z. wurde 1974 u. 1976 von Kefalas A/S patentiert u. ist von Bayer Vital (Ciatyl-Z®) im Handel. – *E* = *F* zuclopenthixol – *I* = *S* zuclopentixol

Lit.: ASP ▪ Hager (5.) **9**, 1252 f. ▪ Martindale (31.), S. 744. – [HS 2934 90; CAS 53772-83-1 (Z.)]

Zügigkeit. Unter der Z. einer Salbe od. Salbengrundlage od. von Druckfarben u. dgl. versteht man deren Eigenschaften, beim Abstechen verschieden lange Fäden zu ziehen; dementsprechend unterscheidet man kurz- u. langzügige Stoffe. Zur Z.-Messung kann man sich sog. Tackmeter bedienen. – *E* tack – *F* adhésivité – *I* adesività – *S* adhesividad

Lit.: Hager (4.) **7 b**, 388 f. ▪ Pharm. Unserer Zeit **2**, 87–94 (1973).

Zündbeschleuniger (Zündverbesserer). Bez. für therm. labile organ. Verb., die dem *Dieselkraftstoff zur Verbesserung der *Zündwilligkeit* (durch Erhöhung der *Cetanzahl) in Mengen von 0,5–3% zugesetzt werden können. Als Z. geeignet sind Salpetrig- u. Salpetersäureester, die bei der Arbeitstemp. in *Radikale zerfallen u. dabei die *Verbrennung beschleunigen. – *E* Diesel ignition improvers – *F* accélérateurs d'ignition – *I* acceleratore d'accensione – *S* aceleradores de igniciòn

Lit.: Kirk-Othmer (4.) **12**, 379 ▪ Winnacker-Küchler (4.) **5**, 146.

Zündblättchen (Amorces). Auch als *Zündplättchen* bezeichnete Munition für Spielzeugwaffen aus zwei aufeinander geklebten meist rot gefärbten Papierblättchen od. -streifen, zwischen denen sich punktförmig angeordnet geringe Mengen von *Knallsätzen* (s. pyrotechnische Erzeugnisse) befinden, z. B. aus Gemischen von rotem Phosphor u. Kaliumchlorat, gebunden mit Gummi arabicum. Für die zum Abfeuern der Z. geeigneten Spielzeugwaffen (*Amorceswaffen*) sind nach DIN 66355: 1984-06 bestimmte sicherheitstechn. Konstruktionsmerkmale vorgeschrieben. – *E* fire leaves, snap caps – *F* amorces fulminantes – *I* capsule per pistole-giocattolo – *S* cápsulas fulminantes

Lit.: Ullmann (4.) **19**, 634; (5.) A **22**, 441. – [HS 3604 90]

Zünder s. Zündmittel.

Zündgrenzen s. Explosionsgrenzen.

Zündgruppen. Ältere Bez. für die Einteilung entzündlicher Stoffe (feuergefährlicher Stoffe) nach der *Zündtemperatur (*Entzündungstemp.*) ihrer Gas-(Dampf)-Luft-Gemische. Die früheren Z. mit den Kennungen G 1 bis G 5 (>450 °C, 300–450 °C, 200–300 °C, 135–200 °C, 100–135 °C) wurden in VDE 0171 = DIN EN 50014: 1978-05 begrifflich durch die *Temp.-Klassen* T 1 bis T 5 mit denselben Temp.-Bereichen ersetzt. Zusätzlich wurde die Gruppe T 6 (85–100 °C) eingeführt. Man vgl. die Z. mit der Einteilung *brennbarer Flüssigkeiten nach dem *Flammpunkt u. mit den Angaben bei *Explosionsgrenzen. – *E* ignition groups – *F* groupes d'inflammation, groupes de température – *I* gruppi infiammabili – *S* grupos de inflación, grupos de temperatura

Lit.: Winnacker-Küchler (4.) **1**, 661.

Zündhölzer (Streichhölzer). Bez. für *Zündwaren* zum einmaligen Gebrauch, bestehend aus stäbchenförmigen brennbaren Trägern mit entzündungsfähigem Kopf. Die heute gebräuchlichen *Sicherheits-Z*. werden wie folgt hergestellt: In viereckige Stäbchen zerschnittene Hölzer (vorwiegend aus Pappelholz) od. Pappe-Streifen werden mit z. B. verd. Ammoniumphosphat-Lsg. zur Verhinderung des Nachglimmens imprägniert, zur Förderung der Brennbarkeit in Paraffin-Schmelze getaucht u. an der Spitze mit einer *Zündmasse* versehen. Diese enthält ca. 50–60% Kaliumchlorat als Oxid.-Mittel, ca. 4–7% Schwefel als Brennstoff, ca. 1–4% Kaliumchromat u./od. Mangandioxid zur katalyt. Regelung von Entzündung u. Abbrand, ca. 15–25% Glasmehl sowie Kieselgur, Kreide o. ä. als Füllstoffe u. Schlackenbildner, ca. 10% Bindemittel (Dextrin, Leim, Gelatine o. ä.) sowie ggf. Farbstoffe. *Bengal. Z.* enthalten zusätzlich flammenfärbende Zusätze (s. a. bengalisches Feuer). Die *Reibflächen*, angebracht auf der Verpackung der Sicherheits-Z., bestehen im wesentlichen aus rotem Phosphor, Glaspulver u. Bindemittel. Beim Reibvorgang bildet sich eine kleine Menge des äußerst reaktions-

Zündhütchen

fähigen Gemisches aus Kaliumchlorat (aus der Zündmasse) u. rotem Phosphor (aus der Reibfläche), die sich durch die Reibungswärme entzündet u. den Entflammungsvorgang im Z.-Kopf einleitet. Z. werden in Schiebeschachteln mit 20–50 Z. Inhalt od. als Z.-Heftchen (*E* book matches, BM) angeboten. Moderne vollautomat. Maschinen produzieren bis zu 30 000 Z./min bzw. bis zu 50 000 Schachteln/h. Für Z.-Heftchen gibt es Maschinen mit Leistungen von >25 000 Heftchen/h; hierbei wird das Trägermaterial in Form von aus Holz od. Pappe ausgestanzten Kämmen verarbeitet. In angelsächs. Ländern sind auch heute noch sog. *Überallzünder* mit geringen Marktanteilen im Gebrauch. Diese enthalten in der Zündmasse des Z.-Kopfes neben Kaliumchlorat als Reaktionspartner *Tetraphosphortrisulfid* (*Phosphorsesquisulfid,* s. a. Phosphorsulfide) u. können an beliebigen Reibflächen entzündet werden.

Geschichte: Bald nach der Entdeckung des weißen *Phosphors durch den Alchimisten Henning Brand um 1670 begann man mit Zündmitteln zu experimentieren, welche auf den pyrophoren Eigenschaften des weißen Phosphors beruhten (J. *Kunckel von Löwenstern, R. *Boyle). Boyle's Schüler u. Assistent Hanckwitz beschrieb um 1680, wie in Schwefel getauchte Holzspäne durch weißen Phosphor entzündet werden konnten; er gilt dafür als Erfinder der Zündhölzer. Erst nachdem C. W. *Scheele 1774 die Herst. von Phosphor aus Knochen erfunden hatte u. Phosphor damit in größeren Mengen verfügbar wurde, entwickelte man eine Reihe *pyrophorer* Zündmittel, die jedoch wegen des hohen Phosphor-Preises nur in sehr begüterten Kreisen Verw. fanden. Mit der Entdeckung des Kaliumchlorats durch C. L. *Berthollet um 1786 begann die Entwicklung *hypergol.* Zündmittel: Z. B. Chancel's *Tunkfeuerzeug* (1805), bei dem mit einer Zündmasse aus Kaliumchlorat, Zucker, Schwefel u. Gummi arabicum versehene Holzstäbchen durch Eintauchen in konz. Schwefelsäure entzündet wurden. Eine Weiterentwicklung stellte das *Eupyrion-Feuerzeug* („Berliner Z.") dar, bei dem der Zündkörper aus einer mit konz. Schwefelsäure getränkten festen Asbest-Masse bestand. Die ersten eigentlichen *Streichhölzer*, d. h. durch Reibung entzündliche Z., waren die *Phosphorhölzer*, die ab etwa 1830 industriell hergestellt wurden. Als Erfinder werden der Franzose Sauria, der Ungar Irinyi u. der Deutsche Kammerer genannt; letzterer errichtete um 1836 die erste dtsch. Z.-Fabrik in Ludwigsburg. Die *Phosphorhölzer* enthielten in der Zündmasse weißen Phosphor, Kaliumchlorat, Bleidioxid, Schwefel, Glasspulver u. Klebstoff. Wegen der Giftigkeit des weißen Phosphors (Phosphor-Nekrose bei den Zündholzarbeitern) wurde dessen Verw. für Z. später in verschiedenen Ländern verboten, zuerst 1872 in Finnland.

Während die *Phosphorhölzer* als *Überallzünder* durch Reiben an fast jeder Fläche entzündet werden konnten, erforderten die etwa gleichzeitig entwickelten Z. auf der Basis von Kaliumchlorat/Antimonsulfid rauhes Sandpapier als Reibfläche. Die Beimengung von Schwefel zur Zündmasse machte den Zündkopf etwas empfindlicher. Diese Form der *Antimonsulfid-Z.* fand unter dem Namen „*Schwefelhölzer*" etwas weitere Verbreitung, konnte sich jedoch gegen die *Phosphorhölzer* nicht entscheidend durchsetzen. Sowohl *Phosphor-* als auch *Schwefelhölzer* enthielten die wesentlichen Reaktionskomponenten Kaliumchlorat u. Phosphor bzw. Antimonsulfid/Schwefel gemeinsam in der Zündmasse u. konnten sich daher auch unbeabsichtigt entzünden.

Mit der Entdeckung u. Erforschung des roten Phosphors wurden Mitte des 19. Jh. die Voraussetzungen zur Entwicklung der *Sicherheits-Z.* geschaffen, deren Prinzip bereits 1844 erfunden wurde: Trennung der reaktiven Komponenten in Zündmasse (Kaliumchlorat) u. Reibfläche (roter P). Nach wesentlichen Verbesserungen wurden die Sicherheits-Z. in der 2. Hälfte des 19. Jh. in Schweden mit steigendem Erfolg produziert (daher auch die Bez. „*Schwedenhölzer*") u. konnten sich schließlich gegenüber den weit verbreiteten Phosphorhölzern durchsetzen. Um die Jh.-Wende wurden die „Sesquisulfidhölzer" als *Überallzünder* mit dem ungiftigen Tetraphosphortrisulfid anstelle des giftigen weißen P. in der Zündmasse erfunden.

In Deutschland wurden Anfang 1930 Herst., Vertrieb, Ex- u. Import von Z. durch das Zündwarenmonopolgesetz in staatliche Regie genommen. Erst Anfang 1983 wurde das Zündwarenmonopol aufgehoben. – *E* matches – *F* allumettes – *I* fiammiferi – *S* cerillas, fósforos

Lit.: Kirk-Othmer (4.) **16**, 1–8 ▪ Ullmann (4.) **24**, 801–810; (5.) A **16**, 163–169. – *[HS 3605 00; G 4.1]*

Zündhütchen s. Zündmittel.

Zündkirschen s. Zündstäbe.

Zündmasse s. Zündhölzer.

Zündmittel. Bez. für Hilfsmittel, die ihrer Art nach zum Auslösen von Sprengladungen bestimmt sind u. in der Regel *explosionsfähige Stoffe enthalten (vgl. DIN 20163: 1994-11, S. 11–14). Die *Zündung* (d. h. die Einleitung der *Verbrennung) eines *Explosivstoffes setzt die *Explosion bzw. *Detonation in Gang. Zwar wird auch im Zusammenhang mit der Entzündung von Brennstoffen, Brenngasen, Motorkraftstoffen u. dgl. von Z. u. Zündung gesprochen, doch ist im fachlichen Sprachgebrauch die Bez. Z. im erstgenannten Sinne zu verstehen. Zur Entzündung von aluminotherm. Schweißmassen benutzt man z. B. *Zündstäbe. Eines der einfachsten u. ältesten Z. ist die *Lunte*, die aus einer mit Salpeter getränkten u. danach mit Blei(II)-acetat gebeizten, glimmfähigen Hanfschnur besteht, mit deren Hilfe Pulver- u. Sprengsätze gezündet wurden. Mit Schwarzpulverbrei getränkte Baumwollschnüre zum Zünden von pyrotechn. Artikeln heißen *Stoppinen*. *Zündschnüre* bestehen aus 5–6 mm starken, gedrehten od. gewirkten Gewebeschläuchen mit einer Seele aus hier auch *Zündschnurpulver* genanntem *Schwarzpulver, sind zur Haltbarmachung mit Leim od. – gegen Feuchtigkeit – mit Teer imprägniert, können durch einen Kunststoffüberzug wasserbeständig gemacht sein u. dienen zur Zündung von Sprengkapseln u. Erzeugnissen der *Pyrotechnik. Die ähnlich aufgebauten *Sprengschnüre* enthalten einen *Sprengstoff wie etwa Pentaerythrittetranitrat u. sollen die Übertragung der Detonation einer *Sprengkapsel auf verschiedene Sprengladungen mit einer

Geschw. von 7000 m/s bewirken. Als mechan. Z., die als *Zündsatz* im allg. *Initialsprengstoffe enthalten, dienen z. B. *(An)zündhütchen*, das sind kleine, den Zündsatz enthaltende Metallnäpfchen, die in den Boden von Schießmitteln (s. Schießstoffe) eingebracht werden u. die auf Stoß od. Schlag eine den Sprengsatz zündende Stichflamme liefern. Anders als bei *Munition werden in den meisten techn. Anw. der Explosiv- u. Sprengstoffe heute elektr. Zünder eingesetzt. Bei *chem. Zündern* sind reaktionsfähige Substanzen, z. B. Schwefelsäure u. Mischungen von Kaliumchlorat mit organ. Stoffen, in verschiedenen Ampullen eingeschlossen. Nach Zerbrechen der Ampullen durch Schlag od. Stoß vereinigen sich die Inhalte unter Wärmeabgabe u. initiieren so die Explosion. Diese sog. *Säurezünder* werden z. B. bei Geschossen u. Minen verwendet. Beim Umgang mit Z. sind die UVV für die Herst. u. Lagerung von Explosivstoffen u. explosiven Gegenständen zu beachten. – *E* detonating agents, igniters – *F* produits de mise à feu – *I* agenti detonanti – *S* materias fulminantes (detonantes)
Lit.: Köhler u. Meyer, Explosivstoffe, 8. Aufl., Weinheim: VCH Verlagsges. 1995 ▪ Ullmann (4.) **21**, 681 f. ▪ Winnacker-Küchler (4.) **7**, 396 ff. s. a. Explosivstoffe, Sprengstoffe. – [HS 3602 00; G 1.4 G, 1.4 S]

Zündplättchen s. Zündblättchen.

Zündpunkt s. Zündtemperatur.

Zündsatz, Zündschnüre, Zündschnurpulver s. Zündmittel.

Zündstäbe. Zur Zündung von *Thermit® (s. a. Aluminothermie) kann man heute als *Zündmittel anstelle der früher üblichen *Zündkirschen* (mittels Kollodium-Lsg. geformte Gemische aus Bariumperoxid u. Mg-Pulver mit einem Mg-Streifen zur Entzündung) sog. Z. verwenden. Diese bestehen aus einem ca. 1 mm dicken Eisen-Draht, auf den ein Zündgemisch aus 60% Bariumnitrat, 24% Aluminium u. 16% Dextrin aufgebracht ist. Der Z. wird an einer Flamme entzündet u. in die Thermit-Mischung gesteckt, wobei er verbrennt u. das Thermit zur Reaktion bringt. – *E* ignition rods – *F* bâtons d'ignition – *I* barrette d'ignizione – *S* varas de ignición
Lit.: s. Aluminothermie.

Zündsteine. Auch als *Feuersteine* bezeichnete Leg. aus ca. 70% Cer-Mischmetall (Cer, Lanthan, Yttrium) u. ca. 30% Eisen, die beim Reiben mit einem Stahlkörper (Feile, Reibrädchen) Funken bilden. Die durch Reiben abgetrennten Metall-Teilchen oxidieren (verbrennen) an Luft bereits ab 150 °C. Da der Zündpunkt (s. Zündtemperatur) leichter Kohlenwasserstoffe unterhalb dieser Temp. liegt, werden Z. in Gas- u. Benzinfeuerzeugen eingesetzt. – *E* ignition alloys, lighter flints – *F* fer pyrophorique – *I* pietre focaia – *S* piedras de encendedor

Zündtemperatur (Zündpunkt). Übliche Bez. für diejenige Temp., bei der Stoffe an heißen Körpern *Selbstentzündung zeigen (*Entzündungstemp.*). Die Z. ist demnach die niedrigste Temp., die brennbare Gase, Dämpfe, Stäube od. feinzerteilte feste Stoffe im sog. „zündwilligsten" Gemisch mit Luft besitzen müssen, um die *Verbrennung einzuleiten. Dementsprechend unterscheidet man qual. *selbstentzündliche* (s. Selbstentzündung mit den Beisp. dort), *leichtentzündliche* u. *schwerentzündliche Stoffe*. Eine genauere Einteilung ist nach *Temp.-Klassen* (T 1 – T 6) bzw. *Zündgruppen (G 1 – G 5) möglich; mehr als 40 Stoffbeisp. mit Z. finden sich in der Tab. bei Explosionsgrenzen. Bei *Explosivstoffen wird die Z. übrigens auch als *Verpuffungstemp.* bezeichnet. Die Kenntnis der Z. (u. des *Flammpunkts) hat bes. bei den als feuergefährliche u./od. *explosionsfähige Stoffe geltenden Gefahrstoffen große Bedeutung im Hinblick auf *Arbeitssicherheit, Kennzeichnung mit den entsprechenden *Gefahrensymbolen, Einteilung in *Gefahrenklassen für die *Transportbestimmungen etc. Für die Z. *brennbarer Flüssigkeiten trifft man noch die Unterscheidung zwischen dem sog. *Tropfzündpunkt* (s. Tropfpunkt) u. dem *Gaszündpunkt* als niedrigster Temp., bei der sich das brennbare Dampf-Luft-Gemisch von selbst entzündet. Dieser liegt im allg. wesentlich höher als der Tropfzündpunkt. Bei Mineralöl-Kohlenwasserstoffen werden Z. nach der in DIN 51794: 1978-01 beschriebenen Meth. bestimmt. – *E* ignition temperature – *F* température d'allumage – *I* temperatura d'infiammazione – *S* temperatura de ignición
Lit.: Winnacker-Küchler (4.) **1**, 661.

Zündung s. Zündmittel.

Zündverbesserer s. Zündbeschleuniger.

Zündwilligkeit(sverbesserer) s. Dieselkraftstoffe u. Zündbeschleuniger.

Züricher Oxide. Vom Arbeitsort der beiden Entdecker Bednorz u. K. A. Müller (Nobelpreis für Physik 1987) abgeleitete Bez. für komplexe Oxide des Typs $Ba_xY_{2-x}CuO_4$ od. $Ba_2YCu_3O_{7-x}$, die eine bis dahin unerwartet hohe *Sprungtemp.* von ca. 90 K zeigen (s. Supraleitung). Noch höhere Sprungtemp. haben Cuprate der Art $Ba_2CaTl_2Cu_2O_{8-x}$ (125 K). – *E* Zurich oxides – *F* oxydes de Zurich – *I* ossidi di Zurigo – *S* óxidos de Zurich
Lit.: Spektrum Wiss. **1988**, Nr. 5, 18 ▪ s. a. Yttrium

Zufallsmutation. Andere Bez. für *Spontanmutation (scheinbare Spontanmutation).

Zug(druck)umformen s. Umformen.

Zugfestigkeit. Der Höchstwert der Spannung in der Spannungs-Dehnungs-Kurve des *Zugversuchs. Die Z. ist ein Kennwert für die *Festigkeit, mit dessen Hilfe eine quant. Übertragung des an genormten Kleinproben im Zugversuch gemessenen Werkstoffverhaltens auf das prakt. Bauteilverhalten möglich ist, u. der damit entscheidende Grundlage für die Auslegung großer Konstruktionen ist. Dimension der Z. ist die mechan. Spannung in N/mm^2, d. h. der Wert der auf den Nennquerschnitt bezogenen aktuell wirkenden Last. Werte für die Z. techn. *Werkstoffe liegen (auch in Abhängigkeit von der Temp.) zwischen etwa 10^1 u. 10^4 N/mm^2. Ein weiterer wichtiger Festigkeitskennwert des Zugversuchs ist die *Streck- od. Dehngrenze. – *E* tensile strength – *F* résistance à la rupture – *I* resistenza alla rottura per trazione, resistenza alla trazione – *S* resistencia a la ruptura
Lit.: s. Werkstoffe, Werkstoffprüfung.

Zugnachgiebigkeit. Bez. für den Kehrwert des Elastizitätsmoduls (s. Elastizität u. Spannungs-Dehnungs-Diagramm).

Zugpflaster s. Pflaster.

Zugversuch. Gruppe genormter zerstörender *Werkstoffprüfungen, bei denen prismat. Proben mit stetig ansteigender Last bis zum Bruch beansprucht werden, u. deren Auswertung wichtige mechan. Kennwerte liefert. Die jeweils wirkende Last wird auf den Nennquerschnitt bezogen, so daß sich als Maß der mechan. Beanspruchung ein von den Abmessungen unabhängiger Spannungswert in N/mm^2 ergibt. Als Maß der Probenverformung wird die aktuelle Länge einer gekennzeichneten Meßstrecke in % ihres Zuwachses im Vgl. zum ursprünglichen Wert angegeben (Dehnung). Ein Z. führt daher stets zu einer *Spannungs-Dehnungs-Kurve.* Aus dieser Kurve werden folgende *Festigkeitskennwerte* ermittelt: *Streckgrenze:* Spannungswert am Ende des elast. Dehnungsbereichs. Der entsprechende Wert bei Auftreten einer bleibenden Dehnung von 0,2% wird *0,2%-Dehngrenze* genannt. – *Zugfestigkeit:* Spannungsmaximum der Spannungs-Dehnungs-Kurve, das als Folge einer starken örtlichen Querschnittsverminderung (Einschnürung) kurz vor Bruch auftritt. Die Festigkeitskennwerte sind Basis der Bauteilauslegung.

Aus dem Z. werden des weiteren folgende *Zähigkeitskennwerte* ermittelt: *Bruchdehnung:* Einachsige bleibende Gesamtdehnung der gekennzeichneten Meßstrecke nach Bruch. – *Brucheinschnürung:* Verminderung der ursprünglichen Querschnittsfläche im Bereich der Einschnürung nach Bruch.

Im Gegensatz zu den Festigkeitskennwerten können die Zähigkeitskennwerte nicht unmittelbar auf das Bauteilverhalten übertragen werden. Hier sind in Spezifikationen des Bauteilverhaltens Mindestwerte aufgrund von Erfahrungen festgelegt. – *E* tensile test – *F* essai de traction – *I* prova di trazione – *S* ensayo de tracción

Lit.: s. Werkstoffe, Werkstoffprüfung.

Zuk®. Rheuma-Gel u. -Salbe mit *Hydroxyethylsalicylat, *Z. Thermocreme* zusätzlich mit *Nicotinsäurebenzylester gegen oberflächliche Venenentzündungen u. Sportverletzungen. *B.:* Roland.

Zulassung rekombinanter Produkte. Produkte, die aus gentechn. veränderten Organismen bestehen od. diese enthalten, bedürfen nach § 14 des *Gentechnik-Gesetzes (GenTG) der Genehmigung durch das Bundesgesundheitsamt. Darüber hinaus kommen u. a. die Vorschriften des Arzneimittel-, *Chemikalien-, *Lebensmittelgesetzes sowie der *Bedarfsgegenstände-Verordnung zur Anwendung. – *E* approval of genetically engineered products – *F* autorisation de produits recombinants – *I* ammissione di prodotti ricombinanti – *S* autorización de productos recombinantes

Lit.: Eberbach et al., Gentechnikrecht, Heidelberg: C. F. Müller 1990 ▪ Gentechnikgesetz – GenTG vom 16.12.1993 (BGBl. I, S. 2066), geändert durch Gesetz vom 24.06.1994 (BGBl. I, S. 1416) ▪ Hasskarl, Gentechnikrecht, Textsammlung, Aulendorf: Editio Cantor 1990 ▪ Hirsch et al., Gentechnikgesetz, Kommentar, München: C. H. Beck 1991.

Zunder. 1. Bez. für den auf alten Buchen wachsenden stiellosen Zunderschwamm (*Fomes fomentarius*), den man nach gründlichem Auswaschen, Tränken mit Salpeter-Lsg. u. Trocknen früher zum Feueranzünden mit Hilfe von *Feuersteinen (*Zündsteinen) verwendete. Der *Pilz selbst ist ein Holzschädling, der die *Weißfäule* der Buche hervorruft.

2. Bez. für die im allg. an Luft bei hohen Temp. durch *Oxidation auf einer Metall-Oberfläche entstehenden Reaktionsprodukte (*Verzunderung*, ältere Bez. auch *Abbrand*, bei Warmformgebungsprozessen auch *Walzhaut* od. *Eisenhammerschlag*; nicht zu verwechseln mit *Rost). Bei Eisen bildet sich oberhalb von ca. 570 °C auf der Metall-Oberfläche eine Schicht aus FeO (Wüstit), die nach außen über eine dünnere Schicht von Fe_3O_4 (Magnetit) in Fe_2O_3 (Hämatit) übergeht. Unterhalb von 570 °C besteht der Z. nur aus Fe_3O_4 mit einer Außenschicht aus Fe_2O_3. Bei legierten Stählen enthält die Z.-Schicht neben Eisenoxiden auch Oxide der Leg.-Elemente. Während entsprechende Schichten aus Eisenoxiden nur unzulänglich haften u. damit keine Sperre für eine weitere Reaktion zwischen Stahl u. Sauerstoff bilden, läßt sich durch Zugabe der Leg.-Elemente Chrom, Silicium u. Aluminium aufgrund der Bildung festhaftender, dichter Z.-Schichten die Geschw. der Verzunderung erheblich herabsetzen. Dies ist wesentliche Voraussetzung für die *Hitzebeständigkeit der zunderbeständigen Stähle. Die sich bildenden Zunderschichten aus Cr_2O_3, Al_2O_3 od. SiO_2 weisen nur geringe Dicke auf u. regenerieren bei Verletzung spontan. Unerwünschte Z.-Schichten, die sich z.B. bei Warmformgebungen, Wärmebehandlungen od. Schweißvorgängen im Kontakt mit Luft bilden, lassen sich durch die mechan. od. chem. Verf. der *Entzunderung entfernen. – *E* 1. tinder, 2. (mill) scale – *F* 1. amadou, 2. battitures – *I* 1. calamina, 2. scoria di fucinatura, scaglia – *S* 1. yesca, 2. escamas de óxido, cascarilla

Lit. (zu 2.): Winnacker-Küchler (4.) **4**, 658 f. ▪ s. a. Korrosion, hitzebeständige Stähle.

Zunge s. Geschmack.

Zurichtung s. Gerberei, S. 1505, u. Rohstoffe.

Zusammengesetzter Name s. Konjunktionsname.

Zusammengesetzte Zucker s. Zucker u. Oligosaccharide.

Zusammensetzung. Im chem. Sinne Bez. für den Stoffaufbau aus *chemischen Elementen. Von *Konstitution spricht man, wenn man die Z. definierter Verb. meint, die durch *chemische Analyse u. *Elementaranalyse ermittelt werden kann, von „Z." dagegen vorzugsweise bei sehr heterogener Materie; *Beisp.:* *Mensch, *Boden, *Erde, *Mineralien, *Gesteine, *Mondgestein, *Geochemie. – *E* = *F* composition – *I* composizione – *S* composición

Zusatzstoffe. Im weitesten Sinne versteht man unter Z. solche Stoffe, die einem Material (z.B. Kunststoffen, Schmierölen, Lacken, Treibstoffen u. dgl.) zugesetzt werden, um dessen Eigenschaften im gewünschten Sinne zu verändern; meist spricht man jedoch in diesen Fällen von *Additiven*, bei *Pflanzenschutzmitteln auch von *Beistoffen*, u. bei der *Destillation hat der Begriff Z. eine wiederum andere Bedeutung; s. a. Zuschläge. Im folgenden sollen jedoch nur Z. im Sinne

des Lebensmittel- u. Bedarfsgegenständegesetzes[1] (LMBG) als *Lebensmittelzusatzstoffe behandelt werden. § 2 dieses Gesetzes definiert Z. als „Stoffe, die dazu bestimmt sind, Lebensmitteln zur Beeinflussung ihrer Beschaffenheit od. zur Erzielung bestimmter Eigenschaften od. Wirkungen zugesetzt zu werden; ausgenommen sind Stoffe, die natürlicher Herkunft od. den natürlichen chem. gleich sind u. nach allg. Verkehrsauffassung überwiegend wegen ihres Nähr-, Geruchs- od. Geschmackswertes od. als Genußmittel verwendet werden sowie Trink- u. Tafelwasser". Entsprechend Lit.[1] stehen den Z. gleich: *Mineralstoffe u. *Spurenelemente sowie deren Verb. außer *Kochsalz, *Aminosäuren u. deren Derivate; *Vitamine A u. D sowie deren Derivate; *Zuckeraustauschstoffe, ausgenommen Fructose; *Süßstoffe. Weitere Gleichstellungen betreffen Z., die für Umhüllungen, Verpackungen, Überzüge u. dgl. od. zum Behandeln von Lebensmitteln verwendet werden, Treibgase u. ähnliche Stoffe, die zur Anw. von Druck bei Lebensmitteln verwendet werden u. mit diesen in Berührung kommen. Weitere Definitionen für den Begriff „Z.", die der Sichtweise der EG (VO 89/107 vom 21.12.1988, ABl. der EG Nr. L 40/27) u. der Codex Alimentarinus Commission entsprechen, sind Lit.[2] zu entnehmen. Zur Herst. von Tabakerzeugnissen sind nach § 1 der Tabak-VO[3] nur die in Anlage 1 genannten Stoffe für die dort bezeichneten Verw.-Zwecke zugelassen. Die in Anlage 2 der Tabak-VO[3] genannten Geruchs- u. Geschmacksstoffe (z. B. *Campher, *Safrol, *Thujon) sind verboten. Im Bereich der kosmet. Mittel wird ausnahmsweise von dem sonst im Geltungsbereich des LMBG durchgängigen Prinzip der Positivlisten (nur die aufgeführten Stoffe sind erlaubt, alle anderen nicht; Verbot mit Erlaubnisvorbehalt) abgewichen, u. eine Liste mit verbotenen Stoffen (Anlage 1 zu § 1 der Kosmetik-VO[4]) erstellt. Diese Negativliste umfaßt z. Z. 399 Stoffe. In Anlage 2 werden die eingeschränkt zugelassenen Stoffe genannt u. in den Anlagen 3, 6 u. 7 die zugelassenen *Farbstoffe, *Konservierungsmittel (die Kosmetik-VO[4] spricht von „Konservierungsstoffen") u. Ultraviolett-Filter.
Naturgemäß keine Lebensmittel-Z. sind z. B. *Rückstände von Pflanzenschutz-, Schädlingsbekämpfungs- u. Düngemitteln, Futtermittelzusätzen od. Stoffen mit pharmakolog. Wirkung aus veterinärmedizin. Präp., die unbeabsichtigt in Lebensmittel gelangen können. Derartige Stoffe gelten heute als Fremdstoffe bzw. *Xenobiotika, für die *Höchstmengen festgesetzt werden können – noch im Lebensmittelgesetz von 1959 war der Begriff Fremdstoffe reserviert für diejenigen Stoffe, die heute als Z. verwendbar sind.
Die speziellen Regelungen für Lebensmittel-Z. sind der Zusatzstoff-Zulassungs-VO[5] (ZZulV) zu entnehmen u. gelten für Lebensmittel allg. außer für Fleisch u. Fleischerzeugnisse, Milch u. Milcherzeugnisse, Eiprodukte, Speiseeis, Aromen u. Trinkwasser.
In Anlage 1 sind die allg. zugelassenen, in Anlage 2 die beschränkt zugelassenen Z. zu finden. In den Anlagen 3 bis 7, die die Zulassung von *Konservierungsmitteln (die Zusatzstoff-Zulassungs-VO[5], spricht von Konservierungsstoffen), *Schwefeldioxid, *Antioxidantien, *Farbstoffen u. *Süßstoffen regeln, wird als durchgängiges Prinzip die Unterteilung in eine Liste A (Bez. der zugelassenen Stoffe) u. eine Liste B (Angabe des Verwendungszweckes der betroffenen Lebensmittel u. der zulässigen Höchstmengen im Endprodukt) beibehalten. Die Zusatzstoff-Verkehrs-VO (ZVerkV)[6] stellt in § 1 *Adipinsäure, *Nicotinsäure, *Nicotinsäureamid u. *Nitritpökelsalz den Z. gleich. In Anlage 1 werden allg. Reinheitsanforderungen für Farbstoffe u. andere Stoffe bezüglich Schwermetall-Gehalt u. Gehalt an freien aromat. Aminen genannt. Die Anlage 2 (Liste 1 bis 11) behandelt die bes. Reinheitsanforderungen für folgende Stoffe: Farbstoffe; Konservierungsmittel; Antioxidantien; Emulgatoren u. Stabilisatoren; Verdickungsmittel, Geliermittel u. modifizierte Stärken; *Säurungsmittel u. Säureregulatoren; *Trennmittel, Überzugsmittel u. Kaumassen; *Geschmacksverstärker u. Aromastoffe (s. Aromen); Zuckeraustauschstoffe u. künstliche Süßstoffe; Stoffe für sonstige technolog. Zwecke wie z. B. Schmelzsalze (s. Schmelzkäse), Nitritpökelsalz, Backtriebmittel (s. Teiglockerungsmittel), *Aktivkohle u. anorgan. Salze; Stoffe für bes. Ernährungszwecke u. Vitamine.
In Anlage 3 der Zusatzstoff-Verkehrs-VO[6] sind die Analysenmeth. für die in den Anlagen 1 u. 2 festgesetzten Reinheitskriterien zusammengefaßt. Bei diesen Verf. handelt es sich ausschließlich um *Methoden nach § 35 LMBG.
Eine alphabet. Liste der Lebensmittelzusatzstoffe[7] erleichtert das Auffinden spezieller Verordnungen, in denen die Zulassung eines Z. für ein ganz bestimmtes Lebensmittel genaustens geregelt ist. Stand der Liste ist der 15. Januar 1985, so daß alle später zugelassenen Z. (z. B. Isomalt, s. Palatinit®) nicht enthalten sind. Stoffe für die seither die Zulassung als Lebensmittelzusatzstoff zurückgenommen wurde (z. B. *Propionsäure) sind andererseits in dieser Liste noch zu finden.
Die Zulassung von Z. für diätet. Lebensmittel regeln die Anlage 1 (zu technolog. Zwecken zugelassene Z.), die Anlage 1a (zu technolog. Zwecken nicht zugelassene Z.), die Anlage 2 (zu ernährungsphysiolog. u. diätet. Zwecken zugelassene Z.) u. die Anlage 3 (als *Kochsalz-Ersatzmittel zugelassene Z.) der Diät-VO[8].
Die Kennzeichnung von Z. auf Fertigpackungen hat im Rahmen des Zutatenverzeichnisses nach den Maßgaben der § 5 u. 6 der Lebensmittelkennzeichnungs-VO[9] zu erfolgen.
Zur Herst. von *Wein (unterliegt nicht der Lebensmittelgesetzgebung) sind nur die im § 2 der Wein-VO[10] genannten Behandlungsstoffe unter Berücksichtigung der Höchstmengen u. Reinheitsanforderungen (Anlage 2) zu verwenden. Entsprechende Definitionen u. Einzelregelungen für die Verw. von Z. in *Futtermitteln sind dem § 2, Absatz 1, Satz 2 des Futtermittelgesetzes[11] u. den § 16 bis 22 sowie der Anlage 3 der Futtermittel-VO[12] zu entnehmen.
Die § 5 u. 6 sowie die Anlagen 3 u. 6 der Trinkwasser-VO[13] regeln die Verw. von Z. bei der Trinkwasseraufbereitung.

Toxikologie: Die toxikolog. Relevanz von Lebensmittel-Z. wird im allg. erheblich überschätzt. Dazu hat in den Jahren 1986/87 eine gefälschte Liste mit der angeblichen Toxizität dieser Stoffe beigetragen. Sollten

jedoch begründete toxikolog. Bedenken gegen einen Z. bestehen, ist es möglich, diesem im Sinne des vorbeugenden Verbraucherschutzes die Zulassung zu entziehen (z. B. *Propionsäure). In jüngerer Zeit sind Berichte über das allergene Potential einiger weniger Z. (z. B. *Tartrazin, *Natriumbenzoat) häufiger [14,15]. Mit der toxikolog. Bewertung befassen sich folgende Organisationen bzw. Inst.:
– Joint Expert Committee on Food Additives (JECFA) der FAO/WHO
– Scientific Committee for Food (SCF) der Europ. Gemeinschaft
– Food and Drug Administration (*FDA)
– DFG-Senatskommission zur Beurteilung der gesundheitlichen Unbedenklichkeit von Lebensmitteln
– Fachvereinigung Lebensmittelzusatzstoffe beim *VCI
– *Codex Alimentarius Kommission der FAO/WHO
– Arbeitsgruppe „Zusatzstoffe" der Lebensmittelchem. Gesellschaft.
Einen Überblick über die Entstehung u. Rolle der *ADI-Werte für Z. gibt Lit.[16]. Zur Ausschöpfung der ADI-Werte s. Lit.[17]. Zur Analytik der Z. s. Lit.[18,19]; s. a. Lebensmittelzusatzstoffe. – E food additives – F additifs alimentaires – I additivi alimentari – S aditivos alimentarios

Lit.: [1] Gesetz über den Verkehr mit Lebensmitteln, Tabakerzeugnissen, kosmet. Mitteln u. sonstigen Bedarfsgegenständen vom 8. 7. 1993 i. d. F. vom 25. 11. 1994 (BGBl. I, S. 3538). [2] DFG (Hrsg.), Mitteilung I der Senatskommission zur Beurteilung der gesundheitlichen Unbedenklichkeit von Lebensmitteln, S. 4 f., Weinheim: VCH Verlagsges. 1991. [3] Tabak-VO vom 20. 12. 1977 i. d. F. vom 29. 10. 1991 (BGBl. I, S. 2053). [4] Kosmetik-VO vom 19. 6. 1985 i. d. F. vom 21. 3. 1991 (BGBl. I, S. 802). [5] Zusatzstoff-Zulassungs-VO vom 22. 12. 1981 i. d. F. vom 8. 3. 1996 (BGBl. I, S. 460). [6] Zusatzstoff-Verkehrs-VO vom 10. 7. 1984 i. d. F. vom 14. 12. 1993 (BGBl. I, S. 2092). [7] Bekanntmachung der Liste der zugelassenen Lebensmittelzusatzstoffe (Fundstellenliste) vom 15. 1. 1985, Bundesanzeiger Nr. 43 a vom 2. 3. 1985. [8] VO über diätetische Lebensmittel vom 25. 8. 1988 i. d. F. vom 21. 11. 1996 (BGBl. I, S. 1812). [9] VO über die Kennzeichnung von Lebensmitteln vom 6. 11. 1984 i. d. F. vom 21. 11. 1991 (BGBl. I, S. 2129). [10] Wein-VO vom 4. 8. 1983 i. d. F. vom 14. 1. 1991 (BGBl. I, S. 78). [11] Futtermittelgesetz vom 2. 7. 1975 i. d. F. vom 12. 1. 1987 (BGBl. I, S. 138). [12] Futtermittel-VO vom 8. 4. 1981 i. d. F. vom 16. 10. 1991 (BGBl. I, S. 1998). [13] Trinkwasser VO vom 5. 12. 1990 (BGBl. I, S. 2612), ber. 23. 1. 1991 (BGBl. I, S. 227). [14] Allergy **44**, 588–594 (1989). [15] J. Allergy Clin. Immunol. **86**, 421–442 (1990). [16] Food Add. Contam. **8**, 125–134, 135–150, 151–162 (1991). [17] Z. Lebensm. Unters. Forsch. **186**, 11–15 (1988). [18] J. Assoc. Off. Anal. Chem. **74**, 115 ff. (1991). [19] Schwedt, Chemie u. Analytik der Lebensmittelzusatzstoffe, Stuttgart: Thieme 1986.
allg.: Belitz-Grosch (4.), S. 385, 386 ▪ Branen et al. (Hrsg.), Food Additives, New York: Dekker 1990 ▪ Classen et al., Toxikologisch-hygienische Beurteilung von Lebensmittelinhalts- u. -zusatzstoffen sowie bedenklicher Verunreinigungen, Berlin: Parey 1987 ▪ Fachgruppe Lebensmittelchemie u. gerichtliche Chemie in der GDCh (Hrsg.), Zusatzstoffe – ihre Wirkung u. Anwendung in Lebensmitteln, Hamburg: Behr 1986 ▪ Food Chemicals Codex, Washington: Nat. Academy Press 1992 ▪ Glandorf, Zutatenliste von A bis Z, Hamburg: Behr, Loseblattsammlung 1990 ▪ Glandorf u. Kuhnert, Handbuch Lebensmittelzusatzstoffe, Hamburg: Behr, Loseblattsammlung 1990 ▪ Hudson (Hrsg.), Food Antioxidants, Amsterdam: Elsevier 1990 ▪ Reg. Toxicol. Pharmacol. **11**, 3–7 (1990) ▪ Specifications for Identity and Purity of Certain Food Additives,
Roma: FAO 1986 ▪ Tolkmitt, Ausländisches Lebensmittelrecht Codex Alimentarius, Hamburg: Behr, Loseblattsammlung 1989 ▪ Ullmann (5.) **A 11**, 561–584 ▪ WHO (Hrsg.), Toxicological Evaluation of Certain Food Additives and Contaminants, WHO Food Additives Series: 28, Geneva: WHO 1991 ▪ WHO (Hrsg.) Environmental Health Criteria 70, Principles for the Safety Assessment of Food Additives and Contaminants in Food, Geneva: WHO 1987 ▪ Winnacker-Küchler (3.) **3**, 568–573; (4.) **7**, 414 ▪ Zipfel, C 100, C 120 ▪ Zusatzstoffe, ihre Wirkung u. Anwendung in Lebensmitteln, Hamburg: Behr 1986. – Zeitschriften u. Serien: Evaluation of Certain Food Additives and Contaminants, Geneva: WHO (seit 1972) ▪ Food Additives and Contaminants, London: Taylor & Francis (seit 1984) ▪ Mitteilungen der DFG-Kommission zur Prüfung von Lebensmittelzusatz- u. -inhaltsstoffen, Weinheim: VCH Verlagsges. ▪ Specifications for the Identity and Purity of Food Additives..., Roma: FAO (1964–1970) ▪ WHO Food Additives Series, Geneva: WHO (seit 1964) ▪ s. a. Lebensmittel(chemie), Nahrungsmittel u. einzelne Z.-Klassen.

Zusatzstoff-Zulassungs-Verordnung s. Zusatzstoffe.

Zuschläge, Zuschlagstoffe. 1. In der Metallurgie: Bez. für eine Gruppe schlackenbildender, fester, nichtmetall. Stoffe [Kalk (Schlackenbildung), Quarz (Flußmittel für bas. Schlacken), Glas u. Alkalien (Abdeckschlacke in elektr. Schmelzöfen) sowie Bauxit u. Flußspat (Schmelztemp.-Erniedrigung von Schlacken)], die beim Schmelzen von Metallen od. zur Behandlung von Metallschmelzen zugesetzt werden. Die Z. bilden eine flüssige Schlacke auf dem Metallbad, schützen dies vor der Aufnahme von Stoffen aus der Glühatmosphäre u. nehmen oxid., sulfid. u. a. in der Metallschmelze unlösl. Fremdbestandteile auf, s. Hochofen, Hochofenschlacke. – 2. In der Bau-Ind.: s. Betonzusatzmittel. – 3. In der Kunststoffverarbeitung: s. Additive. – E charges, fluxes – F fondants – I aggiunte, additivi, fondenti – S fundentes

Zustand. In Physik u. physikal. Chemie Bez. für die augenblickliche Lage od. Beschaffenheit eines *Stoffes od. eines *Systems. Atomare u. mol. Z. werden durch *Quantenzahlen, *Terme u. a. Notationen der theoret. Chemie charakterisiert; Beisp.: Elektronen im *Grundzustand u. *Anregungs-Z. (s. a. Photochemie), Elektronen in bindenden, antibindenden u. in radikal. Z. od. im *Übergangszustand etc. Zur Z.-Beschreibung einfacher (homogener u. isotroper) Körper od. *thermodynamischer Systeme benötigt man die Kenntnis der Z.-Größen Vol., Druck u. Temp. (vgl. Zustandsgleichung, s. a. Aggregatzustände); manchmal erweist sich die Verw. der reduzierten Z.-Größen als zweckmäßiger (s. Theorem der übereinstimmenden Z. bei kritische Größen). Bei anisotropen Stoffen u. bei heterogenen Syst. müssen weitere Parameter (vgl. Phasen) berücksichtigt werden. Aus Vol., Druck u. Temp. durch *Zustandsgleichungen ableitbare Z.-Größen wie innere Energie, Enthalpie, Entropie u. Wärmekapazität werden Z.-Funktionen genannt. In einigen zusammengesetzten Begriffen wird Z. unabhängig von seiner thermodynam. Bedeutung verwendet (s. a. die folgenden Stichwörter): *Gleichgewichts-Z., *stationärer Zustand, *metastabiler Zustand (s. a. Stabilität), kolloider Z. (s. Kolloidchemie). – E state – F état – I stato – S estado

Lit.: s. Kinetik u. Thermodynamik.

Zustandsänderung. In der Thermodynamik Bez. für die Änderung des *Zustandes eines *thermodynamischen Systems. Eine Z. kann *reversibel ablaufen (*Beisp.:* *Carnotscher Kreisprozeß) od. *irreversibel, wobei die Entropie zunimmt; ggf. folgen derartige Z. der *Ostwaldschen Stufenregel. Je nachdem, welche der drei Zustandsvariablen Vol., Druck u. Temp. konstant gehalten wird, kann man die Z. beschreiben u. graph. in *Zustandsdiagrammen darstellen als *Isochore* (konstantes Vol.), *Isobare* (konstanter Druck) od. *Isotherme* (konstante Temp.). Z. ohne Wärmeaustausch mit der Umgebung des Syst. verlaufen auf der *Adiabate*, solche ohne Änderung der Enthalpie auf der *Isenthalpe* (*Beisp.:* *Joule-Thomson-Effekt) u. solche ohne Änderung der Entropie auf der *Isentrope* (*Beisp.:* Die adiabat. Z. bei Kreisprozessen). Die Änderung der Zustandsgrößen u. -funktionen ist durch *Zustandsgleichungen erfaßbar. – *E* change of state – *F* variation (changement) d'état – *I* cambiamento di stato – *S* cambio de estado

Lit.: s. Aggregatzustände, Gase, Phasen, Thermodynamik.

Zustandsdiagramme. Bez. für mehr od. weniger komplizierte zwei- od. dreidimensionale Schaubilder, in denen die verschiedenen Zustände von festen, flüssigen u. gasf. Stoffen od. Stoffgemischen, von Leg., Lsg., Schmelzen usw. in Abhängigkeit von Temp., Druck od./u. Zusammensetzung (*Zustandsänderungen bei Gasen häufig als pT- od. pV-Diagramm; *Beisp.* s. Carnotscher Kreisprozeß u. Stirlingscher Kreisprozeß) dargestellt sind. In der Mehrzahl der Fälle handelt es sich bei diesen graph. Darst. thermodynam. *Gleichgewichte um *Phasendiagramme*, d.h. Schmelz- od. Siedediagramme von Einstoffsyst. od. von *binären bzw. Zweistoff-Systemen mit od. ohne Mischungslücken; Näheres s. bei Gibbssche Phasenregel, s.a. Eutektikum u. Eisen-Kohlenstoff-System. Die Zustandsformen, die sich bei 900 °C aus einer Mischung der drei Elemente Eisen, Chrom u. Silicium ergeben, sind u.a. in *Lit.*[1] dargestellt. Z. von *ternären bzw. Dreistoff-Syst. nehmen meist Dreiecksform an. Als Z. kann man auch graph. Darst. von Zustandsänderungen aus dem mikrophysikal. Bereich – Elektronen-, Bindungs-, Energiezustandsänderungen – ansehen, s. die Abb. bei Katalyse (Abb. 1), Konformation (Abb. 2), Morse-Potential, Übergangszustand. – *E* diagrams of state – *F* diagrammes d'état – *I* diagrammi di stato – *S* diagramas de estado

Lit.: [1] Spektrum Wiss. **1995**, Nr. 11, 96.
allg.: s. Aggregatzustände, Phasen u. Thermodynamik.

Zustandsdichte. Anzahl der möglichen Zustände eines physikal. od. chem. Syst. (z.B. eines Mol., eines *Übergangszustands einer chem. Reaktion od. eines Festkörpers) pro Energieintervall: $\rho = dN/dE$. Die Z. spielt z.B. in der Festkörperphysik u. in der Theorie *unimolekularer Reaktionen eine wichtige Rolle. – *E* density of states – *F* densité des états – *I* densità di stati energetici – *S* densidad de los estados

Zustandsfunktionen s. Zustand.

Zustandsgleichungen. Insbes. für *Gase entwickelte mathemat. Formulierungen der gegenseitigen Abhängigkeiten der *Zustandsgrößen* Druck, Vol. u. Temperatur. Die Z. bilden die Grundlagen der *Gasgesetze, wobei sich die nur für *ideale Gase gültige allg. *therm. Z.* ($pV = nRT$) nach Einführung der *Van-der-Waals-Konstanten od. reduzierter Zustandsgrößen (s. kritische Größen) auch auf *reale Gase anwenden läßt. Die *kalor. Z.* verknüpfen die Zustandsgrößen mit den Zustandsfunktionen innere Energie, *Enthalpie u.a., s. Hauptsätze. Die 8 elektromechan. Z. beschreiben den piezo-elektr. Effekt (s. Piezoelektrizität). – *E* equations of state – *F* équations d'état – *I* equazioni di stato – *S* ecuaciones de estado

Lit.: Kohlrausch, Praktische Physik 1, S. 411 ff., Stuttgart: Teubner 1996 ▪ s.a. Gase, Thermodynamik.

Zustandsgrößen s. Zustand.

Zustands-Korrelationsdiagramm. Begriff aus der *theoretischen Chemie. Das Z.-K. verknüpft elektron. Zustände gleicher Symmetrie längs eines bestimmten Reaktionsweges.

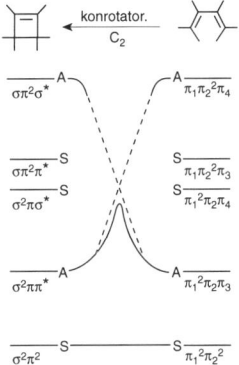

Abb.: Zustands-Korrelationsdiagramm von *cis*-Butadien/Cyclobuten.

Die Abb. zeigt ein schemat. Z.-K. für den *konrotatorischen Ringschluß von *cis*-Butadien zu Cyclobuten (s.a. Woodward-Hoffmann-Regeln). Diese Reaktion ist therm. erlaubt. Sie ist hingegen photochem. verboten, da die beiden ersten angeregten Zustände durch eine hohe Energiebarriere verknüpft sind. – *E* state correlation diagram – *F* diagramme de corrélation d'état – *I* diagramma di correlazione di stato – *S* diagrama de correlación de estado

Lit.: Klessinger, Elektronenstruktur organischer Moleküle, Weinheim: Verl. Chemie 1982.

Zustandssumme. Wichtiges mathemat. Hilfsmittel der statist. *Thermodynamik u. statist. Theorien der *Reaktionsdynamik; s.a. unimolekulare Reaktionen. Die Z. ist definiert als

$$q = \sum_i g_i \exp(-E_i/kT),$$

wobei g_i der Entartungsgrad (od. statist. Gew.) des i-ten Zustands mit zugehöriger Energie E_i, k die Boltzmann-Konstante (s. Fundamentalkonstanten) u. T die abs. Temp. sind. Die Summation wird über alle Energiezustände des Syst. durchgeführt. Ist das betrachtete Syst. ein einzelnes Mol., dann läßt sich die Z. meistens in guter Näherung als Produkt aus Translations-, Rotations-, Schwingungs- u. Elektronenanregungs-Anteil schreiben: $q \approx q_{trans} \cdot q_{rot} \cdot q_{vib} \cdot q_{el}$. *Beisp.:* Z. des HCl-Mol. bei 25 °C ist $q = 4{,}27 \cdot 10^{27}$, wobei $q_{el} = 1$,

$q_{vib} = 1,00$, $q_{rot} = 19,9$ u. $q_{trans} = 2,2 \cdot 10^{26}$. – *E* partition function – *F* fonction de partition, somme d'états – *I* funzione di partizione, somma di stato – *S* función de partición, suma de estados
Lit.: s. statistische Mechanik.

Zwangslizenz s. Lizenz.

Zwangsumlaufkessel. Für die Erzeugung größerer Dampfmengen werden Wasserrohrkessel eingesetzt, in denen Speisewasser um- od. durchläuft u. dabei verdampft wird. Beim Z. (La-Mont®-Kessel) wird der Wasserumlauf im Verdampfer zusätzlich durch eine Umwälzpumpe unterstützt, die bes. bei schwankender Heizleistung von Vorteil ist. – *E* forced circulation boiler – *F* chaudière à tubes d'eau à circulation forcée – *I* caldaia a circolazione forzata – *S* caldera de circulación forzada
Lit.: Ullmann (4.) **2**, 351.

Zweibasige Säuren s. Säuren.

Zweibasige Schießpulver s. Schießpulver.

Zweierstoß s. Stoßprozesse.

Zweifilmmodell (Zweifilmtheorie). Modell zur Beschreibung des Stoffdurchgangs durch eine *Grenzfläche.

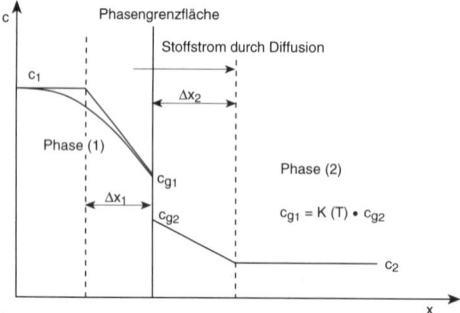

Abb.: Veranschaulichung des Zweifilmmodells.

Bei der Zweifilmtheorie wird angenommen, daß der Stofftransport einer Komponente von einer Phase (1) in die Phase (2) durch Diffusion durch die beiderseits der Phasengrenze befindlichen Grenzschichten erfolgt. Dabei soll sich in der Phasengrenze für den Stoffdurchtritt kein Widerstand aufbauen, so daß die Phasengrenzkonz. c_g im Phasengleichgew. sind. Für ein Syst. flüssig/flüssig gilt dann $c_{g1} = K(T) \cdot c_{g2}$, wobei $K(T)$ der Nernstsche Verteilungskoeff. der in den beiden Phasen gelösten Komponente ist; für andere Phasensyst. gelten die entsprechenden Beziehungen. Der Stoffstrom von Phase (1) in Phase (2) läßt sich mit Hilfe des Fickschen Diffusionsgesetzes formulieren

$$\dot{u} = -D_1 \cdot \frac{dc_1}{dx} = -D_2 \cdot \frac{dc_2}{dx},$$

wobei $\dot{u}$ die Stoffstromdichte der übergehenden Komponente, D_1 u. D_2 deren Diffusionskoeff. in der Phase (1) bzw. Phase (2) u. $\frac{dc_1}{dx}$ sowie $\frac{dc_2}{dx}$ die Konz.-Gradienten in der Diffusionsgrenzschicht sind. Linearisiert man den Konz.-Verlauf in der Diffusionsgrenzschicht (s. Abb.), dann lassen sich die Konz.-Gradienten schreiben als

$$-\frac{dc_1}{dx} = \frac{(c_1 - c_{g1})}{\Delta x_1} \text{ u. } -\frac{dc_2}{dx} = \frac{(c_{g2} - c_2)}{\Delta x_2},$$

wobei Δx_1 u. Δx_2 fiktive Grenzschichtdicken der Stellen sind, die aus der Linearisierung des Konz.-Verlaufes resultieren. Mit der Linearisierung erhält man für die Stoffstromdichte

$$\dot{u} = \frac{D_1}{\Delta x_1} \cdot (c_1 - c_{g1}) = \frac{D_2}{\Delta x_2} \cdot (c_{g2} - c_2).$$

Hierbei sind $\frac{D_1}{\Delta x_1} \equiv \beta_1$ u. $\frac{D_2}{\Delta x_2} \equiv \beta_2$ die Stoffübergangskoeff. für die übergehende Komponente in der jeweiligen Phase. Zur Auslegung von Stoffaustauschapparaten mit dem Z. wird die Stoffstromdichte mit den in den beiden Phasen vorliegenden Konz. c_1 u. c_2 formuliert. Hierzu wird obige Gleichung umgeformt in

$$\frac{\dot{u}}{\beta_1} = c_1 - c_{g1} \text{ u. } \frac{\dot{u}}{\beta_2} = c_{g2} - c_2$$

bzw. $K(T) \cdot \frac{\dot{u}}{\beta_2} = K(T) \cdot c_{g2} - K(T) \cdot c_2$. Addiert man nun die beiden Gleichungen, erhält man

$$\frac{\dot{u}}{\beta_1} + \frac{\dot{u}}{\beta_2} \cdot K(T) = c_1 - c_{g1} + K(T) \cdot c_2 - K(T) \cdot c_{g2}$$

Da wegen des Nernstschen Gesetzes

$$0 = -c_{g1} + K(T) \cdot c_{g2}$$

ist, folgt

$$\dot{u} \cdot \left(\frac{1}{\beta_1} + \frac{K(T)}{\beta_2}\right) = c_1 - K(T) \cdot c_2 = c_1 - c_1^*$$

od.

$$\dot{u} = \frac{1}{\frac{1}{\beta_1} + \frac{K(T)}{\beta_2}} \cdot (c_1 - c_1^*),$$

so daß die Stoffstromdichte aus den einzelnen Stoffübergabekoeff. u. der Gesamtkonzentrationsdifferenz $(c_1 - c_1^*)$ zwischen den beiden Phasen zu berechnen ist.

Obwohl das Z. eine starke Vereinfachung der wirklichen Verhältnisse darstellt, wird es in vielen Fällen bei der Berechnung von Stoffaustauschapparaten angewendet. Häufig läßt sich auch mit Hilfe des Z. zeigen, daß der Transportwiderstand in einer der beiden Phasen vernachlässigbar ist. – *E* two-film theory – *F* théorie des deux pellicules – *I* teoria a due film – *S* teoría de las dos películas
Lit.: Dialer, Onken u. Leschonski, Grundzüge der Verfahrenstechnik und Reaktionstechnik, München: Hanser 1986 ▪ Ullmann (5.) **B 1**, 4-78 ▪ Winnacker-Küchler (4.) **1**, 172.

Zweikernig s. Koordinationslehre.

Zweikomponentenfasern s. Bikomponentenfasern.

Zweikomponentenklebstoffe. Bez. für chem. abbindende *Klebstoffe, bei denen *Monomere u./od. reaktive *Oligomere einerseits u. *Härter andererseits als separate Komponenten vorliegen, die erst kurz vor der Anw. vom Benutzer zusammengemischt werden; Beispl. hierfür sind Reaktionsklebstoffe auf Basis von Epoxiden u. amin. Härtern. Z. sind aber auch Syst. aus Abmischungen von polymerisierbaren Komponenten u. inaktiviertem, unter Anw.-Bedingungen aber z. B. durch Wärme aktivierbarem Härter; Beispl. für derartige Syst. sind u. a. flüssige Epoxidharze, in denen eingekapselte Amine dispergiert sind. – *E* two-package adhesives, two-component adhesives – *F* colle à deux composants – *I* adesivi a due componenti – *S* pegamentos de dos componentes

Lit.: Chem. Ztg. **108**, 267–274 (1984) ▪ Ullmann (5.) **A 1**, 221–267.

Zweikomponenten-Lacke s. säurehärtende Lacke.

Zweiphasendruck. Z. ist v. a. im Direktdruck mit *Küpen- u. *Reaktivfarbstoffen angewendetes Verf., bei dem im ersten Arbeitsgang Druckfarben, die lediglich Farbstoff, Verdickung u. Wasser enthalten, aufgedruckt werden. Nach dem Zwischentrocknen erfolgt in einer zweiten Stufe das Imprägnieren (s. Klotzen) mit Chemikalien (Red.-Mittel u. Alkalien für Küpenbzw. nur Alkalien für Reaktivfarbstoffe) u. die Fixierung der Farbstoffe auf der Faser durch Dämpfen, Heißluft- od. Kaltfixierung (nur Reaktivfarbstoffe). Dadurch resultieren colorist. u. ökonom. Vorteile. – *E* two-phase printing process – *F* procédé d'impression en deux phases – *I* stampa bifase – *S* procedimiento de impresión en dos fases

Zweiphasen-Titration. Analyt. Verf. zur Bestimmung anion. (od. kation.) *Tenside mit einem entgegengesetzt geladenen tensid. Gegenion (s. Epton-Titration), im Falle anion. Analyten überwiegend mit *Benzethoniumchlorid (Hyamin 1622). Das nichtpolare Ionenpaar wird kontinuierlich in die organ. Phase, z. B. Chloroform, extrahiert. Als Indikator dient eine Mischung aus einem wasserlösl. kation. Farbstoff, Dimidiumchlorid, u. einem wasserlösl. anion. Farbstoff, Disulfinblau. Dimidiumchlorid bildet mit Aniontensiden ein extrahierbares Ionenpaar, das die organ. Phase charakterist. färbt (pink). Am Endpunkt, an dem der kation. Titrant den Farbstoff verdrängt, tritt ein Farbwechsel nach blau ein. Da die Titration bei pH 1,0–1,8 durchgeführt wird, kann Seife nicht erfaßt werden. Vor einer eventuellen mutagenen Wirkung von Dimidiumbromid wurde gewarnt, so daß bei der Handhabung Schutzmaßnahmen angezeigt sind[1]. Neben anderen Indikatorsyst.[2] besteht eine Alternative zur klass. Z.-T. in der potentiometr. Titration mit tensidsensitiven Elektroden unter Einsatz spezif. Titranten[3]. – *E* two-phase titration

Lit.: [1] Tenside Surf. Det. **32**, 469 (1995). [2] Tenside Surf. Det. **34**, 183 ff. (1997). [3] Tenside Surf. Det. **32**, 6–11 (1995). *allg.:* DGF-Einheitsmethoden (10. 1998) H-III 10 (1994) u. 10a (1992) ▪ Hauthal (Hrsg.) Alkansulfonate, S. 189–217, Leipzig: VEB Deutscher Verlag für Grundstoffind. 1985 ▪ Schick u. Fowkes (Hrsg.), Analysis of Surfactants, S. 37–40, New York: Dekker 1992 ▪ Schulz, Titration von Tensiden u. Pharmaka, Augsburg: Verl. für chem. Industrie H. Ziolkowsky 1996.

Zweiphotonen-..., Zweiquanten-... s. Mehrphotonen-Spektroskopie u. Photochemie, S. 3300.

Zweipunktregler. Der Z. ist im Prinzip ein einfacher Schalter, mit dem in einem Regelkreis ein Stellglied ein- u. ausgeschaltet wird. Häufiges Einsatzgebiet ist die elektr. Beheizung von Apparaten, bei denen ein Stellstrom geschaltet wird. Solange die Temp. des Apparates unter ihrem Sollwert ist, bleibt der Stromkreis geschlossen. Aufgrund der therm. Trägheit wirkt sich die Regelung bei Erreichen des Sollwertes nicht sofort aus, sondern die Temp. steigt meist um einen bestimmten Betrag (der von der Reglerempfindlichkeit u. der Heizleistung abhängt) weiter an. Bei Abkühlung nach dem Ausschalten des Stellstroms kommt es aus den gleichen Gründen zu einer Unterschreitung des Sollwertes. Die Regelgröße pendelt also ständig um ihrem Sollwert. – *E* two-step controller, on-off controller – *F* régulateur à tot ou rien, régulateur à deux positions – *I* regolatore on-off – *S* regulador de dos posiciones, regulador de todo o nada

Lit.: Ullmann (5.) **B 6**, 391 ff.

Zweisäurige Basen s. Basen.

Zweistoffdüse. Bez. für Düsen, in deren Innerem od. an deren Mündung mittels getrennter Zugänge Stoffe z. B. verschiedenen Aggregatzustandes intensiv vermischt u. soweit möglich in Lsg. gebracht werden. Neben der Wasserstrahlpumpe, deren Nutzen fast ausschließlich in der Saugwirkung auf ein gasf. Medium infolge des Wasserstrahldrucks liegt, haben Z. seit Anfang der 70er Jahre auch Anw. in der Zerstäubung u. in der Abwassertechnologie gefunden (s. a. Volumenbelüfter). – *E* two-phase nozzles – *F* tuyère binaire – *I* ugello a due sostanze – *S* tobera binaria

Lit.: s. Volumenbelüfter.

Zweistoffsysteme s. binäre Systeme u. Phasen (Abb.).

Zweitanmelderschutz. Bez. für eine bes. von der *Pharmazeutischen Industrie begrüßte Regelung auf dem *Patent-Gebiet, derzufolge die den Nachfolgeinst. des ehem. *Bundesgesundheitsamtes vorzulegenden Zulassungsunterlagen des Erfinders eines Arzneimittel-Präp. (mit den – nicht patentfähigen – Prüfungs- u. a. Forschungsergebnissen) innerhalb von 10 Jahren nach Beginn der Präp.-Vermarktung nicht von *Nachahmern (Zweitanmeldern)* genutzt werden dürfen. – *E* second applicant protection – *F* protection contre une seconde demande de brevet – *I* protezione di notifica nei confronti di una seconda parte – *S* protección contra doble solicitante de patente

Zweiter Bote s. second messenger.

Zweiter Hauptsatz s. Hauptsätze.

Zweiwertige Basen bzw. **Säuren** s. Basen bzw. Säuren.

Zweizähnig s. Koordinationslehre.

Zwergwuchs s. Somatotropin.

Z-Wert. Von Kosower[1] eingeführte Maßzahl für die *Ionisierungsstärke* von *Lösemitteln, die sich errechnen läßt aus der Gleichung $Z = 1,1962 \cdot 10^5/\lambda$ [kJ/mol] mit λ = längstwelliges Absorptionsmaximum von 1-Ethyl-4-methoxycarbonylpyridinium-iodid im betreffenden Lösemittel. – *E* Z value – *F* valeur Z – *I* valore Z – *S* valor Z

Lit.: [1] J. Am. Chem. Soc. **80**, 3253 (1958). *allg.:* Pure Appl. Chem. **55**, 1368 (1983).

Zwetsch(g)en s. Pflaumen.

Zwieback. Nach Abschnitt II, Buchstabe G der Leitsätze für Dauerbackwaren[1] wird Z. durch zweimaliges Erhitzen (Backen im Stück u. Rösten der daraus abgeteilten Scheiben) meist unter Verw. von Hefe

Zwiebelane

als knuspriges Gebäck hergestellt. Ein neueres Verf. zur Herst. von Z. ist die Heißextrusion.
Zusammensetzung (in %): Wasser 4,2; Eiweiß 10,6; Fett 3,7; Kohlenhydrate 67,6; Ballaststoffe 5,2; Mineralstoffe 1,7; *physiologischer Brennwert: 1736 kJ/100 g. *Nährzwieback* ist ein qual. höherwertiges Erzeugnis, das auf 100 kg Getreidemehl mind. 10 kg Butter, 10 kg Eimasse (3,5 kg Eigelb) u. Vollmilch enthalten muß. Produktion (BRD, 1996): 28 300 t. – *E* rusk, [USA] biscuit – *F* biscotte, biscuit – *I* pane biscottato – *S* bizcocho
Lit.: [1] Zipfel, C 308. – *[HS 1905 40]*

Zwiebelane [2*exo*,3*exo*- u. (±)-2*exo*,3*endo*-Dimethyl-5,6-dithiabicyclo[2.1.1]hexan-5*endo*-oxid).

Zwiebelan A   Zwiebelan B   (Racemat)

$C_6H_{10}OS_2$, M_R 166,27. Bez. für zwei isomere biolog. aktive Verb. aus der Zwiebel (*Allium cepa*). Z. verfügen über antiasthmat. Wirkung. Die Synth. erfolgt z. B. durch Oxid. von Di(1-propenyl)disulfid mit Peroxyessigsäure. – *E* = *F* zwiebelanes – *I* zwiebelani – *S* zwiebelanos
Lit.: Chem. Unserer Zeit **23**, 102 (1989) ▪ J. Agric. Food Chem. **40**, 2431 (1992) ▪ J. Am. Chem. Soc. **111**, 3085 f. (1989); **112**, 4584 (1990); **118**, 2791, 2799 (1996). – *[CAS 120637-81-2 (Z. A); 120709-22-0 (Z. B)]*

Zwiebeln. 1. Für Liliengewächse (Liliales) typ. unterird., knollige, vielschalige Pflanzenorgane (*Bulbus*), die aus dem fleischigen Blattgrund von nach oben abgestorbenen Blättern gebildet werden. Der Name Z. leitet sich ab von latein.: cepa über cepolla (Zwiebelchen) u. mittelhochdtsch.: zwibolle.
2. Im Haushalt versteht man unter Z. (*Küchenzwiebeln*) die Knollen der seit vielen Jahrhunderten kultivierten Zwiebelpflanze *Allium cepa*. Das Z.-Fleisch ist weiß, gelb od. grünlich, die Schale silberweiß, gelb, rosa, rot u. violett. Je 100 g Z. enthalten durchschnittlich 87,6 g Wasser, 1,3 g Eiweiß, 0,3 g Fett, 6,2 g Kohlenhydrate (vorwiegend Fructose sowie 0,6 g Faserstoffe), 170 mg Apfelsäure, 20 mg Citronensäure u. 23 mg Oxalsäure; der Nährwert beträgt 159 kJ (38 kcal). Der Gehalt an *Vitaminen A, B, C u. a. ist durchschnittlich, desgleichen der an Mineralstoffen K, Na, Ca, Mg, P, Cl etc.; erhöht ist der Schwefel-Anteil (51 mg). Die charakterist. Inhaltsstoffe der Z. sind – ähnlich wie bei dem verwandten Knoblauch (s. Knoblauch-Inhaltsstoffe), *Lauch u. *Schnittlauch – Derivate von Schwefel-haltigen Aminosäuren wie 5-Methyl-1,4-thiazinan-3-carbonsäure-1-oxid (*Cycloalliin*, wirkt fibrinolyt.), *S*-Allylcysteinsulfoxid (*Alliin), *S*-Propyl- u. *S*-Methylcysteinsulfoxid. Das Enzym *Alliinase* spaltet Alliin u. läßt antibiot. wirksames *Allicin entstehen. Der erst beim Verletzen des Gewebes der Knollen durch Anschneiden od. Zerreiben auftretende scharfe, tränenreizende, charakterist. Geruch entsteht durch Einwirkung der Alliinase auf das mit Alliin isomere 3-(1-Propylsulfinyl)-alanin [*(+)-*S*-((*E*)-1-Propenyl)-L-cystein-(*R*)-sulfoxid], wobei als eigentlicher *Tränenreizstoff das *Propanthial-*S*-oxid freigesetzt wird. Das ether. Öl der Z. (0,005–0,015%) enthält die Dimethyl-, Methylpropyl-, Dipropyl-, Allylpropyl-, Propenylpropyldisulfide u. -trisulfide sowie Alkylthiosulfonate, verschiedene Alkohole u. Aldehyde. Nach dem *Rösten werden Dimethylthiophene u. nach dem Kochen Polysulfide aromabestimmend.
Verw.: Z. sind weltweit verbreitet u. finden in zahlreichen Kultursorten als Küchengewürz u. Gemüse, in Salaten, Suppen, Fleischspeisen etc. sowohl roh als auch gedünstet, geröstet, als Pulver, Extrakt, Zwiebelsalz usw. Verwendung. Spezielle Züchtungen sind die aus Sibirien stammende *Winterzwiebel* sowie die kleinere eiförmige *Schalotte* u. die haselnußgroße kugelige *Perlzwiebel*, die beide vorwiegend zum Einlegen von Gurken, für Mixed Pickles u. a. Essiggemüse verwendet werden. – *E* onions – *F* oignons – *I* cipolle – *S* cebolla
Lit.: Franke, Nutzpflanzenkunde, 6. Aufl., S. 204 ff., Stuttgart: Thieme 1997 ▪ s. a. Knoblauch-Inhaltsstoffe. – *[HS 0703 10]*

Zwieselit s. Triplit.

Zwikker-Reaktion. Nachw. von *Barbitursäure-Derivaten mit Co(II)-nitrat u. Pyridin (Violettfärbung). – *E* Zwikker's test – *F* réaction de Zwikker – *I* test di Zwikker – *S* reacción de Zwikker
Lit.: DAB **9/1** Komm., 97 f. ▪ Hager **2**, 197.

Zwillinge. *Kristalle können in verschiedener Weise von der idealen dreidimensionalen period. Anordnung der Bausteine abweichen (s. Kristallbaufehler). Z. od. Z.-Krist. sind zwei od. mehrere (Drillinge, Vierlinge, allg. Mehrlinge) miteinander systemat. nach bestimmten Symmetrieelementen (Symmetrieebene, Drehachse, Inversionszentrum) verwachsene Kristallindividuen (s. Abb. 1).

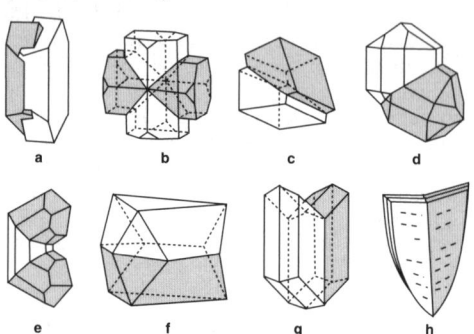

Abb. 1: Beisp. für Zwillingsbildungen.

Hinsichtlich ihrer Entstehung unterscheidet man Wachstums-, Verformungs- u. Umwandlungs-Zwillinge. *Wachstums*-Z. sind in der Natur weit verbreitet; manche Substanzen treten prakt. ausschließlich verzwillingt auf (*Beisp.:* *Orthoklas). Sind bestimmte Gesetzmäßigkeiten bei der Z.-Bildung bes. häufig, dann tragen die Z.-Gesetze Namen. So kennt man z. B. Orthoklas-Z. nach dem *Karlsbader*, dem *Manebacher* (Abb. 2) u. dem *Bavenoer* Gesetz (s. a. Abb. bei Orthoklas).
Verformungs-Z. entstehen bei mechan. Beanspruchung (Einwirkung von Scherkräften). Im Gegensatz

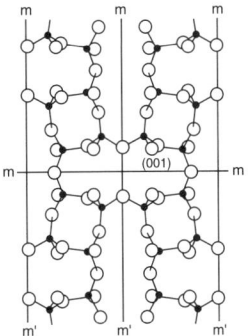

Abb. 2: Struktur eines Orthoklas-Zwillings nach dem Manebacher Gesetz; Projektion auf einer Ebene senkrecht zur a-Achse. Die Zwillingsebene ist eine Spiegelebene in (001); nach Ramdohr-Strunz, S. 188, *Lit.*

zur plast. Deformation eines Krist. durch Gleitung (Abb. 3a), bei der ganze Gitterbereiche um ein ganzzahliges Vielfaches der Translationsperiode τ verschoben werden, ist bei der mechan. Z.-Bildung die Verschiebung der Bausteine proportional zu ihrem Abstand von der Z.-Ebene. Ausgehend von der Z.-Ebene wird also jede Gitterebene des Versetzungsbereichs um den *Burgers*-Vektor b gegenüber der Nachbarebene teilverschoben. Nach der Z.-Gleitung ist der betroffene Kristallbereich in Z.-Stellung zum unverschobenen Bereich (Abb. 3b).

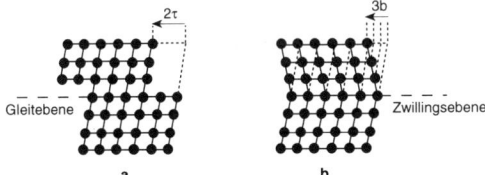

Abb. 3: a) Plast. Verformung durch Gleitung; – b) mechan. Zwillings-Bildung (τ = Translationsperiode, b = Burgers-Vektor); nach Weiss u. Witte, *Lit.*

Umwandlungs-Z. treten bei polymorphen Substanzen beim Übergang von einer krist. Hochtemp.-*Modifikation in eine niedriger symmetr. Tieftemp.-Modif. auf, wobei die Symmetrie quasi in Form der *Verzwillingung* (häufiger findet man übrigens die Schreibweise „Verzwilligung") konserviert wird. Solche scheinbar höhersymmetr. Z.-Stöcke werden auch *mimet.* Z. genannt. Nach Art der Verwachsung unterscheidet man auch *Kontakt-* od. *Berührungs-*Z., wobei die Z.-Ebene gleichzeitig Verwachsungsebene ist, u. *Penetrations-* od. *Durchdringungs-*Z., bei denen sich die Individuen meist mit unregelmäßigen aber genau definierten Grenzen durchdringen. Von *polysynthet.* od. *lamellaren* Z. spricht man, wenn sich die Verzwillingung nach der gleichen Gesetzmäßigkeit vielfach wiederholt. Polysynthet. Z. mit sehr dünnen Z.-Lamellen täuschen oft eine höhere Symmetrie als die des Einkrist. vor.

Zur Unterscheidung von Z. wendet man besser strukturelle Kriterien an. Gehört das Z.-Element nicht den Elementen der Kristallstruktur an, dann kann man Z. meist durch opt. Meth. (unterschiedliches Auslöschungsverhalten im polarisierten Licht, einspringende Winkel, Lamellen-Bildung usw.) aber auch röntgenograph. erkennen. Schwieriger sind Z. von Einkrist. zu unterscheiden, wenn sich die *reziproken Gitter deckungsgleich überlagern. Gehört das Z.-Element zur Gittersymmetrie, dann spricht man von *meroedr.* Zwillingen. *Pseudomeroedrie* hingegen liegt vor, wenn die beiden Gitter lediglich aufgrund metr. Besonderheiten vollständig zur Deckung kommen. Vermutlich wurden bei vielen Kristallstruktur-Bestimmungen solche Z. nicht erkannt. Probleme dieser Art spielen bei *Pulvermethoden naturgemäß keine Rolle. Kennt man das Z.-Gesetz, dann kann man auch (mit erhöhtem Aufwand) *Röntgenstrukturanalysen von Z. mit brauchbaren Ergebnissen durchführen. Heute erleichtert v. a. der Einsatz ortsempfindlicher Detektoren (s. Röntgenstrukturanalyse) die Bestimmung des Z.-Gesetzes bei nicht-meroedr. Z. ungemein. Moderne Verfeinerungsprogramme wie z. B. SHELXL97 erlauben die Behandlung sowohl von nicht-meroedr. als auch von meroedr. Zwillingen [1]. Einfache Beisp. für Z. findet man bei den in kub. dichtester Kugelpackung kristallisierenden Metallen (z. B. Cu, Ag, Au). Während die reguläre Schichtenfolge ...ABC ABC ABC... ist, kann eine Störung der Reihenfolge gemäß ...ABC ABA CBA... eintreten; die Schicht B stellt nun eine Spiegelebene, die Z.-Ebene dar. – *E* twins, twinning – *F* macles – *I* geminati – *S* maclas

Lit.: [1] Acta Crystallogr. Sect. B **54**, 443–449 (1998). *allg.:* Pitteri u. Zanozotti, Continuum Models for Twinning in Crystals, London: Chapman & Hall 1997 ■ Ramdohr-Strunz, S. 72–75, 186 ff. ■ Weiss u. Witte, Kristallstruktur u. chemische Bindung, S. 296, Weinheim: Verl. Chemie 1983.

Zwillingsfasern s. Bikomponentenfasern.

Zwillingskristalle s. Zwillinge.

Zwillingslamellen. Durch mechan. Beanspruchung von *Kristallen können plast. Deformationen eintreten, u. zwar als *Translationen* od. *Zwillingsgleitung* (mechan. *Zwillings-Bildung, s. Zwillinge, Abb. 3a). Findet die Zwillingsgleitung in dünnen Schichten u. mit einem kurzen Weg der gleitenden Gitterebenen statt, bilden sich Zwillingslamellen. Das bekannteste Beisp. für solche Zwillingsgleitungen ist *Calcit. Übt man gegenseitigen Druck auf zwei gegenüberliegende spitze Ecken eines lamellenfreien Calcit-Rhomboeders aus, so entstehen auf den Rhomboederflächen Z. parallel zur langen Flächendiagonale. – *E* twin lamella (lamina) – *F* lame(lle) de macle – *I* lamelle geminati – *S* lámina de macla

Lit.: Ramdohr-Strunz, S. 228 f.

Zwillingsverwachsungen s. Verwachsungen.

Zwirn. Nach DIN 60000: 1969-01 sind „ein- od. mehrstufige Z. durch Zusammendrehen (*Zwirnen*) von einfachen *Garnen u./od. Zwirnen hergestellte linienförmige Gebilde". Aus zahlreichen lose gezwirnten *Fäden erhält man *Dochte. – *E* twist, twine – *F* fil fort – *I* filo ritorto – *S* hilo retorcido, torzal

Zwischenferment. Histor. Bez. (O. *Warburg) für Glucose-6-phosphat-Dehydrogenase (s. D-Glucose-6-phosphat).

Zwischengitteratome. Bez. für Atome, die keine regulären Gitterpunkte in einer *Kristallstruktur, son-

Zwischengitterplätze

dern *Zwischengitterplätze besetzen (s. a. Frenkel-Defekt). Z. nennt man auch *interstitielle Atome. – *E* interstitial atoms – *F* atomes interstitiels – *I* atomi intersiziali – *S* átomos intersticiales
Lit.: s. Zwischengitterplätze.

Zwischengitterplätze. Alle Realkristalle (vgl. Einkristalle), selbst solche von hochreinen Substanzen, weisen eine Vielzahl von *Kristallbaufehlern auf. Während sich in idealen *Kristallstrukturen auf sämtlichen Gitterpunkten, aber nur auf diesen, die Bausteine (Atome, Mol.) befinden, können im Realkrist. auch Positionen dazwischen besetzt sein. Diese *Additionsbaufehler* werden nach ihrem Entdecker **Frenkel-Defekt**[1] genannt. Der *Schottky-Defekt* (s. Kristallbaufehler)[2] ist dagegen ein *Subtraktionsbaufehler*. Die beiden *Punktdefekte* sind in der Abb. schemat. dargestellt.

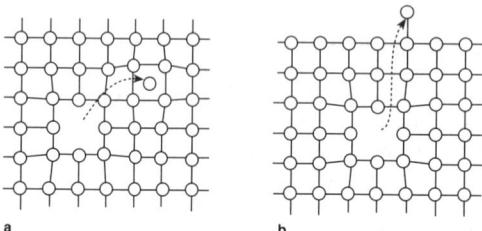

Abb.: Fehlordnungstypen in einer einatomigen Kristallstruktur (schemat.). a) Frenkel-Fehlordnung; ein Atom verläßt seinen Gitterplatz u. besetzt einen Zwischengitterplatz. – b) Schottky-Fehlordnung; ein Atom verläßt seinen Gitterplatz u. wird an der Oberfläche des Krist. angelagert (nach Weiss u. Witte, *Lit.*).

Solche *Fehlordnungen*, die zwangsläufig auch zu einer Gitterverzerrung führen, sind häufig auch Ausgangspunkte für verschiedene andere Kristallbaufehler. Frenkel-Defekte sind bes. häufig bei Silberhalogenid-Krist. anzutreffen u. spielen in der *Photographie eine große Rolle. Die Zahl der Defekte kann recht erheblich sein. In Silberbromid u. -iodid können sich die Silber-Kationen nahezu frei bewegen, was sich in der hohen Ionenleitfähigkeit dieser Substanzen niederschlägt. Fehlordnungszustände vom Frenkel- u. Schottky-Typ sind thermodynam. Gleichgew.-Zustände. Zwar nimmt bei einer Fehlordnung die innere Energie des Syst. zu, gleichzeitig nimmt jedoch auch die Entropie zu. Das bedeutet, daß in einem Realkristall bei endlicher Temp. immer eine gewisse Fehlordnung vorliegen muß. Metallkrist. können bei höheren Temp. auf je 10^4–10^5 besetzte Gitterplätze eine Leerstelle aufweisen; das ergibt für 1 cm³ Metall mit ca. 10^{23} Atomen etwa 10^{18}–10^{19} Leerstellen. Fehlordnungen vom Frenkel-Typ sind in einatomigen Kristallstrukturen wesentlich seltener. Kleine Fremdatome, wie z.B. Wasserstoff, Bor, Kohlenstoff od. Stickstoff, werden dagegen leicht auf Z. eingebaut. Zur Herst. von *Halbleitern mit definierten Eigenschaften werden gezielt kleine Mengen bestimmter Verunreinigungen (*Substitutionsbaufehler*) eingebaut, z.B. durch *Dotieren od. *Ionenimplantation. Bei der *Rekombination (1.) von eingelagerten Zwischengitteratomen od. -ionen u. Gitterlücken wird Energie frei, die ggf. als *Phosphoreszenz od. beim therm. Ausheilen als *Thermolumineszenz in Erscheinung tritt. Viele Festkörper-Reaktionen u. -Eigenschaften wie z.B. die Diffusion von Atomen u. Ionen, das Sintern u. Anlaufen, die Bildung von *Aktivstoffen u. *Farbzentren, die *Oberflächenchemie von Katalysatoren sind zumindest teilw. auf Defekte im Kristallbau zurückzuführen. – *E* interstitial sites – *F* positions (places) interstitielles – *I* siti interstiziali – *S* posiciones intersticiales
Lit.: [1] Z. Phys. **35**, 652 (1926). [2] Z. Phys. Chem. Abt. B **29**, 335 (1935).
allg.: Angew. Chem. **95**, 67–80 (1983) ■ Engels, Festkörperreaktionen, Berlin: Akademie-Verl. 1989 ■ Kontakte (Merck) 1987, Nr. 2, 3–13 ■ Müller, Convections and Inhomogeneities in Crystal Growth from the Melt, Berlin: Springer 1988 ■ Nachr. Chem. Tech. Lab. **28**, 654–666 (1980) ■ Paidar u. Lejček, The Structure and Properties of Crystal Defects, Amsterdam: Elsevier 1984 ■ Ramdohr-Strunz, S. 195 ff. ■ Spektrum Wiss. **1986**, Nr. 12, 36–149 ■ Varotsos u. Alexopoulos, Thermodynamics of Point Defects, Amsterdam: Elsevier 1984 ■ Weiss u. Witte, Kristallstruktur u. chemische Bindung, S. 289, Weinheim: Verl. Chemie 1983 ■ West, Solid State Chemistry and its Applications, Chichester: Wiley 1987 ■ s. a. Kristallbaufehler.

Zwischengitterverbindungen s. Einlagerungsverbindungen.

Zwischenhirn s. Gehirn.

Zwischenlager. 1. In bezug auf *Abfall:* Ortsfeste *Abfallentsorgungsanlage, in der *Abfälle entgegengenommen, ggf. vorbereitend behandelt, für die weitere Entsorgung zusammengestellt od. gelagert werden (Definition nach *TA Abfall bzw. *TA Siedlungsabfall). Man unterscheidet Z., bei denen Einrichtungen zur vorbereitenden chem.-physikal., biolog. od. therm. *Abfallbehandlung vorhanden sind, Z., in denen größere Einheiten für die weitere Entsorgung zusammengestellt werden, sowie Z., die ausschließlich der Lagerung zum Zweck der späteren Entsorgung dienen. Die materiellen Anforderungen an Abfall-Z. werden von der TA Siedlungsabfall, an Sonderabfall-Z. von der TA Abfall festgelegt.
Von der Zwischenlagerung abzugrenzen ist die Bereitstellung von Abfällen zur Beförderung. Die Bereitstellung unterliegt nicht den einschlägigen Lagervorschriften u. der abfallrechtlichen Überwachung, sofern der Abtransport innerhalb 24 h nach dem Beginn der Bereitstellung od. am darauffolgenden Werktag erfolgt (§ 15 Gefahrstoffverordnung).
2. In der *Kerntechnik:* In der Kerntechnik dienen Z. zur Lagerung der zur Endlagerung abzuliefernden *radioaktiven Abfälle od. der aufzuarbeitenden *Brennelemente. Die Zwischenlagerung ist gegenwärtig notwendig, da die für die Endlagerung radioaktiver Abfälle notwendigen Endlager nicht betriebsbereit bzw. noch nicht fertiggestellt sind u. die Kapazität der *Wiederaufbereitungs-Anlage nicht ausreicht. Zur Zwischenlagerung abgebrannter Brennelemente wurden in Gorleben u. Ahaus zwei Trockenlager für eine Kapazität von je 1500 t Uran errichtet. – *E* interium storage – *F* stockage provisoire – *I* discarica intermedia – *S* depósito intermedio
Lit.: Entsorga-Magazin **13**, Nr. 6, 66–68 (1994).

Zwischenmolekulare Kräfte. Sammelbez. für die Wechselwirkungskräfte zwischen valenzmäßig abgesätt. Molekülen. Synonym wird häufig die Bez. *Van-der-Waals-Kräfte* verwendet. Z. K. können anziehend

u. abstoßend sein; im allg. liegt bei größerem Abstand zwischen den Mol. Anziehung vor. Die typ. Abhängigkeit der Wechselwirkungsenergie V (die Kraft $\vec{F}$ ist der neg. Gradient hiervon: $\vec{F}$ = – grad V) vom intermol. Abstand R ist in Abb. 1 gezeigt. Der Abstand R_m kennzeichnet hierbei das Minimum der Potential-Kurve (s. a. Gleichgewichtsgeometrie); – ε ist die zugehörige Energie (entspricht der neg. *Dissoziationsenergie). Bei R = σ hat des Potential den Wert Null.

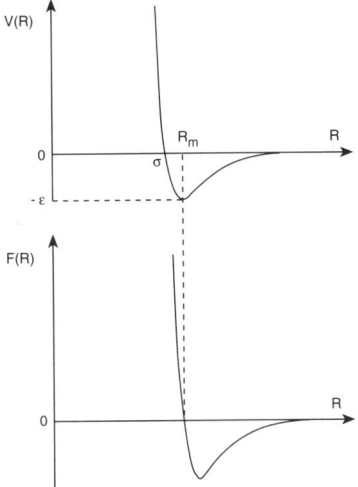

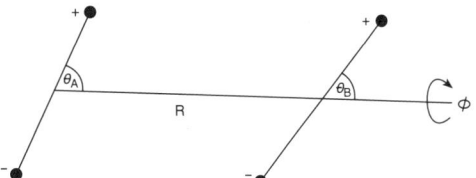

Abb. 2: Wechselwirkung zweier Dipole.

Abb. 1: Schemat. Darst. eines intermol. Potentials V(R) u. der zugehörigen Kraft F(R) = –dV/dR.

Bei der langreichweitigen Wechselwirkung unterscheidet man:
a) *Elektrostat. Wechselwirkung* zwischen den permanenten elektr. Momenten, z. B. den *Dipolmomenten. Die orientierungsabhängigen Kräfte zwischen polaren Mol. (Mol. mit permanenten Dipolmomenten) werden mitunter auch als *Keesom-Kräfte* od. *Orientierungskräfte* bezeichnet. Die R-Abhängigkeit der verschiedenen Formen der elektrostat. Wechselwirkungsenergie ist in Tab. 1 dargestellt.

Tab. 1.: R-Abhängigkeit der elektrostat. Wechselwirkungsenergie V.

Art der Wechselwirkung	V proportional zu
freie Ladung – freie Ladung	R^{-1}
freie Ladung – Dipol	R^{-2}
freie Ladung – Quadrupol	R^{-3}
Dipol – Dipol	R^{-3}
Dipol – Quadrupol	R^{-4}
Quadrupol – Quadrupol	R^{-5}

Für die bes. wichtige Wechselwirkung zwischen zwei Dipolen A u. B mit den Dipolmomenten $\vec{\mu}_A$ u. $\vec{\mu}_B$ im Abstand R gilt:

$$V = \frac{\mu_A \mu_B}{4\pi\varepsilon_0 R^3} \cdot (\sin\Theta_A \cdot \sin\Theta_B \cdot \cos\Phi - 2\cos\Theta_A \cdot \cos\Theta_B).$$

Hierbei ist ε_0 die elektr. Feldkonstante, zu den verschiedenen Orientierungswinkeln; s. Abb. 2. Energet. am günstigsten ist die Anordnung „Kopf-Schwanz-Kopf-Schwanz" ($\Theta_A = \Theta_B = 0$).

In isotropen Medien, z. B. *Flüssigkeiten od. Gasen, wird die Dipol-Dipol-Wechselwirkung therm. gemittelt. Boltzmann-Mittelung der einzelnen Orientierungen mit dem Faktor exp [–V(ω)/kT], wobei die Variable ω die Orientierung beschreibt, k die Boltzmann-Konstante u. T die abs. Temp. ist, liefert eine gemittelte Wechselwirkungsenergie von

$$\overline{V} = \frac{2\mu_A^2 \mu_B^2}{3(4\pi\varepsilon_0)^2 kT R^6}.$$

b) *Induktionswechselwirkung* (Debye-Kräfte), die dadurch hervorgerufen wird, daß das permanente elektr. Moment eines Mol. ein Dipolmoment in einem anderen Atom od. Mol. induziert; *Beisp.:* Monopol-induzierte Dipol-Wechselwirkung (z. B. Li$^+\cdots$He) mit der Wechselwirkungsenergie:

$$V = \frac{\alpha}{8\pi\varepsilon_0 R^4}$$

mit α = *Polarisierbarkeit der ungeladenen Spezies. Für die therm. gemittelte Induktionswechselwirkung zwischen 2 ident. Mol. mit permanentem Dipolmoment $\vec{\mu}$ u. Polarisierbarkeit α gilt der Ausdruck

$$\overline{V}_{ind} = \frac{-\mu^2 \alpha}{(4\pi\varepsilon_0)^2 R^6}.$$

Diese Wechselwirkung ist also Temp.-unabhängig.
c) *Dispersionswechselwirkung* (*London-Kräfte) existiert zwischen allen Atomen u. Mol., z. B. auch zwischen Edelgas-Atomen od. Mol. ohne permanentes Dipol- od. Quadrupolmoment (z. B. CH$_4$). Sie ist eine quantenmechan. Erscheinung. Qual. läßt sie sich anschaulich als Wechselwirkung zweier induzierter Dipole erklären, die durch die Korrelation der Ladungsdichtefluktuationen in den benachbarten Atomen od. Mol. zustande kommt. Die Dispersionsenergie zwischen zwei Mol. A u. B läßt sich näherungsweise mit der *London-Formel* beschreiben:

$$V_{Disp} = -\frac{3}{2(4\pi\varepsilon_0)^2} \left\{ \frac{I_A I_B}{I_A + I_B} \right\} \frac{\alpha_A \alpha_B}{R^6}.$$

Hierbei sind I_A u. I_B die ersten Ionisierungsenergien; um bessere Übereinstimmung mit experimentellen Daten zu erreichen, wird häufig noch ein empir. Skalierungsfaktor eingeführt.
Mit zunehmender Annäherung der Mol. treten aufgrund der gegenseitigen Durchdringung ihrer Elektronenhüllen *abstoßende z. K.* auf (s. a. Abb. 1, Anstieg der Wechselwirkungsenergie, wenn ein bestimmter Abstand unterschritten wird). Die Ursache hierfür ist das *Pauli-Prinzip, welches verhindert, daß sich zwei Elektronen mit gleichem Spin zu nahe kommen.
Beliebte analyt. Formen für die zu z. K. gehörenden intermol. Wechselwirkungspotentiale sind das *Len-

nard-Jones-Potential

$$V_{L.J.} = 4\varepsilon\left\{\left(\frac{\sigma}{R}\right)^{12} - \left(\frac{\sigma}{R}\right)^6\right\}$$

(zur Erklärung der Größen ε u. σ s. Abb. 1) u. das *Buckingham-Potential*

$$V_{Buck} = Be^{-bR} - CR^{-6} - C'R^8;$$

hierbei sind B, b, C u. C' Parameter, die an experimentelle Daten angepaßt werden. Experimentelle Information über z. K. erhält man zum einen über die Messung makroskop. Größen wie der *Virialkoeffizienten, die ein Maß für die Abweichung realer Gase vom idealen Verhalten darstellen, od. von Transporteigenschaften (*Viskosität, therm. Leitfähigkeit od. Diffusionskoeff.), zum anderen durch die Untersuchung von Stoßprozessen mittels der Molekularstrahltechnik[1,2] u. durch das Studium von Van-der-Waals-Komplexen mit Hilfe spektroskop. Meth. (z. B. *Mikrowellen-Spektroskopie, *MBER, *IR-Spektroskopie od. *ZEKE-Spektroskopie; Näheres s. *Lit.*[3]).
Bes. Formen von z. K. u. Grenzfälle für echten chem. Bindung hin bilden die sog. *Wasserstoff-Brückenbindungen u. die Wechselwirkung in *Elektronen-Don(at)or-Akzeptor- od. *Charge-transfer-Komplexen. Während zur Trennung von chem. Bindungen Energien von ca. 400 kJ/mol aufgewandt werden müssen, liegen die intermol. Bindungsenergien meist unterhalb 20 kJ/mol. Chem. Bindungskräfte u. z. K. zusammen sind für die *Kohäsion u. damit für den Widerstand der Stoffe gegenüber Zerbrechen, Zerreißen u. Zerschneiden verantwortlich; bei *makromolekularen Stoffen sind die z. K. stärker als die chem., so daß diese Stoffe nicht unzersetzt verdampfbar sind. Für sich allein genommen bewirken die z. K. nicht nur – als Kohäsionskräfte – den Zusammenhalt von flüssigen u. festen Edelgasen, von *Molekülverbindungen, *Einschlußverbindungen u. a. sog. *Übermolekeln sowie in anderen *Wirt-Gast-Beziehungen (*Lit.*[4]; s. a. Supramolekulare Chemie), sondern auch die *Adhäsion, d. h. die Haftung von Stoffen an Grenzflächen (z. B. beim Kleben[5]), die *Grenz- u. *Oberflächenspannung. Bes. die Dispersionskräfte sind verantwortlich für die Verflüssigung inerter Gase, die Krist. von Iod u. ganz allg. für den Zusammenhalt aller Mol., die keine Ionen od. permanenten Dipole enthalten. Induktionskräfte spielen eine Rolle bei organ. Mol. mit leicht polarisierbaren Gruppen od. π-Elektronenwolken, z. B. bei der Bildung von Mol.-Verb. aus *Nitro-Verbindungen u. Aromaten (*Pikrate), die elektrostat. Kräfte wirken mit bei der Bildung von *Hydraten, *Ammin-Salzen u. allg. bei der *Solvatation u. *Flockung, u. die von den gleichen Kräften bewirkte Ausbildung von Wasserstoff-Brückenbindungen hat die *Assoziation von Wasser, Carbonsäuren, die Stabilisierung von Biopolymeren etc. zur Folge. Z. K. bestimmen auch das abweichende Verhalten *realer Gase im Vgl. zu dem *idealer Gase (vgl. Gasgesetze), die *Viskosität, die Eigenschaften von Flüssigkeiten u. Lsg. – in idealen Lsg. sind die z. K. zwischen allen Komponenten gleich groß. Verschiedene z. K. wirken auch sowohl bei der Haftung von Schmutz auf Textilien als auch bei der Ablösung desselben durch Tenside. Darüber hinaus wird das Konzept der z. K. auch zur Erklärung der Substratspezifität von Enzymreaktionen, Antigen-Antikörper-Reaktionen u. der *Rezeptor-Spezifität von Arzneimitteln herangezogen[6,7].
– *E* intermolecular forces – *F* forces intermoléculaires – *I* forze intermolecolari – *S* fuerzas intermoleculares
Lit.: [1] Bernstein, Atom-Molecule Collision Theory, New York: Plenum 1978. [2] Scoles, Atomic and Molecular Beam Methods, Oxford: Oxford University Press 1988. [3] Weber, Structure and Dynamics of Weakly Bound Molecular Complexes, Dordrecht: Reidel 1987. [4] Angew. Chem. **100**, 91–116 (1988). [5] Chem. Unserer Zeit **14**, 124–133 (1980). [6] Hobza u. Zahradnik, Weak Intermolecular Interactions in Chemistry and Biology. Intermolecular Complexes, 2 Bd., Amsterdam: Elsevier 1980. [7] Angew. Chem. **86**, 802–811 (1974); **98**, 483–503 (1986).
allg.: Hirschfelder et al., Molecular Theory of Gases and Liquids, New York: Wiley 1954 ■ Huyskens et al., Intermolecular Forces, Berlin: Springer 1991 ■ Israelachvili, Intermolecular and Surface Forces, 2. Aufl., London: Academic Press 1991 ■ Maitland et al., Intermolecular Forces, Oxford: Clarendon Press 1981 ■ Rigby et al., The Forces Between Molecules, Oxford: Clarendon Press 1986.

Zwischenphasen s. Phasen.

Zwischenprodukte (Intermediate). In der Chemie in unterschiedlichem Sinne gebrauchter Begriff. In der *Chemischen Industrie od. *Technischen Chemie versteht man unter Z. – früher bevorzugte man die Bez. *Halbfabrikate* – chem. reine Verb., die aus *Rohstoffen (z. B. Teer, Erdöl, Carbid, Synthesegas u. dgl.) oft in Mengen von Mio. t/a gewonnen u. zur Synth. von Farbstoffen, Arzneimitteln, Kunststoffen, Riechstoffen, Textilhilfsmitteln u. dgl. verwendet werden. *Lit.*[1] gibt eine umfangreiche Übersicht von organ. Z. mit aliphat. u. aromat. Struktur.
In prinzipiell gleichem Sinne spricht man auch in der *Präparativen Chemie von Z. u. meint dabei auch komplizierter aufgebaute Produkte, die, aus einfacheren Ausgangsstoffen (Edukte) in ggf. mehrstufigen Synth. hergestellt, ihrerseits als Ausgangsmaterialien für weitere Syntheseschritte dienen. Gelegentlich verwendet man für diese Z. – bes. in der Naturstoffchemie – die Bez. *Relais-Substanzen* od. *Synthons*. Im allg. werden Synth.-Z. als solche isoliert u. gereinigt, ehe sie weiterverarbeitet werden. Lediglich bei *Eintopfreaktionen verzichtet man auf die Abtrennung. Begriffliche Grenzen zwischen *Ausgangsmaterial*, Z. u. *Endprodukt* (Produkt) zu ziehen, ist oft nicht ohne Willkür möglich. Beispielsweise kann Acrylnitril für einen Produzenten ein End- u. Verkaufsprodukt sein, für einen Verarbeiter ein Kunststoff-Hersteller jedoch einen Roh- od. Ausgangsstoff u. für einen Dritten ein im eigenen Werk hergestelltes u. weiterverarbeitetes Produkt (Z.). Insbes. solche zu den bes. gefährlichen Arbeitsstoffen (s. Gefahrstoffe) zählenden Verb. wie Vinylchlorid, Blausäure, Phosgen, Methylisocyanat etc. werden im allg. als Z. im selben Betrieb erzeugt u. weiter umgesetzt. Nicht selten wird die Bez. Z. für instabile u. kurzlebige, intermediär bei *Stufenreaktionen auftretende Verb. benutzt, doch bietet sich für diese im deutschen Sprachbereich die zweckmäßigere Bez. *Zwischenstufen an. – *E* intermediates – *F* produits intermédiaires – *I* prodotti intermedi – *S* productos intermedi(ari)os
Lit.: [1] Winnacker-Küchler (4.) **6**, 1–310.

Zwischenreaktionen s. Reaktionen u. Stufenreaktionen.

Zwischenreaktionskatalyse s. Katalyse u. Kettenreaktion.

Zwischenstoffwechsel s. Stoffwechsel.

Zwischenstufen. Der weniger präzisen, weil umfassenderen Bez. *Zwischenprodukte vorzuziehende Bez. für solche – im allg. sehr instabilen u. kurzlebigen – Intermediate, die sich bei mehrstufigen *Reaktionen (*Stufenreaktionen) *vorübergehend* (intermediär) bilden. Hier ist insbes. zu denken an Carbanionen, Carbenium- u. Carbonium-Ionen, Carbene, Radikale, Radikal-Ionen u. a., die in diesem Handbuch unter *reaktive Zwischenstufen u. ggf. als Einzelstichwörter abgehandelt werden. Bei der Diskussion von *Reaktionsmechanismen spielt die Formulierung solcher Z. (reaktive Zwischenprodukte, *intermediäre Verbindungen, reaktive *Spezies u. *Transients sind mögliche Synonyma) eine große Rolle. – *E* reactive intermediates – *F* intermédiaires réactifs – *I* intermedi reattivi – *S* intermedios reactivos

Lit.: s. reaktive Zwischenstufen.

Zwischenstufengefüge s. Martensit.

Zwischenwirte s. Wirt-Gast-Beziehung (3.).

Zwischenzellen-stimulierendes Hormon s. Lutropin.

Zwitterionen. Der Umgangssprache entlehnte Bez. für Verb., die im gleichen Mol. sowohl eine Gruppe mit pos. Ladung (Ammonium-, Sulfonium-, seltener Carbenium- od. Phosphonium-Ionen) als auch eine solche mit neg. Ladung haben u. daher als *innere* *Salze aufgefaßt werden können. Die neg. Ladung ist meist an Sauerstoff-Atomen lokalisiert durch Abgabe eines Protons von Carboxy- od. Sulfo-Gruppen, Phosphorsäure-Resten, sauren phenol. od. enol. Hydroxy-Gruppen, s. die Abb. bei Aminosäuren, Taurin, Betaine, Betalaine. Z. werden nach IUPAC-Regel R-3.2.1.2 u. R-5.8.3 benannt, indem der Name der Stammverb. mit Suffixen in der Reihenfolge -ium, -ylium, -id, -uid u. -at kombiniert wird[1]; z. B.: $(H_3C)_3\overset{+}{N}-NH-COO^-$ (1,1,1-Trimethylhydrazin-1-ium-2-carboxylat). Viele Verb. können mit einer *zwitterion. Grenzstruktur beschrieben werden, z. B. *Merocyanine u. *mesoionische Verbindungen (vgl. auch Oktett-Struktur u. Sextettformel). Die Z. verhalten sich als *Ampholyte, die bei einem charakterist. pH-Wert, dem *isoelektrischen Punkt, nach außen hin als ungeladen erscheinen u. deshalb nicht im elektr. Feld wandern, u. die bei Säure- bzw. Basenzusatz nach

$H_3\overset{+}{N}-\square-COO^- \xrightarrow{+H^+} H_3\overset{+}{N}-\square-COOH$ bzw.

$H_3\overset{+}{N}-\square-COO^- \xrightarrow[-H_2O]{+OH^-} H_2N-\square-COO^-$

als *Puffer wirken. Für biolog. Untersuchungen eignen sich bes. die sog. *Good-Puffer* auf der Basis von zwitterion. Aminoalkansulfonsäuren (Sultaine) u. *N*-(Hydroxyalkyl)aminosäuren. Z. vom Betain- u. Sultain-Typ spielen als sog. *Amphotenside eine bescheidene Rolle als spezielle *Tenside in kosmet. u. pharmazeut. Präparaten. Bei bestimmten alternierenden Copolymerisationen treffen Z. als Zwischenstufen auf. – *E* zwitterions – *F* ions hermaphrodites – *I* zwitterioni, ioni dipolari, anfoioni – *S* zwitteriones, iones hermafroditas

Lit.: [1] IUPAC, Nomenklatur der Organischen Chemie, S. 170, Weinheim: VCH Verlagsges. 1997.

allg.: s. Ionen u. die verschiedenen Textstichwörter.

Zwitterionische Polymerisation. Spezialfall der *ionischen Polymerisation, bei der sowohl eine kation. als auch eine anion. Gruppe als Endgruppe der wachsenden *Makromoleküle fungiert. Beisp. hierfür sind die *Polymerisation von 2-Cyanacrylsäureestern mit Phosphinen als Initiatoren (I) u. die Amin-katalysierte Polymerisation von *β-Propiolacton (II).

– *E* zwitterionic polymerization – *F* polymérisation zwitterionique – *I* polimerizzazione zwitterionica – *S* polimerización zwitteriónica

Lit.: Adv. Polym. Sci. **42**, 51 ff. (1982) ▪ Angew. Chem. (Int. Ed.) **22**, 440 ff. (1983) ▪ Elias (5.) **1**, 542 f. ▪ Encycl. Polym. Sci. Eng. **17**, 1028–1039.

Zwitterionische Tenside s. Amphotenside.

Zwölffingerdarm s. Darm.

ZWS s. Wirbelschicht.

Zygomyceten s. Schimmelpilze.

Zygosporine.

$R^1 = H, R^2 = OH$: Z. D
$R^1 = H_3C-CO, R^2 = H$: Z. E

Z. G

Mit den *Cytochalasinen strukturverwandte Antibiotika aus dem Schimmelpilz *Zygosporium masonii*, allerdings besitzen Z. keinen makrocycl. Lacton-Ring, sondern einen carbocycl. Ring, z. B. Z. D $\{C_{28}H_{35}NO_5, M_R\ 465,59$, farblose Blättchen, Schmp. 180–190 °C, $[\alpha]_D^{23}$ –15° (Dioxan)$\}$ u. Z. E $\{C_{30}H_{37}NO_5, M_R\ 491,63$, Schmp. 218–223,5 °C, $[\alpha]_D^{24}$ +6,2° (Dioxan)$\}$; Z. F $\{$Di-*O*-acetyl-Z. D. $C_{32}H_{39}NO_7, M_R\ 549,66$, Schmp. 126–129 °C, $[\alpha]_D^{24}$ –12,0 °C (Dioxan)$\}$ u. Z. G $\{C_{30}H_{37}NO_5, M_R\ 491,63$, Schmp. 115–125 °C, $[\alpha]_D^{24}$ –82° (Dioxan)$\}$. – *E* zygosporins – *F* zygosporines – *I* zigosporine – *S* zigosporinas

Lit.: Cole u. Cox, Handbook of Toxic Fungal Metabolites, S. 338 ff., New York: Academic Press 1981 ▪ Helv. Chim. Acta **58**, 1986 (1975) (Biosynth.); **65**, 521 (1982) (Synth.) ▪ J. Am. Chem. Soc. **110**, 4822 (1988); **112**, 4357–4364 (1990) ▪ J. Chem. Soc., Chem. Commun. **1990**, 464, 467 (Synth.) ▪ Sax (8.), ZUS 000 (Toxikologie). – [CAS 25374-67-8 (Z. D); 26399-27-9 (Z. E); 25374-68-9 (Z. F); 25374-69-0 (Z. G)]

Zygote. In der *Genetik Bez. für eine *Zelle (befruchtete Eizelle), die bei der Fusion von Genomen od. Teilen davon entsteht. Bei eukaryot. Organismen verschmelzen bei der Befruchtung die Gameten (Geschlechtszellen, *Keimzellen), wobei die von den Eltern unterschiedlichen Geschlechts produzierten Gameten jeweils nur den einfachen Chromosomensatz tragen (*haploid*). Nach der Kernverschmelzung (Karyogamie) enthält der Kern der Z. damit zwei Chromosomensätze (*diploid*); s. Chromosomen. Je nach Organismengruppe finden wenige bis zahlreiche Teilungen der diploiden Zelle statt, bis es bei der erneuten Ausbildung von Gameten während der *Meiose zu *Rekombination zwischen den beiden Gensätzen u. zu einer Reduktion des Chromosomensatzes auf die Hälfte kommt.

Bei Bakterien wird in der Regel nur ein Teil des Genoms einer Spender-Zelle (Donor) durch *Konjugation, *Transduktion od. *Transformation (s. a. Rekombination, 2.) in eine Empfänger-Zelle (Rezipient) übertragen. Es entsteht nur eine partielle Z. (*Merozygote*). Nach Rekombination (s. a. Crossover) wird der haploide Zustand wiederhergestellt. – *E* = *F* zygote – *I* zigote – *S* zigoto

Lit.: Lodish et al., Molekulare Zellbiologie (2.), S. 1235 f., Berlin: de Gruyter 1996.

Zykl(o)... s. Cycl(o)... (in der chem. Fachsprache).

Zyklon B. Ursprünglich Handelsname für hochwirksame, *Blausäure enthaltende *Begasungsmittel* (*Fumigantien) zur *Schädlingsbekämpfung, wurde im 2. Weltkrieg als Deckname für Blausäure zur Massentötung in den NS-Vernichtungslagern benutzt.

Zyklone (von griech.: kyklos = Kreis, Rad). Bez. für Geräte zur *Abscheidung von *Staub od. Flüssigkeitströpfchen mit Hilfe der Flieh- u. Schwerkraft (*Fliehkraftabscheider*). Z. bestehen im Prinzip aus einem zylindr. Gefäß mit kon. zulaufendem Boden, in das oben das Staubluft-Eintrittsrohr tangential u. das Reinluft-Austrittsrohr vertikal hineinragen. Der tangential eintretende Gas/Staub-Strom induziert eine Wirbelströmung, wobei die gröberen Staubteilchen durch die Zentrifugalkraft (vgl. Zentrifugieren) an die Wand des Zylinders geschleudert werden u. von dort durch die Schwerkraft zu Boden sinken, von wo sie ausgetragen werden können. Der kreisende, vom Staub befreite Gaswirbel kehrt am Boden des Z. seine Richtung um u. verläßt den Z. nach oben durch das Austrittsrohr zusammen mit evtl. feineren Partikeln, denn das Trennprinzip reicht nicht aus, um Feinstaub-Verunreinigungen mit Partikelgrößen <5 µm zu beseitigen.

Z. werden in zahlreichen Sparten der Technik zur *Entstaubung, ggf. als Vorabscheider, eingesetzt. In modernen *Wirbelschichtverfahren (Meth. der *zirkulierenden* *Wirbelschicht, ZWS) sind Z. eine wichtige Komponente. Eine Abwandlung des Z. für flüssige Syst. ist der *Hydrozyklon*, der nach dem gleichen Prinzip arbeitet u. zum *Eindicken von Trüben u. zur Abtrennung von Feststoffen aus *Schlamm od. bei der *Sink-Schwimm-Aufbereitung etc. dient. Nach ähnlichem Prinzip wie Z. arbeiten die für Aufgaben des *Klassierens konzipierten Apparate zum *Windsichten. – *E* = *F* cyclones – *I* cicloni – *S* ciclones

Lit.: Kirk-Othmer **4**, 747 f.; **10**, 340–342; (3.) **1**, 667–672; S, 859–862 ■ McKetta **14**, 82–97; **24**, 121–123; **26**, 417–424 ■ Ullmann (5.) **B 2**, 13-4, 13-15, 22-3 ■ Winnacker-Küchler (4.) **1**, 57 f., 621 f. ■ s. a. Entstaubung u. Trennverfahren.

Zyklotron. Bez. für einen von *Lawrence u. Livingston 1930 entwickelten Zirkular-*Teilchenbeschleuniger für Protonen, Deuteronen u. a. geladene Teilchen, die für *Kernreaktionen gebraucht werden. Die abgebildete, kreisförmige, evakuierte Kammer steht zwischen den Polschuhen eines riesigen Magneten, die man sich über u. unter der Zeichenebene denken muß. Zwischen diesen Polschuhen herrscht senkrecht zur Bildebene eine sehr hohe magnet. Dichte. D_1 u. D_2 sind 2 D-förmige Halbdosen, die mit hochfrequenter Wechselspannung (z. B. 90 kV, Frequenz: 10^7 Hz) gespeist werden.

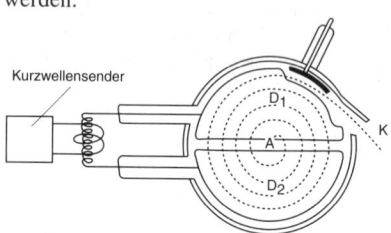

Abb.: Aufbau eines Zyklotrons.

In der Mitte des Magnetfeldes (bei A) erzeugte Ionen beschreiben im Magnetfeld eine kreisförmige Bahn mit konstanter Geschwindigkeit. Wenn das Ion z. B. von A aus den ersten Halbkreis beschrieben hat, gelangt es zur gegenüberliegenden Halbdose (Kondensatorplatte), wo gerade die entgegengesetzte Spannung wirksam ist. Dadurch wird das Ion erneut beschleunigt u. auf einer größeren Kreisbahn (infolge seiner höheren Energie) in die erste Dose zurückgeführt. Dort hat das elektr. Wechselfeld inzwischen sein Vorzeichen wieder geändert, weshalb das Ion mit noch größerem Kreisbogen in die gegenüberliegende Dose fliegt. Auf diese Weise wird das Ion bei jedem Umlauf zweimal um die angelegte Spitzenspannung beschleunigt u. schließlich durch eine Hilfsspannung aus dem Ma-

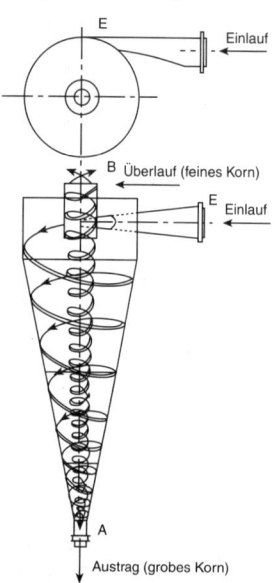

Abb.: Aufbau eines Zyklons.

gnetfeld herausgelenkt. Es kann dann bei K die gewünschte Kernreaktion ausführen. Je größer die Spiralbahn, um so höher die Geschw. u. Energie der Teilchen – um so größer muß aber auch der Magnet sein. Oberhalb 30 MeV bewirkt die relativist. Massenzunahme der Ionen eine stetige Abnahme der Beschleunigung der Teilchen, wodurch sie asynchron werden. Diesen Effekt unterdrückt man durch Kombination des Z. mit einem *Synchrotron. Näheres, auch zur Leistungsfähigkeit von Z. u. zur Verw. s. bei Teilchenbeschleuniger. Z. werden u. a. auch zur Erzeugung sehr kurzlebiger *Radionuklide für medizin. Zwecke eingesetzt. – *E = F* cyclotron – *I* ciclotrone – *S* ciclotrón

Lit.: Lerner u. Trigg, in Encyclopedia of Physics, S. 238 ff., Weinheim: VCH Verlagsges. 1991 ▪ Musiol et al., Kern- u. Elementarteilchenphysik, Weinheim: VCH Verlagsges. 1988 ▪ s. a. Teilchenbeschleuniger.

Zylinderöle. Die Bez. dieser hochviskosen Mineralöle stammt von dem ursprünglichen Hauptverwendungszweck, der Schmierung dampfberührter Teile von Dampfmaschinenzylindern. Z., die üblicherweise keine Wirkstoffzusätze enthalten, werden jedoch auch zur Schmierung anderer Maschinenteile verwendet, die hohe Viskosität verlangen. Zwecks besserer Haftung können ihnen Fettöle zugesetzt sein. Die techn. Anforderungen für diese Mineralöle sind in der DIN 51510: 1986-02 (Schmieröle Z) festgelegt. – *E* cylinder oils – *F* huiles pour cylindres – *I* oli per cilindri – *S* aceites para cilindros

Zylinderschliff s. Schliffe.

Zyloric® (Rp). Tabl. mit *Allopurinol gegen Gicht, Hyperurikämie, Oxalat-Steine. *B.:* Glaxo Wellcome.

Zymafluor®. Tabl. mit *Natriumfluorid zur Karies-Prophylaxe, Z. D zusätzlich mit *Colecalciferol. *B.:* Novartis.

Zymase. Von den dtsch. Chemikern Hans u. Eduard *Buchner 1897 geprägte Sammelbez. [vgl. Zym(o)...] für die Enzyme aus zellfreien Hefe-Preßsäften, die – im Gegensatz zu früheren Vorstellungen – ebenso wie die lebenden Hefezellen zur Katalyse alkohol. *Gärungen befähigt sind. Näheres zu Zusammensetzung u. Funktion dieser Enzyme s. bei Ethanol (S. 1228). Mit der Entdeckung von Buchners Z. wurde die Enzymologie gegründet. – *E = F* zymase – *I* zimasi – *S* zimasa

Zym(o)... Von griech.: zyme = Sauerteig, Hefe abgeleiteter Wortbestandteil, der auf Enzymeigenschaft, Verwandtschaft zu Enzymen od. auf Entstehung durch *Gärung hindeutet; *Beisp.:* *Enzyme, Pankreozymin (s. Cholecystokinin), *Zymase, Zymosterin, *Zymogene. – *E = F* zym(o)... – *I* zim(o)... – *S* zimo...

Zymogene (Proenzyme). Von *Zym(o)... u. *...gen abgeleitete Bez. für die enzymat. inaktiven Vorstufen bestimmter proteolyt. *Enzyme. So lange sie nicht – z. B. für die *Verdauung – benötigt werden, liegen die *Proteasen in Form ihrer Z. vor. Dadurch wird die „Selbstverdauung" (*Autolyse) der Enzym-produzierenden Zellen u. Organe verhütet. Die Überführung in die aktiven Enzyme in *Magensaft u. *Pankreas-Saft geschieht durch *limitierte *Proteolyse*, z. B. durch *Enteropeptidase, ggf. auch autolyt. durch *Trypsin; *Beisp. für Z.:* *Chymotrypsinogen, *Pepsinogen, Pro-*Carboxypeptidasen, *Plasminogen, Prorennin (s. Lab), *Prothrombin, Pro-*Urokinase u. *Trypsinogen. Ein analoger Aktivierungsmechanismus existiert für *Peptidhormone; *Beisp.:* Angiotensinogen. Ein partiell aktives Z. ist der Gewebs-*Plasminogen-Aktivator[1]. – *E* zymogens – *F* zymogènes – *I* zimogeni – *S* zimógenos

Lit.: [1] Biol. Chem. **379**, 95–103 (1998).
allg.: Protein Sci. **7**, 815–836 (1998) ▪ s. a. Lehrbücher der Biochemie.

Zymohexasen. Veralteter Name für *Aldolasen.

Zymosan. Aus Hefezellwänden isoliertes grauweißes, in Wasser prakt. unlösl. Pulver, das aus *Glykoproteinen mit kleinen Mengen Stickstoff-, Phosphor- u. Magnesium-Verb. besteht u. zur Bestimmung von *Properdin herangezogen werden kann. Z. stimuliert die Immunabwehr u. die *Antikörper-Synthese. – *E = F* zymosan – *I* zimosano – *S* zimosán

Zymosterin s. Sterine.

Zypresse. Zu den Nadelbäumen (Koniferen) zählender, im Mittelmeerraum heim., bis 25 m hoher Baum (*Cupressus sempervirens* L., *Cupressaceae). Aus den nadelförmigen Blättern, Trieben u. Früchten gewinnt man das *Zypressenöl. Extrakte aus Rinde, Früchten u. Holz wurden als Adstringens, gegen Diarrhoe, Bronchitis u. Würmer, äußerlich gegen Varizen u. Hämorrhoiden verwendet. – *E* cypress – *F* cyprès – *I* cipresso – *S* ciprés

Lit.: s. Zypressenöl.

Zypressenöl. Ether. Öl, das in Algerien, Spanien u. Frankreich aus *Zypressen-Nadeln bzw. -Früchten in einer Ausbeute von 1,3–1,8% gewonnen wird. Z. enthält u. a. *Furfural, 3-*Caren, α-*Pinen, Sylvestren, Sabinol, *Camphen, *Terpineol, *(+)-Cedrol, *Cadinen. – *E* cypress oil – *F* essence de cyprès – *I* olio di cipresso – *S* esencia de ciprés

Lit.: Essenze Deriv. Agrum. **51**, 10–19 (1981) ▪ Phytochemistry **22**, 957 ff. (1983) ▪ Riv. Ital. Essenze, Profumi, Piante Off., Aromi, Saponi, Cosmet., Aerosol **60** (Nr. 3), 99–117 (1978) ▪ Ullmann (5.) **A 11**, 226 ▪ Zechmeister **24**, 206–287. – [HS 3301 29; CAS 8013-86-3]

Zyrtec® (Rp). Tabl., Saft u. Tropfen mit *Cetirizindihydrochlorid als *Antihistaminikum bei allerg. Schnupfen u. Hautjucken. *B.:* UCB.

Zystische Fibrose (Mukoviszidose). Autosomal (s. Autosom) rezessiv vererbbare Erkrankung verschiedener Organsyst., die sich v. a. in Störungen der exokrinen Drüsenfunktionen äußert.
Der Krankheit liegt ein Defekt in der Regulation eines Chlorid-Ionenkanals in Epithelzellen zugrunde. Die dadurch entstehenden Störungen im Wasser- u. Elektrolyttransport durch Epithelien verschiedenster Organe (Lunge, Pankreas, Darm, Gallenblase, Geschlechtsorgane, Schweißdrüsen) führen zu abnormal Zusammensetzung mit Viskositätssteigerung u. verringerter Ausscheidung der Organsekrete. Dadurch werden Absiedlungen von Krankheitserregern begünstigt, die chron. Entzündungen hervorrufen. Die chron. Entzündungszustände führen zu Gewebeschwund u. ausgedehnter Narbenbildung (Fibrose) mit fortschreitendem Funktionsverlust der Organe. Die chron. fort-

schreitende Lungenerkrankung stellt bei den Erkrankten die häufigste Todesursache dar. Von der Pankreaserkrankung mit Eindickung des Pankreassaftes, der Zystenbildung u. Fibrose hat die Krankheit ihren Namen. Die gestörten Verdauungsfunktionen führen zu Anämie, Hypoproteinämie u. Entwicklungsverzögerung. Die Behandlung ist symptomat. u. besteht aus der physiotherapeut. u. medikamentösen Erleichterung des Sekretabflusses aus der Lunge u. aus der Kontrolle erregerbedingter Entzündungen mit antimikrobieller Chemotherapie sowie diätet. Maßnahmen u. medikamentösem Ersatz der Pankreasenzyme. Neuerdings erlaubt die Isolation des „Cyst. Fibrose-Gens" die pränatale Diagnose u. die Entdeckung von Trägern; s. dazu a. CFTR. – *E* cystic fibrosis – *F* fibrose cistique – *I* fibrosi cistica, mucoviscidosi – *S* fibrosis cística

Lit.: Shale, Cystic Fibrosis, London: BMJ Books 1996.

Zytel®. Sortiment thermoplast. *Polyamide auf der Basis PA 6, PA 66, PA 610, PA 612 u. Copolymeren, das weichgemachte, zähigkeitsmodifizierte u. glasfaserverstärkte Typen umfaßt. Die Z.-Typen sind über einen weiten Festigkeits- u. Schmp.-Bereich zäh, abrieb- u. korrosionsfest; einige Typen sind selbstverlöschend. Sie können im Spritzguß-, Extrusions-, Blasform- od. a. Verf. zu techn. Artikeln verarbeitet werden. *B.:* DuPont.

Zyto... s. Cyto...

Zyxin. *Protein (M_R 61 000) der Fokalkontakte (s. Adhärenz-Verbindungen), das α-*Actinin bindet. Z. besitzt zwei *Prolin-reiche Domänen in der Nähe des Amino-Terminus u. drei LIM-Motive (doppelte *Zink-Finger) am Carboxy-Terminus. Es nimmt vielleicht an einem Weg der *Signaltransduktion teil, über den manche Adhäsionsvorgänge Änderungen in der *Genexpression der Zelle bewirken. – *E* zyxin – *F* zyxine – *I* = *S* zixina

Lit.: J. Biol. Chem. **271**, 31 470–31 478 (1996).

Zyzzin.

$C_{11}H_7N_3OS$, M_R 229,26, amorpher, orangeroter Feststoff. Metabolit des Schwammes *Zyzza massalis.* – *E* = *F* zyzzine – *I* zizzina

Lit.: Helv. Chim. Acta **77**, 1886 (1994). – *[CAS 159509-39-4]*

Formelregister

Das folgende Formelregister enthält alle in den Bänden 1–6 behandelten anorgan., Metall-organ. u. organ. Verbindungen. Zur Einordnung wird das *Hill'sche System* angewandt, d. h., mit Ausnahme der Kohlenstoff-Verb. wird in den *Bruttoformeln aller Verb. die alphabet. Folge der Elementsymbole streng eingehalten. Innerhalb der Elementsymbole, die jeweils wie 1 Buchstabe behandelt werden, wird dann nach Atomzahlindices numer. aufsteigend geordnet. Dies hat allerdings zur Folge, daß z. B. die Di-, Tri- u. Tetrahalogenide eines Elements im allg. *nicht* zusammensortiert auftreten. So ergibt sich z. B. für die im Chemie Lexikon erwähnten Chlor-Verb. von Calcium, Cobalt, Eisen, Iod, Natrium, Schwefel, Silber, Silicium u. Zinn die Folge: $AgCl$, $CaCl_2$, ClI, $ClNa$, Cl_2Co, Cl_2Fe, Cl_2S, Cl_2S_2, Cl_2Sn, Cl_3Fe, Cl_3I, Cl_4S, Cl_4Si, Cl_4Sn, Cl_6Si_2 etc. Das evtl. enthaltene Kristallwasser od. Hydratwasser bleibt bei der Aufstellung der Bruttoformel unberücksichtigt. Die Bruttoformeln der Carbonate u. Hydrogencarbonate finden sich unter denen der Kohlenstoff-Verbindungen. Im allg. wurden in das Formelregister *nicht aufgenommen*: Verb. mit nichtstöchiometr. Zusammensetzung wie $Na_{0,3}(Mg_{2,7}Li_{0,3})[Si_4O_{10}(OH)_2]$, Mischkrist. u. Mineralien mit variabler Zusammensetzung wie $Zn_5[(OH)_3/CO_3]_2$ u. dgl. Die mit Eigennamen belegten Isotope ^2H u. ^3H werden alphabet. unter den Symbolen D u. T geführt (z. B. D_2O).

Eine abweichende Behandlung erfahren alle Verb., die C-Atome enthalten. Hier wird *in jedem Fall* das Elementsymbol C vorangestellt. Diesem folgen – aber nur bei *Wasserstoff-freien C-Verb.* – die übrigen Elementsymbole (die der *Heteroatome) in alphabet. Reihung. Daraus ergibt sich z. B. für einige Carbonate, Carbonyl-Verb., Cyanide, Cyanate, Fulminate, Tetrachlormethan u. Phosgen die Folge: $CAgNO$, CAg_2O_3, $CBaO_3$, CCl_2O, CCl_4, CKN, $CNNaO$, CO_3Zn, $C_2HgN_2O_2$, C_4NiO_4, C_5FeO_5. Bei *Wasserstoff-haltigen Verb.* des Kohlenstoffs folgt dem Symbol C zunächst dasjenige des Wasserstoffs u. erst hiernach werden die übrigen Elementsymbole von A–Z angeführt. Die Namen der Verb. mit gleicher Bruttoformel sind alphabet. geordnet.

Es ist zu beachten, daß Bruttoformeln von Verb., die kein eigenes Stichwort im Lexikon sind, im Register unter dem Stichwort erscheinen, in dem sie besprochen werden.

Ac=Actinium

Ag=Silber
$AgAuTe_4$=Sylvanit
$AgBr$=Silberbromid
$AgCl$=Chlorargyrit, Silberchlorid
$AgCuS$=Stromeyerit
AgF=Silberfluoride
AgF_2=Silberfluoride
$AgFe_2S_3$=Sternbergit
AgI=Jodargyrit, Silberiodid
$AgNO_3$=Silbernitrat
AgS_2Sb=Miargyrit
Ag_2F=Silberfluoride
Ag_2O=Silberoxide
$Ag_2O_3S_2$=Silberthiosulfat
Ag_2O_4S=Silbersulfat
Ag_2S=Argentit, Silbersulfid
Ag_2Te=Hessit
Ag_3AsS_3=Proustit
Ag_3AuTe_2=Petzit
Ag_3O_4P=Silberphosphat
Ag_3S_3Sb=Pyrargyrit
Ag_3Sb=Dyskrasit

Al=Aluminium
$AlBr_3$=Aluminiumbromid
$AlCl_3$=Aluminiumchlorid
AlF_3=Aluminiumfluorid
AlF_6Na_3=Kryolith
$AlHO_2$=Aluminiumhydroxide
AlH_3O_3=Aluminiumhydroxide
AlH_4Li=Lithiumaluminiumhydrid
$AlH_4NO_8S_2$=Ammoniumalaun
AlH_4Na=Natriumaluminiumhydrid
$AlH_6O_{12}P_3$=Aluminiumphosphate
$AlKO_6Si_2$=Leucit
$AlKO_8S_2$=Alaun
$AlKO_8Si_3$=Orthoklas
$AlLiO_4Si$=Lithiumaluminiumsilicat
$AlLiO_6Si_2$=Spodumen
$AlLiO_{10}Si_4$=Petalit
AlN=Aluminiumnitrid
AlN_3O_9=Aluminiumnitrat
$AlNaO_2$=Natriumaluminate
$AlNaO_4Si$=Natriumaluminiumsilicat
$AlNaO_6Si_2$=Analcim, Jadeit
AlO_4P=Aluminiumphosphate, Variscit
AlO_9P_3=Aluminiumphosphate
Al_2BeO_4=Chrysoberyll
$Al_2Be_3O_{18}Si_6$=Beryll
$Al_2CaO_{12}Si_4$=Analcim, Chabasit
$Al_2CaO_{16}Si_6$=Yugawaralith
Al_2CoO_4=Cobaltblau
$Al_2FeO_{16}S_4$=Halotrichit
$Al_2K_2O_4$=Kaliumaluminat
Al_2MgO_4=Spinell
$Al_2Mg_3O_{12}Si_3$=Pyrop
$Al_2Mn_3O_{12}Si_3$=Spessartin
Al_2O_3=Aluminiumoxide, Korund
Al_2O_5Si=Andalusit, Kyanit
$Al_2O_7Si_2$=Kaolinit
$Al_2O_{12}S_3$=Aluminiumsulfat
$Al_4CaNa_2O_{24}Si_8$=Faujasit
$Al_4Mg_2O_{18}Si_5$=Cordierit
$Al_5CaKMgO_{36}Si_{13}$=Offretit
$Al_5Ca_2NaO_{20}Si_5$=Thomsonit
$Al_5O_{12}Y_3$=Yttrium-Verbindungen
$Al_6Cl_2Na_8O_{24}Si_6$=Sodalith
$Al_6Na_8O_{28}Si_6$=Nosean
$Al_6O_{13}Si_2$=Kaolinit
$Al_8BeMg_3O_{16}$=Taaffeit
$Al_8Ca_2KNa_3O_{96}Si_{40}$=Mordenit
$Al_8Ca_4O_{48}Si_{16}$=Laumontit
$Al_8Na_8O_{48}Si_{16}$=Gmelinit
$Al_{16}Na_{16}O_{80}Si_{24}$=Natrolith

$Al_{60}Ca_{12}Mg_8Na_{20}O_{384}Si_{132}$=Faujasit

Am=Americium

Ar=Argon

As=Arsen
$AsCl_3$=Arsentrichlorid
$AsCoS$=Cobaltin
$AsCu_3S_4$=Enargit
AsF_3=Arsenfluoride
AsF_5=Arsenfluoride
$AsFeO_4$=Skorodit
$AsFeS$=Arsenopyrit
$AsGa$=Galliumarsenid
$AsHNa_2O_3$=Natriumarsenite
$AsHNa_2O_4$=Natriumarsenate
$AsHO_2$=Arsenige Säure
$AsHO_4Pb$=Schultenit
AsH_3=Arsenwasserstoff
AsH_3O_3=Arsenige Säure
AsH_3O_4=Arsensäure
$AsIn$=Indiumarsenid
$AsNaO_2$=Natriumarsenate
$AsNa_2O_3$=Natriumarsenate
$AsNi$=Nickelin
$AsNiS$=Gersdorffit
AsS_2Tl=Lorandit
$As_2Ca_3O_8$=Calciumarsenat
$As_2Co_3O_8$=Erythrin
$As_2Cu_3O_8$=Kupferarsenate
As_2Fe=Löllingit
As_2Ni=Rammelsbergit
$As_2Ni_3O_8$=Annabergit
As_2O_3=Arsenik
As_2O_5=Arsenpentoxid
As_2Pt=Sperrylith
As_2S_3=Arsensulfide, Auripigment
As_4S_3=Arsensulfide
As_4S_4=Arsensulfide, Realgar
As_4S_{10}=Arsensulfide

At=Astat

Au=Gold
$AuCl_3$=Gold-Verbindungen
$AuCl_4H$=Gold-Verbindungen

B=Bor
BBr_3=Bortribromid
BCl_3=Bortrichlorid
BCr=Chromboride
BF_3=Bortrifluorid
BF_4H=Fluoroborsäure
BF_4K=Kaliumtetrafluoroborat
BF_4Na=Natriumtetrafluoroborat
BH_2NaO_4=Natriumperborat
BH_3O_3=Borsäure, Sassolin
BH_4K=Kaliumborhydrid
BH_4Li=Lithiumborhydrid
BH_4Na=Natriumborhydrid
BN=Bornitrid
B_2CaO_4=Calciumborat
$B_2CaO_8Si_2$=Danburit
B_2Cr=Chromboride
B_2Cr_3=Chromboride
B_2H_6=Diboran(6)
B_2Nb=Niob-Verbindungen
B_2O_3=Bortrioxid
B_2O_4Zn=Zinkborate
B_2Ti=Titandiborid
$B_3CaH_3O_7$=Colemanit
B_3Cr_5=Chromboride
$B_3H_3O_3$=Boroxine
$B_3H_3S_3$=Borthiine
$B_3H_5MgO_8$=Kurnakovit
$B_3H_6N_3$=Borazine
$B_4H_2Na_2O_8$=Kernit
$B_4H_2O_7$=Tetraborsäure
$B_4H_8N_2O_7$=Ammoniumborate
B_4H_{10}=Tetraboran(10)
$B_4Li_2O_7$=Lithiumborat
$B_4Na_2O_7$=Borax

$B_5CaH_6NaO_{12}$=Ulexit
$B_5H_4N_6O_8$=Ammoniumborate
B_5H_9=Pentaboran(9)
$B_6O_{11}Zn_2$=Zinkborate
$B_{10}H_{14}$=Decaboran(14)

Ba=Barium
$BaCl_2$=Bariumchlorid
$BaCl_2O_6$=Bariumchlorat
$BaCl_2O_8$=Bariumperchlorat
$BaCrO_4$=Bariumchromat
BaF_2=Bariumfluorid
BaH_2O_2=Bariumhydroxid
$BaHgI_4$=Bariumtetraiodomercurat(II)
$BaMnO_4$=Mangangrün
BaN_2O_6=Bariumnitrat
BaO=Bariumoxid
$BaOS_4$=Baryt
BaO_2=Bariumperoxid
BaO_3Ti=Bariumtitanat
BaO_4S=Bariumsulfat
BaO_9Si_3Ti=Benitoit
BaS=Bariumsulfid

Be=Beryllium
$BeCl_2$=Beryllium-Verbindungen
BeF_2=Beryllium-Verbindungen
BeH_2O_2=Beryllium-Verbindungen
BeN_2O_6=Beryllium-Verbindungen
BeO_4S=Beryllium-Verbindungen
Be_2O_4Si=Phenakit
$Be_4H_2O_9Si_2$=Bertrandit

Bi=Bismut
$BiClO$=Bismutchloride
$BiCl_3$=Bismutchloride
$BiCuPbS_3$=Aikinit
$BiCu_3S_3$=Wittichenit
BiH_3=Bismutwasserstoff
$BiNO_4$=Bismutnitrate
BiN_3O_9=Bismutnitrate
Bi_2O_3=Bismutoxide, Wismutocker
Bi_2STe_2=Tetradymit
Bi_2S_3=Bismuthinit
$Bi_4O_{12}Si_3$=Eulytin
$Bi_{14}S_8Te_{13}$=Tetradymit

Bk=Berkelium

Br=Brom
$BrCu$=Kupferbromide
BrF_3=Bromfluoride
BrF_5=Bromfluoride
BrH=Bromwasserstoff
$BrHO$=Hypobromige Säure
$BrHO_3$=Bromsäure
$BrHO_4$=Perbromate
BrH_4N=Ammoniumbromid
BrI=Iodbromide
BrK=Kaliumbromid
$BrKO$=Hypobromite
$BrKO_3$=Kaliumbromat
$BrLi$=Lithiumbromid
$BrNa$=Natriumbromid
$BrNaO$=Hypobromite
$BrNaO_3$=Natriumbromat
$BrTl$=Thallium(I)-bromid
Br_2Ca=Calciumbromid
Br_2Cd=Cadmiumbromid
Br_2Cu=Kupferbromide
Br_2Hg=Quecksilber(II)-bromid
Br_2Mg=Magnesiumbromid
Br_2Ni=Nickel(II)-bromid
Br_3I=Iodbromide
Br_3P=Phosphorbromide
Br_4Se=Selenhalogenide
Br_5P=Phosphorbromide

C=Kohlenstoff
$CAgN$=Silbercyanid

$CAgNO$=Silberfulminat
CAg_2O_3=Silbercarbonat
$CBaO_3$=Bariumcarbonat, Witherit
CBi_2O_5=Bismutcarbonate
$CBrClF_2$=Halone
$CBrF_3$=Halone
$CBrN$=Bromcyan
CBr_2ClF=Halone
CBr_2F_2=Halone
CBr_3F=Halone
CBr_4=Tetrabrommethan
$CCaN_2$=Calciumcyanamid
$CCaO_3$=Aragonit, Calciumcarbonat
$CCdO_3$=Cadmiumcarbonat
$CClF_3$=FCKW
$CClN$=Chlorcyan
$CClNO_3S$=N-Carbonylsulfamoylchlorid
CCl_2F_2=FCKW
CCl_2O=Phosgen
CCl_2S=Thiophosgen
CCl_3D=Deuteriochloroform
CCl_3F=FCKW
CCl_3NO_2=Chlorpikrin
CCl_4S=Trichlormethansulfenylchlorid
$CCoO_3$=Cobalt(II)-carbonat
CCs_2O_3=Cäsium-Verbindungen
$CCuN$=Kupfer(I)-cyanid
$CCuNS$=Kupfer(I)-thiocyanat
$CFNO_3S$=Fluorosulfonylisocyanat
CF_4=Fluorkohlenwasserstoffe
$CFeO_3$=Eisencarbonat, Siderit
CFe_3=Eisencarbid
$CHBr_3$=Bromoform
$CHClF$=FCKW
$CHCl_2F$=FCKW
CHF_3=Fluorkohlenwasserstoffe
CHF_3O_3S=Trifluormethansulfonsäure
CHI_3=Iodoform
$CHKO_3$=Kaliumhydrogencarbonat
CHN=Blausäure
$CHNO$=Knallsäure
$CHNS$=Thiocyansäure
$CHNaO_2$=Natriumformiat
$CHNaO_3$=Natriumhydrogencarbonat
CHO_2Tl=Thallium(I)-formiat
CH_2BrCl=Bromchlormethan
CH_2Br_2=Methylenbromid
CH_2ClF=FCKW
CH_2F_2=Fluorkohlenwasserstoffe
CH_2I_2=Methyleniodid
CH_2N_2=Cyanamid, Diazomethan
CH_2N_4=Tetrazole
CH_2O=Formaldehyd
CH_2O_2=Ameisensäure
CH_2O_3=Kohlensäure, Peroxyameisensäure
CH_2S_3=Trithiokohlensäure
CH_3BNa=Natriumborhydrid
CH_3Br=Methylbromid
CH_3ClHg=Quecksilber-organische Verbindungen
CH_3ClO_2S=Methansulfonylchlorid
CH_3Cl_3Si=Methylchlorsilane
CH_3F=Fluorkohlenwasserstoffe
CH_3FO_3S=Fluoroschwefelsäuremethylester
CH_3I=Methyliodid
CH_3IMg=Methylmagnesiumiodid
CH_3KO=Kaliummethoxid
CH_3NO=Formamid
CH_3NO_2=Carbamidsäure, Nitromethan
CH_3NO_3=Salpetersäureester
CH_3NS_2=Dithiocarbamidsäure

CH₃NaO=Natriummethoxid
CH₃O₃Re=Rhenium-Verbindungen
CH₄=Methan
CH₄Cl₂O₆P₂=Clodronsäure
CH₄N₂O=Harnstoff
CH₄N₂O₂S=Formamidinsulfinsäure
CH₄N₂S=Ammoniumthiocyanat, Thioharnstoff
CH₄N₄O₂=Nitroguanidin
CH₄O=Methanol
CH₄O₃S=Hydroxymethansulfinsäure, Methansulfonsäure
CH₄S=Methanthiol
CH₅N=Methylamin
CH₅NO₂=Ammoniumformiat
CH₅NO₃=Ammoniumhydrogencarbonat
CH₅N₃=Guanidin
CH₅N₃O=Semicarbazid
CH₅N₃O₄=Harnstoffnitrat
CH₅N₃S=Thiosemicarbazid
CH₆ClN₃O=Semicarbazid
CH₆N₂O₃=Percarbamid
CH₆N₄=Aminoguanidin
CH₇N₂O₅P=Harnstoffphosphat
CH₈N₂O₃=Ammoniumcarbonat
CH₁₆Al₂Mg₆O₁₉=Hydrotalcit
CI₄=Tetraiodmethan
CKN=Kaliumcyanid
CKNO=Kaliumcyanat
CKNS=Kaliumthiocyanat
CK₂O₃=Kaliumcarbonat
CLi₂O₃=Lithiumcarbonat
CMgO₃=Magnesit, Magnesiumcarbonat
CMnO₃=Mangan(II)-carbonat, Rhodochrosit
CNNa=Natriumcyanid
CNNaO=Natriumcyanat
CNNaS=Natriumthiocyanat
CN₄O₈=Tetranitromethan
CNa₂O₃=Natriumcarbonat
CNa₃O₅P=Foscarnet
CNb=Niob-Verbindungen
CNiO₃=Nickel(II)-carbonat
CO=Kohlenoxid
COS=Kohlenoxidsulfid
CO₂=Kohlendioxid
CO₃Pb=Bleicarbonat, Cerussit
CO₃Rb₂=Rubidium-Verbindungen
CO₃Sr=Strontianit, Strontiumcarbonat
CO₃Tl₂=Thallium(I)-carbonat
CO₃Zn=Smithsonit, Zinkcarbonate
CO₅U=Rutherfordin
CS=Schwefelkohlenstoff
CS₂=Schwefelkohlenstoff
CSi=Moissanit, Siliciumcarbid
CTa=Tantal-Verbindungen
CTi=Titancarbid
CW=Wolframcarbide
CW₂=Wolframcarbide

C₂AgKN₂=Kaliumdicyanoargentat
C₂AuKN₂=Gold-Verbindungen
C₂AuN₂Na=Gold-Verbindungen
C₂B₁₃=Borcarbid
C₂Br₂F₄=Halone
C₂Ca=Calciumcarbid
C₂CaMg₆=Dolomit
C₂CaN₂=Calciumcyanid
C₂CaN₂S₂=Calciumthiocyanat
C₂CaO₄=Calciumoxalat, Whewellit
C₂ClF₃=FCKW
C₂ClF₅=FCKW
C₂Cl₂F₂=FCKW
C₂Cl₂F₄=FCKW

C₂Cl₂O₂=Dichlorketen, Oxalylchlorid
C₂Cl₃F₃=FCKW
C₂Cl₃NaO₂=TCA-Na
C₂Cl₄=Tetrachlorethylen
C₂Cl₄F₂=FCKW
C₂Cl₄O₂=Diphosgen
C₂Cl₅F=FCKW
C₂Cl₆=Hexachlorethan
C₂CoO₄=Cobalt(II)-oxalat
C₂Cr₃=Chromcarbide
C₂F₄=Fluorkohlenwasserstoffe, Tetrafluorethylen
C₂F₆=Fluorkohlenwasserstoffe
C₂F₆NO=Bis(trifluormethyl)nitroxid
C₂F₆O₅S₂=Trifluormethansulfonsäure
C₂FeO₄=Eisen(II)-oxalat
C₂HBrClF₃=Halone
C₂HBrF₄=Tefluran
C₂HClF₂=FCKW
C₂HClF₄=FCKW
C₂HCl₂F₃=FCKW
C₂HCl₃=Trichlorethylen
C₂HCl₃F₂=FCKW
C₂HCl₃O=Chloral
C₂HCl₃O₂=Trichloressigsäure
C₂HCl₄F=FCKW
C₂HCl₅=Pentachlorethan
C₂HF₃O₂=Trifluoressigsäure
C₂HF₅=Fluorkohlenwasserstoffe
C₂HKO₄=Kaliumoxalate
C₂H₂=Acetylen
C₂H₂AsCl₃=Lewisit
C₂H₂Br₂F₂=Halone
C₂H₂Br₄=1,1,2,2-Tetrabromethan
C₂H₂CaO₂S=Calciumthioglykolat
C₂H₂CaO₄=Calciumformiat
C₂H₂CaO₆=Calciumhydrogencarbonat
C₂H₂ClF₃=FCKW
C₂H₂ClNO₅=Peroxyacylnitrate
C₂H₂Cl₂=Dichlorethylene
C₂H₂Cl₂F₂=FCKW
C₂H₂Cl₂O=Chloracetylchlorid
C₂H₂Cl₂O₂=Dichloressigsäure, Palite
C₂H₂Cl₃F=FCKW
C₂H₂Cl₄=1,1,2,2-Tetrachlorethan
C₂H₂F₂=Fluorkohlenwasserstoffe
C₂H₂F₄=Fluorkohlenwasserstoffe
C₂H₂MgO₆=Magnesiumhydrogencarbonat
C₂H₂N₂O=Oxadiazole
C₂H₂N₂S=Thiadiazole
C₂H₂N₂S₃=2,5-Dimercapto-1,3,4-thiadiazol
C₂H₂N₄=Tetrazine
C₂H₂NiO₄=Nickel(II)-formiat
C₂H₂O=Keten
C₂H₂O₂=Glyoxal
C₂H₂O₃=Glyoxylsäure
C₂H₂O₄=Oxalsäure
C₂H₂O₈Pb₃=Bleiweiß
C₂H₃AgO₂=Silberacetat
C₂H₃Br=Vinylbromid
C₂H₃BrO=Acetylbromid
C₂H₃BrO₂=Bromessigsäure
C₂H₃Cl=Vinylchlorid
C₂H₃ClF₂=FCKW
C₂H₃ClO=Acetylchlorid, Chloracetaldehyd
C₂H₃ClO₂=Chlorameisensäureester, Chloressigsäure
C₂H₃Cl₂F=FCKW
C₂H₃Cl₃=Trichlorethane
C₂H₃Cl₃O=2,2,2-Trichlorethanol
C₂H₃Cl₃O₂=Chloralhydrat
C₂H₃F=Fluorkohlenwasserstoffe
C₂H₃FO₂=Fluoressigsäure
C₂H₃F₃=Fluorkohlenwasserstoffe

C₂H₃IO₂=Iodessigsäure
C₂H₃KO₂=Kaliumacetat
C₂H₃LiO₂=Lithiumacetat
C₂H₃N=Acetonitril
C₂H₃NO=Methylisocyanat
C₂H₃NO₅=Peroxyacylnitrate
C₂H₃NS=Methylisothiocyanat
C₂H₃N₃=Triazole
C₂H₃NaO₂=Natriumacetat
C₂H₃NaO₂S=Natriumthioglykolat
C₂H₃O₂Tl=Thalliumacetate
C₂H₄=Ethylen
C₂H₄BrNO=N-Bromacetamid
C₂H₄Br₂=1,2-Dibromethan
C₂H₄ClF=FCKW
C₂H₄ClNO=2-Chloracetamid
C₂H₄Cl₂=Dichlorethane
C₂H₄Cl₂O=Bis(chlormethyl)ether, (Dichlormethyl)-methylether
C₂H₄Cl₃KPt=Zeise-Salz
C₂H₄F₂=Fluorkohlenwasserstoffe
C₂H₄NNaS₂=Metam-Natrium
C₂H₄N₂=Nephelometrie
C₂H₄N₂O₂=Oxamid
C₂H₄N₂O₃=Allophansäure
C₂H₄N₂O₆=Ethylenglykoldinitrat
C₂H₄N₂S₂=Dithiooxamid
C₂H₄N₄=Amitrol, Cyan(o)guanidin
C₂H₄N₄O₂=Diazendicarbonsäurediamid
C₂H₄O=Acetaldehyd, Ethylenoxid, Vinylalkohol
C₂H₄OS=Thioessigsäure
C₂H₄O₂=Ameisensäuremethylester, Biosen, Essigsäure, Glykolaldehyd
C₂H₄O₂S=Thioglykolsäure
C₂H₄O₃=Glykolsäure, Peroxide, Peroxyessigsäure
C₂H₄O₃S=Vinylsulfonsäure
C₂H₄S=Ethylensulfid, Thiirane
C₂H₄S₅=Lenthionin
C₂H₅Br=Ethylbromid
C₂H₅Cl=Ethylchlorid
C₂H₅ClO=(Chlormethyl)methylether, Ethylenchlorhydrin
C₂H₅F=Fluorkohlenwasserstoffe
C₂H₅FO=2-Fluorethanol
C₂H₅I=Ethyliodid
C₂H₅N=Ethylenimin
C₂H₅NO=Acetamid, N-Methylformamid
C₂H₅NO₂=Glycin, Nitroethan
C₂H₅NS=Thioacetamid
C₂H₅N₃O₂=Biuret, Nitrosamine
C₂H₅NaO=Natriummethoxid
C₂H₅NaO₃S=Mesna
C₂H₅OTl=Thallium-organische Verbindungen
C₂H₅O₅P=Acetylphosphorsäure
C₂H₆=Ethan
C₂H₆ClO₃P=Ethephon
C₂H₆Cl₂Si=Methylchlorsilane
C₂H₆Hg=Quecksilber-organische Verbindungen
C₂H₆MgO₂=Magnesiummethoxid
C₂H₆N₂O=Nitrosamine, N-Nitrosodimethylamin
C₂H₆N₄O₄=Ethylendinitramin
C₂H₆N₆S=Purpald®
C₂H₆N₁₀=Tetrazen
C₂H₆O=Dimethylether, Ethanol
C₂H₆OS=Dimethylsulfoxid, 2-Mercaptoethanol
C₂H₆O₂=Ethylenglykol
C₂H₆O₂S=Dimethylsulfon
C₂H₆O₃S=Methansulfonsäure
C₂H₆O₂S₂=Coenzym M
C₂H₆O₄S=Dimethylsulfat, Isethionsäure
C₂H₆S=Dimethylsulfid

C₂H₆S₂=1,2-Ethandithiol
C₂H₇AsO₂=Dimethylarsinsäure
C₂H₇N=Dimethylamin, Ethylamin
C₂H₇NO=Aminoethanole
C₂H₇NO₂=Ammoniumacetat
C₂H₇NO₃S=Taurin
C₂H₇NS=Cysteamin
C₂H₇N₅=Biguanide
C₂H₇O₃P=Dimethylphosphit
C₂H₈NO₂PS=Methamidophos
C₂H₈N₂=1,1-Dimethylhydrazin, Ethylendiamin
C₂H₈N₂O₄=Ammoniumoxalat
C₂H₈O₇P₂=Etidronsäure
C₂H₁₀O₃Si₃=Siloxane
C₂H₁₂B₁₀=Carborane
C₂HgN₂O₂=Quecksilber(II)-fulminat
C₂HgN₂S₂=Quecksilber(II)-thiocyanat
C₂K₂O₂=Kohlenoxidkalium
C₂K₂O₄=Kaliumoxalate
C₂Mg=Magnesiumcarbide
C₂N₂=Dicyan
C₂N₂PbS₂=Bleithiocyanat
C₂N₂S₂=Rhodan-Zahl
C₂N₂Zn=Zinkcyanid
C₂Na₂O₄=Natriumoxalate
C₂O₆U=Uranyl-Verbindungen
C₂O₉Zn₅=Zinkcarbonate
C₂Th=Thoriumcarbide

C₃Al₄=Aluminiumcarbid
C₃Cl₃N₃=Cyanurchlorid
C₃Cl₃N₃O₃=Trichlorisocyanursäure
C₃Cl₆O=Hexachloraceton
C₃Cr₇=Chromcarbide
C₃F₆O=Hexafluoraceton
C₃F₈=Fluorkohlenwasserstoffe
C₃FeN₃S₃=Eisen(III)-thiocyanat
C₃H₂ClF₅O=Enfluran, Isofluran
C₃H₂F₆O=Desfluran
C₃H₂N₂=Malonsäuredinitril
C₃H₂N₂O=Pyrazolone
C₃H₂N₂O₃=Parabansäure
C₃H₂O₂=Propiolsäure
C₃H₂O₅=Mesoxalsäure
C₃H₂S₃=Trithione
C₃H₃Br=Propargylbromid
C₃H₃Cl=Propargylchlorid
C₃H₃FeO₆=Eisen(III)-formiat
C₃H₃N=Acrylnitril
C₃H₃NO=Isoxazole, Oxazole
C₃H₃NOS=Rhodanin
C₃H₃NO₂=Cyan(o)essigsäure
C₃H₃NO₄S=1,2,3-Oxathiazin-4(3)H-on-2,2-dioxid
C₃H₃NS=Isothiazole, Thiazole
C₃H₃N₃=Triazine
C₃H₃N₃O₂=Nitroimidazole
C₃H₃N₃O₃=Cyanursäure
C₃H₄=Allen, Cyclopropen, Propin
C₃H₄Cl₂=1,3-Dichlorpropen
C₃H₄Cl₂F₂O=Methoxyfluran
C₃H₄Cl₂O=1,3-Dichlor-2-propanon
C₃H₄N₂=Imidazol, 1H-Pyrazol
C₃H₄N₂O=2-Cyan(o)acetamid, Pyrazolone
C₃H₄N₂O₂=Hydantoine
C₃H₄O=Acrolein, 2-Propin-1-ol
C₃H₄O₂=Acrylsäure, Methylglyoxal, β-Propiolacton
C₃H₄O₃=Brenztraubensäure, 1,3-Dioxolan-2-on, Reduktone, Triosereduktion
C₃H₄O₄=Malonsäure
C₃H₄O₅=Tartronsäure
C₃H₄O₆=Mesoxalsäure
C₃H₅Br=Allylbromid

C_3H_5Cl=Allylchlorid
C_3H_5ClO=Chloraceton, α-Epichlorhydrin, Propionsäurechlorid
$C_3H_5ClO_2$=Chlorameisensäureester, Chloressigsäureester
$C_3H_5Cl_3$=1,2,3-Trichlorpropan
C_3H_5N=Propionitril
C_3H_5NO=Acrylamid, Hydroxypropionitrile
$C_3H_5NO_2$=Oxazolidinone
$C_3H_5NO_4$=Hadacidin
$C_3H_5NO_5$=Peroxyacylnitrate
$C_3H_5N_3O_9$=Glycerintrinitrat
$C_3H_5NaOS_2$=Natriumxanthate
$C_3H_5NaO_2$=Natriumpropionat
$C_3H_5NaO_3$=Natriumlactat
$C_3H_5O_6P$=Phosphoenolpyruvat
C_3H_6=Cyclopropan, Propen
$C_3H_6Br_2$=1,3-Dibrompropan
$C_3H_6Cl_2$=Dichlorpropane
$C_3H_6Cl_2O$=1,3-Dichlor-2-propanol
$C_3H_6Cl_3N$=Phosgen-Iminium-Salze
$C_3H_6N_2$=Pyrazoline
$C_3H_6N_2O$=Imidazolidin-2-on
$C_3H_6N_2O_2$=Cycloserin
$C_3H_6N_2S$=Imidazolidin-2-thion
$C_3H_6N_6$=Melamin
$C_3H_6N_6O_6$=Hexogen
C_3H_6O=Aceton, Allylalkohol, Oxetane, Propionaldehyd, Propylenoxid, Vinylether
C_3H_6OS=Propanthial-S-oxid
$C_3H_6O_2$=Ameisensäureethylester, Dimethyldioxiran, 1,3-Dioxolan, Essigsäuremethylester, Glycidol, Peroxide, Propionsäure
$C_3H_6O_2S$=Mercaptopropionsäuren
$C_3H_6O_3$=Dihydroxyaceton, Dimethylcarbonat, Glycerinaldehyd, Hydroxypropionsäuren, Milchsäure, Triosen, 1,3,5-Trioxan
$C_3H_6O_3S$=1,3-Propansulton
$C_3H_6O_4$=Glycerinsäure
C_3H_6S=Thietane
C_3H_7Br=Propylbromide
$C_3H_7CaO_6P$=Calciumglycerophosphat
C_3H_7Cl=Propylchloride
C_3H_7ClHgO=(2-Methoxyethyl)quecksilberchlorid, Quecksilber-organische Verbindungen
C_3H_7ClO=(Chlormethyl)ethylether, Chlorpropanole
$C_3H_7ClO_2$=3-Chlor-1,2-propandiol
C_3H_7F=Fluorkohlenwasserstoffe
C_3H_7N=Allylamin, Propylenimin
C_3H_7NO=Dimethylformamid, N-Methylacetamid, Propionamid
$C_3H_7NO_2$=Alanin, Nitropropane, Sarkosin, Urethan
$C_3H_7NO_2S$=L-Cystein
$C_3H_7NO_2Se$=Selenocystein
$C_3H_7NO_3$=Serin
$C_3H_7N_3O_2$=Nitrosamine
$C_3H_7N_3O_4$=L-Alanosin
$C_3H_7NaO_3S_3$=Unitiol
$C_3H_7O_4P$=Fosfomycin
$C_3H_7O_7P$=Phosphoglycerinsäuren
C_3H_8=Propan
$C_3H_8NO_5P$=Glyphosat
$C_3H_8NO_6P$=Phosphoserin
$C_3H_8N_2O$=1,3-Dimethylharnstoff, Nitrosamine
C_3H_8O=Propanole
$C_3H_8OS_2$=Dimercaprol

$C_3H_8O_2$=Ethylenglykol, Methylal, Propandiole
$C_3H_8O_2S$=3-Mercapto-1,2-propandiol
$C_3H_8O_3$=Glycerin
$C_3H_8O_3S$=Methansulfonsäure
C_3H_8S=Propanthiole
C_3H_9B=Bor-organische Verbindungen
C_3H_9ClSi=Methylchlorsilane
C_3H_9Ga=Gallium-Verbindungen
C_3H_9ISi=Iodtrimethylsilan
C_3H_9N=Propylamine, Trimethylamin
C_3H_9NO=Aminopropanole, N-Methylethanolamin
$C_3H_9NO_3S$=N-Methyltaurin
$C_3H_9N_3Si$=Trimethylsilylazid
$C_3H_9O_3P$=Trimethylphosphit
$C_3H_9O_4P$=Trimethylphosphat
$C_3H_9O_6P$=Glycerinphosphate
$C_3H_{10}NO_3P$=Ampropylfos
$C_3H_{10}N_2$=Propandiamine
$C_3H_{11}NO_7P_2$=Pamidronsäure
$C_3H_{11}N_2O_4P$=Fosamin-ammonium
$C_3La_2O_9$=Lanthan-Verbindungen
C_3Mg_2=Magnesiumcarbide
C_3O_2=Kohlensuboxid
$C_3O_9Pr_2$=Praseodym-Verbindungen
C_3S_2=Schwefelkohlenstoff
C_4BaN_4Pt=Bariumtetracyanoplatinat(II)
C_4ClF_7=FCKW
$C_4Cl_2F_6$=FCKW
C_4Cl_6=Hexachlor-1,3-butadien
$C_4F_6O_3$=Trifluoressigsäureanhydrid
C_4F_8=Fluorkohlenwasserstoffe
C_4F_{10}=Fluorkohlenwasserstoffe
$C_4FeNa_2O_4$=Collmans Reagenz
C_4HKO_3=Moniliformin
$C_4H_2FeO_4$=Eisen(II)-fumarat
$C_4H_2N_2O_4$=Alloxan
$C_4H_2O_3$=Maleinsäureanhydrid
$C_4H_2O_4$=Quadratsäure
$C_4H_3AuNa_2O_4S$=Natriumaurothiomalat
$C_4H_3BrN_2O_2$=5-Bromuracil
$C_4H_3FN_2O_2$=Fluorouracil
$C_4H_3F_7O$=Sevofluran
$C_4H_3KO_8$=Kaliumoxalate
$C_4H_3NO_2$=Maleinimid
$C_4H_3NO_3$=Nitrofurane
$C_4H_3NO_4$=Violursäure
$C_4H_3N_3O_5$=5-Nitrobarbitursäure
C_4H_4=1-Buten-3-in
$C_4H_4AuNaO_4S$=Natriumaurothiomalat
$C_4H_4BrNO_2$=N-Bromsuccinimid
C_4H_4ClNOS=Methylisothiazolone
$C_4H_4ClNO_2$=N-Chlorsuccinimid
$C_4H_4Cl_2O_2$=Succinylchlorid
$C_4H_4FN_3O$=Flucytosin
$C_4H_4F_6$=Fluorkohlenwasserstoffe
$C_4H_4INO_2$=N-Iodsuccinimid
C_4H_4KN=Pyrrol
$C_4H_4KNO_4S$=Acesulfam-K
$C_4H_4KNaO_6$=Kaliumnatrium-(R,R)-tartrat
$C_4H_4N_2$=Bernsteinsäuredinitril, Pyrazin, Pyrimidin
$C_4H_4N_2OS$=2-Thiouracil
$C_4H_4N_2O_2$=Maleinsäurehydrazid, Uracil
$C_4H_4N_2O_2S$=2-Thiobarbitursäure
$C_4H_4N_2O_3$=Barbitursäure
$C_4H_4N_2O_4$=Dialursäure
$C_4H_4N_6O$=8-Azaguanin

$C_4H_4Na_2O_4$=Natriumsuccinat
$C_4H_4Na_2O_6$=Natriumtartrat
C_4H_4O=Furan
$C_4H_4O_2$=Butenolide, Diketen, Propiolsäure
$C_4H_4O_3$=Bernsteinsäureanhydrid, Tetronsäure
$C_4H_4O_4$=Fumarsäure, Maleinsäure
$C_4H_4O_5$=Oxobernsteinsäure
C_4H_4S=Thiophen
C_4H_5Cl=Chloropren
$C_4H_5KO_6$=Kaliumhydrogentartrat
C_4H_5N=Pyrrol
C_4H_5NOS=Methylisothiazolone
$C_4H_5NO_2$=Hymexazol, Succinimid, Tetramsäure
C_4H_5NS=Allylisothiocyanat, Senföle, Thiazine
$C_4H_5N_3O$=Cytosin
$C_4H_5N_3O_3$=Uramil
C_4H_6=1,3-Butadien, 1-Butin
$C_4H_6As_6Cu_4O_{16}$=Schweinfurter Grün
$C_4H_6BaO_4$=Bariumacetat
$C_4H_6CaO_4$=Calciumacetat
$C_4H_6CdO_4$=Cadmiumacetat
$C_4H_6CoO_4$=Cobalt(II)-acetat
$C_4H_6CuO_4$=Kupferacetate
$C_4H_6HgO_4$=Quecksilber(II)-acetat
$C_4H_6MgO_4$=Magnesiumacetat
$C_4H_6MnO_4$=Manganacetate
$C_4H_6N_2$=4-Methylimidazol
$C_4H_6N_2O_2$=Diazoessigester, Muscimol, 2,5-Piperazindion
$C_4H_6N_2O_4$=Diazendicarbonsäuredimethylester
$C_4H_6N_2S$=Thiamazol
$C_4H_6N_4O_2$=Vicin
$C_4H_6N_4O_3$=Allantoin
$C_4H_6N_4O_3S$=Acetazolamid
$C_4H_6N_4O_{12}$=Erythrittetranitrat
$C_4H_6NiO_4$=Nickel(II)-acetat
C_4H_6O=(E)-2-Butenal, Cyclobutanon, Vinylether
$C_4H_6O_2$=2,3-Butandion, Butensäure, 2-Butin-1,4-diol, γ-Butyrolacton, Essigsäurevinylester, Methacrylsäure, Methylacrylat
$C_4H_6O_2S$=3-Sulfolen
$C_4H_6O_2S_2$=Spargel
$C_4H_6O_3$=Acetessigsäure, Essigsäureanhydrid, 4-Methyl-1,3-dioxolan-2-on, 2-Oxobuttersäure
$C_4H_6O_4$=Bernsteinsäure, Oxalsäureester, Peroxide
$C_4H_6O_4Pb$=Bleiacetate
$C_4H_6O_4Pd$=Palladium(II)-acetat
$C_4H_6O_4S$=Thioäpfelsäure, 2,2'-Thiodiessigsäure
$C_4H_6O_4Zn$=Zinkacetat
$C_4H_6O_5$=Äpfelsäure, Diglykolsäure, Dimethyldicarbonat
$C_4H_6O_5Zr$=Zirconyl-Verbindungen
$C_4H_6O_6$=Weinsäure
$C_4H_6O_6U$=Uranyl-Verbindungen
$C_4H_7AlN_4O_5$=Aldioxa
C_4H_7Br=1-Brom-2-buten
$C_4H_7BrO_2$=2-Brombuttersäure, Bromessigsäureethylester
C_4H_7Cl=3-Chlor-2-methyl-1-propen
C_4H_7ClO=Buttersäurechlorid
$C_4H_7ClO_2$=Chloressigsäureester
$C_4H_7Cl_2O_4P$=Dichlorvos
$C_4H_7Cl_3O$=1,1,1-Trichlor-2-methyl-2-propanol

C_4H_7NO=2-Hydroxy-2-methylpropionitril, 2-Pyrrolidon
$C_4H_7NO_2$=1-Amino-cyclopropancarbonsäure, Azetidin-2-carbonsäure
$C_4H_7NO_3$=Oxetin
$C_4H_7NO_4$=Asparaginsäure
$C_4H_7NO_5$=Peroxyacylnitrate
C_4H_7NS=Senföle
$C_4H_7N_3O$=Kreatinin
$C_4H_7N_5$=2,4-Diamino-6-methyl-1,3,5-triazin
C_4H_8=Buten, Cyclobutan
$C_4H_8Cl_2$=1,4-Dichlorbutan
$C_4H_8Cl_2O$=Bis(2-chlorethyl)ether
$C_4H_8Cl_2S$=Bis(2-chlorethyl)sulfid
$C_4H_8Cl_3O_4P$=Trichlorfon
$C_4H_8N_2O$=Gyromitrin, Nitrosamine, Propylenharnstoff
$C_4H_8N_2O_2$=Dimethylglyoxim, Nitrosamine
$C_4H_8N_2O_3$=Asparagin
$C_4H_8N_2O_7$=Diethylenglykoldinitrat
$C_4H_8N_2S$=Allylthioharnstoff
$C_4H_8N_8O_8$=Octogen
C_4H_8O=2-Butanon, Butyraldehyde, Tetrahydrofuran, Vinylether
C_4H_8OS=Methional
$C_4H_8O_2$=Acetoin, Aldol, 2-Buten-1,4-diol, Buttersäure, 1,4-Dioxan, Essigsäureethylester, Propionsäureester
$C_4H_8O_2S$=Sulfolan
$C_4H_8O_3$=Hydroxybuttersäuren, Milchsäureester
$C_4H_8O_3S$=Methansulfonsäure
$C_4H_8O_4$=Erythrose, Tetraoxan, Tetrosen, Threose
C_4H_8S=Tetrahydrothiophen
$C_4H_9Al_2ClN_4O_7$=Alcloxa
C_4H_9Br=Butylbromide
C_4H_9Cl=Butylchloride
$C_4H_9ClO_2$=Chloracetaldehyddimethylacetal
$C_4H_9Cl_3Sn$=Zinn-organische Verbindungen
$C_4H_9F_3O_3SSi$=Trifluormethansulfonsäure
C_4H_9KO=Kalium-tert-butoxid
C_4H_9Li=Butyllithium
C_4H_9N=Pyrrolidin
C_4H_9NO=N,N-Dimethylacetamid, Morpholin
$C_4H_9NO_2$=Aminobuttersäuren, Isobutylnitrit
$C_4H_9NO_2S$=Homocystein
$C_4H_9NO_3$=L-Homoserin, L-Threonin
$C_4H_9N_3O_2$=Kreatin, Lyophyllin
C_4H_{10}=Butan
$C_4H_{10}BF_3O$=Bortrifluorid-Etherat
$C_4H_{10}CrN_7S_4$=Reinecke-Salz
$C_4H_{10}FO_2P$=Sarin
$C_4H_{10}MgO_2$=Magnesiummethoxid
$C_4H_{10}O_3PS$=Acephat
$C_4H_{10}N_2$=Piperazin
$C_4H_{10}N_2O$=Nitrosamine
$C_4H_{10}N_2O_2$=Nitrosamine
$C_4H_{10}N_3O_5P$=Kreatinphosphat
$C_4H_{10}O$=Butanole, Diethylether
$C_4H_{10}O_2$=Butandiole, tert-Butylhydroperoxid, Ethylenglykol, Peroxide
$C_4H_{10}O_2S$=2,2'-Thiodiethanol
$C_4H_{10}O_2S_2$=1,4-Dimercapto-2,3-butandiole
$C_4H_{10}O_3$=Diethylenglykol, Orthoester

C₄H₁₀O₄=Erythrit, Threit
C₄H₁₀O₄S=Diethylsulfat
C₄H₁₀S=1-Butanthiol
C₄H₁₀Zn=Zink-organische Verbindungen
C₄H₁₁N=Butylamine, Diethylamin
C₄H₁₁NO=2-Amino-1-butanol, 2-Amino-2-methyl-1-propanol, Deanol, 2-(Dimethylamino)ethanol, 3-Methoxypropylamin
C₄H₁₁NO₂=Aminoacetaldehyddimethylacetal, 2-Amino-2-methyl-1,3-propandiol, 2,2′-Iminodiethanol
C₄H₁₁NO₃=Trometamol
C₄H₁₁N₅=Metformin
C₄H₁₁O₃P=Diethylphosphit
C₄H₁₂BrN=Tetramethylammonium-Salze
C₄H₁₂ClN=Tetramethylammonium-Salze
C₄H₁₂ClN₃O=Girard-Reagenzien
C₄H₁₂IN=Tetramethylammonium-Salze
C₄H₁₂N₂=1,4-Butandiamin
C₄H₁₂N₂S₂=Cystamin
C₄H₁₂Pb=Bleitetraethyl
C₄H₁₂Si=Tetramethylsilan
C₄H₁₃NO=Tetramethylammonium-Salze
C₄H₁₃NO₇P₂=Alendronat
C₄H₁₃N₃=Diethylentriamin
C₄HgK₂N₄=Kaliumtetracyanomercurat(II)
C₄N₂=Dicyanoacetylen
C₄NiO₄=Nickeltetracarbonyl

C₅F₁₂=Fluorkohlenwasserstoffe
C₅FeN₆Na₂O=Nitroprussidnatrium
C₅FeO₅=Eisencarbonyle
C₅HMnO₅=Mangancarbonyle
C₅H₃Cl₃O₃=MX
C₅H₃F₆NO₂=N-Methylbis(trifluoracetamid)
C₅H₃I₂NO=Iopydon
C₅H₄BrN=Brompyridine
C₅H₄ClN=Chlorpyridine
C₅H₄N₂O₄=Orotsäure
C₅H₄N₄=Purin
C₅H₄N₄O=Allopurinol, Hypoxanthin
C₅H₄N₄O₂=Xanthin
C₅H₄N₄O₃=Harnsäure
C₅H₄N₄S=Mercaptopurin
C₅H₄O₂=Anemonin(e), Furfural, Protoanemonin, Pyrone
C₅H₄O₃=2-Furancarbonsäure, Methylmaleinsäureanhydrid
C₅H₅Cl₃N₂OS=Etridiazol
C₅H₅N=Pyridin
C₅H₅NO=Pyridinole, Pyridin-N-oxide
C₅H₅NOS=Pyrithion
C₅H₅N₃O=Pyrazinamid
C₅H₅N₅=Adenin
C₅H₅N₅O=Guanin
C₅H₅N₅S=Tioguanin
C₅H₅Na=Natrium-organische Verbindungen
C₅H₅P=Phosphinin
C₅H₆=Cyclopentadien
C₅H₆Br₂N₂O₂=1,3-Dibrom-5,5-dimethylhydantoin
C₅H₆Br₃N=Pyridinium-Verbindungen
C₅H₆ClCrNO₃=Pyridinium-Verbindungen
C₅H₆N₂=Aminopyridine

C₅H₆N₂OS=Methylthiouracil
C₅H₆N₂O₂=Thymin
C₅H₆N₂O₄=Ibotensäure, Muscazon
C₅H₆O=Pyrane
C₅H₆O₂=Furfurylalkohol
C₅H₆O₃=Glutarsäureanhydrid, Reduktone
C₅H₆O₄=Itaconsäure, Methylfumarsäure, Methylmaleinsäure
C₅H₆O₅=Oxoglutarsäuren
C₅H₆S=Thiopyran
C₅H₇ClN₂O₃=Acivicin
C₅H₇NO=Furfurylamin
C₅H₇NOS=Goitrin
C₅H₇NO₂=Cyan(o)essigsäureester, Jatropham
C₅H₇NO₃=Pyroglutaminsäure
C₅H₇NS=Senföle
C₅H₇N₃=2,6-Diaminopyridin
C₅H₇N₃O=5-Methylcytosin
C₅H₇N₃O₄=Azaserin
C₅H₇N₃O₅=Quisqualsäure
C₅H₈=Isopren, 1,3-Pentadien
C₅H₈NNaO₄=Natrium-L-glutamat
C₅H₈N₂O₂=5,5-Dimethylhydantoin
C₅H₈N₂O₄=Tricholomsäure
C₅H₈N₄O₁₂=Pentaerythrittetranitrat
C₅H₈O=Cyclopentanon, 3,4-Dihydro-2H-pyran, 2-Methyl-3-butin-2-ol
C₅H₈O₂=Acetylaceton, Butteraroma, Essigsäureisopropenylester, Glutaraldehyd, Methacrylsäureester, Methyl-2-butensäuren
C₅H₈O₃=(2-Hydroxyethyl)acrylat, Lävulinsäure
C₅H₈O₄=Glutarsäure
C₅H₉ClO=2,2-Dimethylpropionylchlorid
C₅H₉Cl₂N₃O₂=Carmustin
C₅H₉NO=N-Methyl-2-pyrrolidon, 2-Piperidon
C₅H₉NO₂=4-Formylmorpholin, Prolin
C₅H₉NO₂S=(R)-Thiomorpholin-3-carbonsäure
C₅H₉NO₃=5-Amino-4-oxovaleriansäure, 4-Hydroxy-L-prolin
C₅H₉NO₃S=Acetylcystein, Chondrin, Tiopronin
C₅H₉NO₄=Glutaminsäure, N-Methyl-D-aspartat
C₅H₉NO₄S=Carbocistein
C₅H₉NO₅=4-Hydroxyglutaminsäure
C₅H₉NS=Senföle
C₅H₉N₃=Betazol, Histamin
C₅H₁₀=Cyclopentan, Methylbutene, Pentene
C₅H₁₀AgNS₂=Silberdiethyldithiocarbamat
C₅H₁₀NNaS₂=Natrium-diethyldithiocarbamat
C₅H₁₀N₂O=Nitrosamine
C₅H₁₀N₂O₂=Methomyl
C₅H₁₀N₂O₃=L-Glutamin
C₅H₁₀N₂S₂=Dazomet
C₅H₁₀O=Cyclopentanol, 3-Methyl-2-butanon, Methylbutenole, 3-Methylbutyraldehyd, Pentanal, Pentanone, Pentenole, Tetrahydropyran
C₅H₁₀O₂=Buttersäureester, 2,2-Dimethylpropionsäure, Essigsäurepropylester, 3-Methylbuttersäure, Propionsäureester, Tetrahydrofurfurylalkohol, Valeriansäure

C₅H₁₀O₃=Diethylcarbonat, Ethylenglykol, Milchsäureester
C₅H₁₀O₄=2-Desoxy-D-ribose, Glycerinacetate
C₅H₁₀O₅=Apiose, Arabinose, D-Lyxose, D-Ribose, D-Ribulose, D-Xylose
C₅H₁₁Cl=Pentylchlorid
C₅H₁₁ClHgN₂O₂=Chlormerodrin
C₅H₁₁Cl₂N=Chlormethin
C₅H₁₁N=Piperidin
C₅H₁₁NO=3-Hydroxypiperidin, 4-Methylmorpholin
C₅H₁₁NO₂=Betain, 3-Methylbutylnitrit, Norvalin, Valin
C₅H₁₁NO₂S=Methionin, Penicillamin
C₅H₁₁NO₂Se=Methionin
C₅H₁₁N₂O₄S=Acamprosat
C₅H₁₁NS₂=Nereistoxin
C₅H₁₁N₂O₂P=Tabun
C₅H₁₂=2,2-Dimethylpropan, 2-Methylbutan, Pentane
C₅H₁₂ClO₂PS₂=Chlormephos
C₅H₁₂NO₃PS₂=Dimethoat
C₅H₁₂NO₄P=Phosphinothricin
C₅H₁₂NO₄PS=Omethoat
C₅H₁₂N₂O=Tetramethylharnstoff
C₅H₁₂N₂O₂=Ornithin
C₅H₁₂N₂S=1,3-Diethylthioharnstoff
C₅H₁₂N₄O₃=Canavanin
C₅H₁₂O=tert-Butylmethylether, Methylbutanole, Pentanole
C₅H₁₂O₂=2,2-Dimethyl-1,3-propandiol, Pentandiole, Propylglykol
C₅H₁₂O₃=Trimethylolethan
C₅H₁₂O₄=Orthocarbonate, Pentaerythrit
C₅H₁₂O₄S₅=Dysoxysulfon
C₅H₁₂O₅=Adonit, Ribit, Xylit, Zuckeraustauschstoffe
C₅H₁₃Cl₂N=Chlormequatchlorid
C₅H₁₃N=1-Pentanamin
C₅H₁₃NO=(Dimethylamino)propanole
C₅H₁₃NO₂=N-Methyl-2,2′-iminodiethanol
C₅H₁₄ClNO=Cholinchlorid
C₅H₁₄ClN₃=Girard-Reagenzien
C₅H₁₄N₂=1,5-Pentandiamin
C₅H₁₄N₂O₄P=Glufosinat-ammonium
C₅H₁₅NO₂=Cholin
C₅H₁₅N₂O₃PS=Amifostin

C₆Cl₄O₂=Chloranil
C₆Cl₅NO₂=Quintozen
C₆Cl₆=Hexachlorbenzol
C₆CrO₆=Chromhexacarbonyl
C₆F₉O₆Tl=Thallium(III)-trifluoracetat
C₆FeK₃N₆=Blutlaugensalze
C₆FeK₄N₆=Blutlaugensalze
C₆FeN₆Na₃=Natriumhexacyanoferrate
C₆FeN₆Na₄=Natriumhexacyanoferrate
C₆HBiBr₄O₃=Bibrocathol
C₆HCl₅O=Pentachlorphenol
C₆H₁N₃O₈Pb=Bleitrinitroresorcinat
C₆H₂ClN₃O₃=NBD-Chlorid
C₆H₂Cl₂O₄=Chloranilsäure
C₆H₂Cl₃NO=N,2,6-Trichlor-1,4-benzochinon-4-imin
C₆H₂Cl₄=Tetrachlorbenzole
C₆H₂Na₂O₆=Tetrahydroxy-1,4-benzochinon
C₆H₂O₆=Rhodizonsäure
C₆H₃Br₃O=2,4,6-Tribromphenol

C₆H₃ClN₂O₄=1-Chlor-2,4-dinitrobenzol
C₆H₃Cl₂NO₂=Clopyralid, Dichlornitrobenzole
C₆H₃Cl₃=Trichlorbenzole
C₆H₃Cl₃N₂O₂=Picloram
C₆H₃Cl₃O=Trichlorphenole
C₆H₃FN₂O₄=1-Fluor-2,4-dinitrobenzol
C₆H₃FeN₆=Hexacyanoeisensäuren
C₆H₃MnO₅=Mangan-organische Verbindungen
C₆H₃N₃O₆=1,3,5-Trinitrobenzol
C₆H₃N₃O₇=Pikrinsäure
C₆H₃N₃O₈=Styphninsäure
C₆H₄ClNO₂=Chlornitrobenzole
C₆H₄Cl₂=Dichlorbenzole
C₆H₄Cl₂O=Dichlorphenole
C₆H₄FeN₆=Hexacyanoeisensäuren
C₆H₄I₂O₄S=Sozoiodolsäure
C₆H₄N₂O₃S=4-Diazoniobenzolsulfonat
C₆H₄N₂O₄=Dinitrobenzole
C₆H₄N₂O₅=Dinitrophenole
C₆H₄N₄=Pteridine
C₆H₄N₄O₂=Pteridine
C₆H₄N₄O₆=Pikrinsäure
C₆H₄Na₂O₈S₂=Tiron
C₆H₄O₂=Benzochinone
C₆H₄O₆=Tetrahydroxy-1,4-benzochinon
C₆H₄S₄=Tetrathiafulvalen
C₆H₅BO₂=Catecholboran
C₆H₅Br=Brombenzol
C₆H₅BrMg=Phenylmagnesiumbromid
C₆H₅BrO=4-Bromphenol
C₆H₅Cl=Chlorbenzol
C₆H₅ClHg=Quecksilber-organische Verbindungen
C₆H₅ClN₂=Diazonium-Verbindungen
C₆H₅ClO=Chlorphenole
C₆H₅ClO₂S=Benzolsulfonylchlorid
C₆H₅ClS=4-Chlorthiophenol
C₆H₅Cl₂N=Dichloraniline
C₆H₅F=Fluorbenzol
C₆H₅HgNO₃=Quecksilber-organische Verbindungen
C₆H₅I=Iodbenzol
C₆H₅IO=Iodosylbenzol
C₆H₅IO₂=Iodylbenzol
C₆H₅K₃O₇=Kaliumcitrat
C₆H₅Li=Phenyllithium
C₆H₅NO=Nitrosobenzol, Pyridincarbaldehyde
C₆H₅NO₂=Isonicotinsäure, Nicotinsäure, Nitrobenzol, 4-Nitrosophenol, Picolinsäure
C₆H₅NO₃=Nitrophenole
C₆H₅NO₄=Citrazinsäure
C₆H₅NO₅=Peroxyacylnitrate
C₆H₅N₂O₂=Pteridine
C₆H₅N₃=1H-Benzotriazol, Phenylazid
C₆H₅N₃O₄=2,4-Dinitroanilin
C₆H₅N₃O₅=Pikraminsäure
C₆H₅N₅=Pteridine, Pterin
C₆H₅N₅O₂=Pteridine, Xanthopterin
C₆H₅N₅O₃=Leucopterin, Pteridine
C₆H₅NaO=Phenolate
C₆H₅Na₂O₄P=Phenylphosphat-Dinatriumsalz
C₆H₅Na₃O₇=Natriumcitrat
C₆H₆=Benzol, Benzvalen, Fulvene, Prisman

C_6H_6ClN=Chloranilin
$C_6H_6Cl_2N_2O_4S_2$=Diclofenamid
$C_6H_6Cl_6$=Lindan
C_6H_6HgO=Quecksilber-organische Verbindungen
$C_6H_6N_2O$=Nicotinsäureamid, Nitrosamine, Pyridincarbaldoxime
$C_6H_6N_2O_2$=ar-Nitroanilin, Urocansäure
$C_6H_6N_2O_3$=Acipimox
$C_6H_6N_4O_3S$=Niridazol
$C_6H_6N_4O_4$=2,4-Dinitrophenylhydrazin, Nitrofural
C_6H_6O=Phenol
$C_6H_6O_2$=Brenzcatechin, Hydrochinon, Resorcin
$C_6H_6O_3$=5-(Hydroxymethyl)furfural, Isomaltol, Maltol, Phloroglucin, Pyrogallol
$C_6H_6O_3S$=Benzolsulfonsäure
$C_6H_6O_4$=Kojisäure, Muconsäure
$C_6H_6O_4S$=Phenolsulfonsäuren
$C_6H_6O_6$=Aconitsäure, L-Ascorbinsäure, Hexahydroxybenzol
$C_6H_6O_6S_2$=Benzoldisulfonsäuren
$C_6H_6O_7$=Hibiscus
C_6H_6S=Thiophenol
$C_6H_7ClN_2O_4S_2$=Clofenamid
$C_6H_7F_3N_4OS$=Thiazafluron
$C_6H_7KO_2$=Kaliumsorbat
C_6H_7N=Anilin, Picoline
C_6H_7NO=Aminophenole, N-Phenylhydroxylamin, Pyridylmethanole
$C_6H_7NO_2S$=Benzolsulfonamid
$C_6H_7NO_3S$=Aminobenzolsulfonsäuren
$C_6H_7NO_4$=Clavame
$C_6H_7N_3O$=Isoniazid
$C_6H_7N_3O_2$=2-Nitro-1,4-phenylendiamin, (4-Nitrophenyl)hydrazin
$C_6H_7NaO_6$=Natriumascorbat
C_6H_8=Cyclohexadien
$C_6H_8AsNO_3$=4-Aminophenylarsonsäure
$C_6H_8CaO_8$=Calciumsaccharat
C_6H_8ClNS=Clomethiazol
$C_6H_8ClN_7O$=Amilorid
$C_6H_8N_2$=Adipinsäuredinitril, Phenylendiamine, Phenylhydrazin
$C_6H_8N_2O$=2,4-Diaminophenol, 3,3'-Oxydipropionitril
$C_6H_8N_2O_2S$=Sulfanilamid
$C_6H_8N_2O_8$=Isosorbid-dinitrat
$C_6H_8N_6O_{18}$=Mannit(ol)hexanitrat
$C_6H_8O_2$=Fettsäuren, Nüsse, Sorbinsäure
$C_6H_8O_2S$=Thiepine
$C_6H_8O_3$=Osmundalacton, Sotolon
$C_6H_8O_4$=Lactid, Meldrumsäure
$C_6H_8O_6$=L-Ascorbinsäure, D-Glucuronsäure-γ-lacton, Isoascorbinsäure, 1,2,3-Propantricarbonsäure
$C_6H_8O_7$=Citronensäure, Isocitronensäure
$C_6H_8S_2$=Knoblauch-Inhaltsstoffe
$C_6H_9CrO_6$=Chrom(III)-acetat
$C_6H_9MnO_6$=Manganacetate
C_6H_9NO=Popcorn, 1-Vinyl-2-pyrrolid(in)on
$C_6H_9NOS_2$=Senföle, Sulforaphen
$C_6H_9NO_2S$=Citiolon
$C_6H_9NO_3$=Trimethadion
$C_6H_9NO_6$=Isosorbid-5-mononitrat, NTA
$C_6H_9N_3O_2$=Histidin, Kupferron
$C_6H_9N_3O_3$=Metronidazol
$C_6H_9O_6Tl$=Thalliumacetate

C_6H_{10}=Cyclohexen, 1-Hexin
$C_6H_{10}CaO_4$=Calciumpropionat
$C_6H_{10}CaO_6$=Calciumlactat
$C_6H_{10}Cl_2N_2O$=2,4-Diaminophenol
$C_6H_{10}N_2O_2$=Nioxim, Piracetam
$C_6H_{10}N_2O_4$=Diazendicarbonsäure-diethylester
$C_6H_{10}N_2O_5$=ADA
$C_6H_{10}N_4$=Pentetrazol
$C_6H_{10}N_6$=Cyromazin
$C_6H_{10}N_6O$=Dacarbazin
$C_6H_{10}O$=Cyclohexanon, Hexenale, Mesityloxid, Methylpentynol, Pantolacton
$C_6H_{10}OS_2$=Allicin, Zwiebelane
$C_6H_{10}O_2$=(E)-2-Butensäureethylester, ε-Caprolacton, 2,5-Hexandion, Naphthensäuren
$C_6H_{10}O_2S$=Gonyaulin
$C_6H_{10}O_3$=Acetessigester, (2-Hydroxypropyl)-acrylat, Mevalolacton, Propionsäureanhydrid
$C_6H_{10}O_4$=Adipinsäure, Oxalsäureester
$C_6H_{10}O_4S$=3,3'-Thiodipropionsäure
$C_6H_{10}O_4S_2$=Dimethipin
$C_6H_{10}O_5$=Laminarin, Lentinan
$C_6H_{10}O_6$=Gluconsäure-5-lacton
$C_6H_{10}O_7$=Galacturonsäure, D-Glucuronsäure, L-Iduronsäure
$C_6H_{10}O_8$=Glucarsäure, Schleimsäure
$C_6H_{10}S_2$=Knoblauch-Inhaltsstoffe
$C_6H_{11}AuO_5S$=Aurothioglucose
$C_6H_{11}Br$=Bromcyclohexan
$C_6H_{11}BrN_2O_2$=Bromisoval
$C_6H_{11}Cl$=Chlorcyclohexan
$C_6H_{11}ClO_3PS$=Chlorethoxyfos
$C_6H_{11}KO_7$=Kalium-D-gluconat
$C_6H_{11}NO$=ε-Caprolactam, Cyclohexanonoxim, 1-Methyl-4-piperidinon
$C_6H_{11}NOS_2$=Senföle, Sulforaphen
$C_6H_{11}NO_2$=Cispentacin, Piperidincarbonsäuren, Vigabatrin
$C_6H_{11}NO_2S_2$=Senföle
$C_6H_{11}NO_3S$=Alliin, (+)-S-((E)-1-Propenyl)-L-cystein-(R)-sulfoxid
$C_6H_{11}NS_2$=Senföle
$C_6H_{11}N_2O_4PS_3$=Methidathion
$C_6H_{11}N_3O_9$=Propatylnitrat
$C_6H_{11}NaO_7$=Natrium-D-gluconat
C_6H_{12}=Cyclohexan, 1-Hexen, Methylcyclopentan
$C_6H_{12}Cl_3N$=Tris(2-chlorethyl)amin
$C_6H_{12}F_2N_2O_2$=Eflornithin
$C_6H_{12}FeN_3O_{12}$=Ammoniumeisen(III)-oxalat
$C_6H_{12}NNaO_3S$=Natriumcyclamat
$C_6H_{12}N_2$=1,4-Diazabicyclo[2.2.2]octan
$C_6H_{12}N_2O_4Pt$=Carboplatin
$C_6H_{12}N_2O_4S$=L-Lanthionin
$C_6H_{12}N_2O_4S_2$=L-Cystin
$C_6H_{12}N_2O_8$=Triethylenglykol
$C_6H_{12}N_2S_4$=Thiram
$C_6H_{12}N_2Zn_2S_4$=Ziram
$C_6H_{12}N_2Si$=1-(Trimethylsilyl)-1H-imidazol
$C_6H_{12}N_3OP$=TEPA
$C_6H_{12}N_3PS$=Thiotepa
$C_6H_{12}N_4$=Hexamethylentetramin
$C_6H_{12}N_4O_7$=Trolnitrat
$C_6H_{12}O$=Cyclohexanol, Hexanal, 2-Hexanon, Hexen-1-ole, Methylpentanone, Pinakolon, Vinylether

$C_6H_{12}O_2$=Buttersäureester, Diacetonalkohol, Essigsäurebutylester, 2-Ethylbuttersäure, Hexansäure
$C_6H_{12}O_3$=Ethylenglykol, Milchsäureester, Paraldehyd
$C_6H_{12}O_4$=Digitoxose, Mevalonsäure, Pantothensäure, Tetramethoxyethylen
$C_6H_{12}O_5$=Fucose, Rhamnose, Sorbitane
$C_6H_{12}O_5S$=5-Thio-D-glucose
$C_6H_{12}O_6$=Fructose, Galactose, D-Glucose, Gulose, Hamamelis, Idose, Inosite, Mannose, Sorbose, D-Tagatose, D-Talose
$C_6H_{12}O_7$=D-Gluconsäure
$C_6H_{13}Br$=Hexylbromid
$C_6H_{13}BrO_2$=Bromacetaldehyddiethylacetal
$C_6H_{13}ClO_2$=Chloracetaldehyddiethylacetal
$C_6H_{13}N$=Cyclohexylamin, 2-Methylpiperidin
$C_6H_{13}NO_2$=6-Aminohexansäure, L-Isoleucin, L-Leucin, Norleucin
$C_6H_{13}NO_2S$=Methionin
$C_6H_{13}NO_3S$=Cyclite
$C_6H_{13}NO_4$=BICINE, 1-Desoxynojirimycin
$C_6H_{13}NO_4S$=MES
$C_6H_{13}NO_5$=Galactosamin, D-Glucosamin, Nojirimycin, Tricin
$C_6H_{13}N_3$=Geißraute
$C_6H_{13}N_3O_3$=Citrullin
$C_6H_{13}N_5O$=Moroxydin
$C_6H_{13}O_9P$=α-D-Glucose-1-phosphat, D-Glucose-6-phosphat
C_6H_{14}=2,2-Dimethylbutan, Hexan, Methylpentane
$C_6H_{14}ClNO_2S$=S-Methyl-L-methioninsulfoniumchlorid
$C_6H_{14}FO_3P$=Diisopropylfluorphosphat
$C_6H_{14}INO_2S$=S-Methyl-L-methioninsulfoniumiodid
$C_6H_{14}LiN$=Lithiumdiisopropylamid
$C_6H_{14}N_2O$=Nitrosamine, SAMP
$C_6H_{14}N_2O_2$=L-Lysin
$C_6H_{14}N_2O_3$=5-Hydroxy-L-lysin
$C_6H_{14}N_2O_7$=Ammoniumcitrat
$C_6H_{14}N_4O_2$=L-Arginin, Isobutylidendiharnstoff
$C_6H_{14}N_6O_6$=Hexamethylentetramin-dinitrat
$C_6H_{14}O$=Dipropylether, 2-Ethyl-1-butanol, Fettalkohole, 1-Hexanol, Methylpentanole, TAME
$C_6H_{14}O_2$=Acetaldehyd-diethylacetal, Ethylenglykol, 1,6-Hexandiol, (±)-2-Methyl-2,4-pentandiol, Pinakol
$C_6H_{14}O_3$=Dipropylenglykol, 1,2,6-Hexantriol, Trimethylolpropan
$C_6H_{14}O_4$=Triethylenglykol
$C_6H_{14}O_6$=Dulcit, Idit, Mannit, D-Sorbit, Zuckeraustauschstoffe
$C_6H_{14}O_6S_2$=Busulfan
$C_6H_{14}O_6S_2$=Treosulfan
$C_6H_{14}O_{12}P_2$=D-Fructose-1,6-bisphosphat, β-D-Fructose-2,6-bisphosphat, α-D-Glucose-1,6-bisphosphat
$C_6H_{15}B$=Bor-organische Verbindungen, Thexylboran
$C_6H_{15}Borsäureester
$C_6H_{15}ClN_2O_2$=Carbachol
$C_6H_{15}N$=Dipropylamine, 1-Hexanamin, Triethylamin

$C_6H_{15}NO$=2-(Diethylamino)-ethanol
$C_6H_{15}NO_2$=1,1'-Iminodi-2-propanol
$C_6H_{15}NO_3$=2,2',2''-Nitrilotriethanol
$C_6H_{15}NO_5S$=BES
$C_6H_{15}NO_6S$=TES
$C_6H_{15}N_5$=Buformin
$C_6H_{15}O_2PS_3$=Thiometon
$C_6H_{15}O_3P$=Triethylphosphit
$C_6H_{15}O_3PS_2$=Demeton-S-methyl
$C_6H_{15}O_4P$=Triethylphosphat
$C_6H_{15}O_4PS_2$=Oxydemeton-methyl
$C_6H_{15}O_{15}P_3$=Inositphosphate
$C_6H_{16}AlNaO_4$=Natriumaluminiumhydrid
$C_6H_{16}BLi$=Super-Hydride®
$C_6H_{16}N_2$=N,N-Diethylethylendiamin, 1,6-Hexandiamin, N,N,N',N'-Tetramethylethylendiamin
$C_6H_{17}N_3$=Dipropylentriamin
$C_6H_{18}AlO_9P_3$=Fosetyl-aluminium
$C_6H_{18}N_3OP$=Hexamethylphosphorsäuretriamid
$C_6H_{18}N_4$=Triethylentetramin
$C_6H_{18}OSi_2$=Siloxane
$C_6H_{18}O_2Si_2$=Peroxide
$C_6H_{18}O_{24}P_6$=Phytinsäure
$C_6H_{18}W$=Wolfram-organische Verbindungen
$C_6H_{19}NSi_2$=1,1,1,3,3,3-Hexamethyldisilazan
$C_6K_6O_6$=Kohlenoxidkalium
C_6MoO_6=Molybdänhexacarbonyl
C_6N_4=Tetracyanoethylen
$C_6Na_2O_6$=Rhodizonsäure
C_6O_6W=Wolframhexacarbonyl

$C_7H_3Br_2NO$=Bromoxynil
$C_7H_3ClN_2O_5$=3,5-Dinitrobenzoylchlorid
$C_7H_3Cl_2N$=Dichlobenil
$C_7H_3I_2NO$=Ioxynil
$C_7H_4ClNNa_2O_4S$=Monalazon-Dinatrium
$C_7H_4ClNO_2$=Chlorzoxazon
$C_7H_4ClNO_3$=4-Nitrobenzoylchlorid
$C_7H_4Cl_2O_2$=Dichlorbenzoesäuren
$C_7H_4Cl_3NO_2$=Triclopyr
$C_7H_4Cl_4O_2$=Drosophilin A
$C_7H_4NNaO_3S$=Saccharin
$C_7H_4N_2O_6$=3,5-Dinitrobenzoesäure
$C_7H_4O_3S$=Tioxolon
$C_7H_4O_7$=Mekonsäure
C_7H_5ClO=Benzoylchlorid, Chlorbenzaldehyde
$C_7H_5ClO_2$=Chlorbenzoesäuren
$C_7H_5ClO_3$=3-Chlorperoxybenzoesäure
$C_7H_5Cl_2FN_2O_3$=Fluroxypyr
$C_7H_5Cl_2NO_4S$=Halazon
$C_7H_5Cl_3$=Benzotrichlorid
$C_7H_5Cl_3O$=Weinaroma
$C_7H_5F_3$=Benzotrifluorid
$C_7H_5IO_2$=2-Iodosylbenzoesäure
C_7H_5N=Benzonitril
C_7H_5NO=Phenylisocyanat
$C_7H_5NO_2$=Nitrobenzaldehyde
$C_7H_5NO_3S$=Saccharin
$C_7H_5NO_4$=Dipicolinsäure, Nitrobenzoesäuren
C_7H_5NS=Benzothiazol, Phenylisothiocyanat
$C_7H_5NS_2$=2-Mercaptobenzothiazol
$C_7H_5N_3O_2$=5-Nitrobenzimidazol
$C_7H_5N_3O_6$=2,4,6-Trinitrotoluol

C₇H₅N₃O₇=2,4,6-Trinitro-*m*-kresol
C₇H₅N₅O₈=Tetryl
C₇H₅NaO₂=Natriumbenzoat
C₇H₅NaO₃=Natriumsalicylat
C₇H₅NaO₄=Natriumgentisat
C₇H₆Cl₂=Benzylidendichlorid
C₇H₆Cl₂O₂=Russupheline
C₇H₆N₂=Benzimidazol, Indazol
C₇H₆N₂O₂S₂=Holomycin
C₇H₆N₂O₄=2,4-Dinitrotoluol
C₇H₆N₂O₅=2,4-Dinitroanisol, DNOC
C₇H₆N₂S=2-Mercaptobenzimidazol
C₇H₆N₄O₃=Luciferine
C₇H₆N₄S=1-Phenyl-1*H*-tetrazol-5-thiol
C₇H₆O=Benzaldehyd, α-Tropolon
C₇H₆O₂=Benzoësäure, Hydroxybenzaldehyde, Salicylaldehyd, α-Tropolon
C₇H₆O₂S=2-Mercaptobenzoësäure
C₇H₆O₃=Hydroxybenzoësäuren, Peroxybenzoësäure, Protocatechualdehyd, Salicylsäure, Sesamöl
C₇H₆O₄=Dihydroxybenzoësäuren, Patulin
C₇H₆O₅=Gallussäure
C₇H₆O₆S=5-Sulfosalicylsäure
C₇H₇⁺=Tropylium
C₇H₇BF₄=Tropylium
C₇H₇Br=Benzylbromid, Tropylium
C₇H₇Cl=Benzylchlorid, Chlortoluole
C₇H₇ClNNaO₂S=Chloramin T
C₇H₇ClO=Chlorkresole
C₇H₇ClO₂S=Toluolsulfonylchloride
C₇H₇KO₃S=Sulfogaiacol
C₇H₇N=Vinylpyridine
C₇H₇NO=Benzamid
C₇H₇NO₂=Aminobenzoësäuren, Carbanilsäure, *ar*-Nitrotoluole, Salicylaldoxim, Salicylamid, Trigonellin
C₇H₇NO₃=*p*-Aminosalicylsäure, Mesalazin, 2-Nitroanisol
C₇H₇NO₄S=Carzenid
C₇H₇N₅O₂=Fervenulin, Toxoflavin
C₇H₈=1,3,5-Cycloheptatrien, 2,5-Norbornadien, Quadricyclan, Toluol
C₇H₈ClN₃O₄S₂=Hydrochlorothiazid
C₇H₈N₂O=Nitrosamine, Phenylharnstoff
C₇H₈N₂O₂=*N*-(Hydroxymethyl)nicotinamid, 4-Methyl-2-nitroanilin
C₇H₈N₄S=Phenylthioharnstoff
C₇H₈N₄O₂=Theobromin, Theophyllin
C₇H₈O=Anisol, Benzylalkohol, Kresole
C₇H₈O₂=Guajakol, 4-Methoxyphenol, 4-Methylbrenzcatechin, Orcinol, Salicylalkohol
C₇H₈N₂O₃=Sarkomycin A
C₇H₈O₃S=*p*-Toluolsulfonsäure
C₇H₈S₂=Toluol-3,4-dithiol
C₇H₈ClO₆P₂S=Tiludronsäure
C₇H₉IN₂O=Pralidoximiodid
C₇H₉N=Benzylamin, Lutidine, *N*-Methylanilin, Toluidine
C₇H₉NO=Anisidine, Pyrrolame

C₇H₉NO₂=Ammoniumbenzoat, Gabaculin, Verrucarine
C₇H₉NO₂S=Toluolsulfonamide
C₇H₉N₃O=4-Phenylsemicarbazid
C₇H₉N₃O₂S₂=Sulfathiourea
C₇H₉N₃O₃S=Sulfacarbamid
C₇H₉N₃O₄=Willardiin
C₇H₁₀=Norbornen
C₇H₁₀ClN₃O=Girard-Reagenzien
C₇H₁₀ClN₃O₃=Ornidazol
C₇H₁₀N₂=*ar*-Methylphenylendiamine
C₇H₁₀N₂OS=Propylthiouracil
C₇H₁₀N₂O₂=Anemonin(e), *N,N'*-Methylenbis(acrylamid)
C₇H₁₀N₂O₂S=Carbimazol, Mafenid, *p*-Toluolsulfonsäurehydrazid
C₇H₁₀N₂O₆=Hydantocidin
C₇H₁₀N₄O₂S=Sulfaguanidin
C₇H₁₀N₄O₃=Cymoxanil
C₇H₁₀O₅=Shikimisäure
C₇H₁₁NO₂=Arecolin, Ethosuximid, Hypoglycin, Pyrrolame
C₇H₁₁NO₃=Clavame
C₇H₁₁NO₄=Oxaceprol
C₇H₁₁NO₅=Acetylglutaminsäure
C₇H₁₁N₂O₂S=Ovothiole
C₇H₁₁O₉P=2-Phosphonobutan-1,2,4-tricarbonsäure
C₇H₁₂=1-Heptin, Norcaran
C₇H₁₂ClN₅=Simazin
C₇H₁₂N₂=1,5-Diazabicyclo[4.3.0]non-5-en
C₇H₁₂N₂O=Loline
C₇H₁₂N₂O₃=Valanimycin
C₇H₁₂N₂O₅=Trehalostatin
C₇H₁₂N₄O₃S₂=Ethidimuron
C₇H₁₂O=Cyclotropanon, Methylcyclohexanone, Tee-Aroma
C₇H₁₂O₂=Methyl-*trans*-2-hexenoat
C₇H₁₂O₄=Malonsäurediethylester, Pimelinsäure
C₇H₁₂O₅=Glycerinacetate
C₇H₁₂O₆=Chinasäure
C₇H₁₃BrN₂O₂=Carbromal
C₇H₁₃N=Chinuclidin, Pyrrolizidin
C₇H₁₃NO=*N*-Methyl-ε-caprolactam
C₇H₁₃NO₃S=Methionin
C₇H₁₃NO₄=*p*-Aminopimelinsäure, Valienamin
C₇H₁₃NO₄S₃=Thiocyclam-Hydrogenoxalat
C₇H₁₃N₃O₃S=Oxamyl
C₇H₁₃O₅PS=Methacrifos
C₇H₁₃O₆P=Mevinphos
C₇H₁₄=Cycloheptan, 1-Hepten, Methylcyclohexan
C₇H₁₄NO₅P=Monocrotophos
C₇H₁₄N₂O₂S=Aldicarb, Butocarboxim
C₇H₁₄N₂O₃=Theanin
C₇H₁₄N₂O₄=Diaminopimelinsäure
C₇H₁₄N₂O₄S=Butoxycarboxim, Homocystein
C₇H₁₄N₂O₄S₂=Djenkolsäure
C₇H₁₄N₂O₅=Tabtoxin
C₇H₁₄O=2,4-Dimethyl-3-pentanon, Heptanal, Heptanone, Methylcyclohexanole
C₇H₁₄O₂=Essigsäurepentylester, Oenanthsäure
C₇H₁₄O₃=Milchsäureester
C₇H₁₄O₄=L-Oleandrose
C₇H₁₄O₆=α-Methylglucosid
C₇H₁₄O₇=Sedoheptulose
C₇H₁₄O₈=Glucoheptonsäure
C₇H₁₅Cl₂N₂O₂P=Cyclophosphamid, Ifosfamid

C₇H₁₅N=1-Ethylpiperidin, *N*-Methylcyclohexylamin
C₇H₁₅NO₂=Emylcamat
C₇H₁₅NO₃=Carnitin
C₇H₁₅NO₄S=MOPS
C₇H₁₅N₃O₂=Indospicin
C₇H₁₆=Heptan, 2,2,3-Trimethylbutan
C₇H₁₆ClN=Mepiquatchlorid
C₇H₁₆ClN₃O₂S₂=Cartap
C₇H₁₆FO₂P=Soman
C₇H₁₆N₄O₄S₂=Taurolidin
C₇H₁₆O=Fettalkohole, Heptanole
C₇H₁₆O₃=Orthoester
C₇H₁₆O₄=Triethylenglykol
C₇H₁₆O₄S=Sulfonal
C₇H₁₇N=Tuaminoheptan
C₇H₁₇NO₂=Acetylcholin
C₇H₁₇NO₅=*N*-Methyl-D-glucamin
C₇H₁₇N₄O₄P=Anatoxine
C₇H₁₉N₃=Spermidin

C₈Br₄O₃=Tetrabromphthalsäureanhydrid
C₈Cl₂N₂O₂=4,5-Dichlor-3,6-dioxo-cyclohexa-1,4-dien-1,2-dicarbonitril
C₈Cl₄N₂=Chlorthalonil
C₈Cl₄O₃=Tetrachlorphthalsäureanhydrid
C₈H₂Cl₄O₄=Tetrachlorphthalsäureanhydrid
C₈H₃NO₂=Nudinsäure
C₈H₄Cl₂O₂=Phthalsäuredichlorid
C₈H₄KNO₂=Phthalimid
C₈H₄K₆O₁₂Sb₂=Brechweinstein
C₈H₄N₂=Phthalsäuredinitril
C₈H₄O₃=Phthalsäureanhydrid
C₈H₄O₃S=Thiotropocin
C₈H₅Cl₃O₃=2,4,5-T
C₈H₅F₃N₃OS=Riluzol
C₈H₅F₃O₂S=4,4,4-Trifluor-1-(2-thienyl)-1,3-butan-dion
C₈H₅KO₄=Kaliumhydrogenphthalat
C₈H₅NO₂=Isatin, Phthalimid
C₈H₅NO₃=Isatosäureanhydrid
C₈H₅N₃O₂=Triazoline
C₈H₅N₃O₃=Calvatsäure
C₈H₅N₅O₆=Murexid
C₈H₆Cl₂O₃=2,4-D, Dicamba
C₈H₆Cl₃NO₄=Drosophilin A
C₈H₆KNO₄S=Indican
C₈H₆N₂=Chinazolin, Chinoxalin, Cinnolin, Phthalazin
C₈H₆N₂O=Chinazolin
C₈H₆N₄O₅=Nitrofurantoin
C₈H₆N₄O₈=Alloxantin
C₈H₆O=Benzofuran, Isobenzofuran
C₈H₆O₂=Phthalaldehyd, Phthalide
C₈H₆O₃=Piperonal, Tetralin®
C₈H₆O₄=Isophthalsäure, Phthalsäure, Terephthalsäure
C₈H₆S=Benzo[*b*]thiophen
C₈H₇Br=β-Bromstyrol
C₈H₇BrO=ω-(od. α-)Bromacetophenon
C₈H₇ClN₂O₂S=Diazoxid
C₈H₇ClO=ω-Chloracetophenon
C₈H₇N=Indol, Isoindol, Phenylacetonitril, Tolunitrile
C₈H₇NO=Indol-5-ol, Indoxyl, Oxindol
C₈H₇N₃=Indican
C₈H₇NS=Benzylisothiocyanat
C₈H₇N₃O₂=Luminol
C₈H₇N₃O₃=Furazolidon
C₈H₈=Barrelen, Cuban, Cyclooctatetraen, Semibullvalen, Styrol

C₈H₈AgNO₃=Silber-organische Verbindungen
C₈H₈Cl₂IO₃PS=Iodfenphos
C₈H₈Cl₂N₄=Guanabenz
C₈H₈Cl₃O₂=Chloroneb
C₈H₈Cl₃N₃O₄S₂=Trichlormethiazid
C₈H₈F₃N₃O₄S₂=Hydroflumethiazid
C₈H₈HgO₂=Quecksilber-organische Verbindungen
C₈H₈N₂O₂=Ricinusöl
C₈H₈N₄=Hydralazin
C₈H₈N₆O₆=Murexid
C₈H₈O=Acetophenon, Phenylacetaldehyd, Styroloxid, Toluladehyde
C₈H₈O₂=*p*-Anisaldehyd, Benzoësäuremethylester, Hydroxyacetophenone, Phenylacetat, Phenylessigsäure, Picein, Toluylsäuren
C₈H₈O₃=4-Cyclohexen-1,2-dicarbonsäureanhydrid, 4-Hydroxybenzoësäureester, Königinnensubstanz, *o*-Kresotinsäure, Mandelsäure, 4-Methoxybenzoësäure, Phenoxyessigsäure, Salicylsäureester, Vanillin
C₈H₈O₄=Dehydracetsäure, Fumigatin, Homogentisinsäure, Orsellinsäure, Vanillinsäure
C₈H₈O₅=Gallussäureester
C₈H₉AsBiNO₆=Glycobiarsol
C₈H₉Br=Xylylbromide
C₈H₉ClO=4-Chlor-3,5-dimethylphenol
C₈H₉FN₂O=Tegafur
C₈H₉HgNaO₃S₂=Natriumtimerfonat
C₈H₉I₂NO₃=Iopydon
C₈H₉N=Indolin
C₈H₉NO=Acetanilid, Danaidal
C₈H₉NO₂=Acetylaminophenole, Aminobenzoësäureester, Nitroxylole, Phenylglycine
C₈H₉NO₃=*N*-(4-Hydroxyphenyl)glycin, Pyridoxal
C₈H₉NO₄=Hämatinsäure, Pyridoxsäuren
C₈H₉NO₅=Clavulansäure
C₈H₉N₃O₂=Nicorandil
C₈H₉N₃S=MBTH
C₈H₁₀=Ethylbenzol, Xylole
C₈H₁₀AsNO₅=Acetarsol
C₈H₁₀AsN₂NaO₄=Tryparsamid
C₈H₁₀ClN₃S=Tiamenidin
C₈H₁₀NO₅PS=Parathion-methyl
C₈H₁₀NO₆P=Pyridoxal-5'-phosphat
C₈H₁₀N₂O=4-Aminoacetanilid, *N,N*-Dimethyl-4-nitrosoanilin, Nitrosamine
C₈H₁₀N₂O₃S=*N*-Methyl-*N*-nitroso-*p*-toluolsulfonamid, Sulfacetamid
C₈H₁₀N₂O₄=Mimosin
C₈H₁₀N₂O₄S=Asulam
C₈H₁₀N₄O₂=Coffein
C₈H₁₀N₆=Dihydralazin
C₈H₁₀O=Dimethylphenole, Methylenomycine, Phenetol, Phenylethanole, Weinaroma, Ylang-Ylang-Öle
C₈H₁₀O₂=*p*-Anisalkohol, Dimethoxybenzole, Ethylenglykol, 4-Methylbrenzcatechin, Orcinol
C₈H₁₀O₃=1,2-Cyclohexandicarbonsäure, Echinacosid, Terrein
C₈H₁₀O₃S=*p*-Toluolsulfonsäuremethylester

C₈H₁₀O₆=Hämatinsäure
C₈H₁₁Cl₃N₃O₂=Uracil
C₈H₁₁Cl₃O₆=Chloralose
C₈H₁₁N=N,N-Dimethylanilin, N-Ethylanilin, Kollidin, Phenylethylamine, Xylidine
C₈H₁₁NO=2-Amino-1-phenylethanol, Kresidine, Phenetidine, Tyramin
C₈H₁₁NO₂=Dopamin, Norfenefrin, Octopamin
C₈H₁₁NO₃=Noradrenalin, Pyridoxin
C₈H₁₁NO₄S₂=Erdostein
C₈H₁₁NO₅S=Sulbactam
C₈H₁₁N₃O₃S=Lamivudin
C₈H₁₁N₃O₆=6-Azauridin
C₈H₁₁N₅O₃=Aciclovir
C₈H₁₁N₇S=Ambazon
C₈H₁₂=cis,cis-1,5-Cyclooctadien, Fucoserraten
C₈H₁₂N₂=Betahistin, N,N-Dimethyl-p-phenylendiamin, Ligustrazin
C₈H₁₂N₂O₂=Hexamethylendiisocyanat, Loline, Pyridoxamin
C₈H₁₂N₂O₃=Barbital
C₈H₁₂N₄=Azoisobutyronitril
C₈H₁₂N₄O₅=5-Azacytidin, Ribavirin
C₈H₁₂O=1-Ethinylcyclohexanol, Tee-Aroma
C₈H₁₂O₂=Buttersäureester, Dimedon
C₈H₁₂O₄=1,2-Cyclohexandicarbonsäure, Maleinsäureester
C₈H₁₂O₅=Oxobernsteinsäure
C₈H₁₂O₈Pb=Bleiacetate
C₈H₁₃NO=3α-Tropanol
C₈H₁₃NO₂=Arecolin, Bemegrid, Heliotropium-Alkaloide, Pyrrolame, Pyrrolizidin-Alkaloide, Scopolamin
C₈H₁₃N₂O₂PS₂=Pyridoxamin
C₈H₁₃N₃O₂S=Ovothiole
C₈H₁₃N₃O₄S=Tinidazol
C₈H₁₄ClN₅=Atrazin
C₈H₁₄N₂O=Loline
C₈H₁₄N₂O₄=Coprin
C₈H₁₄N₂O₅=Siastatin B
C₈H₁₄N₄OS=Metribuzin
C₈H₁₄O=Haselnußaroma, 1-Octen-3-on
C₈H₁₄O₂=3-Cyclopentylpropionsäure, Essigsäurecyclohexylester, Frontalin, Trivalon®
C₈H₁₄O₂S₂=Liponsäure
C₈H₁₄O₃=Buttersäureanhydrid
C₈H₁₄O₄=Korksäure
C₈H₁₄O₈=KDO
C₈H₁₅B=9-Borabicyclo[3.3.1]nonan
C₈H₁₅ClSn=Zinn-organische Verbindungen
C₈H₁₅N=Conium-Alkaloide
C₈H₁₅NO=Hygrin, Pelletierin, 3α-Tropanol
C₈H₁₅NOS₂=Guinesine
C₈H₁₅NO₂=Tranexamsäure
C₈H₁₅NO₃=Swainsonin
C₈H₁₅NO₆S₂=Castanospermin
C₈H₁₅NO₉S₂=Glucosinolate, Kapern
C₈H₁₅N₂O₄=Streptozocin
C₈H₁₅N₇O₂S₃=Famotidin
C₈H₁₆=Octene, 2,4,4-Trimethyl-1-penten
C₈H₁₆NO₃PS₂=Mephosfolan
C₈H₁₆NO₅P=Dicrotophos
C₈H₁₆N₂O₄S₂=Homocystein
C₈H₁₆N₂O₇=Cycasin

C₈H₁₆O=Octanal, Octanone, (–)-(R)-1-Octen-3-ol
C₈H₁₆OS=2-Methyl-4-propyl-1,3-oxathian
C₈H₁₆O₂=Buttersäureester, 1,4-Cyclohexandimethanol, Essigsäurehexylester, 2-Ethylhexansäure, Hexansäureethylester, Isooctansäure, Octansäure, Oenanthsäure, Propionsäureester, Sitophilur, Valproinsäure
C₈H₁₆O₂S₂=Liponsäure
C₈H₁₆O₃=Ethylenglykol
C₈H₁₆O₄=Cladinose, Metaldehyd
C₈H₁₇Br=Octylbromid
C₈H₁₇Cl₂NO₂=Diisopropylamindichloracetat
C₈H₁₇N=Coniin
C₈H₁₇NO=Conium-Alkaloide
C₈H₁₇NO₃=Desosamin, Statin
C₈H₁₇NO₅=Miglitol
C₈H₁₇N₃O₄=Connatin
C₈H₁₈=Isooctan, Octan
C₈H₁₈Cl₂Sn=Zinn-organische Verbindungen
C₈H₁₈NO₄PS₂=Vamidothion
C₈H₁₈N₂O=Nitrosamine
C₈H₁₈N₂O₄S=HEPES
C₈H₁₈N₂O₆S₂=PIPES
C₈H₁₈O=Dibutylether, 2-Ethyl-1-hexanol, Fettalkohole, Isooctanol, Octanole
C₈H₁₈OSn=Zinn-organische Verbindungen
C₈H₁₈O₂=Buttersäureester, Di-tert.-butylperoxid, 2-Ethyl-1,3-hexandiol, Peroxide, 2,2,4-Trimethyl-1,3-pentandiol
C₈H₁₈O₄S₂=Sulfonal
C₈H₁₈O₅=Tetraethylenglykol
C₈H₁₈S=1-Octanthiol
C₈H₁₉N=Dibutylamin, Hünig-Base, Octanamine, Octodrin
C₈H₁₉NO=Heptaminol
C₈H₁₉O₂PS₂=Ethoprophos
C₈H₁₉O₂PS₃=Disulfoton
C₈H₂₀BrN=Tetraethylammonium-Salze
C₈H₂₀ClN=Tetraethylammonium-Salze
C₈H₂₀IN=Tetraethylammonium-Salze
C₈H₂₀O₄Si=Ethylsilicate
C₈H₂₀O₅P₂S₂=Sulfotep
C₈H₂₀Pb=Bleitetraethyl
C₈H₂₁NO=Tetraethylammonium-Salze
C₈H₂₁NOSi₂=N,O-Bis-(trimethylsilyl)-acetamid
C₈H₂₃N₅=Tetraethylenpentamin

C₉Fe₂O₉=Eisencarbonyle
C₉H₂Cl₆O₃=Chlorendics
C₉H₄Cl₃IO=Haloprogin
C₉H₄ClN₃O₂S=Folpet
C₉H₄O₅=Trimellit(h)säureanhydrid
C₉H₅Br₂NO=Broxychinolin
C₉H₅ClINO=Clioquinol
C₉H₅Cl₂NO=Halquinol
C₉H₅Cl₃N₄=Anilazin
C₉H₆ClNO=Cloxiquin
C₉H₆ClNO₃S=Benazolin
C₉H₆Cl₂N₂O₂=Methazol
C₉H₆Cl₆O₃S=Endosulfan
C₉H₆Cl₆O₄=HET-Säure
C₉H₆INO₄=Ferron
C₉H₆I₃NO₃=Acetrizoesäure
C₉H₆N₂O₂=Propentdyopente, Toluoldiisocyanate
C₉H₆N₂O₃=4-Nitrochinolin-1-oxid, Nitroxolin
C₉H₆O₂=Chromone, Cumarin

C₉H₆O₃=Umbelliferon
C₉H₆O₄=Daphnetin, Kaffeesäure, Ninhydrin
C₉H₆O₆=Hemimellit(h)säure, Trimellit(h)säure, Trimesinsäure
C₉H₇Cl₂N₅=Lamotrigin
C₉H₇MnO₃=(Methylcyclopentadienyl)mangantricarbonyl
C₉H₇N=Chinolin, Isochinolin
C₉H₇NO=8-Chinolinol
C₉H₇N₃S=Tricyclazol
C₉H₇N₅O₅=Erythropterin
C₉H₇N₇O₂S=Azathioprin
C₉H₇Na=Inden
C₉H₈=Inden
C₉H₈ClN₅=Chlorazanil
C₉H₈ClN₅S=Tizanidin
C₉H₈Cl₂O₃=Dichlorprop-P
C₉H₈Cl₃NO₂S=Captan
C₉H₈N₂O₂=Pemolin
C₉H₈N₄OS=Thiadiazuron
C₉H₈N₄O₆=Nifurtoinol
C₉H₈N₆O₃=Lepidopterane
C₉H₈O=Chromen, Isochromen, Zimtaldehyd
C₉H₈O₂=Tropasäure, Zimtsäure
C₉H₈O₃=(E)-2-Hydroxyzimtsäure, Phenylbrenztraubensäure
C₉H₈O₄=Acetylsalicylsäure, Kaffeesäure
C₉H₉ClO=Clorindanol
C₉H₉ClO₃=MCPA
C₉H₉Cl₂NO=Propanil
C₉H₉Cl₂NO₂=Diloxanid
C₉H₉Cl₂N₃=Clonidin
C₉H₉Cl₂N₃O=Guanfacin
C₉H₉HgNaO₂S=Quecksilber-organische Verbindungen, Thiomersal
C₉H₉I₂NO₃=3,5-Diiodtyrosin
C₉H₉N=2-Methylindol, Skatol
C₉H₉NO₂S=p-Tolylsulfonylmethylisocyanid
C₉H₉NO₃=Adrenochrom, Erbstatin, Hippursäure, Salacetamid
C₉H₉NO₄=Salicylamid-O-essigsäure
C₉H₉NO₅=Betalaine, Muscaflavin
C₉H₉NS=Senföle
C₉H₉N₃O₂=Carbendazim
C₉H₉N₃O₂S₂=Sulfathiazol
C₉H₉N₃S=Amiphenazol
C₉H₉N₅=Benzoguanamin
C₉H₁₀=Indan, α-Methylstyrol, Vinyltoluole
C₉H₁₀ClN₅O₂=Imidacloprid
C₉H₁₀Cl₂N₂O=Diuron
C₉H₁₀Cl₂N₂O₂=Linuron
C₉H₁₀Cl₂N₄=Apraclonidin
C₉H₁₀N₂=Tabak-Alkaloide
C₉H₁₀N₂O₃=4-Aminohippursäure
C₉H₁₀N₂O₃S₂=Ethoxolamid
C₉H₁₀N₄O₂S₂=Sulfamethizol
C₉H₁₀N₄O₃S₂=Sulfametrol
C₉H₁₀N₆O₅=Orazamid
C₉H₁₀O=Chavicol, Hydrozimtaldehyd, p-Methylacetophenon, 1-Phenyl-2-propanon, 2-Phenylpropionaldehyd, Propiophenon, Zimtalkohol
C₉H₁₀O₂=Benzoesäureethylester, Essigsäurebenzylester, Hydrozimtsäure, p-Methoxyacetophenon, Paroxypropion, Phenylessigsäureester, 4-Vinylguajacol
C₉H₁₀O₃=Ethylvanillin, 4-Hydroxybenzoesäureester, Ipomeanin, Tropasäure, Veratrumaldehyd

C₉H₁₀O₄=Homovanillinsäure, Hydroxyethylsalicylat, Methylenomycine, Syringaaldehyd, Vanillinsäure
C₉H₁₀O₅=Syringasäure
C₉H₁₁BrN₂O₂=Metobromuron
C₉H₁₁ClN₂O₂=Monolinuron
C₉H₁₁ClO₃=Chlorphenesin
C₉H₁₁Cl₂FN₂O₂S₂=Dichlofluanid
C₉H₁₁Cl₂O₃PS=Tolclofos-methyl
C₉H₁₁Cl₃NO₃PS=Chlorpyrifos
C₉H₁₁F₂N₃O₄=Gemcitabin
C₉H₁₁IN₂O₅=Idoxuridin
C₉H₁₁N=Tranylcypromin
C₉H₁₁NO=4-Dimethylaminobenzaldehyd, Kat, N-Methylacetanilid
C₉H₁₁NO₂=Benzocain, Ethenzamid, Phenylalanin, N-Phenylurethan
C₉H₁₁NO₂S₅=Varacin
C₉H₁₁NO₃=Adrenalon, Tyrosin
C₉H₁₁NO₄=Dopa
C₉H₁₁NO₆=Showdomycin
C₉H₁₁N₃O₃S₂=Rubroflavin
C₉H₁₁N₅O₃=Biopterin
C₉H₁₁N₅O₄=Eritadenin, Ichthyopterin, Neopterin
C₉H₁₂=Cumol, Mesitylen, Propylbenzol, Rotane, Triasteran, Trimethylbenzole
C₉H₁₂ClN₃O₄S₂=Ethiazid
C₉H₁₂ClN₅O=Moxonidin
C₉H₁₂NO₅PS=Fenitrothion
C₉H₁₂N₂=Nicotin
C₉H₁₂N₂O=Tabak-Alkaloide
C₉H₁₂N₂O₃=5-Nitro-2-propoxyanilin
C₉H₁₂N₂O₆=Pseudouridin, Uridin
C₉H₁₂N₂S=Protionamid
C₉H₁₂N₄O₃=Etofyllin
C₉H₁₂N₆=Tretamin
C₉H₁₂O=Hydrozimtalkohol, Phenylpropanole
C₉H₁₂O₂=Cumolhydroperoxid, Rotundial, Weinaroma
C₉H₁₂O₃=Ipomeanin, Königinnensubstanz
C₉H₁₂O₄=Aucubin
C₉H₁₃BrN₂O₂=Bromacil, Pyridostigminbromid
C₉H₁₃ClN₂O₂=Terbacil
C₉H₁₃ClN₆=Cyanazin
C₉H₁₃ClN₆O₂=Nimustin
C₉H₁₃N=Amphetamin, N,N-Dimethylbenzylamin
C₉H₁₃NO=Gepefrin, Norephedrin
C₉H₁₃NO₂=Ethinamat, Metaraminol, Phenylephrin, Synephrin
C₉H₁₃NO₃=L-Adrenalin, Corbadrin
C₉H₁₃NO₄=Chlorotetain
C₉H₁₃N₂O₉P=Uridinphosphate
C₉H₁₃N₃O=Iproniazid
C₉H₁₃N₃O₃=Zalcitabin
C₉H₁₃N₃O₅=Cytidin, Cytosinarabinosid
C₉H₁₃N₅O₄=Ganciclovir
C₉H₁₃N₅O₆=Clitocin
C₉H₁₄=Fichten- u. Kiefernnadelöle
C₉H₁₄N₂O₂=Loline
C₉H₁₄N₂O₁₂P₂=Uridinphosphate
C₉H₁₄N₃O₈P=Cytidinphosphate
C₉H₁₄N₄O₃=Carnosin, Nimorazol
C₉H₁₄N₄O₄=Molsidomin
C₉H₁₄O=Isophoron, Phoron, Veilchen
C₉H₁₄OS₃=Knoblauch-Inhaltsstoffe
C₉H₁₄O₃=Ipomeanin

$C_9H_{14}O_6$=Glycerinacetate
$C_9H_{15}BrN_2O_3$=Acecarbromal
$C_9H_{15}Br_6O_4P$=Tris(2,3-dibrompropyl)-phosphat
$C_9H_{15}NO$=Pseudopelletierin
$C_9H_{15}NO_2$=Aceclidin
$C_9H_{15}NO_3$=Ecgonin
$C_9H_{15}NO_3S$=Captopril, Mycobacidin
$C_9H_{15}N_2O_{15}P_3$=Uridinphosphate
$C_9H_{15}N_3O_2$=Hercynin
$C_9H_{15}N_3O_2S$=Ergothionein, Ovothiole
$C_9H_{15}N_3O_7$=Lycomarasmin
$C_9H_{15}N_3O_{11}P_2$=Cytidinphosphate
$C_9H_{15}N_5O$=Minoxidil
$C_9H_{15}N_5O_7S_2$=Amidosulfuron
$C_9H_{16}ClN_3O_2$=Lomustin
$C_9H_{16}ClN_5$=Terbuthylazin, Trietazin
$C_9H_{16}N_2$=1,5-Diazabicyclo[4.3.0]non-5-en
$C_9H_{16}N_2O_2$=Loline
$C_9H_{16}N_3O_{14}P_2$=Cytidinphosphate
$C_9H_{16}N_4OS$=Tebuthiuron
$C_9H_{16}O_2$=Brevicomin, Olean, Weinaroma, Whisk(e)y- u. Cognac-Lactone
$C_9H_{16}O_4$=Azelainsäure
$C_9H_{17}ClN_3O_3PS$=Isazophos
$C_9H_{17}N$=Pinus-Alkaloide
$C_9H_{17}NOS$=Molinat
$C_9H_{17}NO_2$=Gabapentin
$C_9H_{17}NO_5$=Pantothensäure
$C_9H_{17}NO_7$=Muraminsäure
$C_9H_{17}NO_8$=Miserotoxin, Neuraminsäure
$C_9H_{17}N_5S$=Ametryn
$C_9H_{18}Cl_3N_2O_2P$=Trofosfamid
$C_9H_{18}NO_3PS_2$=Fosthiazat
$C_9H_{18}N_2O_2S$=Thiofanox
$C_9H_{18}N_2O_4$=Meprobamat
$C_9H_{18}N_2O_4$=Octopin
$C_9H_{18}N_6$=Altretamin
$C_9H_{18}O$=2,6-Dimethyl-4-heptanon
$C_9H_{18}O_2$=Fettsäuren, Isononansäure, Oenanthsäure, Pelargonsäure
$C_9H_{19}N$=Cyclopentamin, Isomethepten
$C_9H_{19}NOS$=EPTC
$C_9H_{19}NO_3S$=CAPS
$C_9H_{19}NO_4$=Dexpanthenol, Panthenol
$C_9H_{19}N_3O_4$=Lysinoalanin
C_9H_{20}=Nonan
$C_9H_{20}ClNO_2$=Muscarin
$C_9H_{20}NO_2^+$=Muscarin
$C_9H_{20}N_2O_4S$=HEPES
$C_9H_{20}N_2S$=1,3-Dibutylthioharnstoff
$C_9H_{20}O$=Fettalkohole, Isononanol, 1-Nonanol
$C_9H_{20}O_4S_2$=Sulfonal
$C_9H_{21}AlO_3$=Aluminiumisopropylat
$C_9H_{21}ClN_2O_2$=Propamocarb-hydrochlorid
$C_9H_{21}Fe_2O_{18}P_3$=Eisen(III)-glycerinphosphat
$C_9H_{21}NO_3$=1,1′,1″-Nitrilotri-2-propanol
$C_9H_{21}O_2PS_3$=Terbufos
$C_9H_{22}O_4P_2S_4$=Ethion
$C_9H_{23}INO_3PS$=Ecothiopatiodid
$C_9H_{23}NO_7P_2$=Ibandronsäure
$C_9H_{24}I_2N_2O$=Proloniumiodid
$C_{10}H_2O_6$=Pyromellit(h)säuredianhydrid
$C_{10}H_4Cl_2O_2$=2,3-Dichl-1,4-naphthochinon

$C_{10}H_4N_2Na_2O_8S$=Naphthol-Farbstoffe
$C_{10}H_5ClN_2$=(2-Chlorbenzyliden)-malonsäuredinitril
$C_{10}H_5Cl_2NO_2$=Quinclorac
$C_{10}H_5Cl_7$=Heptachlor
$C_{10}H_5NNa_2O_8S_2$=Nitroso-R-Salz
$C_{10}H_5NaO_5S$=1,2-Naphthochinon-4-sulfonsäure-Natriumsalz
$C_{10}H_6ClN_5O$=Triazoxid
$C_{10}H_6Cl_2N_2O_2$=Pyrrolnitrin
$C_{10}H_6Cl_8$=Chlordan
$C_{10}H_6N_2OS_2$=Chinomethionat
$C_{10}H_6N_2O_4$=Nitronaphthaline
$C_{10}H_6N_2O_5$=Naphthol-Farbstoffe
$C_{10}H_6N_4O_2$=Alloxazin, Isoalloxazin
$C_{10}H_6Na_2O_8S_2$=Chromotropsäure Dinatrium-Salz
$C_{10}H_6O_2$=Naphthochinone
$C_{10}H_6O_3$=Juglon, Lawson
$C_{10}H_6O_4$=α-Furil, Naphthazarin
$C_{10}H_6O_5$=Hydroxy-1,4-naphthochinone
$C_{10}H_6O_6$=Hydroxy-1,4-naphthochinone
$C_{10}H_6O_8$=Pyromellit(h)säure
$C_{10}H_7Br$=1-Bromnaphthalin
$C_{10}H_7Br_2NO$=Broquinaldol
$C_{10}H_7Cl_2NO$=Chlorquinaldol
$C_{10}H_7NO_2$=2-Chinolincarbonsäure, Nitronaphthaline, Nitrosonaphthole
$C_{10}H_7NO_3$=Kynurensäure
$C_{10}H_7NO_4$=Vitamine
$C_{10}H_7N_3S$=Thiabendazol
$C_{10}H_8$=Azulene, Naphthalin
$C_{10}H_8ClN_3O$=Chloridazon
$C_{10}H_8N_2$=2,2′-Bipyridin
$C_{10}H_8N_2O_2$=Sinalexin
$C_{10}H_8N_2O_2$=Neokupferron
$C_{10}H_8N_2O_2S_2$=Pyrithion
$C_{10}H_8N_2O_4$=α-Furil, Orellanin
$C_{10}H_8N_2O_5$=Orellanin
$C_{10}H_8N_2O_6$=Orellanin
$C_{10}H_8N_4O_5$=Nitrefazol
$C_{10}H_8N_4O_5$=Pikrolonsäure
$C_{10}H_8NaO_4P$=Natrium-1-naphthylhydrogenphosphat
$C_{10}H_8O$=Naphthole
$C_{10}H_8OS_3$=Anetholtrithion
$C_{10}H_8O_2$=6-Methylcumarin, Naphthole
$C_{10}H_8O_3$=Hymecromon, Umbelliferon
$C_{10}H_8O_3S$=Naphthalinsulfonsäuren
$C_{10}H_8O_4$=Anemonin(e), Scopoletin
$C_{10}H_8O_6S_2$=Naphthalinsulfonsäuren
$C_{10}H_9Cl_4NO_2S$=Captafol
$C_{10}H_9Cl_4O_4P$=Tetrachlorvinphos
$C_{10}H_9F_3O_3$=MTPA
$C_{10}H_9N$=Methylchinoline, Naphthylamine
$C_{10}H_9NOS_2$=Tridentatole
$C_{10}H_9NO_2$=3-Indolylessigsäure
$C_{10}H_9NO_3S$=Probenazol
$C_{10}H_9N_3O$=Amrinon
$C_{10}H_9N_5O$=Kinetin
$C_{10}H_{10}$=Basketen, Bullvalen, Divinylbenzol
$C_{10}H_{10}ClNO_2$=Chlorthenoxazin
$C_{10}H_{10}Cl_2O_3$=2,4-DB
$C_{10}H_{10}Cl_2Ti$=Titan-organische Verbindungen
$C_{10}H_{10}Cl_2V$=Vanadium-organische Verbindungen
$C_{10}H_{10}Cl_2Zr$=Zirconium-organische Verbindungen

$C_{10}H_{10}Cl_8$=Camphechlor
$C_{10}H_{10}Fe$=Ferrocen
$C_{10}H_{10}N_2O$=Glomerin, 5-Methyl-2-phenyl-1,2-dihydro-3H-pyrazol-3-on
$C_{10}H_{10}N_4O$=Metamitron
$C_{10}H_{10}N_4OS$=Metisazon
$C_{10}H_{10}N_4O_2S$=Sulfadiazin
$C_{10}H_{10}N_6$=Parazoanthoxanthine
$C_{10}H_{10}Ni$=Nickel-organische Verbindungen
$C_{10}H_{10}O$=Benzylidenaceton, Tetralone
$C_{10}H_{10}O_2$=Isofrol, Safrol, Zimtsäureester
$C_{10}H_{10}O_3$=Mellein
$C_{10}H_{10}O_4$=Dimethylterephthalat, Kaffeesäure, Phthalsäureester
$C_{10}H_{10}O_6$=Chorisminsäure, Prephensäure
$C_{10}H_{10}Os$=Osmocen
$C_{10}H_{10}V$=Vanadium-organische Verbindungen
$C_{10}H_{11}BrN_2O_3$=Brallobarbital
$C_{10}H_{11}ClN_4$=Acetamiprid
$C_{10}H_{11}ClO_3$=Mecoprop
$C_{10}H_{11}ClZr$=Zirconium-organische Verbindungen
$C_{10}H_{11}F_3N_2O$=Fluometuron
$C_{10}H_{11}F_3N_2O_5$=Trifluridin
$C_{10}H_{11}IO_4$=Iodosylbenzoldiacetat
$C_{10}H_{11}N_2O$=Propyliodon
$C_{10}H_{11}N$=Lascivol
$C_{10}H_{11}NO_2$=Tuberin
$C_{10}H_{11}N_3O$=Xanthodermin
$C_{10}H_{11}N_3OS$=Methabenzthiazuron
$C_{10}H_{11}N_3O_3$=Neokupferron
$C_{10}H_{11}N_3O_3S$=Sulfamethoxazol
$C_{10}H_{11}N_3O_5S$=Nifuratel
$C_{10}H_{11}N_5O$=Pymetrozin
$C_{10}H_{12}$=Dicyclopentadien, Tetralin®
$C_{10}H_{12}CaN_2Na_2O_8$=Natriumcalciumedetat
$C_{10}H_{12}ClNO$=Beclamid
$C_{10}H_{12}ClNO_2$=Baclofen
$C_{10}H_{12}ClN_2O_3S$=Quinethazon
$C_{10}H_{12}ClN_5O_3$=Cladribin
$C_{10}H_{12}N_2$=Tabak-Alkaloide, Tolazolin, Tryptamin
$C_{10}H_{12}N_2O$=Serotonin, Tabak-Alkaloide
$C_{10}H_{12}N_2O_3$=Allobarbital, L-Kynurenin
$C_{10}H_{12}N_2O_3S$=Bentazon
$C_{10}H_{12}N_2O_4$=Stavudin
$C_{10}H_{12}N_2O_5$=Dinoseb, Dinoterb
$C_{10}H_{12}N_2O_8$=Orotsäure
$C_{10}H_{12}N_3O_3PS_2$=Azinphos-methyl
$C_{10}H_{12}N_4OS$=Thioacetazon
$C_{10}H_{12}N_4O_2S_2$=Sulfaethidol
$C_{10}H_{12}N_4O_3$=Carbazochrom, Didanosin
$C_{10}H_{12}N_4O_4$=Nebularin
$C_{10}H_{12}N_4O_5$=Inosin
$C_{10}H_{12}N_4O_5$=Tazobactam
$C_{10}H_{12}N_4O_6$=Xanthosin
$C_{10}H_{12}N_5O_6P$=Adenosin-3′,5′-monophosphat, Turgorine
$C_{10}H_{12}N_5O_7P$=Guanosinphosphate, Turgorine
$C_{10}H_{12}O$=Anethol, Butyrophenon, Estragol
$C_{10}H_{12}O_2$=Eugenol, Himbeeraroma, Isoeugenol, Phenylessigsäureester, 2-Phenylethylester, Propionsäureester, Tetralin®, Thujaplicine, Zingeron

$C_{10}H_{12}O_3$=Coniferin, 4-Hydroxybenzoesäureester
$C_{10}H_{12}O_4$=Cantharidin, Orcinol, 3,4,5-Trimethoxybenzaldehyd
$C_{10}H_{12}O_5$=Gallussäureester
$C_{10}H_{13}BrN_2O_3$=Propallylonal
$C_{10}H_{13}ClN_2O$=Chlortoluron
$C_{10}H_{13}ClN_2O_2$=Metoxuron
$C_{10}H_{13}ClN_2O_3S$=Chlorpropamid
$C_{10}H_{13}ClO$=Chlorcarvacrol, Chlorthymol
$C_{10}H_{13}Cl_2FN_2O_2S$=Tolylfluanid
$C_{10}H_{13}N$=4-Phenylmorpholin
$C_{10}H_{13}NO_2$=Phenacetin, Phenprobamat, Propham, Welkstoffe
$C_{10}H_{13}NO_3S_5$=Varacin
$C_{10}H_{13}NO_4$=Methyldopa
$C_{10}H_{13}NO_5$=L-Prätyrosin
$C_{10}H_{13}N_2O_4P$=Psilocybin
$C_{10}H_{13}N_2O_{11}P$=Orotsäure
$C_{10}H_{13}N_3$=Debrisoquin
$C_{10}H_{13}N_3O$=Xanthodermin
$C_{10}H_{13}N_3S$=Nifurtimox
$C_{10}H_{13}N_4O_9P$=Inosin-5′-monophosphat
$C_{10}H_{13}N_4O_9P$=Xanthosin
$C_{10}H_{13}N_5$=Zeatin
$C_{10}H_{13}N_5O$=Zeatin
$C_{10}H_{13}N_5O_3$=Cordycepin, Oxetanocin
$C_{10}H_{13}N_5O_4$=Adeninarabinosid, Adenosin, Guanosin, Oxetanocin, Zidovudin
$C_{10}H_{13}N_5O_5$=Guanosin
$C_{10}H_{14}$=Cymole, Tetramethylbenzole
$C_{10}H_{14}ClNOS$=Azintamid
$C_{10}H_{14}Cl_6N_4O_2$=Triforin
$C_{10}H_{14}CuO_4$=Kupfer(II)-acetylacetonat
$C_{10}H_{14}NO_5PS$=Parathion
$C_{10}H_{14}N_2$=Anabasin, Nicotin
$C_{10}H_{14}N_2O$=Nicethamid
$C_{10}H_{14}N_2O_2$=Pilocarpin
$C_{10}H_{14}N_2O_3$=Aprobarbital
$C_{10}H_{14}N_2O_4$=Carbidopa, Porphobilinogen, Proxibarbal
$C_{10}H_{14}N_2O_4S_2$=Sultiam
$C_{10}H_{14}N_2O_5$=Thymidin
$C_{10}H_{14}N_4O_3$=Protheobromin, Proxyphyllin
$C_{10}H_{14}N_4O_4$=Diprophyllin
$C_{10}H_{14}N_5O_7P$=Adenosin-3′-monophosphat, Adenosin-5′-monophosphat
$C_{10}H_{14}N_5O_8P$=Guanosinphosphate
$C_{10}H_{14}O$=tert-Butylphenole, Carvacrol, Carvon, Ocimenon, Perillaaldehydoxim, Rosenfuran, Safranal, Thymol
$C_{10}H_{14}O_2$=4-tert-Butylbrenzcatechin, tert-Butylhydrochinon, Carvon, Iridoide, Mintlacton, Nepetalacton, Perillaketon, Pyrethrum, Weinaroma
$C_{10}H_{14}O_3$=Mephenesin
$C_{10}H_{14}O_4$=Guajakolglycerinether
$C_{10}H_{14}O_5$=Acetomycin, Decarestrictine
$C_{10}H_{15}BrO_4S$=3-Bromcampher-8-sulfonsäure
$C_{10}H_{15}N$=N,N-Diethylanilin, Methamphetamin, Phentermin
$C_{10}H_{15}NO$=Anatoxine, Ephedrin, Hordenin, Perillaaldehydoxim, Pholedrin, Pseudoephedrin, Talsaclidin
$C_{10}H_{15}NO_3$=Etilefrin, Oxilofrin, N-Phenyldiethanolamin
$C_{10}H_{15}NO_3$=Tenuazonsäure
$C_{10}H_{15}NO_4$=Domoinsäure

$C_{10}H_{15}N_2Na_3O_7$=HEDTA
$C_{10}H_{15}N_2O_8P$=Thymidinphosphate
$C_{10}H_{15}N_3O_5$=Benserazid
$C_{10}H_{15}N_5$=Phenformin, Trapidil
$C_{10}H_{15}N_5O_4$=Penciclovir
$C_{10}H_{15}N_5O_{10}P_2$=Adenosin-5′-diphosphat
$C_{10}H_{15}N_5O_{11}P_2$=Guanosinphosphate
$C_{10}H_{15}N_5O_{13}P_2S$=3′-Phosphoadenosin-5′-phosphosulfat
$C_{10}H_{15}OPS_2$=Fonofos
$C_{10}H_{15}O_3PS_2$=Fenthion
$C_{10}H_{16}$=Adamantan, Camphen, Carene, Fenchene, Limonen, Methylbenzyl..., Myrcen, Ocimen, 1,2,3,4,5-Pentamethylcyclopentadien, α-Phellandren, Pinene, Terpinen, Terpinolen, Thujan, Tricyclen, Twistan
$C_{10}H_{16}Cl_3NOS$=Triallat
$C_{10}H_{16}Cl_4Zn_2$=Nicotin
$C_{10}H_{16}KNO_9S_2$=Allylisothiocyanat, Glucosinolate
$C_{10}H_{16}N_2$=N,N-Dimethyl-p-phenylendiamin, $N,N,N′,N′$-Tetramethyl-p-phenylendiamin
$C_{10}H_{16}N_2O_2$=Loline
$C_{10}H_{16}N_2O_2S$=Thiobutabarbital
$C_{10}H_{16}N_2O_3$=Butobarbital, Secbutabarbital
$C_{10}H_{16}N_2O_3S$=Biotin
$C_{10}H_{16}N_2O_4S$=Nicotin
$C_{10}H_{16}N_2O_4S_3$=Dorzolamid
$C_{10}H_{16}N_2O_8$=Ethylendiamintetraessigsäure
$C_{10}H_{16}N_2O_{11}P_2$=Thymidinphosphate
$C_{10}H_{16}N_4O_3$=Anserin
$C_{10}H_{16}N_4O_7$=Vicin
$C_{10}H_{16}N_5O_{13}P_3$=Adenosin-5′-triphosphat
$C_{10}H_{16}N_5O_{14}P_3$=Guanosinphosphate
$C_{10}H_{16}N_6S$=Cimetidin
$C_{10}H_{16}O$=Bernstein, Campher, Citral, 2,4-Decadienal, Dillether, Fenchon, Ipsdienol, Menthon, Nepetalacton, Ocimenon, Perillaaldehydoxim, Pulegon, Thujon, Verbenon
$C_{10}H_{16}O_2$=Ascaridol, Chrysanthemumsäure, Diosphenole, Geraniumsäure, Iridomyrmecin, Jasminlacton, Lineatin, Pyrethrum
$C_{10}H_{16}O_3$=Königinnensubstanz
$C_{10}H_{16}O_4$=Camphersäure, Prelog-Djerassi-Lacton
$C_{10}H_{16}O_4S$=Campher-10-sulfonsäure
$C_{10}H_{16}O_5$=Decarestrictine
$C_{10}H_{17}Cl$=Isobornylchlorid
$C_{10}H_{17}Cl_2NOS$=Diallat
$C_{10}H_{17}N$=1-Adamantanamin
$C_{10}H_{17}NO_2$=Methyprylon
$C_{10}H_{17}NO_5S$=Etamsylat
$C_{10}H_{17}NO_6$=Cyanogene Glykoside, Linamarin
$C_{10}H_{17}N_2O_9S_2$=Glucosinolate
$C_{10}H_{17}N_2O_{14}P_3$=Thymidinphosphate
$C_{10}H_{17}N_3O_5$=Linatin
$C_{10}H_{17}N_3O_6S$=Glutathion
$C_{10}H_{17}N_3S$=Pramipexol
$C_{10}H_{17}N_7O_4$=Saxitoxin
$C_{10}H_{17}N_7O_5$=Saxitoxin
$C_{10}H_{17}N_7O_8$=Gonyautoxine
$C_{10}H_{17}N_7O_9S$=Gonyautoxine
$C_{10}H_{18}$=Caran, Decalin, Menthene, p-Menthene, Pinan, Thujan
$C_{10}H_{18}N_2O_2$=Slaframin
$C_{10}H_{18}N_2O_7$=HEDTA
$C_{10}H_{18}N_4O_4S_3$=Thiodicarb
$C_{10}H_{18}O$=Borneol, Cineol, Citronellal, 2-Decenal, Fenchol, Geraniol, Grandisol, Ipsdienol, Isoborneole, Lavandin(öl), Linalool, Menthon, Myrcen, Necrodole, Rhodinal, Rosenoxid, Terpineole
$C_{10}H_{18}OS$=p-Menth-1-en-8-thiol
$C_{10}H_{18}O_2$=γ-Decalacton, Multistriatine, Pinanhydroperoxid, Reversionsgeschmack, Romilat®, Tee-Aroma, Whisk(e)y- u. Cognac-Lactone
$C_{10}H_{18}O_3$=Cyclobutyrol, Königinnensubstanz
$C_{10}H_{18}O_4$=Nonactin, Oxalsäureester, Sebacinsäure
$C_{10}H_{18}S$=p-Menth-1-en-8-thiol
$C_{10}H_{19}ClNO_5P$=Phosphamidon
$C_{10}H_{19}NO$=Lupinen-Alkaloide
$C_{10}H_{19}NOS_2$=Hirsutin, Senföle
$C_{10}H_{19}N_5O$=Prometon, Terbumeton
$C_{10}H_{19}N_5S$=Prometryn, Terbutryn
$C_{10}H_{19}O_6PS_2$=Malathion
$C_{10}H_{20}$=p-Menthan
$C_{10}H_{20}NO_5PS_2$=Mecarbam
$C_{10}H_{20}N_2S_4$=Tetraethylthiuramdisulfid
$C_{10}H_{20}O$=Citronellole, Decanal, Menthol, Rhodinol
$C_{10}H_{20}O_2$=Decansäure, Hydroxycitronellal, p-Menthanhydroperoxid, Terpin
$C_{10}H_{20}O_3$=Myrmicacin
$C_{10}H_{21}Br$=1-Bromdecan
$C_{10}H_{21}N$=Levopropylhexedrin
$C_{10}H_{21}NOS$=Pebulat, Vernolat
$C_{10}H_{21}N_3O$=Diethylcarbamazin
$C_{10}H_{22}Cl_2N_2O_4$=Mannomustin
$C_{10}H_{22}N_4$=Guanethidin
$C_{10}H_{22}O_2$=1-Decanol, Fettalkohole, Isodecanol
$C_{10}H_{22}O_4$=Triethylenglykol
$C_{10}H_{22}O_7$=Pentaerythrit
$C_{10}H_{23}N_3O_3$=Hypusin
$C_{10}H_{23}O_2PS_2$=Cadusafos
$C_{10}H_{24}N_2O_2$=Ethambutol
$C_{10}H_{24}N_4$=Tetraaminoethylene
$C_{10}H_{24}O_3Ti$=Titan-organische Verbindungen
$C_{10}H_{26}N_4$=Spermin
$C_{10}Mn_2O_{10}$=Mangancarbonyle

$C_{11}H_6ClN_3O_6$=Lodoxamid
$C_{11}H_6Cl_2N_2$=Fenpiclonil
$C_{11}H_6O_3$=Psoralen
$C_{11}H_7Cl_2NO_3$=Pseudomonas
$C_{11}H_7NO$=1-Naphthylisocyanat
$C_{11}H_7N_3OS$=Zyzzin
$C_{11}H_8ClNO_2$=Quinmerac
$C_{11}H_8Cl_2N_2O$=Diclomezin
$C_{11}H_8N_2O$=Fuberidazol
$C_{11}H_8N_2O_3S_2$=Luciferine
$C_{11}H_8O_2$=2-Methyl-1,4-naphthochinone, Naphthalincarbonsäuren
$C_{11}H_8O_3$=3-Hydroxy-2-naphthoesäure, Lawson, Phthiokol
$C_{11}H_8O_5$=Purpurogallin
$C_{11}H_9Br_2N_5O$=Imidazol-Alkaloide
$C_{11}H_9I_3N_2O_4$=Amidotrizoesäure, Iotalaminsäure
$C_{11}H_9NO_{10}S_2$=Glucosinolate
$C_{11}H_9N_3O_2$=PAR, 4-(2-Pyridylazo)resorcin
$C_{11}H_{10}$=Methylnaphthaline
$C_{11}H_{10}Cl_2F_2N_4O_3S$=Sulfentrazon
$C_{11}H_{10}N_2S$=Antu
$C_{11}H_{10}N_4O_4$=Masthilfsmittel
$C_{11}H_{10}O$=Methyl(2-naphthyl)ether
$C_{11}H_{10}O_2$=Menadiol
$C_{11}H_{10}O_4$=Limettöl
$C_{11}H_{11}F_3N_2O_3$=Flutamid
$C_{11}H_{11}NO$=Pyroquilon
$C_{11}H_{11}NO_2$=Phensuximid
$C_{11}H_{11}NO_4S$=Actinoquinol
$C_{11}H_{11}N_3O_2S$=Sulfapyridin
$C_{11}H_{11}N_5$=Phenazopyridin
$C_{11}H_{12}ClNO_3S$=Chlormezanon
$C_{11}H_{12}Cl_2N_2O$=Lofexidin
$C_{11}H_{12}Cl_2N_2O_5$=Chloramphenicol
$C_{11}H_{12}I_3NO_2$=Iopansäure
$C_{11}H_{12}NO_4PS_2$=Phosmet
$C_{11}H_{12}N_2O$=Peganin, Phenazon
$C_{11}H_{12}N_2O_2$=Tryptophan
$C_{11}H_{12}N_2O_3$=Zileuton
$C_{11}H_{12}N_2O_3$=Oxitriptan
$C_{11}H_{12}N_2S$=Levamisol, Ölsyndrom, spanisches
$C_{11}H_{12}N_4O_2S$=Sulfamerazin, Sulfaperin
$C_{11}H_{12}N_4O_3S$=Sulfalen, Sulfamethoxypyridazin, Sulfametoxydiazin
$C_{11}H_{12}N_6$=Parazoanthoxanthine
$C_{11}H_{12}O_2$=Essigsäurecinnamylester, Zimtsäureester
$C_{11}H_{12}O_3$=Myristicin
$C_{11}H_{12}O_5$=Oliven, Sinapin
$C_{11}H_{13}BrN_2O_4$=Brivudin
$C_{11}H_{13}BrN_2O_6$=Sorivudin
$C_{11}H_{13}ClF_3N_3O_4S_3$=Polythiazid
$C_{11}H_{13}ClN_2$=(−)Epibatidin
$C_{11}H_{13}ClO_3$=MCPB
$C_{11}H_{13}F_3N_4O_4$=Dinitramin
$C_{11}H_{13}NOS_2$=Tridentatole
$C_{11}H_{13}NO_3$=Hydrastinin
$C_{11}H_{13}NO_4$=Bendiocarb
$C_{11}H_{13}N_3O_3S$=Sulfafurazol, Sulfamoxol
$C_{11}H_{13}N_5O_3$=Neplanocine
$C_{11}H_{13}N_5O_4$=Angustmycin, Neplanocine
$C_{11}H_{13}N_5O_5$=Azidamfenicol
$C_{11}H_{14}ClNO$=Propachlor
$C_{11}H_{14}ClNO_3$=Buclosamid
$C_{11}H_{14}ClNO_4$=Cloethocarb
$C_{11}H_{14}N_2$=Gramin
$C_{11}H_{14}N_2O$=Cytisin
$C_{11}H_{14}N_2O_2S$=Xenorhabdine
$C_{11}H_{14}N_2O_3S$=Sulfadicramid
$C_{11}H_{14}N_2O_4$=Felbamat
$C_{11}H_{14}N_2O_5$=Clitidin
$C_{11}H_{14}N_2S$=Pyrantel
$C_{11}H_{14}N_4O_4$=Sparsomycin
$C_{11}H_{14}O_2$=Benzoesäureisobutylester, Buttersäureester, 4-tert-Butylbenzoesäure, Pyrethrum
$C_{11}H_{14}O_2S$=Thiolactomycin
$C_{11}H_{14}O_3$=4-Hydroxybenzoesäureester, Salicylsäureester, o-Thymotinsäure, Zingeron
$C_{11}H_{14}O_4$=Sinapylalkohol
$C_{11}H_{15}BrClO_3PS$=Profenofos
$C_{11}H_{15}ClN_4O_2$=Nitenpyram
$C_{11}H_{15}Cl_2O_3PS_2$=Prothiofos
$C_{11}H_{15}NO$=Metamfepramon, Phenmetrazin
$C_{11}H_{15}NO_2$=Ecstasy, Isoprocarb, Wintersteinsäure
$C_{11}H_{15}NO_2S$=Ethiofencarb, Methiocarb
$C_{11}H_{15}NO_3$=Anhalonium-Alkaloide, Phenetidine, Propoxur
$C_{11}H_{15}NO_4$=Mephenesin
$C_{11}H_{15}NO_5$=Methocarbamol
$C_{11}H_{15}N_2O_4P$=Psilocybin
$C_{11}H_{15}N_3O$=Triacsine
$C_{11}H_{15}N_3O_4$=Xanthodermin
$C_{11}H_{15}N_3O_8$=Polyoxine
$C_{11}H_{15}N_5O_3$=Neplanocine
$C_{11}H_{15}N_5O_5$=Angustmycin
$C_{11}H_{16}ClN_3O_2$=Formetanat-Hydrochlorid
$C_{11}H_{16}ClN_3O_4S_2$=Butizid
$C_{11}H_{16}ClN_5$=Proguanil
$C_{11}H_{16}I_2N_2O_5$=Diodon
$C_{11}H_{16}N_2O$=Tocainid
$C_{11}H_{16}N_2O_2$=Pilocarpin
$C_{11}H_{16}N_2O_3$=Butalbital, Nifenalol, Vinylbital
$C_{11}H_{16}N_2O_4S$=Thienamycine
$C_{11}H_{16}N_2O_5$=Edoxudin
$C_{11}H_{16}N_2O_8$=Spagluminsäure
$C_{11}H_{16}O$=2-tert-Butyl-4-(bzw. 5)-methylphenol, Fenipentol, (Z)-Jasmon
$C_{11}H_{16}O_2$=tert-Butylmethoxyphenol, Pyrethrum
$C_{11}H_{16}O_4$=Pyrethrum
$C_{11}H_{17}N$=Pentorex
$C_{11}H_{17}NO$=Ephedrin, Mexiletin
$C_{11}H_{17}NO_3$=Diethylaminsalicylat, Dioxethedrin, Isoprenalin, Meskalin, Orciprenalin
$C_{11}H_{17}N_2NaO_2S$=Thiopental
$C_{11}H_{17}N_3O_3S$=Carbutamid
$C_{11}H_{17}N_3O_8$=Tetrodotoxin
$C_{11}H_{17}N_5O_3$=Cafaminol
$C_{11}H_{18}N_2O_2$=Loline
$C_{11}H_{18}N_2O_2S$=Thiopental
$C_{11}H_{18}N_2O_3$=Amobarbital, Pentobarbital
$C_{11}H_{18}N_4O_2$=Pirimicarb
$C_{11}H_{18}O_2$=Geranylester
$C_{11}H_{18}O_4$=Pestalotin
$C_{11}H_{19}NOS$=Octhilinon
$C_{11}H_{19}NO_3$=Pyrrolame
$C_{11}H_{19}NO_6$=Cyanogene Glykoside
$C_{11}H_{19}NO_9$=Acylneuraminsäuren
$C_{11}H_{19}N_3O$=Ethirimol, Triacsine
$C_{11}H_{19}N_3O_3$=Urocansäure
$C_{11}H_{19}N_3O_6$=Tabtoxin
$C_{11}H_{20}N_2$=1-Octyl-1H-imidazol
$C_{11}H_{20}N_3O_3PS$=Pirimiphos-methyl
$C_{11}H_{20}N_4O_6$=Nopalin
$C_{11}H_{20}O$=10-Undecenal
$C_{11}H_{20}O_2$=4-Hydroxyundecansäurelacton, Sordidin, 2,2,6,6-Tetramethyl-3,5-heptandion, 10-Undecensäure
$C_{11}H_{20}O_3$=Primverose
$C_{11}H_{21}NOS$=Cycloat
$C_{11}H_{22}O_4S$=Pantothensäure
$C_{11}H_{22}N_2O_3P$=Bilanafos
$C_{11}H_{22}O$=Fettalkohole, Undecanal, 2-Undecanon
$C_{11}H_{22}O_2$=Fettsäuren, Melusat®, Pelargonate, Serricornin, Undecansäure, Verdoxan®
$C_{11}H_{23}NOS$=Butylat
$C_{11}H_{24}$=Undecan
$C_{11}H_{24}O$=Fettalkohole
$C_{11}H_{26}NO_2PS$=VX

$C_{12}Al_2O_{12}$=Mellit
$C_{12}Br_{10}$=PBB
$C_{12}Br_{10}O$=PBDE
$C_{12}Cl_{10}$=PCB
$C_{12}Fe_3O_{12}$=Eisencarbonyle
$C_{12}HBr_9$=PBB
$C_{12}HBr_9O$=PBDE

$C_{12}HCl_9$=PCB
$C_{12}H_2Br_8$=PBB
$C_{12}H_2Br_8O$=PBDE
$C_{12}H_2Cl_8$=PCB
$C_{12}H_3Br_7$=PBB
$C_{12}H_3Br_7O$=PBDE
$C_{12}H_3Cl_7$=PCB
$C_{12}H_4Br_6$=PBB
$C_{12}H_4Br_6O$=PBDE
$C_{12}H_4Cl_2F_6N_4OS$=Fipronil
$C_{12}H_4Cl_4O_2$=2,3,7,8-Tetrachlordibenzo[1,4]dioxin
$C_{12}H_4Cl_6$=PCB
$C_{12}H_4N_4$=7,7,8,8-Tetracyano-1,4-chinodimethan
$C_{12}H_4Na_5O_{16}S_4Sb$=Stibophen
$C_{12}H_5Br_5$=PBB
$C_{12}H_5Br_5O$=PBDE
$C_{12}H_5Cl_5$=PCB
$C_{12}H_5N_7O_{12}$=Dipikrylamin
$C_{12}H_6Br_4$=PBB
$C_{12}H_6Br_4O$=PBDE
$C_{12}H_6Cl_2NNaO_2$=2,6-Dichlorphenol-indophenol-natrium
$C_{12}H_6Cl_4$=PCB
$C_{12}H_6Cl_4O_2S$=Bithionol, Tetradifon
$C_{12}H_6F_2N_2O_2$=Fludioxonil
$C_{12}H_6N_2O_2$=Phanquinon
$C_{12}H_6O_3$=Naphthalincarbonsäuren
$C_{12}H_6O_{12}$=Mellit(h)säure
$C_{12}H_7Br_3$=PBB
$C_{12}H_7Br_3O$=PBDE
$C_{12}H_7Cl_3$=PCB
$C_{12}H_7Cl_3O_2$=Triclosan
$C_{12}H_7NO_2$=Phenoxazon
$C_{12}H_7NO_4$=Resazurin
$C_{12}H_8$=Acenaphthen, Biphenylen
$C_{12}H_8Br_2$=PBB
$C_{12}H_8Br_2O$=PBDE
$C_{12}H_8Cl_2$=PCB
$C_{12}H_8Cl_2O_2S$=Fenticlor
$C_{12}H_8Cl_6$=Aldrin
$C_{12}H_8Cl_6O$=Dieldrin, Endrin
$C_{12}H_8N_2$=1,10-Phenanthrolin, Phenazin
$C_{12}H_8N_2O_4$=Iodinin
$C_{12}H_8O$=Dibenzofuran
$C_{12}H_8O_2$=Dibenzo[1,4]dioxin
$C_{12}H_8O_4$=Naphthalincarbonsäuren, Xanthotoxin
$C_{12}H_8S$=Dibenzothiophen
$C_{12}H_8S_3$=Terthienyle
$C_{12}H_9AsClN$=Adamsit
$C_{12}H_9Br$=PBB
$C_{12}H_9BrO$=PBDE
$C_{12}H_9Cl$=PCB
$C_{12}H_9ClF_3N_3O$=Norflurazon
$C_{12}H_9ClN_2O_3$=Aclonifen
$C_{12}H_9Cl_2NO_3$=Vinclozolin
$C_{12}H_9F_2N_2O_4S$=Flumetsulam
$C_{12}H_9F_3N_2O_2$=Leflunomid
$C_{12}H_9N$=9H-Carbazol
$C_{12}H_9NO$=Phenoxazin
$C_{12}H_9NO_2$=Indophenol
$C_{12}H_9NS$=Phenothiazin
$C_{12}H_9N_2NaO_5S$=Tropäolin
$C_{12}H_9N_3Na_2O_8S_2$=Echtgelb
$C_{12}H_9N_3O$=Milrinon
$C_{12}H_9N_3O_4$=Mageson
$C_{12}H_9N_3O_5$=Nifuroxazid
$C_{12}H_9N_3S$=Thionin
$C_{12}H_{10}$=Acenaphthen, Agropyren, Biphenyl, Heptalen
$C_{12}H_{10}AsCl$=Diphenylarsinchlorid
$C_{12}H_{10}CaO_{10}S_2$=Calciumdobesilat
$C_{12}H_{10}Ca_3O_{14}$=Calciumcitrat
$C_{12}H_{10}ClN_3S$=Thionin
$C_{12}H_{10}Cl_2F_3NO$=Flurochloridon

$C_{12}H_{10}Mg_3O_{14}$=Magnesiumcitrat
$C_{12}H_{10}N_2$=Azobenzol, Harman, Harmane
$C_{12}H_{10}N_2O$=Azoxybenzol, Nitrosamine, Phenylazophenole
$C_{12}H_{10}N_2O_2$=4-(4-Nitrobenzyl)pyridin
$C_{12}H_{10}N_2O_5$=Cinoxacin
$C_{12}H_{10}N_2O_6$=Lumichrom
$C_{12}H_{10}NaO_2P$=Phosphinate
$C_{12}H_{10}O$=Biphenylole, Diphenylether, Methyl(2-naphthyl)keton
$C_{12}H_{10}O_2$=Biphenyl-2,2'-diol, 1-Naphthalinessigsäure
$C_{12}H_{10}O_3$=2-Naphthyloxyessigsäure
$C_{12}H_{10}O_4$=Chinhydrone
$C_{12}H_{10}Se_2$=Diphenyldiselenid
$C_{12}H_{10}Zn$=Zink-organische Verbindungen
$C_{12}H_{11}ClN_2O_5S$=Furosemid
$C_{12}H_{11}ClN_6O_2S_2$=Azosemid
$C_{12}H_{11}Cl_2NO$=Propyzamid
$C_{12}H_{11}I_3N_2O_4$=Iodamid
$C_{12}H_{11}I_3N_2O_5$=Ioxitalaminsäure
$C_{12}H_{11}N$=Diphenylamin
$C_{12}H_{11}NO$=3-Anilinophenol
$C_{12}H_{11}NOS$=Thionalid
$C_{12}H_{11}NO_2$=Carbaryl, Fenfuram
$C_{12}H_{11}NO_3$=Chuanghsinmycin
$C_{12}H_{11}NO_3S$=4-Diphenylaminsulfonsäure
$C_{12}H_{11}N_3$=4-Aminoazobenzol, 1,3-Diphenyltriazen, Indamin
$C_{12}H_{11}N_7$=Triamteren
$C_{12}H_{12}$=Agropyren
$C_{12}H_{12}Br_2N_2$=Diquat-dibromid
$C_{12}H_{12}ClNO_2S$=Dansylchlorid
$C_{12}H_{12}ClN_5O_4S$=Xenorhabdine
$C_{12}H_{12}Cr$=Chrom-organische Verbindungen
$C_{12}H_{12}N_2$=Benzidin, 1,1-Diphenylhydrazin, Hydrazobenzol
$C_{12}H_{12}N_2OS_2$=5-(4-Dimethylaminobenzyliden)-rhodanin
$C_{12}H_{12}N_2O_2S$=Dapson, Enoximon
$C_{12}H_{12}N_2O_3$=Nalidixinsäure, Oxabetrinil, Phenobarbital, Sesbanimide
$C_{12}H_{12}N_4$=2,4-Diaminoazobenzol
$C_{12}H_{12}O$=Ethyl-2-naphthylether
$C_{12}H_{13}ClN_2$=1,1-Diphenylhydrazin
$C_{12}H_{13}ClN_4$=Pyrimethamin
$C_{12}H_{13}I_3N_2O_2$=Iopodinsäure
$C_{12}H_{13}I_3N_2O_3$=Iocetaminsäure
$C_{12}H_{13}N_3O_2$=Mesuximid
$C_{12}H_{13}NO_2S$=Carboxin
$C_{12}H_{13}NO_3$=Aniracetam
$C_{12}H_{13}NO_4S$=Oxycarboxin
$C_{12}H_{13}N_3$=Pyrimethanil
$C_{12}H_{13}N_3O_2$=Isocarboxazid, Triaziquon
$C_{12}H_{13}N_3O_4$=Masthilfsmittel
$C_{12}H_{13}N_5O_2S$=Prontosil®
$C_{12}H_{13}N_5O_6S_2$=Thifensulfuron-methyl
$C_{12}H_{14}As_2Cl_2N_2O_2$=Arsphenamin
$C_{12}H_{14}CaO_4$=Calciumsorbat
$C_{12}H_{14}ClNO$=Clomazon
$C_{12}H_{14}Cl_2N_2$=Paraquat-dichlorid
$C_{12}H_{14}Cl_3O_4P$=Chlorfenvinfos
$C_{12}H_{14}NO_4^+$=(−)-α-Narcotin
$C_{12}H_{14}N_2$=N-(1-Naphthyl)ethylendiamin-dihydrochlorid
$C_{12}H_{14}N_2O_2$=Abrin, Mephenytoin, Primidon
$C_{12}H_{14}N_2O_3$=Cyclopentobarbital

$C_{12}H_{14}N_4$=3,3',4,4'-Tetraaminobiphenyl
$C_{12}H_{14}N_4OS$=Thiamin
$C_{12}H_{14}N_4O_2S$=Sulfadimidin, Sulfisomidin
$C_{12}H_{14}N_4O_4S$=Sulfadoxin
$C_{12}H_{14}N_4O_4S_2$=Thiophanat-methyl
$C_{12}H_{14}N_6$=Parazoanthoxanthine
$C_{12}H_{14}O_2$=Precocene, Sellerieöl
$C_{12}H_{14}O_3$=Zimtöle
$C_{12}H_{14}O_4$=Apiol, Phthalsäureester
$C_{12}H_{15}AsN_6OS_2$=Melarsoprol
$C_{12}H_{15}ClNO_4PS_2$=Phosalon
$C_{12}H_{15}ClO_3$=Clofibrat
$C_{12}H_{15}Cl_2NO_5S$=Thiamphenicol
$C_{12}H_{15}NO_3$=Anhalonium-Alkaloide, Carbofuran
$C_{12}H_{15}N_2O_3PS$=Phoxim, Quinalphos
$C_{12}H_{15}N_3$=Indanazolin
$C_{12}H_{15}N_3O_2S$=Albendazol
$C_{12}H_{15}N_3O_3$=Triallylcyanurat
$C_{12}H_{15}N_3O_5S$=Ameziniummetilsulfat
$C_{12}H_{15}N_3O_6$=Xylolmoschus
$C_{12}H_{15}N_5O_3S$=Sulfaguanol
$C_{12}H_{16}$=Tetraasteran
$C_{12}H_{16}ClNOS$=Orbencarb, Thiobencarb
$C_{12}H_{16}ClNO_3$=Meclofenoxat
$C_{12}H_{16}Cl_2N_2O$=Neburon
$C_{12}H_{16}F_3N$=Dexfenfluramin, Fenfluramin
$C_{12}H_{16}N_2$=N,N-Dimethyltryptamin, Fenproporex
$C_{12}H_{16}N_2O$=Cytisin, Psilocybin
$C_{12}H_{16}N_2O_2$=Carbetamid, Cyclobarbital, Hexobarbital
$C_{12}H_{16}N_3O_3PS$=Triazophos
$C_{12}H_{16}N_3O_3PS_2$=Azinphos-ethyl
$C_{12}H_{16}N_4O_3$=Iprazochrom
$C_{12}H_{16}O_2$=Phenylessigsäureester, 2-Phenylethylester, Sellerieöl
$C_{12}H_{16}O_3$=Asarone, Myristicin, Oudemansine, Primeln, Salicylsäureester
$C_{12}H_{16}O_4S$=Benfuresat
$C_{12}H_{16}O_7$=Arbutin
$C_{12}H_{17}ClN_2O_4$=Chlorotetain
$C_{12}H_{17}ClN_4OS$=Thiamin
$C_{12}H_{17}N$=Nigrifactin
$C_{12}H_{17}NO$=N,N-Diethyl-m-toluamid, Insektenabwehrmittel, Phendimetrazin
$C_{12}H_{17}NO_2$=Anhalonium-Alkaloide, Ciclopirox, Fenobucarb
$C_{12}H_{17}NO_3$=Bucetin, Bufexamac, Cerulenin, Etamivan, Nicoboxil
$C_{12}H_{17}N_2O_4P$=Psilocybin
$C_{12}H_{17}N_3O_4$=Agaritin
$C_{12}H_{17}N_3O_4S$=Imipenem
$C_{12}H_{17}N_5O$=Peramin
$C_{12}H_{17}NaO_7$=Dikegulac-Natrium
$C_{12}H_{17}O_4PS_2$=Phenthoat
$C_{12}H_{18}$=1,5,9-Cyclododecatrien, Diisopropylbenzol, Hexamethylbenzol
$C_{12}H_{18}ClN$=Mefenorex
$C_{12}H_{18}ClNO$=Tulobuterol
$C_{12}H_{18}ClNO_2S$=Dimethenamid
$C_{12}H_{18}Cl_2N_2O$=Clenbuterol
$C_{12}H_{18}Cl_2N_2OS$=Thiamin
$C_{12}H_{18}ClN_4$=3,3',4,4'-Tetraaminobiphenyl
$C_{12}H_{18}N_2O$=Isoproturon, Oxotremorin
$C_{12}H_{18}N_2O_2$=Nicametat
$C_{12}H_{18}N_2O_3$=Secobarbital

$C_{12}H_{18}N_2O_3S$=Tolbutamid
$C_{12}H_{18}N_2O_4$=Midodrin, Pyridosin
$C_{12}H_{18}N_2O_5$=Chlorotetain, Hypoglycin
$C_{12}H_{18}N_4O_6S$=Oryzalin
$C_{12}H_{18}N_4O_7P_2S$=Thiamindiphosphat
$C_{12}H_{18}O$=Propofol
$C_{12}H_{18}O_2$=Diisopropylbenzolhydroperoxid, 4-Hexylresorcin
$C_{12}H_{18}O_3$=Jasmonsäure, Putaminoxine
$C_{12}H_{18}O_4$=1,6-Hexandiol
$C_{12}H_{18}O_4S_2$=Isoprothiolan
$C_{12}H_{18}O_8$=Osmundalacton
$C_{12}H_{19}BrN_2O_2$=Neostigmin
$C_{12}H_{19}ClN_4O_7P_2S$=Thiamindiphosphat
$C_{12}H_{19}Cl_3O_8$=Sucralose
$C_{12}H_{19}NO$=Elaeocarpus-Alkaloide, Etafedrin
$C_{12}H_{19}NO_2$=Bamethan, 2,5-Dimethoxy-4-methylamphetamin
$C_{12}H_{19}N_3O$=Terbutalin
$C_{12}H_{19}N_3O$=Procarbazin
$C_{12}H_{19}O_2PS_3$=Sulprofos
$C_{12}H_{20}N_2$=Oxotremorin
$C_{12}H_{20}N_2O$=Loline
$C_{12}H_{20}N_2O_3$=Pirbuterol
$C_{12}H_{20}N_2O_3S$=Sotalol
$C_{12}H_{20}N_2O_{11}V$=Amavadin
$C_{12}H_{20}N_4O_2$=Hexazinon
$C_{12}H_{20}N_4O_7$=Zanamivir
$C_{12}H_{20}O_2$=Bornylacetat, Geranylester, Isobornylacetat, Lavandin(öl), Linalool, Nerylacetat
$C_{12}H_{20}O_2S$=p-Menth-1-en-8-thiol
$C_{12}H_{20}O_3$=Putaminoxine
$C_{12}H_{20}O_4$=Traumatinsäure
$C_{12}H_{21}N$=Memantin
$C_{12}H_{21}NO_8S$=Topiramat
$C_{12}H_{21}N_2O_3PS$=Diazinon
$C_{12}H_{21}N_3O_6$=Nicotianamin
$C_{12}H_{21}N_5O_3S_2$=Nizatidin
$C_{12}H_{22}CaO_{14}$=Calciumgluconat
$C_{12}H_{22}FeO_{14}$=Eisen(II)-gluconat
$C_{12}H_{22}MgO_{14}$=Magnesiumgluconat
$C_{12}H_{22}N_2O_{10}S_4$=Lentinsäure
$C_{12}H_{22}O$=Codlemone, Cyclododecanon, Geosmin
$C_{12}H_{22}O$=Quadrilur
$C_{12}H_{22}O_4$=Peroxide, Sebacinsäureester, Talaromycine
$C_{12}H_{22}O_5$=Cyclohexanonperoxid, Narbosine
$C_{12}H_{22}O_{10}$=Rutinose
$C_{12}H_{22}O_{11}$=Cellobiose, Disaccharide, Gentiobiose, Lactose, Lactulose, Laminarin, Maltose, Saccharose, Trehalose, Turanose, Zuckeraustauschstoffe
$C_{12}H_{22}O_{12}$=Lactobionsäure
$C_{12}H_{23}N$=Dicyclohexylamin
$C_{12}H_{23}NO$=12-Laurinlactam
$C_{12}H_{24}$=Cyclododecan
$C_{12}H_{24}N_2O_4$=Carisoprodol
$C_{12}H_{24}O$=Cyclododecanol, Dodecanal, 2-Methylundecanal
$C_{12}H_{24}O_2$=Fettsäuren, Laurinsäure, Peranat®, Undecansäure
$C_{12}H_{24}O_5$=Narbosine
$C_{12}H_{24}O_6$=Krone
$C_{12}H_{24}O_{11}$=Isomaltit, Lactitol, Maltose, Palatinit®, Zuckeraustauschstoffe
$C_{12}H_{25}Cl$=Dodecylchlorid
$C_{12}H_{25}NaO_4S$=Natriumdodecylsulfat
$C_{12}H_{26}$=Dodecan

$C_{12}H_{26}N_4O_6$=Neomycin
$C_{12}H_{26}O$=1-Dodecanol, Fettalkohole
$C_{12}H_{26}S$=1-Dodecanthiol
$C_{12}H_{27}Al$=Tributylaluminium
$C_{12}H_{27}ClSn$=Zinn-organische Verbindungen
$C_{12}H_{27}N$=Dodecylamin, Tributylamin
$C_{12}H_{27}OPS_3$=S,S,S-Tributyltrithiophosphat
$C_{12}H_{27}O_4P$=Tributylphosphat
$C_{12}H_{29}N_3$=Solanaceen
$C_{12}H_{30}Br_2N_2$=Hexamethoniumbromid
$C_{12}H_{36}Ag_4I_4P_4$=Silber-organische Verbindungen
$C_{12}H_{54}Al_{16}O_{75}S_8$=Sucralfat
$C_{12}H_{68}Sn$=Zinn-organische Verbindungen
$C_{13}H_4Cl_2F_6N_4O_4$=Fluazinam
$C_{13}H_6Br_2F_6N_2O_2S$=Thifluzamid
$C_{13}H_6Cl_6O_2$=Hexachlorophen
$C_{13}H_7Cl_2F_3N_2O_4S$=Flusulfamid
$C_{13}H_8Br_2Cl_2O_2$=Bromchlorophen
$C_{13}H_8Br_3NO_2$=Tribromsalan
$C_{13}H_8Cl_2N_2O_4$=Niclosamid
$C_{13}H_8F_2O_3$=Diflunisal
$C_{13}H_8O$=9-Fluorenon
$C_{13}H_8O_2$=Xanthon
$C_{13}H_8O_3$=Depsidone
$C_{13}H_9Cl_3N_2O$=Triclocarban
$C_{13}H_9F_3N_2O_2$=Niflumin säure
$C_{13}H_9N$=Acridin, Benzochinoline, Phenanthridin
$C_{13}H_9N_3OS$=1-(2-Thiazolylazo)-2-naphthol
$C_{13}H_{10}$=Fluoren, 1H-Phenalen
$C_{13}H_{10}AsN$=Diphenylarsincyanid
$C_{13}H_{10}ClN_2NaO_4S$=Pyrithiobac
$C_{13}H_{10}ClN_3O_4S_2$=Lornoxicam
$C_{13}H_{10}N_2O$=Pyocyanin
$C_{13}H_{10}N_2O_3S$=Neo Heliopan® Hydro
$C_{13}H_{10}N_2O_4$=Thalidomid
$C_{13}H_{10}O$=Benzophenon, Xanthen
$C_{13}H_{10}OS$=Terthienyle
$C_{13}H_{10}O_2$=Mycomycin, Xanthydrol
$C_{13}H_{10}O_3$=2,4-Dihydroxybenzophenon, Diphenylcarbonat, Salicylsäureester
$C_{13}H_{10}O_4$=Hispidin, Khellin
$C_{13}H_{10}O_5$=Hispidin, Khellin, Pimpinellin
$C_{13}H_{10}O_6$=Morin
$C_{13}H_{11}ClO$=Clorofen
$C_{13}H_{11}ClO_2$=Pterulon
$C_{13}H_{11}Cl_2F_4N_3O$=Tetraconazol
$C_{13}H_{11}Cl_2NO_2$=Procymidon
$C_{13}H_{11}Cl_2NO_5$=Chlozolinat
$C_{13}H_{11}NO$=Benzanilid
$C_{13}H_{11}NO_2$=N-Benzoyl-N-phenylhydroxylamin, Nicotinsäurebenzylester
$C_{13}H_{11}NO_5$=Oxolinsäure
$C_{13}H_{11}N_3$=Proflavin
$C_{13}H_{11}N_3O_4S_2$=Tenoxicam
$C_{13}H_{12}$=Diphenylmethan
$C_{13}H_{12}BrCl_2N_3O$=Bromuconazol
$C_{13}H_{12}Cl_2N_2$=MOCA
$C_{13}H_{12}Cl_2O_4$=Etacrynsäure
$C_{13}H_{12}FN_3O$=Fluconazol
$C_{13}H_{12}F_3N_5O_5S$=Flazasulfuron
$C_{13}H_{12}I_3N_3O_5$=Ioglicinsäure
$C_{13}H_{12}N_2O$=1,3-Diphenylharnstoff, Harmin
$C_{13}H_{12}N_2O_2$=Aaptamin
$C_{13}H_{12}N_2O_3S$=Sulfabenzamid
$C_{13}H_{12}N_2O_5S$=Nimesulid
$C_{13}H_{12}N_2S$=1,3-Diphenylthioharnstoff

$C_{13}H_{12}N_4O$=1,5-Diphenylcarbazon
$C_{13}H_{12}N_4O_2$=Lumiflavin
$C_{13}H_{12}N_4S$=Dithizon
$C_{13}H_{12}O$=Benzhydrol, 4-Benzylphenol
$C_{13}H_{12}O_2$=Monobenzon
$C_{13}H_{12}O_2S_2$=Thiosulfonate
$C_{13}H_{13}As_2N_2NaO_4S$=Neoarsphenamin
$C_{13}H_{13}Cl_2N_3O_3$=Iprodion
$C_{13}H_{13}IO_8$=1,1,1-Triacetoxy-1,1-dihydro-1,2-benziodoxol-3(1H)-on
$C_{13}H_{13}N$=Benzylanilin
$C_{13}H_{13}N_3$=1,3-Diphenylguanidin, Nitrite
$C_{13}H_{13}NO_4$=Metronidazol
$C_{13}H_{13}N_3O_6S$=Cefacetril
$C_{13}H_{13}N_5O_5S_2$=Ceftizoxim
$C_{13}H_{14}ClNO_2$=Pirprofen
$C_{13}H_{14}FN_3O_4$=Ethalfluralin
$C_{13}H_{14}N_2$=4,4′-Diaminodiphenylmethan, Tacrin
$C_{13}H_{14}N_2O$=Fenyramidol, Harmalin
$C_{13}H_{14}N_2O_3$=Methylphenobarbital
$C_{13}H_{14}N_2O_4S_2$=Gliotoxin
$C_{13}H_{14}N_2O_7$=Acromelsäuren
$C_{13}H_{14}N_2O_{10}$=Octosylsäuren
$C_{13}H_{14}N_4O_5$=1,5-Diphenylcarbonohydrazid
$C_{13}H_{14}N_4O_4$=Pasiniazid
$C_{13}H_{14}O_5$=Citrinin
$C_{13}H_{15}ClN_6O_7S$=Halosulfuron
$C_{13}H_{15}Cl_2N_3$=Penconazol
$C_{13}H_{15}NO_2$=Glutethimid, Securinega-Alkaloide
$C_{13}H_{15}N_3O_3$=Imazapyr
$C_{13}H_{15}N_3O_4S$=Glymidin
$C_{13}H_{16}ClNO$=Ketamin
$C_{13}H_{16}F_3N_3O_4$=Benfluralin, Trifluralin
$C_{13}H_{16}HgNNaO_6$=Mersalyl
$C_{13}H_{16}NO_4PS$=Isoxathion
$C_{13}H_{16}N_2$=Tetryzolin
$C_{13}H_{16}N_2O_2$=Aminoglutethimid, Melatonin, Mofebutazon
$C_{13}H_{16}N_2O_3$=Anthramycin
$C_{13}H_{16}N_2O_5S$=Olivansäuren
$C_{13}H_{16}N_2O_6S$=Olivansäuren
$C_{13}H_{16}N_2O_9$=Octosylsäuren
$C_{13}H_{16}N_2O_9S_2$=Olivansäuren
$C_{13}H_{16}N_5NaO_4S$=Metamizol-Natrium
$C_{13}H_{16}N_6$=Parazoanthoxanthine, Zoanthoxanthin
$C_{13}H_{16}N_6O_5S$=Azimsulfuron
$C_{13}H_{16}O_3$=Precocene
$C_{13}H_{16}O_5$=Trinexapac-ethyl
$C_{13}H_{16}O_{10}$=Turgorine
$C_{13}H_{16}O_{13}S$=Turgorine
$C_{13}H_{16}O_{15}S_2$=Turgorine
$C_{13}H_{16}O_{16}S_2$=Turgorine
$C_{13}H_{17}N_2O_2$=Moclobemid
$C_{13}H_{17}N$=Selegilin
$C_{13}H_{17}NO$=Crotamiton
$C_{13}H_{17}NO_3$=Anhalonium-Alkaloide, Lophophorin, Securinega-Alkaloide
$C_{13}H_{17}N_3$=Tramazolin
$C_{13}H_{17}N_3O$=Aminophenazon
$C_{13}H_{17}N_5O_8S_2$=Aztreonam
$C_{13}H_{18}AlClTi$=Titan-organische Verbindungen
$C_{13}H_{18}Br_2N_2O$=Ambroxol
$C_{13}H_{18}ClN_3O_4S_2$=Cyclopenthiazid
$C_{13}H_{18}Cl_2N_2O_2$=Melphalan
$C_{13}H_{18}F_3N_3O_4S_2$=Penflutizid
$C_{13}H_{18}N_2O$=Fenoxazolin

$C_{13}H_{18}N_2O_2$=Lenacil
$C_{13}H_{18}N_2O_2S_2$=Xenorhabdine
$C_{13}H_{18}N_2O_3$=Heptabarbital
$C_{13}H_{18}N_2O_5S$=Olivansäuren
$C_{13}H_{18}N_2O_8S_2$=Olivansäuren
$C_{13}H_{18}N_4O_3$=Pentoxifyllin
$C_{13}H_{18}N_6O_3$=Lupinsäure
$C_{13}H_{18}O$=Cyclamenaldehyd, Damascenone
$C_{13}H_{18}O_2$=Ibuprofen, 2-Phenylethylester
$C_{13}H_{18}O_5S$=Ethofumesat
$C_{13}H_{18}O_7$=Salicylalkohol
$C_{13}H_{19}ClN_2O$=Butanilicain
$C_{13}H_{19}ClN_2O_5S_2$=Mefrusid
$C_{13}H_{19}NO$=Amfepramon
$C_{13}H_{19}NO_2$=Anhalonium-Alkaloide, Dioscorin, Phenamazid
$C_{13}H_{19}NO_3$=Anhalonium-Alkaloide, Viloxazin
$C_{13}H_{19}NO_4S$=Probenecid
$C_{13}H_{19}NO_8$=Metaraminol
$C_{13}H_{19}N_3O$=Pendimethalin
$C_{13}H_{19}N_3O_5S_2$=Sparsomycin
$C_{13}H_{19}N_3O_6S_2$=Sparsomycin
$C_{13}H_{20}N_2O$=Prilocain
$C_{13}H_{20}N_2O_2$=Dropropizin, Procain
$C_{13}H_{20}N_2O_3$=Hydroxyprocain
$C_{13}H_{20}N_2O_3S$=Articain, Etozolin
$C_{13}H_{20}N_4O_2$=Pentifyllin
$C_{13}H_{20}N_6O_2$=Valaciclovir
$C_{13}H_{20}O$=Damascone, Jonone, Pseudojonon, Vitispirane
$C_{13}H_{20}O_3$=Febuprol, Jasminabsolue, Stegobinon
$C_{13}H_{20}O_6$=Syringolide
$C_{13}H_{21}NO_2$=Toliprolol
$C_{13}H_{21}NO_3$=Isoetarin, Salbutamol
$C_{13}H_{21}N_3O$=Procainamid
$C_{13}H_{21}N_3O_2$=Carbuterol
$C_{13}H_{21}N_5O_2$=Etamiphyllin
$C_{13}H_{22}NO_3PS$=Fenamiphos
$C_{13}H_{22}N_2$=Dicyclohexylcarbodiimid
$C_{13}H_{22}N_2O_6S$=Neostigmin
$C_{13}H_{22}N_2O_{10}$=Trehalostatin
$C_{13}H_{22}N_4O_3S$=Ranitidin, Triazamat
$C_{13}H_{22}N_4O_8$=Clavamycine
$C_{13}H_{22}O$=Sandelice®, Theaspirane
$C_{13}H_{22}O_2$=Theaspirane
$C_{13}H_{22}O_3$=Stegobinon
$C_{13}H_{22}O_4$=A-Faktor
$C_{13}H_{23}N$=Coccinellin
$C_{13}H_{23}NO$=Coccinellin
$C_{13}H_{23}NO_8$=Salbostatin
$C_{13}H_{23}N_2O_3PS$=Tebupirimifos
$C_{13}H_{24}N_2O$=Cusc(o)hygrin
$C_{13}H_{24}N_2O_{11}$=Cycasin
$C_{13}H_{24}N_3O_3PS$=Pirimiphos-ethyl
$C_{13}H_{24}N_4O_3S$=Bupirimat, Timolol
$C_{13}H_{24}N_6O_3$=Ficellomycin
$C_{13}H_{24}O_2$=Theaspirane
$C_{13}H_{24}O_3$=Weinaroma
$C_{13}H_{24}O_5$=Narbosine
$C_{13}H_{24}O_6$=Narbosine
$C_{13}H_{25}N$=Monomorine, Pumiliotoxine
$C_{13}H_{26}N_2O_3$=Elaiomycin
$C_{13}H_{26}O$=Tridecanal
$C_{13}H_{26}O_2$=Fettsäuren, Troënan®, Undecansäure
$C_{13}H_{28}$=Tridecan
$C_{13}H_{28}O$=Fettalkohole, 1-Tridecanol
$C_{13}H_{29}N$=Octamylamin
$C_{14}H_4N_2O_2S_2$=Dithianon
$C_{14}H_6Cl_2F_4N_2O_2$=Teflubenzuron

$C_{14}H_6N_2O_8$=Pyrrolochinolinchinon
$C_{14}H_6O_8$=Ellagsäure
$C_{14}H_7Br_3F_3N_3O_4$=Bromethalin
$C_{14}H_7ClF_3NO_5$=Aciflourfen
$C_{14}H_8Cl_2N_4$=Clofentezin
$C_{14}H_8FeN_2O_8$=Actinoviridin A
$C_{14}H_8O_2$=Anthrachinon, 9,10-Phenanthrenchinon
$C_{14}H_8O_4$=Alizarin, Chinizarin, Chrysazin, Hystazarin
$C_{14}H_8O_5$=Flavopurpurin, Purpurin
$C_{14}H_8O_6$=Chinalizarin
$C_{14}H_8O_8$=Naphthalincarbonsäuren
$C_{14}H_9ClF_2N_2O_2$=Diflubenzuron
$C_{14}H_9ClN_2O_3S$=Tenidap
$C_{14}H_9Cl_2F_3N_2O$=Halocarban
$C_{14}H_9Cl_2NO_5$=Bifenox
$C_{14}H_9Cl_5$=DDT
$C_{14}H_9Cl_5O$=Dicofol
$C_{14}H_9NO_2$=Aminoanthrachinone
$C_{14}H_{10}$=Anthracen, Phenanthren, Pleiadien, Tolan
$C_{14}H_{10}BrN_3O$=Bromazepam
$C_{14}H_{10}F_3NO_2$=Flufenaminsäure
$C_{14}H_{10}N_2O$=Diazocarbonyl-Verbindungen
$C_{14}H_{10}N_2O_5$=Cinnabarin
$C_{14}H_{10}N_2O_6$=Olsalazin
$C_{14}H_{10}N_4O$=Dantrolen
$C_{14}H_{10}O$=9-Fluorenon, Anthron
$C_{14}H_{10}O_2$=Benzil, Peroxide
$C_{14}H_{10}O_3$=Benzoesäureanhydrid, Dithranol
$C_{14}H_{10}O_4$=Benzoylperoxid, Diphensäure, Salicil
$C_{14}H_{10}O_5$=Gentisin, Salsalat
$C_{14}H_{10}O_6$=Oosporein
$C_{14}H_{10}O_8$=Oosporein
$C_{14}H_{11}ClN_2O_4S$=Chlortalidon
$C_{14}H_{11}Cl_2NO_2$=Diclofenac
$C_{14}H_{11}Cl_3O_4$=Russupheline
$C_{14}H_{11}N$=Dibenzazepine, 9-Vinylcarbazol
$C_{14}H_{11}NO_5$=Tolcapon
$C_{14}H_{11}N_3O_3S$=Nocodazol
$C_{14}H_{12}$=Stilben
$C_{14}H_{12}ClNO_2$=Cicletanin
$C_{14}H_{12}Cl_2N_2O$=Pyrifenox
$C_{14}H_{12}N_2$=2,9-Dimethyl-1,10-phenanthrolin
$C_{14}H_{12}N_2O_2$=Benzildioxime, Glyoxal-bis(2-hydroxyanil), Infractine
$C_{14}H_{12}N_4S$=Phenylthioharnstoff
$C_{14}H_{12}O_2$=Benzoesäurebenzylester, Benzoin, Diphenylessigsäure, Felbinac, Pinosylvin
$C_{14}H_{12}O_3$=Benzilsäure, Hydroxybenzophenone, Neo Heliopan® BB, Oxybenzon, Pinosylvin, Salicylsäureester
$C_{14}H_{12}O_3S$=Tiaprofensäure
$C_{14}H_{12}O_4$=Pinosylvin
$C_{14}H_{12}O_5$=Khellin
$C_{14}H_{12}O_6S$=Sulisobenzon
$C_{14}H_{12}O_5$=Mesulfen
$C_{14}H_{13}ClFN_3O_4S_2$=Paraflutizid
$C_{14}H_{13}ClN_6O_5S$=Imazosulfuron
$C_{14}H_{13}ClO_5S$=Sulcotrion
$C_{14}H_{13}NO_2$=Cupron
$C_{14}H_{13}N_3NaO_4S$=Acediasulfon-Natrium
$C_{14}H_{13}N_3$=Mepanipyrim
$C_{14}H_{13}N_3O_4S_2$=Meloxicam
$C_{14}H_{13}N_5O_7$=Griseolsäuren
$C_{14}H_{13}N_5O_8$=Griseolsäuren
$C_{14}H_{13}NaO_3$=Naproxen
$C_{14}H_{14}$=1,2-Diphenylethan
$C_{14}H_{14}ClNS$=Ticlopidin

$C_{14}H_{14}ClN_3O_4S_2$=Benzylhydrochlorothiazid
$C_{14}H_{14}Cl_2N_2O$=Imazalil
$C_{14}H_{14}NO_4PS$=EPN
$C_{14}H_{14}N_2$=Naphazolin
$C_{14}H_{14}N_2Na_2O_6S_3$=Aldesulfon-Natrium
$C_{14}H_{14}N_2O$=Metyrapon
$C_{14}H_{14}N_2O_6S_2$=4,4′-Diamino-2,2′-stilbendisulfonsäure
$C_{14}H_{14}N_3NaO_3S$=Methylorange, Tropäolin
$C_{14}H_{14}N_4O_4$=Terizidon
$C_{14}H_{14}N_8O_4S_3$=Cefazolin
$C_{14}H_{14}O$=Dibenzylether
$C_{14}H_{14}O_2P_2S_4$=Lawesson-Reagenz
$C_{14}H_{14}O_3$=Kawain, Naproxen, Pindon, Senoxepin
$C_{14}H_{14}O_4$=Phthalsäureester
$C_{14}H_{14}S_2$=Dibenzyldisulfid
$C_{14}H_{15}Cl_2N_3O_2$=Etaconazol
$C_{14}H_{15}NO$=Methfuroxam
$C_{14}H_{15}NO_5$=Folescutol, Triticone
$C_{14}H_{15}N_3$=Cyprodinil, 4-(Dimethylamino)azobenzol, 4-(Dimethylamino)-azobenzol
$C_{14}H_{15}N_5O_5S_2$=Cefetamet
$C_{14}H_{15}N_5O_6S$=Metsulfuron-methyl
$C_{14}H_{15}N_5O_7$=Griseolsäuren
$C_{14}H_{15}O_3PS_2$=Edifenphos
$C_{14}H_{16}$=Chamazulen
$C_{14}H_{16}BrN_3O_2S$=Eudistomine
$C_{14}H_{16}ClNO_3$=Ofurac
$C_{14}H_{16}ClN_3O$=Metazachlor
$C_{14}H_{16}ClN_3O_2$=Triadimefon
$C_{14}H_{16}ClN_5O_4S$=Triasulfuron
$C_{14}H_{16}ClO_5PS$=Coumaphos
$C_{14}H_{16}Cl_2N_4O_3$=Obidoximchlorid
$C_{14}H_{16}N_2$=3,3′-Dimethylbenzidin
$C_{14}H_{16}N_2O_2$=o-Dianisidin, Etomidat
$C_{14}H_{16}N_2O_6$=Betalaine, Indicaxanthin
$C_{14}H_{16}N_4O_3$=Piromidsäure
$C_{14}H_{16}O_6$=Ellagsäure
$C_{14}H_{17}ClN_2O_2$=Clorexolon
$C_{14}H_{17}Cl_2N_3O$=Hexaconazol
$C_{14}H_{17}NO_6$=Cyanogene Glykoside, Indican, Nitrothal-isopropyl
$C_{14}H_{17}NO_7$=Cyanogene Glykoside
$C_{14}H_{17}N_2NaO_3$=Methohexital-Natrium
$C_{14}H_{17}N_2O_4PS$=Pyridafenthion
$C_{14}H_{17}N_3O_3$=Pipemidsäure
$C_{14}H_{17}N_5O_7S_2$=Rimsulfuron
$C_{14}H_{18}B_2$=1,8-Naphthalindiyl-bis(dimethylboran)
$C_{14}H_{18}CaN_3Na_3O_{10}$=Calciumtrinatriumpentetat
$C_{14}H_{18}ClN_2O_3PS$=Pyraclofos
$C_{14}H_{18}ClN_3O_2$=Triadimenol
$C_{14}H_{18}N_2$=Protonenschwamm
$C_{14}H_{18}N_2O$=Propyphenazon
$C_{14}H_{18}N_2O_4$=Oxadixyl
$C_{14}H_{18}N_2O_5$=Aspartame
$C_{14}H_{18}N_4O_3$=Benomyl, Trimethoprim
$C_{14}H_{18}N_6$=Parazoanthoxanthine
$C_{14}H_{18}N_6O_7S$=Pyrazosulfuron-ethyl
$C_{14}H_{18}O$=α-Pentylzimtaldehyd
$C_{14}H_{18}O_6$=Phthalsäureester
$C_{14}H_{18}O_7$=Picein
$C_{14}H_{19}Cl_2NO_2$=Chlorambucil
$C_{14}H_{19}NO_2$=Methylphenidat
$C_{14}H_{19}NO_5$=Trimetozin
$C_{14}H_{19}NO_6$=Triticone

$C_{14}H_{19}NO_{10}S_2$=Glucosinolate
$C_{14}H_{19}N_3O$=Ramifenazon
$C_{14}H_{19}N_3S$=Thenyldiamin
$C_{14}H_{19}N_5O_4$=Famciclovir
$C_{14}H_{19}N_5O_4S_3$=Sulfatolamid
$C_{14}H_{20}$=Congressan
$C_{14}H_{20}Br_2N_2$=Bromhexin
$C_{14}H_{20}ClNO_2$=Acetochlor, Alachlor
$C_{14}H_{20}ClN_3O_3S$=Clopamid
$C_{14}H_{20}GdN_3O_{10}$=Gadopentetsäure
$C_{14}H_{20}N_2O_2$=Bunitrolol, Pilomotorika, Pindolol
$C_{14}H_{20}N_2O_6S$=4-(Methylamino)-phenol-sulfat
$C_{14}H_{20}N_3O_5PS$=Pyrazophos
$C_{14}H_{20}N_4O$=Imolamin
$C_{14}H_{20}N_4O_3$=Hexamethylentetramin
$C_{14}H_{20}O$=Vetiveröl
$C_{14}H_{20}O_6$=Clonostachydiol
$C_{14}H_{21}ClN_2O_2$=Clofezon
$C_{14}H_{21}NO$=Mauerpfeffer
$C_{14}H_{21}NOS$=Prosulfocarb
$C_{14}H_{21}NO_4$=Diethofencarb
$C_{14}H_{21}N_3O_2S$=Sumatriptan
$C_{14}H_{21}N_3O_3$=Karbutilat, Oxamniquin
$C_{14}H_{21}N_3O_3S$=Tolazamid
$C_{14}H_{21}N_3O_6S$=Adicillin
$C_{14}H_{22}BrN_3O_2$=Bromoprid
$C_{14}H_{22}ClNO$=Clobutinol
$C_{14}H_{22}ClNO_2$=Bupranolol
$C_{14}H_{22}ClN_3O_2$=Metoclopramid
$C_{14}H_{22}N_2O_2$=Lidocain, Octacain
$C_{14}H_{22}N_2O_3$=Rivastigmin
$C_{14}H_{22}N_2O_3$=Atenolol, Practolol
$C_{14}H_{22}N_2O_3$=Prozolin
$C_{14}H_{22}N_2O_4$=Dimepranol-acedoben
$C_{14}H_{22}N_2O_8$=CDTA
$C_{14}H_{22}N_4O_2$=Oxalsäurebis(cyclohexylidenhydrazid)
$C_{14}H_{22}O$=Irone, Methyljonone, 4-tert-Octylphenol, Patchouliöl
$C_{14}H_{22}O_2$=Rishitin
$C_{14}H_{23}N_3O_6$=Clavame
$C_{14}H_{23}N_3O_{10}$=Diethylentriaminpentaessigsäure
$C_{14}H_{24}NO_4PS_3$=Bensulid
$C_{14}H_{24}N_2O_3$=Ciclopirox
$C_{14}H_{24}N_2O_5$=Pirbuterol
$C_{14}H_{24}N_2O_7$=Spectinomycin
$C_{14}H_{24}O_2$=Japonilin
$C_{14}H_{24}N_2O_2$=Putaminoxine, Serricornin
$C_{14}H_{25}N_3O_9$=Kasugamycin
$C_{14}H_{26}O_2$=(Z)-7-Dodecenyl-acetat
$C_{14}H_{26}O_3$=Menglytat
$C_{14}H_{26}O_4$=Sebacinsäureester
$C_{14}H_{28}NO_3PS_2$=Piperophos
$C_{14}H_{28}O_2$=Fettsäuren, Myristinsäure
$C_{14}H_{30}$=Tetradecan
$C_{14}H_{30}Cl_2N_2O_4$=Suxamethoniumchlorid
$C_{14}H_{30}O$=Fettalkohole, 1-Tetradecanol
$C_{14}H_{30}O_2Sn$=Zinn-organische Verbindungen
$C_{14}H_{36}N_2O_4S$=Tuaminoheptan
$C_{15}H_8N_2O_3$=Necatoron
$C_{15}H_8O_6$=Rhein
$C_{15}H_9ClO_2$=Clorindion
$C_{15}H_{10}BrClN_4S$=Brotizolam
$C_{15}H_{10}ClF_3N_2O_3$=Triflumuron
$C_{15}H_{10}ClF_3N_2O_6$=Fomesafen
$C_{15}H_{10}ClN_3O_3$=Clonazepam
$C_{15}H_{10}Cl_2N_2O_2$=Lorazepam

$C_{15}H_{10}N_2O_2$=4,4′-Methylendi(phenylisocyanat)
$C_{15}H_{10}O_2$=Isoflavone, 2-Methylanthrachinon, Phenindion
$C_{15}H_{10}O_4$=Chrysin, Chrysophansäure, Isoflavone
$C_{15}H_{10}O_5$=Apigenin, Emodin, Genistein, Islandicin, Isoflavone
$C_{15}H_{10}O_6$=Fisetin, Islandicin, Isoflavone, Kaempferol, Luteolin
$C_{15}H_{10}O_7$=Morin, Quercetin, Robinetin
$C_{15}H_{10}O_8$=Gossypetin
$C_{15}H_{11}ClF_3NO_4$=Oxyfluorfen
$C_{15}H_{11}ClN_2O$=Mecloqualon, Nordazepam
$C_{15}H_{11}ClN_2O_2$=Oxazepam
$C_{15}H_{11}ClO_3$=Chlorflurenol-methyl
$C_{15}H_{11}I_4NO_4$=L-Thyroxin
$C_{15}H_{11}NO$=2,5-Diphenyloxazol
$C_{15}H_{11}N_3$=Tabak-Alkaloide, 2,2′:6′,2″-Terpyridin
$C_{15}H_{11}N_3O$=1-(2-Pyridylazo)-2-naphthol
$C_{15}H_{11}N_3O_3$=Nitrazepam
$C_{15}H_{11}O_5^+$=Pelargonin
$C_{15}H_{12}Br_4O_2$=Tetrabrombisphenol A
$C_{15}H_{12}ClNO_2$=Carprofen
$C_{15}H_{12}Cl_2F_4O_2$=Transfluthrin
$C_{15}H_{12}F_4N_4O_7S$=Primisulfuron-methyl
$C_{15}H_{12}I_3NO_4$=3,3′,5-Triiod-L-thyronin
$C_{15}H_{12}N_2O$=Carbamazepin
$C_{15}H_{12}N_2O_2$=Phenytoin
$C_{15}H_{12}N_2O_5$=Gallocyanin
$C_{15}H_{12}O$=Chalkon, Dibenzosuberon
$C_{15}H_{12}O_3$=Chrysarobin
$C_{15}H_{12}O_5$=Naringin
$C_{15}H_{12}O_5$=Silybin
$C_{15}H_{13}ClN_2$=Chlormidazol
$C_{15}H_{13}FO_2$=Flurbiprofen
$C_{15}H_{13}I_2NO_4$=3,5-Diiodthyronin
$C_{15}H_{13}NO_3$=Ketorolac
$C_{15}H_{13}N_3O_4S$=Piroxicam
$C_{15}H_{14}ClNO_3$=Zomepirac
$C_{15}H_{14}ClN_3O_4S$=Cefaclor
$C_{15}H_{14}ClN_3O_4S_3$=Benzthiazid
$C_{15}H_{14}Cl_2F_3N_3O_3$=Carfentrazonethyl
$C_{15}H_{14}FN_3O_3$=Flumazenil
$C_{15}H_{14}F_3N_3O_4S_2$=Bendroflumethiazid
$C_{15}H_{14}N_2O_2$=Infractine
$C_{15}H_{14}N_4O$=Nevirapin
$C_{15}H_{14}N_4O_2S$=Sulfaphenazol
$C_{15}H_{14}N_4O_6S_2$=Ceftibuten
$C_{15}H_{14}O$=Lactaroviolin
$C_{15}H_{14}O_3$=Fenoprofen, Lapachol, Mandelsäurebenzylester
$C_{15}H_{14}O_4$=Lapachol, Menadiol
$C_{15}H_{14}O_5$=Atrochryson
$C_{15}H_{14}O_6$=Catechin, Epicatechin
$C_{15}H_{15}ClF_3N_3O$=Triflumizol
$C_{15}H_{15}ClN_2O_4S$=Xipamid
$C_{15}H_{15}ClN_4O_6S$=Chlorimuronethyl
$C_{15}H_{15}NO$=Carbazol-Alkaloide
$C_{15}H_{15}NO_2$=Mefenaminsäure
$C_{15}H_{15}NO_2S$=Modafinil
$C_{15}H_{15}NO_3$=Tolmetin
$C_{15}H_{15}NO_4$=Thyronin
$C_{15}H_{15}NO_6$=L-Ascorbinsäure
$C_{15}H_{15}N_3O$=Ethacridin
$C_{15}H_{15}N_3O_2$=Methylrot
$C_{15}H_{16}ClN_3O_4S_2$=Bemetizid
$C_{15}H_{16}ClN_3S$=Toluidinblau O

$C_{15}H_{16}Cl_3N_3O_2$=Prochloraz
$C_{15}H_{16}F_3N_3O_4S$=Prosulfuron
$C_{15}H_{16}F_5NO_2S_2$=Dithiopyr
$C_{15}H_{16}I_3NO_3$=Bunamiodyl
$C_{15}H_{16}N_2O_6S_2$=Ticarcillin
$C_{15}H_{16}N_4O_5S$=Sulfometuron-methyl
$C_{15}H_{16}N_{10}O_2$=Pteridine
$C_{15}H_{16}N_2O_2$=Bisphenol A, Nabumeton, Triquinane
$C_{15}H_{16}O_3$=Germacranolide
$C_{15}H_{16}O_5$=Lactucin, Pentalenolactone, Vernolepin, Visamminol
$C_{15}H_{16}O_6$=Picrotoxin
$C_{15}H_{16}O_8$=Umbelliferon
$C_{15}H_{16}O_9$=Aesculin
$C_{15}H_{17}Br_2ClO_2$=Obtusallen I
$C_{15}H_{17}ClN_4$=Myclobutanil, Neutralrot
$C_{15}H_{17}Cl_2N_3O$=Diniconazol
$C_{15}H_{17}Cl_2N_3O_2$=Propiconazol
$C_{15}H_{17}FN_4O_2$=Flupirtin
$C_{15}H_{17}FN_4O_3$=Enoxacin
$C_{15}H_{17}KO_9$=Turgorine
$C_{15}H_{17}N_5O_6S$=Tribenuron-methyl
$C_{15}H_{17}N_5O_6S_2$=Cefpodoxim
$C_{15}H_{17}NaO_3S$=Natriumgualenat
$C_{15}H_{18}$=Guajazulen
$C_{15}H_{18}ClN_3O$=Cyproconazol, Uniconazol
$C_{15}H_{18}N_2O_3$=Oxadiazon
$C_{15}H_{18}I_3NO_5$=Iopronsäure
$C_{15}H_{18}N_2O$=Huperzin
$C_{15}H_{18}N_4$=Ferimzon
$C_{15}H_{18}N_4O_5$=Mitomycine
$C_{15}H_{18}N_4O_7S$=Ethoxysulfuron
$C_{15}H_{18}N_6O_6S$=Ethametsulfuron-methyl, Nicosulfuron
$C_{15}H_{18}O_2$=Triquinane
$C_{15}H_{18}O_3$=Lagopodine, Pleurotellol, Santonin
$C_{15}H_{18}O_4$=Artemisin, Complicatsäure, Fomannosin, Helenalin, Lagopodine, Marasminsäure
$C_{15}H_{18}O_5$=Corianin, Lagopodine, Pentalenolactone
$C_{15}H_{18}O_6$=Corianin, Tutin
$C_{15}H_{18}O_7$=Mellitoxin, Picrotoxin
$C_{15}H_{18}O_8$=Bilobalid
$C_{15}H_{19}ClN_4$=Toluylenblau
$C_{15}H_{19}ClN_4O_2$=Dimefuron
$C_{15}H_{19}Cl_2N_3O$=Diclobutrazol
$C_{15}H_{19}NO$=Ipomoea-Alkaloide
$C_{15}H_{19}NO_2$=Mesembrin-Alkaloide
$C_{15}H_{19}N_3O_2$=Imazethapyr
$C_{15}H_{19}N_5$=Rizatriptan
$C_{15}H_{19}N_5O_7S$=Cinosulfuron
$C_{15}H_{20}$=Asterane
$C_{15}H_{20}ClN_3O$=Paclobutrazol
$C_{15}H_{20}Cl_2N_2O$=Clibucain
$C_{15}H_{20}N_2O$=Anagyrin, Verruculotoxin
$C_{15}H_{20}O$=Curcumene, Nuciferal, Periplanone, Turmeron
$C_{15}H_{20}O_2$=Costuswurzelöl, Frullanolid, Germacranolide, Helenin, Isovelleral, Periplanone, Velleral
$C_{15}H_{20}O_3$=Arborescin, Helicobasidin, Hypnophilin, Illudine, Juvabion, Neo Heliopan® E 1000, Periplanone, Proazulene, PR-Toxin, Quadron, Winterin
$C_{15}H_{20}O_4$=Abscisinsäure, Helicobasidin, Hirsutsäure, Illudine, Lactucin, Trichothecene
$C_{15}H_{20}O_5$=Corioline
$C_{15}H_{20}O_6$=Deoxynivalenol, Schellack, Trichothecene

$C_{15}H_{20}O_7$=Anisatin, Nivalenol, Trichothecene
$C_{15}H_{20}O_8$=Anisatin, Salicylalkohol
$C_{15}H_{21}F_3N_2O_2$=Fluvoxamin
$C_{15}H_{21}FeO_6$=Eisen(III)-acetylacetonat
$C_{15}H_{21}N$=Fencamfamin, Patchouliöl
$C_{15}H_{21}NO_2$=Cetobemidon, Pethidin
$C_{15}H_{21}NO_4$=Metalaxyl
$C_{15}H_{21}NO_6$=Domoinsäure
$C_{15}H_{21}NO_7$=Sesbanimide
$C_{15}H_{21}NO_9S_2$=Glucosinolate
$C_{15}H_{21}NO_{10}S_2$=Glucosinolate
$C_{15}H_{21}N_3O$=Primaquin
$C_{15}H_{21}N_3O_2$=Physostigmin
$C_{15}H_{21}N_3O_3S$=Gliclazid
$C_{15}H_{21}N_5O_3$=Hexamethylentetramin
$C_{15}H_{21}N_5O_5$=Zeatin
$C_{15}H_{21}N_5O_{13}P_2$=Cyclische ADP-Ribose
$C_{15}H_{22}$=Curcumene
$C_{15}H_{22}ClNO_2$=Metolachlor
$C_{15}H_{22}N_2O$=Mepivacain, Milnacipran
$C_{15}H_{22}N_2O_2$=Mepindolol
$C_{15}H_{22}N_2O_3$=Tolycain
$C_{15}H_{22}N_2O_6$=Lysin-acetylsalicylat
$C_{15}H_{22}N_4O_3$=Propentofyllin
$C_{15}H_{22}N_6O_5S$=S-Adenosylmethionin
$C_{15}H_{22}O$=Dendrolasin, Eremophilane, Germacrane, Nootkaton, Nuciferal, Periplanone, Sinensale, Temoe Lawak, Turmeron, Vetiveröl
$C_{15}H_{22}O_2$=Curcumene, Drimane, Eremophilane, Helminthosporal, Periplanone, Petasin, Rishitin, Trichothecene, Velleral
$C_{15}H_{22}O_3$=Drimane, Fecapentaene, Gemfibrozil, Ipomeanin, Neo Heliopan® OS, Trichothecene, Triquinane, Velutinal, Xanthoxin
$C_{15}H_{22}O_4$=Brefeldine, Ipomeanin, Trichothecene, Verrucarine
$C_{15}H_{22}O_5$=Gallussäureester, Qinghaosu, Trichothecene
$C_{15}H_{22}O_9$=Aucubin
$C_{15}H_{22}O_{10}$=Catalpol
$C_{15}H_{23}N$=Prolintan
$C_{15}H_{23}NO$=Meptazinol
$C_{15}H_{23}NOS$=Esprocarb
$C_{15}H_{23}NO_2$=Alprenolol
$C_{15}H_{23}NO_3$=Oxprenolol
$C_{15}H_{23}N_3OS$=Dimazol
$C_{15}H_{23}N_3O_4$=Isopropalin
$C_{15}H_{23}N_3O_4S$=Ciclacillin, Sulpirid
$C_{15}H_{23}N_5O_4$=Kyotorphin
$C_{15}H_{24}$=Bisabolene, Cadinen, Capnellen, Caryophyllene, Cedren, Chamigrene, Curcumene, Elemene, Farnesol, Germacrane, Gurjunbalsam, Hirsuten, Humulen, Ishwaran, Kaskarillarinde, Longifolen, Modhephen, Patchouliöl, Pentalene, Santalene, Sativen, Selinene, Seychellen, Trichodien, Triquinane, Valencen, Vetiveröl, Zingiberen
$C_{15}H_{24}NO_4PS$=Isofenphos
$C_{15}H_{24}N_2O$=Lupinen-Alkaloide, Matrin
$C_{15}H_{24}N_2O_2$=Lupinen-Alkaloide, Tetracain

$C_{15}H_{24}N_2O_3$=Hydroxytetracain
$C_{15}H_{24}N_2O_4S$=Tiaprid
$C_{15}H_{24}N_2O_{17}P$=Uridinphosphate
$C_{15}H_{24}N_4O_5S$=Sulfafurazol
$C_{15}H_{24}O$=2,6-Di-*tert*-butyl-4-methylphenol, Elemene, Ishwaran, Nonylphenol, Patchouliöl, Santalole, Vetiveröl
$C_{15}H_{24}O_2$=Luciferine, Rishitin, Sativen, Sirenin
$C_{15}H_{24}O_3$=Fomannosin, Illudol, Juvabion, Triquinane
$C_{15}H_{24}O_6$=Syringolide
$C_{15}H_{24}O_{10}$=Harpagosid
$C_{15}H_{25}NO$=Histrionicotoxine
$C_{15}H_{25}NO_3$=Metoprolol
$C_{15}H_{25}NO_5$=Heliotropium-Alkaloide
$C_{15}H_{25}N_3$=Ptilocaulin
$C_{15}H_{25}N_3O$=Triapenthenol
$C_{15}H_{26}N_2$=Spartein
$C_{15}H_{26}O$=(-)-α-Bisabolol, (+)-Cedrol, Drimane, Elemene, Eudesmane, Farnesol, Ledol, Nerolidol, Patchoulialkohol, Triticene
$C_{15}H_{26}O_2$=Patchouliöl
$C_{15}H_{26}O_4$=Agarofurane
$C_{15}H_{26}O_6$=Tributyrin
$C_{15}H_{27}N$=Monomorine
$C_{15}H_{27}NO_3$=Miserotoxin
$C_{15}H_{27}N_5O_3$=Sperabilline
$C_{15}H_{28}$=Guajan
$C_{15}H_{28}O$=Cyclopentadecanon
$C_{15}H_{28}O_2$=15-Pentadecanolid
$C_{15}H_{29}N$=Gephyrotoxine
$C_{15}H_{30}O_2$=Fettsäuren, Myristinsäureester
$C_{15}H_{31}N$=Monomorine
$C_{15}H_{32}$=Pentadecan
$C_{15}H_{32}O$=Fettalkohole
$C_{15}H_{33}N_3O_2$=Dodin

$C_{16}H_6Br_4N_2O_2$=5,5′,7,7′-Tetrabromindigo
$C_{16}H_7Na_3O_{10}S_3$=Pyranin
$C_{16}H_8Cl_2FN_5O$=Fluquinconazol
$C_{16}H_8Cl_2F_6N_2O_3$=Hexaflumuron
$C_{16}H_8N_2Na_2O_8S_2$=Indigocarmin
$C_{16}H_8N_2O_5$=Pirenoxin
$C_{16}H_8N_4Na_2O_{11}S_2$=Nitrazingelb
$C_{16}H_8O_2S_2$=Thioindigo
$C_{16}H_9ClN_2Na_2O_9S_2$=Eriochromblau SE
$C_{16}H_9N_3Na_2O_9S_2$=Naphthol-Farbstoffe
$C_{16}H_9N_4Na_3O_9S_2$=Tartrazin
$C_{16}H_{10}$=Fluoranthen, Pyren
$C_{16}H_{10}ClN_3O_3$=Permanent-Pigmente
$C_{16}H_{10}Cl_4O_5$=Depsidone
$C_{16}H_{10}N_2Na_2O_7S_2$=Gelborange S
$C_{16}H_{10}N_2O_2$=Indigo, Indigorot
$C_{16}H_{10}N_2O_6$=Aflatoxine
$C_{16}H_{10}O_7$=Endocrocin, Laccainsäure, Wedelolacton
$C_{16}H_{10}O_8$=Kermes
$C_{16}H_{11}AsN_2Na_2O_{10}S_2$=Thorin
$C_{16}H_{11}ClK_2N_2O_4$=Dikaliumclorazepat
$C_{16}H_{11}ClN_2O_3$=Dikaliumclorazepat
$C_{16}H_{11}NO_2$=Cinchophen
$C_{16}H_{11}N_2NaO_4$=Naphthol-Farbstoffe, Tropäolin
$C_{16}H_{11}N_3Na_2O_7S_2$=Fast Magenta B
$C_{16}H_{11}N_3O_3$=Magneson, Pararot
$C_{16}H_{12}$=Pentalen
$C_{16}H_{12}ClN_3O_3$=Lormetazepam
$C_{16}H_{12}CoF_2N_2O_2$=Fluomine
$C_{16}H_{12}N_2O_2$=Perlolin
$C_{16}H_{12}O_4$=Vesparion

$C_{16}H_{12}O_5$=Isoflavone, Physcion, Pterocarpane
$C_{16}H_{12}O_6$=Dermocyben-Farbstoffe, Hämatoxylin, Isoflavone
$C_{16}H_{12}O_7$=Dermocyben-Farbstoffe
$C_{16}H_{13}ClN_2O$=Diazepam
$C_{16}H_{13}ClN_2O_2$=Clobazam, Temazepam
$C_{16}H_{13}ClN_6$=Vorozol
$C_{16}H_{13}ClO_6$=Päoninchlorid
$C_{16}H_{13}ClO_7$=Tuberin
$C_{16}H_{13}Cl_3N_2OS$=Tioconazol
$C_{16}H_{13}Cl_5N_2$=Trichlophenidin
$C_{16}H_{13}FN_2O_3$=Flunitrazepam
$C_{16}H_{13}F_2N_3O$=Flutriafol
$C_{16}H_{13}I_3N_2O_3$=Iobenzaminsäure
$C_{16}H_{13}N$=*N*-Phenyl-2-naphthylamin
$C_{16}H_{13}N_3O_3$=Mebendazol
$C_{16}H_{14}ClN_3O$=Chlordiazepoxid
$C_{16}H_{14}ClN_2O_4$=Diclofop-methyl
$C_{16}H_{14}CoN_2O_2$=Salcomin
$C_{16}H_{14}F_3N_3O_2S$=Lansoprazol
$C_{16}H_{14}N_2O$=Methaqualon
$C_{16}H_{14}N_2O_2S$=Mefenacet
$C_{16}H_{14}N_4O_4S$=Flavazine
$C_{16}H_{14}O_2$=Zimtsäureester
$C_{16}H_{14}O_3$=Fenbufen, Ketoprofen
$C_{16}H_{14}O_4$=Imperatorin, Kardamomen
$C_{16}H_{14}O_5$=Brasilin
$C_{16}H_{14}O_6$=Aflatoxine, Hämatoxylin, Hesperetin
$C_{16}H_{14}O_7$=Lecanorsäure
$C_{16}H_{15}ClN_2$=Medazepam
$C_{16}H_{15}ClN_2OS$=Clotiazepam
$C_{16}H_{15}Cl_2NO_2$=Clomeprop
$C_{16}H_{15}Cl_3O_2$=Methoxychlor
$C_{16}H_{15}F_2N_3O_4S$=Pantoprazol
$C_{16}H_{15}F_2N_3Si$=Flusilazol
$C_{16}H_{15}N_5O_7S_2$=Cefixim
$C_{16}H_{16}$=Paracyclophane
$C_{16}H_{16}ClN_3O_3S$=Indapamid, Metolazon
$C_{16}H_{16}ClN_3O_4$=Loracarbef
$C_{16}H_{16}N_2O_2$=Lysergsäure
$C_{16}H_{16}N_2O_4$=Desmedipham, Phenmedipham
$C_{16}H_{16}N_2O_6S_2$=Cefalotin
$C_{16}H_{16}N_4O_8S$=Cefuroxim
$C_{16}H_{16}O_5$=Alkannin, Shikonin
$C_{16}H_{16}U$=Uran-organische Verbindungen
$C_{16}H_{17}ClN_2O$=Tetrazepam
$C_{16}H_{17}F_5N_2O_2S$=Thiazopyr
$C_{16}H_{17}NO_3$=Illudine
$C_{16}H_{17}N_3O_4$=Anthramycine
$C_{16}H_{17}N_3O_4S$=Cefalexin
$C_{16}H_{17}N_3O_5S$=Cefadroxil
$C_{16}H_{17}N_3O_7S_2$=Cefoxitin
$C_{16}H_{17}N_5O_7S$=Azidocillin
$C_{16}H_{17}N_5O_7S_2$=Cefotaxim
$C_{16}H_{17}N_9O_5S_3$=Cefmenoxim
$C_{16}H_{18}ClN_3S$=Methylenblau
$C_{16}H_{18}FN_3O_3$=Norfloxacin
$C_{16}H_{18}N_2$=Nomifensin
$C_{16}H_{18}N_2O$=Elymoclavin
$C_{16}H_{18}N_2O_3$=Isopilosin, Pilocarpin
$C_{16}H_{18}N_2O_4S$=Sulfaproxylin
$C_{16}H_{18}N_2O_5S$=Phenoxymethylpenicillin
$C_{16}H_{18}N_2O_7S$=Temocillin
$C_{16}H_{18}N_4O_2$=Piribedil
$C_{16}H_{18}N_4O_7S$=Bensulfuron-methyl
$C_{16}H_{18}N_6O_7S_2$=Sulfosulfuron
$C_{16}H_{18}O_3$=Strobilurine
$C_{16}H_{18}O_4$=Strobilurine
$C_{16}H_{18}O_5$=Visamminol

$C_{16}H_{18}O_9$=Chlorogensäure, Scopoletin
$C_{16}H_{19}BrN_2$=Brompheniramin
$C_{16}H_{19}ClN_2$=Chlorphenamin, Dexchlorpheniramin
$C_{16}H_{19}ClN_2O$=Carbinoxamin
$C_{16}H_{19}NO_2$=Elaeocarpus-Alkaloide
$C_{16}H_{19}NO_3$=Erythrina-Alkaloide
$C_{16}H_{19}NO_4$=Scopolamin
$C_{16}H_{19}NO_5$=Rohitukin
$C_{16}H_{19}N_3$=Imidazol-Alkaloide
$C_{16}H_{19}N_3O_3$=Febrifugin
$C_{16}H_{19}N_3O_4S$=Ampicillin, Cefradin
$C_{16}H_{19}N_3O_5S$=Amoxicillin
$C_{16}H_{19}N_3S$=Isothipendyl, Prothipendyl
$C_{16}H_{20}ClN_3$=Chloropyramin
$C_{16}H_{20}N_2$=Pheniramin, 3,3′,5,5′-Tetramethylbenzidin
$C_{16}H_{20}N_2O$=Huperzin, Roquefortine
$C_{16}H_{20}N_2O_3$=Imazamethabenzmethyl
$C_{16}H_{20}N_2O_4$=Anthramycine
$C_{16}H_{20}N_2O_4S_2$=Pyritinol
$C_{16}H_{20}N_2O_9S_2$=Glucosinolate
$C_{16}H_{20}N_4O_2$=Azapropazon
$C_{16}H_{20}N_4O_3S$=Torasemid
$C_{16}H_{20}O_9$=Gentiopikrin
$C_{16}H_{21}N$=Morphinane
$C_{16}H_{21}NO$=Chalciporon
$C_{16}H_{21}NO_2$=Propranolol
$C_{16}H_{21}NO_3$=Homatropin, Rolipram
$C_{16}H_{21}NO_4$=Befunolol
$C_{16}H_{21}N_3$=Tripelennamin
$C_{16}H_{21}N_3O_2$=Zolmitriptan
$C_{16}H_{21}N_3O_4S$=Epicillin
$C_{16}H_{21}N_3O_8S$=Cephalosporine
$C_{16}H_{21}N_5O_2$=Alizaprid
$C_{16}H_{22}BrNO_2$=Homatropin
$C_{16}H_{22}ClN_3O$=Tebuconazol
$C_{16}H_{22}ClN_3OS$=Prothipendyl
$C_{16}H_{22}FNO$=Melperon
$C_{16}H_{22}N_2O_3$=Procaterol
$C_{16}H_{22}N_4O_4$=Tetroxoprim
$C_{16}H_{22}N_4O_8S$=Acetiamin
$C_{16}H_{22}N_6O_4$=Thyroliberin
$C_{16}H_{22}O_4$=Phthalsäureester
$C_{16}H_{22}O_5$=Coniferin
$C_{16}H_{22}O_9$=Tausendgüldenkraut
$C_{16}H_{22}O_{10}$=Tausendgüldenkraut
$C_{16}H_{23}BrN_2O_3$=Remoxiprid
$C_{16}H_{23}NO$=Tolperison
$C_{16}H_{23}NO_6$=Monocrotalin
$C_{16}H_{23}NOS$=Buprofezin
$C_{16}H_{23}N_5O_{11}$=Polyoxine
$C_{16}H_{23}N_5O_{12}$=Polyoxine
$C_{16}H_{24}INO_5$=Sinapin
$C_{16}H_{24}NO_5$=Sinapin
$C_{16}H_{24}N_2$=Isoaminil, Xylometazolin
$C_{16}H_{24}N_2O$=Oxymetazolin, Ropinirol
$C_{16}H_{24}N_2O_3$=Carteolol
$C_{16}H_{24}N_2O_4$=Bestatin
$C_{16}H_{24}N_4O_{10}S_2$=Aminophyllin
$C_{16}H_{24}O_3$=Brefeldine
$C_{16}H_{24}O_4$=Brefeldine, Gingerol, 6-Gingerol
$C_{16}H_{25}NO$=Lycopodium-Alkaloide, Sonnenhut
$C_{16}H_{25}NO_2$=Butetamat, Lycopodium-Alkaloide, Tramadol
$C_{16}H_{25}NO_2S$=Tertatolol
$C_{16}H_{25}NO_3$=Moxisylyt
$C_{16}H_{25}NO_4$=Esmolol
$C_{16}H_{25}NO_5S$=Sinapin
$C_{16}H_{26}GdN_5O_8$=Gadodiamid
$C_{16}H_{26}N_2O_3$=Proxymetacain

$C_{16}H_{26}N_2O_5S$=Cilastatin
$C_{16}H_{26}O_3$=Dodecenylbernsteinsäureanhydrid, Juvabion
$C_{16}H_{26}O_7$=Safranal
$C_{16}H_{27}NO_5$=Heliotropium-Alkaloide
$C_{16}H_{28}N_2O_2$=Tromantadin
$C_{16}H_{28}O$=Ambrox, Bombykol
$C_{16}H_{28}O_2$=Ambrettolid, Geranylester, Hydrocarpussäure, Prodlur
$C_{16}H_{30}O$=Muscon
$C_{16}H_{30}O_2$=Fettsäuren
$C_{16}H_{30}O_3$=Malyngolid
$C_{16}H_{31}ClO$=Palmitinsäurechlorid
$C_{16}H_{32}O_2$=Fettsäuren, Myristinsäureester, Palmitinsäure
$C_{16}H_{32}O_3$=Jalapinolsäure
$C_{16}H_{32}O_5$=Schellack
$C_{16}H_{33}Br$=Hexadecylbromid
$C_{16}H_{33}Cl$=Hexadecylchlorid
$C_{16}H_{34}$=2,2,4,4,6,8,8-Heptamethylnonan, Hexadecan
$C_{16}H_{34}Cl_2Sn$=Zinn-organische Verbindungen
$C_{16}H_{34}O$=Fettalkohole, 1-Hexadecanol
$C_{16}H_{34}OSn$=Zinn-organische Verbindungen
$C_{16}H_{36}BF_4N$=Tetrabutylammonium-Salze
$C_{16}H_{36}BrN$=Tetrabutylammonium-Salze
$C_{16}H_{36}ClN$=Tetrabutylammonium-Salze
$C_{16}H_{36}ClNO_4$=Tetrabutylammonium-Salze
$C_{16}H_{36}FN$=Tetrabutylammonium-Salze
$C_{16}H_{36}IN$=Tetrabutylammonium-Salze
$C_{16}H_{36}Sn$=Zinn-organische Verbindungen
$C_{16}H_{37}NO$=Tetrabutylammonium-Salze
$C_{16}H_{38}Br_2N_2$=Decamethoniumbromid
$C_{16}O_{16}Rh_6$=Rhodium-Verbindungen

$C_{17}H_8Cl_2F_8N_2O_3$=Lufenuron
$C_{17}H_9NO_3$=3-Nitrobenzanthron
$C_{17}H_{10}F_6N_4S$=Flubenzimin
$C_{17}H_{10}O$=Benzanthron
$C_{17}H_{10}O_4$=Fluorescamin
$C_{17}H_{11}NO_7$=Aristolochiasäuren
$C_{17}H_{11}NO_8$=Aristolochiasäuren
$C_{17}H_{11}N_5$=Letrozol
$C_{17}H_{12}Br_2O_3$=Benzbromaron
$C_{17}H_{12}ClFN_2O$=Nuarimol
$C_{17}H_{12}Cl_2N_2O$=Fenarimol
$C_{17}H_{12}Cl_2N_4$=Triazolam
$C_{17}H_{12}O_2$=Benzoesäure-2-naphthylester
$C_{17}H_{12}O_5$=Gyrocyanin
$C_{17}H_{12}O_6$=Aflatoxine, Gyroporin, Wairol
$C_{17}H_{12}O_7$=Aflatoxine, Dermocyben-Farbstoffe
$C_{17}H_{12}O_8$=Aflatoxine, Dermocyben-Farbstoffe
$C_{17}H_{13}ClFNO_4$=Clodinafoppropargyl
$C_{17}H_{13}ClN_3O$=Epoxiconazol
$C_{17}H_{13}ClN_2O$=Infractine
$C_{17}H_{13}ClN_2O_3$=Lonazolac
$C_{17}H_{13}ClN_4$=Alprazolam
$C_{17}H_{13}Cl_3N_4S$=Imibenconazol
$C_{17}H_{13}NO_2$=Naphtol® AS
$C_{17}H_{13}N_3O_3$=Toluidinrot
$C_{17}H_{13}N_3O_5S_2$=Phthalylsulfathiazol
$C_{17}H_{14}ClF_7O_2$=Tefluthrin

$C_{17}H_{14}N_2$=Ellipticin
$C_{17}H_{14}N_2O_2$=4-Benzoyl-5-methyl-2-phenyl-2,4-dihydro-3H-pyrazol-3-on
$C_{17}H_{14}N_2O_3$=Rosoxacin
$C_{17}H_{14}N_2O_5S$=Calmagit
$C_{17}H_{14}O_3$=Benzaron
$C_{17}H_{14}O_5$=Pterocarpane
$C_{17}H_{14}O_6$=Aflatoxine, Involutin, Pisatin
$C_{17}H_{14}O_7$=Aflatoxine
$C_{17}H_{14}O_8$=Aflatoxine, Trichion
$C_{17}H_{15}ClFNO_3$=Flamprop-methyl
$C_{17}H_{15}ClO_7$=Malvidinchlorid
$C_{17}H_{15}NO_5$=Benorilat
$C_{17}H_{16}Br_2O_3$=Brompropylat
$C_{17}H_{16}Cl_2N_2O_4$=Isoxapyrifop
$C_{17}H_{16}F_3NO_2$=Flutolanil
$C_{17}H_{16}F_6N_2O_2$=Mefloquin
$C_{17}H_{16}N_4O_2$=Nifenazon
$C_{17}H_{16}O_5$=Variabilin
$C_{17}H_{16}O_7$=Fomentariol
$C_{17}H_{17}ClN_6O_3$=Zopiclon
$C_{17}H_{17}ClO_6$=Griseofulvin
$C_{17}H_{17}Cl_2N$=Sertralin
$C_{17}H_{17}NO_2$=Apomorphin
$C_{17}H_{17}N_3O_3$=Imazaquin
$C_{17}H_{17}N_7O_8S_4$=Cefotetan
$C_{17}H_{18}Br_2N_4O_2$=Dibrompropamidin
$C_{17}H_{18}Cl_3N$=Sertralin
$C_{17}H_{18}FN_3O_3$=Ciprofloxacin
$C_{17}H_{18}F_3NO$=Fluoxetin
$C_{17}H_{18}F_3N_3O_3$=Fleroxacin
$C_{17}H_{18}N_2$=Amfetaminil, Tröger-Base
$C_{17}H_{18}N_2O_5S$=Piretanid
$C_{17}H_{18}N_2O_6$=Nifedipin
$C_{17}H_{18}N_2O_6S$=Carbenicillin
$C_{17}H_{18}N_2S_2$=Sulbentin
$C_{17}H_{18}O_4$=Sativan
$C_{17}H_{19}ClN_2O$=Pyronine
$C_{17}H_{19}ClN_2S$=Chlorpromazin, Thioflavin, Thioxanthen-Farbstoffe
$C_{17}H_{19}ClO_4$=Strobilurine
$C_{17}H_{19}F_2N_3O_3$=Lomefloxacin
$C_{17}H_{19}FN_3N_6O_5S$=Triflusulfuronmethyl
$C_{17}H_{19}N$=Etifelmin
$C_{17}H_{19}NO$=Nefopam
$C_{17}H_{19}NO_3$=Benzylisochinolin-Alkaloide, Erythrina-Alkaloide, Hydromorphon, Morphin, Piperin
$C_{17}H_{19}NO_4$=Fenoxycarb, Furalaxyl, Oxymorphon
$C_{17}H_{19}N_3$=Antazolin, Mirtazapin
$C_{17}H_{19}N_3O$=Phentolamin
$C_{17}H_{19}N_3O_3S$=Omeprazol
$C_{17}H_{19}N_5$=Anastrozol
$C_{17}H_{20}ClNO$=Clofedanol
$C_{17}H_{20}ClN_3O$=Triticonazol
$C_{17}H_{20}FN_3O_3$=Pefloxacin
$C_{17}H_{20}F_6N_2O_3$=Flecainid
$C_{17}H_{20}N_2O$=Michlers Keton
$C_{17}H_{20}N_2O_2$=Tropicamid, Tropisetron
$C_{17}H_{20}N_2O_5S$=Bumetanid, Phenethicillin
$C_{17}H_{20}N_2S$=Promazin, Promethazin
$C_{17}H_{20}N_4NaO_9P$=Riboflavin-5'-phosphat
$C_{17}H_{20}N_4O_6$=Riboflavin
$C_{17}H_{20}N_4S$=Olanzapin
$C_{17}H_{20}O_4$=Strobilurine
$C_{17}H_{20}O_5$=Proazulene
$C_{17}H_{20}O_6$=Mycophenolsäure, PR-Toxin
$C_{17}H_{21}ClN_2O_2S$=Hexythiazox

$C_{17}H_{21}NO$=Diphenhydramin, Phenyltoloxamin
$C_{17}H_{21}NO_2$=Napropamid
$C_{17}H_{21}NO_3$=Ritodrin, Trichostatine
$C_{17}H_{21}NO_4$=Cocain, Fenoterol, Scopolamin
$C_{17}H_{21}NO_4S_4$=Bensultap
$C_{17}H_{21}NO_5$=PR-Toxin, Scopolamin
$C_{17}H_{21}NO_6$=PR-Toxin
$C_{17}H_{21}N_3$=Auramin
$C_{17}H_{21}N_4O_9P$=Riboflavin-5'-phosphat
$C_{17}H_{21}N_5O_5$=Theodrenalin
$C_{17}H_{22}ClNO$=Cocain
$C_{17}H_{22}ClN_3O$=Metconazol
$C_{17}H_{22}I_3N_3O_8$=Iomeprol, Iopamidol
$C_{17}H_{22}N_2$=4,4'-Methylenbis(N,N'-dimethylanilin)
$C_{17}H_{22}N_2O$=Doxylamin
$C_{17}H_{22}N_2O_3$=Trichostatine
$C_{17}H_{22}N_2S$=Thenalidin
$C_{17}H_{22}N_4O_9$=Polyoxine
$C_{17}H_{22}O_2$=Cicutoxin
$C_{17}H_{22}O_3$=Podocarpsäure
$C_{17}H_{22}O_4$=Oudemansine
$C_{17}H_{22}O_5$=Germacranolide, Naematolin, Proazulene, PR-Toxin
$C_{17}H_{22}O_6$=PR-Toxin
$C_{17}H_{22}O_8$=Trichothecene
$C_{17}H_{23}NO$=Levorphanol, Morphinane
$C_{17}H_{23}NO_2$=Tilidin
$C_{17}H_{23}NO_3$=Atropin, Hyoscyamin, Mesembrin-Alkaloide
$C_{17}H_{23}N_3$=Mepyramin
$C_{17}H_{23}N_5O_{13}$=Polyoxine
$C_{17}H_{23}N_5O_{14}$=Polyoxine
$C_{17}H_{24}BrNO_3$=Homatropin
$C_{17}H_{24}N_2O$=Quinisocain
$C_{17}H_{24}N_2O_{14}$=Staphyloferrin A
$C_{17}H_{24}O$=Falcarinol
$C_{17}H_{24}O_3$=Cyclandelat
$C_{17}H_{24}O_4$=Trichothecene
$C_{17}H_{24}O_5$=Naematolin
$C_{17}H_{24}O_6$=Naematolin, Trichothecene
$C_{17}H_{24}O_7$=Trichothecene
$C_{17}H_{24}O_9$=Sinapylalkohol
$C_{17}H_{24}O_{10}$=Eisenkraut, Secologanin
$C_{17}H_{25}N$=Phencyclidin
$C_{17}H_{25}NO$=Histrionicotoxine
$C_{17}H_{25}NO_2$=Propipocain
$C_{17}H_{25}NO_3$=Cyclopentolat, Lasubin, Levobunolol, Pecilocin
$C_{17}H_{25}NO_4$=Buflomedil, Stemona-Alkaloide
$C_{17}H_{25}N_5O_2S$=Naratriptan
$C_{17}H_{25}N_3O_4S_2$=Alanycarb
$C_{17}H_{25}N_3O_5S$=Meropenem
$C_{17}H_{25}N_5O_{12}$=Polyoxine
$C_{17}H_{25}N_5O_{13}$=Polyoxine
$C_{17}H_{26}ClN$=Sibutramin
$C_{17}H_{26}ClNO_2$=Butachlor, Pretilachlor
$C_{17}H_{26}ClNO_3S$=Clethodim
$C_{17}H_{26}N_2O$=Ropivacain
$C_{17}H_{26}N_4O_3S_2$=Fursultiamin
$C_{17}H_{26}N_8O_5$=Blasticidine
$C_{17}H_{26}O_3$=Fecapentaene
$C_{17}H_{26}O_4$=Gingerol, 6-Gingerol, Ingweröl
$C_{17}H_{26}O_5$=Botrydial
$C_{17}H_{26}O_{10}$=Loganin
$C_{17}H_{27}NO_2$=Venlafaxin
$C_{17}H_{27}NO_3$=Nonivamid, Pramocain
$C_{17}H_{27}NO_3S$=Cyclodyxim

$C_{17}H_{27}NO_4$=Metipranolol, Nadolol
$C_{17}H_{28}N_2O$=Etidocain
$C_{17}H_{28}N_2O_2$=Ambucetamid, Leucinocain
$C_{17}H_{28}N_2O_3$=Oxybuprocain
$C_{17}H_{28}N_2O_7$=Lascivol
$C_{17}H_{28}N_4O_7S$=Timolol
$C_{17}H_{28}O_5$=Qinghaosu
$C_{17}H_{29}GdN_4O_7$=Gadoteridol
$C_{17}H_{29}NO_3S$=Sethoxydim
$C_{17}H_{29}N_3O_6$=Propioxatine
$C_{17}H_{30}ClN$=Laurylpyridiniumchlorid
$C_{17}H_{30}N_2O_6$=Bengamide
$C_{17}H_{30}N_6O$=Blasticidine
$C_{17}H_{30}O$=Faranal, Zibeton
$C_{17}H_{31}NO$=Myrtecain
$C_{17}H_{31}N_5O_2$=Schachtelhalme
$C_{17}H_{34}O_2$=Fettsäuren, Margarinsäure, Myristinsäureester, Palmitinsäuremethylester
$C_{17}H_{36}$=Heptadecan
$C_{17}H_{36}O$=Fettalkohole
$C_{17}H_{37}N_7O_4$=Spergulin
$C_{17}H_{39}BN_2$=Tetrabutylammonium-Salze

$C_{18}Fe_7N_{18}$=Berliner Blau
$C_{18}H_9NNa_2O_8S_2$=Chinolingelb S
$C_{18}H_{10}Cl_2S_2$=Indanthren®-Farbstoffe
$C_{18}H_{10}I_6N_2O_7$=Ioglycaminsäure
$C_{18}H_{10}N_2O_4$=Präkinamycin
$C_{18}H_{10}O_6$=Ninhydrin
$C_{18}H_{10}O_9$=Variegatsäure
$C_{18}H_{11}BaClN_2O_6S$=Permanent-Pigmente
$C_{18}H_{11}NO_2$=Chinolingelb A
$C_{18}H_{12}$=Benz[a]anthracen, Chrysen, Naphthacen, Pleiadien, Triphenylen
$C_{18}H_{12}N_2$=2,2'-Bichinolin
$C_{18}H_{12}N_2O_2$=Xantocilline
$C_{18}H_{12}N_2O_3$=Xantocilline
$C_{18}H_{12}N_2O_4$=Xantocilline
$C_{18}H_{12}N_5O_6$=2,2-Diphenyl-1-pikrylhydrazyl
$C_{18}H_{12}N_6$=2,4,6-Tri(2-pyridyl)-1,3,5-triazin
$C_{18}H_{12}O_4$=Polyporsäure, Xerulin
$C_{18}H_{12}O_5$=Pulvinsäure
$C_{18}H_{12}O_6$=Atromentin, Grevilline, Sterigmatocystin
$C_{18}H_{12}O_7$=Grevilline
$C_{18}H_{12}O_8$=Grevilline, Xerocomsäure
$C_{18}H_{12}O_9$=Gomphidsäure, Leprocyben-Farbstoffe, Variegatsäure
$C_{18}H_{13}ClFN_3$=Midazolam
$C_{18}H_{13}ClF_3NO_7$=Fluorglycofenethyl
$C_{18}H_{13}Cl_4N_3O$=Oxiconazol
$C_{18}H_{13}NNa_2O_8S_2$=Natriumpicosulfat
$C_{18}H_{14}$=Terphenyle
$C_{18}H_{14}Cl_4N_2O$=Isoconazol, Miconazol
$C_{18}H_{14}F_3NO_2$=Flurtamon
$C_{18}H_{14}N_2O_2O_7S_2$=Ponceau-Farbstoffe
$C_{18}H_{14}N_2Na_2O_8S_2$=Allura Red
$C_{18}H_{14}N_3NaO_3S$=Tropäolin
$C_{18}H_{14}N_4O_5S$=Sulfasalazin
$C_{18}H_{14}N_6O_2$=Cadion
$C_{18}H_{14}O_2$=Xerulin
$C_{18}H_{14}O_6$=Sterigmatocystin
$C_{18}H_{15}ClFNO_7$=Flumipropyn
$C_{18}H_{15}ClN_2O$=Croconazol, Meldolablau
$C_{18}H_{15}ClN_4$=Safranine
$C_{18}H_{15}ClO_6$=Depsidone

C₁₈H₁₅ClSn=Zinn-organische Verbindungen
C₁₈H₁₅Cl₂N₅O₅S₃=Cefazedon
C₁₈H₁₅Cl₃N₂O=Econazol
C₁₈H₁₅Cl₄N₃O₄=Miconazol
C₁₈H₁₅N=Triphenylamin
C₁₈H₁₅OP=Triphenylphosphan
C₁₈H₁₅O₃P=Triphenylphosphit
C₁₈H₁₅O₄P=Triphenylphosphat
C₁₈H₁₅O₆P=Triphenylphosphat
C₁₈H₁₅P=Triphenylphosphan
C₁₈H₁₆ClNO₅=Fenoxaprop-ethyl
C₁₈H₁₆N₂O₈=Betalaine
C₁₈H₁₆OSn=Fentin-hydroxid
C₁₈H₁₆O₂=Xerulin, Zimtsäureester
C₁₈H₁₆O₃=Phenprocoumon
C₁₈H₁₆O₄=Truxillsäuren u. Truxinsäuren
C₁₈H₁₆O₇=Usninsäure
C₁₈H₁₆O₈=Iridin, Rosmarinsäure
C₁₈H₁₇ClN₂O₂=Oxazolam
C₁₈H₁₇I₄NO₄=Etiroxat
C₁₈H₁₇NO₄=Cularin-Alkaloide
C₁₈H₁₈=Reten
C₁₈H₁₈BrClN₂O=Metaclazepam
C₁₈H₁₈ClNOS=Zotepin
C₁₈H₁₈ClNO₅=Benzoximat, Etofibrat
C₁₈H₁₈ClNS=Chlorprothixen
C₁₈H₁₈F₃NO₄=Etofenamat
C₁₈H₁₈N₂O=Proquazon
C₁₈H₁₈N₆O₅S₂=Cefamandol
C₁₈H₁₈N₈O₇S₃=Ceftriaxon
C₁₈H₁₈O₂=Dienestrol, Equilenin
C₁₈H₁₈O₄=Lignane
C₁₈H₁₈O₆=Shikonin, Tricholomenine
C₁₈H₁₉ClN₄=Clozapin
C₁₈H₁₉Cl₂NO₄=Felodipin
C₁₈H₁₉F₃N₂S=Triflupromazin
C₁₈H₁₉N=Benzoctamin
C₁₈H₁₉NO₃=Clausenamid, Erythrina-Alkaloide
C₁₈H₁₉NO₄=Cularin-Alkaloide, Kresoxim, Strobilurine
C₁₈H₁₉N₃O=Ondansetron
C₁₈H₁₉N₃O₅S=Cefprozil
C₁₈H₂₀Cl₂N₈=Vesuvin
C₁₈H₂₀FN₃O₄=Levofloxacin, Ofloxacin
C₁₈H₂₀N₂=Mianserin
C₁₈H₂₀N₂NiO₄=Quencher
C₁₈H₂₀N₂O₄S=Difenzoquat-methylsulfat
C₁₈H₂₀N₂O₆=Nitrendipin
C₁₈H₂₀O₂=Diethylstilbestrol, Equilenin
C₁₈H₂₀O₂=Diofenolan, Tricholomenine
C₁₈H₂₀O₆=Byssochlamsäure
C₁₈H₂₁NO=N-(4-Methoxybenzyliden)-4-butylanilin, Pipradrol
C₁₈H₂₁NO₃=Codein, Erythrina-Alkaloide, Hydrocodon, Tropalpin
C₁₈H₂₁NO₄=Cephalotaxin, Oxycodon
C₁₈H₂₁NO₅=Protokylol
C₁₈H₂₁N₃O=Dibenzepin
C₁₈H₂₁N₃O₃S=Rabeprazol
C₁₈H₂₂ClNO=Chlorphenoxamin, Phenoxybenzamin
C₁₈H₂₂I₃N₃O₈=Metrizamid
C₁₈H₂₂N₂=Cyclizin, Desipramin
C₁₈H₂₂N₂O₂=Carazolol, Roquefortine
C₁₈H₂₂N₂O₂S=Oxomemazin, Pyributicarb
C₁₈H₂₂N₂O₄=Quinocarcin
C₁₈H₂₂N₂O₅S=Propicillin
C₁₈H₂₂N₂S=Alimemazin

C₁₈H₂₂N₄O₄=Xemilofiban
C₁₈H₂₂O₂=Dicumylperoxid, Estron, Hexestrol, Trenbolon
C₁₈H₂₂O₄=Nordihydroguajaretsäure
C₁₈H₂₂O₅=Zearalenon
C₁₈H₂₂O₈P₂=Fosfestrol
C₁₈H₂₃ClO₅=Oudemansine
C₁₈H₂₃N=Tolpropamin
C₁₈H₂₃NO=Orphenadrin
C₁₈H₂₃NO₂=Medrylamin
C₁₈H₂₃NO₃=Dihydrocodein, Dobutamin, Isoxsuprin
C₁₈H₂₃N₅O₂=Fenetyllin
C₁₈H₂₃N₅O₃=Cafedrin
C₁₈H₂₃N₅O₅=Reproterol
C₁₈H₂₃N₉O₄S₃=Cefotiam
C₁₈H₂₃NaO₃S=Natriumdibunat
C₁₈H₂₄ClN₃O=Ipconazol, Tebufenpyrad
C₁₈H₂₄INO₂S=Tiemoniumiodid
C₁₈H₂₄I₃N₃O₈=Iopromid
C₁₈H₂₄I₃N₃O₉=Ioversol
C₁₈H₂₄N₂O₄=Isoxaben
C₁₈H₂₄N₂O₅S=WS 75 624-A u. -B
C₁₈H₂₄N₂O₆=Dinocap
C₁₈H₂₄N₄O=Granisetron
C₁₈H₂₄N₂NiS₄=Quencher
C₁₈H₂₄O₂=Estradiol, Nimbaum, Phenylessigsäureester
C₁₈H₂₄O₃=Estriol
C₁₈H₂₄O₈=Trichothecene
C₁₈H₂₄O₁₃=Turgorine
C₁₈H₂₅N=Morphinane
C₁₈H₂₅NO₂=Cyclazocin, Dextromethorphan, Levomethorphan, Morphinane
C₁₈H₂₅NO₂=Lobelia-Alkaloide
C₁₈H₂₅N₃O₂=Imidazol-Alkaloide
C₁₈H₂₆ClN₃=Chloroquin
C₁₈H₂₆ClN₃O=Hydroxychloroquin
C₁₈H₂₆N₂O₂=Proglumid
C₁₈H₂₆N₂O₄S=Glibornurid
C₁₈H₂₆N₂O₅S=Furathiocarb
C₁₈H₂₆O₂=Cinmethylin, Nandrolon
C₁₈H₂₆O₃=Neo Heliopan® AV
C₁₈H₂₆O₄=Phthalsäureester
C₁₈H₂₆O₅=Zearalenon
C₁₈H₂₇ClN₄O₄=Loline
C₁₈H₂₇NO₂=Butaverin, Lobelia-Alkaloide
C₁₈H₂₇NO₃=Capsaicin
C₁₈H₂₇NO₅=Propanidid
C₁₈H₂₇N₃O₆S=Sumatriptan
C₁₈H₂₈ClNO=Clofenciclan
C₁₈H₂₈N₂O=Bupivacain
C₁₈H₂₈N₂O₃=Acebutolol
C₁₈H₂₈N₄O=Butalamin
C₁₈H₂₈O₃=Oiticicaöl
C₁₈H₂₈O₄=Albocyclin
C₁₈H₂₉NO₂=Lobelia-Alkaloide, Penbutolol
C₁₈H₂₉NO₃=Betaxolol, Butamirat, Lycopodium-Alkaloide
C₁₈H₂₉NO₄=Lycopodium-Alkaloide
C₁₈H₂₉N₃O₅=Bambuterol
C₁₈H₂₉NaO₃S=Tetrapropylenbenzolsulfonat
C₁₈H₃₀=Dodecylbenzol, Estran, Perhydrotriphenylen
C₁₈H₃₀N₂O₂=Butacain
C₁₈H₃₀O=Dodecylphenol
C₁₈H₃₀O₂=Calendulaöl, Elaeostearinsäure, Hydnocarpussäure, Linolensäure
C₁₈H₃₀O₃=F-Säuren, Juvenilhormone
C₁₈H₃₀O₅=Gloeosporon
C₁₈H₃₁NO₄=Bisoprolol

C₁₈H₃₁N₃O₆=Propioxatine
C₁₈H₃₂CaN₂O₁₀=Calciumpantothenat
C₁₈H₃₂O=Fettalkohole
C₁₈H₃₂O₂=Chaulmoograsäure, Fettsäuren, Linolsäure, Malvaliasäure, Propylur
C₁₈H₃₂O₃=Vernolsäure
C₁₈H₃₂O₅=Aspicilin
C₁₈H₃₂O₁₆=Gentiobiose, Kestosen, Raffinose
C₁₈H₃₃ClN₂O₅S=Clindamycin
C₁₈H₃₃KO₂=Kaliumoleat
C₁₈H₃₃NaO₂=Natriumoleat
C₁₈H₃₄N₂O₆S=Lincomycin
C₁₈H₃₄O=Fettalkohole
C₁₈H₃₄OSn=Cyhexatin
C₁₈H₃₄O₂=Elaidinsäure, Fettsäuren, Ölsäure, Petroselinsäure, γ-Stearolacton, Vaccensäure
C₁₈H₃₄O₃=Ricinolsäure
C₁₈H₃₄O₄=Sebacinsäureester
C₁₈H₃₅ClO=Stearinsäurechlorid
C₁₈H₃₅KO₂=Kaliumstearat
C₁₈H₃₅NO=Cerebrodiene, Ölsäureamid
C₁₈H₃₅NaO₂=Natriumstearat
C₁₈H₃₆BrN=Piproctanyl-bromid
C₁₈H₃₆N₂NiS₄=Quencher
C₁₈H₃₆N₂O₆=Kryptanden
C₁₈H₃₆N₄O₁₁=Kanamycine
C₁₈H₃₆O=Fettalkohole, 9-Octadecen-1-ol
C₁₈H₃₆O₂=Fettalkohole, Fettsäuren, Myristinsäureester, Palmitinsäureethylester, Stearinsäure
C₁₈H₃₆O₃=12-Hydroxystearinsäure
C₁₈H₃₆O=Aldimorph, Stearinsäureamid
C₁₈H₃₇NO₂=Sphingosin
C₁₈H₃₇NO₃=Xylocandine
C₁₈H₃₇N₅O₈=Dibekacin
C₁₈H₃₇N₅O₉=Kanamycine, Tobramycin
C₁₈H₃₇N₅O₁₀=Kanamycine
C₁₈H₃₈=Octadecan
C₁₈H₃₈O=Fettalkohole, 1-Octadecanol
C₁₈H₃₉N=1-Octadecanamin
C₁₈H₃₉NO₂=Sphingosin
C₁₈H₃₉NO₃=Sphingosin
C₁₈H₃₉N₃O=Solanaceen
C₁₈H₄₀Br₂N₄O₄=Hexacarbacholinbromid

C₁₉H₁₀Br₂Cl₂O₅S=Bromchlorphenolblau
C₁₉H₁₀Br₄O₅S=Bromphenolblau
C₁₉H₁₁F₅N₂O₂=Diflufenican
C₁₉H₁₂Cl₂O₅S=Bromphenolrot
C₁₉H₁₂Cl₂O₅S=Chlorphenolrot
C₁₉H₁₂N₂O₆=Ornithin
C₁₉H₁₂O₅=α-Naphthoflavon
C₁₉H₁₂O₅=Phenylfluoron
C₁₉H₁₂O₆=Dicumarol
C₁₉H₁₂O₈=Pyrogallolrot
C₁₉H₁₃NO=α-NPO
C₁₉H₁₄ClF₅N₄O₂=Flupoxam
C₁₉H₁₄F₃NO=Fluridon
C₁₉H₁₄NO₄⁺=Protoberberin-Alkaloide
C₁₉H₁₄O₃=Aurin
C₁₉H₁₄O₅=Vulpinsäure
C₁₉H₁₄O₅S=Phenolsulfonphthalein
C₁₉H₁₄O₆=Sterigmatocystin
C₁₉H₁₅ClN₄=2,3,5-Triphenyl-2H-tetrazoliumchlorid
C₁₉H₁₅FN₂O₄=Flumioxazin
C₁₉H₁₅NO₆=Acenocoumarol
C₁₉H₁₆=Triphenylmethan
C₁₉H₁₆ClNO₄=Indometacin

C₁₉H₁₆Cl₂N₂O₄S=Pyrazolynat
C₁₉H₁₆KN₃O₅S=Benzylorange
C₁₉H₁₆N₂=Sempervirin
C₁₉H₁₆N₄=2,3,5-Triphenyl-2H-tetrazoliumchlorid
C₁₉H₁₆O=Triphenylmethanol
C₁₉H₁₆O₃=Cumatetralyl
C₁₉H₁₆O₄=Warfarin
C₁₉H₁₆O₆=Sterigmatocystin
C₁₉H₁₇ClFN₃O₅S=Flucloxacillin
C₁₉H₁₇ClN₂O=Prazepam
C₁₉H₁₇ClN₂O₄=Glafenin, Quizalofop-ethyl
C₁₉H₁₇ClN₄=Fenbuconazol
C₁₉H₁₇Cl₂N₃O₃=Difenoconazol
C₁₉H₁₇Cl₂N₃O₅S=Dicloxacillin
C₁₉H₁₇NOS=Tolnaftat
C₁₉H₁₇NO₄=Protoberberin-Alkaloide
C₁₉H₁₇NO₇=Nedocromil
C₁₉H₁₇N₃=Parafuchsin
C₁₉H₁₇N₃O₄=Cefaloridin
C₁₉H₁₇CaN₂O₉=Carbasalat-Calcium
C₁₉H₁₈ClN₃=Parafuchsin
C₁₉H₁₈ClN₃O₃=Camazepam
C₁₉H₁₈ClN₃O₅S=Cloxacillin
C₁₉H₁₈N₂O₃=Kebuzon
C₁₉H₁₈N₄O₂=Pimobendan
C₁₉H₁₈N₄O₂=Geiparvarin
C₁₉H₁₈O₈=Atranorin, Trichion
C₁₉H₁₉ClF₃NO₅=Haloxyfop-ethoxyethyl
C₁₉H₁₉N=Phenindamin
C₁₉H₁₉NOS=Ketotifen
C₁₉H₁₉NO₄=Bulbocapnin, Protoberberin-Alkaloide
C₁₉H₁₉N₃O=Pararosanilin
C₁₉H₁₉N₃O₅=Oxacillin
C₁₉H₁₉N₃O₆=Nilvadipin
C₁₉H₁₉N₇O₆=Folsäure
C₁₉H₂₀ClNO₄=Bezafibrat
C₁₉H₂₀ClN₃=Clemizol
C₁₉H₂₀FNO₃=Paroxetin
C₁₉H₂₀F₃NO₄=Fluazifop-butyl, Fluazifop-P-butyl
C₁₉H₂₀N₂=Mebhydrolin
C₁₉H₂₀N₂O₂=Phenylbutazon
C₁₉H₂₀N₂O₃=Oxyphenbutazon
C₁₉H₂₀N₈O₅=Aminopterin
C₁₉H₂₀O₄=Benzylbutylphthalat, Phthalsäureester
C₁₉H₂₀O₅=Coleone
C₁₉H₂₀O₁₀=Khellin
C₁₉H₂₁ClN₂O=Pencycuron
C₁₉H₂₁FN₂O₄=Nadifloxacin
C₁₉H₂₁N=Nortriptylin, Protriptylin
C₁₉H₂₁NO=Doxepin
C₁₉H₂₁NO₂=Nuciferin
C₁₉H₂₁NO₃=Nalorphin, Thebain
C₁₉H₂₁NO₄=Boldin, Cularin-Alkaloide, Naloxon, Protoberberin-Alkaloide, Thebain
C₁₉H₂₁NS=Dosulepin, Pizotifen
C₁₉H₂₁N₃O=Zolpidem
C₁₉H₂₁N₃O₅=Isradipin
C₁₉H₂₁N₃S=Cyamemazin
C₁₉H₂₁N₅O₂=Pirenzepin
C₁₉H₂₁N₅O₄=Prazosin
C₁₉H₂₂ClNO₃=Thebain
C₁₉H₂₂ClNO₅=Trazodon
C₁₉H₂₂F₂N₄O₃=Sparfloxacin
C₁₉H₂₂N₂=Triprolidin
C₁₉H₂₂N₂O=Cinchonidin, Cinchonin, Eburnamonin, Noxiptilin
C₁₉H₂₂N₂OS=Aceprometazin
C₁₉H₂₂N₂O₂=Sarpagin
C₁₉H₂₂N₂O₃=Bumadizon, Gelsemin
C₁₉H₂₂N₄=Corrin

$C_{19}H_{22}O_6$=Gibberellinsäure, Strigol
$C_{19}H_{22}O_9$=Aloe
$C_{19}H_{22}O_{10}$=Aloe
$C_{19}H_{23}ClN_2O_2$=Clomipramin
$C_{19}H_{23}ClN_2O_5$=Sarpagin
$C_{19}H_{23}ClN_2O_5S$=Pyridat
$C_{19}H_{23}I_2NO_2$=Bufeniod
$C_{19}H_{23}NO$=Diphenylpyralin
$C_{19}H_{23}NO_2$=Pumiliotoxine
$C_{19}H_{23}NO_3$=Erythrina-Alkaloide, Oxyfedrin, Reboxetin
$C_{19}H_{23}NO_4$=Benzylisochinolin-Alkaloide, Hirsutin, Reticulin
$C_{19}H_{23}N_3$=Amitraz
$C_{19}H_{23}N_3O$=Benzydamin
$C_{19}H_{23}N_3O_2$=Ergot-Alkaloide
$C_{19}H_{23}N_4O_6PS$=Benfotiamin
$C_{19}H_{23}N_5O_3$=Trimetrexat
$C_{19}H_{23}N_7O_6$=Tetrahydrofolsäure
$C_{19}H_{24}ClNO$=Mecloxamin
$C_{19}H_{24}N_2$=Bamipin, Histapyrrodin, Ibogamin, Imipramin
$C_{19}H_{24}N_2OS$=Levomepromazin, Phencarbamid
$C_{19}H_{24}N_2O_2$=Praziquantel
$C_{19}H_{24}N_2O_3$=Labetalol
$C_{19}H_{24}N_4O_2$=Pentamidin
$C_{19}H_{24}N_6O_5S_2$=Cefepim
$C_{19}H_{24}O_3$=Adrenosteron, Testolacton
$C_{19}H_{24}O_5$=Trichothecene, Umbelliferon
$C_{19}H_{24}O_9$=Nivalenol
$C_{19}H_{25}ClN_2OS$=Pyridaben
$C_{19}H_{25}NO$=Histrionicotoxine, Levallorphan
$C_{19}H_{25}NO_2$=Buphenin
$C_{19}H_{25}NO_4$=Tetramethrin
$C_{19}H_{25}NO_{10}$=Wicken
$C_{19}H_{25}N_3O_2S_2$=Dimetotiazin
$C_{19}H_{25}N_5O_7$=Terazosin
$C_{19}H_{26}BrNO_4$=Oxitropiumbromid
$C_{19}H_{26}ClNO_4$=Terazosin
$C_{19}H_{26}I_3N_3O_9$=Iohexol
$C_{19}H_{26}N_2$=Aspidosperma-Alkaloide, Quebrachamin
$C_{19}H_{26}N_2O_4S_2$=Thiazinamiummetilsulfat
$C_{19}H_{26}N_2S$=Pergolid
$C_{19}H_{26}N_6O_6$=Xantinolnicotinat
$C_{19}H_{26}O_2$=Tetrahydrocannabinole
$C_{19}H_{26}O_3$=Epimestrol, Formestan
$C_{19}H_{26}O_4S$=Propargit
$C_{19}H_{26}O_6$=Trichothecene
$C_{19}H_{26}O_7$=Trichothecene
$C_{19}H_{26}O_8$=Trichothecene
$C_{19}H_{26}O_{12}$=Salicylsäureester, Wintergrünöl
$C_{19}H_{27}ClO_2$=Clostebol
$C_{19}H_{27}NO$=Histrionicotoxine, Pentazocin
$C_{19}H_{27}NO_2$=Salamander-Alkaloide
$C_{19}H_{27}N_3O_2S_2$=Dofetilid
$C_{19}H_{27}N_5$=Dapiprazol
$C_{19}H_{27}N_5O_4$=Bunazosin
$C_{19}H_{27}N_5O_4$=Alfuzosin
$C_{19}H_{27}N_5O_7P$=Fostriecin
$C_{19}H_{28}BrNO_3$=Glycopyrroniumbromid
$C_{19}H_{28}I_3N_3O_9$=Iodamid
$C_{19}H_{28}N_2O_4$=Roxatidinacetat
$C_{19}H_{28}O$=Steroid-Geruchsstoffe
$C_{19}H_{28}O_2$=Prasteron, Testosteron
$C_{19}H_{29}NO$=Gephyrotoxine, Procyclidin
$C_{19}H_{29}NO_2$=Salamander-Alkaloide
$C_{19}H_{29}NO_5$=Dipivefrin
$C_{19}H_{29}N_3O$=Pamaquin
$C_{19}H_{30}N_8O_9$=Mildiomycin

$C_{19}H_{30}O$=Steroid-Geruchsstoffe
$C_{19}H_{30}O_2$=Androstanolon, 5-Androsten-3β,17β-diol, Androsteron
$C_{19}H_{30}O_5$=Gallussäureester, Piperonylbutoxid
$C_{19}H_{31}N$=Fenpropidin
$C_{19}H_{31}NO$=Bencyclan
$C_{19}H_{31}NO_2$=Salamander-Alkaloide
$C_{19}H_{32}$=5α-Androstan
$C_{19}H_{32}BrNO_2$=Valethamatbromid
$C_{19}H_{32}N_2O_2$=Camylofin
$C_{19}H_{32}N_2O_5$=Perindopril
$C_{19}H_{32}N_6O_{11}$=Muramyl-Dipeptid
$C_{19}H_{32}O_3$=F-Säuren
$C_{19}H_{32}O_4$=Isländisches Moos
$C_{19}H_{33}NO$=Histrionicotoxine, Rhodamine, Salamander-Alkaloide
$C_{19}H_{33}NO_2$=Pumiliotoxine
$C_{19}H_{33}NO_3$=Pumiliotoxine
$C_{19}H_{34}N_2O_3$=Sophorin
$C_{19}H_{34}O_2$=Sterculiasäure
$C_{19}H_{34}O_3$=Methopren
$C_{19}H_{35}N$=Perhexilin
$C_{19}H_{35}NO_2$=Dicycloverin
$C_{19}H_{37}NO$=Octadecylisocyanat
$C_{19}H_{37}N_5O_7$=Sisomicin
$C_{19}H_{38}O$=Disparlur
$C_{19}H_{38}O_2$=Fettsäuren, Palmitinsäureisopropylester, Pristan
$C_{19}H_{39}NO$=Tridemorph
$C_{19}H_{39}N_5O_7$=Gentamicin
$C_{19}H_{40}$=Nonadecan, Pristan
$C_{19}H_{40}O$=Fettalkohole
$C_{19}H_{42}BrN$=Cetyltrimethylammoniumbromid
$C_{19}H_{42}ClN$=Cetyltrimethylammoniumchlorid

$C_{20}H_4Br_4Cl_4O_5$=Phloxin
$C_{20}H_4Cl_4I_4O_5$=Bengalrosa
$C_{20}H_6Br_2N_2Na_2O_9$=Eosin
$C_{20}H_6Br_4Cl_2O_5$=Phloxin
$C_{20}H_6Br_4Na_2O_5$=Eosin
$C_{20}H_6I_4Na_2O_5$=Erythrosin
$C_{20}H_8Br_2HgNa_2O_6$=Merbromin, Quecksilber-organische Verbindungen
$C_{20}H_8Br_4Na_2O_{10}S_2$=Bromsulfalein
$C_{20}H_8I_4Na_2O_4$=Iodophthalein-Natrium
$C_{20}H_9Cl_3F_5N_3O_3$=Chlorfluazuron
$C_{20}H_{10}Cl_2F_5N_3O_3$=Fluazuron
$C_{20}H_{11}N_2Na_3O_{10}S_3$=Amaranth, Naphthol-Farbstoffe, Ponceau-Farbstoffe
$C_{20}H_{11}N_3O_2$=Arcyria-Farbstoffe
$C_{20}H_{11}N_3O_3$=Arcyria-Farbstoffe
$C_{20}H_{11}N_3O_4$=Arcyria-Farbstoffe
$C_{20}H_{11}N_3O_5$=Arcyria-Farbstoffe
$C_{20}H_{12}$=Benzo[a]pyren, Perylen
$C_{20}H_{12}N_2Na_2O_7S_2$=Ponceau-Farbstoffe
$C_{20}H_{12}N_2O_2$=Chinacridon
$C_{20}H_{12}N_3NaO_7S$=Eriochromschwarz T
$C_{20}H_{12}O_5$=Fluorescein
$C_{20}H_{12}O_7$=Gallein
$C_{20}H_{13}N_2NaO_5S$=Calcon
$C_{20}H_{13}N_3$=Chinolin-Alkaloide
$C_{20}H_{13}N_3O_2$=Arcyria-Farbstoffe, Violacein
$C_{20}H_{13}N_3O_4$=Arcyria-Farbstoffe
$C_{20}H_{13}N_3O_8$=Ommochrome
$C_{20}H_{14}$=Triptycen
$C_{20}H_{14}ClNO_4$=Sanguinarin
$C_{20}H_{14}Cl_4O_5$=Russupheline
$C_{20}H_{14}I_6N_2O_6$=Adipiodon
$C_{20}H_{14}N_2O$=PBD

$C_{20}H_{14}N_4$=Porphin, 3,2':3",4":2"',3"'-Quaterpyridin
$C_{20}H_{14}N_4O$=Imidazol-Alkaloide
$C_{20}H_{14}O$=Isobenzofuran
$C_{20}H_{14}O_2$=Binaphthyl
$C_{20}H_{14}O_4$=Phenolphthalein, Phthalsäureester
$C_{20}H_{14}O_8$=Bikaverin
$C_{20}H_{15}Cl_3N_2OS$=Sertaconazol
$C_{20}H_{15}F_3N_4O_3$=Trovafloxacin
$C_{20}H_{15}NO_5$=Oxyphenisatin
$C_{20}H_{15}NO_5$=Sanguinarin
$C_{20}H_{15}N_3O_{11}S$=Ommochrome
$C_{20}H_{16}$=7,12-Dimethylbenz[a]anthracen
$C_{20}H_{16}Cl_3N_3O_4S$=Sertaconazol
$C_{20}H_{16}N_2$=Binaphthyl
$C_{20}H_{16}N_2O_3$=Perlolin
$C_{20}H_{16}N_2O_4$=Camptothecin
$C_{20}H_{16}N_4$=Nitron
$C_{20}H_{16}N_4O_6S$=Zincon
$C_{20}H_{16}O_6$=Rotenoide, Wortmannin
$C_{20}H_{16}O_7$=Averufin
$C_{20}H_{16}O_8$=Sterigmatocystin
$C_{20}H_{17}ClN_2O_3$=Ketazolam
$C_{20}H_{17}Cl_3N_2O_2$=Omoconazol
$C_{20}H_{17}FO_3S$=Sulindac
$C_{20}H_{17}F_3N_2O_4$=Floctafenin
$C_{20}H_{17}N_2O_3^+$=Perlolin
$C_{20}H_{17}N_4NaO_5S$=Tropäolin
$C_{20}H_{18}BrN_3$=Dimidiumbromid
$C_{20}H_{18}ClNO$=Ochratoxin A
$C_{20}H_{18}NO_4^+$=Protoberberin-Alkaloide
$C_{20}H_{18}N_2O_4$=Perlolin
$C_{20}H_{18}O_2Sn$=Fentinacetat
$C_{20}H_{18}O_3$=Phenolphthalol
$C_{20}H_{18}O_4$=Phaseolin
$C_{20}H_{18}O_7$=Sesamöl
$C_{20}H_{18}O_9$=Franguline
$C_{20}H_{19}ClN_4$=Safranine
$C_{20}H_{19}NO_3$=Pyriproxyfen
$C_{20}H_{19}NO_4$=Ficin
$C_{20}H_{19}NO_5$=Berberin, Chelidonin, Protopin-Alkaloide
$C_{20}H_{19}NO_6$=Rhoeadin-Alkaloide
$C_{20}H_{19}N_3$=Fuchsin
$C_{20}H_{19}N_3Na_2O_9S_3$=Säurefuchsin
$C_{20}H_{20}NO_4^+$=Protoberberin-Alkaloide
$C_{20}H_{20}N_2O_3$=Cyclopiazonsäure
$C_{20}H_{20}N_6O_7S_4$=Cefodizim
$C_{20}H_{20}N_6O_9S$=Latamoxef
$C_{20}H_{20}N_2O$=Serpenten
$C_{20}H_{20}N_2O_2$=Prostaglandine
$C_{20}H_{20}O_6$=Conidendrin, Cubeben, Lignane
$C_{20}H_{20}O_8$=Saudin, Saudinolid
$C_{20}H_{21}AlCl_2O_7$=Aluminiumclofibrat
$C_{20}H_{21}CaN_7O_7$=Calciumfolinat
$C_{20}H_{21}ClO_4$=Fenofibrat
$C_{20}H_{21}NO$=Butinolin
$C_{20}H_{21}NOS$=Tolciclat
$C_{20}H_{21}NO_2$=Moxaverin
$C_{20}H_{21}NO_4$=Benzylisochinolin-Alkaloide, Papaverin, Protoberberin-Alkaloide
$C_{20}H_{21}NO_5$=Protoberberin-Alkaloide
$C_{20}H_{21}N_3O$=Rosanilin
$C_{20}H_{22}ClN$=Pyrrobutamin
$C_{20}H_{22}ClN_3O$=Nilblau A
$C_{20}H_{22}N_2$=Azataxin
$C_{20}H_{22}N_2O$=Fenazaquin
$C_{20}H_{22}N_2O_2$=Gelsemin
$C_{20}H_{22}N_2S$=Mequitazin
$C_{20}H_{22}N_8O_5$=Methotrexat
$C_{20}H_{22}O_6$=Coleone, Lignane, Mirestrol
$C_{20}H_{22}O_7$=Saudin, Saudinolid, Wikstromol

$C_{20}H_{22}O_8$=Salicylalkohol, Saudin, Saudinolid
$C_{20}H_{23}BrN_2O_4$=Brompheniramin
$C_{20}H_{23}N$=Amitriptylin, Maprotilin
$C_{20}H_{23}NO_3$=Benalaxyl
$C_{20}H_{23}NO_4$=Cularin-Alkaloide, Isocorydin, Naltrexon, Protoberberin-Alkaloide, Thebacon
$C_{20}H_{23}NO_5$=Fuligorubin, Isocorydin
$C_{20}H_{23}NS$=Metixen
$C_{20}H_{23}N_3O_2$=Bitertanol
$C_{20}H_{23}N_5O_5$=Azlocillin
$C_{20}H_{23}N_7O_7$=Folinsäure
$C_{20}H_{24}Br_2N_4O_2$=Dibromhexamidin
$C_{20}H_{24}N_2$=Aristotelia-Alkaloide, Dimetinden
$C_{20}H_{24}N_2O_2$=Chinidin, Chinin, Sarpagin, Viquidil
$C_{20}H_{24}N_2O_3$=Yohimbin
$C_{20}H_{24}N_2O_4$=Pheniramin
$C_{20}H_{24}N_2O_5$=Nisoldipin
$C_{20}H_{24}O_2$=Ethinylestradiol
$C_{20}H_{24}O_3$=Jatrophon
$C_{20}H_{24}O_4$=Crinipelline, Crocetin, Jatrophon, Lignane
$C_{20}H_{24}O_6$=Krone
$C_{20}H_{24}O_9$=Ginkgolide
$C_{20}H_{24}O_{10}$=Ginkgolide
$C_{20}H_{24}O_{11}$=Ginkgolide
$C_{20}H_{25}ClN_2O_5$=Amlodipin
$C_{20}H_{25}N$=Fenpipran
$C_{20}H_{25}NO$=Normethadon, Pridinol
$C_{20}H_{25}NO_2$=Adiphenin, Fomocain
$C_{20}H_{25}NO_2S_2$=Tiagabin
$C_{20}H_{25}NO_3$=Benactyzin
$C_{20}H_{25}NO_4$=Benzylisochinolin-Alkaloide, Laudanosin
$C_{20}H_{25}N_3O$=Lysergsäurediethylamid, Prodigiosin
$C_{20}H_{25}N_5O_2$=Methylergometrin
$C_{20}H_{25}N_3S$=Perazin
$C_{20}H_{25}N_5O_5S_2$=Cefetamet
$C_{20}H_{25}N_5O_{10}$=Nikkomycine
$C_{20}H_{26}NO_3P$=PB-Toxin
$C_{20}H_{26}N_2$=Aristotelia-Alkaloide, Dimetacrin, Trimipramin
$C_{20}H_{26}N_2O_2$=Ibogain, Tabernanthin
$C_{20}H_{26}N_2O_3$=Ajmalin
$C_{20}H_{26}N_2O_4$=Gelsemin
$C_{20}H_{26}N_2O_{12}$=Piridoxilat
$C_{20}H_{26}N_4O_4$=Lisurid
$C_{20}H_{26}N_4O_4$=Hexamidin
$C_{20}H_{26}O$=3,4-Didehydroretinal
$C_{20}H_{26}O_2$=Norethisteron, Noretynodrel
$C_{20}H_{26}O_3$=Taxodion
$C_{20}H_{26}O_4$=Crinipelline
$C_{20}H_{26}O_7$=Benediktenkraut, Cnicin
$C_{20}H_{27}BrN_2O$=Ambutoniumbromid
$C_{20}H_{27}N$=Terodilin
$C_{20}H_{27}NO_2$=Vetrabutin
$C_{20}H_{27}NO_3$=Tralkoxydim
$C_{20}H_{27}NO_4$=Felbinac
$C_{20}H_{27}NO_4$=Carbocromen
$C_{20}H_{27}NO_6S$=Reboxetin
$C_{20}H_{27}NO_{11}$=Amygdalin, Cyanogene Glykoside
$C_{20}H_{27}N_5O_3$=Bamifyllin
$C_{20}H_{27}N_5O_5S$=Glisoxepid
$C_{20}H_{28}BrN$=Emeproniumbromid
$C_{20}H_{28}ClNO_8P_2$=Pyrrobutamin
$C_{20}H_{28}I_3N_3O_9$=Iobitridol, Iopentol
$C_{20}H_{28}N_2O_3$=Oxyphencyclimin

$C_{20}H_{28}N_2O_4$=N,N'-Dibenzylethylendiamindiacetat
$C_{20}H_{28}N_2O_5$=Enalapril, Remifentanil
$C_{20}H_{28}N_2O_5S$=Tamsulosin
$C_{20}H_{28}N_4O_6$=Sibrafiban
$C_{20}H_{28}O$=Lynestrenol, Retinal
$C_{20}H_{28}O_2$=Etynodiol, Metandienon, Tretinoin
$C_{20}H_{28}O_3$=Cinerine, Illurinsäure, Petasin
$C_{20}H_{28}O_4$=Manoalid, Prostaglandine, Sordarin
$C_{20}H_{28}O_6$=Phorbol
$C_{20}H_{28}O_8Zr$=Zirconium-organische Verbindungen
$C_{20}H_{29}FO_3$=Fluoxymesteron
$C_{20}H_{29}NO_4$=Fedrilat, Saussureamine
$C_{20}H_{29}N_3O_2$=Cinchocain
$C_{20}H_{29}N_5O_2$=Urapidil
$C_{20}H_{29}N_5O_6$=Trimazosin
$C_{20}H_{30}$=Cembranoide, Pentalen
$C_{20}H_{30}BrNO_3$=Ipratropiumbromid
$C_{20}H_{30}N_2O_5S$=Benfuracarb
$C_{20}H_{30}N_4O_6$=HC-Toxine
$C_{20}H_{30}O$=Retinol
$C_{20}H_{30}O_2$=Abietinsäure, 5,8,11,14,17-Eicosapentaensäure, Harzsäuren, Isopimarsäure, Lävopimarsäure, Metenolon, Methyltestosteron, Neoabietinsäure, Palustrinsäure
$C_{20}H_{30}O_3$=Cyathane, Leukotriene, Oxymesteron, Steviol
$C_{20}H_{30}O_4$=Harzsäuren, Prostaglandine, Schizostatin
$C_{20}H_{30}O_5$=Prostaglandine
$C_{20}H_{30}O_6$=Trichothecene
$C_{20}H_{30}Sm$=Samarium-Verbindungen
$C_{20}H_{31}NO$=Trihexyphenidyl
$C_{20}H_{31}NO_2$=Drofenin
$C_{20}H_{31}NO_3$=Pentoxyverin
$C_{20}H_{32}$=Cembrene, Kaurane
$C_{20}H_{32}N_2O_3S$=Carbosulfan
$C_{20}H_{32}N_2S$=Pholedrin
$C_{20}H_{32}O_2$=Arachidonsäure, Drostanolon, Mesterolon, Methandriol
$C_{20}H_{32}O_3$=Asperdiol, Cyathane, Labdane, Pleuromutilin
$C_{20}H_{32}O_4$=Leukotriene, Prostaglandine
$C_{20}H_{32}O_5$=Dinoproston, Grayanotoxine, Lipoxine, Prostacyclin, Thromboxane
$C_{20}H_{33}NO$=Fenpropimorph
$C_{20}H_{33}NO_3$=Oxeladin
$C_{20}H_{33}N_3O_2$=Talinolol
$C_{20}H_{33}N_3O_3S$=Quinagolid
$C_{20}H_{33}N_3O_4$=Celiprolol
$C_{20}H_{34}$=Kaurane
$C_{20}H_{34}AuO_9PS$=Auranofin
$C_{20}H_{34}O$=Fettkohole, Geranylgeraniol
$C_{20}H_{34}O_2$=Labdane, Plaunotol
$C_{20}H_{34}O_3$=Cembranoide, F-Säuren, Vinigrol
$C_{20}H_{34}O_4$=Aphidicolin
$C_{20}H_{34}O_5$=Alprostadil, Dinoprost, Prostaglandine
$C_{20}H_{34}O_6$=Grayanotoxine, Thromboxane
$C_{20}H_{35}NO_2$=Dihexyverin
$C_{20}H_{35}NO_{13}$=Validamycine
$C_{20}H_{35}N_3Sn$=Azocyclotin
$C_{20}H_{36}N_6O$=Lauroguadin
$C_{20}H_{36}O_2$=Ethyllinoleat, Sclareol
$C_{20}H_{36}O_5$=Prostaglandine

$C_{20}H_{37}N_3O_{13}$=Hygromycine
$C_{20}H_{37}NaO_7S$=Docusat-Natrium
$C_{20}H_{38}BrNO_2$=Diponiumbromid
$C_{20}H_{38}O$=Phytol
$C_{20}H_{38}O_2$=Rapsöl
$C_{20}H_{39}NO_3$=Dodemorph-acetat
$C_{20}H_{40}O$=Fettkohole, Isophytol, Phytol
$C_{20}H_{40}O_2$=Arachinsäure, Fettsäuren, Phytansäure
$C_{20}H_{41}N_5O_7$=Gentamicin
$C_{20}H_{42}O$=Fettkohole

$C_{21}H_{11}ClF_6N_2O_3$=Flufenuxuron
$C_{21}H_{14}Br_4O_5S$=Bromkresolgrün
$C_{21}H_{14}N_2O_7S$=Calconcarbonsäure
$C_{21}H_{14}N_3NaO_3S_3$=Primulin
$C_{21}H_{15}NO$=PBO
$C_{21}H_{16}Br_2O_5S$=Bromkresolpurpur
$C_{21}H_{16}O_9$=Mitorubrin
$C_{21}H_{18}ClNO_4$=Acemetacin
$C_{21}H_{18}F_3N_3O_3$=Temafloxacin
$C_{21}H_{18}O_5S$=Kresolpurpur
$C_{21}H_{18}O_7$=Mitorubrin
$C_{21}H_{18}O_8$=Mitorubrin
$C_{21}H_{19}N_3O_3S$=Amsacrin
$C_{21}H_{20}BrN_3$=Homidiumbromid
$C_{21}H_{20}Cl_2O_3$=Permethrin
$C_{21}H_{20}N_2O_2$=Serpentin
$C_{21}H_{20}N_4O_3$=Picotamid
$C_{21}H_{20}N_6O$=Aminoquinurid
$C_{21}H_{20}O_6$=Cabenegrine, Curcumin
$C_{21}H_{20}O_9$=Franguline
$C_{21}H_{20}O_{11}$=Quercetin
$C_{21}H_{20}O_{12}$=Quercetin
$C_{21}H_{20}O_{13}$=Gossypetin
$C_{21}H_{21}ClN_2O_8$=Demeclocyclin
$C_{21}H_{21}ClN_4$=Safranine
$C_{21}H_{21}ClN_4OS$=Ziprasidon
$C_{21}H_{21}ClO_{11}$=Chrysanthemin, Idaein
$C_{21}H_{21}N$=Cyproheptadin, Naftifin, Tribenzylamin
$C_{21}H_{21}NO_2S$=Tazaroten
$C_{21}H_{21}NO_4$=Ochotensin
$C_{21}H_{21}NO_6$=Hydrastin, Rhoeadin-Alkaloide
$C_{21}H_{21}N_3O_7$=Kakothelin
$C_{21}H_{21}O_4P$=Trikresylphosphat
$C_{21}H_{21}O_{10}$=Fragarin
$C_{21}H_{22}ClNO_4$=Dimethomorph
$C_{21}H_{22}NO_4^+$=Protoberberin-Alkaloide
$C_{21}H_{22}N_2O_2$=Strychnin
$C_{21}H_{22}N_2O_3$=Strychnin
$C_{21}H_{22}N_2O_5$=Nafcillin
$C_{21}H_{22}N_2O_8$=Tetracyclin
$C_{21}H_{22}O_8$=Endiandrinsäuren
$C_{21}H_{22}O_5$=Monascus purpureus, Pleurotin
$C_{21}H_{22}O_6$=Wortmannin
$C_{21}H_{22}O_9$=Aloe
$C_{21}H_{23}BrFNO_2$=Bromperidol
$C_{21}H_{23}ClFNO_2$=Haloperidol
$C_{21}H_{23}ClFNO_5$=Flumiclorac-pentyl
$C_{21}H_{23}ClFN_3O$=Flurazepam
$C_{21}H_{23}ClN_2$=Hapalindole
$C_{21}H_{23}F_2NO_2$=Etoxazol
$C_{21}H_{23}IN_2$=Chinaldinrot
$C_{21}H_{23}NO_5$=Heroin, Protopin-Alkaloide
$C_{21}H_{23}N_3OS$=Periciazin
$C_{21}H_{23}N_3O_3$=Fominoben
$C_{21}H_{24}FN_3O_4$=Moxifloxacin
$C_{21}H_{24}F_3N_3S$=Trifluoperazin
$C_{21}H_{24}N_2O_2$=Aspidosperma-Alkaloide, Catharanthin
$C_{21}H_{24}N_2O_3$=Ajmalicin, Geissoschizin

$C_{21}H_{24}O_5$=Kadsurenon
$C_{21}H_{24}O_7$=Visnadin
$C_{21}H_{24}O_9$=Rhabarber
$C_{21}H_{25}ClN_2O_3$=Cetirizin
$C_{21}H_{25}ClO_5$=Cloprednol
$C_{21}H_{25}FN_2O_2$=Fluanison
$C_{21}H_{25}N$=Melitracen, Terbinafin
$C_{21}H_{25}NO$=Benzatropin
$C_{21}H_{25}NO_4$=Glaucin, Protoberberin-Alkaloide, Tetrahydropalmatin
$C_{21}H_{25}NO_5$=Demecolcin
$C_{21}H_{25}N_3O_2$=Tryprostatine
$C_{21}H_{25}N_3O_3S$=Quetiapin
$C_{21}H_{25}N_3O_3S$=Pipazetat
$C_{21}H_{25}N_5O_8S_2$=Mezlocillin
$C_{21}H_{26}BrNO_3$=Methantheliniumbromid
$C_{21}H_{26}ClNO$=Clemastin
$C_{21}H_{26}ClN_3OS$=Perphenazin
$C_{21}H_{26}Cl_2N_8$=Vesuvin
$C_{21}H_{26}N_2O$=Fenpipramid
$C_{21}H_{26}N_2O_2$=Iboga-Alkaloide, Vincamin
$C_{21}H_{26}N_2O_2S_2$=Sulforidazin
$C_{21}H_{26}N_2O_3$=Iboga-Alkaloide, Ibogamin, Vincamin, Yohimbin
$C_{21}H_{26}N_2O_7$=Nimodipin
$C_{21}H_{26}N_2S_2$=Thioridazin
$C_{21}H_{26}N_4O_{10}$=Nikkomycine
$C_{21}H_{26}N_5NaO_9S_2$=Mezlocillin
$C_{21}H_{26}O_2$=Gestoden, Mestranol
$C_{21}H_{26}O_3$=Acitretin
$C_{21}H_{26}O_4$=Strobilurine
$C_{21}H_{26}O_5$=Prednison
$C_{21}H_{26}O_7$=Clementeine
$C_{21}H_{27}ClN_2O_2$=Hydroxyzin
$C_{21}H_{27}FO_5$=Fluprednisolon
$C_{21}H_{27}FO_6$=Triamcinolon
$C_{21}H_{27}N$=Pramiverin
$C_{21}H_{27}NO$=Benperidol, Methadon
$C_{21}H_{27}NO_2$=Etafenon
$C_{21}H_{27}NO_3$=Propafenon
$C_{21}H_{27}NO_4$=Benzylisochinolin-Alkaloide, Laudanosin, Nalbuphin
$C_{21}H_{27}N_2O_2^+$=Sarpagin
$C_{21}H_{27}N_3O_2$=Methysergid
$C_{21}H_{27}N_3O_5$=Mepyramin
$C_{21}H_{27}N_3O_6$=Pistillarin
$C_{21}H_{27}N_3O_7S$=Bacampicillin
$C_{21}H_{27}N_5O_4S$=Glipizid
$C_{21}H_{27}N_7O_{14}P_2$=Nicotinamid-Adenin-Dinucleotid
$C_{21}H_{28}ClN_3O_7S$=Bacampicillin
$C_{21}H_{28}N_2O_2$=Ibogamin, Rauwolfia-Alkaloide
$C_{21}H_{28}N_2O_6S$=Thenalidin
$C_{21}H_{28}N_7O_{17}P_3$=Nicotinamid-Adenin-Dinucleotid
$C_{21}H_{28}O_2$=Avarol, Dydrogesteron, Ethisteron, Norgestrel
$C_{21}H_{28}O_3$=Bovichinone
$C_{21}H_{28}O_5$=Aldosteron, Cinerine, Cortison, Prednisolon
$C_{21}H_{29}BrN_2$=Bryozoen-Alkaloide
$C_{21}H_{29}FO_5$=Fludrocortison
$C_{21}H_{29}NO$=Biperiden
$C_{21}H_{29}NO_4S$=Pridinol
$C_{21}H_{29}NO_6$=Ipomoea-Alkaloide
$C_{21}H_{29}N_3O$=Disopyramid
$C_{21}H_{29}N_7O_{14}P_2$=Nicotinamid-Adenin-Dinucleotid
$C_{21}H_{29}Na_2O_8P$=Hydrocortison
$C_{21}H_{30}O_8P$=Prednisolon
$C_{21}H_{30}FN_3O_2$=Pipamperon
$C_{21}H_{30}N_2O_3S$=Trimipramin
$C_{21}H_{30}N_7O_{17}P_3$=Nicotinamid-Adenin-Dinucleotid

$C_{21}H_{30}O_2$=Avarol, Progesteron, Tetrahydrocannabinole, Urushiole
$C_{21}H_{30}O_3$=Cortexon, Hydroxyprogesteron
$C_{21}H_{30}O_4$=Corticosteron, Cortodoxon
$C_{21}H_{30}O_4S$=Tixocortol
$C_{21}H_{30}O_5$=Humulon, Hydrocortison
$C_{21}H_{30}O_6$=Verrucarine
$C_{21}H_{31}N_2$=Bornaprin
$C_{21}H_{31}NO_3$=Rhodamine, Salamander-Alkaloide
$C_{21}H_{31}NO_7$=Monocrotalin
$C_{21}H_{31}N_3O_5$=Lisinopril
$C_{21}H_{31}N_5O_2$=Buspiron
$C_{21}H_{32}N_2O$=Stanozolol
$C_{21}H_{32}N_4O_6$=HC-Toxine
$C_{21}H_{32}N_4O_7$=HC-Toxine
$C_{21}H_{32}N_4O_8S_2$=Pentamidin
$C_{21}H_{32}N_6O_3$=Alfentanil
$C_{21}H_{32}O_2$=Allylestrenol
$C_{21}H_{32}O_2$=Cardol, Pregnenolon, Urushiole
$C_{21}H_{32}O_3$=Alfaxolon, Asterosaponine, Oxymetholon
$C_{21}H_{33}N_3O_5S$=Pivmecillinam
$C_{21}H_{34}BrNO_3$=Oxyphenoniumbromid
$C_{21}H_{34}O$=Ginkgo-Extrakt
$C_{21}H_{34}O_2$=Urushiole
$C_{21}H_{34}O_3$=Asterosaponine
$C_{21}H_{35}NO$=Amorolfin, Preussin
$C_{21}H_{36}$=Pregnan
$C_{21}H_{36}N_2O_5S$=Hexocyclium-methilsulfat
$C_{21}H_{36}N_7O_{16}P_3S$=Coenzym A
$C_{21}H_{36}O_2$=(20S)-5β-Pregnan-3α,20-diol, Urushiole
$C_{21}H_{36}O_3$=(20S)-5β-Pregnan-3α,17,20-triol
$C_{21}H_{38}ClN$=Cetylpyridiniumchlorid
$C_{21}H_{38}O_2$=Erythronolid B
$C_{21}H_{39}N_7O_{12}$=Streptomycin
$C_{21}H_{39}N_7O_{13}$=Reticulin
$C_{21}H_{40}N_8O_6$=Tuftsin
$C_{21}H_{40}O_4$=Glycerinmonooleat, Japanwachs
$C_{21}H_{40}O_5$=Glycerinmonoricinoleat
$C_{21}H_{41}N_5O_7$=Netilmicin
$C_{21}H_{41}N_7O_{12}$=Dihydrostreptomycin
$C_{21}H_{42}O_4$=Glycerinmonostearat
$C_{21}H_{43}N_5O_7$=Gentamicin
$C_{21}H_{44}O$=Fettkohole
$C_{21}H_{45}N_3$=Hexetidin
$C_{21}H_{46}NO_4P$=Miltefosin

$C_{22}H_8Br_2O_2$=Indanthren®-Farbstoffe
$C_{22}H_8Cl_2O_2$=Indanthren®-Farbstoffe
$C_{22}H_{12}N_4Na_4O_{13}S_4$=Ponceau-Farbstoffe
$C_{22}H_{12}N_4Na_4O_{14}S_4$=Sulfonazo III
$C_{22}H_{14}$=Pentacen, Picen
$C_{22}H_{14}N_4O_4$=Lavendamycin
$C_{22}H_{14}N_6Na_2O_9S_2$=Amidoschwarz 10 B, Naphtholschwarz 6 B
$C_{22}H_{16}O_8$=Ethylbiscoumacetat
$C_{22}H_{17}ClFN_3O_4$=Midazolam
$C_{22}H_{17}ClN_2$=Clotrimazol
$C_{22}H_{17}N_3O_5$=Azoxystrobin, Strobilurine
$C_{22}H_{18}Cl_2FNO_3$=Beta-Cyfluthrin, Cyfluthrin
$C_{22}H_{18}I_6N_2O_9$=Iotroxinsäure

$C_{22}H_{18}N_2$=Bifonazol
$C_{22}H_{18}O_4$=o-Kresolphthalein
$C_{22}H_{18}O_8$=Podophyllotoxin
$C_{22}H_{19}Br_2NO_3$=Deltamethrin
$C_{22}H_{19}Br_4NO_3$=Tralomethrin
$C_{22}H_{19}ClO_3$=Atovaquon
$C_{22}H_{19}Cl_2NO_3$=Alpha-Cypermethrin, Cypermethrin
$C_{22}H_{19}NO_4$=Bisacodyl
$C_{22}H_{20}N_2$=3,3′-Dimethylnaphthidin
$C_{22}H_{20}N_4O_8S_2$=Cefsulodin
$C_{22}H_{20}O_{10}$=Graniticin, Vulgamycin
$C_{22}H_{20}O_{13}$=Karminsäure
$C_{22}H_{21}ClN_2O_8$=Meclocyclin
$C_{22}H_{21}ClN_3O_5$=Propaquizafop
$C_{22}H_{22}FN_3O_2$=Droperidol
$C_{22}H_{22}FN_3O_3$=Ketanserin
$C_{22}H_{22}N_2O_8$=Metacyclin
$C_{22}H_{22}N_6O_5S_2$=Cefpirom
$C_{22}H_{22}N_2O_6S_2$=Ceftazidim
$C_{22}H_{22}O_5$=Cyclovalon
$C_{22}H_{22}O_7$=Podophyllotoxin
$C_{22}H_{22}O_8$=Podophyllotoxin
$C_{22}H_{23}ClN_2O$=Loratadin
$C_{22}H_{23}ClN_2O_8$=Chlortetracyclin, Tetracyclin
$C_{22}H_{23}ClN_6O$=Losartan
$C_{22}H_{23}ClO_{12}$=Tuberin
$C_{22}H_{23}F_4NO_2$=Trifluperidol
$C_{22}H_{23}NO_3$=Fenpropathrin
$C_{22}H_{23}NO_4$=Ochotensin, Tylophora-Alkaloide
$C_{22}H_{23}NO_7$=(−)-α-Narcotin
$C_{22}H_{23}N_9$=Pseurotine
$C_{22}H_{23}N_3O_9$=Aurintricarbonsäure-Ammoniumsalz
$C_{22}H_{23}N_5O_2$=Roquefortine
$C_{22}H_{24}ClN_3$=Neufuchsin
$C_{22}H_{24}ClN_3O$=Azelastin
$C_{22}H_{24}ClN_5O_2$=Domperidon
$C_{22}H_{24}FN_3O_2$=Benperidol
$C_{22}H_{24}N_2O_4$=Kopsin
$C_{22}H_{24}N_2O_8$=Doxycyclin, Tetracyclin
$C_{22}H_{24}N_2O_9$=Oxytetracyclin, Tetracyclin
$C_{22}H_{24}O_8$=Lophotoxin
$C_{22}H_{24}O_{11}$=Hesperetin
$C_{22}H_{25}ClN_2OS$=Clopenthixol
$C_{22}H_{25}F_2NO_4$=Nebivolol
$C_{22}H_{25}NO_3$=Pipoxolan
$C_{22}H_{25}NO_4$=Pitofenon
$C_{22}H_{25}NO_6$=Colchicin, β-Lumicolchicin, Rhoeadin-Alkaloide
$C_{22}H_{25}NO_8$=Pseurotine
$C_{22}H_{25}NO_9$=Pseurotine
$C_{22}H_{25}N_3O$=Indoramin
$C_{22}H_{25}N_3O_3$=Fumitremorgene
$C_{22}H_{25}N_5O_2$=Roquefortine
$C_{22}H_{26}BrNO_2$=Clidiniumbromid
$C_{22}H_{26}ClFO_4$=Clobetason
$C_{22}H_{26}F_3N_3OS$=Fluphenazin
$C_{22}H_{26}N_2O_2$=Vinpocetin
$C_{22}H_{26}N_2O_3$=Corynanthe-Alkaloide, Geissoschizin
$C_{22}H_{26}N_2O_4$=Iboga-Alkaloide
$C_{22}H_{26}N_2O_4S$=Diltiazem
$C_{22}H_{26}N_4$=Calycanthin
$C_{22}H_{26}O_3$=Resmethrin
$C_{22}H_{26}O_4$=Seratrodast
$C_{22}H_{26}O_6$=Lignane
$C_{22}H_{26}O_{12}$=Catalpol
$C_{22}H_{27}ClF_2O_5$=Halometason
$C_{22}H_{27}ClN_2O_2$=Lorcainid
$C_{22}H_{27}ClO_3$=Cyproteron
$C_{22}H_{27}FO_5$=Flupredniden
$C_{22}H_{27}F_3O_4$=Fluticason
$C_{22}H_{27}NO_2$=Danazol, Lobelin
$C_{22}H_{27}NO_4$=Corydalis-Alkaloide, Protoberberin-Alkaloide
$C_{22}H_{27}NO_5$=Protopin-Alkaloide
$C_{22}H_{27}NO_6$=Rhoeadin-Alkaloide
$C_{22}H_{27}NO_7$=Tirandamycine
$C_{22}H_{27}NO_8$=Tirandamycine
$C_{22}H_{27}N_3O_2$=Tryprostatine
$C_{22}H_{27}N_7O$=Luciferine
$C_{22}H_{27}N_9O_4$=Stallymycin
$C_{22}H_{28}BrNO_3$=Benziloniumbromid, Pipenzolatbromid
$C_{22}H_{28}ClFO_4$=Clobetasol, Clocortolon
$C_{22}H_{28}ClN_9O_4$=Stallymycin
$C_{22}H_{28}Cl_2O_4$=Mometason
$C_{22}H_{28}FNa_2O_8P$=Betamethason, Dexamethason
$C_{22}H_{28}F_2O_4$=Diflucortolon
$C_{22}H_{28}F_2O_5$=Diflorason, Flumetason
$C_{22}H_{28}N_2O$=Fentanyl
$C_{22}H_{28}N_2O_2$=Tebufenozid
$C_{22}H_{28}N_2O_3$=Corynanthe-Alkaloide, Hirsutin
$C_{22}H_{28}N_2O_3$=Metobenzuron, Rauwolfia-Alkaloide
$C_{22}H_{28}N_4O_6$=Mitoxantron
$C_{22}H_{28}N_4O_{10}$=Lampteroflavin
$C_{22}H_{28}N_6O_3S$=Delavirdin
$C_{22}H_{28}O_3$=Kaliumcanrenoat, Norethisteron
$C_{22}H_{28}O_5$=Crinipelline, Prednyliden
$C_{22}H_{28}O_6$=Quassin(oide)
$C_{22}H_{29}BrN_2O$=Fenpiveriniumbromid
$C_{22}H_{29}ClO_5$=Alclometason, Beclometason
$C_{22}H_{29}FO_4$=Desoximetason, Fluocortolon, Fluorometholon
$C_{22}H_{29}FO_5$=Betamethason, Dexamethason, Parametason
$C_{22}H_{29}F_3O_2$=Flumedroxon
$C_{22}H_{29}KO_4$=Kaliumcanrenoat
$C_{22}H_{29}NO_2$=Dextropropoxyphen, Levopropoxyphen, Lobelia-Alkaloide
$C_{22}H_{29}NO_5$=Stemona-Alkaloide
$C_{22}H_{29}N_3O_6S$=Pivampicillin
$C_{22}H_{29}N_3S_2$=Thiethylperazin
$C_{22}H_{29}N_7O_5$=Puromycin
$C_{22}H_{30}Cl_2N_{10}$=Chlorhexidin
$C_{22}H_{30}N_2$=Aprindin
$C_{22}H_{30}N_2O_2$=Aspidosperma-Alkaloide, Vincamin
$C_{22}H_{30}N_2O_2S$=Sufentanil
$C_{22}H_{30}N_3O_5$=Spirapril
$C_{22}H_{30}N_4O_2S$=Thioproperazin
$C_{22}H_{30}N_4O_4$=Tentoxin
$C_{22}H_{30}N_6O_4S$=Sildenafil
$C_{22}H_{30}N_6O_{13}$=Polyoxine
$C_{22}H_{30}N_{10}O_8$=Acefyllin-Piperazin
$C_{22}H_{30}O$=Desogestrel
$C_{22}H_{30}O_3$=Megestrol, Siccanin
$C_{22}H_{30}O_4$=Kaliumcanrenoat, Tetrahydrocannabinol
$C_{22}H_{30}O_5$=Methylprednisolon
$C_{22}H_{30}O_6$=Megaphon
$C_{22}H_{30}O_8$=Valepotriate
$C_{22}H_{31}NO$=Tolterodin
$C_{22}H_{31}NO_2$=Daphniphyllum-Alkaloide
$C_{22}H_{31}NO_3$=Oxybutynin
$C_{22}H_{31}NO_5$=Stemona-Alkaloide
$C_{22}H_{31}N_3O_5$=Cilazapril
$C_{22}H_{32}Br_2N_4O_4$=Distigminbromid
$C_{22}H_{32}N_2O_2$=Dopexamin
$C_{22}H_{32}N_2O_5$=Benzquinamid
$C_{22}H_{32}N_2O_6$=Hexoprenalin
$C_{22}H_{32}N_4O_5$=Radiosumin
$C_{22}H_{32}O_3$=Anacardsäure, Medryson, Metenolon, Wiedendiole

$C_{22}H_{32}O_4$=Iloprost
$C_{22}H_{32}O_8$=Trichothecene, Valepotriate
$C_{22}H_{33}NO_2$=Salamander-Alkaloide
$C_{22}H_{33}N_3O_3$=Barbexaclon
$C_{22}H_{34}BrNO$=Cicloniumbromid
$C_{22}H_{34}O_2$=Clupanodonsäure, Fettsäuren
$C_{22}H_{34}O_3$=Ginkgo-Extrakt
$C_{22}H_{34}O_5$=Pleuromutilin
$C_{22}H_{34}O_7$=Forskolin
$C_{22}H_{36}N_2O_5S$=Tirofiban
$C_{22}H_{36}O_7$=Andromedotoxin, Grayanotoxine
$C_{22}H_{37}N_5O_5S_2$=Malformine
$C_{22}H_{38}O_4Zn$=10-Undecensäure
$C_{22}H_{38}O_5$=Misoprostol
$C_{22}H_{39}NO_5$=Valilacton
$C_{22}H_{40}BrNO$=Domiphenbromid
$C_{22}H_{40}O_7$=Agaricinsäure
$C_{22}H_{42}O_2$=Erucasäure
$C_{22}H_{42}O_4$=Dioctyladipat, Japanwachs
$C_{22}H_{43}N_5O_{13}$=Amikacin
$C_{22}H_{44}O$=Fettalkohole
$C_{22}H_{44}O_2$=Behensäure, Butylstearat, Fettsäuren
$C_{22}H_{46}O$=Fettalkohole
$C_{22}H_{49}NO_4S$=Mecetronium-etilsulfat
$C_{22}H_{63}N_{13}P_4$=Phosphazen-Base P_4-t-Bu

$C_{23}H_{13}Cl_2Na_3O_9S$=Chromazurol S
$C_{23}H_{15}ClO_3$=Chlorphacinon
$C_{23}H_{15}Na_3O_9S$=Eriochromcyanin R
$C_{23}H_{16}O_3$=Diphacinon
$C_{23}H_{16}O_6$=Embonsäure
$C_{23}H_{16}O_{11}$=Cromoglicinsäure
$C_{23}H_{19}ClF_3NO_3$=Cyhalothrin, Lambda-Cyhalothrin
$C_{23}H_{20}N_2O_3S$=Sulfinpyrazon
$C_{23}H_{20}N_2O_5$=Bentiromid
$C_{23}H_{21}ClN_2O_3$=Loprazolam
$C_{23}H_{21}ClO_3$=Chlorotrianisen
$C_{23}H_{22}ClF_3O_2$=Bifenthrin
$C_{23}H_{22}O_6$=Rotenon, Tephrosin
$C_{23}H_{22}O_7$=Lactucin, Rotenoide, Tephrosin, Zichorien
$C_{23}H_{22}O_8$=Tephrosin
$C_{23}H_{23}IN_2S_2$=Dithiazaniniodid
$C_{23}H_{23}N_3O_2$=Imidazol-Alkaloide
$C_{23}H_{23}N_3O_5$=Topotecan
$C_{23}H_{24}N_4O_9$=Nocardicine
$C_{23}H_{24}O_2$=Endiandrinsäuren
$C_{23}H_{24}O_6$=Cyclofenil
$C_{23}H_{24}O_8$=Wortmannin
$C_{23}H_{25}ClN_2$=Malachitgrün
$C_{23}H_{25}ClO_7$=Malvidinchlorid
$C_{23}H_{25}F_3N_2OS$=Flupentixol
$C_{23}H_{25}N$=Fendilin
$C_{23}H_{25}NO_4$=Tylophora-Alkaloide
$C_{23}H_{25}N_5O_5$=Doxazosin
$C_{23}H_{26}N_2O_4$=Brucin
$C_{23}H_{26}N_2O_5$=Phenothrin
$C_{23}H_{26}O_5$=Monascus purpureus
$C_{23}H_{27}FN_4O_2$=Risperidon
$C_{23}H_{27}N_3O_2$=Hispidin
$C_{23}H_{27}NO_5S$=Pizotifen
$C_{23}H_{27}N_3O$=Prenoxdiazin
$C_{23}H_{27}N_3O_2$=Morazon
$C_{23}H_{27}N_3O_3$=Pheniramin
$C_{23}H_{27}N_3O_7$=Minocyclin
$C_{23}H_{27}N_5O_7S$=Piperacillin
$C_{23}H_{28}ClN_3O_5S$=Thiopropazat
$C_{23}H_{28}ClN_3O_5S$=Glibenclamid
$C_{23}H_{28}F_3NOS$=Homofenazin
$C_{23}H_{28}N_2O_3$=Bopindolol

$C_{23}H_{28}N_2O_5$=Rauwolfia-Alkaloide
$C_{23}H_{28}O_5$=Cristatsäure
$C_{23}H_{28}O_8$=Salbei
$C_{23}H_{29}ClFN_3O_4$=Cisaprid
$C_{23}H_{29}ClO_4$=Chlormadinonacetat
$C_{23}H_{29}NO_3$=Fenbutrazat, Propiverin
$C_{23}H_{29}NO_8$=Phenyltoloxamin
$C_{23}H_{29}N_{12}$=Hygromycine
$C_{23}H_{29}N_3O$=Opipramol
$C_{23}H_{29}N_3O_2$=Oxypertin
$C_{23}H_{29}N_3O_5S$=Tiotixen
$C_{23}H_{30}BrNO_3$=Propanthelinbromid
$C_{23}H_{30}ClN_3O$=Mepacrin
$C_{23}H_{30}N_2O_4$=Pholcodin, Vindolin
$C_{23}H_{30}N_2O_5$=Vindolin
$C_{23}H_{30}N_4O_2$=Pyrazinobutazon
$C_{23}H_{30}N_6O_7$=Polyoxine
$C_{23}H_{30}O_3$=Etretinat
$C_{23}H_{30}O_6$=Citreoviridine, Hydrocortison, Prednisolon
$C_{23}H_{30}O_7$=Xylaral
$C_{23}H_{31}ClN_2O_3$=Etodroxizin
$C_{23}H_{31}ClN_3O_5$=Estramustin
$C_{23}H_{31}IN_2O$=Buzepid metiodid
$C_{23}H_{31}NO_2$=Acetylmethadol
$C_{23}H_{31}NO_6$=Stemona-Alkaloide
$C_{23}H_{31}NO_7$=Mycophenolatmofetil
$C_{23}H_{31}NO_7S$=Bevoniummetilsulfat, Sulproston
$C_{23}H_{32}N_2O_5$=Diafenthiuron
$C_{23}H_{32}N_2O_5$=Ramipril
$C_{23}H_{32}N_4O_5$=Trichostatine
$C_{23}H_{32}N_6O_{13}$=Polyoxine
$C_{23}H_{32}N_6O_{14}$=Polyoxine
$C_{23}H_{32}O_2$=Dimethisteron, Medrogeston
$C_{23}H_{32}O_5$=Strophanthine
$C_{23}H_{32}O_7$=Antiarin, Trichothecene
$C_{23}H_{33}IN_2O$=Isopropamidiodid
$C_{23}H_{34}N_3O_{10}P$=Phosphoramidon
$C_{23}H_{34}O_2$=Urushiole
$C_{23}H_{34}O_4$=Digitalis-Glykoside, Uzarin
$C_{23}H_{34}O_5$=Alfadolon, Compactin, Digitalis-Glykoside
$C_{23}H_{34}O_6$=Corioline
$C_{23}H_{34}O_7$=Corioline
$C_{23}H_{34}O_8$=Strophanthine, Valepotriate
$C_{23}H_{35}NOS$=Curacin
$C_{23}H_{35}NO_2$=Daphniphyllum-Alkaloide
$C_{23}H_{36}N_2O_2$=Finasterid
$C_{23}H_{36}N_4O_5S_2$=Octotiamin
$C_{23}H_{36}N_4O_{10}S_2$=Pentamidin
$C_{23}H_{36}N_6O_5S$=Argatroban
$C_{23}H_{36}O_4$=Mastix
$C_{23}H_{37}NO_4$=Pravastatin, Tylosin
$C_{23}H_{37}NO_5$=Leukotriene
$C_{23}H_{38}N_7O_{17}P_3S$=Acetyl-CoA
$C_{23}H_{38}O_2$=Urushiole
$C_{23}H_{38}O_5$=Gemeprost
$C_{23}H_{39}N_3O_8$=Roseotoxine
$C_{23}H_{39}N_5O_5S_2$=Malformine
$C_{23}H_{40}O_2$=Urushiole
$C_{23}H_{41}N_5O_3$=δ Philanthotoxin
$C_{23}H_{43}N_3O_5$=Perindopril
$C_{23}H_{44}O_2$=Japanwachs
$C_{23}H_{45}N_5O_{14}$=Paromomycin
$C_{23}H_{46}$=Muscalur
$C_{23}H_{46}ClNO_4$=Pahutoxin
$C_{23}H_{46}N_6O_{13}$=Neomycin
$C_{23}H_{48}$=Tricosan

$C_{24}H_8O_6$=Perylen-3,4,9,10-tetracarbonsäure-dianhydrid
$C_{24}H_{12}$=Coronen, Pendletonit

$C_{24}H_{12}O_2$=Indanthren®-Farbstoffe
$C_{24}H_{16}Cl_3N_3O_2$=Permanent-Pigmente
$C_{24}H_{16}N_2$=Bathophenanthrolin
$C_{24}H_{16}N_2O_2$=POPOP
$C_{24}H_{16}O_9$=Hypholomine
$C_{24}H_{16}O_{10}$=Hypholomine
$C_{24}H_{16}O_{12}$=Laccainsäure
$C_{24}H_{17}NO_{11}$=Laccainsäure
$C_{24}H_{19}NO_5$=Diphesatin
$C_{24}H_{20}AsCl$=Tetraphenylarsoniumchlorid
$C_{24}H_{20}BNa$=Natriumtetraphenylborat
$C_{24}H_{20}Cl_2N_2OS$=Fenticonazol
$C_{24}H_{20}I_6N_4O_8$=Iocarminsäure
$C_{24}H_{20}O_{13}$=Leprocyben-Farbstoffe
$C_{24}H_{20}Sn$=Zinn-organische Verbindungen
$C_{24}H_{21}I_6N_5O_8$=Ioxaglinsäure
$C_{24}H_{22}$=1,4-Bis(2-methylstyryl)benzol
$C_{24}H_{22}ClF_3O_3$=Flufenprox
$C_{24}H_{22}Cl_2N_2$=Benzylviologen
$C_{24}H_{22}N_2O$=Butyl-PBD
$C_{24}H_{23}BrF_2O_3$=Fubfenprox
$C_{24}H_{24}O_9$=Lignane
$C_{24}H_{25}FNaO_4$=Fluvastatin
$C_{24}H_{25}FN_6O$=Mizolastin
$C_{24}H_{25}NO_4$=Flavoxat
$C_{24}H_{26}BrN_3O_3$=Nicergolin
$C_{24}H_{26}ClFN_4O$=Sertindol
$C_{24}H_{26}FNO_4$=Fluvastatin
$C_{24}H_{26}N_2O_4$=Carvedilol
$C_{24}H_{26}N_2O_6$=Suxibuzon
$C_{24}H_{26}N_2O_{13}$=Betalaine
$C_{24}H_{26}N_4O_7S$=Imbricatin
$C_{24}H_{26}O_{13}$=Iridin
$C_{24}H_{27}N$=Prenylamin
$C_{24}H_{27}NO_3$=Tylophora-Alkaloide
$C_{24}H_{27}NO_4$=Tylophora-Alkaloide
$C_{24}H_{27}NO_5S$=Troglitazon
$C_{24}H_{27}N_3O_4$=Fenpyroximat
$C_{24}H_{27}N_3O_6$=Physarochrom
$C_{24}H_{28}ClN_5O_3$=Dimenhydrinat
$C_{24}H_{28}N_2O_5$=Benazepril
$C_{24}H_{28}O_4$=Bixin
$C_{24}H_{28}O_{11}$=Catalpol
$C_{24}H_{29}ClN_2O_9$=Amlodipin
$C_{24}H_{29}NO_4$=Ethaverin, Tylophora-Alkaloide
$C_{24}H_{29}N_3O_6$=Methylergometrin
$C_{24}H_{29}N_5O_3$=Valsartan
$C_{24}H_{30}BrNO_4$=Tropenzilin-bromid
$C_{24}H_{30}F_2O_6$=Fluocinolonacetonid
$C_{24}H_{30}N_2O_2$=Doxapram
$C_{24}H_{30}N_2O_4$=Trimipramin
$C_{24}H_{30}N_2O_8$=Mitopodozid
$C_{24}H_{30}O_{11}$=Harpagosid
$C_{24}H_{31}FO_6$=Betamethason, Dexamethason, Flunisolid, Paramethason, Triamcinolon
$C_{24}H_{31}N_3O$=Famprofazon
$C_{24}H_{31}N_3OS$=Butaperazin
$C_{24}H_{32}ClFO_5$=Halcinonid
$C_{24}H_{32}N_2O_2$=Eprazinon
$C_{24}H_{32}O_4$=Megestrol, Scillarenin
$C_{24}H_{32}O_4S$=Spironolacton
$C_{24}H_{32}O_5$=Marinobufagin
$C_{24}H_{32}O_6$=Desonid, Methylprednisolon
$C_{24}H_{33}FO_6$=Fludroxycortid
$C_{24}H_{33}NO_3$=Denaverin, Naftidrofuryl
$C_{24}H_{33}N_3O_2S$=Dixyrazin
$C_{24}H_{33}N_3O_7$=Anthramycin
$C_{24}H_{34}N_2O_5$=Trandolapril
$C_{24}H_{34}N_4O_5S$=Glimepirid
$C_{24}H_{34}O_3$=Rimexolon

$C_{24}H_{34}O_4$=Medroxyprogesteronacetat
$C_{24}H_{34}O_4S_2$=Tiomesteron
$C_{24}H_{34}O_5$=Bufotoxin, Dehydrocholsäure, Macrolactine
$C_{24}H_{34}O_9$=Trichothecene, T-2-Toxin
$C_{24}H_{36}O_3$=Nabilon
$C_{24}H_{36}O_5$=Lovastatin
$C_{24}H_{38}HgO_2$=Quecksilber-organische Verbindungen
$C_{24}H_{38}O_4$=Phthalsäureester
$C_{24}H_{39}NO_3$=Rhodamine, Salamander-Alkaloide
$C_{24}H_{39}NO_5S_4$=Cassain
$C_{24}H_{39}N_9O_7$=Rodaplutin
$C_{24}H_{39}NaO_4$=Natriumdesoxycholat
$C_{24}H_{40}N_2$=Conessin
$C_{24}H_{40}N_8O_4$=Dipyridamol
$C_{24}H_{40}O_3$=Lithocholsäure
$C_{24}H_{40}O_4$=Chenodesoxycholsäure, Desoxycholsäure, Ursodeoxycholsäure
$C_{24}H_{40}O_5$=Cholsäure
$C_{24}H_{41}NO_4$=Erythrophleum-Alkaloide
$C_{24}H_{41}NO_{10}$=Mycalamide
$C_{24}H_{42}$=5β-Cholan
$C_{24}H_{42}O_{21}$=Stachyose, Tetrasaccharide
$C_{24}H_{44}O_5$=Plakorin
$C_{24}H_{46}O_2$=(Z)-15-Tetracosensäure
$C_{24}H_{46}N_4$=Lauroylperoxid
$C_{24}H_{47}NO_7$=Sphingosin
$C_{24}H_{48}O_2$=Fettsäuren, Tetracosansäure
$C_{24}H_{50}$=Tetracosan
$C_{24}H_{54}OSn_2$=Zinn-organische Verbindungen

$C_{25}H_{13}N_3$=Indanthren®-Farbstoffe
$C_{25}H_{17}NO$=PBBO
$C_{25}H_{17}NO_{13}$=Laccainsäure
$C_{25}H_{19}Cl_2N_3O_2$=Permanent-Pigmente
$C_{25}H_{19}Cl_2N_3O_4$=Permanent-Pigmente
$C_{25}H_{20}$=Tetraphenylmethan
$C_{25}H_{20}ClF_2N_3O_3$=Flucycloxuron
$C_{25}H_{21}N_3O_7$=Coelenterazin
$C_{25}H_{22}ClNO_3$=Esfenvalerat, Fenvalerat
$C_{25}H_{22}N_4O_8$=Streptonigrin
$C_{25}H_{22}O_{10}$=Silybin
$C_{25}H_{23}INP$=(Methylphenylamino)triphenylphosphoniumiodid
$C_{25}H_{23}N_5O_6S$=Apalcillin
$C_{25}H_{24}O_{12}$=Cynarin
$C_{25}H_{25}IN_2$=Pinacyanoliodid
$C_{25}H_{25}N_2NaO_7S$=Rhodamine
$C_{25}H_{25}BrN_5O_{13}$=Surugatoxin
$C_{25}H_{26}O_6$=Terprenin
$C_{25}H_{26}O_{10}$=Aquayamycin
$C_{25}H_{26}O_{13}$=Alizarin, Krapp
$C_{25}H_{27}ClN_2$=Meclozin
$C_{25}H_{27}NO_4$=Ancistrocladus-Alkaloide
$C_{25}H_{27}N_9O_8S_2$=Cefoperazon
$C_{25}H_{28}O_3$=Etofenprox
$C_{25}H_{29}FO_2Si$=Silafluofen
$C_{25}H_{29}I_2NO_3$=Amiodaron
$C_{25}H_{29}NO_4$=Ancistrocladus-Alkaloide
$C_{25}H_{29}N_3O_2$=Metergolin
$C_{25}H_{30}ClNO_3$=Trospiumchlorid
$C_{25}H_{30}ClN_3$=Kristallviolett
$C_{25}H_{30}N_4O_8$=Quinapril
$C_{25}H_{30}N_4O_9S_2$=Sultamicillin
$C_{25}H_{30}O_4$=Bixin
$C_{25}H_{30}O_7$=Phyllanthocin

$C_{25}H_{31}FO_8$=Triamcinolon
$C_{25}H_{31}F_3O_5S$=Fluticason
$C_{25}H_{31}NO_6$=Deflazacort
$C_{25}H_{31}N_3O_6$=Mysergid
$C_{25}H_{31}ClN_5O_2$=Nefazodon
$C_{25}H_{32}N_2O_2$=Dextromoramid
$C_{25}H_{32}N_2O_6$=Vindolin
$C_{25}H_{32}O_2$=Quinestrol
$C_{25}H_{32}O_4$=Wistarin
$C_{25}H_{32}O_8$=Kosine, Prednisolon
$C_{25}H_{32}O_{13}$=Oliven
$C_{25}H_{33}N_3O_3S_2$=Myxothiazol
$C_{25}H_{33}NaO_6$=Hydrocortison
$C_{25}H_{34}N_2O_3$=Tiloron
$C_{25}H_{34}N_4O_5S_4$=Tantazole
$C_{25}H_{34}O_4$=Variabilin
$C_{25}H_{34}O_6$=Budesonid
$C_{25}H_{34}O_7$=Hydrocortison
$C_{25}H_{35}NO_5$=Mebeverin
$C_{25}H_{35}NO_9$=Ryanodin
$C_{25}H_{36}O_3$=Ophioboline
$C_{25}H_{36}N_4O_2$=Ophioboline
$C_{25}H_{36}O_5$=Manoalid
$C_{25}H_{36}O_6$=Hydrocortison
$C_{25}H_{37}NO_4$=Salmeterol
$C_{25}H_{37}NO_5$=Retigeransäure
$C_{25}H_{38}O_3$=Ophioboline
$C_{25}H_{38}O_4$=Terpestacin
$C_{25}H_{38}O_5$=Simvastatin
$C_{25}H_{39}NO_5$=Erythrophleum-Alkaloide
$C_{25}H_{39}NO_6$=Erythrophleum-Alkaloide
$C_{25}H_{40}N_2O_6S$=Leukotriene
$C_{25}H_{41}NO_9$=Aconin
$C_{25}H_{42}N_4O_{14}$=Allosamidin
$C_{25}H_{43}NO_{10}$=Mycalamide
$C_{25}H_{43}NO_{18}$=Acarbose
$C_{25}H_{43}N_{13}O_{10}$=Viomycin
$C_{25}H_{44}ClN_3O_2$=Dofamiumchlorid
$C_{25}H_{44}N_{14}O_7$=Capreomycin
$C_{25}H_{44}N_{14}O_8$=Capreomycin
$C_{25}H_{45}NO_9$=Pederin
$C_{25}H_{46}$=Ophioboline
$C_{25}H_{46}ClN$=Cetalkoniumchlorid
$C_{25}H_{48}N_6O_8$=Deferoxamin

$C_{26}H_{12}N_4O_2$=Indanthren®-Farbstoffe
$C_{26}H_{16}$=Helicene
$C_{26}H_{16}Cl_6O_8$=Russupheline
$C_{26}H_{18}O_9$=Hypholomine
$C_{26}H_{18}O_{12}$=Rubromycine
$C_{26}H_{19}NO_{17}$=Laccainsäure
$C_{26}H_{20}N_2$=Bathocuproin
$C_{26}H_{20}N_2O_2$=Dimethyl-POPOP
$C_{26}H_{21}Cl_2NO_4$=Cyclorpothrin
$C_{26}H_{21}F_6NO_5$=Acrinathrin
$C_{26}H_{21}NO_6$=Triacetyldiphenolisatin
$C_{26}H_{21}N_3O_3$=Coelenterazin
$C_{26}H_{21}N_5Na_4O_{19}S_6$=C. I. Reactive Black 5
$C_{26}H_{22}ClF_3N_2O_3$=Fluvalinat
$C_{26}H_{22}O_2$=Pinakole
$C_{26}H_{23}N_3O_4$=Safranine
$C_{26}H_{23}F_2NO_4$=Flucythrinat
$C_{26}H_{25}FO_5$=Fluocortinbutyl
$C_{26}H_{25}F_3N_6O_5$=Trovafloxacin
$C_{26}H_{25}N_3O_6$=Duocarmycine
$C_{26}H_{25}N_3O_9$=Quene 1
$C_{26}H_{25}N_3O_{11}$=Tunichrome
$C_{26}H_{25}N_3O_{13}$=Ommochrome
$C_{26}H_{26}ClN_3O_8$=Duocarmycine
$C_{26}H_{26}F_2N_2$=Flunarizin
$C_{26}H_{26}I_6N_2O_{10}$=Iodoxaminsäure
$C_{26}H_{26}N_2O_6S$=Carindacillin
$C_{26}H_{26}N_4O_4S$=Bentiamin
$C_{26}H_{26}O_6$=Rocaglamid
$C_{26}H_{27}ClN_2O$=Lofepramin
$C_{26}H_{27}NO_9$=Idarubicin
$C_{26}H_{27}N_3O_{10}$=Quin 2

$C_{26}H_{28}ClNO$=Clomifen, Toremifen
$C_{26}H_{28}ClN_3$=Pyrviniumchlorid
$C_{26}H_{28}Cl_2N_4O_4$=Ketoconazol
$C_{26}H_{28}FN_3O_9$=Ketanserin
$C_{26}H_{28}N_2$=Cinnarizin
$C_{26}H_{28}O_{14}$=Apiin
$C_{26}H_{29}FN_2O_2$=Levocabastin
$C_{26}H_{29}F_2N_7$=Almitrin
$C_{26}H_{29}NO$=Tamoxifen
$C_{26}H_{29}NO_4$=Ancistrocladus-Alkaloide
$C_{26}H_{29}N_3O_6$=Nicardipin
$C_{26}H_{30}ClN_5O_3$=Piprinhydrinat
$C_{26}H_{30}Cl_2F_3NO$=Halofantrin
$C_{26}H_{30}O_8$=Limonin
$C_{26}H_{30}O_{11}$=Rubratoxin B
$C_{26}H_{30}O_{13}$=Weinphenole
$C_{26}H_{30}O_{14}$=Weinphenole
$C_{26}H_{31}Cl_2N_5O_2$=Terconazol
$C_{26}H_{31}NO_4$=Ancistrocladus-Alkaloide
$C_{26}H_{32}F_2O_7$=Fluocinonid
$C_{26}H_{32}N_2O_8$=Tritoqualin
$C_{26}H_{32}O_{11}$=Rubratoxin B
$C_{26}H_{33}N_3O_8S$=Perazin
$C_{26}H_{34}O_4$=Tridentochinon
$C_{26}H_{34}O_6$=Strobilurine
$C_{26}H_{35}NO_7$=Naftidrofuryl
$C_{26}H_{36}O_4$=Bovichinone
$C_{26}H_{36}O_6$=Prednisolon
$C_{26}H_{37}N_5O_2$=Cabergolin
$C_{26}H_{38}O_4$=Gestonoron caproat, Lupulon, Oxaboloncipionat
$C_{26}H_{38}O_5S$=Tixocortol
$C_{26}H_{38}O_6$=Hydrocortison, Tyromycin A
$C_{26}H_{38}O_8$=Striatale, Striatine
$C_{26}H_{39}NO_5$=Epothilone
$C_{26}H_{39}NO_{10}$=Pentoxyverin
$C_{26}H_{40}O_4$=Viburnole
$C_{26}H_{40}O_5$=Latanoprost
$C_{26}H_{40}O_7$=Hydrocortison
$C_{26}H_{42}O_4$=Phthalsäureester
$C_{26}H_{42}O_9$=Pseudomon(in)säuren
$C_{26}H_{43}NO_6$=Glykocholsäure
$C_{26}H_{43}NO_7$=Iloprost
$C_{26}H_{44}O_8$=Pseudomon(in)säuren
$C_{26}H_{44}O_9$=Pseudomon(in)säuren
$C_{26}H_{44}O_{10}$=Pseudomon(in)säuren
$C_{26}H_{45}NO_7S$=Taurocholsäure
$C_{26}H_{46}NO_{18}$=Validamycine
$C_{26}H_{50}O_4$=Diisodecyladipat, Sebacinsäureester
$C_{26}H_{52}O_2$=Cerotinsäure, Fettsäuren
$C_{26}N_{29}N_5O_2S_3$=Thiangazol

$C_{27}H_{19}NO$=BBO
$C_{27}H_{20}O_{12}$=Rubromycine
$C_{27}H_{21}Cl_2N_3O_7$=Rebeccamycin
$C_{27}H_{22}Cl_2N_4$=Clofazimin
$C_{27}H_{22}N_2O_{10}S_2$=Emestrin
$C_{27}H_{22}N_2O_{12}S_2$=Emestrin
$C_{27}H_{23}N_5O_4$=Pranlukast
$C_{27}H_{24}O_9$=Lignane
$C_{27}H_{25}N_3NaO_7S_2$=Wollgrün S
$C_{27}H_{28}Br_2O_5S$=Bromthymolblau
$C_{27}H_{29}NO_{10}$=Daunorubicin
$C_{27}H_{29}NO_{11}$=Doxorubicin, Epirubicin
$C_{27}H_{29}N_3NaO_7S_2$=Rhodamine
$C_{27}H_{30}Cl_2O_6$=Mometason
$C_{27}H_{30}N_4O$=Oxatomid
$C_{27}H_{30}O_5S$=Thymolblau
$C_{27}H_{30}O_8$=Daphnetoxin
$C_{27}H_{30}O_{16}$=Rutin
$C_{27}H_{31}ClN_2O$=Chlorbenzoxamin
$C_{27}H_{31}ClO_{15}$=Keracyanin
$C_{27}H_{31}ClO_{16}$=Cyanin, Mohn
$C_{27}H_{31}N_3NaO_6S_2$=Disulfinblau VN 150, Patentblau-Farbstoffe
$C_{27}H_{32}O_8$=Verrucarine

$C_{27}H_{32}O_9$=Verrucarine
$C_{27}H_{32}O_{14}$=Naringin, Weinphenole
$C_{27}H_{33}ClN_2O_2$=Roseophilin
$C_{27}H_{33}N_3O_3$=Marcfortine
$C_{27}H_{33}N_3O_4$=Marcfortine
$C_{27}H_{33}N_3O_5$=Fumitremorgene
$C_{27}H_{33}N_3O_6S$=Gliquidon
$C_{27}H_{33}N_3O_8$=Rolitetracyclin
$C_{27}H_{33}N_9O_{15}P_2$=Flavin-Adenin-Dinucleotid
$C_{27}H_{34}N_2O_6$=Lobelia-Alkaloide
$C_{27}H_{34}N_2O_7$=Moexipril
$C_{27}H_{34}N_2O_9$=Strictosidin
$C_{27}H_{34}N_4O_8$=Piritramid
$C_{27}H_{34}O_8$=Verrucarine
$C_{27}H_{34}O_9$=Verrucarine
$C_{27}H_{35}BrClN_3$=Methylgrün
$C_{27}H_{35}N_5O_6$=Tuberin
$C_{27}H_{35}N_5O_7S$=Enkephaline
$C_{27}H_{36}N_2O_4$=Repaglinid
$C_{27}H_{36}N_2O_6$=Prednicarbat
$C_{27}H_{37}FO_6$=Betamethason
$C_{27}H_{38}N_2O_4$=Verapamil
$C_{27}H_{38}N_2O_8$=Prajmaliumbitartrat
$C_{27}H_{38}O_3$=Norethisteron
$C_{27}H_{39}NO_2$=Veratrum-Steroidalkaloide
$C_{27}H_{39}NO_3$=Jervin
$C_{27}H_{39}N_3O_2$=Teleocidine
$C_{27}H_{40}O_3$=Calcipotriol
$C_{27}H_{40}O_4$=Ruscus
$C_{27}H_{40}O_8$=Sordarin
$C_{27}H_{41}NO_2$=Jervin, Veratrum-Steroidalkaloide
$C_{27}H_{41}NO_6S$=Epothilone
$C_{27}H_{42}ClNO_2$=Benzethoniumchlorid
$C_{27}H_{42}FeN_9O_{12}$=Ferrichrome
$C_{27}H_{42}O_3$=Diosgenin, Metenolon, Steroid-Sapogenine
$C_{27}H_{42}O_4$=Hecogenin, Ruscus, Steroid-Sapogenine
$C_{27}H_{43}NO$=Solanum-Steroidalkaloide, Veratrum-Steroidalkaloide
$C_{27}H_{43}NO_2$=Solanum-Steroidalkaloide, Veratrum-Steroidalkaloide
$C_{27}H_{43}NO_3$=Solanum-Steroidalkaloide
$C_{27}H_{43}NO_8$=Veratrum-Steroidalkaloide
$C_{27}H_{44}N_2O_8$=Bengazole
$C_{27}H_{44}N_4O_6$=Glidobactine
$C_{27}H_{44}O$=Calciferole, 7-Dehydrocholesterin, Tachysterine
$C_{27}H_{44}O_2$=Alfacalcidol, Calcifediol, Spirostan
$C_{27}H_{44}O_3$=Calciferole, Steroid-Sapogenine, Tacalcitol
$C_{27}H_{44}O_5$=Steroid-Sapogenine
$C_{27}H_{44}O_6$=Ecdyson
$C_{27}H_{44}O_7$=Inokosteron
$C_{27}H_{45}NO$=Demissidin, Solanum-Steroidalkaloide
$C_{27}H_{45}NO_2$=Solanum-Steroidalkaloide
$C_{27}H_{45}NO_3$=Solanum-Steroidalkaloide
$C_{27}H_{46}N_2O$=Solanum-Steroidalkaloide
$C_{27}H_{46}N_2O_2$=Solanum-Steroidalkaloide
$C_{27}H_{46}O$=Cholesterin
$C_{27}H_{46}O_2$=Tocopherole
$C_{27}H_{48}$=Cholestan
$C_{27}H_{58}N_2O_3$=Olaflur
$C_{28}H_{12}N_2O_2$=Indanthren®-Farbstoffe
$C_{28}H_{14}Cl_2N_2O_4$=Indanthren®-Farbstoffe

$C_{28}H_{14}N_2O_4$=Indanthren®-Farbstoffe
$C_{28}H_{15}NO_4$=1,1′-Dianthrimid
$C_{28}H_{18}O_4$=α-Naphtholphthalein
$C_{28}H_{20}N_4O_6S_4$=Chloramingelb, Substantive Farbstoffe
$C_{28}H_{22}N_4O_6$=Lucigenin
$C_{28}H_{22}O_{10}$=Maduramicin α
$C_{28}H_{23}N_5Na_2O_6S_4$=Titangelb
$C_{28}H_{24}O_4$=Riccardine
$C_{28}H_{26}N_2O_{10}$=Balanol
$C_{28}H_{26}N_2O_3$=Staurosporin
$C_{28}H_{27}NO_4S$=Raloxifen
$C_{28}H_{28}N_2O_2$=Difenoxin
$C_{28}H_{28}P_2$=Phosphane
$C_{28}H_{29}F_2N_3O$=Pimozid
$C_{28}H_{29}NO_4$=Bepheniumhydroxynaphthoat
$C_{28}H_{30}O_4$=Thymolphthalein
$C_{28}H_{30}O_{12}$=Granaticin
$C_{28}H_{31}ClN_2O_3$=Rhodamine, Rhoeadin-Alkaloide
$C_{28}H_{31}FN_4O$=Astemizol
$C_{28}H_{31}N_3O_8$=Saframycine
$C_{28}H_{31}N_3O_9$=Saframycine
$C_{28}H_{32}FNO_6$=Dexamethason
$C_{28}H_{32}O_{13}$=Podophyllotoxin
$C_{28}H_{32}O_{15}$=Diosmin
$C_{28}H_{33}ClN_2$=Buclizin
$C_{28}H_{33}ClO_{16}$=Päoninchlorid
$C_{28}H_{33}N_2NaO_7S_2$=Rhoeadin-Alkaloide
$C_{28}H_{34}O_{15}$=Hesperetin
$C_{28}H_{35}FO_7$=Amcinonid
$C_{28}H_{35}NO_5$=Zygosporine
$C_{28}H_{35}N_3O_4$=Marcfortine
$C_{28}H_{35}N_3O_5$=Marcfortine
$C_{28}H_{35}N_3O_7$=Virginiamycine
$C_{28}H_{36}N_2O_4$=Ipecacuanha
$C_{28}H_{36}N_2O_6$=Sarcodictyine
$C_{28}H_{36}N_4O_6$=Ephedrin
$C_{28}H_{36}O_{11}$=Bruceanin
$C_{28}H_{36}O_{15}$=Neohesperidin-Dihydrochalkon
$C_{28}H_{37}ClN_2O_8$=Maytansinoide
$C_{28}H_{37}FO_7$=Betamethason, Dexamethason
$C_{28}H_{37}N_5O_7$=Enkephaline
$C_{28}H_{38}N_2O_4$=Emetin, Ipecacuanha
$C_{28}H_{38}O_6$=Withanolide
$C_{28}H_{38}O_7$=Bongkreksäure, Withanolide
$C_{28}H_{39}FO_6$=Dexamethason
$C_{28}H_{39}NO_6$=Prednyliden
$C_{28}H_{40}N_2O_5$=Gallopamil
$C_{28}H_{40}N_2O_9$=Antimycin A$_1$
$C_{28}H_{40}O_4$=Suillin
$C_{28}H_{40}O_8$=Striatale, Striatine, Taxane
$C_{28}H_{40}O_9$=Striatale, Striatine
$C_{28}H_{41}FNO_6$=Dexamethason
$C_{28}H_{41}NO$=U 106305
$C_{28}H_{41}N_3O_2$=Teleocidine
$C_{28}H_{41}N_3O_3$=Oxetacain, Tiropramid
$C_{28}H_{42}Cl_4N_4O_2$=Ambenoniumchlorid
$C_{28}H_{42}O_2$=Tocopherole
$C_{28}H_{43}NO_6$=Borrelidin
$C_{28}H_{44}ClNO_2$=Methylbenzethoniumchlorid
$C_{28}H_{44}O$=Calciferole, Ergosterin, Suprasterine, Tachysterine
$C_{28}H_{44}O_3$=Nandrolon
$C_{28}H_{45}N_3O_5$=Majusculamide
$C_{28}H_{45}N_3O_8$=Bengazole
$C_{28}H_{46}O$=Dihydrotachysterol
$C_{28}H_{46}O_7$=Phthalsäureester
$C_{28}H_{47}NO_4S$=Tiamulin
$C_{28}H_{47}NO_8$=Picromycin
$C_{28}H_{48}O_2$=Tocopherole

$C_{28}H_{48}O_6$=Brassinosteroide
$C_{28}H_{50}N_2O_2$=Xestospongine
$C_{28}H_{50}N_2O_4$=Carpain
$C_{28}H_{56}O_2$=Montansäure
$C_{28}H_{59}N_3O$=Solanaceen

$C_{29}H_{14}N_2O_5$=Indanthren®-Farbstoffe
$C_{29}H_{26}O_4$=Riccardine
$C_{29}H_{29}N_3O_4S$=Saframycine
$C_{29}H_{30}O_{13}$=Amarogentin
$C_{29}H_{31}F_2N_3O$=Fluspirilen
$C_{29}H_{31}NO_7$=Rocaglamid
$C_{29}H_{32}ClN_3$=Viktoriablau
$C_{29}H_{32}O_{13}$=Etoposid
$C_{29}H_{33}ClN_2O_2$=Loperamid
$C_{29}H_{33}FO_6$=Betamethason
$C_{29}H_{33}N_5O_7$=Saframycine
$C_{29}H_{34}O_4$=Mulberrofurane
$C_{29}H_{34}O_6$=Tribenosid
$C_{29}H_{34}O_{10}$=Satratoxine
$C_{29}H_{35}ClO_{17}$=Malvidinchlorid
$C_{29}H_{35}NO_2$=Mifepriston
$C_{29}H_{35}NO_5$=Cytochalasine
$C_{29}H_{36}N_2O_4$=Ipecacuanha
$C_{29}H_{36}N_5O_{18}P$=Coenzym F$_{420}$
$C_{29}H_{36}O_8$=Roridine
$C_{29}H_{36}O_9$=Roridine, Satratoxine
$C_{29}H_{36}O_{10}$=Satratoxine
$C_{29}H_{37}NO_5$=Cytochalasine
$C_{29}H_{37}NO_{12}$=Agarofurane
$C_{29}H_{37}NO_{13}$=Agarofurane
$C_{29}H_{37}N_5O_5$=Calcimycin
$C_{29}H_{38}ClFO_8$=Formocortal
$C_{29}H_{38}FN_3O_3$=Mibefradil
$C_{29}H_{38}N_2O_4$=Ipecacuanha
$C_{29}H_{38}N_4O_9$=Saframycine
$C_{29}H_{38}O_8$=Roridine
$C_{29}H_{38}O_9$=Roridine
$C_{29}H_{39}N_3O_9$=Geldanamycin
$C_{29}H_{40}N_2O_4$=Emetin
$C_{29}H_{40}N_8O_6S_2$=Dolastatine
$C_{29}H_{40}O_4$=Viburnole
$C_{29}H_{41}NO_4$=Buprenorphin
$C_{29}H_{42}O_{10}$=Convallatoxin
$C_{29}H_{42}O_{11}$=Antiarin
$C_{29}H_{43}N_3O_2$=Teleocidine
$C_{29}H_{44}O_2$=Tocopherole
$C_{29}H_{44}O_8$=Soraphene
$C_{29}H_{44}O_{10}$=Maiglöckchen
$C_{29}H_{44}O_{12}$=Strophanthine
$C_{29}H_{46}O$=Calysterole
$C_{29}H_{46}O_4$=Betulinsäure, Viburnole
$C_{29}H_{47}NO_6$=Erythrophleum-Alkaloide
$C_{29}H_{48}O$=Stigmasterin
$C_{29}H_{49}NO_5$=Lipstatin
$C_{29}H_{50}O$=β-Sitosterin
$C_{29}H_{50}O_2$=Tocopherole
$C_{29}H_{50}O_3$=Tocopherole
$C_{29}H_{51}N_3O_8$=Fusafungin
$C_{29}H_{52}O_2$=Tocopherole
$C_{29}H_{53}NO_5$=Lipstatin, Orlistat
$C_{29}H_{58}O_4$=Ubichinone
$C_{29}H_{74}O_4$=Ubichinone

$C_{30}H_{14}N_4O_4$=Necatoron
$C_{30}H_{14}N_4O_6$=Necatoron
$C_{30}H_{14}O_2$=Indanthren®-Farbstoffe
$C_{30}H_{15}FeN_3Na_3O_{15}S_3$=Naphthol-Farbstoffe
$C_{30}H_{16}O_8$=Hypericin
$C_{30}H_{17}NO_3$=Indanthren®-Farbstoffe
$C_{30}H_{18}$=Helicene
$C_{30}H_{18}FeN_3NaO_6$=Oralithgrün B
$C_{30}H_{18}O_{10}$=Skyrin
$C_{30}H_{19}N_9O_9$=Dynemicine
$C_{30}H_{21}N_9O_9$=Fredericamycin A
$C_{30}H_{22}O_{10}$=Rugulosin
$C_{30}H_{23}BrO_4$=Bromadiolon

$C_{30}H_{24}N_2Na_2O_{13}$=Calcein
$C_{30}H_{24}N_4O_{10}$=Nicofuranose
$C_{30}H_{24}O_{10}$=Elsinochrome
$C_{30}H_{26}O_{10}$=Elsinochrome, Flavomannine, Leucomentine
$C_{30}H_{26}O_{12}$=Hemlockrinde
$C_{30}H_{26}O_{14}$=Ergochrome
$C_{30}H_{28}O_5$=Rottlerin
$C_{30}H_{30}EuF_{21}O_6$=Eu(fod)$_3$
$C_{30}H_{30}F_{21}O_6Pr$=Pr(fod)$_3$
$C_{30}H_{30}O_5$=Gossypol
$C_{30}H_{31}ClN_4O_7S$=Permanent-Pigmente
$C_{30}H_{31}ClN_2$=Janusgrün B
$C_{30}H_{31}NO_5$=Viridicatumtoxin
$C_{30}H_{32}N_2O_2$=Diphenoxylat
$C_{30}H_{34}BrNO_3$=Xenytropiumbromid
$C_{30}H_{34}BrN_5O_{15}$=Surugatoxin
$C_{30}H_{34}N_2O_7$=Manumycine
$C_{30}H_{34}O_4$=Picrotoxin
$C_{30}H_{35}F_2N_3O$=Lidoflazin
$C_{30}H_{35}NO_8$=Ipomoea-Alkaloide
$C_{30}H_{36}O_9$=Nimbaum
$C_{30}H_{37}ClO_{17}$=Hirsutin
$C_{30}H_{37}NO_5$=Zygosporine
$C_{30}H_{37}N_5O_5$=Ergot-Alkaloide
$C_{30}H_{37}O_{17}$=Hirsutin
$C_{30}H_{39}ClN_2O_9$=Maytansinoide
$C_{30}H_{40}Cl_2N_4$=Dequaliniumchlorid
$C_{30}H_{40}O$=Apocarotinal
$C_{30}H_{40}O_6$=Absinthin
$C_{30}H_{41}FO_7$=Triamcinolon
$C_{30}H_{42}N_2O_9$=Herbimycin
$C_{30}H_{42}N_2O_{15}S_2$=Glucosinolate
$C_{30}H_{42}O_8$=Proscillaridin
$C_{30}H_{44}N_2O_9S_2$=Thiomarinole
$C_{30}H_{44}N_2O_{10}$=Hexobendin
$C_{30}H_{44}O_5$=Holothurine
$C_{30}H_{44}O_6$=Viburnole
$C_{30}H_{44}O_7$=Ganoderma
$C_{30}H_{44}O_9$=Strophanthine
$C_{30}H_{45}N_6O_{16}P$=Tetrahydromethanopterin
$C_{30}H_{46}NO_7P$=Fosinopril
$C_{30}H_{46}O_4$=Glycyrrhetinsäure, Holothurine, Melianol
$C_{30}H_{46}O_5$=Quillajasaponin
$C_{30}H_{46}O_6$=Medicagensäure
$C_{30}H_{47}NO_4$=Daphniphyllum-Alkaloide
$C_{30}H_{47}N_3O_9S$=Leukotriene
$C_{30}H_{48}$=Oleanan
$C_{30}H_{48}N_8O_8$=Proctolin
$C_{30}H_{48}O_3$=Betulinsäure, Oleanolsäure, Olibanum, Ursolsäure
$C_{30}H_{48}O_4$=α-Hederin, Melianol, Siaresinolsäure
$C_{30}H_{49}N_5O_7$=Roseotoxine
$C_{30}H_{49}N_9O_9$=Thymopentin
$C_{30}H_{50}$=Dammarene, Oleanan, Squalen
$C_{30}H_{50}N_2O_2$=Petrosin
$C_{30}H_{50}O$=Amyrine, Cycloartenol, Friedelin, Lanosterin, Lupeol, Triterpene
$C_{30}H_{50}O_2$=Betulin, Holothurine, Inotodiol, Oleanan, Triterpene
$C_{30}H_{50}O_3$=Oleanan
$C_{30}H_{50}O_4$=Oleanan
$C_{30}H_{50}O_5$=Melianol, Oleanan
$C_{30}H_{50}O_6$=Gymnemasäure(n), Oleanan
$C_{30}H_{52}$=Hopane, Oleanan, Ursan
$C_{30}H_{52}O$=Ambrein
$C_{30}H_{52}O_2$=Dammarene, Friedelan(e)
$C_{30}H_{52}O_5$=Ginseng
$C_{30}H_{53}BrO_7$=Thyrsiferol
$C_{30}H_{53}NO_{11}$=Benzonatat
$C_{30}H_{54}$=Lanostan

$C_{30}H_{58}O_4$=Schachtelhalme
$C_{30}H_{60}I_3N_3O_3$=Gallamintriethiodid
$C_{30}H_{60}O$=1-Triacontanol
$C_{30}H_{60}O_2$=Fettsäuren, Triacontansäure
$C_{30}H_{62}$=Squalan
$C_{30}H_{62}O$=1-Triacontanol
$C_{31}H_{20}O_{13}$=Myxomyceten-Farbstoffe
$C_{31}H_{23}BrO_2S$=Difethialon
$C_{31}H_{23}BrO_3$=Brodifacoum
$C_{31}H_{24}O_3$=Difenacoum
$C_{31}H_{28}N_2Na_4O_{13}S$=Xylenolorange
$C_{31}H_{28}O_{14}$=Ergochrome
$C_{31}H_{28}P_2$=Phosphane
$C_{31}H_{29}N_5O_4$=Aspericlin
$C_{31}H_{33}F_3N_2O_5S$=Tipranavir
$C_{31}H_{33}N_3O_6S$=Zafirlukast
$C_{31}H_{34}BrNO_4$=Fentoniumbromid
$C_{31}H_{34}N_2O_7$=Manumycine
$C_{31}H_{34}N_4O_4$=Bonellin
$C_{31}H_{36}N_2O_{11}$=Novobiocin
$C_{31}H_{38}N_2O_7$=Manumycine
$C_{31}H_{39}N_5O_5$=Ergot-Alkaloide
$C_{31}H_{40}N_4O_7$=Piritramid
$C_{31}H_{40}O_{11}$=Taxuspine
$C_{31}H_{41}ClFNO_3$=Haloperidol
$C_{31}H_{41}N_5O_5$=Dihydroergocornin
$C_{31}H_{42}O_2N_6$=Batrachotoxin
$C_{31}H_{42}O_{10}$=Milbemycine
$C_{31}H_{44}N_2O_{10}$=Dilazep
$C_{31}H_{44}O_7$=Milbemectin
$C_{31}H_{44}O_8$=Meproscillarin
$C_{31}H_{46}O_2$=2-Methyl-1,4-naphthochinone
$C_{31}H_{48}O_2S_2$=Probucol
$C_{31}H_{48}O_4$=Abietospiran
$C_{31}H_{48}O_6$=Fusidinsäure
$C_{31}H_{62}O$=Schaben
$C_{31}H_{62}O_2$=Schaben, Triacontansäure
$C_{31}H_{64}$=Esparto-Wachs
$C_{31}H_{64}O$=1-Hentriacontanol
$C_{32}H_{18}N_8$=Phthalocyanin
$C_{32}H_{22}N_6Na_2O_6S_2$=Kongorot
$C_{32}H_{24}Cl_2N_8O_2$=Permanent-Pigmente
$C_{32}H_{25}N_3Na_2O_9S_3$=Wasserblau
$C_{32}H_{28}N_2Na_2O_8S_2$=Acid Blue 80
$C_{32}H_{28}O_9$=Rufoolivacine
$C_{32}H_{30}O_{10}$=Flavomannine, Phlegmacine
$C_{32}H_{30}O_{14}$=Ergochrome
$C_{32}H_{32}N_2O_7$=Variabilin
$C_{32}H_{32}N_2O_{12}$=Metallphthalein
$C_{32}H_{32}N_4NiO_4$=Tunichlorin
$C_{32}H_{32}O_{13}S$=Teniposid
$C_{32}H_{32}O_{14}$=Chartreusin
$C_{32}H_{37}NO_8$=Tamoxifen
$C_{32}H_{38}N_2O_6$=Naproxen
$C_{32}H_{38}N_2O_6$=Deserpidin
$C_{32}H_{38}N_4$=Etioporphyrine
$C_{32}H_{39}NO_4$=Aflatrem, Paspalitrem
$C_{32}H_{39}NO_7$=Zygosporine
$C_{32}H_{40}BrN_5O_5$=Bromocriptin
$C_{32}H_{40}O_{11}$=Azadirachtin(e)
$C_{32}H_{40}N_2O_7$=Terfenadin
$C_{32}H_{41}N_3O_7$=Fumitremorgene
$C_{32}H_{41}N_5O_5$=Ergot-Alkaloide
$C_{32}H_{42}N_4O_{14}S_3$=Sultamicillin
$C_{32}H_{42}N_8O_6S_4$=Ulicyclamid
$C_{32}H_{43}ClN_2O_9$=Maytansinoide
$C_{32}H_{43}N_5O_5$=Dihydroergocryptin
$C_{32}H_{44}I_6N_4O_{17}$=Ioglycaminsäure
$C_{32}H_{44}O_8$=Cucurbitacine
$C_{32}H_{44}O_{12}$=Scillirosid
$C_{32}H_{45}FO_7$=Betamethason
$C_{32}H_{45}N_3O_4S$=Nelfinavir

$C_{32}H_{46}O_7$=Milbemectin
$C_{32}H_{46}O_8$=Cucurbitacine
$C_{32}H_{48}O_4$=Mastix
$C_{32}H_{48}O_9$=Oleandrin
$C_{32}H_{49}N_3O_5$=Daphniphyllum-Alkaloide
$C_{32}H_{49}NO_9$=Veratrum-Steroidalkaloide
$C_{32}H_{51}NO_8S$=Tiamulin
$C_{32}H_{52}Br_2N_4O_4$=Demecariumbromid
$C_{32}H_{53}BrN_2O_4$=Rocuroniumbromid
$C_{32}H_{55}BrO_2$=Thyrsiferol
$C_{32}H_{68}Sn$=Zinn-organische Verbindungen
$C_{32}H_{41}N_5O_5$=Ergot-Alkaloide
$C_{33}H_{24}Hg_2O_6S_2$=Hydrargaphen
$C_{33}H_{25}F_3O_4$=Flocoumafen
$C_{33}H_{30}N_4O_2$=Telmisartan
$C_{33}H_{32}ClN_3$=Viktoriablau
$C_{33}H_{34}N_4O_6$=Biliverdin
$C_{33}H_{35}FN_2O_5$=Atorvastatin
$C_{33}H_{35}N_5O_5$=Ergot-Alkaloide
$C_{33}H_{36}N_4O_6$=Bilirubin
$C_{33}H_{37}N_5O_{12}$=Dihydroergotamin
$C_{33}H_{38}N_4O_6$=Irinotecan
$C_{33}H_{39}N_7O_5S_2$=Ulicyclamid
$C_{33}H_{40}N_2O_9$=Reserpin
$C_{33}H_{40}N_4O_6$=Mesobilirubin
$C_{33}H_{40}O_{19}$=Robinin
$C_{33}H_{41}ClN_4O_4$=Clofezon
$C_{33}H_{41}NO_{17}$=Ethoxazorutosid
$C_{33}H_{42}N_4O_6$=Urobilin
$C_{33}H_{42}O_{19}$=Troxerutin
$C_{33}H_{44}N_4O_6$=Urobilin
$C_{33}H_{44}O$=Citranaxanthin
$C_{33}H_{45}ClN_2O_9$=Maytansinoide
$C_{33}H_{45}NO_8$=Taxane
$C_{33}H_{45}N_9O_9$=Delphinin
$C_{33}H_{46}N_4O_6$=Stercobilin
$C_{33}H_{47}NO_{13}$=Natamycin
$C_{33}H_{48}N_4O_6$=Stercobilinogen
$C_{33}H_{48}O_7$=Milbemycine
$C_{33}H_{49}NO_7$=Veratrum-Steroidalkaloide
$C_{33}H_{49}NO_8$=Jervin
$C_{33}H_{49}N_3O_7S_2$=Nelfinavir
$C_{33}H_{50}O_{10}$=Tautomycin
$C_{33}H_{51}NO_7$=Jervin
$C_{33}H_{52}O_7$=Lactaviolin
$C_{33}H_{54}N_{12}O_{15}$=Thymulin
$C_{33}H_{54}O_4$=O-Stearoylvelutinal
$C_{33}H_{55}NO_8$=Discodermolid
$C_{33}H_{56}O_4$=O-Stearoylvelutinal
$C_{33}H_{57}EuO_6$=Eu(DPM)$_3$
$C_{33}H_{57}NO_8$=Solanum-Steroidalkaloidglykoside
$C_{33}H_{57}N_3O_9$=Enniatine
$C_{33}H_{57}O_6Pr$=Pr(DPM)$_3$
$C_{33}H_{60}O_7$=Zincophorin
$C_{34}H_{16}O_2$=Indanthren®-Farbstoffe
$C_{34}H_{18}CaCl_2N_4Na_2O_{12}S_2$=Permanent-Pigmente
$C_{34}H_{22}Cl_2N_4O_2$=Carbazolviolett
$C_{34}H_{22}N_8Na_2O_{10}S_2$=Diamingrün B
$C_{34}H_{22}N_6Na_4O_{14}S_4$=Evans Blau
$C_{34}H_{24}O_{10}$=Stentorin
$C_{34}H_{26}N_2O_6S$=Echtsäureviolett AAR
$C_{34}H_{24}N_6Na_2O_6S_2$=Benzopurpurin 4 B
$C_{34}H_{26}O_8$=Mulberrofurane
$C_{34}H_{27}Br_5N_4O_8$=Bastadine
$C_{34}H_{32}ClFeN_4O_4$=Hämin
$C_{34}H_{32}FeN_4O_4$=Häm
$C_{34}H_{33}FeN_4O_5$=Hämatin
$C_{34}H_{34}ClN_3$=Viktoriablau

$C_{34}H_{34}N_4O_4$=Protoporphyrine, Protoporphyrin IX
$C_{34}H_{35}N_3O_{10}$=Zorubicin
$C_{34}H_{37}N_5O_5$=Ergot-Alkaloide
$C_{34}H_{38}N_4O_6$=Hämatoporphyrin
$C_{34}H_{40}O_{12}$=Filixsäuren
$C_{34}H_{42}N_2O_6$=Truxillsäuren u. Truxinsäuren
$C_{34}H_{44}N_4O_{15}$=Methanofuran
$C_{34}H_{44}O_{12}$=Meliatoxine
$C_{34}H_{46}ClN_3O_{10}$=Maytansinoide
$C_{34}H_{47}NO_9$=Indaconitin
$C_{34}H_{47}NO_{10}$=Indaconitin
$C_{34}H_{47}NO_{11}$=Aconitin
$C_{34}H_{50}N_4O_6S$=Dalfopristin
$C_{34}H_{50}O_7$=Carbenoxolon
$C_{34}H_{50}O_{12}$=Thapsigargin
$C_{34}H_{52}O_7$=Milbemycine
$C_{34}H_{54}O_8$=Lasalocide
$C_{34}H_{57}BrN_2O_4$=Vecuroniumbromid
$C_{34}H_{60}N_4O_2$=Rhapsamin
$C_{34}H_{63}N_5O_9$=Pepstatin A
$C_{34}H_{65}N_3O_5S$=Squalamin
$C_{35}H_{30}MgN_4O_5$=Chlorophyll(e)
$C_{35}H_{33}NO_{12}$=Neocarzinostatin A
$C_{35}H_{34}N_2O_5$=Bisbenzylisochinolin-Alkaloide
$C_{35}H_{36}BF_4P_2Rh$=Phosphane
$C_{35}H_{36}ClNO_3S$=Montelukast
$C_{35}H_{38}Cl_2N_8O_4$=Itraconazol
$C_{35}H_{39}N_5O_5$=Ergot-Alkaloide
$C_{35}H_{40}N_8O_6S_4$=Ulicyclamid
$C_{35}H_{41}N_5O_5$=Dihydroergocristin
$C_{35}H_{42}N_2O_9$=Rescinnamin
$C_{35}H_{42}N_2O_{11}$=Syrosingopin
$C_{35}H_{42}O_{10}$=Taxuspine
$C_{35}H_{42}O_{12}$=Filixsäuren
$C_{35}H_{44}I_6N_6O_{15}$=Iodixanol
$C_{35}H_{44}O_{16}$=Azadirachtin(e)
$C_{35}H_{45}Cl_2NO_6$=Prednimustin
$C_{35}H_{46}N_4O_{13}$=Piritramid
$C_{35}H_{46}O_{11}$=Trichothecene
$C_{35}H_{46}O_{12}$=Meliatoxine
$C_{35}H_{46}O_{14}$=Saragossasäuren
$C_{35}H_{46}O_{20}$=Echinacosid
$C_{35}H_{47}NO_9$=Rhizoxin
$C_{35}H_{47}NO_{10}$=Taxane
$C_{35}H_{48}N_8O_9S$=Phallotoxine
$C_{35}H_{48}N_8O_{10}S$=Phallotoxine
$C_{35}H_{48}N_8O_{11}S$=Phalloidin, Phallotoxine
$C_{35}H_{48}N_8O_{12}S$=Phallotoxine
$C_{35}H_{50}N_8O_6S_2$=Patellamide
$C_{35}H_{52}Cl_2O_6$=Nostocyclophane
$C_{35}H_{52}O_{15}$=Cheirotoxin, Convallatoxin
$C_{35}H_{53}FeN_6O_{13}$=Sideramine
$C_{35}H_{53}Na_3O_{12}$=Tetronasin
$C_{35}H_{54}O_8$=Tetronasin
$C_{35}H_{54}O_{14}$=Uzarin
$C_{35}H_{55}N_9O_{11}$=Diacetylsplenopentin
$C_{35}H_{56}O_4$=Mastix
$C_{35}H_{56}O_8$=Lasalocide
$C_{35}H_{56}O_{14}$=Digitalis-Glykoside
$C_{35}H_{58}O_9$=Filipin
$C_{35}H_{58}O_{10}$=Filipin
$C_{35}H_{58}O_{11}$=Filipin
$C_{35}H_{60}Br_2N_2O_4$=Pancuroniumbromid
$C_{35}H_{60}O_{11}$=Monensin
$C_{35}H_{61}NO_{12}$=Oleandomycin
$C_{35}H_{62}N_4O_4$=Hopanoide
$C_{35}H_{70}O$=Stearon
$C_{36}H_{18}O_{16}$=Badione
$C_{36}H_{18}O_{16}$=Badione
$C_{36}H_{20}O_4$=Indanthren®-Farbstoffe
$C_{36}H_{24}FeN_6$=Ferroin
$C_{36}H_{32}O_{12}$=Leucomentine

$C_{36}H_{34}Cl_2N_6O_2$=Vulkanechtgelb
$C_{36}H_{38}N_4O_8$=Koproporphyrine
$C_{36}H_{43}NO_{17}$=Pfaffenhütchen
$C_{36}H_{44}N_4O$=Manzamin
$C_{36}H_{44}O_{12}$=Filixsäuren
$C_{36}H_{45}BrN_4O_6$=Jaspamid
$C_{36}H_{45}NO_7$=Salmeterol
$C_{36}H_{45}N_9O_8$=Theonellamide
$C_{36}H_{46}N_4O_7$=Chondramide
$C_{36}H_{47}N_5O_4$=Indinavir
$C_{36}H_{51}NO_{11}$=Veratrum-Steroidalkaloide
$C_{36}H_{52}N_8O_{14}S$=Virotoxine
$C_{36}H_{52}N_8O_{15}S$=Virotoxine
$C_{36}H_{54}Cl_2O_6$=Nostocyclophane
$C_{36}H_{54}O_3$=Toxicole
$C_{36}H_{54}O_{14}$=Strophanthine
$C_{36}H_{58}N_4O_{16}$=Tunicamycine
$C_{36}H_{58}N_{10}O_{18}S$=Albomycine
$C_{36}H_{62}O_{11}$=Monensin
$C_{36}H_{63}N_3O_9$=Enniatine
$C_{36}H_{64}Cl_2N_4$=Octenidin-dihydrochlorid
$C_{36}H_{68}O_2$=Ölsäureoleylester
$C_{36}H_{70}BaO_4$=Bariumstearat
$C_{36}H_{70}CaO_4$=Calciumstearat
$C_{36}H_{70}MgO_4$=Magnesiumstearat
$C_{36}H_{70}O_4Pb$=Bleistearat
$C_{36}H_{70}O_4Zn$=Zinkstearat
$C_{36}H_{71}NO_3$=Sphingosin
$C_{37}H_{27}N_3Na_2O_9S_3$=Methylblau
$C_{37}H_{33}N_7O_8$=CC-1065
$C_{37}H_{34}N_2Na_2O_9S_3$=Lichtgrün
$C_{37}H_{35}N_2NaO_6S_2$=Patentblau-Farbstoffe
$C_{37}H_{40}N_2O_6$=Bisbenzylisochinolin-Alkaloide
$C_{37}H_{40}O_9$=Resiniferatoxin
$C_{37}H_{41}N_2O_6$=Tubocurarin
$C_{37}H_{42}Cl_2N_2O_6$=Curare, Tubocurarin
$C_{37}H_{42}I_2N_2O_6$=Tubocurarin
$C_{37}H_{44}ClNO_4$=Penitreme
$C_{37}H_{44}ClNO_5$=Penitreme
$C_{37}H_{44}ClNO_6$=Penitreme
$C_{37}H_{44}N_2O_{13}S$=Methylthymolblau
$C_{37}H_{44}O_{13}$=Urdamycine
$C_{37}H_{45}NO_4$=Penitreme
$C_{37}H_{45}NO_5$=Penitreme
$C_{37}H_{45}NO_6$=Penitreme
$C_{37}H_{46}O_{14}$=Urdamycine
$C_{37}H_{47}NO_{12}$=Rifampicin
$C_{37}H_{48}I_6N_6O_{18}$=Iotrolan
$C_{37}H_{48}N_6O_5S_2$=Ritonavir
$C_{37}H_{48}O_6$=Peridinin
$C_{37}H_{49}NO_6$=Janthitreme
$C_{37}H_{50}N_8O_{12}S$=Phallotoxine
$C_{37}H_{50}N_8O_{13}S$=Phallotoxine
$C_{37}H_{50}N_8O_{14}S$=Phallotoxine
$C_{37}H_{58}O_5$=Aescin
$C_{37}H_{60}N_{12}O_{18}S$=Albomycine
$C_{37}H_{62}N_2O_{28}$=Trestatine
$C_{37}H_{64}O_{11}$=Monensin
$C_{37}H_{67}NO_{13}$=Erythromycin
$C_{38}H_{28}Cl_2N_8$=Tetrazolpurpur
$C_{38}H_{30}$=Hexaphenylethan
$C_{38}H_{31}ClN_3NaO_3S$=Alkaliblau
$C_{38}H_{32}ClN_3$=Anilinblau
$C_{38}H_{38}O_{10}$=Mezerein
$C_{38}H_{44}N_2O_6$=Bisbenzylisochinolin-Alkaloide
$C_{38}H_{44}N_2O_{12}$=Thymolphthalein
$C_{38}H_{44}N_2O_8$=Truxillsäuren u. Truxinsäuren
$C_{38}H_{48}N_4O_2$=Truxillsäuren u. Truxinsäuren
$C_{38}H_{50}N_6O_5$=Saquinavir
$C_{38}H_{52}N_6O_2$=Tirilazad
$C_{38}H_{54}I_6N_6O_{18}$=Iocarminsäure
$C_{38}H_{56}N_8O_{14}S$=Virotoxine

$C_{38}H_{56}N_8O_{15}S$=Virotoxine
$C_{38}H_{56}N_8O_{16}S$=Virotoxine
$C_{38}H_{59}FO_6$=Dexamethason
$C_{38}H_{60}O_{18}$=Steviosid
$C_{38}H_{63}N_7O_8$=Neuromedine
$C_{38}H_{69}NO_{13}$=Clarithromycin
$C_{38}H_{72}N_2O_{12}$=Azithromycin
$C_{38}H_{75}NO_3$=Sphingosin
$C_{39}H_{41}N_3O_6S_2$=Formylviolett S4BN
$C_{39}H_{46}Cl_2N_2O_6$=Tubocurarin
$C_{39}H_{48}O_{13}$=Taxuspine
$C_{39}H_{50}O_7$=Peridinin
$C_{39}H_{51}N_9O_8$=Janthitreme
$C_{39}H_{51}N_9O_7$=Janthitreme
$C_{39}H_{53}N_9O_{13}S$=Amanitine
$C_{39}H_{53}N_9O_{15}S$=Amanitine
$C_{39}H_{54}N_6O_8S$=Saquinavir
$C_{39}H_{54}N_{10}O_{14}S$=Amanitine
$C_{39}H_{58}N_6O_6S$=Tirilazad
$C_{39}H_{65}NO_{14}$=Tylosin
$C_{40}H_{27}NO_{11}$=Purpuron
$C_{40}H_{32}Cl_2N_8O_2$=Tetrazoliumblau
$C_{40}H_{34}N_2O_8$=Hypericin
$C_{40}H_{36}CuN_4O_{16}$=Uroporphyrine
$C_{40}H_{38}N_4O_{16}$=Uroporphyrine
$C_{40}H_{44}Cl_2N_4O$=Curare, Toxiferine
$C_{40}H_{44}N_2O_{18}$=Pradimicine
$C_{40}H_{44}N_4O^{2+}$=Toxiferine
$C_{40}H_{44}N_4O_{16}$=Uroporphyrine
$C_{40}H_{46}Cl_2N_4O_2$=Curare
$C_{40}H_{46}Cl_2N_4O_2$=Curare, C-Toxiferin I
$C_{40}H_{46}N_4O_2^{2+}$=C-Toxiferin I
$C_{40}H_{48}Cl_2N_4O_2$=Toxiferine
$C_{40}H_{48}N_4O_2^{2+}$=Toxiferine
$C_{40}H_{50}O_2$=Rhodoxanthin
$C_{40}H_{52}O_2$=Canthaxanthin
$C_{40}H_{52}O_4$=Astaxanthin
$C_{40}H_{52}O_{17}$=Phyllanthocin
$C_{40}H_{56}$=β-Carotin, Carotine, Lycopin
$C_{40}H_{56}O$=Cryptoxanthin
$C_{40}H_{56}O_2$=Lutein, Zeaxanthin
$C_{40}H_{56}O_3$=Capsanthin, Flavoxanthin
$C_{40}H_{56}O_4$=Capsanthin, Violaxanthin
$C_{40}H_{56}O_{23}S$=Breynine
$C_{40}H_{56}O_{24}S$=Breynine
$C_{40}H_{57}N_9O_{10}S$=Theonellamide
$C_{40}H_{58}O_4$=Zeaxanthin
$C_{40}H_{60}BNaO_{14}$=Aplasmomycin
$C_{40}H_{60}I_6N_4O_{20}$=Iodoaxaminsäure
$C_{40}H_{60}N_4O_{10}$=Bufotoxin
$C_{40}H_{60}O_2$=Retinol
$C_{40}H_{60}O_6$=Mactraxanthin
$C_{40}H_{64}$=Phytoen
$C_{40}H_{64}O_{12}$=Nonactin
$C_{40}H_{66}$=Lycopin
$C_{40}H_{66}N_6O_{16}$=Tunicamycine
$C_{40}H_{68}O_{11}$=Nigericin
$C_{40}H_{77}NO_3$=Sphingosin
$C_{40}H_{80}NO_8P$=Colfosceril-Palmitat
$C_{41}H_{58}FeN_9O_{20}$=Ferricromme
$C_{41}H_{58}O_9$=Melianol
$C_{41}H_{61}N_5O_{10}S$=Tubulysine
$C_{41}H_{64}O_{13}$=Digitalis-Glykoside, Gymnemasäure(n)
$C_{41}H_{64}O_{14}$=Digitalis-Glykoside
$C_{41}H_{64}O_{17}S$=Holothurine
$C_{41}H_{65}NO_{10}$=Spinosyne
$C_{41}H_{66}O_{12}$=α-Hederin, Nonactin
$C_{41}H_{66}N_2O_{11}$=Gymnemasäure(n), Tautomycin
$C_{41}H_{67}NO_{15}$=Troleandomycin
$C_{41}H_{76}N_2O_{15}$=Roxithromycin
$C_{42}H_{28}$=Rubren
$C_{42}H_{30}N_6O_{12}$=Inositolnicotinat

$C_{42}H_{32}O_9$=Weinphenole
$C_{42}H_{38}O_{14}$=Leucomentine
$C_{42}H_{38}O_{20}$=Sennoside
$C_{42}H_{40}O_{19}$=Sennoside
$C_{42}H_{45}N_3O_7$=Pamaquin
$C_{42}H_{47}ClO_{23}$=Violanin
$C_{42}H_{47}O$=Violanin
$C_{42}H_{48}N_6O_8$=Zolpidem
$C_{42}H_{48}O_{11}$=Taxuspine
$C_{42}H_{51}ClN_6NiO_{13}$=Coenzym F_{430}
$C_{42}H_{53}NO_{15}$=Aclarubicine
$C_{42}H_{58}O_6$=Peridinin
$C_{42}H_{62}O_{16}$=Glycyrrhizin
$C_{42}H_{63}N_5O_{10}S$=Tubulysine
$C_{42}H_{64}Cl_2O_{11}$=Nostocyclophane
$C_{42}H_{64}O_{19}$=Strophanthine
$C_{42}H_{65}N_{13}O_{10}$=Saralasin
$C_{42}H_{66}O_{14}$=Metildigoxin
$C_{42}H_{67}NO_{10}$=Spinosyne
$C_{42}H_{67}NO_{16}$=Carbomycin
$C_{42}H_{68}N_6O_6S$=Dolastatine
$C_{42}H_{68}O_{12}$=Nonactin
$C_{42}H_{69}NO_{15}$=Josamycin
$C_{42}H_{70}O_{11}$=Salinomycin
$C_{42}H_{78}N_2O_{14}$=Dirithromycin
$C_{42}H_{92}N_{10}O_{34}S_5$=Netilmicin
$C_{43}H_{42}O_{22}$=Carthamin
$C_{43}H_{48}N_6O_2S_2$=Indocyaningrün
$C_{43}H_{48}O_{16}$=Saquayamycine
$C_{43}H_{50}N_4O_6$=Vincarubin
$C_{43}H_{50}O_{16}$=Saquayamycine
$C_{43}H_{52}O_{16}$=Saquayamycine
$C_{43}H_{53}NO_{14}$=Docetaxel, Taxol
$C_{43}H_{55}N_5O_7$=Vindesin
$C_{43}H_{56}O_{17}$=Urdamycine
$C_{43}H_{58}N_4O_{12}$=Rifampicin
$C_{43}H_{58}O_{18}$=Urdamycine
$C_{43}H_{61}NO_{18}$=Urdamycine
$C_{43}H_{65}N_5O_{10}$=Majusculamide
$C_{43}H_{65}N_5O_{10}S$=Tubulysine
$C_{43}H_{65}N_{11}O_{12}S_2$=Demoxytocin
$C_{43}H_{66}N_{12}O_{12}S_2$=Oxytocin
$C_{43}H_{66}O_{14}$=Acetyldigitoxin, Gymnemasäure(n)
$C_{43}H_{66}O_{15}$=Acetyldigoxin
$C_{43}H_{68}O_{14}$=Gymnemasäure(n)
$C_{43}H_{70}O_{12}$=Nonactin
$C_{43}H_{71}O_{11}$=Narasin
$C_{43}H_{74}N_2O_{14}$=Spiramycin
$C_{44}H_{17}N_2O_6$=Indanthren®-Farbstoffe
$C_{44}H_{32}P_2$=Binaphthyl, Phosphane
$C_{44}H_{43}ClN_2O_8$=Hydroxyzin
$C_{44}H_{50}Cl_2N_4O_2$=Alcuroniumchlorid
$C_{44}H_{58}O_{17}S$=Urdamycine
$C_{44}H_{62}N_8O_{11}$=Etamycin A
$C_{44}H_{64}O_{24}$=Crocin
$C_{44}H_{66}O_4$=Ubichinone
$C_{44}H_{68}O_{13}$=Okadainsäure
$C_{44}H_{68}O_{13}S$=Okadainsäure
$C_{44}H_{69}NO_{12}$=FK-506
$C_{44}H_{72}O_{12}$=Nonactin
$C_{45}H_{19}N_3O_4$=Indanthren®-Farbstoffe
$C_{45}H_{54}N_4O_8$=Vinorelbin
$C_{45}H_{63}N_{13}O_{12}S_2$=Ornipressin
$C_{45}H_{69}NaO_{18}$=Stachelhäuter-Saponine
$C_{45}H_{69}O_3P$=Tris(nonylphenyl)-phosphit
$C_{45}H_{70}O_{13}$=Okadainsäure
$C_{45}H_{72}NO_{15}$=Solanum-Steroidalkaloidglykoside
$C_{45}H_{72}O_{16}$=Steroid-Saponine
$C_{45}H_{73}NO_{14}$=Solanum-Steroidalkaloidglykoside
$C_{45}H_{73}NO_{15}$=Solanum-Steroidalkaloidglykoside

$C_{45}H_{73}NO_{16}$=Solanum-Steroidalkaloidglykoside
$C_{45}H_{74}BNO_{15}$=Boromycin
$C_{45}H_{74}O_{17}$=Osladin
$C_{45}H_{76}N_2O_{15}$=Spiramycin
$C_{46}H_{56}N_4O_{10}$=Vincristin
$C_{46}H_{58}ClN_5O_8$=Proglumetacin
$C_{46}H_{58}N_4O_9$=Vinblastin
$C_{46}H_{62}BrN_9O_{10}$=Theonellamide
$C_{46}H_{62}N_2O_{11}$=Rifabutin
$C_{46}H_{64}N_4O_{13}$=Ulapualide
$C_{46}H_{64}N_{14}O_{12}S_2$=Desmopressin
$C_{46}H_{64}O_2$=2-Methyl-1,4-naphthochinone
$C_{46}H_{64}O_{19}$=Gitoformat
$C_{46}H_{65}N_{13}O_{11}S_2$=Felypressin
$C_{46}H_{65}N_{13}O_{12}S_2$=Lypressin, Vasopressin
$C_{46}H_{65}N_{15}O_{12}S_2$=Vasopressin
$C_{46}H_{77}NO_{17}$=Tylosin
$C_{46}H_{78}N_2O_{15}$=Spiramycin
$C_{46}H_{79}NO_{17}$=Tylosin
$C_{47}H_{51}NO_{14}$=Taxol
$C_{47}H_{66}O_{10}$=Sorangicine
$C_{47}H_{66}N_2O_{11}$=Sorangicine
$C_{47}H_{68}O_{17}$=Bryostatine
$C_{47}H_{70}O_{14}$=Abamectin, Avermectine
$C_{47}H_{71}NO_{17}$=Candidin
$C_{47}H_{72}O_{14}$=Ivermectin
$C_{47}H_{72}O_{15}$=Avermectine
$C_{47}H_{73}NO_{17}$=Amphotericin B
$C_{47}H_{74}O_{18}$=Digitalis-Glykoside
$C_{47}H_{74}O_{19}$=Deslanosid, Digitalis-Glykoside
$C_{47}H_{75}NO_{16}$=Solanum-Steroidalkaloidglykoside
$C_{47}H_{75}NO_{17}$=Nystatin
$C_{47}H_{80}O_{17}$=Maduramicin α
$C_{48}H_{24}$=Kekulen
$C_{48}H_{36}N_8$=Nigranilin
$C_{48}H_{56}N_6O_8S_2$=Benzylpenicillin-Benzathin
$C_{48}H_{56}N_6O_{10}S_2$=Phenoxymethylpenicillin
$C_{48}H_{71}N_5O_{14}$=Ulapualide
$C_{48}H_{72}O_{14}$=Abamectin, Avermectine
$C_{48}H_{74}Cl_2O_{16}$=Nostocyclophane
$C_{48}H_{74}O_{14}$=Ivermectin
$C_{48}H_{74}O_{15}$=Avermectine
$C_{48}H_{78}O_{19}$=Asiaticosid
$C_{48}H_{80}O_{17}$=Reticulin
$C_{48}H_{91}NO_8$=Nervon
$C_{48}H_{91}NO_9$=Hydroxynervon
$C_{48}H_{93}NO_8$=Kerasin
$C_{49}H_{56}ClFeN_4O_6$=Cytohämin
$C_{49}H_{62}N_{10}O_{16}S_3$=Cholecystokinin
$C_{49}H_{66}N_{10}O_{10}S_2$=Octreotid
$C_{49}H_{69}ClO_{14}$=Brevetoxine
$C_{49}H_{70}N_{14}O_{11}$=Angiotensinamid
$C_{49}H_{70}O_{13}$=Brevetoxine
$C_{49}H_{74}O_{14}$=Avermectine
$C_{49}H_{75}N_{13}O_{12}$=Microcystine
$C_{49}H_{76}N_{14}O_{12}$=Avermectine
$C_{49}H_{76}O_{19}$=Digitalis-Glykoside
$C_{49}H_{76}O_{20}$=Digitalis-Glykoside
$C_{49}H_{78}N_6O_{12}$=Didemnine
$C_{50}H_{60}O_{18}$=Urdamycine
$C_{50}H_{70}O_{14}$=Brevetoxine
$C_{50}H_{72}O_2$=Sarcinaxanthin
$C_{50}H_{73}N_{15}O_{11}$=Bradykinin
$C_{50}H_{73}N_{17}O_{11}S$=Neuromedine
$C_{50}H_{80}N_8O_{12}$=Majusculamide
$C_{50}H_{80}N_{14}O_{14}S$=Neurokinine
$C_{50}H_{83}NO_{20}$=Demissidin, Solanum-Steroidalkaloidglykoside
$C_{50}H_{83}NO_{21}$=Solanum-Steroidalkaloidglykoside

$C_{51}H_{34}N_6Na_6O_{23}S_6$=Suramin-Natrium
$C_{51}H_{60}O_{19}$=Urdamycine
$C_{51}H_{63}FeN_6O_9$=Trichostatine
$C_{51}H_{74}N_4O_{16}$=Ulapualide
$C_{51}H_{77}N_7O_{13}$=Pengitoxin
$C_{51}H_{79}NO_{13}$=Rapamycin
$C_{51}H_{84}O_{22}$=Steroid-Saponine
$C_{51}H_{85}NO_{21}$=Solanum-Steroidalkaloidglykoside
$C_{51}H_{98}O_6$=Tripalmitin
$C_{52}H_{70}O_7$=Tridentochinon
$C_{52}H_{73}N_{15}O_{15}S$=Terlipressin
$C_{52}H_{74}N_{16}O_{15}S_2$=Terlipressin
$C_{52}H_{76}O_{24}$=Plicamycin
$C_{52}H_{78}N_{10}O_{17}$=Dimepranol-acedoben
$C_{52}H_{81}N_7O_{16}$=Echinocandin
$C_{52}H_{82}N_6O_{14}$=Didemnine
$C_{52}H_{85}N_{11}O_{22}S$=Xylocandine
$C_{52}H_{85}N_{11}O_{22}$=Xylocandine
$C_{53}H_{67}N_9O_{10}S$=Quinupristin
$C_{53}H_{76}O_{15}$=Sorangicine
$C_{53}H_{76}N_2O_{15}$=Sorangicine
$C_{53}H_{80}O_2$=Plastochinon
$C_{54}H_{30}$=Helicene
$C_{54}H_{45}ClP_3Rh$=Rhodium-Verbindungen, Wilkinson-Katalysator
$C_{54}H_{62}CaN_4O_{14}S_4$=Patentblau-Farbstoffe
$C_{54}H_{66}ClN_5O_{16}$=Proglumetacin
$C_{54}H_{74}N_2O_{10}$=Cephalostatine
$C_{54}H_{76}N_2O_{10}$=Ritterazine
$C_{54}H_{77}BrN_{10}O_{12}$=Theonellamide
$C_{54}H_{78}N_6O_{12}$=Neuromedine
$C_{54}H_{78}N_{16}O_{17}S_2$=Terlipressin
$C_{54}H_{82}N_4O_{22}S_3$=Esperamycine
$C_{54}H_{82}O_4$=Ubichinone
$C_{54}H_{85}N_{13}O_{15}S$=Eledoisin
$C_{54}H_{86}O_{27}S$=Holothurine
$C_{54}H_{88}O_{18}$=Elaiophylin
$C_{54}H_{90}O_{18}$=Valinomycin
$C_{55}H_{70}MgN_4O_5$=Chlorophyll(e)
$C_{55}H_{72}MgN_4O_5$=Chlorophyll(e)
$C_{55}H_{72}N_4O_6$=Phäophytine
$C_{55}H_{74}N_4O_5$=Phäophytine
$C_{55}H_{75}N_{17}O_{13}$=Gonadoliberin
$C_{55}H_{76}I_1N_3O_{21}S_4$=Caliceamicine
$C_{55}H_{79}N_{13}O_{14}S_2$=Neurokinine
$C_{55}H_{82}N_{21}S_2$=Yessotoxin
$C_{55}H_{83}N_{17}O_{22}$=Pyoverdine
$C_{55}H_{84}N_{18}O_{21}$=Pyoverdine
$C_{55}H_{84}N_{20}O_{21}S_2$=Bleomycine
$C_{55}H_{86}O_{24}$=Aescin
$C_{55}H_{96}N_{16}O_{13}$=Polymyxine
$C_{56}H_{42}O_{12}$=Weinphenole
$C_{56}H_{74}N_3O_{22}S_2$=Caliceamicine
$C_{56}H_{83}N_{17}O_{23}$=Pyoverdine
$C_{56}H_{85}N_{17}O_{22}$=Kallidin
$C_{56}H_{92}O_{29}$=Digitonin, Steroid-Saponine
$C_{56}H_{94}N_2O_{40}$=Trestatine
$C_{56}H_{98}N_{16}O_{13}$=Polymyxine
$C_{56}H_{101}NX_7$=Amycine
$C_{57}H_{79}N_{13}O_{16}S$=Uperolein
$C_{57}H_{89}N_7O_{15}$=Didemnine
$C_{57}H_{96}O_{28}$=Steroid-Saponine
$C_{57}H_{104}O_6$=Triolein
$C_{57}H_{110}O_6$=Tristearin
$C_{58}H_{73}N_{13}O_{21}S_2$=Caerulein
$C_{58}H_{80}Cl_2N_2O_{14}$=Mivacuriumchlorid
$C_{58}H_{84}N_{14}O_{16}S$=Physalaemin
$C_{58}H_{85}N_{13}O_{16}S$=Uperolein
$C_{58}H_{89}NO_3$=Rhodochinon
$C_{58}H_{91}N_{13}O_{20}$=Amfomycin
$C_{58}H_{102}N_{12}O_{13}$=Trichorovine
$C_{59}H_{84}N_2O_{18}$=Candicidin
$C_{59}H_{84}N_{16}O_{12}$=Leuprorelin

$C_{59}H_{84}N_{18}O_{14}$=Goserelin
$C_{59}H_{90}O_4$=Ubichinone
$C_{59}H_{92}O_4$=Ubichinone
$C_{59}H_{92}O_{16}$=Gambierinsäuren
$C_{59}H_{95}N_{15}O_{18}S$=Kassinin
$C_{60}H_{78}OSn_2$=Fenbutatinoxid
$C_{60}H_{86}N_{16}O_{13}$=Buserelin
$C_{60}H_{86}O_{19}$=Ciguatoxin
$C_{60}H_{92}N_8O_{11}$=Aureobasidine
$C_{60}H_{92}N_2O_{10}$=Gramicidine
$C_{60}H_{94}O_{16}$=Gambierinsäuren
$C_{61}H_{89}N_{15}O_{18}S$=Glucagon
$C_{61}H_{90}Cl_2O_{32}$=Avilamycine
$C_{62}H_{89}CoN_{13}O_{15}P$=Hydroxocobalamin
$C_{62}H_{105}N_3O_{21}$=Amycine
$C_{62}H_{111}N_{11}O_{12}$=Cyclosporine
$C_{63}H_{88}CoN_{14}O_{14}P$=Cyanocobalamin
$C_{63}H_{91}CoN_{13}O_{14}P$=Methylcobalamin
$C_{63}H_{95}ClO_{21}$=Spongistatine
$C_{63}H_{98}N_{18}O_{13}S$=Substanz P
$C_{64}H_{78}N_{10}O_{10}$=Antamanid
$C_{64}H_{82}N_{18}O_{13}$=Triptorelin
$C_{64}H_{102}N_{18}O_{26}S_4$=Uroguanylin
$C_{65}H_{82}N_2O_{18}S_2$=Atracuriumbesilat
$C_{65}H_{100}O_{19}$=Gambierinsäuren
$C_{66}H_{75}Cl_2N_9O_{24}$=Vancomycin
$C_{66}H_{83}N_{17}O_{13}$=Nafarelin
$C_{66}H_{86}N_{18}O_{15}$=Triptorelin
$C_{66}H_{87}N_{13}O_{13}$=Tyrocidine
$C_{66}H_{102}O_{19}$=Gambierinsäuren
$C_{66}H_{103}N_{17}O_{16}S$=Bacitracin
$C_{68}H_{88}N_{14}O_{13}$=Tyrocidine
$C_{69}H_{86}Br_2N_{16}O_{22}$=Theonellamide
$C_{70}H_{89}N_{15}O_{13}$=Tyrocidine
$C_{70}H_{125}N_{13}O_{16}$=Theonellamide
$C_{70}H_{131}N_{19}O_{15}$=Mastoparan
$C_{71}H_{110}N_{24}O_{18}S$=Bombesin
$C_{71}H_{127}N_{13}O_{16}$=Theonellamide
$C_{72}H_{97}N_{21}O_{19}$=Melanotropin
$C_{72}H_{100}CoN_{18}O_{17}P$=Coenzym B_{12}
$C_{72}H_{116}O_4$=Helenien, Zeaxanthin
$C_{74}H_{70}CaN_4O_{14}S_2$=Patentblau-Farbstoffe
$C_{75}H_{70}N_6O_6$=Pyrviniumchlorid
$C_{75}H_{107}N_{21}O_{18}S$=Melanotropin
$C_{75}H_{125}N_3O_{52}$=Trestatine
$C_{76}H_{52}O_{46}$=Tannine
$C_{76}H_{104}N_{18}O_{19}S_2$=Somatostatin
$C_{78}H_{121}N_{21}O_{20}$=Neurotensin
$C_{79}H_{129}N_{27}O_{22}$=Nociceptin
$C_{79}H_{131}N_{31}O_{24}S_4$=Apamin
$C_{85}H_{144}N_{26}O_{28}S$=Systemin
$C_{88}H_{95}Cl_2N_9O_{33}$=Teicoplanin(e)
$C_{88}H_{97}Cl_2N_9O_{33}$=Teicoplanin(e)
$C_{89}H_{99}Cl_2N_9O_{33}$=Teicoplanin(e)
$C_{94}H_{121}N_{19}O_{34}S_2$=Gastrin
$C_{97}H_{124}N_{20}O_{31}S$=Gastrin
$C_{98}H_{138}N_{28}O_{29}S$=Melanotropin
$C_{98}H_{141}N_{25}O_{23}S_4$=Lantibiotika
$C_{99}H_{140}N_{20}O_{17}$=Gramicidine
$C_{100}H_{164}O$=Dolichole
$C_{105}H_{160}N_{30}O_{26}S_4$=Melaninkonzentrierendes Hormon

$C_{109}H_{159}N_{25}O_{32}S_5$=Endotheline
$C_{110}H_{192}N_{40}O_{24}S_4$=Mastzellendegranulierendes Peptid
$C_{120}H_{188}N_{34}O_{35}S$=Motilin
$C_{129}H_{215}N_{33}O_{55}$=Thymosin
$C_{129}H_{223}N_3O_{54}$=Palytoxin
$C_{130}H_{220}N_{44}O_{40}$=Secretin
$C_{131}H_{229}N_{39}O_{31}$=Melittin
$C_{136}H_{210}N_{40}O_{31}S$=Tetracosactid
$C_{139}H_{210}N_{42}O_{43}$=Galanin
$C_{142}H_{224}N_{40}O_{39}S$=Pituitary adenylate cyclase-activating polypeptide
$C_{143}H_{230}N_{42}O_{37}S_7$=Lantibiotika, Nisin
$C_{144}H_{217}N_{43}O_{37}$=Neuromedine
$C_{147}H_{238}N_{44}O_{42}S$=Vasoaktives intestinales (Poly-)Peptid
$C_{148}H_{227}N_{39}O_{38}S_5$=Subtilin
$C_{149}H_{226}N_{40}O_{45}$=Glucagon-artige Peptide
$C_{149}H_{246}N_{44}O_{42}S$=Sermorelin
$C_{151}H_{226}N_{40}O_{45}S_3$=Calcitonin
$C_{153}H_{256}N_{48}O_{39}S_3$=Lantibiotika
$C_{157}H_{255}N_{49}O_{43}S_6$=Corticostatine
$C_{164}H_{256}Na_2O_{68}S_2$=Maitotoxin
$C_{167}H_{263}N_{51}O_{52}S_4$=Cholecystokinin
$C_{1736}H_{2653}N_{499}O_{522}S_{22}$=Reteplase
$C_{185}H_{287}N_{53}O_{54}S_2$=Pankreatisches Polypeptid
$C_{189}H_{285}N_{55}O_{57}S$=Neuropeptid Y
$C_{194}H_{295}N_{55}O_{57}$=Peptid YY
$C_{203}H_{331}N_{63}O_{53}S$=Pituitary adenylate cyclase-activating polypeptide
$C_{204}H_{337}N_{63}O_{64}$=Urocortin
$C_{207}H_{308}N_{56}O_{58}S$=Corticotropin
$C_{208}H_{344}N_{60}O_{63}S_2$=Corticoliberin
$C_{209}H_{346}N_{56}O_{76}S$=Thymosin
$C_{212}H_{334}N_{62}O_{81}S$=Pankreastatin
$C_{256}H_{415}N_{75}O_{73}S_8$=Relaxin
$C_{264}H_{425}N_{73}O_{69}S_7$=Relaxin
$C_{284}H_{432}N_{84}O_{79}S_7$=Aprotinin
$C_{284}H_{442}N_{86}O_{95}S_8$=Erabutoxine
Ca=Calcium
$CaCl_2$=Calciumchlorid
$CaCl_2O_2$=Calciumhypochlorit
$CaCl_2O_6$=Calciumchlorat
$CaCl_6Mg_2$=Tachhydrit
CaF_2=Calciumfluorid, Fluorit
$CaHO_4P$=Calciumphosphate
CaH_2=Calciumhydrid
CaH_2O_2=Calciumhydroxid
$CaH_2O_6S_2$=Calciumhydrogensulfit
CaH_2S_2=Calciumhydrogensulfid
$CaH_4O_8P_2$=Calciumphosphate
CaI_2=Calciumiodid
$CaK_2O_8S_2$=Syngenit
CaN_2O_6=Calciumnitrat
$CaNa_2O_8S_2$=Glauberit
CaO=Calciumoxid
CaO_2=Calciumperoxid

CaO_3S=Calciumsulfit
CaO_3Si=Calciumsilicate
CaO_3Ti=Perowskit
CaO_4S=Anhydrit, Calciumsulfat, Gips
CaO_4W=Calciumwolframat, Scheelit
CaO_6P_2=Calciumphosphate
CaO_8P_2Zn=Scholzit
CaS=Calciumsulfid
$Ca_2HNaO_2Si_3$=Pektolith
$Ca_2K_2MgO_{16}S_4$=Polyhalit
Ca_2O_4Si=Calciumsilicate
$Ca_2O_7P_2$=Calciumphosphate
$Ca_3H_2O_8Si_2$=Afwillit
Ca_3O_5Si=Calciumsilicate
$Ca_3O_8P_2$=Calciumphosphate
Ca_3P_2=Calciumphosphid
$Ca_4HO_{12}P_3$=Calciumphosphate
$Ca_4O_9P_2$=Calciumphosphate
$Ca_5H_2O_{18}Si_6$=Tobermorit
$Ca_6H_2O_{19}Si_6$=Xonotlit
$Ca_{10}O_{46}Si_{18}$=Okenit
Cd=Cadmium
$CdCl_2$=Cadmiumchlorid
CdI_2=Cadmiumiodid
CdN_2O_6=Cadmiumnitrat
CdO=Cadmiumoxid
CdO_4S=Cadmiumsulfat
CdS=Cadmiumsulfid, Greenockit
$CdSe$=Cadmiumselenid
$CdTe$=Cadmiumtellurid
Ce=Cer
$CeCl_3$=Cer-Verbindungen
$CeH_8N_8O_{18}$=Cer-Verbindungen
CeN_3O_9=Cer-Verbindungen
CeO_2=Cer-Verbindungen
$Ce_2O_8S_2$=Cer-Verbindungen
Cf=Californium
Cl=Chlor
$ClCs$=Cäsium-Verbindungen
$ClCu$=Kupferchloride
$ClCu_2H_3O_3$=Atacamit
$ClCu_2H_6O_6$=Kupferchloride
ClF=Chlorfluoride
ClF_3=Chlorfluoride
ClF_5=Chlorfluoride
ClH=Chlorwasserstoff, Salzsäure
$ClHO$=Hypochlorige Säure
$ClHO_2$=Chlorige Säure
$ClHO_3$=Chlorate, Chlorsäure
$ClHO_3S$=Chloroschwefelsäure
$ClHO_4$=Perchlorsäure
ClH_2N=Chloramin
ClH_3O_5=Perchlorsäure
ClH_3Si=Silane
ClH_4N=Ammoniumchlorid
ClH_4NO=Hydroxylamin-Hydrochlorid
ClH_4NO_4=Ammoniumperchlorat
ClH_5N_2=Hydraziniumchloride
ClI=Iodchloride
ClK=Kaliumchlorid, Sylvin
$ClKO$=Kaliumhypochlorit
$ClKO_3$=Kaliumchlorat
$ClKO_4$=Kaliumperchlorat
$ClLi$=Lithiumchloride
$ClLiO_4$=Lithiumperchlorat
$ClNO$=Nitrosylchlorid
$ClNa$=Natriumchlorid, Steinsalz
$ClNaO$=Natriumhypochlorit
$ClNaO_2$=Natriumchlorit
$ClNaO_3$=Natriumchlorat
$ClNaO_4$=Natriumperchlorat
ClO_2=Chloroxide
$ClRb$=Rubidium-Verbindungen
$ClTl$=Thalliumchloride
$ClZr$=Zirconiumchloride
Cl_2Co=Cobalt(II)-chlorid
Cl_2Cr=Chromchloride
Cl_2CrO_2=Chromylchlorid

Cl_2Cu=Kupferchloride
Cl_2Fe=Eisenchloride
Cl_2H_2Si=Silane
$Cl_2H_6N_2$=Hydraziniumchloride
$Cl_2H_6N_2Pt$=Cisplatin, Platin-Verbindungen
Cl_2Hg=Quecksilberchloride
Cl_2Hg_2=Quecksilberchloride
Cl_2Mg=Bischofit, Magnesiumchlorid
Cl_2MgO_8=Magnesiumperchlorat
Cl_2Mn=Manganchloride
Cl_2Mo=Molybdänchloride
Cl_2Ni=Nickel(II)-chlorid
Cl_2O=Chloroxide
Cl_2OS=Thionylchlorid
Cl_2OV=Vanadiumoxidchloride
Cl_2OZr=Zirconyl-Verbindungen
Cl_2O_2S=Sulfurylchlorid
Cl_2O_3=Chloroxide
Cl_2O_6=Chloroxide
Cl_2O_7=Chloroxide
Cl_2Pb=Bleichloride
Cl_2Pd=Palladium(II)-chlorid
Cl_2Pt=Platin-Verbindungen
Cl_2S=Schwefelchloride
Cl_2S_2=Schwefelchloride
Cl_2Se=Selenhalogenide
Cl_2Se_2=Selenhalogenide
Cl_2Sn=Zinnchloride
Cl_2Sr=Strontiumchlorid
Cl_2Te=Tellurchloride
Cl_2Ti=Titanchloride
Cl_2V=Vanadiumchloride
Cl_2W=Wolframchloride
Cl_2Zn=Zinkchlorid
Cl_2Zr=Zirconiumchloride
$Cl_3CoH_{18}N_6$=Hexaammincobalt(III)-chlorid
Cl_3Cr=Chromchloride
$Cl_3CrH_{14}N_2O_4$=Chromiake
Cl_3Fe=Eisenchloride
Cl_3Ga=Gallium-Verbindungen
Cl_3HSi=Silane
Cl_3I=Iodchloride
Cl_3In=Indium-Verbindungen
Cl_3Ir=Iridium-Verbindungen
Cl_3KMg=Carnallit
Cl_3La=Lanthan-Verbindungen
Cl_3Mo=Molybdänchloride
Cl_3Nd=Neodym-Verbindungen
Cl_3OP=Phosphoroxidtrichlorid
Cl_3OV=Vanadiumoxidchloride
Cl_3P=Phosphorchloride
Cl_3Pr=Praseodym-Verbindungen
Cl_3Re=Rhenium-Verbindungen
Cl_3Rh=Rhodium-Verbindungen
Cl_3Ru=Ruthenium-Verbindungen
Cl_3Sb=Antimonchloride
Cl_3Sc=Scandium-Verbindungen
Cl_3Sm=Samarium-Verbindungen
Cl_3Tb=Terbium-Verbindungen
Cl_3Ti=Titanchloride
Cl_3Tl=Thalliumchloride
Cl_3V=Vanadiumchloride
Cl_3Y=Yttrium-Verbindungen
Cl_3Zr=Zirconiumchloride
Cl_4Ge=Germanium-Verbindungen
Cl_4H_2Pd=Palladium(II)-chlorid
$Cl_4H_{12}N_4Pt_2$=Magnus-Salz
Cl_4KRe=Rhenium-Verbindungen
Cl_4Mo=Molybdänchloride
Cl_4Pb=Bleichloride
Cl_4Pt=Platin-Verbindungen
Cl_4S=Schwefelchloride
Cl_4Si=Siliciumchloride
Cl_4Sn=Zinnchloride
Cl_4Tc=Technetium-Verbindungen
Cl_4Te=Tellurchloride
Cl_4Ti=Titanchloride
Cl_4V=Vanadiumchloride

Cl$_4$W=Wolframchloride
Cl$_4$Zr=Zirconiumchloride
Cl$_5$Mo=Molybdänchloride
Cl$_5$Nb=Niob-Verbindungen
Cl$_5$P=Phosphorchloride
Cl$_5$Re=Rhenium-Verbindungen
Cl$_5$Sb=Antimonchloride
Cl$_5$Ta=Tantal-Verbindungen
Cl$_5$W=Wolframchloride
Cl$_6$H$_2$Ir=Iridium-Verbindungen
Cl$_6$H$_2$Pt=Platin-Verbindungen
Cl$_6$H$_8$IrN$_2$=Iridium-Verbindungen
Cl$_6$H$_8$N$_2$Pt=Platin-Verbindungen
Cl$_6$H$_8$N$_2$Sn=Zinnchloride
Cl$_6$H$_{12}$IrN$_3$=Iridium-Verbindungen
Cl$_6$H$_{42}$N$_{14}$O$_2$Ru$_3$=Ruthenium-Verbindungen
Cl$_6$K$_2$Pt=Kaliumhexachloroplatinat(IV)
Cl$_6$N$_3$P$_3$=Phosphornitridchloride
Cl$_6$Si$_2$=Siliciumchloride
Cl$_6$W=Wolframchloride
Cm=Curium
Co=Cobalt
CoF$_2$=Cobaltfluorid
CoF$_3$=Cobaltfluorid
CoK$_3$N$_6$O$_{12}$=Kaliumhexanitrocobaltat(III)
CoN$_2$O$_6$=Cobalt(II)-nitrat
CoN$_3$Na$_3$O$_{12}$=Natriumhexanitrocobaltat(III)
CoO=Cobaltoxide
CoO$_4$S=Cobalt(II)-sulfat
Co$_2$O$_4$Zn=Cobaltgrün
Co$_3$O$_4$=Cobaltoxide
Co$_3$O$_8$P$_2$=Cobalt(II)-phosphat
Cr=Chrom
CrF$_2$=Chromfluoride
CrF$_3$=Chromfluoride
CrF$_4$=Chromfluoride
CrHO$_5$S=Chrom(III)-sulfat
CrH$_2$O$_6$Zn$_5$=Zinkchromate
CrH$_8$N$_2$O$_4$=Ammoniumchromat
CrKO$_8$S$_2$=Chromalaun
CrK$_2$O$_4$=Kaliumchromat
CrK$_2$O$_8$=Kaliumchromat
CrN$_3$O$_9$=Chrom(III)-nitrat
CrNa$_2$O$_4$=Natriumchromat(VI)
CrNa$_2$O$_6$Si$_2$=Kosmochlor
CrO=Chromoxide
CrO$_2$=Chromoxide
CrO$_3$=Chromoxide
CrO$_4$P=Chrom(III)-phosphat
CrO$_4$Pb=Bleichromat, Krokoit
CrO$_4$Sr=Strontiumchromat
CrO$_4$Zn=Zinkchromate
Cr$_2$HKO$_9$Zn$_2$=Zinkchromate
Cr$_2$H$_2$O$_7$=Dichromate
Cr$_2$H$_8$N$_2$O$_7$=Ammoniumdichromat
Cr$_2$K$_2$O$_7$=Kaliumdichromat
Cr$_2$Na$_2$O$_7$=Natriumdichromat(VI)
Cr$_2$O$_3$=Chromoxide
Cr$_2$O$_7$Zn=Zinkchromate
Cr$_2$O$_{12}$S$_3$=Chrom(III)-sulfat
Cr$_3$Fe$_2$O$_{12}$=Eisen-Pigmente
Cs=Cäsium
CsHO=Cäsium-Verbindungen
CsI=Cäsium-Verbindungen
CsNO$_3$=Cäsium-Verbindungen
CsO$_2$=Cäsium-Verbindungen
Cs$_2$O=Cäsium-Verbindungen
Cs$_7$O=Cäsium-Verbindungen
Cu=Kupfer
CuF$_2$=Kupfer(II)-fluorid
CuFeS$_2$=Kupferkies
CuFe$_2$S$_3$=Cubanit
CuGaS$_2$=Gallit
CuH$_2$O$_2$=Kupfer(II)-hydroxid

CuI=Kupferiodide
CuI$_2$=Kupferiodide
CuN$_2$O$_6$=Kupfer(II)-nitrat
CuO=Kupferoxide, Tenorit
CuO$_4$S=Kupfer(II)-sulfat
CuPbS$_2$Sb=Bournonit
CuS=Covellin, Kupfersulfide
CuS$_2$Sb=Wolfsbergit
Cu$_2$FeS$_4$Sn=Stannit
Cu$_2$O=Cuprit, Kupferoxide
Cu$_2$S=Chalkosin, Kupfersulfide
Cu$_3$S$_4$V=Sulvanit
Cu$_5$FeS$_4$=Bornit
Cu$_6$O$_{18}$Si$_6$=Dioptas
Cu$_9$S$_5$=Digenit
Cu$_9$S$_8$=Covellin
Cu$_{10}$S$_7$=Covellin
Cu$_{26}$Fe$_4$Ge$_4$S$_{32}$=Germanit
Cu$_{39}$S$_{28}$=Covellin
D=Deuterium
D$_2$O=Deuteriumoxid
Dy=Dysprosium
Er=Erbium
Es=Einsteinium
Eu=Europium
Eu$_2$O$_3$=Europium-Verbindungen
F=Fluor
FH=Fluorwasserstoff, Flußsäure
FHO$_3$S=Fluoroschwefelsäure
FH$_2$O$_3$P=Fluorophosphorsäuren
FH$_4$N=Ammoniumfluoride
FK=Kaliumfluoride
FLi=Lithiumfluorid
FNa=Natriumfluoride
FNa$_2$O$_3$P=Natriumfluorophosphat
F$_2$HK=Kaliumfluoride
F$_2$HNa=Natriumfluoride
F$_2$H$_5$N=Ammoniumfluoride
F$_2$Kr=Krypton
F$_2$Mg=Magnesiumfluorid
F$_2$Ni=Nickel(II)-fluorid
F$_2$O=Sauerstoff-Fluoride
F$_2$O$_2$=Sauerstoff-Fluoride
F$_2$O$_2$Xe=Xenon-Verbindungen
F$_2$O$_3$=Sauerstoff-Fluoride
F$_2$O$_4$=Sauerstoff-Fluoride
F$_2$Pb=Bleifluorid
F$_2$S$_2$=Schwefelfluoride
F$_2$Sn=Zinnfluoride
F$_2$Sr=Strontiumfluorid
F$_2$Xe=Xenon-Verbindungen
F$_2$Zn=Zinkfluorid
F$_3$N=Stickstoffhalogenide
F$_3$P=Phosphorfluoride
F$_3$Sb=Antimonfluoride
F$_4$OXe=Xenon-Verbindungen
F$_4$P$_2$=Phosphorfluoride
F$_4$S=Schwefelfluoride
F$_4$Si=Siliciumfluoride
F$_4$Sn=Zinnfluoride
F$_4$U=Uranfluoride
F$_4$Xe=Xenon-Verbindungen
F$_5$I=Iodfluoride
F$_5$Nb=Niob-Verbindungen
F$_5$P=Phosphorfluoride
F$_5$Sb=Antimonfluoride
F$_6$HP=Fluorophosphorsäuren
F$_6$HSb=Fluoroantimonsäure
F$_6$H$_2$Si=Fluorokieselsäure
F$_6$K$_2$Si=Kaliumhexafluorosilicat
F$_6$K$_2$Zr=Kaliumhexafluorozirconat
F$_6$MgSi=Magnesiumhexafluorosilicat
F$_6$Na$_2$Si=Natriumhexafluorosilicat
F$_6$S=Schwefelfluoride
F$_6$Se=Selenhalogenide

F$_6$SiZn=Zinkhexafluorosilicat
F$_6$Si$_2$=Siliciumfluoride
F$_6$Tc=Technetium-Verbindungen
F$_6$U=Uranfluoride
F$_6$W=Wolframhexafluorid
F$_6$Xe=Xenon-Verbindungen
F$_7$I=Iodfluoride
F$_{10}$S$_2$=Schwefelfluoride
Fe=Eisen
FeHO$_2$=Brauneisenerz, Eisenhydroxide, Goethit, Lepidokrokit
FeH$_3$O$_3$=Eisenhydroxide
FeH$_8$N$_2$O$_8$S$_2$=Ammoniumeisen(III)-sulfat
FeH$_8$N$_2$O$_8$S$_2$=Ammoniumeisen(II)-sulfat
FeN$_2$O$_6$=Eisennitrate
FeN$_3$O$_9$=Eisennitrate
FeO=Eisenoxide
FeO$_3$Ti=Ilmenit
FeO$_4$P=Eisen(III)-phosphat, Strengit
FeO$_4$S=Eisensulfate
FeP=Eisenphosphide
FeP$_2$=Eisenphosphide
FePb$_4$S$_{14}$Sb$_6$=Jamesonit
FeS=Eisensulfide, Troilit
FeS$_2$=Eisensulfide, Markasit, Pyrit
Fe$_2$N=Eisennitrid
Fe$_2$O$_3$=Eisenoxide, Hämatit
Fe$_2$O$_4$Si=Fayalit
Fe$_2$O$_5$Ti=Pseudobrookit
Fe$_2$O$_{12}$S$_3$=Eisensulfate
Fe$_2$P=Eisenphosphide
Fe$_2$S$_3$=Eisensulfide
Fe$_3$O$_4$=Eisenoxide, Magnetit
Fe$_3$O$_8$P$_2$=Vivianit
Fe$_3$P=Eisenphosphide
Fm=Fermium
Fr=Francium
Ga=Gallium
Ga$_2$O$_3$=Gallium-Verbindungen
Gd=Gadolinium
Ge=Germanium
GeH$_4$=Germanium-Verbindungen
GeMg$_2$=Germanium-Verbindungen
GeNb$_3$=Germanium-Verbindungen
GeO$_2$=Germanium-Verbindungen
H=Wasserstoff
HHg$_2$NO=Millonsche Base
HI=Iodwasserstoff
HIO$_3$=Iodsäure
HIO$_4$=Periodsäure
HKO=Kaliumhydroxid
HKO$_3$S=Kaliumhydrogensulfit
HKO$_4$S=Kaliumhydrogensulfat
HKO$_5$S=Kaliumhydrogenperoxomonosulfat
HK$_2$O$_4$P=Kaliumphosphate
HLi=Lithiumhydrid
HLiO=Lithiumhydroxid
HMgO$_4$P=Magnesiumphosphate
HMnO$_2$=Manganit
HMnO$_4$=Permanganate
HMnO$_4$P=Manganphosphate
HNO=Nitrosylwasserstoff
HNO$_2$=Salpetrige Säure
HNO$_2$S=Sulfimid
HNO$_3$=Salpetersäure
HNO$_5$S=Nitrosylschwefelsäure
HN$_3$=Stickstoffwasserstoffsäure
HNa=Natriumhydrid
HNaO=Natriumhydroxid
HNaO$_3$S=Natriumhydrogensulfit
HNaO$_4$S=Natriumhydrogensulfat
HNaS=Natriumhydrogensulfid

HNa$_2$O$_4$P=Natriumphosphate
HNa$_3$O$_7$P$_2$=Trinatriumhydrogendiphosphat
HNiO$_2$=Nickelhydroxide
H$_2$KO$_4$P=Kaliumphosphate
H$_2$LiN=Lithiumamid
H$_2$Mg=Magnesiumhydrid
H$_2$MgO$_2$=Brucit, Magnesiumhydroxid
H$_2$NNa=Natriumamid
H$_2$N$_2$=Diimin
H$_2$N$_2$O$_2$=Hyposalpetrige Säure, Nitramine
H$_2$N$_2$P$_2$=Phosphazene
H$_2$NaO$_2$P=Natriumphosphinat
H$_2$NaO$_4$P=Natriumphosphate
H$_2$NiO$_2$=Nickelhydroxide
H$_2$O=Wasser
H$_2$O$_2$=Wasserstoffperoxid
H$_2$O$_2$S=Sulfoxylsäure
H$_2$O$_2$Zn=Zinkhydroxid
H$_2$O$_3$S=Schweflige Säure
H$_2$O$_3$S$_2$=Thioschwefelsäure
H$_2$O$_3$Se=Selenige Säure
H$_2$O$_4$S=Schwefelsäure
H$_2$O$_4$Se=Selensäure
H$_2$O$_4$W=Wolframsäure
H$_2$O$_5$S=Carosche Säure
H$_2$O$_5$S$_2$=Dischweflige Säure
H$_2$O$_6$S$_2$=Dithionsäure
H$_2$O$_6$S$_3$=Trithionsäure
H$_2$O$_7$S$_2$=Dischwefelsäure
H$_2$O$_8$S$_2$=Peroxodischwefelsäure
H$_2$S=Schwefelwasserstoff
H$_2$S$_2$=Sulfane
H$_2$S$_3$=Sulfane
H$_2$S$_4$=Sulfane
H$_2$Se=Selenwasserstoff
H$_2$Te=Tellurwasserstoff
H$_2$Ti=Titanhydrid
H$_2$Zr=Zirconiumhydrid
H$_3$LaO$_3$=Lanthan-Verbindungen
H$_3$Mo$_{12}$O$_{40}$P=12-Molybdatophosphorsäure
H$_3$N=Ammoniak
H$_3$NO=Hydroxylamin
H$_3$NO$_3$S=Amidoschwefelsäure
H$_3$NO$_4$S=Hydroxylamin-O-sulfonsäure
H$_3$NS=Thiohydroxylamin
H$_3$OP=Phosphinige Säure
H$_3$O$_2$P=Phosphite, Phosphonige Säure
H$_3$O$_3$P=Phosphite, Phosphonsäure
H$_3$O$_3$Sb=Antimonoxide
H$_3$O$_4$P=Phosphorsäure
H$_3$O$_4$V=Vanadate(V)
H$_3$O$_{40}$PW$_{12}$=12-Wolframatophosphorsäure
H$_3$P=Phosphane
H$_3$Sb=Antimonwasserstoff
H$_4$IN=Ammoniumiodid
H$_4$I$_2$O$_9$=Periodsäure
H$_4$K$_2$O$_6$Os=Kaliumosmat(VI)
H$_4$MgNO$_4$P=Magnesiumammoniumphosphat, Struvit
H$_4$MgO$_8$P$_2$=Magnesiumphosphate
H$_4$MnNO$_7$P$_2$=Manganviolett
H$_4$MnO$_4$P=Manganphosphate
H$_4$NO$_3$P=Ammoniumphosphate, Phosphoramide
H$_4$NO$_3$V=Ammoniumvanadat
H$_4$N$_2$=Hydrazin
H$_4$N$_2$NiO$_8$S$_2$=Nickel(II)-sulfamat
H$_4$N$_2$O$_2$=Ammoniumnitrit
H$_4$N$_2$O$_2$S=Sulfamid
H$_4$N$_2$O$_3$=Ammoniumnitrat
H$_4$N$_4$=Tetrazene
H$_4$O$_4$Si=Kieselsäuren
H$_4$O$_6$P$_2$=Diphosphorsäure(V)

$H_4O_7P_2$=Diphosphorsäure(V)
$H_4O_8P_2Zn$=Zinkphosphate
$H_4O_{40}SiW_{12}$=12-Wolframatokieselsäure
H_4P_2=Phosphane
H_4Pb=Plumban
H_4Si=Silane
H_4Sn=Stannan
H_5IO_6=Periodsäure
H_5NO_4S=Ammoniumsulfat
H_5NS=Ammoniumhydrogensulfid
$H_5N_2O_2P$=Phosphoramide
H_6KO_6Sb=Kaliumhexahydroxoantimonat(V)
$H_6K_2O_6Sn$=Kaliumhexahydroxostannat(IV)
H_6NO_4P=Ammoniumphosphate
H_6N_2O=Hydrazinhydrat
$H_6N_2O_3S$=Ammoniumsulfamat
$H_6N_2O_4S$=Hydraziniumsulfate
$H_6N_2P_2$=Phosphazane
H_6N_3OP=Phosphoramide
$H_6N_3P_2$=Phosphazane
H_6OSi_2=Siloxane
H_6O_6Te=Tellursäuren
$H_6O_7Si_2$=Kieselsäuren
H_6P_4=Phosphane
H_6Si_2=Silane
$H_8MoN_2O_4$=Ammoniummolybdate
$H_8Mo_2N_2O_7$=Ammoniummolybdate
$H_8N_2NiO_8S_2$=Nickel(II)-ammoniumsulfat
$H_8N_2O_3S_2$=Ammoniumthiosulfat
$H_8N_2O_4S$=Ammoniumsulfat
$H_8N_2O_4S$=Hydroxylaminsulfat
$H_8N_2O_8S_2$=Ammoniumpersulfat
H_8N_2S=Ammoniumsulfid
H_8Si_3=Silane
$H_9N_2O_4P$=Ammoniumphosphate
$H_{10}N_4O_4S$=Hydraziniumsulfate
$H_{10}Si_4$=Silane
$H_{12}N_3O_4P$=Ammoniumphosphate
$H_{16}Mo_8N_4O_{26}$=Ammoniummolybdate
$H_{16}Mo_{10}N_4O_{32}$=Ammoniummolybdate
$H_{16}N_6O_{10}S$=Ammonsulfatsalpeter
$H_{22}Si_{10}$=Polysilane, Silane
$H_{24}Mo_7N_6O_{24}$=Ammoniummolybdate
$H_{32}Si_{15}$=Polysilane

Ha=Nielsbohrium

He=Helium

Hf=Hafnium
HfO_2=Hafnium-Verbindungen

Hg=Quecksilber
HgI_2=Quecksilberiodide
HgN_2O_6=Quecksilbernitrate
HgO=Quecksilberoxide
HgO_4S=Quecksilbersulfate
HgS=Quecksilber(II)-sulfid, Zinnober
HgS_8Sb_4=Livingstonit
$HgSe$=Tiemannit
Hg_2I_2=Quecksilberiodide
$Hg_2N_2O_6$=Quecksilbernitrate
Hg_2O=Quecksilberoxide
Hg_2O_4S=Quecksilbersulfate

Ho=Holmium

I=Iod
IK=Kaliumiodid
IKO_3=Kaliumiodat
IKO_4=Kaliumperiodat
ILi=Lithiumiodid
IN_3=Iodazid
INa=Natriumiodid
$INaO_3$=Natriumiodat
$INaO_4$=Natriumperiodate
INa_3O_5=Natriumperiodate
INa_5O_6=Natriumperiodate
INa_5O_7=Natriumperiodate
ITl=Thalliumiodide
I_2O_4=Iodoxide
I_2O_5=Iodoxide
I_2O_7=Iodoxide
I_2Pb=Bleiiodid
I_3Tl=Thalliumiodide

In=Indium
InP=Indiumphosphid
$InSb$=Indiumantimonid
$InSe$=Indiumselenid
In_2O_3=Indium-Verbindungen
$In_2O_{12}S_3$=Indium-Verbindungen

Ir=Iridium
IrO_2=Iridium-Verbindungen
Ir_2O_3=Iridium-Verbindungen

K=Kalium
$KMnO_4$=Kaliumpermanganat
KNO_2=Kaliumnitrit
KNO_3=Kalisalpeter, Kaliumnitrat
KO_2=Kaliumoxide
KO_3=Kaliumoxide
KO_4Re=Kaliumperrhenat
$K_2MgO_8S_2$=Leonit, Schönit
$K_2Mg_2O_{12}S_3$=Langbeinit
$K_2NO_7S_2$=Fremys Salz
K_2O=Kaliumoxide
K_2O_2=Kaliumoxide
K_2O_3=Kaliumoxide
K_2O_3S=Kaliumsulfit
K_2O_3Te=Kaliumtellurit
K_2O_4S=Kaliumsulfat
$K_2O_5S_2$=Kaliumdisulfit
$K_2O_6S_4$=Kaliumtetrathionat
$K_2O_7S_2$=Kaliumdisulfat
$K_2O_8S_2$=Kaliumperoxodisulfat
$K_2O_{12}U_2V_2$=Carnotit
K_2S=Kaliumsulfide
$K_3NaO_8S_2$=Glaserit
K_3O_4P=Kaliumphosphate
$K_4O_7P_2$=Kaliumphosphate

Kr=Krypton

Ku=Kurtschatovium

La=Lanthan
LaN_3O_9=Lanthan-Verbindungen
La_2O_3=Lanthan-Verbindungen
$La_2O_{12}S_3$=Lanthan-Verbindungen

Li=Lithium
$LiNO_3$=Lithiumnitrat
Li_2O=Lithiumoxide
Li_2O_2=Lithiumoxide
Li_2O_4S=Lithiumsulfat

Lu=Lutetium

Md=Mendelevium

Mg=Magnesium
MgN_2O_6=Magnesiumnitrat
$MgNa_2O_8S_2$=Astrakanit
MgO=Magnesiumoxid, Periklas
MgO_2=Magnesiumperoxid
MgO_3Si=Magnesiumsilicate
MgO_4S=Epsomit, Kieserit, Magnesiumsulfat
Mg_2O_4Si=Magnesiumsilicate
$Mg_2O_7P_2$=Magnesiumphosphate
$Mg_2O_8Si_3$=Magnesiumsilicate
Mg_2Si=Magnesiumsilicid
Mg_3N_2=Magnesiumnitrid
$Mg_3O_8P_2$=Magnesiumphosphate

Mn=Mangan
MnN_2O_6=Mangan(II)-nitrat
MnO=Manganoxide
MnO_2=Mangandioxid, Pyrolusit, Ramsdellit
MnO_3Ti=Pyrophanit
MnO_4P=Manganphosphate
MnO_4S=Mangansulfate
MnO_8S_2=Mangansulfate
MnO_9P_3=Manganphosphate
MnS=Alabandin, Mangansulfide
MnS_2=Mangansulfide
Mn_2O_3=Manganoxide
Mn_2O_4Si=Tephroit
Mn_2O_7=Manganoxide, Permanganate
$Mn_2O_7P_2$=Manganphosphate
$Mn_2O_{12}S_3$=Mangansulfate
Mn_3O_4=Manganoxide
$Mn_3O_8P_2$=Manganphosphate
$Mn_7O_{12}Si$=Braunit
$Mn_{14}Na_4O_{27}$=Birnessit

$MoNa_2O_4$=Natriummolybdat
MoO_3=Molybdäntrioxid
MoO_4Pb=Wulfenit
MoS_2=Molybdändisulfid

N=Stickstoff
$NNaO_2$=Natriumnitrit
$NNaO_3$=Natriumnitrat
NO=Stickstoffoxide
NO_2=Stickstoffoxide
NO_3=Stickstoffoxide
NO_3Rb=Rubidium-Verbindungen
NO_3Tl=Thalliumnitrate
NS=Schwefel-Stickstoff-Verbindungen
NTi=Titannitrid
N_2NiO_6=Nickel(II)-nitrat
N_2O=Stickstoffoxide
N_2O_3=Stickstoffoxide
N_2O_5=Stickstoffoxide
N_2O_6Pb=Bleinitrat
N_2O_6Pd=Palladium(II)-nitrat
N_2O_6Sr=Strontiumnitrate
N_2O_6Zn=Zinknitrate
N_2O_8U=Uranyl-Verbindungen
N_2S_2=Schwefel-Stickstoff-Verbindungen
N_3Na=Natriumazid
N_3NdO_9=Neodym-Verbindungen
N_3O_9Rh=Rhodium-Verbindungen
N_3O_9Sc=Scandium-Verbindungen
N_3O_9Sm=Samarium-Verbindungen
N_3O_9Tb=Terbium-Verbindungen
N_3O_9Tl=Thalliumnitrate
N_3O_9Y=Yttrium-Verbindungen
N_3P_3=Phosphazene
N_4O=Stickstoffoxide
$N_4O_{12}Th$=Thoriumtetranitrat
N_4S_4=Schwefel-Stickstoff-Verbindungen
N_4Si_3=Siliciumnitrid
N_6Pb=Bleiazid

Na=Natrium
NaO_2=Natriumoxide
NaO_3=Natriumoxide
NaO_3V=Natriumvanadate
Na_2O=Natriumoxide
Na_2O_2=Natriumperoxid
Na_2O_3S=Natriumsulfit
$Na_2O_3S_2$=Natriumthiosulfat
Na_2O_3Se=Natriumselenit
Na_2O_3Si=Natriumsilicate
Na_2O_4S=Natriumsulfat, Thenardit
$Na_2O_4S_2$=Natriumdithionit
Na_2O_4W=Natriumwolframat
$Na_2O_5S_2$=Natriumdisulfat
$Na_2O_7S_2$=Natriumhydrogensulfat
$Na_2O_8S_2$=Natriumperoxodisulfat
$Na_2O_9Si_3Zr$=Katapleit
Na_2S=Natriumsulfide
Na_2S_2=Natriumsulfide
Na_2S_3=Natriumsulfide
Na_2S_4=Natriumsulfide
Na_2S_5=Natriumsulfide
Na_3O_4P=Natriumphosphate
Na_3O_4V=Natriumvanadate
Na_3S_4Sb=Natrium(tetra)thioantimonat(V)
Na_4O_4Si=Natriumsilicate
$Na_4O_7P_2$=Natriumphosphate
$Na_5O_{10}P_3$=Natriumphosphate

Nb=Niob
Nb_2O_5=Niob-Verbindungen

Nd=Neodym
Nd_2O_3=Neodym, Neodym-Verbindungen
$Nd_2O_{12}S_3$=Neodym-Verbindungen

Ne=Neon

Ni=Nickel
NiO=Nickeloxide
NiO_2=Nickeloxide
NiO_4S=Nickel(II)-sulfat
NiS=Millerit, Nickelsulfide
$NiSSb$=Ullmannit
Ni_2O_3=Nickeloxide

No=Nobelium

Np=Neptunium

Ns=Nielsbohrium

O=Sauerstoff
OOs=Osmiumtetroxid
OPb=Bleioxide
OPd=Palladium(II)-oxid
OS=Schwefeloxide
OS_2Sb_2=Kermesit
OSi=Siliciummonoxid
OSn=Zinnoxide
OTl_2=Thalliumoxide
OV=Vanadiumoxide
OW_2=Wolframoxide
OZn=Zinkit, Zinkoxid
O_2Os=Osmiumtetroxid
O_2Pb=Bleioxide
O_2Pt=Platin-Verbindungen
O_2Re=Rhenium-Verbindungen
O_2Ru=Ruthenium-Verbindungen
O_2S=Schwefeldioxid, Schwefeloxide
O_2S_2=Schwefeloxide
O_2Se=Selendioxid
O_2Si=Coesit, Cristobalit, Moganit, Opal, Siliciumdioxid, Tridymit
O_2Sn=Kassiterit, Zinnoxide
O_2Tc=Technetium-Verbindungen
O_2Te=Telluroxide
O_2Th=Thoriumdioxid
O_2Ti=Rutil, Titandioxid
O_2U=Uranoxide, Uranpecherz
O_2V=Vanadiumoxide
O_2W=Wolframoxide
O_2Zr=Baddeleyit, Zirconiumdioxid
O_3=Ozon
O_3Os=Osmiumtetroxid
O_3P_2=Phosphoroxide
O_3PbZr=Bleizirkonat
O_3Pr_2=Praseodym-Verbindungen
O_3Re=Rhenium-Verbindungen
O_3Rh_2=Rhodium-Verbindungen
O_3S=Schwefeltrioxid
O_3S_2=Schwefeloxide
$O_3S_6Sb_2$=Antimonzinnober
O_3Sb_2=Antimonoxide, Senarmontit, Valentinit
O_3Sc_2=Scandium-Verbindungen
O_3SiZn=Zinksilicate
O_3Sm_2=Samarium-Verbindungen
O_3SrTi=Strontiumtitanat
O_3Tb_2=Terbium-Verbindungen
O_3Te=Telluroxide
O_3Tl_2=Thalliumoxide

O_3V_2=Vanadiumoxide
O_3W=Wolframocker, Wolframoxide
O_3Xe=Xenon-Verbindungen
O_3Y_2=Yttrium-Verbindungen
O_4Os=Osmiumtetroxid
O_4PSc=Kolbeckit
O_4PY=Xenotim
O_4P_2=Phosphoroxide
O_4PbS=Anglesit, Bleisulfat
O_4PbW=Stolzit
O_4Pb_3=Bleioxide
O_4Rb_2S=Rubidium-Verbindungen
O_4Ru=Ruthenium-Verbindungen
O_4S=Schwefeloxide
O_4SSn=Zinn(II)-sulfat
O_4SSr=Cölestin, Strontiumsulfat
O_4STl_2=Thalliumsulfate
O_4SZn=Zinksulfat
O_4Sb_2=Antimonoxide
O_4SiTh=Thorit
O_4SiU=Coffinit
O_4SiZn_2=Willemit, Zinksilicate
O_4SiZr=Zirconiumsilicat, Zirkon
O_4Xe=Xenon-Verbindungen
O_5P_2=Phosphoroxide
O_5STi=Titansulfate
O_5Sb_2=Antimonoxide
O_5Ta_2=Tantal-Verbindungen
O_5V_2=Vanadiumoxide
$O_7P_2Zn_2$=Zinkphosphate
O_7Re_2=Rhenium-Verbindungen
O_7S_2=Schwefeloxide
$O_7Sc_2Si_2$=Thortveitit
O_7Tb_4=Terbium-Verbindungen
O_7Tc_2=Technetium-Verbindungen
$O_8P_2Zn_3$=Hopeit, Zinkphosphate
$O_8Pb_3Sb_2$=Neapelgelb
O_8S_2Ti=Titansulfate
O_8S_2Zr=Zirconium(IV)-sulfat
O_8SiU_2=Soddyit
$O_{12}Pr_2S_3$=Praseodym-Verbindungen
$O_{12}S_3Sc_2$=Scandium-Verbindungen
$O_{12}S_3Ti_2$=Titansulfate
$O_{12}S_3Tl_2$=Thalliumsulfate

Os=Osmium

P=Phosphor
P_2Zn_3=Zinkphosphid
P_4S_3=Phosphorsulfide
P_4S_{10}=Phosphorsulfide

Pa=Protactinium

Pb=Blei
PbS=Bleiglanz, Bleisulfid
$PbSe$=Bleiselenid
$PbTe$=Bleitellurid
$Pb_5S_{11}Sb_4$=Boulangerit
$Pb_9S_{42}Sb_{22}$=Zinckenit

Pd=Palladium

Pm=Promethium

Po=Polonium

Pr=Praseodym

Pt=Platin

Pu=Plutonium

Ra=Radium

Rb=Rubidium

Re=Rhenium

Rf=Kurtschatovium

Rh=Rhodium

Rn=Radon

Ru=Ruthenium
RuS_2=Laurit

S=Schwefel
SSi=Silicium-Schwefel-Verbindungen
SSn=Zinnsulfide
SZn=Wurtzit, Zinkblende, Zinksulfid
S_2Se=Selendisulfid
S_2Si=Silicium-Schwefel-Verbindungen
S_2Sn=Zinnsulfide
S_2Tc=Technetium-Verbindungen
S_2W=Wolframsulfide
S_3Sb_2=Antimonit, Antimonsulfide
S_3W=Wolframsulfide
S_4V=Patronit
S_5Sb_2=Antimonsulfide

Sb=Antimon

Sc=Scandium

Se=Selen

Si=Silicium
Si_2W=Wolframsilicid

Sm=Samarium

Sn=Zinn

Sr=Strontium

Ta=Tantal

Tb=Terbium

Tc=Technetium

Te=Tellur

Th=Thorium

Ti=Titan

Tl=Thallium

Tm=Thulium

U=Uran

V=Vanadium

W=Wolfram

Xe=Xenon

Y=Yttrium

Yb=Ytterbium

Zn=Zink

Zr=Zirconium

English/German Dictionary

A

AA/BB polycondensation/AA/BB-Polykondensation
aaptamine/Aaptamin
abaca fiber/Manilahanf
abalone/Abalone
abamectin/Abamectin
abbreviations/Abkürzungen
ABC extinguishing powders/ABC-Löschpulver
– transporter proteins/ABC-Transporter-Proteine
abciximab/Abciximab
Abegg rule/Abeggsche Regel
Abel test/Abel-Test
Abel('s) reagent/Abels Reagenz
abherents/Trennmittel
abietates/Abietate
abietic acid/Abietinsäure
abietospiran/Abietospiran
abiogenesis/Abiogenese
abiotic/Abiotisch
– degradation/Abiotischer Abbau
ablation cooling/Ablationskühlung
aboricides/Arborizide
abortives/Abortiva
abrasion resistance/Scheuerfestigkeit
abrasive grain/Diamantmetalle
abrasives/Schleifmittel, Strahlmittel
abraum salts/Abraumsalze
abrin/Abrin
abrines/Abrine
abscisic acid/Abscisinsäure
absinthe/Absinth
absinthin/Absinthin
absolute/Absolut
– structure/Absolute Struktur
– temperature/Absolute Temperatur
– zero/Absoluter Nullpunkt
absolutes/Absolues
absorbent/Absorbens
absorber/Naßwäscher
– elements/Absorberelemente
absorptiometry/Absorptiometrie
absorption/Absorption
– coefficient/Absorptionskoeffizient, Sorptionskoeffizient
– cross section/Absorptionsquerschnitt
– vessels/Absorptionsgefäße
absorptive capacity of dyestuffs/Ziehvermögen
– ointment bases/Absorptionsgrundlagen
abstracts/Referateorgane
abundance/Abundanz
abzymes/Abzyme
acamprosate/Acamprosat
acarbose/Acarbose
AC(arctic) rubber/AC-Kautschuk
acaricide/Akarizide
accelerators/Beschleuniger
acceptable daily intake/ADI, Duldbare tägliche Aufnahme
acceptor/Akzeptor
accident insurance/Unfallversicherung
– prevention/Unfallverhütung
– prevention regulations/Unfallverhütungsvorschriften
– report/Unfallanzeige
accidental/Akzidentell
accreditation/Akkreditierung
accumulation/Akkumulation
– factor/Akkumulationsfaktor
accumulators/Akkumulatoren
accuracy/Genauigkeit, Richtigkeit

ACE inhibitors/ACE-Hemmer
acebutolol/Acebutolol
acecarbromal/Acecarbromal
aceclidine/Aceclidin
acediasulfone sodium/Acediasulfon-Natrium
acefylline piperazine/Acefyllin-Piperazin
acemetacine/Acemetacin
acenaphthene/Acenaphthen
acenes/Acene
acenocoumarol/Acenocoumarol
acephate/Acephat
aceprometazine/Aceprometazin
acerola/Acerola
acesulfam K/Acesulfam-K
acetal resins/Acetal-Harze, Polyacetale
acetaldehyde/Acetaldehyd
– diethyl acetal/Acetaldehyd-diethylacetal
acetalization/Acetalisierung
acetals/Acetale
acetamide/Acetamid
acetamido.../Acetamido...
acetamiprid/Acetamiprid
acetanilide/Acetanilid
acetarsol/Acetarsol
acetates/Acetate, Essigsäureester
acetator process/Acetator-Verfahren
acetazolamide/Acetazolamid
acetiamine/Acetiamin
acetic acid/Essigsäure
– acid esters/Essigsäureester
– anhydride/Essigsäureanhydrid
– fermentation/Essig-Produktion
acetimidoyl.../Acetimidoyl...
acetins/Glycerinacetate
acetoacetates/Acetessigester
acetoacetic acid/Acetessigsäure
acetoacetyl.../Acetoacetyl...
acetobacter/Acetobacter
acetochlor/Acetochlor
acetofenid/Acetofenid
acetogenins/Acetogenine
acetoin/Acetoin
acetomycin/Acetomycin
acetone/Aceton
– butanol fermentation/Aceton-Butanol-Fermentation
acetonides/Acetonide
acetonitrile/Acetonitril
acetonyl.../Acetonyl...
acetophenone/Acetophenon
acetoxy.../Acetoxy...
acetoxylation/Acetoxylierung
acetrizoic acid/Acetrizoesäure
acetyl.../Acetyl...
acetyl bromide/Acetylbromid
– chloride/Acetylchlorid
– -CoA/Acetyl-CoA
– number/Acetyl-Zahl
– value/Acetyl-Zahl
acetylacetone/Acetylaceton
acetylamino.../Acetylamino...
acetylaminophenols/Acetylaminophenole
acetylation/Acetylierung
acetylcholine/Acetylcholin
acetylcholinesterase/Acetylcholin-Esterase
acetylcysteine/Acetylcystein
acetyldigitoxine/Acetyldigitoxin
acetyldigoxine/Acetyldigoxin
acetylene/Acetylen
acetylenides/Acetylenide
acetylglutamic acid/Acetylglutaminsäure
acetylimino.../Acetylimino...
acetylmethadol/Acetylmethadol
acetylphosphoric acid/Acetylphosphorsäure

acetylsalicylic acid/Acetylsalicylsäure
aci.../Azi...
aci-/aci-
aciclovir/Aciclovir
acid anhydrides/Säureanhydride
– -base balance/Säure-Basen-Gleichgewicht
– -base catalysis/Säure-Base-Katalyse
– -base concept/Säure-Base-Begriff
– -base titration/Säure-Base-Titration
– biological degradation/Säureabbau, biologischer
– blues/Patentblau-Farbstoffe
– capacity/Acidität
– chlorides/Säurechloride
– depositions/Saurer Regen
– dyes/Säurefarbstoffe
– fading/Acid fading
– fuchsine/Säurefuchsin
– halides/Säurehalogenide
– hardening varnishes/Säurehärtende Lacke
– hydrazides/Säurehydrazide
– number/Säurezahl
– -proof putties/Säurekitte
– protection/Säureschutz
– radicals/Säurereste
– rain/Saurer Regen
– reaction/Saure Reaktion
– sludge/Säureteer
– tar/Säureteer
– violet/Echtsäureviolett AAR
– violett 49/Formylviolett S4BN
acidifying agents/Säurungsmittel
acidimetry/Acidimetrie
acidity/Acidität
acido ligands/Acidoliganden
acidophilic/Acidophil
– bacteria/Acidophile Bakterien
acidosis/Azidose
acids/Säuren, Säurungsmittel
acidulous mineral waters/Säuerlinge
acifluorfen/Acifluorfen
acipimox/Acipimox
acitretin/Acitretin
acivicin/Acivicin
aclarubicin/Aclarubicin
aclonifen/Aclonifen
acne/Akne
aconine/Aconin
aconitase/Aconitase
aconitic acid/Aconitsäure
aconitine/Aconitin
acoustic microscope/Ultraschallmikroskop
acoustics/Akustik
acrasins/Acrasine
acridine/Acridin
– dyes/Acridin-Farbstoffe
acriflavinium chloride/Acriflaviniumchlorid
acrinathrin/Acrinathrin
acrolein/Acrolein
acromelic acid/Acromelsäuren
acrosin/Akrosin
acrosome/Akrosom
acryl dyes/Acrylfarbstoffe
acrylamide/Acrylamid
acrylic acid/Acrylsäure
– adhesives/Acrylat-Klebstoffe
– coatings/Acrylharz-Lacke
– esters/Acrylsäureester
– glass/Acrylglas
– modified alkyd resins/Acryl-Alkydharze
– resins/Acrylharze
– rubber/Acrylat-Kautschuk
acrylics/Acrylharze

acrylonitrile/Acrylnitril
– -butadiene-styrol polymers/Acrylnitril-Butadien-Styrol-Copolymere
actin/Actin
– -binding protein-120/Actin-bindendes Protein 120
– -related proteins/Actin-verwandte Proteine
α-actinin/α-Actinin
actinium/Actinium
actinoides/Actinoide
actinometry/Aktinometrie
actinomycetes/Actinomyceten
actinomycins/Actinomycine
actinoquinol/Actinoquinol
actinoviridin A/Actinoviridin A
action level/Auslöseschwelle
activated carbon/Aktivkohle
– sludge/Belebtschlamm
activation/Aktivierung
– analysis/Aktivierungsanalyse
– energy/Aktivierungsenergie
activators/Aktivatoren
active hydrogen/Aktiver Wasserstoff
– solids/Aktivstoffe
– substances/Wirkstoffe
– transport/Aktiver Transport
activin/Activin
activity/Aktivität
acute phase proteins/Akutphasen-Proteine
acyclic compounds/Acyclische Verbindungen
acyl.../Acyl...
acyl amino alkane sulfonates/Fettsäuretauride
– azides/Säureazide
– carrier protein/Acyl-Carrier-Protein
– chlorides/Säurechloride
– halides/Säurehalogenide
– hydrazides/Säurehydrazide
acylanion synthon/Acylanion-Synthon
acylases/Acylasen
acylation/Acylierung
acylneuraminic acids/Acylneuraminsäuren
acyloin condensation/Acyloin-Kondensation
acyloins/Acyloine
acyloxy.../Acyloxy...
1-adamantanamine/1-Adamantanamin
adamantane/Adamantan
adamite/Adamin
Adams needle/Yucca
adamsite/Adamsit
adaptation/Adaptation
adapters/Reduzierstücke
adaptogens/Adaptogene
adaptor/Adaptor
addiction/Sucht
Addison's disease/Addisonsche Krankheit
addition/Addition
– compounds/Additionsverbindungen
– polymerization/Additionspolymerisation, Polymerisation
additive effect/Additive Wirkung
– name/Additionsname
additives/Additive, Stellmittel
– for use/Gebrauchsadditive
addressins/Adressine
adducin/Adducin
adenine/Adenin
– arabinoside/Adeninarabinosid
adenosine/Adenosin
– 5′-diphosphate/Adenosin-5′-diphosphat

– 3'-monophosphate/Adenosin-3'-monophosphat
– 3',5'-monophosphate/Adenosin-3',5'-monophosphat
– 5'-monophosphate/Adenosin-5'-monophosphat
– triphosphatases/Adenosintriphosphatasen
– 5'-triphosphate/Adenosin-5'-triphosphat
adenosinephosphate/Adenosinphosphat
S-adenosylmethionine/S-Adenosylmethionin
adenoviruses/Adenoviren
adenylate cyclase/Adenylat-Cyclase
– kinase/Adenylat-Kinase
adherens junctions/Adhärenz-Verbindungen
adherents/Antiblock(ing)mittel
adhesins/Adhäsine
adhesion/Adhäsion
– promoters/Haftmittel, Haftvermittler
adhesiv/Adhäsiv
adhesive films/Klebfolien
– oils/Haftöle
– strength/Haftfestigkeit
– tapes/Klebebänder
adhesives/Kleber, Klebstoffe
– dispersions/Dispersionsklebstoffe
– for medical applications/Medizinische Klebstoffe
adiabatic cooling/Adiabatische Abkühlung
– curve/Adiabate
– demagnetization/Adiabatische Entmagnetisierung, Adiabatische Kernentmagnetisierung
adicillin/Adicillin
adiphenine/Adiphenin
adipic acid/Adipinsäure
adipiodone/Adipiodon
adiponitrile/Adipinsäuredinitril
adiposity/Fettsucht
adjuvant/Adjuvans
administration forms/Arzneiformen
ADP-ribosylation/ADP-Ribosylierung
adrenal glands/Nebennieren
– hormones/Nebennierenhormone
L-adrenaline/L-Adrenalin
adrenalone/Adrenalon
adrenergic/Adrenerg
– blockers/Sympath(ik)olytika
adrenoceptors/Adrenozeptoren
adrenochrome/Adrenochrom
adrenolytic drugs/Adrenolytika
adrenosterone/Adrenosteron
adsorbents/Adsorbentien
adsorption/Adsorption
– chromatography/Adsorptionschromatographie
adsorptive filtering/Filtrierende Adsorption
adult T-cell leukemia/Adulte T-Zell-Leukämie
AED/AED
aequorin/Aequorin
aerating agents/Treibmittel
aeration/Lüftung
– process/Belüftungsverfahren
– rate/Belüftungsrate
– tank/Belebungsbecken
aerobes/Aerobier
aerobic biology/Aerobe Biologie
aeroconcrete/Schaumbeton
aerogel/Aerogel
aerosols/Aerosole, Sprays
aerotolerant/Aerotolerant

aetioporphyrins/Etioporphyrine
A factor/A-Faktor
affinity/Affinität
– chromatography/Affinitätschromatographie
– label(l)ing/Affinitätsmarkierung
aflatoxins/Aflatoxine
aflatrem/Aflatrem
AFM/AFM
afrormosia/Afrormosia
afterburning/Nachverbrennung
aftercrystallization/Nachkristallisation
afwillite/Afwillit
agar(-agar)/Agar(-Agar)
agar diffusion test/Agardiffusionstest
– slant tube/Schrägagar-Röhrchen
agaric acid/Agaricinsäure
agaritine/Agaritin
agarofurans/Agarofurane
agarose/Agarose
agar(ose) gel electrophoresis/Agar(ose)-Gelelektrophorese
agates/Achate
ageing (GB)/Altern, Alterung
agent/Agens
agglomerates/Agglomerate
agglutination/Agglutination
agglutinins/Agglutinine
aggregation/Aggregation
– behaviour/Aggregationsverhalten
– number/Aggregationszahl
aging (USA)/Altern, Alterung
– inhibitors/Alterungsschutzmittel
agitation/Rühren
aglycones/Aglykone
agonist/Agonist
agricultural alcohol/Agraralkohol
– chemistry/Agrikulturchemie
agrimony herb/Odermennig
agrin/Agrin
agrobacteria/Agrobakterien
agrochemicals/Agrochemikalien
agropyrene/Agropyren
agrumen/Agrumen
Ah receptor/Ah-Rezeptor
AH-salt/AH-Salz
AIDS/AIDS
aikinite/Aikinit
air/Luft
– baths/Luftbäder
– blast conversion/Windfrischen
– classifying/Windsichten
– conditioning/Klimatechnik
– -entraining additive/Luftporenbildner
– pollution/Luftverunreinigungen
– pollution prevention plan/Luftreinhalteplan, Luftreinhaltung
– sifting/Windsichten
airlift fermenter/Airlift-Fermenter
ajmalicine/Ajmalicin
ajmaline/Ajmalin
...al/...al
Al-fin process/Al-Fin-Verfahren
alabandine/Alabandin
alabandite/Alabandin
alabaster/Alabaster
alachlor/Alachlor
alanates/Alanate
alanes/Alane
alanine/Alanin
alanosine/L-Alanosin
alanycarb/Alanycarb
alarm plan/Alarmplan
alarming substances/Alarmstoffe
albendazole/Albendazol
Albert slag/Thomasmehl
albinism/Albinismus

albocycline/Albocyclin
albomycin/Albomycine
albumins/Albumine
alclometasone/Alclometason
alcloxa/Alcloxa
alcohol/Alkohol, Sprit
– dehydrogenases/Alkohol-Dehydrogenasen
alcoholates/Alkoholate
alcoholic beverages/Alkoholische Getränke
alcoholism/Alkoholismus
alcoholometer/Alkoholometer
alcohols/Alkohole
alcoholysis/Alkoholyse
alcuronium chloride/Alcuroniumchlorid
aldaric acids/Aldarsäuren
aldehyde acids/Aldehydsäuren
– dehydrogenases/Aldehyd-Dehydrogenasen
– polymers/Polyacetale
aldehydes/Aldehyde
aldehydic resins/Aldehydharze
aldehydo.../aldehydo...
aldesulfone sodium/Aldesulfon-Natrium
aldicarb/Aldicarb
aldimorph/Aldimorph
aldioxa/Aldioxa
alditols/Aldite
aldo.../Aldo...
aldohexoses/Aldohexosen
aldoketenes/Aldoketene
aldoketoses/Aldoketosen
aldol/Aldol
– addition/Aldol-Addition
aldolases/Aldolasen
aldols/Aldole
aldonic acids/Aldonsäuren
aldopentoses/Aldopentosen
aldose reductase/Aldose-Reduktase
aldoses/Aldosen
aldosterone/Aldosteron
aldrin/Aldrin
alendronate/Alendronat
alerting services/Schnellinformationsdienste
alexins/Alexine
alfacalcidol/Alfacalcidol
alfadolone/Alfadolon
alfalfa/Luzerne
alfaxolone/Alfaxolon
alfentanil/Alfentanil
alfin polymerization/Alfin-Polymerisation
alfuzosin/Alfuzosin
algae/Algen
– pheromones/Algenpheromone
algal bloom/Algenblüte
– inhibition test/Algentest
algicides/Algizide
algin/Natriumalginat
alginate fibers/Alginat-Fasern
alginates/Alginate
alginic acid/Alginsäure
alglucerase/Alglucerase
alicyclic compounds/Alicyclische Verbindungen
alimemazine/Alimemazin
aliphatic compounds/Aliphatische Verbindungen
aliquot part/Aliquoter Teil
alitizing/Alitieren
alizapride/Alizaprid
alizarin/Alizarin
– dyes/Alizarin-Farbstoffe
alkali blue/Alkaliblau
– -cellulose/Alkalicellulose
– fastness/Alkaliechtheit
– fusion/Alkalischmelze
– metals/Alkalimetalle

alkalimetry/Alkalimetrie
alkaline blackening/Brünieren
– -earth metals/Erdalkalimetalle
– reaction/Alkalische Reaktion
alkalis/Alkalien
alkaloids/Alkaloide
alkalophilic bacteria/Alkalophile Bakterien
alkalosis/Alkalose
alkanes/Alkane
alkanesulfonates/Alkansulfonate
alkanethiols/Alkanthiole
alkannin/Alkannin
alkanolamines/Alkanolamine
alkanols/Alkanole
alkenes/Alkene
alkoxy.../Alkoxy...
alkyd resins/Alkydharze
– varnishes/Alkydharz-Lacke
alkyl.../Alkyl...
alkyl halides/Alkylhalogenide
– polyglucosides/Alkylpolyglucoside
– sulfates/Alkylsulfate
N-alkylamides/N-Alkylamide
alkylamines/Alkylamine
alkylarenesulfonates/Alkylarensulfonate
alkylaryl.../Alkylaryl...
alkylating agents/Alkylantien
alkylation/Alkylierung
alkylbenzene sulfonates/Alkylbenzolsulfonate
alkylbenzenes/Alkylbenzole
alkylidenation/Alkylidenierung
alkylidene.../Alkyliden...
alkylnaphthalenesulfonates/Alkylnaphthalinsulfonate
alkylphenol polyglycol ethers/Alkylphenolpolyglykolether
alkylphenols/Alkylphenole
alkynes/Alkine
all-purpose adhesives/Alleskleber
– purpose cleaner/Allzweckreiniger
– purpose cleaners/Universalreiniger
– purpose rubber/Allzweck-Kautschuk
allanite/Allanit
allantoin/Allantoin
allele/Allel
allelopathic substances/Allelopathika
allelopathy/Allelopathie
allene/Allen
allergens/Allergene
allergy/Allergie
allicin/Allicin
alligator pear/Avocado
alliin/Alliin
allo.../Allo...
allobarbital/Allobarbital
allochromasy/Allochromasie
allomerism/Allomerie
allomones/Allomone
allopathy/Allopathie
allopatry/Allopatrie
allophanates/Allophanate
allophanes/Allophane
allophanic acid/Allophansäure
allopolarization principe/Allopolarisierungs-Prinzip
allopurinol/Allopurinol
allosamidin/Allosamidin
allosterism/Allosterie
allothigenic/Allothigen
allotriomorphism/Allotriomorphie
alloxan/Alloxan
alloxatin/Alloxantin
alloxazine/Alloxazin
alloy/Legierung

English

allspice/Piment
allura red/Allura Red
allyl.../Allyl...
allyl alcohol/Allylalkohol
– bromide/Allylbromid
– chloride/Allylchlorid
– isothiocyanate/Allylisothiocyanat
– resins/Allylharze
– thiourea/Allylthioharnstoff
π-allyl transition metal compounds/π-Allyl-Übergangsmetall-Verbindungen
allylamine/Allylamin
allylestrenol/Allylestrenol
allylic rearrangement/Allyl-Umlagerung
allyloxy.../Allyloxy...
almitrine/Almitrin
almond oil/Mandelöl
almonds/Mandeln
aloe/Aloe
alpaca/Alpaka
alpha-chloralose/Chloralose
– -cypermethrin/Alpha-Cypermethrin
– decay/Alpha-Zerfall
– particle/Alpha-Teilchen
alprazolam/Alprazolam
alprenolol/Alprenolol
alprostadil/Alprostadil
alteplase/Human-Plasminogen-Aktivator
alteration pseudomorphism/Umwandlungspseudomorphose
alternating copolymers/Alternierende Copolymere
– hydrocarbons/Alternierende Kohlenwasserstoffe
alternatives/Tierversuche, Alternativen
althea/Eibischwurzel
altretamine/Altretamin
altro-/altro-
altruism/Altruismus
alum/Alaun
– earth/Tonerde
alumina/Aluminiumoxide, Tonerde
aluminates/Aluminate
aluminium (GB)/Aluminium
– chloride/Aluminiumchlorid
– clofibrate/Aluminiumclofibrat
– magnesium silicate/Magnesiumaluminiumsilicat
– silicates/Aluminiumsilicate
– sulfate/Aluminiumsulfat
aluminizing/Aluminieren
aluminothermic process/Goldschmidtsches Thermit-Verfahren
aluminum (USA)/Aluminium
– acetates/Aluminiumacetate
– alcoholates/Aluminiumalkoholate
– alkoxides/Aluminiumalkoholate
– alloys/Aluminium-Legierungen
– bromide/Aluminiumbromid
– bronzes/Aluminiumbronzen
– carbide/Aluminiumcarbid
– fluoride/Aluminiumfluorid
– formates/Aluminiumformiate
– hydride/Aluminiumhydrid
– hydroxides/Aluminiumhydroxide
– hydroxychlorides/Aluminiumhydroxychloride
– isopropylate/Aluminiumisopropylat
– nitrate/Aluminiumnitrat
– nitride/Aluminiumnitrid
– oxides/Aluminiumoxide
– phosphates/Aluminiumphosphate
– preparations/Aluminium-Präparate
– stearate/Aluminiumstearate
alums/Alaune
alunite/Alunit
Alzheimer's disease/Alzheimersche Krankheit
Amadori rearrangement/Amadori-Umlagerung
amalgamated gold/Goldamalgam
amalgans/Amalgame
amanitins/Amanitine
amaranth/Amaranth
amarogentin/Amarogentin
amaryllidaceae alkaloids/Amaryllidaceen-Alkaloide
amatol/Amatol
amavadine/Amavadin
ambazone/Ambazon
ambenonium chloride/Ambenoniumchlorid
amber/Bernstein
ambergris/Ambra
ambi.../Ambi...
amblygonite/Amblygonit
ambo-/ambo-
ambrein/Ambrein
ambrette seed oil/Moschuskörneröl
ambrettolide/Ambrettolid
ambrox/Ambrox
ambroxol/Ambroxol
ambucetamide/Ambucetamid
ambutonium bromide/Ambutoniumbromid
amcinonide/Amcinonid
amebas/Amöben
amensalism/Amensalismus
amentalism/Amensalismus
americium/Americium
Ames reagents/Ames-Reagenzien
– test/Ames-Test
amethyst/Amethyst
ametryn/Ametryn
ameziniummetilsulfate/Ameziniummetilsulfat
amfepramone/Amfepramon
amfetaminil/Amfetaminil
amfomycin/Amfomycin
amidases/Amidasen
amidation/Amidierung
amide acetals/Amidacetale
– oximes/Amidoxime
– soaps/Amidseifen
amides/Amide
amidines/Amidine
amidino.../Amidino...
amido.../Amido...
amido black 10 B/Amidoschwarz 10 B
amidosulfuric acid/Amidoschwefelsäure
amidosulfuron/Amidosulfuron
amidotransferases/Amidotransferasen
amidotrizoic acid/Amidotrizoesäure
amidrazones/Amidrazone
amifostine/Amifostin
amikacin/Amikacin
amilorid/Amilorid
aminals/Aminale
amination/Aminierung
amine oxides/Aminoxide
amines/Amine
amino.../Amino...
amino acid-tRNA ligases/Aminosäure-tRNA-Ligasen
– acids/Aminosäuren
– acids letter code/Buchstabencode der Aminosäuren
2-amino-1-butanol/2-Amino-1-butanol
1-amino-cyclopropanecarboxylic acid/1-Amino-cyclopropancarbonsäure
2-amino-2-methyl-1,3-propanediol/2-Amino-2-methyl-1,3-propandiol
2-amino-2-methyl-1-propanol/2-Amino-2-methyl-1-propanol
5-amino-4-oxovaleric acid/5-Amino-4-oxovaleriansäure
amino resins/Aminoplaste
– sugars/Aminozucker
aminoacetaldehyde dimethylacetal/Aminoacetaldehyddimethylacetal
4-aminoacetanilide/4-Aminoacetanilid
aminoacid exchange/Aminosäure-Austausch
aminoacyl tRNA/Aminoacyl-tRNA
α-aminoalkylation/α-Aminoalkylierung
aminoanthraquinones/Aminoanthrachinone
4-aminoazobenzene/4-Aminoazobenzol
4-aminobenzenearsonic acid/4-Aminophenylarsonsäure
aminobenzenesulfonic acids/Aminobenzolsulfonsäuren
aminobenzoates/Aminobenzoesäureester
aminobenzoic acids/Aminobenzoesäuren
aminobutyric acids/Aminobuttersäuren
6-aminocaproic acid/6-Aminohexansäure
aminoethanols/Aminoethanole
aminoglutethimide/Aminoglutethimid
aminoglycosides/Aminoglykoside
aminoguanidine/Aminoguanidin
4-aminohippuric acid/4-Aminohippursäure
aminonaphthols/Aminonaphthole
aminooxy.../Aminooxy...
aminopeptidases/Aminopeptidasen
aminophenazone/Aminophenazon
aminophenols/Aminophenole
aminophylline/Aminophyllin
2-aminopimelic acid/2-Aminopimelinsäure
aminopropanols/Aminopropanole
aminopterin/Aminopterin
aminopyridines/Aminopyridine
aminoquinuride/Aminoquinurid
p-aminosalicylic acid/p-Aminosalicylsäure
amiodarone/Amiodaron
amiphenazole/Amiphenazol
amitraz/Amitraz
amitriptyline/Amitriptylin
amitrole/Amitrol
amlodipine/Amlodipin
ammine salts/Ammin-Salze
ammonia/Ammoniak
– nitriding/Gas-Nitrierung
ammonio.../Ammonio...
ammonium/Ammonium
– acetate/Ammoniumacetat
– alum/Ammoniumalaun
– amalgam/Ammoniumamalgam
– aurintricarboxylate/Aurintricarbonsäure-Ammoniumsalz
– benzoate/Ammoniumbenzoat
– borates/Ammoniumborate
– bromide/Ammoniumbromid
– carbonate/Ammoniumcarbonat
– chloride/Ammoniumchlorid
– chromate/Ammoniumchromat
– citrate/Ammoniumcitrat
– dichromate/Ammoniumdichromat
– ferric citrate/Ammoniumeisen(III)-citrat
– ferric oxalate/Ammoniumeisen(III)-oxalat
– ferric sulfate/Ammoniumeisen(III)-sulfat
– ferrous sulfate/Ammoniumeisen(II)-sulfat
– fluorides/Ammoniumfluoride
– formate/Ammoniumformiat
– hydrogen carbonate/Ammoniumhydrogencarbonat
– hydrogen sulfide/Ammoniumhydrogensulfid
– iodide/Ammoniumiodid
– iron chloride/Eisensalmiak
– molybdates/Ammoniummolybdate
– nitrate/Ammoniumnitrat
– nitrate sulfate/Ammonsulfatsalpeter
– nitrite/Ammoniumnitrit
– oxalate/Ammoniumoxalat
– perchlorate/Ammoniumperchlorat
– persulfate/Ammoniumpersulfat
– phosphates/Ammoniumphosphate
– sulfate/Ammoniumsulfat
– sulfide/Ammoniumsulfid
– sulphamate/Ammoniumsulfamat
– thiocyanate/Ammoniumthiocyanat
– thiosulfate/Ammoniumthiosulfat
– vanadate/Ammoniumvanadat
ammonolysis/Ammonolyse
ammoxidation/Ammonoxidation
ammunition/Munition
amobarbital/Amobarbital
amoebae/Amöben
am(o)ebicides/Amöbizide
amorolfine/Amorolfin
amorphous/Amorph
– metals/Amorphe Metalle
– silicon/Amorphes Silicium
amount of substance/Stoffmenge
amoxicillin/Amoxicillin
ampere/Ampere
– meter/A/m
amperometric titration/Amperometrie
amphetamine/Amphetamin
amphi.../Amphi-
amphibian venoms/Amphibiengifte
amphiboles/Amphibole
amphipathic helix/Amphipathische Helix
amphiphilic/Amphiphil
amphiprotic/Amphiprotisch
ampholytes/Ampholyte
amphoteric/Amphoter
– tensides/Amphotenside
amphotericin B/Amphotericin B
ampicillin/Ampicillin
amplification/Amplifikation
– line/Verstärkungsgerade
ampoules/Ampullen
ampropylfos/Ampropylfos
amrinone/Amrinon
AMS/Ammoniumsulfamat
amsacrine/Amsacrin
amsulosin/Tamsulosin
amycins/Amycine
amygdalin/Amygdalin

amyl…/Amyl…
amylases/Amylasen
amylin/Amylin
amyloid/Amyloid
β-amyloid precursor protein/β-Amyloid-Vorläuferprotein
amylopectin/Amylopektin
amylose/Amylose
amyrins/Amyrine
ana/ana
anabasine/Anabasin
anabolic agents/Anabolika, Masthilfsmittel
anacardic acid/Anacardsäure
anaerobes/Anaerobier
anaerobic adhesives/Anaerobe Klebstoffe
– biology/Anaerobe Biologie
– degradation/Anaerober Abbau
– digestion/Vergärung
– metabolism/Gärungsstoffwechsel
an(a)esthetics/Anästhetika, Narkotika
anagyrine/Anagyrin
analcime/Analcim
analcite/Analcim
analeptic amines/Weckamine
analeptics/Analeptika
analgesics/Analgetika, Schmerzmittel
analog computer/Analogrechner
analysis/Analyse
– of hazards at workplace/Arbeitsplatzgefährdungsanalyse, Gefährdungsanalyse
analytical chemistry/Analytische Chemie
– separation procedure/Trennungsgang
anaphrodisiacs/Anaphrodisiaka
anaplerotic reactions/Anaplerotische Reaktionen
anastrazole/Anastrazol
anatase/Anatas
anatoxins/Anatoxine
anchovies/Sardellen
ancistrocladus alkaloids/Ancistrocladus-Alkaloide
ancrod/Ancrod
andalusite/Andalusit
andesite/Andesit
androgens/Androgene
andromedotoxin/Andromedotoxin
5α-androstane/5α-Androstan
androstanolone/Androstanolon
5-androstene-$3\beta,17\beta$-diol/5-Androsten-$3\beta,17\beta$-diol
androsterone/Androsteron
Andrussow process/Andrussow-Verfahren
…ane/…an
anemia/Anämie
anemometry/Anemometrie
anemonin (1.)/Anemonin(e)
anemonine (2.)/Anemonin(e)
anethole/Anethol
– trithione/Anetholtrithion
aneuploidy/Aneuploidie
Angeli-Rimini reaction/Angeli-Rimini-Reaktion
angelica root/seed oil/Angelika-(wurzel-, samen-)öl
angiography/Angiographie
angiotensinamide/Angiotensinamid
angiotensins/Angiotensine
anglesite/Anglesit
angora wool/Angorawolle
Angstrom unit/Ångström-Einheit
angular/Angular
– distribution/Winkelverteilung
– groups/Anguläre Gruppen

– momentum/Bahndrehimpuls
– momentum quantum number/Drehimpulsquantenzahl
angustmycin/Angustmycin
anhalonium alkaloids/Anhalonium-Alkaloide
anharmonic oscillator/Anharmonischer Oszillator
anharmonicity/Anharmonizität
– constant/Anharmonizitätskonstante
anhydrides/Anhydride
anhydrite/Anhydrit
anhydro…/Anhydro…
anilazine/Anilazin
…anilic acid/…anilsäure
anilides/Anilide
aniline/Anilin
– black/Anilinschwarz
– blue/Anilinblau
– point/Anilin-Punkt
anilino…/Anilino…
animal cell culture/Tierzellkultur
– experimentations/Tierversuche, Alternativen
– feeds/Futtermittel
– fibers/Tierfasern
– hair/Tierhaare
– oil/Tieröl
– venoms/Tiergifte
animalizing/Animalisieren
anionic ligands/Acidoliganden
– polymerization/Anionische Polymerisation
– surfactants/Aniontenside
anionics/Aniontenside
anions/Anionen
aniracetam/Aniracetam
p-anisaldehyde/p-Anisaldehyd
anisatin/Anisatin
anise/Anis
– alcohol/p-Anisalkohol
– oil/Anisöl
aniseed/Anis
anisidines/Anisidine
anisidino…/Anisidino…
aniso…/Aniso…
anisodesmic/Anisodesmisch
anisole/Anisol
anisotopic elements/Anisotope Elemente
anisotropy/Anisotropie
anisoyl…/Anisoyl…
anisyl…/Anisyl…
ankerite/Ankerit
ankyrin/Ankyrin
annabergite/Annabergit
annatto/Annatto, Orlean
annealing/Annealing, Glühen, Tempern
an(n)el(l)ation/Anellierung
annexins/Annexine
annihilation/Zerstrahlung
– radiation/Vernichtungsstrahlung
annonins/Annonine
annual/Annuell
annulation/Anellierung
annulenes/Annulene
anodes/Anode
anodic oxidation/Anodische Oxidation
anodizing/Anodisieren
– of magnesium/Elomag-Verfahren
anodynes/Schmerzmittel
anomers/Anomere
anorectics/Appetitzügler
ansa compounds/Ansa-Verbindungen
ansamycins/Ansamycine
anserine/Anserin
antacids/Antacida
antagonists/Antagonisten

antamanide/Antamanid
Antarctic ozone hole/Antarktisches Ozonloch
antazoline/Antazolin
antenna complexes/Antennen-Komplexe
anthelmintics/Anthelmintika
anthocyanidines/Anthocyanidine
anthocyanins/Anthocyane
anthracene/Anthracen
anthracite/Anthrazit
anthracyclines/Anthracycline
anthraglycosides/Anthraglykoside
anthramycins/Anthramycine
anthraquinone/Anthrachinon
– dyes/Anthrachinon-Farbstoffe
anthraquinonesulfonic acids/Anthrachinonsulfonsäuren
9-anthrol/9-Anthrol
anthrone/Anthron
anthropogenic/Anthropogen
9-anthrylmethyl…/9-Anthrylmethyl…
anti-/Anti-
– -deuteron/Antideuteron
– -fatiguing agents/Ermüdungsschutzmittel
– -flex cracking agents/Ermüdungsschutzmittel
– -foaming agents/Schaumverhütungsmittel
– -game protective agents/Wildverbißmittel
– -icing additives/Anti-icing-Mittel
– -scabies agents/Antiscabiosa
– stokes raman laser/Anti-Stokes-Raman-Laser
antiadipogenics/Antiadiposita
antiallergics/Antiallergika
antiandrogens/Antiandrogene
antiarin/Antiarin
antiaromaticity/Antiaromatizität
antiarrhythmic drugs/Antiarrhythmika
antiarthritics/Antiarthritika
antiasthmatics/Antiasthmatika
antibacterial spectrum/Antibakterielles Spektrum
antibiosis/Antibiose
antibiotic resistance marker/Antibiotikaresistenz-Marker
antibiotics/Antibiotika
antiblocking agents/Antiblock(ing)mittel
antibodies/Antikörper
antibody/Wehrstoffe
anticaking agents/Rieselhilfen
anticancer drugs/Cytostatika
antichlor/Antichlor
anticoagulants/Antikoagulantien
anticoccidials/Kokzidiostatika
anticorrosives/Korrosionsschutzmittel
antidepressants/Antidepressiva
antidiabetic agents/Antidiabetika
antidiarrheals/Obstipantien
antidiarrhoeals/Antidiarrhoika
antidiarrhoics/Antidiarrhoika
antidiuretics/Antidiuretika
antidote/Antidot
antiemetics/Antiemetika
antienzymes/Antienzyme
antiepileptics/Antiepileptika
antifibrinolytics/Antifibrinolytika
antifogging agents/Beschlagverhinderungsmittel
antifouling coatings/Antifoulingfarben
antifreeze proteins/Gefrierschutz-Naturstoffe
antifreezes/Cryoprotektoren, Gefrierschutzmittel

antifriction (white) metals/Weißmetalle
antigen-antibody reaction/Antigen-Antikörper-Reaktion
antigens/Antigene
antihemophilic factor/Antihämophiler Faktor
antihistamines/Antihistaminika
antihypertensive agents/Antihypertonika
antiinfective agents/Antiinfektiva
antiinflammatory agents/Antiphlogistika
antiknock compounds/Antiklopfmittel
antimalarials/Antimalariamittel
antimatter/Antimaterie
antimetabolites/Antimetabolite
antimicrobial finishing/Antimikrobielle Ausrüstung
antimicrobials/Antimikrobielle Wirkstoffe
antimonial cinnabar/Antimonzinnober
antimonials/Antimon-Präparate
antimoniates/Antimonate
antimonides/Antimonide
antimonite/Antimonit
antimony/Antimon
– chlorides/Antimonchloride
– fluorides/Antimonfluoride
– hydride/Antimonwasserstoff
– oxides/Antimonoxide
– sulfides/Antimonsulfide
antimycin A_1/Antimycin A_1
antimycotics/Antimykotika
antineoplastic drugs/Cytostatika
antineutrino/Antineutrino
antineutron/Antineutron
antioxidants/Antioxidantien
antiozonants/Antiozonantien, Ozon-Schutzmittel
antiparticles/Antiteilchen
antiperspirants/Antihidrotika
antiphlogistics/Antiphlogistika
antiport/Antiport
antiproton/Antiproton
antipyretics/Antipyretika
antiquated plant/Altanlage
antirheumatics/Antirheumatika
antisaprobity/Antisaprobität
antisense nucleic acids/Antisense-Nucleinsäuren
antiseptics/Antiseptika
antiserum/Antiserum
antiskinning agents (ASKA)/Antihautmittel
antistatic agents/Antistatika
antisun glasses/Sonnenschutzgläser
antiswelling agents/Quellfestmittel
antisymmetry requirement/Antisymmetrieforderung
antithyroid agents/Thyreostatika
antitoxins/Antitoxine
α_1-antitrypsin/α_1-Antitrypsin
antituberculosis agents/Tuberkulostatika
antitumor drugs/Cytostatika
antitussives/Antitussiva
antiviral agents/Virostatika
antivitamins/Antivitamine
ants/Ameisen
AOX (adsorbable organic halides)/AOX
apalcillin/Apalcillin
apamine/Apamin
apatite/Apatit
aperitifs/Apéritifs
aphicides/Aphizide
aphidicolin/Aphidicolin
aphids/Blattläuse

aphrite/Schaumkalk
aphrodisiacs/Aphrodisiaka
apigenin/Apigenin
apiin/Apiin
apiole/Apiol
apiose/Apiose
aplasmomycin/Aplasmomycin
apo…/Apo…
apocarotenal/Apocarotinal
apolar/Apolar
apollo mission/Apollo-Programm
apomorphine/Apomorphin
– alkaloids/Aporphin-Alkaloide
apophyllite/Apophyllit
apoproteins/Apoproteine
apoptosis/Apoptose
apothecaries' weight/Apothekergewicht
apparatus(es)/Apparate
appetite-suppressing agents/Appetitzügler
appetitive behaviour/Appetenzverhalten
apple/Apfel
– flavour/Apfelaroma
– juice/Apfelsaft
application/Applikation
applied chemistry/Angewandte Chemie
approval of genetic engineered products/Zulassung rekombinanter Produkte
– procedure/Genehmigungsverfahren
apraclonidine/Apraclonidin
apricots/Aprikosen
aprindine/Aprindin
aprobarbital/Aprobarbital
aprotic solvents/Aprotische Lösemittel
aprotinin/Aprotinin
aqua/Aqua
– regia/Königswasser
aquamarine/Aquamarin
aquametry/Aquametrie
aquaporins/Aquaporine
aquation/Aquotisierung
aquavit/Aquavit
aquayamycin/Aquayamycin
aquoxides/Aquoxide
arabinit/Arabit
arabino-/arabino-
arabinogalactan/Arabinogalaktan
arabinonucleosides/Arabinonucleoside
arabinose/Arabinose
arabitol/Arabit
arach(id)ic acid/Arachinsäure
arachidonic acid/Arachidonsäure
arachin/Arachin
arachne/Arachne
arachno-/arachno-
aragonite/Aragonit
aralkyl…/Aralkyl…
aramides/Aramide, Polyaramide
arborescin/Arborescin
arborol/Arborol
arbutin/Arbutin
arc/Lichtbogen
arcatom welding/Arcatom-Verfahren
archaebacteria/Archaea
archaeometry/Archäometrie
arcyria pigments/Arcyria-Farbstoffe
areca/Betelnüsse
arecoline/Arecolin
arene oxides/Arenoxide
arenetransition metal complexes/Aromaten-Übergangsmetall-Komplexe
areometer/Aräometer

Arex process/Arex-Verfahren
ARF/ARF
argatroban/Argatroban
argentan/Argentan
argentite/Argentit
argillaceous earth/Tonerde
arginase/Arginase
L-arginine/L-Arginin
argiopinins/Argiopinine
argiotoxins/Argiotoxine
argon/Argon
aridity/Aridität
aristolochic acids/Aristolochiasäuren
aristotelia alkaloids/Aristotelia-Alkaloide
armatures/Armaturen
Arnd's alloy/Arnds Legierung
Arndt-Eistert reaction/Arndt-Eistert-Reaktion
– -Schulz law/Arndt-Schulz-Gesetz
arnica/Arnika
aromatic compounds/Aromatische Verbindungen
– hydrocarbons/Aromaten
aromaticity/Aromatizität
aromatics/Aromaten
aromatisation/Aromatisierung
arrestins/Arrestine
Arrhenius' equation/Arrheniussche Gleichung
arrow poisons/Pfeilgifte
arrowroot/Arrowroot
arsa…/Arsa…
arsenazo/Arsenazo I, II, III
arsenic/Arsen
– acid/Arsensäure
– fluorides/Arsenfluoride
– hydride/Arsenwasserstoff
– pentoxide/Arsenpentoxid
– sulfides/Arsensulfide
– trichloride/Arsentrichlorid
– trioxide/Arsenik, Giftmehl
arsenicals/Arsen-Präparate
arsenides/Arsenide
arseno/Arseno…
arsenopyrite/Arsenopyrit
arsenous acid/Arsenige Säure
arsines/Arsine
arsinic acid/Arsinsäure
arsino…/Arsino…
arsinous acid/Arsinige Säure
arsoles/Arsole
arsonic acid/Arsonsäure
arsonium salts/Arsonium-Salze
arsonous acid/Arsonige Säure
arsphenamine/Arsphenamin
artemisin/Artemisin
arteriosclerosis/Arteriosklerose
arthritis/Arthritis
Arthrobacter/Arthrobacter
arthropods/Arthropoden
articaine/Articain
artichokes/Artischocken
artifical honey/Kunsthonig
artificial fibers/Kunstfasern
– intelligence/Künstliche Intelligenz
– leather/Kunstleder
– silk/Kunstseiden
– wood/Kunstholz
aryl…/Aryl…
arylation/Arylierung
arynes/Arine
asafetida/Asa foetida
asarones/Asarone
asbestos/Asbest
– cement/Asbestzement
asbestosis/Asbestose
ascaridole/Ascaridol
Ascomycetes/Ascomyceten
ascomycetous fungi/Ascomyceten

L-ascorbic acid/L-Ascorbinsäure
…ase/…ase
ashes/Asche, Schlacke
asialoglycoprotein receptor/Asialoglykoprotein-Rezeptor
asiaticoside/Asiaticosid
A site (position)/Tetraederlücke
asparaginase/Asparaginase
asparagine/Asparagin
asparagus/Spargel
aspartam/Aspartame
aspartate transcarbamoylase/Aspartat-Transcarbamoylase
aspartates/Aspartate
aspartic acid/Asparaginsäure
– proteinases/Aspartat-Proteinasen
asperdiol/Asperdiol
aspergillus/Aspergillus
asperlicin/Asperlicin
asphalt (USA)/Bitumen
asphaltenes/Asphaltene
asphalts/Asphalte
aspic/Aspik
aspicilin/Aspicilin
aspidosperma alkaloids/Aspidosperma-Alkaloide
assay/Test
assimilation/Assimilation
assimilative sulphate reduction/Assimilatorische Sulfat-Reduktion
association/Assoziation
astacin/Astacin
astatine/Astat
astaxanthin/Astaxanthin
astemizole/Astemizol
asteraceae/Asteraceen
asterane/Asterane
asterism/Asterismus
asterosaponins/Asterosaponine
asthma/Asthma
astrakhanite/Astrakanit
astringents/Adstringentien
asulam/Asulam
asym-/asym-
asymmetric atoms/Asymmetrische Atome
– induction/Asymmetrische Induktion
– potential/Asymmetriepotential
– synthesis/Asymmetrische Synthese
– transformation/Asymmetrische Umwandlung
– unit/Asymmetrische Einheit
asymmetry/Asymmetrie
atacamite/Atacamit
atactic polymers/Ataktische Polymere
atavism/Atavismus
…ate/…at
ate-complexes/at-Komplexe
atenolol/Atenolol
atmolysis/Atmolyse
atmophilic elements/Atmophile Elemente
atmosphere/Atmosphäre
atmospheric humidity/Luftfeuchtigkeit
– pressure/Luftdruck
atom/Atom
atomic absorption spectroscopy/Atomabsorptionsspektroskopie
– beams/Atomstrahlen
– clocks/Atomuhr
– heat/Atomwärme
– models/Atommodelle
– number/Ordnungszahl
– orbital/Atomorbital
– physics/Atomphysik
– radius/Atomradius

– refraction/Atomrefraktion
– spectroscopy/Atomspektroskopie
– structure/Atombau
– units/Atomare Einheiten
– volume/Atomvolumen
– weight/Atomgewicht
– weight determination/Atomgewichtsbestimmung
atomisation/Atomisierung
atomizer/Zerstäuber
atomizing/Zerstäuben
atorvastatin/Atorvastatin
atovaquone/Atovaquon
ATP synthases/ATP-Synthasen
atracurium besylate/Atracuriumbesilat
atranorin/Atranorin
atrazine/Atrazin
atrial natriuretic factor/Atrionatriuretischer Faktor
atrochryson/Atrochryson
atromentin/Atromentin
atropine/Atropin
atropisomerism/Atropisomerie
attachment/Attachment
– site/attachment-site
attapulgite/Attapulgit
attenuator/Attenuator
atto…/Atto…
attractants/Attraktantien, Lockstoffe
aucubin/Aucubin
Auger effect/Auger-Effekt
– (electron) spectroscopy/Auger-Spektroskopie
auramine/Auramin
auranofin/Auranofin
aurates/Aurate
aureobasidins/Aureobasidine
aurichalcite/Aurichalcit
aurin/Aurin
aurora/Polarlicht
aurothioglucose/Aurothioglucose
aurothiomalate disodium/Natriumaurothiomalat
aurothiopolypeptide/Aurothiopolypeptid
austenite/Austenit
austenitic steel/Austenitische Stähle
autacoids/Autacoide
auto sampler/Autosampler
autocatalysis/Autokatalyse
autochthonic/Autochthon
autocid procedure/Autozid-Verfahren
autoclave/Autoklaven
autoclaved aerated concrete/Porenbeton
autocorrelation function/Autokorrelationsfunktion
autogeneous cutting/Autogenes Schneiden, Brennschneiden
– welding/Autogenes Schweißen, Gasschmelzschweißen
autography/Autographie
autoignition/Selbstentzündung
autoimmune diseases/Autoimmunerkrankungen
autoimmunity/Autoimmunität
autoionization/Autoionisation
autolysis/Autolyse
automatic titrators/Titrierautomaten
automation/Automation
– of (biological) assays/Automation von Testsystemen
automerization/Automerisierung
autonomously replicating sequences/ARS
autoradiography/Autoradiographie

autosome/Autosom
autotrophic organisms/Autotrophe Organismen
autotrophy/Autotrophie
autoxidation/Autoxidation
autumnal tints/Laubfärbung
autunite/Autunit
Auwers-Skita rule/Auwers-Skita-Regel
auxanographic test/Auxanographischer Test
auxins/Auxine
auxochrome/Auxochrome
auxotrophic organisms/Auxotrophe Organismen
avarol/Avarol
aventurine/Aventurin
avermectins/Avermectine
averufin/Averufin
aviation fuels/Flugkraftstoffe
– gasoline/Flugbenzin
avicides/Avizide
avidin/Avidin
avilamycin/Avilamycine
avitaminoses/Avitaminosen
avocado/Avocado
– oil/Avocadoöl
Avogadro's constant/Avogadro-Konstante
– hypothesis/Avogadro'sches Gesetz
– number/Avogadro'sche Zahl
Avoirdupois system/Avoirdupois
awarding of a doctorate/Promotion
axial/Axial
axinite/Axinit
ayahuasca/Ayahuaska
aza.../Aza...
5-azacytidine/5-Azacytidin
azadirachtin(s)/Azadirachtin(e)
8-azaguanine/8-Azaguanin
azapropazone/Azapropazon
azaserine/Azaserin
azatadine/Azatadin
azathioprine/Azathioprin
6-azauridine/6-Azauridin
azelaic acid/Azelainsäure
azelastine/Azelastin
azelates/Azelate
azeotrope/Azeotrop
azeotropic copolymerization/Azeotrope Copolymerisation
...azepam/...azepam
azepines/Azepine
azetes/Azete
2-azetidinecarboxylic acid/Azetidin-2-carbonsäure
azetidines/Azetidine
azidamfenicol/Azidamfenicol
azides/Azide
azido.../Azido...
azidocillin/Azidocillin
azimsulfuron/Azimsulfuron
azine dyes/Azin-Farbstoffe
azines/Azine
azinphos-ethyl/Azinphos-ethyl
– -methyl/Azinphos-methyl
azintamide/Azintamid
aziridines/Aziridine
aziridinones/Aziridinone
azirines/Azirine
azithromycin/Azithromycin
azlocillin/Azlocillin
azo.../Azo...
azo compounds/Azo-Verbindungen
– dyes/Azofarbstoffe
– polymers/Azopolymere
azobenzene/Azobenzol
2,2'-azobisisobutyronitrile/Azoisobutyronitril
azocyclotin/Azocyclotin

azodicarbonamide/Diazendicarbonsäurediamid
azoles/Azole
azomethine imines/Azomethin-Imine
– ylides/Azomethin-Ylide
azomethines/Azomethine
azosemide/Azosemid
azoxy compounds/Azoxy-Verbindungen
azoxybenzene/Azoxybenzol
azoxystrobin/Azoxystrobin
aztreonam/Aztreonam
azulenes/Azulene
azurite/Azurit

B

Babbitt metals/Babbitt-Metalle
bacampicilline/Bacampicillin
bachelor electrons/Einsame Elektronen
Bacillus/Bacillus
bacitracin/Bacitracin
back bonding/Rückbindung
– donation/Rückbindung
– titration/Rücktitration
background level/Hintergrundkonzentration
baclofen/Baclofen
bacteria/Bakterien
bacterial cellulose/Bakteriencellulose
– filter/Bakterien-Filter
– inhibition test/Bakterientest
bactericides/Bakterizide
bacteriochlorophylls/Bakteriochlorophylle
bacteriocins/Bacteriocine, Bakteriocine
[bacterio]phage T4/T4-Phage
bacteriopheophytins/Bakteriophäophytine
bacteriorhodopsin/Bakteriorhodopsin
bacteriostatics/Bakteriostatika
bacteriotoxins/Bakterien-Toxine
baculoviruses/Baculoviren
baddeleyite/Baddeleyit
badiones/Badione
Baeyer Strain/Baeyer-Spannung
– test/Baeyer-Test
– -Villiger oxidation/Baeyer-Villiger-Oxidation
bag paper/Sackpapier
bagasse/Bagasse
bakeries/Backwaren
baker's yeast/Backhefe
bakery products/Backwaren
baking finishes (USA)/Einbrennlacke
– powders/Backpulver
balances/Waagen
balanol/Balanol
ball mills/Rührwerksmühlen
– point pen inks/Kugelschreiberpasten
– -tube still/Kugelrohr
Balmer series/Balmer-Serie
balsa wood/Balsa-Holz
balsams/Balsame
Bamberger reaction/Bamberger-Reaktion
bambuterol/Bambuterol
bamethan/Bamethan
Bamford-Stevens reaction/Bamford-Stevens-Reaktion
bamifylline/Bamifyllin
bamipine/Bamipin
bananas/Bananen
band screen press/Siebbandpresse
bandaging material/Verbandstoffe
banded ironstones/Gebänderte Eisensteine

baneberry/Christophskraut
banewort/Tollkirsche
bank-filtered water/Uferfiltrat
barber trap/Barberfalle
barbexaclone/Barbexaclon
Barbier-Wieland reaction/Barbier-Wieland-Reaktion
barbital/Barbital
barbiturates/Barbiturate
barbituric acid/Barbitursäure
barite/Baryt
barium/Barium
– acetate/Bariumacetat
– carbonate/Bariumcarbonat
– chlorate/Bariumchlorat
– chloride/Bariumchlorid
– chromate/Bariumchromat
– fluoride/Bariumfluorid
– hydroxide/Bariumhydroxid
– nitrate/Bariumnitrat
– oxide/Bariumoxid
– perchlorate/Bariumperchlorat
– peroxide/Bariumperoxid
– stearate/Bariumstearat
– sulfate/Bariumsulfat
– sulfide/Bariumsulfid
– tetracyanoplatinate(II)/Bariumtetracyanoplatinat(II)
– tetraiodomercurate(II)/Bariumtetraiodomercurat(II)
– titanate/Bariumtitanat
barkbeetle/Borkenkäfer
barley/Gerste
barometers/Barometer
barometric equation/Barometrische Höhenformel
Barratt method/Barratt-Verfahren
barrelene/Barrelen
barren ground/Taubes Gestein
barrier polymers/Barrierekunststoffe
– to inversion/Inversionsbarriere
bars/Barren
Bart reaction/Bart-Reaktion
Barton reaction/Barton-Reaktion
baryons/Baryonen
baryte/Baryt
basal metabolism/Grundumsatz
basalt wool/Basaltwolle
basalts/Basalte
base/Fonds
– analogues/Basen-Analoge
– materials/Grundstoffe
– metals/Unedelmetalle
– units/Grundeinheiten
basement membrane/Basalmembran
bases/Basen
basic capacity/Basizität
– lead carbonate/Bleiweiß
– lead sulfate white/Sulfatbleiweiß
– slag/Thomasmehl
– units/Basiseinheiten
basicity/Basizität
basidiomycetes/Basidiomyceten
basil/Basilikum
basins/Behälter
basis/Basis
– set/Basissatz
basketene/Basketen
basophily/Basophilie
bast fibers/Bastfasern
bastadins/Bastadine
bastnaesite/Bastnäsit
batch fermentation/Batch-Fermentation
bath metal/Bath-Metall
bathing additives/Badezusätze
bathochromic/Bathochrom
bathocuproine/Bathocuproin
bathophenanthroline/Bathophenanthrolin
batik/Batik

baneberry/Christophskraut
batrachotoxin/Batrachotoxin
batroxobine/Batroxobin
batter/Teig
batteries/Batterien
battery acid/Akkumulatorensäure
„Baukasten" detergents (component kits)/Baukasten-Waschmittel
Baume degree/Baumé-Grad
bauxite/Bauxit
bay oil/Bayöl
Bayer reaction/Baeyer-Reaktionen
beakers/Bechergläser
beam-foil spectroscopy/Beam-Foil-Spektroskopie
beans/Bohnen
bearberry/Bärentraube
bearing material/Wälzlagerwerkstoffe
– materials/Lagerwerkstoffe
– metal/Lagermetalle
– steel/Wälzlagerstahl
Beattie-Bridgeman equation/Beattie-Bridgeman-Gleichung
Béchamp arsonylation/Béchamp-Arsonylierung
– reduction/Béchamp-Reduktion
Beckmann rearrangement/Beckmann-Umlagerung
– thermometer/Beckmann-Thermometer
beclamide/Beclamid
beclometasone/Beclometason
becquerel/Becquerel
– effect/Becquerel-Effekt
bed-bug/Bettwanze
bee glue/Propolis
– venom/Bienengift
beech wood carbonizing products/Buchenholz-Schwelprodukte
beechnut oil/Bucheckernöl
beef fat/Rindertalg
– tallow/Rindertalg
beer/Bier
– flavour/Bieraroma
bees/Bienen
beeswax/Bienenwachs
beet roots/Rote Rüben
beetles/Käfer
befunolol/Befunolol
behavioural ecology/Öko-Ethologie
– mimicry/Mimikry
behenic acid/Behensäure
Beilstein Handbook of Organic Chemistry/Beilstein's Handbuch der Organischen Chemie
– system/Beilstein-System
– test/Beilstein-Test
belemnites/Belemniten
bell alloys/Glockenwerkstoffe
– brass/Glockenmessing
– bronze/Glockenbronze, Schellenmetall
– pepper/Paprika
belladonna preparations/Belladonna-Präparate
Belousov-Zhabotinskii reaction/Belousov-Zhabotinskii-Reaktion
bemegride/Bemegrid
bemetizide/Bemetizid
benactyzine/Benactyzin
benalaxyl/Benalaxyl
benazepril/Benazepril
benazolin/Benazolin
Bence-Jones proteins/Bence-Jones-Proteine
bencyclane/Bencyclan
bendiocarb/Bendiocarb

bendioxide/Bentazon
bendroflumethiazide/Bendroflumethiazid
Benedict solution/Benedicts Reagenz
benefin/Benfluralin
benfluralin/Benfluralin
benfotiamine/Benfotiamin
benfuracarb/Benfuracarb
benfuresate/Benfuresat
Bengal fire/Bengalisches Feuer
bengamides/Bengamide
bengazoles/Bengazole
benitoite/Benitoit
Benkeser reduction/Benkeser-Reduktion
benomyl/Benomyl
benorylate/Benorilat
benperidol/Benperidol
benproperine/Benproperin
benserazide/Benserazid
bensulfuron-methyl/Bensulfuronmethyl
bensulide/Bensulid
bensultap/Bensultap
bentazon/Bentazon
bentazone/Bentazon
bentiamine/Bentiamin
bentiromide/Bentiromid
bentonites/Bentonite
benz[a]anthracene/Benz[a]anthracen
benzalacetone/Benzylidenaceton
benzaldehyde/Benzaldehyd
benzalkonium chloride/Benzalkoniumchloride
benzamide/Benzamid
benzamido…/Benzamido…
benzanilide/Benzanilid
benzanthrone/Benzanthron
benzarone/Benzaron
benzatropine/Benzatropin
benzbromarone/Benzbromaron
benzene/Benzol
– nucleus/Benzol-Ring
benzenedisulfonic acids/Benzoldisulfonsäuren
benzenehex(a)ol/Hexahydroxybenzol
benzenesulfinyl…/Benzolsulfinyl…
benzenesulfonic acid/Benzolsulfonsäure
– amide/Benzolsulfonamid
benzenesulfonyl…/Benzolsulfonyl…
benzenesulfonyl chloride/Benzolsulfonylchlorid
benzenesulfonylamino…/Benzolsulfonylamino…
benzenoid/Benzoid
benzethonium chloride/Benzethoniumchlorid
benzhydrol/Benzhydrol
benzhydryl…/Benzhydryl…
benzidine/Benzidin
– rearrangement/Benzidin-Umlagerung
benzil/Benzil
– dioximes/Benzildioxime
benzilic acid/Benzilsäure
– acid rearrangement/Benzilsäure-Umlagerung
benzilonium bromide/Benziloniumbromid
benzimidazole/Benzimidazol
benzimidazolone pigments/Benzimidazolon-Pigmente
benzine/Petroleumbenzin
benz(o)…/Benz(o)…
benzo[a]pyrene/Benzo[a]pyren
benzoat/Benzoate

benzo[b]thiophene/Benzo[b]thiophen
benzocaine/Benzocain
benzoctamine/Benzoctamin
1,4-benzodiazepines/1,4-Benzodiazepin(e)
benzofuran/Benzofuran
benzoguanamine/Benzoguanamin
– resins/Benzoguanamin-Harze
benzoic acid/Benzoesäure
– anhydride/Benzoesäureanhydrid
benzoin/Benzoeharz, Benzoin
– condensation/Benzoin-Kondensation
benzonatate/Benzonatat
benzonitrile/Benzonitril
benzophenone/Benzophenon
benzopurpurine 4 B/Benzopurpurin 4 B
benzoquinolines/Benzochinoline
benzoquinones/Benzochinone
benzothiazole/Benzothiazol
1H-benzotriazole/1H-Benzotriazol
benzotrichloride/Benzotrichlorid
benzotrifluoride/Benzotrifluorid
benzoximate/Benzoximat
benzoyl…/Benzoyl…
benzoyl chloride/Benzoylchlorid
– peroxide/Benzoylperoxid
benzoylamino…/Benzoylamino…
benzoylation/Benzoylierung
benzoyloxy…/Benzoyloxy…
N-benzoyl-N-phenylhydroxylamine/ N-Benzoyl-N-phenylhydroxylamin
benzquinamide/Benzquinamid
benzthiazide/Benzthiazid
benzvalene/Benzvalen
benzydamine/Benzydamin
benzyl…/Benzyl…
benzyl acetate/Essigsäurebenzylester
– alcohol/Benzylalkohol
– benzoate/Benzoesäurebenzylester
– bromide/Benzylbromid
– butyl phthalate/Benzylbutylphthalat
– isothiocyanate/Benzylisothiocyanat
– mandelate/Mandelsäurebenzylester
– mustard oil/Benzylisothiocyanat
– nicotinate/Nicotinsäurebenzylester
– orange/Benzylorange
– trimethylammonium salts/Benzyltrimethylammonium-Salze
– viologen/Benzylviologen
benzylamine/Benzylamin
benzylaniline/Benzylanilin
benzylation/Benzylierung
benzylcellulose/Benzylcellulose
benzylchloride/Benzylchlorid
benzylhydrochlorothiazide/Benzylhydrochlorothiazid
benzylidene…/Benzyliden…
benzylidene chloride/Benzylidendichlorid
benzylideneacetophenone/Chalkon
benzylisoquinoline alkaloids/Benzylisochinolin-Alkaloide
benzyloxy…/Benzyloxy…
benzyloxycarbonyl…/Benzyloxycarbonyl…
benzylpenicilline benzathine/Benzylpenicillin-Benzathin
4-benzylphenol/4-Benzylphenol
benzylthio…/Benzylthio…

bephenium hydroxynaphthoate/Bepheniumhydroxynaphthoat
berberine/Berberin
bergamot oil/Bergamottöl
bergaptene/Bergapten
Berger's mixture/Berger-Mischung
beriberi/Beri-Beri
Berk-Sharp technique/Berk-Sharp-Methode
Berkefeld filter/Berkefeld-Filter
berkelium/Berkelium
Berthelot equation/Berthelotsche Gleichung
berthollides/Berthollide
bertrandite/Bertrandit
beryl/Beryll
beryllates/Beryllate
beryllides/Beryllide
beryllium/Beryllium
– compounds/Beryllium-Verbindungen
Bessemer process/Bessemer-Verfahren
bestatin/Bestatin
beta-cyfluthrin/Beta-Cyfluthrin
– decay/Beta-Zerfall
– rays/Beta-Strahlen
betacarotene/Betacaroten
betahistine/Betahistin
betaine/Betain
betaines/Betaine
betalains/Betalaine
betamethasone/Betamethason
betaxolol/Betaxolol
betazole/Betazol
betel nuts/Betelnüsse
betony/Ziest
Bettendorf test/Bettendorf-Test
betulin/Betulin
betulinic acid/Betulinsäure
beverages/Getränke
bevonium metilsulfate/Bevoniummetilsulfat
bezafibrate/Bezafibrat
bezoar/Ziegensteine
biacetyl/2,3-Butandion
Bial reagent/Bials Reagenz
bibliographies/Bibliographien
bibrocathol/Bibrocathol
bicomponent fibers/Bikomponentenfasern
bicyclic compounds/Bicyclische Verbindungen
bicyclo[..]…/Bicyclo[…]…
biexciton/Biexciton
bifenox/Bifenox
bifenthrin/Bifenthrin
bifonazole/Bifonazol
bifunctional compounds/Bifunktionelle Verbindungen
big bang/Urknall
biguanide/Biguanide
Bijvoet method/Bijvoet-Methode
bikaverin/Bikaverin
bilanafos/Bilanafos
bilberries/Heidelbeeren
bile/Galle
– acids/Gallensäuren
– pigments/Gallenfarbstoffe
bilge/Bilge
bilharziasis/Bilharziose
bilharziosis/Schistosomiasis
bilirubin/Bilirubin
biliverdine/Biliverdin
billion/Milliarde
bilobalide/Bilobalid
bimetal/Bimetall
bimolecular reaction/Bimolekulare Reaktion
binaphthyl/Binaphthyl

binary compounds/Binäre Verbindungen
– iron carbon system/Eisen-Kohlenstoff-System
– systems/Binäre Systeme
– wapons/Binäre Kampfstoffe
binders/Bindemittel
binding limit values/BLV-Werte
– protein/Binde-Protein
bindins/Bindine
Bingham bodies/Binghamsche Medien
bio-synthetic composite/Biowerkstoffe
bioaccumulation/Bioakkumulation
bioactivation/Bioaktivierung
bioactive compounds of low molecular weight/Niedermolekulare Wirkstoffe
bioassay/Biochemische Analyse
biocatalysts/Biokatalysatoren
biochemical analysis/Biochemische Analyse
biochemistry/Biochemie
biochip/Biochip
biocompatibility/Biokompatibilität
bioconcentration/Biokonzentration
– factor/Biokonzentrationsfaktor
biodegradability/Biologische Abbaubarkeit
biodegradable polymers/Biologisch abbaubare Polymere
biodeterioration of materials/Biodeterioration
bioenergetics/Bioenergetik
bioengineer/Bioingenieur
bioengineering/Bioverfahrenstechnik
bioequivalence/Bioäquivalenz
bioethics/Bioethik
biofilm reactors/Biofilmreaktor
biogenesis/Biogenese
biogenic amines/Biogene Amine
biogenous/Biogen
biogeochemistry/Biogeochemie
bioinsecticides/Bioinsektizide
bioleaching/Bioleaching
biological containments/Biologische Sicherheitsmaßnahmen
– degradation/Biologischer Abbau
– flue gas cleaning/Biologische Abgasbehandlung
– indicator/Bioindikator
– purification of sewage/Biologische Abwasserbehandlung
– screening/Biologisches Screening
– sewage treatment/Biologische Abwasserbehandlung
– standardization/Biologische Standardisierung
– test/Biotest
– value for occupational tolerability/Biologischer Arbeitsstofftoleranzwert
– weapons/Biologische Waffen
biology/Biologie
bioluminescence/Biolumineszenz
biomagnification/Biomagnifikation
biomass/Biomasse
biome/Biom
biomedical engineer/Bioingenieur
biomolecules/Biomoleküle
biomonitoring/Biomonitoring
bionics/Bionik
biopharmaceutics/Biopharmazie
biophysics/Biophysik
biopolymers/Biopolymere

biopterin/Biopterin
bioreactor/Bioreaktor
biosensor/Biosensor
bioses/Biosen
biosphere/Biosphäre
biosurfactants/Biosurfactants
biotechnology/Biotechnologie
biotelemetry/Biotelemetrie
biotic environment/Biozönose
– equilibrium/Biologisches Gleichgewicht
biotin/Biotin
– label[1]ing/Biotin-Markierung
biotope/Biotop
biotransformation/Biotransformation
biotrophy/Biotrophie
biowaste/Bioabfall
biperiden/Biperiden
biphenyl/Biphenyl
2,2′-biphenyldiol/Biphenyl-2,2′-diol
biphenylene/Biphenylen
biphenylols/Biphenylole
biphenylyl…/Biphenylyl…
bipolymer/Bipolymer
2,2′-bipyridin/2,2′-Bipyridin
2,2′-biquinoline/2,2′-Bichinolin
birch leaves/Birkenblätter
– oils/Birkenöle
Birch-Pearson reaction/Birch-Pearson-Reaktion
– reduction/Birch-Reduktion
birch water/Birkenwasser
bird's eye/Adonisröschen
Birge-Sponer diagram/Birge-Sponer-Diagramm
birnessite/Birnessit
birthwort/Osterluzei
bis…/Bis…
bis(2-chloroethyl)ether/Bis(2-chlorethyl)ether
bis(2-chloroethyl) sulfide/Bis(2-chlorethyl)sulfid
bis(η^5-cyclopentadienyl)…/Bis(η^5-cyclopentadienyl)…
bisabolenes/Bisabolene
(–)-α-bisabolol/(–)-α-Bisabolol
bisacodyl/Bisacodyl
bisbenzylisoquinoline alkaloids/Bisbenzylisochinolin-Alkaloide
bis(chloromethyl)ether/Bis(chlormethyl)ether
bischofite/Bischofit
biscuit/Zwieback
bismite/Wismutocker
bismuth/Bismut
– carbonates/Bismutcarbonate
– chlorides/Bismutchloride
– hydride/Bismutwasserstoff
– nitrates/Bismutnitrate
– oxides/Bismutoxide
– preparations/Bismut-Präparate
bismuthides/Bismutide
bismuthinite/Bismuthinit
bismuthino…/Bismutino…
bisoprolol/Bisoprolol
bisphenol A/Bisphenol A
bis(trifluoromethyl)nitroxide/Bis(trifluormethyl)nitroxid
N,O-bis(trimethylsilyl)-acetamide/N,O-Bis-(trimethylsilyl)-acetamid
bitertanol/Bitertanol
bithionol/Bithionol
bitter almond oil/Bittermandelöl
– orange peel oil/Pomeranzenöl
– oranges/Pomeranzen
– principles/Bitterstoffe
– salt/Epsomit
– waters/Bitterwässer
bitters/Magenbitter

bitumen (GB)/Bitumen
bituminosulfonates/Bituminosulfonate
biuret/Biuret
bixin/Bixin
black body/Schwarzer Körper
– finishing/Schwärzen
– hole/Schwarzes Loch
– iron plate/Schwarzblech
– Orlon/Black Orlon
– powder/Schwarzpulver
– sampson/Sonnenhut
blackberries/Brombeeren
blackboard chalk/Schulkreide
blacklead/Reißblei
bladder/Blasen
Blanc rule/Blanc-Regel
blank experiment/Blindprobe
– test/Blindversuch
blast furnace/Hochofen
– furnace lime/Hüttenkalk
– furnace slag/Hochofenschlacke
– furnace slag cement/Hochofenzement, Hüttenzement
– riveting/Sprengnietung
blasticidines/Blasticidine
blasting agents/Sprengmittel
– caps/Sprengkapseln
– gelatine/Sprenggelatine
– oil/Sprengöl
– powder/Sprengpulver
– salpetre/Sprengsalpeter
– shot/Strahlmittel
– slurries/Sprengschlämme
blazing/Abbrennen
bleach/Chlorkalk
– boosters/Fleckensalze
bleaching/Bleichen
– activators/Bleichaktivatoren
– earths/Bleicherden
– soda/Bleichsoda
bleeder electrode/Ableitelektrode
bleeding/Ausbluten
blend/Blend
blending/Mischen
bleomycins/Bleomycine
blessed thistle/Benediktenkraut
blister copper/Blisterkupfer
blisters/Blatter
Bloch equations/Blochsche Gleichungen
– function/Bloch-Funktion
block copolymer/Blockcopolymere
– polymerization/Blockpolymerisation
– polymers/Blockpolymere
blocking/Blocken
– effect/Blockierungseffekt
blood/Blut
– alcohol/Blutalkohol
– -brain barrier/Blut-Hirn-Schranke
– clotting/Blutgerinnung
– coagulation/Blutgerinnung
– group substances/Blutgruppensubstanzen
– lipids/Blutfette
– (plasma) substitutes/Blutersatzmittel
– pressure/Blutdruck
– sedimentation rate/Blutsenkung
blooming/Anlaufen
blotting/Blotting
blowing agents/Blähmittel, Treibmittel
– iron/Glasmacherpfeife
blown oils/Geblasene Öle
blowpipe/Gebläsebrenner, Glasmacherpfeife
– analysis/Lötrohranalyse
blue prints/Blaupausen
– tetrazolium/Tetrazoliumblau

blueberries/Heidelbeeren
bluegreen algae/Cyanobakterien
blueing/Bläuen
blueprinting/Eisensalz-Verfahren
blunt ends/Blunt ends
blunting/Abstumpfen
boats/Schiffchen
bobbinets/Bobinets
boc-amino acids/Boc-Aminosäuren
BOD/BSB
body fluids/Körperflüssigkeiten
– mass index/Body-Mass-Index
– odor/Körpergeruch
– of water/Gewässer
– temperature/Körpertemperatur
Bohn-Schmidt reaction/Bohn-Schmidt-Reaktion
Bohr effect/Bohr-Effekt
– Magneton/Bohr-Magneton
– -Sommerfeld quantization conditions/Bohr-Sommerfeldsche Quantisierungsbedingungen
boiler scale/Kesselstein
– water/Kesselwasser
boiling/Sieden
– capillary/Siedekapillare
– limits/Siedegrenzen
– point/Siedepunkt
– point determination/Siedepunktbestimmung
bolaform surfactants/Bolaform-Tenside
boldine/Boldin
boldo/Boldo
bole/Bolus
bolometer/Bolometer
Boltzmann distribution law/Boltzmann'sches Energieverteilungsgesetz
bomb beetle/Bombardierkäfer
– fusion process/Bombenaufschluß
bombesin/Bombesin
bombykol/Bombykol
bond increments/Bindungsinkremente
bonding/Kleben
– of plastics/Kunststoffkleben
bone/Knochen
– adhesive/Knochenklebstoff
– cement/Knochenklebstoff
– charcoal/Knochenkohle
– china/Knochenporzellan
– fats/Knochenfette
– marrow/Knochenmark
– meal/Knochenmehl
– morphogenetic proteins/Knochenmorphogenese-Proteine
– wax/Knochenwachs
bonellin/Bonellin
bongkrekic acid/Bongkreksäure
booster/Booster, Verstärker
bopindolol/Bopindolol
bor containing polymers/Bor-Polymere
bora…/Bora…
9-borabicyclo[3.3.1]nonane/9-Borabicyclo[3.3.1]nonan
boracite/Boracit
borage/Borretsch
boranes/Borane
borata…/Borata…
borates/Borate
borax/Borax
borazines/Borazine
bordeaux mixture/Kupferkalkbrühe
boric acid/Borsäure
– acid esters/Borsäureester
– oxide/Bortrioxid
borides/Boride

boriding/Borieren
borinic acids/Borinsäuren
Born-Haber cycle/Born-Haber-Kreisprozeß
– -Oppenheimer approximation/Born-Oppenheimer-Näherung
bornane/Bornan
bornaprine/Bornaprin
borneol/Borneol
bornite/Bornit
bornyl acetate/Bornylacetat
borohydrides/Boranate
boroles/Borole
boromycin/Boromycin
boron/Bor
– carbide/Borcarbid
– fertilizers/Bordünger
– fibers/Borfasern
– group/Bor-Gruppe
– nitride/Bornitrid
– nitride polymers/Polybornitride
– nitrogen compounds/Bor-Stickstoff-Verbindungen
– steels/Borstähle
– -sulfur compounds/Bor-Schwefel-Verbindungen
– tribromide/Bortribromid
– trichloride/Bortrichlorid
– trifluoride/Bortrifluorid
– trifluoride etherate/Bortrifluorid-Etherat
– trioxide/Bortrioxid
boronic acids/Boronsäuren
borosilicate glasses/Borosilicatgläser
boroxines/Boroxine
borrelidin/Borrelidin
borthiins/Borthiine
boryl…/Boryl…
Bose-Einstein condensation/Bose-Einstein-Kondensation
– -Einstein statistics/Bose-Einstein-Statistik
bosons/Bosonen
botany/Botanik
botrydial/Botrydial
bottles with conical shoulder/Steilbrustflaschen
bottom-fermented beer/Untergäriges Bier
botulism/Botulismus
Boudouard equilibrium/Boudouard-Gleichgewicht
Boughton system/Boughton-System
bouillon cubes/Fleischbrühwürfel
boulangerite/Boulangerit
bouncing putty/Bouncing Putty
bournonite/Bournonit
Bouveault-Blanc reaction/Bouveault-Blanc-Reaktion
bovine spongiform encephalopathy/Rinderseuche
boviquinones/Bovichinone
Boyle-Mariotte's law/Boyle-Mariotte'sches Gesetz
brackish water/Brackwasser
bradykinin/Bradykinin
brain/Gehirn
– substance/Hirnsubstanz
brake fluids/Bremsflüssigkeiten
– linings/Bremsbeläge
brallobarbital/Brallobarbital
brambles/Brombeeren
bran/Kleie
– of almonds/Mandelkleie
branching/Verzweigung
– coefficient/Verzweigungskoeffizient
– parameter/Verzweigungsparameter
brandy/Weinbrand

brannerite/Brannerit
brass/Messing
brassinosteroids/Brassinosteroide
braunite/Braunit
brawn/Sülze
Brazil nuts/Paranüsse
– tea/Mate
Brazilian cocoa/Guarana
brazilianite (brasilianite)/Brasilianit
brazilin/Brasilin
brazing/Löten
brazzein/Brazzein
bread/Brot
– unit/Brot-Einheit
break off reaction/Abbruchreaktion
breakdown/Abbau
breakers/Brecher
breaking buckthorn/Faulbaum
Bredt rule/Bredt'sche Regel
breeder reactors/Brutreaktoren
breeding/Brüten
brefeldines/Brefeldine
bremsstrahlung/Bremsstrahlung
brevetoxins/Brevetoxine
brevicomin/Brevicomin
breynines/Breynine
bricks/Ziegel
bridges/Brücken
bright annealing/Blankglühen
– barite/Glanzbaryt
– gold/Glanzgold
– pickling/Gelbbrennen
brightening/Schönen
– agents/Aufhellungsmittel für Mikroskopie
– fastness/Avivierechtheit
brightness/Glanz
brillant dyes/Brillant…-Farbstoffe
Brillouin theorem/Brillouin-Theorem
– zone/Brillouin-Zone
brine/Sole
Brinell hardness/Brinell-Härte
briquetting/Brikettierung
Britannia metal/Britannia-Metall
brittleness/Sprödigkeit
brivudine/Brivudin
Brix degrees/Brix-Grade
broad beans/Puffbohnen
brocade/Brokat
brochantite/Brochantit
Brockmann scale/Brockmann-Skale
brodifacoum/Brodifacoum
bromacil/Bromacil
bromadiolone/Bromadiolon
bromazepam/Bromazepam
bromelain/Bromelain
bromethalin/Bromethalin
bromhexine/Bromhexin
bromid acid/Bromsäure
bromides/Bromide
brominated hydrocarbons/Bromkohlenwasserstoffe
bromination/Bromierung
bromine/Brom
– -containing drugs/Brom-Präparate
– cyanide/Bromcyan
– fluorides/Bromfluoride
– oxides/Bromoxide
bromisoval/Bromisoval
bromo…/Brom…
1-bromo-2-butene/1-Brom-2-buten
3-bromo-8-camphorsulfonic acid/3-Bromcampher-8-sulfonsäure
2-bromo-1,1-diethoxyethane/ Bromacetaldehyd-diethylacetal
bromoacetal/Bromacetaldehyddiethylacetal
N-bromoacetamide/N-Bromacetamid
bromoacetic acid/Bromessigsäure
α-(or ω-)bromoacetophenone/ω-(od. α-)Bromacetophenon
bromobenzene/Brombenzol
2-bromobutyric acid/2-Brombuttersäure
bromochloromethane/Bromchlormethan
bromochlorophene/Bromchlorophen
bromochlorophenol blue/Bromchlorphenolblau
bromocresol green/Bromkresolgrün
– purple/Bromkresolpurpur
bromocriptine/Bromocriptin
bromocyclohexane/Bromcyclohexan
1-bromodecane/1-Bromdecan
bromoform/Bromoform
bromohydrines/Bromhydrine
1-bromonaphthalene/1-Bromnaphthalin
4-bromophenol/4-Bromphenol
bromophenol blue/Bromphenolblau
– red/Bromphenolrot
bromopride/Bromoprid
bromopropylate/Brompropylat
bromopyridines/Brompyridine
β-bromostyrene/β-Bromstyrol
N-bromosuccinimide/N-Bromsuccinimid
bromosulfalein/Bromsulfalein
bromothymol blue/Bromthymolblau
5-bromouracil/5-Bromuracil
bromoureides/Bromureide
bromoxynil/Bromoxynil
bromperidol/Bromperidol
brompheniramine/Brompheniramin
bromuconazole/Bromuconazol
bronchitis/Bronchitis
broncholytics/Broncholytika
broncing/Broncieren
bronze pigments/Bronzepigmente
bronzes/Bronzen
broquinaldol/Broquinaldol
brotizolam/Brotizolam
brown coal/Braunkohle
– ore/Brauneisenerz
Brownian movement (motion)/Brown'sche Molekularbewegung
broxyquinoline/Broxychinolin
bruceantin/Bruceantin
brucine/Brucin
brucite/Brucit
bryony/Zaunrübe
bryostatins/Bryostatine
bryozoan alkaloids/Bryozoen-Alkaloide
bubble chamber/Blasenkammer
– column reactor/Blasensäulenreaktor
bubbler/Blasenzähler
bubbles/Blasen
bucetine/Bucetin
Bucherer reaction/Bucherer-Reaktion
buchu/Bucco
buckbean/Bitterklee
bucking/Beuchen
buckthorn/Kreuzdorn
buckwheat/Buchweizen
buclizine/Buclizin
buclosamide/Buclosamid
budding/Knospung
budesonide/Budesonid
Büchi rearrangement/Büchi-Umlagerung
bufadienolides/Bufadienolide
bufeniode/Bufeniod
bufexamac/Bufexamac
buffers/Puffer
buflomedil/Buflomedil
buformin/Buformin
bufotoxin/Bufotoxin
bugs/Käfer, Wanzen
build up principle/Aufbauprinzip
builder/Builder
building materials/Baustoffe
– protective agents/Bautenschutzmittel
bulbocapnine/Bulbocapnin
bulbs/Kolben
bulk density/Schüttdichte, Schüttgewicht
– goods/Schüttgüter
– plastics/Massenkunststoffe
– polymerizates/Massepolymerisate
– polymerization/Massepolymerisation, Substanzpolymerisation
– volume/Schüttvolumen
bulking agent/Bulking agent
– sludge/Blähschlamm
bullvalene/Bullvalen
bumadizone/Bumadizon
bumetanide/Bumetanid
bunamiodyl/Bunamiodyl
bunazosin/Bunazosin
bungarotoxins/Bungarotoxine
bunitrolol/Bunitrolol
Bunsen burner/Bunsenbrenner
– -Roscoe law/Bunsen-Roscoe'sches Gesetz
– valve/Bunsen-Ventil
Bunte salts/Bunte-Salze
buphenine/Buphenin
bupirimate/Bupirimat
bupivacaine/Bupivacain
bupranolol/Bupranolol
buprenorphine/Buprenorphin
buprofezin/Buprofezin
burdock root/Klettenwurzel
burettes/Büretten
burgundy mixture/Kupferkalkbrühe
burn-up/Abbrand
burners/Brenner
burning bush/Pfaffenhütchen
buserelin/Buserelin
buspirone/Buspiron
busulfan/Busulfan
butacaine/Butacain
butachlor/Butachlor
butadiene-1,3/1,3-Butadien
butalamine/Butalamin
butalbital/Butalbital
butamirate/Butamirat
butane/Butan
1,4-butanediamine/1,4-Butandiamin
butanediols/Butandiole
1-butanethiol/1-Butanthiol
butanilicaine/Butanilicain
butanol/Butanole
2-butanone/2-Butanon
2-butanone peroxide/2-Butanonperoxid
butaperazine/Butaperazin
butaverine/Butaverin
butcher's broom/Ruscus
(E)-2-butenal/(E)-2-Butenal
butene/Buten
2-butene-1,4-diol/2-Buten-1,4-diol
butenoic acid/Butensäure
butenolides/Butenolide
2-butenyl…/2-Butenyl…
butetamate/Butetamat
butethal/Butobarbital
butinoline/Butinolin
butizide/Butizid
Butler-Volmer equation/Butler-Volmer-Gleichung
butobarbital/Butobarbital
butocarboxim/Butocarboxim
butoxides/Butoxide
butoxy…/Butoxy…
tert-butoxycarbonyl…/tert-Butoxycarbonyl…
butoxycarboxim/Butoxycarboxim
butter/Butter
– flavour/Butteraroma
– milk/Buttermilch
buttercups/Hahnenfußgewächse
butyl…/Butyl…
butylacetates/Essigsäurebutylester
– bromide/Butylbromide
– chloride/Butylchloride
tert-butyl hydroquinone/tert-Butylhydrochinon
– methyl ether/tert-Butylmethylether
– phenol/tert-Butylphenole
butyl rubber/Butylkautschuke
– stearate/Butylstearat
butylamine/Butylamine
butylate/Butylat
4-tert-butylbenzoic acid/4-tert-Butylbenzoesäure
tert-Butylhydroperoxide/tert-Butylhydroperoxid
butylidene…/Butyliden…
butyllithium/Butyllithium
tert-butylmethoxyphenol/tert-Butylmethoxyphenol
2-tert-butyl-4(5)-methylphenol/2-tert-Butyl-4-(bzw. 5)-methylphenol
4-tert-butylpyrocatechol/4-tert-Butylbrenzcatechin
1-butyne/1-Butin
2-butyne-1,4-diol/2-Butin-1,4-diol
butyraldehyde/Butyraldehyde
butyrates/Buttersäureester
butyric acid/Buttersäure
– anhydride/Buttersäureanhydrid
γ-butyrolactone/γ-Butyrolacton
butyrometer/Butyrometer
butyrophenone/Butyrophenon
butyryl…/Butyryl…
butyryl chloride/Buttersäurechlorid
buzepid metiodide/Buzepid metiodid
byproduct/Nebenprodukt
byssochlamic acid/Byssochlamsäure

C

cabbage/Kohl
cabenegrins/Cabenegrine
cabergoline/Cabergolin
cable compounds/Kabelvergußmassen
cacao/Kakao
caco…/Kako…
cacodyl oxide/Kakodyloxid
cacotheline/Kakothelin
cactus alkaloids/Kaktus-Alkaloide
cade oil/Wacholderteeröl
cadherins/Cadherine
cadinene/Cadinen
cadion/Cadion
cadmium/Cadmium
– acetate/Cadmiumacetat
– bromide/Cadmiumbromid
– carbonate/Cadmiumcarbonat
– chloride/Cadmiumchlorid

- iodide/Cadmiumiodid
- nitrate/Cadmiumnitrat
- oxide/Cadmiumoxid
- pigments/Cadmium-Pigmente
- selenide/Cadmiumselenid
- sulfate/Cadmiumsulfat
- sulfide/Cadmiumsulfid
- telluride/Cadmiumtellurid

caduceus/Äskulapstab
cadusafos/Cadusafos
c(a)erulein/Caerulein
c(a)eruloplasmin/Caeruloplasmin
caesium (GB)/Cäsium
cafaminol/Cafaminol
cafedrine/Cafedrin
caffeic acid/Kaffeesäure
caffeine/Coffein
cage compounds/Käfigverbindungen
- effect/Käfig-Effekt

caged compounds/Caged Verbindungen
cajeput oil/Kajeputöl
calabar beans/Calabar-Bohnen
calamine plants/Galmei-Pflanzen
calamity/Kalamität
calamus/Kalmus
- oil/Kalmusöl

calbindins/Calbindine
calcareous marl/Kalkmergel
- sandstones/Kalksandsteine
- soil plants/Kalkpflanzen

calcein/Calcein
calcifediol/Calcifediol
calciferols/Calciferole
calcification/Verkalken
calcifugous/Kalzifug
calcimycin/Calcimycin
calcination/Calcinieren
calcineurin/Calcineurin
calcining/Calcinieren
calciphobous/Kalzifug
calcipotriol/Calcipotriol
calcite/Calcit
calcitonin/Calcitonin
- gene-related peptide/Calcitonin-Gen-zugehöriges Peptid

calcium/Calcium
- acetate/Calciumacetat
- alginate/Calciumalginat
- aluminates/Calciumaluminate
- ammonium nitrate/Kalkammonsalpeter
- antagonists/Calcium-Antagonisten
- -binding proteins/Calcium-bindende Proteine
- bromide/Calciumbromid
- carbonate/Calciumcarbonat
- channel blockers/Calcium-Antagonisten
- channels/Calcium-Kanäle
- chlorate/Calciumchlorat
- chloride/Calciumchlorid
- citrate/Calciumcitrat
- cyanamide/Calciumcyanamid
- cyanide/Calciumcyanid
- dobesilate/Calciumdobesilat
- fluoride/Calciumfluorid
- folinate/Calciumfolinat
- formate/Calciumformiat
- gluconate/Calciumgluconat
- glycerophosphate/Calciumglycerophosphat
- hydride/Calciumhydrid
- hydrogen carbonate/Calciumhydrogencarbonat
- hydrogen sulfide/Calciumhydrogensulfid
- hydrogen sulfite/Calciumhydrogensulfit
- hydroxide/Calciumhydroxid

- hypochlorite/Calciumhypochlorit
- iodide/Calciumiodid
- lactate/Calciumlactat
- (meta)borate/Calciumborat
- nitrate/Calciumnitrat
- (ortho)arsenate/Calciumarsenat
- oxalate/Calciumoxalat
- oxide/Calciumoxid
- pantothenate/Calciumpantothenat
- peroxide/Calciumperoxid
- phosphates/Calciumphosphate
- phosphide/Calciumphosphid
- polysulfides/Calciumpolysulfide
- preparations/Calcium-Präparate
- propionate/Calciumpropionat
- pumps/Calcium-Pumpen
- saccharate/Calciumsaccharat
- silicates/Calciumsilicate
- silicides/Calciumsilicide
- soaps/Calcium-Seifen
- sorbate/Calciumsorbat
- stearate/Calciumstearat
- sulfate/Calciumsulfat
- sulfide/Calciumsulfid
- sulfite/Calciumsulfit
- thiocyanate/Calciumthiocyanat
- thioglycolate/Calciumthioglykolat
- trisodium pentetate/Calciumtrinatriumpentetat
- tungstate/Calciumwolframat

calciumcarbide/Calciumcarbid
calcon/Calcon
calconcarboxylic acid/Calconcarbonsäure
caldesmon/Caldesmon
calenders/Kalander
calendula oil/Calendulaöl
calibrate/Kalibrieren
caliche/Caliche
caliche(a)micins/Calicheamicine
californium/Californium
callase/Kallase
callose/Kallose
calmagite/Calmagit
calmodulin/Calmodulin
calnexin/Calnexin
calomel/Kalomel
- electrode/Kalomel-Elektrode

caloric solutions/Kalorische Lösungen
calorie/Kalorie
calorimetry/Kalorimetrie
calpains/Calpaine
calponin/Calponin
calreticulin/Calreticulin
calretinin/Calretinin
calsequestrin/Calsequestrin
calvatic acid/Calvatsäure
calycanthine/Calycanthin
calyculins/Calyculine
calysterols/Calysterole
CAM plants/CAM-Pflanzen
camazepam/Camazepam
camel hair (wool)/Kamelhaar-(wolle)
cameo/Gemmen
camomile/Kamille
- oil/Kamillenöl

cAMP receptor protein/cAMP-Rezeptor-Protein
camphechlor/Camphechlor
camphene/Camphen
camphor/Campher
camphoric acid/Camphersäure
camphor-10-sulfonic acid/Campher-10-sulfonsäure
Camps reaction/Camps-Reaktion
camptothecin/Camptothecin
camylofine/Camylofin

Canada balsam/Kanadabalsam
- turpentine/Kanadabalsam

canamide/Cyanamid
cananga oil (2.)/Ylang-Ylang-Öle
canavanine/Canavanin
cancer/Krebs
cancerigenic substances/Krebserzeugende Stoffe
candela/Candela
candelilla wax/Candelillawachs
candicidin/Candicidin
candidin/Candidin
candied lemon peel/Sukkade
candies/Zuckerwaren
candle/Kerze
candles/Kerzen
candoluminescence/Candolumineszenz
candy sugar/Kandis(zucker)
candying/Kandieren
cannabinoid receptor/Cannabinoid-Rezeptor
cannabinoids/Cannabinoide
cannel coal/Kannelkohle
Cannizzaro reaction/Cannizzaro-Reaktion
cannula/Kanülen
cannulation/Kanülentechnik
cantharidin/Cantharidin
canthaxanthin/Canthaxanthin
capacitor/Kondensator
capacity/Kapazität
Cape gooseberries/Kapstachelbeeren
capers/Kapern
capillaries/Kapillaren
capillarity/Kapillarität
capillary condensation/Kapillarkondensation
- electrophoresis/Kapillarelektrophorese
- pressure/Kapillardruck

capnellene/Capnellen
capping/Capping
capreomycin/Capreomycin
caproic acid/Hexansäure
ε-caprolactam/ε-Caprolactam
ε-caprolactone/ε-Caprolacton
capsaicin/Capsaicin
capsanthin/Capsanthin
capsids/Capside
capsomeres/Capsomere
capsule lacquers/Kapsellacke
capsules/Kapseln
captafol/Captafol
captan/Captan
captopril/Captopril
capture/Einfang
capturing/Abfangen
car care products/Autopflegemittel
carambola/Karambole
caramel/Karamel
- colour/Zuckercouleur

caramels/Karamellen
carane/Caran
carat/Karat
caraway/Kümmel
- oil/Kümmelöl

carazolol/Carazolol
carba.../Carba...
carbaboranes/Carbaborane
carbachol/Carbachol
...carbaldehyde/...carbaldehyd
carbamates/Carbamate
carbamazepine/Carbamazepin
carbamic acid/Carbamidsäure
carbamoyl.../Carbamoyl...
carbamoyl phosphate/Carbamoylphosphat
carbanilic acid/Carbanilsäure
carbanions/Carbanionen
carbapeneme/Carbapeneme

carbaryl/Carbaryl
carbasalate calcium/Carbasalat-Calcium
carbazides/Carbazide
carbazochrome/Carbazochrom
carbazol violet/Carbazolviolett
9H-carbazole/9H-Carbazol
carbazole alkaloids; alcaloids carbazol/Carbazol-Alkaloide
carbendazim/Carbendazim
carbene complexes/Carben-Komplexe
carbenes/Carbene
carbenicillin/Carbenicillin
carbenium ions/Carbenium-Ionen
carbenoxolone/Carbenoxolon
carbetamide/Carbetamid
carbetapentane/Pentoxyverin
carbides/Carbide
carbidopa/Carbidopa
carbimazole/Carbimazol
carbinols/Carbinole
carbinoxamine/Carbinoxamin
carbocations/Carbokationen
carbocisteine/Carbocistein
carbocromene/Carbocromen
carbocycles/Carbocyclen
carbodiimides/Carbodiimide
carbofuran/Carbofuran
carbohydrates/Kohlenhydrate
carbol fuchsin/Karbol-Fuchsin-Lösung
carbolic oil/Carbolöl
carbolines/Carboline
carbolineum/Carbolineum
carbomycin/Carbomycin
carbon/Kohlenstoff, Ölkohle
- -14/C-14
- black/Ruß
- bricks/Kohlenstoffsteine
- (copy) paper/Kohlepapier
- dioxide/Kohlendioxid
- disulfide/Schwefelkohlenstoff
- fibers/Kohlenstoff-Fasern
- group/Kohlenstoff-Gruppe
- mobilization/Kohlenstoff-Mobilisierung
- monoxide/Kohlenoxid
- oxide/Kohlenoxid
- oxide potassium/Kohlenoxidkalium
- oxide sulfide/Kohlenoxidsulfid
- oxides/Kohlenstoffoxide
- steel/Kohlenstoff-Stähle
- suboxide/Kohlensuboxid

carbonate esters/Kohlensäureester
carbonated beverages/Brausen
carbonates/Carbonate
- beverages/Limonaden

carbonatite/Karbonatit
carbonic acid/Kohlensäure
- anhydrase/Carboanhydrase
- esters/Kohlensäureester

carbonification/Inkohlung
carbonisation/Carbonisieren
carbonitrides/Carbonitride
carbonitriding/Carbonitrieren
carbonium ions/Carbonium-Ionen
carbonless copy paper/Durchschreibepapier
carbonyl.../Carbonyl...
carbonyl complexes/Carbonylkomplexe
- group/Carbonyl-Gruppe
- number/Carbonyl-Zahl
- oxides/Carbonyl-Oxide
- sulfide/Kohlenoxidsulfid

carbonylation/Carbonylierung
N-carbonylsulfamoylchloride/N-Carbonylsulfamoylchlorid
carboplatin(um)/Carboplatin
carboranes/Carborane

carbosilane polymers/Carbosilan-Polymere
carbosilanes/Carbosilane
carbosulfan/Carbosulfan
...carbothioic acid/...thiocarbonsäure
carboxin/Carboxin
carboxonium ions/Carboxonium-Ionen
carboxylases/Carboxylasen
carboxylation/Carboxylierung
carboxylic acids/Carbonsäuren
carboxymethylcellulose/Carboxymethylcellulose
carboxypeptidases/Carboxypeptidasen
carboys/Ballons
carbromal/Carbromal
carburation/Carburieren
carburization/Aufkohlung
carbutamide/Carbutamid
carbuterol/Carbuterol
carbyne/Karbin
carbynes/Carbine
carcinoembryonic antigen/Karzino-embryonales Antigen
carcinogenesis/Carcinogenese
carcinogenic agents/Carcinogene
– substances/Krebserzeugende Stoffe
carcinogens/Carcinogene
card/Karde
cardamom/Kardamomen
cardboard/Karton
cardenolides/Cardenolide
cardiac glycosides/Herzglykoside
– insufficiency/Herzinsuffizienz
cardol/Cardol
carenes/Carene
carfentrazone-ethyl/Carfentrazon-ethyl
caries/Karies
carindacillin/Carindacillin
carisoprodol/Carisoprodol
Carius method/Carius-Methode
Carlsbad salt/Karlsbader Salz
carmelite water/Melissengeist
carmin/Karmin
carminatives/Carminativa
carminic acid/Karminsäure
carmustine/Carmustin
carnallite/Carnallit
carnations/Nelken
carnauba wax/Carnaubawachs
carnitine/Carnitin
carnivorism/Carnivorie
carnivorous plants/Carnivore Pflanzen
carnosine/Carnosin
Carnot circle/Carnotscher Kreisprozeß
carnotite/Carnotit
carob tree/Johannisbrotbaum
Caro's acid/Carosche Säure
β-carotene/β-Carotin
carotenes/Carotine
carotinoids/Carotinoide
carpaine/Carpain
carpathite/Pendletonit
carpet cleaning agents/Teppichpflegemittel
carpets/Teppiche
carpholite/Karpholith
carprofen/Carprofen
Carr-Price reagent/Carr-Price-Reagenz
carrageen/Carrageen
Carrez purification/Carrez-Klärung
carrier/Schleppmittel
carriers/Carrier, Träger
carrion-beetles/Aaskäfer
– feeders/Nekrophagen

– -flies/Aasfliegen
– flowers/Aasblumen
carrots/Möhren
carrying capacity/Umweltkapazität
cart greases/Wagenfette
cartap/Cartap
cartel/Kartell
carteolol/Carteolol
carthamin/Carthamin
cartilage/Knorpel
carvacrol/Carvacrol
carvedilol/Carvedilol
carvone/Carvon
caryophyllenes/Caryophyllene
carzenide/Carzenid
cascara sagrada (bark)/Kaskararinde
casein/Casein
– glues/Casein-Leime
– paints/Casein-Anstrich
– plastics/Casein-Kunststoffe
caseinates/Caseinate
cashew nuts/Cashew-Nüsse
cashmere wool/Kaschmir-Wolle
cassaine/Cassain
cassava/Maniok
Cassel brown/Kasseler Braun
cassia flasks/Kassiakölbchen
– oil/Kassiaöl
cassiterite/Kassiterit
Casson masses/Cassonsche Stoffe
cast alloy/Gußlegierungen
– basalt/Schmelzbasalt
– resins/Gießharze
– steel/Gußstahl
castanospermine/Castanospermin
CASTing/CASTing
casting/Gießen, Guß
– materials/Abgußmassen
castor oil/Ricinusöl
Cat-Ox-process/Cat-Ox-Verfahren
catabolite repression/Katabolit-Repression
cataclastic rocks/Kataklastische Gesteine
catalase/Katalase
catalpol/Catalpol
catalysis/Katalyse
catalyst poison/Katalysatorgift
catalysts/Katalysatoren
cataphoresis/Kataphorese
catapinates/Katapinate
cataplasm/Kataplasma
catapleite/Katapleit
cataract/Star
catarol process/Catarol-Prozeß
catching/Abfangen
catechin/Catechin
catechins/Catechine
catechol/Catechin
– borane/Catecholboran
catecholamines/Catecholamine
catechol/Brenzcatechin
catena.../Catena...
catenanes/Catenane
catenins/Catenine
catharanthine/Catharanthin
catharanthus roseus alkaloids/Catharanthus roseus-Alkaloide
cathartics/Abführmittel
cathepsins/Kathepsine
cathode/Kathode
– rays/Kathodenstrahlen
– sputtering/Kathodenzerstäubung
cathodic protection/Kathodischer Korrosionsschutz
– reduction/Kathodische Reduktion
cathyl.../Cathyl...
cationic dyes/Kationische Farbstoffe

– polymerization/Kationische Polymerisation
– starches/Kationische Stärken
– surfactants/Kationtenside
– textile auxiliaries/Kationaktive Textilhilfsmittel
cations/Kationen
cat's eye/Katzenauge
caustic soda/Natriumhydroxid
– soda solution/Natronlauge
caustics/Kaustische Alkalien
caustification/Kaustifizieren
caustobiolites/Kaustobiolithe
caviar/Kaviar
cavitation/Kavitation
cDNA gene banks/cDNA-Genbank
– libraries/cDNA-Genbank
CDTA/CDTA
CE-sign/CE-Zeichen
cedar leaf oil/Thujaöl
cedarwood oil/Zedernöle
cedrat/Zedrat
cedrene/Cedren
(+)-cedrol/(+)-Cedrol
cefacetrile/Cefacetril
cefaclor/Cefaclor
cefadroxil/Cefadroxil
cefalexin/Cefalexin
cefaloridine/Cefaloridin
cefalotin/Cefalotin
cefamandole/Cefamandol
cefazedone/Cefazedon
cefazolin/Cefazolin
cefepime/Cefepim
cefetamet/Cefetamet
cefixime/Cefixim
cefmenoxime/Cefmenoxim
cefodizime/Cefodizim
cefoperazone/Cefoperazon
cefotaxime/Cefotaxim
cefotetan/Cefotetan
cefotiam/Cefotiam
cefoxitin/Cefoxitin
cefpirome/Cefpirom
cefpodoxime/Cefpodoxim
cefprozil/Cefprozil
cefradine/Cefradin
cefsulodin/Cefsulodin
ceftazidime/Ceftazidim
ceftibuten/Ceftibuten
ceftizoxime/Ceftizoxim
ceftriaxone/Ceftriaxon
ceiling temperature/Ceiling-Temperatur
celadonite/Seladonit
celery/Sellerie
– oil/Sellerieöl
celestine/Cölestin
celestite/Cölestin
celiac disease/Zöliakie
celiprolol/Celiprolol
cell adhesion molecules/Zell-Adhäsionsmoleküle
– cloning/Zellklonierung
– culture reactors/Zellkultur-Reaktoren
– -free extract/Zellfreier Extrakt
– line/Zellinie
– number/Zellzahl
– separation/Zellfraktionierung
– sorter/Zellsortierer
– synchronization/Synchronisierung von Zellen
– voltage/Zellspannung
cellculture/Zellkultur
cellobiose/Cellobiose
cellophane/Zellglas
cells/Zellen
cellular lime/Zellenkalk
– plastics/Schaumkunststoffe
cellulases/Cellulase
celluloid/Celluloid

cellulose/Cellulose, Zellstoff
– acetate butyrate/Celluloseacetobutyrate
– acetate phthalate/Celluloseacetophthalat
– acetate propionate/Celluloseacetopropionat
– carbamate/Cellulose-Carbamat
– derivatives/Cellulose-Derivate
– esters/Celluloseester
– ethers/Celluloseether
– graft copolymers/Cellulose-Pfropfcopolymere
– hydrate/Cellulosehydrat
– nitrate/Cellulosenitrat
– propionate/Cellulosepropionat
– silk/Zellseide
– xanthate/Cellulosexanthogenat
celluloseacetate/Celluloseacetat
cellulosic fibers/Cellulose-Fasern
– ion exchangers/Cellulose-Ionenaustauscher
cellulosics/Cellulose-Fasern, Kunstseiden
Celsius temperature scale/Celsius-Temperatur-Skale
cembranoids/Cembranoide
cembranolides/Cembranoide
cembrenes/Cembrene
cement/Zement
– colours/Zementfarben
cementation/Zementation
centaury/Tausendgüldenkraut
centractin/Centractin
central dogma/Zentrales Dogma
– -Prayon process/Central-Prayon-Verfahren
centrally acting drugs that decrease sympathetic tone/Antisympath(ik)otonika
centrifugal casting/Schleuderguß
– chromatography/Zentrifugal-Chromatographie
– distortion constant/Zentrifugaldehnungskonstante
– potential/Zentrifugalpotential
centrifugation/Zentrifugieren
centromere/Centromer
centrosomes/Centrosomen
CEP rules/CEP-Regeln
cep(e)/Maronenröhrling
cephalins/Kephaline
cephalosporins/Cephalosporine
cephalostatins/Cephalostatine
cephalotaxine/Cephalotaxin
ceramic materials/Keramische Werkstoffe
– pigments/Keramische Pigmente
ceramics/Keramik, Keramische Werkstoffe
ceramides/Ceramide
cereal seed oils/Getreidekeimöle
cereals/Getreide
cerebrodienes/Cerebrodiene
cerebrosides/Cerebroside
ceresin/Ceresin
cerfuroxime/Cefuroxim
cerite/Cerit
– earths/Criterden
cerium/Cer
– compounds/Cer-Verbindungen
– misch metal iron alloy/Cereisen
cermets/Cermets
cerotic (cerinic) acid/Cerotinsäure
cerulenin/Cerulenin
cerussite/Cerussit
cesium (USA)/Cäsium
– compounds/Cäsium-Verbindungen
cetalkonium chloride/Cetalkoniumchlorid
cetane number/Cetan-Zahl

cetirizine/Cetirizin
cetobemidone/Cetobemidon
cetostearyl alcohol/Cetyl-stearylalkohol
Cetus process/Cetus-Prozeß
cetylpyridinium chloride/Cetyl-pyridiniumchlorid
cetyltrimethylammonium bromide/Cetyltrimethylammoniumbromid
– chloride/Cetyltrimethylammoniumchlorid
CFC/Fluorchlorkohlenstoffe
chabazite/Chabasit
Chagas' disease/Chagas-Krankheit
chain cleavage/Kettenspaltung
– reaction/Kettenreaktion
– scission/Kettenspaltung
chains/Ketten
chalcedony/Chalcedon
chalciporone/Chalciporon
chalco…/Chalko…
chalcocite/Chalkosin
chalcogens/Chalkogene
chalcone/Chalkon
chalcopyrite/Kupferkies
chalcostibite/Wolfsbergit
chalking/Kreiden
chalogenides/Chalkogenide
chalones/Chalone
chalybeate waters/Eisensäuerlinge
chamazulene/Chamazulen
chamigrenes/Chamigrene
chamois leather/Sämischleder
chamotte/Schamotte
change/Scheidemünzen
– of state/Zustandsänderung
changed color photography/Falschfarbenphotographie
channel black/Kanalruß
chanterelle/Pfifferlinge
chaos/Chaos
chaotropic/Chaotrop
chaperones/Chaperone
character/Merkmal
characteristic species/Charakterart
charcoal/Holzkohle
Chardonnet silk/Chardonnet-Seide
charge/Ladung
– control agents/Ladungssteuermittel
– exchange reactions/Ladungsaustauschreaktionen
– transfer complexes/Charge-transfer-Komplexe
charges/Zuschläge, Zuschlagstoffe
Charles' law/Charles Gesetz
charoite/Charoit
chartreuse/Chartreuse
chartreusin/Chartreusin
charybdotoxin/Charybdotoxin
chaste-lamb tree/Mönchspfeffer
chaulmoogra oil/Chaulmoograöl
chaulmoogric acid/Chaulmoograsäure
chavicol/Chavicol
cheese/Käse
– flavor/Käse-Aroma
– making auxiliaries/Käsereihilfsstoffe
– melting salts/Käseschmelzsalze
– spread/Schmelzkäse
– waxes/Käsewachse
cheirotoxin/Cheirotoxin
chelate-forming polymers/Komplexbildende Polymere
chelates/Chelate

chelating polymers/Komplexbildende Polymere
cheletropic reactions/Cheletrope Reaktionen
chelidonine/Chelidonin
chemical analysis/Chemische Analyse
– and physical waste treatment/Chemisch-physikalische Behandlung
– bond/Chemische Bindung
– compounds/Chemische Verbindungen
– elements/Chemische Elemente
– engineering/Chemie-Ingenieurwesen, Chemische Technologie
– equilibria/Chemische Gleichgewichte
– evolution/Chemische Evolution
– fibers/Chemiefasern
– grouts/Bodenstabilisatoren
– industry/Chemische Industrie
– laboratories/Chemische Laboratorien
– laser/Chemische Laser
– literature/Chemische Literatur
– oxygen demand (COD)/CSB
– physics/Chemische Physik
– potential/Chemisches Potential
– purity/Chemische Reinheit
– screening/Chemisches Screening
– symbols/Chemische Zeichensprache
– technician/Chemotechniker
– technology/Chemische Technologie
– vapor deposition/Gasphasenabscheidung
– waste water treatment/Chemische Abwasserbehandlung
– weapons/Chemische Waffen
– worker/Chemikant
chemicalengineer/Chemieingenieur
chemicals/Chemikalien
– act/Chemikaliengesetz
chemigraphy/Chemigraphie
chemiluminescence/Chemilumineszenz
chemiosmotic/Chemiosmotisch
chemiphoresis/Chemiphorese
chemisorption/Chemisorption
chemist/Chemiker
chemistry/Chemie
– professions/Chemie-Berufe
chemokines/Chemokine
chemolithotrophy/Chemolithotrophie
chemometric/Computergestützte analytische Chemie
chemoreceptors/Chemorezeptoren
chemostat/Chemostat
chemosterilants/Chemosterilantien
chemotaxis/Chemotaxis
chemotaxonomy/Chemotaxonomie
chemotrophy/Chemotrophie
chemotropism/Chemotropismus
chemurgy/Chemurgie
chenodeoxycholic acid/Chenodesoxycholsäure
C(h)erenkov radiation/Čerenkov-Strahlung
cherimoga/Cherimoya
chernobyl/Tschernobyl
cherries/Kirschen
cherts/Kieselgesteine
chervil/Kerbel
chevreau leather/Ziegenleder
chewing gum/Kaugummi

– tobacco/Kautabak
Chichibabin synthesis/Tschitschibabin-Synthesen
Chichibabin's hydrocarbon/Tschitschibabinscher Kohlenwasserstoff
chicories/Zichorien
Chile salpetre/Chilesalpeter
chill mould/Kokille
chilled cast iron/Hartguß
China ink/Tusche
Chinawood oil/Holzöl
Chinese blue/Chinablau
chinomethionat/Chinomethionat
chirality/Chiralität, chiral
chiro/chiro-
chiroptical methods/Chiroptische Methoden
chitin/Chitin
chives/Schnittlauch
chlophedianol/Clofedanol
chloral/Chloral
– hydrate/Chloralhydrat
chloralkali electrolysis/Chloralkali-Elektrolyse
chloralose/Chloralose
chlorambucil/Chlorambucil
chloramin yellow/Chloramingelb
chloramine/Chloramin
– T/Chloramin T
chloramines/Chloramine
chloramphenicol/Chloramphenicol
– acetyltransferase/Chloramphenicol-Acetyltransferase
chloranil/Chloranil
chloranilic acid/Chloranilsäure
chlorargyrite/Chlorargyrit
chlorate explosives/Chlorat-Sprengstoffe
chlorates/Chlorate
chlorazanil/Chlorazanil
chlorbenzoxamine/Chlorbenzoxamin
chlordane/Chlordan
chlordiazepoxide/Chlordiazepoxid
chlorendic anhydride/Chlorendics
chlorenic acid/HET-Säure
chlorethoxyfos/Chlorethoxyfos
chlorfenvinfos/Chlorfenvinfos
chlorfluozuron/Chlorfluazuron
chlorflurenol-methyl/Chlorflurenol-methyl
chlorguanide/Proguanil
chlorhexidine/Chlorhexidin
chloric acid/Chlorsäure
chloridazon/Chloridazon
chloride cells/Chlorid-Zellen
– channels/Chlorid-Kanäle
– of lime/Chlorkalk
chlorides/Chloride
chloridizing roasting/Chlorierende Röstung
chlorimetry/Chlorimetrie
chlorimuron-ethyl/Chlorimuron-ethyl
chlorinated hydrocarbons/Chlorkohlenwasserstoffe
– paraffins/Chlorparaffine
– polyethylene (CPE)/Chloriertes Polyethylen
– polypropylene/Chloriertes Polypropylen
– polyvinylchloride/Chloriertes Polyvinylchlorid
– rubber/Chlorkautschuke
chlorination/Chlorierung
chlor(in)ation/Chlorurung
chlorindanol/Clorindanol
chlorine/Chlor
– acne/Chlorakne
– chemistry/Chlorchemie

– detonating gas/Chlorknallgas
– fluorides/Chlorfluoride
– -free paper/Chlorfreies Papier
– oxides/Chloroxide
chlor(in)olysis/Chlorolyse
chlorins/Chlorine
chlorites/Chlorite
chlormadinone acetate/Chlormadinonacetat
chlormephos/Chlormephos
chlormequat chloride/Chlormequatchlorid
chlormerodrin/Chlormerodrin
chlormethin/Chlormethin
chlormezanone/Chlormezanon
chlormidazole/Chlormidazol
chloro…/Chlor…
(E)-2-chloro-3-(dichloromethyl)-4-oxo-butenoic acid/E-MX
4-chloro-3,5-dimethylphenol/4-Chlor-3,5-dimethylphenol
1-chloro-2,4-dinitrobenzene/1-Chlor-2,4-dinitrobenzol
3-chloro-2-methyl-1-propene/3-Chlor-2-methyl-1-propen
3-chloro-1,2-propanediol/3-Chlor-1,2-propandiol
chloroacetal/Chloracetaldehyd-diethylacetal
chloroacetaldehyde/Chloracetaldehyd
chloroacetaldehyde dimethyl acetal/Chloracetaldehyddimethylacetal
2-chloroacetamide/2-Chloracetamid
chloroacetates/Chloressigsäureester
chloroacetic acid/Chloressigsäure
chloroacetone/Chloraceton
ω-chloroacetophenone/ω-Chloracetophenon
chloroacetyl chloride/Chloracetylchlorid
chloroanilines/Chloraniline
chloroaromatics/Chloraromaten
chlorobenzaldehydes/Chlorbenzaldehyde
chlorobenzene/Chlorbenzol
chlorobenzoic acids/Chlorbenzoesäuren
(2-chlorobenzylidene)-malononitrile/(2-Chlorbenzyliden)-malonsäuredinitril
chlorocarbonyl…/Chlorcarbonyl…
chlorocarvacrol/Chlorcarvacrol
chlorocresols/Chlorkresole
chlorocyclohexane/Chlorcyclohexan
chlorofluorocarbons/Fluorchlorkohlenstoffe
chloroformates/Chlorameisensäureester
chlorogenic acid/Chlorogensäure
chlorohydrins/Chlorhydrine
chloroisocyanuric acids/Chlorisocyanursäuren
chloromethanes/Chlormethane
chloromethyl ethyl ether/(Chlormethyl)ethylether
– methyl ether/(Chlormethyl)methylether
chloromethylation/Chlormethylierung
chloronaphthalenes/Chlornaphthaline
chloroneb/Chloroneb
chloronitrobenzenes/Chlornitrobenzole
3-chloroperoxybenzoic acid/3-Chlorperoxybenzoesäure

chlorophacinone/Chlorphacinon
chlorophenol red/Chlorphenolrot
chlorophenols/Chlorphenole
chlorophyllides/Chlorophyllid(e)
chlorophyllins/Chlorophylline
chlorophylls/Chlorophyll(e)
chloropicrin/Chlorpikrin
chloroplasts/Chloroplasten
chloroprene/Chlorpren
chloropropanols/Chlorpropanole
chloropyramine/Chloropyramin
chloropyridines/Chlorpyridine
chloroquine/Chloroquin
chlorosis/Chlorose
N-chlorosuccinimide/N-Chlorsuccinimid
chlorosulfonated polyethylene/ Chlorsulfoniertes Polyethylen
chlorosulfonation/Sulfochlorierung
chlorosulfuric acid/Chloroschwefelsäure
chlorotetaine/Chlorotetain
chlorothalonil/Chlorthalonil
4-chlorothiophenol/4-Chlorthiophenol
chlorothymol/Chlorthymol
chlorotoluenes/Chlortoluole
chlorotoluron/Chlortoluron
chlorotrianisene/Chlorotrianisen
chlorous acid/Chlorige Säure
chlorphenamine/Chlorphenamin
chlorphenesin/Chlorphenesin
chlorphenoxamine/Chlorphenoxamin
chlorpromazine/Chlorpromazin
chlorpropamide/Chlorpropamid
chlorprothixene/Chlorprothixen
chlorpyrifos/Chlorpyrifos
chlorquinaldol/Chlorquinaldol
chlorsulfuron/Chlorsulfuron
chlortetracycline/Chlortetracyclin
chlort(h)alidone/Chlortalidon
chlorthenoxazine/Chlorthenoxazin
chlorzoxazone/Chlorzoxazon
chlozolinate/Chlozolinat
chocolate/Schokolade
chocolates/Pralinen
chol.../Chol...
cholagogic drugs/Cholagoga
5β-cholane/5β-Cholan
cholecystokinin/Cholecystokinin
choleic acids/Choleinsäuren
cholekinetic agents/Cholekinetika
cholera/Cholera
– toxin/Choleratoxin
choleretic agents/Choleretika
cholestane/Cholestan
cholesterol/Cholesterin
cholesteryl esters/Cholesterylester
c(h)olestyramine/Colestyramin
cholic acid/Cholsäure
choline/Cholin
– chloride/Cholinchlorid
cholinergic/Cholinerg
cholinesterase/Cholin-Esterase
chondramides/Chondramide
chondrine/Chondrin
chondroblasts/Chondroblasten
chondroitin sulfates/Chondroitinsulfate
chopping auxiliary agents/Kutterhilfsmittel
chorionic gonadotropin/ Chorio(n)gonadotrop(h)in
chorismic acid/Chorisminsäure
chromate-treating/Chromatieren
chromates/Chromate
chromatin/Chromatin
chromating/Chromatieren
– of aluminium/EW-Verfahren

chromatography/Chromatographie
chromatophores/Chromatophoren
chrome alum/Chromalaun
– amines/Chromiake
– azurol S/Chromazurol S
– (chromium) plating/Verchromen
– magnesite stones/Chrommagnesitsteine
– pigments/Chrom-Pigmente
– tanning/Chromgerbung
chromene/Chromen
chromic nitrate(III)/Chrom(III)-nitrat
– phosphate(III)/Chrom(III)-phosphat
chromite/Chromit
chromium/Chrom
– acetate/Chrom(III)-acetat
– (alloyed) steels/Chromstähle
– alloys/Chrom-Legierungen
– borides/Chromboride
– carbides/Chromcarbide
– chlorides/Chromchloride
– fluorides/Chromfluoride
– hydroxide(III)/Chrom(III)-hydroxid
– nickel alloy/Chromnickel
– oxides/Chromoxide
– sulfate/Chrom(III)-sulfat
chromizing process/Inchromverfahren
chromo.../Chromo...
chromogens/Chromogene
chromones/Chromone
chromophores/Chromophore
chromoplasts/Chromoplasten
chromoproteins/Chromoproteine
chromosome jumping/Chromosome jumping
– walking/Chromosome walking
chromosomes/Chromosomen
chromosulfuric acid/Chromschwefelsäure
chromotropic acid disodium salt/Chromotropsäure Dinatrium-Salz
chromyl chloride/Chromylchlorid
chronobiology/Chronobiologie
chronopotentiometry/Chronopotentiometrie
chrysanthemic acid/Chrysanthemumsäure
chrysanthemine/Chrysanthemin
chrysarobin/Chrysarobin
chrysazin/Chrysazin
chrysene/Chrysen
chrysin/Chrysin
chrysoberyl/Chrysoberyll
chrysocolla/Chrysokoll
chrysophanic acid/Chrysophansäure
chuanghsinmycin/Chuanghsinmycin
Chugaev reaction/Tschugaeff-Reaktion
chymase/Chymasen
chymotrypsinogens/Chymotrypsinogene
chymotrypsins/Chymotrypsine
ciclacillin/Ciclacillin
cicletanine/Cicletanin
ciclonium bromide/Cicloniumbromid
ciclopirox(olamine)/Ciclopirox
ciclosporin/Ciclosporin
...cide/...zid
cider/Cidre
cigarettes/Zigaretten
cigars/Zigarren
ciguatera toxin/Ciguatera-Toxine
ciguatoxin/Ciguatoxin

cilastatin/Cilastatin
cilazapril/Cilazapril
cimetidine/Cimetidin
cinchocaine/Cinchocain
cinchona alkaloids/China-Alkaloide
– bark/Chinarinde
cinchonidine/Cinchonidin
cinchonine/Cinchonin
cinchophen/Cinchophen
cinder/Abbrand
cineole/Cineol
cinerins/Cinerine
cinesia/Reisekrankheit
cinmethylin/Cinmethylin
cinnabar/Zinnober
cinnabarine/Cinnabarin
cinnabarite/Zinnober
cinnamaldehyde/Zimtaldehyd
cinnamates/Cinnamate, Zimtsäureester
cinnamic acid/Zimtsäure
cinnamon/Zimt
– oils/Zimtöle
cinnamoyl.../Cinnamoyl...
cinnamyl.../Cinnamyl...
cinnamyl acetate/Essigsäurecinnamylester
– alcohol/Zimtkohol
cinnamylidene.../Cinnamyliden...
cinnarizine/Cinnarizin
cinnoline/Cinnolin
cinosulfuron/Cinosulfuron
cinoxacin/Cinoxacin
CIP-rules/CIP-Regeln
ciprofloxazin/Ciprofloxacin
circadian rhythm/Circadiane Rhythmik
circannual periodicity/Circannuale Periodik
circular dichroism/Circulardichroismus
circulation/Kreislauf
cisapride/Cisaprid
cisoid/Cisoid
cispentacin/Cispentacin
cisplatin/Cisplatin
cis-trans isomerism/cis-trans-Isomerie
citation index/Citation Index
citiolone/Citiolon
citral/Citral
citranaxanthin/Citranaxanthin
citrate synthase/Citrat-Synthase
citrates/Citrate
citrazinic acid/Citrazinsäure
citreoviridins/Citreoviridine
citric acid/Citronensäure
– acid cycle/Citronensäure-Cyclus
– acid esters/Citronensäureester
citrinin/Citrinin
citron/Zedrat
citronella oil/Citronellöl
citronellal/Citronellal
citronellols/Citronellole
citrons/Citronen, Zitronen
citrulline/Citrullin
citrus fruits/Citrusfrüchte
– oils/Citrusöle
citutoxin/Cicutoxin
civet/Zibet
civetone/Zibeton
cladding/Plattieren
cladinose/Cladinose
cladribine/Cladribin
Claisen condensation/Claisen-Kondensation
– flask/Claisen-Kolben
– rearrangement/Claisen-Umlagerung
clarification/Klären

clarifying/Läutern
clarithromycin/Clarithromycin
classes of chemistry/Chemie-Unterricht
classification/Klassifikation
– of inflammability/Brandklassen
classifying/Klassieren
clastic rocks/Klastische Gesteine
clathrates/Clathrate
clathrin/Clathrin
clausenamide/Clausenamid
Clausius-Clapeyron equation/ Clausius-Clapeyron'sche Gleichung
– -Mossotti equation/Clausius-Mossoti-Gleichung
clavams/Clavame
clavamycins/Clavamycine
clavulanic acid/Clavulansäure
clay/Ton, Tone
– bricks/Ziegel
– minerals/Tonmineralien
claystone/Tonstein
clean air areas/Reinluftgebiete
– annealing/Blankglühen
– room technique/Reinraumtechnik
cleaners (hard-surface cleaners)/Reiniger
cleaning/Reinigung
– materials/Putzmittel
cleavage/Spaltbarkeit, Spaltung
clemastine/Clemastin
clementeins/Clementeine
clementines/Clementinen
clemizole/Clemizol
Clemmensen reduction/Clemmensen-Reduktion
clenbuterol/Clenbuterol
Clerici's solution/Clericis Lösung
clerodanes/Clerodane
clethodim/Clethodim
clidinium bromide/Clidiniumbromid
climacteric period/Klimakterium
climate/Klima
climatic factors/Klimafaktoren
– zones/Klimazonen
climax/Klimax
– community/Klimax
clindamycin/Clindamycin
clinical chemistry/Klinische Chemie
clinker bricks/Klinker
clinkers/Klinker
clinoptilolite/Klinoptilolith
clioquinol/Clioquinol
clitidine/Clitidin
clitocine/Clitocin
clobazam/Clobazam
clobetasol/Clobetasol
clobetasone/Clobetason
clobutinol/Clobutinol
clock (time) reactions/Zeitreaktionen
clocortolone/Clocortolon
clodinafob-propargyl/Clodinafop-propargyl
clodronic acid/Clodronsäure
cloetocarb/Cloethocarb
clofazimine/Clofazimin
clofenamide/Clofenamid
clofenciclan/Clofenciclan
clofentezine/Clofentezin
clofezone/Clofezon
clofibrate/Clofibrat
clomazone/Clomazon
clomeprop/Clomeprop
clomethiazole/Clomethiazol
clomiphene/Clomifen
clomipramine/Clomipramin
clonazepam/Clonazepam

clone/Klon
cloned gene/Kloniertes Gen
clonidine/Clonidin
cloning/Klonieren
clonostachydiol/Clonostachydiol
clopamide/Clopamid
clopenthixol/Clopenthixol
cloprednol/Cloprednol
clopyralid/Clopyralid
clorexolone/Clorexolon
clorophene/Clorofen
closed bottle test/Geschlossener Flaschentest
– -circuit breathing apparatus/Regenerationsgeräte
closo-/closo-
clostebol/Clostebol
Clostridium/Clostridium
clotiazepam/Clotiazepam
clotrimazole/Clotrimazol
cloud point/Trübungspunkt
cloudpoint/Cloudpoint
clove oils/Nelkenöle
clover/Klee
cloves/Nelken
cloxacillin/Cloxacillin
cloxyquin/Cloxiquin
clozapine/Clozapin
clupanodonic acid/Clupanodonsäure
clupeine/Clupein
Clusius column/Clusius-Trennrohr
cluster/Cluster
clusters/Cluster-Verbindungen
clutch facings/Kupplungsbeläge
– linings/Kupplungsbeläge
clystron/Klystron
C/N ratio/C/N-Verhältnis
cnicin/Cnicin
cnidaria/Nesseltiere
CO laser/CO-Laser
CO_2 laser/CO_2-Laser
coacervation/Koazervation
coagulant/Coagulant
coagulation/Koagulation
coal/Kohle, Steinkohle
– gasification/Kohlevergasung
– hydrogenation/Kohlehydrierung
– liquefaction/Kohleverflüssigung
– rank/Inkohlungsgrad
– refining/Kohleveredlung
– tar/Steinkohlenteer
– tar dyes/Teerfarbstoffe
– -tar resins/Cumaron-Indenharze
coalification/Inkohlung
coarse meal/Schrot
– sand/Grieß
– screen/Grobrechen
coated tablets/Dragées
coating/Anstrich, Antireflexbeläge, Beschichtung
coatings/Überzüge
coatomer/Coatomer
cobalamins/Cobalamine
cobalt/Cobalt
– accelerators/Cobalt-Beschleuniger
– (II) acetate/Cobalt(II)-acetat
– alloys/Cobalt-Legierungen
– blue/Cobaltblau
– (II) carbonate/Cobalt(II)-carbonat
– carbonyls/Cobaltcarbonyle
– (II) chloride/Cobalt(II)-chlorid
– fluorides/Cobaltfluorid
– glass/Cobalt-Glas
– green/Cobaltgrün
– (II) nitrate/Cobalt(II)-nitrat
– oxalate/Cobalt(II)-oxalat
– oxides/Cobaltoxide
– pencil/Co-Pencil

– (II) phosphate/Cobalt(II)-phosphat
– plants/Cobaltophyten
– pyrites/Kobaltnickelkiese
– (II) sulfate/Cobalt(II)-sulfat
cobaltammine/Cobaltammine
cobaltine/Cobaltin
cobaltite/Cobaltin
cobbler's wax/Schusterpech
cobra toxins/Kobratoxine
cobrotoxins/Kobratoxine
coca/Coca
– alkaloids/Coca-Alkaloide
cocaine/Cocain
cocarcinogenes/Cocarcinogene
cocci/Kokken
coccids/Schildläuse
coccinellin/Coccinellin
cocculus/Kokkelskörner
cochineal/Cochenille
cockroaches/Schaben
cocoa/Kakao
– butter/Kakaobutter
– butter equivalents/Kakaobutter-Austauschfette
– flavor/Kakao-Aroma
cocoamidopropyl betaines/Cocoamidopropylbetaine
coconut fibre/Kokosfaser
– oil/Kokosöl
– palm/Kokospalme
cocoyams/Taro
cod-liver oil/Dorschleberöl
codeine/Codein
codlemone/Codlemone
codon/Codon
coefficient of conductivity/Leitfähigkeitskoeffizient
coefficients/Koeffizienten
coelenterates/Hohltiere
coelenterazine/Coelenterazin
coenzyme A/Coenzym A
– B_{12}/Coenzym B_{12}
– F_{420}/Coenzym F_{420}
– F_{430}/Coenzym F_{430}
– M/Coenzym M
coenzymes/Coenzyme
coesite/Coesit
coevolution/Coevolution
coextrusion/Coextrusion
cofactors/Cofaktoren
coffee/Kaffee
– adjuncts/Kaffeezusätze
– coal/Kaffeekohle
– flavor/Kaffee-Aroma
– rust/Kaffeerost
– surrogate/Kaffee-Ersatz
coffein(e)/Coffein
coffinite/Coffinit
coherence/Kohärenz
coherent radiation/Kohärente Strahlung
cohesion/Kohäsion
cohesive ends/Kohäsive Enden
cohoba/Cohoba, Yopo
coil coating/Coil Coating
coin metals/Münzmetalle
coincidence/Koinzidenz
coir/Kokosfaser
coke/Koks
– oven by-products/Kohlenwertstoffe
cola/Cola
colating/Kolieren
colchicine/Colchicin
cold/Schnupfen
– asphalts/Kaltasphalte
– cleanser/Kaltreiniger
– compression mo(u)lding materials/Kaltpreßmassen
– forming/Kaltumformen
– galvanizing/Kaltverzinkung
– grinding/Kaltmahlung

– hardening/Kalthärten
– -(ness)/Kälte
– pasteurization/Kaltentkeimung
– pressure welding/Kaltpreßschweißung
– rolled narrow strip/Kaltband
– rubber/Kaltkautschuk
– shrinking/Kaltschrumpfen
– solder/Kaltlötmittel
colemanite/Colemanit
coleons/Coleone
colestipol/Colestipol
colfosceril palmitate/Colfosceril-Palmitat
colicins/Colicine
colistins/Colistine
collaborative studies/Ringversuche
collagenases/Collagenasen
collagens/Collagene
collectins/Collectine
collective dose/Kollektivdosis
– test specimen/Sammelprobe
colleges/Hochschulen
collidine/Kollidin
colligative properties/Kolligative Eigenschaften
colliquation/Kolliquation
collision processes/Stoßprozesse
Collman's reagent/Collmans Reagenz
collodion wool/Collodium(wolle)
colloid chemistry/Kolloidchemie
colloidal crystals/Kolloidale Kristalle
– sulfur/Kolloidschwefel
colocynths/Koloquinthen
cologne/Eau de Cologne
– (water)/Kölnisch Wasser
colony hybridisation/Kolonie-Hybridisierung
– stimulating factors/Kolonie-stimulierende Faktoren
colophony/Kolophonium
color (USA)/Farbe
– anodizing/Farbanodisationsverfahren
– center laser/Farbzentren-Laser
– centers/Farbzentren
– components/Grundfarben
– numbers/Farbzahl
– photography/Farbphotographie
colorants for Easter eggs/Ostereierfarben
colored pencils/Buntstifte
colorimetry/Kolorimetrie
coloring/Färben
– agents/Farbmittel
colour (GB)/Farbe
– index/Colour Index
coloured beetl/Buntkäfer
– series/Bunte Reihe
coltsfoot/Huflattich
columbite/Columbit
column chromatography/Säulenchromatographie
– internals/Kolonnen-Einbauten
– columns/Kolonnen
colza/Raps
comb polymers/Kammpolymere
combat gases/Kampfstoffe
combinatorial chemistry/Kombinatorische Synthese
combinatory effect/Kombinationswirkung
comblike polymers/Kammpolymere
combustibility/Brennbarkeit
combustible dusts/Brennbare Stäube
– (flammable, inflammable) liquids/Brennbare Flüssigkeiten
– gases/Brenngase
combustibles/Brennstoffe

combustion/Abbrand, Verbrennung
– reactors/Verbrennungsreaktoren
cometabolism/Cometabolismus
comets/Kometen
comfrey/Beinwell
commensalism/Kommensalismus
commissioner for environment/Betriebsbeauftragter für Umweltschutz
– for immission protection/Immissionsschutzbeauftragter
– for waste/Abfallbeauftragter
commo-/commo-
common garden spider/Kreuzspinne
– names/Common Names
– salt/Kochsalz
commutation relation/Vertauschungsrelation
compact detergents/Kompaktwaschmittel
compactin/Compactin
compaction/Kompaktieren
compartment/Umweltkompartimente
compartment(ation)/Kompartiment(ierung)
compatibilizer/Verträglichkeitsmacher
compensating power/Ausgleichsvermögen
competition of benefits/Nutzungskonkurrenz
competitive inhibition/Kompetitive Hemmung
complement/Komplement
complementary DNA/cDNA
complementation/Komplementation
complex bronzes/Mehrstoffbronzen
– formation constant/Komplex-Bildungskonstante
– polymers/Komplexpolymere
complexes/Komplexe
compleximetry/Komplexometrie
complexing agents/Komplexbildner
complexometry/Komplexometrie
complicatic acid/Complicatsäure
component fibers/Komponentenfasern
composite materials/Verbundwerkstoffe
– sample/Mischprobe
composites/Verbundwerkstoffe
composition/Zusammensetzung
compost/Kompost
composting/Kompostierung
compound classes/Verbindungsklassen
– lubricants/Compound-Öle
– system/Verbundsysteme
compressed air/Druckluft
– air aeration/Druckbelüftung
– gases/Druckgase
compressibility/Kompressibilität
[com]pressing/Pressen
[compression] moulding/Formpressen
compression mo[u]lding materials/Preßmassen
compressor/Verdichter
compressors/Kompressoren
comproportionation/Komproportionierung
Compton effect/Compton-Effekt
– scattering/Compton-Streuung
computer aided molecular design/Computer Aided Molecular Design, Computer Aided Drug Design

- assisted analysis/Computergestützte analytische Chemie
- simulation/Computersimulation
conalbumin/Conalbumin
concanavalin A/Concanavalin A
concentrating/Einengen
concentration/Anreicherung, Konzentration
- cell/Konzentrationszelle
conception/Konzeption
concerted reactions/Konzertierte Reaktionen
conchagens/Conchagene
conching/Conchieren
concrete/Beton
- addition/Betonzuschlag
- additives/Betonzusatzstoffe
- admixtures/Betonzusatzmittel
- plasticizer/Fließmittel
- plasticizers/Betonverflüssiger
- reinforcing iron/Moniereisen
- waterproofing agents/Betondichtungsmittel
concretions/Konkretionen
condensate/Kondensat
condensation/Kondensation
- polymerization/Polykondensation
condensative chain polymerization/Polyelimination
condensed phosphates/Kondensierte Phosphate
condensers/Kühler
conditioning (seasoning) of sludge/Schlammkonditionierung
conductimetry/Konduktometrie
conductivity/Leitfähigkeit
conductometry/Konduktometrie
condurango bark/Kondurango-Rinde
cone flower/Sonnenhut
conessine/Conessin
confection/Konfektionierung
confectioneries/Zuckerwaren
confectionery/Süßwaren
confections/Zuckerwaren
conferences/Konferenzen
configuration/Konfiguration
- interaction/Configuration Interaction
- state function/Konfigurationszustandsfunktion
configurational unit/Konfigurative Einheit
confitures/Konfitüren
conformation/Konformation
conformationally disordered crystal/Condis-Kristalle
conglomerates/Konglomerate
congo red/Kongorot
congressane/Congressan
conidendrin/Conidendrin
coniferin/Coniferin
coniine/Coniin
coning [spooling] oils/Spulöle
conjuenes/Konjuene
conjugates/Konjugate
conjugation/Konjugation
conjunctive name/Konjunktionsname
connatin/Connatin
connective tissue/Bindegewebe
conode/Kon(n)ode
conotoxins/Conotoxine
conrotatory/Konrotatorisch
consensus sequence/Consensus-Sequenz
conservation/Konservierung
consignment note/Begleitschein
consistency/Konsistenz
constants/Konstanten
constituents of the Bryophytes/Bryophyten-Inhaltsstoffe

constitution/Konstitution
constitutional isomerism/Konstitutionsisomerie
- repeat(ing) unit/Konstitutionelle Repetiereinheit
constitutive enzymes/Konstitutive Enzyme
- equations/Materialgleichung
- mutation/Konstitutive Mutation
- properties/Konstitutive Eigenschaften
consultant chemist/Handelschemiker
consumption/Ingestion
- -goods/Bedarfsgegenstände
contact adhesives/Kontaktklebstoffe
- clearness/Kontaktklarheit
- corrosion/Berührungskorrosion, Kontaktkorrosion
- e.m.f/Kontaktspannung
- lenses/Kontaktlinsen
- metamorphism/Kontaktmetamorphose
containers/Behälter
containment/Containment
contaminated land/Altlasten
contamination/Kontamination, Verunreinigungen
continuous casting/Stranggruß
- culture/Kontinuierliche Fermentation
- sterilization/Kontinuierliche Sterilisation
continuously curved chain/Kratky-Porod-Kette
contour length/Kontourlänge
contraceptives/Antikonzeptionsmittel
contract of Budapest/Budapester Vertrag
- research/Auftragsforschung
contractile proteins/Kontraktile Proteine
contraction/Kontraktion, Schrumpfen
control/Regelung
controlled current potentiometric titration/Voltametrie
- release/Kontrollierte Freisetzung
- release systems/Therapeutische Systeme
- (sustained) fertilizers/Depotdünger
- (sustained) release drugs/Depot-Präparate
convallatoxin/Convallatoxin
convection/Konvektion
conversion/Konvertierung
- electrons/Konversionselektronen
converter/Katalysatoren, Konverter
conveying/Fördern
convolvuloses/Windengewächse
convulsants/Konvulsiva
coolants/Kühlmittel
cooling curve/Abkühlungskurve
- water processing/Kühlwasseraufbereitung
Cooper pair/Cooper-Paar
cooperativity/Kooperativität
coordination number/Koordinationszahl
- polymerization/Koordinationspolymerisation
- polymers/Koordinationspolymere
- theory/Koordinationslehre
copaiba balsam/Kopaivabalsam
copals/Kopale
Cope rearrangement/Cope-Umlagerung

copiapite/Copiapit
copolyaddition/Copolyaddition
copolycondensation/Copolykondensation
copolymerization/Copolymerisation
- parameter/Copolymerisationsparameter
copolymers/Copolymere
copper/Kupfer
- acetates/Kupferacetate
- (II) acetylacetonate/Kupfer(II)-acetylacetonat
- alloys/Kupfer-Legierungen
- arsenates/Kupferarsenate
- bromides/Kupferbromide
- (II) carbonate/Kupfer(II)-carbonat
- chlorides/Kupferchloride
- (I) cyanide/Kupfer(I)-cyanid
- (II) fluoride/Kupfer(II)-fluorid
- glance/Glanzkupfer
- (II) hydroxide/Kupfer(II)-hydroxid
- iodides/Kupferiodide
- laser/Kupfer-Dampf-Laser
- naphthenates/Kupfernaphthenate
- (II) nitrate/Kupfer(II)-nitrat
- oxides/Kupferoxide
- oxychloride/Haftkupfer
- plants/Cuprophyten
- proteins/Kupfer-Proteine
- slate/Kupferschiefer
- (II) sulfate/Kupfer(II)-sulfat
- sulfides/Kupfersulfide
- (I) thiocyanate/Kupfer(I)-thiocyanat
copperas/Grünsalz
coppering/Verkupfern
coprecipitation/Mitfällung
coprine/Coprin
copro.../Kopro...
coprophagic organisms/Koprophagen
coprophagous organisms/Koprophagen
coproporphyrins/Koproporphyrine
copying pencils/Tintenstifte
corals/Korallen
corannulene/Corannulen
corbadrine/Corbadrin
cord/Cord
cordierite/Cordierit
cordite/Cordit
cordycepin/Cordycepin
core/Kern
coreceptors/Corezeptoren
coriander/Koriander
- oil/Korianderöl
corianin/Corianin
coriolin/Corioline
cork/Kork
- borer/Korkbohrer
corn/Korn
- (USA)/Mais
- -brandy/Korn
- germ oil/Maiskeimöl
- remedies/Hühneraugenmittel
- steep liquor/Maisquellwasser
coronary therapeutics/Koronartherapeutika
coronen/Coronen
corporations/Körperschaften
corrective fluids/Korrekturlacke
correlation energy/Korrelationsenergie
correspondence principle/Korrespondenzprinzip
corrin/Corrin
corrinoids/Corrinoide

corroding/Ätzen
corrodkote test/Corrodkote-Verfahren
corrosion/Korrosion
- protection/Korrosionsschutz
- protection agents/Korrosionsschutzmittel
corrosive substances/Ätzende Stoffe
cortexone/Cortexon
corticoliberin/Corticoliberin
corticostatins/Corticostatine
corticosteroids/Corticosteroide
corticosterone/Corticosteron
corticotropin/Corticotropin
cortisone/Cortison
cortodoxone/Cortodoxon
corundum/Korund
corydalis/Lerchensporn
- alcaloids/Corydalis-Alkaloide
corynanthe alkaloids/Corynanthe-Alkaloide
Corynebacterium/Corynebacterium
cosmetics/Kosmetik, Kosmetika
cosmic background radiation/Kosmische Hintergrundstrahlung
- rays/Kosmische Strahlung
cosmids/Cosmide
cosmochemistry/Kosmochemie
cosmology/Kosmologie
cost-benefit analysis/Kosten-Nutzen-Analyse
costus root oil/Costuswurzelöl
cosurfactants/Cotenside
coticule/Wetzschiefer
cotolerance/Cotoleranz
cotransmitters/Cotransmitter
cotrimoxazol/Co-trimoxazol
cottage cheese/Quark
cotton/Baumwolle
- effect/Cotton-Effekt
- wax/Baumwollwachs
cottonseed oil/Baumwollsamenöl
Cottrell process/Cottrell-Verfahren
Couchman equation/Couchman-Gleichung
couch(paper)/Gautschen
cough remedies/Hustenmittel
coulomb/Coulomb
- attraction/Coulomb-Anziehung
- barrier/Coulomb-Barriere
- explosion/Coulomb-Explosion
- law/Coulombsches Gesetz
- potential/Coulomb-Potential
coulometry/Coulometrie
Coulter method/Coulter-Verfahren
coumaphos/Coumaphos
coumarin/Cumarin
coumarone-indene resins/Cumaron-Indenharze
coumatetralyl/Cumatetralyl
countercurrent distribution/Gegenstromverteilung
- principle/Gegenstromprinzip
counterions/Gegenionen
counters/Zählrohre
counting cell chamber/Zählkammer
coupled cluster/Coupled Cluster
- electron pair approximation/CEPA
- pair functional/CPF
- units test/Coupled Units-Test
coupling/Kupp(e)lung
- agents/Haftvermittler
covalence (USA)/Bindigkeit
covalency (GB)/Bindigkeit
covalently closed circular DNA/cccDNA
covelline/Covellin

covellite/Covellin
covering materials/Abdeckmittel
cowberries/Preiselbeeren
cows/Spinnen
cowslip/Primeln
cowwheat/Wachtelweizen
C_3 plants/C_3-Pflanzen
C_4 plants/C_4-Pflanzen
crabs/Krebse
crackers/Knallkörper
cracking/Kracken
– salt/Knistersalz
cracknel/Krokant
crandallite/Crandallit
crazes/Crazes
crazing/Crazing
C-reactive protein/C-reaktives Protein
cream/Sahne
– cheese/Rahmkäse
creams/Cremes
crease proofing/Knitterfest-Ausrüstung
creatine/Kreatin
– kinase/Kreatin-Kinase
– phosphate/Kreatinphosphat
creatinine/Kreatinin
creep resistant materials/Warmfeste Werkstoffe
– test/Kriechprobe
creosote/Kreosot
cresidines/Kresidine
o-cresolphthalein/*o*-Kresolphthalein
– complexon/Metallphthalein
cresol purple/Kresolpurpur
– resins/Kresol-Harze
cresols/Kresole
o-cresotic acid/*o*-Kresotinsäure
cress/Kressen
cresyl…/Cresyl…
cresyl esters/Kresylester
cresylite/Cresylit
crevice corrosion/Spaltkorrosion
crimping/Kräuseln
…crine/…crin
crinipellins/Crinipelline
cristatic acid/Cristatsäure
cristobalite/Cristobalit
critical/Kritisch
– constants/Kritische Größen
– density; critical number/Kritische Dichte
– pigment-volume concentration/CPVC
– point/Kritischer Punkt
– temperature/Kritische Temperatur
crocetin/Crocetin
crocin/Crocin
crocoite/Krokoit
croconazole/Croconazol
crocydolite/Krokydolith
cromoglicic acid/Cromoglicinsäure
cross-breeding/Kreuzung
– conjugated/Gekreuzt-konjugiert
– flow filtration/Cross-flow-Filtration
– -section/Wirkungsquerschnitt
crossing over/Crossover
crosslinking/Vernetzung
crotamiton/Crotamiton
croton oil/Crotonöl
crotonoyl…/Crotonoyl…
crotoxin/Crotoxin
crowding effect/Kollisionseffekt
crown/Krone
– compounds/Kronenverbindungen
– ethers/Kronenether
– glass/Kronglas

crucible (melting) furnace/Tiegelofen
crucibles/Tiegel
crucifers/Cruciferae
crude fiber [fibre]/Rohfaser
– (raw) steel/Rohstahl
– rubber/Rohkautschuk
crushers/Brecher
crushing/Zerkleinern
– hard materials/Hartzerkleinerung
crustaceans/Krebse
cryo…/Kryo…
cryo pump/Kryopumpe
cryoconite/Kryokonit
cryogenic crushing/Kaltmahlung
cryogenics/Kältetechnik, Tieftemperaturtechnik
cryoglobulins/Kryoglobuline
cryolite/Kryolith
cryoprotectants/Kryoprotektoren
cryostats/Kryostate
cryptands/Kryptanden
cryptates/Kryptate
cryptomelane/Kryptomelan
cryptoxanthin/Cryptoxanthin
crystal chemistry/Kristallchemie
– classes/Kristallklassen
– defects/Kristallbaufehler
– diffractometry/Kristallstrukturanalyse
– engineering/Kristall-Engineering
– geometry/Kristallgeometrie
– lattice/Kristallgitter
– morphology/Kristallmorphologie
– physics/Kristallphysik
– structure determination/Kristallstrukturanalyse
– structures/Kristallstrukturen
– systems/Kristallsysteme
– violet/Kristallviolett
crystalline/Kristallin
crystallization/Kristallisation
crystallography/Kristallographie
crystals/Kristalle
CSE inhibitors/CSE-Hemmer
cubane/Cuban
cubanite/Cubanit
cubebs/Cubeben
cucumbers/Gurken
cularine alkaloids/Cularin-Alkaloide
culm stabilizator/Halmfestiger
culture/Kultur
– collection/Stammsammlung
– medium/Nährmedium
cumene/Cumol
– hydroperoxide/Cumolhydroperoxid
cumin/Römischer Kümmel
cumulated double bonds/Kumulierte Doppelbindungen
cumulation/Kumulation
cumulenes/Kumulene
cuoxam/Cuoxam
cupellation/Treibprozeß
cupferron/Kupferron
cupola furnace/Kupolofen
cuprammonium rayon/Kupferseide
cuprates(I)/Cuprate(I)
cuprene/Cupren
cupressaceae/Cupressaceae
cuprite/Cuprit
cupro/Cupro
cupron/Cupron
curacin/Curacin
curare/Curare
curcuma/Curcuma
curcumenes/Curcumene
curcumin/Curcumin

curcurbitacines/Cucurbitacine
curd/Quark
curdlan/Curdlan
curdled milk/Sauermilch(-Erzeugnisse)
cure/Aushärten
curie/Curie
Curie temperature/Curie-Temperatur
– Weiss law/Curie-Weißsches Gesetz
curing/Curing, Räuchern
– of lacquers/Lackhärtung
– salt/Nitritpökelsalz
curium/Curium
currants/Johannisbeeren
currency/Kurantmünzen
current awareness services/Schnellinformationsdienste
– density/Stromdichte
curry/Curry
cuscohygrine/Cusc(o)hygrin
cutch/Catechu
cuticle/Cuticula
cutin/Cutin
cutting/Schneiden
– oils/Schneidöle
cuttle-fish bone/Sepia-Schalen
cuvettes/Küvetten
cyamelide/Cyamelid
cyamemazine/Cyamemazin
cyanamides/Cyanamide
cyanates/Cyanate
cyanation/Cyanierung
cyanato…/Cyanato…
cyanazine/Cyanazin
cyanic acid/Cyansäure
cyanides/Cyanide
cyanine/Cyanin
– dyes/Cyanin-Farbstoffe
cyano…/Cyan…
2-cyanoacetamide/2-Cyan(o)acetamid
cyanoacetates/Cyan(o)essigsäureester
cyanoacetic acid/Cyan(o)essigsäure
cyanoacrylate adhesives/Cyanacrylat-Klebstoffe
2-cyanoacrylates/2-Cyan(o)acrylsäureester
cyanobacteria/Cyanobakterien
cyanocobalamin/Cyanocobalamin
cyanoethylation/Cyan(o)ethylierung
cyanogen/Dicyan
– bromide/Bromcyan
– chloride/Chlorcyan
cyanogenic glycosides/Cyanogene Glykoside
cyanoguanidine/Cyan(o)guanidin
cyanohydrins/Cyan(o)hydrine
cyanopsin/Cyanopsin
cyanosis/Cyanose
cyanuric acid/Cyanursäure
– chloride/Cyanurchlorid
cyathines/Cyathane
cybotaxis/Cybotaktische Struktur
cycasin/Cycasin
cyclamen aldehyde/Cyclamenaldehyd
cyclandelate/Cyclandelat
cyclazines/Cyclazine
cyclazocine/Cyclazocin
cyclic ADP-ribose/Cyclische ADP-Ribose
– compounds/Cyclische Verbindungen
– nucleotides/Cyclische Nucleotide
– oligomers/Cyclopolymere
– polymers/Cyclopolymere

– sulfur/Cycloschwefel
cyclin-dependent kinases/Cyclin-abhängige Kinasen
cyclins/Cycline
cyclitols/Cyclite
cyclization/Cyclisierung, Ringschlußreaktionen
cyclized rubber/Cyclokautschuk
cyclizine/Cyclizin
cyclo…/Cyclo…
cycloaddition/Cycloaddition
cycloalkanes/Cycloalkane
cycloalkenes/Cycloalkene
cycloalkynes/Cycloalkine
cycloarenes/Cycloarene
cycloartenol/Cycloartenol
cycloate/Cycloat
cyclobarbital/Cyclobarbital
cyclobutadienes/Cyclobutadiene
cyclobutane/Cyclobutan
cyclobutanone/Cyclobutanon
cyclobutene polymers/Polycyclobutene
cyclobutyrol/Cyclobutyrol
cyclodextrins/Cyclodextrine
cyclododecane/Cyclododecan
cyclododecanol/Cyclododecanol
cyclododecanone/Cyclododecanon
cyclododecatriene/1,5,9-Cyclododecatrien
cyclofenil/Cyclofenil
cycloheptane/Cycloheptan
cycloheptanone/Cycloheptanon
1,3,5-cycloheptatriene/1,3,5-Cycloheptatrien
cyclohexadiene/Cyclohexadien
cyclohexadienones/Cyclohexadienone
cyclohexane/Cyclohexan
cyclohexanedicarboxylic acids/1,2-Cyclohexandicarbonsäure
1,4-cyclohexanedimethanol/1,4-Cyclohexandimethanol
cyclohexanol/Cyclohexanol
cyclohexanone/Cyclohexanon
– oxime/Cyclohexanonoxim
– peroxide/Cyclohexanonperoxid
cyclohexene/Cyclohexen
cyclohexyl…/Cyclohexyl…
cyclohexyl acetate/Essigsäurecyclohexylester
cyclohexylamine/Cyclohexylamin
cyclohexylidene/Cyclohexyliden
cyclones/Zyklone
cis,cis-1,5-cyclooctadiene/*cis,cis*-1,5-Cyclooctadien
cyclooctatetraene/Cyclooctatetraen
cycloolefin copolymers/Cycloolefin-Copolymere
cyclooligomerization/Cyclooligomerisation
cyclooxygenase/Cyclooxygenase
cyclopentadecanone/Cyclopentadecanon
cyclopentadiene/Cyclopentadien
– polymers/Polycyclopentadiene
cyclopentadienyl/Cyclopentadienyl
cyclopentamine/Cyclopentamin
cyclopentane/Cyclopentan
cyclopentanol/Cyclopentanol
cyclopentanone/Cyclopentanon
cyclopenthiazide/Cyclopenthiazid
cyclopentobarbital/Cyclopentobarbital
cyclopentolate/Cyclopentolat
3-cyclopentylpropionic acid/3-Cyclopentylpropionsäure

English

cyclopeptides/Cyclopeptide
cyclophane nomenclature/Cyclophan-Nomenklatur
cyclophanes/Cyclophane
cyclophilin/Cyclophilin
cyclophosphamide/Cyclophosphamid
cyclopiazonic acid/Cyclopiazonsäure
cyclopolyaddition/Cyclopolyaddition
cyclopolycondensation/Cyclopolykondensation
cyclopolymerization/Cyclopolymerisation
cyclopropane/Cyclopropan
cyclopropene/Cyclopropen
cyclopropenylium cation/Cyclopropenylium-Kation
cycloprothrin/Cycloprothrin
cycloserine/Cycloserin
cyclosilanes/Cyclosilane
cyclosporins/Cyclosporine
cyclostereoisomerism/Cyclostereoisomerie
cyclotron/Zyklotron
cyclovalone/Cyclovalon
cycloxydim/Cycloxydim
cyfluthrin/Cyfluthrin
cyhalothrin/Cyhalothrin
cyhexatin/Cyhexatin
cylinder oils/Zylinderöle
cymenes/Cymole
cymoxanil/Cymoxanil
cynarine/Cynarin
cypermethrin/Cypermethrin
cypress oil/Zypressenöl
cypresses/Zypresse
cyproconazole/Cyproconazol
cyprodinil/Cyprodinil
cyproheptadine/Cyproheptadin
cyproterone/Cyproteron
cyromazine/Cyromazin
cystamine/Cystamin
cysteamine/Cysteamin
L-cysteine/L-Cystein
cysteine proteases/Cystein-Proteasen
– -rich intestinal protein/Cysteinreiches intestinales Protein
– string protein/Cysteine string protein
cystic fibrosis/Zystische Fibrose
– fibrosis transmembrane conductance/CFTR
L-cystine/L-Cystin
cystine knot/Cystin-Knoten
cytidine/Cytidin
– phosphates/Cytidinphosphate
cytisine/Cytisin
cyto.../Cyto...
cytobiology/Cytobiologie
cytochalasans/Cytochalasine
cytochemistry/Cytochemie
cytochrome c oxidase/Cytochrom-c-Oxidase
– c reductase/Cytochrom-c-Reduktase
– P-450/Cytochrom P-450
cytochromes/Cytochrome
cytoecology/Cytoökologie
cytoh(a)emin/Cytohämin
cytokines/Cytokine
cytokinins/Cytokinine
cytology/Cytologie
cytolysis/Cytolyse
cytoplasm/Cytoplasma
cytosine/Cytosin
– arabinoside/Cytosinarabinosid
cytoskeleton/Cytoskelett
cytosol/Cytosol
cytotoxicity/Cytotoxizität
– testing/Cytotoxizitätstest

cytotoxins/Cytotoxine
Czapek Dox medium/Czapek-Dox-Nährmedium

D

dacarbazine/Dacarbazin
dactinomycin/Dactinomycin
daguerreotypy/Daguerreotypie
daily reference value/Daily Reference Value
Dakin oxidation/Dakin-Oxidation
– -West reaction/Dakin-West-Reaktion
dalfopristin/Dalfopristin
dalton/Dalton
daltonides/Daltonide
Dalton's law/Daltonsche Gesetze
damar/Dammarharz
damascenones/Damascenone
damascones/Damascone
dammar (resin)/Dammarharz
dammarenes/Dammarene
damping/Dämpfen
danaidal/Danaidal
danazol/Danazol
danburite/Danburit
dandelion/Löwenzahn
dandruff/Schuppen
daneflower/Küchenschelle
dangerous for the environment/Umweltgefährlich
– goods/Gefährliche Güter
– works/Gefährliche Arbeiten
Daniell tap/Daniellscher Hahn
Danish white/Dänischweiß
dansyl.../Dansyl...
dansyl chloride/Dansylchlorid
dansylamino acids/Dansyl-Aminosäuren
dantrolene/Dantrolen
dantrone/Dantron
daphnetin/Daphnetin
daphnetoxin/Daphnetoxin
daphnia test/Daphnientest
daphniphyllum alkaloids/Daphniphyllum-Alkaloide
dapiprazole/Dapiprazol
dapsone/Dapson
darcy/Darcy
Darzens reaction/Darzens-Reaktion
data base/Datenbanken
– libraries in gene technology/Datenbanken in der Gentechnik
databank/Datenbanken
database/Datenbanken
date of minimum durability/Mindesthaltbarkeitsdatum
datem/Datem
dates/Datteln
dating/Altersbestimmung
datolite/Datolith
daunorubicine/Daunorubicin
Dautrich method/Dautrich-Methode
Davy lamp/Davysche Sicherheitslampe
Day of the Earth/Umwelttag
daylight-fluorescent dyes/Tagesleuchtfarben
dazomet/Dazomet
DCMO/Carboxin
DDVP/Dichlorvos
de.../De(s)...
de Broglie wave/Materiewellen
Deacon process/Deacon-Prozeß
deactivation/Desaktivierung
dead-end pathway/Dead-end pathway
– -end polymerization/Dead-End-Polymerisation
– polymers/Tote Polymere

– stop titration/Dead-Stop-Titration
deadly night-shade/Tollkirsche
dealkylation/Desalkylierung
deamination/Desaminierung
Dean-Stark trap/Wasserabscheider
deanol/Deanol
dearomatization/Desaromatisierung
death angel/Knollenblätterpilze
– charge polymerization/Death charge-Polymerisation
– cup/Knollenblätterpilze
– of fish/Fischsterben
debrisoquine/Debrisoquin
Debye Clausius Mosotti equation/Debye-Clausius-Mosotti-Gleichung
– -Falkenhagen effect/Debye-Falkenhagen-Effekt
– Hückel Onsager theory/Debye-Hückel-Onsager-Theorie
– Hückel's law/Debye-Hückelsches Grenzgesetz
– unit/Debye
– -Waller factor/Debye-Waller-Faktor
deca.../Dec(a)...
decaborane(14)/Decaboran(14)
2,4-decadienal/2,4-Decadienal
γ-decalactone/γ-Decalacton
decalin/Decalin
decameter/Dekameter
decamethonium bromide/Decamethoniumbromid
decanal/Decanal
decanedioyl.../Decandioyl...
decanoic acid/Decansäure
1-decanol/1-Decanol
decanoyl.../Decanoyl...
decanter/Dekanter
decanting/Dekantieren
decarbonylation/Decarbonylierung
decarboxylases/Decarboxylasen
decarboxylation/Decarboxylierung
decarestrictins/Decarestrictine
decatizing/Dekatieren
decay/Verwesung, Zerfall
– constant/Zerfallskonstante
– time/Abklingzeit
2-decenal/2-Decenal
deci.../Dezi...
decimal system/Dezimalsystem
decoating/Entmetallisierung
decoction/Decoctum
decoloration/Entfärbung
decolorizing clays/Bleicherden
decomposers/Destruenten
decomposition/Aufschluß, Zersetzung
– voltage/Zersetzungsspannung
decontamination/Dekontamination, Entgiftung
decorative films/Dekorfilme
decorporation/Dekorporierung
decree about drinking water/Trinkwasser-Verordnung
decrepitating/Dekrepitieren
decyl.../Decyl...
dedusting/Entstaubung
van Deemter equation/van Deemter-Gleichung
deep drawn films/Tiefziehfolien
– shaft loop reactor/Deep Shaft-Schlaufenreaktor
deer deterrents/Wildverbißmittel
defect conductivity by holes/Löcherleitung
– electron/Defektelektron
– mutants/Defektmutanten
defects in wine/Weinfehler

defense chemistry/Wehrchemie
– reactions/Abwehrreaktionen
defensins/Defensine
deferoxamine/Deferoxamin
deferrization/Enteisenung
defibrotide/Defibrotid
definition/Definition
deflagration/Deflagration
deflazacort/Deflazacort
defoamers/Entschäumer
defoliants/Entlaubungsmittel
deformation/Deformation
– behavior of polymeric materials/Verformungsverhalten von Polymer-Werkstoffen
degasification/Entgasung
degassing/Entgasung
degradation/Abbau, Degradation
degradative plasmids/Degradative Plasmide
degras/Degras
degreasing of metals/Entfetten von Metallen
degree/Grad
– Oechsle/Oechsle-Grad
– of dissociation/Dissoziationsgrad
– of exhaust/Ausziehgrad
– of freedom/Freiheitsgrad
– of polymerization/Polymerisationsgrad
– of substitution/Substitutionsgrad
– of turbulence/Turbulenzgrad
degrees Twaddell/Twaddell-Grade
dehalogenation/Dehalogenierung
dehydracetic acid/Dehydracetsäure
dehydratases/Dehydratasen
dehydration/Absolutierung, Dehydratisierung
dehydro.../Dehydro...
dehydrobenzene/Dehydrobenzol
7-dehydrocholesterol/7-Dehydrocholesterin
dehydrocholic acid/Dehydrocholsäure
dehydrocyclisation/Dehydrocyclisierung
dehydrodimerization/Dehydrodimerisation
dehydrogenases/Dehydrogenasen
dehydrogenation/Dehydrierung
dehydrohalogenation/Dehydrohalogenierung
deicing fluids/Enteisungsmittel
de-icing salt/Streusalz
de-inking/De-inking
delavirdine/Delavirdin
delayed boiling/Siedeverzug
deletion/Deletion
delocalization/Delokalisierung
delphinine/Delphinin
delta rays/Delta-Strahlen
deltamethrin/Deltamethrin
deltic acid/Dreiecksäure
delustering/Mattierung
demecarium bromide/Demecariumbromid
demeclocycline/Demeclocyclin
demecolcine/Demecolcin
demetallizing/Entmetallisierung
demethylation/Demethylierung
demeton-S-methyl/Demeton-S-methyl
demineralization/Demineralisation
demissidine/Demissidin
demister/Demister, Nebelabscheider
demoxytocin/Demoxytocin
demulsifiers/Demulgatoren
denaturants/Vergällungsmittel

denaturing/Denaturieren
denaverine/Denaverin
dendrimer polymers/Baumpolymere
dendrites/Dendriten
dendritic polymers/Dendritische Polymere
dendrobates alkaloids/Dendrobates-Alkaloide
dendrochronology/Dendrochronologie
dendrolasin/Dendrolasin
denim/Denim
denitrification/Denitrifikation
densifying/Verdichten
densitometers/Densitometer
density/Dichte
– functional theory/Dichtefunktionaltheorie
– gradient technique/Dichtegradientenverfahren
– of species/Artendichte
– of states/Zustandsdichte
dental cement/Zahnzement
– materials/Dentalmaterialien
dentifrices/Zahnpflegemittel
dentin/Dentin
deodorants/Desodorantien
deodorization/Geruchsmaskierung, Geruchsminderung
deoxidant/Desoxidationsmittel
deoxidation/Desoxidation
deoxidizer/Desoxidationsmittel
deoxy…/Desoxy…
2-deoxy-D-ribose/2-Desoxy-D-ribose
deoxy sugars/Desoxyzucker
deoxycholic acid/Desoxycholsäure
deoxygenation/Desoxygenierung
deoxynivalenol/Deoxynivalenol
1-deoxynojirimycin/1-Desoxynojirimycin
deoxynucleosides/Desoxynucleoside
deoxynucleotides/Desoxynucleotide
deoxyribonucleases/Desoxyribonucleasen
deoxyribonucleic acids/Desoxyribonucleinsäuren
depigmentation/Depigmentierung
depilation/Depilation
depilatories/Depilatorien
depletion/Abreicherung
– region/Sperrschicht
depolarizers/Depolarisatoren
depolymerization/Depolymerisation
deposit/Ablagerung
deposition/Deposition
deposits/Lagerstätten
depropagation/Depolymerisation
depsides/Depside
depsidones/Depsidone
dequalinium chloride/Dequaliniumchlorid
derivatives/Derivate
derivatization/Derivatisierung
dermatics/Dermatika
dermocybe pigments/Dermocyben-Farbstoffe
derris root preparations/Derris-Präparate
des-/Des-
desalination/Entsalzung
– of sea-water/Meerwasserentsalzung
descaling/Entzunderung
descloizite/Descloizit
desensitization/Desensibilisation, Phlegmatisierung
deserpidine/Deserpidin

desflurane/Desfluran
desiccators/Exsikkatoren
desinfectants/Desinfektionsmittel
desizing/Entschlichtung
desipramine/Desipramin
deslanoside/Deslanosid
desmedipham/Desmedipham
desmin/Desmin
desmopressin/Desmopressin
desmosine/Desmosin
desmosomes/Desmosomen
desogestrel/Desogestrel
desonide/Desonid
desorption/Desorption
desosamine/Desosamin
desoxidation/Feinen
desoximetasone/Desoximetason
destruents/Destruenten
destruxins/Destruxine
desulfurization/Entschwefelung
desyl…/Desyl…
Detal process/Detal-Verfahren
detection/Nachweis
– limit/Nachweisgrenze
detector tubes/Prüfröhrchen
detectors/Detektoren
detergent base materials/Waschrohstoffe
– boosters/Waschkraftverstärker
– enzymes/Waschmittel-Enzyme
– law/Waschmittelgesetz
detergents/Detergentien, Waschmittel
deterioration/Zersetzung
determination (estimation) of the quality of waters/Gewässergütebestimmung
deterrents/Deterrentien
detinning/Entzinnen
detonating agents/Zündmittel
– gas/Knallgas
detonation/Detonation
detonators/Sprengkapseln
detoxification/Entgiftung
detritus/Detritus
deuterated compounds/Deuterierte Verbindungen
deuterio-chloroform/Deuteriochloroform
deuterium/Deuterium
– oxide/Deuteriumoxid
deutero…/Deutero…
deuterolysis/Deuterolyse
deuterons/Deuteronen
Devarda's alloy/Devardasche Legierung
developed (developing) dyes/Entwicklungsfarbstoffe
deviation/Streuung
dew point/Taupunkt
– point corrosion/Taupunkt-Korrosion
– point curve/Taukurve
Dewar benzene/Dewar-Benzol
– flasks/Dewar-Gefäße
– vessels/Dewar-Gefäße
dexamethasone/Dexamethason
dexchlorpheniramine/Dexchlorpheniramin
dexfenfluramine/Dexfenfluramin
dexpanthenol/Dexpanthenol
dextran/Dextran
– sulfate/Dextransulfate
dextranomer/Dextranomer
dextrin/Dextrine
dextro…/Dextro…
dextromethorphan/Dextromethorphan
dextromoramide/Dextromoramid
dextropropoxyphene/Dextropropoxyphen
DHD process/DHD-Verfahren
di…/Di…

di-allate/Diallat
di-π-methane rearrangement/Di-π-methan-Umlagerung
diabase/Diabas
diabetes/Diabetes
diacetone alcohol/Diacetonalkohol
diacetylsplenopentine/Diacetylsplenopentin
diacetyltartrates/Diacetylweinsäureester
diacyl glycerols/Diacylglycerine
– peroxides/Diacylperoxide
diafenthiuron/Diafenthiuron
diafiltration/Diafiltration
diagnosis/Diagnose
diagnostics/Diagnostika
diagrams of state/Zustandsdiagramme
dialkyl peroxides/Dialkylperoxide
N,N-dialkylamides/N,N-Dialkylamide
dialkylamines/Dialkylamine
diallyl diglycol carbonate polymers/Polydiallyldiglykolcarbonate
dialuric acid/Dialursäure
dialysis/Dialyse
– reactor/Dialysereaktor
diaminas/Diamine
diamine green/Diamingrün B
– oxidase/Diamin-Oxidase
2,4-diamino-6-methyl-1,3,5-triazine/2,4-Diamino-6-methyl-1,3,5-triazin
4,4′-diamino-2,2′-stilbenedisulfonic acid/4,4′-Diamino-2,2′-stilbendisulfonsäure
2,4-diaminoazobenzene/2,4-Diaminoazobenzol
4,4′-diaminodiphenylmethane/4,4′-Diaminodiphenylmethan
2,4-diaminophenol/2,4-Diaminophenol
diaminopimelic acid/Diaminopimelinsäure
2,6-diaminopyridine/2,6-Diaminopyridin
diamond metals/Diamantmetalle
diamonds/Diamanten
o-dianisidine/o-Dianisidin
1,1′-dianthrimide/1,1′-Dianthrimid
diaphragm/Diaphragma
diarrhea/Diarrhoe
diastereo(iso)merism/Diastereo(iso)merie
diastereoselective reactions (syntheses)/Diastereoselektive Reaktionen (Synthesen)
diatomite/Kieselgur
diauxie/Diauxie
diaza…/Diaza…
1,5-diazabicyclo[4.3.0]non-5-ene/1,5-Diazabicyclo[4.3.0]non-5-en
1,4-diazabicyclo[2.2.2]octane/1,4-Diazabicyclo[2.2.2]octan
diazenes/Diazene
diazenolates/Diazotate
diazepam/Diazepam
diazepines/Diazepine
diazinon/Diazinon
diaziridines/Diaziridine
diazirines/Diazirine
diazo…/Diazo…
diazo compounds/Diazo-Verbindungen
– prints/Diazokopien
– resin/Diazoharze
diazoacetic acid esters; ethyldiazoacetate/Diazoessigester
diazoates/Diazotate

diazocarbonyl compounds/Diazocarbonyl-Verbindungen
diazoles/Diazole
diazomethane/Diazomethan
4-diazoniobenzenesulfonate/4-Diazoniobenzolsulfonat
diazonium compounds/Diazonium-Verbindungen
diazotypes/Diazokopien
diazoxide/Diazoxid
dibekacine/Dibekacin
dibenzazepines/Dibenzazepine
dibenzepin/Dibenzepin
dibenzo[1,4]dioxin(e)/Dibenzo[1,4]dioxin
dibenzofurane/Dibenzofuran
dibenzosuberone/Dibenzosuberon
dibenzothiophene/Dibenzothiophen
dibenzyl disulfide/Dibenzyldisulfid
– ether/Dibenzylether
N,N'-dibenzylethylenediamine diacetate/N,N'-Dibenzylethylendiamindiacetat
diborane(6)/Diboran(6)
dibromdimethylhydantoin/1,3-Dibrom-5,5-dimethylhydantoin
1,2-dibromoethane/1,2-Dibromethan
1,3-dibromopropane/1,3-Dibrompropan
2,6-di-$tert$-butyl-4-methylphenol/2,6-Di-$tert$.-butyl-4-methylphenol
di-$tert$-butyl peroxide/Di-$tert$.-butylperoxid
dibutyl ether/Dibutylether
dibutylamine/Dibutylamin
dibutylthiourea/1,3-Dibutylthioharnstoff
dicamba/Dicamba
dicarbonyl compounds/Dicarbonyl-Verbindungen
dicarboxylic acids/Dicarbonsäuren
dichlobenil/Dichlobenil
dichlofluanid/Dichlofluanid
4,5-dichloro-3,6-dioxo-1,4-cyclohexadiene-1,2-dicarbonitrile/4,5-Dichlor-3,6-dioxo-cyclohexa-1,4-dien-1,2-dicarbonitril
2,3-dichloro-1,4-naphtoquinone/2,3-Dichlor-1,4-naphthochinon
1,3-dichloro-2-propanol/1,3-Dichlor-2-propanol
dichloroacetic acid/Dichloressigsäure
1,3-dichloroacetone/1,3-Dichlor-2-propanon
dichloroanilines/Dichloraniline
dichlorobenzenes/Dichlorbenzole
dichlorobenzoic acids/Dichlorbenzoesäuren
1,4-dichlorobutane/1,4-Dichlorbutan
dichloroethanes/Dichlorethane
dichloroethylenes/Dichlorethylene
dichloroketene/Dichlorketen
dichloromethylmethylether/(Dichlormethyl)-methylether
dichloronitrobenzenes/Dichlornitrobenzole
2,6-dichlorophenol-indophenol-sodium/2,6-Dichlorphenol-indophenol-natrium
dichlorophenols/Dichlorphenole
dichloropropanes/Dichlorpropane
1,3-dichloropropene/1,3-Dichlorpropen
dichlorprop-P/Dichlorprop-P
dichlorvos/Dichlorvos

English

dichrographs/Dichrographen
dichromates/Dichromate
diclobutrazol/Diclobutrazol
diclofenac/Diclofenac
diclofenamide/Diclofenamid
diclofop-methyl/Diclofop-methyl
diclomezine/Diclomezin
dicloxacillin/Dicloxacillin
dicofol/Dicofol
dicot(yledon)s/Dikotyle(done)n
dicrotophos/Dicrotophos
dictionaries/Nachschlagewerke, Wörterbücher
dicumarol/Dicumarol
dicumyl peroxide/Dicumylperoxid
dicyanoacetylene/Dicyanoacetylen
dicyclohexylamine/Dicyclohexylamin
dicyclohexylcarbodiimide/Dicyclohexylcarbodiimid
dicyclopentadiene/Dicyclopentadien
dicycloverine/Dicycloverin
didanosine/Didanosin
3,4-didehydroretinal/3,4-Didehydroretinal
didemnins/Didemnine
didymium/Didym
die away test/Die Away-Test
diecasting/Druckguß
Dieckmann condensation/Dieckmann-Kondensation
dieldrin/Dieldrin
dielectric constant/Dielektrizitätskonstante
– loss factor/Dielektrischer Verlustfaktor
dielectrics/Dielektrika
Diels-Alder polymerization/Diels-Alder-Polymerisationen
– -Alder reaction/Diels-Alder-Reaktion
dien rubber/Dien-Kautschuk
dienes/Diene
dienestrol/Dienestrol
dienones/Dienone
diesel fuels/Dieselkraftstoffe
– ignition improvers/Zündbeschleuniger
Diessel cell culture reactor/Diessel®-Zellkultur-Reaktor
diet/Diät
dietary fibers/Pflanzenfasern
– salt/Kochsalz-Ersatzmittel
Dieterici equation/Dieterici-Gleichung
dietetic foods/Diätetische Lebensmittel
diethofencarb/Diethofencarb
diethyl carbonate/Diethylcarbonat
– ether/Diethylether
– malonate/Malonsäurediethylester
N,N-diethyl-p-phenylenediamine/N,N-Diethyl-p-phenylendiamin
diethyl phosphate/Diethylphosphat
– sulfat/Diethylsulfat
diethylamine/Diethylamin
– salicylate/Diethylaminsalicylat
2-(diethylamino)-ethanol/2-(Diethylamino)-ethanol
N,N-diethylaniline/N,N-Diethylanilin
diethylazodicarboxylate/Diazendicarbonsäure-diethylester
diethylcarbamazine/Diethylcarbamazin
diethyldithiocarbamate/Diethyldithiocarbamate
diethylene glycol/Diethylenglykol

– glycol dinitrate/Diethylenglykoldinitrat
diethylenetriamine/Diethylentriamin
diethylenetriaminepentaacetic acid/Diethylentriaminpentaessigsäure
N,N-diethylethylendiamine/N,N-Diethylethylendiamin
diethylstilbestrol/Diethylstilbestrol
1,3-diethylthiourea/1,3-Diethylthioharnstoff
diethyltoluamide/N,N-Diethyl-m-toluamid
difenacum/Difenacoum
difenoconazole/Difenoconazol
difenoxin/Difenoxin
difenzoquat methyl sulphate/Difenzoquat-methylsulfat
difethialone/Difethialon
differential scanning calorimetry/Dynamische Differenz-Kalorimetrie
– thermal analysis/Differentialthermoanalyse
differentiation/Differenzierung
diffraction/Beugung
diffusion/Diffusion
– potential/Diffusionspotential
– process/Diffusionsverfahren
– pumps/Diffusionspumpe
diflorasone/Diflorason
diflubenzuron/Diflubenzuron
diflucortolone/Diflucortolon
diflufenican/Diflufenican
diflunisal/Diflunisal
digenite/Digenit
digesting/Digerieren
digestion/Faulung, Verdauung
digiste/Spiegeleisen
digital/Digital
digitalis/Digitalis-Glykoside
– glycosides/Digitalis-Glykoside
– preparations/Digitalis-Präparate
digitonin/Digitonin
digitoxose/Digitoxose
diglycerides/Diglyceride
diglycolic acid/Diglykolsäure
dihexyverine/Dihexyverin
dihydralazine/Dihydralazin
dihydrocodeine/Dihydrocodein
dihydrodimerization/Dihydrodimerisation
dihydroergocornine/Dihydroergocornin
dihydroergocristine/Dihydroergocristin
dihydroergocryptine/Dihydroergocryptin
dihydroergotamine/Dihydroergotamin
dihydroergotoxin/Dihydroergotoxin
3,4-dihydro-2H-pyran/3,4-Dihydro-2H-pyran
dihydropyridine receptor/Dihydropyridin-Rezeptor
dihydrostreptomycin/Dihydrostreptomycin
dihydrotachysterol/Dihydrotachysterol
dihydroxyacetone/Dihydroxyaceton
dihydroxybenzoic acids/Dihydroxybenzoesäuren
2,4-dihydroxybenzophenone/2,4-Dihydroxybenzophenon
diimine/Diimin
3,5-diiodothyronine/3,5-Diiodthyronin
3,5-diiodotyrosine/3,5-Diiodtyrosin

diisocyanates/Diisocyanate
diisodecyl adipate/Diisodecyladipat
diisopropyl fluorophosphate/Diisopropylfluorophosphat
diisopropylamine dichloroacetate/Diisopropylamin-dichloracetat
diisopropylbenzene/Diisopropylbenzol
– hydroperoxide/Diisopropylbenzolhydroperoxid
dike rocks/Ganggesteine
dikegulac-sodium/Dikegulac-Natrium
dikes/Gänge
diketene/Diketen
diketones/Diketone
dilata(ta)ncy/Dilatanz
dilatation/Dilatation
dilazep/Dilazep
dill/Dill
– oil/Dillöl
dillether/Dillether
diloxanide/Diloxanid
diltiazem/Diltiazem
diluents/Verdünnungsmittel, Verschnittmittel
diluting/Verdünnen
dilution series/Verdünnungsreihe
dimazole/Dimazol
dimedone/Dimedon
dimefuron/Dimefuron
dimenhydrinate/Dimenhydrinat
dimensional stability/Dimensionsstabilität
– stability under heat/Wärmeformbeständigkeit
dimepranol acedoben/Dimepranol-acedoben
dimercaprol/Dimercaprol
1,4-dimercapto-2,3-butanediols/1,4-Dimercapto-2,3-butandiole
2,5-dimercapto-1,3,4-thiadiazole/2,5-Dimercapto-1,3,4-thiadiazol
dimer(ic) acids/Dimersäuren
dimerization/Dimerisation
dimersol process/Dimersol-Verfahren
dimethacrine/Dimetacrin
dimethenamid/Dimethenamid
dimethipin/Dimethipin
dimethisoquin/Quinisocain
dimethoate/Dimethoat
dimethomorph/Dimethomorph
2,5-dimethoxy-4-methylamphetamine/2,5-Dimethoxy-4-methylamphetamin
dimethoxybenzenes/Dimethoxybenzole
dimethyl carbonate/Dimethylcarbonat
– diazenedicarboxylate/Diazendicarbonsäure-dimethylester
– dicarbonate/Dimethyldicarbonat
– ether/Dimethylether
2,6-dimethyl-4-heptanone/2,6-Dimethyl-4-heptanon
N,N-dimethyl-4-nitrosoaniline/N,N-Dimethyl-4-nitrosoanilin
2,4-dimethyl-3-pentanone/2,4-dimethyl-3-pentanon
2,9-dimethyl-1,10-phenanthroline/2,9-Dimethyl-1,10-phenanthrolin
N,N-dimethyl-p-phenylene diamine/N,N-Dimethyl-p-phenylendiamin
dimethyl phosphite/Dimethylphosphit

– -POPOP/Dimethyl-POPOP
2,2-dimethyl-1,3-propanediol/2,2-Dimethyl-1,3-propandiol
dimethyl sulfate/Dimethylsulfat
– sulfide/Dimethylsulfid
– sulfone/Dimethylsulfon
– sulfoxide/Dimethylsulfoxid
– terephthalate/Dimethylterephthalat
N,N-dimethylacetamide/N,N-Dimethylacetamid
dimethylamine/Dimethylamin
dimethylamino…/Dimethylamino…
4-(dimethylamino)-benzaldehyde/4-Dimethylaminobenzaldehyd
(dimethylamino)-propanols/(Dimethylamino)propanole
4-(dimethylamino)azobenzene/4-(Dimethylamino)azobenzol
5-(4-dimethylaminobenzylidene)-rhodanine/5-(4-Dimethylaminobenzyliden)-rhodanin
2-(dimethylamino)ethanol/2-(Dimethylamino)ethanol
N,N-dimethylaniline/N,N-Dimethylanilin
dimethylarsinic acid/Dimethylarsinsäure
dimethylarsino…/Dimethylarsino…
7,12-dimethylbenz[a]anthracene/7,12-Dimethylbenz[a]anthracen
3,3′-dimethylbenzidine/3,3′-Dimethylbenzidin
N,N-dimethylbenzylamine/N,N-Dimethylbenzylamin
2,2-dimethylbutane/2,2-Dimethylbutan
dimethyldioxirane/Dimethyldioxiran
dimethylformamide/Dimethylformamid
dimethylglyoxime/Dimethylglyoxim
5,5-dimethylhydantoin/5,5-Dimethylhydantoin
1,1-dimethylhydrazine/1,1-Dimethylhydrazin
3,3′-dimethylnaphthidine/3,3′-Dimethylnaphthidin
dimethylphenols/Dimethylphenole
2,2-dimethylpropane/2,2-Dimethylpropan
2,2-dimethylpropionic acid/2,2-Dimethylpropionsäure
2,2-dimethylpropionylchlorid/2,2-Dimethylpropionylchlorid
N,N-dimethyltryptamine/N,N-Dimethyltryptamin
1,3-dimethylurea/1,3-Dimethylharnstoff
dimeticon/Dimeticon
dimetinden/Dimetinden
dimetotiazine/Dimetotiazin
dimidiumbromide/Dimidiumbromid
diniconazole/Diniconazol
dinitramine/Dinitramin
2,4-dinitroaniline/2,4-Dinitroanilin
2,4-dinitroanisole/2,4-Dinitroanisol
dinitrobenzenes/Dinitrobenzole
3,5-dinitrobenzoic acid/3,5-Dinitrobenzoesäure
3,5-dinitrobenzoyl chloride/3,5-Dinitrobenzoylchlorid

dinitrophenols/Dinitrophenole
(2,4-dinitrophenyl)hydrazine/2,4-Dinitrophenylhydrazin
2,4-dinitrotoluene/2,4-Dinitrotoluol
dinocap/Dinocap
dinoprost/Dinoprost
dinoprostone/Dinoproston
dinor…/Dinor…
dinoseb/Dinoseb
dinoterb/Dinoterb
dioctyl…/Dioctyl…
dioctyl adipate/Dioctyladipat
– sodium sulfosuccinate/Docusat-Natrium
diode/Diode
– -array/Diodenarray
– lasers/Dioden-Laser
diodone/Diodon
diofenolan/Diofenolan
diols/Diole
dioptase/Dioptas
diorite/Diorite
dioscorine/Dioscorin
diosgenin/Diosgenin
diosmine/Diosmin
diosphenols/Diosphenole
dioxa…/Dioxa…
1,4-dioxan(e)/1,4-Dioxan
dioxepins/Dioxepine
dioxetanes/Dioxetane
dioxethedrin/Dioxethedrin
dioxides/Dioxide
dioxin(e)s/Dioxine
dioxo…/Dioxo…
1,3-dioxol-2-ones/1,3-Dioxol-2-one
1,3-dioxolan-2-one/1,3-Dioxolan-2-on
1,3-dioxolane/1,3-Dioxolan
dioxoles/Dioxole
dioxy…/Dioxy…
dip burner/Tauchbrenner
– filter/Tauchfilter
– wetting method/Tauchnetzmethode
diphacinone/Diphacinon
diphenhydramine/Diphenhydramin
diphenic acid/Diphensäure
diphenoxylate/Diphenoxylat
diphenyl/Diphenyl
– diselenide/Diphenyldiselenid
– ether/Diphenylether
2,2-diphenyl-1-picryl-hydrazyl/2,2-Diphenyl-1-pikrylhydrazyl
diphenylacetic acid/Diphenylessigsäure
diphenylamine/Diphenylamin
4-diphenylaminesulfonic acid/4-Diphenylaminsulfonsäure
diphenylarsine chloride/Diphenylarsinchlorid
– cyanide/Diphenylarsincyanid
diphenylcarbazone/1,5-Diphenylcarbazon
1,5-diphenylcarbonohydrazide/1,5-Diphenylcarbonohydrazid
diphenylene sulfide/Dibenzothiophen
1,2-diphenylethane/1,2-Diphenylethan
1,3-diphenylguanidine/1,3-Diphenylguanidin
1,1-diphenylhydrazine/1,1-Diphenylhydrazin
diphenylmethane/Diphenylmethan
2,5-diphenyloxazole/2,5-Diphenyloxazol
diphenylpyraline/Diphenylpyralin

1,3-diphenylthiourea/1,3-Diphenylthioharnstoff
1,3-diphenyltriazene/1,3-Diphenyltriazen
1,3-diphenylurea/1,3-Diphenylharnstoff
diphesatin/Diphesatin
diphosgene/Diphosgen
diphosphates(V)/Diphosphate(V)
diphosphoric acid(V)/Diphosphorsäure(V)
diphtherotoxin/Diphtherie-Toxin
dipicolinic acid/Dipicolinsäure
dipicrylamine/Dipikrylamin
dipivefrin/Dipivefrin
1,3-dipolar cycloaddition/1,3-Dipolare Cycloaddition
dipole/Dipol
– moment/Dipolmoment
diponium bromide/Diponiumbromid
dipotassium clorazepate/Dikaliumclorazepat
diprophyllin/Diprophyllin
dipropyl ether/Dipropylether
dipropylamines/Dipropylamine
dipropylene glycol/Dipropylenglykol
dipropylenetriamine/Dipropylentriamin
dipyridamole/Dipyridamol
diquat dibromide/Diquat-dibromid
Dirac equation/Dirac-Gleichung
direct dyes/Direktfarbstoffe
– energy conversion/Energie-Direktumwandlung
– hydrogenation/Direkthydrierung
– precipitation/Direktfällung
– printing/Direktdruck
dirithromycin/Dirithromycin
disaccharides/Disaccharide
discharge/Einleiten
discodermolide/Discodermolid
discontinuity layer/Sprungschicht
dish washing agents/Geschirrspülmittel
disinfectants/Desinfektionsmittel
disinfection/Desinfektion
disintegration/Zerfall
disintegrins/Disintegrine
dislocations/Versetzungen
disodium phenyl phosphate/Phenylphosphat-Dinatriumsalz
disopyramide/Disopyramid
disparlure/Disparlur
dispase/Dispase
dispenser/Dispenser
dispensing/Dispensieren
dispersants/Dispergiermittel
disperse adhesives/Dispersionsklebstoffe
– colorants/Dispersionsfarben
– dyes/Dispersionsfarbstoffe
dispersing/Dispergieren
– agents/Dispergiermittel
dispersion/Dispersion
– medium/Dispersionsmittel
displacement/Treibprozeß
display territory/Balzarena
disposal facility/Abfallentsorgungsanlage
disproportionation/Disproportionierung
disrotatory/Disrotatorisch
dissertation/Dissertation
dissimilation/Dissimilation
dissimilatory sulfate reduction/Sulfat-Atmung
dissipation/Dissipation
– factor/Dielektrischer Verlustfaktor

dissipative structures/Dissipative Strukturen
dissociation/Dissoziation
– energy/Dissoziationsenergie
dissolved organic carbon/DOC
dissymmetry/Dissymmetrie
distemper/Leimfarben
distempera/Temperafarben
distigmine bromide/Distigminbromid
distillation/Destillation
– range/Siedeverlauf
distilled water/Destilliertes Wasser
distiller's wash/Schlempe
distribution/Verteilung
– function/Verteilungsfunktion
disulfates/Disulfate
disulfide bridges/Disulfid-Brücken
disulfides/Disulfide
disulfites/Disulfite
disulfoton/Disulfoton
disulfuric acid/Dischwefelsäure
disulfurous acid/Dischweflige Säure
disulphine blue/Disulfinblau VN 150
diterpene alkaloids/Diterpen-Alkaloide
diterpenes/Diterpenoide
dithianes/Dithiane
dithianon/Dithianon
dithiazanine iodide/Dithiazaniniodid
dithiocarbamates/Dithiocarbamate
dithiocarbamic acid/Dithiocarbamidsäure
dithiolanes/Dithiolane
dithiolates/Dithiolate
dithioles/Dithiole
dithiols/Dithiole
dithionates/Dithionate
dithionic acid/Dithionsäure
dithionites/Dithionite
dithiooxamide/Dithiooxamid
dithiopyr/Dithiopyr
dithizone/Dithizon
dithranol/Dithranol
diuretics/Diuretika
diurnal acid rhythm/Diurnaler Säurerhythmus
diuron/Diuron
diversity of species/Artendiversität
divinylbenzene/Divinylbenzol
dixyrazin/Dixyrazin
djenkolic acid/Djenkolsäure
DLVO theory/DLVO-Theorie
DNA amplification/DNA-Amplifikation
– -binding proteins/DNA-bindende Proteine
– -fingerprinting/DNA-Fingerabdruck, DNA-Fingerprinting
– fragments/DNA-Fragmente
– ligases/DNA-Ligasen
– polymerase/DNA-Polymerasen
DNA-RNA hybrids/DNA-RNA-Hybride
DNA synthesis/DNA-Synthese
DNOC/DNOC
Dobson unit/Dobson-Einheit
dobutamine/Dobutamin
docetaxel/Docetaxel
docimasia/Dokimasie
docos(a)…/Docos(a)…
documentation/Dokumentation
dodec(a)…/Dodec(a)…
dodecanal/Dodecanal
dodecane/Dodecan
1-dodecanol/1-Dodecanol

1-dodecanthiol/1-Dodecanthiol
(Z)-7-dodecenyl acetate/(Z)-7-Dodecenyl-acetat
dodecenylsuccinic anhydride/Dodecenylbernsteinsäureanhydrid
dodecyl chloride/Dodecylchlorid
dodecylamine/Dodecylamin
dodecylbenzene/Dodecylbenzol
dodecylbenzenesulfonates/Dodecylbenzolsulfonate
dodecylphenol/Dodecylphenol
dodemorph acetate/Dodemorph-acetat
dodine/Dodin
Döbereiner's lighter/Döbereiners Feuerzeug
Dötz reaction/Dötz-Reaktion
dofamium chloride/Dofamiumchlorid
dofetilide/Dofetilid
dolastatines/Dolastatine
dolerite/Dolerit
dolichol/Dolichole
dolichyl phosphate/Dolichylphosphat
dolomite/Dolomit
domains/Domänen
dominance/Dominanz
domiphen bromide/Domiphenbromid
domoic acid/Domoinsäure
domperidone/Domperidon
Donnan equilibrium/Donnan-Gleichgewicht
donor/Don(at)or
dopa/Dopa
dopamine/Dopamin
– β-hydroxylase/Dopamin-β-Hydroxylase
– receptors/Dopamin-Rezeptoren
dopaminergic/Dopaminerg
dopexamine/Dopexamin
doping/Doping, Dotierung
– control/Doping-Kontrolle
Doppler anemometer/Doppler-Anemometer
– effect/Doppler-Effekt
– free spectroscopy/Doppler-freie Spektroskopie
– shift/Doppler-Verschiebung
– spectroscopy/Doppler-Spektroskopie
– width/Doppler-Breite
dopplerite/Dopplerit
dormancy/Dormanz, Winterruhe
dornase alfa/Dornase alfa
Dortmund tank/Dortmundbrunnen
dorzolamide/Dorzolamid
dosage/Dosieren
dose/Dosis
– equivalent/Äquivalent-Dosis
dosimetry/Dosimetrie
dosing/Dosieren
dosulepin/Dosulepin
dot blot/Dot-Blot
dothiepin/Dosulepin
doublé/Doublé
double beta decay/Doppelter Betazerfall
– bond/Doppelbindung
– refraction/Doppelbrechung
– salts/Doppelsalze
doublet/Dublett
doubling time/Generationszeit
dough/Teig
down mutation/down-Mutation
downstream processing/Produktaufbereitung
doxapram/Doxapram
doxazosin/Doxazosin
doxepin/Doxepin
doxorubicine/Doxorubicin
doxycycline/Doxycyclin

English

doxylamine/Doxylamin
draff/Treber
drag reducers/Strömungsbeschleuniger
Dragendorff's reagent/Dragendorffs Reagenz
dragon's blood/Drachenblut
drain cleaners/Rohrreinigungsmittel
drastics/Drastika
drawing ink/Tusche
– process/Ziehverfahren
Dreiding stereomodels/Dreiding-Stereomodelle
dressing/Appretur, Aufbereitung
driers/Trockenstoffe
drilling fluids/Bohrspülmittel
drimanes/Drimane
drinking water/Trinkwasser
– -water conditioning/Trinkwasseraufbereitung
drofenine/Drofenin
drop forging/Gesenkschmieden
droperidol/Droperidol
drop(ing) point/Tropfpunkt
droplets/Tropfen
dropping funnels/Tropftrichter
dropropizine/Dropropizin
drops/Tropfen
drosophilin A/Drosophilin A
drostanolone/Drostanolon
Drude equation/Drude-Gleichungen
drug addiction/Arzneimittelsucht
– delivery systems/Therapeutische Systeme
– dependence/Arzneimittelsucht
– screening/Wirkstoff-Screening
– substances/Pharmaka
drugs/Arzneimittel, Drogen, Rauschgifte
– for animals/Tierarzneimittel
drugstore/Apotheke
drum filter/Trommelfilter
drumming/Walken
druse/Druse
dry/Dry, Trocken
– -bright emulsions/Selbstglanzpflegemittel
– cells/Taschenbatterien
– cleaning/Chemisch-Reinigen, Vollreinigung
– cleaning detergents/Reinigungsverstärker
– ice/Trockeneis
– matter/Trockensubstanz
– milk/Trockenmilch
– strength/Trockenfestigkeit
drying/Trocknen
– agents/Trockenmittel
– cupboards/Trockenschränke
– oils/Trocknende Öle
dubicaine/Cinchocain
dubnium/Dubnium
ducat gold/Dukatengold
ductility/Duktilität
Duhem-Margules equation/Duhem-Margulessche Gleichung
dulcitol/Dulcit
Dulong and Petit's law/Dulong-Petitsche Regel
dummy/Attrappe
dumping/Verklappung
dung/Kot, Mist
– -beetle/Mistkäfer
duocarmycins/Duocarmycine
duplex steel/Ferritisch-austenitische Stähle
duralumin/Duralumin(ium)
dust/Staub
– emission/Staubemission
– explosions/Staubexplosionen
– oils/Stauböle

– precipitation/Staubniederschlag
– removal/Entstaubung
dutch metal/Dutch-Metall
duty of use of waste disposal facilities/Anschluß- und Benutzungszwang
dydrogesterone/Dydrogesteron
dye laser/Farbstoff-Laser
– transfer inhibitors/Farbübertragungsinhibitoren
dyeing/Färben
– auxiliaries/Färbereihilfsmittel
dyes/Farbstoffe
dyestuffs/Farbstoffe
dyewoods/Farbhölzer
dynactin/Dynactin
dynamin/Dynamin
dynamite/Dynamit
dyne/dyn
dynein/Dynein
dynemicins/Dynemicine
dypnone/Dypnon
dys.../Dys...
dyscrasite/Dyskrasit
dysentery/Ruhr
dysmenorrhea/Dysmenorrhoe
dysoxysulfone/Dysoxysulfon
dysprosium/Dysprosium
dystrophin/Dystrophin

E

earth/Erde
– metals/Erdmetalle
earthenware/Tonwaren
easy care finishing/Pflegeleicht-Ausrüstung
eau de Cologne/Eau de Cologne
– de Javelle/Eau de Javelle
– de Labarraque/Eau de Labarraque
– de parfum/Eau de Parfum
– de Toilette/Eau de Toilette
ebullioscopy/Ebullioskopie
eburnamonine/Eburnamonin
EC-council directive on hazardous waste/EG-Richtlinie über gefährliche Abfälle
– -council directive on waste/EG-Richtlinie über Abfälle
...ecane/...ecan
ecdysone/Ecdyson
ecgonine/Ecgonin
echinacoside/Echinacosid
echinocandin/Echinocandin
echinoderma venoms/Stachelhäuter-Gifte
echinodermata saponins/Stachelhäuter-Saponine
echinoderms/Echinodermata
...ecine/...ecin
eclogites/Eklogite
eco-ethology/Öko-Ethologie
ecofactors/Ökofaktoren
ecogeographic rules/Klimaregeln
ecolabel/Umweltzeichen
ecological efficiency/Ökologische Effizienz
– factors/Ökofaktoren
– niche/Ökologische Nische
– potency/Ökologische Potenz
– valency/Ökologische Valenz
ecology/Ökologie
econazole/Econazol
ecosystem/Ökosystem
ecothiopate iodide/Ecothiopatiodid
ecotone/Ökoton
ecotoxicology/Ökotoxikologie
ecotrophologist/Oecotrophologe
ecotypes/Ökotypen
ecrasite/Ekrasit

ecstasy/Ecstasy
ectoenzymes/Ektoenzyme
ectothermic/Ektotherm
eczemas/Ekzeme
Edeleanu processes/Edeleanu-Verfahren
edema/Ödem
Eder's solution/Edersche Lösung
edestin/Edestin
edetic acid/Edetinsäure
edge dislocation/Stufenversetzungen
edible mushrooms/Speisepilze
edifenphos/Edifenphos
edisilate/Edisilat
Edman degradation/Edman-Abbau
edoxudine/Edoxudin
EF hand/EF-Hand
effect (effective) dose/ED_{50}
effectors/Effektoren
effervescence/Effervescenz
effervescent powders/Brausepulver
efficiency/Wirkungsgrad
efflorescence/Ausblühen, Effloreszenz, Verwitterung
effusiometer/Effusiometer
effusion/Effusion
eflornithine/Eflornithin
egg/Eier
– oil/Eieröl
– preservation/Eierkonservierung
eggplants/Auberginen
Egyptian blue/Ägyptisch Blau
Ehrenfest theorem/Ehrenfestsches Theorem
Ehrlich's reagents/Ehrlichs Reagenzien
EIA (environmental impact assessment)/UVP
eicos(a).../Eicos(a)...
eicosanoids/Eicosanoide
eicosapentaenoic acid/5,8,11,14,17-Eicosapentaensäure
eigen value problem/Eigenwertproblem
Einhorn reaction/Einhorn-Reaktion
Einstein/Einstein
– ring/Einsteins Ring
einsteinium/Einsteinium
Einstein's mass-energy relationship/Einsteins Masse-Energie-Gleichung
ejector aeration/Ejektorbelüftung
eka-/Eka-
elaeocarpus alkaloids/Elaeocarpus-Alkaloide
elaidic acid/Elaidinsäure
elaiomycin/Elaiomycin
elaiophylin/Elaiophylin
elastase/Elastase
elasticators/Elasti(fi)katoren, Elastifizierungsmittel
elasticity/Elastizität
elastifying agents/Elasti(fi)katoren, Elastifizierungsmittel
elastin/Elastin
elastomeric fibers/Elastofasern
elastomers/Elastomere
elaterite/Elaterit
Elbs reaction/Elbs-Reaktion
elder/Flieder, Holunder
eldexomer/Eldexomer
electrets/Elektrete
electric capillarity/Elektrokapillarität
– precipitator/Elektrofilter
– steel/Elektrostahl
– units/Elektrische Einheiten
electrical conductivity/Elektrische Leitfähigkeit

– conductors/Elektrische Leiter
– contact materials/Kontaktwerkstoffe
electrically conductive polymers/Elektrisch leitfähige Polymere
electro magnetic pulse/Elektromagnetischer Puls
– -optic effects/Elektrooptische Effekte
– steel/Elektrostahl
electroanalytical chemistry/Elektroanalyse
electrocardiography/Elektrokardiographie
electrochemical double layer/Elektrochemische Doppelschicht
– equivalent/Elektrochemisches Äquivalent
– machining/Elektrochemische Metallbearbeitung
– polymerization/Elektrochemische Polymerisation
– potential/Elektrochemisches Potential
electrochemistry/Elektrochemie
electrochromism/Elektrochromie
electrocyclic reactions/Elektrocyclische Reaktionen
electrodecantation/Elektrodekantation
electrodeposition/Galvanotechnik
electrodes/Elektroden
electrodialysis/Elektrodialyse
electroencephalography/Elektroenzephalographie
electroerosion/Elektroerosion
electrofilter/Elektrofilter
electrofuge/Elektrofug
electrofusion/Elektrofusion
electrogravimetry/Elektrogravimetrie
electrokinetic phenomena/Elektrokinetische Erscheinungen
– potential/Zeta-Potential
electroluminescence/Elektrolumineszenz
electrolysis/Elektrolyse
electrolytes/Elektrolyte
electrolytic cell/Elektrolytische Zelle
– copper/Elektrolytkupfer
– dissociation/Elektrolytische Dissoziation
– refining/Elektrolytische Raffination
electrolytical degreasing/Elektrolytische Entfettung
electrometallurgy/Elektrometallurgie
electromotive force/Elektromotorische Kraft
– series/Spannungsreihe
electromyography/Elektromyographie
electron affinity/Elektronenaffinität
– capture/Elektroneneinfang
– configuration/Elektronenkonfiguration
– correlation/Elektronenkorrelation
– density/Elektronendichte
– diffraction/Elektronenbeugung
– donor-acceptor complexes/Elektronen-Don(at)or-Akzeptor-Komplexe
– gas/Elektronengas
– induced desorption/EID
– microscope/Elektronenmikroskop
– pair/Elektronenpaar

- pair theories/Elektronenpaartheorien
- paramagnetic resonance spectroscopy/EPR-Spektroskopie
- probe microanalysis (EPM)/Elektronenstrahl-Mikroanalyse
- pyrolysis/Elektronenbrenzen
- spectroscopy/Elektronenspektroskopie
- spectroscopy for chemical application/ESCA

π-electron systems/Pi-Elektronensysteme
electron transfer proteins/Elektronentransfer-Proteine
- volt/Elektronenvolt
electronegativity/Elektronegativität
electronic process control engineer/Prozeßleitelektroniker
- structure/Elektronenstruktur
electrons/Elektronen
electroosmosis/Elektroosmose
electrophilic reactions/Elektrophile Reaktionen
electrophoresis/Elektrophorese
electrophoretic coating/Elektrophoretische Lackierung
electrophotography/Elektrophotographie
electroplating of plastics/Kunststoff-Galvanisierung
electrospray ionization/Elektrospray-Ionisation
electrostatic coating/Elektrostatische Beschichtung
- filter/Elektrofilter
- unit/Elektrostatische Einheit
electrothermy/Elektrothermie
electrotransformation/Elektrotransformation
electrum/Elektrum
electuary/Latwerge
eledoisin/Eledoisin
elemenes/Elemene
elemental analysis/Elementaranalyse
elementary charge/Elementarladung
- excitation/Elementare Anregung
- particles/Elementarteilchen
- processes/Elementarprozesse
- reactions/Elementarreaktionen
elementorganic compounds/Element-organische Verbindungen
elements/Elemente
elemi/Elemi
eleostearic acid/Elaeostearinsäure
elfdock/Alant
- (root)/Helenenkraut
- elimination/Elimination, Eliminierung
- of iron/Enteisenung
elixirs/Elixiere
ellagic acid/Ellagsäure
ellipsometry/Ellipsometrie
ellipticine/Ellipticin
elm/Ulme
elongation/Elongation
- factors/Elongationsfaktoren
Eloxal process/Eloxal-Verfahren
elsamicins/Elsamicine
elsinochromes/Elsinochrome
elution/Elution
elutriation/Elutriation
eluviation/Auswaschung
elymoclavine/Elymoclavin
eman/Eman
emanation/Emanation
- thermal analysis/Emanationsgasanalyse

Ematal process/Ematal-Verfahren
embedding media/Einbettungsmittel
embonic acid/Embonsäure
embossing/Gaufrieren, Treibprozeß
embrittlement/Versprödung
embryotoxic/Fruchtschädigend
Emde degradation/Emde-Abbau
emepronium bromide/Emeproniumbromid
emerald/Smaragd
- green/Emeraldgrün, Smaragdgrün
emergence/Auflaufen
emergency exit/Notausgang
- shower/Notduschen
emery/Schmirgel
emestrin/Emestrin
emetics/Emetika
emetine/Emetin
emission/Emissionen
- declaration/Emissionserklärung
- register/Emissionskataster
- sources/Emissionsquellen
- spectroscopy/Emissionsspektroskopie
emodin/Emodin
emollients/Emollientien
empirical formula/Bruttoformel
employers' liability insurance association/Berufsgenossenschaften
empyreuma/Empyreuma
Emscher tank/Emscherbrunnen
emulsifiers/Emulgatoren
emulsin/Emulsin
emulsion paints/Dispersionsfarben
- polymerization/Emulsionspolymerisation
emulsions/Emulsionen
- explosives/Emulsionssprengstoffe
E-MX/E-MX
emylcamate/Emylcamat
enalapril/Enalapril
enamel/Email
- varnish/Emaillelack
enamines/Enamine
enantate/Enantat
enanthic acid/Oenanthsäure
enantiomerism/Enantiomerie
enantioselective synthesis/Enantioselektive Synthese
enargite/Enargit
encapsulation/Einhausung
encaustic/Enkaustik
encyclopedias/Handbücher, Nachschlagewerke
end-capping/Verkappung
- group analysis/Endgruppenbestimmung
- point/Endpunkt
- product/Endprodukt
- -to-end distance/Fadenendenabstand
endiandrinic acids/Endiandrinsäuren
endo…/Endo…
endocrine effects/Endokrine Effekte
endocrinology/Endokrinologie
endocrocin/Endocrocin
endocytosis/Endocytose
endoenzymes/Endoenzyme
endofauna/Infauna
endogenous/Endogen
endoplasmic reticulum/Endoplasmatisches Retikulum
endorphins/Endorphine
endorsing inks/Stempelfarben
endosomes/Endosomen

endospores/Endosporen
endosulfan/Endosulfan
endothelins/Endotheline
endothermic/Endotherm
endotoxins/Endotoxine
endrin/Endrin
…ene/…en, …ol
ene synthesis/En-Synthese
enediols/Endiole
enediynes/Endiine
enema/Klistier
energy/Energie
- bands/Energiebänder
- dispersive analysis of X-rays (EDAX)/Energiedispersive Röntgen-Spektroskopie
- transfer/Energieübertragung
- variation principle/Energievariationsprinzip
enfleurage/Enfleurage
enflurane/Enfluran
engine fuels/Motorkraftstoffe
- oils/Motoröle
engineer/Ingenieur
engineering plastics/Technische Kunststoffe
- sciences/Ingenieurwissenschaften
engobes/Engoben
enhancer/Enhancer
enkephalins/Enkephaline
enne(a)…/Enne(a)…
enniatins/Enniatine
enolase/Enolase
enolates/Enolate
enols/Enole
enoxacine/Enoxacin
enoxaparin/Enoxaparin
enoximone/Enoximon
enquete commission/Enquête-Kommission
enrichment/Abfangen, Anreicherung
- culture/Anreicherungskultur
ent-/ent-
entactin/Entactin
enteral/Enteral
Enterobacteriaceae/Enterobacteriaceae
enterococci/Enterokokken
enteropeptidase/Enteropeptidase
enterotoxins/Enterotoxine
enthalpy/Enthalpie
entomology/Entomologie
entropy/Entropie
- elasticity/Entropieelastizität
environment/Umwelt
- organization/Umweltorganisationen
environmental accounting system/Umweltökonomische Gesamtrechnung
- advice/Umweltschutzberatung
- analysis/Umweltanalytik
- analytical chemistry/Umweltanalytik
- audit/Umweltaudit
- capacity to degrade/Abbaukapazität der Umwelt
- chemicals/Umweltchemikalien
- chemistry/Ökochemie
- commissions/Umweltgremien
- compatibility/Umweltverträglichkeit
- expenditure/Umweltkosten
- factors/Ökofaktoren, Umweltfaktoren
- impact/Umweltbelastung, Umwelteinwirkung
- information/Umweltinformation
- laws/Umweltrecht
- liability/Umwelthaftung

- management/Umweltmanagement
- monitoring/Umweltmonitoring
- policy/Umweltpolitik
- pollution/Umweltverschmutzung
- pollution control/Umweltschutz
- protection/Umweltschutz
- (protection) counsel/Umweltschutzberatung
- quality/Umweltqualität
- report/Umweltbericht
- research/Umweltforschung
- resistance/Umweltwiderstand
- review/Umweltprüfung
- sample collection/Umweltprobenbank
- statement/Umwelterklärung
- technology/Umwelttechnik
- toxicants/Umweltgifte
- verifier/Umweltgutachter
- zone/Umweltzone
environmentally hazardous/Umweltgefährlich
enzymatic analysis/Enzymatische Analyse
enzyme immunoassay/Enzymimmunoassay
- membrane reactor/Enzym-Membran-Reaktor
- thermistor/Enzym-Thermistor
enzymes/Enzyme
eosin/Eosin
eosinophil cationic protein/Kationisches Eosinophilen-Protein
…epane/…epan
EPDM rubber/EPDM-Kautschuk
epená/Epená
ependymins/Ependymine
ephedra alkaloids/Ephedra-Alkaloide
ephedrine/Ephedrin
epi…/Epi…
(−)epibatidine/(−)Epibatidin
epicatechin/Epicatechin
epicatechol/Epicatechin
α-epichlorhydrin/α-Epichlorhydrin
epichlorohydrin rubbers (polymers, elastomers)/Polyepichlorhydrine
epicillin/Epicillin
epidemics/Seuchen
epidermal growth factor/Epidermaler Wachstumsfaktor
epidermin/Epidermin
epidioxides/Epidioxide
epidisulfides/Epidisulfide
epidote/Epidot
epilepsia/Epilepsie
epilepsy/Epilepsie
epimerization/Epimerisierung
epimestrol/Epimestrol
…epine/…epin
epinephrine/Epinephrin
L-epinephrine/L-Adrenalin
epirubicine/Epirubicin
episome/Episom
epitaxy/Epitaxie
epithio…/Epithio…
epothilones/Epothilone
epoxiconazole/Epoxiconazol
epoxidation/Epoxidierung
epoxide plasticizers/Epoxid-Weichmacher
epoxides/Epoxide
epoxy…/Epoxy…
epoxy polyenes/Epoxypolyene
- resins/Epoxidharze
EPR rubber/EPR-Kautschuke
eprazinone/Eprazinon
epsomite/Epsomit
Epstein-Barr virus/Epstein-Barr-Virus

English

EPT rubber/EPT-Kautschuk
EPTC/EPTC
Epton's titration/Epton-Titration
equations of state/Zustandsgleichungen
equatorial/Äquatorial
equidensities/Äquidensiten
equilenin/Equilenin
equilibration/Äquilibrierung
equilibrium/Gleichgewicht
– geometry/Gleichgewichtsgeometrie
– polymerization/Gleichgewichts-Polymerisation
equimol(ecul)ar solutions/Äquimol(ekul)are Lösungen
equipment/Apparate
equivalence/Äquivalenz
– point/Äquivalenzpunkt
equivalent/Äquivalent
– weight/Äquivalentgewicht
equivalents of exposition for cancerous substances/EKA-Wert
erabutoxins/Erabutoxine
eraser/Radiergummi
erbium/Erbium
– laser/Erbium-Laser
erbstatin/Erbstatin
erdosteine/Erdostein
erect cinquefoil/Tormentillwurzel
eremophilanes/Eremophilane
erg/Erg
ergochromes/Ergochrome
ergonomy/Ergonomie
ergosterol/Ergosterin
ergot/Ergot
– alkaloids/Ergot-Alkaloide
ergothioneine/Ergothionein
eriochrome black T/Eriochromschwarz T
– blue SE/Eriochromblau SE
– cyanin/Eriochromcyanin R
eritadenine/Eritadenin
Erlenmeyer flasks/Erlenmeyerkolben
– synthesis/Erlenmeyer-Synthese
erosion/Erosion
error calculation/Fehlerrechnung
erucic acid/Erucasäure
erythema/Erythem
erythrina alkaloids/Erythrina-Alkaloide
erythrite/Erythrin
erythritol/Erythrit
erythritoltetranitrate/Erythrittetranitrat
erythr(o).../Erythr(o)...
erythrocytes/Erythrocyten
erythromycin/Erythromycin
erythronolide B/Erythronolid B
erythrophleum alkaloids/Erythrophleum-Alkaloide
erythropoietin/Erythropoietin
erythropterin/Erythropterin
erythrose/Erythrose
erythrosine/Erythrosin
Esbach reagent/Esbachs Reagenz
Escherichia coli/Escherichia coli
Eschka's reagent/Eschka-Mischung
escin/Aescin
esculin/Aesculin
eserine/Physostigmin
esfenvalerate/Esfenvalerat
esilate/Esilat
esmolole/Esmolol
esparto (grass)/Esparto
– gras/Esparto-Wachs
– wax/Esparto-Wachs
esperamicins/Esperamycine
esperamycins/Esperamycine
esprocarb/Esprocarb
essences/Essenzen

essential/Essentiell
– oils/etherische Öle
ester gums/Harzester
– pyrolysis/Ester-Pyrolyse
– sulfonates/Estersulfonate
esterases/Esterasen
esterification/Veresterung
esterquats/Esterquats
esters/Ester
– of silicic acids/Kieselsäureester
estragol/Estragol
estramustin/Estramustin
etaconazole/Etaconazol
etafedrine/Etafedrin
etafenone/Etafenon
etalon/Etalon
etamiphylline/Etamiphyllin
etamsylate/Etamsylat
etamycin/Etamycin A
Etard reaction/Etard-Reaktion
etch-printing/Ätzdruck
etching/Ätzen
...ete/...et
ethacridine/Ethacridin
et(h)acrynic acid/Etacrynsäure
ethalfluralin/Ethalfluralin
ethambutol/Ethambutol
ethametsulfuron-methyl/Ethametsulfuron-methyl
ethamivan/Etamivan
ethane/Ethan
1,2-ethanedithiol/1,2-Ethandithiol
ethanol/Ethanol
ethanolates/Ethoxide
ethaverine/Ethaverin
ethene/Ethen
ethenzamide/Ethenzamid
ethephon/Ethephon
ether amines/Etheramine
– carboxylic acids/Ethercarbonsäuren
– sulfonates/Ethersulfonate
ethers/Ether
ethiazide/Ethiazid
ethidimuron/Ethidimuron
ethinamate/Ethinamat
ethiofencarb/Ethiofencarb
ethion/Ethion
ethirimol/Ethirimol
ethisterone/Ethisteron
ethofumesate/Ethofumesat
ethoprophos/Ethoprophos
ethosuximide/Ethosuximid
ethoxazorutoside/Ethoxazorutosid
ethoxy.../Ethoxy...
ethoxycarbonyl.../Ethoxycarbonyl...
ethoxylates/Ethoxylate
ethoxylation/Ethoxylierung
ethoxyphenyl.../Ethoxyphenyl...
ethoxysulfuron/Ethoxysulfuron
ethoxzolamide/Ethoxzolamid
ethyl.../Ethyl...
ethyl acetate/Essigsäureethylester
– acetoacetate/Acetessigester
– benzoate/Benzoesäureethylester
2-ethyl-1-butanol/2-Ethyl-1-butanol
ethyl caproate/Hexansäureethylester
– chloride/Ethylchlorid
– crotonate/(E)-2-Butensäureethylester
– formate/Ameisensäureethylester
2-ethyl-1,3-hexanediol/2-Ethyl-1,3-hexandiol
2-ethyl-1-hexanol/2-Ethyl-1-hexanol
ethyl linoleate/Ethyllinoleat
– 2-naphthylether/Ethyl-2-naphthylether
– silicates/Ethylsilicate
ethylamine/Ethylamin

ethylamino.../Ethylamino...
N-ethylaniline/N-Ethylanilin
ethylation/Ethylierung
ethylbenzene/Ethylbenzol
ethylbiscoumacetate/Ethylbiscoumacetat
ethylbromide/Ethylbromid
ethylbromoacetate/Bromessigsäureethylester
ethylbutyric acid/2-Ethylbuttersäure
ethylcellulose/Ethylcellulosen
ethylene/Ethylen
ethylene.../Ethylen...
ethylene-acrylate copolymers/Ethylen-Acrylat-Copolymere
– acrylic elastomers/Ethylen-Acrylat-Elastomere
– chlorohydrin/Ethylenchlorhydrin
– dinitramine/Ethylendinitramin
– glycol/Ethylenglykol
– oxide/Ethylenoxid
– -propylene elastomers/Ethylen-Propylen-Elastomere
– -propylene rubber/Ethylen-Propylen-Elastomere
– sulfide/Ethylensulfid
– -vinylacetate copolymers/Ethylen-Vinylacetat-Copolymere
– -vinylalcohol copolymers/Ethylen-Vinylalkohol-Copolymere
ethylenediamine/Ethylendiamin
ethylenediaminetetraacetic acid/Ethylendiamintetraessigsäure
ethylenedioxy.../Ethylendioxy...
ethyleneglycol dinitrate/Ethylenglykoldinitrat
ethyleneimine/Ethylenimin
2-ethylhexanoic acid/2-Ethylhexansäure
2-ethylhexyl.../2-Ethyl-hexyl...
ethylidene.../Ethyliden...
ethyliodide/Ethyliodid
1-ethylpiperidine/1-Ethylpiperidin
ethylvanillin/Ethylvanillin
ethyne/Ethin
ethynyl.../Ethinyl...
ethynylation/Ethinylierung
1-ethynylcyclohexanol/1-Ethinylcyclohexanol
ethynylestradiol/Ethinylestradiol
etidocaine/Etidocain
etidronic acid/Etidronsäure
etifelmine/Etifelmin
etilefrine/Etilefrin
etio.../Ätio...
etiology/Ätiologie
etioporphyrins/Etioporphyrine
etiroxate/Etiroxat
etodroxizine/Etodroxizin
etofenamate/Etofenamat
etofenprox/Etofenprox
etofibrate/Etofibrat
etofylline/Etofyllin
etomidate/Etomidat
etoposide/Etoposid
etoxazole/Etoxazol
etozoline/Etozolin
etretinate/Etretinat
etridiazole/Etridiazol
Ets proteins/Ets-Proteine
ettringite/Ettringit
etynodiol/Etynodiol
eu.../Eu...
EU-limit value/EG-Grenzwert
eubacteria/Eubakterien
eucarya/Eukarya
euclase/Euklas
eucolite/Eudialyt
eudesmanes/Eudesmane

eudesmanolides/Eudesmanolide
eudialyte/Eudialyt
eudiometer/Eudiometer
eudistomins/Eudistomine
eugenetics/Eugenik
eugenics/Eugenik
eugenol/Eugenol
eukarya/Eukarya
eukaryotes (eucaryotes)/Eukaryonten, eukaryontisch
eukaryotic (eucaryotic)/Eukaryonten, eukaryontisch
eulytine/Eulytin
eulytite/Eulytin
euphoria/Euphorie
european cooperation in the field of scientific and technical research/COST
– Federation of Chemical Engineering/Europäische Föderation für Chemie-Ingenieur-Wesen
– inventory of existing commercial chemical substances/EINECS
europium/Europium
– compounds/Europium-Verbindungen
eutectic/Eutektikum
eutrophication/Eutrophierung
euxenite/Euxenit
Evans's Blue/Evans Blau
evaporated milk/Kondensmilch
evaporating/Abdunsten, Eindampfen
– with fuming/Abrauchen
evaporation/Verdampfung
– coefficient/Verdunstungskoeffizient
– cooling/Verdampfungskühlung
– number/Verdunstungszahl
– residue/Abdampfrückstand
evaporites/Evaporite
evolution/Evolution
evolved gas analysis/Emissionsgasthermoanalyse
Ewens-Bassett system/Ewens-Bassett-System
exa.../Exa...
exaltation/Exaltation
excess electrons/Überschußelektronen
– (surplus, waste) sludge/Überschußschlamm
exchange reactions/Austauschreaktionen
excimer laser/Excimer-Laser
excimers/Excimere
excitation/Anregung
excitons/Excitonen
excrements/Kot
excretion/Exkretion
exfoliating/Exfoliating
exhaust process/Ausziehverfahren
existing substances/Altstoffe
exo.../Exo...
exocyclic/Exocyclisch
exocytosis/Exocytose
exoelectrons/Exoelektronen
exoenzymes/Exoenzyme
exogenic/Exogen
exon/Exon
exopeptidases/Exopeptidasen
exopolysaccharids/Exopolysaccharide
exothermic/Exotherm
exotic atoms/Exotische Atome
– molecules/Exotische Moleküle
exotoxins/Exotoxine
expandable foams/Partikelschaumstoffe

expandate/Expandate
expanding agents/Treibmittel
expansion/Ausdehnen
– compensators/Kompensatoren
expectation value/Erwartungswert
expectorants/Expektorantien
experiment/Experiment
experimental chemistry books/Experimentierbücher
expert/Sachverständige Personen
– systems (XPS)/Expertensysteme
exploding wire/Drahtexplosion
exploration/Exploration
explosion/Explosion
– limits/Explosionsgrenzen
– protection/Explosionsschutz
– temperature/Explosionstemperatur
explosive materials/Explosionsfähige Stoffe
– plating/Explosionsplattierung
– welding/Explosionsschweißen
explosives/Explosivstoffe, Sprengstoffe
exposure/Belichtung
extended Hückel theory/EHT
extenders/Füllstoffe, Verschnittmittel
extension/Ausdehnen
extensive quantities/Extensive Größen
extent of coupling/Kopplungsgrad
– of reaction/Reaktionslaufzahl
exterior house paints/Fassadenfarbe
extinction/Extinktion
extracellular matrix/Extrazelluläre Matrix
extraction/Extraktion
– with ether/Ausethern
extracts/Extrakte
extraneous rust/Fremdrost
– water/Fremdwasser
extranuclear (cytoplasmic) inheritance/Extrachromosomale Vererbung
extrusion/Extrudieren
exudates/Exsudat
exudation/Ausschwitzen
eye/Auge
– cosmetics/Augenkosmetika
– protection/Augenschutz
– -wash station/Augenduschen
eyebright/Augentrost
eyelash cosmetics/Wimpernkosmetika

F

Faba beans/Puffbohnen
fabric/Gefüge
– care softeners/Weichpfleger
– filter/Tuchfilter
– former/Formspüler
– softeners/Weichspüler
fabrication/Fertigungsverfahren
Fabry-Pérot interferometer/Fabry-Pérot-Interferometer
fac-/fac-
facade cleaner/Fassadenreiniger
face lotions/Gesichtswässer
– packs/Gesichtspackungen
F-acids/F-Säuren
facies/Fazies
facing sand/Formsand
factices/Faktisse
factors/Faktoren
faeces/Fäkalien, Kot
fahlerz/Fahlerze
fahlore/Fahlerze
Fahrenheit temperature scale/Fahrenheit-Temperatur-Skale
Fahrenwald alloys/Fahrenwald-Legierungen
faience/Fayence
fake gold/Dixigold
falcrinol/Falcarinol
fallout/Fallout
false acacia/Robinie
– color photography/Falschfarbenphotographie
famciclovir/Famciclovir
famotidine/Famotidin
famprofazone/Famprofazon
fango/Fango
fans/Ventilatoren
Faraday effect/Faraday-Effekt
(Faraday-)Tyndall effect/Faraday-Tyndall-Effekt
Faraday's laws/Faradaysche Gesetze
faranal/Faranal
farinaceous products/Teigwaren
farnesol/Farnesol
fast binder/Schnellbinder
– black/Echtschwarz 100
– color bases/Echtbasen
– colour salt/Diazoechtsalze
– Fourier transformation/FFT
– magenta/Fast Magenta B
– reactions/Schnelle Reaktionen
– red/Echtrot
– yellow/Echtgelb
fat/Schmalz
– coal/Fettkohle
– dyes/Fettfarbstoffe
– liquor/Licker
– metabolism/Fettstoffwechsel
– of marmot/Murmeltieröl
– solvents/Fettlöser
– splitting/Fett-Spaltung
– substitutes/Fettersatzstoffe
fatigue endurance/Zeitfestigkeit
– strength/Schwingfestigkeit
– -strength/Zeitfestigkeit
fats and oils/Fette und Öle
fatty acid amides/Fettsäureamide
– acid biosynthesis/Fettsäure-Biosynthese
– acid degradation/Fettsäure-Abbau
– acid glucamides/Fettsäureglucamide
– acid isethionates/Fettsäureisethionate
– acid methylesters/Fettsäuremethylester
– acid pitch/Fettpech
– acid sarcosinates/Fettsäuresarcosinate
– acid taurides/Fettsäuretauride
– acids/Fettsäuren
– alcohol polyglycol ethers/Fettalkoholpolyglykolether
– alcohol polyglycol sulfates/Fettalkoholpolyglykolethersulfate
– alcohol sulfates/Fettalkoholsulfate
– alcohols/Fettalkohole
– aldehydes/Fettaldehyde
– alkanolamides/Fettsäurealkanolamide
– alkyl sulfates/Fettalkoholsulfate
– amines/Fettamine
– ketones/Fettketone
faujasite/Faujasit
faulschlamm/Faulschlamm
Favorskii rearrangement/Favorskii-Umlagerung
fayalite/Fayalit
feathers/Federn
febrifugine/Febrifugin
febuprol/Febuprol
fecal pigments/Fäkalpigmente
fecapentaenes/Fecapentaene
feces/Fäkalien
fed batch fermentation/Fed batch-Fermentation
Federal Environmental Agency/Umweltbundesamt
– waste act/Abfallgesetz
fedrilate/Fedrilat
feed supplements/Futtermittelzusatzstoffe
– water/Speisewasser
feedback control/Regelung
– inhibition/Endproduktthemmung
Fehling's solution/Fehlingsche Lösung
felbamate/Felbamat
felbinac/Felbinac
feldspars/Feldspäte
felodipine/Felodipin
fels (Singular)/Felse
felsitic/Felsitisch
felt/Filz
– paper/Filzpappe
– pen/Filzschreiber
felypressin/Felypressin
feminine hygiene products/Intimpflegemittel
femto…/Femto…
fenamiphos/Fenamiphos
fenarimol/Fenarimol
fenazaquin/Fenazaquin
fenbuconazole/Fenbuconazol
fenbufene/Fenbufen
fenbutatin oxide/Fenbutatinoxid
fenbutrazate/Fenbutrazat
fencamfamine/Fencamfamin
fenchenes/Fenchene
fenchol/Fenchol
fenchone/Fenchon
fendiline/Fendilin
fenethylline/Fenetyllin
fenfluramine/Fenfluramin
fenfuram/Fenfuram
fenipentol/Fenipentol
fenitrothion/Fenitrothion
fennel/Fenchel
– oil/Fenchelöle
fenobcarb/Fenobucarb
fenofibrate/Fenofibrat
fenoprofene/Fenoprofen
fenoterol/Fenoterol
fenoxapropethyl/Fenoxapropethyl
fenoxazoline/Fenoxazolin
fenoxycarb/Fenoxycarb
fenpiclonil/Fenpiclonil
fenpipramide/Fenpipramid
fenpiprane/Fenpipran
fenpiverinium bromide/Fenpiveriniumbromid
fenpropathrin/Fenpropathrin
fenpropidin/Fenpropidin
fenpropimorph/Fenpropimorph
fenproporex/Fenproporex
fenpyroxymate/Fenpyroximat
fentanyl/Fentanyl
fenthion/Fenthion
fenticlor/Fenticlor
fenticonazole/Fenticonazol
fentin acetate/Fentinacetat
– hydroxide/Fentin-hydroxid
Fenton reagent/Fentons Reagenz
fentonium bromide/Fentoniumbromid
fenvalerate/Fenvalerat
ferimzone/Ferimzon
fermentation/Faulung, Fermentation, Gärung
– gas/Biogas
– salt/Gärsalz
fermenting new wine/Sauser
Fermi-Dirac statistics/Fermi-Dirac-Statistik
– energy/Fermi-Energie
Fermilab/Fermilab
fermions/Fermionen
fermium/Fermium
ferns/Farne
ferrates/Ferrate
ferredoxins/Ferredoxine
ferrichromes/Ferrichrome
ferricyanides/Ferricyanide
ferrioxamines/Ferrioxamine
ferristene/Ferristene
ferrite/Ferrit
ferrites/Ferrite
ferritic-austenitic steel/Ferritisch-austenitische Stähle
– steel/Ferritische Stähle
ferritin/Ferritin
ferro alloys/Ferro-Legierungen
ferroan dolomite/Ankerit
ferroboron/Ferrobor
ferrocene/Ferrocen
ferrochromium/Ferrochrom
ferrocyanides/Ferrocyanide
ferroelectric random access memory/FRAM
ferroelectrics/Ferroelektrika
ferroin/Ferroin
ferromagnetics/Ferromagnetika
ferromanganese/Ferromangan
ferromolybdenum/Ferromolybdän
ferron/Ferron
ferronickel/Ferronickel
ferroniobium/Ferroniob(tantal)
ferrophosphorus/Ferrophosphor
ferrosilicon/Ferrosilicium
ferro(silico)zirconium/Ferro(silico)zirconium
ferrotantalum/Ferrotantal
ferrotitanium/Ferrotitan
ferrotungsten/Ferrowolfram
ferrovanadium/Ferrovanadin
fertilization/Düngung
fertilizers/Düngemittel
fervenulin/Fervenulin
α-fetoprotein/α-Fetoprotein
fetuin/Fetuin
Feulgen's test/Feulgen-Färbung
fever/Fieber
fiber compacting/Fasermetallurgie
– finishing/Avivage
– metallurgy/Fasermetallurgie
– optic/Faseroptik
– plants/Faserpflanzen
– reagents/Faserreagenzien
– reinforcement/Faserverstärkung
fiberglass/Glasfasern
– reinforced plastics/Glasfaserverstärkte Kunststoffe
fibres/Ballaststoffe, Fasern
fibrillation/Fibrillieren
fibrillin/Fibrillin
fibrils/Fibrillen
fibrin/Fibrin
fibrinolytics/Fibrinolytika
fibroblast growth factors/Fibroblasten-Wachstumsfaktoren
fibrogenic dust/Fibrogener Staub
fibroin/Fibroin
fibronectin/Fibronectin
ficellomycin/Ficellomycin
ficin, ficine/Ficin
Fick laws/Fickscke Gesetze
Fiehe test/Fiehe-Test
field flow fractionation/FFF
– releases of genetically modified organisms/Gentechnische Freilandexperimente
figs/Feigen

English

filament/Filament, Haarfasern
- growth method/Aufwachsverfahren

filamentous fungi/Fadenpilze
filamin/Filamin
filariasis/Filariasis
filgrastim/Filgrastim
filigree/Filigranarbeit
filipin/Filipin
filixic acids/Filixsäuren
filler/Spachtelmassen
fillers/Füllstoffe
film evaporation/Dünnschichtverdampfung
- formers/Filmbildner
- -forming agents/Filmbildner
films/Filme, Folien
filter aids/Filterhilfsmittel
- gravel/Filterkies
filtering flasks/Saugflaschen
filters (USA)/Filter
filtration/Filtration
filtres (GB)/Filter
fimbrin/Fimbrin
final settling tank/Nachklärbecken
- storage/Endlagerung
finasteride/Finasterid
fine chemicals/Feinchemikalien
- dust/Feinstaub
- -grained steel/Feinkornbaustähle
fineness/Feingehalt
finesse/Finesse
finger nails/Fingernägel
fining/Läutern
finished products/Fertigteile
finishing/Appretur
finite elements/Finite-Elemente-Verfahren
fior process/Fior-Verfahren
fipronil/Fipronil
fique/Mauritius-Faser
fir and Scotch pine needle oils/Fichten- u. Kiefernnadelöle
fire classification/Brandarten
- extinguishing agents/Feuerlöschmittel
- leaves/Zündblättchen
- protection/Brandschutz
- resistance class/Feuerwiderstandsklasse
firearm oils/Waffenöle
firedamp/Schlagwetter
- proof explosives/Wettersprengstoffe
first aid/Erste Hilfe
Fischer reactions/Fischer-Reaktionen
- -Tropsch synthesis/Fischer-Tropsch-Synthese
fisetin/Fisetin
fish glue/Fischleim
- kill(ing)/Fischsterben
- liver oil/Lebertran
- meal/Fischmehl
- oil/Fischöle
- poisons/Fischgifte
- toxicity/Fischgiftigkeit
- wool/Fischwolle
fishes/Fische
fissility/Spaltbarkeit
fission/Spaltung
- tracks/Kernspaltspuren
fissium/Fissium
fixatives/Fixiermittel
fixed bed/Festbett
fixing/Fixieren
- agents/Fixateure
FK-506/FK-506
flagellates/Flagellaten
flagellin/Flagelline
flake/Flocke

flamable/Entzündlich
flame coloration/Flammenfärbung
- hardening/Flammhärten
- plating/Flammspritzen
- proof/Flammfest
- retardants/Flammschutzmittel
- scarfing/Flammstrahlen
- spectroscopy/Flammenspektroskopie
- spraying/Flammspritzen
- spraying of plastics/Kunststoff-Flammspritzen
- treatment processes/Flammbehandlungsverfahren
flames/Flammen
flampropmethyl/Flamprop-methyl
flare/Abfackelung
- compositions/Leuchtsätze
flash chromatography/Flash-Chromatographie
- light/Blitzlicht
- photolysis/Blitzlicht-Photolyse
- point/Flammpunkt
- pyrolysis/Blitzpyrolyse
flasks/Kolben
flat/Planar
- bottom flasks/Stehkolben
- tape/Flachfäden
flatulence/Flatulenz
flav.../Flav(o)...
flavazines/Flavazine
flavin adenine dinucleotide/Flavin-Adenin-Dinucleotid
- nucleotides/Flavinnucleotide
flavins/Flavine
flavodoxins/Flavodoxine
flavomannins/Flavomannine
flavones/Flavone
flavonoids/Flavonoide
flavopurpurine/Flavopurpurin
flavors/Aromen
flavoxanthin/Flavoxanthin
flavoxate/Flavoxat
flax/Flachs
flaxseed oil/Leinöl
flazasulfuron/Flazasulfuron
fleas/Flöhe
flecainide/Flecainid
fleroxacin/Fleroxacin
flexible cellular plastics/Weichschaumstoffe
- foam/Weichschaumstoffe
- (soft) resins/Weichharze
flexographic printing/Flexodruck
flies/Fliegen
flint/Feuerstein
- glass/Flintglas
flippases/Flippasen
floating matter/Schwimmstoff
- sludge/Schwimmschlamm
flocculants/Flockungsmittel
flocculation/Ausflockung, Flockung
- agents/Flockungsmittel
flock/Flock, Flocke
flocking/Beflockung
- adhesives/Beflockungsklebstoffe
flocoumafen/Flocoumafen
floctafenine/Floctafenin
flood retention basin/Rückhaltebecken
floor/Estrich
- coverings/Bodenbeläge
- lacquers/Fußbodenlacke
- polishes/Fußbodenpflegemittel
- temperature/Floor-Temperatur
floridin earths/Floridin-Erden
Flory-Huggins theory/Flory-Huggins-Theorie
flotation/Flotation

flour/Mehl
- treatment/Mehlbehandlung
flow/Fließen, Strömung
- birefringence/Strömungsdoppelbrechung
- meter/Durchflußmesser
- point/Fließpunkt
- velocity/Strömungsgeschwindigkeit
flower breaking/Blüteneinbruch
- cultivation agents/Blumenpflegemittel
- manure/Blumendünger
- pigments/Blütenfarbstoffe
- preservatives/Blumenfrischhaltemittel
flowering hormone/Blühhormon
flowers/Flores
floxacillin/Flucloxacillin
flu/Grippe
fluanisone/Fluanison
fluates/Fluate
fluazifop-butyl/Fluazifop-butyl
- -P-butyl/Fluazifop-P-butyl
fluazinam/Fluazinam
fluazuron/Fluazuron
flubenzimine/Flubenzimin
flucloxacillin/Flucloxacillin
fluconazole/Fluconazol
fluctuating bonds/Fluktuierende Bindungen
flucycloxuron/Flucycloxuron
flucythrinate/Flucythrinat
flucytosine/Flucytosin
fludioxonil/Fludioxonil
fludrocortisone/Fludrocortison
fludroxycortide/Fludroxycortid
flue duest/Hüttenrauch
- dust/Flugasche, Flugstaub
flufenamic acid/Flufenaminsäure
flufenoxuron/Flufenoxuron
flufenprox/Flufenprox
fluid/Liquor
- inclusions/Fluide Einschlüsse
fluidification/Fluidifikation
fluidisation/Fluidisieren
fluidity/Fluidität
fluidized bed/Fließbett, Wirbelschicht
- bed combustion/Wirbelschichtverbrennung
fluid(ized) bed process/Wirbelschichtverfahren
fluidized bed reactor/Fließbett-Reaktor
fluidizing point/Wirbelpunkt
fluids/Flüssigkeiten
flukes/Trematoden
flumazenil/Flumazenil
flumedroxone/Flumedroxon
flumetasone/Flumetason
flumetsulam/Flumetsulam
flumiclorac-pentyl/Flumiclorac-pentyl
flumioxazin/Flumioxazin
flumipropyne/Flumipropyn
flunarizine/Flunarizin
flunisolide/Flunisolid
flunitrazepam/Flunitrazepam
fluocinolone acetonide/Fluocinolonacetonid
fluocinonide/Fluocinonid
fluocortin butyl/Fluocortinbutyl
fluocortolone/Fluocortolon
fluometuron/Fluometuron
fluomine/Fluomine
fluor-spar/Fluorit
fluoranthene/Fluoranthen
fluorbenzene/Fluorbenzol
fluorcarbon elastomers/Fluor-Elastomere
fluorelastomers/Fluor-Elastomere
fluorene/Fluoren

9-fluorenone/9-Fluorenon
fluorescamine/Fluorescamin
fluorescein/Fluorescein
fluorescence/Fluoreszenz
- analysis/Fluoreszenzanalyse
- indicators/Fluoreszenzindikatoren
- spectroscopy/Fluoreszenz-Spektroskopie
fluorescent whitening (brightening) agents (FWA)/Optische Aufheller
fluoridation/Fluoridierung
fluorides/Fluoride
fluorimetry/Fluorimetrie
fluorinated surfactants/Fluor-Tenside
fluorination/Fluorierung
fluorine/Fluor
- -containing polymers/Fluor-Polymere
fluorite/Fluorit
fluoro.../Fluor..., Fluoro...
1-fluoro-2,4-dinitrobenzene/1-Fluor-2,4-dinitrobenzol
fluoroacetic acid/Fluoressigsäure
fluoroantimonic acid/Fluoroantimonsäure
fluoroborates/Fluoroborate
fluoroboric acid/Fluoroborsäure
fluorocarbon rubbers/Fluor-Kautschuke
fluorochromes/Fluorochrome
2-fluoroethanol/2-Fluorethanol
fluorofibres/Fluorofasern
fluorogens/Fluorogene
fluoroglycofen-ethyl/Fluorglycofen-ethyl
fluorohydrocarbons/Fluorkohlenwasserstoffe
fluorometholone/Fluorometholon
fluorones/Fluorone
fluorophors/Fluorophore
fluorophosphoric acids/Fluorophosphorsäuren
fluorophytes/Fluorophyten
fluoropolymers/Fluor-Polymere
fluorosilicates/Fluorosilicate
fluorosilicic acid/Fluorokieselsäure
fluorosis/Fluorosis
fluorosulfates/Fluorosulfate
fluorosulfonyle isocyanate/Fluorosulfonylisocyanat
fluorosulfuric acid/Fluoroschwefelsäure
fluorosurfactants/Fluor-Tenside
fluorothermoplastic/Fluor-Thermoplaste
fluorouracil/Fluorouracil
fluoxetine/Fluoxetin
fluoxymesterone/Fluoxymesteron
flupentixol/Flupentixol
fluphenazine/Fluphenazin
flupirtine/Flupirtin
flupoxam/Flupoxam
fluprednidene/Flupredniden
fluprednisolone/Fluprednisolon
fluquinconazole/Fluquinconazol
flurandrenolide/Fludroxycortid
flurazepam/Flurazepam
flurbiprofen/Flurbiprofen
fluridone/Fluridon
flurochloridone/Flurochloridon
fluroxypyr/Fluroxypyr
flurtamone/Flurtamon
flushing process/Flushing-Verfahren
flusilazol/Flusilazol
fluspirilene/Fluspirilen
flusulfamide/Flusulfamid
flutamide/Flutamid
fluticasone/Fluticason

flutolanil/Flutolanil
flutriafol/Flutriafol
fluvalinate/Fluvalinat
fluvastatin/Fluvastatin
fluvoxamine/Fluvoxamin
fluxes/Flußmittel, Zuschläge, Zuschlagstoffe
fly agaric/Fliegenpilz
– ash/Flugasche
foam/Schaum
– baths/Schaumbäder
– -forming agents/Schaumbildner
– metals/Schaummetalle
– separator/Schaumseparator
– stabilizers/Schaumstabilisatoren
foamable polystyrene/Schäumbares Polystyrol
foamed carbon/Schaumkohlenstoff
– concrete/Schaumbeton
– glass/Schaumglas
– plastics/Schaumkunststoffe
– slag/Hüttenbims
foamers/Schaumbildner
foaming/Schäumen
foams/Schaumstoffe
fodder-beans/Puffbohnen
fodrin/Fodrin
fog/Nebel
foids/Feldspat-Vertreter
foil lacquers/Folienlacke
foils/Folien
folded chain micelles/Faltenmicellen
folding/Faltung
folescutol/Folescutol
folic acid/Folsäure
folinic acid/Folinsäure
Folin's reagent/Folins Reagenz
follistatin/Follistatin
follitropin/Follitropin
follow up-treatment/Nachbehandlung
folpet/Folpet
fomannosin/Fomannosin
fomentariol/Fomentariol
fomesafen/Fomesafen
fominoben/Fominoben
fomocaine/Fomocain
fonazine/Dimetotiazin
fondants/Fondants
fonofos/Fonofos
food/Nahrungsmittel
– additives/Lebensmittelzusatzstoffe, Zusatzstoffe
– allergies/Lebensmittelallergien
– chain/Nahrungskette
– chemist/Lebensmittelchemiker
– chemistry/Lebensmittelchemie
– colorants/Lebensmittelfarbstoffe
– deposit polysaccharides/Reserve-Polysaccharide
– engineer/Lebensmittelingenieur
– irradiation/Lebensmittelbestrahlung
– poisoning/Lebensmittelvergiftungen
– sanitation/Lebensmittelhygiene
– technology/Lebensmitteltechnologie
– toxicology/Lebensmitteltoxikologie
– wrapping material/ Lebensmittelumhüllungen
foods/Lebensmittel
foodstuffs/Nahrungsmittel
foraminifera/Foraminiferen
forbidden zone (band gap)/Verbotene Zone
force/Kraft
– constant/Kraftkonstanten
– field/Kraftfeld
– -heat coupling/Kraft-Wärme-Kopplung

forced circulation boiler/Zwangsumlaufkessel
foreman in chemical industry/Industriemeister, Fachrichtung Chemie
forensic chemistry/Forensische Chemie
forest damage/Waldschäden
– decline/Waldsterben
– die-back/Waldsterben
– die-back inventory/Waldschadenserhebung
– liming/Waldkalkung
forging/Schmieden
– steel/Schmiedeeisen
forked clamps/Gabelklemmen
formaldehyde/Formaldehyd
– resins/Formaldehyd-Harze
formamide/Formamid
formamidinosulfinic acid/Formamidinsulfinsäure
formates/Formiate
formazans/Formazane
formestane/Formestan
formetanate hydrochloride/Formetanat-Hydrochlorid
formic acid/Ameisensäure
formocortal/Formocortal
formosulfathiazole/Formo-Sulfathiazol
formulary/Rezeptur
formulas/Formeln
formulation/Formulierung, Konfektionierung
formyl.../Formyl...
formylation/Formylierung
4-formylmorpholine/4-Formylmorpholin
forskolin/Forskolin
Fortrat diagramme/Fortrat-Diagramm
fos/Fos
fosamine-ammonium/Fosaminammonium
foscarnet/Foscarnet
fosetyl-aluminium/Fosetyl-aluminium
fosfestrol/Fosfestrol
fosfomycin/Fosfomycin
fosinopril/Fosinopril
fossil fuels/Fossile Brennstoffe
fossils/Fossilien
fosthiazate/Fosthiazat
fostriecins/Fostriecin
fougère/Fougère
fouling/Fouling
foundations/Stiftung
foundry/Gießerei, Hütte
– auxiliary products/Gießereihilfsmittel
four-center polymerization/Vierzentrenpolymerisation
– color printing/Vierfarbendruck
Fourier series/Fourier-Reihe
– transformation/Fourier-Transformation
Fox equation/Fox-Gleichung
fractals/Fraktale
fraction collector/Fraktionssammler
fractionation/Fraktionierung
fractography/Fraktographie
fracture behavior/Bruchverhalten
– toughness/Bruchzähigkeit
fragarin/Fragarin
fragmentation/Fragmentierung
fragmin/Fragmin
fragrance raw materials/Riechstoffe
fragrant principles/Duftstoffe
frame shift mutation/Frameshift-Mutation
framycetin/Framycetin

francium/Francium
frangulins/Franguline
frankincense/Olibanum
fransen micelles/Fransenmicelle
freckle removers/Sommersprossenmittel
fredericamycin A/Fredericamycin A
free/Gediegen
– -cutting alloys/Automatenlegierungen
– -cutting steels/Automatenstähle
– electron laser/Freie-Elektronen-Laser
– energy/Freie Energie
– enthalpy/Freie Enthalpie
– enthalpy of reaction/Freie Reaktionsenthalpie
– -flow agent/Fließmittel
– -flow agents/Rieselhilfen
– for sale pharmaceuticals/Freiverkäufliche Arzneimittel
– jet aerator/Tauchstrahlbelüfter
– radicals/Freie Radikale
freely jointed chain/Phantomkette
freeze drying/Gefriertrocknung
– separation/Ausfrieren
freezing mixtures/Kältemischungen
Fremy's salt/Fremys Salz
French brandy/Franzbranntwein
– chalk/Schneiderkreide
Frenkel defect/Frenkel-Defekt
frequency/Frequenz
– factor/Frequenzfaktor
– mixing/Frequenzmischung
fresco/Fresko
fresh water/Süßwasser
fretting corrosion/Passungsrost, Schwingungsverschleiß
– damage (fatigue, wear)/Schwingungsverschleiß
Fricke dosimeter/Fricke-Dosimeter
friction/Reibung
– metal/Friktionslagermetall
– oxidation/Schwingungsverschleiß
Friedel-Crafts reaction/Friedel-Crafts-Reaktion
friedelanes/Friedelan(e)
friedelin/Friedelin
friedo/Friedo...
Fries rearrangement/Fries-Umlagerung
fringed micelles/Fransenmicelle
frits/Fritten
Fröhde's reagent/Fröhdes Reagenz
frog dose/FD
front/Front
frontalin/Frontalin
frontier orbitals/Grenzorbitale
frost/Glasieren
fructokinase/Fructokinase
D-fructose/D-Fructose
– 1,6-bisphosphate/D-Fructose-1,6-bisphosphat
β-D-fructose-2,6-bisphosphate/β-D-Fructose-2,6-bisphosphat
fructose diphosphates/Fructosediphosphate
fruit/Obst
– acids/Fruchtsäuren
– -brandy/Obstbranntwein
– essences/Fruchtaromen
– juice; must; fruit wine/Most
– juices/Fruchtsäfte
– (sparkling) wine/Obst(schaum)wein
fruits/Früchte
frullanolide/Frullanolid
frying fats/Fritierfette

fuberidazole/Fuberidazol
fubfenprox/Fubfenprox
fuchsine/Fuchsin
fuc(o).../Fuc(o)...
fucoidan/Fucoidin
fucose/Fucose
fucoserratene/Fucoserraten
fuel cells/Brennstoffzellen
– elements/Brennelemente
– gases/Brenngase
– oils/Heizöle
fuels/Brennstoffe, Kraftstoffe, Treibstoffe
fugacity/Fugazität
fulgides/Fulgide
fulgurites/Fulgurit
fuligorubin/Fuligorubin
fullerenes/Fullerene
fuller's earth/Walkerde
fullers' earth/Fuller-Erden
fulling/Walken
fully synthetic plastics/Vollsynthetische Kunststoffe
fulminates/Fulminate
fulminic acid/Knallsäure
fulvalenes/Fulvalene
fulvenes/Fulvene
fumarase/Fumarase
fumaric acid/Fumarsäure
fumaroles/Fumarolen
fume/Rauch
– cupboard/Abzug
fumigants/Fumigantien
fumigatin/Fumigatin
fumigating agents/Räuchermittel
fuming acids/Rauchende Säuren
fumitremorgins/Fumitremorgene
functional groups/Funktionelle Gruppen
– plastics/Funktionskunststoffe
fundamental physical constants/Fundamentalkonstanten
fungi (allg.)/Pilze
– imperfecti/Fungi imperfecti
fungicides/Fungizide
fungus/Schwamm
furalaxyl/Furalaxyl
furan/Furan
– fatty acids/F-Säuren
– resins/Furan-Harze
2-furancarboxylic acid/2-Furancarbonsäure
furano.../Furano...
furanoses/Furanosen
furathiocarb/Furathiocarb
furazolidone/Furazolidon
furfural/Furfural
furfuryl.../Furfuryl...
furfuryl alcohol/Furfurylalkohol
furfurylamine/Furfurylamin
α-furil/α-Furil
furin/Furin
furnace black/Furnaceruße
– coke/Hochofenkoks
– mouth/Gicht
furnaces/Öfen
furo.../Furo...
furocoumarins/Furocumarine
2-furoic acid/2-Furancarbonsäure
furosemide/Furosemid
furoyl.../Furoyl...
furs/Pelze
fursultiamine/Fursultiamin
furyl.../Furyl...
fusafungine/Fusafungin
fused phosphates/Schmelzphosphate
– quartz/Quarzgut
– ring systems/Kondensierte Ringsysteme
– salt electrolysis/Schmelzelektrolyse
– salts/Salzschmelzen

fusel oils/Fuselöle
fusible cutouts/Schmelzsicherungen
– (low melting) alloys/Schmelzlegierungen
fusidic acid/Fusidinsäure
fusin/Fusin
fusion/Fusion, Schmelzen
– name/Anellierungsname
– of polymers/Verschmelzen von Polymeren
– protein/Fusionsprotein
fuzzy logic/Fuzzy Logic

G

GABA receptors/GABA-Rezeptoren
gabaculine/Gabaculin
GABAergic/GABAerg
gabapentin/Gabapentin
gabbro/Gabbros
Gabriel synthesis/Gabriel-Synthese
gadfly/Bremsen
gadodiamide/Gadodiamid
gadolinite/Gadolinit
gadolinium/Gadolinium
gadopentetic acid/Gadopentetsäure
gadoteridol/Gadoteridol
galactans/Galactane
galacto/galacto-, Galact(o)...
galactosamine/Galactosamin
galactose/Galactose
galactosidases/Galactosidasen
galacturonic acid/Galacturonsäure
galangal root/Galgantwurzel
galanin/Galanin
galanthamine/Galanthamin
galbanum/Galbanum
galectins/Galectine
galega/Geißraute
galena/Bleiglanz
galenism/Galenik
gall/Galle
gallamine triethiodide/Gallamintriethiodid
gallates/Gallussäureester
gallein/Gallein
gallic acid/Gallussäure
– acid esters/Gallussäureester
gallite/Gallit
gallium/Gallium
– arsenide/Galliumarsenid
– compounds/Gallium-Verbindungen
gallocyanine/Gallocyanin
gallon/Gallone
gallopamile/Gallopamil
gallophenins/Gallophenine
galls/Gallen
gallstones/Gallensteine
galmei/Galmei
Galvani potential/Galvani-Spannung
galvanic cells/Galvanische Elemente
– copper plating/Cuprodekapierung
– corrosion/Kontaktkorrosion
galvanizing/Galvanisieren
gambieric acids/Gambierinsäuren
game repellents/Wildverbißmittel
gamma globulins/Gamma-Globuline
– rays/Gammastrahlen
gammagraphy/Gammagraphie
gamones/Gamone
ganciclovir/Ganciclovir
ganglion blocking agents/Ganglienblocker
gangliosides/Ganglioside

gangrene/Gangrän
ganister/Ganister
ganoderma/Ganoderma
gap junctions/Gap junctions
garlic constituents/Knoblauch-Inhaltsstoffe
garnets/Granate
garnierite/Garnierit
gas (USA)/Benzin
– analysis/Gasanalyse
– black/Gasruß
– chromatography/Gaschromatographie
– cleaning/Gasreinigung
– coal/Gaskohle
– constant/Gaskonstante
– density/Gasdichte
– discharge/Gasentladung
– electrodes/Gaselektroden
– lasers/Gas-Laser
– laws/Gasgesetze
– mantle/Gasglühkörper
– odorization/Gasodorierung
– phase oxidation/Gasphasenoxidation
– phase polymerization/Gasphasenpolymerisation
– purification/Gasreinigung
– sensors/Gassensoren
– separation/Gaszerlegung
– testers/Gasspürgeräte
– washer/Naßwäscher
– welding/Autogenes Schweißen
gases/Gase
gasification/Vergasung
gasohol/Gasohol
gasoline/Benzin
gasometer/Gasometer
gastric juice/Magensaft
gastrin/Gastrin
gastritis/Gastritis
Gattermann aldehyde synthesis/Gattermannsche Aldehyd-Synthese
gauche/Gauche
gauge/Gauge
gauss/Gauss
– differential equation/Gauß-Funktion
Gaussian/Gaussian
– distribution/Gauß-Verteilung
– -type orbital/GTO
gear pump/Zahnradpumpe
gegenions/Gegenionen
Geiger Nutall's law/Geiger-Nutallsches Gesetz
geiparvarin/Geiparvarin
Geißler tubes/Geißler Röhren
geissoschizine/Geissoschizin
gel chromatography/Gelchromatographie
– effect/Geleffekt
gelatin/Gelatine
geldanamycin/Geldanamycin
gelonin/Gelonin
gels/Gele
gelsemine/Gelsemin
gelsolin/Gelsolin
gem-/gem-
gem/Gemmen
gemcitabine/Gemcitabin
gemeprost/Gemeprost
gemfibrozil/Gemfibrozil
gemine surfactants/Gemini-Tenside
gems/Edelsteine u. Schmucksteine
gemstones/Edelsteine u. Schmucksteine
...gen/...gen
gene/Gen
– bank/Genbank
– dosage/Gendosis

– expression/Genexpression
– farming/Gen-Farming
– locus/Genlocus
– map/Genkarte
– monitoring/Gendiagnostik
– probes/Gensonden
– surgery/Gentherapie
– therapy/Gentherapie
general chemistry/Allgemeine Chemie
generally accepted technical conventions/Allgemein anerkannte Regeln der Technik
– recognized as safe/GRAS
generation time/Generationszeit
generator gas/Generatorgas
– process/Generator-Verfahren
generic drugs/Generika
– names/Generic Names
generics/Generika
genetic code/Genetischer Code
– engineering/Gentechnologie
– engineering law/Gentechnik-Gesetz
– engineering of plants/Gentechnische Veränderung an Pflanzen
– marker/Genmarker
– testing/Gendiagnostik
genetics/Genetik
...genin/...genin
genistein/Genistein
genome analysis/Genomanalyse
genotype/Genotyp
gentamicin/Gentamicin
gentian root/Enzian
– violet/Gentianaviolett
gentiobiose/Gentiobiose
gentiopicrin/Gentiopikrin
gentiopicroside/Gentiopikrin
gentisin/Gentisin
geochemical prospection/Geochemische Prospektion
geochemistry/Geochemie
geochronology/Geochronologie
geologic time scale/Erdzeitalter
geology/Geologie
geosmin/Geosmin
geothermal resources/Erdwärme
gepefrine/Gepefrin
gephyrin/Gephyrin
gephyrotoxins/Gephyrotoxine
geranic acid/Geraniumsäure
geraniol/Geraniol
geranium oil/Geraniumöl
geranyl esters/Geranylester
geranylgeraniol/Geranylgeraniol
geriatric drugs/Geriatrika
geriatrics/Geriatrie
germ-cells/Keimzellen
– removal/Entkeimung
germacranes/Germacrane
germacrenes/Germacrene
germacronolides/Germacranolide
germanates/Germanate
germanite/Germanit
germanium/Germanium
– compounds/Germanium-Verbindungen
germicides/Germizide
germination/Keimung
germline/Keimbahn
germs/Keime
gersdorffite/Gersdorffit
gestagens/Gestagene
gestodene/Gestoden
gestonorone/Gestonoron caproat
getters/Getter
ghatti gum/Ghatti gummi
gibberellic acid/Gibberellinsäure
gibberellins/Gibberelline
Gibbs-Duhem equation/Gibbs-Duhemsche Gleichung
– energy/Gibbs-Energie

– -Helmholtz equation/Gibbs-Helmholtzsche Gleichung
Giemsa staining/Giemsa-Färbung
giga.../Giga...
Gigli reagent/Giglis Reagenz
gilding/Vergolden
– brass/Gilding Brass
Gillespie model/Gillespie-Modell
gilsonite/Gilsonit
gin/Gin
ginger/Ingwer
– oil/Ingweröl
gingerbread spice/Pfefferkuchengewürz
gingerol/Gingerol, 6-Gingerol
ginkgo extract/Ginkgo-Extrakt
ginkgolides/Ginkgolide
ginseng/Ginseng
Girard reagents/Girard-Reagenzien
gitoformate/Gitoformat
glacé kid/Glacéleder
glafenine/Glafenin
glaserite/Glaserit
glaskopf/Glaskopf
glass/Glas
– beads/Glaskugeln
– beakers/Bechergläser
– -ceramics/Glaskeramik
– electrode/Glaselektrode
– fibers/Glasfasern
– laser/Glas-Laser
– marking inks/Glastinten
– paper/Glaspapier
– tears/Glastränen
– -transition temperature/Glasübergangstemperatur
– waste/Altglas
glassworking/Glasarbeiten
glassy polymers/Kunstgläser
– state/Glaszustand
glauberite/Glauberit
glaucine/Glaucin
glauco.../Glauko...
glaucoma/Star
glauconite/Glaukonit
glaze/Glasur
glazing/Lasur, Satinage
gliadin/Gliadin
glial fibrillary acidic protein/Saures fibrilläres Glia-Protein
glibenclamide/Glibenclamid
glibornuride/Glibornurid
gliclazide/Gliclazid
glidobactins/Glidobactine
glimepiride/Glimepirid
gliotoxin/Gliotoxin
glipizide/Glipizid
gliquidone/Gliquidon
glisoxepide/Glisoxepid
globigerina ooze/Globigerinenschlamm
globin/Globine
globular proteins/Globuläre Proteine
globulins/Globuline
gloeosporone/Gloeosporon
glomerine/Glomerin
gloss/Glanz
– products/Glanzmittel
glossaries/Wörterbücher
glove box/Glove box
glow/Glut
– discharge/Glimmentladung
– discharge nitriding/Glimm-Nitrierung
glucagon/Glucagon
– -like peptides/Glucagon-artige Peptide
glucanohydrolases/Glucan-Hydrolasen
glucans/Glucane
glucaric acid/Glucarsäure

gluco.../Gluc(o)...
gluco-/gluco-
glucochloralose/Chloralose
glucoheptonic acid/Glucoheptonsäure
glucokinase/Glucokinase
gluconeogenesis/Gluconeogenese
D-gluconic acid/D-Gluconsäure
gluconic acid 5-lactone/Gluconsäure-5-lacton
D-glucosamine/D-Glucosamin
D-glucose/D-Glucose
α-D-glucose 1,6-bisphosphate/α-D-Glucose-1,6-bisphosphat
glucose dehydrogenase/Glucose-Dehydrogenase
– oxidase/Glucose-Oxidase
α-D-glucose-1-phosphate/α-D-Glucose-1-phosphat
D-glucose 6-phosphate/D-Glucose-6-phosphat
glucose syrup/Glucose-Sirup
– transporters/Glucose-Transporter
glucosidases/Glucosidasen
glucosinolates/Glucosinolate
glucosylceramidase/Alglucerase
glucuronic acid/D-Glucuronsäure
β-glucuronidase/β-Glucuronidase
D-glucurono-γ-lactone/D-Glucuronsäure-γ-lacton
glue/Leime
glues/Klebstoffe
glufosinate-ammonium/Glufosinat-ammonium
gluing/Kleben
glutamate decarboxylase/Glutamat-Decarboxylase
– receptors/Glutamat-Rezeptoren
glutamates/Glutamate
glutamic acid/Glutaminsäure
L-glutamine/L-Glutamin
γ-glutamyl natural products/γ-Glutamyl-Naturstoffe
glutaraldehyde/Glutaraldehyd
glutaric acid/Glutarsäure
– anhydride/Glutarsäureanhydrid
glutathione/Glutathion
glutelins/Glutetine
gluten/Gluten, Kleber
glutethimide/Glutethimid
glutin/Glutin
glycans/Glykane
glycation/Glykation
glyceraldehyde/Glycerinaldehyd
– -3-phosphate dehydrogenase/Glycerinaldehyd-3-phosphat-Dehydrogenase
glyceric acid/Glycerinsäure
glycerides/Glyceride
glycero-/glycero-
glycerol/Glycerin
– acetates/Glycerinacetate
– monooleate/Glycerinmonooleat
– monoricinoleate/Glycerinmonoricinoleat
– monostearate/Glycerinmonostearat
– trinitrate/Glycerintrinitrat
glycerophosphates/Glycerinphosphate
glycidic acid/Glycidsäuren
glycidol/Glycidol
glycine/Glycin
– receptor/Glycin-Rezeptor
glyc(o).../Glyk(o)...
glycobiarsol/Glycobiarsol
glycocholic acid/Glykocholsäure
glycoconjugates/Glykokonjugate
glycogen/Glykogen
glycol esters/Glykolester
– ethers/Glykolether

– salicylate/Hydroxyethylsalicylat
glycolic acid/Glykolsäure
glycolipids/Glykolipide
glycol(l)ic aldehyde/Glykolaldehyd
glycols/Glykole
glycolysis/Glykolyse
glycophorins/Glykophorine
glycoprotein hormones/Glykoprotein-Hormone
glycoproteins/Glykoproteine
glycopyrronium bromide/Glycopyrroniumbromid
glycosaminoglycans/Glykosaminoglykane
glycosidases/Glykosidasen
glycosides/Glykoside
glycosylation/Glykosylierung
glycosylphosphatidylinositol anchor/Glykosylphosphatidylinosit-Anker
glycosyltransferases/Glykosyltransferasen
glycyrrhet(in)ic acid/Glycyrrhetinsäure
glycyrrhizine/Glycyrrhizin
glycyrrhizinic acid/Glycyrrhizin
glymidine sodium/Glymidin
glyoxal/Glyoxal
– -bis(2-hydroxyanil)/Glyoxal-bis(2-hydroxyanil)
glyoxylic acid/Glyoxylsäure
glyphosate/Glyphosat
glyptals/Glyptale
gmelinite/Gmelinit
Gmelin's test/Gmelin-Test
gneiss/Gneis
goat hairs/Ziegenhaare
– skin leather/Ziegenleder
goat's rue/Geißraute
goethite/Goethit
goitre (US goiter)/Kropf
goitrin/Goitrin
gold/Gold
– alloys/Gold-Legierungen
– bronze/Dixigold
– compounds/Gold-Verbindungen
– electrolyte/Goldbad DCS
– size/Mixtion
– solder/Goldlote
golden orfe/Goldorfe
– rod/Goldrute
Golgi apparatus/Golgi-Apparat
gomphidic acid/Gomphidsäure
gonadoliberin/Gonadoliberin
gonadotropic hormones/Gonadotrope Hormone
gonads/Keimdrüsen
gonane/Gonan
gong metal/Gongmetall
gonorrhea/Gonorrhoe
gonyauline/Gonyaulin
gonyautoxins/Gonyautoxine
Gooch crucible/Gooch-Tiegel
goos berries/Stachelbeeren
goserelin/Goserelin
gossypetin/Gossypetin
gossypol/Gossypol
Gouache colo(u)rs/Gouachefarben
gout/Gicht
Gowers' liquid/Gowerssche Lösung
G proteins/G-Proteine
graded copolymers/Gradientencopolymere
gradient/Gradient
– copolymerization/Gradientencopolymerisation
– elution/Gradientenelution
graduated cylinders/Meßzylinder
graduation works/Gradierwerke

graen/Gran
graft copolymerization/Pfropfcopolymerisation
– (co)polymers/Pfropfcopolymere
grafting/Pfropfcopolymerisation
– wax/Baumwachs
Graham's salt/Grahamsches Salz
grain/Getreide, Gran, Korn
– boundary/Korngrenze
– fining/Feinen
– legumes/Hülsenfrüchte
– size/Korngröße
gram (US)/Gramm
gramicidins/Gramicidine
gramine/Gramin
gramme (GB)/Gramm
Gram's staining method/Gram-Färbung
granaticin/Granaticin
grandisol/Grandisol
granins/Granine
granisetron/Granisetron
granites/Granite
granular size/Korngröße
granulates/Granulate
granulite/Granulit
granulometry/Granulometrie
granzymes/Granzyme
grape juice/Traubensaft
– must/Süßreserve, Traubenmost
grapefruit/Grapefruit, Pomelo
grapes/Weintrauben
grapeseed oil/Traubenkernöl
grapestone oil/Traubenkernöl
graphite/Graphit
– compounds/Graphit-Verbindungen
– corrosion/Spongiose
grass/Gräser
grating/Rechen
gravel/Kies
gravimetric analysis/Gravimetrie
gravitation/Gravitation
gravitational lens/Gravitationslinse
– waves/Gravitationswellen
Gray/Gray
grayanotoxins/Grayanotoxine
graying [USA]/Vergrauen
grease/Schmalz
great celandine/Schöllkraut
Greek alphabet/Griechisches Alphabet
– fire/Griechisches Feuer
– hay seed/Bockshornklee
green earth/Grünerde
– fluorescent protein/Grün fluoreszierendes Protein
– oats/Grüner Hafertee
greenalite/Greenalith
greenhouse effect/Treibhauseffekt
– warming potential/GWP
greenockite/Greenockit
Green's function/Greensche Funktion
greenschist/Grünschiefer
greenstone belts/Grünstein-Gürtel
greisen/Greisen
grevillins/Grevilline
grey cast iron/Grauguß, Gußeisen
greying [GB]/Vergrauen
greywacke/Grauwacke
Griess Ilosvay reaction/Grieß-Ilosvay-Reaktion
Grignard reaction/Grignard-Reaktion
– reagents/Grignard-Verbindungen
Grimm solder/Grimmlot
Grimm's hydride displacement law/Hydrid-Verschiebungssatz

grinded quartz/Quarzmehl
griseofulvin/Griseofulvin
griseolic acids/Griseolsäuren
grist/Schrot
grit/Grieß, Grit, Splitt
– chamber/Sandfang
gross calorific value/Brennwert
Grottus mechanism/Grotthus-Mechanismus
ground joints/Schliffe
– state/Grundzustand
– -water/Grundwasser
– -wood/Holzschliff
groundnuts/Erdnüsse
groundwater/Bodenwasser
group theory/Gruppentheorie
– transfer polymerization/Gruppentransferpolymerisation
growth/Wachstum
– curve/Wachstumskurve
– factors/Wachstumsfaktoren
– regulators/Wachstumsregulatoren, Wachstumsregler
– substances/Wuchsstoffe
Grude black/Grudeschwarz
GTP binding proteins/GTP-bindende Proteine
GTPase-activating proteins/GTPase-aktivierende Proteine
guaiac/Guajakharz
guaiacol/Guajakol
– glyceryl ether/Guajakolglycerinether
guaiane/Guajan
guaiazulene/Guajazulen
guam/Guam
guanabenz/Guanabenz
guanamines/Guanamine
guanethidine/Guanethidin
guanfacin/Guanfacin
guanidine/Guanidin
guanidino.../Guanidino...
guanine/Guanin
guano/Guano
guanosine/Guanosin
– phosphates/Guanosinphosphate
guar derivatives/Guar-Derivate
– flour/Guar-Mehl
– gum/Guar-Mehl
guarana/Guarana
guavas/Guaven
guayule rubber/Guayule
guazatine/Guazatin
Gudden-Pohl effect/Gudden-Pohl-Effekt
guelderrose/Schneeball
Günzburg's reagent/Günzburgs Reagenz
guide values/Richtwert
guidelines/Richtlinien
– for laboratories/Richtlinien für Laboratorien
guinesines/Guinesine
guko/Gukos
gulo-/gulo-
gulose/Gulose
gum arabic/Gummi arabicum
– benzoin/Benzoeharz
– ghatti/Ghatti gummi
– guaiac/Guajakharz
– karaya/Karaya-Gummi
gumdrops/Gummibonbons
gumming/Gummierung
gun-powder/Schießpulver
guncotton/Schießbaumwolle
gunn effect/Gunn-Effekt
gurjun balsam/Gurjunbalsam
gustation/Geschmack
gustducin/Gustducin
gut/Darm
Guthrie alloy/Guthrie-Legierung
gutta-percha/Guttapercha
Gutzeit test/Gutzeit-Test

English

G value/G-Wert
gymnemic acid(s)/Gymnemasäure(n)
gymnodinium breve toxins/Gymnodinium breve-Toxine
gymnoprenols/Gymnoprenole
gynocardia oil/Chaulmoograöl
gypsum/Gips
gyrase inhibitors/Gyrase-Hemmer
gyratory shaker/Rundschüttler
gyrocyanin/Gyrocyanin
gyrolite/Gyrolith
gyromitrin/Gyromitrin
gyroporin/Gyroporin

H

Haber-Bosch process/Haber-Bosch-Verfahren
- -Haugaard's layer/Haber-Haugaard-Schicht
- -Luggin capillars/Haber-Luggin-Kapillare
habitat/Habitat
hadacidin/Hadacidin
hadrons/Hadronen
h(a)em…/Häm…, Haem…
h(a)emagglutinins/Hämagglutinine
h(a)ematic acid/Hämatinsäure
h(a)ematin/Hämatin
h(a)em(at)opoiesis/Hämatopoese
h(a)em(at)opoietic growth factors/Häm(at)opoetische Wachstumsfaktoren
h(a)ematoporphyrin/Hämatoporphyrin
h(a)eme/Häm
h(a)emin/Hämin
h(a)emoglobin/Hämoglobin
h(a)emolysis/Hämolyse
h(a)emonectin/Hämonectin
h(a)emoproteins/Häm-Proteine
h(a)emosiderin/Hämosiderin
hafnium/Hafnium
- compounds/Hafnium-Verbindungen
Hagen-Poiseuilles law/Hagen-Poiseuillesches Gesetz
hahnium/Hahnium
Hahn('s) rules/Hahnsche Regeln
hai-thao/Hai-Thao
Haine reagent/Hainesche Lösung
hair/Haar
- care/Haarbehandlung
- carpet/Haargarn
- protection/Haarschutz
- treatment/Haarbehandlung
halatopolymers/Halatopolymere
halazone/Halazon
halcinonide/Halcinonid
Halden reaction/Haldensche Reaktion
half-cell/Halbzelle
- -life/Halbwertszeit
- -linen/Halbleinen
- -stuff/Halbstoff
halibut liver oil/Heilbuttleberöl
halides/Halogenide
halite/Steinsalz
Hall effect/Hall-Effekt
Haller-Bauer reaction/Haller-Bauer-Reaktion
halloysite/Halloysit
hallucinogens/Halluzinogene
halmyrogenic/Halmyrogen
halo/Aureolen, Halo
halo…/Halo…
haloaldehydes/Halogenaldehyde
haloamines/Halogenamine
halobacteria/Halobakterien
halocarban/Halocarban
halochromism/Halochromie
halofantrine/Halofantrin

haloforms/Haloforme
halogen ketones/Halogenketone
- lamps/Halogenlampen
halogenated carboxylic acids/Halogencarbonsäuren
- hydrocarbons/Halogenkohlenwasserstoffe
halogenation/Halogenierung
halogenolysis/Halogenolyse
halogens/Halogene
halohydrins/Halohydrine
halometasone/Halometason
halones/Halone
halonium compounds/Halonium-Verbindungen
haloorganic compounds/Halogenorganische Verbindungen
haloperidol/Haloperidol
haloperoxidases/Haloperoxidasen
halophilous organisms/Halobionten
halophytes/Halophyten
haloprogin/Haloprogin
halorhodopsin/Halorhodopsin
halosulfuron/Halosulfuron
halothane/Halothan
halotrichite/Halotrichit
haloxyfop-ethoxyethyl/Haloxyfop-ethoxyethyl
halquinol/Halquinol
hamamelis/Hamamelis
Hamilton operator/Hamilton-Operator
Hamilton's metal/Hamiltons Metall
hammer finish/Hammerschlaglacke
Hammett equation/Hammett-Gleichung
- indicators/Hammett-Indikatoren
hand cleaning agents/Handreinigungsmittel
- -guard/Handschutz
- protection/Handschutz
handbooks/Nachschlagewerke, Tabellenwerke
Hanikirsch reaction/Hanikirsch-Reaktion
hanneton/Blattkäfer
Hannover metal/Hannover-Metall
Hansch analysis/Hansch-Analyse
Hantzsch synthesis/Hantzsch-Synthese
- -Widman system/Hantzsch-Widman-System
Hanuš solution/Hanuš-Reagenz
hapalindoles/Hapalindole
haptens/Haptene
hapto-/hapto-
haptogenic membranes/Haptogene Membranen
haptoglobins/Haptoglobine
hard and soft acids and bases/HSAB-Prinzip
- caramels/Hartkaramellen
- fibers/Hartfasern
- glass/Hartglas
- lead/Hartblei
- material/Hartstoffe
- metals/Hartmetalle
- papers/Hartpapier
- resins/Hartharze
- rubber/Hartgummi
- salt/Hartsalz
- shot/Hartschrot
- solder/Hartlote
- soldering/Hartlöten
- waxes/Hartwachse
hardboard/Hartfaserplatten
hardenability/Härtbar
hardeners/Härter
hardening/Aushärten, Härten

- accelerator/Härtungsbeschleuniger
- of plastics/Härtung von Kunststoffen
hardness/Härte fester Körper
- testing/Härteprüfung
- testing rod/Härteprüfstab
Hargreaves process/Hargreaves-Verfahren
harmaline/Harmalin
harman/Harman
harmans/Harmane
harmful/Gesundheitsschädlich
harmine/Harmin
harmonic oscillator/Harmonischer Oszillator
- vibration/Harmonische Schwingung
harmonized commodity description and coding system/Harmonisiertes System
harmotome/Harmotom
harpagoside/Harpagosid
Harper's alloy/Harpers Legierung
Harris process/Harris-Verfahren
Hartmann apparatus/Hartmann-Rohr
Hartree-Fock method/Hartree-Fock-Verfahren
haselnut flavour/Haselnußaroma
hashish/Haschisch
Hatch-Slack-Cycle/Hatch-Slack-Cyclus
hausmannite/Hausmannit
hauyne/Hauyn
haw/Hagebutten
Haworth projection/Haworth-Projektion
hawthorn/Weißdorn
Hayem's solution/Hayemsche Lösung
hayseed/Heublumen
hazard analysis critical control point/HACCP
- characteristics/Gefährlichkeitsmerkmale
- classification/Gefahrenklassen
- symbols/Gefahrensymbole
hazardous incidents ordinance/Störfall-Verordnung
- substances/Gefahrstoffe
- waste/Sonderabfall
- waste disposal/Sonderabfallentsorgung
- waste site treatment/Altlastensanierung
hazelnuts/Haselnüsse
HC toxin/HC-Toxine
HCFC (hydrochlorofluorocarbons)/FCKW
HDA process/HDA-Verfahren
HDT/Wärmeformbeständigkeitstemperatur
head protection/Kopfschutz
- -to-tail-polymerization/Kopf/Schwanz-Polymerisation
headspace analysis/Headspace-Analyse
health damage/Gesundheitsschaden
hearing protector/Gehörschutz
heart/Herz
- failure/Herzinsuffizienz
heartburn/Sodbrennen
heat/Wärme
- balance/Wärmebilanz
- conductivity/Wärmeleitfähigkeit
- distortion temperature/Wärmeformbeständigkeitstemperatur
- exchange coefficient/Wärmeaustauschkoeffizient
- exchangers/Wärmeaustauscher

- -generating mixtures/Wärmemischungen
- insulating materials/Wärmedämmstoffe
- insulation/Wärmeisolierung
- of combustion/Verbrennungswärme
- of formation/Bildungswärme
- of fusion/Schmelzwärme
- of reaction/Reaktionswärme
- of vaporization/Verdampfungswärme
- pipe/Heat Pipe
- pumps/Wärmepumpen
- resistance/Hitzebeständigkeit
- -resisting steel/Hitzebeständige Stähle
- -sealing adhesives/Heißsiegelklebstoffe
- shield/Hitzeschild
- shock proteins/Hitzeschock-Proteine
- tint/Anlaßfarben
- tolerance/Hitzeresistenz
- transfer/Wärmeübertragung
- transfer media/Wärmeübertragungsmittel
- treatment/Wärmebehandlung
- tube/Heat Pipe
heating baths/Heizbäder
- devices/Heizgeräte
- gases/Heizgase
- oil/Heizöle
- tapes (strips)/Heizbänder
heating/cooling-curve determination/Thermometrie
heatresistant polymers/Hochtemperaturbeständige Kunststoffe
heats of transition/Umwandlungswärmen
heavy atom effects/Schweratom-Effekte
- chemicals/Schwerchemikalien
- concrete/Schwerbeton
- crown glass/Schwerkrone
- duty lubricants/HD-Öle
- gasoline (USA)/Schwerbenzin
- ions/Schwerionen
- liquids for mineral separation/Schwerflüssigkeiten
- medium separation/Sink-Schwimm-Aufbereitung
- metals/Schwermetalle
- minerals/Schwermineralien
- oil/Schweröl
- petrol (GB)/Schwerbenzin
- plate/Grobblech
- water/Deuteriumoxid
Heck reaction/Heck-Reaktion
hecogenin/Hecogenin
hecto…/Hekto…
hectography/Hektographie
hectorite/Hectorit
α-hederin/α-Hederin
hedgehog/Hedgehog
Hefner candle/Hefnerkerze
Hehner value/Hehner-Zahl
HeLa cells/HeLa-Zellen
helenalin/Helenalin
helenien/Helenien
helenine/Helenin
Heliarc process/Heliarc-Verfahren
helicases/Helicasen
helicenes/Helicene
helicobasidin/Helicobasidin
helions/Helionen
heliophytes/Heliophyten
heliotherapy/Heliotherapie
heliotrope/Heliotrop
heliotropium alkaloids/Heliotropium-Alkaloide
helium/Helium

- cadmium laser/Helium-Cadmium-Laser
- ionization detector/Helium-Ionisationsdetektor
- methode/Helium-Methode
- -Neon laser/Helium-Neon-Laser

helix/Helix
- -coil transition/Helix-Knäuel-Übergang
- -loop-helix/Helix-loop-helix

helixin/Helixin
Hell-Volhard-Zelinsky reaction/Hell-Volhard-Zelinsky-Reaktion
hellebore/Nieswurz
Heller('s) layer test/Hellersche Probe
Helmholtz cell/Helmholtzsche Doppelzelle
- coils/Helmholtz-Spulen

helminthosporal/Helminthosporal
helminths/Würmer
helophytes/Helophyten
helvin(e)/Helvin
hemalum/Hämalaun
hematite/Hämatit
hematocrit/Hämatokrit
hematology/Hämatologie
hematoxylin/Hämatoxylin
hematoxylon/Blauholz
heme-thiolate proteins/Hämthiolat-Proteine
hemerobic organisms/Hemerobien
hemerythrin/Hämerythrin
hemiacetals/Halbacetale
hemicelluloses/Polyosen
hemihydrates/Hemihydrate
hemimellitic acid/Hemimellit(h)säure
hemimorphite/Hemimorphit
hemiterpenes/Hemiterpene
hemlock/Schierling
- alkaloids/Conium-Alkaloide
- bark/Hemlockrinde

hemocyanin/Hämocyanin
hemodialysis/Hämodialyse
hemolin/Hämolin
hemoperfusion/Hämoperfusion
hemophilia/Hämophilie
hemorrhoid cures/Hämorrhoiden-Mittel
hemorrhoids/Hämorrhoiden
hemostasis/Hämostase
hemostyptics/Hämostyptika
hemovanadium/Hämovanadin
hemp/Hanf
henbane/Bilsenkraut
Henderson equation/Hendersonsche Gleichung
hen(e)icos(a)…/Heneicos(a)…
henna/Henna
Henry('s) law/Henrysches Gesetz
1-hentriacontanol/1-Hentriacontanol
HEOD/Dieldrin
hepar test/Hepartest
heparin/Heparin
heparinoids/Heparinoide
hepatitis/Hepatitis
hepatocyte growth factor/Hepatocyten-Wachstumsfaktor
HEPES/HEPES
hept(a)…/Hept(a)…
heptabarbital/Heptabarbital
heptachlor/Heptachlor
heptacont(a)…/Heptacont(a)…
heptacos(a)…/Heptacos(a)…
heptadec(a)…/Heptadec(a)…
heptadecane/Heptadecan
heptalene/Heptalen

2,2,4,4,6,8,8-heptamethylnonane/2,2,4,4,6,8,8-Heptamethylnonan
heptaminol/Heptaminol
heptanal/Heptanal
heptane/Heptan
heptanols/Heptanole
heptanones/Heptanone
heptanoyl…/Heptanoyl…
1-heptene/1-Hepten
heptoses/Heptosen
heptuloses/Heptulosen
heptyl…/Heptyl…
1-heptyne/1-Heptin
Heratol process/Heratol-Verfahren
herb Christopher/Christophskraut
herbicide resistance/Herbizidresistenz
herbicides/Herbizide
herbimycin/Herbimycin
hercynin/Hercynin
heregulin/Heregulin α
hermitian operator/Hermitescher Operator
heroin/Heroin
herpes/Herpes
herring oil/Heringsöl
Herz reaction/Herz-Reaktion
hesperetin/Hesperetin
Hess law/Heßscher Satz
hessite/Hessit
HET acid/HET-Säure
hetarynes/Hetarine
hetero…/Heter(o)…
hetero atoms/Heteroatome
heterochain polymerization/Heterokettenpolymerisation
heterocyclic compounds/Heterocyclische Verbindungen
heterogeneous/Heterogen
- mixtures/Gemenge

heteroleptic/Heteroleptisch
heterolog(ue)s/Heterologe
heterolysis/Heterolyse
heterometry/Heterometrie
heteropoly acids/Heteropolysäuren
heterotopic/Heterotop
heterotrophy/Heterotrophie
heulandite/Heulandit
Heusler's alloy/Heuslersche Legierungen
Hevesy-Paneth analysis/Hevesy-Paneth-Analyse
hex(a)…/Hex(a)…
hexaamminecobalt(III)chloride/Hexaammincobalt(III)-chlorid
hexacarbacholine bromide/Hexacarbacholinbromid
hexacarbonylchromium/Chromhexacarbonyl
hexachloro-1,3-butadiene/Hexachlor-1,3-butadien
hexachloroacetone/Hexachloraceton
hexachlorobenzene/Hexachlorbenzol
hexachloroethane/Hexachlorethan
hexachlorophene/Hexachlorophen
hexaconazole/Hexaconazol
hexacont(a)…/Hexacont(a)…
hexacos(a)…/Hexacos(a)…
hexacyanoiron acids/Hexacyanoeisensäuren
hexadec(a)…/Hexadec(a)…
hexadecane/Hexadecan
1-hexadecanol/1-Hexadecanol
hexadecanoyl…/Hexadecanoyl…
hexadecyl…/Hexadecyl…
hexadecyl bromide/Hexadecylbromid
- chloride/Hexadecylchlorid

hexaflumuron/Hexaflumuron

hexafluoroacetone/Hexafluoraceton
hexakis…/Hexakis…
hexal/Hexal
hexamethonium bromide/Hexamethoniumbromid
hexamethylbenzene/Hexamethylbenzol
1,1,1,3,3,3-hexamethyldisilazane/1,1,1,3,3,3-Hexamethyldisilazan
hexamethylene…/Hexamethylen…
hexamethylene diisocyanate/Hexamethylendiisocyanat
hexamethylenetetramine/Hexamethylentetramin
- dinitrate/Hexamethylentetramin-dinitrat

hexamethylphosphoric triamide/Hexamethylphosphorsäuretriamid
hexamidine/Hexamidin
hexanal/Hexanal
1-hexanamine/1-Hexanamin
hexane/Hexan
1,6-hexanediamine/1,6-Hexandiamin
1,6-hexanediol/1,6-Hexandiol
2,5-hexanedione/2,5-Hexandion
1,2,6-hexanetriol/1,2,6-Hexantriol
hexanoic acid/Hexansäure
1-hexanol/1-Hexanol
2-hexanone/2-Hexanon
hexanoyl…/Hexanoyl…
hexaphenylethane/Hexaphenylethan
hexazinone/Hexazinon
hexen-1-ols/Hexen-1-ole
hexenals/Hexenale
1-hexene/1-Hexen
hexestrol/Hexestrol
hexetidine/Hexetidin
hexitols/Hexite
hexobarbital/Hexobarbital
hexobendin/Hexobendin
hexocyclium methilsulfate/Hexocyclium-methilsulfat
hexogen/Hexogen
hexokinase/Hexokinase
hexoprenaline/Hexoprenalin
hexosaminidase/Hexosaminidase
hexoses/Hexosen
hexuloses/Hexulosen
hexuronic acids/Hexuronsäuren
hexyl…/Hexyl…
hexyl acetate/Essigsäurehexylester
- bromide/Hexylbromid

hexylene…/Hexylen…
4-hexylresorcinol/4-Hexylresorcin
1-hexyne/1-Hexin
hexythiazox/Hexythiazox
hibernation/Hibernation, Winterschlaf
hibiscus/Hibiscus
hickory/Hickoryholz
- nuts/Pekan-Nüsse

hiding paints/Deckfarben
- power/Deckvermögen

hidrotics/Hidrotika
high-alloy steel/Hochlegierter Stahl
- Btu gas/Reichgas
- cell-density cultivation (hcdc)/Hochzelldichtefermentation
- cell-density fermentation/Hochzelldichtefermentation
- -density detergents/Kompaktwaschmittel
- density polyethylene/HDPE

- energy processing/Hochleistungsumformung
- frequency titration/Hochfrequenztitration
- fructose corn sirup/HFCS
- impact polystyrene/HIPS
- modulus fibers/Hochmodulfasern
- modulus polymers/Hochleistungskunststoffe
- molecular mass perfluoroethers/Perfluorpolyether
- -performance ceramics/Hochleistungskeramik
- performance plastics/Hochleistungskunststoffe
- performance polymers/Hochleistungskunststoffe
- performance (pressure) liquid chromatography/HPLC
- polymers/Hochpolymere
- pressure chemistry/Hochdruckchemie
- pressure metamorphism/Hochdruckmetamorphose
- pressure synthesis/Hochdrucksynthesen
- purity metals/Hochreine Metalle
- -quality steel/Edelstahl
- resistance alloy/Heizleiter-Legierungen
- resolution spectroscopy/Hochauflösende Spektroskopie
- solid lacquers/HS-Lacke
- speed steel/Schnellarbeitsstahl
- temperature chemistry/Hochtemperaturchemie
- temperature materials/Hochtemperatur-Legierungen, Hochtemperatur-Werkstoffe
- -temperature strength/Warmfestigkeit
- temperature superconductors/Hochtemperatur-Supraleiter

highly flammable substances/Leichtentzündliche Stoffe
Hill reaction/Hill-Reaktion
- system/Hillsches System

Hinsberg test/Hinsberg-Test
hip/Hagebutten
hippuric acid/Hippursäure
hippuricase/Hippuricase
H-iron process/H-Iron-Verfahren
hirsutene/Hirsuten
hirsutic acid/Hirsutsäure
hirsutin, hirsutine/Hirsutin
hirsutism/Hirsutismus
hirudin/Hirudin
hisactophilin/Hisactophilin
hispidin/Hispidin
hist…/Hist…
histamine/Histamin
histapyrrodine/Histapyrrodin
histidine/Histidin
histochemistry/Histochemie
histocompatibility antigens/Histokompatibilitäts-Antigene
histology/Histologie
histones/Histone
history of chemistry/Geschichte der Chemie
histrionicotoxins/Histrionicotoxine
hive dross/Propolis
HLB system/HLB-System
HMO theory/HMO-Theorie
hoarfrost/Reif
Hock reaction/Hocksche Spaltung
Hofmann degradation/Hofmannscher Abbau
- elimination/Hofmann-Eliminierung

English

- -Löffler-Freytag reaction/Hofmann-Löffler-Freytag-Reaktion
- -Martius-reaction/Hofmann-Martius-Reaktion
Hofmann's apparatus/Hofmannscher Zersetzungsapparat
Hofmeister series/Hofmeistersche Reihen
Hogness box/Hogness-Box
holding company/Holdinggesellschaft
hole/Defektelektron
hollandite/Hollandit
Hollands (gin)/Genever
hollow cathode lamps/Hohlkathodenlampen
- -fiber reactor/Hohlfaser-Reaktor
- fibers/Hohlfasern
holly/Stechpalme
holmium/Holmium
- laser/Holmium-Laser
holo…/Holo…
holography/Holographie
holomycin/Holomycin
holothurins/Holothurine
homatropine/Homatropin
homeopathy/Homöopathie
homeostasis/Homöostase
homidium bromide/Homidiumbromid
homing receptors/Homing-Rezeptoren
homo…/Homo…
HOMO LUMO model/HOMO-LUMO-Modell
homoallylic position/Homoallyl-Stellung
homoaromatic compounds/Homoaromatische Verbindungen
homochains/Homoketten
homocysteine/Homocystein
hom(o)eo…/Homöo…
hom(o)eo domain/Homöo-Domäne
homofenazine/Homofenazin
homogeneous/Homogen
- function/Homogene Funktion
- systems/Homogene Systeme
homogenizer/Handhomogenisator
homogenizing/Homogenisation
homogentisic acid/Homogentisinsäure
homoleptic/Homoleptisch
homologues/Homologe
homology/Homologie
homolysis/Homolyse
homopolymers/Homopolymere
L-homoserine/L-Homoserin
homotopic/Homotop
homovanillic acid/Homovanillinsäure
hones/Abziehsteine
honey/Honig
- dew/Meltau
- wine/Met
honing/Honen
hood/Abzug
Hook law/Hookesches Gesetz
hopanes/Hopane
hopanoids/Hopanoide
hopcalite/Hopcalit
hopeite/Hopeit
hops/Hopfen
hordein/Hordein
hordenine/Hordenin
hormesis/Hormese
hormones/Hormone
hornblendes/Hornblenden
Horner-Emmons reaction/Horner-Emmons-Reaktion
hornet poison/Hornissengift

- venom/Hornissengift
horse-beans/Puffbohnen
- chestnuts/Kastanien
horseradish/Meerrettich
horsetails/Schachtelhalme
hoses/Schläuche
hospitalism/Hospitalismus
host-guest relation/Wirt-Gast-Beziehung
hot/Heiß
- atoms/Heiße Atome
- cells/Heiße Zellen
- cure/Heißvulkanisation
- dip coatings/Schmelzmassen
- dip metal coating/Schmelztauchen
- flue/Hotflue
- galvanizing/Heißverzinkung
- glue/Heißleim
- isostatic pressing/Heißisostatisches Pressen
- melt adhesives/Schmelzklebstoffe
- plate polish/Herdputzmittel
- rubber/Warmkautschuk
- shaping/Warmumformen
- spraying technique/Heißlackier-Spritztechnik
- vulcanization/Heißvulkanisation
hotmelt coatings/Heißschmelzmassen
[hot]melt coatings/Schmelzbeschichtungen
hotmelt sealants/Heißschmelzmassen
hotmelts/Hotmelts
Houben-Hoesch synthesis/Houben-Hoesch-Synthese
houdresid process/Houdresid-Verfahren
household chemicals/Haushaltschemikalien
howlite/Howlith
HSLA steels/HSLA-Stähle
HTP process/HTP-Verfahren
Huckel rule/Hückel-Regel
hue/Farbton
Hünig base/Hünig-Base
Huggins equation/Huggins-Gleichung
human…/Human…
human being/Mensch
- genome project/Human-Genom-Projekt
Hume-Rothery phases/Hume-Rothery-Phasen
humectants/Feuchthaltemittel
humic acid/Huminsäuren
humidity/Feuchtigkeit, Humidität
humite/Humit
humulene/Humulen
humulon(e)/Humulon
humus/Humus
Hund's rules/Hundsche Regeln
hunger/Hunger
Hunsdiecker-Borodin reaction/Hunsdiecker-Borodin-Reaktion
hunting gunpowder/Jagdpulver
huperzine/Huperzin
hyacinths/Hyazinthen
hyal…/Hyal…
hyalite/Hyalit
hyaluronic acid/Hyaluronsäure
hyaluronidases/Hyaluronidasen
H-Y antigen/H-Y-Antigen
hybenzate/Hibenzat
hybrid cell clones/Hybridzellklone
- magnet/Hybridmagnet
- promotors/Hybrid-Promotoren
hybridization/Hybridisierung, Kreuzung

hybridoma technique/Hybridoma-Technik
hybridomas/Hybridome
hydantocidin/Hydantocidin
hydantoins/Hydantoine
hydnocarpic acid/Hydnocarpussäure
hydralazine/Hydralazin
hydrargaphen/Hydrargaphen
hydrastine/Hydrastin
hydrastinine/Hydrastinin
hydratases/Hydratasen
hydrates/Hydrate
hydration/Hydratation, Hydratisierung
hydratropic aldehyde/2-Phenylpropionaldehyd
hydraulic fluids/Hydraulikflüssigkeiten
- high-pressure nebulization/Hochdruckzerstäubungssystem
hydrazides/Hydrazide
hydrazine/Hydrazin
- hydrate/Hydrazinhydrat
hydrazinium chlorides/Hydraziniumchloride
- salts/Hydrazinium-Salze
- sulfates/Hydraziniumsulfate
hydrazino…/Hydrazino…
hydrazo…/Hydrazo…
hydrazobenzene/Hydrazobenzol
hydrazoic acid/Stickstoffwasserstoffsäure
hydrazones/Hydrazone
hydrazono…/Hydrazono…
β-hydride elimination/β-Hydrid-Eliminierung
hydride ion/Hydrid-Ion
- storage/Hydrid-Speicher
hydrides/Hydride
hydrido…/Hydrido…
hydriodic acid/Iodwasserstoffsäure
hydro…/Hydr(o)…
hydroaromatic compounds/Hydroaromatische Verbindungen
hydrobiology/Hydrobiologie
hydroboration/Hydroborierung
hydrobromic acid/Bromwasserstoffsäure
hydrocarbon resins/Kohlenwasserstoff-Harze
hydrocarbons/Kohlenwasserstoffe
hydrocarboxylation/Hydrocarboxylierung
hydrochloric acid/Salzsäure
…-hydrochloride/…-hydrochlorid
hydrochlorination/Hydrochlorierung
hydrochlorothiazide/Hydrochlorothiazid
hydrocinnamaldehyde/Hydrozimtaldehyd
hydrocinnamic acid/Hydrozimtsäure
hydrocinnamyl alcohol/Hydrozimtalkohol
hydrocodone/Hydrocodon
hydrocolloids/Hydrokolloide
hydrocortisone/Hydrocortison
hydroculture/Aquakultur, Hydrokultur
hydrocyanic acid/Blausäure
hydrocyclones/Hydrozyklone
hydrodealkylation/Hydrodesalkylierung
hydroflumethiazide/Hydroflumethiazid
hydrofluoric acid/Flußsäure
hydroforming/Hydroformieren
hydroformylation/Hydroformylierung

hydrogels/Hydrogele
hydrogen/Wasserstoff
hydrogen…/Hydrogen…
hydrogen acids/Wasserstoffsäuren
- azide/Stickstoffwasserstoffsäure
- bond(ing)/Wasserstoff-Brückenbindung
- bromide/Bromwasserstoff
- carbonates/Hydrogencarbonate
- chloride/Chlorwasserstoff
- cyanide/Blausäure
- embrittlement/Wasserstoffversprödung
- fluoride/Fluorwasserstoff
- fluorides/Hydrogenfluoride
- halides/Halogenwasserstoffe
- iodide/Iodwasserstoff
- ions/Wasserstoff-Ionen
- lamp/Wasserstoff-Lampe
- oxides/Wasserstoffoxide
- peroxide/Wasserstoffperoxid
- peroxide oxidation/Wasserstoffperoxid-Oxidation
- selenide/Selenwasserstoff
- sulfates/Hydrogensulfate
- sulfide/Schwefelwasserstoff
- sulfide group/Schwefelwasserstoff-Gruppe
- sulfides/Hydrogensulfide
- sulfites/Hydrogensulfite
- telluride/Tellurwasserstoff
hydrogenases/Hydrogenasen
hydrogenation/Hydrierung
hydrogenolysis/Hydrogenolyse
hydrohalides/Hydrohalogenide
hydrolases/Hydrolasen
hydrology/Hydrologie
hydrolysis/Hydrolyse
hydrolytic polymerization/Hydrolytische Polymerisation
hydrolyzed vegetable proteins for bouillons/Suppenwürze
hydromel/Met
hydrometallurgy/Hydrometallurgie
hydrometer/Aräometer
hydromorphone/Hydromorphon
hydronaphthalenes/Hydronaphthaline
hydronium/Hydronium
hydroperoxides/Hydroperoxide
hydroperoxy…/Hydroperoxy…
hydroperoxyl/Perhydroxyl
hydrophilic/Hydrophil
hydrophilizing/Hydrophilieren
hydrophobic/Hydrophob
- bonding/Hydrophobe Bindung
hydrophobins/Hydrophobine
hydrophobizing/Hydrophobieren
hydrophytes/Hydrophyten
hydroquinone/Hydrochinon
hydrospark process/Hydrospark
hydrosphere/Hydrosphäre
hydrotalcite/Hydrotalcit
hydrothermal synthesis/Hydrothermalsynthese
hydrothiazides/Hydrothiazide
hydrotropy/Hydrotropie
hydroxamic acids/Hydroxamsäuren
hydroxide halides/Hydroxidhalide
- ion/Hydroxid-Ion
hydroxides/Hydroxide
hydroxo…/Hydroxo…
hydroxo salts/Hydroxo-Salze
hydroxocobalamin/Hydroxocobalamin
hydroxy…/Hydroxy…
hydroxy amino acids/Hydroxyaminosäuren

- fatty acids/Hydroxyfettsäuren
(E)-2-hydroxycinnamic acid/(E)-2-Hydroxyzimtsäure
5-hydroxy-L-lysine/5-Hydroxy-L-lysin
2-hydroxy-2-methylpropionitrile/2-Hydroxy-2-methylpropionitril
3-hydroxy-2-naphthoic acid/3-Hydroxy-2-naphthoesäure
hydroxy-1,4-naphthoquinones/Hydroxy-1,4-naphthochinone
4-hydroxy-L-proline/4-Hydroxy-L-prolin
hydroxyacetophenones/Hydroxyacetophenone
hydroxyaldehydes/Hydroxyaldehyde
hydroxyalkylation/Hydroxyalkylierung
hydroxyalkylcellulose/Hydroxyalkylcellulosen
hydroxyalkylstarches/Hydroxyalkylstärken
hydroxybenzaldehydes/Hydroxybenzaldehyde
4-hydroxybenzoates/4-Hydroxybenzoesäureester
hydroxybenzoic acids/Hydroxybenzoesäuren
hydroxybenzophenones/Hydroxybenzophenone
hydroxybutyric acids/Hydroxybuttersäuren
hydroxycarboxylic acids/Hydroxycarbonsäuren
hydroxychloroquine/Hydroxychloroquin
hydroxycholecalciferols/Hydroxycholecalciferole
hydroxycitronellal/Hydroxycitronellal
3-hydroxydiphenylamine/3-Anilinophenol
2-hydroxyethyl acrylate/(2-Hydroxyethyl)-acrylat
hydroxyethyl salicylate/Hydroxyethylsalicylat
hydroxyethylcarboxymethylcelluloses/(Hydroxyethyl)carboxymethylcellulosen
hydroxyethylcelluloses/Hydroxyethylcellulosen
hydroxyethylethylenediaminetriacetic acid/HEDTA
hydroxyethylstarches/Hydroxyethylstärken
4-hydroxyglutamic acid/4-Hydroxyglutaminsäure
hydroxyimino…/Hydroxyimino…
hydroxyketones/Hydroxyketone
hydroxyl/Hydroxyl
- group/Hydroxy-Gruppe
- number/Hydroxylzahl
hydroxylamine/Hydroxylamin
- hydrochloride/Hydroxylamin-Hydrochlorid
- sulfate/Hydroxylaminsulfat
- -O-sulfonic acid/Hydroxylamin-O-sulfonsäure
hydroxylamines/Hydroxylamine
hydroxylammonium salts/Hydroxylammonium-Salze
hydroxylases/Hydroxylasen
hydroxylation/Hydroxylierung
hydroxymethanesulfinic acid/Hydroxymethansulfinsäure
hydroxymethyl…/Hydroxymethyl…
N-(hydroxymethyl)nicotinamide/N-(Hydroxymethyl)nicotinamid

hydroxymethylation/Hydroxymethylierung
5-(hydroxymethyl)furfural/5-(Hydroxymethyl)furfural
hydroxymethylphenyl…/Hydroxy-methyl-phenyl…
hydroxynervone/Hydroxynervon
N-(4-hydroxyphenyl)-glycine/N-(4-Hydroxyphenyl)glycin
hydroxyprocaine/Hydroxyprocain
hydroxyprogesterone/Hydroxyprogesteron
hydroxypropionic acids/Hydroxypropionsäuren
hydroxypropionitriles/Hydroxypropionitrile
2-hydroxypropyl acrylate/(2-Hydroxypropyl)-acrylat
hydroxypropyl guar/Hydroxypropylguar(an)
- starches/Hydroxypropylstärken
hydroxypropylcelluloses/Hydroxypropylcellulosen
12-hydroxystearates/12-Hydroxystearate
- -hydroxystearic acid/12-Hydroxystearinsäure
hydroxytetracaine/Hydroxytetracain
4-hydroxyundecanoic lactone/4-Hydroxyundecansäurelacton
hydroxyurea/Hydroxyharnstoff
hydroxyzine/Hydroxyzin
hydrozincite/Hydrozinkit
hygiene/Hygiene
hygrine/Hygrin
hygrocybe pigments/Hygrocyben-Farbstoffe
hygrometer/Hygrometer
hygromycins/Hygromycine
hygrophytes/Hygrophyten
hygroscopicity/Hygroskopizität
HyL process/HyL-Verfahren
hymecromone/Hymecromon
hymenoptera/Hymenoptera
hymexazol/Hymexazol
hyo…/Hyo…
hyoscyamine/Hyoscyamin
hypabyssal rocks/Ganggesteine
hyper…/Hyper…
hypercalcemia/Hypercalcämie
hypercholesterolemia/Hypercholesterinämie
hperchromia/Hyperchromie
hyperconjugation/Hyperkonjugation
hyperemesis/Hyperemesis
hyperemia/Hyperämie
hyperfine structure/Hyperfeinstruktur
hyperglycemia/Hyperglykämie
hypergols/Hypergole
hypericin/Hypericin
hyperinsulinism/Hyperinsulinismus
hyperkeratosis/Hyperkeratose
hyperlipidemia/Hyperlipidämie
hypernuclei/Hyperkern
hyperons/Hyperonen
hyperosmotic solutions/Hypertonische Lösungen
hyperoxide/Hyperoxid
hyperson/Hyperschall
hypertension/Hypertonie
hypertensors/Antihypotonika
hyperthermia/Hyperthermie
hyperthyroidism/Hyperthyreose
hyperuricemia/Hyperurikämie
hypervalent molecules/Hypervalente Moleküle
hypervariable region/Hypervariable Region
hypervitaminosis/Hypervitaminosen

hyphenated techniques/Kopplungstechniken
hypho-/hypho-
hypholomins/Hypholomine
hypnophilin/Hypnophilin
hypo…/Hypo…
hypobromites/Hypobromite
hypobromous acid/Hypobromige Säure
hypocalcemia/Hypocalcämie
hypochlorites/Hypochlorite
hypochlorous acid/Hypochlorige Säure
hypochromia/Hypochromie
hypofermentosis/Hypofermentie
hypogeusia/Hypogeusie
hypoglycemia/Hypoglykämie
hypoglycin/Hypoglycin
hypohalites/Hypohalite
hypoiodites/Hypoiodite
hyponitrites/Hyponitrite
hyponitrous acid/Hyposalpetrige Säure
hypophosphites/Hypophosphite
hypophysis/Hypophyse
hyposideremia/Hyposiderinämie
hypotension/Hypotonie
hypotensors/Antihypertonika
hypothalamus/Hypothalamus
hypothermia/Hypothermie
hypothyroidism/Hypothyreose
hypotonic solutions/Hypotonische Lösungen
hypovitaminoses/Hypovitaminosen
hypoxanthine/Hypoxanthin
hypoxia/Hypoxie
hypsochromic/Hypsochrom
hypusine/Hypusin
hyssop oil/Ysopöl
hystazarin/Hystazarin
hysteresis/Hysterese

I

iatrochemistry/Iatrochemie
iatrogenic/Iatrogen
ibandronic acid/Ibandronsäure
iboga alkaloids/Iboga-Alkaloide
ibogaine/Ibogain
ibogamine/Ibogamin
ibotenic acid/Ibotensäure
ibuprofen/Ibuprofen
ice/Eis, Ice
- cream/Eiscreme, Speiseeis
- point/Eispunkt
Iceland moss/Isländisches Moos
ichthyo-testing/Fischtest
ichthyopterin/Ichthyopterin
icos(a)…/Icos(a)…
icosahedro-/icosahedro-
ICR spectroscopy/ICR-Spektroskopie
id(a)ein/Idaein
idarubicin/Idarubicin
…ide/…id, …ür
ideal copolymerization/Ideale Copolymerisation
- gas law/Ideales Gasgesetz
- gases/Ideale Gase
- state/Idealer Zustand
identification/Identifizierung
…idine/…idin
idiochromasy/Idiochromasie
idiophase/Idiophase
idiosyncrasy/Idiosynkrasie
idiotype/Idiotyp
iditol/Idit
ido-/ido-
idose/Idose
idoxuridine/Idoxuridin
L-iduronic acid/L-Iduronsäure

ifosfamide/Ifosfamid
IFP process/IFP-Verfahren
ignimbrite/Ignimbrit
ignitable/Entzündlich
igniters/Zündmittel
ignition alloys/Zündsteine
- groups/Zündgruppen
- residue/Glührückstand
- rods/Zündstäbe
- temperature/Zündtemperatur
illite/Illit
illudins/Illudine
illudol/Illudol
illuminating gas/Leuchtgas
illumination/Belichtung
illurinic acid/Illurinsäure
ilmenite/Ilmenit
iloprost/Iloprost
ilvaite/Ilvait
imazalil/Imazalil
imazamethabenz-methyl/Imazamethabenz-methyl
imazapyr/Imazapyr
imazaquin/Imazaquin
imazethapyr/Imazethapyr
imazosulfuron/Imazosulfuron
imbibition/Imbibition
imbricatine/Imbricatin
Imhoff sedimentation cones/Imhoff-Trichter
- tank/Emscherbrunnen
imibenconazole/Imibenconazol
imidacloprid/Imidacloprid
imidazole/Imidazol
- alkaloids/Imidazol-Alkaloide
imidazolides/Imidazolide
imidazolidin-2-one/Imidazolidin-2-on
imidazolidine-2-thione/Imidazolidin-2-thion
imidazoline receptor/Imidazolin-Rezeptor
imides/Imide
imidic acids/Imidsäuren
- chlorides/Imidsäurechloride
imido…/Imid(o)…
imines/Imine
iminio…/Iminio…
…iminium/…iminium
imino…/Imino…
imino acids/Iminosäuren
1,1'-iminodi-2-propanol/1,1'-Iminodi-2-propanol
2,2'-iminodiethanol/2,2'-Iminodiethanol
imipenem/Imipenem
imipramine/Imipramin
imitation gold foil/Rauschgold
immersion filtration/Tauchfiltration
- hardening/Tauchhärtung
immission control/Immissionsschutz
- limit value/Immissionsgrenzwerte
- monitoring/Immissionsüberwachung
- register/Immissionskataster
immissions/Immissionen
- standards/Immissionsgrenzwerte
immobilization/Immobilisierung
immune response/Immunantwort
- system/Immunsystem
immunisation/Immunisierung
immunity/Immunität
immunization/Immunisierung
immuno(ad)sorption/Immunadsorption
immunoassay/Immunoassay
immunobiology/Immunbiologie
immunoblot/Immunoblot
immunochemistry/Immunchemie

immunocomplexes/Immunkomplexe
immunoconjugates/Immunkonjugate
immunodiffusion/Immundiffusion
immunoelectrophoresis/Immunelektrophorese
immunofluorescence/Immunfluoreszenz
immunoglobulins/Immunglobuline
immunogold/Immunogold
immunology/Immunologie
immunophilins/Immunophiline
immunosuppression/Immunsuppression
immunotherapy/Immuntherapie
immunotoxins/Immuntoxine
imolamine/Imolamin
impact/Impact
– compound/Impact compound
– figure/Schlagfigur
– on water/Gewässerbelastung
– parameter/Stoßparameter
– strength/Schlagzähigkeit
– test/Kerbschlagbiegeversuch
– toughness/Kerbschlagzähigkeit
impactor/Nebelabscheider
impactors/Impaktoren
impedance/Impedanz
imperatorin/Imperatorin
impinger/Nebelabscheider
implantation/Implantation
imported water/Fremdwasser
importer/Einführer
importin/Importin
impregnating (process)/Tränkverfahren
– resin varnishes/Tränkharze
– resins/Imprägnier-Harze
impregnation/Imprägnierung
impurities/Verunreinigungen
IMViC test/IMViC-Test
…in/…in
in situ/In situ
in situ polymerization/In situ-Polymerisation
in statu nascendi/In statu nascendi
in vitro/In vitro
in vitro transcription/In vitro-Transkription
in vitro translation/In vitro-Translation
inactive/Inaktiv
inbreeding/Inzucht
incandescence/Glut
incandescent lamps/Glühlampen
incapacitants/Wirrstoffe
incarbonization/Inkohlung
incendiary bombs/Stabbrandbomben
– weapons/Brandwaffen
incense/Räuchermittel
incineration/Veraschen
– of hazardous wastes/Sonderabfallverbrennung
inclusion/Inklusion
– bodies/Inclusion Bodies
– celluloses/Inclusionscellulosen
– compounds/Einschlußverbindungen
– polymerization/Einschlußpolymerisation
INCO flash smelting process/INCO-Verfahren
– matte separation process/INCO-Verfahren
– pressure carbonyl process/INCO-Verfahren
incompatibility/Inkompatibilität
incorporation/Inkorporierung
increment/Inkrement

incubation/Inkubation
incubators/Brutschrank
indaconitine/Indaconitin
indamine/Indamin
indan/Indan
indanazoline/Indanazolin
1,3-indandiones/1,3-Indandione
Indanthren test/Indanthren-Reaktion
indanthrene dyes/Indanthren®-Farbstoffe
indapamide/Indapamid
indazole/Indazol
indefinite chill/Indefinite-Hartguß
indelible pencils/Tintenstifte
indene/Inden
index/Index
India ink/Tusche
– rubber/Radiergummi
indian figs/Kaktusfeigen
– gum/Ghatti gummi
– red/Indischrot
– saffron/Curcuma
– yellow/Indischgelb
indican/Indican
indicated hydrogen/Indizierter Wasserstoff
indication/Indikation
indicative limit value/ILV-Werte
indicator organisms (species)/Zeigerarten
– papers/Reagenzpapiere
– plants/Indikatorpflanzen
– value/Zeigerwert
indicators/Indikatoren
indicaxanthin/Indicaxanthin
indifferent/Indifferent
indigo/Indigo
– carmine/Indigocarmin
– red/Indigorot
– -sulfonates/Indigosulfonate
indigoid/Indigoid
indigotin/Indigo
indigotin(e)/Indigotin
indinavir/Indinavir
indirect discharger/Indirekteinleiter
indium/Indium
– antimonide/Indiumantimonid
– arsenide/Indiumarsenid
– compounds/Indium-Verbindungen
– phosphide/Indiumphosphid
– selenide/Indiumselenid
individual colony/Einzelkolonien
indocyanine green/Indocyaningrün
indol-5-ol/Indol-5-ol
indole/Indol
– -3-acetic acid/3-Indolylessigsäure
– alkaloids/Indol-Alkaloide
indoline/Indolin
indolizidine alkaloids/Indolizidin-Alkaloide
indolizine/Indolizin
3-indolylacetic acid/3-Indolylessigsäure
indomet(h)acin/Indometacin
indoor air pollution/Innenraumbelastung
indophenol/Indophenol
indoramin/Indoramin
indospicin/Indospicin
indoxyl/Indoxyl
induction/Induktion
inductive effect/Induktiver Effekt
inductively coupled plasma/ICP
inductivity/Induktivität
indulines/Induline
industrial and institutional clean(s)er/I & I
– chemicals/Industriechemikalien

– chemistry/Industrielle Chemie
– clean(s)ers/Industriereiniger
– code/Gewerbeordnung
– fibers/Industriefasern
– floors/Industriefußböden
– gases/Industriegase
– hygiene/Gewerbehygiene
– medical provisional examinations/Arbeitsmedizinische Vorsorgeuntersuchungen
– melanism/Industriemelanismus
– microbiology/Industrielle Mikrobiologie
– physician/Betriebsarzt
– waters/Brauchwasser
…ine/…in
inelastic scattering/Inelastische Streuung
inert/Inert
– gas/Formiergas
– gases/Edelgase, Inertgase
inertization/Inertisierung
inethers/Inether
infarct/Infarkt
infarction/Infarkt
infauna/Infauna
infection/Infektion
infectious diseases/Infektionskrankheiten
infixes/Infixe
inflammation/Entflammung, Entzündung
– temperature/Entzündungstemperatur
influenza/Grippe
infractines/Infractine
infrared chemiluminescence/Infrarotchemilumineszenz
– drying/Infrarottrocknung
– optic/Infrarotoptik
– radiation/Infrarotstrahlung
– radiators/Infrarotstrahler
infusion/Infusion, Infusum
infusum/Infusum
ingestion/Ingestion
ingot iron/Flußeisen
– steel/Flußstahl
ingots/Barren
inhabitant equivalent/Einwohnergleichwert
inhalable aerosols/Einatembare Aerosole
inhalation anesthetics/Inhalationsnarkotika
inhibin/Inhibin
inhibiting factors/Inhibiting factors
inhibition/Inhibition
inhibitor-containing pickling solutions/Sparbeizen
inhibitors/Hemmstoffe, Inhibitoren
infer polymerization/Inifer-Polymerisation
iniferters/Iniferter
initial detonating agents/Initialsprengstoffe
– rust/Flugrost
– weight/Einwaage
initiation/Initiation
– factors/Initiationsfaktoren
initiators/Initiatoren
injection/Injektion
– anestetics/Injektionsnarkotika
– mo[u]lding/Spritzgießen
injury to health/Gesundheitsschaden
ink blue/Tintenblau
– for marking linen/Wäsche(zeichen)tinte
– -jet inks/Ink-Jet-Tinten
– pencils/Tintenstifte
– stain removers/Tintenentferner

INN/INN
innovation/Innovation
ino-/ino-
inocula/Impfstoffe
inoculants/Impflegierungen
inoculation/Impfen
inoculum/Inokulum
– culture fermenter/Vorfermenter
inokosterone/Inokosteron
inorganic chemistry/Anorganische Chemie
– polymers/Anorganische Polymere
– rubber/Anorganischer Kautschuk
inosine/Inosin
– 5′-monophosphate/Inosin-5′-monophosphat
inositol nicotinate/Inositolnicotinat
– phosphates/Inositphosphate
inositols/Inosite
inotodiol/Inotodiol
inotropism/Inotropie
inquilines/Inquilinen
inquilinism/Synökie
insect attractants/Insektenlockstoffe
– hormones/Insektenhormone
– lime/Raupenleim
– repellents/Insektenabwehrmittel
– venoms/Insektengifte
insecticides/Insektizide
insects/Insekten
insemination/Insemination
insertion/Insertion
– mutagenesis/Transposon-Mutagenese
– polymerization/Koordinationspolymerisation, Polyinsertion
– reaction/Einschiebungsreaktion
– sequences/Insertionssequenzen
installations (plants) with surveillance needs (requirements)/Überwachungsbedürftige Anlagen
instant photography/Instant-Photographie
– products/Instant-Produkte
instruction/Unterweisung
instrumentation/Instrumentation
instruments/Instrumente
insulating compounds/Kabelvergußmassen
– oils/Isolieröle
– varnishes/Isolierlacke
insulation materials/Dämmstoffe
insulators/Isolatoren
insulin/Insulin
– -like growth factors/Insulin-artige Wachstumsfaktoren
integrases/Integrasen
integrated optic/Integrierte Optik
– plant cultivation/Integrierter Pflanzenbau
integration host factor/Integration host factor
integrators/Integratoren
integrins/Integrine
inteins/Inteine
intensifier/Verstärker
interaction/Wechselwirkung
intercalation/Interkalation
– compounds/Einlagerungsverbindungen
intercepting sewer/Abwassersammler
interchange reaction/Trans-Reaktionen
interdiction and restriction of occupation/Beschäftigungsverbote u. -beschränkungen
interesterification/Umesterung

interface tension/Grenzflächenspannung
interfaces/Grenzflächen
interfacial polycondensation/Grenzflächenpolykondensation
interference/Interferenz
– coatings/Interferenzschicht
interfering pigments/Interferenzpigmente
interferometer/Interferometer
interferometry/Interferometrie
interferons/Interferone
intergrowth/Verwachsungen
interhalogen compounds/Interhalogen-Verbindungen
interium storage/Zwischenlager
interleukin-1β converting enzyme/Interleukin-1β-Konversions-Enzym
interleukins/Interleukine
intermediate filaments/Intermediäre Filamente
– neglect of differential overlap/INDO
intermediates/Intermediäre Verbindungen, Zwischenprodukte
intermetallics/Intermetallische Verbindungen
Intermig stirrer/Intermig®-Rührer
intermolecular/Intermolekular
– forces/Zwischenmolekulare Kräfte
international critical tables/International Critical Tables
– thermonuclear experimental reactor/ITER
– Units (IU)/Internationale Einheiten
interpenetrating polymeric networks/Interpenetrierende polymere Netzwerke
interstellar matter/Interstellare Materie
– molecules/Interstellare Moleküle
interstitial/Interstitiell
– atoms/Zwischengitteratome
– compounds/Einlagerungsverbindungen
– sites/Zwischengitterplätze
interstratified clay minerals/Wechsellagerungs-Minerale
intersystem crossing/Intersystem crossing
intestine/Darm
intoxication/Vergiftung
intramolecular/Intramolekular
intrauterine device (IUD)/Intrauterinpessare
intrinsic factor/Intrinsic factor
– reaction coordinate/IRC
introduction/Einleiten
intron/Intron
intrusion/Intrusion
intumescence/Intumeszenz
inulin/Inulin
invariant chain/Invariante Kette
invasin/Invasin
invasion/Invasion
inventory of hazardous substances/Gefahrstoffkataster
inverse emulsion polymerization/Inverse Emulsionspolymerisation
– fats/Inverse Fette
– micelles/Inverse Micellen
inversion/Inversion
inversional vibration/Inversionsschwingung
invert soaps/Invertseifen
– sugar/Invertzucker
invertase/Invertase

invertebrates/Invertebraten
investments/Investitionen
invisible inks/Geheimtinten
involucrin/Involucrin
involutin/Involutin
iobenzamic acid/Iobenzaminsäure
iobitridol/Iobitridol
iocarmic acid/Iocarminsäure
iocetamic acid/Iocetaminsäure
iodamide/Iodamid
iodargyrite/Iodargyrit
iodates/Iodate
iodic acid/Iodsäure
iodides/Iodide
iodination/Iodierung
iodine/Iod
– -azide reaction/Iod-Azid-Reaktion
– bromides/Iodbromide
– chlorides/Iodchloride
– fluorides/Iodfluoride
– laser/Iod-Laser
– oxides/Iodoxide
– -potassium iodide solution/Iod-Kaliumiodid-Lösung
– -starch reaction/Iodstärke-Reaktion
– tincture/Iod-Tinktur
– value/Iod-Zahl
– water/Iodwasser
iodinin/Iodinin
iodixanol/Iodixanol
iodized activated carbon/Iod-Kohle
– table salt/Iodiertes Speisesalz
iodo.../Iod...
iodo amino acids/Iodaminosäuren
– -organic compounds/Iod-organische Verbindungen
iodoacetic acid/Iodessigsäure
iodobenzenes/Iodbenzol
iodochlorhydroxyquin/Clioquinol
iodofenphos/Iodfenphos
iodoform/Iodoform
iodometry/Iodometrie
iodonium compounds/Iodonium-Verbindungen
iodophores/Iodophore
iodophthalein sodium/Iodphthalein-Natrium
iodoplatinate reagent/Iodplatinat-Reagenz
iodopsin/Iodopsin
N-iodosuccinimide/N-Iodsuccinimid
iodosyl.../Iodosyl...
iodosylbenzene/Iodosylbenzol
– diacetate/Iodosylbenzoldiacetat
2-iodosylbenzoic acid/2-Iodosylbenzoesäure
iodotrimethylsilane/Iodtrimethylsilan
iodoxamic acid/Iodoxaminsäure
iodyl.../Iodyl...
iodylbenzene/Iodylbenzol
ioglicic acid/Ioglicinsäure
ioglycamic acid/Ioglycaminsäure
iohexol/Iohexol
iomeprol/Iomeprol
ion beams/Ionenstrahlen
– channels/Ionenkanäle
– chromatography/Ionenchromatographie
– conductors/Ionenleiter
– dose/Ionendosis
– exchange chromatography/Ionenaustauschchromatographie
– -exchange resins/Ionenaustauscherharze
– exchangers/Ionenaustauscher
– implantation/Ionenimplantation
– laser/Edelgas-Ionen-Laser

– microprobe mass analysis (IMMA)/Ionenstrahl-Mikroanalyse
– microscope/Ionenmikroskop
– -molecule reactions/Ionen-Molekül-Reaktionen
– neutralisation spectroscopy/Ionen-Neutralisations-Spektroskopie
– pair chromatography/Ionenpaarchromatographie
– probe microanalysis/Ionenstrahl-Mikroanalyse
– pump/Ionenpumpe
– scattering spectroscopy/Ionenstreu-Spektroskopie
– selective electrodes/Ionenselektive Elektroden
– trap/Ionenfalle
– trap detector/Ion-Trap-Detektor
ionenes/Ionene
ionenselective field effect transistor/Ionenselektive Feldeffekt-Transistoren
ionic/Ionisch
– atmosphere/Ionenwolke
– polymerization/Ionische Polymerisation
– polymers/Ionische Polymere
– product/Ionenprodukt
– radius/Ionenradius
– reactions/Ionenreaktionen
– strength/Ionenstärke
ionisation/Ionisation
– (amerikan.: ionization) energy/Ionisationsenergie
ionitriding/Plasmanitrieren
ionium/Ionium
ionizing radiation/Ionisierende Strahlung
ionogen/Ionogen
ionography/Ionographie
ionomers/Ionomere
ionones/Jonone
ionophores/Ionophore
ionotropic gels/Ionotrope Gele
ionotropy/Ionotropie
ions/Ionen
iontophoresis/Iontophorese
iopamidol/Iopamidol
iopanoic acid/Iopansäure
iopentol/Iopentol
iopodic acid/Iopodinsäure
iopromide/Iopromid
iopronic acid/Iopronsäure
iopydone/Iopydon
iothalamic acid/Iotalaminsäure
iotrolan/Iotrolan
iotroxic acid/Iotroxinsäure
ioversol/Ioversol
ioxaglic acid/Ioxaglinsäure
ioxitalamic acid/Ioxitalaminsäure
ioxynil/Ioxynil
ipconazole/Ipconazol
ipecacuanha/Ipecacuanha
ipecac(uanha) alkaloids/Ipecacuanha-Alkaloide
ipomeanin/Ipomeanin
ipomoea alkaloids/Ipomoea-Alkaloide
ipom(o)ea resin/Ipomoea-Harz
ipratropium bromide/Ipratropiumbromid
iprazochrome/Iprazochrom
iprodione/Iprodion
iproniazid/Iproniazid
ipsdienol/Ipsdienol
ipso-/Ipso-
ipsonite/Ipsonit
IR spectroscopy/IR-Spektroskopie
...irane/...iran
Ireland-Claisen-Rearrangement/Ireland-Claisen-Umlagerung

iridals/Iridale
iridescence/Irisdeszenz
iridin/Iridin
iridium/Iridium
– compounds/Iridium-Verbindungen
iridoids/Iridoide
iridomyrmecin/Iridomyrmecin
irinotecan/Irinotecan
iron/Eisen
– (III) acetylacetonate/Eisen(III)-acetylacetonat
– alums/Eisenalaune
– bacteria/Eisenbakterien
– blue/Berliner Blau
– bronze/Edelmessing
– carbide/Eisencarbid
– carbonate/Eisencarbonat
– carbonyls/Eisencarbonyle
– chlorides/Eisenchloride
– (III) citrate/Eisen(III)-citrat
– clinkers/Eisenklinker
– cyanides/Eisencyanide
– (III) formate/Eisen(III)-formiat
– (II) fumarate/Eisen(II)-fumarat
– gallic ink/Eisengallustinte
– (II) gluconate/Eisen(II)-gluconat
– (III) glycerophosphate/Eisen(III)-glycerinphosphat
– group/Eisen-Gruppe
– hydroxides/Eisenhydroxide
– nitrates/Eisennitrate
– nitride/Eisennitrid
– (II) oxalate/Eisen(II)-oxalat
– oxide pigments/Eisenoxid-Pigmente
– oxides/Eisenoxide
– (III) phosphate/Eisen(III)-phosphat
– phosphides/Eisenphosphide
– pigments/Eisen-Pigmente
– preparations/Eisen-Präparate
– proteins/Eisen-Proteine
– removal/Enteisenung
– silicides/Eisensilicide
– sulfates/Eisensulfate
– sulfides/Eisensulfide
– (III) thiocyanate/Eisen(III)-thiocyanat
irones/Irone
ironing fabrics/Aufbügelstoffe
irradiation/Bestrahlung
irregular polymers/Unregelmäßige Polymere
irreversible/Irreversibel
irrigation fields/Rieselfeld
irritants/Reizstoffe
irritating materials/Reizend
irritation/Reiz
ISAF carbon black/ISAF-Ruße
isatin/Isatin
isatoic anhydride/Isatosäureanhydrid
isazofos/Isazophos
isenthalpe/Isenthalpe
isethionic acid/Isethionsäure
ishwarane/Ishwaran
isinglass/Hausenblase
islandicin/Islandicin
iso.../Iso...
isoalloxazine/Isoalloxazin
isoaminile/Isoaminil
isoascorbic acid/Isoascorbinsäure
isobar/Isobare (1.)
isobars/Isobare (2.)
isobenzofuran/Isobenzofuran
isoborneol/Isoborneole
isobornyl acetate/Isobornylacetat
– chloride/Isobornylchlorid
isobutoxy.../Isobutoxy...
isobutyl.../Isobutyl...

English

isobutyl benzoate/Benzoesäure-isobutylester
– nitrite/Isobutylnitrit
isobutylidendiurea/Isobutyliden-diharnstoff
isobutyryl…/Isobutyryl…
isocarboxazid/Isocarboxazid
isochore/Isochore
isochromene/Isochromen
isocitric acid/Isocitronensäure
isoconazole/Isoconazol
isocorydine/Isocorydin
isocoumarins/Isocumarine
isocrotonoyl…/Isocrotonoyl…
isocyanates/Isocyanate
isocyanato…/Isocyanato…
isocyanic acid/Isocyansäure
isocyanide dihalides/Isocyaniddi-halogenide
isocyanides/Isocyanide
isocyclic compounds/Isocyclische Verbindungen
isodecanol/Isodecanol
isodimorphism/Isodimorphie
isodose/Isodose
isoelectric focussing/Isoelektrische Fokussierung
– point/Isoelektrischer Punkt
isoelectronic/Isoelektronisch
isoenzymes/Isoenzyme
isoet(h)arine/Isoetarin
isoeugenol/Isoeugenol
isofenphos/Isofenphos
isoflavones/Isoflavone
isoflurane/Isofluran
isofulminates/Isofulminate
isohydria/Isohydrie
isoindole/Isoindol
isoindolidone-/isoindoline pigments/Isoindolinon-/Isoindolin-Pigmente
isolation/Isolierung
isoleucine/L-Isoleucin
isolobal/Isolobal
isomaltitol/Isomaltit
isomaltol/Isomaltol
isomax process/Isomax®-Verfahren
isomerases/Isomerasen
isomerism/Isomerie
isomerization/Isomerisierung
– polymerization/Isomerisations-polymerisation
isomers/Isomere
isometheptene/Isomethepten
isomorphism/Isomorphie
isoniazid/Isoniazid
isonicotinic acid/Isonicotinsäure
isononanoic acid/Isononansäure
isononanol/Isononanol
isooctane/Isooctan
isooctanoic acid/Isooctansäure
isooctanol/Isooctanol
isooctyl…/Isooctyl…
isooleic acids/Isoölsäuren
isopentenyl…/Isopentenyl…
isopentyl…/Isopentyl…
isopeptides/Isopeptide
isophorone/Isophoron
isophthalic acid/Isophthalsäure
isophytol/Isophytol
isopiestic solutions/Isopiestische Lösungen
isopilosine/Isopilosin
isopimaric acid/Isopimarsäure
isopolyacids/Isopolysäuren
isoprenaline/Isoprenalin
isoprene/Isopren
– rule/Isopren-Regel
isoprenoids/Isoprenoide
isoprocarb/Isoprocarb
isopropalin/Isopropalin
isopropamide iodide/Isopropamidiodid

isopropanol/Isopropanol
isopropenyl…/Isopropenyl…
isopropenyl acetate/Essigsäure-isopropenylester
isopropoxy…/Isopropoxy…
isopropyl…/Isopropyl…
isopropyl alcohol/Isopropanol
– palmitate/Palmitinsäureisopro-pylester
isopropylidene…/Isopropyliden…
isoprothiolane/Isoprothiolan
isoproturon/Isoproturon
isoquinoline/Isochinolin
– alkaloids/Isochinolin-Alkaloide
isorubber/Isokautschuk
isosafrole/Isosafrol
isosbestic points/Isosbestische Punkte
isosorbide dinitrate/Isosorbid-di-nitrat
– mononitrate/Isosorbid-5-mono-nitrat
isospin/Isospin
isosterism/Isosterie
isotachophoresis/Isotachophorese
isotactic index/Isotaxie-Index
– polymers/Isotaktische Polymere
isotetracenones/Isotetracenone
isotherm/Isotherme
isothiazoles/Isothiazole
isothiocyanates/Isothiocyanate
– (from plants)/Senföle
isothiocyanato…/Isothiocya-nato…
isothipendyl/Isothipendyl
isotones/Isotone
isotonic solutions/Isotonische Lösungen
isotope dilution analysis/Isoto-penverdünnungsanalyse
– effects/Isotopie-Effekte
– separation/Isotopentrennung
isotopes/Isotope
isotopic labeling/Isotopenmarkie-rung
isotypism/Isotypie
isoureas/Isoharnstoffe
isovelleral/Isovelleral
isoxaben/Isoxaben
isoxapyrifop/Isoxapyrifop
isoxathion/Isoxathion
isoxazoles/Isoxazole
isoxsuprine/Isoxsuprin
isradipine/Isradipin
Isua spheres/Isua-Sphären
itacolumite/Itacolumit
itaconic acid/Itaconsäure
itai-itai disease/Itai-Itai-Krankheit
italics/Kursivbuchstaben
itching/Juckreiz
…ite/…it
…itis/…itis
…itol/…it
itraconazole/Itraconazol
…ium/…ium
Ivanov reaction/Ivanov-Reaktion
ivermectin/Ivermectin
ivory/Elfenbein
ivy/Efeu
Izod (impact) test/Izod-Test

J

jaborandi/Jaborandi-Blätter
Jack fruit/Jackfrucht
Jacobsen epoxidation/Jacobsen-Epoxidierung
– reaction/Jacobsen-Reaktion
jade/Jade
jadeite/Jadeit
Jaffé reactions/Jaffé-Reaktion
Jahn-Teller effect/Jahn-Teller-Effekt
Jak/Jak

jalap/Jalape
jalapinolic acid/Jalapinolsäure
jam/Marmelade
Jamaica pepper/Piment
jambul/Jambulbaum
jamesonite/Jamesonit
Janovsky reaction/Janovsky-Reaktion
Janus green B/Janusgrün B
Japan lacquers/Japanlacke
– wax/Japanwachs
japonilure/Japonilur
Japp-Klingemann reaction/Japp-Klingemann-Reaktion
jarosite/Jarosit
jasmine/Jasmin
jasmin(e) absolute/Jasminabsolue
jasmine lactone/Jasminlacton
jasmone/(Z)-Jasmon
jasmonic acid/Jasmonsäure
jaspamide/Jaspamid
jasper/Jaspis
jasplakinolide/Jaspamid
jatropham/Jatropham
jatrophone/Jatrophon
jaundice/Ikterus
Java tea/Orthosiphon
Javelle water/Eau de Javelle
jellied meat/Sülze
jellies/Gelees
Jerusalem artichoke/Topinambur
– cherry/Korallenbäumchen
jervine/Jervin
jet/Gagat
– cooking/Jet-Cooking
– dyeing/Jet-Färberei
– fuels/Düsenkraftstoffe
– scrubber/Strahlwäscher
jeweller's green gold/Green Gold
jigger/Jigger
jj coupling/jj-Kopplung
jog/Jogs
johannsenite/Johannsenit
joint grease/Schliff-Fett
jointings/Dichtungen
jojoba/Jojoba
Jones oxidation/Jones-Oxidation
jordanite/Jordanit
Jorissen reagent/Jorissens Reagenz
josamycin/Josamycin
Josephson effect/Josephson-Effekt
joule/Joule
– -Thomson effect/Joule-Thomson-Effekt
journals/Zeitschriften
juglone/Juglon
juniper/Wacholder
– berry oil/Wacholderbeeröl
– tar oil/Wacholderteeröl
jute/Jute
juvabione/Juvabion
juvenile hormones/Juvenilhormone
– water/Juveniles Wasser

K

kadsurenone/Kadsurenon
kaempferol/Kaempferol
Kahane reagent/Kahanes Reagenz
kainite/Kainit
kairomones/Kairomone
kaki/Kaki
Kaldo process/Kaldo-Verfahren
kallidin/Kallidin
kallikreins/Kallikreine
kamala/Kamala
kanamycins/Kanamycine
kaolin/Kaoline
kaolinite/Kaolinit
kaons/Kaonen

kapok/Kapok
Kapsenberg caps/Kapsenberg-Kappen
– lubricant/Kapsenberg-Schmiere
karat/Karat
karbutilate/Karbutilat
Karl Fischer reagent/Karl-Fischer-Reagenz
karpatite/Pendletonit
kasolite/Kasolit
kassinin/Kassinin
kasugamycin/Kasugamycin
kat/kat, Kat
kata…/Kata…
kauranes/Kaurane
kauri butanol value/Kauri-Butanol-Zahl
– kopal/Kaurikopal
kavain/Kawain
kawain/Kawain
kayser/Kayser
KDO/KDO
kebuzone/Kebuzon
Kedde reaction/Kedde-Reaktion
kefir/Kefir
Kekulé library/Kekulé-Bibliothek
kekulene/Kekulen
kelp/Kelp
Kelvin model/Voigt-Kelvin-Modell
– temperature/Kelvin-Skala
– unit/Kelvin-Skala
kenaf/Kenaf
keracyanin/Keracyanin
kerasin/Kerasin
keratan sulfates (sulphates)/Keratansulfate
kerat(in)olytics/Keratolytika
keratins/Keratine
keratophyre/Keratophyr
kerma/Kerma
kermes/Kermes
kermesite/Kermesit
kernel/Kern
kernite/Kernit
kerogen/Kerogen
kerosene/Kerosin, Petroleum
– (oil)/Leuchtpetroleum
Kerr effect/Kerr-Effekt
Kesternich test/Kesternich-Test
kestoses/Kestosen
ketamine/Ketamin
ketanserin/Ketanserin
ketazolam/Ketazolam
ketene/Keten
ketenes/Ketene
ketenimines/Ketenimine
ketimines/Ketimine
ket(o)…/Ket(o)…
keto-enol tautomerism/Keto-Enol-Tautomerie
ketoconazole/Ketoconazol
ketohexoses/Ketohexosen
ketone bodies/Ketonkörper
– polymers/Keton-Polymere, Polyketone
ketones/Ketone
ketonic resins/Keton-Harze
ketoprofen/Ketoprofen
ketorolac/Ketorolac
ketoses/Ketosen
ketotifen/Ketotifen
ketyls/Ketyle
key chemicals/Grundstoffe
– stimulus/Schlüsselreiz
– technology/Schlüsseltechnologie
Kharasch-Sosnovsky reaction/Kharasch-Sosnovsky-Reaktion
khella/Ammi visnaga
khellin/Khellin
kicker/Kicker
kidneys/Nieren

kieselguhr/Kieselgur
kieserite/Kieserit
Kiliani reagent/Kiliani'sche Mischung
– synthesis/Kiliani-Synthese
killed spirits/Lötwasser
– steel/Beruhigter Stahl
killer yeast/Killer-Hefe
kiln-drying/Darren
kilns/Öfen
kilo…/Kilo…
kilobase/Kilobase
kilogram (US)/Kilogramm
kilogramme (GB)/Kilogramm
kilopond/Kilopond
kimberlite/Kimberlit
kinases/Kinasen
kinesin/Kinesin
kinetics/Kinetik
kinetin/Kinetin
kinetochores/Kinetochore
King Kong peptide/King-Kong-Peptid
kinins/Kinine
kink/Kinke
kino/Kino
Kipp generator/Kippscher Apparat
Kirchhoff laws/Kirchhoffsche Gesetze
Kirchhoff's radiation law/Kirchhoffsche Strahlungsformel
Kirkendall effect/Kirkendall-Effekt
Kirlian photography/Kirlian-Photographie
Kissingen salt/Kissinger Salz
kiwi/Kiwi
Kjeldahl connecting bulb/Tropfenfänger
– flask/Kjeldahl-Kolben
– method/Kjeldahl-Methode
K_La value/K_La-Wert
Klebsiella/Klebsiella
Klenow fragment/Klenow-Fragment
Knallgas (oxyhydrogen) bacteria/Knallgasbakterien
kneading/Kneten
knitting/Wirken
Knoevenagel condensation/Knoevenagel-Kondensation
Knoop hardness/Knoop-Härte
– synthesis/Knoop-Synthese
Knorr syntheses/Knorr-Synthesen
knots/Knoten
knotweed/Vogelknöterich
knowledgeable persons/Sachkundige Personen
Koch carboxylation/Kochsche Carbonsäure-Synthese
Köster process/Köster-Verfahren
Kofler's hot stage/Koflersche Heizbank
kogasin/Kogasin
kojic acid/Kojisäure
kok-saghyz/Kok-Saghys
Kolbe syntheses/Kolbe-Synthesen
kolbeckite/Kolbeckit
Komarowsky reaction/Komarowsky-Reaktion
komatiites/Komatiite
kombucha/Kombucha
Kondo effect/Kondo-Effekt
Koopmans theorem/Koopmans-Theorem
kopsine/Kopsin
Kornblum's rule/Kornblum-Regel
kornerupine/Kornerupin
kosins/Kosine
kosmochlore (ureyite)/Kosmochlor
koto/Koto
koumiss/Kumys

Krafft degradation/Krafftscher Abbau
– point/Krafft-Punkt
kresoxime/Kresoxim
krill/Krill
Krupp Renn process/Krupp-Renn-Verfahren
krypton/Krypton
Kuhn-Roth method/Kuhn-Roth-Methode
kumiss/Kumys
kupferschiefer/Kupferschiefer
kurchatovium/Kurtschatovium
kurnakovite/Kurnakovit
Kutscher-Steudel perforator/Kutscher-Steudel-Extraktionsapparat
k value/K-Wert
kwass/Kwass
kyanite/Kyanit
kynurenic acid/Kynurensäure
kynurenine/L-Kynurenin
kyotorphin/Kyotorphin

L

labdanes/Labdane
labdanum/Labdanum
label(l)ed compounds/Markierte Verbindungen
labelling/Kennzeichnung
label(l)ing/Markierung
labetalol/Labetalol
labile/Labil
labor-information-management-system/LIMS
laboratory/Laboratorium
– assistant/Chemielaborant, Laboranten
– benches/Labortische
– kits/Experimentierkästen
– manuals/Experimentierbücher
labradorite/Labrador(it)
laburnum/Goldregen
lac operon/lac-Operon
laccaic acid/Laccainsäure
laccase/Laccase
lacquer auxiliaries/Lackhilfsmittel
– raw materials/Lackrohstoffe
lacquers/Lacke
lacrimators/Tränenreizstoffe
α-lactalbumin/α-Lactalbumin
β-lactam antibiotics/β-Lactam-Antibiotika
– -lactamases/β-Lactamasen
lactams/Lactame
lactaroviolin/Lactaroviolin
lactate dehydrogenase/Lactat-Dehydrogenase
lactates/Lactate, Milchsäureester
lactation/Laktation
lactic acid/Milchsäure
– acid esters/Milchsäureester
– acidosis/Lactat-Acidose
lactide/Lactid
lactitol/Lactitol
lact(o)…/Lact(o)…
lactobionic acid/Lactobionsäure
lactoferrin/Lactoferrin
β-lactoglobulin/β-Lactoglobulin
lactones/Lactone
lactose/Lactose
lactucin/Lactucin
lactulose/Lactulose
ladanum shrub oil/Zistrosenöl
ladder polymers/Leiterpolymere
– -proofing agents/Maschenfestmittel
ladderanes/Ladderane
ladies mantle/Frauenmantel
lady-bird/Marienkäfer
Lady's thistle/Mariendistel
laetrile/Laetrile
lag phase/lag-Phase

lagopodins/Lagopodine
lake Baikal/Baikalsee
lakes/Farblacke
Lalancette's reagent/Lalancette-Reagenz
lambda-cyhalothrin/Lambda-Cyhalothrin
– phage/Lambda-Phage
– point/Lambda-Kurve
– -value/Lambda-Wert
– vectors/Lambda-Vektor
– window/Lambda-Fenster
Lambert-Beer law/Lambert-Beersches Gesetz
laminar flow/Laminare Strömung
laminaran/Laminarin
laminarin/Laminarin
laminated wood/Preßholz
laminates/Laminate, Schichtpreßstoffe
lamination coating/Kaschieren
laminins/Laminine
lamins/Lamine
lamivudine/Lamivudin
lamotrigine/Lamotrigin
lamp kerosene/Leuchtpetroleum
lampblack/Flammruß
lamproites/Lamproit
lamprophyres/Lamprophyre
lamps/Lampen
lampteroflavin/Lampteroflavin
land disposal/Deponierung
– register/Kataster
Landé g factor/Landé-Faktor
landfill site/Deponie
Landolt reaction/Landoltsche Zeitreaktion
langbeinite/Langbeinit
Langevin function/Langevin-Funktion
Langmuir Blodgett films/Langmuir-Blodgett-Filme
– -Hinshelwood mechanism/Langmuir-Hinshelwood-Mechanismus
– torch/Langmuir-Fackel
Langmuir's film balance/Langmuirsche Waage
lanolin/Lanolin
lanostane/Lanostan
lanosterol/Lanosterin
lansoprazole/Lansoprazol
lanthanoid contraction/Lanthanoiden-Kontraktion
lanthanoids/Lanthanoide
lanthanum/Lanthan
– compounds/Lanthan-Verbindungen
lanthionine/L-Lanthionin
lantibiotics/Lantibiotika
lapachol/Lapachol
lapis lazuli/Lapislazuli
Laplace operator/Laplace-Operator
lapping/Läppen
larch/Lärche
lard/Schmalz
large electron positron collider/LEP
– hadron collider/LHC
– rings/Große Ringe
larkspur/Rittersporn
Larmor frequency/Larmor-Frequenz
larvikite/Larvikit
lasalocids/Lasalocide
lascivol/Lascivol
laser/Laser
– chemical vapor deposition/Laser Chemical Vapo(u)r Deposition
– chemistry/Laser-Chemie
– Doppler anemometry/Laser-Doppler-Anemometrie

– dyes/Laser-Farbstoffe
– excited atomic fluorescence spectrometry/Laser-Atomfluoreszenz-Spektrometrie
– microprobe/Laser-Mikrosonde
– photodetachment electron spectrometry/Laserphotodetachment-Elektronenspektrometrie
– polymer chemistry/Laser-Polymerchemie
– resonator/Laser-Resonator
– (scanning) microscope/Laser-Mikroskop
– spectroscopy/Laser-Spektroskopie
lasubine/Lasubin
latamoxef/Latamoxef
latanoprost/Latanoprost
latent/Latent
– period/Latenzzeit
lateral contraction ratio/Poisson-Zahl
latericeous sediment/Ziegelmehl
laterite/Laterit
latex/Latex
– foam rubber/Schaumgummi
lathyrism/Lathyrismus
α-latrotoxin/α-Latrotoxin
lattice constant/Gitterkonstante
– -controlled polymerization/Topochemische Polymerisation
– defects/Kristallbaufehler
– energy/Gitterenergie
– plane/Netzebene
laudanosine/Laudanosin
laueite/Laueit
laughing gas/Lachgas
laumontite/Laumontit
laundering/Waschen
laundry inks/Wäsche(zeichen)tinte
laurates/Laurate
laurel/Lorbeer
– leaf oil/Lorbeer(blätter)öl
lauric acid/Laurinsäure
laurite/Laurit
lauroguadine/Lauroguadin
ω-laurolactam/12-Laurinlactam
lauroyl…/Lauroyl…
lauroyl peroxide/Lauroylperoxid
lauryl…/Lauryl…
lauryl pyridinium chloride/Laurylpyridiniumchlorid
lava/Lava
Laval nozzle/Laval-Düse
lavandin oil/Lavandin(öl)
lavendamycin/Lavendamycin
lavender oil/Lavendelöl
Laves phases/Laves-Phasen
law of rational indices/Rationalitätsgesetz
Lawesson reagent/Lawesson-Reagenz
lawrencium/Lawrencium
laws of thermodynamcis/Hauptsätze
lawsone/Lawson
lawsonite/Lawsonit
laxatives/Abführmittel
layered polymers/Flächenpolymere
– silicates/Schichtsilicate
– structures/Schichtstrukturen
LCAO(-MO)method/LCAO-(MO)-Methode
LD process/LD-Verfahren
LDAC process/LDAC-Verfahren
[Le Châtelier's] principle of least restraint/Prinzip des kleinsten Zwanges
leaches/Laugen

English

leaching/Auslaugen, Auswaschung
lead/Blei, Verbleien
– acetate paper/Bleipapier
– acetates/Bleiacetate
– alloys/Blei-Legierungen
– azide/Bleiazid
– carbonate/Bleicarbonat
– chlorides/Bleichloride
– chromate/Bleichromat
– coated sheet/Terneblehe
– coating/Verbleien
– dating method/Blei-Methode
– fluoride/Bleifluorid
– glass/Bleiglas
– hydroxide/Bleihydroxid
– iodide/Bleiiodid
– nitrate/Bleinitrat
– oxides/Bleioxide
– pigments/Blei-Pigmente
– selenide/Bleiselenid
– stearate/Bleistearat
– structures/Leitstrukturen
– styphnate/Bleitrinitroresorcinat
– sulfate/Bleisulfat
– sulfide/Bleisulfid
– telluride/Bleitellurid
– thiocyanate/Bleithiocyanat
– zirconate/Bleizirkonat
leader sequence/Leader-Sequenz
leaf movement factors/Leaf Movement Factors
– pigmentation/Laubfärbung
leak detection/Lecksuche
lean material/Magerungsmittel
leather/Leder
– auxiliaries/Lederhilfsmittel
– dyeing/Lederfärbung
– finishings/Lederzurichtmittel
leatherlike material/Kunstleder
leaven/Sauerteig
leavening agents/Backpulver, Teiglockerungsmittel
lecanoric acid/Lecanorsäure
lecithins/Lecithine
lectins/Lektine
lecture bottle/Druckgasflaschen
ledeburite/Ledeburit
ledol/Ledol
leek/Lauch
lees/Trub, Weingeläger
leflunomide/Leflunomid
legal requirements/Auflage
Legal test/Legal-Test
legal units/Gesetzliche Einheiten
leghemoglobin/Leghämoglobin
legionellae/Legionellen
legoglobin/Leghämoglobin
legumes/Hülsenfrüchte
Leidenfrost phenomenon/Leidenfrostsches Phänomen
leishmaniasis/Leishmaniosen
lek/Balzarena
lemon balm oil/Melissenöl
– essence/Citronenessenz
– oil/Citronenöl
lemonades/Limonaden
lemongrass oil/Lemongrasöl
lemons/Citronen, Zitronen
lenacil/Lenacil
Lenard phosphors/Lenard-Phosphore
Lennard-Jones potential/Lennard-Jones-Potential
lenograstim/Lenograstim
lens equation/Linsengesetz
lenses/Linsen
lenthionin/Lenthionin
lentils/Linsen
lentinan/Lentinan
lentinic acid/Lentinsäure
leonese filaments/Leonische Fäden

leonite/Leonit
lepidocrocite/Lepidokrokit
lepidolite/Lepidolith
lepidopterans/Lepidopterane
leprocybe pigments/Leprocyben-Farbstoffe
leprosy/Lepra
leptin/Leptin
leptite/Leptit
leptons/Leptonen
lethal concentration/LC_{50}
– dosis/Letale Dosis
– synthesis/Letale Synthese
letrozole/Letrozol
letter acids/Buchstabensäuren
lettuce/Lattich
L-leucine/L-Leucin
leucine aminopeptidase/Leucin-Aminopeptidase
– zipper/Leucin-Reißverschluß
leucinocaine/Leucinocain
leucite/Leucit
Leuckart reaction/Leuckart-Reaktion
leuc(o)…/Leuk(o)…
leuco vat dye esters/Leukoküpen-Farbstoffester
leucoanthocyanidins/Leukoanthocyanidine
leucomentins/Leucomentine
leucopterin/Leucopterin
leucosin/Leucosin
leuk(a)emia-inhibitory factor/Leukämie-inhibierender Faktor
leukemia/Leukämie
leuk(o)…/Leuk(o)…
leukocyte common antigen/Leukocyte common antigen
leukocytes/Leukocyten
leukotrienes/Leukotriene
leuprorelin/Leuprorelin
levallorphan/Levallorphan
levamisole/Levamisol
levant wormwood/Zitwer
level/Spiegel
leveling agents/Verlaufmittel
levelling agents/Egalisiermittel
– -off degree of polymerization/Levelling-off-Polymerisationsgrad
lev(o)…/Läv(o)…
levobunolol/Levobunolol
levocabastine/Levocabastin
levocarnitine/Levocarnitin
levodopa/Levodopa
levofloxacin/Levofloxacin
levomepromazine/Levomepromazin
levomethadone/Levomethadon
levomethorphan/Levomethorphan
levonorgestrel/Levonorgestrel
levopimaric acid/Lävopimarsäure
levopropoxyphene/Levopropoxyphen
levopropylhexedrine/Levopropylhexedrin
levorphanol/Levorphanol
levulinic acid/Lävulinsäure
levyne/Levyn
Lewis acid/Lewis-Säure
– base/Lewis-Base
– formulae/Lewis-Formeln
lewisite/Lewisit
lexicons/Wörterbücher
liberin/…liberin
libethenite/Libethenit
libraries/Bibliotheken
licence (GB)/Lizenz
license (USA)/Lizenz
lichen desert/Flechtenwüste
– pigments/Flechten-Farbstoffe
lichenin/Lichenin

lichens/Flechten
licorice/Lakritze
lidocaine/Lidocain
lidoflazine/Lidoflazin
Liebermann tests/Liebermann-Reaktionen
liebigite/Liebigit
Liesegang rings/Liesegangsche Ringe
life cycle assessment/LCA, Ökobilanz
– forms/Lebensformen
– -span/Lebensdauer
lifting platforms/Hebebühne
ligand field theory/Ligandenfeldtheorie
ligands/Liganden
ligase chain reaction/Ligase chain reaction
ligases/Ligasen
light/Licht
– -blue colour/Lichtblau
– conducting fiber/Lichtleitfaser
– conductor/Lichtleiter
– detection and ranging/LIDAR
– emitting diodes/LED
– fastness/Lichtechtheit
– filters/Lichtfilter
– green/Lichtgrün
– metals/Leichtmetalle
– oil/Leichtöl
– petrol/Leichtbenzin
– -saturation/Lichtsättigung
– scattering/Lichtstreuung
– stabilizers/Lichtschutzmittel
– -weight building stones/Leichtbausteine
– weight coated/Light weight coated
– -weight concrete/Leichtbeton
– yellow/Lichtgelb
lighter/Feuerzeug
– flints/Zündsteine
lighting gas/Leuchtgas
lignans/Lignane
lignin/Lignin
ligninases/Ligninasen
ligninsulfonic acid/Ligninsulfonsäure
lignite/Braunkohle, Lignit
– tar/Braunkohlenteer
lignosulfonic acid/Ligninsulfonsäure
ligustrazine/Ligustrazin
lilac/Flieder
lily-of-the-valley/Maiglöckchen
lime/Calciumoxid, Kalken
– cement/Zementkalk
– fertilizer/Düngekalk
– nitrogen/Kalkstickstoff
– oil/Limettöl
– paint/Kalkfarbe
– salpetre/Kalksalpeter
– silicate rock/Kalksilicatgestein
– soap/Kalkseife
– tree flowers/Lindenblüten
limes/Kalke, Limetten
limestones/Kalke
limewash/Kalkfarbe
liming/Kalken
limiting concentration/Grenzkonzentration
– factor/Limitierender Faktor
– oxygen index/LOI, Sauerstoff-Index
limnion/Limnion
limnology/Limnologie
limonene/Limonen
limonin/Limonin
limonite/Brauneisenerz
limonoids/Limonoide
Limulus assay test/Limulus-Test
linalool/Linalool

linamarin/Linamarin
linatine/Linatin
lincomycin/Lincomycin
lindane/Lindan
Lindemann-Hinshelwood mechanism/Lindemann-Hinshelwood-Mechanismus
linden blossoms/Lindenblüten
line of dislocation/Versetzungslinie
– width/Linienbreite
linear/Linear
– energy transfer/LET
– optics/Lineare Optik
lineatin/Lineatin
linen/Leinwand
lingonberries/Preiselbeeren
linimenta/Linimente
lining/Auskleidung, Plattieren
link/Linker
lino/Linoleum
linoleic acid/Linolsäure
linolenic acid/Linolensäure
linoleum/Linoleum
linseed/Leinsamen
– oil/Leinöl
linters/Linters
linuron/Linuron
lion's tooth/Löwenzahn
lip…/Lip…
lipase/Triacylglycerol-Lipase
lipases/Lipasen
lipid-lowering substances/Lipidsenker
lipidoses/Lipidosen
lipids/Lipide
lipocalins/Lipocaline
lipofuscin/Lipofuszin
lipogenesis/Lipogenese
lipoic acid/Liponsäure
lipolysis/Lipolyse
lipooligosaccharides/Lipooligosaccharide
lipophilic/Lipophil
lipophobic/Lipophob
lipophorins/Lipophorine
lipophosphoglycans/Lipophosphoglykan
lipopolysaccharides/Lipopolysaccharide
lipoproteins/Lipoproteine
liposomes/Liposomen
lipoteichoic acids/Lipoteichonsäuren
lipotropin/Lipotropin
Lipowitz alloy/Lipowitz-Legierung
lipoxins/Lipoxine
lipoxygenase/Lipoxygenase
lipstatin/Lipstatin
lipsticks/Lippenstifte
liptobiolithes/Liptobiolithe
liquating/Darren
liquations/Seigerungen
liquefied (petroleum) gas (LPG)/Flüssiggase
liquid air/Flüssige Luft
– chromatography/Flüssigkeits-chromatographie
– cristalline polymers/Flüssigkristalline Polymere
– crystal display/LCD
– crystalline polymer glasses/LCP-Gläser
– crystals/Flüssige Kristalle
– distributor/Flüssigkeitsverteiler
– jet apparatus/Flüssigkeitsstrahler
– -liquid extraction/Flüssig-Flüssig-Extraktion
– manure/Gülle, Jauche
– rubber/Flüssigkautschuke
– seal pump/Wasserringpumpe

liquids/Flüssigkeiten
liquor/Flotte, Liquor
liquorice/Lakritze
lisinopril/Lisinopril
Listeria monocytogenes/Listeria monocytogenes
lisuride/Lisurid
litchee/Litchi
liter (US)/Liter
lithiation/Lithiierung
lithium/Lithium
– acetate/Lithiumacetat
– aluminium hydride/Lithiumaluminiumhydrid
– aluminium silicate/Lithiumaluminiumsilicat
– amide/Lithiumamid
– battery/Lithium-Batterie
– borate/Lithiumborat
– borohydride/Lithiumborhydrid
– bromide/Lithiumbromid
– carbonate/Lithiumcarbonat
– chloride/Lithiumchlorid
– diisopropylamide/Lithiumdiisopropylamid
– fluoride/Lithiumfluorid
– hydride/Lithiumhydrid
– hydroxide/Lithiumhydroxid
– iodide/Lithiumiodid
– nitrate/Lithiumnitrat
– oxides/Lithiumoxide
– perchlorate/Lithiumperchlorat
– preparations/Lithium-Präparate
– sulfate/Lithiumsulfat
lith(o)…/Lith(o)…
lithocholic acid/Lithocholsäure
lithography/Lithographie
lithopones/Lithopone
lithotrophy/Lithotrophie
litmus/Lackmus
litre (GB)/Liter
liver/Leber
– -protective substances/Leberschutztherapeutika
liverwort/Odermennig
living polymers/Lebende Polymere
livingstonite/Livingstonit
LMF/Turgorine
load/Belastung, Fracht
loading/Fracht
loam/Lehm
lobe pump/Wälzkolbenpumpe
lobelia alkaloids/Lobelia-Alkaloide
lobeline/Lobelin
local anesthetics/Lokalanästhetika
– cells/Lokalelemente
localization criteria/Lokalisierungskriterien
locants/Lokanten
lock-in-amplifier/Lock-In-Verstärker
locking/Arretierung
locust bean tree/Johannisbrotbaum
– tree/Robinie
locusts/Heuschrecken
lodoxamide/Lodoxamid
loess/Löß
lofepramine/Lofepramin
lofexidine/Lofexidin
log phase/log-Phase
loganin/Loganin
logwood/Blauholz
lolines/Loline
lollingite/Löllingit
lomefloxacin/Lomefloxacin
lomustine/Lomustin
lonazolac/Lonazolac
London forces/London-Kräfte
– -type smog/Saurer Smog
lone electron pairs/Einsame Elektronenpaare

– electrons/Einsame Elektronen
long term test/Langzeittest
longevity/Lebensdauer
longifolene/Longifolen
Longwell-Manience method/Longwell-Manience-Methode
loop reactor/Schlaufenreaktor
loperamide/Loperamid
lophophora alkaloids/Lophophora-Alkaloide
lophophorine/Lophophorin
lophotoxin/Lophotoxin
loprazolam/Loprazolam
loquats/Japanische Mispeln
loracarbef/Loracarbef
lorandite/Lorandit
loratadine/Loratadin
lorazepam/Lorazepam
lorcainide/Lorcainid
Lorentz force/Lorentz-Kraft
Lorenzo's oil/Lorenzos Öl
lormetazepam/Lormetazepam
lornoxicam/Lornoxicam
losartan/Losartan
loss on ignition/Glühverlust
Lossen degradation/Lossen-Abbau
lotion/Lotion
lovage/Liebstöckel
lovastatin/Lovastatin
lovibond/Lovibond
low allow steel/Niedriglegierte Stähle
– cycle fatigue/Schwingfestigkeit
– -emission vehicle/Schadstoffarmes Auto
– energy electron diffraction/LEED
– explosives/Schießstoffe
– melting alloy/Niedrigschmelzende Legierungen
– pressure wet oxidation/LOPROX
– -profile resins/Low-profile-Harze
– -shrink-resins/Low-shrink-Harze
– -sodium salt/Kochsalz-Ersatzmittel
– -temperature carbonization/Schwelung
– -temperature chemistry/Tieftemperaturchemie
– -temperature decomposition/Tieftemperaturzerlegung
– temperature hydrogenation/TTH
– -temperature technique/Tieftemperaturtechnik
Lowry method/Lowry-Methode
lubricants/Gleitmittel, Schmierstoffe
lubricating greases/Schmierfette
– oils/Schmieröle
lubrication/Schmierung
lucerne/Luzerne
luciferases/Luciferasen
luciferins/Luciferine
lucigenin/Lucigenin
ludwigite/Ludwigit
lues/Syphilis
lufenuron/Lufenuron
luffa/Luffa
Lugol's solution/Lugols Lösung
lumen/Lumen
lumi…/Lumi…
lumichrome/Lumichrom
lumicolchicine/β-Lumicolchicin
lumiflavine/Lumiflavin
luminescent pigments/Leuchtpigmente
luminiscence/Lumineszenz
luminol/Luminol

luminophors/Leuchtstoffe
lumps/Lunker
lunar rock/Mondgestein
lung/Lunge
– surfactant/Lungen-Surfaktans
Lunge reagent/Lunge-Reagenz
lungwort/Lungenkraut
lupeol/Lupeol
lupines/Lupinen
lupinic acid/Lupinsäure
lupinus alkaloids/Lupinen-Alkaloide
lupulone/Lupulon
luster/Lüster
lustre/Glanz
lustrous pigments/Glanzpigmente
lutein/Lutein
lute(o)…/Lute(o)…
luteolin/Luteolin
lutes/Kitte
lutetium/Lutetium
lutidines/Lutidine
lutropin/Lutropin
lux/Lux
– meter/Luxmeter
luxullianite/Luxullianit
lyases/Lyasen
lychee/Litchi
lycomarasmine/Lycomarasmin
lycopene/Lycopin
lycopodium/Lycopodium
– alkaloids/Lycopodium-Alkaloide
lyddite/Lyddit
lye treatment/Beuchen
lyes/Laugen
lymabios/Lymabios
lymph/Lymphe
lymphocytes/Lymphocyten
lymphokine-activated killer cells/Lymphokin-aktivierte Killerzellen
lymphokines/Lymphokine
lymphomas/Lymphome
lymphotoxin/Lymphotoxin
lynestrenol/Lynestrenol
lyo…/Lyo…
lyophilic/Lyophil
lyophilization/Gefriertrocknung
lyophobic/Lyophob
lyophyllin/Lyophyllin
lyotropic/Lyotrop
lypressin/Lypressin
lysalbinic acid/Lysalbinsäure
lysergic acid/Lysergsäure
– diethylamide/Lysergsäurediethylamid
lysimeter/Lysimeter
L-lysine/L-Lysin
lysine acetylsalicylate/Lysinacetylsalicylat
lysinoalanine/Lysinoalanin
lysolecithins/Lysolecithine
lysophosphatidic acids/Lysophosphatidsäuren
lysosomes/Lysosomen
lysostaphin/Lysostaphin
lysozymes/Lysozyme
lyxo…/lyxo…
D-lyxose/D-Lyxose

M

macadam/Makadam
macaroni/Makkaroni
mace/Muskatnüsse
– oil/Muskatnußöl
macerals/Macerale
macerations/Mazerationen
Mach-Zener interferometer/Mach-Zener-Interferometer
machine dishwashing detergents/Maschinengeschirrspülmittel

machinery directive/Maschinenrichtlinie
mackinawite/Mackinawit
maco/Mako
macro…/Makro…
macro-Brownian movements/Makro-Brownsche Bewegungen
macroanalysis/Makroanalyse
macrobiotics/Makrobiotik
macroconformation/Makrokonformation
macrocyclic compounds/Makrocyclische Verbindungen
– polymers/Makrocyclische Polymere
macroemulsion/Makroemulsion
macroesters/Makroester
α_2-macroglobulin/α_2-Makroglobulin
macroinitiators/Makroinitiatoren
macroions/Makroionen
macrolactins/Macrolactine
macrolactones/Makrolactone
macrolides/Makrolide
macromers/Makromonomere
macromolecular chemistry/Makromolekulare Chemie
– dyes/Makromolekulare Farbstoffe
– monomers/Makromonomere
– nomenclature/Polymer-Nomenklatur
– substances/Makromolekulare Stoffe
– substitution reactions/Polymeranaloge Reaktionen
macromolecules/Makromoleküle
macrophage migration-inhibitory factor/Makrophagenwanderungs-Hemmfaktor
macrophages/Makrophagen
macroradicals/Makroradikale
mactraxanthin/Mactraxanthin
madder/Krapp
Madelung constant/Madelung-Konstante
maduramicin α/Maduramicin α
mafenide/Mafenid
magainins/Magainine
magaldrate/Magaldrat
magic acid/Magische Säure
– numbers/Magische Zahlen
magma/Magma
magmatic rocks/Magmatische Gesteine
magnesia bacilli/Magnesiastäbchen
– mixture/Magnesiamixtur
– red/Magnesiarot
magnesite/Magnesit
magnesium/Magnesium
– acetate/Magnesiumacetat
– alloys/Magnesium-Legierungen
– ammonium phosphate/Magnesiumammoniumphosphat
– bombs/Stabbrandbomben
– bromide/Magnesiumbromid
– bronze/Magnesiumbronze
– carbides/Magnesiumcarbide
– carbonate/Magnesiumcarbonat
– chloride/Magnesiumchlorid
– citrate/Magnesiumcitrat
– ethoxide/Magnesiumethoxid
– fluoride/Magnesiumfluorid
– gluconate/Magnesiumgluconat
– hexafluorosilicate/Magnesiumhexafluorosilicat
– hydride/Magnesiumhydrid
– hydrogen carbonate/Magnesiumhydrogencarbonat
– hydroxide/Magnesiumhydroxid
– nitrate/Magnesiumnitrat
– nitride/Magnesiumnitrid

- oxide/Magnesiumoxid
- oxychloride cement/Sorelzement
- perchlorate/Magnesiumperchlorat
- peroxide/Magnesiumperoxid
- phosphates/Magnesiumphosphate
- preparations/Magnesium-Präparate
- silicates/Magnesiumsilicate
- silicide/Magnesiumsilicid
- stearate/Magnesiumstearat
- sulfate/Magnesiumsulfat

magnesiummethoxide/Magnesiummethoxid
magneson/Magneson
magnetic balance/Magnetische Waage
- fluids/Magnetische Flüssigkeiten
- materials/Magnetische Werkstoffe
- moment/Magnetisches Moment
- polymers/Magnetische Polymere
- stirring bars/Magnetrührstäbchen
- susceptibility/Magnetische Suszeptibilität
- tapes/Magnetbänder

magnetite/Magnetit
magnetochemistry/Magnetochemie
magnetohydrodynamic generator/Magnetohydrodynamischer Generator
magnetohydrodynamics/Magnetohydrodynamik
magnetotaxis/Magnetotaxis
magnets/Magnete
magnons/Magnonen
Magnus' salt/Magnus-Salz
mahaleb wood/Weichselholz
Maillard reaction/Maillard-Reaktion
main group elements/Hauptgruppenelemente
- sewer/Abwassersammler
maintenance metabolism/Erhaltungsstoffwechsel
maitotoxin/Maitotoxin
maize (GB)/Mais
- germ oil/Maiskeimöl
- gluten/Maiskleber
major accident/Störfall
majusculamides/Majusculamide
make up/Make-up, Schminke
malachite/Malachit
- green/Malachitgrün
malaga/Malaga
malaria/Malaria
malate dehydrogenase/Malat-Dehydrogenase
malathion/Malathion
male speedwell wort/Ehrenpreis
maleate resins/Maleinatharze
maleates/Maleinsäureester
maleic acid/Maleinsäure
- anhydride/Maleinsäureanhydrid
- esters/Maleinsäureester
- hydrazide/Maleinsäurehydrazid
maleimide/Maleinimid
maletto bark/Malettorinde
malformins/Malformine
malic acid/Äpfelsäure
malleable iron casting/Temperguß
mallow/Malve
malodorous compounds/Stinkstoffe
malonic acid/Malonsäure
- ester synthesis/Malonester-Synthese
malononitrile/Malonsäuredinitril

malt/Malz
- beer/Malzbier
- coffee/Malzkaffee
- extract/Malzextrakt
- liquor/Würze
maltase/Maltase
maltenes/Maltene
maltodextrins/Maltodextrine
maltol/Maltol
maltose/Maltose
malvalic acid/Malvaliasäure
malvidin chloride/Malvidinchlorid
malyngolide/Malyngolid
mammastatin(s)/Mammastatin(e)
man/Mensch
- -made fibers/Chemiefasern, Kunstfasern
mancozeb/Mancozeb
mandarin oil/Mandarinen(schalen)öl
mandarin(e)s/Mandarinen
mandelate racemase/Mandelat-Racemase
mandelic acid/Mandelsäure
mandelonitrile lyase/Mandelonitril-Lyase
mandelstones/Mandelsteine
mandioca/Maniok
mandragora/Mandragora
maneb/Maneb
manganates/Manganate
manganese/Mangan
- acetates/Manganacetate
- alloys/Mangan-Legierungen
- black/Manganschwarz
- blue/Manganblau
- bronze/Reichsmetall
- bronzes/Manganbronzen
- brown/Manganbraun
- (II) carbonate/Mangan(II)-carbonat
- carbonyls/Mangancarbonyle
- chlorides/Manganchloride
- dioxide/Mangandioxid
- dioxide minerals/Braunsteine
- green/Mangangrün
- group/Mangan-Gruppe
- (II) nitrate/Mangan(II)-nitrat
- nodules/Manganknollen
- oxides/Manganoxide
- phosphates/Manganphosphate
- proteins/Mangan-Proteine
- steel/Mangan-Stähle
- sulfates/Mangansulfate
- sulfides/Mangansulfide
manganite/Manganit
mango/Mango
mangosteen/Mangostane
mangrove bark/Mangrovenrinde
Manila copal/Manilakopal
- hemp/Manilahanf
manioc/Maniok
manna/Manna
mannans/Mannane
Mannheim gold/Mannheimer Gold
Mannich reaction/Mannich-Reaktion
mannitol/Mannit
- hexanitrate/Mannit(ol)hexanitrat
manno-/manno-
mannomustine/Mannomustin
mannose/Mannose
- -binding protein/Mannose-bindendes Protein
manoalide/Manoalid
manometers/Manometer
manufacturers' literature/Firmenschriften
manumycins/Manumycine
manure/Mist

manures/Düngemittel
manzamine/Manzamin
maple sap/Ahornsaft
maprotiline/Maprotilin
Marangoni effect/Marangoni-Effekt
maranta/Maranta
maraschino/Maraschino
marasmic acid/Marasminsäure
marble/Marmor
- gypsum/Marmorgips
marc/Trester
marcasite/Markasit
marcfortines/Marcfortine
marchpane/Marzipan
MARCKS/MARCKS
Marcus theory/Marcus-Theorie
margaric acid/Margarinsäure
margarine/Margarine
margarite/Margarit
margosa oil/Neemöl
marigold/Tagetes
marihuana/Marihuana
marijuana/Marihuana
marine biology/Meeresbiologie
- coatings/Schiffsanstriche
- glue/Marin(e)leim, Marinzement
- natural products/Marine Naturstoffe
- organisms/Marine Organismen
marinobufagin/Marinobufagin
marjoram/Majoran
mark tubes/Markröhrchen
marker/Merkmal
marking behaviour/Markierverhalten
- dyes/Signierfarbstoffe
Markovnikov rule/Markownikoffsche Regel
marks/Marke
Markush (generic) formulas/Markush-Formeln
marl/Mergel
marmalade/Marmelade
Marquardt's composition/Marquardt-Masse
Marquis reaction/Marquis-Reaktion
marrow/Medulla
Mars green/Marsgrün
- red/Marsrot
- yellow/Marsgelb
marsh gas/Sumpfgas
Marsh test/Marsh-Test
marshmallow root/Eibischwurzel
Martens temperature/Martens-Temperatur
martensite/Martensit
Martin's equation/Martin-Gleichung
martonite/Martonite
„mary jane"/Marihuana
marzipan/Marzipan
mascaras/Wimpernkosmetika
masers/Maser
mash/Maische
masking/Maskierung
- materials/Abdeckmittel
- of odours/Geruchsmaskierung
- tapes/Abdeckbänder
Masonite process/Masonite-Verfahren
mass/Masse
- action law/Massenwirkungsgesetz
- culture/Massenkultur
- defect/Massendefekt
- dyeing/Spinnfärbung
- number/Massenzahl
- polymerizates/Massepolymerisate

- polymerization/Massepolymerisation, Substanzpolymerisation
- ratio/Massenverhältnis
- spectrometry/Massenspektrometrie
- transfer coefficient/Massentransfer-Koeffizient
massive/Derb
mast cell-degranulating peptide/Mastzellen-degranulierendes Peptid
- cells/Mastzellen
master alloy/Vorlegierung
masterbatch/Masterbatch
mastic/Mastix
mastication/Mastikation
mastoparan/Mastoparan
matches/Zündhölzer
maté/Mate
materials/Werkstoffe
- for sliding bearings/Gleitlagerwerkstoffe
- testing/Materialprüfung
- testing of works of art/Kunstwerkprüfung
mathematics/Mathematik
mating type/Paarungstyp
matrices/Matrizen
matrilysin/Matrilysin
matrine/Matrin
matrix/Matrix
- fibers/Matrix-Fibrillen-Fasern
- mechanics/Matrizenmechanik
- metalloproteinases/Matrix-Metall-Proteinasen
- polymerization/Matrix-Polymerisation, Matrizenpolymerisation
Mattauch rule/Mattauch-Regel
matter/Materie, Stoff
- waves/Materiewellen
maturation/Reifen
mauve/Mauvein
mauveine/Mauvein
maximum immission concentration (MIC)/MIK
Maxwell-Boltzmann velocity distribution/Maxwell-Boltzmannsche Geschwindigkeitsverteilung
- equation/Maxwellsche Gleichungen
- (fluid) model/Maxwell-Modell
Maxwell's demon/Maxwellscher Dämon
Mayer's reagent/Mayers Reagenz
Mayo equation/Mayo-Gleichung
mayonnaise/Mayonnaise
maytansinoids/Maytansinoide
mazut/Masut
MBE/Molekularstrahl-Epitaxie
MBV process/MBV-Verfahren
McCormack reaction/McCormack-Reaktion
McLeod gage (USA)/McLeod-Manometer
MCM catalysts/MCM-Katalysatoren
McMurry reaction/McMurry-Reaktion
MCPA/MCPA
MCPB/MCPB
MCSCF method/MCSCF-Verfahren
MCT/MCT
meadow saffron/Herbstzeitlose
meadowsweet/Spierstaude
mean-field theory/Flory-Huggins-Theorie
- life/Lebensdauer
measurement and control technician/Meß- u. Regeltechniker
measuring/Messen
- flasks/Meßkolben

- station/Meßstelle
meat/Fleisch
- extract/Fleischextrakt
- flavor/Fleischaroma
mebendazole/Mebendazol
mebeverine/Mebeverin
mebhydroline/Mebhydrolin
mecarbam/Mecarbam
mecetronium etilsulfate/Mecetronium-etilsulfat
mechanical seal/Gleitringdichtung
- wastewater treatment/Mechanische Abwasserbehandlung
mechanics/Mechanik
mechanization/Mechanisation
mechanochemistry/Mechanochemie
mechanoreceptors/Mechanorezeptoren
mechlorethamine/Chlormethin
meclocycline/Meclocyclin
meclofenoxate/Meclofenoxat
mecloqualone/Mecloqualon
mecloxamine/Mecloxamin
meclozine/Meclozin
meconic acid/Mekonsäure
mecoprop/Mecoprop
medazepam/Medazepam
mediators/Mediatoren
medicagenic acid/Medicagensäure
medicated lozenges/Pastillen
medicinal charcoal/Medizinische Kohle
- chemistry/Medizinische Chemie
- herbs/Heilpflanzen
medicine/Medizin
medium/Medium
- -fat-dairy products/Milchhalbfetterzeugnisse
- fat margarine/Halbfettmargarine
- -sized rings/Mittlere Ringe
medrogestone/Medrogeston
medroxyprogesterone acetate/Medroxyprogesteronacetat
medrylamine/Medrylamin
medrysone/Medryson
medulle/Medulla
Meerwein-Ponndorf-Verley reduction/Meerwein-Ponndorf-Verley-Reduktion
- reaction/Meerwein-Reaktion
- salts/Meerwein-Salze
mefenacet/Mefenacet
mefenamic acid/Mefenaminsäure
mefenorex/Mefenorex
mefloquine/Mefloquin
mefruside/Mefrusid
mega.../Mega...
megaphone/Megaphon
megascopic/Megaskopisch
megestrol/Megestrol
meglumine/Meglumin
meiosis/Meiose
Meisenheimer complexes/Meisenheimer-Komplexe
- rearrangement/Meisenheimer-Umlagerung
Méker burner/Méker®-Brenner
melamine/Melamin
- phenol formaldehyde resins/Melamin-Phenol-Formaldehyd-Harze
- resins/Melamin-Formaldehyd-Harze, Melamin-Harze
melanin-concentrating hormone/Melanin-konzentrierendes Hormon
melanins/Melanine
melanocortins/Melanocortine

melanocytes/Melanocyten
melanoidins/Melanoid(in)e
melanoma/Melanom
melanophlogite/Melanophlogit
melanotropin/Melanotropin
melaphyr(e)/Melaphyr
melarsoprole/Melarsoprol
melatonin/Melatonin
Meldola's blue/Meldolablau
Meldrum's acid/Meldrumsäure
melianol/Melianol
meliatoxins/Meliatoxine
melilite/Melilith
melissa oil/Melissenöl
melitracene/Melitracen
melittin/Melittin
mellein/Mellein
mellite/Mellit
mellitic acid/Mellit(h)säure
mellitoxin/Mellitoxin
melotte fusible alloy/Melotte-Metall
meloxicam/Meloxicam
melperone/Melperon
melphalan/Melphalan
melt break/Schmelzbruch
- elasticity/Schmelzelastizität
- flow index/Schmelzindex
- stones/Schmelzsteine
- volume index/Volumenfließindex
melting/Schmelzen
- in crucibles/Tiegelschmelzverfahren
- of polymers/Verschmelzen von Polymeren
- point/Schmelzpunkt
- point determination/Schmelzpunktbestimmung
memantine/Memantin
membran filter/Membranfilter
- filtration/Membranfiltration
membrane transport/Membrantransport
membranes/Membranen
memory effect/Memory-Effekt
- polymers/Memory-Polymere
menadiol/Menadiol
mendelevium/Mendelevium
Mendelian laws of heredity/Mendelsche Gesetze
menglytate/Menglytat
meningococcal vaccine/Meningokokken-Impfstoff
meniscus/Meniskus
menotropin/Menotropin
menstruation/Menstruation
p-menthane/p-Menthan
- -menthane hydroperoxide/p-Menthanhydroperoxid
p-menth-1-ene-8-thiol/p-Menth-1-en-8-thiol
menthenes/Menthene
p-menthenes/p-Menthene
menthol/Menthol
menthone/Menthon
mepacrine/Mepacrin
mepanipyrim/Mepanipyrim
meparfynol/Methylpentynol
mephenesin/Mephenesin
mephenytoin/Mephenytoin
mephobarbital/Methylphenobarbital
mephosfolan/Mephosfolan
mepindolol/Mepindolol
mepiquat chloride/Mepiquatchlorid
mepivacaine/Mepivacain
meprin/Meprin
meprobamate/Meprobamat
meproscillarin/Meproscillarin
meptazinol/Meptazinol
mepyramine/Mepyramin

mequitazine/Mequitazin
mer/Mer
mer.../Mer
mer-/mer-
merbromin/Merbromin
mercapto.../Mercapto...
3-mercapto-1,2-propanediol/3-Mercapto-1,2-propandiol
mercaptoamino acids/Mercaptoaminosäuren
2-mercaptobenzimidazole/2-Mercaptobenzimidazol
2-mercaptobenzoic acid/2-Mercaptobenzoesäure
2-mercaptobenzothiazole/2-Mercaptobenzothiazol
2-mercaptoethanol/2-Mercaptoethanol
mercaptopropionic acids/Mercaptopropionsäuren
mercaptopurine/Mercaptopurin
mercerization/Mercerisation
- auxiliaries/Mercerisierhilfsmittel
mercuration/Mercurierung
mercuric.../Mercuri...
mercurimetry/Mercurimetrie
...mercurio-/...mercurio-
mercury/Quecksilber
- (II) acetate/Quecksilber(II)-acetat
- bromide/Quecksilber(II)-bromid
- chlorides/Quecksilberchloride
- (II) fulminate/Quecksilber(II)-fulminat
- iodides/Quecksilberiodide
- nitrates/Quecksilbernitrate
- oxides/Quecksilberoxide
- sulfates/Quecksilbersulfate
- (II) sulfide/Quecksilber(II)-sulfid
- thiocyanate/Quecksilber(II)-thiocyanat
- (vapor arc) lamps/Quecksilberdampflampen
...mer(ic)/Mer
merino/Merino
meriquinoid compounds/Merichinoide Verbindungen
mer(o).../Mer
merocyanines/Merocyanine
meropenem/Meropenem
Merrifield technique/Merrifield-Technik
mersalyl/Mersalyl
mesalamine/Mesalazin
mesalazine/Mesalazin
mescaline/Meskalin
mesembrine alkaloids/Mesembrin-Alkaloide
mesh/Mesh
mesilates/Mesilate
mesityl.../Mesityl...
mesityl oxide/Mesityloxid
mesitylene/Mesitylen
mesna/Mesna
meso.../Meso...
mesobilirubin/Mesobilirubin
mesogen/Mesogen
mesoionic compounds/Mesoionische Verbindungen
mesomerism/Mesomerie
mesonic atoms/Mesonen-Atome
mesons/Mesonen
mesophily/Mesophilie
mesophytes/Mesophyten
mesosoms/Mesosomen
mesothorium/Mesothorium
mesoxalic acid/Mesoxalsäure
mesterolone/Mesterolon
mestranol/Mestranol
mesulfen/Mesulfen

mesuximide/Mesuximid
mesyl.../Mesyl...
met/Met
met(a).../Met(a)...
metabolism/Stoffwechsel
metabolites/Metaboliten
metabolization/Metabolisierung
metachromasia/Metachromasie
metachromatism/Metachromasie
metachrome dyes/Metachrom-Farbstoffe
metaclazepam/Metaclazepam
metacycline/Metacyclin
metacyclophanes/Metacyclophane
metal acetylacetonates/Metallacetylacetonate
- alkyls/Metallalkyle
- amides/Metallamide
- bonding/Metallkleben
- carbonyls/Metallcarbonyle
- cleaning/Metallreinigung
- complex dyes/Metallkomplex-Farbstoffe
- degreasing/Metallentfettung
- effect pigments/Metalleffekt-Pigmente
- fibers/Metallfasern
- fume fever/Gießfieber
- hydrides/Metallhydride
- lattice/Metallgitter
- -organic chemical vapour deposition/MOCVD
- physics/Metallphysik
- protection/Metallschutz
- spraying/Metallspritzverfahren
- threads/Metallfasern
- working/Metallbearbeitung
metalation/Metallierung
metalaxyl/Metalaxyl
metaldehyde/Metaldehyd
metalla.../Metalla...
metallaboranes/Metallaborane
metallic coating of plastics/Kunststoff-Metallisierung
- conductive polymers/Metallisch leitfähige Polymere
- lacquer/Metallic-Lacke
- paint/Metallic-Lacke
- soaps/Metallseifen
metallization/Metallisieren
metallizing/Metallisieren
- of plastics/Kunststoff-Metallisierung
metallo-thermic process/Metallothermie
metallocenes/Metallocene
metallogenesis/Metallogenese
metallography/Metallographie
metallophytes/Metallophyten
metalloproteases/Metall-Proteasen
metalloproteins/Metallproteine
metalloses/Metallosen
metallothionein/Metallothionein
metallurgy/Hüttenkunde, Metallkunde, Metallurgie
- of iron and steel/Eisenhüttenkunde
metalphthalein/Metallphthalein
metals/Metalle
- science/Metallkunde
metalworking lubricants/Bohröle
metamerism/Metamerie
metamfepramone/Metamfepramon
metamitron/Metamitron
metamizol sodium/Metamizol-Natrium
metamorphic rocks/Metamorphe Gesteine
metamorphism/Metamorphose
metamorphosis/Metamorphose
metandienone/Metandienon

metaphosphates/Metaphosphate
metaphosphoric acid/Metaphosphorsäure
metaqualone/Methaqualon
metaraminol/Metaraminol
metasilicic acid/Metakieselsäure
metasomatism/Metasomatose
metastable states/Metastabile Zustände
metathesis/Metathese
– polymerization/Metathesepolymerisation
metazachlor/Metazachlor
metconazole/Metconazol
metenolone/Metenolon
meteorites/Meteoriten
meteors/Meteore
meter/Meter
metergoline/Metergolin
metformin/Metformin
methabenzthiazuron/Methabenzthiazuron
methacrifos/Methacrifos
methacrylate resins/Methacrylatharze
methacrylates/Methacrylsäureester
methacrylic acid/Methacrylsäure
methadone/Methadon
meth(a)emoglobin/Methämoglobin
met(h)am sodium/Metam-Natrium
methamidophos/Methamidophos
methamphetamine/Methamphetamin
methanation/Methanisierung
methandriol/Methandriol
methane/Methan
methanesulfinyl…/Methansulfinyl…
methanesulfonic acid/Methansulfonsäure
methanesulfonyl…/Methansulfonyl…
methanesulfonyl chloride/Methansulfonylchlorid
methanethiol/Methanthiol
methano…/Methano…
methanofuran/Methanofuran
methanogenesis/Methanogenese
methanogen(ic)/Methanogen
methanol/Methanol
methanotrophic organisms/Methanotrophe Organismen
methanthelinium bromide/Methantheliniumbromid
methazole/Methazol
methfuroxam/Methfuroxam
methidathion/Methidathion
methine/Methin
methiocarb/Methiocarb
methional/Methional
methionine/Methionin
methisterone/Dimethisteron
methocarbamol/Methocarbamol
methods according to §35 of LMBG/Methoden nach §35 LMBG
methohexital sodium/Methohexital-Natrium
methoin/Mephenytoin
methomyl/Methomyl
methoprene/Methopren
methotrexate/Methotrexat
methoxides/Methoxide
methoxsalen/Methoxsalen
methoxy…/Methoxy…
α-methoxy-α-(trifluormethyl)-phenylacetic acid/MTPA
p-methoxyacetophenone/p-Methoxyacetophenon
methoxyacrylates/β-Methoxyacrylate

4-methoxybenzoic acid/4-Methoxybenzoesäure
N-(4-methoxybenzylidene)-4-butylaniline/N-(4-Methoxybenzyliden)-4-butylanilin
methoxycarbonyl…/Methoxycarbonyl…
methoxychlor/Methoxychlor
(2-methoxyethyl)mercuric chloride/(2-Methoxyethyl)quecksilberchlorid
methoxyflurane/Methoxyfluran
methoxyl/Methoxyl
4-methoxyphenol/4-Methoxyphenol
3-methoxypropylamine/3-Methoxypropylamin
methyl…/Methyl… (a)
methyl/Methyl… (b)
– acetate/Essigsäuremethylester
– acrylate/Methylacrylat
N-methyl-D-aspartate/N-Methyl-D-aspartat
methyl benzoate/Benzoesäuremethylester
– blue/Methylblau
– bromide/Methylbromid
3-methyl-2-butanone/3-Methyl-2-butanon
methyl-2-butenoic acids/Methyl-2-butensäuren
2-methyl-3-butyn-2-ol/2-Methyl-3-butin-2-ol
N-methyl-ε-caprolactam/N-Methyl-ε-caprolactam
N-methyl-D-glucamine/N-Methyl-D-glucamin
4-methyl-1,3-dioxolan-2-one/4-Methyl-1,3-dioxolan-2-on
methyl fluorosulfate/Fluoroschwefelsäuremethylester
– formate/Ameisensäuremethylester
– green/Methylgrün
N-methyl-2,2′-iminodiethanol/N-Methyl-2,2′-iminodiethanol
methyl iodide/Methyliodid
– isocyanate/Methylisocyanat
– isothiocyanate/Methylisothiocyanat
S-methyl-L-methionine sulfonium chloride/S-Methyl-L-methioninsulfoniumchlorid
2-methyl-1,4-naphthoquinones/2-Methyl-1,4-naphthochinone
methyl 2-naphthyl ether/Methyl(2-naphthyl)ether
– 2-naphthyl ketone/Methyl(2-naphthyl)keton
4-methyl-2-nitroaniline/4-Methyl-2-nitroanilin
N-methyl-N-nitroso-p-toluenesulfonamide/N-Methyl-N-nitroso-p-toluolsulfonamid
methyl orange/Methylorange
(±)-2-methyl-2,4-pentanediol/(±)-2-Methyl-2,4-pentandiol
5-methyl-2-phenyl-1,2-dihydro-3H-pyrazol-3-one/5-Methyl-2-phenyl-1,2-dihydro-3H-pyrazol-3-on
1-methyl-4-piperidinone/1-Methyl-4-piperidinon
2-methyl-4-propyl-1,3-oxathiane/2-Methyl-4-propyl-1,3-oxathian
N-methyl-2-pyrrolidone/N-Methyl-2-pyrrolidon
methyl red/Methylrot
– rubber/Methylkautschuk, Poly(2,3-dimethylbutadien)
– p-toluenesulfonate/p-Toluolsulfonsäuremethylester

– -trans-2-hexenoate/Methyltrans-2-hexenoat
– violet/Methylviolett
N-methylacetamide/N-Methylacetamid
N-methylacetanilide/N-Methylacetanilid
p-methylacetophenone/p-Methylacetophenon
methylal/Methylal
methylaluminoxanes/Methylalumoxan
methylamine/Methylamin
methylamino…/Methylamino…
4-(methylamino)phenol sulfate/4-(Methylamino)phenol-sulfat
N-methylaniline/N-Methylanilin
2-methylanthraquinone/2-Methylanthrachinon
methylates/Methylate
methylation/Methylierung
methylbenzethonium chloride/Methylbenzethoniumchlorid
methylbenzyl…/Methylbenzyl…
N-methylbis(trifluoroacetamide)/N-Methylbis(trifluoracetamid)
2-methylbutane/2-Methylbutan
methylbutanols/Methylbutanole
methylbutenes/Methylbutene
methylbutenols/Methylbutenole
3-methylbutyl nitrite/3-Methylbutylnitrit
3-methylbutyraldehyde/3-Methylbutyraldehyd
3-methylbutyrates/3-Methylbuttersäureester
3-methylbutyric acid/3-Methylbuttersäure
methylcellulose/Methylcellulose
methylchlorosilanes/Methylchlorsilane
methylcobalamin/Methylcobalamin
6-methylcoumarin/6-Methylcumarin
methylcyclohexane/Methylcyclohexan
methylcyclohexanols/Methylcyclohexanole
methylcyclohexanones/Methylcyclohexanone
N-methylcyclohexylamine/N-Methylcyclohexylamin
(methylcyclopentadienyl)manganese tricarbonyl/(Methylcyclopentadienyl)mangantricarbonyl
methylcyclopentane/Methylcyclopentan
5-methylcytosine/5-Methylcytosin
methyldopa/Methyldopa
methylenation/Methylenierung
methylene…/Methylen…
methylene blue/Methylenblau
– blue active substances/MBAS
– bromide/Methylenbromid
– components/Methylen-Verbindungen
– iodide/Methyleniodid
4-methylene-Δ²-oxazolin-5-ones/4-Methylen-Δ²-oxazolin-5-one
4,4′-methylenebis(N,N-dimethylaniline)/4,4′-Methylenbis(N,N′-dimethylanilin)
methylenedioxy…/Methylendioxy…
4,4′-methylenedi(phenyl isocyanate)/4,4′-Methylendi(phenylisocyanat)
methylenomycins/Methylenomycine

methylergometrine/Methylergometrin
N-methylethanolamine/N-Methylethanolamin
N-methylformamide/N-Methylformamid
methylfumaric acid/Methylfumarsäure
α-methylglucoside/α-Methylglucosid
methylglyoxal/Methylglyoxal
4-methylimidazole/4-Methylimidazol
2-methylindole/2-Methylindol
methylionones/Methyljonone
methylisothiazolones/Methylisothiazolone
methylmagnesium iodide/Methylmagnesiumiodid
methylmaleic acid/Methylmaleinsäure
– anhydride/Methylmaleinsäureanhydrid
4-methylmorpholine/4-Methylmorpholin
methylnaphthalenes/Methylnaphthaline
methylotrophy/Methylotrophie
methylpentanes/Methylpentane
methylpentanols/Methylpentanole
methylpentanone peroxide/Methylpentanonperoxid
methylpentanones/Methylpentanone
methylphenidate/Methylphenidat
methylphenobarbital/Methylphenobarbital
ar-methylphenylenediamines/ar-Methylphenylendiamine
2-methylpiperidine/2-Methylpiperidin
methylprednisolone/Methylprednisolon
4-methylpyrocatechol/4-Methylbrenzcatechin
methylquinolines/Methylchinoline
α-methylstyrene/α-Methylstyrol
N-methyltaurine/N-Methyltaurin
methyltestosterone/Methyltestosteron
methylthio…/Methylthio…
methylthiouracil/Methylthiouracil
methylthymol blue/Methylthymolblau
methyltransferases/Methyltransferasen
2-methylundecanal/2-Methylundecanal
methylvinylether maleic acid anhydride copolymers/Poly(methylvinylether-co-maleinsäureanhydrid)e
methyprylon/Methyprylon
methysergide/Methysergid
metildigoxin/Metildigoxin
metipranolol/Metipranolol
metiram/Metiram
metisazone/Metisazon
metixene/Metixen
metobenzuron/Metobenzuron
metobromuron/Metobromuron
metoclopramide/Metoclopramid
metolachlor/Metolachlor
metolazone/Metolazon
metoprolol/Metoprolol
metosulam/Metosulam
metoxuron/Metoxuron
metre (GB)/Meter
metribuzin/Metribuzin
metric ton/Tonne
metriphonate/Trichlorfon
metrizamide/Metrizamid

metronidazole/Metronidazol
metsulfuron-methyl/Metsulfuron-methyl
metyrapone/Metyrapon
mevalolactone/Mevalolacton
mevalonic acid/Mevalonsäure
mevinphos/Mevinphos
mexican gin/Tequila
mexiletine/Mexiletin
Meyer-Ronge catalyst/Meyer-Ronge-Katalysator
– -Schuster rearrangement/Meyer-Schuster-Umlagerung
Meyers reaction/Meyers-Reaktion
mezerein/Mezerein
mezereon/Seidelbast
mezlocillin/Mezlocillin
MHC process/MHC- bzw. MHD-Verfahren
MHD process/MHC- bzw. MHD-Verfahren
mianserin/Mianserin
miargyrite/Miargyrit
miaroles/Miarolen
mibefradil/Mibefradil
mica/Glimmer
micaceous iron ore/Eisenglimmer
micelles/Micellen
Michael addition/Michael-Addition
Michaelis-Arbuzov reaction/Michaelis-Arbusov-Reaktion
Michelson interferometer/Michelson-Interferometer
Michler's ketone/Michlers Keton
Micko distillation/Micko-Destillation
miconazole/Miconazol
micro…/Mikro…
micro-Brownian movements/Mikro-Brownsche Bewegungen
– waves/Mikrowellen
microanalysis/Mikroanalyse
microbial growth/Mikrobielles Wachstum
– leaching/Mikrobielle Laugung
– nutrients/Nährstoffe für Mikroorganismen
– soil decontamination/Mikrobielle Bodendekontaminierung
microbicides/Mikrobizide
microbiology/Mikrobiologie
microbodies/Microbodies
microcarrier/Mikrocarrier
microchemistry/Mikrochemie
microcline/Mikroklin
microcolumn liquid-chromatography/Mikrosäulen-Flüssigkeitschromatographie
microcrystalline cellulose/Mikrokristalline Cellulose
– polymers/Mikrokristalline Polymere
– wax/Mikrowachs
microcystins/Microcystine
microemulsion polymerization/Mikroemulsionspolymerisation
microemulsions/Mikroemulsionen
microencapsulation/Mikroverkapselung
microfibres/Mikrofasern
microfibrills/Mikrofibrillen
microfilaments/Mikrofilamente
microfiltration/Mikrofiltration
microfracture/Mikrobruch
microgel/Mikrogele
microglobulins/Mikroglobuline
microinjection/Mikroinjektion
micronizing/Mikronisieren
microns/Mikronen

microorganism cell breakage (disruption)/Aufschluß von Mikroorganismen
microorganisms/Mikroorganismen
micropearls/Mikroperlen
microphase separation/Mikrophasentrennung
microprocessor/Mikroprozessor
microscopes/Mikroskope
microscopy/Mikroskopie
microsomes/Mikrosomen
microtubule-associated proteins/Mikrotubulus-assoziierte Proteine
microtubules/Mikrotubuli
microvilli/Mikrovilli
microwave heating/Mikrowellenerhitzung
– spectra/Mikrowellenspektren
– spectroscopy/Mikrowellen-Spektroskopie
microwax/Mikrowachs
midazolam/Midazolam
midkine/Midkin
midodrine/Midodrin
Mie scattering/Mie-Streuung
mifarmonab/Mifarmonab Fab-DTPA
mifepristone/Mifepriston
miglitol/Miglitol
migmatites/Migmatite
migraine/Migräne
migration/Migration
milarite/Milarit
milbemectin/Milbemectin
milbemycins/Milbemycine
mild steel/Kohlenstoff-Stähle
mildew/Mehltau
mildiomycin/Mildiomycin
milfoil oil/Schafgarbenöl
military chemistry/Militärchemie
– smokes/Nebelwaffen
milk/Milch
– powder/Milchpulver
(mill) scale/Zunder
milled soaps/Pilierte Seifen
Miller indices/Millersche Indizes
millerite/Millerit
millet/Hirse
milli…/Milli…
milliard (GB vor 1970)/Milliarde
milliliter (US)/Milliliter
millilitre (GB)/Milliliter
milling/Mahlen, Walken
Millon's base/Millonsche Base
– reaction/Millonsche Reaktion
mills/Mühlen
milnacipran/Milnacipran
Milori blue/Miloriblau
milrinone/Milrinon
miltefosine/Miltefosin
mimesis/Mimese
mimetesite/Mimetesit
mimetite/Mimetesit
mimicry/Mimikry
mimosas/Mimosen
mimosine/Mimosin
mine drainage (water)/Grubenwasser
– water/Grubenwasser
mineral acids/Mineralsäuren
– chemistry/Mineralchemie
– colo(u)rs/Mineralfarben
– feed/Mineralfutter
– fibers/Mineralfasern
– nutrients/Mineralstoffe
– (soda) water/Sprudel
– water/Mineralwasser
– wax/Erdwachs
mineralization/Mineralisation
mineralogy/Mineralogie
minerals/Mineralien

minette/Minette
minicells/Minizellen
minichromosomes/Minichromosomen
minim/Minim
minimal medium/Minimalmedium
mining industry/Bergbau
mink oil/Nerzöl
minocycline/Minocyclin
minor product/Nebenprodukt
minoxidil/Minoxidil
mintlactone/Mintlacton
miotics/Miotika
miroestrol/Mirestrol
mirror/Spiegel
– burner/Spiegelbrenner
mirtazapine/Mirtazapin
misch metal of cerium/Cer-Mischmetall
miscibility/Mischbarkeit
miserotoxin/Miserotoxin
Mislow rearrangement/Mislow-Umlagerung
misoprostol/Misoprostol
mist/Nebel
– eliminator/Demister
mistletoe/Mistel
mites/Milben
mithridatism/Mithridatismus
mitochondria/Mitochondrien
mitochondrial DNA/Mitochondriale DNA
mitogen-activated protein kinases/Mitogen-aktivierte Protein-Kinasen
mitomycins/Mitomycine
mitopodozide/Mitopodozid
mitorubrin/Mitorubrin
mitosis/Mitose
mitotic inhibitors/Mitosehemmer
mitoxantrone/Mitoxantron
mitozantron/Mitoxantron
Mitsunobu reaction/Mitsunobu-Reaktion
mivacurium chloride/Mivacuriumchlorid
mixed…/Gemischte…
mixed cerium metals/Cer-Mischmetall
– crystals/Mischkristalle
– culture/Mischkultur
– drink of wine and soda water/Schorle
– -layer minerals/Wechsellagerungs-Minerale
– phases/Mischphasen
mixing/Mischen, Vermischung
– prohibition/Vermischungsverbot
– rules/Mischungsregeln
mixotrophy/Mixotrophie
mixtures/Gemische, Mixturen
mizolastine/Mizolastin
MKS system/MKS-System
MNDO method/MNDO-(Verfahren)
MO theory/MO-Theorie
mobile phase/Mobile Phase
MOCA/MOCA
mocha leather/Mochaleder
moclobemide/Moclobemid
MOCVD/MOCVD
modacrylic fibers/Modacrylfasern
modafinil/Modafinil
modal fibers/Modalfasern
mode locking/Modenkopplung
model polymers/Modell-Polymere
moderator/Moderator
modhephene/Modhephen
modification/Modifikation
modified natural products/Abgewandelte Naturstoffe

modulation spectroscopy/Modulationsspektroskopie
modulus/Modul
– of rigidity/Schermodul
Möbius molecules/Möbius-Moleküle
Mössbauer spectroscopy/Mößbauer-Spektroskopie
moexipril/Moexipril
mofebutazone/Mofebutazon
Mofex process/Mofex-Verfahren
Moffatt-Pfitzner oxidation/Moffatt-Pfitzner-Oxidation
moganite/Moganit
mohair/Mohair
Mohr's balance/Mohrsche Waage
moissanite/Moissanit
moisture/Feuchtigkeit
molality/Molalität
molar heat capacity/Molwärme
– mass/Molmasse
– mass determination/Molmassenbestimmung
– mass distribution/Molmassenverteilung
– optical rotatory power/Molrotation
– rotation/Molrotation
– volume/Molvolumen
molarity/Molarität
molasses/Melasse
molds (USA)/Schimmelpilze
mole/Mol
– fraction/Molenbruch
molecular beam epitaxy/Molekularstrahl-Epitaxie
– beams/Molekularstrahlen
– biology/Molekularbiologie
– complexes/Molekülverbindungen
– design/Moleküldesign
– devices/Molekulare Funktionseinheiten
– dynamics/Molekulardynamik
– electronics/Molekulare Elektronik
– farming/Gen-Farming
– formula/Bruttoformel
– (framework) models/Molekülmodelle
– ionics/Molekulare Ionik
– lattice/Molekülgitter
– modelling/Molecular Modelling
– motors/Molekulare Motoren
– orbitals/Molekülorbitale
– photonics/Molekulare Photonik
– physics/Molekülphysik
– recognition/Molekulare Erkennung
– sieves/Molekularsiebe
– spectra/Molekülspektren
– spectroscopy/Molekülspektroskopie
– switches/Molekulare Schalter
molecularity/Molekularität
molecules/Moleküle
moler (earth)/Moler(erde)
molex® process/Molex®-Verfahren
molgramostim/Molgramostim
molinate/Molinat
molluscicides/Molluskizide
molluscs/Mollusken
Molotov cocktail/Molotowcocktail
moloxides/Moloxide
molsidomine/Molsidomin
molten salts/Salzschmelzen
molybdate red/Molybdatrot
molybdates/Molybdate
12-molybd(at)ophosphoric acid/12-Molybdatophosphorsäure

molybdenite/Molybdändisulfid
molybdenum/Molybdän
– blue/Molybdänblau
– chlorides/Molybdänchloride
– disulfide/Molybdändisulfid
– hexacarbonyl/Molybdänhexacarbonyl
– trioxide/Molybdäntrioxid
molybdoenzymes/Molybdän-Enzyme
momentum/Impuls
mometasone (furoate)/Mometason
monalazone disodium/Monalazon-Dinatrium
Monascus purpurens/Monascus purpureus
monazite/Monazit
Mond gas/Mond-Gas
– metal/Mond-Metall
– process/Mond-Prozeß
Mond's nickel/Mond-Nickel
monellins/Monellin
monensin/Monensin
moniliformin/Moniliformin
monkshood/Eisenhut
mono…/Mono…
monoacidic bases/Einsäurige Basen
monoamine oxidase/Monoamin-Oxidase
monoatomic/Einatomig
monobasic acids/Einbasige Säuren
monobenzone/Monobenzon
monochromatic radiation/Monochromatische Strahlung
monochromator/Monochromator
monoclonal antibodies/Monoklonale Antikörper
monocot(yledon)s/Monokotyle(done)n
monocrotaline/Monocrotalin
monocrotophos/Monocrotophos
monocyclic compounds/Monocyclische Verbindungen
monocytes/Monocyten
Monod kinetics/Monod-Kinetik
monodisperse polymers/Monodisperse Polymere
monofil(ament)/Monofil, Monofilament
monoglycerides/Monoglyceride
monoglyceridesulfates/Monoglyceridsulfate
monograph/Monographie
monokines/Monokine
monolayer polymerization/Monoschichten-Polymerisation
monolayers/Monomolekulare Schichten
monolinuron/Monolinuron
monomers/Monomere
monomolecular layers/Monomolekulare Schichten
monomorines/Monomorine
mononuclear phagocytes/Mononukleäre Phagocyten
monooxygenases/Monooxygenasen
monopoles/Monopole
monosaccharides/Monosaccharide
Monsel's salt/Monsels Salz
montan wax/Montanwachs
montanic acid/Montansäure
Monte Carlo method/Monte-Carlo-Methode
montelukast/Montelukast
monticellin/Monticellit
montmorillonites/Montmorillonite
monzonite/Monzonit
moon/Mond

moonstone/Mondstein
Moore-Stein analysis/Moore-Stein-Analyse
morazone/Morazon
MORD/MORD
mordant dyes/Beizenfarbstoffe
mordenite/Mordenit
morel/Morcheln
morin/Morin
morocco [leather]/Saffian
moroxydine/Moroxydin
morphactines/Morphaktine
morphinanes/Morphinane
morphine/Morphin
– alkaloids/Morphin-Alkaloide
…morph(o)…/…morph(o)…
morphogens/Morphogene
morpholin-x-yl…/Morpholin-x-yl…
morpholine/Morpholin
morpholino…/Morpholino…
morphology/Morphologie
morphotropy/Morphotropie
Morse potential/Morse-Potential
mortality/Absterberate
mortar/Mörtel
– additives/Bauhilfsmittel
mortars/Reibschalen
MOS-FET/MOS-FET
mosaic crystals/Mosaik-Kristalle
Moseley law/Moseleysches Gesetz
moss agate/Moosachat
mosses/Moose
moth control/Mottenbekämpfung
mother liquor/Mutterlauge
– -of-pearl/Perlmutt(er)
mother's milk/Humanmilch
motilin/Motilin
motion sickness/Reisekrankheit
motor fuels/Motorkraftstoffe
– oils/Motorenöle
mould/Gießform
mo(u)lded materials/Formstoffe
mo(u)lding masses/Knetmassen
– materials/Formmassen
– waxes/Bossierwachse
moulds (GB)/Schimmelpilze
mountain-ash/Eberesche
– tobacco/Arnika
moxaverine/Moxaverin
moxifloxacin/Moxifloxacin
moxisylyte/Moxisylyt
moxonidine/Moxonidin
M protein/M-Protein
MR-CI/MR-CIMRS equation/Martin-Roth-Stiehler-Gleichung
MTG process/MTG-Verfahren
muci/Schleime
mucic acid/Schleimsäure
mucilages/Schleime
mucilaginous substances/Schleimstoffe
mucins/Mucine
muco-/muco-
mucolytics/Mucolytika
muconic acid/Muconsäure
mud/Schlick
mugwort/Beifuß
Mukaiyama reaction/Mukaiyama-Reaktion
mulberrofurans/Mulberrofurane
mullein/Königskerzen
– flowers/Wollblumen
mullen/Königskerzen
mullite/Mullit
multiblock copolymers/Multiblock-Polymere
– polymers/Multiblock-Polymere
multicenter reactions/Mehrzentrenreaktionen
multicentric bonding/Mehrzentrenbindung

multicolor effects/Multicolor-Effekte
multicomponent reactions/Mehrkomponenten-Reaktion
multidental/Mehrzähnig
multienzymes/Multienzyme
multimerization/Multimerisation
multiphoton spectroscopy/Mehrphotonen-Spektroskopie
multiple chemical sensitivity/MCS
– cloning site (mcs)/Polylinker
– sclerosis/Multiple Sklerose
multiplet/Multiplett
multiplicative name/Multiplikativname
– separation processes/Multiplikative Trennverfahren
multiplicity/Multiplizität, Zähligkeit
multiplying prefixes/Multiplikationspräfixe
multistep reactions/Stufenreaktionen
multistriatins/Multistriatine
multivitamin preparations/Multivitamin-Präparate
municipal waste/Hausmüll
– waste incineration/Hausmüllverbrennung
– waste management/Hausmüllentsorgung
Munsell system/Munsell-System
muon atoms/Myonen-Atome
muonium/Myonium
muons/Myonen
muramic acid/Muraminsäure
muramyl dipeptide/Muramyl-Dipeptid
murein/Murein
murexide/Murexid
muriatic acid/Muriatische Säure
muromonab-CD_3/Muromonab-CD_3
musc(a)…/Musc(a)…
muscaflavin/Muscaflavin
muscalure/Muscalur
muscarine/Muscarin
muscatel sage oil/Muskatellersalbei-Öl
muscazone/Muscazon
muscimol/Muscimol
muscle/Muskel
– relaxants/Muskelrelaxantien
muscone/Muscon
muscovite/Muscovit
mushroom flavor/Pilzaroma
mushrooms/Pilze
musk/Moschus
mustard/Senf
– gas/Lost
– oils/Senföle
– seed oil/Senföl
mustelidae/Musteliden
mutagenesis/Mutagenese
mutagenic/Erbgutverändernd
mutagenicity/Mutagenität
mutagens/Mutagene
mutarotation/Mutarotation
mutastein/Mutastein
mutation/Mutation
– rate/Mutationsrate
MX/MX
myc/Myc
mycalamides/Mycalamide
mycelium/Mycel
…mycin/…mycin
myclobutanil/Myclobutanil
myco…/Myko…
mycobacidin/Mycobacidin
mycobacteria/Mykobakterien
mycolic acids/Mykolsäuren
mycomycin/Mycomycin

mycophenolate mofetil/Mycophenolatmofetil
mycophenolic acid/Mycophenolsäure
mycoplasma-like organisms/MLO
mycoplasmas/Mykoplasmen
mycoses/Mykosen
mycotoxins/Mykotoxine
mydriatics/Mydriatika
myelin/Myelin
myo…/Myo…
myo-/myo-
myo-inositol hexaphosphate/Phytinsäure
myoD/MyoD
myogenin/Myogenin
myoglobin/Myoglobin
myosin/Myosin
myrcene/Myrcen
myristates/Myristinsäureester
myristic acid/Myristinsäure
myristicin/Mysticin
myristoyl…/Myristoyl…
myristoyl proteins/Myristoyl-Proteine
myristyl…/Myristyl…
myrmicacin/Myrmicacin
myrobalans/Myrobalanen
myrosinase/Myrosinase
myrrh/Myrrhe
myrtecaine/Myrtecain
myrtle oil/Myrtenöl
myxobacteria/Myxobakterien
myxothiazol/Myxothiazol

N

nabilone/Nabilon
nabumetone/Nabumeton
nacreous pigments/Perlglanzpigmente
nadifloxacin/Nadifloxacin
nadolol/Nadolol
nadroparin/Nadroparin
naematolin/Naematolin
nafarelin/Nafarelin
nafcillin/Nafcillin
naftidrofuryl/Naftidrofuryl
naftifine/Naftifin
nagyagite/Nagyagit
nail cosmetics/Nagelpflegemittel
– lacquer/Nagellack
– polish/Nagellack
naked/Nackt
nalbuphine/Nalbuphin
nalidixic acid/Nalidixinsäure
nalorphine/Nalorphin
naloxone/Naloxon
naltrexone/Naltrexon
name reactions/Namen(s)reaktionen
named reactions/Namen(s)reaktionen
nandrolone/Nandrolon
nano…/Nano…
nanophase materials/Nanophasen-Materialien
nanotubes/Nanoröhren
napadisilate/Napadisilat
napalm/Napalm
naphazoline/Naphazolin
naphtha/Naphtha
naphthacene/Naphthacen
naphthalene/Naphthalin
1-naphthaleneacetic acid/1-Naphthalinessigsäure
naphthalenecarboxylic acids/Naphthalincarbonsäuren
1,8-naphthalenediylbis(dimethylborane)/1,8-Naphthalindiylbis(dimethylboran)
naphthalenesulfonic acids/Naphthalinsulfonsäuren

naphthazarine/Naphthazarin
naphthenes/Naphthene
naphthenic acids/Naphthensäuren
naphth(o)…/Naphth(o)…
α-naphthoflavone/α-Naphthoflavon
naphthol black 6B/Naphtholschwarz 6 B
– dyes/Naphthol-Farbstoffe
α-naphtholphthalein/α-Naphtholphthalein
naphthols/Naphthole
naphtholsulfonic acids/Naphtholsulfonsäuren
…naphthone/…naphthon
1,2-naphthoquinone-4-sulfonic acid sodium salt/1,2-Naphthochinon-4-sulfonsäure-Natriumsalz
naphthoquinones/Naphthochinone
naphthyl…/Naphthyl…
2-naphthyl benzoate/Benzoesäure-2-naphthylester
1-naphthyl isocyanate/1-Naphthylisocyanat
2-(1-naphthyl)-5-phenyloxazole/α-NPO
naphthylamines/Naphthylamine
naphthylaminesulfonic acids/Naphthylaminsulfonsäuren
2-naphthyloxyacetic acid/2-Naphthyloxyessigsäure
naphthyridines/Naphthyridine
Naphtol Blue Black/Amidoschwarz 10 B
– dyes/Naphtol-Farbstoffe
N-(1-naphthyl)ethylenediamine dihydrochloride/N-(1-Naphthyl)ethylendiamin-dihydrochlorid
Naples yellow/Neapelgelb
nappa/Nappaleder
napropamide/Napropamid
naproxen/Naproxen
napsylate/Napsilat
narasin/Narasin
naratriptan/Naratriptan
narbonin/Narbonin
narbosins/Narbosine
narcotic drugs/Rauschgifte
narcotics/Betäubungsmittel, Narkotika
(−)-α-narcotine/(−)-α-Narcotin
naringin/Naringin
narrow range/Narrow range
nasal catarrh/Schnupfen
nascent state/In statu nascendi
nastic movements/Nastien
nasties/Nastien
natamycin/Natamycin
native/Gediegen, Nativ
– arsenic/Scherbenkobalt
natriuretic peptides/Natriuretische Peptide
natrolite/Natrolith
natron/Natron
natsyn/Natsyn
Natta projection/Natta-Projektion
natural constants/Naturkonstanten
– dyes/Naturfarbstoffe
– fibers/Naturfasern
– gas/Erdgas
– killer cells/Natürliche Killerzellen
– line width/Natürliche Linienbreite
– polymers/Natürliche Polymere
– product extracts/Naturstoff-Extrakte
– products/Naturstoffe
– resins/Natürliche Harze

– rubber/Naturkautschuk
– science/Naturwissenschaft
– stones/Natursteine
naturally occuring polymers/Natürliche Polymere
nature/Natur
– protection/Naturschutz
navigation/Navigation
Nazarov reaction/Nazarov-(Ringschluß-)Reaktion
NBC-RIM process/NBC-RIM-Verfahren
NBD chloride/NBD-Chlorid
near-field microscopy/Nahfeldmikroskopie
neatsfoot oil/Klauenöle
nebacumab/Nebacumab
Neber rearrangement/Neber-Umlagerung
nebivolol/Nebivolol
nebularine/Nebularin
nebulin/Nebulin
neburon/Neburon
necatorone/Necatoron
necine(s)/Necin(e)
necrodols/Necrodole
necrohormones/Wundhormone
necrophagous animals/Nekrophagen
necrotrophy/Nekrotrophie
nectar/Nektar
– (honey) flow/Tracht
nedocromil/Nedocromil
neem oil/Neemöl
– tree/Nimbaum
Nef reactions/Nef-Reaktionen
nefazodone/Nefazodon
nefopam/Nefopam
negative copy process/Negativ-Kopierverfahren
neighbo(u)ring group effects/Nachbargruppen-Effekt
nelfinavir/Nelfinavir
nelsonite/Nelsonit
nematicides/Nematizide
nematode-destroying/Nematophag
nematodes/Nematoden
nematophagous/Nematophag
Nencki reaction/Nencki-Reaktion
Nenitzescu reactions/Nenitzescu-Reaktionen
neo…/Neo…
neoabietic acid/Neoabietinsäure
neoarsphenamine/Neoarsphenamin
neocarzinostatin A/Neocarzinostatin A
neocupferron/Neokupferron
neodymium/Neodym
– compounds/Neodym-Verbindungen
– laser/Neodym-Laser
neohesperidin-dihydrochalcone/Neohesperidin-Dihydrochalkon
neomycin/Neomycin
neon/Neon
– tubes/Neonröhren
neopentyl…/Neopentyl…
neopentyl rearrangement/Neopentyl-Umlagerung
neopterin/Neopterin
neostigmine/Neostigmin
neotetrazolium chloride/Tetrazolpurpur
nepetalactone/Nepetalacton
nephelauxetic effect/Nephelauxetischer Effekt
nepheline/Nephelin
– syenite/Nephelinsyenit
nephelometry/Nephelometrie
nephrite/Nephrit
neplanocins/Neplanocine

neptunite/Neptunit
neptunium/Neptunium
nereistoxin/Nereistoxin
Nernst distribution law/Nernstscher Verteilungssatz
– effect/Nernst-Effekt
– equation/Nernstsche Gleichung
– sticks/Nernst-Stifte
– Thomson rule/Nernst-Thomson-Regel
neroli oil/Orangenblüten(-Absolue, -Öl) (2.)
nerolidol/Nerolidol
nerve cell/Neuron
– growth factor/Nervenwachstumsfaktor
nerves/Nerven
nervines/Nervina
nervone/Nervon
nervous system/Nervensystem
neryl acetate/Nerylacetat
Nesmeyanov reaction/Nesmeyanov-Reaktion
Nessler's reagent/Neßlers Reagenz
net calorific value/Heizwert
– protein utilization value/NPU-Wert
netilmicin/Netilmicin
netrins/Netrine
nettle/Nessel
– poisons/Nesselgifte
– rash/Nesselfieber
nettles/Nesselpflanzen
neural therapy/Neuraltherapie
neuraminic acid/Neuraminsäure
neuraminidases/Neuraminidasen
neuregulins/Neureguline
neurexins/Neurexine
neurochemistry/Neurochemie
neurofilaments/Neurofilamente
neurohormones/Neurohormone
neurokines/Neurokine
neurokinins/Neurokinine
neuroleptics/Neuroleptika
neuroleukin/Neuroleukin
neuromedins/Neuromedine
neuromodulin/Neuromodulin
neuron/Neuron
neuronal network/Neuronale Netze
neuropeptide Y/Neuropeptid Y
neuropeptides/Neuropeptide
neurophysins/Neurophysine
neurotensin/Neurotensin
neurotoxins/Neurotoxine
neurotransmitters/Neurotransmitter
neurotrophic factors/Neurotrophe Faktoren
neutral cleanser/Neutralreiniger
– endopeptidase 24.11/Neutrale Endopeptidase 24.11
– red/Neutralrot
– salts/Neutralsalze
neutralization/Neutralisation
– number/Neutralisationszahl
neutrinos/Neutrinos
neutron activation analysis/Neutronenaktivierungsanalyse
– diffraction/Neutronenbeugung
neutrons/Neutronen
nevirapine/Nevirapin
new (chemical) (notified) substance/Neustoff
– fuchsin/Neufuchsin
Newman projection/Newman-Projektion
Newtonian fluids/Newtonsche Flüssigkeiten
Newton's alloy/Newton-Legierung
nexin/Nexin
NF-κB/NF-κB

nicametate/Nicametat
nicardipine/Nicardipin
niccolates/Nickelate
niccolite/Nickelin
nicergoline/Nicergolin
nicethamide/Nicethamid
nichrome®/Chromnickel
nick translation/Nick-Translation
nickel/Nickel
– (II) acetate/Nickel(II)-acetat
– alloys/Nickel-Legierungen
– (II) ammonium sulfate/Nickel(II)-ammoniumsulfat
– arsenide/Nickelarsenid
– (II) bromide/Nickel(II)-bromid
– bronzes/Nickelbronzen
– (II) carbonate/Nickel(II)-carbonat
– (II) chloride/Nickel(II)-chlorid
– deposition/Vernickeln
– (II) fluoride/Nickel(II)-fluorid
– formate/Nickel(II)-formiat
– hydroxides/Nickelhydroxide
– (II) nitrate/Nickel(II)-nitrat
– oxides/Nickeloxide
– pigments/Nickel-Pigmente
– silver (früher German silver)/Neusilber, Nickelmessing
– (II) sulfamate/Nickel(II)-sulfamat
– sulfate/Nickel(II)-sulfat
– sulfides/Nickelsulfide
– tetracarbonyl/Nickeltetracarbonyl
nickeline/Nickelin
nickelling/Vernickeln
niclosamide/Niclosamid
nicoboxil/Nicoboxil
nicofuranose/Nicofuranose
nicorandil/Nicorandil
nicosulfuron/Nicosulfuron
nicotianamine/Nicotianamin
nicotinamide-adenine dinucleotide/Nicotinamid-Adenin-Dinucleotid
nicotinates/Nicotinsäureester
nicotine/Nicotin
nicotinic acid/Nicotinsäure
– -acid amide/Nicotinsäureamid
– esters/Nicotinsäureester
nicotyrine/Nicotyrin
nido-/nido-
nielsbohrium/Nielsbohrium
nif genes/nif-Gene
nifedipine/Nifedipin
nifenalol/Nifenalol
nifenazone/Nifenazon
niflumic acid/Nifluminsäure
nifuratel/Nifuratel
nifuroxazide/Nifuroxazid
nifurtimox/Nifurtimox
nifurtoinol/Nifurtoinol
nigericin/Nigericin
Niggli formulas/Niggli-Formeln
nigranilin/Nigranilin
nigrifactine/Nigrifactin
nigrosines/Nigrosine
NIH shift/NIH-Verschiebung
nikethamide/Nicethamid
nikkomycins/Nikkomycine
nile blue A/Nilblau A
nilvadipine/Nilvadipin
nimesulide/Nimesulid
nimodipine/Nimodipin
nimorazole/Nimorazol
nimustine/Nimustin
niner/Neuner
ninhydrin/Ninhydrin
niobates(V)/Niobate(V)
niobium/Niob
– compounds/Niob-Verbindungen
nioxime/Nioxim
nipolite/Nipolit

niridazole/Niridazol
nisin/Nisin
nisoldipine/Nisoldipin
nitenpyram/Nitenpyram
niter (amerikan.)/Kalisalpeter
nitinol/Nitinol
nitramines/Nitramine
nitrate reductases/Nitrat-Reduktasen
nitrated PAH/Nitro-PAH
nitrates/Nitrate
nitrating acid/Nitriersäure
nitration/Nitrierung
nitrato…/Nitrato…
nitrazepam/Nitrazepam
nitrazine yellow/Nitrazingelb
nitre (engl.)/Kalisalpeter
nitrefazole/Nitrefazol
nitrendipine/Nitrendipin
nitrenes/Nitrene
nitric acid/Salpetersäure
– acid esters/Salpetersäureester
nitrides/Nitride
nitriding/Nitrieren
– (process)/Nitrierhärtung
– steel/Nitrierstahl
nitrido…/Nitrido…
nitrification/Nitrifikation
nitril oxides/Nitriloxide
…nitrile/…nitril
nitrile rubber/Nitrilkautschuk
– ylides/Nitril-Ylide
nitriles/Nitrile
nitrilimines/Nitrilimine
…nitrilio…/…nitrilio…
nitrilo…/Nitrilo…
1,1′,1″-nitrilotri-2-propanol/1,1′,1″-Nitrilotri-2-propanol
nitrilotriacetic acid/NTA
2,2′,2″-nitrilotriethanol/2,2′,2″-Nitrilotriethanol
nitrite pickling salt/Nitritpökelsalz
– reductases/Nitrit-Reduktasen
nitrites/Nitrite
nitrito…/Nitrito…
nitr(o)…/Nitr(o)…
nitro compounds/Nitro-Verbindungen
– group/Nitro-Gruppe
– lacquers/Nitrolacke
2-nitro-1,4-phenylenediamine/2-Nitro-1,4-phenylendiamin
5-nitro-2-propoxyaniline/5-Nitro-2-propoxyanilin
nitroalkanes/Nitroalkane
nitroanilines/ar-Nitroaniline
2-nitroanisole/2-Nitroanisol
nitroarenes/Nitroaromaten
5-nitrobarbituric acid/5-Nitrobarbitursäure
nitrobenzaldehydes/Nitrobenzaldehyde
3-nitrobenzanthrone/3-Nitrobenzanthron
nitrobenzene/Nitrobenzol
5-nitrobenzimidazole/5-Nitrobenzimidazol
nitrobenzoic acids/Nitrobenzoesäuren
4-nitrobenzoyl chloride/4-Nitrobenzoylchlorid
4-(4-nitrobenzyl)pyridine/4-(4-Nitrobenzyl)pyridin
nitroethane/Nitroethan
nitrofural/Nitrofural
nitrofurans/Nitrofurane
nitrofurantoin/Nitrofurantoin
nitrogen/Stickstoff
– case hardening/Nitrierhärtung
– excretion/Stickstoff-Exkretion
– fixation/Stickstoff-Fixierung

– fixation genes/nif-Gene
– group/Stickstoff-Gruppe
– halogenides/Stickstoffhalogenide
– heterocycles/Stickstoff-Heterocyclen
– iodide/Iodstickstoff
– laser/Stickstoff-Laser
– lost/Stickstofflost
– mustard/Stickstofflost
– oxide removal/Entstickung
– oxides/Stickstoffoxide
– source/Stickstoff-Quelle
nitrogenase/Nitrogenase
nitrogen[ous] fertilizers/Stickstoff-Dünger
nitroglycerin/Nitroglycerin
nitroglycol/Nitroglykol
nitroguanidine/Nitroguanidin
nitrohydrochloric acid/Königswasser
nitroimidazoles/Nitroimidazole
nitrometer/Azotometer
nitromethane/Nitromethan
nitron/Nitron
nitronaphthalenes/Nitronaphthaline
nitrone/Nitron (c)
nitrones/Nitrone
nitrophenols/Nitrophenole
(4-nitrophenyl)hydrazine/(4-Nitrophenyl)hydrazin
nitrophytes/Nitrophyten
nitropropanes/Nitropropane
4-nitroquinoline 1-oxide/4-Nitrochinolin-1-oxid
nitrosamides/Nitrosamide
nitrosamines/Nitrosamine
nitrosation/Nitrosierung
nitroso…/Nitroso…
nitroso compounds/Nitroso-Verbindungen
– polymers/Nitrosopolymere
– -R salt/Nitroso-R-Salz
– rubber/Nitrosokautschuk
nitrosobenzene/Nitrosobenzol
N-nitrosodimethylamine/N-Nitrosodimethylamin
nitrosonaphthols/Nitrosonaphthole
4-nitrosophenol/4-Nitrosophenol
nitrosyl…/Nitrosyl…
nitrosyl chloride/Nitrosylchlorid
– hydride/Nitrosylwasserstoff
nitrosylsulfuric acid/Nitrosylschwefelsäure
nitrothal-isopropyl/Nitrothal-isopropyl
nitrothiazoles/Nitrothiazole
nitrotoluenes/ar-Nitrotoluole
nitrous acid/Salpetrige Säure
– acid esters/Salpetrigsäureester
– fumes/Nitrose Gase
nitroxoline/Nitroxolin
nitroxyl (nitroxide) radicals/Nitroxyl-Radikale
nitroxylenes/Nitroxylole
nitryl…/Nitryl…
nitryloxy…/Nitryloxy…
nivalenol/Nivalenol
nixan process/Nixan-Verfahren
nizatidine/Nizatidin
NMR imaging/NMR-Bildgebung
– spectroscopy/NMR-Spektroskopie
N,N'-methylenebis(acrylamide)/N,N'-Methylenbis(acrylamid)
N,N,N',N'-tetramethylethylenediamine/N,N,N',N'-Tetramethylethylendiamin
no iron/No Iron
– observable effect concentration/NOEC

Nobel prize/Nobelpreis
nobelium/Nobelium
noble gas bond/Edelgas-Bindung
– gas compounds/Edelgas-Verbindungen
– gases/Edelgase
– metals/Edelmetalle
nocardicins/Nocardicine
nociception/Nociception
nociception/Nozizeption
nociceptors/Nozizeptoren
nocodazol/Nocodazol
nodule bacteria/Knöllchenbakterien
noisette/Noisette
nojirimycin/Nojirimycin
nomenclature/Nomenklatur
nomifensine/Nomifensin
nomograms/Nomogramme
non-aqueous solvents/Nichtwäßrige Lösemittel
- -benzenoid aromatic compounds/Nichtbenzoide aromatische Verbindungen
- -carbonate hardness/Nichtcarbonathärte, Permanente Härte
- -conjugated dienes/Nichtkonjugierte Diene
- -metals/Nichtmetalle
- -methane hydrocarbons/NMHC
- -Newtonian fluids/Nichtnewtonsche Flüssigkeiten
- -reactive gases/Inertgase
- -uniform polymers/Polydisperse Polymere
- -wovens/Vliesstoffe
non(a)…/Non(a)…
nonactin/Nonactin
nonadecane/Nonadecan
nonadiabatic interaction/Nichtadiabatische Wechselwirkung
nonane/Nonan
1-nonanol/1-Nonanol
nondestructive evaluation (US)/Zerstörungsfreie Werkstoffprüfung
– testing (GB)/Zerstörungsfreie Werkstoffprüfung
nonferrous metals/Buntmetalle, Nichteisenmetalle
nonionic surfactants/Nichtionische Tenside
nonionics/Nichtionische Tenside
nonivamide/Nonivamid
nonlinear optical polymers/NLO-Polymere
– optics/Nichtlineare Optik
nonoxynol/Nonoxinol
nonproprietary names/Freinamen
nonrigid molecules/Nichtstarre Moleküle
nonslip agents/Schiebefestmittel
nonstoichiometric compounds/Nichtstöchiometrische Verbindungen
nontronite/Nontronit
nontropical sprue/Zöliakie
nonwoven textile fabrics/Textilverbundstoffe
nonyl…/Nonyl…
nonylphenol/Nonylphenol
noodles/Nudeln
nootkatone/Nootkaton
nopaline/Nopalin
nor…/Nor…
noradrenaline/Noradrenalin
2,5-norbornadiene/2,5-Norbornadien
norbornene/Norbornen
norcaradiene/Norcaradiene
norcarane/Norcaran
nordazepam/Nordazepam

nordihydroguaiaretic acid/Nordihydroguajaretsäure
Nordlander's test/Nordlanders Test
norephedrine/Norephedrin
norepinephrine/Noradrenalin
norethisterone/Norethisteron
norethynodrel/Noretynodrel
norfenefrine/Norfenefrin
norfloxacin/Norfloxacin
norflurazon/Norflurazon
norgestrel/Norgestrel
norleucine/Norleucin
normal coordinates/Normalkoordinaten
– rings/Gewöhnliche Ringe
– saline/Physiologische Kochsalzlösung
– solutions/Normallösungen
normality/Normalität
normalizing/Normalglühung
normethadone/Normethadon
Norrish reactions/Norrish-Reaktionen
nortriptyline/Nortriptylin
norvaline/Norvalin
nosean/Nosean
nostocyclophanes/Nostocyclophane
notations/Notationen
nougat/Nugat
novaculite/Wetzschiefer
novobiocin/Novobiocin
novolaks/Novolake
noxa/Noxe
noxious/Gesundheitsschädlich
– substance/Schadstoff
noxiptilin/Noxiptilin
Noyer's paste/Noyer-Paste
nozzles/Düsen
NPU/NPU-Wert
NQR spectroscopy/NQR-Spektroskopie
Nu-iron-process/Nu-Iron-Verfahren
nuarimol/Nuarimol
nubuk leather/Nubuk-Leder
nuciferal/Nuciferal
nuciferine/Nuciferin
nucl…/Nucl…
nuclear chemistry/Kernchemie, Radiochemie
– energy/Kernenergie
– engineering/Kerntechnik
– forces/Kernkräfte
– fuels/Kernbrennstoffe
– fusion reactions/Kernfusion
– isomerism/Kernisomerie
– medicine/Nuklearmedizin
– models/Kernmodelle
– physics/Kernphysik
– pore complex/Kernporen-Komplex
– purity/Nuklearreinheit
– reactions/Kernreaktionen
– reactors/Kernreaktoren
– receptors/Kernrezeptoren
– spin/Kernspin
– technology/Kerntechnik
– tracks/Kernspaltspuren
– transformations/Kernumwandlungen
– weapons/Kernwaffen
nucleases/Nucleasen
nucleating agents/Nukleationsmittel
nuclei/Keime
nucleic acids/Nucleinsäuren
nucleobases/Nucleobasen
nucleocapsid/Nucleocapsid
nucleofuge/Nucleofug
nucleohistones/Nucleohistone
nucleoid/Nucleoid

nucleolin/Nucleolin
nucleons/Nukleonen
nucleophile/Nucleophil
nucleophilic/Nucleophil
– reactions/Nucleophile Reaktionen
– substitution/Nucleophile Substitution
nucleoproteins/Nucleoproteine
nucleosidases/Nucleosidasen
nucleosides/Nucleoside
nucleoskeleton/Nucleoskelett
nucleosomes/Nucleosomen
nucleotidases/Nucleotidasen
nucleotides/Nucleotide
nucleus/Kern
nuclides/Nuklide
nude mouse/Nacktmaus
nudic acid/Nudinsäure
nuisance/Umweltbelastung
number-average molecular weight/Zahlenmittel
nutmeg/Muskatnüsse
– oil/Muskatnußöl
nutrient broth/Nährmedium
nutrition/Ernährung
nutritive solutions/Nährlösungen
– value/Nährwert
nuts/Nüsse
Nuvalon process/Nuvalon-Verfahren
nyctinastenes/Nyktinastene
Nylander's solution/Nylanders Reagenz
nylon/Nylon
nystatin/Nystatin
nytril fibers/Nytrilfasern

O

oak bark/Eichenrinde
– moss/Eichenmoos
oakum/Werg
Obermayer's test/Obermayersche Reaktion
obesity/Fettsucht
obidoxime chloride/Obidoximchlorid
obligately aerobic bacteria/Obligat aerobe Bakterien
– anaerobic bacteria/Obligat anaerobe Bakterien
OBM-process/OBM-Verfahren
obsidian/Obsidian
obstipation/Obstipation
obtusallene I/Obtusallen I
...ocane/...ocan
occlusion/Okklusion
occupational disease/Berufskrankheiten
– exposure analysis/Arbeitsbereichsanalyse
– exposure guide value/Arbeitsplatzrichtwerte
– medicine/Arbeitsmedizin
– safety/Arbeitssicherheit
ocean water/Meerwasser
...ocene/...ocen
ochotensine/Ochotensin
ochratoxin A/Ochratoxin A
ochre/Ocker
ocimene/Ocimen
ocimenone/Ocimenon
...ocine (...ocin)/...ocin
ocotea oil/Sassafrasöl
ocratation/Ocrat-Verfahren
oct(a).../Oct(a)...
octacaine/Octacain
octadec(a).../Octadec(a)...
1-octadecanamine/1-Octadecanamin
octadecane/Octadecan
1-octadecanol/1-Octadecanol
9-octadecen-1-ol/9-Octadecen-1-ol
octadecyl isocyanate/Octadecylisocyanat
octahedron/Oktaeder
octamer transcription factors/Octamer-Transkriptionsfaktoren
octamylamine/Octamylamin
octanal/Octanal
octanamines/Octanamine
octane/Octan
– number (ON)/Octan-Zahl
1-octanethiol/1-Octanthiol
octanoates/Octanoate
octanoic acid/Octansäure
octanol-water partition coefficient/P_{ow}
octanols/Octanole
octanones/Octanone
octanoyl.../Octanoyl...
octant rule/Oktantenregel
(–)-(R)-1-octen-3-ol/(–)-(R)-1-Octen-3-ol
1-octen-3-one/1-Octen-3-on
octenes/Octene
octenidine dihydrochloride/Octenidin-dihydrochlorid
octet/Oktett
– formula/Oktett-Formel
– structure/Oktett-Struktur
octhilinone/Octhilinon
octoates/Octoate
octodrine/Octodrin
octogen/Octogen
octopamine/Octopamin
octopine/Octopin
octosyl acids/Octosylsäuren
octotiamine/Octotiamin
octreotide/Octreotid
octyl.../Octyl...
tert-octyl.../tert-Octyl...
octyl bromide/Octylbromid
1-octyl-1H-imidazole/1-Octyl-1H-imidazol
4-tert-octylphenol/4-tert-Octylphenol
Odda process/Odda-Verfahren
ODMR spectroscopy/ODMR-Spektroskopie
odontolith/Zahnstein
odor/Geruch
– masking/Geruchsverbesserungsmittel
odorants/Riechstoffe
odorous substances/Duftstoffe
odour nuisance/Geruchsbelästigung
– removal/Geruchsminderung
– value/Geruchszahl
oedema/Ödem
oel beetle/Ölkäfer
oenology/Önologie
(o)estradiol/Estradiol
(o)estrane/Estran
(o)estriol/Estriol
(o)estrogens/Estrogene
(o)estrone/Estron
of petrol (GB)/Süßung des Benzins
off-flavo(u)r/Off-flavour
– -load voltage (GB)/Elektromotorische Kraft
officinal/Offizinell
offretite/Offretit
offset printing/Offsetdruck
ofloxacin/Ofloxacin
ofurace/Ofurac
...ogen/...ogen
Ohm's law/Ohmsches Gesetz
...oid/...oid
oil additives/Mineralöladditive
– chalks/Ölkreiden
– coke/Petrolkoks
– contamination/Ölpest
– from wine lees/Weinhefeöl
– fuels/Heizöle
– number/Ölzahl
– of bay/Bayöl
– of bergamot/Bergamottöl
– of chenopodium/Chenopodiumöl
– of Fennel/Fenchelöle
– of hops/Hopfenöl
– paints/Ölfarben
– palm/Ölpalme
– papers/Ölpapiere
– plants/Ölpflanzen
– pollution/Ölpest
– release/Oleophobierung
– remover/Ölabscheider
– separator/Ölabscheider
– shale/Ölschiefer
– varnishes/Öllacke
oils/Öle
– of wild marjoram/Origanumöle
ointment base/Salbengrundlage
ointments/Salben
oiticica oil/Oiticicaöl
okadaic acid/Okadainsäure
Okazaki fragments/Okazaki-Fragmente
okenite/Okenit
Oklo phenomenon/Oklo-Phänomen
okra/Okra
...ol (a)/...ol
olaflur/Olaflur
olanzapine/Olanzapin
...ole/...ol
oleaginous bacteria/Erdöl-verwertende Bakterien
– plants/Ölpflanzen
oleamide/Ölsäureamid
olean/Olean
oleanane/Oleanan
oleandomycin/Oleandomycin
oleandrin/Oleandrin
L-oleandrose/L-Oleandrose
oleanolic acid/Oleanolsäure
oleates/Ölsäureester
olefin-carbon monoxide polymers/Olefin-Carbonmonoxid-Polymere
– elastomers/Olefin-Elastomere
– fibers/Olefin-Fasern
olefins/Olefine
α-olefinsulfonates/Olefinsulfonate
i-olefinsulfonates/i-Olefinsulfonate
oleic acid/Ölsäure
– acid esters/Ölsäureester
– amide/Ölsäureamid
olein/Olein
oleochemistry/Oleochemie
oleophobizing/Oleophobierung
oleoresin/Terpentin
oleoresinous varnishes/Öllacke
oleoresins/Oleoresine
oleum/Oleum
oleyl oleate/Ölsäureoleylester
olfaction/Geruch, Olfaktion
olibanum/Olibanum
...olide/...olid
oligo.../Oligo...
oligo label(l)ing/Oligo-Labelling
oligoclase/Oligoklas
oligodynamics/Oligodynamie
oligomerization/Oligomerisation
oligomers/Oligomere
oligonucleotide-directed mutagenesis/Oligonucleotid-gerichtete Mutagenese
oligonucleotides/Oligonucleotide
oligopeptides/Oligopeptide
oligophenyls/Oligophenyle
oligosaccharides/Oligosaccharide
oligosaccharins/Oligosaccharine
...oline/...olin
olivanic acids/Olivansäuren
olive oil/Olivenöl
olivenite/Olivenit
olives/Oliven
olivine/Olivin
ololiuqui/Ololiuqui
olsalazine/Olsalazin
omeprazol/Omeprazol
omethoate/Omethoat
ommochromes/Ommochrome
omoconazole/Omoconazol
...on/...on
on-column injector/On-Column Injektor
– -off controller/Zweipunktregler
...onane/...onan
oncogenes/Onkogene
oncogenic potential/Onkogenes Potential
oncology/Onkologie
oncostatin M/Oncostatin M
ondansetron/Ondansetron
...one/...on
one component adhesives/Einkomponentenklebstoffe
– -pot reaction/Eintopfreaktion
...onic acid/...onsäure
...onine (...onin)/...onin
onions/Zwiebeln
onium compounds/Onium-Verbindungen
online searches/Online-Recherchen
ontogeny/Ontogenese
onyx/Onyx
oocyte system/Oocyten-System
oolites/Oolithe
Oolong tea/Oolong-Tee
oosporein/Oosporin
opacifiers/Trübungsmittel
opal/Opal
opalescence/Opaleszenz
opaque/Opak
open-circuit voltage (USA)/Elektromotorische Kraft
– hearth process/Herdfrischen
– reading frame/Offener Leseraster
operating instruction/Betriebsanleitung, Betriebsanweisung
operations research/Operations-Research
operon/Operon
ophicalcite/Ophicalcit
ophiobolins/Ophioboline
ophiolites/Ophiolithe
ophthalmics/Ophthalmika
opiates/Opiate
opines/Opine
opipramol/Opipramol
opium/Opium
– alkaloids/Opium-Alkaloide
opodeldoc/Opodeldok
opopanax/Opopanax
Oppenauer oxidation/Oppenauer-Oxidation
opsins/Opsine
opsonins/Opsonine
optical activity/Optische Aktivität
– antipodes/Optische Antipoden
– bistability/Optische Bistabilität
– brighteners/Optische Aufheller
– computer/Optischer Computer
– diode/Optische Diode
– electron/Leuchtelektron
– glasses/Optische Gläser
– plastics/Optisch anwendbare Kunststoffe
– pumping/Optisches Pumpen
– purity/Optische Reinheit

English

- rota[to]ry dispersion/Rotationsdispersion
- tweezer/Optische Pinzette
- yield/Optische Ausbeute
optically active polymers/Optisch aktive Polymere
- active substances/Optisch aktive Verbindungen
optics/Optik
optimisation/Optimierung
optoelectronic modulators/Optoelektrische Modulatoren
optoelectronics/Optoelektronik
optogalvanic spectroscopy/Optogalvanische Spektroskopie
oral/Oral
- hygiene preparations/Mundpflegemittel
- rehydration salts/ORS
orange/Orange
- flower absolute/Orangenblüten(-Absolue, -Öl) (1.)
- flower water/Orangenblütenwasser
- juice/Orangensaft
- oils/Orangenöle
oranges/Orangen
orazamide/Orazamid
orbencarb/Orbencarb
orbital energy/Orbitalenergie
orbitals/Orbitale
orcein/Orcein
orcinol/Orcinol
orciprenaline/Orciprenalin
ORD/Rotationsdispersion
ordeal beans/Calabar-Bohnen
ore/Erz
orellanine/Orellanin
orexigens/Orexigene
organ culture/Organkultur
organic chemistry/Organische Chemie
- electrochemistry/Organische Elektrochemie
- nitrates/Salpetersäureester
- nitrites/Salpetrigsäureester
- photochemistry/Organische Photochemie
organism/Organismus
organoaluminum compounds/Aluminium-organische Verbindungen
organoantimony compounds/Antimon-organische Verbindungen
organoarsenic compounds/Arsen-organische Verbindungen
organobarium compounds/Barium-organische Verbindungen
organobismuth compounds/Bismut-organische Verbindungen
organoboranes/Bor-organische Verbindungen
organoboron compounds/Bor-organische Verbindungen
organocadmium compounds/Cadmium-organische Verbindungen
organocalcium compounds/Calcium-organische Verbindungen
organochromium compounds/Chrom-organische Verbindungen
organocobalt compounds/Cobalt-organische Verbindungen
organocopper compounds/Kupfer-organische Verbindungen
organoiron compounds/Eisen-organische Verbindungen
organolanthoid compounds/Lanthanoide-organische Verbindungen
organolead compounds/Blei-organische Verbindungen

organoleptic evaluation/Organoleptische Prüfung
organolithium compounds/Lithium-organische Verbindungen
organomagnesium compounds/Magnesium-organische Verbindungen
organomanganese compounds/Mangan-organische Verbindungen
organomercurials/Quecksilber-organische Verbindungen
organomercury compounds/Quecksilber-organische Verbindungen
organometallic chemistry/Metall-organische Chemie
- compounds/Metall-organische Verbindungen
- polymers/Metall-organische Polymere
- reactions/Metall-organische Reaktionen
organomolybdenum compounds/Molybdän-organische Verbindungen
organonickel compounds/Nickel-organische Verbindungen
organopalladium compounds/Palladium-organische Verbindungen
organophosphates/Phosphorsäureester
organophosphorus compounds/Phosphor-organische Verbindungen
organorhenium compounds/Rhenium-organische Verbindungen
organoselenium compounds/Selen-organische Verbindungen
organosilicon compounds/Silicium-organische Verbindungen
organosilver compounds/Silber-organische Verbindungen
organosodium compounds/Natrium-organische Verbindungen
organosols/Organosole
organostrontium compounds/Strontium-organische Verbindungen
organosulfur compounds/Schwefel-organische Verbindungen
organotellurium compounds/Tellur-organische Verbindungen
organothallium compounds/Thallium-organische Verbindungen
organotherapy/Organotherapie
organotin compounds/Zinn-organische Verbindungen
organotitanium compounds/Titan-organische Verbindungen
organotrophy/Organotrophie
organotungsten compounds/Wolfram-organische Verbindungen
organouranium compounds/Uran-organische Verbindungen
organovanadium compounds/Vanadium-organische Verbindungen
organozinc compounds/Zink-organische Verbindungen
organozirconium compounds/Zirconium-organische Verbindungen
Orgel diagrams/Orgel-Diagramme
orgotein/Orgotein
orientation/Orientierung
oriented polymers/Orientierte Polymere
origanum oils/Origanumöle

origin of replication/Origin
orlistat/Orlistat
ormolu/Malergold
ornidazole/Ornidazol
ornipressin/Ornipressin
ornithine/Ornithin
orography/Orographie
orotic acid/Orotsäure
orphenadrine/Orphenadrin
orpiment/Auripigment
orris (root) oil/Iris(wurzel)öl
orsellinic acid/Orsellinsäure
ortho-/Ortho-
- effect/Ortho-Effekt
- esters/Orthoester
- -para isomerism/Ortho-Para-Isomerie
orthocarbonates/Orthocarbonate
orthoclase/Orthoklas
orthocyclophanes/Orthocyclophane
orthogonality/Orthogonalität
orthohelium/Ortho-Helium
orthorhombic/Orthorhombisch
oryzalin/Oryzalin
...osan/...osan
osazones/Osazone
oscillating reactions/Oszillierende Reaktionen
oscillator strength/Oszillatorenstärke
oscilloscope/Oszilloskop
...ose (a)/...ose
...oside/...osid
...osin(e)/...osin
...osis/...ose
osladin/Osladin
osmium/Osmium
- tetroxide/Osmiumtetroxid
osmocene/Osmocen
osmodiuretics/Osmodiuretika
osmophoric groups/Osmophore Gruppen
osmoregulation/Osmoregulation
osmosis/Osmose
osmotic pressure of colloids/Kolloidosmotischer Druck
osmundalactone/Osmundalacton
osones/Osone
oss.../Oss...
ossein/Ossein
osteo.../Osteo...
osteocalcin/Osteocalcin
osteonectin/Osteonectin
osteopontin/Osteopontin
Ostwald dilution law/Ostwaldsches Verdünnungsgesetz
- ripening/Ostwald-Reifung
- rule/Ostwaldsche Stufenregel
...osulose/...osulose
osumilite/Osumilith
otoliths/Otolithen
oudemansins/Oudemansine
outbreak/Massenentwicklung
outer-sphere-mechanism/Outer-sphere-Mechanismus
ovalbumin/Ovalbumin
overlap/Überlappung
- concentration/Überlappungskonzentration
- integral/Überlappungsintegral
overpotential/Überspannung
oversprays/Schmälzmittel
ovicides/Ovizide
ovothiols/Ovothiole
ovulation inhibitors/Ovulationshemmer
ox gall/Ochsengalle
ox(a).../Ox(a)...
oxabetrinil/Oxabetrinil
oxabolone cipionate/Oxaboloncipionat
oxaceprol/Oxaceprol

oxacillin/Oxacillin
oxadiazoles/Oxadiazole
oxadiazon/Oxadiazon
oxadixyl/Oxadixyl
oxalates/Oxalate, Oxalsäureester
oxalic acid/Oxalsäure
- (acid) esters/Oxalsäureester
- bis(cyclohexylidenehydrazide)/Oxalsäure-bis(cyclohexylidenhydrazid)
oxal(o).../Oxal...
oxalyl.../Oxalyl...
oxalyl (di)chloride/Oxalylchlorid
oxamide/Oxamid
oxamniquine/Oxamniquin
oxamoyl.../Oxamoyl...
oxamyl/Oxamyl
oxapenems/Oxapeneme
1,2,3-oxathiazin-4(3H)-one 2,2-dioxides/1,2,3-Oxathiazin-4(3)H-on-2,2-dioxid
oxatomide/Oxatomid
1,3,2-oxazaphosphinan-2-amine 2-oxides/1,3,2-Oxazaphosphinan-2-amin-2-oxide
oxazepam/Oxazepam
oxazines/Oxazine
oxaziridines/Oxaziridine
oxazolam/Oxazolam
oxazoles/Oxazole
oxazolidinones/Oxazolidinone
oxazolones/Oxazolone
oxeladin/Oxeladin
oxepines/Oxepine
oxetacaine/Oxetacain
oxetane polymers/Oxetan-Polymere
oxetanes/Oxetane
oxetanocin/Oxetanocin
oxetanones/Oxetanone
oxethazaine/Oxetacain
oxetin/Oxetin
oxicams/Oxicame
oxiconazole/Oxiconazol
oxidant stress/Oxidativer Streß
oxidants/Oxidantien
oxidaquates/Oxidaquate
oxidases/Oxidasen
oxidation/Oxidation
- dyes/Oxidationsfarbstoffe
- number/Oxidationszahl
- -reduction exchangers/Redoxaustauscher
- -reduction potential/Redoxpotential
- -reduction systems/Redoxsysteme
- zone/Oxidationszone
oxidative/Oxidativ
- polymerization/Oxidative Polymerisation
- processes/Oxidationsverfahren
- stress/Oxidativer Streß
oxide ceramics/Oxidkeramik
- halides/Oxidhalogenide
- salts/Oxidsalze
oxides/Oxide
oxidimetry/Oxidimetrie
oxidized starches/Oxidierte Stärken
oxidizing/Brandfördernd
oxido.../Oxido...
oxidoreductases/Oxidoreduktasen
oxilofrine/Oxilofrin
oximes/Oxime
oximetallation/Oxymetallierung
oximeters/Oximeter
oxindole/Oxindol
oxiranes/Oxirane
oxirenes/Oxirene
oxitriptan/Oxitriptan
oxitropium bromide/Oxitropiumbromid

oxo.../Oxo...
oxo acids/Oxosäuren
– alcohols/Oxo-Alkohole
– process/Oxo-Synthese
3-oxoadipic acid pathway/3-Oxoadipinsäure-Weg
oxoaldehydes/Oxoaldehyde
2-oxobutyric acid/2-Oxobuttersäure
oxocarbenium salts/Oxocarbenium-Salze
oxocarbons/Oxokohlenstoffe
oxocarboxylic acids/Oxocarbonsäuren
oxoesters/Oxoester
oxoglutaric acids/Oxoglutarsäuren
oxolane/Oxolan
oxolinic acid/Oxolinsäure
oxomemazine/Oxomemazin
oxonium/Oxonium
– salts/Oxonium-Salze
oxosuccinic acid/Oxobernsteinsäure
oxotremorine/Oxotremorin
oxprenolol/Oxprenolol
oxy.../Oxy...
oxybenzone/Oxybenzon
oxybuprocaine/Oxybuprocain
oxybutynin/Oxybutynin
oxycarboxin/Oxycarboxin
oxycelluloses/Oxycellulosen
oxychlorination/Oxychlorierung
oxycodone/Oxycodon
oxydemeton-methyl/Oxydemeton-methyl
oxydi.../Oxydi...
3,3′-oxydipropionitrile/3,3′-Oxydipropionitril
ox(y)ethyl.../Oxethyl...
oxyfedrine/Oxyfedrin
oxyfluorfen/Oxyfluorfen
oxygen/Sauerstoff
– consumption/Sauerstoff-Zehrung
– deficit/Sauerstoff-Zehrung
– demand/Sauerstoff-Bedarf
– fluorides/Sauerstoff-Fluoride
– heterocycles/Sauerstoff-Heterocyclen
– radicals/Sauerstoff-Radikale
oxygenases/Oxygenasen
oxygenation/Oxygenierung
oxyhydrogen blowpipe/Knallgasgebläse
– coulombmeter/Knallgascoulombmeter
– fuel cell/Knallgaselement
– gas/Knallgas
oxyliquit/Oxyliquit
oxymercuriation/Oxymercurierung
oxymesterone/Oxymesteron
oxymetazoline/Oxymetazolin
oxymetholone/Oxymetholon
oxymorphone/Oxymorphon
oxypertine/Oxypertin
oxyphenbutazone/Oxyphenbutazon
oxyphencyclimine/Oxyphencyclimin
oxyphenisatine/Oxyphenisatin
oxyphenonium bromide/Oxyphenoniumbromid
oxytetracycline/Oxytetracyclin
oxytocics/Wehenmittel
oxytocin/Oxytocin
oxytocinase/Oxytocinase
oxyurina/Oxyuren
...oyl/...oyl
ozocerite/Ozokerit
ozokerite/Erdwachs, Ozokerit
ozone/Ozon
– depletion potential/ODP
– hole/Ozon-Loch
– layer/Ozon-Schicht
– protecting agents/Ozon-Schutzmittel
– threshold/Ozon-Schwellenwert
ozonides/Ozonide
ozon(is)ation/Ozonisierung
ozonolysis/Ozonolyse
ozonosphere/Ozon-Schicht

P

p53/p53
„PAAG" process/PAAG-Verfahren
pacemaker/Herzschrittmacher
packaging ordinance/Verpackungsverordnung
– (packing) materials/Verpackungsmittel
packed-bed reactor/Festbett-Reaktor
packing density/Packungsdichte
– materials/Emballagen
– waste/Verpackungsabfälle
packings/Füllkörper
paclitaxel/Paclitaxel
paclobutrazol/Paclobutrazol
Pacol-Olex process/Pacol-Olex-Verfahren
Padang cinnamon/Padang-Zimt
padding/Klotzen
Paget's disease/Pagetsche Krankheit
PAH/PAH
pahutoxin/Pahutoxin
pain relievers/Schmerzmittel
paint stripper/Abbeizmittel
– (varnish, lacquer) remover/Abbeizmittel
paints/Anstrichstoffe
pair production/Paarbildung
pal(a)eobiochemistry/Paläobiochemie
pal(a)eontology/Paläontologie
pale crepe/Pale crepe
– soft exudative meat/PSE-Fleisch
palladium/Palladium
– (II) acetate/Palladium(II)-acetat
– chloride/Palladium(II)-chlorid
– nitrate/Palladium(II)-nitrat
– oxide/Palladium(II)-oxid
palliatives/Palliative
palm kernel oil/Palmkernöl
– oil/Palmöl
– seet oil/Palmkernöl
– sugar/Palmzucker
– wine/Palmwein
palmarosa oil/Palmarosaöl
palmitates/Palmitate
palmitic acid/Palmitinsäure
– acid ethylester/Palmitinsäureethylester
– acid methylester/Palmitinsäuremethylester
– acid 2-propylester/Palmitinsäureisopropylester
palmitin/Palmitin
palmitoleic alcohol/Palmitoleylalkohol
palmitoyl chloride/Palmitinsäurechlorid
palustric acid/Palustrinsäure
palygorskite/Attapulgit
palytoxin/Palytoxin
pamaquine/Pamaquin
pamidronic acid/Pamidronsäure
panacea/Stein der Weisen
Panama bark/Panamarinde
– rubber/Panama Rubber
panaxosides/Panaxoside
panclastite/Panclastit
pancreas/Pankreas
pancreastatin/Pankreastatin
pancreatic polypeptide/Pankreatisches Polypeptid
pancreatin/Pankreatin
pancuronium bromide/Pancuroniumbromid
pandermite/Pandermit
Pandy's test/Pandy-Reaktion
panthenol/Panthenol
panther cap/Pantherpilz
pantlactone/Pantolacton
pantoprazole/Pantoprazol
pantothenic acid/Pantothensäure
papain/Papain
Papanicolaou's dye solution/Papanicolaous Farblösung
papaverine/Papaverin
papaya/Papaya
paper/Papier
– -base laminate/Hartpapier
– chromatography/Papierchromatographie
– dyestuffs/Papierfarbstoffe
– electrophoresis/Papierelektrophorese
paperboard/Pappe
papilloma virus/Papilloma-Viren
Papin's digester/Papinscher Topf
papovavirus/Papova-Viren
Pappenheim staining/Pappenheim-Färbung
para-/Para-
parabanic acid/Parabansäure
paracetamol/Paracetamol
parachor/Parachor
paracrystals/Parakristalle
paracyclophanes/Paracyclophane
paraffin/Paraffin
paraffins/Paraffine
paraflutizide/Paraflutizid
parafuchsine/Parafuchsin
paragenesis/Paragenese
paragonite/Paragonit
Paraguay tea/Mate
paraldehyde/Paraldehyd
parallel flow principle/Gleichstromprinzip
paramagnetic substances/Paramagnetika
parameter/Parameter
paramethasone/Paramethason
parametric amplification/Parametrische Verstärkung
paramones/Paramone
paramorphism/Paramorphose
paramyosin/Paramyosin
paraproteins/Paraproteine
paraquat dichloride/Paraquatdichlorid
parared/Pararot
pararosaniline/Pararosanilin
parasites/Parasiten
parasympathetic nervous system/Parasympathikus
parasympathicolytics/Sympath(ik)olytika
parasympathomimetics/Parasympath(ik)omimetika
parathion/Parathion
– -methyl/Parathion-methyl
parathyrin/Parathyrin
parathyroid glands/Nebenschilddrüsen
paratrope/Paratrop
paratropic/Paratrop
parazoanthoxanthines/Parazoanthoxanthine
parchment/Pergament
parenchyma/Parenchym
parent hydrides/Stammhydride
– name/Stammname
parenteral/Parenteral
Parex processes®/Parex®-Verfahren
Parian cement/Pariangips
parity/Parität
Parkers silver/Parkers Neusilber
Parkes process/Parkes-Verfahren
Parke's reagent/Parkes Reagenz
parkinsonism/Parkinsonismus
Parkinson's disease/Parkinsonsche Krankheit
parodontosis/Parodontose
paromomycin/Paromomycin
parosmia/Parosmie
paroxetine/Paroxetin
paroxypropione/Paroxypropion
parquetry sealing/Parkettversiegelungsmittel
parsley oil/Petersilienöl
parsnip/Pastinak
parthenogenesis/Parthenogenese
partial albinism/Teilalbinismus
– pressure/Partialdruck
– structures/Partialstrukturen
– valences/Partialvalenzen
– valencies/Partialvalenzen
particle accelerators/Teilchenbeschleuniger
– board/Holzspanplatten
– size/Korngröße
particles/Teilchen
particulate matter/Teilchen
– organic carbon/POC
– organic matter/POM
parting agents/Entschalungsmittel, Trennmittel
partition chromatography/Verteilungschromatographie
– function/Zustandssumme
partition(ing)/Verteilung
parvalbumins/Parvalbumine
parylenes/Parylene
pasiniazide/Pasiniazid
paspalitrems/Paspalitreme
pasque flower/Küchenschelle
Passerini reaction/Passerini-Reaktion
passion fruits/Passionsfrüchte
passivity/Passivität
paste/Kleister
– solder/Lötpasten
pastes/Pasten
Pasteur effect/Pasteur-Effekt
pasteurizing/Pasteurisierung
pasting/Kleben
– process/Pasting-Verfahren
patatin/Patatin
patch clamp technique/Patch-Clamp-Technik
patchouli alcohol/Patchoulialkohol
– oil/Patchouliöl
patellamides/Patellamide
patent blues/Patentblau-Farbstoffe
– documentation/Patentdokumentation
– green/Patentgrün
– leather/Lackleder
patenting/Patentieren
patents/Patente
Paternò-Büchi reaction/Paternò-Büchi-Reaktion
pathogenic/Pathogen
patina/Patina
Patonic bodies/Platonische Körper
patronite/Patronit
Patterson synthesis/Patterson-Synthese
Pattinson process/Pattinson-Verfahren
patulin/Patulin

English

Paul trap/Paul-Falle
Pauli principle/Pauli-Prinzip
Pauly reaction/Pauly-Reaktion
Pauson-Khand reaction/Pauson-Khand-Reaktion
pavement/Pflaster
pavine alkaloids/Pavin- u. Isopavin-Alkaloide
paving materials/Straßenbaumaterialien
PB-toxin/PB-Toxin
PC glasses/PC-Glas
PCA/Chloridazon
p-conductor/p-Leiter
peaches/Pfirsiche
peak/Peak
peanuts/Erdnüsse
pear flavor/Birnenaroma
pearl essence/Fischsilber
– white/Perlweiß
Pearl index/Pearl-Index
pearlescent pigments/Perlglanzpigmente
pearls/Perlen
pears/Birnen
Pearson Symbol/Pearson-Symbol
peas/Erbsen
peat/Torf
pebulate/Pebulat
pecans/Pekan-Nüsse
Pechmann reaction/Pechmann-Reaktion
pecilocin/Pecilocin
pectic acid/Pektinsäure
pectins/Pektine
pectolite/Pektolith
pectolytic enzymes/Pektin-spaltende Enzyme
pederine/Pederin
pefloxacin/Pefloxacin
peg mills/Stiftmühlen
peganine/Peganin
pegaspargase/Pegaspargase
pegmatites/Pegmatite
pelargonates/Pelargonate
pelargonic acid/Pelargonsäure
pelargonin/Pelargonin
P elements/P-Elemente
pelites/Pelite
pellagra/Pellagra
pelletierine/Pelletierin
pellets/Pellets
pellote/Peyotl
peloids/Peloide
Peltier effect/Peltier-Effekt
peltry/Rauchwaren
pemoline/Pemolin
penam/Penam
penbutolol/Penbutolol
penciclovir/Penciclovir
pencils/Bleistifte
penconazole/Penconazol
pencycuron/Pencycuron
pendimethalin/Pendimethalin
pendletonite/Pendletonit
pendulum hardness/Pendelhärte
penem/Penem
penetration/Penetration
– reaction/Durchtrittsreaktion
Penex process/Penex®-Verfahren
penflutizid/Penflutizid
pengitoxin/Pengitoxin
penicillamine/Penicillamin
penicillinases/Penicillinasen
penicillin/Penicilline
penitrems/Penitreme
Penning effect/Penning-Effekt
– ionization/Penning-Ionisation
– trap/Penning-Falle
pennyroyal oil/Poleiöle
pens/Federn
Pensky-Martens closed tester/Pensky-Martens

pent(a).../Pent(a)...
pentaborane(9)/Pentaboran(9)
pentacene/Pentacen
pentachloroethane/Pentachlorethan
pentachlorphenol/Pentachlorphenol
pentacos(a).../Pentacos(a)...
pentacyclo.../Pentacyclo...
pentadec(a).../Pentadec(a)...
pentadecane/Pentadecan
15-pentadecanolide/15-Pentadecanolid
1,3-pentadiene/1,3-Pentadien
pentadin/Pentadin
pentaerythritol/Pentaerythrit
– tetranitrate/Pentaerythrittetranitrat
pentalene/Pentalen
pentalenene/Pentalenen
pentalenolactones/Pentalenolactone
1,2,3,4,5-pentamethylcyclopentadiene/1,2,3,4,5-Pentamethylcyclopentadien
pentamethylene.../Pentamethylen...
pentamidine/Pentamidin
pentanal/Pentanal
1-pentanamine/1-Pentanamin
1,5-pentanediamine/1,5-Pentandiamin
pentanediols/Pentandiole
2,4-pentanedionato.../2,4-Pentandionato...
pentanes/Pentane
pentanols/Pentanole
pentanones/Pentanone
pentazocine/Pentazocin
pentenes/Pentene
pentenols/Pentenole
...pentetate/...pentetat
pentetrazol/Pentetrazol
pentifylline/Pentifyllin
pentitols/Pentite
pentlandite/Pentlandit
pentobarbital/Pentobarbital
pentorex/Pentorex
pentosans/Pentosane
pentose phosphate pathway/Pentosephosphat-Weg od. -Cyclus
pentoses/Pentose
pentostatin/Pentostatin
pentoxifylline/Pentoxifyllin
pentoxyverine/Pentoxyverin
pentraxins/Pentraxine
pentuloses/Pentulosen
pentyl.../Pentyl...
pentyl acetates/Essigsäurepentylester
– chloride/Pentylchlorid
α-pentylcinnamaldehyde/α-Pentylzimtaldehyd
peonin chloride/Päoninchlorid
peony/Pfingstrose
pepper/Pfeffer
– oil/Pfefferöl
peppermint/Pfefferminze
– oil/Pfefferminzöle
pepsinogen/Pepsinogen
pepsins/Pepsine
pepstatin A/Pepstatin A
peptidases/Peptidasen
peptide alkaloids/Peptid-Alkaloide
– antibiotics/Peptid-Antibiotika
– hormones/Peptidhormone
– linkage/Peptid-Bindung
– mapping/Peptid-Kartierung
– mimetics/Peptidomimetika
– nucleic acids/Peptid-Nucleinsäuren
– sequencer/Peptid-Sequencer
– synthesis/Peptid-Synthese

– synthesizer/Peptid-Synthesizer
– YY/Peptid YY
peptides/Peptide
peptolides/Peptolide
peptones/Peptone
per.../Per...
per salts/Persalze
peracid esters/Persäureester
peracids/Persäuren
peramine/Peramin
perazine/Perazin
perbromates/Perbromate
percarbamide/Percarbamid
perchlorates/Perchlorate
perchloric acid/Perchlorsäure
perchloro.../Perchlor...
percolating (infiltration) water/Sickerwasser
percolation/Perkolation
percutaneous/Percutan
perfect gas law/Ideales Gasgesetz
– gases/Ideale Gase
perfluorinated compounds/Perfluorierte Verbindungen
perfluoroalkoxy polymers/Perfluoralkoxy-Polymere
perforation/Perforation
perforins/Perforine
performance plastics/Technische Kunststoffe
perfumery/Parfümerie
perfumes/Parfüms
perfuming/Parfümierung
perfusing system/Perfusionssystem
perfusion/Perfusion
pergolide/Pergolid
perhexiline/Perhexilin
perhydro.../Perhydro...
perhydrotriphenylene/Perhydrotriphenylen
peri.../Peri...
pericarp/Perikarp
periciazine/Periciazin
periclase/Periklas
pericyclic reactions/Pericyclische Reaktionen
peridinin/Peridinin
peridot/Peridot
peridotites/Peridotite
perilla oil/Perillaöl
perillaketone/Perillaketon
perillaldehyde oxime/Perillaaldehydoxim
perimorph/Perimorphose
perindopril/Perindopril
periodates/Periodate
periodic acid/Periodsäure
– acid Schiff reaction/Periodsäure-Schiff-Reaktion
– table (of the elements)/Periodensystem
periodicals/Zeitschriften
peripherin/Peripherin
periplanones/Periplanone
periplasmic binding proteins/Periplasmatische Bindungsproteine
peristaltic pumps/Schlauchpumpen
peristylanes/Peristylane
peritectic point/Peritektikum
periwinkle/Immergrün
Perkin reaction/Perkin-Reaktion
Perkow reaction/Perkow-Reaktion
perlite/Perlit
perlites/Perlite
perloline/Perlolin
perlwine/Perlwein
permanent hardness/Nichtcarbonathärte, Permanente Härte
– magnets/Dauermagnete

– pigments/Permanent-Pigmente
– press process/Permanent-Press-Verfahren
– starches/Steifungsmittel
– wave preparations/Dauerwellpräparate
permanganates/Permanganate
permeability/Permeabilität
permeases/Permeasen
permethrin/Permethrin
permissible explosives/Wettersprengstoffe
– exposure limit/PEL
– level/Permissible level
permitted level/Höchstmengen
permitting authority/Genehmigungsbehörden
permittivity/Dielektrizitätskonstante, Permittivität
pernicious anemia/Perniziöse Anämie
perovskite/Perowskit
peroxidases/Peroxidasen
peroxide decomposer/Peroxid-Desaktivatoren
– destroyer/Peroxid-Desaktivatoren
– initiators/Peroxid-Initiatoren
peroxides/Peroxide
peroxisomes/Peroxisomen
peroxo.../Peroxo...
peroxo salts/Persalze
peroxoborates/Peroxoborate
peroxocarbonates/Peroxocarbonate
peroxochromates/Peroxochromate
peroxodisulfuric acid/Peroxodischwefelsäure
peroxomonosulfates/Peroxomonosulfate
peroxonitrate esters/Peroxonitrat-Ester
peroxophosphates/Peroxophosphate
peroxy.../Peroxy...
peroxyacetic acid/Peroxyessigsäure
peroxyacetyl nitrate/Peroxyacetylnitrat
peroxyacyl nitrates/Peroxyacylnitrate
peroxybenzoic acid/Peroxybenzoesäure
peroxyborates/Perborate
peroxyformic acid/Peroxyameisensäure
peroxyketals/Peroxyketale
peroxylactones/Peroxylactone
perphenazine/Perphenazin
perrhenates/Perrhenate
persimmon/Kaki
persipan/Persipan
persistence length/Persistenzlänge
persistency/Persistenz
persistent organic pollutants/POP (1.)
personal protective equipment/Körperschutz, Persönliche Schutzausrüstung
Persoz's solution/Persoz-Reagenz
perthotrophy/Perthotrophie
perturbation theory/Störungstheorie
pertussis/Keuchhusten
– toxin/Pertussis-Toxin
Peru balsam/Perubalsam
pervaporation/Pervaporation
perylene/Perylen
– pigments/Perylen-Pigmente
– -3,4,9,10-tetracarboxylic dianhydride/Perylen-3,4,9,10-tetracarbonsäure-dianhydrid

pest control/Schädlingsbekämpfung
– control by genetic engineering/Gentechnische Schädlingsbekämpfung
pestalotin/Pestalotin
pesticides/Pestizide, Schädlingsbekämpfungsmittel
peta.../Peta...
petalite/Petalit
petasin/Petasin
Petermann's method/Petermann-Methode
Peterson reaction/Peterson-Reaktion
pethidine/Pethidin
petite mutants/Petite-Mutanten
petitgrain oils/Petitgrainöle
petri dish/Petrischale
petr(o).../Petr(o)...
petrochemicals/Petrochemikalien
petrochemistry/Petrochemie
petrography/Petrographie
petrol/Sprit, Benzin (GB)
petroleum/Erdöl
– benzin/Petrolether
– coke/Petrolkoks
– ether/Petrolether
– mineral oils/Mineralöle
– resins/Petroleum-Harze
– sulfonates/Petroleumsulfonate
petroproteins/Petroproteine
petroselinic acid/Petroselinsäure
petrosin/Petrosin
petzite/Petzit
pewter/Pewter
peyotl/Peyotl
Pfau-Plattner synthesis/Pfau-Plattner-Synthese
P-glycoprotein/P-Glykoprotein
pH/pH
PH domain/PH-Domäne
ph(a)eo.../Phäo...
phaeophytins/Phäophytine
phages/Phagen
phagocytosis/Phagocytose
phalloidin/Phalloidin
phallotoxins/Phallotoxine
phane nomenclature/Phan-Nomenklatur
phanes/Phane
phanquinone/Phanquinon
phantom polymerization/Exotenpolymerisation
pharaoh's serpents/Pharaoschlangen
pharma.../Pharma...
pharmaceutical biology/Pharmazeutische Biologie
– chemistry/Pharmazeutische Chemie
– industry/Pharmazeutische Industrie
pharmaceuticals/Arzneimittel, Pharmazeutika
pharmacist/Apotheker
pharmacodynamics/Pharmakodynamik
pharmacogenetics/Pharmakogenetik
pharmacognosy/Pharmakognosie
pharmacokinetics/Pharmakokinetik
pharmacologically active agents/Pharmaka
pharmacology/Pharmakologie
pharmacophagy/Pharmakophagie
pharmaco(o)eias/Pharmakopöen
pharmacy/Pharmazie, Apotheke
pharming/Pharming
phase law/Gibbssche Phasenregel
– -I-reactions/Phase-I-Reaktionen

– -II-reactions/Phase-II-Reaktionen
– rule/Gibbssche Phasenregel
– space/Phasenraum
– -transfer catalysis/Phasentransfer-Katalyse
phaseolin/Phaseolin
phases/Phasen
phasin/Phasin
α-phellandrene/α-Phellandren
phen.../Phen...
phenacetin/Phenacetin
phenacite/Phenakit
phenacyl.../Phenacyl...
phenalene/1H-Phenalen
phenalenones/Phenalenone
phenamacide/Phenamazid
phenanthrene/Phenanthren
9,10-phenanthrenequinone/9,10-Phenanthrenchinon
phenanthridine/Phenanthridin
1,10-phenanthroline/1,10-Phenanthrolin
phenazine/Phenazin
phenazone/Phenazon
phenazopyridine/Phenazopyridin
phencarbamide/Phencarbamid
phencyclidine/Phencyclidin
phendimetrazine/Phendimetrazin
...phene/...phen
phenethyl.../Phenethyl...
pheneticilline/Phenethicillin
...phenetidide/...phenetidid
phenetidines/Phenetidine
phenetole/Phenetol
phenetyl.../Phenetyl...
phenformin/Phenformin
pheniatry/Phäniatrie
phenindamine/Phenindamin
phenindione/Phenindion
pheniramine/Pheniramin
phenmedipham/Phenmedipham
phenmetrazine/Phenmetrazin
phen(o).../Phen(o)...
phenobarbital/Phenobarbital
phenol/Phenol
– aralkyd resins/Phenol-Aralkyl-Harze
– coefficient/Phenol-Koeffizient
– ethers/Phenolether
– oxidases/Phenol-Oxidasen
phenolates/Phenolate
phenolic aldehydes/Phenolaldehyde
– moulding material/Phenoplast-Preßmassen
– resins/Phenol-Harze
– wine constituents/Weinphenole
phenolisatins/Phenolisatine
phenolphthalein/Phenolphthalein
phenolphthalol/Phenolphthalol
phenols/Phenole
phenolsulfonephthalein/Phenolsulfonphthalein
phenolsulfonic acids/Phenolsulfonsäuren
...phenone/...phenon
phenoraffin process/Phenoraffin-Verfahren
phenothiazine/Phenothiazin
phenothrin/Phenothrin
phenotype/Phänotyp
phenoxazine/Phenoxazin
phenoxazone/Phenoxazon
– pigments/Phenoxazon-Farbstoffe
phenoxy.../Phenoxy...
phenoxy resins/Phenoxyharze
phenoxyacetic acid/Phenoxyessigsäure
phenoxybenzamine/Phenoxybenzamin

phenoxycarboxylic acid/Phenoxycarbonsäuren
phenoxyl/Phenoxyl
phenoxymethylpenicillin/Phenoxymethylpenicillin
phenprobamate/Phenprobamat
phenprocoumon/Phenprocoumon
phensuximide/Phensuximid
phentermine/Phentermin
phenthoate/Phenthoat
phentolamine/Phentolamin
phenyl/Phenyl
phenyl.../Phenyl...
phenyl acetate/Phenylacetat
– isocyanate/Phenylisocyanat
– isothiocyanate/Phenylisothiocyanat
N-phenyl-2-naphthylamine/N-Phenyl-2-naphthylamin
1-phenyl-2-propanone/1-Phenyl-2-propanon
1-phenyl-1H-tetrazole-5-thiol/1-Phenyl-1H-tetrazol-5-thiol
phenylacetaldehyde/Phenylacetaldehyd
phenylacetates/Phenylessigsäureester
phenylacetic acid/Phenylessigsäure
phenylacetonitrile/Phenylacetonitril
phenylacetyl.../Phenylacetyl...
phenylalanine/Phenylalanin
phenylation/Phenylierung
phenylazide/Phenylazid
phenylazo.../Phenylazo...
(phenylazo)phenols/Phenylazophenole
phenylazoxy.../Phenylazoxy...
phenylboronic acid/Phenylboronsäure
phenylbutazone/Phenylbutazon
phenylcarbonate/Diphenylcarbonat
phenyldiethanolamine/N-Phenyldiethanolamin
phenylendiamines/Phenylendiamine
...phenylene/...phenylen
phenylene.../Phenylen...
phenylephrine/Phenylephrin
phenylethanolamine/2-Amino-1-phenylethanol
phenylethanols/Phenylethanole
phenylethylamines/Phenylethylamine
2-phenylethylesters/2-Phenylethylester
phenylfluorone/Phenylfluoron
phenylglycines/Phenylglycine
phenylhydrazine/Phenylhydrazin
phenylhydrazones/Phenylhydrazone
N-phenylhydroxylamine/N-Phenylhydroxylamin
phenylketonuria/Phenylketonurie
phenyllithium/Phenyllithium
phenylmagnesium bromide/Phenylmagnesiumbromid
4-phenylmorpholine/4-Phenylmorpholin
phenylpropanolamines/Phenylpropanolamine
phenylpropanols/Phenylpropanole
phenylpyruvic acid/Phenylbrenztraubensäure
4-phenylsemicarbazide/4-Phenylsemicarbazid
phenylthiourea/Phenylthioharnstoff
phenyltoloxamine/Phenyltoloxamin

phenylurea/Phenylharnstoff
N-phenylurethane/N-Phenylurethan
phenyramidol/Fenyramidol
phenytoin/Phenytoin
pheophytins/Phäophytine
pheromones/Pheromone
philanthotoxin/δ-Philanthotoxin
...phile/...phil
...philic/...phil
Philips beakers/Philipsbecher
Phillips catalysts/Phillips-Katalysatoren
phillipsite/Phillipsit
philosophers/Philosophisch
philosopher's stone/Stein der Weisen
– wool/Lana philosophica
philosophic/Philosophisch
phiole/Phiole
phlegma/Phlegma
phlegmacins/Phlegmacine
phlegmatizing/Phlegmatisierung
phlobaphenes/Phlobaphene
phloem/Phloem
phlogiston/Phlogiston
phlogopite/Phlogopit
phloroglucinol/Phloroglucin
phloxin/Phloxin
...phobe/...phob
...phobic/...phob
pholcodine/Pholcodin
pholedrine/Pholedrin
[phonograph] record compositions/Schallplattenmassen
phonolithe/Phonolith
phonons/Phononen
phorbol/Phorbol
...phore/...phor
phoresis/Phoresie
...phoric/...phor
phorone/Phoron
phos.../Phos...
phosalone/Phosalon
phosducin/Phosducin
phosgene/Phosgen
– iminium salts/Phosgen-Iminium-Salze
phosgenite/Phosgenit
phosmet/Phosmet
phosph(a).../Phosph(a)...
phosphamidon/Phosphamidon
phosphane oxides/Phosphanoxide
phosphanes/Phosphane
phosphatases/Phosphatasen
phosphate glasses/Phosphat-Gläser
phosphates/Phosphate
phosphatidyl.../Phosphatidyl...
phosphatidyl inositols/Phosphatidylinosite
phosphatizing/Phosphatieren
phosphazanes/Phosphazane
phosphazene base P_4-t-bu/Phosphazen-Base P_4-t-Bu
phosphazenes/Phosphazene
phosphides/Phosphide
phosphinates/Phosphinate
phosphinic acid/Phosphinsäure
phosphinine/Phosphinin
phosphino.../Phosphino...
phosphinothricin/Phosphinothricin
phosphinous acid/Phosphinige Säure
phosphinoyl.../Phosphinoyl...
phosphites/Phosphite
phospho.../Phospho...
3'-phosphoadenosine 5'-phosphosulfate/3'-Phosphoadenosin-5'-phosphosulfat
phosphocellulose/Phospho-Cellulose

phosphodiesterases/Phosphodiesterasen
phosphodiesters/Phosphodiester
phosphoenolpyruvate/Phosphoenolpyruvat
– carboxykinase/Phosphoenolpyruvat-Carboxykinase
– carboxylase/Phosphoenolpyruvat-Carboxylase
phosphofructokinases/Phosphofructokinasen
phosphoglyceric acids/Phosphoglycerinsäuren
phosphoinositides/Phosphoinositide
phospholamban/Phospholamban
phospholes/Phosphole
phospholipases/Phospholipasen
phospholipids/Phospholipide
phosphonates/Phosphonate
phosphonic acid/Phosphonsäure
phosphonitrile dichlorides/Phosphornitridchloride
phosphonium salts/Phosphonium-Salze
phosphono…/Phosphono…
2-phosphonobutane-1,2,4-tricarboxylic acid/2-Phosphonobutan-1,2,4-tricarbonsäure
phosphonous acid/Phosphonige Säure
phosphonoyl…/Phosphonoyl…
phosphophyllite/Phosphophyllit
phosphoproteins/Phosphoproteine
phosphor bronzes/Phosphorbronzen
phosphoramidon/Phosphoramidon
phosphoranes/Phosphorane
phosphorescence/Phosphoreszenz
– spectroscopy/Phosphoreszenz-Spektroskopie
phosphoric acid/Phosphorsäure
– amides/Phosphoramide
– esters/Phosphorsäureester
phosphorites/Phosphorite
phosphorolysis/Phosphorolyse
phosphorothiates/Thiophosphate
phosphorothioic acid esters/Thiophosphorsäureester
phosphorous acid/Phosphorige Säure
– -containing polymers/Phosphorhaltige Polymere
phosphors/Leuchtstoffe
phosphorus/Phosphor
– bromides/Phosphorbromide
– chlorides/Phosphorchloride
– dichloride nitrides/Phosphornitridchloride
– fluorides/Phosphorfluoride
– -nitrogen compounds/Phosphor-Stickstoff-Verbindungen
– oxides/Phosphoroxide
– sulfides/Phosphorsulfide
– trichloride oxide/Phosphoroxidtrichlorid
phosphoryl…/Phosphoryl…
phosphoryl chloride/Phosphoroxidtrichlorid
phosphorylase/Phosphorylase
phosphorylation/Phosphorylierung
phosphoserine/Phosphoserin
phostamic acids/Phostamsäuren
phosvitin/Phosvitin
phot(o)…/Phot(o)…
photo acoustic spectroscopy/Photoakustische Spektroskopie
– cell/Photoelement
– multiplier (tube)/Photomultiplier
– stabilizer/Photostabilisatoren

photoautotrophic/Photoautotroph
photobiology/Photobiologie
photochemical oxidants/Photooxidantien
photochemistry/Photochemie
photochemotherapy/Photochemotherapie
photochromism/Photochromie
photoconductive polymers/Photoleitfähige Polymere
photoconductivity/Photoleitfähigkeit
photocopy/Photokopie
photodecomposition/Photoabbau
photodegradation/Photoabbau
photodetachment/Photodetachment
photodiode/Photodioden
photodynamic effect/Photodynamischer Effekt
photoeffects/Photoeffekte
photoelectric effects/Photoeffekte
photoelectricity/Photoelektrizität
photoelectron spectroscopy/Photoelektronen-Spektroskopie
photoelectrons/Photoelektronen
photography/Photographie
photoinitiators/Photoinitiatoren
photoionisation/Photoionisation
photolithotrophy/Photolithotrophie
photolyase/Photolyase
photolysis/Photolyse
photometry/Photometrie
photon echo/Photonenecho
photons/Photonen
photooxidation/Photooxidation
photopolymerisation/Photopolymerisation
photopolymers/Photopolymere
photoproteins/Photoproteine
photoreactive polymers/Photopolymere
photoreceptors/Photorezeptoren
photorefractive effect/Photorefraktiver Effekt
photoresists/Photoresists
photorespiration/Photorespiration
photosmog/Photosmog
photostats/Lichtpausen
photosynthesis/Photosynthese
phototaxis/Phototaxis
phototransduction/Phototransduktion
phototrophy/Phototrophie
phototropic glass/Phototrope Gläser
phototropy/Phototropie
phototubes/Photozellen
phoxim/Phoxim
phthalaldehyde/Phthalaldehyd
phthalates/Phthalsäureester
phthalazines/Phthalazin
phthaleins/Phthaleine
phthalic acid/Phthalsäure
– anhydride/Phthalsäureanhydrid
– esters/Phthalsäureester
phthalides/Phthalide
phthalimide/Phthalimid
phthal(o)…/Phthal(o)…
phthalocyanine/Phthalocyanin
– dyes/Phthalocyanin-Farbstoffe
– polymers/Phthalocyanin-Polymere
phthalonitrile/Phthalsäuredinitril
phthaloyl…/Phthaloyl…
phthaloyl chloride/Phthalsäuredichlorid
phthalyl…/Phthalyl…
phthalylsulfathiazole/Phthalylsulfathiazol
phthiocol/Phthiokol
phycobilins/Phycobiline
phycocyanin/Phycocyanin

phyllanthocin/Phyllanthocin
phyllite/Phyllit
phyll(o)…/Phyll(o)…
phyllosilicates/Phyllosilicate
physalemin/Physalaemin
physarochrome/Physarochrom
physcion/Physcion
physical analysis/Physikalische Analyse
– chemistry/Physikalische Chemie
– constants/Naturkonstanten
– crosslinking/Physikalische Vernetzung
– states of matter/Aggregatzustände
physico-chemical screening/Physikochemisches Screening
physics/Physik
– laboratory technician/Physikalisch-technischer Assistent
physiological chemistry/Physiologische Chemie
– conditions/Physiologische Bedingungen
– energy (calorific) value/Physiologischer Brennwert
– saline/Physiologische Kochsalzlösung
physiology/Physiologie
physostigmine/Physostigmin
phytanic acid/Phytansäure
phytic acid/Phytinsäure
phyt(o)…/Phyt…
phytoalexins/Phytoalexine
phytoantibiotics/Phytoantibiotika
phytochelatins/Phytochelatine
phytochemistry/Phytochemie
phytochrome/Phytochrom
phytoeffectors/Phytoeffektoren
phytoene/Phytoen
phytogen/Phytogen
phytohormones/Pflanzenhormone
phytol/Phytol
phytomedicine/Phytomedizin
phytoncides/Phytonzide
phytopharmaceuticals/Phytopharmaka
phytosterols/Phytosterine
phytotherapy/Phytotherapie
phytotoxicity/Phytotoxizität
phytyl…/Phytyl…
pi bonds/Pi-Bindungen
piassava fiber/Piassave
picein/Picein
picene/Picen
pickering emulsifier/Pickering-Emulgator
– surfactant/Pickering-Emulgator
pickle/Lake
pickled cucumbers/Saure Gurken
pickling/Dekapieren, Pickeln
picloram/Picloram
pico…/Piko…
picolines/Picoline
picolinic acid/Picolinsäure
picosecond spectroscopy/Pikosekunden-Spektroskopie
picotamide/Picotamid
picr… (picro…)/Pikr…
picramic acid/Pikraminsäure
picrates/Pikrate
picratol/Picratol
picric acid/Pikrinsäure
picrites/Pikrite
picrolonic acid/Pikrolonsäure
picromerite/Schönit
picromycin/Picromycin
picrotoxin/Picrotoxin
picryl…/Pikryl…
Pictet-Spengler reaction/Pictet-Spengler-Reaktion

– -Trouton rule/Pictet-Trouton-Regel
Piesteritz process/Piesteritz-Verfahren
piezo…/Piezo…
piezochromism/Piezochromie
piezoelectric polymers/Piezoelektrische Polymere
piezoelectricity/Piezoelektrizität
pig/Massel
– iron/Roheisen
pigeon tick/Taubenzecken
pigeonite/Pigeonit
pigment green B/Oralithgrün B
pigmentation/Pigmentierung
pigments/Pigmente
– of myxomycetes/Myxomyceten-Farbstoffe
pigs/Spinnen
pile/Flor
piles/Hämorrhoiden, Kernreaktoren
pilin/Piline
pilling/Pilling
pills/Pillen
pilocarpine/Pilocarpin
pilomotorics/Pilomotorika
pilot plant/Pilot Plant, Technikum
pimelic acid/Pimelinsäure
piment essential oil/Pimentöl
pimento/Piment
pimiento/Paprika
pimobendan/Pimobendan
pimozide/Pimozid
pimpernell/Pimpinelle
pimpinellin/Pimpinellin
pinacol/Pinakol
– rearrangement/Pinakol-Pinakolon-Umlagerung
pinacolone/Pinakolon
pinacols/Pinakole
pinacyanol iodide/Pinacyanoliodid
pinane/Pinan
– hydroperoxide/Pinanhydroperoxid
pinch-cocks/Quetschhähne
– effet/Pincheffekt
pinchbeck/Gelbtombak
P-index/P-Zahl
pindolol/Pindolol
pindone/Pindon
pine gum/Terpentin
– oil/Pine Oil
pineal (gland)/Epiphyse
pineapple/Ananas
pinene resins/Pinen-Harze
pinenes/Pinene
pink colo(u)rs/Pinkfarben
pin(o)…/Pin(o)…
pinocytosis/Pinocytose
pinosylvine/Pinosylvin
pinus alkaloids/Pinus-Alkaloide
pipamperone/Pipamperon
pipazethate/Pipazetat
pipe…/Pipe…
pipeline/Pipeline
pipemidic acid/Pipemidsäure
pipenzolate bromide/Pipenzolatbromid
piperacillin/Piperacillin
piperazine/Piperazin
2,5-piperazinedione/2,5-Piperazindion
piperidindiones/Piperidindione
piperidine/Piperidin
– alkaloids/Piperidin-Alkaloide
piperidinecarboxylic acids/Piperidincarbonsäuren
piperidino…/Piperidino…
3-piperidinol/3-Hydroxypiperidin
2-piperidone/2-Piperidon
piperidyl…/Piperidyl…

piperine/Piperin
piperonal/Piperonal
piperonyl.../Piperonyl...
piperonyl butoxide/Piperonylbutoxid
piperophos/Piperophos
pipes/Rohre
pipette controller/Pipetierhilfen
pipettes/Pipetten
pipetting aid/Pipetierhilfen
pipoxolane/Pipoxolan
pipradrol/Pipradrol
piprinhydrinate/Piprinhydrinat
piproctanyl bromide/Piproctanylbromid
piprozolin/Piprozolin
piracetam/Piracetam
pirbuterol/Pirbuterol
pirenoxine/Pirenoxin
pirenzepine/Pirenzepin
piretanide/Piretanid
piribedil/Piribedil
piridoxilate/Piridoxilat
pirimicarb/Pirimicarb
pirimiphos-ethyl/Pirimiphos-ethyl
– -methyl/Pirimiphos-methyl
piritramide/Piritramid
piromidic acid/Piromidsäure
piroxicam/Piroxicam
pirprofen/Pirprofen
pisatin/Pisatin
pistachio nuts/Pistazien
pistillarine/Pistillarin
pistons/Kolben
pit coal/Steinkohle
pitch/Pech
– coke/Pechkoks
– pine/Pitchpine
– -stone/Pechstein
pitchblende/Uranpecherz
pitofenone/Pitofenon
pituitary (gland)/Hypophyse
– adenylate cyclase-activating polypeptide/Pituitary adenylate cyclase-activating polypeptide
pitwood/Grubenholz
Pitzer tension/Pitzer-Spannung
pivalates/Pivalate
pivaloyl.../Pivaloyl...
pivampicillin/Pivampicillin
pivmecillinam/Pivmecillinam
pix/Pix
pizotifen/Pizotifen
p34 kinases/p34-Kinasen
pK-value/pK-Wert
placebo/Placebo
placenta/Placenta
placental lactogen/Placentalactogen
placers/Seifen
plague/Pest
plakoglobin/Plakoglobin
plakorin/Plakorin
planar/Planar
– chromatography/Planar-Chromatographie
Planckian radiator/Planckscher Strahler
Planck's constant/Plancksches Wirkungsquantum
– radiation law/Plancksche Strahlungsformel
plane/Planar
– weighing bottle/Plan-Wägeglas
planetoids/Planetoide
planets/Planeten
planimeter/Planimeter
plankton/Plankton
– bloom/Planktonblüte
plant/Anlagen
– cancer/Pflanzenkrebs
– diseases/Pflanzenkrankheiten

– fibers/Pflanzenfasern
– germination inhibitors/Keimungshemmstoffe
– growth substances/Pflanzenwuchsstoffe
– hormones/Pflanzenhormone
– lice/Blattläuse
– physiology/Pflanzenphysiologie
– pigments/Pflanzenfarbstoffe
– protection/Pflanzenschutz
– protection products/Pflanzenschutzmittel
– protection service/Pflanzenschutzdienst
– toxins/Pflanzengifte
plantago seeds/Flohsamen
plantarene/Plantaren®
plants/Pflanzen
– requiring approval/Genehmigungsbedürftige Anlagen
plaque/Plaque
– test/Plaque-Test
plasma/Plasma
– chemistry/Plasmachemie
– cristals/Plasmakristalle
– -nitriding/Plasmanitrieren
– polymerization/Plasmapolymerisation
– proteins/Plasmaproteine
– spraying process/Plasmaspritzverfahren
– state/Plasma-Zustand
– torch/Plasmabrenner
plasmid DNA/Plasmid-DNA
plasmids/Plasmide
plasmin/Plasmin
plasminogen/Plasminogen
plasmodesmata/Plasmodesmen
plasmon/Plasmon
plastein reaction/Plasteïn-Reaktion
plaster/Estrich, Pflaster
plastic crystals/Plastische Kristalle
– metals/Plastikmetalle
– reinforced wood/Holz-Kunststoff-Kombinationen
– waste/Kunststoffabfälle
– wood/Plastisches Holz
plastical optical fibers/Polymere Lichtwellenleiter
plasticity/Plastizität
plasticizer alcohols/Weichmacheralkohole
plasticizers/Weichmacher
plastics/Kunststoffe
plastics welding/Kunststoff-Schweißen
plastids/Plastiden
plastifying/Plastifizieren
plastilina/Plastilin
plastisols/Plastisole
plastocyanin/Plastocyanin
plastomers/Plastomere
plastoponics/Plastoponik
plastoquinone/Plastochinon
platanic acid/Betulinsäure
plate/Boden
– out effect/Plate-out-Effekt
– tectonics/Plattentektonik
– test/Tellertest
platelet activating factor/PAF
– -derived endothelial cell growth factor/Plättchen-entstammender Endothelzellen-Wachstumsfaktor
– -derived growth factor/Plättchen-entstammender Wachstumsfaktor
plating/Plattierung
platinum/Platin
– alloys/Platin-Legierungen
– compounds/Platin-Verbindungen

– metals/Platin-Metalle
platonic hydrocarbons/Platonische Kohlenwasserstoffe
– molecules/Platonische Moleküle
platting/Plattieren
platy limestones/Plattenkalke
plaunotol/Plaunotol
pleat/Plissee
plectin/Plectin
pleiadiene/Pleiadien
pleiotrophin/Pleiotrophin
pleiotropic genes/Pleiotrope Gene
pleochroism/Pleochroismus
pleonaste/Pleonast
pleuromutilin/Pleuromutilin
pleurotellol/Pleurotellol
pleurotin/Pleurotin
pleustal/Pleustal
pleuston/Pleuston
plicamycin/Plicamycin
P loop/P-loop
plug flow reactor/Plug Flow-Reaktor
plumbago/Plumbago
plumbane/Plumban
plumbate test/Plumbat-Reaktion
plumbates/Plumbate
plumbyl.../Plumbyl...
pluming/Pluming
plums/Pflaumen
plunger-operated pipetter/Kolbenhubpipette
plunging jet aerator/Tauchstrahlbelüfter
plurocol/Plurocol
plutonium/Plutonium
plywood/Sperrholz
pn junction/pn-Übergang
PNC process/PNC-Prozeß
pneumoconioses/Pneumokoniosen
pnicogens/Pnicogene
pnictides/Pnictide
pocket batteries/Taschenbatterien
podands/Podanden
podates/Podate
podocarpic acid/Podocarpinsäure
podophyllotoxin/Podophyllotoxin
podzol/Podsol, Podzol
poikilothermal/Poikilotherm
point defect (imperfection)/Punktdefekte
– mutation/Punktmutation
– of zero charge (PZC)/Isoelektrischer Punkt
poise/Poise
poisoned cereals/Giftgetreide
poisoning/Vergiftung
poisonous/Giftig
poisons/Gifte
– from toxic algae/Algentoxine
Poisson ratio/Poisson-Zahl
Poisson's equations/Poissonsche Gleichung(en)
pokeweed antiviral proteins/Phytolacca-Antivirus-Proteine
– mitogen/Phytolacca-Mitogen
polacrilin/Polacrilin
polar/Polar
polarimeter/Polarimeter
polarity/Polarität
polarizability/Polarisierbarkeit
– tensor/Polarisierbarkeitstensor
polarization/Polarisation
– microscopy/Polarisationsmikroskopie
– spectroscopy/Polarisationsspektroskopie
polarizers/Polarisatoren
polarography/Polarographie
polaron/Polaron

polidocanol/Polidocanol
polio/Poliomyelitis
poliomyelitis/Poliomyelitis
polishes/Polituren
polishing/Polieren
pollen/Pollen
pollutant release and transfer register/PRTR
pollutants/Umweltschadstoffe
polluted areas/Belastungsgebiet
polluter-pays principle/Verursacherprinzip
pollution/Verunreinigungen
polonium/Polonium
Polonovski reaction/Polonovski-Reaktion
poloxamer/Poloxamer
poly.../Poly...
polyacenes/Polyacene
polyacetaldehyde/Polyacetaldehyde
polyacetals/Polyacetale
polyacetones/Polyaceton
polyacetylenes/Polyacetylene
polyacroleins/Polyacroleine
polyacrylamides/Polyacrylamide
polyacrylates/Polyacrylate
polyacrylic acids/Polyacrylsäuren
polyacrylimides/Polyacrylimide
polyacrylonitriles/Polyacrylnitrile
polyaddition/Polyadditionen
poly(α-alanines)/Poly(α-alanin)e
poly(β-alanine)s/Poly(β-alanin)e
polyalkenamers/Polyalkenamere
polyalkenecarbonates/Polyalkencarbonate
polyalkenes/Polyalkene
polyalkenylenes/Polyalkenamere
polyalkylene carbonates/Polyalkylencarbonate
polyalkylene glycols/Polyalkylenglykole
poly(alkylene terephthalates)/Polyalkylenterephthalate
polyalkylenephenylenes/Polyalkylenphenylene
polyalkynes/Polyalkine
polyallomers/Polyallomere
polyallyl compounds/Polyallyl-Verbindungen
polyamide acids/Polyamidcarbonsäuren
polyamide fibres/Polyamidfasern
poly(amide-hydrazides)/Polyamidhydrazide
polyamideimides/Polyamidimide
polyamides/Polyamide
polyamines/Polyamine
polyamino acids/Polyaminosäuren
polyamino-polycarboxylic acids/Polyaminopolycarbonsäuren
polyaminoamides/Polyaminoamide
polyaminobismaleimides/Polyaminobismaleinimide
polyaminotriazoles/Polyaminotriazole
polyampholytes/Polyampholyte
polyanhydride resin/Polyanhydrid-Harz
polyanhydrides/Polyanhydride
polyanilines/Polyaniline
polyaramides/Polyaramide
polyarmethylenes/Polyarmethylene
polyarylamides/Polyarylamide
polyarylates/Polyarylate
polyarylenes/Polyarylene
polyarylesters/Polyarylester
polyaspartic acids/Polyasparginsäuren
poly(A) tail/Poly(A)-Schwanz
polyazadioxides/Polyazadioxide

polyazaethylenes/Polyazaethylene
polyazines/Polyazine
polyaziridines/Polyaziridine
polyazobenzenes/Polyazobenzole
polyazols/Polyazole
polyazomethines/Polyazomethine
polybasite/Polybasit
poly(p-benzamide)s/Polybenzamide
polybenzimidazoles/Polybenzimidazole
polybenzimidazolones/Polybenzimidazolone
polybenzimides/Polybenzimid
polybenzopyrazines/Polychinoxaline
polybenzothiazoles/Polybenz(o)thiazole
polybenzoxazoles/Polybenzoxazole
poly(γ-benzyl-α-L-glutamates)/Polybenzylglutamate
polybicyclobutanes/Polybicyclobutane
poly[3,3-bis(chloromethyl)oxacyclobutanes]/Poly[3,3-bis(chlormethyl)oxacyclobutan]e
polyblends/Polymer-Blends
polybrominated diphenyl ethers/PBDE
– naphthalenes/PBN
polybromobiphenyls/PBB
polybutadiene oils/Polybutadien-Öle
polybutadienes/Polybutadiene
poly(1-butene-alt-sulfur)dioxide/Poly(1-buten-alt-schwefeldioxid)
polybutenes/Polybutene
poly(butylene terephthalates)/Polybutylenterephthalate
poly(ε-caprolactame)s/Poly(ε-caprolactam)e
– -caprolactone)s/Poly(ε-caprolacton)e
polycarbazanes/Polycarbazane
polycarbazenes/Polycarbazene
polycarbazoles/Polycarbazole
polycarbenes/Polycarbene
polycarbodiimides/Polycarbodiimide
polycarbonates/Polycarbonate
polycarbonfluoride/Polycarbonfluorid
polycarboran siloxanes/Polycarboransiloxane
polycarbosilanes/Polycarbosilane
polycarboxylates/Polycarboxylate
polycarboxylic acids/Polycarbonsäuren
polychloral/Polychloral
polychlorinated .../Polychlor(ierte)...
– biphenyls/PCB
– diphenyl ethers/PCDE
– diphenylsulfides/PCDPS
– terphenyls/PCT
– thianthrenes/PCTA
polychloro.../Polychlor(ierte)...
polychloromethylstyrenes/Polychlormethylstyrole
polychloroprenes/Polychloroprene
poly(chlorotrifluoroethylene-alt-ethylene)/Poly(ethylen-alt-chlortrifluorethylen)
polychlorotrifluoroethylenes/Polychlortrifluorethylene
polychrome printing/Mehrfarbendruck
polycistronic mRNA/Polycistronische mRNA

polycondensation/Polykondensation
polycresolsulfonate/Polycresulen
poly(2-cyanoacrylic ester)s/Poly-(2-cyanoacrylsäureester)
polycyclic aromatic hydrocarbons/PAH
– compounds/Polycyclische Verbindungen
– pigments/Polycyclische Pigmente
polycycloalkynes/Polycycloalkine
polycycloenes/Polycycloene
poly(1,4-cyclohexylenemethylene-terephthalate)s/Poly(1,4-cyclohexandimethylenterephthalat)e
polycycloolefins/Polycycloalkene
poly(1,3-cyclopentadiene)s/Polycyclopentadiene
polydextrose/Polydextrose®
polydiacetylenes/Polydiacetylene
polydiallylphthalates/Polydiallylphthalate
polydienes/Polydiene
poly(2,3-dimethylbutadiene)/Poly(2,3-dimethylbutadien)
polydioxanones/Polydioxanone
polydisperse polymers/Polydisperse Polymere
polydispersity index/Polydispersität
polydiversity/Polydiversität
poly(divinyl ether-co-maleic anhydride)/Poly(divinylether-co-maleinsäureanhydrid)
polyelectrolyte titrations/Polyelektrolyt-Titration
polyelectrolytes/Polyelektrolyte
polyelimination/Polyelimination
polyenes/Polyene
polyepoxides/Polyepoxide
polyester-co-carbonates/Poly(ester-co-carbonat)e
– resins/Polyesterharze
– rubbers/Polyester-Kautschuke
polyesterimides/Polyesterimide
polyesters/Polyester
polyestradiol phosphate/Polyestradiolphosphat
polyether glycols/Polyether-Polyole
poly(ether ketone)s/Polyetherketone
polyether macrodiols/Polyether-Polyole
– polyols/Polyether-Polyole
– polyurethan rubbers/Polyether-Polyurethan-Kautschuke
– rubbers/Polyether-Kautschuke
polyetheramines/Polyetheramine
polyetherimides/Polyetherimide
polyethers/Polyether
polyethersulfides/Polyethersulfide
polyethersulfones/Polyethersulfone
polyethyl acrylates/Polyethylacrylate
poly(ethylen-co-acrylic acids)/Poly(ethylen-co-acrylsäure)n
poly(ethylene-co-vinylcarbazole)/Poly(ethylen-co-vinylcarbazol)
poly(ethylene glycol)s/Polyethylenglykole
poly(ethylene oxide)s/Polyethylenoxide
polyethylene oxybenzoate/Polyethylenoxybenzoat
– sulfide/Polyethylensulfid
– terephthalates/Polyethylenterephthalate

polyethylenes/Polyethylene
polyethylenimines/Polyethylenimine
poly(ethylsulfonic acids)/Polyvinylsulfonsäuren
polyethylidenes/Polyethylidene
poly(1,1′-ferrocene alkenes)/Poly(1,1′-ferrocen-alkylen)e
– (1,1′-ferrocene arylenes)/Poly(1,1′-ferrocen-arylen)e
– (1,1′-ferrocene phosphanes)/Poly(1,1′-ferrocen-phosphan)e
– (1,1′-ferrocene silanes)/Poly(1,1′-ferrocen-silan)e
– (1,1′-ferrocene sulfides)/Poly(1,1′-ferrocen-sulfid)e
– (1,1′-ferrocene vinylenes)/Poly(1,1′-ferrocen-vinylen)e
– (1,1′-ferrocene)s/Poly(1,1′-ferrocen)e
– (1,1′-ferrocenylene alkylidenes)/ Poly(1,1′-ferrocen-alkylen)e
– (1,1′-ferrocenylene arylenes)/ Poly(1,1′-ferrocen-arylen)e
– (1,1′-ferrocenylene vinylenes)/ Poly(1,1′-ferrocen-vinylen)e
– (1,1′-ferrocenylenes)/ Poly(1,1′-ferrocen)e
poly(fluoroalkoxyphosphazene)s/Polyfluoralkoxyphosphazene
polyfluorosilicones/Polyfluorsilicone
polyformaldezine/Polyformaldezin
polyfructoses/Polyfructosen
polygalactomannanes/Polygalactomannane
polygalactoses/Polygalactosen
polygermanes/Polygermane
polyglucoses/Polyglucosen
poly(glutamic acids)/Polyglutaminsäuren
polyglutarates/Polyglutarat
polyglycine/Polyglycin
polyglycolides/Polyglykolsäuren
polyhalite/Polyhalit
polyhydantoines/Polyhydantoine
polyhydrazides/Polyhydrazide
poly(α-hydroxy acrylic acid)s/ Poly(α-hydroxyacrylsäure)n
polyhydroxy compounds/Polyhydroxy-Verbindungen
polyhydroxyalkanoates/Polyhydroxyalkanoate, Poly(β-hydroxyfettsäure)n
polyβ-hydroxybutyrates/Polyhydroxybuttersäure
poly(2-hydroxyethylmethacrylate)/Poly(2-hydroxyethylmethacrylat)
polyhydroxymethylene/Polyhydroxymethylen
polyimidazoles/Polyimidazole
polyimidazopyrrolones/Polyimidazopyrrolone
polyimides/Polyimide
polyiodides/Polyiodide
polyiso-butene oxides/Polyisobutylenoxide
polyisobutenes/Polyisobutene
polyisocyanates/Polyisocyanate
polyisocyanides/Polyisocyanide
polyisocyanurates/Polyisocyanurate
polyisoprene rubbers/Polyisoprene
polyisoprenes/Polyisoprene
polyketals/Polyketale
polyketides/Polyketide
polyketones/Polyketone
poly(lactic acid)/Polymilchsäure
polylinker/Polylinker

polymaleic acid/Polymaleinsäure(-Derivate)
poly(β-malonic esters)/Poly(β-malonsäureester)
polymer analogous reactions/Polymeranaloge Reaktionen
– blends/Polymer-Blends
– catalysts/Polymere Katalysatoren
– cement/Polymer-Zemente
– coating/Kunststoff-Beschichtung
– composites/Polymercomposites
– compounds/Polymercompounds
– concrete/Polymerbeton
– crystals/Polymerkristalle
– degradation/Polymer-Abbau
– dispersions/Polymerdispersionen
– fume fever/Polymerdampf-Fieber
– homolog[ue]s/Polymerhomologe (Reihen)
– matrix/Polymer-Matrix
– reagents/Polymere Reagenzien
polymerase chain reaction/Polymerase chain reaction
polymerases/Polymerasen
polymeric drugs/Polymergebundene Wirkstoffe
– dyes/Makromolekulare Farbstoffe
– glasses/Kunstgläser, Organische Gläser
– MDI/Polymeres Diphenylmethan-Diisocyanat
– networks/Polymere Netzwerke
– phosphazenes/Polyphosphazene
– phosphine oxides/Polyphosphinoxide
– phosphines/Polyphosphine
– phosphites/Polyphosphite
polymer(ic) plasticizers/Polymerweichmacher
polymeric surfactants/Polymertenside
polymerization/Polymerisation
– auxiliaries/Polymerisationshilfsmittel
– in clathrates/Einschlußpolymerisation
– in (non-aqueous) dispersion/Dispersionspolymerisation
– of ultrathin films/Polymerisation in ultradünnen Schichten
polymerizations/Polyreaktionen
polymers/Polymere, Polymerisate
– for medical applications/Medizinische Kunststoffe
– for nonlinear optics/NLO-Polymere
polymetallaines/Polymetallaine
polymetallocenylenes/Polymetallocene
polymethacrylamides/Polymethacrylamide
polymethacrylates/Polymethacrylate, Polymethylmethacrylat
polymethacrylic acids/Polymethacrylsäuren
polymethacrylmethylimides/Polymethacrylmethylimide
polymethine dyes/Polymethin-Farbstoffe
polymethyl [meth]acrylates/Polymethylmethacrylat
polymethylenes/Polymethylene
poly(4-methyl-1-pentene)/Poly(4-methyl-1-penten)
poly(α-methylstyrene)/Poly(α-methylstyrol)
polymolecularity/Polymolekularität

polymorphism/Polymorphie, Polymorphismus
polymyxins/Polymyxine
polynomial/Polynom
polynorbornenes/Polynorbornen
polynuclear aromatic hydrocarbons/PAH
– compounds/Mehrkernige Verbindungen
polynucleotides/Polynucleotide
polyoctenamers/Polyoctenamere
polyolefin rubber/Polyolefin-Kautschuke
polyolefine waxes/Polyolefin-Wachse
polyolefins/Polyolefine
polyols/Polyole
polyorganophosphazenes/Polyorganophosphazene
polyoses/Polyosen
polyoxadiazoles/Polyoxadiazole
polyoxamides/Polyoxamide
polyoxazolidones/Polyoxazolidone
polyoxazolines/Polyoxazoline
polyoxetanes/Polyoxetane
polyoxins/Polyoxine
polyoxothiazenes/Polyoxothiazene
poly(oxyethylenes)/Polyoxyethylene
polyoxymethylenes/Polyoxymethylene
poly(parabanic acids)/Polyparabansäuren
polypentenamers/Polypentenamere
polypeptides/Polypeptide
polyperylenes/Polyperylene
polyphenols/Polyphenole
poly(phenylen sulfide)s/Polyphenylensulfide
poly(phenylene ether)s/Polyarylether
poly(phenylene oxides)/Polyphenylenoxide
poly(p-phenyleneacetylenes)/Poly(p-phenylenacetylen)e
poly(p-phenylenebenzoxazoles)/Poly(p-phenylenbenzoxazol)e
poly(p-phenylenebenzthiazoles)/Poly(p-phenylenbenzthiazol)e
polyphenylenequinoxalines/Polyphenylenchinoxaline
polyphenyl(ene)s/Polyphenylene
polyphenylenevinylenes/Polyphenylenvinylene
polyphenylphenylenes/Polyphenylphenylene
polyphenylsilsesquioxanes/Polyphenylsesquisiloxan
polyphosphates/Polyphosphate
polyphosphites/Polyphosphite
polyphosphonates/Polyphosphonate
polyphosphoramides/Polyphosphoramide
polyphosphoric acid/Polyphosphorsäure
polyphthalocyaninatosiloxanes/Poly(phthalocyaninato)siloxane
polypivalactones/Polypivalactone
polyploidy/Polyploidie
polypod/Tüpfelfarn
polyporic acid/Polyporsäure
polypoy root/Tüpfelfarn
polyproline/Polyprolin
polypropellanes/Polypropellane
poly(propylene glycols)/Polypropylenglykole
– oxide)/Polypropylenoxide
polypropylene sulfides/Polypropylensulfide

polypropylenes/Polypropylene
polyproteins/Polyproteine
polypyrroles/Polypyrrole
polypyrrolones/Polyimidazopyrrolone
polyquinanes/Polyquinane
polyquinazolindiones/Polychinazolindione
polyquinolines/Polychinoline
polyquinones/Polychinone
polyquinoxalines/Polychinoxaline
polyradicals/Polyradikale
polyrecombination/Polyrekombination
polysaccharides/Polysaccharide
polysilanes/Polysilane
polysilazanes/Polysilazane
polysiloxanes/Polysiloxane
polysoaps/Polymertenside
polysomes/Polysomen
polysorbates/Polysorbate
polystannanes/Polystannane
polystyrene/Polystyrol
polystyrylpyridines/Polystyrylpyridine
polysulfides/Polysulfide
polysulfonamides/Polysulfonamide
polysulfones/Polysulfone
polyterephthalates/Polyterephthalate
polyterpenes/Polyterpene
polytetrafluorethylene/Polytetrafluorethylene
poly(tetrahydrofuran)s/Polytetrahydrofurane
poly(tetramethylene terephthalates)/Polybutylenterephthalate
poly(1,2,4,5-tetrazines)/Poly(1,2,4,5-tetrazin)e
polythiadiazoles/Polythiadiazole
polythiazide/Polythiazid
polythionic acids/Polythionsäuren
polythionylphosphazenes/Polythionylphosphazene
polythiophenes/Polythiophene
polythiophosphazenes/Polythiophosphazene
poly(s-triaminobenzenes)/Poly(1,3,5-benzoltriamin)e
polytriazines/Polytriazine
polytypism/Polytypie
polyureas/Polyharnstoffe
polyurethane resins/Polyurethan-Harze
– rubbers/Polyurethan-Kautschuke
polyurethanes/Polyurethane
polyvidone/Polyvidon
– -iodine/Polyvidon-Iod
polyvinyl…/Polyvinyl…
poly(vinyl acetal)s/Polyvinylacetale
– acetate)s/Polyvinylacetate
– alcohol)s/Polyvinylalkohole
– butyral)s/Polyvinylbutyrale
– chloride)s/Polyvinylchloride
– ethers)/Polyvinylether
– fluoride)s/Polyvinylfluorid
– formal)s/Polyvinylformale
– ketone)s/Polyvinylketone
polyvinylcarbazoles/Polyvinylcarbazole
polyvinylcinnamates/Polyvinylcinnamate
polyvinylferrocenes/Polyvinylferrocene
poly(vinylidene chloride)/Polyvinylidenchlorid
– fluorides)/Polyvinylidenfluoride
poly(vinylisocyanate)s/Polyvinylisocyanate

poly(vinylketales)/Polyvinylketale
poly(vinylphosphonic acid)/Vinylphosphonsäure-Polymere
poly(vinylpropionate)s/Polyvinylpropionate
poly(vinylpyrrolidones)/Polyvinylpyrrolidone
polywaxes/Polywachse
polyxylylidenes/Polyxylylidene
polyynes/Polyine
pomace/Treber
pomegranate/Granatapfel
Pomeranz-Fritsch reaction/Pomeranz-Fritsch-Reaktion
Ponceau dyes/Ponceau-Farbstoffe
pontianak/Pontianak
poor in noxious substances/Schadstoffarm
– (low) in sodium/Natriumarm
popcorn/Popcorn
– polymers/Popcorn-Polymere
poppy/Mohn
– -seed oil/Mohnöl
population/Population
– dynamics/Populationsdynamik
– equivalent/Einwohnergleichwert
p-orbitals/p-Orbitale
porcelain/Porzellan
pore glass/Poröses Glas
pores/Poren
porfimer sodium/Porfimer-Natrium
porins/Porine
Porod-Kratky chain/Kratky-Porod-Kette
poromerics/Poromere
porosimetry/Porosimetrie
porosity/Porosität
porous glass/Poröses Glas
– metals/Schaummetalle
– rubber/Porengummi
porph…/Porph…
porphine/Porphin
porphobilinogen/Porphobilinogen
porphyria/Porphyrie
porphyries/Porphyre
porphyrin biosynthesis/Porphyrin-Biosynthese
porphyrinogens/Porphyrinogene
porphyrins/Porphyrine
porphyrs/Porphyre
porphyropsin/Porphyropsin
port [wine]/Portwein
portion of substance/Stoffportion
portland blast-furnace slag cement/Eisenportlandzement
– cement/Portlandzement
– limestone/Portlandstein
– stone/Portlandstein
position isomerism/Stellungsisomerie
positional cloning/Positional cloning
positive displacement pump/Verdrängerpumpen
positronium/Positronium
positrons/Positronen
post-combustion/Nachverbrennung
– -translational modifications/Post-translationale Modifizierung
postcrystallization/Nachkristallisation
pot life/Topfzeit
– marjoram/Origanum
potamal/Potamal
potash/Kali
– lye/Kalilauge
– magnesia/Kalimagnesia
– salts/Kalisalze

– soft soap/Kaliseife
potassium/Kalium
– acetate/Kaliumacetat
– aluminate/Kaliumaluminat
– ammonium nitrate/Kaliammonsalpeter
– -argon dating/Kalium-Argon-Methode
– boron hydride/Kaliumborhydrid
– bromate/Kaliumbromat
– bromide/Kaliumbromid
– $tert$-butoxide/Kalium-$tert$-butoxid
– canreonate/Kaliumcanrenoat
– carbonate/Kaliumcarbonat
– channels/Kalium-Kanäle
– chlorate/Kaliumchlorat
– chloride/Kaliumchlorid
– chromate/Kaliumchromat
– citrate/Kaliumcitrat
– cyanate/Kaliumcyanat
– cyanide/Kaliumcyanid
– dichromate/Kaliumdichromat
– dicyanoargentate/Kaliumdicyanoargentat
– disulfate/Kaliumdisulfat
– disulfide/Kaliumdisulfid
– fertilizers/Kalidünger
– fluorides/Kaliumfluoride
– fluosilicate/Kaliumhexafluorosilicat
– gluconate/Kalium-D-gluconat
– hexachloroplatinate(IV)/Kaliumhexachloroplatinat(IV)
– hexacyanoferrates/Blutlaugensalze
– hexafluorozirconate/Kaliumhexafluorozirconat
– hexahydroxoantimonate(V)/Kaliumhexahydroxoantimonat(V)
– hexahydroxostannate(IV)/Kaliumhexahydroxostannat(IV)
– hexanitrocobaltate(III)/Kaliumhexanitrocobaltat(III)
– hydrogen phthalate/Kaliumhydrogenphthalat
– hydrogen tartrate/Kaliumhydrogentartrat
– hydrogencarbonate/Kaliumhydrogencarbonat
– hydrogenperoxomonosulfate/Kaliumhydrogenperoxomonosulfat
– hydrogensulfate/Kaliumhydrogensulfat
– hydrogensulfite/Kaliumhydrogensulfit
– hydroxide/Kaliumhydroxid
– hypochlorite/Kaliumhypochlorit
– iodate/Kaliumiodat
– iodide/Kaliumiodid
– methoxide/Kaliummethoxid
– nitrate/Kaliumnitrat
– nitrite/Kaliumnitrit
– oleate/Kaliumoleat
– osmate/Kaliumosmat(VI)
– oxalates/Kaliumoxalate
– oxides/Kaliumoxide
– perchlorate/Kaliumperchlorat
– periodate/Kaliumperiodat
– permanganate/Kaliumpermanganat
– peroxodisulfate/Kaliumperoxodisulfat
– perrhenate/Kaliumperrhenat
– phosphates/Kaliumphosphate
– preparations/Kalium-Präparate
– silicate paints/Wasserglasfarben
– silicates/Kaliumsilicate
– sodium alloys/Kalium-Natrium-Legierungen

- sodium tartrate/Kaliumnatrium-(R,R)-tartrat
- sorbate/Kaliumsorbat
- stearate/Kaliumstearat
- sulfate/Kaliumsulfat
- sulfides/Kaliumsulfide
- sulfite/Kaliumsulfit
- tellurite/Kaliumtellurit
- tetracyanomercurate(II)/Kaliumtetracyanomercurat(II)
- tetrafluoroborate/Kaliumtetrafluoroborat
- tetrathionate/Kaliumtetrathionat
- thiocyanate/Kaliumthiocyanat
- xanthates/Kaliumxanthate

potatoes/Kartoffeln
potential/Potential
- function/Potentialfunktion
potentiometry/Potentiometrie
pour point/Pourpoint
powder/Pulver
- coating/Pulverbeschichtung
- funnels/Pulvertrichter
- metallurgy/Pulvermetallurgie
- methods/Pulvermethoden
powders/Puder
power/Leistung
- operated equipment/Kraftbetriebene Arbeitsmittel
Pozzuolana/Puzzolanerde
PPP method/PPP-Methode
PR toxin/PR-Toxin
practical/pract
practolol/Practolol
pradimicins/Pradimicine
prajmalium bitartrate/Prajmaliumbitartrat
pralidoxime iodide/Pralidoximiodid
pramipexole/Pramipexol
pramiverine/Pramiverin
pramocaine/Pramocain
pranlukast/Pranlukast
praseodymium/Praseodym
- compounds/Praseodym-Verbindungen
prasterone/Prasteron
pravastatin/Pravastatin
prazepam/Prazepam
praziquantel/Praziquantel
prazosin/Prazosin
pre.../Prä...
pre-stressed concrete/Spannbeton
precarcinogens/Präcarcinogene
precautionary principle/Vorsorgeprinzip
precession method/Präzessionsmethode
precious metals/Edelmetalle
precipitants/Fällungsmittel
precipitate/Niederschlag
precipitates/Präzipitate
precipitation/Ausfällen, Niederschlag, Präzipitation
- polymerization/Fällungspolymerisation
precocenes/Precocene
preculture/Vorkultur
precursor-directed biosynthesis/Vorläufer-dirigierte Biosynthese
predicted environmental concentration/PEC
- no effect concentration/PNEC
prednicarbate/Prednicarbat
prednimustine/Prednimustin
prednisolone/Prednisolon
prednisone/Prednison
prednylidene/Prednyliden
preen (uropygial) gland fat/Bürzeldrüsenfett
prefixes/Präfixe, Vorsätze

pregnancy hormones/Schwangerschaftshormone
- test/Schwangerschaftstest
pregnane/Pregnan
(20S)-5β-pregnane-3α,20-diol/(20S)-5β-Pregnan-3α,20-diol
(20S)-5β-pregnane-3α,17,20-triol/(20S)-5β-Pregnan-3α,17,20-triol
pregnenolone/Pregnenolon
prehnite/Prehnit
prekinamycin/Präkinamycin
preliminary clarification/Vorklärung
- tests/Vorproben
Prelog Djerassi lactone acid/Prelog-Djerassi-Lacton
prenatal diagnostic/Pränatale Diagnostik
prenflo process/Prenflo-Verfahren
prenols/Prenole
prenoxdiazine/Prenoxdiazin
prenyl.../Prenyl...
prenyl proteins/Prenylproteine
prenylamine/Prenylamin
preparation/Präparation
preparations/Präparate, Zubereitung
preparative chemistry/Präparative Chemie
prepeptides/Präpeptide
prephenic acid/Prephensäure
prepolymerization/Vorpolymerisation
prepolymers/Prepolymere
prepregs/Prepregs
prescription/Rezept
presence/Stetigkeit
presenilin/Präseniline
preservation/Konservierung
preservatives/Konservierungsmittel
presettling/Vorklärung
press board/Preßspan
- part/Abquetscheffekt
pressure/Druck
- gas box/Druckgasdosen, Druckgaskartuschen
- gas cartridge/Druckgasdosen, Druckgaskartuschen
- regulator/Druckminderer
- sensitive adhesives/Haftklebstoffe
- sensitive articles/Selbstklebende Erzeugnisse
- tank/Autoklaven
- welding/Preßschweißen
pretilachlor/Pretilachlor
pretyrosine/L-Prätyrosin
preussine/Preussin
prevalence/Prävalenz
prevention/Prävention, Prophylaxe
Prévost hydroxylation/Prévost-Hydroxylierung
Pribnow box/Pribnow(-Schaller)-Box
pridinol/Pridinol
Prilezhaev reaction/Prileschajew-Reaktion
prilling/Prillen
prilocaine/Prilocain
primaquine/Primaquin
primary/Primär
- (cellulose) acetate/Primäracetat
- explosives/Initialsprengstoffe
- producers/Primärproduzenten
- valency network/Hauptvalenz-Netzwerke
primer/Primer, Spachtelmassen
- coat/Grundanstrich
primeverose/Primverose

primidone/Primidon
priming films/Grundierfilme
primisulfuron-methyl/Primisulfuron-methyl
primrose/Primeln
primulin/Primulin (b)
primuline/Primulin (a)
principal series/Hauptserie
principle/Prinzip
- of common burden/Gemeinlastprinzip
- of least motion/Prinzip der minimalen Strukturänderung
Pringsheim method/Pringsheim-Methode
Prins reaction/Prins-Reaktion
printing/Druckverfahren
- beetle/Buchdrucker
- inks/Druckfarben
prion protein/Prion-Protein
prions/Prionen
prismane/Prisman
prisms/Prismen
pristane/Pristan
privet/Liguster
pro.../Pro...
proazulenes/Proazulene
probenazole/Probenazol
probenecid/Probenecid
probucol/Probucol
procainamide/Procainamid
procaine/Procain
procarbazine/Procarbazin
procaterol/Procaterol
process analysis (control)/Prozeßanalytik
- control computers/Prozeßrechner
- development/Verfahrensentwicklung
- engineering/Verfahrenstechnik
- of vision/Sehprozeß
processing/Prozessierung
- additive/Verarbeitungsadditive
- aid/Verarbeitungsadditive
prochiral/Prochiral
prochloraz/Prochloraz
prochlorophytes/Prochlorophyten
proconvertin/Proconvertin
proctolin/Proctolin
procyclidine/Procyclidin
procymidone/Procymidon
prodigiosin/Prodigiosin
prodlure/Prodlur
prodrug/Prodrug
producers/Produzenten
product formation/Produktbildung
- inhibition/Produkthemmung
production culture/Produktionskultur
- fermenter/Produktfermenter
- -integrated environmental protection/Produktionsintegrierter Umweltschutz
- -specific load/Produktionsspezifischer Frachtwert
- strain/Produktionsstamm
productivity/Produktivität
profenofos/Profenofos
professions in pharmaceutics/Pharma-Berufe
profile fiber/Profilfaser
profilin/Profilin
proflavine/Proflavin
progesterone/Progesteron
progestins/Gestagene
proglumetacine/Proglumetacin
proglumide/Proglumid
progressive freezing/Normales Erstarren
proguanil/Proguanil
project sponsor/Projektträger

projection formulas/Projektionsformeln
prokaryotes (procaryotes)/Prokaryo(n)ten, prokaryo(n)tisch
prokaryotic (procaryotic)/Prokaryo(n)ten, prokaryo(n)tisch
prolactin/Prolactin
prolamin(e)s/Prolamine
prolidase/Prolidase
proliferation/Proliferation
prolinase/Prolinase
proline/Prolin
prolintane/Prolintan
prolonium iodide/Proloniumiodid
promazine/Promazin
promethazine/Promethazin
promethium/Promethium
prometon/Prometon
prometryn/Prometryn
promotors/Promotoren
pronunciation/Aussprache
proof/Nachweis
propachlor/Propachlor
propafenone/Propafenon
propagation/Propagation
propallylonal/Propallylonal
propamocarb hydrochloride/Propamocarb-hydrochlorid
propandiamines/Propandiamine
propane/Propan
propanediols/Propandiole
1,3-propanesultone/1,3-Propansulton
propanethial S-oxide/Propanthial-S-oxid
propanethiols/Propanthiole
1,2,3-propanetricarboxylic acid/1,2,3-Propantricarbonsäure
propanidid/Propanidid
propanil/Propanil
propanols/Propanole
propantheline bromide/Propanthelinbromid
propaquizafop/Propaquizafop
propargite/Propargit
propargyl.../Propargyl...
propargyl-allenyl rearrangement/Propargyl-Allenyl-Umlagerung
- bromide/Propargylbromid
- chloride/Propargylchlorid
propatylnitrate/Propatylnitrat
propellanes/Propellane
propellants/Treibmittel, Treibstoffe
propeller molecules/Propeller-Moleküle
propelling charges/Treibsätze
propene/Propen
propentdyopents/Propentdyopente
propentofylline/Propentofylin
1-propenyl.../1-Propenyl...
(+)-S-((E)-1-propenyl)-L-cysteine-(R)-sulfoxide/(+)-S-((E)-1-Propenyl)-L-cystein-(R)-sulfoxid
propeptides/Propeptide
properdin/Properdin
propham/Propham
prophylaxis/Prophylaxe
propicillin/Propicillin
propiconazole/Propiconazol
propineb/Propineb
prop(io).../Prop(io)...
β-propiolactone/β-Propiolacton
propiolic acid/Propiolsäure
propionaldehyde/Propionaldehyd
propionamide/Propionamid
propionates/Propionsäureester
propionic acid/Propionsäure
- anhydride/Propionsäureanhydrid
propionitrile/Propionitril

propionyl…/Propionyl…
propionyl chloride/Propionsäurechlorid
propiophenone/Propiophenon
propioxatins/Propioxatine
propipocaine/Propipocain
propiverine/Propiverin
propofol/Propofol
propolis/Propolis
proportioning/Dosieren, Proportionieren
propoxides/Propoxide
propoxur/Propoxur
propoxy…/Propoxy…
propranolol/Propranolol
propyl…/Propyl…
propyl acetates/Essigsäurepropylester
– bromides/Propylbromide
– chlorides/Propylchloride
– glycol/Propylglykol
propylamines/Propylamine
propylbenzene/Propylbenzol
propylene/Propen, Propylen
propylene…/Propylen…
propylene oxide/Propylenoxid
– urea/Propylenharnstoff
propylenimine/Propylenimin
propylenoxide elastomers/Polypropylenoxid-Kautschuke
propylidene…/Propyliden…
propyliodone/Propyliodon
propylites/Propylite
propylthiouracil/Propylthiouracil
propylure/Propylur
2-propyn-1-ol/2-Propin-1-ol
propyne/Propin
propynyl…/Propinyl…
propyphenazone/Propyphenazon
propyzamide/Propyzamid
proquazone/Proquazon
pros…/Pros…
proscillaridin/Proscillaridin
prospection/Prospektion
prostacyclin/Prostacyclin
prostaglandins/Prostaglandine
prostate/Prostata
prosthetic group/Prosthetische Gruppe
prosulfocarb/Prosulfocarb
prosulfuron/Prosulfuron
protactinium/Protactinium
protamines/Protamine
protease nexins/Protease-Nexine
– unit/Protease-Einheit
proteases/Proteasen
proteasomes/Proteasomen
protection of feet/Fußschutz
– of habitats/Biotopschutz
– of waters/Gewässerschutz
protective clothing/Schutzkleidung
– coatings/Schutzhäute
– cultures/Schutzkulturen
– footwear/Schutzschuhe
– groups/Schutzgruppen
– layers/Schutzschichten
– ointments/Hautschutzsalben
proteids/Proteide
protein A/Protein A
– C/Protein C
– effect/Eiweißfehler
– fatty acid condensates/Eiweiß-Fettsäure-Kondensate
– fibers/Eiweißfasern
– folding/Faltung
– hydrolyzates/Eiweiß-Hydrolysate
– kinase C/Protein-Kinase C
– kinases/Protein-Kinasen
– -ligand interactions/Protein-Ligand-Wechselwirkungen
– phosphatases/Protein-Phosphatasen

– sequencer/Aminosäure-Sequenzer
– surfactants/Eiweiß-Tenside
proteinase K/Proteinase K
proteinases/Proteinasen
proteinogenic amino acids/Proteinogene Aminosäuren
proteins/Proteine
14-3-3 proteins/14-3-3-Proteine
proteinuria/Proteinurie
proteo…/Proteo…
proteoglycans/Proteoglykane
proteohormones/Proteohormone
proteolipid proteins/Proteolipid-Proteine
proteolysis/Proteolyse
proteome/Proteom
protheobromine/Protheobromin
prothiofos/Prothiofos
prothipendyl/Prothipendyl
prothrombin/Prothrombin
protic solvents/Protische Lösemittel
protionamide/Protionamid
protirelin/Protirelin
prot(o)…/Prot(o)…
proto-oncogene/Protoonkogene
protoanemonin/Protoanemonin
protoberberine alkaloids/Protoberberin-Alkaloide
protocatechualdehyde/Protocatechualdehyd
protogenic solvents/Protogene Lösemittel
protokylol/Protokylol
protolysis/Protolyse
protomers/Protomere
proton affinity/Protonenaffinität
– motive force/Protonenmotorische Kraft
– pump/Protonenpumpe
– pump inhibitors/Protonenpumpen-Hemmer
– sponge/Protonenschwamm
– transfer reactions/Protonenübertragungsreaktionen
protonation/Protonierung
protons/Protonen
protophanes/Protophane
protophilic solvents/Protophile Lösemittel
protopine alkaloids/Protopin-Alkaloide
protoplast fusion/Protoplastenfusion
protoporphyrin IX/Protoporphyrin IX
protoporphyrins/Protoporphyrine
protozoa/Protozoen
protriptyline/Protriptylin
proustite/Proustit
Proust's law/Proustsches Gesetz
Prout's hypothesis/Proutsche Hypothese
provitamins/Provitamine
proxibarbal/Proxibarbal
proxymetacaine/Proxymetacain
proxyphylline/Proxyphyllin
Prussian blue/Preußisch Blau
prussiates/Prussiate
Pschorr synthesis/Pschorr-Synthese
PSE meat/PSE-Fleisch
pseud(o)…/Pseud(o)…
pseudo alloys/Pseudolegierungen
pseudoanionic polymerizations/Pseudoanionische Polymerisationen
pseudoasymmetry/Pseudoasymmetrie
pseudobrookite/Pseudobrookit
pseudocationic polymerizations/Pseudokationische Polymerisationen

pseudocopolymers/Pseudocopolymere
pseudoephedrine/Pseudoephedrin
pseudohalogens/Pseudohalogene
pseudoionone/Pseudojonon
pseudomalachite/Pseudomalachit
Pseudomonas/Pseudomonas
pseudomonic acids/Pseudomon(in)säuren
pseudomorphisms/Pseudomorphosen
pseudomurein/Pseudomurein
pseudopelletierine/Pseudopelletierin
pseudopotential/Pseudopotential
pseudorotation/Pseudorotation
pseudouridine/Pseudouridin
pseurotins/Pseurotine
psilocybine/Psilocybin
psoralen/Psoralen
psoriasis/Psoriasis
PSP/PSP
psychopharmacological agents/Psychopharmaka
psychrometers/Psychrometer
psychrophily/Psychrophilie
psyllium/Flohsamen
pteridines/Pteridine
pterine/Pterin
pterocarpans/Pterocarpane
pterulone/Pterulon
ptilocauline/Ptilocaulin
ptomaines/Ptomaine
public (self) commitments/Selbstverpflichtung
publication gravure printing/ITD
pudding powder/Puddingpulver
puddling process/Puddel-Verfahren
pulegone/Pulegon
pullulan/Pullulan
pulmonary surfactant/Lungen-Surfaktans
pulp/Pülpe od. Pulpe, Zellstoff
– wash/Pulp-wash
pulping/Zellstoffgewinnung
pulque/Pulque
pulse Fourier transformation/Puls-Fourier-Transformation
– radiolysis/Pulsradiolyse
pulsed field (gel) electrophoresis/Pulsfeld-(Gel-)Elektrophorese
pulses/Hülsenfrüchte
pultrusion/Pultrusion
pulverized caoutchouc/Pulverkautschuk
pulvinic acid/Pulvinsäure
pulvis/Pulvis
pumice/Bimsstein, Bimssand, Bimskies
pumiliotoxins/Pumiliotoxine
Pummerer rearrangement/Pummerer-Umlagerung
pumpellyite/Pumpellyit
pumpkin/Kürbis
– oil/Kürbiskernöl
pumps/Pumpen
punch/Punsch
pungent (hot) flavors/Scharfstoffe
pure/Gediegen
– chemistry/Reine Chemie
– culture/Reinkultur
– food law/Lebensmittelgesetz
purely thermally initiated polymerisation/Selbstinitiierende Polymerisationen
purex process/Purex-Verfahren
purge and trap/Purge and Trap
purgeable organic halides/POX
purification/Reinigung
purified goa powder/Chrysarobin
– water/Reinstwasser

purine/Purin
purines/Purine
purity/Reinheit
puromycin/Puromycin
purple/Purpur
– foxglove glycosides/Digitalis-Glykoside
– of Cassius/Cassius'scher Goldpurpur
purpureo salts/Purpureosalze
purpurin/Purpurin
purpurogallin/Purpurogallin
purpurone/Purpuron
push-pull/Push-pull
putaminoxins/Putaminoxine
putrefaction/Fäulnis, Faulung
putties/Kitte
PWS powder/POL-Pulver
pycnometers/Pyknometer
pyclofos/Pyraclofos
pyranine/Pyranin
pyranoses/Pyranosen
pyrans/Pyrane
pyrantel/Pyrantel
pyrargyrite/Pyrargyrit
pyrazinamide/Pyrazinamid
pyrazine/Pyrazin
pyrazinobutazone/Pyrazinobutazon
1H-pyrazole/1H-Pyrazol
pyrazoles/Pyrazole
pyrazolidinedione/3,5-Pyrazolidindion
pyrazolines/Pyrazoline
pyrazolones/Pyrazolone
pyrazolynate/Pyrazolynat
pyrazon/Chloridazon
pyrazophos/Pyrazophos
pyrazosulfuron/Pyrazosulfuronethyl
pyrene/Pyren
pyrethroids/Pyrethroide
pyrethrum/Pyrethrum
pyributicarb/Pyributicarb
pyridaben/Pyridaben
pyridafenthion/Pyridafenthion
pyridate/Pyridat
pyridazinones/Pyridazinone
pyridine/Pyridin
– N-oxides/Pyridin-N-oxide
pyridinecarbaldehydes/Pyridincarbaldehyde
pyridinecarbaldoximes/Pyridincarbaldoxime
pyridinium compounds/Pyridinium-Verbindungen
pyridinols/Pyridinole
pyridosin/Pyridosin
pyridostigmine bromide/Pyridostigminbromid
pyridoxal/Pyridoxal
– 5'-phosphate/Pyridoxal-5'-phosphat
pyridoxamine/Pyridoxamin
pyridoxic acids/Pyridoxsäuren
pyridoxine/Pyridoxin
pyridyl…/Pyridyl…
1-(2-pyridylazo)-2-naphtol/1-(2-Pyridylazo)-2-naphthol
4-(2-pyridylazo)-resorcinol/4-(2-Pyridylazo)resorcin
pyridylmethanols/Pyridylmethanole
pyrifenox/Pyrifenox
pyrilamine/Mepyramin
pyrimethamine/Pyrimethamin
pyrimethanil/Pyrimethanil
pyrimidine/Pyrimidin
pyriproxyfen/Pyriproxyfen
pyrite/Pyrit
– cinders/Kiesabbrände

English

pyrites/Kiese
pyrithiobac/Pyrithiobac
pyrithione/Pyrithion
pyritinol/Pyritinol
pyro…/Pyr(o)…
pyrobitumen/Pyrobitumen
pyrocarbon/Pyrokohlenstoff
pyrocatechol/Brenzcatechin
pyrochlore/Pyrochlor
pyroclastic rocks/Pyroklastische Gesteine
pyroelectricity/Pyroelektrizität
pyrogallol/Pyrogallol
– red/Pyrogallolrot
pyrogens/Pyrogene
pyroglutamic acid/Pyroglutaminsäure
pyrolusite/Pyrolusit
pyrolysis/Pyrolyse
– gasoline/Pyrolysebenzin
pyrolyzing/Brenzen
pyromellitic acid/Pyromellit(h)säure
– dianhydride/Pyromellit(h)säuredianhydrid
pyrometallurgy/Pyrometallurgie
pyrometry/Pyrometrie
pyromorphite/Pyromorphit
pyrones/Pyrone
pyronines/Pyronine
pyrope/Pyrop
pyrophanite/Pyrophanit
pyrophoric substances/Pyrophore
pyrophyllite/Pyrophyllit
pyrophytes/Pyrophyten
pyropissite/Pyropissit
pyroquilone/Pyroquilon
pyrosis/Sodbrennen
pyrosols/Pyrosole
pyrotechnic products/Pyrotechnische Erzeugnisse
pyrotechnics/Pyrotechnik
pyroxenoids/Pyroxenoide
pyroxens/Pyroxene
pyrrhotite/Pyrrhotin
pyrrobutamine/Pyrrobutamin
pyrrolams/Pyrrolame
pyrrole/Pyrrol
– pigments/Pyrrol-Farbstoffe
pyrrolidine/Pyrrolidin
pyrrolidino…/Pyrrolidino…
pyrrolidinyl…/Pyrrolidinyl…
2-pyrrolidone/2-Pyrrolidon
pyrrolines/Pyrroline
pyrrolizidine/Pyrrolizidin
– alkaloids/Pyrrolizidin-Alkaloide
pyrrolnitrin/Pyrrolnitrin
pyrroloindole alkaloids/Pyrroloindol-Alkaloide
pyrroloquinoline quinone/Pyrrolochinolinchinon
pyrron/Pyrron
pyruvate carboxylase/Pyruvat-Carboxylase
– decarboxylase/Pyruvat-Decarboxylase
– dehydrogenase/Pyruvat-Dehydrogenase
– kinase/Pyruvat-Kinase
pyruvates/Pyruvate
pyruvic acid/Brenztraubensäure
pyruvoyl…/Pyruvoyl…
pyruvoyl enzymes/Pyruvoyl-Enzyme
pyrvinium chloride/Pyrviniumchlorid
pyrylium salts/Pyrylium-Salze

Q

Q-e-scheme/Q-e-Schema
Qβ replicase/Qβ-Replikase
qinghaosu/Qinghaosu
quadr…/Quadr…
quadricyclane/Quadricyclan
quadrilure/Quadrilur
quadro-/quadro-
quadrone/Quadron
qualitative analysis/Qualitative Analyse
quality control/Qualitätskontrolle
– of waters/Gewässergüte
– switched/Q-switched
quanta/Quanten
quantitative analysis/Quantitative Analyse
– structure-activity relationship/QSAR
– structure property relationship/QSPR
quantities/Größen
quantum beats/Quantenbeats
– chemistry/Quantenchemie
– chromodynamics/Quantenchromodynamik
– defect/Quantendefekt
– electrodynamics/Quantenelektrodynamik
– Hall effect/Quanten-Hall-Effekt
– mechanics/Quantenmechanik
– numbers/Quantenzahlen
– theory/Quantentheorie
– well/Quantentrog
– yield/Quantenausbeute
quarks/Quarks
quarrystones/Natursteine
quartz/Quarz
– glass/Quarzglas
– lamp/Analysenlampe
quartzites/Quarzite
quasi-particle/Quasiteilchen
quasiatoms/Quasiatome
quasicrystals/Quasikristalle
quasilinear molecules/Quasilineare Moleküle
quasiliving polymerization/Quasilebende Polymerisationen
quasiplanar molecules/Quasiplanare Moleküle
quasistatic/Quasistatisch
quassia/Quassia
quassin/Quassin(oide)
quassinoids/Quassin(oide)
quater…/Quater…
quaternary/Quartär, Quaternär
– ammonium compounds/Quartäre Ammonium-Verbindungen
– compounds/Quaternäre Verbindungen
quaternization/Quaternisierung
quaterpolymers/Quaterpolymere
3,2′:3′,4″:2‴,3‴-quaterpyridine/3,2′:3′,4″:2‴,3‴-Quaterpyridin
quebrachamine/Quebrachamin
quebracho/Quebracho
queen substance/Königinnensubstanz
queens metal/Queens Metal
quench/Quenchen
– oil/Härteöle
quencher/Quencher
quenching/Abschrecken
– and annealing/Vergüten
quene 1/Quene 1
quercetin/Quercetin
quetiapine/Quetiapin
quillaja saponin/Quillajasaponin
quin 2/Quin 2
quinacridone/Chinacridon
quinacrine (USA)/Mepacrin
quinagolide/Quinagolid
quinaldine red/Chinaldinrot
quinalizarin/Chinalizarin
quinalphos/Quinalphos
quinapril/Quinapril
quinazoline/Chinazolin
quinces/Quitten
quinclorac/Quinclorac
quinestrol/Quinestrol
quinethazone/Quinethazon
quinhydrones/Chinhydrone
quinic acid/Chinasäure
quinidine/Chinidin
quinine/Chinin
– waters/Chinin-Wässer
quinisocain/Quinisocain
quinizarin/Chinizarin
quinmerac/Quinmerac
quinocarcin/Quinocarcin
quinodimethane/Chinodimethane
quinoid/Chinoid
quinoline/Chinolin
– alkaloids/Chinolin-Alkaloide
– yellow A/Chinolingelb A
– yellow S/Chinolingelb S
quinolinecarboxylic acid/2-Chinolincarbonsäure
8-quinolinol/8-Chinolinol
quinolizidine alkaloids/Chinolizidin-Alkaloide
quinomethionate/Chinomethionat
quinone diazides/Chinondiazide
– imines/Chinonimine
– methides/Chinonmethide
– oximes/Chinonoxime
quinones/Chinone
quinoproteins/Chinoproteine
quinoxaline/Chinoxalin
quinque…/Quinque…
quintillion/Trillion
quintozene/Quintozen
quinuclidine/Chinuclidin
quinupristin/Quinupristin
quisqualic acid/Quisqualsäure
quizalofop-ethyl/Quizalofop-ethyl

R

rabeprazole/Rabeprazol
Rabi resonance method/Rabi-Resonanz-Methode
rabitz wall/Rabitz-Wände
racemases/Racemasen
racemates/Racemate
racemization/Racemisierung
rad/Rad
radial flow jet/Radialstromdüse
– flow washer/Radialstromwäscher
radialenes/Radialene
radiation/Strahlung
– biology/Strahlenbiologie
– chemistry/Radiationschemie, Strahlenchemie
– crosslinking/Photovernetzung
– damage/Strahlenschäden
– density/Leuchtdichte
– injuries/Strahlenschäden
– protection/Strahlenschutz
β radiator/β-Strahler
radiator varnishes/Heizkörperlacke
radical ions/Radikal-Ionen
– polymerization/Radikalische Polymerisation
– reactions/Radikalische Reaktionen
– scavengers/Radikal-Fänger
radicals/Radikale
radicofunctional name/Radikofunktioneller Name
radio…/Radio…
radio astronomy/Radioastronomie
radioactive decay/Radioaktiver Zerfall
– drugs/Radiopharmazeutika
– materials/Radioaktive Stoffe
– tracers/Radioindikatoren
– wastes/Radioaktive Abfälle
radioactivity/Radioaktivität
radiobiochemicals/Radiobiochemikalien
radiobiology/Radiobiologie
radiocarbon dating/Radiokohlenstoff-Datierung
radiochemistry/Radiochemie
radiochromatography/Radiochromatographie
radiography/Radiographie
radioimmunoassay/Radioimmunoassay
radioisotopes/Radioisotope
radiology/Radiologie
radiolysis/Radiolyse
radiometry/Radiometrie
radiomimetics/Radiomimetika
radionuclide laboratory/Radionuklid-Laboratorien
radionuclides/Radionuklide
radiopaques/Röntgenkontrastmittel
radiopharmaceuticals/Radiopharmazeutika
radiosumin/Radiosumin
radiotherapy/Strahlentherapie
radish/Rettich
radium/Radium
radius of gyration/Trägheitsradius
radome/Radom
radon/Radon
rafaelite/Rafaelit
raffinose/Raffinose
rags/Hadern
ragwort/Kreuzkraut
rain/Regen
raisins/Rosinen
rake/Rechen
raki/Raki
RAL color scale/RAL-Farbenregister
raloxifene/Raloxifen
Raman shift/Raman-Verschiebung
– spectroscopy/Raman-Spektroskopie
Ramberg-Bäcklund reaction/Ramberg-Bäcklund-Reaktion
rambutan/Rambutan
ramie/Ramie
ramifenazone/Ramifenazon
ramipril/Ramipril
rammelsbergite/Rammelsbergit
Ramsay grease/Ramsay-Fett
ramsdellite/Ramsdellit
Ramsey resonances/Ramsey-Resonanzen
ran/Ran
rancid olive oils/Tournantöle
rancidity/Ranzigkeit, Ranzigwerden
Randolf's metal/Randolf-Metall
random sample/Stichprobe
Raney catalysts/Raney-Katalysatoren
– nickel/Raney-Nickel
range of tolerance/Ökologische Potenz
Rangoon beans/Rangoonbohnen
ranitidine/Ranitidin
Raoult's laws/Raoultsche Gesetze
rapamycin/Rapamycin
rape/Treber
rape[seed]/Raps
rapeseed oil/Rapsöl
rapid fast dyes/Rapid-Echtfarbstoffe
rapidazol dyestuffs/Rapid-Echtfarbstoffe
rare-earth metals/Seltenerdmetalle

– earths/Seltene Erden
– gases/Edelgase
Ras proteins/Ras-Proteine
Raschig Hooker process/Raschig-Verfahren
– processes/Raschig-Verfahren
raspberry flavour/Himbeeraroma
raspberrys/Himbeeren
rate of reaction/Reaktionsgeschwindigkeit
rauwolfia alkaloids/Rauwolfia-Alkaloide
raw grain/Rohfrucht
– materials/Rohstoffe
– (natural) rubber/Rohkautschuk
– sludge/Rohschlamm
– (uncooked) food/Rohkost
rayon/Reyon
– staple/Zellwolle
RBE/Relative biologische Wirksamkeit
react/Reagieren
reactant-type resins/Reaktantharze
reaction adhesives/Reaktionsklebstoffe
– apparatus/Reaktionsapparate
– atomic charge/Reaktionsladungszahl
– dynamics/Reaktionsdynamik
– enthalpy/Reaktionsenthalpie
– entropy/Reaktionsentropie
– lacquers/Reaktionslacke
– mechanisms/Reaktionsmechanismen
– primer/Reaktionsprimer
– resins/Reaktionsharze
– spinning/Polymerisationsspinnen
reactions/Reaktionen
– papers/Reagenzpapiere
reactive anchor/Reaktivanker
– black 5/C. I. Reactive Black 5
– dyes/Reaktivfarbstoffe
– extraction/Reaktivextraktion
– intermediates/Reaktive Zwischenstufen, Zwischenstufen
– polymers/Reaktive Polymere
reactors/Reaktoren
reading frame/Leseraster
reagents/Reagenzien
reagins/Reagine
real gases/Reale Gase
realgar/Realgar
reams/Schlieren
rear…/Curtius-Umlagerung
rearrangement/Umlagerungen
rebeccamycin/Rebeccamycin
reboxetine/Reboxetin
recalcitrant substances/Abbauresistente Substanzen
receiving stream/Vorfluter
receptors/Rezeptoren, Sensoren
recharge of ground-water/Grundwasseranreicherung
recipe/Rezept, Rezeptur
reciprocal lattice/Reziproke Gitter
reclaimed materials/Regenerate
– wool/Reißwolle
recognition sequence/Erkennungssequenz
recombinases/Recombinasen
recombination/Rekombination
recommended (daily) dietary allowance/RDA
recording/Registrieren
recoverin/Recoverin
recrystallization/Rekristallisation, Umkristallisation
– temperature/Rekristallisationstemperatur
rectal/Rektal

rectification/Rektifikation
rectified concentrated grape must/Rektifiziertes Traubenmostkonzentrat
recycling/Recycling
– stock exchange/Abfallbörse
red beets/Rote Rüben
– blood cells/Erythrocyten
– bronze/Rotguß
– chalk/Rötel
– copper ore/Cuprit
– iron ochre/Eisenmennige
– mud waste/Rotschlamm
– pepper/Paprika
– sludge/Rotschlamm
– tide/Algenblüte, Rote Tide
– whortleberries/Preiselbeeren
redox copolymerization/Redox-Copolymerisation
– grafting/Redox-Pfropfen
– initiators/Redoxinitiatoren
– polymers/Redoxpolymere
– systems/Redoxsysteme
redoxins/Redoxine
reduced nitrogen/NH_x
reducers/Destruenten, Reduzierstücke
reducing agents/Reduktionsmittel
reductases/Reduktasen
reduction/Reduktion
– equivalent/Reduktionsäquivalent
reductive/Reduktiv
reductones/Reduktone
redundancy/Redundanz
redwitzite/Redwitzit
reference electrode/Vergleichselektrode
– electrodes/Bezugselektroden
– works/Nachschlagewerke
refine/Frischen
refined sugar/Raffinade
refining/Läutern, Raffination
– (treatment) of polymers/Veredelung von Polymeren
reflectance spectroscopy/Reflexionsspektroskopie
reflecting films/Reflexfolien
reflection/Reflexion
reflux/Rückfluß
reformate/Reformatbenzin
Reformatsky reaction/Reformatsky-Reaktion
reforming/Reformieren, Umformen
refraction/Refraktion
refractory materials/Feuerfestmaterialien
refractometer/Refraktometer
refrigeration technique/Kältetechnik
regenerated cellulose/Regeneratcellulose
– fibres/Regeneratfasern
regeneration/Aufbereitung, Regeneration
– of plants/Regeneration von Pflanzen
regio…/Regio…
regio chemistry/Regiochemie
regioisomerism/Regioisomerie
regioselectiv/Regioselektiv, Regiospezifisch
regiospecific/Regioselektiv, Regiospezifisch
registry formula/Registrierformel
regression analysis/Regressionsanalyse
regular polymers/Reguläre Polymere
regulation/Regulation
– on sewage sludge/Klärschlammverordnung

– on small furnaces/Kleinfeuerungsanlagen-Verordnung
regulator gene/Regulatorgen
regulators/Reglersubstanzen
regulus/Regulus
Rehbinder's effect/Rehbinder-Effekt
Reichert Meissl number/Reichert-Meissl-Zahl
Reimer-Tiemann reaction/Reimer-Tiemann-Reaktion
Reinecke salt/Reinecke-Salz
reinforced plastics/Verstärkte Kunststoffe
– reinforcing filler/Verstärker
– resins/Verstärkerharze
Reinhardt-Zimmermann titration/Reinhardt-Zimmermann-Titration
Reissert reaction/Reissert-Reaktion
relative/Relativ
– biological effectiveness/Relative biologische Wirksamkeit
– humidity/Relative Luftfeuchtigkeit
relativistic effects/Relativistische Effekte
relaxation/Relaxation
relaxin/Relaxin
release agents/Trennmittel
– into circulation/Inverkehrbringen
releasing emulsions/Trennemulsionen
– factors/Releasing-Hormone
– hormones/Releasing-Hormone …relin/…relin
rem/Rem
remaining waste/Restmüll
remalloy/Remalloy
remedies/Heilmittel
remifentanil/Remifentanil
remobilization/Remobilisierung
remoxipride/Remoxiprid
renaturation/Renaturierung
Renecker defect/Renecker-Defekt
renewable resources/Nachwachsende Rohstoffe
reniérite/Reniérit
renin/Renin
rennet/Lab
reodorization/Geruchsverbesserungsmittel
repaglinide/Repaglinid
repair systems/Reparatursysteme
repeated fed-batch/Cyclische Fermentation
repellents/Repellentien
repelling/Abschrecken
repetitive DNA/Repetitive DNA
replacement name/Austauschname
replenishment of ground-waters/Grundwasseranreicherung
replica plating/Repliktechnik
replicating DNA/Replizierende DNA
replication/Replikation
reporter gene/Reportergen
reports/Reports
Reppe syntheses/Reppe-Synthesen
repressors/Repressoren
reprocessed wool/Reißwolle
reprocessing/Wiederaufbereitung
reproducibility/Reproduzierbarkeit
reprography/Reprographie
reproterol/Reproterol
reprotoxic substances/Entwicklungsschädigend
reptation/Reptation
resazurin/Resazurin

rescinnamine/Rescinnamin
research/Forschung
reseo salts/Roseosalze
reserpine/Reserpin
reserve (deposit) polysaccharides/Reserve-Polysaccharide
residence time/Verweilzeit
– time distribution/Verweilzeitverteilung
– time models/Verweilzeitmodelle
residual stresses/Restspannungen
– sweetness/Restsüße
residue/Rückstand
– (material)/Reststoff
– waste/Restmüll
residues/Reste
resilience/Elastizität
resilin/Resilin
resin acids/Harzsäuren
– esters/Harzester
– -formation agent/Harzbildner
– glue/Leimharze
– guaiac/Guajakharz
– lacquers/Harzlacke
– oils/Harzöle
– pitch/Harzpech
– size/Leimharze
– soaps/Harzseifen
– varnishes/Harzfirnisse
resina/Resina
resiniferatoxin/Resiniferatoxin
resinification/Verharzung
resinoids/Resinoide
resins/Harze, Resine
resist printing/Reservedruck
resistance/Resistenz
– coefficient/Widerstandsbeiwert
– genes/Resistenz-Gen
– thermometers/Widerstandsthermometer
– to wiping/Wischbeständigkeit
resists/Reservierungsmittel, Resists
resmethrin/Resmethrin
resolamine dyestuffs (colorants)/Resolamin-Farbstoffe
resolution/Auflösung, Racemattrennung
resonance/Resonanz
– frequency/Resonanzfrequenz
resorcinol/Resorcin
resorption/Resorption
resources/Rohstoffe
respiration/Atmung
– filter/Atemfilter
respirators/Atemschutzgeräte
respiratory chain/Atmungskette
– poisons/Atemgifte
– protective devices for self-rescue/Selbstretter
– quotient/Respiratorischer Quotient
rest mass/Ruh(e)masse
– potential/Ruhepotential
restharrow/Hauhechel
resting cells/Resting Cells
restoration/Restaurierung
restriction endonucleases/Restriktionsendonucleasen
– enzymes/Restriktionsenzyme
resublimation/Resublimation
retardation/Kalter Fluß
– basin/Rückhaltebecken
retarder/Retarder
retene/Reten
retention/Retention
– index/Retentionsindex
reteplase/Reteplase
reticulin(e)/Reticulin
reticuloendothelial system/Retikulo-endotheliales System
retigeranic acid/Retigeransäure

English

retinal/Retinal
- S-antigen/Retinales S-Antigen
retinoblastoma protein/Retinoblastom-Protein
retinoid receptors/Retinoid-Rezeptoren
retinoids/Retinoide
retinol/Retinol
- -binding protein/Retinol-bindendes Protein
retort carbon/Retortenkohle
retorts/Retorten
retro…/Retro…
retroelectrodialysis/Retroelektrodialyse
retrogradation/Retrogradation
retropinacol rearrangement/Retro-Pinakolon-Umlagerung
retrosublimation/Retrosublimation
retrosynthesis/Retrosynthese
retroviruses/Retroviren
return-sludge/Rücklaufschlamm
reuterine/Reuterin
reverse genetics/Reverse Genetik
- osmosis/Umgekehrte Osmose
- transcriptase/Reverse Transcriptase
reversed phases/Reverse Phasen
reversible/Reversibel
- polymerization/Gleichgewichts-Polymerisation
reversion flavor/Reversionsgeschmack
reviparine sodium/Reviparin-Natrium
Reynolds number/Reynolds-Zahl
R_f value/R_f-Wert
L-rhamnose/L-Rhamnose
rhapsamine/Rhapsamin
rhatany root/Ratanhiawurzel
rhein/Rhein
rhenates/Rhenate
rhenium/Rhenium
- compounds/Rhenium-Verbindungen
rheology/Rheologie
rheopexy/Rheopexie
rhesus factors/Rhesusfaktoren
rheumatic diseases/Rheumatische Erkrankungen
- fever/Rheumatisches Fieber
rheumatism/Rheuma
- tests/Rheumatests
rheumatoid arthritis/Rheumatoide Arthritis
- factors/Rheumafaktoren
rhinological agents/Rhinologika
rhizoma/Rhizoma
rhizoxin/Rhizoxin
Rho proteins/Rho-Proteine
rhodamines/Rhodamine
rhodanese/Rhodanese
rhodanine/Rhodanin
rhodates/Rhodate
rhodinal/Rhodinal
rhodinol/Rhodinol
rhodium/Rhodium
- compounds/Rhodium-Verbindungen
rhodizonic acid/Rhodizonsäure
rhod(o)…/Rhod(o)…
rhodochrosite/Rhodochrosit
rhododendron/Rhododendron
rhodonite/Rhodonit
rhodopsin/Rhodopsin
rhodoquinone/Rhodochinon
rhodotorula/Rhodotorula
rhodoxanthin/Rhodoxanthin
rh(o)eadine alkaloids/Rhoeadin-Alkaloide
rhombic/Rhombisch
rhombohedral/Rhomboedrisch

rhubarb/Rhabarber
rhyolite/Rhyolith
ribavirin/Ribavirin
ribitol/Ribit
ribo-/ribo-
riboflavin/Riboflavin
- 5′-phosphate/Riboflavin-5′-phosphat
ribonucleases/Ribonucleasen
ribonucleic acids/Ribonucleinsäuren
ribonucleosides/Ribonucleoside
ribonucleotide reductases/Ribonucleotid-Reduktasen
ribophorins/Ribophorine
D-ribose/D-Ribose
ribosides/Riboside
ribosomes/Ribosomen
ribozymes/Ribozyme
D-ribulose/D-Ribulose
ribulosebisphosphate carboxylase/Ribulosebisphosphat-Carboxylase
ribwort/Spitzwegerich
riccardins/Riccardine
rice/Reis
- [germ] oil/Reis(keim)öl
Rice-Herzfeld mechanism/Rice-Herzfeld-Mechanismus
Richter system/Richtersches System
ricin/Ricin
ricinene fatty acids/Ricinenfettsäuren
ricinoleates/Ricinoleate
ricinoleic acid/Ricinolsäure
rickets/Rachitis
rickettsia like organisms/RLO
rickettsiae/Rickettsien
Riegler's reagent/Rieglers Reagenz
Rietveld method/Rietveld-Methode
rifabutin/Rifabutin
rifampicin/Rifampicin
rigid foam plastics/Hartschaumstoffe
- -rod polymers/Kettensteife Polymere, Stäbchenförmige Makromoleküle
rigidity (shear) modulus/Schermodul
riluzole/Riluzol
rime/Reif
rimexolone/Rimexolon
rimsulfuron/Rimsulfuron
ring assemblies/Mehrkernige Verbindungen, Ringsequenzen
- -chain equilibrium/Ring-Kette-Gleichgewichte
- current/Ringstrom
- formation/Cyclisierung, Ringschlußreaktionen
- furnace/Ringofen
- marks/Aureolen
- strain/Ringspannung
- system reactions/Ringreaktionen
- systems/Ringsysteme
Ringer's solution/Ringer-Lösung
ringing gels/Brummgele
ringopening polymerization/Ringöffnungspolymerisation
rinsing/Auswaschen
ripening/Reifen
rishitin/Rishitin
risk/Risiko
- acceptance/Risiko-Akzeptanz
- analysis/Risikoanalyse
- assessment/Risikoanalyse, Risikobewertung
- characterisation/Risikobeschreibung

- communication/Risikokommunikation
- management/Risikominderung
- reduction/Risikominderung
risperidone/Risperidon
ritodrine/Ritodrin
ritonavir/Ritonavir
Ritter-Kellner process/Ritter-Kellner-Verfahren
- reaction/Ritter-Reaktion
ritterazines/Ritterazine
rituximab/Rituximab
Ritz method/Ritzsches Verfahren
rivastigmine/Rivastigmin
river clarifying basin/Flußklärlage
rizatriptan/Rizatriptan
rizolipase/Rizolipase
RKR potential/RKR-Potential
RNA ligase/RNA-Ligase
- synthesis/RNA-Synthese
- vectors/RNA-Vektoren
road construction materials/Straßenbaumaterialien
- salt/Streusalz
roasting/Rösten
robinetin/Robinetin
robinin/Robinin
Robinson reaction/Robinson-Anellierung
roborants/Roborantien
rocaglamide/Rocaglamid
rock meal/Gesteinsmehl
- salt/Steinsalz
- wool/Gesteinswolle
rockbridgeite/Rockbridgeit
rocket materials/Raketenwerkstoffe
- propellants/Raketentreibstoffe
rocks/Gesteine
rockweed/Blasentang
Rockwell hardness/Rockwell-Härte
rocuronium bromide/Rocuroniumbromid
rod-climbing effect/Weissenberg-Effekt
rodaplutin/Rodaplutin
rodenticides/Rodentizide
rodlike polymers/Stäbchenförmige Makromoleküle
roentgen/Röntgen
rohitukine/Rohitukin
rolipram/Rolipram
rolitetracycline/Rolitetracyclin
roll/Walzen
roller bottle culture/Rollerflaschen-Kultur
- frame/Walzenstühle
- -process channel black/Gasruß
rolling bottle culture/Rollerflaschen-Kultur
- crusher/Walzenbrecher
- oil/Walzöle
- -up/Umnetzung
- -up process/Umnetzverfahren
roman cement/Romankalk
romanechite/Romanechit
roofing felt/Dachpappe
- tiles/Ziegel
room temperature/Zimmertemperatur
root mean square end-to-end distance/Mittlerer Fadenendabstand
roots pump/Wälzkolbenpumpe
ropinirole/Ropinirol
ropivacaine/Ropivacain
roquefortines/Roquefortine
roridins/Roridine
rosamines/Rosamine
rosaniline/Rosanilin

rosasite/Rosasit
rosé/Rosé-Wein
rose bengale/Bengalrosa
- colours/Rosenfarbstoffe
- furan/Rosenfuran
- oil/absolue/Rosen-, -Absolue-Öl
- oxide/Rosenoxid
- water/Rosenwasser
roselle/Rosella
rosemary oil/Rosmarinöl
Rosenmund reaction/Rosenmund-Reaktion
- -Saytsev reduction/Rosenmund-Saytsev-Reduktion
roseophilin/Roseophilin
roseotoxins/Roseotoxine
roses/Rosen
Roses metal/Roses Metall
rosewood oil/Rosenholzöl
rosin/Kolophonium, Terpentin
- acids/Harzsäuren
- soaps/Harzseifen
rosmarinic acid/Rosmarinsäure
rosoxacin/Rosoxacin
rotanes/Rotane
rotary furnaces/Drehrohröfen, Trommelöfen
- kilns/Drehrohröfen
- scrubber/Rotationswäscher
rotation/Rotation
rotational casting/Rotationsguß
- constants/Rotationskonstanten
- excitation/Rotationsanregung
rotation(al) mo(u)lding/Rotationsguß
rotational quantum number(s)/Rotationsquantenzahl(en)
- shaker/Rundschüttler
- spectra/Rotationsspektren
rotatory (film) evaporators/Rotationsverdampfer
rotaxanes/Rotaxane
rotenoids/Rotenoide
rotenone/Rotenon
rottenstone/Tripel
rottlerin/Rottlerin
rotundial/Rotundial
round-bottomed flasks/Rundkolben
- dance/Rundtanz
- -robin analysis/Ringversuche
Rous sarcoma virus/Rous-Sarkom-Virus
Roussin salts/Roussinsche Salze
rovings/Rovings
rowan/Eberesche
roxatidine acetate/Roxatidinacetat
roxithromycin/Roxithromycin
royal jelly/Gelée Royale
R phrases/R-Sätze
R plasmids/R-Plasmide
rubber/Gummi
rubberized hair/Gummihaar
rubberizing/Gummierung
rubbers/Kautschuke
rubbish/Abraum
rubefacients/Rubefacientien
rubidium/Rubidium
- compounds/Rubidium-Verbindungen
- -strontium dating/Rubidium-Strontium-Datierung
rubratoxin B/Rubratoxin B
rubredoxins/Rubredoxine
rubrene/Rubren
rubroflavin/Rubroflavin
rubromycins/Rubromycine
ruby/Rubin
- laser/Rubin-Laser
ruderal plants/Ruderalpflanzen
rue oil/Rautenöl
Ruff degradation/Ruff-Abbau
rufoolivacins/Rufoolivacine

rugulosin/Rugulosin
rule of Cailletet-Mathias/Cailletet-Mathias'sche Regel
rum/Rum
rump gland/Bürzeldrüse
runaway plasmid/Runaway-Plasmid
rupture discs/Berstscheiben
rusk/Zwieback
Russia leather scent/Juchten
russuphelins/Russupheline
rust/Rost
– converters/Rostumwandler
– -proofing/Rostschutz
– removers/Entrostungsmittel
rusting/Rosten
rut/Brunst
ruthenates/Ruthenate
ruthenium/Ruthenium
– compounds/Ruthenium-Verbindungen
– (II) coordination polymers/Ruthenium(II)-Koordinationspolymere
rutherford/Rutherford
rutherfordine/Rutherfordin
rutile/Rutil
rutin/Rutin
rutinose/Rutinose
Ružička cyclization/Ružička-Cyclisierung
ryanodine/Ryanodin
– receptor/Ryanodin-Rezeptor
Rydberg atoms/Rydberg-Atome
– constant/Rydberg-Konstante
rye/Roggen

S

s-/sym-
sabadilla seeds/Sabadillsamen
sabre flasks/Säbelkolben
saccharated lime/Zuckerkalk
saccharates/Saccharate
saccharimetry/Saccharimetrie
saccharin/Saccharin
Saccharomyces/Saccharomyces
saccharose/Saccharose
Sachse-Mohr theory/Sachse-Mohr-Theorie
saddle soaps/Sattelseifen
SAE viscosity classes/SAE-Viskositätsklassen
safety/Sicherheit
– analysis/Sicherheitsanalyse
– audit/Sicherheitsaudit
– colors/Sicherheitsfarben
– cupboards/Sicherheitsschränke
– data sheet/Sicherheitsdatenblatt
– factor/Sicherheitsfaktor
– glass/Sicherheitsglas
– glasses/Schutzbrillen
– marking/Sicherheitskennzeichnung
– provisions for workers/Arbeitsschutz
saffian/Saffian
safflorite/Safflorit
safflower/Saflor
– oil/Safloröl
saffron/Safran
saframycins/Saframycine
safranal/Safranal
safranines/Safranine
safrole/Safrol
sage/Salbei
– oils/Salbeiöle
sago/Sago
sake/Sake
Sakurai reaction/Sakurai-Reaktion
sal ammoniac/Salmiak
salacetamide/Salacetamid
salamander alkaloids/Salamander-Alkaloide

salbostatin/Salbostatin
salbutamol/Salbutamol
salcomine/Salcomin
saléeite/Saléeit
salep/Salep
salicil/Salicil
salicyl.../Salicyl...
salicyl alcohol/Salicylalkohol
salicylaldehyde/Salicylaldehyd
salicylaldoxime/Salicylaldoxim
salicylamide/Salicylamid
– O-acetic acid/Salicylamid-O-essigsäure
salicylates/Salicylsäureester
salicylic acid/Salicylsäure
– acid esters/Salicylsäureester
salicyloyl.../Salicyloyl...
saline water conversion/Meerwasserentsalzung
salinity/Salinität
salinomycin/Salinomycin
saliva/Speichel
salmeterol/Salmeterol
salmiac/Salmiak
salmine/Salmin
salmonella/Salmonellen
salsalate/Salsalat
salt/Kochsalz, Salz, Steinsalz
– beads/Salzperlen
– bridge/Salzbrücke
– effects/Salzeffekte
– lakes/Salzseen
– melt/Gütesalze, Härtesalze
– rocks/Evaporite
salting/Einsalzen, Pökeln
– out/Aussalzen
saltpeter/Kalisalpeter, Salpeter (USA)
saltpetre/Kalisalpeter, Salpeter (GB)
salts/Salze
saluretics/Saluretika
samarium/Samarium
– compounds/Samarium-Verbindungen
samarskite/Samarskit
samos/Samos
SAMP/SAMP
sample/Probe
– preparation/Probenvorbereitung
sampling/Probenahme
sand/Sand
– baths/Sandbäder
– -blasting/Sandstrahlen
– paper/Sandpapier
– soap/Sandseife
– trap/Sandfang
sandalwood/Sandelholz
– oil/Sandelholzöl
sandarac/Sandarak
sandlime-bricks/Kalksandsteine
Sandmeyer reaction/Sandmeyer-Reaktion
sandstones/Sandsteine
sandwich/Sandwich
– compounds/Sandwich-Verbindungen
– injection mo(u)lding/Sandwich-Spritzgießen
sanguinarine/Sanguinarin
sanitizer/Sanitizer
Sankey diagram/Sankey-Diagramme
sansa oil/Sansaöl
santalenes/Santalene
santalols/Santalole
santonin/Santonin
Santorin earth/Santorinerde
sapogenins/Sapogenine
saponification/Verseifung
saponin/Saponin
saponins/Saponine

saponite/Saponit
sapphire/Saphir
sapphirine/Sapphirin
saprobe system/Saprobiensystem
saprobic index/Saprobienindex
– system/Saprobiensystem
saprobics/Saprobien
saprobionts/Saprobionten
saprobity/Saprobie
sapropel/Faulschlamm
saprophytes/Saprophyten
saprotrophic/Saprotroph
saquayamycins/Saquayamycine
saquinavir/Saquinavir
saralasin/Saralasin
Saran fibre/Saran-Faser
α-sarcin/α-Sarcin
sarcinaxanthin/Sarcinaxanthin
sarcodictyins/Sarcodictyine
sarcomeres/Sarkomere
sarcophagous/Sarkophag
sarcoplasmic reticulum/Sarkoplasmatisches Retikulum
sarcosine/Sarkosin
sardines/Sardinen
sardonyx/Sardonyx
Sarett oxidation/Sarett-Oxidation
sarin/Sarin
sarkomycin A/Sarkomycin A
sarpagine/Sarpagin
sassafras oil/Sassafrasöl
sassolite/Sassolin
satin-bombyx/Atlasspinner
sativan/Sativan
sativene/Sativen
satratoxins/Satratoxine
saturated/Gesättigt
saturation/Absättigung
– spectroscopy/Sättigungsspektroskopie
sauce béarnaise/Sauce béarnaise
saudin/Saudin, Saudinolid
saudinolide/Saudin, Saudinolid
sauerkraut/Sauerkraut
sausage casing (skin)/Wursthüllen
saussureamines/Saussureamine
savin oil/Sadebaumöl
savory/Bohnenkraut
saxitoxin/Saxitoxin
Saybolt distilling flask/Saybolt-kolben
Saytsev rule/Saytzeff-Regel
scalars/Skalare
scalding out/Auskochen
scale/Skale, Schuppen
– insects/Schildläuse
– models/Kalottenmodelle
– up/Scale up
scales/Schildläuse, Waagen
scandium/Scandium
– compounds/Scandium-Verbindungen
scanning near-field optical microscopy (SNOM)/Nahfeldmikroskopie
scapolite/Skapolith
scarn/Skarn
scattering/Streuung
scavenging/Abfangen
scenedesmus/Scenedesmus
SCF method/SCF-Verfahren
Schaeffler diagram/Schaeffler-Diagramm
scheelite/Scheelit
Schellbach burette/Schellbach-Bürette
Schenck reaction/Schenck-Reaktion
Schiemann reaction/Schiemann-Reaktion
Schiff-base coordination polymers/Schiffsche-Base-Koordinationspolymere

– bases/Schiffsche Basen
– reagent/Schiffs Reagenz
schist/Schiefer
schistosomiasis/Schistosomiasis
schizomycetes/Schizomyceten
schizostatin/Schizostatin
Schlenk techniques/Schlenk-Technik
– tube/Schlenkrohre
Schlenk('s) hydrocarbon/Schlenkscher Kohlenwasserstoff
Schlesinger's reagent/Schlesingers Reagenz
schlieren/Schlieren
Schmidt('s) double bond rule/Schmidtsche Doppelbindungsregel
– reaction/Schmidt-Reaktion
Schönberg reaction/Schönberg-Reaktion
Schoenflies system/Schönflies-System
Schöniger method/Schöniger-Bestimmung
schoenite/Schönit
scholzite/Scholzit
schools for chemistry/Chemieschulen
– of technology/Hochschulen
Schotten-Baumann reaction/Schotten-Baumann-Reaktion
Schroedinger equation/Schrödinger-Gleichung
schultenite/Schultenit
Schulz-Blaschke equation/Schulz-Blaschke-Gleichung
Schwarz-Neghishi reaction/Schwarz-Neghishi-Reaktion
Schweinfurt green/Schweinfurter Grün
Schweizer's reagent/Schweizers Reagenz
SCID mouse/SCID-Maus
scillarenin/Scillarenin
scilliroside/Scillirosid
scinti.../Szinti...
scintigraphy/Szintigraphie
scintillation counters/Szintillationszähler
scintillators/Szintillatoren
scintillons/Scintillone
sciophytes/Skiophyten
scirpenols/Scirpenole
scission/Spaltung
sclareol/Sclareol
sclericolous/Sklerikol
scler(o).../Skler(o)...
scleroproteins/Skleroproteine
sclerotia/Sklerotien
...scope/...skop, ...skopie
scopolamine/Scopolamin
scopoletin/Scopoletin
...scopy/...skop, ...skopie
scorodite/Skorodit
scorpion venoms/Skorpiongifte
scotch broom/Besenginster
scotching/Abfangen
scouring agents/Scheuermittel
scrambling/Austauschreaktionen
scrap/Gekrätz
– glass/Altglas
– material/Schrott
– materials/Altmaterial
– metal/Altmetall
screen/Rechen
– printing/Siebdruck
screening/Abschirmung, Screening, Sieben
– of natural products/Naturstoff-Screening
screw dislocation/Schraubenversetzung

English

- pumps/Schneckenpumpen
scrubber column/Waschturm
scurvy/Skorbut
scyllo-/scyllo-
sea buckthorn/Sanddorn
- onion/Meerzwiebel
- water/Meerwasser
- water desalting/Meerwasserentsalzung
seal deaths/Robbensterben
- plague/Robbensterben
sealants/Dichtungsmassen
sealed tubes/Einschmelzrohre
sealers/Absperrmittel
sealing additives/Seal-Hilfsmittel
- agents/Fixative
- materials/Dichtungsmassen
- wax/Siegellack
seals/Dichtungen
search/Recherche
seasoning/Würze
seasonings/Gewürze
seaweed/Algen, Tang
sebacates/Sebacinsäureester
sebacic acid/Sebacinsäure
- esters/Sebacinsäureester
seborrhea/Seborrhoe
sebum/Talg
secbutabarbital/Secbutabarbital
seco…/Seco…
secobarbital/Secobarbital
secologanin/Secologanin
second/Sekunde
- applicant protection/Zweitanmelderschutz
- harmonic generation/Frequenzverdopplung
- messenger/Second messenger
secondary/Sekundär
- crystallization/Nachkristallisation
- electrons/Sekundärelektronen
- metabolites/Sekundärmetabolite
- raw material/Sekundär-Rohstoff
- sedimentation basin/Nachklärbecken
- (tertiary) waste water treatment/Nachbehandlung
secosteroids/Secosteroide
secretin/Secretin
secretion/Sekretion
securinega alkaloids/Securinega-Alkaloide
security/Sicherheit
sedatives/Sedativa
sedimentary rocks/Sedimentgesteine
sedimentation/Absetzenlassen, Sedimentation
- analysis/Sedimentationsanalyse
- inhibitors/Absetzverhinderungsmittel
sediments/Sedimente, Sinkstoffe
sedo…/Sedo…
sedoheptulose/Sedoheptulose
Seebeck effect/Seebeck-Effekt
seed/Saatgut
- polymerization/Saatpolymerisation
- protectants/Saatgut-Behandlungsmittel
- yeast/Stellhefe
seeding/Impfen
seeds/Samen
seepage loss/Sickerwasser
Seger cones/Segerkegel
segment polymers/Segmentpolymere
segregate/Seigern
segregations/Seigerungen
selectins/Selectine
selection/Selektion
- markers/Selektionsmarker

- rules/Auswahlregeln
selective/Selektiv
- non catalytic reduction/SNCR
selegiline/Selegilin
selenic acid/Selensäure
selenides/Selenide
selenites/Selenite
selenium/Selen
- dioxide/Selendioxid
- disulfide/Selendisulfid
- halides/Selenhalogenide
- plants/Selenophyten
selenocysteine/Selenocystein
selenous acid/Selenige Säure
self-contained open-circuit compressed air breathing apparatus/Preßluftatmer
- -control/Selbstüberwachung
- cross-linking agent/Harzbildner
- -glazing emulsions/Selbstglanzpflegemittel
- -inactivating vectors/Suizid-Vektoren
- -initiated polymerization/Selbstinitiierende Polymerisationen
- -organization/Selbstorganisation
- polishing wax emulsions/Selbstglanzpflegemittel
- purification/(Biologische) Selbstreinigung
- -reinforcing plastics/Selbstverstärkende Kunststoffe
selfish genes/Egoistische Gene
selfskinning foam/Integralschaumstoffe
selinenes/Selinene
Selivanov reaction/Seliwanow-Reaktion
„sell by date"/Mindesthaltbarkeitsdatum
semi…/Semi…
semi-continuous activated sludge test/SCAS-Test
- -sparkling wine/Perlwein
semibullvalene/Semibullvalen
semicarbazide/Semicarbazid
semichemical pulp/Halbzellstoff
semiclassical approximation/Semiklassische Näherung
semiconductor lasers/Dioden-Laser
semiconductors/Halbleiter
semi-defined culture medium/Halbsynthetisches Nährmedium
semidine rearrangement/Semidin-Umlagerung
semiempirical methods/Semiempirische Verfahren
semifinished product/Halbzeug
semimetals/Halbmetalle
semimicro analysis/Halbmikroanalyse
semiochemicals/Semiochemikalien
semipolar bonding/Semipolare Bindung
semiquantitative/Halbquantitativ
semiquinones/Semichinone
semirigid cellular materials/Halbharte Schaumstoffe
semisynthetic culture medium/Halbsynthetisches Nährmedium
- -defined nutrient broth/Halbsynthetisches Nährmedium
semisystematic name/Halbsystematischer Name
semolina/Grieß
sempervirine/Sempervirin
senarmontite/Senarmontit

Sendzimir process/Sendzimir-Verfahren
seneca root/Senegawurzel
senescence/Seneszenz
senna leaves/Sennesblätter
sennosides/Sennoside
senoxepin/Senoxepin
sensitivity/Empfindlichkeit
sensitization/Sensibilisation
sensitizers/Sensibilisatoren
sensitizing/Sensibilisierend
sensors/Sensoren
sensory/Sensorik
- physiology/Sinnesphysiologie
separating/Scheiden, Separieren
- funnel/Scheidetrichter
separation/Abscheidung, Trennen
- processes/Trennverfahren
separator/Abscheider
sepia/Sepia-Schalen
sepiolite/Sepiolith
sepsis/Sepsis
septi…/Septi…
septum/Septum
sequence analysis/Sequenzanalyse
- rules/Sequenzregeln
sequencing gel/Sequenzgel
sequential copolymers/Sequenzpolymere
seratrodast/Seratrodast
serials/Serien
sericin/Sericin
series/Serien
- formulas/Serienformeln
serine/Serin
- proteinases/Serin-Proteasen
sermorelin/Sermorelin
serodiagnostics/Serodiagnostik
serology/Serologie
serotonin/Serotonin
serotypes/Serotypen
serpentine/Serpenten
serpentine/Serpentin
- plants/Serpentin-Pflanzen
serpins/Serpine
serrapeptase/Serrapeptase
serricornin/Serricornin
sertaconazole/Sertaconazol
sertindole/Sertindol
sertraline/Sertralin
serum/Serum
- albumin/Serumalbumin
- amyloid/Serum-Amyloid-Komponenten
- -free culture medium/Serumfreies Kulturmedium
- gonadotropin/Serumgonadotropin
- proteins/Serumproteine
services of industrial medicine/Arbeitsmedizinischer Dienst
sesame oil/Sesamöl
sesbanimides/Sesbanimide
sesqui…/Sesqui…
sesquifulvalenes/Sesquifulvalene
sesquiterpene lactones/Sesquiterpen-Lactone
sesquiterpenes/Sesquiterpene
sester…/Sester…
sesterterpenes/Sesterterpene
seston/Seston
sethoxydim/Sethoxydim
setting/Abbinden
- accelerator/Erstarrungsbeschleuniger
- point/Stockpunkt
settleable substances/Absetzbare Stoffe
settling/Absetzenlassen
- load/Sinkstoffe
- tank/Absetzbecken
severage system/Kanalisation
severin/Severin

sevoflurane/Sevofluran
sewage/Schmutzwasser
- farms/Rieselfeld
- fish pont/Abwasserfischteich
- sludge disposal/Klärschlammentsorgung
- sludge incineration/Klärschlammverbrennung
- sludge treatment/Klärschlammaufbereitung, Klärschlammbehandlung
- trail/Abwasserfahne
- treatment work (plant)/Kläranlage
sex attractants/Sexuallockstoffe
- hormones/Sexualhormone
sexi…/Sexi…
sextett formula/Sextettformel
seychellène/Seychellen
shade/Farbton
- plants/Skiophyten
shake flask/Schüttelkolben
- flask culture/Schüttelkultur
shaking apparatus/Schüttelgeräte
- out/Ausschütteln
- palsy/Parkinsonsche Krankheit
shale/Schiefer
- tar/Schieferteer
shallots/Schalotten
shaped charges/Hohlladungen
Shapiro reaction/Shapiro-Reaktion
Sharpless epoxidation/Sharpless-Epoxidierung
shave products/Rasiermittel
shear plane/Scherebenen
shearing (process)/Scherung
sheet metal/Blech
- silicates/Phyllosilicate
shell gold/Muschelgold
shellac/Schellack
shellfish poisoning/Muschelvergiftung
- poisons/Muscheltoxine
shepherd's purse/Hirtentäschel
sherardizing/Sherardisieren
sherry/Sherry
shield gases/Schutzgase
shielding/Abschirmung
- gas/Formiergas
shift reagents/Verschiebungsreagenzien
shiga toxin/Shiga-Toxin
Shigella/Shigella
shikimic acid/Shikimisäure
shikonin/Shikonin
Shine-Dalgarno sequence/Shine-Dalgarno-Sequenz
ship paints/Schiffsanstriche
shock/Schock
- waves/Stoßwellen
shoe care products/Schuhpflegemittel
- cementing agents/Sohlenkleber
shop primer/Shop-Primer
shore hardness/Shore-Härte
shorn wool/Schurwolle
shot peening/Oberflächenverfestigung
shotgun cloning/Shotgun-Klonierung
showdomycin/Showdomycin
shower gels/Duschgele
shrink films/Schrumpffolien
- -resistance treatment/Filzfreiausrüstung
shrinkage/Schrumpfen, Schwinden
- cavity/Lunker
shrinkproofing/Krumpffrei-Ausrüstung
shuttle vectors/Shuttle-Vektoren
sialic acids/Sialinsäuren

sialyl transferases/Sialyltransferasen
siamyl…/Siamyl…
siaresinolic acid/Siaresinolsäure
siastatin B/Siastatin B
sibrafiban/Sibrafiban
sibutramine/Sibutramin
siccanin/Siccanin
siccatives/Sikkative
sick building syndrome/Sick Building Syndrome
sickle-cell anemia/Sichelzellenanämie
– flasks/Säbelkolben
side chain/Seitenkette
– effects of drugs/Arzneimittel-Nebenwirkungen
– leather/Rindbox
sideramines/Sideramine
siderite/Siderit
sider(o)…/Sider(o)…
siderochromes/Siderochrome
sideromycins/Sideromycine
siderophilins/Siderophiline
siderophores/Siderophore
siderotrophy/Siderotrophie
siemens/Siemens
Siemens-Martin process/Siemens-Martin-Verfahren
sienna/Terra di Siena
sievert/Sievert
sieving/Sieben
sifting/Sichten
sigma bonds/Sigma-Bindungen
– factor/Sigma-Faktor
– particles/Sigma-Teilchen
sigmatropic/Sigmatrop
sign/Symptom
– „tested safety"/GS-Zeichen
signal/Signal
– peptids/Signalpeptide
– transduction/Signaltransduktion
signature/Signatur
sil(a)…/Sil(a)…
silafluofen/Silafluofen
silage/Silage
– additive/Silierungsmittel
silanediyl…/Silandiyl…
silanes/Silane
silanols/Silanole
silathianes/Silathiane
silatranes/Silatrane
silazanes/Silazane
sildenafil/Sildenafil
silenes/Silene
silent mutation/Silent mutation
silica bricks/Silicasteine
– gel/Kieselgele
– gel with indicator/Blaugel
– glass/Quarzglas
– sol/Kieselsol
silicates/Silicate
siliceous earth/Kieselerde
– rocks/Kieselgesteine
– schist slate/Kieselschiefer
silicic acids/Kieselsäuren
silicides/Silicide
silicon/Silicium
– carbide/Siliciumcarbid
– chlorides/Siliciumchloride
– dioxide/Siliciumdioxid
– fluorides/Siliciumfluoride
– monoxide/Siliciummonoxid
– nitride/Siliciumnitrid
– -sulfur compounds/Silicium-Schwefel-Verbindungen
silicone defoamers/Siliconentschäumer
– impregnating agents/Silicon-Imprägniermittel
– surfactants/Silicium-Tenside
silicones/Silicone
silicosis/Silicose

silicothermic process/Silicothermie
silk/Seide
sillimanite/Sillimanit
silly putty/Silly putty
siloxanes/Siloxane
siloxene/Siloxen
siloxy…/Siloxy…
siltstones/Siltsteine
silver/Silber
– acetate/Silberacetat
– alloys/Silber-Legierungen
– amalgam/Silberamalgame
– bromide/Silberbromid
– bronze/Silberbronze
– carbonate/Silbercarbonat
– chloride/Silberchlorid
– cleansing material/Silberputzmittel
– cyanide/Silbercyanid
– diethyldithiocarbamate/Silberdiethyldithiocarbamat
– fluorides/Silberfluoride
– fulminate/Silberfulminat
– glance/Glanzsilber
– iodide/Silberiodid
– -ion sterilization/Silberung
– nitrate/Silbernitrat
– oxides/Silberoxide
– phosphate/Silberphosphat
– plating/Versilbern
– staining/Silberfärbung
– sulfate/Silbersulfat
– sulfide/Silbersulfid
– thiosulfate/Silberthiosulfat
silvering/Versilbern
silybin/Silybin
silyl…/Silyl…
silylation/Silylierung
silylene/Silylene
silylthio…/Silylthio…
simazine/Simazin
simethicone/Simethicon
Simian-Virus 40/Affenvirus 40
Simmons-Smith reaction/Simmons-Smith-Reaktion
Simonini reaction/Simonini-Reaktion
simultaneous precipitation/Simultanfällung
– reactions/Simultanreaktionen
simvastatin/Simvastatin
sinalexin/Sinalexin
sinapine/Sinapin
sinapyl alcohol/Sinapylalkohol
sinensals/Sinensale
singeing/Sengen
single bond/Einfachbindung
– cell protein/Single Cell Protein
– crystals/Einkristalle
– electron transfer/Single electron transfer
– European Act/Einheitliche Europäische Akte
– mode laser/Ein-Moden-Laser
singlet/Singulett
– oxygen/Singulett-Sauerstoff
sinhalite/Sinhalit
sink-float-process/Sink-Schwimm-Aufbereitung
sinter metallurgy/Sintermetallurgie
sintered bronzes/Sinterbronzen
– glass/Sinterglas
– iron/Sintereisen
– metals/Sintermetalle
sintering/Sintern
sinters/Sinter
sirenin/Sirenin
sisal/Sisal
sisomicin/Sisomicin
sister chromatid exchange/SCE
site-directed mutagenesis/In vitro-Mutagenese

– sanitation/Altlastensanierung
– -specific mutagenesis/In vitro-Mutagenese
sitophilure/Sitophilur
β-sitosterol/β-Sitosterin
size enlargement/Stückigmachen
sizing/Schlichten
– agents/Schlichte
skarn/Skarn
skatole/Skatol
ski-waxes/Skiwachse
skin/Haut
– cosmetics/Hautpflegemittel
– marking ink/Hauttinte
– tanning/Hautbräunung
sklodowskite/Sklodowskit
Skraup synthesis/Skraupsche Synthese
skunk/Stinktier
skutterudite/Skutterudit
skyrin/Skyrin
slack wax/Gatsch
slaframine/Slaframin
slag/Schlacke
– fibers/Schlackenfasern
slate/Schiefer, Schiefertafeln, Tonschiefer
– black/Schieferschwarz
– spar/Schaumkalk
Slater determinant/Slater-Determinante
– functions/Slater-Funktionen
– rules/Slatersche Regeln
sleep/Schlaf
sleeping sickness/Schlafkrankheit
slime molds/Myxomyceten-Farbstoffe
slimes/Schleime
slimicides/Schleimbekämpfungsmittel
slimming preparations/Schlankheitsmittel
slipping agents/Gleitmittel
sloes/Schlehen
slotted nozzle/Schlitzstrahler
SL/RN process/SL/RN-Verfahren
sludge/Klärschlamm, Schlamm
– dewatering/Schlammentwässerung
– index/Schlamm-Index
slugs/Schnecken
slurrying/Aufschlämmen
small and medium enterprises/KMU
– -angle X-ray scattering/Röntgenkleinwinkelstreuung
– coins/Scheidemünzen
– combustion tubes/Glührohrchen
– GTP-binding proteins/Kleine GTP-bindende Proteine
– radish/Radieschen
– rings/Kleine Ringe
– shot/Schrot
smallpox/Pocken
smalt/Smalte
smear/Abstrich
smectites/Smektite
smell/Geruch
smelling salts/Riechsalze
smelting plant/Hüttenwerk
Smiles rearrangement/Smiles-Umlagerung
smithsonite/Smithsonit
smog/Smog
– alert/Smog-Alarm
smoke consumers/Rauchverzehrer
– -drying/Räuchern
– gas/Rauchgas
– powders/Rauchpulver
– suppressant/Rauchunterdrücker
– weapons/Rauchwaffen
smoking/Räuchern

smoky quartz/Rauchquarz
smythite/Smythit
S_N reactions/S_N-Reaktionen
snails/Schnecken
snake venoms/Schlangengifte
snap caps/Zündblättchen
sneezing powder/Niespulver
sniffing agents/Schnüffelstoffe
snow/Schnee
snowball/Schneeball
snuff/Schnupftabak
snuffable powder/Schnupfpulver
soaking agents/Einweichmittel
– through/Durchschlagen
soap bubble flowmeter/Seifenblasen-Strömungsmesser
– bubbles/Seifenblasen
– spirit/Seifenspiritus
soaps/Seifen
soapstone/Seifenstein, Speckstein
soapwort root/Seifenwurzel
sod oil/Degras
soda ash/Natriumcarbonat
– lime/Natronkalk
– lye/Natronlauge
sodalite/Sodalith
soddyite/Soddyit
sodium/Natrium
– acetate/Natriumacetat
– alcoholates/Natriumalkoholate
– alginate/Natriumalginat
– alloys/Natrium-Legierungen
– aluminates/Natriumaluminate
– aluminium hydride/Natriumaluminiumhydrid
– aluminum silicate/Natriumaluminiumsilicat
– amalgam/Natriumamalgam
– amide/Natriumamid
– apolate/Natriumapolat
– arsenates/Natriumarsenate
– ascorbate/Natriumascorbat
– azide/Natriumazid
– benzoate/Natriumbenzoat
– bismuthate(V)/Natriumbismutat(V)
– borohydride/Natriumborhydrid
– bromate/Natriumbromat
– bromide/Natriumbromid
– calcium edetate/Natriumcalciumedetat
– carbonate/Natriumcarbonat
– channels/Natrium-Kanäle
– chlorate/Natriumchlorat
– chloride/Natriumchlorid
– chlorite/Natriumchlorit
– chromate(VI)/Natriumchromat(VI)
– citrate/Natriumcitrat
– cyanate/Natriumcyanat
– cyanide/Natriumcyanid
– cyclamate/Natriumcyclamat
– deoxycholate/Natriumdesoxycholat
– dibunate/Natriumdibunat
– dichromate(VI)/Natriumdichromat(VI)
– diethyldithiocarbamate/Natrium-diethyldithiocarbamat
– disulfite/Natriumdisulfit
– dithionite/Natriumdithionit
– dodecylsulfate/Natriumdodecylsulfat
– ethoxide/Natriummethoxid
– fluorides/Natriumfluoride
– fluorophosphate/Natriumfluorophosphat
– formate/Natriumformiat
– gentisate/Natriumgentisat
– gluconate/Natrium-D-gluconat
– gualenate/Natriumgualenat
– hexacyanoferrates/Natriumhexacyanoferrate

- hexafluorosilicate/Natriumhexafluorosilicat
- hexanitrocobaltate(III)/Natriumhexanitrocobaltat(III)
- hydride/Natriumhydrid
- hydrogencarbonate/Natriumhydrogencarbonat
- hydrogensulfate/Natriumhydrogensulfat
- hydrogensulfide/Natriumhydrogensulfid
- hydrogensulfite/Natriumhydrogensulfit
- hydroxide/Natriumhydroxid
- hypochlorite/Natriumhypochlorit
- iodate/Natriumiodat
- iodide/Natriumiodid
- L-glutamate/Natrium-L-glutamat
- lactate/Natriumlactat
- methoxide/Natriummethoxid
- molybdate/Natriummolybdat
- morrhuate/Natriummorrhuat
- 1-naphthyl hydrogen phosphate/Natrium-1-naphthylhydrogenphosphat
- nitrate/Natriumnitrat
- nitrite/Natriumnitrit
- nitroprusside/Nitroprussidnatrium
- oleate/Natriumoleat
- oxalate/Natriumoxalat
- oxides/Natriumoxide
- pentosan polysulfate/Natriumpentosanpolysulfat
- perborate/Natriumperborat
- percarbonate/Natriumpercarbonat
- perchlorate/Natriumperchlorat
- periodates/Natriumperiodate
- peroxide/Natriumperoxid
- peroxodisulfate/Natriumperoxodisulfat
- phosphates/Natriumphosphate
- phosphinate/Natriumphosphinat
- picosulfate/Natriumpicosulfat
- potassium ATPase/Natrium-Kalium-ATPase
- propionate/Natriumpropionat
- salicylate/Natriumsalicylat
- selenite/Natriumselenit
- silicates/Natriumsilicate
- stearate/Natriumstearat
- succinate/Natriumsuccinat
- sulfate/Natriumsulfat
- sulfides/Natriumsulfide
- sulfite/Natriumsulfit
- tartrate/Natriumtartrat
- tetrafluoroborate/Natriumtetrafluoroborat
- tetraphenylborate/Natriumtetraphenylborat
- tetrathioantimonate(V)/Natrium(tetra)thioantimonat(V)
- thiocyanate/Natriumthiocyanat
- thioglycolate/Natriumthioglykolat
- thiosulfate/Natriumthiosulfat
- tungstate/Natriumwolframat
- vanadates/Natriumvanadate
- vapor lamps/Natriumdampf-Lampen
- xanthates/Natriumxanthate

Söderberg electrodes/Söderberg-Elektroden
soffions/Soffionen
soft agar media/Weichagarmedien
- cheese/Schmelzkäse, Weichkäse
- chemistry/Sanfte Chemie
- drinks/Brausen, Limonaden
- rubber/Weichgummi
- segments/Weichsegmente
- X-ray appearance potential spectroscopy/Röntgenauftrittspotentialspektroskopie
softeners/Weichmacher
softening/Avivage
- point/Erweichungspunkt
software/Software
Sohio processes/Sohio-Verfahren
soil/Boden
- bacteria/Bodenbakterien
- conditioners/Bodenverbesserungsmittel
- fatigue/Bodenmüdigkeit
- moisture/Bodenwasser
- organic matter/Humus
- release finish/Soil-Release-Ausrüstung
- release polymers/Soil-Release-Polymere
- respiration/Bodenatmung
- stabilizers/Bodenstabilisatoren
- sterilization/Bodendesinfektion
- water/Bodenwasser
soja oil/Sojaöl
sol/Sol
- -gel process/Sol-Gel-Prozeß
solanaceae/Solanaceen
solanum steroid alkaloid glycosides/Solanum-Steroidalkaloid-glykoside
- steroid alkaloids/Solanum-Steroidalkaloide
solar cell/Photoelement
- cells/Solarzellen
- energy/Sonnenenergie
- glasses/Sonnenschutzgläser
- system/Sonnensystem
solder/Lote
- glasses/Glaslote
- soldering/Löten
- fluxes/Lötfette
sole leather/Sohlenleder
solenopsines/Solenopsine
Solexol process/Solexol-Verfahren
solid carbon dioxide/Trockeneis
- lubricants/Festschmierstoffe
- petrol/Hartbenzin
- phase fermentation/Festphasen-Fermentation
- phase mikro extraction/Festphasenmikroextraktion
- -phase technique/Festphasen-Technik
- solution/Mischkristalle
- solutions/Feste Lösungen
- state lasers/Festkörper-Laser
- state motor/Ultraschallmotor
- -state polycondensation/Festphasenpolykondensation
- -state polymerization/Festphasenpolymerisation
solidensation/Solidensation
solidification/Erstarren
- point/Erstarrungspunkt
- retarder/Erstarrungsverzögerer
solids/Festkörper
solidus curve/Soliduskurve
solitary workplace/Alleinarbeitsplatz
soliton/Soliton
Solomon's seal/Salomonssiegel
solubility product/Löslichkeitsprodukt
solubilization/Solubilisation
solubilizers/Lösungsvermittler
solution adhesive/Kleblack
- polymerization/Lösungspolymerisation
solutions/Lösungen
solvated electrons/Solvatisierte Elektronen
solvation/Solvatation

solvatochromism/Solvatochromie
solvent/Fließmittel
- adhesive/Lösemittelklebstoff
- cleanser/Kaltreiniger
- naphtha/Solvent Naphtha, Terpentinöl-Ersatz
solvents/Lösemittel
solvolysis/Solvolyse
soman/Soman
somatolactin/Somatolactin
somatostatin/Somatostatin
somatotropin/Somatotropin
Sommelet reaction/Sommelet-Reaktion
- rearrangement/Sommelet-Umlagerung
sonochemistry/Ultraschallchemie
sonoluminescence/Sonolumineszenz
s-orbitals/s-Orbitale
soot/Ruß
- remover/Rußentferner
sophorin/Sophorin
sophorine/Sophorin
soporifics/Schlafmittel
sorangicins/Sorangicine
soraphens/Soraphene
sorbates/Sorbate
sorbents/Ölbindemittel
sorbic acid/Sorbinsäure
sorbitan esters/Sorbitanester
sorbitans/Sorbitane
sorbitol/D-Sorbit
sorbose/Sorbose
sordarin/Sordarin
sordidin/Sordidin
Sorel cement/Sorelzement
sorghum (millet)/Sorghum
sorivudine/Sorivudin
sorption/Sorption
sorrel/Sauerampfer
sotalol/Sotalol
sotolone/Sotolon
sound/Schall
- pressure level/Schalldruckpegel
- -proofing materials/Schalldämmstoffe
Soxhlet extraction/Soxhlet-Extraktion
- -Henkel degrees/Soxhlet-Henkel-Grade
soybean oil/Sojaöl
soybeans/Sojabohnen
sozoiodolic acid/Sozoiodolsäure
space chemistry/Kosmochemie
- -filling models/Kalottenmodelle
- groups/Raumgruppen
spacer/Spacer
spaghetti/Spaghetti
spaglumic acid/Spagluminsäure
spallation/Spallation
Spandex fibre/Spandex-Fasern
Spanish moss/Tillandsia
sparfloxacin/Sparfloxacin
spark machining/Funkenerosion
sparklers/Wunderkerzen
sparkling wine/Schaumwein
spars/Spate
sparsomycin/Sparsomycin
sparteine/Spartein
spasm(o)…/Spasm(o)…
spasmolysins/Spasmolysine
spasmolytics/Spasmolytika
spatula/Spatel
spearmint oil/Krauseminzeöle
special (high-tensile) brass/Sondermessing
- metals/Sondermetalle
speciality dye/Funktionelle Farbstoffe
- plastics/Hochleistungskunststoffe

speciation/Elementspeziesanalyse
species/Art, Spezies
- protection/Artenschutz
- recognition/Arterkennung
specific/Spezifisch
- absorbance/Spezifische Absorption
- growth rate/Wachstumsrate, spezifische
- heat (capacity)/Spezifische Wärmekapazität
- weight/Wichte
specimen/Probe
spectinomycin/Spectinomycin
spectral hole burning/Spektrales Lochbrennen
spectrin/Spectrin
spectrochemical analysis/Spektralanalyse
spectrometer/Monochromator
spectroscopy/Spektroskopie
spectrum analysis/Spektralanalyse
specular pig iron/Spiegeleisen
speculum metal/Speculum-Metall
speleands/Speleanden
spent acid/Dünnsäure
- sulfite liquors/Sulfit-Ablauge
sperabillins/Sperabilline
spergualin/Spergualin
sperm/Sperma
- oil/Spermöl
spermaceti/Walrat
spermidine/Spermidin
spermine/Spermin
sperrylite/Sperrylith
spessartine/Spessartin
sphaer(o)…/Sphär(o)…
sphalerite/Zinkblende
sphene/Titanit
spheranden/Spheranden
spher(o)…/Sphär(o)…
spherolites/Sphärolithe
spheroplasts/Sphäroplasten
shingo…/Sphingo…
sphingolipids/Sphingolipide
sphingomyelins/Sphingomyeline
sphingosine/Sphingosin
S phrases/S-Sätze
spices/Gewürze
spider venoms/Spinnengifte
spiders/Spinnen
spike (lavender) oil/Spik(lavendel)öl
spilites/Spilite
spin/Spin
- density/Spindichte
- glasses/Spingläser
- label(l)ing/Spinmarkierung
- -orbit coupling/Spin-Bahn-Kopplung
- orbital/Spinorbital
- -spin coupling constant/Spin-Spin-Kopplungskonstante
spinach/Spinat
spindle tree/Pfaffenhütchen
spinel/Spinell
spinels/Spinelle
spinning/Spinnen
spinosyn/Spinosyne
spinthariscope/Spinthariskop
spiramycin/Spiramycin
spirapril/Spirapril
spirit/Spiritus, Sprit
- duplication/Umdruckverfahren
spirits/Spirituosen
- of turpentine/Terpentinöl
spiro…/Spiro…
spiro compounds/Spiro-Verbindungen
- polymer/Spiropolymere
spirobi…/Spirobi…

spirochetes/Spirochäten
spirometer/Spirometer
spironolactone/Spironolacton
spirostan(e)/Spirostan
spirulina/Spirulina
splash/Spratzen
– -head adapter/Tropfenfänger
spleen/Milz
splicing/Spleißen
split synthesis/Split-Synthese
spodumene/Spodumen
sponge/Schwamm
– rubber/Schwammgummi
sponges/Schwämme
spongin/Spongin
spongiosis/Spongiose
spongistatins/Spongistatine
spontaneous mutation/Spontanmutation
spores/Sporen
sport food/Sporternährung
sporulation/Sporulation
spot check/Stichprobe
– test analysis/Tüpfelanalyse
spotted salamander/Feuersalamander
spray agent/Spritzmittel
– drying/Sprühtrocknung, Zerstäubungstrocknung
– neutralization/Sprühneutralisation
– reagent/Sprühreagenzien
spraying/Zerstäuben
sprays/Sprays
spreading/Spreitung
springs/Federn
springwater/Quellwasser
sprinklers/Sprinkleranlagen
s-100 protein/S-100-Protein
sprouting/Keimung
spun bonded web/Textilverbundstoffe
spunbonded fabrics/Vliesstoffe
spurge/Wolfsmilchgewächse
– olive/Seidelbast
spurrite/Spurrit
sputter/Spratzen
sputtering/Sputtering
sputum/Sputum
squalamine/Squalamin
squalane/Squalan
squalene/Squalen
squar…/Quadr…
squaric acid/Quadratsäure
squill/Meerzwiebel
Src/Src
– gene/src-Gen
– oncogene/src-Onkogen
St. John's bread tree/Johannisbrotbaum
St. John's wort/Johanniskraut
St. Mary's thistle/Mariendistel
stability/Stabilität
stabilization of sludge/Schlammstabilisierung
stabilizers/Stabilisatoren
stachyose/Stachyose
stacking fault/Stapelfehler
staff qualified in occupational safety/Sicherheitsfachkraft
stain removal/Detachur, Fleckentfernung
– removers/Fleckentfernungsmittel
staining/Färben
stainless steels/Nichtrostende Stähle, V-Stähle
stalactites/Stalaktiten
stalagmometer/Stalagmometer
stallimycin/Stallimycin
stamp pad inks/Stempelfarben
stand/Bestand
– oils/Standöle

standard/Standard
– conditions/Normalbedingungen, Normzustand
– potential/Normalpotential
– solutions/Normallösungen
– termperature and pressure/Normalbedingungen
– volume/Normvolumen
standardisation/Standardisierung
standardization/Normung
stands/Stative
stannane/Stannan
stannates/Stannate
stannic acids/Zinnsäuren
stannite/Stannit
stannous sulfate/Zinn(II)-sulfat
stannyl…/Stannyl…
stanozolol/Stanozolol
staphylococci/Staphylokokken
staphyloferrin A/Staphyloferrin A
staple fiber/Spinnfaser
– length/Stapel
star anise/Sternanis
– polymers/Sternpolymere
starburst polymers/Sternpolymere
starch/Stärke
– derivatives/Stärke-Derivate
– esters/Stärkeester
– ethers/Stärkeether
– gum/Dextrine
– nitrates/Stärkenitrate
starfish saponins/Stachelhäuter-Saponine
Stark effect/Stark-Effekt
stars/Sterne
start codon/Start-Codon
starter/Säurewecker
– cultures/Starter-Kulturen
starting material/Ausgangsmaterial
Stas-Otto separation process/Stas-Otto-Trennungsgang
…stasis/…stase
STAT/STAT
statcoulomb/Elektrostatische Einheit
state/Zustand
– correlation diagram/Zustands-Korrelationsdiagramm
– of the science and technics/Stand der Wissenschaft und Technik
– of the technics/Stand der Technik
states of aggregation/Aggregatzustände
stathmin/Stathmin
…static/…statikum
static electrification/Elektrostatische Aufladung
– mixers/Statische Mischer
…statin/…Statin
statine/Statin
stationary phase/Stationäre Phase
– state/Stationärer Zustand
statistic copolymers/Statistische Copolymere
statistical linear element/Statistisches Fadenelement
– mechanics/Statistische Mechanik
statistics/Statistik
Staudinger function/Viskositätszahl
– reaction/Staudinger-Reaktion
staurolite/Staurolith
staurosporine/Staurosporin
stavesacre/Rittersporn
stavudine/Stavudin
steady state/Stationärer Zustand
steam/Wasserdampf
– cracking/Dampfspaltung

– distillation/Wasserdampfdestillation
– -distilled turpentine/Holzterpentinöl
– jecter (pump)/Wasserdampfstrahlpumpe
steaming/Dämpfen
stearates/Stearate, Stearinsäureester
stearic acid/Stearinsäure
– acid amide/Stearinsäureamid
stearin/Stearin
– pitch/Stearinpech
stearolactone/γ-Stearolacton
stearone/Stearon
stearoyl…/Stearoyl…
stearoyl chloride/Stearinsäurechlorid
o-stearoylvelutinal/O-Stearoylvelutinal
stearyl…/Stearyl…
steel/Stahl
– addition agents/Stahlveredler
– bottles/Bomben
– concrete/Stahlbeton
– cylinders/Bomben
– products/Stahlerzeugnisse
– wool/Stahlwolle
steeping/Rösten
Stefan-Boltzmann radiation law/Stefan-Boltzmann-Gesetz
stefins/Stefine
stegobinone/Stegobinon
Stelzner system/Stelzner-System
stem cell factor/Stammzellenfaktor
– stabilizator/Halmfestiger
stemloop/Haarnadelschleife
stemona alkaloids/Stemona-Alkaloide
stencils/Formelschablonen
stenoecious/Stenök
stenopotent/Stenopotent
stentorin/Stentorin
step-growth polymerization/Stufenwachstums-Polymerisation
– reactions/Stufenreaktionen
stephanite/Stephanit
sterane/Steran
stercobilin/Stercobilin
stercobilinogen/Stercobilinogen
sterculic acid/Sterculiasäure
stereochemical descriptor/Stereodeskriptor
stereochemistry/Stereochemie
stereodescriptor/Stereodeskriptor
stereoelectronic control/Stereoelektronische Kontrolle
stereogenic element/Stereogenes Element
stereoisomers/Stereoisomere
stereoparent name/Halbsystematischer Name
stereoselective/Stereoselektiv
– synthesis/Stereoselektive Synthese
stereospecific/Stereospezifisch
steric hindrance/Sterische Hinderung
sterigmatocystin/Sterigmatocystin
sterile filtration/Sterilfiltration
sterilization/Sterilisation, Steriltechnik
sterling silver/Sterlingsilber
sternbergite/Sternbergit
sternutatories/Niespulver
steroid alkaloids/Steroidalkaloide
– hormones/Steroid-Hormone
– odorants/Steroid-Geruchsstoffe
– sapogenins/Steroid-Sapogenine
– saponins/Steroid-Saponine

steroids/Steroide
sterols/Sterine
sterro metal/Eichmetall
Stetter reaction/Stetter-Reaktion
Stevens rearrangement/Stevens-Umlagerung
steviol/Steviol
stevioside/Steviosid
stib…/Stib…
stiba…/Stib(a)…
stibines/Stibine
stibino…/Stibino…
stibnite/Antimonit
stibonium salts/Stibonium-Salze
stibophen/Stibophen
sticking/Kleben
stiff chain polymers/Kettensteife Polymere
stigmasterol/Stigmasterin
stilbene/Stilben
stilbite/Stilbit
Stille reaction/Stille-Reaktion
stilpnomelane/Stilpnomelan
stimulants/Stimulantien
stimulation therapy/Reizkörpertherapie
stimulus/Reiz
– model/Attrappe
stinging nettle/Brennessel
stink-bombs/Stinkbomben
– stones/Stinksteine
Stirling's circle/Stirlingscher Kreisprozeß
stirred tank reactor with draught tube/Umlaufreaktor
stirring/Rühren
stishovite/Stishovit
Stobbe condensation/Stobbe-Kondensation
stochastic/Stochastik
stock solution/Stammlösung
Stock system/Stock-System
stoichiometric factor/Stöchiometrischer Faktor
stoichiometry/Stöchiometrie
stokes/Stokes
Stokes law/Stokes-Gesetz
– rule/Stokes-Regel
stolzite/Stolzit
stomach/Magen
stomachics/Stomachika
stomatology/Stomatologie
stone meal manuring/Steinmehldüngung
stop codon/Stop-Codon
stopcocks/Kegelhähne
stoppers/Stopfen
storage batteries/Akkumulatoren
– compounds/Reservestoffe
– of dangerous substances/Lagerung von Gefahrstoffen
storax/Styrax
stored products protection/Vorratsschutz
Stork enamine reaction/Stork-Enamin-Reaktion
Story method/Story-Methode
stout/Stout
stoving lacquers/Einbrennlacke
STP/Normalbedingungen
strain/Stamm
– aging/Alterungsversprödung
– development/Stammentwicklung
– improvement/Stammentwicklung
– isolation/Stammisolierung
– storage/Stammhaltung
strangeness [number]/Strangeness
stratigraphy/Stratigraphie
Strauss test/Strauß-Test
straw/Stroh
strawberries/Erdbeeren

English

streaks/Schlieren
Strecker aldehydes/Strecker-Aldehyde
- synthesis/Strecker-Synthese
strengite/Strengit
strength/Festigkeit
streptavidin/Streptavidin
streptococci/Streptokokken
streptodornase/Streptodornase
streptokinase/Streptokinase
streptolysins/Streptolysine
streptomycetes/Streptomyceten
streptomycin/Streptomycin
streptonigrin/Streptonigrin
streptozocin/Streptozocin
stress/Streß
- birefringence/Spannungsdoppelbrechung
- corrosion cracking/Spannungsriß-Korrosion
- -crack formation/Spannungsrißbildung
- cracking/Spannungsrißbildung
- fibers (fibres)/Streß-Fasern
- relief annealing/Spannungsarmglühen
- (response) proteins/Streß-Proteine
- state/Spannungszustand
- -strain diagram/Spannungs-Dehnungs-Diagramme
stretching/Recken
Stretford process/Stretfort-Verfahren
striatals, striatins/Striatale, Striatine
strictosidine/Strictosidin
strigol/Strigol
stringent plasmids/Stringente Plasmide
strip mining/Tagebau
strippable coating/Folienlacke
stripping/Abziehen, Entmetallisierung, Strippen
- of tin/Entzinnen
strobilurins/Strobilurine
stromatolites/Stromatolithen
stromelysins/Stromelysine
stromeyerite/Stromeyerit
strontianite/Strontianit
strontium/Strontium
- carbonate/Strontiumcarbonat
- chloride/Strontiumchlorid
- chromate/Strontiumchromat
- fluoride/Strontiumfluorid
- nitrate/Strontiumnitrat
- sulfate/Strontiumsulfat
- titanate/Strontiumtitanat
stroph.../Stroph...
strophanthins/Strophanthine
structural adhesives/Strukturklebstoffe
- chemistry/Strukturchemie
structural foam/Integralschaumstoffe
- formula/Strukturformel
- unit/Struktureinheit, -element
- viscosity/Strukturviskosität
structure/Gefüge, Struktur
- elucidation/Konstitutionsermittlung
struma/Kropf
strunzite/Strunzit
struvite/Struvit
strychnine/Strychnin
strychnos alkaloids/Strychnos-Alkaloide
Stuart Briegleb atomic models/Stuart-Briegleb-Modelle
stucco/Stuck
study of chemistry/Chemie-Studium
stumps/Stubben

styphnic acid/Styphninsäure
styptics/Styptika
styrax/Styrax
styrene/Styrol
- acrylonitrile copolymers/Styrol-Acrylnitril-Copolymere
- butadiene copolymers/Styrol-Butadien-Copolymere
- butadiene rubbers/Styrol-Butadien-Kautschuke
- copolymers/Styrol-Copolymere
- modification/Styrolisierung
- oxide/Styroloxid
styryl.../Styryl...
sub.../Sub...
suberic acid/Korksäure
suberoyl.../Suberoyl...
sublethal dose/Subletale Dosis
sublimation/Sublimation
sublimer/Sublimationsapparatur
submerged arc welding/Unterpulver-Schweißen
- (arc) welding/Ellira-Verfahren
submersed culture/Submersverfahren
- process/Submersverfahren
suboxides/Suboxide
subsoil-water/Grundwasser
substance/Substanz
- P/Substanz P
substances hazardous to water/Wassergefährdende Stoffe
substantive dyes/Substantive Farbstoffe
substantivity/Substantivität
substituent/Substituent
substitute/Surrogat
substitution/Substitution
substitutive name/Substitutionsname
substrate/Substrat
- inhibition/Substrat-Hemmung
substratum/Substrat
subterranean geometry/Markscheidewesen
subtilin/Subtilin
subtilisins/Subtilisine
subtractive name/Subtraktionsname
succession/Sukzession
successive reactions/Sukzessivreaktionen
succinate dehydrogenase/Succinat-Dehydrogenase
succinates/Bernsteinsäureester, Succinate
succinic acid/Bernsteinsäure
- anhydride/Bernsteinsäureanhydrid
succinimide/Succinimid
succinonitrile/Bernsteinsäuredinitril
succinyl.../Succinyl...
succinyl chloride/Succinylchlorid
succulents/Sukkulenten
sucralfate/Sucralfat
sucralose/Sucralose
sucrose/Saccharose
sudoite/Sudoit
Süs reaction/Süs-Reaktion
suevite trass cement/Suevit-Traßzement
sufentanil/Sufentanil
suffixes/Suffixe
sugar/Zucker
- alcohols/Zuckeralkohole
- anhydrides/Zuckeranhydride
- cane wax/Zuckerrohrwachs
- cured fish/Anchosen
- esters/Zuckerester
- ethers/Zuckerether
- (saccharic) acids/Zuckersäuren

- substitutes/Zuckeraustauschstoffe
- surfactants/Zuckertenside
suicide substrates/Suizid-Substrate
suillin/Suillin
Sul-bi-Sul process/Sul-bi-Sul-Verfahren
sulbactam/Sulbactam
sulbentine/Sulbentin
sulcotrione/Sulcotrion
sulfa.../Sulfa...
sulfabenzamide/Sulfabenzamid
sulfacarbamide/Sulfacarbamid
sulfacetamide/Sulfacetamid
sulfadiazine/Sulfadiazin
sulfadicramide/Sulfadicramid
sulfadimidine/Sulfadimidin
sulfadoxine/Sulfadoxin
sulfaethidole/Sulfaethidol
sulfafurazole/Sulfafurazol
sulfaguanidine/Sulfaguanidin
sulfaguanol/Sulfaguanol
sulfalene/Sulfalen
sulfamates/Sulfamate
sulfamerazine/Sulfamerazin
sulfamethizole/Sulfamethizol
sulfamethoxazole/Sulfamethoxazol
sulfamethoxypyridazine/Sulfamethoxypyridazin
sulfametoxydiazine/Sulfametoxydiazin
sulfametrole/Sulfametrol
sulfamic acid/Amidoschwefelsäure, Sulfamidsäure
sulfamide/Sulfamid
sulfamoxole/Sulfamoxol
sulfamoyl.../Sulfamoyl...
sulfanes/Sulfane
sulfanilamide/Sulfanilamid
sulfanilyl.../Sulfanilyl...
sulfaperin/Sulfaperin
sulfaphenazole/Sulfaphenazol
sulfaproxylin/Sulfaproxylin
sulfapyridine/Sulfapyridin
sulfasalazine/Sulfasalazin
sulfatases/Sulfatasen
sulfate cellulose/Sulfatcellulose
- reducing bacteria/Sulfat-reduzierende Bakterien
- respiration/Sulfat-Atmung
- turpentine/Sulfatterpentinöl
sulfated oils/Sulfatierte Öle
sulfates/Sulfate
sulfathiazole/Sulfathiazol
sulfathiourea/Sulfathiourea
sulfatides/Sulfatide
sulfation/Sulfierung
sulfatization/Sulfatierung, Sulfatisierung
sulfato(2-).../Sulfato(2-)...
sulfatolamide/Sulfatolamid
sulfenamides/Sulfenamide
sulfenes/Sulfene
sulfenic acids/Sulfensäuren
sulfeno.../Sulfeno...
sulfentrazone/Sulfentrazon
sulfenyl chlorides/Sulfenylchloride
sulfhydrates/Sulfhydrate
sulfidation/Sulfidierung
sulfide of lime solution/Schwefelkalkbrühe
sulfides/Sulfide
sulfido.../Sulfido...
sulfimide/Sulfimid
sulfimides/Sulfimide
sulfinates/Sulfinate
sulfines/Sulfine
sulfinic acids/Sulfinsäuren
sulfinimides/Sulfinimide
sulfinpyrazone/Sulfinpyrazon

sulfinyl.../Sulfinyl...
sulfisomidine/Sulfisomidin
sulfite cellulose/Sulfitcellulose
- pulping wastes/Sulfit-Ablauge
sulfites/Sulfite
sulfo.../Sulfo...
sulfo fatty acid esters/Estersulfonate
- -indigotines/Indigosulfonate
sulfoamino.../Sulfoamino...
sulfobetaines/Sulfobetaine
sulfogaiacol/Sulfogaiacol
sulfolane/Sulfolan
3-sulfolene/3-Sulfolen
sulfometuron-methyl/Sulfometuron-methyl
sulfonal/Sulfonal
sulfonamides/Sulfonamide
...sulfonamido.../...sulfonamido...
sulfonates/Sulfonate
sulfonation/Sulfonierung
sulfonazo III/Sulfonazo III
sulfones/Sulfone
sulfonic acids/Sulfonsäuren
sulfonium compounds/Sulfonium-Verbindungen
sulfonyl.../...sulfonyl...
sulfonyl chlorides/Sulfonylchloride
sulfonylureas/Sulfonylharnstoffe
3-sulfopropyl.../3-Sulfopropyl...
sulforaphene/Sulforaphen
sulforidazine/Sulforidazin
sulfosalicylic acid/5-Sulfosalicylsäure
sulfosalts/Sulfosalze
sulfosuccinamates/Sulfosuccinamate
sulfosuccinates/Sulfosuccinate
sulfosulfuron/Sulfosulfuron
sulfotep/Sulfotep
sulfotransferases/Sulfotransferasen
sulfoxidation/Sulfoxidation
sulfoxides/Sulfoxide
sulfoximides/Sulfoximide
sulfoxylates/Sulfoxylate
sulfoxylic acid/Sulfoxylsäure
sulfur/Schwefel
- acids/Schwefel-Säuren
- bacteria/Schwefelbakterien
- baths/Schwefel-Bäder
- chlorides/Schwefelchloride
- colorants (dyestuffs)/Schwefel-Farbstoffe
- dioxide/Schwefeldioxid
- fluorides/Schwefelfluoride
- heterocycles/Schwefel-Heterocyclen
- mustard/Lost
- nitrogen compounds/Schwefel-Stickstoff-Verbindungen
- oxides/Schwefeloxide
- oxidizing bacteria/Schwefel-oxidierende Bakterien
- trioxide/Schwefeltrioxid
sulfuranes/Sulfurane
sulfuration/Sulfurierung
sulfuric acid/Schwefelsäure
- (acid) esters/Schwefelsäureester
sulfurization/Sulfidierung
sulfurous acid/Schweflige Säure
sulfuryl.../Sulfuryl...
sulfuryl chloride/Sulfurylchlorid
sulindac/Sulindac
sulisobenzone/Sulisobenzon
sulphatases/Sulfatasen
sulphates/Sulfate (GB)
sulphatides/Sulfatide
sulphotransferases/Sulfotransferasen

sulphur/Schwefel (GB)
sulpiride/Sulpirid
sulprofos/Sulprofos
sulprostone/Sulproston
sultamicillin/Sultamicillin
sultams/Sultame
sult(h)iame/Sultiam
sultones/Sultone
sulvanite/Sulvanit
sum parameter/Summenparameter
sumac(h)/Sumach
sumatriptan/Sumatriptan
sun/Sonne
– protection products/Sonnenschutzmittel
– -screen products/Sonnenschutzmittel
sundew/Sonnentau
sunflower oil/Sonnenblumenöl
sunlight flavour/Sonnenlichtgeschmack
sunn hemp/Sunn
Sunset yellow/Gelborange S
super.../Super...
super polymers/Superpolymere
– slurper/Super slurper
superacids/Supersäuren
superactinoids/Superactinoide
superalloy/Superlegierungen
superantigens/Superantigene
superbases/Superbasen
superconductivity/Supraleitung
supercooling/Unterkühlung
supercritical fluid chromatography/Fluid Chromatographie
– fluid extraction/Destraktion
– fluids (gases)/Überkritische Flüssigkeiten, überkritische Gase
superexchange/Superaustausch
superfluidity/Supraflüssigkeit
supermolecules/Übermolekeln
supernormal stimulus/Übernormaler Auslöser
superoxid dismutases/Superoxid-Dismutasen
superoxides/Superoxide
superphosphate/Superphosphat
supersaturation/Übersättigung
superstructure/Überstruktur
support jacks/Hebebühne
suppositories/Suppositorien
suppressants/Suppressantien
suppression/Suppression
suppressor cells/Suppressor(-T)-Zellen
supramolecular chemistry/Supramolekulare Chemie
suprasterols/Suprasterine
suramin sodium/Suramin-Natrium
surface active agents/Grenzflächenaktive Stoffe
– active properties/Oberflächenaktive Eigenschaften
– aerator/Oberflächenbelüfter
– analysis/Oberflächenanalysemethoden
– antigens/Oberflächenantigene
– chemistry/Oberflächenchemie
– culture/Oberflächenkultur
– layer/Deckschicht
– mining/Tagebau
– reactor/Oberflächenreaktor
– tension/Oberflächenspannung
– treatment agents/Oberflächenbehandlungsmittel
– water/Oberflächenwasser
surfactant/Surfactant
surfactants/Grenzflächenaktive Stoffe
surimi/Surimi
surrogate genetics/Reverse Genetik

surugatoxin/Surugatoxin
surveillance value/Überwachungswert
suspended dust/Schwebstaub
– load (matter)/Schwebstoffe
suspension polymerization/Suspensionspolymerisation
– (roast) melting/Schwebe(röst)-schmelzverfahren
suspensions/Suspensionen
sustainable development/Sustainable Development
suture material/Nahtmaterial
suxamethonium chloride/Suxamethoniumchlorid
suxibuzone/Suxibuzon
Suzuki reaction/Suzuki-Reaktion
svedberg/Svedberg
swainsonine/Swainsonin
Swarts reaction/Swarts-Reaktion
sweat/Schweiß
sweating/Ausschwitzen
Swedish punch/Schwedenpunsch
sweeping powder/Kehrpulver
sweet chestnuts/Kastanien
– cistus oil/Zistrosenöl
– or mediterranean bay oil/Lorbeer(blätter)öl
– potatoe/Batate
– stout beer/Malzbier
– water/Süßwasser
– wine/Süßwein
sweeteners/Süßstoffe
sweetening of gasoline/Süßung des Benzins
sweetmeats/Süßwaren
sweets/Süßwaren
swell-resistant agents/Quellfestmittel
– -starch flour/Quellmehl
swelling/Bombage, Quellung
Swern oxidation/Swern-Oxidation
swimming pool treatment chemicals/Schwimmbadpflegemittel
Swiss cigars/Stumpen
sydnones/Sydnone
syenite/Syenit
sylvanite/Sylvanit
sylvine/Sylvin
sylvite/Sylvin
sym-/sym-
symbiosis/Symbiose
symmetry/Symmetrie
– elements/Symmetrieelemente
– operations/Symmetrieoperationen
sympathetic nervous system/Sympathikus
sympathomimetics/Sympath(ik)omimetika
sympatric/Sympatrisch
symport/Symport
symptom/Symptom
syn.../Syn...
syn/syn-
synanthropy/Synanthropie
synapses/Synapsen
synapsins/Synapsine
synaptophysin/Synaptophysin
synaptosomes/Synaptosomen
synaptotagmin/Synaptotagmine
synchronous reactions/Synchronreaktionen
synchrotron/Synchrotron
– radiation/Synchrotron-Strahlung
syndiotactic polymers/Syndiotaktische Polymere
synecology/Synökologie
synemin/Synemin
synephrine/Synephrin
synergetics/Synergetik
synergism/Synergismus

synergists/Synergisten
synergy/Synergismus
syngas/Synthesegas
syngenite/Syngenit
synmetals/Synmetals
synonyms/Synonyme
synopsis/Synopsis
synovial fluid/Synovialflüssigkeit
syntaxins/Syntaxine
synthase/Synthase
synthesis/Synthese
– gas/Synthesegas
synthetase/Synthetase
synthetic/Synthetisch
– equivalents/Syntheseäquivalente
– fibers/Synthesefasern
– (man made) rubber/Synthesekautschuke
– papers/Kunststoff-Papiere
– resin films/Kunstharzfilme
– resins/Kunstharze, Synthetische Harze
synthol/Synthol
synthons/Synthone
syphilis/Syphilis
syringaldehyde/Syringaaldehyd
syringic acid/Syringasäure
syringolides/Syringolide
syrosingopine/Syrosingopin
syrup/Sirup
system/System
systematic name/Systematischer Name
systemic/Systemisch
systemin/Systemin

T

2,4,5-T/2,4,5-T
taaffeite/Taaffeit
tabernanthine/Tabernanthin
table salt/Speisesalz
– waters/Tafelwässer
tablet disintegrants/Tablettensprengmittel
tableting/Tablettieren
tablets/Tabletten
tabtoxin/Tabtoxin
tabular compilations/Tabellenwerke
tabun/Tabun
tacalcitol/Tacalcitol
tachhydrite/Tachhydrit
tach(y).../Tach(y)...
tachykinins/Tachykinine
tachylite/Tachylit
tachyphylaxis/Tachyphylaxie
tachysterols/Tachysterine
tack/Autohäsion, Zügigkeit
tackifiers/Tackifier
tacrine/Tacrin
tacticity/Taktizität
taddols/Taddole
taette/Tätte
Tafel rearrangement/Tafel-Umlagerung
Taft equation/Taft-Gleichung
D-tagatose/D-Tagatose
tagetes/Tagetes
tagging/Tagging
tailing/Tailing
tailormade polymers/Modell-Polymere
Takata reaction/Takata-Reaktion
talaromycins/Talaromycine
talc/Talk
talcum/Talk
talin/Talin
talinolol/Talinolol
talitol/Talit(ol)
tall bioreactor/Hochbiologie
– oil/Tallöl
– oil pitch/Sulfatpech

tallow/Talg
talo-/talo-
D-talose/D-Talose
talsaclidine/Talsaclidin
Tamarind/Chutney
tamarinds/Tamarinden
TAME/TAME
tamed iodine/Iodophore
Tammann's rule/Tammann-Regel
tamoxifen/Tamoxifen
tamped volume/Stampfvolumen
tampons/Tampons
tamsulosin/Tamsulosin
Tanabe-Sugano diagrams/Tanabe-Sugano-Diagramme
tandem mass spectrometry/Tandem-MS
– reaction/Tandem-Reaktion
tangerines/Tangerinen
tanks/Behälter
tannases/Tannasen
tanning/Gerberei
– agents/Gerbstoffe
– auxiliaries/Gerbhilfsmittel
tannins/Tannine
tansy/Rainfarn
tantalates(V)/Tantalate(V)
tantalite/Tantalit
tantalum/Tantal
– alloys/Tantal-Legierungen
– compounds/Tantal-Verbindungen
tantazoles/Tantazole
tanzanite/Tansanit
tap/Abstich
TAP/TAP
tap grease/Hahnfett
tapered copolymers/Gradientencopolymer
tapestry/Tapeten
tapioca/Tapioka
tapiolite/Tapiolit
tapping/Abstich
taps/Hähne
Taq polymerase/Taq-Polymerase
tar/Teer
– removers/Teerentferner
– sands/Ölsande
– soaps/Teerseifen
tara/Tara
taranakite/Taranakit
tare/Tara
target/Target
tarnishing/Anlaufen
taro/Taro
tartar/Zahnstein
– emetic/Brechweinstein
tartaric acid/Weinsäure
tartrates/Tartrate
tartrazine/Tartrazin
tartronic acid/Tartronsäure
tasmanite/Tasmanit
taste/Geschmack
– modifier/Geschmacks(um)-wandler
TATA-binding protein/TATA-bindendes Protein
tattoo(ing)/Tätowierung
taurides/Tauride
taurine/Taurin
taurocholic acid/Taurocholsäure
taurolidine/Taurolidin
tauryl.../Tauryl...
tautomerism/Tautomerie
tautomycin/Tautomycin
taxanes/Taxane
taxigenic/Taxigen
taxis/Taxis
taxodione/Taxodion
taxoids/Taxoide
taxol/Taxol
taxonomy/Taxonomie
taxus alkaloids/Taxus-Alkaloide

English

taxuspins/Taxuspine
tazaroten/Tazaroten
tazobactam/Tazobactam
TCA-sodium/TCA-Na
TCD/TCD
t-distribution/t-Verteilung
tea/Tee
– flavo(u)r/Tee-Aroma
– -seed oil/Teesamenöl
– substitute/Tee-Ersatz
– tree oil/Teesamenöl
TEA laser/TEA-Laser
teakwood/Teakholz
tear liquid/Tränenflüssigkeit
Tebbe-Grubbs reagents/Tebbe-Grubbs-Reagenzien
tebuconazole/Tebuconazol
tebufenozide/Tebufenozid
tebufenpyrad/Tebufepyrad
tebupirimiphos/Tebupirimifos
tebuthiuron/Tebuthiuron
technetium/Technetium
– compounds/Technetium-Verbindungen
technical assistant in chemistry/Chemisch-technische(r) Assistent(in)
– chemistry/Technische Chemie
– instructions/Technische Anleitungen
– instructions for the disposal of hazardous waste/TA Abfall
– instructions for the disposal of urban waste/TA Siedlungsabfall
– instructions on air quality control/TA Luft
– plastics/Technische Kunststoffe
– regulations to control noise/TA Lärm
– resins/Technische Harze
– sciences/Technik
– yield strength/Technische Streckgrenze
technician/Techniker
technique/Technik
technology/Technologie
– assessment/Technikfolgen-Abschätzung
technoplastics/Techno-Thermoplaste
Teclu burner/Teclu-Brenner
tect(o)…/Tect(o)…, Tekt(o)…
tectonics/Tektonik
teeth/Zähne
teflubenzuron/Teflubenzuron
teflurane/Tefluran
tefluthrin/Tefluthrin
tegafur/Tegafur
teichoic acids/Teichonsäuren
teichuronic acids/Teichuronsäuren
teicoplanin(s)/Teicoplanin(e)
teinochemistry/Teinochemie
tektins/Tektine
tektites/Tektite
telechelic polymers/Telechel-(isch)e Polymere
teleocidins/Teleocidine
tellurates/Tellurate
telluric acids/Tellursäuren
tellurides/Telluride
tellurium/Tellur
– chlorides/Tellurchloride
– oxides/Telluroxide
telmisartane/Telmisartan
telomeres/Telomere
telomerization/Telomerisation
temafloxacin/Temafloxacin
temazepam/Temazepam
temocillin/Temocillin
temoe lawak/Temoe Lawak
tempera/Temperafarben
temperate phages/Temperente Phagen

temperature/Temperatur
– jump method/Temperatursprung-Methode
– measurement/Temperaturmessung
– scales/Temperaturskalen
– sensitive mutants/Temperatursensitive Mutanten
tempering/Anlassen, Härten, Tempern
– colour/Anlaßfarben
– of steel/Härtung von Stahl
template effect/Template-Effekt
– polymerization/Matrizenpolymerisation
templates/Formelschablonen
temporary adhesives/Temporärkleber
tenascins/Tenascine
tenidap/Tenidap
teniposide/Teniposid
tenorite/Tenorit
tenoxicam/Tenoxicam
tensile strength/Reißfestigkeit, Zugfestigkeit
– test/Zugversuch
tensor/Tensor
tentoxin/Tentoxin
tenuazonic acid/Tenuazonsäure
tephrite/Tephrit
tephroite/Tephroit
tephrosin/Tephrosin
tequila/Tequila
ter…/Ter…
teratogenes/Teratogene
teratogenesis/Teratogenese
terazosin/Terazosin
terbacil/Terbacil
terbinafine/Terbinafin
terbium/Terbium
– compounds/Terbium-Verbindungen
terbufos/Terbufos
terbumeton/Terbumeton
terbutaline/Terbutalin
terbuthylazine/Terbuthylazin
terbutryn/Terbutryn
terconazole/Terconazol
terephthalic acid/Terephthalsäure
terfenadine/Terfenadin
terizidone/Terizidon
terlipressin/Terlipressin
term/Term
terminal/Terminal
termination/Termination
terminator/Terminator
terminology/Terminologie
termites/Termiten
termolecular reactions/Termolekulare Reaktionen
termones/Termone
ternary/Ternär
– compounds/Ternäre Verbindungen
– systems/Ternäre Systeme
terodiline/Terodilin
terpene phenol resins/Terpen-Phenol-Harze
– resins/Terpen-Harze
terpenes/Terpen(oid)e
terpenoids/Terpen(oid)e
terpestacin/Terpestacin
terphenylquinones/Terphenylchinone
terphenyls/Terphenyle
terpin/Terpin
terpinene/Terpinen
terpineol/Terpineole
terpinolene/Terpinolen
terpolymers/Terpolymere
terprenin/Terprenin
2,2′:6′,2″-terpyridine/2,2′:6′,2″-Terpyridin

terra cotta/Terrakotta
– sigillata/Terra sigillata
terrazzo/Terrazzo
terrein/Terrein
territorial marking/Revier-Markierung
terry towelling/Frottee
tert-/tert-
tertatolol/Tertatolol
terthienyls/Terthienyle
tertiary/Tertiär
tervalent/Tervalent
test/Test
– body/Prüfstelle
– for detecting recalcitrant catabolites/Katabolitentest
– mark/Prüfzeichen
– papers/Reagenzpapiere
– sticks/Teststäbchen
– tubes/Reagenzgläser
testing of materials/Werkstoffprüfung
testolactone/Testolacton
testosterone/Testosteron
tetanus/Tetanus
tetany/Tetanie
tetra/Tetra
tetr(a)…/Tetr(a)…
tetraalkylammonium compounds/Tetraalkylammonium-Verbindungen
3,3′,4,4′-tetraaminobiphenyl/3,3′,4,4′-Tetraaminobiphenyl
tetraaminoethylenes/Tetraaminoethylene
tetraamminecopper salts/Tetraamminkupfer(II)-Salze
tetraasterane/Tetraasteran
tetraborane(10)/Tetraboran(10)
tetraborates/Tetraborate
tetraboric acid/Tetraborsäure
tetrabromobisphenol A/Tetrabrombisphenol A
1,1,2,2-tetrabromoethane/1,1,2,2-Tetrabromethan
5,5′,7,7′-tetrabromoindigo/5,5′,7,7′-Tetrabromindigo
tetrabromomethane/Tetrabrommethan
tetrabromophtalic anhydride/Tetrabromphthalsäureanhydrid
tetrabutylammonium salts/Tetrabutylammonium-Salze
tetracaine/Tetracain
tetrachlorobenzenes/Tetrachlorbenzole
2,3,7,8-tetrachlorodibenzo[1,4]dioxin/2,3,7,8-Tetrachlordibenzo[1,4]dioxin
1,1,2,2-tetrachloroethane/1,1,2,2-Tetrachlorethan
tetrachloroethylene/Tetrachlorethylen
tetrachlorophtalate resins/Tetrachlorphthalat-Harze
tetrachlorophtalic anhydride/Tetrachlorphthalsäureanhydrid
tetrachlorvinphos/Tetrachlorvinphos
tetraconazole/Tetraconazol
tetracont(a)…/Tetracont(a)…
tetracos(a)…/Tetracos(a)…
tetracosactide/Tetracosactid
tetracosane/Tetracosan
tetracosanoic acid/Tetracosansäure
(Z)-15-tetracosenoic acid/(Z)-15-Tetracosensäure
7,7,8,8-tetracyano-1,4-quinodimethane/7,7,8,8-Tetracyano-1,4-chinodimethan
tetracyanoethylene/Tetracyanoethylen

tetracycline/Tetracyclin
tetracyclo[…]…/Tetracyclo[…]…
tetrad/Tetrade
tetradec(a)…/Tetradec(a)…
tetradecane/Tetradecan
1-tetradecanol/1-Tetradecanol
tetradecyl…/Tetradecyl…
tetradifon/Tetradifon
tetradymite/Tetradymit
tetraethylammonium salts/Tetraethylammonium-Salze
tetraethylene glycol/Tetraethylenglykol
tetraethylenepentamine/Tetraethylenpentamin
tetraethyllead/Bleitetraethyl
tetraethylthiuram disulfide/Tetraethylthiuramdisulfid
tetrafluoroethylene/Tetrafluorethylen
tetrahedral site/Tetraederlücke
tetrahedrite/Fahlerze
tetrahedro-/tetrahedro-
tetrahedron/Tetraeder
tetrahydrocannabinols/Tetrahydrocannabinole
tetrahydrofolic acid/Tetrahydrofolsäure
tetrahydrofuran/Tetrahydrofuran
– polymers/Polytetrahydrofurane
tetrahydrofurfuryl alcohol/Tetrahydrofurfurylalkohol
tetrahydromethanopterin/Tetrahydromethanopterin
tetrahydropalmatine/Tetrahydropalmatin
tetrahydrophthalic anhydride/4-Cyclohexen-1,2-dicarbonsäureanhydrid
tetrahydropyran/Tetrahydropyran
tetrahydrothiophene/Tetrahydrothiophen
tetrahydroxy-1,4-benzoquinone/Tetrahydroxy-1,4-benzochinon
tetraiodomethane/Tetraiodmethan
tetrakis…/Tetrakis…
tetralones/Tetralone
tetramers/Tetramere
tetramethoxyethylene/Tetramethoxyethylen
tetramethrin/Tetramethrin
2,2,6,6-tetramethyl-3,5-heptanedione/2,2,6,6-Tetramethyl-3,5-heptandion
N,N,N',N'-tetramethyl-p-phenylenediamine/N,N,N',N'-Tetramethyl-p-phenylendiamin
tetramethylammonium salts/Tetramethylammonium-Salze
tetramethylbenzenes/Tetramethylbenzole
3,3′,5,5′-tetramethylbenzidine/3,3′,5,5′-Tetramethylbenzidin
tetramethylene…/Tetramethylen…
tetramethyllead/Bleitetramethyl
tetramethylsilane/Tetramethylsilan
tetramethylurea/Tetramethylharnstoff
tetramic acid/Tetramsäure
tetramisole/Tetramisol
tetranitromethane/Tetranitromethan
tetraoxane/Tetraoxan
tetraphenylarsonium chloride/Tetraphenylarsoniumchlorid
tetraphenylmethane/Tetraphenylmethan

tetrapropylenebenzene sulfonate/Tetrapropylenbenzolsulfonat
tetrapyrroles/Tetrapyrrole
tetraquinanes/Tetraquinane
tetrasaccharides/Tetrasaccharide
tetraterpenes/Tetraterpene
tetrathiafulvalene/Tetrathiafulvalen
tetrazene/Tetrazen
tetrazenes/Tetrazene
tetrazepam/Tetrazepam
tetrazines/Tetrazine
tetrazoles/Tetrazole
tetrazolium salts/Tetrazolium-Salze
tetritols/Tetrite
tetrodotoxin/Tetrodotoxin
...tetrol/...tetrol
tetronasin/Tetronasin
tetronic acid/Tetronsäure
tetroquinone/Tetrahydroxy-1,4-benzochinon
tetroses/Tetrosen
tetroxanes/Tetroxane
tetroxoprim/Tetroxoprim
tetryl/Tetryl
tetryzoline/Tetryzolin
Teuber reaction/Teuber-Reaktion
tex/Tex
textil finishing/Textilveredlung
textile auxiliaries/Textilhilfsmittel
– bleaching/Textilbleiche
– chemistry/Textilchemie
– dyeing/Textilfärbung
– fibers/Textilfasern
– printing/Textildruck
– testing/Textilprüfung
textiles/Textilien
texture/Gefüge, Gewebe, Textur
texturing/Texturierung
thalassemia/Thalassämie
thalidomide/Thalidomid
thalleioquine reaction/Thalleiochin-Reaktion
thallium/Thallium
– acetates/Thalliumacetate
– (I) bromide/Thallium(I)-bromid
– carbonate/Thallium(I)-carbonat
– chlorides/Thalliumchloride
– (I) formiate/Thallium(I)-formiat
– iodides/Thalliumiodide
– nitrates/Thalliumnitrate
– oxides/Thalliumoxide
– sulfates/Thalliumsulfate
– (III) trifluoroacetate/Thallium-(III)-trifluoracetat
thapsigargin/Thapsigargin
thaumasite/Thaumasit
thaumatin/Thaumatin
theaflavins/Theaflavine
theanin/Theanin
thearubigens/Thearubigene
theaspiranes/Theaspirane
thebacon/Thebacon
thebaine/Thebain
thenalidine/Thenalidin
thenardite/Thenardit
thenoyl.../Thenoyl...
thenyl.../Thenyl...
thenyldiamine/Thenyldiamin
theo.../The(o)...
theobromine/Theobromin
theodrenaline/Theodrenalin
theonella/Theonella
theonellamides/Theonellamide
theophylline/Theophyllin
theorem/Theorem
theoretical chemistry/Theoretische Chemie

theory of relativity/Relativitätstheorie
therapeutic soils/Heilerden
therapy/Therapie
theriac/Theriak
thermal/Thermisch
– analysis/Thermoanalyse
– black/Spaltruß
– -conductivity cells/Wärmeleitfähigkeitsdetektoren
– diffusion/Thermodiffusion
– diffusivity/Temperaturleitfähigkeit
– efficiency/Thermischer Wirkungsgrad
– equilibrium/Thermisches Gleichgewicht
– gas cleaning/Thermische Gasreinigung
– printer/Thermodrucker
– stabilizers/Thermostabilisatoren
– treatment/Temperaturbehandlung
– waters/Thermalwässer
thermalisation/Thermalisierung
thermionic energy conversion/Thermionische Energieumwandlung
thermistor/Thermistoren
– analysis/Thermistoranalyse
thermitase/Thermitase
thermite process/Aluminothermie
– welding/Aluminothermie
thermoanalysis/Thermoanalyse
thermobarometry/Thermobarometrie
thermochemical mixtures/Wärmemischungen
thermochemistry/Thermochemie
thermochromism/Thermochromie
thermocopy/Thermokopie
thermocracking/Thermocracken
thermodynamic efficiency/Thermodynamischer Wirkungsgrad
– systems/Thermodynamische Systeme
thermodynamics/Thermodynamik
thermoelastics/Thermoelaste
thermoelectricity/Thermoelektrizität
thermoelements/Thermoelemente
Thermofor process/Thermofor-Verfahren
thermography/Thermographie
thermogravimetry/Thermogravimetrie
thermoluminescence/Thermolumineszenz
thermolysin/Thermolysin
thermolysis/Thermolyse
thermomechanical analysis/Thermomechanische Analyse
thermometers/Thermometer
thermometric analysis/Thermometrie
– titration/Thermometrische Titration
thermonuclear reactions/Kernfusion
thermophilia/Thermophilie
thermoplastic elastomers/Thermoplastische Elastomere
thermoplastics/Elastoplaste, Thermoplaste
thermoprinter/Thermodrucker
Thermoselect process/Thermoselect-Verfahren
thermosets/Duroplaste
thermosetting plastics/Duroplaste
– reactive adhesives/Warmhärtende Reaktionsklebstoffe
Thermosol process/Thermosol-Verfahren

thermospray ionization/Thermospray-Ionisation
thermostable enzymes/Thermostabile Enzyme
thermostats/Thermostate
thermotolerant enzymes/Thermotolerante Enzyme
thermotropic polymers/Thermotrope Polymere
thermotropy/Thermotropie
thesaurus/Thesaurus
thesis/Dissertation
theta temperature/Theta-Temperatur
thexyl.../Thexyl...
thexylborane/Thexylboran
thi(a).../Thi(a)...
thiabendazol/Thiabendazol
thiadiazines/Thiadiazine
thiadiazoles/Thiadiazole
...thial/...thial
thiamazol/Thiamazol
thiamin(e)/Thiamin
– diphosphate/Thiamindiphosphat
thiamphenicol/Thiamphenicol
thiangazole/Thiangazol
thiazafluron/Thiazafluron
thiazides/Thiazide
thiazinamium metilsulfate/Thiazinamiummetilsulfat
thiazine dyes/Thiazin-Farbstoffe
thiazines/Thiazine
thiazole dyes/Thiazol-Farbstoffe
thiazoles/Thiazole
thiazolium salts/Thiazolium-Salze
1-(2-thiazolylazo)-2-naphtol/1-(2-Thiazolylazo)-2-naphthol
thiazopyr/Thiazopyr
thick oils/Dicköle
thickeners/Verdickungsmittel
thickening/Eindicken
– agents/Verdickungsmittel
thidiazuron/Thidiazuron
Thiel-Stoll solution/Thiel-Stoll-Lösung
Thiele modulus/Thiele-Modul
– -Winter reaction/Thiele-Winter-Reaktion
Thiele's reagent/Thieles Reagenz
thienamycins/Thienamycine
thieno.../Thieno...
thienyl.../Thienyl...
thiepins/Thiepine
thietanes/Thietane
thiethylperazine/Thiethylperazin
thifensulfuron-methyl/Thifensulfuron-methyl
thifluzamide/Thifluzamid
thiiranes/Thiirane
thimerfonate sodium/Natriumtimerfonat
thimerosal/Thiomersal
thin films/Dünne Schichten
– layer chromatography/Dünnschichtchromatographie
– polished sections/Dünnschliffe
– sheet/Feinblech
thio.../Thi(o)...
thio acids/Thiosäuren
5-thio-D-glucose/5-Thio-D-glucose
thioacetals/Thioacetale
thioacetamide/Thioacetamid
thioacetazone/Thioacetazon
thioacetic acid/Thioessigsäure
thioaldehydes/Thioaldehyde
thioamides/Thioamide
2-thiobarbituric acid/2-Thiobarbitursäure
thiobencarb/Thiobencarb
thiobios/Thiobios
thiobutabarbital/Thiobutabarbital
thiocarbamates/Thiocarbamate

thiocarbamoyl.../Thiocarbamoyl...
thiocarbonyl.../Thiocarbonyl...
thiocarboxy.../Thiocarboxy...
thiocarboxylic acids/Thiocarbonsäuren
thiocyanates/Thiocyanate
thiocyanato.../Thiocyanato...
thiocyanic acid/Thiocyansäure
thiocyclam hydrogen oxalate/Thiocyclam-Hydrogenoxalat
thiodi.../Thiodi...
2,2'-thiodiacetic acid/2,2'-Thiodiessigsäure
thiodicarb/Thiodicarb
2,2'-thiodiethanol/2,2'-Thiodiethanol
3,3'-thiodipropionic acid/3,3'-Thiodipropionsäure
thioethers/Thioether
thiofanox/Thiofanox
thioflavine/Thioflavin
thioformyl.../Thioformyl...
thioglycolic acid/Thioglykolsäure
thioglycols/Thioglykole
thioguanine/Tioguanin
thiohydroxamic acids/Thiohydroxamsäuren
thiohydroxylamine/Thiohydroxylamin
thioindigo/Thioindigo
thioketenes/Thioketene
thioketones/Thioketone
...thiol (a)/...thiol
thiolactames/Thiolactame
thiolactomycin/Thiolactomycin
thiolactones/Thiolactone
thiolates/Thiolate
thiolation/Thiolierung
...thiole (b)/...thiol
thiols/Thiole
thiomalic acid/Thioäpfelsäure
thiomarinols/Thiomarinole
thiomersalate/Thiomersal
thiometon/Thiometon
(R)-thiomorpholine-3-carboxilic acid/(R)-Thiomorpholin-3-carbonsäure
thionalide/Thionalid
...thione/...thion
thionin(e)/Thionine
thionyl.../Thionyl...
thionyl chloride/Thionylchlorid
– halides/Thionylhalogenide
thiopental sodium/Thiopental
thiophanate-methyl/Thiophanatmethyl
thiophene/Thiophen
thiopheno.../Thiopheno...
thiophenol/Thiophenol
thiophosgene/Thiophosgen
thiophosphates/Thiophosphate
thiophosphoric acid esters/Thiophosphorsäureester
thiophosphoryl.../Thiophosphoryl...
thioplastics/Thioplaste
thiopropazate/Thiopropazat
thioproperazine/Thioproperazin
thiopyran/Thiopyran
thioredoxins/Thioredoxine
thioridazine/Thioridazin
thiosemicarbazide/Thiosemicarbazid
thiosulfates/Thiosulfate
thiosulfonates/Thiosulfonate
thiosulfuric acid/Thioschwefelsäure
thiotepa/Thiotepa
thiothixene/Tiotixen
thiotropocin/Thiotropocin

English

2-thiouracil/2-Thiouracil
thiourea/Thioharnstoff
thioureido…/Thioureido…
thioxanthene dyes/Thioxanthen-Farbstoffe
thioxo…/Thioxo…
thiram/Thiram
third harmonic generation/Frequenzverdreifachung
thiurams/Thiurame
thixotropy/Thixotropie
Thomas balsam/Tolubalsam
– meal/Thomasmehl
– process/Thomas-Verfahren
Thomsen-Berthelot principle/Thomsen-Berthelot-Prinzip
thomsonite/Thomsonit
thorex process/Thorex-Verfahren
thortveitite/Thortveitit
Thoulet solution/Thoulets Lösung
thousand millions/Milliarde
thraustics/Thraustik
three-center bond/Dreizentrenbindung
– -dimensional polymers/Gitterpolymere
– -way catalytic converter/Dreiwege-Katalysator
threitol/Threit
threo-/threo-
L-threonine/L-Threonin
threose/Threose
threshold limit value/Grenzwerte
– value/Schwellenwert
thrombin/Thrombin
thrombocyten/Thrombocyten
thrombomodulin/Thrombomodulin
thrombophlebitis/Thrombophlebitis
thromboplastin/Thromboplastine
thrombopoietin/Thrombopoietin
thrombosis/Thrombose
thrombospondins/Thrombospondine
thromboxanes/Thromboxane
throughput/Durchsatz
thrush patches/Soor
thryptophytes/Tryptophyten
thucholite/Thucholith
thucolite/Thucholith
thuja oil/Thujaöl
thujane/Thujan
thujaplicins/Thujaplicine
thujone/Thujon
thulium/Thulium
thy-1 antigen/Thy-1-Antigen
thyme/Thymian
– oils/Thymianöle
thymidine/Thymidin
– phosphates/Thymidinphosphate
thymidylate synthase/Thymidylat-Synthase
thymine/Thymin
thym(o)…/Thym(o)…
thymocites/Thymocyten
thymol/Thymol
– blue/Thymolblau
thymoleptics/Thymoleptika
thymolphthalein/Thymolphthalein

thymopentin/Thymopentin
thymopoietin/Thymopoietin
thymosin/Thymosin
thymostimulin/Thymostimulin
thymot(in)ic acid/o-Thymotinsäure
thymoxamine/Moxisylyt
thymulin/Thymulin
thymus/Thymus
thyphoid fever/Typhus
thyristor/Thyristor
thyroglobulin/Thyroglobulin
thyroid gland/Schilddrüse
– hormones/Thyroid-Hormone
thyroliberin/Thyroliberin
thyronine/Thyronin
thyrotropin/Thyrotropin
L-thyroxine/L-Thyroxin
thyrsiferol/Thyrsiferol
ti-plasmids/Ti-Plasmide
ti(a)…/Ti(a)…
tiagabin/Tiagabin
tiamenidin/Tiamenidin
tiamulin/Tiamulin
tiapride/Tiaprid
tiaprofenic acid/Tiaprofensäure
tibi/Tibi
ticarcillin/Ticarcillin
tick/Zecken
ticks/Puffbohnen
ticlopidine/Ticlopidin
tidal flat /Watt
tiemannite/Tiemannit
tiemonium iodide/Tiemonium-iodid
Tiffeneau rearrangement/Tiffeneau-Umlagerung
TIG (Tungsten Inert Gas) Welding/WIG-Schweißen
tight junction/Tight junction
tiles/Fliesen, Ziegel
tilidine/Tilidin
tilorone/Tiloron
tiludronic acid/Tiludronsäure
time/Zeit
– constant/Zeitkonstante
– -resolved crystallography/Zeitaufgelöste Kristallographie
– resolved spectroscopy/Zeitaufgelöste Spektroskopie
timolol/Timolol
tin/Zinn
– alloys/Zinn-Legierungen
– chlorides/Zinnchloride
– fluorides/Zinnfluoride
– foil/Stanniol
– greasing emulsions/Trennemulsionen
– oxides/Zinnoxide
– plate/Weißblech
– plating/Verzinnen
– reduction/Zinn-Reduktion
– (II) sulfate/Zinn(II)-sulfat
– sulfides/Zinnsulfide
tinctures/Tinkturen
tinder/Zunder
tinidazole/Tinidazol
tinning/Verzinnen
tinzaparin sodium/Tinzaparin-Natrium
ti(o)…/Ti(o)…
tioconazole/Tioconazol
tiomesterone/Tiomesteron
tiopronin/Tiopronin
tiotixene/Tiotixen
tioxolone/Tioxolon
tipranavir/Tipranavir
tirandamycins/Tirandamycine
tire/Reifen
tirilazad/Tirilazad
tirofiban/Tirofiban
tiron/Tiron
tiropramide/Tiropramid

tissue/Gewebe
– culture/Gewebezüchtung
– factor/Tissue factor
– hormones/Gewebshormone
– plasminogen activator/Tissue Plasminogen Activator
Titan yellow/Titangelb
titanates/Titansäureester
titanates(IV)/Titanate(IV)
titanic acid esters/Titansäureester
titanite/Titanit
titanium/Titan
– -alloyed steel/Titan-Stahl
– alloys/Titan-Legierungen
– carbide/Titancarbid
– chlorides/Titanchloride
– diboride/Titandiborid
– dioxide/Titandioxid
– hydride/Titanhydrid
– nitride/Titannitrid
– sapphire laser/Titan-Saphir-Laser
– sulfates/Titansulfate
titanyl compounds/Titanyl-Verbindungen
titer/Titer (USA)
titin/Titin
titrant/Titrans
titration/Titration
titre/Titer (GB)
titrimetric standard substances/Urtitersubstanzen
tixocortol/Tixocortol
tizanidine/Tizanidin
tizera/Tizera
tjujamunite/Tjujamunit
TLV/TLV-Werte
toad poisons/Krötengifte
– toxins/Krötengifte
– venoms/Krötengifte
toadstools/Giftpilze
tobacco/Tabak
– alkaloids/Tabak-Alkaloide
– deterrents/Tabakentwöhnungsmittel
– mosaic virus/Tabakmosaikvirus
– seed oil/Tabaksamenöl
– smoke/Tabakrauch
tobermorite/Tobermorit
tobramycin/Tobramycin
TOC/TOC
tocainide/Tocainid
tocopherols/Tocopherole
todorokite/Todorokit
Toepfer's reagent/Töpfers Reagenz
toffees/Karamellen, Weichkaramellen
toilet cleaners/Sanitärreiniger
tokamak (reactor)/Tokamak
tokay (wines)/Tokayer
tolan/Tolan
tolazaline/Tolazolin
tolazamide/Tolazamid
tolbutamide/Tolbutamid
tolcapon/Tolcapon
tolciclate/Tolciclat
tolclofos-methyl/Tolclofos-methyl
tolerance/Toleranz
toliprolol/Toliprolol
Tollens' reagent/Tollens-Reagenz
tolmetin/Tolmetin
tolnaftate/Tolnaftat
tolperisone/Tolperison
tolpropamine/Tolpropamin
tolterodine/Tolterodin
tolu balsam/Tolubalsam
tolualdehydes/Tolualdehyde
toluene/Toluol
– diisocyanates/Toluoldiisocyanate
– -3,4-dithiol/Toluol-3,4-dithiol

toluenesulfonamides/Toluolsulfonamide
p-toluenesulfonic acid/p-Toluolsulfonsäure
p-toluenesulfonic hydrazide/p-Toluolsulfonsäurehydrazid
toluenesulfonyl…/Toluolsulfonyl…
toluenesulfonyl chlorides/Toluolsulfonylchloride
toluic acids/Toluylsäuren
…toluidide/…toluidid
toluidine blue O/Toluidinblau O
– red/Toluidinrot
toluidines/Toluidine
toluidino…/Toluidino…
tolunitriles/Tolunitrile
toluoyl…/Toluoyl…
toluyl…/Toluyl…
toluylene blue/Toluylenblau
tolycaine/Tolycain
tolyl…/Tolyl…
tolylene…/Tolylen…
tolylfluanid/Tolylfluanid
p-tolylsulfonylmethylisocyanide/p-Tolylsulfonylmethylisocyanid
tomatoes/Tomaten
tomography/Tomographie
toner/Toner
tonic water/Tonic Water
tonics/Tonika
toning/Tönung, Tonung
tonka beans/Tonkabohnen
tonsils/Mandeln
tooth cement/Zahnzement
top/Spinnband
– layer/Abraum, Deckschicht
topaz/Topas
…tope/…top
…topic/…top
topicity/Topizität
topiramate/Topiramat
topo…/Topo…
topochemical polymerization/Topochemische Polymerisation
topochemistry/Topochemie
topoisomerases/Topoisomerasen
topological polymers/Topologische Polymere
topology/Topologie
topomerization/Topomerisierung
topotecan/Topotecan
tor(a)semide/Torasemid
torbernite/Torbernit
toremifene/Toremifen
torpex/Torpex
torr/Torr
torrefying/Rösten
torsion pendulum/Torsionspendel
tortoise shell/Schildpatt
Torula/Torula
tosyl…/Tosyl…
total synthesis/Totalsynthese
totipotent cells/Totipotente Zellen
touchstone/Probierstein
toughness/Duktilität
tourmaline/Turmalin
tournant oils/Tournantöle
tower biology/Turmbiologie
– process/Turmverfahren
town gas/Stadtgas
toxaphene/Camphechlor
toxic/Giftig
– chemical agents/Kampfstoffe
– equivalent value/Toxizitätsäquivalent
– to reproduction/Fortpflanzungsgefährdend
– (toxicity) equivalency/Toxizitätsäquivalenzfaktor
toxicants/Gifte

toxicity/Toxizität
– to fish/Fischgiftigkeit
toxicology/Toxikologie
toxicols/Toxicole
toxiferine I/C-Toxiferin I
toxiferines/Toxiferine
toxins/Toxine
toxoflavin/Toxoflavin
toxoplasmosis/Toxoplasmose
toys/Spielwaren
trace analysis/Spurenanalyse
– elements/Spurenelemente
tracers/Tracer
trachytes/Trachyte
tractor fuels/Traktorenkraftstoffe
trade names/Handelsnamen
– union/Gewerkschaft, Industriegewerkschaft
traffic area/Verkehrsbereich
– paints/Straßenmarkierungsfarben
– route/Verkehrsweg
tragacanth gum/Tragant
train bearing metal/Bahnmetall
trajectory/Trajektorie
tralkoxydim/Tralkoxydim
tralomethrin/Tralomethrin
tramadol/Tramadol
tramazoline/Tramazolin
trandolapril/Trandolapril
tranduction/Transduktion
tranexamic acid/Tranexamsäure
tranquil(l)izers/Tranquilizer
trans-/trans-
trans-1,5-polypentenamer/Trans-1,5-polypentenamer
transactin(o)ides/Transactinoide
transacylases/Transacylasen
transaldolase/Transaldolase
transaminases/Transaminasen
transamination/Transaminierung
transannular/Transannular
– polymerisation/Transannulare Polymerisation
– strain/Transannulare Spannung
transboundary movements of wastes/Abfallverbringung
transcription/Transkription
– factors/Transkriptionsfaktoren
transcriptional map/Transkriptionskarte
transcrystallization/Transkristallisation
transducin/Transducin
transesterification/Umesterung
transfer/Transfer
– mo[u]lding/Spritzpressen
– ribonucleic acids/Transfer-Ribonucleinsäuren
transferases/Transferasen
transferrin/Transferrin
transfluthrin/Transfluthrin
transform process/Umform-Verfahren
transformation/Transformation, Umwandlung
– hardening/Umwandlungshärtung
– temperature/Umwandlungstemperatur
– (transition) points/Umwandlungspunkte
transforming growth factors/Transformierende Wachstumsfaktoren
transgenic organisms/Transgene Organismen
transient/Transient
– expression/Transiente Expression
transients/Intermediäre Verbindungen
transistor/Transistor

transit physician/Durchgangsarzt
transition/Transition, Umwandlung
– metal complexes/Übergangsmetall-Komplexe
– metals/Übergangsmetalle
– moment/Übergangsmatrixelement
– probability/Übergangswahrscheinlichkeit
– state/Übergangszustand
transketolase/Transketolase
translation/Translation
translucent soaps/Transparentseifen
transmembrane proteins/Transmembranproteine
transmetallation/Transmetallierung
transmission/Transmission
transmutation/Transmutation
transparency/Transparenz
transparent man/Gläserner Mensch
– soaps/Transparentseifen
transpeptidases/Transpeptidasen
transport/Transport, Überführung
– number/Überführungszahl
– reactions/Transport-Reaktionen
– regulations/Transportbestimmungen
transposable elements/Transponierbare Elemente
transposon/Transposon
– mutagenesis/Transposon-Mutagenese
transuranium elements/Transurane
transversion/Transversion
transylidation/Umylidierung
tranylcypromine/Tranylcypromin
trap/Kühlfalle
trapidil/Trapidil
trass/Traß
– cement/Traß-Zement
trastuzumab/Trastuzumab
Traube synthesis/Traube-Synthese
Traube's rule/Traube-Regel
traumatic acid/Traumatinsäure
trazodone/Trazodon
treatises/Handbücher
treatment/Aufbereitung
trefoil proteins/Kleeblatt-Proteine
trehalose/Trehalose
trehalostatin/Trehalostatin
Treibs reaction/Treibs-Reaktion
trematodes/Trematoden
tremolite/Tremolit
tren/tren
trenbolone/Trenbolon
treosulfan/Treosulfan
trestatins/Trestatine
tretamine/Tretamin
tretinoin/Tretinoin
tri…/Tri…
2,4,6-tri(2-pyridyl)-1,3,5-triazine/2,4,6-Tri(2-pyridyl)-1,3,5-triazin
triacetate/Triacetat
1,1,1-triacetoxy-1,1-dihydro-1,2-benziodoxol-3(1H)-one/1,1,1-Triacetoxy-1,1-dihydro-1,2-benziodoxol-3(1H)-on
triacetyldiphenolisatin/Triacetyldiphenolisatin
triacont(a)…/Triacont(a)…
triacontanoic acid/Triacontansäure
1-triacontanol/1-Triacontanol
triacsins/Triacsine
triad/Triade
triadimefon/Triadimefon
triadimenol/Triadimenol

triage coffee/Triage-Kaffee
trialkylamines/Trialkylamine
triallat/Triallat
triallyl cyanurate/Triallylcyanurat
triamcinolone/Triamcinolon
triamterene/Triamteren
triangle acid/Dreiecksäure
triangulo-/triangulo-
triapenthenol/Triapenthenol
triarylmethane dyes/Triarylmethan-Farbstoffe
triasterane/Triasteran
triasulfuron/Triasulfuron
triazamate/Triazamat
triazenes/Triazene
triazine polymers/Triazin-Polymere
– resins/Triazin-Harze
triazines/Triazine
triaziquone/Triaziquon
triazolam/Triazolam
triazoles/Triazole
triazolines/Triazoline
triazones/Triazone
triazophos/Triazophos
triazoxide/Triazoxid
tribenoside/Tribenosid
tribenuron-methyl/Tribenuron-methyl
tribenzylamine/Tribenzylamin
triblock copolymers/Triblock-Copolymere
tribochemistry/Tribochemie
tribocorrosion/Schwingungsverschleiß
triboelectricity/Triboelektrizität
tribology/Tribologie
triboluminescence/Triboluminescenz
2,4,6-tribromophenol/2,4,6-Tribromphenol
tribromsalan/Tribromsalan
tributyl phosphate/Tributylphosphat
S,S,S-tributyl phosphorotrithioate/S,S,S-Tributyltrithiophosphat
tributylaluminium/Tributylaluminium
tributylamine/Tributylamin
tributyrin/Tributyrin
tricarboxylic acids/Tricarbonsäuren
trichion/Trichion
trichlorfon/Trichlorfon
trichlormethiazide/Trichlormethiazid
N,2,6-trichloro-1,4-benzoquinone-4-imine/N,2,6-Trichlor-1,4-benzochinon-4-imin
1,1,1-trichloro-2-methyl-2-propanol/1,1,1-Trichlor-2-methyl-2-propanol
trichloroacetic acid/Trichloressigsäure
trichlorobenzenes/Trichlorbenzole
trichloroethanes/Trichlorethane
2,2,2-trichloroethanol/2,2,2-Trichlorethanol
trichloroethylene/Trichlorethylen
trichloroisocyanuric acid/Trichlorisocyanursäure
trichloromethanesulfenyl chloride/Trichlormethansulfenylchlorid
trichlorophenols/Trichlorphenole
1,2,3-trichloropropane/1,2,3-Trichlorpropan
tricho…/Trich(o)…
trichochromes/Trichochrome
trichodiene/Trichodien
tricholomic acid/Tricholomsäure
trichomonades/Trichomonaden

trichophytes/Trichophyten
trichorovins/Trichorovine
trichosanthin/Trichosanthin
trichostatin/Trichostatine
trichothecenes/Trichothecene
tricine/Tricin
trickling film reactor/Rieselfilmreaktor
– (sprinkling, percolating) filter/Tropfkörper
triclocarban/Triclocarban
triclophenidin/Trichlophenidin
triclopyr/Triclopyr
triclosan/Triclosan
tricos(a)…/Tricos(a)…
tricosane/Tricosan
tricresyl phosphate/Trikresylphosphat
tricyclazole/Tricyclazol
tricyclene/Tricyclen
tricyclic compounds/Tricyclische Verbindungen
tricyclics/Tricyclen
tricyclo[…]…/Tricyclo[…]…
tridec(a)…/Tridec(a)…
tridecanal/Tridecanal
tridecane/Tridecan
1-tridecanol/1-Tridecanol
tridecyl…/Tridecyl…
tridemorph/Tridemorph
tridentatols/Tridentatole
tridentoquinone/Tridentochinon
tridymite/Tridymit
trienes/Triene
trietazine/Trietazin
triethyl phosphate/Triethylphosphat
– phosphite/Triethylphosphit
triethylamine/Triethylamin
triethylene glycol/Triethylenglykol
triethylenetetramine/Triethylentetramin
trieur/Trieur
triflic acid/Trifluormethansulfonsäure
triflumizole/Triflumizol
triflumuron/Triflumuron
trifluoperazine/Trifluoperazin
4,4,4-trifluoro-1-(2-thienyl)-1,3-butanedione/4,4,4-Trifluor-1-(2-thienyl)-1,3-butan-dion
trifluoroacetic acid/Trifluoressigsäure
– anhydride/Trifluoressigsäureanhydrid
trifluoroacetyl…/Trifluoracetyl…
trifluoromethanesulfonic acid/Trifluormethansulfonsäure
trifluoromethyl(…)/Trifluormethyl(…)
trifluperidol/Trifluperidol
triflupromazine/Triflupromazin
trifluralin/Trifluralin
trifluridine/Trifluridin
triflusulfuron-methyl/Triflusulfuron-methyl
triforine/Triforin
triglycerides/Triglyceride
triglycin salts/Triglycin-Salze
trigonelline/Trigonellin
trihexyphenidyl/Trihexyphenidyl
3,3′,5-triiodo-L-thyronine/3,3′,5-Triiod-L-thyronin
trillion (b)/Trillion
trillo/Trillo
trimazosin/Trimazosin
trimellitic acid/Trimellit(h)säure
– anhydride/Trimellit(h)säureanhydrid
trimeric acids/Trimersäuren
trimerization/Trimerisation
trimesic acid/Trimesinsäure

trimethadione/Trimethadion
trimethoprim/Trimethoprim
3,4,5-trimethoxybenzaldehyde/3,4,5-Trimethoxybenzaldehyd
– -trimethoxyphenyl…/3,4,5-Trimethoxyphenyl…
2,2,4-trimethyl-1,3-pentanediol/2,2,4-Trimethyl-1,3-pentandiol
2,4,4-trimethyl-1-pentene/2,4,4-Trimethyl-1-penten
trimethyl phosphate/Trimethylphosphat
– phosphite/Trimethylphosphit
trimethylamine/Trimethylamin
trimethylbenzenes/Trimethylbenzole
2,2,3-trimethylbutane/2,2,3-Trimethylbutan
trimethylene…/Trimethylen…
trimethylenmethane/Trimethylenmethan
trimethylolethane/Trimethylolethan
trimethylolpropane/Trimethylolpropan
– trinitrate/Trimethylolpropantrinitrat
trimethylsilyl/Trimethylsilyl…
– azide/Trimethylsilylazid
1-(trimethylsilyl)-1H-imidazole/1-(Trimethylsilyl)-1H-imidazol
trimetozine/Trimetozin
trimetrexate/Trimetrexat
trimipramine/Trimipramin
trinexapac-ethyl/Trinexapac-ethyl
2,4,6-trinitro-m-cresol/2,4,6-Trinitro-m-kresol
1,3,5-trinitrobenzene/1,3,5-Trinitrobenzol
2,4,6-trinitrotoluene/2,4,6-Trinitrotoluol
…triol/…triol
triolein/Triolein
triose-phosphate isomerase/Triosephosphat-Isomerase
– reductone/Trioseredukton
trioses/Triosen
1,3,5-trioxane/1,3,5-Trioxan
tripalmitin/Tripalmitin
tripelennamine/Tripelennamin
tripeptides/Tripeptide
2,3,5-triphenyl-2H-tetrazolium chloride/2,3,5-Triphenyl-2H-tetrazoliumchlorid
triphenyl phosphate/Triphenylphosphat
– phosphite/Triphenylphosphit
triphenylamine/Triphenylamin
triphenylene/Triphenylen
triphenylmethane/Triphenylmethan
triphenylmethanol/Triphenylmethanol
triphenylmethyl/Triphenylmethyl
triphenylphosphane/Triphenylphosphan
triphenylphosphonium iodide/(Methylphenylamino)triphenylphosphoniumiodid
triphosphates/Triphosphate
triphyline/Triphylin
triphylite/Triphylin
triple bond/Dreifachbindung
– point/Tripelpunkt
– salts/Tripelsalze
triplet/Triplett
– oxygen/Triplett-Sauerstoff
triplite/Triplit
tripod/Dreifuß
tripoli/Tripel

triprolidine/Triprolidin
tripton/Tripton
triptorelin/Triptorelin
triptycene/Triptycen
triptyl…/Triptyl…
triquinanes/Triquinane
tris…/Tris…
tris(2-chloroethyl)-amine/Tris(2-chloroethyl)-amin
tris(2,3-dibromopropyl)-phosphate/Tris(2,3-dibrompropyl)-phosphat
trisaccharides/Trisaccharide
trishomobenzenes/Trishomobenzole
tris(nonylphenyl) phosphite/Tris(nonylphenyl)-phosphit
trisodium hydrogen pyrophosphate/Trinatriumhydrogendiphosphat
trisomy/Trisomie
tristearin/Tristearin
triterpene saponins/Triterpen-Saponine
triterpenes/Triterpene
trithianes/Trithiane
trithiocarbonic acid/Trithiokohlensäure
trithiones/Trithione
trithionic acid/Trithionsäure
tritiated compounds/Tritiierte Verbindungen
triticale/Triticale
triticenes/Triticene
triticonazole/Triticonazol
triticones/Triticone
tritium/Tritium
– method/Tritium-Methode
tritonation/Tritonierung
tritoqualine/Tritoqualin
trituration/Trituration
trityl(…)/Trityl(…)
trivial names/Trivialnamen
Troeger's base/Tröger-Base
trofosfamide/Trofosfamid
troglitazone/Troglitazon
troilite/Troilit
troleandomycin/Troleandomycin
trolnitrate/Trolnitrat
tromantadin/Tromantadin
trometamol/Trometamol
Trommer test/Trommer-Test
trona/Trona
troostite/Troostit
trop…/Trop…
tropaeolin/Tropäolin
tropalpin/Tropalpin
tropane alkaloids/Tropan-Alkaloide
3α-tropanol/3α-Tropanol
tropenziline bromide/Tropenzilinbromid
…trophic/…troph
tropholytic layer/Zehrschicht
trophophase/Trophophase
…tropic/…trop
tropic acid/Tropasäure
– diseases/Tropenkrankheiten
tropicamide/Tropicamid
…tropin/…tropin
tropisetron/Tropisetron
…tropism/…tropismus
α-tropolone/α-Tropolon
tropomyosin/Tropomyosin
troponin/Troponin
tropylium/Tropylium
trospium chloride/Trospiumchlorid
trovafloxacin/Trovafloxacin
troxerutin/Troxerutin
truffle/Trüffel
truth drugs/Geständnismittel
truxillic and truxinic acids/Truxillsäuren u. Truxinsäuren

trypanosomes/Trypanosomen
trypanosomiasis/Schlafkrankheit
tryparsamide/Tryparsamid
tryprostatins/Tryprostatine
trypsin/Trypsin
trypsinogen/Trypsinogen
tryptamine/Tryptamin
tryptophan/Tryptophan
tryptophanase/Tryptophanase
Tsuji-Trost reaction/Tsuji-Trost-Reaktion
T-2-toxin/T-2-Toxin
tuaminoheptane/Tuaminoheptan
tube cleaning agents/Rohrreinigungsmittel
– furnaces/Rohröfen
tuberculin/Tuberkulin
tuberculination/Tuberkulin-Test
tuberculosis/Tuberkulose
tuberculostatics/Tuberkulostatika
tuberin(e)/Tuberin
tuberose/Tuberose
tubes/Rohre, Tuben
tubocurarine/Tubocurarin
tubulin/Tubulin
tubulysins/Tubulysine
tucum oil/Tucumöl
tuff/Tuffe
tuftsin/Tuftsin
tulobuterol/Tulobuterol
tumble centrifuge/Taumelzentrifuge
tumbler plunger pump/Taumelkolbenpumpe
tumor/Tumore(n)
– antigens/Tumor-Antigene
– markers/Tumormarker
– necrosis factor/Tumornekrose-Faktor
– suppressor genes/Tumor-Suppressor-Gene
tuneable laser/Durchstimmbarer Laser
tung oil/Holzöl, Tungöl
– oils/Standöle
tungsten/Wolfram
– bronzes/Wolframbronzen
– carbides/Wolframcarbide
– chlorides/Wolframchloride
– hexacarbonyl/Wolframhexacarbonyl
– oxides/Wolframoxide
– silicide/Wolframsilicid
– sulfides/Wolframsulfide
tungstenates/Wolframate
tungstene group metals/Wolframmetalle
– hexafluoride/Wolframhexafluorid
tungstic acid/Wolframsäure
– ochre/Wolframocker
tungstophosphoric acid/12-Wolframatophosphorsäure
tunicamycins/Tunicamycine
tunicate/Tunicate
tunichlorin/Tunichlorin
tunichromes/Tunichrome
tunicin/Tunicin
tunnel-cap tray/Tunnelböden
– effect/Tunneleffekt
– kiln/Tunnelöfen
tunneling/Tunneleffekt
– microscope/Tunnelmikroskop
tunnelling spectroscopy/Tunnelspektroskopie
turanose/Turanose
turbidimetric titration/Trübungstitration
turbidimetry/Trübungsmessung
turbidites/Turbidite
turbidostate/Turbidostat
turbine compressor/Turbinenverdichter

– oil/Turbinenöle
turbo molecular pump/Turbomolekularpumpe
turbulence/Turbulenz
– chamber/Wirbelkammer
turbulent flow/Turbulente Strömung
turgor/Turgor
turgorins/Turgorine
Turkey red oil/Türkischrotöl
turkish delight/Türkischer Honig
turmeric/Curcuma
turmerone/Turmeron
Turnbull's blue/Turnbulls Blau
turnover/Umsatz
turnstile processes/Turnstile-Prozesse
turpentine/Terpentin, Terpentinöl
– substitutes/Terpentinöl-Ersatz
turquois(e)/Türkis
tutin/Tutin
Tutton's salts/Tutton-Salze
TWA/TWA
twin lamella (lamina)/Zwillingslamellen
twine/Zwirn
twinning/Zwillinge
twins/Zwillinge
twist/Zwirn
– form/Twistform
twistane/Twistan
Twitchell splitting/Twitchell-Spaltung
twitchin/Twitchin
two-component adhesives/Zweikomponentenklebstoffe
– -film theory/Zweifilmmodell
– -package adhesives/Zweikomponentenklebstoffe
– -phase nozzles/Zweistoffdüse
– -phase printing process/Zweiphasendruck
– -phase titration/Zweiphasen-Titration
– step controller/Zweipunktregler
tylophora alkaloids/Tylophora-Alkaloide
tylosin/Tylosin
tyloxapol/Tyloxapol
type clean(s)ers/Typenreiniger
– metal/Letternmetall
tyramine/Tyramin
tyratron/Thyratron
tyre/Reifen
Tyrian purple/Purpur
tyrocidines/Tyrocidine
Tyrode solution/Tyrode-Lösung
tyromycin A/Tyromycin A
tyrosinase/Tyrosinase
tyrosine/Tyrosin
tyrothricine/Tyrothricin
tysonite/Tysonit
tyuyamunite/Tjujamunit

U

U 106305/U 106305
ubiquinones/Ubichinone
ubiquitin/Ubiquitin
Udex process/Udex®-Verfahren
UF foams/UF-Schäume
Ufa processes/Ufa-Verfahren
Uffelmann('s) reagent/Uffelmann-Reagenz
Ugi four-component condensation/Ugi-Vierkomponenten-Reaktion
UHF burner/UHF-Brenner
UHT milk/H-Milch
UK-Wesseling process/UK-Wesseling-Verfahren
ulapualides/Ulapualide
ulcer/Ulcus, ulcera
ulcus/Ulcus, ulcera

English

ulexite/Ulexit
ulicyclamide/Ulicyclamid
Ullmann reaction/Ullmann-Reaktion
– tube/Ullmann-Rohr
ullmannite/Ullmannit
…ulose/…ulose
ultimate disposal/Endlagerung
ultra sound motor/Ultraschallmotor
ultracentrifuges/Ultrazentrifugen
ultrafiltration/Ultrafiltration
ultrafine (aerosol) particles/Ultrafeine (Aerosol-)Teilchen
ultrahigh heated milk/H-Milch
ultramarines/Ultramarine
ultramicroanalysis/Ultramikroanalyse
ultramicroscope/Ultramikroskop
ultrasonic chemistry/Ultraschallchemie
ultrasonics/Ultraschall
ultrasound/Ultraschall
ultraviolet radiation/Ultraviolettstrahlung
umami/Umami
umbelliferae/Umbelliferae
umbelliferone/Umbelliferon
umber/Umbra
umpire test specimen/Schiedsprobe
umpolung/Umpolung
un…/Un…
uncertainty relation (principle)/Unschärfebeziehung
uncoupling protein/Entkoppler-Protein
undec(a)…/Undec(a)…
undecanal/Undecanal
undecane/Undecan
undecanoic acid/Undecansäure
2-undecanone/2-Undecanon
10-undecenal/10-Undecenal
10-undecenoic acid/10-Undecensäure
undecyl…/Undecyl…
undercooling/Unterkühlung
underground disposal/Untertage-Deponierung
– disposal facility/Untertage-Deponie
– water/Grundwasser
unfermented juice of grapes/Maische
– sweetened fruit juice/Süßmost
unhealthy substances/Gesundheitsschädliche Stoffe
unicellular organisms/Einzeller
unified numbering system/Unified Numbering System
unimolecular reactions/Unimolekulare Reaktionen
union dyes/Halbwoll-Farbstoffe
unions/Halbwolle
uniport/Uniport
unitary transformation/Unitäre Transformation
unitiol/Unitiol
units/Einheiten
univalent/Univalent
universal calibration/Universelle Kalibrierung
– Decimal Classification/Dezimalklassifikation
– indicators/Universalindikatoren
universities/Hochschulen
unmalted grain/Rohfrucht
unperturbed dimensions/Ungestörte Dimensionen
unsaponifiable/Unverseifbares
unsaturated/Ungesättigt

– polyester resins/Ungesättigte Polyester-Harze
– polyesters/Ungesättigte Polyester
upas/Upas
uperization/Uperisation
uperolein/Uperolein
uptake/Aufziehen
uracil/Uracil
uramil/Uramil
uranates(VI)/Uranate(VI)
uraninite/Uranpecherz
uranium/Uran
– fluorides/Uranfluoride
– lead/Uranblei
– micas/Uranglimmer
– oxides/Uranoxide
uranocircite/Uranocircit
uranophane/Uranophan
uranyl compounds/Uranyl-Verbindungen
urao/Trona
urapidil/Urapidil
urban waste/Siedlungsabfälle
urdamycins/Urdamycine
urea/Harnstoff
– cycle/Harnstoff-Cyclus
– melamine formaldehyde resins/Melamin-Harnstoff-Formaldehyd-Harze
– nitrate/Harnstoffnitrat
– phosphate/Harnstoffphosphat
– polymers/Harnstoff-Polymere
– resins/Harnstoff-Harze
urease/Urease
ureides/Ureide
ureido…/Ureido…
ureines/Ureine
urémie/Urämie
urena/Urena
ureotely/Ureotelie
urethan/Urethan
urethan(e)s/Urethane
ureylene…/Ureylen…
uric acid/Harnsäure
uricase/Uricase
uricostatics/Urikostatika
uricosuric agents/Urikosurika
uricotely/Urikotelie
uridine/Uridin
– phosphates/Uridinphosphate
urinary calculi/Harnsteine
urine/Harn
urobilin/Urobilin
urocanase/Urocanase
urocanic acid/Urocansäure
urocortin/Urocortin
urofollitrophin/Urofollitropin
urogonadotropin/Urogonadotropin
uroguanylin/Uroguanylin
urokinase/Urokinase
urological preparations/Urologika
uronic acids/Uronsäuren
uronium salts/Uronium-Salze
uroporphyrins/Uroporphyrine
ursane/Ursan
ursodeoxycholic acid/Ursodeoxycholsäure
ursolic acid/Ursolsäure
urticaria/Nesselfieber
Urushibara catalysts/Urushibara-Katalysatoren
urushiols/Urushiole
usage/Verwenden
used accumulator/Altbatterie
– oil/Altöl
– tyres/Altreifen
usnic acid/Usninsäure
uteoferrin/Uteroferrin
uteroglobin/Uteroglobin
utilisation of waters/Gewässer(be)nutzung

utility model/Gebrauchsmuster
U-tube manometer/U-Rohrmanometer
UV absorbers/Lichtschutzmittel, UV-Absorber
– curing/UV-Härtung
– fluorescent table or transmitted light lamp/Transilluminatoren
– laser/UV-Laser
– spectroscopy/UV-Spektroskopie
uzarin/Uzarin

V

vaccenic acid/Vaccensäure
vaccine/Vaccine
vaccines/Impfstoffe
vaccinia virus growth factor/Vakzinevirus-Wachstumsfaktor
vacuum/Vakuum
– technology/Vakuumtechnik
– tubes/Vakuum-Röhren
valaciclovir/Valaciclovir
valacyclovir/Valacyclovir
valanimycin/Valanimycin
valence/Valenz, Wertigkeit
– bond method/Valence-Bond-Methode
– crystal/Valenzkristalle
– electrons/Valenzelektronen
– isomerism/Valenzisomerie
– isomerization/Valenzisomerisierung
– state/Valenzzustand
valencene/Valencen
valency/Valenz, Wertigkeit
valentinite/Valentinit
valepotriates/Valepotriate
valerian/Baldrian
– oil/Baldrianöl
valeric acid/Valeriansäure
valeryl…/Valeryl…
valethamate bromide/Valethamatbromid
validamycins/Validamycine
validation/Validierung
valienamine/Valienamin
valilactone/Valilacton
valine/Valin
valinomycin/Valinomycin
valleriite/Valleriit
valonia/Valonea
valproic acid/Valproinsäure
valsartan/Valsartan
valuable substance/Wertstoff
valve tray/Ventilböden
valves/Ventile
vamidothion/Vamidothion
Van de Graaff generator/Van-de-Graaff-Generator
Van der Waals constants/Van-der-Waals-Konstanten
Van der Waals equation/Van-der-Waals-Gleichung
Van Slyke method/Van-Slyke-Methode, Van-Slyke-Methode
Van Urk reaction/Van-Urk-Reaktion
Van Vleck paramagnetism/Van-Vleck-Paramagnetismus
vanadates(V)/Vanadate(V)
vanadinite/Vanadinit
vanadium/Vanadium
– chlorides/Vanadiumchloride
– oxide chlorides/Vanadiumoxidchloride
– oxides/Vanadiumoxide
– steel/Vanadium-Stähle
vancomycin/Vancomycin
vanilla/Vanille
vanillic acid/Vanillinsäure
vanillin/Vanillin
vanilloid receptors/Vanilloid-Rezeptor

vanilloyl…/Vanilloyl…
vanillyl…/Vanillyl…
Van't Hoff equation/Van't-Hoff-Gleichung
– law/Van't-Hoff-Regel
vapor deposition/Aufdampfen
– splitting/Dampfspaltung
vaporization/Eindampfen
vaporizing/Verdampfung
vapo(u)r/Dampf
– bath/Dampfbad
– pressure/Dampfdruck
varacin/Varacin
variabilin(e)/Variabilin
variable regions/Variable Regionen
varices/Varizen
variegatic acid/Variegatsäure
variscite/Variscit
varnish/Glasieren
varnishes/Firnisse
Varrentrapp reaction/Varrentrapp-Reaktion
vascular endothelial growth factor/Vaskulär-endothelialer Wachstumsfaktor
vasectomy/Vasektomie
vaseline/Vaselin(e)
Vaska compounds/Vaska-Verbindungen
vasoactive intestinal (poly)peptide/Vasoaktives intestinales (Poly-)Peptid
vasoconstrictors/Vasokonstriktoren
vasodilators/Vasodilatatoren
vasopressin/Vasopressin
vat/Küpe
– dyeing/Küpenfärberei
– dyes/Küpenfarbstoffe
vaterite/Vaterit
VCI/VPI
vector computer/Vektorrechner
– model/Vektormodell
vectors/Vektoren
vecuronium bromide/Vecuroniumbromid
vegetable black/Rebenschwarz
– fibers/Pflanzenfasern
– poisons/Pflanzengifte
vegetables/Gemüse
vegetation/Vegetation
vegetative propagation/Vegetative Vermehrung
vehicle exhaust fumes/Kraftfahrzeugabgase
velleral/Velleral
velocity of light/Lichtgeschwindigkeit
velour(s)/Velours
velutinal/Velutinal
velvet/Samt
veneer glues/Furnierleime
venereal disease/Geschlechtskrankheiten
venlafaxine/Venlafaxin
ventilation/Lüftung
ventilators/Ventilatoren
Venturi scrubbers/Venturi-Wäscher
– tube/Venturi-Düse
verapamil/Verapamil
veratraldehyde/Veratrumaldehyd
veratroyl…/Veratroyl…
veratrum steroid alkaloids/Veratrum-Steroidalkaloide
veratryl…/Veratryl…
verbascum flowers/Wollblumen
verbena (vervain) oil/Verbenaöl
verbenol/Verbenol
verdazyls/Verdazyle
Verdet's constant/Verdet-Konstante
verdigris/Grünspan

English

vermeil/Vermeil
vermiculite/Vermiculit
vermouth/Vermouth
vernal pheasant's eye/Adonisröschen
Verneuil process/Verneuil-Verfahren
Vernier phases/Vernier-Phasen
vernolate/Vernolat
vernolepin/Vernolepin
vernolic acid/Vernolsäure
Verona yellow/Veroneser Gelb
verotoxins/Verotoxine
verrucarins/Verrucarine
verruculotoxin/Verruculotoxin
versamids/Versamide
vertebrates/Vertebraten
vervain/Eisenkraut
Vervens' reagent/Vervens-Reagenz
very late(-appearing) antigens/Very late(-appearing) antigens
vesicants/Vesikantien
vesicles/Vesikeln
vesicular film/Vesikularfilm
vesparione/Vesparion
vessels/Behälter
vesuvianite/Vesuvian
vesuvine brown/Vesuvin
vetches/Wicken
vetiver oil/Vetiveröl
vetrabutine/Vetrabutin
Vi antigen/Vi-Kapselpolysaccharid typhi
– capsular polysaccharide/Vi-Kapselpolysaccharid typhi
viability/Keimfähigkeit
vibration/Schwingung
– -rotation spectrum/Rotationsschwingungsspektrum
vibrational quantum numbers/Schwingungsquantenzahlen
– spectra/Schwingungsspektren
– spectroscopy/Schwingungsspektroskopie
– term energy/Schwingungstermenergie
viburnols/Viburnole
vic-/vic-
vicilin/Vicilin
vicine/Vicin
Vickers hardness/Vickers-Härte
Victoria blue/Viktoriablau
– dyes/Viktoria-Farbstoffe
vicuña wool/Vikunjawolle
vigabatrin/Vigabatrin
Vigoureux printing/Vigoureux-Druck
villin/Villin
viloxazine/Viloxazin
Vilsmeier-Haack reaction/Vilsmeier-Haack-Reaktion
– reagent/Vilsmeier-Reagenz
vimentin/Vimentin
vinal fibers/Vinal-Fasern
vinamidines/Vinamidine
vinblastine/Vinblastin
vinca alkaloids/Vinca-Alkaloide
vincamine/Vincamin
vincarubine/Vincarubin
vinclozolin/Vinclozolin
vincristine/Vincristin
vinculin/Vinculin
vindesine/Vindesin
vindoline/Vindolin
vine black/Rebenschwarz
vinegar/Essig
– production/Essig-Produktion
vinigrol/Vinigrol
vinorelbine/Vinorelbin
vinpocetine/Vinpocetin
vinyl…/Vinyl…

vinyl acetate/Essigsäurevinylester
– alcohol/Vinylalkohol
– bromide/Vinylbromid
– chloride/Vinylchlorid
– ester polymers/Vinylester-Polymere
– ester resins/Vinylester-Harze
– esters/Vinylester
– ethers/Vinylether
– ketone polymers/Polyvinylketone
– ketones/Vinylketone
– monomers/Vinylmonomere
– polymers/Vinylpolymere
1-vinyl-2-pyrrolid(in)one/1-Vinyl-2-pyrrolid(in)on
vinylacetate polymers/Vinylacetat-Polymere
vinylacetylene/1-Buten-3-in
vinylal fibers/Vinylal-Fasern
vinylamine polymers/Vinylamin-Polymere
vinylation/Vinylierung
vinylbital/Vinylbital
9-vinylcarbazole/9-Vinylcarbazol
vinylene…/Vinylen…
4-vinylguaiacol/4-Vinylguajacol
vinylidene…/Vinyliden…
vinylogous/Vinylog
vinylon fibers/Vinylon-Fasern
4-vinylphenol polymers/Poly(4-vinylphenol)e
vinylpyridine polymers/Vinylpyridin-Polymere
vinylpyridines/Vinylpyridine
vinylsulfone dyes/Vinylsulfon-Farbstoffe
vinylsulfonic acid/Vinylsulfonsäure
vinyltoluenes/Vinyltoluole
vinyon/Vinyon
violacein/Violacein
violanin/Violanin
violation of regulations/Ordnungswidrigkeit
violaxanthin/Violaxanthin
violeo salts/Violeosalze
violet/Veilchen
viologene/Viologene
violuric acid/Violursäure
viomycin/Viomycin
viquidil/Viquidil
virgin wool/Schurwolle
virginiamycins/Virginiamycine
virial coefficients/Virialkoeffizienten
– theorem/Virialsatz
viridicatumtoxin/Viridicatumtoxin
viridin/Viridin
virology/Virologie
virostatics/Virostatika
virotoxins/Virotoxine
virucides/Viruzide
viruses/Viren
visamminol/Visamminol
viscoelasticity/Viskoelastizität
viscoplasticity/Viskoplastizität
viscose/Viskose
– fibers/Viskose-Fasern
visco(si)metry/Viskosimetrie
viscosity/Viskosität
viscotoxin/Viscotoxin
viscous/Viskos
visnadin/Visnadin
vital staining/Vitalfärbung
Vitali's reaction/Vitali-Reaktion
vitamins/Vitamine
vitellin/Vitellin
vitiligo/Vitiligo
vitispiranes/Vitispirane
vitreous silica/Quarzglas
– state/Glaszustand

vitriols/Vitriole
vitroids/Vitroide
vitronectin/Vitronectin
vivianite/Vivianit
VOC/VOC
vocabularies/Wörterbücher
vodka/Wodka
Voigt model/Voigt-Kelvin-Modell
volatile anaesthetics/Inhalationsnarkotika
volatility/Flüchtigkeit, Volalität
volborthite/Volborthit
volcanic rocks/Vulkanite
– scoriae/Schlacke
volcanism/Vulkanismus
volcanoes/Vulkane
volt/Volt
voltametry/Voltametrie
voltammetry/Voltammetrie
Volterra equation/Volterra-Gleichung
volume/Volumen
– aerator/Volumenbelüfter
volumetric analysis/Maßanalyse
– precipitation analysis/Fällungsanalyse
volutin/Volutin
von Heyden process/Von-Heyden-Verfahren
von Willebrand factor/Von-Willebrand-Faktor
vorozole/Vorozol
vortex tube/Wirbelrohr
VPI/VPI
VSEPR/VSEPR
vulcan fast yellow/Vulkanechtgelb
vulcanites/Vulkanite
vulcanizate/Vulkanisat
vulcanization/Vulkanisation
– agents/Vulkanisationsmittel
vulcanized fiber/Vulkanfiber
vulgamycin/Vulgamycin
vulp(in)ic acid/Vulpinsäure

W

Wackenroder's solution/Wackenroder-Lösung
Wacker processes/Wacker-Verfahren
Wadden Sea/Watt
wad(ding)/Watte
Wade rules/Wade-Regeln
wafers/Oblaten
waggle dance/Schwänzeltanz
Wagner-Meerwein rearrangement/Wagner-Meerwein-Umlagerung
wairol/Wairol
waiting time/Karenzzeit
Walden inversion/Walden-Umkehr(ung)
waldsterben/Waldsterben
walk rearrangement/Walk-Umlagerung
wall pepper/Mauerpfeffer
Wallach reactions/Wallach-Reaktionen
wallpapers/Tapeten
walnut oil/Walnußöl
walnuts/Walnüsse
Walsh diagrams/Walsh-Diagramme
– orbitals/Walsh-Orbitale
Warburg apparatus/Warburg-Apparatur
warfarin/Warfarin
warming boxes/Wärmeschränke
warning behaviour/Warnverhalten
– colors/Sicherheitsfarben
– colouration/Warntracht
warranty for the product/Produzentenhaftung

warts/Warzen
wash-and-wear finishes/Hochveredlungsmittel
– and wear finishing/Pflegeleicht-Ausrüstung
– -fast starches/Steifungsmittel
– leather/Fensterleder
– primer/Haftgrundmittel
washing/Waschen
– agents/Waschmittel
wash(ing) bottles/Waschflaschen, Spritzflaschen
washing out/Auswaschen
– tower/Waschturm
wasp venom/Wespengift
wasps/Wespen
Wassermann reaction/Wassermann-Reaktion
waste/Abfall
– air/Abluft
– air treatment/Abluftreinigung
– balance/Abfallbilanz
– catalogue/Abfallkatalog
– determination ordinances/Abfallbestimmungs-Verordnungen
– disposal/Abfallbeseitigung
– duty/Abfallabgabe
– gases/Abgase
– heat/Abwärme
– incineration/Abfallverbrennung
– incineration facilities ordinance/Abfallverbrennungsanlagen-Verordnung
– legislation/Abfallrecht
– management/Abfallentsorgung
– management certificate/Entsorgungsnachweis
– management concept/Abfallwirtschaftskonzept
– oil/Altöl
– oil disposal/Altölentsorgung
– oil ordinance/Altölverordnung
– paper/Altpapier
– prevention/Abfallvermeidung
– recovery/Abfallverwertung
– salts/Abraumsalze
– tax/Abfallabgabe
– transport/Abfalltransport
– treatment/Abfallbehandlung
– water/Abwasser
– water treatment/Abwasserbehandlung
wastewater load/Abwasserlast
watch glasses/Uhrgläser
– oils/Uhrenöle
water/Wasser
– bath/Wasserbad
– blue/Wasserblau
– colors/Aquarellfarben
– gas/Wassergas
– -glass/Wasserglas
– glass glue/Wasserglasleim
– hardness/Härte des Wassers
– hazard classes/Wassergefährdungsklassen
– jet vacuum pumps/Wasserstrahlpumpen
– of constitution/Konstitutionswasser
– of crystallization/Kristallwasser
– perfumes/Wasserparfüms
– pollution/Gewässerbelastung
– separator/Wasserabscheider
– softening/Wasserenthärtung
– -soluble polymers/Wasserlösliche Polymere
– thinnable lacquers/Wasserlacke
– vapor/Wasserdampf
waterglass paints/Wasserglasfarben
watermark/Wasserzeichen
waterproof materials (fabrics)/Wasserdichte Stoffe

watt/Watt
wave function/Wellenfunktion
– mechanics/Wellenmechanik
– number/Wellenzahl
– -particle duality/Welle-Teilchen-Dualismus
wavellite/Wavellit
waver/Waver
wax acids/Wachssäuren
– alcohols/Wachsalkohole
– cracking/Wachscracken
– (oil) cloth/Wachstuch
waxes/Wachse
WCOT/WCOT
weakly hydraulic lime/Wasserkalk
wear/Verschleiß
– oxidation/Schwingungsverschleiß
– resistance/Scheuerfestigkeit
weasel/Wiesel
weather fastness/Wetterechtheit
– resisting steel/Kupferstahl
weathering/Bewitterung, Verwitterung
weaving/Weben
web/Gewebe
weber/Weber
wedelolactone/Wedelolacton
weed killers/Herbizide
weedy plantain/Spitzwegerich
Weidel-Kossel reaction/Weidel-Kossel-Reaktion
Weigert effect/Weigert-Effekt
Weigert's solution/Weigert-Lösung
weighing/Wägen
weight-average molecular weight/Massenmittel
weighting/Beschwerung
Weiss indices/Weiss'sche Koeffizienten
– reaction/Weiss-Reaktion
– zones/Weiss'sche Bezirke
Weissenberg effect/Weissenberg-Effekt
Weisz ring oven technique/Weisz-Ringofen-Technik
welding/Schweißen
– process/Schweißverfahren
Weldon process/Weldon-Verfahren
Westphalen-Lettré rearrangement/Westphalen-Lettré-Umlagerung
West's solution/West-Lösung
wet moduls/Naßmodul
– oxidation/Naßoxidation
– scrubber/Naßabscheider, Naßwäscher
– spinning/Naß-Spinnen
– strength/Naßfestigkeit
wettable sulfur/Netzschwefel
wetting/Benetzung
– agents/Netzmittel
whale oils/Trane
wheat/Weizen
– bran/Weizenkleie
– germ oil/Weizenkeimöl
whet slate/Wetzschiefer
whewellite/Whewellit
whey/Molke
whiskers/Whiskers
whiskey/Whisky
whisk(e)y/cognac lactones/Whisk(e)y- u. Cognac-Lactone
whisky/Whisky
white arsenic/Arsenik
– bole/Bolus
– cedar oil/Thujaöl
– cross harassing agents/Weißkreuzkampfstoffe
– flame/Weißfeuer
– iron/Hartguß
– lead/Bleiweiß
– pigments/Weißpigmente
– rot fungi/Weißfäulepilze
– spirits/Terpentinöl-Ersatz, Testbenzine
whitening/Bleichen
whortleberries/Heidelbeeren
wick/Docht
Wickbold methods/Wickbold-Methoden
Wickersheimer's fluid/Wickersheimer-Lösung
Widmark method/Widmark-Methode
Wiedemann-Franz law/Wiedemann-Franzsches-Gesetz
wiedendiols/Wiedendiole
Wien selector/Wien-Filter
Wien's law/Wien-Gesetz
Wiesner('s) reagent/Wiesner-Reagenz
Wigner effect/Wigner-Effekt
– -Witmer rules/Wigner-Witmer-Regeln
wikstromol/Wikstromol
wild rubber/Wildkautschuk
– type/Wildtyp
wildlife conservation/Artenschutz
Wilhelmy method/Wilhelmy-Methode
Wilkinson's catalyst/Wilkinson-Katalysator
willardiine/Willardiin
Willebrand's reagent/Willebrand-Reagenz
willemite/Willemit
Willgerodt reaction/Willgerodt-Reaktion
Williamson synthesis/Williamsonsche Ethersynthese
willow bark/Weidenrinde
– herb/Weidenröschen
Wilson (cloud) chamber/Wilson-Kammer
wilt/Welke, Welken
wilting (withering) agents/Welkstoffe
wind energy converter/Windkraftwerke
window cleaners/Fensterreiniger
wine/Wein
– fining/Weinschönung
– flavour/Weinaroma
– sauerkraut/Weinsauerkraut
– vinegar/Weinessig
Winkler bottle/Winkler-Flasche
– generator/Winkler-Generator
wintergreen oil/Wintergrünöl
winterin/Winterin
winterization/Winterisierung
Winterstein's acid/Wintersteinsäure
wire/Draht
– drawing grease/Ziehfett
wistarin/Wistarin
witch hazel/Hamamelis
withanolides/Withanolide
withering/Welke, Welken
witherite/Witherit
Witt jar/Wittscher Topf
wittichenite/Wittichenit
Wittig reaction/Wittig-Reaktion
– reagents/Wittig-Reagenzien
– rearrangement/Wittig-Umlagerung
Wnt proteins/Wnt-Proteine
Wobbe index/Wobbeindex
Wohl degradation/Wohl-Abbau
Wolff-Kishner reduction/Wolff-Kishner-Reduktion
– rearrangement/Wolff-Umlagerung
wolfram/Wolfram
12-wolframatophosphoric acid/12-Wolframatophosphorsäure
12-wolframatosilicic (tungstosilicic) acid/12-Wolframatokieselsäure
wolframite/Wolframit
wolfsbane/Eisenhut
wollastonite/Wollastonit
wood/Holz
– ashes/Holzasche
– board/Holzpappe
Wood-Bonhoeffer method/Wood-Bonhoeffer-Methode
wood (cellulose) spirits/Holzspiritus
– concrete/Holzbeton
– fiber/Holzfasern
– fiber board/Holzfaserplatten
– fillers/Porenfüller
– flour/Holzmehl
– gas/Holzgas
– glues/Holzleime
– meal/Holzmehl
– oil/Holzöl
– plastic composites/Holz-Kunststoff-Kombinationen
– preservatives/Holzschutzmittel
– pulp/Holzschliff, Holzstoff
– saccharification/Holzverzuckerung
– sorrel/Sauerklee
– spirit/Holzgeist
– tar/Holzteer
– (tar) pitch/Holzpech
– turpentine/Holzterpentinöl
– veneers/Holzfurniere
– wool/Holzwolle
– wool concrete panels/Holzwolle-Leichtbauplatten
Woodlight lamps/Woodlicht-Lampen
Wood's alloy (metal)/Woodsches Metall
Woodward-Hoffmann rules/Woodward-Hoffmann-Regeln
wool/Wolle
– green/Wollgrün S
worcester-sauce/Worcester-Sauce
wordbooks/Wörterbücher
work accident/Arbeitsunfall
– area/Arbeitsbereich
– function/Austrittsarbeit
– hardening/Kaltverfestigung, Verfestigung
World Environment Day/Umwelttag
worm herb/Wurmkraut
– -like chain/Kratky-Porod-Kette
worms/Würmer
wormwood/Wermut
– oil/Wermutöl
worsted yarn/Kammgarn
wort/Würze
wortmannin/Wortmannin
woudwort/Ziest
Woulfe bottles/Woulfe-Flaschen
wound/Wunde
– healing/Wundheilung
writing inks/Tinten
wrought alloy/Knetlegierungen
– iron/Schmiedeeisen
– iron (steel)/Schweißstahl
wulfenite/Wulfenit
Wulff process/Wulff-Verfahren
Wurster salts/Wurster-Salze
Wurtz synthesis/Wurtz-Synthese
wurtzite/Wurtzit
Wurzschmitt universal bomb/Universalbombe

X

xanthan/Xanthan
xanthation/Xanthogenierung
xanthene/Xanthen
– dyes/Xanthen-Farbstoffe
xanthin/Xanthin
xanthine oxidase/Xanthin-Oxidase
xanthinol niacinate/Xantinolnicotinat
xanth(o)…/Xanth(o)…
xantho salts/Xanthosalze
xanthodermin/Xanthodermin
xanth(ogen)ates/Xanthogenate
xanthogenic acids/Xanthogensäuren
xanthone/Xanthon
xanthophylls/Xanthophylle
xanthoprotein reaction/Xanthoprotein-Reaktion
xanthopterin/Xanthopterin
xanthosine/Xanthosin
xanthotoxin/Xanthotoxin
xanthoxin/Xanthoxin
xanthydrol/Xanthydrol
xantocillin/Xantocilline
xemilofiban/Xemilofiban
xeno…/Xeno…
xenobiotics/Xenobiotika
xenol/Xenol
xenon/Xenon
– compounds/Xenon-Verbindungen
xenorhabdins/Xenorhabdine
xenotime/Xenotim
xenyl…/Xenyl…
xenytropium bromide/Xenytropiumbromid
xero…/Xero…
xerocomic acid/Xerocomsäure
xeroderma/Xerodermie
xerography/Xerographie
xerophytes/Xerophyten
xerulin/Xerulin
xestospongines/Xestospongine
xipamide/Xipamid
xonotlite/Xonotlit
X-ray amorphous/Röntgenamorph
– analysis/Röntgenanalyse
– contrast media/Röntgenkontrastmittel
– crystalline/Röntgenkristallin
– density/Röntgendichte
– fluorescence spectroscopy/Röntgenfluoreszenzspektroskopie
– laser/Röntgenlaser
– microscopy/Röntgenmikroskopie
– scattering/Röntgenstreuung
– spectroscopy/Röntgenspektroskopie
– structure analysis (determination)/Röntgenstrukturanalyse
– tube/Röntgenröhren
X-rays/Röntgenstrahlung
XRF/Röntgenfluoreszenzspektroskopie
xylans/Xylane
xylaral/Xylaral
xylem/Xylem
xylene formaldehyde resins/Xylol-Formaldehyd-Harze
– musk/Xylolmoschus
– sulfonates/Xylolsulfonate
xylenes/Xylole
xylenol blue/Xylenolblau
– orange/Xylenolorange
…xylidid/…xylidid
xylidines/Xylidine
xylidino…/Xylidino…
xylitol/Xylit

English

xylo-/xylo-
xylocandins/Xylocandine
xylometazoline/Xylometazolin
xylose/D-Xylose
– isomerase/Xylose-Isomerase
xylotile/Xylotil
xylyl…/Xylyl…
xylyl bromides/Xylylbromide
xylylene(…)/Xylylen(…)
xylylene diisocyanate/Xylylendi-
 isocyanat

Y

yams/Yam, Yams
yarn/Garn
yarrow oil/Schafgarbenöl
yeast artificial chromosome/YAC
– extract concentrate/Hefe-
 brühwürfel
– extracts/Hefeextrakt
– spirit/Hefebranntwein
yeasts/Hefen
yellow brass/Gelbguß
yessotoxin/Yessotoxin
yew tree/Eibe
yield/Ausbeute
– coefficient/Ertragskoeffizient
– point/Fließgrenze
– strength/Streckgrenze
…yl/…yl
ylang-ylang oil/Ylang-Ylang-Öle
…ylate/…ylat
…ylene/…ylen
ylide polymers/Ylid-Polymere
…ylidene/…yliden
ylides/Ylide
…ylidyne/…ylidin
…ylium/…ylium
ynamines/Inamine
…yne/…in
„y" nomenclature/„y"-Nomenkla-
 tur
yoghourt/Joghurt
yogurt/Joghurt
yohimbine/Yohimbin
yopo/Yopo
York('s) solution/York-Lösung
Young process/Young-Verfah-
 ren
YRp vector/YRp-Vektor
ytterbium/Ytterbium
yttria/Yttererden

yttrium/Yttrium
– compounds/Yttrium-Verbindun-
 gen
yugawaralite/Yugawaralith

Z

zacaton/Zakaton
zafirlukast/Zafirlukast
Zahn Wellens test/Zahn-Wellens-
 Test
zalcitabine/Zalcitabin
zanamivir/Zanamivir
zapon lacquer/Zaponlack
– varnish/Zaponlack
zaragozic acids/Saragossasäuren
Zart solution/Zart-Lösung
Zdansky-Lonza process/Zdansky-
 Lonza-Verfahren
zearalenone/Zearalenon
zeatin/Zeatin
zeaxanthin/Zeaxanthin
zebra-battery system/Zebra-Bat-
 teriesystem
zedoary/Zitwer
Zeeman effect/Zeeman-Effekt
zein/Zein
Zeisel method/Zeisel-Methode
Zeise's salt/Zeise-Salz
ZEKE spectroscopy/ZEKE-Spek-
 troskopie
Zenker's solution/Zenker-Lösung
zeolites/Zeolithe
zeophyllite/Zeophyllit
zeranol/Zeranol
zero emissions/Nullemission
– -point energy/Nullpunktsener-
 gie
– point volume/Nullpunktsvolu-
 men
zeta-cypermethrin/Zeta-Cyperme-
 thrin
– potential/Zeta-Potential
zeugmatography/Zeugmatogra-
 phie
zeunerite/Zeunerit
zidovudine/Zidovudin
Ziegler alcohols/Ziegler-Alko-
 hole
– dilution principle/Ziegler-Ver-
 dünnungsprinzip
– -Natta catalysts/Ziegler-Natta-
 Katalysatoren

– -Natta polymerization/Ziegler-
 Natta-Polymerisation
– reactions/Ziegler-Reaktionen
zileuton/Zileuton
Zimmermann reaction/Zimmer-
 mann-Reaktion
zinc/Zink
– acetate/Zinkacetat
– borates/Zinkborate
– carbonates/Zinkcarbonate
– chloride/Zinkchlorid
– chloride-iodine solution/Chlor-
 zinkiod-Lösung
– chromates/Zinkchromate
– crown glass/Zink-Krone
– cyanide/Zinkcyanid
– dust distillation/Zinkstaubde-
 stillation
– dust paints/Zinkstaubfarben
– finger/Zink-Finger
– fluoride/Zinkfluorid
– gray/Zinkgrau
– hydroxide/Zinkhydroxid
– nitrate/Zinknitrat
– oxide/Zinkoxid
– oxygen battery/Zink-Luft-Bat-
 terie
– phosphates/Zinkphosphate
– plating/Verzinken
– preparations/Zink-Präparate
– silicates/Zinksilicate
– stearate/Zinkstearat
– sulfate/Zinksulfat
– sulfide/Zinksulfid
zincates/Zinkate
zincblende/Zinkblende
zincite/Zinkit
Zincke aldehyd/Zincke-Aldehyd
– reactions/Zincke-Reaktionen
zinckenite/Zinckenit
zinc(k)ing/Verzinken
zincography/Chemigraphie
zincon/Zincon
zincophorin/Zincophorin
zineb/Zineb
zingerone/Zingeron
zingiberene/Zingiberen
Zinin reduction/Zinin-Reduktion
zink green/Zinkgrün
– hexafluorosilicate/Zinkhexaflu-
 orosilicat
– phosphide/Zinkphosphid

zinkenite/Zinckenit
zinnwaldite/Zinnwaldit
Zintl phases/Zintl-Phasen
zip reaction/Zip-Reaktion
zippeite/Zippeit
ziprasidone/Ziprasidon
ziram/Ziram
zircon/Zirkon
zirconates(IV)/Zirconate(IV)
zirconia/Zirconiumdioxid
zirconium/Zirconium
– alloys/Zirconium-Legierungen
– chlorides/Zirconiumchloride
– dioxide/Zirconiumdioxid
– hydride/Zirconiumhydrid
– silicate/Zirconiumsilicat
– sulfate/Zirconium(IV)-sulfat
zirconyl compounds/Zirconyl-
 Verbindungen
ZKBS guide-lines/ZKBS-Richtli-
 nien
zoanthoxanthin/Zoanthoxanthin
zoisite/Zoisit
zolmitriptan/Zolmitriptan
zolpidem/Zolpidem
zomepirac/Zomepirac
zone/Zone
– refining (melting)/Zonen-
 schmelzen
zoogen/Zoogen
zoology/Zoologie
zoonoses/Zoonosen
zoosterols/Zoosterine
zopiclone/Zopiclon
zorubicin/Zorubicin
zotepine/Zotepin
zuclopenthixol/Zuclopenthixol
Zurich oxides/Züricher Oxide
Z value/Z-Wert
zwiebelanes/Zwiebelane
Zwikker's test/Zwikker-Reaktion
zwitterionic polymerization/Zwit-
 terionische Polymerisation
zwitterions/Zwitterionen
zygosporins/Zygosporine
zygote/Zygote
zymase/Zymase
zym(o)…/Zym(o)…
zymogens/Zymogene
zymosan/Zymosan
zyxin/Zyxin
zyzzine/Zyzzin

A

aaptamine/Aaptamin
abaca/Manilahanf
abaisseur du niveau de lipides/Lipidsenker
abamectine/Abamectin
abeilles/Bienen
abiétates/Abietate
abietospiranne/Abietospiran
abiogénèse/Abiogenese
abiotique/Abiotisch
abondance/Abundanz
abortifs/Abortiva
abrasifs/Schleifmittel, Strahlmittel
abréviations/Abkürzungen
abrine/Abrin, Abrine
absinthe/Absinth
– commune/Wermut
absinthine/Absinthin
absolu/Absolut
– de fleurs d'oranger/Orangenblüten(-Absolue, -Öl)
– de jasmin/Jasminabsolue
– de rose/Rosen-, -Absolue-Öl
absorbant/Absorbens
absorbants UV/UV-Absorber
absorbeurs/Absorptionsgefäße
absorptiométrie/Absorptiometrie
absorption/Absorption
– d'huile/Ölzahl
– spécifique/Spezifische Absorption
abzymes/Abzyme
acamprosat/Acamprosat
acarbose/Acarbose
acaricide/Akarizide
accélérateur/Beschleuniger
– à cobalt/Cobalt-Beschleuniger
– de durcissage/Härtungsbeschleuniger
– d'écoulement/Strömungsbeschleuniger
– de particules/Teilchenbeschleuniger
– de prise/Erstarrungsbeschleuniger
– d'ignition/Zündbeschleuniger
acceptance du risque/Risiko-Akzeptanz
accepteur/Akzeptor
accidentel/Akzidentell
accords de Budapester/Budapester Vertrag
accréditation/Akkreditierung
accumulateur à hydrure/Hydrid-Speicher
– zinc-oxygène/Zink-Luft-Batterie
accumulateurs/Akkumulatoren
accumulation/Akkumulation
acébutolol/Acebutolol
acécarbromal/Acecarbromal
acéclidine/Aceclidin
acédiasulfone sodique/Acediasulfon-Natrium
acéfyline piperazine/Acefyllin-Piperazin
acélastine/Azelastin
acémetacin/Acemetacin
acénaphtène/Acenaphthen
acénes/Acene
acénocoumarol/Acenocoumarol
acephate/Acephat
acéprométazine/Aceprometazin
acérole/Acerola
acesulfame K/Acesulfam-K
acétal diéthylique d'acétaldéhyde/Acetaldehyd-diethylacetal
acétaldéhyde/Acetaldehyd
acétalisation/Acetalisierung
acétals/Acetale
acétals de polyvinyle/Polyvinylacetale

acétamide/Acetamid
acétamido…/Acetamido…
4-acétamindobenzoate de diméphranol/Dimephranol-acedoben
acétamipride/Acetamiprid
acétanilide/Acetanilid
acétarsol/Acetarsol
acétate d'ammonium/Ammoniumacetat
– d'argent/Silberacetat
– de baryum/Bariumacetat
– de benzyle/Essigsäurebenzylester
– de bornyle/Bornylacetat
– de cadmium/Cadmiumacetat
– de calcium/Calciumacetat
– de cellulose/Celluloseacetat
– de chlormadinone/Chlormadinonacetat
– de chrome(III)/Chrom(III)-acetat
– de cinnamyle/Essigsäurecinnamylester
– de cobalt(II)/Cobalt(II)-acetat
– de cyclohexyle/Essigsäurecyclohexylester
– de (Z)-7-dodécényle/(Z)-7-Dodecenyl-acetat
– de dodemorphe/Dodemorphacetat
– de guazatine/Guazatin
– de isopropényle/Essigsäureisopropenylester
– de lithium/Lithiumacetat
– de magnésium/Magnesiumacetat
– de médroxyprogestérone/Medroxyprogesteron-acetat
– de mercure(II)/Quecksilber(II)-acetat
– de méthyle/Essigsäuremethylester
– de neryle/Nerylacetat
– de nickel(II)/Nickel(II)-acetat
– de palladium(II)/Palladium(II)-acetat
– de pentile/Essigsäurepentylester
– de phényle/Phenylacetat
– de potassium/Kaliumacetat
– de propyle/Essigsäurepropylester
– de roxatidine/Roxatidinacetat
– de sodium/Natriumacetat
– de vinyle/Essigsäurevinylester
– de zinc/Zinkacetat
– d'éthyle/Essigsäureethylester
– d'hexyle/Essigsäurehexylester
– d'isobornyle/Isobornylacetat
acetates/Acetate
acétates/Essigsäureester
– d'aluminium/Aluminiumacetate
– de butyle/Essigsäurebutylester
– de cuivre/Kupferacetate
– de glycérol/Glycerinacetate
– de manganèse/Manganacetate
– de plomb/Bleiacetate
– de polyvinyle/Polyvinylacetate
– de thallium/Thalliumacetate
acétazolamide/Acetazolamid
acétiamine/Acetiamin
acétimidoyl…/Acetimidoyl…
acétines/Glycerinacetate
acéto-acétate d'éthyle/Acetessigester
acétoacétyl…/Acetoacetyl…
Acetobacter/Acetobacter
acétobutyrate de cellulose/Celluloseacetobutyrate
acetochlore/Acetochlor
acétofénide/Acetofenid
acétogénines/Acetogenine
acétoïne/Acetoin

acétomycine/Acetomycin
acétone/Aceton
acétonide de fluocinolone/Fluocinolonacetonid
acétonides/Acetonide
acétonitrile/Acetonitril
acétonyl…/Acetonyl…
acétophénone/Acetophenon
acétophtalate de cellulose/Celluloseacetophthalat
acétopropinate de cellulose/Celluloseacetopropionat
acétoxy…/Acetoxy…
acétoxylation/Acetoxylierung
acétyl…/Acetyl…
acétyl-CoA/Acetyl-CoA
acétylacétonate de cuivre(II)/Kupfer(II)-acetylacetonat
– de fer(III)/Eisen(III)-acetylacetonat
acétylacétonates métalliques/Metallacetylacetonate
acétylacétone/Acetylaceton
acétylamino…/Acetylamino…
acétylaminophénol/Acetylaminophenole
acétylation/Acetylierung
acétylcholine/Acetylcholin
acétylcholinestérase/Acetylcholin-Esterase
acétylcystéine/Acetylcystein
acétyldigitoxine/Acetyldigitoxin
acétyldigoxine/Acetyldigoxin
acétylène/Acetylen
acétylénide/Acetylenide
acétylimino…/Acetylimino…
acétylméthadol/Acetylmethadol
acétylsalicylate de lysine/Lysinacetylsalicylat
aci…/Azi…
aci-/aci-
aciclovir/Aciclovir
acide abiétique/Abietinsäure
– abscisique/Abscisinsäure
– acétique/Essigsäure
– acétrizoïque/Acetrizoesäure
– acétylacétique/Acetessigsäure
– acétylglutamique/Acetylglutaminsäure
– acétylphosphorique/Acetylphosphorsäure
– acétylsalicylique/Acetylsalicylsäure
– aconitique/Aconitsäure
– acromélique/Acromelsäuren
– acrylique/Acrylsäure
– adipique/Adipinsäure
– agarici(ni)que/Agaricinsäure
– alginique/Alginsäure
– allophanique/Allophansäure
– amidotrisoïque/Amidotrizoesäure
– amino-4 hippurique/4-Aminohippursäure
– amino-5 oxo-4 valérique/5-Amino-4-oxovaleriansäure
– 6-aminohexane/6-Aminohexansäure
– -4-aminophénylarsénique/4-Aminophenylarsonsäure
– p-aminosalicylique/p-Aminosalicylsäure
– aminosulfonique/Amidoschwefelsäure
– anacardique/Anacardsäure
– …anilique/…anilsäure
– arachidique/Arachinsäure
– arachidonique/Arachidonsäure
– arsénieux/Arsenige Säure
– arsinieux/Arsinige Säure
– arsinieux/Arsinsäure
– arsonieux/Arsonige Säure

– arsonique/Arsonsäure
– L-ascorbique/L-Ascorbinsäure
– asparaginique/Asparaginsäure
– aspartique/Asparaginsäure
– aurine-tricarbonique sel d'ammonium/Aurintricarbonsäure-Ammoniumsalz
– azélaïque/Azelainsäure
– azétidine-carboxylique-2/Azetidin-2-carbonsäure
– barbiturique/Barbitursäure
– béhénique/Behensäure
– benzène-sulfonique/Benzolsulfonsäure
– benzilique/Benzilsäure
– benzoïque/Benzoesäure
– bétulinique/Betulinsäure
– bongkrékique/Bongkreksäure
– borique/Borsäure
– bromacétique/Bromessigsäure
– bromhydrique/Bromwasserstoffsäure
– bromique/Bromsäure
– 2-bromobutyrique/2-Brombuttersäure
– butenoïque/Butensäure
– butyrique/Buttersäure
– byssochlamique/Byssochlamsäure
– caféique/Kaffeesäure
– calconecarboxylique/Calconcarbonsäure
– camphorique/Camphersäure
– camphre-10-sulfonique/Campher-10-sulfonsäure
– caproïque/Hexansäure
– carbamique/Carbamidsäure
– carbanilique/Carbanilsäure
– carbonique/Kohlensäure
– … carbothioïque/…thiocarbonsäure
– carminique/Karminsäure
– cérotique/Cerotinsäure
– chaulmoogrique/Chaulmoograsäure
– chloracétique/Chloressigsäure
– chloranilique/Chloranilsäure
– chlorhydrique/Salzsäure
– chlorique/Chlorsäure
– chlorobenzoïque/Chlorbenzoesäuren
– chlorogénique/Chlorogensäure
– 3-chloroperoxybenzoïque/3-Chlorperoxybenzoesäure
– chlorosulfurique/Chloroschwefelsäure
– cholique/Cholsäure
– chorismique/Chorisminsäure
– chromotropique/Chromotropsäure Dinatrium-Salz
– chrysanthèmique/Chrysanthemumsäure
– chrysophanique/Chrysophansäure
– cinnamique/Zimtsäure
– citrazinique/Citrazinsäure
– citrique/Citronensäure
– clavulanique/Clavulansäure
– clodronique/Clodronsäure
– cloreux/Chlorige Säure
– clupanodonique/Clupanodonsäure
– complicatique/Complicatsäure
– o-crésotique/o-Kresotinsäure
– cristatique/Cristatsäure
– cromoglicique/Cromoglicinsäure
– cyanhydrique/Blausäure
– cyanique/Cyansäure
– cyanoacétique/Cyan(o)essigsäure
– cyanurique/Cyanursäure

Française

- 3-cyclopentylpropionique/3-Cyclopentylpropionsäure
- cyclopiazonique/Cyclopiazonsäure
- cynurénique/Kynurensäure
- de Caro/Carosche Säure
- de Lewis/Lewis-Säure
- de Meldrum/Meldrumsäure
- de Winterstein/Wintersteinsäure
- décanoïque/Decansäure
- déhydracétique/Dehydracetsäure
- déhydrocholique/Dehydrocholsäure
- désoxycholique/Desoxycholsäure
- dialurique/Dialursäure
- 4,4′-diamino-2,2′-stilbènedisulfonique/4,4′-Diamino-2,2′-stilbendisulfonsäure
- diaminopimelique/Diaminopimelinsäure
- dichloracétique/Dichloressigsäure
- diéthylènetriaminopentaacétique/Diethylentriaminpentaessigsäure
- diglycolique/Diglykolsäure
- dilué/Dünnsäure
- diméthylarsinique/Dimethylarsinsäure
- 2,2-diméthylpropionique/2,2-Dimethylpropionsäure
- dinitroadipique/Adipinsäuredinitril
- 3,5-dinitrobenzoïque/3,5-Dinitrobenzoesäure
- diphénique/Diphensäure
- diphénylacétique/Diphenylessigsäure
- 4-diphénylaminosulfonique/4-Diphenylaminsulfonsäure
- diphosphorique/Diphosphorsäure(V)
- dipicolinique/Dipicolinsäure
- disulfureux/Dischweflige Säure
- disulfurique/Dischwefelsäure
- dithiocarbamique/Dithiocarbamidsäure
- dithionique/Dithionsäure
- djencolique/Djenkolsäure
- édétique/Edetinsäure
- eicosa pentaenoïque/5,8,11,14,17-Eicosapentaensäure
- élaïdique/Elaidinsäure
- éléostéarique/Elaeostearinsäure
- éllagique/Ellagsäure
- embonique/Embonsäure
- érucique/Erucasäure
- étacrynique/Etacrynsäure
- 2-éthylbutirique/2-Ethylbuttersäure
- éthylènediaminetétraacétique/Ethylendiamintetraessigsäure
- 2-éthylhexanoïque/2-Ethylhexansäure
- étidronique/Etidronsäure
- flufénamique/Flufenaminsäure
- fluorhydrique/Flußsäure
- fluoroacétique/Fluoressigsäure
- fluoroantimonique/Fluoroantimonsäure
- fluoroborique/Fluoroborsäure
- fluorosilicique/Fluorokieselsäure
- fluorosulfurique/Fluoroschwefelsäure
- folinique/Folinsäure
- folique/Folsäure
- formamidinosulfinique/Formamidinsulfinsäure
- formique/Ameisensäure

- fulminique/Knallsäure
- fumarique/Fumarsäure
- 2-furancarboxylique/2-Furancarbonsäure
- 2-furoïque/2-Furancarbonsäure
- fusidique/Fusidinsäure
- gadopentétique/Gadopentetsäure
- galacturonique/Galacturonsäure
- gallique/Gallussäure
- géranique/Geraniumsäure
- gibbérellique/Gibberellinsäure
- glucarique/Glucarsäure
- glucoheptonique/Glucoheptonsäure
- D-gluconique/D-Gluconsäure
- glucuronique/D-Glucuronsäure
- glutamique/Glutaminsäure
- glutarique/Glutarsäure
- glycérique/Glycerinsäure
- glycocholique/Glykocholsäure
- glycolique/Glykolsäure
- glycyrrhétinique/Glycyrrhetinsäure
- glycyrrhiziqe/Glycyrrhizin
- glyoxylique/Glyoxylsäure
- gomphidique/Gomphidsäure
- gymnémique/Gymnemasäure(n)
- hématique/Hämatinsäure
- hémimellitique/Hemimellit(h)säure
- hexanoïque/Hexansäure
- hippurique/Hippursäure
- homogentisique/Homogentisinsäure
- homovanillique/Homovanilinsäure
- hyaluronique/Hyaluronsäure
- hydnocarpique/Hydnocarpussäure
- hydrazoïque/Stickstoffwasserstoffsäure
- 3-hydroxy-2-naphtoïque/3-Hydroxy-2-naphthoesäure
- 4-hydroxyglutamique/4-Hydroxyglutaminsäure
- hydroxylamine-O-sulfonique/Hydroxylamin-O-sulfonsäure
- hydroxyméthanesulfinique/Hydroxymethansulfinsäure
- hydroxypropionique/Hydroxypropionsäuren
- 12-hydroxystéarique/12-Hydroxystearinsäure
- hypobromeux/Hypobromige Säure
- hypochloreux/Hypochlorige Säure
- hyponitreux/Hyposalpetrige Säure
- ibandronique/Ibandronsäure
- iboténique/Ibotensäure
- L-iduronique/L-Iduronsäure
- illurinique/Illurinsäure
- 3-indolylacétique/3-Indolylessigsäure
- iobenzamique/Iobenzaminsäure
- iocarmique/Iocarminsäure
- iocétamique/Iocetaminsäure
- iodhydrique/Iodwasserstoffsäure
- iodique/Iodsäure
- iodoacétique/Iodessigsäure
- 2-iodosylbenzoïque/2-Iodosylbenzoesäure
- iodoxamique/Iodoxaminsäure
- ioglicique/Ioglicinsäure
- ioglycamique/Ioglycaminsäure
- iopanoïque/Iopansäure
- iopodique/Iopodinsäure
- iopronique/Iopronsäure
- iothalamique/Iotalaminsäure
- iotroxique/Iotroxinsäure

- ioxaglique/Ioxaglinsäure
- ioxitalamique/Ioxitalaminsäure
- iséthionique/Isethionsäure
- isoascorbique/Isoascorbinsäure
- isocitrique/Isocitronensäure
- isocyanique/Isocyansäure
- isonicotinique/Isonicotinsäure
- isononanoïque/Isononansäure
- isooctanoïque/Isooctansäure
- isophtalique/Isophthalsäure
- isopimarique/Isopimarsäure
- itaconique/Itaconsäure
- jalapinolique/Jalapinolsäure
- jasmonique/Jasmonsäure
- kojique/Kojisäure
- laccaïque/Laccainsäure
- lactique/Milchsäure
- lactobionique/Lactobionsäure
- laurique/Laurinsäure
- lécanorique/Lecanorsäure
- lentinique/Lentinsäure
- levopimarique/Lävopimarsäure
- levulinique/Lävulinsäure
- lignine-sulfonique/Ligninsulfonsäure
- lignosulfonique/Ligninsulfonsäure
- linoléique/Linolsäure
- linolénique/Linolensäure
- lipoïque/Liponsäure
- lithocholique/Lithocholsäure
- lupinique/Lupinsäure
- lysalbinique/Lysalbinsäure
- lysergique/Lysergsäure
- magique/Magische Säure
- maléique/Maleinsäure
- malique/Äpfelsäure
- malonique/Malonsäure
- malvalique/Malvalisäure
- mandélique/Mandelsäure
- marasmique/Marasminsäure
- margarique/Margarinsäure
- méconique/Mekonsäure
- médicagénique/Medicagensäure
- méfénamique/Mefenaminsäure
- mellitique/Mellit(h)säure
- 2-mercaptobenzoïque/2-Mercaptobenzoesäure
- mésoxalique/Mesoxalsäure
- métaphosphorique/Metaphosphorsäure
- métasilicique/Metakieselsäure
- méthacrylique/Methacrylsäure
- méthanesulfonique/Methansulfonsäure
- 4-méthoxybenzoïque/4-Methoxybenzoesäure
- 3-méthylbutyrique/3-Methylbuttersäure
- methylfumarique/Methylfumarsäure
- méthylmaléique/Methylmaleinsäure
- mévalonique/Mevalonsäure
- 12-molybd(at)ophosphorique/12-Molybdatophosphorsäure
- montanique/Montansäure
- mucique/Schleimsäure
- muconique/Muconsäure
- muramique/Muraminsäure
- muriatique/Muriatische Säure
- mycophénolique/Mycophenolsäure
- myristique/Myristinsäure
- nalidixique/Nalidixinsäure
- 1-naphtalèneacétique/1-Naphthalinessigsäure
- 2-naphtyloxyacétique/2-Naphthyloxyessigsäure
- néoabiétique/Neoabietinsäure
- neuraminique/Neuraminsäure
- nicotinique/Nicotinsäure

- niflumique/Nifluminsäure
- nitrant/Nitriersäure
- nitreux/Salpetrige Säure
- nitrilotriacétique/NTA
- nitrique/Salpetersäure
- 5-nitrobarbiturique/5-Nitrobarbitursäure
- nitrosylsulfurique/Nitrosylschwefelsäure
- nordihydroguaïarétique/Nordihydroguajaretsäure
- nudique/Nudinsäure
- octanoïque/Octansäure
- oenanthique/Oenanthsäure
- okadaïque/Okadainsäure
- oléanolique/Oleanolsäure
- oléique/Ölsäure
- …onique/…onsäure
- orotique/Orotsäure
- orsellinique/Orsellinsäure
- oxalique/Oxalsäure
- 2-oxobutyrique/2-Oxobuttersäure
- oxolinique/Oxolinsäure
- oxosuccinique/Oxobernsteinsäure
- palmitique/Palmitinsäure
- palustrique/Palustrinsäure
- pamidronique/Pamidronsäure
- pantothénique/Pantothensäure
- parabanique/Parabansäure
- pectique/Pektinsäure
- pélargonique/Pelargonsäure
- perchlorique/Perchlorsäure
- periodique/Periodsäure
- peroxiformique/Peroxyameisensäure
- peroxodisulfurique/Peroxodischwefelsäure
- peroxyacétique/Peroxyessigsäure
- peroxybenzoïque/Peroxybenzoesäure
- pétrosélinique/Petroselinsäure
- phénoxyacétique/Phenoxyessigsäure
- phénylacétique/Phenylessigsäure
- phénylboronique/Phenylboronsäure
- phénylpyruvique/Phenylbrenztraubensäure
- phosphineux/Phosphinige Säure
- phosphinique/Phosphinsäure
- phosphoneux/Phosphonige Säure
- phosphonique/Phosphonsäure
- 2-phosphonobutane-1,2,4-tricarboxylique/2-Phosphonobutan-1,2,4-tricarbonsäure
- phosphoreux/Phosphorige Säure
- phosphorique/Phosphorsäure
- phtalique/Phthalsäure
- phytanique/Phytansäure
- phytique/Phytinsäure
- picoli(ni)que/Picolinsäure
- picramique/Pikraminsäure
- picrique/Pikrinsäure
- picrolonique/Pikrolonsäure
- pimélique/Pimelinsäure
- pipémidique/Pipemidsäure
- piromidique/Piromidsäure
- podocarpique/Podocarpinsäure
- polyβ-hydroxybutyrique/Polyhydroxybuttersäure
- polylactique/Polymilchsäure
- polymaléique/Polymaleinsäure(-Derivate)
- polyphosphorique/Polyphosphorsäure
- polyporique/Polyporsäure
- pour accumulateurs/Akkumulatorensäure

- prephénique/Prephensäure
- 1,2,3-propanetricarboxylique/1,2,3-Propantricarbonsäure
- propiolique/Propiolsäure
- propionique/Propionsäure
- pulvinique/Pulvinsäure
- pyroglutamique/Pyroglutaminsäure
- pyromellytique/Pyromellit(h)säure
- pyruvique/Brenztraubensäure
- quadratique/Quadratsäure
- quinique/Chinasäure
- 2-quinoline-carbonique/2-Chinolincarbonsäure
- quisqualique/Quisqualsäure
- (R)-thiomorpholine-3-carboxilique/(R)-Thiomorpholin-3-carbonsäure
- rétigéranique/Retigeransäure
- rhodizonique/Rhodizonsäure
- rosmarinique/Rosmarinsäure
- salicylamide-O-acétique/Salicylamid-O-essigsäure
- salicylique/Salicylsäure
- sébacique/Sebacinsäure
- sélénieux/Selenige Säure
- sélénique/Selensäure
- shikimique/Shikimisäure
- siarésinolique/Siaresinolsäure
- sorbique/Sorbinsäure
- sozoiodolique/Sozoiodolsäure
- spaglumique/Spagluminsäure
- stéarique/Stearinsäure
- sterculique/Sterculiasäure
- styphnique/Styphninsäure
- suberique/Korksäure
- succinique/Bernsteinsäure
- sulfamique/Amidoschwefelsäure, Sulfamidsäure
- sulfosalicylique/5-Sulfosalicylsäure
- sulfoxylique/Sulfoxylsäure
- sulfureux/Schweflige Säure
- sulfurique/Schwefelsäure
- syringique/Syringasäure
- tartarique/Weinsäure
- tartronique/Tartronsäure
- taurocholique/Taurocholsäure
- ténuazonique/Tenuazonsäure
- téréphthalique/Terephthalsäure
- tétraborique/Tetraborsäure
- tétracosanoïque/Tetracosansäure
- (Z)-15-tétracosénoïque/(Z)-15-Tetracosensäure
- tétrahydrofolique/Tetrahydrofolsäure
- tétramique/Tetramsäure
- tétronique/Tetronsäure
- thioacétique/Thioessigsäure
- 2-thiobarbiturique/2-Thiobarbitursäure
- thiocyanique/Thiocyansäure
- 2,2'-thiodiacétique/2,2'-Thiodiessigsäure
- 3,3'-thiodipropionique/3,3'-Thiodipropionsäure
- thioglycolique/Thioglykolsäure
- thiomalique/Thioäpfelsäure
- thiosulfurique/Thioschwefelsäure
- o-thymotinique/o-Thymotinsäure
- tiaprofénique/Tiaprofensäure
- tiludronique/Tiludronsäure
- p-toluènesulfonique/p-Toluolsulfonsäure
- tranexamique/Tranexamsäure
- traumatique/Traumatinsäure
- triacontanoïque/Triacontansäure
- triangulaire/Dreiecksäure

- trichloroacétique/Trichloressigsäure
- trichloroisocyanurique/Trichlorisocyanursäure
- tricholomique/Tricholomsäure
- trifluoroacétique/Trifluoressigsäure
- trifluorométhanesulfonique/Trifluormethansulfonsäure
- trimellitique/Trimellit(h)säure
- trimésique/Trimesinsäure
- trithiocarbonique/Trithiokohlensäure
- trithionique/Trithionsäure
- tropique/Tropasäure
- tungstique/Wolframsäure
- undécanoïque/Undecansäure
- 10-undécénoïque/10-Undecensäure
- urique/Harnsäure
- urocanique/Urocansäure
- ursodésoxycholique/Ursodeoxycholsäure
- ursolique/Ursolsäure
- usnique/Usninsäure
- vaccénique/Vaccensäure
- valérique/Valeriansäure
- valproïque/Valproinsäure
- vanillique/Vanillinsäure
- variégatique/Variegatsäure
- vernolique/Vernolsäure
- vinylsulfonique/Vinylsulfonsäure
- violurique/Violursäure
- vulpinique/Vulpinsäure
- 12-wolframatophosphorique/12-Wolframatophosphorsäure
- 12-wolframatosilicique (tungstosilicique)/12-Wolframatokieselsäure
- xérocomique/Xerocomsäure
- acides/Säuren, Säurungsmittel
- acylneuraminiques/Acylneuraminsäuren
- aldariques/Aldarsäuren
- aldéhydiques/Aldehydsäuren
- aldoniques/Aldonsäuren
- aminés/Aminosäuren
- aminés dansylés/Dansyl-Aminosäuren
- aminés hydroxylés/Hydroxyaminosäuren
- aminés iodinés/Iodaminosäuren
- aminés protéinogènes/Proteinogene Aminosäuren
- aminobenzène sulfoniques/Aminobenzolsulfonsäuren
- aminobenzoïques/Aminobenzoesäuren
- aminobutyriques/Aminobuttersäuren
- anthraquinone-sulfoniques/Anthrachinonsulfonsäuren
- aristocholiques/Aristolochiasäuren
- benzène-disulfoniques/Benzoldisulfonsäuren
- biliaires/Gallensäuren
- boriniques/Borinsäuren
- boroniques/Boronsäuren
- carboxyliques/Carbonsäuren
- carboxyliques halogenés/Halogencarbonsäuren
- cériques/Wachssäuren
- chlorisocyanidiques/Chlorisocyanursäuren
- choléiques/Choleinsäuren
- cyclohexanedicarboxyliques/1,2-Cyclohexandicarbonsäuren
- de fruits/Fruchtsäuren

- désoxyribonucléiques/Desoxyribonucleinsäuren
- d'hexacyanofer/Hexacyanoeisensäuren
- dicarboxyliques/Dicarbonsäuren
- dichlorobenzoïques/Dichlorbenzoesäuren
- dihydroxybenzoïques/Dihydroxybenzoesäuren
- du soufre/Schwefel-Säuren
- endiandriniques/Endiandrinsäuren
- F/F-Säuren
- filixiques/Filixsäuren
- fluorophosphoriques/Fluorophosphorsäuren
- fumants/Rauchende Säuren
- glycidiques/Glycidsäuren
- gras/Fettsäuren
- gras du furane/F-Säuren
- griséoliques/Griseolsäuren
- hexuroniques/Hexuronsäuren
- humiques/Huminsäuren
- hydroxamiques/Hydroxamsäuren
- hydroxybenzoïques/Hydroxybenzoesäuren
- hydroxybutyriques/Hydroxybuttersäuren
- imidiques/Imidsäuren
- iso-oléiques/Isoölsäuren
- lipoteichoïques/Lipoteichonsäuren
- littéraux/Buchstabensäuren
- lysophosphatidiques/Lysophosphatidsäuren
- mercaptopropioniques/Mercaptopropionsäuren
- méthyl-2-buténoïques/Methyl-2-butensäuren
- minéraux/Mineralsäuren
- monobasiques/Einbasige Säuren
- mycoliques/Mykolsäuren
- naphtalène-carboxyliques/Naphthalincarbonsäuren
- naphtalènesulfoniques/Naphthalinsulfonsäuren
- naphténiques/Naphthensäuren
- naphtolsulfoniques/Naphtholsulfonsäuren
- naphtylaminesulfoniques/Naphthylaminsulfonsäuren
- nitrobenzoïques/Nitrobenzoesäuren
- nucléiques/Nucleinsäuren
- nucléiques antisens/Antisense-Nucleinsäuren
- nucléiques peptidiques/Peptid-Nucleinsäuren
- octosyliques/Octosylsäuren
- olivaniques/Olivansäuren
- oxocarboxyliques/Oxocarbonsäuren
- oxoglutariques/Oxoglutarsäuren
- phénolsulfoniques/Phenolsulfonsäuren
- phénoxy-carboxyliques/Phenoxycarbonsäuren
- phosphoglycériques/Phosphoglycerinsäuren
- phostamiques/Phostamsäuren
- pipéridine carboxyliques/Piperidincarbonsäuren
- polyacryliques/Polyacrylsäuren
- polyaminopolycarboxyliques/Polyaminopolycarbonsäuren
- polycarboxyliques/Polycarbonsäuren
- polyéthylène-sulfoniques/Polyvinylsulfonsäuren

- polyglutamiques/Polyglutaminsäuren
- polyméthacryliques/Polymethacrylsäuren
- polyparabaniques/Polyparabansäuren
- polythioniques/Polythionsäuren
- pseudomoniques/Pseudomon(in)säuren
- pyridoxiques/Pyridoxsäuren
- résiniques/Harzsäuren
- ribonucléiques/Ribonucleinsäuren
- ribonucléïques de transfert/Transfer-Ribonucleinsäuren
- saccharíques/Zuckersäuren
- sialiques/Sialinsäuren
- siliciques/Kieselsäuren
- stanniques/Zinnsäuren
- sulféniques/Sulfensäuren
- sulfiniques/Sulfinsäuren
- sulfoniques/Sulfonsäuren
- teichoïques/Teichonsäuren
- teichuroniques/Teichuronsäuren
- telluriques/Tellursäuren
- thiocarboxyliques/Thiocarbonsäuren
- thiohydroxamiques/Thiohydroxamsäuren
- toluiques/Toluylsäuren
- tricarboxyliques/Tricarbonsäuren
- trimères/Trimersäuren
- truxilliques et truxiniques/Truxillsäuren u. Truxinsäuren
- uroniques/Uronsäuren
- xanthogènes/Xanthogensäuren
- zaragoziques/Saragossasäuren
- acidifiants/Säurungsmittel
- acidimetrie/Acidimetrie
- acidité/Acidität
- acidophile/Acidophil
- acidose/Azidose
- lactique/Lactat-Acidose
- acier/Stahl
- à coupe rapide/Schnellarbeitsstahl
- à grain fin/Feinkornbaustähle
- à roulement/Wälzlagerstahl
- au carbone/Kohlenstoff-Stähle
- au cuivre/Kupferstahl
- au vanadium/Vanadium-Stähle
- austéno-ferritique/Ferritisch-austenitische Stähle
- brut (en lingots)/Rohstahl
- calmé/Beruhigter Stahl
- coulé/Flußstahl
- duplex/Ferritisch-austenitische Stähle
- électrique/Elektrostahl
- faiblement allié/Niedriglegierte Stähle
- ferritique/Ferritische Stähle
- fin/Edelstahl
- fondu/Gußstahl
- fortement allié/Hochlegierter Stahl
- nitruré/Nitrierstahl
- non allié/Kohlenstoff-Stähle
- réfractaire/Hitzebeständige Stähle
  aciers à grain fin et à haute résistance/HSLA-Stähle
- antirouilles/Nichtrostende Stähle
- au bore/Borstähle
- au chrome/Chromstähle
- au manganèse/Mangan-Stähle
- austénitique/Austenitische Stähle
- de décolletage/Automatenstähle
- inoxydables/Nichtrostende Stähle

Française

acifluorfene/Acifluorfen
acipimox/Acipimox
acithromycine/Azithromycin
acitrétine/Acitretin
acivicine/Acivicin
aclarubicine/Aclarubicin
aclonifène/Aclonifen
acné/Akne
aconine/Aconin
aconit/Eisenhut
aconitase/Aconitase
aconitine/Aconitin
acore odorant/Kalmus
acoustique/Akustik
acrasine/Acrasine
acridine/Acridin
acrinathrine/Acrinathrin
acroléine/Acrolein
acrosine/Akrosin
acrosome/Akrosom
acrylamide/Acrylamid
acrylate de 2-hydroxyéthyle/(2-Hydroxyethyl)-acrylat
– de 2-hydroxypropyle/(2-Hydroxypropyl)-acrylat
– de méthyle/Methylacrylat
acrylates de polyéthyle/Polyethylacrylate
Acte Unique Européen/Einheitliche Europäische Akte
actine/Actin
α-actinine/α-Actinin
actinium/Actinium
actinométrie/Aktinometrie
actinomycètes/Actinomyceten
actinomycine/Actinomycine
actinoquinol/Actinoquinol
actinoviridine/Actinoviridin A
actionïdes/Actinoïde
activateur du plasminogène du tissu/Tissue Plasminogen Activator
activateurs/Aktivatoren
activation/Aktivierung
activine/Activin
activité/Aktivität
– optique/Optische Aktivität
acyl…/Acyl…
acylanion-synthons/Acylanion-Synthon
acylases/Acylasen
acylation/Acylierung
acyloïnes/Acyloine
acyloxy…/Acyloxy…
1-adamantanamine/1-Adamantanamin
adamantane/Adamantan
adamine/Adamin
adamite/Adamin
adamsite/Adamsit
adaptation/Adaptation
adapteur/Adaptor
adapteurs/Reduzierstücke
adaptogènes/Adaptogene
addiction/Sucht
additifes/Stellmittel
additifs/Additive
– alimentaires/Lebensmittelzusatzstoffe, Zusatzstoffe
– alimentaires pour bétail/Futtermittelzusatzstoffe
– de bain/Badezusätze
– de fonctionnement/Gebrauchsadditive
– d'ensilage/Silierungsmittel
– du café/Kaffeezusätze
– pour compactation/Seal-Hilfsmittel
– pour huiles minérales/Mineralöladditive
– pour l'acier/Stahlveredler
addition/Addition
– de Michael/Michael-Addition

– de plomb/Verbleien
– du type aldol/Aldol-Addition
adducine/Adducin
adénine/Adenin
– -arabinoside/Adeninarabinosid
adénosine/Adenosin
– 5'-diphosphate/Adenosin-5'-diphosphat
– 3'-monophosphate/Adenosin-3'-monophosphat
– 3',5'-monophosphate/Adenosin-3',5'-monophosphat
– 5'-monophosphate/Adenosin-5'-monophosphat
– -phosphate/Adenosinphosphat
– -triphosphatases/Adenosintriphosphatasen
– 5'-triphosphate/Adenosin-5'-triphosphat
S-adénosylméthionine/S-Adenosylmethionin
adénovirus/Adenoviren
adénylate-cyclase/Adenylat-Cyclase
– -kinase/Adenylat-Kinase
adhérence/Haftfestigkeit
adhésif/Adhäsiv
– à solvant/Lösemittelklebstoff
adhésifa à l'acrylate/Acrylat-Klebstoffe
adhésifs/Klebstoffe
– anaérobes/Anaerobe Klebstoffe
– de floquage/Beflockungsklebstoffe
– pour applications médicales/Medizinische Klebstoffe
– réactifs thermodurcissables/Warmhärtende Reaktionsklebstoffe
– structurels/Strukturklebstoffe
– temporaires/Temporärkleber
– thermosoudables/Heißsiegelklebstoffe
adhésines/Adhäsine
adhésion/Adhäsion
adhésiphores/Haftmittel, Haftvermittler
adhésivité/Zügigkeit
adipate de diisodécyle/Diisodecyladipat
– de dioctyle/Dioctyladipat
adiphénine/Adiphenin
adipiodon/Adipiodon
adipose/Fettsucht
adjuvant/Adjuvans
– -retard/Erstarrungsverzögerer
adjuvants/Builder
– de béton/Betonzusatzmittel
– de filtration/Filterhilfsmittel
ADN de plasmide/Plasmid-DNA
– de réplication/Replizierende DNA
– ligases/DNA-Ligasen
– mitochondrial/Mitochondriale DNA
– polymérases/DNA-Polymerasen
– répétitive/Repetitive DNA
adonis/Adonisröschen
adoucissement de l'eau/Wasserenthärtung
ADP-ribose cyclique/Cyclische ADP-Ribose
– -ribosylation/ADP-Ribosylierung
L-adrénaline/L-Adrenalin
adrénalone/Adrenalon
adrénergique/Adrenerg
adrénocepteurs/Adrenozeptoren
adrénochrome/Adrenochrom
adrénolytiques/Adrenolytika
adrénostérone/Adrenosteron
adressines/Adressine

adsorbants/Adsorbentien
adsorption/Adsorption
AED/AED
aérateur/Luftporenbildner
– de surface/Oberflächenbelüfter
– de volume/Volumenbelüfter
aération/Lüftung
– à air comprimé/Druckbelüftung
– par éjecteur/Ejektorbelüftung
aérobies/Aerobier
aéroéjecteur hydraulique par immersion ou à jet libre/Tauchstrahlbelüfter
aérogel/Aerogel
aérosols/Aerosole, Sprays
– inhalables/Einatembare Aerosole
aérotolérant/Aerotolerant
aescine/Aescin
aesculine/Aesculin
affections autoimmunes/Autoimmunerkrankungen
affinage/Läutern
– au vent/Windfrischen
– par soufflage/Windfrischen
– sure sole/Herdfrischen
affiner/Frischen
affinité/Affinität
– électronique/Elektronenaffinität
– protonique/Protonenaffinität
aflatoxine/Aflatoxine
aflatrem/Aflatrem
Afrormosia/Afrormosia
afwillite/Afwillit
agar(-agar)/Agar(-Agar)
agaritine/Agaritin
agarofurane/Agarofurane
agarose/Agarose
agate/Achate
– mousseuse/Moosachat
agent/Agens
– de contrôle de charge/Ladungssteuermittel
– de surface/Grenzflächenaktive Stoffe
– d'harmonisation/Egalisiermittel
– d'unisson/Egalisiermittel
– réducteur/Desoxidationsmittel
agents absorbants d'huile/Ölbindemittel
– adoucissants/Weichspüler
– alkylants/Alkylantien
– anaboliques/Anabolika
– anabolisants/Masthilfsmittel
– anti-blocking/Antiblock(ing)mittel
– anti-éraillants (antiglissants)/Schiebefestmittel
– antibuée/Beschlagverhinderungsmittel
– antifatigue/Ermüdungsschutzmittel
– antigonflants/Quellfestmittel
– antimottants/Rieselhilfen
– antiozone/Ozon-Schutzmittel
– antipeaux/Antihautmittel
– antituberculose/Tuberkulostatika
– antivirus/Virostatika
– caloporteurs/Wärmeübergungsmittel
– carminatifs/Carminativa
– chimiques de combat/Kampfstoffe
– cholérétiques/Choleretika
– cholicinétiques/Cholekinetika
– constipants/Obstipantien
– de blanchiment/Optische Aufheller
– de conservation/Konservierungsmittel
– de conservation des fleurs/Blumenfrischhaltemittel

– de couverture/Abdeckmittel
– de fanaison/Welkstoffe
– de fermentation panaire/ Teiglockerungsmittel
– de pulvérisation/Spritzmittel
– de renforcement de la détergence/Waschkraftverstärker
– de séparation/Trennmittel
– de surface/Tenside
– de surface fluorés/Fluor-Tenside
– de surface polymériques/Polymertenside
– de traitement des surfaces/Oberflächenbehandlungsmittel
– de vitrification des parquets/Parkettversiegelungsmittel
– de vulcanisation/Vulkanisationsmittel
– dérouillants/Entrostungsmittel
– d'imprégnation de silicone/Silicon-Imprägniermittel
– dispersants/Dispergiermittel
– émulsionnants/Emulgatoren
– fibrinolytiques/Fibrinolytika
– filmogènes/Filmbildner
– formant une pellicule/Filmbildner
– moteurs/Treibmittel
– mouillants/Netzmittel
– moussants/Blähmittel
– nucléants/Nukleationsmittel
– précipitants/Fällungsmittel
– protecteurs des semences/Saatgut-Behandlungsmittel
– séquestrants/Komplexbildner
– solubilisants/Lösungsvermittler
– soufflants/Treibmittel
– tensio-actifs/Tenside
– uricosuriques/Urikosurika
agglomération/Stückigmachen
agglomérats/Agglomerate
agglomérés laminés/Laminate
– stratifiés/Laminate
agglutination/Agglutination
agglutinines/Agglutinine
aggrégation/Aggregation
agitateur giratoire/Rundschüttler
– Intermig/Intermig®-Rührer
agitation/Rühren
aglycones/Aglykone
agoniste/Agonist
agrégat/Betonzuschlag
agrine/Agrin
agrobactéries/Agrobakterien
agropyrène/Agropyren
agrumes/Agrumen, Citrusfrüchte
aide-laboratoire de chimie/Chemielaborant
– -mémoires/Nachschlagewerke
aigreurs d'estomac/Sodbrennen
aigue-marine/Aquamarin
aikinite/Aikinit
ail/Lauch
aimant hybride/Hybridmagnet
aimants/Magnete
– permanents/Dauermagnete
air/Luft
– comprimé/Druckluft
– liquide/Flüssige Luft
aire de rut/Balzarena
– en ciment/Estrich
airelles/Heidelbeeren
– rouges/Preiselbeeren
ajmalicine/Ajmalicin
ajmaline/Ajmalin
…al/…al
Al-fin procédé/Al-Fin-Verfahren
alabandine/Alabandin
alabandite/Alabandin
alachlore/Alachlor
alanates/Alanate
alanes/Alane

alanine/Alanin
L-alanosine/L-Alanosin
alanycarb/Alanycarb
albâtre/Alabaster
albendazole/Albendazol
albinisme/Albinismus
– partiel/Teilalbinismus
albocycline/Albocyclin
albomycinum/Albomycine
albumines/Albumine
alcali-cellulose/Alkalicellulose
alcalimétrie/Alkalimetrie
alcalino-terreux/Erdalkalimetalle
alcalis caustiques/Kaustische Alkalien
alcalo(des de la rhoéadine/Rhoeadin-Alkaloide
alcaloïdes/Alkaloide
– apomorphiniques/Aporphin-Alkaloide
– aristotéliques/Aristotelia-Alkaloide
– d'amaryllidacées/Amaryllidaceen-Alkaloide
– de bisbencylisoquinoline/Bisbenzylisochinolin-Alkaloide
– de bryozoènes/Bryozoen-Alkaloide
– de Catharanthus roseus/Catharanthus roseus-Alkaloide
– de chine/China-Alkaloide
– de coca/Coca-Alkaloide
– de conium/Conium-Alkaloide
– de Corydalis/Corydalis-Alkaloide
– de Corynanthe/Corynanthe-Alkaloide
– de cularine/Cularin-Alkaloide
– de Daphniphylum/Daphniphyllum-Alkaloide
– de Dendrobates/Dendrobates-Alkaloide
– de Elaeocarpus/Elaeocarpus-Alkaloide
– de la lobélie/Lobelia-Alkaloide
– de l'ancistrocladus/Ancistrocladus-Alkaloide
– de l'anhalonium/Anhalonium-Alkaloide
– de la sécurinega/Securinega-Alkaloide
– de l'ergot de seigle/Ergot-Alkaloide
– de l'érythrine/Erythrina-Alkaloide
– de l'héliotrope/Heliotropium-Alkaloide
– de l'iboga/Iboga-Alkaloide
– de l'imidazol/Imidazol-Alkaloide
– de l'indol/Indol-Alkaloide
– de l'indolicidine/Indolizidin-Alkaloide
– de l'ipéca(cuana)/Ipecacuanha-Alkaloide
– de l'ipomée/Ipomoea-Alkaloide
– de l'isoquinoline/Isochinolin-Alkaloide
– de l'opium/Opium-Alkaloide
– de mésembrine/Mesembrin-Alkaloide
– de morphinane/Morphinane
– de morphine/Morphin-Alkaloide
– de pavine/Pavin- u. Isopavin-Alkaloide
– de peyotl/Lophophora-Alkaloide
– d'Ephedra/Ephedra-Alkaloide
– de pipéridine/Piperidin-Alkaloide
– de protoberbérine/Protoberberin-Alkaloide

– de protopiue/Protopin-Alkaloide
– de pyrrolizidine/Pyrrolizidin-Alkaloide
– de quinoline/Chinolin-Alkaloide
– de quinolizidine/Chinolizidin-Alkaloide
– de rauwolfia/Rauwolfia-Alkaloide
– d'Erythrophleum/Erythrophleum-Alkaloide
– de stemona/Stemona-Alkaloide
– des salamandres/Salamander-Alkaloide
– de Strychnos/Strychnos-Alkaloide
– de Tylophora/Tylophora-Alkaloide
– de vinca/Vinca-Alkaloide
– diterpeniques/Diterpen-Alkaloide
– du cactus/Kaktus-Alkaloide
– du lupin/Lupinen-Alkaloide
– du lycopode/Lycopodium-Alkaloide
– du pin/Pinus-Alkaloide
– du pyrroloindole/Pyrroloindol-Alkaloide
– du tabac/Tabak-Alkaloide
– peptidiques/Peptid-Alkaloide
– stéroïdes/Steroidalkaloide
– stéroïdes de vératrum/Veratrum-Steroidalkaloide
– stéroïdes du solanum/Solanum-Steroidalkaloide
– tropaniques/Tropan-Alkaloide
alcalose/Alkalose
alcanes/Alkane
alcanethiols/Alkanthiole
alcanolamides grasses/Fettsäurealkanolamide
alcanolamines/Alkanolamine
alcanols/Alkanole
alcènes/Alkene
alclométasone/Alclometason
alcloxa/Alcloxa
alcoholates de sodium/Natriumalkoholate
alcoholisme/Alkoholismus
alcool/Alkohol, Spiritus, Sprit
– agricole/Agraralkohol
– allylique/Allylalkohol
– p-anisique/p-Anisalkohol
– benzylique/Benzylalkohol
– cétostéarylique/Cetylstearylkohol
– cinnamylique/Zimtalkohol
– de bois/Holzgeist
– de patchouli/Patchoulialkohol
– déshydrogénase/Alkohol-Dehydrogenasen
– diacétique/Diacetonalkohol
– furfurylique/Furfurylalkohol
– isopropilique/Isopropanol
– palmitoléique/Palmitoleylalkohol
– salicylique/Salicylalkohol
– sinapylique/Sinapylalkohol
– tétrahydrofurfurylique/Tetrahydrofurfurylalkohol
– vinylique/Vinylalkohol
alcoolates/Alkoholate
– d'aluminium/Aluminiumalkoholate
alcoolémie/Blutalkohol
alcools/Alkohole
– cériques/Wachsalkohole
– de Ziegler/Ziegler-Alkohole
– gras/Fettalkohole
– plastifiants/Weichmacheralkohole

– polyvinyliques/Polyvinylalkohole
– saccchariques/Zuckeralkohole
alcoolyse/Alkoholyse
alcoomètre/Alkoholometer
alcoxy…/Alkoxy…
alcynes/Alkine
aldéhyde anisique/p-Anisaldehyd
– cinnamique/Zimtaldehyd
– de Zincke/Zincke-Aldehyd
– déshydrogénases/Aldehyd-Dehydrogenasen
– glycérique/Glycerinaldehyd
– glycolique/Glykolaldehyd
– 2-hydratropique/2-Phenylpropionaldehyd
– salicylique/Salicylaldehyd
– vératrique/Veratrumaldehyd
aldéhydes/Aldehyde
– de Strecker/Strecker-Aldehyde
– phénoliques/Phenolaldehyde
aldésulfone sodique/Aldesulfon-Natrium
aldicarbe/Aldicarb
aldimorphe/Aldimorph
aldioxa/Aldioxa
alditols/Aldite
aldo…/Aldo…
aldocétènes/Aldoketene
aldocétoses/Aldoketosen
aldohexoses/Aldohexosen
aldol/Aldol
aldolases/Aldolasen
aldols/Aldole
aldopentoses/Aldopentosen
aldose-réductase/Aldose-Reduktase
aldoses/Aldosen
aldostérone/Aldosteron
aldrine/Aldrin
alendronate/Alendronat
alerte au smog/Smog-Alarm
alexines/Alexine
alfa/Esparto
alfacalcidol/Alfacalcidol
alfadolone/Alfadolon
alfaxolone/Alfaxolon
alfentanil/Alfentanil
alfuzosine/Alfuzosin
alginate de calcium/Calciumalginat
– de sodium/Natriumalginat
alginates/Alginate
alglucérase/Alglucerase
algues/Algen
alguicides/Algizide
aliage d'Arnd/Arnds Legierung
alimémazine/Alimemazin
aliment minéral/Mineralfutter
alimentation/Ernährung
aliments/Lebensmittel, Nahrungsmittel
– diététiques/Diätetische Lebensmittel
– instantanés/Instant-Produkte
– pour bétail/Futtermittel
alitisation/Alitieren
alizapride/Alizaprid
alizarine/Alizarin
alkalis/Alkalien
alkannine/Alkannin
alkékenge jaune/Kapstachelbeeren
alkyl…/Alkyl…
N-alkylamides/N-Alkylamide
alkylamines/Alkylamine
alkylaryl…/Alkylaryl…
alkylarylsulfonates/Alkylarensulfonate
alkylation/Alkylierung
alkylbenzènes/Alkylbenzole
alkylbenzènesulfonates/Alkylbenzolsulfonate

alkyles métalliques/Metallalkyle
alkylidène…/Alkyliden…
alkylnaphténesulfonates/Alkylnaphthalinsulfonate
alkylphénols/Alkylphenole
alkylpolyglucosides/Alkylpolyglucoside
allanite/Allanit
allantoïne/Allantoin
alléle/Allel
allélopathie/Allelopathie
allélopathiques/Allelopathika
allène/Allen
allergènes/Allergene
allergie/Allergie
allergies aux produits alimentaires/Lebensmittelallergien
alliage/Legierung
– à point de fusion bas/Niedrigschmelzende Legierungen
– à tréfiler/Knetlegierungen
– de Devarda/Devardasche Legierung
– de fonderie/Gußlegierungen
– de Guthrie/Guthriesche Legierung
– de Harper/Harpers Legierung
– de Lipowitz/Lipowitz-Legierung
– (de) Newton/Newton-Legierung
– de platine/Platin-Legierungen
– Wood/Woodsches Metall
alliages au cobalt/Cobalt-Legierungen
– d'aluminium/Aluminium-Legierungen
– d'argent/Silber-Legierungen
– de chrome/Chrom-Legierungen
– de circonium/Zirconium-Legierungen
– de cloche/Glockenwerkstoffe
– de cuivre/Kupfer-Legierungen
– de décolletage/Automatenlegierungen
– de Fahrenwald/Fahrenwald-Legierungen
– de magnésium/Magnesium-Legierungen
– de manganèse/Mangan-Legierungen
– de nickel/Nickel-Legierungen
– de plomb/Blei-Legierungen
– de sodium/Natrium-Legierungen
– de sodium et de potassium/Kalium-Natrium-Legierungen
– de tantale/Tantal-Legierungen
– de titanium/Titan-Legierungen
– d'étain/Zinn-Legierungen
– d'Heusler/Heuslersche Legierungen
– d'or/Gold-Legierungen
– résistant/Heizleiter-Legierungen
– fusibles/Schmelzlegierungen
allicine/Allicin
alliine/Alliin
allo…/Allo…
allobarbital/Allobarbital
allochromasie/Allochromasie
allochtone/Allothigen
allomérie/Allomerie
allomone/Allomone
allopathie/Allopathie
allopatrie/Allopatrie
allophanates/Allophanate
allophanes/Allophane
allopurinol/Allopurinol
allosamidine/Allosamidin
allostérie/Allosterie
allothigène/Allothigen
allotriomorphie/Allotriomorphie
alloxane/Alloxan
alloxantine/Alloxantin

Française

alloxazine/Alloxazin
allumettes/Zündhölzer
allyl.../Allyl...
allylamine/Allylamin
allylestrénol/Allylestrenol
allyloxy.../Allyloxy...
allylthio-urée/Allylthioharnstoff
almitrine/Almitrin
aloès/Aloe
alpaga (alpaca)/Alpaka
alpha-cyperméthrine/Alpha-Cypermethrin
alphabet grec/Griechisches Alphabet
alprazolam/Alprazolam
alprénolol/Alprenolol
alprostadil/Alprostadil
altération/Verwitterung
alternatives/Tierversuche, Alternativen
altrétamine/Altretamin
altro-/altro-
altruisme/Altruismus
aluminate de potassium/Kaliumaluminat
aluminates/Aluminate
– de calcium/Calciumaluminate
– de sodium/Natriumaluminate
alumine/Tonerde
alumines/Aluminiumoxide
aluminiage/Aluminieren
aluminium/Aluminium
aluminothermie/Aluminothermie
alun/Alaun
– d'ammonium/Ammoniumalaun
– de chrome/Chromalaun
alunite/Alunit
aluns/Alaune
– de fer/Eisenalaune
amadou/Zunder
amalgame d'ammonium/Ammoniumamalgam
– de sodium/Natriumamalgam
amalgames/Amalgame
– d'argent/Silberamalgame
amandes/Mandeln
amanite/Knollenblätterpilze
– panthère/Pantherpilz
– tue-mouches/Fliegenpilz
amanitines/Amanitine
amarante/Amaranth
amarogentine/Amarogentin
amatol/Amatol
amavadine/Amavadin
ambazone/Ambazon
ambi.../Ambi...
amblygonite/Amblygonit
ambo-/ambo-
ambre/Bernstein
– gris/Ambra
ambréine/Ambrein
ambrette de xyline/Xylolmoschus
ambrettolide/Ambrettolid
ambrox/Ambrox
ambroxol/Ambroxol
ambucétamide/Ambucetamid
amcinonide/Amcinonid
améliorateurs pour le sol/Bodenverbesserungsmittel
amélioration (conditionnement) des boues/Schlammkonditionierung
aménagement de l'environnement/Umweltmanagement
amensalisme/Amensalismus
amer/Magenbitter
américium/Americium
améthyste/Amethyst
ametryne/Ametryn
amfépramone/Amfepramon
amfétaminil/Amfetaminil
amfomycine/Amfomycin
amianteciment/Asbestzement

amibes/Amöben
amibicides/Amöbizide
amidases/Amidasen
amidation/Amidierung
amide de l'acide nicotinique/Nicotinsäureamid
– de l'acide oléique/Ölsäureamid
– de l'acide stéarique/Stearinsäureamid
– de lithium/Lithiumamid
– de sodium/Natriumamid
amides/Amide
– d'acides gras/Fettsäureamide
– métalliques/Metallamide
– phosphoriques/Phosphoramide
amidines/Amidine
amidino.../Amidino...
amido.../Amido...
amidoacétals/Amidacetale
amidon/Stärke
– gonflant (pré-gélatinisé)/Quellmehl
amidons cationiques/Kationische Stärken
– oxydés/Oxidierte Stärken
– permanents/Steifungsmittel
amidosulfuron/Amidosulfuron
amidotransférases/Amidotransferasen
amidoximes/Amidoxime
amidrazones/Amidrazone
amifostine/Amifostin
amikacine/Amikacin
amiloride/Amilorid
aminals/Aminale
amination/Aminierung
amines/Amine
– analeptiques/Weckamine
– biogènes/Biogene Amine
– chromiques/Chromiake
– grasses/Fettamine
amino.../Amino...
amino acétaldéhyde diméthylacétal/Aminoacetaldehyddimethylacetal
4-amino acétanilide/4-Aminoacetanilid
amino-acide-ARN-t ligases/Aminosäure-tRNA-Ligasen
– -anthraquinones/Aminoanthrachinone
4-aminoazobenzène/4-Aminoazobenzol
2-amino-1-butanol/2-Amino-1-butanol
– -2-méthyle-1,3-propandiol/2-Amino-2-methyl-1,3-propandiol
– -2-méthyle-1-propanol/2-Amino-2-methyl-1-propanol
– -1-phényléthanol/2-Amino-1-phenylethanol
aminoacides/Aminosäuren
aminoacyl-ARNt/Aminoacyl-tRNA
α-aminoalkylation/α-Aminoalkylierung
aminobenzoates/Aminobenzoesäureester
aminoéthanols/Aminoethanole
aminoglutéthimide/Aminoglutethimid
aminoglycosides/Aminoglykoside
aminoguanidine/Aminoguanidin
aminonaphtols/Aminonaphthole
aminooxy.../Aminooxy...
aminopeptidases/Aminopeptidasen
aminophénazone/Aminophenazon
aminophénols/Aminophenole
aminophylline/Aminophyllin
aminoplastes/Aminoplaste, Harnstoff-Harze

aminopropanols/Aminopropanole
aminoptérine/Aminopterin
aminopyridines/Aminopyridine
aminoquinuride/Aminoquinurid
aminotriazole/Amitrol
amiodarone/Amiodaron
amiphénazol/Amiphenazol
amitraz/Amitraz
amitriptyline/Amitriptylin
amitrole/Amitrol
amlodipine/Amlodipin
ammoniaque/Ammoniak
ammonio.../Ammonio...
ammoniolyse/Ammonolyse
ammonium/Ammonium
ammoxydation/Ammonoxidation
amobarbital/Amobarbital
amorces fulminantes/Zündblättchen
amorolfine/Amorolfin
amorphe/Amorph
– aux rayons X/Röntgenamorph
amoxicilline/Amoxicillin
ampère/Ampere
ampère/mètre/A/m
ampérométrie/Amperometrie
amphétamine/Amphetamin
amphi.../Amphi-
amphiboles/Amphibole
amphiphile/Amphiphil
amphiprotique/Amphiprotisch
ampholytes/Ampholyte
amphotère/Amphoter
amphotéricine B/Amphotericin B
ampicilline/Ampicillin
amplificateur/Booster, Enhancer, Verstärker
– de goût/Geschmacksverstärker
– Lock-In/Lock-In-Verstärker
amplification/Amplifikation
– de l'ADN/DNA-Amplifikation
– paramétrique/Parametrische Verstärkung
ampoules/Ampullen, Blasen
ampropylfos/Ampropylfos
amrinone/Amrinon
amsacrine/Amsacrin
amycine/Amycine
amygdales/Mandeln
amygdaloside/Amygdalin
amyl.../Amyl...
amylases/Amylasen
amyline/Amylin
amyloïde/Amyloid
amylopectine/Amylopektin
amylose/Amylose
amyrines/Amyrine
ana/ana
anabasine/Anabasin
anaérobies/Anaerobier
analcime/Analcim
analcite/Analcim
analeptiques/Analeptika
analgésiques/Analgetika, Schmerzmittel
analogues basiques/Basen-Analoge
analyse/Analyse
– à la touche (goutte)/Tüpfelanalyse
– assistée par ordinateur/Computergestützte analytische Chemie
– biochimique/Biochemische Analyse
– chimique/Chemische Analyse
– de coûts/bénéfices/Kosten-Nutzen-Analyse
– de fluorescence/Fluoreszenzanalyse
– de Hansch/Hansch-Analyse
– de „head-space"/Headspace-Analyse

– de Hevesy-Paneth/Hevesy-Paneth-Analyse
– de matériau non-destructive/Zerstörungsfreie Werkstoffprüfung
– de Moore et Stein/Moore-Stein-Analyse
– de processus/Prozeßanalytik
– de régression/Regressionsanalyse
– de risque/Gefährdungsanalyse
– de structure aux rayons X/Röntgenstrukturanalyse
– d'émanation en phase gazeuse/Emanationsgasanalyse
– des gaz/Gasanalyse
– des groupes terminaux/Endgruppenbestimmung
– des structures cristallines/Kristallstrukturanalyse
– des traces/Spurenanalyse
– du circle de vie/Ökobilanz
– du cycle de vie/LCA
– du risque/Risikoanalyse
– électrochimique/Elektroanalyse
– élémentaire/Elementaranalyse
– enzymatique/Enzymatische Analyse
– génomique/Genomanalyse
– granulométrique par sédimentation/Sedimentationsanalyse
– organoleptique/Organoleptische Prüfung
– par activation/Aktivierungsanalyse
– par activation neutronique/Neutronenaktivierungsanalyse
– par fluorescence X/Röntgenfluoreszenzspektroskopie
– par précipitation/Fällungsanalyse
– par rayons X/Röntgenanalyse
– par thermistors/Thermistoranalyse
– par traceur/Hevesy-Paneth-Analyse
– physique/Physikalische Analyse
– pyrognostique/Flammenfärbung
– qualitative/Qualitative Analyse
– quantitative/Quantitative Analyse
– séquentielle/Sequenzanalyse
– spectrochimique/Spektralanalyse
– sur la sécurité/Sicherheitsanalyse
– thermique/Thermoanalyse
– thermomécanique/Thermomechanische Analyse
– volumétrique/Maßanalyse
analyses de surfaces/Oberflächenanalysemethoden
ananas/Ananas
anaphrodisiaque/Anaphrodisiaka
anastrozol/Anastrozol
anatase/Anatas
anatoxine/Anatoxine
anchois/Sardellen
ancre de glycosylphosphatidylinositol/Glykosylphosphatidylinosit-Anker
– réactive/Reaktivanker
ancrod/Ancrod
ancyrine/Ankyrin
andalousite/Andalusit
andésite/Andesit
androgènes/Androgene
andromédotoxine/Andromedotoxin
5α-androstane/5α-Androstan
androstanolone/Androstanolon
5-androstène-3β,17β-diol/5-Androsten-3β,17β-diol

androstérone/Androsteron
…ane/…an
anémie/Anämie
– à hematies falciformes/Sichelzellenanämie
– pernicieuse/Perniziöse Anämie
anémomètre à effet Doppler/Doppler-Anemometer
anemométrie/Anemometrie
– Doppler à laser/Laser-Doppler-Anemometrie
anémonine/Anemonin(e)
anesthésiques/Anästhetika
– d'inhalation/Inhalationsnarkotika
– d'injection/Injektionsnarkotika
anesthesiques locaux/Lokalanästhetika
aneth/Dill
anéthol/Anethol
anéthotrithione/Anetholtrithion
aneuploidie/Aneuploidie
angiographie/Angiographie
angiotensinamide/Angiotensinamid
angiotensines/Angiotensine
anglésite/Anglesit
angulaire/Angular
angustmycine/Angustmycin
angyrine/Anagyrin
anharmonicité/Anharmonizität
anhydrase carbonique/Carboanhydrase
anhydride acétique/Essigsäureanhydrid
– arsénieux/Arsenik, Giftmehl
– benzoïque/Benzoesäureanhydrid
– butyrique/Buttersäureanhydrid
– dodécénylsuccinique/Dodecenylbernsteinsäureanhydrid
– glutarique/Glutarsäureanhydrid
– isatoïque/Isatosäureanhydrid
– maléique/Maleinsäureanhydrid
– méthylmaléique/Methylmaleinsäureanhydrid
– phthalique/Phthalsäureanhydrid
– propionique/Propionsäureanhydrid
– succinique/Bernsteinsäureanhydrid
– tétrabromophthalique/Tetrabromphthalsäureanhydrid
– tétrachlorophthalique/Tetrachlorphthalsäureanhydrid
– tétrahydrophthalique/4-Cyclohexen-1,2-dicarbonsäureanhydrid
– trifluoro-acétique/Trifluoressigsäureanhydrid
– trimellitique/Trimellit(h)säureanhydrid
anhydrides/Anhydride
– d'acides/Säureanhydride
– saccharides/Zuckeranhydride
anhydrite/Anhydrit
anhydro…/Anhydro…
anilazine/Anilazin
anilides/Anilide
aniline/Anilin
anilino…/Anilino…
animaliser/Animalisieren
anions/Anionen
aniracétam/Aniracetam
anis/Anis
– étoilé/Sternanis
anisatine/Anisatin
anisidines/Anisidine
anisidino…/Anisidino…
aniso…/Aniso…
anisodesmique/Anisodesmisch
anisol/Anisol
anisotropie/Anisotropie

anisoyl…/Anisoyl…
anisyl…/Anisyl…
ankérite/Ankerit
annabergite/Annabergit
annatto/Annatto
anneau d'Einstein/Einsteins Ring
anneaux de Liesegang/Liesegangsche Ringe
– médians/Mittlere Ringe
– normaux/Gewöhnliche Ringe
an(n)el(l)ation/Anellierung
annexines/Annexine
annihilation/Zerstrahlung
annonine/Annonine
annuel/Annuell
annulation/Anellierung
annulènes/Annulene
anodes/Anode
anodisation/Anodisieren
– colorante/Farbanodisationsverfahren
anomères/Anomere
anorexigènes/Appetitzügler
anovulatoires/Ovulationshemmer
ansamycine/Ansamycine
ansérine/Anserin
antacide/Antacida
antagonistes/Antagonisten
– du calcium/Calcium-Antagonisten
antazoline/Antazolin
anthelmintiques/Anthelmintika
anthocyanidines/Anthocyanidine
anthocyanines/Anthocyane
anthracène/Anthracen
anthracite/Anthrazit
anthracycline/Anthracycline
anthraquinone/Anthrachinon
9-anthrol/9-Anthrol
anthrone/Anthron
9-anthrylméthyle/9-Anthrylmethyl…
anti-/Anti-
– -détonants/Antiklopfmittel
– stokes raman laser/Anti-Stokes-Raman-Laser
antiallergiques/Antiallergika
antiamanite/Antamanid
antiandrogènes/Antiandrogene
antiarine/Antiarin
antiaromaticité/Antiaromatizität
antiarthritiques/Antiarthritika
antiasthmatiques/Antiasthmatika
antibiose/Antibiose
antibiotiques/Antibiotika
– de β-lactame/β-Lactam-Antibiotika
– peptidiques/Peptid-Antibiotika
antichlore/Antichlor
anticoccidieux/Kokzidiostatika
anticorps/Antikörper
– monoclonaux/Monoklonale Antikörper
antidepressants/Antidepressiva
antideutéron/Antideuteron
antidiabétiques/Antidiabetika
antidiurétiques/Antidiuretika
antidote/Antidot
antiémétiques/Antiemetika
antienzymes/Antienzyme
antiépileptiques/Antiepileptika
antifertilisants/Antikonzeptionsmittel
antigels/Anti-icing-Mittel, Cryoprotektoren, Gefrierschutzmittel
antigène carcinoembryonnaire/Karzino-embryonales Antigen
– commun des leucocytes/Leukocyte common antigen
– H-Y/H-Y-Antigen
– S rétinien/Retinales S-Antigen
– thy-1/Thy-1-Antigen
antigènes/Antigene

– apparaissant très tard/Very late(-appearing) antigens
– de surface/Oberflächenantigene
– de tumeurs/Tumor-Antigene
– d'histocompatibilité/Histokompatibilitäts-Antigene
antihistamines/Antihistaminika
antilipogènes/Antiadiposita
antimalariens/Antimalariamittel
antimatiere/Antimaterie
antimétabolites/Antimetabolite
antimicrobiens/Antimikrobielle Wirkstoffe
antimoine/Antimon
antimoniates/Antimonate
antimoniaux/Antimon-Präparate
antimonite/Antimonit
antimonure d'indium/Indiumantimonid
antimoniures/Antimonide
antimousses/Entschäumer, Schaumverhütungsmittel
– de silicone/Siliconentschäumer
antimycine A_1/Antimycin A_1
antimycoïnes/Antimykotika
antineutrino/Antineutrino
antineutron/Antineutron
antioxydants/Antioxidantien
antiozonants/Antiozonantien
antiozones/Ozon-Schutzmittel
antiparticules/Antiteilchen
antiphlogistiques/Antiphlogistika
antipodes optiques/Optische Antipoden
antiport/Antiport
antiproton/Antiproton
antipyrétiques/Antipyretika
antirhumatismaux/Antirheumatika
antisaprobité/Antisaprobität
antiscabieux/Antiscabiosa
antiseptiques/Antiseptika
antisérum/Antiserum
antistatiques/Antistatika
antisudoraux/Antihidrotika
antisympathotoniques/Antisympath(ik)otonika
antithyroïdiens/Thyreostatika
antitoxines/Antitoxine
$α_1$-antitrypsine/$α_1$-Antitrypsin
antitussif/Hustenmittel
antitussifs/Antitussiva
antivitamines/Antivitamine
antramycines/Anthramycine
AOX/AOX
apalcilline/Apalcillin
apamine/Apamin
apatite/Apatit
apéritifs/Apéritifs
aphicide/Aphizide
aphidicoline/Aphidicolin
aphrite/Schaumkalk
aphrodisiaques/Aphrodisiaka
apigénine/Apigenin
apiine/Apiin
apiole/Apiol
apiose/Apiose
aplasmomycine/Aplasmomycin
apo…/Apo…
apocaroténale/Apocarotinal
apolaire/Apolar
apolate de sodium/Natriumapolat
apollo programme/Apollo-Programm
apomorphine/Apomorphin
apophyllite/Apophyllit
apoprotéines/Apoproteine
apoptose/Apoptose
appairage/Kupp(e)lung
appareil à décanter/Dekanter
– à jet liquide/Flüssigkeitsstrahler
– de destillation tubulaires à billes/Kugelrohr

– de Golgi/Golgi-Apparat
– de Hofmann pour décomposer l'eau/Hofmannscher Zersetzungsapparat
– de Kipp/Kippscher Apparat
– de Pensky-Martens/Pensky-Martens
– de préfermentation/Vorfermenter
– de Warburg/Warburg-Apparatur
– d'extraction de Kutscher-Steudel/Kutscher-Steudel-Extraktionsapparat
appareillage de cotre/Kutterhilfsmittel
– de sublimation/Sublimationsapparatur
– pour réactions chimiques/Reaktionsapparate
appareils/Apparate
– à colonnes/Kolonnen-Einbauten
– agitateurs/Schüttelgeräte
– de chauffage/Heizgeräte
– d'échange de chaleur/Wärmeaustauscher
– pour le titrage automatique/Titrierautomaten
– respiratoires/Atemschutzgeräte
– respiratoires de secours/Selbstretter
appauvrissement/Abreicherung
application/Applikation
apport de métaux par fusion/Flammspritzen
apprêt/Appretur
– d'atelier/Shop-Primer
– intachable (antisalissant, antisouillure)/Soil-Release-Ausrüstung
approximation de Born-Oppenheimer/Born-Oppenheimer-Näherung
– semiclassique/Semiklassische Näherung
apraclonidine/Apraclonidin
apricots/Aprikosen
aprindine/Aprindin
aprobarbital/Aprobarbital
aprotinine/Aprotinin
aptitude à la trempe/Härtbar
aqua/Aqua
aquaculture/Aquakultur
aquamétrie/Aquametrie
aquaporines/Aquaporine
aquavit/Aquavit
aquayamycine/Aquayamycin
aquotisation/Aquotisierung
aquoxides/Aquoxide
Ar…/ar-
arabino-/arabino-
arabinogalactane/Arabinogalaktan
arabinonucléosides/Arabinonucleoside
arabinose/Arabinose
arabite/Arabit
arabitol/Arabit
arachné/Arachne
arachno-/arachno-
aragonite/Aragonit
araignées/Spinnen
aralkyl…/Aralkyl…
aramides/Aramide
arborescine/Arborescin
arboricide/Arborizide
arborol/Arborol
arbreau poivre/Mönchspfeffer
arbutine/Arbutin
arc/Lichtbogen
archaées/Archaea
archéométrie/Archäometrie
arctostaphyle/Bärentraube
ardoise/Schiefer, Schiefertafeln
– memphytique/Grünschiefer

Française

arécoline/Arecolin
arène/Grieß
aréomètre/Aräometer
ARF/ARF
argatroban/Argatroban
argent/Silber
– sterling/Sterlingsilber
argentan/Argentan
argenter/Versilbern
argentite/Argentit
argenture/Versilbern
argile/Ton, Tone
– savonneuse (à foulon)/Walkerde
– sigillaire/Terra sigillata
argilolite/Tonstein
arginase/Arginase
L-arginine/L-Arginin
argiopinine/Argiopinine
argiotoxine/Argiotoxine
argon/Argon
argoussier/Sanddorn
aridité/Aridität
aristoloche/Osterluzei
armatures/Armaturen
armes biologiques/Biologische Waffen
– chimiques/Chemische Waffen
– fumigènes/Nebelwaffen, Rauchwaffen
– incendiaires/Brandwaffen
– nucléaires/Kernwaffen
armoires de sécurité/Sicherheitsschränke
– séchoirs/Trockenschränke
armoise/Beifuß
– de Barbarie/Wurmkraut
arnica/Arnika
ARNm polycistronique/Polycistronische mRNA
aromates/Gewürze
aromatisation/Aromatisierung
arôme butirique/Butteraroma
– de cacao/Kakao-Aroma
– de café/Kaffee-Aroma
– de champignons/Pilzaroma
– de framboise/Himbeeraroma
– de fromage/Käse-Aroma
– de noisette/Haselnußaroma
– des pommes/Apfelaroma
– du thé/Tee-Aroma
– du vin/Weinaroma
– étranger/Off-flavour
arômes/Aromen
– de fruits/Fruchtaromen
arrestines/Arrestine
arroseurs/Sprinkleranlagen
arrow-root/Arrowroot
arsa…/Arsa…
arsénazo/Arsenazo I, II, III
arséniate de calcium/Calciumarsenat
arséniates de cuivre/Kupferarsenate
– de sodium/Natriumarsenate
arsénic/Arsen
– natif/Scherbenkobalt
arsénicaux/Arsen-Präparate
arséniure de gallium/Galliumarsenid
– de nickel/Nickelarsenid
– d'indium/Indiumarsenid
arséniures/Arsenide
arséno…/Arseno…
arsénopyrite/Arsenopyrit
arsines/Arsine
arsino…/Arsino…
arsoles/Arsole
arsonylation de Béchamp/Béchamp-Arsonylierung
arsphénamine/Arsphenamin
artémisine/Artemisin
artériosclérose/Arteriosklerose
arthrite/Arthritis

Arthrobacter/Arthrobacter
arthropodes/Arthropoden
articaïne/Articain
artichauts/Artischocken
aryl…/Aryl…
arylation/Arylierung
arynes/Arine
asarones/Asarone
asbeste/Asbest
asbestose/Asbestose
ascaridol/Ascaridol
ascomycètes/Ascomyceten
ascorbate de sodium/Natriumascorbat
…ase/…ase
asiaticoside/Asiaticosid
asoxystrobine/Azoxystrobin
asparaginase/Asparaginase
asparagine/Asparagin
aspartate-transcarbamoylase/Aspartat-Transcarbamoylase
aspartates/Aspartate
asperdiol/Asperdiol
asperge/Spargel
aspergillus/Aspergillus
asphaltènes/Asphaltene
asphaltes/Asphalte
– à froid/Kaltasphalte
aspic/Aspik
aspiciline/Aspicilin
assainissement des déchets/Altlastensanierung
assimilation/Assimilation
assistant physico-technique/Physikalisch-technischer Assistent
– technicien-chimiste/Chemisch-technische(r) Assistent(in)
association/Assoziation
associations professionelles d'assurance accident/Berufsgenossenschaften
assouplir par rouleaux/Walken
assouplissants/Weichspüler
astacine/Astacin
astate/Astat
astaxanthine/Astaxanthin
astémizole/Astemizol
astéracées/Asteraceen
astérine/Chrysanthemin
astérisme/Asterismus
astérosaponine/Asterosaponine
asthme/Asthma
astrakanite/Astrakanit
astringents/Adstringentien
asulame/Asulam
asym-/asym-
asymétrie/Asymmetrie
atacamite/Atacamit
atavisme/Atavismus
…ate/…at
aténolol/Atenolol
atmolyse/Atmolyse
atmosphère/Atmosphäre
atom/Atom
atomes à mésons/Mesonen-Atome
– asymetriques/Asymmetrische Atome
– chauds/Heiße Atome
– de Rydberg/Rydberg-Atome
– exotiques/Exotische Atome
– interstitiels/Zwischengitteratome
– muoniques/Myonen-Atome
atomisation/Atomisierung
atomiser/Zerstäuben
atomiseur/Zerstäuber
atorvastatine/Atorvastatin
atovaquon/Atovaquon
ATP synthases/ATP-Synthasen
atrazine/Atrazin
atropine/Atropin
atropisomérie/Atropisomerie

attapulgite/Attapulgit
atteinte á la santé/Gesundheitsschaden
atténuateur/Attenuator
atto…/Atto…
attractifs/Attraktantien, Lockstoffe
attraction de Coulomb/Coulomb-Anziehung
aubépine/Weißdorn
aubergines/Auberginen
aubours/Goldregen
aucubine/Aucubin
audio-protection/Gehörschutz
audit environnemental/Umweltaudit
aunée/Alant, Helenenkraut
auramine/Auramin
auranofine/Auranofin
aurates/Aurate
auréobasidine/Aureobasidine
auréoles/Aureolen
aurichalcite/Aurichalcit
aurine/Aurin
aurore [polaire]/Polarlicht
aurothioglucose/Aurothioglucose
aurothiomalate de sodium/Natriumaurothiomalat
aurothiopolypeptide/Aurothiopolypeptid
austénite/Austenit
autacoïdes/Autacoide
auto-contrôle/Selbstüberwachung
– -épuration/Selbstreinigung
– -épuration biologique/Biologische Selbstreinigung
– -immunité/Autoimmunität
– -organisation/Selbstorganisation
autocatalyse/Autokatalyse
autochtone/Autochthon
autoclaves/Autoklaven
autocollage/Autohäsion
autographie/Autographie, Hektographie
autoionisation/Autoionisation
autolyse/Autolyse
automation/Automation
– de systèmes de test/Automation von Testsystemen
automérisation/Automerisierung
automobil peu polluant/Schadstoffarmes Auto
autoradiographie/Autoradiographie
autorisation de produits recombinants/Zulassung rekombinanter Produkte
autorité de l'autorisation/Genehmigungsbehörden
autosome/Autosom
autotrophie/Autotrophie
autoxydation/Autoxidation
autunite/Autunit
auxiliaires de mercerisage/Mercerisierhilfsmittel
– de polymérisation/Polymerisationshilfsmittel
– pour laques/Lackhilfsmittel
– textiles cationiques/Kationaktive Textilhilfsmittel
auxinones/Pflanzenwuchsstoffe
auxines/Auxine
auxochrome/Auxochrome
avarol/Avarol
aventurine/Aventurin
avérufine/Averufin
avidine/Avidin
avilamycine/Avilamycine
avitaminoses/Avitaminosen
avivage/Avivage
avocat/Avocado
axial/Axial

axinite/Axinit
ayahuasca/Ayahuaska
aza…/Aza…
aza-8 guanine/8-Azaguanin
– -6 uridine/6-Azauridin
azacytidine/5-Azacytidin
azadiractine/Azadirachtin(e)
azapolymère/Azopolymere
azapropazone/Azapropazon
azasérine/Azaserin
azatadine/Azatadin
azathioprine/Azathioprin
azélates/Azelate
azéotrope/Azeotrop
…azepam/…azepam
azépines/Azepine
azètes/Azete
azétidine/Azetidine
azidamfénicol/Azidamfenicol
azide de plomb/Bleiazid
– de sodium/Natriumazid
– de triméthylsilyle/Trimethylsilylazid
– d'hydrogène/Stickstoffwasserstoffsäure
– d'iode/Iodazid
azides/Azide
– d'acyles/Säureazide
azidocilline/Azidocillin
azimsulfuron/Azimsulfuron
azines/Azine
azinphos-ethyl/Azinphos-ethyl
– -methyl/Azinphos-methyl
azintamide/Azintamid
aziridines/Aziridine
aziridinones/Aziridinone
azirines/Azirine
azlocilline/Azlocillin
azo…/Azo…
azobenzène/Azobenzol
azocyclotin/Azocyclotin
azoles/Azole
azométhine-imines/Azomethin-Imine
– ylures/Azomethin-Ylide
azométhines/Azomethine
azosémide/Azosemid
azote/Stickstoff
– calcique/Kalkstickstoff
azotomètre/Azotometer
azoxybenzène/Azoxybenzol
aztréonam/Aztreonam
azulènes/Azulene
azurite/Azurit

B

babeurre/Buttermilch
bacampicilline/Bacampicillin
bacille/Bacillus
bacitracine/Bacitracin
baclofène/Baclofen
bacs/Behälter
bactéricides/Bakterizide
bactéries/Bakterien
– acidophiles/Acidophile Bakterien
– aérobies strictes/Obligat aerobe Bakterien
– alcalophiles/Alkalophile Bakterien
– anaérobies strictes/Obligat anaerobe Bakterien
– de gaz détonant/Knallgasbakterien
– dégradant le pétrole/Erdöl-verwertende Bakterien
– des nodosités/Knöllchenbakterien
– du sol/Bodenbakterien
– du soufre/Schwefelbakterien
– ferrugineuses/Eisenbakterien
– oxydantes du soufre/Schwefeloxidierende Bakterien

– réductrices du sulfate/Sulfat-reduzierende Bakterien
bactériochlorophylles/Bakteriochlorophylle
bactériocines/Bacteriocine, Bakteriocine
[bactério]phage T4/T4-Phage
bactériophéophytines/Bakteriophäophytine
bactériorhodopsine/Bakteriorhodopsin
bactériostats/Bakteriostatika
bactériotoxine/Bakterien-Toxine
baculovirus/Baculoviren
baddeleyite/Baddeleyit
badiane/Sternanis
badione/Badione
bagasse/Bagasse
baguettes indicatrices/Teststäbchen
bain/Flotte
– à vapeur/Dampfbad
– marie/Wasserbad
bains/Heizbäder
– de l'air/Luftbäder
– de mousse/Schaumbäder
– de sable/Sandbäder
– de soufre/Schwefel-Bäder
balance de film de Langmuir/Langmuirsche Waage
– de Mohr/Mohrsche Waage
– magnétique/Magnetische Waage
balances/Waagen
balanol/Balanol
ballast/Ballaststoffe
ballon à fond rond/Rundkolben
– de Kjeldahl/Kjeldahl-Kolben
– gradué/Meßkolben
– jaugé/Meßkolben
ballons/Ballons, Kolben
– à fond plat/Stehkolben
balsa/Balsa-Holz
bambutérol/Bambuterol
baméthan/Bamethan
bamifylline/Bamifyllin
bamipine/Bamipin
bananes/Bananen
bandes de recouvrement/Abdeckbänder
– d'énergie/Energiebänder
– magnétiques/Magnetbänder
banque génomique/Genbank
banques d'ADNc/cDNA-Genbank
– de données/Datenbanken
– de données dans la génie génétique/Datenbanken in der Gentechnik
barbexaclone/Barbexaclon
barbital/Barbital
barbiturates/Barbiturate
barboteurs/Waschflaschen
barite/Baryt
baromètres/Barometer
barreaux aimantés de mélange/Magnetrührstäbchen
barres/Barren
barrière de Coulomb/Coulomb-Barriere
– d'inversion/Inversionsbarriere
– hématoencéphalique/Blut-Hirn-Schranke
baryons/Baryonen
baryte/Baryt
baryum/Barium
basalte fondu/Schmelzbasalt
basaltes/Basalte
base/Basis
– de Hünig/Hünig-Base
– de Lewis/Lewis-Base
– de Millon/Millonsche Base
– de Troeger/Tröger-Base

bases/Basen
– absorbantes d'onguent/Absorptionsgrundlagen
– de Schiff/Schiffsche Basen
– d'onguents (pommades)/Salbengrundlage
– monoacides/Einsäurige Basen
– solides/Echtbasen
basicité/Basizität
basidiomycètes/Basidiomyceten
basilic/Basilikum
basin/Halbleinen
baskétène/Basketen
basophilie/Basophilie
bassin d'activation/Belebungsbecken
– de décantation/Absetzbecken
– de décantation (clarification) finale/Nachklärbecken
– de dessablement/Sandfang
– de retenue de la crue/Rückhaltebecken
– d'épanouissement en rivière/Flußklärenlage
bastadine/Bastadine
bastnaesite/Bastnäsit
bataillère/Abwasserfahne
bathochrome/Bathochrom
bathocuproïne/Bathocuproin
bathophénantroline/Bathophenanthrolin
bâtiments de graduation/Gradierwerke
bâton d'Esculape/Äskulapstab
bâtonnets de magnésium/Magnesiastäbchen
bâtons de rouge à lèvres/Lippenstifte
– d'ignition/Zündstäbe
batrachotoxine/Batrachotoxin
batroxobine/Batroxobin
batterie à lithium/Lithium-Batterie
– déchargée/Altbatterie
batteries/Batterien
battik/Batik
battitures/Zunder
baume de copaiva/Kopaivabalsam
– de gurjun/Gurjunbalsam
– de Tolu/Tolubalsam
– du Canada/Kanadabalsam
– du Pérou/Perubalsam
baumes/Balsame
bauxite/Bauxit
bec Bunsen/Bunsenbrenner
– Teclu/Teclu-Brenner
bechers/Becherglaser
– Philips/Philipsbecher
béclamide/Beclamid
béclométasone/Beclometason
becquerel/Becquerel
béfunolol/Befunolol
bélemnites/Belemniten
belette/Wiesel
belladone/Tollkirsche
bémégride/Bemegrid
bémétizide/Bemetizid
bénactyzine/Benactyzin
benalaxyl/Benalaxyl
bénazépril/Benazepril
benazoline/Benazolin
bencyclane/Bencyclan
bendiocarbe/Bendiocarb
bendrofluméthiazide/Bendroflumethiazid
benfluraline/Benfluralin
benfotiamine/Benfotiamin
benfuracarb/Benfuracarb
benfuresate/Benfuresat
bengamide/Bengamide
bénitoïte/Benitoit
benjoin/Benzoeharz

benomyl/Benomyl
bénorilate/Benorilat
benpéridol/Benperidol
benpropérine/Benproperin
bensérazide/Benserazid
bensulfuron-méthyle/Bensulfuron-methyl
bensulide/Bensulid
bensultap/Bensultap
bentazone/Bentazon
bentiamine/Bentiamin
bentiromide/Bentiromid
bentonites/Bentonite
benzalacétophénone/Chalkon
benzaldéhyde/Benzaldehyd
benzamide/Benzamid
benzamido…/Benzamido…
benzanilide/Benzanilid
benz[a]anthracène/Benz[a]anthracen
benzanthrone/Benzanthron
benzarone/Benzaron
benzathine benzylpénicilline/Benzylpenicillin-Benzathin
benzatropine/Benzatropin
benzbromarone/Benzbromaron
benzène/Benzol
– de Dewar/Dewar-Benzol
benzènesulfinyl…/Benzolsulfinyl…
benzènesulfonyl…/Benzolsulfonyl…
benzènesulfonylamino…/Benzolsulfonylamino…
benzènioque/Benzoid
benzhydrol/Benzhydrol
benzhydryl…/Benzhydryl…
benzidine/Benzidin
benzile/Benzil
benziledioximes/Benzildioxime
benzimidazole/Benzimidazol
benzine/Petroleumbenzin
benz(o)…/Benz(o)…
benzo[a]pyrène/Benzo[a]pyren
benzoate d'ammonium/Ammoniumbenzoat
– de benzyle/Benzoesäurebenzylester
– de méthyle/Benzoesäuremethylester
– de naphtyle-2/Benzoesäure-2-naphthylester
– de sodium/Natriumbenzoat
– d'éthyle/Benzoesäureethylester
– d'isobutyle/Benzoesäureisobutylester
benzoates/Benzoate
benzo[b]thiofène/Benzo[b]thiophen
benzocaïne/Benzocain
benzoctamine/Benzoctamin
1,4-benzodiazépines/1,4-Benzodiazepin(e)
benzofuranne/Benzofuran
benzoguanamine/Benzoguanamin
benzoïne/Benzoin
benzonatate/Benzonatat
benzonitrile/Benzonitril
benzophénone/Benzophenon
benzoquinoléines/Benzochinoline
benzoquinones/Benzochinone
benzothiazole/Benzothiazol
1H-benzotriazole/1H-Benzotriazol
benzotrichlorure/Benzotrichlorid
benzotrifluorure/Benzotrifluorid
benzoximate/Benzoximat
benzoyl…/Benzoyl…
benzoylamino…/Benzoylamino…
benzoylation/Benzoylierung
benzoyloxy…/Benzoyloxy…

N-benzoyl-N-phénylhydroxylamine/N-Benzoyl-N-phenylhydroxylamin
benzquinamide/Benzquinamid
benzthiazide/Benzthiazid
benzvalène/Benzvalen
benzydamine/Benzydamin
benzyl…/Benzyl…
benzyl-orange/Benzylorange
– -4 phénol/4-Benzylphenol
benzylamine/Benzylamin
benzylaniline/Benzylanilin
benzylation/Benzylierung
benzylcellulose/Benzylcellulose
benzylhydrochlorothiazide/Benzylhydrochlorothiazid
benzylidène…/Benzyliden…
benzylidène-acétone/Benzylidenaceton
benzyloxy…/Benzyloxy…
benzyloxycarbonyl…/Benzyloxycarbonyl…
benzylthio…/Benzylthio…
benzylviologène/Benzylviologen
berbérine/Berberin
berce spondyle/Bärenklau
bergaptène/Bergapten
béribéri/Beri-Beri
berkelium/Berkelium
berthollide/Berthollide
bertrandite/Bertrandit
béryl/Beryll
béryllates/Beryllate
Béryllide/Beryllide
béryllium/Beryllium
bésilate d'atracurium/Atracuriumbesilat
bestatine/Bestatin
beta-cyfluthrine/Beta-Cyfluthrin
bêtacarotène/Betacaroten
béthistine/Betahistin
bétaïne/Betain
bétaïnes/Betaine
bétalaïne/Betalaine
bétaméthasone/Betamethason
bétaxolol/Betaxolol
bétazole/Betazol
bétoine/Ziest
béton/Beton
– armé/Stahlbeton
– léger/Leichtbeton
– lourd (compact)/Schwerbeton
– mousse (écumeux)/Schaumbeton
– polymérique/Polymerbeton
– poreux/Porenbeton
– précontraint/Spannbeton
betteraves rouges/Rote Rüben
bétuline/Betulin
beurre/Butter
– de cacao/Kakaobutter
bézafibrate/Bezafibrat
bézoard/Ziegensteine
biacetyle/2,3-Butandion
bibassiers/Japanische Mispeln
bibliographies/Bibliographien
bibliothèques/Bibliotheken
bibrocathol/Bibrocathol
bicavérine/Bikaverin
bicyclo[..]…/Bicyclo[…]…
bière/Bier
– brune/Stout
– de fermentation basse/Untergäriges Bier
– de malt/Malzbier
biexciton/Biexciton
bifenox/Bifenox
bifenthrine/Bifenthrin
bifonazole/Bifonazol
big bang/Urknall
bigarades/Pomeranzen
biguanide/Biguanide
bilame/Bimetall

bilan des déchets/Abfallbilanz
– thermique (calorifique)/Wärmebilanz
bilanafos/Bilanafos
bile/Galle
bilharziose/Bilharziose, Schistosomiasis
bilirubine/Bilirubin
biliverdine/Biliverdin
billots/Stubben
bilobalide/Bilobalid
binaphthyl/Binaphthyl
bio-indicateur/Bioindikator
bioaccumulation/Bioakkumulation
bioactivation/Bioaktivierung
biocatalyseurs/Biokatalysatoren
biocénose/Biozönose
biochimie/Biochemie
biocompatibilité/Biokompatibilität
bioconcentration/Biokonzentration
biodégradabilité/Biologische Abbaubarkeit
biodétérioration de matériaux/Biodeterioration
bioénergétique/Bioenergetik
bioéquivalence/Bioäquivalenz
bioéthique/Bioethik
biogaz/Biogas
biogène/Biogen
biogenèse/Biogenese
biogéocénose/Ökosystem
biogéochimie/Biogeochemie
bioingénieur/Bioingenieur
bioinsecticides/Bioinsektizide
biolessivage/Bioleaching
biologie/Biologie
– aérobie/Aerobe Biologie
– anaérobie/Anaerobe Biologie
– de tour/Turmbiologie
– des radiations/Strahlenbiologie
– marine/Meeresbiologie
– moléculaire/Molekularbiologie
– pharmaceutique/Pharmazeutische Biologie
bioluminescence/Biolumineszenz
biomasse/Biomasse
biome/Biom
biomolécules/Biomoleküle
bionique/Bionik
biopharmacie/Biopharmazie
biophysique/Biophysik
biopolymères/Biopolymere
bioptérine/Biopterin
bioréacteur/Bioreaktor
bioses/Biosen
biosphère/Biosphäre
biosynthèse des acides gras/Fettsäure-Biosynthese
– guidée par précurseurs/Vorläufer-dirigierte Biosynthese
– porphyrinique/Porphyrin-Biosynthese
biotechnologie/Biotechnologie
biotélémetrie/Biotelemetrie
biotensio-actif/Biosurfactants
biotest/Biotest
biotine/Biotin
biotope/Biotop
biotrophie/Biotrophie
bioxyde de manganèse/Braunsteine
biphényle/Biphenyl
– -2,2-diol/Biphenyl-2,2′-diol
biphénylène/Biphenylen
biphényles polybromées/PBB
biphénylyl…/Biphenylyl…
bipolymère/Bipolymer
2,2′-biquinoline/2,2′-Bichinolin
biréfringence/Doppelbrechung
– d'écoulement/Strömungsdoppelbrechung
– sous tension/Spannungsdoppelbrechung
birnessite/Birnessit
bis…/Bis…
bis(η^5-cyclopentadienyl)…/Bis(η^5-cyclopentadienyl)…
bisabolènes/Bisabolene
(−)-α-bisabolol/(−)-α-Bisabolol
bisacodyl/Bisacodyl
bischoffite/Bischofit
biscotte/Zwieback
biscoumacetate d'ethyle/Ethylbiscoumacetat
biscuit/Zwieback
bis(cyclohexylidène-hydrazide) oxalique/Oxalsäure-bis(cyclohexylidenhydrazid)
bismite/Wismutocker
bismuth/Bismut
bismuthate(V) de sodium/Natriumbismutat(V)
bismuthides/Bismutide
bismuthine/Bismuthinit
bismuthino…/Bismutino…
bisoprolol/Bisoprolol
bisphénol A/Bisphenol A
bistabilité optique/Optische Bistabilität
N,O-bis(triméthylsilyl)-acétamide/N,O-Bis-(trimethylsilyl)-acetamid
bitartrate de prajmalium/Prajmaliumbitartrat
bitertanol/Bitertanol
bithionol/Bithionol
bitter/Magenbitter
bitume/Bitumen
biuret/Biuret
bixine/Bixin
blanc de baleine/Walrat
– de perle/Perlweiß
– de plomb/Bleiweiß
– du Danemark/Dänischweiß
blanchiment/Bleichen
– textile/Textilbleiche
blanchisserie/Bleichen
blasticidine/Blasticidine
blattes/Schaben
blé/Weizen
– noir/Buchweizen
blende/Zinkblende
bléomycines/Bleomycine
blessure/Wunde
bleu claire/Lichtblau
– d'alcali/Alkaliblau
– d'aniline/Anilinblau
– de Berlin/Berliner Blau
– de bromochlorophénol/Bromchlorphenolblau
– de bromophénol/Bromphenolblau
– de bromothymol/Bromthymolblau
– de Chine/Chinablau
– de cobalt/Cobaltblau
– de disulfine/Disulfinblau VN 150
– de manganèse/Manganblau
– de Meldola/Meldolablau
– de méthyle/Methylblau
– de méthylène/Methylenblau
– de méthylthymol/Methylthymolblau
– de Milori/Miloriblau
– de molybdène/Molybdänblau
– de Nil/Nilblau A
– de Prusse/Berliner Blau, Preußisch Blau
– de tétrazolium/Tetrazoliumblau
– de thymol/Thymolblau
– de toluidine O/Toluidinblau O
– de toluylène/Toluylenblau
– de Turnbull/Turnbulls Blau
– de xylénol/Xylenolblau
– d'encre/Tintenblau
– égyptien/Ägyptisch Blau
– Evan/Evan Blau
– marine/Wasserblau
– Victoria/Viktoriablau
bleus patentés/Patentblau-Farbstoffe
blindage/Abschirmung
bloc polymères/Blockpolymere
blocage/Arretierung
blocking/Blocken
blocs de poudre/Treibsätze
blotting/Blotting
bobines de Helmholtz/Helmholtz-Spulen
boc-amino-acides/Boc-Aminosäuren
bois/Holz
– aggloméré/Kunstholz
– colorants/Farbhölzer
– comprimé/Preßholz
– de campêche/Blauholz
– de griottier/Weichsegmente
– de mine/Grubenholz
– de noyer blanc d'Amérique/Hickoryholz
– de santal/Sandelholz
– de teck/Teakholz
– gentil (joli)/Seidelbast
– modifié/Kunstholz
– piquant/Ruscus
– plastique/Plastisches Holz
boissons/Getränke
– alcooliques/Alkoholische Getränke
boîte à gants/Glove box
– de Hogness/Hogness-Box
– de Pétri/Petrischale
– de Pribnow/Pribnow(-Schaller)-Box
bol/Bolus
boldine/Boldin
boldo/Boldo
bolet bai/Maronenröhrling
bolomètre/Bolometer
bolus/Bolus
bombage/Bombage
bombe universelle de Wurzschmitt/Universalbombe
bombes incendiaires/Stabbrandbomben
bombésine/Bombesin
bombycol/Bombykol
bonbons/Pralinen
– de gomme/Gummibonbons
bonelline/Bonellin
bonnet de prêtre/Pfaffenhütchen
bopindolol/Bopindolol
bor(a)/Bora…
9-borabicyclo[3.3.1]nonane/9-Borabicyclo[3.3.1]nonan
boracite/Boracit
boranates/Boranate
boranes/Borane
borate…/Borata…
borate d'ammonium/Ammoniumborate
– de calcium/Calciumborat
– de lithium/Lithiumborat
borates/Borate
– de zinc/Zinkborate
borax/Borax
borazines/Borazine
bordereau d'envoi/Begleitschein
bore/Bor
bornane/Bornan
bornaprine/Bornaprin
bornéol/Borneol
bornite/Bornit
borohydrure de lithium/Lithiumborhydrid
– de potassium/Kaliumborhydrid
– de sodium/Natriumborhydrid
boroles/Borole
boromycine/Boromycin
boroxines/Boroxine
borrélidine/Borrelidin
borthiines/Borthiine
borurer/Borieren
borures/Boride
– de chrome/Chromboride
boryl…/Boryl…
bosons/Bosonen
bosselage/Treibprozeß
bostryche de l'épicéa/Borkenkäfer
botanique/Botanik
botulisme/Botulismus
boucage/Pimpinelle
bouche-pores/Porenfüller
bouchons/Stopfen
boucle en épingle à cheveux/Haarnadelschleife
– P/P-loop
bouclier/Abschirmung
– thermique/Hitzeschild
boue/Schlamm
– de retour/Rücklaufschlamm
– d'épuration/Klärschlamm
– activée/Belebtschlamm
– brute/Rohschlamm
– de forage/Bohrspülmittel
– de globigérines/Globigerinenschlamm
– en excès/Überschußschlamm
– explosives/Sprengschlämme
– flottantes/Schwimmschlamm
– gonflées/Blähschlamm
– organique/Faulschlamm
– rouge/Rotschlamm
bougie/Kerze
bougies/Kerzen
– magiques/Wunderkerzen
bouillie bordelaise/Kupferkalkbrühe
boulangérite/Boulangerit
boules puantes/Stinkbomben
bourbe/Trub
bourdaine/Faulbaum
bourgeonnement/Knospung
bournonite/Bournonit
bourrache/Borretsch
bourse-à-pasteur/Hirtentäschel
– des déchets/Abfallbörse
bousier/Mistkäfer
bouteille de gaz comprimé/Druckgasflaschen
– de Winkler/Winkler-Flasche
bouteilles à col cônique/Steilbrustflaschen
– d'acier/Bomben
– (fioles) à filtrer/Saugflaschen
bouturage Redox/Redox-Pfropfen
bove acide/Säureteer
boyau/Darm
bpy/bpy
bradykinine/Bradykinin
brai de goudron de bois/Holzpech
brallobarbital/Brallobarbital
bran/Kleie
brannerite/Brannerit
brasilianite/Brasilianit
brasiline/Brasilin
braunite/Braunit
brazzéine/Brazzein
bréfeldine/Brefeldine
brésiline/Brasilin
breveter/Patentieren
brévétoxine/Brevetoxine
brevets/Patente
brévicomine/Brevicomin
breynine/Breynine

brillance/Glanz, Leuchtdichte
brillanteurs/Glanzmittel
brique recuite/Klinker
– réfractaire/Klinker
briques/Ziegel
– de carbone/Kohlenstoffsteine
– de sable-calcaire/Kalksandsteine
– de silice/Silicasteine
– en chaux et sable/Kalksandsteine
– silico-calcaires/Kalksandsteine
– vitrifiées/Eisenklinker
briquet/Feuerzeug
– de Döbereiner/Döbereiners Feuerzeug
briquettage/Brikettierung
brivudine/Brivudin
brocart/Brokat
brochantite/Brochantit
brodifacoum/Brodifacoum
bromacétaldéhyde-diéthylacétal/Bromacetaldehyd-diethylacetal
N-bromacétamide/N-Bromacetamid
bromacétate d'ethyle/Bromessigsäureethylester
α-(ou ω-)bromacétophénone/ω- (od. α-)Bromacetophenon
bromacile/Bromacil
bromadiolone/Bromadiolon
bromate de potassium/Kaliumbromat
– de sodium/Natriumbromat
bromation/Bromierung
bromazépam/Bromazepam
1-brome-2-butène/1-Brom-2-buten
3-brome-camphre-8-acide sulfonique/3-Bromcampher-8-sulfonsäure
broméline/Bromelain
bromethaline/Bromethalin
bromhexine/Bromhexin
bromisoval/Bromisoval
brom(o)/Brom
bromo…/Brom…
bromobenzène/Brombenzol
bromochloromethane/Bromchlormethan
bromocriptine/Bromocriptin
bromocyclohexane/Bromcyclohexan
1-bromodécane/1-Bromdecan
bromoforme/Bromoform
bromohydrine/Bromhydrine
1-bromonaphtalène/1-Bromnaphthalin
bromophénol/4-Bromphenol
bromopride/Bromoprid
bromopropylate/Brompropylat
bromopyridines/Brompyridine
β-bromostyrolène/β-Bromstyrol
N-bromosuccinimide/N-Bromsuccinimid
bromoxynil/Bromoxynil
brompéridol/Bromperidol
bromphéniramine/Brompheniramin
bromsulfaléine/Bromsulfalein
bromuconazole/Bromuconazol
5-bromuracile/5-Bromuracil
bromure d'acétyle/Acetylbromid
– d'allyle/Allylbromid
– d'aluminium/Aluminiumbromid
– d'ambutonium/Ambutoniumbromid
– d'ammonium/Ammoniumbromid
– d'argent/Silberbromid
– de benzilonium/Benziloniumbromid
– de benzyle/Benzylbromid
– de butyle/Butylbromid
– de cadmium/Cadmiumbromid
– de calcium/Calciumbromid
– de cétyltriméthylammonium/ Cetyltrimethylammoniumbromid
– de ciclonium/Cicloniumbromid
– de clidinium/Clidiniumbromid
– de cyanogène/Bromcyan
– de decaméthonium/Decamethoniumbromid
– de démécarium/Demecariumbromid
– de dimidium/Dimidiumbromid
– de diponium/Diponiumbromid
– de distigmine/Distigminbromid
– de domiphène/Domiphenbromid
– de fenpiverinium/Fenpiveriniumbromid
– de fentonium/Fentoniumbromid
– de glycopyrronium/Glycopyrroniumbromid
– de hexyle/Hexylbromid
– de lithium/Lithiumbromid
– de magnésium/Magnesiumbromid
– de mercure(II)/Quecksilber(II)-bromid
– de méthanthélinium/Methantheliniumbromid
– de méthyle/Methylbromid
– de méthylène/Methylenbromid
– de nickel(II)/Nickel(II)-bromid
– de pancuronium/Pancuroniumbromid
– de phénylmagnésium/Phenylmagnesiumbromid
– de pipenzolate/Pipenzolatbromid
– de piproctanyle/Piproctanylbromid
– de potassium/Kaliumbromid
– de propanthéline/Propanthelinbromid
– de propargyle/Propargylbromid
– de pyridostigmine/Pyridostigminbromid
– de rocuronium/Rocuroniumbromid
– de sodium/Natriumbromid
– de thallium (I)/Thallium(I)-bromid
– de tropeziline/Tropenzilin-bromid
– de valéthamate/Valethamatbromid
– de vécuronium/Vecuroniumbromid
– de vinyle/Vinylbromid
– de xénytropium/Xenytropiumbromid
– d'émépronium/Emeproniumbromid
– d'éthyle/Ethylbromid
– d'hexacarbacholine/Hexacarbacholinbromid
– d'hexadécyle/Hexadecylbromid
– d'hexaméthonium/Hexamethoniumbromid
– d'homidium/Homidiumbromid
– d'hydrogène/Bromwasserstoff
– d'ipratropium/Ipratropiumbromid
– d'octyle/Octylbromid
– d'oxitropium/Oxitropiumbromid
– d'oxyphénonium/Oxyphenoniumbromid
bromuréide/Bromureide
bromures/Bromide
– de cuivre/Kupferbromide
– de phosphore/Phosphorbromide
– de propyle/Propylbromide
– de xylyle/Xylylbromide
– d'iode/Iodbromide
bronchite/Bronchitis
bronzage/Broncieren
bronze à cloches/Glockenbronze
– au magnésium/Magnesiumbronze
– au manganèse/Manganbronzen
– d'argent/Silberbronze
– rouge/Rotguß
bronzes/Bronzen
– au nickel/Nickelbronzen
– au tungstène/Wolframbronzen
– complexes/Mehrstoffbronzen
– d'aluminium/Aluminiumbronzen
– frittés/Sinterbronzen
– phosphoreux/Phosphorbronzen
broquinaldol/Broquinaldol
brotizolam/Brotizolam
brouillard/Nebel
– électromagnétique/Elektrosmog
broxyquinoline/Broxychinolin
broyage/Zerkleinern
– de matières dures/Hartzerkleinerung
broyeur à boule(t)s/Rührwerksmühlen
– (concasseur) à cylindres/Walzenbrecher
broyeurs/Mühlen
– Carr/Stiftmühlen
brucéantine/Bruceantin
brucine/Brucin
brucite/Brucit
brûlage spectral des trous/Spektrales Lochbrennen
brûleur à immersion/Tauchbrenner
– de Daniell/Daniellscher Hahn
– de miroir/Spiegelbrenner
– Méker/Méker®-Brenner
– UHF/UHF-Brenner
brûleurs/Brenner
brume/Nebel
brun de Cassel/Kasseler Braun
– de manganèse/Manganbraun
brunissement/Hautbräunung
bryostatine/Bryostatine
bucco/Bucco
bucétine/Bucetin
buclizine/Buclizin
buclosamide/Buclosamid
budesonide/Budesonid
bufadiénolide/Bufadienolide
buféniode/Bufeniod
bufexamac/Bufexamac
buflomédil/Buflomedil
buformine/Buformin
bufotoxine/Bufotoxin
bugrane/Hauhechel
bulbocapnine/Bulbocapnin
bulles/Blasen
– de savon/Seifenblasen
bullvalène/Bullvalen
bumadizone/Bumadizon
bumétanide/Bumetanid
bunamiodyl/Bunamiodyl
bunazosine/Bunazosin
bungarotoxine/Bungarotoxine
bunitrolol/Bunitrolol
buphénine/Buphenin
bupirimate/Bupirimat
bupivacaïne/Bupivacain
bupranolol/Bupranolol
buprénorphine/Buprenorphin
buprofézine/Buprofezin
burette de Schellbach/Schellbach-Bürette
burettes/Büretten
buse fendue (à encoches)/Schlitzstrahler
buséréline/Buserelin
buspirone/Buspiron
busserole/Bärentraube
busulfan/Busulfan
butacaïne/Butacain
butachlor/Butachlor
butadiène-1,3/1,3-Butadien
butalamine/Butalamin
butalbital/Butalbital
butamirate/Butamirat
butane/Butan
– -1-thiol/1-Butanthiol
butanediols/Butandiole
butanilicaïne/Butanilicain
1,4-butanodiamine/1,4-Butandiamin
butanol/Butanole
2-butanone/2-Butanon
butapérazine/Butaperazin
butavérine/Butaverin
butène/Buten
– -2-al/(E)-2-Butenal
– -2 diol-1,4/2-Buten-1,4-diol
buténolides/Butenolide
2-buténly…/2-Butenyl…
butétamate/Butetamat
1-butine/1-Butin
2-butine-1,4-diol/2-Butin-1,4-diol
butinoline/Butinolin
butizide/Butizid
butobarbital/Butobarbital
butocarboxime/Butocarboxim
butoxy…/Butoxy…
tert-butoxycarbonyl…/tert-Butoxycarbonyl…
butoxycarboxime/Butoxycarboxim
butoxyde de pipéronyle/Piperonylbutoxid
tert-butoxyde de potassium/Kalium-tert-butoxid
butoxydes/Butoxide
butyl/Butyl
tert-butyl-hydroquinone/tert-Butylhydrochinon
tert-butyl méthyl éther/tert-Butylmethylether
butylamine/Butylamine
butylate/Butylat
butylcaoutchouc/Butylkautschuke
tert-butylemétoxyphénol/tert-Butylmethoxyphenol
butylidène…/Butyliden…
butyllithium/Butyllithium
tert-butylphénol/tert-Butylphenole
butyraldéhyde/Butyraldehyde
butyrates/Buttersäureester
γ-butyrolactone/γ-Butyrolacton
butyromètre/Butyrometer
butyrophénone/Butyrophenon
butyryl…/Butyryl…

C

cabénégrine/Cabenegrine
cabergoline/Cabergolin
cacah(o)uète/Erdnüsse
cacao/Kakao
cachou/Catechu
caco…/Kako…
cacothéline/Kakothelin
cadastre/Kataster
cadhérines/Cadherine
cadinène/Cadinen
cadion/Cadion
cadmium/Cadmium
cadre/Leseraster
cadsurénone/Kadsurenon
cadusaphos/Cadusafos
cafaminol/Cafaminol
cafards/Schaben
café/Kaffee
– de triage/Triage-Kaffee
cafédrine/Cafedrin

Française

caféine/Coffein
caillebotte/Quark
cairomone/Kairomone
caisses mutuelles d'assurance accident/Berufsgenossenschaften
calamine/Ölkohle
calamité/Kalamität
calandres/Kalander
calbindines/Calbindine
calcaire portlandien/Portlandstein
calcédoine/Chalcedon
calcéine/Calcein
calcifédiol/Calcifediol
calciférols/Calciferole
calcification/Verkalken
calcifuge/Kalzifug
calcination/Calcinieren
calcineurine/Calcineurin
calcipotriol/Calcipotriol
calcite/Calcit
calcitonine/Calcitonin
calcium/Calcium
calcone/Calcon
calcul d'erreurs/Fehlerrechnung
– matriciel/Matrizenmechanik
calculateur analogique/Analogrechner
– de processus/Prozeßrechner
– vectoriel/Vektorrechner
calculs urinaires/Harnsteine
caldesmone/Caldesmon
caléfaction par microondes/Mikrowellenerhitzung
calibrage/Kalibrieren
– universel/Universelle Kalibrierung
caliche/Caliche
calichéamycine/Calicheamicine
californium/Californium
callase/Kallase
callose/Kallose
calmagite/Calmagit
calmoduline/Calmodulin
calnexine/Calnexin
calomel/Kalomel
calorie/Kalorie
calorifère de Kofler/Koflersche Heizbank
calorifuges/Wärmedämmstoffe
calorimétrie/Kalorimetrie
– différentielle dynamique/Dynamische Differenz-Kalorimetrie
calotte-tunnel/Tunnelböden
calpaïnes/Calpaine
calponine/Calponin
calréticuline/Calreticulin
calrétinine/Calretinin
calséquestrine/Calsequestrin
calycanthine/Calycanthin
calyculine/Calyculine
calystérol/Calysterole
camazépam/Camazepam
camigrène/Chamigrene
camomille/Kamille
camphechlore/Camphechlor
camphène/Camphen
camphre/Campher
camylofine/Camylofin
canalisation indirecte/Indirekteinleiter
canamide/Cyanamid
canaux à chlorures/Chlorid-Kanäle
– calciques/Calcium-Kanäle
– ioniques/Ionenkanäle
– potassiques/Kalium-Kanäle
– sodiques/Natrium-Kanäle
canavanine/Canavanin
cancer/Krebs
– végétal/Pflanzenkrebs
cancerigenes/Carcinogene
cancérogénicité/Carcinogenese
candela/Candela

candicidine/Candicidin
candidine/Candidin
candir/Kandieren
candoluminescence/Candolumineszenz
cannabinoide/Cannabinoide
canne d'acier du verrier/Glasmacherpfeife
cannel-coal/Kannelkohle
cannelle/Zimt
– de Padang/Padang-Zimt
canrénoate de potassium/Kaliumcanrenoat
cantharidine/Cantharidin
canthaxanthine/Canthaxanthin
caolin/Kaoline
caoutchouc/Gummi
– AC/AC-Kautschuk
– acrylique/Acrylat-Kautschuk
– anorganique/Anorganischer Kautschuk
– artificiel (synthétique)/Synthesekautschuke
– cellulaire/Schaumgummi
– chaud/Warmkautschuk
– cyclique/Cyclokautschuke
– de Panama/Panama Rubber
– de polyuréthane/Polyurethan-Kautschuke
– d'éthylène-propylène/EPT-Kautschuk
– diène/Dien-Kautschuk
– fluoré/Fluor-Kautschuke
– froid/Kaltkautschuk
– méthylique/Methylkautschuk
– -mousse/Schwammgummi
– naturel/Naturkautschuk
– nitrile/Nitrilkautschuk
– nitroso/Nitrosokautschuk
– polyester/Polyester-Kautschuke
– polyoléfinique/Polyolefin-Kautschuke
– polyuréthan polyéther/Polyether-Polyurethan-Kautschuke
– poreux/Porengummi
– souple (mou)/Weichgummi
– spongieux/Schwammgummi
– sylvestre/Wildkautschuk
– universel/Allzweck-Kautschuk
caoutchoucs/Kautschuke
– chlorés/Chlorkautschuke
– de styrène-butadiène/Styrol-Butadien-Kautschuke
– liquides/Flüssigkautschuke
– polyéther/Polyether-Kautschuke
caoutchoutage/Gummierung
capacité/Kapazität
– biogénique (de charge)/Umweltkapazität
– calorifique spécifique/Spezifische Wärmekapazität
– dégradable d'environnement/Abbaukapazität der Umwelt
capaciteur/Kondensator
capillaires/Kapillaren
– à ébullition/Siedekapillare
– de Haber-Luggin/Haber-Luggin-Kapillare
– de mark/Markröhrchen
capillarité/Kapillarität
capping/Capping
capréomycine/Capreomycin
câpres/Kapern
caproate de gestonorone/Gestonoron caproat
– d'ethyle/Hexansäureethylester
ε-caprolactame/ε-Caprolactam
ε-caprolactone/ε-Caprolacton
capsaïcine/Capsaicin
capsanthine/Capsanthin
capsides/Capside
capsules/Kapseln

– détonantes (fulminantes)/Sprengkapseln
captafol/Captafol
captan/Captan
capteur biologique/Biosensor
capteurs/Sensoren
– de radicaux/Radikal-Fänger
– du gaz/Gassensoren
captopril/Captopril
capture/Abfangen, Einfang
– d'électrons/Elektroneneinfang
caractère/Merkmal
caractérisation/Kennzeichnung
carambole/Karambole
caramel/Karamel
caramels/Karamellen
– durs/Hartkaramellen
– mous/Weichkaramellen
carane/Caran
carapace de sépia/Sepia-Schalen
carat/Karat
carazolol/Carazolol
carba.../Carba...
carbaborane/Carbaborane
carbachol/Carbachol
...carbaldéhyde/...carbaldehyd
carbamates/Carbamate
carbamazépine/Carbamazepin
carbamoyl.../Carbamoyl...
carbamoylphosphate/Carbamoylphosphat
carbanions/Carbanionen
carbapénème/Carbapeneme
carbaryl/Carbaryl
carbasalate calcique/Carbasalat-Calcium
carbazides/Carbazide
carbazochrome/Carbazochrom
9H-carbazole/9H-Carbazol
carbendazime/Carbendazim
carbènes/Carbene
carbénicilline/Carbenicillin
carbénoxolone/Carbenoxolon
carbetamide/Carbetamid
carbidopa/Carbidopa
carbimazole/Carbimazol
carbinols/Carbinole
carbinoxamine/Carbinoxamin
carbocations/Carbokationen
carbocistéine/Carbocistein
carbocromène/Carbocromen
carbodiimides/Carbodiimide
carbofuran/Carbofuran
carbohydrates/Kohlenhydrate
carbolfuchsine/Karbol-Fuchsin-Lösung
carbolines/Carboline
carbolinium/Carbolineum
carbomycine/Carbomycin
carbonate d'ammonium/Ammoniumcarbonat
– d'argent/Silbercarbonat
– de baryum/Bariumcarbonat
– de cadmium/Cadmiumcarbonat
– de calcium/Calciumcarbonat
– de cobalt(II)/Cobalt(II)-carbonat
– de cuivre(II)/Kupfer(II)-carbonat
– de diéthyle/Diethylcarbonat
– de diméthyle/Dimethylcarbonat
– de diphényle/Diphenylcarbonat
– de fer/Eisencarbonat
– de lithium/Lithiumcarbonat
– de magnésium/Magnesiumcarbonat
– de manganèse/Mangan(II)-carbonat
– de nickel(II)/Nickel(II)-carbonat
– de plomb/Bleicarbonat
– de potassium/Kaliumcarbonat
– de sodium/Natriumcarbonat

– de strontium/Strontiumcarbonat
– de thallium(I)/Thallium(I)-carbonat
carbonates/Carbonate, Kohlensäureester
– de bismuth/Bismutcarbonate
– de zinc/Zinkcarbonate
carbonatite/Karbonatit
carbone/Kohlenstoff
– -14/C-14
– mousse/Schaumkohlenstoff
– organique dissous (COD)/DOC
carbonisation/Carbonisieren, Inkohlung
– à basse temperature/Schwelung
carbonitruration/Carbonitrieren
carbonitrures/Carbonitride
carbonyl.../Carbonyl...
carbonylation/Carbonylierung
carbonyles de manganèse/Mangancarbonyle
– métalliques/Metallcarbonyle
carboplatine/Carboplatin
carboranes/Carborane
carbosilanes/Carbosilane
carbosulfan/Carbosulfan
carboxine/Carboxin
carboxylases/Carboxylasen
carboxylation/Carboxylierung
carboxyméthylcellulose/Carboxymethylcellulose
carboxypeptidases/Carboxypeptidasen
carbromal/Carbromal
carburants/Kraftstoffe, Motorkraftstoffe
– d'aviation/Flugkraftstoffe
– pour tracteurs/Traktorenkraftstoffe
– pour tuyères/Düsenkraftstoffe
carburation/Aufkohlung, Carburieren
carbure d'aluminium/Aluminiumcarbid
– de bore/Borcarbid
– de calcium/Calciumcarbid
– de fer/Eisencarbid
– de silicium/Siliciumcarbid
– de titane/Titancarbid
carbures/Carbide
– de chrome/Chromcarbide
– de magnésium/Magnesiumcarbide
– de thorium/Thoriumcarbide
– de tungstène/Wolframcarbide
carbutamide/Carbutamid
carbutérol/Carbuterol
carbyne/Karbin
carbynes/Carbine
carcinogeniques/Carcinogene
cardamon/Kardamomen
carde/Karde
cardénolide/Cardenolide
cardol/Cardol
carènes/Carene
carfentrazone-éthyle/Carfentrazon-ethyl
carie/Karies
carindacilline/Carindacillin
carisoprodol/Carisoprodol
carmin/Karmin
– d'indigo/Indigocarmin
carmustine/Carmustin
carnallite/Carnallit
carnitine/Carnitin
carnivore/Carnivorie
carnosine/Carnosin
carnotite/Carnotit
carotène/Carotine
β-carotène/β-Carotin
caroténoïdes/Carotinoide
carottes/Möhren
caroubier/Johannisbrotbaum

carpaïne/Carpain
carpatite/Pendletonit
carpholite/Karpholith
carprofène/Carprofen
carragheen/Carrageen
carreaux de céramique/Fliesen
cartap/Cartap
carte de transcription/Transkriptionskarte
– génétique/Genkarte
cartel/Kartell
cartéolol/Carteolol
carthame/Saflor
carthamine/Carthamin
cartilage/Knorpel
cartographie peptidique/Peptid-Kartierung
carton/Karton, Pappe
– bitumé/Dachpappe
– -bois/Holzpappe
– -feutre/Filzpappe
cartouches de gaz sous pression/Druckgasdosen, Druckgaskartuschen
carvacrol/Carvacrol
carvedilol/Carvedilol
carvone/Carvon
caryophyllènes/Caryophyllene
carzènide/Carzenid
case lysimétrique/Lysimeter
caséinates/Caseinate
caséine/Casein
casolite/Kasolit
cassaïne/Cassain
casse-lunettes/Augentrost
cassis/Johannisbeeren
cassitérite/Kassiterit
castanospermine/Castanospermin
CASTing/CASTing
catalase/Katalase
cataliseur de Wilkinson/Wilkinson-Katalysator
catalogue des déchets/Abfallkatalog
catalpol/Catalpol
catalysateurs de Raney/Raney-Katalysatoren
– Phillips/Phillips-Katalysatoren
– polymères/Polymere Katalysatoren
catalyse/Katalyse
– acide-base/Säure-Base-Katalyse
– par transfert de phase/Phasentransfer-Katalyse
catalyseur à trois voies/Dreiwege-Katalysator
– Meyer-Ronge/Meyer-Ronge-Katalysator
catalyseurs/Katalysatoren
– de Ziegler et Natta/Ziegler-Natta-Katalysatoren
– MCM/MCM-Katalysatoren
– Urushibara/Urushibara-Katalysatoren
cataphorèse/Kataphorese
catapinates/Katapinate
cataplasme/Kataplasma
cataplétie/Katapleit
cataracte/Star
catarrhe nasal/Schnupfen
catéchine/Catechin
catéchines/Catechine
catéchol/Brenzcatechin
catécholamines/Catecholamine
catécholborane/Catecholboran
catégories de dangerosité/Gefahrenklassen
– de nuisance à l'eau/Wassergefährdungsklassen
– de risques/Gefährlichkeitsmerkmale
caténa.../Catena...
caténanes/Catenane

caténine/Catenine
catharanthine/Catharanthin
cathartiques/Abführmittel
cathepsines/Kathepsine
cathode/Kathode
cathyl.../Cathyl...
cation cyclopropenylium/Cyclopropenylium-Kation
cationics/Kationtenside
cations/Kationen
caustification/Kaustifizieren
caustobiolites/Kaustobiolithe
cavaïne/Kawain
caviar/Kaviar
cavitation/Kavitation
cccDNA/cccDNA
CDTA/CDTA
cédrat/Zedrat
cédrène/Cedren
cédrol/(+)-Cedrol
céfacétrile/Cefacetril
céfaclor/Cefaclor
céfadroxil/Cefadroxil
céfalexine/Cefalexin
céfaloridine/Cefaloridin
céfalotine/Cefalotin
céfamandole/Cefamandol
céfazédone/Cefazedon
céfazoline/Cefazolin
céfépime/Cefepim
céfétamet/Cefetamet
céfixime/Cefixim
cefménoxime/Cefmenoxim
céfodizime/Cefodizim
céfopérazone/Cefoperazon
céfotaxime/Cefotaxim
céfotétan/Cefotetan
céfotiam/Cefotiam
céfoxitine/Cefoxitin
cefpirom/Cefpirom
cefpodoxime/Cefpodoxim
cefprozil/Cefprozil
céfradine/Cefradin
cefsulodine/Cefsulodin
ceftazidime/Ceftazidim
ceftibutène/Ceftibuten
céftizoxime/Ceftizoxim
ceftriaxone/Ceftriaxon
céfuroxime/Cefuroxim
ceinture de roches vertes/Grünstein-Gürtel
céladonite/Seladonit
céleri/Sellerie
célestine/Cölestin
céliprolol/Celiprolol
cellobiose/Cellobiose
cellulases/Cellulase
cellule de comptage/Zählkammer
– électrolytique/Elektrolytische Zelle
– photo-électrique/Photozellen
cellules/Zellen
– à chlorures/Chlorid-Zellen
– à haute activité/Heiße Zellen
– germinales/Keimzellen
– HeLa/HeLa-Zellen
– restantes/Resting Cells
– solaires/Solarzellen
– suppressives/Suppressor(-T)-Zellen
– totipotentes/Totipotente Zellen
– tueuses activées par lymphokine/Lymphokin-aktivierte Killerzellen
– tueuses naturelles/Natürliche Killerzellen
celluloïd/Celluloid
cellulose/Cellulose
– au sulfate/Sulfatcellulose
– au sulfite/Sulfitcellulose
– carbamat/Cellulose-Carbamat
– d'origine bacterienne/Bakterien-cellulose

– microcristalline/Mikrokristalline Cellulose
cellulose; pâte chimique/Zellstoff
cellulose régénérée/Regeneratcellulose
celluloses d'inclusion/Inclusions-cellulosen
cembranolide/Cembranoide
cembrène/Cembrene
cémentation/Zementation
cendre/Asche
– de pyrite/Kiesabbrände
cendres de bois/Holzasche
– volantes/Flugasche
centractine/Centractin
centres de couleur/Farbzentren
centrifugation/Zentrifugieren
centrifuge oscillante/Taumelzentrifuge
centromère/Centromer
centrosomes/Centrosomen
cèpe bai/Maronenröhrling
céphalines/Kephaline
céphalosporines/Cephalosporine
céphalostatine/Cephalostatine
céphalotaxine/Cephalotaxin
céramides/Ceramide
céramique/Keramik
– d'oxyde/Oxidkeramik
cérasine/Kerasin
céréal empoisonné/Giftgetreide
céréales/Getreide
cérébrodiène/Cerebrodiene
cérébrosides/Cerebroside
cérésine/Ceresin
cerfeuil/Kerbel
cérises/Kirschen
cérite/Cerit
cérium/Cer
cermets/Cermets
céruléine/Caerulein
céruloplasmine/Caeruloplasmin
céruse/Bleiweiß
cérusite/Cerussit
cérussite/Cerussit
cerveau/Gehirn
césium/Cäsium
cessation/Abfangen
cession/Abfangen
cétène/Keten
cétènes/Ketene
céténimines/Ketenimine
cétimines/Ketimine
cétirizine/Cetirizin
cét(o).../Ket(o)...
cétobémidone/Cetobemidon
cétone de Michler/Michlers Keton
cétones/Ketone
– vinyliques/Vinylketone
cétoses/Ketosen
cétyls/Ketyle
CFTR/CFTR
chabazite/Chabasit
chaîne alimentaire/Nahrungskette
– de Kratky-Porod/Kratky-Porod-Kette
– invariante/Invariante Kette
– latérale/Seitenkette
– respiratoire/Atmungskette
– témoin/Phantomkette
chaînes/Ketten
chalco.../Chalko...
chalco génures/Chalkogenide
chalcogènes/Chalkogene
chalcone/Chalkon
chalcopyrite/Kupferkies
chalcosine/Chalkosin
chalcostibine/Wolfsbergit
chaleur/Wärme
– atomique/Atomwärme
– de combustion/Verbrennungswärme

– de formation/Bildungswärme
– de fusion/Schmelzwärme
– de réaction/Reaktionswärme
– de vaporisation/Verdampfungswärme
– mol(écul)aire/Molwärme
– perdue/Abwärme
– spécifique/Spezifische Wärmekapazität
chaleurs de transformation (transition)/Umwandlungswärmen
chalones/Chalone
chalumeau/Gebläsebrenner
– à plasma/Plasmabrenner
– de Langmuir/Langmuir-Fackel
– oxhydrique/Knallgasgebläse
chalumeautage/Flammstrahlen
chamazulène/Chamazulen
chambre à bulles/Blasenkammer
– (à détente) de Wilson/Wilson-Kammer
– de turbulence (tourbillonnement)/Wirbelkammer
chamois/Sämischleder
chamotte/Schamotte
champ de force/Kraftfeld
champignon/Schwamm
champignons/Pilze
– comestibles/Speisepilze
– de la pourriture blanche/Weißfäulepilze
– filamenteux/Fadenpilze
– vénéneux/Giftpilze
champs d'épandage/Rieselfeld
– d'irrigation/Rieselfeld
changement d'échelle/Scale up
chanterelle/Pfifferlinge
chanure de Manille/Manilahanf
chanvre/Hanf
– de Bengale/Sunn
chaos/Chaos
chaotrope/Chaotrop
chaperons (moléculaires)/Chaperone
charactérisation du risque/Risikobeschreibung
charbon/Kohle
– à gaz/Gaskohle
– actif/Aktivkohle
– actif iodé/Iod-Kohle
– de bois/Holzkohle
– de café/Kaffeekohle
– de cornue/Retortenkohle
– d'os/Knochenkohle
– gras/Fettkohle
– médical/Medizinische Kohle
chardon benit/Benediktenkraut
– Marie/Mariendistel
charge/Fracht, Ladung
– d'eaux résiduaires/Abwasserlast
– élémentaire/Elementarladung
– intracavitaire/Innenraumbelastung
– polluante des eaux/Gewässerbelastung
charges/Füllstoffe
– creuses/Hohlladungen
charoite/Charoit
chartreuse/Chartreuse
chartreusine/Chartreusin
châtaignes/Kastanien
chaud/Heiß
chaudière à tubes d'eau à circulation forcée/Zwangsumlaufkessel
chaulage/Kalken
– de la forêt/Waldkalkung
chaux cellulaire/Zellenkalk
– de ciment/Zementkalk
– de plaques/Plattenkalke

Française

- hydraulique/Wasserkalk
- marneuse/Kalkmergel
- pour engrais/Düngekalk
- sodée/Natronkalk
- sucrée/Zuckerkalk

chavicol/Chavicol
cheirotoxine/Cheirotoxin
chélates/Chelate
chélidoine/Schöllkraut
chélidonine/Chelidonin
chemophorèse/Chemiphorese
chémorécepteurs/Chemorezeptoren
chemostat/Chemostat
chemurgie/Chemurgie
chevauchement/Überlappung
cheveux/Haar
chicorées/Zichorien
chiffons/Hadern
chimie/Chemie
- agricole/Agrikulturchemie
- alimentaire/Lebensmittelchemie
- analytique/Analytische Chemie
- analytique de l'environnement/Umweltanalytik
- appliquée/Angewandte Chemie
- aux basses températures/Tieftemperaturchemie
- aux hautes températures/Hochtemperaturchemie
- clinique/Klinische Chemie
- colloïdale/Kolloidchemie
- dans l'espace/Kosmochemie
- de défense/Wehrchemie
- de laser/Laser-Chemie
- de l'environnement/Ökochemie
- de polymères au laser/Laser-Polymerchemie
- des colloïdes/Kolloidchemie
- des minéraux/Mineralchemie
- des radiations/Strahlenchemie
- des surfaces/Oberflächenchemie
- du chlore/Chlorchemie
- générale/Allgemeine Chemie
- industrielle/Industrielle Chemie
- inorganique/Anorganische Chemie
- légale/Forensische Chemie
- macromoléculaire/Makromolekulare Chemie
- médicale/Medizinische Chemie
- militaire/Militärchemie
- minérale/Anorganische Chemie
- nucléaire/Kernchemie
- organique/Organische Chemie
- organo-métallique/Metall-organische Chemie
- pharmaceutique/Pharmazeutische Chemie
- physiologique/Physiologische Chemie
- physique/Physikalische Chemie
- polymérique par laser/Laser-Polymerchemie
- préparative/Präparative Chemie
- pure/Reine Chemie
- quantique/Quantenchemie
- sous haute pression/Hochdruckchemie
- structurale/Strukturchemie
- supramoléculaire/Supramolekulare Chemie
- technique/Technische Chemie
- textile/Textilchemie
- théorique/Theoretische Chemie
- ultrasonore/Ultraschallchemie

chimiluminescence/Chemilumineszenz
chimiokines/Chemokine
chimiolithotrophie/Chemolithotrophie
chimioluminiscence infrarouge/Infrarotchemilumineszenz

chimiorécepteurs/Chemorezeptoren
chimiosmotique/Chemiosmotisch
chimiotactisme/Chemotaxis
chimiotaxie/Chemotaxis
chimiotaxonomie/Chemotaxonomie
chimiotrophie/Chemotrophie
chimiotropisme/Chemotropismus
chimique douce/Sanfte Chemie
chimisorption/Chemisorption
chimiste/Chemikant, Chemiker
- conseiller/Handelschemiker
chinomethionate/Chinomethionat
chiralité/Chiralität, chiral
chiro-/chiro-
chitine/Chitin
chloracétaldéhyde/Chloracetaldehyd
chloracétaldéhydediméthylacétal/Chloracetaldehyddimethylacetal
2-chloracétamide/2-Chloracetamid
chloracétates/Chloressigsäureester
chloracétone/Chloraceton
chloracétophénone/ω-Chloracetophenon
chloracné/Chlorakne
chloral/Chloral
- -hydrate/Chloralhydrat
chloralose/Chloralose
chlorambucil/Chlorambucil
chloramine/Chloramin
- T/Chloramin T
chloramines/Chloramine
chloramphénicol/Chloramphenicol
- acétyltransférase/Chloramphenicol-Acetyltransferase
chloranile/Chloranil
chloranilines/Chloraniline
chlorargyrite/Chlorargyrit
chlorate de baryum/Bariumchlorat
- de calcium/Calciumchlorat
- de potassium/Kaliumchlorat
- de sodium/Natriumchlorat
chlorates/Chlorate
chloration/Chlorung
chlorazanil/Chlorazanil
chlorcarbonyle.../Chlorcarbonyl...
chlordane/Chlordan
chlore/Chlor
chlorendique/Chlorendics
chlorétoxyfos/Chlorethoxyfos
chlorfenvinfos/Chlorfenvinfos
chlorfluazurone/Chlorfluazuron
chlorflurenol-methyl/Chlorflurenol-methyl
chlorhexidine/Chlorhexidin
chlorhydrate de .../...-hydrochlorid
- du propamocarbe/Propamocarbhydrochlorid
chlorhydrines/Chlorhydrine
chloridazone/Chloridazon
chlorimuron-éthyle/Chlorimuron-ethyl
chlorines/Chlorine
chlorite de sodium/Natriumchlorit
chlorites/Chlorite
chlormephos/Chlormephos
chlormequat chloride/Chlormequatchlorid
chlormérodrine/Chlormerodrin
chlorméthine/Chlormethin
chlormétrie/Chlorimetrie
chlormézanone/Chlormezanon
chlormidazole/Chlormidazol

chlor(o).../Chlor...
chloro-cyclohexane/Chlorcyclohexan
4-chloro-3,5-diméthylphénol/4-Chlor-3,5-dimethylphenol
1-chloro-2,4-dinitrobenzole/1-Chlor-2,4-dinitrobenzol
chloro-fluoro-carbones/FCKW
- -3-méthyl-2 propène-1/3-Chlor-2-methyl-1-propen
3-chloro-1,2-propanediol/3-Chlor-1,2-propandiol
chloroaromates/Chloraromaten
chlorobenzène/Chlorbenzol
chlorocarvacrol/Chlorcarvacrol
chloroformiates/Chlorameisensäureester
chlorolyse/Chlorolyse
chlorométhanes/Chlormethane
chlorométhylisation/Chlormethylierung
chlorométhylméthyléther/(Chlormethyl)methylether
chloronaphtalènes/Chlornaphthaline
chloronebe/Chloroneb
chloronitrobenzènes/Chlornitrobenzole
chlorophacinone/Chlorphacinon
chlorophénols/Chlorphenole
chlorophylle/Chlorophyll(e)
chlorophyllides/Chlorophyllid(e)
chlorophyllines/Chlorophylline
chloropicrine/Chlorpikrin
chloroplastes/Chloroplasten
chloropréne/Chloropren
chloropropanol/Chlorpropanole
chloropyramine/Chloropyramin
chloropyridines/Chlorpyridine
chloroquine/Chloroquin
chlorose/Chlorose
N-chlorosuccinimide/N-Chlorsuccinimid
chlorotétaïne/Chlorotetain
chlorothalonil/Chlorthalonil
chlorothiophénol/4-Chlorthiophenol
chlorotoluène/Chlortoluole
chlorotrianisène/Chlorotrianisen
chlorphénamine/Chlorphenamin
chlorphénésine/Chlorphenesin
chlorphénoxamine/Chlorphenoxamin
chlorpromazine/Chlorpromazin
chlorpropamide/Chlorpropamid
chlorprothixène/Chlorprothixen
chlorpyriphos/Chlorpyrifos
chlorquinaldol/Chlorquinaldol
chlorsulfuron/Chlorsulfuron
chlortalidone/Chlortalidon
chlortétracycline/Chlortetracyclin
chlorthénoxazine/Chlorthenoxazin
chlorthymol/Chlorthymol
chlortoluron/Chlortoluron
chloruration/Chlorierung
chlorure d'acétyle/Acetylchlorid
- d'acriflavinium/Acriflaviniumchlorid
- d'alcuronium/Alcuroniumchlorid
- d'allyle/Allylchlorid
- d'aluminium/Aluminiumchlorid
- d'ambénonium/Ambenoniumchlorid
- d'ammonium/Ammoniumchlorid, Salmiak
- d'ammonium et de fer/Eisensalmiak
- d'argent/Silberchlorid
- de baryum/Bariumchlorid
- de benzalkonium/Benzalkoniumchloride

- de benzène-sulfonyle/Benzolsulfonylchlorid
- de benzéthonium/Benzethoniumchlorid
- de benzoyle/Benzoylchlorid
- de benzyle/Benzylchlorid
- de butyle/Butylchloride
- de butyrile/Buttersäurechlorid
- de cadmium/Cadmiumchlorid
- de calcium/Calciumchlorid
- de N-carbonylesulfamoyl/N-Carbonylsulfamoylchlorid
- de cétalconium/Cetalkoniumchlorid
- de cétylpyridinium/Cetylpyridiniumchlorid
- de cétyltriméthylammonium/Cetyltrimethylammoniumchlorid
- de chaux/Chlorkalk
- de chloracétyle/Chloracetylchlorid
- de choline/Cholinchlorid
- de chromyle/Chromylchlorid
- de cianogène/Chlorcyan
- de cobalt(II)/Cobalt(II)-chlorid
- de cyanuryle/Cyanurchlorid
- de dansyl/Dansylchlorid
- de déqualinium/Dequaliniumchlorid
- de 2,2-diméthylpropionyle/2,2-Dimethylpropionylchlorid
- de 3,5-dinitrobenzoyle/3,5-Dinitrobenzoylchlorid
- de diphénylarsine/Diphenylarsinchlorid
- de dodécyle/Dodecylchlorid
- de dofamium/Dofamiumchlorid
- de hexadécyle/Hexadecylchlorid
- de laurylpyridinium/Laurylpyridiniumchlorid
- de lithium/Lithiumchlorid
- de magnésium/Magnesiumchlorid
- de malvidine/Malvidinchlorid
- de mépiquat/Mepiquatchlorid
- de méthanesulfonyle/Methansulfonylchlorid
- de (2-méthoxyéthyl)mercure/(2-Methoxyethyl)quecksilberchlorid
- de méthylbenzéthonium/Methylbenzethoniumchlorid
- de S-méthylméthioninesulfonium/S-Methyl-L-methioninsulfoniumchlorid
- de mivacurium/Mivacuriumchlorid
- de NBD/NBD-Chlorid
- de néotétrazolium/Tetrazolpurpur
- de nickel(II)/Nickel(II)-chlorid
- de 4-nitrobenzoyle/4-Nitrobenzoylchlorid
- de nitrosyle/Nitrosylchlorid
- de palladium(II)/Palladium(II)-chlorid
- de palmitoyle/Palmitinsäurechlorid
- de pentyle/Pentylchlorid
- de péonine/Päoninchlorid
- de phosphoryle/Phosphoroxidtrichlorid
- de phthaloyle/Phthalsäuredichlorid
- de polyvinyle chloré/Chloriertes Polyvinylchlorid
- de polyvinylidène/Polyvinylidenchlorid
- de potassium/Kaliumchlorid
- de propargyle/Propargylchlorid
- de propionyle/Propionsäurechlorid

- de pyrvinium/Pyrviniumchlorid
- de sodium/Natriumchlorid
- de stéaroïle/Stearinsäurechlorid
- de strontium/Strontiumchlorid
- de succinyle/Succinylchlorid
- de sulfuryle/Sulfurylchlorid
- de suxaméthonium/Suxamethoniumchlorid
- de tétraphénylarsonium/Tetraphenylarsoniumchlorid
- de thionyle/Thionylchlorid
- de trichlorométhanesulfényle/Trichlormethansulfenylchlorid
- de 2,3,5-triphényl-$2H$-tétrazolium/2,3,5-Triphenyl-$2H$-tetrazoliumchlorid
- de trospium/Trospiumchlorid
- de vinyle/Vinylchlorid
- de zinc/Zinkchlorid
- d'éthyle/Ethylchlorid
- d'hexaamminecobalte/Hexaammincobalt(III)-chlorid
- d'hydrogène/Chlorwasserstoff
- d'isobornyle/Isobornylchlorid
- d'obidoxime/Obidoximchlorid
- mercureux/Kalomel
chlorures/Chloride
- d'acides/Säurechloride
- d'acyles/Säurechloride
- d'antimoine/Antimonchloride
- de bismuth/Bismutchloride
- de chrome/Chromchloride
- de cuivre/Kupferchloride
- de fer/Eisenchloride
- de manganèse/Manganchloride
- de mercure/Quecksilberchloride
- de molybdène/Molybdänchloride
- de phosphore/Phosphorchloride
- de plomb/Bleichloride
- de polyvinyle/Polyvinylchloride
- de propyle/Propylchloride
- de silicium/Siliciumchloride
- de soufre/Schwefelchloride
- de sulfényle/Sulfenylchloride
- de sulfonyle/Sulfonylchloride
- de tellurium/Tellurchloride
- de thallium/Thalliumchloride
- de titane/Titanchloride
- de toluènesulfonyle/Toluolsulfonylchloride
- de tungstène/Wolframchloride
- de vanadium/Vanadiumchloride
- de zirconium/Zirconiumchloride
- d'étain/Zinnchloride
- d'hydrazinium/Hydraziniumchloride
- d'iode/Iodchloride
- imidiques/Imidsäurechloride
chlorzoxazone/Chlorzoxazon
chlozolinate/Chlozolinat
choc/Schock
chocolat/Kakao, Schokolade
cholagogues/Cholagoga
5β-cholane/5β-Cholan
cholécystokinine/Cholecystokinin
choléra/Cholera
cholestane/Cholestan
cholestérol/Cholesterin
choline/Cholin
cholinergique/Cholinerg
cholinestérase/Cholin-Esterase
chondramides/Chondramide
chondrine/Chondrin
chondroblastes/Chondroblasten
chondroïtine sulfates/Chondroitinsulfate
chou/Kohl
choucroute/Sauerkraut
- au vin/Weinsauerkraut
chromage/Verchromen

chromatation/Chromatieren
- d'aluminium/EW-Verfahren
chromate d'ammonium/Ammoniumchromat
- de baryum/Bariumchromat
- de plomb/Bleichromat
- de potassium/Kaliumchromat
chromate(VI) de sodium/Natriumchromat(VI)
chromate de strontium/Strontiumchromat
chromates/Chromate
- de zinc/Zinkchromate
chromatine/Chromatin
chromatographie/Chromatographie
- à paire d'ions/Ionenpaarchromatographie
- avec échangeurs d'ions/Ionenaustauschchromatographie
- de partage/Verteilungschromatographie
- d'ions/Ionenchromatographie
- en couches minces/Dünnschichtchromatographie
- en phase gazeuze/Gaschromatographie
- en phase liquide/Flüssigkeitschromatographie
- fluide supercritique/Fluid Chromatographie
- liquide sur microcolonne/Mikrosäulen-Flüssigkeitschromatographie
- par adsorption/Adsorptionschromatographie
- par affinité/Affinitätschromatographie
- planaire/Planar-Chromatographie
- sur colonne/Säulenchromatographie
- sur gels/Gelchromatographie
- sur papier/Papierchromatographie
chromatophores/Chromatophoren
chromazurol S/Chromazurol S
chrome/Chrom
- -nickel/Chromnickel
chromène/Chromen
chromhexacarbonyle/Chromhexacarbonyl
chromisation/Inchromverfahren
chromite/Chromit
chromo.../Chromo...
chromodynamique quantique/Quantenchromodynamik
chromogènes/Chromogene
chromones/Chromone
chromophores/Chromophore
chromoplastes/Chromoplasten
chromoprotéines/Chromoproteine
chromosome artificiel de la levure/YAC
chromosomes/Chromosomen
chronobiologie/Chronobiologie
chronopotentiométrie/Chronopotentiometrie
chrysanthémine/Chrysanthemin
chrysarobine/Chrysarobin
chrysazine/Chrysazin
chrysène/Chrysen
chrysine/Chrysin
chrysobéryl/Chrysoberyll
chrysocolle/Chrysokoll
chuangxinmycine/Chuanghsinmycin
chymase/Chymasen
chymotrypsines/Chymotrypsine
chymotrypsinogènes/Chymotrypsinogene
C. I. noir de réaction/C. I. Reactive Black 5

cible/Target
ciclacilline/Ciclacillin
cicletanine/Cicletanin
ciclopirox/Ciclopirox
ciclosporine/Ciclosporin
cicutoxine/Cicutoxin
...cide/...zid
cidre/Cidre
cigares/Zigarren
- suisses/Stumpen
cigarettes/Zigaretten
ciguatoxines/Ciguatoxin
cigue/Schierling
cilastatine/Cilastatin
cilazapril/Cilazapril
ciment/Zement
- à la magnésie/Sorelzement
- à os/Knochenklebstoff
- au trass/Traß-Zement
- de bois/Holzbeton
- de laitier de haut fourneau/Hochofenzement, Hüttenzement
- de laitier Portland/Eisenportlandzement
- de trass suevite/Suevit-Traßzement
- dental/Zahnzement
- Portland/Portlandzement
- Portland de fer/Eisenportlandzement
- romain/Romankalk
ciments polymériques/Polymer-Zemente
- résistants aux acides/Säurekitte
cimétidine/Cimetidin
cinabre/Zinnober
- d'antimoine/Antimonzinnober
cinchocaïne/Cinchocain
cinchonidine/Cinchonidin
cinchonine/Cinchonin
cinchophène/Cinchophen
cinéole/Cineol
cinépathie/Reisekrankheit
cinérine/Cinerine
cinétique/Kinetik
- de Monod/Monod-Kinetik
cinétochores/Kinetochore
cinétose/Reisekrankheit
cinméthyline/Cinmethylin
cinnabarine/Cinnabarin
cinnamaldéhyde/Zimtaldehyd
cinnamate/Cinnamate
cinnamates/Zimtsäureester
cinnamoyl.../Cinnamoyl...
cinnamyl.../Cinnamyl...
cinnamylidène.../Cinnamyliden...
cinnarizine/Cinnarizin
cinnoline/Cinnolin
cinosulfuron/Cinosulfuron
cinoxacine/Cinoxacin
cipionate d'oxabolone/Oxaboloncipionat
ciprofloxacine/Ciprofloxacin
circulation/Kreislauf
cire à cacheter/Siegellack
- à fromage/Käsewachse
- à os/Knochenwachs
- d'abeille/Bienenwachs
- de candelila/Candelillawachs
- de canne à sucre/Zuckerrohrwachs
- de carnauba/Carnaubawachs
- de coton/Baumwollwachs
- de lignite/Montanwachs
- de modelage/Bossierwachse
- de paraffine/Erdwachs
- d'Esparto/Esparto-Wachs
- du Japon/Japanwachs
- grasse/Schusterpech
- microcristalline/Mikrowachs
- synthétique/Gatsch

cires/Wachse
- dures/Hartwachse
- polymériques/Polywachse
- polyoléfinique/Polyolefin-Wachse
- pour les skis/Skiwachse
cis/cis-
cisapride/Cisaprid
cisoïde/Cisoid
cispentacine/Cispentacin
cisplatine/Cisplatin
citiolone/Citiolon
citral/Citral
citranaxanthine/Citranaxanthin
citrate d'ammonium/Ammoniumcitrat
- d'ammonium et de fer(III)/Ammoniumeisen(III)-citrat
- de calcium/Calciumcitrat
- de fer(III)/Eisen(III)-citrat
- de magnésium/Magnesiumcitrat
- de potassium/Kaliumcitrat
- de sodium/Natriumcitrat
- synthase/Citrat-Synthase
citrates/Citrate
citréoviridine/Citreoviridine
citrinine/Citrinin
citronellal/Citronellal
citronellol/Citronellole
citronnat/Sukkade
citrons/Citronen, Zitronen
citrulline/Citrullin
cive/Schnittlauch
civette/Schnittlauch, Zibet
civet(t)one/Zibeton
cladinose/Cladinose
cladribine/Cladribin
clarification/Klären, Läutern, Weinschönung
- de Carrez/Carrez-Klärung
clarifier/Schönen
clarithromycine/Clarithromycin
classe de résistance au feu/Feuerwiderstandsklasse
classement/Sichten
classer/Klassieren
classes de composés/Verbindungsklassen
- de cristaux/Kristallklassen
- de viscosité de la SAE/SAE-Viskositätsklassen
classification/Klassifikation
- Décimale Universelle (CDU)/Dezimalklassifikation
- des incendies/Brandarten
- d'inflammabilité/Brandklassen
clathrates/Clathrate
clathrine/Clathrin
clausenamide/Clausenamid
clavame/Clavame
clavamycine/Clavamycine
clémastine/Clemastin
clémentéine/Clementeine
clémizol/Clemizol
clenbutérol/Clenbuterol
clérodane/Clerodane
cléthodim/Clethodim
clibucaïne/Clibucain
climat/Klima
climatère/Klimakterium
climatisation/Bewitterung
climax/Klimax
clinker/Klinker
clinoptilolite/Klinoptilolith
clinquant d'or/Rauschgold
clioquinol/Clioquinol
clitidine/Clitidin
clitocine/Clitocin
clobazam/Clobazam
clobétasol/Clobetasol
clobutinol/Clobutinol
clocortolon/Clocortolon

clodinafob-propargyl/Clodinafop-propargyl
cloetocarb/Cloethocarb
clofamicine/Clofazimin
clofédanol/Clofedanol
clofénamide/Clofenamid
clofenciclan/Clofenciclan
clofentézine/Clofentezin
clofézon/Clofezon
clofibrat/Clofibrat
clofibrate d'aluminium/Aluminiumclofibrat
clomazone/Clomazon
clomeprop/Clomeprop
clométhiazol/Clomethiazol
clomifène/Clomifen
clomipramine/Clomipramin
clonage/Klonieren
– cellulaire/Zellklonierung
– positionnel/Positional cloning
– shotgun/Shotgun-Klonierung
clonazépam/Clonazepam
clone/Klon
clones de cellules hybrides/Hybridzellklone
clonidine/Clonidin
clonostachydiol/Clonostachydiol
clopamide/Clopamid
clopentixol/Clopenthixol
cloprednol/Cloprednol
clopyralide/Clopyralid
clorazépate dipotassique/Dikaliumclorazepat
clorexolon/Clorexolon
clorindanol/Clorindanol
clorindion/Clorindion
clorofène/Clorofen
clorure d'oxalyle/Oxalylchlorid
closo-/closo-
clostébol/Clostebol
Clostridium/Clostridium
clotiazépam/Clotiazepam
clotrimazol/Clotrimazol
cloxacilline/Cloxacillin
cloxiquine/Cloxiquin
clozapine/Clozapin
clupéine/Clupein
cluster/Cluster
clusters/Cluster-Verbindungen
clystron/Klystron
cnicine/Cnicin
cnidaires/Nesseltiere
coacervation/Koazervation
coagulant/Coagulant
coagulation/Koagulation
– de sang/Blutgerinnung
coatomère/Coatomer
cobalamines/Cobalamine
cobalt/Cobalt
– -carbonyles/Cobaltcarbonyle
cobaltammine/Cobaltammine
cobaltine/Cobaltin
cobaltophiles/Cobaltophyten
cobratoxines/Kobratoxine
coca/Coca
cocaïne/Cocain
cocancérigènes/Cocarcinogene
coccinelle/Marienkäfer
coccinelline/Coccinellin
coccus/Kokken
cochenille/Cochenille
cocotier/Kokospalme
code de lettres pour les acides aminés/Buchstabencode der Aminosäuren
– génétique/Genetischer Code
codéine/Codein
codon/Codon
– d'arrêt (de terminaison)/Stop-Codon
– initiateur/Start-Codon
coefficient d'absorption/Absorptionskoeffizient
– de conductivité/Leitfähigkeitskoeffizient
– de ramification/Verzweigungskoeffizient
– de rendement/Ertragskoeffizient
– de résistance/Widerstandsbeiwert
– de sorption/Sorptionskoeffizient
– de transfert de chaleur/Wärmeaustauschkoeffizient
– de transfert de masse/Massentransfer-Koeffizient
– phénol/Phenol-Koeffizient
coefficients/Koeffizienten
– viriels/Virialkoeffizienten
coélentérazine/Coelenterazin
cœlentérés/Hohltiere
coenzyme A/Coenzym A
– B_{12}/Coenzym B_{12}
– F_{420}/Coenzym F_{420}
– F_{430}/Coenzym F_{430}
– M/Coenzym M
coenzymes/Coenzyme
coesite/Coesit
cœur/Herz, Kern
coévolution/Coevolution
coextrusion/Coextrusion
cofacteurs/Cofaktoren
coffinite/Coffinit
coffret d'expérimentation/Experimentierkästen
cognac/Weinbrand
cohérence/Kohärenz
cohésion/Kohäsion
cohoba/Cohoba
coil coating/Coil Coating
coïncidence/Koinzidenz
coings/Quitten
coir/Kokosfaser
coke/Koks
– de goudron/Pechkoks
– de pétrole/Petrolkoks
– de poix/Pechkoks
– métallurgique/Hochofenkoks
coktail Molotov/Molotowcocktail
cola/Cola
colchicine/Colchicin
colchique (d'automne)/Herbstzeitlose
colémanite/Colemanit
coléone/Coleone
coléoptères/Käfer, Ölkäfer
– carnivores/Aaskäfer
colestipol/Colestipol
colestyramine/Colestyramin
colfoscéril-Palmitat/Colfosceril-Palmitat
colicines/Colicine
colistines/Colistine
collage de plastiques/Kunststoffkleben
– des métaux/Metallkleben
collagénases/Collagenasen
collagènes/Collagene
colle/Leime
– à deux composants/Zweikomponentenklebstoffe
– à fusion/Schmelzklebstoffe
– antichénilique/Raupenleim
– d'amidon/Kleister
– de marine/Marin(e)leim
– de pâte/Kleister
– de placage/Furnierleime
– de poisson/Fischleim, Hausenblase
– de verre soluble/Wasserglasleim
– durcissable à chaud/Heißleim
collecteur/Abscheider
– d'eaux résiduaires/Abwassersammler
collecteurs de fractions/Fraktionssammler
collectines/Collectine
collection de cultures/Stammsammlung
collectivités/Körperschaften
coller/Kleben
colles/Kleber, Klebstoffe, Tackifier
– à bois/Holzleime
– à dispersion/Dispersionsklebstoffe
– à la caséine/Casein-Leime
– à une composante/Einkomponentenklebstoffe
– adhérentes/Haftklebstoffe
– de contact/Kontaktklebstoffe
– de cyanoacrylate/Cyanacrylat-Klebstoffe
– pour semelles/Sohlenkleber
– universelles/Alleskleber
collidine/Kollidin
colliers chauffantes/Heizbänder
colliquation/Kolliquation
colonie isolée (individuelle)/Einzelkolonien
colonne de Clusius/Clusius-Trennrohr
colonnes/Kolonnen
colophane/Kolophonium
coloquintes/Koloquinthen
colorant à la caséine/Casein-Anstrich
colorants/Farbstoffe
– à base de composés métalliques complexes/Metallkomplex-Farbstoffe
– à dispersion/Dispersionsfarbstoffe
– à fluorescence de jour/Tagesleuchtfarben
– à l'acryl/Acrylfarbstoffe
– à marquer/Signierfarbstoffe
– à mordançage/Beizenfarbstoffe
– acides/Säurefarbstoffe
– acridiniques/Acridin-Farbstoffe
– alimentaires/Lebensmittelfarbstoffe
– au naphtol/Naphthol-Farbstoffe
– au soufre/Schwefel-Farbstoffe
– aux myxomycètes/Myxomyceten-Farbstoffe
– aziniques/Azin-Farbstoffe
– azoïques/Azofarbstoffe
– cationiques/Kationische Farbstoffe
– d'anthraquinone/Anthrachinon-Farbstoffe
– de cuve/Küpenfarbstoffe
– de cyanine/Cyanin-Farbstoffe
– de développement/Entwicklungsfarbstoffe
– de l'arcyria/Arcyria-Farbstoffe
– de laser/Laser-Farbstoffe
– de léprocybe/Leprocyben-Farbstoffe
– de phénoxazone/Phenoxazon-Farbstoffe
– de phtalocyanine/Phthalocyanin-Farbstoffe
– de polyméthine/Polymethin-Farbstoffe
– de Ponceau/Ponceau-Farbstoffe
– de résolamine/Resolamin-Farbstoffe
– de thiazine/Thiazin-Farbstoffe
– de vinylsulfone/Vinylsulfon-Farbstoffe
– dérivés des goudrons/Teerfarbstoffe
– directs/Direktfarbstoffe
– d'oxydation/Oxidationsfarbstoffe
– du type alizarine/Alizarin-Farbstoffe
– fonctionnels/Funktionelle Farbstoffe
– Indanthrène/Indanthren®-Farbstoffe
– macromoléculaires/Makromolekulare Farbstoffe
– métachromes/Metachrom-Farbstoffe
– naturels/Naturfarbstoffe
– pour demi-laine/Halbwoll-Farbstoffe
– pour graisses alimentaires/Fettfarbstoffe
– pour oeufs de Pâques/Ostereierfarben
– rapides solides/Rapid-Echtfarbstoffe
– réactifs/Reaktivfarbstoffe
– substantifs/Substantive Farbstoffe
– thiazoliques/Thiazol-Farbstoffe
– thioxanthéniques/Thioxanthen-Farbstoffe
– triarylméthaniques/Triarylmethan-Farbstoffe
– végétaux/Pflanzenfarbstoffe
– Victoria/Viktoria-Farbstoffe
– xanthéniques/Xanthen-Farbstoffe
coloration à l'argent/Silberfärbung
– dans la masse/Spinnfärbung
– de flamme/Flammenfärbung
– de Giemsa/Giemsa-Färbung
– de Gram/Gram-Färbung
– de Pappenheim/Pappenheim-Färbung
– vitale/Vitalfärbung
colorimétrie/Kolorimetrie
colorisation en cuves/Küpenfärberei
columbite/Columbit
colza/Raps
comatiite/Komatiite
combinaisons bois-matières synthétiques/Holz-Kunststoff-Kombinationen
combustibilité/Brennbarkeit
combustibles/Brennstoffe, Kraftstoffe, Treibstoffe
– fossiles/Fossile Brennstoffe
– nucléaires/Kernbrennstoffe
– pour fusées/Raketentreibstoffe
combustion/Abbrand, Verbrennung
– à lit fluidisé/Wirbelschichtverbrennung
– nucléaire/Abbrand
– spontanée/Selbstentzündung
cométabolisme/Cometabolismus
comètes/Kometen
commensalisme/Kommensalismus
commission d'enquête/Enquête-Kommission
commissions sur l'environnement/Umweltgremien
commo-/commo-
communauté climacique/Klimax
communication du risque/Risikokommunikation
compactine/Compactin
compaction/Kompaktieren
compartiment(ation)/Kompartiment(ierung)
compatibilité avec l'environnement/Umweltverträglichkeit
compensateurs de dilatation/Kompensatoren
complément/Komplement
complémentation/Komplementation
complexe des pores nucléaires/Kernporen-Komplex

complexes/Komplexe
– à transfert de charge/Charge-transfer-Komplexe
– accepteur-donneur d'electrons/Elektronen-Don(at)or-Akzeptor-Komplexe
– π allyliques des méteaux de transition/π-Allyl-Übergangsmetall-Verbindungen
– aromatiques-métaux de transition/Aromaten-Übergangsmetall-Komplexe
– „ate"/at-Komplexe
– carbonyle/Carbonylkomplexe
– d'antenne/Antennen-Komplexe
– de Meisenheimer/Meisenheimer-Komplexe
– des métaux de transition/Übergangsmetall-Komplexe
– du carbène/Carben-Komplexe
– moléculaires/Molekülverbindungen
– π(pi)/Pi-Komplexe
complexométrie/Komplexometrie
complexone de o-crésolphtaléine/Metallphthalein
comportement appétant/Appetenzverhalten
– de marquage/Markierverhalten
– de mise en garde/Warnverhalten
– de rupture/Bruchverhalten
composante d'appoint/Verstärker
composants d'amyloïde sérique/Serum-Amyloid-Komponenten
composés acycliques/Acyclische Verbindungen
– alicycliques/Alicyclische Verbindungen
– aliphatiques/Aliphatische Verbindungen
– alumino-organiques/Aluminiumorganische Verbindungen
– aromatiques/Aromatische Verbindungen
– aromatiques non-benzéniques/Nichtbenzoide aromatische Verbindungen
– azoïques/Azo-Verbindungen
– azoxyques/Azoxy-Verbindungen
– bicycliques/Bicyclische Verbindungen
– bifonctionnels/Bifunktionelle Verbindungen
– binaires/Binäre Verbindungen
– carbocycliques/Carbocyclen
– chimiques/Chemische Verbindungen
– couronne/Kronenverbindungen
– cupro-organiques/Kupfer-organische Verbindungen
– cycliques/Cyclische Verbindungen
– d'addition/Additionsverbindungen
– d'ammonium quaternaire/Quartäre Ammonium-Verbindungen
– d'arômes charactéristiques/Impact compound
– de beryllium/Beryllium-Verbindungen
– de bore et azote/Bor-Stickstoff-Verbindungen
– de bore et soufre/Bor-Schwefel-Verbindungen
– de cérium/Cer-Verbindungen
– de césium/Cäsium-Verbindungen
– de diazocarbonyle/Diazocarbonyl-Verbindungen
– de diazonium/Diazonium-Verbindungen
– de gallium/Gallium-Verbindungen
– de germanium/Germanium-Verbindungen
– de graphite/Graphit-Verbindungen
– de lacune/Einlagerungsverbindungen
– de lanthane/Lanthan-Verbindungen
– de neodymium/Neodym-Verbindungen
– de niobium/Niob-Verbindungen
– de phosphore et azote/Phosphor-Stickstoff-Verbindungen
– de pyridinium/Pyridinium-Verbindungen
– de rhénium/Rhenium-Verbindungen
– de rhodium/Rhodium-Verbindungen
– de rubidium/Rubidium-Verbindungen
– de ruthénium/Ruthenium-Verbindungen
– de scandium/Scandium-Verbindungen
– de soufre-azote/Schwefel-Stickstoff-Verbindungen
– de sulfonium/Sulfonium-Verbindungen
– de tantale/Tantal-Verbindungen
– de technétium/Technetium-Verbindungen
– de terbium/Terbium-Verbindungen
– de tétraalkylammonium/Tetraalkylammonium-Verbindungen
– de titanyle/Titanyl-Verbindungen
– de xénon/Xenon-Verbindungen
– de zirconyle/Zirconyl-Verbindungen
– des gaz rares/Edelgas-Verbindungen
– d'europium/Europium-Verbindungen
– deuterés/Deuterierte Verbindungen
– d'hafnium/Hafnium-Verbindungen
– d'halonium/Halonium-Verbindungen
– diazoïques/Diazo-Verbindungen
– dicarbonyle/Dicarbonyl-Verbindungen
– d'inclusion/Einschlußverbindungen
– d'indium/Indium-Verbindungen
– d'iodonium/Iodonium-Verbindungen
– d'iridium/Iridium-Verbindungen
– d'or/Gold-Verbindungen
– d'organo-fer/Eisen-organische Verbindungen
– d'organonickel/Nickel-organische Verbindungen
– d'organopalladium/Palladium-organische Verbindungen
– d'organobore/Bor-organische Verbindungen
– d'organoétain/Zinn-organische Verbindungen
– d'organomanganèse/Mangan-organische Verbindungen
– d'organomercure/Quecksilber-organische Verbindungen
– d'organomolybdène/Molybdän-organische Verbindungen
– d'organosoufre/Schwefel-organische Verbindungen
– d'organostrontium/Strontium-organische Verbindungen
– d'organothallium/Thallium-organische Verbindungen
– d'organotitanium/Titan-organische Verbindungen
– d'organovanadium/Vanadium-organische Verbindungen
– d'organozinc/Zink-organische Verbindungen
– d'organozirconium/Zirconium-organische Verbindungen
– du platine/Platin-Verbindungen
– du praséodyme/Praseodym-Verbindungen
– du samarium/Samarium-Verbindungen
– du type ansa/Ansa-Verbindungen
– d'uranyle/Uranyl-Verbindungen
– d'yttrium/Yttrium-Verbindungen
– en cage/Käfigverbindungen
– halogéno-organiques/Halogenorganische Verbindungen
– hétérocycliques/Heterocyclische Verbindungen
– homoaromatiques/Homoaromatische Verbindungen
– hydro-aromatiques/Hydroaromatische Verbindungen
– interhalogénés/Interhalogen-Verbindungen
– intermédiaires/Intermediäre Verbindungen
– intermétalliques/Intermetallische Verbindungen
– interstitiels/Einlagerungsverbindungen
– isocycliques/Isocyclische Verbindungen
– lanthanoïdo-organiques/Lanthanoide-organische Verbindungen
– macrocycliques/Makrocyclische Verbindungen
– marqués/Markierte Verbindungen
– mériquinoides/Merichinoide Verbindungen
– mésoioniques/Mesoionische Verbindungen
– méthyléniques/Methylen-Verbindungen
– monocycliques/Monocyclische Verbindungen
– nitrés/Nitro-Verbindungen
– nitrosés/Nitroso-Verbindungen
– non-stoechiométriques/Nichtstöchiometrische Verbindungen
– onium/Onium-Verbindungen
– organiques d'antimoine/Antimon-organische Verbindungen
– organiques de baryum/Barium-organische Verbindungen
– organiques de l'iode/Iod-organische Verbindungen
– organiques de plomb/Blei-organische Verbindungen
– organiques de sodium/Natrium-organische Verbindungen
– organoargentiques/Silber-organische Verbindungen
– organoarseniés/Arsen-organische Verbindungen
– organobismutiques/Bismut-organische Verbindungen
– organocalciques/Calcium-organische Verbindungen
– organocobaltiques/Cobalt-organische Verbindungen
– organoélémentaires/Elementorganische Verbindungen
– organolithiens/Lithium-organische Verbindungen
– organomagnésiens/Magnesium-organische Verbindungen
– organométalliques/Metall-organische Verbindungen
– organophosphoriques/Phosphor-organische Verbindungen
– organo-rhénium/Rhenium-organische Verbindungen
– organocadmiens/Cadmium-organische Verbindungen
– organoséléniques/Selen-organische Verbindungen
– organosiliciques/Silicium-organische Verbindungen
– organotungstiques/Wolfram-organische Verbindungen
– organouraniques/Uran-organische Verbindungen
– perfluorés/Perfluorierte Verbindungen
– polycycliques/Polycyclische Verbindungen
– polyhydroxy/Polyhydroxy-Verbindungen
– polymériques/Polymercompounds
– polynucléaires/Mehrkernige Verbindungen
– quaternaires/Quaternäre Verbindungen
– sandwich/Sandwich-Verbindungen
– silicium-soufre/Silicium-Schwefel-Verbindungen
– spiranniques/Spiro-Verbindungen
– telluro-organiques/Tellur-organische Verbindungen
– ternaires/Ternäre Verbindungen
– tricycliques/Tricyclische Verbindungen
– tritiés/Tritiierte Verbindungen
– Vaska/Vaska-Verbindungen
composites polymériques/Polymercomposites
composition/Zusammensetzung
– de Marquardt/Marquardt-Masse
compositions éclairantes/Leuchtsätze
compost/Kompost
compostage/Kompostierung
compresseur/Verdichter
– à turbine/Turbinenverdichter
compresseurs/Kompressoren
compressibilité/Kompressibilität
compression/Pressen, Verdichten
comprimés/Tabletten
comproportionation/Komproportionierung
comptabilité totale de l'économie écologique/Umweltökonomische Gesamtrechnung
comptes-rendus/Reports
compteur à bulles/Blasenzähler
compteurs à scintillateur/Szintillationszähler
conalbumine/Conalbumin
concanavaline A/Concanavalin A
concassage/Zerkleinern
– de matières dures/Hartzerkleinerung
concasseurs/Brecher
concentration/Konzentration
– de fonds/Hintergrundkonzentration
– d'immission maximum/MIK
– limite/Grenzkonzentration
– volumique critique de pigments/CPVC
concentré rectifié de moût de raisin/Rektifiziertes Traubenmostkonzentrat
concentrer/Einengen

Française

concept d'aménagement des déchets/Abfallwirtschaftskonzept
conception/Konzeption
conchage/Conchieren
conchagènes/Conchagene
concombres/Gurken
concrétions/Konkretionen
concurrence d'intérêts/Nutzungskonkurrenz
condensat/Kondensat
condensation/Kondensation
– acyloïne/Acyloin-Kondensation
– benzoïnique/Benzoin-Kondensation
– capillaire/Kapillarkondensation
– de Bose-Einstein/Bose-Einstein-Kondensation
– de Claisen/Claisen-Kondensation
– de Dieckmann/Dieckmann-Kondensation
– de Knoevenagel/Knoevenagel-Kondensation
– de Stobbe/Stobbe-Kondensation
condenseurs/Kühler
condiment/Würze
– de pain d'épice/Pfefferkuchengewürz
condiments/Gewürze
conditions de quantification de Bohr-Sommerfeld/Bohr-Sommerfeldsche Quantisierungsbedingungen
– normales/Normzustand
– normales (de température et de pression)/Normalbedingungen
– physiologiques/Physiologische Bedingungen
conducteur p/p-Leiter
conducteurs d'ions/Ionenleiter
conductibilité/Leitfähigkeit
conductimétrie/Konduktometrie
conduction par défaut/Löcherleitung
– par lacunes/Löcherleitung
conductivité/Leitfähigkeit
– électrique/Elektrische Leitfähigkeit
– thermique/Wärmeleitfähigkeit
conductométrie/Konduktometrie
cône à sédimentation d'Imhoff/Imhoff-Trichter
cônes de Seger/Segerkegel
conessine/Conessin
conférences/Konferenzen
configuration/Konfiguration
– électronique/Elektronenkonfiguration
confinement/Containment
confire/Kandieren
confiserie/Süßwaren
confiseries/Zuckerwaren
confiture/Marmelade
confitures/Konfitüren
conformation/Konformation
congélation progressive/Normales Erstarren
conglomérats/Konglomerate
congressane/Congressan
conidendrine/Conidendrin
coniférine/Coniferin
coni(i)ne/Coniin
conjuènes/Konjuene
conjugaison/Konjugation
conjugation croisée/Gekreuztkonjugiert
conjugués/Konjugate
connatine/Connatin
conode/Kon(n)ode
conotoxines/Conotoxine
conrotatoire/Konrotatorisch
consanguinité/Inzucht

conservation/Konservierung
– d'œufs/Eierkonservierung
consistance/Konsistenz
consommation/Ingestion
– d'oxygène/Sauerstoff-Zehrung
consoude/Beinwell
constante d'allongement des liaisons par force centrifuge/Zentrifugaldehnungskonstante
– d'anharmonicité/Anharmonizitätskonstante
– d'Avogadro/Avogadro-Konstante
– de couplage spin-spin/Spin-Spin-Kopplungskonstante
– de désintegration/Zerfallskonstante
– de force/Kraftkonstante
– de Madelung/Madelung-Konstante
– de Rydberg/Rydberg-Konstante
– de temps/Zeitkonstante
– de Verdet/Verdet-Konstante
– des gaz/Gaskonstante
– diélectrique/Dielektrizitätskonstante
– réticulaire/Gitterkonstante
constantes/Konstanten
– critiques/Kritische Größen
– de Van der Waals/Van-der-Waals-Konstanten
– naturelles/Naturkonstanten
– physiques fondamentales/Fundamentalkonstanten
– rotationnelles/Rotationskonstanten
constipation/Obstipation
constituants de l'ail/Knoblauch-Inhaltsstoffe
– des bryophytes/Bryophyten-Inhaltsstoffe
constitution/Konstitution
contamination/Kontamination, Verunreinigungen
contraction/Kontraktion, Schwinden
– lanthanéidique/Lanthanoiden-Kontraktion
contrainte de Pitzer/Pitzer-Spannung
contraintes résiduelles/Restspannungen
contre-ions/Gegenionen
contreplacages/Holzfurniere
contreplaqué/Sperrholz
contrôle antidopage/Doping-Kontrolle
– [automatique]/Regelung
controle biologique/Biomonitoring
contrôle de qualité/Qualitätskontrolle
– des immissions/Immissionsschutz
contrôleur de métaux précieux/Edelmetallprüfer
convallatoxine/Convallatoxin
convection/Konvektion
conversion/Konvertierung, Umsatz
– asymétrique/Asymmetrische Umwandlung
– d'énergie thermo-ionique/Thermionische Energieumwandlung
convertisseur/Konverter
convolvulacées/Windengewächse
convulsifs/Konvulsiva
coopérativité/Kooperativität
coordonnées intrinsèques de réaction/IRC
– normales/Normalkoordinaten
COP/POC

copal de kauri/Kaurikopal
– de Manille/Manilakopal
copals/Kopale
copiapite/Copiapit
copolyaddition/Copolyaddition
copolycondensation/Copolykondensation
copolymères/Copolymere
– à trois blocs/Triblock-Copolymere
– acrynitril-butadiène-styrol/Acrylnitril-Butadien-Styrol-Copolymere
– alternants/Alternierende Copolymere
– cycloolefines/Cycloolefin-Copolymere
– de éther méthylvinylique et anhydride maléique/Poly(methylvinylether-co-maleinsäureanhydrid)e
– de styrène/Styrol-Copolymere
– de styrène-acrylonitrile/Styrol-Acrylnitril-Copolymere
– de styrène-butadiène/Styrol-Butadien-Copolymere
– d'éthylène-acétate de vinyle/Ethylen-Vinylacetat-Copolymere
– d'éthylène-acrylate/Ethylen-Acrylat-Copolymere
– d'éthylène-alcool vinylique/Ethylen-Vinylalkohol-Copolymere
– en bloc/Blockcopolymere
– graduès/Gradientencopolymere
– greffés/Pfropfcopolymere
– statistiques/Statistische Copolymere
copolymérisation/Copolymerisation
– azéotrope/Azeotrope Copolymerisation
– idéale/Ideale Copolymerisation
– par greffage/Pfropfcopolymerisation
– Redox/Redox-Copolymerisation
coprécipitation/Mitfällung
coprine/Coprin
copro.../Kopro...
coprophages/Koprophagen
coproporphyrines/Koproporphyrine
coqueluche/Keuchhusten
coques/Kokken
coquille/Kokille
coraux/Korallen
corbadrine/Corbadrin
cord/Cord
cordiérite/Cordierit
cordite/Cordit
cordycépine/Cordycepin
corécepteurs/Corezeptoren
coriandre/Koriander
coriainne/Corianin
coricides/Hühneraugenmittel
corindon/Korund
corioline/Corioline
cornichons au vinaigre/Saure Gurken
cornues/Retorten
coronène/Coronen
corps cétoniques/Ketonkörper
– de Bingham/Binghamsche Medien
– de remplissage/Füllkörper
– d'inclusion/Inclusion Bodies
– gras et huiles/Fette und Öle
– noir/Schwarzer Körper
– platoniques/Platonische Körper
corpuscules/Microbodies
correcteur liquide/Korrekturlacke

corrélation électronique/Elektronenkorrelation
corrine/Corrin
corrinoïdes/Corrinoide
corrosion/Korrosion
– de point de rosée/Taupunkt-Korrosion
– en fissures/Spaltkorrosion
– galvanique/Kontaktkorrosion
– par contact/Berührungskorrosion, Kontaktkorrosion
– sous tension/Spannungsriß-Korrosion
cortexone/Cortexon
corticolibérine/Corticoliberin
corticostatines/Corticostatine
corticostéroïdes/Corticosteroide
corticostérone/Corticosteron
corticotropine/Corticotropin
cortisone/Cortison
cortodoxone/Cortodoxon
corydalis/Lerchensporn
Corynebacterium/Corynebacterium
cosines/Kosine
cosmetics pour les yeux/Augenkosmetika
cosmétique/Kosmetik
cosmétiques/Kosmetika
– pour cils/Wimpernkosmetika
– pour les ongles/Nagelpflegemittel
– pour les soins de la peau/Hautpflegemittel
cosmides/Cosmide
cosmochimie/Kosmochemie
cosmologie/Kosmologie
COT/TOC
coticule/Wetzschiefer
cotolérance/Cotoleranz
coton/Baumwolle
– collodion/Collodium(wolle)
cotransmetteurs/Cotransmitter
cotrimoxazole/Co-trimoxazol
coube de croissance/Wachstumskurve
couchage/Gautschen
– par matières fondues/Schmelzbeschichtungen
couche de couverture/Deckschicht
– de discontinuité/Sprungschicht
– de fond/Grundanstrich
– de Haber-Haugaard/Haber-Haugaard-Schicht
– d'interférences/Interferenzschicht
– double électrochimique/Elektrochemische Doppelschicht
– d'ozone/Ozon-Schicht
– isolante (d'arrêt, de barrage)/Sperrschicht
– mince de rouille/Flugrost
– tropholytique/Zehrschicht
couches de protection/Schutzschichten
– minces/Dünne Schichten
– monomoléculaires/Monomolekulare Schichten
coulée/Gießen, Guß
– centrifuge/Schleuderguß
– continue/Strangguß
– sous pression/Druckguß
couleur/Farbe
– de base/Fonds
– de caramel/Zuckercouleur
– de revenu/Anlaßfarben
couleurs à détrempe/Temperafarben
– à dispersion/Diffusionsfarben
– à la gouache/Gouachefarben
– à l'aquarelle/Aquarellfarben

– au verre soluble/Wasserglasfarben
– brillantes/Brillant…-Farbstoffe
– couvrantes/Deckfarben
– de base/Grundfarben
– de sécurité/Sicherheitsfarben
– pour ciment/Zementfarben
couleuvrée/Zaunrübe
coulomb/Coulomb
coulombmètre à gaz fulminant/Knallgascoulombmeter
coulométrie/Coulometrie
coumafène/Warfarin
coumaphos/Coumaphos
coumarine/Cumarin
coumatetralyl/Cumatetralyl
coup de grisou/Schlagwetter
– de poussière/Staubexplosionen
coupage/Schneiden
coupellation/Treibprozeß
coupeller/Scheiden
coupes minces/Dünnschliffe
couplage de modes/Modenkopplung
– force-chaleur/Kraft-Wärme-Kopplung
– jj/jj-Kopplung
– spin-orbite/Spin-Bahn-Kopplung
couple de particules corrélées/Coupled Cluster
courant annulaire/Ringstrom
– turbulent/Turbulente Strömung
courbe adiabatique/Adiabate
– de point de rosée/Taukurve
– de refroidissement/Abkühlungskurve
– d'ébullition/Siedeverlauf
– Lambda/Lambda-Kurve
– solidus/Soliduskurve
courge/Kürbis
couronne/Krone
cours de chimie/Chemie-Unterricht
coûts de la protection de l'environnement/Umweltkosten
couvercles de Kapsenberg/Kapsenberg-Kappen
covalence/Bindigkeit
covelline/Covellin
covellite/Covellit
crachats/Sputum
craie/Schulkreide
– noire/Schieferschwarz
– tailleur/Schneiderkreide
craies grasses/Ölkreiden
crandallite/Crandallit
crapaudine/Ziest
craquage/Kracken
– de cire/Wachscracken
– thermique/Thermocracken
crasses/Gekrätz
cratægus/Weißdorn
crayon-encre/Tintenstifte
crayons/Bleistifte
– de couleur/Buntstifte
créatine/Kreatin
 – -kinase/Kreatin-Kinase
 – -phosphate/Kreatinphosphat
créatinine/Kreatinin
crème/Sahne
 – glacée/Speiseeis
crèmes/Cremes
créosote/Kreosot
cresidines/Kresidine
o-cresolphthaléine/o-Kresolphthalein
crésols/Kresole
cressons/Kressen
crésyl…/Cresyl…
crésylite/Cresylit
creuset Gooch/Gooch-Tiegel
creusets/Tiegel

criblage/Sieben
 – à air/Windsichten
crin/Tierhaare
…crine/…crin
crinipellines/Crinipelline
crioconite/Kryokonit
cristal mosaïque/Mosaik-Kristall
cristallin/Kristallin
 – aux rayons X/Röntgenkristallin
cristallines/Kristalline
cristallins/Linsen
cristallisation/Kristallisation
cristallochimie/Kristallchemie
cristallographie/Kristallographie
cristallophysique/Kristallphysik
cristaux/Kristalle
 – colloidaux/Kolloidale Kristalle
 – de valence/Valenzkristalle
 – en désordre conforme/Condis-Kristalle
 – liquides/Flüssige Kristalle
 – mixtes/Mischkristalle
 – plasmatiques/Plasmakristalle
 – plastiques/Plastische Kristalle
 – polymères/Polymerkristalle
 – unitaires/Einkristalle
cristobalite/Cristobalit
critères de localisation/Lokalisierungskriterien
critique/Kritisch
crocétine/Crocetin
crocine/Crocin
crocoïse/Krokoit
crocoïte/Krokoit
croconazole/Croconazol
crocydolite/Krokydolith
croisé de coton/Denim
croisement/Kreuzung
croissance/Wachstum
 – biologique/Biomagnifikation
 – en masse/Massenentwicklung
 – microbienne/Mikrobielles Wachstum
crossing over/Crossover
crotamiton/Crotamiton
crotonate d'éthyle/(E)-2-Butensäureethylester
crotonoyl…/Crotonoyl…
crotoxine/Crotoxin
crown/Kronglas
 – de zinc/Zink-Krone
 – lourd/Schwerkron
crucifères/Cruciferae
crudités/Rohkost
crustacés/Krebse
cryo…/Kryo…
cryogénie/Tieftemperaturtechnik
cryoglobulines/Kryoglobuline
cryolite/Kryolith
cryostats/Kryostate
cryptands/Kryptanden
cryptates/Kryptate
cryptomélane/Kryptomelan
cryptoxanthine/Cryptoxanthin
C-toxiférine I/C-Toxiferin I
cubane/Cuban
cubanite/Cubanit
cubèbes/Cubeben
cubes de bouillon/Fleischbrühwürfel
 – de bouillon de levure/Hefebrühwürfel
cubilot/Kupolofen
cuir/Leder
 – artificiel/Kunstleder
 – de Russie/Juchten
 – factice/Kunstleder
 – glacé/Glaceleder
 – mocha/Mochaleder
 – pour les semelles/Sohlenleder
 – verni/Lackleder
cuisson par jet calorifique/Jet-Cooking

cuivrage/Cuprodekapierung, Verkupfern
cuivre/Kupfer
 – ampoulé/Blisterkupfer
 – électrolytique/Elektrolytkupfer
cuivrer/Verkupfern
culture/Kultur
 – agitée/Schüttelkultur
 – cellulaire/Zellkultur
 – de cellules animales/Tierzellkultur
 – de production/Produktionskultur
 – de surface/Oberflächenkultur
 – de tissu/Gewebezüchtung
 – d'enrichissement/Anreicherungskultur
 – d'organes/Organkultur
 – en bouteilles tournantes/Rollerflaschen-Kultur
 – en masse/Massenkultur
 – intégrée de plantes/Integrierter Pflanzenbau
 – mixte/Mischkultur
 – pure/Reinkultur
cultures d'ensemencement/Starter-Kulturen
cumène/Cumol
cumin/Kümmel, Römischer Kümmel
cumol/Cumol
cumulation/Kumulation
cumulènes/Kumulene
cuoxam/Cuoxam
cupferron/Kupferron
cuprates(I)/Cuprate(I)
cuprène/Cupren
cupressacées/Cupressaceae
cuprite/Cuprit
cupro/Cupro
cupron/Cupron
cuprophiles/Cuprophyten
cuproprotéines/Kupfer-Proteine
curacine/Curacin
curare/Curare
curcuma/Curcuma
curcumènes/Curcumene
curcumine/Curcumin
curcurbitacines/Cucurbitacine
curdlan/Curdlan
curie/Curie
curium/Curium
curry/Curry
cuskhygrine/Cusc(o)hygrin
cuticule/Cuticula
cutine/Cutin
cuve/Küpe
cuvettes/Küvetten
cyamémazine/Cyamemazin
cyanamide de calcium/Calciumcyanamid
cyanamides/Cyanamide
cyanate de potassium/Kaliumcyanat
 – de sodium/Natriumcyanat
cyanates/Cyanate
cyanato…/Cyanato…
cyanazine/Cyanazin
cyanine/Cyanin
cyanite/Kyanit
cyano…/Cyan…
cyano-éthylation/Cyan(o)ethylierung
cyanoacétamide/2-Cyan(o)acetamid
cyanoacétates/Cyan(o)essigsäureester
2-cyanoacrylates/2-Cyan(o)acrylsäureester
cyanobactéries/Cyanobakterien
cyanocobalamine/Cyanocobalamin
1-cyanoguanidine/Cyan(o)guanidin

cyanohydrines/Cyan(o)hydrine
cyanopsine/Cyanopsin
cyanose/Cyanose
cyanotypie/Eisensalz-Verfahren
cyanurate de triallyle/Triallylcyanurat
cyanuration/Cyanierung
cyanure d'argent/Silbercyanid
 – de calcium/Calciumcyanid
 – de cuivre(I)/Kupfer(I)-cyanid
 – de diphénylarsine/Diphenylarsincyanid
 – de potassium/Kaliumcyanid
 – de sodium/Natriumcyanid
 – de zinc/Zinkcyanid
 – d'hydrogène/Blausäure
cyanures/Cyanide
 – de fer/Eisencyanide
cyathane/Cyathane
cybotaxie/Cybotaktische Struktur
cycasine/Cycasin
cyclamate de sodium/Natriumcyclamat
cyclamaldéhyde/Cyclamenaldehyd
cyclandélate/Cyclandelat
cyclanes/Cycloalkane
cyclazines/Cyclazine
cyclazocine/Cyclazocin
cycle citrique/Citronensäure-Cyclus
 – de Born et Haber/Born-Haber-Kreisprozeß
 – de Carnot/Carnotscher Kreisprozeß
 – de l'urée/Harnstoff-Cyclus
 – de Stirling/Stirlingscher Kreisprozeß
 – des pentoses/Pentosephosphat-Weg od. -Cyclus
cyclènes/Cycloalkene
cyclines/Cycline
cyclisation/Cyclisierung
 – de Ružička/Ružička-Cyclisierung
cyclitols/Cyclite
cyclizine/Cyclizin
cyclo…/Cyclo…
cycloaddition/Cycloaddition
 – 1,3-dipolaire/1,3-Dipolare Cycloaddition
cycloalcanes/Cycloalkane
cycloalcènes/Cycloalkene
cycloalcynes/Cycloalkine
cycloarènes/Cycloarene
cycloarténol/Cycloartenol
cycloate/Cycloat
cyclobarbital/Cyclobarbital
cyclobutadiènes/Cyclobutadiene
cyclobutane/Cyclobutan
cyclobutyrol/Cyclobutyrol
cyclodextrines/Cyclodextrine
cyclododécane/Cyclododecan
cyclododécanol/Cyclododecanol
cyclododécanone/Cyclododecanon
1,5,9-cyclododécatriène/1,5,9-Cyclododecatrien
cyclofénil/Cyclofenil
cycloheptane/Cycloheptan
cycloheptanone/Cycloheptanon
1,3,5-cycloheptatriène/1,3,5-Cycloheptatrien
cyclohexadiène/Cyclohexadien
cyclohexadiènones/Cyclohexadienone
cyclohexane/Cyclohexan
1,4-cyclohexanediméthanol/1,4-Cyclohexandimethanol
cyclohexanol/Cyclohexanol
cyclohexanone/Cyclohexanon
cyclohexène/Cyclohexen
cyclohexyl…/Cyclohexyl…

Française

cyclohexylamine/Cyclohexylamin
cyclohexylidène/Cyclohexyliden
cyclones/Zyklone
cyclooctatétraène/Cyclooctatetraen
cyclooligomérisation/Cyclooligomerisation
cyclooxygénase/Cyclooxygenase
cyclopentadécanone/Cyclopentadecanon
cyclopentadiène/Cyclopentadien
cyclopentadiènile/Cyclopentadienyl
cyclopentamine/Cyclopentamin
cyclopentane/Cyclopentan
cyclopentanol/Cyclopentanol
cyclopentanone/Cyclopentanon
cyclopenthiazide/Cyclopenthiazid
cyclopentobarbital/Cyclopentobarbital
cyclopentolate/Cyclopentolat
cyclopeptides/Cyclopeptide
cyclophanes/Cyclophane
cyclophiline/Cyclophilin
cyclophosphamide/Cyclophosphamid
cyclopolyaddition/Cyclopolyaddition
cyclopolycondensation/Cyclopolykondensation
cyclopolymères/Cyclopolymere
cyclopolymérisation/Cyclopolymerisation
cyclopropane/Cyclopropan
cycloprothrine/Cycloprothrin
cyclosérine/Cycloserin
cyclosilanes/Cyclosilane
cyclosporines/Cyclosporine
cyclostéréoisomérie/Cyclostereoisomerie
cyclotron/Zyklotron
cyclovalone/Cyclovalon
cycloxydime/Cycloxydim
cyfluthrine/Cyfluthrin
cyhalothrine/Cyhalothrin
cyhexatin/Cyhexatin
cymènes/Cymole
cymoxanil/Cymoxanil
cynarine/Cynarin
cynorrhodon/Hagebutten
cynurénine/L-Kynurenin
cyperméthrine/Cypermethrin
cyprès/Zypresse
cyproconazole/Cyproconazol
cyprodinil/Cyprodinil
cyproheptadine/Cyproheptadin
cyprotérone/Cyproteron
cyromazine/Cyromazin
cystamine/Cystamin
cystéamine/Cysteamin
L-cystéine/L-Cystein
cystéine-protéases/Cystein-Proteasen
cysteine string protein/Cysteine string protein
L-cystine/L-Cystin
cytidine/Cytidin
– -phosphates/Cytidinphosphate
cytise à grappes/Goldregen
cytisine/Cytisin
cyto…/Cyto…
cytobiologie/Cytobiologie
cytochalasanes/Cytochalasine
cytochimie/Cytochemie
cytochrome c oxydase/Cytochrom-c-Oxidase
– c réductase/Cytochrom-c-Reduktase
– P-450/Cytochrom P-450
cytochromes/Cytochrome
cytoécologie/Cytoökologie
cytohémine/Cytohämin

cytokines/Cytokine
cytokinines/Cytokinine
cytologie/Cytologie
cytolyse/Cytolyse
cytoplasme/Cytoplasma
cytosine/Cytosin
– -arabinoside/Cytosinarabinosid
cytosol/Cytosol
cytosquelette/Cytoskelett
cytostatiques/Cytostatika
cytotoxicité/Cytotoxizität
cytotoxines/Cytotoxine

D

dacarbazine/Dacarbazin
dactinomycine/Dactinomycin
daguerréotypie/Daguerreotypie
dalfopristin/Dalfopristin
dalton/Dalton
daltonides/Daltonide
damascénones/Damascenone
damascones/Damascone
dammar/Dammarharz
dammarènes/Dammarene
danaidal/Danaidal
danazol/Danazol
danburite/Danburit
dangereux à l'environnement/Umweltgefährlich
dansyl-/Dansyl-
dantrolène/Dantrolen
dantrone/Dantron
daphnétine/Daphnetin
daphnétol/Daphnetin
daphnétoxine/Daphnetoxin
dapiprazol/Dapiprazol
dapsone/Dapson
darcy/Darcy
datation/Altersbestimmung
– par la méthode plomb/Blei-Methode
– par rubidium-strontium/Rubidium-Strontium-Datierung
– radiocarbone/Radiokohlenstoff-Datierung
date de durabilité minimale/Mindesthaltbarkeitsdatum
– limite de conservation/Mindesthaltbarkeitsdatum
datolite/Datolith
dattes/Datteln
daunorubicine/Daunorubicin
dauphinelle/Rittersporn
dazomet/Dazomet
DBO/BSB
DCI/INN
de frappe/Passungsrost
– raisin/Weintrauben
– sauvetage/Selbstretter
deanol/Deanol
débit/Durchsatz
débitmètre/Durchflußmesser
déblais/Abraum
débrisoquine/Debrisoquin
Débrouiller/Demister
déca/Dec(a)…
décaborane/Decaboran(14)
2,4-décadiénal/2,4-Decadienal
γ-décalactone/γ-Decalacton
décalage (déplacement) Raman/Raman-Verschiebung
décalaminer/Entzunderung
décaline/Decalin
décamètre/Dekameter
décanal/Decanal
décanedioyl…/Decandioyl…
1-décanol/1-Decanol
décanoyl…/Decanoyl…
décantage/Dekantieren
décantation/Dekantieren
– primaire/Vorklärung
décanteur/Dekanter

– type Dortmund/Dortmundbrunnen
décapage/Dekapieren
– brillant/Gelbbrennen
décapant/Abbeizmittel
décaper (nettoyer) au sable/Sandstrahlen
decarbonylation/Decarbonylierung
décarboxylases/Decarboxylasen
decarboxylation/Decarboxylierung
décarestrictine/Decarestrictine
décatir/Dämpfen, Dekatieren
2-décénal/2-Decenal
décharge/Deponie, Einleiten, Verklappung
– dans les gaz/Gasentladung
– des huiles usées/Altölentsorgung
– électrique à faible luminescence/Glimmentladung
– sous-terraine/Untertage-Deponie
déchet/Abfall
– d'habitat/Siedlungsabfälle
– nocif/Sonderabfall
déchets/Altlasten
– biologiques/Bioabfall
– de verre/Altglas
– d'emballage/Verpackungsabfälle
– plastiques/Kunststoffabfälle
– radioactifs/Radioaktive Abfälle
déci…/Dezi…
déclaration d'émissions/Emissionserklärung
– d'impact sur l'environnement/Umwelterklärung
décoction/Decoctum
décoffrants/Entschalungsmittel
décoloration/De-inking, Entfärbung
décombres salins/Abraumsalze
décomposition/Aufschluß, Verwesung, Zersetzung
– à basse température/Tieftemperaturzerlegung
– biologique/Biologischer Abbau
décontamination/Dekontamination, Entgiftung
– microbienne du sol/Mikrobielle Bodendekontaminierung
décorporation/Dekorporierung
découpage autogène/Autogenes Schneiden
décrépiter/Dekrepitieren
décret sur incidents anormaux/Störfall-Verordnung
– sur l'emballage/Verpackungsverordnung
– sur les boues d'épuration/Klärschlammverordnung
– sur les chaudières domestiques/Kleinfeuerungsanlagen-Verordnung
– sur les installations d'incinération des déchets/Abfallverbrennungsanlagen-Verordnung
– sur l'huile usée/Altölverordnung
décrets sur la détermination de déchets/Abfallbestimmungs-Verordnungen
décyl…/Decyl…
dédoublement/Racemattrennung, Spaltung
– de graisses/Fett-Spaltung
défaut de Frenkel/Frenkel-Defekt
– de masse/Massendefekt
– d'empilement/Stapelfehler
– ponctuel (de point)/Punktdefekte

– quantique/Quantendefekt
défauts (de reseau)/Kristallbaufehler
– du vin/Weinfehler
défense des réserves/Vorratsschutz
défensines/Defensine
déferoxamine/Deferoxamin
déferrisation/Enteisenung
défibrotide/Defibrotid
définition/Definition
déflagration/Deflagration
déflazacort/Deflazacort
défoliants/Entlaubungsmittel
déformation/Deformation
– plastique/Umformen
dégagement de gaz/Entgasung
dégazage/Entgasung
dégermination/Entkeimung
– à froid/Kaltentkeimung
dégradation/Abbau, Degradation
– abiotique/Abiotischer Abbau
– anaérobie/Anaerober Abbau
– biologique d'acide/Säureabbau, biologischer
– de Krafft/Krafftscher Abbau
– de Lossen/Lossen-Abbau
– de Ruff/Ruff-Abbau
– de Wohl/Wohl-Abbau
– d'Edman/Edman-Abbau
– d'Emde/Emde-Abbau
– des acides gras/Fettsäure-Abbau
– d'Hofmann/Hofmannscher Abbau
degradation polymerique/Polymer-Abbau
dégraissage de métaux/Metallentfettung
– des métaux/Entfetten von Metallen
– électrolytique/Elektrolytische Entfettung
dégras/Degras
degré/Grad
– Baumé/Baumé-Grad
– de carbonisation/Inkohlungsgrad
– de dissociation/Dissoziationsgrad
– de liberté/Freiheitsgrad
– de polymérisation/Polymerisationsgrad
– de polymérisation „levelling-off"/Levelling-off-Polymerisationsgrad
– de substitution/Substitutionsgrad
– de tension/Spannungszustand
– de turbulence/Turbulenzgrad
– Oechslé/Oechsle-Grad
degrés Brix/Brix-Grade
– Soxhlet-Henkel/Soxhlet-Henkel-Grade
– Twaddell/Twaddell-Grade
déhydro…/Dehydro…
déhydrobenzène/Dehydrobenzol
déhydrocyclosation/Dehydrocyclisierung
déhydrodimérisation/Dehydrodimerisation
déionisation/Demineralisation
délavirdine/Delavirdin
délétion/Deletion
délocalisation/Delokalisierung
delphinelle/Rittersporn
delphinine/Delphinin
deltaméthrine/Deltamethrin
démagnétisation adiabatique du noyau/Adiabatische Kernentmagnetisierung
demande chimique en oxygene (DCO)/CSB

– en oxygène/Sauerstoff-Bedarf
démangeaison/Juckreiz
démécloycycline/Demeclocyclin
démecolcine/Demecolcin
démélage/Ausschwimmen
démétallisation/Entmetallisierung
déméthylation/Demethylierung
demeton-S-methyl/Demeton-S-methyl
demi…/Semi…
demi-pâte/Halbstoff
– -pile/Halbzelle
– -produit/Halbzeug
– -vie/Halbwertszeit
demineralisation/Demineralisation
démissidine/Demissidin
démon de Maxwell/Maxwellscher Dämon
démonter/Abziehen
démoxytocine/Demoxytocin
dénaturants/Vergällungsmittel
dénaturation/Denaturieren
dénavérine/Denaverin
dendrites/Dendriten
dendrochronologie/Dendrochronologie
dendrolasine/Dendrolasin
dénitrification/Denitrifikation, Entstickung
dénominations communes/Common Names, Freinamen, Generic Names
densité/Dichte
– apparente (en vrac)/Schüttgewicht
– critique/Kritische Dichte
– de confinement/Packungsdichte
– de courant/Stromdichte
– de recouvrement/Überlappungskonzentration
– des espèces/Artendichte
– des états/Zustandsdichte
– des spins/Spindichte
– du gaz/Gasdichte
– électronique/Elektronendichte
– par analyse aux rayons X/Röntgendichte
densitomètres/Densitometer
dentifrices/Zahnpflegemittel
dentine/Dentin
dents/Zähne
déoxynivalenol/Deoxynivalenol
dépendance/Sucht
dépérissement de la forêt/Waldsterben
dépigmentation/Depigmentierung, Kreiden
déplacement/Treibprozeß
– Doppler/Doppler-Verschiebung
– NIH/NIH-Verschiebung
dépolarisants/Depolarisatoren
dépollution de déchet spécial/Sonderabfallentsorgung
dépolymérisation/Depolymerisation
déposition/Absetzenlassen
dépôt/Ablagerung, Deposition
– chimique en phase vapeur/Gasphasenabscheidung
– en phase vapeur/Aufwachsverfahren
dépoussiérage/Entstaubung
depsides/Depside
depsidones/Depsidone
dérivatisation/Derivatisierung
dérivés/Derivate
– cellulosiques/Cellulose-Derivate
– de l'amidon/Stärke-Derivate
– du guar/Guar-Derivate
– tensio-actifs de silicium/Silicium-Tenside

déroulement de processus/Prozessierung
dé(s)…/De(s)…
dés-/Des-
désactivation/Desaktivierung
désagrégeants de comprimés/Tablettensprengmittel
désalination/Entsalzung
désalkylation/Desalkylierung
désamination/Desaminierung
désaromatisation/Desaromatisierung
descloizite/Descloizit
désencollage/Entschlichtung
désensibilisation/Desensibilisation
déserpidine/Deserpidin
désétamage/Entzinnen
desflurane/Desfluran
déshalogénation/Dehalogenierung
desherbants/Herbizide
déshuileur/Ölabscheider
déshydratants/Trockenmittel
déshydratases/Dehydratasen
déshydratation/Absolutierung, Dehydratisierung, Schlammentwässerung
7-déshydrocholestérol/7-Dehydrocholesterin
déshydrogénases/Dehydrogenasen
déshydrogénation/Dehydrierung
déshydrohalogénation/Dehydrohalogenierung
design de substances assisté par ordinateur/Computer Aided Drug Design
désinfectants/Desinfektionsmittel
désinfection/Desinfektion
désintegration/Zerfall
désintégration alpha/Alpha-Zerfall
– béta/Beta-Zerfall
– béta double/Doppelter Betazerfall
– radioactive/Radioaktiver Zerfall
désipramine/Desipramin
deslanoside/Deslanosid
desmediphame/Desmediphame
desmine/Desmin
desmopressine/Desmopressin
desmoprotéines/Periplasmatische Bindungsproteine
desmosine/Desmosin
desmosomes/Desmosomen
désmulsifiants/Demulgatoren
désodorisants/Desodorantien
désodorisation/Geruchsminderung
désogestrel/Desogestrel
désonide/Desonid
désorption/Desorption
– par induction électronique/EID
désosamine/Desosamin
désoximétasone/Desoximetason
désoxy…/Desoxy…
2-désoxy-D-ribose/2-Desoxy-D-ribose
désoxy sucres/Desoxyzucker
désoxycholate de sodium/Natriumdesoxycholat
désoxydant/Desoxidationsmittel
désoxydation/Desoxidation, Feinen
désoxygenation/Desoxygenierung
1-désoxynojirimycine/1-Desoxynojirimycin
désoxynucléosides/Desoxynucleoside
désoxynucléotides/Desoxynucleotide
désoxyribonucléases/Desoxyribonucleasen

desquamation/Exfoliating
dessableur/Sandfang
dessalement de l'eau de mer/Meerwasserentsalzung
dessèchement au four/Darren
dessicateurs/Trockenmittel
dessiccateurs/Exsikkatoren
dessiccation par le froid/Gefriertrocknung
destraction/Destraktion
destructeurs du peroxide/Peroxid-Desaktivatoren
destruxines/Destruxine
désulfuration/Entschwefelung
désyl(e)…/Desyl…
détachage/Detachur, Fleckentfernung
détachants/Fleckentfernungsmittel
détacheurs de goudron/Teerentferner
– d'encre/Tintenentferner
d'étalement/Verlaufmittel
détectabilité/Nachweisgrenze
détecteur à ionisation d'hélium/Helium-Ionisationsdetektor
– à piège à ions/Ion-Trap-Detektor
détecteurs/Detektoren
– à conductivité thermique/Wärmeleitfähigkeitsdetektoren
– de gaz/Gasspürgeräte
détection/Nachweis
– de fuites/Lecksuche
– et localisation de la lumière (LIDAR)/LIDAR
détergent neutre/Neutralreiniger
– pour machine à laver la vaisselle/Maschinengeschirrspülmittel
détergents/Waschmittel, Detergentien
– non-ioniques/Nichtionische Tenside
détérioration/Zersetzung
détériorations par irradiation/Strahlenschäden
déterminant de Slater/Slater-Determinante
détermination de la constitution/Konstitutionsermittlung
– de la qualite des eaux/Gewässergütebestimmung
– des masses molaires/Molmassenbestimmung
– du poids atomique/Atomgewichtsbestimmung
– du point de fusion/Schmelzpunktbestimmung
– du point d'ébullition/Siedepunktbestimmung
détonation/Detonation
détoxication/Entgiftung
détritus/Detritus
deutérium/Deuterium
deutéro/Deutero…
– -chloroforme/Deuteriochloroform
deutérolyse/Deuterolyse
deutérons/Deuteronen
deuxième messager/Second messenger
développement/Prozessierung
– de procédés/Verfahrensentwicklung
– de souche/Stammentwicklung
déversement/Einleiten, Verklappung
déviation/Streuung
dexaméthasone/Dexamethason
dexchlorphéniramine/Dexchlorpheniramin
dexfenfluramine/Dexfenfluramin

dexpanthénol/Dexpanthenol
dextran/Dextran
dextranomère/Dextranomer
dextrines/Dextrine
dextro…/Dextro…
dextrométhorphane/Dextromethorphan
dextromoramide/Dextromoramid
dextropropoxyphène/Dextropropoxyphen
di…/Di…
diabase/Diabas
diabète/Diabetes
diacétate de N,N'-dibenzyléthylènediamine/N,N'-Dibenzylethylendiamindiacetat
– de iodosylbenzène/Iodosylbenzoldiacetat
diacylglycérols/Diacylglycerine
diafenthiuron/Diafenthiuron
diafiltration/Diafiltration
diagnostic/Diagnose
– genetique/Gendiagnostik
– prénatal/Pränatale Diagnostik
diagramme de Birge-Sponer/Birge-Sponer-Diagramm
– de corrélation d'état/Zustands-Korrelationsdiagramm
– de Fortrat/Fortrat-Diagramm
– de Sankey/Sankey-Diagramme
– de Schaeffler/Schaeffler-Diagramm
– d'équilibre fer-carbone/Eisen-Kohlenstoff-System
diagrammes de Tanabe et Sugano/Tanabe-Sugano-Diagramme
– de tension-extension/Spannungs-Dehnungs-Diagramme
– de Walsh/Walsh-Diagramme
– d'état/Zustandsdiagramme
– d'Orgel/Orgel-Diagramme
N,N-dialkylamides/N,N-Dialkylamide
dialkylamines/Dialkylamine
diallate/Diallat
dialyse/Dialyse
diamants/Diamanten
diamide-diacide carbonique-diacène/Diazendicarbonsäurediamid
diamine oxydase/Diamin-Oxidase
diamines/Diamine
2,4-diamino-6-méthyl-1,3,5-triazine/2,4-Diamino-6-methyl-1,3,5-triazin
2,4-diaminoazobenzène/2,4-Diaminoazobenzol
4,4'-diaminodiphénylméthane/4,4'-Diaminodiphenylmethan
2,4-diaminophénol/2,4-Diaminophenol
2,6-diaminopyridine/2,6-Diaminopyridin
dianhydride perylène-3,4,9,10-tetracarboxylique/Perylen-3,4,9,10-tetracarbonsäure-dianhydrid
– pyromellitique/Pyromellit(h)säuredianhydrid
o-dianisidine/o-Dianisidin
1,1'-dianthrimide/1,1'-Dianthrimid
diaphorétiques/Hidrotika
diaphragme/Diaphragma
diarrhée/Diarrhoe
diastéréo(iso)mérisme/Diastereo(iso)merie
diatomite/Kieselgur
diauxie/Diauxie
diaza…/Diaza…
1,5-diazabicyclo[4.3.0]non-5-ène/1,5-Diazabicyclo[4.3.0]non-5-en

Française

1,4-diazabicyclo[2.2.2]octane/1,4-Diazabicyclo[2.2.2]octan
diazènedicarboxylate de diméthyle/Diazendicarbonsäure-dimethylester
diazènes/Diazene
diazépam/Diazepam
diazépines/Diazepine
diazinon/Diazinon
diaziridines/Diaziridine
diazirines/Diazirine
diazo.../Diazo...
diazoles/Diazole
diazométhane/Diazomethan
4-diazonio-sulfonate de benzène/4-Diazoniobenzolsulfonat
diazorésines/Diazoharze
diazotates/Diazotate
diazotypies/Diazokopien
diazoxide/Diazoxid
dibécacine/Dibekacin
dibenzazépines/Dibenzazepine
dibenzépine/Dibenzepin
dibenzo[1,4]-dioxine/Dibenzo-[1,4]dioxin
dibenzofurane/Dibenzofuran
dibenzosubérone/Dibenzosuberon
diborane(6)/Diboran(6)
diborure de titane/Titandiborid
1,3-dibromo-5,5-diméthylhydantoine/1,3-Dibrom-5,5-dimethylhydantoin
1,2-dibromoéthane/1,2-Dibromethan
1,3-dibromopropane/1,3-Dibrompropan
dibunate de sodium/Natriumdibunat
dibutylamine/Dibutylamin
2,6-di-*tert*-butyl-4-méthylphénol/2,6-Di-*tert*.-butyl-4-methylphenol
1,3-dibutylthiourée/1,3-Dibutylthioharnstoff
dicamba/Dicamba
dicarbonate de diméthyle/Dimethyldicarbonat
dicétène/Diketen
dicétones/Diketone
dichlobenil/Dichlobenil
dichlofluanide/Dichlofluanid
dichloracétate de diisopropylamine/Diisopropylamindichloracetat
4,5-dichloro-3,6-dioxo-cyclohexa-1,4-diène-1,2-dicarbonitrile/4,5-Dichloro-3,6-dioxo-cyclohexa-1,4-dien-1,2-dicarbonitril
dichloréthylène/Dichlorethylene
dichlorhydrate de *N*-(1-naphthyl)ethylènediamine/*N*-(1-Naphthyl)ethylendiamin-dihydrochlorid
– d'octénidine/Octenidin-dihydrochlorid
2,3-dichloro-1,4-naphtochinone/2,3-Dichlor-1,4-naphthochinon
1,3-dichloro-2-propanol/1,3-Dichlor-2-propanol
dichloroanilines/Dichloraniline
dichlorobenzènes/Dichlorbenzole
1,4-dichlorobutane/1,4-Dichlorbutan
dichloroéthanes/Dichlorethane
dichloronitrobenzènes/Dichlornitrobenzole
2,6-dichlorophénol-indophénol-sodium/2,6-Dichlorphenol-indophenol-natrium
dichlorophénols/Dichlorphenole
dichloropropanes/Dichlorpropane
1,3-dichloropropène/1,3-Dichlorpropen
dichlorprop-P/Dichlorprop-P
dichlorure de benzylidène/Benzylidendichlorid
– de paraquat/Paraquat-dichlorid
dichlorures phosphonitriliques/Phosphornitridchloride
dichlorvos/Dichlorvos
dichrographes/Dichrographen
dichroïsme circulaire/Circulardichroismus
dichroïte/Cordierit
dichromate d'ammonium/Ammoniumdichromat
– de potassium/Kaliumdichromat
– (VI) de sodium/Natriumdichromat(VI)
dichromates/Dichromate
diclobutrazol/Diclobutrazol
diclofénac/Diclofenac
diclofénamide/Diclofenamid
diclofop-méthyle/Diclofop-methyl
diclomezine/Diclomezin
dicloxacilline/Dicloxacillin
dicofol/Dicofol
dicotylédones/Dikotyle(done)n
dicrotophos/Dicrotophos
dictionnaires/Wörterbücher
dicumarol/Dicumarol
dicyan/Dicyan
dicyanoargentate de potassium/Kaliumdicyanoargentat
dicyclohexylamine/Dicyclohexylamin
dicyclohexylcarbodiimide/Dicyclohexylcarbodiimid
dicyclopentadiène/Dicyclopentadien
dicyclovérine/Dicycloverin
didanosine/Didanosin
didemnines/Didemnine
3,4-didéshydrorétinal/3,4-Didehydroretinal
didymium/Didym
dieldrine/Dieldrin
diélectriques/Dielektrika
Diels-Alder réaction/Diels-Alder-Reaktion
diènes/Diene
– non-conjugués/Nichtkonjugierte Diene
diénestrol/Dienestrol
diénones/Dienone
diesel-oil/Dieselkraftstoffe
diète/Diät
– sportive/Sporternährung
diethion/Ethion
diéthofencarb/Diethofencarb
N,N-diéthyl-*p*-phénylènediamine/*N,N*-Diethyl-*p*-phenylendiamin
diéthylamide de l'acide lysergique/Lysergsäurediethylamid
diéthylamine/Diethylamin
2-(diéthylamino)-éthanol/2-(Diethylamino)-ethanol
N,N-diéthylaniline/*N,N*-Diethylanilin
diéthylcarbamazine/Diethylcarbamazin
diéthyldithiocarbamate d'argent/Silberdiethyldithiocarbamat
– de sodium/Natrium-diethyldithiocarbamat
diéthyldithiocarbamates/Diethyldithiocarbamate
diéthylène glycol/Diethylenglykol
diéthylènetriamine/Diethylentriamin
diéthyléther/Diethylether
N,N-diéthyléthylendiamine/*N,N*-Diethylethylendiamin
diéthylstilbestrol/Diethylstilbestrol
1,3-diéthylthiourée/1,3-Diethylthioharnstoff
diéthyltoluamide/*N,N*-Diethyl-*m*-toluamid
difenacum/Difenacoum
difenoconazole/Difenoconazol
difénoxine/Difenoxin
difenzoquat methyl sulphate/Difenzoquat-methylsulfat
difethialone/Difethialon
différentiation/Differenzierung
diffraction/Beugung, Streuung
– électronique/Elektronenbeugung
– électronique à basse énergie/LEED
– neutronique/Neutronenbeugung
diffractométrie/Kristallstrukturanalyse
diffuseur à fluxradial/Radialstromdüse
diffusion/Diffusion, Streuung
– Compton/Compton-Streuung
– comptonienne/Compton-Streuung
– de la lumière/Lichtstreuung
– de rayons X/Röntgenstreuung
– étroite de rayons X/Röntgenkleinwinkelstreuung
diffusivité thermique/Temperaturleitfähigkeit
diflorasone/Diflorason
diflubenzuron/Diflubenzuron
diflucortolone/Diflucortolon
diflufenicanil/Diflufenican
diflunisal/Diflunisal
digénite/Digenit
digestif/Magenbitter
digestion/Digerieren, Verdauung
digital/Digital
digitonine/Digitonin
digitoxose/Digitoxose
diglycérides/Diglyceride
dihalogénures d'isocyanure/Isocyaniddihalogenide
dihexyvérine/Dihexyverin
dihydralazine/Dihydralazin
dihydro pyranne/3,4-Dihydro-2*H*-pyran
dihydrocodéine/Dihydrocodein
dihydrodimérisation/Dihydrodimerisation
dihydroergocornine/Dihydroergocornin
dihydroergocristine/Dihydroergocristin
dihydroergocryptine/Dihydroergocryptin
dihydroergotamine/Dihydroergotamin
dihydroergotoxine/Dihydroergotoxin
dihydrostreptomycine/Dihydrostreptomycin
dihydrotachystérol/Dihydrotachysterol
dihydroxyacétone/Dihydroxyaceton
2,4-dihydroxybenzophénone/2,4-Dihydroxybenzophenon
diimine/Diimin
3,5-diiodothyronine/3,5-Diiodthyronin
3,5-diiodotyrosine/3,5-Diiodtyrosin
diisocyanate d'hexaméthylène/Hexamethylendiisocyanat
diisocyanates/Diisocyanate
– de toluène/Toluoldiisocyanate
diisopropylamide de lithium/Lithiumdiisopropylamid
diisopropylbenzène/Diisopropylbenzol
dikegulac-sodium/Dikegulac-Natrium
dilatance/Dilatanz
dilatation/Dilatation
dilazep/Dilazep
diloxanide/Diloxanid
diltiazem/Diltiazem
diluants/Verdünnungsmittel, Verschnittmittel
dilution/Verdünnen
– isotopique/Isotopenverdünnungsanalyse
dimazol/Dimazol
dimédone/Dimedon
dimefuron/Dimefuron
dimenhydrinate/Dimenhydrinat
dimensions libres/Ungestörte Dimensionen
dimercaprol/Dimercaprol
1,4-dimercapto-2,3-butanediols/1,4-Dimercapto-2,3-butandiole
2,5-dimercapto-1,3,4-thiadiazole/2,5-Dimercapto-1,3,4-thiadiazol
dimérisation/Dimerisation
dimétacrine/Dimetacrin
diméthenamide/Dimethenamid
dimethipin/Dimethipin
diméthistérone/Dimethisteron
dimethoate/Dimethoat
diméthomorphe/Dimethomorph
2,5-dimethoxy-4-methylamphétamine/2,5-Dimethoxy-4-methylamphetamin
diméthoxybenzènes/Dimethoxybenzole
2,6-diméthyl-4-heptanone/2,6-Dimethyl-4-heptanon
N,N-diméthyl-4-nitrosoaniline/*N,N*-Dimethyl-4-nitrosoanilin
2,4-diméthyl-3-pentanone/2,4-Dimethyl-3-pentanon
2,9-diméthyl-1,10-phénanthroline/2,9-Dimethyl-1,10-phenanthrolin
diméthyl-POPOP/Dimethyl-POPOP
2,2-diméthyl-1,3-propanediol/2,2-Dimethyl-1,3-propandiol
N,N-diméthylacétamide/*N,N*-Dimethylacetamid
diméthylamine/Dimethylamin
diméthylamino.../Dimethylamino...
4-(diméthylamino)-azobenzène/4-(Dimethylamino)azobenzol
2-(diméthylamino)-éthanol/2-(Dimethylamino)ethanol
(diméthylamino)-propanols/(Dimethylamino)propanole
4-diméthylaminobenzaldehyde/4-Dimethylaminobenzaldehyd
5-(4-diméthylaminobenzylidène)-rhodanine/5-(4-Dimethylaminobenzyliden)-rhodanin
N,N-diméthylaniline/*N,N*-Dimethylanilin
diméthylarsino.../Dimethylarsino...
7,12-diméthylbenz[*a*]anthracène/7,12-Dimethylbenz[*a*]anthracen
3,3'-diméthylbenzidine/3,3'-Dimethylbenzidin
N,N-diméthylbenzylamine/*N,N*-Dimethylbenzylamin
2,2-diméthylbutane/2,2-Dimethylbutan
diméthylformamide/Dimethylformamid

diméthylglyoximes/Dimethylglyoxim
5,5-diméthylhydantöne/5,5-Dimethylhydantoin
1,1-diméthylhydrazine/1,1-Dimethylhydrazin
3,3′-diméthylnaphtidine/3,3′-Dimethylnaphthidin
diméthylphénols/Dimethylphenole
2,2-diméthylpropane/2,2-Dimethylpropan
diméthylsulfone/Dimethylsulfon
diméthylsulfoxyde/Dimethylsulfoxid
1,3-diméthylurée/1,3-Dimethylharnstoff
diméticone/Dimeticon
dimétindène/Dimetinden
dimétotiazine/Dimetotiazin
diniconazole/Diniconazol
dinitramine/Dinitramin
dinitrate de diéthylène glycol/Diethylenglykoldinitrat
– d'éthylèneglycol/Ethylenglykoldinitrat
– d'hexaméthylénetetramine/Hexamethylentetramin-dinitrat
– d'isosorbide/Isosorbid-dinitrat
2,4-dinitroaniline/2,4-Dinitroanilin
2,4-dinitroanisol/2,4-Dinitroanisol
dinitrobenzènes/Dinitrobenzole
dinitrophénols/Dinitrophenole
2,4-dinitrophénylhydrazine/2,4-Dinitrophenylhydrazin
2,4-dinitrotoluène/2,4-Dinitrotoluol
dinocap/Dinocap
dinoprost/Dinoprost
dinoprostone/Dinoproston
dinor…/Dinor…
dinosèbe/Dinoseb
dinoterbe/Dinoterb
dioctyl…/Dioctyl…
diode/Diode
– optique/Optische Diode
diodone/Diodon
diofenolane/Diofenolan
diols/Diole
dioptase/Dioptas
diorite/Diorite
dioscorine/Dioscorin
diosgénine/Diosgenin
diosmine/Diosmin
diosphénols/Diosphenole
dioxa…/Dioxa…
1,4-dioxane/1,4-Dioxan
dioxépines/Dioxepine
dioxétanes/Dioxetane
dioxéthédrine/Dioxethedrin
dioxines/Dioxine
dioxo…/Dioxo…
1,3-dioxol-2-ones/1,3-Dioxol-2-one
1,3-dioxolan-2-one/1,3-Dioxolan-2-on
1,3-dioxolane/1,3-Dioxolan
dioxoles/Dioxole
dioxy…/Dioxy…
– carbonyle/Carbonyldioxy…
dioxyde de carbone/Kohlendioxid
– de manganèse/Mangandioxid
– de sélénium/Selendioxid
– de silicium/Kieselerde, Siliciumdioxid
– de soufre/Schwefeldioxid
– de thorium/Thoriumdioxid
– de zirconium/Zirconiumdioxid
dioxydes/Dioxide
2,2-dioxydes de 1,2,3-oxathiazin-4(3H)-one/1,2,3-Oxathiazin-4(3)H-on-2,2-dioxid

diphacinone/Diphacinon
diphénhydramine/Diphenhydramin
diphénoxylate/Diphenoxylat
2,2-diphényl-1-picrylhydrazyle/2,2-Diphenyl-1-pikrylhydrazyl
diphénylamine/Diphenylamin
1,5-diphénylcarbazone/1,5-Diphenylcarbazon
1,5-diphénylcarbonohydracide/1,5-Diphenylcarbonohydrazid
diphényle/Diphenyl
1,2-diphényléthane/1,2-Diphenylethan
1,3-diphénylguanidine/1,3-Diphenylguanidin
1,1-diphénylhydrazine/1,1-Diphenylhydrazin
diphénylméthane/Diphenylmethan
2,5-diphényloxazol(e)/2,5-Diphenyloxazol
diphénylpyraline/Diphenylpyralin
1,3-diphénylthiourée/1,3-Diphenylthioharnstoff
1,3-diphényltriazène/1,3-Diphenyltriazen
diphénylurée/1,3-Diphenylharnstoff
diphésatine/Diphesatin
diphosgène/Diphosgen
diphosphate de thiamine/Thiamindiphosphat
diphosphates/Diphosphate(V)
diphtérotoxine/Diphtherie-Toxin
dipicrylamine/Dipikrylamin
dipivéfrine/Dipivefrin
dipole/Dipol
diprophylline/Diprophyllin
dipropylamines/Dipropylamine
dipropylèneglycol/Dipropylenglykol
dipropylènetriamine/Dipropylentriamin
dipyridamole/Dipyridamol
diquat dibromide/Diquat-dibromid
dire minérale/Erdwachs
directive CE des déchets nocifs/EG-Richtlinie über gefährliche Abfälle
– communautaire européenne sur les déchets/EG-Richtlinie über Abfälle
directives de la ZKBS/ZKBS-Richtlinien
diritromycine/Dirithromycin
disaccharides/Disaccharide
diséléniure de diphényle/Diphenyldiselenid
disintégrines/Disintegrine
dislocation hélicoïdale/Schraubenversetzung
dislocations/Versetzungen
– linéaires/Stufenversetzungen
dismutation/Dismutation
disopyramide/Disopyramid
disoxysulfone/Dysoxysulfon
dispase/Dispase
dispensateur/Dispenser
dispensation/Dispensieren
dispersion/Dispergieren, Dispersion, Streuung
– (de) Mie/Mie-Streuung
– inélastique/Inelastische Streuung
– rotatoire optique/Rotationsdispersion
dispersions de polymères/Polymerdispersionen
dispositif antibuée/Demister

disposition européenne d'audit écologique/EG-Ökoauditverordnung
dispositions de transport/Transportbestimmungen
disproportionation/Disproportionierung
disque claquant/Berstscheiben
disrotatoire/Disrotatorisch
dissimilation/Dissimilation
dissipation/Dissipation
dissociation/Dissoziation
– électrolytique/Elektrolytische Dissoziation
dissolvants/Lösemittel
dissymétrie/Dissymmetrie
distance bout à bout/Fadenendenabstand
distillation/Destillation
– sèche/Schwelung
– selon Micko/Micko-Destillation
– sur poudre de zinc/Zinkstaub-destillation
distributeur de liquide/Flüssigkeitsverteiler
distribution angulaire/Winkelverteilung
– d'erreurs de Gauss/Gauß-Verteilung
– des masses molaires/Molmassenverteilung
– des vitesses de Maxwell-Boltzmann/Maxwell-Boltzmannsche Geschwindigkeitsverteilung
– du temps de séjour/Verweilzeitverteilung
– par contre-courant/Gegenstromverteilung
– t/t-Verteilung
disulfate de potassium/Kaliumdisulfat
disulfates/Disulfate
disulfite de potassium/Kaliumdisulfit
– de sodium/Natriumdisulfit
disulfites/Disulfite
disulfoton/Disulfoton
disulfure de dibenzyle/Dibenzyldisulfid
– de molybdène/Molybdändisulfid
– de sélénium/Selendisulfid
– de tétraéthylthiurame/Tetraethylthiuramdisulfid
disulfures/Disulfide
disulfuro de carbone/Schwefelkohlenstoff
diterpènes/Diterpenoide
dithianes/Dithiane
dithianon/Dithianon
dithiocarbamates/Dithiocarbamate
dithiolanes/Dithiolane
dithiolates/Dithiolate
dithioles/Dithiole
dithiols/Dithiole
dithiométon/Thiometon
dithionates/Dithionate
dithionite de sodium/Natriumdithionit
dithionites/Dithionite
dithiooxamide/Dithiooxamid
dithiopyr/Dithiopyr
dithizone/Dithizon
dithranol/Dithranol
diurétiques/Diuretika
diuron/Diuron
diversité des espèces/Artenvielfalt
divinylbenzène/Divinylbenzol
division cellulaire/Zellfraktionierung
dixyrazine/Dixyrazin

DNOC/DNOC
dobésilate de calcium/Calciumdobesilat
dobutamine/Dobutamin
docétaxel/Docetaxel
docimasie/Dokimasie
docos(a)…/Docos(a)…
documentation/Dokumentation
– de brevets/Patentdokumentation
docusate sodique/Docusat-Natrium
dodéc(a)…/Dodec(a)…
dodécanal/Dodecanal
dodécane/Dodecan
1-dodécanol/1-Dodecanol
1-dodécanthiol/1-Dodecanthiol
dodécylbenzène/Dodecylbenzol
dodécylbenzènesulfonates/Dodecylbenzolsulfonate
dodécylphénol/Dodecylphenol
dodécylsulfate de sodium/Natriumdodecylsulfat
dodine/Dodin
dofétilide/Dofetilid
dogme central/Zentrales Dogma
doigt à zinc/Zink-Finger
dolastatines/Dolastatine
dolérite/Dolerit
dolichol/Dolichole
dolichyl-phosphate/Dolichylphosphat
dolomie/Dolomit
dolomite/Dolomit
domaine homéotique/Homöo-Domäne
– PH/PH-Domäne
domaines/Domänen
dominance/Dominanz
dommage de la forêt/Waldschäden
dompéridone/Domperidon
donneur/Don(at)or
dopa/Dopa
dopage/Doping, Dotierung
dopamine/Dopamin
– β-hydroxylase/Dopamin-β-Hydroxylase
dopaminergique/Dopaminerg
dopexamine/Dopexamin
doping/Doping
dopplérite/Dopplerit
dorage/Vergolden
dorer/Vergolden
dormance/Winterruhe
dorzolamide/Dorzolamid
dosage/Dosieren
– génique/Gendosis
– proportionnel/Proportionieren
dose/Dosis
– collective/Kollektivdosis
– d'ions/Ionendosis
– effective/ED$_{50}$
– létale/Letale Dosis
– maximale admissible/Permissible level
– sublétale/Subletale Dosis
dosimètre de Fricke/Fricke-Dosimeter
dosimétrie/Dosimetrie
dosulépine/Dosulepin
dot blot/Dot-Blot
doublage de fréquence/Frequenzverdopplung
doublé/Doublé
double liaison/Doppelbindung
doubles liaisons cumulées/Kumulierte Doppelbindungen
doublet/Dublett
doublets célibataires (libres, non partagés)/Einsame Elektronenpaare
douceur résiduelle/Restsüße
doxapram/Doxapram

Française

doxasozine/Doxazosin
doxépine/Doxepin
doxorubicine/Doxorubicin
doxycycline/Doxycyclin
doxylamine/Doxylamin
dragées/Dragées
drépanocytose/Sichelzellenanämie
drimanes/Drimane
DRO/Rotationsdispersion
drofénine/Drofenin
drogues/Drogen
droit (de protection) de l'environnement/Umweltrecht
droite d'amplification/Verstärkungsgerade
dropéridol/Droperidol
dropropizine/Dropropizin
drosère/Sonnentau
drosophiline A/Drosophilin A
drostanolone/Drostanolon
druse/Druse
druses miarolitiques/Miarolen
dualisme onde-particule/Welle-Teilchen-Dualismus
dubnium/Dubnium
ductilité/Duktilität
dulcite/Dulcit
duocarmycine/Duocarmycine
duplication à alcool/Umdruckverfahren
duralumin/Duralumin(ium)
durcir/Härten
durcissage à froid/Kalthärten
– des laques/Lackhärtung
durcissement après écrouissage/Alterungsversprödung
– des matières plastiques/Härtung von Kunststoffen
– UV/UV-Härtung
durcisseurs/Härter
durée de persistance/Persistenzlänge
dureté/Härte fester Körper
– Brinell/Brinell-Härte
– de l'eau/Härte des Wassers
– de Vickers/Vickers-Härte
– Knoop/Knoop-Härte
– non-carbonatée/Nichtcarbonathärte
– permanente/Nichtcarbonathärte, Permanente Härte
– Rockwell/Rockwell-Härte
– Shore/Shore-Härte
duretée non-carbonatée/Permanente Härte
duromètre/Härteprüfstab
dydrogestérone/Dydrogesteron
dynactine/Dynactin
dynamine/Dynamin
dynamique de la population/Populationsdynamik
– de réaction/Reaktionsdynamik
– moléculaire/Molekulardynamik
dynamite/Dynamit
dyne/dyn
dynéine/Dynein
dynémycine/Dynemicine
dypnone/Dypnon
dys…/Dys…
dyscrasite/Dyskrasit
dysenterie/Ruhr
dysménorrhée/Dysmenorrhoe
dysprosium/Dysprosium
dystrophine/Dystrophin

E

eau/Wasser
– à souder/Lötwasser
– d'alimentation/Speisewasser
– de carmélite/Melissengeist
– de chaudière/Kesselwasser
– de Cologne/Eau de Cologne, Kölnisch Wasser
– de constitution/Konstitutionswasser
– de cristallisation/Kristallwasser
– de drainage/Sickerwasser
– de fleur d'orange(r)/Orangenblütenwasser
– de Javel/Eau de Javelle
– de Labarraque/Eau de Labarraque
– de mélisse/Melissengeist
– de mer/Meerwasser
– de mine/Grubenwasser
– de parfum/Eau de Parfum
– de rose/Rosenwasser
– de surface/Oberflächenwasser
– de Toilette/Eau de Toilette
– -de-vie/Weinbrand
– -de-vie de fruits/Obstbranntwein
– -de-vie de grain/Korn
– -de-vie de vin/Franzbranntwein
– des chaudières/Speisewasser
– d'infiltration/Sickerwasser
– d'iode/Iodwasser
– distillée/Destilliertes Wasser
– douce/Süßwasser
– du sol/Bodenwasser
– ferrugineuse/Eisensäuerlinge
– gazeuse/Sprudel
– juvénile/Juveniles Wasser
– lourde/Deuteriumoxid
– mère/Mutterlauge
– minérale/Mineralwasser
– polluée/Schmutzwasser
– potable/Trinkwasser
– purifiée/Reinstwasser
– régale/Königswasser
– rouge/Rote Tide
– saumâtre/Brackwasser
– superficielle/Oberflächenwasser
– tonique/Tonic Water
– vive (de source)/Quellwasser
eaux/Gewässer
– amères/Bitterwässer
– de table/Tafelwässer
– d'importation/Fremdwasser
– industrielles/Brauchwasser
– minérales acidulées/Säuerlinge
– résiduaires/Abwasser
– thermales/Thermalwässer
ébonite/Hartgummi
ébullioscopie/Ebullioskopie
ébullition/Sieden
éburnamonine/Eburnamonin
écaille/Schildpatt
…écane (…écanne)/…ecan
ecdysone/Ecdyson
ecgonine/Ecgonin
échalotes/Schalotten
échange d'acides aminés/Aminosäure-Austausch
échangeurs d'ions/Ionenaustauscher
– d'ions à cellulose/Cellulose-Ionenaustauscher
– d'oxydoréduction/Redoxaustauscher
– thermiques/Wärmeaustauscher
échantillon/Probe
– d'arbitrage/Schiedsprobe
– global/Sammelprobe
échantillonnage/Probenahme
échelle/Skale
– Celsius de temperature/Celsius-Temperatur-Skale
– de Brockmann/Brockmann-Skale
– Fahrenheit de température/Fahrenheit-Temperatur-Skale
– Kelvin/Kelvin-Skala
échelles de température/Temperaturskalen
échinacoside/Echinacosid
échinocandine/Echinocandin
échinodermes/Echinodermata
écho de photon/Photonenecho
– photonique/Photonenecho
…écine/…ecin
éclaircissants/Aufhellungsmittel für Mikroskopie
éclaircisseurs/Aufhellungsmittel für Mikroskopie
éclogites/Eklogite
écoéthologie/Öko-Ethologie
écogénine/Hecogenin
écoles de chimie/Chemieschulen
écologie/Ökologie
econazole/Econazol
écorce de cascara/Kaskararinde
– de cascarilla/Kaskarillarinde
– de chêne/Eichenrinde
– de mangrove/Mangrovenrinde
– de Panama/Panamarinde
– de quillaya/Panamarinde
– de quine/Chinarinde
– de saule/Weidenrinde
– du condurango/Kondurango-Rinde
– du pin du Canada/Hemlockrinde
écosystème/Ökosystem
écotone/Ökoton
écotoxicologie/Ökotoxikologie
écotypes/Ökotypen
écoulement/Fließen, Strömung
– laminaire/Laminare Strömung
écran/Abschirmung
– thermique/Hitzeschild
écrans de travail transilluminés/Transilluminatoren
ecrasite/Ekrasit
écrouissage/Kaltverfestigung, Verfestigung
ecstasy/Ecstasy
ectoenzymes/Ektoenzyme
ectotherme/Ektotherm
écumage/Schäumen
édestine/Edestin
édétate de sodium et de calcium/Natriumcalciumedetat
edifenphos/Edifenphos
édisilate/Edisilat
edoxudine/Edoxudin
édulcorants/Süßstoffe
effect de Pinch/Pincheffekt
effecteurs/Effektoren
effervescence/Efferveszenz
effet additif/Additive Wirkung
– Auger/Auger-Effekt
– Bohr/Bohr-Effekt
– cage/Käfig-Effekt
– de Becquerel/Becquerel-Effekt
– de blocking/Blockierungseffekt
– de combination/Kombinationswirkung
– de Compton/Compton-Effekt
– de Cotton/Cotton-Effekt
– de Debye-Falkenhagen/Debye-Falkenhagen-Effekt
– de Josephson/Josephson-Effekt
– de Kerr/Kerr-Effekt
– de masse/Kollisionseffekt
– de Rehbinder/Rehbinder-Effekt
– de serre/Treibhauseffekt
– de Stark/Stark-Effekt
– de surpopulation/Kollisionseffekt
– des groupes voisins/Nachbargruppen-Effekt
– Doppler/Doppler-Effekt
– Faraday/Faraday-Effekt
– (Faraday-)Tyndall/Faraday-Tyndall-Effekt
– gélifiant/Geleffekt
– Gudden-Pohl/Gudden-Pohl-Effekt
– Gunn/Gunn-Effekt
– Hall/Hall-Effekt
– Hall quantique/Quanten-Hall-Effekt
– inductif/Induktiver Effekt
– Jahn-Teller/Jahn-Teller-Effekt
– Joule-Thomson/Joule-Thomson-Effekt
– Kirkendall/Kirkendall-Effekt
– Kondo/Kondo-Effekt
– Marangoni/Marangoni-Effekt
– matrice/Template-Effekt
– mnémonique/Memory-Effekt
– néphélauxétique/Nephelauxetischer Effekt
– Nernst/Nernst-Effekt
– ortho/Ortho-Effekt
– Pasteur/Pasteur-Effekt
– Peltier/Peltier-Effekt
– Penning/Penning-Effekt
– photodynamique/Photodynamischer Effekt
– photoréfractif/Photorefraktiver Effekt
– plate out/Plate-out-Effekt
– protéinique/Eiweißfehler
– Seebeck/Seebeck-Effekt
– tunnel/Tunneleffekt
– Weigert/Weigert-Effekt
– Weissenberg/Weissenberg-Effekt
– Wigner/Wigner-Effekt
– Zeeman/Zeeman-Effekt
effets de l'atome lourd/Schweratom-Effekte
– de sel/Salzeffekte
– électrooptiques/Elektrooptische Effekte
– endocrinologiques/Endokrine Effekte
– indésirables des médicaments/Arzneimittel-Nebenwirkungen
– isotopiques/Isotopie-Effekte
– multicolores/Multicolor-Effekte
– photoélectriques/Photoeffekte
– relativistes/Relativistische Effekte
efficacité biologique relative/Relative biologische Wirksamkeit
– écologique/Ökologische Effizienz
efflorescence/Ausblühen, Effloreszenz, Verwitterung
effraction de la fleur/Blüteneinbruch
effritement/Verwitterung
effusiomètre/Effusiometer
effusion/Effusion
eflornithine/Eflornithin
eicos(a)/Eicos(a)…
eicosanoïdes/Eicosanoide
Einstein/Einstein
einsteinium/Einsteinium
éka-/Eka-
elaïomycine/Elaiomycin
elaïophyline/Elaiophylin
élastase/Elastase
élasticité/Elastizität
– entropique/Entropieelastizität
élastifiants/Elasti(fi)katoren, Elastifizierungsmittel
élastine/Elastin
élastomères/Elastomere
– d'éthylène-acrylate/Ethylen-Acrylat-Elastomere
– d'éthylène-propylène/Ethylen-Propylen-Elastomere
– d'oxyde de propylène/Polypropylenoxid-Kautschuke
elastomères fluorocarbonés/Fluor-Elastomere

élastomeres oléfines/Olefin-Elastomere
élastomères thermoplastiques/Thermoplastische Elastomere
élastoplastes/Elastoplaste
élatérite/Elaterit
eldexomère/Eldexomer
electrets/Elektrete
électrisation électrostatique/Elektrostatische Aufladung
électro-affinité/Elektronenaffinität
– -conducteurs/Elektrische Leiter
– -érosion/Elektroerosion
– -osmose/Elektroosmose
electro-thermie/Elektrothermie
électrocapillarité/Elektrokapillarität
électrocardiographie/Elektrokardiographie
électrochimie/Elektrochemie
– organique/Organische Elektrochemie
électrochromie/Elektrochromie
électrode au calomel/Kalomel-Elektrode
– de fuite/Ableitelektrode
– en verre/Glaselektrode
– étalon/Vergleichselektrode
électrodécantation/Elektrodekantation
électrodéposition/Galvanotechnik
électrodes/Elektroden
– à gaz/Gaselektroden
– de référence/Bezugselektroden
– de Söderberg/Söderberg-Elektroden
– sélectives/Ionenselektive Elektroden
électrodialyse/Elektrodialyse
électrodynamique quantique/Quantenelektrodynamik
électroencéphalographie/Elektroenzephalographie
électrofiltre/Elektrofilter
électrofusion/Elektrofusion
électrographie/Kirlian-Photographie
électrogravimétrie/Elektrogravimetrie
électroluminescence/Elektrolumineszenz
électrolyse/Elektrolyse
– des chlorures alcalins/Chloralkali-Elektrolyse
– ignée/Schmelzelektrolyse
electrolyte d'or/Goldbad DCS
électrolytes/Elektrolyte
électrométallurgie/Elektrometallurgie
électromyographie/Elektromyographie
électron optique/Leuchtelektron
– périphérique/Leuchtelektron
électronégativité/Elektronegativität
électronique moléculaire/Molekulare Elektronik
électrons/Elektronen
– célibataires/Einsame Elektronen
– de conversion/Konversionselektronen
– de valence/Valenzelektronen
– excessifs/Überschußelektronen
– secondaires/Sekundärelektronen
– solvatés/Solvatisierte Elektronen
electronvolt/Elektronenvolt
électrophorèse/Elektrophorese
– capillaire/Kapillarelektrophorese
– [sur gel] à champ pulsatif/Pulsfeld-(Gel-)Elektrophorese
– sur gel d'agar(ose)/Agar(ose)-Gelelektrophorese
– sur papier/Papierelektrophorese
électrophotographie/Elektrophotographie
électrotransformation/Elektrotransformation
electrum/Elektrum
électuaires/Latwerge
élédoisine/Eledoisin
éléménes/Elemene
élément de gas oxhydrique/Knallgaselement
– de gaz fulminant/Knallgaselement
– linéaire statistique/Statistisches Fadenelement
– matriciel de transition/Übergangsmatrixelement
– structurel/Struktureinheit, -element
éléments/Elemente
– absorbeur/Absorberelemente
– anisotopes/Anisotope Elemente
– atmophiles/Atmophile Elemente
– chimiques/Chemische Elemente
– de combustible/Brennelemente
– de symétrie/Symmetrieelemente
– des groupes principaux/Hauptgruppenelemente
– galvaniques/Galvanische Elemente
– P/P-Elemente
– transposables/Transponierbare Elemente
élémi/Elemi
élevage de gènes/Gen-Farming
élimination/Elimination, Eliminierung
– des boues d'épuration/Klärschlammentsorgung
– des déchets/Abfallbeseitigung
– d'Hofmann/Hofmann-Eliminierung
– du fer/Enteisenung
élixirs/Elixiere
ellébore/Nieswurz
ellipsométrie/Ellipsometrie
ellipticine/Ellipticin
élongation/Elongation
elsamicines/Elsamicine
élution/Elution
– par gradient/Gradientenelution
élutriation/Elutriation, Windsichten
elymoclavine/Elymoclavin
émail/Email
émanation/Emanation
emballages/Emballagen, Verpackungsmittel
– alimentaires/Lebensmittelhüllungen
embellir/Schönen
embryotoxique/Fruchtschädigend
émeraude/Smaragd
émergence/Auflaufen
émeri[l]/Schmirgel
éméstrine/Emestrin
émetine/Emetin
émétique/Brechweinstein
émétiques/Emetika
émission/Emissionen
– de poussières/Staubemission
– nulle/Nullemission
– zéro/Nullemission
émissions gazeuses/Abluft
émodine/Emodin
émollients/Emollientien
empêchement stérique/Sterische Hinderung
emplâtre/Pflaster
empreinte génétique/DNA-Fingerabdruck, DNA-Fingerprinting
empyrhumatisme/Empyreuma
émulsifiants/Emulgatoren
– récupérables/Pickering-Emulgator
emulsine/Emulsin
émulsion grasse/Licker
émulsions/Emulsionen
– séparatrices/Trennemulsionen
emylcamate/Emylcamat
en état de gestation/In statu nascendi
enalapril/Enalapril
énamines/Enamine
enantate/Enantat
énantiomerie/Enantiomerie
énargite/Energit
encaustique/Enkaustik
encaustiques/Fußbodenpflegemittel
encéphalines/Enkephaline
encéphalopathie bovine spongiforme (EBS)/Rinderseuche
encollage/Schlichten
encre à marquer le linge/Wäsche(zeichen)tinte
– de chine/Tusche
– de marquage cutané/Hauttinte
– de stylo à bille/Kugelschreiberpasten
– gallique ferrée/Eisengallustinte
encres/Tinten
– à timbres (tampons)/Stempelfarben
– à verre/Glastinten
– d'imprimerie/Druckfarben
– sympathiques/Geheimtinten
encyclopédies/Nachschlagewerke
endiine/Endiine
endo…/Endo…
endocrinologie/Endokrinologie
endocrocine/Endocrocin
endocytose/Endocytose
endoenzymes/Endoenzyme
endofaune/Infauna
endogène/Endogen
endonucléases de restriction/Restriktionsendonucleasen
endopeptidase neutrale 24.11/Neutrale Endopeptidase 24.11
endorphines/Endorphine
endosomes/Endosomen
endospores/Endosporen
endosulfan/Endosulfan
endothélines/Endotheline
endotherme/Endotherm
endotoxines/Endotoxine
endrine/Endrin
enduction/Beschichtung
– électrostatique/Elektrostatische Beschichtung
enduit/Beschichtung
…ène/…en
ène-synthèse/En-Synthese
ènediols/Endiole
énéma/Klistier
énergie/Energie
– d'activation/Aktivierungsenergie
– de corrélation/Korrelationsenergie
– de dissociation/Dissoziationsenergie
– de Fermi/Fermi-Energie
– de Gibbs/Gibbs-Energie
– de libération/Austrittsarbeit
– de point zéro/Nullpunktsenergie
– de réseau/Gitterenergie
– d'ionisation/Ionisationsenergie
– du terme vibrationnel/Schwingungstermenergie
– libre/Freie Energie
– nucléaire/Kernenergie
– orbitale/Orbitalenergie
– solaire/Sonnenenergie
enfleurage/Enfleurage
enflurane/Enfluran
engagement personnel/Selbstverpflichtung
engobes/Engoben
engommage/Gummierung
engrais/Düngemittel
– azotés/Stickstoff-Dünger
– boratés/Bordünger
– calcaire/Düngekalk
– d'os/Knochenmehl
– longue durée/Depotdünger
– potassiques/Kalidünger
– semi-liquide/Gülle
enlamage/Plattieren, Plattierung
enleveur de suie/Rußentferner
enné(a)/Enne(a)…
enniatines/Enniatine
énolase/Enolase
énolates/Enolate
énols/Enole
énoxacine/Enoxacin
énoximon/Enoximon
enregistrement/Registrieren
enrichissement/Abfangen, Anreicherung
– de l'eau souterraine/Grundwasseranreicherung
enrobage insonore/Einhausung
ensemble de base/Basissatz
ensilage/Silage
ent-/ent-
entactine/Entactin
entéral/Enteral
entéro/Enter(o)…
enterobacteriaceae/Enterobacteriaceae
entérocoques/Enterokokken
entéropeptidase/Enteropeptidase
entérotoxines/Enterotoxine
enthalpie/Enthalpie
– de réaction/Reaktionsenthalpie
– libre/Freie Enthalpie
– libre de réaction/Freie Reaktionsenthalpie
entomologie/Entomologie
entonnoir à décantation/Scheidetrichter
entonnoirs à poudre/Pulvertrichter
– séparateurs/Tropftrichter
entraînement à la vapeur d'eau/Wasserdampfdestillation
entraîneur/Schleppmittel
– d'air/Luftporenbildner
entreposage/Deponierung
– de produits dangereux/Lagerung von Gefahrstoffen
– sous-terrain/Untertage-Deponierung
entropie/Entropie
– de réaction/Reaktionsentropie
environnement/Umwelt
enzyme de conversion de l'interleukine-1β/Interleukin-1β-Konversions-Enzym
– détergent/Waschmittel-Enzyme
enzymes/Enzyme
– constitutives/Konstitutive Enzyme
– de restriction/Restriktionsenzyme
– pectolytiques/Pektin-spaltende Enzyme
– pyruvoïliques/Pyruvoyl-Enzyme
– thermostables/Thermostabile Enzyme

Française

- thermotolérants/Thermotolerante Enzyme
éosine/Eosin
épaississants/Verdickungsmittel
épaississement/Eindicken
…épane (…épanne)/…epan
(−)épatidine/(−)Epibatidin
épeire diadème/Kreuzspinne
épendymines/Ependymine
éphédrine/Ephedrin
épi…/Epi…
épiaire/Ziest
épicatéchine/Epicatechin
épices/Gewürze
α-épichlorhydrine/α-Epichlorhydrin
epicilline/Epicillin
épidémie/Seuchen
épidermine/Epidermin
épidioxydes/Epidioxide
épidisulfures/Epidisulfide
épidote/Epidot
épilation/Depilation
épilatoires/Depilatorien
épilepsie/Epilepsie
epilobe/Weidenröschen
épimérisation/Epimerisierung
epimestrol/Epimestrol
épinard[s]/Spinat
epinéphrine/Epinephrin
…épin(n)e/…epin
épiphyse/Epiphyse
épirubicine/Epirubicin
épisome/Episom
épissage/Spleißen
épitaxie/Epitaxie
 – par faisceau moléculaire/Molekularstrahl-Epitaxie
épithio…/Epithio…
éponge/Schwamm
 – protonique/Protonenschwamm
éponges/Schwämme
épothilone/Epothilone
epoxiconazole/Epoxiconazol
époxy…/Epoxy…
époxydation/Epoxidierung
 – de Sharpless/Sharpless-Epoxidierung
époxydes/Epoxide
eprazinone/Eprazinon
épreuve à la tuberculine/Tuberkulin-Test
 – de Bettendorf/Bettendorf-Test
 – de Hinsberg/Hinsberg-Test
 – de Strauss/Strauß-Test
 – vide/Blindprobe, Blindversuch
éprouvette graduée/Meßzylinder
epsomite/Epsomit
EPTC/EPTC
épuration/Läutern
 – biologique des eaux résiduaires/Biologische Abwasserbehandlung
 – biologique des gaz résiduaires/Biologische Abgasbehandlung
 – des émissions gazeuses/Abluftreinigung
 – mécanique des eaux d'egout/Mechanische Abwasserbehandlung
épurge/Wolfsmilchgewächse
équation d'Arrhenius/Arrheniussche Gleichung
 – de Beattie-Bridgeman/Beattie-Bridgeman-Gleichung
 – de Berthelot/Berthelotsche Gleichung
 – de Clausius-Clapeyron/Clausius-Clapeyron'sche Gleichung
 – de Clausius-Mosotti/Clausius-Mossoti-Gleichung
 – de Couchman/Couchman-Gleichung
 – de Debye Clausius Mosotti/Debye-Clausius-Mosotti-Gleichung
 – de Dieterici/Dieterici-Gleichung
 – de Duhem-Margules/Duhem-Margulessche Gleichung
 – de Fox/Fox-Gleichung
 – de Gibbs-Duhem/Gibbs-Duhemsche Gleichung
 – de Gibbs-Helmholtz/Gibbs-Helmholtzsche Gleichung
 – de Hammett/Hammett-Gleichung
 – de Henderson/Hendersonsche Gleichung
 – de Huggins/Huggins-Gleichung
 – de Martin/Martin-Gleichung
 – de Martin-Roth-Stiehler/Martin-Roth-Stiehler-Gleichung
 – de Mayo/Mayo-Gleichung
 – de Schroedinger/Schrödinger-Gleichung
 – de Taft/Taft-Gleichung
 – de Van der Waals/Van-der-Waals-Gleichung
 – de Volterra/Volterra-Gleichung
 – des constituants/Materialgleichung
équations de Drude/Drude-Gleichungen
 – de Maxwell/Maxwellsche Gleichungen
 – de Poisson/Poissonsche Gleichung(en)
 – d'état/Zustandsgleichungen
équatorial/Äquatorial
équidensité/Äquidensiten
équilénine/Equilenin
équilibrage/Äquilibrierung
équilibre/Gleichgewicht
 – acido-basique/Säure-Basen-Gleichgewicht
 – biologique/Biologisches Gleichgewicht
 – de Donnan/Donnan-Gleichgewicht
 – thermique/Thermisches Gleichgewicht
équilibres annulaires/Ring-Kette-Gleichgewichte
 – chimiques/Chemische Gleichgewichte
équipement antimicrobien/Antimikrobielle Ausrüstung
 – personnel de protection/Körperschutz
équipements motorisés/Kraftbetriebene Arbeitsmittel
équivalence/Äquivalenz
équivalent/Äquivalent
 – de dose/Äquivalent-Dosis
 – de réduction/Reduktionsäquivalent
 – d'exposition aux substances cancérigènes/EKA-Wert
 – électrochimique/Elektrochemisches Äquivalent
 – -habitant/Einwohnergleichwert
équivalents peptidiques/Peptidomimetika
 – synthétiques/Syntheseäquivalente
équorine/Aequorin
érabutoxines/Erabutoxine
erbium/Erbium
erbstatine/Erbstatin
erdostéine/Erdostein
érémophilanes/Eremophilane
ères géologiques/Erdzeitalter
erg/Erg
ergochromes/Ergochrome
ergonomie/Ergonomie
ergostérine/Ergosterin
ergot (de seigle)/Ergot
ergothionéine/Ergothionein
eriochrome cyanine/Eriochromcyanin R
éritadenine/Eritadenin
erlenmeyer d'agitation/Schüttelkolben
erlenmeyers/Erlenmeyerkolben
érosion/Erosion
érythème/Erythem
érythrine/Erythrin
érythrite/Erythrit
érythritol/Erythrit
érythr(o)/Erythr(o)…
érythrocytes/Erythrocyten
érythromycine/Erythromycin
érythronolide B/Erythronolid B
érythropoietine/Erythropoietin
érythropsine/Rhodopsin
érythropterine/Erythropterin
érythrose/Erythrose
érythrosine/Erythrosin
escargots/Schnecken
Escherichia coli/Escherichia coli
esence d'anis/Anisöl
esfenvalerate/Esfenvalerat
esilate/Esilat
esmolole/Esmolol
espace de phase/Phasenraum
espaceur/Spacer
espèce/Art, Charakterart, Spezies
espéramycines/Esperamycine
esprit/Spiritus
 – de bois/Holzgeist, Holzspiritus
 – de savon/Seifenspiritus
esprocarb/Esprocarb
essai/Test
 – bactérien/Bakterientest
 – d'Ames/Ames-Test
 – de choc/Kerbschlagbiegeversuch
 – de cytotoxicité/Cytotoxizitätstest
 – de dureté/Härteprüfung
 – de fluage/Kriechprobe
 – de traction/Zugversuch
 – des algues/Algentest
 – des matériaux/Materialprüfung
 – des matériaux d'objets d'art/Kunstwerkprüfung
 – des métaux et matériaux/Werkstoffprüfung
 – des textiles/Textilprüfung
 – d'Izod/Izod-Test
 – sur le charbon/Lötrohranalyse
essais comparatifs/Ringversuche
 – préliminaires/Vorproben
essence/Oleum, Sprit
 – -aviation/Flugbenzin
 – (benzine) lourde/Schwerbenzin
 – d'absinthe/Wermutöl
 – d'amandes amères/Bittermandelöl
 – d'aneth/Dillöl
 – de bay/Bayöl
 – de bergamote/Bergamottöl
 – de bois de rose/Rosenholzöl
 – de cajeput/Kajeputöl
 – de calamus (rotin)/Kalmusöl
 – de carvi/Kümmelöl
 – de céleri/Sellerieöl
 – de citron/Citronenessenz
 – de citronelle/Citronellöl
 – de citronnelle/Lemongrasöl
 – de citrus/Citronenöl
 – de coriandre/Korianderöl
 – de cyprès/Zypressenöl
 – de fenouil/Fenchelöle
 – de feuilles de laurier/Lorbeer(blätter)öl
 – de géranium/Geraniumöl
 – de graine d'ambrette/Moschuskörneröl
 – de houblon/Hopfenöl
 – de lavande/Lavendelöl
 – de lavandin/Lavandin(öl)
 – de limette/Limettöl
 – de mandarine/ Mandarinen-(schalen)öl
 – de mélisse/Melissenöl
 – de menthe crépue/Krauseminzeöle
 – de menthe pouliot/Poleiöle
 – de moutarde/Senföl
 – de musc végétal/Moschuskörneröl
 – de muscade/Muskatnußöl
 – de muscat/Muskatellersalbei-Öl
 – de myrte/Myrtenöl
 – de palmarosa/Palmarosaöl
 – de petite camomille/Kamillenöl
 – (de pétrole)/Benzin
 – de piment/Pimentöl
 – de poire/Birnenaroma
 – de poivre/Pfefferöl
 – de pyrolyse/Pyrolysebenzin
 – de reformage/Reformatbenzin
 – de rosmarin/Rosmarinöl
 – de rue/Rautenöl
 – de sabine/Sadebaumöl
 – de santal/Sandelholzöl
 – de sassafras/Sassafrasöl
 – de sauge/Salbeiöle
 – de térébenthine/Holzterpentinöl
 – de térébenthine suédoise/Sulfatterpentinöl
 – de thuya/Thujaöl
 – de thym/Thymianöle
 – de valériane/Baldrianöl
 – de verveine/Verbenaöl
 – de vétiver/Vetiveröl
 – d'écorce d'orange/Pomeranzenöl
 – d'hysope/Ysopöl
 – d'Orient/Fischsilber
 – d'ylang-ylang/Ylang-Ylang-Öle
 – (huile) de genièvre/Wacholderbeeröl
 – (huile) de térébenthine/Terpentinöl
 – minéral légère/Leichtbenzin
essences/Essenzen
 – absolues/Absolues
 – d'aiguilles d'épicéa et de pin/Fichten- u. Kiefernnadelöle
 – de bois de cèdre/Zedernöle
 – de cannelle/Zimtöle
 – de girofle/Nelkenöle
 – de menthe poivrée/Pfefferminzöle
 – de petit-grain/Petitgrainöle
 – d'origan/Origanumöle
 – minérales/Testbenzine
essentiel/Essentiell
essoreuses/Saugflaschen
estampage/Gesenkschmieden
estérases/Esterasen
estérification/Veresterung
esters/Ester
 – acryliques/Acrylsäureester
 – cellulosiques/Celluloseester
 – crésyliques/Kresylester
 – d'acide citrique/Citronensäureester
 – de cholestérol/Cholesterylester
 – de géranyle/Geranylester
 – de l'acide acétique/Essigsäureester
 – de l'acide borique/Borsäureester
 – de l'acide carbonique/Kohlensäureester

- de l'acide diazo-acétique; diazo-acétate d'éthyle/Diazoessigester
- de l'acide gallique/Gallussäureester
- de l'acide lactique/Milchsäureester
- de l'acide nitreux/Salpetrigsäureester
- de l'acide nitrique/Salpetersäureester
- de l'acide oléique/Ölsäureester
- de l'acide oxalique/Oxalsäureester
- de l'acide phosphorique/Phosphorsäureester, Thiophosphorsäureester
- de l'acide phtalique/Phthalsäureester
- de l'acide salicylique/Salicylsäureester
- de l'acide sébacique/Sebacinsäureester
- de l'acide titanique/Titansäureester
- de l'amidon/Stärkeester
- de leuco-colorants à cuve/Leukoküpen-Farbstoffester
- de peracides/Persäureester
- de sorbitane/Sorbitanester
- des acides siliciques/Kieselsäureester
- des glycols/Glykolester
- méthyliques d'acides gras/Fettsäuremethylester
- 2-phényléthyliques/2-Phenylethylester
- phosphoriques/Phosphorsäureester
- polyaryliques/Polyarylester
- sacchariques/Zuckerester
- sulfuriques/Schwefelsäureester
- vinyliques/Vinylester

estomac/Magen
estradiol/Estradiol
estragol/Estragol
estramustine/Estramustin
estrane/Estran
estriol/Estriol
estrogènes/Estrogene
estrone/Estron
établissements d'enseignement supérieur/Hochschulen
etaconazol/Etaconazol
etafédrine/Etafedrin
etafénone/Etafenon
étain/Zinn
étainage/Verzinnen
étalement/Spreitung
étalon/Etalon
étamage/Verzinnen
etamiphylline/Etamiphyllin
etamsylate/Etamsylat
etamycine/Etamycin A
état/Zustand
- aromatique/Aromatizität
- d'avancement de la réaction/Reaktionslaufzahl
- de la science et de la technique/Stand der Wissenschaft und Technik
- de la technique/Stand der Technik
- de transition/Übergangszustand
- de valence/Valenzzustand
- du plasma/Plasma-Zustand
- fondamental/Grundzustand
- idéal/Idealer Zustand
- stationnaire/Stationärer Zustand
- vitreux/Glaszustand
états d'agrégation/Aggregatzustände

- métastables/Metastabile Zustände
- physiques/Aggregatzustände …ète/…et
ethacridine/Ethacridin
ethalfluraline/Ethalfluralin
ethambutol/Ethambutol
ethamethsulfuron-méthyle/Ethametsulfuron-methyl
éthane/Ethan
1,2-éthanedithiol/1,2-Ethandithiol
éthanol/Ethanol
ethavérine/Ethaverin
éthène/Ethen
ethenzamide/Ethenzamid
éther chlorométhyléthylique/(Chlormethyl)ethylether
- de pétrole/Petrolether
- dibenzylique/Dibenzylether
- dibutylique/Dibutylether
- dichlorethylique/Bis(2-chlorethyl)ether
- dichlorodiméthylique/Bis(chlormethyl)ether
- (dichlorométhyl)méthylique/(Dichlormethyl)-methylether
- diétyleque/Diethylether
- diméthylique/Dimethylether
- diphénylique/Diphenylether
- dipropylique/Dipropylether
- éthyl-2-naphthylique/Ethyl-2-naphthylether
- glycérylique du guaïacol/Guajakolglycerinether
- méthyl 2-naphthylique/Methyl(2-naphthyl)ether
éthérat du trifluorure de bore/Bortrifluorid-Etherat
éthers/Ether
- alkylphénylpolyglycoliques/Alkylphenolpolyglykolether
- couronne/Kronenether
- de cellulose/Celluloseether
- de l'amidon/Stärkeether
- des glycols/Glykolether
- phénoliques/Phenolether
- polyaryliques/Polyarylether
- polyvyniliques/Polyvinylether
- sacchariques/Zuckerether
- vinyliques/Vinylether
ethiazide/Ethiazid
ethidimuron/Ethidimuron
ethinamate/Ethinamat
ethinylestradiol/Ethinylestradiol
ethiophencarbe/Ethiofencarb
ethistérone/Ethisteron
ethofumesate/Ethofumesat
ethoprophos/Ethoprophos
ethosuximide/Ethosuximid
ethoxazorutoside/Ethoxazorutosid
éthoxides/Ethoxide
éthoxy…/Ethoxy…
éthoxycarbonyl…/Ethoxycarbonyl…
éthoxyde de magnésium/Magnesiumethoxid
éthoxylates/Ethoxylate
éthoxylation/Ethoxylierung
éthoxyphényl…/Ethoxyphenyl…
ethoxysulfuron/Ethoxysulfuron
ethoxzolamide/Ethoxzolamid
éthyl…/Ethyl…
2-éthyl-butan-1-ol/2-Ethyl-1-butanol
- -hexan-1-ol/2-Ethyl-1-hexanol
- -hexane-1,3-diol/2-Ethyl-1,3-hexandiol
éthylamine/Ethylamin
éthylamino…/Ethylamino…
N-éthylaniline/N-Ethylanilin
éthylate de magnésium/Magnesiumethoxid
- de sodium/Natriumethoxid

éthylation/Ethylierung
éthylbenzène/Ethylbenzol
éthylcellulose/Ethylcellulosen
éthylène/Ethylen
éthylène…/Ethylen…
éthylène-imine/Ethylenimin
éthylènechlorhydrine/Ethylenchlorhydrin
éthylènediamine/Ethylendiamin
éthylènedinitramine/Ethylendinitramin
éthylènedioxy…/Ethylendioxy…
éthyléneglycol/Ethylenglykol
2-éthylhexyl…/2-Ethyl-hexyl…
éthylidène…/Ethyliden…
1-éthylpipéridine/1-Ethylpiperidin
éthylvanilline/Ethylvanillin
éthyne/Ethin
éthynyl…/Ethinyl…
éthynylation/Ethinylierung
1-éthynylcyclohexanol/1-Ethinylcyclohexanol
ethyrimol/Ethirimol
etidocaïne/Etidocain
etifelmine/Etifelmin
etiléfrine/Etilefrin
étilsulfate de mécétronium/Mecetronium-Ethilsulfat
étio…/Ätio…
étiologie/Ätiologie
étioporphyrines/Etioporphyrine
étirage/Recken
etiroxate/Etiroxat
etodroxizine/Etodroxizin
etofénamate/Etofenamat
etofenprox/Etofenprox
etofibrate/Etofibrat
etofylline/Etofyllin
étoiles/Sterne
etomidate/Etomidat
etoposide/Etoposid
étoupe/Werg
etoxazole/Etoxazol
etozoline/Etozolin
étrangeté/Strangeness
être humain/Mensch
etrétinate/Etretinat
etridiazole/Etridiazol
ettringite/Ettringit
études de chimie/Chemie-Studium
étuve/Wärmeschränke
étuves/Trockenschränke
etynodiol/Etynodiol
eu…/Eu…
eubactéries/Eubakterien
eucarya/Eukarya
eucaryotes/Eukaryonten, eukaryontisch
eucaryotique/Eukaryonten, eukaryontisch
euclase/Euklas
eudialite/Eudialyt
eudialyte/Eudialyt
eudiomètre/Eudiometer
eudistomines/Eudistomine
eugénique/Eugenik
eugénisme/Eugenik
eugénol/Eugenol
eulytite/Eulytin
euphorbe/Wolfsmilchgewächse
euphorie/Euphorie
euphraise/Augentrost
europium/Europium
eutectique/Eutektikum
eutrophisation/Eutrophierung
euxénite/Euxenit
évaluation des conséquences de l'emploi de la technique/Technikfolgen-Abschätzung
- du risque/Risikobewertung
évaporateurs rotatifs/Rotationsverdampfer

évaporation/Abrauchen, Eindampfen, Verdampfung
- à couche mince/Dünnschichtverdampfung
évènement abnormal/Störfall
évitement des déchets/Abfallvermeidung
évolution/Evolution
- chimique/Chemische Evolution
exa…/Exa…
exactitude/Genauigkeit, Richtigkeit
exaltation/Exaltation
examen d'impact sur l'environnement/Umweltprüfung
excimères/Excimere
excitation/Anregung
- elementaire/Elementare Anregung
- rotationnelle/Rotationsanregung
excitons/Excitonen
excréments/Kot
excrétion/Exkretion
excretion d'azote/Stickstoff-Exkretion
exo…/Exo…
exocyclique/Exocyclisch
exocytose/Exocytose
exoélectrons/Exoelektronen
exoenzymes/Exoenzyme
exogène/Exogen
exon/Exon
exopeptidases/Exopeptidasen
exopolysaccharide/Exopolysaccharide
exotherme/Exotherm
exotoxines/Exotoxine
expandate/Expandate
expansion/Ausdehnen
- originelle/Urknall
expectorants/Expektorantien
expectoration/Sputum
expérience/Experiment
expériences génétiques de plein champ/Gentechnische Freilandexperimente
expérimentations animales/Tierversuche, Alternativen
expert en environnement/Umweltgutachter
exploration/Exploration
explosifs/Explosivstoffe, Sprengmittel, Sprengstoffe
- à émulsion/Emulsionssprengstoffe
- antigrisouteux/Wettersprengstoffe
- au chlorate/Chlorat-Sprengstoffe
- d'amorçage/Initialsprengstoffe
- de sûreté/Wettersprengstoffe
- lents/Schießstoffe
explosion/Explosion
- coulombienne/Coulomb-Explosion
- par filament/Drahtexplosion
exposition/Belichtung
- aux intempéries/Bewitterung
expression génique/Genexpression
- transitoire/Transiente Expression
exsiccateurs/Exsikkatoren
exsudates/Exsudate
exsudation/Ausschwitzen
extension/Ausdehnen
extinction/Extinktion, Quenchen
extinteurs/Feuerlöschmittel
extraction/Extraktion
- à ampoule à décantation/Ausschütteln
- liquides-liquides/Flüssig-Flüssig-Extraktion
- par l'éther/Ausethern

Française

– par Soxhlet/Soxhlet-Extraktion
– réactive/Reaktivextraktion
extrait acellulaire/Zellfreier Extrakt
– de ginkgo bilobé/Ginkgo-Extrakt
– de levure/Hefeextrakt
– de malt/Malzextrakt
– de pulpe/Pulp-wash
– de viande/Fleischextrakt
– d'écorce d'orange/Orangenöle
– primaire du maïs/Maisquellwasser
extraits/Extrakte
– de substances naturelles/Naturstoff-Extrakte
extrémités cohésives/Kohäsive Enden
– franches/Blunt ends
extrusion/Extrudieren, Kalter Fluß
exzémas/Ekzeme

F

fabrication/Fertigungsverfahren
– de comprimés/Tablettieren
fac-/fac-
facies/Fazies
façonnage à froid/Kaltumformen
facteur A/A-Faktor
– activateur des plaquettes/PAF
– antihémophile/Antihämophiler Faktor
– atrial natriurétique/Atrionatriuretischer Faktor
– d'accumulation/Akkumulationsfaktor
– de bioconcentration/Biokonzentrationsfaktor
– de croissance analogue à l'insuline/Insulin-artige Wachstumsfaktoren
– de croissance derivé des thrombocytes/Plättchen-entstammender Wachstumsfaktor
– de croissance des cellules endothéliales derivé des thrombocytes/Plättchen-entstammender Endothelzellen-Wachstumsfaktor
– de croissance des hépatocytes/Hepatocyten-Wachstumsfaktor
– de croissance du virus vaccinal/Vakzinevirus-Wachstumsfaktor
– de croissance épidermique/Epidermaler Wachstumsfaktor
– de croissance nerveuse/Nervenwachstumsfaktor
– de croissance vasculaire endothélial/Vaskulär-endothelialer Wachstumsfaktor
– de Debye-Waller/Debye-Waller-Faktor
– de fréquence/Frequenzfaktor
– de Landé/Landé-Faktor
– de limitation/Limitierender Faktor
– de mouvement des feuilles/Leaf Movement Factors
– de nécrose tumoral/Tumornekrose-Faktor
– de perte diélectrique/Dielektrischer Verlustfaktor
– de tissu/Tissue factor
– de toxicité/Toxizitätsäquivalenzfaktor
– des cellules souches/Stammzellenfaktor
– hôte de l'intégration/Integration host factor
– inhibiteur de la leucémie/Leukämie-inhibierender Faktor

– inhibiteur de la migration des macrophages/Makrophagenwanderungs-Hemmfaktor
– intrinsèque/Intrinsic factor
– sigma/Sigma-Faktor
– stoechiométrique/Stöchiometrischer Faktor
– von-Willebrand/Von-Willebrand-Faktor
facteurs/Faktoren
– climatiques/Klimafaktoren
– de croissance/Wachstumsfaktoren
– de croissance cellulaire/Kolonie-stimulierende Faktoren
– de croissance fibroblastiques/Fibroblasten-Wachstumsfaktoren
– de croissance hématopoïétiques/Häm(at)opoetische Wachstumsfaktoren
– de libération/Releasing-Hormone
– de transcription/Transkriptionsfaktoren
– de transcription octamère/Octamer-Transkriptionsfaktoren
– de transformation cellulaire/Transformierende Wachstumsfaktoren
– déchaînants/Releasing-Hormone
– d'élongation/Elongationsfaktoren
– d'initiation/Initiationsfaktoren
– du milieu/Umweltfaktoren
– écologiques (de l'environnement)/Ökofaktoren
– inhibiteurs/Inhibiting factors
– neurotrophiques/Neurotrophe Faktoren
– Rh/Rhesusfaktoren
– rhumatoïdes/Rheumafaktoren
– (substances) de croissance/Wuchsstoffe
factices/Faktisse
fading d'acide/Acid fading
faïence/Fayence
faim/Hunger
faire ressortir/Durchschlagen
faisceaux atomiques/Atomstrahlen
falcrinol/Falcarinol
famciclovir/Famciclovir
famotidine/Famotidin
famprofazone/Famprofazon
fanaison/Welke, Welken
fango/Fango
fa(onnage à chaud/Warmumformen
faranal/Faranal
farigoule/Thymian
farine/Mehl
– de bois/Holzmehl
– de guar/Guar-Mehl
– de poisson/Fischmehl
farnésol/Farnesol
fatigue du sol/Bodenmüdigkeit
faujasite/Faujasit
faux acacia/Robinie
– -ébenier/Goldregen
fayalite/Fayalit
fébrifugine/Febrifugin
fébuprol/Febuprol
fécapentaènes/Fecapentaene
fèces/Kot
Fédération Européenne de Génie Chimique/Europäische Föderation für Chemie-Ingenieur-Wesen
fédrilate/Fedrilat
felbamate/Felbamat
felbinac/Felbinac
feldspathoides/Feldspat-Vertreter

feldspaths/Feldspäte
félipressine/Felypressin
félodipine/Felodipin
felsitique/Felsitisch
femto…/Femto…
fenarimol/Fenarimol
fenazaquin/Fenazaquin
fenbuconazole/Fenbuconazol
fenbufène/Fenbufen
fenbutatin oxyde/Fenbutatinoxid
fénbutrazate/Fenbutrazat
fencamfamine/Fencamfamin
fenchènes/Fenchene
fenchol/Fenchol
fenchone/Fenchon
fendiline/Fendilin
fenêtre lambda/Lambda-Fenster
fénétylline/Fenetyllin
fenfluramine/Fenfluramin
fenfurame/Fenfuram
fenipentol/Fenipentol
fenitrothion/Fenitrothion
fénofibrate/Fenofibrat
fénoprofène/Fenoprofen
fénotérol/Fenoterol
fenouil/Fenchel
– bâtard/Dill
fenoxapropethyl/Fenoxapropethyl
fénoxazoline/Fenoxazolin
fenoxycarb/Fenoxycarb
fenpiclonil/Fenpiclonil
fenpipramide/Fenpipramid
fenpiprane/Fenpipran
fenpropathrine/Fenpropathrin
fenpropidine/Fenpropidin
fenpropimorphe/Fenpropimorph
fenproporex/Fenproporex
fenpyroxymate/Fenpyroximat
fentanyl/Fentanyl
fenthion/Fenthion
fenticlor/Fenticlor
fenticonazol/Fenticonazol
fentine acetate/Fentinacetat
– hydroxyde/Fentin-hydroxid
fenugrec/Bockshornklee
fenvalerate/Fenvalerat
fényramidol/Fenyramidol
fer/Eisen
– à béton (armé)/Moniereisen
– blanc/Weißblech
– -carbonyles/Eisencarbonyle
– coulé/Flußeisen
– de forge/Schmiedeeisen
– du paquet/Schweißstahl
– fritté/Sintereisen
– micacé/Eisenglimmer
– noir de substitution/Schwarzblech
– pyrophorique/Zündsteine
– terne/Ternebleche
férigoule/Thymian
ferimzone/Ferimzon
fermentation/Faulung, Fermentation, Gärung, Gärungsstoffwechsel, Vergärung
– à haute densité cellulaire/Hochzelldichtefermentation
– acétone-butanolique/Aceton-Butanol-Fermentation
– cyclique/Cyclische Fermentation
– en continu/Kontinuierliche Fermentation
– en phase solide/Festphasen-Fermentation
fermentations fed batch/Fed batch-Fermentation
fermenteur de production/Produktfermenter
fermeture à leucine/Leucin-Reißverschluß
Fermilab/Fermilab

fermions/Fermionen
fermium/Fermium
ferraille/Altmetall, Schrott
ferrates/Ferrate
ferrédoxines/Ferredoxine
ferrichromes/Ferrichrome
ferricyanures/Ferricyanide
ferrioxamines/Ferrioxamine
ferrite/Ferrit
ferrites/Ferrite
ferritine/Ferritin
ferro alliages/Ferro-Legierungen
– -cérium/Cereisen
– -manganèse/Ferromangan
– -molybdène/Ferromolybdän
– -nickel/Ferronickel
– -niobe/Ferroniob(tantal)
– -phosphore/Ferrophosphor
– -silicium/Ferrosilicium
– -tantale/Ferrotantal
– -titane/Ferrotitan
– -tungstène/Ferrowolfram
– -vanadium/Ferrovanadin
ferrobactéries/Eisenbakterien
ferrobor/Ferrobor
ferrocène/Ferrocen
ferrochrome/Ferrochrom
ferrocyanure de potassium/Blutlaugensalze
ferrocyanures/Ferrocyanide
– de sodium/Natriumhexacyanoferrate
ferroïne/Ferroin
ferron/Ferron
ferroprotéines/Eisen-Proteine
ferro(silico)zirconium/Ferro(silico)zirconium
fertilisation/Düngung
– avec pierre pulvérisée/Steinmehldüngung
fervenuline/Fervenulin
α-fétoprotéine/α-Fetoprotein
fétuine/Fetuin
feu de Bengale/Bengalisches Feuer
– grégeois/Griechisches Feuer
feuillard à froid/Kaltband
feuille de collage/Klebfolien
– d'étain/Stanniol
feuilles/Folien
– cellulosiques/Zellglas
– d'alchemille/Frauenmantel
– de barbiflore/Orthosiphon
– de bouleau/Birkenblätter
– de Jaborandi/Jaborandi-Blätter
– de séné/Sennesblätter
– d'emboutissage profond/Tiefziehfolien
– réfléchissantes/Reflexfolien
– rétractables/Schrumpffolien
feutre/Filz
fèves de Calabar/Calabar-Bohnen
– de cheval/Puffbohnen
– de marais/Puffbohnen
– de soya/Sojabohnen
– de tonka/Tonkabohnen
FFC/FFF
fibre à section profilée/Profilfaser
– brute/Rohfaser
– de coco/Kokosfaser
– optique/Lichtleitfaser
– textile coupée/Spinnfaser
– vulcanisée/Vulkanfiber
fibres/Fasern
– animales/Tierfasern
– artificielles/Kunstfasern
– biconstituants/Bikomponentenfasern
– cellulosiques/Cellulose-Fasern
– chimiques/Chemiefasern
– creuses/Hohlfasern
– d'alginates/Alginat-Fasern
– de bore/Borfasern

- de carbone/Kohlenstoff-Fasern
- de haut module/Hochmodulfasern
- de laitier/Schlackenfasern
- de polyamide/Polyamidfasern
- de stress/Streß-Fasern
- de structure matricielle/Matrix-Fibrillen-Fasern
- de verre/Glasfasern
- de vinal/Vinal-Fasern
- de vinylal/Vinylal-Fasern
- de vinylon/Vinylon-Fasern
- de viscose/Viskose-Fasern
- du bois/Holzfasern
- dures/Hartfasern
- elastiques/Elastofasern
- libériennes/Bastfasern
- métalliques/Metallfasern
- minérales/Mineralfasern
- modacryliques/Modacrylfasern
- modales/Modalfasern
- naturelles/Naturfasern
- nytriliques/Nytrilfasern
- oléfines/Olefin-Fasern
- optiques polymériques/Polymere Lichtwellenleiter
- protéiques/Eiweißfasern
- synthétiques/Synthesefasern
- textiles/Textilfasern
- végétales/Pflanzenfasern
fibrillation/Fibrillieren
fibrilles/Fibrillen
fibrilline/Fibrillin
fibrine/Fibrin
fibrociment/Faserzement
fibroïne/Fibroin
fibronectine/Fibronectin
fibrose cistique/Zystische Fibrose
ficellomycine/Ficellomycin
fiches techniques de sécurité/Sicherheitsdatenblatt
ficine/Ficin
fiel/Galle
- de boeuf/Ochsengalle
fiente/Kot
fièvre/Fieber
- due aux vapeurs de polymères/Polymerdampf-Fieber
- par intoxication aux vapeurs métalliques/Gießfieber
- rhumatismale/Rheumatisches Fieber
figues/Feigen
- de Barbarie/Kaktusfeigen
fil/Draht
- fort/Zwirn
- peigné/Kammgarn
filage/Spinnen
filament/Filament
filaments/Haarfasern
- intermédiaires/Intermediäre Filamente
filamine/Filamin
filariasis/Filariasis
filé/Garn
- de poil/Haargarn
filgrastim/Filgrastim
filigrane/Filigranarbeit, Wasserzeichen
filipine/Filipin
film de protection/Überzüge
- vésiculaire/Vesikularfilm
films/Filme
- de résine synthétique/Kunstharzfilme
- Langmuir-Blodgett/Langmuir-Blodgett-Filme
- pour placage décor/Dekorfilme
fils/Haargarn
- monocristallin/Whiskers
- plats/Flachfäden
filtrage/Kolieren
filtration/Filtration

- par adsorption/Filtrierende Adsorption
- par immersion/Tauchfiltration
- par membrane/Membranfiltration
- stérile/Sterilfiltration
- transverse au flux/Cross-flow-Filtration
filtre à immersion/Tauchfilter
- à tambour/Trommelfilter
- Berkefeld/Berkefeld-Filter
- en toile (tissu)/Tuchfilter
filtres/Filter, Lichtfilter
- à bactéries/Bakterien-Filter
- (à) membrane/Membranfilter
- respiratoires/Atemfilter
fimbrine/Fimbrin
finastéride/Finasterid
finissage entretien facile/Pflegeleicht-Ausrüstung
- textile/Textilveredlung
finition noire/Brünieren
finura/Finesse
fiole/Phiole
- jaugée/Meßkolben
fioles à jet/Spritzflaschen
fipronil/Fipronil
fique/Mauritius-Faser
fisétine/Fisetin
fissilité/Spaltbarkeit
fission/Spaltung
fissium/Fissium
fixage/Fixieren
fixateurs/Fixateure
fixatifs/Fixative
fixation de l'azote/Stickstoff-Fixierung
FK-506/FK-506
flacon de Claisen/Claisen-Kolben
- en forme de faucille/Säbelkolben
- plan à pesée/Plan-Wägeglas
flacons/Kolben
- de Cassia/Kassiakölbchen
- de Woulfe/Woulfe-Flaschen
flagellates/Flagellaten
flagelline/Flagelline
flamber/Sengen
flamme blanche/Weißfeuer
flammes/Flammen
flampropmethyl/Flamprop-methyl
flan en poudre/Puddingpulver
flash/Blitzlicht
- -chromatographie/Flash-Chromatographie
flatulence/Flatulenz
flav.../Flav(o)...
flavazines/Flavazine
flaveur de la viande/Fleischaroma
flavine-adénine-dinucléotide/Flavin-Adenin-Dinucleotid
- -nucléotides/Flavinnucleotide
flavines/Flavine
flavodoxines/Flavodoxine
flavomannines/Flavomannine
flavones/Flavone
flavonoïdes/Flavonoide
flavopurpurine/Flavopurpurin
flavoxanthine/Flavoxanthin
flavoxate/Flavoxat
flazasulfuron/Flazasulfuron
flécaïnide/Flecainid
fléroxacine/Fleroxacin
flétrissement/Welke, Welken
fleurs/Flores
- de bouillon blanc/Wollblumen
- de foin/Heublumen
- de molène/Wollblumen
- de tilleul/Lindenblüten
- nauséabondes/Aasblumen
flexographie/Flexodruck
flint/Feuerstein

- -glass/Flintglas
flippases/Flippasen
floc/Flock
flocage/Beflockung
flocoumafene/Flocoumafen
floctafénine/Floctafenin
floculants/Flockungsmittel
floculation/Ausflockung, Flockung
floraison de plancton/Planktonblüte
flottation/Aufschwimmen, Flotation
- gravimétrique/Sink-Schwimm-Aufbereitung
fluanisone/Fluanison
fluates/Fluate
fluazifop-butyl/Fluazifop-butyl
- -P-butyl/Fluazifop-P-butyl
fluazinam/Fluazinam
fluazuron/Fluazuron
flubenzimine/Flubenzimin
flucloxacilline/Flucloxacillin
fluconazole/Fluconazol
flucythrinate/Flucythrinat
flucytosine/Flucytosin
fludioxonil/Fludioxonil
fludrocortisone/Fludrocortison
fludroxycortid/Fludroxycortid
flufenprox/Flufenprox
fluides/Flüssigkeiten
- (gaz) supercritiques/Überkritische Flüssigkeiten, überkritische Gase
- magnétiques/Magnetische Flüssigkeiten
fluidifiant/Fließmittel
fluidificantes del hormigón/Betonverflüssiger
fluidification/Fluidifikation
fluidisation/Fluidisieren
fluidité/Fluidität
flumazénil/Flumazenil
flumédroxone/Flumedroxon
flumétasone/Flumetason
flumetsulam/Flumetsulam
flumiclorac pentyle/Flumiclorac-pentyl
flumioxazin/Flumioxazin
flumipropyne/Flumipropyn
flunarizine/Flunarizin
flunisolide/Flunisolid
flunitrazépam/Flunitrazepam
fluocinonide/Fluocinonid
fluocortine butyle/Fluocortinbutyl
fluocortolone/Fluocortolon
fluometuron/Fluometuron
fluomine/Fluomine
fluor/Fluor
fluoranthène/Fluoranthen
fluoration/Fluorierung
fluorène/Fluoren
9-fluorénone/9-Fluorenon
fluorescamine/Fluorescamin
fluorescéine/Fluorescein
fluorescence/Fluoreszenz
fluorimétrie/Fluorimetrie
fluorine/Fluorit
fluoro.../Fluor..., Fluoro...
1-fluoro-2,4-dinitrobenzène/1-Fluor-2,4-dinitrobenzol
fluorobenzène/Fluorbenzol
fluoroborates/Fluoroborate
fluorochromes/Fluorochrome
fluoroelastomères/Fluor-Elastomere
2-fluoroéthanol/2-Fluorethanol
fluorofibres/Fluorofasern
fluorogènes/Fluorogene
fluoroglicofene-ethyl/Fluorglycofen-ethyl
fluorohydrocarbures/Fluorkohlenwasserstoffe

fluorométholone/Fluormetholon
fluorones/Fluorone
fluorophores/Fluorophore
fluorophosphate de diisopropyle/Diisopropylfluorophosphat
- de sodium/Natriumfluorophosphat
fluoropolymères/Fluor-Polymere
fluorose/Fluorosis
fluorosilicates/Fluorosilicate
fluorosulfate de méthyle/Fluoroschwefelsäuremethylester
fluorosulfates/Fluorosulfate
fluorouracil/Fluorouracil
fluoruration/Fluoridierung
fluorure d'aluminium/Aluminiumfluorid
- de baryum/Bariumfluorid
- de calcium/Calciumfluorid
- de cuivre(II)/Kupfer(II)-fluorid
- de lithium/Lithiumfluorid
- de magnésium/Magnesiumfluorid
- de nickel(II)/Nickel(II)-fluorid
- de plomb/Bleifluorid
- de strontium/Strontiumfluorid
- de zinc/Zinkfluorid
- d'hydrogène/Fluorwasserstoff
fluorures/Fluoride
- d'ammonium/Ammoniumfluoride
- d'antimoine/Antimonfluoride
- d'argent/Silberfluoride
- d'arsenic/Arsenfluoride
- de brome/Bromfluoride
- de chlor/Chlorfluoride
- de chrome/Chromfluoride
- de cobalt/Cobaltfluorid
- de phosphore/Phosphorfluoride
- de polyvinylidène/Polyvinylidenfluoride
- de potassium/Kaliumfluoride
- de silicium/Siliciumfluoride
- de sodium/Natriumfluoride
- de soufre/Schwefelfluoride
- d'étain/Zinnfluoride
- d'iode/Iodfluoride
- d'oxygène/Sauerstoff-Fluoride
- d'uranium/Uranfluoride
fluoxétine/Fluoxetin
fluoxymestérone/Fluoxymesteron
flupentixol/Flupentixol
fluphénazine/Fluphenazin
flupirtine/Flupirtin
flupoxam/Flupoxam
fluprédnidène/Flupredniden
fluprednisolone/Fluprednisolon
fluquinconazole/Fluquinconazol
flurazépam/Flurazepam
flurbiprofène/Flurbiprofen
fluridone/Fluridon
flurochloridone/Flurochloridon
fluroxypyr/Fluroxypyr
flurtamone/Flurtamon
fluspirilène/Fluspirilen
flusulfamide/Flusulfamid
flutamide/Flutamid
fluticasone/Fluticason
flutolanil/Flutolanil
flutriafol/Flutriafol
fluvalinate/Fluvalinat
fluvastatine/Fluvastatin
fluvoxamine/Fluvoxamin
focalisation isoélectrique/Isoelektrische Fokussierung
fodrine/Fodrin
foie/Leber
folescutol/Folescutol
folinate de calcium/Calciumfolinat
follistatine/Follistatin
follitropine/Follitropin
folpel/Folpet

Française

fomentariol/Fomentariol
fomesafene/Fomesafen
fominobène/Fominoben
fommanosine/Fomannosin
fomocaïne/Fomocain
fonction d'autocorrélation/Autokorrelationsfunktion
– de distribution/Verteilungsfunktion
– de Gauß/Gauß-Funktion
– de Green/Greensche Funktion
– de Langevin/Langevin-Funktion
– de partition/Zustandssumme
– d'état de configuration/Konfigurationszustandsfunktion
– d'onde/Wellenfunktion
– homogène/Homogene Funktion
– potentielle/Potentialfunktion
fonctions de Slater/Slater-Funktionen
fond/Fonds
fondant/Flußmittel
fondants/Zuschläge, Zuschlagstoffe
– de soudage/Lötfette
fondations/Stiftung
fonderie/Gießerei, Hütte
fonds/Bilge
fondu de sel/Gütesalze, Härtesalze
fonofos/Fonofos
fonte alcaline/Alkalischmelze
– brute/Roheisen
– en coquille indéfinie/Indefinite-Hartguß
– grise/Grauguß, Gußeisen
– malléable/Temperguß
– spiegel (spéculaire)/Spiegeleisen
– trempée/Hartguß
foraminifères/Foraminiferen
force/Kraft
– de Lorentz/Lorentz-Kraft
– électromotrice/Elektromotorische Kraft
– ionique/Ionenstärke
– oscillatoire/Oszillatorstärke
– protonomotrice/Protonenmotorische Kraft
forces de London/London-Kräfte
– intermoléculaires/Zwischenmolekulare Kräfte
– nucléaires/Kernkräfte
forgeage/Schmieden
formage/Umformen
formaldéhyde/Formaldehyd
formamide/Formamid
formation de réseau par irradiation/Photovernetzung
– du produit/Produktbildung
– en réseau par procédé physique/Physikalische Vernetzung
formazans/Formazane
forme d'administration/Arzneiformen
– twist/Twistform
formes biologiques/Lebensformen
formestan/Formestan
formetanate hydrochloride/Formetanat-Hydrochlorid
formiate d'aluminium/Aluminiumformiate
– d'ammonium/Ammoniumformiat
– de calcium/Calciumformiat
– de fer(III)/Eisen(III)-formiat
– de méthyle/Ameisensäuremethylester
– de nickel(II)/Nickel(II)-formiat
– de sodium/Natriumformiat
– de thallium(I)/Thallium(I)-formiat
– d'éthyle/Ameisensäureethylester
formiates/Formiate
formo-sulfathiazol/Formo-Sulfathiazol
formocortal/Formocortal
formulation/Formulierung, Rezeptur
formule barométrique/Barometrische Höhenformel
– brute/Bruttoformel
– de l'octet/Oktett-Formel
– de Nernst/Nernstsche Gleichung
– de structure/Strukturformel
– de Van't Hoff/Van't-Hoff-Gleichung
– dévelopée/Strukturformel
– du sextet/Sextettformel
– empirique/Bruttoformel
formules/Formeln
– (structures) de Markush/Markush-Formeln
– de Lewis/Lewis-Formeln
– de Niggli/Niggli-Formeln
– de projection/Projektionsformeln
– de série/Serienformeln
formyl.../Formyl...
formylation/Formylierung
4-formylmorpholine/4-Formylmorpholin
forskoline/Forskolin
fortifiant des tiges/Halmfestiger
fos/Fos
fosamine-ammonium/Fosaminammonium
foscarnet/Foscarnet
fosetyl-aluminium/Fosetyl-aluminium
fosfestrol/Fosfestrol
fosfomycine/Fosfomycin
fosinopril/Fosinopril
fosse Emscher/Emscherbrunnen
– Imhof/Emscherbrunnen
fossiles/Fossilien
fosthiazate/Fosthiazat
fostriécines/Fostriecin
fougère/Fougère
fougères/Farne
foulage/Walken
foulardage/Klotzen
foulonnage/Walken
four annulaire (circulaire)/Ringofen
fourmis/Ameisen
four(neau) à creuset(s)/Tiegelofen
fourneaux/Öfen
fourrures/Pelze
fours/Öfen
– à tube/Rohröfen
– rotatifs/Drehrohröfen
– tournants/Trommelöfen
– tunnel/Tunnelöfen
fractales/Fraktale
fraction molaire/Molenbruch
fractionnage de flux de champ/FFF
fractionnement/Fraktionierung
– cellulaire de microorganismes/Aufschluß von Mikroorganismen
fractographie/Fraktographie
fragarine/Fragarin
fragilisation/Versprödung
fragilité/Sprödigkeit
– due à l'hydrogène/Wasserstoffversprödung
fragment de Klenow/Klenow-Fragment
fragmentation/Fragmentierung
fragments d'ADN/DNA-Fragmente
– d'Okazaki/Okazaki-Fragmente
fragmine/Fragmin
fragon épineux/Ruscus
fraises/Erdbeeren
framboises/Himbeeren
framycétine/Framycetin
francium/Francium
frangulines/Franguline
frédéricamycine A/Fredericamycin A
freineurs/Bremsflüssigkeiten
fréquence/Frequenz
– de Larmor/Larmor-Frequenz
– de résonance/Resonanzfrequenz
fresque/Fresko
fret/Fracht
friction/Reibung
friedélanes/Friedelan(e)
friedéline/Friedelin
friedo.../Friedo...
frigorigènes/Kühlmittel
frittage/Sintern
frittes/Fritten
froid/Kälte
fromage/Käse
– à la crème/Rahmkäse
– blanc/Quark
– fondu/Schmelzkäse
– mou (à pâte molle)/Weichkäse
froncer/Kräuseln
front/Front
frontaline/Frontalin
frottis/Abstrich
fructokinase/Fructokinase
D-fructose/D-Fructose
– -1,6-bisphosphate/D-Fructose-1,6-bisphosphat
β-D-fructose-2,6-bisphosphate/β-D-Fructose-2,6-bisphosphat
fructose-diphosphates/Fructosediphosphate
fruits/Früchte
fruit(s)/Obst
fruits d'églantier/Hagebutten
frullanolide/Frullanolid
fuberidazole/Fuberidazol
fubfenprox/Fubfenprox
fuchsine/Fuchsin
– acide/Säurefuchsin
fuc(o).../Fuc(o)...
fucoïdine/Fucoidin
fucose/Fucose
fucoserraténe/Fucoserraten
fucus vésiculeux/Blasentang
fugacité/Fugazität
fulgides/Fulgide
fulgurites/Fulgurite
fuligorubine A/Fuligorubin
fullerènes/Fullerene
fulmicoton/Schießbaumwolle
fulminate d'argent/Silberfulminat
– de mercure(II)/Quecksilber(II)-fulminat
fulminates/Fulminate
fulvalènes/Fulvalene
fulvènes/Fulvene
fumage (Fleisch)/Räuchern
fumarase/Fumarase
fumarate de fer(II)/Eisen(II)-fumarat
fumaroles/Fumarolen
fumée/Rauch
– de tabac/Tabakrauch
fumier/Mist
fumigants/Fumigantien
fumigateurs/Räuchermittel
fumigatine/Fumigatin
fumitremorgènes/Fumitremorgene
fumitremorgines/Fumitremorgene
fumivores/Rauchverzehrer

fungi imperfecti/Fungi imperfecti
fungicides/Fungizide
furalaxyl/Furalaxyl
furane/Furan
– des roses/Rosenfuran
furano.../Furano...
furanosones/Furanosen
furathiocarb/Furathiocarb
furazolidone/Furazolidon
furfural/Furfural
furfurol/Furfural
furfuryl.../Furfuryl...
furfurylamine/Furfurylamin
α-furile/α-Furil
furine/Furin
furo.../Furo...
furocoumarines/Furocumarine
furosémide/Furosemid
furoyl.../Furoyl...
fursultiamine/Fursultiamin
furyl.../Furyl...
fusafungine/Fusafungin
fusain/Fusain
fusibles/Schmelzsicherungen
fusine/Fusin
fusion/Aufschluß, Fusion, Schmelzen
– dans une bombe/Bombenaufschluß
– de protoplastes/Protoplastenfusion
– de zone/Zonenschmelzen
– en creuset/Tiegelschmelzverfahren
– (par grillage) en suspension/Schwebe(röst)-schmelzverfahren
fusite/Fusain

G

GABA-ergique/GABAerg
gabaculine/Gabaculin
gabapentine/Gabapentin
gabarit ouvert d'observation/Mikrocarrier
gab(b)ro/Gabbros
gadodiamide/Gadodiamid
gadolinite/Gadolinit
gadolinium/Gadolinium
gadotéridol/Gadoteridol
galactanes/Galactane
galacto/galacto-, Galact(o)...
galactosamine/Galactosamin
galactose/Galactose
galactosidases/Galactosidasen
galanine/Galanin
galanthamine/Galanthamin
galbanum/Galbanum
galectines/Galectine
galéga/Geißraute
galène/Bleiglanz
galénique/Galenik
gallates/Gallussäureester
galléine/Gallein
galles/Gallen
gallite/Gallit
gallium/Gallium
gallocyanine/Gallocyanin
gallon/Gallone
gallopamil/Gallopamil
gallophénines/Gallophenine
galvanisation/Galvanisieren
– synthétique/Kunststoff-Galvanisierung
galvanoplastie/Galvanotechnik
gamma-globulines/Gamma-Globuline
gammagraphie/Gammagraphie
gamones/Gamone
ganciclovir/Ganciclovir
gangioplégiques/Ganglienblocker
gangliosides/Ganglioside

gangrène/Gangrän
ganister/Ganister
ganoderma/Ganoderma
gap junctions/Gap junctions
garance (des teinturiers)/Krapp
garantie pour un produit/Produzentenhaftung
garniérite/Garnierit
garniture étanche à anneau glissant/Gleitringdichtung
– mécanique d'étanchéité/Gleitringdichtung
garnitures de frein/Bremsbeläge
– d'embrayage/Kupplungsbeläge
gasohol/Gasohol
gastrine/Gastrin
gastrite/Gastritis
gauche/Gauche
gaufrage/Gaufrieren
gauss/Gauss
gaussien/Gaussian
gaz/Gase
– à l'eau/Wassergas
– à pouvoir calorifique élevé/Reichgas
– combustibles/Brenngase
– comprimés/Druckgase
– de bois/Holzgas
– de chauffage/Heizgase
– de combat/Kampfstoffe
– de fumée (combustion)/Rauchgas
– de gazéificateur/Generatorgas
– de gazogène/Generatorgas
– de Mond/Mond-Gas
– (de pétrole) liquéfiés/Flüssiggase
– de protection/Schutzgase
– de ville/Stadtgas
– d'échappement d'automobiles/Kraftfahrzeugabgase
– d'éclairage/Leuchtgas
– d'électrons/Elektronengas
– des forêts/Holzgas
– des marais/Sumpfgas
– explosif/Knallgas
– explosif au chlore/Chlorknallgas
– fulminant/Knallgas
– hilarant/Lachgas
– industriels/Industriegase
– inert/Formiergas
– inertes/Inertgase
– intégral (de synthèse)/Synthesegas
– moutarde/Bis(2-chlorethyl)sulfid, Lost
– moutarde azotée/Stickstofflost
– naturel/Erdgas
– oxhydrique/Knallgas
– parfaits/Ideale Gase
– protecteur/Formiergas
– rares/Edelgase
– réels/Reale Gase
– résiduaires/Abgase
gazéification/Vergasung
– du charbon/Kohlevergasung
gazer/Sengen
gazomètre/Gasometer
geiparvarine/Geiparvarin
geissoschizine/Geissoschizin
gel bleu/Blaugel
– de séquen(age/Sequenzgel
– de silice/Kieselgele
– de silice avec indicateur d'humidité/Blaugel
gélatine/Gelatine
– détonante (explosive)/Sprenggelatine
geldanamycine/Geldanamycin
gelée de viande/Sülze
– royale/Gelée Royale
gelées/Gelees
gélonine/Gelonin

gels/Gele
– ionotropiques/Ionotrope Gele
gelsémine/Gelsemin
gelsoline/Gelsolin
gem-/gem-
gemcitabine/Gemcitabin
gémeprost/Gemeprost
gemfibrozil/Gemfibrozil
gemme/Gemmen
gemmes/Edelsteine u. Schmucksteine
gène/Gen
…gène/…gen
gène cloné/Kloniertes Gen
– de régulation/Regulatorgen
– indicateur/Reportergen
– locus/Genlocus
– régulateur/Regulatorgen
– src/src-Gen
générateur de Winkler/Winkler-Generator
– magnétohydrodynamique/Magnetohydrodynamischer Generator
– Van de Graaff/Van-de-Graaff-Generator
générateurs éoliens/Windkraftwerke
gènes de fixation de l'azote/nif-Gene
– de résistance/Resistenz-Gen
– égoïstes/Egoistische Gene
– nif/nif-Gene
– pléiotropiques/Pleiotrope Gene
– suppresseurs de tumeurs/Tumor-Suppressor-Gene
genet à balais/Besenginster
génétique/Genetik
– inverse/Reverse Genetik
genévrier/Wacholder
génie atomique/Kerntechnik
– biologique/Bioverfahrenstechnik
– chimique/Chemie-Ingenieurwesen
– des procédés/Verfahrenstechnik
– génétique/Gentechnologie
genièvre/Genever, Gin
genistein/Genistein
génotype/Genotyp
gentamicine/Gentamicin
gentiane/Enzian
gentiobiose/Gentiobiose
gentiopicrine/Gentiopikrin
gentiopicroside/Gentiopikrin
gentisate de sodium/Natriumgentisat
gentisine/Gentisin
géochimie/Geochemie
géochronologie/Geochronologie
géologie/Geologie
géométrie cristalline/Kristallgeometrie
– d'équilibre/Gleichgewichtsgeometrie
– souterraine/Markscheidewesen
géosmine/Geosmin
gépéfrine/Gepefrin
géphyrine/Gephyrin
géphyrotoxine/Gephyrotoxin
géraniol/Geraniol
géranylgéraniol/Geranylgeraniol
gériatrie/Geriatrie
germacranes/Germacrane
germacrènes/Germacrene
germacronolides/Germacranolide
germanates/Germanate
germanite/Germanit
germanium/Germanium
germes/Keime
germicides/Germizide
germination/Keimung
gersdorffite/Gersdorffit

gestagènes/Gestagene
gestodène/Gestoden
getters/Getter
gibberellines/Gibberelline
giga…/Giga…
gilsonite/Gilsonit
gingembre/Ingwer
gingérol/Gingerol, 6-Gingerol
ginkgolides/Ginkgolide
ginseng/Ginseng
girofles/Nelken
gisements/Lagerstätten
gîtes/Lagerstätten
gitoformate/Gitoformat
givre/Reif
glaçage/Satinage
glace/Eis, Eiscreme, Speiseeis
– sèche/Trockeneis
glacis/Lasur
glaçure/Glasur
glafénine/Glafenin
glaise/Lehm
glande du croupion/Bürzeldrüse
– thyroïde/Schilddrüse
glandes parathyroïdes/Nebenschilddrüsen
– surrénales/Nebennieren
glasérite/Glaserit
glaubérite/Glauberit
glaucine/Glaucin
glauco…/Glauko…
glaucome/Star
glauconite/Glaukonit
gliadine/Gliadin
glibenclamide/Glibenclamid
glibornuride/Glibornurid
gliclazide/Gliclazid
glidobactines/Glidobactine
glimépiride/Glimepirid
gliotoxine/Gliotoxin
glipizide/Glipizid
gliquidone/Gliquidon
glisoxépide/Glisoxepid
globine/Globine
globulines/Globuline
gloeosporone/Gloeosporon
glomerine/Glomerin
glossaires/Wörterbücher
glucagon/Glucagon
glucamides d'acides gras/Fettsäureglucamide
glucanes/Glucane
glucanohydrolases/Glucan-Hydrolasen
gluco…/Gluc(o)…
gluco-/gluco-
glucokinase/Glucokinase
gluconate de calcium/Calciumgluconat
– de fer(II)/Eisen(II)-gluconat
– de magnésium/Magnesiumgluconat
– de potassium/Kalium-D-gluconat
– de sodium/Natrium-D-gluconat
gluconéogenèse/Gluconeogenese
D-glucorono-γ-lactone/D-Glucuronsäure-γ-lacton
D-glucosamine/D-Glucosamin
D-glucose/D-Glucose
α-D-glucose-1,6-bisphosphate/α-D-Glucose-1,6-bisphosphat
glucose-déshydrogénase/Glucose-Dehydrogenase
– -oxydase/Glucose-Oxidase
α-D-glucose-1-phosphate/α-D-Glucose-1-phosphat
D-glucose-6-phosphate/D-Glucose-6-phosphat
glucosidases/Glucosidasen
glucosides alcaloïdes stéroïdes du solanum/Solanum-Steroidalkaloidglykoside

– cyanogènes/Cyanogene Glykoside
– de digitale/Digitalis-Glykoside
glucosinolates/Glucosinolate
β-glucuronidase/β-Glucuronidase
glufosinate-ammonium/Glufosinat-ammonium
L-glutamate de sodium/Natrium-L-glutamat
glutamate décarboxylase/Glutamat-Decarboxylase
glutamates/Glutamate
L-glutamine/L-Glutamin
glutaraldéhyde/Glutaraldehyd
glutathion/Glutathion
glutélines/Gluteline
gluten/Gluten, Kleber
glutéthimide/Glutethimid
glutine/Glutin
glycation/Glykation
glycéraldéhyde-3-phosphate-déshydrogénase/Glycerinaldehyd-3-phosphat-Dehydrogenase
glycérides/Glyceride
glycérine/Glycerin
glycéro-/glycero-
glycérol/Glycerin
glycérophosphate de calcium/Calciumglycerophosphat
– de fer(III)/Eisen(III)-glycerinphosphat
glycérophosphates/Glycerinphosphate
glycidol/Glycidol
glycine/Glycin
glyc(o)…/Glyk(o)…
glycobiarsol/Glycobiarsol
glycoconjugués/Glykokonjugate
glycogène/Glykogen
glycolipides/Glykolipide
glycols/Glykole
glycolyse/Glykolyse
glycophorines/Glykophorine
glycoprotéine-P/P-Glykoprotein
glycoprotéines/Glykoproteine
glycosaminoglycanes/Glykosaminoglykane
glycosidases/Glykosidasen
glycosides/Glykoside
– cardiaques/Herzglykoside
glycosylation/Glykosylierung
glycosyltransferases/Glykosyltransferasen
glycyrrhizine/Glycyrrhizin
glymidine/Glymidin
glyoxal/Glyoxal
– -bis(2-hydroxyanile)/Glyoxal-bis(2-hydroxyanil)
glyphosate/Glyphosat
glyptals/Glyptale
gmélinite/Gmelinit
gneiss/Gneis
goethite/Goethit
goitre/Kropf
goitrine/Goitrin
gombo/Okra
gommage/Gummierung
gomme/Gummi
– à effacer/Radiergummi
– à mâcher/Kaugummi
– arabique/Gummi arabicum
– de caraya/Karaya-Gummi
– de ghatti/Ghatti gummi
– ester/Harzester
– lac/Schellack
gonades/Keimdrüsen
gonadolibérine/Gonadoliberin
gonadotrop(h)ine chorionique/Chorio(n)gonadotrop(h)in
gonadotropine sérique/Serumgonadotropin
gonane/Gonan
gonflement/Quellung

gonorrhée/Gonorrhoe
gonyautoxines/Gonyautoxine
goséréline/Goserelin
gossypétine/Gossypetin
gossypol/Gossypol
goudron/Teer
– de bois/Holzteer
– de bove cambouis/Säureteer
– de houille/Steinkohlenteer
– de lignite/Braunkohlenteer
– de schiste/Schieferteer
– végétal/Holzteer
gout/Geschmack
goût de soleil/Sonnenlichtgeschmack
goutte/Gicht
gouttes/Tropfen
– de verre/Glastränen
gradient/Gradient
grain/Gran, Korn
– abrasif/Diamantmetalle
– cru/Rohfrucht
grains/Getreide, Korn, Schrot
graisse à robinets/Hahnfett
– de marmotte/Murmeltieröl
– de Ramsay/Ramsay-Fett
– d'étirage/Ziehfett
– [fondue]/Schmalz
– lubrifiante/Schmierfette
– pour joints/Schliff-Fett
graisses à frire/Fritierfette
– inverses/Inverse Fette
– pour voitures/Wagenfette
gramicidines/Gramicidine
gramine/Gramin
graminées/Gräser
gramme/Gramm
granaticine/Granaticin
grand milet/Sorghum
grande verge dorée/Goldrute
grandeurs/Größen
– extensives/Extensive Größen
grandisol/Grandisol
grands cycles/Große Ringe
granines/Granine
granisetron/Granisetron
granites/Granite
granulat/Betonzuschlag
granulation/Korn
granulés/Granulate
granulite/Granulit
granulométrie/Granulometrie, Korngröße
granzymes/Granzyme
grape-fruit/Grapefruit
graphite/Graphit, Reißblei
grauwacke/Grauwacke
graver/Ätzen
gravier/Grieß, Kies
– à filtrer/Filterkies
gravillon/Splitt
gravimétrie/Gravimetrie
gravitation/Gravitation
gravure à l'eau forte/Ätzdruck
Gray/Gray
grayanatoxines/Grayanotoxine
greenalite/Greenalith
greenochite/Greenockit
greenockite/Greenockit
greisen/Greisen
grenadier/Granatapfel
grenailles/Strahlmittel
grénats/Granate
grès/Sandsteine
– argilo-calcaires/Kalksandsteine
– des houillières/Grauwacke
– dur/Grit
grevillines/Grevilline
grillage chlorurant/Chlorierende Röstung
grille/Rechen
– grossière/Grobrechen
griller/Rösten, Sengen

grippe/Grippe
gris de zinc/Zinkgrau
griséofulvine/Griseofulvin
gros sable/Grieß
groseille du Cap/Kapstachelbeeren
groseilles/Johannisbeeren, Stachelbeeren
grosseur de grain/Korngröße
groupe carbonyle/Carbonyl-Gruppe
– de bore/Bor-Gruppe
– de l'azote/Stickstoff-Gruppe
– du carbone/Kohlenstoff-Gruppe
– du fer/Eisen-Gruppe
– du manganèse/Mangan-Gruppe
– hydroxyle/Hydroxy-Gruppe
– nitro/Nitro-Gruppe
groupement de métaux qui précipitent avec sulfure d'hydrogène/Schwefelwasserstoff-Gruppe
– prosthétique/Prosthetische Gruppe
groupe(ment)s fonctionels/Funktionelle Gruppen
groupements osmophores/Osmophore Gruppen
groupes angulaires/Anguläre Gruppen
– d' inflammation/Zündgruppen
– de température/Zündgruppen
– protecteurs/Schutzgruppen
– spatiaux (d'espace)/Raumgruppen
gruau/Grieß, Schrot
guaïacol/Guajakol
guaiane/Guajan
guaiazulène/Guajazulen
gualénate de sodium/Natriumgualenat
guam/Guam
guanabenz/Guanabenz
guanamines/Guanamine
guanéthidine/Guanethidin
guanfacine/Guanfacin
guanidine/Guanidin
guanidino.../Guanidino...
guanine/Guanin
guano/Guano
guanosine/Guanosin
– -phosphates/Guanosinphosphate
guarane/Guarana
guaves/Guaven
guayule/Guayule
guêpes/Wespen
guérison de blessures/Wundheilung
gueulard/Gicht
gueuse/Massel
gui/Mistel
guide de lumière/Lichtleiter
guimésine/Guinesine
gulo-/gulo-
gulose/Gulose
gustducine/Gustducin
gutta-percha/Guttapercha
gymnoprenols/Gymnoprenole
gypse/Gips
– de marbre/Marmorgips
gyrocyanine/Gyrocyanin
gyrolite/Gyrolith
gyromitrine/Gyromitrin
gyroporine/Gyroporin

H

habitat/Habitat
hadacidine/Hadacidin
hadrons/Hadronen
hafnium/Hafnium
hahnium/Hahnium
hai-thao/Hai-Thao
halatopolymères/Halatopolymere

halazone/Halazon
halcinonide/Halcinonid
halite/Steinsalz
halloysite/Halloysit
hallucinogènes/Halluzinogene
halmyrogène/Halmyrogen
halo.../Halo...
halobactéries/Halobakterien
halocarban/Halocarban
halochromie/Halochromie
halofantrine/Halofantrin
haloformes/Haloforme
halogénation/Halogenierung
halogènes/Halogene
halogéno-aldehydes/Halogenaldehyde
– -amines/Halogenamine
– -cétones/Halogenketone
halogénolyse/Halogenolyse
halogénures/Halogenide
– d'acides/Säurehalogenide
– d'alkyle/Alkylhalogenide
– d'azote/Stickstoffhalogenide
– de sélénium/Selenhalogenide
– de thionyle/Thionylhalogenide
– d'hydrogène/Halogenwasserstoffe
– d'hydroxydes/Hydroxidhalide
halohydrines/Halohydrine
halométasone/Halometason
halons/Halone
halopéridol/Haloperidol
haloperoxydases/Haloperoxidasen
halophytes/Halophyten
haloprogine/Haloprogin
halorhodopsine/Halorhodopsin
halosulfuron/Halosulfuron
halothane/Halothan
halotrichite/Halotrichit
haloxyfop-ethoxyethyl/Haloxyfop-ethoxyethyl
halquinol/Halquinol
hamamélis de Virginie/Hamamelis
hanneton/Blattkäfer
hapalindol(e)s/Hapalindole
haptènes/Haptene
hapto-/hapto-
haptoglobines/Haptoglobine
haricots/Bohnen
– de Lima/Rangoonbohnen
harmaline/Harmalin
harmane/Harmane
harmine/Harmin
harmotome/Harmotom
harpagoside/Harpagosid
ha(s)chi(s)ch/Haschisch
hausmannite/Hausmannit
haut fourneau/Hochofen
hauts polymères/Hochpolymere
haüyne/Hauyn
hecto.../Hekto...
hectographie/Umdruckverfahren
hectorite/Hectorit
α-hédérine/α-Hederin
hedgehog/Hedgehog
hélènaline/Helenalin
hélènine/Helenin
hélicases/Helicasen
hélice/Helix
– amphipathique/Amphipathische Helix
hélicènes/Helicene
hélicobasidine/Helicobasidin
hélions/Helionen
héliothérapie/Heliotherapie
héliotrope/Heliotrop
hélium/Helium
helix-loop-helix/Helix-loop-helix
hélixine/Helixin
helminthes/Würmer
helminthosporal/Helminthosporal
hélophytes/Helophyten

hém.../Häm..., Haem...
hémagglutinines/Hämagglutinine
hémalun/Hämalaun
hématine/Hämatin
hématite/Hämatit
– brune/Brauneisenerz
hématocrite/Hämatokrit
hématologie/Hämatologie
hématopoïèse/Hämatopoese
hématoporphyrine/Hämatoporphyrin
hématoxyline/Hämatoxylin
hème/Häm
Hémérobies/Hemerobien
hémérythrine/Hämerythrin
hémimorphite/Hemimorphit
hémine/Hämin
hemiterpènes/Hemiterpene
hémocyanine/Hämocyanin
hémodialyse/Hämodialyse
hémoglobine/Hämoglobin
hémoline/Hämolin
hémolyse/Hämolyse
hémonectine/Hämonectin
hémoperfusion/Hämoperfusion
hémophilie/Hämophilie
hémoprotéines/Häm-Proteine
hémorroïdes/Hämorrhoiden
hémosidérine/Hämosiderin
hémostase/Hämostase
hémostyptiques/Hämostyptika
hémovanadium/Hämovanadin
hen(e)icos(a).../Heneicos(a)...
henne/Henna
héparine/Heparin
héparinoïdes/Heparinoide
hépatite/Hepatitis
hept(a).../Hept(a)...
heptabarbital/Heptabarbital
heptachlore/Heptachlor
heptacont(a).../Heptacont(a)...
heptacos(a).../Heptacos(a)...
heptadéc(a).../Heptadec(a)...
heptadécane/Heptadecan
heptalène/Heptalen
2,2,4,4,6,8,8-heptaméthylnonane/ 2,2,4,4,6,8,8-Heptamethylnonan
heptaminol/Heptaminol
heptanal/Heptanal
heptane/Heptan
heptanols/Heptanole
heptanones/Heptanone
heptanoyl.../Heptanoyl...
1-heptène/1-Hepten
1-heptine/1-Heptin
heptoses/Heptosen
heptuloses/Heptulosen
heptyl.../Heptyl...
1-heptyne/1-Heptin
herb de Saint-Christophe/ Christophskraut
herbe d'aigremoine/Odermennig
– de la Saint-Jean/Johanniskraut
– de véronique/Ehrenpreis
– sacrée/Salbei
herbes/Gräser
herbicides/Herbizide
herbimycine/Herbimycin
hercynine/Hercynin
hérédité cytoplasmique/Extrachromosomale Vererbung
– nonchromosomique/Extrachromosomale Vererbung
héréguline α/Hereregulin α
héroïne/Heroin
herpès/Herpes
hespéritine/Hesperetin
hessite/Hessit
hétarynes/Hetarine
hétéro.../Heter(o)...
hétéroatomes/Heteroatome
hétérocycles avec azote/Stickstoff-Heterocyclen

- avec soufre/Schwefel-Heterocyclen
- avec oxygène/Sauerstoff-Heterocyclen

hétérogène/Heterogen
hétéroléptique/Heteroleptisch
hétérologues/Heterologe
hétérolyse/Heterolyse
hétérométrie/Heterometrie
hétéropolyacides/Heteropolysäuren
hétérotope/Heterotop
hétérotrophie/Heterotrophie
heulandite/Heulandit
hex(a)…/Hex(a)…
hexacarbonyle de molybdène/Molybdänhexacarbonyl
hexacarbonyltungstène/Wolframhexacarbonyl
hexachloracétone/Hexachloraceton
hexachloro-1,3-butadiène/Hexachlor-1,3-butadien
hexachlorobenzène/Hexachlorbenzol
hexachloroéthane/Hexachlorethan
hexachlorophène/Hexachlorophen
hexachloroplatinate(IV) de potassium/Kaliumhexachloroplatinat(IV)
hexaconazole/Hexaconazol
hexacont(a)…/Hexacont(a)…
hexacos(a)…/Hexacos(a)…
hexadéc(a)…/Hexadec(a)…
hexadécane/Hexadecan
1-hexadécanol/1-Hexadecanol
hexadécanoyl…/Hexadecanoyl…
hexadécyl…/Hexadecyl…
hexaflumuron/Hexaflumuron
hexafluoracétone/Hexafluoraceton
hexafluorosilicate de magnésium/Magnesiumhexafluorosilicat
- de potassium/Kaliumhexafluorosilicat
- de sodium/Natriumhexafluorosilicat
- de zinc/Zinkhexafluorosilicat
hexafluorozirconate de potassium/Kaliumhexafluorozirconat
hexafluorure de tungstène/Wolframhexafluorid
hexahidroxostannate(IV) de potassium/Kaliumhexahydroxostannat(IV)
hexahydroxoantimoniate(V) de potassium/Kaliumhexahydroxoantimonat(V)
hexahydroxybenzène/Hexahydroxybenzol
hexakis…/Hexakis…
hexaméthylbenzène/Hexamethylbenzol
1,1,1,3,3,3-hexaméthyldisilazane/1,1,1,3,3,3-Hexamethyldisilazan
hexaméthylène…/Hexamethylen…
hexaméthylène-tétramine/Hexamethylentetramin
hexamidine/Hexamidin
- dibromique/Dibromhexamidin
hexanal/Hexanal
1-hexanamine/1-Hexanamin
hexane/Hexan
1,6-hexanediamine/1,6-Hexandiamin
1,6-hexanediol/1,6-Hexandiol
2,5-hexanedione/2,5-Hexandion
1,2,6-hexanetriol/1,2,6-Hexantriol

hexanitrate de mannitol/Mannit(ol)hexanitrat
hexanitrocobaltate(III) de potassium/Kaliumhexanitrocobaltat(III)
- de sodium/Natriumhexanitrocobaltat(III)
1-hexanol/1-Hexanol
2-hexanone/2-Hexanon
hexanoyl…/Hexanoyl…
hexaphényléthane/Hexaphenylethan
hexazinone/Hexazinon
hexenale/Hexenale
1-hexène/1-Hexen
trans-2-hexénoate de méthyle/Methyl-trans-2-hexenoat
hexestrol/Hexestrol
hexétidine/Hexetidin
hexitol/Hexite
hexobarbital/Hexobarbital
hexobendine/Hexobendin
hexogène/Hexogen
hexokinase/Hexokinase
héxoprénaline/Hexoprenalin
hexosaminidase/Hexosaminidase
hexoses/Hexosen
hexuloses/Hexulosen
hexyl…/Hexyl…
hexylène…/Hexylen…
4-hexylrésorcinol/4-Hexylresorcin
1-hexyne/1-Hexin
hexythiazox/Hexythiazox
hibernation/Hibernation, Winterschlaf
hibiscus/Hibiscus
hickory/Hickoryholz
hidrogénocarbonate d'ammonium/Ammoniumhydrogencarbonat
hidrogénosulfure d'ammonium/Ammoniumhydrogensulfid
hidrogénotartrate de potassium/Kaliumhydrogentartrat
hippuricase/Hippuricase
hirsutène/Hirsuten
hirsutisme/Hirsutismus
hirudine/Hirudin
hisactophiline/Hisactophilin
hispidine/Hispidin
histamine/Histamin
histapyrrodine/Histapyrrodin
histidine/Histidin
histochimie/Histochemie
histoire de la chimie/Geschichte der Chemie
histologie/Histologie
histones/Histone
histrionicotoxines/Histrionicotoxine
hollandite/Hollandit
holmium/Holmium
holo…/Holo…
holographie/Holographie
holomycine/Holomycin
holothurine/Holothurine
homatropine/Homatropin
homéo…/Homöo…
homéopathie/Homöopathie
homéostase/Homöostase
homme/Mensch
- transparent/Gläserner Mensch
homo…/Homo…
homocystéine/Homocystein
homofénazine/Homofenazin
homogène/Homogen
homogénéisation/Homogenisation
homogénisateur/Handhomogenisator
homoleptique/Homoleptisch

homologie/Homologie
homologues/Homologe
homolyse/Homolyse
homopolymères/Homopolymere
L-homosérine/L-Homoserin
homotope/Homotop
honage/Honen
hopcalite/Hopcalit
hopéite/Hopeit
hordéine/Hordein
hordénine/Hordenin
horloges atomiques/Atomuhr
hormèse/Hormese
hormone de floraison/Blühhormon
- mélanine-concentrant/Melaninkonzentrierendes Hormon
hormones/Hormone
- de grossesse/Schwangerschaftshormone
- des tissus/Gewebshormone
- d'insectes/Insektenhormone
- glycoprotéiques/Glykoprotein-Hormone
- gonadotropes/Gonadotrope Hormone
- gravidiques/Schwangerschaftshormone
- juvéniles/Juvenilhormone
- peptidiques/Peptidhormone
- sexuelles/Sexualhormone
- stéroïdes/Steroid-Hormone
- surrénaliennes/Nebennierenhormone
- thyroïdiennes/Thyroid-Hormone
- végétales/Pflanzenhormone
hornblendes/Hornblenden
hospitalisme/Hospitalismus
hotflue/Hotflue
hotte (fermée)/Abzug
houblon/Hopfen
houille/Steinkohle
houx/Stechpalme
howlite/Howlith
huile/Oleum
- animale/Tieröl
- carbolique/Carbolöl
- d'abrasin/Tungöl
- d'amandes/Mandelöl
- d'angélique/Angelika(wurzel-, samen-)öl
- d'avocat/Avocadoöl
- de bobinage/Spulöle
- de bois/Holzöl
- de cannelle/Kassiaöl
- de chaulmoogra/Chaulmoograöl
- de ciste ladanifère/Zistrosenöl
- de coco/Kokosöl
- de colza/Rapsöl
- de copra/Kokosöl
- de coton/Baumwollsamenöl
- de courge/Kürbiskernöl
- de croton/Crotonöl
- de faîne/Bucheckernöl
- de fenouil/Fenchelöle
- de foie de flétan/Heilbuttleberöl
- de foie de morue/Dorschleberöl, Lebertran
- [de germe] de riz/Reis(keim)öl
- de germes de blé/Weizenkeimöl
- de germes de maïs/Maiskeimöl
- de gingembre/Ingweröl
- de goudron de genévrier/Wacholderteeröl
- de graines de tabac/Tabaksamenöl
- de grande lavande/Spik(lavendel)öl
- de hareng/Heringsöl
- de lie de vin/Weinhefeöl
- de lin/Leinöl
- de margosa/Neemöl
- de millefeuille/Schafgarbenöl

- de noix/Walnußöl
- de palme/Palmöl
- de palmiste/Palmkernöl
- de patchouli/Patchouliöl
- de pavot/Mohnöl
- de pépins de raisin/Traubenkernöl
- de perilla/Perillaöl
- de persil/Petersilienöl
- de pétrole/Petroleum
- de racine de costus/Costuswurzelöl
- de racine d'iris/Iris(wurzel)öl
- de ricin/Ricinusöl
- de rouge turc/Türkischrotöl
- de safre/Safloröl
- de sansa/Sansaöl
- de semences de thé/Teesamenöl
- de sésame/Sesamöl
- de soja/Sojaöl
- de spermacéti/Spermöl
- de tournesol/Sonnenblumenöl
- de tucum/Tucumöl
- de tung/Tungöl
- de vison/Nerzöl
- d'œufs/Eieröl
- d'oïticica/Oiticicaöl
- d'olive/Olivenöl
- essentielle/Oleum
- explosive/Sprengöl
- légère/Leichtöl
- lourde/Schweröl
- usée/Altöl
huiles/Öle
- à moteur/Motorenöle
- adhérentes/Haftöle
- animales/Knochenfette
- antipoussière/Stauböle
- combustibles/Öle
- d'agrumes/Citrusöle
- de baleine (poisson)/Trane
- de bouleau/Birkenöle
- de coupe/Bohröle, Schneidöle
- de Diesel/Dieselkraftstoffe
- de fusel/Fuselöle
- de germes de céréales/Getreidekeimöle
- de laminage/Walzöle
- de pied de bœuf/Klauenöle
- de poisson/Fischöle
- de résine/Harzöle
- d'horloges/Uhrenöle
- d'isolement/Isolieröle
- d'olives rance/Tournantöle
- d'os/Knochenfette
- épaisses/Dicköle
- essentielles/Etherische Öle
- isolantes/Isolieröle
- lubrifiantes (de graissage)/Schmieröle
- minérales/Mineralöle
- pour armes à feu/Waffenöle
- pour cylindres/Zylinderöle
- pour turbines/Turbinenöle
- siccatives/Trocknende Öle
- soufflées/Geblasene Öle
- sulfatées/Sulfatierte Öle
… humain/Human…
humectants/Feuchthaltemittel
humidité/Feuchtigkeit, Humidität
- atmosphérique/Luftfeuchtigkeit
- relative/Relative Luftfeuchtigkeit
humite/Humit
humus/Humus
huperzine/Huperzin
hyal…/Hyal…
hyalite/Hyalit
hyaluronidases/Hyaluronidasen
hybenzate/Hibenzat
hybridation/Hybridisierung
- sur colonie/Kolonie-Hybridisierung

hybrides ADN-ARN/DNA-RNA-Hybride
hybridomes/Hybridome
hydantocidine/Hydantocidin
hydantoïnes/Hydantoine
hydracide maléique/Maleinsäurehydrazid
hydracides/Wasserstoffsäuren
hydralazine/Hydralazin
hydrargaphène/Hydrargaphen
hydrastine/Hydrastin
hydrastinine/Hydrastinin
hydratases/Hydratasen
hydratation/Hydratisierung
hydrate de cellulose/Cellulosehydrat
– d'hydrazine/Hydrazinhydrat
hydrates/Hydrate
– de carbone/Kohlenhydrate
hydration/Hydratation
hydrazide de l'acide p-toluènesulfonique/p-Toluolsulfonsäurehydrazid
hydrazides/Hydrazide
– d'acides/Säurehydrazide
hydrazine/Hydrazin
hydrazino…/Hydrazino…
hydrazo…/Hydrazo…
hydrazobenzène/Hydrazobenzol
hydrazones/Hydrazone
hydrazono…/Hydrazono…
hydro…/Hydr(o)…
hydrobiologie/Hydrobiologie
hydroboration/Hydroborierung
hydrocarbonate de plomb/Bleiweiß
hydrocarboxylation/Hydrocarboxylierung
hydrocarbure de Schlenk/Schlenkscher Kohlenwasserstoff
– de Tchitchibabine/Tschitschibabinscher Kohlenwasserstoff
hydrocarbures/Kohlenwasserstoffe
– alternants/Alternierende Kohlenwasserstoffe
– aromatiques/Aromaten
– aromatiques polycycliques/PAH
– au brome/Bromkohlenwasserstoffe
– chlorés/Chlorkohlenwasserstoffe
– halogenés/Halogenkohlenwasserstoffe
– non méthaniques (HCNM)/NMHC
– platoniques/Platonische Kohlenwasserstoffe
hydrochlorothiazide/Hydrochlorothiazid
hydrochloruration/Hydrochlorierung
hydrochlorure d'hydroxylamine/Hydroxylamin-Hydrochlorid
hydrocodone/Hydrocodon
hydrocolloïdes/Hydrokolloide
hydrocortisone/Hydrocortison
hydroculture/Hydrokultur
hydrocyclones/Hydrozyklone
hydrodésalkylation/Hydrodesalkylierung
hydroflumethiazide/Hydroflumethiazid
hydroforming/Hydroformieren
hydroformylation/Hydroformylierung
hydrofuges de masse/Betondichtungsmittel
hydrogels/Hydrogele
hydrogénases/Hydrogenasen
hydrogénation/Hydrierung
– directe/Direkthydrierung

– du charbon/Kohlehydrierung
hydrogène/Wasserstoff
hydrogène…/Hydrogen…
hydrogène actif/Aktiver Wasserstoff
– indiqué/Indizierter Wasserstoff
hydrogénocarbonate de calcium/Calciumhydrogencarbonat
– de magnésium/Magnesiumhydrogencarbonat
– de potassium/Kaliumhydrogencarbonat
– de sodium/Natriumhydrogencarbonat
hydrogénocarbonates/Hydrogencarbonate
hydrogénofluorures/Hydrogenfluoride
hydrogénolyse/Hydrogenolyse
hydrogénoperoxomonosulfate de potassium/Kaliumhydrogenperoxomonosulfat
hydrogénophosphate de 1-naphtyle et de sodium/Natrium-1-naphthylhydrogenphosphat
hydrogénophthalate de potassium/Kaliumhydrogenphthalat
hydrogénosulfate de potassium/Kaliumhydrogensulfat
– de sodium/Natriumhydrogensulfat
hydrogénosulfates/Hydrogensulfate
hydrogénosulfite de calcium/Calciumhydrogensulfit
– de potassium/Kaliumhydrogensulfit
– de sodium/Natriumhydrogensulfit
hydrogénosulfites/Hydrogensulfite
hydrogénosulfure de calcium/Calciumhydrogensulfid
– de sodium/Natriumhydrogensulfid
hydrogénosulfures/Hydrogensulfide
hydrogénoxalate de thiocyclam/Thiocyclam-Hydrogenoxalat
hydrohalogénides/Hydrohalogenide
hydrolases/Hydrolasen
hydrologie/Hydrologie
hydrolysats protéiques pour bouillons/Suppenwürze
hydrolyse/Hydrolyse
hydromel/Met
hydrométallurgie/Hydrometallurgie
hydromorphone/Hydromorphon
hydronaphtalènes/Hydronaphtaline
hydronium/Hydronium
hydroperoxy…/Hydroperoxy…
hydroperoxyde de $tert$-butyle/$tert$-Butylhydroperoxid
– de cumène/Cumolhydroperoxid
– de diisopropylbenzène/Diisopropylbenzolhydroperoxid
– de p-menthane/p-Menthanhydroperoxid
– de pinane/Pinanhydroperoxid
hydroperoxydes/Hydroperoxide
hydroperoxyle/Perhydroxyl
hydrophile/Hydrophil
hydrophilisation/Hydrophilieren
hydrophobe/Hydrophob
hydrophobines/Hydrophobine
hydrophytes/Hydrophyten
hydroquinone/Hydrochinon
hydrosphère/Hydrosphäre
hydrotalcite/Hydrotalcit
hydrothiazides/Hydrothiazide

hydrotropie/Hydrotropie
hydroxide de chrome (III)/Chrom(III)-hydroxid
hydroxo…/Hydroxo…
hydroxocobalamine/Hydroxocobalamin
hydroxosels/Hydroxo-Salze
hydroxy…/Hydroxy…
5-hydroxy-L-lysine/5-Hydroxy-L-lysin
2-hydroxy-2-méthylpropionitrile/2-Hydroxy-2-methylpropionitril
4-hydroxy-L-proline/4-Hydroxy-L-prolin
hydroxyacétophénones/Hydroxyacetophenone
hydroxyacides/Hydroxycarbonsäuren
– gras/Hydroxyfettsäuren
hydroxyaldéhydes/Hydroxyaldehyde
hydroxyalkylamidons/Hydroxyalkylstärken
hydroxyalkylation/Hydroxyalkylierung
hydroxyalkylcelluloses/Hydroxyalkylcellulosen
hydroxybenzaldéhydes/Hydroxybenzaldehyde
4-hydroxybenzoates/4-Hydroxybenzoesäureester
hydroxybenzophénones/Hydroxybenzophenone
hydroxycétones/Hydroxyketone
hydroxychloroquine/Hydroxychloroquin
hydroxycholécalciférols/Hydroxycholecalciferole
hydroxycitronnellal/Hydroxycitronellal
hydroxyde de baryum/Bariumhydroxid
– de calcium/Calciumhydroxid
– de cuivre(II)/Kupfer(II)-hydroxid
– de lithium/Lithiumhydroxid
– de magnésium/Magnesiumhydroxid
– de plomb/Bleihydroxid
– de potassium/Kaliumhydroxid
– de sodium/Natriumhydroxid
– de zinc/Zinkhydroxid
hydroxydes/Hydroxide
– d'aluminium/Aluminiumhydroxide
– de fer/Eisenhydroxide
– de nickel/Nickelhydroxide
3-hydroxydiphénylamine/3-Anilinophenol
hydroxyethylamidons/Hydroxyethylstärken
hydroxyéthylcarboxyméthylcelluloses/(Hydroxyethyl)carboxymethylcellulosen
hydroxyéthylcelluloses/Hydroxyethylcellulosen
hydroxyimino…/Hydroxyimino…
hydroxylamine/Hydroxylamin
hydroxylamines/Hydroxylamine
hydroxylases/Hydroxylasen
hydroxylation/Hydroxylierung
– de Prévost/Prévost-Hydroxylierung
hydroxyle/Hydroxyl
hydroxyméthyl…/Hydroxymethyl…
hydroxyméthylation/Hydroxymethylierung
5-(hydroxyméthyl)furfural/5-(Hydroxymethyl)furfural

N-(hydroxyméthyl)nicotinamide/N-(Hydroxymethyl)nicotinamid
hydroxyméthylphényl…/Hydroxy-methyl-phenyl…
hydroxynaphtoate de béphénium/Bepheniumhydroxynaphthoat
hydroxynervone/Hydroxynervon
N-(4-hydroxyphényl)glycine/N-(4-Hydroxyphenyl)glycin
3-hydroxypipéridine/3-Hydroxypiperidin
hydroxyprocaïne/Hydroxyprocain
hydroxyprogestérone/Hydroxyprogesteron
hydroxypropionitriles/Hydroxypropionitrile
hydroxypropylamidons/Hydroxypropylstärken
hydroxypropylcelluloses/Hydroxypropylcellulosen
hydroxypropylguar/Hydroxypropylguar(an)
12-hydroxystéarates/12-Hydroxystearate
hydroxytétracaïne/Hydroxytetracain
hydroxyurée/Hydroxyharnstoff
hydroxyzine/Hydroxyzin
hydrozincite/Hydrozinkit
hydrure d'aluminium/Aluminiumhydrid
– d'aluminium et de sodium/Natriumaluminiumhydrid
– d'antimoine/Antimonwasserstoff
– de bismuth/Bismutwasserstoff
– de calcium/Calciumhydrid
– de lithium/Lithiumhydrid
– de lithium et d'aluminium/Lithiumaluminiumhydrid
– de magnésium/Magnesiumhydrid
– de nitrosyle/Nitrosylwasserstoff
– de sodium/Natriumhydrid
– de titane/Titanhydrid
– de zirconium/Zirconiumhydrid
hydrures/Hydride
– des métaux/Metallhydride
– fondamentaux/Stammhydride
hydruro…/Hydrido…
hygiène/Hygiene
– alimentaire/Lebensmittelhygiene
– du travail/Gewerbehygiene
hygrine/Hygrin
hygromètre/Hygrometer
hygromycines/Hygromycine
hygrophytes/Hygrophyten
hygroscopicité/Hygroskopizität
hymécromone/Hymecromon
hyménoptères/Hymenoptera
hymexazol/Hymexazol
hyo…/Hyo…
hyoscyamine/Hyoscyamin
hyper…/Hyper…
hyper-noyaux/Hyperkern
hypercalcémie/Hypercalcämie
hypercholestérolémie/Hypercholesterinämie
hyperchromie/Hyperchromie
hyperconjugaison/Hyperkonjugation
hyperémèse/Hyperemesis
hyperémie/Hyperämie
hyperglycémie/Hyperglykämie
hypergols/Hypergole
hypéricine/Hypericin
hyperinsulinisme/Hyperinsulinismus
hyperkératose/Hyperkeratose
hyperlipidémie/Hyperlipidämie
hypérons/Hyperonen
hyperoxyde/Hyperoxid
hyperson/Hyperschall

hypertenseurs/Antihypotonika
hypertension/Hypertonie
hyperthermia/Hyperthermie
hyperthyreoidie/Hyperthyreose
hyperuricémie/Hyperurikämie
hypervitaminoses/Hypervitaminosen
hypho-/hypho-
hypholomine/Hypholomine
hypnophiline/Hypnophilin
hypo…/Hypo…
hypobromites/Hypobromite
hypocalcémie/Hypocalcämie
hypochlorite de calcium/Calciumhypochlorit
– de potassium/Kaliumhypochlorit
– de sodium/Natriumhypochlorit
hypochlorites/Hypochlorite
hypochromie/Hypochromie
hypofermentose/Hypofermentie
hypoglycémie/Hypoglykämie
hypoglycine/Hypoglycin
hypogueusie/Hypogeusie
hypohalites/Hypohalite
hypoiodites/Hypoiodite
hyponitrites/Hyponitrite
hypophosphites/Hypophosphite
hypophyse/Hypophyse
hyposidérémie/Hyposiderinämie
hypotenseurs/Antihypertonika
hypotension/Hypotonie
hypothalamus/Hypothalamus
hypothermia/Hypothermie
hypothèse d'Avogadro/Avogadro'sches Gesetz
– de Prout/Proutsche Hypothese
hypothyreoidie/Hypothyreose
hypovitaminoses/Hypovitaminosen
hypoxanthine/Hypoxanthin
hypoxie/Hypoxie
hypsochrome/Hypsochrom
hypusine/Hypusin
hystazarine/Hystazarin
hystérèse/Hysterese

I

iatrochimie/Iatrochemie
iatrogène/Iatrogen
iatrophone/Jatrophon
ibogaïne/Ibogain
ibogamine/Ibogamin
ibuprofène/Ibuprofen
ichthioptérine/Ichthyopterin
ichthyocolle/Fischleim, Hausenblase
icos(a)…/Icos(a)…
icosaèdro-/icosahedro-
ictère/Ikterus
idaéine/Idaein
idarubicine/Idarubicin
…ide/…id
identification/Identifizierung, Nachweis
– moléculaire/Molekulare Erkennung
…idine/…idin
idiochromasie/Idiochromasie
idiophase/Idiophase
idiosyncrasie/Idiosynkrasie
idiotype/Idiotyp
ido-/ido-
idose/Idose
idoxuridine/Idoxuridin
if/Eibe
ifosfamide/Ifosfamid
igname/Yam, Yams
ignifuge/Flammfest
ignifugeants/Flammschutzmittel
ignimbrite/Ignimbrit
illite/Illit
illudine/Illudine
illudol/Illudol
ilménite/Ilmenit
Iloprost/Iloprost
imagerie NMR/NMR-Bildgebung
imazalil/Imazalil
imazamethabenz-methyl/Imazamethabenz-methyl
imazapyr/Imazapyr
imazaquine/Imazaquin
imazethapyr/Imazethapyr
imazosulfuron/Imazosulfuron
imbibition/Imbibition
imbricatine/Imbricatin
imibenconazole/Imibenconazol
imidacloprid/Imidacloprid
imidazol/Imidazol
imidazole/Imidazol
imidazolide/Imidazolide
imidazolidin-2-one/Imidazolidin-2-on
imidazolidine-2-thione/Imidazolidin-2-thion
imides/Imide
imido…/Imid(o)…
imines/Imine
– nitriles/Nitrilimine
imino…/Imino…
…iminium/…iminium
imino…/Imino…
imino-acides/Iminosäuren
1,1′-imidodi-2-propanol/1,1′-Iminodi-2-propanol
2,2′-iminodiéthanol/2,2′-Iminodiethanol
imipénem/Imipenem
imipramine/Imipramin
immissions/Immissionen
immobilisation/Immobilisierung
immunisation/Immunisierung
immunité/Immunität
immuno-essai/Immunoassay
– -essai enzymatique/Enzymimmunoassay
– -or/Immunogold
immuno(ad)sorption/Immunadsorption
immunobiologie/Immunbiologie
immunochimie/Immunchemie
immunocomplexes/Immunkomplexe
immunoconjugués/Immunkonjugate
immunodiffusion/Immundiffusion
immunoélectrophorèse/Immunelektrophorese
immunofluorescence/Immunfluoreszenz
immunoglobulines/Immunglobuline
immunologie/Immunologie
immunophilines/Immunophiline
immunosuppression/Immunsuppression
immunothérapie/Immuntherapie
immunotoxines/Immuntoxine
imolamine/Imolamin
impact/Impact
impacteurs/Impaktoren
impédance/Impedanz
impératorine/Imperatorin
imperméabilisants pour béton/Betondichtungsmittel
implantation/Implantation
– d'ions/Ionenimplantation
importateur/Einführer
importine/Importin
imprégnation/Imprägnierung
impression/Druckverfahren
– de réserve/Reservedruck
– directe/Direktdruck
– en quatre couleurs/Vierfarbendruck
– flexographique/Flexodruck
– offset/Offsetdruck
– textile/Textildruck
– Vigoureux/Vigoureux-Druck
imprimante thermique/Thermodrucker
impulsion/Impuls
– électromagnétique/Elektromagnetischer Puls
impuretés/Verunreinigung
in situ/In situ
in vitro/In vitro
inactif/Inaktiv
incandescence/Glut
incapacitants/Wirrstoffe
incinération/Veraschen
– de déchets ménagers/Hausmüllverbrennung
– de déchets spéciaux/Sonderabfallverbrennung
– des boues d'épuration/Klärschlammverbrennung
– des déchets/Abfallverbrennung
inclusion/Inklusion
inclusions fluides/Fluide Einschlüsse
incompatibilité/Inkompatibilität
incorporation/Inkorporierung
incrément/Inkrement
incréments de liaison/Bindungsinkremente
incubateurs/Brutschrank
incubation/Inkubation
indaconitine/Indaconitin
indamine/Indamin
indanazoline/Indanazolin
1,3-indandiones/1,3-Indandione
indane/Indan
indapamide/Indapamid
indazol/Indazol
indazole/Indazol
indène/Inden
indes mélanotes/Goldorfe
index/Index
– de fluidité volumique/Volumenfließindex
– de grandeur-masse/Body-Mass-Index
– des citations/Citation Index
– des couleurs/Colour Index
indican/Indican
indicateurs/Indikatoren
– de fluorescence/Fluoreszenzindikatoren
– de Hammett/Hammett-Indikatoren
– universels/Universalindikatoren
indication/Indikation
indicaxanthine/Indicaxanthin
indice/Index
– d'acétyle/Acetyl-Zahl
– d'acide/Säurezahl
– de cétane/Cetan-Zahl
– de cétène/Octan-Zahl
– de fluidité (fusion)/Schmelzindex
– de Hehner/Hehner-Zahl
– de neutralisation/Neutralisationszahl
– de Pearl/Pearl-Index
– de Reichert-Meissl/Reichert-Meissl-Zahl
– de rétention/Retentionsindex
– de Staudinger/Viskositätszahl
– d'évaporation/Verdunstungszahl
– d'iode/Iod-Zahl
– d'octane/Octan-Zahl
– d'odeur/Geruchszahl
– d'oxygène/Sauerstoff-Index
– hydroxyle/Hydroxylzahl
– isotactique/Isotaxie-Index
– kauri-alcool butylique/Kauri-Butanol-Zahl
– P/P-Zahl
– saprobiotique/Saprobienindex
indices de couleur/Farbzahl
– de Miller/Millersche Indizes
– de Weiss/Weiss'sche Koeffizienten
indifférent/Indifferent
indigo/Indigo
– -sulfonates/Indigosulfonate
indigocarmine/Indigocarmin
indigoïde/Indigoid
indigotine/Indigotin
indinavir/Indinavir
indium/Indium
indol/Indol
– -5-ol/Indol-5-ol
indole/Indol
indolicine/Indolizin
indoline/Indolin
indométacine/Indometacin
indophénol/Indophenol
indoramine/Indoramin
indospicine/Indospicin
indoxyle/Indoxyl
induction/Induktion
– asymétrique/Asymmetrische Induktion
inductivité/Induktivität
indulines/Induline
industie pharmaceutique/Pharmazeutische Industrie
industrie chimique/Chemische Industrie
– minière/Bergbau
…ine/…in
inerte/Inert
inertisation/Inertisierung
inéthers/Inether
infarctus/Infarkt
infaune/Infauna
infection/Infektion
infixes/Infixe
inflammable/Brandfördernd, Entzündlich
inflammation/Entflammung, Entzündung
influence sur l'environnement/Umwelteinwirkung
information sur l'environnement/Umweltinformation
infractines/Infractine
infusion/Infusion, Infusum
ingénierie du cristal/Kristall-Engineering
ingénieur/Ingenieur
– de chimie/Chemieingenieur
– nutritioniste/Lebensmittelingenieur
ingestion/Ingestion
inhibine/Inhibin
inhibiteur/Katalysatorgift
– ACE/ACE-Hemmer
– d'accepteurs de protons/Protonenpumpen-Hemmer
– de décapage/Sparbeizen
– de la gyrase/Gyrase-Hemmer
– de l'enzyme de synthétisation du cholestérol/CSE-Hemmer
inhibiteurs/Hemmstoffe, Inhibitoren
– de germination/Keimungshemmstoffe
– de sédimentation/Absetzverhinderungsmittel
– mitotiques/Mitosehemmer
inhibition/Inhibition
– compétitive/Kompetitive Hemmung
– par le substrat/Substrat-Hemmung
– par produits du métabolisme/Produkthemmung
iniferters/Iniferter

Française

initiateurs/Initiatoren
– au peroxide/Peroxid-Initiatoren
– redox/Redoxinitiatoren
initiation/Initiation
injecteur sur colonne/On-Column Injektor
injection/Injektion
innovation/Innovation
ino-/ino-
inocostérone/Inokosteron
inoculants/Impflegierungen
inoculation/Impfen
inoculum/Inokulum
inosine/Inosin
– 5′-monophosphate/Inosin-5′-monophosphat
inositol phosphates/Inositphosphate
inositols/Inosite
inotodiol/Inotodiol
inotropie/Inotropie
inquilins/Inquilinen
insaponifiable/Unverseifbares
insaturé/Ungesättigt
insectes/Insekten
insecticides/Insektizide
insectifuges/Insektenabwehrmittel
insémination/Insemination
insertion/Insertion
inspection de la compatibilité avec l'environnement/UVP
installation pour la dépollution/Abfallentsorgungsanlage
installations/Anlagen
– nécessitant une surveillance/Überwachungsbedürftige Anlagen
– soumises à une autorisation préalable/Genehmigungsbedürftige Anlagen
instance de mesure/Meßstelle
instruction technique concernant le traitement des déchets d'habitat/TA Siedlungsabfall
– techniques sur les déchets/TA Abfall
instructions techniques/Technische Anleitungen
– techniques sur l'aire/TA Luft
– techniques sur le bruit/TA Lärm
instrumentation/Instrumentation
instruments/Instrumente
insuffisance cardiaque/Herzinsuffizienz
insuline/Insulin
intégrale de recouvrement/Überlappungsintegral
intégrases/Integrasen
intégrateurs/Integratoren
intégrines/Integrine
intéines/Inteine
intelligence artificielle/Künstliche Intelligenz
interaction/Wechselwirkung
– de configurations/Configuration Interaction
– non-adiabatique/Nichtadiabatische Wechselwirkung
interactions protéine-ligand/Protein-Ligand-Wechselwirkungen
intercalation/Interkalation
intercroissances/Verwachsungen
interdiction de mélange/Vermischungsverbot
interfaces/Grenzflächen
interférence/Interferenz
interféromètre/Interferometer
– de Fabry et Pérot/Fabry-Pérot-Interferometer
– de Mach et Zener/Mach-Zener-Interferometer

– de Michelson/Michelson-Interferometer
interférométrie/Interferometrie
interférons/Interferone
interleukines/Interleukine
intermédiaires réactifs/Reaktive Zwischenstufen, Zwischenstufen
intermoléculaire/Intermolekular
intersticiel/Interstitiell
intersystem crossing/Intersystem crossing
intestin/Darm
intimidation/Abschrecken
intoxication/Vergiftung
– par fruits de mer/Muschelvergiftung
intoxications alimentaires/Lebensmittelvergiftungen
intramoléculaire/Intramolekular
introduction/Einleiten
intron/Intron
intrusion/Intrusion
intumescence/Intumeszenz
inuline/Inulin
invasine/Invasin
invasion/Invasion
inventaire des détériorations forestières/Waldschadenserhebung
inversion/Inversion
– de la polarité/Umpolung
– de Walden/Walden-Umkehr(ung)
invertase/Invertase
invertebrés/Invertebraten
investissements/Investitionen
involucrine/Involucrin
involutine/Involutin
iobitridol/Iobitridol
iodamide/Iodamid
iodargyrite/Jodargyrit
iodate de potassium/Kaliumiodat
– de sodium/Natriumiodat
iodates/Iodate
iode/Iod
iodinin/Iodinin
iodixanol/Iodixanol
iod(o)…/Iod…
iodobenzène/Iodbenzol
iodofenphos/Iodfenphos
iodoforme/Iodoform
iodométrie/Iodometrie
iodophores/Iodophore
iodopsine/Iodopsin
N-iodosuccinimide/N-Iodsuccinimid
iodosyl…/Iodosyl…
iodosylbenzène/Iodosylbenzol
iodotriméthylsilane/Iodtrimethylsilan
iod(ur)ation/Iodierung
iodure d'ammonium/Ammoniumiodid
– d'argent/Silberiodid
– d'azote/Iodstickstoff
– de cadmium/Cadmiumiodid
– de calcium/Calciumiodid
– de dithiazanine/Dithiazaniniodid
– de lithium/Lithiumiodid
– de méthyle/Methyliodid
– de méthylène/Methyleniodid
– de méthylmagnésium/Methylmagnesiumiodid
– de (méthylphénylamino)triphénylphosphonium/(Methylphenylamino)triphenylphosphoniumiodid
– de pinacyanol/Pinacyanoliodid
– de plomb/Bleiiodid
– de potassium/Kaliumiodid
– de pralidoxime/Pralidoximiodid
– de prolonium/Proloniumiodid
– de sodium/Natriumiodid

– de tiémonium/Tiemoniumiodid
– d'ecothiopate/Ecothiopatiodid
– d'éthyle/Ethyliodid
– d'hydrogène/Iodwasserstoff
– d'isopropamide/Isopropamidiodid
iodures/Iodide
– de cuivre/Kupferiodide
– de mercure/Quecksilberiodide
– de thallium/Thalliumiodide
iodyl…/Iodyl…
iodylbenzène/Iodylbenzol
iohexol/Iohexol
ioméprol/Iomeprol
ion hydroxyde/Hydroxid-Ion
– hydrure/Hydrid-Ion
ionènes/Ionene
ionique/Ionisch
– moléculaire/Molekulare Ionik
ionisation/Ionisation
– de Penning/Penning-Ionisation
– par électrospray/Elektrospray-Ionisation
– par thermospray/Thermospray-Ionisation
ionium/Ionium
ionogène/Ionogen
ionogénique/Ionogen
ionographie/Ionographie
ionomères/Ionomere
ionone/Jonone
ionophores/Ionophore
ionotropie/Ionotropie
ions/Ionen
– carbénium/Carbenium-Ionen
– carbonium/Carbonium-Ionen
– carboxonium/Carboxonium-Ionen
– hermaphrodites/Zwitterionen
– hydrogène/Wasserstoff-Ionen
– lourds/Schwerionen
– radicaux/Radikal-Ionen
iontophorèse/Iontophorese
iopamidol/Iopamidol
iopentol/Iopentol
iopromide/Iopromid
iopydone/Iopydon
iotrolan/Iotrolan
ioversol/Ioversol
ioxynil/Ioxynil
ipconazole/Ipconazol
ipécacuanha/Ipecacuanha
ipoméanine/Ipomeanin
iprazochrome/Iprazochrom
iprodione/Iprodion
iproniazide/Iproniazid
ipsdiénol/Ipsdienol
ipso-/Ipso-
ipsonite/Ipsonit
…iran(n)e/…iran
iridescence/Irisdeszenz
iridine/Iridin
iridium/Iridium
iridoïdes/Iridoide
iridomyrmécine/Iridomyrmecin
irinotécane/Irinotecan
irone/Irone
irradiation/Bestrahlung
– d'aliments/Lebensmittelbestrahlung
irréversible/Irreversibel
irritants/Reizstoffe
irritation/Reiz
isatine/Isatin
isazofos/Isazophos
isenthalpe/Isenthalpe
iséthionates d'acides gras/Fettsäureisethionate
islandicine/Islandicin
iso…/Iso…
iso-électronique/Isoelektronisch
isoalloxazine/Isoalloxazin

isoaminile/Isoaminil
isobare/Isobar
isobares/Isobare
isobenzofurane/Isobenzofuran
isobornéol/Isoborneole
isobutoxy…/Isobutoxy…
isobutyl…/Isobutyl…
isobutylidène-diurée/Isobutylidendiharnstoff
isobutyryl…/Isobutyryl…
isocaoutchouc/Isokautschuk
isocarboxazide/Isocarboxazid
isochore/Isochore
isochromène/Isochromen
isoconazole/Isoconazol
isocorydine/Isocorydin
isocrotonoyl…/Isocrotonoyl…
isocumarine/Isocumarine
isocyanate d'allyle/Allylisothiocyanat
– de fluorosulfonyle/Fluorosulfonylisocyanat
– de méthyle/Methylisocyanat
– de 1-naphtyle/1-Naphthylisocyanat
– de phényle/Phenylisocyanat
– d'octadécyle/Octadecylisocyanat
isocyanates/Isocyanate
isocyanure de p-tolylsulfonylméthyle/p-Tolylsulfonylmethylisocyanid
isocyanures/Isocyanide
isodécanol/Isodecanol
isodimorphisme/Isodimorphie
isodose/Isodose
isoenzymes/Isoenzyme
isoétarine/Isoetarin
isoeugénol/Isoeugenol
isoflavones/Isoflavone
isoflurane/Isofluran
isofulminates/Isofulminate
isohydrie/Isohydrie
isoindole/Isoindol
isolants/Absperrmittel, Isolatoren
– phoniques/Schalldämmstoffe
isolation de souche/Stammisolierung
– thermique/Wärmeisolierung
isolement/Isolierung
L-isoleucine/L-Isoleucin
isolobal/Isolobal
isomaltitol/Isomaltit
isomaltol/Isomaltol
isomérase-glucose/Glucose-Isomerase
isomérases/Isomerasen
isomères/Isomere
isomérie constitutionelle/Konstitutionsisomerie
– de cis-trans/cis-trans-Isomerie
– de valence/Valenzisomerie
– nucléaire/Kernisomerie
– ortho-para/Ortho-Para-Isomerie
– positionelle/Stellungsisomerie
isomérisation/Isomerisierung
– de valence/Valenzisomerisierung
isomérisme/Isomerie
isométheptène/Isomethepten
isomorphie/Isomorphie
isoniazide/Isoniazid
isononanol/Isononanol
isooctane/Isooctan
isooctanol/Isooctanol
isooctyl…/Isooctyl…
isopentényl…/Isopentenyl…
isopentyl…/Isopentyl…
isopeptides/Isopeptide
isophenphos/Isofenphos
isophorone/Isophoron
isophytol/Isophytol

isopilosin/Isopilosin
isopolyacides/Isopolysäuren
isoprénaline/Isoprenalin
isoprène/Isopren
isoprénoïdes/Isoprenoide
isoprocarb/Isoprocarb
isopropaline/Isopropalin
isopropanol/Isopropanol
isopropényl…/Isopropenyl…
isopropoxy…/Isopropoxy…
isopropyl…/Isopropyl…
isopropylate d'aluminium/Aluminiumisopropylat
isopropylidène…/Isopropyliden…
isoprothiolane/Isoprothiolan
isoproturon/Isoproturon
isoquinoléine/Isochinolin
isosafrol/Isosafrol
isosafrole/Isosafrol
isospin/Isospin
isostérie/Isosterie
isotachophorèse/Isotachophorese
isotétracénones/Isotetracenone
isotherme/Isotherme
isothiazoles/Isothiazole
isothiocyanate de méthyle/Methylisothiocyanat
– de phényle/Phenylisothiocyanat
isothiocyanates/Isothiocyanate
isothiocyanato…/Isothiocyanato…
isothipendyl/Isothipendyl
isotones/Isotone
isotopes/Isotope
isotypie/Isotypie
isourées/Isoharnstoffe
isovelleral/Isovelleral
isoxaben/Isoxaben
isoxapyrifop/Isoxapyrifop
isoxathion/Isoxathion
isoxazoles/Isoxazole
isoxsuprine/Isoxsuprin
isradipine/Isradipin
itacolumite/Itacolumit
italiques/Kursivbuchstaben
…ite/…it, …itis
…itol/…it
itraconazol/Itraconazol
…ium/…ium
ivermectine/Ivermectin
ivoire/Elfenbein

J

jacinthes/Hyazinthen
jacquier/Jackfrucht
jade/Jade
jadéite/Jadeit
jaillissement du métal en fusion/Spratzen
jais/Gagat
Jak/Jak
jalape/Jalape
jamesonite/Jamesonit
jarosite/Jarosit
jasmin/Jasmin
jaspe/Jaspis
jaspilites/Gebänderte Eisensteine
jauge/Gauge
jaune de chloramine/Chloramingelb
– de Mars/Marsgelb
– de Naples/Neapelgelb
– de nitrazine/Nitrazingelb
– de quinoléine A/Chinolingelb A
– de quinoléine S/Chinolingelb S
– de Vérone/Veroneser Gelb
– indien/Indischgelb
– lumineux/Lichtgelb
– -orange/Gelborange S
– solide/Echtgelb
– Titan/Titangelb
– volcanique/Vulkanechtgelb
jaunisse/Ikterus

jayet/Gagat
jigger/Jigger
johannsenite/Johannsenit
joints/Dichtungen
– rodés/Schliffe
jointures en croissance/Verwachsungen
jojoba/Jojoba
jonction p-n (PN)/pn-Übergang
– serrée/Tight junction
jonctions adhérantes/Adhärenz-Verbindungen
jordanite/Jordanit
josamycine/Josamycin
jouets/Spielwaren
joule/Joule
journaux/Zeitschriften
journée de la terre/Umwelttag
jus de fruit non fermenté/Süßmost
– de fruits/Fruchtsäfte
– de pommes/Apfelsaft
– de raisin/Traubensaft
– d'orange/Orangensaft
jusquiame/Bilsenkraut
jute/Jute
– deJava/Rosella

K

kaïnite/Kainit
kaki/Kaki
kallicréines/Kallikreine
kallidine/Kallidin
kamala/Kamala
kanamycines/Kanamycine
kaolinite/Kaolinit
kaons/Kaonen
kapok/Kapok
karat/Karat
karbutilate/Karbutilat
kassinine/Kassinin
kasugamycine/Kasugamycin
kat/kat
kata…/Kata…
kauri/Kaurikopal
kayser/Kayser
kébuzone/Kebuzon
kekulène/Kekulen
kelline/Khellin
kelp/Kelp
kephyr/Kefir
kéracyanine/Keracyanin
kératane-sulfates/Keratansulfate
kératines/Keratine
kératolytiques/Keratolytika
kératophyre/Keratophyr
kerma/Kerma
kermès/Kermes
kermésite/Kermesit
kernite/Kernit
kérogène/Kerogen
kérosène/Kerosin, Petroleum
kérosine/Kerosin
kétamine/Ketamin
kétazolam/Ketazolam
kétoconazole/Ketoconazol
kétohexoses/Ketohexosen
kétoprofène/Ketoprofen
kétorolac/Ketorolac
kétotifène/Ketotifen
khât/Kat
khella/Ammi visnaga
khelline/Khellin
kieselguhr/Kieselgur
kiésérite/Kieserit
kilo…/Kilo…
kilobase/Kilobase
kilogramme/Kilogramm
kilopond/Kilopond
kimberlite/Kimberlit
kinases/Kinasen
– dépendant de la cycline/Cyclin-abhängige Kinasen

– p34/p34-Kinasen
kinésine/Kinesin
kinétine/Kinetin
kinines/Kinine
kino/Kino
kiwi/Kiwi
Klebsiella/Klebsiella
klystron/Klystron
kogasin/Kogasin
kolbeckite/Kolbeckit
kopsine/Kopsin
kornerupine/Kornerupin
koumiss/Kumys
kresoxime/Kresoxim
krill/Krill
krypton/Krypton
kurchatovium/Kurtschatovium
kurnakovite/Kurnakovit
kyotorphine/Kyotorphin

L

labdanes/Labdane
labdanum/Labdanum
label de conformité de l'environnement/Umweltzeichen
– de radionuclides/Radionuklid-Laboratorien
labradorite/Labrador(it)
lac Baikal/Baikalsee
lacrimogènes/Tränenreizstoffe
lacs salés/Salzseen
α-lactalbumine/α-Lactalbumin
β-lactamases/β-Lactamasen
lactames/Lactame
lactaroviolène/Lactaroviolin
lactate de calcium/Calciumlactat
– de sodium/Natriumlactat
– -déshydrogénase/Lactat-Dehydrogenase
lactates/Lactate, Milchsäureester
lactation/Laktation
lactide/Lactid
lactitol/Lactitol
lact(o)…/Lact(o)…
lactoferine/Lactoferrin
lactogène placentaire/Placentalactogen
β-lactoglobuline/β-Lactoglobulin
5-lactone d'acide gluconique/Gluconsäure-5-lacton
lactone de l'acide 4-hydroxyundécanoïque/4-Hydroxyundecansäurelacton
– de Prelog-Djerassi/Prelog-Djerassi-Lacton
lactones/Lactone
– du whisky et du cognac/Whisk(e)y- u. Cognac-Lactone
– sesquiterpéniques/Sesquiterpen-Lactone
lactose/Lactose
lactucine/Lactucin
lactulose/Lactulose
lagopodines/Lagopodine
lain de tonte/Schurwolle
laine/Wolle
– angora/Angorawolle
– artificielle (de cellulose)/Zellwolle
– d'acier/Stahlwolle
– de basalte/Basaltwolle
– de bois/Holzwolle
– de Cachemire/Kaschmir-Wolle
– de poisson/Fischwolle
– de roche/Gesteinswolle
– de vicuña/Vikunjawolle
– philosophique/Lana philosophica

– renaissance (rénovée)/Reißwolle
– vierge/Schurwolle
lait/Milch
– caillé/Sauermilch(-Erzeugnisse)
– concentré/Kondensmilch
– de femme/Humanmilch
– en poudre/Milchpulver, Trockenmilch
– U. H. T./H-Milch
laitier/Schlacke
– de haut fourneau/Hochofenschlacke
laiton/Messing
– à cloches/Glockenmessing
– spécial (à haute résistance)/Sondermessing
laitue/Lattich
lame(lle) de macle/Zwillingslamellen
lamelles translucides/Dünnschliffe
lames minces polies/Dünnschliffe
laminage/Kaschieren, Walzen
laminarine/Laminarin
lamines/Lamine
laminines/Laminine
lamivudine/Lamivudin
lamotrigine/Lamotrigin
lampe à hydrogène/Wasserstoff-Lampe
– de Hefner/Hefnerkerze
– de quartz/Analysenlampe
– de sûreté Davy/Davysche Sicherheitslampe
lampes/Lampen
– à cathode creuse/Hohlkathodenlampen
– à incandescence/Glühlampen
– à vapeur de mercure/Quecksilberdampflampen
– à vapeur de sodium/Natriumdampf-Lampen
– (filaments) de Nernst/Nernst-Stifte
– halogènes/Halogenlampen
– (lumières) de Wood/Woodlicht-Lampen
lamproites/Lamproit
lamprophyres/Lamprophyre
lamptéroflavine/Lampteroflavin
langbeinite/Langbeinit
lanoline/Lanolin
lanostane/Lanostan
lanostérol/Lanosterin
lansoprazol/Lansoprazol
lanthane/Lanthan
lanthanoïdes/Lanthanoide
L-lanthionine/L-Lanthionin
lantibiotiques/Lantibiotika
lapachol/Lapachol
lapis-lazuli/Lapislazuli
laque à durcissement chimique/Reaktionslacke
– -émail/Emaillelack
– fusible/Schmelzmassen
laques/Farblacke, Lacke
– à effet martelé/Hammerschlaglacke
– à l'eau/Wasserlacke
– cellulosiques/Nitrolacke
– de capsules/Kapsellacke
– du Japon/Japanlacke
– pour radiateurs/Heizkörperlacke
largeur (de) Doppler/Doppler-Breite
– de raie/Linienbreite
– naturelle de la raie spectrale/Natürliche Linienbreite
larmes/Tränenflüssigkeit
– bataviques/Glastränen
– de verre/Glastränen

Française 5260

larvikite/Larvikit
lasalocides/Lasalocide
lascivol/Lascivol
laser/Laser
– à azote/Stickstoff-Laser
– à centre de couleur/Farbzentren-Laser
– à CO/CO-Laser
– à CO_2/CO_2-Laser
– à colorants organiques/Farbstoff-Laser
– à cuivre/Kupfer-Dampf-Laser
– à diode/Dioden-Laser
– à électrons libres/Freie-Elektronen-Laser
– à erbium/Erbium-Laser
– à état solide/Festkörper-Laser
– à gaz/Gas-Laser
– à hélium-cadmium/Helium-Cadmium-Laser
– à hélium-néon/Helium-Neon-Laser
– à holmium/Holmium-Laser
– à iode/Iod-Laser
– à ions de gaz rares/Edelgas-Ionen-Laser
– à néodyme/Neodym-Laser
– à rubis/Rubin-Laser
– à semiconducteur/Dioden-Laser
– à titanium-saphir/Titan-Saphir-Laser
– à verre/Glas-Laser
– aux rayons X/Röntgenlaser
– chimique/Chemische Laser
– d'excimères/Excimer-Laser
– monomode/Ein-Moden-Laser
– réglable (ajustable)/Durchstimmbarer Laser
– UV/UV-Laser
lasubine/Lasubin
latamoxef/Latamoxef
latanoprost/Latanoprost
latent/Latent
latérite/Laterit
latex/Latex
lathyrisme/Lathyrismus
α-latrotoxine/α-Latrotoxin
laudanosine/Laudanosin
lauéite/Laueit
laumonite/Laumontit
laurates/Laurate
laurier/Lorbeer
laurite/Laurit
lauroguadine/Lauroguadin
ω-laurolactame/12-Laurinlactam
lauroyl…/Lauroyl…
lauryl…/Lauryl…
lavage/Auswaschen, Waschen
– (épuration) thermique des gaz/Thermische Gasreinigung
– ophtalmique/Augenduschen
lavanèse/Geißraute
lave/Lava
lavendamycine/Lavendamycin
laveur à jet/Strahlwäscher
– de courant radial/Radialstromwäscher
– -épurateur à eau/Naßwäscher
laveurs Venturi/Venturi-Wäscher
lawrencium/Lawrencium
lawsone/Lawson
lawsonite/Lawsonit
laxatifs/Abführmittel
lécithines/Lecithine
lectines/Lektine
lédéburite/Ledeburit
leflunomide/Leflunomid
leghémoglobine/Leghämoglobin
législation sur les déchets/Abfallrecht
légumes/Gemüse
légumineuses/Hülsenfrüchte
leishmanioses/Leishmaniosen

lenacile/Lenacil
lénograstim/Lenograstim
lenthionine/Lenthionin
lentille gravitationnele/Gravitationslinse
lentilles/Linsen
– de contact/Kontaktlinsen
lentinan/Lentinan
léonite/Leonit
lépidocrocite/Lepidokrokit
lépidolite/Lepidolith
lépidoptéranes/Lepidopterane
lèpre/Lepra
leptine/Leptin
leptite/Leptit
leptons/Leptonen
l'équation d'Einstein d'équivalence masse-énergie/Einsteins Masse-Energie-Gleichung
l'équilibre Boudouard/Boudouard-Gleichgewicht
lessivage/Auskochen, Auslaugen, Auswaschung, Beuchen
– microbien/Mikrobielle Laugung
lessive (de soude) caustique/Natronlauge
– de sulfite usée (résiduelle)/Sulfit-Ablauge
lessives/Laugen
lest/Ballaststoffe
lestage/Beschwerung
létrozol/Letrozol
leucémie/Leukämie
– des cellules T d'adultes/Adulte T-Zell-Leukämie
L-leucine/L-Leucin
leucine aminopeptidase/Leucin-Aminopeptidase
leucinocaïne/Leucinocain
leucite/Leucit
leuc(o)…/Leuk(o)…
leucoanthocyanidines/Leukoanthocyanidine
leucocytes/Leukocyten
leucomentines/Leucomentine
leucoptérine/Leucopterin
leucosine/Leucosin
leucotriènes/Leukotriene
leuproréline/Leuprorelin
leurre/Attrappe
levain/Säurewecker, Sauerteig
lévallorphane/Levallorphan
lévamisole/Levamisol
lév(o)…/Läv(o)…
lévobunolol/Levobunolol
lévocabastine/Levocabastin
lévofloxacine/Levofloxacin
lévomépromazine/Levomepromazin
lévométhadone/Levomethadon
lévonorgestrel/Levonorgestrel
lévopropoxyphène/Levopropoxyphen
lévopropylhexédrine/Levopropylhexedrin
lévorphanol/Levorphanol
levure assassine/Killer-Hefe
– d'arrêt/Stellhefe
– de boulangerie (panification)/Backhefe
levures/Hefen
levures minérales/Backpulver
lévyne/Levyn
lewisite/Lewisit
lexiques/Wörterbücher
liaison/Attachment
– à trois cœurs/Dreizentrenbindung
– chimique/Chemische Bindung
– de coordination inverse/Rückbindung
– (de pont) hydrogène/Wasserstoff-Brückenbindung

– des gaz rares/Edelgas-Bindung
– hydrophobe/Hydrophobe Bindung
– peptidique/Peptid-Bindung
– polycentrique/Mehrzentrenbindung
– semipolaire/Semipolare Bindung
– simple/Einfachbindung
liaisons anioniques/Acidoliganden
– fluctuantes/Fluktuierende Bindungen
– pi/Pi-Bindungen
– sigma/Sigma-Bindungen
liant rapide/Schnellbinder
liants/Bindemittel
– de réaction/Reaktionsklebstoffe
libération contrôlée/Kontrollierte Freisetzung
libérine/…liberin
libéthénite/Libethenit
libre de repassage/No Iron
licence/Lizenz
lichen d'Islande/Isländisches Moos
lichénine/Lichenin
lichens/Flechten
lidocaine/Lidocain
lidoflazine/Lidoflazin
lie/Trub, Weingeläger
liebigite/Liebigit
liège/Kork
lierre/Efeu
lies/Hefen
liévrite/Ilvait
ligands/Liganden
ligases/Ligasen
– de l'ARN/RNA-Ligase
ligne de dislocation/Versetzungslinie
ligné germinale/Keimbahn
lignée cellulaire/Zellinie
ligninases/Ligninasen
lignine/Lignin
lignite/Braunkohle, Lignit
ligustrazine/Ligustrazin
lilas/Flieder
limite d'allongement/Streckgrenze
– de détection/Nachweisgrenze
– de fatigue/Schwingfestigkeit
– de fluidité/Fließgrenze
– de grain/Korngrenze
– technique d'étirement/Technische Streckgrenze
limites d'ébullition/Siedegrenzen
– d'explosion/Explosionsgrenzen
limnologie/Limnologie
limon épais/Schlick
limonades/Limonaden
– gazeuses/Brausen
limone/Limonin
limonelles/Limetten
limonène/Limonen
limonine/Limonin
limonite/Brauneisenerz
limonoïdes/Limonoide
lin/Flachs
linalol/Linalool
linamarine/Linamarin
linamarinoside/Linamarin
linatine/Linatin
lincomycine/Lincomycin
lindane/Lindan
linéaire/Linear
linéatine/Lineatin
linette/Leinsamen
lingots/Barren
liniment savonneux alcoolique/Seifenspiritus
liniments/Linimente
linolat d'éthyle/Ethyllinoleat

linoléum/Linoleum
linters/Linters
linuron/Linuron
lip…/Lip…
lipases/Lipasen
lipides/Lipide
– de sang/Blutfette
lipidoses/Lipidosen
lipocalines/Lipocaline
lipofuscine/Lipofuszin
lipogénèse/Lipogenese
lipolyse/Lipolyse
lipooligosaccharides/Lipooligosaccharide
lipophile/Lipophil
lipophobe/Lipophob
lipophorines/Lipophorine
lipophosphoglycanes/Lipophosphoglykan
lipopolysaccharides/Lipopolysaccharide
lipoprotéines/Lipoproteine
liposomes/Liposomen
lipotropine/Lipotropin
lipoxines/Lipoxine
lipoxygénase/Lipoxygenase
lipstatine/Lipstatin
liptobiolites/Liptobiolithe
liquéfaction du charbon/Kohleverflüssigung
liqueur/Liquor
liqueurs de quinine/Chinin-Wässer
liquide/Liquor
– lacrymal/Tränenflüssigkeit
liquides/Flüssigkeiten
– combustibles (inflammables)/Brennbare Flüssigkeiten
– corporels/Körperflüssigkeiten
– d'inclusion/Einbettungsmittel
– (fluides) hydrauliques/Hydraulikflüssigkeiten
– lourds pour séparation de minéraux/Schwerflüssigkeiten
– newtoniens/Newtonsche Flüssigkeiten
– non-newtoniens/Nichtnewtonsche Flüssigkeiten
– organiques/Körperflüssigkeiten
lisinopril/Lisinopril
listéria monocytogène/Listeria monocytogenes
lisuride/Lisurid
lit fixe/Festbett
– fluidisé/Fließbett, Wirbelschicht
– percolateur (bactérien)/Tropfkörper
litchi/Litchi
littérature chimique/Chemische Literatur
lithiase biliaire/Gallensteine
lithiation/Lithiierung
lithium/Lithium
lith(o)…/Lith(o)…
lithographie/Lithographie
lithopones/Lithopone
lithotrophie/Lithotrophie
litre/Liter
livèche/Liebstöckel
livingstonite/Livingstonit
lobéline/Lobelin
locataires/Inquilinen
lodoxamide/Lodoxamid
loess/Löß
lofépramine/Lofepramin
lofexidine/Lofexidin
loganine/Loganin
logiciel/Software
loi d'action de masses/Massenwirkungsgesetz
– de Arndt et Schulz/Arndt-Schulz-Gesetz
– de Boyle et Mariotte/Boyle-Mariotte'sches Gesetz

- de Bunsen et Roscoe/Bunsen-Roscoe'sches Gesetz
- de Charles/Charles Gesetz
- de Coulomb/Coulombsches Gesetz
- de Curie-Weiß/Curie-Weißsches Gesetz
- de déplacement d'hydrure/Hydrid-Verschiebungssatz
- de dilution d'Ostwald/Ostwaldsches Verdünnungsgesetz
- de distribution de Nernst/Nernstscher Verteilungssatz
- de Dulong et Petit/Dulong-Petitsche Regel
- de Geiger-Nutall/Geiger-Nutallsches Gesetz
- de Hagen-Poiseuille/Hagen-Poiseuillesches Gesetz
- de Henry/Henrysches Gesetz
- de Hess/Heßscher Satz
- de Hoòk/Hookesches Gesetz
- de Lambert-Beer/Lambert-Beersches Gesetz
- de Moseley/Moseleysches Gesetz
- de Nernst et Thomson/Nernst-Thomson-Regel
- de Proust/Proustsches Gesetz
- de radiation de Kirchhoff/Kirchhoffsche Strahlungsformel
- de radiation de Planck/Plancksche Strahlungsformel
- de rationalité des indices/Rationalitätsgesetz
- de Stefan et Boltzmann/Stefan-Boltzmann-Gesetz
- de Stokes/Stokes-Gesetz
- de Van't Hoff/Van't-Hoff-Regel
- de Wiedemann et Franz/Wiedemann-Franzsches-Gesetz
- de Wien/Wien-Gesetz
- des gaz idéaux/Ideales Gasgesetz
- des phases/Gibbssche Phasenregel
- d'Ohm/Ohmsches Gesetz
- lenticulaire/Linsengesetz
- limite de Debye-Hückel/Debye-Hückelsches Grenzgesetz
- sur le génie génétique/Gentechnik-Gesetz
- sur les déchets/Abfallgesetz
- sur les detergents/Waschmittelgesetz
- sur les produits chimiques/Chemikaliengesetz
lois de Dalton/Daltonsche Gesetze
- de diffusion de Fick/Ficksche Gesetze
- de Faraday/Faradaysche Gesetze
- de Hahn/Hahnsche Regeln
- de Hund/Hundsche Regeln
- de Kirchhoff/Kirchhoffsche Gesetze
- de la thermodynamique/Hauptsätze
- de Mendel/Mendelsche Gesetze
- de Raoult/Raoultsche Gesetze
- de série/Serienformeln
- des gaz/Gasgesetze
loline/Loline
lollingite/Löllingit
loméfloxacine/Lomefloxacin
lomustine/Lomustin
longifolène/Longifolen
longueur du pourtour/Konturlänge
- moyenne de fibre/Stapel
lopéramide/Loperamid

lophophorine/Lophophorin
lophotoxine/Lophotoxin
lopins/Luppen
loprazolam/Loprazolam
loracarbef/Loracarbef
lorandite/Lorandit
loratadine/Loratadin
lorazépam/Lorazepam
lorcaïnide/Lorcainid
lormétazépam/Lormetazepam
lornoxicam/Lornoxicam
losartan/Losartan
lotion/Lotion
lotions faciales/Gesichtswässer
loupes/Luppen
lovastatine/Lovastatin
lovibond/Lovibond
low-profile-résines/Low-profile-Harze
- -shrink-résines/Low-shrink-Harze
lubrifiant de Kapsenberg/Kapsenberg-Schmiere
lubrifiants/Gleitmittel, Schmierstoffe
- composés/Compound-Öle
- HD/HD-Öle
- solides/Festschmierstoffe
lubrification/Schmierung
luciférases/Luciferasen
luciférines/Luciferine
lucigénine/Lucigenin
ludwigite/Ludwigit
luffa/Luffa
lumen/Lumen
lumenophores/Leuchtstoffe
lumi…/Lumi…
lumichrome/Lumichrom
β-lumicolchicine/β-Lumicolchicin
lumière/Licht
lumiflavine/Lumiflavin
luminescence/Lumineszenz
luminol/Luminol
luminophores/Leuchtstoffe
lune/Mond
lunettes de sûreté/Schutzbrillen
lupéol/Lupeol
lupins/Lupinen
lupulone/Lupulon
lustrage/Satinage
lustre/Glanz, Lüster
lutéine/Lutein
luté(o)…/Lute(o)…
lutéoline/Luteolin
lutétium/Lutetium
lutidines/Lutidine
lutropine/Lutropin
lutte antimite/Mottenbekämpfung
- contre les parasites/Schädlingsbekämpfung
- génétique antiparasite/Gentechnische Schädlingsbekämpfung
lux/Lux
luxmètre/Luxmeter
luxullianite/Luxullianit
luzerne/Luzerne
lyases/Lyasen
lycomarasmine/Lycomarasmin
lycopène/Lycopin
lyddite/Lyddit
lymphe/Lymphe
lymphocytes/Lymphocyten
lymphokines/Lymphokine
lymphomes/Lymphome
lymphotoxine/Lymphotoxin
lynestrénol/Lynestrenol
lyo…/Lyo…
lyophile/Lyophil
lyophilisation/Gefriertrocknung
lyophobe/Lyophob
lyophylline/Lyophyllin

lyotrope/Lyotrop
lypressine/Lypressin
lysimètre/Lysimeter
L-lysine/L-Lysin
lysinoalanine/Lysinoalanin
lysolécithines/Lysolecithine
lysosomes/Lysosomen
lysostaphine/Lysostaphin
lysozymes/Lysozyme
lyxo-/lyxo…
D-lyxose/D-Lyxose

M

macadam/Makadam
macaroni(s)/Makkaroni
macérals/Macerale
macérations/Mazerationen
macles/Zwillinge
macro…/Makro…
macroanalyse/Makroanalyse
macrobiotique/Makrobiotik
macroesters/Makroester
α_2-macroglobuline/α_2-Makroglobulin
macroinitiateurs/Makroinitiatoren
macroions/Makroionen
macrolactines/Macrolactine
macrolactone/Makrolactone
macrolides/Makrolide
macromères/Makromonomere
macromolécules/Makromoleküle
- en forme de barreaux/Stäbchenförmige Makromoleküle
macromonomères/Makromonomere
macromouvements Browniens/Makro-Brownsche Bewegungen
macrophages/Makrophagen
macroradicaux/Makroradikale
mactraxanthine/Mactraxanthin
maduramicine α/Maduramicin α
mafénide/Mafenid
magainines/Magainine
magaldrate/Magaldrat
magenta acido-résistant/Fast Magenta B
magma/Magma
magnésite/Magnesit
magnésium/Magnesium
magnéson/Magneson
magnétite/Magnetit
magnétochimie/Magnetochemie
magnétohydrodynamique/Magnetohydrodynamik
magnéton Bohr/Bohr-Magneton
magnons/Magnonen
maille/Mesh
maillechort/Neusilber, Nickelmessing
- de Parkers/Parkers Neusilber
main EF/EF-Hand
maintien de souche/Stammhaltung
maïs/Mais
- grillé (éclaté)/Popcorn
maische; trempe/Maische
maïtotoxine/Maitotoxin
maître de chimie/Industriemeister, Fachrichtung Chemie
majusculamides/Majusculamide
malachite/Malachit
maladie coeliaque/Zöliakie
- d'Addison/Addisonsche Krankheit
- d'Alzheimer/Alzheimersche Krankheit
- de Chagas/Chagas-Krankheit
- de Itai-Itai/Itai-Itai-Krankheit
- de Paget/Pagetsche Krankheit
- de Parkinson/Parkinsonsche Krankheit
- du sommeil/Schlafkrankheit

- vénérienne/Geschlechtskrankheiten
maladies des plantes/Pflanzenkrankheiten
- infectieuses/Infektionskrankheiten
- professionnelles/Berufskrankheiten
- rheumatiques/Rheumatische Erkrankungen
- tropicales/Tropenkrankheiten
malaga/Malaga
malate-déshydrogénase/Malat-Dehydrogenase
malathion/Malathion
malaxage/Kneten
maléates/Maleinsäureester
maléimide/Maleinimid
malformines/Malformine
malonate de diéthyle/Malonsäurediethylester
malononitrile/Malonsäuredinitril
malt/Malz, Malzkaffee
maltase/Maltase
maltènes/Maltene
maltodextrines/Maltodextrine
maltol/Maltol
maltose/Maltose
malyngolide/Malyngolid
mammastatine(s)/Mammastatin(e)
manchon à incandescence/Gasglühkörper
mancozèbe/Mancozeb
mandarin(e)s/Mandarinen
mandélate de benzyle/Mandelsäurebenzylester
- racémase/Mandelat-Racemase
mandélonitrile-lyase/Mandelonitril-Lyase
mandragore/Mandragora
manèbe/Maneb
manganates/Manganate
manganèse/Mangan
manganite/Manganit
manganoprotéines/Mangan-Proteine
mangoustan du Malabar/Mangostane
mangue/Mango
manioc/Maniok
mannanes/Mannane
manne/Manna
mannite/Mannit
mannitol/Mannit
manno-/manno-
mannomustine/Mannomustin
mannose/Mannose
manoalide/Manoalid
manomètre à tube en U/U-Rohrmanometer
manomètres/Manometer
manuels de chimie expérimentelle/Experimentierbücher
manumycine/Manumycine
manutention/Fördern
manzamine/Manzamin
maprotiline/Maprotilin
maquillage/Make-up, Schminke
marante/Maranta
marasquin/Maraschino
marbre/Marmor
marc/Schlempe
marcasite/Markasit
marcfortines/Marcfortine
marchandises dangereuses/Gefährliche Güter
MARCKS/MARCKS
marée noire/Ölpest
margarine/Margarine
margarite/Margarit
marihuana/Marihuana
marinobufagine/Marinobufagin

Française

marjolaine/Majoran
marmelade/Marmelade
marmite de Papin/Papinscher Topf
marne/Mergel
– calcaire/Kalkmergel
maroquin/Saffian
marquage/Markierung
– avec biotine/Biotin-Markierung
– d'affinité/Affinitätsmarkierung
– de territoire/Revier-Markierung
– par isotope/Isotopenmarkierung
– par spin/Spinmarkierung
marqueur de la résistance aux antibiotiques/Antibiotikaresistenz-Marker
– génétique/Genmarker
marqueurs de tumeurs/Tumormarker
marrons/Kastanien
martensite/Martensit
martonite/Martonite
masers/Maser
masquage/Maskierung
masques faciaux/Gesichtspackungen
massa molaire/Molmasse
masse/Masse
– au repos/Ruh(e)masse
– (matière) fondue/Schmelzmassen
– moléculaire pondérée/Massenmittel
– volumique/Schüttdichte
massepain/Marzipan
masses à modeler/Knetmassen
– à pétrir/Waschrohstoffe
– de Casson/Cassonsche Stoffe
– pour disques [de phonographe]/Schallplattenmassen
massiaux/Schweißstahl
masterbatch/Masterbatch
mastic/Mastix
– à greffer/Baumwachs
mastication/Mastikation
mastics/Kitte, Spachtelmassen
mastocytes/Mastzellen
mastoparane/Mastoparan
maté/Mate
matériel à roulement/Wälzlagerwerkstoffe
matériau/Wertstoff
– stabilisateur/Verstärker
matériaux/Werkstoffe
– à haute résistance thermique/Hochtemperatur-Legierungen, Hochtemperatur-Werkstoffe
– auxiliaires pour fonderie/Gießereihilfsmittel
– céramiques/Keramische Werkstoffe
– composites/Verbundwerkstoffe
– de composition des laques/Lackrohstoffe
– de construction/Baustoffe
– dentaires/Dentalmaterialien
– d'étanchéité/Dichtungsmassen
– imperméables/Wasserdichte Stoffe
– isolant/Dämmstoffe
– magnétiques/Magnetische Werkstoffe
– pour contact/Kontaktwerkstoffe
– pour coussinets/Gleitlagerwerkstoffe, Lagerwerkstoffe
– pour fusées (engins)/Raketenwerkstoffe
– pour la construction routière/Straßenbaumaterialien
– résistants au fluage/Warmfeste Werkstoffe
matériel de suture/Nahtmaterial
– dur/Hartstoffe
mathématique/Mathematik
matière/Materie, Stoff
– amaigrissante/Magerungsmittel
– flottante/Schwimmstoff
– interstellaire/Interstellare Materie
– moulable par compression à froid/Kaltpreßmassen
– moulée/Formstoffe
– première/Ausgangsmaterial
– sèche/Trockensubstanz
matières à mouler/Abgußmassen, Formmassen
– à mouler par compression/Preßmassen
– à risque d'explosion/Explosionsfähige Stoffe
– colorantes/Farbmittel
– de base/Grundstoffe
– de moulage (par compression) phénoliques/Phenoplast-Preßmassen
– en suspension/Schwebstoffe
– explosives/Sprengmittel, Sprengstoffe
– fécales/Fäkalien
– fondues/Heißschmelzmassen
– odorantes/Duftstoffe
– plastiques/Kunststoffe
– plastiques de caséine/Casein-Kunststoffe
– premières/Rohstoffe
– premières pour les detergents/Waschrohstoffe
– premières renouveables/Nachwachsende Rohstoffe
– radioactives/Radioaktive Stoffe
– réfractaires/Feuerfestmaterialien
– (substances) irritantes/Reizend
– synthétiques monoemploi/Funktionskunststoffe
– tannantes/Gerbstoffe
– thermoélastiques/Thermoelaste
– thermoplastiques/Thermoplaste
matras de Saybolt/Sayboltkolben
matrice/Matrix
– avec anneaux de serrage/Kaltschrumpfen
– de diodes/Diodenarray
– extracellulaire/Extrazelluläre Matrix
– polymérique/Polymer-Matrix
matrices/Matrizen
matrilysine/Matrilysin
matrine/Matrin
maturation/Reifen
– d'Ostwald/Ostwald-Reifung
mauve sauvage/Malve
mauvéine/Mauvein
mayonnaise/Mayonnaise
maytansinoïdes/Maytansinoide
mazout/Masut
mébendazole/Mebendazol
mébévérine/Mebeverin
mebhydroline/Mebhydrolin
mécanique/Mechanik
– ondulatoire/Wellenmechanik
– quantique/Quantenmechanik
– statistique/Statistische Mechanik
mécanisation/Mechanisation
mécanisme de Grotthus/Grotthus-Mechanismus
– de Langmuir-Hinshelwood/Langmuir-Hinshelwood-Mechanismus
– de Lindemann-Hinshelwood/Lindemann-Hinshelwood-Mechanismus
– de Rice-Herzfeld/Rice-Herzfeld-Mechanismus
mécanismes réactionnels/Reaktionsmechanismen
mécanochimie/Mechanochemie
mécanorécepteurs/Mechanorezeptoren
mécarbame/Mecarbam
mèche/Docht
– de filature/Spinnband
méclocycline/Meclocyclin
méclofénoxate/Meclofenoxat
mécloqualone/Mecloqualon
mécloxamine/Mecloxamin
méclozine/Meclozin
mécoprop/Mecoprop
médazépam/Medazepam
médecin d'ambulance/Durchgangsarzt
médecine/Medizin
– nucléaire/Nuklearmedizin
– médiateurs/Mediatoren
médicaments/Arzneimittel, Pharmaka
– antidiarrhétiques/Antidiarrhoika
– coronariens/Koronartherapeutika
– en vente libre/Freiverkäufliche Arzneimittel
– gériatriques/Geriatrika
– pour animaux/Tierarzneimittel
– psychopharmaceutiques/Psychopharmaka
– radioactifs/Radiopharmazeutika
– urologiques/Urologika
médicine du travail/Arbeitsmedizin
médium/Medium
médrogestone/Medrogeston
médrylamine/Medrylamin
médrysone/Medryson
médulle/Medulla
méfénacet/Mefenacet
méfénorex/Mefenorex
méfloquine/Mefloquin
méfruside/Mefrusid
méga.../Mega...
mégaphone/Megaphon
mégascopique/Megaskopisch
mégestrol/Megestrol
meglumine/Meglumin
méiose/Meiose
mélamine/Melamin
mélange/Vermischung
– de Kiliani/Kiliani'sche Mischung
– -maître/Masterbatch
– sulfochromique/Chromschwefelsäure
melange sulfonitrique/Nitriersäure
mélanger/Mischen
mélanges/Gemenge
– frigorifiques/Kältemischungen
– isolants pour câbles/Kabelvergußmassen
– polymériques/Polymer-Blends
– thermiques/Wärmemischungen
mélangeurs (mixeurs) statiques/Statische Mischer
mélanines/Melanine
mélanisme industriel/Industriemelanismus
mélanocortines/Melanocortine
mélanocytes/Melanocyten
mélanoïdes/Melanoid(in)e
mélanome/Melanom
mélanophlogite/Melanophlogit
mélanotropine/Melanotropin
mélaphyre/Melaphyr
mélarsoprol/Melarsoprol
mélasse/Melasse, Sirup
mélatonine/Melatonin
mélèze/Lärche
mélianol/Melianol
méliatoxines/Meliatoxine
mélilite/Melilith
mélitracène/Melitracen
mélittine/Melittin
melléine/Mellein
mellite/Mellit
mellitoxine/Mellitoxin
méloxicam/Meloxicam
melpérone/Melperon
melphalan/Melphalan
mémantine/Memantin
membrane basale/Basalmembran
membranes/Membranen
– haptogènes/Haptogene Membranen
ménadiol/Menadiol
mendelévium/Mendelevium
menglytate/Menglytat
ménisque/Meniskus
ménotropine/Menotropin
menstruation/Menstruation
p-menth-1-ène-8-thiol/p-Menth-1-en-8-thiol
p-menthane/p-Menthan
menthe poivrée/Pfefferminze
menthènes/Menthene
p-menthènes/p-Menthene
menthol/Menthol
menthone/Menthon
menyanthe/Bitterklee
mépacrine/Mepacrin
mépanipyrim/Mepanipyrim
méphénésine/Mephenesin
méphénytoïne/Mephenytoin
méphospholan/Mephosfolan
mépindolol/Mepindolol
mépivacaïne/Mepivacain
méprine/Meprin
méprobamate/Meprobamat
méproscillarine/Meproscillarin
meptazinol/Meptazinol
mépyramine/Mepyramin
méquitazine/Mequitazin
mer.../Mer
mer-/mer-
– des Wadden/Watt
merbromine/Merbromin
mercapto.../Mercapto...
3-mercapto-1,2-propanediol/3-Mercapto-1,2-propandiol
mercaptoaminoacides/Mercaptoaminosäuren
2-mercaptobenzimidazole/2-Mercaptobenzimidazol
2-mercaptobenzothiazole/2-Mercaptobenzothiazol
2-mercaptoéthanol/2-Mercaptoethanol
mercaptopurine/Mercaptopurin
mercerisage/Mercerisation
mercuration/Mercurierung
mercure/Quecksilber
mercurimétrie/Mercurimetrie
...mercurio-/...mercurio-
mercurio.../Mercuri...
...mère/Mer
mérinos/Merino
...mérique/Mer
mer(o).../Mer
mérocyanine/Merocyanine
méropénème/Meropenem
mersalyl/Mersalyl
mésalazine/Mesalazin
mescaline/Meskalin
mesh/Mesh
mésilates/Mesilate
mésityl.../Mesityl...
mésitylène/Mesitylen

mesna/Mesna
méso…/Meso…
mésobilirubine/Mesobilirubin
mesogène/Mesogen
mésomérie/Mesomerie
mésons/Mesonen
mésophilie/Mesophilie
mésophytes/Mesophyten
mésosomes/Mesosomen
mésothorium/Mesothorium
mestérolone/Mesterolon
mestranol/Mestranol
mésulfène/Mesulfen
mesure/Messen
– de la température/Temperaturmessung
mesures de sécurité biologique/Biologische Sicherheitsmaßnahmen
mésuximide/Mesuximid
mésyl…/Mesyl…
mét(a)…/Met(a)…
métabolisation/Metabolisierung
métabolisme/Stoffwechsel
– basal/Grundumsatz
– de maintien/Erhaltungsstoffwechsel
– des gras/Fettstoffwechsel
métabolites/Metaboliten
– secondaires/Sekundärmetabolite
métachromasie/Metachromasie
métaclazépam/Metaclazepam
métacycline/Metacyclin
métacyclophanes/Metacyclophane
métal à base de Cérium/Cer-Mischmetall
– à gong/Gongmetall
– à lettres/Letternmetall
– amorphe/Amorphe Metalle
– antifriction/Bahnmetall
– bath/Bath-Metall
– blanc/Bahnmetall
– britannia/Britannia-Metall
– de coussinet/Lagermetalle
– de Darcet/Roses Metall
– de Randolf/Randolf-Metall
– hollandais/Dutch-Metall
– melotte/Melotte-Metall
– Mond/Mond-Metall
– pour miroirs/Speculum-Metall
métala…/Metalla…
métalaxyl/Metalaxyl
métaldéhyde/Metaldehyd
métallaboranes/Metallaborane
métallisation/Metallierung
– synthétique/Kunststoff-Metallisierung
métallocènes/Metallocene
métallogenèse/Metallogenese
métallographie/Metallographie
métallophytes/Metallophyten
métalloprotéases/Metall-Proteasen
métalloprotéinases matricielles/Matrix-Metall-Proteinasen
métalloprotéines/Metallproteine
métalloses/Metallosen
métallothermie/Metallothermie
métallothionéine/Metallothionein
métallurgie/Hüttenkunde, Metallkunde, Metallurgie
– des fibres/Fasermetallurgie
– des poudres/Pulvermetallurgie, Sintermetallurgie
– du fer/Eisenhüttenkunde
metam sodium/Metam-Natrium
métamérie/Metamerie
métamfépramone/Metamfepramon
métamitrone/Metamitron
métamizole sodium/Metamizol-Natrium

métamorphisme/Metamorphose
– du contact/Kontaktmetamorphose
métamorphose/Metamorphose
– en haute pression/Hochdruckmetamorphose
métandiénone/Metandienon
métaphosphates/Metaphosphate
métaraminol/Metaraminol
métasomatose/Metasomatose
métaux/Metalle
– alcalins/Alkalimetalle
– blancs (d'antifriction)/Weißmetalle
– communs (no nobles)/Unedelmetalle
– de Babbitt/Babbitt-Metalle
– de haute pureté/Hochreine Metalle
– de la famille du platine/Platin-Metalle
– de monnaies/Münzmetalle
– de transition/Übergangsmetalle
– du groupe du tungstène/Wolframmetalle
– durs/Hartmetalle
– frittés/Sintermetalle
– frottement/Friktionslagermetall
– Hamilton/Hamiltons Metall
– légers/Leichtmetalle
– lourds/Schwermetalle
– monétaires/Münzmetalle
– non ferreux/Buntmetalle
– non-ferreux/Nichteisenmetalle
– plastiques/Plastikmetalle
– spéciaux/Sondermetalle
– terreux/Erdmetalle
métazachlore/Metazachlor
metconazole/Metconazol
méteaux précieux/Edelmetalle
méténolone/Metenolon
météore/Meteore
météorites/Meteoriten
métergoline/Metergolin
metformine/Metformin
methabenzthiazuron/Methabenzthiazuron
méthacrifos/Methacrifos
méthacrylates/Methacrylsäureester
méthadone/Methadon
méthamfétamine/Methamphetamin
méthamidophos/Methamidophos
méthandriol/Methandriol
méthane/Methan
méthanesulfinyl…/Methansulfinyl…
méthanethiol/Methanthiol
méthanisation/Methanisierung
méthano…/Methano…
methanofurane/Methanofuran
méthanogène/Methanogen
méthanogénèse/Methanogenese
méthanol/Methanol
méthansulfonyl…/Methansulfonyl…
méthaqualone/Methaqualon
méthathèse/Metathese
méthazole/Methazol
méthémoglobine/Methämoglobin
methfuroxan/Methfuroxam
méthidathion/Methidathion
méthine/Methin
méthional/Methional
méthionine/Methionin
méthocarbamol/Methocarbamol
méthode au potassium-argon/Kalium-Argon-Methode
– autocide/Autozid-Verfahren
– CLOA(-OM)/LCAO-(MO)-Methode

– de Barratte/Barratt-Verfahren
– de Bijvoet/Bijvoet-Methode
– de Carius/Carius-Methode
– de Corrodkote/Corrodkote-Verfahren
– de Coulter/Coulter-Verfahren
– de Dautri/Dautriche-Methode
– de Kjeldahl/Kjeldahl-Methode
– de la précession/Präzessionsmethode
– de Longwell-Manience/Longwell-Manience-Methode
– de Lowry/Lowry-Methode
– de Marsh/Marsh-Test
– de Petermann/Petermann-Methode
– de Pringsheim/Pringsheim-Methode
– de résonance de Rabi/Rabi-Resonanz-Methode
– de Rietveld/Rietveld-Methode
– de Ritz/Ritzsches Verfahren
– de Schöniger/Schöniger-Bestimmung
– de Story/Story-Methode
– de van Slyke/Van-Slyke-Methode, Van-Slyke-Methode
– de Widmark/Widmark-Methode
– de Wilhelmy/Wilhelmy-Methode
– de Wood et Bonhoeffer/Wood-Bonhoeffer-Methode
– de Zeisel/Zeisel-Methode
– dead stop/Dead-Stop-Titration
– d'éléments finis/Finite-Elemente-Verfahren
– des liaisons de valence/Valence-Bond-Methode
– du pouvoir mouillant par immersion/Tauchmethode
– du saut de température/Temperatursprung-Methode
– du tritium/Tritium-Methode
– Hartree-Fock/Hartree-Fock-Verfahren
– hélium/Helium-Methode
– Kuhn-Roth/Kuhn-Roth-Methode
– Monte Carlo/Monte-Carlo-Methode
– PPP/PPP-Methode
– ScF/SCF-Verfahren
– semiempirique/Semiempirische Verfahren
méthodes chiroptiques/Chiroptische Methoden
– de mesure au moyen de poudres/Pulvermethoden
– selon §35 de LMBG/Methoden nach §35 LMBG
méthohexital sodium/Methohexital-Natrium
méthomyl/Methomyl
méthoprène/Methopren
méthotrexate/Methotrexat
methoxsalène/Methoxsalen
méthoxy…/Methoxy…
N-(4-méthoxy-benzylidène)-4-butylaniline/N-(4-Methoxybenzyliden)-4-butylanilin
p-méthoxyacétophénone/p-Methoxyacetophenon
méthoxycarbonyl…/Methoxycarbonyl…
méthoxychlore/Methoxychlor
méthoxyde de magnésium/Magnesiummethoxid
– de potassium/Kaliummethoxid
– (méthylate) de sodium/Natriummethoxid
méthoxydes/Methoxide
méthoxyflurane/Methoxyfluran
méthoxyle/Methoxyl

4-méthoxyphénol/4-Methoxyphenol
3-méthoxypropylamine/3-Methoxypropylamin
méthylcellulose/Methylcellulose
méthyl…/Methyl…
N-méthyl-D-aspartate/N-Methyl-D-aspartat
3-méthyl-2-butanone/3-Methyl-2-butanon
2-méthyl-3-butin-2-ol/2-Methyl-3-butin-2-ol
N-méthyl-ε-caprolactame/N-Methyl-ε-caprolactam
5-méthyl-cytosine/5-Methylcytosin
N-méthyl-D-glucamine/N-Methyl-D-glucamin
4-méthyl-1,3-dioxolan-2-one/4-Methyl-1,3-dioxolan-2-on
N-méthyl-2,2′-iminodiéthanol/N-Methyl-2,2′-iminodiethanol
méthyl(2-naphthyl)cétone/Methyl(2-naphthyl)keton
2-méthyl-1,4-naphtoquinones/2-Methyl-1,4-naphthochinone
N-méthyl-N-nitroso-p-toluènesulfonamide/N-Methyl-N-nitroso-p-toluolsulfonamid
($\pm$)-2-méthyl-2,4-pentanediol/($\pm$)-2-Methyl-2,4-pentandiol
5-méthyl-2-phényl-1,2-dihydro-$3H$-pyrazol-3-one/5-Methyl-2-phenyl-1,2-dihydro-$3H$-pyrazol-3-on
1-méthyl-4-pipéridinone/1-Methyl-4-piperidinon
2-méthyl-4-propyl-1,3-oxathiane/2-Methyl-4-propyl-1,3-oxathian
N-méthyl-2-pyrrolidone/N-Methyl-2-pyrrolidon
méthyl-transférases/Methyltransferasen
N-méthylacétamide/N-Methylacetamid
N-méthylacétanilide/N-Methylacetanilid
p-méthylacétophénone/p-Methylacetophenon
méthylal/Methylal
méthylalumoxan/Methylalumoxan
méthylamine/Methylamin
méthylamino…/Methylamino…
N-méthylaniline/N-Methylanilin
2-méthylanthraquinone/2-Methylanthrachinon
méthylates/Methylate
méthylation/Methylierung
méthylbenzyl…/Methylbenzyl…
N-méthylbis(trifluoroacétamide)/N-Methylbis(trifluoracetamid)
2-méthylbutane/2-Methylbutan
méthylbutanols/Methylbutanole
méthylbutènes/Methylbutene
méthylbuténols/Methylbutenole
3-méthylbutyraldéhyde/3-Methylbutyraldehyd
3-méthylbutyrates/3-Methylbuttersäureester
méthylchlorosilanes/Methylchlorsilane
méthylcobalamine/Methylcobalamin
6-méthylcoumarine/6-Methylcumarin
méthylcyclohexane/Methylcyclohexan
méthylcyclohexanols/Methylcyclohexanole
méthylcyclohexanones/Methylcyclohexanone

N-méthylcyclohexylamine/N-Methylcyclohexylamin
(méthylcyclopentadiényl)manganèse tricarbonyle/(Methylcyclopentadienyl)mangantricarbonyl
méthylcyclopentane/Methylcyclopentan
méthyldopa/Methyldopa
méthyle/Methyl...
méthylénation/Methylenierung
méthylène.../Methylen...
4,4'-méthylène-bis(N,N-diméthylaniline)/4,4'-Methylenbis-(N,N'-dimethylanilin)
N,N'-méthylène-bis(acrilamide)/N,N'-Methylenbis(acrylamid)
4-méthylène-Δ^2-oxazolin-5-ones/4-Methylen-Δ^2-oxazolin-5-one
4,4'-méthylènedi(isocyanatobenzène)/4,4'-Methylendi(phenylisocyanat)
méthylènedioxy.../Methylendioxy...
méthylénomycine/Methylenomycine
méthylergométrine/Methylergometrin
méthylester de L-asparyl-L-phénylalanine/Aspartame
N-méthyléthanolamine/N-Methyléthanolamin
N-méthylformamide/N-Methylformamid
α-méthylglucoside/α-Methylglucosid
méthylglyoxal/Methylglyoxal
4-méthylimidazole/4-Methylimidazol
2-méthylindol/2-Methylindol
méthylionones/Methyljonone
méthylisothiazolones/Methylisothiazolone
4-méthylmorpholine/4-Methylmorpholin
4-méthyl-2-nitroaniline/4-Methyl-2-nitroanilin
méthylnaphtalènes/Methylnaphthaline
méthylorange/Methylorange
méthylotrophie/Methylotrophie
méthylpentanes/Methylpentane
méthylpentanols/Methylpentanole
méthylpentanones/Methylpentanone
méthylphénidate/Methylphenidat
méthylphénobarbital/Methylphenobarbital
ar-méthylphénylène-diamines/ar-Methylphenylendiamine
2-méthylpipéridine/2-Methylpiperidin
méthylprednisolone/Methylprednisolon
4-méthylpyrocatéchol/4-Methylbrenzcatechin
méthylquinoléines/Methylchinoline
méthylrouge/Methylrot
α-méthylstyrène/α-Methylstyrol
N-méthyltaurine/N-Methyltaurin
méthyltestostérone/Methyltestosteron
méthylthio.../Methylthio...
méthylthiouracile/Methylthiouracil
2-méthylundécanal/2-Methylundecanal
méthyprylone/Methyprylon
méthysergide/Methysergid
métildigoxine/Metildigoxin

metilsulfate d'amécizinium/Ameziniummetilsulfat
métilsulfate de bévonium/Bevoniummetilsulfat
– de thiazinamium/Thiazinamiummetilsulfat
– d'hexocyclium/Hexocycliummethilsulfat
metiodure de buzépide/Buzepid metiodid
métipranolol/Metipranolol
metirame zinc/Metiram
métisazone/Metisazon
métixène/Metixen
métobenzuron/Metobenzuron
métobromuron/Metobromuron
métoclopramide/Metoclopramid
métolachlore/Metolachlor
métolazone/Metolazon
métoprolol/Metoprolol
métosulame/Metosulam
métoxuron/Metoxuron
mètre/Meter
métribuzine/Metribuzin
métrizamide/Metrizamid
métronidazole/Metronidazol
metsulfuron-methyl/Metsulfuron-methyl
mettre en circulation/Inverkehrbringen
métyrapone/Metyrapon
mévalolactone/Mevalolacton
mévinphos/Mevinphos
mexilétine/Mexiletin
mézéréine/Mezerein
mezlocilline/Mezlocillin
mi-laine/Halbwolle
miansérine/Mianserin
miargyrite/Miargyrit
mibéfradil/Mibefradil
mica/Glimmer
micelles/Micellen
– de pliage/Faltenmicellen
– inverses/Inverse Micellen
miconazole/Miconazol
micro.../Mikro...
micro-ondes/Mikrowellen
microanalyse/Mikroanalyse
– par sonde/Elektronenstrahl-Mikroanalyse
– par sonde ionique/Ionenstrahl-Mikroanalyse
microbicides/Mikrobizide
microbiologie/Mikrobiologie
– industrielle/Industrielle Mikrobiologie
„microbodies"/Microbodies
microchimie/Mikrochemie
microcline/Mikroklin
microcystine/Microcystine
microémulsions/Mikroemulsionen
microencapsulation/Mikroverkapselung
microextraction en phase solide/Festphasenmikroextraktion
microfibrilles/Mikrofibrillen
microfilaments/Mikrofilamente
microfiltration/Mikrofiltration
microgel/Mikrogele
microglobulines/Mikroglobuline
microinjection/Mikroinjektion
micronisation/Mikronisieren
microorganismes/Mikroorganismen
microparticules/Mikronen
microperles/Mikroperlen
microprocesseur/Mikroprozessor
microscope/Mikroskope
– à effet tunnel/Tunnelmikroskop
– à laser/Laser-Mikroskop
– acoustique (ultrasonique)/Ultraschallmikroskop

– électronique/Elektronenmikroskop
– ionique/Ionenmikroskop
microscopie/Mikroskopie
– à polarisation/Polarisationsmikroskopie
– aux rayons X/Röntgenmikroskopie
– de champ rapproché/Nahfeldmikroskopie
microsomes/Mikrosomen
microsonde à laser/Laser-Mikrosonde
microsupport/Mikrocarrier
microtubules/Mikrotubuli
microvilli/Mikrovilli
midazolam/Midazolam
midkine/Midkin
midodrine/Midodrin
miel/Honig
– artificiel/Kunsthonig
– turc/Türkischer Honig
miellée/Meltau, Tracht
miellure/Meltau
mifépriston/Mifepriston
miglitol/Miglitol
migmatites/Migmatite
migraine/Migräne
migration/Ausbluten, Migration
milarite/Milarit
milbémectine/Milbemectin
milbémycines/Milbemycine
mildiomycine/Mildiomycin
mildiou/Mehltau
milieu (cours d'eau) récepteur/Vorfluter
– de culture/Nährmedium
– de culture exempt de sérum/Serumfreies Kulturmedium
– de dispersion/Dispersionsmittel
– minimal (minimum)/Minimalmedium
– nutritif de Czapek-Dox/Czapek-Dox-Nährmedium
– nutritif semi-synthétique/Halbsynthetisches Nährmedium
milieux d'agar mou/Weichagarmedien
– environnementaux/Umweltkompartimente
millepertius/Johanniskraut
millérite/Millerit
millet/Hirse
milli.../Milli...
milliard/Milliarde
millilitre/Milliliter
milnacipran/Milnacipran
milrinon/Milrinon
miltéfosine/Miltefosin
mimésie/Mimese
mimétésite/Mimetesit
mimique comportementale/Mimikry
mimosas/Mimosen
mimosine/Mimosin
mine à ciel ouvert/Tagebau
minerai/Erz
minéralisation/Mineralisation
minéralogie/Mineralogie
minéraux/Mineralien
– des argiles/Tonmineralien
– d'interstratification/ Wechsellagerungs-Minerale
– lourds/Schwermineralien
minette/Minette
minicellules/Minizellen
minichromosomes/Minichromosomen
minim/Minim
minium de fer/Eisenmennige
minocycline/Minocyclin
minoxidil/Minoxidil
miotiques/Miotika

miroestrol/Mirestrol
miroir/Spiegel
mirtazapine/Mirtazapin
miscibilité/Mischbarkeit
mise au mat/Mattierung
– en lame/Plattierung
misérotoxine/Miserotoxin
misoprostol/Misoprostol
mitaux des terres rares/Seltenerdmetalle
mites/Milben
mithridatisme/Mithridatismus
mitochondries/Mitochondrien
mitogène de Phytolacca/Phytolacca-Mitogen
mitomycines/Mitomycine
mitopodocide/Mitopodozid
mitorubrine/Mitorubrin
mitose/Mitose
mitoxantrone/Mitoxantron
mitraille/Schrott
mixage de fréquences/Frequenzmischung
mixotrophie/Mixotrophie
...mixtes/Gemischte...
mixture magnésienne/Magnesiamixtur
mixtures/Gemische, Mixturen
mizolastine/Mizolastin
mobilisation du carbone/Kohlenstoff-Mobilisierung
moclobémide/Moclobemid
modafinil/Modafinil
modèle de Gillespie/Gillespie-Modell
– d'utilité/Gebrauchsmuster
– HOMO-LUMO/HOMO-LUMO-Modell
– vectoriel/Vektormodell
modèles atomiques/Atommodelle
– atomiques de Stuart et de Briegleb/Stuart-Briegleb-Modelle
– de temps de séjour/Verweilzeitmodelle
– moléculaires/Molekülmodelle
– nucléaires/Kernmodelle
– spaciaux à calottes/Kalottenmodelle
modérateur/Moderator
modhephène/Modhephen
modification/Modifikation
– génétique de plantes/Gentechnische Veränderung an Pflanzen
– par styrène/Styrolisierung
– post-traductionelle/Post-translationale Modifizierung
modulateurs optoélectroniques/Optoelektrische Modulatoren
modulation de qualité/Q-switched
module/Modul
– d'humidification/Naßmodul
– Thiele/Thiele-Modul
moelle/Medulla
– des os/Knochenmark
moexipril/Moexipril
mofébutazone/Mofebutazon
moganite/Moganit
mohair/Mohair
moisissures/Schimmelpilze
moissanite/Moissanit
molalité/Molalität
molarité/Molarität
molasse/Moler(erde)
mole/Mol
molécularité/Molekularität
molécules/Moleküle
– de l'adhésion cellulaire/Zell-Adhäsionsmoleküle
– de Möbius/Möbius-Moleküle
– en hélice/Propeller-Moleküle
– exotiques/Exotische Moleküle

– hypervalents/Hypervalente Moleküle
– interstellaires/Interstellare Moleküle
– non-rigides/Nichtstarre Moleküle
– platoniques/Platonische Moleküle
– quasi-linéaires/Quasilineare Moleküle
– quasi-planaires/Quasiplanare Moleküle
molène/Königskerzen
molgramostim/Molgramostim
molinate/Molinat
molluscicides/Molluskizide
mollusques/Mollusken
moloxydes/Moloxide
molsidomine/Molsidomin
molybdate de sodium/Natriummolybdat
molybdates/Molybdate
– d'ammonium/Ammoniummolybdate
molybdène/Molybdän
molybdénite/Molybdändisulfid
molybdoenzymes/Molybdän-Enzyme
moment angulaire orbital/Bahndrehimpuls
– dipolaire/Dipolmoment
– magnétique/Magnetisches Moment
mométasone/Mometason
monalazone disodique/Monalazon-Dinatrium
Monascus purpurens/Monascus purpureus
monazite/Monazit
monélline/Monellin
monensine/Monensin
moniliformine/Moniliformin
monitoring écologique/Umweltmonitoring
mono…/Mono…
mono-oléate de glycérine/Glycerinmonooleat
– -ricinoléate de glycérine/Glycerinmonoricinoleat
– -stéarate de glycérine/Glycerinmonostearat
monoamine-oxydase/Monoamin-Oxidase
monoatomique/Einatomig
monobenzone/Monobenzon
monochromateur/Monochromator
monocotylédones/Monokotyle(done)n
monocristaux/Einkristalle
monocrotaline/Monocrotalin
monocrotophos/Monocrotophos
monocytes/Monocyten
monofilament/Monofil, Monofilament
monoglycérides/Monoglyceride
monographie/Monographie
monokines/Monokine
monolinuron/Monolinuron
monomères/Monomere
– macromoléculaires/Makromonomere
– vinyliques/Vinylmonomere
monomorines/Monomorine
mononitrate d'isosorbide/Isosorbid-5-mononitrat
monooxygénases/Monooxygenasen
monopôles/Monopole
monosaccharides/Monosaccharide
monoxyde de carbone/Kohlenoxid
– de silicium/Siliciummonoxid
montanwachs/Montanwachs

montélukast/Montelukast
monter/Aufziehen
monticellite/Monticellit
montmorillonites/Montmorillonite
monzonite/Monzonit
morazone/Morazon
mordénite/Mordenit
mordre/Ätzen
morille/Morcheln
morin(e)/Morin
moroxydine/Moroxydin
morphactines/Morphaktine
morphinanes/Morphinane
morphine/Morphin
…morph(o)…/…morph(o)…
morphogènes/Morphogene
morpholin-x-yl…/Morpholin-x-yl…
morpholine/Morpholin
morpholino…/Morpholino…
morphologie/Morphologie
– des cristaux/Kristallmorphologie
morphotropie/Morphotropie
morphtropisme/Morphotropie
morrhuate de sodium/Natriummorrhuat
mort de poissons/Fischsterben
– des phoques/Robbensterben
– lente des forêts/Waldsterben
mortalité/Absterberate
mortier/Mörtel
mortiers/Reibschalen
moteur supersonique/Ultraschallmotor
moteurs moléculaires/Molekulare Motoren
motiline/Motilin
mouches/Fliegen
– carnivores/Aasfliegen
moudre/Mahlen
moufette/Stinktier
mouillage/Benetzung
moulage par injection/Spritzgießen
– par transfert/Spritzpressen
moule/Gießform
moulins à cylindres/Walzenstühle
moussage/Schäumen
moussants/Schaumbildner
mousse/Schaum
– à peau intégrée/Integralschaumstoffe
– de chêne/Eichenmoos
– structural/Integralschaumstoffe
mousses/Moose, Schaumstoffe
– rigides/Hartschaumstoffe
– semi-rigides/Halbharte Schaumstoffe
– UF/UF-Schäume
moût/Maische, Würze
– (de raisin)/Traubenmost
moût; vin doux/Most
moutarde/Senf
mouture/Schrot
– à froid/Kaltmahlung
mouvement brownien/Brownsche Molekularbewegung
mouvements micro-Browniens/Mikro-Brownsche Bewegungen
– transfrontières de déchets/Abfallverbringung
moxavérine/Moxaverin
moxifloxacine/Moxifloxacin
moxisylyte/Moxisylyt
moxonidine/Moxonidin
moyenne arithmétique/Zahlenmittel
moyens de préservation de bois/Holzschutzmittel

MPT (moyennes pondérées en temps)/TWA
mucilages/Schleime
mucilagicides/Schleimbekämpfungsmittel
mucines/Mucine
muco-/muco-
mucolytiques/Mucolytika
mucus/Schleime
muguet/Maiglöckchen, Soor
mulberrofuranes/Mulberrofurane
mullite/Mullit
multidenté/Mehrzähnig
multienzymes/Multienzyme
multimérisation/Multimerisation
multiplet/Multiplett
multiplication végétative/Vegetative Vermehrung
multiplicité/Multiplizität, Zähligkeit
multistriatines/Multistriatine
munition/Munition
muonium/Myonium
muons/Myonen
muramyl dipeptide/Muramyl-Dipeptid
muréine/Murein
mûres/Brombeeren
murexide/Murexid
muromonab-CD$_3$/Muromonab-CD$_3$
musc/Moschus
musca…/Musc(a)…
muscade/Muskatnüsse
muscaflavine/Muscaflavin
muscalure/Muscalur
muscarine/Muscarin
muscazone/Muscazon
muscimol/Muscimol
muscle/Muskel
muscone/Muscon
muscovite/Muscovit
mustélidés/Musteliden
mutagène/Erbgutverändernd
mutagènes/Mutagene
mutagénèse/Mutagenese
– d'insertion/Transposon-Mutagenese
– dirigée (sur un site)/In vitro-Mutagenese
mutagenèse oligonucléotidique/Oligonucleotid-gerichtete Mutagenese
mutagénicité/Mutagenität
mutants défectueux/Defektmutanten
– sensibles à la température/Temperatursensitive Mutanten
mutarotation/Mutarotation
mutastéine/Mutastein
mutation/Mutation
– muette/Silent mutation
– ponctuelle/Punktmutation
– silencieuse/Silent mutation
– spontanée/Spontanmutation
MX/MX
myc/Myc
mycalamides/Mycalamide
mycélium/Mycel
…myc(èt)in/…mycin
myclobutanil/Myclobutanil
myco…/Myko…
mycobacidine/Mycobacidin
mycobactéries/Mykobakterien
mycomycine/Mycomycin
mycophénolat-mofétil/Mycophenolatmofetil
mycoplasmes/Mykoplasmen
mycoses/Mykosen
mycotoxines/Mykotoxine
mydriatiques/Mydriatika
myéline/Myelin
myo…/Myo…

myo-/myo-
myoD/MyoD
myogénine/Myogenin
myoglobine/Myoglobin
myosine/Myosin
myrcène/Myrcen
myristates/Myristinsäureester
myristicine/Myristicin
myristoyl…/Myristoyl…
myristoyl-protéines/Myristoyl-Proteine
myristyl…/Myristyl…
myrmicacine/Myrmicacin
myrosinase/Myrosinase
myrrhe/Myrrhe
myrtécaïne/Myrtecain
myrtilles/Heidelbeeren
myxothiazol/Myxothiazol

N

nabilone/Nabilon
nabumétone/Nabumeton
nacelle/Schiffchen
nacre (de perles)/Perlmutt(er)
nadifloxacine/Nadifloxacin
nadolol/Nadolol
nadroparine/Nadroparin
naématoline/Naematolin
nafaréline/Nafarelin
nafcilline/Nafcillin
naftidrofuryl/Naftidrofuryl
naftifine/Naftifin
nagyagite/Nagyagit
nalbuphine/Nalbuphin
nalorphine/Nalorphin
naloxone/Naloxon
naltrexone/Naltrexon
nandrolone/Nandrolon
nano…/Nano…
nanotubes/Nanoröhren
napadisilate/Napadisilat
napalm/Napalm
naphazoline/Naphazolin
naphta/Naphtha
naphtacène/Naphthacen
naphtalène/Naphthalin
1,8-naphtalènediylbis(diméthylborane)/1,8-Naphthalindiylbis(dimethylboran)
naphtazarine/Naphthazarin
naphténates de cuivre/Kupfernaphthenate
naphtènes/Naphthene
..naphthone/…naphthon
naphtyl…/Naphthyl…
naphthyridines/Naphthyridine
napht(o)…/Naphth(o)…
α-naphtoflavone/α-Naphthoflavon
α-naphtolphthaléine/α-Naphtholphthalein
naphtols/Naphthole
1,2-naphtoquinone-4-sulfonate de sodium/1,2-Naphthochinon-4-sulfonsäure-Natriumsalz
naphtoquinones/Naphthochinone
naphtylamines/Naphthylamine
nappa/Nappaleder
nappe aquifère enrichie d'eau de rivière infiltrée/Uferfiltrat
– phréatique/Grundwasser
napropamide/Napropamid
naproxène/Naproxen
napsilate/Napsilat
narasine/Narasin
naratriptane/Naratriptan
narbonine/Narbonin
narbosins/Narbosine
(−)-α-narcotine/(−)-α-Narcotin
narcotiques/Narkotika
naringine/Naringin
nasties/Nastien
nastismes/Nastien

natamycine/Natamycin
natif/Nativ
nativ/Gediegen
natrolite/Natrolith
natron/Natron
nature/Natur
navigation/Navigation
nébacumab/Nebacumab
nébivolol/Nebivolol
nébularine/Nebularin
nébuline/Nebulin
néburon/Neburon
nécatorone/Necatoron
nécine(s)/Necin(e)
nécrodols/Necrodole
nécrohormones/Wundhormone
nécrophages/Nekrophagen
nécrophagie/Nekrotrophie
nectar/Nektar
nédocromil/Nedocromil
néfazodon/Nefazodon
néfliers du Japon/Japanische Mispeln
néfopam/Nefopam
neige/Schnee
nelfinavir/Nelfinavir
nelsonite/Nelsonit
nématocides/Nematizide
nematodes/Nematoden
nématophages/Nematophag
néo…/Neo…
néoarsphénamine/Neoarsphenamin
néocarzinostatine/Neocarzinostatin A
néocupferron/Neokupferron
néodyme/Neodym
néofuchsine/Neufuchsin
néomycine/Neomycin
néon/Neon
néopentyl…/Neopentyl…
néoptérine/Neopterin
néostigmine/Neostigmin
népétalactone/Nepetalacton
néphéline/Nephelin
néphélométrie/Nephelometrie
néphrite/Nephrit
néplanocines/Neplanocine
neptunite/Neptunit
neptunium/Neptunium
néréistoxine/Nereistoxin
nerfs/Nerven
nérolidol/Nerolidol
nerprun purgatif/Kreuzdorn
nervins/Nervina
nervone/Nervon
nétilmicine/Netilmicin
nétrines/Netrine
nettoyage/Reinigung
– à sec/Chemisch-Reinigen, Vollreinigung
– des métaux/Metallreinigung
nettoyant à froid/Kaltreiniger
– toutes surfaces/Allzweckreiniger
nettoyants à façades/Fassadenreiniger
nettoyeur neutre/Neutralreiniger
nettoyeurs avec désinfectants/Sanitizer
– pour installations sanitaires/Sanitärreiniger
neuraminidases/Neuraminidasen
neurégulines/Neureguline
neurexines/Neurexine
neurochimie/Neurochemie
neurofilaments/Neurofilamente
neurohormones/Neurohormone
neurokines/Neurokine
neurokinines/Neurokinine
neuroleptiques/Neuroleptika
neuroleucine/Neuroleukin
neuromédines/Neuromedine

neuromoduline/Neuromodulin
neurone/Neuron
neuropeptide Y/Neuropeptid Y
neuropeptides/Neuropeptide
neurophysines/Neurophysine
neurotensine/Neurotensin
neurotoxines/Neurotoxine
neurotransmetteurs/Neurotransmitter
neutralisation/Neutralisation
– par pulvérisation/Sprühneutralisation
neutrinos/Neutrinos
neutrons/Neutronen
névirapine/Nevirapin
nexine/Nexin
NF-κB/NF-κB
nicamétate/Nicametat
nicardipine/Nicardipin
niccolates/Nickelate
niccolite/Nickelin
nicergoline/Nicergolin
nicéthamide/Nicethamid
niche écologique/Ökologische Nische
nickel/Nickel
– de Mond/Mond-Nickel
– de Raney/Raney-Nickel
– tétracarbonyle/Nickeltetracarbonyl
nickelage/Vernickeln
nickelates/Nickelate
nickeler/Vernickeln
nickéline/Nickelin
niclosamide/Niclosamid
nicoboxil/Nicoboxil
nicofuranose/Nicofuranose
nicorandil/Nicorandil
nicosulfuron/Nicosulfuron
nicotianamine/Nicotianamin
nicotinamide-adénine-dinucléotide/Nicotinamid-Adenin-Dinucleotid
nicotinate de benzyle/Nicotinsäurebenzylester
– de xantinol/Xantinolnicotinat
– d'inositol/Inositolnicotinat
nicotinates/Nicotinsäureester
nicotine/Nicotin
nicotyrine/Nicotyrin
nido-/nido-
nielsbohrium/Nielsbohrium
nifédipine/Nifedipin
nifénalol/Nifenalol
nifénazone/Nifenazon
nifuratel/Nifuratel
nifuroxazide/Nifuroxazid
nifurtimox/Nifurtimox
nifurtoïnol/Nifurtoinol
nigéricine/Nigericin
nigraniline/Nigranilin
nigrifactine/Nigrifactin
nigrosines/Nigrosine
nikkomycines/Nikkomycine
nilvapidine/Nilvadipin
nim indien/Nimbaum
nimésulide/Nimesulid
nimodipine/Nimodipin
nimorazole/Nimorazol
nimustine/Nimustin
ninhydrine/Ninhydrin
niobates(V)/Niobate(V)
niobium/Niob
nioxime/Nioxim
nipolite/Nipolit
niridazole/Niridazol
nisine/Nisin
nisoldipine/Nisoldipin
nitenpyram/Nitenpyram
nitinol/Nitinol
nitramines/Nitramine
nitrate d'aluminium/Aluminiumnitrat

– d'ammoniaque calcique/Kalkammonsalpeter
– d'ammonium/Ammoniumnitrat
– d'argent/Silbernitrat
– de baryum/Bariumnitrat
– de cadmium/Cadmiumnitrat
– de calcium/Calciumnitrat
– de cellulose/Cellulosenitrat
– de chaux/Kalksalpeter
– de chrome(III)/Chrom(III)-nitrat
– de cobalt(II)/Cobalt(II)-nitrat
– de cuivre(II)/Kupfer(II)-nitrat
– de lithium/Lithiumnitrat
– de magnésium/Magnesiumnitrat
– de manganèse(II)/Mangan(II)-nitrat
– de nickel(II)/Nickel(II)-nitrat
– de palladium(II)/Palladium(II)-nitrat
– de plomb/Bleinitrat
– de potassium/Kaliumnitrat
– de sodium/Natriumnitrat
– de strontium/Strontiumnitrat
– de zinc/Zinknitrat
– d'urée/Harnstoffnitrat
– -réductases/Nitrat-Reduktasen
nitrates/Nitrate
– d'amidon/Stärkenitrate
– de bismuth/Bismutnitrate
– de fer/Eisennitrate
– de mercure/Quecksilbernitrate
– de peroxyacyle/Peroxyacylnitrate
– de thallium/Thalliumnitrate
nitration/Nitrierung
nitrato…/Nitrato…
nitrazépam/Nitrazepam
nitréfazole/Nitrefazol
nitrendipine/Nitrendipin
nitrènes/Nitrene
nitrido…/Nitrido…
nitrification/Nitrifikation
…nitrile/…nitril
nitrile acrylique/Acrylnitril
nitriles/Nitrile
nitrilio…/…nitrilio…
2,2′,2″-nitrilitriéthanol/2,2′,2″-Nitrilotriethanol
nitrilo…/Nitrilo…
1,1′,1″-nitrilotri-2-propanol/1,1′,1″-Nitrilotri-2-propanol
nitrite d'ammonium/Ammoniumnitrit
– de 3-méthylbutyle/3-Methylbutylnitrit
– de potassium/Kaliumnitrit
– de sodium/Natriumnitrit
– d'isobutyle/Isobutylnitrit
– -réductases/Nitrit-Reduktasen
nitrites/Nitrite
nitrito…/Nitrito…
nitr(o)…/Nitr(o)…
2-nitro-1,4-phénylènediamine/2-Nitro-1,4-phenylendiamin
5-nitro-2-propoxyaniline/5-Nitro-2-propoxyanilin
nitroalcanes/Nitroalkane
nitroamidons/Stärkenitrate
nitroanilines/ar-Nitroaniline
2-nitroanisol/2-Nitroanisol
nitroarènes/Nitroaromaten
nitrobenzaldéhydes/Nitrobenzaldehyde
3-nitrobenzanthrone/3-Nitrobenzanthron
nitrobenzène/Nitrobenzol
5-nitrobenzimidazol/5-Nitrobenzimidazol
4-(4-nitrobenzyl)pyridine/4-(4-Nitrobenzyl)pyridin
nitroéthane/Nitroethan
nitrofural/Nitrofural

nitrofuran(n)es/Nitrofurane
nitrofurantoïne/Nitrofurantoin
nitrogénase/Nitrogenase
nitroglycérine/Nitroglycerin
nitroglycol/Nitroglykol
nitroguanidine/Nitroguanidin
nitroimidazoles/Nitroimidazole
nitrométhane/Nitromethan
nitron/Nitron
nitronaphtalènes/Nitronaphthaline
nitrone/Nitron
nitrones/Nitrone
nitrophénols/Nitrophenole
(4-nitrophényl)hydrazine/(4-Nitrophenyl)hydrazin
nitrophytes/Nitrophyten
nitropropanes/Nitropropane
nitroprussiate de sodium/Nitroprussidnatrium
nitrosamines/Nitrosamine
nitrosation/Nitrosierung
nitroso…/Nitroso…
nitrosobenzène/Nitrosobenzol
nitrosodiméthylamine/N-Nitrosodimethylamin
nitrosonaphtols/Nitrosonaphthole
4-nitrosophénol/4-Nitrosophenol
nitrosulfate d'ammonium/Ammonsulfatsalpeter
nitrosyl…/Nitrosyl…
nitrothale-isopropyl/Nitrothal-isopropyl
nitrothiazoles/Nitrothiazole
ar-nitrotoluènes/ar-Nitrotoluole
nitroxoline/Nitroxolin
nitroxyde bis(trifluorméthyle)/Bis(trifluormethyl)nitroxid
nitroxylènes/Nitroxylole
nitruration/Nitrieren, Nitrierhärtung
– gazeuse/Gas-Nitrierung
– par décharge luminiscente/Glimm-Nitrierung
nitrure d'aluminium/Aluminiumnitrid
– de bore/Bornitrid
– de fer/Eisennitrid
– de magnésium/Magnesiumnitrid
– de silicium/Siliciumnitrid
– de titanium/Titannitrid
nitrures/Nitride
– -dichlorures de phosphore/Phosphornitridchloride
nitryl…/Nitryl…
nitryloxy…/Nitryloxy…
nivalénol/Nivalenol
niveau/Spiegel
nizatidine/Nizatidin
N,N,N′,N′-tétraméthyléthylènediamine/N,N,N′,N′-Tetramethylethylendiamin
nobélium/Nobelium
nocardicines/Nocardicine
nocicépteurs/Nozizeptoren
nociceptine/Nociceptin
nociception/Nozizeption
nocif/Gesundheitsschädlich
nocodazole/Nocodazol
nodules de manganèse (océaniques)/Manganknollen
nœud cystine/Cystin-Knoten
nœuds/Knoten
noir d'amidon/Amidoschwarz 10 B
– d'aniline/Anilinschwarz
– de carbone/Ruß
– de carbone ISAF/ISAF-Ruße
– de cheminée/Kanalruß
– de fumée/Gasruß
– de fumée de craquage/Spaltruß
– de gaz/Gasruß

– de lampe/Flammruß
– de lignite/Grudeschwarz
– de manganèse/Manganschwarz
– de vigne/Rebenschwarz
– Eriochrome/Eriochromschwarz T
– furnace/Furnaceruße
– naphtol 6 B/Naphtholschwarz 6 B
– solide/Echtschwarz 100
noircir/Schwärzen
noirprun/Kreuzdorn
noisetier de sorcière/Hamamelis
noisette/Noisette
noisettes/Haselnüsse
noix/Nüsse, Walnüsse
– d'arec/Betelnüsse
– de cajou/Cashew-Nüsse
– de Para/Paranüsse
– de Pécan/Pekan-Nüsse
– du Brésil/Paranüsse
nojirimycine/Nojirimycin
nom additif/Additionsname
– conjonctif/Konjunktionsname
– de fusion/Anellierungsname
– fondamental/Stammname
– multiplicatif/Multiplikativname
– par replacement/Austauschname
– radico-fonctionnel/Radikofunktioneller Name
– semi-systématique/Halbsystematischer Name
– soustractif/Subtraktionsname
– substitutif/Substitutionsname
– systématique/Systematischer Name
nombre d'Avogadro/Avogadro'sche Zahl
– de carbonyles/Carbonyl-Zahl
– de cellules/Zellzahl
– de charge de réaction/Reaktionsladungszahl
– de coordination/Koordinationszahl
– de masse/Massenzahl
– de Reynolds/Reynolds-Zahl
– de transport/Überführungszahl
– d'ondes/Wellenzahl
– d'oxydation/Oxidationszahl
– quantique de rotation/Rotationsquantenzahl(en)
– quantique du moment angulaire/Drehimpulsquantenzahl
– quantiquevibrationel/Schwingungsquantenzahlen
nombres magiques/Magische Zahlen
– quantiques/Quantenzahlen
nomenclature/Nomenklatur
– des polymères/Polymer-Nomenklatur
– „y"/„y"-Nomenklatur
nomifensine/Nomifensin
nomogrammes/Nomogramme
noms commerciaux/Handelsnamen
– triviaux/Trivialnamen
non(a).../Non(a)...
nonactine/Nonactin
nonadécane/Nonadecan
nonane/Nonan
1-nonanol/1-Nonanol
nonivamide/Nonivamid
non-métaux/Nichtmetalle
nonoxinol/Nonoxinol
non-tissés/Vliesstoffe
nontronite/Nontronit
nonyl.../Nonyl...
nonylphénol/Nonylphenol
nootkatone/Nootkaton
nopaline/Nopalin
nor.../Nor...

noradrénaline/Noradrenalin
2,5-norbornadiène/2,5-Norbornadien
norbornène/Norbornen
norcaradiène/Norcaradiene
norcarane/Norcaran
nordazépam/Nordazepam
noréphédrine/Norephedrin
noréthistérone/Norethisteron
norétynodrel/Noretynodrel
norfénéfrine/Norfenefrin
norfloxacine/Norfloxacin
norflurazone/Norflurazon
norgestrel/Norgestrel
norleucine/Norleucin
normalisation/Normalglühung, Normung
normalité/Normalität
norméthadone/Normethadon
nortriptyline/Nortriptylin
norvaline/Norvalin
noséane/Nosean
nostocyclophanes/Nostocyclophane
notations/Notationen
nougat/Nugat
nougatine/Krokant
nouilles/Nudeln
novaculite/Wetzschiefer
novobiocine/Novobiocin
novolaques/Novolake
noxe/Noxe
noxiptiline/Noxiptilin
noyau/Kern
– benzénique/Benzol-Ring
nu/Nackt
nuage ionique/Ionenwolke
nuance/Farbton
nuarimol/Nuarimol
nubuck/Nubuk-Leder
nuciféral/Nuciferal
nuciférine/Nuciferin
nucl.../Nucl...
nucléases/Nucleasen
nucléides/Nuklide
nucléobases/Nucleobasen
nucléocapside/Nucleocapsid
nucléofuge/Nucleofug
nucléohistones/Nucleohistone
nucléoline/Nucleolin
nucléons/Nukleonen
nucléophile/Nucleophil
nucléoprotéines/Nucleoproteine
nucléosidases/Nucleosidasen
nucléoside/Nucleoside
nucléosomes/Nucleosomen
nucléosquelette/Nucleoskelett
nucléotidases/Nucleotidasen
nucléotides/Nucleotide
– cycliques/Cyclische Nucleotide
nuisance/Belastung
– par une odeur/Geruchsbelästigung
– pour l'environnement/Umweltbelastung
nuisible à la reproduction/Fortpflanzungsgefährdend
numéro atomique/Ordnungszahl
nutriments microbiels/Nährstoffe für Mikroorganismen
nyctinastènes/Nyktinastene
nylon/Nylon
nystatine/Nystatin

O

obésité/Fettsucht
obier/Schneeball
objets de consommation/Bedarfsgegenstände
obligation/Auflage
– d'assemblage et d'utilisation/Anschluß- und Benutzungszwang

oblitération des odeurs/Geruchsmaskierung
obsidienne/Obsidian
obtusallène I/Obtusallen I
...ocan(n)e/...ocan
occlusion/Okklusion
...ocène/...ocen
ochotensine/Ochotensin
ochratoxine A/Ochratoxin A
ocimène/Ocimen
...ocine (...ocinne)/...ocin
ocre/Ocker
– de wolfram/Wolframocker
octa.../Oct(a)...
octacaïne/Octacain
octadec(a).../Octadec(a)...
1-octadécanamine/1-Octadecanamin
octadécane/Octadecan
1-octadécanol/1-Octadecanol
9-octadécen-1-ol/9-Octadecen-1-ol
octaèdre/Oktaeder
octamylamine/Octamylamin
octanal/Octanal
octanamines/Octanamine
octane/Octan
1-octanethiol/1-Octanthiol
octanoates/Octanoate
octanols/Octanole
octanones/Octanone
octanoyl.../Octanoyl...
(−)-(R)-1-octène-3-ol/(−)-(R)-1-Octen-3-ol
octènes/Octene
octet/Oktett
octhilinone/Octhilinon
octoates/Octoate
octodrine/Octodrin
octogène/Octogen
octopamine/Octopamin
octopine/Octopin
octotiamine/Octotiamin
octréotide/Octreotid
octyl.../Octyl...
tert-octyl.../tert-Octyl...
4-tert-octylphénol/4-tert-Octylphenol
odeur/Geruch
– du corps/Körpergeruch
odorants/Riechstoffe
odorisation des gaz/Gasodorierung
odoriseurs/Geruchsverbesserungsmittel
oecotrophologiste/Oecotrophologe
oedème/Ödem
oeil-de-chat/Katzenauge
œillets/Nelken
œillit d'Inde/Tagetes
œnologie/Önologie
œstradiol/Estradiol
œstrane/Estran
œstriol/Estriol
œstrogène/Estrogene
œstrone/Estron
oeuf/Eier
Office Fédéral de l'Environnement/Umweltbundesamt
officinal/Offizinell
offrétite/Offretit
ofloxacine/Ofloxacin
ofurace/Ofurac
...ogène/...ogen
...oïde/...oid
oignon marin/Meerzwiebel
oignons/Zwiebeln
okénite/Okenit
okra/Okra
...ol/...ol
olaflur/Olaflur
olanzapine/Olanzapin
...ole/...ol

oléamide/Ölsäureamid
oléanane/Oleanan
oléandomycine/Oleandomycin
oléandrine/Oleandrin
L-oléandrose/L-Oleandrose
oléane/Olean
oléate de potassium/Kaliumoleat
– de sodium/Natriumoleat
– d'oleyle/Ölsäureoleylester
oléates/Ölsäureester
olefine-sulfonates/Olefinsulfonate
i-olefine-sulfonates/i-Olefinsulfonate
oléfines/Olefine
oléine/Olein
oléinées/Ölpflanzen
oléochimie/Oleochemie
oléophobisation/Oleophobierung
oléorésines/Oleoresine
oléum/Oleum
olfaction/Geruch, Olfaktion
oliban/Olibanum
...olide/...olid
oligo.../Oligo...
oligo-éléments/Spurenelemente
oligoclase/Oligoklas
oligodynamie/Oligodynamie
oligomarquage/Oligo-Labelling
oligomères/Oligomere
oligomérisation/Oligomerisation
oligonucléotides/Oligonucleotide
oligopeptides/Oligopeptide
oligophényles/Oligophenyle
oligosaccharides/Oligosaccharide
oligosaccharines/Oligosaccharine
...oline/...olin
olivénite/Olivenit
olives/Oliven
olivine/Olivin
ololiuqui/Ololiuqui
olsalazine/Olsalazin
ombellifères/Umbelliferae
oméprazole/Omeprazol
omethoate/Omethoat
ommochromes/Ommochrome
omoconazol/Omoconazol
...onan(n)e/...onan
oncogène src/src-Onkogen
oncogènes/Onkogene
oncologie/Onkologie
oncostatine M/Oncostatin M
ondansétron/Ondansetron
ondes de choc/Stoßwellen
– de De Broglie/Materiewellen
– de gravitation/Gravitationswellen
– matérielles/Materiewellen
...one/...on
ongles/Fingernägel
onguents/Salben
– de protection cutanée/Hautschutzsalben
...oninne/...onin
ononis/Hauhechel
ontogénèse/Ontogenese
onyx/Onyx
oolithes/Oolithe
oosporéine/Oosporein
opacifiants/Trübungsmittel
opale/Opal
opalescence/Opaleszenz
opaque/Opak
opérateur de Laplace/Laplace-Operator
– hamiltonien/Hamilton-Operator
– hermitien/Hermitescher Operator
opérations de symétrie/Symmetrieoperationen
opéron/Operon
– lac/lac-Operon

Française

ophicalcite/Ophicalcit
ophiobolines/Ophioboline
ophiolites/Ophiolithe
opiats/Opiate
opines/Opine
opipramol/Opipramol
opium/Opium
opodeldoch/Opodeldok
opopanax/Opopanax
opsines/Opsine
opsonines/Opsonine
optimisation/Optimierung
optique/Optik
- infrarouge/Infrarotoptik
- integrée/Integrierte Optik
- lineaire/Lineare Optik
- nonlinéaire/Nichtlineare Optik
- sur fibres/Faseroptik
opto-électronique/Optoelektronik
or/Gold
- amalgame/Goldamalgam
- blanc/Glanzgold
- d'applique/Muschelgold
- de ducats/Dukatengold
- de Mannheim/Mannheimer Gold
- en chaux/Malergold
- en coquille/Malergold
- moulu/Muschelgold
- vert/Green Gold
oral/Oral
orange/Orange
- de xylénol/Xylenolorange
oranges/Orangen
orazamide/Orazamid
orbencarb/Orbencarb
orbitale atomique/Atomorbital
- avec spin/Spinorbital
- de type gaussien/GTO
orbitales/Orbitale
- de Walsh/Walsh-Orbitale
- frontières/Grenzorbitale
- moléculaires/Molekülorbitale
- p/p-Orbitale
orbitaux s/s-Orbitale
orcéine/Orcein
orcinol/Orcinol
orciprénaline/Orciprenalin
ordinateur optique/Optischer Computer
ordinateurs pour le contrôle de processus/Prozeßrechner
ordonnance/Rezept
- sur l'eau potable/Trinkwasser-Verordnung
- sur les produits dangereux/Gefahrstoffverordnung
ordres séquentielles/Sequenzregeln
ordures ménagères/Hausmüll
orellanine/Orellanin
orexigènes/Orexigene
organisations au service de l'environnement/Umweltorganisationen
organisme/Organismus
organismes analogues a les rickettsies/RLO
- autotrophes/Autotrophe Organismen
- auxotrophes/Auxotrophe Organismen
- halophiles/Halobionten
- indicateurs/Zeigerarten
- marins/Marine Organismen
- méthanotrophes/Methanotrophe Organismen
- para-mycoplasmiques/MLO
- transgéniques/Transgene Organismen
- unicellulaires/Einzeller
organosols/Organosole

organothérapie/Organotherapie
organotrophie/Organotrophie
orgaverre/Organische Gläser
orge/Gerste
orgotéine/Orgotein
orientation/Navigation, Orientierung
origan/Origanum
origine de réplication/Origin
oripeau/Rauschgold
orléan/Orlean
orlistat/Orlistat
orlon noir/Black Orlon
orme/Ulme
ornidazole/Ornidazol
ornipressine/Ornipressin
ornithine/Ornithin
orographie/Orographie
orphénadrine/Orphenadrin
orpiment/Auripigment
orpin brûlant/Mauerpfeffer
ortho-/Ortho-
- esters/Orthoester
orthocarbonates/Orthocarbonate
orthoclase/Orthoklas
orthocyclophanes/Orthocyclophane
orthogonalité/Orthogonalität
orthohélium/Ortho-Helium
orthorhombique/Orthorhombisch
ortie/Brennessel, Nessel
orties/Nesselpflanzen
oryzalin/Oryzalin
os/Knochen
...osane/...osan
osazones/Osazone
oscillateur harmonique/Harmonischer Oszillator
oscillation harmonique/Harmonische Schwingung
oscillations quantiques/Quantenbeats
oscilloscope/Oszilloskop
...ose/...ose
oseille/Sauerampfer
- de bûcheron/Sauerklee
...oside/...osid
...osine/...osin
osladine/Osladin
osmiate de potassium/Kaliumosmat(VI)
osmium/Osmium
osmocène/Osmocen
osmodiurétiques/Osmodiuretika
osmorégulation/Osmoregulation
osmose/Osmose
- inverse/Umgekehrte Osmose
osmundalactone/Osmundalacton
osones/Osone
oss.../Oss...
osséine/Ossein
ostéo.../Osteo...
ostéocalcine/Osteocalcin
ostéonectine/Osteonectin
ostéopontine/Osteopontin
...osulose/...osulose
osumilite/Osumilith
otolithes/Otolithen
ouate/Watte
oublies/Oblaten
oudemansines/Oudemansine
ouvrages de référence/Nachschlagewerke
ovalbumine/Ovalbumin
ovicides/Ovizide
ovothiols/Ovothiole
oxa.../Ox(a)...
oxabetrinil/Oxabetrinil
oxacéprol/Oxaceprol
oxacilline/Oxacillin
oxadiazoles/Oxadiazole
oxadiazon/Oxadiazon
oxadixyl/Oxadixyl

oxalate d'ammonium/Ammoniumoxalat
- d'ammonium et de fer(III)/Ammoniumeisen(III)-oxalat
- de calcium/Calciumoxalat
- de cobalt(II)/Cobalt(II)-oxalat
- de fer(II)/Eisen(II)-oxalat
- de sodium/Natriumoxalat
oxalates/Oxalate, Oxalsäureester
- de potassium/Kaliumoxalate
oxalide/Sauerklee
oxalo.../Oxal...
oxalyl.../Oxalyl...
oxamide/Oxamid
oxamoyl.../Oxamoyl...
oxamyl/Oxamyl
oxapénème/Oxapeneme
oxatomide/Oxatomid
oxazépam/Oxazepam
oxazines/Oxazine
oxaziridines/Oxaziridine
oxazolam/Oxazolam
oxazoles/Oxazole
oxazolidinones/Oxazolidinone
oxazolones/Oxazolone
oxéladine/Oxeladin
oxépines/Oxepine
oxétacaïne/Oxetacain
oxétanes/Oxetane
oxétanocine/Oxetanocin
oxétanones/Oxetanone
oxétine/Oxetin
oxicames/Oxicame
oxiconazole/Oxiconazol
oxilofrine/Oxilofrin
oxime de cyclohexanone/Cyclohexanonoxim
- du perillaaldéhyde/Perillaaldehydoxim
oximes/Oxime
oxindol(e)/Oxindol
oxiranes/Oxirane
oxirènes/Oxirene
oxitriptan/Oxitriptan
oxo.../Oxo...
oxoacides/Oxosäuren
oxoalcools/Oxo-Alkohole
oxoaldéhydes/Oxoaldehyde
oxocarbones/Oxokohlenstoffe
oxoesters/Oxoester
oxolane/Oxolan
oxomémazine/Oxomemazin
oxonium/Oxonium
oxotrémorine/Oxotremorin
oxprénolol/Oxprenolol
oxy.../Oxy...
oxybenzone/Oxybenzon
oxybuprocaïne/Oxybuprocain
oxybutynine/Oxybutynin
oxycarboxine/Oxycarboxin
oxycelluloses/Oxycellulosen
oxychloration/Oxychlorierung
oxychlorure de bismuth/Perlweiß
- de cuivre/Haftkupfer
oxychlorures de vanadium/Vanadiumoxidchloride
oxycodone/Oxycodon
oxycoupage/Brennschneiden
oxydants/Oxidantien
oxydaquates/Oxidaquate
oxydases/Oxidasen
oxydatif/Oxidativ
oxydation/Oxidation
- anodique/Anodische Oxidation
- anodique du aluminium/Eloxal-Verfahren, Ematal-Verfahren
- anodique du magnésium/Elomag-Verfahren
- de Baeyer-Villiger/Baeyer-Villiger-Oxidation
- de Dakin/Dakin-Oxidation
- de Jones/Jones-Oxidation

- de Moffatt-Pfitzner/Moffatt-Pfitzner-Oxidation
- de Oppenauer/Oppenauer-Oxidation
- de Sarett/Sarett-Oxidation
- de Swern/Swern-Oxidation
- des phases gazeuses/Gasphasenoxidation
- humide en basse pression/LOPROX
- par friction/Schwingungsverschleiß
- par peroxyde d'hydrogène/Wasserstoffperoxid-Oxidation
- par voie humide/Naßoxidation
oxyde blanc d'arsénic/Hüttenrauch
- d'amine/Aminoxide
- de baryum/Bariumoxid
- de bismuth/Bismutoxide
- de cacodyle/Kakodyloxid
- de cadmium/Cadmiumoxid
- de calcium/Calciumoxid
- de carbone/Kohlenoxid
- de deutérium/Deuteriumoxid
- de magnésium/Magnesiumoxid
- de mésityle/Mesityloxid
1-oxyde de 4-nitroquinoléine/4-Nitrochinolin-1-oxid
oxyde de palladium(II)/Palladium(II)-oxid
- de propylène/Propylenoxid
S-oxyde de propanethial/Propanthial-S-oxid
- de roses/Rosenoxid
- de styrène/Styroloxid
- de titanium/Titandioxid
- de trichlorure de phosphore/Phosphoroxidtrichlorid
- de zinc/Zinkoxid
- d'éthylène/Ethylenoxid
oxydéméton-méthyle/Oxydemeton-methyl
oxydes/Oxide
- carbonyles/Carbonyl-Oxide
- d'aluminium/Aluminiumoxide
- d'antimoine/Antimonoxide
- d'arènes/Arenoxide
- d'argent/Silberoxide
- de brome/Bromoxide
- de carbone/Kohlenstoffoxide
- de chlor/Chloroxide
- de chrome/Chromoxide
- de cobalt/Cobaltoxide
- de cuivre/Kupferoxide
- de fer/Eisenoxide
- de l'azote/Stickstoffoxide
- de lithium/Lithiumoxide
- de manganèse/Manganoxide
- de mercure/Quecksilberoxide
- de nickel/Nickeloxide
- de nitriles/Nitriloxide
N-oxydes de la pyridine/Pyridin-N-oxide
2-oxydes de 1,3,2-oxazaphosphinan-2-amine/1,3,2-Oxazaphosphinan-2-amin-2-oxide
oxydes de phosphanes/Phosphanoxide
- de phosphore/Phosphoroxide
- de plomb/Bleioxide
- de polyphénylène/Polyphenylenoxide
- de polyphosphine/Polyphosphinoxide
- de potassium/Kaliumoxide
- de sodium/Natriumoxide
- de soufre/Schwefeloxide
- de tellurium/Telluroxide
- de thallium/Thalliumoxide
- de tungstène/Wolframoxide
- de vanadium/Vanadiumoxide
- de Zurich/Züricher Oxide

– d'étain/Zinnoxide
– d'hydrogène/Wasserstoffoxide
– d'iode/Iodoxide
– d'uranium/Uranoxide
oxydi.../Oxydi...
oxydimétrie/Oxidimetrie
3,3'-oxydipropionitrile/3,3'-Oxydipropionitril
oxydo.../Oxido...
oxydo-réductases/Oxidoreduktasen
ox(y)éthyl.../Oxethyl...
oxyfédrine/Oxyfedrin
oxyfluorfène/Oxyfluorfen
oxygénases/Oxygenasen
oxygénation/Oxygenierung
oxygène/Sauerstoff
– à l'état singulet/Singulett-Sauerstoff
– triplet/Triplett-Sauerstoff
oxyhalogénures/Oxidhalogenide
oxyliquite/Oxyliquit
oxymercuration/Oxymercurierung
oxymestérone/Oxymesteron
oxymétallation/Oxymetallierung
oxymétazoline/Oxymetazolin
oxymétholone/Oxymetholon
oxymètres/Oximeter
oxymorphone/Oxymorphon
oxypertine/Oxypertin
oxyphenbutazone/Oxyphenbutazon
oxyphencyclimine/Oxyphencyclimin
oxyphénisatine/Oxyphenisatin
oxysulfure de carbone/Kohlenoxidsulfid
oxytétracycline/Oxytetracyclin
oxytocinase/Oxytocinase
oxytocine/Oxytocin
oxytociques/Wehenmittel
oxyurs/Oxyuren
...oyl/...oyl
ozocérite/Ozokerit
ozokérite/Ozokerit
ozone/Ozon
ozonides/Ozonide
ozon(is)ation/Ozonisierung
ozonolyse/Ozonolyse
ozonosphère/Ozon-Schicht

P

p53/p53
pacanes/Pekan-Nüsse
paclitaxel/Paclitaxel
paclobutrazol/Paclobutrazol
pahutoxine/Pahutoxin
paillasses de laboratoire/Labortische
paille/Stroh
pailles/Schlieren
pain/Brot
paire de Cooper/Cooper-Paar
– électronique/Elektronenpaar
paléobiochimie/Paläobiochemie
paléontologie/Paläontologie
palladium/Palladium
palliatifs/Palliative
palmier à l'huile/Ölpalme
palmitate de méthyle/Palmitinsäuremethylester
– de 2-propyle/Palmitinsäureisopropylester
– d'éthyle/Palmitinsäureethylester
palmitates/Palmitate
palmitine/Palmitin
paludisme/Malaria
palygorskite/Attapulgit
palytoxine/Palytoxin
pamaquine/Pamaquin
pamplemousse/Grapefruit, Pomelo
panais/Pastinak
panaxosides/Panaxoside
panclastite/Panclastit
pancréas/Pankreas
pancréastatine/Pankreastatin
pancréatine/Pankreatin
pandermite/Pandermit
panneaux de fibres/Holzfaserplatten
– de particules/Holzspanplatten
– durs/Hartfaserplatten
– légers en laine de bois/Holzwolle-Leichtbauplatten
panthénol/Panthenol
pantoprazol/Pantoprazol
pantothénate de calcium/Calciumpantothenat
papaïne/Papain
papavérine/Papaverin
papaye/Papaya
papier/Papier
– à plomb/Bleipapier
– autocopiant/Durchschreibepapier
– de carbone/Kohlepapier
– de verre/Glaspapier, Sandpapier
– déchloré/Chlorfreies Papier
– pour sacs/Sackpapier
– sablé/Sandpapier
– verré/Glaspapier
papiers à réactifs/Reagenzpapiere
– huilés/Ölpapiere
– peints/Tapeten
paprika/Paprika
PAR (prise alimentaire (journalière) recommandée)/RDA
para-/Para-
paracétamol/Paracetamol
parachor/Parachor
paracristaux/Parakristalle
paracyclophanes/Paracyclophane
paradontose/Parodontose
paraffine/Paraffin
paraffines/Paraffine
paraflutizide/Paraflutizid
parafuchsine/Parafuchsin
paragenèse/Paragenese
paragonite/Paragonit
paraldéhyde/Paraldehyd
paralysie agitante/Parkinsonsche Krankheit
paramagnétisme de Van-Vleck/Van-Vleck-Paramagnetismus
paraméthasone/Paramethason
paramètre/Parameter
paramètre de ramification/Verzweigungsparameter
paramètre d'impact/Stoßparameter
– somme/Summenparameter
paramètres de copolymérisation/Copolymerisationsparameter
paramomycine/Paromomycin
paramones/Paramone
paramorphose/Paramorphose
paramyosine/Paramyosin
paraprotéines/Paraproteine
pararosaniline/Pararosanilin
pararouge/Pararot
parasites/Parasiten
parasympatholytiques/Parasympath(ik)olytika
parasympathomimétiques/Parasympath(ik)omimetika
parathion/Parathion
– -méthyle/Parathion-methyl
parathyrine/Parathyrin
paratrope/Paratrop
parazoanthoxanthines/Parazoanthoxanthine
parchemin/Pergament
parenchyme/Parenchym
parentéral/Parenteral
parfumer/Parfümierung
parfumerie/Parfümerie
parfums/Parfüms
– aqueux/Wasserparfüms
parité/Parität
parkinsonisme/Parkinsonismus
parois système Rabitz/Rabitz-Wände
parosmie/Parosmie
paroxétine/Paroxetin
paroxypropione/Paroxypropion
partage/Verteilung
parthénogenèse/Parthenogenese
particules/Teilchen
– alpha/Alpha-Teilchen
– élémentaires/Elementarteilchen
– sigma/Sigma-Teilchen
partie aliquote/Aliquoter Teil
parure de défense/Warntracht
parvalbumines/Parvalbumine
parylènes/Parylene
pas-d'âne/Huflattich
pasiniazide/Pasiniazid
paspalitrèmes/Paspalitreme
passer au bleu/Bläuen
passeur d'échantillons/Autosampler
passiflore/Passionsfrüchte
passivité/Passivität
pasteurisation/Pasteurisierung
pastilles/Pastillen
patate/Batate
patatine/Patatin
patchoulol/Patchoulialkohol
pâte/Pülpe od. Pulpe, Teig
– bondissante/Bouncing Putty
– d'amandes/Marzipan
– de bois/Holzbeton, Holzstoff
– de brasage/Lötpasten
– de Noyer/Noyer-Paste
– de râperie mécanique/Holzschliff
– farfelue/Silly putty
– mécanique/Holzschliff
– mi-chimique/Halbzellstoff
patellamides/Patellamide
patentage/Patentieren
pâtes/Pasten
– à caractères/Typenreiniger
– alimentaires/Teigwaren
pathogène/Pathogen
patine/Patina
patronite/Patronit
pattinsonage/Pattinson-Verfahren
patuline/Patulin
pauvre en sodium/Natriumarm
– en substances nocives/Schadstoffarm
pavane/Schwänzeltanz
pavé/Pflaster
pavot/Mohn
PB-toxine/PB-Toxin
peau/Haut
peaux chamoisées/Fensterleder
– de chèvres tannées/Ziegenleder
– de saucisse/Wursthüllen
pebulate/Pebulat
pêches/Pfirsiche
pécilocine/Pecilocin
pectines/Pektine
pectolite/Pektolith
pédérine/Pederin
péfloxacine/Pefloxacin
péganine/Peganin
pégaspargase/Pegaspargase
pegmatites/Pegmatite
peigné/Kammgarn
peinture/Anstrich
– à l'huile/Ölfarben
– au latex/Dispersionsfarben
– de fond réactionnelle/Reaktionsprimer
– de poussière de zinc/Zinkstaubfarben
– métallisée/Metallic-Lacke
– pour façades/Fassadenfarbe
– primaire réactive/Shop-Primer
peintures à chaux/Kalkfarbe
– à la colle/Leimfarben
– antisalissure/Antifoulingfarben
– en détrempe/Leimfarben
– et vernis/Anstrichstoffe
– pour marquage de routes/Straßenmarkierungsfarben
– pour navires/Schiffsanstriche
pélargonates/Pelargonate
pélargonine/Pelargonin
pélites/Pelite
pellagre/Pellagra
pelleterie/Rauchwaren
pelletiérine/Pelletierin
pellets/Pellets
pellicule de laque/Folienlacke
pellicules/Schuppen
pellote/Peyotl
péloïdes/Peloide
pémoline/Pemolin
pénam/Penam
penbutolol/Penbutolol
penciclovir/Penciclovir
penconazole/Penconazol
pencycuron/Pencycuron
pendiméthaline/Pendimethalin
pendlétonite/Pendletonit
pendule de torsion/Torsionspendel
pénem/Penem
pénétration/Penetration
penflutizide/Penflutizid
pengitoxine/Pengitoxin
pénicillamine/Penicillamin
pénicillinases/Penicillinasen
pénicillines/Penicilline
pénitrèmes/Penitreme
pent(a).../Pent(a)...
pentaborane(9)/Pentaboran(9)
pentacène/Pentacen
pentachloroéthane/Pentachlorethan
pentachlorophénol/Pentachlorphenol
pentacos(a).../Pentacos(a)...
pentacyclo.../Pentacyclo...
pentadec(a).../Pentadec(a)...
pentadécane/Pentadecane
15-pentadécanolide/15-Pentadecanolid
1,3-pentadiène/1,3-Pentadien
pentadine/Pentadin
pentaérythrite/Pentaerythrit
pentaérythritol/Pentaerythrit
pentalène/Pentalen
pentalénène/Pentalenen
pentalénolactones/Pentalenolactone
1,2,3,4,5-pentaméthylcyclopentadiène/1,2,3,4,5-Pentamethylcyclopentadien
pentaméthylène.../Pentamethylen...
pentamidine/Pentamidin
pentanal/Pentanal
1-pentanamine/1-Pentanamin
pentane/Pentane
1,5-pentanediamine/1,5-Pentandiamin
pentanediols/Pentandiole
2,4-pentanediónato.../2,4-Pentandionato...
pentanols/Pentanole
pentanones/Pentanone
pentazocine/Pentazocin
pentènes/Pentene

Française

penténols/Pentenole
...pentétate/...pentetat
pentétate de calcium trisodique/Calciumtrinatriumpentetat
pentétrazol/Pentetrazol
pentifylline/Pentifyllin
pentitols/Pentite
pentlandite/Pentlandit
pentobarbital/Pentobarbital
pentorex/Pentorex
pentosanepolysulfate de sodium/Natriumpentosanpolysulfat
pentosanes/Pentosane
pentoses/Pentosen
pentostatine/Pentostatin
pentoxifylline/Pentoxifyllin
pentoxyde d'arsenic/Arsenpentoxid
pentoxyvérine/Pentoxyverin
pentraxines/Pentraxine
pentuloses/Pentulosen
pentyl.../Pentyl...
α-pentylcinnamaldéhyde/α-Pentylzimtaldehyd
péone/Pfingstrose
pépin/Kern
pepsine/Pepsine
pepsinogène/Pepsinogen
pepstatine A/Pepstatin A
peptidases/Peptidasen
peptide dégranulant les mastocytes/Mastzellen-degranulierendes Peptid
– dérivant du gène de la calcitonine/Calcitonin-Gen-zugehöriges Peptid
– King-Kong/King-Kong-Peptid
– YY/Peptid YY
peptides/Peptide
– de type glucagonique/Glucagon-artige Peptide
– natriurétiques/Natriuretische Peptide
– signal/Signalpeptide
peptolides/Peptolide
peptones/Peptone
per.../Per...
per sels/Persalze
peracides/Persäuren
peramine/Peramin
pérazine/Perazin
perborate de sodium/Natriumperborat
perborates/Perborate
perbromates/Perbromate
percarbamide/Percarbamid
percarbonate de sodium/Natriumpercarbonat
perce-bouchons/Korkbohrer
perchlorate d'ammonium/Ammoniumperchlorat
– de baryum/Bariumperchlorat
– de lithium/Lithiumperchlorat
– de magnésium/Magnesiumperchlorat
– de potassium/Kaliumperchlorat
– de sodium/Natriumperchlorat
perchlorates/Perchlorate
perchloro.../Perchlor...
percolation/Perkolation
percutané/Percutan
perfluoroalcoxypolymères/Perfluoralkoxy-Polymere
perfluoroéthers de poids moléculaire élevé/Perfluorpolyether
perforation/Perforation
perforines/Perforine
perfusion/Perfusion
pergolide/Pergolid
perhexiline/Perhexilin
perhydro.../Perhydro...

perhydrotriphenylène/Perhydrotriphenylen
peri.../Peri...
péricarpe/Perikarp
périciazine/Periciazin
périclase/Periklas
peridinine/Peridinin
péridot/Peridot
péridotites/Peridotite
perillacétone/Perillaketon
périmorphose/Perimorphose
perindopril/Perindopril
periodate de potassium/Kaliumperiodat
periodates/Periodate
– de sodium/Natriumperiodate
periode circannuelle/Circannuale Periodik
période d'attente/Karenzzeit
– de carence/Karenzzeit
– de latence/Latenzzeit
périodiques/Zeitschriften
périphérine/Peripherin
periplanones/Periplanone
péristylanes/Peristylane
péritectique/Peritektikum
perles/Perlen
– aux sels/Salzperlen
perlite/Perlit
perlites/Perlite
perloline/Perlolin
permanganate de potassium/Kaliumpermanganat
permanganates/Permanganate
perméabilité/Permeabilität
perméases/Permeasen
perméthrine/Permethrin
permittivité/Permittivität
pérovskite/Perowskit
peroxide de 2-butanone/2-Butanon-peroxid
peroxides de dialkyl/Dialkylperoxide
peroxo.../Peroxo...
peroxoborates/Peroxoborate
peroxocarbonates/Peroxocarbonate
peroxochromates/Peroxochromate
peroxodisulfate de potassium/Kaliumperoxodisulfat
– de sodium/Natriumperoxodisulfat
peroxomonosulfates/Peroxomonosulfate
peroxonitrates organiques/Peroxonitrat-Ester
peroxophosphates/Peroxophosphate
peroxy.../Peroxy...
peroxyacétyl-nitrate/Peroxyacetylnitrat
peroxycétals/Peroxyketale
peroxydases/Peroxidasen
peroxyde de baryum/Bariumperoxid
– de benzoyle/Benzoylperoxid
– de calcium/Calciumperoxid
– de cyclohexanone/Cyclohexanonperoxid
– de di-*tert*-butyle/Di-*tert*-butylperoxid
– de dicumyle/Dicumylperoxid
– de lauroyle/Lauroylperoxid
– de magnésium/Magnesiumperoxid
– de méthylpentanone/Methylpentanonperoxid
– de sodium/Natriumperoxid
– d'hydrogène/Wasserstoffperoxid
peroxydes/Peroxide
– de diacyle/Diacylperoxid

peroxylactones/Peroxylactone
peroxysomes/Peroxisomen
perphénazine/Perphenazin
perrhénate de potassium/Kaliumperrhenat
perrhénates/Perrhenate
persipan/Persipan
persistance/Persistenz
persulfate d'ammonium/Ammoniumpersulfat
perte par calcination/Glühverlust
perthotrophie/Perthotrophie
pervaporation/Pervaporation
pervenche/Immergrün
perylène/Perylen
pesage/Wägen
pesée/Wägen
pessaire intrautérin/Intrauterinpessare
pestalotine/Pestalotin
peste/Pest
pesticides/Pestizide
peta.../Peta...
pétalite/Petalit
pétards/Knallkörper
pétasine/Petasin
péthidine/Pethidin
petit-lait/Molke
– plomb/Hartschrot
– radis/Radieschen
petite centaurée/Tausendgüldenkraut
– prêle/Schachtelhalme
petites protéines de liaison de GTP/Kleine GTP-bindende Proteine
petits cycles/Kleine Ringe
pétro.../Petr(o)...
pétrochimie/Petrochemie
pétrographie/Petrographie
pétrole/Erdöl
– lampant/Leuchtpetroleum
pétroprotéines/Petroproteine
pétrosine/Petrosin
petzite/Petzit
peuplement/Bestand
peyotl/Peyotl
pH/pH
phaéophytines/Phäophytine
phage lambda/Lambda-Phage
phages/Phagen
– tempérés/Temperente Phagen
phagocytes mononucléaires/Mononukleäre Phagocyten
phagocytose/Phagocytose
phalloïdine/Phalloidin
phallotoxines/Phallotoxine
phane nomenclature/Phan-Nomenklatur
phanes/Phane
phanquinone/Phanquinon
pharma.../Pharma...
pharmacie/Apotheke, Pharmazie
pharmacien/Apotheker
pharmacochimie/Pharmazeutische Chemie
pharmacocinétique/Pharmakokinetik
pharmacodynamie/Pharmakodynamik
pharmacogénétique/Pharmakogenetik
pharmacognosie/Pharmakognosie
pharmacologie/Pharmakologie
pharmacopées/Pharmakopöen
pharming/Pharming
phase de latence/lag-Phase
– de lecture/Leseraster
– logarithmique/log-Phase
– mobile/Mobile Phase
– stationnaire/Stationäre Phase
phaséoline/Phaseolin
phases/Phasen

– de Hume-Rothery/Hume-Rothery-Phasen
– de Laves/Laves-Phasen
– de Vernier/Vernier-Phasen
– de Zintl/Zintl-Phasen
– inversées/Reverse Phasen
– mixtes/Mischphasen
phasine/Phasin
α-phellandrène/α-Phellandren
phén.../Phen...
phénacétine/Phenacetin
phénacite/Phenakit
phénacyl.../Phenacyl...
1*H*-phénalène/1*H*-Phenalen
phénalénones/Phenalenone
phénamazide/Phenamazid
phenamiphos/Fenamiphos
phénanthrène/Phenanthren
9,10-phénanthrène-quinone/9,10-Phenanthrenchinon
phénanthridine/Phenanthridin
1,10-phénanthroline/1,10-Phenanthrolin
phénazine/Phenazin
phénazone/Phenazon
phénazopyridine/Phenazopyridin
phencarbamide/Phencarbamid
phencyclidine/Phencyclidin
phendimétrazine/Phendimetrazin
...phène/...phen
phénéthyl.../Phenethyl...
phénéticiline/Phenethicillin
...phénétidide/...phenetidid
phénétidines/Phenetidine
phénétol/Phenetol
phénétyl.../Phenetyl...
phenformine/Phenformin
phéniatrie/Phäniatrie
phénindamine/Phenindamin
phénindione/Phenindion
phéniramine/Pheniramin
phenmédiphame/Phenmedipham
phenmétrazine/Phenmetrazin
phén(o).../Phen(o)...
phénobarbital/Phenobarbital
phénol/Phenol
phenol-oxydases/Phenol-Oxidasen
phénolates/Phenolate
phénolisatines/Phenolisatine
phénolphtaléine/Phenolphthalein
phénolphthalol/Phenolphthalol
phénols/Phenole
– du vin/Weinphenole
phénolsulfonephtaléine/Phenolsulfonphthalein
phénomène de Leidenfrost/Leidenfrostsches Phänomen
– d'Oklo/Oklo-Phänomen
phénomènes électrocinétiques/Elektrokinetische Erscheinungen
...phénone/...phenon
phenoplastes/Phenol-Harze
phénothiazine/Phenothiazin
phénothrine/Phenothrin
phénotype/Phänotyp
phénoxazine/Phenoxazin
phénoxazone/Phenoxazon
phénoxy.../Phenoxy...
phénoxybenzamine/Phenoxybenzamin
phénoxyle/Phenoxyl
phénoxyméthylpénicilline/Phenoxymethylpenicillin
phénoxyrésines/Phenoxyharze
phenprobamate/Phenprobamat
phenprocoumone/Phenprocoumon
phensuximide/Phensuximid
phentermine/Phentermin
phenthoate/Phenthoat
phentolamine/Phentolamin

phénylacétaldéhyde/Phenylacetaldehyd
phénylacétates/Phenylessigsäureester
phénylacétonitrile/Phenylacetonitril
phénylacétyl…/Phenylacetyl…
phénylacide/Phenylazid
phénylalanine/Phenylalanin
phénylation/Phenylierung
phénylazo…/Phenylazo…
(phénylazo)phénols/Phenylazophenole
phénylazoxy…/Phenylazoxy…
phénylbutazone/Phenylbutazon
phénylcétonurie/Phenylketonurie
N-phényldiethanolamine/N-Phenyldiethanolamin
phényle/Phenyl
phényl(e)…/Phenyl…
…phénylène/…phenylen
phénylène…/Phenylen…
phénylène-diamines/Phenylendiamine
phényléphryne/Phenylephrin
phényléthanols/Phenylethanole
phényléthylamines/Phenylethylamine
phénylfluorone/Phenylfluoron
phénylglycines/Phenylglycine
phénylhydrazine/Phenylhydrazin
phénylhydrazones/Phenylhydrazone
N-phénylhydroxylamine/N-Phenylhydroxylamin
phényllithium/Phenyllithium
4-phénylmorpholine/4-Phenylmorpholin
N-phényl-2-naphtylamine/N-Phenyl-2-naphtylamin
phénylphosphate de disodium/Phenylphosphat-Dinatriumsalz
phénylpropanolamines/Phenylpropanolamine
phénylpropanols/Phenylpropanole
1-phényl-2-propanone/1-Phenyl-2-propanon
4-phénylsemicarbazide/4-Phenylsemicarbazid
1-phényl-1H-tétrazole-5-thiol/1-Phenyl-1H-tetrazol-5-thiol
phénylthiourée/Phenylthioharnstoff
phényltoloxamine/Phenyltoloxamin
phénylurée/Phenylharnstoff
N-phényluréthane/N-Phenylurethan
phényphénoles/Biphenylole
phénytoïne/Phenytoin
phéo…/Phäo…
phéromones/Pheromone
– d'algues/Algenpheromone
phicocyanine/Phycocyanin
δ-philanthotoxine/δ-Philanthotoxin
…phile/…phil
phillipsite/Phillipsit
philosophique/Philosophisch
phlegmacines/Phlegmacine
phlegme/Phlegma
phlobaphènes/Phlobaphene
phloème/Ploem
phlogiston/Phlogiston
phlogopite/Phlogopit
phloroglucine/Phloroglucin
phloroglucinol/Phloroglucin
phloxine/Phloxin
…phobe/…phob
pholcodine/Pholcodin
pholédrine/Pholedrin
phonolithe/Phonolith
phonons/Phononen
phorbol/Phorbol
…phore/…phor
phorésie/Phoresie
phorone/Phoron
phos…/Phos…
phosalone/Phosalon
phosducine/Phosducin
phosgène/Phosgen
phosgénite/Phosgenit
phosmet/Phosmet
phosph(a)…/Phosph(a)…
phosphamidon/Phosphamidon
phosphanes/Phosphane
phosphatases/Phosphatasen
phosphatation/Phosphatieren
phosphate d'argent/Silberphosphat
– de chrome(III)/Chrom(III)-phosphat
– de cobalt(II)/Cobalt(II)-phosphat
– de fer(III)/Eisen(III)-phosphat
– de magnésium-ammonium/Magnesiumammoniumphosphat
– de polyestradiol/Polyestradiolphosphat
– de tributyle/Tributylphosphat
– de tricrésyle/Trikresylphosphat
– de triéthyle/Triethylphosphat
– de triméthyle/Trimethylphosphat
– de triphényle/Triphenylphosphat
– de tris(2,3-dibromopropyle)/Tris(2,3-dibrompropyl)-phosphat
– d'urée/Harnstoffphosphat
phosphates/Phosphate
– condensés/Kondensierte Phosphate
– d'aluminium/Aluminiumphosphate
– d'ammonium/Ammoniumphosphate
– de calcium/Calciumphosphate
– de magnésium/Magnesiumphosphate
– de manganèse/Manganphosphate
– de potassium/Kaliumphosphate
– de sodium/Natriumphosphate
– de zinc/Zinkphosphate
– fondus/Schmelzphosphate
– organiques/Phosphorsäureester
phosphatidyl…/Phosphatidyl…
phosphatidylinositols/Phosphatidylinosite
phosphazanes/Phosphazane
phosphazènes/Phosphazene
phosphinate de sodium/Natriumphosphinat
phosphinates/Phosphinate
phosphinine/Phosphinin
phosphino…/Phosphino…
phosphinotricine/Phosphinothricin
phosphinoyl…/Phosphinoyl…
phosphite de diéthyle/Diethylphosphit
– de diméthyle/Dimethylphosphit
– de triéthyle/Triethylphosphit
– de triméthyle/Trimethylphosphit
– de triphényle/Triphenylphosphit
– de tris(nonylphényle)/Tris(nonylphenyl)-phosphit
phosphites/Phosphite
phospho…/Phospho…
phospho-cellulose/Phospho-Cellulose
3′-phosphoadénosine 5′-phosphosulfate/3′-Phosphoadenosin-5′-phosphosulfat
phosphodiestérases/Phosphodiesterasen
phosphodiesters/Phosphodiester
phosphoénolpyruvate/Phosphoenolpyruvat
– carboxykinase/Phosphoenolpyruvat-Carboxykinase
– carboxylase/Phosphoenolpyruvat-Carboxylase
phosphofructokinases/Phosphofructokinasen
phosphoinositides/Phosphoinositide
phospholambane/Phospholamban
phospholes/Phosphole
phospholipases/Phospholipasen
phospholipides/Phospholipide
phosphonates/Phosphonate
phosphono…/Phosphono…
phosphonoyl…/Phosphonoyl…
phosphophyllite/Phosphophyllit
phosphoprotéines/Phosphoproteine
phosphoramidone/Phosphoramidon
phosphoranes/Phosphorane
phosphore/Phosphor
phosphorescence/Phosphoreszenz
phosphorites/Phosphorite
phosphorolyse/Phosphorolyse
phosphors de Lenard/Lenard-Phosphore
phosphoryl…/Phosphoryl…
phosphorylases/Phosphorylase
phosphorylation/Phosphorylierung
phosphosérine/Phosphoserin
phosphure de calcium/Calciumphosphid
– de zinc/Zinkphosphid
– d'indium/Indiumphosphid
phosphures/Phosphide
– de fer/Eisenphosphide
phosvitine/Phosvitin
photo…/Phot(o)…
photo-électrons/Photoelektronen
– -oxydation/Photooxidation
photoautotrophe/Photoautotroph
photobiologie/Photobiologie
photocalque/Lichtpausen
photocalques bleus/Blaupausen
photocellule/Photoelement
photochimie/Photochemie
– organique/Organische Photochemie
photochimiothérapie/Photochemotherapie
photochromie/Photochromie
photoconductivité/Photoleitfähigkeit
photocopie/Photokopie
photodéclencheurs/Photoinitiatoren
photodécomposition/Photoabbau
photodégradation/Photoabbau
photodétachement/Photodetachment
photodiode/Photodioden
photoélectricité/Photoelektrizität
photographie/Photographie
– à développement instantané/Instant-Photographie
– en couleurs/Farbphotographie
– en couleurs fausses/Falschfarbenphotographie
– Kirlian/Kirlian-Photographie
photoionisation/Photoionisation
photolithotrophie/Photolithotrophie
photolyase/Photolyase
photolyse/Photolyse
– flash/Blitzlicht-Photolyse
photométrie/Photometrie
photomultiplicateur/Photomultiplier
photonique moléculaire/Molekulare Photonik
photons/Photonen
photooxydants/Photooxidantien
photopile/Photoelement, Photozellen
photopolymères/Photopolymere
photopolymérisation/Photopolymerisation
photoprotéines/Photoproteine
photorécepteurs/Photorezeptoren
photorésists/Photoresists
photorespiration/Photorespiration
photosmog/Photosmog
photostabilisateurs/Photostabilisatoren
photosynthèse/Photosynthese
phototaxie/Phototaxis
phototaxisme/Phototaxis
phototransduction/Phototransduktion
phototrophie/Phototrophie
phototropie/Phototropie
phoxime/Phoxim
phrases R/R-Sätze
– S/S-Sätze
phtalaldéhyde/Phthalaldehyd
phtalate de benzyl-butyle/Benzylbutylphthalat
phtalates/Phthalsäureester
phtalazines/Phthalazin
phtaléines/Phthaleine
phtalides/Phthalide
phtalimide/Phthalimid
phtal(o)…/Phthal(o)…
phtalocyanine/Phthalocyanin
phtalo(di)nitrile/Phthalsäuredinitril
phtaloyl…/Phthaloyl…
phtalyl…/Phthalyl…
phtalylsulfathiazol/Phthalylsulfathiazol
phthiocol/Phthiokol
phycobilines/Phycobiline
phyllanthocine/Phyllanthocin
phyllite/Phyllit
phyll(o)…/Phyll(o)…
phyllosilicates/Phyllosilicate
physalaemine/Physalaemin
physarochrome/Physarochrom
physcione/Physcion
physiologie/Physiologie
– des plantes/Pflanzenphysiologie
– sensorielle/Sinnesphysiologie
physique/Physik
– atomique/Atomphysik
– chimique/Chemische Physik
– des métaux/Metallphysik
– moléculaire/Molekülphysik
– nucléaire/Kernphysik
physostigmine/Physostigmin
phyt…/Phyt…
phytatrie/Phytomedizin
phyto-hormones/Pflanzenwuchsstoffe
phytoalexines/Phytoalexine
phytoantibiotiques/Phytoantibiotika
phytochélatines/Phytochelatine
phytochimie/Phytochemie
phytochrome/Phytochrom
phytoeffecteurs/Phytoeffektoren
phytoène/Phytoen
phytogène/Phytogen
phytohormones/Pflanzenhormone
phytol/Phytol
phytoncides/Phytonzide
phytostérols/Phytosterine
phytothérapie/Phytotherapie
phytotoxicité/Phytotoxizität
phytotoxines/Pflanzengifte

Française

phytyl.../Phytyl...
pic/Peak
picéine/Picein
picène/Picen
picklage/Pickeln
piclorame/Picloram
pico.../Piko...
picolines/Picoline
picosulfate de sodium/Natriumpicosulfat
picotamide/Picotamid
picr.../Pikr...
picrates/Pikrate
picratol/Picratol
picrites/Pikrite
picromérite/Schönit
picromycine/Picromycin
picrotoxine/Picrotoxin
picryl.../Pikryl...
pièces de forme/Formteile
piège à ions/Ionenfalle
– de Barber/Barberfalle
– de Paul/Paul-Falle
– de Penning/Penning-Falle
pierre de lard/Speckstein
– de lune/Mondstein
– de Portland/Portlandstein
– de savon/Seifenstein
– de touche/Probierstein
– philosophale/Stein der Weisen
pierres à aiguiser/Abziehsteine
– chaux-grès/Kalksandsteine
– de chrome-magnésite/Chrommagnesitsteine
– fétides/Stinksteine
– fondues dipyre/Schmelzsteine
– légères de construction/Leichtbausteine
– naturelles/Natursteine
– silteuses/Siltsteine
piézo.../Piezo...
piézochromie/Piezochromie
piézoélectricité/Piezoelektrizität
pigeonite/Pigeonit
pigmentation/Pigmentierung
– des feuilles/Laubfärbung
pigments/Pigmente
– biliaires/Gallenfarbstoffe
– brillants/Glanzpigmente
– céramiques/Keramische Pigmente
– de benzimidazolone/Benzimidazolon-Pigmente
– de bronze moulu/Bronzepigmente
– de cadmium/Cadmium-Pigmente
– de chrome/Chrom-Pigmente
– de couleurs de rose/Rosenfarbstoffe
– de Dermocybe/Dermocyben-Farbstoffe
– de fer/Eisen-Pigmente
– de nickel/Nickel-Pigmente
– d'effet métallique/Metalleffekt-Pigmente
– des fleurs/Blütenfarbstoffe
– des lichens/Flechten-Farbstoffe
– d'interférence/Interferenzpigmente
– d'oxyde de fer/Eisenoxid-Pigmente
– fécaux/Fäkalpigmente
– hygrocibes/Hygrocyben-Farbstoffe
– luminiscents/Leuchtpigmente
– minéraux/Mineralfarben
– nacrés/Perlglanzpigmente
– permanents/Permanent-Pigmente
– plombifères/Blei-Pigmente
– pyrroliques/Pyrrol-Farbstoffe

pile de concentration/Konzentrationszelle
– de Helmholtz/Helmholtzsche Doppelzelle
– solaire/Photoelement
piles à combustible/Brennstoffzellen
– atomiques/Kernreaktoren
– locales/Lokalelemente
– sèches (de poche)/Taschenbatterien
piline/Piline
pilling/Pilling
pilocarpine/Pilocarpin
pilules/Pillen
piment/Paprika, Piment
pimobendane/Pimobendan
pimozide/Pimozid
pimpinelline/Pimpinellin
pinacol/Pinakol
pinacolone/Pinakolon
pinacols/Pinakole
pinane/Pinan
pinces presses-tubes/Quetschhähne
pincette optique/Optische Pinzette
pindolol/Pindolol
pindone/Pindon
pinènes/Pinene
pin(o).../Pin(o)...
pinocytose/Pinocytose
pinosylvine/Pinosylvin
pipacétate/Pipazetat
pipampérone/Pipamperon
pipé.../Pipe...
pipeline/Pipeline
pipéracilline/Piperacillin
pipérazine/Piperazin
2,5-pipérazinedione/2,5-Piperazindion
pipéridindiones/Piperidindione
pipéridine/Piperidin
pipéridino.../Piperidino...
2-pipéridone/2-Piperidon
pipéridyl.../Piperidyl...
pipérine/Piperin
pipéronal/Piperonal
pipéronyl.../Piperonyl...
pipérophos/Piperophos
pipette à piston/Kolbenhubpipette
pipettes/Pipetten
pipoxolan/Pipoxolan
pipradrol/Pipradrol
piprinhydrinate/Piprinhydrinat
piprozoline/Piprozolin
piquée/Abstich
piracétam/Piracetam
pirbutérol/Pirbuterol
pirénoxine/Pirenoxin
pirenzépine/Pirenzepin
pirétanide/Piretanid
piribédil/Piribedil
piridoxilate/Piridoxilat
piritramide/Piritramid
piroxicam/Piroxicam
pirprofène/Pirprofen
pisatine/Pisatin
pissenlit/Löwenzahn
pissettes/Spritzflaschen
pistaches/Pistazien
pistillarine/Pistillarin
pistons/Kolben
pitchpin/Pitchpine
pitofénone/Pitofenon
pivalats/Pivalate
pivaloyl.../Pivaloyl...
pivampicilline/Pivampicillin
pivmécillinam/Pivmecillinam
pivoine/Pfingstrose
pizarra/Tonschiefer
pizotifène/Pizotifen
placage dans la flamme/Flammspritzen

placages/Holzfurniere
placebo/Placebo
placenta/Placenta
placers/Seifen
placoglobine/Plakoglobin
plakorine/Plakorin
plan/Planar
– de sauvegarde de la pureté de l'air/Luftreinhalteplan
– réticulaire/Netzebene
plancton/Plankton
planètes/Planeten
planétoïdes/Planetoide
planimètre/Planimeter
plans de cisaillement/Scherebenen
plantain/Spitzwegerich
plantarène/Plantaren®
plantes/Pflanzen
– aquatiques/Hydrophyten
– C_3/C_3-Pflanzen
– C_4/C_4-Pflanzen
– calcicoles/Kalkpflanzen
– CAM/CAM-Pflanzen
– carnivores/Carnivore Pflanzen
– de calamine/Galmei-Pflanzen
– héliophiles/Heliophyten
– indicatrices/Indikatorpflanzen
– medicinales/Heilpflanzen
– oléifères/Ölpflanzen
– palustres/Helophyten
– rudérales/Ruderalpflanzen
– serpentines/Serpentin-Pflanzen
– textiles/Faserpflanzen
plaque/Plaque
– de rupture/Berstscheiben
plaqué par explosion/Explosionsplattierung
plasma/Plasma
plasmachimie/Plasmachemie
plasmide stringents/Stringente Plasmide
plasmides/Plasmide
– dégradants/Degradative Plasmide
– R/R-Plasmide
– Ti/Ti-Plasmide
plasmine/Plasmin
plasminogène/Plasminogen
plasmodèmes/Plasmodesmen
plasmon/Plasmon
plastication à chaud/Kunststoff-Flammspritzen
plasticité/Plastizität
plastides/Plastiden
plastifiant d'époxide/Epoxid-Weichmacher
plastifiants/Weichmacher
– polymériques/Polymerweichmacher
plastification/Plastifizieren
plastiline/Plastilin
plastique alvéolaires flexibles (souples)/Weichschaumstoffe
plastiques à grande puissance/Hochleistungskunststoffe
– alvéolaires (cellulaires)/Schaumkunststoffe
– autorenforçant par soi-même/Selbstverstärkende Kunststoffe
– entièrement synthétiques/Vollsynthetische Kunststoffe
– pour application en optique/Optisch anwendbare Kunststoffe
– produits en masse/Massenkunststoffe
– renforcés/Verstärkte Kunststoffe
– résistants aux températures élevées/Hochtemperaturbeständige Kunststoffe

– semisynthétiques/Abgewandelte Naturstoffe
– techniques/Technische Kunststoffe
plastisols/Plastisole
plastocyanine/Plastocyanin
plastomères/Plastomere
plastoponique/Plastoponik
plastoquinone/Plastochinon
plat/Planar
plateau/Boden
platine/Platin
plâtre à borax anhydre/Pariangips
plaunotol/Plaunotol
plectine/Plectin
pleiadiène/Pleiadien
pléiotrophine/Pleiotrophin
pléochroisme/Pleochroismus
pléonaste/Pleonast
pleuromutiline/Pleuromutilin
pleurotellol/Pleurotellol
pleurotine/Pleurotin
pleustal/Pleustal
pleuston/Pleuston
plicamycine/Plicamycin
plissée/Plissee
plomb/Blei
– dur/Hartblei
– d'uranium/Uranblei
– -tétraméthyle/Bleitetramethyl
plombage/Verbleien
plombagine/Reißblei
plombates/Plumbate
pluie/Regen
– acide/Saurer Regen
plumbago/Plumbago
plumbane/Plumban
plumbyl.../Plumbyl...
plumes/Federn
pluming/Pluming
plurocol/Plurocol
plutonium/Plutonium
PME/KMU
pneumoconioses/Pneumokoniosen
pnicogènes/Pnicogene
pnictides/Pnictide
pochoir à formules/Formelschablonen
podands/Podanden
podates/Podate
podophyllotoxine/Podophyllotoxin
podzol/Podsol, Podzol
poids atomique/Atomgewicht
– équivalent/Äquivalentgewicht
– officinal/Apothekergewicht
– spécifique/Wichte
poïkilotherme/Poikilotherm
poil/Flor, Tierhaare
– de chameau/Kamelhaar(wolle)
– de chèvre/Ziegenhaare
– en caoutchouc/Gummihaar
point critique/Kritischer Punkt
– d'écoulement/Fließpunkt
– d'aniline/Anilin-Punkt
– de congélation/Eispunkt, Stockpunkt
– de fluage/Fließpunkt
– de fluidisation/Wirbelpunkt
– de fusion/Schmelzpunkt
– de goutte/Tropfpunkt
– de Krafft/Krafft-Punkt
– de mesure/Meßstelle
– de ramollissement/Erweichungspunkt
– de rosée/Taupunkt
– de solidification/Erstarrungspunkt
– de trouble/Cloudpoint, Trübungspunkt
– de virage/Endpunkt
– d'ébullition/Siedepunkt

– d'écoulement/Pourpoint
– d'équivalence/Äquivalenzpunkt
– iso-electrique/Isoelektrischer Punkt
– triple/Tripelpunkt
points de transformation (transition)/Umwandlungspunkte
– isosbestiques/Isosbestische Punkte
poireau/Lauch
poires/Birnen
pois/Erbsen
poise/Poise
poison catalytique/Katalysatorgift
poisons/Gifte
– de flèches/Pfeilgifte
– d'ortie/Nesselgifte
– pour le milieu/Umweltgifte
– respiratoires/Atemgifte
– végétaux/Pflanzengifte
poisseux/Zügigkeit
poissons/Fische
– traités avec sucre/Anchosen
poivre/Pfeffer
– de muraille/Mauerpfeffer
poix/Pech
– de cordonnier/Schusterpech
– de stéarine/Stearinpech
– de tallol/Sulfatpech
– -résine/Harzpech
polacriline/Polacrilin
polaire/Polar
polarisabilité/Polarisierbarkeit
polarisation/Polarisation
polariseurs/Polarisatoren
polarité/Polarität
polarographie/Polarographie
polaron/Polaron
polidocanol/Polidocanol
poliomyélite/Poliomyelitis
polis/Polituren
polissage/Polieren
politique de l'environnement/ Umweltpolitik
pollen/Pollen
pollution/Verunreinigungen
– atmosphérique/Luftverunreinigungen
– de l'environnement/Umweltverschmutzung
– par des huiles/Ölpest
polonium/Polonium
poloxamère/Poloxamer
poly.../Poly...
polyacènes/Polyacene
polyacétaldéhyde/Polyacetaldehyde
polyacétals/Polyacetale
polyacétones/Polyaceton
polyacétylènes/Polyacetylene
poly(acide α-hydroxyacrylique)s/ Poly(α-hydroxyacrylsäure)n
polyacides amido-carboxyliques/Polyamidcarbonsäuren
– asparagiques/Polyasparaginsäuren
polyacroléines/Polyacroleine
polyacrylamides/Polyacrylamide
polyacrylates/Polyacrylate
polyacrylimides/Polyacrylimide
polyacrylonitriles/Polyacrylnitrile
polyaddition/Polyadditionen
polyalanines/Poly(β-alanin)e
poly(α-alanines)/Poly(α-alanin)e
polyalcenamères/Polyalkenamere
polyalcènes/Polyalkene
polyalcynes/Polyalkine
polyalkenecarbonates/Polyalkencarbonate
polyalkylène carbonates/Polyalkylencarbonate
polyalkylène-glycols/Polyalkylenglykole

polyalkylénephénylènes/Polyalkylenphenylene
poly(amide-hydrazides)/Polyamidhydrazide
polyamideimides/Polyamidimide
polyamides/Polyamide
polyamines/Polyamine
polyaminoacides/Polyaminosäuren
polyaminoamides/Polyaminoamide
polyaminobismaléinimides/Polyaminobismaleinimide
polyaminotriazoles/Polyaminotriazole
polyampholytes/Polyampholyte
polyanhydrides/Polyanhydride
polyanilines/Polyaniline
polyarméthylènes/Polyarmethylene
polyarthrite chronique rhumatismale/Rheumatoide Arthritis
polyarylamides/Polyarylamide
polyarylates/Polyarylate
polyarylènes/Polyarylene
polyazadioxides/Polyazadioxide
polyazaéthylènes/Polyazaethenylene
polyazines/Polyazine
polyazobenzènes/Polyazobenzole
polyazoles/Polyazole
polyazométhines/Polyazomethine
polybasite/Polybasit
polybenzamides/Polybenzamide
polybenzimidazoles/Polybenzimidazole
polybenzimidazolones/Polybenzimidazolone
polybenzimides/Polybenzimid
polybenzothiazoles/Polybenz(o)thiazole
polybenzoxazoles/Polybenzoxazole
poly(γ-benzyl-α-L-glutamates)/ Polybenzylglutamate
polybicyclobutanes/Polybicyclobutane
poly[3,3-bis(chlorométhyle)-oxacyclobutane]/Poly[3,3-bis-(chlormethyl)oxacyclobutan]e
polybromodiphényléthers/ PBDE
polybromonaphtalènes/PBN
polybutadiene oils/Polybutadien-Öle
polybutadiènes/Polybutadiene
poly(1-butene-alt-sulfur)dioxide/Poly(1-buten-alt-schwefeldioxid)
polybutènes/Polybutene
poly(ε-caprolactame)s/Poly(ε-caprolactam)
poly(ε-caprolactones)/Poly(ε-caprolacton)e
polycarbazanes/Polycarbazane
polycarbazènes/Polycarbazene
polycarbazol[e]s/Polycarbazole
polycarbènes/Polycarbene
polycarbodiimides/Polycarbodiimide
polycarbonates/Polycarbonate
polycarbonfluoruro/Polycarbonfluorid
polycarboran siloxanes/Polycarboransiloxane
polycarbosilanes/Polycarbosilane
polycarboxylates/Polycarboxylate
polycétals/Polyketale
polycétides/Polyketide
polycétones/Polyketone
polychloral/Polychloral
... polychlorés/Polychlor(ierte)...

polychlorométhylstyrènes/Polychlormethylstyrole
polychloroterphényles/PCT
polychlorotrifluoroéthylènes/Polychlortrifluorethylene
polychlorprènes/Polychloroprene
polychlorures de biphényle/PCB
polycondensation/Polykondensation
– à l'état solide/ Festphasenpolykondensation
– AA/BB/ AA/BB-Polykondensation
– interfaciale/ Grenzflächenpolykondensation
polycopie/Hektographie
polycrésulène/Polycresulen
polycycloalkènes/Polycycloalkene
polycycloalkines/Polycycloalkine
polycyclobutènes/Polycyclobutene
polycycloènes/Polycycloene
poly(1,4-cyclohexylènemethylène-téréphthalates)/Poly(1,4-cyclohexandimethylenerephthalat)e
poly(1,3-cyclopentadiènes)/Polycyclopentadiene
polydextrose/Polydextrose®
polydiacétylènes/Polydiacetylene
polydiallylphthalates/Polydiallylphthalate
polydiènes/Polydiene
poly(2,3-diméthylbutadiène)/ Poly(2,3-dimethylbutadien)
polydioxanones/Polydioxanone
polydiversité/Polydispersität, Polydiversität
poly(divinyléther-co-anhydride maléique/Poly(divinylether-co-maleinsäureanhydrid)
polyélectrolytes/Polyelektrolyte
polyélimination/Polyelimination
polyènes/Polyene
polyénes-époxy/Epoxypolyene
polyépichlorhydrines/Polyepichlorhydrine
polyépoxides/Polyepoxide
polyester-co-carbonate/ Poly(ester-co-carbonat)e
polyesterimides/Polyesterimide
polyesters/Polyester
– 2-cyanoacryliques/ Poly(2-cyanoacrylsäureester)
– insaturés/Ungesättigte Polyester
polyéthéramines/Polyetheramine
polyéthercétones/Polyetherketone
polyéthérimides/Polyetherimide
polyéther-polyoles/Polyether-Polyole
polyéthers/Polyether
polyéthersulfones/Polyethersulfone
poly(éthylène-alt-chlortrifluoroéthylène/Poly(ethylen-alt-chlortrifluorethylen)
polyéthylène chloré/Chloriertes Polyethylen
– chlorosulfonisé/ Chlorsulfoniertes Polyethylen
poly(éthylène-co-vinylcarbazole)/ Poly(ethylen-co-vinylcarbazol)
polyéthylène-glycols/Polyethylenglykole
– -imines/Polyethylenimine
polyéthylèneoxybenzoate/Polyethylenoxybenzoat
polyéthylènes/Polyethylene
polyéthylidènes/Polyethylidene
poly(1,1-ferrocènes)/Poly(1,1'-ferrocen)e

poly(1,1-ferrocènes-alkylènes)/ Poly(1,1'-ferrocen-alkylen)e
poly(1,1-ferrocènes-arylènes)/ Poly(1,1'-ferrocen-arylen)e
poly(1,1-ferrocènes-phosphanes)/ Poly(1,1'-ferrocen-phosphan)e
poly(1,1-ferrocènes-silanes)/ Poly(1,1'-ferrocen-silan)e
poly(1,1-ferrocènes-sulfides)/ Poly(1,1'-ferrocen-sulfid)e
poly(1,1-ferrocènes-vinylènes)/ Poly(1,1'-ferrocen-vinylen)e
polyfluoroalcoxyphosphazènes/ Polyfluoralkoxyphosphazene
polyfluorosilicones/Polyfluorsilicone
poly(fluorures de vinyle)/Polyvinylfluorid
polyformaldécine/Polyformaldezin
polygalactomannanes/Polygalactomannane
polygermanes/Polygermane
polyglutarate/Polyglutarat
polyglycine/Polyglycin
polyglycolides/Polyglykolsäuren
polyhalite/Polyhalit
polyhydantoïnes/Polyhydantoine
polyhydrazides/Polyhydrazide
polyhydroxyalcanoates/Polyhydroxyalkanoate, Poly(β-hydroxyfettsäure)n
polyimidazoles/Polyimidazole
polyimides/Polyimide
polyinsertion/Polyinsertion
polyiodures/Polyiodide
polyisobutènes/Polyisobutene
polyisocyanates/Polyisocyanate
poly(isocyanates de vinyle)/Polyvinylisocyanate
polyisocyanurates/Polyisocyanurate
polyisocyanures/Polyisocyanide
polyisoprènes/Polyisoprene
polylinker/Polylinker
polymérases/Polymerasen
polymérase Taq/Taq-Polymerase
polymères/Polymere, Polymerisate
– atactiques/Ataktische Polymere
– au bore/Bor-Polymere
– au carbosilane/Carbosilan-Polymere
– avec mémoire/Memory-Polymere
– biodégradables/Biologisch abbaubare Polymere
– cétoniques/Keton-Polymere
– complexants/Komplexbildende Polymere
– complexes/Komplexpolymere
– conducteurs métalliques/Metallisch leitfähige Polymere
– d'acide vinylphosphonique/ Vinylphosphonsäure-Polymere
– de acétate de vinyle/ Vinylacetat-Polymere
– de carbonate de diallyl-diglycol/ Polydiallyldiglykolcarbonate
– de coordination/Koordinationspolymere
– de cristals liquides/ Flüssigkristalline Polymere
– de koordination du ruthénium (II)/Ruthenium(II)-Koordinationspolymere
– de l'urée/Harnstoff-Polymere
– de nitrure de bore/ Polybornitride
– de phthalocyanine/ Phthalocyanin-Polymere
– de triazine/Triazin-Polymere

Française

- de vinylamine/Vinylamin-Polymere
- de vinylpyridine/Vinylpyridin-Polymere
- dendritiques/Dendritische Polymere
- d'esters vinyliques/Vinylester-Polymere
- diphénylméthane-diisocyanates/Polymeres Diphenylmethan-Diisocyanat
- d'oléfines-monoxide de carbone/Olefin-Carbonmonoxid-Polymere
- d'oxétan(n)e/Oxetan-Polymere
- d'ylures/Ylid-Polymere
- électroconducteurs/ Elektrisch leitfähige Polymere
- en chaine rigide/Kettensteife Polymere
- en couches/Flächenpolymere
- en échelle/Leiterpolymere
- en étoile/Sternpolymere
- en multibloc/Multiblock-Polymere
- en peigne/Kammpolymere
- en réseau/Gitterpolymere
- en segments/Segmentpolymere
- et plastiques pour applications médicales/Medizinische Kunststoffe
- fluores/Fluor-Polymere
- homologues/Polymerhomologe (Reihen)
- hydrosolubles/Wasserlösliche Polymere
- inorganiques/Anorganische Polymere
- ioniques/Ionische Polymere
- irréguliers/Unregelmäßige Polymere
- isotactiques/Isotaktische Polymere
- liquides cristallins/Flüssigkristalline Polymere
- macrocycliques/Makrocyclische Polymere
- magnétiques/Magnetische Polymere
- microcristallins/Mikrokristalline Polymere
- monodispersés/Monodisperse Polymere
- morts/Tote Polymere
- naturels/Natürliche Polymere
- nitroso/Nitrosopolymere
- optiquement actifs/Optisch aktive Polymere
- organo-métalliques/ Metall-organische Polymere
- orientés/Orientierte Polymere
- photochimiques/Photopolymere
- photoconducteurs/ Photoleitfähige Polymere
- piézo-électriques/Piezoelektrische Polymere
- polydispersés/Polydisperse Polymere
- pop-corn (cellulaires)/Popcorn-Polymere
- pour optique non linéaire/NLO-Polymere
- qui contiennent de phosphore/ Phosphor-haltige Polymere
- ramifiés/Baumpolymere
- réactifs/Reaktive Polymere
- redox/Redoxpolymere
- reguliers/Reguläre Polymere
- séquentiels/Sequenzpolymere
- sur mesure/Modell-Polymere
- syndiotactiques/Syndiotaktische Polymere
- téléchéliques/Telechel(isch)e Polymere
- thermotropes/Thermotrope Polymere
- topologiques/Topologische Polymere
- vinyliques/Vinylpolymere
- vivants/Lebende Polymere

polymérisation/Polymerisation
- à croissance graduelle/Stufenwachstums-Polymerisation
- à l'état solide/ Festphasenpolymerisation
- alfine/Alfin-Polymerisation
- au plasma/Plasmapolymerisation
- autoinitiante/ Selbstinitiierende Polymerisation
- autour du point d'équilibre/ Gleichgewichts-Polymerisation
- cationique/Kationische Polymerisation
- d'addition/Additionspolymerisation
- dans couches ultraminces/Polymerisation in ultradünnen Schichten
- de coordination/ Koordinationspolymerisation
- de Diels-Alder/ Diels-Alder-Polymerisationen
- de germination/ Saatpolymerisation
- de transfer de groupe/Gruppentransferpolymerisation
- de type anionique/ Anionische Polymerisation
- de Ziegler et Natta/Ziegler-Natta-Polymerisation
- d'inclusion/Einschlußpolymerisation
- d'insertion/Koordinationspolymerisation
- d'isomérisation/ Isomerisationspolymerisation
- électrochimique/ Elektrochemische Polymerisation
- en bloc/Blockpolymerisation
- en dispersion (non-aquese)/ Dispersionspolymerisation
- en émulsion/ Emulsionspolymerisation
- en emulsion inverse/Inverse Emulsionspolymerisation
- en hétérochaîne/ Heterokettenpolymerisation
- en masse/Massepolymerisation
- en microémulsion/Mikroemulsionspolymerisation
- en phase gazeuse/Gasphasenpolymerisation
- en site/In situ-Polymerisation
- en solution/Lösungspolymerisation
- en suspension/Suspensionspolymerisation
- hydrolytique/Hydrolytische Polymerisation
- „inifer"/Inifer-Polymerisation
- ionique/Ionische Polymerisation
- isomère/Exotenpolymerisation
- matricielle/Matrix-Polymerisation, Matrizenpolymerisation
- métathétique/Metathesepolymerisation
- monocouche/Monoschichten-Polymerisation
- oxydative/Oxidative Polymerisation
- par ouverture de noyau (cycle)/ Ringöffnungspolymerisation
- par précipitation/ Fällungspolymerisation
- pseudoanionique/Pseudoanionische Polymerisationen, Pseudokationische Polymerisationen
- quasi-vivante/ Quasilebende Polymerisationen
- radicalaire/Radikalische Polymerisation
- séquencée/Massepolymerisation
- séquencée en masse/Substanzpolymerisation
- „tête-à-queue"/ Kopf/Schwanz-Polymerisation
- tétracentrique/ Vierzentrenpolymerisation
- topochimique/Topochemische Polymerisation
- transannulaire/ Transannulare Polymerisation
- zwitterionique/Zwitterionische Polymerisation

polymérisations/Polyreaktionen
polymérisats séquencés en masse/Massepolymerisate
polymétallocènes/Polymetallocene
polyméthacrylamides/Polymethacrylamide
polyméthacrylates/Polymethacrylate
- de méthyle/Polymethylmethacrylat
polyméthacrylméthylimides/Polymethacrylmethylimide
polyméthylènes/Polymethylene
poly(4-méthyl-1-pentène)/Poly(4-methyl-1-penten)
poly(α-méthylstyrol)/Poly(α-methylstyrol)
polymolécularité/Polymolekularität
polymorphie/Polymorphismus
polymorphisme/Polymorphie
polymyxines/Polymyxine
polynôme/Polynom
polynorbornènes/Polynorbornen
polynucléotides/Polynucleotide
polyocténamères/Polyoctenamere
polyoléfines/Polyolefine
polyols/Polyole
polyorganophosphazènes/Polyorganophosphazene
polyoses/Polyosen
polyosides/Polysaccharide
polyoxadiazoles/Polyoxadiazole
polyoxamides/Polyoxamide
polyoxazolidones/Polyoxazolidone
polyoxazolines/Polyoxazoline
polyoxétanes/Polyoxetane
polyoxines/Polyoxine
polyoxothiazènes/Polyoxothiazene
polyoxyde d'iso-butènes/Polyisobutylenoxide
polyoxyméthylènes/Polyoxymethylene
polypenténamères/Polypentenamere
polypeptide hypophysaire activant l'adénylate cyclase/Pituitary adenylate cyclase-activating polypeptide
(poly)peptide intestinal vasoactif/Vasoaktives intestinales (Poly-)Peptid
polypeptide pancréatique/Pankreatisches Polypeptid
polypeptides/Polypeptide
polypérylènes/Polyperylene
polyphénols/Polyphenole
poly(p-phénylèneacétylènes)/ Poly(p-phenylenacetylen)e
poly(p-phénylènebenzothiazoles)/Poly(p-phenylenbenzthiazol)e
polyphénylènequinoxalines/Polyphenylenchinoxaline
polyphénylènes/Polyphenylene
polyphénylènevinylène/Polyphenylenvinylene
polyphénylphénylènes/Polyphenylphenylene
polyphénylsesquisiloxanes/Polyphenylsesquisiloxan
polyphosphates/Polyphosphate
polyphosphines/Polyphosphine
polyphosphites/Polyphosphite
polyphosphonates/Polyphosphonate
polyphosphoramides/Polyphosphoramide
poly(phthalocyaninato)siloxanes/Poly(phthalocyaninato)siloxane
polypivalactones/Polypivalactone
polyploïdie/Polyploidie
polypode vulgaire/Tüpfelfarn
polyproline/Polyprolin
polypropellanes/Polypropellane
poly(propionates de vinyle)/Polyvinylpropionate
polypropylène chloré/Chloriertes Polypropylen
- -glycols/Polypropylenglykole
- oxides/Polypropylenoxide
polypropylènes/Polypropylene
polyprotéines/Polyproteine
polypyrroles/Polypyrrole
polyquinanes/Polyquinane
polyquinazolindiones/Polychinazolindione
polyquinolines/Polychinoline
polyquinone/Polychinone
polyquinoxalines/Polychinoxaline
polyradicaux/Polyradikale
polyrecombination/Polyrekombination
polysilanes/Polysilane
polysilazanes/Polysilazane
polysiloxanes/Polysiloxane
polysomes/Polysomen
polysorbates/Polysorbate
polystannanes/Polystannane
polystirilpyridines/Polystyrylpyridine
polystyrène/Polystyrol
- choc/HIPS
- expansible/Schäumbares Polystyrol
polysulfonamides/Polysulfonamide
polysulfones/Polysulfone
polysulfure d'éthylène/Polyethylensulfid
polysulfurs/Polysulfide
- de calcium/Calciumpolysulfide
polytéréphtalate d'éthylènes/Polyethylenterephthalate
polytéréphthalates/Polyterephthalate
polyterpènes/Polyterpene
polytétrafluoroéthylène/Polytetrafluorethylene
polytétrahydrofuranes/Polytetrahydrofurane
poly(1,2,4,5-tétrazines)/ Poly(1,2,4,5-tetrazin)e
polythiadiazoles/Polythiadiazole
polythiazide/Polythiazid
polythionylphosphazènes/Polythionylphosphazene
polythiophènes/Polythiophene
polythiophosphazènes/Polythiophosphazene

poly(s-triaminobenzènes)/Poly(1,3,5-benzoltriamin)e
polytriazines/Polytriazine
polytypisme/Polytypie
polyurées/Polyharnstoffe
polyuréthanes/Polyurethane
polyvidone/Polyvidon
– -iode/Polyvidon-Iod
polyvinyl.../Polyvinyl...
polyvinylbutyrals/Polyvinylbutyrale
polyvinylcarbazoles/Polyvinylcarbazole
polyvinylcétals/Polyvinylketale
polyvinylcinnamates/Polyvinylcinnamate
polyvinylferrocènes/Polyvinylferrocene
polyvinylformals/Polyvinylformale
poly-4-vinylphénols/Poly(4-vinylphenol)e
poly(vinylpyrrolidones)/Polyvinylpyrrolidone
polyvynilcétones/Polyvinylketone
polyxylidènes/Polyxylylidene
polyynes/Polyine
poméló/Pomelo
pommades/Salben
pomme/Apfel
– épineuse/Stechapfel
pommes de terre/Kartoffeln
pompe à anneau d'eau/Wasserringpumpe
– à diffusion/Diffusionspumpe
– à engrenages/Zahnradpumpe
– cryogénique/Kryopumpe
– ionique/Ionenpumpe
– protonique/Protonenpumpe
– Roots/Wälzkolbenpumpe
– turbomoléculaire/Turbomolekularpumpe
– volumétrique/Verdrängerpumpen
pompes/Pumpen
– à calcium/Calcium-Pumpen
– à chaleur/Wärmepumpen
– à vide à jet d'eau/Wasserstrahlpumpen
– helicoïdales/Schneckenpumpen
– péristaltiques/Schlauchpumpen
ponce/Bimsstein, Bimssand, Bimskies
– de laitier/Hüttenbims
pontianak/Pontianak
ponts/Brücken
– de sel/Haber-Luggin-Kapillare
– disulfure/Disulfid-Brücken
pop-corn/Popcorn
population/Population
porcelaine/Porzellan
– d'os/Knochenporzellan
pores/Poren
porines/Porine
poromériques/Poromere
porosimétrie/Porosimetrie
porosité/Porosität
porph.../Porph...
porphine/Porphin
porphobilinogène/Porphobilinogen
porphyres/Porphyre
porphyrines/Porphyrine
porphyrinogènes/Porphyrinogene
porphyrisme/Porphyrie
porphyrites/Porphyrite
porphyropsine/Porphyropsin
porteurs/Träger
portion de substance/Stoffportion
porto/Portwein
position homoallylique/Homoallyl-Stellung
positions (places) interstitielles/Zwischengitterplätze

positronium/Positronium
positrons/Positronen
postcombustion/Nachverbrennung
postulat d'antisymétrie/Antisymmetrieforderung
potasse/Kali
– magnésique/Kalimagnesia
– potassium/Kalium
potentiel/Potential
– centrifuge/Zentrifugalpotential
– chimique/Chemisches Potential
– coulombien/Coulomb-Potential
– de déplétion d'ozone (PDO)/ODP
– de diffusion/Diffusionspotential
– de Lennard-Jones/Lennard-Jones-Potential
– d'oxydo-réduction/Redoxpotential
– Galvani/Galvani-Spannung
– Morse/Morse-Potential
– normal/Normalpotential
– oncogène/Onkogenes Potential
– résiduel/Ruhepotential
– RKR/RKR-Potential
– standard/Normalpotential
– zeta (électrocinétique)/Zeta-Potential
potentiométrie/Potentiometrie
poterie/Tonwaren
potiron/Kürbis
poudre/Pulver, Schießpulver
– comprimée au nitrate de soude/Sprengsalpeter
– de chasse/Jagdpulver
– de lycopode/Lycopodium
– de mine/Sprengpulver
– de nettoyage/Kehrpulver
– de quartz/Quarzmehl
– inhalatoire/Schnupfpulver
– noir/Schwarzpulver
– sans solvant/POL-Pulver
poudres/Puder
– d'extinction ABC/ABC-Löschpulver
– effervescents/Brausepulver
– fumigènes/Rauchpulver
poumon/Lunge
pourpre/Purpur
– de bromocrésol/Bromkresolpurpur
– de Cassius/Cassius'scher Goldpurpur
– de crésol/Kresolpurpur
poussière/Staub
– d'os/Knochenmehl
– en suspension/Schwebstaub
– fibrigène/Fibrogener Staub
poussières fines/Feinstaub
– volantes/Flugstaub
pout de sol/Salzbrücke
pouvoir calorifique inférieur/Heizwert
– calorifique supérieur/Brennwert
– couvrant/Deckvermögen
– d'absorption des colorants/Ziehvermögen
– égalisateur/Ausgleichsvermögen
– germinatif/Keimfähigkeit
pouzzolane/Puzzolanerde
PPC (poison paralysant des crustacés)/PSP
practolol/Practolol
pramipexol/Pramipexol
pramiverine/Pramiverin
pramocaïne/Pramocain
pranlukast/Pranlukast
praséodyme/Praseodym
prastérone/Prasteron
pravastatine/Pravastatin

prazépam/Prazepam
praziquantel/Praziquantel
prazosine/Prazosin
pré.../Prä...
pré-alliage/Vorlegierung
– -carcinogènes/Präcarcinogene
précipitation/Ausfällen, Präzipitation, Niederschlag
– directe/Direktfällung
– simultanée/Simultanfällung
précipité/Niederschlag
précipités/Präzipitate
précocènes/Precocene
préculture/Vorkultur
prédecantation/Vorklärung
prednicarbate/Prednicarbat
prednimustine/Prednimustin
prednisolone/Prednisolon
prednisone/Prednison
prednylidène/Prednyliden
préfixes/Präfixe, Vorsätze
– multiplicatifs/Multiplikationspräfixe
prégnane/Pregnan
(20S)-5β-prégnane-3α,20-diol/(20S)-5β-Pregnan-3α,20-diol
(20S)-5β-prégnane-3α,17,20-triol/(20S)-5β-Pregnan-3α,17,20-triol
prégnénolone/Pregnenolon
prehnite/Prehnit
préimprégnés/Prepregs
prékynamycine/Präkinamycin
premier soins/Erste Hilfe
prénols/Prenole
prenoxdiazine/Prenoxdiazin
prénylamine/Prenylamin
prényle.../Prenyl...
préparation/Präparation, Rezeptur
– antirétrécissement/Krumpffrei-Ausrüstung
– de racines de Derris/Derris-Präparate
– d'échantillon/Probenvorbereitung
préparations/Präparate, Zubereitung
– à action retardée/Depot-Präparate
– au bismuth/Bismut-Präparate
– bromées/Brom-Präparate
– broncholytiques/Broncholytika
– calciques/Calcium-Präparate
– de belladone/Belladonna-Präparate
– de digitale/Digitalis-Präparate
– de l'aluminium/Aluminium-Präparate
– de lithium/Lithium-Präparate
– de magnésium/Magnesium-Präparate
– de potassium/Kalium-Präparate
– de zinc/Zink-Präparate
– dermatologiques/Dermatika
– diagnostiques/Diagnostika
– ferrugineuses/Eisen-Präparate
– multivitaminiques/Multivitamin-Präparate
prépeptides/Präpeptide
prépolymères/Prepolymere
préposé à la protection anti-émission/Immissionsschutzbeauftragter
présence/Stetigkeit
préséniline/Präseniline
pressage en forme/Formpressen
– isostatique à chaud/Heißisostatisches Pressen
presse à tapis roulant/Siebbandpresse
pression/Druck
– atmosphérique/Luftdruck
– capillaire/Kapillardruck

– colloïdosmotique/Kolloidosmotischer Druck
– de l'oxidation/Oxidativer Streß
– de vapeur/Dampfdruck
– partielle/Partialdruck
presspahn/Preßspan
présure/Lab
prétilachlore/Pretilachlor
L-prétyrosine/L-Prätyrosin
preuve d'élimination des déchets/Entsorgungsnachweis
prévalence/Prävalenz
prévention des accidents/Unfallverhütung
prévision de concentration environnementale/PEC
pridinol/Pridinol
prilling/Prillen
prilocaïne/Prilocain
primaire/Primär
primaquine/Primaquin
primevère/Primeln
primevérose/Primverose
primidone/Primidon
primisulfuron-méthyle/Primisulfuron-methyl
primuline/Primulin
principe/Prinzip
– d'allopolarisation/Allopolarisierungs-Prinzip
– de Boltzmann/Boltzmann'sches Energieverteilungsgesetz
– de constitution/Aufbauprinzip
– de correspondance/Korrespondenzprinzip
– de dilution de Ziegler/Ziegler-Verdünnungsprinzip
– de la charge générale/Gemeinlastprinzip
– [de Le Châtelier] de la moindre résistance/Prinzip des kleinsten Zwanges
– de prévoyance (protection)/Vorsorgeprinzip
– de responsabilité du polluteur/Verursacherprinzip
– de Thomsen et Berthelot/Thomsen-Berthelot-Prinzip
– de variation de l'énergie/Energievariationsprinzip
– d'exclusion de Pauli/Pauli-Prinzip
– d'incertitude/Unschärfebeziehung
– du contre-courant/Gegenstromprinzip
– du flux continu/Gleichstromprinzip
prions/Prionen
prise/Prise
– d'huile/Ölzahl
prismane/Prisman
prismes/Prismen
pristane/Pristan
prix Nobel/Nobelpreis
pro.../Pro...
proazulènes/Proazulene
probabilité de transition/Übergangswahrscheinlichkeit
probenazole/Probenazol
probénécide/Probenecid
problème aux valeurs propres/Eigenwertproblem
probucol/Probucol
procaïne/Procain
procaïnamide/Procainamid
procarbazine/Procarbazin
procaryotes/Prokaryo(n)ten, prokaryo(n)tisch
procaryotique/Prokaryo(n)ten, prokaryo(n)tisch
procaterol/Procaterol

Française

procédé à lit fluidisé/Wirbelschichtverfahren
– au thermite/Aluminothermie
– Bessemer/Bessemer-Verfahren
– Cetus/Cetus-Prozeß
– Cottrell/Cottrell-Verfahren
– d'aérage/Belüftungsverfahren
– de copie au négatif/Negativ-Kopierverfahren
– de Haber et Bosch/Haber-Bosch-Verfahren
– de Hargreaves/Hargreaves-Verfahren
– de Harris/Harris-Verfahren
– de Krupp-Renn/Krupp-Renn-Verfahren
– de métallisation au pistolet/Metallspritzverfahren
– de Parkes/Parkes-Verfahren
– de pasting/Pasting-Verfahren
– de séparation Stas-Otto/Stas-Otto-Trennungsgang
– de transformation/Umform-Verfahren
– de Twitchell/Twitchell-Spaltung
– Deacon/Deacon-Prozeß
– d'empreinte permanente/Permanent-Press-Verfahren
– DHD/DHD-Verfahren
– Dimersol/Dimersol-Verfahren
– d'impression en deux phases/Zweiphasendruck
– d'Ocrat/Ocrat-Verfahren
– du générateur/Generator-Verfahren
– fer Nu/Nu-Iron-Verfahren
– F. I. O.R/Fior-Verfahren
– flushing/Flushing-Verfahren
– H-iron/H-Iron-Verfahren
– HDA/HDA-Verfahren
– Heliarc/Heliarc-Verfahren
– Heratol/Heratol-Verfahren
– Houdresid de craquage catalytique/Houdresid-Verfahren
– H. T. P./HTP-Verfahren
– hydrospark/Hydrospark
– HyL/HyL-Verfahren
– IFP/IFP-Verfahren
– INCO/INCO-Verfahren
– Isomax/Isomax®-Verfahren
– Kaldo/Kaldo-Verfahren
– Köster/Köster-Verfahren
– LD/LD-Verfahren
– LDAC/LDAC-Verfahren
– (marche) de séparation/Trennungsgang
– Masonite/Masonite-Verfahren
– MBV/MBV-Verfahren
– MCSCF/MCSCF-Verfahren
– MHC/MHC- bzw. MHD-Verfahren
– MHD/MHC- bzw. MHD-Verfahren
– MNDO/MNDO-(Verfahren)
– Mofex/Mofex-Verfahren
– Molex®/Molex®-Verfahren
– Mond/Mond-Prozeß
– MTG/MTG-Verfahren
– NBC-RIM/NBC-RIM-Verfahren
– nixan/Nixan-Verfahren
– Nuvalon/Nuvalon-Verfahren
– OBM/OBM-Verfahren
– Odda/Odda-Verfahren
– „PAAG"/PAAG-Verfahren
– Pacol-Olex/Pacol-Olex-Verfahren
– par épuisement/Ausziehverfahren
– par gradient de densité/Dichtegradientenverfahren
– par projection au plasma/Plasmaspritzverfahren
– par puddlage ("puddling")/Puddel-Verfahren
– Parex®/Parex®-Verfahren
– Penex®/Penex®-Verfahren
– phénoraffin/Phenoraffin-Verfahren
– Piesteritz/Piesteritz-Verfahren
– PNC/PNC-Prozeß
– prenflo/Prenflo-Verfahren
– purex/Purex-Verfahren
– Ritter-Kellner/Ritter-Kellner-Verfahren
– Sendzimir/Sendzimir-Verfahren
– Siemens-Martin/Siemens-Martin-Verfahren
– SL/RN/SL/RN-Verfahren
– Solexol/Solexol-Verfahren
– Stretford/Stretfort-Verfahren
– Sul-bi-Sul/Sul-bi-Sul-Verfahren
– Thermofor/Thermofor-Verfahren
– Thermosol/Thermosol-Verfahren
– Thomas/Thomas-Verfahren
– thorex/Thorex-Verfahren
– UK-Wesseling/UK-Wesseling-Verfahren
– Verneuil/Verneuil-Verfahren
– von Heyden/Von-Heyden-Verfahren
– Weldon/Weldon-Verfahren
– Wulff/Wulff-Verfahren
– Young/Young-Verfahren
– Zdansky-Lonza/Zdansky-Lonza-Verfahren
procédés de séparation/Trennverfahren
– de séparation multiplicatifs/Multiplikative Trennverfahren
– de soudure/Schweißverfahren
– de traitement à la flamme/Flammbehandlungsverfahren
– de Wickbold/Wickbold-Methoden
– d'oxidation/Oxidationsverfahren
– Edeleanu/Edeleanu-Verfahren
– en immersion/Submersverfahren
– Raschig/Raschig-Verfahren
– Sohio/Sohio-Verfahren
– Ufa/Ufa-Verfahren
– Wacker/Wacker-Verfahren
procédure de l'autorisation/Genehmigungsverfahren
processus acétator/Acetator-Verfahren
– Arex/Arex-Verfahren
– Cat-ox/Cat-Ox-Verfahren
– catarol/Catarol-Prozeß
– Central-Prayon/Central-Prayon-Verfahren
– de collision/Stoßprozesse
– de diffusion/Diffusionsverfahren
– de la vision/Sehprozeß
– élémentaires/Elementarprozesse
– tourniquet/Turnstile-Prozesse
prochiral/Prochiral
prochloraz/Prochloraz
prochlorophytes/Prochlorophyten
proconvertine/Proconvertin
proctoline/Proctolin
procyclidine/Procyclidin
procymidone/Procymidon
prodigiosine/Prodigiosin
prodlure/Prodlur
prodrug/Prodrug
producteurs/Produzenten
– primaires/Primärproduzenten
production (création formation) de paires/Paarbildung
– de cellulose/Zellstoffgewinnung
– de vinaigre/Essig-Produktion
– végétale intégrée/Integrierter Pflanzenbau
productivité/Produktivität
produit anticorrosif/Korrosionsschutzmittel
– auxiliaire pour cuir/Lederhilfsmittel
– d'aide au tannage/Gerbhilfsmittel
– de solubilité/Ionenprodukt, Löslichkeitsprodukt
– de soudure à froid/Kaltlötmittel
– dégivrant/Enteisungsmittel
– final/Endprodukt
– ionique/Ionenprodukt
– lessiviel à haute densité/Kompaktwaschmittel
– lessiviel compact/Kompaktwaschmittel
– mi-ouvré/Stahlerzeugnisse
– secondaire/Nebenprodukt
produits à nettoyer/Reiniger
– à nettoyer les tuyaux/Rohrreinigungsmittel
– alimentaires/Nahrungsmittel
– antiarrhythmiques/Antiarrhythmika
– antifibrinolitiques/Antifibrinolytika
– antihémorroïdal/Hämorrhoiden-Mittel
– antiinfectieux/Antiinfektiva
– antiparasitaires/Pflanzenschutzmittel
– antisolaires/Sonnenschutzmittel
– auto-adhésifs (autocollants)/Selbstklebende Erzeugnisse
– auxiliaires de teinturerie/Färbereihilfsmittel
– auxiliaires textiles/Textilhilfsmittel
– brillanteurs/Glanzmittel
– chimiques/Chemikalien
– chimiques fins/Feinchemikalien
– chimiques industriels/Industriechemikalien
– chimiques minéraux (de base)/Schwerchemikalien
– chimiques nuisibles pour l'environnement/Umweltchemikalien
– chimiques pour l'agronomie/Agrochemikalien
– chimiques pour le ménage/Haushaltschemikalien
– chimiques pour le traitement de piscines/Schwimmbadpflegemittel
– conservateurs/Konservierungsmittel
– contre les taches de rousseur/Sommersprossenmittel
– d'aide à la fabrication du fromage/Käsereihilfsstoffe
– d'apprêt/Hochveredlungsmittel
– de boulangerie/Backwaren
– de culture des fleurs/Blumenpflegemittel
– de défense/Wehrstoffe
– de fixation/Fixiermittel
– de lessive/Waschmittel
– de mise à feu/Zündmittel
– de nettoyage/Putzmittel
– de nettoyage de plaques chauffantes/Herdputzmittel
– de protection hépatique/Leberschutztherapeutika
– de récupération/Altmaterial
– de substitution des graisses/Fettersatzstoffe
– d'écurage/Scheuermittel
– d'encollage/Schlichte
– d'ensimage/Schmälzmittel
– d'entretien autopolissants/Selbstglanzpflegemittel
– d'entretien de voitures/Autopflegemittel
– d'entretien des mains/Handreinigungsmittel
– des soins intimes/Intimpflegemittel
– d'hygiène buccal/Mundpflegemittel
– dissuassifs du tabac/Tabakentwöhnungsmittel
– en vrac/Schüttgüter
– finis/Fertigteile
– instantanés/Instant-Produkte
– intermédiaires/Zwischenprodukte
– laitiers demi-gras/Milchhalbfetterzeugnisse
– naturels anticongelants/Gefrierschutz-Naturstoffe
– naturels marins/Marine Naturstoffe
– naturels modifiés/Abgewandelte Naturstoffe
– nivelants/Verlaufmittel
– pesticides/Schädlingsbekämpfungsmittel
– pétrochimiques/Petrochemikalien
– pharmaceutiques/Arzneimittel, Pharmazeutika
– phytopharmaceutiques/Phytopharmaka
– phytosanitaires/Pflanzenschutzmittel
– pour éviter le dégât causé par le gibier/Wildverbißmittel
– pour le finissage du cuir/Lederzurichtmittel
– pour le nettoyage de l'argent/Silberputzmittel
– pour le rasage/Rasiermittel
– pour l'entretien des chaussures/Schuhpflegemittel
– pour nettoyer tapis/Teppichpflegemittel
– pour permanente/Dauerwellpräparate
– pour rendre indémaillable/Maschenfestmittel
– pyrotechniques/Pyrotechnische Erzeugnisse
– radiobiochimiques/Radiobiochemikalien
– renforcés en fibre de verre/Glasfaserverstärkte Kunststoffe
– sémiochimiques/Semiochemikalien
– synthétiques de barrière/Barrierekunststoffe
profenofos/Profenofos
professions de la chimie/Chemie-Berufe
– de pharmacie/Pharma-Berufe
profiline/Profilin
proflavine/Proflavin
progestérone/Progesteron
progestines/Gestagene
proglumétacine/Proglumetacin
proglumide/Proglumid
proguanil/Proguanil
projection de Haworth/Haworth-Projektion
– de Natta/Natta-Projektion
– de Newman/Newman-Projektion
– d'un plasiques à travers une flamme/Kunststoff-Flammspritzen

projet de génome humain/Human-Genom-Projekt
prolactine/Prolactin
prolamines/Prolamine
prolidase/Prolidase
prolifération/Proliferation
– des algues/Algenblüte
prolinase/Prolinase
proline/Prolin
prolintane/Prolintan
promazine/Promazin
prométhazine/Promethazin
prométhium/Promethium
prométone/Prometon
prometryne/Prometryn
promoteurs/Promotoren
– hybrides/Hybrid-Promotoren
promotion au grade de docteur/Promotion
– de la recherche/Forschungsförderung
prononciation/Aussprache
propachlore/Propachlor
propafénone/Propafenon
propagation/Propagation
propallylonal/Propallylonal
propamidine dibromique/Dibrompropamidin
propandiamines/Propandiamine
propane/Propan
propanediols/Propandiole
1,3-propanesultone/1,3-Propansulton
propanethiols/Propanthiole
propanidide/Propanidid
propanil/Propanil
propanols/Propanole
propaquizafop/Propaquizafop
propargite/Propargit
propargyl.../Propargyl...
propatylnitrate/Propatylnitrat
propellanes/Propellane
propène/Propen
propentdyopents/Propentdyopente
propentofylline/Propentofylin
propényl.../1-Propenyl...
propeptides/Propeptide
properdine/Properdin
propham/Propham
prophylaxe/Prophylaxe
propicilline/Propicillin
propiconazole/Propiconazol
propiétés tensio-actives/Oberflächenaktive Eigenschaften
propinebe/Propineb
prop[io].../Prop(io)...
β-propiolactone/β-Propiolacton
propionaldéhyde/Propionaldehyd
propionamide/Propionamid
propionate de calcium/Calciumpropionat
– de cellulose/Cellulosepropionat
– de sodium/Natriumpropionat
propionates/Propionsäureester
propionitrile/Propionitril
propionyl.../Propionyl...
propiophénone/Propiophenon
propioxatines/Propioxatine
propipocaine/Propipocain
propivérine/Propiverin
propofol/Propofol
propolis/Propolis
propoxur/Propoxur
propoxy.../Propoxy...
propoxydes/Propoxide
propranolol/Propranolol
propriétés colligatives/Kolligative Eigenschaften
– constitutives/Konstitutive Eigenschaften
propulsants/Treibstoffe
propulseurs/Treibmittel

propyl.../Propyl...
propylamines/Propylamine
propylbenzène/Propylbenzol
propylène/Propylen
propylène.../Propylen...
– -urée/Propylenharnstoff
propylglycol/Propylglycol
propylidène.../Propyliden...
propyliodone/Propyliodon
propylites/Propylite
propylthiouracile/Propylthiouracil
propylure/Propylur
2-propyn-1-ol/2-Propin-1-ol
propyne/Propin
propynyl.../Propinyl...
propyphénazone/Propyphenazon
propyzamide/Propyzamid
proquazone/Proquazon
pros.../Pros...
proscillaridine/Proscillaridin
prospection/Prospektion
– géochimique/Geochemische Prospektion
prostacycline/Prostacyclin
prostaglandines/Prostaglandine
prostate/Prostata
prosulfocarb/Prosulfocarb
prosulfuron/Prosulfuron
protactinium/Protactinium
protamines/Protamine
protéase-nexines/Protease-Nexine
protéases/Proteasen
protéasomes/Proteasomen
protecteurs contre la lumière/Lichtschutzmittel
– de vieillissement/Alterungsschutzmittel
– pour bâtiments/Bautenschutzmittel
protection anti-explosion/Explosionsschutz
– antiacide/Säureschutz
– capillaire/Haarschutz
– cathodique/Kathodischer Korrosionsschutz
– contre la corrosion/Korrosionsschutz
– contre la rouille/Rostschutz
– contre les rayonnements ionisants/Strahlenschutz
– contre l'incendie/Brandschutz
– contre une seconde demande de brevet/Zweitmelderschutz
– de la nature/Naturschutz
– de la tête/Kopfschutz
– de l'environnement/Umweltschutz
– des biotopes/Biotopschutz
– des eaux/Gewässerschutz
– des espèces/Artenschutz
– des métaux/Metallschutz
– des plantes/Pflanzenschutz
– du pied/Fußschutz
– du travail/Arbeitsschutz
– environnementale intégrée à la production/Produktionsintegrierter Umweltschutz
protège-mains/Handschutz
protéides/Proteide
protéinase K/Proteinase K
protéinases/Proteinasen
– aspartiques/Aspartat-Proteinasen
protéine A/Protein A
– C/Protein C
– C-réactive/C-reaktives Protein
– cationique des éosinophiles/Kationisches Eosinophilen-Protein
– de Bence-Jones/Bence-Jones-Proteine
– de fusion/Fusionsprotein
– de liaison/Binde-Protein

– de [microorganismes] unicellulaires/Single Cell Protein
– de rétinoblastome/Retinoblastom-Protein
– découplante/Entkoppler-Protein
– -120 fixant l'actine/Actin-bindendes Protein 120
– fixant le rétinol/Retinol-bindendes Protein
– fixant le TATA/TATA-bindendes Protein
– fluorescente verte/Grün fluoreszierendes Protein
– gliofibrillaire acide/Saures fibrilläres Glia-Protein
– intestinale riche en cystéine/Cystein-reiches intestinales Protein
– -kinase C/Protein-Kinase C
– -kinases/Protein-Kinasen
– kinases activées par un mitogène/Mitogen-aktivierte Protein-Kinasen
– M/M-Protein
– phosphatases/Protein-Phosphatasen
– precurseur de la β-amyloïde/β-Amyloid-Vorläuferprotein
– prion/Prion-Protein
– S-100/S-100-Protein
– transporteuse acyl/Acyl-Carrier-Protein
protéines/Proteine
– 14-3-3/14-3-3-Proteine
– à hème-thiolate/Hämthiolat-Proteine
– à trèfle/Kleeblatt-Proteine
– activant la GTPase/GTPase-aktivierende Proteine
– antivirales de Phytolacca/Phytolacca-Antivirus-Proteine
– apparentées à l'actine/Actin-verwandte Proteine
– associées au microtubule/Mikrotubulus-assoziierte Proteine
– contractiles/Kontraktile Proteine
– de choc thermique/Hitzeschock-Proteine
– de fixation de l'ADN/DNA-bindende Proteine
– de la phase aiguë/Akutphasen-Proteine
– de liaison de la mannose/Mannose-bindendes Protein
– de stress (réponse)/Streß-Proteine
– de transfert d'électrons/Elektronentransfer-Proteine
– de transport ABC/ABC-Transporter-Proteine
– Ets/Ets-Proteine
– fixant le GTP/GTP-bindende Proteine
– G/G-Proteine
– globulaires/Globuläre Proteine
– liant le calcium/Calcium-bindende Proteine
– morphogénétiques d'os/Knochenmorphogenese-Proteine
– périplasmiques de liaison/Periplasmatische Bindungsproteine
– plasmatiques/Plasmaproteine
– prénylées/Prenylproteine
– protéolipides/Proteolipid-Proteine
– Ras/Ras-Proteine
– Rho/Rho-Proteine
– sériques/Serumproteine
– transmembranes/Transmembranproteine
– Wnt/Wnt-Proteine
protéinurie/Proteinurie

protéo.../Proteo...
protéoglycan(n)es/Proteoglykane
protéohormones/Proteohormone
protéolyse/Proteolyse
protéome/Proteom
prothéobromine/Protheobromin
prothiofos/Prothiofos
prothipendyl/Prothipendyl
prothrombine/Prothrombin
protionamide/Protionamid
protiréline/Protirelin
prot(o).../Prot(o)...
proto-oncogène/Protoonkogene
protoanémonine/Protoanemonin
protocatéchoualdéhyde/Protocatechualdehyd
protokylol/Protokylol
protolyse/Protolyse
protomères/Protomere
protonation/Protonierung
protons/Protonen
protophanes/Protophane
protoporphyrine IX/Protoporphyrin IX
protoporphyrines/Protoporphyrine
protozoaires/Protozoen
protriptyline/Protriptylin
proustite/Proustit
provitamines/Provitamine
proxibarbal/Proxibarbal
proxymétacaïne/Proxymetacain
proxyphylline/Proxyphyllin
prunelles/Schlehen
prunes/Pflaumen
– -cerises myrobalans/Myrobalanen
prussiates/Prussiate
prussine/Preussin
pseud(o).../Pseud(o)...
pseudo-uridine/Pseudouridin
pseudoalliages/Pseudolegierungen
pseudoasymétrie/Pseudoasymmetrie
pseudobrookite/Pseudobrookit
pseudocopolymères/Pseudocopolymere
pseudoéphédrine/Pseudoephedrin
pseudohalogènes/Pseudohalogene
pseudoionone/Pseudojonon
pseudomalachite/Pseudomalachit
Pseudomonas/Pseudomonas
pseudomorphose par épigénie/Umwandlungspseudomorphose
pseudomorphismes/Pseudomorphosen
pseudomuréine/Pseudomurein
pseudopellétiérine/Pseudopelletierin
pseudopotentiel/Pseudopotential
pseudorotation/Pseudorotation
pseurotines/Pseurotine
psilocybine/Psilocybin
psoralène/Psoralen
psoriase/Psoriasis
psychromètres/Psychrometer
psychrophilie/Psychrophilie
ptéridines/Pteridine
ptérine/Pterin
ptérocarpanes/Pterocarpane
ptérulone/Pterulon
ptilocauline/Ptilocaulin
ptomaïnes/Ptomaine
publications d'entreprises/Firmenschriften
puce biologique/Biochip
pucerons/Blattläuse
puces/Flöhe
puissance/Leistung
– écologique/Ökologische Potenz, Ökologische Valenz
pulégone/Pulegon

pullulane/Pullulan
pulmonaire officinale/Lungenkraut
pulpe/Pülpe od. Pulpe
pulque/Pulque
pultrusion/Pultrusion
pulvérisateur/Zerstäuber
pulvérisateurs/Sprays
pulvérisation/Sputtering
– cathodique/Kathodenzerstäubung
pulveriser/Zerstäuben
pulvis/Pulvis
pumiliotoxines/Pumiliotoxine
pumpellyite/Pumpellyit
punaise de lit/Bettwanze
punaises/Wanzen
punch/Punsch
– suédois/Schwedenpunsch
pur/Gediegen
pureté/Reinheit
– chimique/Chemische Reinheit
– nucléaire/Nuklearreinheit
– optique/Optische Reinheit
– technique/pract
purgatifs violents/Drastika
purification/Reinigung
– des gaz/Gasreinigung
purin/Gülle, Jauche
purine/Purin
purines/Purine
puromycine/Puromycin
purpurine/Purpurin
– benzoique 4 B/Benzopurpurin 4 B
purpurogalline/Purpurogallin
push-pull/Push-pull
putaminoxines/Putaminoxine
putréfaction/Fäulnis, Verwesung
pycnomètres/Pyknometer
pymetrozine/Pymetrozin
pyocyanine/Pyocyanin
pyoverdines/Pyoverdine
pyraclofos/Pyraclofos
pyranine/Pyranin
pyran[ne]s/Pyrane
pyrannoses/Pyranosen
pyrantel/Pyrantel
pyrargyrite/Pyrargyrit
pyrazinamide/Pyrazinamid
pyrazine/Pyrazin
pyrazinobutazone/Pyrazinobutazon
1H-pyrazol(e)/1H-Pyrazol
pyrazoles/Pyrazole
3,5-pyrazolidinedione/3,5-Pyrazolidindion
pyrazolines/Pyrazoline
pyrazolones/Pyrazolone
pyrazolynate/Pyrazolynat
pyrazophos/Pyrazophos
pyrazosulfuron/Pyrazosulfuronethyl
pyrène/Pyren
pyrèthe/Pyrethrum
pyrethroïdes/Pyrethroide
pyributicarb/Pyributicarb
pyridabène/Pyridaben
pyridafenthion/Pyridafenthion
pyridate/Pyridat
pyridazinones/Pyridazinone
pyridine/Pyridin
pyridinecarbaldéhydes/Pyridincarbaldehyde
pyridinecarbaldoximes/Pyridincarbaldoxime
pyridinols/Pyridinole
pyridosine/Pyridosin
pyridoxal/Pyridoxal
– -5′-phosphate/Pyridoxal-5′-phosphat
pyridoxamine/Pyridoxamin
pyridoxine/Pyridoxin

pyridyl…/Pyridyl…
1-(2-pyridylazo)-2-naphtol/1-(2-Pyridylazo)-2-naphthol
4-(2-pyridylazo)résorcinol/4-(2-Pyridylazo)resorcin
pyridylmethanols/Pyridylmethanole
pyrifénox/Pyrifenox
pyriméthamine/Pyrimethamin
pyrimethanil/Pyrimethanil
pyrimicarbe/Pirimicarb
pyrimidine/Pyrimidin
pyrimiphos-éthyle/Pirimiphosethyl
– -méthyle/Pirimiphos-methyl
pyriproxyfen/Pyriproxyfen
pyrite/Pyrit
– de nickel-cobalt/Kobaltnickelkiese
pyrites/Kiese
pyrithiobac/Pyrithiobac
pyrithione/Pyrithion
pyritinol/Pyritinol
pyro…/Pyr(o)…
pyrocarbone/Pyrokohlenstoff
pyrochlore/Pyrochlor
pyroélectricité/Pyroelektrizität
pyrogallol/Pyrogallol
pyrogènes/Pyrogene
pyrolusite/Pyrolusit
pyrolyse/Pyrolyse
– d′esters/Ester-Pyrolyse
– électronique/Elektronenbrenzen
– par décharge électrique/Blitzpyrolyse
pyrolyser/Brenzen
pyrométallurgie/Pyrometallurgie
pyrométrie/Pyrometrie
pyromorphite/Pyromorphit
pyrones/Pyrone
pyronines/Pyronine
pyrope/Pyrop
pyrophanite/Pyrophanit
pyrophores/Pyrophore
pyrophyllite/Pyrophyllit
pyrophytes/Pyrophyten
pyropissite/Pyropissit
pyroquilone/Pyroquilon
pyrosis/Sodbrennen
pyrosols/Pyrosole
pyrotechnique/Pyrotechnik
pyroxènes/Pyroxene
pyroxénoïdes/Pyroxenoide
pyrrhotite/Pyrrhotin
pyrrobutamin/Pyrrobutamin
pyrrolames/Pyrrolame
pyrrol[e]/Pyrrol
pyrrolidine/Pyrrolidin
pyrrolidino…/Pyrrolidino…
pyrrolidinyl…/Pyrrolidinyl…
2-pyrrolidone/2-Pyrrolidon
pyrrolines/Pyrroline
pyrrolizidine/Pyrrolizidin
pyrrolnitrine/Pyrrolnitrin
pyrroloquinoline-quinone/Pyrrolochinolinchinon
pyrron/Pyrron
pyruvate-carboxylase/Pyruvat-Carboxylase
– -décarboxylase/Pyruvat-Decarboxylase
– déshydrogénase/Pyruvat-Dehydrogenase
– -kinase/Pyruvat-Kinase
pyruvates/Pyruvate
pyruvoyl…/Pyruvoyl…

Q

qinghaosu/Qinghaosu
quadr…/Quadr…
quadricyclane/Quadricyclan
quadrilure/Quadrilur
quadro-/quadro-

quadrone/Quadron
qualité des eaux/Gewässergüte
– environnemental/Umweltqualität
quanta/Quanten
quantité de mouvement/Impuls
– de substance/Stoffmenge
– pesée/Einwaage
quantités maximales/Höchstmengen
quantum d'action de Planck/Plancksches Wirkungsquantum
– well/Quantentrog
quarks/Quarks
quartz/Quarz
– fumé/Rauchquarz
quartzites/Quarzite
– ferrugineux/Gebänderte Eisensteine
quasi-atomes/Quasiatome
– -cristaux/Quasikristalle
– -particules/Quasiteilchen
– -statique/Quasistatisch
quassia/Quassia
quassin; quassinoïdes/Quassin(oide)
quater…/Quater…
quaternaire/Quartär, Quaternär
quaternisation/Quaternisierung
quaterpolymères/Quaterpolymere
3,2′:3′,4″:2″,3‴-quaterpyridine/3,2′:3′,4″:2″,3‴-Quaterpyridin
québrachamine/Quebrachamin
québracho/Quebracho
queens metal/Queens Metal
quene 1/Quene 1
quercétine/Quercetin
queue de poly(A)/Poly(A)-Schwanz
quiescence/Dormanz
quillajasaponine/Quillajasaponin
quin 2/Quin 2
quinacridon/Chinacridon
quinagolide/Quinagolid
quinalizérine/Chinalizarin
quinalphos/Quinalphos
quinapril/Quinapril
quinazoline/Chinazolin
quinclorac/Quinclorac
quinestrol/Quinestrol
quinéthazone/Quinethazon
quinhydrones/Chinhydron
quinidine/Chinidin
quinine/Chinin
quinisocaïne/Quinisocain
quinizérine/Chinizarin
quinmerac/Quinmerac
quinocarcine/Quinocarcin
quinodiméthanes/Chinodimethane
quinoïde/Chinoid
quinoléine/Chinolin
8-quinolinol/8-Chinolinol
quinométhanes/Chinonmethide
quinone diazides/Chinondiazide
– imines/Chinonimine
– oximes/Chinonoxime
quinones/Chinone
quinoprotéines/Chinoproteine
quinoxaline/Chinoxalin
quinqu[e]…/Quinque…
quintozène/Quintozen
quinuclidine/Chinuclidin
quinupristin/Quinupristin
quizalofop-éthyle/Quizalofopethyl
quotient respiratoire/Respiratorischer Quotient

R

rabeprazol/Rabeprazol
racémases/Racemasen
racémates/Racemate

racémisation/Racemisierung
rachitisme/Rachitis
racine de bardane/Klettenwurzel
– de guimauve/Eibischwurzel
– de ratanhia/Ratanhiawurzel
– de sénéga/Senegawurzel
racines de saponaire officinale/Seifenwurzel
rad/Rad
radialènes/Radialene
radiateur β/β-Strahler
– de Planck/Planckscher Strahler
radiateurs infrarouges/Infrarotstrahler
radiation/Strahlung
– d'annihilation/Vernichtungsstrahlung
– monochromatique/Monochromatische Strahlung
– ultraviolette/Ultraviolettstrahlung
radicaux/Radikale
– d'oxygène/Sauerstoff-Radikale
– libres/Freie Radikale
– nitroxyles/Nitroxyl-Radikale
radio…/Radio…
radioactivité/Radioaktivität
radioastronomie/Radioastronomie
radiobiologie/Radiobiologie
radiochimie/Radiochemie
radiochromatographie/Radiochromatographie
radiographie/Radiographie
radioimmuno-essai/Radioimmunoassay
radioisotopes/Radioisotope
radiolésions/Strahlenschäden
radiologie/Radiologie
radiolyse/Radiolyse
– pulsée/Pulsradiolyse
radiométrie/Radiometrie
radiomimétiques/Radiomimetika
radionuclides/Radionuklide
radiopathies/Strahlenschäden
radiosumine/Radiosumin
radiothérapie/Strahlentherapie
radis/Rettich
radium/Radium
radôme/Radom
radon/Radon
rafaélite/Rafaelit
raffinage/Raffination
– du charbon/Kohleveredlung
– électrolytique/Elektrolytische Raffination
raffinose/Raffinose
raifort sauvage/Meerrettich
raisins secs/Rosinen
raki/Raki
raloxifène/Raloxifen
rambutan/Rambutan
ramie/Ramie
ramifénazone/Ramifenazon
ramification/Verzweigung
ramipril/Ramipril
rammelsbergite/Rammelsbergit
ramsdellite/Ramsdellit
ran/Ran
rancidité/Ranzigkeit, Ranzigwerden
ranitidine/Ranitidin
rapamycine/Rapamycin
raphia/Piassave
rapport C/N/C/N-Verhältnis
– de masse/Massenverhältnis
– écologique/Umweltbericht
rate/Milz
raveinement de la nappe/Grundwasseranreicherung
rayon atomique/Atomradius
– d'inertie/Trägheitsradius
– ionique/Ionenradius
rayonne/Reyon

rayonnement/Strahlung
- Cerenkov/Čerenkov-Strahlung
- cohérent/Kohärente Strahlung
- cosmique de fonds/Kosmische Hintergrundstrahlung
- de freinage/Bremsstrahlung
- infrarouge/Infrarotstrahlung
- ionisant/Ionisierende Strahlung
- (radiation) synchrotron/Synchrotron-Strahlung

rayons atomiques/Atomstrahlen
- béta/Beta-Strahlen
- cathodiques/Kathodenstrahlen
- cosmiques/Kosmische Strahlung
- delta/Delta-Strahlen
- d'ions/Ionenstrahlen
- gamma/Gammastrahlen
- moléculaires/Molekularstrahlen
- ultraviolets/Ultraviolettstrahlung
- X/Röntgenstrahlung

réacteur à circulation forcée par mélangeur/Umlaufreaktor
- à colonne de bulles/Blasensäulenreaktor
- à dialyse/Dialysereaktor
- à fibre creuse/Hohlfaser-Reaktor
- à membrane enzymatique/Enzym-Membran-Reaktor
- à ruissellement par film/Rieselfilmreaktor
- de culture cellulaire Diessel/Diessel®-Zellkultur-Reaktor
- de surface/Oberflächenreaktor
- en boucle/Schlaufenreaktor
- en lit fixe/Festbett-Reaktor
- plug-flow/Plug Flow-Reaktor

réacteurs/Reaktoren
- à biofilm/Biofilmreaktor
- à combustion/Verbrennungsreaktoren
- au lit fluidisé/Fließbett-Reaktor
- de cultures cellulaires/Zellkultur-Reaktoren
- nucléaires/Kernreaktoren
- surrégénérateurs/Brutreaktoren

réactif d'Abel/Abels Reagenz
- de Benedict/Benedicts Reagenz
- de Bial/Bials Reagenz
- de Carr-Price/Carr-Price-Reagenz
- de Collman/Collmans Reagenz
- de Dragendorff/Dragendorffs Reagenz
- de Fenton/Fentons Reagenz
- de Folin/Folins Reagenz
- de Fröhde/Fröhdes Reagenz
- de Gigli/Giglis Reagenz
- de Günzburg/Günzburgs Reagenz
- de Haine/Hainesche Lösung
- de Jorissen/Jorissens Reagenz
- de Kahane/Kahanes Reagenz
- de Karl Fischer/Karl-Fischer-Reagenz
- de Lalancette/Lalancette-Reagenz
- de Lawesson's/Lawesson-Reagenz
- de Lunge/Lunge-Reagenz
- de Mayer/Mayers Reagenz
- de Nessler/Neßlers Reagenz
- de Nylander/Nylanders Reagenz
- de Parkes/Parkes Reagenz
- de Persoz/Persoz-Reagenz
- de Riegler/Rieglers Reagenz
- de Schiff/Schiffs Reagenz
- de Schlesinger/Schlesingers Reagenz
- de Schwei[t]zer/Schweizers Reagenz
- de Thiele/Thieles Reagenz
- de Töpfer/Töpfers Reagenz
- de Tollens/Tollens-Reagenz
- de Vervens/Vervens-Reagenz
- de Vilsmeier/Vilsmeier-Reagenz
- de Wiesner/Wiesner-Reagenz
- de Willebrand/Willebrand-Reagenz
- d'Esbach/Esbachs Reagenz
- d'Eschka/Eschka-Mischung
- d'Hanuš/Hanuš-Reagenz
- d'iodoplatinate/Iodplatinat-Reagenz
- d'Uffelmann/Uffelmann-Reagenz

réactifs/Reagenzien
- à pulvériser/Sprühreagenzien
- d'Ames/Ames-Reagenzien
- de déplacement RMN/Verschiebungsreagenzien
- de Girard/Girard-Reagenzien
- de Grignard/Grignard-Verbindungen
- de Tebbe et Grubbs/Tebbe-Grubbs-Reagenzien
- de Wittig/Wittig-Reagenzien
- d'Ehrlich/Ehrlichs Reagenzien
- d'identification des fibres/Faserreagenzien

réaction acide/Saure Reaktion
- alcaline/Alkalische Reaktion
- avec acide periodique et réactif de Schiff/Periodsäure-Schiff-Reaktion
- bimoléculaire/Bimolekulare Reaktion
- d'Andrussow/Andrussow-Verfahren
- d'Arndt-Eistert/Arndt-Eistert-Reaktion
- de Angeli-Rimini/Angeli-Rimini-Reaktion
- de Baeyer/Baeyer-Reaktionen
- de Bamberger/Bamberger-Reaktion
- de Bamford-Stevens/Bamford-Stevens-Reaktion
- de Barbier-Wieland/Barbier-Wieland-Reaktion
- de Bart/Bart-Reaktion
- de Barton/Barton-Reaktion
- de Belousov et Zhabotinskii/Belousov-Zhabotinskii-Reaktion
- de Birch-Pearson/Birch-Pearson-Reaktion
- de Bohn-Schmidt/Bohn-Schmidt-Reaktion
- de Bouveault et Blanc/Bouveault-Blanc-Reaktion
- de Bucherer/Bucherer-Reaktion
- de Camps/Camps-Reaktion
- de Cannizzaro/Cannizzaro-Reaktion
- de Dakin et West/Dakin-West-Reaktion
- de Darzens/Darzens-Reaktion
- de défense/Abwehrreaktionen
- de Dötz/Dötz-Reaktion
- de Friedel-Crafts/Friedel-Crafts-Reaktion
- de Gattermann/Gattermannsche Aldehyd-Synthese
- de Griess-Ilosvay/Grieß-Ilosvay-Reaktion
- de Grignard/Grignard-Reaktion
- de Guerbet/Guerbet-Reaktion
- de Halden/Haldensche Reaktion
- de Haller-Bauer/Haller-Bauer-Reaktion
- de Hanikirsch/Hanikirsch-Reaktion
- de Heck/Heck-Reaktion
- de Hell-Volhard-Zelinsky/Hell-Volhard-Zelinsky-Reaktion
- de Herz/Herz-Reaktion
- de Hill/Hill-Reaktion
- de Hock/Hocksche Spaltung
- de Horner-Emmons/Horner-Emmons-Reaktion
- de Hunsdiecker et Borodine/Hunsdiecker-Borodin-Reaktion
- de Jacobsen/Jacobsen-Reaktion
- de Jaffé/Jaffé-Reaktion
- de Janovsky/Janovsky-Reaktion
- de Japp-Klingemann/Japp-Klingemann-Reaktion
- de Kedde/Kedde-Reaktion
- de Kharash-Sosnovsky/Kharasch-Sosnovsky-Reaktion
- de Komarowsky/Komarowsky-Reaktion
- de la chaîne de polymérase/Polymerase chain reaction
- de la plastéine/Plasteïn-Reaktion
- de la thalléioquine/Thalleiochin-Reaktion
- de Landolt/Landoltsche Zeitreaktion
- de l'antigène et l'anticorps/Antigen-Antikörper-Reaktion
- de Legal/Legal-Test
- de Leuckart/Leuckart-Reaktion
- de Maillard/Maillard-Reaktion
- de Mannich/Mannich-Reaktion
- de McCormack/McCormack-Reaktion
- de McMurry/McMurry-Reaktion
- de Meerwein/Meerwein-Reaktion
- de Meyers/Meyers-Reaktion
- de Michaelis et Arbouzoff/Michaelis-Arbusov-Reaktion
- de Millon/Millonsche Reaktion
- de Mitsunobu/Mitsunobu-Reaktion
- de Mukaiyama/Mukaiyama-Reaktion
- de Nazarov/Nazarov-(Ringschluß-)Reaktion
- de Nencki/Nencki-Reaktion
- de Nesmeyanoff/Nesmeyanov-Reaktion
- de Pandy/Pandy-Reaktion
- de Passerini/Passerini-Reaktion
- de Paternò-Büchi/Paternò-Büchi-Reaktion
- de Pauly/Pauly-Reaktion
- de Pauson-Khand/Pauson-Khand-Reaktion
- de Pechmann/Pechmann-Reaktion
- de Perkin/Perkin-Reaktion
- de Perkow/Perkow-Reaktion
- de Peterson/Peterson-Reaktion
- de phase-I/Phase-I-Reaktionen
- de Pictet et Spengler/Pictet-Spengler-Reaktion
- de Polonovski/Polonovski-Reaktion
- de Pomeranz-Fritsch/Pomeranz-Fritsch-Reaktion
- de Prins/Prins-Reaktion
- de Ramberg-Bäcklund/Ramberg-Bäcklund-Reaktion
- de Reformatsky/Reformatsky-Reaktion
- de Reimer et Tiemann/Reimer-Tiemann-Reaktion
- de Reissert/Reissert-Reaktion
- de Ritter/Ritter-Reaktion
- de Robinson/Robinson-Anellierung
- de Rosenmund/Rosenmund-Reaktion
- de rupture/Abbruchreaktion
- de Sakurai/Sakurai-Reaktion
- de Sandmeyer/Sandmeyer-Reaktion
- de Schenck/Schenck-Reaktion
- de Schiemann/Schiemann-Reaktion
- de Schmidt/Schmidt-Reaktion
- de Schönberg/Schönberg-Reaktion
- de Schotten et Baumann/Schotten-Baumann-Reaktion
- de Schwarz-Neghishi/Schwarz-Neghishi-Reaktion
- de Selivanoff/Seliwanow-Reaktion
- de Shapiro/Shapiro-Reaktion
- de Simmons-Smith/Simmons-Smith-Reaktion
- de Simonini/Simonini-Reaktion
- de Sommelet/Sommelet-Reaktion
- de Staudinger/Staudinger-Reaktion
- de Stetter/Stetter-Reaktion
- de Stille/Stille-Reaktion
- de Süs/Süs-Reaktion
- de Suzuki/Suzuki-Reaktion
- de Swarts/Swarts-Reaktion
- de Takata/Takata-Reaktion
- de Tchugaeff/Tschugaeff-Reaktion
- de Teuber/Teuber-Reaktion
- de Thiele et Winter/Thiele-Winter-Reaktion
- de Thorpe/Thorpe-Reaktion
- de Treibs/Treibs-Reaktion
- de Trommer/Trommer-Test
- de Tsuji-Trost/Tsuji-Trost-Reaktion
- de van Urk/Van-Urk-Reaktion
- de Varrentrapp/Varrentrapp-Reaktion
- de Vilsmeier et Haack/Vilsmeier-Haack-Reaktion
- de Vitali/Vitali-Reaktion
- de Wassermann/Wassermann-Reaktion
- de Weidel et Kossel/Weidel-Kossel-Reaktion
- de Weiss/Weiss-Reaktion
- de Willgerodt/Willgerodt-Reaktion
- de Wittig/Wittig-Reaktion
- de Zimmermann/Zimmermann-Reaktion
- de Zwikker/Zwikker-Reaktion
- d'Einhorn/Einhorn-Reaktion
- d'Elbs/Elbs-Reaktion
- d'Etard/Etard-Reaktion
- d'Hofmann-Löffler-Freytag/Hofmann-Löffler-Freytag-Reaktion
- d'Hofmann-Martius/Hofmann-Martius-Reaktion
- d'Indanthren/Indanthren-Reaktion
- d'insertion/Einschiebungsreaktion
- d'Ivanov/Ivanov-Reaktion
- d'Obermayer/Obermayersche Reaktion
- d'Ugi à quatre composantes/Ugi-Vierkomponenten-Reaktion
- d'Ullmann/Ullmann-Reaktion
- en chaîne/Kettenreaktion
- en chaîne ligase/Ligase chain reaction

Française

- en mode alternatif/Zip-Reaktion
- en monoréacteur/Eintopfreaktion
- en plusieurs étapes/Mehrkomponenten-Reaktion
- iode-azide/Iod-Azid-Reaktion
- iodo-amidonnée/Iodstärke-Reaktion
- par traversement/Durchtrittsreaktion
- Stork des eñamines/Stork-Enamin-Reaktion
- tandem/Tandem-Reaktion
- xanthoprotéique/Xanthoprotein-Reaktion

réactions/Reaktionen
- à long terme/Zeitreaktionen
- à phase solide/Festphasen-Technik
- anaplérotiques/Anaplerotische Reaktionen
- chélétropiques/Cheletrope Reaktionen
- concertées/Konzertierte Reaktionen
- de cyclisation/Ringschlußreaktionen
- de Fischer/Fischer-Reaktionen
- de fusion nucléaire/Kernfusion
- de Liebermann/Liebermann-Reaktionen
- de Nef/Nef-Reaktionen
- de Nenitzescu/Nenitzescu-Reaktionen
- de Norrish/Norrish-Reaktionen
- de transfert d'électrons/Protonenübertragungsreaktionen
- de transport/Transport-Reaktionen
- de Wallach/Wallach-Reaktionen
- de Ziegler/Ziegler-Reaktionen
- de Zincke/Zincke-Reaktionen
- d'échange/Austauschreaktionen
- d'échange de charge/Ladungsaustauschreaktionen
- des systèmes cycliques/Ringreaktionen
- electrocycliques/Elektrocyclische Reaktionen
- électrophiles/Elektrophile Reaktionen
- élémentaires/Elementarreaktionen
- entre molécules et ions/Ionen-Molekül-Reaktionen
- étagées/Stufenreaktionen
- ioniques/Ionenreaktionen
- nommées/Namen(s)reaktionen
- nucléaires/Kernreaktionen
- nucléophiles/Nucleophile Reaktionen
- organo-métalliques/Metall-organische Reaktionen
- oscillantes/Oszillierende Reaktionen
- pericycliques/Pericyclische Reaktionen
- polycentriques/Mehrzentrenreaktionen
- polymériques analogues/Polymeranaloge Reaktionen
- radicalaires/Radikalische Reaktionen
- rapides/Schnelle Reaktionen
- simultanées/Simultanreaktionen
- S_N/S_N-Reaktionen
- successives/Sukzessivreaktionen
- synchroniques/Synchronreaktionen
- (synthèses) diastéréosélectives/Diastereoselektive Reaktionen (Synthesen)
- termoléculaires/Termolekulare Reaktionen
- thermonucléaires/Kernfusion
- unimoléculaires/Unimolekulare Reaktionen

réagines/Reagine
réagir/Reagieren
réalgar/Realgar
réarrangement/Umlagerungen
- allylique/Allyl-Umlagerung
- d'Amadori/Amadori-Umlagerung
- de Beckmann/Beckmann-Umlagerung
- de Büchi/Büchi-Umlagerung
- de Claisen/Claisen-Umlagerung
- de Cope/Cope-Umlagerung
- de Curtius/Curtius-Umlagerung
- de Favorskii/Favorskii-Umlagerung
- de Fries/Fries-Umlagerung
- de Ireland-Claisen/Ireland-Claisen-Umlagerung
- de Meisenheimer/Meisenheimer-Umlagerung
- de Meyer et Schuster/Meyer-Schuster-Umlagerung
- de Neber/Neber-Umlagerung
- de Nick/Nick-Translation
- de Pummerer/Pummerer-Umlagerung
- de Semidin/Semidin-Umlagerung
- de Smiles/Smiles-Umlagerung
- de Sommelet/Sommelet-Umlagerung
- de Stevens/Stevens-Umlagerung
- de Tafel/Tafel-Umlagerung
- de Tiffeneau/Tiffeneau-Umlagerung
- de Wagner et Meerwein/Wagner-Meerwein-Umlagerung
- de Walk/Walk-Umlagerung
- de Westphalen et Lettré/Westphalen-Lettré-Umlagerung
- de Wittig/Wittig-Umlagerung
- de Wolff/Wolff-Umlagerung
- di-π-méthane/Di-π-methan-Umlagerung
- du néopentyle/Neopentyl-Umlagerung
- pinacol-pinacolone/Pinakol-Pinakolon-Umlagerung
- propargyl-allénylique/Propargyl-Allenyl-Umlagerung

rebeccamycine/Rebeccamycin
réboxétine/Reboxetin
récepteur à dihydropyridines/Dihydropyridin-Rezeptor
- à imidazoline/Imidazolin-Rezeptor
- à ryanodine/Ryanodin-Rezeptor
- Ah/Ah-Rezeptor
- aux asialoglycoprotéines/Asialoglykoprotein-Rezeptor
- cannabinoïde/Cannabinoid-Rezeptor
- de la glycine/Glycin-Rezeptor

récepteurs/Rezeptoren, Sensoren
- à dopamine/Dopamin-Rezeptoren
- à GABA/GABA-Rezeptoren
- à glutamate/Glutamat-Rezeptoren
- à rétinoïdes/Retinoid-Rezeptoren
- à vanilloïdes/Vanilloid-Rezeptor
- homing/Homing-Rezeptoren
- nucléaires/Kernrezeptoren

recette/Rezept
recherche/Forschung, Recherche
- contractuelle/Auftragsforschung
- opérationnelle/Operations-Research
- sous contract/Auftragsforschung
- sur l'environnement/Umweltforschung

recherches on-line/Online-Recherchen
récipient de Witt/Wittscher Topf
récipients/Behälter
recombinaison/Rekombination
recombinases/Recombinasen
recommandations pour laboratoires/Richtlinien für Laboratorien
recommandetions/Richtlinien
reconnaissance des espèces/Arterkennung
recouvrement/Überlappung
- synthétique/Kunststoff-Beschichtung

recovérine/Recoverin
recristallisation/Rekristallisation, Umkristallisation
rectal/Rektal
rectification/Rektifikation
recuire/Tempern
recuit/Anlassen, Glühen
- blanc/Blankglühen
- brillant/Blankglühen
- de détente/Spannungsarmglühen

recyclage/Recycling
- des déchets/Abfallverwertung

redondance/Redundanz
rédoxines/Redoxine
réductases/Reduktasen
réducteur/Reduktiv
réducteurs/Destruenten, Reduktionsmittel, Reduzierstücke
réductif/Reduktiv
réduction/Reduktion
- cathodique/Kathodische Reduktion
- de Béchamp/Béchamp-Reduktion
- de Benkeser/Benkeser-Reduktion
- de Birch/Birch-Reduktion
- de Clemmensen/Clemmensen-Reduktion
- de l'acide (la base) excès/Abstumpfen
- de Meerwein-Ponndorf-Verley/Meerwein-Ponndorf-Verley-Reduktion
- de Rosenmund-Saytsev/Rosenmund-Saytsev-Reduktion
- de Wolff-Kishner/Wolff-Kishner-Reduktion
- de Zinin/Zinin-Reduktion
- du risque/Risikominderung
- en cendres/Veraschen
- par l'étain/Zinn-Reduktion
- (respiration) de sulfat/Sulfat-Atmung

réductones/Reduktone
redwitzite/Redwitzit
(réfléchissants)/Sonnenschutzgläser
réflexion/Reflexion
reflux/Rückfluß
reforming/Reformieren
réfraction/Refraktion
- atomique/Atomrefraktion

réfractivité atomique/Atomrefraktion
réfractomètre/Refraktometer
réfrigérants/Kühler
refroidissement/Schnupfen
- adiabatique/Adiabatische Abkühlung
- brusque/Abschrecken
- par ablation/Ablationskühlung
- par évaporation/Verdampfungskühlung

régénération/Regeneration, Wiederaufbereitung
- des plantes/Regeneration von Pflanzen

régénérés/Regenerate
régio…/Regio…
régiochimie/Regiochemie
région hypervariable/Hypervariable Region
régions polluées/Belastungsgebiet
- variables/Variable Regionen

régiosélectif/Regioselektiv, Regiospezifisch
régiospécifique/Regioselektiv, Regiospezifisch
registre des émissions/Emissionskataster
- des substances dangereuses/Gefahrstoffkataster
- d'immissions/Immissionskataster

règle d'Abegg/Abeggsche Regel
- d'Auwers et Skita/Auwers-Skita-Regel
- de Blanc/Blanc-Regel
- de Bredt/Bredt'sche Regel
- de Cailletet-Mathias/Cailletet-Mathias'sche Regel
- de Hückel/Hückel-Regel
- de Kornblum/Kornblum-Regel
- de la double liaison de Schmidt/Schmidtsche Doppelbindungsregel
- de l'isoprène/Isopren-Regel
- de Markovnikoff/Markownikoffsche Regel
- de Mattauch/Mattauch-Regel
- de Pictet et Trouton/Pictet-Trouton-Regel
- de Saytsev (Saytzeff)/Saytzeff-Regel
- de sélection/Auswahlregeln
- de Stokes/Stokes-Regel
- de Tammann/Tammann-Regel
- de Traube/Traube-Regel
- des octants/Oktantenregel
- des phases/Gibbssche Phasenregel
- d'Ostwald/Ostwaldsche Stufenregel

règlement sur la sécurité des équipements/GS-Zeichen
règlementation européenne sur les résidus/EG-Altstoffverordnung
- relative aux produits alimentaires/Lebensmittelgesetz
- sur les professions/Gewerbeordnung

règlements CEP/CEP-Regeln
- généraux de technique/Allgemein anerkannte Regeln der Technik

règles CIP/CIP-Regeln
- de Slater/Slatersche Regeln
- de Wade/Wade-Regeln
- de Wigner et Witmer/Wigner-Witmer-Regeln
- de Woodward-Hoffmann/Woodward-Hoffmann-Regeln
- des mélanges/Mischungsregeln
- écogéographiques/Klimaregeln

reglisse/Lakritze
régulateur à deux positions/Zweipunktregler
- à tot ou rien/Zweipunktregler
- de pression/Druckminderer

régulateurs/Reglersubstanzen
– de croissance/Wachstumsregulatoren, Wachstumsregler
régulation/Regulation
régule/Regulus
reins/Nieren
relargage/Aussalzen
relatif/Relativ
relation de commutation/Vertauschungsrelation
– hôte-parasite/Wirt-Gast-Beziehung
– hôte-pensionnaire/Wirt-Gast-Beziehung
relaxants musculaires/Muskelrelaxantien
relaxation/Relaxation
relaxine/Relaxin
releasing factors/Releasing-Hormone
…réline/…relin
rem/Rem
remèdes/Heilmittel
– d'amaigrissement/Schlankheitsmittel
– ophthalmiques/Ophthalmika
remobilisation/Remobilisierung
rémoxipride/Remoxiprid
remuer/Rühren
rénaturation/Renaturierung
rendement/Ausbeute, Wirkungsgrad
– optique/Optische Ausbeute
– quantique/Quantenausbeute
– thermique/Thermischer Wirkungsgrad
– thermodynamique/Thermodynamischer Wirkungsgrad
rendre hydrophobe/Hydrophobieren
renforçateurs de nettoyage/Reinigungsverstärker
renforcement fibreux/Faserverstärkung
reniérite/Reniérit
rénine/Renin
renonculacées/Hahnenfußgewächse
renouée des oiseaux/Vogelknöterich
répaglinide/Repaglinid
répartition/Verteilung
réplicase Qβ/Qβ-Replikase
réplication/Replikation
repliement/Faltung
réponse immunitaire/Immunantwort
répresseurs/Repressoren
répression de catabolites/Katabolit-Repression
reproductibilité/Reproduzierbarkeit
reprographie/Reprographie
réprotérol/Reproterol
reptation/Reptation
répulsifs/Repellentien
résazurine/Resazurin
rescinnamine/Rescinnamin
réseau cristallin/Kristallgitter
– d'égouts/Kanalisation
– métallique/Metallgitter
– moléculaire/Molekülgitter
– neuronal/Neuronale Netze
– réciproque/Reziproke Gitter
– réseaux polymères interpénétrants/Interpenetrierende polymere Netzwerke
– polymériques/Polymere Netzwerke
réserpine/Reserpin
réserves/Reservierungsmittel
réservoirs/Behälter
résidu/Rückstand

– de calcination/Glührückstand
– de grillage/Abbrand
– d'évaporation/Abdampfrückstand
résidus/Reste
– de distillation/Schlempe
résilience/Kerbschlagzähigkeit
résiline/Resilin
resina/Resina
résine acryl-alcydique/Acryl-Alkydharze
– benzoguanaminique/Benzoguanamin-Harze
– d'arbre/Harzpech
– de gayac/Guajakharz
– d'imprégnation/Imprägnier-Harze
– d'ipomoea/Ipomoea-Harz
– ester/Harzester
résines/Harze, Resine
– acryliques/Acrylharze
– adhérentes/Leimharze
– aldéhydiques/Aldehydharze
– alkyds/Alkydharze
– allyliques/Allylharze
– aralkyles-phénoliques/Phenol-Aralkyl-Harze
– cétoniques/Keton-Harze
– coulées/Gießharze
– crésoliques/Kresol-Harze
– d'acétals/Acetal-Harze
– de coulée/Gießharze
– de coumarone-indène/Cumaron-Indenharze
– de formaldéhyde/Formaldehyd-Harze
– de mélamine/Melamin-Harze
– de mélamine-formaldéhyde/Melamin-Formaldehyd-Harze
– de mélamine-phénol-formaldéhyde/Melamin-Phenol-Formaldehyd-Harze
– de mélamine-urée-formaldéhyde/Melamin-Harnstoff-Formaldehyd-Harze
– de pétrole/Petroleum-Harze
– de polyesters insaturées/Ungesättigte Polyester-Harze
– de polyuréthane/Polyurethan-Harze
– de réaction/Reaktionsharze
– de renforcement/Verstärkerharze
– de terpène-phénol/Terpen-Phenol-Harze
– de tétrachlorophtalate/Tetrachlorphthalat-Harze
– de triazine/Triazin-Harze
– de xylène-formaldéhyde/Xylol-Formaldehyd-Harze
– d'échanges ioniques/Ionenaustauscherharze
– d'esters vinyliques/Vinylester-Harze
– d'hydrocarbures/Kohlenwasserstoff-Harze
– durcies/Hartharze
– d'urée/Harnstoff-Harze
– époxy/Epoxidharze
– furaniques/Furan-Harze
– industrielles (techniques)/Technische Harze
– maléiques/Maleinatharze
– mélamine/Melamin-Formaldehyd-Harze
– méthacryliques/Methacrylatharze
– molles/Weichharze
– naturelles/Natürliche Harze
– polyester/Polyesterharze
– synthétiques/Synthetische Harze, Kunstharze

– terpéniques/Terpen-Harze
– (vernis) d'imprégnation/Tränkharze
résinifératoxine/Resiniferatoxin
résinification/Verharzung
résinoïdes/Resinoide
résistance/Resistenz, Festigkeit
– à la chaleur/Hitzebeständigkeit, Hitzeresistenz
– à la rupture/Zugfestigkeit
– à la traction/Reißfestigkeit
– à l'abrasion/Scheuerfestigkeit
– au fluage aux températures élevées/Warmfestigkeit
– au frottage/Wischbeständigkeit
– aux alcalis/Alkaliechtheit
– aux herbicides/Herbizidresistenz
– d'adhésion/Haftfestigkeit
– de l'environnement/Umweltwiderstand
résistes/Resists
resmethrine/Resmethrin
résolution/Auflösung
résonance/Resonanz
résonances de Ramsey/Ramsey-Resonanzen
résonateur à laser/Laser-Resonator
résorcine/Resorcin
résorcinol/Resorcin
résorption/Resorption
respirateur à air sous pression/Preßluftatmer
– avec régénération par oxygène/Regenerationsgeräte
respiration/Atmung
– du sol/Bodenatmung
responsabilité environnementale/Umwelthaftung
responsable d'entreprise pour la protection de l'environnement/Betriebsbeauftragter für Umweltschutz
– d'entreprise pour les déchets/Abfallbeauftragter
ressorts/Federn
ressources/Rohstoffe
ressuage/Darren
restauration/Restaurierung
restes/Reste
– acides/Säurereste
resting cells/Resting Cells
résublimation/Resublimation
retard à l'ébullition/Siedeverzug
retard[at]eur/Retarder
retardateur de prise/Erstarrungsverzögerer
retassure/Lunker
rétène/Reten
rétention/Retention
réteplase/Reteplase
réticulation/Vernetzung
réticuline/Reticulin
réticulum endoplasmique/Endoplasmatisches Retikulum
– sarcoplasmique/Sarkoplasmatisches Retikulum
rétinal/Retinal
rétinite/Pechstein
rétinoïdes/Retinoide
rétinol/Retinol
retombées/Fallout
retortes/Retorten
retrait/Schrumpfen
retraitement/Wiederaufbereitung
rétrécissement/Schrumpfen
rétro…/Retro…
rétro-inhibition/Endproduktshemmung
rétroélectrodialyse/Retroelektrodialyse

rétrogradation/Retrogradation
rétrosublimation/Retrosublimation
rétrosynthèse/Retrosynthese
rétrovirus/Retroviren
réversible/Reversibel
revêtement/Auskleidung, Beschichtung
– au vide/Aufdampfen
– électrophorétique/Elektrophoretische Lackierung
– par immersion à chaud/Schmelztauchen
– par poudre/Pulverbeschichtung
revêtements de protection/Schutzhäute
– du sol/Bodenbeläge
rhamnose/Rhamnose
rhapsamine/Rhapsamin
rhéine/Rhein
rhénates/Rhenate
rhénium/Rhenium
rhéologie/Rheologie
rhéopexie/Rheopexie
rhizome/Rhizoma
– de galanga/Galgantwurzel
– de tormentille/Tormentillwurzel
rhizoxine/Rhizoxin
rhodamines/Rhodamine
rhodanase/Rhodanese
rhodanèse/Rhodanese
rhodanine/Rhodanin
rhodates/Rhodate
rhodium/Rhodium
rhod(o)…/Rhod(o)…
rhodochrosite/Rhodochrosit
rhododendron/Rhododendron
rhodonite/Rhodonit
rhodopsine/Rhodopsin
rhodoquinone/Rhodochinon
rhodotorula/Rhodotorula
rhodoxanthine/Rhodoxanthin
rhombique/Rhombisch
rhomboédrique/Rhomboedrisch
rhubarbe/Rhabarber
rhum/Rum
rhumatisme/Rheuma
rhyolite/Rhyolith
rhythme circadien/Circadiane Rhythmik
– diurne de l'acidité/Diurnaler Säurerhythmus
ribavirine/Ribavirin
ribitol/Ribit
ribo-/ribo-
riboflavine/Riboflavin
– -5′-phosphate/Riboflavin-5′-phosphat
ribonucléases/Ribonucleasen
ribonucléosides/Ribonucleoside
ribonucléotide-réductases/Ribonucleotid-Reduktasen
ribophorines/Ribophorine
D-ribose/D-Ribose
ribosides/Ribosides
ribosomes/Ribosomen
ribozymes/Ribozyme
D-ribulose/D-Ribulose
ribulosebisphosphate-carboxylase/Ribulosebisphosphat-Carboxylase
riccardines/Riccardine
ricine/Ricin
ricinoléates/Ricinoleate
rickettsies/Rickettsien
rifabutine/Rifabutin
rifampicine/Rifampicin
riluzole/Riluzol
rimexolone/Rimexolon
rimsulfuron/Rimsulfuron
rishitine/Rishitin
rispéridone/Risperidon
risque/Risiko

ritodrine/Ritodrin
ritonavir/Ritonavir
rittérazine/Ritterazine
rituximab/Rituximab
rivastigmine/Rivastigmin
rivetage explosif/Sprengnietung
riz/Reis
rizatriptane/Rizatriptan
rizolipase/Rizolipase
robinet/Kegelhähne
robinétine/Robinetin
robinets/Hähne
robiniers/Robinie
robinine/Robinin
roborants/Roborantien
rocaglamide/Rocaglamid
roche argileuse/Tonstein
– de silicate de calcaire/Kalksilicatgestein
– lunaire/Mondgestein
– pulvérisée/Gesteinsmehl
– stérile/Taubes Gestein
rochers/Felse
roches/Gesteine
– amygdaloides/Mandelsteine
– calcaires/Kalke
– cataclastiques/Kataklastische Gesteine
– clastiques/Klastische Gesteine
– de silices/Kieselgesteine
– filoniennes/Ganggesteine
– magmatiques/Magmatische Gesteine
– métamorphiques/Metamorphe Gesteine
– pyroclastiques/Pyroklastische Gesteine
– sédimentaires/Sedimentgesteine
rockbridgéite/Rockbridgeit
rodage à l'abrasif libre/Läppen
rodaplutine/Rodaplutin
rodenticides/Rodentizide
roentgen/Röntgen
rohitukine/Rohitukin
rolipram/Rolipram
rolitétracycline/Rolitetracyclin
romanéchite/Romanechit
ronde/Rundtanz
ropinirol/Ropinirol
ropivacaïne/Ropivacain
roquefortines/Roquefortine
roridines/Roridine
rosamines/Rosamine
rosaniline/Rosanilin
rosasite/Rosasit
rosé/Rosé-Wein
rose de Bengale/Bengalrosa
roselle/Rosella
roséophiline/Roseophilin
roséotoxines/Roseotoxine
roses/Rosen
rosoxacine/Rosoxacin
rotanes/Rotane
rotation/Rotation
– molaire/Molrotation
rotaxanes/Rotaxane
roténoïdes/Rotenoide
roténone/Rotenon
rottlérine/Rottlerin
rotundial/Rotundial
rouge Congo/Kongorot
– d'Allura/Allura Red
– de bromophénol/Bromphenolrot
– de chlorophénol/Chlorphenolrot
– de magnésium/Magnesiarot
– de Mars/Marsrot
– de molybdate/Molybdatrot
– de pyrogallol/Pyrogallolrot
– de quinaldine/Chinaldinrot
– de toluidine/Toluidinrot
– d'indigo/Indigorot
– indien/Indischrot
– neutre/Neutralrot

– solide/Echtrot
rouillage/Rosten
rouille/Rost
– d'ajustage/Passungsrost
– du caféier/Kaffeerost
– exogène/Fremdrost
rouir/Rösten
rovings/Rovings
roxithromycine/Roxithromycin
RPRT/PRTR
RQSA (relation quantitative structure-activité)/QSAR
RQSP (relation quantitative structure-propriété)/QSPR
rubans adhésifs/Klebebänder
rubéfiants/Rubefacientien
rubidium/Rubidium
rubis/Rubin
rubratoxine B/Rubratoxin B
rubrédoxines/Rubredoxine
rubrène/Rubren
rubroflavine/Rubroflavin
rubromycines/Rubromycine
rudbeckie/Sonnenhut
rue des chèvres/Geißraute
rufoolivacines/Rufoolivacine
rugulosine/Rugulosin
russuphéline/Russupheline
rut/Brunst
ruthénates/Ruthenate
ruthénium/Ruthenium
rutherford/Rutherford
rutherfordine/Rutherfordin
rutile/Rutil
rutine/Rutin
rutinose/Rutinose
ryanodine/Ryanodin

S
sable/Sand
– de moulage/Formsand
sabler/Sandstrahlen
sables bitumineux/Ölsande
saccharate de calcium/Calciumsaccharat
saccharates/Saccharate
saccharimétrie/Saccharimetrie
saccharine/Saccharin
Saccharomyces/Saccharomyces
saccharose/Saccharose
sacharificacion du bois/Holzverzuckerung
safflorite/Safflorit
saframycines/Saframycine
safran/Safran
– des Indes/Curcuma
safranal/Safranal
safranines/Safranine
safrol/Safrol
sagou/Sago
saindoux/Schmalz
sake/Sake
salacétamide/Salacetamid
salage/Einsalzen
salaison/Aussalzen, Pökeln
salamandre/Feuersalamander
salbostatine/Salbostatin
salbutamol/Salbutamol
salcomine/Salcomin
saléeite/Saléeit
salep/Salep
salicile/Salicil
salicyl.../Salicyl...
salicylaldoxime/Salicylaldoxim
salicylamide/Salicylamid
salicylate de diéthylamine/Diethylaminsalicylat
– de sodium/Natriumsalicylat
– d'hydroxyéthyle/Hydroxyethylsalicylat
salicylates/Salicylsäureester
salicyloyl.../Salicyloyl...
salinité/Salinität

salinomycine/Salinomycin
salive/Speichel
salmétérol/Salmeterol
salmiac/Salmiak
salmine/Salmin
salmonelles/Salmonellen
salpêtre/Kalisalpeter, Salpeter
salsalate/Salsalat
salurétiques/Saluretika
samarium/Samarium
samarskite/Samarskit
samos/Samos
sandaraque/Sandarak
sandwich/Sandwich
sang/Blut
– -de-dragon/Drachenblut
– de remplacement/Blutersatzmittel
– -dragon/Drachenblut
sanguinarine/Sanguinarin
santalols/Santalole
santonine/Santonin
saphir/Saphir
saphirine/Sapphirin
sapogénines/Sapogenine
– stéroïdes/Steroid-Sapogenine
saponification/Verseifung
saponine/Saponin
saponines/Saponine
– des échinodermes/Stachelhäuter-Saponine
– stéroïdes/Steroid-Saponine
– triterpéniques/Triterpen-Saponine
saponite/Saponit
saprobes/Saprobien
saprobie/Saprobie
saprobies/Saprobionten
saprobiontes/Saprobionten
saprobiotiques/Saprobien
sapropel/Faulschlamm
saprophytes/Saprophyten
saprotrophe/Saprotroph
saquayamycines/Saquayamycine
saquinavir/Saquinavir
saralasine/Saralasin
sarcinaxanthine/Sarcinaxanthin
α-sarcine/α-Sarcin
sarcodictyines/Sarcodictyine
sarcomères/Sarkomere
sarcomycine A/Sarkomycin A
sarcophages/Sarkophag
sarcosinates d'acides gras/Fettsäuresarcosinate
sarcosine/Sarkosin
sardines/Sardinen
sardonyx/Sardonyx
sarin/Sarin
sarpagine/Sarpagin
sarriette/Bohnenkraut
sassolite/Sassolin
sativane/Sativan
sativène/Sativen
satratoxines/Satratoxine
saturation/Absättigung
– lumineuse/Lichtsättigung
saturé/Gesättigt
sauce béarnaise/Sauce béarnaise
– Worcester/Worcester-Sauce
saudine/Saudin, Saudinolid
saudinolide/Saudin, Saudinolid
sauge/Salbei
– petite/Salbei
saumon (de fonte)/Massel
saumure/Lake, Sole
saur[iss]age (Fisch)/Räuchern
saut chromosomique/Chromosome jumping
sauterelles/Heuschrecken
sauvegarde de la pureté de l'air/Luftreinhaltung
saveur/Geschmack
– réversive/Reversionsgeschmack

savon au goudron/Teerseifen
– de chaux/Kalkseife
– de potasse/Kaliseife
– mou/Kaliseife
– pour cuir/Sattelseifen
– sablé/Sandseife
savons/Seifen
– amides/Amidseifen
– broyés/Pilierte Seifen
– de calcium/Calcium-Seifen
– de métal/Metallseifen
– de résine/Harzseifen
– inversés/Invertseifen
– invertis/Invertseifen
– métalliques/Metallseifen
– transparents (translucides)/Transparentseifen
saxitoxine/Saxitoxin
scalaires/Skalare
scandium/Scandium
scapolite/Skapolith
scatol[e]/Skatol
sceau de Salomon/Salomonssiegel
scenedesmus/Scenedesmus
scheelite/Scheelit
schéma e-Q/Q-e-Schema
schiste/Schiefer
– siliceux/Kieselschiefer
– tripoléen/Tripel
schistes bitumineux/Ölschiefer
– cuivreux/Kupferschiefer
schistosomiase/Schistosomiasis
schizomycètes/Schizomyceten
schizostatine/Schizostatin
scholzite/Scholzit
schulténite/Schultenit
sciaphytes/Skiophyten
science des métaux/Metallkunde
sciences de l'ingénieur/Ingenieurwissenschaften
– naturelle(s)/Naturwissenschaft
– tecniques/Technik
scillarénine/Scillarenin
scilliroside/Scillirosid
scinti.../Szinti...
scintigraphie/Szintigraphie
scintillateurs/Szintillatoren
scintillones/Scintillone
scirpénols/Scirpenole
scissilité/Spaltbarkeit
sclareol/Sclareol
scléricolique/Sklerikol
scléroprotéines/Skleroproteine
sclérose en plaques/Multiple Sklerose
– multiple/Multiple Sklerose
...scope/...skop, ...skopie
scopolamine/Scopolamin
scopolétine/Scopoletin
scorbut/Skorbut
scorie/Schlacke
– Thomas (moulue)/Thomasmehl
scorodite/Skorodit
screening/Screening
scyllo-/scyllo-
SEAC: spectroscopie électronique pour application chimique/ESCA
sébacates/Sebacinsäureester
séborrhée/Seborrhoe
sébum/Talg
sec/Dry, Trocken
secbutabarbital/Secbutabarbital
séchage/Trocknen
– à pulvérisation/Zerstäubungstrocknung
– par pulvérisation/Sprühtrocknung
– par rayons infrarouges/Infrarottrocknung
séco.../Seco...
sécobarbital/Secobarbital

sécologanine/Secologanin
secondaire/Sekundär
seconde/Sekunde
sécosteroïdes/Secosteroide
sécret de glande de croupion/Bürzeldrüsenfett
sécrétine/Secretin
sécrétion/Sekretion
section efficace/Wirkungsquerschnitt
– efficace d'absorption/Absorptionsquerschnitt
sécurité/Sicherheit
– du travail/Arbeitssicherheit
sédatifs/Sedativa
sédiment de poussières/Staubniederschlag
sédimentation/Sedimentation
– de sang/Blutsenkung
sédiments/Absetzbare Stoffe, Sedimente
– évaporitiques/Evaporite
sédo…/Sedo…
sédoheptulose/Sedoheptulose
segments souples/Weichpfleger
ségrégations/Seigerungen
seigle/Roggen
sel/Salz
– à étaler/Streusalz
– AH/AH-Salz
– crépitant/Knistersalz
– de Carlsbad/Karlsbader Salz
– de cuisine/Kochsalz
– de fermentation/Gänge
– de Frémy/Fremys Salz
– de Graham/Grahamsches Salz
– de Kissingen/Kissinger Salz
– de Magnus/Magnus-Salz
– de Monsel/Monsels Salz
– de Reinecke/Reinecke-Salz
– de table/Speisesalz
– de table iodé/Iodiertes Speisesalz
– de teinture solide/Diazoechtsalze
– de Zeise/Zeise-Salz
– disodique/Chromotropsäure Dinatrium-Salz
– dur/Hartsalz
– gemme/Steinsalz
– iodé/Iodiertes Speisesalz
– nitrique de saumure/Nitritpökelsalz
– nitrité/Nitritpökelsalz
– nitroso-R/Nitroso-R-Salz
sélectif/Selektiv
sélectines/Selectine
sélection/Selektion
sélégiline/Selegilin
sélénite de sodium/Natriumselenit
sélénites/Selenite
sélénium/Selen
séléniure de cadmium/Cadmiumselenid
– de plomb/Bleiselenid
– d'hydrogène/Selenwasserstoff
– d'indium/Indiumselenid
séléniures/Selenide
sélénocystéine/Selenocystein
sélénophytes/Selenophyten
sélinènes/Selinene
sels/Salze
– amminés/Ammin-Salze
– arsonium/Arsonium-Salze
– de benzyltriméthylammonium/Benzyltrimethylammonium-Salze
– de Bunte/Bunte-Salze
– de Meerwein/Meerwein-Salze
– de phosgène-iminium/Phosgen-Iminium-Salze

– de phosphonium/Phosphonium-Salze
– de pyrylium/Pyrylium-Salze
– de Roussin/Roussinsche Salze
– de stibonium/Stibonium-Salze
– de tétra-butylammonium/Tetrabutylammonium-Salze
– de tétraamine-cuivre(II)/Tetraamminkupfer(II)-Salze
– de tétraéthylammonium/Tetraethylammonium-Salze
– de tétraéthylammonium/Tetramethylammonium-Salze
– de tétrazolium/Tetrazolium-Salze
– de thiazolium/Thiazolium-Salze
– de triglycine/Triglycin-Salze
– de Tutton/Tutton-Salze
– de Wurster/Wurster-Salze
– d'hydrazinium/Hydrazinium-Salze
– d'hydroxylammonium/Hydroxylammonium-Salze
– doubles/Doppelsalze
– d'oxocarbénium/Oxocarbenium-Salze
– d'oxydes/Oxidsalze
– d'uronium/Uronium-Salze
– fondants pour fromage/Käseschmelzsalze
– fondus/Salzschmelzen
– neutres/Neutralsalze
– oxonium/Oxonium-Salze
– potassiques naturels/Kalisalze
– sulfiques/Sulfosalze
– triples/Tripelsalze
– violeo/Violeosalze
– volatils/Riechsalze
– xantho/Xanthosalze
semence/Samen
semences/Saatgut
– de cévadille (sabadille)/Sabadillsamen
semencine/Zitwer
semi…/Semi…
semi-acétals/Halbacetale
– -hydrates/Hemihydrate
– -métaux/Halbmetalle
– -valences/Partialvalenzen
semibullvalène/Semibullvalen
semicarbazide/Semicarbazid
semiconducteurs/Halbleiter
semimicro-analyse/Halbmikroanalyse
semiquantitatif/Halbquantitativ
semiquinones/Semichinone
semoule/Grieß
sempervirine/Sempervirin
sénarmontite/Senarmontit
séneçon commun/Kreuzkraut
sénescence/Seneszenz
sénnosides/Sennoside
sénoxépine/Senoxepin
sensibilisateurs/Sensibilisatoren
sensibilisation/Sensibilisation
sensibilité/Empfindlichkeit
sensitivité chimique-multiple (SCM)/MCS
sensorique/Sensorik
séparateur (à voie) humide/Naßabscheider
– d'aréosols/Nebelabscheider
– de mousses/Schaumseparator
– d'eau de réaction/Wasserabscheider
– d'huile; séparation d'huile/Ölabscheider
séparation/Abscheidung, Trennen
– cryogénique/Ausfrieren
– de gaz/Gaszerlegung
– des isotopes/Isotopentrennung
– en microphases/Mikrophasentrennung

séparer/Scheiden
– par centrifugation/Separieren
sépiolite/Sepiolith
septi…/Septi…
septicémie/Sepsis
septum/Septum
séquence consensus/Consensus-Sequenz
– de Shine-Dalgarno/Shine-Dalgarno-Sequenz
– leader/Leader-Sequenz
séquences d'identification/Erkennungssequenz
– d'insertion/Insertionssequenzen
– en boucle/Ringsequenzen
séquenceur d'acides aminés/Aminosäure-Sequenzer
– de peptides/Peptid-Sequencer
sératrodast/Seratrodast
séricine/Sericin
série de Balmer/Balmer-Serie
– de dilutions/Verdünnungsreihe
– de Fourier/Fourier-Reihe
– d'ions d'Hofmeister/Hofmeistersche Reihen
– électrochimique/Spannungsreihe
– -maître/Masterbatch
– principale/Hauptserie
séries/Serien
sérigraphie/Siebdruck
sérine/Serin
– -protéinases/Serin-Proteasen
seringues/Kanülen
serméroline/Sermorelin
sérodiagnostic/Serodiagnostik
sérologie/Serologie
sérotonine/Serotonin
sérotypes/Serotypen
serpentène/Serpenten
serpentine/Serpentin
serpents de Pharaon/Pharaoschlangen
sérpines/Serpine
serrapeptase/Serrapeptase
serricornine/Serricornin
sertaconazole/Sertaconazol
sertindole/Sertindol
sertraline/Sertralin
sérum/Molke, Serum
– de vérité/Geständnismittel
– physiologique/Physiologische Kochsalzlösung
serumalbumine/Serumalbumin
service de la protection des végétaux/Pflanzenschutzdienst
services d'information rapide/Schnellinformationsdienste
sesbanimides/Sesbanimide
sesqui…/Sesqui…
sesquifulvalènes/Sesquifulvalene
sesquiterpènes/Sesquiterpene
sester…/Sester…
sesterterpènes/Sesterterpene
seston/Seston
sethoxydime/Sethoxydim
seuil critique d'ozone/Ozon-Schwellenwert
sève de bouleau/Birkenwasser
sévérine/Severin
sévoflurane/Sevofluran
sexi…/Sexi…
seychellène/Seychellen
shérardisation/Sherardisieren
sherry/Sherry
shigella/Shigella
shikonine/Shikonin
shop primer/Shop-Primer
showdomycine/Showdomycin
sialyl-transférases/Sialyltransferasen
siamyl…/Siamyl…

siastatine B/Siastatin B
sibrafibane/Sibrafiban
sibutramine/Sibutramin
siccanine/Siccanin
siccatifs/Sikkative, Trockenstoffe
sida/AIDS
sidéramines/Sideramine
sidérite/Siderit
sidér(o)…/Sider(o)…
sidérochromes/Siderochrome
sidéromycines/Sideromycine
sidérophilines/Siderophiline
sidérophores/Siderophore
sidérotrophie/Siderotrophie
sidérurgie/Eisenhüttenkunde
siemens/Siemens
sievert/Sievert
sigmatrope/Sigmatrop
signal/Signal
signature/Signatur
signe particulier/Merkmal
sila…/Sil(a)…
silafluofen/Silafluofen
silanediyl…/Silandiyl…
silanes/Silane
silanols/Silanole
silathiannes/Silathiane
silatranes/Silatrane
silazanes/Silazane
silènes/Silene
silex/Feuerstein
silicate d'aluminium et de sodium/Natriumaluminiumsilicat
– d'aluminium-magnésium/Magnesiumaluminiumsilicat
– de lithium et d'aluminium/Lithiumaluminiumsilicat
– de zirconium/Zirconiumsilicat
silicates/Silicate
– d'aluminium/Aluminiumsilicate
– de calcium/Calciumsilicate
– de magnésium/Magnesiumsilicate
– de potassium/Kaliumsilicate
– de sodium/Natriumsilicate
– de zinc/Zinksilicate
– d'éthyle/Ethylsilicate
silice/Kieselerde
– fondue (vitreuse)/Quarzgut
silichaux/Hüttenkalk
silicium/Silicium
– amorphe/Amorphes Silicium
siliciure de magnésium/Magnesiumsilicid
– de tungstène/Wolframsilicid
siliciures/Silicide
– de calcium/Calciumsilicide
– de fer/Eisensilicide
silicones/Silicone
silicose/Silicose
silicothermie/Silicothermie
sillimanite/Sillimanit
siloxanes/Siloxane
siloxène/Siloxen
siloxy…/Siloxy…
silvanite/Sylvanit
silybine/Silybin
silyl…/Silyl…
silylation/Silylierung
silylthio…/Silylthio…
simazine/Simazin
siméthicone/Simethicon
similbois/Kunstholz
simulation par ordinateur/Computersimulation
simvastatine/Simvastatin
sinalexine/Sinalexin
sinapine/Sinapin
sinensals/Sinensale
singulet/Singulett
sinhalite/Sinhalit
sirénine/Sirenin
sirop/Sirup

Française

- de glucose/Glucose-Sirup
- d'érable/Ahornsaft
sisal/Sisal
sisomicine/Sisomicin
site de liaison/attachment-site
- (position) A/Tetraederlücke
- tétraédrique/Tetraederlücke
sitophilure/Sitophilur
β-sitostérol/β-Sitosterin
skarn/Skarn
sklodowskite/Sklodowskit
skutterudite/Skutterudit
skyrine/Skyrin
slaframine/Slaframin
smalt/Smalte
smectites/Smektite
smithsonite/Galmei, Smithsonit
smog/Smog
smythite/Smythit
sodalite/Sodalith
soddyite/Soddyit
sodium/Natrium
- -iodophtaléine/Iodophthalein-Natrium
- Porfimer/Porfimer-Natrium
- potassium ATPase/Natrium-Kalium-ATPase
- réviparine/Reviparin-Natrium
soffions/Soffionen
soie/Seide
- à l'oxyde de cuivre ammoniacal/Kupferseide
- artificielle/Kunstseiden
- au cuivre/Kupferseide
- cellulosique/Zellseide
- de chardonnet/Chardonnet-Seide
soins de cheveux/Haarbehandlung
- de la chevelure/Haarbehandlung
sol/Boden, Sol
- de silice/Kieselsol
- -gel process/Sol-Gel-Prozeß
solanacées/Solanaceen
soleil/Sonne
solénopsine/Solenopsine
solidago verge d'or/Goldrute
solidensation/Solidensation
solides/Festkörper
- actifs/Aktivstoffe
solidification/Erstarren
solidité à la lumière/Lichtechtheit
- à l'avivage/Avivierechtheit
soliton/Soliton
sols industriels/Industriefußböden
solubilisation/Solubilisation
solution de Berger/Berger-Mischung
- de chlorure de zinc-iode/Chlorzinkiod-Lösung
- de Clerici/Clericis Lösung
- de coloration de Papanicolaou/Papanicolaous Farblösung
- de Fehling/Fehlingsche Lösung
- de Gowers/Gowerssche Lösung
- de Hayem/Hayemsche Lösung
- de Lugol/Lugols Lösung
- de potasse caustique/Kalilauge
- de potassium iodo-iodurée/Iod-Kaliumiodid-Lösung
- de Ringer/Ringer-Lösung
- de soude caustique/Natronlauge
- de sulfure de chaux/Schwefelkalkbrühe
- de Thiel-Stoll/Thiel-Stoll-Lösung
- de Thoulet/Thoulets Lösung
- de Tyrode/Tyrode-Lösung
- de Wackenroder/Wackenroder-Lösung
- de Weigert/Weigert-Lösung
- de West/West-Lösung
- de Wickersheimer/Wickersheimer-Lösung
- de York/York-Lösung
- de Zart/Zart-Lösung
- de Zenker/Zenker-Lösung
- d'Eder/Edersche Lösung
- mère/Mutterlauge
- -mère/Stammlösung
- solide/Mischkristalle
- titrante/Titrans
solutions/Lösungen
- caloriques/Kalorische Lösungen
- équimol(écul)aires/Äquimol(ekul)are Lösungen
- hypertoniques/Hypertonische Lösungen
- hypotoniques/Hypotonische Lösungen
- isopiestiques/Isopiestische Lösungen
- isotoniques/Isotonische Lösungen
- normales/Normallösungen
- nutritives/Nährlösungen
- solides/Feste Lösungen
solvant/Fließmittel
- naphta/Solvent Naphtha
solvants/Lösemittel
- aprotiques/Aprotische Lösemittel
- de graisse/Fettlöser
- dégraisseurs/Fettlöser
- nonaqueux/Nichtwäßrige Lösemittel
- protiques/Protische Lösemittel
- protogènes/Protogene Lösemittel
- protophiles/Protophile Lösemittel
solvatation/Solvatation
solvatochromie/Solvatochromie
solvolyse/Solvolyse
soman/Soman
somatolactine/Somatolactin
somatostatine/Somatostatin
somatotropine/Somatotropin
somme d'états/Zustandssumme
sommeil/Schlaf
somnifères/Schlafmittel
son/Kleie, Schall
- d'amande/Mandelkleie
- de blé/Weizenkleie
sondage/Stichprobe
sondes/Gensonden
sonochimie/Ultraschallchemie
sonoluminescence/Sonolumineszenz
sophorine/Sophorin
soporifiques/Schlafmittel
sorangicines/Sorangicine
soraphènes/Soraphene
sorbate de calcium/Calciumsorbat
- de potassium/Kaliumsorbat
sorbates/Sorbate
sorbier/Eberesche
sorbitanes/Sorbitane
D-sorbitol/D-Sorbit
„Sorbonne"/Abzug
sorbose/Sorbose
sordarine/Sordarin
sordidine/Sordidin
sorivudine/Sorivudin
sorption/Sorption
sotalol/Sotalol
sotolone/Sotolon
souche/Stamm
- de production/Produktionsstamm
souches/Stubben
soudage/Löten, Schweißen
- à froid/Kaltpreßschweißen
- à l'arc tungstène en atmosphère inerte/WIG-Schweißen
- Arcatom/Arcatom-Verfahren
- par explosion/Explosionsschweißen
- sous fluc électroconducteur/Ellira-Verfahren
soude/Natriumcarbonat
- à blanchir/Bleichsoda
- caustique/Natriumhydroxid, Seifenstein
soudure/Löten, Lote, Schweißen
- à l'arc sous flux solide/Unterpulver-Schweißen
- autogène/Autogenes Schweißen, Gasschmelzschweißen
- de Grimm/Grimmlot
- des matières plastiques/Kunststoff-Schweißen
- d'or/Goldlote
- forte/Hartlöten, Hartlote
soufflures/Blasen
soufre/Schwefel
- colloïdal/Kolloidschwefel
- cyclique/Cyclischwefel
- mouillable/Netzschwefel
soupape de Bunsen/Bunsen-Ventil
soupapes/Ventile
source au cobalt/Cobalt-Anlage
- d'azote/Stickstoff-Quelle
sources des émissions/Emissionsquellen
souris nude/Nacktmaus
- SCID/SCID-Maus
sous-produit/Nebenprodukt
- -produits de la carbonisation/Kohlenwertstoffe
spaghetti/Spaghetti
spallation/Spallation
Spandex fibre/Spandex-Fasern
sparadrap/Pflaster
sparfloxacine/Sparfloxacin
sparsomycine/Sparsomycin
sparte/Esparto
spartéine/Spartein
spasm(o)…/Spasm(o)…
spasmolysines/Spasmolysine
spasmolytiques/Spasmolytika
spaths/Spate
spatule/Spatel
spéciation/Elementspeziesanalyse
spécifique/Spezifisch
spectinomycine/Spectinomycin
spectre antibactérien/Antibakterielles Spektrum
- de rotation-vibration/Rotationsschwingungsspektrum
spectres de rotation/Rotationsspektren
- de vibration/Schwingungsspektren
- en microondes/Mikrowellenspektren
- moléculaires/Molekülspektren
spectrine/Spectrin
spectrométrie de fluorescence atomique par laser/Laser-Atomfluoreszenz-Spektrometrie
- de masse/Massenspektrometrie
- de masse en tandem/Tandem-MS
- électronique à photodétachement par laser/Laserphotodetachment-Elektronenspektrometrie
spectroscopie/Spektroskopie
- à effet tunnel/Tunnelspektroskopie
- à rayons X/Röntgenspektroskopie
- atomique/Atomspektroskopie
- aux microondes/Mikrowellen-Spektroskopie
- d'absorption atomique/Atomabsorptionsspektroskopie
- de flammes/Flammenspektroskopie
- de fluorescences/Fluoreszenz-Spektroskopie
- de haute résolution/Hochauflösende Spektroskopie
- de modulation/Modulationsspektroskopie
- de phosphorescence/Phosphoreszenz-Spektroskopie
- de picosecondes/Pikosekunden-Spektroskopie
- de polarisation/Polarisationsspektroskopie
- de potentiel d'apparition de rayon X [mous]/Röntgenauftrittspotentialspektroskopie
- de réflexion/Reflexionsspektroskopie
- de résonance gyromagnétique ionique/ICR-Spektroskopie
- de résonance magnétique nucléaire (RMN)/NMR-Spektroskopie
- de saturation/Sättigungsspektroskopie
- d'électrons Auger/Auger-Spektroskopie
- d'émission/Emissionsspektroskopie
- Doppler/Doppler-Spektroskopie
- électronique/Elektronenspektroskopie
- en photo-électrons/Photoelektronen-Spektroskopie
- I.R/IR-Spektroskopie
- Mössbauer/Mößbauer-Spektroskopie
- moléculaire/Molekülspektroskopie
- multiphotonique/Mehrphotonen-Spektroskopie
- optogalvanique/Optogalvanische Spektroskopie
- par dispersion ionique/Ionenstreu-Spektroskopie
- par laser/Laser-Spektroskopie
- par neutralisation d'ions/Ionen-Neutralisations-Spektroskopie
- par résolution en intervalles de temps/Zeitaufgelöste Spektroskopie
- par résonance paramagnétique/EPR-Spektroskopie
- photoacoustique/Photoakustische Spektroskopie
- Raman/Raman-Spektroskopie
- RMDO/ODMR-Spektroskopie
- Röntgen à énergie dispersive/Energiedispersive Röntgen-Spektroskopie
- RQN/NQR-Spektroskopie
- sans effet Doppler/Dopplerfreie Spektroskopie
- UV/UV-Spektroskopie
- vibrationnelle/Schwingungsspektroskopie
- ZEKE/ZEKE-Spektroskopie
speleands/Speleanden
spérabillines/Sperabilline
spergualine/Spergualin
sperme/Sperma
spermidine/Spermidin
spermine/Spermin
sperrylite/Sperrylith
spessartite/Spessartin
sphalérite/Zinkblende
sphérands/Spheranden
sphères de verre/Glaskugeln
- d'Isua/Isua-Sphären
sphéro…/Sphär(o)…

sphérolites/Sphärolithe
sphéroplastes/Sphäroplasten
sphingo…/Sphingo…
sphingolipides/Sphingolipide
sphingomyélines/Sphingomyeline
sphingosine/Sphingosin
spilites/Spilite
spin/Spin
– nucleaire/Kernspin
spinelle/Spinell
spinelles/Spinelle
spinosynes/Spinosyne
spinthariscope/Spinthariskop
spiramycine/Spiramycin
spirapril/Spirapril
spirée/Spierstaude
spiro…/Spiro…
spirobi…/Spirobi…
spirochètes/Spirochäten
spiromètre/Spirometer
spironolactone/Spironolacton
spiropolymère/Spiropolymere
spirostane/Spirostan
spirulina/Spirulina
splénopentine diacétylique/Diacetylsplenopentin
spodumène/Spodumen
spongine/Spongin
spongiosité/Spongiose
spongistatines/Spongistatine
sponsor du projet/Projektträger
spores/Sporen
sprays/Sprays
spurrite/Spurrit
sputtering/Sputtering
squalamine/Squalamin
squalane/Squalan
squalène/Squalen
squames (Haut)/Schuppen
Src/Src
stabilisateur des tiges/Halmfestiger
stabilisateurs/Stabilisatoren
– de mousse/Schaumstabilisatoren
– de rouille/Rostumwandler
– du sol/Bodenstabilisatoren
stabilisation des boues/Schlammstabilisierung
– d'explosifs/Phlegmatisierung
stabilité/Stabilität
– à sec/Trockenfestigkeit
– dimensionnelle/Dimensionsstabilität
stachyose/Stachyose
stalactites/Stalaktiten
stalagmomètre/Stalagmometer
stallimycine/Stallimycin
standard/Standard
standardisation/Standardisierung
– biologique/Biologische Standardisierung
standolie/Standöle
stannane/Stannan
stannates/Stannate
stannite/Stannit
stannyl…/Stannyl…
stanozolol/Stanozolol
staphylocoques/Staphylokokken
staphyloferrine A/Staphyloferrin A
…stase/…stase
STAT/STAT
stathmine/Stathmin
statifs/Stative
…statin/…statin
statine/Statin
station d'épuration/Kläranlage
…statique/…statikum
statistique/Statistik
– de Bose-Einstein/Bose-Einstein-Statistik
– de Fermi-Dirac/Fermi-Dirac-Statistik

staurolite/Staurolith
staurosporine/Staurosporin
stavudine/Stavudin
stéarate de baryum/Bariumstearat
– de butyle/Butylstearat
– de calcium/Calciumstearat
– de magnésium/Magnesiumstearat
– de plomb/Bleistearat
– de potassium/Kaliumstearat
– de sodium/Natriumstearat
stéarates/Stearate, Stearinsäureester
– d'aluminium/Aluminiumstearate
stéarine/Stearin
O-stéaroïlvelutinal/O-Stearoylvelutinal
γ-stéarolactone/γ-Stearolacton
stéarone/Stearon
stéaroyl…/Stearoyl…
stéaryl…/Stearyl…
stéfines/Stefine
stégobinone/Stegobinon
sténoèce/Stenök
sténovalent/Stenopotent
stentorine/Stentorin
stéphanite/Stephanit
stérane/Steran
stérate de zinc/Zinkstearat
stercobiline/Stercobilin
stercobilinogène/Stercobilinogen
stéréochimie/Stereochemie
stéréoisomérie/Stereoisomere
stéréomodèles de Dreiding/Dreiding-Stereomodelle
stéréosélectif/Stereoselektiv
stéréospécifique/Stereospezifisch
stérigmatocystine/Sterigmatocystin
stérilisants chimiques/Chemosterilantien
stérilisation/Sterilisation, Steriltechnik
– du sol/Bodendesinfektion
– en continu/Kontinuierliche Sterilisation
– par ions d'argent/Silberung
stérines/Sterine
sternbergite/Sternbergit
sternutatoires/Niespulver
stéroïdes/Steroide
– brassiniques/Brassinosteroide
stérols/Sterine
stéviol/Steviol
stévioside/Steviosid
stib…/Stib…
stiba…/Stib(a)…
stibines/Stibine
stibino…/Stibino…
stibophène/Stibophen
stigmastérol/Stigmasterin
stilbène/Stilben
stilbite/Stilbit
stilliréaction/Tüpfelanalyse
stilpnomélane/Stilpnomelan
stimulants/Stimulantien
stimulateur cardiaque/Herzschrittmacher
stimulus/Reiz
– clé/Schlüsselreiz
– supranormal/Übernormaler Auslöser
stishovite/Stishovit
stochastique/Stochastik
stockage final/Endlagerung
– optique de l'information/Optische Informationsspeicherung
– provisoire/Zwischenlager
stoechiométrie/Stöchiometrie
stokes/Stokes
stolzite/Stolzit
stomachiques/Stomachika

stomatite crémeuse/Soor
stomatologie/Stomatologie
storax/Styrax
stramoine/Stechapfel
stratifié au papier/Hartpapier
stratifiés/Schichtpreßstoffe
stratifil de verre textile/Rovings
stratigraphie/Stratigraphie
strengite/Strengit
streptavidine/Streptavidin
streptocoques/Streptokokken
streptodornase/Streptodornase
streptokinase/Streptokinase
streptolysines/Streptolysine
streptomycètes/Streptomyceten
streptomycine/Streptomycin
streptonigrine/Streptonigrin
streptozocine/Streptozocin
stress/Streß
– -crack formation/Spannungsrißbildung
– cracking/Spannungsrißbildung
striatals/Striatale, Striatine
striatines/Striatale, Striatine
strictosidine/Strictosidin
stries/Schlieren
strigol/Strigol
stripage/Strippen
strobilurines/Strobilurine
stromatolites/Stromatolithen
stromélysines/Stromelysine
stromeyérite/Stromeyerit
strontianite/Strontianit
strontium/Strontium
stroph…/Stroph…
strophanthines/Strophanthine
structure/Gefüge, Struktur
– absolue/Absolute Struktur
– atomique/Atombau
– d'octette/Oktett-Struktur
– électronique/Elektronenstruktur
– hyperfine/Hyperfeinstruktur
structures cristallines/Kristallstrukturen
– dissipatives/Dissipative Strukturen
– d'orientation/Leitstrukturen
– en couches/Schichtstrukturen
– partielles/Partialstrukturen
struma/Kropf
strunzite/Strunzit
struvite/Struvit
strychnine/Strychnin
stuc/Stuck
stupéfiants/Betäubungsmittel, Rauschgifte
stylo feutre/Filzschreiber
styphnate de plomb/Bleitrinitroresorcinat
styptiques/Styptika
styrax/Styrax
styrène/Styrol
styrénisation/Styrolisierung
styryl…/Styryl…
sub…/Sub…
subéroyl…/Suberoyl…
sublimation/Sublimation
suboxyde de carbone/Kohlensuboxid
suboxydes/Suboxide
substance/Substanz
– (chimique) nouvelle (enregistrée)/Neustoff
– des abeilles mères/Königinnensubstanz
– du cerveau/Hirnsubstanz
– nocive/Schadstoff
– P/Substanz P
substances actives/Wirkstoffe
– actives en formation polymérique/Polymergebundene Wirkstoffe

– actives inframoléculaires/Niedermolekulare Wirkstoffe
– amères/Bitterstoffe
– attractives/Lockstoffe
– binaires de combat/Binäre Kampfstoffe
– biologiques/Biowerkstoffe
– cancérigènes/Krebserzeugende Stoffe
– d'activité optique/Optisch aktive Verbindungen
– d'alarme/Alarmstoffe
– dangereuses/Gefahrstoffe
– d'application/Aufbügelstoffe
– d'attraction sexuelle/Sexuallockstoffe
– de contraste aux rayons X/Röntgenkontrastmittel
– de réserve/Reservestoffe
– des groupes sanguins/Blutgruppensubstanzen
– étalon (de base)/Urtitersubstanzen
– facilement inflammables/Leichtentzündliche Stoffe
– ferroélectriques/Ferroelektrika
– ferromagnétiques/Ferromagnetika
– fétides/Stinkstoffe
– inhalatoires/Schnüffelstoffe
– irritantes/Scharfstoffe
– macromoléculaires/Makromolekulare Stoffe
– minérales/Mineralstoffe
– mucilagineuses/Schleimstoffe
– naturelles/Naturstoffe
– naturelles de glutamyle/γ-Glutamyl-Naturstoffe
– nocives/Gesundheitsschädliche Stoffe
– nocives à l'eau/Wassergefährdende Stoffe
– nocives pour le milieu/Umweltschadstoffe
– olfactives des stéroïdes/Steroid-Geruchsstoffe
– paramagnétiques/Paramagnetika
– pilomotrices/Pilomotorika
– résiduelles/Reststoff
– résistantes à la dégradation/Abbauresistente Substanzen
substantivité/Substantivität
substituant/Substituent
substitut d'essence de térébenthine/Terpentinöl-Ersatz
substitution/Substitution
– nucléophile/Nucleophile Substitution
substrat/Substrat
substrats suicidaires/Suizid-Substrate
subtiline/Subtilin
subtilisines/Subtilisine
suc gastrique/Magensaft
succédané de beurre de cacao/Kakaobutter-Austauschfette
– de café/Kaffee-Ersatz
– de sel de cuisine/Kochsalz-Ersatzmittel
– de thé/Tee-Ersatz
succédanés (substituts) du sucre/Zuckeraustauschstoffe
succession/Sukzession
succinate de sodium/Natriumsuccinat
– -déshydrogénase/Succinat-Dehydrogenase
succinates/Bernsteinsäureester, Succinate
succinimide/Succinimid
succinonitrile/Bernsteinsäuredinitril

Française

succinyl…/Succinyl…
succulents/Sukkulenten
sucralfate/Sucralfat
sucralose/Sucralose
sucre/Zucker
– candi/Kandis(zucker)
– de palme/Palmzucker
– interverti/Invertzucker
– inverti/Invertzucker
– raffiné/Raffinade
sucreries/Süßwaren, Zuckerwaren
sucres aminés/Aminozucker
sucrose/Saccharose
sudoïte/Sudoit
sueur/Schweiß
sufentanile/Sufentanil
suffixes/Suffixe
suie/Flammruß, Ruß
suif/Talg
– de boeuf/Rindertalg
suilline/Suillin
suite en couleurs/Bunte Reihe
sulbactam/Sulbactam
sulbentine/Sulbentin
sulcotrione/Sulcotrion
sulfa…/Sulfa…
sulfabenzamide/Sulfabenzamid
sulfacarbamide/Sulfacarbamid
sulfacétamide/Sulfacetamid
sulfadiazine/Sulfadiazin
sulfadicramide/Sulfadicramid
sulfadimidine/Sulfadimidin
sulfadoxine/Sulfadoxin
sulfaéthidole/Sulfaethidol
sulfafurazol/Sulfafurazol
sulfaguanidine/Sulfaguanidin
sulfaguanol/Sulfaguanol
sulfalène/Sulfalen
sulfamate de nickel(II)/Nickel-(II)-sulfamat
sulfamates/Sulfamate
sulfamérazine/Sulfamerazin
sulfaméthizole/Sulfamethizol
sulfaméthoxazole/Sulfamethoxazol
sulfaméthoxypyridazine/Sulfamethoxypyridazin
sulfamétoxydiazine/Sulfametoxydiazin
sulfamétrole/Sulfametrol
sulfamide/Sulfamid
– de benzène/Benzolsulfonamid
sulfamoxole/Sulfamoxol
sulfamoyl…/Sulfamoyl…
sulfanes/Sulfane
sulfanilamide/Sulfanilamid
sulfanilate d'ammonium/Ammoniumsulfamat
sulfanilyl…/Sulfanilyl…
sulfapérine/Sulfaperin
sulfaphénazol/Sulfaphenazol
sulfaproxyline/Sulfaproxylin
sulfapyridine/Sulfapyridin
sulfasalazine/Sulfasalazin
sulfatases/Sulfatasen
sulfatation/Sulfatierung
sulfate basique de plomb/Sulfatbleiweiß
– d'aluminium/Aluminiumsulfat
– d'ammonium/Ammoniumsulfat
– d'ammonium et fer(II)/Ammoniumeisen(II)-sulfat
– d'ammonium et fer(III)/Ammoniumeisen(III)-sulfat
– d'argent/Silbersulfat
– de baryum/Bariumsulfat
– de cadmium/Cadmiumsulfat
– de calcium/Calciumsulfat
– de chrome(III)/Chrom(III)-sulfat
– de cobalt(II)/Cobalt(II)-sulfat
– de cuivre(II)/Kupfer(II)-sulfat
– de diéthyle/Diethylsulfat

– de diméthyle/Dimethylsulfat
– de lithium/Lithiumsulfat
– de magnésium/Magnesiumsulfat
– de 4-(méthylamino)phénol/4-(Methylamino)phenol-sulfat
– de nickel(II)/Nickel(II)-sulfat
– de nickel(II) et d'ammonium/Nickel(II)-ammoniumsulfat
– de plomb/Bleisulfat
– de potassium/Kaliumsulfat
– de sodium/Natriumsulfat
– de strontium/Strontiumsulfat
– de zinc/Zinksulfat
– de zirconium(IV)/Zirconium(IV)-sulfat
– d'étain(II)/Zinn(II)-sulfat
– d'hydroxylamine/Hydroxylaminsulfat
– -réduction assimilative/Assimilatorische Sulfat-Reduktion
sulfates/Sulfate
– d'alkyl/Alkylsulfate
– de dextran/Dextransulfate
– de fer/Eisensulfate
– de manganèse/Mangansulfate
– de mercure/Quecksilbersulfate
– de thallium/Thalliumsulfate
– de titane/Titansulfate
– d'hydrazinium/Hydraziniumsulfate
sulfathiazole/Sulfathiazol
sulfathiourée/Sulfathiourea
sulfatides/Sulfatide
sulfation/Sulfierung
sulfatisation/Sulfatisierung
sulfato…/Sulfato(2–)…
sulfatolamide/Sulfatolamid
sulfénamides/Sulfenamide
sulfènes/Sulfene
sulféno…/Sulfeno…
sulfentrazone/Sulfentrazon
sulfhydrates/Sulfhydrate
sulfido/Sulfido…
sulfimide/Sulfimid
sulfimides/Sulfimide
sulfinates/Sulfinate
sulfines/Sulfine
sulfinimides/Sulfinimide
sulfinpyrazone/Sulfinpyrazon
sulfinyl…/Sulfinyl…
sulfisomidine/Sulfisomidin
sulfite de calcium/Calciumsulfit
– de potassium/Kaliumsulfit
– de sodium/Natriumsulfit
sulfites/Sulfite
sulfo…/Sulfo…
sulfo-indigotines/Indigosulfonate
sulfoamino…/Sulfoamino…
sulfobétaïnes/Sulfobetaine
sulfochloration/Sulfochlorierung
sulfogaiacol/Sulfogaiacol
sulfolane/Sulfolan
3-sulfolène/3-Sulfolen
sulfometuron-methyl/Sulfometuron-methyl
sulfonal/Sulfonal
sulfonamides/Sulfonamide
…sulfonamido…/…sulfonamido…
sulfonate de tétrapropylène-benzène/Tetrapropylenbenzolsulfonat
sulfonates/Sulfonate
– bitumineux/Bituminosulfonate
– de pétrole/Petroleumsulfonate
– de xylène/Xylolsulfonate
– d'esters/Estersulfonate
sulfonation/Sulfonierung
sulfonazo III/Sulfonazo III
sulfones/Sulfone
…sulfonyl…/…sulfonyl…
sulfonylurées/Sulfonylharnstoffe

3-sulfopropyl…/3-Sulfopropyl…
sulforaphène/Sulforaphen
sulforidazine/Sulforidazin
sulfosuccinamates/Sulfosuccinamate
sulfosuccinates/Sulfosuccinate
sulfosulfuron/Sulfosulfuron
sulfotep/Sulfotep
sulfotransférases/Sulfotransferasen
sulfoximides/Sulfoximide
sulfoxydation/Sulfoxidation
(R)-sulfoxyde de (+)-S-((E)-1-propényl)-L-cystéine/(+)-S-((E)-1-Propenyl)-L-cystein-(R)-sulfoxid
sulfoxydes/Sulfoxide
sulfoxylates/Sulfoxylate
sulfuranes/Sulfurane
sulfuration/Sulfurierung
sulfure d'ammonium/Ammoniumsulfid
– d'argent/Silbersulfid
– de baryum/Bariumsulfid
– de cadmium/Cadmiumsulfid
– de calcium/Calciumsulfid
– de carbonyle/Kohlenoxidsulfid
– de diméthyle/Dimethylsulfid
– de diphénylène/Dibenzothiophen
– de mercure(II)/Quecksilber(II)-sulfid
– de plomb/Bleisulfid
– de zinc/Zinksulfid
– d'éthylène/Ethylensulfid
– d'hydrogène/Schwefelwasserstoff
sulfures/Sulfide
– d'antimoine/Antimonsulfide
– d'arsenic/Arsensulfide
– de cuivre/Kupfersulfide
– de fer/Eisensulfide
– de manganèse/Mangansulfide
– de nickel/Nickelsulfide
– de phosphore/Phosphorsulfide
– de polyphénylène/Polyphenylensulfide
– de polypropylène/Polypropylensulfide
– de potassium/Kaliumsulfide
– de sodium/Natriumsulfide
– de tungstène/Wolframsulfide
– d'étain/Zinnsulfide
sulfuryl…/Sulfuryl…
sulindac/Sulindac
sulisobenzone/Sulisobenzon
sulpiride/Sulpirid
sulprofos/Sulprofos
sulprostone/Sulproston
sultames/Sultame
sultamicilline/Sultamicillin
sultiame/Sultiam
sultones/Sultone
sulvanite/Sulvanit
sumac/Sumach
sumatriptane/Sumatriptan
sunn/Sunn
super…/Super…
super slurper/Super slurper
superacides/Supersäuren
superactinoïdes/Superactinoide
superalliage/Superlegierungen
superantigènes/Superantigene
superbases/Superbasen
superéchange/Superaustausch
superfluidité/Supraflüssigkeit
supermolécules/Übermolekeln
superoxyde dismutases/Superoxid-Dismutasen
superoxydes/Superoxide
superphosphate/Superphosphat
superpolymères/Superpolymere

superstructure/Überstruktur
supports/Träger
– élévateurs/Hebebühne
suppositoires/Suppositorien
suppresseurs/Suppressantien
suppression/Suppression
supraconducteurs à haute temperature/Hochtemperatur-Supraleiter
supraconductivité/Supraleitung
suprastérols/Suprasterine
suramine sodique/Suramin-Natrium
surchauffe/Siedeverzug
sureau/Flieder, Holunder
surfactant/Surfactant
– pulmonaire/Lungen-Surfaktans
surfactifs/Tenside
surfusion/Unterkühlung
surimi/Surimi
surrégénération/Brüten
surrogat/Kaffee-Ersatz
sursaturation/Übersättigung
surtension/Überspannung
surugatoxine/Surugatoxin
surveillance des immissions/Immissionsüberwachung
susceptibilité magnétique/Magnetische Suszeptibilität
suspension/Aufschlämmen
suspensions/Suspensionen
suxibuzone/Suxibuzon
svedberg/Svedberg
swainsonine/Swainsonin
sydnones/Sydnone
syénite/Syenit
– à néphéline/Nephelinsyenit
sylvine/Sylvin
sym.-/sym-
symbiose/Symbiose
symboles chimiques/Chemische Zeichensprache
– de dangerosité/Gefahrensymbole
symétrie/Symmetrie
sympathicolytiques/Sympath(ik)olytika
sympathicomimétiques/Sympath(ik)omimetika
sympatrique/Sympatrisch
symport/Symport
symptôme/Symptom
syn…/Syn…
syn-/syn-
synanthropie/Synanthropie
synapses/Synapsen
synapsines/Synapsine
synaptophysine/Synaptophysin
synaptosomes/Synaptosomen
synaptotagmine/Synaptotagmine
synchronisation des cellules/Synchronisierung von Zellen
synchrotron/Synchrotron
syndicat/Gewerkschaft, Industriegewerkschaft
synécie/Synökie
synécologie/Synökologie
synémine/Synemin
synéphrine/Synephrin
synergétique/Synergetik
synergie/Synergismus
synergistes/Synergisten
syngénite/Syngenit
synmétaux/Synmetals
synonymes/Synonyme
synopsis/Synopsis
synovie/Synovialflüssigkeit
syntaxines/Syntaxine
synthases/Synthase
synthèse/Synthese
– asymetrique/Asymmetrische Synthese

- (chimie) combinatorique/Kombinatorische Synthese
- d'ADN/DNA-Synthese
- de Fischer et Tropsch/Fischer-Tropsch-Synthese
- de Gabriel/Gabriel-Synthese
- de Hantzsch/Hantzsch-Synthese
- de Houben et Hoesch/Houben-Hoesch-Synthese
- de Kiliani/Kiliani-Synthese
- de Knoop/Knoop-Synthese
- de Koch/Kochsche Carbonsäure-Synthese
- de l'ARN/RNA-Synthese
- de Patterson/Patterson-Synthese
- de Pfau et Plattner/Pfau-Plattner-Synthese
- de Pschorr/Pschorr-Synthese
- de Skraup/Skraupsche Synthese
- de Strecker/Strecker-Synthese
- de Traube/Traube-Synthese
- de Williamson/Williamsonsche Ethersynthese
- de Wurtz/Wurtz-Synthese
- d'Erlenmeyer/Erlenmeyer-Synthese
- des peptides/Peptid-Synthese
- énantiosélective/Enantioselektive Synthese
- hydrothermale/Hydrothermalsynthese
- létale/Letale Synthese
- oxo/Oxo-Synthese
- par ester malonique/Malonester-Synthese
- split/Split-Synthese
- stéréosélective/Stereoselektive Synthese
- totale/Totalsynthese

synthèses de Knorr/Knorr-Synthesen
- de Kolbe/Kolbe-Synthesen
- de Reppe/Reppe-Synthesen
- de Tchitchibabine/Tschitschibabin-Synthesen
- sous haute pression/Hochdrucksynthesen

synthétases/Synthetase
synthétique/Synthetisch
synthétiseur de peptides/Peptid-Synthesizer
synthol/Synthol
synthons/Synthone
syphilis/Syphilis
syringa-aldéhyde/Syringaaldehyd
syrosingopine/Syrosingopin
système/System
- d'accumulateurs en zèbre/Zebra-Batteriesystem
- de Hantzsch-Widman/Hantzsch-Widman-System
- de Hill/Hillsches System
- de Munsell/Munsell-System
- de perfusion/Perfusionssystem
- de poids avoirdupois/Avoirdupois
- de pulvérisation à haute pression/Hochdruckzerstäubungssystem
- de Richter/Richtersches System
- de saprobes/Saprobiensystem
- de Schoenflies/Schönflies-System
- de Stock/Stock-System
- décimal/Dezimalsystem
- d'oocytes/Oocyten-System
- Ewens-Bassett/Ewens-Bassett-System
- HLB/HLB-System
- immunitaire/Immunsystem
- MKS/MKS-System
- nerveux/Nervensystem

- nerveux parasympathique/Parasympathikus
- nerveux sympathique/Sympathikus
- réticuloendothélial/Retikuloendotheliales System
- solaire/Sonnensystem
- Stelzner/Stelzner-System

systèmes binaires/Binäre Systeme
- composés/Verbundsysteme
- cristallins/Kristallsysteme
- cycliques/Ringsysteme
- cycliques condensés/Kondensierte Ringsysteme
- de libération contrôlée/Therapeutische Systeme
- de réparation/Reparatursysteme
- d'électrons π (pi)/Pi-Elektronensysteme
- d'oxydo-réduction/Redoxsysteme
- experts/Expertensysteme
- homogènes/Homogene Systeme
- ternaires/Ternäre Systeme
- thermodynamiques/Thermodynamische Systeme

systémine/Systemin
systémique/Systemisch

T

2,4,5-T/2,4,5-T
taafféite/Taaffeit
tabac/Tabak
- à chiquer/Kautabak
- à priser/Schnupftabak

tabernanthine/Tabernanthin
tableau périodique (des élements)/Periodensystem
tables de données/Tabellenwerke
tablettes [comprimées]/Tabletten
tabtoxine/Tabtoxin
tabun/Tabun
tacalcitol/Tacalcitol
tachhydrite/Tachhydrit
tach(y).../Tach(y)...
tachykinines/Tachykinine
tachylite/Tachylit
tachyphylaxe/Tachyphylaxie
tachystérols/Tachysterine
tacrine/Tacrin
tacticité/Taktizität
taddols/Taddole
D-tagatose/D-Tagatose
tagète/Tagetes
talaromycines/Talaromycine
talc/Talk
taline/Talin
talinolol/Talinolol
talitol/Talit(ol)
tallol/Tallöl
talo-/talo-
D-talose/D-Talose
talsaclidine/Talsaclidin
Tamarinier/Chutney
tamarins/Tamarinden
tamis cellulaire/Zellsortierer
- moléculaire/Molekularsiebe

tamoxifène/Tamoxifen
tampons/Puffer, Tampons
tamsulosine/Tamsulosin
tanaisie vulgaire/Rainfarn
tang/Tang
tangérines/Tangerinen
tannage/Gerberei
- au chrome/Chromgerbung

tannases/Tannasen
tannins/Tannine
tansanite/Tansanit
tantalates(V)/Tantalate(V)
tantale/Tantal
tantalite/Tantalit
tantazoles/Tantazole
taons/Bremsen

TAP/TAP
tapioca/Tapioka
tapiolite/Tapiolit
tapis/Teppiche
tara/Tara
taranakite/Taranakit
tare/Tara
taro/Taro
tartrate de sodium/Natriumtartrat
- de sodium et de potassium/Kaliumnatrium-(R,R)-tartrat

tartrates/Tartrate
tartre/Kesselstein, Zahnstein
- stibié/Brechweinstein

tasmanite/Tasmanit
tatouage/Tätowierung
taurine/Taurin
taurolidine/Taurolidin
tauryl.../Tauryl...
taus d'aération/Belüftungsrate
tautomérie/Tautomerie
- céto-énolique/Keto-Enol-Tautomerie

tautomycine/Tautomycin
taux de couplage/Kopplungsgrad
- de croissance spécifique/Wachstumsrate, spezifische
- de mutation/Mutationsrate

taxanes/Taxane
taxes des déchets/Abfallabgabe
taxie/Taxis
taxigène/Taxigen
taxoïdes/Taxoide
taxodione/Taxodion
taxole(s)/Taxol
taxonomie/Taxonomie
taxuspine/Taxuspine
tazarotène/Tazaroten
tazobactam/Tazobactam
TCA/TCA-Na
TCD/TCD
tébuconazol/Tebuconazol
tébufénocide/Tebufenozid
tébufenpyrad/Tebufepyrad
tébupirimifos/Tebupirimifos
tébuthiuron/Tebuthiuron
technétium/Technetium
technicien/Techniker
- chimiste/Chemotechniker
- de mesure et réglage/Meß- u. Regeltechniker
- en mesures et réglage/Prozeßleitelektroniker

technique/Technik
- de Berk et Sharp/Berk-Sharp-Methode
- de climatisation/Klimatechnik
- de l'environnement/Umwelttechnik
- de Merrifield/Merrifield-Technik
- de pulvérisation de laque à chaud/Heißlackier-Spritztechnik
- des basses températures/Tieftemperaturtechnik
- des espaces propres/Reinraumtechnik
- d'hybridome/Hybridoma-Technik
- du four annulaire de Weisz/Weisz-Ringofen-Technik
- du froid/Kältetechnik
- du vide/Vakuumtechnik
- frigorifique/Kältetechnik
- nucléaire/Kerntechnik
- patch clamp/Patch-Clamp-Technik

techniques de couplage/Kopplungstechniken
technologie/Technologie
- alimentaire/Lebensmitteltechnologie

- chimique/Chemische Technologie
- des procédés industriels/Verfahrenstechnik

technoplastiques/Techno-Thermoplaste
tectines/Tektine
tectites/Tektite
tecto.../Tect(o)...
tect(o).../Tekt(o)...
tectonique/Tektonik
- des plaques/Plattentektonik

téflubenzuron/Teflubenzuron
téflurane/Tefluran
téfluthrine/Tefluthrin
tegafur/Tegafur
téicoplanine(s)/Teicoplanin(e)
teigneuse large/Jigger
teinochimie/Teinochemie
teinte/Farbton, Tönung
teinture/Färben
- de produits textiles/Textilfärbung
- d'iode/Iod-Tinktur
- du cuir/Lederfärbung
- jet/Jet-Färberei

teintures/Tinkturen
téléocidines/Teleocidine
tellulure d'hydrogène/Tellurwasserstoff
tellulures/Telluride
tellurates/Tellurate
tellurite de potassium/Kaliumtellurit
tellurium/Tellur
tellurure de cadmium/Cadmiumtellurid
- de plomb/Bleitellurid

telmisartan/Telmisartan
télomères/Telomere
télomérisation/Telomerisation
témafloxacine/Temafloxacin
témazépam/Temazepam
témocilline/Temocillin
temoe lawak/Temoe Lawak
température/Temperatur
- absolue/Absolute Temperatur
- ambiante/Zimmertemperatur
- critique/Kritische Temperatur
- d'allumage/Zündtemperatur
- de Curie/Curie-Temperatur
- de Martens/Martens-Temperatur
- de plafonnage/Ceiling-Temperatur
- de récristallisation/Rekristallisationstemperatur
- de transformation/Umwandlungstemperatur
- de transition vitreuse/Glasübergangstemperatur
- d'explosion/Explosionstemperatur
- d'inflammation/Entzündungstemperatur
- du corps/Körpertemperatur
- limité de durabilité thermique/Wärmeformbeständigkeitstemperatur
- -plancher/Floor-Temperatur
- thêta/Theta-Temperatur

temps/Zeit
- de génération/Generationszeit
- de relaxation/Abklingzeit
- de séjour/Verweilzeit
- ouvert/Topfzeit

ténacité de rupture/Bruchzähigkeit
ténascines/Tenascine
téniposide/Teniposid
ténorite/Tenorit
ténoxicam/Tenoxicam
tenseur/Tensor

– de la polarisibilité/Polarisierbarkeitstensor
tensides anioniques/Aniontenside
– cationiques/Kationtenside
tensioactifs amphotères/Amphotenside
– de sucre/Zuckertenside
tension annulaire/Ringspannung
– artérielle/Blutdruck
– (contrainte) transannulaire/Transannulare Spannung
– de Baeyer/Baeyer-Spannung
– de contact/Kontaktspannung
– de décomposition/Zersetzungsspannung
– de Pitzer/Pitzer-Spannung
– d'élément/Zellspannung
– d'interface/Grenzflächenspannung
– superficielle/Oberflächenspannung
tentoxine/Tentoxin
téphrite/Tephrit
téphroïte/Tephroit
téphrosine/Tephrosin
tequila/Tequila
ter.../Ter...
tératogènes/Teratogene
tératogénèse/Teratogenese
térazosine/Terazosin
terbacil/Terbacil
terbinafine/Terbinafin
terbium/Terbium
terbufos/Terbufos
terbuméton/Terbumeton
terbutaline/Terbutalin
terbuthylazine/Terbuthylazin
terbutryne/Terbutryn
terconazole/Terconazol
térébenthine/Terpentin
térébenthine du Canada/Kanadabalsam
téréphthalate de diméthyle/Dimethylterephthalat
téréphthalates de polyalkylène/Polyalkylenterephthalate
– de polybutylène/Polybutylenterephthalate
terfénadine/Terfenadin
térizidone/Terizidon
terlipressine/Terlipressin
terme/Term
terminal/Terminal
terminateur/Terminator
termination/Termination
terminologie/Terminologie
termites/Termiten
termones/Termone
ternaire/Ternär
ternissure/Anlaufen
térodiline/Terodilin
terpènes/Terpen(oid)e
terpenoïdes/Terpen(oid)e
terpestacine/Terpestacin
terphényles/Terphenyle
terphénylquinones/Terphenylchinone
terpine/Terpin
terpinène/Terpinen
terpinéol/Terpineole
terpinolène/Terpinolen
terpolymères/Terpolymere
terprénine/Terprenin
2,2′:6′,2″-terpyridine/2,2′:6′,2″-Terpyridin
terrazzo/Terrazzo
terre/Erde
– cuite/Terrakotta
– de Santorin/Santorinerde
– de sienne/Terra di Siena
– décolorante a foulon/Fuller-Erden
– d'ombre/Umbra

– siliceuse/Kieselerde
– verte/Grünerde
terréine/Terrein
terres blanchissantes/Bleicherden
– curatives/Heilerden
– de cérites/Ceriterden
– de Floride/Floridin-Erden
– rares/Seltene Erden
– yttriques/Yttererden
tert-/tert-
tertatolol/Tertatolol
terthiényles/Terthienyle
tertiaire/Tertiär
test/Test
– d'Abel/Abel-Test
– de Baeyer/Baeyer-Test
– de Beilstein/Beilstein-Test
– de Daphnia/Daphnientest
– de diffusion à l'agar/Agardiffusionstest
– de Feulgen/Feulgen-Färbung
– de Fiehe/Fiehe-Test
– de Gmelin/Gmelin-Test
– de grossesse/Schwangerschaftstest
– de Gutzeit/Gutzeit-Test
– de Hépar/Hepartest
– de Kesternich/Kesternich-Test
– de Limulus/Limulus-Test
– de l'IMViC/IMViC-Test
– de Nordlander/Nordlanders Test
– de plaque/Plaque-Test
– des répliques/Replikatechnik
– d'Heller/Hellersche Probe
– du plumbate/Plumbat-Reaktion
– longue durée/Langzeittest
– -poisson/Fischtest
– pour la diagnose des catabolites durables/Katabolitentest
testolactone/Testolacton
testostérone/Testosteron
tests du rhumatisme/Rheumatests
tétanie/Tetanie
tétanisme/Tetanie
tétanos/Tetanus
tête de verre/Glaskopf
tetra/Tetra
tétr(a).../Tetr(a)...
tétra-éthylènepentamine/Tetraethylenpentamin
3,3′,4,4′-tetraaminobiphényle/3,3′,4,4′-Tetraaminobiphenyl
tétraaminoéthylènes/Tetraaminoethylene
tétraastérane/Tetraasteran
tétraborane(10)/Tetraboran(10)
tétraborates/Tetraborate
tétrabromobisphénol A/Tetrabrombisphenol A
tétrabromoéthane/1,1,2,2-Tetrabromethan
5,5′,7,7′-tétrabromoindigo/5,5′,7,7′-Tetrabromindigo
tétrabromométhane/Tetrabrommethan
tétracaïne/Tetracain
tétrachlorobenzènes/Tetrachlorbenzole
2,3,7,8-tétrachlorodibenzo[1,4]dioxine/2,3,7,8-Tetrachlordibenzo[1,4]dioxin
1,1,2,2-tétrachloroéthane/1,1,2,2-Tetrachlorethan
tétrachloroéthylène/Tetrachlorethylen
tetrachlorvinphos/Tetrachlorvinphos
tétraconazole/Tetraconazol
tétracont(a).../Tetracont(a)...
tétracos(a).../Tetracos(a)...
tétracosactide/Tetracosactid

tétracosane/Tetracosan
7,7,8,8-tétracyano-1,4-quinodiméthane/7,7,8,8-Tetracyano-1,4-chinodimethan
tétracyanoéthylène/Tetracyanoethylen
tétracyanomercurate(II) de potassium/Kaliumtetracyanomercurat(II)
tétracyanoplatinate de barium(II)/Bariumtetracyanoplatinat(II)
tétracycline/Tetracyclin
tétracyclo[...].../Tetracyclo[...]...
tétradéc(a).../Tetradec(a)...
tétradécane/Tetradecan
1-tétradécanol/1-Tetradecanol
tétradécyl.../Tetradecyl...
tétradifon/Tetradifon
tétradymite/Tetradymit
tétraèdre/Tetraeder
tétraédrite/Fahlerz
tétraédro-/tetrahedro-
tétraéthyle de plomb/Bleitetraethyl
tétraéthylèneglycol/Tetraethylenglykol
tétrafluoroborate de potassium/Kaliumtetrafluoroborat
– de sodium/Natriumtetrafluoroborat
tétrafluoroéthylène/Tetrafluorethylen
tétrahydrocannabinols/Tetrahydrocannabinole
tétrahydrofurane/Tetrahydrofuran
tétrahydrométhanoptérine/Tetrahydromethanopterin
tétrahydropalmatine/Tetrahydropalmatin
tétrahydropyrane/Tetrahydropyran
tétrahydrothiophène/Tetrahydrothiophen
tétrahydroxy-1,4-benzoquinone/Tetrahydroxy-1,4-benzochinon
tétraiodomercurate de barium/Bariumtetraiodomercurat(II)
tétraiodométhane/Tetraiodmethan
tétrakis.../Tetrakis...
tétralones/Tetralone
tétramères/Tetramere
tétraméthoxyéthylène/Tetramethoxyethylen
tétraméthrine/Tetramethrin
2,2,6,6-tétraméthyl-3,5-heptanedione/2,2,6,6-Tetramethyl-3,5-heptandion
N,N,N′,N′-tétraméthyl-p-phénylènediamine/N,N,N′,N′-Tetramethyl-p-phenylendiamin
tétraméthylbenzènes/Tetramethylbenzole
3,3′,5,5′-tétraméthylbenzidine/3,3′,5,5′-Tetramethylbenzidin
tétraméthylène/Tetramethylen...
tétraméthylsilane/Tetramethylsilan
tétraméthylurée/Tetramethylharnstoff
tétramisole/Tetramisol
tétranitrate de erythritol/Erythrittetranitrat
– de pentaerythritol/Pentaerythrittetranitrat
– de thorium/Thoriumtetranitrat
tétranitrométhane/Tetranitromethan
tétraoxane/Tetraoxan
tétraphénylborate de sodium/Natriumtetraphenylborat
tétraphénylméthane/Tetraphenylmethan

tétrapyrroles/Tetrapyrrole
tétraquinanes/Tetraquinane
tétrasaccharides/Tetrasaccharide
tétraterpènes/Tetraterpene
tétrathiafulvalène/Tetrathiafulvalen
tétrathioantimoniate(V) de sodium/Natrium(tetra)thioantimonat(V)
tétrathionate de potassium/Kaliumtetrathionat
tétrazène/Tetrazen
tétrazènes/Tetrazene
tétrazépam/Tetrazepam
tétrazines/Tetrazine
tétrazoles/Tetrazole
tétritols/Tetrite
tétrodotoxine/Tetrodotoxin
...tétrol/...tetrol
tétronasine/Tetronasin
tétroses/Tetrosen
tétroxanes/Tetroxane
tétroxoprime/Tetroxoprim
tétroxyde d'osmium/Osmiumtetroxid
tétryl/Tetryl
tétryzoline/Tetryzolin
tex/Tex
textiles/Textilien
– non-tissés/Textilverbundstoffe
texturation/Texturierung
texture/Gefüge, Textur
thalassémie/Thalassämie
thalidomide/Thalidomid
thallium/Thallium
thapsigargine/Thapsigargin
thaumasite/Thaumasit
thaumatine/Thaumatin
thé/Tee
– d'avoine verte/Grüner Hafertee
– de Java/Orthosiphon
– d'Oolong/Oolong-Tee
théaflavines/Theaflavine
théanine/Theanin
théarubigènes/Thearubigene
théaspiranes/Theaspirane
thébacone/Thebacon
thébaïne/Thebain
thénalidine/Thenalidin
thénardite/Thenardit
thénoyl.../Thenoyl...
thényl.../Thenyl...
thényldiamine/Thenyldiamin
théo.../The(o)...
théobromine/Theobromin
théodrénaline/Theodrenalin
théonella/Theonella
théonellamides/Theonellamide
théophylline/Theophyllin
théorème/Theorem
– de Brillouin/Brillouin-Theorem
– de Ehrenfest/Ehrenfestsches Theorem
– de Koopmans/Koopmans-Theorem
théorie de Debye-Hückel-Onsager/Debye-Hückel-Onsager-Theorie
– de Flory-Huggins/Flory-Huggins-Theorie
– de la coordination/Koordinationslehre
– de la relativité/Relativitätstheorie
– de Sachse et Mohr/Sachse-Mohr-Theorie
– des acides et des bases/Säure-Base-Begriff
– des champs de ligands/Ligandenfeldtheorie
– des deux pellicules/Zweifilmmodell

- des groupes/Gruppentheorie
- des perturbations/Störungstheorie
- DLVO/DLVO-Theorie
- du fonctionnel de densité/Dichtefunktionaltheorie
- HMO/HMO-Theorie
- OM/MO-Theorie
- quantique/Quantentheorie
théories du paire électronique/Elektronenpaartheorien
thérapeutique stimulante/Reizkörpertherapie
thérapie/Therapie
- génique/Gentherapie
- neurale/Neuraltherapie
thérème du viriel/Virialsatz
thériac/Theriak
thermalisation/Thermalisierung
thermique/Thermisch
thermistor/Thermistoren
- enzymatique/Enzym-Thermistor
thermitase/Thermitase
thermo-durcissable/Duroplaste
thermoanalyse/Thermoanalyse
- d'émission en phase gazeuse/Emissionsgasthermoanalyse
- différentielle/Differentialthermoanalyse
thermobarométrie/Thermobarometrie
thermochimie/Thermochemie
thermochromie/Thermochromie
thermocopie/Thermokopie
thermocraquage/Thermocracken
thermodiffusion/Thermodiffusion
thermodynamique/Thermodynamik
thermoélectricité/Thermoelektrizität
thermoéléments/Thermoelemente
thermofractographie/Thermofraktographie
thermographie/Thermographie
thermogravimétrie/Thermogravimetrie
thermoimprimante/Thermodrucker
thermoluminescence/Thermolumineszenz
thermolyse/Thermolyse
thermolysine/Thermolysin
thermomètre de Beckmann/Beckmann-Thermometer
thermomètres/Thermometer
- de résistance/Widerstandsthermometer
thermométrie/Thermometrie
thermophilie/Thermophilie
thermoplastiques fluorés/Fluor-Thermoplaste
thermorésistance/Hitzeresistenz
thermostabilisateurs/Thermostabilisatoren
thermostats/Thermostate
thermotropie/Thermotropie
thésaure/Thesaurus
thèse/Dissertation
thexyl…/Thexyl…
thexylborane/Thexylboran
thi(a)…/Thi(a)…
thiabendazol/Thiabendazol
thiadiazines/Thiadiazine
thiadiazoles/Thiadiazole
…thial/…thial
thiamazol/Thiamazol
thiamine/Thiamin
thiamphénicol/Thiamphenicol
thiangazole/Thiangazol
thiazafluron/Thiazafluron
thiazides/Thiazide
thiazines/Thiazine

thiazoles/Thiazole
1-(2-thiazolylazo)-2-naphtol/1-(2-Thiazolylazo)-2-naphthol
thiazopyr/Thiazopyr
thidiazuron/Thidiazuron
thiénamycines/Thienamycine
thiéno…/Thieno…
thiényl…/Thienyl…
thiépinnes/Thiepine
thiétannes/Thietane
thiéthylpérazine/Thiethylperazin
thifensulfuron-méthyl/Thifensulfuron-methyl
thifluzamide/Thifluzamid
thiirannes/Thiirane
thio…/Thi(o)…
thioacétals/Thioacetale
thioacétamide/Thioacetamid
thioacétazone/Thioacetazon
thioacides/Thiosäuren
thioaldéhydes/Thioaldehyde
thioamides/Thioamide
thiobencarbe/Thiobencarb
thiobios/Thiobios
thiobutabarbital/Thiobutabarbital
thiocarbamates/Thiocarbamate
thiocarbamoyl…/Thiocarbamoyl…
thiocarbonyl…/Thiocarbonyl…
thiocarboxy…/Thiocarboxy…
thiocétènes/Thioketene
thiocétones/Thioketone
thiocyanate d'ammonium/Ammoniumthiocyanat
- de calcium/Calciumthiocyanat
- de cuivre(I)/Kupfer(I)-thiocyanat
- de fer(III)/Eisen(III)-thiocyanat
- de mercure(II)/Quecksilber(II)-thiocyanat
- de plomb/Bleithiocyanat
- de potassium/Kaliumthiocyanat
- de sodium/Natriumthiocyanat
thiocyanates/Thiocyanate
thiocyanato…/Thiocyanato…
thiodi…/Thiodi…
thiodicarb/Thiodicarb
2,2′-thiodiéthanol/2,2′-Thiodiethanol
thioéthers/Thioether
thiofanox/Thiofanox
thioflavine/Thioflavin
thioformyl…/Thioformyl…
5-thio-D-glucose/5-Thio-D-glucose
thioglycolate de calcium/Calciumthioglykolat
- de sodium/Natriumthioglykolat
thioglycols/Thioglykole
thioguanine/Tioguanin
thiohydroxylamine/Thiohydroxylamin
thioindigo/Thioindigo
…thiol/…thiol
thiolactames/Thiolactame
thiolactomycine/Thiolactomycin
thiolactones/Thiolactone
thiolates/Thiolate
thiolation/Thiolierung
…thiole/…thiol
thiols/Thiole
thiomarinols/Thiomarinole
thiomersal/Thiomersal
thiométon/Thiometon
thionalide/Thionalid
…thione/…thion
thionine/Thionin
thionines/Thionine
thioninne/Thionin
thionyl…/Thionyl…
thiopental sodique/Thiopental
thiophanate-méthyl/Thiophanat-methyl
thiophène/Thiophen

thiophéno…/Thiopheno…
thiophénol/Thiophenol
thiophosgène/Thiophosgen
thiophosphates/Thiophosphate
thiophosphoryl…/Thiophosphoryl…
thioplast(iqu)es/Thioplaste
thiopropazate/Thiopropazat
thiopropérazine/Thioproperazin
thiopyrane/Thiopyran
thiorédoxines/Thioredoxine
thioridazine/Thioridazin
thiosemicarbazide/Thiosemicarbazid
thiosulfate d'ammonium/Ammoniumthiosulfat
- d'argent/Silberthiosulfat
- de sodium/Natriumthiosulfat
thiosulfates/Thiosulfate
thiosulfonates/Thiosulfonate
thiotépa/Thiotepa
thiotropocine/Thiotropocin
2-thio-uracile/2-Thiouracil
thiourée/Thioharnstoff
thiouréido…/Thioureido…
thioxo/Thioxo…
thirame/Thiram
thiurames/Thiurame
thixotropie/Thixotropie
thomsonite/Thomsonit
thorianite/Thorianit
thorine/Thorin
thorite/Thorit
thorium/Thorium
thoron/Thoron
thortveitite/Thortveitit
thraustique/Thraustik
thréitol/Threit
thréo-/threo-
L-thréonine/L-Threonin
thréose/Threose
thrombine/Thrombin
thrombocytes/Thrombocyten
thrombomoduline/Thrombomodulin
thrombophlébite/Thrombophlebitis
thromboplastine/Thromboplastine
thrombopoïétine/Thrombopoietin
thrombose/Thrombose
thrombospondines/Thrombospondine
thromboxanes/Thromboxane
thryptophytes/Tryptophyten
thucholite/Thucholith
thulium/Thulium
thuyane/Thujan
thuyaplicines/Thujaplicine
thuyone/Thujon
thym/Thymian
thymidine/Thymidin
- -phosphates/Thymidinphosphate
thymidylate synthase/Thymidylat-Synthase
thymine/Thymin
thym(o)…/Thym(o)…
thymocites/Thymocyten
thymol/Thymol
thymoleptiques/Thymoleptika
thymolphthaléine/Thymolphthalein
thymopentine/Thymopentin
thymopoïétine/Thymopoietin
thymosine/Thymosin
thymostimuline/Thymostimulin
thymuline/Thymulin
thymus/Thymus
thyphus/Typhus
thyristor/Thyristor
thyroglobuline/Thyroglobulin
thyrolibérine/Thyroliberin
thyronine/Thyronin

thyrotropine/Thyrotropin
L-thyroxine/L-Thyroxin
thyrsiférol/Thyrsiferol
tia…/Ti(a)…
tiagabine/Tiagabin
tiaménidine/Tiamenidin
tiamuline/Tiamulin
tiapride/Tiaprid
tibi/Tibi
ticarcilline/Ticarcillin
ticlopidine/Ticlopidin
tiemannite/Tiemannit
tilidine/Tilidin
tillandsia/Tillandsia
tilorone/Tiloron
timerfonate de sodium/Natriumtimerfonat
timolol/Timolol
tinidazole/Tinidazol
tinzaparine-sodium/Tinzaparin-Natrium
ti(o)…/Ti(o)…
tioconazole/Tioconazol
tiomestérone/Tiomesteron
tiopronine/Tiopronin
tiotixène/Tiotixen
tioxolone/Tioxolon
tipranavir/Tipranavir
tique/Zecken
tirandamycines/Tirandamycine
tirilazade/Tirilazad
tirofibane/Tirofiban
tiron/Tiron
tiropramide/Tiropramid
tissage/Weben
tissu/Gewebe
- éponge/Frottee
tissue de lin/Leinwand
titanate de baryum/Bariumtitanat
- de strontium/Strontiumtitanat
titanates/Titansäureester
titanates(IV)/Titanate(IV)
titane/Titan
titanite/Titanit
…titine/Titin
titrage/Titration
- acide-base/Säure-Base-Titration
- en haute fréquence/Hochfrequenztitration
- en retour/Rücktitration
- potentiométrique à courant imposé/Voltametrie
titrant/Titrans
titration de Reinhardt-Zimmermann/Reinhardt-Zimmermann-Titration
- d'Epton/Epton-Titration
- thermométrique/Thermometrische Titration
- turbidimétrique/Trübungstitration
titrations avec polyélectrolytes/Polyelektrolyt-Titration
titre/Feingehalt, Titer
tixocortol/Tixocortol
tizanidine/Tizanidin
tizéra/Tizera
tobermorite/Tobermorit
tobramycine/Tobramycin
tocaïnide/Tocainid
tocophérols/Tocopherole
todorokite/Todorokit
toile cirée/Wachstuch
- de lin/Leinwand
tokamak/Tokamak
tolane/Tolan
tolazaline/Tolazolin
tolazamide/Tolazamid
tolbutamide/Tolbutamid
tolcapone/Tolcapon
tolciclate/Tolciclat
tolclofos-méthyl/Tolclofos-methyl

tôle/Blech
– fine/Feinblech
– forte/Grobblech
tolérance/Toleranz
toliprolol/Toliprolol
tolmétine/Tolmetin
tolnaftate/Tolnaftat
tolpérisone/Tolperison
tolpropamine/Tolpropamin
toltérodine/Tolterodin
tolualdéhydes/Tolualdehyde
toluène/Toluol
– -3,4-dithiol/Toluol-3,4-dithiol
toluènesulfonamides/Toluolsulfonamide
p-toluènesulfonate de méthyle/p-Toluolsulfonsäuremethylester
toluènesulfonyl…/Toluolsulfonyl…
toluidide/…toluidid
toluidines/Toluidine
toluidino…/Toluidino…
tolunitriles/Tolunitrile
toluoyl…/Toluoyl…
toluyl…/Toluyl…
tolycaïne/Tolycain
tolyl…/Tolyl…
tolylène…/Tolylen…
tolylfluanide/Tolylfluanid
tomates/Tomaten
tomographie/Tomographie
toner/Toner
toniques/Tonika
tonne/Tonne
topaze/Topas
…tope/…top
topicité/Topizität
topinambour/Topinambur
…topique/…top
topiramat/Topiramat
topo…/Topo…
topochimie/Topochemie
topographie souterraine/Markscheidewesen
topoisomérases/Topoisomerasen
topologie/Topologie
topomérisation/Topomerisierung
topotécane/Topotecan
torasémide/Torasemid
torbernite/Torbernit
torchage/Abfackelung
torémifène/Toremifen
torpex/Torpex
torr/Torr
torréfaction/Darren
torréfier/Rösten
Torula/Torula
tosyl…/Tosyl…
touche-figure/Schlagfigur
tour de lavage/Waschturm
tourbe/Torf
tourmaline/Turmalin
tournesol/Lackmus
toxicité/Toxizität
– des poissons/Fischgiftigkeit
– pour poissons/Fischgiftigkeit
toxicologie/Toxikologie
– alimentaire/Lebensmitteltoxikologie
toxicols/Toxicole
toxicomanie/Arzneimittelsucht
toxiférines/Toxiferine
toxine d'algues/Algentoxine
– de ciguatera/Ciguatera-Toxine
– de coquillage/Muscheltoxine
– de la coqueluche/Pertussis-Toxin
– du choléra/Choleratoxin
– HC/HC-Toxine
– PR/PR-Toxin
– shiga/Shiga-Toxin
– -T-2/T-2-Toxin

toxines/Toxine
– de Gymnodinium breve/Gymnodinium breve-Toxine
– des amphibiens/Amphibiengifte
toxique/Giftig
– à la croissance/Entwicklungsschädigend
toxoflavine/Toxoflavin
toxoplasmose/Toxoplasmose
traçage/Isotopenmarkierung
traces nucléaires/Kernspaltspuren
traceurs/Tracer
– radioactifs/Radioindikatoren
trachytes/Trachyte
tragacanthe/Tragant
traitement/Aufbereitung
– adoucissant/Süßung des Benzins
– antifeutrage/Filzfreiausrüstung
– antiparasitaire/Schädlingsbekämpfung
– antireflet/Antireflexbeläge, Vergüten
– chimico-physique/Chemischphysikalische Behandlung
– chimique des eaux résiduaires/Chemische Abwasserbehandlung
– de la farine/Mehlbehandlung
– de l'eau potable/Trinkwasseraufbereitung
– des boues activées/Klärschlammaufbereitung
– des boues d'épuration/Klärschlammbehandlung
– des déchets/Abfallbehandlung, Abfallentsorgung
– des déchets ménagères/Hausmüllentsorgung
– des eaux résiduaires (d'égout)/Abwasserbehandlung
– du produit/Produktaufbereitung
– par jet de balles/Oberflächenverfestigung
– thermique/Temperaturbehandlung, Wärmebehandlung
traités/Handbücher
trajectoire/Trajektorie
tralkoxydime/Tralkoxydim
tralométhrine/Tralomethrin
tramadol/Tramadol
tramazoline/Tramazolin
tranchage/Schneiden
trandolapril/Trandolapril
tranduction/Transduktion
tranquillisants/Tranquilizer
trans-/trans-
transactinoïdes/Transactinoide
transacylases/Transacylasen
transaldolase/Transaldolase
transaminases/Transaminasen
transamination/Transaminierung
transannulaire/Transannular
transcétolase/Transketolase
transcriptase reverse/Reverse Transcriptase
transcription/Transkription
– in vitro/In vitro-Transkription
transducine/Transducin
transduction in vitro/In vitro-Translation
– signal/Signaltransduktion
transestérification/Umesterung
transférases/Transferasen
transferrine/Transferrin
transfert/Transfer
– de chaleur/Wärmeübertragung
– d'électron unique/Single electron transfer
– d'énergie/Energieübertragung
– linéaire d'énergie/LET
transfluthrin/Transfluthrin
transformateur de goût/Geschmacks(um)wandler

transformation/Transformation, Umwandlung
– de Fourier d'impulsions/Puls-Fourier-Transformation
– directe d'énergie/Energie-Direktumwandlung
– Fourier/Fourier-Transformation
– par utilisation de hautes énergies/Hochleistungsumformung
– unitaire/Unitäre Transformation
transformations nucléaires/Kernumwandlungen
transistor/Transistor
– à effet de champ sélectif d'ions/Ionenselektive Feldeffekt-Transistoren
transition/Transition, Umwandlung
transitoire/Transient
translation/Translation
– chromosomique/Chromosome walking
trans-métallation/Transmetallierung
transmission/Transmission
transmutation/Transmutation
transparence/Transparenz
transpeptidases/Transpeptidasen
trans-1,5-polypenténamère/Trans-1,5-polypentenamer
transport/Transport, Überführung
– actif/Aktiver Transport
– des déchets/Abfalltransport
– membranaire/Membrantransport
transporteurs/Carrier
– du glucose/Glucose-Transporter
transposition benzidinique/Benzidin-Umlagerung
– (réarrangement) benzilique/Benzilsäure-Umlagerung
– rétropinacolique/Retro-Pinakolon-Umlagerung
transposon/Transposon
transuraniens/Transurane
transversion/Transversion
transyluration/Umylidierung
tranylcypromine/Tranylcypromin
trapidil/Trapidil
trass/Traß
trastuzumab/Trastuzumab
travail des métaux/Metallbearbeitung
– du verre/Glasarbeiten
travaux dangereux/Gefährliche Arbeiten
trazodone/Trazodon
trèfle/Klee
– des marais/Bitterklee
tréhalose/Trehalose
tréhalostatine/Trehalostatin
trématodes/Trematoden
trémolite/Tremolit
trempage d'acier/Abbrennen
trempe/Aushärten
– au chalumeau/Flammhärten
– de l'acier/Härtung von Stahl
– de transformation/Umwandlungshärtung
– et revenu/Vergüten
– par immersion/Tauchhärten
tren/tren
trenbolone/Trenbolon
tréosulfan/Treosulfan
trestatines/Trestatine
trétamine/Tretamin
trétinoïne/Tretinoin
tri…/Tri…
triacétate/Triacetat
1,1,1-triacétoxy-1,1-dihydro-1,2-benziodoxol-3(1H)-on/1,1,1-Triacetoxy-1,1-dihydro-1,2-benziodoxol-3(1H)-on

triacétyldiphénolisatine/Triacetyldiphenolisatin
triacont(a)…/Triacont(a)…
1-triacontanol/1-Triacontanol
triacsines/Triacsine
triacylglycérol-lipase/Triacylglycerol-Lipase
triade/Triade
triadiméfone/Triadimefon
triadiménol/Triadimenol
triage/Sichten
– biologique/Biologisches Screening
– chimique/Chemisches Screening
trialkylamines/Trialkylamine
triallate/Triallat
triamcinolone/Triamcinolon
triamide de l'acide hexaméthylphosphorique/Hexamethylphosphorsäuretriamid
triamtérène/Triamteren
triangulo-/triangulo-
triapenthénol/Triapenthenol
triastérène/Triasteran
triasulfuron/Triasulfuron
triazamate/Triazamat
triazènes/Triazene
triazines/Triazine
triaziquone/Triaziquon
triazolam/Triazolam
triazoles/Triazole
triazolines/Triazoline
triazones/Triazone
triazophos/Triazophos
triazoxide/Triazoxid
tribénoside/Tribenosid
tribenuron-méthyl/Tribenuronmethyl
tribenzylamine/Tribenzylamin
tribochimie/Tribochemie
tribocorrosion/Schwingungsverschleiß
triboélectricité/Triboelektrizität
tribologie/Tribologie
triboluminescence/Tribolumineszenz
2,4,6-tribromophénol/2,4,6-Tribromphenol
tribromsalan/Tribromsalan
tribromure de bore/Bortribromid
tributylaluminium/Tributylaluminium
tributylamine/Tributylamin
tributyrine/Tributyrin
trichione/Trichion
triclofénidine/Triclophenidin
trichlorfon/Trichlorfon
trichlorméthiazide/Trichlormethiazid
N,2,6-trichloro-1,4-benzoquinon-4-imine/N,2,6-Trichlor-1,4-benzochinon-4-imin
1,1,1-trichloro-2-méthyl-2-propanol/1,1,1-Trichlor-2-methyl-2-propanol
trichloroacétate de sodium/TCA-Na
trichlorobenzènes/Trichlorbenzole
trichloroéthanes/Trichlorethane
2,2,2-trichloroéthanol/2,2,2-Trichlorethanol
trichloroéthylène/Trichlorethylen
trichlorophénols/Trichlorphenole
1,2,3-trichloropropane/1,2,3-Trichlorpropan
trichlorure d'arsenic/Arsentrichlorid
– de bore/Bortrichlorid
tricho…/Trich(o)…
trichochromes/Trichochrome
trichodiène/Trichodien

tricholoménynes/Tricholomenine
trichomonadines/Trichomonaden
trichophytes/Trichophyten
trichosanthine/Trichosanthin
trichostatine/Trichostatine
trichothécènes/Trichothecene
tricine/Tricin
triclocarban/Triclocarban
triclopyr/Triclopyr
triclosan/Triclosan
tricos(a).../Tricos(a)...
tricosane/Tricosan
tricotage/Wirken
tricyclazole/Tricyclazol
tricyclène/Tricyclen
tricyclo[...].../Tricyclo[...]...
tridéc(a).../Tridec(a)...
tridécanal/Tridecanal
tridécane/Tridecan
1-tridécanol/1-Tridecanol
tridécyl.../Tridecyl...
tridémorphe/Tridemorph
tridentalole/Tridentatole
tridentoquinone/Tridentochinon
tridymite/Tridymit
triènes/Triene
triétazine/Trietazin
triéthiodure de gallamine/Gallamintriethiodid
triéthylamine/Triethylamin
triéthylène-glycol/Triethylenglykol
triéthylènetétramine/Triethylentetramin
trieur/Trieur
triflumizole/Triflumizol
triflumuron/Triflumuron
trifluopérazine/Trifluoperazin
4,4,4-trifluoro-1-(2-thiényl)-1,3-butanedione/4,4,4-Trifluor-1-(2-thienyl)-1,3-butan-dion
trifluoroacétate de thallium(III)/Thallium(III)-trifluoracetat
trifluoroacétyl.../Trifluoracetyl...
trifluorométhyl(...)/Trifluormethyl(...)
trifluorure de bore/Bortrifluorid
trifluopéridol/Trifluperidol
triflupromazine/Triflupromazin
trifluralin/Trifluralin
trifluridine/Trifluridin
triflusulfuron-méthyle/Triflusulfuron-methyl
triforine/Triforin
triglycérides/Triglyceride
trigonelline/Trigonellin
trihexyphénidyle/Trihexyphenidyl
3,3',5-triiodo-L-thyronine/3,3',5-Triiod-L-thyronin
trillion/Trillion
trimazosine/Trimazosin
trimérisation/Trimerisation
triméthadione/Trimethadion
triméthoprime/Trimethoprim
3,4,5-triméthoxybenzaldéhyde/3,4,5-Trimethoxybenzaldehyd
3,4,5-triméthoxyphényl.../3,4,5-Trimethoxyphenyl...
2,2,4-triméthyl-1,3-pentanediol/2,2,4-Trimethyl-1,3-pentandiol
2,4,4-triméthyl-1-pentène/2,4,4-Trimethyl-1-penten
triméthylamine/Trimethylamin
triméthylbenzènes/Trimethylbenzole
2,2,3-triméthylbutane/2,2,3-Trimethylbutan
triméthylène.../Trimethylen...
triméthylène-méthane/Trimethylenmethan
triméthyloléthane/Trimethylolethan
triméthylolpropane/Trimethylolpropan
1-(triméthylsilyl)-1H-imidazole/1-(Trimethylsilyl)-1H-imidazol
triméthylsilyle/Trimethylsilyl...
trimétozine/Trimetozin
trimétrexat/Trimetrexat
trimipramine/Trimipramin
trinéxapac-éthyl/Trinexapac-ethyl
trinitrate de glycérine/Glycerintrinitrat
– de triméthylpropane/Trimethylolpropantrinitrat
2,4,6-trinitro-m-crésol/2,4,6-Trinitro-m-kresol
1,3,5-trinitrobenzène/1,3,5-Trinitrobenzol
2,4,6-trinitrotoluène/2,4,6-Trinitrotoluol
...triol/...triol
trioléine/Triolein
triose-phosphate-isomérase/Triosephosphat-Isomerase
trioseréductone/Trioseredukton
trioses/Triosen
1,3,5-trioxane/1,3,5-Trioxan
trioxyde de bore/Bortrioxid
– de molybdène/Molybdäntrioxid
– de soufre/Schwefeltrioxid
tripalmitine/Tripalmitin
tripélennamine/Tripelennamin
tripeptides/Tripeptide
triphénylamine/Triphenylamin
triphénylène/Triphenylen
triphénylméthane/Triphenylmethan
triphénylméthanol/Triphenylmethanol
triphénylméthyle/Triphenylmethyl
triphénylphosphane/Triphenylphosphan
triphosphates/Triphosphate
triphylite/Triphylin
triplage de fréquence/Frequenzverdreifachung
triple liaison/Dreifachbindung
triplet/Triplett
triplite/Triplit
tripode/Dreifuß
triprolidine/Triprolidin
tripton/Tripton
triptoréline/Triptorelin
triptycène/Triptycen
triptyl.../Triptyl...
2,4,6-tri(2-pyridyl)-1,3,5-triazine/2,4,6-Tri(2-pyridyl)-1,3,5-triazin
triquinanes/Triquinane
tris.../Tris...
trisaccharides/Trisaccharide
tris(2-chloréthyl)-amine/Tris(2-chlorethyl)-amin
trishomobenzènes/Trishomobenzole
trisodium hydrogénodiphosphate/Trinatriumhydrogendiphosphat
trisomie/Trisomie
tristéarine/Tristearin
triterpènes/Triterpene
trithianes/Trithiane
trithiones/Trithione
trithiophosphate de S,S,S-tributyle/S,S,S-Tributyltrithiophosphat
triticale/Triticale
triticènes/Triticene
triticonazole/Triticonazol
tritium/Tritium
tritonation/Tritonierung
tritoqualine/Tritoqualin
trituration/Trituration
trityl(...)/Trityl(...)
trivalent/Tervalent
troène commun/Liguster
trofosfamide/Trofosfamid
troglitazone/Troglitazon
troilite/Troilit
troléandomycine/Troleandomycin
trolnitrate/Trolnitrat
tromantadine/Tromantadin
trométamol/Trometamol
troostite/Troostit
trop.../Trop...
tropalpine/Tropalpin
3α-tropanol/3α-Tropanol
...trope/...trop
tropéoline/Tropäolin
...trophe/...troph
trophophase/Trophophase
tropicamide/Tropicamid
...tropine/...tropin
tropisétrone/Tropisetron
...tropisme/...tropismus
α-tropolone/α-Tropolon
tropomyosine/Tropomyosin
troponine/Troponin
tropylium/Tropylium
trou/Defektelektron
– (de la couche) d'ozone/Ozon-Loch
– d'ozone antarctique/Antarktisches Ozonloch
– noir/Schwarzes Loch
trovafloxacine/Trovafloxacin
troxérutine/Troxerutin
truffe/Trüffel
– (au chocolat)/Trüffel
trypanosomes/Trypanosomen
trypanosomiase/Schlafkrankheit
tryparsamide/Tryparsamid
tryprostatine/Tryprostatine
trypsine/Trypsin
trypsinogène/Trypsinogen
tryptamine/Tryptamin
– de diméthyle/N,N-Dimethyltryptamin
tryptophanase/Tryptophanase
tryptophan(n)e/Tryptophan
TSF: transformation simple de Fourier/FFT
tuaminoheptane/Tuaminoheptan
tube à cyclone (tourbillonnement)/Wirbelrohr
– à rayons X/Röntgenröhren
– d'agar incliné/Schrägagar-Röhrchen
– de Venturi/Venturi-Düse
– d'Ullmann/Ullmann-Rohr
tuberculination/Tuberkulin-Test
tuberculine/Tuberkulin
tuberculose/Tuberkulose
tuberculostatiques/Tuberkulostatika
tubéreuse/Tuberose
tubérine/Tuberin
tubes/Tuben
– à combustion/Glühröhrchen
– à essais/Reagenzgläser
– à vide/Vakuum-Röhren
– au néon/Neonröhren
– compteurs/Zählrohre
– de Geissler/Geißler Röhren
– détectifs/Trithiane
– scellés/Einschmelzrohre
tubocurarine/Tubocurarin
tubuline/Tubulin
tubulysine/Tubulysine
tuf/Tuffe
– sudé/Ignimbrit
tufs calcaires/Sinter
tuftsine/Tuftsin
tuiles/Ziegel
tulle bobin/Bobinets
tulobutérol/Tulobuterol
tumeur/Tumore(n)
tungstate (wolframate) de sodium/Natriumwolframat
– (wolframate) de calcium/Calciumwolframat
tungsténates/Wolframate
tungstène/Wolfram
– hexacarbonyle/Wolframhexacarbonyl
tungstite/Wolframocker
tunicamycine(s)/Tunicamycine
tunichlorine/Tunichlorin
tunichromes/Tunichrome
tunicier/Tunicate
tunicine/Tunicin
turanose/Turanose
turbidimétrie/Trübungsmessung
turbidites/Turbidite
turbidostate/Turbidostat
turbulence/Turbulenz
turgescence/Turgor
turgorines/Turgorine
turquoise/Türkis
tussilage/Huflattich
tutine/Tutin
tuyau de Hartmann/Hartmann-Rohr
– (tube) calorifique/Heat Pipe
tuyaux/Rohre
– flexibles/Schläuche
tuyère binaire/Zweistoffdüse
– de Laval/Laval-Düse
twistane/Twistan
twitchine/Twitchin
tylosine/Tylosin
tyloxapol/Tyloxapol
type d'appariement/Paarungstyp
– sauvage/Wildtyp
tyramine/Tyramin
tyratron/Thyratron
tyrocidines/Tyrocidine
tyromycine A/Tyromycin A
tyrosinase/Tyrosinase
tyrosine/Tyrosin
tyrothricine/Tyrothricin
tysonite/Tysonit
tyuyamunite/Tjujamunit

U

ubiquinones/Ubichinone
ubiquitine/Ubiquitin
ulapualides/Ulapualide
ulcère/Ulcus, ulcera
ulcus/Ulcus, ulcera
ulexite/Ulexit
ulicyclamide/Ulicyclamid
ullmannite/Ullmannit
...ulose/...ulose
ultracentrifugeuses/Ultrazentrifugen
ultrafiltration/Ultrafiltration
ultramarins/Ultramarine
ultramicroanalyse/Ultramikroanalyse
ultramicroscope/Ultramikroskop
ultrasons/Ultraschall
umami/Umami
umbellifèrone/Umbelliferon
un.../Un...
undéc(a).../Undec(a)...
undécanal/Undecanal
undécane/Undecan
2-undécanone/2-Undecanon
10-undécénal/10-Undecenal
undécyl.../Undecyl...
union consanguine/Inzucht
uniport/Uniport
unité Angström/Ångström-Einheit
– asymétrique/Asymmetrische Einheit

- de configuration/Konfigurative Einheit
- de pain/Brot-Einheit
- de protéase/Protease-Einheit
- de pureté/Neuner
- de répétition constitutionnelle/ Konstitutionelle Repetiereinheit
- Debye/Debye
- Dobson/Dobson-Einheit
- électrostatique/Elektrostatische Einheit
- internationales/Internationale Einheiten
unités/Einheiten
- atomiques/Atomare Einheiten
- de base/Basiseinheiten
- de fonction moléculaire/Molekulare Funktionseinheiten
- d'électricité/Elektrische Einheiten
- fondamentales/Grundeinheiten
- légales/Gesetzliche Einheiten
unithiol/Unitiol
univalent/Univalent
universités/Hochschulen
upas/Upas
upérisation/Uperisation
upéroléine/Uperolein
uracile/Uracil
uramile/Uramil
uranates(VI)/Uranate(VI)
urane micacé/Uranglimmer
uraninite/Uranpecherz
uranium/Uran
uranocircite/Uranocircit
uranophane/Uranophan
urao/Trona
urapidil/Urapidil
urdamycines/Urdamycine
…ure/…id, …ür
uréase/Urease
urée/Harnstoff
uréides/Ureide
uréido…/Ureido…
uréines/Ureine
urémie/Urämie
uréotélie/Ureotelie
uréthane/Urethan
uréthanes/Urethane
uréylène…/Ureylen…
uricase/Uricase
uricostatiques/Urikostatika
uricotélie/Urikotelie
uridine/Uridin
- -phosphates/Uridinphosphate
urine/Harn
urobiline/Urobilin
urocanase/Urocanase
urocortine/Urocortin
urofollitropine/Urofollitropin
urogonadotropine/Urogonadotropin
uroguanyline/Uroguanylin
urokinase/Urokinase
uroporphyrines/Uroporphyrine
ursane/Ursan
urticaire/Nesselfieber
urushiols/Urushiole
usage des eaux/Gewässer(be)nutzung
usinage des métaux/Metallbearbeitung
- électrochimique des métaux/Elektrochemische Metallbearbeitung
- par étincelage/Funkenerosion
usines pilotes/Pilot Plant
usure/Verschleiß
utéroferrine/Uteroferrin
utéroglobine/Uteroglobin
utilisation/Verwenden
- prótéique nette/NPU-Wert
uzarine/Uzarin

V

vaccin antiméningitique/Meningokokken-Impfstoff
vaccination/Impfen
vaccine/Vaccine
vaccines/Impfstoffe
vachette box/Rindbox
- tannée au chrome/Rindbox
vacuomètre de McLeod/McLeod-Manometer
valaciclovir/Valaciclovir
valanimycine/Valanimycin
valence/Valenz, Wertigkeit
- de liaison/Bindigkeit
- électrochimique/Elektrochemische Wertigkeit
valencène/Valencen
valentinite/Valentinit
valépotriates/Valepotriate
valériane/Baldrian
valéryl…/Valeryl…
valethamate bromide/Valethamatbromid
valeur biologique limite au poste de travail/Biologischer Arbeitsstofftoleranzwert
- calorifique (énergétique) physiologique/Physiologischer Brennwert
- de R_f/R_f-Wert
- de seuil/Schwellenwert
- de surveillance/Überwachungswert
- équivalente de toxicité/Toxizitätsäquivalent
- escomptée/Erwartungswert
- G/G-Wert
- indicatrice/Zeigerwert
- k/K-Wert
- $K_L a/K_L a$-Wert
- lambda/Lambda-Wert
- limite en communauté européenne/EG-Grenzwert
- nutritionnelle/Nährwert
- nutritive/Nährwert
- pK/pK-Wert
- Z/Z-Wert
valeurs indicatives/Richtwert
- limite indicatives/ILV-Werte
- limités/Grenzwerte
- limites d'immission/Immissionsgrenzwerte
validamycines/Validamycine
validation/Validierung
valiénamine/Valienamin
valilactone/Valilacton
valine/Valin
valinomycine/Valinomycin
valleriite/Valleriit
valorisation du charbon/Kohleveredlung
valsartan/Valsartan
valves/Ventile
vamidothion/Vamidothion
vanadate d'ammonium/Ammoniumvanadat
vanadates(V)/Vanadate(V)
vanadates de sodium/Natriumvanadate
vanadinite/Vanadinit
vanadium/Vanadium
vancomycine/Vancomycin
vanille/Vanille
vanilline/Vanillin
vanilloyl…/Vanilloyl…
vanillyl…/Vanillyl…
vapeur/Dampf
- d'eau/Wasserdampf
vapeurs nitreuses/Nitrose Gase
vaporisation/Verdampfung
vaporiser/Zerstäuben
varacine/Varacin
variabiline/Variabilin

variance/Freiheitsgrad
variation (changement) d'état/Zustandsänderung
varices/Varizen
variole/Pocken
variscite/Variscit
vase/Schlick
vasectomie/Vasektomie
vaseline/Vaselin(e)
vases d'Erlenmeyer/Erlenmeyerkolben
- Dewar/Dewar-Gefäße
vasoconstricteurs/Vasokonstriktoren
vasodilatateurs/Vasodilatatoren
vasopressine/Vasopressin
vaterite/Vaterit
vecteur YRp/YRp-Vektor
vecteurs/Carrier, Vektoren
- à l'ARN/RNA-Vektoren
- lambda/Lambda-Vektor
- navette/Shuttle-Vektoren
végétation/Vegetation
végétaux/Pflanzen
velléral/Velleral
velours/Samt, Velours
vélutinal/Velutinal
venin d'abeille/Bienengift
- de frelon/Hornissengift
- de guêpe/Wespengift
venins d'animeaux/Tiergifte
- d'araignées/Spinnengifte
- de cobra/Kobratoxine
- de crapaud/Krötengifte
- de poisson/Fischgifte
- de scorpions/Skorpiongifte
- de serpents/Schlangengifte
- d'insectes/Insektengifte
- échinodermes/Stachelhäuter-Gifte
venlafaxine/Venlafaxin
ventilateurs/Ventilatoren
ventilation/Lüftung
venturi/Venturi-Düse
ver-de-gris/Grünspan
vérapamil/Verapamil
vératroyl…/Veratroyl…
vératryl…/Veratryl…
verbénol/Verbenol
verdazyls/Verdazyle
verdet/Grünspan
vermiculite/Vermiculit
vermouth/Vermouth
vernis/Firnisse, Lacke, Polituren
- à base de résines alkyds/Alkydharz-Lacke
- à ongles/Nagellack
- à résine/Harzfirnisse, Harzlacke
- adhésif/Klebback
- au four/Einbrennlacke
- collant/Kleblack
- isolants/Isolierlacke
- pour plancher/Fußbodenlacke
- réactionnel/Reaktionslacke
- zapon/Zaponlack
vernolate/Vernolat
vernolépine/Vernolepin
vérotoxines/Verotoxine
verre/Glas
- acrylique/Acrylglas
- au cobalt/Cobalt-Glas
- bleu/Cobalt-Glas
- crown/Kronglas
- de sécurité/Sicherheitsglas
- de soude/Glaslote
- d'optique crown/Kronglas
- dur/Hartglas
- fritté/Sinterglas
- mousse (cellulaire)/Schaumglas
- organique/Organische Gläser
- poreux/Poröses Glas
- quartzeux/Quarzglas
- soluble/Wasserglas

- trempé/Hartglas
verres antisolaires/Sonnenschutzgläser
- de borosilicate/Borosilicatglaser
- de contact/Kontaktlinsen
- de montre/Uhrgläser
- de polymères liquides cristallins/LCP-Gläser
- optiques/Optische Gläser
- phosphatés/Phosphat-Gläser
- phototropiques/Phototrope Gläser
- polymères/Kunstgläser
verrucarines/Verrucarine
verruculotoxine/Verruculotoxin
verrues/Warzen
vers/Würmer
versamides/Versamide
vert de bromocrésol/Bromkresolgrün
- de cobalt/Cobaltgrün
- de laine/Wollgrün S
- de Mars/Marsgrün
- de méthyle/Methylgrün
- de pigment B/Oralithgrün B
- de Schweinfurt/Schweinfurter Grün
- de zinc/Zinkgrün
- diamine/Diamingrün B
- d'indocyanine-sodium/Indocyaningrün
- émeraude/Emeraldgrün, Smaragdgrün
- Janus/Janusgrün B
- lumineux/Lichtgrün
- malachite/Malachitgrün
- manganèse/Mangangrün
- patenté/Patentgrün
vertébrés/Vertebraten
verveine/Eisenkraut
vesces/Wicken
vésicants/Vesikantien
vésicules/Vesikeln
vesparione/Vesparion
vessies/Blasen
vésuvianite/Vesuvian
vésuvine/Vesuvin
vêtements de protection/Schutzkleidung
vétrabutine/Vetrabutin
viande/Fleisch
- en gelée/Sülze
- myopathique/PSE-Fleisch
vibration/Schwingung
- d'inversion/Inversionsschwingung
viburnols/Viburnole
vic-/vic-
viciline/Vicilin
vicine/Vicin
vide/Vakuum
vidres de spin/Spingläser
vie en pot/Topfzeit
- moyenne/Lebensdauer
vieille installation/Altanlage
vieillissement/Altern, Alterung
vierge/Gedeigen
vieux papiers/Altpapier
- pneus/Altreifen
vigabatrine/Vigabatrin
villine/Villin
viloxazine/Viloxazin
vimentine/Vimentin
vin/Wein
- champagnisé/Schaumwein
- (champagnisé) de fruits/Obst(schaum)wein
- de palme/Palmwein
- de Porto/Portwein
- et eau de Seltz/Schorle
- liquoreux/Süßwein
- nouveau/Sauser

– pétillant/Perlwein
vinaigre/Essig
– de vin/Weinessig
vinamidines/Vinamidine
vinblastine/Vinblastin
vincamine/Vincamin
vincarubine/Vincarubin
vinclozoline/Vinclozolin
vincristine/Vincristin
vinculine/Vinculin
vindésine/Vindesin
vindoline/Vindolin
vinigrol/Vinigrol
vinorelbine/Vinorelbin
vinpocétine/Vinpocetin
vins de Tokay/Tokayer
vinyl…/Vinyl…
vinylacétylène/1-Buten-3-in
vinylation/Vinylierung
vinylbital/Vinylbital
9-vinylcarbazole/9-Vinylcarbazol
vinylène…/Vinylen…
4-vinylguaïacol/4-Vinylguajacol
vinylidène…/Vinyliden…
vinylogue/Vinylog
vinylpyridines/Vinylpyridine
1-vinyl-2-pyrrolid(in)one/1-
  Vinyl-2-pyrrolid(in)on
vinyltoluènes/Vinyltoluole
vinyon/Vinyon
violacéine/Violacein
violanine/Violanin
violaxanthine/Violaxanthin
violet cristallisé/Kristallviolett
– de carbazole/Carbazolviolett
– de gentiane/Gentianaviolett
– de méthyle/Methylviolett
violette/Veilchen
viologènes/Viologene
viomycine/Viomycin
viorne/Schneeball
viquidil/Viquidil
virage/Tonung
virginiamycines/Virginiamycine
viridicatumtoxine/Viridicatumtoxin
viridine/Viridin
virologie/Virologie
virostatiques/Virostatika
virotoxines/Virotoxine
virucides/Viruzide
virus/Viren
– d'Epstein-Barr/Epstein-Barr-Virus
– du papillome/Papilloma-Viren
– du sarcome de Rous/Rous-Sarkom-Virus
– du singe/Affenvirus 40
– mosaïque du tabac/Tabakmosaikvirus
– papova/Papova-Viren
visamminol/Visamminol
viscoélasticité/Viskoelastizität
viscoplasticité/Viskoplastizität
viscose/Viskose
viscosimétrie/Viskosimetrie
viscosité/Viskosität
– structurelle/Strukturviskosität
viscotoxine/Viscotoxin
visnadine/Visnadin
visqueux/Viskos
vitamines/Vitamine
vitelline/Vitellin
vitesse de la lumière/Lichtgeschwindigkeit
– de réaction/Reaktionsgeschwindigkeit

– d'écoulement/Strömungsgeschwindigkeit
vitiligo/Vitiligo
vitispiranes/Vitispirane
vitriol vert/Grünsalz
vitriols/Vitriole
vitrocérame/Glaskeramik
vitrocéramique/Glaskeramik
vitroides/Vitroide
vitronectine/Vitronectin
vivianite/Vivianit
vivier à eaux résiduaires/Abwasserfischteich
vocabulaires/Wörterbücher
vodka/Wodka
voie d'acide 3-oxoadipique/3-Oxoadipinsäure-Weg
volatilité/Flüchtigkeit, Volatilität
volborthite/Volborthit
volcanisme/Vulkanismus
volcans/Vulkane
volt/Volt
voltamétrie/Voltametrie
voltammétrie/Voltammetrie
volume/Volumen
– apparent/Schüttvolumen
– atomique/Atomvolumen
– au zéro absolu/Nullpunktsvolumen
– aux conditions normales/Normvolumen
– mol(écul)aire/Molvolumen
– par compactation/Stampfvolumen
volutine/Volutin
vorozol/Vorozol
VSL (valeur du seuil limite)/TLV-Werte
vulcanisat/Vulkanisat
vulcanisation/Curing, Vulkanisation
vulcanites/Vulkanite
vulgamycine/Vulgamycin

W

wairol/Wairol
warfarin/Warfarin
wash primer/Haftgrundmittel
watt/Watt
wavéllite/Wavellit
waver/Waver
weber/Weber
wédélolactone/Wedelolacton
whewellite/Whewellit
whiskers/Whiskers
whisky/Whisky
white-spirit/Terpentinöl-Ersatz
– -spirits/Testbenzine
wikstromol/Wikstromol
willardiine/Willardiin
willémite/Willemit
winterine/Winterin
wintérisation/Winterisierung
wistarine/Wistarin
withanolides/Withanolide
withérite/Witherit
wittichénite/Wittichenit
wolfram/Wolfram
wolframates/Wolframate
wolframite/Wolframit
wollastonite/Wollastonit
wortmannine/Wortmannin
wulfénite/Wulfenit
wurtzite/Wurtzit

X

xanthane/Xanthan
xanthates de potassium/Kaliumxanthate

– de sodium/Natriumxanthate
xanthation/Xanthogenierung
xanthène/Xanthen
xanthine/Xanthin
– -oxydase/Xanthin-Oxidase
xantho…/Xanth(o)…
xanthodermine/Xanthodermin
xanthogénate de cellulose/Cellulosexanthogenat
xanth(ogén)ates/Xanthogenate
xanthone/Xanthon
xanthophylles/Xanthophylle
xanthoptérine/Xanthopterin
xanthosine/Xanthosin
xanthotoxine/Xanthotoxin
xanthoxine/Xanthoxin
xanthydrol/Xanthydrol
xantocilline/Xantocilline
xémilofiban/Xemilofiban
xéno…/Xeno…
xénobiotiques/Xenobiotika
xénol/Xenol
xénon/Xenon
xénorhabdines/Xenorhabdine
xénotime/Xenotim
xényl…/Xenyl…
xéro…/Xero…
xérodermie/Xerodermie
xérographie/Xerographie
xérophytes/Xerophyten
xestospongines/Xestospongine
xipamide/Xipamid
xíruline/Xerulin
xonotlite/Xonotlit
xylanes/Xylane
xylaral/Xylaral
xylème/Xylem
xylènes/Xylole
…xylidide/…xylidid
xylidines/Xylidine
xylidino…/Xylidino…
xylil…/Xylyl…
xylite/Xylit
xylitol/Xylit
xylo-/xylo-
xylocandines/Xylocandine
xylométazoline/Xylometazolin
D-xylose/D-Xylose
xylose-isomérase/Xylose-Isomerase
xylotile/Xylotil
xylylène diisocyanate/Xylylendiisocyanat
xylylène…/Xylylen(…)

Y

ya(h)ourt/Joghurt
yessotoxine/Yessotoxin
yeux/Auge
…yl/…yl
ylate/…ylat
…ylène/…ylen
…ylidène/…yliden
ylides nitriles/Nitril-Ylide
…ylidine/…ylidin
…ylium/…ylium
ylures/Ylide
ynamines/Inamine
…yne (2.)/…in
yohimbine/Yohimbin
yopo/Yopo
ypérite/Lost
ytterbium/Ytterbium
yttrium/Yttrium
yucca/Yucca
yugawaralite/Yugawaralith

Z

zacaton/Zakaton
zafirlukast/Zafirlukast
zalcitabine/Zalcitabin
zanamivir/Zanamivir
zéaralénone/Zearalenon
zéatine/Zeatin
zéaxanthine/Zeaxanthin
zédoaire/Zitwer
zéine/Zein
zéolithes/Zeolithe
zéophyllite/Zeophyllit
zéranol/Zeranol
zéro absolu/Absoluter Nullpunkt
zeugmatographie/Zeugmatographie
zeunérite/Zeunerit
zidovudine/Zidovudin
zileuton/Zileuton
zinc/Zink
zincate/Zinkblende
zincates/Zinkate
zincite/Zinkit
zinckénite/Zinckenit
zincographie/Chemigraphie
zincon/Zincon
zincophorine/Zincophorin
zinèbe/Zineb
zingage/Verzinken
– à chaud/Heißverzinkung
– à froid/Kaltverzinkung
zingérone/Zingeron
zingibérène/Zingiberen
zinnwaldite/Zinnwaldit
zinostatine/Neocarzinostatin A
zippéite/Zippeit
ziprasidone/Ziprasidon
zirame/Ziram
zircon/Zirkon
zirconate de plomb/Bleizirkonat
zirconates(IV)/Zirconate(IV)
zirconium/Zirconium
zoanthoxanthine/Zoanthoxanthin
zoisite/Zoisit
zolmitriptane/Zolmitriptan
zolpidem/Zolpidem
zomépirac/Zomepirac
zone/Zone
– de Brillouin/Brillouin-Zone
– de l'environnement/Umweltzone
– d'essorage/Abquetscheffekt
– d'oxydation/Oxidationszone
– interdite/Verbotene Zone
zones climatiques/Klimazonen
– d'aire pure/Reinluftgebiete
– de Weiss/Weiss'sche Bezirke
zoogène/Zoogen
zoologie/Zoologie
zoonoses/Zoonosen
zoostérols/Zoosterine
zoplicone/Zopiclon
zorubicine/Zorubicin
zotépine/Zotepin
zuclopenthixol/Zuclopenthixol
zwiebelanes/Zwiebelane
zygosporines/Zygosporine
zygote/Zygote
zymase/Zymase
zym(o)…/Zym(o)…
zymogènes/Zymogene
zymosan/Zymosan
zyxine/Zyxin
zyzzine/Zyzzin

Italiano

A

aaptamina/Aaptamin
abaca/Manilahanf
abaco/Nomogramme
abamecitina/Abamectin
abbassatore di lipide/Lipidsenker
abbellimento/Schönen
abbondanza/Abundanz
abbreviazioni/Abkürzungen
abbronzatura/Hautbräunung
abciximab/Abciximab
abietati/Abietate
abietospirano/Abietospiran
abiogenesi/Abiogenese
abiotico/Abiotisch
abortivi/Abortiva
abrasivi/Schleifmittel, Strahlmittel
abrasivo/Scheuermittel
abrina/Abrin
abrine/Abrine
absintina/Absinthin
abzimi/Abzyme
acamazulene/Chamazulen
acamprosato/Acamprosat
acanto/Bärenklau
acarbosi/Acarbose
acari/Milben
acaricidi/Akarizide
acceleratore/Beschleuniger
– d'accensione/Zündbeschleuniger
– della solidificazione/Erstarrungsbeschleuniger
– di cobalto/Cobalt-Beschleuniger
– di corrente/Strömungsbeschleuniger
– di indurimento/Härtungsbeschleuniger
– di particelle/Teilchenbeschleuniger
– per la collisione di adroni grandi/LHC
– per la collisione di elettroni-positroni grandi/LEP
accendino/Feuerzeug
– di Döbereiner/Döbereiners Feuerzeug
accettabilità del rischio/Risiko-Akzeptanz
accettore/Akzeptor
acciai al cromo/Chromstähle
– al manganese/Mangan-Stähle
– al vanadio/Vanadium-Stähle
– austenitici/Austenitische Stähle
– borici/Borstähle
– carbonici/Kohlenstoff-Stähle
– HSLA/HSLA-Stähle
– inossidabili/Nichtrostende Stähle, V-Stähle
acciaio/Stahl
– a basso tenore di lega/Niedriglegierte Stähle
– a grana fina da costruzione/Feinkornbaustähle
– a nastro laminato a freddo/Kaltband
– ad alta lega/Hochlegierter Stahl
– al titanio/Titan-Stahl
– basso legato/Niedriglegierte Stähle
– calmato/Beruhigter Stahl
– colato/Gußstahl
– cuprico/Kupferstahl
– di ferrite/Ferritische Stähle
– di ferrite e austenite/Ferritisch-austenitische Stähle
– dolce/Flußstahl
– duplex/Ferritisch-austenitische Stähle
– elettrico/Elektrostahl
– fuso/Flußstahl, Gußstahl
– grezzo/Rohstahl
– nitrurato/Nitrierstahl
– per cuscinetto/Wälzlagerstahl
– per i distributori automatici/Automatenstähle
– pregiato/Edelstahl
– rapido/Schnellarbeitsstahl
– refrattario/Hitzebeständige Stähle
– saldato/Schweißstahl
– semiduro/Flußeisen
– speciale per cemento armato/Moniereisen
accidentale/Akzidentell
acciughe/Sardellen
accoppiamento/Kupp(e)lung
– di forza e calore/Kraft-Wärme-Kopplung
– di moda/Modenkopplung
– jj/jj-Kopplung
– spin-orbita/Spin-Bahn-Kopplung
accreditamento/Akkreditierung
accumulatore di idruro/Hydrid-Speicher
accumulatori/Akkumulatoren
accumulazione/Akkumulation, Kumulation
accuratezza/Richtigkeit
acebutololo/Acebutolol
acecarbromale/Acecarbromal
aceclidina/Aceclidin
acediasolfone-sodio/Acediasulfon-Natrium
acefato/Acephat
acefillina-piperazina/Acefyllin-Piperazin
acemetazina/Acemetacin
acenaftene/Acenaphthen
aceni/Acene
acenocumarolo/Acenocoumarol
aceprometacina/Aceprometazin
acesolfamo K/Acesulfam-K
acetaldeid-dietilacetale/Acetaldehyd-diethylacetal
acetaldeide/Acetaldehyd
acetali/Acetale
acetalizzazione/Acetalisierung
acetamipride/Acetamiprid
acetammide/Acetamid
acetammido.../Acetamido...
acetanilide/Acetanilid
acetarsolo/Acetarsol
acetat di mercurio(II)/Quecksilber(II)-acetat
acetati/Acetate, Essigsäureester
– di glicerina/Glycerinacetate
– di manganese/Manganacetate
– di piombo/Bleiacetate
– di polivinile/Polyvinylacetate
– di rame/Kupferacetate
– di tallio/Thalliumacetate
acetato-arsenito/Schweinfurter Grün
– cromico/Chrom(III)-acetat
– d'alluminio/Aluminiumacetate
– d'ammonio/Ammoniumacetat
– di argento/Silberacetat
– di bario/Bariumacetat
– di benzile/Essigsäurebenzylester
– di butile/Essigsäurebutylester
– di cadmio/Cadmiumacetat
– di calcio/Calciumacetat
– di cellulosa/Celluloseacetat
– di cicloesile/Essigsäurecyclohexylester
– di cinnamile/Essigsäurecinnamylester
– di cobalto(II)/Cobalt(II)-acetat
– di (Z)-7-dodecenile/(Z)-7-Dodecenyl-acetat
– di esile/Essigsäurehexylester
– di etile/Essigsäureethylester
– di fenile/Phenylacetat
– di isobornile/Isobornylacetat
– di isopropenile/Essigsäureisopropenylester
– di litio/Lithiumacetat
– di magnesio/Magnesiumacetat
– di medrossiprogesterone/Medroxyprogesteron-acetat
– di metile/Essigsäuremethylester
– di nerile/Nerylacetat
– di nichelio(II)/Nickel(II)-acetat
– di palladio(II)/Palladium(II)-acetat
– di pentile/Essigsäurepentylester
– di potassio/Kaliumacetat
– di propile/Essigsäurepropylester
– di sodio/Natriumacetat
– di vinile/Essigsäurevinylester
– di zinco/Zinkacetat
– primario/Primäracetat
acetazolammide/Acetazolamid
acetiammina/Acetiamin
acetil .../Acetyl...
– -CoA/Acetyl-CoA
acetilacetonati metallici/Metallacetylacetonate
acetilacetonato di ferro(III)/Eisen(III)-acetylacetonat
– di rame(II)/Kupfer(II)-acetylacetonat
acetilacetone/Acetylaceton
acetilammino.../Acetylamino...
acetilamminofenoli/Acetylaminophenole
acetilazione/Acetylierung
acetilcisteina/Acetylcystein
acetilcolina/Acetylcholin
acetilcolinesterasi/Acetylcholin-Esterase
acetildigitossina/Acetyldigitoxin
acetildigossina/Acetyldigoxin
acetilene/Acetylen
acetilenidi/Acetylenide
acetilimmino.../Acetylimino...
acetilmetadolo/Acetylmethadol
acetilsalicilato di lisina/Lysin-acetylsalicylat
acetimmidoil.../Acetimidoyl...
aceto/Essig
– di vino/Weinessig
acetoacetil.../Acetoacetyl...
acetobatteri/Acetobacter
acetobutirrato di cellulosa/Celluloseacetobutyrate
acetocloro/Acetochlor
acetofenide/Acetofenid
acetofenone/Acetophenon
acetoftalato di cellulosa/Celluloseacetophthalat
acetogenine/Acetogenine
acetoina/Acetoin
acetomicina/Acetomycin
acetone/Aceton
acetonidi/Acetonide
acetonil .../Acetonyl...
acetonitrile/Acetonitril
acetopropionato di cellulosa/Celluloseacetopropionat
acetosella/Sauerklee
acetossi.../Acetoxy...
acetossilazione/Acetoxylierung
aci-/aci-
aciclovir/Aciclovir
acid fading/Acid fading
acidi/Säuren
– acilneura(m)minici/Acylneuraminsäuren
– acromelici/Acromelsäuren
– aldarici/Aldarsäuren
– aldeidici/Aldehydsäuren
– aldonici/Aldonsäuren
– alogenocarbossilici/Halogencarbonsäuren
– amminobenzensolfonici/Aminobenzolsulfonsäuren
– amminobenzoici/Aminobenzoesäuren
– am(m)inobutirrici/Aminobuttersäuren
– antrachinonsolfonici/Anthrachinonsulfonsäuren
– aristolochici/Aristolochiasäuren
– benzendisolfonici/Benzoldisulfonsäuren
– biliari/Gallensäuren
– borinici/Borinsäuren
– boronici/Boronsäuren
– carbonici/Carbonsäuren
– carbossilici di piperidina/Piperidincarbonsäuren
– carbossilici eterici/Ethercarbonsäuren
– clorobenzoici/Chlorbenzoesäuren
– cloroisocianurici/Chlorisocyanursäuren
– clorosolforici/Chlorschwefelsäure
– coleici/Choleinsäuren
– desossiribonucleici/Desoxyribonucleinsäuren
– di cera/Wachssäuren
– di esacianoferro/Hexacyanoeisensäuren
– di frutto/Fruchtsäuren
– di zolfo/Schwefel-Säuren
– dicarbonici/Dicarbonsäuren
– diclorobenzoici/Dichlorbenzoesäuren
– diidrossibenzoici/Dihydroxybenzoesäuren
– dimerici (dimeri)/Dimersäuren
– endiandrinici/Endiandrinsäuren
– esuronici/Hexuronsäuren
– F/F-Säuren
– fenolsolfonici/Phenolsulfonsäuren
– fenossicarbonici/Phenoxycarbonsäuren
– filixici/Filixsäuren
– fluorofosforici/Fluorophosphorsäuren
– fosfoglicerici/Phosphoglycerinsäuren
– fostamici/Phostamsäuren
– fumanti/Rauchende Säuren
– glicidici/Glycidsäuren
– grassi/Fettsäuren
– grassi del furano/F-Säuren
– griseolici/Griseolsäuren
– grossi di ricino/Ricinenfettsäuren
– idrossamici/Hydroxamsäuren
– idrossibenzoici/Hydroxybenzoesäuren
– idrossibutirrici/Hydroxybuttersäuren
– idrossicarbossilici/Hydroxycarbonsäuren
– idrossipropionici/Hydroxypropionsäuren
– immidici/Imidsäuren
– isooleici/Isoölsäuren
– letterali/Buchstabensäuren
– lipoteichoici/Lipoteichonsäuren
– lisofosfatidici/Lysophosphatidsäuren
– mercaptopropionici/Mercaptopropionsäuren
– metil-2-butenoici/Methyl-2-butensäuren
– micolici/Mykolsäuren
– minerali/Mineralsäuren
– monobasici/Einbasige Säuren

- naftalencarbossilici/Naphthalincarbonsäuren
- naftalensolfonici/Naphthalinsulfonsäuren
- naftenici/Naphthensäuren
- naftilaminsolfonici/Naphthylaminsulfonsäuren
- naftolsolfonici/Naphtholsulfonsäuren
- nitrobenzoici/Nitrobenzoesäuren
- nucleici/Nucleinsäuren
- nucleici antisenso/Antisense-Nucleinsäuren
- nucleici peptidici/Peptid-Nucleinsäuren
- octosilici/Octosylsäuren
- olivanici/Olivansäuren
- ossocarbossilici/Oxocarbonsäuren
- ossoglutarici/Oxoglutarsäuren
- piperidinici/Piperidincarbonsäuren
- piridossici/Pyridoxsäuren
- poli-α-idrossiacrilici/Poly(α-hydroxyacrylsäuren)
- poliacrilici/Polyacrylsäuren
- poliamici/Polyamidcarbonsäuren
- poliaminopolicarbossilici/Polyaminopolycarbonsäuren
- poliaspartici/Polyasparaginsäuren
- policarbossilici/Polycarbonsäuren
- polietilensolfonici/Polyvinylsulfonsäuren
- poliglicolici/Polyglykolsäuren
- poliglutam(m)ici/Polyglutaminsäuren
- polilattici/Polymilchsäure
- polimaleici/Polymaleinsäure (-Derivate)
- polimetacrilici/Polymethacrylsäuren
- poliparabanici/Polyparabansäuren
- politionici/Polythionsäuren
- polivinilsolfonici/Polyvinylsulfonsäuren
- pseudomonici/Pseudomon(in)säuren
- resinici/Harzsäuren
- ribonucleici/Ribonucleinsäuren
- ribonucleici transfer/Transfer-Ribonucleinsäuren
- saccarici/Zuckersäuren
- sialici/Sialinsäuren
- silicici/Kieselsäuren
- solfenici/Sulfensäuren
- solfinici/Sulfinsäuren
- solfonici/Sulfonsäuren
- stannici/Zinnsäuren
- teicoici/Teichonsäuren
- teicuronici/Teichuronsäuren
- tellurici/Tellursäuren
- tiocarbossilici/Thiocarbonsäuren
- tioidrossamici/Thiohydroxamsäuren
- toluici/Toluylsäuren
- tricarbossilici/Tricarbonsäuren
- trimerici/Trimersäuren
- truxillici/Truxillsäuren u. Truxinsäuren
- truxinici/Truxillsäuren u. Truxinsäuren
- umici/Huminsäuren
- uronici/Uronsäuren
- xantogenici/Xanthogensäuren
- zaragozici/Saragossasäuren
acidimetria/Acidimetrie
acidità/Acidität

acido abietico/Abietinsäure
- abscisico/Abscisinsäure
- acetacetico/Acetessigsäure
- acetico/Essigsäure
- acetilfosforico/Acetylphosphorsäure
- acetilglutam(m)ico/Acetylglutaminsäure
- acetilsalicilico/Acetylsalicylsäure
- acetrizoico/Acetrizoesäure
- aconitico/Aconitsäure
- acrilico/Acrylsäure
- adipico/Adipinsäure
- agaricinico/Agaricinsäure
- alginico/Alginsäure
- allofanico/Allophansäure
- amidosolforico/Amidoschwefelsäure
- amidotrizoico/Amidotrizoesäure
- 1-ammino-ciclopropan-1-carbonico/1-Amino-cyclopropancarbonsäure
- 5-a(m)mino-4-ossovalerianico/5-Amino-4-oxovaleriansäure
- 5-amminobarbiturico/Uramil
- 6-amminoesanoico/6-Aminohexansäure
- 4-amminofenilarsonico/4-Aminophenylarsonsäure
- 4-amminoippurico/4-Aminohippursäure
- 2-amminopimelico/2-Aminopimelinsäure
- p-amminosalicilico/p-Aminosalicylsäure
- anacardico/Anacardsäure
- ...anilico/...anilsäure
- arachidonico/Arachidonsäure
- arachinico/Arachinsäure
- arsenico/Arsensäure
- arsenioso/Arsenige Säure
- arsinico/Arsinsäure
- arsinioso/Arsinige Säure
- arsonico/Arsonsäure
- arsonioso/Arsonige Säure
- L-ascorbico/L-Ascorbinsäure
- aspartico/Asparaginsäure
- azelaico/Azelainsäure
- azetidin-2-carbossilico/Azetidin-2-carbonsäure
- azoisobutirronitrilico/Azoisobutyronitril
- azotidrico/Stickstoffwasserstoffsäure
- barbiturico/Barbitursäure
- benico/Behensäure
- benzensolfonico/Benzolsulfonsäure
- benzilico/Benzilsäure
- benzoico/Benzoesäure
- betulinico/Betulinsäure
- bissoclamico/Byssochlamsäure
- bongkrekico/Bongkreksäure
- borico/Borsäure
- bromico/Bromsäure
- bromidrico/Bromwasserstoffsäure
- bromoacetico/Bromessigsäure
- 2-bromobutirrico/2-Brombuttersäure
- 3-bromocanfora-8-solfonico/3-Bromcampher-8-sulfonsäure
- butenoico/Butensäure
- 4-terz-butilbenzoico/4-tert-Butylbenzoesäure
- butirrico/Buttersäure
- caffeico/Kaffeesäure
- calconcarbossilico/Calconcarbonsäure
- calvatico/Calvatsäure

- canfor-10-solfonico/Campher-10-sulfonsäure
- canforico/Camphersäure
- capronico/Hexansäure
- carbamidico/Carbamidsäure
- carbanilico/Carbanilsäure
- carbonico/Kohlensäure
- ...carbotioico/...thiocarbonsäure
- carminico/Karminsäure
- cerotico/Cerotinsäure
- chaulmoogrico/Chaulmoograsäure
- 2-chinolincarbossilico/2-Chinolincarbonsäure
- chinurenico/Kynurensäure
- cianico/Cyansäure
- cianidrico/Blausäure
- cianurico/Cyanursäure
- cicloesandicarbonico/1,2-Cyclohexandicarbonsäure
- 3-ciclopentilpropionico/3-Cyclopentylpropionsäure
- ciclopiazonico/Cyclopiazonsäure
- cinnammico/Zimtsäure
- citrazinico/Citrazinsäure
- citrico/Citronensäure
- clavulanico/Clavulansäure
- clodronico/Clodronsäure
- cloracetico/Chloressigsäure
- cloranilico/Chloranilsäure
- clorico/Chlorsäure
- cloridrico/Salzsäure
- 4-cloro-o-tolilossiacetico/MCPA
- 4-(4-cloro-o-tolilossi)butirrico/MCPB
- clorogenico/Chlorogensäure
- 3-cloroper(ossi)benzoico/3-Chlorperoxybenzoesäure
- cloroso/Chlorige Säure
- clupano donica/Clupanodonsäure
- colico/Cholsäure
- complicatico/Complicatsäure
- corismico/Chorisminsäure
- o-cresotico/o-Kresotinsäure
- crisantemico/Chrysanthemumsäure
- crisofanico/Chrysophansäure
- cristatico/Cristatsäure
- cromoglicinico/Cromoglicinsäure
- decanoico/Decansäure
- deidroacetico/Dehydracetsäure
- deidrocolico/Dehydrocholsäure
- delta/Dreiecksäure
- deossicolico/Desoxycholsäure
- di Caro/Carosche Säure
- di Lewis/Lewis-Säure
- di Meldrum/Meldrumsäure
- di Winterstein/Wintersteinsäure
- dialurico/Dialursäure
- 4,4'-diammino-2,2'-stilbendisolfonico/4,4'-Diamino-2,2'-stilbendisulfonsäure
- diamminopimelico/Diaminopimelinsäure
- dicloroacetico/Dichloressigsäure
- dietilentriamminopentaacetico/Diethylentriaminpentaessigsäure
- difenico/Diphensäure
- difenilacetico/Diphenylessigsäure
- 4-difenilamminsolfonico/4-Diphenylaminsulfonsäure
- difosforico/Diphosphorsäure(V)
- diglicolico/Diglykolsäure
- dimetilarsinico/Dimethylarsinsäure

- 2,2-dimetilpropionico/2,2-Dimethylpropionsäure
- dinitriladipco/Adipinsäuredinitril
- 3,5-dinitrobenzoico/3,5-Dinitrobenzoesäure
- dipicolinico/Dipicolinsäure
- disolforico/Dischwefelsäure
- disolforoso/Dischweflige Säure
- ditiocarbammico/Dithiocarbamidsäure
- ditionico/Dithionsäure
- djencolico/Djenkolsäure
- domoico/Domoinsäure
- edetico/Edetinsäure
- 5,8,11,14,17-eicosapentaenoico/5,8,11,14,17-Eicosapentaensäure
- elaeostearico/Elaeostearinsäure
- elaidinico/Elaidinsäure
- ellagico/Ellagsäure
- ematico/Hämatinsäure
- embonico/Embonsäure
- emimellitico/Hemimellit(h)säure
- enantico/Oenanthsäure
- erucico/Erucasäure
- esacloro-endometilen-tetraidroftalico/HET-Säure
- esanoico/Hexansäure
- etacrinico/Etacrynsäure
- etidronico/Etidronsäure
- 2-etilbutirrico/2-Ethylbuttersäure
- etildiamminetetraacetico/Ethylendiamintetraessigsäure
- 2-etilesanoico/2-Ethylhexansäure
- fenilacetico/Phenylessigsäure
- fenilboronico/Phenylboronsäure
- fenilpiruvico/Phenylbrenztraubensäure
- fenossiacetico/Phenoxyessigsäure
- fitanico/Phytansäure
- fitico/Phytinsäure
- flufenamminico/Flufenaminsäure
- fluoridrico/Flußsäure
- fluoroacetico/Fluoressigsäure
- fluoroantimonico/Fluoroantimonsäure
- fluoroborico/Fluoborsäure
- fluorosilicico/Fluorokieselsäure
- fluorosolforico/Fluoroschwefelsäure
- folico/Folsäure
- folinico/Folinsäure
- formammidinsolfinico/Formamidinsulfinsäure
- formico/Ameisensäure
- fosfinico/Phosphinsäure
- fosfinoso/Phosphinige Säure
- fosfonico/Phosphonsäure
- 2-fosfonobutan-1,2,4-tricarbossilico/2-Phosphonobutan-1,2,4-tricarbonsäure
- fosfonoso/Phosphonige Säure
- fosforico/Phosphorsäure
- fosforoso/Phosphorige Säure
- ftalico/Phthalsäure
- fulminico/Knallsäure
- fumarico/Fumarsäure
- -2-furancarbossilico/2-Furancarbonsäure
- fusidico/Fusidinsäure
- gadopentetico/Gadopentetsäure
- galatturonico/Galacturonsäure
- gallico/Gallussäure
- gelsomonico/Jasmonsäure
- geranico/Geraniumsäure
- gibberellico/Gibberellinsäure
- gimnemaco/Gymnemasäure(n)
- glicerico/Glycerinsäure

Italiano

- glicirretinico/Glycyrrhetinsäure
- glicocolico/Glykocholsäure
- glicolico/Glykolsäure
- gliossilico/Glyoxylsäure
- glucarico/Glucarsäure
- glucoeptonico/Glucoheptonsäure
- D-gluconico/D-Gluconsäure
- D-glucuronico/D-Glucuronsäure
- glutammico/Glutaminsäure
- glutarico/Glutarsäure
- gomfidico/Gomphidsäure
- ialuronico/Hyaluronsäure
- ibotenico/Ibotensäure
- idnocarpico/Hydnocarpussäure
- idrocinnamico/Hydrozimtsäure
- idroclorico/Salzsäure
- 3-idrossi-2-naftoico/3-Hydroxy-2-naphthoesäure
- (E)-2-idrossicinnamico/(E)-2-Hydroxyzimtsäure
- 4-idrossiglutammico/4-Hydroxyglutaminsäure
- idrossilammina-O-solfonico/Hydroxylamin-O-sulfonsäure
- idrossimetanosolfinico/Hydroxymethansulfinsäure
- 12-idrossistearico/12-Hydroxystearate
- idrotellurico/Tellurwasserstoff
- L-iduronico/L-Iduronsäure
- illurinico/Illurinsäure
- 3-indolilacetico/3-Indolylessigsäure
- iobenzamico/Iobenzaminsäure
- iocarmico/Iocarminsäure
- iocetamico/Iocetaminsäure
- iodico/Iodsäure
- iodidrico/Iodwasserstoffsäure
- iodoacetico/Iodessigsäure
- 2-iodosilbenzoico/2-Iodosylbenzoesäure
- iodoxamico/Iodoxaminsäure
- ioglicamico/Ioglycaminsäure
- ioglicico/Ioglicinsäure
- iopanoico/Iopansäure
- iopodinico/Iopodinsäure
- iopronico/Iopronsäure
- iossaglico/Ioxaglinsäure
- iossitalamico/Ioxitalaminsäure
- iotalamico/Iotalaminsäure
- iotroxico/Iotroxinsäure
- ipobromoso/Hypobromige Säure
- ipocloroso/Hypochlorige Säure
- iponitroso/Hyposalpetrige Säure
- ippurico/Hippursäure
- irsutico/Hirsutsäure
- isetionico/Isethionsäure
- isoascorbico/Isoascorbinsäure
- isocianico/Isocyansäure
- isocitrico/Isocitronensäure
- isoftalico/Isophthalsäure
- isonicotinico/Isonicotinsäure
- isononanoico/Isononansäure
- isoottanoico/Isooctansäure
- isopimarico/Isopimarsäure
- itaconico/Itaconsäure
- jalapinolico/Jalapinolsäure
- kojico/Kojisäure
- laccaico/Laccainsäure
- lattico/Milchsäure
- lattobionico/Lactobionsäure
- laurico/Laurinsäure
- lecanorico/Lecanorsäure
- levulinico/Lävulinsäure
- ligninsolfonico/Ligninsulfonsäure
- linoleico/Linolsäure
- linolenico/Linolensäure
- linolico/Linolsäure
- liponico/Liponsäure
- lisalbinico/Lysalbinsäure
- lisergico/Lysergsäure
- litocolico/Lithocholsäure
- lupinico/Lupinsäure
- magico/Magische Säure
- maleico/Maleinsäure
- malico/Äpfelsäure
- malonico/Malonsäure
- malvaliaco/Malvaliasäure
- mandelico/Mandelsäure
- marasmico/Marasminsäure
- margarico/Margarinsäure
- meconico/Mekonsäure
- medicagenico/Medicagensäure
- mefenamico/Mefenaminsäure
- mellitico/Mellit(h)säure
- 2-mercaptobenzoico/2-Mercaptobenzoesäure
- mesossalico/Mesoxalsäure
- metacrilico/Methacrylsäure
- metafosforico/Metaphosphorsäure
- metansolfonico/Methansulfonsäure
- metasilicico/Metakieselsäure
- 3-metilbutirrico/3-Methylbuttersäure
- metilfumarico/Methylfumarsäure
- metilmaleico/Methylmaleinsäure
- -metossi-(trifluorometil)-fenilacetico/MTPA
- 4-metossibenzoico/4-Methoxybenzoesäure
- mevalonico/Mevalonsäure
- micofenolico/Mycophenolsäure
- miristico/Myristinsäure
- 12-molibdatofosforico/12-Molybdatophosphorsäure
- montano/Montansäure
- mucico/Schleimsäure
- muconico/Muconsäure
- muramico/Muraminsäure
- muriatico/Muriatische Säure, Salzsäure
- N-(2-idrossietil)-etilendiamminotriacetico/HEDTA
- naftalenacetico/1-Naphthalinessigsäure
- 2-naftilossiacetico/2-Naphthyloxyessigsäure
- nalidixico/Nalidixinsäure
- neosilvico/Neoabietinsäure
- neuramico/Neuraminsäure
- nicotinico/Nicotinsäure
- niflumico/Nifluminsäure
- nitrico/Salpetersäure
- nitrilotriacetico/NTA
- 5-nitrobarbiturico/5-Nitrobarbitursäure
- nitrosilsolforico/Nitrosylschwefelsäure
- nitroso/Salpetrige Säure
- nordiidroguaiaretico/Nordihydroguajaretsäure
- nudico/Nudinsäure
- okadaico/Okadainsäure
- oleanolico/Oleanolsäure
- oleico/Ölsäure
- omogentisico/Homogentisinsäure
- omovanillico/Homovanilinsäure
- ...onico/...onsäure
- orotico/Orotsäure
- orsellinico/Orsellinsäure
- ossalico/Oxalsäure
- 2-ossobutirrico/2-Oxobuttersäure
- ossolinico/Oxolinsäure
- ossosuccinico/Oxobernsteinsäure
- ottanoico/Octansäure
- palmitico/Palmitinsäure
- palustrico/Palustrinsäure
- pamidronico/Pamidronsäure
- pantotenico/Pantothensäure
- parabanico/Parabansäure
- pectico/Pektinsäure
- pelargonico/Pelargonsäure
- pentanoico/Valeriansäure
- per accumulatori/Akkumulatorensäure
- perclorico/Perchlorsäure
- periodico/Periodsäure
- perossiacetico/Peroxyessigsäure
- perossibenzoico/Peroxybenzoesäure
- perossiformico/Peroxyameisensäure
- perossodisolforico/Peroxodischwefelsäure
- petroselinico/Petroselinsäure
- picolinico/Picolinsäure
- picramico/Pikraminsäure
- picrico/Pikrinsäure
- picrolonico/Pikrolonsäure
- pimelico/Pimelinsäure
- pipemidico/Pipemidsäure
- pirogallico/Pyrogallol
- piroglutam(m)ico/Pyroglutaminsäure
- piromellitico/Pyromellit(h)säure
- piromidico/Piromidsäure
- piruvico/Brenztraubensäure
- podocarpico/Podocarpinsäure
- poli-β-idrossibutirrico/Polyhydroxybuttersäure
- polifosforico/Polyphosphorsäure
- poliporico/Polyporsäure
- prefenico/Prephensäure
- 1,2,3-propantricarbossilico/1,2,3-Propantricarbonsäure
- propiolico/Propiolsäure
- propionico/Propionsäure
- prussico/Blausäure
- pulvinico/Pulvinsäure
- quadratico/Quadratsäure
- quisqualico/Quisqualsäure
- 3-(R)-tiomorfolino-3-carbossilico/(R)-Thiomorpholin-3-carbonsäure
- rarefatto/Dünnsäure
- retigeranico/Retigeransäure
- ricinoleico/Ricinolsäure
- rodizonico/Rhodizonsäure
- rosmarinico/Rosmarinsäure
- salicilico/Salicylsäure
- scichimico/Shikimisäure
- sebacico/Sebacinsäure
- selenico/Selensäure
- selenoso/Selenige Säure
- siaresinolico/Siaresinolsäure
- siringico/Syringasäure
- solfammico/Sulfamidsäure
- solfidrico/Schwefelwasserstoff
- solfocromico/Chromschwefelsäure
- solforico/Schwefelsäure
- solforoso/Schweflige Säure
- solfosalicilico/5-Sulfosalicylsäure
- solfossilico/Sulfoxylsäure
- sorbico/Sorbinsäure
- sozoiodolico/Sozoiodolsäure
- spaglumico/Spagluminsäure
- stearico/Stearinsäure
- sterculico/Sterculiasäure
- stifnico/Styphninsäure
- suberico/Korksäure
- succinico/Bernsteinsäure
- tartarico/Weinsäure
- tartronico/Tartronsäure
- taurocolico/Taurocholsäure
- tenuazonico/Tenuazonsäure
- tereftalico/Terephthalsäure
- tetraborico/Tetraborsäure
- tetracosanoico/Tetracosansäure
- (Z)-15-tetracosenoico/(Z)-15-Tetracosensäure
- tetraidrofolico/Tetrahydrofolsäure
- tetramico/Tetramsäure
- tetronico/Tetronsäure
- tiaprofenico/Tiaprofensäure
- tiludronico/Tiludronsäure
- o-timot(in)ico/o-Thymotinsäure
- tioacetico/Thioessigsäure
- 2-tiobarbiturico/2-Thiobarbitursäure
- tiocianico/Thiocyansäure
- 2,2′-tiodiacetico/2,2′-Thiodiessigsäure
- 3,3′-tiodipropionico/3,3′-Thiodipropionsäure
- tioglicolico/Thioglykolsäure
- tiomalico/Thioäpfelsäure
- tiosolforico/Thioschwefelsäure
- p-toluensolfonico/p-Toluolsulfonsäure
- tranesamico/Tranexamsäure
- traumatico/Traumatinsäure
- triacontanoico/Triacontansäure
- triangolare/Dreiecksäure
- tricloroacetico/Trichloressigsäure
- tricloroisocianurico/Trichlorisocyanursäure
- tricolomico/Tricholomsäure
- trifluoroacetico/Trifluoressigsäure
- trifluorometansolfonico/Trifluormethansulfonsäure
- trimellitico/Trimellit(h)säure
- trimesico/Trimesinsäure
- tritiocarbonico/Trithiokohlensäure
- tritionico/Trithionsäure
- tropico/Tropasäure
- 12-tungstofosforico/12-Wolframatophosphorsäure
- 12-tungstosilicico/12-Wolframatokieselsäure
- undecanoico/Undecansäure
- 10-undecenoico/10-Undecensäure
- urico/Harnsäure
- urocanico/Urocansäure
- ursodesossicolico/Ursodeoxycholsäure
- ursolico/Ursolsäure
- usnico/Usninsäure
- vaccenico/Vaccensäure
- valerianico/Valeriansäure
- valproico/Valproinsäure
- vanillico/Vanillinsäure
- variegatico/Variegatsäure
- vernolico/Vernolsäure
- vinilsolfonico/Vinylsulfonsäure
- violurico/Violursäure
- vulpinico/Vulpinsäure
- 12-wolframatofosforico/12-Wolframatophosphorsäure
- 12-wolframatosilicico/12-Wolframatokieselsäure
- wolframico/Wolframsäure
- xerocomico/Xerocomsäure

acidofilo/Acidophil
acidolegami/Acidoliganden
acidosi/Azidose
- lattico/Lactat-Acidose
acifluorfene/Acifluorfen
acil.../Acyl...
acilamminoalcansolfonati/Fettsäuretauride

acilasi/Acylasen
acilazione/Acylierung
acilidrazidi/Säurehydrazide
aciloin-condensazione/Acyloin-Kondensation
aciloini/Acyloine
acilossi…/Acyloxy…
acino chinico/Chinasäure
acipimox/Acipimox
acitretina/Acitretin
acivicina/Acivicin
aclarubicina/Aclarubicin
aclonifene/Aclonifen
acne/Akne
aconina/Aconin
aconitasi/Aconitase
aconitina/Aconitin
aconito/Eisenhut
acqua/Wasser
– d'alimentazione/Speisewasser
– del terreno/Bodenwasser
– della caldaia/Kesselwasser
– di Colonia/Eau de Cologne, Kölnisch Wasser
– di costituzione/Konstitutionswasser
– di cristallizzazione/Kristallwasser
– di fonte/Quellwasser
– di infiltrazione/Sickerwasser
– di iodico/Iodwasser
– di Javelle/Eau de Javelle
– di Labarraque/Eau de Labarraque
– di profumo/Eau de Parfum
– di rifiuto/Abwasser
– di rose/Rosenwasser
– di zagara/Orangenblütenwasser
– distillata/Destilliertes Wasser
– dolce/Süßwasser
– estranea/Fremdwasser
– industriale/Brauchwasser
– iuvenile/Juveniles Wasser
– madre/Mutterlauge
– marina/Meerwasser
– minerale/Mineralwasser
– minerale (gassata)/Sprudel
– ossigenata/Wasserstoffperoxid
– per saldare/Lötwasser
– pesante/Deuteriumoxid
– potabile/Trinkwasser
– purificata/Reinstwasser
– raccoltasi in una miniera/Grubenwasser
– ragia di legno/Holzterpentinöl
– regia/Königswasser
– salina/Sole
– salmastra/Brackwasser
– salsa/Sole
– solfocalcaria/Schwefelkalkbrühe
– sorgiva/Quellwasser
– sorgiva di granturco/Maisquellwasser
– sotterranea/Grundwasser
– superficiale/Oberflächenwasser
– tonica/Tonic Water
acquacoltura/Aquakultur
acquaiamicina/Aquayamycin
acquametria/Aquametrie
acquate ossidriche/Oxidaquate
acquavite/Aquavit, Weinbrand
– di frutta/Obstbranntwein
– di grano/Korn
acque/Gewässer
– da tavola/Tafelwässer
– di chinina/Chinin-Wässer
– di scarico/Schmutzwasser
– ferruginose/Eisensäuerlinge
– minerali acidule/Säuerlinge
– minerali amare/Bitterwässer
– termali/Thermalwässer
acquossidi/Aquoxide

acquotizzazione/Aquotisierung
acrasine/Acrasine
acridina/Acridin
acrilammide/Acrylamid
acrilati di polietile/Polyethylacrylate
acrilato di 2-idrossietile/(2-Hydroxyethyl)-acrylat
– di 2-idrossipropile/(2-Hydroxypropyl)-acrylat
– di metile/Methylacrylat
acrilnitril-butadien-stirol-copolimeri/Acrylnitril-Butadien-Styrol-Copolymere
acrilnitrile/Acrylnitril
acrinatrina/Acrinathrin
acroleina/Acrolein
acrosina/Akrosin
acrosoma/Akrosom
actea/Christophskraut
actinochinolo/Actinoquinol
actinomiceti/Actinomyceten
actinoviridina/Actinoviridin A
acustica/Akustik
adacidina/Hadacidin
1-adamantanammina/1-Adamantanamin
adamantano/Adamantan
adamina/Adamin
adamsite/Adamsit
adattamento/Adaptation
adattatori/Reduzierstücke
adattogeni/Adaptogene
adattore/Adaptor
addensanti/Verdickungsmittel
additivi/Additive, Stellmittel, Zuschläge, Zuschlagstoffe
– alimentari/Lebensmittelzusatzstoffe, Zusatzstoffe
– da foraggio/Futtermittelzusatzstoffe
– del caffè/Kaffeezusätze
– di calcestruzzo/Betonzusatzmittel
– di compressione/Seal-Hilfsmittel
– di lavorazione/Verarbeitungsadditive
– in uso/Gebrauchsadditive
– per formare microbolle nel calcestruzzo/Luftporenbildner
– per l'insilamento/Silierungsmittel
– per oli minerali/Mineralöladditive
additivo antigelo/Anti-icing-Mittel
– detergente di rinforzo/Verstärker
addizione/Addition
– aldolica/Aldol-Addition
– di Michael/Michael-Addition
addolcimento della benzina/Süßung des Benzins
– dell'acqua/Wasserenthärtung
addressine/Adressine
adducina/Adducin
adenilato chinasi/Adenylat-Kinase
– ciclasi/Adenylat-Cyclase
adenina/Adenin
– arabinoside/Adeninarabinosid
S-adenosilmetionina/S-Adenosylmethionin
adenosina/Adenosin
– -5'-difosfato/Adenosin-5'-diphosphat
– fosfato/Adenosinphosphat
– -3'-monofosfato/Adenosin-3'-monophosphat
– -3',5'-monofosfato/Adenosin-3',5'-monophosphat
– -5'-monofosfato/Adenosin-5'-monophosphat

– -5'-trifosfato/Adenosin-5'-triphosphat
adenosinatrifosfatasi/Adenosintriphosphatasen
adenovirus/Adenoviren
aderenza/Adhäsion
adesine/Adhäsine
adesivi/Klebstoffe
– a due componenti/Zweikomponentenklebstoffe
– a pressione/Haftklebstoffe
– acrilici/Acrylat-Klebstoffe
– anaerobici/Anaerobe Klebstoffe
– cianoacrilatici/Cyanacrylat-Klebstoffe
– di contatto/Kontaktklebstoffe
– di fusione/Schmelzklebstoffe
– di reazione/Reaktionsklebstoffe
– di rivestimento con fibre/Beflockungsklebstoffe
– medicinali/Medizinische Klebstoffe
– reattivi termoindurenti/Warmhärtende Reaktionsklebstoffe
– strutturali/Strukturklebstoffe
– temporanei/Temporärkleber
– termosaldabili/Heißsiegelklebstoffe
– universali/Alleskleber
adesività/Zügigkeit
adesivo/Adhäsiv, Kleber, Kleblack
– osseo/Knochenklebstoff
– per suole/Sohlenkleber
adipato di diottile/Dioctyladipat
adipiodone/Adipiodon
adiposità/Fettsucht
adonide/Adonisröschen
ADP-ribosilazione/ADP-Ribosylierung
– -ribosio ciclico/Cyclische ADP-Ribose
L-adrenalina/L-Adrenalin
adrenalone/Adrenalon
adrenergico/Adrenerg
adrenocettori/Adrenozeptoren
adrenocromo/Adrenochrom
adrenolitici/Adrenolytika
adrenosterone/Adrenosteron
adroni/Hadronen
adsorbenti/Adsorbentien
adsorbimento/Adsorption
– filtrante/Filtrierende Adsorption
AED/AED
aeratore ad immersione o ad azione/Tauchstrahlbelüfter
– di superficie/Oberflächenbelüfter
aerazione/Lüftung
– a pressione/Druckbelüftung
– tramite eiettore/Ejektorbelüftung
aerobi/Aerobier
aerosol/Aerosole
aerosol aspirabili/Einatembare Aerosole
aerotollerante/Aerotolerant
affilatura/Schliffe
affinaggio/Feinen, Herdfrischen, Vergüten
affinazione/Frischen, Läutern, Seigerungen
– al vento/Windfrischen
– di carbone/Kohleveredlung
– di polimeri/Veredelung von Polymeren
– tessile/Textilveredlung
affinità/Affinität
– elettronica/Elektronenaffinität
– protonica/Protonenaffinität
affresco/Fresko
affumicamento/Räuchern
aficidi/Aphizide
aficidolina/Aphidicolin

aflatossine/Aflatoxine
afnio/Hafnium
afrite/Schaumkalk
afrodisiaci/Aphrodisiaka
afrormosia/Afrormosia
afwillite/Afwillit
agar(-agar)/Agar(-Agar)
agar tubetto inclinato/Schrägagar-Röhrchen
agaritina/Agaritin
agarofurani/Agarofurane
agar(osi)gel-elettroforesi/Agar(ose)-Gel-elektrophorese
agarosio/Agarose
agartest di diffusione/Agardiffusionstest
agata/Achat
– muschiata/Moosachat
agente/Agens
– acidificante/Säurungsmittel
– aderente/Haftmittel
– aderente di base/Haftgrundmittel
– antiaffaticante/Ermüdungsschutzmittel
– antiappannante/Beschlagverhinderungsmittel
– antiblocco/Antiblock(ing)mittel
– anticoncepiente/Antikonzeptionsmittel
– antimalarico/Antimalariamittel
– antipelle/Antihautmittel
– antischiuma/Entschäumer
– che migliora l'odore/Geruchsverbesserungsmittel
– chi rende impermeabile il calcestruzzo/Betondichtungsmittel
– complessante/Komplexbildner
– curativo per fiori/Blumenpflegemittel
– detonante/Zündmittel
– di alta affinazione/Hochveredlungsmittel
– di conservazione per fiori/Blumenfrischhaltemittel
– di controllo della carica/Ladungssteuermittel
– di copertura/Abdeckmittel
– di trattamento superficiale/Oberflächenbehandlungsmittel
– d'imbozzimatura/Schlichte
– d'inclusione/Einbettungsmittel
– disassuefacente al tabacco/Tabakentwöhnungsmittel
– flocculante/Flockungsmittel
– gonfiante/Blähmittel
– indemagliabile/Maschenfestmittel
– liquefacente di calcestruzzo/Betonverflüssiger
– livellante/Verlaufmittel
– per il rivestimento/Entschalungsmittel
– per imbozzimatura del cuoio/Lederzurichtmittel
– riducente/Reduktionsmittel
– rimorchiatore/Schleppmittel
– schiarante per la microscopia/Aufhellungsmittel für Mikroskopie
agenti abbassando l'infeltrirsi/Filzfreiausrüstung
– affinanti d'acciaio/Stahlveredler
– alchilanti/Alkylantien
– anabolizzanti/Masthilfsmittel
– antigonfianti/Quellfestmittel
– antiinfettivi/Antiinfektiva
– antilentiggini/Sommersprossenmittel
– antiaggrumanti/Rieselhilfen

Italiano

- antislittanti/Schiebefestmittel
- bioattivi a basso peso molecolare/Niedermolekulare Wirkstoffe
- cancerogeni/Krebserzeugende Stoffe
- coleretici/Choleretika
- coloranti/Farbmittel
- curativi di tapeti/Teppichpflegemittel
- da fiuto/Schnüffelstoffe
- di addizione d'acciaio/Stahlveredler
- di avvizzimento/Welkstoffe
- eguaglianti/Egalisiermittel
- emulsionanti/Emulgatoren
- legati ai polimeri/Polymergebundene Wirkstoffe
- lievitanti/Teiglockerungsmittel
- nucleanti/Nukleationsmittel
- sconcertanti/Wirrstoffe
- separatori/Trennmittel
- sigillatori per parquet/Parkettversiegelungsmittel
- solubilizzanti/Lösungsvermittler
- tensioattivi/Grenzflächenaktive Stoffe
- teratogeni/Teratogene

aggiunta di calcestruzzo/Betonzuschlag
aggiunte/Zuschläge, Zuschlagstoffe
agglomerati/Agglomerate
agglutinanti/Agglutinine
agglutinazione/Agglutination
aggregazione/Aggregation
aggressivi binari/Binäre Kampfstoffe
- chimici/Kampfstoffe
- chimici croce bianca/Weißkreuzkampfstoffe

aghi delle siringhe/Kanülen
agitare/Rühren
agitatore meccanico Intermig/Intermig®-Rührer
agliconi/Aglykone
agnocasto/Mönchspfeffer
agonisti/Agonist
agrifoglio/Stechpalme
agrimonia/Odermennig
agrina/Agrin
agrobatteri/Agrobakterien
agropirene/Agropyren
agrumi/Agrumen, Citrusfrüchte
AIDS/AIDS
aimalicina/Ajmalicin
aimalina/Ajmalin
aioli germinali di grano/Getreidekeimöle
aiutanti/Adjuvans
aiuti di costruzione/Bauhilfsmittel
alabandina/Alabandin
alabastro/Alabaster
alacloro/Alachlor
alambicchi per filtraggio/Saugflaschen
alambicco/Kolben
- a fondo piatto/Stehkolben
- di Saybolt/Sayboltkolben
- Kjeldahl/Kjeldahl-Kolben

alambico Erlenmeyer/Erlenmeyerkolben
alanati/Alanate
alani/Alane
alanina/Alanin
alanosina/L-Alanosin
alanycarb/Alanycarb
alazone/Halazon
albendazolo/Albendazol
albero corallo/Korallenbäumchen

- nim/Nimbaum

albicocche/Aprikosen
albinismo/Albinismus
- parziale/Teilalbinismus

albociclina/Albocyclin
albolite/Sorelzement
albomicina/Albomycine
albumine/Albumine
alcali/Alkalien
- caustici/Kaustische Alkalien

alcalimetria/Alkalimetrie
alcaloide del cataranto roseo/Catharanthus roseus-Alkaloide
alcaloidi/Alkaloide
- dei dendrobati/Dendrobates-Alkaloide
- del benzilisochinolina/Benzylisochinolin-Alkaloide
- del briozoi/Bryozoen-Alkaloide
- del cactus/Kaktus-Alkaloide
- del cactus lofofora/Lophophora-Alkaloide
- del carbazolo/Carbazol-Alkaloide
- del coridale/Corydalis-Alkaloide
- del diterpene/Diterpen-Alkaloide
- del licopodio/Lycopodium-Alkaloide
- del lupino/Lupinen-Alkaloide
- del pino/Pinus-Alkaloide
- del pirroloindolo/Pyrroloindol-Alkaloide
- del tabacco/Tabak-Alkaloide
- del tropano/Tropan-Alkaloide
- dell' aspidosperma/Aspidosperma-Alkaloide
- della bisbenzilisochinolina/Bisbenzylisochinolin-Alkaloide
- della china/China-Alkaloide
- della chinolina/Chinolin-Alkaloide
- della chinolizidina/Chinolizidin-Alkaloide
- della corynanthe/Corynanthe-Alkaloide
- della cularina/Cularin-Alkaloide
- della daphniphyllum/Daphniphyllum-Alkaloide
- della elaeocarpus/Elaeocarpus-Alkaloide
- della iboga/Iboga-Alkaloide
- della Lobelia/Lobelia-Alkaloide
- della mesembrina/Mesembrina-Alkaloide
- della morfina/Morphin-Alkaloide
- della piperidina/Piperidin-Alkaloide
- della pirrolizidina/Pyrrolizidin-Alkaloide
- della protoberberina/Protoberberin-Alkaloide
- della protopina/Protopin-Alkaloide
- della rauwolfia/Rauwolfia-Alkaloide
- della roeadina/Rhoeadin-Alkaloide
- della securinega/Securinega-Alkaloide
- della segala cornuta/Ergot-Alkaloide
- della stemona/Stemona-Alkaloide
- della Strychnos/Strychnos-Alkaloide
- della tilofora/Tylophora-Alkaloide
- della vinca/Vinca-Alkaloide
- dell' amarillidacee/Amaryllidaceen-Alkaloide

- dell'anahalonium/Anhalonium-Alkaloide
- dell'ancistrocladus/Ancistrocladus-Alkaloide
- dell'aristotelia/Aristotelia-Alkaloide
- delle pavine/Pavin- u. Isopavin-Alkaloide
- delle salamandre/Salamander-Alkaloide
- dell'eliotropo/Heliotropium-Alkaloide
- dell'eritrina/Erythrina-Alkaloide
- dell'erythrophleum/Erythrophleum-Alkaloide
- dell'imidazolo/Imidazol-Alkaloide
- dell'indolizidina/Indolizidin-Alkaloide
- dell'indolo/Indol-Alkaloide
- dell'ipecacuana/Ipecacuanha-Alkaloide
- dell'ipomoea/Ipomoea-Alkaloide
- dell'isochinolina/Isochinolin-Alkaloide
- dell'oppio/Opium-Alkaloide
- di coca/Coca-Alkaloide
- di conio/Conium-Alkaloide
- di efedra/Ephedra-Alkaloide
- peptidici/Peptid-Alkaloide
- steroidei/Steroidalkaloide
- steroidei delle solanacee/Solanum-Steroidalkaloide

alcalosi/Alkalose
alcani/Alkane
alcannina/Alkannin
alcanolammidi grasse/Fettsäurealkanolamide
alcanolammine/Alkanolamine
alcanoli/Alkanole
alcantioli/Alkanthiole
alcheni/Alkene
alchil.../Alkyl...
alchilalogenuri/Alkylhalogenide
N-alchilammidi/N-Alkylamide
alchilammine/Alkylamine
alchilaril.../Alkylaryl...
alchilarilsolfonati/Alkylarensulfonate
alchilazione/Alkylierung
alchilbenzeni/Alkylbenzole
alchilbenzensolfonati/Alkylbenzolsulfonate
alchilbenzoli/Alkylbenzole
alchilfenoli/Alkylphenole
alchili metallici/Metallalkyle
alchiliden.../Alkyliden...
alchilidenazione/Alkylidenierung
alchilnaftalinsolfonati/Alkylnaphthalinsulfonate
alchilpoliglucosidi/Alkylpolyglucoside
alchilsolfati/Alkylsulfate
alchimilla/Frauenmantel
alchini/Alkine
alcinonide/Halcinonid
alclometasone/Alclometason
alcloxa/Alcloxa
alcol palmitoleico/Palmitoleylalkohol
alcoli/Alkohole
alcolici/Spirituosen
alcolimetro/Alkoholometer
alcolismo/Alkoholismus
alcoloidi steroidei del veratro/Veratrum-Steroidalkaloide
alcolometro/Alkoholometer
alcool/Alkohol
- agricolo/Agraralkohol
- p-anisico/p-Anisalkohol
- benzilico/Benzylkohol

- cetilstearilico/Cetylstearylalkohol
- cinnamico/Zimtalkohol
- di patchouli/Patchoulialkohol
- diacetonico/Diacetonalkohol
- furfurilico/Furfurylalkohol
- idrocinnamico/Hydrozimtalkohol
- salicilico/Salicylalkohol
- sinaplico/Sinapylalkohol
- tetraidrofurfurilico/Tetrahydrofurfurylalkohol
- vinilico/Vinylalkohol

alcoolati/Alkoholate
- d'alluminio/Aluminiumalkoholate
- di sodio/Natriumalkoholate

alcoli di cera/Wachsalkohole
- di Ziegler/Ziegler-Alkohole
- di zucchero/Zuckeralkohole
- grassi/Fettalkohole
- polivinilici/Polyvinylalkohole

alcolisi/Alkoholyse
alcoolpoliglicoleteri grassi/Fettalkoholpolyglykolether
alcoolpoliglicoletersolfati grassi/Fettalkoholpolyglykolethersulfate
alcoolsolfati grassi/Fettalkoholsulfate
alcossi.../Alkoxy...
aldeide p-anisico/p-Anisaldehyd
- cinnamica/Zimtaldehyd
- -deidrogenasi/Aldehyd-Dehydrogenasen
- di Zincke/Zincke-Aldehyd
- idratropico/2-Phenylpropionaldehyd
- idrocinnamico/Hydrozimtaldehyd
- salicilica/Salicylaldehyd
- veratrico/Veratrumaldehyd

aldeidi/Aldehyde
- di Strecker/Strecker-Aldehyde
- fenolici/Phenolaldehyde
- grassi/Fettaldehyde

aldesulfone di sodio/Aldesulfon-Natrium
aldicarb/Aldicarb
aldimorph/Aldimorph
aldite/Aldite
aldo.../Aldo...
aldocheteni/Aldoketene
aldochetosi/Aldoketosen
aldoesosi/Aldohexosen
aldolasi/Aldolasen
aldoli/Aldole
aldolo/Aldol
aldopentosi/Aldopentosen
aldosi/Aldosen
aldosio-reduttasi/Aldose-Reduktase
aldosterone/Aldosteron
aldrina/Aldrin
...ale/...al
alendronato/Alendronat
alessine/Alexine
alfa-cipermetrina/Alpha-Cypermethrin
alfabeto greco/Griechisches Alphabet
alfacalcidolo/Alfacalcidol
alfadolone/Alfadolon
alfassolone/Alfaxolon
alfentanile/Alfentanil
alfuzosin/Alfuzosin
alghe/Algen
alghecidi/Algizide
alginati/Alginate
alginato di calcio/Calciumalginat
- di sodio/Natriumalginat

alglucerasi/Alglucerase

alici/Sardellen
alilmentari/Nahrungsmittel
alimenazina/Alimemazin
alimentari/Lebensmittel
– dietetici/Diätetische Lebensmittel
alimentazione/Ernährung
– a base di vegetali crudi/Rohkost
– dello sportivo/Sporternährung
alizapride/Alizaprid
alizarina/Alizarin
allanite/Allanit
allantoina/Allantoin
allarme di smog/Smog-Alarm
allele/Allel
allelopatia/Allelopathie
allelopatici/Allelopathika
allene/Allen
allergeni/Allergene
allergia/Allergie
allergie alimentari/Lebensmittelallergien
allicina/Allicin
alliina/Alliin
allil…/Allyl…
allilalcool/Allylalkohol
allilammina/Allylamin
allilbromuro/Allylbromid
allilcloruro/Allylchlorid
allilestrenolo/Allylestrenol
allilisotiocianato/Allylisothiocyanat
allilossi…/Allyloxy…
alliltiourea/Allylthioharnstoff
allo…/Allo…
allobarbitale (allobarbiturico)/Allobarbital
allochromasia/Allochromasie
alloctono/Allothigen
allofanati/Allophanate
allofani/Allophane
allomeria/Allomerie
allomoni/Allomone
allomorfismo/Paramorphose
allopatia/Allopathie
allopatria/Allopatrie
allopurinolo/Allopurinol
alloro/Lorbeer
allosamidina/Allosamidin
allossano/Alloxan
allossantina/Alloxantin
allossazina/Alloxazin
allosteria/Allosterie
allotriomorfia/Allotriomorphie
alloysite/Halloysit
allucinogeni/Halluzinogene
allume/Alaun
– cromico/Chromalaun
– d' ammonio/Ammoniumalaun
allumi/Alaune
– di calcio/Calciumaluminate
– di sodio/Natriumaluminate
alluminato di potassio/Kaliumaluminat
alluminio/Aluminium
alluminizzare/Aluminieren
alluminotermia/Aluminothermie
allumite/Alunit
almirogenico/Halmyrogen
almitrina/Almitrin
alo…/Halo…
alobatteri/Halobakterien
alocarban/Halocarban
alocromia/Halochromie
aloe/Aloe
alofite/Halophyten
aloformi/Haloforme
alogenazione/Halogenierung
alogeni/Halogene
alogenoaldeidi/Halogenaldehyde
alogenoammine/Halogenamine
alogenochetoni/Halogenketone
alogenolisi/Halogenolyse
alogenuri/Halogenide
– degli acidi/Säurehalogenide
– di azoto/Stickstoffhalogenide
– di idrossido/Hydroxidhalide
– di selenio/Selenhalogenide
– di tionile/Thionylhalogenide
aloidrine/Halohydrine
alometasone/Halometason
alone/Halo
aloni/Halone
aloperidolo/Haloperidol
aloperossidasi/Haloperoxidasen
aloprogina/Haloprogin
alorodopsina/Halorhodopsin
alossifop-etossietile/Haloxyfopethoxyethyl
alotano/Halothan
alotrichite/Halotrichit
alpaca/Alpaka
alpacca/Neusilber
– di Parker/Parkers Neusilber
alprenololo/Alprenolol
alprostadile/Alprostadil
alquinolo/Halquinol
alta biologia/Hochbiologie
altea/Eibischwurzel
alteplase/Human-Plasminogen-Aktivator
alterazione/Verwitterung
alternativa agli esperimenti sugli animali/Tierversuche, Alternativen
alti polimeri/Hochpolymere
altoforno/Hochofen
altretammina/Altretamin
altro-/altro-
altruismo/Altruismus
amalgama d' ammonio/Ammoniumamalgam
– di sodio/Natriumamalgam
amalgami/Amalgame
– d' argento/Silberamalgame
amamelina/Hamamelis
amanite/Knollenblätterpilze
amanitine/Amanitine
amaranto/Amarant
amari/Bittstoffe
amaro digestivo/Magenbitter
amarogentina/Amarogentin
amatolo/Amatol
amavadina/Amavadin
ambazone/Ambazon
ambi…/Ambi…
ambiente/Umwelt
ambito contratto/Narrow range
– del traffico/Verkehrsbereich
ambligonide/Amblygonit
ambo-/ambo-
ambra/Ambra, Bernstein
ambreina/Ambrein
ambrettolite/Ambrettolid
ambrossolo/Ambroxol
ambrox/Ambrox
ambucetammide/Ambucetamid
amcinonide/Amcinonid
amebe/Amöben
amebicidi/Amöbizide
amensalismo/Amensalismus
americio/Americium
ametista/Amethyst
ametrina/Ametryn
amezinometilsolfato/Amezinummetilsulfat
amfepramone/Amfepramon
amfetaminile/Amfetaminil
amfomicina/Amfomycin
amianto azzurro/Krokydolith
amicacina/Amikacin
amicine/Amycine
amidi/Amide
– cationici/Kationische Stärken
– ossidati/Oxidierte Stärken
amidine/Amidine
amidino…/Amidino…
amido/Stärke
amido…/Amido…
amidonero 10 B/Amidoschwarz 10 B
amidossimi/Amidoxime
amidosulfurone/Amidosulfuron
amidrazoni/Amidrazone
amifenazolo/Amiphenazol
amifostina/Amifostin
amigdalina/Amygdalin
amigdaloidi/Mandelsteine
amilasi/Amylasen
amilico/Amyl…
amiloide/Amyloid
amilopectina/Amylopektin
amiloride/Amilorid
amilosi/Amylose
amine/Amine
aminoacil-tRNA/Aminoacyl-tRNA
aminoglutetimide/Aminoglutethimid
amiodarone/Amiodaron
amirine/Amyrine
amitraz/Amitraz
amitriptilina/Amitriptylin
amitrolo/Amitrol
amlodipina/Amlodipin
ammaestramento/Unterweisung
ammi visnaga/Ammi visnaga
ammidacetali/Amidacetale
a(m)midasi/Amidasen
ammidazione/Amidierung
ammide dell' acido nicotinico/Nicotinsäureamid
– di litio/Lithiumamid
– di sodio/Natriumamid
ammidi/Amide
– degli acidi grassi/Fettsäureamide
– fosforiche/Phosphoramide
– metallici/Metallamide
– oleiche/Ölsäureamid
ammidosolfati/Sulfamate
am(m)idotrasferasi/Amidotransferasen
amminali/Aminale
amminazione/Aminierung
ammine/Amine
– analettiche/Weckamine
– biogene/Biogene Amine
– cromiche/Chromiake
– di cobalto/Cobaltammine
– eteriche/Etheramine
– grasse/Fettamine
ammino…/Amino…
2-ammino-1-butanolo/2-Amino-1-butanol
2-ammino-1-feniletanolo/2-Amino-1-phenylethanol
2-ammino-2-metil-1,3-propandiolo/2-Amino-2-methyl-1,3-propandiol
2-ammino-2-metil-1-propanolo/2-Amino-2-methyl-1-propanol
amminoacetaldeide dimetilacetale/Aminoacetaldehyddimethylacetal
4-amminoacetanilide/4-Aminoacetanilid
a(m)minoacidi/Aminosäuren
amminoacidi proteinogeni/Proteinogene Aminosäuren
am(m)inoacido-tRNA-ligasi/Aminosäure-tRNA-Ligasen
α-amminoalchilazione/α-Aminoalkylierung
amminoantrachinoni/Aminoanthrachinone
4-amminoazobenzene/4-Aminoazobenzol
amminochinuride/Aminoquinurid
amminoetanoli/Aminoethanole
amminofenazone/Aminophenazon
amminofenoli/Aminophenole
amminofillina/Aminophyllin
amminoglicosidi/Aminoglykoside
amminoguanidina/Aminoguanidin
amminonaftoli/Aminonaphthole
amminoossi…/Aminooxy…
a(m)minopeptidasi – amminopeptidasas/Aminopeptidasen
amminopiridine/Aminopyridine
amminoplasti/Aminoplaste
amminopropanoli/Aminopropanole
amminopterina/Aminopterin
amminossidi/Aminoxide
amminozucchero/Aminozucker
ammissione di prodotti ricombinanti/Zulassung rekombinanter Produkte
ammoniaca/Ammoniak
ammonio/Ammonium
ammonio…/Ammonio…
ammonolisi/Ammonolyse
ammorbidente/Einweichmittel, Weichspüler
– epossidico/Epoxid-Weichmacher
ammorbidenti/Weichmacher, Weichpfleger
– alcolici/Weichmacheralkohole
– per biancheria/Formspüler
– polimeri/Polymerweichmacher
ammorbidimento/Walken
ammossidazione/Ammonoxidation
amobarbitale/Amobarbital
amorfo/Amorph
amorolfina/Amorolfin
amossicillina/Amoxicillin
ampere/Ampere
amperometria/Amperometrie
ampicillina/Ampicillin
amplificatore ad aggancio/Lock-In-Verstärker
amplificazione/Amplifikation
– del DNA/DNA-Amplifikation
– parametrica/Parametrische Verstärkung
ampolle/Ampullen
ampropilfos/Ampropylfos
amrinone/Amrinon
amsacrina/Amsacrin
ana/ana
anabasina/Anabasin
anabolizzanti/Anabolika
anaerobi/Anaerobier
anaeuploidia/Aneuploidie
anafrodisiaci/Anaphrodisiaka
anagirina/Anagyrin
analcine/Analcim
analcite/Analcim
analettici/Analeptika
analgesici/Analgetika, Schmerzmittel
analisi/Analyse
– al cannello ferruminatorio/Lötrohranalyse
– biochimica/Biochemische Analyse
– chimica/Chemische Analyse
– col termistore/Thermistoranalyse
– costi-benefici/Kosten-Nutzen-Analyse
– d' attivazione/Aktivierungsanalyse

Italiano

- degli elementi specifici/Elementspeziesanalyse
- dei gruppi terminali/Endgruppenbestimmung
- del gas/Gasanalyse
- del pericolo al posto di lavoro/Gefährdungsanalyse
- della sequenza/Sequenzanalyse
- della struttura cristallina/Kristallstrukturanalyse
- di Hansch/Hansch-Analyse
- di Hevesy-Paneth/Hevesy-Paneth-Analyse
- di Moore-Stein/Moore-Stein-Analyse
- di processo/Prozeßanalytik
- di regressione/Regressionsanalyse
- di rischio/Risikoanalyse
- di sedimentazione/Sedimentationsanalyse
- di sicurezza/Sicherheitsanalyse
- di superficie/Oberflächenanalysemethoden
- di tracce/Spurenanalyse
- diluente degli isotopi/Isotopenverdünnungsanalyse
- elementare/Elementaranalyse
- enzimatica/Enzymatische Analyse
- fisica/Physikalische Analyse
- fluorescente/Fluoreszenzanalyse
- genomica/Genomanalyse
- headspace/Headspace-Analyse
- mediante raggi X/Röntgenanalyse
- per attivazione da neutroni/Neutronenaktivierungsanalyse
- per fluorescenza di raggi X/Röntgenfluoreszenzspektroskopie
- per impronta/Tüpfelanalyse
- per prova alla tocca/Tüpfelanalyse
- per titolazione/Maßanalyse
- precipitante/Fällungsanalyse
- qualitativa/Qualitative Analyse
- quantitativa/Quantitative Analyse
- spettrale/Spektralanalyse
- strutturale a raggi X/Röntgenstrukturanalyse
- termomeccanica/Thermomechanische Analyse
- volumetrica/Maßanalyse

analitica ambientale/Umweltanalytik
analizzatore degli amminoacidi/Aminosäure-Sequenzer
analoghi di basi/Basen-Analoge
analsi turbidimetrica/Trübungsmessung
ananas, ananasso/Ananas
anastrazolo/Anastrazol
anatasia/Anatas
anatossine/Anatoxine
ancherite/Ankerit
ancirina/Ankyrin
ancora glicosilfosfatidilinositica/Glykosylphosphatidylinosit-Anker
- reattiva/Reaktivanker
ancoretta magnetica/Magnetrührstäbchen
ancrodo/Ancrod
andalusite/Andalusit
andesiti/Andesit
androgeni/Androgene
andromedotossina/Andromedotoxin
5α-androstano/5α-Androstan
androstanolone/Androstanolon
5-androstene-$3\beta,17\beta$-diolo/5-Androsten-$3\beta,17\beta$-diol
androsterone/Androsteron
anellazione/Anellierung
- di Robinson/Robinson-Anellierung

anelli comuni/Gewöhnliche Ringe
- grandi/Große Ringe
- medi/Mittlere Ringe
- piccoli/Kleine Ringe

anello benzenico/Benzol-Ring
- di Einstein/Einsteins Ring

anemia/Anämie
- a cellule falciformi/Sichelzellenanämie
- falciforme/Sichelzellenanämie
- perniciosa/Perniziöse Anämie

anemometria/Anemometrie
- Doppler a laser/Laser-Doppler-Anemometrie

anemometro di Doppler/Doppler-Anemometer
anemonina/Anemonin(e)
anestetici/Anästhetika
- locali/Lokalanästhetika

aneto/Dill
anetolo/Anethol
anetoltritione/Anetholtrithion
anfetamina/Amphetamin
anfi…/Amphi-
anfiboli/Amphibole
anfifilo/Amphiphil
anfiprotico/Amphiprotisch
anfoioni/Zwitterionen
anfoliti/Ampholyte
anfotensioattivi/Amphotenside
anfotericina B/Amphotericin B
anfotero/Amphoter
angiografia/Angiographie
angiotensinammide/Angiotensinamid
angiotensine/Angiotensine
anglesite/Anglesit
angolare/Angular
angustmicina/Angustmycin
anice/Anis
- stellato/Sternanis

anidride acetica/Essigsäureanhydrid
- benzoica/Benzoesäureanhydrid
- butirrica/Buttersäureanhydrid
- dell'acido propionico/Propionsäureanhydrid
- dodecenilsuccinica/Dodecenylbernsteinsäureanhydrid
- ftalica/Phthalsäureanhydrid
- glutarica/Glutarsäureanhydrid
- isatoico/Isatosäureanhydrid
- maleico/Maleinsäureanhydrid
- metilmaleico/Methylmaleinsäureanhydrid
- solforosa/Schwefeldioxid
- succinica/Bernsteinsäureanhydrid
- teraidroftalica/4-Cyclohexen-1,2-dicarbonsäureanhydrid
- tetrabromoftalica/Tetrabromphthalsäureanhydrid
- tetracloroftalica/Tetrachlorphthalsäureanhydrid
- trifluoroacetica/Trifluoressigsäureanhydrid
- trimellitica/Trimellit(h)säureanhydrid

anidridi/Anhydride
- degli acidi/Säureanhydride
- di zucchero/Zuckeranhydride

anidrite/Anhydrit
anidro…/Anhydro…
anilazina/Anilazin
anilidi/Anilide
anilina/Anilin
anilino…/Anilino…
3-anilinofenolo/3-Anilinophenol
animalizzare/Animalisieren
anioni/Anionen
aniracetam/Aniracetam
anisatina/Anisatin
anisidine/Anisidine
anisidino…/Anisidino…
anisil…/Anisyl…
aniso…/Aniso…
anisodesmico/Anisodesmisch
anisoil…/Anisoyl…
anisolo/Anisol
anisotripia/Anisotropie
anitimicrobici/Antimikrobielle Wirkstoffe
annabergite/Annabergit
annatto/Annatto
annerimento/Schwärzen
annessine/Annexine
annichilazione/Zerstrahlung
annonine/Annonine
annuleni/Annulene
…ano/…an
anodi/Anode
anodini/Schmerzmittel
anodizzazione/Anodisieren
- colorante/Farbanodisationsverfahren

anomeri/Anomere
anona cherimola/Cherimoya
anoressizzante/Appetitzügler
ansa della forcina/Haarnadelschleife
- P/P-loop

ansamicine/Ansamycine
anserina/Anserin
antacidi/Antacida
antagonisti/Antagonisten
- di calcio/Calcium-Antagonisten

antamanide/Antamanid
antazolina/Antazolin
antelmintici/Anthelmintika
anti-/Anti-
- -oncogeni/Tumor-Suppressor-Gene
- stokes raman laser/Anti-Stokes-Raman-Laser

antiadiposità/Antiadiposita
antiallergici/Antiallergika
antiandrogeni/Antiandrogene
antiarina/Antiarin
antiaritmici/Antiarrhythmika
antiaromaticità/Antiaromatizität
antiartritici/Antiarthritika
antiasmatici/Antiasthmatika
antibiosi/Antibiose
antibiotici/Antibiotika
- di β-lattami/β-Lactam-Antibiotika
- peptidici/Peptid-Antibiotika

anticloro/Antichlor
anticoagulanti/Antikoagulantien
anticongelanti/Cryoprotektoren, Gefrierschutzmittel
anticorpi/Antikörper
- monoclonali/Monoklonale Antikörper

anticorpo/Wehrstoffe
anticorrosivi/Korrosionsschutzmittel
antideflagrante/Explosionsschutz
antidepressivi/Antidepressiva
antidetonante/Antiklopfmittel
antideuterone/Antideuteron
antidiabetici/Antidiabetika
antidiarroici/Antidiarrhoika
antidiuretici/Antidiuretika
antidoto/Antidot
antiemetici/Antiemetika
antienzimi/Antienzyme
antiepilettici/Antiepileptika
antifibrolitici/Antifibrinolytika
antiflogistici/Antiphlogistika
antigeli/Gefrierschutzmittel
antigene comune della leucocita/Leukocyte common antigen
- H-Y/H-Y-Antigen
- S retinico/Retinales S-Antigen
- thy-1/Thy-1-Antigen
- Vi/Vi-Kapselpolysaccharid typhi

antigeni/Antigene
- apparenti molto tardi/Very late(-appearing) antigens
- di istocompatibilità/Histokompatibilitäts-Antigene
- di superficie/Oberflächenantigene
- tumorali/Tumor-Antigene

antipertonici/Antihypertonika
antipotonici/Antihypotonika
antistaminici/Antihistaminika
antimetaboliti/Antimetabolite
antimicina A_1/Antimycin A_1
antimicosici/Antimykotika
antimonati/Antimonate
antimonidi/Antimonide
antimonio/Antimon
- rosso/Kermesit

antimonite/Antimonit
antimoniuro di indio/Indiumantimonid
antimonuri organici/Antimon-organische Verbindungen
antineutrino/Antineutrino
antineutrone/Antineutron
antinvecchianti/Alterungsschutzmittel
antiossidanti/Antioxidantien
antiozonanti/Antiozonantien
antiparassitari/Schädlingsbekämpfungsmittel
antiparticelle/Antiteilchen
antipiretici/Antipyretika
antipodi ottici/Optische Antipoden
antiporto/Antiport
antiprotone/Antiproton
antireumaci/Antirheumatika
antisaprobità/Antisaprobität
antiscabbiosi/Antiscabiosa
antisettici/Antiseptika
antisiero/Antiserum
antisimpatotonici/Antisympath-(ik)otonika
antistatici/Antistatika
antisudoriferi/Antihidrotika
antitossicchianti/Antitussiva
antitossine/Antitoxine
α_1-antitripsina/α_1-Antitrypsin
antitussivi/Hustenmittel
antivirali/Virostatika
antivitamine/Antivitamine
antocianidine/Anthocyanidine
antocianogeni/Anthocyane
antracene/Anthracen
antrachinone/Anthrachinon
antracicline/Anthracycline
antracite/Anthrazit
antraglicosidi/Anthraglykoside
antramicine/Anthramycine
9-antrilmetil…/9-Anthrylmethyl…
antrolo/9-Anthrol
antrone/Anthron
antropogeno/Anthropogen
AOX/AOX
apalcillina/Apalcillin
apalindoli/Hapalindole
apamina/Apamin
apatite/Apatit
aperitivi/Apéritifs
api/Bienen
apigenina/Apigenin
apiina/Apiin

apina/Bienengift
apiolo/Apiol
apiosi/Apiose
aplasmomicina/Aplasmomycin
apo…/Apo…
apocarotenale/Apocarotinal
apofillite/Apophylit
apolare/Apolar
apomorfina/Apomorphin
apoproteine/Apoproteine
apoptosi/Apoptose
aporfin-alcaloidi/Aporphin-Alkaloide
appannarsi/Anlaufen
apparato di Golgi/Golgi-Apparat
apparecchi/Apparate
– a reazione/Reaktionsapparate
– protettivi di respirazione/Atemschutzgeräte
apparecchiatura a getto di liquido/Flüssigkeitsstrahler
– di decomposizione Hofmann/Hofmannscher Zersetzungsapparat
– di Hartmann/Hartmann-Rohr
– di Kipp/Kippscher Apparat
apparecchio d' estrazione di Kutscher-Steudel/Kutscher-Steudel-Extraktionsapparat
– di respirazione ad aria compressa/Preßluftatmer
– di Warburg/Warburg-Apparatur
– Pensky-Martens/Pensky-Martens
appesantimento/Beschwerung
appiccicare/Kleben
– plastica/Kunststoffkleben
applicazione/Applikation
apprettatura/Appretur
appretto antimicrobico/Antimikrobielle Ausrüstung
– permanente/Steifungsmittel
approssimazione di Born-Oppenheimer/Born-Oppenheimer-Näherung
– semiclassica/Semiklassische Näherung
apraclonidina/Apraclonidin
aprindina/Aprindin
aprobarbitale/Aprobarbital
aprotinina/Aprotinin
apteni/Haptene
apto-/hapto-
aptoglobine/Haptoglobine
aqua/Aqua
aquamarina/Aquamarin
aquaporine/Aquaporine
arabino-/arabino-
arabinogalattano/Arabinogalaktan
arabinonucleosidi/Arabinonucleoside
arabinosi/Arabinose
arabitolo/Arabit
arachidi/Erdnüsse
arachina/Arachin
aracne/Arachne
aracno-/arachno-
aragonite/Aragonit
aralchil…/Aralkyl…
arammidi/Aramide
arance/Orangen
– amare/Pomeranzen
arancio di xilenolo/Xylenolorange
arancione/Orange
– di benzile/Benzylorange
– di metile/Methylorange
araneidi/Spinnen
arazzi/Teppiche
arborescina/Arborescin
arboricidi/Arborizide
arborolo/Arborol
arbutino/Arbutin
arcaibatteri/Archaea

archaeometria/Archäometrie
arco voltaico/Lichtbogen
ardesia oleica/Ölschiefer
area liquida/Flüssige Luft
arecolina/Arecolin
arenarie calcaree/Kalksandsteine
arenossidi/Arenoxide
areometro/Aräometer
ARF/ARF
argatroban/Argatroban
argentana/Argentan
argentare/Versilbern
argentatura/Silberung, Versilbern
argentite/Argentit
argento/Silber
– brillante/Glanzsilber
– rosso/Pyrargyrit
– sterling/Sterlingsilber
argentone/Neusilber
– di Parker/Parkers Neusilber
argilla/Lehm, Ton, Tone
– refrattaria/Schamotte
– smettica/Walkerde
argilloscisto/Tonschiefer
arginasi/Arginase
L-arginina/L-Arginin
argiopinine/Argiopinine
argiotossine/Argiotoxine
argon/Argon
aria/Luft
– compressa/Druckluft
– di scarico/Abluft
aridità/Aridität
aril…/Aryl…
arilazione/Arylierung
arini/Arine
aristolochia/Osterluzei
armadi d'essiccazione/Trockenschränke
– di sicurezza/Sicherheitsschränke
– termici/Wärmeschränke
armalina/Harmalin
armani/Harmane
armature/Armaturen
arme nucleari/Kernwaffen
armi biologiche/Biologische Waffen
– chimiche/Chemische Waffen
– fumogeni/Rauchwaffen
– incendiarie/Brandwaffen
– nebbiogeni/Nebelwaffen
armina/Harmin
armotome/Harmotom
arnica/Arnika
aroma dei funghi/Pilzaroma
– del burro/Butteraroma
– del cacao/Kakao-Aroma
– del caffè/Kaffee-Aroma
– del formaggio/Käse-Aroma
– del tè/Tee-Aroma
– del vino/Weinaroma
– della birra/Bieraroma
– della nocciola/Haselnußaroma
– di carne/Fleischaroma
– di lampone/Himbeeraroma
– di pere/Birnenaroma
– estraneo/Off-flavour
– malico/Apfelaroma
aromatici/Aromaten
aromaticità/Aromatizität
aromatizzanti per brodo/Suppenwürze
aromatizzazione/Aromatisierung
aromi/Aromen
arpagoside/Harpagosid
arrestine/Arrestine
arresto/Abfangen
arricchimento/Abfangen, Anreicherung
– biologico/Biomagnifikation
– dell'acqua sotterranea/Grundwasseranreicherung

arrostimento/Rösten
– clorurante/Chlorierende Röstung
arrowroot/Arrowroot
arrugginimento/Rosten
arsa…/Arsa…
arsenati di sodio/Natriumarsenate
arsenato di calcio/Calciumarsenat
arsenazo I, II, III/Arsenazo I, II, III
arsenico/Arsen
– nativo/Scherbenkobalt
arseniuri/Arsenide
arseniuro di indio/Indiumarsenid
arseno/Arseno…
arsenopirite/Arsenopyrit
arsenuro di gallio/Galliumarsenid
– di nichel/Nickelarsenid
arsfenammina/Arsphenamin
arsini/Arsine
arsino…/Arsino…
arsoli/Arsole
arsonilazione di Bechamp/Béchamp-Arsonylierung
artemisia/Beifuß, Wurmkraut
artemisina/Artemisin
arteriosclerosi/Arteriosklerose, Verkalken
articaina/Articain
articoli di prima necessità/Bedarfsgegenstände
artrite/Arthritis
– reumatoide/Rheumatoide Arthritis
artrobatteri/Arthrobacter
artropodi/Arthropoden
asaroni/Asarone
asbesto/Asbest
asbestosi/Asbestose
ascaridolo/Ascaridol
ascisc/Haschisch
ascomiceti/Ascomyceten
ascorbato di sodio/Natriumascorbat
asfalteni/Asphaltene
asfalti/Asphalte
– freddi/Kaltasphalte
…asi/…ase
asiaticoside/Asiaticosid
asim-/asym-
asimmetria/Asymmetrie
asma/Asthma
asparagina/Asparagin
asparaginasi/Asparaginase
asparago/Spargel
aspartame/Aspartame
aspartati/Aspartate
aspartato transcarbamoilasi/Aspartat-Transcarbamoylase
asperdiolo/Asperdiol
aspergilli/Schimmelpilze
aspergillo/Aspergillus
asperlicina/Asperlicin
aspic/Aspik
aspicilina/Aspicilin
aspiratore per la pipetta/Pipetierhilfen
assafetida/Asa foetida
assenzio/Absinth, Wermut (Pflanze)
assiale/Axial
assicurazione contro gli infortuni/Unfallversicherung
assimilazione/Assimilation
assistente chimico di laboratorio/Chemielaborant
– fisico-tecnico/Physikalischtechnischer Assistent
– tecnico-chimico/Chemischtechnische(r) Assistent(in)
assistenti di laboratorio/Laboranten
associazione/Assoziation

assoluto/Absolut
assorbente/Absorbens
– metallico/Getter
assorbenti di olio/Ölbindemittel
assorbimento/Absorption
– specifico/Spezifische Absorption
assorbimetria/Absorptiometrie
assorbitori UV/UV-Absorber
assuefazione/Sucht
astacina/Astacin
astato/Astat
astaxantina/Astaxanthin
astemizolo/Astemizol
asteracee/Asteraceen
– cina Berg/Wurmkraut
asterani/Asterane
asterismo/Asterismus
asterosaponine/Asterosaponine
astracanite/Astrakanit
astringenti/Adstringentien
asulam/Asulam
atacamite/Atacamit
atavismo/Atavismus
atenololo/Atenolol
atmolisi/Atmolyse
atmosfera/Atmosphäre
…ato/…at
atomi asimmetrici/Asymmetrische Atome
– di Rydberg/Rydberg-Atome
– eccitati/Heiße Atome
– esotici/Exotische Atome
– interstiziali/Zwischengitteratome
– mesonici/Mesonen-Atome
– muonici/Myonen-Atome
atomizzatore/Zerstäuber
atomizzazione/Atomisierung
atomo/Atom
atorvastatin/Atorvastatin
atovaquone/Atovaquon
ATP-asi sodio-potassica/Natrium-Kalium-ATPase
ATP-sintasi/ATP-Synthasen
atracurio besilato/Atracuriumbesilat
atranorina/Atranorin
atrazina/Atrazin
atrocrisone/Atrochryson
atromentina/Atromentin
atropina/Atropin
atropisomeria/Atropisomerie
attaccamento/Attachment
attaccare/Kleben
attapulgite/Attapulgit
attenuatore/Attenuator
attina/Actin
α-attinina/α-Actinin
attinio/Actinium
attinoidi/Actinoide
attinometria/Aktinometrie
attinomicine/Actinomycine
attivatore/Verstärker
– streptococcico del plasminogeno/Streptokinase
– tissutale del plasminogeno/Tissue Plasminogen Activator
attivatori/Aktivatoren
attivazione/Aktivierung
attivina/Activin
attività/Aktivität
– ottica/Optische Aktivität
atto…/Atto…
Atto Unico Europeo/Einheitliche Europäische Akte
attraenti/Attraktantien, Lockstoffe
attrattivi per insetti/Insektenlockstoffe
attrazione Coulomb/Coulomb-Anziehung
attrezzatura per il lavaggio degli occhi/Augenduschen

Italiano

- pretettiva personale/Persönliche Schutzausrüstung
attrito/Reibung
aucubina/Aucubin
aumento dell'idrofilità/Hydrophilieren
auramina/Auramin
auranofine/Auranofin
aurati/Aurate
aureobasidine/Aureobasidine
aureole/Aureolen
auricalcite/Aurichalcit
aurina/Aurin
aurora boreale/Polarlicht
aurotioglucosio/Aurothioglucose
aurotiopolipeptide/Aurothiopolypeptid
ausiliari della mercerizzazione/Mercerisierhilfsmittel
- di caseificio/Käsereihilfsstoffe
- di polimerizzazione/Polymerisationshilfsmittel
- per lacca/Lackhilfsmittel
- tessili/Textilhilfsmittel
- tessili cationici/Kationaktive Textilhilfsmittel
ausilio per cuoio/Lederhilfsmittel
- per la produzione di salame in brodo/Kutterhilfsmittel
austenite/Austenit
autacoidi/Autacoide
auto al verde/Schadstoffarmes Auto
autoadesione/Autohäsion
autocatalisi/Autokatalyse
autoclavi/Autoklaven
autocombustione/Selbstentzündung
autocontrollo/Selbstüberwachung
autoctono/Autochthon
autodepurazione biologica/Biologische Selbstreinigung
autografia/Autographie, Umdruckverfahren
autoimmunità/Autoimmunität
autoionizzazione/Autoionisation
autolisi/Autolyse
automazione/Automation
- dei sistemi di test/Automation von Testsystemen
automerizzazione/Automerisierung
autoorganizzazione/Selbstorganisation
autopurificazione/Selbstreinigung
autoradiografia/Autoradiographie
autoregistratore di prove/Autosampler
autorità per i permessi/Genehmigungsbehörden
autosoma/Autosom
autossidazione/Autoxidation
autotrofia/Autotrophie
autunite/Autunit
auxine/Auxine
auxocromi/Auxochrome
avarolo/Avarol
aventurina/Aventurin
averufina/Averufin
avidina/Avidin
avido levopimarico/Lävopimarsäure
avilmicine/Avilamycine
avitaminosi/Avitaminosen
avocado/Avocado
avorio/Elfenbein
avvelenamento/Vergiftung
avvizzimento, avvizzire, avvizzito/Welke, Welken
avvolgere/Aufziehen
axinite/Axinit
ayahuasca/Ayahuaska

aza.../Aza...
5-azacitidina/5-Azacytidin
azadiractina/Azadirachtin(e)
8-azaguanina/8-Azaguanin
azapolimeri/Azopolymere
azapropazone/Azapropazon
azaserina/Azaserin
azatadina/Azatadin
azatioprina/Azathioprin
6-azauridina/6-Azauridin
azelati/Azelate
azelestina/Azelastin
azeotropi/Azeotrop
...azepam/...azepam
azepine/Azepine
azeti/Azete
azetidine/Azetidine
azi.../Azi...
azidamfenicolo/Azidamfenicol
azide de fenile/Phenylazid
- di iodio/Iodazid
- di piombo/Bleiazid
- di sodio/Natriumazid
- di trimetilsilile/Trimethylsilylazid
azidi/Azide
- degli acidi/Säureazide
azidocillina/Azidocillin
azimsulfurone/Azimsulfuron
azine/Azine
azinfos-etile/Azinphos-ethyl
- -metile/Azinphos-methyl
azintammide/Azintamid
aziridine/Aziridine
aziridinoni/Aziridinone
azirine/Azirine
azitromicina/Azithromycin
azlocillina/Azlocillin
azo.../Azo...
azobenzene/Azobenzol
azociclotina/Azocyclotin
azocoloranti/Azofarbstoffe
azodicarbonammide/Diazendicarbonsäurediamid
azoimmide/Stickstoffwasserstoffsäure
azoli/Azole
azometin-ilidi/Azomethin-Ylide
- -immine/Azomethin-Imine
azometini/Azomethine
azosemide/Azosemid
azossibenzene/Azoxybenzol
azossistrobina/Azoxystrobin
azoto/Stickstoff
azotometro/Azotometer
azoturo di calcio/Kalkstickstoff
aztreoname/Aztreonam
azuleni/Azulene
azurreggiare/Bläuen
azzurro di cobalto/Cobaltblau, Smalte
- di rame/Azurit

B

bacampicillina/Bacampicillin
bacillo/Bacillus
bacinelle/Küvetten
bacino col fango attivato/Belebungsbecken
- di raccolta/Rückhaltebecken
- finale di decantazione, finale di sedimentazione/Nachklärbecken
bacitracina/Bacitracin
baclofene/Baclofen
baculovirus/Baculoviren
baddeleite/Baddeleyit
badioni/Badione
bagnamento/Benetzung
bagni d'aria/Luftbäder
- di sabbia/Sandbäder
- di schiuma/Schaumbäder
- sulfurei/Schwefel-Bäder

- termici/Heizbäder
bagno a vapore/Dampfbad
- colorante/Flotte
bagnomaria/Wasserbad
balanolo/Balanol
balenite/Feuerstein
balsa/Balsa-Holz
balsami/Balsame
balsamo del Canadà/Kanadabalsam
- del Perù/Perubalsam
- di copaive/Kopaivabalsam
- di gurjun/Gurjunbalsam
- di Tolù/Tolubalsam
- indiano/Perubalsam
bambuterolo/Bambuterol
bametano/Bamethan
bamifillina/Bamifyllin
bamipina/Bamipin
banane/Bananen
banca dei campioni ambietali/Umweltprobenbank
- di geni/Genbank
banche dati/Datenbanken
- dati nell'ingegneria genetica/Datenbanken in der Gentechnik
- dei geni cDNA/cDNA-Genbank
banco da laboratorio/Labortische
banda stagnata/Weißblech
bande bollitori/Heizbänder
- d'energia/Energiebänder
barba di capra/Christophskraut
barbabietola rossa/Rote Rüben
barbaforte/Meerrettich
barbessaclone/Barbexaclon
barbitale/Barbital
barbiturici/Barbiturate
bardite/Speckstein
bario/Barium
barioni/Baryonen
barite/Baryt
- lucida/Glanzbaryt
barolite/Witherit
barometro/Barometer
barre/Barren
barrelene/Barrelen
barrette d'ignizione/Zündstäbe
barriera di Coulomb/Coulomb-Barriere
- di inversione/Inversionsbarriere
- sangue-cervello/Blut-Hirn-Schranke
basalti/Basalte
basalto fuso/Schmelzbasalt
base/Basis
- di Hünig/Hünig-Base
- di Lewis/Lewis-Base
- di Millon/Millonsche Base
- di Troeger/Tröger-Base
- fosfazene P_4-t-bu/Phosphazen-Base P_4-t-Bu
basi/Basen
- di Schiff/Schiffsche Basen
- d'unguento/Salbengrundlage
- gnuento/Echtbasen
- monoacide/Einsäurige Basen
basicità/Basizität
basidiomiceti/Basidiomyceten
basilico/Basilikum
basketene/Basketen
basofilia/Basophilie
bassofondo/Watt
bastnesite/Bastnäsit
bastoncini di magnesia/Magnesiastäbchen
bat-metallo/Bath-Metall
batate/Batate
batic/Batik
batocromo/Bathochrom
batocuproina/Bathocuproin
batofenantrolina/Bathophenantrholin
batroxobina/Batroxobin

batteri/Bakterien
- acidofili/Acidophile Bakterien
- aerobi obbligati/Obligat aerobe Bakterien
- a gas tonante/Knallgasbakterien
- alcalofili/Alkalophile Bakterien
- anaerobi obbligati/Obligat anaerobe Bakterien
- dei tubercoli/Knöllchenbakterien
- del suolo/Bodenbakterien
- ferruginosi/Eisenbakterien
- petrolio-degradanti/Erdöl-verwertende Bakterien
- solfatoriducenti/Sulfat-reduzierende Bakterien
- solfoossidanti/Schwefel-oxidierende Bakterien
batteria al litio/Lithium-Batterie
- vecchia/Altbatterie
- zinco-ossigeno/Zink-Luft-Batterie
battericidi/Bakterizide
batterie/Batterien
- secche/Taschenbatterien
batteriocine/Bakteriocine
batteriocini/Bacteriocine
batteriochlorofille/Bakteriochlorophylle
[batterio]fago T4/T4-Phage
batteriofeofitine/Bakteriophäophytine
batteriorodopsina/Bakteriorhodopsin
batteriostatici/Bakteriostatika
bauxite/Bauxit
bave/Schleime
becco di Bunsen/Bunsenbrenner
- di Teclu/Teclu-Brenner
beclamide/Beclamid
beclometasone/Beclometason
becquerel/Becquerel
befenioidrossinaftoato/Bepheniumhydroxynaphthoat
befunololo/Befunolol
belemniti/Belemniten
belladonna/Tollkirsche
bemegride/Bemegrid
bemetizide/Bemetizid
benactinica/Benactyzin
benalassile/Benalaxyl
benazepril/Benazepril
benazolina/Benazolin
benciclano/Bencyclan
bendiocarb/Bendiocarb
bendroflumetiazida/Bendroflumethiazid
benfluralina/Benfluralin
benfotiammina/Benfotiamin
benfuracarb/Benfuracarb
benfuresato/Benfuresat
bengala/Bengalisches Feuer
bengalrosa/Bengalrosa
bengamidi/Bengamide
bengazoli/Bengazole
benitoite/Benitoit
benomile/Benomyl
benorilato/Benorilat
benperidolo/Benperidol
benproperina/Benproperin
benserazide/Benserazid
bensolide/Bensulid
bensulfuron-metile/Bensulfuronmethyl
bensultap/Bensultap
bentazone/Bentazon
bentiammina/Bentiamin
bentiromide/Bentiromid
bentoniti/Bentonite
benzaldeide/Benzaldehyd
benzammide/Benzamid
benzammido.../Benzamido...
benzanilide/Benzanilid

benz[a]antracene/Benz[a]anthracen
benzantrone/Benzanthron
benzarone/Benzaron
benzatropina/Benzatropin
benzbromarone/Benzbromaron
benzchinammide/Benzquinamid
benzene/Benzol
– di Dewar/Dewar-Benzol
benzensolfinil…/Benzolsulfinyl…
benzensolfonammide/Benzolsulfonamid
benzensolfonil…/Benzolsulfonyl…
benzensolfonilammino…/Benzolsulfonylamino…
benzidammina/Benzydamin
benzidina/Benzidin
benzidril…/Benzhydryl…
benzidrolo/Benzhydrol
benzil…/Benzyl…
benzilammina/Benzylamin
benzilanilina/Benzylanilin
benzilazione/Benzylierung
benzildiossimi/Benzildioxime
benzile nicotinato/Nicotinsäurebenzylester
4-benzilfenolo/4-Benzylphenol
benziliden…/Benzyliden…
benzilidenacetolo/Benzylidenaceton
benzilidroclorotiazide/Benzylhydrochlorothiazid
benzilossi…/Benzyloxy…
benzilossicarbonil…/Benzyloxycarbonyl…
benzilpenicillina-benzatina/Benzylpenicillin-Benzathin
benziltio…/Benzylthio…
benzilviologeno/Benzylviologen
benzimidazolo/Benzimidazol
benzina/Benzin, Sprit
– aerea/Flugbenzin
– di petrolio/Petroleumbenzin
– di pirolisi/Pyrolysebenzin
– di reforming/Reformatbenzin
– leggera/Leichtbenzin
– pesante/Schwerbenzin
benzine di prova/Testbenzine
benz(o)…/Benz(o)…
benzoati/Benzoate
benzoato d'ammonio/Ammoniumbenzoat
– d'etile/Benzoesäureethylester
– di benzile/Benzoesäurebenzylester
– di metile/Benzoesäuremethylester
– di 2-naftile/Benzoesäure-2-naphthylester
– di sodio/Natriumbenzoat
– d'isobutile/Benzoesäureisobutylester
benzocaina/Benzocain
benzochinoline/Benzochinoline
benzochinoni/Benzochinone
benzoctamina/Benzoctamin
1,4-benzodiazepine/1,4-Benzodiazepine(e)
benzofenone/Benzophenon
benzofurano/Benzofuran
benzoguanammina/Benzoguanamin
benzoico/Benzoid
benzoil…/Benzoyl…
N-benzoil-N-fenilidrossilammina/N-Benzoyl-N-phenylhydroxylamin
benzoilammino…/Benzoylamino…
benzoilazione/Benzoylierung
benzoilossi…/Benzoyloxy…
benzoilperossido/Benzoylperoxid

benzoino/Benzoin
benzolo/Benzol
benzonatato/Benzonatat
benzonitrile/Benzonitril
benzopirene/Benzo[a]pyren
benzopurpurina 4 B/Benzopurpurin 4 B
benzossimato/Benzoximat
benzotiazolo/Benzothiazol
benzotiofene/Benzo[b]thiophen
1H-Benzotriazolo/1H-Benzotriazol
benzotricloruro/Benzotrichlorid
benzotrifluoruro/Benzotrifluorid
benztiazide/Benzthiazid
benzvalene/Benzvalen
berberina/Berberin
bergaptene/Bergapten
beri-beri/Beri-Beri
berillati/Beryllate
berillidi/Beryllide
berillio/Beryllium
berillo/Beryll
berkelio/Berkelium
bersaglio/Target
bertollidi/Berthollide
bertrandite/Bertrandit
bestatina/Bestatin
beta-ciflutrina/Beta-Cyfluthrin
betacarotene/Betacaroten
betaina/Betain
betaine/Betaine
betaistina/Betahistin
betalaine/Betalaine
betametasone/Betamethason
betaxololo/Betaxolol
betazolo/Betazol
beton/Beton
betracotossina/Batrachotoxin
betulina/Betulin
bevande/Getränke
– alcoliche/Alkoholische Getränke
bevoniometilsolfato/Bevoniummetilsulfat
bezafibrato/Bezafibrat
bezoario/Ziegensteine
biacca di piombo/Bleiweiß
bianco danese/Dänischweiß
– del solfato di piombo/Sulfatbleiweiß
– di cera/Walrat
– perla/Perlweiß
biancospino/Weißdorn
bibite/Getränke
bibliografie/Bibliographien
biblioteca di Kekulé/Kekulé-Bibliothek
biblioteche/Bibliotheken
bibrocatolo/Bibrocathol
bicarbonato di sodio/Natriumhydrogencarbonat
bicaverina/Bikaverin
bicchiere Philips/Philipsbecher
bicchieri/Bechergläser
2,2'-bichinolina/2,2'-Bichinolin
biciclo[..]…/Bicyclo[…]…
biexciton/Biexciton
bifenil-2,2'-diolo/Biphenyl-2,2'-diol
bifenile/Biphenyl
bifenilene/Biphenylen
bifenili polibromurati/PBB
– policlorurati/PCB
bifenilil…/Biphenylyl…
bifeniloli/Biphenylole
bifenosso/Bifenox
bifentrina/Bifenthrin
bifonazolo/Bifonazol
big bang/Urknall
biguanidi/Biguanide
bilanafos/Bilanafos
bilance/Waagen

bilancia di Langmuir/Langmuirsche Waage
– di Mohr/Mohrsche Waage
– magnetica/Magnetische Waage
bilancio dei rifiuti/Abfallbilanz
– termico/Wärmebilanz
bilarziosi/Schistosomiasis
bile/Galle, Gallen
– di bue/Ochsengalle
bilharziosi/Bilharziose
bilirubina/Bilirubin
biliverdina/Biliverdin
bilobalide/Bilobalid
bimetallo/Bimetall
binaftil/Binaphthyl
bindine/Bindine
bioaccumulazione/Bioakkumulation
bioattivazione/Bioaktivierung
biocatalizzatori/Biokatalysatoren
biocenosi/Biozönose
biochimica/Biochemie
biochip/Biochip
biocompatibilità/Biokompatibilität
bioconcentrazione/Biokonzentration
biodegradabilità/Biologische Abbaubarkeit
biodegradazione/Biologischer Abbau
bioenergetica/Bioenergetik
bioequivalenza/Bioäquivalenz
bioetica/Bioethik
biofarmacologia/Biopharmazie
biofisica/Biophysik
biogas/Biogas
biogenesi/Biogenese
biogeno/Biogen
biogeochimica/Biogeochemie
bioindicatore/Bioindikator
bioingegnere/Bioingenieur
bioinsetticidi/Bioinsektizide
biolisciviazione/Bioleaching
biologia/Biologie
– a torre/Turmbiologie
– aerobia/Aerobe Biologie
– anaerobica/Anaerobe Biologie
– delle radiazioni/Strahlenbiologie
– farmaceutica/Pharmazeutische Biologie
– molecolare/Molekularbiologie
bioluminescenza/Biolumineszenz
bioma/Biom
biomassa/Biomasse
biomateriali/Biowerkstoffe
biomolecole/Biomoleküle
bionica/Bionik
biopolimeri/Biopolymere
biopterina/Biopterin
bioreattore/Bioreaktor
biosensore/Biosensor
biosfera/Biosphäre
biosi/Biosen
biosintesi degli acidi grassi/Fettsäure-Biosynthese
– della porfirina/Porphyrin-Biosynthese
– diretta dei precursori/Vorläuferdirigierte Biosynthese
biossido di carbonio/Kohlendioxid
– di silicio/Siliciumdioxid
– di titanio/Titandioxid
– di torio/Thoriumdioxid
– di zirconio/Zirconiumdioxid
biosurfactante/Biosurfactants
biotecnologia/Biotechnologie
– dei procedimenti industriali/Bioverfahrenstechnik
biotelemetria/Biotelemetrie
biotest/Biotest

biotina/Biotin
biotopo/Biotop
biotrasformazione/Biotransformation
biotrofia/Biotrophie
biperidene/Biperiden
2,2'-bipiridina/2,2'-Bipyridin
bipolimero/Bipolymer
birifrazione di flusso/Strömungsdoppelbrechung
birnessite/Birnessit
birra/Bier
– di fermentazione bassa/Untergäriges Bier
– di malto/Malzbier
– forte scura/Stout
bis…/Bis…
bisaboleni/Bisabolene
(−)-α-bisabololo/(−)-α-Bisabolol
bisacodile/Bisacodyl
2,5-bis-4-bifenililossazolo/BBO
bischofite/Bischofit
bis(cicloesilidenidrazide) ossalica/Oxalsäure-bis(cyclohexylidenhydrazid)
bis(η^5-ciclopentadienil)…/Bis(η^5-cyclopentadienyl)…
bis(2-cloroetil)solfuro/Bis(2-chlorethyl)sulfid
bisfenolo A/Bisphenol A
bismite/Wismutocker
bismutato(V) di sodio/Natriumbismutat(V)
bismutidi/Bismutide
bismutina/Bismuthinit
bismutino…/Bismutino…
bismuto/Bismut
bisolfato di sodio/Natriumhydrogensulfat
bisoprololo/Bisoprolol
bistabilità ottica/Optische Bistabilität
bis(trifluormetil)nitrossido/Bis(trifluormethyl)nitroxid
N,O-bis-(trimetilsilil)-acetamide/N,O-Bis-(trimethylsilyl)-acetamid
bitertanolo/Bitertanol
bitionolo/Bithionol
bitume/Bitumen
biureto/Biuret
bixina/Bixin
blasticidine/Blasticidine
blatte/Schaben
blenda lamellare/Zinkblende
blenorragia/Gonorrhoe
bleomicine/Bleomycine
bloccaggio/Blocken
blocco/Arretierung
blotting/Blotting
blu d'anilina/Alkaliblau
– d'anilina/Anilinblau
– del Nilo A/Nilblau A
– di Berlino/Berliner Blau
– di bromocorofenolo/Bromchlorphenolblau
– di bromofenolo/Bromphenolblau
– di bromotimolo/Bromthymolblau
– di Cina/Chinablau
– di disolfina/Disulfinblau VN 150
– di Evan/Evans Blau
– di manganese/Manganblau
– di Meldola/Meldolablau
– di metile/Methylblau
– di metilene/Methylenblau
– di meltilmolo/Methylthymolblau
– di Milori/Miloriblau
– di Prussia/Preußisch Blau, Berliner Blau
– di Sassonia/Smalte

Italiano

- di tetrazolio/Tetrazoliumblau
- di timolo/Thymolblau
- di toluidina O/Toluidinblau O
- di toluilene/Toluylenblau
- di Turnbull/Turnbulls Blau
- di xilenolo/Xylenolblau
- d'inchiostro/Tintenblau
- egiziano/Ägyptisch Blau
- marino/Wasserblau
- molibdeno/Molybdänblau
- Vittoria/Viktoriablau

bobine di Helmholtz/Helmholtz-Spulen
boc-am(m)inoacidi/Boc-Aminosäuren
bocca dell' altoforno/Gicht
boldina/Boldin
boldo/Boldo
boleto dei castagni/Maronenröhrling
bolla/Blasen
bolle di sapone/Seifenblasen
bollitura/Auskochen
bolo/Bolus
bolometro/Bolometer
bomba universale di Wurzschmitt/Universalbombe
bombardiere/Bombardierkäfer
bombatura/Bombage
bombe incendiarie ad asta/Stabbrandbomben
- puzzolenti/Stinkbomben

bombesina/Bombesin
bombicidi atlanti/Atlasspinner
bombicolo/Bombykol
bombola di gas/Bomben
bombole di gas compresso/Druckgasflaschen
- spruzzatrici/Spritzflaschen

bonellina/Bonellin
bonifica/Vergüten
booster/Booster
bopindololo/Bopindolol
bora.../Bora...
9-borabiciclo[3.3.1]nonano/9-Borabicyclo[3.3.1]nonan
borace/Borax
boracite/Boracit
boranati/Boranate
borani/Borane
borata.../Borata...
borati/Borate
- di zinco/Zinkborate

borato di calcio/Calciumborat
- di litio/Lithiumborat

borazini/Borazine
bordo del grano/Korngrenze
boril.../Boryl...
bornano/Bornan
bornaprina/Bornaprin
borneolo/Borneol
bornil acetato/Bornylacetat
bornite/Bornit
boro/Bor
boroidruro di sodio/Natriumborhydrid
boroli/Borole
boromicina/Boromycin
borragine/Borretsch
borrelidina/Borrelidin
borsa dei rifiuti/Abfallbörse
bortiini/Borthiine
borurare/Borieren
boruri/Boride
- cromici/Chromboride

bosoni/Bosonen
bostrico/Borkenkäfer
- tipografico/Buchdrucker

botanica/Botanik
botridiale/Botrydial
bottalatura/Walken
bottiglia di Winkler/Winkler-Flasche

- molotov/Molotowcocktail

bottiglie col disopra conico/Steilbrustflaschen
- di lavaggio gas/Waschflaschen
- di Woulfe/Woulfe-Flaschen

botulismo/Botulismus
boulangerite/Boulangerit
bouncing putty/Bouncing Putty
bournonite/Bournonit
bovichinoni/Bovichinone
box di Hogness/Hogness-Box
bozzima/Schlichte
bradichinina/Bradykinin
brallobarbitale/Brallobarbital
brandy francese/Franzbranntwein
brannerite/Brannerit
brasatura/Hartlöten
brasilianite/Brasilianit
brasilina/Brasilin
brassinosteroidi/Brassinosteroide
braunite/Braunit
Brazilian cocoa/Guarana
brazzeina/Brazzein
brefaldine/Brefeldine
brevetossine/Brevetoxine
brevettare/Patentieren
brevetti/Patente
brevicomina/Brevicomin
breynine/Breynine
bricchettatura/Brikettierung
brillanza/Glanz, Leuchtdichte
brina/Reif
brionia/Zaunrübe
briostatine/Bryostatine
brivudina/Brivudine
broccato/Brokat
brochantite/Brochantit
brodifacoum/Brodifacoum
bromacile/Bromacil
bromadiolone/Bromadiolon
bromato di potassio/Kaliumbromat
- di sodio/Natriumbromat

bromazepame/Bromazepam
bromazione/Bromierung
bromelaina/Bromelain
brometalina/Bromethalin
bromisovale/Bromisoval
bromo/Brom
bromo.../Brom...
1-bromo-2-butene/1-Brom-2-buten
bromoacetaldeid-dietilacetale/Bromacetaldehyd-diethylacetal
N-bromoacetammide/N-Bromacetamid
bromoacetato di etile/Bromessigsäureethylester
ω-(o α)-bromoacetofenone/ω-(od. α-)Bromacetophenon
bromobenzene/Brombenzol
bromocicloesano/Bromcyclohexan
bromoclorofene/Bromchlorophen
bromocloromentano/Bromchlormethan
bromocriptina/Bromocriptin
1-bromodecano/1-Bromdecan
bromoesino/Bromhexin
bromofenirammina/Brompheniramin
4-bromofenolo/4-Bromphenol
bromofluoruri/Bromfluoride
bromoformio/Bromoform
bromoidrine/Bromhydrine
bromoidrocarburi/Bromkohlenwasserstoffe
1-bromonaftalina/1-Bromnaphthalin
bromopiridine/Brompyridine
bromopride/Bromoprid
bromopropilato/Brompropylat
bromosolfaleina/Bromsulfalein

bromossinile/Bromoxynil
β-bromostirolo/β-Bromstyrol
N-bromosuccinimmide/N-Bromsuccinimid
5-bromouracile/5-Bromuracil
bromperidolo/Bromperidol
bromuconazolo/Bromuconazol
bromureidi/Bromureide
bromuri/Bromide
- di fosforo/Phosphorbromide
- di iodio/Iodbromide
- di propile/Propylbromide
- di rame/Kupferbromide
- di xilile/Xylylbromide

bromuro acetile/Acetylbromid
- benzilonico/Benziloniumbromid
- cetiltrimetilico d'ammonio/Cetyltrimethylammoniumbromid
- d' alluminio/Aluminiumbromid
- d'ambutonio/Ambutoniumbromid
- d'ammonio/Ammoniumbromid
- di argento/Silberbromid
- di benzile/Benzylbromid
- di butile/Butylbromide
- di cadmio/Cadmiumbromid
- di calcio/Calciumbromid
- di ciclonio/Cicloniumbromid
- di decametonio/Decamethoniumbromid
- di esadecile/Hexadecylbromid
- di esile/Hexylbromid
- di etile/Ethylbromid
- di fenilmagnesio/Phenylmagnesiumbromid
- di litio/Lithiumbromid
- di magnesio/Magnesiumbromid
- di mercurio(II)/Quecksilber(II)-bromid
- di metile/Methylbromid
- di metilene/Methylenbromid
- di nichel(II)/Nickel(II)-bromid
- di 1-ottile/Octylbromid
- di piproctanile/Piproctanyl-bromid
- di potassio/Kaliumbromid
- di propargile/Propargylbromid
- di sodio/Natriumbromid
- di tallio(I)/Thallium(I)-bromid
- di vinile/Vinylbromid

bronchiti/Bronchitis
bronzare/Broncieren
bronzi/Bronzen
- al fosforo/Phosphorbronzen
- al manganese/Manganbronzen
- al nichel/Nickelbronzen
- al wolframio/Wolframbronzen
- complessi/Mehrstoffbronzen
- sinterizzati/Sinterbronzen

bronzo al magnesio/Magnesiumbronze
- da campane/Glockenbronze
- di argento/Silberbronze

broquinaldolo/Broquinaldol
broxichinolina/Broxychinolin
bruceantina/Bruceantin
bruciaprofumi/Rauchverzehrer
bruciare di stomaco/Sodbrennen
bruciatore/Brenner
- a plasma/Plasmabrenner
- a specchio/Spiegelbrenner
- ad immersione/Tauchbrenner
- Méker/Méker®-Brenner
- Teclu/Teclu-Brenner
- UHF/UHF-Brenner

bruciatura/Sengen
- spettrale di perforazione/Spektrales Lochbrennen

brucina/Brucin
brucite/Brucit
brunitura/Brünieren

bruno di manganese/Manganbraun
buca/Defektelektron
bucco/Bucco
bucetina/Bucetin
buclizina/Buclizin
buclosammide/Buclosamid
buco dell'ozono antartico/Antarktisches Ozonloch
- nello strato di ozono, nell'ozonosfera/Ozon-Loch
- nero/Schwarzes Loch
- tetraedrico/Tetraederlücke

budesonide/Budesonid
bufadienolidi/Bufadienolide
bufenina/Buphenin
bufeniodio/Bufeniod
bufexamaco/Bufexamac
buflomedil/Buflomedil
buformina/Buformin
bufotossina/Bufotoxin
builder/Builder
bulbocapnina/Bulbocapnin
bullvalene/Bullvalen
bumadizone/Bumadizon
bumetanide/Bumetanid
bunamoidile/Bunamiodyl
bunazosina/Bunazosin
bungarotossine/Bungarotoxine
bunitrololo/Bunitrolol
bupirimato/Bupirimat
bupivacaina/Bupivacain
bupranololo/Bupranolol
buprenorfina/Buprenorphin
buprofezina/Buprofezin
buretta di Schellbach/Schellbach-Bürette
burette/Büretten
burro/Butter
- di cacao/Kakaobutter

buserelina/Buserelin
busolfano/Busulfan
buspirone/Buspiron
butacaina/Butacain
butacloro/Butachlor
1,3-butadiene/1,3-Butadien
butalamina/Butalamin
butalbital/Butalbital
butamirato/Butamirat
1,4-butandiammina/1,4-Butandiamin
butandioli/Butandiole
2,3-butandione/2,3-Butandion
butanilicaina/Butanilicain
butano/Butan
terz-butanolato di potassio/Kalium-tert-butoxid
butanolo/Butanole
2-butanone/2-Butanon
1-butantiolo/1-Butanthiol
butaperazina/Butaperazin
butaverina/Butaverin
2-buten-1,4-diolo/2-Buten-1,4-diol
(E)-2-butenale/(E)-2-Butenal
butene/Buten
2-butenil.../2-Butenyl...
(E)-2-butenoato di etile/(E)-2-Butensäureethylester
butenolidi/Butenolide
butetamato/Butetamat
butil.../Butyl...
2-terz-butil-4-(risp. 5-)metilfenolo/2-tert-Butyl-4-(bzw. 5)-methylphenol
butilaldeide/Butyraldehyde
butilammina/Butylamine
butilato/Butylat
butilcaucciù/Butylkautschuke
terz-butilfenolo/tert-Butylphenole
butilftalato di benzile/Benzylbutylphthalat
butiliden.../Butyliden...

terz-butilidrochinone/*tert*-Butylhydrochinon
terz-butilidroperossido/*tert*-Butylhydroperoxid
butillitio/Butyllithium
terz-butilmetossifenolo/*tert*-Butylmethoxyphenol
4-*terz*-butilpirocatechina/4-*tert*-Butylbrenzcatechin
2-butin-1,4-diolo/2-Butin-1,4-diol
1-butino/1-Butin
butinolina/Butinolin
γ-butirolattone/γ-Butyrolacton
butirril…/Butyryl…
butirrofenone/Butyrophenon
butirrometro/Butyrometer
butizide/Butizid
butobarbital/Butobarbital
butocarbossima/Butocarboxim
butossi…/Butoxy…
terz-butossicarbonil…/*tert*-Butoxycarbonyl…
butossicarbossima/Butoxycarboxim
butosside di piperonile/Piperonylbutoxid
butossidi/Butoxide
terz-butossido di potassio/Kalium-*tert*-butoxid
buzepide metioduro/Buzepid metiodid

C

cabasite/Chabasit
cabenegrine/Cabenegrine
cabergolina/Cabergolin
cacao/Kakao
cachemire/Kaschmir-Wolle
cachi/Kaki
caco…/Kako…
cacodilossido/Kakodyloxid
cacotelina/Kakothelin
caderine/Cadherine
cadinene/Cadinen
cadione/Cadion
cadmio/Cadmium
cadsurenone/Kadsurenon
cadusafos/Cadusafos
caeruleina/Caerulein
caeruloplasmina/Caeruloplasmin
cafaminolo/Cafaminol
cafedrina/Cafedrin
caffè/Kaffee
– d'orzo/Malzkaffee
– scelto/Triage-Kaffee
caffeina/Coffein
caglio/Lab
cairomoni/Kairomone
calamina/Zunder
calamità/Kalamität
calamo aromatico/Kalmus
calandra/Kalander
calbindine/Calbindine
calcareniti/Kalksandsteine
calcari/Kalke
calce cellulare/Zellenkalk
– idraulica/Wasserkalk
– saccarifera/Zuckerkalk
– siderurgica/Hüttenkalk
– sodata/Natronkalk
calcedonio/Chalcedon
calceina/Calcein
calcestruzzo/Beton
– aerato/Porenbeton
– armato/Stahlbeton
– cellulare/Porenbeton
– leggero/Leichtbeton
– legnoso/Holzbeton
– pesante/Schwerbeton
– polimero/Polymerbeton
– poroso/Schaumbeton
– precompresso/Spannbeton
– resinaceo/Polymerbeton
calci/Kalke
calcifediolo/Calcifediol
calciferoli/Calciferole
calcificazione/Verkalken
calcifugo/Kalzifug
calcimicina/Calcimycin
calcinare/Kalken
calcinatura forestale/Waldkalkung
calcinazione/Calcinieren, Verkalken
calcinazioni dalla pirite/Kiesabbrände
calcineurina/Calcineurin
calcio/Calcium
calciporone/Chalciporon
calcipotriolo/Calcipotriol
calcite/Calcit
calcitonina/Calcitonin
calco…/Chalko…
calcogeni/Chalkogene
calcogenuri/Chalkogenide
calcolatore analogico/Analogrechner
– di processo/Prozeßrechner
calcolo biliare/Gallensteine
– complessivo sull'economia ambientale/Umweltökonomische Gesamtrechnung
– di errore/Fehlerrechnung
calcone/Calcon, Chalkon
calcopirite/Kupferkies
caldaia a circolazione forzata/Zwangsumlaufkessel
caldesmona/Caldesmon
caldo/Heiß
calefazione/Leidenfrostsches Phänomen
calia/Gekrätz
calibrare/Kalibrieren
calibrazione universale/Universelle Kalibrierung
calicantina/Calycanthin
caliche/Caliche
calicheamicine/Calicheamicine
caliculine/Calyculine
californio/Californium
calisteroli/Calysterole
callasi/Kallase
callicreine/Kallikreine
callidina/Kallidin
callosi/Kallose
calmagite/Calmagit
calmania/Galmei
calmanti/Schmerzmittel
calmodulina/Calmodulin
calnessina/Calnexin
calo/Abbrand
calomelano/Kalomel
caloni/Chalone
colorante alla caseina/Casein-Anstrich
calore/Wärme
– atomico/Atomwärme
– di combustione/Verbrennungswärme
– di formazione/Bildungswärme
– di reazione/Reaktionswärme
– di trasformazione/Umwandlungswärmen
– di vaporizzazione/Verdampfungswärme
– latente di fusione/Schmelzwärme
– perduto/Abwärme
– specifico/Spezifische Wärmekapazität
caloria/Kalorie
calorifero di Kofler/Koflersche Heizbank
calorimetria/Kalorimetrie
calorizzare/Alitieren
calotte Kapsenberg/Kapsenberg-Kappen
calpaine/Calpaine
calponina/Calponin
calreticolina/Calreticulin
calretinina/Calretinin
calsequestrina/Calsequestrin
camala/Kamala
camazepam/Camazepam
cambiamento di forma a caldo/Warmumformen
– di stato/Zustandsänderung
camera a bolle/Blasenkammer
– a nebbia/Wilson-Kammer
– di conteggio/Zählkammer
– di Wilson/Wilson-Kammer
– vorticosa/Wirbelkammer
camigreni/Chamigrene
camilofina/Camylofin
camomilla/Kamille
campionamento, campionatura/Probenahme
campione/Probe
– misto/Mischprobe
campo di forze/Kraftfeld
canale a scosse/Jigger
– trasportatore oscillante/Jigger
canali del calcio/Calcium-Kanäle
– del potassio/Kalium-Kanäle
– di cloruro/Chlorid-Kanäle
– ionici/Ionenkanäle
– per gli ioni di sodio/Natrium-Kanäle
canalizzazione/Kanalisation
– indiretta/Indirekteinleiter
canamicine/Kanamycine
canapa/Hanf
– di Manila/Manilahanf
– giapponese/Sunn
– sunn/Sunn
canavanina/Canavanin
cancellainchiostro/Tintenentferner
cancerogenesi/Carcinogenese
cancerogeni/Carcinogene
cancrena/Gangrän
cancro/Krebs
– vegetale/Pflanzenkrebs
candeggio/Bleichen
– tessile/Textilbleiche
candela/Candela, Kerze
– Hefner/Hefnerkerze
candele/Kerzen
– magiche/Wunderkerzen
candicidina/Candicidin
candidina/Candidin
candire/Kandieren
candoluminescenza/Candolumineszenz
canfecloro/Camphechlor
canfene/Camphen
canfora/Campher
canna da soffio vetrario/Glasmacherpfeife
cannabinoidi/Cannabinoide
cannella/Zimt
– Padang/Padang-Zimt
cannello di Langmuir/Langmuir-Fackel
cantarello/Pfifferlinge
cantaridina/Cantharidin
cantaxantina/Canthaxantin
caolini/Kaoline
caolinite/Kaolinit
caos/Chaos
caotropo/Chaotrop
capacità/Kapazität
– adsorbente dei coloranti/Ziehvermögen
– biologica specifica/Umweltkapazität
– di degradazione dell' ambiente/Abbaukapazität der Umwelt
– di sostentamento/Umweltkapazität
– di trazione/Ziehvermögen
– portante/Umweltkapazität
– termica molare/Molwärme
– termica specifica/Spezifische Wärmekapazität
capechio/Werg
capello/Haar
capillare di ebollizione/Siedekapillare
capillari di Haber-Luggin/Haber-Luggin-Kapillare
– di marcatura/Markröhrchen
capillarità/Kapillarität
cappellaccio/Abraum
capperi/Kapern
capping/Capping
capreomicina/Capreomycin
ε-caprolattame/ε-Caprolactam
ε-caprolattone/ε-Caprolacton
capronato di etile/Hexansäureethylester
capsaicina/Capsaicin
capsantina/Capsanthin
capsella bursa-pastoris/Hirtentäschel
capsidi/Capside
capsula di Petri/Petrischale
capsule/Kapseln
– per pistole-giocattolo/Zündblättchen
captafolo/Captafol
captano/Captan
carambola/Karambole
caramelle/Karamellen
– di gomma/Gummibonbons
– dure/Hartkaramellen
– tenere/Weichkaramellen
caramello/Karamel, Zuckercouleur
carano/Caran
carato/Karat
carattere/Merkmal
– della specie/Charakterart
– fissile/Spaltbarkeit
caratterizzazione/Kennzeichnung
carazorolo/Carazolol
carba…/Carba…
carbaborani/Carbaborane
carbacolo/Carbachol
…carbaldeide/…carbaldehyd
carbamati/Carbamate
carbamato di cellulosa/Cellulose-Carbamat
carbamazepina/Carbamazepin
carbamoil…/Carbamoyl…
carbamoilfosfato/Carbamoylphosphat
carbanioni/Carbanionen
carbapeneme/Carbapeneme
carbarile/Carbaryl
carbasalato di calcio/Carbasalat-Calcium
carbazidi/Carbazide
carbazocromo/Carbazochrom
9*H*-carbazolo/9*H*-Carbazol
carbendazina/Carbendazim
carbeni/Carbene
carbenicillina/Carbenicillin
carbenioioni/Carbenium-Ionen
carbenossolone/Carbenoxolon
carbetammide/Carbetamid
carbidopa/Carbidopa
carbimazolo/Carbimazol
carbini/Carbine
carbino/Karbin
carbinoli/Carbinole
carbinossammina/Carbinoxamin
carboanidrasi/Carboanhydrase
carbocationi/Carbokationen
carbocisteina/Carbocistein
carbocromene/Carbocromen

carbodiimmidi/Carbodiimide
carbofurano/Carbofuran
carboidrati/Kohlenhydrate
carboleina/Carbolöl
carboline/Carboline
carbolineum/Carbolineum
carbomicina/Carbomycin
carbonati/Carbonate
– di bismuto/Bismutcarbonate
– di idrogeno/Hydrogencarbonate
– di poliallildiglicole/Polydiallyldiglykolcarbonate
– di zinco/Zinkcarbonate
– polialcilenichi/Polyalkylencarbonate
carbonatite/Karbonatit
carbonato d'ammonio/Ammoniumcarbonat
– di argento/Silbercarbonat
– di bario/Bariumcarbonat
– di cadmio/Cadmiumcarbonat
– di calcio/Calciumcarbonat
– di cobalto(II)/Cobalt(II)-carbonat
– di dietile/Diethylcarbonat
– di dimetile/Dimethylcarbonat
– di ferro/Eisencarbonat
– di litio/Lithiumcarbonat
– di magnesio/Magnesiumcarbonat
– di manganese(II)/Mangan(II)-carbonat
– di nichel(II)/Nickel(II)-carbonat
– di piombo/Bleicarbonat
– di potassio/Kaliumcarbonat
– di rame(II)/Kupfer(II)-carbonat
– di sodio/Natriumcarbonat
– di stronzio/Strontiumcarbonat
– di tallio(I)/Thallium(I)-carbonat
carbone/Kohle
– -14/C-14
– attivo/Aktivkohle
– attivo iodurato/Iod-Kohle
– da gas/Gaskohle
– di caffè/Kaffeekohle
– di legna/Holzkohle
– di legna fossile/Fusain
– di legna medicinale/Medizinische Kohle
– di ossa/Knochenkohle
– di storta/Retortenkohle
– d'olio/Ölkohle
– espanso/Schaumkohlenstoff
– fossile/Steinkohle
– grasso/Fettkohle
– minuto granelloso/Grieß
– tipo cannel/Kannelkohle
carbonil…/Carbonyl…
carbonilazione/Carbonylierung
carbonildiossi…/Carbonyldioxy…
carbonili di cobalto/Cobaltcarbonyle
– di ferro/Eisencarbonyle
– di manganese/Mangancarbonyle
– metallici/Metallcarbonyle
carbonio/Kohlenstoff
– organico disciolto/DOC
– organico particellare/POC
– organico totale/TOC
carbonitrurazione/Carbonitrieren
carbonitruri/Carbonitride
carbonizzazione/Carbonisieren, Inkohlung
carboplatino/Carboplatin
carborani/Carborane
carbosilani/Carbosilane
carbosolfano/Carbosulfan
carbossilasi/Carboxylasen
carbossilazione/Carboxylierung
carbossimetilcellulosa/Carboxymethylcellulose

carbossina/Carboxin
carbossipeptidasi/Carboxypeptidasen
carbromale/Carbromal
carburanti/Kraftstoffe, Treibstoffe
– a reazione/Düsenkraftstoffe
– aerei/Flugkraftstoffe
– dei motori/Motorkraftstoffe
– per motore diesel/Dieselkraftstoffe
– per trattori/Traktorenkraftstoffe
carburazione/Aufkohlung, Carburieren
carburi/Carbide
– cromici/Chromcarbide
– di magnesio/Magnesiumcarbide
– di torio/Thoriumcarbide
– di tungsteno/Wolframcarbide
carburo borico/Borcarbid
– d'alluminio/Aluminiumcarbid
– di calcio/Calciumcarbid
– di ferro/Eisencarbid
– di silicio/Siliciumcarbid
– di titanio/Titancarbid
carbutammide/Carbutamid
carbuterolo/Carbuterol
carbutilato/Karbutilat
carciofi/Artischocken
cardamomo/Kardamomen
cardenolidi/Cardenolide
cardo/Karde
– della Madonna/Mariendistel
cardolo/Cardol
careni/Carene
carfentrazon-etile/Carfentrazon-ethyl
carfolite/Karpholith
caribdotossina/Charybdotoxin
carica/Ladung
– elementare/Elementarladung
– elettrostatica/Elektrostatische Auflading
cariche cave/Hohlladungen
carico/Belastung, Fracht
carie/Karies
carindacillina/Carindacillin
cariofilleni/Caryophyllene
carisoprodolo/Carisoprodol
carmina d'indaco/Indigocarmin
carminativi/Carminativa
carminio/Karmin
carmustina/Carmustin
carnallite/Carnallit
carne/Fleisch
– pallida, PSE/PSE-Fleisch
carnelliti/Abraumsalze
carnitina/Carnitin
carnivoria/Carnivorie
carnosina/Carnosin
carnotite/Carnotit
carote/Möhren
β-carotene/β-Carotin
caroteni/Carotine
carotenoidi/Carotinoide
carpaina/Carpain
carpatite/Pendletonit
carpofene/Carprofen
carrageen/Carrageen
carrier/Carrier
carrubo/Johannisbrotbaum
carta/Papier
– carbone/Kohlepapier
– compressa/Hartpapier
– copiativa/Durchschreibepapier
– da sacco/Sackpapier
– genetica/Genkarte
– impregnata dell'acetato o nitrato di piombo/Bleipapier
– patinata leggera/Light weight coated
– senza cloro/Chlorfreies Papier
– vecchia/Altpapier
– vetrata/Glaspapier, Sandpapier

cartamina/Carthamin
cartamo/Saflor
cartap/Cartap
carte da parati/Tapèten
– di polimeri sintetici/Kunststoff-Papiere
– oleate/Ölpapiere
– reattive/Reagenzpapiere
cartello/Kartell
carteololo/Carteolol
cartilagine/Knorpel
cartone/Karton, Pappe
– catramato/Dachpappe
– di feltro/Filzpappe
– di pasta di legno/Holzpappe
– pressato/Preßspan
cartreusina/Chartreusin
carvacrolo/Carvacrol
carvone/Carvon
carzenide/Carzenid
cascara sagrada/Kaskararinde
caseina/Casein
caseinati/Caseinate
caso di guasti/Störfall
casolite/Kasolit
cassaina/Cassain
cassetto per guantiera/Glove box
cassinina/Kassinin
cassiterite/Kassiterit
castagne/Kastanien
– d'India/Kastanien
castanospermina/Castanospermin
CASTing/CASTing
casugamicina/Kasugamycin
cata…/Kata…
cataforesi/Kataphorese
catalasi/Katalase
catalisi/Katalyse
– acido-base/Säure-Base-Katalyse
– tramite il trasferimento i fase/Phasentransfer-Katalyse
catalizzatore a tre vie/Dreiwege-Katalysator
– di Meyer-Ronge/Meyer-Ronge-Katalysator
– di Wilkinson/Wilkinson-Katalysator
catalizzatori/Katalysatoren
– di Raney/Raney-Katalysatoren
– di Ziegler-Natta/Ziegler-Natta-Katalysatoren
– MCM/MCM-Katalysatoren
– Phillips/Phillips-Katalysatoren
– polimeri/Polymere Katalysatoren
– Urushibara/Urushibara-Katalysatoren
catalogo di rifiuti/Abfallkatalog
catalpolo/Catalpol
catapinati/Katapinate
cataplasma/Kataplasma
catapleite/Katapleit
catarantina/Catharanthin
catarometri/Wärmeleitfähigkeitsdetektoren
catasto/Kataster
– d'emissione/Emissionskataster
– d'immisione/Immissionskataster
catechina/Catechin
catechine/Catechine
catecolam(m)ine/Catecholamine
catecolborano/Catecholboran
catecù/Catechu
categorie di pericolo/Gefahrenklassen
catena…/Catena…
catena alimentare/Nahrungskette
– di Kratky-Porod/Kratky-Porod-Kette
– fantasma/Phantomkette
– invariante/Invariante Kette
– laterale/Seitenkette

– respiratoria/Atmungskette
catenani/Catenane
catene/Ketten
catenine/Catenine
catepsine/Kathepsine
cateratta/Star
catil…/Cathyl…
catino di deposizione/Absetzbecken
catione di ciclopropenilio/Cyclopropenylium-Kation
cationi/Kationen
catodo/Kathode
catrame/Teer
– di carbone fossile/Steinkohlenteer
– di ginepro/Wacholderteeröl
– di lighite/Braunkohlenteer
– scistosa/Schieferteer
– vegetale/Holzteer
cattura/Abfangen, Einfang
– di elettroni/Elektroneneinfang
caucciù/Kautschuke
– acrilico/Acrylat-Kautschuk
– al cloro/Chlorkautschuke
– anorganico/Anorganischer Kautschuk
– anticristallizzante/AC-Kautschuk
– caldo/Warmkautschuk
– ciclico/Cyclokautschuke
– dell'ossido di polipropilene/Polypropylenoxid-Kautschuk
– di diene/Dien-Kautschuk
– di poliestere/Polyester-Kautschuke
– di poliuretano/Polyurethan-Kautschuke
– di stirene e butadiene/Styrol-Butadien-Kautschuke
– EPDM/EPDM-Kautschuk
– EPR/EPR-Kautschuke
– EPT/EPT-Kautschuk
– fluido/Flüssigkautschuke
– freddo/Kaltkautschuk
– grezzo/Rohkautschuk
– in polvere/Pulverkautschuk
– metilico/Methylkautschuk
– naturale/Naturkautschuk
– nitrilico/Nitrilkautschuk
– Panama/Panama Rubber
– polieterei/Polyether-Kautschuke
– polietereo e poliuretanico/Polyether-Polyurethan-Kautschuke
– poliolefinici/Polyolefin-Kautschuke
– selvatico/Wildkautschuk
– sintetici/Faktisse, Synthesekautschuke
– universale/Allzweck-Kautschuk
caurani/Kaurane
caustifiare/Kaustifizieren
caustobioliti/Kaustobiolithe
cavaina/Kawain
cavallette/Heuschrecken
caviale/Kaviar
cavicolo/Chavicol
cavità/Defektelektron
cavitazione/Kavitation
cavoli acidi/Sauerkraut
– acidi al vino/Weinsauerkraut
cavolo/Kohl
CDTA/CDTA
ceclostilatura/Hektographie
cedrato/Zedrat
cedrene/Cedren
cedro candito/Sukkade
(+)-cedrolo/(+)-Cedrol
cefacetrile/Cefacetril
cefacloro/Cefaclor
cefadroxilo/Cefadroxil
cefalessina/Cefalexin

cefaline/Kephaline
cefaloridina/Cefaloridin
cefalosporine/Cephalosporine
cefalostatine/Cephalostatine
cefalotassina/Cephalotaxin
cefalotina/Cefalotin
cefamandolo/Cefamandol
cefazedone/Cefazedon
cefazolina/Cefazolin
cefepime/Cefepim
cefetamet/Cefetamet
cefixima/Cefixim
cefodizima/Cefodizim
cefoperazone/Cefoperazon
cefotetan/Cefotetan
cefotiam/Cefotiam
cefoxitina/Cefoxitin
cefpirome/Cefpirom
cefpodoxima/Cefpodoxim
cefprozil/Cefprozil
cefradina/Cefradin
cefsulodina/Cefsulodin
ceftazidima/Ceftazidim
ceftibuten/Ceftibuten
ceftizoxima/Ceftizoxim
ceftriassone/Ceftriaxon
cefurossima/Cefuroxim
celadonite/Seladonit
celenterati/Hohltiere
celeste chiaro/Lichtblau
celestina, celestite/Cölestin
celiachia/Zöliakie
celidonia/Schöllkraut
celiprololo/Celiprolol
cella/Zellen
– a combustibile/Brennstoffzellen
– concentratore, di concentrazione/Konzentrationszelle
– doppia di Helmholtz/Helmholtzsche Doppelzelle
– elettrolitica/Elektrolytische Zelle
celle altamente radioattive/Heiße Zellen
– calde/Heiße Zellen
cellobiosi/Cellobiose
cellofan/Zellglas
cellula/Zellen
– fotoelettrica/Photoelement
cellulasi/Cellulase
cellule a riposo/Resting Cells
– di cloruro/Chlorid-Zellen
– fotoelettriche/Photozellen
– germinali/Keimzellen
– HeLa/HeLa-Zellen
– killer attivate da linfochina/Lymphokin-aktivierte Killerzellen
– killer naturali/Natürliche Killerzellen
– solari/Solarzellen
– soppressori/Suppressor(-T)-Zellen
– totipotenti/Totipotente Zellen
celluloide/Celluloid
cellulosa/Cellulose, Zellstoff
– al solfato/Sulfatcellulose
– al solfito/Sulfitcellulose
– batterica/Bakteriencellulose
– d'alcali/Alkalicellulose
– di benzile/Benzylcellulose
– microcristallina/Mikrokristalline Cellulose
cellulose d' inclusione/Inklusionscellulosen
cembranoidi/Cembranoide
cembrene/Cembrene
cementazione/Zementation
– nitrica/Nitrierhärtung
cemento/Zement
– a presa rapida/Schnellbinder
– armato/Stahlbeton
– d'amianto/Asbestzement

– dentario/Zahnzement
– di scorie di altoforno/Hochofenzement, Hüttenzement
– e calce/Zementkalk
– fibroso/Faserzement
– magnesiaco/Sorelzement
– marino/Marinzement
– polimero/Polymer-Zemente
– Portland/Portlandzement
– romano/Romankalk
– Sorel/Sorelzement
cenere/Asche
– di legna/Holzasche
– volatile/Flugasche
centaurea minore/Tausendgüldenkraut
centri colorati/Farbzentren
centrifuga a rotazione oscillante/Taumelzentrifuge
centrifugazione/Zentrifugieren
centromero/Centromer
centrosomi/Centrosomen
ceppaie, ceppi/Stubben
ceppo/Stamm
– di produzione/Produktionsstamm
cera carnauba/Carnaubawachs
– d'api/Bienenwachs
– del Giappone/Japanwachs
– di candelina/Candelillawachs
– di canna da zucchero/Zuckerrohrwachs
– di cotone/Baumwollwachs
– fossile/Erdwachs
– microcristallina/Mikrowachs
– montana/Montanwachs
– ossea/Knochenwachs
ceralacca/Siegellack
ceramica/Keramik
– di ossidi/Oxidkeramik
ceram(m)idi/Ceramide
cerasina/Kerasin
cere/Wachse
– di formaggio/Käsewachse
– di modellazione/Bossierwachse
– dure/Hartwachse
– poliolefiniche/Polyolefin-Wachse
cereali/Getreide, Korn
cerebrodieni/Cerebrodiene
cerebrosidi/Cerebroside
ceresina/Ceresin
cerfoglio/Kerbel
cerio/Cer
cerioferro/Cereisen
cerite/Cerit
cernita/Sichten
– al vento/Windsichten
cerotto/Pflaster
cerulenina/Cerulenin
cerussite/Cerussit
cervedilolo/Carvedilol
cervello/Gehirn
cescioni/Kressen
cesio/Cäsium
cessazione/Abfangen
cetirizina/Cetirizin
cetobemidone/Cetobemidon
cetrioli/Gurken
cetriolini salati/Saure Gurken
CFTR/CFTR
chalcosina/Chalkosin
chalcostibite/Wolfsbergit
chamotte/Schamotte
charoite/Charoit
chartreuse/Chartreuse
chefir/Kefir
cheirotossina/Cheirotoxin
chelati/Chelate
chelidonina/Chelidonin
chemiforesi/Chemiphorese
chemigrafia/Chemigraphie
chemiochine/Chemokine

chemiolitotropia/Chemolithotrophie
chemioluminescenza/Chemilumineszenz
– infrarossa/Infrarotchemilumineszenz
chem(i)orecettori/Chemorezeptoren
chemiosmotico/Chemiosmotisch
chemiosorbimento/Chemisorption
chemiostato/Chemostat
chemiosterilizzatori/Chemosterilantien
chemiotassia/Chemotaxis
chemiotassonomia/Chemotaxonomie
chemiotrofia/Chemotrophie
chemiotropismo/Chemotropismus
cheracianina/Keracyanin
cheratine/Keratine
cheratolitici/Keratolytika
chermes/Kermes
chermesite/Kermesit
cherosene/Kerosin, Leuchtpetroleum
chestosi/Kestosen
chetene/Keten
cheteni/Ketene
chetenimmine/Ketenimine
chetili/Ketyle
chetimmine/Ketimine
chet(o)…/Ket(o)…
chetoesosi/Ketohexosen
chetone di Michler/Michlers Keton
chetoni/Ketone
– grassi/Fettketone
– vinilici/Vinylketone
chetosi/Ketosen
chiarezza di contatto/Kontaktklarheit
chiarificazione del vino/Weinschönung
chicchi di granoturco arrostiti/Popcorn
chilo…/Kilo…
chilobase/Kilobase
chilogrammo/Kilogramm
– -peso/Kilopond
chimasi/Chymasen
chimica/Chemie
– a bassa temperatura/Tieftemperaturchemie
– a ultrasuoni/Ultraschallchemie
– ad alta pressione/Hochdruckchemie
– ad alta temperatura/Hochtemperaturchemie
– agricola (agraria)/Agrikulturchemie
– alimentare/Lebensmittelchemie
– analitica/Analytische Chemie
– analitica assistita dal computer/Computergestützte analytische Chemie
– anorganica/Anorganische Chemie
– applicata/Angewandte Chemie
– clinica/Klinische Chemie
– colloidale/Kolloidchemie
– del cloro/Chlorchemie
– del plasma/Plasmachemie
– delle radiazioni/Strahlenchemie
– delle superfici/Oberflächenchemie
– di difesa/Wehrchemie
– ecologica/Ökochemie
– farmaceutica/Pharmazeutische Chemie
– fisica/Physikalische Chemie
– fisiologica/Physiologische Chemie
– forense/Forensische Chemie

– generale/Allgemeine Chemie
– industriale/Industrielle Chemie
– innocua/Sanfte Chemie
– laser/Laser-Chemie
– macromolecolare/Makromolekulare Chemie
– medica/Medizinische Chemie
– metallo-organica/Metall-organische Chemie
– militare/Militärchemie
– minerale/Mineralchemie
– nucleare/Kernchemie
– organica/Organische Chemie
– polimerica a laser/Laser-Polymerchemie
– preparativa/Präparative Chemie
– pura/Reine Chemie
– quantistica/Quantenchemie
– sopramolecolare/Supramolekulare Chemie
– spaziale/Kosmochemie
– strutturale/Strukturchemie
– tecnica/Technische Chemie
– teorica/Theoretische Chemie
– tessile/Textilchemie
chimico/Chemiker
– alimentare/Lebensmittelchemiker
– consultore/Handelschemiker
chimiurgia/Chemurgie
chimotripsine/Chymotrypsine
chimotripsinogeni/Chymotrypsinogene
china/Tusche
chinacridone/Chinacridon
chinalizarina/Chinalizarin
chinasi/Kinasen
– dipendenti dalla ciclina/Cyclinabhängige Kinasen
– p34/p34-Kinasen
chinazolina/Chinazolin
chinesina/Kinesin
chinetocori/Kinetochore
chinidina/Chinidin
chinidroni/Chinhydrone
chinina/Chinin
chinine/Kinine
chinizarina/Chinizarin
chinodimetani/Chinodimethane
chinoide/Chinoid
chinolina/Chinolin
chinometionato/Chinomethionat
chinondiazidi/Chinondiazide
chinoni/Chinone
chinonimmine/Chinonimine
chinonmetidi/Chinonmethide
chinonossime/Chinonoxime
chinoproteine/Chinoproteine
chinossalina/Chinoxalin
chinuclidina/Chinuclidin
L-chinurenina/L-Kynurenin
chiocciola marina/Abalone
chiocciole/Schnecken
chiodatura esplosiva/Sprengnietung
chiodo di garofano/Nelken
chiotorfina/Kyotorphin
chiralità/Chiralität, chiral
chiro/chiro-
chitina/Chitin
chlorargirite/Chlorargyrit
choc/Schock
8-chonilinolo/8-Chinolinol
chreatinina/Kreatinin
chuangxinmicina/Chuanghsinmycin
cialde/Oblaten
ciamemazina/Cyamemazin
cianammide/Cyanamid
– di calcio/Calciumcyanamid
cianammidi/Cyanamide
cianati/Cyanate
cianato…/Cyanato…

cianato di potassio/Kaliumcyanat
- di sodio/Natriumcyanat
cianazina/Cyanazin
cianina/Cyanin
cianite/Kyanit
ciano…/Cyan…
2-cianoacetammide/2-Cyan(o)-
  acetamid
cianoacetati/Cyan(o)essigsäure
2-cianoacrilati/2-Cyan(o)acryl-
  säureester
cianobatteri/Cyanobakterien
cianocobalammina/Cyanocobal-
  amin
cianoetilazione/Cyan(o)ethylie-
  rung
cianogeno/Blausäure
cianografie blu/Blaupausen
cianoguanidina/Cyan(o)guanidin
cianoidrine/Cyan(o)hydrine
cianopsina/Cyanopsin
cianosi/Cyanose
cianotipia/Eisensalz-Verfahren
cianurato di triallile/Triallyl-
  cyanurat
cianurazione/Cyanierung
cianuri di ferro/Eisencyanide
cianuro di argento/Silber-
  cyanid
- di benzile/Phenylacetonitril
- di bromo/Bromcyan
- di calcio/Calciumcyanid
- di potassio/Kaliumcyanid
- di rame(I)/Kupfer(I)-cyanid
- di sodio/Natriumcyanid
- di zinco/Zinkcyanid
- difenilarsinico/Diphenylarsin-
  cyanid
ciatini/Cyathane
cibotassia/Cybotaktische Struktur
cicasina/Cycasin
ciclacillina/Ciclacillin
ciclamato di sodio/Natriumcycla-
  mat
ciclaminaldeide/Cyclamenalde-
  hyd
ciclandelato/Cyclandelat
ciclazine/Cyclazine
ciclazocina/Cyclazocin
cicletanina/Cicletanin
cicline/Cycline
ciclisazione/Cyclisierung
ciclitoli/Cyclite
ciclizina/Cyclizin
ciclizzazione di Ružička/Ružička-
  Cyclisierung
ciclizzazioni/Ringschlußreaktio-
  nen
ciclo…/Cyclo…
ciclo dell'acido citrico/Citro-
  nensäure-Cyclus
- di Born-Haber/Born-Haber-
  Kreisprozeß
- di Carnot/Carnotscher Kreisprozeß
- di Hatch-Slack/Hatch-Slack-
  Cyclus
- di Stirling/Stirlingscher Kreisprozeß
- ureico/Harnstoff-Cyclus
cicloaddizione/Cycloaddition
- 1,3-dipolare/1,3-Dipolare Cycloaddition
cicloalcani/Cycloalkane
cicloalcheni/Cycloalkene
cicloalchini/Cycloalkine
cicloareni/Cycloarene
cicloartenolo/Cycloartenol
cicloato/Cycloat
ciclobarbitale/Cyclobarbital
ciclobutadiene/Cyclobutadiene
ciclobutano/Cyclobutan
ciclobutirrolo/Cyclobutyrol

ciclodestrine/Cyclodextrine
ciclododecano/Cyclododecan
ciclododecanolo/Cyclododecanol
ciclododecanone/Cyclododeca-
  non
1,5,9-ciclododecatriene/1,5,9-Cy-
  clododecatrien
cicloeptano/Cycloheptan
cicloeptanone/Cycloheptanon
1,3,5-cicloeptatriene/1,3,5-Cyclo-
  heptatrien
cicloesadiene/Cyclohexadien
cicloesadienoni/Cyclohexa-
  dienone
1,4-cicloesandimetanolo/1,4-Cy-
  clohexandimethanol
cicloesano/Cyclohexan
cicloesanolo/Cyclohexanol
cicloesanone/Cyclohexanon
cicloesene/Cyclohexen
cicloesil…/Cyclohexyl…
cicloesilammina/Cyclohexylamin
cicloesilideni/Cyclohexyliden
ciclofani/Cyclophane
ciclofenile/Cyclofenil
ciclofilina/Cyclophilin
ciclofosfamide/Cyclophosphamid
cicloni/Zyklone
ciclooligomerizzazione/Cyclooli-
  gomerisation
ciclooossigenasi/Cyclooxygenase
cis,cis-1,5-cicloottadiene/cis,cis-
  1,5-Cyclooctadien
ciclottatetraene/Cyclooctatetraen
ciclopentadecanone/Cyclopenta-
  decanon
ciclopentadiene/Cyclopentadien
ciclopentadienile/Cyclopentadi-
  enyl
ciclopentamina/Cyclopentamin
ciclopentano/Cyclopentan
ciclopentanolo/Cyclopentanol
ciclopentanone/Cyclopentanon
ciclopentiazide/Cyclopenthiazid
ciclopentobarbitale/Cyclopento-
  barbital
ciclopentolato/Cyclopentolat
ciclopeptidi/Cyclopeptide
cicloopoliaddizione/Cyclopolyad-
  dition
ciclopolimerizzazione/Cyclopoly-
  kondensation, Cyclopolymeri-
  sation
ciclopropano/Cyclopropan
cicloprotrina/Cycloprothrin
cicloserina/Cycloserin
ciclosilani/Cyclosilane
ciclosporina/Ciclosporin
ciclosporine/Cyclosporine
ciclostereoisomeria/Cyclostereo-
  isomerie
ciclotrone/Zyklotron
ciclovalone/Cyclovalon
cicloxidim/Cycloxydim
cicorie/Zichorien
cicuta/Schierling
cicutossina/Cicutoxin
…cida/…zid
ciflutrin/Cyfluthrin
cigliegie/Kirschen
ciguatossina/Ciguatoxin
cihalotrin/Cyhalothrin
cihexatin/Cyhexatin
cilastatina/Cilastatin
cilazapril/Cilazapril
ciliegia dell'India occidentale/
  Acerola
cilindro graduato/Meßzylinder
cimetidina/Cimetidin
cimice dei letti/Bettwanze
cimici/Wanzen
cimoli/Cymole
cimoxanil/Cymoxanil

cinabro/Zinnober
- d'antimono/Antimonzinnober
cianuri/Cyanide
cinarina/Cynarin
cinasi C proteinica/Protein-
  Kinase C
- proteiniche/Protein-Kinasen
cincocaina/Cinchocain
cincofene/Cinchophen
cinconidina/Cinchonidin
cinconina/Cinchonin
cineolo/Cineol
cinerine/Cinerine
cinesia/Reisekrankheit
cinetica/Kinetik
- di Monod/Monod-Kinetik
cinetina/Kinetin
cinetosi/Reisekrankheit
cinmetilina/Cinmethylin
cinnabarina/Cinnabarin
cinnamati/Cinnamate, Zimtsäureester
cinnamil…/Cinnamyl…
cinnamiliden…/Cinnamyliden…
cinnamoil…/Cinnamoyl…
cinnarizina/Cinnarizin
cinnolina/Cinnolin
cinosulfurone/Cinosulfuron
cinoxacina/Cinoxacin
cintura di roccia verde/Grünstein-
  Gürtel
cioccolata/Schokolade
cioccolatini/Pralinen
cipermetrina/Cypermethrin
- zeta/Zeta-Cypermethrin
cipolle/Zwiebeln
cipressi/Zypresse
ciproconazol/Cyproconazol
ciprodinile/Cyprodinil
ciproeptadina/Cyproheptadin
ciprofloxacina/Ciprofloxacin
ciproterone/Cyproteron
circolazione/Kreislauf
ciromazina/Cyromazin
cis-/cis-
cisapride/Cisaprid
cisoide/Cisoid
cispentacina/Cispentacin
cisplatino/Cisplatin
cistammina/Cystamin
cisteammina/Cysteamin
L-cisteina/L-Cystein
cisteina proteasi/Cystein-Pro-
  teasen
L-cistina/L-Cystin
citidina/Cytidin
citiolone/Citiolon
citisina/Cytisin
citiso/Geißbraute, Goldregen
cito…/Cyto…
citobiologia/Cytobiologie
citocalasine/Cytochalasine
citochimica/Cytochemie
citochine/Cytokine
citochinine/Cytokinine
citocromi/Cytochrome
citocromo c ossidasi/Cytochrom-
  c-Oxidase
- c reduttasi/Cytochrom-c-Re-
  duktase
- P-450/Cytochrom P-450
citoecologia/Cytoökologie
citoemina/Cytohämin
citolisi/Cytolyse
citologia/Cytologie
citoplasma/Cytoplasma
citoscheletro/Cytoskelett
citosina/Cytosin
citosinarabinoside/Cytosinarabi-
  nosid
citosol/Cytosol
citostatici/Cytostatika
citotossicità/Cytotoxizität

citotossine/Cytotoxine
citrale/Citral
citranaxantina/Citranaxanthin
citrati/Citrate
citrato d'ammonio/Ammonium-
  citrat
- di calcio/Calciumcitrat
- di ferro(III)/Eisen(III)-citrat
- di magnesio/Magnesiumcitrat
- di potassio/Kaliumcitrat
- di sodio/Natriumcitrat
- -sintasi/Citrat-Synthase
citreoviridine/Citreoviridine
citrinina/Citrinin
citronellale/Citronellal
citronelloli/Citronellole
citrullina/Citrullin
civetone/Zibeton
cladinosio/Cladinose
cladribina/Cladribin
claritromicina/Clarithromycin
classe di viscosità SAE/SAE-Vis-
  kositätsklassen
- sulla refrattarietà/Feuerwider-
  standsklasse
classi cristalline/Kristallklassen
- di composti/Verbindungsklas-
  sen
- di pericolo per l'acqua/Wasser-
  gefährdungsklassen
classificare/Klassieren
classificazione/Klassifikation
- decimale universale/Dezimal-
  klassifikation
- delle sostanze pericolose/Ge-
  fahrstoffkataster
- d'incendio/Brandarten
- d'infiammabilità/Brandklassen
clatrati/Clathrate
clatrina/Clathrin
clausenammide/Clausenamid
clavami/Clavame
clavamicine/Clavamycine
clemastina/Clemastin
clementeini/Clementeine
clementine/Clementinen
clemizolo/Clemizol
clenbuterolo/Clenbuterol
cleridi/Buntkäfer
clerodani/Clerodane
clethodim/Clethodim
clibucaina/Clibucain
clidino bromuro/Clidiniumbro-
  mid
clima/Klima
climaterio/Klimakterium
climax/Klimax
clindamicina/Clindamycin
clinker/Klinker
- di ferro/Eisenklinker
clinoptilolite/Klinoptilolith
cliochinolo/Clioquinol
clistron/Klystron
clitidina/Clitidin
clitocina/Clitocin
clobazam/Clobazam
clobetasolo/Clobetasol
clobetasone/Clobetason
clobutinolo/Clobutinol
clocortolone/Clocortolon
clodinafob-propargile/Clodi-
  nafop-propargyl
cloetocarb/Cloethocarb
clofazimina/Clofazimin
clofedanolo/Clofedanol
clofenamide/Clofenamid
clofenciclane/Clofenciclan
clofentezina/Clofentezin
clofezone/Clofezon
clofibrate/Clofibrat
clofibrato d'alluminio/Alumini-
  umclofibrat
clomazone/Clomazon

clomeprop/Clomeprop
clometiazolo/Clomethiazol
clomifene/Clomifen
clomipramina/Clomipramin
clonaggio cellulare/Zellklonierung
clonare/Klonieren
clonazepam/Clonazepam
clonazione per posizione/Positional cloning
– shot-gun/Shotgun-Klonierung
clone/Klon
cloni ibrido-cellulari/Hybridzellklone
clonidine/Clonidin
clonostachidiolo/Clonostachydiol
clopamide/Clopamid
clopentioxolo/Clopenthixol
clopiralide/Clopyralid
cloprednolo/Cloprednol
cloracetati/Chloressigsäureester
cloracne/Chlorakne
cloralio/Chloral
– idrato/Chloralhydrat
cloralosio/Chloralose
clorambucile/Chlorambucil
cloramfenicol-acetiltransferasi/Chloramphenicol-Acetyltransferase
cloramfenicolo/Chloramphenicol
clorammina/Chloramin
– T/Chloramin T
cloramminie/Chloramine
cloranile/Chloranil
clorati/Chlorate
clorato di bario/Bariumchlorat
– di calcio/Calciumchlorat
– di potassio/Kaliumchlorat
– di sodio/Natriumchlorat
clorazanile/Chlorazanil
clorazepato dipotassico/Dikaliumclorazepat
clorazione/Chlorung
clordano/Chlordan
cloretossifos/Chlorethoxyfos
clorexolone/Clorexolon
clorfenvinfos/Chlorfenvinfos
clorfluazurone/Chlorfluazuron
cloridazone/Chloridazon
clorimetria/Chlorimetrie
clorimuron-etile/Chlorimuron-ethyl
clorindanolo/Clorindanol
clorindione/Clorindion
clorine/Chlorine
cloriti/Chlorite
clorito di sodio/Natriumchlorit
clormefos/Chlormephos
clormequato cloruro/Chlormequatchlorid
clormerodrina/Chlormerodrin
clormetina/Chlormethin
clormezanone/Chlormezanon
clormidazolo/Chlormidazol
cloro/Chlor
cloro…/Chlor…
4-cloro-3,5-dimetilfenolo/4-Chlor-3,5-dimethylphenol
1-cloro-2,4-dinitrobenzene/1-Chlor-2,4-dinitrobenzol
3-cloro-2-metil-1-propene/3-Chlor-2-methyl-1-propen
3-cloro-1,2-propandiolo/3-Chlor-1,2-propandiol
cloroacetaldeiddietilacetale/Chloracetaldehyddiethylacetal
cloroacetaldeidimetilacetale/Chloracetaldehyddimethylacetal
cloroacetaldeide/Chloracetaldehyd
cloroacetale/Chloracetaldehyddiethylacetal
2-cloroacetammide/2-Chloracetamid

ω-cloroacetofenone/ω-Chloracetophenon
cloroacetone/Chloraceton
cloroaniline/Chloraniline
clorobenzaldeide/Chlorbenzaldehyde
clorobenzene/Chlorbenzol
(2-clorobenziliden)-malodinitrile/(2-Chlorbenzyliden)-malonsäuredinitril
clorobenzossammina/Chlorbenzoxamin
clorocarbonil…/Chlorcarbonyl…
clorocarvacrolo/Chlorcarvacrol
clorocicloesano/Chlorcyclohexan
clorocresoli/Chlorkresole
clorodiazepossido/Chlordiazepoxid
cloroesidina/Chlorhexidin
clorofacinone/Chlorphacinon
clorofen/Clorofen
clorofenammina/Chlorphenamin
clorofenesina/Chlorphenesin
clorofenoli/Chlorphenole
clorofenossammina/Chlorphenoxamin
clorofilla/Chlorophyll(e)
clorofillide/Chlorophyllid(e)
clorofilline/Chlorophylline
cloroflurenolo-metile/Chlorflurenol-methyl
cloroidrine/Chlorhydrine
cloroidrogeno/Chlorwasserstoff
clorolisi/Chlorolyse
cloromadinonacetato/Chlormadinonacetat
clorometano/Chlormethane
clorometilazione/Chlormethylierung
cloronaftaline/Chlornaphthaline
cloroneb/Chloroneb
cloronitrobenzeni/Chlornitrobenzole
cloropectina/Chlorpikrin
cloropirammina/Chloropyramin
cloropiridine/Chlorpyridine
cloroplasti/Chloroplasten
cloroprene/Chloropren
cloropropanoli/Chlorpropanole
cloroquina/Chloroquin
cloroquinaldolo/Chlorquinaldol
clorosi/Chlorose
N-clorosuccinimmide/N-Chlorsuccinimid
clorotetaina/Chlorotetain
clorotetraciclina/Chlortetracyclin
clorotimolo/Chlorthymol
4-clorotiofenolo/4-Chlorthiophenol
clorotolueni/Chlortoluole
clorotoluoli/Chlortoluole
clorotrianisene/Chlorotrianisen
clorpirifos/Chlorpyrifos
clorpromazina/Chlorpromazin
clorpropammide/Chlorpropamid
clorsolfurone/Chlorsulfuron
clortalidone/Chlortalidon
clortalonile/Chlorthalonil
clortenossazina/Chlorthenoxazin
clortolurone/Chlortoluron
clorurazione/Chlorierung
cloruri/Chloride
– benzalconici/Benzalkoniumchloride
– d'immide/Imidsäurechloride
– d'antimonio/Antimonchloride
– degli acidi/Säurechloride
– dei composti aromatici/Chloraromaten
– di bismuto/Bismutchloride
– di cromo/Chromchloride
– di ferro/Eisenchloride
– di fosforo/Phosphorchloride

– di iodio/Iodchloride
– di manganese/Manganchloride
– di mercurio/Quecksilberchloride
– di molibdeno/Molybdänchloride
– di piombo/Bleichloride
– di polivinile/Polyvinylchloride
– di propile/Propylchloride
– di rame/Kupferchloride
– di silicio/Siliciumchloride
– di solfenile/Sulfenylchloride
– di solfonile/Sulfonylchloride
– di stagno/Zinnchloride
– di tallio/Thalliumchloride
– di tellurio/Tellurchloride
– di titanio/Titanchloride
– di toluensolfonile/Toluolsulfonylchloride
– di tungsteno/Wolframchloride
– di vanadio/Vanadiumchloride
– di zirconio/Zirconiumchloride
– di zolfo/Schwefelchloride
– d'idrazinio/Hydraziniumchloride
– manganosi/Manganchloride
cloruro alcuronico/Alcuroniumchlorid
– ambenonico/Ambenoniumchlorid
– ammonico di ferro/Eisensalmiak
– benzensolfonilico/Benzolsulfonylchlorid
– benzetonico/Benzethoniumchlorid
– cetiltrimetilico d'ammonio/Cetyltrimethylammoniumchlorid
– cianico/Chlorcyan
– cianurico/Cyanurchlorid
– d'acetile/Acetylchlorid
– d'acriflavina/Acriflaviniumchlorid
– d'alluminio/Aluminiumchlorid
– d'ammonio/Ammoniumchlorid
– dell'acido benzoico/Benzoylchlorid
– di argento/Silberchlorid
– di bario/Bariumchlorid
– di benzile/Benzylchlorid
– di butile/Butylchloride
– di butirrile/Buttersäurechlorid
– di cadmio/Cadmiumchlorid
– di calce/Chlorkalk
– di calcio/Calciumchlorid
– di N-carbonilsolfamoile/N-Carbonylsulfamoylchlorid
– di cetalconio/Cetalkoniumchlorid
– di cetilpiridinio/Cetylpyridiniumchlorid
– di cloroacetile/Chloracetylchlorid
– di cobalto(II)/Cobalt(II)-chlorid
– di colina/Cholinchlorid
– di cromile/Chromylchlorid
– di dansile/Dansylchlorid
– di 2,2-dimetilpropionile/2,2-Dimethylpropionylchlorid
– di 3,5-dinitrobenzoile/3,5-Dinitrobenzoylchlorid
– di dodecile/Dodecylchlorid
– di esaamminocobalto(III)/Hexaammincobalt(III)-chlorid
– di esadecile/Hexadecylchlorid
– di etile/Ethylchlorid
– di ftaloile/Phthalsäuredichlorid
– di isobornile/Isobornylchlorid
– di laurilpiridinico/Laurylpyridiniumchlorid
– di litio/Lithiumchlorid
– di magnesio/Magnesiumchlorid

– di malvidina/Malvidinchlorid
– di mepiquato/Mepiquatchlorid
– di metansolfonile/Methansulfonylchlorid
– di S-metilmetioninsolfonio/S-Methyl-L-methioninsulfoniumchlorid
– di (2-metossietil)mercurio/(2-Methoxyethyl)quecksilberchlorid
– di neotetrazolio/Tetrazolpurpur
– di nichel(II)/Nickel(II)-chlorid
– di 4-nitrobenzoile/4-Nitrobenzoylchlorid
– di nitrosile/Nitrosylchlorid
– di palladio(II)/Palladium(II)-chlorid
– di pentile/Pentylchlorid
– di peonina/Päoninchlorid
– di polivinile clorurati/Chloriertes Polyvinylchlorid
– di polivinilidene/Polyvinylidenchlorid
– di potassio/Kaliumchlorid
– di propargile/Propargylchlorid
– di propionile/Propionsäurechlorid
– di sodio/Natriumchlorid
– di solforile/Sulfurylchlorid
– di stearoile/Stearinsäurechlorid
– di stronzio/Strontiumchlorid
– di succinile/Succinylchlorid
– di tetrafenilarsonio/Tetraphenylarsoniumchlorid
– di tionile/Thionylchlorid
– di triclorometansolfenile/Trichlormethansulfenylchlorid
– di 2,3,5-trifenil-2H-tetrazolio/2,3,5-Triphenyl-2H-tetrazoliumchlorid
– di vinile/Vinylchlorid
– di zinco/Zinkchlorid
difenilarsinico/Diphenylarsinchlorid
– d'ossalile/Oxalylchlorid
– NBD/NBD-Chlorid
– palmitico/Palmitinsäurechlorid
clorzossazone/Chlorzoxazon
closo-/closo-
clostebol/Clostebol
Clostridium/Clostridium
clotiazepam/Clotiazepam
clotrimazolo/Clotrimazol
cloudpoint/Cloudpoint
cloxacillina/Cloxacillin
cloxiquina/Cloxiquin
clozapina/Clozapin
clozolinato/Chlozolinat
clupeina/Clupein
cluster/Cluster
cnicina/Cnicin
cnidari/Nesseltiere
coacervazione/Koazervation
coagulazione/Ausflockung, Koagulation
– del sangue/Blutgerinnung
coatomero/Coatomer
cobalammine/Cobalamine
cobaltina/Cobaltin
cobalto/Cobalt
cobaltofiti/Cobaltophyten
cobratossine/Kobratoxine
coca/Coca
cocaina/Cocain
cocancerogeni/Cocarcinogene
cocchi/Kokken
coccidiostatici/Kokzidiostatika
coccinella/Marienkäfer
cocciniglia/Coccinellin
coccinigle/Cochenille, Schildläuse
coccole/Kokkelskörner
– della rosa canina/Hagebutten

Italiano

coda poli A/Poly(A)-Schwanz
codeina/Codein
codice di lettura degli amino-
  acidi/Buchstabencode der Aminosäuren
– genetico/Genetischer Code
codone/Codon
– di arresto/Stop-Codon
– di inizio/Start-Codon
– di stop/Stop-Codon
coefficiente d'assorbimento/Ab-
  sorptionskoeffizient
– dello scambio di calore/Wär-
  meaustauschkoeffizient
– di conduttività/Leitfähigkeits-
  koeffizient
– di ramificazione/Verzweigungs-
  koeffizient
– di rendimento/Ertragskoeffizient
– di resistenza/Widerstandsbei-
  wert
– di trasferimento di massa/Mas-
  sentransfer-Koeffizient
– fenolico/Phenol-Koeffizient
coefficienti/Koeffizienten
– del viriale/Virialkoeffizienten
coenzima A/Coenzym A
– B_{12}/Coenzym B_{12}
– F_{420}/Coenzym F_{420}
– F_{430}/Coenzym F_{430}
– M/Coenzym M
coenzimi/Coenzyme
coerenza/Kohärenz
coesione/Kohäsion
coesite/Coesit
coestrusione/Coextrusion
coevoluzione/Coevolution
cofattori/Cofaktoren
coffinite/Coffinit
cohoba/Cohoba
coil coating/Coil Coating
coincidenza/Koinzidenz
coke/Koks
– di altoforno/Hochofenkoks
– di pece/Pechkoks
– di petrolio/Petrolkoks
col.../Chol...
5β-colano/5β-Cholan
colata/Abstich, Gießen, Guß
– centrifuga/Schleuderguß
– continua/Strangguß
colchicina/Colchicin
colchico/Herbstzeitlose
colecinetiche/Cholekinetika
colecistochinina/Cholecystokinin
colemanite/Colemanit
coleone/Coleone
coleottero/Käfer, Ölkäfer
colera/Cholera
colestano/Cholestan
colesterina/Cholesterin
colestipolo/Colestipol
colestiramina/Colestyramin
colicine/Colicine
colimicine/Colistine
colina/Cholin
colinergico/Cholinerg
colinesterasi/Cholin-Esterase
colistine/Colistine
colla (d'amido)/Kleister
– al silicato di sodio o
  potassio/Wasserglasleim
– calda/Heißleim
– di pesce/Fischleim
– marina/Marin(e)leim
collagenasi/Collagenasen
collageni/Collagene
collanti a dispersione/Disper-
  sionsklebstoffe
– a un componente/Einkompo-
  nentenklebstoffe
collaudo ambientale/Umweltprü-
  fung

– dell'opera d'arte/Kunstwerk-
  prüfung
colle/Klebstoffe, Leime
– alla caseina/Casein-Leime
– per impiallacciare/Furnierleime
– per legno/Holzleime
collectine/Collectine
collegamento/Linker
collettore delle frazioni/Frakti-
  onssammler
– di scarico/Abwassersammler
collezione di colture/Stamm-
  sammlung
collidina/Kollidin
colliquazione/Kolliquation
colofonia/Kolophonium
colonia individuale/Einzelkolo-
  nien
colonna di Clusius/Clusius-
  Trennrohr
colonne/Kolonnen
coloquintidi/Koloquinthen
colorante della facciata/Fassaden-
  farbe
coloranti/Farbstoffe
– a dispersione/Dispersionsfar-
  ben, Dispersionsfarbstoffe
– acidi/Säurefarbstoffe
– acridinici/Acridin-Farbstoffe
– acrilici/Acrylfarbstoffe
– al catrame/Teerfarbstoffe
– al leprocibe/Leprocyben-Farb-
  stoffe
– all'alizarina/Alizarin-Farbstoffe
– all'antrachinone/Anthrachinon-
  Farbstoffe
– all'igrocibe/Hygrocyben-Farb-
  stoffe
– all'indantrene/Indanthren®-
  Farbstoffe
– allo zolfo/Schwefel-Farbstoffe
– antifouling/Antifoulingfarben
– azinici/Azin-Farbstoffe
– blu di brevetto/Patentblau-Farb-
  stoffe
– ...brillanti/Brillant...-Farb-
  stoffe
– cationici/Kationische Farbstoffe
– dei fiori/Blütenfarbstoffe
– del rosolaccio/Ponceau-Farb-
  stoffe
– del tioxantene/Thioxanthen-
  Farbstoffe
– del triarilmetano/Triarylme-
  than-Farbstoffe
– della cianina/Cyanin-Farbstoffe
– dello xantene/Xanthen-Farb-
  stoffe
– di complesso metallico/Metall-
  komplex-Farbstoffe
– di ftalocianina/Phthalocyanin-
  Farbstoffe
– di lichene/Flechten-Farbstoffe
– di mixomicetene/Myxomyce-
  ten-Farbstoffe
– di naftolo/Naphtol-Farbstoffe
– di Ponceau/Ponceau-Farbstoffe
– di rosa/Rosenfarbstoffe
– di semilana/Halbwoll-Farb-
  stoffe
– di sviluppo/Entwicklungsfarb-
  stoffe
– di tiazina/Thiazin-Farbstoffe
– di tino/Küpenfarbstoffe
– di vinilsolfone/Vinylsulfon-
  Farbstoffe
– diretti/Direktfarbstoffe
– fenossazonici/Phenoxazon-
  Farbstoffe
– fluorescenti diurni/Tagesleucht-
  farben
– funzionali/Funktionelle Farbstoffe

– grassi/Fettfarbstoffe
– laser/Laser-Farbstoffe
– macromolecolari/Makromole-
  kulare Farbstoffe
– marcanti/Signierfarbstoffe
– metacromo/Metachrom-Farb-
  stoffe
– mordenti/Beizenfarbstoffe
– naftolici/Naphthol-Farbstoffe
– naturali/Naturfarbstoffe
– ossidanti/Oxidationsfarbstoffe
– per alimenti/Lebensmittelfarb-
  stoffe
– per carta/Papierfarbstoffe
– per cemento/Zementfarben
– per le uova pasquali/Ostereier-
  farben
– pirrolici/Pyrrol-Farbstoffe
– polimetinici/Polymethin-Farb-
  stoffe
– puri rapidi/Rapid-Echtfarbstoffe
– reattivi/Reaktivfarbstoffe
– resolamminici/Resolamin-Farb-
  stoffe
– sostantivi/Substantive Farbstoffe
– tiazolici/Thiazol-Farbstoffe
– vegetali/Pflanzenfarbstoffe
– Vittoria/Viktoria-Farbstoffe
colorazione/Tönung
– all'argento/Silberfärbung
– d'allarme/Warntracht
– del cuoio/Lederfärbung
– della fiamma/Flammenfärbung
– dell'acqua causata della alghe/
  Algenblüte
– delle foglie/Laubfärbung
– di filatura/Spinnfärbung
– di Giemsa/Giemsa-Färbung
– di Gram/Gram-Färbung
– di Pappenheim/Pappenheim-
  Färbung
– tessile/Textilfärbung
– vitale/Vitalfärbung
colore/Farbe
– a calce/Kalkfarbe
– di fondo/Grundanstrich
– di fondo rafforzativo/Shop-Pri-
  mer
colori a colla/Leimfarben
– a polvere di zinco/Zinkstaubfar-
  ben
– a tempera/Temperafarben
– ad olio/Ölfarben
– al silicato di potassio/Wasser-
  glasfarben
– all'acquerello/Aquarellfarben
– di fondo/Grundfarben
– di sicurezza/Sicherheitsfarben
– guazzo/Gouachefarben
– impregnanti/Deckfarben
– minerali/Mineralfarben
– per la marcatura delle strade/
  Straßenmarkierungsfarben
– rosati/Pinkfarben
colorimetria/Kolorimetrie
coltivazione integrata di piante/
  Integrierter Pflanzenbau
coltura/Kultur
– a bottiglie rotanti/Rollerfla-
  schen-Kultur
– arricchita/Anreicherungskultur
– cellulare/Zellkultur
– cellulare di animali/Tierzellkul-
  tur
– di massa/Massenkultur
– di produzione/Produktionskul-
  tur
– di superficie/Oberflächenkultur
– di tessuto/Zellkultur
– d'organo/Organkultur
– in agitazione/Schüttelkultur
– mista/Mischkultur

– preliminare/Vorkultur
– pura/Reinkultur
colture di protezione/Schutzkul-
  turen
– starter/Starter-Kulturen
columbite/Columbit
colza/Raps
comatiiti/Komatiite
combinazioni di legno e pla-
  stica/Holz-Kunststoff-Kombi-
  nationen
combustibili/Brennstoffe, Kraftstoffe
– fossili/Fossile Brennstoffe
– nucleari/Kernbrennstoffe
combustibilità/Brennbarkeit
combustione/Abbrand, Verbrennung
– a strato vorticoso/Wirbel-
  schichtverbrennung
– nucleare/Abbrand
– tramite fiaccola/Abfackelung
cometabolismo/Cometabolismus
comete/Kometen
commensalismo/Kommensalismus
commissione d'inchiesta/En-
  quête-Kommission
commissioni ambientali/Umwelt-
  gremien
commo-/commo-
compactina/Compactin
compartimenti ambientali/Um-
  weltkompartimente
compartimento (comparimenta-
  zione)/Kompartiment(ierung)
compatibilità ambientale/Um-
  weltverträglichkeit
compatibilizzatore/Verträglich-
  keitsmacher
compattazione/Kompaktieren
compensatori di dilatazione/Kom-
  pensatoren
competizione di beneficio/Nut-
  zungskonkurrenz
compilazione tabellare/Tabellen-
  werke
compimento del prodotto/Pro-
  duktaufbereitung
complementazione/Komplemen-
  tation
complemento/Komplement
complesse carbonili/Carbonyl-
  komplexe
complessi/Komplexe
– π (pi)/Pi-Komplexe
– a trasferimento di carica/
  Charge-transfer-Komplexe
– ... ato/at-Komplexe
– d'antenna/Antennen-Komplexe
– dei metalli di transizione/Über-
  gangsmetall-Komplexe
– del carbene/Carben-Komplexe
– di Meisenheimer/Meisenhei-
  mer-Komplexe
– donatore-accettori di elettroni/
  Elektronen-Don(at)or-Akzep-
  tor-Komplexe
– metalloaromatici di transizione/
  Aromaten-Übergangsmetall-
  Komplexe
complesso dei pori nucleari/Kern-
  poren-Komplex
complessometria/Komplexome-
  trie
componenti d'amiloide sierico/
  Serum-Amyloid-Komponenten
– di programmazione/Software
comportamento di appetenza/Ap-
  petenzverhalten
– di avvertimento/Warnverhalten
– di deformazione dei materiali
  polimeri/Verformungsverhalten
  von Polymer-Werkstoffen

– di frattura/Bruchverhalten
– di marcaggio/Markierverhalten
composite/Alant
 – polimeri/Polymercomposites
 – tessili/Textilverbundstoffe
composizione/Zusammensetzung
composizioni innescanti/Sprengmittel
composta/Kompost
compostaggio/Kompostierung
composti a corona/Kronenverbindungen
 – a gabbia/Käfigverbindungen
 – a sandwich/Sandwich-Verbindungen
 – aciclici/Acyclische Verbindungen
 – aliciclici/Alicyclische Verbindungen
 – alifatici/Aliphatische Verbindungen
 – π-allilmetallici di transizione/π-Allyl-Übergangsmetall-Verbindungen
 – ansa/Ansa-Verbindungen
 – aromatici/Aromatische Verbindungen
 – aromatici non benzenici/Nichtbenzoide aromatische Verbindungen
 – azoici/Azo-Verbindungen
 – azossidrici/Azoxy-Verbindungen
 – biciclici/Bicyclische Verbindungen
 – bifunzionali/Bifunktionelle Verbindungen
 – binari/Binäre Verbindungen
 – cabbia/Caged Verbindungen
 – carbociclici/Carbocyclen
 – chimici/Chemische Verbindungen
 – ciclici/Cyclische Verbindungen
 – cluster/Cluster-Verbindungen
 – d'addizione/Additionsverbindungen
 – degli interalogeni/Interhalogen-Verbindungen
 – deuterati/Deuterierte Verbindungen
 – di afnio/Hafnium-Verbindungen
 – di alonio/Halonium-Verbindungen
 – di attività ottica/Optisch aktive Verbindungen
 – di berillio/Beryllium-Verbindungen
 – di boro e zolfo/Bor-Schwefel-Verbindungen
 – di boro ed azoto/Bor-Stickstoff-Verbindungen
 – di cerio/Cer-Verbindungen
 – di cesio/Cäsium-Verbindungen
 – di deposito/Einlagerungsverbindungen
 – di diazonio/Diazonium-Verbindungen
 – di europio/Europium-Verbindungen
 – di fosforo-azoto/Phosphor-Stickstoff-Verbindungen
 – di fosforo ed azoto/Phosphor-Stickstoff-Verbindungen
 – di gallio/Gallium-Verbindungen
 – di gas nobile/Edelgas-Verbindungen
 – di germanio/Germanium-Verbindungen
 – di grafite/Graphit-Verbindungen
 – di Grignard/Grignard-Verbindungen
 – di inclusione/Einschlußverbindungen
 – di indio/Indium-Verbindungen
 – di iodonio/Iodonium-Verbindungen
 – di iridio/Iridium-Verbindungen
 – di lantanio/Lanthan-Verbindungen
 – di neodimio/Neodym-Verbindungen
 – di niobio/Niob-Verbindungen
 – di oro/Gold-Verbindungen
 – di piridinio/Pyridinium-Verbindungen
 – di platino/Platin-Verbindungen
 – di praseodimio/Praseodym-Verbindungen
 – di renio/Rhenium-Verbindungen
 – di rodio/Rhodium-Verbindungen
 – di rubidio/Rubidium-Verbindungen
 – di rutenio/Ruthenium-Verbindungen
 – di samario/Samarium-Verbindungen
 – di scandio/Scandium-Verbindungen
 – di silicio-zolfo/Silicium-Schwefel-Verbindungen
 – di solfonio/Sulfonium-Verbindungen
 – di tantalio/Tantal-Verbindungen
 – di tecnezio/Technetium-Verbindungen
 – di terbio/Terbium-Verbindungen
 – di tetraalchilammonio/Tetraalkylammonium-Verbindungen
 – di titanile/Titanyl-Verbindungen
 – di xeno/Xenon-Verbindungen
 – di zirconile/Zirconyl-Verbindungen
 – di zolfo-azoto/Schwefel-Stickstoff-Verbindungen
 – diazocarbonilici/Diazocarbonyl-Verbindungen
 – diazoici/Diazo-Verbindungen
 – dicarbonilici/Dicarbonyl-Verbindungen
 – d'ittrio/Yttrium-Verbindungen
 – d'onio/Onium-Verbindungen
 – d'uranile/Uranyl-Verbindungen
 – eterociclici/Heterocyclische Verbindungen
 – idroaromatici/Hydroaromatische Verbindungen
 – intermediari/Intermediäre Verbindungen
 – intermetallici/Intermetallische Verbindungen
 – iodoorganici/Iod-organische Verbindungen
 – isociclici/Isocyclische Verbindungen
 – litioorganici/Lithium-organische Verbindungen
 – macrociclici/Makrocyclische Verbindungen
 – maleodoranti/Stinkstoffe
 – marcati/Markierte Verbindungen
 – merichinoidi/Merichinoide Verbindungen
 – mesoionici/Mesoionische Verbindungen
 – metallo-organici/Metall-organische Verbindungen
 – metilenico/Methylen-Verbindungen
 – molecolari/Molekülverbindungen
 – monociclici/Monocyclische Verbindungen
 – nitro/Nitro-Verbindungen
 – nitroso/Nitroso-Verbindungen
 – non stechiometrici/Nichtstöchiometrische Verbindungen
 – omoaromatici/Homoaromatische Verbindungen
 – organici d'alluminio/Aluminium-organische Verbindungen
 – organici degli elementi/Element-organische Verbindungen
 – organici del fosforo/Phosphororganische Verbindungen
 – organici di argento/Silber-organische Verbindungen
 – organici di bario/Barium-organische Verbindungen
 – organici di cadmio/Cadmiumorganische Verbindungen
 – organici di calcio/Calcium-organische Verbindungen
 – organici di cobalto/Cobalt-organische Verbindungen
 – organici di cromo/Chrom-organische Verbindungen
 – organici di ferro/Eisen-organische Verbindungen
 – organici di magnesio/Magnesium-organische Verbindungen
 – organici di manganese/Manganorganische Verbindungen
 – organici di mercurio/Quecksilber-organische Verbindungen
 – organici di nichel/Nickel-organische Verbindungen
 – organici di palladio/Palladiumorganische Verbindungen
 – organici di piombo/Blei-organische Verbindungen
 – organici di renio/Rhenium-organische Verbindungen
 – organici di selenio/Selen-organische Verbindungen
 – organici di silicio/Silicium-organische Verbindungen
 – organici di sodio/Natrium-organische Verbindungen
 – organici di stagno/Zinn-organische Verbindungen
 – organici di stronzio/Strontiumorganische Verbindungen
 – organici di tallio/Thallium-organische Verbindungen
 – organici di tellurio/Tellur-organische Verbindungen
 – organici di titanio/Titan-organische Verbindungen
 – organici di tungsteno/Wolframorganische Verbindungen
 – organici di vanadio/Vanadiumorganische Verbindungen
 – organici di zinco/Zink-organische Verbindungen
 – organici di zirconio/Zirconiumorganische Verbindungen
 – organici di zolfo/Schwefel-organische Verbindungen
 – organici d'uranio/Uran-organische Verbindungen
 – organoarseniosi/Arsen-organische Verbindungen
 – organobismutici/Bismut-organische Verbindungen
 – organoborici/Bor-organische Verbindungen
 – organometallici/Metall-organische Verbindungen
 – organomolibdici/Molybdän-organische Verbindungen
 – organotellurici/Tellur-organische Verbindungen
 – otticamente attivi/Optisch aktive Verbindungen
 – per lampo/Leuchtsätze
 – perfluorurati/Perfluorierte Verbindungen
 – poliallilici/Polyallyl-Verbindungen
 – policiclici/Polycyclische Verbindungen
 – polimeri/Polymercompounds
 – polinucleari/Mehrkernige Verbindungen
 – poliossidrici/Polyhydroxy-Verbindungen
 – quaternari/Quaternäre Verbindungen
 – quaternari d'ammonio/Quartäre Ammonium-Verbindungen
 – solfosilicici/Silicium-Schwefel-Verbindungen
 – ternari/Ternäre Verbindungen
 – triciclici/Tricyclische Verbindungen
 – tritionici/Tritiierte Verbindungen
 – Vaska/Vaska-Verbindungen
composto di impatto/Impact compound
compresse/Pillen, Tabletten
compressibilità/Kompressibilität
compressore/Verdichter
 – a turbina/Turbinenverdichter
compressori/Kompressoren
comprimere/Verdichten
comproporzionamento/Komproportionierung
computer ottico/Optischer Computer
 – vettoriale/Vektorrechner
comunicazione del rischio/Risikokommunikation
conalbumina/Conalbumin
concageni/Conchagene
concanavalina A/Concanavalin A
concentrare/Einengen
concentrato rettificato di mosto/Rektifiziertes Traubenmostkonzentrat
concentrazione/Konzentration
 – critica del volume dei pigmenti/CPVC
 – di fondo/Hintergrundkonzentration
 – di sovrapposizione/Überlappungskonzentration
 – letale/LC_{50}
 – limite/Grenzkonzentration
 – massima di immissione/MIK
concepimento/Konzeption
conceria/Gerberei
concetto economico sui rifiuti/Abfallwirtschaftskonzept
conchiglia/Kokille
concia al cromo/Chromgerbung
concianti/Gerbstoffe
concimazione/Düngung
 – con farina di pietra/Steinmehldüngung
concime/Düngemittel, Mist
 – azotato/Stickstoff-Dünger
 – calcareo/Düngekalk
 – di deposito/Depotdünger
 – minerale/Mineralfutter
 – per fiori/Blumendünger
 – potassico/Kalidünger
concrescimenti/Verwachsungen
concrezione/Sinter
concrezioni/Konkretionen
condensati di proteina e acido grasso/Eiweiß-Fettsäure-Kondensate
condensato/Kondensat
condensatore/Kondensator, Kühler
condensazione/Kondensation

Italiano

- capillare/Kapillarkondensation
- del benzoino/Benzoin-Kondensation
- delle quattro componenti di Ugi/Ugi-Vierkomponenten-Reaktion
- di Bose-Einstein/Bose-Einstein-Kondensation
- di Claisen/Claisen-Kondensation
- di Dieckmann/Dieckmann-Kondensation
- di Knoevenagel/Knoevenagel-Kondensation
- di Stobbe/Stobbe-Kondensation

condimenti/Gewürze
condimento/Würze
- per brodo/Suppenwürze

condizionamento (condizionatura) dei fanghi/Schlammkonditionierung
- d'aria/Klimatechnik

condizione legale/Auflage
condizioni fisiologiche/Physiologische Bedingungen
- normali/Normalbedingungen, Normzustand
- quantistici di Bohr-Sommerfield/Bohr-Sommerfeldsche Quantisierungsbedingungen

condrammidi/Chondramide
condrina/Chondrin
condroblasti/Chondroblasten
condroitinsolfati/Chondroitinsulfate
conducibilità elettrica/Elektrische Leitfähigkeit
condurango/Kondurango-Rinde
conduttività/Leitfähigkeit
- termica/Wärmeleitfähigkeit

conduttometria/Konduktometrie
conduttore del tipo p (positivo)/p-Leiter
- fotosensibile/Lichtleiter

conduttori elettrici/Elektrische Leiter
- ionici/Ionenleiter

conduzione per buche/Löcherleitung
conessina/Conessin
conferenze/Konferenzen
confetti/Dragées
confetture/Konfitüren
confezionamento/Konfektionierung
configurazione/Konfiguration
- elettronica/Elektronenkonfiguration

conformazione/Konformation
congelamento progressivo/Normales Erstarren
congelazione/Ausfrieren
conglomerati/Konglomerate
congressano/Congressan
conidendrina/Conidendrin
coniferina/Coniferin
coniina/Coniin
conimetri a urto/Impaktoren
coniueni/Konjuene
coniugati/Konjugate
coniugazione/Konjugation
- incrociata/Gekreuzt-konjugiert

cono di Imhoff/Imhoff-Trichter
- di Seger/Segerkegel

conode/Kon(n)ode
conotossine/Conotoxine
conrotatorio/Konrotatorisch
conservazione/Konservierung
- di uova/Eierkonservierung

consistenza/Konsistenz
consolida/Beinwell
constante dei gas/Gaskonstante

consumazione d'ossigeno/Sauerstoff-Zehrung
contaminanti ambientali/Umweltschadstoffe
- organici persistenti (1.)/POP

contaminazione/Kontamination
- dell'interno/Innenraumbelastung

contatore a bolle/Blasenzähler
- della scintillazione/Szintillationszähler
- di particelle/Zählrohre
- Geiger/Zählrohre

contenimento/Containment
contenitore/Behälter
contrassegno di sicurezza/Sicherheitskennzeichnung
contratto di Budapest/Budapester Vertrag
contrazione/Kontraktion, Schrumpfen
- a freddo/Kaltschrumpfen
- lantanoidica/Lanthanoiden-Kontraktion

contro-ioni/Gegenionen
controlli di produzione/Prozeßanalytik
controllo biologico/Biomonitoring
- dell'immissione/Immissionsschutz
- di doping/Doping-Kontrolle
- di qualità/Qualitätskontrolle
- stereoelettronico/Stereoelektronische Kontrolle

convallatossina/Convallatoxin
conversione/Konvertierung, Umsatz
- di energia termoionica/Thermionische Energieumwandlung

convertitore/Konverter
- della ruggine/Rostumwandler

convezione/Konvektion
convolvolacee/Windengewächse
convulsivanti/Konvulsiva
cooperative professionali/Berufsgenossenschaften
cooperatività/Kooperativität
coordinata di reazione intrinseca/IRC
coordinate normali/Normalkoordinaten
copale kauri/Kaurikopal
- Manila/Manilakopal

copertura/Deckschicht
coperture del pavimento/Bodenbeläge
copiapite/Copiapit
copie cianografiche/Lichtpausen
copoliaddizione/Copolyaddition
copolicondensazione/Copolykondensation
copolimeri/Copolymere
- a innesto/Pfropfcopolymere
- alternanti/Alternierende Copolymere
- a triblocchi/Triblock-Copolymere
- alternati dell'anidride solforosa e del 1-butene/Poly(1-buten-alt-schwefeldioxid)
- cicloolefinici/Cycloolefin-Copolymere
- dell'anidride maleica e dell'etere metil-vinilico/Poly(methylvinylether-co-maleinsäureanhydrid)e
- di etilene ed acido acrilico/Poly(ethylen-co-acrylsäure)n
- di etilene ed acrilato/Ethylen-Acrylat-Copolymere
- di gradiente/Gradientencopolymere

- di stirene/Styrol-Copolymere
- di stirene e acrilonitrile/Styrol-Acrylnitril-Copolymere
- di stirene e butadiene/Styrol-Butadien-Copolymere
- d'innestamento della cellulosa/Cellulose-Pfropfcopolymere
- in blocco (massa)/Blockcopolymere
- sequenziali/Sequenzpolymere
- statistici/Statistische Copolymere

copolimerizzazione/Copolymerisation
- a innesto/Pfropfcopolymerisation
- aceotropica/Azeotrope Copolymerisation
- di gradiente/Gradientencopolymerisation
- ideale/Ideale Copolymerisation
- redox/Redox-Copolymerisation

coppali/Kopale
coppia di Cooper/Cooper-Paar
- elettronica/Elektronenpaar

coppie di elettroni solitari/Einsame Elektronenpaare
coprecipitazione/Mitfällung
copricapo di protezione/Kopfschutz
coprina/Coprin
copro…/Kopro…
coprofaghi/Koprophagen
coproporfirine/Koproporphyrine
copsina/Kopsin
coralli/Korallen
corannulene/Corannulen
corbadrina/Corbadrin
corda/Cord
cordicepina/Cordycepin
cordierite (dicroite)/Cordierit
cordite/Cordit
corecettori/Corezeptoren
coriandro/Koriander
corianina/Corianin
coridale/Lerchensporn
corindone/Korund
corinebatteriacee/Corynebacterium
coriolina/Coriolin
cornerupina/Kornerupin
corona/Krone
coronene/Coronen
corpi chetonici/Ketonkörper
- di riempimento/Füllkörper
- platonici/Platonische Körper

corpo di gas a incandescenza/Gasglühkörper
- nero/Schwarzer Körper
- solido/Festkörper

corporazioni/Körperschaften
correlazione elettronica/Elektronenkorrelation
corrente d'anello/Ringstrom
- laminare/Laminare Strömung
- turbolenta/Turbulente Strömung

correttori liquidi/Korrekturlacke
corrina/Corrin
corrinoidi/Corrinoide
corrosione/Korrosion
- di contatto/Berührungskorrosion
- galvanica (elettrolitica)/Kontaktkorrosion
- grafitica/Spongiose
- in zona morta, interstiziale/Kontaktkorrosion
- nella fessura/Spaltkorrosion
- sotto il punto di rugiada/Taupunkt-Korrosion

corteccia del salice/Weidenrinde
- della cascarilla/Kaskarillarinde

- di China/Chinarinde
- di maletto/Malettorinde
- di mangrovia/Mangrovenrinde
- di Panama/Panamarinde
- di tsuga/Hemlockrinde

cortexone/Cortexon
corticoliberina/Corticoliberin
corticostatine/Corticostatine
corticosteroidi/Corticosteroide
corticosterone/Corticosteron
corticotropina/Corticotropin
cortisone/Cortison
cortodoxone/Cortodoxon
corvisartia helenium Mérat/Helenenkraut
cosine/Kosine
cosmetica/Kosmetik
cosmetici/Kosmetika
- degli occhi/Augenkosmetika
- per ciglia/Wimpernkosmetika
- per unghie/Nagelpflegemittel

cosmidi/Cosmide
cosmochimica/Kosmochemie
cosmocloro/Kosmochlor
cosmologia/Kosmologie
costante d'Avogadro/Avogadro-Konstante
- di accoppiamento spin-spin/Spin-Spin-Kopplungskonstante
- di decadimento/Zerfallskonstante
- di distorsione centrifuga/Zentrifugaldehnungskonstante
- di formazione complessa/Komplex-Bildungskonstante
- di Madelung/Madelung-Konstante
- di non armonizzità/Anharmonizitätskonstante
- di Planck/Plancksches Wirkungsquantum
- di Rydberg/Rydberg-Konstante
- di tempo/Zeitkonstante
- di Verdet/Verdet-Konstante
- dielettrica/Dielektrizitätskonstante
- reticolare/Gitterkonstante

costanti/Konstanten
- critiche/Kritische Größen
- di forza/Kraftkonstanten
- di Van der Waals/Van-der-Waals-Konstanten
- fisiche/Naturkonstanten
- fondamentali/Fundamentalkonstanten
- naturali/Naturkonstanten
- rotazionali/Rotationskonstanten

costanza/Stetigkeit
costi ambientali/Umweltkosten
costipamento/Kompaktieren
costipanti/Obstipantien
costipazione/Obstipation
costituenti d'aglio/Knoblauch-Inhaltsstoffe
- delle briofite/Bryophyten-Inhaltsstoffe

costituzione/Konstitution
cote/Abziehsteine
- scistosa/Wetzschiefer

cotogne/Quitten
cotolleranza/Cotoleranz
cotone/Baumwolle
- di collodio/Collodium(wolle)
- di Giava/Kapok

cotrasmettitori/Cotransmitter
cotrimossazolo/Co-trimoxazol
coulomb/Coulomb
coulombometro di gas tonante/Knallgascoulombmeter
coulometria/Coulometrie
coumafos/Coumaphos
covellina/Covellin
cracking/Kracken

crandallite/Crandallit
crauti/Sauerkraut
crazes/Crazes
crazing/Crazing
creatin-chinasi/Kreatin-Kinase
creatina-fosfato/Kreatinphosphat
creme/Cremes
creosoto/Kreosot
crescita/Wachstum
– microbica/Mikrobielles Wachstum
cresidine/Kresidine
cresil…/Cresyl…
cresilite/Cresylit
o-cresolftaleina/o-Kresolphthalein
cresoli/Kresole
creta rossa/Rötel
…crina/…crin
crinipelline/Crinipelline
crio…/Kryo…
crioconite/Kryokonit
crioessiccazione/Gefriertrocknung
crioglobuline/Kryoglobuline
criolite/Kryolith
criostati/Kryostate
criotecnica/Kältetechnik, Tieftemperaturtechnik
criptandi/Kryptanden
criptati/Kryptate
cripto/Krypton
criptolite/Monazit
criptomelano/Kryptomelan
criptoxantina/Cryptoxanthin
crisantemina/Chrysanthemin
crisarobina/Chrysarobin
crisazina/Chrysazin
crisene/Chrysen
crisina/Chrysin
crisoberillo/Chrysoberyll, Katzenauge
crisocolla/Chrysokoll
crisomelidi/Blattkäfer
cristalli/Kristalle
– colloidali/Kolloidale Kristalle
– conformativamente disordinati/Condis-Kristalle
– di plasma/Plasmakristalle
– di valenza/Valenzkristalle
– liquidi/Flüssige Kristalle
– misti/Mischkristalle
– mosaici/Mosaik-Kristalle
– plastici/Plastische Kristalle
– polimeri/Polymerkristalle
cristalline/Kristalline, Linsen
cristallino/Kristallin
cristallizzazione/Kristallisation
cristallochimica/Kristallchemie
cristallogeometria/Kristallgeometrie
cristallografia/Kristallographie
– a tempo risolubile/Zeitaufgelöste Kristallographie
cristobalite/Cristobalit
criteri di localizzazione/Lokalisierungskriterien
– di massima ZKBS/ZKBS-Richtlinien
critico/Kritisch
croccante/Krokant
crocetina/Crocetin
crocidolite/Krokydolith
crocifere/Cruciferae
crocina/Crocin
croco/Safran
crocoite/Krokoit
croconazolo/Croconazol
crogiolo/Tiegel
– Gooch/Gooch-Tiegel
cromare/Chromatieren, Verchromen
cromati/Chromate
– di zinco/Zinkchromate

cromatina/Chromatin
cromato d'ammonio/Ammoniumchromat
– di bario/Bariumchromat
– di piombo/Bleichromat
– di potassio/Kaliumchromat
– (VI) di sodio/Natriumchromat(VI)
– di stronzio/Strontiumchromat
cromatofori/Chromatophoren
cromatografia/Chromatographie
– a coppia ionica/Ionenpaarchromatographie
– a scambio ionico/Ionenaustauschchromatographie
– ad adsorbimento/Adsorptionschromatographie
– ad affinità/Affinitätschromatographie
– di partizione/Verteilungschromatographie
– flash/Flash-Chromatographie
– fluidica/Fluid Chromatographie
– ionica/Ionenchromatographie
– liquida/Flüssigkeitschromatographie
– liquida su microcolonna/Mikrosäulen-Flüssigkeitschromatographie
– planare/Planar-Chromatographie
– su colonna/Säulenchromatographie
– su gel/Gelchromatographie
– su strato sottile/Dünnschichtchromatographie
cromatura/Verchromen
cromazurolo S/Chromazurol S
cromeno/Chromen
cromite/Chromit
cromo…/Chromo…
cromo/Chrom
cromodinamica quantistica/Quantenchromodynamik
cromofori/Chromophore
cromoforo/Chromophore
cromogeni/Chromogene
cromoni/Chromone
cromonichel/Chromnickel
cromoplasti/Chromoplasten
cromoproteine/Chromoproteine
cromosoma artificiale di lievito/YAC
cromosomi/Chromosomen
– jumping/Chromosome jumping
– walking/Chromosome walking
cromotografia su carta/Papierchromatographie
cronobiologia/Chronobiologie
cronopotenziometria/Chronopotentiometrie
crossing over/Crossover
crotamitra/Crotamitron
crotonoil…/Crotonoyl…
crotossina/Crotoxin
crown pesante/Schwerkrone
crudezza permanente/Permanente Härte
– senza carbonato/Nichtcarbonathärte
crusca/Kleie
– di frumento/Weizenkleie
– di mandorla/Mandelkleie
cruschello/Schrot
C-tossiferine I/C-Toxiferin I
cubanite/Cubanit
cubano/Cuban
cubebi/Cubeben
cubilotto/Kupolofen
cucurbitacine/Cucurbitacine
cultura tissulare/Gewebezüchtung
cumarina/Cumarin
cumatetralile/Cumatetralyl
cumene/Cumol

cumino/Kümmel
– romano/Römischer Kümmel
cumuleni/Kumulene
cuoio/Leder
– di Russia/Juchten
– marocchino/Saffian
– mocha/Mochaleder
– nappa/Nappaleder
– nubuk/Nubuk-Leder
– per suole/Sohlenleder
– verniciato/Lackleder
cuore/Herz, Kern
cuoxam/Cuoxam
cupralluminati/Aluminiumbronzen
cuprarsenati/Kupferarsenate
cuprene/Cupren
cupressacee/Cupressaceae
cuprite/Cuprit
cupro/Cupro
cuprodecapaggio/Cuprodekapierung
cuprofiti/Cuprophyten
cuprone/Cupron
cuproproteine/Kupfer-Proteine
cuptrati(I)/Cuprate(I)
cura della ferita/Wundheilung
curacina/Curacin
curare/Curing
curari/Curare
curcuma/Curcuma
curcumeni/Curcumene
curcumina/Curcumin
curdlan/Curdlan
curie/Curie
curing/Curing
curio/Curium
curry/Curry
curva adiabatica/Adiabate
– di crescita/Wachstumskurve
– di rugiada/Taukurve
– di solidus/Soliduskurve
– lambda/Lambda-Kurve
– refrigerante (di refrigerazione, di raffreddamento)/Abkühlungskurve
cuscoigrina/Cusc(o)hygrin
cuticola/Cuticula
cutina/Cutin
cysteine string protein/Cysteine string protein

D

dacetiltartrati/Diacetylweinsäureester
dactinomicina/Dactinomycin
dadi per brodo/Fleischbrühwürfel
dado lievitato per brodo/Hefebrühwürfel
dafnetina/Daphnetin
dafnetossina/Daphnetoxin
dagherrotipia/Daguerreotypie
dalfopristina/Dalfopristin
dalton/Dalton
daltonidi/Daltonide
damascenoni/Damascenone
damasconi/Damascone
dame di compagnia molecolari/Chaperone
dammareni/Dammarene
danaidal/Danaidal
danazolo/Danazol
danburite/Danburit
danni da radiazioni/Strahlenschäden
– forestali/Waldschäden
danno/Noxe
– alla salute/Gesundheitsschaden
dansil…/Dansyl…
dansilam(m)inoacidi/Dansyl-Aminosäuren
dantrolene/Dantrolen
dantrone/Dantron

danza circolare/Rundtanz
– per scuotimento/Schwänzeltanz
dapiprazolo/Dapiprazol
dapsone/Dapson
darcy/Darcy
data minima di conservazione/Mindesthaltbarkeitsdatum
datazione con il metodo rubidio-stronzio/Rubidium-Strontium-Datierung
– radiocarbonica/Radiokohlenstoff-Datierung
datolite/Datolith
datteri/Datteln
daunorubicina/Daunorubicin
dazomet/Dazomet
DCI/INN
dead-end pathway/Dead-end pathway
dealchilazione/Desalkylierung
dealogenazione/Dehalogenierung
deamminazione/Desaminierung
deanolo/Deanol
debrisochina/Debrisoquin
deca/Dec(a)…
decaborano(14)/Decaboran(14)
2,4-decadienale/2,4-Decadienal
decadimento/Zerfall
– alfa/Alpha-Zerfall
γ-decalattone/γ-Decalacton
decalina/Decalin
decametro/Dekameter
decanale/Decanal
decandioil…/Decandioyl…
decanoil…/Decanoyl…
1-decanolo/1-Decanol
decantare/Dekantieren
decantatore/Dekanter
decapaggio/Dekapieren
– brillante/Gelbbrennen
decapare/Dekapieren
decappaggio economico/Sparbeizen
decarbazina/Dacarbazin
decarbonilazione/Decarbonylierung
decarbossilasi/Decarboxylasen
decarbossilazione/Decarboxylierung
decarestrittine/Decarestrictine
decatizzare/Dekatieren
2-decenale/2-Decenal
deci…/Dezi…
decil…/Decyl…
decolare/De-inking
decolorazione/Entfärbung
decomposizione/Abbau, Aufschluß, Verwesung, Zersetzung
– a bassa temperatura/Tieftemperaturzerlegung
– di microorganismi/Aufschluß von Mikroorganismen
– nella bombola/Bombenaufschluß
decontaminazione/Dekontamination
– microbica del suolo/Mikrobielle Bodendekontaminierung
decorporazione/Dekorporierung
decorso di ebollizione/Siedeverlauf
decotto/Decoctum
decrepitare/Dekrepitieren
decreto sugli impianti piccoli di combustione/Kleinfeuerungsanlagen-Verordnung
– sul caso di guasti/Störfall-Verordnung
– sul deposito di chiarificazione/Klärschlammverordnung
– sull'acqua potabile/Trinkwasser-Verordnung
– sull'imballaggio/Verpackungsverordnung

– sull'olio usato/Altölverordnung
defangazione/Aufschlämmen
defensine/Defensine
deferoxamina/Deferoxamin
defibrotide/Defibrotid
definizione/Definition
deflagrazione/Deflagration
deflazacort/Deflazacort
defogliante/Entlaubungsmittel
deformazione/Deformation
degassificazione/Entgasung
degerminazione/Entkeimung
– a freddo/Kaltentkeimung
degradazione/Degradation
– abiotica/Abiotischer Abbau
– anaerobica/Anaerober Abbau
– biologica degli acidi/Säureabbau, biologischer
– degli acidi grassi/Fettsäure-Abbau
– di Edman/Edman-Abbau
– di Emde/Emde-Abbau
– di Hofmann/Hofmannscher Abbau
– di Krafft/Krafftscher Abbau
– di Lossen/Lossen-Abbau
– di Ruff/Ruff-Abbau
– di Wohl/Wohl-Abbau
– polimera/Polymer-Abbau
degras/Degras
deidratasi/Dehydratasen
deidratazione/Dehydratisierung
deidro…/Dehydro…
deidroalogenazione/Dehydrohalogenierung
deidrobenzene/Dehydrobenzol
deidrociclizzazione/Dehydrocyclisierung
7-deidrocolesterina/7-Dehydrocholesterin
deidrodimerizzazione/Dehydrodimerisation
deidrogenasi/Dehydrogenasen
– degli alcoli/Alkohol-Dehydrogenasen
deidrogenazione/Dehydrierung
delavirdina/Delavirdin
delegato azientale per la protezione ambientale/Betriebsbeauftragter für Umweltschutz
– per la protezione d'immissione/Immissionsschutzbeauftragter
delezione/Deletion
delfinina/Delphinin
delocalizzazione/Delokalisierung
deltametrina/Deltamethrin
demagnetizzazione nucleare adiabatica/Adiabatische Kernentmagnetisierung
demecario bromuro/Demecariumbromid
demeclociclina/Demeclocyclin
demecolcina/Demecolcin
demetallizzazione/Entmetallisierung
demetilazione/Demethylierung
demeton-S-metile/Demeton-S-methyl
demineralizzazione/Demineralisation
demissidina/Demissidin
demoxitocina/Demoxytocin
demulsificatori/Demulgatoren
denaturanti/Vergällungsmittel
denaturazione/Denaturieren
denaverina/Denaverin
dendriti/Dendriten
dendrocronologia/Dendrochronologie
dendrolasina/Dendrolasin
denim/Denim
denitrificazione/Denitrifikation, Entstickung

denominazioni comuni/Freinamen, Generic Names
densità/Dichte
– apparente/Schüttgewicht
– critica/Kritische Dichte
– del gas/Gasdichte
– delle specie/Artendichte
– di corrente/Stromdichte
– di impaccamento/Packungsdichte
– di spin/Spindichte
– di stati energetici/Zustandsdichte
– elettronica/Elektronendichte
– radiologica/Röntgendichte
densitometro/Densitometer
dente di leone/Löwenzahn
denti/Zähne
dentifrici/Zahnpflegemittel
dentina/Dentin
denuncia di infortunio/Unfallanzeige
deodoranti/Desodorantien
deodorazione/Geruchsminderung
deossi…/Desoxy…
deossicolato di sodio/Natriumdesoxycholat
deossidante/Desoxidationsmittel
deossidazione/Desoxidation
deossigenazione/Desoxygenierung
deossinivalenolo/Deoxynivalenol
deossizuccheri/Desoxyzucker
depigmentazione/Depigmentierung
depilatori/Depilatorien
depilazione/Depilation
depolarizzatori/Depolarisatoren
depolimerizzazione/Depolymerisation
depositi di vino/Weingeläger
deposito/Niederschlag, Trub
deposizione/Ablagerung, Absetzenlassen, Deponierung, Deposition
– a fase gassosa/Gasphasenabscheidung
– metallorganica chimica sotto vuoto per vaporizzazione/ MOCVD
– per spruzzamento/Spratzen
– per vaporizzazione a laser chimico/Laser Chemical Vapo(u)r Deposition
– sotterranea/Untertage-Deponierung
depsidi/Depside
depsidoni/Depsidone
depurazione biologica del gas di scarico/Biologische Abgasbehandlung
– biologica delle acque di scolo/ Biologische Abwasserbehandlung
– Carrez/Carrez-Klärung
– dalle materie ferruginose/Enteisenung
– dell'aria/Luftreinhaltung
– meccanica delle acque di scolo/ Mechanische Abwasserbehandlung
– preliminare/Vorklärung
– termica del gas/Thermische Gasreinigung
dequalinio cloruro/Dequaliniumchlorid
derivati/Derivate
– della cellulosa/Cellulose-Derivate
– dell'acido 1,4,5,6,7,7-esaclorobiciclo[2.2.1]ept-5-en-2,3-dicarbonico/Chlorendics
– dell'amido/Stärke-Derivate

– guar/Guar-Derivate
derivatizzazione/Derivatisierung
dermatici/Dermatika
des(s)…/Des(s)…
des-/Des-
desalificazione/Entsalzung
descloizite/Descloizit
descrizione/Kennzeichnung
– del rischio/Risikobeschreibung
desensibilizzazione/Desensibilisation, Phlegmatisierung
deserpidina/Deserpidin
deserto di licheni/Flechtenwüste
desflurano/Desfluran
desil…/Desyl…
desipramina/Desipramin
deslanoside/Deslanosid
desmedifam/Desmedipham
desmina/Desmin
desmopressina/Desmopressin
desmosina/Desmosin
desmosomi/Desmosomen
desogestrel/Desogestrel
desolforazione/Entschwefelung
desonide/Desonid
desosammina/Desosamin
2-desossi-D-ribosio/2-Desoxy-D-ribose
desossimetasone/Desoximetason
1-desossinojirimicina/1-Desoxynojirimycin
desossinucleosidi/Desoxynucleoside
desossinucleotidi/Desoxynucleotide
desossiribonucleasi/Desoxyribonucleasen
despalmatura/Entschlichtung
destrano/Dextran
destranomero/Dextranomer
destrine/Dextrine
destro…/Dextro…
destromoramide/Dextromoramid
destruxine/Destruxine
detector ionico memorizzante/ Ion-Trap-Detektor
detergente detersivo/Reiniger
detergenti/Detergentien, Waschmittel
– per le mani/Handreinigungsmittel
– per tubi/Rohrreinigungsmittel
– universali/Universalreiniger
determinante di Slater/Slater-Determinante
determinazione del peso atomico/Atomgewichtsbestimmung
– del punto di ebollizione/Siedepunktbestimmung
– del punto di fusione/Schmelzpunktbestimmung
– della costituzione/Konstitutionsermittlung
– della masse molare/Molmassenbestimmung
– dell'età/Altersbestimmung
– dell'età tramite il metodo di piombo/Blei-Methode
– qualitativa delle acque/Gewässergütebestimmung
deterrenti/Deterrentien
– per selvaggina/Wildverbißmittel
detersivi/Waschmittel
– per lavastoviglie/Maschinengeschirrspülmittel
detersivo per finestre/Fensterreiniger
– per le stoviglie/Geschirrspülmittel
– universale/Allzweckreiniger

detettore di ionizzazione ad elio/Helium-Ionisationsdetektor
detettori/Detektoren
– di conducibilità termica/Wärmeleitfähigkeitsdetektoren
detonatore secondario/Verstärker
detonatori/Sprengkapseln
detonazione/Detonation
detriti/Abfall
detrito/Detritus
deumidificatore/Nebelabscheider
deuterio/Deuterium
deuteriocloroformio/Deuteriochloroform
deutero/Deutero…
deuterolisi/Deuterolyse
deuteroni/Deuteronen
deviazione/Streuung
dexametasona/Dexamethason
dexfenfluramina/Dexfenfluramin
dexpantenolo/Dexpanthenol
dextrometorfano/Dextromethorphan
dextropropoxifeno/Dextropropoxyphen
di…/D(e)s)…, Di…
2,6-di-$tert$-butil-4-metilfenolo/2,6-Di-$tert$.-butyl-4-methylphenol
di-$tert$-butilperossido/Di-$tert$.-butylperoxid
di prima fusione/Gediegen
diabase/Diabas, Grünschiefer
diabete/Diabetes
diacetato di N,N'-dibenziletilendiammina/N,N'-Dibenzylethylendiamindiacetat
– di iodosilbenzene/Iodosylbenzoldiacetat
diacetilsplenopentina/Diacetylsplenopentin
diacilglicerine/Diacylglycerine
diafentiuron/Diafenthiuron
diafiltrazione/Diafiltration
diaforetici/Hidrotika
diaframma/Diaphragma
diagnosi/Diagnose
diagnostica genetica/Gendiagnostik
– prenatale/Pränatale Diagnostik
diagnostici/Diagnostika
diagramma di Birge-Sponer/ Birge-Sponer-Diagramm
– di correlazione di stato/Zustands-Korrelationsdiagramm
– di Fortrat/Fortrat-Diagramm
– di Schaeffler/Schaeffler-Diagramm
diagrammi degli sforzi e di deformazione/Spannungs-Dehnungs-Diagramme
– di Orgel/Orgel-Diagramme
– di Sankey/Sankey-Diagramme
– di stato/Zustandsdiagramme
– di Tanabe e Sugano/Tanabe-Sugano-Diagramme
– di Walsh/Walsh-Diagramme
N,N-dialchilammidi/N,N-Dialkylamide
dialchilammine/Dialkylamine
dialisi/Dialyse
diallato/Diallat
diamanti/Diamanten
diammine/Diamine
2,4-diammino-6-metil-1,3,5-triazina/2,4-Diamino-6-methyl-1,3,5-triazin
2,4-diamminoazobenzene/2,4-Diaminoazobenzol
4,4'-diamminodifenilmetano/4,4'-Diaminodiphenylmethan

2,4-diamminofenolo/2,4-Diaminophenol
2,6-diamminopiridina/2,6-Diaminopyridin
diamminopropani/Propandiamine
diam(m)inossidasi/Diamin-Oxidase
dianidride perilen-3,4,9,10-tetracarbossilica/Perylen-3,4,9,10-tetracarbonsäure-dianhydrid
– piromellitica/Pyromellit(h)säuredianhydrid
o-dianisidina/o-Dianisidin
1,1′-diantrimmide/1,1′-Dianthrimid
diarrea/Diarrhoe
diaspro/Jaspis
diastereo(iso)meria/Diastereo-(iso)merie
diauxia/Diauxie
diavoletto di Maxwell/Maxwellscher Dämon
diaza.../Diaza...
1,5-diazabiciclo[4.3.0]non-5-ene/1,5-Diazabicyclo[4.3.0]non-5-en
1,4-diazabiciclo[2.2.2]ottano/1,4-Diazabicyclo[2.2.2]octan
diazendicarbonato di dimetile/Diazendicarbonsäure-dimethylester
diazeni/Diazene
diazepam/Diazepam
diazepine/Diazepine
diazinone/Diazinon
diaziridine/Diaziridine
diazirine/Diazirine
diazo.../Diazo...
diazoacetato di etile/Diazoessigester
diazocopie/Diazokopien
diazoli/Diazole
diazometano/Diazomethan
4-diazoniobenzensolfonato/4-Diazoniobenzolsulfonat
diazoresine/Diazoharze
diazossido/Diazoxid
diazotati/Diazotate
dibecacina/Dibekacin
dibenzazepine/Dibenzazepine
dibenzepina/Dibenzepin
dibenzo[1,4]diossina/Dibenzo[1,4]dioxin
dibenzofurano/Dibenzofuran
dibenzoile/Benzil
dibenzosuberone/Dibenzosuberon
dibenzotiofene/Dibenzothiophen
diborano(6)/Diboran(6)
diboruro di titanio/Titandiborid
1,3-dibromo-5,5-dimetilidantoina/1,3-Dibrom-5,5-dimethylhydantoin
1,2-dibromoetano/1,2-Dibromethan
1,3-dibromopropano/1,3-Dibrompropan
dibutilammina/Dibutylamin
dibutiltiourea/1,3-Dibutylthioharnstoff
dicamba/Dicamba
dicarbonato di dimetile/Dimethyldicarbonat
dichetene/Diketen
dichetoni/Diketone
dichiarazione ambientale/Umwelterklärung
– d'emissione/Emissionserklärung
dicianoargentato di potassio/Kaliumdicyanoargentat
dicianogeno/Dicyan
dicicloesilammina/Dicyclohexylamin
dicicloesilcarbodiimmide/Dicyclohexylcarbodiimid

diciclopentadiene/Dicyclopentadien
dicicloverina/Dicycloverin
diclobenile/Dichlobenil
diclobutrazolo/Diclobutrazol
diclofenac/Diclofenac
diclofenamide/Diclofenamid
diclofluanide/Dichlofluanid
diclofop-metile/Diclofop-methyl
diclomezina/Diclomezin
dicloridrato di N-(1-naftil)etilendiamina/N-(1-Naphthyl)ethylendiamin-dihydrochlorid
4,5-dicloro-3,6-diossi-cicloesa-1,4-dien-1,2-dicarbo/4,5-Dichlor-3,6-dioxo-cyclohexa-1,4-dien-1,2-dicarbonitril
2,3-dicloro-1,4-naftochinone/2,3-Dichlor-1,4-naphthochinon
1,3-dicloro-2-propanolo/1,3-Dichlor-2-propanol
dicloroaniline/Dichloraniline
diclorobenzeni/Dichlorbenzole
1,4-diclorobutano/1,4-Dichlorbutan
dicloroetani/Dichlorethane
dicloroetileni/Dichlorethylene
2,6-diclorofenol-indofenol-sodio/2,6-Dichlorphenol-indophenol-natrium
diclorofenoli/Dichlorphenole
dicloronitrobenzeni/Dichlornitrobenzole
dicloroprop-P/Dichlorprop-P
dicloropropani/Dichlorpropane
1,3-dicloropropene/1,3-Dichlorpropen
diclorovos/Dichlorvos
dicloruri di fosfonitrile/Phosphornitridchloride
dicloruro benzilidenico/Benzylidendichlorid
– di paraquat/Paraquat-dichlorid
– di solfonile/Sulfurylchlorid
dicloxacillina/Dicloxacillin
dicofol/Dicofol
dicotiledoni/Dikotyle(done)n
dicrografi/Dichrographen
dicroismo circolare/Circulardichroismus
dicromati/Dichromate
dicromato d'ammonio/Ammoniumdichromat
– di potassio/Kaliumdichromat
– (VI) di sodio/Natriumdichromat(VI)
dicrotofos/Dicrotophos
dicumarolo/Dicumarol
didanosina/Didanosin
3,4-diidroretinale/3,4-Didehydroretinal
didemnine/Didemnine
didimio/Didym
didrogesterone/Dydrogesteron
dieldrina/Dieldrin
dielettrici/Dielektrika
dienestrolo/Dienestrol
dieni/Diene
– non coniugati/Nichtkonjugierte Diene
dienoni/Dienone
diesiverina/Dihexyverin
dieta/Diät
N,N-dietil-p-fenilendiammina/N,N-Diethyl-p-phenylendiamin
dietilamina salicilato/Diethylaminsalicylat
dietilammenide dell'acido lisergico/Lysergsäurediethylamid
dietilammina/Diethylamin
2-(dietilammino)-etanolo/2-(Diethylamino)-ethanol
N,N-dietilanilina/N,N-Diethylanilin

dietilcarbamazina/Diethylcarbamazin
dietilditiocarbamati/Diethyldithiocarbamate
dietilditiocarbamat di argento/Silberdiethyldithiocarbamat
– di sodio/Natrium-diethyldithiocarbamat
dietilenglicole/Diethylenglykol
dietilentriammina/Diethylentriamin
N,N-dietiletilendiammina/N,N-Diethylethylendiamin
dietilstilbestrolo/Diethylstilbestrol
1,3-dietiltiourea/1,3-Diethylthioharnstoff
N,N-dietil-m-toluammide/N,N-Diethyl-m-toluamid
dietofencarb/Diethofencarb
difacinone/Diphacinon
difenacum/Difenacoum
difenidramina/Diphenhydramin
2,2-difenil-1-picrilidrazile/2,2-Diphenyl-1-pikrylhydrazyl
difenilacetilene/Tolan
difenilammina/Diphenylamin
1,5-difenilcarbazone/1,5-Diphenylcarbazon
difenilcarbonato/Diphenylcarbonat
difenile/Diphenyl
1,2-difeniletano/1,2-Diphenylethan
1,3-difenilguanidina/1,3-Diphenylguanidin
1,1-difenilidrazina/1,1-Diphenylhydrazin
difenilmetano/Diphenylmethan
2,5-difenilossazolo/2,5-Diphenyloxazol
difenilpiralina/Diphenylpyralin
difenilsolfuri policlorurati/PCDPS
1,3-difeniltiourea/1,3-Diphenylthioharnstoff
1,3-difeniltriazene/1,3-Diphenyltriazen
1,3-difenilurea/1,3-Diphenylharnstoff
difenoconazolo/Difenoconazol
difenoxilato/Diphenoxylat
difenoxina/Difenoxin
difenzoquato-metilsolfato/Difenzoquat-methylsulfat
difesatina/Diphesatin
difetialone/Difethialon
difetti di cristallo/Kristallbaufehler
– di vino/Weinfehler
– puntuali/Punktdefekte
difetto di Frenkel/Frenkel-Defekt
– di impilamento/Stapelfehler
– di massa/Massendefekt
– quantistico/Quantendefekt
– Renecker/Renecker-Defekt
differenza di cammino ottico/Kalter Fluß
differenziazione/Differenzierung
diffrazione/Beugung
– degli elettroni/Elektronenbeugung
– dei neutroni/Neutronenbeugung
– di elettroni di bassa energia/LEED
diffusione/Diffusion
– della luce/Lichtstreuung
– di Mie/Mie-Streuung
diffusività termica/Temperaturleitfähigkeit
diflorasone/Diflorason
diflubenzurone/Diflubenzuron
diflucortolone/Diflucortolon

diflufenican/Diflufenican
diflunisal/Diflunisal
difosfati(V)/Diphosphate(V)
difosfato trisodico/Trinatriumhydrogendiphosphat
difosgene/Diphosgen
digenite/Digenit
digerire/Digerieren
digestione/Verdauung
– anaerobica/Vergärung
– di un precipitato cristallino/Ostwald-Reifung
digitale/Digital
digitonina/Digitonin
digitossosi/Digitoxose
digliceridi/Diglyceride
diidralazina/Dihydralazin
3,4-diidro-2H-pirano/3,4-Dihydro-2H-pyran
diidrocodeina/Dihydrocodein
diidrodimerizzazione/Dihydrodimerisation
diidroergocornina/Dihydroergocornin
diidroergocriptina/Dihydroergocryptin
diidroergocristina/Dihydroergocristin
diidroergotamina/Dihydroergotamin
diidroergotossina/Dihydroergotoxin
diidrossiacetone/Dihydroxyaceton
2,4-diidrossibenzoferone/2,4-Dihydroxybenzophenon
diidrostreptomicina/Dihydrostreptomycin
diidrotachisterolo/Dihydrotachysterol
diimmina/Diimin
3,5-diiodotironina/3,5-Diiodthyronin
3,5-diiodotirosina/3,5-Diiodtyrosin
diisocianati/Diisocyanate
– di toluene/Toluoldiisocyanate
diisocianato di xililene/Xylylendiisocyanat
diisopropilamina dicloroacetato/Diisopropylamin-dichloracetat
diisopropilammide di litio/Lithiumdiisopropylamid
diisopropilbenzene/Diisopropylbenzol
diisopropilfluorofosfato/Diisopropylfluorophosphat
dikegulac-sodio/Dikegulac-Natrium
dilatanza/Dilatanz
dilatazione/Dilatation
dilavamento/Auswaschung
dilazep/Dilazep
diloxanide/Diloxanid
diltiazem/Diltiazem
diluenti/Verdünnungsmittel, Verschnittmittel
diluire/Verdünnen
diluizione/Verdünnen
dimazolo/Dimazol
dimedone/Dimedon
dimefurone/Dimefuron
dimenidrinato/Dimenhydrinat
dimensioni non perturbati/Ungestörte Dimensionen
dimercaprolo/Dimercaprol
1,4-dimercapto-2,3-butandioli/1,4-Dimercapto-2,3-butandiole
2,5-dimercapto-1,3,4-tiadiazolo/2,5-Dimercapto-1,3,4-thiadiazol

dimerizzazione/Dimerisation
dimetacrina/Dimetacrin
dimetanamide/Dimethenamid
dimeticone/Dimeticon
2,6-dimetil-4-eptanone/2,6-Dimethyl-4-heptanon
2,9-dimetil-1,10-fenantrolina/2,9-Dimethyl-1,10-phenanthrolin
N,N-dimetil-4-introsoanilina/N,N-Dimethyl-4-nitrosoanilin
2,4-dimetil-3-pentanone/2,4-Dimethyl-3-pentanon
dimetil-POPOP/Dimethyl-POPOP
2,2-dimetil-1,3-propandiolo/2,2-Dimethyl-1,3-propandiol
N,N-dimetilacetammide/N,N-Dimethylacetamid
α,α-dimetilallilpaspalinina/Aflatrem
dimetilammina/Dimethylamin
dimetilammino…/Dimethylamino…
4-(dimetilammino)-azobenzene/4-(Dimethylamino)azobenzol
2-(dimetilammino)-etanolo/2-(Dimethylamino)ethanol
(dimetilammino)-propanoli/(Dimethylamino)propanole
4-dimetilamminobenzaldeide/4-Dimethylaminobenzaldehyd
5-(4-dimetilamminobenziliden)-rodanina/5-(4-Dimethylaminobenzyliden)-rhodanin
N,N-dimetilanilina/N,N-Dimethylanilin
dimetilarsino…/Dimethylarsino…
7,12-dimetilbenz[a]antracene/7,12-Dimethylbenz[a]anthracen
3,3'-dimetilbenzidina/3,3'-Dimethylbenzidin
N,N-dimetilbenzilammina/N,N-Dimethylbenzylamin
2,2-dimetilbutano/2,2-Dimethylbutan
dimetilfenoli/Dimethylphenole
dimetilformammide/Dimethylformamid
dimetilgliossima/Dimethylglyoxim
5,5-dimetilidantoina/5,5-Dimethylhydantoin
1,1-dimetilidrazina/1,1-Dimethylhydrazin
3,3-dimetilnaftidina/3,3'-Dimethylnaphthidin
dimetilnitrobenzeni/Nitroxylole
2,2-dimetilpropano/2,2-Dimethylpropan
dimetilsolfato/Dimethylsulfat
dimetilsolfone/Dimethylsulfon
dimetilsolfossido/Dimethylsulfoxid
dimetilsolfuro/Dimethylsulfid
dimetiltriptammina/N,N-Dimethyltryptamin
1,3-dimetilurea/1,3-Dimethylharnstoff
dimetindene/Dimetinden
dimetipin/Dimethipin
dimetisterone/Dimethisteron
dimetoato/Dimethoat
dimetomorf/Dimethomorph
2,5-dimetossi-4-metilanfetamina/2,5-Dimethoxy-4-methylamphetamin
dimetossibenzeni/Dimethoxybenzole
dimetotiazina/Dimetotiazin
Dimidiobromuro/Dimidiumbromid

diminuzione/Schwinden
– cioè neutralizzazione dell'acido (della base) eccessivo/Abstumpfen
dina/dyn
dinamica calorimetria differenziata/Dynamische Differenz-Kalorimetrie
– della popolazione/Populationsdynamik
– di reazione/Reaktionsdynamik
– molecolare/Molekulardynamik
dinamina/Dynamin
dinamite/Dynamit
dinattina/Dynactin
dineina/Dynein
dinemicine/Dynemicine
diniconazolo/Diniconazol
dinitramina/Dinitramin
dinitrato di dietilenglicole/Diethylenglykoldinitrat
– di esametilentetramina/Hexamethylentetramin-dinitrat
– di glicole etilenico/Ethylenglykoldinitrat
dinitrile malonico/Malonsäuredinitril
2,4-dinitroanilina/2,4-Dinitroanilin
2,4-dinitroanisolo/2,4-Dinitroanisol
dinitrobenzeni/Dinitrobenzole
2,4-dinitrofenilidrazina/2,4-Dinitrophenylhydrazin
dinitrofenoli/Dinitrophenole
2,4-dinitrotoluene/2,4-Dinitrotoluol
dinocap/Dinocap
dinoprost/Dinoprost
dinoprostone/Dinoproston
dinor…/Dinor…
dinoseb/Dinoseb
dinoterb/Dinoterb
diodo/Diode
– a emissione luminosa/LED
– ottico/Optische Diode
diodone/Diodon
diofenolane/Diofenolan
dioli/Diole
dioptasio/Dioptas
diorite/Diorite
dioscorina/Dioscorin
diosfenoli/Diosphenole
diosgenina/Diosgenin
diosmina/Diosmin
diossa…/Dioxa…
1,4-diossano/1,4-Dioxan
diossepine/Dioxepine
diossetani/Dioxetane
diossi…/Dioxy…
diossidi/Dioxide
2,2-diossididi 1,2,3-ossatiaz-4(H)-one/1,2,3-Oxathiazin-4(3)H-on-2,2-dioxid
diossido di manganese/Mangandioxid
– di selenio/Selendioxid
– di zolfo/Schwefeldioxid
diossine/Dioxine
diosso…/Dioxo…
1,3-diossol-2-oni/1,3-Dioxol-2-one
1,3-diossolan-2-one/1,3-Dioxolan-2-on
1,3-diossolano/1,3-Dioxolan
diossoli/Dioxole
diottil…/Dioctyl…
dioxetedrina/Dioxethedrin
dipendenza/Sucht
dipeptide di muramile/Muramyl-Dipeptid
1,5-diphenilcarbonoidrazide/1,5-Diphenylcarbonohydrazid

dipicrilammina/Dipikrylamin
dipivefrina/Dipivefrin
diploma universitario (laurea)/Diplom
dipnone/Dypnon
dipolo/Dipol
diponio bromuro/Diponiumbromid
dipridamolo/Dipyridamol
diprofillina/Diprophyllin
dipropilammine/Dipropylamine
dipropilentriammina/Dipropylentriamin
diquat-dibromuro/Diquat-dibromid
direttiva CE sui rifiuti/EG-Richtlinie über Abfälle
– CE sui rifiuti pericolosi/EG-Richtlinie über gefährliche Abfälle
– CEE in materia delle sostanze pericolose/Gefahrstoffverordnung
– sulle macchine/Maschinenrichtlinie
– tecnica concernente l'eliminazione dei rifiuti/TA Abfall
– tecnica concernente l'eliminazione dei rifiuti residuali/TA Siedlungsabfall
direttive/Richtlinien
– per i laboratori/Richtlinien für Laboratorien
diritromicina/Dirithromycin
diritto ambientale/Umweltrecht
dis…/Dys…
disaccaridi/Disaccharide
disaromatizzazione/Desaromatisierung
disattivatori perossidici/Peroxid-Desaktivatoren
disattivazione/Desaktivierung
discarica intermedia/Zwischenlager
– pubblica sotterranea/Untertage-Deponie
– publica/Deponie
dischi fendibili/Berstscheiben
discrasite/Dyskrasit
disegno molecolare/Moleküldesign
diselenuro difenilico/Diphenyldiselenid
disgregazione/Verwitterung
disidratazione/Absolutierung
disinfettante/Desinfektionsmittel
disinfettanti delle sementi/Saatgut-Behandlungsmittel
disinfezione/Desinfektion
disintegrante di compresse/Tablettensprengmittel
disintegrazione/Zerfall
– beta/Beta-Zerfall
– radioattiva/Radioaktiver Zerfall
disintegrine/Disintegrine
disintossicazione/Entgiftung
dislocazione a spigolo/Stufenversetzungen
– a vite/Schraubenversetzung
dislocazioni/Versetzungen
dismenorrea/Dysmenorrhoe
dismutazione/Dismutation
disolfati/Disulfate
disolfato di potassio/Kaliumdisulfat
disolfiti/Disulfite
disolfito di potassio/Kaliumdisulfit
– di sodio/Natriumdisulfit
disolfotone/Disulfoton
disolfuri/Disulfide
disolfuro di carbonio/Schwefelkohlenstoff

– di dibenzile/Dibenzyldisulfid
– di molibdeno/Molybdändisulfid
– di selenio/Selendisulfid
– tetraetiltiuramico/Tetraethylthiuramdisulfid
disopiramide/Disopyramid
disossi…/Desoxy…
disossidazione/Desoxidation, Feinen
disossigenazione/Desoxygenierung
disossisulfone/Dysoxysulfon
disparluro/Disparlur
dispasi/Dispase
dispensare/Dispensieren
disperdente/Dispergiermittel
disperdere/Dispergieren
dispersione/Dispersion, Streuung
– dei raggi X/Röntgenstreuung
– dei raggi X ad angolo piccolo/Röntgenkleinwinkelstreuung
– di Compton/Compton-Streuung
– di Mie/Mie-Streuung
– inelastica/Inelastische Streuung
– rotatoria/Rotationsdispersion
dispersioni polimeriche/Polymerdispersionen
dispersivi/Dispersionsmittel
dispositivi molecolari/Molekulare Funktionseinheiten
dispositivo antighiaccio/Enteisungsmittel
– di dosaggio/Dispenser
disposizioni per il trasporto/Transportbestimmungen
disproporzionamento/Disproportionierung
disprosio/Dysprosium
disrotatorio/Disrotatorisch
dissabbiatore/Sandfang
dissalazione dell'acqua marina/Meerwasserentsalzung
dissanguamento/Ausbluten
dissenteria/Ruhr
dissertazione/Dissertation
dissiccante/Trockenmittel
dissimilazione/Dissimilation
dissimmetria/Dissymmetrie
dissipazione/Dissipation
dissociazione/Dissoziation
– elettrolitica/Elektrolytische Dissoziation
dissolvente di ruggine/Entrostungsmittel
dissorbimento/Desorption
– indotto tramite elettroni/EID
distaccamento di sfarinato/Detachur
distanza fra la fine dei fili/Fadenendenabstand
– testa a testa/Mittlerer Fadenendabstand
distigmina bromuro/Distigminbromid
distillatore tubolare a sfere/Kugelrohr
distillazione/Destillation
– a bassa temperatura/Schwelung
– con povere di zinco/Zinkstaubdestillation
– con vapore/Wasserdampfdestillation
– Micko/Micko-Destillation
distrazione/Destraktion
distributore del fluido/Flüssigkeitsverteiler
distribuzione/Verteilung
– a controcorrente/Gegenstromverteilung
– angolare/Winkelverteilung
– del tempo di permanenza/Verweilzeitverteilung

– della velocità di Maxwell-Boltzmann/Maxwell-Boltzmannsche Geschwindigkeitsverteilung
– delle masse molari/Molmassenverteilung
– di Gauß/Gauß-Verteilung
– t/t-Verteilung
distrofina/Dystrophin
distruenti/Destruenten
distruzione microbica di materiale/Biodeterioration
disturbo olfattivo/Geruchsbelästigung
diterpeni/Diterpenoide
ditiani/Dithiane
ditianone/Dithianon
ditiazanina ioduro/Dithiazaniniodid
ditiocarbamati/Dithiocarbamate
ditiolani/Dithiolane
ditiolati/Dithiolate
ditioli/Dithiole
ditionati/Dithionate
ditioniti/Dithionite
ditionito di sodio/Natriumdithionit
ditioossammide/Dithiooxamid
ditiopir/Dithiopyr
ditizone/Dithizon
dito di zinco/Zink-Finger
ditranolo/Dithranol
diuretici/Diuretika
diurone/Diuron
diventare fragile/Versprödung
– grigio/Vergrauen
diversità di specie/Artendiversität
divieto di mescolamento/Vermischungsverbot
divinilbenzene/Divinylbenzol
dixirazina/Dixyrazin
dizionari/Nachschlagewerke, Wörterbücher
DNA complementare/cDNA
DNA-fingerprinting/DNA-Fingerabdruck, DNA-Fingerprinting
DNA ligasi/DNA-Ligasen
– microcondriale/Mitochondriale DNA
– plasmide/Plasmid-DNA
– polymerasi/DNA-Polymerasen
– replicante/Replizierende DNA
DNA ripetitivo/Repetitive DNA
DNA-RNA ibridi/DNA-RNA-Hybride
– sintesi/DNA-Synthese
DNOC/DNOC
dobesilato di calcio/Calciumdobesilat
dobutamina/Dobutamin
docce d'emergenza/Notduschen
docetaxel/Docetaxel
docimasia/Dokimasie
docos(a)…/Docos(a)…
documentazione/Dokumentation
– dei brevetti/Patentdokumentation
– dello smaltimento e trattamento dei rifiuti/Entsorgungsnachweis
docusato sodico/Docusat-Natrium
dodec(a)…/Dodec(a)…
dodecanale/Dodecanal
dodecano/Dodecan
1-dodecanolo/1-Dodecanol
dodecantiolo/1-Dodecanthiol
1-dodecilammina/Dodecylamin
dodecilbenzene/Dodecylbenzol
dodecilbenzensolfonati/Dodecylbenzolsulfonate
dodecilfenolo/Dodecylphenol
dodemorf-acetato/Dodemorphacetat

dodina/Dodin
dofamio cloruro/Dofamiumchlorid
dogma centrale/Zentrales Dogma
dolastatine/Dolastatine
dolcezza residua/Restsüße
– rimanente/Restsüße
dolci/Backwaren
dolcificanti/Süßstoffe, Zuckeraustauschstoffe
dolciumi/Süßwaren, Zuckerwaren
dolerite/Dolerit
dolichil-fosfato/Dolichylphosphat
dolicolo/Dolichole
dolomite/Dolomit
domifene bromuro/Domiphenbromid
dominanza/Dominanz
domini/Domänen
dominio PH/PH-Domäne
domperidone/Domperidon
donatore/Don(at)or
dopa/Dopa
dopammin-β-idrossilasi/Dopamin-β-Hydroxylase
dopammina/Dopamin
dopamminergico/Dopaminerg
dopexamina/Dopexamin
doping/Doping
doppi legami cumulati/Kumulierte Doppelbindungen
doppio decadimento beta/Doppelter Betazerfall
dopplerite/Dopplerit
doratura/Vergolden
dormienza/Winterruhe
dorzolamide/Dorzolamid
dosaggio (test) radioimmunologico/Radioimmunoassay
dosare/Dosieren
dose/Dosis
– collettiva/Kollektivdosis
– di rana/FD
– effettiva/ED$_{50}$
– equivalente/Äquivalent-Dosis
– genetica/Gendosis
– giornaliera ammessa/Duldbare tägliche Aufnahme
– ionica/Ionendosis
– letale/Letale Dosis
– subletale/Subletale Dosis
dosimetria/Dosimetrie
dosimetro di Fricke/Fricke-Dosimeter
dosulepina/Dosulepin
dot blot/Dot-Blot
dottorato/Promotion
doublé/Doublé
doublet/Dublett
doxapram/Doxapram
doxazosina/Doxazosin
doxepina/Doxepin
doxiciclina/Doxycyclin
doxilamina/Doxylamin
doxorubicina/Doxorubicin
dragante/Tragant
drastici/Drastika
drimani/Drimane
drofenina/Drofenin
drogaggio/Dotierung
droghe/Drogen
droperidolo/Droperidol
dropropizina/Dropropizin
drosera/Sonnentau
drosofilina A/Drosophilin A
drostanolone/Drostanolon
drusa/Druse
dualità particella-onda/Welle-Teilchen-Dualismus
dubnio/Dubnium
dulcina/Dulcit
duocarmicine/Duocarmycine
duralluminio/Duralumin(ium)

durata (tempo) della vita/Lebensdauer
durezza/Härte fester Körper
– Brinell/Brinell-Härte
– del pendolo/Pendelhärte
– dell' acqua/Härte des Wassers
– Knoop/Knoop-Härte
– Rockwell/Rockwell-Härte
– Shore/Shore-Härte
– Vickers/Vickers-Härte
durometro/Härteprüfstab
duroplasto/Duroplaste
duttilità/Duktilität

E

ebanite/Hartgummi
ebollizione/Sieden
ebullioscopia/Ebullioskopie
eburnamonina/Eburnamonin
eca-/Eka-
…ecano/…ecan
eccimeri/Excimere
eccimerlaser/Excimer-Laser
eccitazione/Anregung
– elementare/Elementare Anregung
– rotazionale/Rotationsanregung
eccitoni/Excitonen
ecdisone/Ecdyson
ecgonina/Ecgonin
echinacoside/Echinacosid
echinacandina/Echinocandin
echinodermi/Echinodermata
…ecina/…ecin
eclogite/Eklogite
eco di fotoni/Photonenecho
ecochimica/Ökochemie
ecoetologia/Öko-Ethologie
ecofattori/Ökofaktoren
ecogenina/Hecogenin
ecogeografiche/Klimaregeln
ecologia/Ökologie
econazolo/Econazol
ecosistema/Ökosystem
ecotiopato ioduro/Ecothiopatiodid
ecotipi/Ökotypen
ecotono/Ökoton
ecotossicologia/Ökotoxikologie
ecotrofologo/Oecotrophologe
ecrasite/Ekrasit
ecstasy/Ecstasy
ectoenzimi/Ektoenzyme
ectotermico/Ektotherm
eczemi/Ekzeme
edema/Ödem
edera/Efeu
α-ederina/α-Hederin
edesina/Edestin
edetato di sodio e calcio/Natriumcalciumedetat
edifenfos/Edifenphos
edisilato/Edisilat
edoxudina/Edoxudin
efedrina/Ephedrin
effervescenza/Efferveszenz
effeto ambientale/Umwelteinwirkung
effetti dell'atomo pesante/Schweratom-Effekte
– di sale/Salzeffekte
– elettroottici/Elektrooptische Effekte
– endocrini/Endokrine Effekte
– fotoelettrici/Photoeffekte
– indesiderati dei medicinali/Arzneimittel-Nebenwirkungen
– isotopici/Isotopie-Effekte
– multicolori/Multicolor-Effekte
– relativistici/Relativistische Effekte
effetto a gabbia/Käfig-Effekt
– additivo/Additive Wirkung
– Auger/Auger-Effekt

– collisivo/Kollisionseffekt
– combinatorio/Kombinationswirkung
– dei gruppi vicinali/Nachbargruppen-Effekt
– di Becquerel/Becquerel-Effekt
– di bloccamento/Blockierungseffekt
– di Bohr/Bohr-Effekt
– di Compton/Compton-Effekt
– di Cotton/Cotton-Effekt
– di Debye-Falkenhagen/Debye-Falkenhagen-Effekt
– di Faraday/Faraday-Effekt
– di Faraday-Tyndall/Faraday-Tyndall-Effekt
– di Gudden-Pohl/Gudden-Pohl-Effekt
– di Josephson/Josephson-Effekt
– di Kondo/Kondo-Effekt
– di memoria/Memory-Effekt
– di proteina/Eiweißfehler
– di Rehbinder/Rehbinder-Effekt
– Doppler/Doppler-Effekt
– elettroottico di Kerr/Kerr-Effekt
– fotodinamico/Photodynamischer Effekt
– fotorefrattario/Photorefraktiver Effekt
– gel/Geleffekt
– Gunn/Gunn-Effekt
– Hall/Hall-Effekt
– induttivo/Induktiver Effekt
– Jahn-Teller/Jahn-Teller-Effekt
– Joule-Thomson/Joule-Thomson-Effekt
– Kirkendall/Kirkendall-Effekt
– Leidenfrost/Leidenfrostsches Phänomen
– Marangoni/Marangoni-Effekt
– nefelauxetico/Nephelauxetischer Effekt
– Nernst/Nernst-Effekt
– orto/Ortho-Effekt
– Pasteur/Pasteur-Effekt
– Peltier/Peltier-Effekt
– Penning/Penning-Effekt
– plate out/Plate-out-Effekt
– quantistico di Hall/Quanten-Hall-Effekt
– sagoma/Template-Effekt
– schiacciamento/Abquetscheffekt
– Seebeck/Seebeck-Effekt
– serra/Treibhauseffekt
– stampo/Template-Effekt
– Stark/Stark-Effekt
– tunnel/Tunneleffekt
– Weigert/Weigert-Effekt
– Weissenberg/Weissenberg-Effekt
– Wigner/Wigner-Effekt
– Zeeman/Zeeman-Effekt
effettori/Effektoren
efficacia biologica relativa/Relative biologische Wirksamkeit
– termica/Thermischer Wirkungsgrad
– termodinamica/Thermodynamischer Wirkungsgrad
efficienza/Wirkungsgrad
– ecologica/Ökologische Effizienz
efflorescenza/Ausblühen, Effloreszenz, Verwitterung
effusiometro/Effusiometer
effusione/Effusion
eflornitina/Eflornithin
eicos(a)…/Eicos(a)…
eicosanoidi/Eicosanoide
einsteinio/Einsteinium
elaiofilina/Elaiophylin
elaiomicina/Elaiomycin
elastasi/Elastase

elasticità/Elastizität
- di fusione/Schmelzelastizität
- entropica/Entropieelastizität
elastificatori/Elasti(fi)katoren, Elastifizierungsmittel
elastina/Elastin
elastomeri/Elastomere
- di olefine/Olefin-Elastomere
- termoplastici/Thermoplastische Elastomere
elaterite/Elaterit
eldexomero/Eldexomer
electrets/Elektrete
electrum/Elektrum
eledoisina/Eledoisin
elemeni/Elemene
elementi/Elemente
- anisotropi/Anisotope Elemente
- assorbenti/Absorberelemente
- atmofili/Atmophile Elemente
- chimici/Chemische Elemente
- dei gruppi principali/Hauptgruppenelemente
- di combustibile/Brennelemente
- di simmetria/Symmetrieelemente
- finiti/Finite-Elemente-Verfahren
- galvanici/Galvanische Elemente
- in tracce/Spurenelemente
- P/P-Elemente
- trasponibili/Transponierbare Elemente
elemento a gas tonante/Knallgaselement
- lineare statistico/Statistisches Fadenelement
- stereogeno/Stereogenes Element
- strutturale/Struktureinheit, -element
elemi/Elemi
elenalina/Helenalin
eleniena/Helenien
elenina/Helenin
elettroanalisi/Elektroanalyse
elettrocapillarità/Elektrokapillarität
elettrocardiografia/Elektrokardiographie
elettrochimica/Elektrochemie
- organica/Organische Elektrochemie
elettrocromia/Elektrochromie
elettrodecantazione/Elektrodekantation
elettrodi/Elektroden
- a gas/Gaselektroden
- di riferimento/Bezugselektroden
- di Söderberg/Söderberg-Elektroden
- selettivi/Ionenselektive Elektroden
elettrodialisi/Elektrodialyse
elettrodinamica quantistica/Quantenelektrodynamik
elettrodo a calomelano/Kalomel-Elektrode
- conduttore/Ableitelektrode
- di riferimento/Vergleichselektrode
- di vetro/Glaselektrode
elettroencefalografia/Elektroenzephalographie
elettroerosione/Elektroerosion
elettrofiltro/Elektrofilter
elettroforesi/Elektrophorese
- a capillare/Kapillarelektrophorese
- su carta/Papierelektrophorese
- (su gel) a campo impulsato/Pulsfeld-(Gel-)Elektrophorese

elettrofotografia/Elektrophotographie
elettrofuggente/Elektrofug
elettrofusione/Elektrofusion
elettrogravimetria/Elektrogravimetrie
elettrolisi/Elektrolyse
- dei cloruri alcalini/Chloralkali-Elektrolyse
- di sali fusi/Schmelzelektrolyse
elettroliti/Elektrolyte
- d' oro/Goldbad DCS
elettrolùminescenza/Elektrolumineszenz
elettrometallurgia/Elektrometallurgie
elettromiografia/Elektromyographie
elettrone luminescente/Leuchtelektron
elettronegatività/Elektronegativität
elettroni/Elektronen
- di conversione interna/Konversionselektronen
- di legame/Valenzelektronen
- di valenza/Valenzelektronen
- eccessivi/Überschußelektronen
- secondari/Sekundärelektronen
- solitari/Einsame Elektronen
- solvati/Solvatisierte Elektronen
elettronica molecolare/Molekulare Elektronik
elettroosmosi/Elektroosmose
elettrosmog/Elektrosmog
elettrotermia/Elektrothermie
elettrotrasformazione/Elektrotransformation
elettuario/Latwerge
èlica/Helix
elicasi/Helicasen
elice anfipatica/Amphipathische Helix
eliceni/Helicene
elicina/Helixin
elicobasidina/Helicobasidin
eliminante di catrame/Teerentferner
eliminatore di fuliggine/Rußentferner
eliminazione/Elimination, Eliminierung
- dei rifiuti/Abfallbeseitigung
β-eliminazione dell'idruro/β-Hydrid-Eliminierung
eliminazione di Hofmann/Hofmann-Eliminierung
elimoclavina/Elymoclavin
elio/Helium
- orto/Ortho-Helium
eliofite/Heliophyten
elioni/Helionen
elioterapia/Heliotherapie
eliotropo/Heliotrop
elisir/Elixiere
elleboro/Nieswurz
ellipticina/Ellipticin
ellissometria/Ellipsometrie
elmintosporale/Helminthosporal
elofite/Helophyten
elongazione/Elongation
elsamicine/Elsamicine
elutriazione/Elutriation
eluzione/Elution
- per gradiente/Gradientenelution
elvina/Helvin
em…/Häm…, Haem…
emagglutinine/Hämagglutinine
emallume/Hämalaun
emanazione/Emanation
ematina/Hämatin
ematite/Glaskopf, Hämatit
ematocrito/Hämatokrit

ematologia/Hämatologie
ematopoiesi/Hämatopoese
ematoporfirina/Hämatoporphyrin
ematoxilina/Hämatoxylin
embriotossico/Fruchtschädigend
eme/Häm
emepronio bromuro/Emeproniumbromid
emergenza/Auflaufen
emeritrina/Hämerythrin
emesso/Abdunsten
emestrina/Emestrin
emetici/Emetika
emetina/Emetin
emicrania/Migräne
emiidrati/Hemihydrate
emilcamato/Emylcamat
emimorfite/Hemimorphit
emina/Hämin
emissione di polvere/Staubemission
- zero/Nullemission
emissioni/Emissionen
emiterpeni/Hemiterpene
emocianina/Hämocyanin
emodialisi/Hämodialyse
emodina/Emodin
emofilia/Hämophilie
emoglobina/Hämoglobin
emolina/Hämolin
emolisi/Hämolyse
emollienti/Emollientien
emonectina/Hämonectin
emoperfusione/Hämoperfusion
emoproteine/Häm-Proteine
emorroidi/Hämorrhoiden
emosiderina/Hämosiderin
emostasi/Hämostase
emostatici/Hämostyptika
emovanadina/Hämovanadin
empiastro/Pflaster
empireumatico/Empyreuma
emulgatori/Emulgatoren
emulsina/Emulsin
emulsionante pickering/Pickering-Emulgator
emulsioni/Emulsionen
- di separazione/Trennemulsionen
enalapril/Enalapril
enammini/Enamine
enantato/Enantat
enantiomeria/Enantiomerie
enargite/Enargit
encaustico/Enkaustik
encefaline/Enkephaline
encefalopatia spongiforme bovina/Rinderseuche
endiine/Endiine
endioli/Endiole
endo…/Endo…
endocitosi/Endocytose
endocrinologia/Endokrinologie
endocrocina/Endocrocin
endoenzimi/Endoenzyme
endofauna/Infauna
endogeno/Endogen
endonucleasi di restrizione/Restriktionsendonucleasen, Restriktionsenzyme
endopeptidasi neutrale 24.11/Neutrale Endopeptidase 24.11
endorfine/Endorphine
endosomi/Endosomen
endospore/Endosporen
endosulfan/Endosulfan
endoteline/Endotheline
endotermico/Endotherm
endotossine/Endotoxine
endrina/Endrin
…ene/…en
ene-sintesi/En-Synthese

en(e)icos(a)…/Heneicos(a)…
enema/Klistier
energia/Energie
- d' attivazione/Aktivierungsenergie
- di correlazione/Korrelationsenergie
- di dissociazione/Dissoziationsenergie
- di Fermi/Fermi-Energie
- di Gibbs/Gibbs-Energie
- di ionizzazione/Ionisationsenergie
- di punto zero/Nullpunktsenergie
- libera/Freie Energie
- nucleare/Kernenergie
- orbitale/Orbitalenergie
- reticolare/Gitterenergie
- solare/Sonnenenergie
enfleurage/Enfleurage
enflurano/Enfluran
enhancer/Enhancer
enne(a)/Enne(a)…
enniatine/Enniatine
enolasi/Enolase
enolati/Enolate
enoli/Enole
enologia/Önologie
enoxacina/Enoxacin
enoximone/Enoximon
ent-/ent-
entalpia/Enthalpie
- di reazione/Reaktionsenthalpie
- libera/Freie Enthalpie
- libera di reazione/Freie Reaktionsenthalpie
entattina/Entactin
enteral/Enteral
enter(o)…/Enter(o)…
enterobatteriacee/Enterobacteriaceae
enterococci/Enterokokken
enteropatia da glutine/Zöliakie
enteropeptidasi/Enteropeptidase
enterotossine/Enterotoxine
entomologia/Entomologie
1-entriacontanolo/1-Hentriacontanol
entropia/Entropie
- di reazione/Reaktionsentropie
enzima di conversione dell' interleuchina-1β/Interleukin-1β-Konversions-Enzym
enzimi/Enzyme
- costitutivi/Konstitutive Enzyme
- detergenti/Waschmittel-Enzyme
- di restrizione/Restriktionsenzyme
- pectinolitici/Pektin-spaltende Enzyme
- piruvoilici/Pyruvoyl-Enzyme
- termostabili/Thermostabile Enzyme
- termotolleranti/Thermotolerante Enzyme
eosina/Eosin
…epano/…epan
eparina/Heparin
eparinoidi/Heparinoide
epatite/Hepatitis
ependimine/Ependymine
epi…/Epi…
epibatidina/(−)Epibatidin
epicatechina/Epicatechin
epicillina/Epicillin
α-epicloridrina/α-Epichlorhydrin
epidemia bovina/Rinderseuche
epidemie/Seuchen
epidermina/Epidermin
epidiossidi/Epidioxide
epidisolfuri/Epidisulfide
epidoto/Epidot

epifisi/Epiphyse
epilessia/Epilepsie
epilobio/Weidenröschen
epimerizzazione/Epimerisierung
epimestrolo/Epimestrol
...epina/...epin
epinefrina/Epinephrin
epirubicina/Epirubicin
episoma/Episom
epitassia/Epitaxie
– a fascio molecolare/Molekularstrahl-Epitaxie
epitio.../Epithio...
epoprestenolo/Prostacyclin
epossi.../Epoxy...
epossiconazolo/Epoxiconazol
epossidazione/Epoxidierung
– di Jacobsen/Jacobsen-Epoxidierung
– di Sharpless/Sharpless-Epoxidierung
epossidi/Epoxide
epossidico/Epoxy...
epossipolieni/Epoxypolyene
epotiloni/Epothilone
eprazinone/Eprazinon
epsomite/Epsomit
ept(a)...'./Hept(a)...
eptabarbital/Heptabarbital
eptacloro/Heptachlor
eptacont(a).../Heptacont(a)...
eptacos(a).../Heptacos(a)...
eptadec(a).../Heptadec(a)...
eptadecano/Heptadecan
eptalene/Heptalen
2,2,4,4,6,8,8-eptametilnonano/2,2,4,4,6,8,8-Heptamethylnonan
eptaminolo/Heptaminol
eptanale/Heptanal
eptanoil.../Heptanoyl...
eptanoli/Heptanole
eptanone/Heptanone
EPTC/EPTC
1-eptene/1-Hepten
eptil.../Heptyl...
1-eptino/1-Heptin
eptosi/Heptosen
eptulosi/Heptulosen
equatoriale/Äquatorial
equazione della lente/Linsengesetz
– di base/Basissatz
– di Beattie-Bridgeman/Beattie-Bridgeman-Gleichung
– di Berthelot/Berthelotsche Gleichung
– di Butler-Volmer/Butler-Volmer-Gleichung
– di Clausius-Clapeyron/Clausius-Clapeyron'sche Gleichung
– di Clausius-Mossoti/Clausius-Mossoti-Gleichung
– di Couchman/Couchman-Gleichung
– di Debye-Clausius-Mosotti/Debye-Clausius-Mosotti-Gleichung
– di Dieterici/Dieterici-Gleichung
– di Dirac/Dirac-Gleichung
– di Duhem e Margules/Duhem-Margulessche Gleichung
– di Fox/Fox-Gleichung
– di Gibbs-Duhem/Gibbs-Duhemsche Gleichung
– di Gibbs-Helmholtz/Gibbs-Helmholtzsche Gleichung
– di Hammett/Hammett-Gleichung
– di Henderson/Hendersonsche Gleichung
– di Huggins/Huggins-Gleichung
– di Martin/Martin-Gleichung
– di Martin-Roth-Stiehler/Martin-Roth-Stiehler-Gleichung
– di Mayo/Mayo-Gleichung
– di Nernst/Nernstsche Gleichung
– di Poisson/Poissonsche Gleichung(en)
– di radiazione di Kirchhoff/Kirchhoffsche Strahlungsformel
– di radiazione di Planck/Plancksche Strahlungsformel
– di Schrödinger/Schrödinger-Gleichung
– di Schulz-Blaschke/Schulz-Blaschke-Gleichung
– di Taft/Taft-Gleichung
– di Van der Waals/Van-der-Waals-Gleichung
– di Van't Hoff/Van't-Hoff-Gleichung
– di Volterra/Volterra-Gleichung
– su massa ed energia di Einstein/Einsteins Masse-Energie-Gleichung
equazioni costitutive/Materialgleichung
– di Bloch/Blochsche Gleichungen
– di Drude/Drude-Gleichungen
– di Maxwell/Maxwellsche Gleichungen
– di stato/Zustandsgleichungen
equidensiti/Äquidensiten
equilenina/Equilenin
equilibramento/Äquilibrierung
equilibrio/Gleichgewicht
– acido-base/Säure-Basen-Gleichgewicht
– anello-catena/Ring-Kette-Gleichgewichte
– biologico/Biologisches Gleichgewicht
– di Boudouard/Boudouard-Gleichgewicht
– di Donnan/Donnan-Gleichgewicht
– termico/Thermisches Gleichgewicht
equipaggiamento pratico/Pflegeleicht-Ausrüstung
equiseto/Schachtelhalme
equivalente/Äquivalent
– d'esposizione per sostanze cancerogene/EKA-Wert
– di riduzione/Reduktionsäquivalent
– di tossicità/Toxizitätsäquivalent
– elettrochimico/Elektrochemisches Äquivalent
equivalenti di sintesi/Syntheseäquivalente
equivalenza/Äquivalenz
– anagrafica/Einwohnergleichwert
equorina/Aequorin
erabutossine/Erabutoxine
erba amara/Rainfarn
– benedettina/Benediktenkraut
– cipollina/Schnittlauch
– medica/Luzerne
– pignola/Mauerpfeffer
erbe/Gräser
erbicidi/Herbizide
erbio/Erbium
ercinina/Hercynin
erdosteina/Erdostein
ere geologiche/Erdzeitalter
eredità citoplasmatica/Extrachromosomale Vererbung
eregulina/Heregulin α
eremofilani/Eremophilane
erg/Erg
ergocromi/Ergochrome
ergonomia/Ergonomie
ergosterolo/Ergosterin
ergotioneina/Ergothionein
eriocromo nero T/Eriochromschwarz T
eriocromocianina R/Eriochromcyanin R
eritadenina/Eritadenin
eritema/Erythem
eritrina/Erythrin
eritrite/Erythrit
eritrittetranitrato/Erythrittetranitrat
eritr(o).../Erythr(o)...
eritrociti/Erythrocyten
eritromicina/Erythromycin
eritronolide B/Erythronolid B
eritropoietina/Erythropoietin
eritrosi/Erythrose
eritrosina/Erythrosin
eroina/Heroin
erosione/Erosion
– per scintillio/Funkenerosion
erpete/Herpes
esa.../Exa...
es(a).../Hex(a)...
esacarbacolina bromuro/Hexacarbacholinbromid
esacarbonilcromo/Chromhexacarbonyl
esacarbonile di molibdeno/Molybdänhexacarbonyl
esacianoferrati di sodio/Natriumhexacyanoferrate
esacis.../Hexakis...
esacloro-1,3-butadiene/Hexachlor-1,3-butadien
– platinato(IV) di potassio/Kaliumhexachloroplatinat(IV)
esacloroacetone/Hexachloraceton
esaclorobenzene/Hexachlorbenzol
esacloroetano/Hexachlorethan
esaclorofene/Hexachlorophen
esaconazolo/Hexaconazol
esacont(a).../Hexacont(a)...
esacos(a).../Hexacos(a)...
esadec(a).../Hexadec(a)...
esadecano/Hexadecan
esadecanoil.../Hexadecanoyl...
1-esadecanolo/1-Hexadecanol
esadecil.../Hexadecyl...
esafeniletano/Hexaphenylethan
esaflumurone/Hexaflumuron
esafluoracetone/Hexafluoraceton
esafluorosilicato di magnesio/Magnesiumhexafluorosilicat
– di potassio/Kaliumhexafluorosilicat
– di sodio/Natriumhexafluorosilicat
– di zinco/Zinkhexafluorosilicat
esafluorozirconato di potassio/Kaliumhexafluorozirconat
esafluoruro di tungsteno/Wolframhexafluorid
esaidrossibenzene/Hexahydroxybenzol
esaidrossoantimonato(V) di potassio/Kaliumhexahydroxoantimonat(V)
esaidrossostannato(IV) di potassio/Kaliumhexahydroxostannat(IV)
esaltazione/Exaltation
esame della compatibilità ambientale/UVP
– organolettico/Organoleptische Prüfung
esametilbenzene/Hexamethylbenzol
1,1,1,3,3,3-esametildisilazano/1,1,1,3,3,3-Hexamethyldisilazan
esametilen.../Hexamethylen...
esametilendiisocianato/Hexamethylendiisocyanat
esametilentetrammina/Hexamethylentetramin
esametonio bromuro/Hexamethoniumbromid
esamidina/Hexamidin
esanale/Hexanal
1-esanammina/1-Hexanamin
1,6-esandiammina/1,6-Hexandiamin
1,6-esandiolo/1,6-Hexandiol
2,5-esandione/2,5-Hexandion
esanitrato di mannite (mannitolo)/Mannit(ol)hexanitrat
esanitrocobaltato(III) di potassio/Kaliumhexanitrocobaltat(III)
– di sodio/Natriumhexanitrocobaltat(III)
esanitrosmannite/Mannit(ol)hexanitrat
esano/Hexan
esanoil.../Hexanoyl...
1-esanolo/1-Hexanol
2-esanone/2-Hexanon
1,2,6-esantriolo/1,2,6-Hexantriol
esazinone/Hexazinon
ESCA/ESCA
Escherichia coli/Escherichia coli
escina/Aescin
escrementi/Kot
escrezione/Exkretion
– dell'azoto/Stickstoff-Exkretion
esculina/Aesculin
esenali/Hexenale
1-esene/1-Hexen
trans-2-esenoato di metile/Methyl-trans-2-hexenoat
esestrolo/Hexestrol
esetidina/Hexetidin
esfenvalerato/Esfenvalerat
esil.../Hexyl...
esilato/Esilat
esilen.../Hexylen...
4-esilresorcinolo/4-Hexylresorcin
1-esino/1-Hexin
esitiazox/Hexythiazox
esitoli/Hexite
esmololo/Esmolol
eso.../Exo...
esobarbital/Hexobarbital
esobendina/Hexobendin
esochinasi/Hexokinase
esociclico/Exocyclisch
esociclio metilsolfato/Hexocyclium-methilsulfat
esocitosi/Exocytose
esoelettroni/Exoelektronen
esoenzimi/Exoenzyme
esogene/Hexogen
esogeno/Exogen
esone/Exon
esopeptidasi/Exopeptidasen
esopolisaccaridi/Exopolysaccharide
esoprenalina/Hexoprenalin
esosam(m)inidasi/Hexosaminidase
esosi/Hexosen
esotermico/Exotherm
esotossine/Exotoxine
espansi/Expandate, Schaumstoffe
– induriti/Hartschaumstoffe
– particellari/Partikelschaumstoffe
– semiduri/Halbharte Schaumstoffe
– UF/UF-Schäume
espanso integrale/Integralschaumstoffe
espedienti di filtrazione/Filterhilfsmittel
esperamicine/Esperamycine
esperetina/Hesperetin
esperimento/Experiment

- (la prova) in bianco/Blindversuch
espettoranti/Expektorantien
esplorazione/Exploration
esplosione/Explosion
- del filo/Drahtexplosion
- di Coulomb/Coulomb-Explosion
- primordiale/Urknall
esplosioni di polvere/Staubexplosionen
esplosivi/Explosivstoffe, Sprengmittel, Sprengstoffe
- a clorato/Chlorat-Sprengstoffe
- antidefiagranti/Wettersprengstoffe
- d' emulsione/Emulsionssprengstoffe
esponsione/Ausdehnen
esposizione/Belichtung
espressione genetica/Genexpression
- transiente/Transiente Expression
- transitoria/Transiente Expression
esprocarb/Esprocarb
essenza/Oleum
- della limetta/Limettöl
- d'anice/Anisöl
- d'arancio/Pomeranzenöl
- di assenzio/Wermutöl
- di canella cassia/Kassiaöl
- di carvi/Kümmelöl
- di coriandolo/Korianderöl
- di gelsomino/Jasminabsolue
- di limone/Citronenessenz
- di luppolo/Hopfenöl
- di mandarino/Mandarinen(schalen)öl
- di menta crispa/Krauseminzeöle
- di mirto/Myrtenöl
- di neroli/Orangenblüten(-Absolue, -Öl)
- di oriente/Perlweiß
- di palmarosa/Palmarosaöl
- di patchouli/Patchouliöl
- di pino/Pine Oil
- di sabina/Sadebaumöl
- di sandalo/Sandelholzöl
- di sassafrasso/Sassafrasöl
- di spigo (lavanda)/Spik(lavendel)öl
- di trementina/Terpentinöl
- di tuia/Thujaöl
- di verbena/Verbenaöl
- (olio) dei semi di ambretta/Moschuskörneröl
essenze/Essenzen
- d'arancia/Orangenöle
- di frutta/Fruchtaromen
- di garofano/Nelkenöle
- di legno di cedro/Zedernöle
- di menta puleggio/Poleiöle
- di origano/Origanumöle
- di petit-grain/Petitgrainöle
essenziali/Essentiell
essiccamento per polverizzazione/Zerstäubungstrocknung
essiccanti/Trockenstoffe
essiccare/Darren
essiccativi/Trockenstoffe
essiccatori/Exsikkatoren
essiccazione/Trocknen
- a raggi infrarossi/Infrarottrocknung
- sprizzante/Sprühtrocknung
essudati/Exsudate
essudazione/Ausschwitzen
estensione della reazione/Reaktionslaufzahl
esterasi/Esterasen
estere dell' acido amminobenzoico/Aminobenzoesäureester

- dell'acido butirrico/Buttersäureester
- dell' acido cianoacetico/Cyan(o)essigsäureester
- dell'acido cloroformico/Chlorameisensäureester
- dell' acido nitrico/Salpetersäureester
- dell' acido nitroso/Salpetrigsäureester
- dell'acido silicico/Kieselsäureester
- di carbonio anidro/Kohlensäureester
- di cellulosa/Celluloseester
- di cresile/Kresylester
esteri/Ester
- amidacei/Stärkeester
- citrici/Citronensäureester
- degli acidi acrilici/Acrylsäureester
- degli zuccheri/Zuckerester
- dei leucocoloranti di tino/Leukoküpen-Farbstoffester
- del colesterolo/Cholesterylester
- del 2-feniletanolo/2-Phenylethylester
- del peracido/Persäureester
- dell' acido borico/Borsäureester
- dell' acido ftalico/Phthalsäureester
- dell' acido gallico/Gallussäureester
- dell' acido poli(β-malonico)/Poly(β-malonsäureester)
- dell'acido acetico/Essigsäureester
- dell'acido cinnamico/Zimtsäureester
- dell'acido diazoacetico/Diazoessigester
- dell'acido lattico/Milchsäureester
- dell'acido oleico/Ölsäureester
- dell' acido ossalico/Oxalsäureester
- dell'acido salicilico/Salicylsäureester
- dell'acido sebacico/Sebacinsäureester
- dell'acido tiofosforico/Thiophosphorsäureester
- dell'acido titanico/Titansäureester
- di geranile/Geranylester
- di glicoli/Glykolester
- fosforici/Phosphorsäureester
- poli-2-cianoacrilici/Poly(2-cyanoacrylsäureester)
- poliarilici/Polyarylester
- resinosi/Harzester
- solfonici/Estersulfonate
- solforici/Schwefelsäureester
- sorbitanici/Sorbitanester
- vinilici/Vinylester
esterificazione/Veresterung
estinzione/Extinktion
estradiolo/Estradiol
estragolo/Estragol
estramustina/Estramustin
estrano/Estran
estrarre/Abziehen
estratti/Extrakte
- assoluti/Absolues
- di prodotti naturali/Naturstoff-Extrakte
estratto assoluto di zagara/Orangenblüten(-Absolue, -Öl)
- di carne/Fleischextrakt
- di ginkgo/Ginkgo-Extrakt
- di lievito/Hefeextrakt
- di malto/Malzextrakt

- di polpa/Pulp-wash
- libero da cellule/Zellfreier Extrakt
estrazione/Extraktion, Fördern
- con l'etere/Ausethern
- fluido-fluido/Flüssig-Flüssig-Extraktion
- reattiva/Reaktivextraktion
- Soxhlet/Soxhlet-Extraktion
estriolo/Estriol
estrogeni/Estrogene
estrone/Estron
estrusione/Extrudieren
esulosi/Hexulosen
etaconazolo/Etaconazol
etacridina/Ethacridin
etafedrina/Etafedrin
etafenone/Etafenon
etalfluralina/Ethalfluralin
etambutolo/Ethambutol
etametsulfuron-metile/Ethametsulfuron-methyl
etamicina/Etamycin A
etamifillina/Etamiphyllin
etamivan/Etamivan
etamsilato/Etamsylat
1,2-etanditiolo/1,2-Ethandithiol
etano/Ethan
etanolo/Ethanol, Sprit
etarini/Hetarine
etaverina/Ethaverin
...ete/...et
etefone/Ethephon
etene/Ethen
etenzamide/Ethenzamid
eterato del trifluoruro borico/Bortrifluorid-Etherat
etere a corona/Kronenether
- bis(2-cloroetilico)/Bis(2-chlorethyl)ether
- bis(clorometilico)/Bis(chlormethyl)ether
- terz-butilmetilico/tert-Butylmethylether
- clorometiletilico/(Chlormethyl)ethylether
- clorometilmetilico/(Chlormethyl)methylether
- di cellulosa/Celluloseether
- di etil-2-naftile/Ethyl-2-naphthylether
- di petrolio/Petrolether
- dibenzilico/Dibenzylether
- dibutilico/Dibutylether
- diclorometilico-metilico/(Dichlormethyl)-methylether
- dietilico/Diethylether
- difenilico/Diphenylether
- dimetilico/Dimethylether
- dipropilico/Dipropylether
- guaiacolglicerinico/Guajakolglycerinether
- metil-2-naftilico/Methyl(2-naphthyl)ether
eteri/Ether
- alchilfenolpoliglicolici/Alkylphenolpolyglykolether
- amidacei/Stärkeether
- di zucchero/Zuckerether
- fenolici/Phenolether
- glicolici/Glykolether
- poliarilici/Polyarylether
- polibromodifenilici/PBDE
- policlorodifenilici/PCDE
- vinilici/Vinylether
eter(o)...Heter(o)...
eteroatomi/Heteroatome
eterocicli d'azoto/Stickstoff-Heterocyclen
- di zolfo/Schwefel-Heterocyclen
- d'ossigeno/Sauerstoff-Heterocyclen
eterogeneo/Heterogen

eteroleptico/Heteroleptisch
eterolisi/Heterolyse
eterologhi/Heterologe
eterometria/Heterometrie
eteropoliacidi/Heteropolysäuren
eterotopo/Heterotop
eterotrofia/Heterotrophie
etiazide/Ethiazid
etidimurone/Ethidimuron
etidocaina/Etidocain
etifelmina/Etifelmin
etil.../Ethyl...
2-etil-1-butanolo/2-Ethyl-1-butanol
2-etil-1,3-esandiolo/2-Ethyl-1,3-hexandiol
2-etil-1-esanolo/2-Ethyl-1-hexanol
etilammina/Ethylamin
etilammino.../Ethylamino...
N-etilanilina/N-Ethylanilin
etilazione/Ethylierung
etilbenzene/Ethylbenzol
etilcapronato/Hexansäureethylester
etilcellulosa/Ethylcellulose
etile biscumacetato/Ethylbiscoumacetat
- linolato/Ethyllinoleat
etilefrina/Etilefrin
etilen.../Ethylen...
etilen-acrilat-elastomeri/Ethylen-Acrylat-Elastomere
- -propilen-elastomeri/Ethylen-Propylen-Elastomere
- -vinilacetat-copolimeri/Ethylen-Vinylacetat-Copolymere
- -vinilalcool-copolimeri/Ethylen-Vinylalkohol-Copolymere
etilencloridrina/Ethylenchlorhydrin
etilendiammina/Ethylendiamin
etilendinitrammina/Ethylendinitramin
etilendiossi.../Ethylendioxy...
etilene/Ethylen
etilenglicole/Ethylenglykol
etilenimmina/Ethylenimin
2-etilesil.../2-Ethyl-hexyl...
etiliden.../Ethyliden...
1-etilpiperidina/1-Ethylpiperidin
etilsilicati/Ethylsilicate
etilvanillina/Ethylvanillin
etinamato/Ethinamat
etinil.../Ethinyl...
etinilazione/Ethinylierung
1-etinilcicloesanolo/1-Ethinylcyclohexanol
etinilestradiolo/Ethinylestradiol
etino/Ethin
etinodiolo/Etynodiol
etio.../Ätio...
etiofencarb/Ethiofencarb
etiologia/Ätiologie
etione/Ethion
etioporfirine/Etioporphyrine
etirimolo/Ethirimol
etirossato/Etiroxat
etisterone/Ethisteron
etodroxicina/Etodroxizin
etofenamato/Etofenamat
etofenprox/Etofenprox
etofibrato/Etofibrat
etofillina/Etofyllin
etofumesato/Ethofumesat
etologia ecologia/Öko-Ethologie
etomidato/Etomidat
etoposite/Etoposid
etoprofos/Ethoprophos
etossazolo/Etoxazol
etossazorutoside/Ethoxazorutosid
etossi.../Ethoxy...
etossicarbonil.../Ethoxycarbonyl...

etossidi/Ethoxide
etossido di magnesio/Magnesiumethoxid
– (etilato) di sodio/Natriumethoxid
etossifenil…/Ethoxyphenyl…
etossilati/Ethoxylate
etossilazione/Ethoxylierung
etossisulfurone/Ethoxysulfuron
etossizolamide/Ethoxzolamid
etosuccimide/Ethosuximid
etozolina/Etozolin
etretinato/Etretinat
etridiazolo/Etridiazol
ettano/Heptan
etto…/Hekto…
ettorite/Hectorit
ettringite/Ettringit
eu…/Eu…
eubatteri/Eubakterien
eucarioti/Eukaryonten, eukaryontisch
eucariotico/Eukaryonten, eukaryontisch
eucarya/Eukarya
euclase/Euklas
eudesmani/Eudesmane
eudesmanolidi/Eudesmanolide
eudialite/Eudialyt
eudiometro/Eudiometer
eudistomine/Eudistomine
euforbiacee/Wolfsmilchgewächse
euforia/Euphorie
eufrasia/Augentrost
eugenetica/Eugenik
eugenia cumini/Jambulbaum
eugenolo/Eugenol
eulytite/Eulytin
eupatoria/Odermennig
europio/Europium
eutettico/Eutektikum
eutrofizzazione/Eutrophierung
euxenite/Euxenit
evaporamento/Aufdampfen
evaporare/Eindampfen
evaporatore rotativo/Rotationsverdampfer
evaporazione/Abrauchen, Verdampfung
evaporiti/Evaporite
evitare i rifiuti/Abfallvermeidung
evoluzione/Evolution
– chimica/Chemische Evolution
evonimo/Pfaffenhütchen
exfoliating/Exfoliating
eziologia/Ätiologie

F

fabbisogno biochimico di ossigeno/BSB
– chimico d'ossigeno/CSB
– di ossigeno/Sauerstoff-Bedarf
fabbricazione/Fertigungsverfahren
fac-/fac-
facies/Fazies
faenza/Fayence
fagi temperati/Temperente Phagen
fagioli/Bohnen
– calabar/Calabar-Bohnen
– di tonka/Tonkabohnen
– Rangoon/Rangoonbohnen
fago/Phagen
– lambda/Lambda-Phage
fagociti mononucleari/Mononukleäre Phagocyten
fagocitosi/Phagocytose
falcarinolo/Falcarinol
falloidina/Phalloidin
fallotossine/Phallotoxine
fallout/Fallout
famciclovir/Famciclovir
fame/Hunger

famotidina/Famotidin
famprofazona/Famprofazon
fanghi esplosivi/Sprengschlämme
– mobili/Schwimmschlamm
fanghiglia a globigerine/Globigerinenschlamm
fango/Fango, Schlamm, Schlick
– a globigerine/Globigerinenschlamm
– acido/Säureteer
– attivato/Belebtschlamm
– di ritorno/Rücklaufschlamm
– gonfio/Blähschlamm
– in eccesso/Überschußschlamm
– residuato e grezzo della chiarificazione/Rohschlamm
– rosso/Rotschlamm
fani/Phane
fanquinone/Phanquinon
faranal/Faranal
farfara/Huflattich
farina/Mehl
– di mattoni/Ziegelmehl
– di pesce/Fischmehl
– di roccia/Gesteinsmehl
– d'ossa/Knochenmehl
– fossile/Kieselgur
– guar/Guar-Mehl
– pregelatinizzata/Quellmehl
– quarzifera/Quarzmehl
farma…/Pharma…
farmaceutici antibronchitici/Broncholytika
farmaci/Pharmaka, Pharmazeutika
– antitiroidei/Thyreostatika
– contro le emorroidi/Hämorrhoiden-Mittel
– di libero smercio/Freiverkäufliche Arzneimittel
– espettoranti/Hustenmittel
– generici/Generika
– miorilassanti/Muskelrelaxantien
– rubefacenti/Rubefacientien
– terapeutici coronari/Koronartherapeutika
– tubercolostatici/Tuberkulostatika
– uricosurici/Urikosurika
– urologici/Urologika
– veterinari/Tierarzneimittel
farmacia/Apotheke, Pharmazie
farmacista/Apotheker
farmaco/Arzneimittel
– per callo/Hühneraugenmittel
farmacocinetica/Pharmakokinetik
farmacodinamica/Pharmakodynamik
farmacofagia/Pharmakophagie
farmacogenetica/Pharmakogenetik
farmacognosia/Pharmakognosie
farmacologia/Pharmakologie
farmacopee/Pharmakopöen
farnesolo/Farnesol
fasci molecolari/Molekularstrahlen
fascie di copertura/Abdeckbänder
fase d' adattamento/lag-Phase
– di lettura aperta/Offener Leseraster
– log/log-Phase
– miste/Mischphasen
– mobile/Mobile Phase
– stazionaria/Stationäre Phase
faseolina/Phaseolin
fasi/Phasen
– a verniero/Vernier-Phasen
– di Hume-Rothery/Hume-Rothery-Phasen
– di Laves/Laves-Phasen
– di Zintl/Zintl-Phasen
– invertite/Reverse Phasen

– S/S-Sätze
fasina/Phasin
fatica da contatto/Passungsrost
– da corrosione a secco/Passungsrost, Schwingungsverschleiß
– da sfregamento/Passungsrost
fattore A/A-Faktor
– antiemofilo/Antihämophiler Faktor
– atriale natriuretico/Atrionatriuretischer Faktor
– attivante le piastrine/PAF
– d'accumulazione/Akkumulationsfaktor
– d'equivalenza tossica/Toxizitätsäquivalenzfaktor
– de crescita vascolare endoteliale/Vaskulär-endothelialer Wachstumsfaktor
– del tessuto/Tissue factor
– della bioconcentrazione/Biokonzentrationsfaktor
– delle cellule staminali/Stammzellenfaktor
– di assorbimento (del suolo)/Sorptionskoeffizient
– di crescita degli epatociti/Hepatocyten-Wachstumsfaktor
– di crescita del virus vaccinico/Vakzinevirus-Wachstumsfaktor
– di crescita delle cellule endoteliali derivato dalle piastrine/Plättchen-entstammender Endothelzellen-Wachstumsfaktor
– di crescita derivato dalle piastrine/Plättchen-entstammender Wachstumsfaktor
– di crescita epidermico/Epidermaler Wachstumsfaktor
– di crescita nervosa/Nervenwachstumsfaktor
– di crescita simile all'insulina/Insulin-artige Wachstumsfaktoren
– di Debye-Waller/Debye-Waller-Faktor
– di frequenza/Frequenzfaktor
– di integrazione dell'ospite/Integration host factor
– di necrosi tumorale/Tumornekrose-Faktor
– dielettrico di perdita/Dielektrischer Verlustfaktor
– g di Landé/Landé-Faktor
– inibitore della leucemia/Leukämie-inhibierender Faktor
– inibitorio della migrazione dei macrofaghi/Makrophagenwanderungs-Hemmfaktor
– intrinseco/Intrinsic factor
– limitante/Limitierender Faktor
– sigma/Sigma-Faktor
– stechiometrico/Stöchiometrischer Faktor
– von-Willebrand/Von-Willebrand-Faktor
fattori/Faktoren
– ambientali/Umweltfaktoren
– climatici/Klimafaktoren
– d' iniziazione/Initiationsfaktoren
– della trascrizione/Transkriptionsfaktoren
– d'elongazione/Elongationsfaktoren
– di crescita/Wachstumsfaktoren
– di crescita dei fibroblasti/Fibroblasten-Wachstumsfaktoren
– di crescita ematopoietici/Häm(at)opoetische Wachstumsfaktoren

– di crescita trasformante/Transformierende Wachstumsfaktoren
– di liberazione/Releasing-Hormone
– di trascrizione ottamero/Octamer-Transkriptionsfaktoren
– ecologici/Ökofaktoren
– neurotrofici/Neurotrophe Faktoren
– P/P-Elemente
– reumatoidi/Rheumafaktoren
– Rh/Rhesusfaktoren
– Rhesus/Rhesusfaktoren
– (sostanze) di crescita/Wuchsstoffe
– stimulando la colonia/Koloniestimulierende Faktoren
– sul movimento della foglia/Leaf Movement Factors
faujasite/Faujasit
fave/Puffbohnen
favorevole all'incendio/Brandfördernd
fayalite/Fayalit
febbre/Fieber
– da vapori metallici/Gießfieber
– polimera/Polymerdampf-Fieber
– reumatica/Rheumatisches Fieber
febrifugina/Febrifugin
febuprolo/Febuprol
fecapentaeni/Fecapentaene
feci/Fäkalien, Kot
federazione europea per ingegneria chimica/Europäische Föderation für Chemie-Ingenieur-Wesen
fedrilato/Fedrilat
fegato/Leber
felbamato/Felbamat
felbinac/Felbinac
felce/Fougère
– dolce/Tüpfelfarn
felci/Farne
feldspati/Feldspäte
feldspatoidi/Feldspat-Vertreter
felipressina/Felypressin
α-fellandrene/α-Phellandren
felodipina/Felodipin
felsitico/Felsitisch
feltro/Filz
femto…/Femto…
fen…/Phen…
fenacetina/Phenacetin
fenacil…/Phenacyl…
fenacite/Phenakit
fenalene/1H-Phenalen
fenalenoni/Phenalenone
fenamazide/Phenamazid
fenamifos/Fenamiphos
9,10-fenantrenchinone/9,10-Phenanthrenchinon
fenantrene/Phenanthren
fenantridina/Phenanthridin
1,10-fenantrolina/1,10-Phenanthrolin
fenarimolo/Fenarimol
fenazaquin/Fenazaquin
fenazina/Phenazin
fenazone/Phenazon
fenazopiridina/Phenazopyridin
fenbuconazolo/Fenbuconazol
fenbufen/Fenbufen
fenbutatin ossido/Fenbutatinoxid
fenbutrazato/Fenbutrazat
fencamfamina/Fencamfamin
fencarbamide/Phencarbamid
fenchene/Fenchene
fenciclidina/Phencyclidin
fencolo/Fenchol
fencone/Fenchon
fendilina/Fendilin

Italiano

fendimetrazina/Phendimetrazin
...fene/...phen
feneticillina/Phenethicillin
...fenetidide/...phenetidid
fenetidine/Phenetidine
fenetil.../Phenethyl...
fenetillina/Fenetyllin
fenetolil.../Phenetyl...
fenetolo/Phenetol
fenfluramina/Fenfluramin
fenformina/Phenformin
fenfuram/Fenfuram
feniatria/Phäniatrie
fenil.../Phenyl...
N-fenil-2-naftilammina/N-Phenyl-2-naphthylamin
1-fenil-2-propanone/1-Phenyl-2-propanon
1-fenil-1H-tetrazolo-5-tiolo/1-Phenyl-1H-tetrazol-5-thiol
fenilacetaldeide/Phenylacetaldehyd
fenilacetati/Phenylessigsäureester
fenilacetil.../Phenylacetyl...
fenilacetonitrile/Phenylacetonitril
fenilalanina/Phenylalanin
fenilazione/Phenylierung
fenilazo.../Phenylazo...
fenilazofenoli/Phenylazophenole
fenilazossi.../Phenylazoxy...
fenilbutazone/Phenylbutazon
fenilchetonuria/Phenylketonurie
N-fenildietanolammina/N-Phenyldiethanolamin
fenile/Phenyl
fenilefrina/Phenylephrin
fenilen.../Phenylen...
fenilendiammine/Phenylendiamine
...fenilene/...phenylen
feniletanoli/Phenylethanole
feniletilammine/Phenylethylamine
fenilfluorone/Phenylfluoron
fenilfosfato disodico/Phenylphosphat-Dinatriumsalz
fenilglicine/Phenylglycine
fenilidrazina/Phenylhydrazin
fenilidrazoni/Phenylhydrazone
N-fenilidrossilammina/N-Phenylhydroxylamin
fenilisocianato/Phenylisocyanat
fenilisotiocianato/Phenylisothiocyanat
fenillitio/Phenyllithium
4-fenilmorfolina/4-Phenylmorpholin
fenilpropanolamine/Phenylpropanolamine
fenilpropanoli/Phenylpropanole
4-fenilsemicarbazide/4-Phenylsemicarbazid
feniltiourea/Phenylthioharnstoff
feniltoloxamina/Phenyltoloxamin
fenilurea/Phenylharnstoff
N-feniluretano/N-Phenylurethan
fenindamina/Phenindamin
fenindione/Phenindion
fenipentolo/Fenipentol
feniramidolo/Fenyramidol
feniramina/Pheniramin
fenitoina/Phenytoin
fenitrotione/Fenitrothion
fenmetrazina/Phenmetrazin
fen(o).../Phen(o)...
fenobarbitale/Phenobarbital
fenobucarb/Fenobucarb
fenofibrato/Fenofibrat
fenolati/Phenolate
fenolftaleina/Phenolphthalein
fenolftalolo/Phenolphthalol
fenoli/Phenole
– del vino/Weinphenole
fenolisatine/Phenolisatine

fenolo/Phenol
fenolossidasi/Phenol-Oxidasen
fenolsolfonftaleina/Phenolsulfonphthalein
fenomeni elettrocinetici/Elektrokinetische Erscheinungen
fenomeno di Oklo/Oklo-Phänomen
...fenone/...phenon
fenoprofene/Fenoprofen
fenossaprop-etile/Fenoxaprop-ethyl
fenossazina/Phenoxazin
fenossazolina/Fenoxazolin
fenossazone/Phenoxazon
fenossi.../Phenoxy...
fenossibenzamina/Phenoxybenzamin
fenossicarb/Fenoxycarb
fenossile/Phenoxyl
fenossimetilpenicillina/Phenoxymethylpenicillin
fenoterolo/Fenoterol
fenotiazina/Phenothiazin
fenotipo/Phänotyp
fenotrina/Phenothrin
fenpiclonile/Fenpiclonil
fenpipramide/Fenpipramid
fenpiprano/Fenpipran
fenpirossimato/Fenpyroximat
fenpiverino bromuro/Fenpiveriniumbromid
fenprobamato/Phenprobamat
fenprocumone/Phenprocoumon
fenpropatrina/Fenpropathrin
fenpropidina/Fenpropidin
fenpropimorf/Fenpropimorph
fenproporex/Fenproporex
fensuccimide/Phensuximid
fentanil/Fentanyl
fentermina/Phentermin
fenticloro/Fenticlor
fenticonazolo/Fenticonazol
fentin-idrossido/Fentin-hydroxid
fentinacetato/Fentinacetat
fentione/Fenthion
fentoato/Phenthoat
fentolamina/Phentolamin
fentonio bromuro/Fentoniumbromid
fenvalerato/Fenvalerat
feo.../Phäo...
feofitine/Phäophytine
ferimzone/Ferimzon
ferita/Wunde
fermentatore con ponte aereo/Airlift-Fermenter
– di produzione/Produktfermenter
fermentazione/Fermentation, Gärung, Gärungsstoffwechsel
– a fase solida/Festphasen-Fermentation
– acetone-butanolica/Aceton-Butanol-Fermentation
– ad alta densità cellulare/Hochzelldichtefermentation
– anaerobica/Vergärung
– ciclica/Cyclische Fermentation
– continua/Kontinuierliche Fermentation
– determinata/Batch-Fermentation
– fed batch/Fed batch-Fermentation
Fermilab/Fermilab
fermio/Fermium
fermioni/Fermionen
ferodi/Bremsbeläge
feromoni/Pheromone
ferrati/Ferrate
ferredossine/Ferredoxine
ferricianuri/Ferricyanide
ferricromi/Ferrichrome
ferriossammine/Ferrioxamine

ferristeni/Ferristene
ferrite/Ferrit
ferriti/Ferrite
ferritina/Ferritin
ferro/Eisen
– battuto/Schmiedeeisen
– (III)-citrato d'ammonio/Ammoniumeisen(III)-citrat
– d' allume/Eisenalaune
– fucinato/Schmiedeeisen
– fuso/Gußeisen
– grezzo/Roheisen
– omogeneo/Flußeisen
– (III)-ossalato d'ammonio/Ammoniumeisen(III)-oxalat
– sinterizzato/Sintereisen
– specolare/Spiegeleisen
– titanifero/Ilmenit
ferroboro/Ferrobor
ferrocemento Portland/Eisenportlandzement
ferrocene/Ferrocen
ferrocianuri/Ferrocyanide
ferrocromo/Ferrochrom
ferroelettrici/Ferroelektrika
ferroesacianuri potassici/Blutlaugensalze
ferrofosforo/Ferrophosphor
ferroina/Ferroin
ferroleghe/Ferro-Legierungen
ferromanganese/Ferromangan
ferromolibdeno/Ferromolybdän
ferrone/Ferron
ferronichelio/Ferronickel
ferroniobo/Ferroniob(tantal)
ferroproteine/Eisen-Proteine
ferrosilicio/Ferrosilicium
ferro(silico)zirconio/Ferro(silico)zirconium
ferrotantalio/Ferrotantal
ferrotitanio/Ferrotitan
ferrotungsteno/Ferrowolfram
ferrovanadio/Ferrovanadin
fertilizzante/Düngemittel
– borico/Bordünger
fertilizzazione/Brüten, Düngung
fervenulina/Fervenulin
α-fetoproteina/α-Fetoprotein
fetuina/Fetuin
fiaccola per saldare/Gebläsebrenner
fiala/Phiole
fiamma bianca/Weißfeuer
– ossidrica/Knallgasgebläse
fiammatura/Flammhärten
fiamme/Flammen
fiammeggiare/Flammstrahlen
fiammiferi/Zündhölzer
fibra di cocco/Kokosfaser
– di conduzione fotosensibile/Lichtleitfaser
– grezza/Rohfaser
– Saran/Saran-Faser
– tessile/Spinnfaser
– vulcanizzata/Vulkanfiber
fibre/Fasern
– a componenti/Komponentenfasern
– ad alto modulo/Hochmodulfasern
– animali/Tierfasern
– bicomponente/Bikomponentenfasern
– boriche/Borfasern
– degli alginati/Alginat-Fasern
– di carbonio/Kohlenstoff-Fasern
– di cellulosa/Cellulose-Fasern
– di fibrille a matrice/Matrix-Fibrillen-Fasern
– di poliammide/Polyamidfasern
– di rafia/Bastfasern
– di scorie/Schlackenfasern
– di spandex/Spandex-Fasern

– di stress/Streß-Fasern
– di vetro/Glasfasern
– di viscosa/Viskose-Fasern
– dure/Hartfasern
– elastiche/Elastofasern
– industriali/Industriefasern
– legnose/Holzfasern
– metalliche/Metallfasern
– minerali/Mineralfasern
– modacriliche/Modacrylfasern
– modali/Modalfasern
– naturali/Naturfasern
– nitriliche/Nytrilfasern
– ottiche polimere/Polymere Lichtwellenleiter
– proteiche/Eiweißfasern
– rigenerate/Regeneratfasern
– sintetiche/Chemiefasern, Kunstfasern, Synthesefasern
– tessili/Textilfasern
– vegetali/Pflanzenfasern
– vinaliche/Vinal-Fasern
– vinilaliche/Vinylal-Fasern
– viniloniche/Vinylon-Fasern
fibrillazione/Fibrillieren
fibrille/Fibrillen
fibrillina/Fibrillin
fibrina/Fibrin
fibrinolitici/Fibrinolytika
fibroina/Fibroin
fibronectina/Fibronectin
fibrosi cistica/Zystische Fibrose
ficellomicina/Ficellomycin
fichi/Feigen
– d' India/Kaktusfeigen
ficina/Ficin
ficobiline/Phycobiline
ficocianina/Phycocyanin
ficomiceti/Fadenpilze
fieno greco/Bockshornklee
figura di battuta/Schlagfigur
filaccia/Werg
filamenti/Haarfasern
– intermediari/Intermediäre Filamente
filamento/Filament
filamina/Filamin
filantotossina/δ-Philanthotoxin
filariasi/Filariasis
filato/Garn
– di crine/Haargarn
– pettinato/Kammgarn
filatura/Spinnen
– a umido/Naß-Spinnen
filgrastim/Filgrastim
fili di Léon/Leonische Fäden
– piatti/Flachfäden
filigrana/Filigranarbeit, Wasserzeichen
filipina/Filipin
fillantocina/Phyllanthocin
fillite/Phyllit
fill(o).../Phyll(o)...
fillosilicati/Phyllosilicate
film/Filme
– decorativi/Dekorfilme
– di Langmuir-Blodgett/Langmuir-Blodgett-Filme
– vescicolare/Vesikularfilm
filo/Garn
..filo/...phil
filo metallico/Draht
– ritorto/Zwirn
filoni/Gänge
filosofale/Philosophisch
filosofico/Philosophisch
filtrare/Kolieren
filtrato fluviale/Uferfiltrat
filtrazione/Filtration
– a flusso trasversale/Cross-flow-Filtration
– a immersione/Tauchfiltration
– a membrana/Membranfiltration

- sterile/Sterilfiltration
filtri per batteri/Bakterien-Filter
- respiratore/Atemfilter
filtro/Filter
- a membrana/Membranfilter
- a tamburo rotante/Trommelfilter
- ad immersione/Tauchfilter
- colorato/Lichtfilter
- di Berkefeld/Berkefeld-Filter
- percolatore/Rieselfilmreaktor, Tropfkörper
- tessile/Tuchfilter
fimbrie/Piline
fimbrina/Fimbrin
finasteride/Finasterid
finestra lambda/Lambda-Fenster
finezza/Finesse
fini coesive/Kohäsive Enden
- ottuse/Blunt ends
finissaggio antirestrittivo/ Krumpffrei-Ausrüstung
- antisporco/Soil-Release-Ausrüstung
- ingualcibile/Knitterfest-Ausrüstung
finocchio/Fenchel
fiocco/Flocke
fiori/Flores
- di tiglio/Lindenblüten
- emanenti odori fetidi/Aasblumen
fioritura del plancton/Planktonblüte
- rossa delle alghe/Rote Tide
fipronile/Fipronil
fique/Mauritius-Faser
fisalaemina/Physalaemin
fisarocromo/Physarochrom
fiscione/Physcion
fisetina/Fisetin
fisica/Physik
- atomica (nucleare)/Atomphysik
- chimica/Chemische Physik
- cristallina/Kristallphysik
- dei metalli/Metallphysik
- molecolare/Molekülphysik
- nucleare/Kernphysik
fisiologia/Physiologie
- sensoriale/Sinnesphysiologie
fisostigmina/Physostigmin
fissaggio/Fixieren
fissativi/Fixative
fissativo/Fixiermittel
fissatori/Fixateure
fissazione dell'azoto/Stickstoff-Fixierung
fissione/Spaltung
fitil.../Phytyl...
fito.../Phyt...
fitoalessine/Phytoalexine
fitoantibiotici/Phytoantibiotika
fitochelatine/Phytochelatine
fitochimica/Phytochemie
fitocromo/Phytochrom
fitoeffettori/Phytoeffektoren
fitoene/Phytoen
fitofarmaci/Phytopharmaka
fitofarmaco/Pflanzenschutzmittel
fitofisiologia/Pflanzenphysiologie
fitogenico/Phytogen
fitolo/Phytol
fitomedicina/Phytomedizin
fitoncidi/Phytonzide
fitormoni/Pflanzenhormone
fitosterine/Phytosterine
fitoterapia/Phytotherapie
fitotossicità/Phytotoxizität
FK-506/FK-506
flaconi spruzzatori/Spritzflaschen
flagellati/Flagellaten
flagellina/Flagelline

flamprop-metile/Flamprop-methyl
flash/Blitzlicht
flatulenza/Flatulenz
flav.../Flav(o)...
flavazine/Flavazine
flavinadenindinucleotide/Flavin-Adenin-Dinucleotid
flavine/Flavine
flavinnucleotidi/Flavinnucleotide
flavodossine/Flavodoxine
flavomannine/Flavomannine
flavoni/Flavone
flavonoidi/Flavonoide
flavopurpurina/Flavopurpurin
flavoxantina/Flavoxanthin
flavoxato/Flavoxat
flazasulfurone/Flazasulfuron
fleboclisi/Infusion
flecainide/Flecainid
flemma/Phlegma
flemmacine/Phlegmacine
fleroxacina/Fleroxacin
flessibilizzanti/Weichmacher
flessografia/Flexodruck
flint/Flintglas
flobafeni/Phlobaphene
flocculazione/Ausflockung, Flockung
flocculo/Beflockung
flock/Flock
floctafenina/Floctafenin
flocumafene/Flocoumafen
floema/Phloem
flogisto/Phlogiston
flogopite/Phlogopit
floor-temperatura/Floor-Temperatur
floroglucina/Phloroglucin
floroglucinolo/Phloroglucin
flossina/Phloxin
flottazione/Flotation
fluanisone/Fluanison
fluati/Fluate
fluazifop-butile/Fluazifop-butyl
- -P-butile/Fluazifop-P-butyl
fluazinam/Fluazinam
fluazurone/Fluazuron
flubenzimina/Flubenzimin
fluciclovirone/Flucycloxuron
flucitosina/Flucytosin
flucitrinato/Flucythrinat
flucloxacillina/Flucloxacillin
fluconazolo/Fluconazol
fludioxonil/Fludioxonil
fludrocortisone/Fludrocortison
fludroxicortide/Fludroxycortid
flufenazina/Fluphenazin
flufenoxurone/Flufenoxuron
flufenprox/Flufenprox
fluidi/Flüssigkeiten
- corporei/Körperflüssigkeiten
- (gas) supercritici/Überkritische Flüssigkeiten, überkritische Gase
- idraulici/Hydraulikflüssigkeiten
- magnetici/Magnetische Flüssigkeiten
- newtoniani/Newtonsche Flüssigkeiten
- non newtoniani/Nichtnewtonsche Flüssigkeiten
fluidificanti/Fließmittel
fluidificare/Fluidisieren
fluidificazione/Fluidifikation
fluidità/Fluidität
fluido di trevellazione/Bohrspülmittel
fluire/Fließen
flumazenil/Flumazenil
flumedrossone/Flumedroxon
flumetasone/Flumetason
flumetsulam/Flumetsulam

flumiclorac-pentile/Flumiclorac-pentyl
flumiossazina/Flumioxazin
flumipropyne/Flumipropyn
flunarizina/Flunarizin
flunisolide/Flunisolid
flunitrazepam/Flunitrazepam
fluocinolone acetonide/Fluocinolonacetonid
fluocinonide/Fluocinonid
fluocortin butile/Fluocortinbutyl
fluocortolone/Fluocortolon
fluometurone/Fluometuron
fluomine/Fluomine
fluorantene/Fluoranthen
fluorene/Fluoren
9-fluorenone/9-Fluorenon
fluorescammina/Fluorescamin
fluorescenza/Fluoreszenz
fluorescina/Fluorescein
fluorglicofen-etile/Fluorglycofen-ethyl
fluoridazione/Fluoridierung
fluorimetria/Fluorimetrie
fluorina/Fluorit
fluorite/Fluorit
fluoro/Fluor
fluoro.../Fluor..., Fluoro...
1-fluoro-2,4-dinitrobenzene/1-Fluor-2,4-dinitrobenzol
fluorobenzene/Fluorbenzol
fluoroborati/Fluoroborate
fluorocauccù/Fluor-Kautschuke
fluorocloridone/Flurochloridon
fluoroclorocarboidrati/FCKW
fluorocromi/Fluorochrome
fluoroelastomeri/Fluor-Elastomere
2-fluoroetanolo/2-Fluorethanol
fluorofibre/Fluorofasern
fluorofiti/Fluorophyten
fluorofori/Fluorophore
fluorofosfato di sodio/Natriumfluorophosphat
fluorogeni/Fluorogene
fluoroidrocarburi/Fluorkohlenwasserstoffe
fluorometolone/Fluorometholon
fluoroni/Fluorone
fluoropolimeri/Fluor-Polymere
fluorosi/Fluorosis
fluorosilicati/Fluorosilicate
fluorosolfati/Fluorosulfate
fluorosolfonilisocianato/Fluorosulfonylisocyanat
fluorosolforato di metile/Fluoroschwefelsäuremethylester
fluorotensioattivi/Fluor-Tenside
fluorotermoplasti/Fluor-Thermoplaste
fluorouracile/Fluorouracil
fluorurazione/Fluorierung
fluoruri/Fluoride
- cromici/Chromfluoride
- d'ammonio/Ammoniumfluoride
- d'antimonio/Antimonfluoride
- di argento/Silberfluoride
- di cloro/Chlorfluoride
- di cobalto/Cobaltfluorid
- di fosforo/Phosphorfluoride
- di idrogeno/Hydrogenfluoride
- di iodio/Iodfluoride
- di polivinilidene/Polyvinylidenfluoride
- di potassio/Kaliumfluoride
- di silicio/Siliciumfluoride
- di sodio/Natriumfluoride
- di stagno/Zinnfluoride
- di zolfo/Schwefelfluoride
- d'ossigeno/Sauerstoff-Fluoride
- d'uranio/Uranfluoride
fluoruro d' alluminio/Aluminiumfluorid

- di bario/Bariumfluorid
- di calcio/Calciumfluorid
- di idrogeno/Fluorwasserstoff
- di litio/Lithiumfluorid
- di magnesio/Magnesiumfluorid
- di nichel(II)/Nickel(II)-fluorid
- di piombo/Bleifluorid
- di polivinile/Polyvinylfluorid
- di rame(II)/Kupfer(II)-fluorid
- di stronzio/Strontiumfluorid
- di zinco/Zinkfluorid
fluossimesterone/Fluoxymesteron
fluoxetina/Fluoxetin
flupentixolo/Flupentixol
flupoxam/Flupoxam
fluprednidene/Fluprednidon
fluprednisolone/Fluprednisolon
fluquinconazolo/Fluquinconazol
flurazepam/Flurazepam
flurbiprofen/Flurbiprofen
fluridone/Fluridon
flurossipir/Fluroxypyr
flurtamone/Flurtamon
flusilazolo/Flusilazol
fluspirilene/Fluspirilen
flusso/Fließen, Strömung
flusulfamide/Flusulfamid
flutamide/Flutamid
fluticasone/Fluticason
flutolanil/Flutolanil
flutriafolo/Flutriafol
fluttuante preliminare/Vorfluter
fluvalinato/Fluvalinat
fluvastatina/Fluvastatin
fluvoxamina/Fluvoxamin
...fobo/...phob
focolaio epidemico/Massenentwicklung
fodrina/Fodrin
foggiare/Umformen
foglie/Folien
- adesive/Klebfolien
- del jaborandi/Jaborandi-Blätter
- di betulla/Birkenblätter
- di sena/Sennesblätter
- di trazione profonda/Tiefziehfolien
- riflettenti/Reflexfolien
foglio dei dati di sicurezza/Sicherheitsdatenblatt
fognatura/Kanalisation
folcodina/Pholcodin
foledrina/Pholedrin
folescutolo/Folescutol
folgie di imbutitura profonda/Tiefziehfolien
folinato di calcio/Calciumfolinat
follatura/Walken
follistatina/Follistatin
follitropina/Follitropin
folpet/Folpet
fomannosina/Fomannosin
fomentariolo/Fomentariol
fomesafene/Fomesafen
fominobene/Fominoben
fomocaina/Fomocain
fondamenti (basi) d' assorbimento/Absorptionsgrundlagen
fondazioni/Stiftung
fondente/Flußmittel
- salifero per il formaggio/Käseschmelzsalze
fondenti/Fondants, Zuschläge, Zuschlagstoffe
- di saldatura/Lötfette
fonderia/Gießerei
fondi/Fonds
- a tunnel/Tunnelböden
- della valvola/Ventilböden
fonofos/Fonofos
fonolite/Phonolith
fononi/Phononen

fonte d'emissione/Emissionsquellen
– di azoto/Stickstoff-Quelle
foraggio/Futtermittel
– insilato/Silage
– minerale/Mineralfutter
foraminiferi/Foraminiferen
forbolo/Phorbol
foresia/Phoresie
forfore/Schuppen
...forico/...phor
forma da fonderia/Gießform
– twist/Twistform
formaggio/Käse
– alla crema/Rahmkäse
– di panna/Rahmkäse
– fondente/Schmelzkäse
– tenero/Weichkäse
formaldeide/Formaldehyd
formammide/Formamid
formatore del film/Filmbildner
– della resina/Harzbildner
– di schiuma/Schaumbildner
formatura a freddo/Kaltumformen
formazani/Formazane
formazione del prodotto/Produktbildung
– di cricche per corrosione sotto sforzo/Spannungsriß-Korrosion
– di cricche per tensione/Spannungsrißbildung
– di immagini NMR/NMR-Bildgebung
– di sistemi ciclici/Cyclisierung
forme d'amministrazione/Arzneiformen
– di vita/Lebensformen
formestano/Formestan
formetanato/Formetanat-Hydrochlorid
formiati/Formiate
formiato d'alluminio/Aluminiumformiate
– d'ammonio/Ammoniumformiat
– d'etile/Ameisensäureethylester
– di calcio/Calciumformiat
– di ferro(III)/Eisen(III)-formiat
– di metile/Ameisensäuremethylester
– di nichelio(II)/Nickel(II)-formiat
– di sodio/Natriumformiat
– di tallio (I)/Thallium(I)-formiat
formiche/Ameisen
formil.../Formyl...
formilazione/Formylierung
4-formilmorfolina/4-Formylmorpholin
formilvioletto S4BN/Formylviolett S4BN
formocortal/Formocortal
formosulfatiazolo/Formo-Sulfathiazol
formula barometrica di livellazione/Barometrische Höhenformel
– bruta (grezza)/Bruttoformel
– d'Arrhenius/Arrheniussche Gleichung
– del sestetto/Sextettformel
– di registrazione/Registrierformel
– d'ottetto/Oktett-Formel
– strutturale/Strukturformel
formulazione/Formulierung
formule/Formeln
– di Lewis/Lewis-Formeln
– di Markush/Markush-Formeln
– di Niggli/Niggli-Formeln
– di proiezione/Projektionsformeln
– di serie/Serienformeln
forni/Öfen

– a tunnel/Tunnelöfen
– rotativi/Trommelöfen
forno a crogiolo/Tiegelofen
– a getto/Jet-Cooking
– ad anello/Ringofen
– rotativo/Drehrohröfen
...foro/...phor
forone/Phoron
forscolina/Forskolin
forza/Kraft
– adesiva/Haftfestigkeit
– dell' oscillatore/Oszillatorenstärke
– di Lorentz/Lorentz-Kraft
– elettromotore/Elektromotorische Kraft
– ionica/Ionenstärke
– motrice protonica/Protonenmotorische Kraft
forze di London/London-Kräfte
– intermolecolari/Zwischenmolekulare Kräfte
– nucleari/Kernkräfte
fos/Fos
fos.../Phos...
fosalone/Phosalon
fosamin-ammonio/Fosamin-ammonium
foscarnet/Foscarnet
fosducina/Phosducin
fosetil-alluminio/Fosetyl-aluminium
fosf(a).../Phosph(a)...
fosfamidone/Phosphamidon
fosfani/Phosphane
fosfatasi/Phosphatasen
fosfatazione/Phosphatieren
fosfati/Phosphate
– condensati/Kondensierte Phosphate
– della citidina/Cytidinphosphate
– di calcio/Calciumphosphate
– di magnesio/Magnesiumphosphate
– di potassio/Kaliumphosphate
– di sodio/Natriumphosphate
– di zinco/Zinkphosphate
– fusi/Schmelzphosphate
– manganici/Manganphosphate
fosfatidil.../Phosphatidyl...
fosfatidilinositoli/Phosphatidylinosite
fosfatizzazione/Phosphatieren
fosfato d'alluminio/Aluminiumphosphate
– d'ammonio e magnesio/Magnesiumammoniumphosphat
– di argento/Silberphosphat
– di cobalto(II)/Cobalt(II)-phosphat
– di cromo(III)/Chrom(III)-phosphat
– di ferro(III)/Eisen(III)-phosphat
– di urea/Harnstoffphosphat
fosfazani/Phosphazane
fosfazeni/Phosphazene
fosfestrolo/Fosfestrol
fosfinati/Phosphinate
fosfinato di sodio/Natriumphosphinat
fosfinina/Phosphinin
fosfino.../Phosphino...
fosfinoil.../Phosphinoyl...
fosfinotricina/Phosphinothricin
fosfiti/Phosphite
fosfito di dietile/Diethylphosphit
– di dimetile/Dimethylphosphit
fosfo.../Phospho...
3'-fosfoadenosina-5'-fosfosolfato/3'-Phosphoadenosin-5'-phosphosulfat
fosfocellulosa/Phospho-Cellulose

fosfodiesterasi/Phosphodiesterasen
fosfodiestere/Phosphodiester
fosfoenolpiruvato/Phosphoenolpyruvat
– carbossichinasi/Phosphoenolpyruvat-Carboxykinase
– -carbossilasi/Phosphoenolpyruvat-Carboxylase
fosfofillite/Phosphophyllit
fosfofruttochinasi/Phosphofructokinasen
fosfoinositidi/Phosphoinositide
fosfolambano/Phospholamban
fosfoli/Phosphole
fosfolipasi/Phospholipasen
fosfolipidi/Phospholipide
fosfomicina/Fosfomycin
fosfonati/Phosphonate
fosfono.../Phosphono...
fosfonoil.../Phosphonoyl...
fosfoproteine/Phosphoproteine
fosforani/Phosphorane
fosforescenza/Phosphoreszenz
fosfori di Lenard/Lenard-Phosphore
fosforil.../Phosphoryl...
fosforilasi/Phosphorylase
fosforilazione/Phosphorylierung
fosforiti/Phosphorite
fosforo/Phosphor
fosforoamidone/Phosphoramidon
fosforolisi/Phosphorolyse
fosforotritioato di S,S,S-tributile/S,S,S-Tributyltrithiophosphat
fosfoserina/Phosphoserin
fosfuri/Phosphide
– di ferro/Eisenphosphide
fosfuro di calcio/Calciumphosphid
– di indio/Indiumphosphid
– di zinco/Zinkphosphid
fosgene/Phosgen
fosgenite/Phosgenit
fosinopril/Fosinopril
fosmet/Phosmet
fossili/Fossilien
fossilizzazione/Verkalken
fossima/Phoxim
fosso di scolo/Vorfluter
fostiazato/Fosthiazat
fostriecina/Fostriecin
fosvitina/Phosvitin
foto.../Phot(o)...
fotoautotrofo/Photoautotroph
fotobiologia/Photobiologie
fotocellule/Photozellen
fotochemioterapia/Photochemotherapie
fotochimica/Photochemie
fotoconducibilità/Photoleitfähigkeit
fotoconduttività/Photoleitfähigkeit
fotocopia/Photokopie
fotocromismo/Photochromie
fotodecomposizione/Photoabbau
fotodegradazione/Photoabbau
fotodiodi/Photodioden
fotoelettricità/Photoelektrizität
fotoelettroni/Photoelektronen
fotoespulsione/Photodetachment
fotografia/Photographie
– a colori/Farbphotographie
– a colori falsi/Falschfarbenphotographie
– di Kirlian/Kirlian-Photographie
– immediata/Instant-Photographie
fotoiniziatori/Photoinitiatoren
fotoionizzazione/Photoionisation
fotoliasi/Photolyase
fotolisi/Photolyse

– al flash (lampo)/Blitzlicht-Photolyse
fotolitotrofia/Photolithotrophie
fotometria/Photometrie
fotomoltiplicatore/Photomultiplier
fotoni/Photonen
fotonica molecolare/Molekulare Photonik
fotoossidanti/Photooxidantien
fotoossidazione/Photooxidation
fotopolimeri/Photopolymere
fotopolimerizzazione/Photopolymerisation
fotoproteine/Photoproteine
fotorecettori/Photorezeptoren
fotoresistenti/Photoresists
fotorespirazione/Photorespiration
fotoreticolazione/Photovernetzung
fotosintesi/Photosynthese
fotosmog/Photosmog
fotostabilizzatori/Photostabilisatoren
fototassia/Phototaxis
fototrasduzione/Phototransduktion
fototrofia/Phototrophie
fototropia/Phototropie
fragarina/Fragarin
fragilità/Sprödigkeit
– da decapaggio/Wasserstoffversprödung
– da idrogeno/Wasserstoffversprödung
– tramite l'invecchiamento/Alterungsversprödung
fragmina/Fragmin
fragole/Erdbeeren
framicetina/Framycetin
frammentazione/Fragmentierung
frammenti di DNA/DNA-Fragmente
– di Okazaki/Okazaki-Fragmente
frammento di Klenow/Klenow-Fragment
francio/Francium
frangola/Faulbaum
franguline/Franguline
frantumatore a rulli/Walzenbrecher
frantumatrice/Brecher
– a urto/Stiftmühlen
frantumazione/Zerkleinern
– di materiale duro/Hartzerkleinerung
frasi R/R-Sätze
frattali/Fraktale
frattografia/Fraktographie
frazionamento/Fraktionierung
– a flusso trasversale/FFF
– cellulare/Zellfraktionierung
frazione di molo/Molenbruch
freddo/Kälte
fredericamicina A/Fredericamycin A
fregola/Brunst
frequenza/Frequenz
– di precessione di Larmor/Larmor-Frequenz
– di risonanza/Resonanzfrequenz
friedelan/Friedelan(e)
friedelina/Friedelin
friedo/Friedo...
fritte/Fritten
frontalina/Frontalin
fronte/Front
frullanolide/Frullanolid
frumento/Weizen
frutta/Obst
frutti/Früchte
– della passione/Passionsfrüchte
frutto grezzo/Rohfrucht

– Jack/Jackfrucht
fruttochinasi/Fructokinase
D-fruttosio/D-Fructose
– -1,6-bisfosfato/D-Fructose-1,6-bisphosphat
β-D-fruttosio-2,6-bisfosfato/β-D-Fructose-2,6-bisphosphat
fruttosiodifosfati/Fructosediphosphate
ftalaldeide/Phthalaldehyd
ftalati/Phthalsäureester
ftalazine/Phthalazin
ftaleina metallica/Metallphthalein
ftaleine/Phthaleine
ftalidi/Phthalide
ftalil…/Phthalyl…
ftalilsulfatiazolo/Phthalylsulfathiazol
ftalimmide/Phthalimid
ftal(o)-/Phthal(o)…
ftalocianina/Phthalocyanin
ftalo(di)nitrile/Phthalsäuredinitril
ftaloil…/Phthaloyl…
ftiocolo/Phthiokol
fuberidazolo/Fuberidazol
fubfenprox/Fubfenprox
fucinatura/Schmieden
fuco/Kelp, Tang
fuc(o)…/Fuc(o)…
fuco vescicoloso/Blasentang
fucoidina/Fucoidin
fucoserratene/Fucoserraten
fucosio/Fucose
fucsina/Fuchsin
– acida/Säurefuchsin
– nuova/Neufuchsin
fugacità/Fugazität
fulgidi/Fulgide
fulguriti/Fulgurite
fuliggine/Ruß
– di fiamme/Flammruß
fuliggini di forno/Furnaceruße
fuligine di gas/Gasruß
fuligorubina A/Fuligorubin
fullereni/Fullerene
fulmicotone/Schießbaumwolle
fulminati/Fulminate
fulminato di argento/Silberfulminat
– di mercurio(II)/Quecksilber(II)-fulminat
fulvaleni/Fulvalene
fulveni/Fulvene
fumarasi/Fumarase
fumarato di ferro(II)/Eisen(II)-fumarat
fumarole/Fumarolen
fumiganti/Fumigantien
fumigatina/Fumigatin
fumitremorgeni/Fumitremorgene
fumo/Rauch
– di tabacco/Tabakrauch
– metallurgico/Hüttenrauch
funghi/Pilze
– commestibili/Speisepilze
– imperfetti/Fungi imperfecti
– putrefattivi bianchi/Weißfäulepilze
– velenosi/Giftpilze
fungicidi/Fungizide
fungo/Schwamm
– cinese/Kombucha
funzione di autocorrelazione/Autokorrelationsfunktion
– di Bloch/Bloch-Funktion
– di distribuzione/Verteilungsfunktion
– di Gauß/Gauß-Funktion
– di Green/Greensche Funktion
– di Langevin/Langevin-Funktion
– di partizione/Zustandssumme
– di stato della configurazione/Konfigurationszustandsfunktion

– d'onda/Wellenfunktion
– omogenea/Homogene Funktion
– potenziale/Potentialfunktion
funzioni di Slater/Slater-Funktionen
fuoco greco/Griechisches Feuer
furalaxil/Furalaxyl
furano/Furan
furano…/Furano…
furano di rose/Rosenfuran
furanosi/Furanosen
furatiocarb/Furathiocarb
furazolidone/Furazolidon
furfurale/Furfural
furfuril…/Furfuryl…
furfurilammina/Furfurylamin
furil…/Furyl…
α-furile/α-Furil
furina/Furin
furo…/Furo…
furocumarine/Furocumarine
furoil…/Furoyl…
furosemide/Furosemid
fursultiamina/Fursultiamin
fuseloli/Fuselöle
fusibili/Schmelzsicherungen
fusina/Fusin
fusione/Fusion, Schmelzen
– di polimeri/Verschmelzen von Polymeren
– di protoplasti/Protoplastenfusion
– nucleare/Kernfusion
– sotto pressione/Druckguß
– zonale/Zonenschmelzen

G

GABA-ergico/GABAerg
gabaculina/Gabaculin
gabapentina/Gabapentin
gabbro/Gabbros
gadodiamite/Gadodiamid
gadolinio/Gadolinium
gadolinite/Gadolinit
gadoteridolo/Gadoteridol
gaggia/Robinie
galanga/Galgantwurzel
galanina/Galanin
galantammina/Galanthamin
galattani/Galactane
galatt(o)…/Galact(o)…
galatto-/galacto-
galattosammina/Galactosamin
galattosidasi/Galactosidasen
galattosio/Galactose
galbano/Galbanum
galectine/Galectine
galena/Bleiglanz
galenismo/Galenik
gallamina triiodoetilato/Gallamintriethiodid
gallati/Gallussäureester
galleina/Gallein
gallio/Gallium
gallite/Gallit
gallocianina/Gallocyanin
gallofenine/Gallophenine
gallone/Gallone
gallopamile/Gallopamil
galvanizzare/Galvanisieren
galvanizzazione di materia sintetica/Kunststoff-Galvanisierung
galvanotecnica/Galvanotechnik
gamberi/Krebse
gamma globuline/Gamma-Globuline
gammagrafia/Gammagraphie
gamoni/Gamone
ganciclovir/Ganciclovir
ganghe/Ganggesteine
ganglioplegici/Ganglienblocker
gangliosidi/Ganglioside

gangrena/Gangrän
ganistro/Ganister
ganoderma/Ganoderma
gap junctions/Gap junctions
garanza/Krapp
garnierite/Garnierit
garofanaia/Nelken
garza/Flor
gas/Gase
– combustibile/Reichgas
– combustibili/Brenngase, Heizgase
– compressi/Druckgase
– d'acqua/Wassergas
– d'aria/Holzgas
– delle paludi/Sumpfgas
– di città/Stadtgas
– di combustione/Rauchgas
– di Mond/Mond-Gas
– di scarico/Abgase
– di scarico automobilistico/Kraftfahrzeugabgase
– elettronico/Elektronengas
– esilarante/Lachgas
– ideali (perfetti)/Ideale Gase
– illuminante/Leuchtgas
– industriale/Reichgas, Stadtgas
– industriali/Industriegase
– inerte/Inertgas
– inerti/Inertgase, Schutzgase
– infiammabile di miniera/Schlagwetter
– liquidi/Flüssiggas
– naturale/Erdgas
– nitrosi/Nitrose Gase
– nobili/Edelgase
– povero (di generatore)/Generatorgas
– reali/Reale Gase
– sintetico/Synthesegas
– tonante/Knallgas
– tonante clorurato/Chlorknallgas
gasatura/Sengen
gascromatografia/Gaschromatographie
gasogeno/Holzgas
gasohol/Gasohol
gassificazione/Vergasung
– del carbone/Kohlevergasung
gassometro/Gasometer
gassose/Brausen, Limonaden
gastadene/Bastadine
gastrina/Gastrin
gastrite/Gastritis
gatsch/Gatsch
gauche/Gauche
gauge/Gauge
gauss/Gauss
Gaussian/Gaussian
gefirina/Gephyrin
gefirotossine/Gephyrotoxine
geiparvarina/Geiparvarin
geissoschizina/Geissoschizin
gel di sequenziazzione/Sequenzgel
– di silica/Kieselgele
– di silica con un indicatore/Blaugel
– per l'analizzatore sequenziale degli acidi nucleici/Sequenzgel
gelatina/Gelatine
– di carne/Sülze
– esplosiva/Sprenggelatine
– reale/Gelée Royale
gelatine/Gelees
gelato/Eis, Speiseeis
– di crema/Eiscreme
geldanamicina/Geldanamycin
geli/Gel
– ionotropici/Ionotrope Gele
gelonina/Gelonin
gelsemio/Gelsemin
gelsolina/Gelsolin

gelsomino/Jasmin
gem-/*gem*-
gemcitabina/Gemcitabin
gemeprost/Gemeprost
gemfibrozil/Gemfibrozil
geminati/Zwillinge
gemmazione/Knospung
gemme/Edelsteine u. Schmucksteine, Gemmen
gen-farming/Gen-Farming
gene/Gen
– carcinoembrionale/Karzino-embryonales Antigen
– clonato/Kloniertes Gen
– di resistenza/Resistenz-Gen
– indicatore/Reportergen
– regolatore/Regulatorgen
– src/src-Gen
generalmente gli esteri dell'acido acetacetico/Acetessigester
generatore di Van de Graaff/Van-de-Graaff-Generator
– magnetoidrodinamico/Magnetohydrodynamischer Generator
– Winkler/Winkler-Generator
genetica/Genetik
– a rovescio/Reverse Genetik
– inversa/Reverse Genetik
geni egoistici/Egoistische Gene
– nif/nif-Gene
– oncosoppressori/Tumor-Suppressor-Gene
– pleiotropici/Pleiotrope Gene
– tumorisoppressivi/Tumor-Suppressor-Gene
…genina/…genin
genistein/Genistein
…geno/…gen
genotipo/Genotyp
gentamicina/Gentamicin
gentiobiosio/Gentiobiose
gentiopicrina/Gentiopikrin
gentisina/Gentisin
genziana/Enzian
geochimica/Geochemie
geocronologia/Geochronologie
geologia/Geologie
geometria d'equilibrio/Gleichgewichtsgeometrie
geosmina/Geosmin
gepefrina/Gepefrin
geranilgeraniolo/Geranylgeraniol
geraniolo/Geraniol
geriatria/Geriatrie
geriatrici/Geriatrika
germacrani/Germacrane
germacranolidi/Germacranolide
germacreni/Germacrene
germanati/Germanate
germanio/Germanium
germanite/Germanit
germi/Keime
germicidi/Germizide
germinabilità/Keimfähigkeit
germinazione/Keimung
gersdorffite/Gersdorffit
gessare/Kreiden
gessetto/Schulkreide
– da sarto/Schneiderkreide
gessi d'olio/Ölkreiden
gesso/Gips
– (cemento) di marmo/Marmorgips
– (cemento) Parian/Pariangips
gestione ambientale/Umweltmanagement
gestodene/Gestoden
gestonorone/Gestonoron caproat
getter/Getter
getto radiale/Radialstromdüse
ghiaccio/Eis
– secco/Trockeneis
ghiaia/Kies

Italiano

- filtrante/Filterkies
ghiandola del codrione/Bürzeldrüse
- tiroide/Schilddrüse
ghiandole germinali/Keimdrüsen
- paratiroidi/Nebenschilddrüsen
- surrenali/Nebennieren
ghisa grezza/Roheisen
- grigia/Grauguß
- malleabile/Temperguß
- specolare/Spiegeleisen
- temperata/Temperguß
- temprata/Hartguß
- temprata indefinita/Indefinite-Hartguß
giacimenti/Lagerstätten, Seifen
giacinti/Hyazinthen
giada/Jade
giadeite/Jadeit
giaietto/Gagat
gialappa/Jalape
giallamina/Galmei
giallo arancio S/Gelborange S
- chiaro/Lichtgelb
- di antimonio/Neapelgelb
- di chinolina A/Chinolingelb A
- di chinolina S/Chinolingelb S
- di clorammino/Chloramingelb
- di Marte/Marsgelb
- di Napoli/Neapelgelb
- di nitrazina/Nitrazingelb
- di Verona/Veroneser Gelb
- indiano/Indischgelb
- puro/Echtgelb
- Titan/Titangelb
gibberelline/Gibberelline
giga.../Giga...
giglia grossa/Grobrechen
gilsonite/Gilsonit
gimnoprenoli/Gymnoprenole
gin/Gin
ginepro/Wacholder
ginestra dei carbonai/Besenginster
ginevra/Genever
gingerolo/Gingerol, 6-Gingerol
ginkgolidi/Ginkgolide
ginseng/Ginseng
giocattoli/Spielwaren
giochi sperimentali/Experimentierkästen
giornali/Zeitschriften
giorno dell' ambiente/Umwelttag
girocianina/Gyrocyanin
girofrequenza/Larmor-Frequenz
girolite/Gyrolith
giromitrina/Gyromitrin
giroporina/Gyroporin
gitoformato/Gitoformat
giuglone/Juglon
giunzione occludente/Tight junction
giunzioni aderenti/Adhärenz-Verbindungen
giusquiamo/Bilsenkraut
giuvabione/Juvabion
glafenina/Glafenin
glaserite/Glaserit
glassatura/Glasieren
glaucina/Glaucin
glauco.../Glauko...
glauconite/Glaukonit
gliadina/Gliadin
glibenclamide/Glibenclamid
glibornuride/Glibornurid
glicani/Glykane
glicazione/Glykation
gliceraldeide/Glycerinaldehyd
- -3-fosfatodeidrogenasi/Glycerinaldehyd-3-phosphat-Dehydrogenase
gliceridi/Glyceride

glicerina/Glycerin
glicerinfosfato di ferro(III)/Eisen(III)-glycerinphosphat
glicerinmonooleato/Glycerinmonooleat
glicerinmonoricinoleato/Glycerinmonoricinoleat
glicerinmonostearato/Glycerinmonostearat
glicerintrinitrato/Glycerintrinitrat
glicero-/glycero-
glicerofosfati/Glycerinphosphate
glicerofosfato di calcio/Calciumglycerophosphat
glicidolo/Glycidol
glicina/Glycin
glicirrizina/Glycyrrhizin
gliclazide/Gliclazid
glic(o).../Glyk(o)...
glicobiarsolo/Glycobiarsol
glicoconiugati/Glykokonjugate
glicoforine/Glykophorine
glicogeno/Glykogen
glicolaldeide/Glykolaldehyd
glicole dipropilenico/Dipropylenglykol
glicoli/Glykole
glicolipide/Glykolipide
glicolisi/Glykolyse
glicopirronio bromuro/Glycopyrroniumbromid
glicoproteine/Glykoproteine
glicosamminoglicani/Glykosaminoglykane
glicosidasi/Glykosidasen
glicosidi/Glykoside
- alcaloidi steroidei delle solanacee/Solanum-Steroidalkaloid-glykoside
- cardiaci/Herzglykoside
- cianogeni/Cyanogene Glykoside
- digitali/Digitalis-Glykoside
glicosiltransferasi/Glykosyltransferasen
glidobactine/Glidobactine
glifosato/Glyphosat
glimepiride/Glimepirid
glimidina/Glymidin
gliossal-bis(2-idrossianile)/Glyoxal-bis(2-hydroxyanil)
gliossale/Glyoxal
gliotossina/Gliotoxin
glipizide/Glipizid
gliptali/Glyptale
gliquidone/Gliquidon
glisa/Gußeisen
glisoxepide/Glisoxepid
globina/Globine
globuline/Globuline
gloeosporone/Gloeosporon
glomerina/Glomerin
glucagone/Glucagon
glucani/Glucane
glucanoidrolasi/Glucan-Hydrolasen
gluco.../Gluc(o)...
gluco-/gluco-
glucochinasi/Glucokinase
gluconato di calcio/Calciumgluconat
- di ferro(II)/Eisen(II)-gluconat
- di magnesio/Magnesiumgluconat
- di potassio/Kalium-D-gluconat
- di sodio/Natrium-D-gluconat
gluconeogenesi/Gluconeogenese
D-glucosammina/D-Glucosamin
glucosidasi/Glucosidasen
glucosidi/Glykoside
glucosilazione/Glykosylierung
glucosinolati/Glucosinolate
D-glucosio/D-Glucose
α-D-glucosio-1,6-bisfosfato/α-D-Glucose-1,6-bisphosphat

glucosio-deidrogenasi/Glucose-Dehydrogenase
α-D-glucosio-1-fosfato/α-D-Glucose-1-phosphat
D-glucosio-6-fosfato/D-Glucose-6-phosphat
glucosio-isomerasi/Glucose-Isomerase
- -ossidasi/Glucose-Oxidase
β-glucuronidasi/β-Glucuronidase
glufosinato-ammonio/Glufosinat-ammonium
glutamati/Glutamate
glutamato-decarbossilasi/Glutamat-Decarboxylase
L-glutamato di sodio/Natrium-L-glutamat
glutammina/L-Glutamin
glutaraldeide/Glutaraldehyd
glutatione/Glutathion
gluteline/Gluteline
glutetimide/Glutethimid
glutina/Glutin
glutine/Gluten, Kleber
- di granturco/Maiskleber
gmelinite/Gmelinit
gneis/Gneis
gocce/Tropfen
goethite/Goethit
goffraggio/Gaufrieren
goitrina/Goitrin
goldschmidtite/Sylvanit
gomma/Gummi
- arabica/Gummi arabicum
- da masticare/Kaugummi
- ghatti/Ghatti gummi
- indiana/Ghatti gummi
- karaya/Karaya-Gummi
- lacca/Schellack, Harzlacke
- molle/Weichgummi
- per cancellare/Radiergummi
- porosa/Porengummi
gommapiuma/Schaumgummi, Schwammgummi
gommatura/Gummierung
gonadoliberina/Gonadoliberin
gonadotropina corionica/Chorio(n)gonadotrop(h)in
- serica/Serumgonadotropin
gonano/Gonan
gonfiamento/Quellung
gonorrea/Gonorrhoe
gonyautossine/Gonyautoxine
goserelina/Goserelin
gossipetina/Gossypetin
gossipolo/Gossypol
gotta/Gicht
gozzo/Kropf
gradi Brix/Brix-Grade
- Soxhlet-Henkel/Soxhlet-Henkel-Grade
gradiente/Gradient
grado/Grad
- Baumè/Baumé-Grad
- di accoppiamento/Kopplungsgrad
- di dissociazione/Dissoziationsgrad
- di estensione/Kopplungsgrad
- di libertà/Freiheitsgrad
- di polimerizzazione/Polymerisationsgrad
- di polimerizzazione levelling-off/Levelling-off-Polymerisationsgrad
- di sostituzione/Substitutionsgrad
- di tensione/Spannungszustand
- di turbolenza/Turbulenzgrad
- Oechsle/Oechsle-Grad
gradualismo/Massenentwicklung
graduazioni termometriche/Temperaturskalen

grafite/Graphit, Reißblei
gramicidine/Gramicidine
gramina/Gramin
grammo/Gramm
granati/Granate
granaticin/Granaticin
granato bianco/Leucit
grandezza dei granelli/Korngröße
grandezze/Größen
- estensive/Extensive Größen
grandisol/Grandisol
graniglia/Splitt
granine/Granine
granisetrone/Granisetron
graniti/Granite
grano/Getreide, Gran, Korn, Weizen
- avvelenato/Giftgetreide
- crudo/Rohfrucht
- saraceno/Buchweizen
granturco/Mais
granulati/Granulate
granulite/Granulit
granulometria/Granulometrie
granzimi/Granzyme
grape fruit/Grapefruit
grappoli d'uva/Weintrauben
grassi (adipi) sanguigni/Blutfette
- d' ossa/Knochenfette
- di zampa/Klauenöle
- e oli grassi/Fette und Öle
- intercambiabili del burro di cacao/Kakaobutter-Austauschfette
- inversi/Inverse Fette
- lubrificanti/Schmierfette
- per carri/Wagenfette
- per friggere/Fritierfette
grasso del Giappone/Japanwachs
- della ghiandola del codrione/Bürzeldrüsenfett
- della marmotta/Murmeltieröl
- di cocco/Kokosöl
- di trazione/Ziehfett
- emulsionato/Licker
- per rubinetti/Schliff-Fett
- per rubinetto/Hahnfett
- Ramsay/Ramsay-Fett
gravacche/Grauwacke
gravimetria/Gravimetrie
gravitazione/Gravitation
Gray/Gray
grayanotossine/Grayanotoxine
greenalite/Greenalith
greisen/Greisen
grennockite/Greenockit
grevilline/Grevilline
grezzo/Derb
griggio di zinco/Zinkgrau
griglia/Schum
- di lettura aperta/Offener Leseraster
griseofulvina/Griseofulvin
grisù/Schlagwetter
grovacche/Grauwacke
grumolo/Kinke
gruppi angolari/Anguläre Gruppen
- funzionali/Funktionelle Gruppen
- infiammabili/Zündgruppen
- osmofori/Osmophore Gruppen
- protettori/Schutzgruppen
- spaziali/Raumgruppen
gruppo carbonile/Carbonyl-Gruppe
- del boro/Bor-Gruppe
- dell'azoto/Stickstoff-Gruppe
- di carbonio/Kohlenstoff-Gruppe
- di ferro/Eisen-Gruppe
- di metalli che precipitano col solfuro d'idrogeno/Schwefelwasserstoff-Gruppe
- idrossilico/Hydroxy-Gruppe
- manganico/Mangan-Gruppe

– nitrico/Nitro-Gruppe
– prostetico/Prosthetische Gruppe
guaiacolo/Guajakol
guaiano/Guajan
guaiava/Guaven
guaiazulene/Guajazulen
guam/Guam
guanabenz/Guanabenz
guanammine/Guanamine
guanetidina/Guanethidin
guanfacina/Guanfacin
guanidina/Guanidin
guanidino/Guanidino…
guanina/Guanin
guano/Guano
guanosina/Guanosin
– -fosfati/Guanosinphosphate
guarana/Guarana
guarnizione per anello di guida/Gleitringdichtung
guarnizioni/Dichtungen
– dei freni/Bremsbeläge
– della frizione/Kupplungsbeläge
guava/Guaven
guazatina/Guazatin
guinesine/Guinesine
gulo-/gulo-
gulosio/Gulose
gustducina/Gustducin
gusto/Geschmack
– causato del sole/Sonnenlichtgeschmack
– di reversione/Reversionsgeschmack
guttaperca/Guttapercha

H

habitat/Habitat
hahnio/Hahnium
hai-thao/Hai-Thao
halite/Steinsalz
halofantrine/Halofantrin
halosulfurone/Halosulfuron
harman/Harman
hascisc/Haschisch
hausmannite/Hausmannit
hauyna/Hauyn
hedgehog/Hedgehog
helix-loop-helix/Helix-loop-helix
henna/Henna
henné/Henna
hessite/Hessit
heulandite/Heulandit
hickory/Hickoryholz
hollandite/Hollandit
hopcalite/Hopcalit
hopeite/Hopeit
hot flue/Hotflue
hotmelts/Hotmelts
howlite/Howlith
humite/Humit
humus/Humus

I

iacea/Epená
ial…/Hyal…
ialite/Hyalit
ialuronidasi/Hyaluronidasen
iatrochimica/Iatrochemie
iatrofame/Jatropham
iatrofone/Jatrophon
iatrogeno/Iatrogen
ibandronato/Ibandronsäure
ibenzato/Hibenzat
ibernazione/Hibernation, Winterschlaf
ibisco/Hibiscus
– cannabino/Kenaf
ibogaina/Ibogain
ibogamina/Ibogamin
iborati d'ammonio/Ammoniumborate
ibridazione/Hybridisierung

– a colonia/Kolonie-Hybridisierung
ibridomi/Hybridome
ibuprofene/Ibuprofen
ICA/TCA-Na
ice/Ice
icos(a)…/Icos(a)…
icosaedrico-/icosahedro-
idaeina/Idaein
idantoine/Hydantoine
idarubicina/Idarubicin
…ide/…id
identificazione/Identifizierung
…idina/…idin
idiocromatismo/Idiochromasie
idiofase/Idiophase
idiosincrasia/Idiosynkrasie
idiotipo/Idiotyp
iditolo/Idit
ido-/ido-
idosio/Idose
idoxuridina/Idoxuridin
idracidi/Wasserstoffsäuren
idralazina/Hydralazin
idrargafeni/Hydrargaphen
idrastina/Hydrastin
idrastinina/Hydrastinin
idratasi/Hydratasen
idratazione/Hydratation, Hydratisierung
idrati/Hydrate
idrato di cellulosa/Cellulosehydrat
– d'idrazina/Hydrazinhydrat
idrazide maleica/Maleinsäurehydrazid
– p-toluensolfonica/p-Toluolsulfonsäurehydrazid
idrazidi/Hydrazide
– degli acici/Säurehydrazide
idrazina/Hydrazin
idrazino…/Hydrazino…
idrazo…/Hydrazo…
idrazobenzene/Hydrazobenzol
idrazoni/Hydrazone
idrazono…/Hydrazono…
idro…/Hydr(o)…
idroalogenuri/Halogenwasserstoffe, Hydrohalogenide
idrobiologia/Hydrobiologie
idroborazione/Hydroborierung
idrobromuro/Bromwasserstoff
idrocarbossilazione/Hydrocarboxylierung
idrocarburi/Kohlenwasserstoffe
– alogenati/Halogenkohlenwasserstoffe
– alternanti/Alternierende Kohlenwasserstoffe
– aromatici policiclici/PAH
– clorurati/Chlorkohlenwasserstoffe
– non di metano/NMHC
– platonici/Platonische Kohlenwasserstoffe
idrocarburo di Chichibabin/Tschitschibabinscher Kohlenwasserstoff
– di Schlenk/Schlenkscher Kohlenwasserstoff
idrochinone/Hydrochinon
idrocicloni/Hydrozyklone
idroclorotiazide/Hydrochlorothiazid
idroclorurazione/Hydrochlorierung
idrocloruro di …/…-hydrochlorid
– di propamocarb/Propamocarb-hydrochlorid
idrocodone/Hydrocodon
idrocolloidi/Hydrokolloide
idrocoltura/Hydrokultur
idrocortisone/Hydrocortison

idrodisalchilazione/Hydrodesalkylierung
idrofilo/Hydrophil
idrofite/Hydrophyten
idroflumetiazide/Hydroflumethiazid
idrofobine/Hydrophobine
idrofobo/Hydrophob
idroformazione/Hydroformieren
idroformilazione/Hydroformylierung
idrogel/Hydrogele
idrogenasi/Hydrogenasen
idrogenazione/Hydrierung
– del carbone/Kohlehydrierung
– diretta/Direkthydrierung
idrogencarbonato d'ammonio/Ammoniumhydrogencarbonat
– di calcio/Calciumhydrogencarbonat
– di magnesio/Magnesiumhydrogencarbonat
– di potassio/Kaliumhydrogencarbonat
idrogenfosfato di 1-naftile e sodio/Natrium-1-naphthylhydrogenphosphat
idrogenftalato di potassio/Kaliumhydrogenphthalat
idrogeno/Wasserstoff
idrogeno…/Hydrogen…
idrogeno arsenicale/Arsenwasserstoff
– attivo/Aktiver Wasserstoff
– indicato/Indizierter Wasserstoff
idrogenocarbonato di sodio/Natriumhydrogencarbonat
idrogenolisi/Hydrogenolyse
idrogenosolfato di sodio/Natriumhydrogensulfat
idrogenosolfito di sodio/Natriumhydrogensulfit
idrogenosolfuro di sodio/Natriumhydrogensulfid
idrogenperossomonosolfato di potassio/Kaliumhydrogenperoxomonosulfat
idrogensolfato di potassio/Kaliumhydrogensulfat
idrogensolfito di calcio/Calciumhydrogensulfit
– di potassio/Kaliumhydrogensulfit
idrogensolfuro d'ammonio/Ammoniumhydrogensulfid
– di calcio/Calciumhydrogensulfid
idrogentartrato di potassio/Kaliumhydrogentartrat
idrolacche/Wasserlacke
idrolasi/Hydrolasen
idrolisati di proteina/Eiweiß-Hydrolysate
idrolisi/Hydrolyse
idrologia/Hydrologie
idromagnetismo/Magnetohydrodynamik
idromele/Met
idrometallurgia/Hydrometallurgie
idromorfone/Hydromorphon
idronaftaline/Hydronaphthaline
idronio/Hydronium
idroperossi…/Hydroperoxy…
idroperossidi/Hydroperoxide
idroperossido di cumene/Cumolhydroperoxid
– di diisopropilbenzene/Diisopropylbenzolhydroperoxid
– di p-mentano/p-Menthanhydroperoxid
– di pinano/Pinanhydroperoxid
idroperossile/Perhydroxyl
idropiombo/Plumban
idrosfera/Hydrosphäre

idrossalato di tiociclame/Thiocyclam-Hydrogenoxalat
idrossi…/Hydroxy…
5-idrossi-L-lisina/5-Hydroxy-L-lysin
2-idrossi-2-metilpropionitrile/2-Hydroxy-2-methylpropionitril
idrossi-1,4-naftochinone/Hydroxy-1,4-naphthochinone
4-idrossi-L-prolina/4-Hydroxy-L-prolin
idrossiacetofenoni/Hydroxyacetophenone
idrossiacidi grassi/Hydroxyfettsäuren
12-idrossiacido stearico/12-Hydroxystearinsäure
idrossialchilamidi/Hydroxyalkylstärken
idrossialchilazione/Hydroxyalkylierung
idrossialchilcellulose/Hydroxyalkylcellulosen
idrossialdeidi/Hydroxyaldehyde
idrossiam(m)inoacidi/Hydroxyaminosäuren
idrossibenzaldeidi/Hydroxybenzaldehyde
4-idrossibenzoato/4-Hydroxybenzoesäureester
idrossibenzofenoni/Hydroxybenzophenone
idrossichetoni/Hydroxyketone
idrossicitronellale/Hydroxycitronellal
idrossicloruri di' alluminio/Aluminiumhydroxychloride
idrossicolecalciferolo/Hydroxycholecalciferole
idrossidi/Hydroxide
– di ferro/Eisenhydroxide
– di nichel/Nickelhydroxide
idrossido d'alluminio/Aluminiumhydroxide
– di bario/Bariumhydroxid
– di calcio/Calciumhydroxid
– di cromo(III)/Chrom(III)-hydroxid
– di litio/Lithiumhydroxid
– di magnesio/Magnesiumhydroxid
– di piombo/Bleihydroxid
– di potassio/Kaliumhydroxid
– di rame(II)/Kupfer(II)-hydroxid
– di sodio/Natriumhydroxid
– di zinco/Zinkhydroxid
idrossietilamidi/Hydroxyethylstärken
idrossietilcarbossimetilcellulose/(Hydroxyethyl)carboxymethylcellulosen
idrossietilcellulose/Hydroxyethylcellulosen
N-(4-idrossifenil)glicina/N-(4-Hydroxyphenyl)glycin
idrossiimmino/Hydroxyimino…
idrossilammina/Hydroxylamin
– cloridrato/Hydroxylamin-Hydrochlorid
idrossilammine/Hydroxylamine
idrossilasi/Hydroxylasen
idrossilazione/Hydroxylierung
idrossile/Hydroxyl
idrossimetil…/Hydroxymethyl…
idrossimetilazione/Hydroxymethylierung
idrossimetilfenil…/Hydroxy-methyl-phenyl…
5-(idrossimetil)furfurale/5-(Hydroxymethyl)furfural
N-(idrossimetil)nicotinamide/N-(Hydroxymethyl)nicotinamid

Italiano

idrossinervone/Hydroxynervon
3-idrossipiperidina/3-Hydroxypi-peridin
idrossiprocaina/Hydroxyprocain
idrossiprogesterone/Hydroxyprogesteron
idrossipropilamidi/Hydroxypropylstärken
idrossipropilcellulose/Hydroxypropylcellulosen
idrossipropilguar/Hydroxypropylguar(an)
idrossipropionitrili/Hydroxypropionitrile
idrossitetracaina/Hydroxytetracain
idrossiurea/Hydroxyharnstoff
idrosso.../Hydroxo...
idrossosali/Hydroxo-Salze
idrotalcite/Hydrotalcit
idrotiazidi/Hydrothiazide
idrotropia/Hydrotropie
idroxiclorochina/Hydroxychloroquin
idroxizina/Hydroxyzin
idroxocobalamina/Hydroxocobalamin
idrozincite/Hydrozinkit
idruri/Hydride
– metallici/Metallhydride
– radicali/Stammhydride
idruro.../Hydrido...
idruro d'alluminio/Aluminiumhydrid
– d'antimono/Antimonwasserstoff
– d'arsenico/Arsenwasserstoff
– di bismuto/Bismutwasserstoff
– di boro e litio/Lithiumborhydrid
– di calcio/Calciumhydrid
– di litio/Lithiumhydrid
– di litio e alluminio/Lithiumaluminiumhydrid
– di magnesio/Magnesiumhydrid
– di nitrosile/Nitrosylwasserstoff
– di sodio/Natriumhydrid
– di titanio/Titanhydrid
– di zirconio/Zirconiumhydrid
– potassico di boro/Kaliumborhydrid
– sodico d'alluminio/Natriumaluminiumhydrid
ifluoruri d'arsenico/Arsenfluoride
ifo/hypho-
ifolomine/Hypholomine
ifosfamide/Ifosfamid
ifosfati d'ammonio/Ammoniumphosphate
igiene/Hygiene
– alimentare/Lebensmittelhygiene
– del lavoro/Gewerbehygiene
– industriale/Gewerbehygiene
igname/Yam, Yams
ignimbrite/Ignimbrit
igrina/Hygrin
igrofite/Hygrophyten
igrometro/Hygrometer
igromicine/Hygromycine
igroscopicità/Hygroskopizität
...ilato/...ylat
...ile/...yl
...ilen(e)/...ylen
...iliden(e)/...yliden
ilidi/Ylide
– dei nitrili/Nitril-Ylide
...ilidina/...ylidin
...ilio/...ylium
illite/Illit
illudine/Illudine
illudolo/Illudol
ilmenite/Ilmenit
iloprost/Iloprost
ilvaite/Ilvait

imazalil/Imazalil
imazametabenz-metile/Imazamethabenz-methyl
imazapyr/Imazapyr
imazaquin/Imazaquin
imazethapyr/Imazethapyr
imazosulfurone/Imazosulfuron
imbiancamento/Bleichen
imbiancare a calce/Kalken
imbibizione/Imbibition
imbozzimatura/Schlichten
imbricatina/Imbricatin
imbuti per polvere/Pulvertrichter
imbuto contagocce/Tropftrichter
– separatore/Scheidetrichter
imecromone/Hymecromon
imenotteri/Hymenoptera
imesazolo/Hymexazol
imibenconazolo/Imibenconazol
imidacloprid/Imidacloprid
imidazolidi/Imidazolide
imidazolidin-2-one/Imidazolidin-2-on
– -2-tione/Imidazolidin-2-thion
imidazolo/Imidazol
imipenem/Imipenem
imipramina/Imipramin
imitazione/Attrappe
immidi/Imide
immido.../Imid(o)...
immine/Imine
...imminio/...iminium
immino.../Imino...
immino.../Imino...
imminoacidi/Iminosäuren
1,1'-imminuto-2-propanolo/1,1'-Iminodi-2-propanol
2,2'-imminodietanolo/2,2'-Iminodiethanol
immissioni/Immissionen
immobilizzazione/Immobilisierung
immunità/Immunität
immunizzazione/Immunisierung
immuno-oro/Immunogold
immunoadsorbimento/Immunadsorption
immunoanalisi enzimatica/Enzymimmunoassay
immunobiologia/Immunbiologie
immunoblot/Immunoblot
immunochimica/Immunchemie
immunocomplessi/Immunkomplexe
immunoconiugati/Immunkonjugate
immunodiffusione/Immundiffusion
immunoelettroforesi/Immunelektrophorese
immunofiline/Immunophiline
immunofluorescenza/Immunfluoreszenz
immunoglobuline/Immunglobuline
immunologia/Immunologie
immunosoppressione/Immunsuppression
immunoterapia/Immuntherapie
immunotest/Immunoassay
immunotossine/Immuntoxine
imolamina/Imolamin
impactor/Impaktoren
impastare/Kneten
impatto/Impact
impedanza/Impedanz
impedimento sterico/Sterische Hinderung
imperatorina/Imperatorin
impianti/Anlagen
– aeroelettrici/Windkraftwerke

– bisognosi ad autorizzazione/Genehmigungsbedürftige Anlagen
– bisognosi di controllo/Überwachungsbedürftige Anlagen
– di lavaggio/Waschturm
impianto/Implantation
– antincendio a Sprinkler/Sprinkleranlagen
– d'aerazione/Volumenbelüfter
– di cobalto/Cobalt-Anlage
– di depurazione/Kläranlage
– di depurazione su fiume/Flußkläranlage
– ionico/Ionenimplantation
– per lo smaltimento e trattamento dei rifiuti/Abfallentsorgungsanlage
– pilota/Pilot Plant
impiego/Verwenden
importatore/Einführer
importina/Importin
imposta sui rifiuti/Abfallabgabe
impoverimento/Abreicherung
impregnanti di silicone/Silicon-Imprägniermittel
impregnazione/Imprägnierung
– di tessuti/Klotzen
imprese piccole e medie/KMU
imprimitura reagente/Reaktionsprimer
impugnatura a forma d'oliva/Oliven (2.)
impulso/Impuls
impurità/Verunreinigungen
in situ/In situ
in vitro/In vitro
...ina/...in
inammine/Inamine
inattivo/Inaktiv
incandescenza/Glühen, Glut
incapsulamento/Einhausung
incarico di ricerca/Auftragsforschung
incenerimento/Veraschen
– dei residui domestici/Hausmüllverbrennung
– dei rifiuti/Abfallverbrennung
– dei rifiuti pericolosi/Sonderabfallverbrennung
– del deposito di chiarificazione/Klärschlammverbrennung
incenso/Olibanum
incentivazione della ricerca/Forschungsförderung
inchiostri/Tinten
– per contrassegnare la biancheria/Wäsche(zeichen)tinte
– per il vetro/Glastinten
– per timbri/Stempelfarben
– simpatici/Geheimtinten
– tipografici/Druckfarben
inchiostro di china/Tusche
– di pelle/Hauttinte
– ferrogallico/Eisengallustinte
– per la stampa e getto d'inchiostro/Ink-Jet-Tinten
incisione all'acquaforte/Ätzdruck
– con mordenti chimici/Ätzen
inclusione/Inklusion
inclusioni/Inclusion Bodies
– fluide/Fluide Einschlüsse
incollamento di metalli/Metallkleben
incollare/Kleben
incompatibilità/Inkompatibilität
incorporazione/Inkorporierung
incrementi di legame/Bindungsinkremente
incremento/Inkrement
increspatura/Kräuseln
incrocio/Kreuzung
– intersistemi/Intersystem crossing

incrostazione della caldaia/Kesselstein
– nel generatore di vapore/Kesselstein
incrudimento/Kaltverfestigung, Verfestigung
incubatrici/Brutschrank
incubazione/Inkubation
indaco/Indigo
indaconitina/Indaconitin
indacopurpurina/Indigorot
indacosolfonati/Indigosulfonate
indammina/Indamin
indanazolina/Indanazolin
1,3-indandioni/1,3-Indandione
indano/Indan
indapamide/Indapamid
indazolo/Indazol
indene/Inden
indicano/Indican
indicatori/Indikatoren
– di gas/Gasspürgeräte
– di Hammett/Hammett-Indikatoren
– fluorescenti/Fluoreszenzindikatoren
– universali/Universalindikatoren
indicaxantina/Indicaxanthin
indicazione/Indikation
indice/Index
– acetilico (d'acetilene)/Acetyl-Zahl
– dei colori/Colour Index
– delle citazioni/Citation Index
– delle misure del corpo/Body-Mass-Index
– dell'odorato/Geruchszahl
– di acidità/Säurezahl
– di colore/Farbzahl
– di fluidità-volume/Volumenfließindex
– di fusione/Schmelzindex
– di neutralizzazione/Neutralisationszahl
– di Pearl/Pearl-Index
– di ritenzione/Retentionsindex
– di Wobbe/Wobbeindex
– d'ossigeno/Sauerstoff-Index
– isotattico/Isotaxie-Index
– limitante di ossigeno/LOI
– P/P-Zahl
– saprobico/Saprobienindex
indici di Miller/Millersche Indizes
– di Weiss/Weiss'sche Koeffizienten
indifferente/Indifferent
indigo carmine/Indigocarmin
indigoide/Indigoid
indigotina/Indigotin
indinavir/Indinavir
indio/Indium
indirubina/Indigorot
indofenolo/Indophenol
indol-5-olo/Indol-5-ol
indolina/Indolin
indolizina/Indolizin
indolo/Indol
indometacina/Indometacin
indoramina/Indoramin
indorare/Vergolden
indospicina/Indospicin
indossile/Indoxyl
induline/Induline
indumenti protettivi/Schutzkleidung
indurente/Härter
indurimento/Aushärten, Verfestigung
– a freddo/Kalthärten
– di lacca/Lackhärtung
– di prodotti sintetici/Härtung von Kunststoffen

- ultravioletto/UV-Härtung
industria chimica/Chemische Industrie
- farmaceutica/Pharmazeutische Industrie
- mineraria/Bergbau
- mineraria a cielo aperto/Tagebau
induttanza/Induktivität
induzione/Induktion
- asimmetrica/Asymmetrische Induktion
inerte/Inert
inertizzazione/Inertisierung
inetere/Inether
infarto/Infarkt
infauna/Infauna
infezione/Infektion
infiammabile/Entzündlich
infiammazione/Entflammung, Entzündung
influenza/Grippe
informazione ambientale/Umweltinformation
infrattine/Infractine
infrazione/Ordnungswidrigkeit
infuso/Infusum
ingegnere/Ingenieur
- alimentare/Lebensmittelingenieur
- chimico/Chemieingenieur
ingegneria/Ingenieurwissenschaften
- chimica/Chemie-Ingenieurwesen
- dei cristalli/Kristall-Engineering
- genetica/Gentechnologie
- nucleare/Kerntechnik
ingestione/Ingestion
Ingold e Prelog/CIP-Regeln
ingrandire in scale/Scale up
ingrassatori/Schmälzmittel
ingrossamento/Stückigmachen
inhibiting factors/Inhibiting factors
inibina/Inhibin
inibitore CSE/CSE-Hemmer
- della deposizione/Absetzverhinderungsmittel
- della DNA girasi/Gyrase-Hemmer
- in fase vapore/VPI
inibitori/Hemmstoffe, Inhibitoren
- ACE/ACE-Hemmer
- della mitosi/Mitosehemmer
- della pompa protonica/Protonenpumpen-Hemmer
- dell'ovulazione/Ovulationshemmer
- di fuomo/Rauchunterdrücker
- di schiuma/Schaumverhütungsmittel
- mitotici/Mitosehemmer
inibizione/Inhibition
- al substrato/Substrat-Hemmung
- competitiva/Kompetitive Hemmung
- da feedback/Endprodukthemmung
- da prodotto/Produkthemmung
iniettore su colonna/On-Column Injektor
iniezione/Injektion
iniferters/Iniferter
iniziatori/Initiatoren
- di ossidoriduzione/Redoxinitiatoren
- perossidici/Peroxid-Initiatoren
- redox/Redoxinitiatoren
iniziazione/Initiation
inneschi/Initialsprengstoffe
innesti redox/Redox-Pfropfen

innovazione/Innovation
ino-/ino-
inocosterone/Inokosteron
inoculanti/Impflegierungen
inoculazione/Impfen
inoculo/Inokulum
inosina/Inosin
- 5'-monofosfato/Inosin-5'-monophosphat
inositolfosfati/Inositphosphate
inositoli/Inosite
inositolo nicotinato/Inositolnicotinat
inotodiolo/Inotodiol
inotropia/Inotropie
inquilini/Inquilinen
inquilinismo/Synökie
inquinamento/Verunreinigungen
- ambientale/Umweltbelastung, Umweltverschmutzung
- da petrolio/Ölpest
- dell'aria/Luftverunreinigungen
- delle acque/Gewässerbelastung
insaturo/Ungesättigt
inseminazione/Insemination
inserzione/Insertion
insetti/Insekten
insetticidi/Insektizide
installazioni in colonne/Kolonnen-Einbauten
insufficienza cardiaca/Herzinsuffizienz
insulina/Insulin
integrale di sovrapposizione/Überlappungsintegral
integrasi/Integrasen
integratori/Integratoren
integrine/Integrine
inteine/Inteine
intelligenza artificiale/Künstliche Intelligenz
intensificatore/Verstärker
- detergente/Waschkraftverstärker
- detersivo/Reinigungsverstärker
interazione/Wechselwirkung
- di configurazione/Configuration Interaction
- non adiabatica/Nichtadiabatische Wechselwirkung
interazioni tra proteina e legante/Protein-Ligand-Wechselwirkungen
intercalazione/Interkalation
interfacce/Grenzflächen
interferenza/Interferenz
interferometria/Interferometrie
interferometro/Interferometer
- di Fabry-Pérot/Fabry-Pérot-Interferometer
- di Mach-Zener/Mach-Zener-Interferometer
- di Michelson/Michelson-Interferometer
interferoni/Interferone
interleuchine/Interleukine
intermedi reattivi/Reaktive Zwischenstufen, Zwischenstufen
intermolecolare/Intermolekular
interstiziale/Interstitiell
intersystem crossing/Intersystem crossing
intervallo fra due generazioni successivi/Generationszeit
- tra due bande/Verbotene Zone
intestino/Darm
intorbidatore/Trübungsmittel
intossicazione/Vergiftung
- da molluschi/Muschelvergiftung
intossicazioni alimentari/Lebensmittelvergiftungen
intramolecolare/Intramolekular

introduzione/Einleiten
introne/Intron
intrusione/Intrusion
intumescenza/Intumeszenz
inula helenium L./Helenenkraut
inulina/Inulin
invasine/Invasin
invasione/Invasion
invecchiamento/Alterung, Aushärten
invecchiare/Altern
inventario del danno forestale/Waldschadenserhebung
inversione/Inversion
- di polarità/Umpolung
- di Walden/Walden-Umkehr(ung)
invertasi/Invertase
invertebrati/Invertebraten
investimenti/Investitionen
involucri della salsiccia/Wursthüllen
- (imballi) alimentari/Lebensmittelumhüllungen
involucrina/Involucrin
involutina/Involutin
…io/…ium
io…/Hyo…
iodamide/Iodamid
iodargirite/Jodargyrit
iodati/Iodate
iodato di potassio/Kaliumiodat
- di sodio/Natriumiodat
iodil…/Iodyl…
iodilbenzene/Iodylbenzol
iodinina/Iodinin
iodio/Iod
iodirite/Jodargyrit
iodixanolo/Iodixanol
iodo…/Iod…
iodoam(m)inoacidi/Iodaminosäuren
iodobenzene/Iodbenzol
iodofenfos/Iodfenphos
iodofori/Iodophore
iodoformio/Iodoform
iodometria/Iodometrie
iodopolividone/Polyvidon-Iod
iodopsina/Iodopsin
iodosil…/Iodosyl…
iodosilbenzene/Iodosylbenzol
N-iodosuccinimmide/N-Iodsuccinimid
iodotrimetilsilano/Iodtrimethylsilan
iodurazione/Iodierung
ioduri/Iodide
- di mercurio/Quecksilberiodide
- di rame/Kupferiodide
- di tallio/Thalliumiodide
ioduro d'ammonio/Ammoniumiodid
- di argento/Silberiodid
- di azoto/Iodstickstoff
- di cadmio/Cadmiumiodid
- di calcio/Calciumiodid
- di etile/Ethyliodid
- di idrogeno/Iodwasserstoff
- di litio/Lithiumiodid
- di metile/Methyliodid
- di metilene/Metheniodid
- di (metilfenilammino) trifenilfosfonio/(Methylphenylamino)-triphenylphosphoniumiodid
- di metilmagnesio/Methylmagnesiumiodid
- di pinacianolo/Pinacyanoliodid
- di piombo/Bleiiodid
- di potassio/Kaliumiodid
- di sodio/Natriumiodid
iogurt/Joghurt
iohexol/Iohexol

ioioba/Jojoba
iomeprolo/Iomeprol
ione idrossido/Hydroxid-Ion
- idruro/Hydrid-Ion
ioneni/Ionene
ioni/Ionen
- carbossoni/Carboxonium-Ionen
- di carbonio/Carbonium-Ionen
- d'idrogeno/Wasserstoff-Ionen
- dipolari/Zwitterionen
- pesanti/Schwerionen
- radicali/Radikal-Ionen
ionica molecolare/Molekulare Ionik
ionico/Ionisch, Ionium
ionizzazione/Ionisation
- di Penning/Penning-Ionisation
- elettrospray/Elektrospray-Ionisation
- termospray/Thermospray-Ionisation
ionofori/Ionophore
ionogenico/Ionogen
ionografia/Ionographie
ionomeri/Ionomere
ionnoi/Jonone
ionotropia/Ionotropie
iontoforesi/Iontophorese
iopamidolo/Iopamidol
iopentolo/Iopentol
iopidone/Iopydon
iopromide/Iopromid
iosciamina/Hyoscyamin
iotrolan/Iotrolan
ioversolo/Ioversol
ioxynil/Ioxynil
ipconazolo/Ipconazol
ipecacuana/Ipecacuanha
iper…/Hyper…
ipercalcemia/Hypercalcämie
ipercheratosi/Hyperkeratose
ipercolesterolemia/Hypercholesterinämie
iperconiugazione/Hyperkonjugation
ipercromia/Hyperchromie
iperemesis/Hyperemesis
iperemia/Hyperämie
iperglicemia/Hyperglykämie
ipergoli/Hypergole
ipericina/Hypericin
iperico/Johanniskraut
iperinsulinismo/Hyperinsulinismus
iperlipemia/Hyperlipidämie
ipernucleo/Hyperkern
iperoni/Hyperonen
iperossido/Hyperoxid
ipersuono/Hyperschall
ipertermia/Hyperthermie
ipertiroidismo/Hyperthyreose
ipertonia/Hypertonie
iperuricemia/Hyperurikämie
ipervitaminosi/Hypervitaminosen
ipnofilina/Hypnophilin
ipo…/Hypo…
ipoaliti/Hypohalite
ipobromiti/Hypobromite
ipocalcemia/Hypocalcämie
ipocloriti/Hypochlorite
ipoclorito di calcio/Calciumhypochlorit
- di potassio/Kaliumhypochlorit
- di sodio/Natriumhypochlorit
ipocromia/Hypochromie
ipofermentosi/Hypofermentie
ipofisi/Hypophyse
ipofosfiti/Hypophosphite
ipogeusia/Hypogeusie
ipoglicemia/Hypoglykämie
ipoglicina/Hypoglycin
ipoioditi/Hypoiodite

Italiano

ipomeanina/Ipomeanin
iponitriti/Hyponitrite
iposideremia/Hyposiderinämie
ipossiemia/Hypoxie
ipotalamo/Hypothalamus
ipotensione/Hypotonie
ipotermia/Hypothermie, Unterkühlung
ipotesi di Prout/Proutsche Hypothese
ipotiroidismo/Hypothyreose
ipotonia/Hypotonie
ipovitaminosi/Hypovitaminosen
ipoxantina/Hypoxanthin
ippuricasi/Hippuricase
ipratropio bromuro/Ipratropiumbromid
iprazochrome/Iprazochrom
iprite/Lost
– azotico/Stickstofflost
iprodione/Iprodion
iproniazide/Iproniazid
ipsdienolo/Ipsdienol
ipso-/Ipso-
ipsocromo/Hypsochrom
ipsonite/Ipsonit
ipusina/Hypusin
...irano/...iran
ireagenti Ames/Ames-Reagenzien
iridali/Iridale
iridescenza/Irisdeszenz
iridina/Iridin
iridio/Iridium
iridoidi/Iridoide
iridomirmecina/Iridomyrmecin
irinotecano/Irinotecan
ironi/Irone
irradiazione/Bestrahlung
– alimentare/Lebensmittelbestrahlung
– ionica/Ionenstrahlen
irreversibile/Irreversibel
irritazione/Reiz
irruzione dei fiori/Blüteneinbruch
irsutene/Hirsuten
irsutina/Hirsutin
irsutismo/Hirsutismus
irudina/Hirudin
isali d' arsonio/Arsonium-Salze
isatina/Isatin
isattofilina/Hisactophilin
isazofos/Isazophos
isetionati dell' acido grasso/Fettsäureisethionate
ishwarane/Ishwaran
islandicina/Islandicin
iso.../Iso...
isoalloxazine/Isoalloxazin
isoaminile/Isoaminil
isobara/Isobare
isobenzofurano/Isobenzofuran
isoborneolo/Isoborneole
isobutil.../Isobutyl...
isobutilidendiurea/Isobutylidendiharnstoff
isobutirril.../Isobutyryl...
isobutossi.../Isobutoxy...
isocarboxazide/Isocarboxazid
isocauccù/Isokautschuk
isochinolina/Isochinolin
isocianati/Isocyanate
– di polivinile/Polyvinylisocyanate
isocianato.../Isocyanato...
isocianato di metile/Methylisocyanat
– di 1-naftile/1-Naphthylisocyanat
isocianodialogenuri/Isocyaniddihalogenide
isocianuri/Isocyanide
isocianuro di *p*-tolilsolfonilmetile/*p*-Tolylsulfonylmethylisocyanid

isoconazolo/Isoconazol
isocora/Isochore
– di Van't Hoff/Van't-Hoff-Gleichung
isocoridina/Isocorydin
isocromene/Isochromen
isocrotonoil.../Isocrotonoyl...
isocumarine/Isocumarine
isodecanolo/Isodecanol
isodimorfismo/Isodimorphie
isodose/Isodose
isoelettronico/Isoelektronisch
isoentalpa/Isenthalpe
isoenzimi/Isoenzyme
isoetarina/Isoetarin
isoeugenolo/Isoeugenol
isofenfos/Isofenphos
isofitolo/Isophytol
isoflavoni/Isoflavone
isoflurano/Isofluran
isoforone/Isophoron
isofulminati/Isofulminate
isoidria/Isohydrie
isoindolina/Isoindolinon-/Isoindolin-Pigmente
isoindolo/Isoindol
isolamento/Isolierung
isolanti/Isolatoren
– termici/Wärmedämmstoffe
isolatori/Isolatoren
isolazione dei ceppi/Stammisolierung
– termica/Wärmeisolierung
isoleucina/L-Isoleucin
isolforati rossi d'arsenico/Arsensulfide
isolobale/Isolobal
isomaltitolo/Isomaltit
isomaltolo/Isomaltol
isomerasi/Isomerasen
isomeri/Isomere
isomeria/Isomerie
– *cis-trans*/*cis-trans*-Isomerie
– di costituzione/Konstitutionsisomerie
– di posizione/Stellungsisomerie
– di valenza/Valenzisomerie
– nucleare/Kernisomerie
– orto-para/Ortho-Para-Isomerie
– strutturale/Stellungsisomerie
isomerizzazione/Isomerisierung
– di valenza/Valenzisomerisierung
isometeptene/Isomethepten
isomorfismo/Isomorphie
isoniazide/Isoniazid
isononanolo/Isononanol
isoottano/Isooctan
isoottanolo/Isooctanol
isoottil.../Isooctyl...
isopentenil/Isopentenyl...
isopentil.../Isopentyl...
isopeptidi/Isopeptide
isopilosina/Isopilosin
isopoliacidi/Isopolysäuren
isoprenalina/Isoprenalin
isoprene/Isopren
isoprenoidi/Isoprenoide
isoprocarb/Isoprocarb
isopropalina/Isopropalin
isopropamide ioduro/Isopropamidiodid
isopropanolo/Isopropanol
isopropenil.../Isopropenyl...
isopropil.../Isopropyl...
isopropilato d'alluminio/Aluminiumisopropylat
isopropiliden.../Isopropyliden...
isopropossi.../Isopropoxy...
isoprotiolano/Isoprothiolan
isoproturone/Isoproturon
isosafrolo/Isosafrol
isosatione/Isoxathion

isosorbide dinitrato/Isosorbid-dinitrat
– mononitrato/Isosorbid-5-mononitrat
isospin/Isospin
isossazoli/Isoxazole
isosterismo/Isosterie
isotachiforesi/Isotachophorese
isoterma/Isotherme
isotetracenoni/Isotetracenone
isotiazoli/Isothiazole
isotiocianati/Isothiocyanate
– (vegetali)/Senföle
isotiocianato.../Isothiocyanato...
isotiocianato di benzile/Benzylisothiocyanat
– di metile/Methylisothiocyanat
isotipendile/Isothipendyl
isotipia/Isotypie
isotoni/Isotone
isotopi/Isotope
isourea/Isoharnstoffe
isovellerale/Isovelleral
isoxaben/Isoxaben
isoxapyrifop/Isoxapyrifop
isoxsuprina/Isoxsuprin
ispessire/Eindicken
ispettiva ambientale/Umweltaudit
ispidina/Hispidin
isradipina/Isradipin
ist.../Hist...
istamina/Histamin
istapirrodina/Histapyrrodin
istazarina/Hystazarin
isteresi/Hysterese
istidina/Histidin
istituti superiori/Hochschulen
istituto tecnico/Technikum
istochimica/Histochemie
istologia/Histologie
istoni/Histone
istrionicotossine/Histrionicotoxine
istruzione/Unterweisung
istruzioni per la preparazione della ricetta/Rezeptur
– tecniche/Technische Anleitungen
itacolumite/Itacolumit
...ite/...itis
ite/...it
ito/...it
itolo/...it
itraconazolo/Itraconazol
itterbio/Ytterbium
ittero/Ikterus
ittiocolla/Fischleim, Hausenblase
ittiopterina/Ichthyopterin
ittrio/Yttrium
iuta/Jute
– giavanese/Rosella
iveleni respiratori/Atemgifte
ivermectina/Ivermectin

J

Jak/Jak
jamesonite/Jamesonit
jantitreme/Janthitreme
jarosite/Jarosit
(Z)-jasmone/(Z)-Jasmon
jaspamide/Jaspamid
jigger/Jigger
jog/Jogs
johannsenite/Johannsenit
jordanite/Jordanit
josamicina/Josamycin
Joule/Joule

K

kainite/Kainit
kaoni/Kaonen
kapok/Kapok
kat/kat

kayser/Kayser
KDO/KDO
kebuzone/Kebuzon
kekulene/Kekulen
kellina/Khellin
kelp/Kelp
keratofiro/Keratophyr
kerma/Kerma
kernite/Kernit
kerogene/Kerogen
ketamina/Ketamin
ketanserina/Ketanserin
ketazolam/Ketazolam
ketoconazolo/Ketoconazol
ketoprofene/Ketoprofen
ketorolac/Ketorolac
ketotifene/Ketotifen
kicker/Kicker
kieserite/Kieserit
kimberlite/Kimberlit
kino/Kino
kivi/Kiwi
Klebsiella/Klebsiella
klystron/Klystron
kogasin/Kogasin
kolbeckite/Kolbeckit
kresoxime/Kresoxim
krill/Krill
kumis/Kumys
kurchatovio/Kurtschatovium
kurnakovite/Kurnakovit
kvas/Kwass

L

labdani/Labdane
labetalolo/Labetalol
labile/Labil
laboratori chimici/Chemische Laboratorien
– per radionuclidi/Radionuklid-Laboratorien
laboratorio/Laboratorium
labradorite/Labrador(it)
lacca a smalto/Emaillelack
laccasi/Laccase
lacche/Lacke
– a base delle resine acriliche/Acrylharz-Lacke
– a capsula/Kapsellacke
– a fuoco/Einbrennlacke
– ad acqua/Wasserlacke
– ad alto tenore di solido/HS-Lacke
– coloranti/Farblacke
– del Giappone/Japanlacke
– di fogli/Folienlacke
– reagenti/Reaktionslacke
– reattive/Reaktionslacke
lacrimatori/Tränenreizstoffe
lacrime/Tränenflüssigkeit
– di vetro/Glastränen
ladano/Labdanum
laetrile/Laetrile
laghi salati/Salzseen
lago di Bajkal/Baikalsee
lagopodine/Lagopodine
lambda-cialotrina/Lambda-Cyhalothrin
lamelle geminati/Zwillingslamellen
lamiera bianca/Weißblech
– fine/Feinblech
– nera/Schwarzblech
– piombata/Terneblech
– spessa/Grobblech
lamiere/Blech
lamierino/Schwarzblech
laminare/Walzen
laminarina/Laminarin
laminati/Laminate
– plastici/Schichtpreßstoffe
lamine/Folien, Lamine
laminine/Laminine

lamivudina/Lamivudin
lamotrigina/Lamotrigin
lampada a idrogeno/Wasserstoff-Lampe
– analitica/Analysenlampe
– Davy/Davysche Sicherheitslampe
– di Nernst/Nernst-Stifte
lampade/Lampen
– a catodo cavo/Hohlkathodenlampen
– a incandescenza/Glühlampen
– a vapori di mercurio/Quecksilberdampflampen
– a vapori di sodio/Natriumdampf-Lampen
– di Wood/Woodlicht-Lampen
lamponi/Himbeeren
lamprofiri/Lamprophyre
lamproiti/Lamproit
lampteroflavina/Lampteroflavin
lana/Wolle
– basaltica/Basaltwolle
– d'acciaio/Stahlwolle
– d'angora/Angorawolle
– di cellulosa/Zellwolle
– di pesce/Fischwolle
– di roccia/Gesteinswolle
– di tosa/Schurwolle
– filosofica/Lana philosophica
– rigenerata/Reißwolle
– sintetica/Zellwolle
– (trucioli) di legno/Holzwolle
langbeinite/Langbeinit
lanolina/Lanolin
lanostano/Lanostan
lanosterolo/Lanosterin
lansoprazolo/Lansoprazol
lantanio/Lanthan
lantanoidi/Lanthanoide
lantibiotici/Lantibiotika
L-lantionina/L-Lanthionin
lapacolo/Lapachol
lapidatura/Honen
lapis/Bleistifte
lapislazzuli/Lapislazuli
lappatura/Läppen
larghezza di banda spettrale/Linienbreite
– Doppler/Doppler-Breite
– naturale delle righe spettrali/Natürliche Linienbreite
larice/Lärche
larvikite/Larvikit
lasalocidi/Lasalocide
lascivolo/Lascivol
laser/Laser
– a centro colorato/Farbzentren-Laser
– a CO/CO-Laser
– a CO_2/CO_2-Laser
– a coloranti/Farbstoff-Laser
– a corpo solido/Festkörper-Laser
– a diodo/Dioden-Laser
– a eccitazione trasversa/TEA-Laser
– a elettroni liberi/Freie-Elektronen-Laser
– a elio-cadmio/Helium-Cadmium-Laser
– a elio-neon/Helium-Neon-Laser
– a gas/Gas-Laser
– a iodio/Iod-Laser
– a monomoda/Ein-Moden-Laser
– a neodimio/Neodym-Laser
– a olmio/Holmium-Laser
– a raggi X/Röntgenlaser
– a rame/Kupfer-Dampf-Laser
– a titanio-zaffiro/Titan-Saphir-Laser
– ad azoto/Stickstoff-Laser
– ad ioni di gas nobile/Edelgas-Ionen-Laser
– al vetro/Glas-Laser
– all'erbio/Erbium-Laser
– chimici/Chemische Laser
– di rubino/Rubin-Laser
– radar/LIDAR
– sintonizzabile/Durchstimmbarer Laser
– UV/UV-Laser
lassitivo/Abführmittel
lastre di masonite/Holzfaserplatten
– di materiale leggero da costruzione con trucioli di legno/Holzwolle-Leichtbauplatten
– di truciolato/Holzspanplatten
lastrico/Pflaster
lasubina/Lasubin
latamoxef/Latamoxef
latanoprost/Latanoprost
latente/Latent
laterite/Laterit
latice/Latex
latirismo/Lathyrismus
α-latrotossina/α-Latrotoxin
latta stagnata (bianca)/Weißblech
α-lattalbumina/α-Lactalbumin
β-lattamasi/β-Lactamasen
lattami/Lactame
lattaroviolina/Lactaroviolin
lattati/Lactate, Milchsäureester
lattato di calcio/Calciumlactat
– di sodio/Natriumlactat
lattazione/Laktation
latte/Milch
– acido/Sauermilch(-Erzeugnisse)
– condensato/Kondensmilch
– di donna/Humanmilch
– femminile/Humanmilch
– in polvere/Milchpulver, Trockenmilch
– UHT/H-Milch
latticello/Buttermilch
latticini semigrassi/Milchhalbfetterzeugnisse
latticino di latte cagliato/Quark
latticodeidrogenasi/Lactat-Dehydrogenase
lattide/Lactid
lattitolo/Lactitol
latt(o)…/Lact(o)…
lattoferrina/Lactoferrin
lattogeno placentare/Placentalactogen
β-lattoglobulina/β-Lactoglobulin
5-lattone dell' acido gluconico/Glucónsäure-5-lacton
γ-lattone dell' acido glucuronico/D-Glucuronsäure-γ-lacton
lattone di gelsomino/Jasminlacton
– di Prelog-Djerassi/Prelog-Djerassi-Lacton
– 4-idrossiundecanoico/4-Hydroxyundecansäurelacton
lattoni/Lactone
– del whisky e cognac/Whisk(e)y- u. Cognac-Lactone
– sesquiterpenici/Sesquiterpen-Lactone
lattosio/Lactose
lattucario/Latwerge
lattucina/Lactucin
lattuga/Lattich
lattulosi/Lactulose
laudanosina/Laudanosin
laueite/Laueit
laumonite/Laumontit
laurati/Laurate
laurenzio/Lawrencium
lauril…/Lauryl…
laurite/Laurit
lauroguadina/Lauroguadin
lauroil…/Lauroyl…
ω-laurolattame/12-Laurinlactam
lava/Lava
lavaggio/Auswaschen, Waschen
– a getto/Strahlwäscher
– a secco/Chemisch-Reinigen
– radiale dell'area/Radialstromwäscher
lavagne/Schiefertafeln
lavandamicina/Lavendamycin
lavatore a umido/Naßwäscher
– di Venturi/Venturi-Wäscher
lavorare alla conca/Conchieren
lavorazione a caldo/Warmumformen
– del metallo/Metallbearbeitung
– elettrochimica del metallo/Elektrochemische Metallbearbeitung
lavorazioni del vetro/Glasarbeiten
lavori pericolosi/Gefährliche Arbeiten
lavoro a maglia/Wirken
– ai ferri/Wirken
– d'uscita/Austrittsarbeit
lawsone/Lawson
lawsonite/Lawsonit
lebbra/Lepra
leccio spinoso/Stechpalme
lecitine/Lecithine
lectine/Lektine
ledeburite/Ledeburit
leflunomide/Leflunomid
lega/Legierung
– d'Arnd/Arnds Legierung
– di Devarda/Devardasche Legierung
– di Guthrie/Guthrie-Legierung
– di Harper/Harpers Legierung
– di Heusler/Heuslersche Legierungen
– di Lipowitz/Lipowitz-Legierung
– di Newton/Newton-Legierung
– di rame ed alluminio/Dixigold
– di resistenza/Heizleiter-Legierung
– madre/Vorlegierung
– per brasatura/Hartlote
– per caratteri/Letternmetall
legame a idrogeno/Wasserstoff-Brückenbindung
– di gas nobile/Edelgas-Bindung
– di idrogeno/Wasserstoff-Brückenbindung
– doppio/Doppelbindung
– fra tre centri/Dreizentrenbindung
– idròfobo/Hydrophobe Bindung
– multicentrico/Mehrzentrenbindung
– peptidico/Peptid-Bindung
– semplice/Einfachbindung
– triplo/Dreifachbindung
legami anionici/Acidoliganden
– fluttuanti/Fluktuierende Bindungen
– π (pi)/Pi-Bindungen
– sigma/Sigma-Bindungen
legane chimico/Chemische Bindung
– di ritorno/Rückbindung
leganti/Bindemittel, Liganden
– di olio/Ölbindemittel
– rapidi/Schnellbinder
legasi/Ligasen
legatore di oro in foglio/Mixtion
legemoglobina/Leghämoglobin
legge alimentare/Lebensmittelgesetz
– Curie-Weiß/Curie-Weißsches Gesetz
– d' Avogadro/Avogadro'sches Gesetz
– d'Arndt-Shultz/Arndt-Schulz-Gesetz
– dei gas ideali/Ideales Gasgesetz
– della razionalità degli indici/Rationalitätsgesetz
– dell'azione di massa/Massenwirkungsgesetz
– di Boyle-Mariotte/Boyle-Mariotte'sches Gesetz
– di Bunsen-Roscoe/Bunsen-Roscoe'sches Gesetz
– di Charles/Charles Gesetz
– di Coulomb/Coulombsches Gesetz
– di diluzione di Ostwald/Ostwaldsches Verdünnungsgesetz
– di distribuzione di Boltzmann/Boltzmann'sches Energieverteilungsgesetz
– di distribuzione di Nernst/Nernstscher Verteilungsgesetz
– di Geiger-Nutall/Geiger-Nutallsches Gesetz
– di Grimm sullo spostamento di idruri/Hydrid-Verschiebungssatz
– di Hagen-Poiseuille/Hagen-Poiseuilesches Gesetz
– di Henry/Henrysches Gesetz
– di Hess/Heßscher Satz
– di Hook/Hookesches Gesetz
– di Lambert-Beer/Lambert-Beersches Gesetz
– di Moseley/Moseleysches Gesetz
– di Ohm/Ohmsches Gesetz
– di Proust/Proustsches Gesetz
– di Stefan-Boltzmann/Stefan-Boltzmann-sches Gesetz
– di Stokes/Stokes-Gesetz
– di Van't Hoff/Van't Hoff-Regel
– di Wiedemann-Franz/Wiedemann-Franzsches Gesetz
– di Wien/Wien-Gesetz
– limite di Debye-Hückel/Debye-Hückelsches Grenzgesetz
– per i rifiuti/Abfallgesetz
– sui detersivi/Waschmittelgesetz
– sui prodotti chimici/Chemikaliengesetz
– sui rifiuti/Abfallrecht
– sull' ingegneria genetica/Gentechnik-Gesetz
leggi dei gas/Gasgesetze
– di Dalton/Daltonsche Gesetze
– di Faraday/Faradaysche Gesetze
– di Fick/Ficksche Gesetze
– di Kirchhoff/Kirchhoffsche Gesetze
– di Mendel/Mendelsche Gesetze
– di Raoult/Raoultsche Gesetze
leghe a punto di fusione basso/Niedrigschmelzende Legierungen
– d'alluminio/Aluminium-Legierungen
– di argento/Silber-Legierungen
– di cobalto/Cobalt-Legierungen
– di cromo/Chrom-Legierungen
– di Fahrenwald/Fahrenwald-Legierungen
– di ferro fuso/Gußlegierungen
– di fusione/Schmelzlegierungen
– di magnesio/Magnesium-Legierungen
– di manganese/Mangan-Legierungen
– di nichel/Nickel-Legierungen
– di piombo/Blei-Legierungen
– di platino/Platin-Legierungen
– di potassio e sodio/Kalium-Natrium-Legierungen
– di rame/Kupfer-Legierungen

- di sodio/Natrium-Legierungen
- di stagno/Zinn-Legierungen
- di tantalio/Tantal-Legierungen
- di titanio/Titan-Legierungen
- di zirconio/Zirconium-Legierungen
- d'oro/Gold-Legierungen
- lavorata plasticamente/Knetlegierungen
- per i distributori automatici/Automatenlegierungen
legionelle/Legionellen
legname per miniera/Grubenholz
legni coloranti/Farbhölzer
legno/Holz
- artificiale/Kunstholz
- compensato/Sperrholz
- di balsa/Balsa-Holz
- di campeggio/Blauholz
- di sandalo/Sandelholz
- di teak/Teakholz
- di visciolo/Weichselholz
- plastico/Plastisches Holz
- pressato/Preßholz
legumi/Hülsenfrüchte
leguminose/Hülsenfrüchte
lei equilibri chimici/Chemische Gleichgewichte
leiofilizzazione/Gefriertrocknung
leishmaniosi/Leishmaniosen
lenacile/Lenacil
lente gravitazionale/Gravitationslinse
lenti/Linsen
- a contatto/Kontaktlinsen
lenticchie/Linsen
lentinano/Lentinan
leonite/Leonit
lepidocrocite/Lepidokrokit
lepidolite/Lepidolith
lepidopterani/Lepidopterane
leptina/Leptin
leptite/Leptit
leptoni/Leptonen
lesioni da raggi/Strahlenschäden
letame/Mist
letrozolo/Letrozol
letteratura chimica/Chemische Literatur
- manufatta/Firmenschriften
lettere oblique/Kursivbuchstaben
letto fisso/Festbett
- fluidico/Fließbett
- percolatore/Rieselfilmreaktor, Tropfkörper
leucemia/Leukämie
- T-cellulare degli adulti/Adulte T-Zell-Leukämie
L-leucina/L-Leucin
leucina-zip/Leucin-Reißverschluß
leucinam(m)inopeptidasi/Leucin-Aminopeptidase
leucinocaina/Leucinocain
leucisco/Goldorfe
leucite/Leucit
leuc(o)…/Leuk(o)…
leucoantocianidine/Leukoanthocyanidine
leucociti/Leukocyten
leucomentine/Leucomentine
leucopterina/Leucopterin
leucosina/Leucosin
leucotrieni/Leukotriene
leuprorelina/Leuprorelin
levallorfano/Levallorphan
levamisolo/Levamisol
levigatura/Honen
levigature/Schliffe
levina/Levyn
levistoco/Liebstöckel
lev(o)…/Läv(o)…
levobunololo/Levobunolol
levocabastina/Levocabastin

levocarnitina/Levocarnitin
levodopa/Levodopa
levofloxacina/Levofloxacin
levomepromazina/Levomepromazin
levometadone/Levomethadon
levomethorphan/Levomethorphan
levonorgestrel/Levonorgestrel
levopropilesedrina/Levopropylhexedrin
levopropossifene/Levopropoxyphen
levorfanolo/Levorphanol
lewisite/Lewisit
lezione di chimica/Chemie-Unterricht
liasi/Lyasen
liberamento controllato/Kontrollierte Freisetzung
…liberina/…liberin
libethenite/Libethenit
licenza/Lizenz
licheni/Flechten
lichenina/Lichenin
licomarasmina/Lycomarasmin
licopene/Lycopin
licopodio/Lycopodium
lidocaina/Lidocain
lidoflazina/Lidoflazin
liebigite/Liebigit
lieviti/Hefen
- killer/Killer-Hefe
lievito/Backhefe, Sauerteig
- in polvere/Backpulver
- madre/Stellhefe
lignina/Lignin
ligninasi/Ligninasen
lignite/Braunkohle, Lignit
ligustrazina/Ligustrazin
ligustro/Liguster
lilla/Flieder
limabi/Lymabios
limette/Limetten
limite di allungamento/Streckgrenze
- di esposizione a corto termine/STEL
- di fluidità/Fließgrenze
- provabile/Nachweisgrenze
limiti d'esplosione/Explosionsgrenzen
- di ebollizione/Siedegrenzen
limnologia/Limnologie
limonene/Limonen
limoni/Citronen, Zitronen
limonina/Limonin
limonoidi/Limonoide
linamarina/Linamarin
linatina/Linatin
l'incisione profonda di illustrazione/ITD
lincomicina/Lincomycin
lindano/Lindan
linea di dislocazione/Versetzungslinie
- germinale/Keimbahn
lineare/Linear
lineatina/Lineatin
linestrenolo/Lynestrenol
linfa/Lymphe
linfochine/Lymphokine
linfociti/Lymphocyten
linfomi/Lymphome
linfotossina/Lymphotoxin
lingotti/Barren
lingotto/Massel
linia cellulare/Zellinie
liniantria/Schwammspinner
linimenti/Linimente
linneite/Kobaltnickelkiese
lino/Flachs, Leinwand
linoleum/Linoleum
linters/Linters

linurone/Linuron
lio…/Lyo…
liofillina/Lyophyllin
liofilo/Lyophil
liofobo/Lyophob
liotropo/Lyotrop
lip…/Lip…
lipasi/Lipasen
lipidi/Lipide
lipidosi/Lipidosen
lipocaline/Lipocaline
lipofilo/Lipophil
lipoforine/Lipophorine
lipofosfoglicani/Lipophosphoglykan
lipofuscina/Lipofuszin
lipogenesi/Lipogenese
lipolisi/Lipolyse
lipooligosaccharidi/Lipooligosaccharide
lipophobo/Lipophob
lipopolisaccaridi/Lipopolysaccharide
lipoproteine/Lipoproteine
liposomi/Liposomen
lipossigenasi/Lipoxygenase
lipossine/Lipoxine
lipotropina/Lipotropin
lipressina/Lypressin
liptobioliti/Liptobiolithe
liquame/Gülle, Jauche
liquazione/Seigerungen
liquefatore del calcestruzzo/Fließmittel
liquefazione del carbone/Kohlehydrierung, Kohleverflüssigung
liquidi/Flüssigkeiten
- combustibili/Brennbare Flüssigkeiten
- pesanti/Schwerflüssigkeiten
liquido conciante di calcerame/Kupferkalkbrühe
- lacrimale/Tränenflüssigkeit
- sinoviale/Synovialflüssigkeit
liquirizia/Lakritze
liquor/Liquor
lisciatura/Honen
liscivia di potassa/Kalilauge
liscivazione/Auslaugen, Beuchen
liscive/Laugen
liscivia di solfito/Sulfit-Ablauge
lisciviazione microbica/Mikrobielle Laugung
lisimetro/Lysimeter
L-lisina/L-Lysin
lisinoalanina/Lysinoalanin
lisinoprile/Lisinopril
lisolecitine/Lysolecithine
lisosomi/Lysosomen
lisostafina/Lysostaphin
lisozimi/Lysozyme
lisso-/lyxo…
Listeria monocitogena/Listeria monocytogenes
lisuride/Lisurid
litchi/Litchi
litiazione/Lithiierung
litio/Lithium
lito…/Lith(o)…
litografia/Lithographie
litoponi/Lithopone
litotrofia/Lithotrophie
litro/Liter
livelli a Liesegang/Liesegangsche Ringe
livello permissibile/Permissible level
livingstonite/Livingstonit
D-lixosio/D-Lyxose
lobelina/Lobelin
lodoxamid/Lodoxamid
loellingite/Löllingit
loess/Löß

lofepramina/Lofepramin
lofexidina/Lofexidin
lofoforina/Lophophorin
lofotossina/Lophotoxin
loganina/Loganin
logoramento/Verschleiß
lomefloxacina/Lomefloxacin
lomustina/Lomustin
lonazolac/Lonazolac
longifolene/Longifolen
loperamide/Loperamid
loprazolam/Loprazolam
loracarbef/Loracarbef
lorandite/Lorandit
loratadina/Loratadin
lorazepam/Lorazepam
lorcainide/Lorcainid
lormetazepam/Lormetazepam
lornoxicam/Lornoxicam
losartan/Losartan
lotta antiparassitaria/Schädlingsbekämpfung
- tarmicida/Mottenbekämpfung
lovastatina/Lovastatin
lovibond/Lovibond
low-profile-resine/Low-profile-Harze
- -shrink-resine/Low-shrink-Harze
lozione/Lotion
- di betulla/Birkenwasser
lozioni toniche per il viso/Gesichtswässer
lubrificante/Gleitmittel
- Kapsenberg/Kapsenberg-Schmiere
lubrificanti/Schmierstoffe
- compound/Compound-Öle
- solidi/Festschmierstoffe
lubrificazione/Schmierung
luce/Licht
lucidatura/Satinage
lucidi/Fußbodenpflegemittel, Polituren, Selbstglanzpflegemittel
lucido per scarpe/Schuhpflegemittel
luciferasi/Luciferasen
luciferine/Luciferine
lucigenina/Lucigenin
lucignolo/Docht
ludwigite/Ludwigit
lue/Syphilis
lufenurone/Lufenuron
luffa/Luffa
lumache/Schnecken
lumen/Lumen
lumi…/Lumi…
β-lumicolchicina/β-Lumicolchicin
lumicromo/Lumichrom
lumiflavina/Lumiflavin
luminescenza/Lumineszenz
luminolo/Luminol
luminosità/Glanz
luna/Mond
lunghezza delle fibre artificiali/Stapel
- di livello/Kontourlänge
- secondo la persistenza/Persistenzlänge
luogo della copulazione/Balzarena
- della misurazione di immissione/Meßstelle
- di collegamento/attachment-site
- genetico/Genlocus
lupeolo/Lupeol
lupini/Lupinen
luppolo/Hopfen
luppolone/Lupulon
luteina/Lutein
lute(o)…/Lute(o)…
luteolina/Luteolin

lutezio/Lutetium
lutidine/Lutidine
lutropina/Lutropin
lux/Lux
luxmetro/Luxmeter
luxullianite/Luxullianit
lyddite/Lyddit

M

macadam/Makadam
maccaroni/Makkaroni
macerali/Macerale
macerazione/Rösten
macerazioni/Mazerationen
macerie/Abraum
macinare/Mahlen
macinazione a freddo/Kaltmahlung
macò/Mako
macro.../Makro...
macroanalisi/Makroanalyse
macrobiotica/Makrobiotik
macroconformazione/Makrokonformation
macroemulsione/Makroemulsion
macroestere/Makroester
macrofaghi/Makrophagen
α_2-macroglobulina/α_2-Makroglobulin
macroiniziatori/Makroinitiatoren
macroioni/Makroionen
macrolattine/Macrolactine
macrolattoni/Makrolactone
macrolidi/Makrolide
macromolecole/Makromoleküle
macromolecule a bastoncello/Stäbchenförmige Makromoleküle
macroradicali/Makroradikale
mactraxantina/Mactraxanthin
madarini/Mandarinen
madreperla/Perlmutt(er)
maduramicina α/Maduramicin α
mafenide/Mafenid
magainine/Magainine
magaldrato/Magaldrat
magenta/Fast Magenta B
maggiociondolo/Goldregen
maggiorana/Majoran
magma/Magma
magnesia potassica/Kalimagnesia
magnesio/Magnesium
magnesite/Magnesit
magnesiti di cromo/Chrommagnesitsteine
magneson/Magneson
magnete ibrido/Hybridmagnet
magneti/Magnete
– permanenti/Dauermagnete
magnetite/Magnetit
magnetochimica/Magnetochemie
magnetoidrodinamica/Magnetohydrodynamik
magnetone Bohr/Bohr-Magneton
magnetotassia/Magnetotaxis
magnoni/Magnonen
maionese/Mayonnaise
mais/Mais
maitansinoidi/Maytansinoide
maitotossina/Maitotoxin
maiuscolammidi/Majusculamide
make-up/Make-up
malachite/Malachit
malaga/Malaga
malaria/Malaria
malathion/Malathion
malato deidrogenasi/Malat-Dehydrogenase
malattia celiaca/Zöliakie
– d'Addison/Addisonsche Krankheit
– del caffè/Kaffeerost
– del sonno/Schlafkrankheit
– di Alzheimer/Alzheimersche Krankheit
– di Biermer/Perniziöse Anämie
– di Chagas/Chagas-Krankheit
– itai-itai/Itai-Itai-Krankheit
malattie autoimmune/Autoimmunerkrankungen
– delle piante/Pflanzenkrankheiten
– infettive/Infektionskrankheiten
– professionali/Berufskrankheiten
– reumatiche/Rheumatische Erkrankungen
– tropicali/Tropenkrankheiten
– veneree/Geschlechtskrankheiten
maleati/Maleinsäureester
maleinimmide/Maleinimid
malformine/Malformine
malingolide/Malyngolid
malleabilizzazione/Tempern
malonato dietilico/Malonsäurediethylester
malta/Mörtel
maltasi/Maltase
malteni/Maltene
malto/Malz
maltodestrine/Maltodextrine
maltolo/Maltol
maltosio/Maltose
malva/Malve
malvacea/Eibischwurzel
malveina/Mauvein
mammastatina(e)/Mammastatin(e)
manazite/Monazit
mancozeb/Mancozeb
mandelato di benzile/Mandelsäurebenzylester
– racemasi/Mandelat-Racemase
mandelonitril-liasi/Mandelonitril-Lyase
mandorle/Mandeln
mandragola/Mandragora
maneb/Maneb
manganati/Manganate
manganese/Mangan
manganite/Manganit
manganoproteine/Mangan-Proteine
mango/Mango
mangostani/Mangostane
mania dei farmaci/Arzneimittelsucht
manicotto di gomma/Gukos
manioca/Maniok
manna/Manna
mannani/Mannane
mannite/Mannit
mannitolo/Mannit
manno-/manno-
mannomustina/Mannomustin
mannosio/Mannose
mano EF/EF-Hand
manoalide/Manoalid
manometro/Manometer
– a tubo a U/U-Rohrmanometer
– di McLeod/McLeod-Manometer
manuali/Handbücher
– della chimica sperimentale/Experimentierbücher
manumicina/Manumycine
manzamina/Manzamin
mappa di trascrizione/Transkriptionskarte
mappaggio di Berk e Sharp/Berk-Sharp-Methode
mappatura peptidica/Peptid-Kartierung
maprotilina/Maprotilin
marame/Bagasse
maranta/Maranta
maraschino/Maraschino
marcaggio/Markierung
marcasite/Markasit
marcatore di selezione/Selektionsmarker
– genetico/Genmarker
– resistente agli antibiotici/Antibiotikaresistenz-Marker
marcatori tumorali/Tumormarker
marcatura/Markierung
– con biotina/Biotin-Markierung
– d' affinità/Affinitätsmarkierung
– di isotopi/Isotopenmarkierung
– territoriale/Revier-Markierung
– tramite spin/Spinmarkierung
marcfortine/Marcfortine
marchio di controllo/Prüfzeichen
– di controllo GS (sicurezza verificata)/GS-Zeichen
marcite/Rieselfeld
MARCKS/MARCKS
margarina semigrassa/Halbfettmargarine
margarine/Margarine
margarite/Margarit
marijuana/Marihuana
marinobufagina/Marinobufagin
marker tumorale/Tumormarker
marmellata/Marmelade
marmette/Fliesen
marmo/Marmor
marna/Kalkmergel, Mergel
,marocca'/Bagasse
marrone di Cassel/Kasseler Braun
martensite/Martensit
martoniti/Martonite
marzapane/Marzipan
mascheramento/Maskierung, Verkappung
– dell' odore/Geruchsmaskierung
maschere di bellezza/Gesichtspackungen
mascherine per le formule/Formelschablonen
maser/Maser
masoniti/Hartfaserplatten
massa/Masse
– di riposo/Ruh(e)masse
– fusa alcalina/Alkalischmelze
– Marquardt/Marquardt-Masse
– molare/Molmasse
masse continue di fibre di vetro/Rovings
– di calco/Abgußmassen
– di Casson/Cassonsche Stoffe
– di guarnizione/Dichtungsmassen
– di getto/Abgußmassen
– discografiche/Schallplattenmassen
– fuse/Schmelzmassen
– fuse a caldo/Heißschmelzmassen
– per formare/Formmassen
masselli di ferro/Luppen
massello/Massel
massima concentrazione prevista all'ambiente/PEC
mastcellule/Mastzellen
masterbatch/Masterbatch
masticare/Kneten
masticazione/Mastikation
mastice/Mastix
– da innesto/Baumwachs
mastici/Dichtungsmassen, Kitte
mastoparano/Mastoparan
mastro nel campo della chimica industriale/Industriemeister, Fachrichtung Chemie
masut/Masut
mate/Mate
matematica/Mathematik
materia/Materie, Stoff
– interstellare/Interstellare Materie
– parcellizzata/Teilchen
– prima/Ausgangsmaterial
– riempitiva di rinforzo/Verstärker
– secondaria/Sekundär-Rohstoff
materiale antincendio/Feuerlöschmittel
– di stratificazione resistente/Resists
– di sutura/Nahtmaterial
– duro/Hartstoffe
– introdotto/Durchsatz
– magrante/Magerungsmittel
– per cuscinetto/Wälzlagerwerkstoffe
– refrattario/Flammschutzmittel
– vecchio (usato)/Altmaterial
materiali/Werkstoffe
– a contatto/Kontaktwerkstoffe
– ceramici/Keramische Werkstoffe
– compositi/Verbundwerkstoffe
– compressi a freddo/Kaltpreßmassen
– da campane/Glockenwerkstoffe
– da costruzione/Baustoffe
– da imballaggio/Verpackungsmittel
– dentali/Dentalmaterialien
– detergenti di base/Waschrohstoffe
– di riporto/Füllstoffe
– espolsivi/Explosionsfähige Stoffe
– impermeabili/Wasserdichte Stoffe
– insonorizzanti/Schalldämmstoffe
– magnetici/Magnetische Werkstoffe
– per alte temperature/Hochtemperatur-Legierungen, Hochtemperatur-Werkstoffe
– per costruzioni stradali/Straßenbaumaterialien
– per cuscinetti di scivolamento/Gleitlagerwerkstoffe
– per cuscinetto/Lagerwerkstoffe
– per razzi/Raketenwerkstoffe
– poromerici/Poromere
– resistenti al fuoco/Feuerfestmaterialien
– resistenti allo scorrimento/Warmfeste Werkstoffe
– sfusi/Schüttgüter
materie da sparo propellenti/Treibsätze
– da stampeggio/Preßmassen
– fenoplastiche da stampeggio/Phenoplast-Preßmassen
– irritanti/Reizend
– (materiali) per formare/Formstoffe
– plastiche rinforzate/Verstärkte Kunststoffe
– prime/Grundstoffe, RLO, Rohstoffe
– prime per lacca/Lackrohstoffe
– prime ricrescenti/Nachwachsende Rohstoffe
– radioattive/Radioaktive Stoffe
– riempitive/Bulking agent
– sintetiche/Kunststoffe
– sintetiche alla caseina/Casein-Kunststoffe
– sintetiche tecniche/Technische Kunststoffe
– (sostanze) macromolecolari/Makromolekulare Stoffe
– totalmente sintetiche/Vollsynthetische Kunststoffe
matite/Bleistifte
– colorate/Buntstifte
– copiative/Tintenstifte

matraccio/Kolben
– a sciabola/Säbelkolben
– di Claisen/Claisen-Kolben
– di Erlenmeyer/Schüttelkolben
– graduato/Meßkolben
– rotondo/Rundkolben
matrice/Matrix
– extracellulare/Extrazelluläre Matrix
– polimera/Polymer-Matrix
matrici/Matrizen
matrilisina/Matrilysin
matrina/Matrin
mattone ferriolo/Klinker
mattonelle/Fliesen
mattoni refrattari silicei/Silicasteine
maturazione/Reifen
– dell'RNA/Spleißen
– di Ostwald/Ostwald-Reifung
MCT/MCT
MDI polimerico/Polymeres Diphenylmethan-Diisocyanat
mebendazolo/Mebendazol
mebeverina/Mebeverin
mebidrolina/Mebhydrolin
mecarbam/Mecarbam
meccanica/Mechanik
– delle matrici/Matrizenmechanik
– ondulatoria/Wellenmechanik
– quantistica/Quantenmechanik
– statistica/Statistische Mechanik
meccanismo di Grotthus/Grotthus-Mechanismus
– di Langmuir-Hinshelwood/Langmuir-Hinshelwood-Mechanismus
– di Lindemann-Hinshelwood/Lindemann-Hinshelwood-Mechanismus
– di Rice-Herzfeld/Rice-Herzfeld-Mechanismus
meccanizzazione/Mechanisation
meccanochimica/Mechanochemie
meccanorecettori/Mechanorezeptoren
mecetronio etilsolfato/Mecetronium-etilsulfat
meclociclina/Meclocyclin
meclofenoxat/Meclofenoxat
mecloqualone/Mecloqualon
mecloxamina/Mecloxamin
meclozina/Meclozin
mecoprop/Mecoprop
medazepam/Medazepam
media aritmetica del peso molecolare/Massenmittel
– ponderata temporale/TWA
mediatori/Mediatoren
medicamenti/Pharmaka
medicina/Medizin
– del lavoro/Arbeitsmedizin
– nucleare/Nuklearmedizin
medicinale/Arzneimittel
medico di transito/Durchgangsarzt
medio nutritivo di Czapek Dox/Czapek-Dox-Nährmedium
medrilamina/Medrylamin
medrisone/Medryson
medrogestone/Medrogeston
mefenacet/Mefenacet
mefenesina/Mephenesin
mefenitoina/Mephenytoin
mefenorex/Mefenorex
meflochina/Mefloquin
mefruside/Mefrusid
mega.../Mega...
megafono/Megaphon
megascopico/Megaskopisch
megestrolo/Megestrol
meglumina/Meglumin
meiosi/Meiose

mela/Apfel
– granata/Granatapfel
melafiro/Melaphyr
melagrana/Granatapfel
melammina/Melamin
melampiro/Wachtelweizen
melangole/Pomeranzen
melanine/Melanine
melanismo industriale/Industriemelanismus
melanociti/Melanocyten
melanocortine/Melanocortine
melanoflogite/Melanophlogit
melanoid(in)e/Melanoid(in)e
melanoma/Melanom
melanotropina/Melanotropin
melanzane/Auberginen
melarsoprolo/Melarsoprol
melassa/Melasse
melata/Meltau
melatonina/Melatonin
mele/Äpfelsäure
melfalan/Melphalan
melianolo/Melianol
meliatossine/Meliatoxine
melilite/Melilith
melitracene/Melitracen
melittina/Melittin
melleina/Mellein
mellite/Mellit
mellitossina/Mellitoxin
melme acide/Säureteer
meloe/Ölkäfer
meloxicam/Meloxicam
melperone/Melperon
memantina/Memantin
membrana basale/Basalmembran
membrane/Membranen
– aptogene/Haptogene Membranen
memorizzazione ottica dell'informazione/Optische Informationsspeicherung
menadiolo/Menadiol
mendelevio/Mendelevium
menglitato/Menglytat
menisco/Meniskus
menotropina/Menotropin
p-ment-1-en-8-tiolo/p-Menth-1-en-8-thiol
menta piperita/Pfefferminze
p-mentano/p-Menthan
menteni/Menthene
p-menteni/p-Menthene
mentolo/Menthol
mentone/Menthon
mepacrina/Mepacrin
mephosfolan/Mephosfolan
mepindololo/Mepindolol
mepiramina/Mepyramin
mepivacaina/Mepivacain
meprina/Meprin
meprobamato/Meprobamat
meproscillarina/Meproscillarin
meptazinolo/Meptazinol
mequitazina/Mequitazin
mer-/mer-
merbromina/Merbromin
mercapto.../Mercapto...
3-mercapto-1,2-propandiolo/3-Mercapto-1,2-propandiol
mercaptoam(m)inoacidi/Mercaptoaminosäuren
2-mercaptobenzimidazolo/2-Mercaptobenzimidazol
2-mercaptobenzotiazolo/2-Mercaptobenzothiazol
2-mercaptoetanolo/2-Mercaptoethanol
mercaptopurina/Mercaptopurin
mercerizzazione/Mercerisation
merci pericolose/Gefährliche Güter

mercurazione/Mercurierung
mercuri.../Mercuri...
mercurico/Mercuri...
mercurimetria/Mercurimetrie
mercurio/Quecksilber
...mercurio-/...mercurio-
merino/Merino
mero/Mer
mer(o)...Mer
merocianine/Merocyanine
meropenem/Meropenem
mersalile/Mersalyl
mesalazina/Mesalazin
mescalina/Meskalin
mescola madre/Masterbatch
mescolabilità/Mischbarkeit
mescolamento/Mischen
mescolatore statico/Statische Mischer
mesh/Mesh
mesil.../Mesyl...
mesilati/Mesilate
mesitil.../Mesityl...
mesitilene/Mesitylen
mesitilossido/Mesityloxid
mesna/Mesna
meso.../Meso...
mesobilirubino/Mesobilirubin
mesofilia/Mesophilie
mesofite/Mesophyten
mesogeno/Mesogen
mesomeria/Mesomerie
mesoni/Mesonen
– mu/Myonen
mesosomi/Mesosomen
mesotorio/Mesothorium
messa a fuoco isoelettrica/Isoelektrische Fokussierung
– in circolazione/Inverkehrbringen
mesterolone/Mesterolon
mestranolo/Mestranol
mestruazione/Menstruation
mesulfene/Mesulfen
mesuximide/Mesuximid
met(a).../Met(a)...
metabenztiazurone/Methabenzthiazuron
metabolismo/Stoffwechsel
– basale/Grundumsatz
– dei grassi/Fettstoffwechsel
– di mantenimento/Erhaltungsstoffwechsel
metaboliti/Metaboliten
– secondari/Sekundärmetabolite
metabolizzazione/Metabolisierung
metaciclina/Metacyclin
metaciclofani/Metacyclophane
metaclazepam/Metaclazepam
metacrilati/Methacrylsäureester
metacromasia/Metachromasie
metadone/Methadon
met(a)emoglobina/Methämoglobin
metafosfati/Metaphosphate
metalaxyl/Metalaxyl
metaldeide/Metaldehyd
metalla.../Metalla...
metallaborani/Metallaborane
metallazione/Metallierung
metalle amorfi/Amorphe Metalle
metalli/Metalle
– a diamante/Diamantmetalle
– affini al tungsteno/Wolframmetalle
– alcalini/Alkalimetalle
– alcalini terrosi/Erdalkalimetalle
– antifrizione/Weißmetalle
– bianchi/Weißmetalle
– di Babbitt/Babbitt-Metalle
– comuni/Unedelmetalle
– da monete/Münzmetalle

– del gruppo platino/Platin-Metalle
– delle terre rare/Seltenerdmetalle
– di alta purezza/Hochreine Metalle
– di cuscinetto/Lagermetalle
– di transizione/Übergangsmetalle
– duri/Hartmetalle
– leggeri/Leichtmetalle
– nobili/Edelmetalle
– non ferrosi/Buntmetalle, Nichteisenmetalle
– pesanti/Schwermetalle
– plastici/Plastikmetalle
– porosi/Schaummetalle
– sinterizzati/Sintermetalle
– speciali/Sondermetalle
– terrosi/Erdmetalle
metallizzare/Metallisieren
metallizzazione a spruzzo/Metallspritzverfahren
– di materia sintetica/Kunststoff-Metallisierung
– ossimercurico/Oxymercurierung
– per vaporazione/MOCVD
metallo antifrizione/Friktionslagermetall
– Britannia/Britannia-Metall
– delta/Reichsmetall
– di campanelli e sonagli/Schellenmetall
– di Hamilton/Hamiltons Metall
– di Randolf/Randolf-Metall
– di Rose/Roses Metall
– di taratura/Eichmetall
– di Wood/Woodsches Metall
– ferroviario/Bahnmetall
– gong/Gongmetall
– melotte/Melotte-Metall
– misto di cerio/Cer-Mischmetall
– Mond/Mond-Metall
– olandese/Dutch-Metall
– per specchi/Speculum-Metall
– vecchio/Altmetall
metalloceni/Metallocene
metalloceramica/Pulvermetallurgie
metalloceramiche/Cermets
metallofite/Metallophyten
metallogenesi/Metallogenese
metallografia/Metallographie
metalloidi/Halbmetalle
metallopolimeri conduttori/Metallisch leitfähige Polymere
metalloproteasi/Metall-Proteasen
metalloproteinasi della matrice/Matrix-Metall-Proteinasen
metalloproteini/Metallproteine
metallosi/Metallosen
metallotermia/Metallothermie
metallotioneina/Metallothionein
metallurgia/Metallkunde, Metallurgie
– delle polveri/Sintermetallurgie
– fibrosa/Fasermetallurgie
– polverosa/Pulvermetallurgie
– sinterizzata/Pulvermetallurgie
metallurgica/Hüttenkunde
metam sodio/Metam-Natrium
metameria/Metamerie
metamfepramone/Metamfepramon
metamfetamina/Methamphetamin
metamidofos/Methamidophos
metamitrone/Metamitron
metamizolo di sodio/Metamizol-Natrium
metamorfismo/Metamorphose
metamorfosi/Metamorphose
metamorfosi ad alta pressione/Hochdruckmetamorphose

- di contatto/Kontaktmetamorphose
metandienone/Metandienon
metandriolo/Methandriol
metanizzazione/Methanisierung
metano/Methan
metano.../Methano...
metanofurano/Methanofuran
metanogenesi/Methanogenese
metanogeno/Methanogen
metanolo/Methanol
metanosolfinil.../Methansulfinyl...
metanosolfonil.../Methansulfonyl...
metantelinio bromuro/Methantheliniumbromid
metantiolo/Methanthiol
metaqualone/Methaqualon
metaraminolo/Metaraminol
metasomatosi/Metasomatose
metatesi/Metathese
metazachloro/Metazachlor
metazolo/Methazol
metconazolo/Metconazol
metenolone/Metenolon
meteore/Meteore
meteoriti/Meteoriten
metergolina/Metergolin
metformina/Metformin
methacrifos/Methacrifos
methfuroxam/Methfuroxam
metidatione/Methidathion
metil.../Methyl...
N-metil-D-aspartato/N-Methyl-D-aspartat
3-metil-2-butanone/3-Methyl-2-butanon
2-metil-3-butin-2-olo/2-Methyl-3-butin-2-ol
N-metil-ε-caprolattame/N-Methyl-ε-caprolactam
N-metil-D-glucamina/N-Methyl-D-glucamin
4-metil-1,3-diossolan-2-one/4-Methyl-1,3-dioxolan-2-on
5-metil-2-fenil-1,2-diidro-3H-pirazol-3-one/5-Methyl-2-phenyl-1,2-dihydro-3H-pyrazol-3-on
N-metil-2,2′-iminodietanolo/N-Methyl-2,2′-iminodiethanol
metil(2-naftil)chetone/Methyl(2-naphthyl)keton
2-metil-1,4-naftochinoni/2-Methyl-1,4-naphthochinone
4-metil-2-nitroanilina/4-Methyl-2-nitroanilin
N-metil-N-nitroso-p-toluensolfonammide/N-Methyl-N-nitroso-p-toluolsulfonamid
(±)-2-metil-2,4-pentandiolo/(±)-2-Methyl-2,4-pentandiol
1-metil-4-piperidinone/1-Methyl-4-piperidinon
N-metil-2-pirrolidone/N-Methyl-2-pyrrolidon
2-metil-4-propil-1,3-ossatiano/2-Methyl-4-propyl-1,3-oxathian
N-metilacetammide/N-Methylacetamid
N-metilacetanilide/N-Methylacetanilid
p-metilacetofenone/p-Methylacetophenon
metilale/Methylal
metilalluminoxani/Methylalumoxan
metilammina/Methylamin
metilammino.../Methylamino...
N-metilanilina/N-Methylanilin
2-metilantrachinone/2-Methylanthrachinon
metilati/Methylate

metilazione/Methylierung
metilbenzetonio cloruro/Methylbenzethoniumchlorid
metilbenzil.../Methylbenzyl...
N-metilbis(trifluoroacetammide)/N-Methylbis(trifluoracetamid)
2-metilbutano/2-Methylbutan
metilbutanoli/Methylbutanole
metilbutene/Methylbutene
metilbutenoli/Methylbutenole
3-metilbutirraldeide/3-Methylbutyraldehyd
3-metilbutirrati/3-Methylbuttersäureester
metilcellulosa/Methylcellulose
metilchinoline/Methylchinoline
metilcicloesano/Methylcyclohexan
metilcicloesanoli/Methylcyclohexanole
metilcicloesanoni/Methylcyclohexanone
N-metilcicloesilammina/N-Methylcyclohexylamin
metilciclopentano/Methylcyclopentan
5-metilcitosina/5-Methylcytosin
metilclorosilani/Methylchlorsilane
metilcobalamina/Methylcobalamin
6-metilcumarina/6-Methylcumarin
metildigossina/Metildigoxin
metildopa/Methyldopa
metile/Methyl...
metilen.../Methylen...
4-metilen-Δ²-ossazolin-5-oni/4-Methylen-Δ²-oxazolin-5-one
metilenazione/Methylenierung
4,4′-metilenbis(N,N-dimetilanilina)/4,4′-Methylenbis(N,N′-dimethylanilin)
N,N′-metilenbis(acrilammide)/N,N′-Methylenbis(acrylamid)
metilenbisortocloroanilina/MOC
4,4′-metilendi(isocianatobenzene)/4,4′-Methylendi(phenylisocyanat)
metilendiossi.../Methylendioxy...
metilene/Methylen...
metilenomicine/Methylenomycine
metilergometrina/Methylergometrin
N-metiletanolammina/N-Methylethanolamin
metilfenidato/Methylphenidat
ar-metilfenilendiammine/ar-Methylphenylendiamine
metilfenobarbitale/Methylphenobarbital
N-metilformammide/N-Methylformamid
metilgliossale/Methylglyoxal
α-metilglucoside/α-Methylglucosid
4-metilimidazolo/4-Methylimidazol
2-metilindolo/2-Methylindol
3-metilindolo/Skatol
metiliononi/Methyljonone
metilisotiazolone/Methylisothiazolone
4-metilmorfolina/4-Methylmorpholin
metilnaftaline/Methylnaphthaline
metilotrofia/Methylotrophie
metilpentani/Methylpentane
metilpentanoli/Methylpentanole
metilpentanoni/Methylpentanone
metilpentinolo/Methylpentynol

2-metilpiperidina/2-Methylpiperidin
4-metilpirocatechina/4-Methylbrenzcatechin
metilprednisolone/Methylprednisolon
α-metilstirene/α-Methylstyrol
N-metiltaurina/N-Methyltaurin
metiltestosterone/Methyltestosteron
metiltio.../Methylthio...
metiltiouracile/Methylthiouracil
metiltransferasi/Methyltransferasen
2-metilundecanale/2-Methylundecanal
metimazolo/Thiamazol
metino/Methin
metiocarb/Methiocarb
metionale/Methional
metionina/Methionin
metipranolo/Metipranolol
metiprilone/Methyprylon
metiram/Metiram
metirapone/Metyrapon
metisazone/Metisazon
metisergide/Methysergid
metixene/Metixen
metobenzurone/Metobenzuron
metobromurone/Metobromuron
metocarbamolo/Methocarbamol
metoclopramide/Metoclopramid
metodi chirottici/Chiroptische Methoden
– delle polveri/Pulvermethoden
– di Debye e Scherrer/Pulvermethoden
– secondo il §35 LMBG/Methoden nach §35 LMBG
– semiempirici/Semiempirische Verfahren
– Wickbold/Wickbold-Methoden
metodo ad immersione reticolare/Tauchnetzmethode
– del carbonio-14/Radiokohlenstoff-Datierung
– del legame di valenza/Valence-Bond-Methode
– del rubidio-stronzio 87/Rubidium-Strontium-Datierung
– del salto di temperatura/Temperatursprung-Methode
– del tritio/Tritium-Methode
– della precessione/Präzessionsmethode
– della replica/Replikatechnik
– di Bijvoet/Bijvoet-Methode
– di Carius/Carius-Methode
– di Hartree-Fock/Hartree-Fock-Verfahren
– di Kjedahl/Kjeldahl-Methode
– di Kuhn-Roth/Kuhn-Roth-Methode
– di Longwell-Manience/Longwell-Manience-Methode
– di Lowry/Lowry-Methode
– di Petermann/Petermann-Methode
– di potassio-argon/Kalium-Argon-Methode
– di Pringsheim/Pringsheim-Methode
– di Rietveld/Rietveld-Methode
– di risonanza di Rabi/Rabi-Resonanz-Methode
– di Ritz/Ritzsches Verfahren
– di Schöninger/Schöninger-Bestimmung
– di Story/Story-Methode
– di van Slyke/Van-Slyke-Methode
– di Van Slyke/Van-Slyke-Methode

– di Widmark/Widmark-Methode
– di Wilhelmy/Wilhelmy-Methode
– di Wood-Bonhoeffer/Wood-Bonhoeffer-Methode
– di Zeisel/Zeisel-Methode
– elio/Helium-Methode
– LCAO(-MO)/LCAO-(MO)-Methode
– MCSCF/MCSCF-Verfahren
– MNDO/MNDO-(Verfahren)
– Monte-Carlo/Monte-Carlo-Methode
– PPP/PPP-Methode
– SCF/SCF-Verfahren
metoesitale di sodio/Methohexital-Natrium
metolacloro/Metolachlor
metolazone/Metolazon
metomile/Methomyl
metoprene/Methopren
metoprololo/Metoprolol
metossalene/Methoxsalen
metossi.../Methoxy...
p-metossiacetofenone/p-Methoxyacetophenon
metossiacrilati/β-Methoxyacrylate
N-(4-metossibenziliden)-4-butilanilina/N-(4-Methoxybenzyliden)-4-butylanilin
metossicarbonil.../Methoxycarbonyl...
metossicloro/Methoxychlor
metossidi/Methoxide
metossido di magnesio/Magnesiummethoxid
– di potassio/Kaliummethoxid
– (metilato) di sodio/Natriummethoxid
4-metossifenolo/4-Methoxyphenol
metossiflurano/Methoxyfluran
metossile/Methoxyl
3-metossipropilammina/3-Methoxypropylamin
metossurone/Metoxuron
metosulame/Metosulam
metotressato/Methotrexat
metotrexato/Methotrexat
metribuzina/Metribuzin
metrizamide/Metrizamid
metro/Meter
metronidazolo/Metronidazol
metsulfuron-metile/Metsulfuron-methyl
mettere in salamoia/Pökeln
mevalolattone/Mevalolacton
mevinfos/Mevinphos
mexiletina/Mexiletin
mezereina/Mezerein
mezereo/Seidelbast
mezlocillina/Mezlocillin
mezza cellulosa/Halbzellstoff
– lana/Halbwolle
– tela/Halbleinen
mezzi di Bingham/Binghamsche Medien
mezzo/Medium
– coltuale esente da siero/Serumfreies Kulturmedium
– di agar dolce/Weichagarmedien
– di conservazione/Konservierungsmittel
– di lotta contro la mucillaggine/Schleimbekämpfungsmittel
– preventivo per legno/Holzschutzmittel
– preventivo (protettivo) edile/Bautenschutzmittel
– sigaro/Stumpen
MHD/Magnetohydrodynamik

mianserina/Mianserin
miargirite/Miargyrit
miaroli/Miarolen
mibefradil/Mibefradil
mica/Glimmer
– chiara/Muscovit
– d'uranio/Uranglimmer
– nera/Phlogopit
micalamidi/Mycalamide
micelio/Mycel
micelle/Micellen
– a pieghe/Faltenmicellen
– di Fransen/Fransenmicelle
– inversi/Inverse Micellen
...mic(et)ina/...mycin
miclobutanile/Myclobutanil
mico.../Myko...
micobacidina/Mycobacidin
micobatteri/Mykobakterien
micofenolato mofetile/Mycophenolatmofetil
micomicina/Mycomycin
miconazolo/Miconazol
micoplasmi/Mykoplasmen
micosi/Mykosen
micotossine/Mykotoxine
micro.../Mikro...
microanalisi/Mikroanalyse
– a raggio elettronico/Elektronenstrahl-Mikroanalyse
– tramite raggi ionici/Ionenstrahl-Mikroanalyse
microbicidi/Mikrobizide
microbiologia/Mikrobiologie
– industriale/Industrielle Mikrobiologie
microbodies/Microbodies
microcarrier/Mikrocarrier
microcera/Mikrowachs
microchimica/Mikrochemie
microcistine/Microcystine
microclino/Mikroklin
microemulsioni/Mikroemulsionen
microestrazione tramite la fase solida/Festphasenmikroextraktion
microfenditura/Mikrobruch
microfessura/Mikrobruch
microfibre/Mikrofasern
microfibrille/Mikrofibrillen
microfilamenti/Mikrofilamente
microfiltrazione/Mikrofiltration
microgel/Mikrogele
microglobuline/Mikroglobuline
microincapsulamento/Mikroverkapselung
microincapsulazione/Mikroverkapselung
microiniezione/Mikroinjektion
microni/Mikronen
micronizzazione/Mikronisieren
microonde/Mikrowellen
microorganismi/Mikroorganismen
microperle/Mikroperlen
microportatore/Mikrocarrier
microprocessore/Mikroprozessor
microprova laser/Laser-Mikrosonde
microrganismi simili a micoplasmi/MLO
microscopi/Mikroskope
microscopia/Mikroskopie
– a raggi X/Röntgenmikroskopie
– di polarizzazione/Polarisationsmikroskopie
– ottica a campo vicino/Nahfeldmikroskopie
microscopio a tunnel/Tunnelmikroskop
– acustico/Ultraschallmikroskop
– elettronico/Elektronenmikroskop

– ionico/Ionenmikroskop
– laser/Laser-Mikroskop
– ultrasonico/Ultraschallmikroskop
microsomi/Mikrosomen
microtubu(o)li/Mikrotubuli
microvilli/Mikrovilli
midazolam/Midazolam
midchina/Midkin
midodrina/Midodrin
midollo/Knochenmark, Medulla
midriatici/Mydriatika
miele/Honig
– artificiale/Kunsthonig
– turco/Türkischer Honig
mielina/Myelin
mifarmonab/Mifarmonab Fab-DTPA
mifepristone/Mifepriston
miglio/Hirse
miglioramento/Schönen
miglioratori del suolo/Bodenverbesserungsmittel
miglitolo/Miglitol
migmatiti/Migmatite
migrazione/Migration
milarite/Milarit
milbemectina/Milbemectin
milbemicine/Milbemycine
mildiomicina/Mildiomycin
mille milioni/Milliarde
millerite/Millerit
milli.../Milli...
millilitro/Milliliter
milnacipran/Milnacipran
milrinone/Milrinon
miltefosina/Miltefosin
milza/Milz
mimesi/Mimese
mimetesite/Mimetesit
mimetici peptidici/Peptidomimetika
mimetismo/Mimikry
mimose/Mimosen
mimosina/Mimosin
minerale/Erz
minerali/Mineralien
– con strati alterni/Wechsellagerungs-Minerale
– delle argille/Tonmineralien
– pesanti/Schwermineralien
mineralizzazione/Mineralisation
mineralogia/Mineralogie
minette/Minette
minicromosomi/Minichromosomen
minim/Minim
minimizzazione del rischio/Risikominderung
minio di ferro/Eisenmennige
minocellule/Minizellen
minociclina/Minocyclin
minoxidil/Minoxidil
mintlactone/Mintlacton
mio.../Myo...
mio-/myo-
miogenina/Myogenin
mioglobina/Myoglobin
miosina/Myosin
miotici/Miotika
mirabolani/Myrobalanen
mircene/Myrcen
mirestrolo/Mirestrol
miristati/Myristinsäureester
miristicina/Myristicin
miristil.../Myristyl...
miristoil.../Myristoyl...
miristoil-proteine/Myristoyl-Proteine
mirmicacina/Myrmicacin
mirobolani/Myrobalanen
mirosinasi/Myrosinase

mirra/Myrrhe
mirtazapina/Mirtazapin
mirtecaina/Myrtecain
mirtilli/Heidelbeeren
– rossi/Preiselbeeren
miscela di colata per cavi/Kabelvergußmassen
– di Eschka/Eschka-Mischung
– di Kiliani/Kiliani'sche Mischung
– magnesiaca/Magnesiamixtur
– nitrante/Nitriersäure
– solfonitrica/Nitriersäure
miscelazione/Mischen, Vermischung
– di frequenza/Frequenzmischung
miscele/Gemenge
– refrigeranti/Kältemischungen
miscibilità/Mischbarkeit
miscugli/Gemische
– di polimeri/Polymer-Blends
– termici/Wärmemischungen
miscuglio di Berger/Berger-Mischung
miserotossina/Miserotoxin
misoprostolo/Misoprostol
missione Apollo/Apollo-Programm
...misto/Gemischte...
misture/Mixturen
misura Hehner/Hehner-Zahl
misuratore (contatore) del flusso/Durchflußmesser
– di corrente tramite bolle di sapone/Seifenblasen-Strömungsmesser
misurazione/Messen
misuri di sicurezza biologica/Biologische Sicherheitsmaßnahmen
mitocondri/Mitochondrien
mitogeno della Phytolacca/Phytolacca-Mitogen
mitomicine/Mitomycine
mitopodozide/Mitopodozid
mitorubrina/Mitorubrin
mitosi/Mitose
mitoxantrone/Mitoxantron
mitridatismo/Mithridatismus
mivacuriocloruro/Mivacuriumchlorid
mixobatteri/Myxobakterien
mixotiazolo/Myxothiazol
mixotrofia/Mixotrophie
mizolastina/Mizolastin
mobilizzazione del carbonio/Kohlenstoff-Mobilisierung
moclobemida/Moclobemid
MOCVD/MOCVD
modafinil/Modafinil
modefene/Modhephen
modellazione molecolare/Molecular Modelling
modelli atomici/Atommodelle
– atomici di Stuard-Briegleb/Stuart-Briegleb-Modelle
– del tempo di permanenza/Verweilzeitmodelle
– della calotta/Kalottenmodelle
– nucleari/Kernmodelle
modello di Gillespie/Gillespie-Modell
– di Maxwell/Maxwell-Modell
– di Voigt-Kelvin/Voigt-Kelvin-Modell
– HOMO-LUMO/HOMO-LUMO-Modell
– per l' uso/Gebrauchsmuster
– vettoriale della struttura atomica/Vektormodell
moderatore/Moderator
modificazione/Modifikation
– col stirene/Styrolisierung

– delle piante tramite l'ingegneria genetica/Gentechnische Veränderung an Pflanzen
– post-traduzionale/Post-translationale Modifizierung
modulatori optoelettronici/Optoelektrische Modulatoren
modulo/Modul
– d'accompagnamento/Begleitschein
– di scorrimento/Schermodul
– Thiele/Thiele-Modul
– umido/Naßmodul
moexipril/Moexipril
mofebutazone/Mofebutazon
moffetta/Stinktier
moganite/Moganit
mohair/Mohair
moissanite/Moissanit
molalità/Molalität
molarità/Molarität
molature/Schliffe
mole/Mol
molecola per l'adesione tra le cellule/Zell-Adhäsionsmoleküle
molecolarità/Molekularität
molecole/Moleküle
– a elica/Propeller-Moleküle
– di Möbius/Möbius-Moleküle
– esotiche/Exotische Moleküle
– interstellari/Interstellare Moleküle
– non rigide/Nichtstarre Moleküle
– platoniche/Platonische Moleküle
– quasi-lineari/Quasilineare Moleküle
– quasi-planari/Quasiplanare Moleküle
molecoli ipervalenti/Hypervalente Moleküle
molgramostim/Molgramostim
molibdati/Molybdate
– ammonici/Ammoniummolybdate
molibdato di sodio/Natriummolybdat
molibdenite/Molybdändisulfid
molibdeno/Molybdän
molibdoenzimi/Molybdän-Enzyme
molinato/Molinat
molla/Federn
molluschi/Mollusken
molluschicidi/Molluskizide
molossidi/Moloxide
molsidomina/Molsidomin
molteplicità/Zähligkeit
momento di transizione/Übergangsmatrixelement
– dipolare/Dipolmoment
– magnetico/Magnetisches Moment
– torcente orbitale/Bahndrehimpuls
mometasone (furoate)/Mometason
monalazone disodio/Monalazon-Dinatrium
Monascus purpurens/Monascus purpureus
monellina/Monellin
monensina/Monensin
monete spicciole/Scheidemünzen
moniliformina/Moniliformin
monitoraggio ambientale/Umweltmonitoring
mono.../Mono...
monoamminoossidasi/Monoamin-Oxidase
monoatomico/Einatomig
monobenzone/Monobenzon
monochine/Monokine

monociti/Monocyten
monocotiledoni/Monokotyle(done)n
monocristalli/Einkristalle
– aciculari/Whiskers
monocromatore/Monochromator
monocrotalina/Monocrotalin
monocrotofos/Monocrotophos
monofilamento/Monofil, Monofilament
monofilo/Monofil, Monofilament
monogliceridi/Monoglyceride
monografia/Monographie
monolinurone/Monolinuron
monomeri/Monomere
– macromolecolari/Makromonomere
– vinilici/Vinylmonomere
monomorine/Monomorine
monoossigenasi/Monooxygenasen
monopoli/Monopole
monosaccaridi/Monosaccharide
monossido di silicio/Siliciummonoxid
monossigenasi/Monooxygenasen
monostrati/Monomolekulare Schichten
montelukast/Montelukast
monticellite/Monticellit
montmorilloniti/Montmorillonite, Smektite
monzonite/Monzonit
morazone/Morazon
morbo celiaco/Zöliakie
– di Parkinson/Parkinsonsche Krankheit
– (malattia) di Paget/Pagetsche Krankheit
morchele/Morcheln
mordenite/Mordenit
more/Brombeeren
morfattine/Morphaktine
morfina/Morphin
morfinani/Morphinane
...morf(o).../...morph(o)...
morfogeni/Morphogene
morfolin-x-il.../Morpholin-x-yl...
morfolina/Morpholin
morfolino.../Morpholino...
morfologia/Morphologie
– cristallina/Kristallmorphologie
morfotropia/Morphotropie
moria della foresta/Waldsterben
– di foche/Robbensterben
– di pesce/Fischsterben
morina/Morin
moroxidina/Moroxydin
morruato sodico/Natriummorrhuat
morsetti a forcella/Gabelklemmen
mortai/Reibschalen
mortalità/Absterberate
MOS-FET/MOS-FET
mosca.../Musc(a)...
mosche/Fliegen
mosconi/Aasfliegen
mostarda/Senf
mosto/Maische, Most, Würze
– dolce/Süßmost
– d'uva/Traubenmost
– torbido in fermentazione/Sauser
motilina/Motilin
moto molecolare di Brown/Brown'sche Molekularbewegung
motore a ultrasuoni/Ultraschallmotor
motori molecolari/Molekulare Motoren
movimenti macro-Browniani/Makro-Brownsche Bewegungen

– micro-Browniani/Mikro-Brownsche Bewegungen
moxaverina/Moxaverin
moxifloxacina/Moxifloxacin
moxisilite/Moxisylyt
moxonidina/Moxonidin
mRNA policistronico/Polycistronische mRNA
muchi/Schleime
mucillaggicidi/Schleimbekämpfungsmittel
mucillagine/Schleime
mucillagini/Schleimstoffe
mucine/Mucine
muco-/muco-
mucoviscidosi/Zystische Fibrose
muffa/Schimmelpilze
mughetto/Maiglöckchen, Soor
mulberrofurani/Mulberofurane
mulini/Mühlen
– a sfere/Rührwerksmühlen
mullite/Mullit
multidentale/Mehrzähnig
multienzimi/Multienzyme
multimerizzazione/Multimerisation
multipletto/Multiplett
multiplicità/Multiplizität
multistriatine/Multistriatine
munizione/Munition
muoni/Myonen
muonio/Myonium
mureina/Murein
muresside/Murexid
muri di Rabitz/Rabitz-Wände
muromonab-CD$_3$/Muromonab-CD$_3$
muscaflavina/Muscaflavin
muscalura/Muscalur
muscarina/Muscarin
muscazone/Muscazon
muschi/Moose
muschio/Moschus
– di xilolo/Xylolmoschus
muscimolo/Muscimol
musco di quercia/Eichenmoos
– d'Islanda/Isländisches Moos
muscolo/Muskel
muscone/Muscon
muscovite/Muscovit
mussolina/Nessel
mustelidi/Musteliden
mutagenesi/Mutagenese
– in vitro/In vitro-Mutagenese
– inserzionale/Transposon-Mutagenese
– sito-diretta/Oligonucleotid-gerichtete Mutagenese
– sito-specifica/Oligonucleotidgerichtete Mutagenese
mutageni/Mutagene
mutagenità/Mutagenität
mutageno/Erbgutverändernd
mutanti difettosi/Defektmutanten
– temperatura-sensibili/Temperatursensitive Mutanten
– termosensibili/Temperatursensitive Mutanten
mutarotazione/Mutarotation
mutasteina/Mutastein
mutazione/Mutation
– in giù del promotore/down-Mutation
– puntiforme/Punktmutation
– silente/Silent mutation
– spontanea/Spontanmutation
MX/MX
myc/Myc
myoD/MyoD

N

nabilone/Nabilon
nabumetone/Nabumeton

nadifloxacina/Nadifloxacin
nadololo/Nadolol
nadroparina/Nadroparin
naematolina/Naematolin
nafarelina/Nafarelin
nafazolina/Naphazolin
nafcillina/Nafcillin
nafta/Naphtha
– solvente/Solvent Naphtha
naftacene/Naphthacen
1,8-naftalendiilbis(dimetilborano)/1,8-Naphthalindiylbis(dimethylboran)
naftalina/Naphthalin
naftazarina/Naphthazarin
naftenati di rame/Kupfernaphthenate
nafteni/Naphthene
naftidrofurile/Naftidrofuryl
naftifina/Naftifin
naftil.../Naphthyl...
2-(1-naftil)-5-fenilossazolo/α-NPO
naftilamine/Naphthylamine
naftiridine/Naphthyridine
naft(o).../Naphth(o)...
1,2-naftochinon-4-solfonati di sodio/1,2-Naphthochinon-4-sulfonsäure-Natriumsalz
naftochinoni/Naphthochinone
α-naftoflavone/α-Naphthoflavon
α-naftolftaleina/α-Naphtholphthalein
naftoli/Naphthole
...naftone/...naphthon
nagyagite/Nagyagit
nailon/Nylon
nalbufina/Nalbuphin
nalorfina/Nalorphin
naloxone/Naloxon
naltrexone/Naltrexon
nandrolone/Nandrolon
nano.../Nano...
nanotubi/Nanoröhren
napadisilato/Napadisilat
napalm/Napalm
napropamide/Napropamid
naproxene/Naproxen
napsilato/Napsilat
narasina/Narasin
naratriptan/Naratriptan
narbonina/Narbonin
narbosina/Narbosine
narcotici/Narkotika
– inalatori/Inhalationsnarkotika
– per iniezione/Injektionsnarkotika
narcotico/Betäubungsmittel
(−)-α-narcotina/(−)-α-Narcotin
naringina/Naringin
nastie/Nastien
nastri adesivi/Klebebänder
– magnetici/Magnetbänder
nastro filato/Spinnband
natamicina/Natamycin
nativo/Nativ
natrolite/Natrolith
natron/Natron
natura/Natur
navetta/Schiffchen
navigazione/Navigation
nebacumab/Nebacumab
nebbia/Nebel
nebivololo/Nebivolol
nebularina/Nebularin
nebulina/Nebulin
nebulizzare/Zerstäuben
nebulizzatore idraulico ad alta pressione/Hochdruckzerstäubungssystem
neburone/Neburon
necatorone/Necatoron
necina(s)/Necin(e)

necrodoli/Necrodole
necrofaghi/Nekrophagen
necrofagia/Nekrotrophie
necroormoni/Wundhormone
nedocromil/Nedocromil
nefazodone/Nefazodon
nefelina/Nephelin
nefelometria/Nephelometrie
nefopam/Nefopam
nefrite/Nephrit
nelfinavir/Nelfinavir
nello stato nascente/In statu nascendi
nelsonite/Nelsonit
nematicidi/Nematizide
nematodi/Nematoden
nematofaghi/Nematophag
neo.../Neo...
neoarsfenamina/Neoarsphenamin
neocarzinostatina A/Neocarzinostatin A
neocupferron/Neokupferron
neocupferrone/Neokupferron
neodimio/Neodym
neoesperidina DC/Neohesperidin-Dihydrochalkon
neomicina/Neomycin
neon/Neon
neopentil.../Neopentyl...
neopterina/Neopterin
neostigmina/Neostigmin
nepetalattone/Nepetalacton
neplanocine/Neplanocine
nereistossina/Nereistoxin
nero ardesia/Schieferschwarz
– d'anilina/Anilinschwarz
– di gas/Spaltruß
– di lignite/Grudeschwarz
– di manganese/Manganschwarz
– di naftolo 6B/Naphtholschwarz 6B
– platinocromo 6 BN/Calcon
– puro/Echtschwarz 100
– reattivo/C. I. Reactive Black 5
– vegetale/Rebenschwarz
nerofumo/Kanalruß
– di fornace di super abrasione/ISAF-Ruße
– termico/Spaltruß
nerola/Pomeranzenöl
neroli/Pomeranzenöl
nerolidolo/Nerolidol
nervi/Nerven
nervini/Nervina
nervone/Nervon
nespoli del Giappone/Japanische Mispeln
netilmicina/Netilmicin
netrine/Netrine
nettare/Nektar, Tracht
nettunio/Neptunium
nettunite/Neptunit
neuraminidasi/Neuraminidasen
neuramminidasi/Neuraminidasen
neureguline/Neureguline
neuressine/Neurexine
neuro-ormoni/Neurohormone
neurochimica/Neurochemie
neurochine/Neurokine
neurochinine/Neurokinine
neurofilamenti/Neurofilamente
neurofisine/Neurophysine
neurolettici/Neuroleptika
neuroleucina/Neuroleukin
neuromedine/Neuromedine
neuromodulina/Neuromodulin
neurone/Neuron
neuropeptide Y/Neuropeptid Y
neuropeptidi/Neuropeptide
neurormoni/Neurohormone
neurotensina/Neurotensin
neurotossine/Neurotoxine

Italiano

neurotrasmettitore/Neurotransmitter
neutralizzazione/Neutralisation
– sprizzante/Sprühneutralisation
neutrini/Neutrinos
neutroni/Neutronen
neve/Schnee
nevirapina/Nevirapin
nexina/Nexin
NF-κB/NF-κB
nicametato/Nicametat
nicardipina/Nicardipin
nicchia ecologica/Ökologische Nische
niccolite/Nickelin
niccomicine/Nikkomycin
nicergolina/Nicergolin
nicetamide/Nicethamid
nichel/Nickel
– Raney/Raney-Nickel
nichelare/Vernickeln
nichelati/Nickelate
nichelatura/Vernickeln
nichelina/Nickelin
nichelio/Nickel
– Mond/Mond-Nickel
nicheltetracarbonile/Nickeltetracarbonyl
niclosamide/Niclosamid
nicoboxile/Nicoboxil
nicofuranose/Nicofuranose
nicorandil/Nicorandil
nicosulfurone/Nicosulfuron
nicotianamina/Nicotianamin
nicotina/Nicotin
nicotinammide-adenina-dinucleotide/Nicotinamid-Adenin-Dinucleotid
nicotinati/Nicotinsäureester
nicotirina/Nicotyrin
nictinasteni/Nyktinastene
nido-/nido-
nielsbohrio/Nielsbohrium
nifedipina/Nifedipin
nifenalolo/Nifenalol
nifenazone/Nifenazon
nifuratel/Nifuratel
nifuroxazide/Nifuroxazid
nifurtimox/Nifurtimox
nifurtoinolo/Nifurtoinol
nigericina/Nigericin
nigranilina/Nigranilin
nigrifattina/Nigrifactin
nigrosine/Nigrosine
nilvadipina/Nilvadipin
nimesulide/Nimesulid
nimodipina/Nimodipin
nimorazolo/Nimorazol
nimustina/Nimustin
ninidrina/Ninhydrin
niobati(V)/Niobate(V)
niobio/Niob
niossime/Nioxim
nipolite/Nipolit
niridazolo/Niridazol
nisina/Nisin
nisoldipina/Nisoldipin
nistatina/Nystatin
nitenpyram/Nitenpyram
nitinolo/Nitinol
nitrati/Nitrate
– di amido/Stärkenitrate
– di bismuto/Bismutnitrate
– di ferro/Eisennitrate
– di mercurio/Quecksilbernitrate
– di perossiacile/Peroxyacylnitrate
– di tallio/Thalliumnitrate
nitrato…/Nitrato…
nitrato cromico(III)/Chrom(III)-nitrat
– d' alluminio/Aluminiumnitrat
– d' ammonio e calcio/Kalkammonsalpeter

– d' ammonio potassico/Kaliammonsalpeter
– d' ammonio/Ammoniumnitrat
– di argento/Silbernitrat
– di bario/Bariumnitrat
– di cadmio/Cadmiumnitrat
– di calcio/Calciumnitrat, Kalksalpeter
– di cellulosa/Cellulosenitrat
– di cobalto(II)/Cobalt(II)-nitrat
– di litio/Lithiumnitrat
– di magnesio/Magnesiumnitrat
– di manganese(II)/Mangan(II)-nitrat
– di nichel(II)/Nickel(II)-nitrat
– di palladio(II)/Palladium(II)-nitrat
– di perossiacetile/Peroxyacetylnitrat
– di piombo/Bleinitrat
– di potassio/Kalisalpeter, Kaliumnitrat
– di rame(II)/Kupfer(II)-nitrat
– di sodio/Natriumnitrat
– di stronzio/Strontiumnitrat
– di urea/Harnstoffnitrat
– di zinco/Zinknitrat
– -reduttasi/Nitrat-Reduktasen
– sodico/Natriumnitrat
nitrazepam/Nitrazepam
nitrazione/Nitrierung
nitrefazolo/Nitrefazol
nitreni/Nitrene
nitrido…/Nitrido…
nitrificazione/Nitrifikation
nitril…/Nitryl…
…nitrile/…nitril
nitrili/Nitrile
nitrilio…/…nitrilio…
nitrilo…/Nitrilo…
nitriloimmine/Nitrilimine
nitrilossi…/Nitryloxy…
nitrilossidi/Nitriloxide
1,1′,1″-nitrilotri-2-propanolo/1,1′,1″-Nitrilotri-2-propanol
2,2′,2″-nitrilotrietanolo/2,2′,2″-Nitrilotriethanol
nitriti/Nitrite
nitrito…/Nitrito…
nitrito d'ammonio/Ammoniumnitrit
– di isobutile/Isobutylnitrit
– di 3-metilbutile/3-Methylbutylnitrit
– di potassio/Kaliumnitrit
– di sodio/Natriumnitrit
– -reduttasi/Nitrit-Reduktasen
nitr(o)…/Nitr(o)…
2-nitro-1,4-fenilendiammina/2-Nitro-1,4-phenylendiamin
5-nitro-2-propossianilina/5-Nitro-2-propoxyanilin
nitroalcani/Nitroalkane
nitroamidi/Stärkenitrate
nitroammine/Nitramine
nitroaniline/ar-Nitroaniline
2-nitroanisolo/2-Nitroanisol
nitroareni/Nitroaromaten
nitrobenzaldeidi/Nitrobenzaldehyde
3-nitrobenzantrone/3-Nitrobenzanthron
nitrobenzene/Nitrobenzol
4-(4-nitrobenzil)piridina/4-(4-Nitrobenzyl)pyridin
5-nitrobenzimidazolo/5-Nitrobenzimidazol
nitrocomposti/Nitro-Verbindungen
nitroetano/Nitroethan

(4-nitrofenil)idrazina/(4-Nitrophenyl)hydrazin
nitrofenoli/Nitrophenole
nitrofiti/Nitrophyten
nitrofural/Nitrofural
nitrofurani/Nitrofurane
nitrofurantoina/Nitrofurantoin
nitrogenasi/Nitrogenase
nitrogeno/Stickstoff
– ridotto/NH$_x$
nitroglicerina/Nitroglycerin
nitroglicole/Nitroglykol
nitroguanidina/Nitroguanidin
nitroidrocarburi aromatici policlorurati/Nitro-PAH
nitroimidazoli/Nitroimidazole
nitrometano/Nitromethan
nitron/Nitron
nitronaftaline/Nitronaphthaline
nitrone/Nitron
nitroni/Nitrone
nitropropani/Nitropropane
nitroprussiato di sodio/Nitroprussidnatrium
nitrosammidi/Nitrosamide
nitrosammine/Nitrosamine
nitrosazione/Nitrosierung
nitrosil…/Nitrosyl…
nitroso…/Nitroso…
nitrosobenzene/Nitrosobenzol
nitrosocaucciù/Nitrosokautschuk
nitrosocomposti/Nitroso-Verbindungen
N-nitrosodimetilammina/N-Nitrosodimethylamin
N-nitrosofenilidrossilammina d' ammonio/Kupferron
4-nitrosofenolo/4-Nitrosophenol
nitrosolfato d'ammonio/Ammonsulfatsalpeter
nitrosonaftoli/Nitrosonaphthole
nitrosopolimeri/Nitrosopolymere
nitrotal-isopropile/Nitrothal-isopropyl
nitrotiazoli/Nitrothiazole
nitrotolueni/ar-Nitrotoluole
nitroxileni/Nitroxylene
nitroxolina/Nitroxolin
nitrurazione/Nitrieren, Nitrierhärtung
– a bagliore/Glimm-Nitrierung
– a gas/Gas-Nitrierung
nitruri/Nitride
nitruro d'alluminio/Aluminiumnitrid
– di boro/Bornitrid
– di ferro/Eisennitrid
– di magnesio/Magnesiumnitrid
– di silicio/Siliciumnitrid
– di titanio/Titannitrid
nivalenolo/Nivalenol
nizatidina/Nizatidin
N,N,N′,N′-tetrametiletilendiammina/N,N,N′,N′-Tetramethylethylendiamin
nobelio/Nobelium
nocardicine/Nocardicine
nocciole/Haselnüsse
noccioline americane/Erdnüsse
nocciolo/Kern
noce di cola/Cola
noci/Nüsse, Walnüsse
– betel/Betelnüsse
– del Parà/Paranüsse
– di acagiù/Cashew-Nüsse
– di pecan/Pekan-Nüsse
– moscata/Muskatnüsse
nocicettiva/Nocizeptive
nocicettori/Nozizeptoren
nocicezione/Nozizeption
nocivo alla salute/Gesundheitsschädlich
nocodazolo/Nocodazol

nodi/Knoten
nodo/Kinke
– di cistina/Cystin-Knoten
noduli di manganese/Manganknollen
noisette/Noisette
nojirimicina/Nojirimycin
nome additivo/Additionsname
– congiuntivo/Konjunktionsname
– del radicale/Radikofunktioneller Name
– dell'anellazione (della fusione)/Anellierungsname
– di scambio/Austauschname
– multiplicativo/Multiplikativname
– radicale/Stammname
– semisistematico/Halbsystematischer Name
– sistematico/Systematischer Name
– sostitutivo/Substitutionsname
– sottrattivo/Subtraktionsname
nomenclatura/Nomenklatur
– a „y"/„y"-Nomenklatur
– dei ciclofoni e degli areni/Cyclophan-Nomenklatur
– dei fani/Phan-Nomenklatur
– dei polimeri/Polymer-Nomenklatur
– macromolecolare/Polymer-Nomenklatur
nomi commerciali/Handelsnamen
– comuni/Common Names
– triviali/Trivialnamen
nomifensina/Nomifensin
nomogrammi/Nomogramme
non armonizzità/Anharmonizität
– saponificabile/Unverseifbares
– stirare/No Iron
non(a)…/Non(a)…
nonactina/Nonactin
nonadecano/Nonadecan
nonano/Nonan
1-nonanolo/1-Nonanol
nonil…/Nonyl…
nonilfenolo/Nonylphenol
nonivamide/Nonivamid
nonmetalli/Nichtmetalle
nonoxinolo/Nonoxinol
nontronite/Nontronit
nootcatone/Nootkaton
nopalina/Nopalin
nor…/Nor…
noradrenalina/Noradrenalin
2,5-norbornadiene/2,5-Norbornadien
norbornene/Norbornen
norcaradiene/Norcaradiene
norcarano/Norcaran
nordazepam/Nordazepam
norefedrina/Norephedrin
noretinodrel/Noretynodrel
noretisterone/Norethisteron
norfenefrina/Norfenefrin
norfloxacina/Norfloxacin
norflurazone/Norflurazon
norgestrel/Norgestrel
norleucina/Norleucin
norma amministrativa sui rifiuti tecnici/TA Abfall
– amministrativa sul rumore/TA Lärm
– amministrativa sull'area/TA Luft
normalità/Normalität
normalizzazione/Normalglühung, Normung
norme antifortunistiche/Unfallverhütungsvorschriften
normetadone/Normethadon
nortriptilina/Nortriptylin
norvalina/Norvalin

noseana/Nosean
noseanite/Nosean
nostociclofani/Nostocyclophane
notazioni/Notationen
nougat/Noisette, Nugat
novobiocina/Novobiocin
novolacche/Novolake
noxiptilina/Noxiptilin
nuarimolo/Nuarimol
nuciferale/Nuciferal
nuciferina/Nuciferin
nucl…/Nucl…
nucleasi/Nucleasen
nucleo/Kern
nucleobasi/Nucleobasen
nucleocapside/Nucleocapsid
nucleofilo/Nucleophil
nucleofugo/Nucleofug
nucleoide/Nucleoid
nucleoistoni/Nucleohistone
nucleolina/Nucleolin
nucleoni/Nukleonen
nucleoproteine/Nucleoproteine
nucleoscheletro/Nucleoskelett
nucleosidasi/Nucleosidasen
nucleosidi/Nucleoside
nucleosomi/Nucleosomen
nucleotidasi/Nucleotidasen
nucleotidi/Nucleotide
– ciclici/Cyclische Nucleotide
nuclidi/Nuklide
nudo/Nackt
numeri magici/Magische Zahlen
– quantici/Quantenzahlen
– quantici vibrazionali/Schwingungsquantenzahlen
numero atomico/Ordnungszahl
– cellulare/Zellzahl
– d'Avogadro/Avogadro'sche Zahl
– della carica atomica/Reaktionsladungszahl
– di carbonile/Carbonyl-Zahl
– di cetano/Cetan-Zahl
– di coordinazione/Koordinationszahl
– di evaporazione/Verdunstungszahl
– di idrossile/Hydroxylzahl
– di iodio/Iod-Zahl
– di massa/Massenzahl
– di olio/Ölzahl
– di ottano/Octan-Zahl
– di Poisson/Poisson-Zahl
– di Reichert-Meissl/Reichert-Meissl-Zahl
– di Reynolds/Reynolds-Zahl
– di trasporto/Überführungszahl
– di viscosità/Viskositätszahl
– d'onda/Wellenzahl
– d'ossidazione/Oxidationzahl
– ossidrico/Hydroxylzahl
– quantico azimutale/Drehimpulsquantenzahl
– quantico rotazionale/Rotationsquantenzahl(en)
– R_f/R_f-Wert
nutrienti microbici/Nährstoffe für Mikroorganismen
nuvola ionica/Ionenwolke
nylon/Nylon

O

obbligo die collegamento e usufrutto/Anschluß- und Benutzungszwang
– volontario/Selbstverpflichtung
obidossima cloruro/Obidoximchlorid
obtusallene I/Obtusallen I
…ocano/…ocan
occhiali di protezione/Schutzbrillen
occhio/Auge
– di gatto/Katzenauge
occlusione/Okklusion
…ocene/…ocen
ochotensina/Ochotensin
ocimene/Ocimen
ocimenone/Ocimenon
…ocina/…ocin
ocra/Ocker, Okra
– di ferro/Jarosit
– di tungsteno/Wolframocker
– rossa/Rötel
ocratossina A/Ochratoxin A
octenidina idrocloruro/Octenidin-dihydrochlorid
octilinone/Octhilinon
octopamina/Octopamin
octopina/Octopin
octreotide/Octreotid
odoranti steoroidei/Steroid-Geruchsstoffe
odorato/Geruch
odorazione del gas/Gasodorierung
odore del corpo/Körpergeruch
odorizzanti/Riechstoffe
officinale/Offizinell
offretite/Offretit
oficalcite/Ophicalcit
ofioboline/Ophioboline
ofioliti/Ophiolithe
ofloxacina/Ofloxacin
oftalmici/Ophthalmika
ofurace/Ofurac
…ogene/…ogen
…oide/…oid
oidio/Mehltau
…oile/…oyl
okenite/Okenit
olaflur/Olaflur
olanzapina/Olanzapin
oleanano/Oleanan
oleandomicina/Oleandomycin
oleandrina/Oleandrin
L-oleandrosio/L-Oleandrose
oleano/Olean
oleato di oleile/Ölsäureoleylester
– di potassio/Kaliumoleat
– sodico/Natriumoleat
olefine/Olefine
oleina/Olein
oleochimica/Oleochemie
oleodotto/Pipeline
oleofobo/Oleophobierung
oleoresine/Oleoresine
oleum/Oleum
olfatto/Geruch
olfazione/Olfaktion
oli/Öle
– a viscosità aumentata/Dicköle
– aderenti/Haftöle
– combustibili/Heizöle
– delle armi/Waffenöle
– di betulla/Birkenöle
– di bobina/Spulöle
– di cannella/Zimtöle
– di finocchio/Fenchelöle
– di foglie di pino e pinastro/Fichten- u. Kiefernnadelöle
– di laminazione/Walzöle
– di legno della Cina/Standöle
– di pesce/Fischöle, Trane
– di piede di bue/Klauenöle
– di polibutadiene/Polybutadien-Öle
– di tagio/Schneidöle
– di timo/Thymianöle
– di trivellazione/Bohröle
– di tung/Standöle
– essenziali/Etherische Öle
– essenziali di salvia/Salbeiöle
– essenziale di ylang-ylang/Ylang-Ylang-Öle
– HD/HD-Öle
– indurenti/Härteöle
– isolanti/Isolieröle
– lubrificanti/Motorenöle, Schmieröle
– minerali/Mineralöle
– per cilindri/Zylinderöle
– per freni/Bremsflüssigkeiten
– per orologi/Uhrenöle
– per polvere/Stauböle
– per servizi pesanti/HD-Öle
– per turbine/Turbinenöle
– rancidi/Tournantöle
– resinosi/Harzöle
– siccativi/Trocknende Öle
– soffiati/Geblasene Öle
– solfatati/Sulfatierte Öle
olibano/Olibanum
…olide/…olid
oligisto micaceo/Eisenglimmer
oligo…/Oligo…
oligoclasio/Oligoklas
oligodinamia/Oligodynamie
oligofenili/Oligophenyle
oligomarcatura/Oligo-Labelling
oligomeri/Oligomere
oligomerizzazione/Oligomerisation
oligonucleotidi/Oligonucleotide
oligopeptidi/Oligopeptide
oligosaccaridi/Oligosaccharide
oligosaccarine/Oligosaccharine
…olina/…olin
olio allo zenzero/Ingweröl
– animale/Tieröl
– degli acini d'uva/Weinhefeöl
– dei germi di frumento/Weizenkeimöl
– dei granelli di senape/Senföl
– dei semi di tabacco/Tabaksamenöl
– dei semi di tè/Teesamenöl
– del seme di palma/Palmkernöl
– della bay/Bayöl
– della bergamotta/Bergamottöl
– della coccola di ginepro/Wacholderbeeröl
– di aneto/Dillöl
– di aringhe/Heringsöl
– di Cade/Wacholderteeröl
– di caieput/Kajeputöl
– di calamo/Kalmusöl
– di calendola/Calendulaöl
– di cartamo/Saflöröl
– di chaulmoogra/Chaulmoograöl
– di chenopodio/Chenopodiumöl
– di cipresso/Zypressenöl
– di cisto/Zistrosenöl
– di colza/Rapsöl
– di cotone/Baumwollsamenöl
– di crotone/Crotonöl
– di Dippel/Tieröl
– di faggina/Bucheckernöl
– di fegato/Lebertran
– di fegato del merluzzo/Dorschleberöl
– di fegato di ippoglosso/Heilbuttleberöl
– di geranio/Geraniumöl
– di germe di granturco/Maiskeimöl
– di girasole/Sonnenblumenöl
– di legno/Holzöl
– di limone/Citronenöl
– di lino/Leinöl
– di Lorenzo/Lorenzos Öl
– di mandorle/Mandelöl
– di mandorle amare/Bittermandelöl
– di margosa/Neemöl
– di melissa/Melissenöl
– di noce/Walnußöl
– di noce moscata/Muskatnußöl
– di palma/Palmöl
– di papavero/Mohnöl
– di pimento/Pimentöl
– di prezzemolo/Petersilienöl
– di ricino/Ricinusöl
– di rosmarino/Rosmarinöl
– di sansa/Sansaöl
– di seme di zucca/Kürbiskernöl
– di sesamo/Sesamöl
– di soia/Sojaöl
– di spermaceti/Spermöl
– di tucume/Tucumöl
– di tungo/Tungöl
– di uova/Eieröl
– di valeriana/Baldrianöl
– di visone/Nerzöl
– di zafferano falso/Saflöröl
– d'oliva/Olivenöl
– esplosivo/Sprengöl
– essenziale/Oleum
– essenziale (dei germi) di riso/Reis(keim)öl
– essenziale dei vinaccioli/Traubenkernöl
– essenziale del bianco di balena/Spermöl
– essenziale del legno di rosa/Rosenholzöl
– essenziale del pepe/Pfefferöl
– essenziale dell'angelica/Angelika(wurzel-, samen-)öl
– essenziale di avocado/Avocadoöl
– essenziale di camomilla/Kamillenöl
– essenziale di citronella/Citronellöl
– essenziale di ginepro/Wacholderteeröl
– essenziale di menta piperita/Pfefferminzöle
– essenziale di millefoglie/Schafgarbenöl
– essenziale di moscatella (sclarea)/Muskatellersalbei-Öl
– essenziale di pervinca/Wintergrünöl
– essenziale di rose/Rosen-, -Absolue-Öl
– essenziale di ruta/Rautenöl
– essenziale di sedano/Sellerieöl
– essenziale di vetiver/Vetiveröl
– essenziale d'issopo/Ysopöl
– iridato/Iris(wurzel)öl
– leggero/Leichtöl
– oiticica/Oiticicaöl
– per rosso turco/Türkischrotöl
– perilla/Perillaöl
– pesante/Schweröl
– usato/Altöl
olive/Oliven
olivello spinoso/Sanddorn
olivenite/Olivenit
olivina/Olivin
olmaria/Spierstaude
olmio/Holmium
olmo/Ulme
…olo/…ol
olo…/Holo…
olografia/Holographie
ololiuqui/Ololiuqui
olomicina/Holomycin
oloturine/Holothurine
olsalazina/Olsalazin
oltremarini/Ultramarine
omatropina/Homatropin
ombrellifere/Umbelliferae
omeo…/Homöo…
omeodominio/Homöo-Domäne
omeopatia/Homöopathie
omeostasi/Homöostase

omeprazolo/Omeprazol
ometoato/Omethoat
omidio bromuro/Homidiumbromid
ommocromi/Ommochrome
omo.../Homo...
omocatene/Hometten
omocisteina/Homocystein
omoconazolo/Omoconazol
omofenazina/Homofenazin
omogeneizzatore/Handhomogenisator
omogeneizzazione/Homogenisation
omogeneo/Homogen
omoleptico/Homoleptisch
omolisi/Homolyse
omologhi/Homologe
– polimeri/Polymerhomologe (Reihen)
omologia/Homologie
omopolimeri/Homopolymere
L-omoserina/L-Homoserin
omotopo/Homotop
...onano/...onan
oncogene cellulare/Protoonkogene
– src/src-Onkogen
oncogeni/Onkogene
– recessivi/Tumor-Suppressor-Gene
oncologia/Onkologie
oncostatina M/Oncostatin M
ondansetrone/Ondansetron
onde di de Broglie/Materiewellen
– d'urto/Stoßwellen
– gravitazionali/Gravitationswellen
– materiali/Materiewellen
...one/...on
onice/Onyx
...onino/...onin
onio-composti/Onium-Verbindungen
ononide/Hauhechel
ontogenesi/Ontogenese
ooliti/Oolithe
oosporeina/Oosporein
opacizzanti/Trübungsmittel
opacizzazione/Mattierung
opaco/Opak
opale/Opal
opalescenza/Opaleszenz
opani/Hopane
opanoidi/Hopanoide
operaio specializzato di impianto e laboratorio chimico/Chemikant
operatore autoaggiunto/Hermitescher Operator
– dell'energia/Hamilton-Operator
– di Laplace/Laplace-Operator
– hamiltoniano/Hamilton-Operator
– hermitiano/Hermitescher Operator
operazioni di simmetria/Symmetrieoperationen
opere di consultazione/Nachschlagewerke
operone/Operon
– lac/lac-Operon
opine/Opine
opipramolo/Opipramol
opodeldoch/Opodeldok
opoponaco/Opopanax
oppiati/Opiate
oppio/Opium
opsine/Opsine
opsonine/Opsonine
optoelettronica/Optoelektronik
orale/Oral
orazamide/Orazamid

orbencarb/Orbencarb
orbitali/Orbitale
– atomici/Atomorbital
– di Walsh/Walsh-Orbitale
– limiti/Grenzorbitale
– molecolari/Molekülorbitale
– p/p-Orbitale
– s/s-Orbitale
orceina/Orcein
orcinolo/Orcinol
orciprenalina/Orciprenalin
ordeina/Hordein
ordenina/Hordenin
orellanina/Orellanin
oressigeni/Orexigene
ORF/Offener Leseraster
orfenadrina/Orphenadrin
organismi alofili/Halobionten
– autotrofi/Autotrophe Organismen
– auxotrofi/Auxotrophe Organismen
– emerobici/Hemerobien
– indicatori/Zeigerarten
– marini/Marine Organismen
– metanotrofi/Methanotrophe Organismen
– transgenici/Transgene Organismen
organismo/Organismus
– unicellulare/Einzeller
organizzazioni ambientali/Umweltorganisationen
organosoli/Organosole
organoterapia/Organotherapie
organotrofia/Organotrophie
orgoteina/Orgotein
origano/Origanum
origine/Origin
– della replicazione/Origin
orina/Harn
orizalina/Oryzalin
orlean/Orlean
orlistato/Orlistat
orlon nero/Black Orlon
ormesi/Hormese
ormone fiorente/Blühhormon
– melanina-concentrante/Melanin-konzentrierendes Hormon
ormoni/Hormone
– allati/Juvenilhormone
– degli insetti/Insektenhormone
– della ghiandola surrenale/Nebennierenhormone
– della gravidanza/Schwangerschaftshormone
– glicoproteici/Glykoprotein-Hormone
– gonadotropi/Gonadotrope Hormone
– iuvenili/Juvenilhormone
– liberatori/Releasing-Hormone
– peptidici/Peptidhormone
– sessuali/Sexualhormone
– steroidei/Steroid-Hormone
– tiroidei/Thyroid-Hormone
– tissulari/Gewebshormone
– vegetali/Pflanzenhormone
orniblende/Hornblenden
ornidazolo/Ornidazol
ornipressina/Ornipressin
ornitina/Ornithin
oro/Gold
– amalgamato/Goldamalgam
– brillante/Glanzgold
– conchilifero/Muschelgold
– di Mannheim/Mannheimer Gold
– di zecchino/Dukatengold
– musivo/Malergold
– verde/Green Gold
orografia/Orographie
orologi atomici/Atomuhr

orpello/Rauschgold
orpimento/Auripigment
ortica/Brennessel, Nessel
orticacee/Nesselpflanzen
orticaria/Nesselfieber
orto-/Ortho-
ortoantimoniato di piombo/Neapelgelb
ortocarbonati/Orthocarbonate
ortociclofani/Orthocyclophane
ortoclasio/Orthoklas
ortoesteri/Orthoester
ortogonalità/Orthogonalität
ortorombico/Orthorhombisch
ortosimpatico/Sympathikus
orzo/Gerste
...osano/...osan
osazoni/Osazone
oscillatore armonico/Harmonischer Oszillator
oscillatorio non armonico/Anharmonischer Oszillator
oscillazione/Schwingung
– armonica/Harmonische Schwingung
– di inversione/Inversionsschwingung
oscillazioni quantiche/Quantenbeats
oscilloscopio/Oszilloskop
...oside/...osid
...osina/...osin
...osio/...ose
osladina/Osladin
osmato di potassio/Kaliumosmat(VI)
osmio/Osmium
osmocene/Osmocen
osmodiuretici/Osmodiuretika
osmoregolazione/Osmoregulation
osmosi/Osmose
– inversa/Umgekehrte Osmose
osmundalattone/Osmundalacton
osoni/Osone
ospitalismo/Hospitalismus
oss.../Oss...
ossa/Knochen
oss(a).../Ox(a)...
ossabetrinile/Oxabetrinil
ossaceprolo/Oxaceprol
ossadiazoli/Oxadiazole
ossadiazone/Oxadiazon
ossadixile/Oxadixyl
ossal.../Oxal...
ossalati/Oxalate, Oxalsäureester
– di potassio/Kaliumoxalate
ossalato d'ammonio/Ammoniumoxalat
– di calcio/Calciumoxalat
– di cobalto/Cobalt(II)-oxalat
– di ferro(II)/Eisen(II)-oxalat
– di sodio/Natriumoxalat
ossalil.../Oxalyl...
ossamile/Oxamyl
ossammide/Oxamid
ossamnichina/Oxamniquin
ossamoil.../Oxamoyl...
ossazine/Oxazine
ossaziridine/Oxaziridine
ossazolam/Oxazolam
ossazoli/Oxazole
ossazolidinoni/Oxazolidinone
ossazoloni/Oxazolone
osseina/Ossein
ossepini/Oxepine
ossetani/Oxetane
ossetanoni/Oxetanone
ossetil.../Oxethyl...
ossi.../Oxy...
ossi di seppia/Sepia-Schalen
ossialogenuri/Oxidhalogenide
ossibenzone/Oxybenzon
ossicarbossina/Oxycarboxin

ossicellulose/Oxycellulosen
ossiclorurazione/Oxychlorierung
ossicloruro di fosforo/Phosphoroxidtrichlorid
ossiconazolo/Oxiconazol
ossidanti/Oxidantien
ossidasi/Oxidasen
ossidativo/Oxidativ
ossidazione/Oxidation
– a umido/Naßoxidation
– anionica/Anodische Oxidation
– coll'acqua ossigenata/Wasserstoffperoxid-Oxidation
– di Baeyer-Villiger/Baeyer-Villiger-Oxidation
– di Dakin/Dakin-Oxidation
– di Jones/Jones-Oxidation
– di Moffatt-Pfitzner/Moffatt-Pfitzner-Oxidation
– di Oppenauer/Oppenauer-Oxidation
– di Sarett/Sarett-Oxidation
– di Swern/Swern-Oxidation
– nella fase gassosa/Gasphasenoxidation
ossidemeton-metile/Oxydemetonmethyl
ossidi/Oxide
ossidi.../Oxydi...
ossidi bromosi/Bromoxide
– clorosi/Chloroxide
– d'alluminio/Aluminiumoxide
– d'antimonio/Antimonoxide
2-ossidi del 1,3,2-ossazafosfinan-2-ammina/1,3,2-Oxazaphosphinan-2-amin-2-oxide
ossidi di argento/Silberoxide
– di azoto/Stickstoffoxide
– di bismuto/Bismutoxide
– di carbonile/Carbonyl-Oxide
– di carbonio/Kohlenstoffoxide
– di cobalto/Cobaltoxide
– di ferro/Eisenoxide
– di fosfani/Phosphanoxide
– di iodio/Iodoxide
– di ittrio(III)/Yttererden
– di litio/Lithiumoxide
– di manganese/Manganoxide
– di mercurio/Quecksilberoxide
– di nichel/Nickeloxide
– di nitrile/Nitriloxide
– di piombo/Bleioxide
N-ossidi di piridina/Pyridin-N-oxide
ossidi di polifenilene/Polyphenylenoxide
– di polifosfina/Polyphosphinoxide
– di poliisobutilene/Polyisobutylenoxide
– di polipropilene/Polypropylenoxide
– di potassio/Kaliumoxide
– di rame/Kupferoxide
– di sodio/Natriumoxide
– di stagno/Zinnoxide
– di tallio/Thalliumoxide
– di tellurio/Telluroxide
– di tungsteno/Wolframoxide
– di vanadio/Vanadiumoxide
– di zolfo/Schwefeloxide
– di Zurigo/Züricher Oxide
– d'idrogeno/Wasserstoffoxide
– d'uranio/Uranoxide
– ferrici/Eisenoxide
– fosforici/Phosphoroxide
ossidiana/Obsidian
ossidicloruri di vanadio/Vanadiumoxidchloride
ossidimetria/Oxidimetrie
3,3'-ossidipropionitrile/3,3'-Oxydipropionitril
ossido.../Oxido...

ossido di bario/Bariumoxid
– di cadmio/Cadmiumoxid
– di calcio/Calciumoxid
– di carbonio/Kohlenoxid
– di carbonio e potassio/Kohlenoxidkalium
– di cromo/Chromoxide
– di deuterio/Deuteriumoxid
– di etilene/Ethylenoxid
– di magnesio/Magnesiumoxid
1-ossido di 4-nitrochinolina/4-Nitrochinolin-1-oxid
ossido di palladio(II)/Palladium(II)-oxid
S-ossido di propantiale/Propanthial-S-oxid
ossido di propilene/Propylenoxid
– di rose/Rosenoxid
– di stirene/Styroloxid
– di zinco/Zinkoxid
ossidoreduttasi/Oxidoreduktasen
ossidoriduttasi/Oxidoreduktasen
ossidrilazione di Prévost/Prévost-Hydroxylierung
ossifenbutazone/Oxyphenbutazon
ossifenisatina/Oxyphenisatin
ossifenonio bromuro/Oxyphenoniumbromid
ossifluorfene/Oxyfluorfen
ossigenasi/Oxygenasen
ossigenazione/Oxygenierung
ossigeno/Sauerstoff
– singoletto/Singulett-Sauerstoff
– tripletto/Triplett-Sauerstoff
ossima di cicloesanone/Cyclohexanonoxim
ossime/Oxime
– del perillaaldeide/Perillaaldehydoxim
ossimetallizzazione/Oxymetallierung
ossimetolone/Oxymetholon
ossimetro/Oximeter
ossindolo (2-indolinone)/Oxindol
ossine boriche/Boroxine
ossipertina/Oxypertin
ossirani/Oxirane
ossireni/Oxirene
ossisolfuro di carbonio/Kohlenoxidsulfid
ossitetraciclina/Oxytetracyclin
ossitocici/Wehenmittel
ossitocina/Oxytocin
ossitocinasi/Oxytocinase
ossitropio bromuro/Oxitropiumbromid
ossiuri/Oxyuren
osso…/Oxo…
osso-alcol/Oxo-Alkohole
– -aldeidi/Oxoaldehyde
ossoacidi/Oxosäuren
ossocarboni/Oxokohlenstoffe
ossoesteri/Oxoester
ossolano/Oxolan
ossomemazina/Oxomemazin
ossonio/Oxonium
osteina/Ossein
osteo…/Osteo…
osteocalcina/Osteocalcin
osteonectina/Osteonectin
osteopontina/Osteopontin
…osulosio/…osulose
osumilite/Osumilith
otoliti/Otolithen
ott(a)…/Oct(a)…
ottacaina/Octacain
ottadec(a)…/Octadec(a)…
1-ottadecanammina/1-Octadecanamin
ottadecano/Octadecan
1-ottadecanolo/1-Octadecanol
9-ottadecen-1-olo/9-Octadecen-1-ol

ottadecilisocianato/Octadecylisocyanat
ottaedro/Oktaeder
ottamilammina/Octamylamin
ottanale/Octanal
ottanammine/Octanamine
ottano/Octan
ottanoati/Octanoate
ottanoil…/Octanoyl…
ottanoli/Octanole
ottanoni/Octanone
1-ottantiolo/1-Octanthiol
(–)-(R)-1-otten-3-olo/(–)-(R)-1-Octen-3-ol
1-otten-3-one/1-Octen-3-on
otteni/Octene
ottetto/Oktett
ottica/Optik
– a raggi infrarossi/Infrarotoptik
– di fibra/Faseroptik
– integrata/Integrierte Optik
– lineare/Lineare Optik
– non lineare/Nichtlineare Optik
ottil…/Octyl…
terz-ottil…/tert-Octyl…
1-ottil-1H-imidazolo/1-Octyl-1H-imidazol
4-terz-ottilfenolo/4-tert-Octylphenol
ottimizzazione/Optimierung
ottoati/Octoate
ottodrina/Octodrin
ottogene/Octogen
ottone/Gelbguß, Messing
– al nichel/Nickelmessing
– da campane/Glockenmessing
– dorato/Gilding Brass
– nobile/Edelmessing
– rosso/Rotguß
– speciale (ad alta resistenza)/Sondermessing
ottotiammina/Octotiamin
oudemansine/Oudemansine
ovalbumina/Ovalbumin
ovatta/Watte
ovicidi/Ovizide
ovolo malefico/Fliegenpilz
ovotioli/Ovothiole
oxabolone cipionato/Oxabolonicipionat
oxacillina/Oxacillin
oxapenemi/Oxapeneme
oxatomide/Oxatomid
oxazepame/Oxazepam
oxeladina/Oxeladin
oxetacaina/Oxetacain
oxetanocina/Oxetanocin
oxetina/Oxetin
oxibuprocaina/Oxybuprocain
oxibutinina/Oxybutynin
oxicami/Oxicame
oxicodone/Oxycodon
oxifedrina/Oxyfedrin
oxifenciclimina/Oxyphencyclimin
oxilofrina/Oxilofrin
oximesterone/Oxymesteron
oximetazolina/Oxymetazolin
oximorfone/Oxymorphon
oxitetraciclina/Oxytetracyclin
oxitocina/Oxytocin
oxitocinasi/Oxytocinase
oxitriptano/Oxitriptan
oxotremorina/Oxotremorin
oxprenolo/Oxprenolol
oxybuprocainum/Oxybuprocain
oxybutyninum/Oxybutynin
ozocerite/Ozokerit
ozonerithe/Erdwachs
ozonidi/Ozonide
ozonizzazione/Ozonisierung
ozono/Ozon
ozonolisi/Ozonolyse
ozonosfera/Ozon-Schicht

P
p53/p53
pacco di onde senza dispersione/Soliton
paclitaxel/Paclitaxel
paclobutrazolo/Paclobutrazol
PAF/PAF
paglia/Stroh
pahutossina/Pahutoxin
pale crepe/Pale crepe
paleobiochimica/Paläobiochemie
paleontologia/Paläontologie
palitossina/Palytoxin
palladio/Palladium
palle di vetro/Glaskugeln
palliativi/Palliative
pallinatura/Oberflächenverfestigung
pallini/Pellets
– duri/Hartschrot
palloni/Ballons
palma da olio/Ölpalme
– di cocco/Kokospalme
palmitati/Palmitate
palmitato di colfosterile/Colfosceril-Palmitat
– di etile/Palmitinsäureethylester
– di metile/Palmitinsäuremethylester
– di 2-propile/Palmitinsäureisopropylester
palmitina/Palmitin
pamachina/Pamaquin
panaxosidi/Panaxoside
panclastite/Panclastit
pancreas/Pankreas
pancreastatina/Pankreastatin
pancreatina/Pankreatin
pancuronio bromuro/Pancuroniumbromid
pandermite/Pandermit
pane/Brot
– biscottato/Zwieback
panna/Sahne
pannello compensato/Sperrholz
pantenolo/Panthenol
pantolattone/Pantolacton
pantoprazolo/Pantoprazol
pantotenato di calcio/Calciumpantothenat
papaia/Papaya
papaina/Papain
papaverina/Papaverin
papavero/Mohn
papillomavirus/Papilloma-Viren
papovavirus/Papova-Viren
para-/Para-
paracetamolo/Paracetamol
paraciclofani/Paracyclophane
paracoro/Parachor
paracristalli/Parakristalle
paradentosi/Parodontose
paraffina/Paraffin
paraffine/Paraffine
– clorurate/Chlorparaffine
parafina sintetica/Gatsch
paraflutizide/Paraflutizid
parafucsina/Parafuchsin
paragenesi/Paragenese
paragonite/Paragonit
paraldeide/Paraldehyd
paramagnetici/Paramagnetika
paramagnetismo di van Vleck/Van-Vleck-Paramagnetismus
paramano/Handschutz
parametasone/Paramethason
parametro/Parameter
– addizionale/Summenparameter
– della copolimerizzazione/Copolymerisationsparameter
– di ramificazione/Verzweigungsparameter
– d'urto/Stoßparameter

paramiosina/Paramyosin
paramoni/Paramone
paramorfosi/Paramorphose
paraproteine/Paraproteine
paraquat-dicloruro/Paraquat-dichlorid
pararosanilina/Pararosanilin
pararosso/Pararot
parasimpatico/Parasympathikus
parasimpaticolitici/Parasympath(ik)olytika
parasimpaticomimetici/Parasympath(ik)omimetika
parassiti/Parasiten
paration-metile/Parathion-methyl
paratione/Parathion
paratirina/Parathyrin
paratiroidi/Nebenschilddrüsen
paratropo/Paratrop
parazoantoxantine/Parazoanthoxanthine
parenchima/Parenchym
parenterale/Parenteral
parileni/Parylene
parità/Parität
parkinsonismo/Parkinsonismus
paromomicina/Paromomycin
parosmia/Parosmie
parossipropione/Paroxypropion
paroxetina/Paroxetin
parte aliquota/Aliquoter Teil
partenogenesi/Parthenogenese
particelle/Teilchen
– alfa/Alpha-Teilchen
– elementari/Elementarteilchen
– in sospensione/Schwebstaub
– sigma/Sigma-Teilchen
– ultrafine di aerosol/Ultrafeine (Aerosol-)Teilchen
partizione/Verteilung
parvalbumina/Parvalbumine
pasiniazide/Pasiniazid
passività/Passivität
pasta/Nudeln, Teig
– di legno/Holzschliff, Holzstoff
– di noccioli di pesche/Persipan
– di Noyer/Noyer-Paste
– per pulire i caratteri/Typenreiniger
– per saldare/Lötpasten
paste/Pasten
– alimentari/Teigwaren
– (impasti) per penne a sfera/Kugelschreiberpasten
pastigliare/Tablettieren
pastiglie/Pastillen, Pellets, Tabletten
pastinaca/Pastinak
pastorizzazione/Pasteurisierung
patate/Kartoffeln
– americane/Batate
– dolci/Batate
patatina/Patatin
patellammidi/Patellamide
patina/Patina
patogeno/Pathogen
patrimonio/Bestand
patrinite/Aikinit
patronite/Patronit
pattinsonaggio/Pattinson-Verfahren
patulina/Patulin
pavimenti industriali/Industriefußböden
pavimento a smalto/Estrich
– di terrazzo/Estrich
pebulato/Pebulat
pecan/Pekan-Nüsse
pece/Pech, Pix
– al solfato/Sulfatpech
– da calzolaio/Schusterpech
– della stearina/Stearinpech

Italiano

- di legno/Holzpech
- di tallolio/Sulfatpech
- grassa/Fettpech
- resinosa/Harzpech
pechblenda/Uranpecherz
pecilocina/Pecilocin
pectolite/Pektolith
pederina/Pederin
pefloxacina/Pefloxacin
peganina/Peganin
pegaspargase/Pegaspargase
pegmatiti/Pegmatite
pegmenti plumbei/Blei-Pigmente
pelargonati/Pelargonate
pelargonina/Pelargonin
peli degli animali/Tierhaare
- di capra/Ziegenhaare
- di gomma/Gummihaar
peliti/Pelite
pellagra/Pellagra
pelle/Haut
- di capra/Ziegenleder
- di daino/Fensterleder
- glacé/Glacéleder
- lucida/Glacéleder
- scamosciata/Sämischleder
- sgamosciata/Fensterleder
pelletierina/Pelletierin
pellicce/Pelze, Rauchwaren
pellicole di fondo/Grundierfilme
- di resina sintetica/Kunstharzfilme
- retraiabili/Schrumpffolien
pelo/Haar
- di cammello/Kamelhaar(wolle)
peloidi/Peloide
peltro/Pewter, Queens Metal
pemolina/Pemolin
penamo/Penam
penbutolo/Penbutolol
penciclovir/Penciclovir
pencicurone/Pencycuron
penconazolo/Penconazol
pendimetalina/Pendimethalin
pendletonite/Pendletonit
pendolo di torsione/Torsionspendel
penemo/Penem
penetrazione/Penetration
penflutizide/Penflutizid
pengitossina/Pengitoxin
penicillamina/Penicillamin
penicillasi/Penicillinasen
penicillinasi/Penicillinasen
penicilline/Penicilline
penitremi/Penitreme
penna/Federn
pennarello/Filzschreiber
pent(a).../Pent(a)...
pentaborano(9)/Pentaboran(9)
pentacene/Pentacen
pentacianonitrosilferrato(III) di disodio/Nitroprussidnatrium
pentaciclo.../Pentacyclo...
pentacloroetano/Pentachlorethan
pentaclorofenolo/Pentachlorphenol
pentacos(a).../Pentacos(a)...
pentadec(a).../Pentadec(a)...
pentadecano/Pentadecan
15-pentadecanolide/15-Pentadecanolid
1,3-pentadiene/1,3-Pentadien
pentadina/Pentadin
pentaeritrite/Pentaerythrit
pentaeritritolo/Pentaerythrit
pentalene/Pentalen
pentalenene/Pentalenen
pentalenolattoni/Pentalenolactone
1,2,3,4,5-pentametilciclopentadiene/1,2,3,4,5-Pentamethylcyclopentadien
pentametilen.../Pentamethylen...

pentamidina/Pentamidin
pentanale/Pentanal
1-pentanammina/1-Pentanamin
1,5-pentandiammina/1,5-Pentandiamin
pentandioli/Pentandiole
2,4-pentandionato.../2,4-Pentandionato...
pentani/Pentane
pentanoli/Pentanole
pentanoni/Pentanone
pentazocina/Pentazocin
penteni/Pentene
pentenoli/Pentenole
...pentetato/...pentetat
pentetrazolo/Pentetrazol
pentifillina/Pentifyllin
pentil.../Pentyl...
α-pentilcinnamaldeide/α-Pentylzimtaldehyd
pentitoli/Pentite
pentlandite/Pentlandit
pentobarbitale/Pentobarbital
pentola di Papin/Papinscher Topf
pentorex/Pentorex
pentosani/Pentosane
pentosi/Pentosen
pentossido d'arsenico/Arsenpentoxid
pentostatina/Pentostatin
pentoxifillina/Pentoxifyllin
pentoxiverina/Pentoxyverin
pentrassine/Pentraxine
pentulosi/Pentulosen
peonia/Pfingstrose
pepe/Pfeffer
peperone/Paprika
pepsine/Pepsine
pepsinogeno/Pepsinogen
pepstatina A/Pepstatin A
peptidasi/Peptidasen
peptide derivativo del gene della calcitonina/Calcitonin-Gen-zugehöriges Peptid
- King-Kong/King-Kong-Peptid
- mastocito-degranulante/Mastzellen-degranulierendes Peptid
- YY/Peptid YY
peptidi/Peptide
- glucagono-simili/Glucagonartige Peptide
- segnale/Signalpeptide
- sodiouretici/Natriuretische Peptide
peptolidi/Peptolide
peptoni/Peptone
per.../Per...
peracidi/Persäuren
perammina/Peramin
perazina/Perazin
perbasi/Superbasen
perborati/Perborate
perborato di sodio/Natriumperborat
perbromati/Perbromate
percarbammide/Percarbamid
percarbonato di sodio/Natriumpercarbonat
perclorato d'ammonio/Ammoniumperchlorat
perclorati/Perchlorate
perclorato di bario/Bariumperchlorat
- di litio/Lithiumperchlorat
- di magnesio/Magnesiumperchlorat
- di potassio/Kaliumperchlorat
- di sodio/Natriumperchlorat
percloro.../Perchlor...
percloroetano/Hexachlorethan
percolazione/Perkolation
percutaneo/Percutan

perdita dovuta alla ricottura/Glühverlust
pere/Birnen
perexilina/Perhexilin
perfenazina/Perphenazin
perfluoropolieteri di alto peso molecolare/Perfluorpolyether
perforare/Durchschlagen
perforazione/Perforation
perforine/Perforine
perfusione/Perfusion
pergamena/Pergament
pergolide/Pergolid
peri.../Peri...
pericarpo/Perikarp
periciazina/Periciazin
periclasio/Periklas
pericoloso per la riproduzione/Fortpflanzungsgefährdend
- per l'ambiente/Umweltgefährlich
peridinina/Peridinin
peridotiti/Peridotite
peridoto/Peridot
peridro.../Perhydro...
peridrotrifenilene/Perhydrotriphenylen
periferina/Peripherin
perilene/Perylen
perillachetone/Perillaketon
perimorfosi/Perimorphose
perindopril/Perindopril
periodati/Periodate
- di sodio/Natriumperiodate
periodato di potassio/Kaliumperiodat
periodici/Zeitschriften
periodicità circannuale/Circannuale Periodik
periodo di inattività/Dormanz
- di latenza/Latenzzeit
periplanoni/Periplanone
peristilani/Peristylane
perito ambientale/Umweltgutachter
perle/Perlen
- saline/Salzperlen
perlite/Perlit
perliti/Perlite
perlolina/Perlolin
permanganati/Permanganate
permanganato di potassio/Kaliumpermanganat
permeabilità/Permeabilität
permeasi/Permeasen
permetrina/Permethrin
permittività/Permittivität
perossi.../Peroxy...
perossicarbonati/Peroxocarbonate
perossichetali/Peroxyketale
perossidasi/Peroxidasen
perossidi/Peroxide, Superoxide
- di diacile/Diacylperoxide
- di dialchile/Dialkylperoxide
- di manganese/Braunstein
perossido di bario/Bariumperoxid
- di 2-butanone/2-Butanon-peroxid
- di calcio/Calciumperoxid
- di cicloesanone/Cyclohexanonperoxid
- di lauroile/Lauroylperoxid
- di magnesio/Magnesiumperoxid
- di metilpentanone/Methylpentanonperoxid
- di sodio/Natriumperoxid
- d'idrogeno/Wasserstoffperoxid
- dismutasi/Superoxid-Dismutasen
perossilattoni/Peroxylactone
perossisomi/Peroxisomen
perosso.../Peroxo...

perossoborati/Peroxoborate
perossocromati/Peroxochromate
perossodisolfato di potassio/Kaliumperoxodisulfat
- di sodio/Natriumperoxodisulfat
perossofosfati/Peroxophosphate
perossomonosolfati/Peroxomonosulfate
perossonitrati organici/Peroxonitrat-Ester
perovskite/Perowskit
perrenati/Perrhenate
perrenato di potassio/Kaliumperrhenat
persali/Persalze
persistenza/Persistenz
persolfato d'ammonio/Ammoniumpersulfat
persone competenti/Sachkundige Personen
- esperte/Sachverständige Personen
pertosse/Keuchhusten
pertotrofia/Perthotrophie
pervaporazione/Pervaporation
pesare/Wägen
pesce in salamoia con zucchero/Anchosen
pesche/Pfirsiche
peschiera di scarico/Abwasserfischteich
pesci/Fische
peso atomico/Atomgewicht
- delle acque di rifiuto/Abwasserlast
- equivalente/Äquivalentgewicht
- farmaceutico/Apothekergewicht
- iniziale/Einwaage
- moleculare medico numerico/Zahlenmittel
- specifico/Wichte
- specifico in mucchio/Schüttdichte
pessari intrauterini/Intrauterinpessare
pestalotina/Pestalotin
peste/Pest
pesticidi/Pestizide
peta.../Peta...
petalite/Petalit
petardo/Knallkörper
petasina/Petasin
petidina/Pethidin
petr(o).../Petr(o)...
petrochimica/Petrochemie
petrografia/Petrographie
petrolio/Leuchtpetroleum, Petroleum
- greggio/Erdöl
petroproteine/Petroproteine
petrosina/Petrosin
petzite/Petzit
peyote/Peyotl
peyotl/Peyotl
pezzi finiti/Fertigteile
pezzo sagomato/Formteile
P-glicoproteina/P-Glykoprotein
pH/pH
pharming/Pharming
phenmedipham/Phenmedipham
philanthus triangulum/Bienenwolf
phillipsite/Phillipsit
piallacci/Holzfurniere
pianeti/Planeten
piani calcarei/Plattenkalke
piano/Planar
- reticolare (razionale)/Netzebene
piantaggine/Spitzwegerich
piante/Pflanzen
- annuali/Annuell
- C_3/C_3-Pflanzen
- C_4/C_4-Pflanzen

- CAM/CAM-Pflanzen
- carnivore/Carnivore Pflanzen
- da fibra/Faserpflanzen
- di calamina/Galmei-Pflanzen
- di terreno calcareo/Kalkpflanzen
- grasse/Sukkulenten
- indicatori/Indikatorpflanzen
- medicinali/Heilpflanzen
- oleifere/Ölpflanzen
- ombrofite/Skiophyten
- ruderali/Ruderalpflanzen
- serpentine/Serpentin-Pflanzen
- tessili/Faserpflanzen

piassave/Piassave
piastratura/Plattierung
piastrelle/Fliesen
piattaforma elevatrice/Hebebühne
piatto/Planar
picco/Peak
piceina/Picein
picene/Picen
piclaggio/Pickeln
piclorame/Picloram
picnometri/Pyknometer
pico…/Piko…
picoline/Picoline
picosolfato di sodio/Natriumpicosulfat
picotamide/Picotamid
picr…/Pikr…
picrati/Pikrate
picratolo/Picratol
picril…/Pikryl…
picriti/Pikrite
picromerite/Schönit
picromicina/Picromycin
picrotossina/Picrotoxin
pictine/Pektine
pidocchi delle piante/Blattläuse
piegatura/Faltung
pietra da sarto/Speckstein
- di luna/Mondstein
- di paragone/Probierstein
- di Portland/Portlandstein
- filosofale/Stein der Weisen
- mola a grana grossa/Grit
- pomice/Bimsstein, Bimssand, Bimskies
- saponaria/Speckstein

pietre arenarie/Sandsteine
- da costruzione leggeri/Leichtbausteine
- di carbonio/Kohlenstoffsteine
- di fusione/Schmelzsteine
- focaia/Zündsteine
- naturali/Natursteine
- per affilare/Abziehsteine
- preziose/Edelsteine u. Schmucksteine
- vive/Natursteine

pietrisco/Splitt
piezo…/Piezo…
piezocromia/Piezochromie
piezoelettricità/Piezoelektrizität
pigeonite/Pigeonit
pigmentazione/Pigmentierung
pigmenti a base di ossido ferrico/Eisenoxid-Pigmente
- bianchi/Weißpigmente
- biliari/Gallenfarbstoffe
- bronzei/Bronzepigmente
- ceramici/Keramische Pigmente
- d'arciria/Arcyria-Farbstoffe
- del benzimidazolon/Benzimidazolon-Pigmente
- del perilene/Perylen-Pigmente
- di cadmio/Cadmium-Pigmente
- di cromo/Chrom-Pigmente
- di Dermocybe/Dermocyben-Farbstoffe
- di effetto metallico/Metalleffekt-Pigmente
- di ferro/Eisen-Pigmente
- di interferenza/Interferenzpigmente
- di isoindolinone/Isoindolinon-/Isoindolin-Pigmente
- di nichel/Nickel-Pigmente
- di splendore perlaceo/Perlglanzpigmente
- fecali/Fäkalpigmente
- lucidi/Glanzpigmente
- luminosi/Leuchtpigmente
- permanenti/Permanent-Pigmente
- policiclici/Polycyclische Pigmente

pigmento/Pigmente
- giallo 13/Vulkanechtgelb
- violetto 23/Carbazolviolett

pila fotoelettrica/Photoelement
pile locali/Lokalelemente
pili/Piline
piline/Piline
pilling/Pilling
pillole/Pellets, Pillen
pilocarpina/Pilocarpin
pilomotorici/Pilomotorika
pimento/Piment
pimetrozina/Pymetrozin
pimobendan/Pimobendan
pimozide/Pimozid
pimpinella/Pimpinelle
pimpinellina/Pimpinellin
pinacoli/Pinakole
pinacolo/Pinakol
pinacolone/Pinakolon
pinano/Pinan
pindololo/Pindolol
pindone/Pindon
pineni/Pinene
pin(o)…/Pin(o)…
pino rigido/Pitchpine
pinocitosi/Pinocytose
pinosilvina/Pinosylvin
pinze a molla/Quetschhähne
- per tubi di gomma/Quetschhähne

pinzetta ottica/Optische Pinzette
piocianina/Pyocyanin
pioggia/Regen
- acida/Saurer Regen

piombaggine/Reißblei
piombano/Plumban
piombatura/Verbleien
piombil…/Plumbyl…
piombo/Blei
- 206/Uranblei
- duro/Hartblei
- rosso/Krokoit

pioverdine/Pyoverdine
pipa surriscaldata/Heat Pipe
pipamperone/Pipamperon
pipazetato/Pipazetat
pipe…/Pipe…
pipe-line/Pipeline
pipenzolato bromuro/Pipenzolatbromid
piperacillina/Piperacillin
piperazina/Piperazin
2,5-piperazindione/2,5-Piperazindion
piperidil…/Piperidyl…
piperidina/Piperidin
piperidindioni/Piperidindione
piperidino…/Piperidino…
2-piperidone/2-Piperidon
piperina/Piperin
piperofos/Piperophos
piperonale/Piperonal
piperonil…/Piperonyl…
pipetta a stantuffo/Kolbenhubpipette
pipette/Pipetten

pipossolano/Pipoxolan
pipradrolo/Pipradrol
piprinidrinato/Piprinhydrinat
piprozolina/Piprozolin
piracetam/Piracetam
piraclofos/Pyraclofos
pirani/Pyrane
piranina/Pyranin
piranosi/Pyranosen
pirantel/Pyrantel
pirargirite/Pyrargyrit
pirazina/Pyrazin
pirazinamide/Pyrazinamid
pirazinobutazone/Pyrazinobutazon
pirazofos/Pyrazophos
pirazoli/Pyrazole
3,5-pirazolidindione/3,5-Pyrazolidindion
pirazoline/Pyrazoline
1H-pirazolo/1H-Pyrazol
pirazoloni/Pyrazolone
pirbuterolo/Pirbuterol
pirene/Pyren
pirenossina/Pirenoxin
pirenzepina/Pirenzepin
piretanide/Piretanid
piretro/Pyrethrum
piretroidi/Pyrethroide
piribedil/Piribedil
pirbuticarb/Pyributicarb
piridafentione/Pyridafenthion
piridato/Pyridat
piridazinoni/Pyridazinone
piridil…/Pyridyl…
1-(2-piridilazo)-2-naftolo/1-(2-Pyridylazo)-2-naphthol
4-(2-piridilazo)resorcinolo/4-(2-Pyridylazo)resorcin
piridilmetanoli/Pyridylmethanole
piridina/Pyridin
piridincarbaldeidi/Pyridincarbaldehyde
piridincarbaldossimi/Pyridincarbaldoxime
piridinoli/Pyridinole
piridosina/Pyridosin
piridossale/Pyridoxal
- -5'-fosfato/Pyridoxal-5'-phosphat

piridossammina/Pyridoxamin
piridossilato/Piridoxilat
piridossina/Pyridoxin
piridostigmina bromuro/Pyridostigminbromid
pirifenox/Pyrifenox
pirimetamina/Pyrimethamin
pirimetanile/Pyrimetanil
pirimicarb/Pirimicarb
pirimidina/Pyrimidin
pirimifos-etile/Pirimiphos-ethyl
- -metile/Pirimiphos-methyl

piriproxifen/Pyriproxyfen
pirite/Pyrit
piriti/Kiese
- di nichel-cobalto/Kobaltnickelkiese

piritinolo/Pyritinol
piritiobac/Pyrithiobac
piritione/Pyrithion
piritramide/Piritramid
piro…/Pyr(o)…
pirobitume/Pyrobitumen
pirocarbonio/Pyrokohlenstoff
pirocatechina/Brenzcatechin
piroclastiti/Pyroklastische Gesteine
pirocloro/Pyrochlor
piroelettricità/Pyroelektrizität
pirofanite/Pyrophanit
pirofillite/Pyrophyllit
pirofiti/Pyrophyten
pirofori/Pyrophore

pirogallolo/Pyrogallol
pirogeni/Pyrogene
pirolisi/Pyrolyse
- al flash (lampo)/Blitzpyrolyse
- dell'estere/Ester-Pyrolyse
- elettronica/Elektronenbrenzen

pirolizzare/Brenzen
pirolusite/Pyrolusit
pirometallurgia/Pyrometallurgie
pirometria/Pyrometrie
piromorfite/Pyromorphit
pirone/Pyrone
pironine/Pyronine
piropissite/Pyropissit
piropo/Pyrop
piroquilone/Pyroquilon
piroscissione/Kracken
pirosi/Sodbrennen
pirosol/Pyrosole
pirosseni/Pyroxene
pirossenoidi/Pyroxenoide
pirotecnica/Pyrotechnik
piroxicam/Piroxicam
pirprofene/Pirprofen
pirrobutamina/Pyrrobutamin
pirrolami/Pyrrolame
pirrolidina/Pyrrolidin
pirrolidinil…/Pyrrolidinyl…
pirrolidino…/Pyrrolidino…
2-pirrolidone/2-Pyrrolidon
pirroline/Pyrroline
pirrolizidina/Pyrrolizidin
pirrolnitrina/Pyrrolnitrin
pirrolo/Pyrrol
pirrolochinolinchinone/Pyrrolochinolinchinon
pirrone/Pyrron
pirrotina/Pyrrhotin
pirrotite/Pyrrhotin
piruvati/Pyruvate
piruvato carbossilasi/Pyruvat-Carboxylase
- cinasi/Pyruvat-Kinase
- decarbossilasi/Pyruvat-Decarboxylase
- deidrogenasi/Pyruvat-Dehydrogenase

piruvoil…/Pyruvoyl…
pirvinio cloruro/Pyrviniumchlorid
pisatina/Pisatin
piselli/Erbsen
pistacchi/Pistazien
pistillarina/Pistillarin
pitofenone/Pitofenon
pittura/Anstrich
pitture navali/Schiffsanstriche
piuma/Federn
pivalati/Pivalate
pivaloil…/Pivaloyl…
pivampicillina/Pivampicillin
pivmecillinam/Pivmecillinam
pizotifene/Pizotifen
placca/Plaque
placcatura/Plattieren
- ad esplosione/Explosionsplattierung

placebo/Placebo
placenta/Placenta
placoglobina/Plakoglobin
placorina/Plakorin
planare/Planar
plancton/Plankton
planetoidi/Planetoide
planimetro/Planimeter
plano di taglio/Scherebenen
plantarene/Plantaren®
plasma/Plasma
plasmaproteine/Plasmaproteine
plasmidi/Plasmide
- degradanti/Degradative Plasmide
- R/R-Plasmide
- stringente/Stringente Plasmide

– Ti/Ti-Plasmide
plasmina/Plasmin
plasminogeno/Plasminogen
plasmodesmi/Plasmodesmen
plasmon/Plasmon
plastiche autorrinforzanti/Selbstverstärkende Kunststoffe
– di massa/Massenkunststoffe
– espanse/Schaumkunststoffe
– funzionali/Funktionskunststoffe
– otticamente/Optisch anwendbare Kunststoffe
plasticità/Plastizität
plastidi/Plastiden
plastificanti/Weichmacher
– alcolici/Weichmacheralkohole
plastificare/Plastifizieren
plastificazione/Kunststoff-Beschichtung
plastilina/Plastilin
plastiline/Knetmassen
plastisol/Plastisole
plastochinone/Plastochinon
plastocianina/Plastocyanin
plastomeri/Plastomere
plastoponici/Plastoponik
platino/Platin
plaunotolo/Plaunotol
plectina/Plectin
pleiadiene/Pleiadien
pleiotrofina/Pleiotrophin
pleocroismo/Pleochroismus
pleonasto/Pleonast
pleuromutilina/Pleuromutilin
pleurotellolo/Pleurotellol
pleurotina/Pleurotin
pleustal/Pleustal
pleuston/Pleuston
plissé/Plissee
plissettato/Plissee
plumbago/Plumbago
plumbati/Plumbate
plumbil…/Plumbyl…
pluming/Pluming
plurocol/Plurocol
plutonio/Plutonium
pneumatici/Reifen
– vecchi/Altreifen
pneumoconiosi/Pneumokoniosen
pnicogeni/Pnicogene
pnictidi/Pnictide
podagra/Gicht
podandi/Podanden
podati/Podate
podofillotossina/Podophyllotoxin
podsol/Podsol, Podzol
poichilotermo/Poikilotherm
poise/Poise
polacrilina/Polacrilin
polare/Polar
polarità/Polarität
polarizzabilità/Polarisierbarkeit
polarizzatori/Polarisatoren
polarizzazione/Polarisation
polarografia/Polarographie
polarone/Polaron
poli…/Poly…
poliaceni/Polyacene
poliacetaldeidi/Polyacetaldehyde
poliacetali/Polyacetale
poliacetileni/Polyacetylene
poliacetone/Polyaceton
poliacrilammidi/Polyacrylamide
poliacrilati/Polyacrylate
poliacrilimmidi/Polyacrylimide
poliacrilonitrili/Polyacrylnitrile
poliacroleine/Polyacroleine
poliaddizione/Polyadditionen
polialanine/Poly(β-alanin)e
polialchenameri/Polyalkenamere
polialchencarbonati/Polyalkencarbonate

polialcheni/Polyalkene
polialchilenfenileli/Polyalkylenphenylene
polialchilenglicoli/Polyalkylenglykole
polialchilentereftalati/Polyalkylenterephthalate
polialchini/Polyalkine
polialite/Polyhalit
poliallomeri/Polyallomere
poliamfoliti/Polyampholyte
poliammidi/Polyamide
poliammididrazidi/Polyamidhydrazide
poliammidimmidi/Polyamidimide
poliammine/Polyamine
poliamminoacidi/Polyaminosäuren
poliamminoammidi/Polyaminoamide
poliamminobismaleinimmidi/Polyaminobismaleinimide
poliamminotriazoli/Polyaminotriazole
polianidridi/Polyanhydride
polianiline/Polyaniline
poliaramid/Polyaramide
poliarilammidi/Polyarylamide
poliarilati/Polyarylate
poliarileni/Polyarylene
poliarmetilene/Polyarmethylene
poli(azadiossidi)/Polyazadioxide
poliazaetenileni/Polyazaethenylene
poliazine/Polyazine
poliaziridine/Polyaziridine
poliazobenzeni/Polyazobenzole
poliazoli/Polyazole
poliazometine/Polyazomethine
polibasite/Polybasit
polibenzammidi/Polybenzamide
poli(γ-benzil-α-L-glutamati)/Polybenzylglutamate
polibenzimidazoli/Polybenzimidazole
polibenzimidazoloni/Polybenzimidazolone
polibenzimmidi/Polybenzimid
polibenzopirazine/Polychinoxaline
polibenzossazoli/Polybenzoxazole
polibenzotiazoli/Polybenz(o)thiazole
polibiciclobutani/Polybicyclobutane
poli[3,3-bis(clorometil)ossaciclobutani]/Poly[3,3-bis(chlormethyl)oxacyclobutan]e
poliboronitruri/Polybornitride
polibutadieni/Polybutadiene
polibuteni/Polybutene
polibutilentereftalati/Polybutylenterephthalate
poli(ε-caprolattami)/Poly(ε-caprolactam)e
– (ε-caprolattoni)/Poly(ε-caprolacton)e
policarbazani/Polycarbazane
policarbazeni/Polycarbazene
policarbazoli/Polycarbazole
policarbeni/Polycarbene
policarbodiimmidi/Polycarbodiimide
policarbonati/Polycarbonate
policarboran silossani/Polycaboransiloxane
poli(carbosilani)/Polycarbosilane
policarbossilati/Polycarboxylate
policere/Polywachse
polichetali/Polyketale
polichetidi/Polyketide
polichetoni/Polyketone

polichinazolindioni/Polychinazolindione
polichinoni/Polychinone
polichinossaline/Polychinoxaline
policicloalcheni/Polycycloalkene
policicloalchini/Polycycloalkine
policiclobuteni/Polycyclobutene
policicloeni/Polycycloene
poli(1,4-cicloesandimetilentereftalati)/Poly(1,4-cyclohexandimethylenterephthalat)e
poli(1,3-ciclopentadieni)/Polycyclopentadiene
policloralio/Polychloral
policloro…/Polychlor(ierte)…
policlorometilsistreni/Polychlormethylstyrole
policloropreni/Polychloroprene
poli(clorotrifluoretilene-alt-etilene)/Poly(ethylen-alt-chlortrifluorethylen)
policlorotrifluoroetileni/Polychlortrifluorethylene
…policlorurato/Polychlor(ierte)…
policondensazione/Polykondensation
– a fase (corpo) solida/Festphasenpolykondensation
– AA/BB/AA/BB-Polykondensation
– interfacciale/Grenzflächenpolykondensation
policresulene/Polycresulen
policromia/Mehrfarbendruck
polidestrosio/Polydextrose®
polidiacetileni/Polydiacetylene
polidiallilftalati/Polydiallylphthalate
polidieni/Polydiene
poli-2,3-dimetilbutadiene/Poly(2,3-dimethylbutadien)
polidiossanoni/Polydioxanone
polidiversità/Polydispersität
poli(divinilètere-co-anidride maleica)/Poly(divinylether-co-maleinsäureanhydrid)
polidocanolo/Polidocanol
polidiversità/Polydiversität
polielettroliti/Polyelektrolyte
polieliminazione/Polyeliminationen
polieni/Polyene
poliepicloroidrine/Polyepichlorhydrine
poliepossidi/Polyepoxide
poliestere-co-carbonati/Poly(ester-co-carbonat)e
poliesteri/Polyester
– insaturi/Ungesättigte Polyester
poliesterimmidi/Polyesterimide
poliestradiolo fosfato/Polyestradiolphosphat
polieter-polioli/Polyether-Polyole
polieterammini/Polyetheramine
polieterchetoni/Polyetherketone
polieteri/Polyether
polieterimmidi/Polyetherimide
polietersolfoni/Polyethersulfone
polietersolfuri/Polyethersulfide
poli(etilen-co-vinilcarbazoli)/Poly(ethylen-co-vinylcarbazol)e
polietilene clorosolfonato/Chlorsulfoniertes Polyethylen
– clorurati/Chloriertes Polyethylen
polietilenglicoli/Polyethylenglykole
polietileni/Polyethylene
polietilenimmine/Polyethylenimine
polietilenossibenzoato/Polyethylenoxybenzoat

polietilensolfuro/Polyethylensulfid
polietilentereftalati/Polyethylenterephthalate
polietilideni/Polyethylidene
poli(p-fenilenacetileni)/Poly(p-phenylenacetylen)e
– -fenilenbenzossazoli/Poly(p-phenylenbenzoxazol)e
– -fenilenbenztiazoli/Poly(p-phenylenbenzthiazol)e
polifenilenchinossaline/Polyphenylenchinoxaline
polifenileni/Polyphenylene
polifenilenvinileni/Polyphenylenvinylene
polifenilfenileni/Polyphenylphenylene
polifenilsesquisilossani/Polyphenylsesquisiloxan
polifenoli/Polyphenole
p-polifenolossidasi/Laccase
poli(1,1′-ferrocen-alcheni)/Poly(1,1′-ferrocen-alkylen)e
– (1,1′-ferrocen-arileni)/Poly(1,1′-ferrocen-arylen)e
– (1,1′-ferrocen-fosfani)/Poly(1,1′-ferrocen-phosphan)e
– (1,1′-ferrocen-silani)/Poly(1,1′-ferrocen-silan)e
– (1,1′-ferrocen-sulfuri)/Poly(1,1′-ferrocen-sulfid)e
– (1,1′-ferrocen-vinileni)/Poly(1,1′-ferrocen-vinylen)e
– (1,1′-ferroceni)/Poly(1,1′-ferrocen)e
– (1,1′-ferrocenilen-alchilideni)/Poly(1,1′-ferrocen-alkyliden)e
– (1,1′-ferrocenilen-arileni)/Poly(1,1′-ferrocen-arylen)e
– (1,1′-ferrocenilen-vinileni)/Poly(1,1′-ferrocen-vinylen)e
– (1,1′-ferrocenileni)/Poly(1,1′-ferrocen)e
polifluoroalcossifosfazeni/Polyfluoralkoxyphosphazene
polifluorosiliconi/Polyfluorsilicone
poliformaldezina/Polyformaldezin
polifosfati/Polyphosphate
polifosfine/Polyphosphine
polifosfiti/Polyphosphite
polifosfonati/Polyphosphonate
polifosforoammidi/Polyphosphoramide
polifruttosi/Polyfructosen
poli(ftalocianinato)silossani/Poly(phthalocyaninato)siloxane
poligalattomannani/Polygalactomannane
poligalattosi/Polygalactosen
poligermani/Polygermane
poliglicina/Polyglycin
poliglucosi/Polyglucosen
poliglutarati/Polyglutarat
poligono aviculare/Vogelknöterich
poligrafia/Hektographie
poliidantoine/Polyhydantoine
poliidrazidi/Polyhydrazide
poliidrossialcanoati/Polyhydroxyalkanoate, Poly(β-hydroxyfettsäure)n
poli(2-idrossimetacrilato)/Poly(2-hydroxyethylmethacrylat)e
poliidrossimetilene/Polyhydroxymethylen
poliimidazoli/Polyimidazole
poliimidazopirroloni/Polyimidazopyrrolone
poliimmidi/Polyimide
poliini/Polyine

poliinserzione/Polyinsertion
poliioduri/Polyiodide
poliisobuteni/Polyisobutene
poliisocianati/Polyisocyanate
poliisocianurati/Polyisocyanurate
poliisocianuri/Polyisocyanide
cis-1,4-poliisoprene/Natsyn
poliisopreni/Polyisoprene
polilinker/Polylinker
polimerasi/Polymerasen
polimeri/Polymere, Polymerisate
– a catena rigida/Kettensteife Polymere
– a pettine/Kammpolymere
– a pioli/Leiterpolymere
– a segmenti/Segmentpolymere
– a stella/Sternpolymere
– ad alto rendimento/Hochleistungskunststoffe
– alati/Halatopolymere
– arborescenti/Baumpolymere
– atattici/Ataktische Polymere
– biodegradabili/Biologisch abbaubare Polymere
– borici/Bor-Polymere
– chetonici/Keton-Polymere
– ciclici/Cyclopolymere
– con alta termostabilità/Hochtemperaturbeständige Kunststoffe
– conduttori elettrici/Elektrisch leitfähige Polymere
– contenente fosforo/Phosphorhaltige Polymere
– da carbosilano/Carbosilan-Polymere
– degli esteri vinilici/Vinylester-Polymere
– dell'acido vinilfosfonico/Vinylphosphonsäure-Polymere
– di acetato di vinile/Vinylacetat-Polymere
– di complessazione/Komplexbildende Polymere
– di complesso/Komplexpolymere
– di coordinazione/Koordinationspolymere
– di coordinazione di base di Schiff/Schiffsche-Base-Koordinationspolymere
– di coordinazione di rutenio (II)/Ruthenium(II)-Koordinationspolymere
– di ftalocianina/Phthalocyanin-Polymere
– di memoria/Memory-Polymere
– di modello/Modell-Polymere
– di olefina e monossido di carbonio/Olefin-Carbonmonoxid-Polymere
– di ossetano/Oxetan-Polymere
– di superficie/Flächenpolymere
– di urea/Harnstoff-Polymere
– fotoconduttivi/Photoleitfähige Polymere
– idrosolubili/Wasserlösliche Polymere
– ilidi/Ylid-Polymere
– in blocco (massa)/Blockpolymere
– in cascata/Dendritische Polymere
– in multiblocco/Multiblock-Polymere
– inorganici/Anorganische Polymere
– ionici/Ionische Polymere
– irregolari/Unregelmäßige Polymere
– isotattici/Isotaktische Polymere
– liquido-cristallini/Flüssigkristalline Polymere

– macrociclici/Makrocyclische Polymere
– magnetici/Magnetische Polymere
– microcristallini/Mikrokristalline Polymere
– monodispersi/Monodisperse Polymere
– morti/Tote Polymere
– naturali/Natürliche Polymere
– NLO/NLO-Polymere
– organometallici/Metall-organische Polymere
– orientati/Orientierte Polymere
– otticamente attivi/Optisch aktive Polymere
– ottici nonlineari/NLO-Polymere
– perfluoroalcossici/Perfluoralkoxy-Polymere
– piezoelettrici/Piezoelektrische Polymere
– polidispersi/Polydisperse Polymere
– pop-corn/Popcorn-Polymere
– quaternari/Quaterpolymere
– reattivi/Reaktive Polymere
– redox/Redoxpolymere
– regolatori/Reguläre Polymere
– reticolari/Gitterpolymere
– sindiotattici/Syndiotaktische Polymere
– telechelici/Telechel(isch)e Polymere
– termoelastici/Thermoelaste
– termoplastici/Thermoplaste
– termotropi/Thermotrope Polymere
– tioplastici/Thioplaste
– topologici/Topologische Polymere
– triazinici/Triazin-Polymere
– vinilamminici/Vinylamin-Polymere
– vinilici/Vinylpolymere
– vinilpiridinici/Vinylpyridin-Polymere
– viventi/Lebende Polymere
polimerisati di massa/Massepolymerisate
polimerizzazione/Polymerisation
– a dispersione/Dispersionspolymerisation
– a eterocatena/Heterokettenpolymerisation
– a fase solida/Festphasenpolymerisation
– a matrice/Matrix-Polymerisation
– a monostrato/Monoschichten-Polymerisation
– a quattro centri/Vierzentrenpolymerisation
– alfin/Alfin-Polymerisation
– anionica/Anionische Polymerisation
– autoinizata/Selbstinitiierende Polymerisationen
– cationica/Kationische Polymerisation
– d' inclusione/Einschlußpolymerisation
– da dead-end/Dead-end-Polymerisation
– da death charge/Death charge-Polymerisation
– d'addizione/Additionspolymerisation
– dei trasferimenti di gruppo/Gruppentransferpolymerisation
– d'equilibrio/Gleichgewichts-Polymerisation
– di apertura anulare/Ringöffnungspolymerisation

– di coordinazione/Koordinationspolymerisation
– di crescita graduale/Stufenwachstums-Polymerisation
– di Diels-Alder/Diels-Alder-Polymerisationen
– di germinazione/Saatpolymerisation
– di isomerizzazione/Isomerisationspolymerisation
– di testa e coda/Kopf/Schwanz-Polymerisation
– di Ziegler e Natta/Ziegler-Natta-Polymerisation
– elettrochimica/Elektrochemische Polymerisation
– esotica/Exotenpolymerisation
– idrolitica/Hydrolytische Polymerisation
– in emulsione/Emulsionspolymerisation
– in fase gassosa/Gasphasenpolymerisation
– in massa/Blockpolymerisation, Massepolymerisation, Substanzpolymerisation
– in microemulsione/Mikroemulsionspolymerisation
– in plasma/Plasmapolymerisation
– in situ/In situ-Polymerisation
– in soluzione/Lösungspolymerisation
– in sospensione/Suspensionspolymerisation
– in sostanza/Substanzpolymerisation
– in strati ultrasottili/Polymerisation in ultradünnen Schichten
– inifer/Inifer-Polymerisation
– inversa in emulsione/Inverse Emulsionspolymerisation
– ionica/Ionische Polymerisation
– matriciale/Matrizenpolymerisation
– metatetica/Metathesepolymerisation
– ossidativa/Oxidative Polymerisation
– precipitante/Fällungspolymerisation
– preliminare/Vorpolymerisation
– pseudoanionica/Pseudoanionische Polymerisationen
– pseudocationica/Pseudokationische Polymerisationen
– radicale/Radikalische Polymerisation
– topochimica/Topochemische Polymerisation
– transanulare/Transannulare Polymerisation
– zwitterionica/Zwitterionische Polymerisation
polimerizzazioni/Polyreaktionen
– quasiviventi/Quasilebende Polymerisationen
polimetacrilammidi/Polymethacrylamide
polimetacrilati/Polymethacrylate
polimetacrilmetilimmide/Polymethacrylmethylimide
polimetallaini/Polymetallaine
polimetalloceni/Polymetallocene
polimetallocenileni/Polymetallocene
polimetileni/Polymethylene
polimetilmetacrilati/Polymethylmethacrylat
poli(4-metil-pentene-1)/Poly(4-methyl-1-penten)
poli(α-metilstirene)/Poly(α-methylstyrol)
polimixine/Polymyxine

polimolecolarità/Polymolekularität
polimorfia/Polymorphismus
polimorfismo/Polymorphie, Polymorphismus
polinomio/Polynom
polinorbornene/Polynorbornen
polinucleotidi/Polynucleotide
poliolefine/Polyolefine
polioli/Polyole
poliomielite/Poliomyelitis
poliorganofosfazeni/Polyorganophosphazene
poliosi/Polyosen
poliossadiazoli/Polyoxadiazole
poliossammidi/Polyoxamide
poliossazolidoni/Polyoxazolidone
poliossazoline/Polyoxazoline
poliossetani/Polyoxetane
poliossimetilene/Polyoxymethylene
poliossine/Polyoxine
poliossotiazeni/Polyoxothiazene
poliottenameri/Polyoctenamere
polipentenamero/Polypentenamere
trans-1,5-polipentenamero/Trans-1,5-polypentenamer
polipeptide ipofisario attivante l'adenilato ciclasi/Pituitary adenylate cyclase-activating polypeptide
– pancreatico/Pankreatisches Polypeptid
(poli)peptide vasoattivo intestinale/Vasoaktives intestinales (Poly-)Peptid
polipeptidi/Polypeptide
polipirileni/Polyperylene
polipirroli/Polypyrrole
polipivalattoni/Polypivalactone
poliploidia/Polyploidie
poliprolina/Polyprolin
polipropilene clorurati/Chloriertes Polypropylen
polipropilenglicoli/Polypropylenglykole
polipropileni/Polypropylene
poliproteine/Polyproteine
poliquinani/Polyquinane
poliradicali/Polyradikale
poliricombinazione/Polyrekombination
poli(s-triaminobenzeni)/Poly(1,3,5-benzoltriamin)e
polisaccaride capsulare Vi/Vi-Kapselpolysaccharid typhi
polisaccaridi/Polysaccharide
– di riserva/Reserve-Polysaccharide
polisilani/Polysilane
polisilazani/Polysilazane
polisilossani/Polysiloxane
polisolfoni/Polysulfone
polisolfuri/Polysulfide
– di calcio/Calciumpolysulfide
polisomi/Polysomen
polisorbati/Polysorbate
polistannani/Polystannane
polistirene/Polystyrol
– di alto impatto/HIPS
– espansibile/Schäumbares Polystyrol
polistirilpiridine/Polystyrylpyridine
polistirolo/Polystyrol
polisulfonammidi/Polysulfonamide
politereftalati/Polyterephtalate
politerpeni/Polyterpene
politetrafluoroetilene/Polytetrafluorethylene
politetraidrofurani/Polytetrahydrofurane

Italiano

poli(1,2,4,5-tetrazine)/Poly-(1,2,4,5-tetrazin)e
politiadiazoli/Polythiadiazole
politiazide/Polythiazid
politica ambientale/Umweltpolitik
politiofeni/Polythiophene
politiofosfazeni/Polythiophosphazene
politionilfosfazeni/Polythionylphosphazene
politipia/Polytypie
politipismo/Polytypie
politriazine/Polytriazine
politura/Polieren
poliuree/Polyharnstoffe
poliuretani/Polyurethane
polividone/Polyvidon
polivinil…/Polyvinyl…
polivinilacetali/Polyvinylacetale
polivinilbutirrali/Polyvinylbutyrale
polivinilcarbazoli/Polyvinylcarbazole
polivinilchetali/Polyvinylketale
polivinilchetoni/Polyvinylketone
polivinilcinnamati/Polyvinylcinnamate
polivinileteri/Polyvinylether
poli(4-vinilfenoli)/Poly(4-vinylphenol)e
polivinilferroceni/Polyvinylferrocene
polivinilformali/Polyvinylformale
polivinilico/Polyvinyl…
polivinilpirrolidoni/Polyvinylpyrrolidone
polixililideni/Polyxylylidene
pollini/Pollen
polmonaria/Lungenkraut
polmone/Lunge
polonio/Polonium
polossamero/Poloxamer
polpa/Pülpe od. Pulpe
polso elettromagnetico/Elektromagnetischer Puls
polvere/Pulver, Pulvis, Staub
– antincendio/ABC-Löschpulver
– da budino/Puddingpulver
– da caccia/Jagdpulver
– da fiuto/Schnupfpulver
– da bianca/Chlorkalk
– da sparo/Schießpulver
– della spazzatura/Kehrpulver
– esplosiva/Sprengpulver
– fibrinogena/Fibrogener Staub
– fine/Feinstaub
– in sospensione/Schwebstaub
– nera/Schwarzpulver
– senza solvente/POL-Pulver
polveri fumogene/Rauchpulver
polverina effervescente/Brausepulver
polverizzare/Zerstäuben
polverizzazione catodica/Kathodenzerstäubung
poly(α-alanine)/Poly(α-alanin)e
polychinoline/Polychinoline
polypropellani/Polypropellane
pomate per la pelle/Hautschutzsalben
pomelo/Pomelo
pomice metallurgica/Hüttenbims
pomodori/Tomaten
pompa a ingranaggi/Zahnradpumpe
– a diffusione/Diffusionspumpe
– a ionizzazione/Ionenpumpe
– a pistone oscillante/Taumelkolbenpumpe
– ad anello a getto d'acqua/Wasserringpumpe
– criogenica/Kryopumpe
– protonica/Protonenpumpe
– turbomolecolare/Turbomolekularpumpe
pompaggio ottico/Optisches Pumpen
pompe/Pumpen
– a getto d'acqua/Wasserstrahlpumpen
– del calcio/Calcium-Pumpen
– di calore/Wärmepumpen
– di rimozione/Verdrängerpumpen
– elicoidali/Schneckenpumpen
– peristaltiche/Schlauchpumpen
pompelmo/Grapefruit, Pomelo
ponce/Punsch
– freddo/Schwedenpunsch
ponte a idrogeno/Wasserstoff-Brückenbindung
– salino/Salzbrücke
ponti/Brücken
– disolfuro/Disulfid-Brücken
– salini/Haber-Luggin-Kapillare
pontianak/Pontianak
pop-corn/Popcorn
popolazione/Population
porcellana/Porzellan
d'ossa/Knochenporzellan
porf…/Porph…
porfidi/Porphyre
porfimer sodium/Porfimer-Natrium
porfina/Porphin
porfiria/Porphyrie
porfirine/Porphyrine
porfirinogeni/Porphyrinogene
porfiriti/Porphyrite
porfiropsina/Porphyropsin
porfobilinogeno/Porphobilinogen
pori/Poren
porine/Porine
porosimetria/Porosimetrie
porosità/Porosität
porpora/Purpur
– cresolica/Kresolpurpur
– d'oro di Cassius/Cassius'scher Goldpurpur
porporo di bromocresolo/Bromkresolpurpur
porro/Lauch
portante/Träger
porto/Portwein
porzione di sostanza/Stoffportion
positroni/Positronen
positronio/Positronium
posizione omoallilica/Homoallyl-Stellung
postcombustione/Nachverbrennung
postcristallizzazione/Nachkristallisation
potassa/Kali
potassio/Kalium
– canrenoato/Kaliumcanrenoat
potenza/Leistung
– ecologica/Ökologische Potenz
potenziale/Potential
– centrifugale/Zentrifugalpotential
– chimico/Chemisches Potential
– di Coulomb/Coulomb-Potential
– di danneggiamento all'ozono/ODP
– di decomposizione/Zersetzungsspannung
– di diffusione/Diffusionspotential
– di Lennard-Jones/Lennard-Jones-Potential
– di Morse/Morse-Potential
– elettrochimico/Elektrochemisches Potential
– galvanico/Galvani-Spannung
– oncogeno/Onkogenes Potential
– redox/Redoxpotential
– residuo/Ruhepotential
– RKR/RKR-Potential
– serra/GWP
– standard/Normalpotential
– zeta/Zeta-Potential
potenziometria/Potentiometrie
potere calorifico/Brennwert, Heizwert
– di compensazione/Ausgleichsvermögen
povero di sodio/Natriumarm
pozzo di Dortmund/Dortmundbrunnen
– Emscher/Emscherbrunnen
pozzolana/Puzzolanerde
practololo/Practolol
pradimicine/Pradimicine
prajmalio bitartrato/Prajmaliumbitartrat
pralidossima ioduro/Pralidoximiodid
praline/Pralinen
pramipexolo/Pramipexol
pramiverina/Pramiverin
pramocaina/Pramocain
pranlukast/Pranlukast
praseodimio/Praseodym
prasterone/Prasteron
pratica sedimentologica coi liquidi pesanti/Sink-Schwimm-Aufbereitung
pratico/pract
pravastatina/Pravastatin
prazepam/Prazepam
praziquantel/Praziquantel
prazosina/Prazosin
pre…/Prä…
precarcinogeni/Präcarcinogene
precipitati/Präzipitate
precipitato/Niederschlag
precipitazione/Ausfällen, Niederschlag, Präzipitation
– di polvere/Staubniederschlag
– diretta/Direktfällung
– simultanea/Simultanfällung
precisione/Genauigkeit
precoceni/Precocene
precoltura/Vorkultur
precontaminazione/Vorbelastung
prednicarbato/Prednicarbat
prednilidene/Prednyliden
prednimustina/Prednimustin
prednisolone/Prednisolon
prednisone/Prednison
prefabbricati/Fertigteile
prefermentatore/Vorfermenter
prefissi/Präfixe, Vorsätze
– moltiplicativi/Multiplikationspräfixe
(20S)-5β-pregnan-3α,20-diolo/(20S)-5β-Pregnan-3α,20-diol
pregnano/Pregnan
(20S)-5β-pregnan-3α,17,20-triolo/(20S)-5β-Pregnan-3α,17,20-triol
pregnenolone/Pregnenolon
prehnite/Prehnit
preimpregnati/Prepregs
prekinamicina/Präkinamycin
premio Nobel/Nobelpreis
prenil…/Prenyl…
prenilamina/Prenylamin
prenilproteine/Prenylproteine
prenoli/Prenole
prenoxdiazina/Prenoxdiazin
preparati/Präparate
– a base di ferro/Eisen-Präparate
– arsenicali/Arsen-Präparate
– belladonna/Belladonna-Präparate
– bromici/Brom-Präparate
– con azione ritardata/Depot-Präparate
– d'alluminio/Aluminium-Präparate
– d'antimonio/Antimon-Präparate
– Derris/Derris-Präparate
– di bismuto/Bismut-Präparate
– di calcio/Calcium-Präparate
– di litio/Lithium-Präparate
– di magnesio/Magnesium-Präparate
– di potassio/Kalium-Präparate
– di zinco/Zink-Präparate
– digitali/Digitalis-Präparate
– ferruginosi/Eisen-Präparate
– multivitaminici/Multivitamin-Präparate
– per l' ondulazione permanente/Dauerwellpräparate
– per l'igiene della bocca/Mundpflegemittel
preparato esplosivo con aria liquida/Oxyliquit
preparazione/Aufbereitung, Präparation, Zubereitung
– del campione/Probenvorbereitung
– del residuato della chiarificazione/Klärschlammaufbereitung
– dell'acqua potabile/Trinkwasseraufbereitung
prepeptidi/Präpeptide
prepolimeri/Prepolymere
presa/Abbinden
presenilina/Präseniline
presenza/Stetigkeit
pressa di decantazione a nastro/Siebbandpresse
pressare la pasta/Gautschen
pressatura/Pressen
presse per formare/Formpressen
pressione/Druck
– atmosferica/Luftdruck
– capillare/Kapillardruck
– colloidosmotica/Kolloidosmotischer Druck
– del vapore/Dampfdruck
– diretta/Direktdruck
– parziale/Partialdruck
– sanguigna/Blutdruck
pretilacloro/Pretilachlor
pretirosina/L-Prätyrosin
preussina/Preussin
prevalenza/Prävalenz
prevenzione degli infortuni/Unfallverhütung
Pribnow box/Pribnow(-Schaller)-Box
pridinolo/Pridinol
prillare/Prillen
prilocaina/Prilocain
primachina/Primaquin
primario/Primär
primaverosio/Primverose
primidone/Primidon
primisolfuron-metile/Primisulfuron-methyl
primule/Primeln
primulina/Primulin
principi fondamentali della termodinamica/Hauptsätze
principio/Prinzip
– aufbau/Aufbauprinzip
– d'allopolarizzazione/Allopolarisierungs-Prinzip
– degli acidi e delle basi forti e deboli/HSAB-Prinzip
– della controcorrente/Gegenstromprinzip
– della diluizione di Ziegler/Ziegler-Verdünnungsprinzip

- di causalità/Verursacherprinzip
- di corrente continua/Gleichstromprinzip
- di corrispondenza/Korrespondenzprinzip
- di esclusione di Pauli/Pauli-Prinzip
- di indeterminazione/Unschärfebeziehung
- di Le Chatelier/Prinzip des kleinsten Zwanges
- di precauzione/Vorsorgeprinzip
- di Thomsen-Berthelot/Thomsen-Berthelot-Prinzip
- sulla variazione dell'energia/Energievariationsprinzip

prioni/Prionen
prismano/Prisman
prismi/Prismen
pristano/Pristan
pro…/Pro…
proazuleni/Proazulene
probabilità di transizione/Übergangswahrscheinlichkeit
probenazolo/Probenazol
probenecid/Probenecid
problema dei valori propri/Eigenwertproblem
probucolo/Probucol
procaina/Procain
procainamide/Procainamid
procarbazina/Procarbazin
procarioti/Prokaryo(n)ten, prokaryo(n)tisch
procariotico/Prokaryo(n)ten, prokaryo(n)tisch
procaterolo/Procaterol
procedimento di separazione analitica/Trennungsgang
- di stampa/Druckverfahren
- di stampaggio ad iniezione plasmatica/Plasmaspritzverfahren
- di trazione/Ziehverfahren
- flushing/Flushing-Verfahren
- per impregnazione/Tränkverfahren
- (processo) a torre/Turmverfahren

procedura di concessione/Genehmigungsverfahren
processazione/Prozessierung
processi a campo rotante/Turnstile-Prozesse
- di saldatura/Schweißverfahren
- di separazione/Trennverfahren
- di separazione multiplicativa/Multiplikative Trennverfahren
- d'urto/Stoßprozesse
- elementari/Elementarprozesse
- ossidativi/Oxidationsverfahren

processo a strato vorticoso/Wirbelschichtverfahren
- a trattamento fiammeggiante/Flammbehandlungsverfahren
- aceticante/Acetator-Verfahren
- Al-fin/Al-Fin-Verfahren
- Andrussow/Andrussow-Verfahren
- antipiega/Permanent-Press-Verfahren
- Arex/Arex-Verfahren
- autocida/Autozid-Verfahren
- Barratt/Barratt-Verfahren
- Bessemer/Bessemer-Verfahren
- Cat-Ox/Cat-Ox-Verfahren
- catarolo/Catarol-Prozeß
- Central-Prayon/Central-Prayon-Verfahren
- copiativo negativo/Negativ-Kopierverfahren
- d'aerazione/Belüftungsverfahren
- Deacon/Deacon-Prozeß
- del generatore/Generator-Verfahren
- del gradiente di densità/Dichtegradientenverfahren
- della vista/Sehprozeß
- d'estrazione/Ausziehverfahren
- DHD/DHD-Verfahren
- di Cetus/Cetus-Prozeß
- di Corrodkote/Corrodkote-Verfahren
- di Cottrell/Cottrell-Verfahren
- di Coulter/Coulter-Verfahren
- di crescita/Aufwachsverfahren
- di cromatura/Inchromverfahren
- di diffusione/Diffusionsverfahren
- di fusione in sospensione/Schwebe(röst)schmelzverfahren
- di fusione nel crogiolo/Tiegelschmelzverfahren
- di Kaldo/Kaldo-Verfahren
- di Raschig/Raschig-Verfahren
- di Ritter-Kellner/Ritter-Kellner-Verfahren
- di saldatura all'arco elettrico/Ellira-Verfahren
- di saldatura Arcatom/Arcatom-Verfahren
- di separazione di Stas-Otto/Stas-Otto-Trennungsgang
- di Siemens-Martin/Siemens-Martin-Verfahren
- di Sohio/Sohio-Verfahren
- di Stretford/Stretfort-Verfahren
- di trasformazione/Umform-Verfahren
- dimersol/Dimersol-Verfahren
- Edeleanu/Edeleanu-Verfahren
- Ellira/Ellira-Verfahren
- Elomag/Elomag-Verfahren
- Eloxal/Eloxal-Verfahren
- Ematal/Ematal-Verfahren
- EW/EW-Verfahren
- fenoraffin/Phenoraffin-Verfahren
- fior/Fior-Verfahren
- H-iron/H-Iron-Verfahren
- Haber-Bosch/Haber-Bosch-Verfahren
- Hargreave/Hargreaves-Verfahren
- Harris/Harris-Verfahren
- HDA/HDA-Verfahren
- Heliarc/Heliarc-Verfahren
- Heratol/Heratol-Verfahren
- Houdresid/Houdresid-Verfahren
- HTP/HTP-Verfahren
- HyL/HyL-Verfahren
- idrospark/Hydrospark
- IFP/IFP-Verfahren
- INCO/INCO-Verfahren
- Köster/Köster-Verfahren
- Krupp-Renn/Krupp-Renn-Verfahren
- LD/LD-Verfahren
- LDAC/LDAC-Verfahren
- Masonite/Masonite-Verfahren
- MBV/MBV-Verfahren
- MHC risp. MHD/MHC- bzw. MHD-Verfahren
- Mofex/Mofex-Verfahren
- molex/Molex®-Verfahren
- Mond/Mond-Prozeß
- MTG/MTG-Verfahren
- NBC-RIM/NBC-RIM-Verfahren
- nixan/Nixan-Verfahren
- Nu-iron/Nu-Iron-Verfahren
- Nuvalon/Nuvalon-Verfahren
- OBM/OBM-Verfahren
- Ocrat/Ocrat-Verfahren
- Odda/Odda-Verfahren
- oxo/Oxo-Synthese
- „PAAG"/PAAG-Verfahren
- Pacol-Olex/Pacol-Olex-Verfahren
- Parex®/Parex®-Verfahren
- Parkes/Parkes-Verfahren
- pasting/Pasting-Verfahren
- Pattinson/Pattinson-Verfahren
- Penex®/Penex®-Verfahren
- Piesteritz/Piesteritz-Verfahren
- PNC/PNC-Prozeß
- prenflo/Prenflo-Verfahren
- propellente/Treibprozeß
- purex/Purex-Verfahren
- Sendzimir/Sendzimir-Verfahren
- SL/RN/SL/RN-Verfahren
- sol-gel/Sol-Gel-Prozeß
- Solexol/Solexol-Verfahren
- sommerso/Submersverfahren
- Sul-bi-Sul/Sul-bi-Sul-Verfahren
- termite di Goldschmidt/Goldschmidtsches Thermit-Verfahren
- termoforo/Thermofor-Verfahren
- Thermoselect/Thermoselect-Verfahren
- Thermosol/Thermosol-Verfahren
- Thomas/Thomas-Verfahren
- thorex/Thorex-Verfahren
- Ufa/Ufa-Verfahren
- UK-Wesseling/UK-Wesseling-Verfahren
- Verneuil/Verneuil-Verfahren
- von Heyden/Von-Heyden-Verfahren
- Wacker/Wacker-Verfahren
- Weldon/Weldon-Verfahren
- Wulff/Wulff-Verfahren
- Young/Young-Verfahren
- Zdansky-Lonza/Zdansky-Lonza-Verfahren

prochirale/Prochiral
prociclidina/Procyclidin
procimidone/Procymidon
proclorazina/Prochloraz
proclorofiti/Prochlorophyten
proconvertina/Proconvertin
proctolina/Proctolin
prodigiosina/Prodigiosin
prodlure/Prodlur
prodotti agrochimici/Agrochemikalien
- ausiliari per fonderia/Gießereihilfsmittel
- autoadesivi/Selbstklebende Erzeugnisse
- chimci vecchi/Altstoffe
- chimici/Chemikalien
- chimici ambientali/Umweltchemikalien
- chimici di casa/Haushaltschemikalien
- chimici industriali/Industriechemikalien
- chimici per il trattamento dello stabilimento balneare/Schwimmbadpflegemittel
- chimici pesanti/Schwerchemikalien
- chimici puri/Feinchemikalien
- da barba/Rasiermittel
- d'acciaio/Stahlerzeugnisse
- destillati del faggio a bassa temperatura/Buchenholz-Schwelprodukte
- di pericolo/Gefahrstoffe
- dimagranti/Schlankheitsmittel
- dolciari/Süßwaren
- farmaceutici/Pharmazeutika
- intermedi/Zwischenprodukte
- lucidi/Glanzmittel
- naturali/Naturstoffe
- naturali anticongelanti/Gefrierschutz-Naturstoffe
- naturali di γ-glutamile/γ-Glutamyl-Naturstoffe
- naturali marini/Marine Naturstoffe
- naturali modificati/Abgewandelte Naturstoffe
- per la cura intima/Intimpflegemittel
- per la pelle/Hautpflegemittel
- petrochimici/Petrochemikalien
- pirotecnici/Pyrotechnische Erzeugnisse
- radiobiochimici/Radiobiochemikalien
- semiochimici/Semiochemikalien
- sintetici di barriera/Barrierekunststoffe
- sintetici medicinali/Medizinsche Kunststoffe
- sintetici rinforzati con fibre di vetro/Glasfaserverstärkte Kunststoffe
- solubili/Instant-Produkte

prodotto antisolare/Sonnenschutzmittel
- della fissione/Fissium
- di manutenzione dell'automobile/Autopflegemittel
- di solubilità/Löslichkeitsprodukt
- disinfettante/Sanitizer
- finito/Endprodukt
- ionico/Ionenprodukt
- per lucidare l'argento/Silberputzmittel
- sterilizzante/Sanitizer

produttività/Produktivität
produttore primario/Primärproduzenten
produttori/Produzenten
produzione di aceto/Essig-Produktion
- di cellulosa/Zellstoffgewinnung
- di coppie/Paarbildung

profarmaco/Prodrug
profenofos/Profenofos
professioni chimiche/Chemie-Berufe
- farmaceutici/Pharma-Berufe

profilassi/Prophylaxe
profilato di fibra/Profilfaser
profilina/Profilin
profilite/Propylite
proflavina/Proflavin
profumamento/Parfümierung
profumeria/Parfümerie
profumi/Parfüms
- acquosi/Wasserparfüms

progesterone/Progesteron
progestinici/Gestagene
progetto genonico umano/Human-Genom-Projekt
- sulla depurazione dell'aria/Luftreinhalteplan

proglumetacina/Proglumetacin
proglumide/Proglumid
proguanile/Proguanil
proiettori alogeni/Halogenlampen
proiezione di Haworth/Haworth-Projektion
- di Newman/Newman-Projektion

prolammine/Prolamine
prolattina/Prolactin
prolidasi/Prolidase

Italiano

proliferazione/Proliferation
prolina/Prolin
prolinasi/Prolinase
prolintano/Prolintan
prolonio ioduro/Proloniumiodid
promazina/Promazin
prometazina/Promethazin
prometio/Promethium
prometone/Prometon
prometrina/Prometryn
promotori/Promotoren
– di adesione/Haftvermittler
– ibridi/Hybrid-Promotoren
pronto soccorso/Erste Hilfe
pronuncia/Aussprache
propacloro/Propachlor
propafenone/Propafenon
propagazione/Propagation
– vegetativa/Vegetative Vermehrung
propallilonal/Propallylonal
propandiammine/Propandiamine
propandioli/Propandiole
propanidide/Propanidid
propanile/Propanil
propano/Propan
propanoli/Propanole
1,3-propansultone/1,3-Propansulton
propantelina bromuro/Propanthelinbromid
propantioli/Propanthiole
propaquizafop/Propaquizafop
propargil.../Propargyl...
propargite/Propargit
propatilnitrato/Propatylnitrat
propellani/Propellane
propellenti/Treibmittel, Treibstoffe
– per razzi/Raketentreibstoffe
propene/Propen
1-propenil.../1-Propenyl...
(+)-S-((E)-1-propenil)-L-cistein-(R)-solfossido/(+)-S-((E)-1-Propenyl)-L-cystein-(R)-sulfoxid
propentdiopenti/Propentdyopente
propentofillina/Propentofylin
propeptidi/Propeptide
properdina/Properdin
propham/Propham
propicillina/Propicillin
propiconazolo/Propiconazol
propietà colligative/Kolligative Eigenschaften
propifenazone/Propyphenazon
propil.../Propyl...
propilammine/Propylamine
propilbenzene/Propylbenzol
propilen.../Propylen...
propilene/Propylen
propilenimmina/Propylenimin
propilenurea/Propylenharnstoff
propilglicole/Propylglykol
propiliden.../Propyliden...
propiliodone/Propyliodon
propiltiouracile/Propylthiouracil
propiluro/Propylur
2-propin-1-olo/2-Propin-1-ol
propineb/Propineb
propinil.../Propinyl...
propino/Propin
prop(io).../Prop(io)...
propiofenone/Propiophenon
β-propiolattone/β-Propiolacton
propionaldeide/Propionaldehyd
propionammide/Propionamid
propionati/Propionsäureester
– di polivinile/Polyvinylpropionate
propionato di calcio/Calciumpropionat
– di cellulosa/Cellulosepropionat
– di sodio/Natriumpropionat

propionil.../Propionyl...
propionitrile/Propionitril
propioxatine/Propioxatine
propipocaina/Propipocain
propiverina/Propiverin
propizamide/Propyzamid
propofol/Propofol
propoli/Propolis
proporzionare/Proportionieren
proporzione C/N/C/N-Verhältnis
propossi.../Propoxy...
propossidi/Propoxide
propoxur/Propoxur
propranololo/Propranolol
proprietà costitutive/Konstitutive Eigenschaften
– delle attività in superficie/Oberflächenaktive Eigenschaften
– di copertura/Deckvermögen
proquazone/Proquazon
pros.../Pros...
proscillaridina/Proscillaridin
prosciugamento dei fanghi/Schlammentwässerung
prospezione/Prospektion
– geochimica/Geochemische Prospektion
prostaciclina/Prostacyclin
prostaglandine/Prostaglandine
prostata/Prostata
prosulfocarb/Prosulfocarb
prosulfurone/Prosulfuron
protammine/Protamine
proteasi/Proteasen
– nessine/Protease-Nexine
proteasomi/Proteasomen
proteidi/Proteide
proteina A/Protein A
– acil-carrier/Acyl-Carrier-Protein
– C/Protein C
– C-reattiva/C-reaktives Protein
– cationica eosinofilica/Kationisches Eosinophilen-Protein
– che lega il retinolo/Retinol-bindendes Protein
– -120 che lega l'attina/Actin-bindendes Protein 120
– chinasi attivate da mitogeno/Mitogen-aktivierte Protein-Kinasen
– del prione/Prion-Protein
– della retinoblastoma/Retinoblastom-Protein
– di fusione/Fusionsprotein
– disaccoppiante/Entkoppler-Protein
– fibrillare acida della glia/Saures fibrilläres Glia-Protein
– fluorescente verde/Grün fluoreszierendes Protein
– fosfatasi/Protein-Phosphatasen
– intestinale ricca di cisteina/Cystein-reiches intestinales Protein
– legativa/Binde-Protein
– M/M-Protein
– mannosio-legante/Mannosebindendes Protein
– precursore del β-amiloide/β-Amyloid-Vorläuferprotein
– S-100/S-100-Protein
– TATA-legante/TATA-bindendes Protein
– unicellulare/Single Cell Protein
proteinasi/Proteinasen
– aspartiche/Aspartat-Proteinasen
– K/Proteinase K
proteine/Proteine
– 14-3-3/14-3-3-Proteine
– affini all'attina/Actin-verwandte Proteine

– al trifoglio/Kleeblatt-Proteine
– antivirali della Phytolacca/Phytolacca-Antivirus-Proteine
– associate ai microtubuli/Mikrotubulus-assoziierte Proteine
– attivanti la GTPasi/GTPase-aktivierende Proteine
– che legano il calcio/Calciumbindende Proteine
– contrattili/Kontraktile Proteine
– della fase acuta/Akutphasen-Proteine
– di adesione cellulare/Zell-Adhäsionsmoleküle
– di Bence-Jones/Bence-Jones-Proteine
– di choc termico/Hitzeschock-Proteine
– di stress/Streß-Proteine
– di trasferimento degli elettori/Elektronentransfer-Proteine
– di trasporto ABC/ABC-Transporter-Proteine
– DNA-leganti/DNA-bindende Proteine
– eme-tiolato/Hämthiolat-Proteine
– Ets/Ets-Proteine
– G/G-Proteine
– globulari/Globuläre Proteine
– GTP-leganti/GTP-bindende Proteine
– GTP-leganti piccole/Kleine GTP-bindende Proteine
– integrali/Transmembranproteine
– leganti periplasmatiche/Periplasmatische Bindungsproteine
– morfogenetiche del osso/Knochenmorphogenese-Proteine
– plasmatiche/Plasmaproteine
– proteolipido/Proteolipid-Proteine
– Ras/Ras-Proteine
– Rho/Rho-Proteine
– transmembrane/Transmembranproteine
– Wnt/Wnt-Proteine
proteinuria/Proteinurie
proteo.../Proteo...
proteobromina/Protheobromin
proteoglicani/Proteoglykane
proteolisi/Proteolyse
proteoma/Proteom
proteoormoni/Proteohormone
protettore acustico/Gehörschutz
– antisolare/Lichtschutzmittel
– d'ozono/Ozon-Schutzmittel
protettori delle sementi/Saatgut-Behandlungsmittel
protezione antiacida/Säureschutz
– antincendio/Brandschutz
– catodica contro la corrosione/Kathodischer Korrosionsschutz
– contro la corrosione/Korrosionsschutz
– contro la ruggine/Rostschutz
– contro le radiazioni/Strahlenschutz
– del biotopo/Biotopschutz
– del corpo/Körperschutz
– del lavoro/Arbeitsschutz
– del metallo/Metallschutz
– del piede/Fußschutz
– della natura/Naturschutz
– della specie/Artenschutz
– dell'ambiente naturale integrando la produzione/Produktionsintegrierter Umweltschutz
– delle acque/Gewässerschutz
– delle piante/Pflanzenschutz
– delle scorte/Vorratsschutz

– di notifica nei confronti di una seconda parte/Zweitanmelderschutz
protiofos/Prothiofos
protionamide/Protionamid
protipendile/Prothipendyl
protirelina/Protirelin
prot(o).../Prot(o)...
proto-oncogene/Protoonkogene
protoanemonina/Protoanemonin
protoattinio/Protactinium
protocatechualdeide/Protocatechualdehyd
protochilolo/Protokylol
protofani/Protophane
protolisi/Protolyse
protomeri/Protomere
protonazione/Protonierung
protoni/Protonen
protoporfirina IX/Protoporphyrin IX
protoporfirine/Protoporphyrine
protozoi/Protozoen
protriptilina/Protriptylin
protrombina/Prothrombin
proustite/Proustit
prova/Nachweis, Test
– citotossica/Cytotoxizitätstest
– dei materiali/Materialprüfung, Werkstoffprüfung
– dei tessili/Textilprüfung
– dello zolfo/Hepartest
– di gravidanza/Schwangerschaftstest
– di Hinsberg/Hinsberg-Test
– di Marsh/Marsh-Test
– di Nordlander/Nordlanders Test
– di resistenza all'urto/Kerbschlagbiegeversuch
– di Strauss/Strauß-Test
– di trazione/Zugversuch
– d'indurimento/Härteprüfung
– d'Izod/Izod-Test
– im bianco/Blindprobe
– non distruttiva dei materiali/Zerstörungsfreie Werkstoffprüfung
prove comparative/Ringversuche
– preliminari/Vorproben
provette/Reagenzgläser
provino arbitrale/Schiedsprobe
– collettivo/Sammelprobe
provitamine/Provitamine
proxibarbal/Proxibarbal
proxifilina/Proxyphyllin
proxymetacaina/Proxymetacain
prugne/Pflaumen
prugnole/Schlehen
prurito/Juckreiz
prussiati/Prussiate
pseudacacia/Robinie
pseud(o).../Pseud(o)...
pseudoalogeni/Pseudohalogene
pseudoasimmetria/Pseudoasymmetrie
pseudobrookite/Pseudobrookit
pseudocopolymeri/Pseudocopolymere
pseudoefedrina/Pseudoephedrin
pseudoionone/Pseudojonon
pseudoleghe/Pseudolegierungen
pseudomalachite/Pseudomalachit
Pseudomonas/Pseudomonas
pseudomorfosi/Pseudomorphosen
– di conversione/Umwandlungspseudomorphose
– per alterazione/Umwandlungspseudomorphose
pseudomureina/Pseudomurein
pseudopelletierina/Pseudopelletierin
pseudopotenziale/Pseudopotential

pseudorotazione/Pseudorotation
pseudouridina/Pseudouridin
pseurotine/Pseurotine
psicofarmaci/Psychopharmaka
psicrofilia/Psychrophilie
psicrometro/Psychrometer
psillio/Flohsamen
psilocibina/Psilocybin
psilomelano/Romanechit
psoralene/Psoralen
psoriasi/Psoriasis
pteridine/Pteridine
pterina/Pterin
pterocarpani/Pterocarpane
pterulone/Pterulon
ptilocaulina/Ptilocaulin
ptomaine/Ptomaine
puddellaggio/Puddel-Verfahren
pulci/Flöhe
pulegone/Pulegon
pulica/Blasen
pulicaria/Flohsamen
pulitore al freddo/Kaltreiniger
– della facciata/Fassadenreiniger
– neutro/Neutralreiniger
pulitori sanitari/Sanitärreiniger
pulitura a secco/Vollreinigung
– dell'aria di scarico/Abluftreinigung
pullulano/Pullulan
pulque/Pulque
pulsatilla/Küchenschelle
pultrusione/Pultrusion
pulviscolo/Flugstaub
pumiliotossine/Pumiliotoxine
pumpellyite/Pumpellyit
pungitopo/Ruscus
punti di trasformazione/Umwandlungspunkte
– isosbestici/Isosbestische Punkte
punto critico/Kritischer Punkt
– d' ammorbidimento (ammollimento)/Erweichungspunkt
– d'anilina/Anilin-Punkt
– d'equivalenza/Äquivalenzpunkt
– di congelamento/Eispunkt, Erstarrungspunkt
– di ebollizione/Siedepunkt
– di fusione/Pourpoint, Schmelzpunkt
– di gocciolamento/Tropfpunkt
– di intorbidamento/Trübungspunkt
– di nebbia/Trübungspunkt
– di rugiada/Taupunkt
– di solidificazione/Stockpunkt
– di torbidità/Trübungspunkt
– d'infiammabilità/Flammpunkt
– estremo/Endpunkt
– fluidico/Fließpunkt
– isoelettrico/Isoelektrischer Punkt
– Krafft/Krafft-Punkt
– lambda/Lambda-Kurve
– peritettico/Peritektikum
– triplo/Tripelpunkt
– vorticoso/Wirbelpunkt
– zero assoluto/Absoluter Nullpunkt
purezza/Reinheit
– chimica/Chemische Reinheit
– nucleare/Nuklearreinheit
– ottica/Optische Reinheit
purga/Abführmittel
purgante/Abführmittel
purge and trap/Purge and Trap
purificazione/Klären, Reinigung
– dei metalli/Metallreinigung
– del gas/Gasreinigung
purina/Purin
purine/Purine
puro/Gediegen
puromicina/Puromycin

purpurina/Purpurin
purpurogallina/Purpurogallin
purpurone/Purpuron
push-pull/Push-pull
putaminossine/Putaminoxine
putrefazione/Fäulnis, Faulung, Verwesung
pyridaben/Pyridaben

Q

qinghaosu/Qinghaosu
quadr…/Quadr…
quadriciclano/Quadricyclan
quadrilure/Quadrilur
quadro-/quadro-
quadrone/Quadron
qualità ambientale/Umweltqualität
– delle acque/Gewässergüte
quanti/Quanten
quantità di sostanza/Stoffmenge
– massime/Höchstmengen
quark/Quark, Quarks
quarziti/Quarzite
quarzo/Quarz
– affumicato/Rauchquarz
– fuso/Quarzgut
quasi-atomi/Quasiatome
– -particella/Quasiteilchen
– -statico/Quasistatisch
quasicristalli/Quasikristalle
quassia/Quassia
quassina/Quassin(oide)
quassinoidi/Quassin(oide)
quater…/Quater…
quaternario/Quartär, Quaternär
quaternizzazione/Quaternisierung
3,2′:3′,4″:2″,3‴-quaterpiridine/3,2′:3′,4″:2″,3‴-Quaterpyridin
quebrachina/Yohimbin
quebracho/Quebracho
quebrachoammina/Quebrachamin
quencher/Quencher
quene 1/Quene 1
quercetina/Quercetin
quetiapina/Quetiapin
quin 2/Quin 2
quinagolide/Quinagolid
quinalfos/Quinalphos
quinapril/Quinapril
quinclorac/Quinclorac
quinestrolo/Quinestrol
quinetazone/Quinethazon
quinisocaina/Quinisocain
quinmerac/Quinmerac
quinocarcina/Quinocarcin
quinqu[e]…/Quinque…
quintozene/Quintozen
quinupristina/Quinupristin
quizalofop-etile/Quizalofop-ethyl
quoziente respiratorio/Respiratorischer Quotient

R

rabarbaro/Rhabarber
rabeprazolo/Rabeprazol
raccordi/Reduzierstücke
racemasi/Racemasen
racemati/Racemate
racemizzazione/Racemisierung
rachi/Raki
rachitismo/Rachitis
rad/Rad
radar ottico/LIDAR
raddoppiamento di frequenza/Frequenzverdopplung
radialeni/Radialene
radiatore β/β-Strahler
– a fessura/Schlitzstrahler
– a raggi infrarossi/Infrarotstrahler
– di Planck/Planckscher Strahler

radiazione/Strahlung
– Čerenkov/Čerenkov-Strahlung
– coerente/Kohärente Strahlung
– cosmica/Kosmische Strahlung
– cosmica di fondo/Kosmische Hintergrundstrahlung
– d'annientamento/Vernichtungsstrahlung
– di frenaggio/Bremsstrahlung
– di sincrotrone/Synchrotron-Strahlung
– infrarossa/Infrarotstrahlung
– ionizzante/Ionisierende Strahlung
– monocromatica/Monochromatische Strahlung
– ultravioletta/Ultraviolettstrahlung
radicali/Radikale
– d'ossigeno/Sauerstoff-Radikale
– liberi/Freie Radikale
– nitrossilici/Nitroxyl-Radikale
radice della curcuma/Zitwer
– della lappa/Klettenwurzel
– della poligala/Senegawurzel
– della ratania/Ratanhiawurzel
– della tormentilla/Tormentillwurzel
– saponaria/Seifenwurzel
radio/Radium
radio…/Radio…
radioastronomia/Radioastronomie
radioattività/Radioaktivität
radiobiologia/Radiobiologie
radiochimica/Radiochemie
radiocromatografia/Radiochromatographie
radiofarmaceutici/Radiopharmazeutika
radiografia/Radiographie
radioindicatori/Radioindikatoren
radioisotopi/Radioisotope
radiolisi/Radiolyse
– a impulsi/Pulsradiolyse
radiologia/Radiologie
radiometria/Radiometrie
radiomimetici/Radiomimetika
radionuclidi/Radionuklide
radioopaco/Röntgenkontrastmittel
radiosumina/Radiosumin
radioterapia/Strahlentherapie
radiotrasparente/Röntgenkontrastmittel
radome/Radom
radon/Radon
rafaelite/Rafaelit
raffinazione/Raffination
– elettrolitica/Elektrolytische Raffination
– tessile/Textilveredlung
raffinosio/Raffinose
raffreddamento ad ablazione/Ablationskühlung
– adiabatico/Adiabatische Abkühlung
– per evaporazione/Verdampfungskühlung
raffreddore comune/Schnupfen
raggi atomici/Atomstrahlen
– beta/Beta-Strahlen
– catodici/Kathodenstrahlen
– delta/Delta-Strahlen
– gamma/Gammastrahlen
– molecolari/Molekularstrahlen
– X/Röntgenstrahlung
raggio atomico/Atomradius
– di girazione/Trägheitsradius
– d'inerzia/Trägheitsradius
– ionico/Ionenradius
ragni/Spinnen
raion/Reyon
– cuproammoniacale/Kupferseide
raloxifene/Raloxifen

ramare/Verkupfern
ramatura/Verkupfern
rambutan/Rambutan
rame/Kupfer
– blister/Blisterkupfer
– brillante/Glanzkupfer
– crudo/Haftkupfer
– elettrolitico/Elektrolytkupfer
ramia/Ramie
ramifenazone/Ramifenazon
ramificazione/Verzweigung
ramipril/Ramipril
rammelsbergite/Rammelsbergit
ramnosio/Rhamnose
ramsdellite/Ramsdellit
ran/Ran
rancidezza/Ranzigkeit, Ranzigwerden
rancidità/Ranzigkeit, Ranzigwerden
ranitidina/Ranitidin
ranuncolacee/Hahnenfußgewächse
rapamicina/Rapamycin
rapporti/Reports
rapporto ambientale/Umweltbericht
– di massa/Massenverhältnis
rapsammina/Rhapsamin
rata di aerazione/Belüftungsrate
– di mutazione/Mutationsrate
ravanello/Radieschen
ravano/Rettich
ravvivatura/Schönen
razione giornaliera raccomandata/RDA
reagente con iodoplatinato/Iodplatinat-Reagenz
– di Abele/Abels Reagenz
– di Benedict/Benedicts Reagenz
– di Bial/Bials Reagenz
– di Carr-Price/Carr-Price-Reagenz
– di Collman/Collmans Reagenz
– di Draggendorff/Draggendorffs Reagenz
– di Esbach/Esbachs Reagenz
– di Fenton/Fentons Reagenz
– di Folin/Folins Reagenz
– di Fröhde/Fröhdes Reagenz
– di Gigli/Giglis Reagenz
– di Günzburg/Günzburgs Reagenz
– di Karl-Fischer/Karl-Fischer-Reagenz
– di Lalancette/Lalancette-Reagenz
– di Lunge/Lunge-Reagenz
– di Parke/Parkes Reagenz
– Kahane/Jorissens Reagenz, Kahanes Reagenz
reagenti/Reagenzien
– di Ehrlich/Ehrlichs Reagenzien
– di Girard/Girard-Reagenzien
– fibrosi/Faserreagenzien
reagine/Reagine
reagire/Reagieren
realgar/Realgar
reattivi/Reagenzien
– di spostamento/Verschiebungsreagenzien
– di Tebbe-Grubb/Tebbe-Grubbs-Reagenzien
– di Wittig/Wittig-Reagenzien
– spray/Sprühreagenzien
reattivo di Hanuš/Hanuš-Reagenz
– di Lawesson/Lawesson-Reagenz
– di Mayer/Mayers Reagenz
– di Nessler/Neßlers Reagenz
– di Nylander/Nylanders Reagenz
– di Riegler/Rieglers Reagenz
– di Schiff/Schiffs Reagenz

Italiano

- di Schlesinger/Schlesingers Reagenz
- di Schweizer/Schweizers Reagenz
- di Thiele/Thieles Reagenz
- di Töpfer/Töpfers Reagenz
- di Tollens/Tollens-Reagenz
- di Uffelmann/Uffelmann-Reagenz
- di Vervens/Vervens-Reagenz
- di Vilsmeier/Vilsmeier-Reagenz
- di Wiesner/Wiesner-Reagenz
- di Willebrand/Willebrand-Reagenz
- precipitante/Fällungsmittel
reattore a biofilm/Biofilmreaktor
- a circolazione/Umlaufreaktor
- a colonna e a bolle/Blasensäulenreaktor
- a fibra cava/Hohlfaser-Reaktor
- a fiocco con pozzi profondi/Deep Shaft-Schlaufenreaktor
- a letto continuo/Fließbett-Reaktor
- a letto solido/Festbett-Reaktor
- a membrana enzimatica/Enzym-Membran-Reaktor
- a vasca chiusa con agitatore e tubo di flusso/Umlaufreaktor
- ad anello/Schlaufenreaktor
- di coltura cellulare Diessel/Diessel®-Zellkultur-Reaktor
- di superficie/Oberflächenreaktor
- dialitico/Dialysereaktor
- plug flow/Plug Flow-Reaktor
- termonucleare sperimentale e internazionale/ITER
reattori/Reaktoren
- a combustione/Verbrennungsreaktoren
- autofertilizzanti/Brutreaktoren
- di coltura cellulare/Zellkultur-Reaktoren
- nucleari/Kernreaktoren
reazione a catena/Kettenreaktion
- a catena della polimerasi/Polymerase chain reaction
- a catena delle ligasi/Ligase chain reaction
- acida/Saure Reaktion
- alcalina/Alkalische Reaktion
- alla tubercolina/Tuberkulin-Test
- antigene-anticorpo/Antigen-Antikörper-Reaktion
- bimolecolare/Bimolekulare Reaktion
- d'Arndt-Eistert/Arndt-Eistert-Reaktion
- del piombato/Plumbat-Reaktion
- della plasteina/Plasteïn-Reaktion
- della talleiochina/Thalleiochin-Reaktion
- dell'amido iodurante/Iodstärke-Reaktion
- delle enammine di Stork/Stork-Enamin-Reaktion
- dell'indantrene/Indanthren-Reaktion
- di Angeli-Rimini/Angeli-Rimini-Reaktion
- di Bamberger/Bamberger-Reaktion
- di Bamford-Stevens/Bamford-Stevens-Reaktion
- di Barbier-Wieland/Barbier-Wieland-Reaktion
- di Bart/Bart-Reaktion
- di Barton/Barton-Reaktion
- di Belousov-Zhabotinskii/Belousov-Zhabotinskii-Reaktion
- di Birch-Pearson/Birch-Pearson-Reaktion
- di Bohn-Schmidt/Bohn-Schmidt-Reaktion
- di Bouveault-Blanc/Bouveault-Blanc-Reaktion
- di Bucherer/Bucherer-Reaktion
- di Camps/Camps-Reaktion
- di Cannizzaro/Cannizzaro-Reaktion
- di Chugaev/Tschugaeff-Reaktion
- di Dakin e West/Dakin-West-Reaktion
- di Darzens/Darzens-Reaktion
- di demolizione/Abbruchreaktion
- di Diels-Alder/Diels-Alder-Reaktion
- di Dötz/Dötz-Reaktion
- di Einhorn/Einhorn-Reaktion
- di Elbs/Elbs-Reaktion
- di Etard/Etard-Reaktion
- di Friedel-Crafts/Friedel-Crafts-Reaktion
- di Grieß-Ilosvay/Grieß-Ilosvay-Reaktion
- di Grignard/Grignard-Reaktion
- di Guerbet/Guerbet-Reaktion
- di Halden/Haldensche Reaktion
- di Haller-Bauer/Haller-Bauer-Reaktion
- di Hanikirsch/Hanikirsch-Reaktion
- di Heck/Heck-Reaktion
- di Hell-Volhard-Zelinsky/Hell-Volhard-Zelinsky-Reaktion
- di Herz/Herz-Reaktion
- di Hill/Hill-Reaktion
- di Hock/Hocksche Spaltung
- di Hofmann-Löffler-Freytag/Hofmann-Löffler-Freytag-Reaktion
- di Hofmann-Martius/Hofmann-Martius-Reaktion
- di Horner-Emmons/Horner-Emmons-Reaktion
- di Hunsdiecker e Borodin/Hunsdiecker-Borodin-Reaktion
- di inserzione/Einschiebungsreaktion
- di iodo-azide/Iod-Azid-Reaktion
- di Ivanov/Ivanov-Reaktion
- di Jacobsen/Jacobsen-Reaktion
- di Jaffé/Jaffé-Reaktion
- di Janovsky/Janovsky-Reaktion
- di Japp-Klingemann/Japp-Klingemann-Reaktion
- di Kedde/Kedde-Reaktion
- di Kharasch-Sosnovsky/Kharasch-Sosnovsky-Reaktion
- di Komarowsky/Komarowsky-Reaktion
- di Landolt/Landoltsche Zeitreaktion
- di Leuckart/Leuckart-Reaktion
- di Maillard/Maillard-Reaktion
- di Mannich/Mannich-Reaktion
- di McCormack/McCormack-Reaktion
- di McMurry/McMurry-Reaktion
- di Meerwein/Meerwein-Reaktion
- di Meyers/Meyers-Reaktion
- di Michaelis-Arbusov/Michaelis-Arbusov-Reaktion
- di Millon/Millonsche Reaktion
- di Mitsunobu/Mitsunobu-Reaktion
- di Mukaiyama/Mukaiyama-Reaktion
- di Nazarov/Nazarov-(Ringschluß-)Reaktion
- di Nencki/Nencki-Reaktion
- di Nesmeyanov/Nesmeyanov-Reaktion
- di Obermayer/Obermayersche Reaktion
- di Pandy/Pandy-Reaktion
- di Passerini/Passerini-Reaktion
- di Paternò-Büchi/Paternò-Büchi-Reaktion
- di Pauly/Pauly-Reaktion
- di Pauson-Khand/Pauson-Khand-Reaktion
- di Pechmann/Pechmann-Reaktion
- di Perkin/Perkin-Reaktion
- di Perkow/Perkow-Reaktion
- di Peterson/Peterson-Reaktion
- di Pictet-Spengler/Pictet-Spengler-Reaktion
- di Polonovski/Polonovski-Reaktion
- di Pomeranz-Fritsch/Pomeranz-Fritsch-Reaktion
- di Prins/Prins-Reaktion
- di Ramberg-Backlund/Ramberg-Bäcklund-Reaktion
- di Reformatsky/Reformatsky-Reaktion
- di Reimer-Tiemann/Reimer-Tiemann-Reaktion
- di Reissert/Reissert-Reaktion
- di Ritter/Ritter-Reaktion
- di Rosenmund/Rosenmund-Reaktion
- di Sakurai/Sakurai-Reaktion
- di Sandmeyer/Sandmeyer-Reaktion
- di Schenck/Schenck-Reaktion
- di Schiemann/Schiemann-Reaktion
- di Schmidt/Schmidt-Reaktion
- di Schönberg/Schönberg-Reaktion
- di Schotten-Baumann/Schotten-Baumann-Reaktion
- di Schwarz-Neghishi/Schwarz-Neghishi-Reaktion
- di Selivanov/Seliwanow-Reaktion
- di Shapiro/Shapiro-Reaktion
- di Simmons-Smith/Simmons-Smith-Reaktion
- di Simonini/Simonini-Reaktion
- di Sommelet/Sommelet-Reaktion
- di Stetter/Stetter-Reaktion
- di Stille/Stille-Reaktion
- di Süs/Süs-Reaktion
- di Suzuki/Suzuki-Reaktion
- di Swarts/Swarts-Reaktion
- di Takata/Takata-Reaktion
- di Teuber/Teuber-Reaktion
- di Thiele-Winter/Thiele-Winter-Reaktion
- di Thorpe/Thorpe-Reaktion
- di trasferimento degli elettroni/Durchtrittsreaktion
- di Treibs/Treibs-Reaktion
- di Tsuji-Trost/Tsuji-Trost-Reaktion
- di Ullmann/Ullmann-Reaktion
- di van Urk/Van-Urk-Reaktion
- di Varrentrapp/Varrentrapp-Reaktion
- di Vilsmeier e Haack/Vilsmeier-Haack-Reaktion
- di Vitali/Vitali-Reaktion
- di Wassermann/Wassermann-Reaktion
- di Weidel-Kossel/Weidel-Kossel-Reaktion
- di Weiss/Weiss-Reaktion
- di Willgerodt/Willgerodt-Reaktion
- di Wittig/Wittig-Reaktion
- di Zimmermann/Zimmermann-Reaktion
- in un solo contenitore/Eintopfreaktion
- tandem/Tandem-Reaktion
- xantoproteica/Xanthoprotein-Reaktion
- zip/Zip-Reaktion
reazioni a più gradi/Stufenreaktionen
- a tempo/Zeitreaktionen
- anaplerotiche/Anaplerotische Reaktionen
- cheletrope/Cheletrope Reaktionen
- concertati/Konzertierte Reaktionen
- dei composti ciclici/Ringreaktionen
- di Baeyer/Baeyer-Reaktionen
- di difesa/Abwehrreaktionen
- di fase I/Phase-I-Reaktionen
- di fase II/Phase-II-Reaktionen
- di Fischer/Fischer-Reaktionen
- di Liebermann/Liebermann-Reaktionen
- di Nef/Nef-Reaktionen
- di Nenitzescu/Nenitzescu-Reaktionen
- di nome/Namen(s)reaktionen
- di Norrish/Norrish-Reaktionen
- di scambio/Austauschreaktionen, Trans-Reaktionen
- di scambio di carica/Ladungsaustauschreaktionen
- di trasporto/Transport-Reaktionen
- di trasporto protonico/Protonenübertragungsreaktionen
- di Wallach/Wallach-Reaktionen
- di Ziegler/Ziegler-Reaktionen
- di Zincke/Zincke-Reaktionen
- elementari/Elementarreaktionen
- elettrocicliche/Elektrocyclische Reaktionen
- elettrofili/Elektrophile Reaktionen
- ioniche/Ionenreaktionen
- metallo-organiche/Metall-organische Reaktionen
- multicentriche/Mehrzentrenreaktionen
- nucleari/Kernreaktionen
- nucleofile/Nucleophile Reaktionen
- pericicliche/Pericyclische Reaktionen
- polimeriche analoghe/Polymeranaloge Reaktionen
- radicaliche/Radikalische Reaktionen
- simultane/Simultanreaktionen
- sincrone/Synchronreaktionen
- (sintesi) diastereoselettive/Diastereoselektive Reaktionen (Synthesen)
- S_N/S_N-Reaktionen
- successive/Sukzessivreaktionen
- termolecolari (trimolecolari)/Termolekulare Reaktionen
- tra ioni e molecole/Ionen-Molekül-Reaktionen
- unimolecolari/Unimolekulare Reaktionen
- veloci/Schnelle Reaktionen
rebeccamicina/Rebeccamycin
reboxetina/Reboxetin

recettore Ah/Ah-Rezeptor
- della glicina/Glycin-Rezeptor
- delle asialoglicoproteine/Asialoglykoprotein-Rezeptor
- delle diidropiridine/Dihydropyridin-Rezeptor
- di cannabinoide/Cannabinoid-Rezeptor
- imidazolinico/Imidazolin-Rezeptor
- rianodinico/Ryanodin-Rezeptor
- vanilloidei/Vanilloid-Rezeptor
recettori/Rezeptoren
- di dopammina/Dopamin-Rezeptoren
- GABA/GABA-Rezeptoren
- glutammici/Glutamat-Rezeptoren
- homing/Homing-Rezeptoren
- nucleari/Kernrezeptoren
- retinoidici/Retinoid-Rezeptoren
recipiente/Behälter
- Witt/Wittscher Topf
recipienti Dewar/Dewar-Gefäße
recoverina/Recoverin
reduttasi/Reduktasen
redwitzite/Redwitzit
reforming/Reformieren
refrazione atomica/Atomrefraktion
refrigerante/Kühlmittel
refrigeratore/Kühler
regio…/Regio…
regiochimica/Regiochemie
regioisomeria/Regioisomerie
regione di svuotamento/Sperrschicht
- ipervariabile/Hypervariable Region
regioni variabili/Variable Regionen
regioselettivo, regiospecifico/Regioselektiv, Regiospezifisch
registrare/Registrieren
registro dei colori RAL/RAL-Farbenregister
- sul liberamento e trasporto di contaminanti/PRTR
regola d'Abegg/Abeggsche Regel
- d'Auwers-Skita/Auwers-Skita-Regel
- delle fasi di Gibbs/Gibbssche Phasenregel
- dell'ottante/Oktanregel
- di Blanc/Blanc-Regel
- di Bredt/Bredt'sche Regel
- di Cailletet-Mathias/Cailletet-Mathias'sche Regel
- di doppio legame di Schmidt/Schmidtsche Doppelbindungsregel
- di Dulong-Petit/Dulong-Petitsche Regel
- di Hückel/Hückel-Regel
- di Kornblum/Kornblum-Regel
- di Markovnikoff/Markownikoffsche Regel
- di Mattauch/Mattauch-Regel
- di Nernst-Thomson/Nernst-Thomson-Regel
- di Ostwald/Ostwaldsche Stufenregel
- di Pictet e Trouton/Pictet-Trouton-Regel
- di Saytzeff/Saytzeff-Regel
- di Stokes/Stokes-Regel
- di Tammann/Tammann-Regel
- di Traube/Traube-Regel
- isoprenica/Isopren-Regel
regolamenti per la destinazione dei rifiuti/Abfallbestimmungs-Verordnungen
regolamento in materia di professioni e mestieri/Gewerbeordnung

- sugli impianti di incenerimento dei rifiuti/Abfallverbrennungsanlagen-Verordnung
regolatore della pressione/Druckminderer
- di crescita del gambo/Halmfestiger
- on-off/Zweipunktregler
regolatori/Reglersubstanzen
- di crescita/Wachstumsregulatoren, Wachstumsregler
regolazione/Regelung, Regulation
regole climatiche/Klimaregeln
- di Cahn/CIP-Regeln
- di CEP/CEP-Regeln
- di Hahn/Hahnsche Regeln
- di Hund/Hundsche Regeln
- di miscelazione/Mischungsregeln
- di selezione/Auswahlregeln
- di sequenza/Sequenzregeln
- di Slater/Slatersche Regeln
- di Wade/Wade-Regeln
- di Wigner-Witmer/Wigner-Witmer-Regeln
- di Woodward-Hoffmann/Woodward-Hoffmann-Regeln
- generalmente riconosciute di tecnica/Allgemein anerkannte Regeln der Technik
regolo/Regulus
relativo/Relativ
relaxina/Relaxin
relazione di commutazione/Vertauschungsrelation
- di indeterminazione/Unschärfebeziehung
- oste-ospite/Wirt-Gast-Beziehung
relazioni pubbliche/Referateorgane
…relina/…relin
rem/Rem
remalloy/Remalloy
remifentanil/Remifentanil
remoxipride/Remoxiprid
renati/Rhenate
renaturazione/Renaturierung
rendere idrofobo/Hydrophobieren
rendimento/Ausbeute, Wirkungsgrad
- ottico/Optische Ausbeute
- quantico/Quantenausbeute
reni/Nieren
reniérite/Reniérit
renina/Renin
renio/Rhenium
reologia/Rheologie
reopessia/Rheopexie
reostrizione/Pincheffekt
repaglinide/Repaglinid
repellenti/Repellentien
repliaziòne/Replikation
replicasi Qβ/Qβ-Replikase
reporter/Reportergen
repressione di catabolito/Katabolit-Repression
repressori/Repressoren
reprografia/Reprographie
reproterolo/Reproterol
reptazione/Reptation
repulsione della coppia di elettroni dello strato di valenza/VSEPR
resazurina/Resazurin
rescinnamina/Rescinnamin
reserpina/Reserpin
residuato dalla chiarificazione/Klärschlamm
residui/Reststoff
- della distillazione/Schlempe
- domestici/Hausmüll
- radioattivi/Radioaktive Abfälle

residuo/Rückstand
- dopo l'incandescenza/Glührückstand
- d'evaporazione/Abdampfrückstand
resilienza su barrette con intaglio/Kerbschlagzähigkeit
resilina/Resilin
resina/Resina
- dammar/Dammarharz
- di benzoino/Benzoeharz
- di guaiaco/Guajakharz
- di ipomoea/Ipomoea-Harz
- mastice/Mastix
- polianidridica/Polyanhydrid-Harz
resine/Harze, Resine
- a basso contrazione/Low-shrink-Harze
- a basso profilo/Low-profile-Harze
- alchidiche/Alkydharze
- aldeidiche/Aldehydharze
- alliliche/Allylharze
- arilalchidiche/Acryl-Alkydharze
- benzoguanamminiche/Benzoguanamin-Harze
- cave/Hohlfasern
- chetoniche/Keton-Harze
- cresoliche/Kresol-Harze
- cumaron-indeniche/Cumaron-Indenharze
- d'imregnazione/Imprägnier-Harze
- da fusione/Gießharze
- degli acetali/Acetal-Harze
- di formaldeide/Formaldehyd-Harze
- di maleinato/Maleinatharze
- di melammina/Melamin-Harnstoff-Formaldehyd-Harze, Melamin-Harze
- di melammina e formaldeide/Melamin-Formaldehyd-Harze
- di melammina-fenolo-formaldeide/Melamin-Phenol-Formaldehyd-Harze
- di metacrilato/Methacrylatharze
- di petrolio/Petroleum-Harze
- di poliestere/Polyesterharze
- di poliesteri insaturi/Ungesättigte Polyester-Harze
- di poliuretano/Polyurethan-Harze
- di reattanza/Reaktantharze
- di reazione/Reaktionsharze
- di rinforzo/Verstärkerharze
- di xilolo e formaldeide/Xylol-Formaldehyd-Harze
- epossidiche/Epoxidharze
- espanse/Schaumstoffe
- fenol-aralchiliche/Phenol-Aralkyl-Harze
- fenoliche/Phenol-Harze
- fenossici/Phenoxyharze
- flessibile e morbide/Weichharze
- furaniche/Furan-Harze
- idrocarburiche/Kohlenwasserstoff-Harze
- impregnanti/Tränkharze
- indurite/Hartharze
- melamminiche/Melamin-Harze
- naturali/Natürliche Harze
- olefiniche/Olefin-Fasern
- per colle/Leimharze
- pineniche/Pinen-Harze
- scambiatrici di ioni/Ionenaustauscherharze
- sintetiche/Kunstharze, Synthetische Harze
- tecniche/Technische Harze

- terpeniche/Terpen-Harze
- terpenico-fenoliche/Terpen-Phenol-Harze
- tetracloroftalatiche/Tetrachlorphthalat-Harze
- triaziniche/Triazin-Harze
- ureiche/Harnstoff-Harze
- vinilici/Vinylester-Harze
resiniferatossina/Resiniferatoxin
resinificazione/Verharzung
resinite/Pechstein
resinoidi/Resinoide
resistencia temporal/Zeitfestigkeit
resistente al calore/Hitzeresistenz
- alle fiamme/Flammfest
resistenza/Festigkeit, Resistenz
- a fatica/Schwingfestigkeit
- a secco/Trockenfestigkeit
- al calore/Hitzebeständigkeit
- all'urto/Schlagzähigkeit
- alla degradazione/Wetterechtheit
- alla luce/Lichtechtheit
- alla pulitura/Wischbeständigkeit
- alla rottura per trazione/Zugfestigkeit
- alla trazione/Reißfestigkeit, Zugfestigkeit
- all'alterazione superficiale/Wetterechtheit
- all'erbicida/Herbizidresistenz
- allo sfregamento/Scheuerfestigkeit
- allo snervamento/Streckgrenze
- allo snervamento tecnico/Technische Streckgrenze
- allo strappo/Reißfestigkeit
- ambientale/Umweltwiderstand
- avvivante/Avivierechtheit
- d'alcali/Alkaliechtheit
- di forma ad alta temperatura/Warmfestigkeit
- nel tempo/Zeitfestigkeit
resmetrina/Resmethrin
resorcina/Resorcin
resorcinolo/Resorcin
respiratore di autosalvataggio/Selbstretter
respiratori rigenerativi/Regenerationsgeräte
respirazione/Atmung
- del terreno/Bodenatmung
- solfatica/Sulfat-Atmung
responsabilità ambientale/Umwelthaftung
- legale per prodotti difettosi/Produzenhaftung
restaurazione/Restaurierung
resti/Reste
- acidi/Säurereste
resticoli polimeri interpenetranti/Interpenetrierende polymere Netzwerke
restringimento/Schrumpfen
retene/Reten
reteplase/Reteplase
reticolati di valenza principale/Hauptvalenz-Netzwerke
reticolazione/Umnetzung, Vernetzung
- fisica/Physikalische Vernetzung
reticoli polimeri/Polymere Netzwerke
reticolina/Reticulin
reticolo cristallino/Kristallgitter
- di lettura/Leseraster
- endoplasmico/Endoplasmatisches Retikulum
- metallico/Metallgitter

Italiano

- molecolatre/Molekülgitter
- reciproco/Reziproke Gitter
- sarcoplasmatico/Sarkoplasmatisches Retikulum
- reti neuronali/Neuronale Netze
- retinale/Retinal
- retinoidi/Retinoide
- retinolo/Retinol
- retro…/Retro…
- retroelettrodialisi/Retroelektrodialyse
- retrogradazione/Retrogradation
- retrosintesi/Retrosynthese
- retrosublimazione/Retrosublimation
- retrovirus/Retroviren
- retta d'amplificazione/Verstärkungsgerade
- rettale/Rektal
- rettificazione/Rektifikation
- reumatest/Rheumatests
- reumatismo/Rheuma
- reuterina/Reuterin
- reversibile/Quasistatisch, Reversibel
- reviparina sodio/Reviparin-Natrium
- rheina/Rhein
- rianodina/Ryanodin
- riassorbimento/Resorption
- ribavirina/Ribavirin
- ribes/Johannisbeeren
- ribitolo/Ribit
- ribo-/ribo-
- riboflavin-5′-fosfato/Riboflavin-5′-phosphat
- riboflavina/Riboflavin
- riboforine/Ribophorine
- ribonucleasi/Ribonucleasen
- ribonucleosidi/Ribonucleoside
- ribonucleotide reduttasi/Ribonucleotid-Reduktasen
- ribosidi/Riboside
- D-ribosio/D-Ribose
- ribosomi/Ribosomen
- ribozimi/Ribozyme
- D-ribulosio/D-Ribulose
- ribulosio bifosfato carbossilasi/Ribulosebisphosphat-Carboxylase
- riccardine/Riccardine
- ricerca/Forschung, Recherche
- ambientale/Umweltforschung
- commissionata/Auftragsforschung
- operativa/Operations-Research
- ricerche in linea, ricerche on-line/Online-Recherchen
- ricetta/Rezept, Rezeptur
- ricettori/Rezeptoren
- richiamo sessuali/Sexuallockstoffe
- richiesta dell'antisimmetria/Antisymmetrieforderung
- riciclaggio/Recycling
- dei rifiuti/Abfallverwertung
- ricina/Ricin
- ricinoleati/Ricinoleate
- rickettsie/Rickettsien
- ricombinasi/Recombinasen
- ricombinazione/Rekombination
- riconoscimento della specie/Arterkennung
- molecolare/Molekulare Erkennung
- ricotta/Quark
- ricottura da coazioni termiche/Spannungsarmglühen
- di distensione/Spannungsarmglühen
- in bianco/Blankglühen
- ricristallizzazione/Rekristallisation, Umkristallisation
- ricuocere/Anlassen
- ricupero di stagno/Entzinnen
- ridondanza/Redundanz
- ridossine/Redoxine
- riducente/Reduktionsmittel
- riduttasi/Reduktasen
- riduttivo/Reduktiv
- riduttoni/Reduktone
- riduzione/Reduktion
- catodica/Kathodische Reduktion
- collo stagno/Zinn-Reduktion
- di Béchamp/Béchamp-Reduktion
- di Benkeser/Benkeser-Reduktion
- di Birch/Birch-Reduktion
- di Clemmensen/Clemmensen-Reduktion
- di Meerwein-Ponndorf-Verley/Meerwein-Ponndorf-Verley-Reduktion
- di Rosenmund-Saytsev/Rosenmund-Saytsev-Reduktion
- di Wolff-Kishner/Wolff-Kishner-Reduktion
- di Zinin/Zinin-Reduktion
- dissimilata di solfato/Sulfat-Atmung
- rifabutina/Rifabutin
- rifampicina/Rifampicin
- rifiuti/Abfall, Abraum
- biologici/Bioabfall
- d'imballaggio/Verpackungsabfälle
- pericolosi/Sonderabfall
- residenziali/Siedlungsabfälle
- rimanenti/Restmüll
- riflessione/Reflexion
- riflusso/Rückfluß
- rifrattometro/Refraktometer
- rifrazione/Refraktion
- doppia/Doppelbrechung
- doppia di tensione/Spannungsdoppelbrechung
- rigenerati/Regenerate
- rigenerazione/Regeneration, Wiederaufbereitung
- delle piante/Regeneration von Pflanzen
- rilassanti muscolari/Muskelrelaxantien
- rilassazione/Relaxation
- riluzolo/Riluzol
- rimedio/Heilmittel
- confessante/Geständnismittel
- rimexolone/Rimexolon
- rimobilizzazione/Remobilisierung
- rimozione di calamina/Entzunderung
- rimsulfurone/Rimsulfuron
- rinforzamento delle fibre/Faserverstärkung
- rinforzatore del gusto/Geschmacksverstärker
- rinite/Schnupfen
- rinologici/Rhinologika
- riolite/Rhyolith
- riordinamento allilico/Allyl-Umlagerung
- dell'acido benzilico/Benzilsäure-Umlagerung
- trasposizione di Beckmann/Beckmann-Umlagerung
- trasposizione di Claisen/Claisen-Umlagerung
- riorientamento trasposizione d'Amadori/Amadori-Umlagerung
- trasposizione della benzidina/Benzidin-Umlagerung
- ripartizione pubblica degli oneri/Gemeinlastprinzip
- riproducibilità/Reproduzierbarkeit
- riproduzione fra insanguinei/Inzucht
- vegetativa/Vegetative Vermehrung
- riscaldamento a microonde/Mikrowellenerhitzung
- riscaldatori/Heizgeräte
- rischio/Risiko
- riserva dolce/Süßreserve
- riserve/Reservierungsmittel
- risitina/Rishitin
- riso/Reis
- dei muri/Mauerpfeffer
- risoluzione/Auflösung
- dei racemi/Racemattrennung
- ottica/Racemattrennung
- risonanza/Resonanz
- risonanze di Ramsey/Ramsey-Resonanzen
- risonatore laser/Laser-Resonator
- risorse per la tintoria/Färbereihilfsmittel
- risperidone/Risperidon
- responsabile aziendale per i rifiuti/Abfallbeauftragter
- risposta immunitaria/Immunantwort
- risublimazione/Resublimation
- risucchio/Lunker
- ritardatore/Retarder
- della solidificazione/Erstarrungsverzögerer
- ritardo/Kalter Fluß
- di ebollizione/Siedeverzug
- ritenzione/Retention
- ritiramento/Schrumpfen
- ritmica circadiana/Circadiane Rhythmik
- ritmo diurnale di acidità/Diurnaler Säurerhythmus
- ritodrina/Ritodrin
- ritonavir/Ritonavir
- ritterazine/Ritterazine
- rituximab/Rituximab
- rivastigmina/Rivastigmin
- rivelazione di perdite/Lecksuche
- rivestimento/Überzüge
- protettivi/Schutzhäute
- rivestimento/Auskleidung, Kaschieren
- di polvere/Pulverbeschichtung
- isolante/Resists
- metallico tramite immersione a caldo/Schmelztauchen
- rivettino esplosivo/Sprengnietung
- rizatriptan/Rizatriptan
- rizolipasi/Rizolipase
- rizoma/Rhizoma
- rizoxina/Rhizoxin
- RNA ligasi/RNA-Ligase
- robbia/Krapp
- robinetina/Robinetin
- robinia/Robinie
- robinina/Robinin
- roboranti/Roborantien
- robustezza a fatica/Schwingfestigkeit
- rocaglamide/Rocaglamid
- rocce/Felse, Gesteine
- cataclastiche/Kataklastische Gesteine
- clastiche/Klastische Gesteine
- filoniane, in ganga/Ganggesteine
- magmatiche/Magmatische Gesteine
- maleodoranti/Stinksteine
- metamorfiche/Metamorphe Gesteine
- piroclastiche/Pyroklastische Gesteine
- sedimentarie/Sedimentgesteine
- silicee/Kieselgesteine
- roccia argillosa/Tonstein
- calcarea di silicato/Kalksilicatgestein
- lunare/Mondgestein
- silicea/Ganister
- sterile/Taubes Gestein
- rockbridgeite/Rockbridgeit
- rocuronio bromuro/Rocuroniumbromid
- rodammine/Rhodamine
- rodanesi/Rhodanese
- rodanina/Rhodanin
- rodaplutina/Rodaplutin
- rodati/Rhodate
- rodenticidi/Rodentizide
- rodio/Rhodium
- rod(o)…/Rhod(o)…
- rodochinone/Rhodochinon
- rodocrosite/Rhodochrosit
- rododendro/Rhododendron
- rodonite/Rhodonit
- rodopsina/Rhodopsin
- rodotorula/Rhodotorula
- rodoxantina/Rhodoxanthin
- röntgen/Röntgen
- röntgenamorfo/Röntgenamorph
- röntgencristallino/Röntgenkristallin
- rohitukine/Rohitukin
- rolipram/Rolipram
- rolitetraciclina/Rolitetracyclin
- rombico/Rhombisch
- romboedrico/Rhomboedrisch
- romice/Sauerampfer
- ropinirolo/Ropinirol
- ropivacaina/Ropivacain
- roquefortine/Roquefortine
- roridine/Roridine
- rosamine/Rosamine
- rosanilina/Rosanilin
- rosasite/Rosasit
- rosatello, rosato/Rosé-Wein
- rose/Rosen
- rosé/Rosé-Wein
- roseofilina/Roseophilin
- roseotossine/Roseotoxine
- rosoxacina/Rosoxacin
- rossetti/Lippenstifte
- rosso allura/Allura Red
- Congo/Kongorot
- d'India/Indischrot
- di bromofenolo/Bromphenolrot
- di chinaldina/Chinaldinrot
- di clorofenolo/Chlorphenolrot
- di magnesia/Magnesiarot
- di Marte/Marsrot
- di metile/Methylrot
- di pirogallolo/Pyrogallolrot
- di toluidina/Toluidinrot
- d'indaco/Indigorot
- molibdato/Molybdatrot
- neutro/Neutralrot
- puro/Echtrot
- rotani/Rotane
- rotaxani/Rotaxane
- rotazione/Rotation
- molare/Molrotation
- rotenoidi/Rotenoide
- rotenone/Rotenon
- rottami metallici/Schrott
- rottlerina/Rottlerin
- rottura/Schrot
- di fusione/Schmelzbruch
- rotundiale/Rotundial
- roxatidina acetato/Roxatidinacetat
- roxitromicina/Roxithromycin
- RPV-actina/Centractin
- RU 486/Mifepriston
- rubefacenti/Rubefacientien
- rubidio/Rubidium

rubinetti/Hähne
– di arresto/Kegelhähne
rubinetto Daniell/Daniellscher Hahn
rubino/Rubin
rubratossina B/Rubratoxin B
rubredossine/Rubredoxine
rubrene/Rubren
rubroflavina/Rubroflavin
rubromicine/Rubromycine
rudbeckia/Sonnenhut
rufoolivacine/Rufoolivacine
ruggine/Rost
– estranea/Fremdrost
– iniziale/Flugrost
rugulosina/Rugulosin
rum/Rum
runaway replication/Runaway-Plasmid
rupi/Felse
rusco/Ruscus
russufeline/Russupheline
rutenati/Ruthenate
rutenio/Ruthenium
rutherford/Rutherford
rutherfordina/Rutherfordin
rutilo/Rutil
rutina/Rutin
rutinosio/Rutinose
(4R,5Z)-5-tetradecen-olide/Japonilur

S

s-/sym-
sabbia/Sand
– a grana grossa/Grieß (1., 2.)
– bituminosa/Ölsande
– per fonderia/Formsand
sabbiatura/Sandstrahlen
saccarati/Saccharate
saccarato di calcio/Calciumsaccharat
saccarificazione della cellulosa/Holzverzuckerung
saccarimetria/Saccharimetrie
saccarina/Saccharin
saccarosio/Saccharose
Saccharomyces/Saccharomyces
saffirina/Sapphirin
safflorite/Safflorit
saframicine/Saframycine
safranale/Safranal
safranine/Safranine
safrolo/Safrol
saggina/Sorghum
saggio delle placche/Plaque-Test
– radioimmunologica/Radioimmunoassay
sago, sagù/Sago
sakè/Sake
sala di collaudo/Prüfstelle
– prove/Prüfstelle
salacetamide/Salacetamid
salamandra giallo-nera/Feuersalamander
salamoia/Lake, Sole
– di nitrito e sale/Nitritpökelsalz
salare/Einsalzen
salatura/Aussalzen
salbostatina/Salbostatin
salbutamolo/Salbutamol
salcomina/Salcomin
saldare/Schweißen
saldatura/Löten, Lote
– a freddo/Kaltlötmittel
– ad arco con elettrodo di tungsteno in atmosfera di gas inerte/WIG-Schweißen
– ad arco sommerso/Unterpulver-Schweißen
– ad esplosione/Explosionsschweißen

– ad oro/Goldlote
– autogena/Autogenes Schweißen, Gasschmelzschweißen
– di Grimm/Grimmlot
– di materia sintetica/Kunststoff-Schweißen
– forzata a freddo/Kaltpreßschweißen
sale/Salz
– AH/AH-Salz
– ammonico/Salmiak
– antigelo/Streusalz
– aurintricarbossilato d'ammonio/Aurintricarbonsäure-Ammoniumsalz
– bisodico dell'acido cromotropico/Chromotropsäure Dinatrium-Salz
– commestibile contenente iodio/Iodiertes Speisesalz
– comune/Kochsalz
– crepitante/Knistersalz
– da cucina/Kochsalz
– da tavola/Speisesalz
– di Carlsbad/Karlsbader Salz
– di Fremy/Fremys Salz
– di Graham/Grahamsches Salz
– di Kissingen/Kissinger Salz
– di Magnus/Magnus-Salz
– di Monsel/Monsels Salz
– di Reinecke/Reinecke-Salz
– di Zeise/Zeise-Salz
– diazoico genuino/Diazoechtsalze
– duro/Hartsalz
– nitroso R/Nitroso-R-Salz
– per la fermentazione/Gärsalz
– verde/Grünsalz
saléeite/Saléeit
salep/Salep
salgemma/Steinsalz
sali/Salze
– amminici/Ammin-Salze
– aromatici/Riechsalze
– benziltrimetilammonici/Benzyltrimethylammonium-Salze
– del rame(II) tetramminico/Tetraamminkupfer(II)-Salze
– del trigliceride/Triglycin-Salze
– di Bunte/Bunte-Salze
– di fosfonio/Phosphonium-Salze
– di fosgene-imminio/Phosgen-Iminium-Salze
– di idrossilammonio/Hydroxylammonium-Salze
– di Meerwein/Meerwein-Salze
– di ossido/Oxidsalze
– di ossocarbenio/Oxocarbenium-Salze
– di ossonio/Oxonium-Salze
– di pirilio/Pyrylium-Salze
– di Roussin/Roussinsche Salze
– di stibonio (antimonio)/Stibonium-Salze
– di tetrabutilammonio/Tetrabutylammonium-Salze
– di tetraetilammonio/Tetraethylammonium-Salze
– di tetrazolio/Tetrazolium-Salze
– di tiazolio/Thiazolium-Salze
– di Tutton/Tutton-Salze
– di Wurster/Wurster-Salze
– d'idrazinio/Hydrazinium-Salze
– d'indurimento/Gütesalze
– doppi/Doppelsalze
– d'uronio/Uronium-Salze
– fusi/Salzschmelzen
– indurenti/Härtesalze
– neutri/Neutralsalze
– ossidrici/Oxidsalze
– potassici/Kalisalze
– per bagno/Badezusätze
– purpurei/Purpureosalze

– reidratanti orali/ORS
– tetrametilammonici/Tetramethylammonium-Salze
– tripli/Tripelsalze
– violeo/Violeosalze
– xanto/Xanthosalze
salicil…/Salicyl…
salicilaldossima/Salicylaldoxim
salicilamide/Salicylamid
– del acido-O-acetico/Salicylamid-O-essigsäure
salicilati/Salicylsäureester
salicilato di idrossietile/Hydroxyethylsalicylat
– di sodio/Natriumsalicylat
salicile/Salicil
saliciloil…/Salicyloyl…
salinità/Salinität
salinomicina/Salinomycin
saliva/Speichel
salmeterolo/Salmeterol
salmiaco/Salmiak
salmina/Salmin
salmistrare/Pökeln
salmonelle/Salmonellen
salnitro/Kalisalpeter, Salpeter
– del Cile/Chilesalpeter
– esplosivo/Sprengsalpeter
salsa bearnese/Sauce béarnaise
– di Worcester/Worcester-Sauce
salsalato/Salsalat
saluretici/Saluretika
salvia/Salbei
samario/Samarium
samarskite/Samarskit
sambuco/Holunder
sandracca/Sandarak
sandwich/Sandwich
sangue/Blut
– di drago/Drachenblut
sanguinarina/Sanguinarin
santaleni/Santalene
santaloli/Santalole
santonina/Santonin
santoreggia/Bohnenkraut
sapogenine/Sapogenine
– steroidee/Steroid-Sapogenine
sapone calcareo/Kalkseife
– di sabbia/Sandseife
– potassico/Kaliseife
saponi/Seifen
– al catrame/Teerseifen
– amidati/Amidseifen
– di calcio/Calcium-Seifen
– invertiti/Invertseifen
– metallici/Metallseifen
– per cuoio/Sattelseifen
– per sella/Sattelseifen
– pilati/Pilierte Seifen
– resinici/Harzseifen
– trasparenti/Transparentseifen
saponificazione/Verseifung
saponina/Saponin
– della quillaia/Quillajasaponin
saponine/Saponine
– degli echinodermi/Stachelhäuter-Saponine
– steroidee/Steroid-Saponine
– triterpeniche/Triterpen-Saponine
saponite/Saponit, Seifenstein
saprobia/Saprobie
saprobici/Saprobien
saprobionti/Saprobionten
saprofiti/Saprophyten
sapropel/Faulschlamm
saprotrofo/Saprotroph
saquaiamicine/Saquayamycine
saquinavir/Saquinavir
saralasina/Saralasin
α-sarcina/α-Sarcin
sarcinaxantina/Sarcinaxanthin
sarcodictiine/Sarcodictyine
sarcofago/Sarkophag

sarcomeri rarcoplasmatico/Sarkomere
sarcomicina A/Sarkomycin A
sarcosina/Sarkosin
sarde, sardelle, sardine/Sardinen
sardonica, sardonice/Sardonyx
sarina/Sarin
sarpagina/Sarpagin
sassolite/Sassolin
satinatura/Satinage
sativano/Sativan
sativene/Sativen
satratossine/Satratoxine
saturazione/Absättigung
– di luce/Lichtsättigung
saturo/Gesättigt
saudina, saudinolide/Saudin, Saudinolid
saussureammine/Saussureamine
saxitossina/Saxitoxin
sbiancante ottico/Optische Aufheller
sbrinatore/Enteisungsmittel
scacciata/Abschrecken
scaglia/Zunder
scala/Skale
– centigrada di temperatur/Celsius-Temperatur-Skale
– della temperatura di Fahrenheit/Fahrenheit-Temperatur-Skale
– di Brockmann/Brockmann-Skale
– Kelvin/Kelvin-Skala
scalari/Skalare
scale di temperatura/Temperaturskalen
– termiche/Temperaturskalen
– Twaddell/Twaddell-Grade
scalogni/Schalotten
scambiatore di calore/Wärmeaustauscher
– di ioni/Ionenaustauscher
– di ossidoriduzione/Redoxaustauscher
– d'ioni di cellulosa/Cellulose-Ionenaustauscher
– redox/Redoxaustauscher
scambio degli amminoacidi/Aminosäure-Austausch
– di cromatidi fratelli/SCE
scandio/Scandium
scapolite/Skapolith
scarabeo stercorario/Mistkäfer
scarafaggi/Schaben
scarica con bagliore/Glimmentladung
– di gas/Gasentladung
scarico dei rifiuti iin corsi d'acqua/Verklappung
scarpe di protezione/Schutzschuhe
scatola di Petri/Petrischale
scatolo/Skatol
scenedesmo/Scenedesmus
scheelite/Scheelit
schema Q-e/Q-e-Schema
schermaggio, schermatura/Abschirmung
schiarante ottico/Optische Aufheller
schisto siliceo/Kieselschiefer
schistosomiasi/Schistosomiasis
schiuma/Schaum
– di mare/Sepiolith
– flessibile/Weichschaumstoffe
schizomiceti/Schizomyceten
schizostatina/Schizostatin
scholzite/Scholzit
schultenite/Schultenit
sciconina/Shikonin
scienze naturali/Naturwissenschaft

Italiano

scilla marittima/Meerzwiebel
scillarenina/Scillarenin
scilliroside/Scillirosid
scillo-/scyllo-
scimmia virus 40/Affenvirus 40
scinti…/Szinti…
scintigrafia/Szintigraphie
scintillatori/Szintillatoren
scintilloni/Scintillone
scioline/Skiwachse
sciroppo/Sirup
– di glucosio/Glucose-Sirup
scirpenoli/Scirpenole
scissione/Spaltung
– a vapore/Dampfspaltung
– dei grassi/Fett-Spaltung
– di catena/Kettenspaltung
– di Twitchell/Twitchell-Spaltung
– termica/Thermocracken
– termica della cera/Wachscracken
scisto/Schiefer
– bituminoso/Ölschiefer
– cuprico/Kupferschiefer
sclareolo/Sclareol
scler(o)…/Skler(o)…
sclerocolo/Sklerikol
scleroproteine/Skleroproteine
sclerosi multipla/Multiple Sklerose
sclerotia/Sklerotien
scoglie/Schildläuse, Schuppen
…scopia, …scopio/…skop, …skopie
scopolamina/Scopolamin
scopoletina/Scopoletin
scoppio/Explosion
scorbuto/Skorbut
scoria/Schlacke
– di altoforno/Hochofenschlacke
– di fucinatura/Zunder
scorie basiche/Thomasmehl
– Thomas/Thomasmehl
scorodite/Skorodit
scorza di quercia/Eichenrinde
scotimento/Ausschütteln
screening/Screening
– biologico/Biologisches Screening
– chimico/Chemisches Screening
– di prodotti naturali/Naturstoff-Screening
– fisico-chimico/Physikochemisches Screening
scrofulariacee/Ehrenpreis
scudo termico/Hitzeschild
scuole di chimica/Chemieschulen
sebacati/Sebacinsäureester
sebo/Talg
seborrea/Seborrhoe
secbutabarbital/Secbutabarbital
seccare/Darren
secco/Dry, Trocken
seco…/Seco…
secobarbital/Secobarbital
secologanina/Secologanin
secondario/Sekundär
secondo/Sekunde
– messaggero/Second messenger
secosteroidi/Secosteroide
secretina/Secretin
secrezione/Sekretion
sedano/Sellerie
sedativi/Schmerzmittel, Sedativa
sedimentazione/Sedimentation
– sanguigna/Blutsenkung
sedimenti/Sedimente
sedimento/Sinter
– laterizio/Ziegelmehl
sedo…/Sedo…
sedoeptulosio/Sedoheptulose
segala cornuta/Ergot
segale/Roggen

segatura/Holzmehl
segmenti soffici/Weichsegmente
segnale/Signal
segnatura/Signatur
segni di pericolosità/Gefährlichkeitsmerkmale
segno di verifica/Prüfzeichen
sego/Talg
– bovino/Rindertalg
segregazione/Seigerungen
seicellene/Seychellen
seladonite/Seladonit
selce piromaca/Feuerstein
selciato/Pflaster
selectine/Selectine
selegilina/Selegilin
selenio/Selen
seleniti/Selenite
selenito di sodio/Natriumselenit
seleniuri/Selenide
seleniuro d'idrogeno/Selenwasserstoff
– di cadmio/Cadmiumselenid
– di indio/Indiumselenid
– di piombo/Bleiselenid
selenocisteina/Selenocystein
selenofiti/Selenophyten
selettivo/Selektiv
selettore di Wien/Wien-Filter
selezionatore di cellule/Zellsortierer
selezione/Selektion
selinene/Selinene
seme/Samen
– di lino/Leinsamen
semente/Saatgut
semi…/Semi…
semi della curcuma/Zitwer
– della sabadiglia/Sabadillsamen
semiacetale/Halbacetale
semibullvalene/Semibullvalen
semicarbazide/Semicarbazid
semicella/Halbzelle
semichinoni/Semichinone
semiconduttori/Halbleiter
semielemento/Halbzelle
semilavorato/Halbzeug, Stahlerzeugnisse
semimicroanalisi/Halbmikroanalyse
semipasta/Halbstoff
semipila/Halbzelle
semiquantitativo/Halbquantitativ
semolino/Grieß
sempervirina/Sempervirin
sempreverde/Immergrün
senape/Senf
senarmontite/Senarmontit
senecione/Kreuzkraut
senescenza/Seneszenz
senosidi/Sennoside
senoxepina/Senoxepin
sensibilità/Empfindlichkeit, Sensibilisation
– chimica multipla/MCS
sensibilizzatori/Sensibilisatoren
sensori/Sensoren
– di gas/Gassensoren
sensorica/Sensorik
sentina/Bilge
separatore/Abscheider
– a umido/Naßabscheider
– d'acqua/Wasserabscheider
– di olio/Ölabscheider
– di schiuma/Schaumseparator
– per granaglie/Trieur
separazione/Scheiden, Separieren, Trennen
– dei microfasi/Mikrophasentrennung
– di gas/Gaszerlegung
– isotopica/Isotopentrennung
seperazione/Abscheidung

sepiolite/Sepiolith
sepsi/Sepsis
septi…/Septi…
sequenza de Shine e Dalgarno/Shine-Dalgarno-Sequenz
– di consenso/Consensus-Sequenz
– di riconoscimento/Erkennungssequenz
– leader/Leader-Sequenz
sequenze di anello/Ringsequenzen
– di inserzione/Insertionssequenzen
sequenziatore di peptidi/Peptid-Sequencer
seratrodast/Seratrodast
serbo selvatico/Eberesche
sericina/Sericin
serie/Serien
– a colori/Bunte Reihe
– dei potenziali standard/Spannungsreihe
– di Balmer/Balmer-Serie
– di diluizione/Verdünnungsreihe
– di Fourier/Fourier-Reihe
– di Hofmeister/Hofmeistersche Reihen
– elettrochimica/Spannungsreihe
– principale/Hauptserie
serigrafia/Siebdruck
serina/Serin
– proteasi/Serin-Proteasen
sermorelina/Sermorelin
serotipi/Serotypen
serotonina/Serotonin
serpenti faraonici/Pharaoschlangen
serpentino/Serpenten, Serpentin
serpine/Serpine
serrapeptasi/Serrapeptase
serricornina/Serricornin
sertaconazolo/Sertaconazol
sertindolo/Sertindol
sertralina/Sertralin
servizi d'informazione rapidi/Schnellinformationsdienste
servizio fitosanitario/Pflanzenschutzdienst
sesbanimmidi/Sesbanimide
sesqui…/Sesqui…
sesquifulvaleni/Sesquifulvalene
sesquiterpeni/Sesquiterpene
sester…/Sester…
sesterterpeni/Sesterterpene
seston/Seston
seta/Seide
– di cellulosa/Zellseide
– di Chardonnet/Chardonnet-Seide
setacciatura/Sieben
– del fieno/Heublumen
setaccio molecolare/Molekularsiebe
sete artificiali/Kunstseiden
sethoxydim/Sethoxydim
setto/Septum
severina/Severin
sevoflurano/Sevofluran
sexi…/Sexi…
sezione d'urto/Wirkungsquerschnitt
– efficace/Wirkungsquerschnitt
– efficace d'assorbimento/Absorptionsquerschnitt
sezioni sottilissime/Dünnschliffe
sfaldatura/Spaltbarkeit
sfalerite/Zinkblende
sferandi/Spheranden
sfere di vetro/Glaskugeln
– Isua/Isua-Sphären
sfero…/Sphär(o)…

sferoliti/Sphärolithe
sferoplasti/Sphäroplasten
sfingo…/Sphingo…
sfingolipidi/Sphingolipide
sfingomieline/Sphingomyelin
sfingosina/Sphingosin
sfogo per i gas/Abzug
sgrassaggio metallico/Metallentfettung
sgrassante/Fettlöser
sgrassatura di metalli/Entfetten von Metallen
– elettrolitica/Elektrolytische Entfettung
sherardizzazione/Sherardisieren
sherry/Sherry
shigatossina/Shiga-Toxin
Shigella/Shigella
shock/Schock
showdomicina/Showdomycin
sialiltrasferasi/Sialyltransferasen
siamil…/Siamyl…
siastatina B/Siastatin B
sibrafiban/Sibrafiban
sibutramina/Sibutramin
siccanina/Siccanin
siccativi/Sikkative
sicurezza/Sicherheit
– del lavoro/Arbeitssicherheit
siderammine/Sideramine
siderite/Siderit
– laminare/Gebänderte Eisensteine
– ossidata all'aria/Brauneisenerz
sider(o)…/Sider(o)…
siderocromi/Siderochrome
siderofiline/Siderophiline
siderofori/Siderophore
sideromicine/Sideromycine
siderotrofia/Siderotrophie
siderurgia/Eisenhüttenkunde
sidnoni/Sydnone
sidro/Cidre
siemens/Siemens
sienite/Syenit
– a nefelina/Nephelinsyenit
sieri/Impfstoffe
siero/Serum
– del latte/Molke
sieroalbumina/Serumalbumin
sierodiagnosi/Serodiagnostik
sierologia/Serologie
sieroproteine/Serumproteine
sievert/Sievert
sifilide/Syphilis
sigarette/Zigaretten
sigari/Zigarren
sigillo di Salomone/Salomonssiegel
sigmatropo/Sigmatrop
sila…/Sil(a)…
silafluofen/Silafluofen
silandiil…/Silandiyl…
silani/Silane
silanoli/Silanole
silatiani/Silathiane
silatrani/Silatrane
silazani/Silazane
sildenafil/Sildenafil
sileni/Silene
silfidi/Aaskäfer
silibina/Silybin
silicati/Silicate
– d'alluminio/Aluminiumsilicate
– di calcio/Calciumsilicate
– di magnesio/Magnesiumsilicate
– di potassio/Kaliumsilicate
– di sodio/Natriumsilicate
– di zinco/Zinksilicate
silicato di litio e alluminio/Lithiumaluminiumsilicat
– di magnesio ed alluminio/Magnesiumaluminiumsilicat

- di zirconio/Zirconiumsilicat
- sodico d'alluminio/Natrium-aluminiumsilicat
silicio/Silicium
- -calci/Calciumsilicide
siliciuri/Silicide
- di ferro/Eisensilicide
siliciuro di magnesio/Magnesiumsilicid
- di tungsteno/Wolframsilicid
siliconi/Silicone
- antischiuma/Siliconenschäumer
silicosi/Silicose
silicotermia/Silicothermie
silil…/Silyl…
sililazione/Silylierung
sililtio…/Silylthio…
sillimanite/Sillimanit
silly putty/Silly putty
silossani/Siloxane
silossene/Siloxen
silossi…/Siloxy…
siltiti/Siltsteine
silvanite/Sylvanit
silvina/Sylvin
silvite/Sylvin
simazina/Simazin
simbiosi/Symbiose
simboli chimici/Chemische Zeichensprache
- di pericolo/Gefahrensymbole
simbolo dell' ambiente/Umweltzeichen
- di Pearson/Pearson-Symbol
simeticone/Simethicon
similpelle/Kunstleder
simmetria/Symmetrie
simpatico/Sympathikus
simpaticolitici/Sympath(ik)olytika
simpaticomimetici/Sympath-(ik)omimetika
simpatrico/Sympatrisch
simporto/Symport
simulazione al computer/Computersimulation
simvastatina/Simvastatin
sin…/Syn…
sin-/syn-
sinalexina/Sinalexin
sinantropia/Synanthropie
sinapina/Sinapin
sinapsi/Synapsen
sinapsine/Synapsine
sinaptofisina/Synaptophysin
sinaptosomi/Synaptosomen
sinaptotagmina/Synaptotagmine
sincronizzazione delle cellule/Synchronisierung von Zellen
sincrotrone/Synchrotron
sindacato/Gewerkschaft
- industriale/Industriegewerkschaft
sindrome da movimento/Reisekrankheit
sinecologia/Synökologie
sinefrina/Synephrin
sinemina/Synemin
sinensali/Sinensale
sinergia/Synergetik
sinergismo/Synergismus
sinergisti/Synergisten
singenite/Syngenit
singoletto/Singulett
sinhalite/Sinhalit
sinmetalli/Synmetals
sinonimi/Synonyme
sinossi/Synopsis
sinovia/Synovialflüssigkeit
sintasi/Synthase
sintassine/Syntaxine
sinterizzazione/Sintern

sintesi/Synthese
- ad alta pressione/Hochdrucksynthesen
- aldeidica di Gattermann/Gattermannsche Aldehyd-Synthese
- asimmetrica/Asymmetrische Synthese
- degli acidi carbossilici di Koch/Kochsche Carbonsäure-Synthese
- degli esteri malonici/Malonester-Synthese
- dei peptidi/Peptid-Synthese
- dell' RNA/RNA-Synthese
- di Chichibabin/Tschitschibabin-Synthesen
- di Erlenmeyer/Erlenmeyer-Synthese
- di Fischer e Tropsch/Fischer-Tropsch-Synthese
- di Gabriel/Gabriel-Synthese
- di Hantzsch/Hantzsch-Synthese
- di Houben-Hoesch/Houben-Hoesch-Synthese
- di Kiliani/Kiliani-Synthese
- di Knoop/Knoop-Synthese
- di Knorr/Knorr-Synthesen
- di Kolbe/Kolbe-Synthesen
- di Patterson/Patterson-Synthese
- di Pfau e Plattner/Pfau-Plattner-Synthese
- di Pschorr/Pschorr-Synthese
- di Reppe/Reppe-Synthesen
- di Skraup/Skraupsche Synthese
- di Strecker/Strecker-Synthese
- di Traube/Traube-Synthese
- di Williamson/Williamsonsche Ethersynthese
- di Wurtz/Wurtz-Synthese
- enantioselettiva/Enantioselektive Synthese
- idrotermale/Hydrothermalsynthese
- letale/Letale Synthese
- split/Split-Synthese
- stereoselettiva/Stereoselektive Synthese
- totale/Totalsynthese
sintetasi/Synthetase
sintetico/Synthetisch
sintetizzatore di peptidi/Peptid-Synthesizer
sintolo/Synthol
sintomo/Symptom
sintone acilanione/Acylanion-Synthon
sintoni/Synthone
sirenina/Sirenin
siringaldeide/Syringaaldehyd
siringolidi/Syringolide
sirosingopina/Syrosingopin
sisal/Sisal
sisomicina/Sisomicin
sistema/System
- armonizzato/Harmonisiertes System
- binario ferro-carbone/Eisen-Kohlenstoff-System
- decimale/Dezimalsystem
- di batteria zebra/Zebra-Batteriesystem
- di Boughton/Boughton-System
- di gestione automatizzata del laboratorio/LIMS
- di Hantz-Widman/Hantzsch-Widman-System
- di Hill/Hillsches System
- di perfusione/Perfusionssystem
- di peso avoirdupois/Avoirdupois
- di Richter/Richtersches System
- di Schönflies/Schönflies-System

- di Stelzner/Stelzner-System
- di Stock/Stock-System
- d'oocita (ovocita)/Oocyten-System
- Ewens-Bassett/Ewens-Bassett-System
- HLB/HLB-System
- immunitario/Immunsystem
- MKS/MKS-System
- Munsell/Munsell-System
- nervoso/Nervensystem
- nervoso parasimpatico/Parasympathikus
- nervoso simpatico/Sympathikus
- periodico/Periodensystem
- reticoloendoteliale/Retikuloendotheliales System
- saprobico/Saprobiensystem
- solare/Sonnensystem
- unitario americano di numerazione/Unified Numbering System
sistematica/Taxonomie
sistemi binari/Binäre Systeme
- ciclici/Ringsysteme
- ciclici condensati/Kondensierte Ringsysteme
- compositi/Verbundsysteme
- cristallini/Kristallsysteme
- di elettroni π (pi)/Pi-Elektronensysteme
- di riparazione/Reparatursysteme
- esperti/Expertensysteme
- omogenei/Homogene Systeme
- redox/Redoxsysteme
- terapeutici/Therapeutische Systeme
- termodinamici/Thermodynamische Systeme
- ternari/Ternäre Systeme
sistemico/Systemisch
sistemina/Systemin
siti interstiziali/Zwischengitterplätze
sito tetraedrico/Tetraederlücke
sitofilure/Sitophilur
sitologo/Oecotrophologe
β-sitosterina, β-sitosterolo/β-Sitosterin
skarn/Skarn
sklodowskite/Sklodowskit
skutterudite/Skutterudit
skyrina/Skyrin
slaframina/Slaframin
smacchiatori/Fleckentfernungsmittel
smacchiatura/Fleckentfernung
smaltatura/Glasieren
smalti alla nitrocellulosa/Nitrolacke
- coloranti/Farblacke
smaltimento del deposito di chiarificazione/Klärschlammentsorgung
- e trattamento dei residui domestici/Hausmüllentsorgung
- e trattamento dei rifiuti/Abfallentsorgung
- e trattamento dei rifiuti pericolosi/Sonderabfallentsorgung
- e trattamento dell'olio usato/Altölentsorgung
smaltina/Skutterudit
smaltino/Smalte
smaltite/Skutterudit
smalto/Email, Glasur, Lüster
- per unghie/Nagellack
smectiti/Smektite
smeraldo/Smaragd
smeriglio/Schmirgel
smithite/Smythit
smithsonite/Smithsonit

smog/Smog
snebbiatore/Demister
soda/Natriumcarbonat, Sprudel
- caustica/Natriumhydroxid
- di candeggio/Bleichsoda
sodalite/Sodalith
soddyite/Soddyit
sodio/Natrium
- apolato/Natriumapolat
- aurotiomalato/Natriumaurothiomalat
- dibunato/Natriumdibunat
- gentisato/Natriumgentisat
- gualenato/Natriumgualenat
- iodoftaleina/Iodophthalein-Natrium
- pentosanpolisolfato/Natriumpentosanpolysulfat
- timerfonato/Natriumtimerfonat
sofatriduzione assimilatore/Assimilatorische Sulfat-Reduktion
soffiatura/Blasen
soffioni/Soffionen
soforina/Sophorin
software/Software
soglia dell'ozono/Ozon-Schwellenwert
soia/Sojabohnen
sol/Sol
- di silice/Kieselsol
solanacee/Solanaceen
sole/Sonne
solenopsine/Solenopsine
solfamato d'ammonio/Ammoniumsulfamat
- di nichel(II)/Nickel(II)-sulfamat
solfammati/Sulfamate
solfatasi/Sulfatasen
solfatazione/Sulfatierung, Sulfatisierung
solfati/Sulfate
- di ceratato/Keratansulfate
- di destrano/Dextransulfate
- di ferro/Eisensulfate
- di idrogeno/Hydrogensulfate
- di manganese/Mangansulfate
- di mercurio/Quecksilbersulfate
- di monogliceride/Monoglyceridsulfate
- di tallio/Thalliumsulfate
- di titanio/Titansulfate
- d'idrazinio/Hydraziniumsulfate
- manganosi/Mangansulfate
solfatidi/Sulfatide
solfato(2-)…/Sulfato(2-)…
solfato cromico(III)/Chrom(III)-sulfat
- d'alluminio/Aluminiumsulfat
- d'ammonio/Ammoniumsulfat
- d'ammonio e di ferro(III)/Ammoniumeisen(III)-sulfat
- di argento/Silbersulfat
- di bario/Bariumsulfat
- di cadmio/Cadmiumsulfat
- di calcio/Calciumsulfat
- di cobalto(II)/Cobalt(II)-sulfat
- di dietile/Diethylsulfat
- di dodecile sodico/Natriumdodecylsulfat
- di ferro(II) e d'ammonio/Ammoniumeisen(II)-sulfat
- di idrossilammina/Hydroxylaminsulfat
- di litio/Lithiumsulfat
- di magnesio/Magnesiumsulfat
- di 4-(metilammino)fenolo/4-(Methylamino)phenol-sulfat
- di nichel(II)/Nickel(II)-sulfat
- di nichel(II) e di ammonio/Nickel(II)-ammoniumsulfat
- di piombo/Bleisulfat
- di potassio/Kaliumsulfat

- di rame(II)/Kupfer(II)-sulfat
- di sodio/Natriumsulfat
- di stagno(II)/Zinn(II)-sulfat
- di stronzio/Strontiumsulfat
- di zinco/Zinksulfat
- di zirconio(IV)/Zirconium(IV)-sulfat

solfenammidi/Sulfenamide
solfeni/Sulfene
solfeno…/Sulfeno…
solfido/Sulfido…
solfidrati/Sulfhydrate
solfinati/Sulfinate
solfine/Sulfine
solfinimmidi/Sulfinimide
solfiti/Sulfite
- di idrogeno/Hydrogensulfite
solfito di calcio/Calciumsulfit
- di potassio/Kaliumsulfit
- di sodio/Natriumsulfit
solfo…/Sulfo…
solfobatteri/Schwefelbakterien
solfobetaine/Sulfobetaine
solfoclorurazione/Sulfochlorierung
solfolano/Sulfolan
3-solfolene/3-Sulfolen
solfonammido…/…sulfonamido…
solfonati/Sulfonate
- bituminosi/Bituminosulfonate
- di α-olefina/Olefinsulfonate
- di *i*-olefina/*i*-Olefinsulfonate
- di petrolio/Petroleumsulfonate
- eterici/Ethersulfonate
solfonazione/Sulfonierung
solfonazo III/Sulfonazo III
solfoni/Sulfone
…solfonil…/…sulfonyl…
solfonildiammide/Sulfamid
3-solfopropil…/3-Sulfopropyl…
solforazione/Sulfierung, Sulfurierung
solforil…/Sulfuryl…
solfosali/Sulfosalze
solfossidazione/Sulfoxidation
solfossidi/Sulfoxide
solfossilati/Sulfoxylate
solfossimidi/Sulfoximide
solfosuccinamati/Sulfosuccinamate
solfosuccinati/Sulfosuccinate
solfotrasferasi/Sulfotransferasen
solfurani/Sulfurane
solfurazione/Sulfidierung
solfuri/Sulfide
- d'antimonio/Antimonsulfide
- di ferro/Eisensulfide
- di fosforo/Phosphorsulfide
- di idrogeno/Hydrogensulfide
- di nichel/Nickelsulfide
- di polipropilene/Polyphenylensulfide, Polypropylensulfide
- di potassio/Kaliumsulfide
- di rame/Kupfersulfide
- di sodio/Natriumsulfide
- di stagno/Zinnsulfide
- di tungsteno/Wolframsulfide
- manganici/Mangansulfide
solfuro d'ammonio/Ammoniumsulfid
- di argento/Silbersulfid
- di bario/Bariumsulfid
- di cadmio/Cadmiumsulfid
- di calcio/Calciumsulfid
- di etilene/Ethylensulfid
- di mercurio(II)/Quecksilber(II)-sulfid
- di piombo/Bleisulfid
- di zinco/Zinksulfid
solidenzzazione/Solidensation
solidi attivi/Aktivstoffe
solidificazione/Erstarren

solitone/Soliton
solubilizzazione/Solubilisation
soluzione adesiva/Klebback
- di Clerici/Clericis Lösung
- di cloro/Chlorzinkiod-Lösung
- di colorazione di Papanicolaou/Papanicolaous Farblösung
- di coltura/Nährmedium
- di Eder/Edersche Lösung
- di Fehling/Fehlingsche Lösung
- di Gower/Gowerssche Lösung
- di Haine/Hainesche Lösung
- di Hayem/Hayemsche Lösung
- di iodoioduro potassico/Iod-Kaliumiodid-Lösung
- di Lugol/Lugols Lösung
- di Persoz/Persoz-Reagenz
- di Ringer/Ringer-Lösung
- di soda caustica/Natronlauge
- di Thiel-Stoll/Thiel-Stoll-Lösung
- di Thoulet/Thoulets Lösung
- di Tyrode/Tyrode-Lösung
- di Wackenroder/Wackenroder-Lösung
- di Weigert/Weigert-Lösung
- di West/West-Lösung
- di Wickersheimer/Wickersheimer-Lösung
- di York/York-Lösung
- di Zart/Zart-Lösung
- di Zenker/Zenker-Lösung
- fucsin-carbolica/Karbol-Fuchsin-Lösung
- salina fisiologica/Physiologische Kochsalzlösung
- solida/Mischkristalle
- standard/Stammlösung
soluzioni/Lösungen
- caloriche/Kalorische Lösungen
- equimolari/Äquimol(ekul)are Lösungen
- ipertoniche/Hypertonische Lösungen
- ipotoniche/Hypotonische Lösungen
- isopiestici/Isopiestische Lösungen
- isotoniche/Isotonische Lösungen
- normali/Normallösungen
- nutritive/Nährlösungen
- solidi/Feste Lösungen
solvatazione/Solvatation
solvatocromia/Solvatochromie
solvente/Fließmittel
- adesivo/Lösemittelklebstoff
solventi/Lösemittel
- aprotici/Aprotische Lösemittel
- non acquosi/Nichtwäßrige Lösemittel
- protici/Protische Lösemittel
- protofili/Protophile Lösemittel
- protogenici/Protogene Lösemittel
solvolisi/Solvolyse
soman/Soman
somatolattina/Somatolactin
somatostatina/Somatostatin
somatotropina/Somatotropin
somma di stato/Zustandssumme
sommacco/Sumach
sondaggio/Stichprobe
sonde genetiche/Gensonden
sonniferi/Schlafmittel
sonno/Schlaf
sonochimica/Ultraschallchemie
sonoluminescenza/Sonolumineszenz
soporiferi/Schlafmittel

soppressanti/Suppressantien
soppressione/Suppression
soprafusione, sopraraffreddamento/Unterkühlung
soprassaturazione/Übersättigung
soprastruttura/Überstruktur
sorafeni/Soraphene
sorangicina/Sorangicine
sorbati/Sorbate
sorbato di calcio/Calciumsorbat
- di potassio/Kaliumsorbat
sorbimento/Sorption
sorbitani/Sorbitane
D-sorbite/D-Sorbit
D-sorbitolo/D-Sorbit
sorbosio/Sorbose
sordarina/Sordarin
sordidina/Sordidin
sorgo/Sorghum
sorivudina/Sorivudin
sorveglianza d'immissione/Immissionsüberwachung
sospensione/Abfangen
sospensioni/Suspensionen
sostantività/Substantivität
sostanza/Substanz
- cerebrale/Hirnsubstanz
- d' isolamento/Absperrmittel
- di cattura radicalica/Radikal-Fänger
- di valore/Wertstoff
- fissativa/Fixiermittel
- nuova/Neustoff
- P/Substanz P
- per pulire il focolare/Herdputzmittel
- profumata da bruciare/Räuchermittel
- regina/Königinnensubstanz
- secca/Trockensubstanz
- umettante/Netzmittel
sostanze aggiuntive di calcestruzzo/Betonzusatzstoffe
- attive/Wirkstoffe
- da sparo/Schießstoffe
- d'allarme/Alarmstoffe
- del gruppo sanguigno/Blutgruppensubstanzen
- depositabili/Absetzbare Stoffe
- di pericolo/Gefahrstoffe
- di riserva/Reservestoffe
- di zavorra/Ballaststoffe
- esplosive/Explosivstoffe
- facilmente infiammabili/Leichtentzündliche Stoffe
- fecali/Fäkalien
- ferromagnetiche/Ferromagnetika
- fissative/Fixative
- in sospensione/Schwebstoffe
- inibitrici di germinazione/Keimungshemmstoffe
- irritanti/Reizstoffe
- isolanti/Dämmstoffe
- luminescenti/Leuchtstoffe
- minerali/Mineralstoffe
- mobili/Schwimmstoff
- naturali/Naturstoffe
- nocive alla salute/Gesundheitsschädliche Stoffe
- nutritive/Mineralstoffe
- nutritive microbiche/Nährstoffe für Mikroorganismen
- odoranti/Riechstoffe
- odorose/Duftstoffe
- paramagnetiche/Paramagnetika
- per pulire/Fußbodenpflegemittel, Putzmittel
- pericolose per l'acqua/Wassergefährdende Stoffe
- puzzolenti/Stinkstoffe
- per la crescita delle piante/Pflanzenwuchsstoffe

- resistenti alla degradabilità/Abbauresistente Substanzen
- spruzzabili/Spritzmittel
- tecnotermoplastiche/Techno-Thermoplaste
- termoplastiche/Elastoplaste
- titrimetriche/Urtitersubstanzen
- tossiche per la riproduzione/Entwicklungsschädigend
sostituente/Substituent
sostitutivi del grasso/Fettersatzstoffe
sostituto dell'essenza di trementina/Terpentinöl-Ersatz
sostituzione/Substitution
- nucleofila/Nucleophile Substitution
sotalolo/Sotalol
sotolone/Sotolon
sotto…/Sub…
sottoprodotti nell' affinazione di carbone/Kohlenwertstoffe
sottoprodotto/Nebenprodukt
sottossidi/Suboxide
sottossido di carbonio/Kohlensuboxid
sovrapposizione/Überlappung
sovratensione/Überspannung
sovravelocità della luce/Überlichtgeschwindigkeit
spaccabilità/Spaltbarkeit
spaghetti/Spaghetti
spallazione/Spallation
spalmatura/Beschichtung
- elettrostatica/Elektrostatische Beschichtung
spalmo rafforzativo/Shop-Primer
sparfloxacina/Sparfloxacin
sparsomicina/Sparsomycin
sparteina/Spartein
sparto/Esparto, Esparto-Wachs
spasm(o)…/Spasm(o)…
spasmolisine/Spasmolysine
spasmolitici/Spasmolytika
spati/Spate
spato calcareo/Calcit
- d'ardesia/Schaumkalk
- pesante/Baryt
spatola/Spatel
spaziatore/Spacer
spazio delle fasi/Phasenraum
specchio/Spiegel
speci/Spezies
specialista di sicurezza/Sicherheitsfachkraft
specie/Art
specifico/Spezifisch
spegnimento/Quenchen
speleandi/Speleanden
sperabilline/Sperabilline
spergualina/Spergualin
sperma/Sperma
spermidina/Spermidin
spermina/Spermin
speronella/Rittersporn
sperrylite/Sperrylith
spessartina, spessartite/Spessartin
spettinomicina/Spectinomycin
spettri di microonde/Mikrowellenspektren
- di vibrazione/Schwingungsspektren
- molecolari/Molekülspektren
- rotazionali/Rotationsspektren
spettrina/Spectrin
spettro antibatterico/Antibakterielles Spektrum
- di rotazione-vibrazione/Rotationsschwingungsspektrum
spettrometria di fluorescenza atomica laser/Laser-Atomfluoreszenz-Spektrometrie
- di massa/Massenspektrometrie

- di massa tandem/Tandem-MS
- elettronica a laserfotoespulsione/Laserphotodetachment-Elektronenspektrometrie

spettroscopia/Spektroskopie
- a fiamma/Flammenspektroskopie
- a modulazione/Modulationsspektroskopie
- a picosecondi/Pikosekunden-Spektroskopie
- a tempo risolubile/Zeitaufgelöste Spektroskopie
- a tunnel/Tunnelspektroskopie
- ad alta risoluzione/Hochauflösende Spektroskopie
- atomica/Atomspektroskopie
- beam-foil/Beam-Foil-Spektroskopie
- dei raggi X/Röntgenspektroskopie
- del potenziale di apparizione di raggi X molli/Röntgenauftrittspotentialspektroskopie
- della risonanza nucleare di quadrupolo/NQR-Spektroskopie
- dell'assorbimento atomico/Atomabsorptionsspektroskopie
- delle microonde/Mikrowellen-Spektroskopie
- d'emissione/Emissionsspektroskopie
- di Auger/Auger-Spektroskopie
- di dispersione ionica/Ionenstreu-Spektroskopie
- di Doppler/Doppler-Spektroskopie
- di fosforescenza/Phosphoreszenz-Spektroskopie
- di multifotoni/Mehrphotonen-Spektroskopie
- di neutralizzazione ionica/Ionen-Neutralisations-Spektroskopie
- di polarizzazione/Polarisationsspektroskopie
- di riflessione/Reflexionsspektroskopie
- di risonanza magnetica nucleare/NMR-Spektroskopie
- di saturazione/Sättigungsspektroskopie
- di vibrazione/Schwingungsspektroskopie
- Doppler-libera/Doppler-freie Spektroskopie
- elettronica/Elektronenspektroskopie
- energetica-dispersiva a raggi X/Energiedispersive Röntgen-Spektroskopie
- EPR/EPR-Spektroskopie
- fluorescente/Fluoreszenz-Spektroskopie
- fotoacustica/Photoakustische Spektroskopie
- fotoelettronica/Photoelektronen-Spektroskopie
- ICR/ICR-Spektroskopie
- infrarossa/IR-Spektroskopie
- laser/Laser-Spektroskopie
- Mössbauer/Mößbauer-Spektroskopie
- molecolare/Molekülspektroskopie
- nell'ultravioletto/UV-Spektroskopie
- NMR/NMR-Spektroskopie
- NQR/NQR-Spektroskopie
- ODMR/ODMR-Spektroskopie
- optogalvanica/Optogalvanische Spektroskopie
- UV/UV-Spektroskopie

- ZEKE/ZEKE-Spektroskopie

spezie/Gewürze
- di panpepato/Pfefferkuchengewürz
- piccanti/Scharfstoffe

spiliti/Spilite

spin/Spin
- nucleare/Kernspin
- -orbitale/Spinorbital

spinaci/Spinat
spincervino/Kreuzdorn
spinelli/Spinelle
spinello/Spinell
spinosina/Spinosyne
spintariscopo/Spinthariskop
spiramicina/Spiramycin
spirapril/Spirapril
spirito/Spiritus, Sprit
- contenente sapone/Seifenspiritus
- di legno/Holzgeist, Holzspiritus
- di melissa/Melissengeist

spiro…/Spiro…
spiro-composti/Spiro-Verbindungen
spirobi…/Spirobi…
spirocheti/Spirochäten
spirometro/Spirometer
spironolattone/Spironolacton
spiropolimeri/Spiropolymere
spirostano/Spirostan
spirulina/Spirulina
splicing/Spleißen
spodumene/Spodumen
spolveramento/Entstaubung
spongina/Spongin
spongistatine/Spongistatine
spore/Sporen
sporificazione, sporulazione/Sporulation
spostamento di NIH/NIH-Verschiebung
- Doppler/Doppler-Verschiebung
- Raman/Raman-Verschiebung

sprays/Sprays
sprazzo/Spratzen
spreading/Spreitung
spreco dei rifiuti/Abfallverbringung
spruzzatori/Sprays
spruzzatura di materia sintetica alla fiamma/Kunststoff-Flammspritzen
spruzzo di fiamma/Flammspritzen
spugna/Schwamm
- di protoni/Protonenschwamm
spugne/Schwämme
spumante/Schaumwein
spumeggiare/Schäumen
spurrite/Spurrit
sputo/Sputum
sputtering/Sputtering
squalammina/Squalamin
squalano/Squalan
squalene/Squalen
squame/Schuppen
squilla/Meerzwiebel

Src/Src
stabilimenti di gradazione/Gradierwerke
stabilimento metallurgico/Hütte
stabilità/Stabilität
- dimensionale/Dimensionsstabilität

stabilizzatori/Stabilisatoren
- del suolo/Bodenstabilisatoren
- di schiuma/Schaumstabilisatoren

stabilizzazione dei fanghi/Schlammstabilisierung
staccare/Abziehen
stachide/Ziest
stachiosio/Stachyose

stafilococchi/Staphylokokken
stafiloferrina A/Staphyloferrin A
stagnare, stagnatura/Verzinnen
stagno/Zinn
stagnola/Stanniol
stalagmometro/Stalagmometer
stalattiti/Stalaktiten
stallimicina/Stallimycin
stalloggi/Osterluzei

stampa bifase/Zweiphasendruck
- dei tessuti/Textildruck
- di riserva/Reservedruck
- in policromia/Mehrfarbendruck
- in tetracromia/Vierfarbendruck
- offset/Offsetdruck
- resistente/Reservedruck
- tessile/Textildruck
- vigoureux/Vigoureux-Druck

stampaggio/Gesenkschmieden
- a iniezione a sandwich/Sandwich-Spritzgießen
- a trasferimento/Spritzpressen
- iniezione/Spritzgießen
- isostatico a caldo/Heißisostatisches Pressen
- rotazionale/Rotationsguß

stampante termica/Thermodrucker
stanchezza del terreno/Bodenmüdigkeit
standard/Standard
standardizzazione/Normung, Standardisierung
- biologica/Biologische Standardisierung

stannano/Stannan
stannati/Stannate
stannil…/Stannyl…
stannite/Stannit
stanozololo/Stanozolol
stantuffo/Kolben
starnutatori/Niespulver
starter/Säurewecker
…stasi/…stase
STAT/STAT
stati d'aggregazione/Aggregatzustände
- metastabili/Metastabile Zustände

…statico/…statikum
- …statino/…statin

statistica/Statistik
- di Bose-Einstein/Bose-Einstein-Statistik
- di Fermi-Dirac/Fermi-Dirac-Statistik

stativi/Stative
statmina/Stathmin
stato/Zustand
- del plasma/Plasma-Zustand
- della scienza e della tecnica/Stand der Wissenschaft und Technik
- della tecnica/Stand der Technik
- di carbone/Inkohlungsgrad
- di transizione/Übergangszustand
- di valenza/Valenzzustand
- fondamentale/Grundzustand
- ideale/Idealer Zustand
- stazionario/Stationärer Zustand
- vetroso/Glaszustand

staurolite/Staurolith
staurosporina/Staurosporin
stavudina/Stavudin
stearammide/Stearinsäureamid
stearati/Stearate, Stearinsäureester
- d'alluminio/Aluminiumstearate

stearato di bario/Bariumstearat
- di butile/Butylstearat
- di calcio/Calciumstearat

- di magnesio/Magnesiumstearat
- di piombo/Bleistearat
- di potassio/Kaliumstearat
- di sodio/Natriumstearat
- di zinco/Zinkstearat

stearil…/Stearyl…
stearina/Stearin
stearoil…/Stearoyl…
O-stearoilvelutinale/O-Stearoyl-velutnal
γ-stearolattone/γ-Stearolacton
stearone/Stearon
steatite/Speckstein
stechiometria/Stöchiometrie
stefanite/Stephanit
stefine/Stefine
stegobinone/Stegobinon
STEL/STEL
stelle/Sterne
stenico/Stenök
stenopotente/Stenopotent
stentorina/Stentorin
sterano/Steran
stercobilina/Stercobilin
stercobilinogeno/Stercobilinogen
stereochimica/Stereochemie
stereodescrittore/Stereodeskriptor
stereoisomeri/Stereoisomere
stereomodelli di Dreiding/Dreiding-Stereomodelle
stereoselettivo/Stereoselektiv
stereospecifico/Stereospezifisch
sterigmatocistina/Sterigmatocystin
sterilizzazione/Sterilisation
- continua/Kontinuierliche Sterilisation
- del suolo/Bodendesinfektion

sternbergite/Sternbergit
steroidi/Steroide
steroli/Sterine
steviolo/Steviol
steviosîde/Steviosid
stib…/Stib…
stiba…/Stib(a)…
stibine/Stibine
stibino…/Stibino…
stibofene/Stibophen
stigmasterolo/Stigmasterin
stilbene/Stilben
stilbite/Stilbit
stilpnomelano/Stilpnomelan
stimolanti/Stimulantien
stimolatore cardiaco/Herzschrittmacher
stimolo/Reiz
- chiave/Schlüsselreiz
- supernormale/Übernormaler Auslöser

stipsi/Obstipation
stiptici/Styptika
stiramento/Recken
stirene/Styrol
stiril…/Styryl…
stirolo/Styrol
stishovite/Stishovit
stitichezza/Obstipation
stocastico/Stochastik
stoccaggio dei ceppi/Stammhaltung
- di sostanze pericolose/Lagerung von Gefahrstoffen
- finale/Endlagerung

stoffe applicabili/Aufbügelstoffe
stokes/Stokes
stolzite/Stolzit
stomachici/Stomachika
stomaco/Magen
stomatologia/Stomatologie
stoppa/Werg
stoppino/Docht
storace/Styrax
storia della chimica/Geschichte der Chemie

storta/Kolben
– cassia/Kassiakölbchen
– di Claisen/Claisen-Kolben
storte/Retorten
stout/Stout
stracci/Hadern
strada del traffico/Verkehrsweg
stramonio/Stechapfel
stranezza/Strangeness
strati antiriflessi/Antireflexbeläge
– di fusione/Schmelzbeschichtungen
– monomolecolari/Monomolekulare Schichten
– protettivi/Schutzschichten
– sottili/Dünne Schichten
stratigrafia/Stratigraphie
strato di copertura/Abraum
– di Haber-Haugaard/Haber-Haugaard-Schicht
– di interferenza/Interferenzschicht
– di ozono/Ozon-Schicht
– di sbarramento/Sperrschicht
– discontinuo/Sprungschicht
– doppio elettrochimico/Elektrochemische Doppelschicht
– trofolitico/Zehrschicht
– vorticoso/Wirbelschicht
strengite/Strengit
streptavidina/Streptavidin
streptocinasi/Streptokinase
streptococchi/Streptokokken
streptodornasi/Streptodornase
streptolisine/Streptolysine
streptomicina/Streptomycin
streptomyces/Streptomyceten
streptonigrina/Streptonigrin
streptozocina/Streptozocin
stress/Streß
– ossidante, ossidativo/Oxidativer Streß
striatali/Striatale, Striatine
striatine/Striatale, Striatine
striature/Schlieren
stricnina/Strychnin
strictosidina/Strictosidin
strie/Schlieren
strigolo/Strigol
strippaggio/Strippen
strisce reattive/Teststäbchen
striscia delle acque di rifiuto/Abwasserfahne
striscio/Abstrich
strobilurine/Strobilurine
strof…/Stroph…
strofantine/Strophanthine
stromatoliti/Stromatolithen
stromelisine/Stromelysine
stromeyerite/Stromeyerit
stronzianite/Strontianit
stronzio/Strontium
struma/Kropf
strumentazione/Instrumentation
strumenti/Instrumente
– di lavoro che trasformano l'energia/Kraftbetriebene Arbeitsmittel
strunzite/Strunzit
strutto/Schmalz
struttura/Gefüge, Struktur
– assoluta/Absolute Struktur
– atomica/Atombau
– d'ottetto/Oktett-Struktur
– elettronica/Elektronenstruktur
– iperfine/Hyperfeinstruktur
strutture a strati/Schichtstrukturen
– cristalline/Kristallstrukturen
– di guida/Leitstrukturen
– dissipative/Dissipative Strukturen
– parziali/Partialstrukturen
struvite/Struvit

stucchi antiacidi/Säurekitte
stucco/Spachtelmassen, Stuck
studio di chimica/Chemie-Studium
stupefacente/Betäubungsmittel
stupefacenti/Drogen, Rauschgifte
sub…/Sub…
suberoil…/Suberoyl…
sublimatore/Sublimationsapparatur
sublimazione/Sublimation
subossidi/Suboxide
substrati suicidi/Suizid-Substrate
substrato/Substrat
subtilina/Subtilin
subtilisine/Subtilisine
succedaneo sanguigno/Blutersatzmittel
successione/Sukzession
succhi di frutta/Fruchtsäfte
succinati/Bernsteinsäureester, Succinate
succinato deidrogenasi/Succinat-Dehydrogenase
– di sodio/Natriumsuccinat
succinil…/Succinyl…
succinimmide/Succinimid
succinonitrile/Bernsteinsäuredinitril
succo d'arancia/Orangensaft
– di mele/Apfelsaft
– d'uva/Traubensaft
– gastrico/Magensaft
succulenti/Sukkulenten
sucralfato/Sucralfat
sucralosio/Sucralose
sudoite/Sudoit
sudore/Schweiß
sufentanil/Sufentanil
suffissi/Suffixe
sughero/Kork
sugo d'acero/Ahornsaft
suillina/Suillin
sulbactam/Sulbactam
sulbentina/Sulbentin
sulcotrione/Sulcotrion
sulfa…/Sulfa…
sulfabenzamide/Sulfabenzamid
sulfacarbamide/Sulfacarbamid
sulfacetamide/Sulfacetamid
sulfadiazina/Sulfadiazin
sulfadicramide/Sulfadicramid
sulfadimidina/Sulfadimidin
sulfadoxina/Sulfadoxin
sulfaetidolo/Sulfaethidol
sulfafenazolo/Sulfaphenazol
sulfafurazolo/Sulfafurazol
sulfaguanidina/Sulfaguanidin
sulfaguanolo/Sulfaguanol
sulfalene/Sulfalen
sulfamerazina/Sulfamerazin
sulfametizolo/Sulfamethizol
sulfametoxazolo/Sulfamethoxazol
sulfametoxidiazina/Sulfametoxydiazin
sulfametoxipiridazina/Sulfamethoxypyridazin
sulfametrolo/Sulfametrol
sulfamidici/Sulfonamide
sulfammide/Sulfamid
sulfamoil…/Sulfamoyl…
sulfamoxolo/Sulfamoxol
sulfani/Sulfane
sulfanilamide/Sulfanilamid
sulfanilil…/Sulfanilyl…
sulfaniluree/Sulfonylharnstoffe
sulfaperina/Sulfaperin
sulfapiridina/Sulfapyridin
sulfaproxilina/Sulfaproxylin
sulfasalazina/Sulfasalazin
sulfatiazolo/Sulfathiazol
sulfatiourea/Sulfathiourea
sulfatolamide/Sulfatolamid

sulfentrazone/Sulfentrazon
sulfimmide/Sulfimid
sulfimmidi/Sulfimide
sulfinil/Sulfinyl…
sulfinpirazone/Sulfinpyrazon
sulfisomidina/Sulfisomidin
sulfo…/Sulfo…
sulfoammino…/Sulfoamino…
sulfogaiacolo/Sulfogaiacol
sulfometuron-metile/Sulfometuron-methyl
sulfonal/Sulfonal
sulfonamidi/Sulfonamide
sulfoniluree/Sulfonylharnstoffe
sulforafene/Sulforaphen
sulforidazina/Sulforidazin
sulfosulfurone/Sulfosulfuron
sulfotep/Sulfotep
sulindac/Sulindac
sulisobenzone/Sulisobenzon
sulpiride/Sulpirid
sulprofos/Sulprofos
sulprostone/Sulproston
sultami/Sultame
sultamicillina/Sultamicillin
sultiame/Sultiam
sultoni/Sultone
sulvanite/Sulvanit
sumatriptano/Sumatriptan
suolo/Boden
suono/Schall
super…/Super…
super slurper/Super slurper
superacidi/Supersäuren
superantigeni/Superantigene
superattinoidi/Superactinoide
superconduttività/Supraleitung
superconduttori ad alta temperatura/Hochtemperatur-Supraleiter
superfluido/Supraflüssigkeit
superfosfato/Superphosphat
superleghe/Superlegierungen
supermolecole/Übermolekeln
superpolimeri/Superpolymere
superscambio/Superaustausch
supporto a rulli/Walzenstühle
suppositori/Suppositorien
supposta/Suppositorien
supraconducibilità/Supraleitung
suprafluido/Supraflüssigkeit
suprasteroli/Suprasterine
suramina sodio/Suramin-Natrium
surfactante/Surfactant
surfattante polmonare/Lungen-Surfaktans
surimi/Surimi
surraffreddamento/Unterkühlung
surrogati dello zucchero/Zuckeraustauschstoffe
surrogato/Surrogat
– di caffè/Kaffee-Ersatz
– di sale comune/Kochsalz-Ersatzmittel
– di tè/Tee-Ersatz
surugatossina/Surugatoxin
suscettibilità magnetica/Magnetische Suszeptibilität
susine selvatiche/Schlehen
suxametonio cloruro/Suxamethoniumchlorid
suxibuzone/Suxibuzon
Svedberg/Svedberg
sverniciatore al solvente/Abbeizmittel
sviluppo dei procedimenti industriali/Verfahrensentwicklung
– del ceppo/Stammentwicklung
swainsonina/Swainsonin

T

2,4,5-T/2,4,5-T
taaffeite/Taaffeit

tabacco/Tabak
– da fiuto/Schnupftabak
– da masticare/Kautabak
tabelle critiche internazionali/International Critical Tables
tabernantina/Tabernanthin
tabtossina/Tabtoxin
tabun/Tabun
tacalcitolo/Tacalcitol
tacheoidrite/Tachhydrit
tach(i)…/Tach(y)…
tachichinine/Tachykinine
tachifilassi/Tachyphylaxie
tachilite/Tachylit
tachisteroli/Tachysterine
tackifier/Tackifier
tacrina/Tacrin
taddoli/Taddole
taette/Tätte
tafani/Bremsen
D-tagatosio/D-Tagatose
tageti/Tagetes
tagging/Tagging
taglio/Schneiden
– autogeno/Autogenes Schneiden
– e ricucitura dell'RNA/Spleißen
– focale/Brennschneiden
tailing/Tailing
talaromicine/Talaromycine
talassemia/Thalassämie
talassobiologia/Meeresbiologie
talco/Talk
– in polvere/Puder
talidomide/Thalidomid
talina/Talin
talinololo/Talinolol
talitolo/Talit(ol)
tallio/Thallium
tallolio/Tallöl
talo-/talo-
D-talosio/D-Talose
talsalcidina/Talsaclidin
tamarindi/Tamarinden
tamarindo/Chutney
TAME/TAME
tamossifene/Tamoxifen
tamponi/Tampons
tamsulosina/Tamsulosin
tanaceto/Rainfarn
tangerini/Tangerinen
tannasi/Tannasen
tannini/Tannine
tannio ausiliare/Gerbhilfsmittel
tantalati(V)/Tantalate(V)
tantalio/Tantal
tantalite/Tantalit
tantazoli/Tantazole
tanzanite/Tansanit
TAP/TAP
tapioca/Tapioka
tapiolite/Tapiolit
tappeti/Teppiche
tappezzerie/Tapeten
tappi/Stopfen
tapsigargina/Thapsigargin
Taq polimerasi/Taq-Polymerase
tara/Tara
taranakite/Taranakit
tarassaco bicorne/Kok-Saghys
taro/Taro
tartaro/Zahnstein
– emetico/Brechweinstein
tartaruga/Schildpatt
tartrati/Tartrate
tartrato di potassio e sodio/Kaliumnatrium-(R,R)-tartrat
– di sodio/Natriumtartrat
tartrazina/Tartrazin
tartufo/Trüffel
tasmanite/Tasmanit
tassi/Taxis
tassia/Taxis
tassigeno/Taxigen

tasso/Eibe
– alcoolico nel sangue/Blutalkohol
– specifico di crescita/Wachstumsrate, spezifische
tassolo/Taxol
tassonomia/Taxonomie
tatticità/Taktizität
tattismo/Taxis
tatuaggio/Tätowierung
taumasite/Thaumasit
taumatina/Thaumatin
tauridi/Tauride
tauril…/Tauryl…
taurina/Taurin
taurolidina/Taurolidin
tautomeria/Tautomerie
– cheto-enolica/Keto-Enol-Tautomerie
tautomicina/Tautomycin
tavole di vibrazione/Schüttelgeräte
tavolette/Tabletten
taxani/Taxane
taxodione/Taxodion
taxoidi/Taxoide
taxolo/Taxol
taxuspine/Taxuspine
tazaroten/Tazaroten
tazobactam/Tazobactam
TCD/TCD
tè/Tee
– abessino/Kat
– di Giava/Orthosiphon
– Oolong/Oolong-Tee
– verde dell'avena/Grüner Hafertee
teaflavine/Theaflavine
teanina/Theanin
tearubigeni/Thearubigene
teaspirani/Theaspirane
tebacone/Thebacon
tebaina/Thebain
tebuconazolo/Tebuconazol
tebufenozide/Tebufenozid
tebufenpirad/Tebufepyrad
tebupirimifos/Tebupirimifos
tebutiurone/Tebuthiuron
tecnezio/Technetium
tecnica/Technik
– a bassa temperatura/Tieftemperaturtechnik
– a fase solida/Festphasen-Technik
– ambientale/Umwelttechnik
– del forno anulare di Weisz/Weisz-Ringofen-Technik
– del vuoto/Vakuumtechnik
– della sterilizzazione/Steriltechnik
– di cannelli/Kanülentechnik
– di laccatura a spruzzo caldo/Heißlackier-Spritztechnik
– di Merrifield/Merrifield-Technik
– di Schlenk/Schlenk-Technik
– di spazio puro/Reinraumtechnik
– ibridoma/Hybridoma-Technik
– nucleare/Kerntechnik
– patch clamp/Patch-Clamp-Technik
tecniche d'accoppiamento/Kopplungstechniken
tecnico/Techniker
– di chimica/Chemotechniker
– di misurazione e di regolazione/Meß- u. Regeltechniker
– elettronico del processo di produzione/Prozeßelektroniker
tecnologia/Technologie
– alimentare/Lebensmitteltechnologie
– chiave/Schlüsseltechnologie

– chimica/Chemische Technologie
– dei procedimenti industriali/Verfahrenstechnik
tectine/Tektine
tectiti/Tektite
teflubenzurone/Teflubenzuron
teflurano/Tefluran
teflutrina/Tefluthrin
tefrite/Tephrit
tefroite/Tephroit
tefrosina/Tephrosin
tegafur/Tegafur
tegole/Ziegel
teicoplanina/Teicoplanin(e)
teinochimica/Teinochemie
tek/Teakholz
tela cerata/Wachstuch
teleocidine/Teleocidine
tellurati/Tellurate
tellurio/Tellur
tellurite di potassio/Kaliumtellurit
telluriuro di cadmio/Cadmiumtellurid
– di piombo/Bleitellurid
tellururi/Telluride
telmisartano/Telmisartan
telomeri/Telomere
telomerizzazione/Telomerisation
temafloxacina/Temafloxacin
temazepam/Temazepam
temocillina/Temocillin
temoe lawak/Temoe Lawak
temperatura/Temperatur
– ambiente/Zimmertemperatur
– assoluta/Absolute Temperatur
– corporea/Körpertemperatur
– critica/Kritische Temperatur
– d' accensione/Entzündungstemperatur
– d' esplosione/Explosionstemperatur
– di Curie/Curie-Temperatur
– di inflessione sotto carico/Wärmeformbeständigkeitstemperatur
– di limite massimo/Ceiling-Temperatur
– di Martens/Martens-Temperatur
– di ricristallizzazione/Rekristallisationstemperatur
– di trasformazione/Umwandlungstemperatur
– d'infiammazione/Zündtemperatur
– teta/Theta-Temperatur
– transitoria del vetro/Glasübergangstemperatur
tempo/Zeit
– di attesa/Karenzzeit
– di permanenza/Verweilzeit
– di scomparsa/Abklingzeit
tempra/Abschrecken, Härten
– d'acciaio/Härtung von Stahl
– dell'acciaio/Abbrennen
– di trasformazione/Umwandlungshärtung
– per immersione/Tauchhärtung
temprabilità/Härtbar
tenacia di rottura/Bruchzähigkeit
tenacità/Festigkeit
tenalidina/Thenalidin
tenascine/Tenascine
tenera e acquosa/PSE-Fleisch
tenidap/Tenidap
tenil…/Thenyl…
tenildiamina/Thenyldiamin
teniposide/Teniposid
tenoil…/Thenoyl…
tenorite/Tenorit
tenoxicam/Tenoxicam
tensioattivi/Tenside
– al silicio/Silicium-Tenside

– anionici/Aniontenside
– cationici/Kationtenside
– di proteina/Eiweiß-Tenside
– di zucchero/Zuckertenside
– non ionici/Nichtionische Tenside
– polimeri/Polymertenside
tensione anulare/Ringspannung
– di Baeyer/Baeyer-Spannung
– di contatto/Kontaktspannung
– di decomposizione/Zersetzungsspannung
– di Pitzer/Pitzer-Spannung
– interfacciale/Grenzflächenspannung
– residue/Restspannungen
– superficiale/Oberflächenspannung
– transanulare/Transannulare Spannung
tensore/Tensor
– della polarizzabilità/Polarisierbarkeitstensor
tentossina/Tentoxin
tentredinidi/Blattwespen
teo…/The(o)…
teobromina/Theobromin
teodrenalina/Theodrenalin
teofillina/Theophyllin
teonella/Theonella
teonellammidi/Theonellamide
teorema/Theorem
– del viriale/Virialsatz
– di Brillouin/Brillouin-Theorem
– di Ehrenfest/Ehrenfestsches Theorem
– di Koopmans/Koopmans-Theorem
teoria a due film/Zweifilmmodell
– acido-base/Säure-Base-Begriff
– dei campi dei leganti/Ligandenfeldtheorie
– dei gruppi/Gruppentheorie
– della coordinazione/Koordinationslehre
– della relatività/Relativitätstheorie
– delle perturbazioni/Störungstheorie
– dell'orbitale molecolare/MO-Theorie
– di Debye-Hückel-Onsager/Debye-Hückel-Onsager-Theorie
– di Flory-Huggins/Flory-Huggins-Theorie
– di Sachse e Mohr/Sachse-Mohr-Theorie
– DLVO/DLVO-Theorie
– funzionale di densità/Dichtefunktionaltheorie
– HMO/HMO-Theorie
– quantistica/Quantentheorie
– sulla coppia elettronica/Elektronenpaartheorien
tequila/Tequila
ter…/Ter…
terapeutici per la protezione del fegato/Leberschutztherapeutika
terapia/Therapie
– genetica/Gentherapie
– neurale/Neuraltherapie
– stimolante/Reizkörpertherapie
teratogenesi/Teratogenese
teratogeni/Teratogene
terazosina/Terazosin
terbacile/Terbacil
terbinafina/Terbinafin
terbio/Terbium
terbufos/Terbufos
terbumetone/Terbumeton
terbutalina/Terbutalin
terbutilazina/Terbuthylazin
terbutrina/Terbutryn

terconazolo/Terconazol
tereftalato di dimetile/Dimethylterephthalat
terfenadina/Terfenadin
terfenilchinoni/Terphenylchinone
terfenili/Terphenyle
– policlorurati/PCT
teríaco/Theriak
terizidone/Terizidon
terlipressina/Terlipressin
termalizzazione/Thermalisierung
termico/Thermisch
terminale/Terminal
terminatore/Terminator
terminazione/Termination
termine/Term
termini popolari/Trivialnamen
terminologia/Terminologie
termistore/Thermistoren
– enzimatico/Enzym-Thermistor
termitasi/Thermitase
termiti/Termiten
termoanalisi/Thermoanalyse
– del gas tramite l'emissione/Emissionsgasthermoanalyse
– differenziale/Differentialthermoanalyse
termobarometria/Thermobarometrie
termochimica/Thermochemie
termocopia/Thermokopie
termocromia/Thermochromie
termodiffusione/Thermodiffusion
termodinamica/Thermodynamik
termoelementi/Thermoelemente
termoelettricità/Thermoelektrizität
termofilia/Thermophilie
termofrattografia/Thermofraktographie
termografia/Thermographie
termogravimetria/Thermogravimetrie
termoisolanti/Wärmedämmstoffe
termolisi/Thermolyse
termolisina/Thermolysin
termoluminescenza/Thermolumineszenz
termometri/Thermometer
termometria/Temperaturmessung, Thermometrie
termometro a resistenza/Widerstandsthermometer
– di Beckmann/Beckmann-Thermometer
termoni/Termone
termostabilizzatori/Thermostabilisatoren
termostati/Thermostate
termotropia/Thermotropie
ternario/Ternär
terodilina/Terodilin
terpeni/Terpen(oid)e
terpenoidi/Terpen(oid)e
terpestacina/Terpestacin
terpina/Terpin
terpinene/Terpinen
terpineolo/Terpineole
terpinolene/Terpinolene
2,2':6',2"-terpiridina/2,2':6',2"-Terpyridin
terpolimeri/Terpolymere
terprenina/Terprenin
terra/Erde
– argillosa/Tonerde
– calcarea argillosa/Kalkmergel
– da follare/Walkerde
– decolorante/Fuller-Erden
– di Siena/Terra di Siena
– diatomacea/Kieselgur
– ombra/Umbra
– Santorino/Santorinerde
– sigillata/Terra sigillata
– silicea/Kieselerde

Italiano

- verde/Grünerde
- verde di Verona/Seladonit
- terracotta/Terrakotta, Tonwaren
- terrazzo/Terrazzo
- terre decoloranti/Bleicherden
- di cerite/Ceriterden
- medicamentose/Heilerden
- rare/Seltene Erden
- terreina/Terrein
- terreno/Boden, Erde
- contaminato/Altlasten
- di coltura/Nährmedium
- di coltura minimo/Minimalmedium
- di coltura semisintetico/Halbsynthetisches Nährmedium
- tertatololo/Tertatolol
- tertienili/Terthienyle
- tervalente/Tervalent
- terz-/tert-
- terziario/Tertiär
- tesauro/Thesaurus
- tessili/Textilien
- tessitura/Textur, Weben
- a maglia/Wirken
- tessuto/Gefüge, Gewebe, Textur
- connettivo/Bindegewebe
- spugna/Frottee
- test/Test
- a lungo termine/Langzeittest
- batterico/Bakterientest
- d'Ames/Ames-Test
- del Limulus/Limulus-Test
- di Abele/Abel-Test
- di Baeyer/Baeyer-Test
- di Beilstein/Beilstein-Test
- di Bettendorf/Bettendorf-Test
- di daphnia/Daphnientest
- di Feulgen/Feulgen-Färbung
- di Fiehe/Fiehe-Test
- di Gmelin/Gmelin-Test
- di gravidanza/Schwangerschaftstest
- di Gutzeit/Gutzeit-Test
- di Heller/Hellersche Probe
- di Legal/Legal-Test
- di pesce/Fischtest
- di Trommer/Trommer-Test
- di Zwikker/Zwikker-Reaktion
- IMViC/IMViC-Test
- Kesternich/Kesternich-Test
- strisciante/Kriechprobe
- sulle alghe/Algentest
- tubercolinico/Tuberkulin-Test
- testolattone/Testolacton
- testosterone/Testosteron
- testurizzazione/Texturierung
- tetania/Tetanie
- tetano/Tetanus
- tetra/Tetra
- tetr(a)…/Tetr(a)…
- 3,3′,4,4′-tetraamminobifenile/3,3′,4,4′-Tetraaminobiphenyl
- tetraamminoetileni/Tetraaminoethylene
- tetraasterano/Tetraasteran
- tetraborano(10)/Tetraboran(10)
- tetraborati/Tetraborate
- tetrabromobisfenolo A/Tetrabrombisphenol A
- tetrabromoetano/1,1,2,2-Tetrabromethan
- 5,5′,7,7′-tetrabromoindaco/5,5′,7,7′-Tetrabromindigo
- tetrabromometano/Tetrabrommethan
- tetracaina/Tetracain
- tetracarbonilenichel/Nickeltetracarbonyl
- tetrachis…/Tetrakis…
- 7,7,8,8-tetraciano-1,4-chinodimetano/7,7,8,8-Tetracyano-1,4-chinodimethan
- tetracianoetilene/Tetracyanoethylen
- tetracianomercurato(II) di potassio/Kaliumtetracyanomercurat(II)
- tetracianoplatinato(II) di bario/Bariumtetracyanoplatinat(II)
- tetraciclina/Tetracyclin
- tetraciclo[…]…/Tetracyclo[…]…
- tetraclorobenzeni/Tetrachlorbenzole
- 2,3,7,8-tetraclorodibenzo[1,4]diossina/2,3,7,8-Tetrachlordibenzo[1,4]dioxin
- 1,1,2,2-tetracloroetano/1,1,2,2-Tetrachlorethan
- tetracloroetilene/Tetrachlorethylen
- tetraclorvinfos/Tetrachlorvinphos
- tetraconazolo/Tetraconazol
- tetracont(a)…/Tetracont(a)…
- tetracos(a)…/Tetracos(a)…
- tetracosactide/Tetracosactid
- tetracosano/Tetracosan
- tetrade/Tetrade
- tetradec(a)…/Tetradec(a)…
- tetradecano/Tetradecan
- 1-tetradecanolo/1-Tetradecanol
- tetradecil…/Tetradecyl…
- tetradifone/Tetradifon
- tetradimite/Tetradymit
- tetraedriti/Fahlerze
- tetraedro/Tetraeder
- tetraedro…/tetrahedro-
- tetraetile di piombo/Bleitetraethyl
- tetraetilenglicole/Tetraethylenglykol
- tetraetilenpentammina/Tetraethylenpentamin
- tetraetiltiouram disolfuro/Tetraethylthiuramdisulfid
- tetrafenilborato di sodio/Natriumtetraphenylborat
- tetrafenilmetano/Tetraphenylmethan
- tetrafluoroborato di potassio/Kaliumtetrafluoroborat
- di sodio/Natriumtetrafluoroborat
- tetrafluoroetilene/Tetrafluorethylen
- tetraidrocannabinoli/Tetrahydrocannabinole
- tetraidrofurano/Tetrahydrofuran
- tetraidrometanopterina/Tetrahydromethanopterin
- tetraidropalmatina/Tetrahydropalmatin
- tetraidropirano/Tetrahydropyran
- tetraidrossi-1,4-benzochinone/Tetrahydroxy-1,4-benzochinon
- tetraidrotiofene/Tetrahydrothiophen
- tetraidruro di stagno/Stannan
- tetraiodomercurato(II) di bario/Bariumtetraiodomercurat(II)
- tetraiodometano/Tetraiodmethan
- tetralite/Tetryl
- tetraloni/Tetralone
- tetrameri/Tetramere
- 2,2,6,6-tetrametil-3,5-eptandione/2,2,6,6-Tetramethyl-3,5-heptandion
- N,N,N′,N′-tetrametil-p-fenilendiammina/N,N,N′,N′-Tetramethyl-p-phenylendiamin
- tetrametilbenzeni/Tetramethylbenzole
- 3,3′,5,5′-tetrametilbenzidina/3,3′,5,5′-Tetramethylbenzidin
- tetrametile di piombo/Bleitetramethyl
- tetrametilen…/Tetramethylen…
- tetrametilsilano/Tetramethylsilan
- tetrametilurea/Tetramethylharnstoff
- tetrametossietilene/Tetramethoxyethylen
- tetrametrina/Tetramethrin
- tetramisolo/Tetramisol
- tetranitrato di pentaeritritolo/Pentaerythrittetranitrat
- di torio/Thoriumtetranitrat
- tetranitrometano/Tetranitromethan
- tetraossano/Tetraoxan
- tetrapirroli/Tetrapyrrole
- tetraquinane/Tetraquinane
- tetrasaccaridi/Tetrasaccharide
- tetraterpeni/Tetraterpene
- tetratiafulvalene/Tetrathiafulvalen
- tetrationato di potassio/Kaliumtetrathionat
- tetrazene/Tetrazen
- tetrazeni/Tetrazene
- tetrazepam/Tetrazepam
- tetrazine/Tetrazine
- tetrazoli/Tetrazole
- tetrile/Tetryl
- tetritoli/Tetrite
- tetrizolina/Tetryzolin
- tetrodotossina/Tetrodotoxin
- …tetrolo/…tetrol
- tetronasina/Tetronasin
- tetrosi/Tetrosen
- tetrossani/Tetroxane
- tetrossido d'osmio/Osmiumtetroxid
- tetroxoprim/Tetroxoprim
- tett(o)…/Tect(o)…, Tekt(o)…
- tettonica/Tektonik
- dei piani/Plattentektonik
- tex/Tex
- texil…/Thexyl…
- texilborano/Thexylboran
- thenardite/Thenardit
- thomsonite/Thomsonit
- thortveitite/Thortveitit
- tia…/Ti(a)…
- ti(a)…/Thi(a)…
- tiabendazolo/Thiabendazol
- tiadiazine/Thiadiazine
- tiadiazoli/Thiadiazole
- tiagabina/Tiagabin
- …tiale/…thial
- tiamazolo/Thiamazol
- tiamenidina/Tiamenidin
- tiamfenicolo/Thiamphenicol
- tiamina/Thiamin
- tiamindifosfato/Thiamindiphosphat
- tiamulina/Tiamulin
- tiangazolo/Thiangazol
- tiantreni policlorurati/PCTA
- tiapride/Tiaprid
- tiazafurone/Thiazafluron
- tiazidi/Thiazide
- tiazinamino metilsolfato/Thiazinamiummetilsulfat
- tiazine/Thiazine
- tiazoli/Thiazole
- 1-(2-tiazolilazo)-2-naftolo/1-(2-Thiazolylazo)-2-naphthol
- tiazopir/Thiazopyr
- tibi/Tibi
- ticarcillina/Ticarcillin
- ticlopidina/Ticlopidin
- tidiazurone/Thidiazuron
- tiemannite/Tiemannit
- tiemonio ioduro/Tiemoniumiodid
- tienamicine/Thienamycine
- tienil…/Thienyl…
- tieno…/Thieno…
- tiepine/Thiepine
- tietani/Thietane
- tietilperazina/Thiethylperazin
- tifensulfurone di metile/Thifensulfuron-methyl
- tifluzamide/Thifluzamid
- tifo/Typhus
- tignosa bigia/Pantherpilz
- tiirani/Thiirane
- tilidina/Tilidin
- tillandsia/Tillandsia
- tilorone/Tiloron
- tilosina/Tylosin
- tilossapol/Tyloxapol
- timidilato sintasi/Thymidylat-Synthase
- timidina/Thymidin
- timidinfosfati/Thymidinphosphate
- timina/Thymin
- timo/Thymian, Thymus
- tim(o)…/Thym(o)…
- timociti/Thymocyten
- timolettici/Thymoleptika
- timolftaleina/Thymolphthalein
- timolo/Thymol
- timololo/Timolol
- timopentina/Thymopentin
- timopoietina/Thymopoietin
- timosina/Thymosin
- timostimulina/Thymostimulin
- timulina/Thymulin
- tingere di blu/Bläuen
- tingitura/Färben
- tinidazolo/Tinidazol
- tinta/Farbton
- tinteggiatura/Tönung
- tintoria jet/Jet-Färberei
- tintura al tino/Küpenfärberei
- di iodio/Iod-Tinktur
- tinture/Tinkturen
- tinzaparina sodica/Tinzaparin-Natrium
- tio…/Thi(o)…
- ti(o)…/Thi(o)…
- 5-tio-D-glucosio/5-Thio-D-glucose
- tioacetali/Thioacetale
- tioacetammide/Thioacetamid
- tioacetazone/Thioacetazon
- tioacidi/Thiosäuren
- tioaldeidi/Thioaldehyde
- tioammidi/Thioamide
- (tetra)tioantimonato(V) di sodio/Natrium(tetra)thioantimonat(V)
- tiobencarb/Thiobencarb
- tiobios/Thiobios
- tiobutabarbital/Thiobutabarbital
- tiocarbammati/Thiocarbamate
- tiocarbamoil…/Thiocarbamoyl…
- tiocarbonil…/Thiocarbonyl…
- tiocarbossi…/Thiocarboxy…
- tiocheteni/Thioketene
- tiochetoni/Thioketone
- tiocianati/Thiocyanate
- tiocianato…/Thiocyanato…
- tiocianato d'ammonio/Ammoniumthiocyanat
- di calcio/Calciumthiocyanat
- di ferro(III)/Eisen(III)-thiocyanat
- di mercurio(II)/Quecksilber(II)-thiocyanat
- di piombo/Bleithiocyanat
- di potassio/Kaliumthiocyanat
- di rame(I)/Kupfer(I)-thiocyanat
- di sodio/Natriumthiocyanat
- tioconazolo/Tioconazol
- tiodi…/Thiodi…
- tiodicarb/Thiodicarb
- 2,2′-tiodietanolo/2,2′-Thiodiethanol

tioeteri/Thioether
tiofanato di metile/Thiophanat-methyl
tiofanox/Thiofanox
tiofene/Thiophen
tiofeno…/Thiopheno…
tiofenolo/Thiophenol
tioflavina/Thioflavin
tioformil…/Thioformyl…
tiofosfati/Thiophosphate
tiofosforil…/Thiophosphoryl…
tiofosgene/Thiophosgen
tioglicolato di calcio/Calcium-thioglykolat
– di sodio/Natriumthioglykolat
tioglicoli/Thioglykole
6-tioguanina/Tioguanin
tioidrossilammina/Thiohydroxylamin
tioindaco/Thioindigo
tiolati/Thiolate
tiolattami/Thiolactame
tiolattomicina/Thiolactomycin
tiolattoni/Thiolactone
tiolazione/Thiolierung
tioli/Thiole
…tiolo/…thiol
tiomarinoli/Thiomarinole
tiomersal/Thiomersal
tiomesterone/Tiomesteron
tiometon/Thiometon
tionalide/Thionalid
…tione/…thion
tionil…/Thionyl…
tionine/Thionin
tionine/Thionine
tiopentale sodico/Thiopental
tiopirano/Thiopyran
tiopronina/Tiopronin
tiopropazato/Thiopropazat
tioproperazina/Thioproperazin
tioredossine/Thioredoxine
tioredoxin/Thioredoxine
tioridazina/Thioridazin
tiosemicarbazide/Thiosemicarbazid
tiosolfati/Thiosulfate
tiosolfato d'ammonio/Ammoniumthiosulfat
– di argento/Silberthiosulfat
– di sodio/Natriumthiosulfat
tiosolfonati/Thiosulfonate
tiosso…/Thioxo…
tiotepa/Thiotepa
tiotixene/Tiotixen
tiotropocina/Thiotropocin
2-tiouracile/2-Thiouracil
tiourea/Thioharnstoff
tioureido…/Thioureido…
tioxolone/Tioxolon
tipo d'accoppiamento/Paarungstyp
– selvatico/Wildtyp
tipranavir/Tipranavir
tiraggio per i gas/Abzug
tirame/Thiram
tiramina/Tyramin
tirandamicine/Tirandamycine
tiratron/Thyratron
tireostatici/Thyreostatika
tirilazad/Tirilazad
tiristore/Thyristor
tirocidine/Tyrocidine
tirofiban/Tirofiban
tiroglobulina/Thyroglobulin
tiroliberina/Thyroliberin
tiromicina A/Tyromycin A
tirone/Tiron
tironina/Thyronin
tiropramide/Tiropramid
tirosina/Tyrosin
tirosinasi/Tyrosinase
tirotricina/Tyrothricin

tirotropina/Thyrotropin
L-tiroxina/L-Thyroxin
tirsiferolo/Thyrsiferol
tisonite/Tysonit
titanati/Titansäureester
titanati (IV)/Titanate(IV)
titanato di bario/Bariumtitanat
– di stronzio/Strontiumtitanat
titanio/Titan
titanite/Titanit
titina/Titin
titolante/Titrans
titolare del progetto/Projektträger
titolatori automatici/Titrierautomaten
titolazione/Titration
– acido-base/Säure-Base-Titration
– ad alta frequenza/Hochfrequenztitration
– dead-stop/Dead-Stop-Titration
– di Epton/Epton-Titration
– di Reinhardt-Zimmermann/Reinhardt-Zimmermann-Titration
– di ritorno/Rücktitration
– polielettrolitica/Polyelektrolyt-Titration
– potenziometrica di corrente controllata/Voltametrie
– termometrica/Thermometrische Titration
– turbidimetrica/Trübungstitration
titolo/Feingehalt, Titer
tiurami/Thiurame
tixocortolo/Tixocortol
tixotropia/Thixotropie
tizanidina/Tizanidin
tizera/Tizera
tobermorite/Tobermorit
tobramicina/Tobramycin
TOC/TOC
tocainide/Tocainid
tocoferoli/Tocopherole
todorokite/Todorokit
tokaj/Tokayer
tokamak/Tokamak
tolano/Tolan
tolazamide/Tolazamid
tolazolina/Tolazolin
tolbutamide/Tolbutamid
tolcapone/Tolcapon
tolciclato/Tolciclat
tolclofos di metile/Tolclofos-methyl
tolicaina/Tolycain
tolil…/Tolyl…
tolilen…/Tolylen…
tolilfluanide/Tolylfluanid
toliprololo/Toliprolol
tolleranza/Toleranz
tolmetina/Tolmetin
tolnaftato/Tolnaftat
tolperisone/Tolperison
tolpropamina/Tolpropamin
tolterodina/Tolterodin
tolualdeidi/Tolualdehyde
toluendiisocianati/Toluoldiisocyanate
toluene/Toluol
– -3,4-ditiolo/Toluol-3,4-dithiol
toluensolfonammidi/Toluolsulfonamide
toluensolfonati/Xylolsulfonate
p-toluensolfonato di metile/p-Toluolsulfonsäuremethylester
toluensolfonil…/Toluolsulfonyl…
…toluidide/…toluidid
toluidide/Toluidide
toluidino…/Toluidino…
toluil…/Toluyl…
tolunitrili/Tolunitrile
toluoil…/Toluoyl…

tombacco giallo/Gelbtombak
tomografia/Tomographie
tonalità/Farbton
tonici/Gesichtswässer, Tonika
tonificanti/Stimulantien
tonnellata/Tonne
tono/Farbton
tonsille/Mandeln
topazio/Topas
topicità/Topizität
…topico/…top
topinambur/Topinambur
topiramato/Topiramat
…topo/…Topo…
topo nudo/Nacktmaus
– SCID/SCID-Maus
topochimica/Topochemie
topografia mineraria/Markscheidewesen
topoisomerasi/Topoisomerasen
topologia/Topologie
topomerizzazione/Topomerisierung
topotecan/Topotecan
torasemide/Torasemid
torba/Torf
torbernite/Torbernit
toremifene/Toremifen
torianite/Thorianit
torina/Thorin
torio/Thorium
torite/Thorit
tornasole/Lackmus
toron/Thoron
torpex/Torpex
torr/Torr
torrefazione/Rösten
torula/Torula
tosil…/Tosyl…
tossicità/Toxizität
– di pesce/Fischgiftigkeit
– per i pesci/Fischgiftigkeit
tossico paralitico dell'invertebrato testaceo/PSP
tossicoli/Toxicole
tossicologia/Toxikologie
– alimentare/Lebensmitteltoxikologie
tossicomania/Sucht
tossiferine/Toxiferine
tossina del colera/Choleratoxin
– della ciguatera/Ciguatera-Toxine
– della pertosse/Pertussis-Toxin
– difterica/Diphtherie-Toxin
– HC/HC-Toxine
– PB/PB-Toxin
– PR/PR-Toxin
– -T-2/T-2-Toxin
tossine/Toxine
– batteriche/Bakterien-Toxine
– delle alghe/Algentoxine
– delle conchiglie/Muscheltoxine
– di Gymnodinium breve/Gymnodinium breve-Toxine
tossoflavina/Toxoflavin
tostatura/Rösten
toxoplasmosi/Toxoplasmose
toxuria/Urämie
tracce nucleari/Kernspaltspuren
traccianti/Tracer
trachiti/Trachyte
traiettoria/Trajektorie
tralcossidim/Tralkoxydim
tralometrina/Tralomethrin
tramadolo/Tramadol
tramazolina/Tramazolin
tramogge per polvere/Pulvertrichter
trandolapril/Trandolapril
tranilcipromina/Tranylcypromin
tranquillanti/Tranquilizer

trans-/trans-
transacilasi/Transacylasen
transaldolasi/Transaldolase
transamminasi/Transaminasen
transamminazione/Transaminierung
transanulare/Transannular
transattinoidi/Transactinoide
transchetolasi/Transketolase
transcristallizzazione/Transkristallisation
transducina/Transducin
transesterificazione/Umesterung
transfer/Transfer
transferasi/Transferasen
transferrina/Transferrin
transflutrina/Transfluthrin
transiente/Transient
transilidazione/Umylidierung
transilluminatori/Transilluminatoren
transistore/Transistor
– a effetto di campo a gate isolato/MOS-FET
transistori ionoselettivi ad effetto di campo/Ionenselektive Feldeffekt-Transistoren
transitorio/Transient
transizione/Transition, Umwandlung
– del tipo pn/pn-Übergang
– elicoidale/Helix-Knäuel-Übergang
transmetallizzazione/Transmetallierung
transpeptidasi/Transpeptidasen
transporto di membrana/Membrantransport
– singolo di elettroni/Single electron transport
transurani/Transurane
trapano di sughero/Korkbohrer
trapidil/Trapidil
trappola di Barber/Barberfalle
– di Paul/Paul-Falle
– di Penning/Penning-Falle
– ionica/Ionenfalle
– per vapore/Kühlfalle
trascriptasi inversa/Reverse Transcriptase
trascrizione/Transkription
– in vitro/In vitro-Transkription
trasduzione/Transduktion
– del segnale/Signaltransduktion
trasferimento lineare di energia/LET
– puntiforme/Nick-Translation
trasformatore del gusto/Geschmacks(um)wandler
trasformazione/Transformation, Umwandlung
– ad alto rendimento/Hochleistungsumformung
– asimmetrica/Asymmetrische Umwandlung
– di Fourier/Fourier-Transformation
– di impulsi di Fourier/Puls-Fourier-Transformation
– diretta dell'energia/Energie-Direktumwandlung
– rapida di Fourier/FFT
– unitaria/Unitäre Transformation
trasformazioni nucleari/Kernumwandlungen
traslazione/Translation
– del nick/Nick-Translation
– in vitro/In vitro-Translation
trasmettitore del calore/Wärmeübertragungsmittel
trasmissione/Transmission
– del calore/Wärmeübertragung

Italiano

- dell'energia/Energieübertragung
- trasmutazione/Transmutation
- trasparenza/Transparenz
- trasportatori del glucosio/Glucose-Transporter
- trasporto/Transport, Überführung
  - attivo/Aktiver Transport
  - dei rifiuti/Abfalltransport
- trasposizione/Umlagerungen
  - di Büchi/Büchi-Umlagerung
  - di Cope/Cope-Umlagerung
  - di Curtius/Curtius-Umlagerung
  - di Favorskii/Favorskii-Umlagerung
  - di Fries/Fries-Umlagerung
  - di Ireland-Claisen/Ireland-Claisen-Umlagerung
  - di Meisenheimer/Meisenheimer-Umlagerung
  - di-π-metanica/Di-π-methan-Umlagerung
  - di Meyer-Schuster/Meyer-Schuster-Umlagerung
  - di Mislow/Mislow-Umlagerung
  - di Neber/Neber-Umlagerung
  - di Pummerer/Pummerer-Umlagerung
  - di Smiles/Smiles-Umlagerung
  - di Sommelet/Sommelet-Umlagerung
  - di Stevens/Stevens-Umlagerung
  - di Tafel/Tafel-Umlagerung
  - di Tiffeneau/Tiffeneau-Umlagerung
  - di Wagner-Meerwein/Wagner-Meerwein-Umlagerung
  - di Walk/Walk-Umlagerung
  - di Westphalen e Lettré/Westphalen-Lettré-Umlagerung
  - di Wittig/Wittig-Umlagerung
  - di Wolff/Wolff-Umlagerung
  - neopentilica/Neopentyl-Umlagerung
  - pinacolica/Pinakol-Pinakolon-Umlagerung
  - propargil-allenilica/Propargyl-Allenyl-Umlagerung
  - retropinacolica/Retro-Pinakolon-Umlagerung
  - semidinica/Semidin-Umlagerung
- trasposone/Transposon
- trass-cemento/Traß-Zement
  - -cemento di suevite/Suevit-Traßzement
- trasso/Traß
- trastuzumab/Trastuzumab
- trasversione/Transversion
- trattamento chimico delle acque di rifiuto/Chemische Abwasserbehandlung
  - chimico-fisico/Chemisch-physikalische Behandlung
  - dei capelli/Haarbehandlung
  - dei rifiuti/Abfallbehandlung
  - del deparito di chiarificazione/Klärschlammbehandlung
  - del terreno contaminato/Altlastensanierung
  - della farina/Mehlbehandlung
  - delle acque di raffreddamento/Kühlwasseraufbereitung
  - delle acque di rifiuto/Abwasserbehandlung
  - successivo/Nachbehandlung
  - termico/Temperaturbehandlung, Vergüten, Wärmebehandlung
- traustica/Thraustik
- trazodone/Trazodon
- trealosio/Trehalose
- trealostatina/Trehalostatin

treite/Threit
treitolo/Threit
trematodi/Trematoden
trementina/Terpentin
- al solfato/Sulfatterpentinöl
tremolite/Tremolit
tren/tren
trenbolone/Trenbolon
treo-/threo-
L-treonina/L-Threonin
treosio/Threose
treosulfano/Treosulfan
treppiede/Dreifuß
trestatine/Trestatine
tretamina/Tretamin
tretinoina/Tretinoin
tri.../Tri...
2,4,6-tri-(2-piridil)-1,3,5-triazina/2,4,6-Tri(2-pyridyl)-1,3,5-triazin
triacetato/Triacetat
triacetildifenolisatina/Triacetyldiphenolisatin
1,1,1-triacetossi-1,1-diidro-1,2-benzodossol-3(1H)-one/1,1,1-Triacetoxy-1,1-dihydro-1,2-benziodoxol-3(1H)-on
triacilglicerolo lipasi/Triacylglycerol-Lipase
triacont.../Triacont(a)...
1-triacontanolo/1-Triacontanol
triacsine/Triacsine
triade/Triade
triadimefon/Triadimefon
triadimenolo/Triadimenol
trialchilammine/Trialkylamine
triallato/Triallat
triamcinolone/Triamcinolon
triammide esametilfosforico/Hexamethylphosphorsäuretriamid
triamterene/Triamteren
triangolo-/triangulo-
trianosomiasi africana/Schlafkrankheit
triapentenolo/Triapenthenol
triasterano/Triasteran
triasulfurone/Triasulfuron
triazamato/Triazamat
triazeni/Triazene
triazine/Triazine
triaziquone/Triaziquon
triazofos/Triazophos
triazolam/Triazolam
triazoli/Triazole
triazoline/Triazoline
triazoni/Triazone
triazossido/Triazoxid
tribenoside/Tribenosid
tribenurone di metile/Tribenuronmethyl
tribenzilammina/Tribenzylamin
tribochimica/Tribochemie
triboelettricità/Triboelektrizität
tribologia/Tribologie
triboluminescenza/Triboluminescenz
2,4,6-tribromofenolo/2,4,6-Tribromphenol
tribromsalan/Tribromsalan
tribromuro borico/Bortribromid
tributilalluminio/Tributylaluminium
tributilammina/Tributylamin
tributilfosfato/Tributylphosphat
tributirina/Tributyrin
tricarbonile di (metilciclopentadienil)manganese/(Methylcyclopentadienyl)mangantricarbonyl
trichione/Trichion
triciclazolo/Tricyclazol
triciclene/Tricyclen
triciclici/Tricyclen

triciclo[...].../Tricyclo[...]...
tricina/Tricin
triclocarban/Triclocarban
triclofenidina/Trichlophenidin
triclopyr/Triclopyr
triclorfon/Trichlorfon
triclormetiazide/Trichlormethiazid
N,2,6-tricloro-1,4-benzochinon-4-imina/N,2,6-Trichlor-1,4-benzochinon-4-imin
1,1,1-tricloro-2-metil-2-propanolo/1,1,1-Trichlor-2-methyl-2-propanol
tricloroacetato di sodio/TCA-Na
triclorobenzeni/Trichlorbenzole
tricloroetani/Trichlorethane
2,2,2-tricloroetanolo/2,2,2-Trichlorethanol
tricloroetilene/Trichlorethylen
triclorofenoli/Trichlorphenole
1,2,3-tricloropropano/1,2,3-Trichlorpropan
tricloruro d'arsenico/Arsentrichlorid
- di boro/Bortrichlorid
triclorurossido di fosforo(V)/Phosphoroxidtrichlorid
triclosan/Triclosan
trico.../Trich(o)...
tricocromi/Trichochrome
tricodiene/Trichodien
tricofiti/Trichophyten
tricolomenine/Tricholomenine
tricomonadi/Trichomonaden
tricorovine/Trichorovine
tricos(a).../Tricos(a)...
tricosano/Tricosan
tricosantina/Trichosanthin
tricostatina/Trichostatine
tricoteceni/Trichothecene
tricresilfosfato/Trikresylphosphat
tridec(a).../Tridec(a)...
tridecanale/Tridecanal
tridecano/Tridecan
1-tridecanolo/1-Tridecanol
tridecil.../Tridecyl...
tridemorf/Tridemorph
tridentatoli/Tridentatole
tridentochinone/Tridentochinon
tridimite/Tridymit
trieni/Triene
triesifenidile/Trihexyphenidyl
trietazina/Trietazin
trietilammina/Triethylamin
trietilenglicole/Triethylenglykol
trietilentetrammina/Triethylentetramin
trietilfosfato/Triethylphosphat
trietilfosfito/Triethylphosphit
trifenilammina/Triphenylamin
trifenilene/Triphenylen
trifenilfosfano/Triphenylphosphan
trifenilfosfato/Triphenylphosphat
trifenilfosfito/Triphenylphosphit
trifenilmetano/Triphenylmethan
trifenilmetanolo/Triphenylmethanol
trifenilmetile/Triphenylmethyl
trifilina/Triphylin
triflumizolo/Triflumizol
triflumurone/Triflumuron
trifluoperazina/Trifluoperazin
4,4,4-trifluoro-1-(2-tienil)-1,3-butandione/4,4,4-Trifluor-1-(2-thienyl)-1,3-butan-dion
trifluoroacetato di tallio(III)/Thallium(III)-trifluoracetat
trifluoroacetil.../Trifluoracetyl...
trifluorometil(...)/Trifluormethyl(...)

trifluoruro borico/Bortrifluorid
trifluperidolo/Trifluperidol
triflupromazina/Triflupromazin
trifluralina/Trifluralin
trifluridina/Trifluridin
triflusolfuron-metile/Triflusulfuron-methyl
trifoglio/Klee
- fibrino/Bitterklee
triforina/Triforin
trifosfati/Triphosphate
trigliceride a catena media/MCT
trigliceridi/Triglyceride
trigonella/Bockshornklee
trigonellina/Trigonellin
3,3′,5-triiodo-L-tironina/3,3′,5-Triiod-L-thyronin
trilione/Trillion
trillo/Trillo
trimazosina/Trimazosin
trimerizzazione/Trimerisation
trimetadione/Trimethadion
2,2,4-trimetil-1,3-pentandiolo/2,2,4-Trimethyl-1,3-pentandiol
2,4,4-trimetil-1-pentene/2,4,4-Trimethyl-1-penten
trimetilammina/Trimethylamin
trimetilbenzeni/Trimethylbenzole
2,2,3-trimetilbutano/2,2,3-Trimethylbutan
trimetilen.../Trimethylen...
trimetilenmetano/Trimethylenmethan
trimetilfosfato/Trimethylphosphat
trimetilfosfito/Trimethylphosphit
trimetiloletano/Trimethylolethan
trimetilolpropano/Trimethylolpropan
trimetilsilil.../Trimethylsilyl...
1-(trimetilsilil)-1H-imidazolo/1-(Trimethylsilyl)-1H-imidazol
trimetoprim/Trimethoprim
3,4,5-trimetossibenzaldeide/3,4,5-Trimethoxybenzaldehyd
3,4,5-trimetossifenil.../3,4,5-Trimethoxyphenyl...
trimetozina/Trimetozin
trimetressato/Trimetrexat
trimipramina/Trimipramin
trinesapac-etile/Trinexapac-ethyl
trinitrato di trimetilolpropano/Trimethylolpropantrinitrat
2,4,6-trinitro-m-cresolo/2,4,6-Trinitro-m-kresol
1,3,5-trinitrobenzene/1,3,5-Trinitrobenzol
trinitroresorcinato di piombo/Bleitrinitroresorcinat
2,4,6-trinitrotoluene/2,4,6-Trinitrotoluol
trioleina/Triolein
...triolo/...triol
triosi/Triosen
triosiofosfato isomerasi/Triosephosphat-Isomerase
triosioriductone/Triosereduktion
1,3,5-triossano/1,3,5-Trioxan
triossido borico/Bortrioxid
- d'arsenico/Arsenik, Giftmehl
- di molibdeno/Molybdäntrioxid
- di zolfo/Schwefeltrioxid
tripalmitina/Tripalmitin
tripanosomi/Trypanosomen
triparsamide/Tryparsamid
tripelennamina/Tripelennamin
tripeptidi/Tripeptide
tripletto/Triplett
triplicazione di frequenza/Frequenzverdreifachung
triplite/Triplit
tripoli/Kieselgur, Tripel

triprolidina/Triprolidin
triprostatine/Tryprostatine
tripsina/Trypsin
tripsinogeno/Trypsinogen
triptamina/Tryptamin
tripticene/Triptycen
triptil…/Triptyl…
triptofanasi/Tryptophanase
triptofano/Tryptophan
triptofiti/Tryptophyten
triptone/Tripton
triptorelina/Triptorelin
triquinani/Triquinane
tris…/Tris…
tris(2-cloroetil)-ammina/Tris(2-chlorethyl)-amin
tris(2,3-dibromopropil)-fosfato/Tris(2,3-dibrompropyl)-phosphat
trisaccaridi/Trisaccharide
tris(nonilfenil)fosfito/Tris(nonylphenyl)-phosphit
trisodiopentetato di calcio/Calciumtrinatriumpentetat
trisomia/Trisomie
trisomobenzeni/Trishomobenzole
tristearina/Tristearin
tritello/Schrot
triterpeni/Triterpene
tritiani/Trithiane
triticene/Triticene
triticonazolo/Triticonazol
triticoni/Triticone
tritigale/Triticale
tritil(…)/Trityl(…)
tritio/Tritium
tritioni/Trithione
tritolo/2,4,6-Trinitrotoluol
tritonazione/Tritonierung
tritoqualina/Tritoqualin
triturazione/Trituration
trizio/Tritium
…trofo/…troph
trofofase/Trophophase
trofosfamide/Trofosfamid
troglitazone/Troglitazon
trogolo quantistico/Quantentrog
troilite/Troilit
troleandomicina/Troleandomycin
trolnitrato/Trolnitrat
tromantadina/Tromantadin
trombina/Thrombin
trombociti/Thrombocyten
tromboflebite/Thrombophlebitis
trombomodulina/Thrombomodulin
tromboplastine/Thromboplastine
trombopoietina/Thrombopoietin
trombosi/Thrombose
trombospondine/Thrombospondine
trombossani/Thromboxane
trometamolo/Trometamol
trona/Trona
troostite/Troostit
trop…/Trop…
tropalpina/Tropalpin
3α-tropanolo/3α-Tropanol
tropenzilina bromuro/Tropenzilin-bromid
tropeolina/Tropäolin
tropicamide/Tropicamid
tropilio/Tropylium
…tropina/…tropin
tropisetrone/Tropisetron
…tropismo/…tropismus
…tropo/…trop
α-tropolone/α-Tropolon
tropomiosina/Tropomyosin
troponina/Troponin
trospio cloruro/Trospiumchlorid
trovafloxacina/Trovafloxacin
troxerutina/Troxerutin

trucco/Make-up, Schminke
tuaminoeptano/Tuaminoheptan
tubercolina/Tuberkulin
tubercolosi/Tuberkulose
tubercolostatici/Tuberkulostatika
tuberina/Tuberin
tuberosa/Tuberose
tubetto a bagliore/Glühröhrchen
tubi/Rohre, Tuben
– al neon/Neonröhren
– cupillari/Kapillaren
– di chiusura/Einschmelzrohre
– di Geißler/Geißler Röhren
– di prova/Prüfröhrchen
– di Schlenk/Schlenkrohre
– elettronici a vuoto/Vakuum-Röhren
– flessibili/Schläuche
– per raggi X/Röntgenröhren
tubo di Ullmann/Ullmann-Rohr
– di Venturi/Venturi-Düse
– vorticoso/Wirbelrohr
tubocurarina/Tubocurarin
tubulina/Tubulin
tubulisine/Tubulysine
tucolite/Thucholith
tufo/Tuffe
tuftsina/Tuftsin
tuiano/Thujan
tuiaplicine/Thujaplicine
tuione/Thujon
tujamunite/Tjujamunit
tulio/Thulium
tulli di cotone/Bobinets
tulobuterolo/Tulobuterol
tumori/Tumore(n)
tungsteno/Wolfram
tunicamicine/Tunicamycine
tunicata/Tunicate
tunicina/Tunicin
tuniclorina/Tunichlorin
tunicromi/Tunichrome
turanosio/Turanose
turapori/Porenfüller
turbidimetria/Trübungsmessung
turbiditi/Turbidite
turbidostato/Turbidostat
turbo indicatore/Zählrohre
turbolenza/Turbulenz
turchese/Türkis
turgore/Turgor
turgorine/Turgorine
turmalina/Turmalin
turmerone/Turmeron
tutela ambientale/Umweltschutz
tutina/Tutin
twistano/Twistan
twitchina/Twitchin

U

U 106305/U 106305
ubichinoni/Ubichinone
ubiquitina/Ubiquitin
Ufficio federale per le questioni ambientali/Umweltbundesamt
ugelli/Düsen
ugello a due sostanze/Zweistoffdüse
– di Laval/Laval-Düse
ulapualidi/Ulapualide
ulcera/Ulcus, ulcera
ulexite/Ulexit
uliciclammide/Ulicyclamid
ul(l)mannite/Ullmannit
…ulosa/…ulose
ultracentrifughe/Ultrazentrifugen
ultracustico/Ultraschall
ultrafiltrazione/Ultrafiltration
ultramicroanalisi/Ultramikroanalyse
ultramicroscopio/Ultramikroskop
ultrasonoro/Ultraschall
ultrasuoni/Ultraschall

umami/Umami
… umano/Human…
umbelliferone/Umbelliferon
umettante/Feuchthaltemittel
umidificatore/Feuchthaltemittel
umidità/Feuchtigkeit, Humidität
– dell'aria/Luftfeuchtigkeit
– relativa/Relative Luftfeuchtigkeit
umulene/Humulen
umulone/Humulon
un…/Un…
undec(a)…/Undec(a)…
undecanale/Undecanal
undecano/Undecan
2-undecanone/2-Undecanon
10-undecenale/10-Undecenal
undecil…/Undecyl…
unghie/Fingernägel
unguenti/Salben
unificazione/Normung, Standardisierung
uniporto/Uniport
unità/Einheiten
– angström/Ångström-Einheit
– asimmetrica/Asymmetrische Einheit
– assolute/Grundeinheiten
– atomiche/Atomare Einheiten
– configurazionale/Konfigurative Einheit
– costituzionale ripetitiva/Konstitutionelle Repetiereinheit
– Debye/Debye
– di base/Basiseinheiten
– di Dobson/Dobson-Einheit
– di nove/Neuner
– di proteasi/Protease-Einheit
– Einstein/Einstein
– elettriche/Elektrische Einheiten
– elettrostatica/Elektrostatische Einheit
– internazionali/Internationale Einheiten
– legali/Gesetzliche Einheiten
– pane/Brot-Einheit
– strutturale/Struktureinheit, -element
unitiolo/Unitiol
univalente/Univalent
università/Hochschulen
uomo/Mensch
– trasparente/Gläserner Mensch
uova/Eier
upas/Upas
uperizzazione/Uperisation
uperoleina/Uperolein
uperzina/Huperzin
uracile/Uracil
uramile/Uramil
uranati (VI)/Uranate(VI)
uraninite/Uranpecherz
uranio/Uran
uranocircite/Uranocircit
uranofano/Uranophan
uranotallite/Liebigit
urao/Trona
urapidil/Urapidil
urdamicine/Urdamycine
urea/Harnstoff
– e formaldeide/Melamin-Harnstoff-Formaldehyd-Harze
ureasi/Urease
ureidi/Ureide
ureido…/Ureido…
ureilen…/Ureylen…
ureine/Ureine
uremia/Urämie
urena/Urena
ureotelia/Ureotelie
uretani/Urethane
uretano/Urethan
uricasi/Uricase

uricostatici/Urikostatika
uricosurici/Urikosurika
uricotelia/Urikotelie
uridina/Uridin
uridinfosfati/Uridinphosphate
urinemia/Urämie
…uro/…ür
urobilina/Urobilin
urobilinogeno/Stercobilinogen
urocanasi/Urocanase
urochinasi/Urokinase
urocinasi/Urokinase
urocortina/Urocortin
urofollitropina/Urofollitropin
urogonadotropina/Urogonadotropin
uroguanilina/Uroguanylin
uroliti/Harnsteine
urologici/Urologika
uroporfirine/Uroporphyrine
ursano/Ursan
urticaria/Nesselfieber
urushioli/Urushiole
uscita di sicurezza/Notausgang
uteroferrina/Uteroferrin
uteroglobina/Uteroglobin
utilizzazione netta delle proteine/NPU-Wert
utilizzo delle acque/Gewässer(be)nutzung
uva orsina/Bärentraube
– passa/Rosinen
– spina/Stachelbeeren
– spina del Capo/Kapstachelbeeren
uzarina/Uzarin

V

vacchetta morbida/Rindbox
vaccinare/Impfen
vaccini/Vaccine
vaccino meningococco/Meningokokken-Impfstoff
vacini/Impfstoffe
vagello/Küpe
vaiolo/Pocken
valaciclovir/Valaciclovir
valanimicina/Valanimycin
valencene/Valencen
valentinite/Valentinit
valenza/Valenz, Wertigkeit
– di legame/Bindigkeit
– ecologica/Ökologische Valenz
valenze parziali/Partialvalenzen
valepotriati/Valepotriate
valeriana/Baldrian
valeril…/Valeryl…
valetamato bromuro/Valethamatbromid
validamicine/Validamycine
validazione/Validierung
valienammina/Valienamin
valilattone/Valilacton
valina/Valin
valinomicina/Valinomycin
valleriite/Valleriit
vallonea/Valonea
valore aspettato/Erwartungswert
– biologico di tolleranza al posto di lavoro/Biologischer Arbeitsstofftoleranzwert
– calorifico fisiologico/Physiologischer Brennwert
– di cauri-butanolo/Kauri-Butanol-Zahl
– di controllo/Überwachungswert
– di soglia/Schwellenwert
– G/G-Wert
– indicatore/Zeigerwert
– k/K-Wert
– K_L/K_La-Wert
– lambda/Lambda-Wert
– limite CE/EG-Grenzwert

Italiano

- NPU/NPU-Wert
- nutritivo/Nährwert
- pK/pK-Wert
- Z/Z-Wert
- valori indicativi/Richtwert
- indicativi limiti/ILV-Werte
- limite di soglia/TLV-Werte
- limiti/Grenzwert
- limiti d'immission/Immissionsgrenzwerte

valsartan/Valsartan
valutazione del rischio/Risikobewertung
- delle conseguenze di nuove tecnologie/Technikfolgen-Abschätzung

valvola di Bunsen/Bunsen-Ventil
valvole/Ventile
- elettroniche/Vakuum-Röhren
- fusibili/Schmelzsicherungen

vamidotione/Vamidothion
vanadati (V)/Vanadate(V)
vanadati di sodio/Natriumvanadate
vanadato d'ammonio/Ammoniumvanadat
vanadinite/Vanadinit
vanadio/Vanadium
vancomicina/Vancomycin
vaniglia/Vanille
vanillil…/Vanillyl…
vanillina/Vanillin
vanilloil…/Vanilloyl…
vapore/Dampf
- acqueo/Wasserdampf

vaporizzatura/Dämpfen
vaporizzazione/Verdampfung
- a strato sottile/Dünnschichtverdampfung

varacina/Varacin
variabilina/Variabilin
varici/Varizen
variscite/Variscit
vaschette/Küvetten
vasectomia/Vasektomie
vaselina/Vaselin(e)
vasi d'assorbimento/Absorptionsgefäße
vaso di spurgo/Tropfenfänger
vasocostrittori/Vasokonstriktoren
vasodilatatori/Vasodilatatoren
vasopressina/Vasopressin
vaterite/Vaterit
vecce/Wicken
vecchio impianto/Altanlage
vecuronio bromuro/Vecuroniumbromid
vegetazione/Vegetation
veicolanti/Carrier
veleni/Gifte
- ambientali/Umweltgifte
- anfibi/Amphibiengifte
- degli animali/Tiergifte
- degli echinodermi/Stachelhäuter-Gifte
- degli insetti/Insektenabwehrmittel
- del ragno/Spinnengifte
- delgi insetti/Insektengifte
- dell' ortica/Nesselgifte
- di pesce/Fischgifte
- di rospo/Krötengifte
- di scorpioni/Skorpiongifte
- di serpente/Schlangengifte
- per frecce/Pfeilgifte
- vegetali/Pflanzengifte

veleno dei calabroni/Hornissengift
- del catalizzatore/Katalysatorgift
- di vespe/Wespengift

velenoso/Giftig
vellerale/Velleral

velli/Vliesstoffe
velluto/Samt, Velours
velo/Lasur
velocità della luce/Lichtgeschwindigkeit
- di flusso/Strömungsgeschwindigkeit
- di reazione/Reaktionsgeschwindigkeit

velutinale/Velutinal
venlafaxina/Venlafaxin
ventilatori/Ventilatoren
ventilazione/Bewitterung
verapamil/Verapamil
verapamile/Verapamil
veratril…/Veratryl…
veratroil…/Veratroyl…
verbaschi/Königskerzen, Wollblumen
verbena/Eisenkraut
verbenolo/Verbenol
verdazili/Verdazyle
verde al pigmento B/Oralithgrün B
- chiaro/Lichtgrün
- di brevetto/Patentgrün
- di bromocresolo/Bromkresolgrün
- di cobalto/Cobaltgrün
- di Giano B/Janusgrün B
- di manganese/Mangangrün
- di Marte/Marsgrün
- di metile/Methylgrün
- di zinco/Zinkgrün
- diamminico/Diamingrün B
- malachite/Malachitgrün
- S per lana/Wollgrün S
- smeraldo/Emeraldgrün, Smaragdgrün

verderame/Grünspan
verdine/Gediegen
verdura/Gemüse
verga di Esculapio/Äskulapstab
- di oro/Goldrute

verghe/Barren
verifiche ispettive della sicurezza/Sicherheitsaudit
vermeil/Vermeil
vermi/Würmer
vermiculite/Vermiculit
vermut/Vermouth
vernice/Anstrichstoffe
- a colpo di martello/Hammerschlaglacke
- trasparente/Lasur

vernici/Firnisse, Lacke
- a base delle resine alchidiche/Alkydharz-Lacke
- a olio/Öllacke
- da pavimenti/Fußbodenlacke
- indurenti a freddo/Säurehärtende Lacke
- isolanti/Isolierlacke
- metallizzate/Metallic-Lacke
- per radiatori/Heizkörperlacke
- resinose/Harzfirnisse

verniciatura elettroforetica/Elektrophoretische Lackierung
vernolato/Vernolat
vernolepina/Vernolepin
verotossine/Verotoxine
verrucarine/Verrucarine
verruche/Warzen
verruculotossina/Verruculotoxin
versamidi/Versamide
vertebrati/Vertebraten
vescica/Blasen
vescicanti/Vesikantien
vescicole/Vesikeln
vesparione/Vesparion
vespe/Wespen
vestiti protettivi/Schutzkleidung
vesuvianite/Vesuvian

vesuvina/Vesuvin
vetrabutina/Vetrabutin
vetri affumicati/Sonnenschutzgläser
- antisolari/Sonnenschutzgläser
- d' apporto/Glaslote
- dell'orologio/Uhrgläser
- di cristalli plastici/PC-Glas
- di cristalli polimeri liquidi/LCP-Gläser
- di spin/Spingläser
- fosfatici/Phosphat-Gläser
- fototropi/Phototrope Gläser
- organici/Organische Gläser
- ottici/Optische Gläser
- per saldare/Glaslote
- polimeri/Kunstgläser

vetro/Glas
- acrilico/Acrylglas
- al cobalto/Cobalt-Glas
- al piombo/Bleiglas
- ceramico/Glaskeramik
- coronale/Kronglas
- crown di zinco/Zink-Krone
- crown pesante/Schwerkrone
- di quarzo/Quarzglas
- di sicurezza/Sicherheitsglas
- espanso/Schaumglas
- flint/Flintglas
- poroso/Poröses Glas
- sinterizzato/Sinterglas
- solubile/Wasserglas
- temprato/Hartglas
- vecchio/Altglas

vetroborosilicati/Borosilicatgläser
vettore YRP/YRp-Vektor
- lambda/Lambda-Vektor

vettori/Vektoren
- del RNA/RNA-Vektoren
- spoletta/Shuttle-Vektoren
- suicida/Suizid-Vektoren

vettura ecologica/Schadstoffarmes Auto
via del traffico/Verkehrsweg
- metabolica C4/Hatch-Slack-Cyclus
- 3-ossoadipica/3-Oxoadipinsäure-Weg
- pentosiofosfatica/Pentosephosphat-Weg od. -Cyclus

vibratore rotazionale/Rundschüttler
vibratori/Schüttelgeräte
viburno/Schneeball
viburnoli/Viburnole
vic.-/vic-
vicilina/Vicilin
vicina/Vicin
vigabatrina/Vigabatrin
vigogna/Vikunjawolle
villina/Villin
viloxazina/Viloxazin
vimentina/Vimentin
vinacce/Trester
vinaccia/Treber
vinammidine/Vinamidine
vinblastina/Vinblastin
vincamina/Vincamin
vincarubina/Vincarubin
vinclozolina/Vinclozolin
vincristina/Vincristin
vinculina/Vinculin
vindesina/Vindesin
vindolina/Vindolin
vinigrolo/Vinigrol
vinil…/Vinyl…
1-vinil-2-pirrolid(in)one/1-Vinyl-2-pyrrolid(in)on
vinilalcool/Vinylalkohol
vinilazione/Vinylierung
vinilbitale/Vinylbital
9-vinilcarbazolo/9-Vinylcarbazol
vinilcloruro/Vinylchlorid

vinilen…/Vinylen…
4-vinilguaiacolo/4-Vinylguajacol
viniliden…/Vinyliden…
vinilogo/Vinylog
vinilpiridine/Vinylpyridine
viniltolueni/Vinyltoluole
vino/Wein
- bianco con acqua minerale/Schorle
- di palma/Palmwein
- di riso/Sake
- di Samo/Samos
- dolce/Süßwein
- liquoroso samoano/Samos
- spumante/Schaumwein
- (spumante) di frutta/Obst(schaum)wein
- spumante leggero/Perlwein

vinorelbina/Vinorelbin
vinpocetina/Vinpocetin
vinyon/Vinyon
viola mammola/Veilchen
violaceina/Violacein
violanina/Violanin
violaxantina/Violaxanthin
violetta/Veilchen
violetto cristallizzato/Kristallviolett
- di metile/Methylviolett
- genziana/Gentianaviolett
- puro/Echtsäureviolett AAR

viologeni/Viologene
viomicina/Viomycin
viquidil/Viquidil
viraggio/Tonung
virante/Toner
virginiamicine/Virginiamycine
viridicatumtossina/Viridicatumtoxin
viridina/Viridin
virologia/Virologie
virostatici/Virostatika
virotossine/Virotoxine
virucidi/Viruzide
virus/Viren
- del mosaico del tabaco/Tabakmosaikvirus
- del sarcoma di Rous/Rous-Sarkom-Virus
- di Epstein-Barr/Epstein-Barr-Virus

visamminolo/Visamminol
vischio/Mistel
- per i bruchi/Raupenleim

viscoelasticità/Viskoelastizität
viscoplasticità/Viskoplastizität
viscosa/Viskose
viscosità/Viskosität
- strutturale/Strukturviskosität

viscoso/Viskos
viscotossina/Viscotoxin
viskosimetria/Viskosimetrie
visnadina/Visnadin
visualizzatore a cristalli liquidi/LCD
vita/Lebensdauer
- media/Halbwertszeit
- nel recipiente/Topfzeit

vitamine/Vitamine
vitellina/Vitellin
vitiligine/Vitiligo
vitispirani/Vitispirane
vitrioli/Vitriole
vitroidi/Vitroide
vitronectina/Vitronectin
viveri/Nahrungsmittel
vivianite/Vivianit
vivificazione/Avivage
VOC/VOC
vocabolari/Wörterbücher
vodka/Wodka
volatilità/Flüchtigkeit, Volatilität
volbortite/Volborthit

volt/Volt
- -elettrone/Elektronenvolt
voltaggio cellulare/Zellspannung
voltametria/Voltametrie
voltammetria/Voltammetrie
volume/Volumen
- allo zero assoluto/Nullpunktsvolumen
- atomico/Atomvolumen
- del materiale sfuso/Schüttvolumen
- detritico/Schüttvolumen
- di punto zero/Nullpunktsvolumen
- molecolare/Molvolumen
- pestato/Stampfvolumen
- standard/Normvolumen
volutina/Volutin
vorozolo/Vorozol
VSEPR/VSEPR
vulcani/Vulkane
vulcanismo/Vulkanismus
vulcaniti/Vulkanite
vulcanizzante/Vulkanisationsmittel
vulcanizzato/Vulkanisat
vulcanizzazione/Vulkanisation
- a caldo/Heißvulkanisation
vulgamicina/Vulgamycin
vulnerarie/Wollblumen
vuoto/Vakuum

W

wairolo/Wairol
warfarina/Warfarin
watt/Watt
wavellite/Wavellit
waver/Waver
weber/Weber
wedelolattone/Wedelolacton
whewellite/Whewellit
whiskers/Whiskers
whisky/Whisky
wiedendioli/Wiedendiole
wikstromolo/Wikstromol
willardiine/Willardiin
willemite/Willemit
winterina/Winterin
wistarina/Wistarin
withanolidi/Withanolide
wittichenite/Wittichenit
wolframati/Wolframate
wolframato di sodio/Natriumwolframat
- (tungstato) di calcio/Calciumwolframat

wolframio/Wolfram
wolframite/Wolframit
wollastonite/Wollastonit
wortmannina/Wortmannin
wulfenite/Wulfenit
wurtzite/Wurtzit

X

xantano/Xanthan
xantati di potassio/Kaliumxanthate
xantazione/Xanthogenierung
xantene/Xanthen
xantidrolo/Xanthydrol
xantina/Xanthin
- ossidasi/Xanthin-Oxidase
xantinolo nicotinato/Xantinolnicotinat
xant(o)…/Xanth(o)…
xantocillina/Xantocilline
xantodermina/Xanthodermin
xantofilli/Xanthophylle
xant(ogen)ati/Xanthogenate
- di sodio/Natriumxanthate
xantogenato di cellulosa/Cellulosexanthogenat
xantone/Xanthon
xantopterina/Xanthopterin
xantosina/Xanthosin
xantotossina/Xanthotoxin
xantoxina/Xanthoxin
xemilofiban/Xemilofiban
xenil…/Xenyl…
xenitropio bromuro/Xenytropiumbromid
xeno/Xenon
xeno…/Xeno…
xenobiotici/Xenobiotika
xenolo/Xenol
xenorabdine/Xenorhabdine
xenotimo/Xenotim
xero…/Xero…
xerodermia/Xerodermie
xerofiti/Xerophyten
xerografia/Xerographie
xerulina/Xerulin
xestospongine/Xestospongine
xilani/Xylane
xilarale/Xylaral
xilema/Xylem
xileni/Xylole
…xilidid/…xylidid
xilidine/Xylidine
xilidino…/Xylidino…
xilil…/Xylyl…
xililen…/Xylylen(…)

xilitolo/Xylit
xilo-/xylo-
xilocandine/Xylocandine
xilometazolina/Xylometazolin
D-xilosio/D-Xylose
xilosio isomerasi/Xylose-Isomerase
xilotile/Xylotil
xipamide/Xipamid
xonotlite/Xonotlit

Y

yessotossina/Yessotoxin
yogurt/Joghurt
yohimbina/Yohimbin
yopo/Yopo
yucca/Yucca
yugawaralite/Yugawaralith

Z

zacaton/Zakaton
zafferano/Safran
- falso/Saflor
zaffiro/Saphir
zafirlukast/Zafirlukast
zalcitabina/Zalcitabin
zanamivir/Zanamivir
zapon/Zaponlack
zearalenone/Zearalenon
zeatina/Zeatin
zeaxantina/Zeaxanthin
zecche/Zecken
zeina/Zein
zelamina/Galmei
zenzero/Ingwer
zeofillite/Zeophyllit
zeolite/Zeolithe
zeranolo/Zeranol
zeugmatografia/Zeugmatographie
zeunerite/Zeunerit
zibetto/Zibet
zidovudina/Zidovudin
zigosporine/Zygosporine
zigote/Zygote
zileutone/Zileuton
zimasi/Zymase
zim(o)…/Zym(o)…
zimogeni/Zymogene
zimosano/Zymosan
zinc finger/Zink-Finger
zincaggio/Parkes-Verfahren
zincare/Verzinken
zincati/Zinkate
zincatura/Verzinken
- a caldo/Heißverzinkung
- a freddo/Kaltverzinkung

zinchenite/Zinckenit
zincite/Zinkit
zinco/Zink
- e iodio/Chlorzinkiod-Lösung
zincoforina/Zincophorin
zincone/Zincon
zineb/Zineb
zingerone/Zingeron
zingiberene/Zingiberen
zinnwaldite/Zinnwaldit
zinostatina/Neocarzinostatin A
zippeite/Zippeit
ziprasidone/Ziprasidon
zirame/Ziram
zirconati(IV)/Zirconate(IV)
zirconato di piombo/Bleizirkonat
zircone/Zirkon
zirconio/Zirconium
zixina/Zyxin
zizzina/Zyzzin
zoantoxantina/Zoanthoxanthin
zoisite/Zoisit
zolfo/Schwefel
- ciclico/Cycloschwefel
- colloidale/Kolloidschwefel
- umettante/Netzschwefel
zolmitriptano/Zolmitriptan
zolpidem/Zolpidem
zomepirac/Zomepirac
zona/Zone
- ambientale/Umweltzone
- coll'area definitiva/Reinluftgebiete
- di Brillouin/Brillouin-Zone
- d'ossidazione/Oxidationszone
zone climatiche/Klimazonen
- di Weiss/Weiss'sche Bezirke
- gravati/Belastungsgebiet
- proibite/Verbotene Zone
zoogenico/Zoogen
zoologia/Zoologie
zoonosi/Zoonosen
zoosteroli/Zoosterine
zopiclone/Zopiclon
zorubicina/Zorubicin
zotepina/Zotepin
zucca/Kürbis
zucchero/Zucker
- candito/Kandis(zucker)
- di palma/Palmzucker
- invertito/Invertzucker
- raffinato/Raffinade
zuchero amminico/Aminozucker
zuclopentixol/Zuclopenthixol
zwiebelani/Zwiebelane
zwitterioni/Zwitterionen

Español

A

aaptamina/Aaptamin
abacá/Manilahanf
abamectín/Abamectin
abciximab/Abciximab
abejas/Bienen
abelmosco/Moschus
abietatos/Abietate
abietoespirano/Abietospiran
abiogénesis/Abiogenese
abiótico/Abiotisch
ablandadores/Weichspüler
abonado/Düngung
abono semilíquido/Gülle
abonos/Düngemittel
– bóricos/Bordünger
– para flores/Blumendünger
abortivos/Abortiva
abrasivos/Schleifmittel, Strahlmittel
abreviaturas/Abkürzungen
abrillantadores/Glanzmittel
abrina/Abrin, Abrine
absintina/Absinthin
absoluto/Absolut
absolutos/Absolues
absorbente/Absorbens
absorbentes UV/UV-Absorber
absorber/Aufziehen
absorciometría/Absorptiometrie
absorción/Absorption
– específica/Spezifische Absorption
abundancia/Abundanz
abzimas/Abzyme
acabado antifieltro/Filzfreiausrüstung
– antimicrobiano/Antimikrobielle Ausrüstung
– antisuciedad (antimanchas)/Soil-Release-Ausrüstung
– de cuidado fácil/Pflegeleicht-Ausrüstung
– (ennoblecimiento) de textiles/Textilveredlung
– inarrugable/Knitterfest-Ausrüstung
– inencogible/Krumpffrei-Ausrüstung
acamprosat/Acamprosat
acanto/Bärenklau
acaramelado/Kandieren
acarbosa/Acarbose
acaricidas/Akarizide
ácaros/Milben
accesorios/Armaturen
accidental/Akzidentell
acción humectante/Benetzung
acebo/Stechpalme
– menor/Ruscus
acebutolol/Acebutolol
acecarbromal/Acecarbromal
aceclidina/Aceclidin
acedera/Sauerampfer
– colorada/Rosella
acederilla/Sauerklee
acediasulfona sódica/Acediasulfon-Natrium
acefato/Acephat
acefilina piperazina/Acefyllin-Piperazin
aceite/Oleum
– animal/Tieröl
– carbólico/Carbolöl
– de adormidera/Mohnöl
– de aguacate/Avocadoöl
– de alazor (cártamo)/Safloröl
– de almendras/Mandelöl
– de arenque/Heringsöl
– de bobinado/Spulöle
– de brea de enebro/Wacholderteeröl
– de cajeput/Kajeputöl
– de cálamo/Kalmusöl
– de caléndula/Calendulaöl
– de casiao/Kassiaöl
– de chaulmoogra/Chaulmoograöl
– de cisto ladanífero/Zistrosenöl
– de coco/Kokosöl
– de colza/Rapsöl
– de copra/Kokosöl
– de crotón/Crotonöl
– de enebro/Wacholderbeeröl
– de espermaceti/Spermöl
– [de germen] de arroz/Reis(keim)öl
– de germen de maíz/Maiskeimöl
– de gérmenes de trigo/Weizenkeimöl
– de girasol/Sonnenblumenöl
– de hayaco (fabuco)/Bucheckernöl
– de heces de vino/Weinhefeöl
– de hígado de bacalao/Dorschleberöl
– de hígado de halibut/Heilbuttleberöl
– de hígado de pescado/Lebertran
– de huevos/Eieröl
– de jengibre/Ingweröl
– de lima/Limettöl
– de limón/Citronenöl
– de linaza/Leinöl
– de Lorenzo/Lorenzos Öl
– de madera de tung/Holzöl
– de margosa/Neemöl
– de nuez/Walnußöl
– de oiticica/Oiticicaöl
– de oliva/Olivenöl
– de palma/Palmöl
– de palta/Avocadoöl
– de patchoulí/Patchoulíöl
– de pepita de palma/Palmkernöl
– de pepitas de calabaza/Kürbiskernöl
– de pepitas de uva/Traubenkernöl
– de perejil/Petersilienöl
– de perilla/Perillaöl
– de quenopodio/Chenopodiumöl
– de raíz de costo/Costuswurzelöl
– de ricino/Ricinusöl
– de (rizoma de) iris/Iris(wurzel)öl
– de rojo turco/Türkischrotöl
– de romero/Rosmarinöl
– de sansa/Sansaöl
– de semilla de tabaco/Tabaksamenöl
– de semilla(s) de algodón/Baumwollsamenöl
– de semillas de té/Teesamenöl
– de sésamo/Sesamöl
– de soja/Sojaöl
– de tucum/Tucumöl
– de tung/Tungöl
– de visón/Nerzöl
– (esencia) de almendras amargas/Bittermandelöl
– esencial/Oleum
– explosivo/Sprengöl
– ligero/Leichtöl
– pesado/Schweröl
– secante espesado/Standöle
– usado/Altöl
– vínico (enántico)/Weinhefeöl
aceites/Öle
– adherentes/Haftöle
– aislantes/Isolieröle
– antipolvo/Stauböle
– combustibles/Heizöle
– de bétula lenta/Birkenöle
– de corte/Schneidöle
– de corteza de abedul/Birkenöle
– de fusel/Fuselöle
– de germen de cereales/Getreidekeimöle
– de hueso/Knochenfette
– de pata/Knochenfette
– de pata de buey/Klauenöle
– de pescado/Fischöle
– de pescado (ballena)/Trane
– de polibutadienos/Polybutadien-Öle
– de relojería/Uhrenöle
– de resina/Harzöle
– de taladrar/Bohröle
– de temple/Härteöle
– esenciales/Etherische Öle
– espesados/Dicköle
– lubricantes/Schmieröle
– minerales/Mineralöle
– para armas de fuego/Waffenöle
– para cilindros/Zylinderöle
– para (engrase de) motores/Motorenöle
– para laminadores/Walzöle
– para turbinas/Turbinenöle
– rancios de oliva/Tournantöle
– secantes/Trocknende Öle
– soplados/Geblasene Öle
– sulfatadas/Sulfatierte Öle
aceitunas/Oliven
acelerador del endurecimiento/Härtungsbeschleuniger
aceleradores/Beschleuniger
– de cobalto/Cobalt-Beschleuniger
– de fraguado/Erstarrungsbeschleuniger
– de ignición/Zündbeschleuniger
– de partículas/Teilchenbeschleuniger
– de solidificación/Erstarrungsbeschleuniger
acemetacina/Acemetacin
acenafteno/Acenaphthen
acenocumarol/Acenocoumarol
acenos/Acene
aceprometazina/Aceprometazin
aceptación de riesgo/Risiko-Akzeptanz
aceptor/Akzeptor
acero/Stahl
– al cobre/Kupferstahl
– al vanadio/Vanadium-Stähle
– altamente aleado/Hochlegierter Stahl
– bruto/Rohstahl
– calmado/Beruhigter Stahl
– colado/Gußstahl
– de baja aleación/Niedriglegierte Stähle
– de rodamiento/Wälzlagerstahl
– de titanio/Titan-Stahl
– desoxidado/Beruhigter Stahl
– dulce/Flußstahl
– eléctrico/Elektrostahl
– especial/Edelstahl
– fino/Edelstahl
– nitrurado/Nitrierstahl
– para tornos automáticos/Automatenstähle
– rápido/Schnellarbeitsstahl
– refractario/Hitzebeständige Stähle
– soldable (pudelado)/Schweißstahl
acerola/Acerola
aceros al boro/Borstähle
– al carbono/Kohlenstoff-Stähle
– al manganeso/Mangan-Stähle
– austeníticos/Austenitische Stähle
– compuestos (dúplex)/Ferritisch-austenitische Stähle
– de cromo/Chromstähle
– de grano fino/Feinkornbaustähle
– ferríticos/Ferritische Stähle
– ferríticos-austeníticos/Ferritisch-austenitische Stähle
– HSLA/HSLA-Stähle
– inoxidables/Nichtrostende Stähle, V-Stähle
acesulfamo K/Acesulfam-K
acetato de guazatina/Guazatinacetat
acetaldehído/Acetaldehyd
acetales/Acetale
acetalización/Acetalisierung
acetamida/Acetamid
acetamido…/Acetamido…
acetamiprid/Acetamiprid
acetanilida/Acetanilid
acetarsol/Acetarsol
acetato de amonio/Ammoniumacetat
– de bario/Bariumacetat
– de bencilo/Essigsäurebenzylester
– de bornilo/Bornylacetat
– de cadmio/Cadmiumacetat
– de calcio/Calciumacetat
– de celulosa/Celluloseacetat
– de ciclohexilo/Essigsäurecyclohexylester
– de cinamilo/Essigsäurecinnamylester
– de cinc/Zinkacetat
– de clormadinona/Chlormadinonacetat
– de cobalto(II)/Cobalt(II)-acetat
– de cromo(III)/Chrom(III)-acetat
– de (Z)-7-dodecenil/(Z)-7-Dodecenyl-acetat
– de dodemorf/Dodemorph-acetat
– de etilo/Essigsäureethylester
– de fenilo/Phenylacetat
– de hexilo/Essigsäurehexylester
– de isobornilo/Isobornylacetat
– de isopropenilo/Essigsäureisopropenylester
– de litio/Lithiumacetat
– de magnesio/Magnesiumacetat
– de medroxiprogesterona/Medroxyprogesteron-acetat
– de mercurio(II)/Quecksilber(II)-acetat
– de metilo/Essigsäuremethylester
– de nerilo/Nerylacetat
– de níquel(II)/Nickel(II)-acetat
– de paladio(II)/Palladium(II)-acetat
– de pentilo/Essigsäurepentylester
– de plata/Silberacetat
– de potasio/Kaliumacetat
– de roxatidina/Roxatidinacetat
– de sodio/Natriumacetat
– de vinilo/Essigsäurevinylester
– primario/Primäracetat
acetatos/Acetate, Essigsäureester
– de aluminio/Aluminiumacetate
– de butilo/Essigsäurebutylester
– de cobre/Kupferacetate
– de glicerol/Glycerinacetate
– de manganeso(II)/Manganacetate
– de plomo/Bleiacetate
– de polivinilo/Polyvinylacetate
– de propilo/Essigsäurepropylester
– de talio/Thalliumacetate
acetazolamida/Acetazolamid
acetiamina/Acetiamin
acetil …/Acetyl…
– -CoA/Acetyl-CoA
acetilacetona/Acetylaceton
acetilacetonato de cobre(II)/Kupfer(II)-acetylacetonat

– de hierro(III)/Eisen(III)-acetylacetonat
acetilacetonatos metálicos/Metallacetylacetonate
acetilación/Acetylierung
acetilamino .../Acetylamino...
acetilaminofenoles/Acetylaminophenole
acetilcisteína/Acetylcystein
acetilcolina/Acetylcholin
acetilcolinesterasa/Acetylcholin-Esterase
acetildigitoxina/Acetyldigitoxin
acetildigoxina/Acetyldigoxin
acetilenidos/Acetylenide
acetileno/Acetylen
acetilimino.../Acetylimino...
acetilmetadol/Acetylmethadol
acetilsalicilato de lisina/Lysinacetylsalicylat
acetimidoíl.../Acetimidoyl...
acetinas/Glycerinacetate
acetoacetato de etilo/Acetessigester
acetoacetil.../Acetoacetyl...
Acetobacter/Acetobacter
acetobutiratos de celulosa/Celluloseacetobutyrate
acetocloro/Acetochlor
acetofenida/Acetofenid
acetofenona/Acetophenon
acetoftalato de celulosa/Celluloseacetophthalat
acetogeninas/Acetogenine
acetoína/Acetoin
acetomicina/Acetomycin
acetona/Aceton
acetónido de fluocinolona/Fluocinolonacetonid
acetónidos/Acetonide
acetonil .../Acetonyl...
acetonitrilo/Acetonitril
acetopropionato de celulosa/Celluloseacetopropionat
acetoxi .../Acetoxy...
acetoxilación/Acetoxylierung
achicorias/Zichorien
achiote/Annatto
aci-/aci-
aciclovir/Aciclovir
ácide isononanoico/Isononansäure
acidez/Acidität
acidificantes/Säurungsmittel
acidimetría/Acidimetrie
ácido abiético/Abietinsäure
– abscísico/Abscisinsäure
– acético/Essigsäure
– acetilfosfórico/Acetylphosphorsäure
– acetilglutámico/Acetylglutaminsäure
– acetilsalicílico/Acetylsalicylsäure
– acetoacético/Acetessigsäure
– acetrizoico/Acetrizoesäure
– aconítico/Aconitsäure
– acrílico/Acrylsäure
– acromélico/Acromelsäuren
– adípico/Adipinsäure
– agárico/Agaricinsäure
– algínico/Alginsäure
– alofánico/Allophansäure
– amidosulfúrico/Amidoschwefelsäure
– amidotrizoico/Amidotrizoesäure
– 1-amino-ciclopropano-1-carboxílico/1-Amino-cyclopropancarbonsäure
– 5-amino-4-oxovaleriánico/5-Amino-4-oxovaleriansäure
– 6-aminocaproico/6-Aminohexansäure
– 4-aminofenilarsónico/4-Aminophenylarsonsäure
– 6-aminohexanoico/6-Aminohexansäure
– 4-aminohipúrico/4-Aminohippursäure
– 2-aminopimélico/2-Aminopimelinsäure
– p-aminosalicílico/p-Aminosalicylsäure
– aminosulfónico/Amidoschwefelsäure
– anacárdico/Anacardsäure
– ...anílico/...anilsäure
– araquídico/Arachidonsäure
– arsénico/Arsensäure
– arsenioso/Arsenige Säure
– arsínico/Arsinsäure
– arsinoso/Arsiniege Säure
– arsónico/Arsonsäure
– arsonoso/Arsonige Säure
– L-ascórbico/L-Ascorbinsäure
– asparagínico/Asparaginsäure
– aspártico/Asparaginsäure
– azelaico/Azelainsäure
– azetidina-2-carboxílico/Azetidin-2-carbonsäure
– barbitúrico/Barbitursäure
– behénico/Behensäure
– bencenosulfónico/Benzolsulfonsäure
– bencílico/Benzilsäure
– benzoico/Benzoesäure
– betulínico/Betulinsäure
– bisoclámico/Byssochlamsäure
– bongcréquico/Bongkreksäure
– bórico/Borsäure
– bromhídrico/Bromwasserstoffsäure
– brómico/Bromsäure
– bromoacético/Bromessigsäure
– 2-bromobutírico/2-Brombuttersäure
– 3-bromocanfo-8-sulfónico/3-Bromcampher-8-sulfonsäure
– butenoico/Butensäure
– 4-terc-butilbenzoico/4-tert-Butylbenzoesäure
– butírico/Buttersäure
– cafeico/Kaffeesäure
– calconcarboxílico/Calconcarbonsäure
– canfo-10-sulfónico/Campher-10-sulfonsäure
– canfórico/Camphersäure
– caproico/Hexansäure
– carbámico/Carbamidsäure
– carbanílico/Carbanilsäure
– carbónico/Kohlensäure
– ... carbotioico/...thiocarbonsäure
– carmínico/Karminsäure
– cerótico/Cerotinsäure
– cetodesoxioctónico/KDO
– chaulmoógrico/Chaulmoograsäure
– chaulmúgrico/Chaulmoograsäure
– cianhídrico/Blausäure
– ciánico/Cyansäure
– cianoacético/Cyan(o)essigsäure
– cianúrico/Cyanursäure
– 3-ciclopentilpropiónico/3-Cyclopentylpropionsäure
– ciclopiazónico/Cyclopiazonsäure
– cinámico/Zimtsäure
– citrazínico/Citrazinsäure
– cítrico/Citronensäure
– clavulánico/Clavulansäure
– clodrónico/Clodronsäure
– cloranílico/Chloranilsäure
– clorhídrico/Salzsäure
– clórico/Chlorsäure
– 4-(4-cloro-o-toliloxi)-butírico/MCPB
– 4-cloro-o-toliloxiacético/MCPA
– cloroacético/Chloressigsäure
– clorogénico/Chlorogensäure
– 3-cloroperoxibenzoico/3-Chlorperoxybenzoesäure
– cloroso/Chlorige Säure
– clorosulfúrico/Chloroschwefelsäure
– clupanodon/Clupanodonsäure
– cójico/Kojisäure
– cólico/Cholsäure
– complicático/Complicatsäure
– corísmico/Chorisminsäure
– o-cresótico/o-Kresotinsäure
– crisantemo/Chrysanthemumsäure
– crisofánico/Chrysophansäure
– cristático/Cristatsäure
– cromoglícico/Cromoglicinsäure
– cromosulfúrico/Chromschwefelsäure
– cromotrópico/Chromotropsäure Dinatrium-Salz
– cuadrático/Quadratsäure
– de Caro/Carosche Säure
– de Lewis/Lewis-Säure
– de Meldrum/Meldrumsäure
– de Winterstein/Wintersteinsäure
– decanoico/Decansäure
– decolorante/Acid fading
– délico/Dreiecksäure
– deshidroacético/Dehydracetsäure
– de(s)hidrocólico/Dehydrocholsäure
– desoxicólico/Desoxycholsäure
– desoxirribonucleico complementario/cDNA
– dialúrico/Dialursäure
– 4,4′-diamino-2,2′-estilbendisulfónico/4,4′-Diamino-2,2′-stilbendisulfonsäure
– diaminopimélico/Diaminopimelinsäure
– dicloracético/Dichloressigsäure
– dietilentriaminopentaacético/Diethylentriaminpentaessigsäure
– difénico/Diphensäure
– difenilacético/Diphenylessigsäure
– 4-difenilaminosulfónico/4-Diphenylaminsulfonsäure
– difosfórico/Diphosphorsäure(V)
– diglicólico/Diglykolsäure
– dimetilarsínico/Dimethylarsinsäure
– 2,2-dimetilpropiónico/2,2-Dimethylpropionsäure
– 3,5-dinitrobenzoico/3,5-Dinitrobenzoesäure
– dipicolínico/Dipicolinsäure
– disulfúrico/Dischwefelsäure
– disulfuroso/Dischweflige Säure
– ditiocarbámico/Dithiocarbamidsäure
– ditiónico/Dithionsäure
– djencólico/Djenkolsäure
– domoico/Domoinsäure
– (E)-2-hidroxiciámico/(E)-2-Hydroxyzimtsäure
– edético/Edetinsäure
– eicosapentaenoico/5,8,11,14,17-Eicosapentaensäure
– elágico/Ellagsäure
– elaídico/Elaidinsäure
– elaidínico/Elaidinsäure
– eleoesteárico/Elaeostearinsäure
– embónico/Embonsäure
– enántico/Oenanthsäure
– erúcico/Erucasäure
– espaglúmico/Spagluminsäure
– esteárico/Stearinsäure
– estercúlico/Sterculiasäure
– estífnico/Styphninsäure
– etacrínico/Etacrynsäure
– etidrónico/Etidronsäure
– 2-etilbutírico/2-Ethylbuttersäure
– etilendiamintetraacético/Ethylendiamintetraessigsäure
– 2-etilhexanoico/2-Ethylhexansäure
– fenilacético/Phenylessigsäure
– fenilborónico/Phenylboronsäure
– fenilpirúvico/Phenylbrenztraubensäure
– fenoxiacético/Phenoxyessigsäure
– fitánico/Phytansäure
– fítico/Phytinsäure
– flufenámico/Flufenaminsäure
– fluorhídrico/Flußsäure
– fluoroacético/Fluoressigsäure
– fluoroantimónico/Fluoroantimonsäure
– fluorobórico/Fluoroborsäure
– fluorosilícico/Fluorokieselsäure
– fluorosulfúrico/Fluoroschwefelsäure
– fólico/Folsäure
– folínico/Folinsäure
– formamidinosulfínico/Formamidinsulfinsäure
– fórmico/Ameisensäure
– fosfínico/Phosphinsäure
– fosfinoso/Phosphinige Säure
– fosfónico/Phosphonsäure
– 2-fosfonobutan-1,2,4-tricarboxílico/2-Phosphonobutan-1,2,4-tricarbonsäure
– fosfonoso/Phosphonige Säure
– fosforoso/Phosphorige Säure
– ftálico/Phthalsäure
– fulmínico/Knallsäure
– fumárico/Fumarsäure
– 2-furancarboxílico/2-Furancarbonsäure
– 2-furoico/2-Furancarbonsäure
– fusídico/Fusidinsäure
– gadopentético/Gadopentetsäure
– galacturónico/Galacturonsäure
– gálico/Gallussäure
– geránico/Geraniumsäure
– gibberélico/Gibberellinsäure
– gimnémico/Gymnemasäure(n)
– glicérico/Glycerinsäure
– glicirretínico/Glycyrrhetinsäure
– glicirrízico/Glycyrrhizin
– glicocólico/Glykocholsäure
– glicólico/Glykolsäure
– glioxílico/Glyoxylsäure
– glucárico/Glucarsäure
– glucoheptónico/Glucoheptonsäure
– D-glucónico/D-Gluconsäure
– glucurónico/D-Glucuronsäure
– glutámico/Glutaminsäure
– glutárico/Glutarsäure
– gonfídico/Gomphidsäure
– hemático/Hämatinsäure
– hemimelítico/Hemimellit(h)säure
– hexacloroendometilen-tetrahidroftálico/HET-Säure
– hexanoico/Hexansäure
– hialurónico/Hyaluronsäure
– hidnocárpico/Hydnocarpussäure
– hidrazoico/Stickstoffwasserstoffsäure
– 3-hidroxi-2-naftoico/3-Hydroxy-2-naphthoesäure

Español

- hidroxicinámico/Hydrozimtsäure
- 12-hidroxiesteárico/12-Hydroxystearinsäure
- hidroxietiletilenamintriacético/HEDTA
- 4-hidroxiglutámico/4-Hydroxyglutaminsäure
- hidroxilamina-O-sulfónico/Hydroxylamin-O-sulfonsäure
- hidroximetanosulfínico/Hydroxymethansulfinsäure
- hidroxipropiónico/Hydroxypropionsäuren
- hipobromoso/Hypobromige Säure
- hipocloroso/Hypochlorige Säure
- hiponitroso/Hyposalpetrige Säure
- hipúrico/Hippursäure
- hirsutico/Hirsutsäure
- homogentísico/Homogentisinsäure
- homovainíllico/Homovanillinsäure
- húmico/Huminsäuren
- ibandrónico/Ibandronsäure
- iboténico/Ibotensäure
- L-idurónico/L-Iduronsäure
- ilurínico/Illurinsäure
- indolilacético/3-Indolylessigsäure
- iobenzámico/Iobenzaminsäure
- iocármico/Iocarminsäure
- iocetámico/Iocetaminsäure
- iodoxámico/Iodoxaminsäure
- ioglicámico/Ioglycaminsäure
- ioglícico/Ioglicinsäure
- iopanoico/Iopansäure
- iopódico/Iopodinsäure
- ioprónico/Iopronsäure
- iotalámico/Iotalaminsäure
- iotróxico/Iotroxinsäure
- ioxáglico/Ioxaglinsäure
- ioxitalámico/Ioxitalaminsäure
- isetiónico/Isethionsäure
- isoascórbico/Isoascorbinsäure
- isociánico/Isocyansäure
- isocítrico/Isocitronensäure
- isoftálico/Isophthalsäure
- isonicotínico/Isonicotinsäure
- isooctanoico/Isooctansäure
- isopimárico/Isopimarsäure
- itacónico/Itaconsäure
- jalapinólico/Jalapinolsäure
- jazmónico/Jasmonsäure
- kójico/Kojisäure
- lacaico/Laccainsäure
- láctico/Milchsäure
- lactobiónico/Lactobionsäure
- láurico/Laurinsäure
- lecanórico/Lecanorsäure
- lentínico/Lentinsäure
- levopimárico/Lävopimarsäure
- levulínico/Lävulinsäure
- ligninsulfónico/Ligninsulfonsäure
- lignosulfónico/Ligninsulfonsäure
- linoleico/Linolsäure
- linolénico/Linolensäure
- lipoico/Liponsäure
- lisalbínico/Lysalbinsäure
- lisérgico/Lysergsäure
- litocólico/Lithocholsäure
- lupínico/Lupinsäure
- mágico/Magische Säure
- maleico/Maleinsäure
- málico/Äpfelsäure
- malónico/Malonsäure
- malvánico/Malvaliasäure
- mandélico/Mandelsäure

- marásmico/Marasminsäure
- margárico/Margarinsäure
- mecónico/Mekonsäure
- medicagénico/Medicagensäure
- mefenámico/Mefenaminsäure
- melítico/Mellit(h)säure
- 2-mercaptobenzoico/2-Mercaptobenzoesäure
- mesoxálico/Mesoxalsäure
- metacrílico/Methacrylsäure
- metafosfórico/Metaphosphorsäure
- metanosulfónico/Methansulfonsäure
- metasilícico/Metakieselsäure
- 3-metilbutírico/3-Methylbuttersäure
- metilfumárico/Methylfumarsäure
- metilmaleico/Methylmaleinsäure
- 4-metoxibenzoico/4-Methoxybenzoesäure
- mevalónico/Mevalonsäure
- micofenólico/Mycophenolsäure
- mirístico/Myristinsäure
- molibd(at)ofosfórico/12-Molybdatophosphorsäure
- montánico/Montansäure
- múcico/Schleimsäure
- mucónico/Muconsäure
- murámico/Muraminsäure
- muriático/Muriatische Säure
- 1-naftalenacético/1-Naphthalinessigsäure
- 2-naftiloxiacético/2-Naphthyloxyessigsäure
- nalidíxico/Nalidixinsäure
- neoabiético/Neoabietinsäure
- neuramínico/Neuraminsäure
- nicotínico/Nicotinsäure
- niflúmico/Niflumsäure
- nitrante/Nitriersäure
- nítrico/Salpetersäure
- nitrilotriacético/NTA
- 5-nitrobarbitúrico/5-Nitrobarbitursäure
- nitrosilsulfúrico/Nitrosylschwefelsäure
- nitroso/Salpetrige Säure
- nordihidroguayarético/Nordihydroguajaretsäure
- núdico/Nudinsäure
- octanoico/Octansäure
- okadaico/Okadainsäure
- oleanólico/Oleanolsäure
- oleico/Ölsäure
- ...ónico/...onsäure
- orótico/Orotsäure
- orselínico/Orsellinsäure
- oxálico/Oxalsäure
- oxolínico/Oxolinsäure
- oxosuccínico/Oxobernsteinsäure
- palmítico/Palmitinsäure
- palústrico/Palustrinsäure
- pantoténico/Pantothensäure
- para acumuladores/Akkumulatorensäure
- parabánico/Parabansäure
- péctico/Pektinsäure
- pelargónico/Pelargonsäure
- perclórico/Perchlorsäure
- periódico/Periodsäure
- peroxiacético/Peroxyessigsäure
- peroxibenzoico/Peroxybenzoesäure
- peroxifórmico/Peroxyameisensäure
- peroxodisulfúrico/Peroxodischwefelsäure
- peryódico/Periodsäure
- petroselínico/Petroselinsäure

- picolínico/Picolinsäure
- picrámico/Pikraminsäure
- pícrico/Pikrinsäure
- picrolónico/Pikrolonsäure
- pimélico/Pimelinsäure
- pipemídico/Pipemidsäure
- piroglutámico/Pyroglutaminsäure
- piromelítico/Pyromellit(h)säure
- piromídico/Piromidsäure
- pirúvico/Brenztraubensäure
- podocárpico/Podocarpinsäure
- poliβ-hidroxibutírico/Polyhydroxybuttersäure
- polifosfórico/Polyphosphorsäure
- poliláctico/Polymilchsäure
- polimaleico/Polymaleinsäure(-Derivate)
- polipórico/Polyporsäure
- prefénico/Prephensäure
- 1,2,3-propanotricarboxílico/1,2,3-Propantricarbonsäure
- propiólico/Propiolsäure
- propiónico/Propionsäure
- pulvínico/Pulvinsäure
- quenodesoxicólico/Chenodesoxycholsäure
- quínico/Chinasäure
- 2-quinolincarboxílico/2-Chinolincarbonsäure
- quinurénico/Kynurensäure
- quiscuálico/Quisqualsäure
- (R)-tiomorfolin-3-carboxílico/(R)-Thiomorpholin-3-carbonsäure
- retigeránico/Retigeransäure
- rodizónico/Rhodizonsäure
- rosmarínico/Rosmarinsäure
- salicílico/Salicylsäure
- sebácico/Sebacinsäure
- selénico/Selensäure
- selenioso/Selenige Säure
- shikímico/Shikimisäure
- siaresinólico/Siaresinolsäure
- siríngico/Syringasäure
- sórbico/Sorbinsäure
- sozoyodólico/Sozoiodolsäure
- subérico/Korksäure
- succínico/Bernsteinsäure
- sulfámico/Sulfamidsäure
- sulfosalicílico/5-Sulfosalicylsäure
- sulfoxílico/Sulfoxylsäure
- sulfúrico/Schwefelsäure
- sulfuroso/Schweflige Säure
- tartárico/Weinsäure
- tartrónico/Tartronsäure
- taurocólico/Taurocholsäure
- tenuazónico/Tenuazonsäure
- tereftálico/Terephthalsäure
- tetrabórico/Tetraborsäure
- tetracosanoico/Tetracosansäure
- (Z)-15-tetracosenoico/(Z)-15-Tetracosensäure
- tetrahidrofólico/Tetrahydrofolsäure
- tetrámico/Tetramsäure
- tetrónico/Tetronsäure
- tiaprofénico/Tiaprofensäure
- tiludrónico/Tiludronsäure
- timotínico/o-Thymotinsäure
- tioacético/Thioessigsäure
- 2-tiobarbitúrico/2-Thiobarbitursäure
- tiociánico/Thiocyansäure
- 2,2'-tiodiacético/2,2'-Thiodiessigsäure
- 3,3'-tiodipropiónico/3,3'-Thiodipropionsäure
- tioglicólico/Thioglykolsäure
- tiomálico/Thioäpfelsäure

- tiosulfúrico/Thioschwefelsäure
- p-toluenosulfónico/p-Toluolsulfonsäure
- tranexámico/Tranexamsäure
- traumático/Traumatinsäure
- triacontanoico/Triacontansäure
- triángulo/Dreieckssäure
- tricloroacético/Trichloressigsäure
- tricloroisocianúrico/Trichlorisocyanursäure
- tricolómico/Tricholomsäure
- 3,3,3-trifluoro-2-metoxi-2-fenilpropiónico/MTPA
- trifluorometanosulfónico/Trifluormethansulfonsäure
- trimelítico/Trimellit(h)säure
- trimésico/Trimesinsäure
- tritiocarbónico/Trithiokohlensäure
- tritiónico/Trithionsäure
- trópico/Tropasäure
- túngstico/Wolframsäure
- undecanoico/Undecansäure
- 10-undecenoico/10-Undecensäure
- úrico/Harnsäure
- urocánico/Urocansäure
- ursodesoxicólico/Ursodeoxycholsäure
- ursólico/Ursolsäure
- úsnico/Usninsäure
- vaccénico/Vaccensäure
- vainílico/Vanillinsäure
- valeriánico/Valeriansäure
- valproico/Valproinsäure
- variegático/Variegatsäure
- vernólico/Vernolsäure
- vinilsulfónico/Vinylsulfonsäure
- violeta 49/Formylviolett S4BN
- violetau/Echtsäureviolett AAR
- violúrico/Violursäure
- 12-volframatofosfórico (12-tungstofosforico)/12-Wolframatophosphorsäure
- volframatosilícico (tungstosilícico)/12-Wolframatokieselsäure
- vulpínico/Vulpinsäure
- xerocómico/Xerocomsäure
- yodhídrico/Iodwasserstoffsäure
- yódico/Iodsäure
- yodoacético/Iodessigsäure
- 2-yodosilbenzoico/2-Iodosylbenzoesäure
- acidófilo/Acidophil
- ácidos/Säuren, Säurungsmittel
- acilneuramínicos/Acylneuraminsäuren
- aldáricos/Aldarsäuren
- aldehídicos/Aldehydsäuren
- aldónicos/Aldonsäuren
- aminobencenosulfónicos/Aminobenzolsulfonsäuren
- aminobenzoicos/Aminobenzoesäuren
- aminobutíricos/Aminobuttersäuren
- antraquinonsulfónicos/Anthrachinonsulfonsäuren
- aristolóquicos/Aristolochiasäuren
- bencenodisulfónicos/Benzoldisulfonsäuren
- biliares/Gallensäuren
- borínicos/Borinsäuren
- borónicos/Boronsäuren
- carboxílicos/Carbonsäuren
- céricos/Wachssäuren
- ciclohexanodicarboxílicos/1,2-Cyclohexandicarbonsäuren
- clorobenzoicos/Chlorbenzoesäuren

- cloroisocianúricos/Chlorisocyanursäuren
- coleicos/Choleinsäuren
- de frutas/Fruchtsäuren
- de hexacianohierro/Hexacyanoeisensäuren
- del azufre/Schwefel-Säuren
- deméricos/Dimersäuren
- desoxirribonucleicos/Desoxyribonucleinsäuren
- dicarboxílicos/Dicarbonsäuren
- diclorobenzoicos/Dichlorbenzoesäuren
- dihidroxibenzoicos/Dihydroxybenzoesäuren
- endiandrínicos/Endiandrinsäuren
- estánnicos/Zinnsäuren
- F/F-Säuren
- fenolsulfónicos/Phenolsulfonsäuren
- fenoxicarboxílicos/Phenoxycarbonsäuren
- filíxicos/Filixsäuren
- fluorofosfóricos/Fluorophosphorsäuren
- fosfoglicéricos/Phosphoglycerinsäuren
- fostámicos/Phostamsäuren
- fumantes/Rauchende Säuren
- glicídicos/Glycidsäuren
- grasos/Fettsäuren
- grasos del furano/F-Säuren
- griseólicos/Griseolsäuren
- halogenocarboxílicos/Halogencarbonsäuren
- hexurónicos/Hexuronsäuren
- hidroxámicos/Hydroxamsäuren
- hidroxibenzoicos/Hydroxybenzoesäuren
- hidroxibutíricos/Hydroxybuttersäuren
- hidroxicarboxílicos/Hydroxycarbonsäuren
- imídicos/Imidsäuren
- isooleicos/Isoölsäuren
- lipoteicoicos/Lipoteichonsäuren
- lisofosfatidídicos/Lysophosphatidsäuren
- literales/Buchstabensäuren
- mercaptopropiónicos/Mercaptopropionsäuren
- metil-2-butenoicos/Methyl-2-butensäuren
- micólicos/Mykolsäuren
- minerales/Mineralsäuren
- monobásicos/Einbasige Säuren
- naftalencarboxílicos/Naphthalincarbonsäuren
- naftalensulfónicos/Naphthalinsulfonsäuren
- nafténicos/Naphthensäuren
- naftilaminosulfónicos/Naphthylaminsulfonsäuren
- naftolsulfónicos/Naphtholsulfonsäuren
- nitrobenzoicos/Nitrobenzoesäuren
- nucleicos/Nucleinsäuren
- nucleicos antisentido/Antisense-Nucleinsäuren
- nucleicos peptídicos/Peptid-Nucleinsäuren
- octosílicos/Octosylsäuren
- olivánicos/Olivansäuren
- 2-oxobutírico/2-Oxobuttersäure
- oxocarboxílicos/Oxocarbonsäuren
- oxoglutáricos/Oxoglutarsäuren
- piperidin carboxílicos/Piperidincarbonsäuren
- piridóxicos/Pyridoxsäuren
- poliacrílicos/Polyacrylsäuren

- poliaminopolicarboxílicos/Polyaminopolycarbonsäuren
- poliaspárticos/Polyasparaginsäuren
- policarboxílicos/Polycarbonsäuren
- polietilensulfónicos/Polyvinylsulfonsäuren
- poliglutámicos/Polyglutaminsäuren
- polimetacrílicos/Polymethacrylsäuren
- poliparabánicos/Polyparabansäuren
- politiónicos/Polythionsäuren
- pseudomónicos/Pseudomon(in)säuren
- residuales/Dünnsäure
- resínicos/Harzsäuren
- ribonucleicos/Ribonucleinsäuren
- ribonucleicos de transferencia/Transfer-Ribonucleinsäuren
- sacáricos/Zuckersäuren
- siálicos/Sialinsäuren
- silícicos/Kieselsäuren
- sulfénicos/Sulfensäuren
- sulfínicos/Sulfinsäuren
- sulfónicos/Sulfonsäuren
- teicoicos/Teichonsäuren
- teicurónicos/Teichuronsäuren
- telúricos/Tellursäuren
- tiocarboxílicos/Thiocarbonsäuren
- tiohidroxámicos/Thiohydroxamsäuren
- toluicos/Toluylsäuren
- tricarboxílicos/Tricarbonsäuren
- trímeros/Trimersäuren
- truxílicos y truxínicos/Truxillsäuren u. Truxinsäuren
- urónicos/Uronsäuren
- xantógenos/Xanthogensäuren
- zaragózoicos/Saragossasäuren
acidosis/Azidose
- láctica/Lactat-Acidose
ácidotrifluoroacético/Trifluoressigsäure
acifluorfeno/Acifluorfen
acil…/Acyl…
acilación/Acylierung
acilaminoalcansulfonatos/Fettsäuretauride
acilasas/Acylasen
aciloínas/Acyloine
aciloxi…/Acyloxy…
acipimox/Acipimox
acitretín/Acitretin
acitrón/Sukkade
acivicina/Acivicin
aclaradores/Aufhellungsmittel für Mikroskopie
aclarubicina/Aclarubicin
aclonifén/Aclonifen
acné/Akne
acondicionamiento de los lodos/Schlammkonditionierung
aconina/Aconin
aconitasa/Aconitase
aconitina/Aconitin
acónito/Eisenhut
acoplamiento de modos/Modenkopplung
- espín-órbita/Spin-Bahn-Kopplung
- fuerza-calor/Kraft-Wärme-Kopplung
- jj/jj-Kopplung
acoro/Kalmus
acrasinas/Acrasine
acreditación/Akkreditierung
acridina/Acridin
acrilamida/Acrylamid

acrilato de 2-hidroxietilo/(2-Hydroxyethyl)-acrylat
- de 2-hidroxipropilo/(2-Hydroxypropyl)-acrylat
- de metilo/Methylacrylat
acrilatos de polietilo/Polyethylacrylate
acrilonitrilo/Acrylnitril
acrinatrín/Acrinathrin
acroleína/Acrolein
acrosina/Akrosin
acrosoma/Akrosom
Acta Unica Europea/Einheitliche Europäische Akte
actina/Actin
α-actinina/α-Actinin
actinio/Actinium
actinoides/Actinoide
actinometría/Aktinometrie
actinomicetos/Actinomyceten
actinomicinas/Actinomycine
actinoquinol/Actinoquinol
actinoviridina/Actinoviridin A
activación/Aktivierung
activador del plasminógeno del tejido/Tissue Plasminogen Activator
- plasminógeno humano/Human-Plasminogen-Aktivator
activadores/Aktivatoren
actividad/Aktivität
- óptica/Optische Aktivität
activina/Activin
acuación/Aquotisierung
acuaiamicina/Aquayamycin
acuametría/Aquametrie
acuaporinas/Aquaporine
acumulación/Akkumulation, Kumulation
acumulador de hidruro/Hydrid-Speicher
acumuladores/Akkumulatoren
acuóxidos/Aquoxide
acústica/Akustik
1-adamantanamina/1-Adamantanamin
adamantano/Adamantan
adamina/Adamin
adamsita/Adamsit
adaptación/Adaptation
adaptador/Adaptor
adaptadores/Reduzierstücke
adaptógenos/Adaptogene
adelfilla/Seidelbast
adenilato ciclasa/Adenylat-Cyclase
- cinasa/Adenylat-Kinase
adenina/Adenin
- -arabinósido/Adeninarabinosid
S-adenosilmetionina/S-Adenosylmethionin
adenosina/Adenosin
adenosintrifosfatasas/Adenosintriphosphatasen
adenovirus/Adenoviren
adherencia/Haftfestigkeit
adhesinas/Adhäsine
adhesión/Adhäsion
adhesividad/Zügigkeit
adhesivo/Adhäsiv
- con disolvente/Lösemittelklebstoff
adhesivos/Kleber, Klebstoffe
- anaerobios/Anaerobe Klebstoffe
- de cianoacrilato/Cyanacrylat-Klebstoffe
- de contacto/Kontaktklebstoffe
- de reacción/Reaktionsklebstoffe
- en dispersión/Dispersionsklebstoffe
- estructurales/Strukturklebstoffe
- para aplicaciones médicas/Medizinische Klebstoffe

- para flocaje/Beflockungsklebstoffe
- reactivos termoendurecibles/Warmhärtende Reaktionsklebstoffe
- temporales/Temporärkleber
- termofusibles/Schmelzklebstoffe
- termosoldables/Heißsiegelklebstoffe
adicción/Sucht
adicilina/Adicillin
adición/Addition
- aldólica/Aldol-Addition
- de Michael/Michael-Addition
- de plomo/Verbleien
adifenina/Adiphenin
adipato de diisodecilo/Diisodecyladipat
- de dioctilo/Dioctyladipat
adipiodona/Adipiodon
adiposis/Fettsucht
aditivas de transformación/Verarbeitungsadditive
aditivos/Additive, Stellmittel
- alimentarios/Lebensmittelzusatzstoffe, Zusatzstoffe
- de compactación/Seal-Hilfsmittel
- de ensilaje/Silierungsmittel
- de uso/Gebrauchsadditive
- del café/Kaffeezusätze
- forrajeros/Futtermittelzusatzstoffe
- para aceites minerales/Mineralöladditive
- para el acero/Stahlveredler
- para hormigón/Betonzusatzstoffe
- para mortero/Bauhilfsmittel
administración del medio ambiente/Umweltmanagement
ADN de plásmido/Plasmid-DNA
- de replicación/Replizierende DNA
- ligasas/DNA-Ligasen
- mitocondrial/Mitochondriale DNA
- polymerasas/DNA-Polymerasen
- repetitivo/Repetitive DNA
adónida/Adonisröschen
adormidera/Mohn
ADP-ribosa cíclica/Cyclische ADP-Ribose
- -ribosilación/ADP-Ribosylierung
L-adrenalina/L-Adrenalin
adrenalona/Adrenalon
adrenérgico/Adrenerg
adrenoceptores/Adrenozeptoren
adrenocromo/Adrenochrom
adrenolíticos/Adrenolytika
adrenosterona/Adrenosteron
adresinas/Adressine
adsorbentes/Adsorbentien
adsorción/Adsorption
aducina/Adducin
adularia/Mondstein
adversidades del orden/Ordnungswidrigkeit
adyuvante/Adjuvans
aerobios/Aerobier
aeroclasificación/Windsichten
aeroeyector hidráulico por inmersión o de chorro libre/Tauchstrahlbelüfter
aerogel/Aerogel
aerosoles/Aerosole, Sprays
- inhalables/Einatembare Aerosole
aerotolerante/Aerotolerant
aficidas/Aphizide
afidicolina/Aphidicolin

Español

afinado por soplado de aire/ Windfrischen
afinar/Frischen
afinidad/Affinität
– electrónica/Elektronenaffinität
– protónica/Protonenaffinität
afino en horno de solera/Herdfrischen
aflatoxinas/Aflatoxine
aflatrem/Aflatrem
aforador de caudal/Durchflußmesser
afrecho/Kleie
afrita/Schaumkalk
afrodisíacos/Aphrodisiaka
afrormosia/Afrormosia
afwilita/Afwilit
agar(-agar)/Agar(-Agar)
agaritina/Agaritin
agarofuranos/Agarofurane
agarosa/Agarose
ágata/Achate
– musgosa/Moosachat
agavanzas/Hagebutten
agente/Agens
– de almidonado (aprestado) permanente/Steifungsmittel
– de carga/Bulking agent
– de control de carga/Ladungssteuermittel
– de enjuague para la conservación de la forma/Formspüler
– de fluidez/Fließmittel
– de igualación/Egalisiermittel
– de soldadura fría/Kaltlötmittel
– de superficie/Grenzflächenaktive Stoffe
– leudante/Teiglockerungsmittel
– separador/Antiblock(ing)mittel
– tensioactivo/Grenzflächenaktive Stoffe
agentes adherentes/Haftmittel, Haftvermittler
– alquilantes/Alkylantien
– anabolizantes/Masthilfsmittel
– antiadherentes (de separación)/Trennmittel
– anticompactantes/Rieselhilfen
– antideslizantes/Schiebefestmittel
– antifatiga/Ermüdungsschutzmittel
– antihinchamiento/Quellfestmittel
– antiozono/Ozon-Schutzmittel
– antipiel/Antihautmittel
– antitiroides/Thyreostatika
– antituberculosos/Tuberkulostatika
– antivíricos/Virostatika
– colecinéticos/Cholekinetika
– conservadores/Konservierungsmittel
– conservadores de obras/Bautenschutzmittel
– constipantes/Obstipantien
– de engrase/Licker
– de fregado/Scheuermittel
– de limpieza en frío/Kaltreiniger
– de marchitamiento/Welkstoffe
– de mezola/Verschnittmittel
– de pulido/Polituren
– de pulverización/Spritzmittel
– de tratamiento de superficies/ Oberflächenbehandlungsmittel
– de vulcanización/Vulkanisationsmittel
– desacostumbradores del tabaco/Tabakentwöhnungsmittel
– deslizadores/Gleitmittel
– expansionantes/Treibmittel
– expansionantes (hinchantes, espumantes)/Blähmittel

– explosivos/Sprengmittel
– formadores de películas/Filmbildner
– impregnantes de silicona/Silicon-Imprägniermittel
– matafuegos/Feuerlöschmittel
– mojantes/Netzmittel
– nivelantes/Verlaufmittel
– nucleantes/Nukleationsmittel
– para el acabado de alta calidad/Hochveredlungsmittel
– para sellar o barnizar parket/ Parkettversiegelungsmittel
– propulsores/Treibmittel
– protectores contra la luz/Lichtschutzmittel
– refrigerantes/Kühlmittel
– tensioactivos (de superficie)/ Tenside
– uricosúricos/Urikosurika
agglomerados/Agglomerate
agitación/Rühren
agitador Intermig/Intermig®-Rührer
– rotacional/Rundschüttler
agitadores/Schüttelgeräte
agliconas/Aglykone
aglomeración/Stückigmachen
aglucerasa/Alglucerase
aglutinación/Agglutination
aglutinante aceitoso/Ölbindemittel
– rápido/Schnellbinder
aglutininas/Agglutinine
agonista/Agonist
agregación/Aggregation
agresivos químicos/Kampfstoffe
– químicos binarios/Binäre Kampfstoffe
– químicos cruz blanca/Weißkreuzkampfstoffe
agrietamiento/Crazing
agrimonia común/Odermennig
agrina/Agrin
agrobacterias/Agrobakterien
agropireno/Agropyren
agua/Wasser
– acídula ferruginosa/Eisensäuerlinge
– contaminada (sucia)/Schmutzwasser
– de abedul/Birkenwasser
– de alimentación de calderas/Speisewasser
– de azahar/Orangenblütenwasser
– de calderas/Kesselwasser
– de Colonia/Eau de Cologne, Kölnisch Wasser
– de constitución/Konstitutionswasser
– de cristalización/Kristallwasser
– de drenaje (infiltración)/Sickerwasser
– de estiércol/Jauche
– de Javelle/Eau de Javelle
– de Labarraque/Eau de Labarraque
– de manantial/Quellwasser
– de mar/Meerwasser
– de melisa/Melissengeist
– de mina/Grubenwasser
– de orilla (riba) infiltrada/Uferfiltrat
– de perfume/Eau de Parfum
– de rosas/Rosenwasser
– de soldar/Lötwasser
– de toilette/Eau de Toilette
– de yodo/Iodwasser
– del suelo/Bodenwasser
– destilada/Destilliertes Wasser
– dulce/Süßwasser
– extraña/Fremdwasser
– extrapura/Reinstwasser

– juvenil/Juveniles Wasser
– mineral/Mineralwasser, Sprudel
– pesada/Deuteriumoxid
– potable/Trinkwasser
– regia/Königswasser
– salobre/Brackwasser
– superficial/Oberflächenwasser
– tónica/Tonic Water
– viva de maíz/Maisquellwasser
aguacate/Avocado
aguacultura/Aquakultur
aguada y tierra/PSE-Fleisch
aguamarina/Aquamarin
aguardiente de fruta/Obstbranntwein
– de grano/Korn
– de levadura/Hefebranntwein
aguarrás sulfático/Sulfatterpentinöl
aguas/Gewässer
– amargas/Bitterwässer
– bajas/Watt
– de mesa/Tafelwässer
– de uso industrial/Brauchwasser
– industriales/Brauchwasser
– madres/Mutterlauge
– minerales acídulas/Säuerlinge
– residuales/Abwasser
– rojas/Rote Tide
– subterráneas/Grundwasser
– termales/Thermalwässer
– tónicas/Chinin-Wässer
aguaturma/Topinambur
agujero negro/Schwarzes Loch
agujero de (la capa) de ozono/Ozon-Loch
– de ozono antártico/Antarktisches Ozonloch
ahumado/Räuchern
ahuyentadores/Repellentien
aikinita/Aikinit
aire/Luft
– comprimido/Druckluft
– de salida/Abluft
– líquido/Flüssige Luft
aireación/Lüftung
– por aire comprimido/Druckbelüftung
– por eyector/Ejektorbelüftung
aireador de superficie/Oberflächenbelüfter
– de volumen/Volumenbelüfter
aireante/Luftporenbildner
aislamiento/Isolierung
– de cepas/Stammisolierung
– térmico/Wärmeisolierung
aislantes/Isolatoren
ajedrea de jardín/Bohnenkraut
ajenjo/Absinth, Wermut
ajmalicina/Ajmalicin
ajmalina/Ajmalin
...al/...al
alabandina/Alabandin
alabastro/Alabaster
alacloro/Alachlor
alambre/Draht
alanatos/Alanate
alanicarb/Alanycarb
alanina/Alanin
alanos/Alane
alanosina/L-Alanosin
alantoína/Allantoin
albahaca/Basilikum
albaricoques/Aprikosen
albendazol/Albendazol
albinismo/Albinismus
– parcial/Teilalbinismus
albocicilina/Albocyclin
albomicina/Albomycine
albúminas/Albumine
alcachofas/Artischocken
alcalimetría/Alkalimetrie
álcalis/Alkalien

– cáusticos/Kaustische Alkalien
alcaloides/Alkaloide
– aporfínicos/Aporphin-Alkaloide
– de bisbencilisoquinolina/Bisbenzylisochinolin-Alkaloide
– de briozoos/Bryozoen-Alkaloide
– de Catharanthus roseus/Catharanthus roseus-Alkaloide
– de coca/Coca-Alkaloide
– de conium/Conium-Alkaloide
– de coridalis/Corydalis-Alkaloide
– de Corynanthe/Corynanthe-Alkaloide
– de cularina/Cularin-Alkaloide
– de Daphiphylum/Daphniphyllum-Alkaloide
– de Dendrobates/Dendrobates-Alkaloide
– de Efedra/Ephedra-Alkaloide
– de Elaeocarpus/Elaeocarpus-Alkaloide
– de Erythrophleum/Erythrophleum-Alkaloide
– de estemona/Stemona-Alkaloide
– de heliotropio/Heliotropium-Alkaloide
– de iboga/Iboga-Alkaloide
– de imidazol/Imidazol-Alkaloide
– de indol/Indol-Alkaloide
– de indolizidina/Indolizidin-Alkaloide
– de ipecacuana/Ipecacuanha-Alkaloide
– de ipomoea/Ipomoea-Alkaloide
– de isoquinolina/Isochinolin-Alkaloide
– de la amaryllidaceas/Amaryllidaceen-Alkaloide
– de la aristotelia/Aristotelia-Alkaloide
– de la bencilisoquinoleína/Benzylisochinolin-Alkaloide
– de la cicuta/Conium-Alkaloide
– de la eritrina/Erythrina-Alkaloide
– de la lobelia/Lobelia-Alkaloide
– de la quina/China-Alkaloide
– de la quinoleína/Chinolin-Alkaloide
– de la quinolizidina/Chinolizidin-Alkaloide
– de la salamadras/Salamander-Alkaloide
– de la securinega/Securinega-Alkaloide
– de las ancistrocladaceas/Ancistrocladus-Alkaloide
– de mesembrina/Mesembrin-Alkaloide
– de morfina/Morphin-Alkaloide
– de morfinano/Morphinane
– de pavina/Pavin- u. Isopavin-Alkaloide
– de pino/Pinus-Alkaloide
– de piperidina/Piperidin-Alkaloide
– de pirrolizidina/Pyrrolizidin-Alkaloide
– de protoberberina/Protoberberin-Alkaloide
– de protopina/Protopin-Alkaloide
– de rauwolfia/Rauwolfia-Alkaloide
– de roeadina/Rhoeadin-Alkaloide
– de Strychnos/Strychnos-Alkaloide

– de Tilofora/Tylophora-Alkaloide
– de vinca/Vinca-Alkaloide
– del anhalonium/Anhalonium-Alkaloide
– del cactus/Kaktus-Alkaloide
– del carbazol/Carbazol-Alkaloide
– del cornezuelo de centeno/Ergot-Alkaloide
– del licopodio/Lycopodium-Alkaloide
– del lupino/Lupinen-Alkaloide
– del opio/Opium-Alkaloide
– del peyote/Lophophora-Alkaloide
– del pirroloindol/Pyrroloindol-Alkaloide
– del tabaco/Tabak-Alkaloide
– del taxus/Taxus-Alkaloide
– del tropano/Tropan-Alkaloide
– diterpénicos/Diterpen-Alkaloide
– esteroides/Steroidalkaloide
– esteroides de veratro/Veratrum-Steroidalkaloide
– peptídicos/Peptid-Alkaloide
– solano-esteroides/Solanum-Steroidalkaloide
alcalosis/Alkalose
alcana/Liguster
alcandía/Sorghum
alcanfor/Campher
alcanina/Alkannin
alcanolamidas grasas/Fettsäurealkanolamide
alcanolaminas/Alkanolamine
alcanoles/Alkanole
alcanos/Alkane
alcanotioles/Alkanthiole
alcaparras/Kapern
alclometasona/Alclometason
alcloxa/Alcloxa
alcohol/Alkohol, Spiritus, Sprit
– agrícola/Agraralkohol
– alílico/Allylalkohol
– anísico/p-Anisalkohol
– bencílico/Benzylalkohol
– cetilesteárilico/Cetylstearylalkohol
– cinamílico/Zimtalkohol
– de celulosa de madera/Holzspiritus
– de patchoulí/Patchoulialkohol
– deshidrogenasas/Alkohol-Dehydrogenasen
– en sangre/Blutalkohol
– furfurílico/Furfurylalkohol
– hidroxicinámico/Hydrozimtalkohol
– isopropílico/Isopropanol
– palmitoleico/Palmitoleylalkohol
– para fricciones/Franzbranntwein
– salicílico/Salicylalkohol
– sinapílico/Sinapylalkohol
– tetrahidrofurfurílico/Tetrahydrofurylalkohol
– vinílico/Vinylalkohol
alcoholatos/Alkoholate
– de aluminio/Aluminiumalkoholate
– de sodio/Natriumalkoholate
alcoholes/Alkohole
– céricos/Wachsalkohole
– de Ziegler/Ziegler-Alkohole
– grasos/Fettalkohole
– plastificantes/Weichmacheralkohole
– polivinílicos/Polyvinylalkohole
– sacáricos/Zuckeralkohole
alcoholisis/Alkoholyse
alcoholismo/Alkoholismus

alcohómetro/Alkoholometer
alcoxi…/Alkoxy…
aldehído cinámico/Zimtaldehyd
– deshidrogenasas/Aldehyd-Dehydrogenasen
– de Zincke/Zincke-Aldehyd
– glicérico/Glycerinaldehyd
– glicólico/Glykolaldehyd
– hidratrópico/2-Phenylpropionaldehyd
– hidroxicinámico/Hydrozimtaldehyd
– propiónico/Propionaldehyd
– salicílico/Salicylaldehyd
– verátrico/Veratrumaldehyd
aldehídos/Aldehyde
– de Strecker/Strecker-Aldehyde
– fenólicos/Phenolaldehyde
– grasos/Fettaldehyde
aldesulfona sódica/Aldesulfon-Natrium
aldicarb/Aldicarb
aldimorfo/Aldimorph
aldioxa/Aldioxa
alditoles/Aldite
aldo…/Aldo…
aldocetenas/Aldoketene
aldocetosas/Aldoketosen
aldohexosas/Aldohexosen
aldol/Aldol
aldolasas/Aldolasen
aldoles/Aldole
aldopentosas/Aldopentosen
aldosa reductasa/Aldose-Reduktase
aldosas/Aldosen
aldosterona/Aldosteron
aldrín/Aldrin
aleación/Legierung
– 95/5/Gilding Brass
– de Arnd/Arnds Legierung
– de Devarda/Devardasche Legierung
– de fundición/Gußlegierungen
– de Guthrie/Guthrie-Legierung
– de Harper/Harpers Legierung
– de Heusler/Heuslersche Legierungen
– de Lipowitz/Lipowitz-Legierung
– de Newton/Newton-Legierung
– de platino/Platin-Legierungen
– de punto de fusión bajo/Niedrigschmelzende Legierungen
– de resistencia/Heizleiter-Legierungen
– forjable o de forja/Knetlegierungen
– Wood/Woodsches Metall
aleaciones de aluminio/Aluminium-Legierungen
– de circonio/Zirconium-Legierungen
– de cobalto/Cobalt-Legierungen
– de cobre/Kupfer-Legierungen
– de cromo/Chrom-Legierungen
– de estaño/Zinn-Legierungen
– de Fahrenwald/Fahrenwald-Legierungen
– de magnesio/Magnesium-Legierungen
– de manganeso/Mangan-Legierungen
– de níquel/Nickel-Legierungen
– de oro/Gold-Legierungen
– de plata/Silber-Legierungen
– de plomo/Blei-Legierungen
– de sodio/Natrium-Legierungen
– de sodio y potasio/Kalium-Natrium-Legierungen
– de tántalo/Tantal-Legierungen
– de titanio/Titan-Legierungen

– fusibles/Schmelzlegierungen
– madre/Vorlegierung
– para altas temperaturas/Hochtemperatur-Legierungen
– para tornos automáticos/Automatenlegierungen
alelo/Allel
alelopatía/Allelopathie
alelopáticos/Allelopathika
alendronat/Alendronat
alerce/Lärche
alérgenos/Allergene
alergia/Allergie
alergias alimentarias/Lebensmittelallergien
alerta de smog/Smog-Alarm
alexinas/Alexine
alfa-cipermetrin/Alpha-Cypermethrin
alfábega/Basilikum
alfabeto griego/Griechisches Alphabet
alfacalcidol/Alfacalcidol
alfadolona/Alfadolon
alfalfa/Luzerne
alfaxolona/Alfaxolon
alfentanilo/Alfentanil
alfombras/Teppiche
alfóncigos/Pistazien
alforfón/Buchweizen
alfuzosina/Alfuzosin
alga vesiculosa/Blasentang
algarrobo/Johannisbrotbaum
algas/Algen, Tang
algicidas/Algizide
algina/Natriumalginat
alginato de calcio/Calciumalginat
– de sodio/Natriumalginat
alginatos/Alginate
algodón/Baumwolle
– colodion/Collodium(wolle)
– pólvora (fulminante)/Schießbaumwolle
alhena/Liguster
alholva/Bockshornklee
aligustre/Liguster
alil…/Allyl…
alilamina/Allylamin
alilestrenol/Allylestrenol
aliloxi…/Allyloxy…
aliltiourea/Allylthioharnstoff
alimenazina/Alimemazin
alimentación/Ernährung
– para deportistas/Sporternährung
alimentos/Lebensmittel, Nahrungsmittel
– dietéticos/Diätetische Lebensmittel
– instantáneos/Instant-Produkte
– para animales/Futtermittel
alitación/Alitieren
alizaprida/Alizaprid
alizarina/Alizarin
aljez/Gips
allanita/Allanit
allicín/Allicin
alliín/Alliin
alluminado/Aluminieren
almacenamiento de cepas/Stammhaltung
– de sustancias peligrosas/Lagerung von Gefahrstoffen
– final de residuos/Endlagerung
almáciga/Mastix
almendras/Mandeln
almidón/Stärke
almidones catiónicos/Kationische Stärken
– oxidados/Oxidierte Stärken
almitrina/Almitrin
almizcle/Moschus
almizole de xileno/Xylomoschus

alo…/Allo…
alobarbital/Allobarbital
alocromasia/Allochromasie
áloe/Aloe
alofanas/Allophane
alofanatos/Allophanate
alomerismo/Allomerie
alomonas/Allomone
alopatía/Allopathie
alopatría/Allopatrie
alopurinol/Allopurinol
alosamidina/Allosamidin
alosterismo/Allosterie
alotígeno/Allothigen
alotriomorfismo/Allotriomorphie
aloxana/Alloxan
aloxantina/Alloxantin
aloxazina/Alloxazin
alpaca/Alpaka, Neusilber, Nickelmessing
– de Parker/Parkers Neusilber
alprazolam/Alprazolam
alprenolol/Alprenolol
alprostadil/Alprostadil
alquenos/Alkene
alquequenje/Kapstachelbeeren
alquibencenos/Alkylbenzole
alquil…/Alkyl…
alquilación/Alkylierung
N-alquilamidas/N-Alkylamide
alquilaminas/Alkylamine
alquilaril…/Alkylaryl…
alquilarilsulfonatos/Alkylarensulfonate
alquilbencenosulfonatos/Alkylbenzolsulfonate
alquilenización/Alkylidenierung
alquilfenoles/Alkylphenole
alquiliden…/Alkyliden…
alquilnaftalenosulfonatos/Alkylnaphthalinsulfonate
alquilos metálicos/Metallalkyle
alquilpoliglucosidos/Alkylpolyglucoside
alquinos/Alkine
alquitrán/Teer
– ácido/Säureteer
– de esquisto/Schieferteer
– de hulla/Steinkohlenteer
– de lignito/Braunkohlenteer
– de madera/Holzteer
alternativos/Tierversuche, Alternativen
alto horno/Hochofen
altos polímeros/Hochpolymere
altramuces/Lupinen
altretamina/Altretamin
altro-/altro-
altruísmo/Altruismus
alucinógenos/Halluzinogene
alumbre/Alaun
– amónico/Ammoniumalaun
– de cromo/Chromalaun
alumbres/Alaune
– de hierro/Eisenalaune
alúmina/Tonerde
alúminas/Aluminiumoxide
aluminato de potasio/Kaliumaluminat
aluminatos/Aluminate
– de calcio/Calciumaluminate
– de sodio/Natriumaluminate
aluminio/Aluminium
aluminotermia/Aluminothermie
alunita/Alunit
amalgama de amonio/Ammoniumamalgam
– de oro/Goldamalgam
– de plata/Silberamalgame
– de sodio/Natriumamalgam
amalgamas/Amalgame
amanita muscaria/Fliegenpilz
amanitinas/Amanitine

Español

amaranto/Amaranth
amargantes/Bitterstoffe
amargón/Löwenzahn
amarillo anaranjado/Gelborange S
– claro/Lichtgelb
– de cloroamina/Chloramingelb
– de Marte/Marsgelb
– de Nápoles/Neapelgelb
– de nitrazina/Nitrazingelb
– de quinoleina A/Chinolingelb A
– de quinoleina S/Chinolingelb S
– de Verona/Veroneser Gelb
– indiano/Indischgelb
– sólido/Echtgelb
– Titan/Titangelb
amarogentina/Amarogentin
amasado/Kneten
amatista/Amethyst
amatol/Amatol
amavadina/Amavadin
ámbar gris/Ambra
ambazona/Ambazon
ámber/Bernstein
ambi…/Ambi…
ambientadores/Geruchsverbesserungsmittel
ambligonita/Amblygonit
ambo-/ambo-
ambreína/Ambrein
ambreta/Moschus
ambretolida/Ambrettolid
ambrox/Ambrox
ambroxol/Ambroxol
ambucetamida/Ambucetamid
amcinonida/Amcinonid
amebas/Amöben
amebicidas/Amöbizide
amensalismo/Amensalismus
amentalismo/Amensalismus
americio/Americium
ametrina/Ametryn
amicina/Amycine
amida de litio/Lithiumamid
– de sodio/Natriumamid
– del ácido esteárico/Stearinsäureamid
– del ácido nicotínico/Nicotinsäureamid
– del ácido oleico/Ölsäureamid
amidación/Amidierung
amidas/Amide
– de ácidos grasos/Fettsäureamide
– fosfóricas/Phosphoramide
– metálicas/Metallamide
amidasas/Amidasen
amidinas/Amidine
amidino…/Amidino…
amido…/Amido…
amidoacetales/Amidacetale
amidosulfurona/Amidosulfuron
amidotransferasas/Amidotransferasen
amidoximas/Amidoxime
amidrazonas/Amidrazone
amifenazol/Amiphenazol
amifostín/Amifostin
amígdalas/Mandeln
amigdalina/Amygdalin
amikacina/Amikacin
amil…/Amyl…
amilasas/Amylasen
amilina/Amylin
amiloide/Amyloid
amilopectina/Amylopektin
amilorida/Amilorid
amilosa/Amylose
aminación/Aminierung
aminales/Aminale
aminas/Amine
– analépticas/Weckamine
– biógenas/Biogene Amine

– de cromo/Chromiake
– etéreas/Etheramine
– grasas/Fettamine
amino…/Amino…
2-amino-1-butanol/2-Amino-1-butanol
2-amino-1-feniletanol/2-Amino-1-phenylethanol
2-amino-2-metil-1,3-propanodiol/2-Amino-2-methyl-1,3-propandiol
2-amino-2-metil-1-propanol/2-Amino-2-methyl-1-propanol
4-aminoacetanilida/4-Aminoacetanilid
aminoácido-tRNA ligasas/Aminosäure-tRNA-Ligasen
aminoácidos/Aminosäuren
– dansilados/Dansyl-Aminosäuren
– proteinógenos/Proteinogene Aminosäuren
– yodados/Iodaminosäuren
aminoacil-ARNt/Aminoacyl-tRNA
– -tRNA/Aminoacyl-tRNA
α-aminoalquilación/α-Aminoalkylierung
aminoantraquinonas/Aminoanthrachinone
4-aminoazobenceno/4-Aminoazobenzol
aminoazúcares/Aminozucker
aminobenzoatos/Aminobenzoesäureester
aminoetanoles/Aminoethanole
aminofenazona/Aminophenazon
aminofenoles/Aminophenole
aminofilina/Aminophyllin
aminoglicosidos/Aminoglykoside
aminoglicósidos/Aminoglykoside
aminoglutetimida/Aminoglutethimid
aminoguanidina/Aminoguanidin
aminonaftoles/Aminonaphthole
aminooxi…/Aminooxy…
aminopiridinas/Aminopyridine
aminoplásticos/Aminoplaste
aminopropanoles/Aminopropanole
aminopterina/Aminopterin
aminoquinurida/Aminoquinurid
amiodarona/Amiodaron
amirinas/Amyrine
amitraz/Amitraz
amitriptilina/Amitriptylin
amitrol/Amitrol
amlodipina/Amlodipin
amobarbital/Amobarbital
amoníaco/Ammoniak
amonio/Ammonio…, Ammonium
amonólisis/Ammonolyse
amonoxidación/Ammonoxidation
amorfo/Amorph
– a los rayos X/Röntgenamorph
amorolfina/Amorolfin
amortiguadores/Puffer
amoxicilina/Amoxicillin
ampere/metro/A/m
amperio/Ampere
amperometría/Amperometrie
ampicilina/Ampicillin
ampliar/Scale up
amplificación/Amplifikation
– cíclica y selección de blancos/CASTing
– del ADN/DNA-Amplifikation
– paramétrica/Parametrische Verstärkung
amplificador lock-in/Lock-In-Verstärker
amplitud (de) Doppler/Doppler-Breite

ampollas/Ampullen, Blasen
ampropilfos/Ampropylfos
amrinona/Amrinon
amsacrina/Amsacrin
ana/ana
anabasina/Anabasin
anabólicos/Anabolika
anaerobios/Anaerobier
anafrodisíacos/Anaphrodisiaka
anagirina/Anagyrin
analcima/Analcim
analépticas/Analeptika
analgésicos/Analgetika, Schmerzmittel
análisis/Analyse
– a la gota/Tüpfelanalyse
– bioquímico/Biochemische Analyse
– (control) de proceso/Prozeßanalytik
– cualitativo/Qualitative Analyse
– cuantitativo/Quantitative Analyse
– de especies elementares/Elementspeziesanalyse
– de gases/Gasanalyse
– de Hansch/Hansch-Analyse
– de "head-space"/Headspace-Analyse
– de Hevesy-Paneth/Hevesy-Paneth-Analyse
– de la estructura cristalina/Kristallstrukturanalyse
– de los costos y beneficios/Kosten-Nutzen-Analyse
– de los grupos terminales/Endgruppenbestimmung
– de los peligros en el lugar de trabajo/Gefährdungsanalyse
– de Moore-Stein/Moore-Stein-Analyse
– de regresión/Regressionsanalyse
– de retención/Retentionsindex
– de seguridad/Sicherheitsanalyse
– de superficies/Oberflächenanalysemethoden
– de trazas/Spurenanalyse
– del riesgo/Risikoanalyse
– electroquímico/Elektroanalyse
– elemental/Elementaranalyse
– enzimático/Enzymatische Analyse
– espectral/Spektralanalyse
– estructural con rayos X/Röntgenstrukturanalyse
– físico/Physikalische Analyse
– genómico/Genomanalyse
– granulométrico por sedimentación/Sedimentationsanalyse
– por activación/Aktivierungsanalyse
– por activación neutrónica/Neutronenaktivierungsanalyse
– por fluorescencia/Fluoreszenzanalyse
– por precipitación/Fällungsanalyse
– por rayos X/Röntgenanalyse
– (por reacción) al soplete/Lötrohranalyse
– por termistores/Thermistoranalyse
– químico/Chemische Analyse
– secuencial/Sequenzanalyse
– semimicro/Halbmikroanalyse
– térmico/Thermoanalyse
– térmico de emanación/Emanationsgasanalyse
– térmico de emisión de gas/Emissionsgasthermoanalyse
– térmico diferencial/Differentialthermoanalyse

– termomecánico/Thermomechanische Analyse
– volumétrico/Maßanalyse
ananás/Ananas
anapelo/Eisenhut
anaranjado/Orange
– de bencilo/Benzylorange
– de metilo/Methylorange
– de xilenol/Xylenolorange
anastrazol/Anastrazol
anatasa/Anatas
anatoxinas/Anatoxine
ancho de línea/Linienbreite
– natural de la línea espectral/Natürliche Linienbreite
anchoas/Sardellen
ancirina/Ankyrin
ancla de glicosilfosfatidilinositol/Glykosylphosphatidylinosit-Anker
áncora reactiva/Reaktivanker
ancrodo/Ancrod
andalucita/Andalusit
andesita/Andesit
andrógenos/Androgene
andromedotoxina/Andromedotoxin
5α-androstano/5α-Androstan
androstanolona/Androstanolon
5-androsteno-3β,17β-diol/5-Androsten-3β,17β-diol
androsterona/Androsteron
aneldo/Dill
anemia/Anämie
– de hematíes falciformes/Sichelzellenanämie
– perniciosa/Perniziöse Anämie
anemometría/Anemometrie
– Doppler de láser/Laser-Doppler-Anemometrie
anemómetro Doppler/Doppler-Anemometer
anemonina/Anemonin(e)
anestésicos/Anästhetika
– endovenosos/Injektionsnarkotika
– locales/Lokalanästhetika
– por inhalación/Inhalationsnarkotika
– por inyección/Injektionsnarkotika
aneto/Dill
anetol/Anethol
anetoltritiona/Anetholtrithion
aneuploidía/Aneuploidie
anexinas/Annexine
anfepramona/Amfepramon
anfetamina/Amphetamin
anfetaminilo/Amfetaminil
anfi…/Amphi…
anfiboles/Amphibole
anfifilo/Amphiphil
anfiprótico/Amphiprotisch
anfolitos/Ampholyte
anfomicina/Amfomycin
anfotericina B/Amphotericin B
anfótero/Amphoter
angiografía/Angiographie
angiotensinamida/Angiotensinamid
angiotensinas/Angiotensine
anglesita/Anglesit
angular/Angular
angustmicina/Angustmycin
anhidrasa carbónica/Carboanhydrase
anhídrido acético/Essigsäureanhydrid
– benzoico/Benzoesäureanhydrid
– butírico/Buttersäureanhydrid
– dodecenilsuccínico/Dodecenylbernsteinsäureanhydrid
– ftálico/Phthalsäureanhydrid

- glutárico/Glutarsäureanhydrid
- isatoico/Isatsäureanhydrid
- maleico/Maleinsäureanhydrid
- metilmaleico/Methylmaleinsäureanhydrid
- propiónico/Propionsäureanhydrid
- succínico/Bernsteinsäureanhydrid
- tetrabromftálico/Tetrabromphthalsäureanhydrid
- tetracloroftálico/Tetrachlorphthalsäureanhydrid
- tetrahidroftálico/4-Cyclohexen-1,2-dicarbonsäureanhydrid
- trifluoroacético/Trifluoressigsäureanhydrid
- trimelítico/Trimellit(h)säureanhydrid

anhídridos/Anhydride
- de ácido/Säureanhydride
- sacárico/Zuckeranhydride

anhidrita/Anhydrit
anhidro…/Anhydro…
anilazina/Anilazin
anilidas/Anilide
anilina/Anilin
anilino…/Anilino…
3-anilinofenol/3-Anilinophenol
anillación/Anellierung
anillo bencénico/Benzol-Ring
- de Einstein/Einsteins Ring
- anillos de Liesegang/Liesegangsche Ringe
- grandes/Große Ringe
- medianos/Mittlere Ringe
- normales/Gewöhnliche Ringe
- pequeños/Kleine Ringe

animalizar/Animalisieren
aniones/Anionen
aniquilación/Zerstrahlung
aniracetam/Aniracetam
anís/Anis
- estrellado/Sternanis
p-anisaldehído/p-Anisaldehyd
anisatín/Anisatin
anisídinas/Anisidine
anisidino…/Anisidino…
anisil…/Anisyl…
aniso…/Aniso…
anisodésmico/Anisodesmisch
anisoil…/Anisoyl…
anisol/Anisol
anisotropía/Anisotropie
ankerita/Ankerit
annabergita/Annabergit
annoninas/Annonine
…ano/…an
anodinos/Schmerzmittel
anodización/Anodisieren
- colorante/Farbanodisationsverfahren
- del aluminio/Eloxal-Verfahren, Ematal-Verfahren

ánodos/Anode
anómeros/Anomere
anovulatorios/Ovulationshemmer
ansamicinas/Ansamycine
anserina/Anserin
antagonistas/Antagonisten
- del calcio/Calcium-Antagonisten

antamanida/Antamanid
antazolina/Antazolin
anti-/Anti-
antiácidos/Antacida
antiadipógenos/Antiadiposita
antialérgicos/Antiallergika
antiandrógenos/Antiandrogene
antiarina/Antiarin
antiaromaticidad/Antiaromatizität
antiartríticos/Antiarthritika
antiasmáticos/Antiasthmatika

antibiosis/Antibiose
antibióticos/Antibiotika
- de β-lactama/β-Lactam-Antibiotika
- peptídicos/Peptid-Antibiotika

antibloqueador/Antiblock(ing)mittel
anticloro/Antichlor
anticoagulantes/Antikoagulantien
anticoccidiales/Kokzidiostatika
anticonceptivos/Antikonzeptionsmittel
anticongelantes/Anti-icing-Mittel, Cryoprotektoren, Enteisungsmittel, Gefrierschutzmittel
anticorrosivos/Korrosionsschutzmittel
anticuerpos/Antikörper, Wehrstoffe
- monoclonales/Monoklonale Antikörper

antidepresivos/Antidepressiva
antidetonantes/Antiklopfmittel
antideuterón/Antideuteron
antidiabéticos/Antidiabetika
antidiarreicos/Antidiarrhoika
antidiuréticos/Antidiuretika
antídoto/Antidot
antieméticos/Antiemetika
antiempañantes/Beschlagverhinderungsmittel
antienzimas/Antienzyme
antiepilépticos/Antiepileptika
antiescabiosos/Antiscabiosa
antiespumantes/Entschäumer, Schaumverhütungsmittel
- de silicona/Siliconentschäumer

antiestáticos/Antistatika
antifibrinolíticos/Antifibrinolytika
antiflogísticos/Antiphlogistika
antígeno carcinoembrionario/Karzino-embryonales Antigen
- común de los leucocitos/Leukocyte common antigen
- H-Y/H-Y-Antigen
- S retinal/Retinales S-Antigen
- thy-1/Thy-1-Antigen

antígenos/Antigene
- de aparición muy tardía/Very late(-appearing) antigens
- de la histocompatibilidad/Histokompatibilitäts-Antigene
- de superficie/Oberflächenantigene
- de tumores/Tumor-Antigene

antihelmínticos/Anthelmintika
antihemorroidales/Hämorrhoiden-Mittel
antihistamínicos/Antihistaminika
antiinflamatorios/Antiphlogistika
antimaláricos/Antimalariamittel
antimateria/Antimaterie
antimetabolitos/Antimetabolite
antimicina A_1/Antimycin A_1
antimicóticos/Antimykotika
antimicrobianos/Antimikrobielle Wirkstoffe
antimoniatos/Antimonate
antimonio/Antimon
antimonita/Antimonit
antimoniuro de indio/Indiumantimonid
antimoniuros/Antimonide
antineutrino/Antineutrino
antineutrón/Antineutron
antioxidantes/Antioxidantien
antiozonantes/Antiozonantien
antiozonos/Ozon-Schutzmittel
antipartículas/Antiteilchen
antipiréticos/Antipyretika
antípodas ópticas/Optische Antipoden

antiporte/Antiport
antiprotón/Antiproton
antirreumáticos/Antirheumatika
antisaprobidad/Antisaprobität
antisépticos/Antiseptika
antisudorantes/Antihidrotika
antisuero/Antiserum
antitiroideos/Thyreostatika
antitoxinas/Antitoxine
α_1-antitripsina/α_1-Antitrypsin
antitusivos/Antitussiva
antivitaminas/Antivitamine
antocianidinas/Anthocyanidine
antocianinas/Anthocyane
antorcha de Langmuir/Langmuir-Fackel
antraceno/Anthracen
antraciclinas/Anthracycline
antracita/Anthrazit
antraglicósidos/Anthraglykoside
antramicinas/Anthramycine
antraquinona/Anthrachinon
9-antrilmetil…/9-Anthrylmethyl…
antrol/9-Anthrol
antrona/Anthron
antrópodos/Arthropoden
antropógeno/Anthropogen
anual/Annuell
anulenos/Annulene
AOX/AOX
apalcilina/Apalcillin
apamina/Apamin
apantallamiento/Abschirmung
aparato de Golgi/Golgi-Apparat
- de Hartmann/Hartmann-Rohr
- de Hofmann para descomposición del agua/Hofmannscher Zersetzungsapparat
- de Kipp/Kippscher Apparat
- de Pensky-Martens/Pensky-Martens
- de Warburg/Warburg-Apparatur
- respiratorio con aire comprimido/Preßluftatmer
- respiratorio con regeneración por oxígeno/Regenerationsgeräte

aparatos/Apparate
- calefactores/Heizgeräte
- para reacciones químicas/Reaktionsapparate
- respiratorios/Atemschutzgeräte

aparejos/Spachtelmassen
apatito/Apatit
aperitivos/Apéritifs
apigenina/Apigenin
apiína/Apiin
apio/Sellerie
- de montaña/Liebstöckel

apiol/Apiol
apiosa/Apiose
aplasmomicina/Aplasmomycin
aplicación/Applikation
apo…/Apo…
apocarotenal/Apocarotinal
apofilita/Apophylit
apolar/Apolar
apolato de sodio/Natriumapolat
apomorfina/Apomorphin
apoproteínas/Apoproteine
apoptosis/Apoptose
apraclonidina/Apraclonidin
apresto/Appretur
- inarrugable/Knitterfest-Ausrüstung
- „no-iron" (no plancha)/No Iron

aprindina/Aprindin
aprobarbital/Aprobarbital
aprotinina/Aprotinin
aproximación de Born-Oppenheimer/Born-Oppenheimer-Näherung

- semiclásica/Semiklassische Näherung

aqua/Aqua
aquavit/Aquavit
ar-/ar-
arabino-/arabino-
arabinogalactano/Arabinogalaktan
arabinonucleósidos/Arabinonucleoside
arabinosa/Arabinose
arabita/Arabit
arabitol/Arabit
arachne/Arachne
aracno-/arachno-
aragonita/Aragonit
aralquil…/Aralkyl…
aramidas/Aramide
araña común de jardín/Kreuzspinne
- esponjosa/Schwammspinner

arañas/Spinnen
arándanos encarnados/Preiselbeeren
árbol nim/Nimbaum
arborescina/Arborescin
arboricidas/Arborizide
arborolas/Arborol
arbutina/Arbutin
arcabacterias/Archaea
arcilla/Lehm, Ton, Tone
arco voltaico/Lichtbogen
ardor epigástrico (de estómago)/Sodbrennen
arecolina/Arecolin
arena/Sand
- de moldear/Formsand
- gruesa/Grieß

arenado/Sandstrahlen
arenas bituminosas/Ölsande
arenisca/Sandsteine
areniscas calcáreas/Kalksandsteine
areómetro/Aräometer
ARF (factor de ribosilación del ADP)/ARF
argatrobán/Argatroban
argentán/Argentan, Neusilber, Nickelmessing
argentita/Argentit
argilita/Tonstein
arginasa/Arginase
L-arginina/L-Arginin
argiopininas/Argiopinine
argiotoxina/Argiotoxine
argón/Argon
aridez/Aridität
árido/Betonzuschlag
aril…/Aryl…
arilación/Arylierung
arinos/Arine
aristoloquia clematitis/Osterluzei
(armario-)estufa/Wärmeschränke
armarios de seguridad/Sicherheitsschränke
- desecadores/Trockenschränke

armas biológicas/Biologische Waffen
- fumígenas/Nebelwaffen, Rauchwaffen
- incendiarias/Brandwaffen
- nucleares/Kernwaffen
- químicas/Chemische Waffen

árnica/Arnika
ARNm policistrónico/Polycistronische mRNA
aro-/Aasblumen
aroma de avellana/Haselnußaroma
- de cacao/Kakao-Aroma
- de café/Kaffee-Aroma
- de carne/Fleischaroma

Español

- de frambuesa/Himbeeraroma
- de hongos/Pilzaroma
- de la manteca/Butteraroma
- de manzana/Apfelaroma
- de pera/Birnenaroma
- de queso/Käse-Aroma
- de vino/Weinaroma
- del té/Tee-Aroma
- extraño/Off-flavour

aromas/Aromen, Gewürze
aromaticidad/Aromatizität
aromatización/Aromatisierung
arqueometria/Archäometrie
arrabio/Roheisen
arraclán/Faulbaum
arrestinas/Arrestine
arroz/Reis
arrurruz/Arrowroot
arsa.../Arsa...
arsenazo/Arsenazo I, II, III
arseniato de calcio/Calciumarsenat
arseniatos de cobre/Kupferarsenate
- de sodio/Natriumarsenate

arsenicales/Arsen-Präparate
arsénico/Arsen, Arseno...
- amarillo/Auripigment
- nativo/Scherbenkobalt
- rojo/Realgar

arseniuro de galio/Galliumarsenid
- de indio/Indiumarsenid
- de níquel/Nickelarsenid

arseniuros/Arsenide
arsenopirita/Arsenopyrit
arsfenamina/Arsphenamin
arsinas/Arsine
arsino.../Arsino...
arsoles/Arsole
arsonilación de Béchamp/Béchamp-Arsonylierung
artemisia/Beifuß
artemisina/Artemisin
arteriosclerosis/Arteriosklerose
Arthrobacter/Arthrobacter
articaína/Articain
articulos de consumo/Bedarfsgegenstände
artritis/Arthritis
arvejas/Wicken
...asa/...ase
asa fétida/Asa foetida
asarones/Asarone
asbesto/Asbest
asbestosis/Asbestose
ascaridol/Ascaridol
ascomicetos/Ascomyceten
ascorbato de sodio/Natriumascorbat
asfaltenos/Asphaltene
asfalto/Bitumen
asfaltos/Asphalte
- fríos/Kaltasphalte

asiaticósido/Asiaticosid
asim-/asym-
asimetría/Asymmetrie
asimilación/Assimilation
asistente químico-técnico/Chemisch-technische(r) Assistent(in)
asma/Asthma
asociación/Assoziation
asociaciones para la prevención y el seguro de accidentes del trabajo/Berufsgenossenschaften
asparagina/Asparagin
asparaginasa/Asparaginase
aspartamo/Aspartam
aspartato de transcarbamoilasa/Aspartat-Transcarbamoylase
aspartatos/Aspartate
asperdiol/Asperdiol
aspergilos/Aspergillus

asperón/Sandseife
aspicilina/Aspicilin
astacina/Astacin
astato/Astat
astaxantina/Astaxanthin
astemizol/Astemizol
asteraceas/Asteraceen
asteranos/Asterane
asterismo/Asterismus
asterosaponina/Asterosaponine
astrakanita/Astrakanit
astringentes/Adstringentien
asulam/Asulam
atacamita/Atacamit
atenolol/Atenolol
atenuador/Attenuator
atmolisis/Atmolyse
atmósfera/Atmosphäre
- iónica/Ionenwolke

...ato/...at
ato-complejos/at-Komplexe
atomización/Atomisierung
atomizador/Zerstäuber
atomizar/Zerstäuben
átomo/Atom
átomos asimétricos/Asymmetrische Atome
- calientes/Heiße Atome
- de Rydberg/Rydberg-Atome
- exóticos/Exotische Atome
- intersticiales/Zwischengitteratome
- mesónicos/Mesonen-Atome
- muónicos/Myonen-Atome

atorvastatín/Atorvastatin
atovacuón/Atovaquon
ATP-sintasas/ATP-Synthasen
ATPasa del sodio y potasio/Natrium-Kalium-ATPase
atracción de Coulomb/Coulomb-Anziehung
atracuriumbesilato/Atracuriumbesilat
atravesar/Durchschlagen
atrayentes/Attraktantien, Lockstoffe
- de insectos/Insektenlockstoffe

atrazina/Atrazin
atrocrisona/Atrochryson
atropina/Atropin
atropisomería/Atropisomerie
attapulgita/Attapulgit
atto.../Atto...
aucubina/Aucubin
auditoría de seguridad/Sicherheitsaudit
- del medio ambiente/Umweltaudit

aumento del agua subterránea/Grundwasseranreicherung
auralmagama/Goldamalgam
auramina/Auramin
auranofina/Auranofin
auratos/Aurate
aureobasidinas/Aureobasidine
aureolas/Aureolen
auricalcita/Aurichalcit
aurina/Aurin
aurintricarboxilato de amonio/Aurintricarbonsäure-Ammoniumsalz
aurora [polar]/Polarlicht
aurotioglucosa/Aurothioglucose
aurotiomalato de sodio/Natriumaurothiomalat
aurotiopolipéptido/Aurothiopolypeptid
austenita/Austenit
autacoides/Autacoide
autoadhesivo/Haftklebstoffe
autocatálisis/Autokatalyse
autoclaves/Autoklaven
autocontrol/Selbstüberwachung

autóctono/Autochthon
autodepuración/Selbstreinigung
- biológica/Biologische Selbstreinigung

autografía/Autographie
autoignición/Selbstentzündung
autoinmunidad/Autoimmunität
autoionización/Autoionisation
autólisis/Autolyse
automación/Automation
automatización de sistemas de ensayos/Automation von Testsystemen
automerización/Automerisierung
automóviles poco contaminantes/Schadstoffarmes Auto
autoorganización/Selbstorganisation
autooxidación/Autoxidation
autoridad de previa autorización/Genehmigungsbehörden
autorización de productos recombinantes/Zulassung rekombinanter Produkte
autorradiografía/Autoradiographie
autosoma/Autosom
autotrofia/Autotrophie
autunita/Autunit
auxiliares curtientes/Gerbhilfsmittel
- de la trituradora para embutidos/Kutterhilfsmittel
- de mercerizado/Mercerisierhilfsmittel
- de polimerización/Polymerisationshilfsmittel
- del hormigón/Betonzusatzmittel
- para la fabricación de queso/Käsereihilfsstoffe
- para lacas/Lackhilfsmittel
- textiles catiónicos/Kationaktive Textilhilfsmittel

auxinas/Auxine
auxocromo/Auxochrome
avarol/Avarol
avellanas/Haselnüsse
aventado/Sichten, Windsichten
aventurina/Aventurin
averufina/Averufin
avidina/Avidin
avilamicina/Avilamycine
avispa abejera/Bienenwolf
avispas/Wespen
avitaminosis/Avitaminosen
avivado/Avivage
avivaje/Avivage
axial/Axial
axinita/Axinit
ayahuasca/Ayahuaska
ayuda por pipeteo/Pipetierhilfen
aza.../Aza...
azabache/Gagat
5-azacitidina/5-Azacytidin
azadiractina/Azadirachtin(e)
azafrán/Safran
azaguanina/8-Azaguanin
azapolímeros/Azopolymere
azapropazona/Azapropazon
azaserina/Azaserin
azatadina/Azatadin
azatioprina/Azathioprin
6-azauridina/6-Azauridin
azelastina/Azelastin
azelatos/Azelate
...azepam/...azepam
azepinas/Azepine
azetidina/Azetidine
azetos/Azete
azida de hidrógeno/Stickstoffwasserstoffsäure
- de plomo/Bleiazid
- de sodio/Natriumazid

- de yodo/Iodazid

azidamfenicol/Azidamfenicol
azidas/Azide
- de ácidos/Säureazide
- de acilos/Säureazide

azidocilina/Azidocillin
azimsulfurona/Azimsulfuron
azinas/Azine
azintamida/Azintamid
aziridina/Aziridine
aziridinonas/Aziridinone
azirinas/Azirine
azitromicina/Azithromycin
azlocilina/Azlocillin
azo.../Azo...
azobenceno/Azobenzol
2,2′-azobisisobutironitrilo/Azoisobutyronitril
azociclotina/Azocyclotin
azodicarbonamida/Diazendicarbonsäurediamid
azoles/Azole
azometino ílidos/Azomethin-Ylide
- -iminas/Azomethin-Imine

azometinos/Azomethine
azosemida/Azosemid
azoxibenceno/Azoxybenzol
azoxicompuestos/Azoxy-Verbindungen
azoxiestrobina/Azoxystrobin
aztreonam/Aztreonam
azúcar/Zucker
- candi/Kandis(zucker)
- de palma/Palmzucker
- invertido/Invertzucker
- refinado/Raffinade

azufre/Schwefel
- cíclico/Cycloschwefel
- coloidal/Kolloidschwefel
- humedecible/Netzschwefel

azul álcali/Alkaliblau
- chino/Chinablau
- claro/Lichtblau
- de anilina/Anilinblau
- de Berlín/Berliner Blau
- de bromoclorofenol/Bromchlorphenolblau
- de bromofenol/Bromphenolblau
- de bromotimol/Bromthymolblau
- de cobalto/Cobaltblau
- de disulfina/Disulfinblau VN 150
- de Evan/Evans Blau
- de manganeso/Manganblau
- de Meldola/Meldolablau
- de metileno/Methylenblau
- de metilo/Methylblau
- de metiltimol/Methylthymolblau
- de Milori/Moriblau
- de molibdeno/Molybdänblau
- de Prusia/Berliner Blau, Preußisch Blau
- de tetrazolio/Tetrazoliumblau
- de timol/Thymolblau
- de tinta/Tintenblau
- de toluidina O/Toluidinblau O
- de toluileno/Toluylenblau
- de Turnbull/Turnbulls Blau
- de xilenol/Xylenolblau
- egipcio/Ägyptisch Blau
- marino/Wasserblau
- Nilo A/Nilblau A
- Victoria/Viktoriablau

azulado/Bläuen
azulenos/Azulene
azules ácidos/Patentblau-Farbstoffe
- patente/Patentblau-Farbstoffe

azurita/Azurit

B

bacampicilina/Bacampicillin
bacilo/Bacillus
bacitracina/Bacitracin
baclofeno/Baclofen
bacterias/Bakterien
– acidófilas/Acidophile Bakterien
– aeróbicas obligadas/Obligat aerobe Bakterien
– alcalófilas/Alkalophile Bakterien
– anaeróbicas obligadas/Obligat anaerobe Bakterien
– de gas detonante/Knallgasbakterien
– degradantes del petróleo/Erdölverwertende Bakterien
– del azufre/Schwefelbakterien
– del hierro/Eisenbakterien
– del suelo/Bodenbakterien
– mucilagíneas/Myxobakterien
– nodulares/Knöllchenbakterien
– oxidantes del azufre/Schwefeloxidierende Bakterien
– reductoras del sulfato/Sulfat-reduzierende Bakterien
bactericidas/Bakterizide
bacteriocinas/Bacteriocine, Bakteriocine
bacterioclorofilas/Bakteriochlorophylle
bacteriófagos/Phagen
[bacterio]fago T4/T4-Phage
bacteriofeofitinas/Bakteriophäophytine
bacteriorrodopsina/Bakteriorhodopsin
bacteriostáticos/Bakteriostatika
baculovirus/Baculoviren
baddeleyita/Baddeleyit
badián/Sternanis
badionas/Badione
bagazo/Bagasse
bajío/Watt
bajo/Watt
balance de residuos/Abfallbilanz
– térmico (calorífico)/Wärmebilanz
balanol/Balanol
balanza de Langmuir/Langmuirsche Waage
– de Mohr/Mohrsche Waage
– magnética/Magnetische Waage
balanzas/Waagen
baldosas/Fliesen
balón (matraz) de fondo redondo/Rundkolben
bálsamo de copaiba/Kopaivabalsam
– de gurjún/Gurjunbalsam
– de Tolú/Tolubalsam
– del Canadá/Kanadabalsam
– del Perú/Perubalsam
bálsamos/Balsame
bambuterol/Bambuterol
bametano/Bamethan
bamifilina/Bamifyllin
bamipina/Bamipin
banco de datos/Datenbanken
– de genes/Genbank
– de pruebas medioambientales/Umweltprobenbank
bancos de ADNc/cDNA-Genbank
– de datos en la ingeniería genética/Datenbanken in der Gentechnik
bandas de energía/Energiebänder
baño de tintura o de tenir/Flotte
– de vapor/Dampfbad
– maría (de agua)/Wasserbad
baños calefactores/Heizbäder
– de aire/Luftbäder
– de arena/Sandbäder
– de azufre/Schwefel-Bäder
– de espuma/Schaumbäder
barbabejo/Schneeball
barbexaclona/Barbexaclon
barbital/Barbital
barbituratos/Barbiturate
barbitúricos/Barbiturate
bario/Barium
bariones/Baryonen
barita/Baryt
– brillante/Glanzbaryt
barnices/Firnisse, Lacke, Polituren
– aislantes/Isolierlacke
– de resina/Harzfirnisse, Harzlacke
– de resina acrílica/Acrylharz-Lacke
– de resinas alquídicas/Alkydharz-Lacke
– grasos o al aceite/Öllacke
– para pavimentos/Fußbodenlacke
barniz/Lasur
– al fuego/Einbrennlacke
– zapón/Zaponlack
barnizado/Glasur
barómetro/Barometer
barra para pruebas de dureza/Härteprüfstab
barras/Barren
– de labios/Lippenstifte
– para la agitación magnética/Magnetrührstäbchen
barreleno/Barrelen
barrera de Coulomb/Coulomb-Barriere
– de inversión/Inversionsbarriere
– hematoencefálica/Blut-Hirn-Schranke
barro/Fango, Lehm, Schlamm, Schlick
– en exceso/Überschußschlamm
– hinchado/Blähschlamm
basalto fundido/Schmelzbasalt
basaltos/Basalte
base/Basis
– de datos/Datenbanken
– de Hünig/Hünig-Base
– de Lewis/Lewis-Base
– de Millon/Millonsche Base
– de Troeger/Tröger-Base
bases/Basen
– análogas/Basen-Analoge
– de Schiff/Schiffsche Basen
– de ungüentos (pomadas)/Salbengrundlage
– monoácidas/Einsäurige Basen
– sólidas/Echtbasen
basicidad/Basizität
basidiomicetos/Basidiomyceten
basketeno/Basketen
basofilia/Basophilie
bastadinas/Bastadine
bastnaesita/Bastnäsit
bastoncitos de magnesia/Magnesiastäbchen
basuras domésticas/Hausmüll
basureras abandonadas/Altlasten
batanado/Walken
batata/Batate
batería de litio/Lithium-Batterie
bateria descargada/Altbatterie
baterías/Batterien
batic/Batik
batocromo/Bathochrom
batocuproína/Bathocuproin
batofenantrolina/Bathophenantholin
batrocotoxina/Batrachotoxin
batroxobina/Batroxobin
bauxita/Bauxit
bayas del arándano/Heidelbeeren
– del mirtilo/Heidelbeeren
bazo/Milz
bebidas/Getränke
– alcohólicas/Alkoholische Getränke
– alcohólicas o espirituosas/Spirituosen
– gaseosas/Brausen
– refrescantes (de esencias de frutas)/Limonaden
beclamida/Beclamid
beclometasona/Beclometason
becquerel/Becquerel
befunolol/Befunolol
belemnites/Belemniten
beleño/Bilsenkraut
belladona/Tollkirsche
bemegrida/Bemegrid
bemetizida/Bemetizid
benactecina/Benactyzin
benalaxil/Benalaxyl
benazepril/Benazepril
benazolina/Benazolin
benceno/Benzol
– de Dewar/Dewar-Benzol
bencenoide/Benzoid
bencenosulfinil…/Benzolsulfinyl…
bencenosulfonamida/Benzolsulfonamid
bencenosulfonil…/Benzolsulfonyl…
bencenosulfonilamino…/Benzolsulfonylamino…
benciclano/Bencyclan
bencidamina/Benzydamin
bencidina/Benzidin
bencil…/Benzyl…
bencilación/Benzylierung
bencilamina/Benzylamin
bencilanilina/Benzylanilin
bencilcelulosa/Benzylcellulose
bencildioximas/Benzildioxime
4-bencilfenol/4-Benzylphenol
bencilhidroclorotiazida/Benzylhydrochlorothiazid
benciliden…/Benzyliden…
bencilidenacetofenona/Chalkon
bencilidenacetona/Benzylidenaceton
bencilo/Benzil
benciloxi…/Benzyloxy…
benciloxicarbonil…/Benzyloxycarbonyl…
benciltio…/Benzylthio…
bencilviológeno/Benzylviologen
bencimidazol/Benzimidazol
bencina/Benzin
– de petróleo/Petroleumbenzin
– ligera/Leichtbenzin
– pesada/Schwerbenzin
bencinas para lacas/Testbenzine
bendiocarb/Bendiocarb
bendroflumetiazida/Bendroflumethiazid
benfotiamina/Benfotiamin
benfuracarb/Benfuracarb
benfuresato/Benfuresat
bengamidas/Bengamide
benitoita/Benitoit
benjuí/Benzoeharz
benomilo/Benomyl
benorilato/Benorilat
benperidol/Benperidol
benproperina/Benproperin
benserazida/Benserazid
bensulida/Bensulid
bensultap/Bensultap
bentazona/Bentazon
bentiamina/Bentiamin
bentiromida/Bentiromid
bentonita/Bentonite
benzaldehído/Benzaldehyd
benzamida/Benzamid
benzamido…/Benzamido…
benzanilida/Benzanilid
benz[a]antraceno/Benz[a]anthracen
benzantrona/Benzanthron
benzarona/Benzaron
benzatina bencilpenicilina/Benzylpenicillin-Benzathin
benzatropina/Benzatropin
benzhidril…/Benzhydryl…
benz(o)…/Benz(o)…
benzo[a]pireno/Benzo[a]pyren
benzoato de amonio/Ammoniumbenzoat
– de bencilo/Benzoesäurebenzylester
– de etilo/Benzoesäureethylester
– de isobutilo/Benzoesäureisobutylester
– de metilo/Benzoesäuremethylester
– de 2-naftilo/Benzoesäure-2-naphthylester
– de sodio/Natriumbenzoat
benzoatos/Benzoate
benzo[b]furano/Benzofuran
benzobromarona/Benzbromaron
benzo[b]tiofeno/Benzo[b]thiophen
benzocaína/Benzocain
benzoctamina/Benzoctamin
1,4-benzodiazepinas/1,4-Benzodiazepin(e)
benzofenona/Benzophenon
benzoguanamina/Benzoguanamin
benzohidrol/Benzhydrol
benzoil…/Benzoyl…
N-benzoil-N-fenilhidroxilamina/N-Benzoyl-N-phenylhydroxylamin
benzoilación/Benzoylierung
benzoilamino…/Benzoylamino…
benzoiloxi…/Benzoyloxy…
benzoína/Benzoin
benzonatato/Benzonatat
benzonitrilo/Benzonitril
benzopurpurina 4 B/Benzopurpurin 4 B
benzoquinamida/Benzquinamid
benzoquinolinas/Benzochinoline
benzoquinonas/Benzochinone
benzotiazida/Benzthiazid
benzotiazol/Benzothiazol
1H-benzotriazol/1H-Benzotriazol
benzotricloruro/Benzotrichlorid
benzotrifluoruro/Benzotrifluorid
benzvaleno/Benzvalen
berberina/Berberin
berenjenas/Auberginen
bergapteno/Bergapten
beriberi/Beri-Beri
berilatos/Beryllate
berilio/Beryllium
beriluros/Beryllide
berilo/Beryll
berkelio/Berkelium
berquelio/Berkelium
bertólidos/Berthollide
bertrandita/Bertrandit
berza/Kohl
bestatina/Bestatin
beta-ciflutrina/Beta-Cyfluthrin
betacaroteno/Betacaroten
betahistina/Betahistin
betaína/Betain
betaínas/Betaine
betalaínas/Betalaine
betametasona/Betamethason
betaxolol/Betaxolol
betazol/Betazol
betonica/Ziest

Español

betulina/Betulin
betún/Bitumen
– de injertar/Baumwachs
bezafibrato/Bezafibrat
bezoar/Ziegensteine
bezoximato/Benzoximat
biacetilo/2,3-Butandion
bibliografías/Bibliographien
biblioteca de Kekulé/Kekulé-Bibliothek
bibliotecas/Bibliotheken
bibrocatol/Bibrocathol
biciclo[..]…/Bicyclo[…]…
biestabilidad óptica/Optische Bistabilität
biexcitón/Biexciton
bifenil-2,2'-diol/Biphenyl-2,2'-diol
bifenileno/Biphenylen
bifenilil…/Biphenylyl…
bifenilo/Biphenyl
bifeniloles/Biphenylole
bifenilos polibromados/PBB
– policlorados/PCB
bifenoxo/Bifenox
bifentrina/Bifenthrin
bifonazol/Bifonazol
big bang/Urknall
– banggran explosión/Urknall
biguanidas/Biguanide
bikaverina/Bikaverin
bilanafos/Bilanafos
bilharziasis/Bilharziose
bilharziosis/Schistosomiasis
bilirrubina/Bilirubin
bilis/Galle, Gallen
biliverdina/Biliverdin
billetes/Scheidemünzen
billón/Milliarde
bilobalida/Bilobalid
bimetal/Bimetall
binaftil/Binaphthyl
bindinas/Bindine
bioactivación/Bioaktivierung
bioacumulación/Bioakkumulation
biocatalizadores/Biokatalysatoren
biocenosis/Biozönose
biochip/Biochip
biocompatibilidad/Biokompatibilität
bioconcentración/Biokonzentration
biodegradabilidad/Biologische Abbaubarkeit
biodeterioración de materiales/Biodeterioration
bioenergética/Bioenergetik
bioequivalencia/Bioäquivalenz
bioética/Bioethik
biofarmacia/Biopharmazie
biofísica/Biophysik
biogás/Biogas
biogénesis/Biogenese
biógeno/Biogen
biogeocenosis/Ökosystem
biogeoquimica/Biogeochemie
bioindicador/Bioindikator
bioingeniería/Bioverfahrenstechnik
bioingeniero/Bioingenieur
bioinsecticidas/Bioinsektizide
biolixiviación/Bioleaching
biología/Biologie
– aerobia/Aerobe Biologie
– anaerobia/Anaerobe Biologie
– de altura/Hochbiologie
– de radiaciones/Strahlenbiologie
– de torre/Turmbiologie
– farmacéutica/Pharmazeutische Biologie
– marina/Meeresbiologie
– molecular/Molekularbiologie
bioluminiscencia/Biolumineszenz

bioma/Biom
biomagnificación/Biomagnifikation
biomasa/Biomasse
biomateriales/Biowerkstoffe
biomoléculas/Biomoleküle
biónica/Bionik
biopolímeros/Biopolymere
biopterina/Biopterin
bioquímica/Biochemie
bioreactor/Bioreaktor
biosas/Biosen
biosensor/Biosensor
biosfera/Biosphäre
biosíntesis de los ácidos grasos/Fettsäure-Biosynthese
– de porfirina/Porphyrin-Biosynthese
– precursor-dirigida/Vorläufer-dirigierte Biosynthese
biotecnología/Biotechnologie
biotelemetría/Biotelemetrie
biotensioactivo/Biosurfactants
biotest/Biotest
biotina/Biotin
biotopo/Biotop
biotransformación/Biotransformation
biotrofía/Biotrophie
biperideno/Biperiden
2,2'-bipiridina/2,2'-Bipyridin
bipolímero/Bipolymer
2,2'-biquinolina/2,2'-Bichinolin
birnesita/Birnessit
birrefringencia/Doppelbrechung
– bajo tensión/Spannungsdoppelbrechung
– de corriente/Strömungsdoppelbrechung
bis…/Bis…
2,5-bis-4-bifenililoxazol/BBO
bis(η^5-ciclopentadienil)…/Bis(η^5-cyclopentadienyl)…
bisabolenos/Bisabolene
(–)-α-bisabolol/(–)-α-Bisabolol
bisacodilo/Bisacodyl
bischofita/Bischofit
bis(ciclohexilidenhidrazida) oxálica/Oxalsäure-bis(cyclohexylidenhydrazid)
biscumacetato de etilo/Ethylbiscoumacetat
bisfenol A/Bisphenol A
bismita/Wismutocker
bismutato(V) de sodio/Natriumbismutat(V)
bismutina/Bismuthinit
bismutino…/Bismutino…
bismuto/Bismut
bismuturos/Bismutide
bisoprolol/Bisoprolol
bistre o pardo de manganeso/Manganbraun
bis(trifluorometil)nitróxido/Bis(trifluormethyl)nitroxid
bitartrato de prajmalio/Prajmaliumbitartrat
bitertanol/Bitertanol
bitionol/Bithionol
bitter/Magenbitter
bituminsulfonatos/Bituminosulfonate
biuret/Biuret
bixina/Bixin
bizcocho/Zwieback
biznaga/Ammi visnaga
blanco/Target
– danés/Dänischweiß
– de ballena/Walrat
– de plomo/Bleiweiß
– de sulfato de plomo/Sulfatbleiweiß
– perla/Perlweiß

blanqueadores ópticos/Optische Aufheller
blanqueo/Bleichen
– textil/Textilbleiche
blanten lanceolado/Spitzwegerich
– menor/Spitzwegerich
blasticidinas/Blasticidine
blenda de zinc/Zinkblende
bleomicinas/Bleomycine
blindaje/Abschirmung
bloqueadores adrenérgicos/Sympath(ik)olytika
bloqueo/Blocken
Bn/Bn
bobinas de Helmholtz/Helmholtz-Spulen
boc-aminoácidos/Boc-Aminosäuren
boca del alto horno/Gicht
bocio/Kropf
bol/Bolus
bolas de pudelaje/Luppen
– de vidrio/Glaskugeln
boldina/Boldin
boldo/Boldo
boletín de resúmenes/Referateorgane
bolómetro/Bolometer
bolsa de intercambio de residuos/Abfallbörse
– de pastor/Hirtentäschel
bolus/Bolus
bomba de anillo de agua/Wasserringpumpe
– de difusión/Diffusionspumpe
– de engranajes/Zahnradpumpe
– iónica/Ionenpumpe
– protónica/Protonenpumpe
– Roots/Wälzkolbenpumpe
– turbomolecular/Turbomolekularpumpe
– universal de Wurzschmitt/Universalbombe
– volumétrica/Verdrängerpumpen
bombas/Pumpen
– de calcio/Calcium-Pumpen
– fétidas/Stinkbomben
– helicoidales/Schneckenpumpen
– incendiarias (de magnesio)/Stabbrandbomben
– peristálticas/Schlauchpumpen
– térmicas o caloríficas o de calor/Wärmepumpen
bombeo óptico/Optisches Pumpen
bombesina/Bombesin
bombicol/Bombykol
bombonas/Ballons
bombones/Pralinen
bonelín/Bonellin
bonetero/Pfaffenhütchen
boniato/Batate
bonificado/Vergüten
bopindolol/Bopindolol
boquilla/Düsen
bora…/Bora…
9-borabiciclo[3.3.1]nonano/9-Borabicyclo[3.3.1]nonan
boracita/Boracit
boranatos/Boranate
boranos/Borane
borata…/Borata…
borato de amonio/Ammoniumborate
– de calcio/Calciumborat
– de litio/Lithiumborat
boratos/Borate
– de cinc/Zinkborate
bórax/Borax
borazinas/Borazine
boril…/Boryl…
bornano/Bornan
bornaprina/Bornaprin

borneol/Borneol
bornita/Bornit
boro/Bor
borohidruro de litio/Lithiumborhydrid
– de potasio/Kaliumborhydrid
– de sodio/Natriumborhydrid
boroles/Borole
boromicina/Boromycin
borotiínas/Borthiine
boroxinas/Boroxine
borra/Flocke
borraja/Borretsch
borrelidina/Borrelidin
borurar/Borieren
boruros/Boride
– de cromo/Chromboride
bosones/Bosonen
bosta/Mist
bostríquidos/Borkenkäfer
botánica/Botanik
botella Winkler/Winkler-Flasche
botellas de acero/Bomben
– de gas a presión/Bomben
– de Woulfe/Woulfe-Flaschen
botulismo/Botulismus
boulangerita/Boulangerit
bournonita/Bournonit
bpy/bpy
bradiquinina/Bradykinin
bralobarbital/Brallobarbital
brandy/Weinbrand
brannerita/Brannerit
braquino/Bombardierkäfer
brasilianita/Brasilianit
brasilina/Brasilin
brassinoesteroides/Brassinosteroide
braunita/Braunit
brea/Pech, Teer
– de ácido graso/Fettpech
– de alquitrán de madera/Holzpech
– de estearina/Stearinpech
– de madera/Holzpech
brefeldinas/Brefeldine
breininas/Breynine
brevetoxinas/Brevetoxine
brevicomina/Brevicomin
bricho de oro/Rauschgold
brillo/Glanz
brionia/Zaunrübe
briostatinas/Bryostatine
briquetación/Brikettierung
briquetaje/Brikettierung
briqueteado/Brikettierung
brivudina/Brivudin
brocado/Brokat
brochantita/Brochantit
brodifacoum/Brodifacoum
bromacil/Bromacil
bromación/Bromierung
bromadiolón/Bromadiolon
bromato de potasio/Kaliumbromat
– de sodio/Natriumbromat
bromazepam/Bromazepam
bromelaína/Bromelain
bromelina/Bromelain
brometalina/Bromethalin
bromfeniramina/Brompheniramin
bromhexina/Bromhexin
bromisoval/Bromisoval
bromo/Brom
bromo…/Brom…
1-bromo-2-buteno/1-Brom-2-buten
N-bromoacetamida/N-Bromacetamid
bromoacetato de etilo/Bromessigsäureethylester
ω-(o α-)bromoacetofenona/ω-(od. α-)Bromacetophenon

bromobenceno/Brombenzol
bromociclohexano/Bromcyclohexan
bromoclorofeno/Bromchlorophen
bromoclorometano/Bromchlormethan
bromocriptina/Bromocriptin
1-bromodecano/1-Bromdecan
β-bromoestireno/β-Bromstyrol
4-bromofenol/4-Bromphenol
bromoformo/Bromoform
bromohidrinas/Bromhydrine
1-bromonaftaleno/1-Bromnaphthalin
bromopiridinas/Brompyridine
bromoprida/Bromoprid
bromopropilato/Brompropylat
N-bromosuccinimida/N-Bromsuccinimid
bromosulfaleína/Bromsulfalein
5-bromouracilo/5-Bromuracil
bromoxinil/Bromoxynil
bromperidol/Bromperidol
bromuconazol/Bromuconazol
bromureidas/Bromureide
bromuro de acetilo/Acetylbromid
– de alilo/Allylbromid
– de aluminio/Aluminiumbromid
– de ambutonio/Ambutoniumbromid
– de amonio/Ammoniumbromid
– de bencilo/Benzylbromid
– de bencilonio/Benziloniumbromid
– de butilo/Butylbromide
– de cadmio/Cadmiumbromid
– de calcio/Calciumbromid
– de cetiltrimetilamonio/Cetyltrimethylammoniumbromid
– de cianógeno/Bromcyan
– de ciclonio/Cicloniumbromid
– de clidinium/Clidiniumbromid
– de decametonio/Decamethoniumbromid
– de demecario/Demecariumbromid
– de dimidio/Dimidiumbromid
– de diponio/Diponiumbromid
– de distigmina/Distigminbromid
– de domifeno/Domiphenbromid
– de emepronio/Emeproniumbromid
– de etilo/Ethylbromid
– de fenilmagnesio/Phenylmagnesiumbromid
– de fenpiverinio/Fenpiveriniumbromid
– de fentonio/Fentoniumbromid
– de glicopirronio/Glycopyrroniumbromid
– de hexacarbacolina/Hexacarbacholinbromid
– de hexadecilo/Hexadecylbromid
– de hexametonio/Hexamethoniumbromid
– de hexilo/Hexylbromid
– de hidrógeno/Bromwasserstoff
– de homidio/Homidiumbromid
– de ipratropio/Ipratropiumbromid
– de litio/Lithiumbromid
– de magnesio/Magnesiumbromid
– de mercurio(II)/Quecksilber(II)-bromid
– de metantelinio/Methantheliniumbromid
– de metileno/Methylenbromid
– de metilo/Methylbromid
– de níquel(II)/Nickel(II)-bromid
– de octilo/Octylbromid
– de oxifenonio/Oxyphenoniumbromid

– de oxitropio/Oxitropiumbromid
– de pancuronio/Pancuroniumbromid
– de pipenzolato/Pipenzolatbromid
– de piproctanilo/Piproctanylbromid
– de piridostigmina/Pyridostigminbromid
– de plata/Silberbromid
– de potasio/Kaliumbromid
– de propantelina/Propanthelinbromid
– de propargilo/Propargylbromid
– de rocuronilo/Rocuroniumbromid
– de sodio/Natriumbromid
– de talio/Thallium(I)-bromid
– de tropenzilina/Tropenzilin-bromid
– de valetamato/Valethamatbromid
– de vecuronio/Vecuroniumbromid
– de vinilo/Vinylbromid
– de xenitropio/Xenytropiumbromid
bromuros/Bromide
– de cobre/Kupferbromide
– de fósforo/Phosphorbromide
– de propilo/Propylbromide
– de xililo/Xylylbromide
– de yodo/Iodbromide
bronce de campana/Glockenwerkstoffe
– de campanas/Glockenbronze
– de magnesio/Magnesiumbronze
– de manganeso/Manganbronzen
– de plata/Silberbronze
– rojo/Rotguß
broncear/Broncieren
bronces/Bronzen
– al tungsteno/Wolframbronzen
– complejos/Mehrstoffbronzen
– de aluminio/Aluminiumbronzen
– de fósforo/Phosphorbronzen
– de níquel/Nickelbronzen
– sinterizados/Sinterbronzen
broncolíticos/Broncholytika
bronquitis/Bronchitis
broquinaldol/Broquinaldol
brotación/Knospung
brotizolam/Brotizolam
broxiquinolina/Broxychinolin
bruceantina/Bruceantin
brucina/Brucin
brucita/Brucit
brusco/Ruscus
bucetina/Bucetin
buchú/Bucco
bucle de la horquilla/Haarnadelschleife
– P/P-loop
buclizina/Buclizin
buclosamida/Buclosamid
budesonida/Budesonid
bufadienolidas/Bufadienolide
bufenina/Buphenin
bufeniodo/Bufeniod
bufexamaco/Bufexamac
buflomedil/Buflomedil
buformina/Buformin
bufotoxina/Bufotoxin
bufotoxinas/Krötengifte
bujía/Kerze
bulbocapnina/Bulbocapnin
bulvaleno/Bullvalen
bumadizona/Bumadizon
bumetanida/Bumetanid
bunamiodil/Bunamiodyl
bunazosina/Bunazosin
bungarotoxinas/Bungarotoxine
bunitrolol/Bunitrolol

bupirimato/Bupirimat
bupivacaína/Bupivacain
bupranolol/Bupranolol
buprenorfina/Buprenorphin
buprofezina/Buprofezin
burbujas/Blasen
burbujeador/Blasenzähler
bureta de Schellbach/Schellbach-Bürette
buretas/Büretten
buserelina/Buserelin
buspirona/Buspiron
búsquedas en línea/Online-Recherchen
– on-line/Online-Recherchen
busulfán/Busulfan
butacaína/Butacain
butacloro/Butachlor
1,3-butadieno/1,3-Butadien
butalamina/Butalamin
butalbitale/Butalbital
butamirato/Butamirat
butanilicaína/Butanilicain
butano/Butan
1,4-butanodiamina/1,4-Butandiamin
butanodioles/Butandiole
butanol/Butanole
2-butanona/2-Butanon
1-butanotiol/1-Butanthiol
butaperazina/Butaperazin
butaverina/Butaverin
2-buten-1,4-diol/2-Buten-1,4-diol
(E)-2-butenal/(E)-2-Butenal
2-butenil.../2-Butenyl...
buteno/Buten
1-buteno-3-ino/1-Buten-3-in
(E)-2-butenoato de etilo/(E)-2-Butensäureethylester
butenolidas/Butenolide
butetamato/Butetamat
butil.../Butyl...
butil-litio/Butyllithium
2-terc-butil-4- (ó 5-)metilfenol/2-tert-Butyl-4-(bzw. 5)-methylphenol
butilamina/Butylamine
butilato/Butylat
terc-butilfenol/tert-Butylphenole
terc-butilhidroquinona/tert-Butylhydrochinon
butiliden.../Butyliden...
terc-butilmetoxifenol/tert-Butylmethoxyphenol
4-terc-butilpirocatecol/4-tert-Butylbrenzcatechin
1-butino/1-Butin
2-butino-1,4-diol/2-Butin-1,4-diol
butinolina/Butinolin
butiraldehído/Butyraldehyd
butiratos/Buttersäureester
butiril.../Butyryl...
butirofenona/Butyrophenon
γ-butirolactona/γ-Butyrolacton
butirómetro/Butyrometer
butizida/Butizid
butobarbital/Butobarbital
butocarboxima/Butocarboxim
butoxi.../Butoxy...
terc-butoxicarbonil.../tert-Butoxycarbonyl...
butoxicarboxima/Butoxycarboxim
butóxido de piperonilo/Piperonylbutoxid
terc-butóxido de potasio/Kalium-tert-butoxid
butóxidos/Butoxide

C

cabello/Haar
cabenegrinas/Cabenegrine

cabergolina/Cabergolin
cabra cordobán/Saffian
cabritilla/Glacéleder, Nappaleder, Ziegenleder
cabrito/Pfifferlinge
cacahuetes/Erdnüsse
cacao/Kakao
caco.../Kako...
cacotelina/Kakothelin
cadena/Ketten
– alimenticia/Nahrungskette
– como gusano/Kratky-Porod-Kette
– enlazada libremente/Phantomkette
– invariante/Invariante Kette
– Kratky-Porot/Kratky-Porod-Kette
– lateral/Seitenkette
– nutritiva/Nahrungskette
– respiratoria/Atmungskette
cadherinas/Cadherine
cadineno/Cadinen
cadion/Cadion
cadmio/Cadmium
cadsurenona/Kadsurenon
cadusafos/Cadusafos
cafaminol/Cafaminol
café/Kaffee
– (de) malta/Malzkaffee
– de selección/Triage-Kaffee
cafedrina/Cafedrin
cafeína/Coffein
cainita/Kainit
cairomonas/Kairomone
caja de Hogness/Hogness-Box
– de manipulación con guantes/Glove box
– de Pribnow/Pribnow(-Schaller)-Box
cal azucarada/Zuckerkalk
– celular/Zellenkalk
– de abono/Düngekalk
– de cemento/Zementkalk
– de placas/Plattenkalke
– hidráulica/Wasserkalk
– nitrogenada/Kalkstickstoff
– siderúrgica/Hüttenkalk
– sodada/Natronkalk
calabaza/Kürbis
calamidad/Kalamität
calamina/Galmei
cálamo aromático/Kalmus
calandria/Kalander
calasa/Kallase
calbindinas/Calbindine
calcedonia/Chalcedon
calceína/Calcein
calcifediol/Calcifediol
calciferoles/Calciferole
calcificación/Verkalken
calcífugo/Kalzifug
calcimicina/Calcimycin
calcinación/Calcinieren, Rösten
calcineurina/Calcineurin
calcio/Calcium
calciporona/Chalciporon
calcipotriol/Calcipotriol
calcita/Calcit
calcitonina/Calcitonin
calco.../Chalko...
calceofilsina/Wolfsbergit
calcógenos/Chalkogene
calcogenuros/Chalkogenide
calcón/Calcon
calcona/Chalkon
calcopirita/Kupferkies
cálculo de errores/Fehlerrechnung
cálculos biliares/Gallensteine
– urinarios/Harnsteine
caldera de circulación forzada/Zwangsumlaufkessel

caldesmona/Caldesmon
caldo bordelés/Kupferkalkbrühe
– borgoñés/Kupferkalkbrühe
– cúprico/Kupferkalkbrühe
calentamiento por microondas/ Mikrowellenerhitzung
calibración universal/Universelle Kalibrierung
calibrar/Kalibrieren
calicantina/Calycanthin
caliche/Caliche
calicreínas/Kallikreine
caliculinas/Calyculine
calidad de las aguas/Gewässergüte
– del medio ambiente/Umweltqualität
calidina/Kallidin
caliente/Heiß
caliesteroles/Calysterole
californio/Californium
caliqueamicinas/Calicheamicine
calizas/Kalke
callicidas/Hühneraugenmittel
calmagite/Calmagit
calmodulina/Calmodulin
calnexina/Calnexin
calomelanos/Kalomel
calor/Wärme
– atómico/Atomwärme
– de combustión/Verbrennungswärme
– de formación/Bildungswärme
– de fusión/Schmelzwärme
– de reacción/Reaktionswärme
– de vaporización/Verdampfungswärme
– específico/Spezifische Wärmekapazität
– molar/Molwärme
– perdido/Abwärme
calores de transformación/Umwandlungswärmen
caloría/Kalorie
calorimetría/Kalorimetrie
– diferencial dinámica/Dynamische Differenz-Kalorimetrie
calosa/Kallose
calpainas/Calpaine
calponina/Calponin
calreticulina/Calreticulin
calretinín/Calretinin
calsequestrina/Calsequestrin
calzados protectores/Schutzschuhe
cámara (colector) de arena/Sandfang
– de burbujas/Blasenkammer
– de recuento/Zählkammer
– de turbulencia/Wirbelkammer
– de Wilson/Wilson-Kammer
camazepam/Camazepam
cambio de estado/Zustandsänderung
camilofina/Camylofin
camino de ácido 3-oxoadípico/3-Oxoadipinsäure-Weg
– de pentosafosfatos/Pentosephosphat-Weg od. -Cyclus
– dead-end/Dead-end pathway
camote/Batate
campo de fuerza/Kraftfeld
campos de irrigación/Rieselfeld
caña de soplador/Glasmacherpfeife
canales de calcio/Calcium-Kanäle
– de los cloruros/Chlorid-Kanäle
– de potasio/Kalium-Kanäle
– de sodio/Natrium-Kanäle
– iónicos/Ionenkanäle
canalización/Kanalisation
– indirecta/Indirekteinleiter
cáñamo/Hanf

– de Bengala/Sunn
cañamo de Manila/Manilahanf
cáñamo de sisal/Sisal
canavanina/Canavanin
cáncer/Krebs
– vegetal/Pflanzenkrebs
cancerígenos/Carcinogene
candela/Candela
candelaria/Königskerzen
candicidina/Candicidin
candidina/Candidin
candoluminiscencia/Candoluminneszenz
canela/Zimt
– de Padang/Padang-Zimt
canfeno/Camphen
– clorado/Camphechlor
cangrejos/Krebse
cannabinoides/Cannabinoide
canrenoato de potasio/Kaliumcanrenoat
cantarela/Pfifferlinge
cantaridina/Cantharidin
cantaxantina/Canthaxanthin
cantidad de movimiento/Impuls
– de substancia/Stoffmenge
– pesada/Einwaage
cantidades máximas/Höchstmengen
caolines/Kaoline
caolinita/Kaolinit
caos/Chaos
caotropo/Chaotrop
capa antirreflectora o antirreflejo/Antireflexbeläge
– de barrera/Sperrschicht
– de discontinuidad/Sprungschicht
– de fondo/Grundanstrich
– de fondo reactiva/Reaktionsprimer
– de Haber-Haugaard/Haber-Haugaard-Schicht
– de interferencia/Interferenzschicht
– de ozono/Ozon-Schicht
– de recubrimiento/Deckschicht
– doble electroquímica/Elektrochemische Doppelschicht
– trofolítica/Zehrschicht
capacidad/Kapazität
– biogénica (de carga)/Umweltkapazität
– calorífica específica/Spezifische Wärmekapazität
– de degradación del medio ambiente/Abbaukapazität der Umwelt
– germinativa/Keimfähigkeit
caparra/Zecken
capas/Überzüge
– aislantes/Absperrmittel
– delgadas/Dünne Schichten
– monomoleculares/Monomolekulare Schichten
– protectoras/Resists, Schutzschichten
capilares/Kapillaren
– de ebullición/Siedekapillare
– de Haber-Luggin/Haber-Luggin-Kapillare
– de mark/Markröhrchen
capilaridad/Kapillarität
capping/Capping
capreomicina/Capreomycin
caproato de etilo/Hexansäureethylester
– de gestonorona/Gestonoron caproat
ε-caprolactama/ε-Caprolactam
ε-caprolactona/ε-Caprolacton
capsaicina/Capsaicin
capsantina/Capsanthin

cápsides/Capside
cápsula de Petri/Petrischale
cápsulas/Kapseln
– detonantes/Sprengkapseln
– fulminantes/Zündblättchen
captafol/Captafol
captán/Captan
captopril/Captopril
captura/Abfangen, Einfang
– de electrones/Elektroneneinfang
capturadores de radicales/Radikal-Fänger
capuli/Kapstachelbeeren
caqui/Kaki
caracoles/Schnecken
caracteristica/Merkmal
caracterización/Kennzeichnung
– del riesgo/Risikobeschreibung
carambola/Karambole
caramelo/Karamel
caramelos/Karamellen, Zuckerwaren
– blandos/Weichkaramellen
– de goma/Gummibonbons
– duros/Hartkaramellen
carano/Caran
carazolol/Carazolol
carba.../Carba...
carbaboranos/Carbaborane
carbacol/Carbachol
...caldehído/...carbaldehyd
carbamato de celulosa/CelluloseCarbamat
carbamatos/Carbamate
carbamazepina/Carbamazepin
carbamoil.../Carbamoyl...
carbamoilfosfato/Carbamoylphosphat
carbaniones/Carbanionen
carbapenemos/Carbapeneme
carbaril/Carbaryl
carbasalato cálcico/CarbasalatCalcium
carbazidas/Carbazide
carbazocromo/Carbazochrom
carbazol/9H-Carbazol
carbendazin/Carbendazim
carbenicilina/Carbenicillin
carbenos/Carbene
carbenoxolona/Carbenoxolon
carbetamida/Carbetamid
carbidopa/Carbidopa
carbimazol/Carbimazol
carbino/Karbin
carbinoles/Carbinole
carbinos/Carbine
carbinoxamina/Carbinoxamin
carbocationes/Carbokationen
carbocicleno/Carbocyclen
carbocisteína/Carbocistein
carbocromeno/Carbocromen
carbodiimidas/Carbodiimide
carbofurán/Carbofuran
carbohidratos/Kohlenhydrate
carbolfucsina/Karbol-Fuchsin-Lösung
carbolinas/Carboline
carbolineum/Carbolineum
carbomicina/Carbomycin
carbón/Kohle
– activo/Aktivkohle
– activo yodado/Iod-Kohle
– animal/Knochenkohle
– cannel/Kannelkohle
– de café/Kaffeekohle
– de huesos/Knochenkohle
– de madera/Holzkohle
– de (o para) gas/Gaskohle
– de retorta/Retortenkohle
– graso/Fettkohle
– medicinal/Medizinische Kohle
– orgánico disuelto/DOC

– orgánico particular/POC
carbonatita/Karbonatit
carbonato básico de plomo/Bleiweiß
– de amonio/Ammoniumcarbonat
– de bario/Bariumcarbonat
– de cadmio/Cadmiumcarbonat
– de calcio/Calciumcarbonat
– de cobalto(II)/Cobalt(II)-carbonat
– de cobre(II)/Kupfer(II)-carbonat
– de dietilo/Diethylcarbonat
– de difenilo/Diphenylcarbonat
– de dimetilo/Dimethylcarbonat
– de estroncio/Strontiumcarbonat
– de hierro/Eisencarbonat
– de litio/Lithiumcarbonat
– de magnesio/Magnesiumcarbonat
– de manganeso/Mangan(II)-carbonat
– de níquel(II)/Nickel(II)-carbonat
– de plata/Silbercarbonat
– de plomo/Bleicarbonat
– de potasio/Kaliumcarbonat
– de sodio/Natriumcarbonat
– de talio(I)/Thallium(I)-carbonat
carbonatos/Carbonate, Kohlensäureester
– de bismuto/Bismutcarbonate
– de cinc/Zinkcarbonate
– de polialquilenos/Polyalkylencarbonate
carbonil.../Carbonyl...
carbonil-óxidos/Carbonyl-Oxide
carbonilación/Carbonylierung
carbonildioxi.../Carbonyldioxy...
carbonilla/Ölkohle
carbonilo de potasio/Kohlenoxidkalium
carbonilos de cobaltos/Cobaltcarbonyle
– de manganeso/Mangancarbonyle
– metálicos/Metallcarbonyle
carbonitruración/Carbonitrieren
carbonitruros/Carbonitride
carbonización/Inkohlung
– a baja temperatura/Schwelung
carbonizado, carbonización/Carbonisieren
carbono/Kohlenstoff
– -14/C-14
– espumoso (esponjoso)/Schaumkohlenstoff
carboplatino/Carboplatin
carboranos/Carborane
carbosilanos/Carbosilane
carbosulfán/Carbosulfan
carboxilación/Carboxylierung
carboxilasas/Carboxylasen
carboximetilcelulosa/Carboxymethylcellulose
carboxín/Carboxin
carboxipeptidasas/Carboxypeptidasen
carbromal/Carbromal
carburación/Aufkohlung, Carburieren
carburantes/Kraftstoffe, Motorkraftstoffe
– para aviación/Flugkraftstoffe
– para tractores/Traktorenkraftstoffe
carburo de aluminio/Aluminiumcarbid
– de boro/Borcarbid
– de calcio/Calciumcarbid
– de hierro/Eisencarbid
– de silicio/Siliciumcarbid
– de titanio/Titancarbid

carburos/Carbide
– de cromo/Chromcarbide
– de magnesio/Magnesiumcarbide
– de torio/Thoriumcarbide
– de tungsteno (volframio)/Wolframcarbide
carbutamida/Carbutamid
carbuterol/Carbuterol
carbutilato/Karbutilat
carcinogénesis/Carcinogenese
carda/Karde
cardamomas/Kardamomen
cardenillo/Grünspan
cardenolidas/Cardenolide
cardo bendito/Benediktenkraut
– lechero/Mariendistel
– mariano/Mariendistel
– santo/Benediktenkraut
cardol/Cardol
carenos/Carene
carey/Schildpatt
carfentrazona etílica/Carfentrazon-ethyl
carfolita/Karpholith
carga/Belastung, Beschwerung, Fracht, Füllstoffe, Ladung
– contaminante de las aguas/Gewässerbelastung
– de aguas residuales/Abwasserlast
– de refuerzo/Verstärker
– electrostática/Elektrostatische Aufladung
– elemental/Elementarladung
cargas/Verschnittmittel
– huecas/Hohlladungen
– propulsoras/Treibsätze
caries/Karies
carindacilina/Carindacillin
cariofilenos/Caryophyllene
carisoprodol/Carisoprodol
carmín/Karmin
– de índigo/Indigocarmin
carminativos/Carminativa
carmustina/Carmustin
carnallita/Carnallit
carne/Fleisch
– en gelatina/Sülze
– líquida/Fleischextrakt
– pálida/PSE-Fleisch
carnitina/Carnitin
carnivorismo/Carnivorie
carnosina/Carnosin
carnotita/Carnotit
caroteno/Carotine
β-caroteno/β-Carotin
carotenoides/Carotinoide
carpaína/Carpain
carpatita/Pendletonit
carprofeno/Carprofen
carrageen/Carrageen
carraleja/Ölkäfer
cartamina/Carthamin
cártamo/Saflor
cartap/Cartap
cartel/Kartell
carteolol/Carteolol
cartílago/Knorpel
cartografía peptídica/Peptid-Kartierung
cartón/Pappe
– asfaltado/Dachpappe
– blanco de madera/Holzpappe
– fieltro/Filzpappe
– prespan/Preßspan
cartulina/Karton
carvacrol/Carvacrol
carvedilol/Carvedilol
carvona/Carvon
carzenida/Carzenid
casaína/Cassain
cáscara sagrada/Kaskararinde

cascarilla/Zunder
caseína/Casein
caseinatos/Caseinate
casinina/Kassinin
casiterita/Kassiterit
casolita/Kasolit
caspa (Kopf)/Schuppen
castaña de Indias/Kastanien
castañas/Kastanien
castanospermina/Castanospermin
cata…/Kata…
cataforesis/Kataphorese
catalasa/Katalase
catálisis/Katalyse
– ácido-base/Säure-Base-Katalyse
– por transferencia de fase/Phasentransfer-Katalyse
catalizador de tres vías/Dreiwege-Katalysator
– de Wilkinson/Wilkinson-Katalysator
– Meyer-Ronge/Meyer-Ronge-Katalysator
catalizadores/Katalysatoren
– de Raney/Raney-Katalysatoren
– de Ziegler-Natta/Ziegler-Natta-Katalysatoren
– MCM/MCM-Katalysatoren
– Phillips/Phillips-Katalysatoren
– polímeros/Polymere Katalysatoren
– Urushibara/Urushibara-Katalysatoren
catálogo de los desechos/Abfallkatalog
catalpol/Catalpol
catapinatos/Katapinate
cataplasma/Kataplasma
catapleíta/Katapleit
catarantina/Catharanthin
catarata/Star
catarro nasal/Schnupfen
catárticos/Abführmittel
catastro/Kataster
catecolaminas/Catecholamine
catecolborano/Catecholboran
catecú/Catechu
catena…/Catena…
catenanos/Catenane
cateninas/Catenine
catepsinas/Kathepsine
catequina/Catechin
catequinas/Catechine
catil…/Cathyl…
catión ciclopropenilio/Cyclopropenylium-Kation
cationes/Kationen
cato/Catechu
cátodo/Kathode
caucho/Gummi
– AC/AC-Kautschuk
– acrílico/Acrylat-Kautschuk
– butílico/Butylkautschuke
– caliente/Warmkautschuk
– celular/Schaumgummi
– ciclizado/Cyclokautschuke
– clorado/Chlorkautschuke
– de poliuretano/Polyurethan-Kautschuke
– de uso general/Allzweck-Kautschuk
– diénico/Dien-Kautschuk
– en polvo/Pulverkautschuk
– enbruto/Rohkautschuk
– EPT/EPT-Kautschuk
– esponjoso/Schwammgummi
– fluorado/Fluor-Kautschuke
– frío/Kaltkautschuk
– inorgánico/Anorganischer Kautschuk
– metílico/Methylkautschuk

– natural/Naturkautschuk
– nitrílico/Nitrilkautschuk
– nitroso/Nitrosokautschuk
– Panamá/Panama Rubber
– poliéster/Polyester-Kautschuke
– poliolefínico/Polyolefin-Kautschuke
– poliuretán-poliéter/Polyether-Polyurethan-Kautschuke
– silvestre/Wildkautschuk
– sintético/Synthesekautschuke
cauchos/Kautschuke
– de estireno-butadieno/Styrol-Butadien-Kautschuke
– EPDM/EPDM-Kautschuk
– EPR/EPR-Kautschuke
– líquidos/Flüssigkautschuke
– poliéter/Polyether-Kautschuke
cauchutado/Gummierung
caudal/Durchsatz
caudalómetro/Durchflußmesser
cauranos/Kaurane
caustificación/Kaustifizieren
caustobiolitos/Kaustobiolithe
cavaina/Kawain
caviar/Kaviar
cavitación/Kavitation
CDTA/CDTA
cebada/Gerste
cebolla/Zwiebeln
– albarrana/Meerzwiebel
cebollino/Schnittlauch
cedrato/Zedrat
cedreno/Cedren
cedrol/(+)-Cedrol
cefacetril/Cefacetril
cefaclor/Cefaclor
cefadroxil/Cefadroxil
cefalexina/Cefalexin
cefalinas/Kephaline
cefaloridina/Cefaloridin
cefalosporinas/Cephalosporine
cefalostatinas/Cephalostatine
cefalotaxina/Cephalotaxin
cefalotina/Cefalotin
cefamandol/Cefamandol
cefazedona/Cefazedon
cefazolina/Cefazolin
cefepima/Cefepim
cefetamet/Cefetamet
cefixima/Cefixim
cefmenoxima/Cefmenoxim
cefodizima/Cefodizim
cefoperazona/Cefoperazon
cefotaxima/Cefotaxim
cefotetán/Cefotetan
cefotiam/Cefotiam
cefoxitina/Cefoxitin
cefpiroma/Cefpirom
cefpodoxima/Cefpodoxim
cefprozil/Cefprozil
cefradina/Cefradin
cefsulodina/Cefsulodin
ceftazidima/Ceftazidim
ceftibutén/Ceftibuten
ceftizoxima/Ceftizoxim
ceftriaxona/Ceftriaxon
cefuroxima/Cefuroxim
celadonita/Seladonit
celedonita/Seladonit
celenterados/Hohltiere
celenterazina/Coelenterazin
celestina/Cölestin
celestita/Cölestin
celidonia mayor/Schöllkraut
celiprolol/Celiprolol
celo/Brunst
celobiosa/Cellobiose
celofán/Zellglas
célula electrolítica/Elektrolytische Zelle
– fotoeléctrica/Photoelement, Photozellen

células/Zellen
– asesinas activadas por linfoquina/Lymphokin-aktivierte Killerzellen
– con citoxicidad natural/Natürliche Killerzellen
– de alta actividad/Heiße Zellen
– de cloruros/Chlorid-Zellen
– germinales/Keimzellen
– HeLa/HeLa-Zellen
– restantes/Resting Cells
– solares/Solarzellen
– supresoras/Suppressor(-T)-Zellen
– totipotentes/Totipotente Zellen
celulasas/Cellulase
celuloide/Celluloid
celulosa/Cellulose, Zellstoff
– al sulfato/Sulfatcellulose
– al sulfito/Sulfitcellulose
– alcalina/Alkalicellulose
– bacteriana/Bakteriencellulose
– microcristalina/Mikrokristalline Cellulose
– regenerada/Regeneratcellulose
celulosas de inclusión/Inclusionscellulosen
cembranoides/Cembranoide
cembreno/Cembrene
cementación/Zementation
cemento/Zement
– amiantado/Asbestzement
– de asbesto/Asbestzement
– de escoria de alto horno/Hochofenzement, Hüttenzement
– de oxicloruro de magnesio/Sorelzement
– de serrín/Holzbeton
– de tras[s] suevita/Suevit-Traßzement
– dental/Zahnzement
– ferroportland/Eisenportlandzement
– fibroso/Faserzement
– hidráulico/Traß-Zement
– marino/Marinzement
– óseo/Knochenklebstoff
– Parian/Pariangips
– polímero/Polymer-Zemente
– Portland/Portlandzement
– romano/Romankalk
– Sorel/Sorelzement
cementos antiácidos/Säurekitte
ceniza/Asche
– volante/Flugasche
cenizas de madera/Holzasche
– de pirita/Kiesabbrände
centaura menor/Tausendgüldenkraut
centelleadores/Szintillatoren
centeno/Roggen
centinodia/Vogelknöterich
centractina/Centractin
central eólica/Windkraftwerke
centrífuga oscilante/Taumelzentrifuge
centrifugación/Zentrifugieren
centrómero/Centromer
centros de color/Farbzentren
centrosomas/Centrosomen
cepa/Stamm
– de producción/Produktionsstamm
cera bituminosa/Montanwachs
– candelilla/Candelillawachs
– carnauba/Carnaubawachs
– de abeja/Bienenwachs
– de algodón/Baumwollwachs
– de caña de azúcar/Zuckerrohrwachs
– de lignito/Montanwachs
– microcristalina/Mikrowachs

Español

- mineral/Erdwachs
- montana/Montanwachs
- ósea/Knochenwachs
- para modelado/Bossierwachse
cerametales/Cermets
cerámica/Keramik
- del óxido/Oxidkeramik
- vítrea/Glaskeramik
ceramidas/Ceramide
ceras/Wachse
- duras/Hartwachse
- Japonesas/Japanwachs
- para los esquíes/Skiwachse
- para queso/Käsewachse
- poliméricas/Polywachse
- poliolefínicas/Polyolefin-Wachse
cereal envenado/Giftgetreide
cereales/Getreide, Korn
cerebro/Gehirn
cerebrodienas/Cerebrodiene
cerebrósidos/Cerebroside
ceresina/Ceresin
cerezas/Kirschen
cerillas/Zündhölzer
cerio/Cer
cerita/Cerit
cermetes/Cermets
cero absoluto/Absoluter Nullpunkt
cerote/Schusterpech
ceruleína/Caerulein
ceruloplasmina/Caeruloplasmin
cerusa/Perlweiß
cerusita/Cerussit
cerveza/Bier
- de fermentación baja/Untergäriges Bier
- de malta/Malzbier
cesio/Cäsium
cesión/Abfangen, Strippen
cetenas/Ketene
ceteniminas/Ketenimine
ceteno/Keten
cetilos/Ketyle
cetiminas/Ketimine
cetirizina/Cetirizin
cet(o)…/Ket(o)…
cetobemidona/Cetobemidon
cetohexosas/Ketohexosen
cetona de Michler/Michlers Keton
cetonas/Ketone
- grasas/Fettketone
- vinílicas/Vinylketone
cetosas/Ketosen
chabasita/Chabasit
chalcona/Chalkon
chalcosina/Chalkosin
chalonas/Chalone
chalotes/Schalotten
chamazuleno/Chamazulen
chamigrenos/Chamigrene
chamota/Schamotte
chamuscado/Sengen
chapa/Blech
- emplomada/Ternebleche
- fina/Feinblech
- gruesa/Grobblech
- negra/Schwarzblech
chapas de madera/Holzfurniere
chapeado/Plattieren, Plattierung
chapeados/Holzfurniere
charibdotoxina/Charybdotoxin
charoita/Charoit
charol/Lackleder
chartreuse/Chartreuse
chartreusina/Chartreusin
chatarra/Schrott
chavicol/Chavicol
cherimoya/Cherimoya
chicha cruda/Sauser
chicle/Kaugummi

chinche/Bettwanze
chinches/Wanzen
chinga/Stinktier
chirivía/Pastinak
chisporroteo/Spratzen
chlorargirita/Chlorargyrit
chocolate/Schokolade
choque/Schock
chorreado con arena/Sandstrahlen
choucroute/Sauerkraut
chuanghsinmicina/Chuanghsinmycin
chucrut al vino/Weinsauerkraut
C. I. reactivo negro 5/C. I. Reactive Black 5
ciamelida/Cyamelid
ciamemazina/Cyamemazin
cianamida/Cyanamid
- cálcica/Kalkstickstoff
- de calcio/Calciumcyanamid
cianamidas/Cyanamide
cianato…/Cyanato…
cianato de potasio/Kaliumcyanat
- de sodio/Natriumcyanat
cianatos/Cyanate
cianazina/Cyanazin
cianina/Cyanin
cianita/Kyanit
ciano…/Cyan…
cianoacetamida/2-Cyan(o)acetamid
cianoacetatos/Cyan(o)essigsäureester
2-cianoacrilatos/2-Cyan(o)acrylsäureester
cianobacterias/Cyanobakterien
cianocobalamina/Cyanocobalamin
cianoetilación/Cyan(o)ethylierung
cianógeno/Dicyan
1-cianoguanidina/Cyan(o)guanidin
cianohidrinas/Cyan(o)hydrine
cianopsina/Cyanopsin
cianosis/Cyanose
cianotipia/Eisensalz-Verfahren
cianotipias/Blaupausen
cianuración/Cyanierung
cianurato de trialilo/Triallylcyanurat
cianuro de bromo/Bromcyan
- de calcio/Calciumcyanid
- de cinc/Zinkcyanid
- de cobre(I)/Kupfer(I)-cyanid
- de difenilarsina/Diphenylarsincyanid
- de hidrógeno/Blausäure
- de plata/Silbercyanid
- de potasio/Kaliumcyanid
- de sodio/Natriumcyanid
cianuros/Cyanide
- de hierro/Eisencyanide
ciatinas/Cyathane
cibotaxia/Cybotaktische Struktur
cicasina/Cycasin
ciclacilina/Ciclacillin
ciclación de Ružička/Ružička-Cyclisierung
ciclamato de sodio/Natriumcyclamat
ciclamenaldehído/Cyclamenaldehyd
ciclandelato/Cyclandelat
ciclazinas/Cyclazine
ciclazocina/Cyclazocin
cicletanina/Cicletanin
ciclinas/Cycline
ciclitoles/Cyclite
ciclización/Cyclisierung
ciclizina/Cyclizin
ciclo…/Cyclo…

ciclo de Born-Haber/Born-Haber-Kreisprozeß
- de Carnot/Carnotscher Kreisprozeß
- de Hatch-Slack/Hatch-Slack-Cyclus
- de la urea/Harnstoff-Cyclus
- de Stirling/Stirlingscher Kreisprozeß
- del ácido cítrico/Citronensäure-Cyclus
cicloadición/Cycloaddition
- 1,3-dipolar/1,3-Dipolare Cycloaddition
cicloalcanos/Cycloalkane
cicloalquenos/Cycloalkene
cicloalquinas/Cycloalkine
cicloalquinos/N,N-Dimethyl-4-nitrosoanilin
cicloarenos/Cycloarene
cicloartenol/Cycloartenol
cicloato/Cycloat
ciclobarbital/Cyclobarbital
ciclobutadienos/Cyclobutadiene
ciclobutano/Cyclobutan
ciclobutirol/Cyclobutyrol
ciclodextrinas/Cyclodextrine
ciclododecano/Cyclododecan
ciclododecanol/Cyclododecanol
ciclododecanona/Cyclododecanon
1,5,9-ciclododecatrieno/1,5,9-Cyclododecatrien
cicloestereoisomería/Cyclostereoisomerie
ciclofanos/Cyclophane
ciclofenilo/Cyclofenil
ciclofilina/Cyclophilin
ciclofosfamida/Cyclophosphamid
cicloheptano/Cycloheptan
cicloheptanona/Cycloheptanon
1,3,5-cicloheptatrieno/1,3,5-Cycloheptatrien
ciclohexadieno/Cyclohexadien
ciclohexadienona/Cyclohexadienone
ciclohexano/Cyclohexan
1,4-ciclohexanodimetanol/1,4-Cyclohexandimethanol
ciclohexanol/Cyclohexanol
ciclohexanona/Cyclohexanon
ciclohexeno/Cyclohexen
ciclohexil…/Cyclohexyl…
ciclohexilamina/Cyclohexylamin
ciclohexilideno/Cyclohexyliden
ciclones/Zyklone
ciclooctatetraeno/Cyclooctatetraen
ciclooligopolimerización/Cyclooligomerisation
ciclooxigenasa/Cyclooxygenase
ciclopentadecanona/Cyclopentadecanon
ciclopentadienil/Cyclopentadienyl
ciclopentadieno/Cyclopentadien
ciclopentamina/Cyclopentamin
ciclopentano/Cyclopentan
ciclopentanol/Cyclopentanol
ciclopentanona/Cyclopentanon
ciclopentiazida/Cyclopenthiazid
ciclopentobarbital/Cyclopentobarbital
ciclopentolato/Cyclopentolat
ciclopéptidos/Cyclopeptide
ciclopirox/Ciclopirox
ciclopoliadición/Cyclopolyaddition
ciclopolicondensación/Cyclopolykondensation
ciclopolimerización/Cyclopolymerisation
ciclopolímeros/Cyclopolymere

ciclopropano/Cyclopropan
cicloprotrín/Cycloprothrin
ciclos pequeños/Kleine Ringe
cicloserina/Cycloserin
ciclosilanos/Cyclosilane
ciclosporina/Ciclosporin
ciclosporinas/Cyclosporine
ciclotrón/Zyklotron
ciclovalona/Cyclovalon
cicuta/Schierling
cicutoxina/Cicutoxin
…cida/…zid
cidra confitada/Sukkade
ciencia de los metales/Metallkunde
ciencias aplicadas/Technik
ciencia(s) natural(es)/Naturwissenschaft
cieno/Schlick
cierre en cremallera de leucina/Leucin-Reißverschluß
ciflutrín/Cyfluthrin
cigarrillos/Zigaretten
cigarros/Zigarren
- suizos/Stumpen
ciguatoxina/Ciguatoxin
cihalotrín/Cyhalothrin
cihexatín/Cyhexatin
cilantro/Koriander
cilastatina/Cilastatin
cilazapril/Cilazapril
cimenos/Cymole
cimetidina/Cimetidin
cimoxanil/Cymoxanil
cina/Wurmkraut, Zitwer
cinabrio/Zinnober
- de antimonio/Antimonzinnober
cinamato/Cinnamate
cinamatos/Zimtsäureester
cinamil…/Cinnamyl…
cinamilideno…/Cinnamyliden…
cinamoil…/Cinnamoyl…
cinarina/Cynarin
cinarizina/Cinnarizin
cinasas/Kinasen
cinc/Zink
cincado/Verzinken
- en caliente/Heißverzinkung
- en frío/Kaltverzinkung
cincatos/Zinkate
cincita/Zinkit
cincocaína/Cinchocain
cincofeno/Cinchophen
cinconidina/Cinchonidin
cinconina/Cinchonin
cineol/Cineol
cinepatía/Reisekrankheit
cinerina/Cinerine
cinética/Kinetik
- de Monod/Monod-Kinetik
cinetocoros/Kinetochore
cinetosis/Reisekrankheit
cinmetilín/Cinmethylin
cinnabarina/Cinnabarin
cinolina/Cinnolin
cinosulfurona/Cinosulfuron
cinoxacino/Cinoxacin
cintas adhesivas/Klebebänder
- calefactoras/Heizbänder
- de cobertura/Abdeckbänder
- de protección/Abdeckbänder
- magnéticas/Magnetbänder
cinturones de rocas verdes/Grünstein-Gürtel
cipermetrín/Cypermethrin
cipionato de oxabolona/Oxaboloncipionat
cipreses/Zypresse
ciproconazol/Cyproconazol
ciprodinil/Cyprodinil
ciprofloxacina/Ciprofloxacin
ciproheptadina/Cyproheptadin
ciproterona/Cyproteron

circonato de plomo/Bleizirkonat
circonatos(IV)/Zirconate(IV)
circonio/Zirconium, Zírkon
circulación/Fließen, Kreislauf
ciromazina/Cyromazin
ciruelas/Pflaumen
– mirobalanas/Myrobalanen
– silvestres/Schlehen
ciruelo de Java/Jambulbaum
cis/cis-
cisaprida/Cisaprid
cis,cis-1,5-ciclooctadieno/cis,cis-1,5-Cyclooctadien
cisoide/Cisoid
cispentacin/Cispentacin
cisplatino/Cisplatin
cistamina/Cystamin
cisteamina/Cysteamin
L-cisteína/L-Cystein
cisteína-proteasas/Cystein-Proteasen
L-cistina/L-Cystin
citidina/Cytidin
– -fosfatos/Cytidinphosphate
citiolona/Citiolon
citisina/Cytisin
citiso/Goldregen
cito…/Cyto…
citobiología/Cytobiologie
citocalasanos/Cytochalasine
citocinas/Cytokine
citocromo c oxidasa/Cytochrom-c-Oxidase
– c reductasa/Cytochrom-c-Reduktase
– P-450/Cytochrom P-450
citocromos/Cytochrome
citoecología/Cytoökologie
citoesqueleto/Cytoskelett
citohemina/Cytohämin
citólisis/Cytolyse
citología/Cytologie
citoplasma/Cytoplasma
citoquímica/Cytochemie
citoquinas/Cytokine
citoquininas/Cytokinine
citosina/Cytosin
– -arabinósido/Cytosinarabinosid
citosol/Cytosol
citostáticos/Cytostatika
citotoxicidad/Cytotoxizität
citotoxinas/Cytotoxine
citral/Citral
citranaxantina/Citranaxanthin
citrato de amonio/Ammoniumcitrat
– de amonio y hierro(III)/Ammoniumeisen(III)-citrat
– de calcio/Calciumcitrat
– de hierro(III)/Eisen(III)-citrat
– de magnesio/Magnesiumcitrat
– de potasio/Kaliumcitrat
– de sodio/Natriumcitrat
– sintasa/Citrat-Synthase
citratos/Citrate
cítricos/Agrumen
citrinina/Citrinin
citronelal/Citronellal
citroneloles/Citronellole
citrulina/Citrullin
civeto/Zibet
civetona/Zibeton
cizallamiento/Scherung
cladinosa/Cladinose
cladribina/Cladribin
claridad de contacto/Kontaktklarheit
clarificación/Klären, Läutern, Weinschönung
– de Carrez/Carrez-Klärung
– preliminar/Vorklärung
clarificado/Schönen
claritromicina/Clarithromycin

clase de resistencia al fuego/Feuerwiderstandsklasse
clases cristalinas/Kristallklassen
– de compuestos/Verbindungsklassen
– de incendios/Brandarten
– de inflamabilidad/Brandklassen
– de peligro del agua/Wassergefährdungsklassen
– de peligros/Gefahrenklassen
– de química/Chemie-Unterricht
– de viscosidad de la SAE/SAE-Viskositätsklassen
clasificación/Klassieren, Klassifikation
– de mercancías peligrosas/Gefahrenklassen
– Decimal Universal/Dezimalklassifikation
clatratos/Clathrate
clatrina/Clathrin
clausenamida/Clausenamid
clavamicina/Clavamycine
clavamos/Clavame
clavel de las indias/Tagetes
clavelon/Tagetes
clavos (de especia)/Nelken
clemastina/Clemastin
clementeinas/Clementeine
clementinas/Clementinen
clemizol/Clemizol
clenbuterol/Clenbuterol
clerodanos/Clerodane
cletodím/Clethodim
clibucaína/Clibucain
cliente de león bicorne/Kok-Saghys
clima/Klima
climaterio/Klimakterium
clímax/Klimax
clinca/Klinker
clindamicina/Clindamycin
clínker/Klinker
clinoptilolita/Klinoptilolith
clioquinol/Clioquinol
clistrón/Klystron
clitidina/Clitidin
clitocina/Clitocin
clobazam/Clobazam
clobetasol/Clobetasol
clobetasona/Clobetason
clobutinol/Clobutinol
clocortolona/Clocortolon
clodinafop-propargil/Clodinafop-propargyl
cloetocarb/Cloethocarb
clofazimina/Clofazimin
clofedianol/Clofedanol
clofenamida/Clofenamid
clofenciclán/Clofenciclan
clofentezín/Clofentezin
clofezona/Clofezon
clofibrato/Clofibrat
– de aluminio/Aluminiumclofibrat
clomazona/Clomazon
clomeprop/Clomeprop
clometiazol/Clomethiazol
clomifeno/Clomifen
clomipramina/Clomipramin
clon/Klon
clonación/Klonieren
– de célular/Zellklonierung
– de perdigonada/Shotgun-Klonierung
– de posición/Positional cloning
clonazepam/Clonazepam
clones de células híbridas/Hybridzellklone
clonidina/Clonidin
clonostachidiol/Clonostachydiol
clopamida/Clopamid
clopentixol/Clopenthixol

clopiralid/Clopyralid
cloprednol/Cloprednol
cloración/Chlorierung, Chlorung
cloracné/Chlorakne
cloral/Chloral
cloralosa/Chloralose
clorambucilo/Chlorambucil
cloramfenicol/Chloramphenicol
cloramina/Chloramin
– T/Chloramin T
cloraminas/Chloramine
cloranfenicol/Chloramphenicol
– -acetiltransferasa/Chloramphenicol-Acetyltransferase
cloranil/Chloranil
clorato de bario/Bariumchlorat
– de calcio/Calciumchlorat
– de potasio/Kaliumchlorat
– de sodio/Natriumchlorat
cloratos/Chlorate
clorazanil/Chlorazanil
clorazepato dipotásico/Dikaliumclorazepat
clordano/Chlordan
clordiazepóxido/Chlordiazepoxid
cloréndicos/Chlorendics
cloretóxifos/Chlorethoxyfos
clorexolona/Clorexolon
clorfacinona/Chlorphacinon
clorfenamina/Chlorphenamin
clorfenesina/Chlorphenesin
clorfenoxamina/Chlorphenoxamin
clorfenvinfos/Chlorfenvinfos
clorfluozurón/Chlorfluazuron
clorflurenol metílico/Chlorflurenol-methyl
clorhexidina/Chlorhexidin
clorhidrato de hidroxilamina/Hydroxylamin-Hydrochlorid
– de propamocarb/Propamocarbhydrochlorid
clorhidrinas/Chlorhydrine
cloridazón/Chloridazon
clorimetría/Chlorimetrie
clorimurón etílico/Chlorimuron-ethyl
clorinas/Chlorine
clorindanol/Clorindanol
clorindiona/Clorindion
cloritas/Chlorite
clorito de sodio/Natriumchlorit
clormefos/Chlormephos
clormerodrina/Chlormerodrin
clormetina/Chlormethin
clormezanona/Chlormezanon
clormidazol/Chlormidazol
cloro/Chlor
cloro…/Chlor…
4-cloro-3,5-dimetilfenol/4-Chlor-3,5-dimethylphenol
1-cloro-2,4-dinitrobenceno/1-Chlor-2,4-dinitrobenzol
3-cloro-2-metil-1-propeno/3-Chlor-2-methyl-1-propen
3-cloro-1,2-propanodiol/3-Chlor-1,2-propandiol
cloroacetaldehído/Chloracetaldehyd
2-cloroacetamida/2-Chloracetamid
cloroacetatos/Chloressigsäureester
ω-cloroacetofenona/ω-Chloracetophenon
cloroaceton/Chloraceton
cloroanilinas/Chloraniline
cloroaromáticos/Chloraromaten
clorobenceno/Chlorbenzol
clorobenzaldehídos/Chlorbenzaldehyde
clorobenzoxamina/Chlorbenzoxamin
clorocarbonil…/Chlorcarbonyl…

clorocarvacrol/Chlorcarvacrol
clorocaucho/Chlorkautschuke
clorociclohexano/Chlorcyclohexan
clorocresoles/Chlorkresole
clorofeno/Clorofen
clorofenoles/Chlorphenole
clorofila/Chlorophyll(e)
clorofílidas/Chlorophyllid(e)
clorofilinas/Chlorophylline
cloroformiatos/Chlorameisensäureester
clorolisis/Chlorolyse
clorometanos/Chlormethane
clorometilación/Chlormethylierung
cloronaftalenos/Chlornaphthaline
cloroneb/Chloroneb
cloronitrobencenos/Chlornitrobenzole
cloropicrina/Chlorpikrin
cloropiramina/Chlorpyramin
cloropiridinas/Chlorpyridine
cloroplastos/Chloroplasten
cloropreno/Chloropren
cloropropanoles/Chlorpropanole
cloroquina/Chloroquin
clorosis/Chlorose
N-clorosuccinimida/N-Chlorsuccinimid
clorotetaína/Chlorotetain
clorotetraciclina/Chlortetracyclin
4-clorotiofenol/4-Chlorthiophenol
clorotoluenos/Chlortoluole
clorotrianiseno/Chlorotrianisen
clorpirifos/Chlorpyrifos
clorpromazina/Chlorpromazin
clorpropamida/Chlorpropamid
clorprotixeno/Chlorprothixen
clorquinaldol/Chlorquinaldol
clorsulfurona/Chlorsulfuron
clortalidona/Chlortalidon
clortalonil/Chlorthalonil
clortenoxazina/Chlorthenoxazin
clortimol/Chlorthymol
clortolurón/Chlortoluron
clorure de acetilo/Acetylchlorid
cloruro amónico/Salmiak
– de acriflavinio/Acriflaviniumchlorid
– de alcuronio/Alcuroniumchlorid
– de alilo/Allylchlorid
– de aluminio/Aluminiumchlorid
– de ambenonio/Ambenoniumchlorid
– de amonio/Ammoniumchlorid
– de amonio y hierro/Eisensalmiak
– de bario/Bariumchlorid
– de bencenosulfonilo/Benzolsulfonylchlorid
– de bencetonio/Benzethoniumchlorid
– de bencilo/Benzylchlorid
– de benzalconio/Benzalkoniumchloride
– de benzoílo/Benzoylchlorid
– de butilo/Butylchloride
– de butirilo/Buttersäurechlorid
– de cadmio/Cadmiumchlorid
– de cal/Chlorkalk
– de calcio/Calciumchlorid
– de N-carbonilsulfamoilo/N-Carbonylsulfamoylchlorid
– de cetalconio/Cetalkoniumchlorid
– de cetilpiridinio/Cetylpyridiniumchlorid
– de cetiltrimetialamonio/Cetyltrimethylammoniumchlorid
– de cianógeno/Chlorcyan
– de cianurilo/Cyanurchlorid

- de cinc/Zinkchlorid
- de cloroacetilo/Chloracetylchlorid
- de cloromequato/Chlormequatchlorid
- de cobalto(II)/Cobalt(II)-chlorid
- de colina/Cholinchlorid
- de cromilo/Chromylchlorid
- de dansilo/Dansylchlorid
- de decalinio/Dequaliniumchlorid
- de difenilarsina/Diphenylarsinchlorid
- de 2,2-dimetilpropionilo/2,2-Dimethylpropionylchlorid
- de 3,5-dinitrobenzoilo/3,5-Dinitrobenzoylchlorid
- de dodecilo/Dodecylchlorid
- de dofamio/Dofamiumchlorid
- de estearoilo/Stearinsäurechlorid
- de estroncio/Strontiumchlorid
- de etilo/Ethylchlorid
- de fosforilo/Phosphoroxidtrichlorid
- de ftaloilo/Phthalsäuredichlorid
- de hexaaminocobalto/Hexaammincobalt(III)-chlorid
- de hexadecilo/Hexadecylchlorid
- de hidrógeno/Chlorwasserstoff
- de isobornilo/Isobornylchlorid
- de laurilpiridinio/Laurylpyridiniumchlorid
- de litio/Lithiumchlorid
- de magnesio/Magnesiumchlorid
- de malvidina/Malvidinchlorid
- de mepicuat/Mepiquatchlorid
- de metanosulfonilo/Methansulfonylchlorid
- de metilbencetonio/Methylbenzethoniumchlorid
- de S-metilmetioninasulfonio/S-Methyl-L-methioninsulfoniumchlorid
- de (2-metoxietil)mercurio/(2-Methoxyethyl)quecksilberchlorid
- de mivacurio/Mivacuriumchlorid
- de NBD/NBD-Chlorid
- de neotetrazolio/Tetrazolpurpur
- de níquel(II)/Nickel(II)-chlorid
- de 4-nitrobenzoilo/4-Nitrobenzoylchlorid
- de nitrosilo/Nitrosylchlorid
- de obidoxima/Obidoximchlorid
- de oxalilo/Oxalylchlorid
- de paladio(II)/Palladium(II)-chlorid
- de palmitoilo/Palmitinsäurechlorid
- de pentilo/Pentylchlorid
- de peonina/Päoninchlorid
- de pirvinio/Pyrviniumchlorid
- de plata/Silberchlorid
- de polivinilideno/Polyvinylidenchlorid
- de polivinilo clorado/Chloriertes Polyvinylchlorid
- de potasio/Kaliumchlorid
- de propargilo/Propargylchlorid
- de propionilo/Propionsäurechlorid
- de sodio/Natriumchlorid
- de succinilo/Succinylchlorid
- de sulfurilo/Sulfurylchlorid
- de suxametonio/Suxamethoniumchlorid
- de tetrafenilarsonio/Tetraphenylarsoniumchlorid
- de tionilo/Thionylchlorid
- de triclorometanosulfenilo/Trichlormethansulfenylchlorid

- de 2,3,5-trifenil-2H-tetrazolio/2,3,5-Triphenyl-2H-tetrazoliumchlorid
- de trospio/Trospiumchlorid
- de vinilo/Vinylchlorid
cloruros/Chloride
- de ácidos/Säurechloride
- de acilo/Säurechloride
- de antimonio/Antimonchloride
- de azufre/Schwefelchloride
- de bismuto/Bismutchloride
- de circonio/Zirconiumchloride
- de cobre/Kupferchloride
- de cromo/Chromchloride
- de estaño/Zinnchloride
- de fósforo/Phosphorchloride
- de hidrazinio/Hydraziniumchloride
- de hierro/Eisenchloride
- de manganeso/Manganchloride
- de mercurio/Quecksilberchloride
- de molibdeno/Molybdänchloride
- de plomo/Bleichloride
- de polivinilo/Polyvinylchloride
- de propilo/Propylchloride
- de silicio/Siliciumchloride
- de sulfenilo/Sulfenylchloride
- de sulfonilo/Sulfonylchloride
- de talio/Thalliumchloride
- de teluro/Tellurchloride
- de titanio/Titanchloride
- de toluenosulfonilo/Toluolsulfonylchloride
- de tungsteno/Wolframchloride
- de vanadio/Vanadiumchloride
- de yodo/Iodchloride
- imídicos/Imidsäurechloride
clorzoxazona/Chlorzoxazon
closo-/closo-
clostebol/Clostebol
Clostridium/Clostridium
clotiazepam/Clotiazepam
clotrimazol/Clotrimazol
cloxacilina/Cloxacillin
cloxiquina/Cloxiquin
clozapina/Clozapin
clozolinato/Chlozolinat
clupeína/Clupein
cluster/Cluster
- acoplado/Coupled Cluster
clusters/Cluster-Verbindungen
cnicina/Cnicin
(c)nidarios/Nesseltiere
coacervación/Koazervation
coagulación/Koagulation
- de la sangre/Blutgerinnung
coagulante/Coagulant
coatómero/Coatomer
cobalaminas/Cobalamine
cobaltina/Cobaltin
cobalto/Cobalt
cobaltoaminas/Cobaltammine
cobaltofitas/Cobaltophyten
cobertura ligera/Light weight coated
cobratoxinas/Kobratoxine
cobre/Kupfer
- amarillo/Gelbguß
- brillante/Glanzkupfer
- electrolítico/Elektrolytkupfer
- lister/Blisterkupfer
cobreado/Verkupfern
cobres grises/Fahlerze
coca/Coca
cocaína/Cocain
cocancerígenos/Cocarcinogene
coccídeas/Schildläuse
coccinelina/Coccinellin
cocculus/Kokkelskörner
cochenilla/Schildläuse
cochinilla/Cochenille

cociente respiratorio/Respiratorischer Quotient
cocos/Kokken
cocotero/Kokospalme
cóctel Molotof/Molotowcocktail
codeína/Codein
código alimentario/Lebensmittelgesetz
- de letras para los aminoácidos/Buchstabencode der Aminosäuren
- genético/Genetischer Code
- industrial y del trabajo/Gewerbeordnung
codón/Codon
- de terminación/Stop-Codon
- iniciador/Start-Codon
coeficiente de absorción/Absorptionskoeffizient
- de absorción (sorción)/Sorptionskoeffizient
- de conductividad/Leitfähigkeitskoeffizient
- de intercambio de calor/Wärmeaustauschkoeffizient
- de ramificación/Verzweigungskoeffizient
- de rendimiento/Ertragskoeffizient
- de resistencia/Widerstandsbeiwert
- de transferencia de masa/Massentransfer-Koeffizient
- fenólico/Phenol-Koeffizient
coeficientes/Koeffizienten
- viriales/Virialkoeffizienten
coenzima A/Coenzym A
- B_{12}/Coenzym B_{12}
- F_{420}/Coenzym F_{420}
- F_{430}/Coenzym F_{430}
- M/Coenzym M
coenzimas/Coenzyme
coesita/Coesit
coevolución/Coevolution
coextrusión/Coextrusion
cofactores/Cofaktoren
cofinita/Coffinit
coherencia/Kohärenz
cohesión/Kohäsion
cohoba/Yopo
coincidencia/Koinzidenz
col/Kohl
col.../Chol...
col fermentada/Sauerkraut
cola/Cola, Leime
- de caballo/Schachtelhalme
- de pescado/Fischleim
- de poli(A)/Poly(A)-Schwanz
- de vidrio soluble/Wasserglasleim
- en caliente/Heißleim
- marina/Marin(e)leim
- orugicida/Raupenleim
- para oro/Mixtion
- vegetal/Kleister
colada (fundición) centrifugada/Schleuderguß
- (fundición) continua/Strangguß
colado/Kolieren
coladura/Kolieren
colagenasas/Collagenasen
colágenos/Collagene
colagogos/Cholagoga
5β-colano/5β-Cholan
colapez/Hausenblase
colas/Klebstoffe, Tackifier
- de caseína/Casein-Leime
- para chapas de madera/Furnierleime
- para madera/Holzleime
colchicina/Colchicin
colección de cultivos/Stammsammlung

colecistoquinina/Cholecystokinin
colectinas/Collectine
colector de aguas residuales/Abwassersammler
- de gotas/Tropfenfänger
colectores de fracciones/Fraktionssammler
colemanita/Colemanit
coleone/Coleone
coleópteros/Käfer
cólera/Cholera
coleréticos/Choleretika
colestano/Cholestan
colesterol/Cholesterin
colestipol/Colestipol
colestiramina/Colestyramin
colicinas/Colicine
colicuación/Kolliquation
colidina/Kollidin
colina/Cholin
colinérgico/Cholinerg
colinesterasa/Cholin-Esterase
colistinas/Colistine
colmenilla/Morcheln
colofonia/Kolophonium
colonia individual (aislada)/Einzelkolonien
coloquíntidas/Koloquinthen
color/Farbe
- de caramelo/Zuckercouleur
- transparente/Lasur
coloración/Farbton
- de llama/Flammenfärbung
- de Pappenheim/Pappenheim-Färbung
- de peligro/Warntracht
- (tinción) vital/Vitalfärbung
colorante antraquinónico/Anthrachinon-Farbstoffe
- de alizarina/Alizarin-Farbstoffe
- de higrociba/Hygrocyben-Farbstoffe
colorantes/Farbstoffe
- a base de complejos metálicos/Metallkomplex-Farbstoffe
- ácidos/Säurefarbstoffe
- alimentarios/Lebensmittelfarbstoffe
- azínicos/Azin-Farbstoffe
- azoicos/Azofarbstoffe
- brillantes/Brillant...-Farbstoffe
- catiónicos/Kationische Farbstoffe
- complejométalicos/Metallkomplex-Farbstoffe
- de acridina/Acridin-Farbstoffe
- de arciria/Arcyria-Farbstoffe
- de cianina/Cyanin-Farbstoffe
- de cuba/Küpenfarbstoffe
- de desarrollo/Entwicklungsfarbstoffe
- de difusión/Diffusionsfarben
- de dispersión/Dispersionsfarbstoffe
- de fenoxazona/Phenoxazon-Farbstoffe
- de fluorescencia diurna/Tagesleuchtfarben
- de ftalocianina/Phthalocyanin-Farbstoffe
- de láser/Laser-Farbstoffe
- de leprocybe/Leprocyben-Farbstoffe
- de los líquenes/Flechten-Farbstoffe
- de mixomicetenas/Myxomyceten-Farbstoffe
- de naftol/Naphthol-Farbstoffe
- de oxidación/Oxidationsfarbstoffe
- de polimetino/Polymethin-Farbstoffe

- de Ponceau/Ponceau-Farbstoffe
- de resolamina/Resolamin-Farbstoffe
- de tiazina/Thiazin-Farbstoffe
- de tina/Küpenfarbstoffe
- de triarilmetano/Triarylmethan-Farbstoffe
- de vinilsulfona/Vinylsulfon-Farbstoffe
- del alquitrán/Teerfarbstoffe
- directos/Direktfarbstoffe
- fugaces (para marcar)/Signierfarbstoffe
- funcionales/Funktionelle Farbstoffe
- grasos/Fettfarbstoffe
- Indanthrén/Indanthren®-Farbstoffe
- macromoleculares/Makromolekulare Farbstoffe
- metacromatici/Metachrom-Farbstoffe
- mordientes/Beizenfarbstoffe
- naturales/Naturfarbstoffe
- para alimentos/Lebensmittelfarbstoffe
- para huevos de Pascua/Ostereierfarben
- para media lana/Halbwoll-Farbstoffe
- para papel/Papierfarbstoffe
- rápidos sólidos/Rapid-Echtfarbstoffe
- reactivos/Reaktivfarbstoffe
- substantivos/Substantive Farbstoffe
- sulfurosos (al azufre)/Schwefel-Farbstoffe
- tiazólicos/Thiazol-Farbstoffe
- tioxanténicos/Thioxanthen-Farbstoffe
- vegetales/Pflanzenfarbstoffe
- Victoria/Viktoria-Farbstoffe
- xanténicos/Xanthen-Farbstoffe

colores a la aguada/Gouachefarben
- acuarelas/Aquarellfarben
- de seguridad/Sicherheitsfarben
- de temperas/Temperafarben
- rosas/Rosenfarbstoffe
colorimetría/Kolorimetrie
cólquico/Herbstzeitlose
columbita/Columbit
columna de burbujas con circulación/Deep Shaft-Schlaufenreaktor
- de burbujas con circulación en bucles/Schlaufenreaktor
- de Clusius/Clusius-Trennrohr
columnas/Kolonnen
- internas/Kolonnen-Einbauten
colza/Raps
comadreja/Wiesel
comatiitas/Komatiite
combustibilidad/Brennbarkeit
combustibles/Brennstoffe, Kraftstoffe, Treibstoffe
- de aviación/Flugkraftstoffe
- Diesel/Dieselkraftstoffe
- fósiles/Fossile Brennstoffe
- nucleares/Kernbrennstoffe
- para cohetes/Raketentreibstoffe
- para motores/Motorkraftstoffe
- para turbinas de combustión/Düsenkraftstoffe
combustión/Verbrennung, Abbrand
- de lecho fluidizado/Wirbelschichtverbrennung
- espontánea/Selbstentzündung
combustión/Abbrand
comensalismo/Kommensalismus
cometabolismo/Cometabolismus
cometas/Kometen
comino/Kümmel, Römischer Kümmel
comisión de encuesta/Enquête-Kommission
commo-/commo-
compactación/Kompaktieren
compactina/Compactin
compartimentación/Kompartiment(ierung)
compartimento/Kompartiment(ierung)
compartimiento medioambiental/Umweltkompartimente
compatibilidad con el medio ambiente/Umweltverträglichkeit
compatibilizador/Verträglichkeitsmacher
compensadores de dilatación/Kompensatoren
competencia de aprovechamientos/Nutzungskonkurrenz
complejantes/Komplexbildner
complejo de los poros nucleares/Kernporen-Komplex
complejos/Komplexe
- π (pi)/Pi-Komplexe
- aceptor-donador de electrones/Elektronen-Don(at)or-Akzeptor-Komplexe
- π-alílicos de los metales de transición/π-Allyl-Übergangsmetall-Verbindungen
- aromáticos-metales de transición/Aromaten-Übergangsmetall-Komplexe
- ato/at-Komplexe
- de antena/Antennen-Komplexe
- de carbenos/Carben-Komplexe
- de carbonilo/Carbonylkomplexe
- de los metales de transición/Übergangsmetall-Komplexe
- de Meisenheimer/Meisenheimer-Komplexe
- de transferencia de carga/Charge-transfer-Komplexe
- moleculares/Molekülverbindungen
complementación/Komplementation
complemento/Komplement
complexometría/Komplexometrie
complexona de o-cresolftaleína/Metallphthalein
complomiso público/Selbstverpflichtung
componentes de amiloide sérico/Serum-Amyloid-Komponenten
- del ajo/Knoblauch-Inhaltsstoffe
comportamiento de apetencia/Appetenzverhalten
- de deformación de los polímeros/Verformungsverhalten von Polymer-Werkstoffen
- de peligro/Warnverhalten
- de ruptura/Bruchverhalten
- ecológico/Öko-Ethologie
- marcador/Markierverhalten
composición/Zusammensetzung
composiciones luminosas/Leuchtsätze
compósitos poliméricos/Polymercomposites
compost/Kompost
compostaje/Kompostierung
compresibilidad/Kompressibilität
compresión/Pressen, Verdichten
compresor/Verdichter
- de turbina/Turbinenverdichter
compresores/Kompressoren
comprimidos/Tabletten
comprobante de eliminación de residuos/Entsorgungsnachweis
comproporcionación/Komproportionierung
compuestos acíclicos/Acyclische Verbindungen
- alicíclicos/Alicyclische Verbindungen
- alifáticos/Aliphatische Verbindungen
- aromáticos/Aromatische Verbindungen
- aromáticos no bencénicos/Nichtbenzoide aromatische Verbindungen
- azoicos/Azo-Verbindungen
- bicíclicos/Bicyclische Verbindungen
- bifuncionales/Bifunktionelle Verbindungen
- binarios/Binäre Verbindungen
- bioactivos de bajo peso molecular/Niedermolekulare Wirkstoffe
- cíclicos/Cyclische Verbindungen
- con actividad óptica/Optisch aktive Verbindungen
- corona/Kronenverbindungen
- cuaternarios/Quaternäre Verbindungen
- de adición/Additionsverbindungen
- de amonio cuaternario/Quartäre Ammonium-Verbindungen
- de azufre-nitrógeno/Schwefel-Stickstoff-Verbindungen
- de berilio/Beryllium-Verbindungen
- de boro y azufre/Bor-Schwefel-Verbindungen
- de boro y nitrógeno/Bor-Stickstoff-Verbindungen
- de cerio/Cer-Verbindungen
- de cesio/Cäsium-Verbindungen
- de circonilo/Zirconyl-Verbindungen
- de diazacarbonilo/Diazocarbonyl-Verbindungen
- de diazonio/Diazonium-Verbindungen
- de escandio/Scandium-Verbindungen
- de europio/Europium-Verbindungen
- de fósforo y nitrógeno/Phosphor-Stickstoff-Verbindungen
- de galio/Gallium-Verbindungen
- de germanio/Germanium-Verbindungen
- de grafito/Graphit-Verbindungen
- de hafnio/Hafnium-Verbindungen
- de halonio/Halonium-Verbindungen
- de inclusión/Einschlußverbindungen
- de indio/Indium-Verbindungen
- de iridio/Iridium-Verbindungen
- de itrio/Yttrium-Verbindungen
- de jaula/Caged Verbindungen, Käfigverbindungen
- de lantano/Lanthan-Verbindungen
- de los gases nobles/Edelgas-Verbindungen
- de moldeo/Formmassen, Preßmassen
- de moldeo (por compresión) fenólicos/Phenoplast-Preßmassen
- de neodimio/Neodym-Verbindungen
- de niobio/Niob-Verbindungen
- de onio/Onium-Verbindungen
- de organoantimonio/Antimonorganische Verbindungen
- de organoazufre/Schwefel-organische Verbindungen
- de organobismuto/Bismut-organische Verbindungen
- de organocinc/Zink-organische Verbindungen
- de organocirconio/Zirconiumorganische Verbindungen
- de organoestaño/Zinn-organische Verbindungen
- de organoestroncio/Strontiumorganische Verbindungen
- de organomanganeso/Manganorganische Verbindungen
- de organomercurio/Quecksilber-organische Verbindungen
- de organomolibdeno/Molybdän-organische Verbindungen
- de organoníquel/Nickel-organische Verbindungen
- de organopaladio/Palladium-organische Verbindungen
- de organoplata/Silber-organische Verbindungen
- de organoselenio/Selen-organische Verbindungen
- de organotalio/Thallium-organische Verbindungen
- de organotitanio/Titan-organische Verbindungen
- de organovanadio/Vanadiumorganische Verbindungen
- de oro/Gold-Verbindungen
- de piridinio/Pyridinium-Verbindungen
- de praseodimio/Praseodym-Verbindungen
- de renio/Rhenium-Verbindungen
- de rodio/Rhodium-Verbindungen
- de rubidio/Rubidium-Verbindungen
- de rutenio/Ruthenium-Verbindungen
- de samario/Samarium-Verbindungen
- de sulfonio/Sulfonium-Verbindungen
- de tántalo/Tantal-Verbindungen
- de tecnecio/Technetium-Verbindungen
- de terbio/Terbium-Verbindungen
- de tetraalquilamonio/Tetraalkylammonium-Verbindungen
- de titanilo/Titanyl-Verbindungen
- de uranilo/Uranyl-Verbindungen
- de xenón/Xenon-Verbindungen
- de yodonio/Iodonium-Verbindungen
- del platino/Platin-Verbindungen
- deuterados/Deuterierte Verbindungen
- diazoicos/Diazo-Verbindungen
- dicarbonílicos/Dicarbonyl-Verbindungen
- elementoorgánicos/Element-organische Verbindungen
- espiránicos/Spiro-Verbindungen
- haloorgánicos/Halogen-organische Verbindungen
- heterocíclicos/Heterocyclische Verbindungen
- hidroaromáticos/Hydroaromatische Verbindungen
- homoaromáticos/Homoaromatische Verbindungen
- impacto/Impact compound

Español

- interhalogenados/Interhalogen-Verbindungen
- intermediarios/Intermediäre Verbindungen
- intermetálico/Intermetallische Verbindungen
- intersticiales/Einlagerungsverbindungen
- iodo-orgánicos/Iod-organische Verbindungen
- isocíclicos/Isocyclische Verbindungen
- lubricantes/Compound-Öle
- macrocíclicos/Makrocyclische Verbindungen
- marcados/Markierte Verbindungen
- meriquinoides/Merichinoide Verbindungen
- mesoiónicos/Mesoionische Verbindungen
- metilénicos/Methylen-Verbindungen
- monocíclicos/Monocyclische Verbindungen
- nitrados/Nitro-Verbindungen
- no estequiométricos/Nichtstöchiometrische Verbindungen
- orgánicos de cobalto/Cobalt-organische Verbindungen
- orgánicos de hierro/Eisen-organische Verbindungen
- orgánicos de plomo/Blei-organische Verbindungen
- orgánicos de Renio/Rheniumorganische Verbindungen
- orgánicos de sodio/Natrium-organische Verbindungen
- organoaluminicos/Aluminiumorganische Verbindungen
- organoarsénicos/Arsen-organische Verbindungen
- organobáricos/Barium-organische Verbindungen
- organocádmicos/Cadmium-organische Verbindungen
- organocálcicos/Calcium-organische Verbindungen
- organocrómicos/Chrom-organische Verbindungen
- organocúpricos/Kupfer-organische Verbindungen
- organofosfóricos/Phosphor-organische Verbindungen
- organolantanoides/Lanthanoideorganische Verbindungen
- organolíticos/Lithium-organische Verbindungen
- organomagnesianos/Magnesium-organische Verbindungen
- organometálicos/Metall-organische Verbindungen
- organosilícicos/Silicium-organische Verbindungen
- organotelúricos/Tellur-organische Verbindungen
- organotúngsticos/Wolfram-organische Verbindungen
- organouránicos/Uran-organische Verbindungen
- perfluorados/Perfluorierte Verbindungen
- polialílicos/Polyallyl-Verbindungen
- policíclicos/Polycyclische Verbindungen
- polihidroxi/Polyhydroxy-Verbindungen
- poliméricos/Polymercompounds
- polinucleares/Mehrkernige Verbindungen
- químicos/Chemische Verbindungen
- sandwich/Sandwich-Verbindungen
- silicio-azufre/Silicium-Schwefel-Verbindungen
- ternarios/Ternäre Verbindungen
- tipo ansa/Ansa-Verbindungen
- tricíclicos/Tricyclische Verbindungen
- tritiados/Tritiierte Verbindungen
- Vaska/Vaska-Verbindungen

computadora vectorial/Vektorrechner
comunicación des riesgo/Risikokommunikation
comunidad en fase de clímax/Klimax
coñac/Weinbrand
conalbúmina/Conalbumin
conatina/Connatin
concanavalina A/Concanavalin A
concentración/Anreicherung, Einengen, Konzentration
- ambiental predicha/PEC
- de fondo/Hintergrundkonzentration
- de inmisión máxima/MIK
- de solapamiento/Überlappungskonzentration
- límite/Grenzkonzentration
concentrado de extracto de levadura/Hefebrühwürfel
- rectificado de mosto de uva/Rektifiziertes Traubenmostkonzentrat
concepción/Konzeption
concepto administrativo de residuos/Abfallwirtschaftskonzept
- de ácido y base/Säure-Base-Begriff
concha de sepia/Sepia-Schalen
- de tortuga/Schildpatt
conchado/Conchieren
conchágenos/Conchagene
concreciones/Konkretionen
concreto/Beton
condensación/Kondensation
- aciloínica/Acyloin-Kondensation
- benzoínica/Benzoin-Kondensation
- capilar/Kapillarkondensation
- de Claisen/Claisen-Kondensation
- de Dieckmann/Dieckmann-Kondensation
- de Knoevenagel/Knoevenagel-Kondensation
- de Stobbe/Stobbe-Kondensation
- Ugi de cuatro componentes/Ugi-Vierkomponenten-Reaktion
condensado/Kondensat
condensador/Kondensator
condensados proteína-ácido graso/Eiweiß-Fettsäure-Kondensate
condiciones de cuantificación de Bohr-Sommerfeld/Bohr-Sommerfeldsche Quantisierungsbedingungen
- fisiológicas/Physiologische Bedingungen
- normales/Normalbedingungen, Normzustand
condimento/Würze
- de pan de especias/Pfefferkuchengewürz
condimentos/Gewürze
condorí/Korallenbäumchen
condramidas/Chondramide

condrina/Chondrin
condroblastos/Chondroblasten
conducción de residuos/Abfallverbringung
- por defectos/Löcherleitung
conductibilidad/Leitfähigkeit
conductividad/Leitfähigkeit
- eléctrica/Elektrische Leitfähigkeit
- térmica/Wärmeleitfähigkeit
conducto de materiales (bei Erdöl: oleoducto)/Pipeline
conductometría/Konduktometrie
conductor de luz/Lichtleiter
- óptico/Lichtleiter
- p/p-Leiter
conductores de iones/Ionenleiter
- eléctricos/Elektrische Leiter
conesina/Conessin
confección/Konfektionierung
conferencias/Konferenzen
configuración/Konfiguration
- electrónica/Elektronenkonfiguration
confinamiento/Containment
confitado/Kandieren
confites/Zuckerwaren
confituras/Konfitüren
conformación/Konformation
- en frío/Kaltumformen
conformado/Umformen
congelación progresiva/Normales Erstarren
conglomerados/Konglomerate
congresano/Congressan
conidendrina/Conidendrin
coniferina/Coniferin
coniina/Coniin
conina/Coniin
conjuenos/Konjuene
conjugación/Konjugation
- cruzada/Gekreuzt-konjugiert
conjugados/Konjugate
conjunto de diodos/Diodenarray
conoda/Kon(n)ode
conos de Seger/Segerkegel
- para sedimentación de Imhoff/Imhoff-Trichter
conotoxinas/Conotoxine
conrotatorio/Konrotatorisch
consanguinidad/Inzucht
conservación/Konservierung
- de huevos/Eierkonservierung
conservantes/Konservierungsmittel
- de maderas/Holzschutzmittel
- para flores/Blumenfrischhaltemittel
consistencia/Konsistenz
constante de acoplamiento espín-espín/Spin-Spin-Kopplungskonstante
- de alargamiento de los enlaces por fuerza centrífuga/Zentrifugaldehnungskonstante
- de anarmonicidad/Anharmonizitätskonstante
- de Avogadro/Avogadro-Konstante
- de desintegración/Zerfallskonstante
- de formación de complejos/Komplex-Bildungskonstante
- de los gases/Gaskonstante
- de Madelung/Madelung-Konstante
- de Rydberg/Rydberg-Konstante
- de tiempo/Zeitkonstante
- de Verdet/Verdet-Konstante
- dieléctrica/Dielektrizitätskonstante
- reticular/Gitterkonstante
constantes/Konstanten

- críticas/Kritische Größen
- de fuerza/Kraftkonstanten
- de Van der Waals/Van-der-Waals-Konstanten
- físicas fundamentales/Fundamentalkonstanten
- naturales/Naturkonstanten
- rotacionales/Rotationskonstanten
constitución/Konstitution
constituyentes de los briofitos/Bryophyten-Inhaltsstoffe
consuelda mayor/Beinwell
consumo/Ingestion
- de oxígeno/Sauerstoff-Zehrung
contabilidad nacional de la economía ecológica/Umweltökonomische Gesamtrechnung
contadores/Zählrohre
- de centelleo (escintilación)/Szintillationszähler
contaminación/Kontamination, Verunreinigungen
- del aire en lugares cerrados/Innenraumbelastung
- medioambiental/Umweltverschmutzung
- por aceites/Ölpest
contaminante orgánico persistente/POP
contenedores/Behälter
contracción/Kontraktion, Schrumpfen, Schwinden
- en frío/Kaltschrumpfen
- lantanoidica/Lanthanoiden-Kontraktion
contrachapados/Holzfurniere
contraiones/Gegenionen
control [automático]/Regelung
- biológico/Biomonitoring
- de calidad/Qualitätskontrolle
- de dopado/Doping-Kontrolle
- de inmisión/Immissionsschutz
- de inmisiones/Immissionsüberwachung
- de plagas a través de la ingeniería genética/Gentechnische Schädlingsbekämpfung
convalatoxina/Convallatoxin
convección/Konvektion
conversión/Konvertierung, Umsatz
- de energía termoiónica/Thermionische Energieumwandlung
convertidor/Konverter
convertidores de herrumbre/Rostumwandler
convolvuláceas/Windengewächse
convulsivantes/Konvulsiva
cooperatividad/Kooperativität
coordinadas normales/Normalkoordinaten
copal de kauri/Kaurikopal
- de Manila/Manilakopal
copales/Kopale
copelación/Treibprozeß
copelado/Scheiden
copiapita/Copiapit
copias azules/Blaupausen
- heliográficas/Lichtpausen
copoliadición/Copolyaddition
copolicondensación/Copolykondensation
copolimerización/Copolymerisation
- azeotrópica/Azeotrope Copolymerisation
- en gradiente/Gradientencopolymerisation
- ideal/Ideale Copolymerisation
- por injertos/Pfropfcopolymerisation

– redox/Redox-Copolymerisation
copolímeros/Copolymere
– alternantes/Alternierende Copolymere
– de acrilonitrilo-butadieno-estireno/Acrylnitril-Butadien-Styrol-Copolymere
– de cicloolefinas/Cycloolefin-Copolymere
– de estireno/Styrol-Copolymere
– de estireno-acrilonitrilo/Styrol-Acrylnitril-Copolymere
– de estireno-butadieno/Styrol-Butadien-Copolymere
– de éter metilvinílico y anhídrido maleico/Poly(methylvinylether-co-maleinsäureanhydrid)e
– de etileno-acetato de vinilo/Ethylen-Vinylacetat-Copolymere
– de etileno-alcohol vinílico/Ethylen-Vinylalkohol-Copolymere
– de tres bloques/Triblock-Copolymere
– en gradiente/Gradientencopolymere
– estadísticos/Statistische Copolymere
– etilenacrílicos/Ethylen-Acrylat-Copolymere
– graduados/Gradientencopolymere
– por bloques/Blockcopolymere
– por injertos/Pfropfcopolymere
– secuenciales/Sequenzpolymere
coprecipitación/Mitfällung
coprina/Coprin
copro…/Kopro…
coprófagos/Koprophagen
coproporfirinas/Koproporphyrine
copsina/Kopsin
copulación/Kupp(e)lung
coque/Koks
– de alquitrán/Pechkoks
– de alto horno/Hochofenkoks
– de petróleo/Petrolkoks
– píceo/Pechkoks
coqueluche/Keuchhusten
coquilla/Kokille
corales/Korallen
corannuleno/Corannulen
corazón/Herz, Kern
corbadrina/Corbadrin
corcho/Kork
cordicepina/Cordycepin
cordierita/Cordierit
cordita/Cordit
corianina/Corianin
coricidas/Hühneraugenmittel
corindón/Korund
corinebacteriacea/Corynebacterium
coriolina/Coriolin
cornezuelo (de centeno)/Ergot
corona/Krone
coronено/Coronen
corporaciones/Körperschaften
correceptores/Corezeptoren
correlación electrónica/Elektronenkorrelation
corriente/Fließen, Strömung
– anular/Ringstrom
– laminar/Laminare Strömung
– turbulenta/Turbulente Strömung
corrina/Corrin
corrinoides/Corrinoide
corrosión/Ätzen, Korrosion
– de punto de rocío/Taupunkt-Korrosion

– en fisuras/Spaltkorrosion
– galvánica/Kontaktkorrosion
– grafítica/Spongiose
– por contacto/Berührungskorrosion, Kontaktkorrosion
– por tensofisuración/Spannungsriß-Korrosion
cortar con oxígeno/Brennschneiden
– con soplete/Brennschneiden
corte/Schneiden
– autógeno/Autogenes Schneiden
cortexona/Cortexon
corteza de condurango/Kondurango-Rinde
– de la cascarilla/Kaskarillarinde
– de maletto/Malettorinde
– de mangle/Mangrovenrinde
– de quilaya/Panamarinde
– de quina/Chinarinde
– de roble/Eichenrinde
– de sauce/Weidenrinde
– de tsuga de Canadá/Hemlockrinde
corticoliberina/Corticoliberin
corticostatinas/Corticostatine
corticosteroides/Corticosteroide
corticosterona/Corticosteron
corticotropina/Corticotropin
cortisona/Cortison
cortodoxona/Cortodoxon
corydalis/Lerchensporn
cosinas/Kosine
cosmética/Kosmetik
cosméticos/Kosmetika
– para (el cuidado de) la piel/Hautpflegemittel
– para las uñas/Nagelpflegemittel
– para los ojos/Augenkosmetika
– para pestañas/Wimpernkosmetika
cósmidos/Cosmide
cosmocloro/Kosmochlor
cosmología/Kosmologie
cosmoquímica/Kosmochemie
COT/TOC
cotolerancia/Cotoleranz
cotransmisores/Cotransmitter
cotrimoxazol/Co-trimoxazol
coulomb/Coulomb
coumafos/Coumaphos
covalencia/Bindigkeit
covellina/Covellin
cracking/Kracken
crandallita/Crandallit
craqueo/Kracken
– con vapor/Dampfspaltung
– de cera/Wachscracken
– térmico/Thermocracken
creatina/Kreatin
– -fosfato/Kreatinphosphat
– -quinasa/Kreatin-Kinase
creatincinasa/Kreatin-Kinase
creatinina/Kreatinin
crecimiento/Wachstum
– microbiano/Mikrobielles Wachstum
crema/Sahne
cremas/Cremes
creosota/Kreosot
cresidinas/Kresidine
cresil…/Cresyl…
cresilita/Cresylit
cresoles/Kresole
o-cresolftaleína/o-Kresolphthalein
crespado/Kräuseln
criba de mallas gruesas/Grobrechen
cribado/Sieben
crin cauchutada/Gummihaar
…crina/…crin
crinipelinas/Crinipelline

crio…/Kryo…
criobomba/Kryopumpe
crioconita/Kryokonit
criodesecación/Gefriertrocknung
criogenia/Tieftemperaturtechnik
crioglobulinas/Kryoglobuline
criolita/Kryolith
criostatos/Kryostate
criotecnia/Tieftemperaturtechnik
criptandos/Kryptanden
criptatos/Kryptate
criptomelano/Kryptomelan
criptón/Krypton
criptoxantina/Cryptoxanthin
crisantemina/Chrysanthemin
crisarrobina/Chrysarobin
crisazina/Chrysazin
criseno/Chrysen
crisina/Chrysin
crisoberilo/Chrysoberyll
crisocol/Chrysokoll
crisol de Gooch/Gooch-Tiegel
crisoles/Tiegel
crisomela/Blattkäfer
cristal mosaico/Mosaik-Kristalle
cristales/Kristalle
– coloidales/Kolloidale Kristalle
– de valencia/Valenzkristalle
– desordenados conformacionalmente/Condis-Kristalle
– líquidos/Flüssige Kristalle
– mixtos/Mischkristalle
– plasmáticos/Plasmakristalle
– plásticos/Plastische Kristalle
– polímeros/Polymerkristalle
cristalino/Kristallin
– a los rayos X/Röntgenkristallin
cristalinos/Kristalline, Linsen
cristalización/Kristallisation
– en forma de columna/Transkristallisation
– subsiguiente/Nachkristallisation
cristalofísica/Kristallphysik
cristalografía/Kristallographie
– resuelta por el tiempo/Zeitaufgelöste Kristallographie
cristaloquímica/Kristallchemie
cristobalita/Cristobalit
criterios de localización/Lokalisierungskriterien
crítico/Kritisch
crocante/Krokant
crocetina/Crocetin
crocidolita/Krokydolith
crocina/Crocin
crocoíta/Krokoit
croconazol/Croconazol
cromado/Verchromen
cromatina/Chromatin
cromatización/Chromatieren
– de aluminio/EW-Verfahren
cromato de amonio/Ammoniumchromat
– de bario/Bariumchromat
– de estroncio/Strontiumchromat
– de plomo/Bleichromat
– de potasio/Kaliumchromat
cromato(VI) de sodio/Natriumchromat(VI)
cromatóforos/Chromatophoren
cromatografía/Chromatographie
– de adsorción/Adsorptionschromatographie
– de afinidad/Affinitätschromatographie
– de capa fina/Dünnschichtchromatographie
– de gases/Gaschromatographie
– de intercambio iónico/Ionenaustauschchromatographie
– de par iónico/Ionenpaarchromatographie

– de reparto (partición)/Verteilungschromatographie
– en columna/Säulenchromatographie
– en fase gaseosa/Gaschromatographie
– (en fase) líquida/Flüssigkeitschromatographie
– en gel/Gelchromatographie
– en (sobre) papel/Papierchromatographie
– fluida supercrítica/Fluid Chromatographie
– instantánea/Flash-Chromatographie
– iónica/Ionenchromatographie
– líquida en microcolumna/Mikrosäulen-Flüssigkeitschromatographie
– planar/Planar-Chromatographie
cromatos/Chromate
– de cinc/Zinkchromate
cromeno/Chromen
cromita/Chromit
cromización/Inchromverfahren
cromo/Chrom
cromo…/Chromo…
cromo-níquel/Chromnickel
cromoazurol S/Chromazurol S
cromodinámica cuántica/Quantenchromodynamik
cromóforos/Chromophore
cromógenos/Chromogene
cromohexacarbonilo/Chromhexacarbonyl
cromonas/Chromone
cromoplastos/Chromoplasten
cromoproteínas/Chromoproteine
cromosoma artificial de la levadura/YAC
– jumping/Chromosome jumping
– walking/Chromosome walking
cromosomas/Chromosomen
cronobiología/Chronobiologie
cronopotenciometría/Chronopotentiometrie
crossing over/Crossover
crotamitón/Crotamiton
crotonoíl…/Crotonoyl…
crotoxina/Crotoxin
crown-glass/Kronglas
– -glass de cinc/Zink-Krone
– pesado/Schwerkrone
crucíferas/Cruciferae
crustáceos/Krebse
cruzamiento/Kreuzung
cuadr…/Quadr…
cuadriciclano/Quadricyclan
cuadro-/quadro-
cuajada/Quark
cuajo/Lab, Quark
cuanto (quantum) de acción de Planck/Plancksches Wirkungsquantum
cuantos/Quanten
cuarcitas/Quarzite
cuarzo/Quarz
– fundido/Quarzgut
cuasi-átomos/Quasiatome
– -partículas/Quasiteilchen
cuasia/Quassia
cuasicristales/Quasikristalle
cuasiestático/Quasistatisch
cuasín; cuasinoides/Quassin(oide)
cuater…/Quater…
cuaternario/Quartär, Quaternär
cuaternización/Quaternisierung
3,2′:3′,4′′:2′′,3′′′-cuaterpiridina/
 3,2′:3′,4′′:2′′,3′′′-Quaterpyridin
cuaterpolímeros/Quaterpolymere
cuba/Küpe
cubanita/Cubanit
cubano/Cuban

Español

cubebas/Cubeben
cubetas/Küvetten
cubilote/Kupolofen
cubitos de caldo/Fleischbrühwürfel
cucarachas/Schaben
cucurbitacinas/Cucurbitacine
cuero/Leder
– artificial/Kunstleder
– cabrito/Ziegenleder
– charolado/Lackleder
– de vaqueta al cromo/Rindbox
– glacé/Glacéleder
– mocha/Mochaleder
– nubuc/Nubuk-Leder
– o piel de Rusia/Juchten
– para suelas/Sohlenleder
cuerpo negro/Schwarzer Körper
cuerpos cetónicos/Ketonkörper
– de Bingham/Binghamsche Medien
– de inclusión/Inclusion Bodies
– de relleno/Füllkörper
– platónicos/Platonische Körper
cuidado del cabello/Haarbehandlung
culombimetría/Coulometrie
culombímetro de gas fulminante/Knallgascoulombmeter
culometría/Coulometrie
cultivo/Kultur, Säurewecker
– celular/Zellkultur
– de células animales/Tierzellkultur
– de enriquecimiento/Anreicherungskultur
– de órganos/Organkultur
– de producción/Produktionskultur
– de superficie/Oberflächenkultur
– de tejido/Gewebezüchtung
– en masa/Massenkultur
– genético/Gen-Farming
– integrado de plantas/Integrierter Pflanzenbau
– mezclado/Mischkultur
– mixto/Mischkultur
– por agitación/Schüttelkultur
– preliminar/Vorkultur
– puro/Reinkultur
cultivos de conservación/Schutzkulturen
– en botellas rotantes/Rollerflaschen-Kultur
– iniciadores/Starter-Kulturen
cumarina/Cumarin
cumeno/Cumol
cumetetralil/Cumatetralyl
cumis/Kumys
cumol/Cumol
cumulenos/Kumulene
cuota de ventilación/Belüftungsrate
cuoxam/Cuoxam
cupferrón/Kupferron
cupratos(I)/Cuprate(I)
cupreno/Cupren
cupresáceas/Cupressaceae
cuprita/Cuprit
cupro/Cupro
cuprofitas/Cuprophyten
cuprón/Cupron
cuproproteínas/Kupfer-Proteine
cúpula protectora/Radom
curacín/Curacin
curación de heridas/Wundheilung
curado/Aushärten, Curing
curare/Curare
cúrcuma/Curcuma
curcumenos/Curcumene
curcumina/Curcumin
curdlan/Curdlan
curie/Curie

curio/Curium
curry/Curry
curtido al cromo/Chromgerbung
curtiduría/Gerberei
curtientes/Gerbstoffe
curva adiabática/Adiabate
– de crecimiento/Wachstumskurve
– de enfriamiento/Abkühlungskurve
– de punto de rocío/Taukurve
– isodósica/Isodose
– lambda/Lambda-Kurve
– solidus/Soliduskurve
cuscohigrina/Cusc(o)hygrin
cutícula/Cuticula
cutina/Cutin
cysteine string protein/Cysteine string protein

D

dacarbazina/Dacarbazin
dactinomicina/Dactinomycin
dafnetina/Daphnetin
dafnetoxina/Daphnetoxin
daguerrotipia/Daguerreotypie
dalfopristina/Dalfopristin
dalton/Dalton
daltónidos/Daltonide
damarenos/Dammarene
damascenonas/Damascenone
damasconas/Damascone
danaidal/Danaidal
danazol/Danazol
danburita/Danburit
daño de la salud/Gesundheitsschaden
daños del bosque/Waldschäden
– por irradiación/Strahlenschäden
dansil.../Dansyl...
dantroleno/Dantrolen
dantrona/Dantron
danza circular/Rundtanz
– de meneo rapido/Schwänzeltanz
dapiprazola/Dapiprazol
dapsona/Dapson
darcy/Darcy
datación/Altersbestimmung
– con potasio-argón/Kalium-Argon-Methode
– por el método del plomo/Blei-Methode
– por radiocarbono/Radiokohlenstoff-Datierung
– por rubidio-estroncio/Rubidium-Strontium-Datierung
dátiles/Datteln
datolita/Datolith
daunorubicina/Daunorubicin
dazomet/Dazomet
DBO/BSB
DCI/INN
de encina/Eichenmoos
déa del medio ambiente/Umwelttag
deanol/Deanol
debrisoquina/Debrisoquin
deca/Dec(a)...
decaborano/Decaboran(14)
2,4-decadienal/2,4-Decadienal
γ-decalactona/γ-Decalacton
decalina/Decalin
decámetro/Dekameter
decanal/Decanal
decanodioíl.../Decandioyl...
decanoíl.../Decanoyl...
1-decanol/1-Decanol
decantación/Dekantieren
decantador/Dekanter
– Dortmund/Dortmundbrunnen
decapado/Dekapieren

– de cobre y sus aleaciones/Gelbbrennen
– económico/Sparbeizen
– por soplete/Flammstrahlen
decapantes/Abbeizmittel
decarestrictinas/Decarestrictine
decatizado/Dekatieren
2-decenal/2-Decenal
deci.../Dezi...
decil.../Decyl...
declaración de emisiones/Emissionserklärung
– del medio ambiente/Umwelterklärung
– o notificación de accidente/Unfallanzeige
decocción/Decoctum
decoloración/Entfärbung
decrepitar/Dekrepitieren
decreto de aguas potables/Trinkwasser-Verordnung
– sobre averías/Störfall-Verordnung
– sobre pequeños hogares/Kleinfeuerungsanlagen-Verordnung
dedo de cinc/Zink-Finger
defecto cuántico/Quantendefekt
– de apilamiento/Stapelfehler
– de Frenkel/Frenkel-Defekt
– de masa/Massendefekt
– puntual/Punktdefekte
– Renecker/Renecker-Defekt
defectos cristalinos/Kristallbaufehler
– del vino/Weinfehler
– ópticos/Schlieren
defensa contra incendios/Brandschutz
defensinas/Defensine
deferoxamina/Deferoxamin
defibrotida/Defibrotid
definición/Definition
deflagración/Deflagration
deflazacort/Deflazacort
deformación/Deformation
degradación/Abbau, Degradation
– abiótica/Abiotischer Abbau
– anaerobia (anaeróbica)/Anaerober Abbau
– biológica/Biologischer Abbau
– biológica de ácido/Säureabbau, biologischer
– de Edman/Edman-Abbau
– de Emde/Emde-Abbau
– de Hofmann/Hofmannscher Abbau
– de Krafft/Krafftscher Abbau
– de los ácidos grasos/Fettsäure-Abbau
– de Lossen/Lossen-Abbau
– de polímeros/Polymer-Abbau
– de Ruff/Ruff-Abbau
– de Wohl/Wohl-Abbau
degras/Degras
dehidro.../Dehydro...
delavirdina/Delavirdin
delección/Deletion
delegado de protección contra inmisiones/Immissionsschutzbeauftrager
delfinina/Delphinin
deltametrín/Deltamethrin
demanda de oxígeno/Sauerstoff-Bedarf
demeclociclina/Demeclocyclin
demecolcina/Demecolcin
demetilación/Demethylierung
demetón-S-metilo/Demeton-S-methyl
demisidina/Demissidin
demonio de Maxwell/Maxwellscher Dämon

demoxitocina/Demoxytocin
denaverina/Denaverin
dendritas/Dendriten
dendrocronología/Dendrochronologie
dendrolasina/Dendrolasin
denim/Denim
denominaciones comunes/Freinamen, Generic Names
densidad/Dichte
– a granel/Schüttdichte
– aparente (a granel)/Schüttgewicht
– crítica/Kritische Dichte
– de corriente/Stromdichte
– de empaquetamiento/Packungsdichte
– de las especies/Artendichte
– de los espines/Spindichte
– de los estados/Zustandsdichte
– del gas/Gasdichte
– electrónica/Elektronendichte
– lumínica/Leuchtdichte
– por análisis de rayos X/Röntgendichte
densitómetros/Densitometer
dentina/Dentin
dentríficos/Zahnpflegemittel
deoxinivalenol/Deoxynivalenol
depilación/Depilation
depilatorios/Depilatorien
deposición/Absetzenlassen, Deposition
– de polvo/Staubniederschlag
– en fase vapor/Aufdampfen
– química del vapor con ayuda de un láser/Laser Chemical Vapo(u)r Deposition
– química del vapor de compuestos metaloorgánicos/MOCVD
– química en fase vapor/Gasphasenabscheidung
depósito/Ablagerung
– de retención/Rückhaltebecken
– (estanque) de barro activado/Belebungsbecken
– intermedio/Zwischenlager
– subterráneo/Untertage-Deponierung
depósitos/Behälter
– de basuras/Deponierung
depsidas/Depside
depsidonas/Depsidone
depuración biológica de gases residuales/Biologische Abgasbehandlung
– biológica de las aguas residuales/Biologische Abwasserbehandlung
– del aire de salida/Abluftreinigung
– mecánica de las aguas residuales/Mechanische Abwasserbehandlung
depuradora de río/Flußkläranlage
derecho de protección medioambiental/Umweltrecht
derivados/Derivate
– celulósicos/Cellulose-Derivate
– de guar/Guar-Derivate
– de la celulosa/Cellulose-Derivate
– del almidón/Stärke-Derivate
derivatización/Derivatisierung
des(e).../Des(e)...
des-/Des-
desactivación/Desaktivierung
desactivadores de peróxidos/Peroxid-Desaktivatoren
desaguar/Gautschen
desalación/Entsalzung
– del agua de mar/Meerwasserentsalzung

desalinización/Entsalzung
desalquilación/Desalkylierung
desaminación/Desaminierung
desapresto/Entschlichtung
desarenador/Sandfang
desaromatización/Desaromatisierung
desarrollo de la cepa/Stammentwicklung
– de masa (de población)/Massentwicklung
– de procesos/Verfahrensentwicklung
descarbonilación/Decarbonylierung
descarboxilación/Decarboxylierung
descarboxilasas/Decarboxylasen
descarga/Einleiten, Verklappung
– de efluvios/Glimmentladung
– de gas/Gasentladung
– eléctrica a débil luminiscencia/Glimmentladung
– luminosa/Glimmentladung
descascarillar/Entzunderung
descloizita/Descloizit
descomposición/Aufschluß, Verwesung, Zersetzung
– a baja temperatura/Tieftemperaturzerlegung
descongelantes/Enteisungsmittel
descontaminación/Dekontamination
– microbiana del suelo/Mikrobielle Bodendekontaminierung
descorporación/Dekorporierung
descrudado a presión/Beuchen
desdoblamiento/Spaltung
– de cadenas/Kettenspaltung
– de grasas/Fett-Spaltung
– de racematos (racémicos)/Racemattrennung
(de)secado por pulverización/Zerstäubungstrocknung
desecadores/Exsikkatoren
desecantes/Trockenmittel
desecho/Abfall
desechos de embalaje/Verpackungsabfälle
– nocivos/Sonderabfall
– residuales/Restmüll
– urbanos/Siedlungsabfälle
desemulsionantes/Demulgatoren
desencofrantes/Entschalungsmittel
desencolado/Entschlichtung
desendurecimiento (ablandamiento) del agua/Wasserenthärtung
desengrasado de metales/Entfetten von Metallen
– electrolítico/Elektrolytische Entfettung
desengrase de metales/Metallentfettung
desensibilización/Desensibilisation
desentitado/De-inking
deserpidina/Deserpidin
desestñado/Entzinnen
desferrización/Enteisenung
desflurano/Desfluran
desfoliantes/Entlaubungsmittel
desgasificación/Entgasung
desgaste/Verschleiß
deshalogenación/Dehalogenierung
desherrumbrante/Entrostungsmittel
deshidratación/Absolutierung, Dehydratisierung
– de los lodos/Schlammentwässerung

deshidratantes/Trockenmittel
deshidratasas/Dehydratasen
deshidrobenceno/Dehydrobenzol
deshidrociclización/Dehydrocyclisierung
7-deshidrocolesterol/7-Dehydrocholesterin
deshidrodimerización/Dehydrodimerisation
deshidrogenación/Dehydrierung
deshidrogenasas/Dehydrogenasen
deshidrohalogenación/Dehydrohalogenierung
desierto de líquines/Flechtenwüste
desil…/Desyl…
desinfección/Desinfektion
– del suelo/Bodendesinfektion
desinfectantes/Antiinfektiva, Desinfektionsmittel
– de semillas/Saatgut-Behandlungsmittel
desintegración/Zerfall
– alfa/Alpha-Zerfall
– beta/Beta-Zerfall
– beta doble/Doppelter Betazerfall
– radiactiva/Radioaktiver Zerfall
desintoxicación/Entgiftung
desionización/Demineralisation
desipramina/Desipramin
deslanósido/Deslanosid
deslocalización/Delokalisierung
deslustrado/Dämpfen, Mattierung
deslustre/Anlaufen
desmagnetización adiabática/Adiabatische Entmagnetisierung
– nuclear adiabática/Adiabatische Kernentmagnetisierung
desmaldeantes/Trennmittel
desmedifam/Desmedipham
desmenuzamiento/Zerkleinern
desmetalización/Entmetallisierung
desmina/Desmin
desmineralización/Demineralisation
desmonoramiento/Auswaschung
desmontado/Abziehen
desmopresina/Desmopressin
desmosina/Desmosin
desmosomas/Desmosomen
desnaturalización/Denaturieren
desnaturalizadores/Vergällungsmittel
desnebulizador/Demister
desnervado/Walken
desnitrificación/Denitrifikation
desnudo/Nackt
desodorantes/Desodorantien
desodorización/Geruchsminderung
desogestrel/Desogestrel
desonida/Desonid
desorción/Desorption
– por inducción electrónica/EID
desosamina/Desosamin
desoxi…/Desoxy…
2-desoxi-D-ribosa/2-Desoxy-D-ribose
desoxiazúcares/Desoxyzucker
desoxicolato de sodio/Natriumdesoxycholat
desoxidación/Desoxidation, Feinen
desoxidante/Desoxidationsmittel, Entrostungsmittel
desoxigenación/Desoxygenierung
desoximetasona/Desoximetason
1-desoxinojirimicina/1-Desoxynojirimycin
desoxinucleósidos/Desoxynucleoside

desoxinucleótidos/Desoxynucleotide
desoxiribonucleasas/Desoxyribonucleasen
despigmentación/Depigmentierung
desplazamiento/Treibprozeß
– Doppler/Doppler-Verschiebung
– NIH/NIH-Verschiebung
– Raman/Raman-Verschiebung
despolarizadores/Depolarisatoren
despolimerización/Depolymerisation
despolvoramiento/Entstaubung
desprecio intermedio de la integral de solapamiento/INDO
desprendimiento de pigmentos/Kreiden
desproporción/Disproportionierung
despunte/Auflaufen
destilación/Destillation
– por arrastre de vapor (de agua)/Wasserdampfdestillation
– seca/Schwelung
– según Micko/Micko-Destillation
– sobre polvo de cinc/Zinkstaubdestillation
destracción/Destraktion
destrucción de peces/Fischsterben
destruxinas/Destruxine
destruyentes/Destruenten
desulfuración/Entschwefelung
desulfurado/Entschwefelung
desviación/Streuung
detección/Nachweis
– de fugas/Lecksuche
detector de emisión atómica/AED
– de ionización de helio/Helium-Ionisationsdetektor
– de trampa de iones/Ion-Trap-Detektor
detectores/Detektoren
– de conductividad térmica/Wärmeleitfähigkeitsdetektoren
– de gas/Gasspürgeräte
detergente neutro/Neutralreiniger
detergentes/Detergentien, Waschmittel
– no iónicos/Nichtionische Tenside
– para máquinas lavaplatos/Maschinengeschirrspülmittel
– universales/Allzweckreiniger
deterioración/Zersetzung
determinación de estructuras cristalinas/Kristallstrukturanalyse
– de la estructura/Konstitutionsermittlung
– de masas molares/Molmassenbestimmung
– del peso atómico/Atomgewichtsbestimmung
– del punto de ebullición/Siedepunktbestimmung
– del punto de fusión/Schmelzpunktbestimmung
determinante de Slater/Slater-Determinante
deterrentes/Deterrentien
detonación/Detonation
detonadores/Sprengkapseln
detrito/Detritus
deuterio/Deuterium
deutero…/Deutero…
deuterocloroformo/Deuteriochloroform
deuterólisis/Deuterolyse
deuterones/Deuteronen
dexametasona/Dexamethason
dexclorfeniramina/Dexchlorpheniramin

dexfenfluramina/Dexfenfluramin
dexpantenol/Dexpanthenol
dextrán/Dextran
dextranómero/Dextranomer
dextrinas/Dextrine
dextro…/Dextro…
dextrometorfano/Dextromethorphan
dextromoramida/Dextromoramid
dextropropoxifeno/Dextropropoxyphen
di…/De(s)…, Di…
2,6-di-*terc*-butil-4-metilfenol/2,6-Di-*tert*.-butyl-4-methylphenol
diabase/Diabas
diabetes/Diabetes
diacetato de N,N'-dibenciletilendiamina/N,N'-Dibenzylethylendiamindiacetat
– de yodosilbenceno/Iodosylbenzoldiacetat
diacetilsplenopentina/Diacetylsplenopentin
diaceltiltartratos/Diacetylweinsäureester
diaceton-alcohol/Diacetonalkohol
diacilgliceroles/Diacylglycerine
diafeniturón/Diafenthiuron
diafiltración/Diafiltration
diaforéticos/Hidrotika
diafragma/Diaphragma
diagnóstico/Diagnostik
– génico/Gendiagnostik
– prenatal/Pränatale Diagnostik
diagrama de Birge-Spaner/Birge-Sponer-Diagramm
– de correlación de estado/Zustands-Korrelationsdiagramm
– de equilibrio hierro carbón/Eisen-Kohlenstoff-System
– de Fortrat/Fortrat-Diagramm
– de Sankey/Sankey-Diagramme
– de Schaeffler/Schaeffler-Diagramm
diagramas de estado/Zustandsdiagramme
– de Orgel/Orgel-Diagramme
– de Tanabe-Sugano/Tanabe-Sugano-Diagramme
– de Walsh/Walsh-Diagramme
– tension-extensión/Spannungs-Dehnungs-Diagramme
dialato/Diallat
diálisis/Dialyse
N,N-dialquilamidas/N,N-Di-alkylamide
dialquilamina/Dialkylamine
dialquilperóxidos/Dialkylperoxide
diamantes/Diamanten
diamina oxidasa/Diamin-Oxidase
diaminas/Diamine
2,4-diamino-6-metil-1,3,5-triazina/2,4-Diamino-6-methyl-1,3,5-triazin
2,4-diaminoazobenceno/2,4-Diaminoazobenzol
4,4′-diaminodifenilmetano/4,4′-Diaminodiphenylmethan
2,4-diaminofenol/2,4-Diaminophenol
2,6-diaminopyridine/2,6-Diaminopyridin
dianhídrido de perileno-3,4,9,10-tetracarbóxilico/Perylen-3,4,9,10-tetracarbonsäure-dianhydrid
– piromelítico/Pyromellit(h)säuredianhydrid
o-dianisidina/*o*-Dianisidin
1,1′-diantrimida/1,1′-Dianthrimid
diarrea/Diarrhoe
diastereo(iso)merismo/Diastereo(iso)merie

Español

diauxia/Diauxie
diaza.../Diaza...
1,5-diazabiciclo[4.3.0]non-5-eno/1,5-Diazabicyclo[4.3.0]non-5-en
1,4-diazabiciclo[2.2.2]octano/1,4-Diazabicyclo[2.2.2]octan
diazendicarboxilato de dimetilo/Diazendicarbonsäure-dimethylester
diazenos/Diazene
diazepam/Diazepam
diazepinas/Diazepine
diazinón/Diazinon
diaziridinas/Diaziridine
diazirinas/Diazirine
diazo.../Diazo...
diazo curtiente/Gerbdiazo
diazoles/Diazole
diazometano/Diazomethan
diazoresinas/Diazoharze
diazotatos/Diazotate
diazotipias/Diazokopien
diazóxido/Diazoxid
dibecacina/Dibekacin
dibencepina/Dibenzepin
dibenzacepinas/Dibenzazepine
dibenzodioxín/Dibenzo[1,4]dioxin
dibenzofurano/Dibenzofuran
dibenzosuberona/Dibenzosuberon
dibenzotiofeno/Dibenzothiophen
diborano/Diboran(6)
diboruro de titanio/Titandiborid
1,2-dibromoetano/1,2-Dibromethan
dibromohexamidina/Dibromhexamidin
dibromopropamidina/Dibrompropamidin
1,3-dibromopropano/1,3-Dibrompropan
dibunato de sodio/Natriumdibunat
dibutilamina/Dibutylamin
dibutiltiourea/1,3-Dibutylthioharnstoff
dicamba/Dicamba
dicarbonato de dimetilo/Dimethyldicarbonat
diccionarios/Wörterbücher
dicetena/Diketen
dicetonas/Diketone
dicianoargentato de potasio/Kaliumdicyanoargentat
dicianógeno/Dicyan
diciclohexilamina/Dicyclohexylamin
diciclohexilcarbodiimida/Dicyclohexylcarbodiimid
diciclopentadieno/Dicyclopentadien
dicicloverina/Dicycloverin
diclobenil/Dichlobenil
diclobutrazol/Diclobutrazol
diclofenaco/Diclofenac
diclofenamida/Diclofenamid
diclofluanid/Dichlofluanid
diclofop-metil/Diclofop-methyl
diclomezina/Diclomezin
dicloretanos/Dichlorethane
diclorhidrato de N-(1-naftil)etilendiamina/N-(1-Naphthyl)-ethylendiamin-dihydrochlorid
diclornitrobencenos/Dichlornitrobenzole
4,5-dicloro-3,6-dioxo-ciclohexa-1,4-dien-1,2-dicarbonitrilo/4,5-Dichlor-3,6-dioxo-cyclohexa-1,4-dien-1,2-dicarbonitril
2,3-dicloro-1,4-naftoquinona/2,3-Dichlor-1,4-naphthochinon
1,3-dicloro-2-propanol/1,3-Dichlor-2-propanol

dicloroacetato de diisopropilamina/Diisopropylamin-dichloracetat
dicloroanilinas/Dichloraniline
diclorobencenos/Dichlorbenzole
1,4-diclorobutano/1,4-Dichlorbutan
dicloroetilenos/Dichlorethylene
2,6-diclorofenol-indofenol sódico/2,6-Dichlorphenol-indophenol-natrium
diclorofenoles/Dichlorphenole
dicloroprop-P/Dichlorprop-P
dicloropropanos/Dichlorpropane
1,3-dicloropropeno/1,3-Dichlorpropen
dicloruro de bencilideno/Benzylidendichlorid
– de paracuat/Paraquat-dichlorid
dicloruros fosfonitrílicos/Phosphornitridchloride
diclorvos/Dichlorvos
dicloxacilina/Dicloxacillin
clocoxidim/Cycloxydim
dicofol/Dicofol
dicotiledóneas/Dikotyle(done)n
dicrógrafos/Dichrographen
dicroísmo circular/Circulardichroismus
dicromato de amonio/Ammoniumdichromat
– de potasio/Kaliumdichromat
dicromato(VI) de sodio/Natriumdichromat(VI)
dicromatos/Dichromate
dicrotofos/Dicrotophos
dicuat-dibromuro/Diquat-dibromid
dicumarol/Dicumarol
didanosina/Didanosin
didemninas/Didemnine
3,4-dideshidroretinal/3,4-Didehydroretinal
didimio/Didym
didrogesterona/Dydrogesteron
dieldrín/Dieldrin
dieléctricos/Dielektrika
dienestrol/Dienestrol
dienonas/Dienone
dienos/Diene
– no conjugados/Nichtkonjugierte Diene
diente de león/Löwenzahn
dientes/Zähne
diésteres del ácido fosfórico/Phosphodiester
dieta/Diät
– deportiva/Sporternährung
– diaria recomendada/RDA
N,N-dietil-p-fenilendiamina/N,N-Diethyl-p-phenylendiamin
dietilacetal del acetaldehído/Acetaldehyd-diethylacetal
– del bromoacetaldehído/Bromacetaldehyd-diethylacetal
– del cloroacetaldehído/Chloracetaldehyddiethylacetal
dietilamida del ácido lisérgico/Lysergsäurediethylamid
dietilamina/Diethylamin
2-(dietilamino)-etanol/2-(Diethylamino)-ethanol
N,N-dietilanilina/N,N-Diethylanilin
dietilcarbamazina/Diethylcarbamazin
dietilditiocarbamato de plata/Silberdiethyldithiocarbamat
– de sodio/Natrium-diethyldithiocarbamat
dietilditiocarbamatos/Diethyldithiocarbamate

dietilenglicol/Diethylenglykol
dietilentriamina/Diethylentriamin
dietilestilbestrol/Diethylstilbestrol
dietiléter/Diethylether
2-N,N-dietiltildiamina/N,N-Diethylethylendiamin
1,3-dietiltiourea/1,3-Diethylthioharnstoff
dietiltoluamida/N,N-Diethyl-m-toluamid
dietofencarb/Diethofencarb
difacinona/Diphacinon
difenacum/Difenacoum
difenhidramina/Diphenhydramin
2,2-difenil-1-picrilhidracilo/2,2-Diphenyl-1-pikrylhydrazyl
difenilamina/Diphenylamin
1,5-difenilcarbazona/1,5-Diphenylcarbazon
1,5-difenilcarbonohidracina/1,5-Diphenylcarbonohydrazid
1,2-difeniletano/1,2-Diphenylethan
difeniléter/Diphenylether
1,3-difenilguanidina/1,3-Diphenylguanidin
1,1-difenilhidracina/1,1-Diphenylhydrazin
difenilmetano/Diphenylmethan
difenilo/Diphenyl
2,5-difeniloxazol/2,5-Diphenyloxazol
difenilpiralina/Diphenylpyralin
difenilsulfuros policlorados/PCDPS
1,3-difeniltiourea/1,3-Diphenylthioharnstoff
1,3-difeniltriazeno/1,3-Diphenyltriazen
difenilurea/1,3-Diphenylharnstoff
difenoconazol/Difenoconazol
difenoles/Diphenole
difenoxilato/Diphenoxylat
difenoxina/Difenoxin
difenzocuato-metilsulfato/Difenzoquat-methylsulfat
diferencia de potencial por contacto/Kontaktspannung
diferenciación/Differenzierung
difesatina/Diphesatin
difetialona/Difethialon
diflorasona/Diflorason
diflubenzurón/Diflubenzuron
diflucortolona/Diflucortolon
diflufenicán/Diflufenican
diflunisal/Diflunisal
5'-difosfato de adenosina/Adenosin-5'-diphosphat
difosfatos/Diphosphate(V)
– de fructosa/Fructosediphosphate
difosgeno/Diphosgen
difracción/Beugung, Streuung
– de electrones/Elektronenbeugung
– de electrones de baja energía/LEED
– de neutrones/Neutronenbeugung
difterotoxina/Diphtherie-Toxin
difundir/Zerstäuben
difusión/Diffusion, Streuung
– de la luz/Lichtstreuung
difusividad térmica/Temperaturleitfähigkeit
digenita/Digenit
digestión/Digerieren, Verdauung
digital/Digital
digitonina/Digitonin
digitoxosa/Digitoxose
diglicéridos/Diglyceride
dihalogenuros de isocianuro/Isocyaniddihalogenide

dihexiverina/Dihexyverin
dihidralazina/Dihydralazin
dihidrocalconas/Dihydrochalcone
dihidrocloruro de octenidina/Octenidin-dihydrochlorid
dihidrocodeína/Dihydrocodein
dihidrodimerización/Dihydrodimerisation
dihidroergoconina/Dihydroergocristin
dihidroergocriptina/Dihydroergocryptin
dihidroergotamina/Dihydroergotamin
dihidroergotoxina/Dihydroergotoxin
dihidroestreptomicina/Dihydrostreptomycin
dihidropirano/3,4-Dihydro-2H-pyran
dihidrotaquisterol/Dihydrotachysterol
dihidroxiacetona/Dihydroxyaceton
2,4-dihidroxibenzofenona/2,4-Dihydroxybenzophenon
diimina/Diimin
diisocianato de hexametileno/Hexamethylendiisocyanat
– de xilileno/Xylylendiisocyanat
diisocianatos/Diisocyanate
– de tolueno/Toluoldiisocyanate
diisopropilamida de litio/Lithiumdiisopropylamid
diisopropilbenceno/Diisopropylbenzol
dikegulac-sodio/Dikegulac-Natrium
dilatación/Dilatation
dilatancia/Dilatanz
dilazep/Dilazep
diloxanida/Diloxanid
diltiazem/Diltiazem
dilución/Verdünnen
– isotópica/Isotopenverdünnungsanalyse
diluyentes/Verdünnungsmittel, Verschnittmittel
dimazol/Dimazol
dimedona/Dimedon
dimefurón/Dimefuron
dimenhidrinato/Dimenhydrinat
dimensiones no perturbadas/Ungestörte Dimensionen
dimercaprol/Dimercaprol
1,4-dimercapto-2,3-butanodioles/1,4-Dimercapto-2,3-butandiol
2,5-dimercapto-1,3,4-tiadiazol/2,5-Dimercapto-1,3,4-thiadiazol
dimerización/Dimerisation
dímeros excitados/Excimere
dimetacrina/Dimetacrin
dimetenamida/Dimethenamid
dimeticona/Dimeticon
2,9-dimetil-1,10-fenantrolina/2,9-Dimethyl-1,10-phenanthrolin
N,N-dimetil-p-fenilendiamina/N,N-Dimethyl-p-phenylendiamin
2,6-dimetil-4-heptanona/2,6-Dimethyl-4-heptanon
2,4-dimetil-3-pentanona/2,4-Dimethyl-3-pentanon
dimetil-POPOP/Dimethyl-POPOP
2,2-dimetil-1,3-propanodiol/2,2-Dimethyl-1,3-propandiol
dimetilacetal del aminoacetaldehído/Aminoacetaldehyddimethylacetal
– del cloroacetaldehído/Chloracetaldehyddimethylacetal

N,N-dimetilacetamida/*N,N*-Dimethylacetamid
dimetilamina/Dimethylamin
dimetilamino…/Dimethylamino…
4-(dimetilamino)-azobenceno/4-(Dimethylamino)azobenzol, 4-(Dimethylamino)-azobenzol
2-(dimetilamino)-etanol/2-(Dimethylamino)ethanol
(dimetilamino)-propanoles/(Dimethylamino)propanole
4-dimetilaminobenzaldehido/4-Dimethylaminobenzaldehyd
(4-dimetilaminobenzilideno)-rodanina/5-(4-Dimethylaminobenzyliden)-rhodanin
N,N-dimetilanilina/*N,N*-Dimethylanilin
dimetilarsino…/Dimethylarsino…
3,3′-dimetilbencidina/3,3′-Dimethylbenzidin
*N,N*dimetilbencilamina/*N,N*-Dimethylbenzylamin
7,12-dimetilbenz[*a*]antraceno/7,12-Dimethylbenz[*a*]anthracen
2,2-dimetilbutano/2,2-Dimethylbutan
dimetilfenoles/Dimethylphenole
dimetilformamida/Dimethylformamid
dimetilglioxima/Dimethylglyoxim
5,5-dimetilhidantoina/5,5-Dimethylhydantoin
1,1-dimetilhidracina/1,1-Dimethylhydrazin
3,3′dimetilnaftidina/3,3′-Dimethylnaphthidin
dimetilol…/Dimethylol…
2,2-dimetilpropano/2,2-Dimethylpropan
dimetilsulfona/Dimethylsulfon
dimetilsulfóxido/Dimethylsulfoxid
dimetiltriptamina/*N,N*-Dimethyltryptamin
1,3-dimetilurea/1,3-Dimethylharnstoff
dimetindeno/Dimetinden
dimetipín/Dimethipin
dimetisterona/Dimethisteron
dimetoato/Dimethoat
dimetomorfa/Dimethomorph
dimetotiazina/Dimetotiazin
2,5-dimetoxi-4-metilanfetamina/2,5-Dimethoxy-4-methylamphetamin
dimetoxibencenos/Dimethoxybenzole
dina/dyn
dinactina/Dynactin
dinámica de la población/Populationsdynamik
– de reacción/Reaktionsdynamik
– molecular/Molekulardynamik
dinamina/Dynamin
dinamita/Dynamit
dineína/Dynein
dinemicinas/Dynemicine
diniconazol/Diniconazol
dinitramina/Dinitramin
dinitrato de dietilenglicol/Diethylenglykoldinitrat
– de etilenglicol/Ethylenglykoldinitrat
– de hexametilentetramina/Hexamethylentetramin-dinitrat
– de isosorbida/Isosorbid-dinitrat
dinitrilo del ácido (2-clorobenciliden)malónico/(2-Chlorbenzyliden)-malonsäuredinitril

2,4-dinitroanilina/2,4-Dinitroanilin
2,4-dinitroanisol/2,4-Dinitroanisol
dinitrobencenos/Dinitrobenzole
2,4-dinitrofenilhidracina/2,4-Dinitrophenylhydrazin
dinitrofenoles/Dinitrophenole
2,4-dinitrotolueno/2,4-Dinitrotoluol
dinocap/Dinocap
dinoprost/Dinoprost
dinoprostona/Dinoproston
dinor…/Dinor…
dinoseb/Dinoseb
dinoterb/Dinoterb
dinucleótido adenina-flavina/Flavin-Adenin-Dinucleotid
dioctil…/Dioctyl…
diodo/Diode
– óptico/Optische Diode
diodona/Diodon
diódos emisores de luz/LED
diofenolán/Diofenolan
dioles/Diole
dioptasa/Dioptas
diorita/Diorite
dioscorina/Dioscorin
diosfenoles/Diosphenole
diosgenina/Diosgenin
diosmina/Diosmin
dioxa…/Dioxa…
1,4-dioxano/1,4-Dioxan
dioxepinas/Dioxepine
dioxetanos/Dioxetane
dioxetedrina/Dioxethedrin
dioxi…/Dioxy…
dióxido de azufre/Schwefeldioxid
– de carbono/Kohlendioxid
– de carbono sólido/Trockeneis
– de circonio/Zirconiumdioxid
– de manganeso/Mangandioxid
– de selenio/Selendioxid
– de silicio/Siliciumdioxid
– de torio/Thoriumdioxid
dióxidos/Dioxide
2,2-dióxidos de 1,2,3-oxatiazin-4(3*H*)-ona/1,2,3-Oxathiazin-4(3*H*)-on-2,2-dioxid
dioxinas/Dioxine
dioxo…/Dioxo…
1,3-dioxol-2-onas/1,3-Dioxol-2-one
1,3-dioxolán-2-ona/1,3-Dioxolan-2-on
1,3-dioxolano/1,3-Dioxolan
dioxoles/Dioxole
dipicrilamina/Dipikrylamin
dipiridamol/Dipyridamol
dipivefrina/Dipivefrin
dipnonas/Dypnon
dipolo/Dipol
diprofilina/Diprophyllin
dipropilaminas/Dipropylamine
dipropilenglicol/Dipropylenglykol
dipropilentriamina/Dipropylentriamin
diques/Gänge
directiva de maquinarias/Maschinenrichtlinie
directrices de la ZKBS/ZKBS-Richtlinien
diritromicina/Dirithromycin
dis…/Dys…
disacáridos/Disaccharide
discos de ruptura/Berstscheiben
discrasita/Dyskrasit
diseleniuro de difenilo/Diphenyldiselenid
diseño de drogas asistido por computadoras/Computer Aided Drug Design

diseño de modelos moleculares/Molecular Modelling
disentería/Ruhr
disgregantes de tabletas/Tablettensprengmittel
disimetría/Dissymmetrie
disimilación/Dissimilation
disintegrinas/Disintegrine
disipación/Dissipation
dislocación helicoidal/Schraubenversetzung
– lineal/Stufenversetzungen
dislocaciones/Versetzungen
dismenorrea/Dysmenorrhoe
dismutación/Dismutation
disociación electrolítica/Elektrolytische Dissoziation
disolventes/Lösemittel
– apróticos/Aprotische Lösemittel
– de grasas/Fettlöser
– no acuosos/Nichtwäßrige Lösemittel
– próticos/Protische Lösemittel
– protófilos/Protophile Lösemittel
– protógenos/Protogene Lösemittel
disopiramida/Disopyramid
disoxisulfona/Dysoxysulfon
disparluro/Disparlur
dispasa/Dispase
dispensación/Dispensieren
dispensor/Dispenser
dispersantes/Dispergiermittel
dispersar/Dispergieren
dispersión/Dispersion, Streuung
– de Compton/Compton-Streuung
– de la luz/Lichtstreuung
– (de) Mie/Mie-Streuung
– de rayos X/Röntgenstreuung
– de rayos X de ángulo pequeño/Röntgenkleinwinkelstreuung
– inelástica/Inelastische Streuung
– rotatoria óptica/Rotationsdispersion
dispersiones de polímeros/Polymerdispersionen
disposición/Attachment
disposiciones de transporte/Transportbestimmungen
dispositivo intrauterino/Intrauterinpessare
disprosio/Dysprosium
disrotatorio/Disrotatorisch
dissociación/Dissoziation
distancia cabo de hilo/Fadendenabstand
– media entre las extremidades de una cadena/Mittlerer Fadenendabstand
distintivos de peligrosidad/Gefährlichkeitsmerkmale
distribución/Verteilung
– angular/Winkelverteilung
– de errores de Gauss/Gauß-Verteilung
– de las masas molares/Molmassenverteilung
– de las velocidades de Maxwell-Boltzmann/Maxwell-Boltzmannsche Geschwindigkeitsverteilung
– del tiempo de residencia/Verweilzeitverteilung
– por contracorriente/Gegenstromverteilung
– t/t-Verteilung
distribuidor de líquido/Flüssigkeitsverteiler
distrofina/Dystrophin
disulfato de potasio/Kaliumdisulfat
disulfatos/Disulfate

disulfito de potasio/Kaliumdisulfit
– de sodio/Natriumdisulfit
disulfitos/Disulfite
disulfotón/Disulfoton
disulfuro de carbono/Schwefelkohlenstoff
– de dibencilo/Dibenzyldisulfid
– de molibdeno/Molybdändisulfid
– de selenio/Selendisulfid
– de tetraetiltiuram/Tetraethylthiuramdisulfid
disulfuros/Disulfide
diterpenoides/Diterpenoide
ditianón/Dithianon
ditianos/Dithiane
ditiocarbamatos/Dithiocarbamate
ditiolanos/Dithiolane
ditiolatos/Dithiolate
ditioles/Dithiole
ditionatos/Dithionate
ditionito de sodio/Natriumdithionit
ditionitos/Dithionite
ditiooxamida/Dithiooxamid
ditiopir/Dithiopyr
ditizona/Dithizon
ditranol/Dithranol
DIU/Intrauterinpessare
diuréticos/Diuretika
diurón/Diuron
diversidad de especies/Artendiversität
divinilbenceno/Divinylbenzol
dixirazina/Dixyrazin
3,5-diyodotironina/3,5-Diiodthyronin
–-diyodotirosina/3,5-Diiodtyrosin
DNOC/DNOC
dobesilato de calcio/Calciumdobesilat
dobles enlaces acumulados/Kumulierte Doppelbindungen
doblete/Dublett
dobutamina/Dobutamin
docetaxel/Docetaxel
docimasia/Dokimasie
docos(a)…/Docos(a)…
doctorado/Promotion
documentación/Dokumentation
– de patentes/Patentdokumentation
docusato sódico/Docusat-Natrium
dodec(a)…/Dodec(a)…
dodecanal/Dodecanal
dodecano/Dodecan
1-dodecano/1-Dodecanol
dodecanotiol/1-Dodecanthiol
dodecilamina/Dodecylamin
dodecilbenceno/Dodecylbenzol
dodecilbencenosulfonatos/Dodecylbenzolsulfonate
dodecilfenol/Dodecylphenol
dodecilsulfato de sodio/Natriumdodecylsulfat
dodín/Dodin
dofetilida/Dofetilid
dogma central/Zentrales Dogma
dolastatinas/Dolastatine
dolerita/Dolerit
dolicol/Dolichole
doliquil-fosfato/Dolichylphosphat
dolomita/Dolomit
dominancia/Dominanz
dominio homeo/Homöo-Domäne
– homeótico/Homöo-Domäne
– PH/PH-Domäne
dominios/Domänen
domperidona/Domperidon
donante/Don(at)or
dopa/Dopa

Español

dopado/Doping
dopamina/Dopamin
– –β-hidroxilasa/Dopamin-β-Hydroxylase
dopaminérgico/Dopaminerg
dopexamina/Dopexamin
doplerita/Dopplerit
dorado/Vergolden
dormición/Winterruhe
dornasa alfa/Dornase alfa
dorzolamida/Dorzolamid
dosificación/Dosieren
– proporcional/Proportionieren
dosimetría/Dosimetrie
dosímetro de Fricke/Fricke-Dosimeter
dosis/Dosis
– colectiva/Kollektivdosis
– de iones/Ionendosis
– efectiva/ED$_{50}$
– equivalente/Äquivalent-Dosis
– génica/Gendosis
– letal/Letale Dosis
– subletal/Subletale Dosis
dosulepina/Dosulepin
dot blot/Dot-Blot
dotación/Dotierung
doxapram/Doxapram
doxazosín/Doxazosin
doxepina/Doxepin
doxiciclina/Doxycyclin
doxilamina/Doxylamin
doxorubicina/Doxorubicin
drepanocitosis/Sichelzellenanämie
drimanos/Drimane
drofenina/Drofenin
drogas/Drogen
– antiarrítmicas/Antiarrhythmika
– genéricas/Generika
– que reducen el tono simpático/Antisympath(ik)otonika
– (sueros) de la verdad/Geständnismittel
droperidol/Droperidol
dropropizina/Dropropizin
drosera/Sonnentau
drosofilina A/Drosophilin A
drostanolona/Drostanolon
drusa/Druse
dualismo onda-partícula/Welle-Teilchen-Dualismus
dublé/Doublé
dubnio/Dubnium
duchas de emergencia/Notduschen
ductilidad/Duktilität
dulces/Zuckerwaren
– y confites/Süßwaren
dulcita/Dulcit
dulzor residual/Restsüße
duocarmacina/Duocarmycine
duplicación de frecuencia/Frequenzverdopplung
duraluminio/Duralumin(ium)
durazno/Pfirsiche
dureza/Härte fester Körper
– Brinell/Brinell-Härte
– de Knoop/Knoop-Härte
– de Vickers/Vickers-Härte
– del agua/Härte des Wassers
– no carbonatada/Nichtcarbonathärte, Permanente Härte
– pendular/Pendelhärte
– permanente/Nichtcarbonathärte, Permanente Härte
– Rockwell/Rockwell-Härte
– Shore/Shore-Härte

E

E-MX/E-MX
ébano de Europa/Goldregen
ebonita/Hartgummi
ebullición/Sieden
ebulloscopia/Ebullioskopie
eburnamonina/Eburnamonin
…ecano/…ecan
eccemas/Ekzeme
ecdisona/Ecdyson
ecgonina/Ecgonin
…ecina/…ecin
eclogitas/Eklogite
eco-etología/Öko-Ethologie
– fotónico/Photonenecho
ecología/Ökologie
econazol/Econazol
ecosistema/Ökosystem
ecotipos/Ökotypen
ecotono/Ökoton
ecotoxicología/Ökotoxikologie
ecotrofólogo/Oecotrophologe
ecrasita/Ekrasit
ectoenzimas/Ektoenzyme
ectotérmico/Ektotherm
ecuación barométrica/Barometrische Höhenformel
– constitutiva/Materialgleichung
– de Arrhenius/Arrheniussche Gleichung
– de Beattie-Bridgeman/Beattie-Bridgeman-Gleichung
– de Berthelot/Berthelotsche Gleichung
– de Clausius-Clapeyron/Clausius-Clapeyron'sche Gleichung
– de Clausius-Mossoti/Clausius-Mossoti-Gleichung
– de Couchman/Couchman-Gleichung
– de Debye-Clausius-Mosotti/Debye-Clausius-Mosotti-Gleichung
– de Dieterici/Dieterici-Gleichung
– de Dirac/Dirac-Gleichung
– de Drude/Drude-Gleichungen
– de Duhem-Margules/Duhem-Margulessche Gleichung
– de Einstein de equivalencia masa-energía/Einsteins Masse-Energie-Gleichung
– de Fox/Fox-Gleichung
– de Gibbs-Duhem/Gibbs-Duhemsche Gleichung
– de Gibbs-Helmholtz/Gibbs-Helmholtzsche Gleichung
– de Hammett/Hammett-Gleichung
– de Henderson/Hendersonsche Gleichung
– de Huggins/Huggins-Gleichung
– de la lente/Linsengesetz
– de Martin/Martin-Gleichung
– de Maxwell/Maxwellsche Gleichungen
– de Mayo/Mayo-Gleichung
– de MRS/Martin-Roth-Stiehler-Gleichung
– de Nernst/Nernstsche Gleichung
– de Schrödinger/Schrödinger-Gleichung
– de Schulz-Blaschke/Schulz-Blaschke-Gleichung
– de Taft/Taft-Gleichung
– de Van der Waals/Van-der-Waals-Gleichung
– de Van't Hoff/Van't-Hoff-Gleichung
– de Volterra/Volterra-Gleichung
ecuaciones de estado/Zustandsgleichungen
– de Poisson/Poissonsche Gleichung(en)
ecuatorial/Äquatorial
ecuorina/Aequorin
eczemas/Ekzeme
edema/Ödem
edestina/Edestin
edetato de sodio y calcio/Natriumcalciumedetat
edifenfos/Edifenphos
edisilato/Edisilat
edoxudina/Edoxudin
edulcorantes/Süßstoffe
efecto aditivo/Additive Wirkung
– Auger/Auger-Effekt
– Becquerel/Becquerel-Effekt
– Bohr/Bohr-Effekt
– combinatorio/Kombinationswirkung
– Compton/Compton-Effekt
– Cotton/Cotton-Effekt
– de bloqueo/Blockierungseffekt
– (de) Gunn/Gunn-Effekt
– de los grupos vecinos/Nachbargruppen-Effekt
– de masa/Kollisionseffekt
– de memoria/Memory-Effekt
– de Pinch/Pincheffekt
– de Rehbinder/Rehbinder-Effekt
– de Stark/Stark-Effekt
– de superpoblación/Kollisionseffekt
– Debye-Falkenhagen/Debye-Falkenhagen-Effekt
– Doppler/Doppler-Effekt
– estereoelectrónico/Stereoelektronische Kontrolle
– Faraday/Faraday-Effekt
– (Faraday-)Tyndall/Faraday-Tyndall-Effekt
– fotodinámico/Photodynamischer Effekt
– fotorrefractivo/Photorefraktiver Effekt
– gel/Geleffekt
– Gudden-Pohl/Gudden-Pohl-Effekt
– Hall/Hall-Effekt
– Hall cuántico/Quanten-Hall-Effekt
– inductivo/Induktiver Effekt
– invernadero/Treibhauseffekt
– Jahn-Teller/Jahn-Teller-Effekt
– jaula/Käfig-Effekt
– Josephson/Josephson-Effekt
– Joule-Thompson/Joule-Thomson-Effekt
– Kerr/Kerr-Effekt
– Kirkendall/Kirkendall-Effekt
– Kondo/Kondo-Effekt
– Marangoni/Marangoni-Effekt
– molde/Template-Effekt
– nefelauxético/Nephelauxetischer Effekt
– Nernst/Nernst-Effekt
– orto/Ortho-Effekt
– Pasteur/Pasteur-Effekt
– Peltier/Peltier-Effekt
– Penning/Penning-Effekt
– plate out/Plate-out-Effekt
– prensa/Abquetscheffekt
– Seebeck/Seebeck-Effekt
– túnel/Tunneleffekt
– Weigert/Weigert-Effekt
– Weissenberg/Weissenberg-Effekt
– Wigner/Wigner-Effekt
– Zeeman/Zeeman-Effekt
efectores/Effektoren
efectos del átomo pesado/Schweratom-Effekte
– electroópticos/Elektrooptische Effekte
– endócrinos/Endokrine Effekte
– fotoeléctricos/Photoeffekte
– indeseables de los medicamentos/Arzneimittel-Nebenwirkungen
– isotópicos/Isotopie-Effekte
– multicolor/Multicolor-Effekte
– relativísticos/Relativistische Effekte
– salinos/Salzeffekte
efedrina/Ephedrin
efervescencia/Efferveszenz
eficacia biológica relativa/Relative biologische Wirksamkeit
– ecológica/Ökologische Effizienz
eflorescencia/Ausblühen, Effloreszenz, Verwitterung
eflornitina/Eflornithin
efusiómetro/Effusiometer
efusión/Effusion
eicos(a)/Eicos(a)…
eicosanoides/Eicosanoide
einsteinio/Einsteinium
eka-/Eka-
elaboración electroquímica de metales/Elektrochemische Metallbearbeitung
elaiofilina/Elaiophylin
elaiomicina/Elaiomycin
elastasa/Elastase
elasticidad/Elastizität
– de la masa fundida/Schmelzelastizität
– entrópica/Entropieelastizität
elastificantes/Elasti(fi)katoren, Elastifizierungsmittel
elastina/Elastin
elastómeros/Elastomere
– de etileno-propileno/Ethylen-Propylen-Elastomere
– de olefinas/Olefin-Elastomere
– de óxido de propileno/Polypropylenoxid-Kautschuke
– etilenacrílicos/Ethylen-Acrylat-Elastomere
– fluorocarbonados/Fluor-Elastomere
– termoplásticos/Thermoplastische Elastomere
elastoplásticos/Elastoplaste
elaterita/Elaterit
eldexómero/Eldxomer
eléboro/Nieswurz
electretos/Elektrete
electrización electrostática/Elektrostatische Auflagung
electrocapilaridad/Elektrokapillarität
electrocardiografía/Elektrokardiographie
electrocromía/Elektrochromie
electrocromismo/Elektrochromie
electrodecantación/Elektrodekantation
electrodiálisis/Elektrodialyse
electrodinámica cuántica/Quantenelektrodynamik
electrodo de calomelanos/Kalomel-Elektrode
– de fuga/Ableitelektrode
– de referencia/Vergleichselektrode
– de vidrio/Glaselektrode
electrodos/Elektroden
– de gas/Gaselektroden
– de referencia/Bezugselektroden
– de Söderberg/Söderberg-Elektroden
– selectivos de iones/Ionenselektive Elektroden
electroencefalografía/Elektroenzephalographie
electroerosión/Elektroerosion

electrofiltro/Elektrofilter
electroforesis/Elektrophorese
– capilar/Kapillarelektrophorese
– en gel de agar(osa)/Agar(ose)-Gelelektrophorese
– en papel/Papierelektrophorese
– [sobre gel] de campo pulsante/Pulsfeld-(Gel-)Elektrophorese
electrofotografía/Elektrophotographie
electrofuga/Elektrofug
electrofusión/Elektrofusion
electrografía/Kirlian-Photographie
electrogravimetría/Elektrogravimetrie
electrólisis/Elektrolyse
electrolisis de cloruros alcalinos/Chloralkali-Elektrolyse
– de sales fundidas/Schmelzelektrolyse
electrolitos/Elektrolyte
electroluminiscencia/Elektrolumineszenz
electrometalurgia/Elektrometallurgie
electromiografía/Elektromyographie
electrón en defecto/Defektelektron
– excitado/Leuchtelektron
– óptico/Leuchtelektron
– -volt/Elektronenvolt
electronegatividad/Elektronegativität
electrones/Elektronen
– celibatarios/Einsame Elektronen
– de conversión/Konversionselektronen
– de valencia/Valenzelektronen
– excesivos/Überschußelektronen
– secundarios/Sekundärelektronen
– solvatados/Solvatisierte Elektronen
electrónica molecular/Molekulare Elektronik
electroósmosis/Elektroosmose
electroquímica/Elektrochemie
– orgánica/Organische Elektrochemie
electrorrecubrimiento de plásticos/Kunststoff-Galvanisierung
electrosmog/Elektrosmog
electrotermia/Elektrothermie
electrotransformación/Elektrotransformation
eléctrum/Elektrum
electuarios/Latwerge
eledoisina/Eledoisin
elemenos/Elemene
elemento estereogénico/Stereogenes Element
– lineal estadístico/Statistisches Fadenelement
elementos/Elemente
– absorbentes/Absorberelemente
– anisótopos/Anisotope Elemente
– atmófilos/Atmophile Elemente
– combustibles/Brennelemente
– de los grupos principales/Hauptgruppenelemente
– de simetría/Symmetrieelemente
– finitos/Finite-Elemente-Verfahren
– químicos/Chemische Elemente
– transponibles/Transponierbare Elemente
elementos P/P-Elemente
elemi/Elemi
eliminación/Abfangen, Elimination, Eliminierung

– de aceite usado/Altölentsorgung
– β de hidruros/β-Hydrid-Eliminierung
– de Hofmann/Hofmann-Eliminierung
– de manchas/Fleckentfernung
– de óxidos de nitrógeno/Entstickung
– del hierro/Enteisenung
eliminador de hollín/Rußentferner
eliminadores de alquitrán/Teerentferner
– de humos/Rauchverzehrer
elimoclavina/Elymoclavin
elipsometría/Ellipsometrie
elipticina/Ellipticin
elíxires/Elixiere
elongación/Elongation
elsamicinas/Elsamicine
elución/Elution
– por gradiente/Gradientenelution
elutriación/Elutriation
eluyente/Fließmittel
emán/Eman
emanación/Emanation
embalajes/Emballagen
embellecimiento/Schönen
émbolos/Kolben
embudo de decantación/Scheidetrichter
– para polvos/Pulvertrichter
embudos de adición (decantación)/Tropftrichter
emergencia/Auflaufen
emestrina/Emestrin
eméticos/Emetika
emetina/Emetin
emilcamato/Emylcamat
emisión cero/Nullemission
– de polvo/Staubemission
– nula/Nullemission
emisiones/Emissionen
emodina/Emodin
emolientes/Emollientien
empalme/Spleißen
empardecimiento de la piel/Hautbräunung
empireumáticos/Empyreuma
emplastes/Spachtelmassen
emplasto/Pflaster
emplomadura/Verbleien
empobrecimiento/Abreicherung
empresas pequeñas y medias/KMU
emulsificador pickering/Pickering-Emulgator
emulsina/Emulsin
emulsionantes/Emulgatoren
emulsiones/Emulsionen
– para autoabrillantado/Selbstglanzpflegemittel
– separadoras/Trennemulsionen
en estado naciente/In statu nascendi
enalapril/Enalapril
enaminas/Enamine
enantato/Enantat
enantiomería/Enantiomerie
energita/Energit
encalado/Kalken
– (enmienda caliza) del bosque/Waldkalkung
encapsulación/Einhausung
encefalinas/Enkephaline
encendedor/Feuerzeug
encobrado/Verkupfern
encolado/Kleben, Schlichten
endiinas/Endiine
endo…/Endo…
endocitosis/Endocytose
endocrinología/Endokrinologie
endocrocina/Endocrocin

endoenzimas/Endoenzyme
endofauna/Infauna
endógeno/Endogen
endonucleasas de restricción/Restriktionsendonucleasen
endopeptidasa neutral/Neutrale Endopeptidase 24.11
endorfinas/Endorphine
endosomas/Endosomen
endósporas/Endosporen
endosulfán/Endosulfan
endotelinas/Endotheline
endotérmico/Endotherm
endotoxinas/Endotoxine
endrín/Endrin
endrinas/Schlehen
endurecedores/Härter
endurecimiento/Abbinden, Aushärten, Härten
– de lacas/Lackhärtung
– de plásticos/Härtung von Kunststoffen
– en frío/Kalthärten
– por deformación en frío/Kaltverfestigung, Verfestigung
– por nitrógeno/Nitrierhärtung
– UV/UV-Härtung
enebro/Wacholder
eneldo/Dill
enema/Klistier
energía/Energie
– de activación/Aktivierungsenergie
– de correlación/Korrelationsenergie
– de disociación/Dissoziationsenergie
– de Fermi/Fermi-Energie
– de Gibbs/Gibbs-Energie
– de ionización/Ionisationsenergie
– del punto cero/Nullpunktsenergie
– del término vibracional/Schwingungstermenergie
– libre/Freie Energie
– nuclear/Kernenergie
– orbital/Orbitalenergie
– reticular/Gitterenergie
– solar/Sonnenenergie
enfermedad celíaca/Zöliakie
– de Addison/Addisonsche Krankheit
– de Alzheimer/Alzheimersche Krankheit
– de Chagas/Chagas-Krankheit
– de Paget/Pagetsche Krankheit
– de Parkinson/Parkinsonsche Krankheit
– itai-itai/Itai-Itai-Krankheit
enfermedades autoinmunes/Autoimmunerkrankungen
– de las plantas/Pflanzenkrankheiten
– infecciosas/Infektionskrankheiten
– profesionales/Berufskrankheiten
– reumáticas/Rheumatische Erkrankungen
– tropicales/Tropenkrankheiten
– venéreas/Geschlechtskrankheiten
enfleurage/Enfleurage
enflurano/Enfluran
enfoque isoeléctrico/Isoelektrische Fokussierung
enfriamiento adiabático/Adiabatische Abkühlung
– brusco/Abschrecken
– por ablación/Ablationskühlung
engarce/Spleißen
engobes/Engoben
engomado/Gummierung, Kleben

engomadura/Gummierung
engrisamiento/Vergrauen
engrudo/Kleister
enhancer/Enhancer
eniatinas/Enniatine
enlace/Linker
– de coordinación inverso/Rückbindung
– de los gases nobles/Edelgas-Bindung
– de tres centros/Dreizentrenbindung
– doble/Doppelbindung
– hidrófobo/Hydrophobe Bindung
– multicéntrico/Mehrzentrenbindung
– peptídico/Peptid-Bindung
– por puente de hidrógeno/Wasserstoff-Brückenbindung
– químico/Chemische Bindung
– semipolar/Semipolare Bindung
– sencillo/Einfachbindung
– triple/Dreifachbindung
enlaces π (pi)/Pi-Bindungen
– fluctuantes/Fluktuierende Bindungen
– sigma/Sigma-Bindungen
enmascaramiento/Maskierung
– de olores/Geruchsmaskierung
enmienda caliza/Kalken
enne(a)/Enne(a)…
ennegrecer/Schwärzen
…eno/…en, …ol
eno-síntesis/En-Synthese
enodioles/Endiole
enolasa/Enolase
enolatos/Enolate
enoles/Enole
enología/Önologie
enoxacina/Enoxacin
enoximona/Enoximon
enriado/Rösten
enriquecimiento/Abfangen
– del agua subterránea/Grundwasseranreicherung
enroscadura/Kinke
ensayo/Test
– a largo plazo/Langzeittest
– de Abel/Abel-Test
– de Beilstein/Beilstein-Test
– de Bettendorf/Bettendorf-Test
– de citotoxicidad/Cytotoxizitätstest
– de Daphnia/Daphnientest
– de dureza/Härteprüfung
– de Feulgen/Feulgen-Färbung
– de Fiehe/Fiehe-Test
– de Gmelin/Gmelin-Test
– de Gutzeit/Gutzeit-Test
– de Hinsberg/Hinsberg-Test
– de Izod/Izod-Test
– de Kesternich/Kesternich-Test
– de los materiales de objetos de arte/Kunstwerkprüfung
– de Marsh/Marsh-Test
– de materiales/Materialprüfung, Werkstoffprüfung
– de Nordlander/Nordlanders Test
– de placa/Plaque-Test
– de resistencia al choque/Kerbschlagbiegeversuch
– de Strauss/Strauß-Test
– de textiles/Textilprüfung
– de tracción/Zugversuch
– del Limulus/Limulus-Test
– del pez/Fischtest
– ecológico/Umweltprüfung
– en blanco/Blindprobe, Blindversuch
– IMViC/IMViC-Test
ensayos comparativos (cooperativos, interlaboratorio)/Ringversuche

Español

- no destructivos/Zerstörungsfreie Werkstoffprüfung
- preliminares/Vorproben
- sobre la compatibilidad con el medio ambiente/UVP

[en]silaje/Silage
ent-/ententactina/Entactin
entalpía/Enthalpie
- de reacción/Reaktionsenthalpie
- libre/Freie Enthalpie
- libre de reacción/Freie Reaktionsenthalpie

enteral/Enteral
enter(o)…/Enter(o)…
enterobacteriaceas/Enterobacteriaceae
enterococos/Enterokokken
enteropeptidasa/Enteropeptidase
enterotoxinas/Enterotoxine
entomología/Entomologie
entrecruzamiento físico/Physikalische Vernetzung
- por radiación/Photovernetzung
entropía/Entropie
- de reacción/Reaktionsentropie
énula campana/Helenenkraut
envejecimiento/Altern, Alterung
envoltorios de alimentos/Lebensmittelumhüllungen
enzima conversora (enzima de conversion) de la interleucina-1β/Interleukin-1β-Konversions-Enzym
enzimas/Enzyme
- constitutivas/Konstitutive Enzyme
- de restricción/Restriktionsenzyme
- para detergentes/Waschmittel-Enzyme
- pectolíticos/Pektin-spaltende Enzyme
- piruvoílicos/Pyruvoyl-Enzyme
- termoestables/Thermostabile Enzyme
- termotolerantes/Thermotolerante Enzyme
eosina/Eosin
…epano/…epan
epená/Epená
ependiminas/Ependymine
epi…/Epi…
epibatidina/(−)Epibatidin
epicatecol/Epicatechol
epicatequina/Epicatechin
epicilina/Epicillin
epiclorhidrina/α-Epichlorhydrin
epidemia/Seuchen
- bovina/Rinderseuche
epidermina/Epidermin
epidióxidos/Epidioxide
epidisulfuros/Epidisulfide
epidota/Epidot
epífisis/Epiphyse
epilepsia/Epilepsie
epimerización/Epimerisierung
epimestrol/Epimestrol
…epina/…epin
epinefrina/Epinephrin
epirubicina/Epirubicin
episoma/Episom
epitaxia por haz molecular/Molekularstrahl-Epitaxie
epitaxis/Epitaxie
epitio…/Epithio…
época de celo/Balzarena
epotilonas/Epothilone
epoxi…/Epoxy…
epoxiconazola/Epoxiconazol
epoxidación/Epoxidierung
- de Jacobsen/Jacobsen-Epoxidierung

- de Sharpless/Sharpless-Epoxidierung

epóxidos/Epoxide
epoxipolienos/Epoxypolyene
epoxirresinas/Epoxidharze
eprazinona/Eprazinon
epsomita/Epsomit
EPTC/EPTC
equidensidades/Äquidensiten
equilenina/Equilenin
equilibrio/Äquilibrierung, Gleichgewicht
- ácido-base/Säure-Basen-Gleichgewicht
- biológico/Biologisches Gleichgewicht
- de Bouduard/Boudouard-Gleichgewicht
- Donnan/Donnan-Gleichgewicht
- térmico/Thermisches Gleichgewicht

equilibrios cadema-anillo/Ring-Kette-Gleichgewichte
- químicos/Chemische Gleichgewichte

equinácea/Sonnenhut
equinacósido/Echinacosid
equinocandina/Echinocandin
equinodermos/Echinodermata
equipamiento de protección personal/Persönliche Schutzausrüstung
equipo a chorro de líquido/Flüssigkeitsstrahler
- de colbato/Cobalt-Anlage
- para la protección corporal/Körperschutz

equipos experimentales de laboratorio/Experimentierkästen
equiseto menor/Schachtelhalme
equivalencia/Äquivalenz
equivalente/Äquivalent
- de reducción/Reduktionsäquivalent
- electroquímico/Elektrochemisches Äquivalent

equivalentes de exposición para sustancias/EKA-Wert
- sintéticos/Syntheseäquivalente
erabutoxinas/Erabutoxine
eras geológicas/Erdzeitalter
erbio/Erbium
erbstatina/Erbstatin
erdosteina/Erdostein
eremofilanos/Eremophilane
erg/Erg
ergio/Erg
ergocromos/Ergochrome
ergonomía/Ergonomie
ergosterol/Ergosterin
ergotioneína/Ergothionein
eriocromocianina/Eriochromcyanin R
eritadenina/Eritadenin
eritema/Erythem
eritrina/Erythrin
eritrita/Erythrit
eritritol/Erythrit
eritr(o)…/Erythr(o)…
eritrocitos/Erythrocyten
eritromicina/Erythromycin
eritronolida B/Erythronolid B
eritropoietina/Erythropoietin
eritropterina/Erythropterin
eritrosa/Erythrose
eritrosina/Erythrosin
erlenmeyer de agitación/Schüttelkolben
erlenmeyeres/Erlenmeyerkolben
erosión/Erosion
error proteico/Eiweißfehler
escala/Skale

- Celsius de temperatura/Celsius-Temperatur-Skale
- de Brockmann/Brockmann-Skale
- de Kelvin/Kelvin-Skala
- Fahrenheit de temperatura/Fahrenheit-Temperatur-Skale

escalares/Skalare
escalas de temperatura/Temperaturskalen
escalonias/Schalotten
escamas (Haut)/Schuppen
- de óxido/Zunder
escandio/Scandium
escapolita/Skapolith
escarabajo multicolor/Buntkäfer
escarabajos/Käfer
escaramujos/Hagebutten
escarcha/Reif
escatol/Skatol
Escherichia coli/Escherichia coli
escila/Meerzwiebel
escilarrenina/Scillarenin
escilirósido/Scillirosid
escilo-/scyllo-
escina/Aescin
escindibilidad/Spaltbarkeit
escinti…/Szinti…
escintigrafía/Szintigraphie
escintiladores/Szintillatoren
escintilonas/Scintillone
esciófilas/Skiophyten
escirpenoles/Scirpenole
esclareol/Sclareol
escler[o]…/Skler(o)…
escleroproteínas/Skleroproteine
esclerosis en placas/Multiple Sklerose
- múltiple/Multiple Sklerose
esclerotia/Sklerotien
escombros/Abraum
escopolamina/Scopolamin
escopoletina/Scopoletin
escorbuto/Skorbut
escoria/Schlacke
- de alto horno/Hochofenschlacke
- volcánica/Schlacke
escorias/Gekrätz
- Thomas en polvo/Thomasmehl
escorodita/Skorodit
escualano/Squalan
escualeno/Squalen
escuelas de química/Chemieschulen
- técnicas superiores/Hochschulen
esculina/Aesculin
esencia/Oleum
- absoluta de azahar/Orangenblüten(-Absolue, -Öl)
- da piel de naranja/Pomeranzenöl
- de ajenjo/Wermutöl
- de Angélica (raíz, semilla)/Angelika(wurzel-, samen-)öl
- de anís/Anisöl
- de apio/Sellerieöl
- de aspic (espliego)/Spik(lavendel)öl
- de azahar/Orangenblüten(-Absolue, -Öl)
- de bay/Bayöl
- de bergamota/Bergamottöl
- de camomila/Kamillenöl
- de cedro/Zedernöle
- de cilantro/Korianderöl
- de ciprés/Zypressenöl
- de citronela/Citronellöl, Lemongrasöl
- de comino/Kümmelöl
- de eneldo/Dillöl
- de geranio/Geraniumöl

- de grano de ambreta/Moschuskörneröl
- de hinojo/Fencheöle
- de hisopo/Ysopöl
- de lavanda/Lavendelöl
- de lavandina/Lavandin(öl)
- de limón/Citronenessenz
- de lúpulo/Hopfenöl
- de mandarina/Mandarinen-(schalen)öl
- de manzanilla/Kamillenöl
- de melisa/Melissenöl
- de menta rizada/Krauseminzeöle
- de milenrama/Schafgarbenöl
- de mirtos/Myrtenöl
- de mostaza/Senföl
- de nojas de laurel/Lorbeer(blätter)öl
- de nuez moscada/Muskatnußöl
- de palmarosa/Palmarosaöl
- de palo de rosa/Rosenholzöl
- de perla/Fischsilber
- de petitgrain/Petitgrainöle
- de pimienta/Pfefferöl, Pimentöl
- de pimienta acre/Bayöl
- de poleo/Poleiöle
- de rosa/Rosen-, -Absolue-Öl
- de ruda/Rautenöl
- de sabina/Sadebaumöl
- de salvia/Salbeiöle
- de salvia moscatel/Muskatellersalbei-Öl
- de sándalo/Sandelholzöl
- de sasafrás/Sassafrasöl
- de tomillo/Thymianöle
- de trementina/Terpentinöl
- de trementina de madera/Holzterpentinöl
- de tuya/Thujaöl
- de valeriana/Baldrianöl
- de verbena/Verbenaöl
- de vetiver/Vetiveröl
- de Wintergreen/Wintergrünöl
- de ylang-ylang/Ylang-Ylang-Öle

esencial/Essentiell
esencias/Essenzen
- absolutas/Absolues
- de canela/Zimtöle
- de clavo/Nelkenöle
- de fruta/Fruchtaromen
- de las hojas de pinos y abetos/Fichten- u. Kiefernnadelöle
- de menta piperita/Pfefferminzöle
- de mostaza/Senföle
- de naranja/Orangenöle
- de orégano/Origanumöle
esfalerita/Zinkblende
esfenvalerato/Esfenvalerat
esferandos/Spheranden
esferas de Isua/Isua-Sphären
- de vidrio/Glaskugeln
esfero…/Sphär(o)…
esferolitas/Sphärolithe
esferoplastos/Sphäroplasten
esfingo…/Sphingo…
esfingolípidos/Sphingolipide
esfingomielinas/Sphingomyeline
esfingosina/Sphingosin
esilato/Esilat
eslabón/Linker
eslaframina/Slaframin
esmalte/Email, Lasur
- de laca/Emaillelack
esmaltes coloreados transparentes/Smalte
- martelé/Hammerschlaglacke
- para radiadores de calefacción/Heizkörperlacke
esmectitas/Smektite

esmeralda/Smaragd
esmeril/Schmirgel
esmolole/Esmolol
espaciador/Spacer
espacio de fase/Phasenraum
espagueti/Spaghetti
espalación/Spallation
esparadrapo/Pflaster
esparcimiento/Spreitung
esparfloxacín/Sparfloxacin
espárrago/Spargel
esparsomicina/Sparsomycin
esparteína/Spartein
esparto/Esparto, Esparto-Wachs
espasm(o).../Spasm(o)...
espasmolisinas/Spasmolysine
espasmolíticos/Spasmolytika
espato flúor/Fluorit
espatos/Spate
espátula/Spatel
especias/Gewürze
– picantes/Scharfstoffe
especie/Art, Spezies
– característica/Charakterart
específico/Spezifich
espectinomicina/Spectinomycin
espectrina/Spectrin
espectro [anti]bacteriano/Antibakterielles Spektrum
– de rotación-vibración/Rotationsschwingungsspektrum
espectrometría de fluorescencia atómica por láser/Laser-Atomfluoreszenz-Spektrometrie
– de masas/Massenspektrometrie
espectros de microondas/Mikrowellenspektren
– de rotación/Rotationsspektren
– de vibración/Schwingungsspektren
– moleculares/Molekülspektren
espectroscopia/Spektroskopie
– atómica/Atomspektroskopie
– de absorción atómica/Atomabsorptionsspektroskopie
– de alta resolución/Hochauflösende Spektroskopie
– de dispersión iónica/Ionenstreu-Spektroskopie
– de efecto túnel/Tunnelspektroskopie
– de electrones Auger/Auger-Spektroskopie
– de emisión/Emissionsspektroskopie
– de fluorescencia/Fluoreszenz-Spektroskopie
– de fluorescencia de rayos X/Röntgenfluoreszenzspektroskopie
– de fosforescencia/Phosphoreszenz-Spektroskopie
– de fotoelectrones/Photoelektronen-Spektroskopie
– de llama/Flammenspektroskopie
– de microondas/Mikrowellen-Spektroskopie
– de modulación/Modulationsspektroskopie
– de picosegundos/Pikosekunden-Spektroskopie
– de polarización/Polarisationsspektroskopie
– de potencial de aparición de rayos X [poco penetrantes]/Röntgenauftrittspotentialspektroskopie
– de rayos X/Röntgenspektroskopie
– de rayos X de la energía dispersiva/Energiedispersive Röntgen-Spektroskopie
– de reflexión/Reflexionsspektroskopie
– de resonancia del espín electrónico/EPR-Spektroskopie
– de resonancia giromagnética iónica/ICR-Spektroskopie
– de resonancia magnética nuclear/NMR-Spektroskopie
– de saturación/Sättigungsspektroskopie
– de tándem/Tandem-MS
– disuelta en el tiempo/Zeitaufgelöste Spektroskopie
– Doppler/Doppler-Spektroskopie
– electrónica/Elektronenspektroskopie
– electrónica por separación a través del laser-fotón/Laserphotodetachment-Elektronenspektrometrie
– fotoacústica/Photoakustische Spektroskopie
– fotoelectrónica/ESCA
– infrarroja/IR-Spektroskopie
– láser/Laser-Spektroskopie
– Mössbauer/Mößbauer-Spektroskopie
– molecular/Molekülspektroskopie
– multifotónica/Mehrphotonen-Spektroskopie
– NQR (bzw. RCN)/NQR-Spektroskopie
– optogalvánica/Optogalvanische Spektroskopie
– por neutralización de iones/Ionen-Neutralisations-Spektroskopie
– Raman/Raman-Spektroskopie
– RMDO/ODMR-Spektroskopie
– RMN/NMR-Spektroskopie
– sin efecto Doppler/Dopplerfreie Spektroskopie
– UV/UV-Spektroskopie
– vibrational/Schwingungsspektroskopie
– ZEKE/ZEKE-Spektroskopie
espejo/Spiegel
espeleandos/Speleanden
esperabilinas/Sperabilline
esperamicinas/Esperamycine
espergualín/Spergualin
esperma/Sperma
espermaceti/Walrat
espermidina/Spermidin
espermina/Spermin
espesamiento/Eindicken
espesantes/Verdickungsmittel
espesartita/Spessartin
espilitas/Spilite
espín nuclear/Kernspin
– -orbital/Spinorbital
espinaca/Spinat
espinela/Spinell
espinelas/Spinelle
espino amarillo (falso)/Sanddorn
– blanco/Weißdorn
– cerval/Kreuzdorn
espinosín/Spinosyne
espintariscopio/Spinthariskop
espiramicina/Spiramycin
espirapil/Spirapril
espirea/Spierstaude
espíritu/Spiritus
– de jabón/Seifenspiritus
– de madera/Holzgeist
espiro.../Spiro...
espirobi.../Spirobi...
espirómetro/Spirometer
espironolactona/Spironolacton
espiropolímero/Spiropolymere
espiroquetas/Spirochäten
espirostano/Spirostan
espirulina/Spirulina
espodumena/Spodumen
espongina/Spongin
espongistatinas/Spongistatine
esponja/Schwamm
– protónica/Protonenschwamm
esponjas/Schwämme
esporas/Sporen
esporulación/Sporulation
esprocarb/Esprocarb
espuela de caballero/Rittersporn
espuma/Schaum
– flexible/Weichschaumstoffe
espumación/Schäumen
espumantes/Schaumbildner
espumas/Schaumstoffe
– de partículas/Partikelschaumstoffe
– UF/UF-Schäume
espurrita/Spurrit
esputo/Sputum
esqualamina/Squalamin
esquema Q-e/Q-e-Schema
esquirina/Skyrin
esquisto/Schiefer
– cuprífero o cúprico/Kupferschiefer
– silíceo/Kieselschiefer
– verde/Grünschiefer
esquistos bituminosos/Ölschiefer
esquizomicetos/Schizomyceten
esquizostatina/Schizostatin
estabilidad/Stabilität
– dimensional/Dimensionsstabilität
estabilización de explosivos/Phlegmatisierung
– de los lodos/Schlammstabilisierung
estabilizador del tallo/Halmfestiger
estabilizadores/Stabilisatoren
– de espuma/Schaumstabilisatoren
– del suelo/Bodenstabilisatoren
estación depuradora/Kläranlage
estadística/Statistik
– de Bose-Einstein/Bose-Einstein-Statistik
– de Fermi-Dirac/Fermi-Dirac-Statistik
estado/Zustand
– de la ciencia y la técnica/Stand der Wissenschaft und Technik
– de la técnica/Stand der Technik
– de plasma/Plasma-Zustand
– de transición/Übergangszustand
– de valencia/Valenzzustand
– estacionario/Stationärer Zustand
– fundamental/Grundzustand
– ideal/Idealer Zustand
– vítreo/Glaszustand
estados de agregación/Aggregatzustände
– físicos/Aggregatzustände
– metastables/Metastabile Zustände
estafilococos/Staphylokokken
estafiloferrina A/Staphyloferrin A
estalactitas/Stalakten
estalagmómetro/Stalagmometer
estalimicina/Stallimycin
estampación/Direktdruck
– por corrosión/Ätzdruck
– por reserva/Reservedruck
– textil (de telas)/Textildruck
– Vigoureux/Vigoureux-Druck
estampado en relieve/Gaufrieren
estañado/Verzinnen
estándar/Standard
estandarización biológica/Biologische Standardisierung

estandarización/Standardisierung
estannano/Stannan
estannatos/Stannate
estannil.../Stannyl...
estannito/Stannit
estaño/Zinn
– de vajilla/Pewter
estañocobreado/Speculum-Metall
estanozolol/Stanozolol
estanque (tanque) de decantación (clarificación) final/Nachklärbecken
estaquiosa/Stachyose
estathima/Stathmin
...[e]stático/...statikum
estatina/Statin
estaurolita/Staurolith
estaurosporina/Staurosporin
estavudina/Stavudin
estearato de bario/Bariumstearat
– de butilo/Butylstearat
– de calcio/Calciumstearat
– de cinc/Zinkstearat
– de magnesio/Magnesiumstearat
– de plomo/Bleistearat
– de potasio/Kaliumstearat
– de sodio/Natriumstearat
estearatos/Stearate, Stearinsäureester
– de aluminio/Aluminiumstearate
estearil.../Stearyl...
estearina/Stearin
estearoil.../Stearoyl...
O-estearoilvelutinal/O-Stearoylvelutinal
estearolactona/γ-Stearolacton
estearona/Stearon
esteatita/Speckstein
estefanita/Stephanit
estefinas/Stefine
estegobinona/Stegobinon
estela de aguas residuales/Abwasserfahne
estenoico/Stenök
estenovalente/Stenopotent
estentorín/Stentorin
estequiometría/Stöchiometrie
esterasas/Esterasen
estercobilina/Stercobilin
estereodescriptor/Stereodeskriptor
estereoespecífico/Stereospezifisch
estereoisomería/Stereoisomere
estereomodelos de Dreiding/Dreiding-Stereomodelle
estereoquímica/Stereochemie
estereoselectivo/Stereoselektiv
ésteres/Ester
– acrílicos/Acrylsäureester
– celulósicos/Celluloseester
– cresílicos/Kresylester
– de colesterol/Cholesterylester
– de geranilo/Geranylester
– de leucocolorantes tina/Leukoküpen-Farbstoffester
– de los ácidos silícicos/Kieselsäureester
– de perácidos/Persäureester
– de resinas/Harzester
– de sorbitano/Sorbitanester
– del ácido acético/Essigsäureester
– del ácido bórico/Borsäureester
– del ácido carbónico/Kohlensäureester
– del ácido cítrico/Citronensäureester
– del ácido diazoacético; diazoacetato de etilo/Diazoessigester
– del ácido fosfórico/Phosphorsäureester, Thiophosphorsäureester

Español

- del ácido ftálico/Phthalsäureester
- del ácido gálico/Gallussäureester
- del ácido láctico/Milchsäureester
- del ácido nítrico/Salpetersäureester
- del ácido nitroso/Salpetrigsäureester

ésteres del ácido oxálico/Oxalsäureester
- del ácido salicílico/Salicylsäureester
- del ácido sebácico/Sebacinsäureester
- del ácido titánico/Titansäureester
- del almidón/Stärkeester
- 2-fenilétílicos/2-Phenylethylester
- fosfóricos/Phosphorsäureester
- metílicos de ácidos grasos/Fettsäuremethylester
- poliarílicos/Polyarylester, Polyarylether
- sacáricos/Zuckerester
- sulfúricos/Schwefelsäureester
- vinílicos/Vinylester

esterificación/Veresterung
esterigmatocistina/Sterigmatocystin
esterilización/Entkeimung, Sterilisation, Steriltechnik
- continua/Kontinuierliche Sterilisation
- por ebullición/Auskochen
- por iones plata/Silberung
esterinas/Sterine
esternbergita/Sternbergit
esternutatorios/Niespulver
esteroides/Steroide
esteroles/Sterine
esteviol/Steviol
esteviosida/Steviosid
estib…/Stib…
estiba…/Stib(a)…
estibinas/Stibine
estibino…/Stibino…
estibofeno/Stibophen
estiércol/Kot, Mist
estifnato de plomo/Bleitrinitroresorcinat
estigmasterol/Stigmasterin
estilbeno/Stilben
estilbita/Stilbit
estilpnomelana/Stilpnomelan
estímolo clave/Schlüsselreiz
estimulador cardíaco/Herzschrittmacher
estimulantes/Stimulantien
estímulo/Reiz
- supernormal/Übernormaler Auslöser
estípticos/Styptika
estirado/Recken
estirenización/Styrolisierung
estireno/Styrol
estiril…/Styryl…
estocástica/Stochastik
estolzita/Stolzit
estómago/Magen
estomatología/Stomatologie
estomatomicosis/Soor
estopa/Werg
estradiol/Estradiol
estragol/Estragol
estraitinas/Striatale, Striatine
estramonio/Stechapfel
estramustina/Estramustin
estrano/Estran
estratigrafía/Stratigraphie

estrellas/Sterne
estrengita/Strengit
estreptavidina/Streptavidin
estreptocinasa/Streptokinase
estreptococos/Streptokokken
estreptodornasa/Streptodornase
estreptolisinas/Streptolysine
estreptomicetos/Streptomyceten
estreptomicina/Streptomycin
estreptonigrina/Streptonigrin
estreptoquinasa/Streptokinase
estreptozocina/Streptozocin
estrés/Streß
- oxidante/Oxidativer Streß
estriatalas/Striatale, Striatine
estricnina/Strychnin
estrictosidina/Strictosidin
estrigol/Strigol
estriol/Estriol
estrobilurinas/Strobilurine
estrof…/Stroph…
estrofantinas/Strophanthine
estrógenos/Estrogene
estromatolitos/Stromatolithen
estromelisinas/Stromelysine
estrona/Estron
estroncianita/Strontianit
estroncio/Strontium
estructura/Gefüge, Struktur, Textur
- absoluta/Absolute Struktur
- atómica/Atombau
- de lectura abierta/Offener Leseraster
- de octeto/Oktett-Struktur
- electrónica/Elektronenstruktur
- hiperfina/Hyperfeinstruktur
estructuras cristalinas/Kristallstrukturen
- disipativas/Dissipative Strukturen
- en capas/Schichtstrukturen
- guías/Leitstrukturen
- parciales/Partialstrukturen
estruma/Kropf
estruvita/Struvit
estuco/Stuck
estudio de química/Chemie-Studium
estufas/Öfen, Trockenschränke
estupefacientes/Betäubungsmittel, Rauschgifte
etaconazol/Etaconazol
etacridina/Ethacridin
etafedrina/Etafedrin
etafenona/Etafenon
etalfluralín/Ethalfluralin
etalón/Etalon
etambutol/Ethambutol
etametsulfurón-metil/Ethametsulfuron-methyl
etamicina/Etamycin A
etamifilina/Etamiphyllin
etamivan/Etamivan
etamsilato/Etamsylat
etano/Ethan
1,2-etanoditiol/1,2-Ethandithiol
etanol/Ethanol
etaverina/Ethaverin
etefón/Ethephon
eteno/Ethen
etenzamida/Ethenzamid
éter bis(2-cloroetílico)/Bis(2-chlorethyl)ether
- bis(clorometílico)/Bis(chlormethyl)ether
- terc-butilmetílico/tert-Butylmethylether
- de petróleo/Petrolether
- dibencílico/Dibenzylether
- dibutílico/Dibutylether
- (diclorometil)metílico/(Dichlormethyl)-methylether

- dietílico/Diethylether
- dimetílico/Dimethylether
- dipropílico/Dipropylether
- etil-2-naftílico/Ethyl-2-naphthylether
- etílico de clorometilo/(Chlormethyl)ethylether
- glicerílico del guayacol/Guajakolglycerinether
- metil-2-naftílico/Methyl(2-naphthyl)ether
- metílico de clorometilo/(Chlormethyl)methylether
eterato del trifluoruro de boro/Bortrifluorid-Etherat
éteres/Ether
- alquilfenil-poliglicólicos/Alkylphenolpolyglykolether
- celulósicos/Celluloseether
- corona/Kronenether
- del almidón/Stärkeether
- difenilo policlorados/PCDE
- fenólicos/Phenolether
- glicólicos/Glykolether
- poliglicólicos de alcoholes grasos/Fettalkoholpolyglykolether
- polivinílicos/Polyvinylether
- sacáricos/Zuckerether
- vinílicos/Vinylether
etiazida/Ethiazid
etidimurón/Ethidimuron
etidocaína/Etidocain
etifelmina/Etifelmin
etil…/Ethyl…
2-etil-1-butanol/2-Ethyl-1-butanol
2-etil-1,3-hexanodiol/2-Ethyl-1,3-hexandiol
2-etil-hexanol/2-Ethyl-1-hexanol
etilación/Ethylierung
etilamina/Ethylamin
etilamino…/Ethylamino…
N-etilanilina/N-Ethylanilin
etilato de magnesio/Magnesiumethoxid
etilbenceno/Ethylbenzol
etilcelulosa/Ethylcellulose
etilefrina/Etilefrin
etilén…/Ethylen…
etilenclorhidrina/Ethylenchlorhydrin
etilendiamina/Ethylendiamin
etilendinitramina/Ethylendinitramin
etilendioxi…/Ethylendioxy…
etilenglicol/Ethylenglykol
etilenimina/Ethylenimin
etileno/Ethylen
2-etilhexil…/2-Ethyl-hexyl…
etilidén…/Ethyliden…
1-etilpiperidina/1-Ethylpiperidin
etilsulfato de mecetronio/Mecetronium-etilsulfat
etilvainillina/Ethylvanillin
…etín/…etin
etinamato/Ethinamat
etinil…/Ethinyl…
etinilación/Ethinylierung
1-etinilciclohexanol/1-Ethinylcyclohexanol
etinilestradiol/Ethinylestradiol
etino/Ethin
etinodiol/Etynodiol
etio…/Ätio…
etiofencarb/Ethiofencarb
etiología/Ätiologie
etión/Ethion
etioporfirinas/Etioporphyrine
etiqueta de seguridad/Sicherheitskennzeichnung
etirimol/Ethirimol
etiroxato/Etiroxat
etisterona/Ethisteron

…eto/…et
etodroxicina/Etodroxizin
etofenamato/Etofenamat
etofenprox/Etofenprox
etofibrato/Etofibrat
etofilina/Etofyllin
etofumesato/Ethofumesat
etomidato/Etomidat
etopósido/Etoposid
etoprofos/Ethoprophos
etosuximida/Ethosuximid
etoxazola/Etoxazol
etoxazorutosido/Ethoxazorutosid
etoxi…/Ethoxy…
etoxicarbonil…/Ethoxycarbonyl…
etóxido de magnesio/Magnesiumethoxid
- de sodio/Natriummethoxid
etoxifenil…/Ethoxyphenyl…
etoxilación/Ethoxylierung
etoxilatos/Ethoxylate
etoxisulfurón/Ethoxysulfuron
etoxzolamida/Ethoxzolamid
etozolina/Etozolin
etretinato/Etretinat
etridiazol/Etridiazol
etringita/Ettringit
eu…/Eu…
eubacterias/Eubakterien
eucariotas/Eukaryonten, eukaryontisch
eucariótico/Eukaryonten, eukaryontisch
eucarya/Eukarya
euclasa/Euklas
eudesmanes/Eudesmane
eudesmanolides/Eudesmanolide
eudialita/Eudialyt
eudiómetro/Eudiometer
eudistominas/Eudistomine
euforbia/Wolfsmilchgewächse
euforia/Euphorie
eufrasia/Augentrost
eugénesis/Eugenik
eugenol/Eugenol
eulitita/Eulytin
europio/Europium
eutéctico/Eutektikum
eutrofización/Eutrophierung
euxenita/Euxenit
evacuación de basura doméstica/Hausmüllentsorgung
- de desechos/Abfallbeseitigung
- de desechos nocivos/Sonderabfallentsorgung
- de lodos de clarificaciòn/Klärschlammentsorgung
evaluación de la calidad de las aguas/Gewässergütebestimmung
- de riesgo/Risikobewertung
- tecnológica (de las consecuencias)/Technikfolgen-Abschätzung
evaporación/Abdunsten, Eindampfen, Verdampfung
- a sequedad/Abrauchen
- de capa delgada/Dünnschichtverdampfung
evaporadores de graduación/Gradierwerke
- rotatorios/Rotationsverdampfer
evaporitas/Evaporite
evitación de desechos/Abfallvermeidung
evolución/Evolution
- química/Chemische Evolution
evonimo/Pfaffenhütchen
exa…/Exa…
exactitud/Genauigkeit, Richtigkeit
exaltación/Exaltation

examen de bacterias/Bakterientest
– organoléptico/Organoleptische Prüfung
excímeros/Excimere
excipientes (bases) absorbentes para pomadas/Absorptionsgrundlagen
excitación/Anregung
– elementar/Elementare Anregung
– rotacional/Rotationsanregung
excitones/Excitonen
excreción/Exkretion
– de nitrógeno/Stickstoff-Exkretion
excrementos/Kot
exfoliación/Exfoliating
exo…/Exo…
exocíclico/Exocyclisch
exocitosis/Exocytose
exoelectrones/Exoelektronen
exoenzimas/Exoenzyme
exógeno/Exogen
exón/Exon
exopeptidasas/Exopeptidasen
exopolisacáridos/Exopolysaccharide
exotenpolimerización/Exotenpolymerisation
exotérmico/Exotherm
exotoxinas/Exotoxine
expansión/Ausdehnen
expectorantes/Expektorantien
experimento/Experiment
experimentos al aire libre de la ingeniería genética/Gentechnische Freilandexperimente
– con animales/Tierversuche, Alternativen
exploración/Exploration
explosión/Explosion
– de Coulomb/Coulomb-Explosion
– de grisú/Schlagwetter
– de polvo/Staubexplosionen
explosivos/Explosivstoffe, Sprengstoffe
– de clorato/Chlorat-Sprengstoffe
– de emulsión/Emulsionssprengstoffe
– de seguridad contra el grisú/Wettersprengstoffe
– iniciadores/Initialsprengstoffe
– iniciales/Initialsprengstoffe
– lentos/Schießstoffe
– primarios/Initialsprengstoffe
explotación de minas/Bergbau
exposición/Belichtung
– a la intemperie/Bewitterung
expresión génica/Genexpression
– transitoria/Transiente Expression
éxtasis/Ecstasy
extinción/Extinktion, Quenchen
extintor/Quencher
extracción/Extraktion
– con éter/Ausethern
– en el embudo de decantación/Ausschütteln
– líquido-líquido/Flüssig-Flüssig-Extraktion
– por Soxhlet/Soxhlet-Extraktion
– reactiva/Reaktivextraktion
– extración sólido-líquido/Auslaugen
extracto acelular/Zellfreier Extrakt
– de carne/Fleischextrakt
– de ginkgo/Ginkgo-Extrakt
– de levadura/Hefeextrakt
– de malta/Malzextrakt
– de pulpa/Pulp-wash

extractor de Kutscher-Steudel/Kutscher-Steudel-Extraktionsapparat
extractos/Extrakte
– de productos naturales/Naturstoff-Extrakte
extrañeza/Strangeness
extremos cohesivos/Kohäsive Enden
– romos/Blunt ends
extrusión/Extrudieren
exudación/Ausschwitzen
exudado/Exsudate

F

fabricación de tabletas (comprimidos)/Tablettieren
fac-/fac-
facies/Fazies
facticios/Faktisse
factis/Faktisse
factor A/A-Faktor
– activador de las plaquetas/PAF
– antihemofílico/Antihämophiler Faktor
– auricular natriurético/Atrionatriuretischer Faktor
– de acumulación/Akkumulationsfaktor
– de bioconcentración/Biokonzentrationsfaktor
– de crecimiento de células endoteliales derivado de trombocitos/Plättchen-entstammender Endothelzellen-Wachstumsfaktor
– de crecimiento de los hepatocitos/Hepatocyten-Wachstumsfaktor
– de crecimiento del virus vacunal/Vakzinevirus-Wachstumsfaktor
– de crecimiento derivado de trombocitos/Plättchen-entstammender Wachstumsfaktor
– de crecimiento epidérmico/Epidermaler Wachstumsfaktor
– de crecimiento nervioso/Nervenwachstumsfaktor
– de crecimiento vascular endothelial/Vaskulär-endothelialer Wachstumsfaktor
– de Debye-Waller/Debye-Waller-Faktor
– de frecuencia/Frequenzfaktor
– de las células tronco/Stammzellenfaktor
– de necrosis tumoral/Tumornekrose-Faktor
– de pérdida dieléctrico/Dielektrischer Verlustfaktor
– de tejido/Tissue factor
– de toxicidad/Toxitätsäquivalenzfaktor
– estequiométrico/Stöchiometrischer Faktor
– g de Landé/Landé-Faktor
– huésped de integración/Integration host factor
– inhibidor de la leucemia/Leukämie-inhibierender Faktor
– inhibitor de la migración de los macrófagos/Makrophagenwanderungs-Hemmfaktor
– intrínseco/Intrinsic factor
– limitador/Limitierender Faktor
– sigma/Sigma-Faktor
– von-Willebrand/Von-Willebrand-Faktor
factores/Faktoren
– climáticos/Klimafaktoren
– de crecimiento/Wachstumsfaktoren

– de crecimiento de colonias/Kolonie-stimulierende Faktoren
– de crecimiento fibroblásticos/Fibroblasten-Wachstumsfaktoren
– de crecimiento hematopoyéticos/Häm(at)opoetische Wachstumsfaktoren
– de crecimiento semejantes a la insulina/Insulin-artige Wachstumsfaktoren
– de elongación/Elongationsfaktoren
– de iniciación/Initiationsfaktoren
– de movimiento de las hojas/Leaf Movement Factors
– de transcripción/Transkriptionsfaktoren
– de transcripción octámero/Octamer-Transkriptionsfaktoren
– ecológicos (ambientales)/Ökofaktoren
– inhibidores/Inhibiting factors
– medioambientales/Umweltfaktoren
– neurotróficos/Neurotrophe Faktoren
– reumatoides (reumáticos)/Rheumafaktoren
– Rh/Rhesusfaktoren
– (substancias) de crecimiento/Wuchsstoffe
– transformantes de crecimiento/Transformierende Wachstumsfaktoren
factoría siderúrgica/Hütte
faenza/Fayence
fago lambda/Lambda-Phage
fagocitos mononucleares/Mononukleäre Phagocyten
fagocitosis/Phagocytose
fagos/Phagen
– temperados (atenuados)/Temperente Phagen
falcrinol/Falcarinol
falena atlas/Atlasspinner
faloidina/Phalloidin
falotoxinas/Phallotoxine
falsa acacia/Robinie
falso eléboro/Christophskraut
– trébol/Bitterklee
famciclovir/Famciclovir
famotidina/Famotidin
famprofazona/Famprofazon
fango/Fango, Schlamm
– activ[ad]o/Belebtschlamm
fanos/Phane
fanquinona/Phanquinon
faranal/Faranal
fárfara/Huflattich
farma…/Pharma…
farmacéutico/Apotheker
farmacia/Apotheke, Pharmazie
farmacoadicción/Arzneimittelsucht
farmacocinética/Pharmakokinetik
farmacodinámica/Pharmakodynamik
farmacofagia/Pharmakophagie
farmacogenética/Pharmakogenetik
farmacognosia/Pharmakognosie
farmacología/Pharmakologie
farmacopeas/Pharmakopöen
fármacos/Pharmaka
– de venta libre/Freiverkäufliche Arzneimittel
farming/Pharming
farnesol/Farnesol
fase de retardo/lag-Phase
– estacionaria/Stationäre Phase
– logarítmica/log-Phase
– móvil/Mobile Phase

faseolina/Phaseolin
fases/Phasen
– de Hume Rothery/Hume-Rothery-Phasen
– de Laves/Laves-Phasen
– de Vernier/Vernier-Phasen
– de Zintl/Zintl-Phasen
– invertidas/Reverse Phasen
– mixtas/Mischphasen
fasina/Phasin
fast magenta/Fast Magenta B
fatiga del suelo/Bodenmüdigkeit
faujasita/Faujasit
favorecedores de incendios/Brandfördernd
fayalita/Fayalit
fayenza/Fayence
febrifugina/Febrifugin
febuprol/Febuprol
fecapentaenos/Fecapentaene
fecha de vencimiento/Mindesthaltbarkeitsdatum
– mínima de conservabilidad/Mindesthaltbarkeitsdatum
Federación Europea de Ingeniería Química/Europäische Föderation für Chemie-Ingenieur-Wesen
fedrilato/Fedrilat
α-felandreno/α-Phellandren
felbamato/Felbamat
felbinac/Felbinac
feldespatoides/Feldspat-Vertreter
feldespatos/Feldspäte
felipresina/Felypressin
felodipina/Felodipin
felsítico/Felsitisch
femto…/Femto…
fen…/Phen…
fenacetina/Phenacetin
fenacil…/Phenacyl…
fenacita/Phenakit
fenaleno/1H-Phenalen
fenalenonas/Phenalenone
fenamacida/Phenamazid
fenamifos/Fenamiphos
fenantreno/Phenanthren
9,10-fenantrenoquinona/9,10-Phenanthrenchinon
fenantridina/Phenanthridin
1,10-fenantrolina/1,10-Phenanthrolin
fenarimol/Fenarimol
fenazaquín/Fenazaquin
fenazina/Phenazin
fenazona/Phenazon
fenazopiridina/Phenazopyridin
fenbuconazola/Fenbuconazol
fenbufeno/Fenbufen
fenbutrazato/Fenbutrazat
fencamfamina/Fencamfamin
fencarbamida/Phencarbamid
fenchenos/Fenchene
fenchol/Fenchol
fenciclidina/Phencyclidin
fencona/Fenchon
fendilina/Fendilin
fendimetrazina/Phendimetrazin
feneticilina/Phenethicillin
…fenetidida/…phenetidid
fenetidinas/Phenetidine
fenetil…/Phenethyl…
fenetilina/Fenetyllin
fenetol/Phenetol
fenetolil…/Phenetyl…
fenfluramina/Fenfluramin
fenformina/Phenformin
fenfuram/Fenfuram
feniatría/Phäniatrie
fenil…/Phenyl…
fenil-litio/Phenyllithium
N-fenil-2-naftilamina/N-Phenyl-2-naphthylamin

Español

1-fenil-2-propanona/1-Phenyl-2-propanon
1-fenil-1*H*-tetrazolo-5-tiol/1-Phenyl-1*H*-tetrazol-5-thiol
fenilacetaldehído/Phenylacetaldehyd
fenilacetatos/Phenylessigsäureester
fenilacetil.../Phenylacetyl...
fenilacetonitrilo/Phenylacetonitril
fenilación/Phenylierung
fenilalanina/Phenylalanin
fenilazida/Phenylazid
fenilazo.../Phenylazo...
(fenilazo)fenoles/Phenylazophenole
fenilazoxi.../Phenylazoxy...
fenilbutazona/Phenylbutazon
fenilcetonuria/Phenylketonurie
N-fenildietanolamina/*N*-Phenyldiethanolamin
fenilefrina/Phenylephrin
fenilendiaminas/Phenylendiamine
...fenileno/...phenylen
fenilen(o).../Phenylen...
feniletanoles/Phenylethanole
feniletilaminas/Phenylethylamine
fenilfluorona/Phenylfluoron
fenilfosfato de disodio/Phenylphosphat-Dinatriumsalz
fenilglicinas/Phenylglycine
fenilhidrazina/Phenylhydrazin
fenilhidrazonas/Phenylhydrazone
N-fenilhidroxilamina/*N*-Phenylhydroxylamin
4-fenilmorfolina/4-Phenylmorpholin
fenilo/Phenyl
fenilpropanolaminas/Phenylpropanolamine
fenilpropanoles/Phenylpropanole
4-fenilsemicarbazida/4-Phenylsemicarbazid
feniltiourea/Phenylthioharnstoff
feniltoloxamina/Phenyltoloxamin
fenilurea/Phenylharnstoff
N-feniluretano/*N*-Phenylurethan
fenindamina/Phenindamin
fenindiona/Phenindion
fenipentol/Fenipentol
feniramidol/Fenyramidol
feniramina/Pheniramin
fenitoína/Phenytoin
fenitrotión/Fenitrothion
fenmedifam/Phenmedipham
fenmetrazina/Phenmetrazin
...feno/...phen
fen(o).../Phen(o)...
fenobarbital/Phenobarbital
fenobcarb/Fenobucarb
fenofibrato/Fenofibrat
fenogreco/Bockshornklee
fenol/Phenol
- -oxidasas/Phenol-Oxidasen
fenolatos/Phenolate
fenoles/Phenole
- del vino/Weinphenole
fenolftaleína/Phenolphthalein
fenolftalol/Phenolphthalol
fenolisatinas/Phenolisatine
fenolsulfonftaleína/Phenolsulfonphthalein
fenómeno de Leidenfrost/Leidenfrostsches Phänomen
- de Oklo/Oklo-Phänomen
fenómenos electrocinéticos/Elektrokinetische Erscheinungen
...fenona/...phenon
fenoprofeno/Fenoprofen
fenoterol/Fenoterol
fenotiazina/Phenothiazin
fenotipo/Phänotyp
fenotrina/Phenothrin

fenoxaprop-etilo/Fenoxaprop-ethyl
fenoxazina/Phenoxazin
fenoxazolina/Fenoxazolin
fenoxazona/Phenoxazon
fenoxi.../Phenoxy...
fenoxibenzamina/Phenoxybenzamin
fenoxicarb/Fenoxycarb
fenoxilo/Phenoxyl
fenoximetilpenicilina/Phenoxymethylpenicillin
fenoxirresinas/Phenoxyharze
fenpiclonil/Fenpiclonil
fenpipramida/Fenpipramid
fenpiprano/Fenpipran
fenpiroximato/Fenpyroximat
fenprobamato/Fenprobamat
fenprocumón/Phenprocoumon
fenpropatrín/Fenpropathrin
fenpropidín/Fenpropidin
fenpropimorf/Fenpropimorph
fenproporex/Fenproporex
fenquenos/Fenchene
fensuximida/Phensuximid
fentanilo/Fentanyl
fentermina/Phentermin
fenticloro/Fenticlor
fenticonazol/Fenticonazol
fentín-acetato/Fentinacetat
- -hidróxido/Fentin-hydroxid
fentión/Fenthion
fentoato/Phenthoat
fentolamina/Phentolamin
fenvalerato/Fenvalerat
feo.../Phäo...
feofitinas/Phäophytine
ferimzona/Ferimzon
fermentación/Faulung, Fermentation, Gärung, Gärungsstoffwechsel
- acetonbutanólica/Aceton-Butanol-Fermentation
- anaeróbica/Vergärung
- cíclica/Cyclische Fermentation
- continua/Kontinuierliche Fermentation
- de alta densidad celular/Hochzelldichtefermentation
- en fase sólida/Festphasen-Fermentation
fermentaciones fed batch/Fed batch-Fermentation
fermentador con transporte de aire/Airlift-Fermenter
- de lecho fijo/Festbett-Reaktor
- de producción/Produktfermenter
fermento/Säurewecker
fermio/Fermium
fermiones/Fermionen
feromonas/Pheromone
- de algas/Algenpheromone
ferratos/Ferrate
ferredoxinas/Ferredoxine
ferri.../Ferri...
ferricianuros/Ferricyanide
ferricromos/Ferrichrome
ferrioxaminas/Ferrioxamine
ferristeno/Ferristene
ferrita/Ferrit
ferritas/Ferrite
ferritina/Ferritin
ferroaleaciones/Ferro-Legierungen
ferrobacterias/Eisenbakterien
ferroboro/Ferrobor
ferrocarbonilos/Eisencarbonyle
ferroceno/Ferrocen
ferrocerio/Cereisen
ferrocianuros/Ferrocyanide
ferrocirconio/Ferro(silico)zirconium
ferroclinca/Eisenklinker

ferrocromo/Ferrochrom
ferrofósforo/Ferrophosphor
ferroína/Ferroin
ferromanganeso/Ferromangan
ferromolibdeno/Ferromolybdän
ferrón/Ferron
ferroniobo/Ferroniob(tantal)
ferroníquel/Ferronickel
ferroproteínas/Eisen-Proteine
ferrosilicio/Ferrosilicium
ferrotántalo/Ferrotantal
ferrotitanio/Ferrotitan
ferrovanadio/Ferrovanadin
ferrovolframio/Ferrowolfram
fertilización/Düngung
- con piedra pulverizada/Steinmehldüngung
fertilizantes/Düngemittel
- de depósitos/Depotdünger
- nitrogenados/Stickstoff-Dünger
- potásicos/Kalidünger
fervenulina/Fervenulin
α-fetoproteína/α-Fetoprotein
fetuína/Fetuin
fibra (dietética)/Ballaststoffe
- cruda/Rohfaser
- de alto modulo/Hochmodulfasern
- de coco/Kokosfaser
- de gambo/Kenaf
- de hilatura cortada/Spinnfaser
- de la palmera piasava/Piassave
- de urena/Urena
- flocada/Flock
- óptica/Lichtleitfaser
- perfilada/Profilfaser
- saran/Saran-Faser
- vulcanizada/Vulkanfiber
fibras/Fasern
- animales/Tierfasern
- artificiales/Kunstfasern
- celulósicas/Cellulose-Fasern
- de alginato/Alginat-Fasern
- de boro/Borfasern
- de carbono/Kohlenstoff-Fasern
- de componentes/Komponentenfasern
- de dos componentes/Bikomponentenfasern
- de escoria/Schlackenfasern
- de la madera/Holzfasern
- de líber/Bastfasern
- de olefinas/Olefin-Fasern
- de poliamida/Polyamidfasern
- de stress/Streß-Fasern
- de tallo/Bastfasern
- de vidrio/Glasfasern
- de vinal/Vinal-Fasern
- de vinilal/Vinylal-Fasern
- de vinilón/Vinylon-Fasern
- de viscosa/Viskose-Fasern
- duras/Hartfasern
- elásticas/Elastofasern
- industriales/Industriefasern
- matriciales/Matrix-Fibrillen-Fasern
- metálicas/Metallfasern
- minerales/Mineralfasern
- modacrílicas/Modacrylfasern
- modales/Modalfasern
- naturales/Naturfasern
- nitrílicas/Nytrilfasern
- ópticas poliméricas/Polymere Lichtwellenleiter
- planas/Flachfasern
- proteicas/Eiweißfasern
- químicas/Chemiefasern
- regeneradas/Regeneratfasern
- sintéticas/Synthesefasern
- spandex/Spandex-Fasern
- textiles/Textilfasern
- vacías/Hohlfasern
- vegetales/Pflanzenfasern

fibrilación/Fibrillieren
fibrillas/Fibrillen
fibrillina/Fibrillin
fibrina/Fibrin
fibrinolíticos/Fibrinolytika
fibrocemento/Faserzement
fibroína/Fibroin
fibronectina/Fibronectin
fibrosis cística/Zystische Fibrose
ficellomicina/Ficellomycin
fichas técnicas (de datos) de seguridad/Sicherheitsdatenblatt
ficina/Ficin
ficobilinas/Phycobiline
ficocianina/Phycocyanin
fideos/Nudeln
fiebre/Fieber
- por intoxicación con vapores metálicos/Gießfieber
- por vapores de polímeros/Polymerdampf-Fieber
- reumática/Rheumatisches Fieber
fieltro/Filz
- asfáltico/Dachpappe
figura de impacto/Schlagfigur
fijación del nitrógeno/Stickstoff-Fixierung
fijado/Fixieren
fijadores/Fixateure, Fixative, Fixiermittel
fijar/Aufziehen
fijativos/Fixative
filamento/Filament, Haarfasern
filamentos intermediarios/Intermediäre Filamente
filamina/Filamin
filantocina/Phyllanthocin
filantotoxina/δ-Philanthotoxin
filariasis/Filariasis
filgrastim/Filgrastim
filigrana/Filigranarbeit, Wasserzeichen
filipina/Filipin
filippsita/Phillipsit
filita/Phyllit
film(e)s/Filme
..filo/...phil
filo.../Phyll(o)...
filones/Gänge
filosilicatos/Phyllosilicate
filosofal/Philosophisch
filosófico/Philosophisch
filtración/Filtration
- de flujo cruzado/Cross-flow-Filtration
- esterilizante/Sterilfiltration
- por adsorción/Filtrierende Adsorption
- por inmersión/Tauchfiltration
- por membrana/Membranfiltration
filtro de Berkefeld/Berkefeld-Filter
- de inmersión/Tauchfilter
- de membrana/Membranfilter
- de tambor/Trommelfilter
- de tela/Tuchfilter
- electrostático/Elektrofilter
- para bacterias/Bakterien-Filter
filtros/Filter
- ópticos/Lichtfilter
- respiratorios/Atemfilter
fimbrina/Fimbrin
finasterida/Finasterid
fineza/Finesse
finura/Feingehalt
fipronil/Fipronil
fique/Mauritius-Faser
fisalaemina/Physalaemin
fisarocromo/Physarochrom
fisciona/Physcion
fisetina/Fisetin

física/Physik
– atómica/Atomphysik
– de los metales/Metallphysik
– molecular/Molekülphysik
– nuclear/Kernphysik
– química/Chemische Physik
fisicoquímica/Physikalische Chemie
fisio/Fission
fisiología/Physiologie
– de las plantas/Pflanzenphysiologie
– sensorial/Sinnesphysiologie
fisión/Spaltung
fisionabilidad/Spaltbarkeit
fisostigmina/Physostigmin
fit…/Phyt…
fitatría/Phytomedizin
fitil…/Phytyl…
fitoalexinas/Phytoalexine
fitoantibióticos/Phytoantibiotika
fitocromo/Phytochrom
fitoefectores/Phytoeffektoren
fitoeno/Phytoen
fitoesteroles/Phytosterine
fitofármacos/Phytopharmaka
fitógeno/Phytogen
fitohormonas/Pflanzenhormone, Pflanzenwuchsstoffe
fitol/Phytol
fitoncidas/Phytonzide
fitopatología/Phytomedizin
fitoquelatinas/Phytochelatine
fitoquímica/Phytochemie
fitosteroles/Phytosterine
fitoterapia/Phytotherapie
fitotoxicidad/Phytotoxizität
fitotoxinas/Pflanzengifte
FK-506/FK-506
flagelados/Flagellaten
flagelina/Flagelline
flamprop-metilo/Flamprop-methyl
flash/Blitzlicht
flatulencia/Flatulenz
flav…/Flav(o)…
flavazinas/Flavazine
flavina-nucleótidas/Flavin-nucleotide
flavinas/Flavine
flavodoxinas/Flavodoxine
flavomaninas/Flavomannine
flavonas/Flavone
flavonoides/Flavonoide
flavopurpurina/Flavopurpurin
flavoxantina/Flavoxanthin
flavoxato/Flavoxat
flazasulfurón/Flazasulfuron
flecainida/Flecainid
flegmacinas/Phlegmacine
fleje laminado en frío/Kaltband
flema/Phlegma
fleroxacín/Fleroxacin
flexografía/Flexodruck
flintglass/Flintglas
flippasas/Flippasen
flobafenos/Phlobaphene
floca/Flocke
flocaje/Beflockung
floctafenina/Floctafenin
floculación/Ausflockung, Flockung
floculantes/Flockungsmittel
flocumafén/Flocoumafen
floema/Phloem
flogisto/Phlogiston
flogopita/Phlogopit
floor-temperatura/Floor-Temperatur
floración de algas/Algenblüte
– de plancton/Planktonblüte
florecido/Anlaufen

flores/Flores
– de gordolobo/Wollblumen
– de heno/Heublumen
– de verbasco/Wollblumen
– del tilo/Lindenblüten
floroglucina/Phloroglucin
flotación/Flotation
– gravimétrica/Sink-Schwimm-Aufbereitung
flotar en la superficie/Aufschwimmen
floxina/Phloxin
fluanisona/Fluanison
fluatos/Fluate
fluazifop-butilo/Fluazifop-butyl
– -P-butil/Fluazifop-P-butyl
fluazinam/Fluazinam
fluazurón/Fluazuron
flubenzimina/Flubenzimin
flucicloxurón/Flucycloxuron
flucitosina/Flucytosin
flucitrinato/Flucythrinat
flucloxacilina/Flucloxacillin
fluconazol/Fluconazol
fludioxonil/Fludioxonil
fludrocortisona/Fludrocortison
fludroxicortida/Fludroxycortid
flufenazina/Fluphenazin
flufenoxurón/Flufenoxuron
flufenprox/Flufenprox
fluidez/Fluidität
fluidificación/Fluidifikation
fluidización/Fluidisieren
fluido/Liquor
fluído de perforación/Bohrspülmittel
fluidos/Flüssigkeiten
– (gases) supercríticos/Überkritische Flüssigkeiten, überkritische Gase
– newtonianos/Newtonsche Flüssigkeiten
fluidos/líquidos hidráulicos/Hydraulikflüssigkeiten
flujo/Fließen
flumazenil/Flumazenil
flumedroxona/Flumedroxon
flumetasona/Flumetason
flumetsulam/Flumetsulam
flumiclorac-pentil/Flumiclorac-pentyl
flumioxazín/Flumioxazin
flumipropina/Flumipropyn
flunarizina/Flunarizin
flunisolida/Flunisolid
flunitrazepam/Flunitrazepam
fluocinonido/Fluocinonid
fluocortina butilo/Fluocortinbutyl
fluocortolona/Fluocortolon
fluometurón/Fluometuron
fluomina/Fluomine
flúor/Fluor
fluoración/Fluoridierung, Fluorierung
fluoranteno/Fluoranthen
fluoreno/Fluoren
9-fluorenona/9-Fluorenon
fluorescamina/Fluorescamin
fluoresceína/Fluorescein
fluorescencia/Fluoreszenz
fluorimetría/Fluorimetrie
fluorita/Fluorit
fluoro…/Fluor…, Fluoro…
1-fluoro-2,4-dinitrobenceno/1-Fluor-2,4-dinitrobenzol
fluorobenceno/Fluorbenzol
fluoroboratos/Fluoroborate
fluorocromos/Fluorochrome
fluoroelastómeros/Fluor-Elastomere
2-fluoroetanol/2-Fluorethanol
fluorofibras/Fluorofasern
fluorofitas/Fluorophyten

fluoróforos/Fluorophore
fluorofosfato de diisopropilo/Diisopropylfluorophosphat
– de sodio/Natriumfluorophosphat
fluorógenos/Fluorogene
fluoroglicofén-etilo/Fluorglycofen-ethyl
fluorohidrocarburos/Fluorkohlenwasserstoffe
fluorometolona/Fluorometholon
fluoronas/Fluorone
fluoropolímeros/Fluor-Polymere
fluorosilicatos/Fluorosilicate
fluorosis/Fluorosis
fluorosulfato de metilo/Fluoroschwefelsäuremethylester
fluorosulfatos/Fluorosulfate
fluorotensioactivos/Fluor-Tenside
fluorouracilo/Fluorouracil
fluoruro de aluminio/Aluminiumfluorid
– de bario/Bariumfluorid
– de calcio/Calciumfluorid
– de cinc/Zinkfluorid
– de cobre(II)/Kupfer(II)-fluorid
– de estroncio/Strontiumfluorid
– de hidrógeno/Fluorwasserstoff
– de litio/Lithiumfluorid
– de magnesio/Magnesiumfluorid
– de níquel(II)/Nickel(II)-fluorid
– de plomo/Bleifluorid
fluoruros/Fluoride
– de amonio/Ammoniumfluoride
– de antimonio/Antimonfluoride
– de arsénico/Arsenfluoride
– de azufre/Schwefelfluoride
– de bromo/Bromfluoride
– de cloro/Chlorfluoride
– de cobalto/Cobaltfluoride
– de cromo/Chromfluoride
– de estaño/Zinnfluoride
– de fósforo/Phosphorfluoride
– de oxígeno/Sauerstoff-Fluoride
– de plata/Silberfluoride
– de polivinilideno/Polyvinylidenfluoride
– de potasio/Kaliumfluoride
– de silicio/Siliciumfluoride
– de sodio/Natriumfluoride
– de uranio/Uranfluoride
– de yodo/Iodfluoride
fluoxetina/Fluoxetin
fluoximesterona/Fluoxymesteron
flupentixol/Flupentixol
flupirtina/Flupirtin
flupoxam/Flupoxam
fluprednideno/Fluprednieden
fluprednisolona/Fluprednisolon
fluquinconazola/Fluquinconazol
flurazepam/Flurazepam
flurbiprofeno/Flurbiprofen
flurcloridón/Flurochloridon
fluridona/Fluridon
fluroglucinol/Phloroglucin
fluroxipir/Fluroxypyr
flurtamona/Flurtamon
flusilazol/Flusilazol
fluspirileno/Fluspirilen
flusulfamida/Flusulfamid
flutamida/Flutamid
fluticasona/Fluticason
flutolanil/Flutolanil
flutriafol/Flutriafol
fluvalinato/Fluvalinat
fluvastatín/Fluvastatin
fluvoxamina/Fluvoxamin
…fobo/…phob
fodrina/Fodrin
folcodina/Pholcodin
foledrina/Pholedrin
folescutol/Folescutol
folinato de calcio/Calciumfolinat

folios/Folien
folistatina/Follistatin
folitropina/Follitropin
folpet/Folpet
fomanosina/Fomannosin
fomentariol/Fomentariol
fomesafén/Fomesafen
fominobeno/Fominoben
fomocaína/Fomocain
fondantes/Fondants
fondo de taller/Shop-Primer
fonofos/Fonofos
fonolita/Phonolith
fonones/Phononen
foraminíferos/Foraminiferen
forbol/Phorbol
foresis/Phoresie
forjado/Schmieden
– en estampa o en matriz/Gesenkschmieden
forma twist/Twistform
formación de aglomerados/Stückigmachen
– de fisuras por tensión/Spannungsrißbildung
– de herrumbre/Rosten
– del producto/Produktbildung
– en caliente/Warmumformen
formadores de resinas/Harzbildner
formaldehído/Formaldehyd
formamida/Formamid
formas biológicas/Lebensformen
– de administración/Arzneiformen
formazanos/Formazane
formestano/Formestan
formetanato-clorhidrato/Formetanat-Hydrochlorid
formiato de aluminio/Aluminiumformiate
– de amonio/Ammoniumformiat
– de calcio/Calciumformiat
– de etilo/Ameisensäureethylester
– de hierro(III)/Eisen(III)-formiat
– de metilo/Ameisensäuremethylester
– de níquel(II)/Nickel(II)-formiat
– de sodio/Natriumformiat
– de talio(I)/Thallium(I)-formiat
formiatos/Formiate
formil…/Formyl…
formilación/Formylierung
4-formilmorfolina/4-Formylmorpholin
formo-sulfatiazol/Formo-Sulfathiazol
formocortal/Formocortal
fórmula del octeto/Oktett-Formel
– del sexteto/Sextettformel
– empírica/Bruttoformel
– estructural (desarrollada)/Strukturformel
– molecular/Bruttoformel
– usada para el registro/Registrierformel
formulación/Formulierung, Rezeptur
fórmulas/Formeln
– (bzw. estructuras) de Markush/Markush-Formeln
– de Lewis/Lewis-Formeln
– de Niggli/Niggli-Formeln
– de proyección/Projektionsformeln
– de series/Serienformeln
…foro/…phor
forona/Phoron
forraje ensilado/Silage
forros de freno/Bremsbeläge
forscolina/Forskolin
fos/Fos
fos…/Phos…

Español

fosa Imhoff/Emscherbrunnen
fosalona/Phosalon
fosamina-amonio/Fosamin-ammonium
foscarnet/Foscarnet
fosducina/Phosducin
fosetil-aluminio/Fosetyl-aluminium
fosf(a).../Phosph(a)...
fosfacenos/Phosphazene
fosfamidón/Phosphamidon
fosfanos/Phosphane
fosfatación/Phosphatieren
fosfatasas/Phosphatasen
fosfatidil.../Phosphatidyl...
fosfatidilinositoles/Phosphatidylinosite
fosfato de adenosina/Adenosinphosphat
– de amonio y magnesio/Magnesiumammoniumphosphat
– de cobalto(II)/Cobalt(II)-phosphat
– de cromo(III)/Chrom(III)-phosphat
– de hierro(III)/Eisen(III)-phosphat
– de plata/Silberphosphat
– de poliestradiol/Polyestradiolphosphat
– de tiamina/Thiamindiphosphat
– de tributilo/Tributylphosphat
– de tricresilo/Trikresylphosphat
– de trietilo/Triethylphosphat
– de trifenilo/Triphenylphosphat
– de trimetilo/Trimethylphosphat
– de tris(2,3-dibromopropilo)/Tris(2,3-dibrompropyl)-phosphat
– de urea/Harnstoffphosphat
fosfatos/Phosphate
– condensados/Kondensierte Phosphate
– de aluminio/Aluminiumphosphate
– de amonio/Ammoniumphosphate
– de calcio/Calciumphosphate
– de cinc/Zinkphosphate
– de magnesio/Magnesiumphosphate
– de manganeso/Manganphosphate
– de potasio/Kaliumphosphate
– de sodio/Natriumphosphate
– fundidos/Schmelzphosphate
– orgánicos/Phosphorsäureester
fosfazanos/Phosphazane
fosfazena base P_4-t-bu/Phosphazen-Base P_4-t-Bu
fosfazenos/Phosphazene
fosfestrol/Fosfestrol
fosfinato de sodio/Natriumphosphinat
fosfinatos/Phosphinate
fosfinina/Phosphinin
fosfino.../Phosphino...
fosfinoil.../Phosphinoyl...
fosfinotricina/Phosphinothricin
fosfito de dietilo/Diethylphosphit
– de dimetilo/Dimethylphosphit
– de trifenilo/Triphenylphosphit
– de trimetilo/Trimethylphosphit
– de tris(nonilfenilo)/Tris(nonylphenyl)-phosphit
fosfitos/Phosphite
fosfo.../Phospho...
3'-fosfoadenosina-5'-fosfosulfato/3'-Phosphoadenosin-5'-phosphosulfat
fosfocelulosa/Phospho-Cellulose
fosfodiesterasas/Phosphodiesterasen
fosfodiésteres/Phosphodiester
fosfoenolpiruvato/Phosphoenolpyruvat
– -carboxilasa/Phosphoenolpyruvat-Carboxylase
– -carboxiquinasa/Phosphoenolpyruvat-Carboxykinase
fosfofilita/Phosphophyllit
fosfofructoquinasas/Phosphofructokinasen
fosfoinosítidos/Phosphoinositide
fosfolambano/Phospholamban
fosfoles/Phosphole
fosfolipasas/Phospholipasen
fosfolípidos/Phospholipide
fosfomicina/Fosfomycin
fosfonatos/Phosphonate
fosfono.../Phosphono...
fosfonoil.../Phosphonoyl...
fosfoproteínas/Phosphoproteine
fosforamidona/Phosphoramidon
fosforanos/Phosphorane
fosforescencia/Phosphoreszenz
fosforil.../Phosphoryl...
fosforilación/Phosphorylierung
fosforilasas/Phosphorylase
fosforitas/Phosphorite
fósforo/Phosphor
fosforólisis/Phosphorolyse
fósforos/Zündhölzer
– de Lenard/Lenard-Phosphore
fosfoserina/Phosphoserin
fosfuro de calcio/Calciumphosphid
– de cinc/Zinkphosphid
– de indio/Indiumphosphid
fosfuros/Phosphide
– de hierro/Eisenphosphide
fosgenita/Phosgenit
fosgeno/Phosgen
fósiles/Fossilien
fosinopril/Fosinopril
fosmet/Phosmet
fostiazato/Fosthiazat
fostriecinas/Fostriecin
fosvitina/Phosvitin
foto.../Phot(o)...
fotoautotrofo/Photoautotroph
fotobiología/Photobiologie
fotocalcos/Lichtpausen
fotocélula/Photozellen
fotoconductividad/Photoleitfähigkeit
fotocopia/Photokopie
fotocromismo/Photochromie
fotodegradación/Photoabbau
fotodescomposición/Photoabbau
fotodesprendimiento/Photodetachment
fotodiodos/Photodioden
fotoefectos/Photoeffekte
fotoelectricidad/Photoelektrizität
fotoelectrones/Photoelektronen
fotoelemento/Photoelement
fotoestabilizadores/Photostabilisatoren
fotografía/Photographie
– de revelado instantáneo/Instant-Photographie
– en colores/Farbphotographie
– en colores falsos/Falschfarbenphotographie
– Kirlian/Kirlian-Photographie
fotoiniciadores/Photoinitiatoren
fotoionización/Photoionisation
fotolacas/Photoresists
fotoliasa/Photolyase
fotólisis/Photolyse
– flash/Blitzlicht-Photolyse
fotolitotrofia/Photolithotrophie
fotometría/Photometrie
fotomultiplicador/Photomultiplier
fotones/Photonen
fotónica molecular/Molekulare Photonik
fotooxidación/Photooxidation
fotooxidantes/Photooxidantien
fotopolimerización/Photopolymerisation
fotopolímeros/Photopolymere
fotoproteínas/Photoproteine
fotoquímica/Photochemie
– orgánica/Organische Photochemie
fotoquimioterapia/Photochemotherapie
fotoresists/Photoresists
fotorreceptores/Photorezeptoren
fotorrespiración/Photorespiration
fotosíntesis/Photosynthese
fotosmog/Photosmog
fototaxis/Phototaxis
fototransducción/Phototransduktion
fototrofia/Phototrophie
fototropía/Phototropie
foxima/Phoxim
fracción molar/Molenbruch
fraccionamiento/Fraktionierung
– del campo de flujo/FFF
fractales/Fraktale
fractografía/Fraktographie
fragarina/Fragarin
fragilidad/Sprödigkeit
– debida al hidrógeno/Wasserstoffversprödung
– por envejecimiento/Alterungsversprödung
fragilización/Versprödung
fragmentación/Fragmentierung
fragmento de Klenow/Klenow-Fragment
fragmentos de ADN/DNA-Fragmente
– de Okazaki/Okazaki-Fragmente
fragmina/Fragmin
fraguado/Abbinden
frambuesas/Himbeeren
framicetina/Framycetin
francio/Francium
frangulinas/Franguline
frasco de Witt/Wittscher Topf
frascos de filtración/Saugflaschen
– de hombro cónico/Steilbrustflaschen
– lavadores/Spritzflaschen, Waschflaschen
frases R/R-Sätze
– S/S-Sätze
frecuencia/Frequenz
– de Larmor/Larmor-Frequenz
– de resonancia/Resonanzfrequenz
fredericamicina A/Fredericamycin A
frente/Front
fresas/Erdbeeren
fricción/Reibung
friedelanos/Friedelan(e)
friedelina/Friedelin
friedo/Friedo...
frío/Kälte
fritados/Fritten
frontalina/Frontalin
frotis/Abstrich
fructoquinasa/Fructokinase
D-fructosa/D-Fructose
D-fructosa-1,6-bisfosfato/D-Fructose-1,6-bisphosphat
β-D-fructosa-2,6-bisfosfato/β-D-Fructose-2,6-bisphosphat
fructosa-difosfatos/Fructosediphosphate
frullanolida/Frullanolid
fruta/Obst
– del pobre/Jackfrucht
frutas y verduras crudas/Rohkost
frutos/Früchte
– cítricos/Citrusfrüchte
ftalaldehído/Phthalaldehyd
ftalato de bencilbutilo/Benzylbutylphthalat
ftalatos/Phthalsäureester
ftalazinas/Phthalazin
ftaleínas/Phthaleine
ftalidas/Phthalide
ftalil.../Phthalyl...
ftalilsulfatiazol/Phthalylsulfathiazol
ftalimida/Phthalimid
ftal(o).../Phthal(o)...
ftalocianina/Phthalocyanin
ftalo(di)nitrilo/Phthalsäuredinitril
ftaloil.../Phthaloyl...
ftiocol/Phthiokol
fuberidazol/Fuberidazol
fubfenprox/Fubfenprox
fuc(o).../Fuc(o)...
fucoidina/Fucoidin
fucosa/Fucose
fucoserrateno/Fucoserraten
fucsina/Fuchsin
– ácida/Säurefuchsin
fuegos griegos/Griechisches Feuer
fuel-oils/Heizöle
fuente de nitrógeno/Stickstoff-Quelle
fuentes de emisión/Emissionsquellen
fuerza/Kraft
– de Lorentz/Lorentz-Kraft
– del oscilador/Oszillatorenstärke
– electromotriz/Elektromotorische Kraft
– iónica/Ionenstärke
– protonomotriz/Protonenmotorische Kraft
fuerzas de London/London-Kräfte
– intermoleculares/Zwischenmolekulare Kräfte
– nucleares/Kernkräfte
fugacidad/Fugazität
fulardado/Klotzen
fulerenos/Fullerene
fulguritas/Fulgurite
fuligorrubina A/Fuligorubin
fulminato de mercurio(II)/Quecksilber(II)-fulminat
– de plata/Silberfulminat
fulminatos/Fulminate
fulvalenos/Fulvalene
fulvenos/Fulvene
fumarasa/Fumarase
fumarato de hierro(II)/Eisen(II)-fumarat
fumarolas/Fumarolen
fumigantes/Fumigantien, Räuchermittel
fumigatina/Fumigatin
fumitremorgenos/Fumitremorgene
fumitremorginas/Fumitremorgene
fumívoros/Rauchverzehrer
función de autocorrelación/Autokorrelationsfunktion
– de distribución/Verteilungsfunktion
– de Gauss/Gauß-Funktion
– de Green/Greensche Funktion
– de Langevin/Langevin-Funktion
– de onda/Wellenfunktion
– de partición/Zustandssumme
– de trabajo/Austrittsarbeit
– del estado de configuración/Konfigurationszustandsfunktion

– homogénea/Homogene Funktion
– potencial/Potentialfunktion
funciones bases/Basissatz
– de Slater/Slater-Funktionen
– (procesos) sensoriales/Sensorik
fundaciones/Stiftung
fundente/Verstärker
fundentes/Flußmittel, Zuschläge, Zuschlagstoffe
– de soldadura/Lötfette
fundición/Gießen, Gießerei, Guß
– dura indefinida/Indefinite-Hartguß
– gris/Grauguß
– maleable/Temperguß
– rotativa/Rotationsguß
– templada/Hartguß
fungi imperfecti/Fungi imperfecti
fungicidas/Fungizide
furalaxil/Furalaxyl
furano/Furan
furano…/Furano…
furano de las rosas/Rosenfuran
furanosas/Furanosen
furatiocarb/Furathiocarb
furazolidona/Furazolidon
furfural/Furfural
furfuril…/Furfuryl…
furfurilamina/Furfurylamin
furfurol/Furfural
furil…/Furyl…
α-furilo/α-Furil
furina/Furin
furo…/Furo…
furocumarinas/Furocumarine
furoil…/Furoyl…
furosemida/Furosemid
fursultiamina/Fursultiamin
fusafungina/Fusafungin
fusaína/Fusain
fusibles/Schmelzsicherungen
fusina/Fusin
fusión/Anellierung, Aufschluß, Fusion, Schmelzen
– alcalina/Alkalischmelze
– de protoplastos/Protoplastenfusion
– en bomba/Bombenaufschluß
– en crisol/Tiegelschmelzverfahren
– nuclear/Kernfusion
– (por tostación) en suspensión/Schwebe(röst)schmelzverfahren
– zonal (de zona)/Zonenschmelzen

G

GABA-érgico/GABAerg
gabaculina/Gabaculin
gabapentín/Gabapentin
gabro/Gabbros
gadodiamida/Gadodiamid
gadolinio/Gadolinium
gadolinita/Gadolinit
gadoteridol/Gadoteridol
gafas de seguridad/Schutzbrillen
galactanos/Galactane
galacto/galacto-, Galact(o)…
galactosa/Galactose
galactosamina/Galactosamin
galactosidasas/Galactosidasen
galanina/Galanin
galantamina/Galanthamin
galatos/Gallussäureester
gálbano/Galbanum
galectinas/Galectine
galega/Geißraute
galeína/Gallein
galena/Bleiglanz
galénica/Galenik
galga/Gauge

galio/Gallium
galita/Gallit
galocianina/Gallocyanin
galofeninas/Gallophenine
galón/Gallone
galopamilo/Gallopamil
galvanizado/Galvanisieren
galvanotécnica/Galvanotechnik
gamagrafía/Gammagraphie
gamma-globulinas/Gamma-Globuline
gamonas/Gamone
gamuza/Fensterleder
ganciclovir/Ganciclovir
gangliopléjicos/Ganglienblocker
gangliosidos/Gangliosid
gangrena/Gangrän
ganister/Ganister
ganoderma/Ganoderma
gap junctions/Gap junctions
garantía de un producto/Produzentenhaftung
garnierita/Garnierit
garrapata/Zecken
gas de agua/Wassergas
– de ciudad/Stadtgas
– de electrones/Elektronengas
– de gasógeno/Generatorgas
– de los pantanos/Sumpfgas
– de madera/Holzgas
– de Mond/Mond-Gas
– de poder calorífico elevado/Reichgas
– de síntesis/Synthesegas
– del alumbrado/Leuchtgas
– detonante/Knallgas
– detonante de cloro/Chlorknallgas
– fulminante/Knallgas
– hilarante/Lachgas
– inerte/Formiergas
– mostaza nitrogenado/Stickstofflost
– natural/Erdgas
– oxhídrico/Knallgas
– protector/Formiergas
gasas para vehículos/Wagenfette
gaseado/Sengen
gases/Gase
– a presión/Druckgase
– combustibles/Brenngase
– comprimidos/Druckgase
– de calefacción/Heizgase
– de combustión/Heizgase
– de escape (residuales)/Abgase
– de escape de automóviles/Kraftfahrzeugabgase
– de guerra/Kampfstoffe
– de humo (combustión)/Rauchgas
– (de petróleo) licuados/Flüssiggase
– ideales/Ideale Gase
– industriales/Industriegase
– inertes/Inertgase
– licuefactos/Flüssiggase
– nobles/Edelgase
– perfectos/Ideale Gase
– protectores/Schutzgase
– reales/Reale Gase
gasificación/Vergasung
– del carbón/Kohlevergasung
gasohol/Gasohol
gasoil/Dieselkraftstoffe
gasóleos/Heizöle
gasolina/Benzin, Sprit
– de aviación/Flugbenzin
– de pirólisis/Pyrolysebenzin
– reformada/Reformatbenzin
– sólida/Hartbenzin
gasolinas diluyentes/Testbenzine
gasómetro/Gasometer

gastos para el medio ambiente/Umweltkosten
gastrina/Gastrin
gastritis/Gastritis
gatsch/Gatsch
gatuña/Hauhechel
gauche/Gauche
gauss/Gauss
Gaussian/Gaussian
gefirina/Gephyrin
gefirotoxinas/Gephyrotoxine
geiparvarina/Geiparvarin
geissoschizina/Geissoschizin
gel azul/Blaugel
– de secuenciación/Sequenzgel
– de sílice con indicador de humedad/Blaugel
gelatina/Gelatine
– explosiva/Sprenggelatine
geldanamicina/Geldanamycin
geles/Gele
– de sílice/Kieselgele
– ionotrópicos/Ionotrope Gele
gelonina/Gelonin
gelsemina/Gelsemin
gelsolina/Gelsolin
gem-/gem-
gemación/Knospung
gemas/Gemmen
gemcitabina/Gemcitabin
gemeprost/Gemeprost
gemfibrozilo/Gemfibrozil
gen/Gen
– clonado/Kloniertes Gen
– de resistencia/Resistenz-Gen
– informador/Reportergen
– regulador/Regulatorgen
– src/src-Gen
genciana/Enzian
generación de imágenes de RMN/NMR-Bildgebung
generador de Winkler/Winkler-Generator
– magnetohidrodinámico/Magnetohydrodynamischer Generator
– Van de Graaff/Van-de-Graaff-Generator
genes egoístas/Egoistische Gene
– fijadores de nitrógeno/nif-Gene
– nif/nif-Gene
– pleiotrópicos/Pleiotrope Gene
– supresores de tumores/Tumor-Suppressor-Gene
genética/Genetik
– inversa/Reverse Genetik
…genina/…genin
genisteín/Genistein
…geno/…gen
genotipo/Genotyp
gentamicina/Gentamicin
gentiobiosa/Gentiobiose
gentiopicrina/Gentiopikrin
gentisato de sodio/Natriumgentisat
gentisina/Gentisin
geocronología/Geochronologie
geología/Geologie
geometría cristalina/Kristallgeometrie
– de equilibrio/Gleichgewichtsgeometrie
geoquímica/Geochemie
geosmina/Geosmin
geotrupo/Mistkäfer
gepefrina/Gepefrin
geranilgeraniol/Geranylgeraniol
geraniol/Geraniol
geriatría/Geriatrie
geriátricos/Geriatrika
germacranólidos/Germacranolide
germacranos/Germacrane
germacrenos/Germacrane

germanatos/Germanate
germanio/Germanium
germanita/Germanit
gérmenes/Keime
germicidas/Germizide
germinación/Keimung
gersdorfita/Gersdorffit
gestágenos/Gestagene
gestodeno/Gestoden
getter(e)s/Getter
ghatti/Ghatti gummi
gibberelinas/Gibberelline
giga…/Giga…
gilsonita/Gilsonit
gimnoprenoles/Gymnoprenole
ginebra/Genever, Gin
gingerol/Gingerol, 6-Gingerol
ginkgólidos/Ginkgolide
ginseng/Ginseng
girocianina/Gyrocyanin
girolita/Gyrolith
giromitrina/Gyromitrin
giroporina/Gyroporin
gitoformato/Gitoformat
glafenina/Glafenin
glándula tiroides/Schilddrüse
– uropigial/Bürzeldrüse
glándulas suprarrenales/Nebennieren
glasear/Glasieren
glaserita/Glaserit
glauberita/Glauberit
glaucina/Glaucin
glauco…/Glauko…
glaucoma/Star
glauconita/Glaukonit
gliadina/Gliadin
glibenclamida/Glibenclamid
glibornurida/Glibornurid
glicación/Glykation
glicazida/Gliclazid
gliceraldehído/Glycerinaldehyd
– -3-fosfato-deshidrogenasa/Glycerinaldehyd-3-phosphat-Dehydrogenase
glicéridos/Glyceride
glicerina/Glycerin
glicero-/glycero-
glicerofosfato de calcio/Calciumglycerophosphat
– de hierro(III)/Eisen(III)-glycerinphosphat
glicerofosfatos/Glycerinphosphate
glicerol/Glycerin
glicidol/Glycidol
glicina/Glycin
glicirricina/Glycyrrhizin
glic(o)…/Glyk(o)…
glicobiarsol/Glycobiarsol
glicoconjugados/Glykokonjugate
glicoforinas/Glykophorine
glicógeno/Glykogen
glicoles/Glykole
glicolípidos/Glykolipide
glicólisis/Glykolyse
glicoproteínas/Glykoproteine
glicosaminoglicanos/Glykosaminoglykane
glicosidasas/Glykosidasen
glicósidos/Glykoside
glicósidos/Glykoside
– cardíacos/Herzglykoside
– de los alcaloides solano-esteroides/Solanum-Steroidalkaloidglykoside
glicosiltransferasas/Glykosyltransferasen
glidobactinas/Glidobactine
glifosato/Glyphosat
glimepirida/Glimepirid
glimidina/Glymidin
gliotoxina/Gliotoxin

Español

glioxal/Glyoxal
– -bis(2-hidroxianilo)/Glyoxal-bis(2-hydroxyanil)
glipizida/Glipizid
gliptales/Glyptale
gliquidona/Gliquidon
glisoxepida/Glisoxepid
globinas/Globine
globulinas/Globuline
gloeosporona/Gloeosporon
glomerina/Glomerin
glosarios/Wörterbücher
glucagón/Glucagon
glucanohidrolasas/Glucan-Hydrolasen
glucanos/Glucane, Glykane
gluco.../Gluc(o)...
gluco-/gluco-
glucokinasa/Glucokinase
gluconato de calcio/Calciumgluconat
– de hierro(II)/Eisen(II)-gluconat
– de magnesio/Magnesiumgluconat
– de potasio/Kalium-D-gluconat
– de sodio/Natrium-D-gluconat
gluconeogénesis/Gluconeogenese
glucoquinasa/Glucokinase
β-glucoronidasa/β-Glucuronidase
D-glucosa/D-Glucose
α-D-glucosa-1,6-bisfosfato/α-D-Glucose-1,6-bisphosphat
glucosa-deshidrogenasa/Glucose-Dehydrogenase
α-D-glucosa-1-fosfato/α-D-Glucose-1-phosphat
D-glucosa-6-fosfato/D-Glucose-6-phosphat
glucosa-oxidasa/Glucose-Oxidase
D-glucosammina/D-Glucosamin
glucosidasas/Glucosidasen
glucosidos cianhídricos/Cyanogene Glykoside
glucósidos cianógenos/Cyanogene Glykoside
– digitales/Digitalis-Glykoside
glucosilación/Glykosylierung
glucosinolatos/Glucosinolate
glucuromo-γ-lactona/D-Glucuronsäure-γ-lacton
glufosinato-amonio/Glufosinatammonium
gluproteína P/P-Glykoprotein
L-glutamato de sodio/Natrium-L-glutamat
glutamato descarboxilasa/Glutamat-Decarboxylase
glutamatos/Glutamate
glutamina/L-Glutamin
glutaraldehido/Glutaraldehyd
glutatión/Glutathion
glutelinas/Gluteline
gluten/Gluten, Kleber
glúten de maíz/Maiskleber
glutetimida/Glutethimid
glutina/Glutin
gmelinita/Gmelinit
gneis/Gneis
goethita/Goethit
gofrado/Gaufrieren
goitrina/Goitrin
golondrinera/Schöllkraut
goma/Gummi
– arábica/Gummi arabicum
– benjuí/Benzoeharz
– blanda/Weichgummi
– de borrar/Radiergummi
– de mascar/Kaugummi
– de silicona/Bouncing Putty
– karaya/Karaya-Gummi
– laca/Schellack
– porosa/Porengummi
gombo/Okra

gónadas/Keimdrüsen
gonadoliberina/Gonadoliberin
gonadotropina coriónica/Chorio(n)gonadotrop(h)in
– sérica/Serumgonadotropin
gonano/Gonan
gonorrea/Gonorrhoe
gonyautoxinas/Gonyautoxine
gordolobo/Königskerzen
goserelín/Goserelin
gosipetina/Gossypetin
gosipol/Gossypol
gota/Gicht
gotas/Tropfen
– de vidrio/Glasträne n
gp 120/gp120
grabado/Ätzen
gradiente/Gradient
grado/Grad
– Baumé/Baumé-Grad
– de acoplamiento/Kopplungsgrad
– de avance de la reacción/Reaktionslaufzahl
– de carbonización/Inkohlungsgrad
– de disociación/Dissoziationsgrad
– de libertad/Freiheitsgrad
– de polimerización/Polymerisationsgrad
– de polimerización „levelling-off"/Levelling-off-Polymerisationsgrad
– de substitución/Substitutionsgrad
– de tensión/Spannungszustand
– de turbulencia/Turbulenzgrad
– Oechsle/Oechsle-Grad
grados Brix/Brix-Grade
– Soxhlet-Henkel/Soxhlet-Henkel-Grade
– Twaddell/Twaddell-Grade
grafito/Graphit, Reißblei
grageas/Dragées
gramicidinas/Gramicidine
gramina/Gramin
gramíneas/Gräser
gramo/Gramm
granada/Granatapfel
granadillas/Passionsfrüchte
granalla/Strahlmittel
granates/Granate
graniticina/Graniticin
grandisol/Grandisol
graninas/Granine
granisetrón/Granisetron
granitos/Granite
grano/Gran, Kern, Korn
– crudo/Rohfrucht
– fino/Feinen
– triturado/Schrot
granos/Getreide
granulados/Granulate
granulita/Granulit
granulometría/Granulometrie
granza/Krapp
granzimas/Granzyme
grasa de marmota/Murmeltieröl
– de Ramsay/Ramsay-Fett
– derretida/Schmalz
– lubricante/Schmierfette
– moellón/Degras
– para esmerilados/Hahnfett
– para esmerilados (juntas)/Schliff-Fett
– para estirado/Ziehfett
– para grifos/Hahnfett
grasas inversas/Inverse Fette
– sucedáneas de la manteca de cacao/Kakaobutter-Austauschfette
– y aceites/Fette und Öle
grauvaca/Grauwacke

grava/Kies
gravamen sobre los desechos/Abfallabgabe
gravilla/Splitt
– para filtrar/Filterkies
gravimetría/Gravimetrie
gravitación/Gravitation
Gray/Gray
grayanotoxinas/Grayanotoxine
grazzeina/Brazzein
greenalita/Greenalith
greenockita/Greenockit
greisen/Greisen
gremio/Gewerkschaft
grenios del medio ambiente/Umweltgremien
grevilinas/Grevilline
grietas/Crazes
grifo de Daniell/Daniellscher Hahn
grifos/Hähne
gripe/Grippe
gris de cinc/Zinkgrau
griseofulvina/Griseofulvin
grit/Grit
grosellas/Johannisbeeren
grupo carbonilo/Carbonyl-Gruppe
– de metales que precipitan con sulfuro de hidrógeno/Schwefelwasserstoff-Gruppe
– del boro/Bor-Gruppe
– del carbono/Kohlenstoff-Gruppe
– del hierro/Eisen-Gruppe
– del manganeso/Mangan-Gruppe
– del nitrógeno/Stickstoff-Gruppe
– hidroxi/Hydroxy-Gruppe
– nitro/Nitro-Gruppe
– prostético/Prosthetische Gruppe
grupos angulares/Anguläre Gruppen
– de inflamación/Zündgruppen
– de temperatura/Zündgruppen
– espaciales/Raumgruppen
– funcionales/Funktionelle Gruppen
– osmóforos/Osmophore Gruppen
– protectores/Schutzgruppen
guacamote/Maniok
gualenato de sodio/Natriumgualenat
guam/Guam
guanabenzo/Guanabenz
guanaminas/Guanamine
guanetidina/Guanethidin
guanfacina/Guanfacin
guanidina/Guanidin
guanidino.../Guanidino...
guanina/Guanin
guano/Guano
guanosina/Guanosin
– -fosfatos/Guanosinphosphate
guaraná/Guarana
guarniciones de embrague/Kupplungsbeläge
– de freno/Bremsbeläge
guata/Watte
guavas/Guaven
guayacol/Guajakol
guayano/Guajan
guayazuleno/Guajazulen
guayule/Guayule
gucos/Gukos
güisqui/Whisky
guéteres/Getter
guía de consignas/Begleitschein
guimesinas/Guinesine
guindilla/Paprika
guisantes/Erbsen
gulo-/gulo-
gulosa/Gulose
gusanos/Würmer
gustducina/Gustducin

gusto/Geschmack
– a ratones (vino)/Mäuseln
gutapercha/Guttapercha

H

haba tonca/Tonkabohnen
habas/Bohnen
– de Calabar/Calabar-Bohnen
– de soja/Sojabohnen
– panosas/Puffbohnen
hábitat/Habitat
haces atómicos/Atomstrahlen
hachís/Haschisch
hadacidina/Hadacidin
hadrones/Hadronen
hafnio/Hafnium
hahnio/Hahnium
hai-thao/Hai-Thao
halatopolímeros/Halatopolymere
halazona/Halazon
halcinonida/Halcinonid
halloysita/Halloysit
halmirógeno/Halmyrogen
halo/Halo
halo.../Halo...
halobacterias/Halobakterien
halocarbán/Halocarban
halocromía/Halochromie
halocromismo/Halochromie
halofantrina/Halofantrin
halofitas/Halophyten
haloformos/Haloforme
halogenación/Halogenierung
halogenoaldehídos/Halogenaldehyde
halogenoaminas/Halogenamine
halogenocetonas/Halogenketone
halogenolisis/Halogenolyse
halógenos/Halogene
halogenuros/Halogenide
– de ácidos/Säurehalogenide
– de alquilo/Alkylhalogenide
– de hidrógeno/Halogenwasserstoffe
– de hidróxidos/Hydroxidhalide
– de nitrógeno/Stickstoffhalogenide
– de selenio/Selenhalogenide
– de tionilo/Thionylhalogenide
halohidrinas/Halohydrine
halometasona/Halometason
halones/Halone
haloperidol/Haloperidol
haloperoxidasas/Haloperoxidasen
haloprogina/Haloprogin
halorrodopsina/Halorhodopsin
halosulfurón/Halosulfuron
halotano/Halothan
halotriquita/Halotrichit
haloxifop-etoxietilo/Haloxyfop-ethoxyethyl
halquinol/Halquinol
haluros de hidrógeno/Halogenwasserstoffe
hamamelis/Hamamelis
hambre/Hunger
HAP/PAH
hapalindoles/Hapalindole
haptenos/Haptene
hapto-/hapto-
haptoglobinas/Haptoglobine
harina/Mehl
– de guar/Guar-Mehl
– de huesos/Knochenmehl
– de madera/Holzmehl
– de pescado/Fischmehl
– pregelatinizada/Quellmehl
– venenosa/Hüttenrauch
harmalina/Harmalin
harmán/Harman
harmanos/Harmane
harmina/Harmin
harmotoma/Harmotom

Español

harpagosida/Harpagosid
haüyne/Hauyn
haüynita/Hauyn
hausmannita/Hausmannit
HCFC (hidroclorofluorcarbonados)/FCKW
heces/Fäkalien, Kot, Treber
hecto…/Hekto…
hectografía/Hektographie
hectorita/Hectorit
α-hederina/α-Hederin
hedgehog/Hedgehog
helado/Eis, Speiseeis
– de crema/Eiscreme
helecho/Fougère
– común/Tüpfelfarn
helechos/Farne
helenalina/Helenalin
heleniena/Helenien
helenina/Helenin
helenio/Helenenkraut
helicasas/Helicasen
hélice/Helix
– anfipática/Amphipathische Helix
helicenos/Helicene
helicobasidina/Helicobasidin
helio/Helium
heliones/Helionen
helioterapia/Heliotherapie
heliotropo/Heliotrop
helix-loop-helix/Helix-loop-helix
helixina/Helixin
helminthosporal/Helminthosporal
helmintos/Würmer
helófitos/Helophyten
helvina/Helvin
hem…/Häm…, Haem…
hemaglutininas/Hämagglutinine
hemalumbre/Hämalaun
hematina/Hämatin
hematita/Hämatit
hematites parda/Brauneisenerz
hematócrito/Hämatokrit
hematología/Hämatologie
hematoporfirina/Hämatoporphyrin
hematopoyesis/Hämatopoese
hematoxilina/Hämatoxylin
hemeritrina/Hämerythrin
hemiacetales/Halbacetale
hemicránea/Migräne
hemimorfita/Hemimorphit
hemina/Hämin
hemiterpenos/Hemiterpene
hemo/Häm
hemocianina/Hämocyanin
hemodiálisis/Hämodialyse
hemofilia/Hämophilie
hemoglobina/Hämoglobin
hemolina/Hämolin
hemólisis/Hämolyse
hemonectina/Hämonectin
hemoperfusión/Hämoperfusion
hemopoyesis/Hämatopoese
hemoproteínas/Häm-Proteine
hemorroides/Hämorrhoiden
hemosiderina/Hämosiderin
hemostasis/Hämostase
hemostípticos/Hämostyptika
hemovanadio/Hämovanadin
hen(e)icos(a)…/Heneicos(a)…
henna/Henna
1-hentriacontanol/1-Hentriacontanol
heparina/Heparin
heparinoides/Heparinoide
hepática/Odermennig
hepatitis/Hepatitis
hepatoprotectores/Leberschutztherapeutika
HEPES/HEPES
hept(a)…/Hept(a)…

heptabarbital/Heptabarbital
heptacloro/Heptachlor
heptacont(a)…/Heptacont(a)…
heptacos(a)…/Heptacos(a)…
heptadec(a)…/Heptadec(a)…
heptadecano/Heptadecan
heptalena/Heptalen
2,2,4,4,6,8,8-heptametilnonano/2,2,4,4,6,8,8-Heptamethylnonan
heptaminol/Heptaminol
heptanal/Heptanal
heptano/Heptan
heptanoil…/Heptanoyl…
heptanoles/Heptanole
heptanonas/Heptanone
1-hepteno/1-Hepten
heptil…/Heptyl…
1-heptino/1-Heptin
heptosas/Heptosen
heptulosas/Heptulosen
herbicidas/Herbizide
herbimicín/Herbimycin
hercinina/Hercynin
heregulina/Heregulin α
herencia citoplásmica/Extrachromosomale Vererbung
herida/Wunde
heroína/Heroin
herpes/Herpes
herrumbre/Rost
– de contacto/Passungsrost
– de origen externo/Fremdrost
– inicial/Flugrost
hesperetina/Hesperetin
hessita/Hessit
hetarinas/Hetarine
hetero…/Heter(o)…
heteroátomos/Heteroatome
heterociclos con azufre/Schwefel-Heterocyclen
– con nitrógeno/Stickstoff-Heterocyclen
– con oxígeno/Sauerstoff-Heterocyclen
heterogéneo/Heterogen
heteroléptico/Heteroleptisch
heterólisis/Heterolyse
heterólogos/Heterologe
heterometría/Heterometrie
heteropoliácidos/Heteropolysäuren
heterótopo/Heterotop
heterotrofia/Heterotrophie
heulandita/Heulandit
hex(a)…/Hex(a)…
hexacianoferratos de potasio/Blutlaugensalze
– de sodio/Natriumhexacyanoferrate
hexacloro-1,3-butadieno/Hexachlor-1,3-butadien
hexaclorobenceno/Hexachlorbenzol
hexacloroetano/Hexachlorethan
hexaclorofeno/Hexachlorophen
hexacloroplatinato(IV) de potasio/Kaliumhexachloroplatinat(IV)
hexaconazol/Hexaconazol
hexacont(a)…/Hexacont(a)…
hexacos(a)…/Hexacos(a)…
hexadec(a)…/Hexadec(a)…
hexadecano/Hexadecan
hexadecanoil…/Hexadecanoyl…
1-hexadecanol/1-Hexadecanol
hexadecil…/Hexadecyl…
hexafeniletano/Hexaphenylethan
hexaflumurón/Hexaflumuron
hexafluoracetona/Hexafluoraceton
hexafluorcirconato de potasio/Kaliumhexafluorozirconat

hexafluorosilicato de cinc/Zinkhexafluorosilicat
– de magnesio/Magnesiumhexafluorosilicat
– de potasio/Kaliumhexafluorosilicat
– de sodio/Natriumhexafluorosilicat
hexafluoruro de tungsteno/Wolframhexafluorid
hexahidroxibenceno/Hexahydroxybenzol
hexahidroxiantimoniato(V) de potasio/Kaliumhexahydroxoantimonat(V)
hexahidroxoestannato(IV) de potasio/Kaliumhexahydroxostannat(IV)
hexakis…/Hexakis…
hexal/Hexal
hexametilbenceno/Hexamethylbenzol
1,1,1,3,3,3-hexametildisilazano/1,1,1,3,3,3-Hexamethyldisilazan
hexametilen…/Hexamethylen…
hexametilentetramina/Hexamethylentetramin
hexamidina/Hexamidin
hexanal/Hexanal
1-hexanamina/1-Hexanamin
hexanitrato de manitol/Mannit(ol)hexanitrat
hexanitrocobaltato(III) de potasio/Kaliumhexanitrocobaltat(III)
– de sodio/Natriumhexanitrocobaltat(III)
hexano/Hexan
hexanoato de etilo/Hexansäureethylester
1,6-hexanodiamina/1,6-Hexandiamin
1,6-hexanodiol/1,6-Hexandiol
2,5-hexanodiona/2,5-Hexandion
hexanoil…/Hexanoyl…
1-hexanol/1-Hexanol
2-hexanona/2-Hexanon
1,2,6-hexanotriol/1,2,6-Hexantriol
hexazinona/Hexazinon
hexenales/Hexenale
1-hexeno/1-Hexen
trans-2-hexenoato de metilo/Methyl-trans-2-hexenoat
hexestrol/Hexestrol
hexetidina/Hexetidin
hexil…/Hexyl…
hexilen…/Hexylen…
4-hexilresorcinol/4-Hexylresorcin
1-hexino/1-Hexin
hexitiazox/Hexythiazox
hexitos/Hexite
hexobarbital/Hexobarbital
hexobendina/Hexobendin
hexocinasa/Hexokinase
hexógeno/Hexogen
hexoprenalina/Hexoprenalin
hexoquinasa/Hexokinase
hexosaminidasa/Hexosaminidase
hexosas/Hexosen
hexulosas/Hexulosen
hial…/Hyal…
hialita/Hyalit
hialuronidasas/Hyaluronidasen
hibenzato/Hibenzat
hibernación/Hibernation
hibisco/Hibiscus
hibridación/Hybridisierung
– en colonia/Kolonie-Hybridisierung
hibridomas/Hybridome
híbridos ADN-ARN/DNA-RNA-Hybride

hickory/Hickoryholz
hicoris/Hickoryholz
hidantocidín/Hydantocidin
hidantoínas/Hydantoine
hidrácidos/Wasserstoffsäuren
hidracina/Hydrazin
hidracino…/Hydrazino…
hidralazina/Hydralazin
hidrargafeno/Hydrargaphen
hidrastina/Hydrastin
hidrastinina/Hydrastinin
hidratación (iónica)/Hydratation
– (química)/Hydratisierung
hidratasas/Hydratasen
hidrato de celulosa/Cellulosehydrat
– de cloral/Chloralhydrat
– de hidrazina/Hydrazinhydrat
hidratos/Hydrate
– de carbono/Kohlenhydrate
hidrazida del ácido p-toluenosulfónico/p-Toluolsulfonsäurehydrazid
– maleica/Maleinsäurehydrazid
hidrazidas/Hydrazide
– de ácidos/Säurehydrazide
hidrazina/Hydrazin
hidrazo…/Hydrazo…
hidrazobenceno/Hydrazobenzol
hidrazonas/Hydrazone
hidrazono…/Hydrazono…
hidro…/Hydr(o)…
hidrobiología/Hydrobiologie
hidroboración/Hydroborierung
hidrocarboxilación/Hydrocarboxylierung
hidrocarburo de Chichibabin/Tschitschibabinscher Kohlenwasserstoff
– de Schlenk/Schlenkscher Kohlenwasserstoff
hidrocarburos/Kohlenwasserstoffe
– alternados/Alternierende Kohlenwasserstoffe
– aromáticos/Aromaten
– aromáticos policíclicos/PAH
– bromados/Bromkohlenwasserstoffe
– clorados/Chlorkohlenwasserstoffe
– halogenados/Halogenkohlenwasserstoffe
– no metánicos/NMHC
– platónicos/Platonische Kohlenwasserstoffe
hidrociclones/Hydrozyklone
hidrocincita/Hydrozinkit
hidrocloración/Hydrochlorierung
hidroclorotiazida/Hydrochlorothiazid
hidrocloruración/Hydrochlorierung
hidrocloruro (clorhidrato) de …/…-hydrochlorid
hidrocodona/Hydrocodon
hidrocoloides/Hydrokolloide
hidrocortisona/Hydrocortison
hidrocultura/Hydrokultur
hidrodesalquilación/Hydrodesalkylierung
hidrofilización/Hydrophilieren
hidrófilo/Hydrophil
hidrófitos/Hydrophyten
hidroflumetiazida/Hydroflumethiazid
hidrofobinas/Hydrophobine
hidrofobizado/Hydrophobieren
hidrófobo/Hydrophob
hidroformilación/Hydroformylierung
hidrogeles/Hydrogele
hidrogenación/Hydrierung

– del carbón/Kohlehydrierung
– directa/Direkthydrierung
hidrogenasas/Hydrogenasen
hidrogeno.../Hydrogen...
hidrógeno/Wasserstoff
– activo/Aktiver Wasserstoff
hidrogenocarbonato de amonio/Ammoniumhydrogencarbonat
– de calcio/Calciumhydrogencarbonat
– de magnesio/Magnesiumhydrogencarbonat
– de potasio/Kaliumhydrogencarbonat
– de sodio/Natriumhydrogencarbonat
hidrogenocarbonatos/Hydrogencarbonate
hidrogenofluoruros/Hydrogenfluoride
hidrogenofosfato de 1-naftilo y sodio/Natrium-1-naphthylhydrogenphosphat
hidrogenoftalato de potasio/Kaliumhydrogenphthalat
hidrogenólisis/Hydrogenolyse
hidrogenooxalato de tiociclam/Thiocyclam-Hydrogenoxalat
hidrogenoperoxomonosulfato de potasio/Kaliumhydrogenperoxomonosulfat
hidrogenosulfato de potasio/Kaliumhydrogensulfat
– de sodio/Natriumhydrogensulfat
hidrogenosulfatos/Hydrogensulfate
hidrogenosulfito de calcio/Calciumhydrogensulfit
– de potasio/Kaliumhydrogensulfit
– de sodio/Natriumhydrogensulfit
hidrogenosulfitos/Hydrogensulfite
hidrogenosulfuro de amonio/Ammoniumhydrogensulfid
– de calcio/Calciumhydrogensulfid
– de sodio/Natriumhydrogensulfid
hidrogenosulfuros/Hydrogensulfide
hidrogenotartrato de potasio/Kaliumhydrogentartrat
hidrohalogenuros/Hydrohalogenide
hidrolasas/Hydrolasen
hidrólisis/Hydrolyse
hidrolizados de proteínas/Eiweiß-Hydrolysate
– de proteínas para sopas/Suppenwürze
hidrología/Hydrologie
hidrometalurgia/Hydrometallurgie
hidromiel/Met
hidromorfona/Hydromorphon
hidronaftalenos/Hydronaphthaline
hidronio/Hydronium
hidroperoxi.../Hydroperoxy...
hidroperóxido de *terc*-butilo/*tert*-Butylhydroperoxid
– de cumeno/Cumolhydroperoxid
– de diisopropilbenceno/Diisopropylbenzolhydroperoxid
– de *p*-mentano/*p*-Menthanhydroperoxid
– de pinano/Pinanhydroperoxid
hidroperóxidos/Hydroperoxide
hidroperoxilo/Perhydroxyl

hidroquinona/Hydrochinon
hidrorreformado/Hydroformieren
hidrosfera/Hydrosphäre
hidrotalcita/Hydrotalcit
hidrotiazidas/Hydrothiazide
hidrotropía/Hydrotropie
hidroxi.../Hydroxy...
5-hidroxi-L-lisina/5-Hydroxy-L-lysin
2-hidroxi-2-metilpropionitrilo/2-Hydroxy-2-methylpropionitril
hidroxi-1,4-naftoquinonas/Hydroxy-1,4-naphthochinone
4-hidroxi-L-prolina/4-Hydroxy-L-prolin
hidroxiacetofenonas/Hydroxyacetophenone
hidroxiácidos grasos/Hydroxyfettsäuren
hidroxialdehídos/Hydroxyaldehyde
hidroxialquilación/Hydroxyalkylierung
hidroxialquilamidones/Hydroxyalkylstärken
hidroxialquilcelulosas/Hydroxyalkylcellulosen
hidroxiaminoácidos/Hydroxyaminosäuren
hidroxibenzaldehídos/Hydroxybenzaldehyde
4-hidroxibenzoatos/4-Hydroxybenzoesäureester
hidroxibenzofenonas/Hydroxybenzophenone
hidroxicetonas/Hydroxyketone
hidroxicitronelal/Hydroxycitronellal
hidroxicloroquina/Hydroxychloroquin
hidroxicloruros de aluminio/Aluminiumhydroxychloride
hidroxicolecalciferoles/Hydroxycholecalciferole
hidróxido de bario/Bariumhydroxid
– de calcio/Calciumhydroxid
– de cinc/Zinkhydroxid
– de cobre(II)/Kupfer(II)-hydroxid
– de cromo(III)/Chrom(III)-hydroxid
– de litio/Lithiumhydroxid
– de magnesio/Magnesiumhydroxid
– de plomo/Bleihydroxid
– de potasio/Kaliumhydroxid
– de sodio/Natriumhydroxid
hidróxidos/Hydroxide
– de aluminio/Aluminiumhydroxide
– de hierro/Eisenhydroxide
– de níquel/Nickelhydroxide
12-hidroxiestearatos/12-Hydroxystearate
hidroxietilalmidones/Hydroxyethylstärken
hidroxietilcarboximetilcelulosas/(Hydroxyethyl)carboxymethylcellulosen
hidroxietilcelulosas/Hydroxyethylcellulosen
N-(4-hidroxifenil)glicina/N-(4-Hydroxyphenyl)glycin
hidroxilación/Hydroxylierung
– de Prévost/Prévost-Hydroxylierung
hidroxilamina/Hydroxylamin
hidroxilaminas/Hydroxylamine
hidroxilasas/Hydroxylasen
hidroxilo/Hydroxyl
hidroximetil.../Hydroxymethyl...
hidroximetilación/Hydroxymethylierung

hidroximetilfenil.../Hydroxy-methyl-phenyl...
5-(hidroximetil)furfural/5-(Hydroxymethyl)furfural
N-(hidroximetil)nicotinamida/N-(Hydroxymethyl)nicotinamid
hidroximino.../Hydroxyimino...
hidroxinaftoato de befenio/Bepheniumhydroxynaphthoat
hidroxinervona/Hydroxynervon
3-hidroxipiperidina/3-Hydroxypiperidin
hidroxiprocaína/Hydroxyprocain
hidroxiprogesterona/Hydroxyprogesteron
hidroxipropilalmidones/Hydroxypropylstärken
hidroxipropilcelulosas/Hydroxypropylcellulosen
hidroxipropilguar/Hydroxypropylguar(an)
hidroxipropionitrilos/Hydroxypropionitrile
hidroxitetracaína/Hydroxytetracain
hidroxiurea/Hydroxyharnstoff
hidroxizina/Hydroxyzin
hidroxo.../Hydroxo...
hidroxocobalamina/Hydroxocobalamin
hidroxosales/Hydroxo-Salze
hidruro.../Hydrido...
hidruro de aluminio/Aluminiumhydrid
– de aluminio y litio/Lithiumaluminiumhydrid
– de aluminio y sodio/Natriumaluminiumhydrid
– de antimonio/Antimonwasserstoff
– de arsénico/Arsenwasserstoff
– de bismuto/Bismutwasserstoff
– de calcio/Calciumhydrid
– de circonio/Zirconiumhydrid
– de litio/Lithiumhydrid
– de magnesio/Magnesiumhydrid
– de nitrosilo/Nitrosylwasserstoff
– de sodio/Natriumhydrid
– de titanio/Titanhydrid
hidruros/Hydride
– fundamentales/Stammhydride
– metálicos/Metallhydride
hiedra/Efeu
hiel de buey/Ochsengalle
hielo/Eis
– seco/Trockeneis
hierba cana/Kreuzkraut
– de San Cristóbal/Christophskraut
– de San Juan/Johanniskraut
– doncella/Immergrün
– lombriguera/Rainfarn
hierbas/Gräser
hierro/Eisen
– bruto/Roheisen
– colado/Gußeisen
– de lingote/Flußeisen
– especular/Spiegeleisen
– forjable (maleable)/Schmiedeeisen
– fundido/Gußeisen
– oolítico/Minette
– para hormigón armado/Moniereisen
– sinterizado/Sintereisen
hifo-/hypho-
hifolominas/Hypholomine
hígado/Leber
higiene/Hygiene
– alimentaria/Lebensmittelhygiene
– de los alimentos/Lebensmittelhygiene

– industrial/Gewerbehygiene
higos/Feigen
– chumbos/Kaktusfeigen
higrina/Hygrin
higrófilas/Hygrophyten
higrófitos/Hygrophyten
higrómetro/Hygrometer
higromicinas/Hygromycine
higroscopicidad/Hygroskopizität
hilado/Garn
– en mojado/Naß-Spinnen
hilatura/Spinnen
– polímera/Polymerisationsspinnen
hilaza/Werg
hilo/Draht, Garn
– brisado/Leonische Fäden
– de estambre/Kammgarn
– de pelo/Haargarn
– retorcido/Zwirn
hilos monocristalinos/Whiskers
himecromona/Hymecromon
himenópteros/Hymenoptera
himexazol/Hymexazol
hinchamiento/Bombage, Quellung
hinojo/Fenchel
hio.../Hyo...
hiosciamina/Hyoscyamin
hiper.../Hyper...
hipercalcemia/Hypercalcämie
hipercolesterolemia/Hypercholesterinämie
hiperconjugación/Hyperkonjugation
hipercromia/Hyperchromie
hiperemesis/Hyperemesis
hiperemia/Hyperämie
hiperglucemia/Hyperglykämie
hipergoles/Hypergole
hipericina/Hypericin
hiperición/Johanniskraut
hiperinsulinismo/Hyperinsulinismus
hiperlipidemia/Hyperlipidämie
hipernúcleo/Hyperkern
hiperones/Hyperonen
hiperóxido/Hyperoxid
hiperqueratosis/Hyperkeratose
hipersonido/Hyperschall
hipertensión/Hypertonie
hipertensores/Antihypotonika
hipertermia/Hyperthermie
hipertiroidismo/Hyperthyreose
hiperuricemia/Hyperurikämie
hipervitaminosis/Hypervitaminosen
hipnofilina/Hypnophilin
hipo.../Hypo...
hipobromitos/Hypobromite
hipocalcemia/Hypocalcämie
hipoclorito de calcio/Calciumhypochlorit
– de potasio/Kaliumhypochlorit
– de sodio/Natriumhypochlorit
hipocloritos/Hypochlorite
hipocromia/Hypochromie
hipofermentosis/Hypofermentie
hipófisis/Hypophyse
hipofosfitos/Hypophosphite
hipogeusia/Hypogeusie
hipoglicina/Hypoglycin
hipoglucemia/Hypoglykämie
hipohalitos/Hypohalite
hiponitritos/Hyponitrite
hiposideremia/Hyposiderinämie
hipotálamo/Hypothalamus
hipotensión/Hypotonie
hipotensores/Antihypertonika
hipotermia/Hypothermie
hipótesis de Avogadro/Avogadro's ches Gesetz
– de Prout/Proutsche Hypothese

hipotiroidismo/Hypothyreose
hipovitaminosis/Hypovitaminosen
hipoxantina/Hypoxanthin
hipoxia/Hypoxie
hipoyoditos/Hypoiodite
hipsocrómico/Hypsochrom
hipsocromo/Hypsochrom
hipuricasa/Hippuricase
hipusina/Hypusin
hirsuten/Hirsuten
hirsutina/Hirsutin
hirsutismo/Hirsutismus
hirudina/Hirudin
hisactofilina/Hisactophilin
hispidina/Hispidin
hist…/Hist…
histamina/Histamin
histapirrodina/Histapyrrodin
histazarina/Hystazarin
histéresis/Hysterese
histidina/Histidin
histología/Histologie
histonas/Histone
histoquímica/Histochemie
historia de la química/Geschichte der Chemie
histrionicotoxina/Histrionicotoxine
hivernación/Winterschlaf
hojalata/Weißblech
hojas/Folien
– de abedul/Birkenblätter
– de sen/Sennesblätter
– (láminas) de embutición profunda/Tiefziehfolien
holandita/Hollandit
hollín/Ruß
– de gas/Gasruß
holmio/Holmium
holo…/Holo…
holographía/Holographie
holomicina/Holomycin
holoturinas/Holothurine
homatropina/Homatropin
hombre/Mensch
– transparente/Gläserner Mensch
homeo…/Homöo…
homeopatía/Homöopathie
homeostasis/Homöostase
homo…/Homo…
homocadenas/Homoketten
homocisteína/Homocystein
homofenazina/Homofenazin
homogeneizador/Handhomogenisator
homogéneo/Homogen
homogenización/Homogenisation
homoléptico/Homoleptisch
homólisis/Homolyse
homología/Homologie
homólogos/Homologe
homopolímeros/Homopolymere
L-homoserina/L-Homoserin
homótopo/Homotop
hongo/Schwamm
hongos/Pilze
– de la podredumbre blanca/Weißfäulepilze
– de las hojas de tubérculos/Knollenblätterpilze
– de los castaños/Maronenröhrling
– filamentosos/Fadenpilze
– venenosos/Giftpilze
hopanoidos/Hopanoide
hopanos/Hopane
hopcalita/Hopcalit
hopeíta/Hopeit
hordeína/Hordein
hordenina/Hordenin
hormesis/Hormese
hormigas/Ameisen

hormigón/Beton
– armado/Stahlbeton
– con polímeros/Polymerbeton
– esponjoso (celular)/Schaumbeton
– ligero/Leichtbeton
– pesado/Schwerbeton
– poroso/Porenbeton
– pretensado/Spannbeton
hormona concentradora de la melanina/Melanin-konzentrierendes Hormon
– de la floración/Blühhormon
hormonas/Hormone
– de insectos/Insektenhormone
– de los tejidos/Gewebshormone
– del embarazo/Schwangerschaftshormone
– esteroides/Steroid-Hormone
– (factores) de liberación/Releasing-Hormone
– glicoproteicas/Glykoprotein-Hormone
– gonadotropas/Gonadotrope Hormone
– juveniles/Juvenilhormone
– peptídicas/Peptidhormone
– sexuales/Sexualhormone
– suprarrenales/Nebennierenhormone
– tiroideas/Thyroid-Hormone
– vegetales/Pflanzenhormone, Pflanzenwuchsstoffe
hornblendas/Hornblenden
horno a chorro/Jet-Cooking
– anular/Ringofen
– de crisol/Tiegelofen
hornos/Öfen
– rotatorios/Drehrohröfen, Trommelöfen
– tubulares/Rohröfen
– tubulares giratorios/Drehrohröfen
– -túnel/Tunnelöfen
hospitalismo/Hospitalismus
hotflue/Hotflue
howlita/Howlith
HPLC (cromatografía líquida de alta resolución)/HPLC
hueco/Defektelektron
huecograbado de ilustraciones/ITD
hueso/Kern, Knochen
huevos/Eier
hule/Wachstuch
hulla/Steinkohle
… humana/Human…
– humano/Human…
humectación/Benetzung
humectantes/Feuchthaltemittel, Netzmittel
humedad/Feuchtigkeit, Humidität
– atmosférica/Luftfeuchtigkeit
– relativa/Relative Luftfeuchtigkeit
humita/Humit
humo/Rauch
– de tabaco/Tabakrauch
humuleno/Humulen
humulón/Humulon
humus/Humus
huperzina/Huperzin

iatrógeno/Iatrogen
iatroquímica/Iatrochemie
ibogaína/Ibogain
ibogamina/Ibogamin
ibuprofeno/Ibuprofen
ice/Ice
icos(a)…/Icos(a)…
icosaedro-/icosahedro-
ictericia/Ikterus

ictiocola/Fischleim, Hausenblase
ictiopterina/Ichthyopterin
ictiotest/Fischtest
…ida/…id
idaeina/Idaein
idarubicín/Idarubicin
identificación/Identifizierung, Nachweis
…idina/…idin
idiocromasia/Idiochromasie
idiofase/Idiophase
idiosincrasia/Idiosynkrasie
idiotipo/Idiotyp
iditol/Idit
ido-/ido-
idosa/Idose
idoxuridina/Idoxuridin
idus/Goldorfe
ifosfamida/Ifosfamid
ignifugantes/Flammschutzmittel
ignífugo/Flammfest
ignimbrita/Ignimbrit
igualador/Egalisiermittel
ilato/…ylat
…ilen(o)/…ylen
…iliden(o)/…yliden
…ilidino/…ylidin
…ilio/…ylium
ilita/Illit
ilmenita/Ilmenit
…ilo/…yl
iloprost/Iloprost
iludinas/Illudine
iludol/Illudol
iluros/Ylide
ilvaita/Ilvait
imán híbrido/Hybridmagnet
imanes/Magnete
– permanentes/Dauermagnete
imazalil/Imazalil
imazametabenz-metilo/Imazamethabenz-methyl
imazapir/Imazapyr
imazaquina/Imazaquin
imazetapir/Imazethapyr
imazosulfurón/Imazosulfuron
imbibición/Imbibition
imbricatina/Imbricatin
imibenconazola/Imibenconazol
imidacloprid/Imidacloprid
imidas/Imide
imidazol/Imidazol
imidazolidas/Imidazolide
imidazolidina-2-ona/Imidazolidin-2-on
– -2-tiona/Imidazolidin-2-thion
imido…/Imid(o)…
iminas/Imine
…iminio/…iminium
iminio…/Iminio…
imino…/Imino…
iminoácidos/Iminosäuren
1,1′-iminodi-2-propanol/1,1′-Iminodi-2-propanol
2,2′-iminodietanol/2,2′-Iminodiethanol
imipenem/Imipenem
imipramina/Imipramin
immunoblot/Immunoblot
imolamina/Imolamin
„impact compounds"/Impact compound
impacto/Impact
– ambiental/Umweltbelastung
– del medio ambiente/Umwelteinwirkung
impactores/Impaktoren
impedancia/Impedanz
impedimento estéreo (estérico)/Sterische Hinderung
imperatorina/Imperatorin
impermeabilizantes del hormigón/Betondichtungsmittel

implantación/Implantation
– de iones/Ionenimplantation
importada/Fremdwasser
importador/Einführer
importina/Importin
imposición legal/Auflage
impregnación/Imprägnierung
– en fulard/Klotzen
impregnantes para maderas/Holzschutzmittel
impresión/Druckverfahren
– en cuatro colores/Vierfarbendruck
– offset/Offsetdruck
– policroma o a varias tintas/Mehrfarbendruck
impresor/Buchdrucker
impresora térmica/Thermodrucker
impulso/Impuls
– electromagnético/Elektromagnetischer Puls
impulsor auxiliar/Verstärker
impurezas/Verunreinigungen
– del aire/Luftverunreinigungen
impurificación/Fouling
in situ/In situ
– vitro/In vitro
…ina (1., 3., 4.)/…in
inactivo/Inaktiv
inaminas/Inamine
inarmonicidad/Anharmonizität
incandescencia/Glut
incapacitantes/Wirrstoffe
incineración/Veraschen
– de desechos/Abfallverbrennung
– de desechos nocivos/Sonderabfallverbrennung
incineración de lodos de clarificación/Klärschlammverbrennung
inclusión/Inklusion
inclusiones fluidas/Fluide Einschlüsse
incompatibilidad/Inkompatibilität
inconeración de basura(s) doméstica(s)/Hausmüllverbrennung
incorporación/Inkorporierung
incremento/Inkrement
incrementos de enlace/Bindungsinkremente
incromado/Inchromverfahren
incrustación de calderas/Kesselstein
incubación/Inkubation
incubadoras/Brutschrank
indaconitina/Indaconitin
indamina/Indamin
indanazolina/Indanazolin
1,3-indandionas/1,3-Indandione
indano/Indan
indapamida/Indapamid
indazol/Indazol
indeno/Inden
indicación/Indikation
indicador de cristal líquido/LCD
indicadores/Indikatoren
– de fluorescencia/Fluoreszenzindikatoren
– de Hammett/Hammett-Indikatoren
– universales/Universalindikatoren
indicán/Indican
indicaxantina/Indicaxanthin
índice/Index
– de absorción de aceite/Ölzahl
– de acetilo/Acetyl-Zahl
– de ácido/Säurezahl
– de carbonilo/Carbonyl-Zahl
– de cetano/Cetan-Zahl
– de citas/Citation Index
– de color/Farbzahl
– de colores/Colour Index

Español

- de evaporación/Verdunstungszahl
- de fluidez (fusión)/Schmelzindex
- de Hehner/Hehner-Zahl
- de hidroxilo/Hydroxylzahl
- de kauri-butanol/Kauri-Butanol-Zahl
- de neutralización/Neutralisationszahl
- de octano/Octan-Zahl
- de olor/Geruchszahl
- de oxígeno/Sauerstoff-Index
- de oxígeno limitante/LOI
- de Pearl/Pearl-Index
- de polidispersividad/Polydispersität
- de Reichert-Meissl/Reichert-Meissl-Zahl
- de Staudinger/Viskositätszahl
- de yodo/Iod-Zahl
- del flujo de volumen/Volumenfließindex
- del peso corporal/Body-Mass-Index
- isotáctico/Isotaxie-Index
- P/P-Zahl
- saprobiótico/Saprobienindex
índices de Miller/Millersche Indizes
- de Weiss/Weiss'sche Koeffizienten
indiferente/Indifferent
índigo/Indigo
indigoide/Indigoid
indigosulfonatos/Indigosulfonate
indigotina/Indigotin
indinavir/Indinavir
indio/Indium
indocianín verde/Indocyaningrün
indofenol/Indophenol
indol/Indol
- -5-ol/Indol-5-ol
indolina/Indolin
indolizidina/Indolizin
indometacina/Indometacin
indoramina/Indoramin
indospicina/Indospicin
indoxilo/Indoxyl
inducción/Induktion
- asimétrica/Asymmetrische Induktion
inductividad/Induktivität
indulinas/Induline
industria farmacéutica/Pharmazeutische Industrie
- química/Chemische Industrie
inerte/Inert
inertización/Inertisierung
inéteres/Inether
infarto/Infarkt
infauna/Infauna
infección/Infektion
inflamable/Entzündlich
inflamación/Entflammung, Entzündung
influenza/Grippe
información del medio ambiente/Umweltinformation
informe ambiental/Umweltbericht
infractinas/Infractine
infusión/Infusion, Infusum
ingeniería/Ingenieurwissenschaften
- de cristal/Kristall-Engineering
- de refrigeración/Kältetechnik
- genética/Gentechnologie
- genética de las plantas/Gentechnische Veränderung an Pflanzen
- nuclear/Kerntechnik
- química/Chemie-Ingenieurwesen

ingeniero/Ingenieur
- electrónico de procesos industriales/Prozeßleitelektroniker
- en alimentos/Lebensmittelingenieur
- técnico químico/Chemieingenieur
ingestión/Ingestion
inhibición/Inhibition
- competitiva/Kompetitive Hemmung
- debida al substrato/Substrat-Hemmung
- por productos del metabolismo/Produkthemmung
inhibidor de decapado/Sparbeizen
inhibidores/Hemmstoffe, Inhibitoren
- ACE/ACE-Hemmer
- de la bomba protónica/Protonenpumpen-Hemmer
- de la germinación/Keimungshemmstoffe
- de sedimentación/Absetzverhinderungsmittel
- del apetito/Appetitzügler
- mitóticos/Mitosehemmer
inhibina/Inhibin
iniciación/Initiation
iniciadores/Initiatoren
- peróxidos/Peroxid-Initiatoren
- redox/Redoxinitiatoren
iniferters/Iniferter
injerto redox/Redox-Pfropfen
inmisiones/Immissionen
inmovilización/Immobilisierung
inmunidad/Immunität
inmunización/Immunisierung
inmuno-oro/Immunogold
inmunoadsorción/Immunadsorption
inmunobiología/Immunbiologie
inmunocomplejos/Immunkomplexe
inmunoconjugados/Immunkonjugate
inmunodifusión/Immundiffusion
inmunoelectroforesis/Immunelektrophorese
inmunoensayo/Immunoassay
- enzimático/Enzymimmunoassay
inmunofilinas/Immunophiline
inmunofluorescencia/Immunfluoreszenz
inmunoglobulinas/Immunglobuline
inmunología/Immunologie
inmunoquímica/Immunchemie
inmunosupresión/Immunsuppression
inmunoterapia/Immuntherapie
inmunotoxinas/Immuntoxine
innovación/Innovation
…ino (2.)/…in
ino-/ino-
inocosterona/Inokosteron
inoculación/Impfen
inoculantes/Impflegierungen
inóculo/Inokulum
inosina/Inosin
inositol-fosfatos/Inositphosphate
inositoles/Inosite
inotodiol/Inotodiol
inotropía/Inotropie
inotropismo/Inotropie
inquilinos/Inquilinen
insaponificable/Unverseifbares
insaturado/Ungesättigt
insecticidas/Insektizide
insectífugos/Insektenabwehrmittel
insectos/Insekten

inseminación/Insemination
inserción/Insertion
instalación para la evacuación de residuos/Abfallentsorgungsanlage
instalaciones/Altanlage
- que requieren vigilancia (control)/Überwachungsbedürftige Anlagen
- sujetas a autorización previa/Genehmigungsbedürftige Anlagen
institución de proyectos/Projektträger
instrucción/Unterweisung
instrucciones técnicas/Technische Anleitungen
- técnicas para la eliminación de desechos urbanos/TA Siedlungsabfall
- técnicas sobre el aire/TA Luft
- técnicas sobre residuos/TA Abfall
- técnicas sobre ruidos/TA Lärm
instrumentación/Instrumentation
instrumentos/Instrumente
insuficiencia cardíaca/Herzinsuffizienz
insulina/Insulin
integradores/Integratoren
integral de superposición/Überlappungsintegral
integrasas/Integrasen
integrinas/Integrine
inteínas/Inteine
inteligencia artificial/Künstliche Intelligenz
intensificador/Verstärker
interacción/Wechselwirkung
- de configuraciones de referencia múltiple/MR-CI
- no adiabática/Nichtadiabatische Wechselwirkung
interacciones proteína ligando/Protein-Ligand-Wechselwirkungen
interación de configuración/Configuration Interaction
intercalación/Interkalation
intercambiadores de calor/Wärmeaustauscher
- de iones/Ionenaustauscher
- iónicos de celulosa/Cellulose-Ionenaustauscher
- redox/Redoxaustauscher
intercambio de aminoácidos/Aminosäure-Austausch
- de cromátidas hermanas/SCE
intercrecimientos/Verwachsungen
interfases/Grenzflächen
interferencia/Interferenz
interferometría/Interferometrie
interferómetro/Interferometer
- de Mach-Zener/Mach-Zener-Interferometer
- de Michelson/Michelson-Interferometer
- Fabry-Pérot/Fabry-Pérot-Interferometer
interferones/Interferone
interleucinas/Interleukine
intermediarios reactivos/Reaktive Zwischenstufen
intermedios reactivos/Zwischenstufen
intermolecular/Intermolekular
interrupción de la colada/Abfangen
intersticial/Interstitiell
intersystem crossing/Intersystem crossing
intestino/Darm
intoxicación/Vergiftung

- por mariscos/Muschelvergiftung
intoxicaciones alimentarias/Lebensmittelvergiftungen
intramolecular/Intramolekular
introducción/Einleiten
intrón/Intron
intrusión/Intrusion
intumescencia/Intumeszenz
ínula/Alant
inulina/Inulin
invasina/Invasin
invasión/Invasion
inventario de daños forestales/Waldschadenserhebung
- de sustancias peligrosas/Gefahrstoffkataster
inversión/Inversion
- de la polaridad/Umpolung
- de Walden/Walden-Umkehr(ung)
inversiones/Investitionen
invertasa/Invertase
invertebrados/Invertebraten
invertosa/Invertzucker
investigación/Forschung, Recherche
- del medio ambiente/Umweltforschung
- operacional/Operations-Research
- por contrato/Auftragsforschung
involucrina/Involucrin
involutina/Involutin
inyección/Injektion
inyector en la columna/On-Column Injektor
…io/…ium
iobitridol/Iobitridol
iodamida/Iodamid
iodato de sodio/Natriumiodat
iodatos/Iodate
iodil…/Iodyl…
iodilbenceno/Iodylbenzol
iodinina/Iodinin
iodixanol/Iodixanol
iodo/Iod
iodo…/Iod…
iodobenceno/Iodbenzol
iodofenfos/Iodfenphos
iodoformo/Iodoform
iodóforos/Iodophore
iodosil…/Iodosyl…
iodosilbenceno/Iodosylbenzol
N-iodosuccinimida/N-Iodsuccinimid
ioduro de (metilfenilamino) trifenilfosfonio/(Methylphenylamino)triphenylphosphoniumiodid
- de metilmagnesio/Methylmagnesiumiodid
- de pralidoxima/Pralidoximiodid
- de prolonio/Prolonuimiodid
- de sodio/Natriumiodid
- de tiemonio/Tiemoniumiodid
iohexol/Iohexol
iomeprol/Iomeprol
ion hidróxido/Hydroxid-Ion
- hidruro/Hydrid-Ion
ionenos/Ionene
iones/Ionen
- carbenio/Carbenium-Ionen
- carbonio/Carbonium-Ionen
- carboxonio/Carboxonium-Ionen
- hermafroditas/Zwitterionen
- hidrógeno/Wasserstoff-Ionen
- pesados/Schwerionen
- radicales/Radikal-Ionen
iónica molecular/Molekulare Ionik
iónico/Ionisch

ionio/Ionium
ionización/Ionisation
– de Penning/Penning-Ionisation
– electrospray/Elektrospray-Ionisation
– termospray/Thermospray-Ionisation
ionóforos/Ionophore
ionógeno/Ionogen
ionografía/Ionographie
ionómeros/Ionomere
ionones/Jonone
ionotropía/Ionotropie
iontoforesis/Iontophorese
iopamidol/Iopamidol
iopentol/Iopentol
iopidona/Iopydon
iopromida/Iopromid
iotrolán/Iotrolan
ioversol/Ioversol
ioxinil/Ioxynil
ipconazola/Ipconazol
ipecacuana/Ipecacuanha
ipomeanina/Ipomeanin
iprazocromo/Iprazochrom
iprodiona/Iprodion
iproniazida/Iproniazid
ipsdienol/Ipsdienol
ipso-/Ipso-
ipsonita/Ipsonit
…irano/…iran
iridales/Iridale
iridescencia/Irisdeszenz
iridina/Iridin
iridio/Iridium
iridoides/Iridoide
iridomirmecina/Iridomyrmecin
irinotecán/Irinotecan
irones/Irone
irradiación/Bestrahlung
– de alimentos/Lebensmittelbestrahlung
irreversible/Irreversibel
irritación/Reiz
irritantes/Reizstoffe
isatina/Isatin
isazofos/Isazophos
isentalpa/Isenthalpe
isetionatos de ácidos grasos/Fettsäureisethionate
ishwarana/Ishwaran
islandicina/Islandicin
iso…/Iso…
isoaloxazina/Isoalloxazin
isoaminilo/Isoaminil
isobara/Isobare
isóbaros/Isobare
isobenzofurano/Isobenzofuran
isoborneol/Isoborneole
isobutil…/Isobutyl…
isobutilidendiurea/Isobutylidendiharnstoff
isobutiril…/Isobutyryl…
isobutoxi…/Isobutoxy…
isocarboxazida/Isocarboxazid
isocaucho/Isokautschuk
isocianato…/Isocyanato…
isocianato de alilo/Allylisothiocyanat
– de fenilo/Phenylisocyanat
– de fluorosulfonilo/Fluorosulfonylisocyanat
– de metilo/Methylisocyanat
– de 1-naftilo/1-Naphthylisocyanat
– de octadecilo/Octadecylisocyanat
isocianatos/Isocyanate
isocianuro de p-tolidsulfonilmetilo/p-Tolylsulfonylmethylisocyanid
isocianuros/Isocyanide
isoconazol/Isoconazol

isocora/Isochore
isocoridina/Isocorydin
isocromeno/Isochromen
isocrotonoil…/Isocrotonoyl…
isocumarina/Isocumarine
isodecanol/Isodecanol
isodimorfismo/Isodimorphie
isodosa/Isodose
isoelectrónico/Isoelektronisch
isoenzimas/Isoenzyme
isoetarina/Isoetarin
isoeugenol/Isoeugenol
isofenfos/Isofenphos
isofitol/Isophytol
isoflavonas/Isoflavone
isoflurano/Isofluran
isoforona/Isophoron
isofulminatos/Isofulminate
isohidria/Isohydrie
isoindol/Isoindol
isoleucina/L-Isoleucin
isolobal/Isolobal
isomaltitol/Isomaltit
isomaltol/Isomaltol
isomerasas/Isomerasen
– de la glucosa/Glucose-Isomerase
isomería/Isomerie
– cis-trans/cis-trans-Isomerie
– constitucional/Konstitutionsisomerie
– de posición/Stellungsisomerie
– de valencia/Valenzisomerie
– nuclear/Kernisomerie
– orto-para/Ortho-Para-Isomerie
isomerización/Isomerisierung
– de valencia/Valenzisomerisierung
isómeros/Isomere
isomethepteno/Isomethepten
isomorfismo/Isomorphie
isoniazida/Isoniazid
isononanol/Isononanol
isooctano/Isooctan
isooctanol/Isooctanol
isooctil…/Isooctyl…
isopentenil/Isopentenyl…
isopentil…/Isopentyl…
isopéptidos/Isopeptide
isopilosina/Isopilosin
isopoliácidos/Isopolysäuren
isoprenalina/Isoprenalin
isopreno/Isopren
isoprenoides/Isoprenoide
isoprocarb/Isoprocarb
isopropalina/Isopropalin
isopropanol/Isopropanol
isopropenil…/Isopropenyl…
isopropil…/Isopropyl…
isopropilato de aluminio/Aluminiumisopropylat
isopropiliden…/Isopropyliden…
isopropoxi…/Isopropoxy…
isoprotiolán/Isoprothiolan
isoproturón/Isoproturon
isoquinoleína/Isochinolin
isosafrol/Isosafrol
isospin/Isospin
isosterismo/Isosterie
isotacoforesis/Isotachophorese
isotermas/Isotherme
isotetracenonas/Isotetracenone
isotiazoles/Isothiazole
isotiocianato…/Isothiocyanato…
isotiocianato de fenilo/Phenylisothiocyanat
– de metilo/Methylisothiocyanat
isotiocianatos/Isothiocyanate
isotipendilo/Isothipendyl
isotipismo/Isotypie
isótonos/Isotone
isótopos/Isotope
isoureas/Isoharnstoffe

isoveleral/Isovelleral
isoxabén/Isoxaben
isoxapyrifop/Isoxapyrifop
isoxatión/Isoxathion
isoxazoles/Isoxazole
isoxsuprina/Isoxsuprin
isradipina/Isradipin
…ita/…it
itacolumita/Itacolumit
iterbio/Ytterbium
…itis/…itis
…ito/…it
itraconazola/Itraconazol
itrio/Yttrium
ivermectina/Ivermectin

J

jabón de arena/Sandseife
– de brea/Teerseifen
– de cal/Kalkseife
– para cuero/Sattelseifen
– potásico/Kaliseife
jaboncillo/Speckstein
– de sastre/Schneiderkreide
jabones/Seifen
– amidados/Amidseifen
– cálcicos/Calcium-Seifen
– de resina/Harzseifen
– invertidos/Invertseifen
– mejorados/Pilierte Seifen
– metálicos/Metallseifen
– transparentes (translúcidos)/Transparentseifen
jaborandi/Jaborandi-Blätter
jaca/Jackfrucht
jacintos/Hyazinthen
jade/Jade
jadeíta/Jadeit
Jak/Jak
jalapa/Jalape
jalea/Aspik
– real/Gelée Royale
jaleas/Gelees
jamesonita/Jamesonit
jantitremas/Janthitreme
Japonilur/Japonilur
jaqueca/Migräne
jaqueira/Jackfrucht
jarabe/Sirup
– de arce/Ahornsaft
– de glucosa/Glucose-Sirup
jarosita/Jarosit
jasmona/(Z)-Jasmon
jaspamida/Jaspamid
jaspe/Jaspis
jatrofam/Jatropham
jatrofona/Jatrophon
jazmín/Jasmin
– absoluto/Jasminabsolue
jengibre/Ingwer
jerez/Sherry
jeringas/Kanülen
jervina/Jervin
jigger/Jigger
jog/Jogs
johannsenita/Johannsenit
jojoba/Jojoba
jordanita/Jordanit
josamicina/Josamycin
joule/Joule
judías/Bohnen
– de Lima/Rangoonbohnen
juglona/Juglon
jugo de manzana/Apfelsaft
– de naranja/Orangensaft
– gástrico/Magensaft
juguetes/Spielwaren
jumel/Mako
junción p-n/pn-Übergang
junípero/Wacholder
juntas/Dichtungen
– (uniones) esmeriladas/Schliffe

juntura hermética/Tight junction
juvabiona/Juvabion

K

kaki/Kaki
kamala/Kamala
kanamicinas/Kanamycine
kaones/Kaonen
kapok/Kapok
kasugamicina/Kasugamycin
kat/kat
kauri/Kaurikopal
kayser/Kayser
kebuzona/Kebuzon
kéfir/Kefir
kekuleno/Kekulen
kelina/Khellin
kelp/Kelp
keracianina/Keracyanin
keratófiro/Keratophyr
kerma/Kerma
kernita/Kernit
kerógeno/Kerogen
keroseno/Kerosin, Leuchtpetroleum, Petroleum
kestoseno/Kestosen
ketamina/Ketamin
ketanserina/Ketanserin
ketazolam/Ketazolam
ketobemidona/Cetobemidon
ketoconazol/Ketoconazol
ketoprofeno/Ketoprofen
ketorolac/Ketorolac
ketotifeno/Ketotifen
kicker/Kicker
kieselguhr/Kieselgur
kieserita/Kieserit
kilo…/Kilo…
kilobase/Kilobase
kilogramo/Kilogramm
kilopond/Kilopond
kimberlita/Kimberlit
-kinina/Cholecystokinin
kino/Kino
kiwi/Kiwi
Klebsiella/Klebsiella
kogasin/Kogasin
kolbeckina/Kolbeckit
kombucha/Kombucha
kornerupina/Kornerupin
kresoxima/Kresoxim
krill/Krill
kurchatovio/Kurtschatovium
kurnakovita/Kurnakovit
kwass/Kwass

L

labdanos/Labdane
labetalol/Labetalol
lábil/Labil
laborante químico/Chemielaborant
laborantes/Laboranten
laboratorio/Laboratorium
– de Fermi/Fermilab
– de radionúclidos/Radionuklid-Laboratorien
laboratorios químicos/Chemische Laboratorien
labradorita/Labrador(it)
laca adhesiva/Kleblack
– para secar en la estufa/Einbrennlacke
– para uñas/Nagellack
– zapónica/Zaponlack
lacas/Farblacke, Lacke
– colorantes/Farblacke
– de agua/Wasserlacke
– de alta solidez/HS-Lacke
– de fusión/Schmelzmassen
– (de inmersión) para cápsulas/Kapsellacke
– de resina/Harzlacke

Español

- desprendibles/Folienlacke
- endurecible por ácido/Säurehärtende Lacke
- Japonesas/Japanlacke
- nitrocelulósicas/Nitrolacke
- para láminas/Folienlacke
- reactivas/Reaktionslacke

lacasa/Laccase
lacre de sellar/Siegellack
lacrimógenos/Tränenreizstoffe
lactación/Laktation
α-lactalbúmina/α-Lactalbumin
lactamas/Lactame
β-lactamasa/β-Lactamasen
lactaroviolina/Lactaroviolin
lactato de calcio/Calciumlactat
- de sodio/Natriumlactat
- -deshidrogenasa/Lactat-Dehydrogenase

lactatos/Lactate, Milchsäureester
lactida/Lactid
lact(o).../Lact(o)...
lactoferrina/Lactoferrin
lactógeno placentario/Placentalactogen
β-lactoglobulina/β-Lactoglobulin
5-lactona de ácido glucónico/Gluconsäure-5-lacton
lactona de jazmín/Jasminlacton
- de Prelog-Djerassi/Prelog-Djerassi-Lacton
- del ácido 4-hidroxiundecanoico/4-Hydroxyundecansäurelacton

lactonas/Lactone
- del whisky (güisqui) y del coñac/Whisk(e)y- u. Cognac-Lactone
- sesquiterpénicas/Sesquiterpen-Lactone

lactosa/Lactose
lactucina/Lactucin
lactulosa/Lactulose
ládano/Labdanum
ladderanos/Ladderane
ladrillo recocido/Klinker
ladrillos/Ziegel
- de carbono/Kohlenstoffsteine
- de cromomagnesita/Chrommagnesitsteine
- de sílice/Silicasteine
- silicocalcáreos/Kalksandsteine

laetrile/Laetrile
lago Baikal/Baikalsee
lagopodinas/Lagopodine
lagos salados/Salzseen
lambda-cihalotrín/Lambda-Cyhalothrin
lámina adhesiva/Klebfolien
- de estaño/Stanniol
- de macla/Zwillingslamellen

laminado/Walzen
laminados/Laminate, Schichtpreßstoffe
laminarina/Laminarin
laminas/Lamine
láminas/Folien
- contraíbles/Schrumpffolien
- de decoración/Dekorfilme
- micropétreas/Dünnschliffe
- reflejantes/Reflexfolien

lamininas/Laminine
lamivudina/Lamivudin
lamotrigina/Lamotrigin
lámpara de cuarzo/Analysenlampe
- de Hefner/Hefnerkerze
- de hidrógeno/Wasserstoff-Lampe
- de seguridad Davy/Davysche Sicherheitslampe

lámparas/Lampen
- de cátodo hueco/Hohlkathodenlampen
- de halógeno/Halogenlampen
- de incandescencia/Glühlampen
- de Nernst/Nernst-Stifte
- de vapor de mercurio/Quecksilberdampflampen
- de vapor de sodio/Natriumdampf-Lampen
- de Wood/Woodlicht-Lampen

lamproitas/Lamproit
lampropórfidos/Lamprophyre
lampropórfiros/Lamprophyre
lampteroflavina/Lampteroflavin
lana/Wolle
- basáltica/Basaltwolle
- de acero/Stahlwolle
- de Angora/Angorawolle
- de Cachemira/Kaschmir-Wolle
- de celulosa/Zellwolle
- de madera/Holzwolle
- de pescado/Fischwolle
- de vicuña/Vikunjawolle
- esquilada (virgen)/Schurwolle
- filosófica/Lana philosophica
- mineral/Gesteinswolle
- peinada/Kammgarn
- philosophica/Lana philosophica
- regenerada/Reißwolle

langbeinita/Langbeinit
langostas/Heuschrecken
lanolina/Lanolin
lanostano/Lanostan
lanosterina/Lanosterin
lanosterol/Lanosterin
lansoprazola/Lansoprazol
lantano/Lanthan
lantanoides/Lanthanoide
lantibióticos/Lantibiotika
lantionina/L-Lanthionin
lapachol/Lapachol
lápices/Bleistifte
- de color/Buntstifte
- de tinta/Tintenstifte

lapizlázuli/Lapislazuli
lárice/Lärche
larvikita/Larvikit
lasalocidas/Lasalocide
lascivol/Lascivol
láser/Laser
- anti-Stokes-Raman/Anti-Stokes-Raman-Laser
- de centro de color/Farbzentren-Laser
- de CO/CO-Laser
- de CO_2/CO_2-Laser
- de cobre/Kupfer-Dampf-Laser
- de colorante/Farbstoff-Laser
- de electrones libres/Freie-Elektronen-Laser
- de erbio/Erbium-Laser
- de excímeros/Excimer-Laser
- de helio-cadmio/Helium-Cadmium-Laser
- de helio-neón/Helium-Neon-Laser
- de holmio/Holmium-Laser
- de iones de gases nobles/Edelgas-Ionen-Laser
- de neodimio/Neodym-Laser
- de nitrógeno/Stickstoff-Laser
- de rayos X/Röntgenlaser
- de rubí/Rubin-Laser
- de titanio-zafiro/Titan-Saphir-Laser
- de vidrio/Glas-Laser
- de yodo/Iod-Laser
- monomodo/Ein-Moden-Laser
- químico/Chemische Laser
- sintonizable/Durchstimmbarer Laser
- tea (presión atmosférica excitada transversalmente)/TEA-Laser

- UV/UV-Laser
láseres de diodo/Dioden-Laser
- de estado sólido/Festkörper-Laser
- de gas/Gas-Laser
- de semiconductor/Dioden-Laser

lasubina/Lasubin
lata de gas a presión/Druckgasdosen, Druckgaskartuschen
latamoxef/Latamoxef
latanoprost/Latanoprost
latente/Latent
laterita/Laterit
latirismo/Lathyrismus
latón/Messing
- de campanas/Glockenmessing
- especial (de alta resistencia)/Sondermessing
- fino/Edelmessing
- (rico en cinc)/Gelbguß

α-latrotoxina/α-Latrotoxin
laudanosina/Laudanosin
laueíta/Laueit
laumonita/Laumontit
laumontita/Laumontit
lauratos/Laurate
laurel/Lorbeer
laurencio/Lawrencium
lauréola/Seidelbast
lauril.../Lauryl...
laurita/Laurit
lauroguadina/Lauroguadin
ω-laurolactama/12-Laurinlactam
lava/Lava
lavado/Auswaschen, Waschen
- de ojos/Augenduschen
- en seco/Chemisch-Reinigen
- químico/Chemisch-Reinigen
- térmico de gases/Thermische Gasreinigung

lavador a chorro/Strahlwäscher
- de corriente radial/Radialstromwäscher
- húmedo/Naßwäscher

lavadores de Venturi/Venturi-Wäscher
lavandamicina/Lavendamycin
lawsona/Lawson
lawsonita/Lawsonit
laxantes/Abführmittel
leche/Milch
- agria (cuajada)/Sauermilch(-Erzeugnisse)
- condensada/Kondensmilch
- de mantequilla/Buttermilch
- de mujer/Humanmilch
- en polvo/Milchpulver, Trockenmilch
- uperisada/H-Milch
- uperizada/H-Milch

lechetrezna/Wolfsmilchgewächse
lecho fijo/Festbett
- fluidizado/Fließbett, Wirbelschicht
- percolador (bacteriano)/Tropfkörper

lechuga/Lattich
lecitinas/Lecithine
lectinas/Lektine
ledeburita/Ledeburit
ledol/Ledol
leflunomida/Leflunomid
leghemoglobina/Leghämoglobin
legionelas/Legionellen
legumbres/Hülsenfrüchte
leguminosas/Hülsenfrüchte
leishmaniasis/Leishmaniosen
lejía de sosa/Natronlauge
- sulfítica residual (de desecho)/Sulfit-Ablauge

lejiado a presión/Beuchen
lejías/Laugen

lémite de estricción o de fluencia técnica/Technische Streckgrenze
lenacil/Lenacil
leño de Panamá/Panamarinde
lenograstim/Lenograstim
lente gravitacional/Gravitationslinse
lentejas/Linsen
lentes/Linsen
lentillas de contacto/Kontaktlinsen
lentinán/Lentinan
lentionín/Lenthionin
leonita/Leonit
lepidios/Kressen
lepidocrocita/Lepidokrokit
lepidolita/Lepidolith
lepidopteranos/Lepidopterane
lepra/Lepra
leptina/Leptin
leptita/Leptit
leptones/Leptonen
letra bastardilla/Kursivbuchstaben
letrozola/Letrozol
leucemia/Leukämie
- de células T de adultos/Adulte T-Zell-Leukämie

L-leucina/L-Leucin
leucina aminopeptidasa/Leucin-Aminopeptidase
leucinocaína/Leucinocain
leucita/Leucit
leuc(o).../Leuk(o)...
leucoantocianidinas/Leukoanthocyanidine
leucocitos/Leukocyten
leucomentinas/Leucomentine
leucopterina/Leucopterin
leucosina/Leucosin
leucotrienos/Leukotriene
leuprorelina/Leuprorelin
levadura asesina/Killer-Hefe
- de panificación/Backhefe
- en polvo/Backpulver
- madre/Stellhefe

levaduras/Hefen
levalorfano/Levallorphan
levamisol/Levamisol
levina/Levyn
levístico/Liebstöckel
lev(o).../Läv(o)...
levobunolol/Levobunolol
levocabastina/Levocabastin
levofloxacín/Levofloxacin
levomepromazina/Levomepromazin
levometadona/Levomethadon
levometorfán/Levomethorphan
levonorgestrel/Levonorgestrel
levopropilhexedrina/Levopropylhexedrin
levopropoxifeno/Levopropoxyphen
levorfanol/Levorphanol
lewisita/Lewisit
ley/Feingehalt
- de acción de masas/Massenwirkungsgesetz
- de Arndt-Schulz/Arndt-Schulz-Gesetz
- de Boyle-Mariotte/Boyle-Mariotte'sches Gesetz
- de Bunsen-Roscoe/Bunsen-Roscoe'sches Gesetz
- de Charles/Charles Gesetz
- de Coulomb/Coulombsches Gesetz
- de Curie-Weiß/Curie-Weißsches Gesetz
- de Debye-Hückel/Debye-Hückelsches Grenzgesetz

– de desechos/Abfallrecht
– de dilución de Ostwald/Ostwaldsches Verdünnungsgesetz
– de distribución de Boltzmann/Boltzmann'sches Energieverteilungsgesetz
– de distribución de Nernst/Nernstscher Verteilungssatz
– de Dulong y Petit/Dulong-Petitsche Regel
– de Geiger-Nutall/Geiger-Nutallsches Gesetz
– de Grimm de desplazamiento de los hidruros/Hydrid-Verschiebungssatz
– de Hagen-Poiseuille/Hagen-Poiseuillesches Gesetz
– de Henry/Henrysches Gesetz
– de Hess/Heßscher Satz
– de Hooke/Hookesches Gesetz
– de Lambert-Beer/Lambert-Beersches Gesetz
– de los desechos/Abfallgesetz
– de los gases perfectos/Ideales Gasgesetz
– de Moseley/Moseleysches Gesetz
– de Nernst y Thomson/Nernst-Thomson-Regel
– de Ohm/Ohmsches Gesetz
– de productos químicos/Chemikaliengesetz
– de Proust/Proustsches Gesetz
– de racionalidad de los índices/Rationalitätsgesetz
– de radiación de Kirchhoff/Kirchhoffsche Strahlungsformel
– de radiación de Planck/Plancksche Strahlungsformel
– de seguridad de equipamiento/GS-Zeichen
– de Stefan-Boltzmann/Stefan-Boltzmann-Gesetz
– de Stokes/Stokes-Gesetz
– de Van't Hoff/Van't-Hoff-Regel
– de Wiedemann-Franz/Wiedemann-Franzsches-Gesetz
– de Wien/Wien-Gesetz
– sobre detergentes/Waschmittelgesetz
– sobre la ingeniería genética/Gentechnik-Gesetz
leyes de Dalton/Daltonsche Gesetze
– (de difusión) de Fick/Ficksche Gesetze
– de Faraday/Faradaysche Gesetze
– de Hahn/Hahnsche Regeln
– de Hund/Hundsche Regeln
– de Kirchhoff/Kirchhoffsche Gesetze
– de los gases/Gasgesetze
– de Mendel/Mendelsche Gesetze
– de Raoult/Raoultsche Gesetze
lías/Trub, Weingeläger
liasas/Lyasen
liberación controlada/Kontrollierte Freisetzung
…liberina/…liberin
libetenita/Libethenit
licencia/Lizenz
licenciatura/Diplom
lickers/Licker
licomarasmina/Lycomarasmin
licopeno/Lycopin
licopina/Lycopin
licor estomacal/Magenbitter
licuefacción del carbón/Kohleverflüssigung
lidita/Lyddit
lidocaína/Lidocain

lidoflazina/Lidoflazin
liebigita/Liebigit
lienzo/Leinwand
ligandos/Liganden
– aniónicos/Acidoliganden
ligantes/Bindemittel
ligasas/Ligasen
– del ARN/RNA-Ligase
lignanes/Lignane
lignina/Lignin
ligninasas/Ligninasen
lignito/Braunkohle, Lignit
ligustrazina/Ligustrazin
ligustro/Liguster
lila/Flieder
limabios/Lymabios
limas/Limetten
límite de detección/Nachweisgrenze
– de estricción o de fluencia/Streckgrenze
– de exposición de término corto/STEL
– de fluidez/Fließgrenze
– intergranular/Korngrenze
límites de ebullición/Siedegrenzen
– de explosión/Explosionsgrenzen
limnología/Limnologie
limolita/Siltsteine
limoneno/Limonen
limonina/Limonin
limonita/Brauneisenerz
limonoides/Limonoide
limpiacristales/Fensterreiniger
limpiatodo/Universalreiniger
limpieza/Reinigung
– de los metales/Metallreinigung
– en seco/Vollreinigung
linalool/Linalool
linamarina/Linamarin
linatina/Linatin
linaza/Leinsamen
lincomicina/Lincomycin
lindano/Lindan
línea celular/Zellinie
– de dislocación/Versetzungslinie
– germinal/Keimbahn
linear/Linear
lineatina/Lineatin
linestrenol/Lynestrenol
linfa/Lymphe
linfocitos/Lymphocyten
linfomas/Lymphome
linfoquinas/Lymphokine
linfotoxina/Lymphotoxin
lingote/Massel
lingotes/Barren
linimentos/Linimente
lino/Flachs
linolato de etilo/Ethyllinoleat
linóleo/Linoleum
linóleum/Linoleum
linters/Linters
linurón/Linuron
lio…/Lyo…
liofilina/Lyophyllin
liofilización/Gefriertrocknung
liófilo/Lyophil
liófobo/Lyophob
liótropo/Lyotrop
lip…/Lip…
lipasas/Lipasen
lípidos/Lipide
– de la sangre/Blutfette
lipidosis/Lipidosen
lipo-oligosacáridos/Lipooligosaccharide
lipocalinas/Lipocaline
lipófilo/Lipophil
lipófobo/Lipophob

lipoforinas/Lipophorine
lipofosfoglicanos/Lipophosphoglykan
lipofuscina/Lipofuszin
lipogénesis/Lipogenese
lipólisis/Lipolyse
lipopolisacáridos/Lipopolysaccharide
lipoproteínas/Lipoproteine
liposomas/Liposomen
lipotropina/Lipotropin
lipoxigenasa/Lipoxygenase
lipoxinas/Lipoxine
lipresina/Lypressin
lipstatín/Lipstatin
liptobiolitos/Liptobiolithe
liquen de Islandia/Isländisches Moos
líquenes/Flechten
liquenina/Lichenin
líquido/Liquor
– de Gowers/Gowerssche Lösung
– lacrimal/Tränenflüssigkeit
líquidos/Flüssigkeiten
– combustibles/Brennbare Flüssigkeiten
– corporales/Körperflüssigkeiten
– correctores/Korrekturlacke
– de freno/Bremsflüssigkeiten
– ferrohidrodinámicos/Magnetische Flüssigkeiten
– inflamables/Brennbare Flüssigkeiten
– newtonianos/Newtonsche Flüssigkeiten
– no newtonianos/Nichtnewtonsche Flüssigkeiten
– orgánicos/Körperflüssigkeiten
– pesados para separación de minerales/Schwerflüssigkeiten
lirio de los valles/Maiglöckchen
lisímetro/Lysimeter
L-lisina/L-Lysin
lisinoalanina/Lysinoalanin
lisinopril/Lisinopril
lisolecitinas/Lysolecithine
lisosomas/Lysosomen
lisostafina/Lysostaphin
lisozimas/Lysozyme
Listeria monocytogenes/Listeria monocytogenes
lisurida/Lisurid
literatura química/Chemische Literatur
litiación/Lithiierung
litio/Lithium
lit(o)…/Lith(o)…
litografía/Lithographie
litopones/Lithopone
litotrofia/Lithotrophie
litro/Liter
livingstonita/Livingstonit
lixiviación/Auslaugen
– microbiana/Mikrobielle Laugung
lixo…/lyxo…
D-lixosa/D-Lyxose
llama blanca/Weißfeuer
llamas/Flammen
llano/Planar
llaves/Hähne
lluvia/Regen
– ácida/Saurer Regen
lobelina/Lobelin
loción/Lotion
lociones faciales/Gesichtswässer
locus génico/Genlocus
lodo/Fango, Schlamm, Schlick
– de globigerinas/Globigerinenschlamm
– rojo/Rotschlamm

lodos brutos/Rohschlamm
– de clarificación/Klärschlamm
– de retorno/Rücklaufschlamm
– explosivos/Sprengschlämme
– flotantes/Schwimmschlamm
lodoxamida/Lodoxamid
loess/Löß
lofepramina/Lofepramin
lofexidina/Lofexidin
lofoforina/Lophophorin
lofotoxina/Lophotoxin
loganina/Loganin
logical/Software
lolinas/Loline
lollingita/Löllingit
lomefloxacín/Lomefloxacin
lomustina/Lomustin
lonazolaco/Lonazolac
longifoleno/Longifolen
longitud de contorno/Konturlänge
– de corte de la fibra cortada/Stapel
– de persistencia/Persistenzlänge
loperamida/Loperamid
lopias/Luppen
loprazolam/Loprazolam
loracarbef/Loracarbef
lorandita/Lorandit
loratadina/Loratadin
lorazepam/Lorazepam
lorcainida/Lorcainid
lormetazepam/Lormetazepam
lornoxicam/Lornoxicam
losartán/Losartan
lost/Lost
lovastatina/Lovastatin
lovibond/Lovibond
lubricante de Kapsenberg/Kapsenberg-Schmiere
lubricantes/Gleitmittel
– de servicio pesado/HD-Öle
lubrificación/Schmierung
lubrificantes/Gleitmittel
lubri[fi]cantes/Schmierstoffe
lubri(fi)cantes sólidos/Festschmierstoffe
luces de Bengala/Bengalisches Feuer
lucha antiparasitaria/Schädlingsbekämpfung
– antipolilla/Mottenbekämpfung
luciferasas/Luciferasen
luciferinas/Luciferine
lucigenina/Lucigenin
ludwigita/Ludwigit
lufenurón/Lufenuron
luffa/Luffa
lugar de prueba/Prüfstelle
lumen/Lumen
lumi…/Lumi…
β-lumicolchicina/β-Lumicolchicin
lumicromo/Lumichrom
lumiflavina/Lumiflavin
luminiscencia/Lumineszenz
luminóferos/Leuchtstoffe
luminol/Luminol
luna/Mond
lupeol/Lupeol
lupinos/Lupinen
lúpulo/Hopfen
lupulona/Lupulon
lustre/Glanz, Lüster
lutecio/Lutetium
luteína/Lutein
lute(o)…/Lute(o)…
luteolina/Luteolin
lutidinas/Lutidine
lutropina/Lutropin
lux/Lux
luxómetro/Luxmeter
luxulianita/Luxullianit
luz/Licht

Español

M

macadán/Makadam
macarrones/Makkaroni
maceraciones/Mazerationen
macerales/Macerale
macizo/Derb
maclas/Zwillinge
macro.../Makro...
macroanálisis/Makroanalyse
macrobiótica/Makrobiotik
macroconformación/Makrokonformation
macroemulsiones/Makroemulsion
macroéster/Makroester
macrófagos/Makrophagen
α_2-macroglobulina/α_2-Makroglobulin
macroiniciadores/Makroinitiatoren
macroiones/Makroionen
macrolactinas/Macrolactine
macrolactonas/Makrolactone
macrólidos/Makrolide
macrómeros/Makromonomere
macromoléculas/Makromoleküle
– en forma de varilla/Stäbchenförmige Makromoleküle
macromonómeros/Makromonomere
macrorradicales/Makroradikale
mactraxantina/Mactraxanthin
maculatura/Altpapier
madera/Holz
– artificial/Kunstholz
– comprimida/Preßholz
– contrachapeada/Sperrholz
– de balsa/Balsa-Holz
– de campeche/Blauholz
– de guindo/Weichselholz
– de pino americano/Pitchpine
– de sándalo/Sandelholz
– de teca/Teakholz
– para minas/Grubenholz
– plástica/Plastisches Holz
maderas reforzadas con plástico/Holz-Kunststoff-Kombinationen
– tintóreas/Farbhölzer
maduración/Reifen
– de Ostwald/Ostwald-Reifung
maduramicina α/Maduramicin α
maestro en química industrial/Industriemeister, Fachrichtung Chemie
mafenida/Mafenid
magaininas/Magainine
magaldrato/Magaldrat
magma/Magma
magnesia potásica/Kalimagnesia
magnesio/Magnesium
magnesita/Magnesit
magnesón/Magneson
magnetita/Magnetit
magnetohidrodinámica/Magnetohydrodynamik
magnetón de Bohr/Bohr-Magneton
magnetoquímica/Magnetochemie
magnetotaxis/Magnetotaxis
magnitudes/Größen
– extensivas/Extensive Größen
magnones/Magnonen
maische; mosto/Maische
maitansinoides/Maytansinoide
maitotoxina/Maitotoxin
maíz/Mais
majuelo/Weißdorn
majusculamidas/Majusculamide
málaga/Malaga
malaquita/Malachit
malaria/Malaria
malathión/Malathion
malatión/Malathion

malato-deshidrogenasa/Malat-Dehydrogenase
maleatos/Maleinsäureester
maleimida/Maleinimid
malforminas/Malformine
malingolida/Malyngolid
malla/Mesh
malonato de dietilo/Malonsäurediethylester
malononitrilo/Malonsäuredinitril
malta/Malz
maltasa/Maltase
maltenos/Maltene
maltodextrinas/Maltodextrine
maltol/Maltol
maltosa/Maltose
malva/Malve
mamastatina(s)/Mammastatin(e)
maná/Manna
mananos/Mannane
mancozeb/Mancozeb
mandarinas/Mandarinen
mandelato de bencilo/Mandelsäurebenzylester
– racemasa/Mandelat-Racemase
mandelonitrilo-liasa/Mandelonitril-Lyase
mandioca/Maniok
mandrágora/Mandragora
maneb/Maneb
manganatos/Manganate
manganeso/Mangan
manganita/Manganit
manganoproteínas/Mangan-Proteine
mango/Mango
mangustán/Mangostane
maníes/Erdnüsse
manita/Mannit
manitol/Mannit
mano-/manno-
– EF/EF-Hand
manoalida/Manoalid
manómetro (de) McLeod/McLeod-Manometer
– de tubo en U/U-Rohrmanometer
manómetros/Manometer
manomustina/Mannomustin
manosa/Mannose
manteca/Schmalz
– de cacao/Kakaobutter
– para freír/Fritierfette
mantecado/Speiseeis
mantenimiento de la pureza del aire/Luftreinhaltung
mantequilla/Butter
manuales/Handbücher, Tabellenwerke
– de química experimental/Experimentierbücher
manumicinas/Manumycine
manutención/Fördern
manzamina/Manzamin
manzana/Apfel
manzanilla/Kamille
mapa de transcripción/Transkriptionskarte
– genético/Genkarte
maprotilina/Maprotilin
maquillaje/Make-up, Schminke
maquinaria motriz para transformación de la energía/Kraftbetriebene Arbeitsmittel
maranta/Maranta
marasquino/Maraschino
marca de tipificación/Prüfzeichen
marcación/Markierung, Tagging
– de afinidad/Affinitätsmarkierung
marcado/Markierung
– con isótopos/Isotopenmarkierung

– por espín/Spinmarkierung
– territorial/Revier-Markierung
marcador de la resistencia a los antibióticos/Antibiotikaresistenz-Marker
– de selección/Selektionsmarker
– genético/Genmarker
marcadores de tumores/Tumormarker
marcaje/Markierung
– con biotina/Biotin-Markierung
marcapasos/Herzschrittmacher
marcasita/Markasit
marcfortinas/Marcfortine
marcha analítica de separación/Trennungsgang
– (curso) de la destilación/Siedeverlauf
marchitadores/Welkstoffe
marchitamiento/Welke, Welken
marchitez/Welke, Welken
MARCKS/MARCKS
marco de lectura/Leseraster
marea negra/Ölpest
– roja/Rote Tide
marfil/Elfenbein
marga/Mergel
– calcárea/Kalkmergel
– caliza/Kalkmergel
margarina/Margarine
– semigrasa/Halbfettmargarine
margarita/Margarit
margen operacional/Topfzeit
marihuana/Marihuana
marinobufagín/Marinobufagin
mariquita/Marienkäfer
marisma/Watt
marmita de Papin/Papinscher Topf
mármol/Marmor
marroquín/Saffian
martensita/Martensit
martonita/Martonite
masa/Masse
– ácida/Sauerteig
– de Marquardt/Marquardt-Masse
– en reposo/Ruh(e)masse
– molar/Molmasse
– volúmica aparente/Schüttdichte
masas de Casson/Cassonsche Stoffe
– de moldeo/Knetmassen
– fundidas calientes/Heißschmelzmassen
– para discos [de fonógrafos]/Schallplattenmassen
– plásticas/Knetmassen
máscaras respiratorias de socorro/Selbstretter
másers/Maser
masillas/Kitte
masterbatch/Masterbatch
mastic/Mastix
– para injertar/Baumwachs
mástic para madera/Holzbeton
masticación/Mastikation
másticos/Kitte
mástique/Mastix
mastocitos/Mastzellen
mastoparano/Mastoparan
matalaxil/Metalaxyl
matalobos/Eisenhut
mate/Mate
mateado/Mattierung
matemática(s)/Mathematik
materia/Materie, Stoff
– desgrasante/Magerungsmittel
– flotante/Schwimmstoff
– grasa de la glándula uropigial/Bürzeldrüsenfett
– interestelar/Interstelle Materie
– seca/Trockensubstanz
– secundaria/Sekundär-Rohstoff

material de partida/Ausgangsmaterial
– de rodamiento/Wälzlagerwerkstoffe
– de sutura/Nahtmaterial
– de valor/Wertstoff
– duro/Hartstoffe
– moldeado/Formstoffe
– termosellado/Aufbügelstoffe
– viejo/Altmaterial
materiales/Werkstoffe
– aislantes/Dämmstoffe
– auxiliares para filtración/Filterhilfsmittel
– caloríficos/Wärmedämmstoffe
– cerámicos/Keramische Werkstoffe
– compuestos (mixtos)/Verbundwerkstoffe
– de cobertura/Abdeckmittel
– de construcción/Baustoffe
– de contacto/Kontaktwerkstoffe
– de moldeo/Abgußmassen
– de moldeo para compresión en frío/Kaltpreßmassen
– de proteción/Abdeckmittel
– de relleno/Füllkörper
– dentales/Dentalmaterialien
– en hojas/Schichtpreßstoffe
– explosivos/Explosionsfähige Stoffe
– impermeables/Wasserdichte Stoffe
– magnéticos/Magnetische Werkstoffe
– para altas temperaturas/Hochtemperatur-Werkstoffe
– para cohetes/Raketenwerkstoffe
– para cojinetes/Lagerwerkstoffe
– para cojinetes deslizantes/Gleitlagerwerkstoffe
– para construcción de carreteras/Straßenbaumaterialien
– para insonorización/Schalldämmstoffe
– poroméricos/Poromere
– radioactivos/Radioaktive Stoffe
– refractarios/Feuerfestmaterialien
– resistentes a la fluencia/Warmfeste Werkstoffe
– sintéticos/Kunststoffe
– transmisores del calor/Wärmeübertragungsmittel
materias base/Grundstoffe
– colorantes/Farbmittel
– en suspensión/Schwebstoffe
– fulminantes (detonantes)/Zündmittel
– primas/Grundstoffe, Rohstoffe
– primas para detergentes/Waschrohstoffe
– primas para lacas/Lackrohstoffe
– primas regenerables/Nachwachsende Rohstoffe
– reemplazantes de las grasas/Fettersatzstoffe
matiz/Farbton
matraces/Kolben
– de casia/Kassiakölbchen
– de fondo plano/Stehkolben
– Erlenmeyer/Erlenmeyerkolben
– de chorizo/Säbelkolben
– de Claisen/Claisen-Kolben
– de Kjeldahl/Kjeldahl-Kolben
– de Saybolt/Sayboltkolben
matrices/Matrizen
matrilisina/Matrylysin
matrina/Matrin
matriz/Matrix
– extracelular/Extrazelluläre Matrix

– polímera/Polymer-Matrix
mauveína/Mauvein
mayonesa/Mayonnaise
mazapán/Marzipan
mazut/Masut
MDI polímero/Polymeres Diphenylmethan-Diisocyanat
mebendazol/Mebendazol
mebeverina/Mebeverin
mebhidrolina/Mebhydrolin
mecánica/Mechanik
– cuántica/Quantenmechanik
– de matrices/Matrizenmechanik
– estadística/Statistische Mechanik
– ondulatoria/Wellenmechanik
mecanismo de Grotthus/Grotthus-Mechanismus
– de Langmuir-Hinshelwood/Langmuir-Hinshelwood-Mechanismus
– de Lindemann-Hinshelwood/Lindemann-Hinshelwood-Mechanismus
– de Rice-Herzfeld/Rice-Herzfeld-Mechanismus
mecanismos de reacción/Reaktionsmechanismen
mecanización/Mechanisation
mecanizado/Metallbearbeitung
– electroerosivo o por descarga eléctrica/Funkenerosion
mecanoquímica/Mechanochemie
mecanorreceptores/Mechanorezeptoren
mecarban/Mecarbam
mecha/Docht
– de hilatura/Spinnband
mechas para gas del alumbrado/Gasglühkörper
mechero/Feuerzeug
– de Bunsen/Bunsenbrenner
– de Döbereiner/Döbereiners Feuerzeug
– de Teclu/Teclu-Brenner
– Méker/Méker®-Brenner
mecheros/Brenner
meclociclina/Meclocyclin
meclofenoxato/Meclofenoxat
mecloqualona/Mecloqualon
mecloxamina/Mecloxamin
meclozina/Meclozin
mecoprop/Mecoprop
medazepam/Medazepam
media lana/Halbwolle
mediadores/Mediatoren
medicamentos/Arzneimittel, Pharmaka
– contra la tos/Hustenmittel
– de acción retardada/Depot-Präparate
– oftálmicos/Ophthalmika
– para animales/Tierarzneimittel
– urológicos/Urologika
medicina/Medizin
– del trabajo/Arbeitsmedizin
– nuclear/Nuklearmedizin
medición/Messen
– de la temperatura/Temperaturmessung
médico de primeros auxilios/Ersthelfer
– de tránsito/Durchgangsarzt
medides biológica de seguridad/Biologische Sicherheitsmaßnahmen
medidor de flujo por burbujeo en una solución de jabón/Seifenblasen-Strömungsmesser
medio/Medium
– ambiente/Umwelt
– de arrastre/Schleppmittel
– de cultivo/Nährmedium

– de cultivo exento de suero/Serumfreies Kulturmedium
– de cultivo mínimo/Minimalmedium
– de cultivo semisintético (semidefinido)/Halbsynthetisches Nährmedium
– de dispersión/Dispersionsmittel
– lino/Halbleinen
– nutritivo de Czapek-Dox/Czapek-Dox-Nährmedium
medios de agar blando/Weichagarmedien
– de embalaje/Verpackungsmittel
– de inclusión/Einbettungsmittel
medir/Messen
medrilamina/Medrylamin
medrisona/Medryson
medrogestona/Medrogeston
médula/Medulla
– ósea/Knochenmark
mefenacet/Mefenacet
mefenesina/Mephenesin
mefenitoína/Mephenytoin
mefenorex/Mefenorex
mefloquina/Mefloquin
mefosfolán/Mephosfolan
mefrusida/Mefrusid
mega…/Mega…
megafona/Megaphon
megascópico/Megaskopisch
megestrol/Megestrol
meglumina/Meglumin
meiosis/Meiose
mejoramiento de polímeros/Veredelung von Polymeren
mejorana/Majoran
meláfiro/Melaphyr
melamina/Melamin
melaninas/Melanine
melanismo industrial/Industriemelanismus
melanocitos/Melanocyten
melanocortinas/Melanocortine
melanoflogita/Melanophlogit
melanoidinas/Melanoid(in)e
melanoma/Melanom
melanotropina/Melanotropin
melarsoprola/Melarsoprol
melatonina/Melatonin
melaza/Melasse, Sirup
melazo/Meltau
meleína/Mellein
melera/Meltau
melfalán/Melphalan
melianol/Melianol
meliatoxinas/Meliatoxine
melilita/Melilith
melita/Mellit
melitina/Melittin
melitoxina/Mellitoxin
melitraceno/Melitracen
melocotón/Pfirsiche
meloxicam/Meloxicam
melperona/Melperon
memantina/Memantin
membrana basal/Basalmembran
membranas/Membranen
– haptógenas/Haptogene Membranen
– rompibles/Berstscheiben
membrillos/Quitten
menadiol/Menadiol
mendelevio/Mendelevium
menestras/Hülsenfrüchte
menglitato/Menglytat
menianto trifoliado/Bitterklee
menisco/Meniskus
menotropina/Menotropin
menstruación/Menstruation
p-ment-1-eno-8-tiol/p-Menth-1-en-8-thiol
menta piperita/Pfefferminze

p-mentano/p-Menthan
mentenos/Menthene
p-mentenos/p-Menthene
mentol/Menthol
mentona/Menthon
mepacrina/Mepacrin
mepanipirim/Mepanipyrim
meparfinol/Methylpentynol
mepindolol/Mepindolol
mepiramina/Mepyramin
mepivacaína/Mepivacain
meprina/Meprin
meprobamato/Meprobamat
meproscilarina/Meproscillarin
meptazinol/Meptazinol
mequitazina/Mequitazin
mer…/Mer
mer-/mer-
merbromina/Merbromin
mercancías peligrosas/Gefährliche Güter
mercapto…/Mercapto…
3-mercapto-1,2-propanodiol/3-Mercapto-1,2-propandiol
mercaptoaminoácidos/Mercaptoaminosäuren
2-mercaptobenzimidazol/2-Mercaptobenzimidazol
2-mercaptobenzotiazol/2-Mercaptobenzothiazol
2-mercaptoetanol/2-Mercaptoethanol
mercaptopurina/Mercaptopurin
mercerizado/Mercerisation
mercuración/Mercurierung
mercúrico…/Mercuri…
mercurimetría/Mercurimetrie
mercurio/Quecksilber
…mercurio-/…mercurio-
…mérico/Mer
merino/Merino
mermelada/Marmelade
…mero/Mer
mer(o)…/Mer
merocianinas/Merocyanine
meropenem/Meropenem
mersalilo/Mersalyl
mesalazina/Mesalazin
mesas de laboratorio/Labortische
mescalina/Meskalin
mesh/Mesh
mesil…/Mesyl…
mesilatos/Mesilate
mesitil…/Mesityl…
mesitileno/Mesitylen
mesna/Mesna
meso…/Meso…
mesobilirrubina/Mesobilirubin
mesofilia/Mesophilie
mesofitas/Mesophyten
mesógeno/Mesogen
mésomería/Mesomerie
mesones/Mesonen
mesosomas/Mesosomen
mesotorio/Mesothorium
mesterolona/Mesterolon
mestranol/Mestranol
mesulfeno/Mesulfen
mesuximida/Mesuximid
met(a)…/Met(a)…
metabenztiazurona/Methabenzthiazuron
metabolismo/Stoffwechsel
– basal/Grundumsatz
– de las grasas/Fettstoffwechsel
– de mantenimiento/Erhaltungsstoffwechsel
metabolitos/Metaboliten
– secundarios/Sekundärmetabolite
metabolización/Metabolisierung
metaciclina/Metacyclin
metaciclofanos/Metacyclophane

metaclazepam/Metaclazepam
metacrifos/Methacrifos
metacrilatos/Methacrylsäureester
metacromasia/Metachromasie
metacromatismo/Metachromasie
metacualona/Methaqualon
metadona/Methadon
metafosfatos/Metaphosphate
metal bath/Bath-Metall
– blanco/Neusilber, Nickelmessing
– blanco para ferrocarriles/Bahnmetall
– britania/Britannia-Metall
– de cerio mixto/Cer-Mischmetall
– de cojinete/Lagermetalle
– de contraste/Eichmetall
– de fricción/Friktionslagermetall
– de Randolf/Randolf-Metall
– de tantán o gong/Gongmetall
– especular/Speculum-Metall
– Hamilton/Hamiltons Metall
– hannoverano/Hannover-Metall
– holandés/Dutch-Metall
– melotte/Melotte-Metall
– Mond/Mond-Metall
– Muntz/Eichmetall
– no ferroso o no férreo/Buntmetalle
– rico/Reichsmetall
– Rose/Roses Metall
– tipográfico/Letternmetall
– viejo/Altmetall
metala…/Metalla…
metalaboranos/Metallaborane
metalación/Metallierung
metaldehído/Metaldehyd
metales/Metalle
– alcalinos/Alkalimetalle
– alcalinotérreos/Erdalkalimetalle
– amorfos/Amorphe Metalle
– Babbitt/Babbitt-Metalle
– blancos (antifricción)/Weißmetalle
– de acuñación/Münzmetalle
– de alta pureza/Hochreine Metalle
– de las tierras raras/Seltenerdmetalle
– de transición/Übergangsmetalle
– del grupo del platino/Platin-Metalle
– del grupo del tungsteno/Wolframmetalle
– diamantes/Diamantmetalle
– duros/Hartmetalle
– electronegativos (no nobles)/Unedelmetalle
– especiales/Sondermetalle
– espumantes/Schaummetalle
– ligeros/Leichtmetalle
– no férreos (bzw. férricos, bzw. ferrosos)/Nichteisenmetalle
– nobles/Edelmetalle
– para monedas/Münzmetalle
– pesados/Schwermetalle
– plásticos/Plastikmetalle
– preciosos/Edelmetalle
– sinterizados/Sintermetalle
– térreos/Erdmetalle
metalización de plástico/Kunststoff-Metallisierung
metalizar/Metallisieren
– con la llama/Flammspritzen
metalocenos/Metallocene
metalofitas/Metallophyten
metalogénesis/Metallogenese
metalografía/Metallographie
metaloproteasas/Metall-Proteasen
metaloproteínas/Metallproteine
metaloproteinasas/Matrix-Metall-Proteinasen
metalotermia/Metallothermie

Español

metalotioneína/Metallothionein
metalurgia/Hüttenkunde, Metallkunde, Metallurgie
– de fibras/Fasermetallurgie
– de polvos/Pulvermetallurgie, Sintermetallurgie
metam sódico/Metam-Natrium
metamería/Metamerie
metamfetamina/Methamphetamin
metamidofos/Methamidophos
metamitrona/Metamitron
metamizol de sodio/Metamizol-Natrium
metamorfismo/Metamorphose
– de alta presión/Hochdruckmetamorphose
– de contacto/Kontaktmetamorphose
metamorfosis/Metamorphose
metandienona/Metandienon
metandriol/Methandriol
metanfepramona/Metamfepramon
metanización/Methanisierung
metano/Methan
metano.../Methano...
metanofurano/Methanofuran
metanogénesis/Methanogenese
metanógeno/Methanogen
metanol/Methanol
metanosulfinil.../Methansulfinyl...
metanosulfonil.../Methansulfonyl...
metanotiol/Methanthiol
metaraminol/Metaraminol
metasomatosis/Metasomatose
metátesis/Metathese
metazacloro/Metazachlor
metazol/Methazol
metconazol/Metconazol
metenolona/Metenolon
meteoritos/Meteoriten
meteoros/Meteore
metergolina/Metergolin
metformina/Metformin
metfuroxán/Methfuroxam
methemoglobina/Methämoglobin
metidatión/Methidathion
metil... (a)/Methyl...
N-metil-D-aspartato/N-Methyl-D-aspartat
metil bensulfurona/Bensulfuron-methyl
3-metil-2-butanona/3-Methyl-2-butanon
2-metil-3-butin-2-ol/2-Methyl-3-butin-2-ol
N-metil-ε-caprolactama/N-Methyl-ε-caprolactam
N-metil-D-glucamina/N-Methyl-D-glucamin
4-metil-1,3-dioxolan-2-ona/4-Methyl-1,3-dioxolan-2-on
5-metil-2-fenil-1,2-dihidro-3H-pirazol-3-ona/5-Methyl-2-phenyl-1,2-dihydro-3H-pyrazol-3-on
N-metil-2,2'-iminodietanol/N-Methyl-2,2'-iminodiethanol
metil(2-naftil)cetona/Methyl(2-naphthyl)keton
metil-2-naftiléter/Methyl(2-naphthyl)ether
2-metil-1,4-naftoquinonas/2-Methyl-1,4-naphthochinone
4-metil-2-nitroanalina/4-Methyl-2-nitroanilin
N-metil-N-nitroso-p-toluenosulfonamida/N-Methyl-N-nitroso-p-toluolsulfonamid
(±)-2-metil-2,4-pentanodiol/(±)-2-Methyl-2,4-pentandiol

1-metil-4-piperidinona/1-Methyl-4-piperidinon
N-metil-2-pirrolidona/N-Methyl-2-pyrrolidon
2-metil-4-propil-1,3-oxatiano/2-Methyl-4-propyl-1,3-oxathian
metil-transferasas/Methyltransferasen
N-metilacetamida/N-Methylacetamid
N-metilacetanilida/N-Methylacetanilid
p-metilacetofenona/p-Methylacetophenon
metilación/Methylierung
metilal/Methylal
metilaluminoxanos/Methylalumoxan
metilamina/Methylamin
metilamino.../Methylamino...
N-metilanilina/N-Methylanilin
2-metilantraquinona/2-Methylanthrachinon
metilatos/Methylate
metilbencil.../Methylbenzyl...
N-metilbis(trifluoroacetamida)/N-Methylbis(trifluoroacetamid)
2-metilbutano/2-Methylbutan
metilbutanoles/Methylbutanole
metilbutenoles/Methylbutenole
metilbutenos/Methylbutene
3-metilbutiraldehído/3-Methylbutyraldehyd
3-metilbutiratos/3-Methylbuttersäureester
metilcelulosa/Methylcellulose
metilciclohexano/Methylcyclohexan
metilciclohexanoles/Methylcyclohexanole
metilciclohexanonas/Methylcyclohexanone
N-metilciclohexilamina/N-Methylcyclohexylamin
(metilciclopentadienil)manganeso tricarbonilo/(Methylcyclopentadienyl)mangantricarbonyl
metilciclopentano/Methylcyclopentan
5-metilcitosina/5-Methylcytosin
metilclorosilanos/Methylchlorsilane
metilcobalamina/Methylcobalamin
6-metilcumarina/6-Methylcumarin
metildigoxina/Metildigoxin
metildopa/Methyldopa
metilen... (a, b)/Methylen...
4-metilen-oxazolin-5-onas/4-Methylen-Δ^2-oxazolin-5-one
metilenación/Methylenierung
4,4'-metilenbis(N,N-dimetilanilina)/4,4'-Methylenbis(N,N'-dimethylanilin)
N,N'-metilenbis(acrilamida)/N,N'-Methylenbis(acrylamid)
metilenbisortocloroanilina/MOCA
4,4'-metilendi(isocianatobenceno)/4,4'-Methylendi(phenylisocyanat)
metilendioxi.../Methylendioxy...
metileno (c)/Methylen...
metilenomicinas/Methylenomycine
metilergometrina/Methylergometrin
α-metilestireno/α-Methylstyrol
N-metiletanolamina/N-Methylethanolamin
metilfenidato/Methylphenidat
ar-metilfenilendiaminas/ar-Methylphenylendiamine

metilfenobarbital/Methylphenobarbital
N-metilformamida/N-Methylformamid
metilglioxal/Methylglyoxal
α-metilglucósido/α-Methylglucosid
4-metilimidazol/4-Methylimidazol
2-metilindol/2-Methylindol
metiliononas/Methyljonone
metilisotiazolonas/Methylisothiazolone
4-metilmorfolina/4-Methylmorpholin
metilnaftalenos/Methylnaphthaline
metilnaftalinas/Methylnaphthaline
metilo (b)/Methyl...
metilotrofia/Methylotrophie
metilpentanoles/Methylpentanole
metilpentanonas/Methylpentanone
metilpentanos/Methylpentane
2-metilpiperidina/2-Methylpiperidin
4-metilpirocatecol/4-Methylbrenzcatechin
metilprednisolona/Methylprednisolon
metilquinoleínas/Methylchinoline
metilquinolinas/Methylchinoline
metilsulfato de amecinio/Ameziniummetilsulfat
– de bevonio/Bevoniummetilsulfat
– de hexociclio/Hexocyciliummethilsulfat
– de tiazinamio/Thiazinamiummetilsulfat
N-metiltaurina/N-Methyltaurin
metiltestosterona/Methyltestosteron
metiltio.../Methylthio...
metiltiouracilo/Methylthiouracil
2-metilundecanal/2-Methylundecanal
metino/Methin
metiocarb/Methiocarb
metioduro de buzepida/Buzepid metiodid
metional/Methional
metionina/Methionin
metipranolol/Metipranolol
metiprilona/Methyprylon
metiram/Metiram
metirapona/Metyrapon
metisazona/Metisazon
metisergida/Methysergid
metixeno/Metixen
metobenzuron/Metobenzuron
metobromurón/Metobromuron
metocarbamol/Methocarbamol
metoclopramide/Metoclopramid
método autocida/Autozid-Verfahren
– CLOA(-OM)/LCAO-(MO)-Methode
– de Andrussow/Andrussow-Verfahren
– de Barratt/Barratt-Verfahren
– de Bijvoet/Bijvoet-Methode
– de Carius/Carius-Methode
– de Corrodkote/Corrodkote-Verfahren
– de Coulter/Coulter-Verfahren
– de Dautrich/Dautriche-Methode
– de Kjeldahl/Kjeldahl-Methode
– de Köster/Köster-Methode
– de la precesión/Präzessionsmethode
– de Longwell-Manience/Longwell-Manience-Methode

– de los enlaces de valencia/Valence-Bond-Methode
– de Lowry/Lowry-Methode
– de Monte-Carlo/Monte-Carlo-Methode
– (de) Petermann/Petermann-Methode
– de Pringsheim/Pringsheim-Methode
– de resonancia de Rabi/Rabi-Resonanz-Methode
– de Rietveld/Rietveld-Methode
– de Ritz/Ritzsches Verfahren
– de Schöniger/Schöniger-Bestimmung
– de Story/Story-Methode
– de van Slyke/Van-Slyke-Methode, Van-Slyke-Methode
– de Widmark/Widmark-Methode
– de Wilhelmy/Wilhelmy-Methode
– dead stop/Dead-Stop-Titration
– del éster malónico/Malonester-Synthese
– del helio/Helium-Methode
– del poder mojante por inmersión/Tauchnetzmethode
– del salto de temperatura/Temperatursprung-Methode
– del tritio/Tritium-Methode
– DHD/DHD-Verfahren
– Hartree-Fock/Hartree-Fock-Verfahren
– Kuhn-Roth/Kuhn-Roth-Methode
– MCSCF/MCSCF-Verfahren
– MNDO/MNDO-(Verfahren)
– PPP/PPP-Methode
– ScF/SCF-Verfahren
– semiempírico/Semiempirische Verfahren
– Wood-Bonhoeffer/Wood-Bonhoeffer-Methode
– Zeisel/Zeisel-Methode
métodos de polvos/Pulvermethoden
– de separación multiplicativos/Multiplikative Trennverfahren
– de Wickbold/Wickbold-Methoden
– quirópticos/Chiroptische Methoden
– según §35 de LMBG/Methoden nach §35 LMBG
metohexital de sodio/Methohexital-Natrium
metolacloro/Metolachlor
metolazona/Metolazon
metomil/Methomyl
metopreno/Methopren
metoprolol/Metoprolol
metosulam/Metosulam
metotrexato/Methotrexat
metoxaleno/Methoxsalen
metoxi.../Methoxy...
p-metoxiacetofenona/p-Methoxyacetophenon
metoxiacrilatos/β-Methoxyacrylate
N-(4-metoxibenciliden)-4-butilanilina/N-(4-Methoxybenzyliden)-4-butylanilin
metoxicarbonil.../Methoxycarbonyl...
metoxicloro/Methoxychlor
metóxido de magnesio/Magnesiummethoxid
– de potasio/Kaliummethoxid
– (metilato) de sodio/Natriummethoxid
metóxidos/Methoxide
4-metoxifenol/4-Methoxyphenol

metoxiflurano/Methoxyfluran
metoxilo/Methoxyl
3-metoxipropilamina/3-Methoxypropylamin
metoxurón/Metoxuron
metribuzina/Metribuzin
metrizamida/Metrizamid
metro/Meter
metronidazol/Metronidazol
metsulfurón-metil/Metsulfuronmethyl
mevalolactona/Mevalolacton
mevinfos/Mevinphos
mexiletina/Mexiletin
mezcla/Vermischung
– básica/Masterbatch
– crómica/Chromschwefelsäure
– de Berger/Berger-Mischung
– de frecuencias/Frequenzmischung
– de Kiliani/Kiliani'sche Mischung
– magnesiana/Magnesiamixtur
– sulfonítrica/Nitriersäure
mezcladores estáticos/Statische Mischer
mezclar/Mischen
mezclas/Gemische, Mixturen
– frigoríficas/Kältemischungen
– heterogéneas/Gemenge
– poliméricas/Polymer-Blends
– térmicas/Wärmemischungen
mezereína/Mezerein
mezlocilina/Mezlocillin
mezola de cemento y cal/Zementkalk
mianserina/Mianserin
miargirita/Miargyrit
miarolas/Miarolen
mibefradil/Mibefradil
mica/Glimmer
micalamidas/Mycalamide
micelas/Micellen
– a franjas/Fransenmicelle
– inversas/Inverse Micellen
– plegadas/Faltenmicellen
micelio/Mycel
…mic(et)in/…mycin
miclobutanil/Myclobutanil
mico…/Myko…
micobacidina/Mycobacidin
micobacterias/Mykobakterien
micomicina/Mycomycin
miconazol/Miconazol
micoplasmas/Mykoplasmen
– como organismos/MLO
micosis/Mykosen
micotoxinas/Mykotoxine
micro…/Mikro…
microanálisis/Mikroanalyse
– por sonda electrónica/Elektronenstrahl-Mikroanalyse
– por sonda iónica/Ionenstrahl-Mikroanalyse
microbicidas/Mikrobizide
microbiología/Mikrobiologie
– industrial/Industrielle Mikrobiologie
microcistinas/Microcystine
microclina/Mikroklin
microcuerpos/Microbodies
microemulsiones/Mikroemulsionen
microencapsulación/Mikroverkapselung
microextracción en la fase sólida/Festphasenmikroextraktion
microfibras/Mikrofasern
microfibrillas/Mikrofibrillen
microfilamentos/Mikrofilamente
microfiltración/Mikrofiltration
microfractura/Mikrobruch
microgeles/Mikrogele

microglobulinas/Mikroglobuline
microinyección/Mikroinjektion
micronas/Mikronen
micronizado/Mikronisieren
microondas/Mikrowellen
microorganismos/Mikroorganismen
micropartículas/Mikronen
microperlas/Mikroperlen
microportador/Mikrocarrier
microprocesador/Mikroprozessor
microprueba láser/Laser-Mikrosonde
microquímica/Mikrochemie
microrotura/Mikrobruch
microscopía/Mikroskopie
– de polarización/Polarisationsmikroskopie
– de rayos X/Röntgenmikroskopie
– óptica de campo cercano/Nahfeldmikroskopie
microscopio/Mikroskope
– acústico (ultrasónico)/Ultraschallmikroskop
– de efecto túnel/Tunnelmikroskop
– electrónico/Elektronenmikroskop
– iónico/Ionenmikroskop
– láser/Laser-Mikroskop
microsomas/Mikrosomen
microtúbulos/Mikrotubuli
microvilli/Mikrovilli
midazolam/Midazolam
midodrina/Midodrin
midquina/Midkin
midriáticos/Mydriatika
miel/Honig
– artificial/Kunsthonig
– turca (especie de turrón)/Türkischer Honig
mielada/Tracht
mielina/Myelin
mifepristona/Mifepriston
miglitol/Miglitol
migmatitas/Migmatite
migración/Migration
mijo/Hirse
mil millones/Milliarde
milarita/Milarit
milbemectín/Milbemectin
milbemicinas/Milbemycine
mildiomicina/Mildiomycin
mildiú/Mehltau
mili…/Milli…
mililitro/Milliliter
millerita/Millerit
milnaciprán/Milnacipran
milrinona/Milrinon
miltefosina/Miltefosin
mimesis/Mimese
mimetesita/Mimetesit
mimetismo/Mimikry
mimosas/Mimosen
mimosina/Mimosin
mina a cielo abierto/Tagebau
mineral de hierro laminado/Gebänderte Eisensteine
minerales/Erz, Mineralien
– de interestratificación/Wechsellagerungs-Minerale
– de las arcillas/Tonmineralien
– di dióxido de manganeso/Braunsteine
– pesados/Schwermineralien
mineralización/Mineralisation
mineralogía/Mineralogie
minería/Bergbau
minet(t)a/Minette
minicélulas/Minizellen
minicromosomas/Minichromosomen

minim/Minim
minio de hierro/Eisenmennige
minociclina/Minocyclin
minoxidil/Minoxidil
mintlactona/Mintlacton
mio…/Myo…
mio-/myo-
miogenina/Myogenin
mioglobina/Myoglobin
mionio/Myonium
miosina/Myosin
mióticos/Miotika
mircena/Myrcen
mirestrol/Mirestrol
miristatos/Myristinsäureester
miristicina/Myristicin
miristil…/Myristyl…
miristoil…/Myristoyl…
miristoil-proteínas/Myristoyl-Proteine
mirmicacina/Myrmicacin
mirosinasa/Myrosinase
mirra/Myrrhe
mirtazapina/Mirtazapin
mirtecaína/Myrtecain
miscibilidad/Mischbarkeit
miserotoxina/Miserotoxin
misoprostol/Misoprostol
mitocondrios/Mitochondrien
mitógenos de *Phytolacca*/Phytolacca-Mitogen
mitomicinas/Mitomycine
mitopodozida/Mitopodozid
mitorrubrina/Mitorubrin
mitosis/Mitose
mitoxantrona/Mitoxantron
mitridatismo/Mithridatismus
mixobacterias/Myxobakterien
mixotiazol/Myxothiazol
mixotrofía/Mixotrophie
…mixtos/Gemischte…
mixturas/Gemische, Mixturen
mizolastina/Mizolastin
moclobemida/Moclobemid
modafinil/Modafinil
modelado bajo presión/Druckguß
– de moléculas/Molecular Modelling
modelo de Gillespie/Gillespie-Modell
– de utilidad/Gebrauchsmuster
– HOMO-LUMO/HOMO-LUMO-Modell
– Kelvin/Voigt-Kelvin-Modell
– Maxwell/Maxwell-Modell
– vectorial/Vektormodell
– Voigt/Voigt-Kelvin-Modell
modelos a escala/Kalottenmodelle
– atómicos/Atommodelle
– atómicos de Stuart-Briegleb/Stuart-Briegleb-Modelle
– de tiempo de residencia/Verweilzeitmodelle
– espaciales/Kalottenmodelle
– nucleares/Kernmodelle
moderador/Moderator
modhefeno/Modhephen
modificación/Modifikation
– del patrimonio hereditario/Erbgutverändernd
– por estireno/Styrolisierung
– post-traduccional/Post-translationale Modifizierung
modificadores del sabor/Geschmacks(um)wandler
modulación de calidad/Q-switched
moduladores optoelectrónicos/Optoelektrische Modulatoren
módulo/Modul

– de cizallamiento/Schermodul
– húmedo/Naßmodul
– Thiele/Thiele-Modul
moexipril/Moexipril
mofebutazona/Mofebutazon
mofeta/Stinktier
mofetil de micofenolato/Mycophenolatmofetil
moganita/Moganit
mohair/Mohair
mohos/Schimmelpilze
moissanita/Moissanit
mol/Mol
molalidad/Molalität
molaridad/Molarität
molde de fundición/Gießform
moldeado por compresión/Formpressen
moldeados/Formstoffe
moldeo por inyección/Spritzgießen
– por inyección de Sandwich/Sandwich-Spritzgießen
– por transferencia/Spritzpressen
– Sandwich/Sandwich-Spritzgießen
molecularidad/Molekularität
moléculas/Moleküle
– cuasilineales/Quasilineare Moleküle
– cuasiplanares/Quasiplanare Moleküle
– de la adhesión celular/Zell-Adhäsionsmoleküle
– de Möbius/Möbius-Moleküle
– en hélice/Propeller-Moleküle
– exóticas/Exotische Moleküle
– hipervalentes/Hypervalente Moleküle
– interestelares/Interstellare Moleküle
– no rígidas/Nichtstarre Moleküle
– platónicas/Platonische Moleküle
moler/Mahlen
molestia por olores/Geruchsbelästigung
molgramostim/Molgramostim
molibdato de sodio/Natriummolybdat
molibdatos/Molybdate
– de amonio/Ammoniummolybdate
molibdeno/Molybdän
– hexacarbonilo/Molybdänhexacarbonyl
molibdoenzimas/Molybdän-Enzyme
molienda/Mahlen
– en frío/Kaltmahlung
molinato/Molinat
molino de bolas/Rührwerksmühlen
molinos/Mühlen
– de cilindros/Walzenstühle
– de cruceta (púas)/Stiftmühlen
molóxidos/Moloxide
molsidomina/Molsidomin
moluscos/Mollusken
molusquicidas/Molluskizide
molybdenita/Molybdändisulfid
momento angular orbital/Bahndrehimpuls
– de transición/Übergangsmatrixelement
– dipolar/Dipolmoment
– magnético/Magnetisches Moment
mometasona/Mometason
monalazona disódica/Monalazon-Dinatrium
Monascus purpurens/*Monascus purpureus*

Español 5412

monazita/Monazit
moneda corriente/Kurantmünzen
monelina/Monellin
monensina/Monensin
moniliformina/Moniliformin
monitorización ecológica/Umweltmonitoring
mono…/Mono…
monoamino-oxidasa/Monoamin-Oxidase
monoatómico/Einatomig
monobenzona/Monobenzon
monocinas/Monokine
monocitos/Monocyten
monocotiledóneas/Monokotyle(done)n
monocristales/Einkristalle
monocromador/Monochromator
monocrotalina/Monocrotalin
monocrotofos/Monocrotophos
monoestearato de glicerol/Glycerinmonostearat
monofilamento/Monofil, Monofilament
3′-monofosfato de adenosina/Adenosin-3′-monophosphat
3′,5′-monofosfato de adenosina/Adenosin-3′,5′-monophosphat
5′-monofosfato de adenosina/Adenosin-5′-monophosphat
5′-monofosfato de inosina/Inosin-5′-monophosphat
monoglicéridos/Monoglyceride
monogliceridosulfatos/Monoglyceridsulfate
monografía/Monographie
monolinurón/Monolinuron
monómeros/Monomere
– macromoleculares/Makromonomere
– vinílicos/Vinylmonomere
monomorinas/Monomorine
mononitrato de isosorbida/Isosorbid-5-mononitrat
monooleato de glicerol/Glycerinmonooleat
monooxigenasas/Monooxygenasen
monopolos/Monopole
monoquinas/Monokine
monorricinooleato de glicerol/Glycerinmonoricinoleat
monosacáridos/Monosaccharide
monóxido de carbono/Kohlenoxid
– de silicio/Siliciummonoxid
montar/Aufziehen
montelukast/Montelukast
monticellita/Monticellit
montmorillonitas/Montmorillonite
monzonita/Monzonit
morazona/Morazon
mordenita/Mordenit
morfactinas/Morphaktine
morfina/Morphin
morfinanos/Morphinane
…morf(o)…/…morph(o)…
morfogenes/Morphogene
morfolin-x-il…/Morpholin-x-yl…
morfolina/Morpholin
morfolino…/Morpholino…
morfología/Morphologie
– cristalina/Kristallmorphologie
morfotropía/Morphotropie
morfotropismo/Morphotropie
morilla/Morcheln
morina/Morin
moroxidina/Moroxydin
morrionera/Schneeball
morruato de sodio/Natriummorrhuat

mortalidad/Absterberate
mortero/Mörtel
morteros/Reibschalen
moscarda/Aasfliegen
moscas/Fliegen
moscovita/Muscovit
mostaza/Senf
mosto/Most, Würze
– de uva/Traubenmost
motilina/Motilin
motor ultrasónico/Ultraschallmotor
motores moleculares/Molekulare Motoren
movilización del carbono/Kohlenstoff-Mobilisierung
movimiento browniano/Brown'sche Molekularbewegung
movimientos macro-Brownianos/Makro-Brownsche Bewegungen
– micro-Brownianos/Mikro-Brownsche Bewegungen
– násticos/Nastien
moxaverina/Moxaverin
moxifloxacín/Moxifloxacin
moxisilita/Moxisylyt
moxonidina/Moxonidin
mucilagicidas/Schleimbekämpfungsmittel
mucílagos/Schleime
mucinas/Mucine
muco-/muco-
mucolíticos/Mucolytika
muelles/Federn
muérdago/Mistel
muerte de peces/Fischsterben
– lenta del bosque/Waldsterben
– masiva de las focas/Robbensterben
muestra/Probe
– al azar/Stichprobe
– arbitral/Schiedsprobe
– colectiva (global)/Sammelprobe
muestreador automático/Autosampler
muestreo/Probenahme
muguete/Maiglöckchen
mulberrofuranos/Mulberrofurane
mullita/Mullit
multidentado/Mehrzähnig
multienzimas/Multienzyme
multimerización/Multimerisation
multiplete/Multiplett
multiplicador/Booster, Verstärker
multiplicidad/Multiplizität, Zähligkeit
multistriatinas/Multistriatine
munición/Munition
muones/Myonen
muramil-dipéptido/Muramyl-Dipeptid
mureína/Murein
murexida/Murexid
muromonab-CD₃/Muromonab-CD₃
musca…/Musc(a)…
muscaflavina/Muscaflavin
muscalura/Muscalur
muscarina/Muscarin
muscazona/Muscazon
muscimol/Muscimol
muscona/Muscon
muscovita/Muscovit
músculo/Muskel
musgo americano/Tillandsia
– de roble/Eichenmoos
musgos/Moose
mustélidos/Musteliden
mutación/Mutation
– down/down-Mutation
– espontánea/Spontanmutation
– puntual/Punktmutation

– silenciosa/Silent mutation
mutagénesis/Mutagenese
– de inserción/Transposon-Mutagenese
– dirigida/In vitro-Mutagenese
– dirigida hacia oligonucleótidos/Oligonucleotid-gerichtete Mutagenese
mutagenicidad/Mutagenität
mutágenos/Mutagene
mutantes defectuosos/Defektmutanten
– termosensibles/Temperatursensitive Mutanten
mutarrotación/Mutarotation
mutasteína/Mutastein
mutuas de accidentes/Berufsgenossenschaften
MX/MX
myc/Myc
myoD/MyoD

N

nabilona/Nabilon
nabumetona/Nabumeton
nácar/Perlmutt(er)
nadifloxacín/Nadifloxacin
nadolol/Nadolol
nadroparín/Nadroparin
nafarelín/Nafarelin
nafazolina/Naphazolin
nafcillín/Nafcillin
nafta/Naphtha
– disolvente/Solvent Naphtha
naftaceno/Naphthacen
1,8-naftalendiilbis(dimetilborano)/1,8-Naphthalindiylbis(dimethylboran)
naftaleno/Naphthalin
naftalenos polibromados/PBN
naftalina/Naphthalin
naftazarina/Naphthazarin
naftenatos de cobre/Kupfernaphthenate
naftenos/Naphthene
naftidrofurilo/Naftidrofuryl
naftifina/Naftifin
naftil…/Naphthyl…
2-(1-naftil)-5-feniloxazol/α-NPO
naftilaminas/Naphthylamine
naftiridinas/Naphthyridine
naft(o)…/Naphth(o)…
α-naftoflavona/α-Naphthoflavon
naftoles/Naphthole
α-naftolftaleína/α-Naphtholphthalein
…naftona/…naphthon
1,2-naftoquinon-4-sulfonato de sodio/1,2-Naphthochinon-4-sulfonsäure-Natriumsalz
naftoquinonas/Naphthochinone
nagyagita/Nagyagit
nailon/Nylon
nalbufina/Nalbuphin
nalorfina/Nalorphin
naloxona/Naloxon
naltrexona/Naltrexon
ñame/Yam, Yams
nandrolona/Nandrolon
nano…/Nano…
nanotubos/Nanoröhren
napadisilato/Napadisilat
napalm/Napalm
nap(p)a/Nappaleder
napropamid/Napropamid
naproxeno/Naproxen
napsilato/Napsilat
naranjas/Orangen
– amargas/Pomeranzen
narasina/Narasin
naratriptán/Naratriptan
narbonín/Narbonin
narbosina/Narbosine

narcóticos/Betäubungsmittel, Narkotika
(−)-α-narcotina/(−)-α-Narcotin
naringina/Naringin
nastias/Nastien
nata/Sahne
natamicina/Natamycin
nativo/Gediegen, Nativ
natrolita/Natrolith
natrón/Natron
natsyn/Natsyn
naturaleza/Natur
navecilla/Schiffchen
navegación/Navigation
nebacumab/Nebacumab
nebivolol/Nebivolol
nebularina/Nebularin
nebulina/Nebulin
nebulizador/Zerstäuber
nebulizadores/Sprays
neburón/Neburon
necatorona/Necatoron
necrodoles/Necrodole
necrófagos/Nekrophagen
necrohormonas/Wundhormone
necrotrofia/Nekrotrophie
néctar/Nektar
nedocromilo/Nedocromil
nefazodona/Nefazodon
nefelina/Nephelin
nefelometría/Nephelometrie
nefopam/Nefopam
nefrita/Nephrit
negro animal/Knochenkohle
– „channel"/Kanalruß
– de amida 10 B/Amidoschwarz 10 B
– de anilina/Anilinschwarz
– de eriocromo/Eriochromschwarz T
– de gas/Gasruß
– de horno/Furnaceruße
– de humo/Flammruß, Ruß
– de humo térmico/Spaltruß
– de lignita/Grudeschwarz
– de manganeso/Manganschwarz
– de pizarra/Schieferschwarz
– de viña/Rebenschwarz
– naftol 6 B/Naphtholschwarz 6 B
– sólido/Echtschwarz 100
negros de humo ISAF/ISAF-Ruße
nelfinavir/Nelfinavir
nelsonita/Nelsonit
nematicidas/Nematizide
nematodos/Nematoden
nematófagos/Nematophag
nematolina/Naematolin
neo…/Neo…
neoarsfenamina/Neoarsphenamin
neocarzinostatina A/Neocarzinostatin A
neocupferrón/Neokupferron
neodimio/Neodym
neofucsina/Neufuchsin
neohesperidindihidrocalcón/Neohesperidin-Dihydrochalkon
neomicina/Neomycin
neón/Neon
neopentil…/Neopentyl…
neopterina/Neopterin
neostigmina/Neostigmin
nepetalactona/Nepetalacton
neplanocinas/Neplanocine
neptunio/Neptunium
neptunita/Neptunit
nereistoxina/Nereistoxin
nerolidol/Nerolidol
nervinos/Nervina
nervios/Nerven
nervona/Nervon
netilmicina/Netilmicin
netrinas/Netrine

neuraminidasas/Neuraminidasen
neuregulinas/Neureguline
neurexinas/Neurexine
neurofilamentos/Neurofilamente
neurofisinas/Neurophysine
neurohormonas/Neurohormone
neurolépticos/Neuroleptika
neuroleucina/Neuroleukin
neuromedinas/Neuromedine
neuromodulina/Neuromodulin
neurona/Neuron
neuropéptido Y/Neuropeptid Y
neuropéptidos/Neuropeptide
neuroquímica/Neurochemie
neuroquinas/Neurokine
neuroquininas/Neurokinine
neurotensina/Neurotensin
neurotoxinas/Neurotoxine
neurotransmisor/Neurotransmitter
neutralización/Neutralisation
– por pulverización/Sprühneutralisation
neutrones/Neutronen
nevirapina/Nevirapin
nexachloroacetona/Hexachloraceton
nexina/Nexin
NF-κB/NF-κB
nicametato/Nicametat
nicardipina/Nicardipin
nic(c)olatos/Nickelate
nicergolina/Nicergolin
nicetamida/Nicethamid
nicho ecológico/Ökologische Nische
niclosamida/Niclosamid
nicoboxilo/Nicoboxil
nicofuranosa/Nicofuranose
nicomicinas/Nikkomycine
nicorandil/Nicorandil
nicosulfurón/Nicosulfuron
nicotianamina/Nicotianamin
nicotina/Nicotin
nicotinamida-adenina-dinucleótido/Nicotinamid-Adenin-Dinucleotid
nicotinato de bencilo/Nicotinsäurebenzylester
– de inositol/Inositolnicotinat
– de xantinol/Xantinolnicotinat
nicotinatos/Nicotinsäureester
nicotirina/Nicotyrin
nictinastenas/Nyktinastene
nido-/nido-
niebla/Nebel
nielsbohrio/Nielsbohrium
nieve/Schnee
nifedipina/Nifedipin
nifenalol/Nifenalol
nifenazona/Nifenazon
nifuratel/Nifuratel
nifuroxazida/Nifuroxazid
nifurtimox/Nifurtimox
nifurtoinol/Nifurtoinol
nigericina/Nigericin
nigranilina/Nigranilin
nigrifactina/Nigrifactin
nigrosinas/Nigrosine
nilón/Nylon
nilvadipina/Nilvadipin
nimesulfida/Nimesulid
nimodipina/Nimodipin
nimorazol/Nimorazol
nimustina/Nimustin
ninhidrina/Ninhydrin
niobatos(V)/Niobate(V)
niobio/Niob
nioxima/Nioxim
nipolita/Nipolit
níquel/Nickel
– (de) Mond/Mond-Nickel
– Raney/Raney-Nickel

– tetracarbonilo/Nickeltetracarbonyl
niquelado/Vernickeln
niquelatos/Nickelate
niquelita/Nickelin
niridazol/Niridazol
nisina/Nisin
nisoldipina/Nisoldipin
nísperos del Japón/Japanische Mispeln
nistatina/Nystatin
nitenpiram/Nitenpyram
nitinol/Nitinol
nitración/Nitrierung
nitraminas/Nitramine
nitrato/Salpeter
nitrato…/Nitrato…
nitrato amónico-cálcico/Kalkammonsalpeter
– amónico y carbonato cálcico/Kalkammonsalpeter
– de aluminio/Aluminiumnitrat
– de amonio/Ammoniumnitrat
– de bario/Bariumnitrat
– de cadmio/Cadmiumnitrat
– de cal/Kalksalpeter
– de calcio/Calciumnitrat
– de celulosa/Cellulosenitrat
– de cinc/Zinknitrat
– de cobalto(II)/Cobalt(II)-nitrat
– de cobre(II)/Kupfer(II)-nitrat
– de cromo(III)/Chrom(III)-nitrat
– de estroncio/Strontiumnitrat
– de litio/Lithiumnitrat
– de magnesio/Magnesiumnitrat
– de manganeso(II)/Mangan(II)-nitrat
– de níquel(II)/Nickel(II)-nitrat
– de paladio(II)/Palladium(II)-nitrat
– de peroxiacetilo/Peroxyacetylnitrat
– de plata/Silbernitrat
– de plomo/Bleinitrat
– de potasio/Kalisalpeter, Kaliumnitrat
– de sodio/Natriumnitrat
– de urea/Harnstoffnitrat
– -reductasas/Nitrat-Reduktasen
nitratos/Nitrate
– de almidón/Stärkenitrate
– de bismuto/Bismutnitrate
– de hierro/Eisennitrate
– de mercurio/Quecksilbernitrate
– de peroxiacilo/Peroxyacylnitrate
– de talio/Thalliumnitrate
nitrazepam/Nitrazepam
nitrefazol/Nitrefazol
nitrendipina/Nitrendipin
nitrenos/Nitrene
nitrificación/Nitrifikation
nitril…/Nitryl…
nitrililidos/Nitril-Ylide
nitriliminas/Nitrilimine
nitrilio…/…nitrilio…
…nitrilo/…nitril
nitrilo…/Nitrilo…
nitrilos/Nitrile
1,1′,1″-nitrilotri-2-propanol/ 1,1′,1″-Nitrilotri-2-propanol
2,2′,2″-nitrilotrietanol/2,2′,2″-Nitrilotriethanol
nitriloxi…/Nitryloxy…
nitrito…/Nitrito…
nitrito de amonio/Ammoniumnitrit
– de isobutilo/Isobutylnitrit
– de 3-metilbutilo/3-Methylbutylnitrit
– de potasio/Kaliumnitrit
– de sodio/Natriumnitrit
– -reductasas/Nitrit-Reduktasen

nitritos/Nitrite
nitro/Salpeter
nitr(o)…/Nitr(o)…
2-nitro-1,4-fenilendiamina/2-Nitro-1,4-phenylendiamin
5-nitro-2-propoxianilina/5-Nitro-2-propoxyanilin
nitroalcanos/Nitroalkane
nitroalmidones/Stärkenitrate
nitroanilinas/ar-Nitroaniline
2-nitroanisol/2-Nitroanisol
nitroarenos/Nitroaromaten
nitrobenceno/Nitrobenzol
4-(4-nitrobencil)piridina/4-(4-Nitrobenzyl)pyridin
nitrobenzaldehídos/Nitrobenzaldehyde
nitrobenzantrona/3-Nitrobenzanthron
5-nitrobenzimidazol/5-Nitrobenzimidazol
„nitrocalamón"/Kalkammonsalpeter
nitrocompuestos/Nitro-Verbindungen
nitroderivados de hidrocarburos aromáticos policlorados/Nitro-PAH
nitroetano/Nitroethan
(4-nitrofenil)hidrazina/(4-Nitrophenyl)hydrazin
nitrofenoles/Nitrophenole
nitrofitas/Nitrophyten
nitrofural/Nitrofural
nitrofuranos/Nitrofurane
nitrofurantoína/Nitrofurantoin
nitrogenasa/Nitrogenase
nitrógeno/Stickstoff
nitroglicerina/Nitroglycerin
nitroglicol/Nitroglykol
nitroguanidina/Nitroguanidin
nitroimidazoles/Nitroimidazole
nitrometano/Nitromethan
nitrómetro/Azotometer
nitrón/Nitron
nitrona/Nitron
nitronaftalenos/Nitronaphthaline
nitronas/Nitrone
nitropropanos/Nitropropane
nitroprusiato de sodio/Nitroprussidnatrium
nitrosación/Nitrosierung
nitrosamidas/Nitrosamide
nitrosaminas/Nitrosamine
nitrosil…/Nitrosyl…
nitroso…/Nitroso…
nitrosobenceno/Nitrosobenzol
nitrosocaucho/Nitrosokautschuk
nitrosocompuestos/Nitroso-Verbindungen
nitrosodimetilamina/N-Nitrosodimethylamin
4-nitrosofenol/4-Nitrosophenol
nitrosonaftoles/Nitrosonaphthole
nitrosopolímeros/Nitrosopolymere
nitrosulfato de amonio/Ammonsulfatsalpeter
nitrotal-isopropil/Nitrothal-isopropyl
nitrotiazoles/Nitrothiazole
nitrotoluenos/ar-Nitrotoluole
nitroxilenos/Nitroxylole
nitroxolina/Nitroxolin
nitruración/Nitrieren
– en atmósfera de gas/Gas-Nitrierung
– por descarga luminescente/Glimm-Nitrierung
nitruro…/Nitrido…
nitruro de aluminio/Aluminiumnitrid
– de boro/Bornitrid

– de hierro/Eisennitrid
– de magnesio/Magnesiumnitrid
– de silicio/Siliciumnitrid
– de titanio/Titannitrid
nitruros/Nitride
– -dicloruros de fósforo/Phosphornitridchloride
nivalenol/Nivalenol
nivel/Spiegel
– inicial de contaminación de aguas/Vorbelastung
– permisible de sustancias extrañas/Permissible level
nizatidina/Nizatidin
N,N,N′,N′-tetrametiletilendiamina/N,N,N′,N′-Tetramethylethylendiamin
no metales/Nichtmetalle
nobelio/Nobelium
nocardicinas/Nocardicine
nocicepción/Nozizeption
nociceptina/Nociceptin
nociceptores/Nozizeptoren
nocivo para el embrión/Fruchtschädigend
– para la salud/Gesundheitsschädlich
nocodazol/Nocodazol
nódulos de manganeso (oceánicos)/Mangankollen
– Renn-Krupp/Luppen
nojirimicina/Nojirimycin
nombre aditivo/Additionsname
– conjuntivo/Konjunktionsname
– de fusión/Anellierungsname
– fundamental/Stammname
– por adición/Additionsname
– por multiplicación/Multiplikativname
– por reemplazamiento/Austauschname
– por substitución/Substitutionsname
– por substracción/Subtraktionsname
– radico-funcional/Radikofunktioneller Name
– semisistemático/Halbsystematischer Name
– sistemático/Systematischer Name
nombres comerciales/Handelsnamen
– comunes/Common Names
– genéricos/Freinamen, Generic Names
– triviales/Trivialnamen
nomenclatura/Nomenklatur
– a „y″/„y″-Nomenklatur
– ciclofan/Cyclophan-Nomenklatur
– de los polímeros/Polymer-Nomenklatur
– por terminación en -fano/Phan-Nomenklatur
nomifensina/Nomifensin
nomogramas/Nomogramme
non(a)…/Non(a)…
nonactina/Nonactin
nonadecano/Nonadecan
nonano/Nonan
1-nonanol/1-Nonanol
nonil…/Nonyl…
nonilfenol/Nonylphenol
nonivamida/Nonivamid
nonoxinol/Nonoxinol
nontronita/Nontronit
nootkatona/Nootkaton
nopalina/Nopalin
nor…/Nor…
noradrenalina/Noradrenalin
2,5-norbornadieno/2,5-Norbornadien

norborneno/Norbornen
norcaradieno/Norcaradiene
norcarano/Norcaran
nordazepam/Nordazepam
norefedrina/Norephedrin
norestisterona/Norethisteron
noretinodrel/Noretynodrel
norfenefrina/Norfenefrin
norfloxacina/Norfloxacin
norflurazona/Norflurazon
norgestrel/Norgestrel
norleucina/Norleucin
normalidad/Normalität
normalización/Normalglühung, Normung
normas de la CE para los desechos/EG-Richtlinie über Abfälle
– de la CE para los desechos nocivos/EG-Richtlinie über gefährliche Abfälle
normativas en materia de seguridad e higiene en el trabajo/Unfallverhütungsvorschriften
normetadona/Normethadon
nortriptilina/Nortriptylin
norvalina/Norvalin
noseano/Nosean
nostociclofanos/Nostocyclophane
notaciones/Notationen
nougat/Nugat
novobiocina/Novobiocin
novolacas/Novolake
novolakas/Novolake
noxa/Noxe
noxiptilina/Noxiptilin
nuarimol/Nuarimol
nube iónica/Ionenwolke
nuciferal/Nuciferal
nuciferina/Nuciferin
nucl.../Nucl...
nucleasas/Nucleasen
nucleidos/Nuklide
núcleo/Kern
nucleobases/Nucleobasen
nucleocápside/Nucleocapsid
nucleoesqueleto/Nucleoskelett
nucleófilo/Nucleophil
nucleófugo/Nucleofug
nucleohistonas/Nucleohistone
nucleoido/Nucleoid
nucleolina/Nucleolin
nucleones/Nukleonen
nucleoproteínas/Nucleoproteine
núcleos/Keime
nucleosidasas/Nucleosidasen
nucleósidos/Nucleoside
nucleosomas/Nucleosomen
nucleotidasas/Nucleotidasen
nucleótidos/Nucleotide
– cíclicos/Cyclische Nucleotide
nudo cistina/Cystin-Knoten
nudos/Knoten
nueces/Nüsse, Walnüsse
– de anacardo/Cashew-Nüsse
– de areca/Betelnüsse
– pecan/Pekan-Nüsse
nuez de Brasil/Paranüsse
– de Pará/Paranüsse
– moscada/Muskatnüsse
número atómico/Ordnungszahl
– cuántico de rotación/Rotationsquantenzahl(en)
– cuántico del momento angular/Drehimpulsquantenzahl
– cuántico vibracional/Schwingungsquantenzahlen
– de Avogadro/Avogadro'sche Zahl
– de carbonilos/Carbonyl-Zahl
– de carga de reacción/Reaktionsladungszahl
– de células/Zellzahl
– de coordinación/Koordinationszahl
– de masa/Massenzahl
– de ondas/Wellenzahl
– de oxidación/Oxidationszahl
– de Poisson/Poisson-Zahl
– de Reynolds/Reynolds-Zahl
– de transporte/Überführungszahl
números cuánticos/Quantenzahlen
– mágicos/Magische Zahlen
nutriente mineral/Mineralfutter
nutrientes microbianos/Nährstoffe für Mikroorganismen
nylon/Nylon

O

obesidad/Fettsucht
objeto simulado/Attrappe
obleas/Oblaten
obligación de conexión y utilización/Anschluß- und Benutzungszwang
obras de consulta (bzw. referencia)/Nachschlagewerke
obsidiana/Obsidian
obstipación/Obstipation
obtención de celulosa/Zellstoffgewinnung
obtusaleno I/Obtusallen I
...ocano/...ocan
...oceno/...ocen
ochotensina/Ochotensin
ocimeno/Ocimen
ocimenona/Ocimenon
...ocina (...ocín/)/...ocin
oclusión/Okklusion
ocra/Okra
ocratoxina A/Ochratoxin A
ocre/Ocker
– de tungsteno/Wolframocker
– rojo/Rötel
octa.../Oct(a)...
octacaína/Octacain
octadec(a).../Octadec(a)...
1-octadecanamina/1-Octadecanamin
octadecano/Octadecan
1-octadecanol/1-Octadecanol
9-octadecen-1-ol/9-Octadecen-1-ol
octaedro/Oktaeder
octamilamina/Octamylamin
octanal/Octanal
octanaminas/Octanamine
octano/Octan
octanoatos/Octanoate
octanoil.../Octanoyl...
octanoles/Octanole
octanonas/Octanone
1-octanotiol/1-Octanthiol
(−)-(R)-1-octen-3-ol/(−)-(R)-1-Octen-3-ol
octenos/Octene
octete/Oktett
octil.../Octyl...
terc-octil.../tert-Octyl...
4-terc-octilfenol/4-tert-Octylphenol
1-octilimidazol/1-Octyl-1H-imidazol
octilinona/Octhilinon
octoatos/Octoate
octodrina/Octodrin
octógeno/Octogen
octopamina/Octopamin
octopina/Octopin
octotiamina/Octotiamin
octreotida/Octreotid
odorización de gases/Gasodorierung
oficalcita/Ophicalcit
oficina federal para asuntos del medio ambiente/Umweltbundesamt
oficinal/Offizinell
ofiobolinas/Ophioboline
ofiolitas/Ophiolithe
ofloxacina/Ofloxacin
ofretita/Offretit
ofurac/Ofurac
...ógeno/...ogen
...oide/...oid
...oilo/...oyl
...oílo/...oyl
ojo/Auge
– de gato/Katzenauge
okenita/Okenit
...ol/...ol
olaflur/Olaflur
olanzapina/Olanzapin
oleamida/Ölsäureamid
oleán/Olean
oleanano/Oleanan
oleandomicina/Oleandomycin
oleandrina/Oleandrin
L-oleandrosa/L-Oleandrose
oleato de oleilo/Ölsäureoleylester
– de potasio/Kaliumoleat
– de sodio/Natriumoleat
olefinas/Olefine
α-olefinsulfonatos/Olefinsulfonate
i-olefinsulfonatos/i-Olefinsulfonate
oleína/Olein
oleofobización/Oleophobierung
oleoquímica/Oleochemie
oleoresinas/Oleoresine
óleum/Oleum
olfacción/Olfaktion
olfato/Geruch
olíbano/Olibanum
...olida/...olid
oligo.../Oligo...
oligoclasa/Oligoklas
oligodinámica/Oligodynamie
oligoelementos/Spurenelemente
oligofenilos/Oligophenyle
oligomarcado/Oligo-Labelling
oligomerización/Oligomerisation
oligómeros/Oligomere
oligonucleótidos/Oligonucleotide
oligopéptidos/Oligopeptide
oligosacáridos/Oligosaccharide
oligosacarinas/Oligosaccharine
...olina/...olin
olivas/Oliven
olivenita/Olivenit
olivino/Olivin
olmo/Ulme
ololiqui/Ololiuqui
olor corporal/Körpergeruch
olsalazina/Olsalazin
omeprazol/Omeprazol
ometoato/Omethoat
omoconazola/Omoconazol
omocromos/Ommochrome
...ona/...on
...onano/...onan
oncogén src/src-Onkogen
oncógenos/Onkogene
oncología/Onkologie
oncostatina M/Oncostatin M
ondansetrón/Ondansetron
ondas de choque/Stoßwellen
– de Broglie/Materiewellen
– gravitacionales/Gravitationswellen
– materiales/Materiewellen
ónice/Onyx
...onina/...onin
ontogénesis/Ontogenese
oolitos/Oolithe
oosporeína/Oosporein
opacificantes/Trübungsmittel
opaco/Opak
opalescencia/Opaleszenz
ópalo/Opal
operaciones de simetría/Symmetrieoperationen
operador de Laplace/Laplace-Operator
– hamiltoniano/Hamilton-Operator
– hermitiano/Hermitescher Operator
operón/Operon
– lac/lac-Operon
opiáceos/Opiate
opinas/Opine
opio/Opium
opipramol/Opipramol
opodeldoch/Opodeldok
opopanax/Opopanax
opsinas/Opsine
opsoninas/Opsonine
óptica/Optik
– de fibras/Faseroptik
– infrarroja/Infrarotoptik
– integrada/Integrierte Optik
– linear/Lineare Optik
– no linear/Nichtlineare Optik
optim(iz)ación/Optimierung
optoelectrónica/Optoelektronik
oral/Oral
orazamida/Orazamid
orbencarb/Orbencarb
orbital atómico/Atomorbital
– con espín/Spinorbital
orbitales/Orbitale
– de Walsh/Walsh-Orbitale
– frontera/Grenzorbitale
– moleculares/Molekülorbitale
– p/p-Orbitale
– s/s-Orbitale
orceína/Orcein
orcinol/Orcinol
orciprenalina/Orciprenalin
ordenador analógico/Analogrechner
– óptico/Optischer Computer
ordenadores para control de procesos/Prozeßrechner
orégano/Origanum
oreja de mar/Abalone
orellanina/Orellanin
orexígenos/Orexigene
orfenadrina/Orphenadrin
organismo/Organismus
organismos análogos a las rickettsias/RLO
– autótrofos/Autotrophe Organismen
– auxotrofos/Auxotrophe Organismen
– halófilos/Halobionten
– hemerobios/Hemerobien
– indicadores/Zeigerarten
– marinos/Marine Organismen
– metanotróficos/Methanotrophe Organismen
– transgénicos/Transgene Organismen
– unicelulares/Einzeller
organizaciones del medio ambiente/Umweltorganisationen
organoboramos/Bor-organische Verbindungen
organosoles/Organosole
organoterapia/Organotherapie
organotrofia/Organotrophie
orgoteína/Orgotein
orientación/Orientierung
origen de replicación/Origin
orín/Rost
orina/Harn

orizalín/Oryzalin
orleán/Orlean
orlistat/Orlistat
orlon negro/Black Orlon
ornidazol/Ornidazol
ornipresina/Ornipressin
ornitina/Ornithin
oro/Gold
– brillante/Glanzgold
– de Mannheim/Mannheimer Gold
– electrolítico/Goldbad DCS
– fino/Dukatengold
– musivo/Malergold, Muschelgold
– tipo dixi/Dixigold
– verde de joyería/Green Gold
orografía/Orographie
oropel/Rauschgold
oropimente/Auripigment
orozuz/Lakritze
ortiga/Nessel
– grande/Brennnessel
– mayor/Brennessel
ortigas/Nesselpflanzen
orto-/Ortho-
ortocarbonatos/Orthocarbonate
ortociclofanos/Orthocyclophane
ortoclasa/Orthoklas
ortoésteres/Orthoester
ortogonalidad/Orthogonalität
ortohelio/Ortho-Helium
ortorrómbico/Orthorhombisch
orujo/Trester
os…/Oss…
…osa/…ose
…osana/…osan
osazonas/Osazone
oscilaciones cuánticas/Quantenbeats
oscilador armónico/Harmonischer Oszillator
– inarmónico/Anharmonischer Oszillator
osciloscopio/Oszilloskop
oscuras/Tang
oseína/Ossein
…ósido/…osid
…osina/…osin
osladina/Osladin
osmiato de potasio/Kaliumosmat(VI)
osmio/Osmium
osmoceno/Osmocen
osmodiuréticos/Osmodiuretika
osmorregulación/Osmoregulation
ósmosis/Osmose
– de reloj/Umgekehrte Osmose
osmundalactona/Osmundalacton
osonas/Osone
osteo…/Osteo…
osteocalcina/Osteocalcin
osteonectina/Osteonectin
osteopontina/Osteopontin
…osulosa/…osulose
osumilita/Osumilith
otolitos/Otolithen
oudemansinas/Oudemansine
ovalbúmina/Ovalbumin
ovicidas/Ovizide
ovotioles/Ovothiole
oxa…/Ox(a)…
oxabetrinil/Oxabetrinil
oxaceprol/Oxaceprol
oxacilina/Oxacillin
oxadiazoles/Oxadiazole
oxadiazón/Oxadiazon
oxadixil/Oxadixyl
oxalato de amonio/Ammoniumoxalat
– de amonio y hierro(III)/Ammoniumeisen(III)-oxalat
– de calcio/Calciumoxalat

– de cobalto(II)/Cobalt(II)-oxalat
– de hierro(II)/Eisen(II)-oxalat
– de sodio/Natriumoxalat
oxalatos/Oxalate, Oxalsäureester
– de potasio/Kaliumoxalate
oxalil…/Oxalyl…
oxalo…/Oxal…
oxamida/Oxamid
oxamil/Oxamyl
oxamniquina/Oxamniquin
oxamoil…/Oxamoyl…
oxapenemos/Oxapeneme
oxatomida/Oxatomid
oxazepam/Oxazepam
oxazinas/Oxazine
oxaziridinas/Oxaziridine
oxazolam/Oxazolam
oxazoles/Oxazole
oxazolidinonas/Oxazolidinone
oxazolonas/Oxazolone
oxeladina/Oxeladin
oxepinas/Oxepine
oxetacaína/Oxetacain
oxetanocina/Oxetanocin
oxetanonas/Oxetanone
oxetanos/Oxetane
oxetina/Oxetin
oxi…/Oxy…
oxibenzona/Oxybenzon
oxibuprocaína/Oxybuprocain
oxibutinina/Oxybutynin
oxicames/Oxicame
oxicarboxina/Oxycarboxin
oxicelulosas/Oxycellulosen
oxicloración/Oxychlorierung
oxicloruro de bismuto/Perlweiß
– de cobre/Haftkupfer
oxicloruros de vanadio/Vanadiumoxidchloride
oxiconazol/Oxiconazol
oxicortar/Brennschneiden
oxidación/Oxidation
– anódica/Anodische Oxidation
– anódica del magnesio/Elomag-Verfahren
– de Baeyer-Villiger/Baeyer-Villiger-Oxidation
– de Dakin/Dakin-Oxidation
– de Jones/Jones-Oxidation
– de Moffatt-Pfitzner/Moffatt-Pfitzner-Oxidation
– de Oppenauer/Oppenauer-Oxidation
– de Sarett/Sarett-Oxidation
– de Swern/Swern-Oxidation
– en la fase gaseosa/Gasphasenoxidation
– húmeda de baja presión/LOPROX
– por peróxido de hidrógeno/Wasserstoffperoxid-Oxidation
– por rozamiento/Schwingungsverschleiß
– por vía húmeda/Naßoxidation
oxidacuatos/Oxidaquate
oxidante/Oxidativ
oxidantes/Oxidantien
oxidasas/Oxidasen
oxidemeton-metil/Oxydemetonmethyl
oxidi…/Oxydi…
oxidimetría/Oxidimetrie
3,3′-oxidipropionitrilo/3,3′-Oxydipropionitril
oxido…/Oxido…
óxido bórico/Bortrioxid
– de bario/Bariumoxid
– de cacodilo/Kakodyloxid
– de cadmio/Cadmiumoxid
– de calcio/Calciumoxid
– de cinc/Zinkoxid
– de deuterio/Deuteriumoxid

– de estireno/Styroloxid
– de etileno/Ethylenoxid
– de fenbutatín/Fenbutatinoxid
– de hierro micáceo/Eisenglimmer
– de magnesio/Magnesiumoxid
– de mesitilo/Mesityloxid
1-óxido de 4-nitroquinolina/4-Nitrochinolin-1-oxid
óxido de paladio(II)/Palladium(II)-oxid
S-óxido de propanotial/Propanthial-S-oxid
óxido de propileno/Propylenoxid
– de rosas/Rosenoxid
– de talio/Thalliumoxide
– de titanio/Titandioxid
– de tricloruro de fósforo/Phosphoroxidtrichlorid
– inicial/Flugrost
N-óxidos de la piridina/Pyridin-N-oxide
oxidoreductasas/Oxidoreduktasen
óxidos/Oxide
– de aluminio/Aluminiumoxide
– de amina/Aminoxide
– de antimonio/Antimonoxide
– de arenos/Arenoxide
– de azufre/Schwefeloxide
– de bismuto/Bismutoxide
– de bromo/Bromoxide
– de carbono/Kohlenstoffoxide
– de cloro/Chloroxide
– de cobalto/Cobaltoxide
– de cobre/Kupferoxide
– de cromo/Chromoxide
– de estaño/Zinnoxide
– de fosfanos/Phosphanoxide
– de fósforo/Phosphoroxide
– de hidrógeno/Wasserstoffoxide
– de hierro/Eisenoxide
– de litio/Lithiumoxide
– de manganeso/Manganoxide
– de mercurio/Quecksilberoxide
– de níquel/Nickeloxide
– de nitrilos/Nitriloxide
– de nitrógeno/Stickstoffoxide
2-óxidos de 1,3,2-oxazafosfinan-2-amina/1,3,2-Oxazaphosphinan-2-amin-2-oxide
óxidos de plata/Silberoxide
– de plomo/Bleioxide
– de polifenileno/Polyphenylenoxide
– de polifosfina/Polyphosphinoxide
– de potasio/Kaliumoxide
– de sodio/Natriumoxide
– de teluro/Telluroxide
– de tungsteno/Wolframoxide
– de uranio/Uranoxide
– de vanadio/Vanadiumoxide
– de yodo/Iodoxide
– de Zurich/Züricher Oxide
oxietil…/Oxethyl…
oxifedrina/Oxyfedrin
oxifenbutazona/Oxyphenbutazon
oxifenciclimina/Oxyphencyclimin
oxifenisatina/Oxyphenisatin
oxifluorfeno/Oxyfluorfen
oxigenación/Oxygenierung
oxigenasas/Oxygenasen
oxígeno/Sauerstoff
– en estado singulete/Singulett-Sauerstoff
– triplete/Triplett-Sauerstoff
oxihalogenuros/Oxidhalogenide
oxiliquita/Oxyliquit
oxilofrina/Oxilofrin
oxima de ciclohexanona/Cyclohexanonoxim

– del perilaldehído/Perillaaldehydoxim
oximas/Oxime
oximercuración/Oxymercurierung
oximesterona/Oxymesteron
oximetalación/Oxymetallierung
oximetazolina/Oxymetazolin
oximetolona/Oxymetholon
oxímetros/Oximeter
oximorfona/Oxymorphon
oxindol(e)/Oxindol
oxipertina/Oxypertin
oxiranos/Oxirane
oxirenos/Oxirene
oxisulfuro de carbono/Kohlenoxidsulfid
oxitetraciclina/Oxytetracyclin
oxitócicos/Wehenmittel
oxitocina/Oxytocin
oxitocinasa/Oxytocinase
oxitriptán/Oxitriptan
oxiuros/Oxyuren
oxo…/Oxo…
oxoácidos/Oxosäuren
oxoalcoholes/Oxo-Alkohole
oxoaldehídos/Oxoaldehyde
oxocarbonos/Oxokohlenstoffe
oxoésteres/Oxoester
oxolano/Oxolan
oxomemazina/Oxomemazin
oxonio/Oxonium
oxotremorina/Oxotremorin
oxprenolol/Oxprenolol
oxycodona/Oxycodon
ozocerita/Ozokerit
ozónidos/Ozonide
ozon(iz)ación/Ozonisierung
ozono/Ozon
ozonólisis/Ozonolyse
ozonosfera/Ozon-Schicht
ozoquerita/Ozokerit

P

p53/p53
pábilo/Docht
pacanas/Pekan-Nüsse
paclitaxel/Paclitaxel
paclobutrazol/Paclobutrazol
PAH/PAH
pahutoxina/Pahutoxin
paja/Stroh
paladio/Palladium
palastro/Grobblech
paleobioquímica/Paläobiochemie
paleontología/Paläontologie
paliativos/Palliative
palitoxina/Palytoxin
palm(er)a de aceite/Ölpalme
palmitato de colfoscerilo/Colfosceril-Palmitat
– de etilo/Palmitinsäureethylester
– de metilo/Palmitinsäuremethylester
– de 2-propilo/Palmitinsäureisopropylester
palmitatos/Palmitate
palmitina/Palmitin
palo campeche/Blauholz
– mimosáceo/Korallenbäumchen
palomitas de maíz/Popcorn
paludismo/Malaria
pamaquina/Pamaquin
pan/Brot
– de cuco/Mauerpfeffer
pana/Cord
panaxosidas/Panaxoside
panclastita/Panclastit
páncreas/Pankreas
pancreastatina/Pankreastatin
pancreatina/Pankreatin
pandermita/Pandermit
paneles ligeros de lana de madera/Holzwolle-Leichtbauplatten

Español

pantalla térmica/Hitzeschild
pantenol/Panthenol
pantera amanita/Pantherpilz
pantolactona/Pantolacton
pantoprazola/Pantoprazol
pantotenato de calcio/Calcium-pantothenat
papaína/Papain
papas/Kartoffeln
papaverina/Papaverin
papaya/Papaya
papel/Papier
– carbón/Kohlepapier
– carbón o copiativo/Durchschreibepapier
– de lija/Sandpapier
– de lisa/Glaspapier
– de sales de plomo/Bleipapier
– de vidrio/Glaspapier
– endurecido/Hartpapier
– no clorado/Chlorfreies Papier
– para sacos/Sackpapier
– prensado/Preßspan
– sintético/Kunststoff-Papiere
– viejo/Altpapier
papeles aceitados/Ölpapiere
– pintados/Tapeten
– reactivos (indicadores)/Reagenzpapiere
papelote/Altpapier
par de Cooper/Cooper-Paar
– de electrones/Elektronenpaar
– de electrones libres/Einsame Elektronenpaare
para-/Para-
paracetamol/Paracetamol
paraciclofanos/Paracyclophane
paracor/Parachor
paracristales/Parakristalle
paradontosis/Parodontose
parafina/Paraffin
– sintética/Gatsch
parafinas/Paraffine
– cloradas/Chlorparaffine
paraflutizida/Paraflutizid
parafucsina/Parafuchsin
paragénesis/Paragenese
paragonita/Paragonit
paraldehído/Paraldehyd
parálisis agitante/Parkinsonsche Krankheit
paramagnetismo Van Vleck/Van-Vleck-Paramagnetismus
parametasona/Paramethason
parámetro/Parameter
– de impacto/Stoßparameter
– de ramificación/Verzweigungsparameter
– suma/Summenparameter
parámetros de copolimerización/Copolymerisationsparameter
paramiosina/Paramyosin
paramonas/Paramone
paramorfismo/Paramorphose
paraproteínas/Paraproteine
paraquat-dicloruro/Paraquat-dichlorid
pararrojo/Pararot
pararrosanilina/Pararosanilin
parasimpatolíticos/Parasympath(ik)olytika
parasimpatomiméticos/Parasympath(ik)omimetika
parásitos/Parasiten
paratión/Parathion
paration-metil/Parathion-methyl
paratirina/Parathyrin
paratiroides/Nebenschilddrüsen
parátropo/Paratrop
parazoantoxantinas/Parazoanthoxanthine
parche/Pflaster

pardo de Cassel/Kasseler Braun
parénquima/Parenchym
parenteral/Parenteral
paridad/Parität
parilenos/Parylene
parkinsonismo/Parkinsonismus
paromomicina/Paromomycin
parosfresia/Parosmie
parosmia/Parosmie
paroxetina/Paroxetin
paroxipropiona/Paroxypropion
parte alícuota/Aliquoter Teil
partenogénesis/Parthenogenese
partición/Verteilung
partículas/Teilchen
– alfa/Alpha-Teilchen
– de aerosol ultrafinas/Ultrafeine (Aerosol-)Teilchen
– elementales/Elementarteilchen
– sigma/Sigma-Teilchen
parvalbúminas/Parvalbumine
pasas de uvas/Rosinen
pasiniazida/Pasiniazid
pasividad/Passivität
paspalitremas/Paspalitreme
pasta/Pülpe od. Pulpe, Teig
– de almendras/Mandelkleie
– de madera/Holzschliff, Holzstoff
– de Noyer/Noyer-Paste
– mecánica de madera/Holzschliff
– para soldar/Lötpasten
– semiquímica/Halbzellstoff
pastas/Pasten
– abturantes/Dichtungsmassen
– alimenticias/Teigwaren
– limpiatipos/Typenreiniger
– para juntas/Dichtungsmassen
pasteurización/Pasteurisierung
– en frío/Kaltenkeimung
pastillas/Pastillen, Pellets
pastinaca/Pastinak
pataca/Topinambur
patatas/Kartoffeln
patatina/Patatin
patelamidas/Patellamide
patentado/Patentieren
patentar/Patentieren
patentes/Patente
pátina/Patina
patógeno/Pathogen
patrimonio/Bestand
patrón/Standard
patronita/Patronit
pattinsonado/Pattinson-Verfahren
patulina/Patulin
pavimento/Estrich, Pflaster
pavonado/Brünieren
PB-toxina/PB-Toxin
pebrera/Paprika
pebulato/Pebulat
peces/Fische
pechblenda/Uranpecherz
pecilocina/Pecilocin
pectinas/Pektine
pectolita/Pektolith
pederina/Pederin
pedernal/Feuerstein
pefloxacina/Pefloxacin
pegado/Kleben
– de metales/Metallkleben
– de plásticos/Kunststoffkleben
pegajosidad/Autohäsion
pegalotodos/Alleskleber
pegamentos acrílicos/Acrylat-Klebstoffe
– de cianacrilato/Cyanacrylat-Klebstoffe
– de dos componentes/Zweikomponentenklebstoffe
– de un componente/Einkomponentenklebstoffe
– para suelas/Sohlenkleber

– universales/Alleskleber
peganina/Peganin
pegaspargasa/Pegaspargase
pegmatitas/Pegmatite
pelagra/Pellagra
pelargonatos/Pelargonate
pelargonina/Pelargonin
peletería/Rauchwaren
peletierina/Pelletierin
película (film) vesicular/Vesikularfilm
películas/Filme
– de resina sintética/Kunstharzfilme
– Langmuir-Blodgett/Langmuir-Blodgett-Filme
peligroso para el medio ambiente/Umweltgefährlich
pelitas/Pelite
pellets/Pellets
pelo/Flor
– de animales/Tierhaare
– de cabra/Ziegenhaare
– de camello/Kamelhaar(wolle)
peloides/Peloide
peltre/Pewter
pemolina/Pemolin
peña/Felse
penama/Penam
penbutolol/Penbutolol
penciclovir/Penciclovir
pencicurón/Pencycuron
penconazol/Penconazol
pendimetalina/Pendimethalin
pendletonita/Pendletonit
péndola torsional/Torsionspendel
penema/Penem
penetración/Penetration
penflutizida/Penflutizid
pengitoxina/Pengitoxin
penicilamina/Penicillamin
penicilinas/Penicilline
penicilinasas/Penicillinasen
penitremos/Penitreme
pent(a)…/Pent(a)…
pentaborano(9)/Pentaboran(9)
pentaceno/Pentacen
pentaciclo…/Pentacyclo…
pentacloroetano/Pentachlorethan
pentaclorofenol/Pentachlorphenol
pentacos(a)…/Pentacos(a)…
pentadec(a)…/Pentadec(a)…
pentadecano/Pentadecan
15-pentadecanolida/15-Pentadecanolid
1,3-pentadieno/1,3-Pentadien
pentadina/Pentadin
pentaeritrita/Pentaerythrit
pentaeritritol/Pentaerythrit
pentaleneno/Pentalenen
pentalenolactonas/Pentalenolactone
1,2,3,4,5-pentametilciclopentadieno/1,2,3,4,5-Pentamethylcyclopentadien
pentametilen…/Pentamethylen…
pentamidina/Pentamidin
pentanal/Pentanal
1-pentanamina/1-Pentanamin
pentano/Pentane
1,5-pentanodiamina/1,5-Pentandiamin
pentanodioles/Pentandiole
2,4-pentanodionato…/2,4-Pentandionato…
pentanoles/Pentanole
pentanonas/Pentanone
pentazocina/Pentazocin
pentenoles/Pentenole
pentenos/Pentene
…pentetato/…pentetat
pentetato de calcio y trisodio/Calciumtrinatriumpentetat

pentetrazol/Pentetrazol
pentifilina/Pentifyllin
pentil…/Pentyl…
α-pentilcinamaldehído/α-Pentylzimtaldehyd
pentitoles/Pentite
pentlandita/Pentlandit
pentobarbital/Pentobarbital
pentorex/Pentorex
pentosanas/Pentosane
pentosanpolisulfato de sodio/Natriumpentosanpolysulfat
pentosas/Pentosen
pentostatina/Pentostatin
pentóxido de arsénico/Arsenpentoxid
pentoxifilina/Pentoxifyllin
pentoxiverina/Pentoxyverin
pentraxinas/Pentraxine
pentulosas/Pentulosen
peonía oficinal/Pfingstrose
pepinillos en vinagre/Saure Gurken
pepinos/Gurken
pepita/Kern
pepsina/Pepsine
pepsinógeno/Pepsinogen
pepstatina A/Pepstatin A
peptidasas/Peptidasen
péptido derivado del gene de la calcitonina/Calcitonin-Gen-zugehöriges Peptid
– desgranulador de los mastocitos/Mastzellen-degranulierendes Peptid
– King-Kong/King-Kong-Peptid
– YY/Peptid YY
péptidos/Peptide
– glucagono-similes/Glucagonartige Peptide
– miméticos/Peptidomimetika
– natriuréticos/Natriuretische Peptide
– señal/Signalpeptide
peptólidos/Peptolide
peptonas/Peptone
per…/Per…
perácidos/Persäuren
peramina/Peramin
peras/Birnen
perazina/Perazin
perborato de sodio/Natriumperborat
perboratos/Perborate
perbromato/Perbromate
percarbamida/Percarbamid
percarbonato de sodio/Natriumpercarbonat
perclorato de amonio/Ammoniumperchlorat
– de bario/Bariumperchlorat
– de litio/Lithiumperchlorat
– de magnesio/Magnesiumperchlorat
– de potasio/Kaliumperchlorat
– de sodio/Natriumperchlorat
percloratos/Perchlorate
perclor…/Perchlor…
percolación/Perkolation
percutáneo/Percutan
pérdida de masa/Massendefekt
– por calcinación/Glühverlust
perdigones/Schrot
perfenazina/Perphenazin
perfluoroalcoxipolímeros/Perfluoralkoxy-Polymere
perfluoroéteres de alto peso molecular/Perfluorpolyether
perforación/Perforation
perforar/Durchschlagen
perforinas/Perforine
perfumado/Parfümierung
perfumería/Parfümerie

perfumes/Parfüms
– acuosos/Wasserparfüms
perfusión/Perfusion
pergamino/Pergament
pergolida/Pergolid
perhexilina/Perhexilin
perhidro.../Perhydro...
perhidrotrifenileno/Perhydrotriphenylen
peri.../Peri...
pericarp(i)o/Perikarp
periciazina/Periciazin
periclasa/Periklas
peridinín/Peridinin
peridotitas/Peridotite
peridoto/Peridot
periferina/Peripherin
perifollo/Kerbel
perileno/Perylen
perillacetona/Perillaketon
perimórfosis/Perimorphose
perindopril/Perindopril
periodatos/Periodate
– de sodio/Natriumperiodate
periodicidad circanual/Circannuale Periodik
periódicos/Zeitschriften
período de carencia/Karenzzeit
– de espera/Karenzzeit
– de latencia/Latenzzeit
– de semidesintegración/Halbwertszeit
– de vida media/Halbwertszeit
– letal medio/LC_{50}
periplanonas/Periplanone
peristilanos/Peristylane
peritéctico/Peritektikum
perito/Sachverständige Personen
– del medio ambiente/Umweltgutachter
perlas/Perlen
– de sales/Salzperlen
perlita/Perlit
perlitas/Perlite
perlolina/Perlolin
permanganato de potasio/Kaliumpermanganat
permanganatos/Permanganate
permeabilidad/Permeabilität
permeasas/Permeasen
permetrina/Permethrin
permitividad/Permittivität
perowskita/Perowskit
peroxi.../Peroxy...
peroxicarbonatos/Peroxocarbonate
peroxicetales/Peroxyketale
peroxidasas/Peroxidasen
peróxido de bario/Bariumperoxid
– de benzoílo/Benzoylperoxid
– de 2-butanona/2-Butanon-peroxid
– de calcio/Calciumperoxid
– de ciclohexanona/Cyclohexanonperoxid
– de di-*terc*-butilo/Di-*tert*.-butylperoxid
– de dicumilo/Dicumylperoxid
– de hidrógeno/Wasserstoffperoxid
– de lauroílo/Lauroylperoxid
– de magnesio/Magnesiumperoxid
– de metilpentanona/Methylpentanonperoxid
– de sodio/Natriumperoxid
peróxidos/Peroxide
– de diacilo/Diacylperoxide
peroxilactonas/Peroxylactone
peroxisomas/Peroxisomen
peroxo.../Peroxo...
peroxoboratos/Peroxoborate
peroxocromatos/Peroxochromate

peroxodisulfato de potasio/Kaliumperoxodisulfat
– de sodio/Natriumperoxodisulfat
peroxofosfatos/Peroxophosphate
peroxomonosulfatos/Peroxomonosulfate
peroxonitratos orgánicos/Peroxonitrat-Ester
peroxosales/Persalze
perrenato de potasio/Kaliumperrhenat
perrenatos/Perrhenate
persales/Persalze
persipán/Persipan
persistencia/Persistenz
persona competente/Sachkundige Personen
– cualificada/Sachkundige Personen
personal especializado de seguridad/Sicherheitsfachkraft
persulfato de amonio/Ammoniumpersulfat
pertotrofia/Perthotrophie
pervaporación/Pervaporation
pervskita/Perowskit
peryodato de potasio/Kaliumperiodat
peryodatos/Periodate
– de sodio/Natriumperiodate
pesada/Wägen
pesafiltros plano/Plan-Wägeglas
pescado curado con azúcar/Anchosen
pescados/Fische
peso atómico/Atomgewicht
– equivalente/Äquivalentgewicht
– específico/Wichte
– farmacéutico/Apothekergewicht
– promedio del peso molecular/Massenmittel
pestalotín/Pestalotin
peste del estaño/Pest
pesticidas/Pestizide, Schädlingsbekämpfungsmittel
peta.../Peta...
petalita/Petalit
petardos/Knallkörper
petasina/Petasin
petidina/Pethidin
petr(o).../Petr(o)...
petrografía/Petrographie
petróleo/Erdöl
– lampante/Leuchtpetroleum
petro(leo)química/Petrochemie
petroproteínas/Petroproteine
petrosina/Petrosin
petzita/Petzit
peyote/Peyotl
pez/Pech, Pix
– aislante para cables/Kabelvergußmassen
– (brea) de talol/Sulfatpech
– de resina/Harzpech
– de zapateros/Schusterpech
pH/pH
Ph/Bn
phillippsita/Phillipsit
piceína/Picein
piceno/Picen
piclaje/Pickeln
picloram/Picloram
picnómetros/Pyknometer
pico/Peak
pico.../Piko...
picolinas/Picoline
picolsulfato de sodio/Natriumpicosulfat
picotamida/Picotamid
picr.../Pikr...
picratol/Picratol
picratos/Pikrate
picril.../Pikryl...

picritas/Pikrite
picromerita/Schönit
picromicina/Picromycin
picrotoxina/Picrotoxin
pie/Trub
piedra de la luna/Mondstein
– de Portland/Portlandstein
– de toque/Probierstein
– filosofal/Stein der Weisen
– molida/Gesteinsmehl
– pómez/Bimsstein, Bimssand, Bimskies
– pómez siderúrgica de escoria/Hüttenbims
piedras de encendedor/Zündsteine
– de suavizar/Abziehsteine
– fétidas/Stinksteine
– fundidas/Schmelzsteine
– ligeras de construcción/Leichtbausteine
– naturales/Natursteine
– preciosas y finas/Edelsteine u. Schmucksteine
piel/Haut
– de gamuza/Sämischleder
– del embutido/Wursthüllen
pieles/Pelze, Rauchwaren
pieza preformada/Formteile
piezo.../Piezo...
piezocromismo/Piezochromie
piezoelectricidad/Piezoelektrizität
pigeonita/Pigeonit
pigmentación/Pigmentierung
– de las hojas/Laubfärbung
pigmento amarillo 13/Vulkanechtgelb
– de benzimidazolón/Benzimidazolon-Pigmente
– de bronce/Bronzepigmente
pigmentos/Pigmente
– biliares/Gallenfarbstoffe
– blancos/Weißpigmente
– brillantes/Glanzpigmente
– cerámicos/Keramische Pigmente
– de brillo perlino/Perlglanzpigmente
– de cadmio/Cadmium-Pigmente
– de cromo/Chrom-Pigmente
– de Dermocybe/Dermocyben-Farbstoffe
– de efecto metálico/Metalleffekt-Pigmente
– de hierro/Eisen-Pigmente
– de interferencia/Interferenzpigmente
– de isoindolinón (isoindolina)/Isoindolinon-/Isoindolin-Pigmente
– de las flores/Blütenfarbstoffe
– de níquel/Nickel-Pigmente
– de óxido de hierro/Eisenoxid-Pigmente
– de perileno/Perylen-Pigmente
– fecales/Fäkalpigmente
– luminiscentes/Leuchtpigmente
– minerales/Mineralfarben
– nacarados/Perlglanzpigmente
– para cemento/Zementfarben
– permanentes/Permanent-Pigmente
– pirrólicos/Pyrrol-Farbstoffe
– plúmbicos/Blei-Pigmente
– policíclicos/Polycyclische Pigmente
– rosados/Pinkfarben
pila de concentración/Konzentrationszelle
– de gas fulminante/Knallgaselement
– de gas oxhídrico/Knallgaselement

– de Helmholtz/Helmholtzsche Doppelzelle
– de óxido-aire/Zink-Luft-Batterie
pilas de combustibles/Brennstoffzellen
– galvánicas/Galvanische Elemente
– locales/Lokalelemente
– secas (de bolsillo)/Taschenbatterien
píldoras/Pillen
pilina/Piline
pilling/Pilling
pilocarpina/Pilocarpin
pimentón/Paprika
pimetrozina/Pymetrozin
pimienta/Pfeffer
– de Jamaica/Piment
pimiento/Paprika
pimobendán/Pimobendan
pimozida/Pimozid
pimpinela/Pimpinelle
pimpinelina/Pimpinellin
piña americana/Ananas
pinacol/Pinakol
pinacoles/Pinakole
pinacolona/Pinakolon
pinano/Pinan
pindolol/Pindolol
pindona/Pindon
pinenos/Pinene
pin(o).../Pin(o)...
pinocitosis/Pinocytose
pinosilvina/Pinosylvin
pintura/Anstrich
– a la encáustica/Enkaustik
– de caseína/Casein-Anstrich
– de polvo de cinc/Zinkstaubfarben
– metalizada/Metallic-Lacke
– para fachadas/Fassadenfarbe
pinturas/Anstrichstoffe
– a la cal/Kalkfarbe
– al aceite/Ölfarben
– al fresco/Fresko
– al temple/Leimfarben
– antivegetativas/Antifoulingfarben
– cubrientes/Deckfarben
– de dispersión/Dispersionsfarben
– de impregnación/Grundierfilme
– de vidrio soluble/Wasserglasfarben
– para barcos/Schiffsanstriche
– para marcar carreteras/Straßenmarkierungsfarben
– preparadas con cola/Leimfarben
pinzas aprietatubos/Quetschhähne
– de horquilla/Gabelklemmen
– ópticas/Optische Pinzette
piocianina/Pyocyanin
pioverdinas/Pyoverdine
pipamperona/Pipamperon
pipazetato/Pipazetat
pipe.../Pipe...
pipeline/Pipeline
piperacilina/Piperacillin
piperazina/Piperazin
2,5-piperazindiona/2,5-Piperazindion
piperidil.../Piperidyl...
piperidina/Piperidin
piperidino.../Piperidino...
2-piperidona/2-Piperidon
piperina/Piperin
piperindionas/Piperidindione
piperofos/Piperophos
piperonal/Piperonal
piperonil.../Piperonyl...
pipeta de pistón (aspirante)/Kolbenhubpipette
pipetas/Pipetten

Español

pipoxolán/Pipoxolan
pipradrol/Pipradrol
piprinhidrinato/Piprinhydrinat
piprozolina/Piprozolin
piracetam/Piracetam
piraclofos/Pyraclofos
piranina/Pyranin
piranos/Pyrane
piranosas/Pyranosen
pirantel/Pyrantel
pirargirita/Pyrargyrit
pirazina/Pyrazin
pirazinamida/Pyrazinamid
pirazinobutazona/Pyrazinobutazon
pirazofos/Pyrazophos
1H-pirazol/1H-Pyrazol
pirazoles/Pyrazole
pirazolidindiona/3,5-Pyrazolidindion
pirazolinas/Pyrazoline
pirazolonas/Pyrazolone
3,5-pirazosulfurón-etilo/Pyrazosulfuron-ethyl
pirbuterol/Pirbuterol
pireno/Pyren
pirenoxina/Pirenoxin
pirenzepina/Pirenzepin
piretanida/Piretanid
piretro/Pyrethrum
piretroides/Pyrethroide
piribedil/Piribedil
piributicarb/Pyributicarb
piridabeno/Pyridaben
piridafentión/Pyridafenthion
piridato/Pyridat
piridazinonas/Pyridazinone
piridil.../Pyridyl...
1-(2-piridilazo)-2-naftol/1-(2-Pyridylazo)-2-naphthol
4-(2-piridilazo)-resorcinol/4-(2-Pyridylazo)resorcin
piridilmetanoles/Pyridylmethanole
piridina/Pyridin
piridincarbaldehídos/Pyridincarbaldehyde
piridincarbaldoximas/Pyridincarbaldoxime
piridinoles/Pyridinole
piridosina/Pyridosin
piridoxal/Pyridoxal
– -5'-fosfato/Pyridoxal-5'-phosphat
piridoxamina/Pyridoxamin
piridoxilato/Piridoxilat
piridoxina/Pyridoxin
pirifenox/Pyrifenox
pirimetamina/Pyrimethamin
pirimetanil/Pyrimethanil
pirimicarb/Pirimicarb
pirimidina/Pyrimidin
pirimifos-etil/Pirimiphos-ethyl
– -metil/Pirimiphos-methyl
piriproxifén/Pyriproxyfen
pirita/Pyrit
piritas/Kiese
– de cobalto/Kobaltnickelkiese
piritinol/Pyritinol
piritiobac/Pyrithiobac
piritiona/Pyrithion
piritramida/Piritramid
piro.../Pyr(o)...
pirobetúm/Pyrobitumen
pirocarbón/Pyrokohlenstoff
pirocatecol/Brenzcatechin
pirocloro/Pyrochlor
piroelectricidad/Pyroelektrizität
pirofanita/Pyrophanit
pirofilita/Pyrophyllit
pirofitas/Pyrophyten
piróforos/Pyrophore

pirofosfato de hidrógeno trisódico/Trinatriumhydrogendiphosphat
pirogalol/Pyrogallol
pirógenos/Pyrogene
pirólisis/Brenzen, Pyrolyse
– de ésteres/Ester-Pyrolyse
– electrónica/Elektronenbrenzen
– flash/Blitzpyrolyse
pirolusita/Pyrolusit
pirometalurgia/Pyrometallurgie
pirometría/Pyrometrie
piromorfita/Pyromorphit
pironas/Pyrone
pironinas/Pyronine
piropisita/Pyropissit
piropo/Pyrop
piroquilona/Pyroquilon
pirosis/Sodbrennen
pirosoles/Pyrosole
pirotécnica/Pyrotechnik
piroxenoides/Pyroxenoide
piroxenos/Pyroxene
piroxicam/Piroxicam
pirprofeno/Pirprofen
pirrobutamina/Pyrrobutamin
pirrol/Pyrrol
pirrolamas/Pyrrolame
pirrolidina/Pyrrolidin
pirrolidinil.../Pyrrolidinyl...
pirrolidino.../Pyrrolidino...
2-pirrolidona/2-Pyrrolidon
pirrolinas/Pyrroline
pirrolizidina/Pyrrolizidin
pirrolnitrina/Pyrrolnitrin
pirroloquinolquinona/Pyrrolochinolinchinon
pirróm/Pyrron
pirrotita/Pyrrhotin
piruvato-carboxilasa/Pyruvat-Carboxylase
– -cinasa/Pyruvat-Kinase
– -descarboxilasa/Pyruvat-Decarboxylase
– -deshidrogenasa/Pyruvat-Dehydrogenase
– -quinasa/Pyruvat-Kinase
piruvatos/Pyruvate
piruvoil.../Pyruvoyl...
pisatina/Pisatin
pistachos/Pistazien
pistilarina/Pistillarin
pitofenona/Pitofenon
pituitaria/Hypophyse
pivalatos/Pivalate
pivaloil.../Pivaloyl...
pivampicilina/Pivampicillin
pivmecilinam/Pivmecillinam
pizarra/Schiefertafeln, Tonschiefer
– silícea/Kieselschiefer
pizeína/Picein
pizotifeno/Pizotifen
placa/Plaque
placas de fibra de madera/Holzfaserplatten
– de fibras prensadas/Hartfaserplatten
– de virutas de madera/Holzspanplatten
placebo/Placebo
placenta/Placenta
placeres/Seifen
placoglobina/Plakoglobin
plaguicidas/Schädlingsbekämpfungsmittel
plakorina/Plakorin
plan contra la contaminación atmosférica/Luftreinhalteplan
– de mantenimiento de la pureza del aire/Luftreinhalteplan
plancton/Plankton
planetas/Planeten

planetoides/Planetoide
planímetro/Planimeter
plano/Planar
– de cizallamiento/Scherebenen
– reticular/Netzebene
planta experimental (piloto)/Technikum
– o factoría siderúrgica/Hüttenwerk
– piloto/Pilot Plant
plantareno/Plantaren®
plantas/Pflanzen
– acuáticas/Hydrophyten
– calcícolas/Kalkpflanzen
– CAM/CAM-Pflanzen
– carnívoras/Carnivore Pflanzen
– de C_3/C_3-Pflanzen
– de C_4/C_4-Pflanzen
– de calaminz/Galmei-Pflanzen
– heliófilas/Heliophyten
– indicadoras/Indikatorpflanzen
– medicinales/Heilpflanzen
– oleaginosas/Ölpflanzen
– ruderales/Ruderalpflanzen
– serpentinas/Serpentin-Pflanzen
– textiles/Faserpflanzen
plantillas para fórmulas/Formelschablonen
plaqué/Doublé
plaqueado/Plattieren, Plattierung
plaqueteado por explosión/Explosionsplattierung
plasma/Plasma
plásmidos/Plasmide
– degradantes/Degradative Plasmide
– R/R-Plasmide
– restrictivos/Stringente Plasmide
– Ti/Ti-Plasmide
plasmina/Plasmin
plasminógeno/Plasminogen
plasmodesmas/Plasmodesmen
plasmón/Plasmon
plasticidad/Plastizität
plástico funcional/Funktionskunststoffe
– reforzado con fibra de vidrio/Glasfaserverstärkte Kunststoffe
plásticos/Kunststoffe
– autoreforzantes/Selbstverstärkende Kunststoffe
– celulares/Schaumkunststoffe
– celulares con película integral/Integralschaumstoffe
– celulares semirrígidos/Halbharte Schaumstoffe
– de alta eficacia/Hochleistungskunststoffe
– de caseína/Casein-Kunststoffe
– de fabricación en masa/Massenkunststoffe
– espumosos rígidos/Hartschaumstoffe
– ópticos/Optisch anwendbare Kunststoffe
– para la aplicación en óptica/Optisch anwendbare Kunststoffe
– reforzados/Verstärkte Kunststoffe
– resistentes a las temperaturas elevadas/Hochtemperaturbeständige Kunststoffe
– técnicos/Technische Kunststoffe
– termoestables/Duroplaste
– totalmente sintéticos/Vollsynthetische Kunststoffe
plastidios/Plastiden
plastificación/Plastifizieren
plastificante para hormigón/Fließmittel
plastificantes/Weichmacher

– del hormigón/Betonverflüssiger
– epoxi/Epoxid-Weichmacher
– epoxídicos/Epoxid-Weichmacher
– poliméricos/Polymerweichmacher
plastilina/Plastilin
plastisoles/Plastisole
plastocianina/Plastocyanin
plastómeros/Plastomere
plastopónica/Plastoponik
plastoquinona/Plastochinon
plata/Silber
– alemana/Neusilber, Nickelmessing
– brillante/Glanzsilber
– nueva/Neusilber, Nickelmessing
– sterling/Sterlingsilber
plataforma elevadora/Hebebühne
plátanos/Bananen
plateado/Versilbern
platillo de túnel/Tunnelböden
platina calefactora de Kofler/Koflersche Heizbank
platinado galvánico de cobre/Cuprodekapierung
platino/Platin
plato/Boden
plaunotol/Plaunotol
plectina/Plectin
plegamiento/Faltung
pleiadieno/Pleiadien
pleiotrofina/Pleiotrophin
pleocroísmo/Pleochroismus
pleonasto/Pleonast
pleuromutilina/Pleuromutilin
pleurotelol/Pleurotellol
pleurotina/Pleurotin
pleustal/Pleustal
pleuston/Pleuston
plicamicina/Plicamycin
plisado/Plissee
plomo/Blei
– de perdigones/Hartschrot
– de uranio/Uranblei
– duro/Hartblei
– negro/Reißblei
– tetrametilo/Bleitetramethyl
plumas/Federn
plumbago/Plumbago
plumbano/Plumban
plumbatos/Plumbate
plumbil.../Plumbyl...
pluming/Pluming
plurocol/Plurocol
plutonio/Plutonium
pneumoconiosas/Pneumokoniosen
[p]nicógenos/Pnicogene
[p]nícticos/Pnictide
población/Population
– equivalente/Einwohnergleichwert
pobre en sodio/Natriumarm
– en substancias nocivas/Schadstoffarm
podandos/Podanden
podatos/Podate
poder absorbente de los colorantes/Ziehvermögen
– calorífico inferior/Heizwert
– calorífico neto/Heizwert
– calorífico superior/Brennwert
– cubriente/Deckvermögen
podofilotoxina/Podophyllotoxin
podsol/Podsol, Podzol
poiquilotermo/Poikilotherm
poise/Poise
polacrilina/Polacrilin
polar/Polar
polaridad/Polarität

polarizabilidad/Polarisierbarkeit
polarización/Polarisation
polarizadores/Polarisatoren
polarografía/Polarographie
polarón/Polaron
polen/Pollen
poli…/Poly…
poli…/Poly…
poliacenos/Polyacene
poliacetaldehído/Polyacetaldehyde
poliacetales/Polyacetale
poli(acetales de vinilo)/Polyvinylacetale
poliacetilenos/Polyacetylene
poliacetonas/Polyaceton
poli(ácido α-hidroxiacrílico)s/Poly(α-hydroxyacrylsäure)n
poliácidos amídicos/Polyamidcarbonsäuren
poliacrilamidas/Polyacrylamide
poliacrilatos/Polyacrylate
poliacrilimidas/Polyacrylimide
poliacrilonitrilo/Polyacrylnitrile
poliacroleínas/Polyacroleine
poliadición/Polyadditionen
polialaninas/Poly(β-alanin)e
poli(α-alaninas)/Poly(α-alanin)e
poliallómeros/Polyallomere
polialquenámeros/Polyalkenamere
polialquencarbonatos/Polyalkencarbonate
polialquenos/Polyalkene
polialquenilfenilenos/Polyalkylenphenylene
polialquilenglicoles/Polyalkylenglykole
polialquinos/Polyalkine
poliamidaimidas/Polyamidimide
poliamidas/Polyamide
poliamidhidracidas/Polyamidhydrazide
poliaminas/Polyamine
poliaminoácidos/Polyaminosäuren
poliaminoamidas/Polyaminoamide
poliaminobismaleimidas/Polyaminobismaleinimide
poliaminotriazoles/Polyaminotriazole
polianfolitos/Polyampholyte
polianhídridos/Polyanhydride
polianilinas/Polyaniline
poliaramidas/Polyaramide
poliarilamidas/Polyarylamide
poliarilatos/Polyarylate
poliarilenos/Polyarylene
poliarmetilenos/Polyarmethylene
poliazadioxidos/Polyazadioxide
poliazaetenilenos/Polyazaethenylene
poliazinas/Polyazine
poliaziridinas/Polyaziridine
poliazobencenos/Polyazobenzole
poliazoles/Polyazole
poliazometinos/Polyazomethine
polibasita/Polybasit
poli(γ-bencil-α-L-glutamatos)/Polybenzylglutamate
polibencimidazoles/Polybenzimidazole
polibenzamidas/Polybenzamide
polibenzimidas/Polybenzimid
polibenzimidazolonas/Polybenzimidazolone
polibenzopirazinas/Polychinoxaline
polibenzotiazoles/Polybenz(o)thiazole

polibenzoxazoles/Polybenzoxazole
polibiciclobutanos/Polybicyclobutane
poli[3,3-bis(clorometil)oxaciclobutanos)/Poly[3,3-bis(chlormethyl)oxacyclobutan]e
polibromodifenilos/PBDE
polibutadienos/Polybutadiene
poli(1-buten-alt-dióxido de azufre)/Poly(1-buten-alt-schwefeldioxid)
polibutenos/Polybutene
poli(ε-caprolactama)/Poly(ε-caprolactam)
poli(ε-caprolactonas)/Poly(ε-caprolacton)e
policarbazanos/Polycarbazane
policarbazenos/Polycarbazene
policarbazoles/Polycarbazole
policarbenos/Polycarbene
policarbodiimidas/Polycarbodiimide
policarbonatos/Polycarbonate
policarbónfluoruro/Polycarbonfluorid
policarboran siloxanos/Polycarboransiloxane
poli(carbosilanos)/Polycarbosilane
policarboxilatos/Polycarboxylate
policetales/Polyketale
policétidos/Polyketide
policetonas/Polyketone
policicloalquenos/Polycycloalkene
policicloalquinos/Polycycloalkine
policiclobutenos/Polycyclobutene
policicloenos/Polycyclocene
poli(1,4-ciclohexilenmetilen-tereftalatos)/Poly(1,4-cyclohexandimethylenterephthalat)e
poli(1,3-ciclopentadienos)/Polycyclopentadiene
… policlorados/Polychlor(ierte)…
policloral/Polychloral
policlorometilestirenos/Polychlormethylstyrole
policloroprenos/Polychloroprene
policlorotrifluoroetilenos/Polychlortrifluorethylene
policloruros de bifenilo/PCB
policondensación/Polykondensation
policondensación AA/BB/AA/BB-Polykondensation
policondensación en fase sólida/Festphasenpolykondensation
policondensación interfacial/Grenzflächenpolykondensation
policresuleno/Polycresulen
policromía/Mehrfarbendruck
polidextrosa/Polydextrose®
polidiacetilenos/Polydiacetylene
polidialilftalatos/Polydiallylphthalate
polidienos/Polydiene
poli(2,3-dimetilbutadieno)/Poly(2,3-dimethylbutadien)
polidioxanonas/Polydioxanone
polidiversidad/Polydiversität
poli(diviniléter-co-anhídrido maleico)/Poly(divinylether-co-maleinsäureanhydrid)
polidocanol/Polidocanol
polielectrolitos/Polyelektrolyte
polieliminación/Polyelimination
poliénos/Polyene
poliepiclorhidrinas/Polyepichlorhydrine
poliepóxidos/Polyepoxide
poliestannanos/Polystannane

poliester-co-carbonatos/Poly(ester-co-carbonat)e
poli(éster de ácido β-malónico)/Poly(β-malonsäureester)
poliésteres/Polyester
poliésteres 2-cianoacrílicos/Poly(2-cyanoacrylsäureester)
poliésteres insaturados/Ungesättigte Polyester
poliesterimidas/Polyesterimide
poliestireno/Polystyrol
poliestireno de alto impacto/HIPS
– espumable (expandible)/Schäumbares Polystyrol
poliestirilpiridinas/Polystyrylpyridine
poliéter-pololioles/Polyether-Polyole
poliéteraminas/Polyetheramine
poliétercetonas/Polyetherketone
poliéteres/Polyether
poliéterimidas/Polyetherimide
poliétersulfonas/Polyethersulfone
poliétersulfuros/Polyethersulfide
polietilenglicoles/Polyethylenglykole
polietileniminas/Polyethylenimine
poli(etileno-alt-chlorotrifluoroetileno)/Poly(ethylen-alt-chlortrifluorethylen)
polietileno clorado/Chloriertes Polyethylen
polietileno clorosulfonado/Chlorsulfoniertes Polyethylen
poli(etileno-co-acido acrilico)/Poly(ethylen-co-acrylsäure)n
poli(etileno-co-vinilcarbazol)/Poly(ethylen-co-vinylcarbazol)
polietileno de alta densidad/HDPE
polietilenos/Polyethylene
polietilidenos/Polyethylidene
poli(p-fenilenacetilenos)/Poly(p-phenylenacetylen)e
poli(p-fenilenbenzoxazoles)/Poly(p-phenylenbenzoxazol)e
poli(p-fenilenbenztiazoles)/Poly(p-phenylenbenzthiazol)e
polifenilenos/Polyphenylene
polifenilenquinoxalinas/Polyphenylenchinoxaline
polifenilenvinilenos/Polyphenylenvinylene
polifenilfenilenos/Polyphenylphenylene
polifenilsilsesquioxanos/Polyphenylsesquisiloxan
polifenoles/Polyphenole
poli(1,1'-ferrocenileno alquenos)/Poly(1,1'-ferrocen-alkylen)e
poli(1,1'-ferrocenileno arilenos)/Poly(1,1'-ferrocen-arylen)e
poli(1,1'-ferrocenileno vinilenos)/Poly(1,1'-ferrocen-vinylen)e
poli(1,1'-ferrocenilenos)/Poly(1,1'-ferrocen)e
poli(1,1'-ferroceno alquenos)/Poly(1,1'-ferrocen-alkylen)e
poli(1,1'-ferroceno arilenos)/Poly(1,1'-ferrocen-arylen)e
poli(1,1'-ferroceno fosfanos)/Poly(1,1'-ferrocen-phosphan)e
poli(1,1'-ferroceno silanos)/Poly(1,1'-ferrocen-silan)e
poli(1,1'-ferroceno sulfuros)/Poly(1,1'-ferrocen-sulfid)e
poli(1,1'-ferrocenos)/Poly(1,1'-ferrocen)e
poli(1,1'-ferroceno vinilenos)/Poly(1,1'-ferrocen-vinylen)e
polifluoroalcoxifosfazenos/Polyfluoralkoxyphosphazene

polifluorosiliconas/Polyfluorsilicone
poli(fluoruros de vinilo)/Polyvinylfluorid
poliformaldezina/Polyformaldezin
polifosfacenos/Polyphosphazene
polifosfatos/Polyphosphate
polifosfinas/Polyphosphine
polifosfitos/Polyphosphite
polifosfonatos/Polyphosphonate
polifosforamidas/Polyphosphoramide
polifructosas/Polyfructosen
poli(ftalocianinato)siloxanos/Poly(phthalocyaninato)siloxane
poligalactomananos/Polygalactomannane
poligalactosas/Polygalactosen
poligermanos/Polygermane
poliglicina/Polyglycin
poliglicólidos/Polyglykolsäuren
poliglucosas/Polyglucosen
poliglutaratos/Polyglutarat
polihalita/Polyhalit
polihidantoínas/Polyhydantoine
polihidrazidas/Polyhydrazide
polihidroxialcanoatos/Poly(β-hydroxyfettsäure)n
poli(2-hidroxietilmetaacrilato)/Poly(2-hydroxyethylmethacrylat)
polihidroximetileno/Polyhydroxymethylen
poliimidas/Polyimide
poliimidazoles/Polyimidazole
poliimidazopirrolona/Polyimidazopyrrolone
poliinos/Polyine
poliisobutenos/Polyisobutene
poliisocianatos/Polyisocyanate
poli(isocianatos de vinilo)/Polyvinylisocyanate
poliisocianuratos/Polyisocyanurate
poliisocianuros/Polyisocyanide
poliisoprenos/Polyisoprene
polilinker/Polylinker
polimerasa Taq/Taq-Polymerase
polimerasas/Polymerasen
polimerización/Polymerisation
– alfínica/Alfin-Polymerisation
– aniónica/Anionische Polymerisation
– cabeza-cola/Kopf/Schwanz-Polymerisation
– catiónica/Kationische Polymerisation
– cuasiviva/Quasilebende Polymerisationen
– de adición/Additionspolymerisation
– de cadema condensativa/Polyelimination
– de coordinación/Koordinationspolymerisation
– de crecimiento gradual/Stufenwachstums-Polymerisation
– de cuatro centros/Vierzentrenpolymerisation
– de Diels-Alder/Diels-Alder-Polymerisationen
– de equilibrio/G leichgewichts-Polymerisation
– de germinación/ Saatpolymerisation
– de inclusión/Einschlußpolymerisation
– de inserción/Koordinationspolymerisation, Polyinsertion
– de isomerización/Isomerisationspolymerisation

Español

- de monocapa/Monoschichten-Polymerisation
- de transferencia de grupo/Gruppentransferpolymerisation
- de Ziegler-Natta/Ziegler-Natta-Polymerisation
- dead-end/Dead-end-Polymerisation
- Death charge/Death charge-Polymerisation
- electroquímica/Elektrochemische Polymerisation
- en bloque/Blockpolymerisation
- en capas ultradelgadas/Polymerisation in ultradünnen Schichten
- en clatratos/Einschlußpolymerisation
- en dispersión (no acuosa)/Dispersionspolymerisation
- en emulsión/Emulsionspolymerisation
- en emulsión invertida/Inverse Emulsionspolymerisation
- en estado sólido/Festphasenpolymerisation
- en fase gaseosa/Gasphasenpolymerisation
- en heterocadena/Heterokettenpolymerisation
- en masa/Massepolymerisation
- en microemulsión/Mikroemulsionspolymerisation
- en plasma/Plasmapolymerisation
- en solución/Lösungspolymerisation
- en suspensión/Suspensionspolymerisation
- hidrolítica/Hydrolytische Polymerisation
- in situ/In situ-Polymerisation
- inifer/Inifer-Polymerisation
- iónica/Ionische Polymerisation
- matricial/Matrix-Polymerisation
- matriz/Matrizenpolymerisation
- metatética/Metathesepolymerisation
- oxidante/Oxidative Polymerisation
- por apertura de anillo/Ringöffnungspolymerisation
- por precipitación/Fällungspolymerisation
- radicalaria (por radicales)/Radikalische Polymerisation
- secuenciada en masa/Substanzpolymerisation
- topoquímica/Topochemische Polymerisation
- transanular/Transannulare Polymerisation
- zwitteriónica/Zwitterionische Polymerisation

polimerizaciones/Polyreaktionen
- autoiniciadas/Selbstinitiierende Polymerisationen
- iniciadas térmicamente/Selbstinitiierende Polymerisationen
- pseudoaniónicas/Pseudoanionische Polymerisationen
- pseudocatiónicas/Pseudokationische Polymerisationen

polimerizados/Polymerisate
- secuenciados en masa/Massepolymerisate

polímero de red/Gitterpolymere
polímeros/Polymere, Polymerisate
- a medida/Modell-Polymere
- atácticos/Ataktische Polymere
- biodegradables/Biologisch abbaubare Polymere
- carbosilanos/Carbosilan-Polymere
- complejantes/Komplexbildende Polymere
- complejos/Komplexpolymere
- con memoria/Memory-Polymere
- conductores metálicos/Metallisch leitfähige Polymere
- de acetato de vinilo/Vinylacetat-Polymere
- de barrera/Barrierekunststoffe
- de cadena rígida/Kettensteife Polymere
- de carbonato de dialil-diglicol/Polydiallyldiglykolcarbonate
- de cetonas/Keton-Polymere
- de coordinación/Koordinationspolymere
- de coordinación con la base de Schiff/Schiffsche-Base-Koordinationspolymere
- de coordinación con rutenio (II)/Ruthenium(II)-Koordinationspolymere
- de cristales líquidos/Flüssigkristalline Polymere
- de ésteres vinílicos/Vinylester-Polymere
- de ftalocianina/Phthalocyanin-Polymere
- de iluros/Ylid-Polymere
- de nitruro de boro/Polybornitride
- de olefinas y monóxido de carbono/Olefin-Carbonmonoxid-Polymere
- de oxetano/Oxetan-Polymere
- de triazina/Triazin-Polymere
- de urea/Harnstoff-Polymere
- de vinilamina/Vinylamin-Polymere
- de vinilpiridina/Vinylpyridin-Polymere
- del ácido vinilfosfónico/Vinylphosphonsäure-Polymere
- dendríticos/Dendritische Polymere
- electroconductores/Elektrisch leitfähige Polymere
- en bloques/Blockpolymere
- en escalera/Leiterpolymere
- en estrella/Sternpolymere
- en multibloque/Multiblock-Polymere
- en peine/Kammpolymere
- en segmentos/Segmentpolymere
- fluorados/Fluor-Polymere
- fotoconductores/Photoleitfähige Polymere
- fotorreactivos/Photopolymere
- hidrosolubles/Wasserlösliche Polymere
- homólogos/Polymerhomologe (Reihen)
- inorgánicos/Anorganische Polymere
- iónicos/Ionische Polymere
- irregulares/Unregelmäßige Polymere
- isotácticos/Isotaktische Polymere
- laminares/Flächenpolymere
- líquidos cristalinos/Flüssigkristalline Polymere
- macrocíclicos/Makrocyclische Polymere
- magnéticos/Magnetische Polymere
- microcristalinos/Mikrokristalline Polymere
- monodispersos/Monodisperse Polymere
- muertos/Tote Polymere
- naturales/Natürliche Polymere
- ópticamente activos/Optisch aktive Polymere
- organometálicos/Metall-organische Polymere
- orientados/Orientierte Polymere
- para la óptica no lineal/NLO-Polymere
- piezoeléctricos/Piezoelektrische Polymere
- polidispersos/Polydisperse Polymere
- pop-corn (celulares)/Popcorn-Polymere
- que contienen boro/Bor-Polymere
- que contienen fósforo/Phosphor-haltige Polymere
- ramificados/Baumpolymere
- reactivos/Reaktive Polymere
- redox/Redoxpolymere
- regulares/Reguläre Polymere
- sindiotácticos/Syndiotaktische Polymere
- telechélicos/Telechel(isch)e Polymere
- termotropos/Thermotrope Polymere
- topológicos/Topologische Polymere
- vinílicos/Vinylpolymere
- vítreos/Kunstgläser
- vivos/Lebende Polymere
- y plásticos para aplicaciones médicas/Medizinische Kunststoffe

polimetacrilamidas/Polymethacrylamide
polimetacrilatos/Polymethacrylate
- de metilo/Polymethylmethacrylat

polimetacrilmetilimida/Polymethacrylmethylimide
polimetalainas/Polymetallaine
polimetalocenos/Polymetallocene
poli(4-metil-1-penteno)/Poly(4-methyl-1-penten)
polimetilenos/Polymethylene
poli(α-metilestirol)/Poly(α-methylstyrol)
polimixinas/Polymyxine
polimolecularidad/Polymolekularität
polimorfismo/Polymorphie, Polymorphismus
polinación/Blüteneinbruch
polinomio/Polynom
polinorbornenos/Polynorbornen
polinucleótidos/Polynucleotide
polioctenámeros/Polyoctenamere
poliolefinas/Polyolefine
polioles/Polyole
poliomielitis/Poliomyelitis
poliorganofosfazenos/Polyorganophosphazene
poliosas/Polyosen
polioxadiazoles/Polyoxadiazole
polioxamidas/Polyoxamide
polioxazolidona/Polyoxazolidone
polioxazolinas/Polyoxazoline
polioxetanos/Polyoxetane
polioxibenzoato de etileno/Polyethylenoxybenzoat
polióxido de iso-butenos/Polyisobutylenoxide
polioximetilenos/Polyoxymethylene
polioxinas/Polyoxine
polioxipropilenos/Polypropylenoxide
polioxotiazenos/Polyoxothiazene
trans-1,5-polipentenamero/Trans-1,5-polypentenamer
polipentenámeros/Polypentenamere
polipéptido hipofisario activador de la adenilato ciclasa/Pituitary adenylate cyclase-activating polypeptide
(poli)péptido intestinal vasoactivo/Vasoaktives intestinales (Poly-)Peptid
polipéptido pancreático/Pankreatisches Polypeptid
polipéptidos/Polypeptide
poliperilenos/Polyperylene
polipirroles/Polypyrrole
polipivalactonas/Polypivalactone
poliploidía/Polyploidie
polipodio/Tüpfelfarn
poliprolina/Polyprolin
polipropelanos/Polypropellane
polipropilenglicoles/Polypropylenglykole
polipropileno clorado/Chloriertes Polypropylen
polipropilenos/Polypropylene
poli(propionatos de vinilo)/Polyvinylpropionate
poliproteínas/Polyproteine
poliquinanos/Polyquinane
poliquinazolindionas/Polychinazolindione
poliquinolinas/Polychinoline
poliquinonas/Polychinone
poliquinoxalines/Polychinoxaline
poliradicales/Polyradikale
polirecombinación/Polyrekombination
poli(s-triaminobencenos)/Poly(1,3,5-benzoltriamin)e
polisacáridos/Polysaccharide
polisilanos/Polysilane
polisilazanos/Polysilazane
polisiloxanos/Polysiloxane
polisomas/Polysomen
polisorbatos/Polysorbate
polisulfonamidas/Polysulfonamide
polisulfonas/Polysulfone
polisulfuro de etileno/Polyethylensulfid
polisulfuros/Polysulfide
- de calcio/Calciumpolysulfide

politereftalato de etilenos/Polyethylenterephthalate
politereftalatos/Polyterephthalate
politerpenos/Polyterpene
politetrafluoroetileno/Polytetrafluorethylene
politetrahidrofuranos/Polytetrahydrofurane
poli(1,2,4,5-tetrazinas)/Poly(1,2,4,5-tetrazin)e
politiadiazoles/Polythiadiazole
politiazida/Polythiazid
política del medio ambiente/Umweltpolitik
politiofenos/Polythiophene
politiofosfacenos/Polythiophosphazene
politionilfosfacenos/Polythionylphosphazene
politipismo/Polytypie
politriazinas/Polytriazine
poliureas/Polyharnstoffe
poliuretanos/Polyurethane
polividona/Polyvidon
polividona-yodo/Polyvidon-Iod
polivinil.../Polyvinyl...

polivinilbutirales/Polyvinylbutyrale
polivinilcarbazoles/Polyvinylcarbazole
polivinilcetales/Polyvinylketale
polivinilcetonas/Polyvinylketone
polivinilcinamatos/Polyvinylcinnamate
poli(4-vinilfenoles)/Poly(4-vinylphenol)e
polivinilferrocenos/Polyvinylferrocene
polivinilformales/Polyvinylformale
poli(vinilpirrolidona)/Polyvinylpyrrolidone
polixilidenos/Polyxylylidene
poliyoduros/Polyiodide
polonio/Polonium
poloxámero/Poloxamer
polvo/Pulver, Staub
– de cuarzo/Quarzmehl
– de ladrillo/Ziegelmehl
– de madera/Holzmehl
– de roca/Gesteinsmehl
– en suspensión/Flugstaub, Schwebstaub
– extintor ABC/ABC-Löschpulver
– fibrógenos/Fibrogener Staub
– fino/Feinstaub
– para inhalar/Schnupfpulver
– volátil/Flugstaub
pólvora/Schießpulver
– de caza/Jagdpulver
– explosiva (de mina)/Sprengpulver
– negra/Schwarzpulver
– sin disolvente/POL-Pulver
pólvoras fumígenas/Rauchpulver
polvos/Puder
– de licopodio/Lycopodium
– de moldeo/Formmassen
– efervescentes/Brausepulver
– para flan/Puddingpulver
pomadas/Salben
– protectoras de las manos/Hautschutzsalben
pomelo/Grapefruit, Pomelo
pompas de jabón/Seifenblasen
ponche/Punsch
– sueco/Schwedenpunsch
pontianak/Pontianak
porcelana/Porzellan
– de huesos/Knochenporzellan
– natural/Knochenporzellan
porción de substancia/Stoffportion
porf…/Porph…
pórfidos/Porphyre
porfímero sódico/Porfimer-Natrium
porfina/Porphin
porfirinas/Porphyrine
porfirinogenos/Porphyrinogene
porfirismo/Porphyrie
porfiritas/Porphyrite
porfiropsina/Porphyropsin
porfobilinógeno/Porphobilinogen
porinas/Porine
porómeros/Poromere
poros/Poren
porosidad/Porosität
porosimetría/Porosimetrie
portadores/Träger
posición A/Tetraederlücke
– homoalílica/Homoallyl-Stellung
posiciones intersticiales/Zwischengitterplätze
positrones/Positronen
positronio/Positronium
postcombustión/Nachverbrennung

potasa/Kali
potasio/Kalium
potencia/Leistung
– ecológica/Ökologische Potenz, Ökologische Valenz
potencial/Potential
– centrífugo/Zentrifugalpotential
– de agotamiento del ozono/ODP
– de Coulomb/Coulomb-Potential
– de difusión/Diffusionspotential
– de invernadero/GWP
– de Lennard-Jones/Lennard-Jones-Potential
– electroquímico/Elektrochemisches Potential
– estándar/Normalpotential
– Galvani/Galvani-Spannung
– Morse/Morse-Potential
– normal/Normalpotential
– oncogénico/Onkogenes Potential
– químico/Chemisches Potential
– redox/Redoxpotential
– residual/Ruhepotential
– RKR/RKR-Potential
– zeta (electrocinético)/Zeta-Potential
potenciometría/Potentiometrie
pozo cuántico/Quantentrog
practolol/Practolol
pradimicinas/Pradimicine
praliné/Praline/Nugat
– con avellana/Noisette
pramipexol/Pramipexol
pramiverina/Pramiverin
pramocaína/Pramocain
praseodimio/Praseodym
prasterona/Prasteron
pravastatina/Pravastatin
prazepam/Prazepam
prazicuantel/Praziquantel
prazosina/Prazosin
pre…/Prä…
precarcinógenos/Präcarcinogene
precipitación/Ausfällen, Präzipitation
– directa/Direktfällung
– por sales/Aussalzen
– radioactiva/Fallout
– simultánea/Simultanfällung
precipitado/Niederschlag
precipitados/Präzipitate
precocenos/Precocene
precultivo/Vorkultur
prednicarbato/Prednicarbat
prednilideno/Prednyliden
prednimustina/Prednimustin
prednisolona/Prednisolon
prednisona/Prednison
prefermentador/Vorfermenter
prefijos/Präfixe, Vorsätze
– multiplicativos/Multiplikationspräfixe
pregnano/Pregnan
(20S)-5β-pregnano-3,20-diol/(20S)-5β-Pregnan-3α,20-diol
(20S)-5β-pregnano-3,17,20-triol/(20S)-5β-Pregnan-3α,17,20-triol
pregnenolona/Pregnenolon
prehnita/Prehnit
preimpregnados/Prepregs
premio Nobel/Nobelpreis
prenil…/Prenyl…
prenilamina/Prenylamin
prenoles/Prenole
prenoxdiazina/Prenoxdiazin
prensa de tamiz de banda/Siebbandpresse
prensado isostático a temperatura elevada/Heißisostatisches Pressen

preparacción de agua refrigerante/Kühlwasseraufbereitung
preparación/Präparation, Rezeptur
preparacíon de la muestra/Probenvorbereitung
preparaciones/Präparate, Zubereitung
preparados bromados/Brom-Präparate
– cálcicos/Calcium-Präparate
– de aluminio/Aluminium-Präparate
– de antimonio/Antimon-Präparate
– de belladona/Belladonna-Präparate
– de bismuto/Bismut-Präparate
– de cinc/Zink-Präparate
– de Derris/Derris-Präparate
– de digital/Digitalis-Präparate
– de litio/Lithium-Präparate
– de magnesio/Magnesium-Präparate
– de potasio/Kalium-Präparate
– dermatológicos/Dermatika
– ferruginosos/Eisen-Präparate
– multivitamínicos/Multivitamin-Präparate
– para la higiene de la boca/Mundpflegemittel
prepéptidos/Präpeptide
prepolimerización/Vorpolymerisation
prepolímeros/Prepolymere
prequinamicín/Präkinamycin
presedimentación/Vorklärung
presencia/Stetigkeit
presenilina/Präseniline
presión/Druck
– atmosférica/Luftdruck
– capilar/Kapillardruck
– coloidosmótica/Kolloidosmotischer Druck
– de vapor/Dampfdruck
– parcial/Partialdruck
pretilaclor/Pretilachlor
L-pretirosina/L-Prätyrosin
preussín/Preussin
prevalencia/Prävalenz
prevención/Prävention
– de accidentes/Unfallverhütung
pridinol/Pridinol
prilling/Prillen
prilocaína/Prilocain
primaquina/Primaquin
primario/Primär
primaveras/Primeln
primaverosa/Primverose
primera capa/Grundanstrich
– tierra/Abraum
primeros auxilios/Erste Hilfe
primidona/Primidon
primisulfuron-metil/Primisulfuron-methyl
primulina/Primulin
principio/Prinzip
– de alopolarización/Allopolarisierungs-Prinzip
– de asimetría/Antisymmetrieforderung
– de correspondencia/Korrespondenzprinzip
– de dilución de Ziegler/Ziegler-Verdünnungsprinzip
– de exclusión de Pauli/Pauli-Prinzip
– de incertidumbre/Unschärfebeziehung
– de la contracorriente/Gegenstromprinzip
– de la corriente continua/Gleichstromprinzip

– de la estructura/Aufbauprinzip
– de las bases y ácidos fuertes y débiles/HSAB-Prinzip
– [de Le Châtelier] de la mínima resistencia/Prinzip des kleinsten Zwanges
– de prevención/Vorsorgeprinzip
– de responsabilidad de pago del contaminador/Verursacherprinzip
– de Thomsen-Berthelot/Thomsen-Berthelot-Prinzip
– de variación de la energía/Energievariationsprinzip
– del repartimiento de gastos en la colectividad/Gemeinlastprinzip
principios activos unidos a polímeros/Polymergebundene Wirkstoffe
– amargos/Bitterstoffe
– de la termodinámica/Hauptsätze
priones/Prionen
prismano/Prisman
prismas/Prismen
pristano/Pristan
pro…/Pro…
proazulenos/Proazulene
probabilidad de transición/Übergangswahrscheinlichkeit
probenazol/Probenazol
probenecida/Probenecid
probeta graduada/Meßzylinder
problema de los valores propios/Eigenwertproblem
probucol/Probucol
procaína/Procain
procainamida/Procainamid
procarbazina/Procarbazin
procariotas/Prokaryo(n)ten, prokaryo(n)tisch
procariótico/Prokaryo(n)ten, prokaryo(n)tisch
procaterol/Procaterol
procedimiento Arex/Arex-Verfahren
– Cetus/Cetus-Prozeß
– Cottrell/Cottrell-Verfahren
– de copiar negativos/Negativ-Kopierverfahren
– de extracción/Ausziehverfahren
– de fabricación/Fertigungsverfahren
– de Goldschmidt-Thermit/Goldschmidtsches Thermit-Verfahren
– de Hargreaves/Hargreaves-Verfahren
– de impresión en dos fases/Zweiphasendruck
– de lecho fluidizado/Wirbelschichtverfahren
– de multicopista por reporte/Umdruckverfahren
– de Parkes/Parkes-Verfahren
– de pudelado/Puddel-Verfahren
– de separación Stas-Otto/Stas-Otto-Trennungsgang
– de transformación/Umform-Verfahren
– de ventilación/Belüftungsverfahren
– del generador/Generator-Verfahren
– del Heratol/Heratol-Verfahren
– (desdoblamiento, hidrólisis) de Twitchell/Twitchell-Spaltung
– fenorrafín/Phenoraffin-Verfahren
– FIOR/Fior-Verfahren
– flushing/Flushing-Verfahren
– H-iron/H-Iron-Verfahren

Español

- Haber-Bosch/Haber-Bosch-Verfahren
- HDA/HDA-Verfahren
- hierro Nu/Nu-Iron-Verfahren
- HIP/Heißisostatisches Pressen
- Houdresid/Houdresid-Verfahren
- H. T. P./HTP-Verfahren
- hydrospark/Hydrospark
- HyL/HyL-Verfahren
- IFP/IFP-Verfahren
- INCO/INCO-Verfahren
- isomax/Isomax®-Verfahren
- Kaldo/Kaldo-Verfahren
- Krupp-Renn/Krupp-Renn-Verfahren
- LD/LD-Verfahren
- LDAC/LDAC-Verfahren
- Masonite/Masonite-Verfahren
- MBV/MBV-Verfahren
- MHC/MHC- bzw. MHD-Verfahren
- MHD/MHC- bzw. MHD-Verfahren
- Mofex/Mofex-Verfahren
- Molex®/Molex®-Verfahren
- Mond/Mond-Prozeß
- MTG/MTG-Verfahren
- NBC-RIM/NBC-RIM-Verfahren
- nixan/Nixan-Verfahren
- Nuvalon/Nuvalon-Verfahren
- OBM/OBM-Verfahren
- Ocrat/Ocrat-Verfahren
- Odda/Odda-Verfahren
- „PAAG"/PAAG-Verfahren
- Pacol-Olex/Pacol-Olex-Verfahren
- Parex®/Parex®-Verfahren
- pasting/Pasting-Verfahren
- Pattinson/Pattinson-Verfahren
- Penex®/Penex®-Verfahren
- Piesteritz/Piesteritz-Verfahren
- PNC/PNC-Prozeß
- por proyección de plasma/Plasmaspritzverfahren
- prenflo/Prenflo-Verfahren
- purex/Purex-Verfahren
- Ritter-Kellner/Ritter-Kellner-Verfahren
- Sendzimir/Sendzimir-Verfahren
- Siemens-Martin/Siemens-Martin-Verfahren
- SL/RN/SL/RN-Verfahren
- Solexol/Solexol-Verfahren
- Stretford/Stretfort-Verfahren
- Sul-bi-Sul/Sul-bi-Sul-Verfahren
- Thermofor/Thermofor-Verfahren
- Thermosol/Thermosol-Verfahren
- Thomas/Thomas-Verfahren
- thorex/Thorex-Verfahren
- UK-Wesseling/UK-Wesseling-Verfahren
- Verneuil/Verneuil-Verfahren
- von Heyden/Von-Heyden-Verfahren
- Weldon/Weldon-Verfahren
- Wulff/Wulff-Verfahren
- Young/Young-Verfahren
- Zdansky-Lonza/Zdansky-Lonza-Verfahren

procedimientos de Edeleanu/Edeleanu-Verfahren
- de Harris/Harris-Verfahren
- de oxidación/Oxidationsverfahren
- de separación/Trennverfahren
- de soldadura/Schweißverfahren
- de tratamiento a la flama/Flammbehandlungsverfahren
- Raschig/Raschig-Verfahren
- Sohio/Sohio-Verfahren
- sumergidos/Submersverfahren
- torniquete/Turnstile-Prozesse
- Ufa/Ufa-Verfahren
- Wacker/Wacker-Verfahren

procesamiento/Prozessierung
proceso/Prozessierung
- acetificante/Acetator-Verfahren
- Bessemer/Bessemer-Verfahren
- cat-ox/Cat-Ox-Verfahren
- Catarole/Catarol-Prozeß
- Central-Prayon/Central-Prayon-Verfahren
- de estirado/Ziehverfahren
- de impregnación/Tränkverfahren
- de la visión/Sehprozeß
- de prensa permanente/Permanent-Press-Verfahren
- de torre/Turmverfahren
- Deacon/Deacon-Prozeß
- del gradiente de densidad/Dichtegradientenverfahren
- dimersol/Dimersol-Verfahren
- Heliarc/Heliarc-Verfahren
- oxo/Oxo-Synthese
- sol-gel/Sol-Gel-Prozeß
- termoselector/Thermoselect-Verfahren

procesos de colisión/Stoßprozesse
- de difusión/Diffusionsverfahren
- elementales/Elementarprozesse

prociclidina/Procyclidin
procimidona/Procymidon
procloraz/Prochloraz
proclorofitos/Prochlorophyten
proconvertina/Proconvertin
procreación entre consanguíneos/Inzucht
proctolina/Proctolin
procuazona/Proquazon
prodigiosina/Prodigiosin
prodlure/Prodlur
producción (creación formación) de pares/Paarbildung
- de vinagre/Essig-Produktion
- vegetal integrada/Integrierter Pflanzenbau

productividad/Produktivität
producto de solubilidad/Löslichkeitsprodukt
- final/Endprodukt
- iónico/Ionenprodukt
- secundario/Nebenprodukt

productores/Produzenten
- de colisiones grandes electrón positrón/LEP
- de colisiones grandes hadrón/LHC
- primarios/Primärproduzenten

productos a granel/Schüttgüter
- acabados/Fertigteile
- agroquímicos/Agrochemikalien
- alimenticios/Nahrungsmittel
- antiparasitarios/Pflanzenschutzmittel
- antipecas/Sommersprossenmittel
- antisolares/Sonnenschutzmittel
- autoadhesivos/Selbstklebende Erzeugnisse
- auxiliares de tintorería/Färbereihilfsmittel
- auxiliares para cuero/Lederhilfsmittel
- auxiliares para fundición/Gießereihilfsmittel
- auxiliares textiles/Textilhilfsmittel
- de alfarería/Tonwaren
- de carbonización de madera de haya/Buchenholz-Schwelprodukte
- de encolado/Schlichte
- de ensimaje (ensainado)/Schmälzmittel
- de limpieza/Putzmittel, Reiniger
- de limpieza con desinfectantes/Sanitizer
- de limpieza para instalaciones sanitarias/Sanitärreiniger
- de limpieza universales/Universalreiniger
- de panadería/Backwaren
- farmacéuticos/Arzneimittel, Pharmazeutika
- fitosanitarios/Pflanzenschutzmittel
- instantáneos/Instant-Produkte
- intermedi(ari)os/Zwischenprodukte
- lácteos semigrasos/Milchhalbfetterzeugnisse
- limpiahornos/Herdputzmittel
- limpiatubos/Rohrreinigungsmittel
- naturales/Naturstoffe
- naturales de glutamilo/γ-Glutamyl-Naturstoffe
- naturales marinos/Marine Naturstoffe
- naturales modificados/Abgewandelte Naturstoffe
- naturales resistentes a la helada/Gefrierschutz-Naturstoffe
- para adelgazar/Schlankheitsmittel
- para baño/Badezusätze
- para cultivo de flores/Blumenpflegemittel
- para diagnóstico/Diagnostika
- para el acabado del cuero/Lederzurichtmittel
- para el afeitado/Rasiermittel
- para el cuidado del calzado/Schuhpflegemittel
- para el entretenimiento de vehículos/Autopflegemittel
- para evitar los daños causados por animales de caza/Wildverbißmittel
- para hacer indesmallable/Maschenfestmittel
- para la extinción de incendios/Feuerlöschmittel
- para la higiene dental/Zahnpflegemittel
- para la higiene íntima femenina/Intimpflegemittel
- para la permanente/Dauerwellpräparate
- para lavar/Waschmittel
- para lavar las manos/Handreinigungsmittel
- para lavar vajillas/Geschirrspülmittel
- para limpiar alfombras/Teppichpflegemittel
- para limpiar plata/Silberputzmittel
- para limpiar y conservar suelos/Fußbodenpflegemittel
- para limpieza de fachadas/Fassadenreiniger
- petro(leo)químicos/Petrochemikalien
- pirotécnicos/Pyrotechnische Erzeugnisse
- químicos/Chemikalien
- químicos básicos/Schwerchemikalien
- químicos de impacto ambiental/Umweltchemikalien
- químicos finos/Feinchemikalien
- químicos industriales/Industriechemikalien
- químicos para el hogar/Haushaltschemikalien
- químicos para el tratamiento de piscinas/Schwimmbadpflegemittel
- radiobioquímicos/Radiobiochemikalien
- semioquímicos/Semiochemikalien
- terminados/Fertigteile

profam/Propham
profármaco/Prodrug
profenofos/Profenofos
profesiones en el ámbito farmacéutico/Pharma-Berufe
- químicas/Chemie-Berufe

profilaxis/Prophylaxe
profilina/Profilin
proflavina/Proflavin
progesterona/Progesteron
progestinas/Gestagene
proglumetacina/Proglumetacin
proglumida/Proglumid
programa Apolo/Apollo-Programm
proguanil/Proguanil
prohibición de mezcla/Vermischungsverbot
prolactina/Prolactin
prolaminas/Prolamine
prolidasa/Prolidase
proliferación/Proliferation
- de algas/Rote Tide

prolina/Prolin
prolinasa/Prolinase
prolintano/Prolintan
promazina/Promazin
promecio/Promethium
promedio ponderado de tiempo/TWA
prometazina/Promethazin
prometona/Prometon
prometrina/Prometryn
promoción para la investigación/Forschungsförderung
promotores/Promotoren
- híbridos/Hybrid-Promotoren

pronunciación/Aussprache
propaclor/Propachlor
propafenona/Propafenon
propagación/Propagation
- (multiplicación) vegetativa/Vegetative Vermehrung

propalilonal/Propallylonal
propanidido/Propanidid
propanil/Propanil
propano/Propan
propanodiaminas/Propandiamine
propanodioles/Propandiole
propanoles/Propanole
1,3-propanosultona/1,3-Propansulton
propanotioles/Propanthiole
propaquizafop/Propaquizafop
propargil.../Propargyl...
propargita/Propargit
propatilnitrato/Propatylnitrat
propelanos/Propellane
1-propenil.../1-Propenyl...
propeno/Propen
propentdiopentes/Propentdyopente
propentofilina/Propentofyllin
propéptidos/Propeptide
properdina/Properdin
propicilina/Propicillin
propiconazol/Propiconazol
propiedades aditivas/Extensive Größen

– coligativas/Kolligative Eigenschaften
– constitutivas/Konstitutive Eigenschaften
– tensioactivas/Oberflächenaktive Eigenschaften
propifenazona/Propyphenazon
propil…/Propyl…
propilaminas/Propylamine
propilbenceno/Propylbenzol
propilen…/Propylen…
propilenimina/Propylenimin
propileno/Propylen
propilenurea/Propylenharnstoff
propilglicol/Propylglykol
propilideno…/Propyliden…
propiliodona/Propyliodon
propilitas/Propylite
propiltiouracilo/Propylthiouracil
propiluro/Propylur
2-propin-1-ol/2-Propin-1-ol
propineb/Propineb
propinil…/Propinyl…
propino/Propin
prop[io]…/Prop(io)…
propiofenona/Propiophenon
β-propiolactona/β-Propiolacton
propionaldehído/Propionaldehyd
propionamida/Propionamid
propionato de calcio/Calciumpropionat
– de celulosa/Cellulosepropionat
– de sodio/Natriumpropionat
propionatos/Propionsäureester
propionil…/Propionyl…
propionitrilo/Propionitril
propioxatinas/Propioxatine
propipocaína/Propipocain
propiverina/Propiverin
propizamida/Propyzamid
propofol/Propofol
propolis/Propolis
propoxi…/Propoxy…
propóxidos/Propoxide
propoxur/Propoxur
propranolol/Propranolol
propulsantes/Treibstoffe
proquiral/Prochiral
pros…/Pros…
proscilaridina/Proscillaridin
prospección/Prospektion
– geoquímica/Geochemische Prospektion
prostaciclina/Prostacyclin
prostaglandinas/Prostaglandine
próstata/Prostata
prosulfocarb/Prosulfocarb
prosulfurón/Prosulfuron
protactinio/Protactinium
protaminas/Protamine
protease-nexinas/Protease-Nexine
proteasas/Proteasen
proteasomas/Proteasomen
protección ambiental integrada a la producción/Produktionsintegrierter Umweltschutz
– antiácida/Säureschutz
– anticorrosiva (antioxidante, antiherrumbre)/Rostschutz
– catódica/Kathodischer Korrosionsschutz
– contra accidentes del trabajo/Arbeitsschutz
– contra doble solicitante de patente/Zweitanmelderschutz
– contra explosión/Explosionsschutz
– contra incendios/Brandschutz
– contra la corrosión/Korrosionsschutz
– contra las radiaciones ionizantes/Strahlenschutz
– de especies/Artenschutz

– de la cabeza/Kopfschutz
– de la mano/Handschutz
– de la naturaleza/Naturschutz
– de las aguas/Gewässerschutz
– de las plantas/Pflanzenschutz
– de los metales/Metallschutz
– de los productos almacenados/Vorratsschutz
– del habitat/Biotopschutz
– del medio ambiente/Umweltschutz
– del pie/Fußschutz
– para el cabello/Haarschutz
protector del oído/Gehörschutz
protectores del envejecimiento/Alterungsschutzmittel
proteidos/Proteide
proteína A/Protein A
– C/Protein C
– C-reactiva/C-reaktives Protein
– catiónica de eosinofiles/Kationisches Eosinophilen-Protein
– -cinasa C/Protein-Kinase C
– -cinasas/Protein-Kinasen
– de Bence-Jones/Bence-Jones-Proteine
– de enlace de mannosa/Mannosebindendes Protein
– de fusión/Fusionsprotein
– de [microorganismos] unicellulares/Single Cell Protein
– de prión/Prion-Protein
– desacoplante/Entkoppler-Protein
– fijadora/Binde-Protein
– -120 fijadora de la actina/Actinbindendes Protein 120
– fijadora del retinol/Retinol-bindendes Protein
– fijadora del TATA/TATA-bindendes Protein
– fluorescente verde/Grün fluoreszierendes Protein
– fosfatasas/Protein-Phosphatasen
– gliofibrillar ácida/Saures fibrilläres Glia-Protein
– intestinal rica en la cisteína/Cystein-reiches intestinales Protein
– M/M-Protein
– portadora de acilos/Acyl-Carrier-Protein
– precursora de β-amiloide/β-Amyloid-Vorläuferprotein
– proteolípidas/Proteolipid-Proteine
– -quinasa C/Protein-Kinase C
– -quinasas/Protein-Kinasen
– quinasas (cinasas) activadas por mitógeno/Mitogen-aktivierte Protein-Kinasen
– retinoblastomal/Retinoblastom-Protein
– S-100/S-100-Protein
proteínas/Proteine
– 14-3-3/14-3-3-Proteine
– a trébol/Kleeblatt-Proteine
– activadoras de la GTPasa/GTPase-aktivierende Proteine
– antivirales de Phytolacca/Phytolacca-Antivirus-Proteine
– asociadas al microtúbulo/Mikrotubulus-assoziierte Proteine
– contractiles/Kontraktile Proteine
– de choque térmico/Hitzeschock-Proteine
– de enlace de GTP pequeñas/Kleine GTP-bindende Proteine
– de estrés (respuesta)/Streß-Proteine
– de fijación del ADN/DNA-bindende Proteine

– de la fase aguda/Akutphasen-Proteine
– de transferencia de electrones/Elektronentransfer-Proteine
– de transmembranas/Transmembranproteine
– de transporte ABC/ABC-Transporter-Proteine
– Ets/Ets-Proteine
– fijadoras del calcio/Calciumbindende Proteine
– fijadoras del GTP/GTP-bindende Proteine
– G/G-Proteine
– globulares/Globuläre Proteine
– hemo-tiolato/Hämthiolat-Proteine
– morfogenéticas de hueso/Knochenmorphogenese-Proteine
– periplásmaticas de unión/Periplasmatische Bindungsproteine
– plásmaticas/Plasmaproteine
– preniladas/Prenylproteine
– Ras/Ras-Proteine
– relacionadas con la actina/Actin-verwandte Proteine
– resistentes a la congelación/Gefrierschutz-Naturstoffe
– Rho/Rho-Proteine
– séricas/Serumproteine
– Wnt/Wnt-Proteine
proteinasa K/Proteinase K
proteinasas/Proteinasen
– aspárticas/Aspartat-Proteinasen
proteinuria/Proteinurie
proteo…/Proteo…
proteobromina/Protheobromin
proteoglicanos/Proteoglykane
proteohormonas/Proteohormone
proteolisis/Proteolyse
proteóma/Proteom
protiofos/Prothiofos
protionamida/Protionamid
protipendilo/Prothipendyl
protirelina/Protirelin
prot(o)…/Prot(o)…
protoanemonina/Protoanemonin
protocatechualdehído/Protocatechualdehyd
protofanos/Protophane
protólisis/Protolyse
protómeros/Protomere
protonación/Protonierung
protones/Protonen
protooncogén/Protoonkogene
protoporfirina IX/Protoporphyrin IX
protoporfirinas/Protoporphyrine
protoquilol/Protokylol
protozoos/Protozoen
protriptilina/Protriptylin
protrombina/Prothrombin
proustita/Proustit
provitaminas/Provitamine
proxibarbal/Proxibarbal
proxifilina/Proxyphyllin
proximetacaína/Proxymetacain
proyección de Haworth/Haworth-Projektion
– de Newman/Newman-Projektion
– de plástico a la llama/Kunststoff-Flammspritzen
– metálica/Metallspritzverfahren
– Natta/Natta-Projektion
proyecto del genoma humano/Human-Genom-Projekt
prueba a ciegas/Blindversuch
– compuesta/Mischprobe
– de algas/Algentest
– de Ames/Ames-Test

– de Baeyer/Baeyer-Test
– de difusión del agar/Agardiffusionstest
– de fluencia/Kriechprobe
– de la tuberculina/Tuberkulin-Test
– de Legal/Legal-Test
– del embarazo/Schwangerschaftstest
– del hepar/Hepartest
– del Indanthrén/Indanthren-Reaktion
– del plumbato/Plumbat-Reaktion
pruebas del reumatismo/Rheumatests
prurito/Juckreiz
prusiatos/Prussiate
pseud(o)…/Pseud(o)…
pseudo-uridina/Pseudouridin
pseudoaleaciones/Pseudolegierungen
pseudoasimetría/Pseudoasymmetrie
pseudobrookita/Pseudobrookit
pseudocopolímeros/Pseudocopolymere
pseudoefedrina/Pseudoephedrin
pseudohalógenos/Pseudohalogene
pseudoionona/Pseudojonon
pseudomalaquita/Pseudomalachit
Pseudomonas/Pseudomonas
pseudomorfismo por alteración/Umwandlungspseudomorphose
pseudomorfismos/Pseudomorphosen
pseudomureína/Pseudomurein
pseudopeletierina/Pseudopelletierin
pseudopotencial/Pseudopotential
pseudorotación/Pseudorotation
pseudorotinas/Pseurotine
psicofármacos/Psychopharmaka
psicrofilia/Psychrophilie
psicrómetros/Psychrometer
psilocibina/Psilocybin
psilomelan/Glaskopf
psilomelana/Romanechit
psoraleno/Psoralen
psoriasis/Psoriasis
pteridinas/Pteridine
pterina/Pterin
pterocarpanos/Pterocarpane
pterulona/Pterulon
ptilocaulina/Ptilocaulin
ptomaínas/Ptomaine
publicaciones de empresas/Firmenschriften
puente salino/Salzbrücke
puentes/Brücken
– disulfuro/Disulfid-Brücken
– salinos/Haber-Luggin-Kapillare
puerro/Lauch
puesta en circulación/Inverkehrbringen
puesto de medición/Meßstelle
pulegona/Pulegon
pulgas/Flöhe
pulgones/Blattläuse
pulido/Polieren
pulmón/Lunge
pulmonaria/Lungenkraut
pulpa/Pülpe od. Pulpe
pulque/Pulque
pulsatila/Küchenschelle
pultrusión/Pultrusion
pululano/Pullulan
pulverización/Sputtering
– a la llama/Kunststoff-Flammspritzen
– catódica/Kathodenzerstäubung
pulverizador/Zerstäuber
pulverizadores/Sprays
pulverizar/Zerstäuben

Español

pulvis/Pulvis
pumiliotoxinas/Pumiliotoxine
pumpellyita/Pumpellyit
punto crioscópico/Eispunkt
– crítico/Kritischer Punkt
– de anilina/Anilin-Punkt
– de congelación/Stockpunkt
– de congelación del agua/Eispunkt
– de ebullición/Siedepunkt
– de enturbamiento/Cloudpoint
– de enturbiamiento (turbidez, turbiedad)/Trübungspunkt
– de equivalencia/Äquivalenzpunkt
– de fluidez/Fließpunkt
– de fluidización/Wirbelpunkt
– de fusión/Schmelzpunkt
– de goteo/Tropfpunkt
– de inflamación/Flammpunkt
– de Krafft/Krafft-Punkt
– de reblandecimiento/Erweichungspunkt
– de rocío/Taupunkt
– de solidificación/Erstarrungspunkt
– final/Endpunkt
– isoeléctrico/Isoelektrischer Punkt
– triple/Tripelpunkt
puntos de transformación (transición)/Umwandlungspunkte
– isosbésticos/Isosbestische Punkte
pureza/Reinheit
– nuclear/Nuklearreinheit
– óptica/Optische Reinheit
– técnica/pract
purga y separación/Purge and Trap
purgantes enérgicos/Drastika
purificación/Reinigung
– de gases/Gasreinigung
– térmica de gases/Thermische Gasreinigung
purin/Jauche
purina/Purin
purinas/Purine
puro/Gediegen
puromicina/Puromycin
púrpura/Purpur
– de bromocresol/Bromkresolpurpur
– de Cassius/Cassius'scher Goldpurpur
– de cresol/Kresolpurpur
purpurina/Purpurin
purpurogalina/Purpurogallin
purpurona/Purpuron
push-pull/Push-pull
putaminoximas/Putaminoxine
putrefacción/Fäulnis, Verwesung
puzolana/Puzzolanerde

Q

qinghaosu/Qinghaosu
quadrilure/Quadrilur
quadrón/Quadron
quanta/Quanten
quarks/Quarks
quarzo ahumado/Rauchquarz
quebracho/Quebracho
quebrachoammina/Quebrachamin
quedarse encima/Aufschwimmen
queens metal/Queens Metal
queirotoxina/Cheirotoxin
quelatos/Chelate
quelidonina/Chelidonin
quemada espectral de los agujeros/Spektrales Lochbrennen
quemador de inmersión/Tauchbrenner
– UHF/UHF-Brenner
quemadores/Brenner

quene 1/Quene 1
querasina/Kerasin
queratano-sulfatos/Keratansulfate
queratinas/Keratine
queratolíticos/Keratolytika
quercetina/Quercetin
quermes/Kermes
quermesita/Kermesit
queroseno/Kerosin, Petroleum
queso/Käse
– blando (de pasta blanda)/Weichkäse
– crema/Rahmkäse
– fundido (sin corteza)/Schmelzkäse
quetiapina/Quetiapin
quiescencia/Dormanz
quilate/Karat
quimasa/Chymasen
química/Chemie
– a bajas temperaturas/Tieftemperaturchemie
quimica agricola/Chemurgie
química agrícola/Agrikulturchemie
– alimentaria/Lebensmittelchemie
– analítica/Analytische Chemie
– analítica asistida por computadora/Computergestützte analytische Chemie
– analítica del medio ambiente/Umweltanalytik
– aplicada/Angewandte Chemie
– clínica/Klinische Chemie
– coloidal/Kolloidchemie
– combinatoria/Kombinatorische Synthese
– cuántica/Quantenchemie
– de altas presiones/Hochdruckchemie
– de altas temperaturas/Hochtemperaturchemie
– de defensa/Wehrchemie
– de los minerales/Mineralchemie
– de los ultrasonidos/Ultraschallchemie
– de polímeros por láser/Laser-Polymerchemie
– de radiaciones/Strahlenchemie
– de superficies/Oberflächenchemie
– del cloro/Chlorchemie
– del láser/Laser-Chemie
– del medio ambiente/Ökochemie
– del plasma/Plasmachemie
– en el espacio/Kosmochemie
– estructural/Strukturchemie
– farmacéutica/Pharmazeutische Chemie
– fisiológica/Physiologische Chemie
– forense/Forensische Chemie
– general/Allgemeine Chemie
– industrial/Industrielle Chemie
– inorgánica/Anorganische Chemie
– macromolecular/Makromolekulare Chemie
– médica/Medizinische Chemie
– militar/Militärchemie
– nuclear/Kernchemie
– orgánica/Organische Chemie
– organometálica/Metall-organische Chemie
– preparativa/Präparative Chemie
– pura/Reine Chemie
– suave/Sanfte Chemie
– supramolecular/Supramolekulare Chemie
– técnica/Technische Chemie
– teórica/Theoretische Chemie
– textil/Textilchemie
químico/Chemiker

– bromatólogo/Lebensmittelchemiker
– consultor/Handelschemiker
quimiocinas/Chemokine
quimioesterilizantes/Chemosterilantien
quimioforesis/Chemiphorese
quimiografía/Chemigraphie
quimiolitotrofía/Chemolithotrophie
quimioluminiscencia/Chemilumineszenz
– infrarroja/ Infrarotchemilumineszenz
quimioquinas/Chemokine
quimiorreceptores/Chemorezeptoren
quimiosmótico/Chemiosmotisch
quimiostato/Chemostat
quimiotactismo/Chemotaxis
quimiotaxis/Chemotaxis
quimiotaxonomía/Chemotaxonomie
quimiotrofia/Chemotrophie
quimiotropismo/Chemotropismus
quimisorción/Chemisorption
quimotripsinas/Chymotrypsine
quimotripsinógenos/Chymotrypsinogene
quin 2/Quin 2
quinacridona/Chinacridon
quinagolida/Quinagolid
quinalfos/Quinalphos
quinalizarina/Chinalizarin
quinapril/Quinapril
quinasas/Kinasen
– dependientes de la ciclina/Cyclin-abhängige Kinasen
– p34/p34-Kinasen
quinazolina/Chinazolin
quinclorac/Quinclorac
quinesina/Kinesin
quinestrol/Quinestrol
quinetazona/Quinethazon
quinetina/Kinetin
quingombó/Okra
quinhidrona/Chinhydrone
quinidina/Chinidin
quinina/Chinin
quininas/Kinine
quinisocaína/Quinisocain
quinizarina/Chinizarin
quinmerac/Quinmerac
quino/Kino
quinocarcina/Quinocarcin
quinodimetanos/Chinodimethane
quinoide/Chinoid
quinolin-8-ol/8-Chinolinol
quinolina/Chinolin
quinometionato/Chinomethionat
quinonas/Chinone
quinondiazidas/Chinondiazide
quinoniminas/Chinonimine
quinonmetidas/Chinonmethide
quinonoximas/Chinonoxime
quinoproteínas/Chinoproteine
quinoxalina/Chinoxalin
quinqu[e]…/Quinque…
quintozeno/Quintozen
quinuclidina/Chinuclidin
quinupristina/Quinupristin
L-quinurenina/L-Kynurenin
quiotorfina/Kyotorphin
quiralidad/Chiralität, chiral
quiro-/chiro-
quitado de manchas/Detachur
quitamanchas/Fleckentfernungsmittel
– para tinta/Tintenentferner
quitatintas/Tintenentferner
quitina/Chitin
quizalofop-etilo/Quizalofop-ethyl

R

rábano/Rettich
– picante/Meerrettich
rábanos encarnados/Radieschen
rabeprazola/Rabeprazol
racemasas/Racemasen
racematos/Racemate
racemización/Racemisierung
rad/Rad
radar óptico/LIDAR
radiación/Strahlung
– coherente/Kohärente Strahlung
– cósmica de fondo/Kosmische Hintergrundstrahlung
– de Čerenkov/Čerenkov-Strahlung
– de frenado/Bremsstrahlung
– de frenamiento/Bremsstrahlung
– infrarroja/Infrarotstrahlung
– ionizante/Ionisierende Strahlung
– monocromática/Monochromatische Strahlung
– sincrotrón/Synchrotron-Strahlung
– ultravioleta/Ultraviolettstrahlung
radiador β/β-Strahler
– de Planck/Planckscher Strahler
radiadores infrarrojos/Infrarotstrahler
radialenos/Radialene
radicales/Radikale
– de oxígeno/Sauerstoff-Radikale
– libres/Freie Radikale
– nitroxilo/Nitroxyl-Radikale
radio/Radium
radio…/Radio…
radio atómico/Atomradius
– de giro/Trägheitsradius
– iónico/Ionenradius
radi[o]actividad/Radioaktivität
radioastronomía/Radioastronomie
radiobiología/Radiobiologie
radiocromatografía/Radiochromatographie
radiofármacos/Radiopharmazeutika
radiografía/Radiographie
radioimmunoensayo/Radioimmunoassay
radioisótopos/Radioisotope
radiolesiones/Strahlenschäden
radiolisis/Radiolyse
– pulsada/Pulsradiolyse
radiología/Radiologie
radiometría/Radiometrie
radiomiméticos/Radiomimetika
radionúclido/Radionuklide
radiopatías/Strahlenschäden
radioquímica/Radiochemie
radiosumín/Radiosumin
radioterapia/Strahlentherapie
radome/Radom
radón/Radon
rafaelita/Rafaelit
rafinosa/Raffinose
raíces de grenadillo/Senegawurzel
– de saponaria común/Seifenwurzel
raíz de bardana/Klettenwurzel
– de galanga/Galgantwurzel
– de malvavisco/Eibischwurzel
– de ratania/Ratanhiawurzel
raki/Raki
raloxifeno/Raloxifen
rambután/Rambutan
ramifenazona/Ramifenazon
ramificación/Verzweigung
ramio/Ramie
ramipril/Ramipril
rammelsbergita/Rammelsbergit

ramnosa/Rhamnose
ramsdellita/Ramsdellit
ran/Ran
rancidez/Ranzigkeit, Ranzigwerden
ranitidina/Ranitidin
ranunculáceas/Hahnenfußgewächse
rapamicina/Rapamycin
rapé/Schnupftabak
rapsamina/Rhapsamin
raquitismo/Rachitis
rastr[ill]o/Rechen
ratón desnudo/Nacktmaus
– SCID/SCID-Maus
rayón/Reyon
rayos atómicos/Atomstrahlen
– beta/Beta-Strahlen
– catódicos/Kathodenstrahlen
– cósmicos/Kosmische Strahlung
– de iones/Ionenstrahlen
– delta/Delta-Strahlen
– gamma/Gammastrahlen
– moleculares/Molekularstrahlen
– X/Röntgenstrahlung
razon de masa/Massenverhältnis
reacción ácida/Saure Reaktion
– alcalina/Alkalische Reaktion
– antígeno-anticuerpo/Antigen-Antikörper-Reaktion
– bimolecular/Bimolekulare Reaktion
– con el ácido periódico y el reactivo de Schiff/Periodsäure-Schiff-Reaktion
– Dakin-West/Dakin-West-Reaktion
– de Angeli-Rimini/Angeli-Rimini-Reaktion
– de aniquilación/Vernichtungsstrahlung
– de Arndt-Schulz/Arndt-Eistert-Reaktion
– de Baeyer/Baeyer-Reaktionen
– de Bamberger/Bamberger-Reaktion
– de Bamford-Stevens/Bamford-Stevens-Reaktion
– de Barbier-Wieland/Barbier-Wieland-Reaktion
– de Barton/Barton-Reaktion
– de Belousov-Zhabotinskii/Belousov-Zhabotinskii-Reaktion
– de Birch-Pearson/Birch-Pearson-Reaktion
– de Bohn-Schmidt/Bohn-Schmidt-Reaktion
– de Bouveault-Blanc/Bouveault-Blanc-Reaktion
– de Bucherer/Bucherer-Reaktion
– de Camps/Camps-Reaktion
– de Cannizaro/Cannizzaro-Reaktion
– de Chugaev/Tschugaeff-Reaktion
– de coordinación intrínseca/IRC
– de Darzens/Darzens-Reaktion
– de defensa/Abwehrreaktionen
– de Diels-Alder/Diels-Alder-Reaktion
– de Dötz/Dötz-Reaktion
– de Einhorn/Einhorn-Reaktion
– de Elbs/Elbs-Reaktion
– de Etard/Etard-Reaktion
– de Friedel-Crafts/Friedel-Crafts-Reaktion
– de Griess-Ilosvay/Grieß-Ilosvay-Reaktion
– de Grignard/Grignard-Reaktion
– de Guerbet/Guerbet-Reaktion
– de Halden/Haldensche Reaktion
– de Haller-Bauer/Haller-Bauer-Reaktion
– de Hanikirsch/Hanikirsch-Reaktion
– de Heck/Heck-Reaktion
– de Hell-Volhard-Zelinsky/Hell-Volhard-Zelinsky-Reaktion
– de Heller/Hellersche Probe
– de Herz/Herz-Reaktion
– de Hill/Hill-Reaktion
– de Hock/Hockshe Spaltung
– de Hofmann-Löffler-Freytag/Hofmann-Löffler-Freytag-Reaktion
– de Hofmann-Martius/Hofmann-Martius-Reaktion
– de Horner-Emmons/Horner-Emmons-Reaktion
– de Hunsdiecker-Borodin/Hunsdiecker-Borodin-Reaktion
– de inserción/Einschiebungsreaktion
– de intercambio/Trans-Reaktionen
– de Ivanov/Ivanov-Reaktion
– de Jacobsen/Jacobsen-Reaktion
– de Jaffé/Jaffé-Reaktion
– de Janovsky/Janovsky-Reaktion
– de Japp-Klingemann/Japp-Klingemann-Reaktion
– de Kedde/Kedde-Reaktion
– de Kharasch-Sosnovsky/Kharasch-Sosnovsky-Reaktion
– de Komarowsky/Komarowsky-Reaktion
– de la cadena de polimerasa/Polymerase chain reaction
– de la plasteína/Plasteïn-Reaktion
– de la taleioquina/Thalleiochin-Reaktion
– de Landolt/Landoltsche Zeitreaktion
– de Leuckart/Leuckart-Reaktion
– de Maillard/Maillard-Reaktion
– de Mannich/Mannich-Reaktion
– de McCormack/McCormack-Reaktion
– de McMurry/McMurry-Reaktion
– de Meerwein/Meerwein-Reaktion
– de Meyers/Meyers-Reaktion
– de Michaelis-Arbusov/Michaelis-Arbusov-Reaktion
– de Millon/Millonsche Reaktion
– de Mitsunobu/Mitsunobu-Reaktion
– de Mukaiyama/Mukaiyama-Reaktion
– de Nazarov/Nazarov-(Ringschluß-)Reaktion
– de Nencki/Nencki-Reaktion
– de Nesmeyanov/Nesmeyanov-Reaktion
– de Obermayer/Obermayersche Reaktion
– de Pandy/Pandy-Reaktion
– de paso/Durchtrittsreaktion
– de Passerini/Passerini-Reaktion
– de Paternò-Büchi/Paternò-Büchi-Reaktion
– de Pauly/Pauly-Reaktion
– de Pauson-Khand/Pauson-Khand-Reaktion
– de Pechmann/Pechmann-Reaktion
– de Perkin/Perkin-Reaktion
– de Perkow/Perkow-Reaktion
– de Peterson/Peterson-Reaktion
– de Pictet-Spengler/Pictet-Spengler-Reaktion
– de Polonovski/Polonovski-Reaktion
– de Pomeranz-Fritsch/Pomeranz-Fritsch-Reaktion
– de Prins/Prins-Reaktion
– de Ramberg-Bäcklund/Ramberg-Bäcklund-Reaktion
– de Reformatsky/Reformatsky-Reaktion
– de Reimer-Tiemann/Reimer-Tiemann-Reaktion
– de Reissert/Reissert-Reaktion
– de Ritter/Ritter-Reaktion
– de Robinson/Robinson-Anellierung
– de Rosenmund/Rosenmund-Reaktion
– de ruptura/Abbruchreaktion
– de Sakurai/Sakurai-Reaktion
– de Sandmeyer/Sandmeyer-Reaktion
– de Schenck/Schenck-Reaktion
– de Schiemann/Schiemann-Reaktion
– de Schmidt/Schmidt-Reaktion
– de Schönberg/Schönberg-Reaktion
– de Schotten-Baumann/Schotten-Baumann-Reaktion
– de Schwarz-Neghishi/Schwarz-Neghishi-Reaktion
– de Selivanov/Seliwanow-Reaktion
– de Shapiro/Shapiro-Reaktion
– de Simmons-Smith/Simmons-Smith-Reaktion
– de Simonini/Simonini-Reaktion
– de Sommelet/Sommelet-Reaktion
– de Staudinger/Staudinger-Reaktion
– de Stetter/Stetter-Reaktion
– de Stille/Stille-Reaktion
– de Süs/Süs-Reaktion
– de Suzuki/Suzuki-Reaktion
– de Swarts/Swarts-Reaktion
– de Takata/Takata-Reaktion
– de Teuber/Teuber-Reaktion
– de Thiele-Winter/Thiele-Winter-Reaktion
– de Thorpe/Thorpe-Reaktion
– de Treibs/Treibs-Reaktion
– de Trommer/Trommer-Test
– de Tsuji-Trost/Tsuji-Trost-Reaktion
– de Ullmann/Ullmann-Reaktion
– de van Urk/Van-Urk-Reaktion
– de Varrentrapp/Varrentrapp-Reaktion
– de Vilsmeier-Haack/Vilsmeier-Haack-Reaktion
– de Vitali/Vitali-Reaktion
– de Wassermann/Wassermann-Reaktion
– de Weidel-Kossel/Weidel-Kossel-Reaktion
– de Weiss/Weiss-Reaktion
– de Willgerodt/Willgerodt-Reaktion
– de Wittig/Wittig-Reaktion
– de Zimmermann/Zimmermann-Reaktion
– de Zwikker/Zwikker-Reaktion
– en cadena/Eintopfreaktion, Kettenreaktion
– en cadena de la ligasa/Ligase chain reaction
– Stork de enaminas/Stork-Enamin-Reaktion
– xantoproteica/Xanthoprotein-Reaktion
– yodo-almidón/Iodstärke-Reaktion
– yodo-azida/Iod-Azid-Reaktion
– zip/Zip-Reaktion
reaccionar/Reagieren

reacciones/Reaktionen
– anaplerótica/Anaplerotische Reaktionen
– con nombres propios/Namen(s)reaktionen
– concertadas/Konzertierte Reaktionen
– de ciclación/Ringschlußreaktionen
– de fase I/Phase-I-Reaktionen
– de fase II/Phase-II-Reaktionen
– de Fischer/Fischer-Reaktionen
– de intercambio/Austauschreaktionen
– de intercambio de carga/Ladungsaustauschreaktionen
– de Liebermann/Liebermann-Reaktionen
– de los sistemas cíclicos/Ringreaktionen
– de Nef/Nef-Reaktionen
– de Nenitzescu/Nenitzescu-Reaktionen
– de Norrish/Norrish-Reaktionen
– de transferencia de electrones/Protonenübertragungsreaktionen
– de transporte/Transport-Reaktionen
– de Wallach/Wallach-Reaktionen
– de Ziegler/Ziegler-Reaktionen
– de Zincke/Zincke-Reaktionen
– (síntesis) diastereoselectivas/Diastereoselektive Reaktionen (Synthesen)
– electrocíclicas/Elektrocyclische Reaktionen
– electrófilas/Elektrophile Reaktionen
– elementales/Elementarreaktionen
– en el tiempo/Zeitreaktionen
– entre moléculas e iones/Ionen-Molekül-Reaktionen
– escalonadas (por etapas)/Stufenreaktionen
– iónicas/Ionenreaktionen
– multicéntricas/Mehrzentrenreaktionen
– multicomponentes/Mehrkomponenten-Reaktion
– nucleares/Kernreaktionen
– nucleófilas/Nucleophile Reaktionen
– organometálicas/Metall-organische Reaktionen
– pericíclicas/Pericyclische Reaktionen
– poliméricas análogas/Polymeranaloge Reaktionen
– queletrópicas/Cheletrope Reaktionen
– radicalarias/Radikalische Reaktionen
– rápidas/Schnelle Reaktionen
– simultáneas/Simultanreaktionen
– sincrónicas/Synchronreaktionen
– S_N/S_N-Reaktionen
– sucesivas/Sukzessivreaktionen
– tándem/Tandem-Reaktion
– termoleculares/Termolekulare Reaktionen
– termonucleares/Kernfusion
– unimoleculares/Unimolekulare Reaktionen
reactivo de Abel/Abels Reagenz
– de Benedict/Benedicts Reagenz
– de Bial/Bials Reagenz
– de Carr-Price/Carr-Price-Reagenz
– de Collman/Collmans Reagenz
– de Dragendorff/Dragendorffs Reagenz
– de Esbach/Esbachs Reagenz

Español

- de Eschka/Eschka-Mischung
- de Fenton/Fentons Reagenz
- de Folin/Folins Reagenz
- de Fröhde/Fröhdes Reagenz
- de Gigli/Giglis Reagenz
- de Günzburg/Günzburgs Reagenz
- de Haine/Hainesche Lösung
- de Hanuš/Hanuš-Reagenz
- de Jorissen/Jorissens Reagenz
- de Kahane/Kahanes Reagenz
- de Karl Fischer/Karl-Fischer-Reagenz
- de Lalancette/Lalancette-Reagenz
- de Lawesson/Lawesson-Reagenz
- de Lunge/Lunge-Reagenz
- de Mayer/Mayers Reagenz
- de Nessler/Neßlers Reagenz
- de Nylander/Nylanders Reagenz
- de Parkes/Parkes Reagenz
- de Persoz/Persoz-Reagenz
- de Riegler/Rieglers Reagenz
- de Schiff/Schiffs Reagenz
- de Schlesinger/Schlesingers Reagenz
- de Schweizer/Schweizers Reagenz
- de Thiele/Thieles Reagenz
- de Töpfer/Töpfers Reagenz
- de Tollens/Tollens-Reagenz
- de Uffelmann/Uffelmann-Reagenz
- de Vervens/Vervens-Reagenz
- de Vilsmeier/Vilsmeier-Reagenz
- de Wiesner/Wiesner-Reagenz
- de Willebrand/Willebrand-Reagenz
- de yodoplatinato/Iodplatinat-Reagenz

precipitante/Fällungsmittel
reactivos/Reagenzien
- a pulverizar/Sprühreagenzien
- de Ames/Ames-Reagenzien
- de desplazamiento RMN/Verschiebungsreagenzien
- de Ehrlich/Ehrlichs Reagenzien
- de Girard/Girard-Reagenzien
- de Grignard/Grignard-Verbindungen
- de pulverización/Sprühreagenzien
- de Tebbe-Grubbs/Tebbe-Grubbs-Reagenzien
- de Wittig/Wittig-Reagenzien
- para identificar fibras/Faserreagenzien

reactor de circulación/Umlaufreaktor
- de columna de burbujeo/Blasensäulenreaktor
- de cultivo celular Diessel/Diessel®-Zellkultur-Reaktor
- de diálisis/Dialysereaktor
- de fibra hueca/Hohlfaser-Reaktor
- de membrana enzimática/Enzym-Membran-Reaktor
- de película de escurrimiento/Rieselfilmreaktor
- de superficie/Oberflächenreaktor
- experimental termonuclear internacional/ITER
- plug-flow/Plug Flow-Reaktor
reactores/Reaktoren
- de biofilm/Biofilmreaktor
- de combustión/Verbrennungsreaktoren
- de cultivos celulares/Zellkultur-Reaktoren
- de lecho fluidizado/Fließbett-Reaktor
- nucleares/Kernreaktoren
- reproductores/Brutreaktoren
reaginas/Reagine
reagrupamiento/Umlagerungen
- de Cope/Cope-Umlagerung
- de Fries/Fries-Umlagerung
- di-π-metano/Di-π-methan-Umlagerung
rebecamicina/Rebeccamycin
reboxetina/Reboxetin
receptáculos/Behälter
receptor Ah/Ah-Rezeptor
- de dihidropiridinas/Dihydropyridin-Rezeptor
- de glicina/Glycin-Rezeptor
- de imidazolina/Imidazolin-Rezeptor
- de las asialoglicoproteínas/Asialoglykoprotein-Rezeptor
- de los cannabinoides/Cannabinoid-Rezeptor
- de rianodina/Ryanodin-Rezeptor
receptores/Rezeptoren, Sensoren
- de dopamina/Dopamin-Rezeptoren
- de GABA/GABA-Rezeptoren
- de glutamato/Glutamat-Rezeptoren
- de retinoides/Retinoid-Rezeptoren
- homing/Homing-Rezeptoren
- nucleares/Kernrezeptoren
- vanilloides/Vanilloid-Rezeptor
receta/Rezept
rechupe/Lunker
reciclado de desechos/Abfallverwertung
reciclaje/Recycling
recipiente (curso de agua) receptor/Vorfluter
recipientes/Behälter
- de absorción/Absorptionsgefäße
- de gas a presión/Druckgasflaschen
recocido/Glühen, Tempern
- brillante/Blankglühen
- de atenuación de tensiones/Spannungsarmglühen
recogegotas/Tropfenfänger
recombinación/Rekombination
recombinasas/Recombinasen
recomendaciones/Richtlinien
- para laboratorios/Richtlinien für Laboratorien
reconocimiento de especies/Arterkennung
- molecular/Molekulare Erkennung
recoverina/Recoverin
recristalización/Rekristallisation, Umkristallisation
recta de operación (amplificación)/Verstärkungsgerade
rectal/Rektal
rectificación/Rektifikation
rectificado honing/Honen
recubrimiento/Beschichtung, Kaschieren, Überlappung
- con plástico/Kunststoff-Beschichtung
- por inmersión en caliente/Schmelztauchen
red cristalina/Kristallgitter
- neuronal/Neuronale Netze
- polimérica de valencia principal/Hauptvalenz-Netzwerke
- recíproca/Reziproke Gitter
redes poliméricas/Polymere Netzwerke
- poliméricas interpenetrantes/Interpenetrierende polymere Netzwerke
redoma/Phiole
redoxinas/Redoxine
reducción/Reduktion
- catódica/Kathodische Reduktion
- de Béchamp/Béchamp-Reduktion
- de Benkeser/Benkeser-Reduktion
- de Birch/Birch-Reduktion
- de Clemmensen/Clemmensen-Reduktion
- de la acidez (o de la basicidad)/Abstumpfen
- de Meerwein-Ponndorf-Verley/Meerwein-Ponndorf-Verley-Reduktion
- de Rosenmund-Saytsev/Rosenmund-Saytsev-Reduktion
- de sulfato asimiladora/Assimilatorische Sulfat-Reduktion
- de Wolff-Kishner/Wolff-Kishner-Reduktion
- de Zinin/Zinin-Reduktion
- del riesgo/Risikominderung
- por estaño/Zinn-Reduktion
- (respiración) de sulfato/Sulfat-Atmung
reductasas/Reduktasen
reductonas/Reduktone
reductor/Reduktiv
reductores/Reduktionsmittel, Reduzierstücke
- de turbulencias/Strömungsbeschleuniger
redundancia/Redundanz
redwitzita/Redwitzit
refinación/Raffination
- del carbón/Kohleveredlung
refinado/Läutern, Raffination
- electrolítico/Elektrolytische Raffination
reflexión/Reflexion
reflujo/Rückfluß
reformado/Reformieren
reforming/Reformieren
reforzadores de detergencia/Waschkraftverstärker
- de limpieza/Reinigungsverstärker
- del sabor/Geschmacksverstärker
reforzamiento fibroso/Faserverstärkung
refracción/Refraktion
- atómica/Atomrefraktion
refractómetro/Refraktometer
refrigeración por evaporación/Verdampfungskühlung
refrigerantes/Kühler
refuerzo/Verstärker
regaliz/Lakritze
regeneración/Regeneration
- de plantas/Regeneration von Pflanzen
regenerado/Wiederaufbereitung
regenerados/Regenerate
regio.../Regio...
regioespecifico/Regioselektiv, Regiospezifisch
regioisomería/Regioisomerie
región hipervariable/Hypervariable Region
regiones de diferente índice de refracción/Schlieren
- variables/Variable Regionen
regioquímica/Regiochemie
regioselectivo/Regioselektiv, Regiospezifisch
registro/Registrieren
- de emisiones/Emissionskataster
- de inmisiones/Immissionskataster
- de los colores RAL/RAL-Farbenregister
- del tansporte y liberación de contaminantes/PRTR
regla de Abegg/Abeggsche Regel
- de Auwers-Skita/Auwers-Skita-Regel
- de Blanc/Blanc-Regel
- de Bredt/Bredt'sche Regel
- de Cailletet-Mathias/Cailletet-Mathias'sche Regel
- de Hückel/Hückel-Regel
- de Kornblum/Kornblum-Regel
- de las fases de Gibbs/Gibbssche Phasenregel
- de los octantes/Oktantenregel
- de Markovnikoff/Markownikoffsche Regel
- de Mattauch/Mattauch-Regel
- de Ostwald/Ostwaldsche Stufenregel
- de Pictet y Trouton/Pictet-Trouton-Regel
- de Saytsev/Saytzeff-Regel
- de Stokes/Stokes-Regel
- de Traube/Traube-Regel
- del doble enlace de Schmidt/Schmidtsche Doppelbindungsregel
- del isopreno/Isopren-Regel
reglamento de embalaje/Verpackungsverordnung
- de la comunidad europea de residuos/EG-Altstoffverordnung
- de sustancias peligrosas/Gefahrstoffverordnung
- del medio ambiente de la comunidad europea/EG-Ökoauditverordnung
- para las incineradoras de residuos/Abfallverbrennungsanlagen-Verordnung
- para los lodos de clarificación/Klärschlammverordnung
- sobre aceite usado/Altölverordnung
reglamentos generales reconocidos de la técnica/Allgemein anerkannte Regeln der Technik
- para la determinación de desechos/Abfallbestimmungs-Verordnungen
reglas de CEP/CEP-Regeln
- de CIP/CIP-Regeln
- de las mezclas/Mischungsregeln
- de secuencia/Sequenzregeln
- de selección/Auswahlregeln
- de Slater/Slatersche Regeln
- de Tammann/Tammann-Regel
- de Wade/Wade-Regeln
- de Wigner-Witmer/Wigner-Witmer-Regeln
- de Woodward-Hoffmann/Woodward-Hoffmann-Regeln
- ecogeográficas/Klimaregeln
regoldane/Kastanien
regulación/Regulation
regulador de dos posiciones/Zweipunktregler
- de la membrana de la fibrosis cística/CFTR
- de la presión/Druckminderer
- de todo o nada/Zweipunktregler
reguladores/Reglersubstanzen
- de crecimiento/Wachstumsregulatoren, Wachstumsregler
régulo/Regulus
reína/Rhein
rejalgar/Realgar
relación C/N/C/N-Verhältnis

- cuantitativa estructura/actividad/QSAR
- de conmutación/Vertauschungsrelation
- hospedante-hospedado/Wirt-Gast-Beziehung
- huésped-parásito/Wirt-Gast-Beziehung

relajación/Relaxation
relajantes musculares/Muskelrelaxantien
relativo/Relativ
relaxina/Relaxin
relieve/Treibprozeß
…relina/…relin
reloj atómico/Atomuhr
rem/Rem
remachado explosivo/Sprengnietung
remalloy/Remalloy
remedios/Heilmittel
remifentanil/Remifentanil
remolachas/Rote Rüben
removilización/Remobilisierung
remoxiprida/Remoxiprid
renatos/Rhenate
renaturalisación/Renaturierung
rendimiento/Ausbeute, Wirkungsgrad
- cuántico/Quantenausbeute
- óptico/Optische Ausbeute
- térmico/Thermischer Wirkungsgrad
- termodinámico/Thermodynamischer Wirkungsgrad

renierita/Reniérit
renina/Renin
renio/Rhenium
(re)odorizantes/Geruchsverbesserungsmittel
reología/Rheologie
reopexia/Rheopexie
repaglinida/Repaglinid
reparto/Verteilung
repelentes/Repellentien
- para insectos/Insektenabwehrmittel

replicación/Replikation
- en placas/Replikatechnik

replicasa Qβ/Qβ-Replikase
reportes/Reports
represión de catabolitos/Katabolit-Repression
represores/Repressoren
reprocesado/Wiederaufbereitung
reproducción/Brüten
reproduc[t]ibilidad/Reproduzierbarkeit
reprografía/Reprographie
reproterol/Reproterol
reptación/Reptation
repujado/Treibprozeß
repulsión/Abschrecken
requerimiento de oxígeno químico/CSB
requesón/Quark
resazurina/Resazurin
rescinnamina/Rescinnamin
reserpina/Reserpin
reserva de fruta sin fermentar/Süßreserve
reservas/Reservierungsmittel
- de polisacáridos/Reserve-Polysaccharide

resfriado/Schnupfen
residuo/Abfall, Rückstand
- biológico/Bioabfall
- de calcinación/Glührückstand
- de evaporación/Abdampfrückstand

residuos/Reste
- calcinados/Abbrand
- de destilación/Schlempe
- radioactivos/Radioaktive Abfälle

resiliencia/Kerbschlagzähigkeit
resilina/Resilin
resina/Resina
- de damar/Dammarharz
- de guayaco/Guajakharz
- de ipomoea/Ipomoea-Harz
- (goma) sandáraca/Sandarak
- polianhídrica/Polyanhydrid-Harz

resinas/Harze, Resine
- acrilalquídicas/Acryl-Alkydharze
- acrílicas/Acrylharze
- aldehídicas/Aldehydharze
- alílicas/Allylharze
- alquídicas/Alkydharze
- (barnices) de impregnación/Tränkharze
- blandas (flexibles)/Weichharze
- cetónicas/Keton-Harze
- coladas/Gießharze
- cresólicas/Kresol-Harze
- de acetales/Acetal-Harze
- de benzoguanamina/Benzoguanamin-Harze
- de cumarona-indeno/Cumaron-Indenharze
- de ésteres vinílicos/Vinylester-Harze
- de fenol-aralquilo/Phenol-Aralkyl-Harze
- de formaldehído/Formaldehyd-Harze
- de hidrocarburos/Kohlenwasserstoff-Harze
- de impregnación/Imprägnier-Harze
- de intercambio iónico/Ionenaustauscherharze
- de melamina/Melamin-Harze
- de melamina-fenol-formaldehído/Melamin-Phenol-Formaldehyd-Harze
- de melamina(-formaldehído)/Melamin-Formaldehyd-Harze
- de melamina-urea-formaldehído/Melamin-Harnstoff-Formaldehyd-Harze
- de metacrilato/Methacrylatharze
- de petróleo/Petroleum-Harze
- de pinenos/Pinen-Harze
- de poliésteres insaturadas/Ungesättigte Polyester-Harze
- de poliuretano/Polyurethan-Harze
- de reacción/Reaktionsharze
- de refuerzo/Verstärkerharze
- de terpeno-fenol/Terpen-Phenol-Harze
- de tetracloroftalato/Tetrachlorphthalat-Harze
- de triazina/Triazin-Harze
- de urea/Harnstoff-Harze
- de xileno-formaldehído/Xylol-Formaldehyd-Harze
- encolantes/Leimharze
- endurecidas/Hartharze
- epoxídicas/Epoxidharze
- fenólicas/Phenol-Harze
- furánicas/Furan-Harze
- industriales (técnicas)/Technische Harze
- low-profile/Low-profile-Harze
- maleicas/Maleinatharze
- metacrílicas/Methacrylatharze
- naturales/Natürliche Harze
- poliéster/Polyesterharze
- reactantes/Reaktantharze
- sintéticas/Kunstharze, Synthetische Harze
- terpénicas/Terpen-Harze

resinatos/Harzseifen
resiniferatoxina/Resiniferatoxin
resinificación/Verharzung
resinoides/Resinoide
resistencia/Resistenz
- a ceder color al frotar/Wischbeständigkeit
- a la ruptura/Zugfestigkeit
- a los herbicidas/Herbizidresistenz
- al calor/Hitzebeständigkeit, Hitzeresistenz, Warmfestigkeit
- al desgarro/Reißfestigkeit
- al rozamiento/Scheuerfestigkeit
- alcalina/Alkalienheit
- bajo cargas alternas/Schwingfestigkeit
- del medio ambiente/Umweltwiderstand
- en estado húmedo/Naßfestigkeit
- en seco/Trockenfestigkeit

resists/Resists
resmetrina/Resmethrin
resolución/Auflösung
resonador de láser/Laser-Resonator
resonancia/Resonanz
resonancias de Ramsey/Ramsey-Resonanzen
resorcina/Resorcin
resorcinol/Resorcin
resorción/Resorption
resortes/Federn
respiración/Atmung
- del suelo/Bodenatmung

respiradores/Atemschutzgeräte
responsabilidad medio ambiente/Umwelthaftung
responsable de empresa para la protección del medio ambiente/Betriebsbeauftragter für Umweltschutz
- de empresa para los desechos/Abfallbeauftragter

respuesta inmunitaria/Immunantwort
restauración/Restaurierung
resting cells/Resting Cells
restos/Reste
- ácidos/Säurereste

resublimación/Resublimation
retama de escobas/Besenginster
retardación/Kalter Fluß
retardador/Retarder
- de fraguado/Erstarrungsverzögerer
- de solidificación/Erstarrungsverzögerer

retén frontal/Gleitringdichtung
retención/Retention
reteno/Reten
reteplasa/Reteplase
reticulación/Vernetzung
reticulina/Reticulin
retículo (red) molecular/Molekülgitter
- endoplásmico/Endoplasmatisches Retikulum
- metálico/Metallgitter
- sarcoplásmico/Sarkoplasmatisches Retikulum

retinal/Retinal
retinita/Pechstein
retinoides/Retinoide
retinol/Retinol
retortas/Retorten
retraso en la ebullición/Siedeverzug
retratamiento/Wiederaufbereitung
retro…/Retro…
retroelectrodiálisis/Retroelektrodialyse
retrogradación/Retrogradation

retroinhibición/Endproduktthemmung
retrosíntesis/Retrosynthese
retrosublimación/Retrosublimation
retrovirus/Retroviren
reumatismo/Rheuma
- articular crónico/Rheumatoide Arthritis

reuterina/Reuterin
revenido/Anlassen
reversible/Reversibel
revestimiento/Auskleidung, Beschichtung, Kaschieren
- con materiales fundidos/Schmelzbeschichtungen
- con polvo/Pulverbeschichtung
- de banda en rollo/Coil Coating
- de interferencia/Interferenzschicht
- electroforético/Elektrophoretische Lackierung
- electrostático/Elektrostatische Beschichtung

revestimientos del suelo/Bodenbeläge
- desprendibles/Folienlacke
- protectores/Schutzhäute

reviparina sódica/Reviparin-Natrium
revistas/Zeitschriften
revolver/Rühren
rhodotorula/Rhodotorula
rianodina/Ryanodin
ribavirina/Ribavirin
ribitol/Ribit
ribo-/ribo-
riboflavina/Riboflavin
- -5'-fosfato/Riboflavin-5'-phosphat

riboforinas/Ribophorine
ribonucleasas/Ribonucleasen
ribonucleósidos/Ribonucleoside
ribonucleótido-reductasas/Ribonucleotid-Reduktasen
D-ribosa/D-Ribose
ribósidos/Riboside
ribosomas/Ribosomen
ribozimas/Ribozyme
D-ribulosa/D-Ribulose
ribulosabisfosfato-carboxilasa/Ribulosebisphosphat-Carboxylase
riccardinas/Riccardine
ricina/Ricin
ricinoleatos/Ricinoleate
rickettsias/Rickettsien
riel de fundición cruda/Massel
riesgo/Risiko
rifabutina/Rifabutin
rifampicina/Rifampicin
riluzol/Riluzol
rimexolona/Rimexolon
rimsulfurón/Rimsulfuron
„rindbox"/Rindbox
rinológica/Rhinologika
riñones/Nieren
riolita/Rhyolith
rishitina/Rishitin
risperidona/Risperidon
rítmica circadiana/Circadiane Rhythmik
ritmo diurno de los ácidos/Diurnaler Säurerhythmus
ritodrina/Ritodrin
ritonavir/Ritonavir
ritterazinas/Ritterazine
rituximab/Rituximab
rivastigmina/Rivastigmin
rizado/Kräuseln
rizatriptán/Rizatriptan
rizo/Frottee
rizolipasa/Rizolipase

Español

rizoma/Rhizoma
– de tormentila/Tormentillwurzel
rizoxina/Rhizoxin
robinetín/Robinetin
robinia/Robinie
robinina/Robinin
roborantes/Roborantien
roca/Felse
– de silicato de cal/Kalksilicatgestein
– estéril/Taubes Gestein
– lunar/Mondgestein
rocaglamida/Rocaglamid
rocas/Gesteine
– amigdaloides/Mandelsteine
– calcáreas/Kalke
– cataclásticas/Kataklastische Gesteine
– clásticas/Klastische Gesteine
– filonianas/Ganggesteine
– magmáticas/Magmatische Gesteine
– metamórficas/Metamorphe Gesteine
– piroclásticas/Pyroklastische Gesteine
– sedimentarias/Sedimentgesteine
– silíceas/Kieselsteine
rociadores automáticos contra incendios/Sprinkleranlagen
rockbridgeíta/Rockbridgeit
rodaminas/Rhodamine
rodanasa/Rhodanese
rodanesa/Rhodanese
rodanina/Rhodanin
rodaplutina/Rodaplutin
rodatos/Rhodate
rodenticidas/Rodentizide
rodio/Rhodium
rod(o).../Rhod(o)...
rodocrosita/Rhodochrosit
rododendro/Rhododendron
rodonita/Rhodonit
rodopsina/Rhodopsin
rodoquinona/Rhodochinon
rodoxantina/Rhodoxanthin
roentgen/Röntgen
rohituquina/Rohitukin
rojo Congo/Kongorot
– de allura/Allura Red
– de clorofenol/Chlorphenolrot
– de fenol/Bromphenolrot
– de índigo/Indigorot
– de magnesia/Magnesiarot
– de Marte/Marsrot
– de metilo/Methylrot
– de molibdato/Molybdatrot
– de pirogalol/Pyrogallolrot
– de quinaldina/Chinaldinrot
– de toluidina/Toluidinrot
– indiano/Indischrot
– neutro/Neutralrot
– sólido/Echtrot
rolipram/Rolipram
rolitetraciclina/Rolitetracyclin
rollizos/Grubenholz
rómbico/Rhombisch
romboédrico/Rhomboedrisch
ron/Rum
ropinirola/Ropinirol
ropivacaina/Ropivacain
roquefortinas/Roquefortine
roridinas/Roridine
rosa de bengala/Bengalrosa
rosado/Rosé-Wein
rosaminas/Rosamine
rosanilina/Rosanilin
rosas/Rosen
rosasita/Rosasit
rosella/Rosella
roseofilín/Roseophilin
roseotoxinas/Roseotoxine
rosoxacina/Rosoxacin

rotación/Rotation
– -dispersión magnetoóptica/MORD
– molar/Molrotation
rotanos/Rotane
rotaxanos/Rotaxane
rotenoides/Rotenoide
rotenona/Rotenon
rottlerina/Rottlerin
rotulador de fieltro/Filzschreiber
rotundial/Rotundial
rotura celular de microorganismos/Aufschluß von Mikroorganismen
– por fusion/Schmelzbruch
rovings/Rovings
roxitromicina/Roxithromycin
roya del cafeto/Kaffeerost
rozamiento/Reibung
rubefacientes/Rubefacientien
rubí/Rubin
rubia/Krapp
rubidio/Rubidium
rubratoxina B/Rubratoxin B
rubredoxinas/Rubredoxine
rubreno/Rubren
rubroflavina/Rubroflavin
rubromicinas/Rubromycine
ruda cabruna/Geißraute
rufoolivacinas/Rufoolivacine
rugulosín/Rugulosin
ruibarbo/Rhabarber
russufelinas/Russupheline
rutenatos/Ruthenate
rutenio/Ruthenium
rutherford/Rutherford
rutherfordina/Rutherfordin
rutilo/Rutil
rutina/Rutin
rutinosa/Rutinose

S

sabor/Geschmack
– a reversión/Reversionsgeschmack
– debido a la luz solar/Sonnenlichtgeschmack
sabuco/Flieder
sacar el papal de la tela/Gautschen
sacarato de calcio/Calciumsaccharat
sacaratos/Saccharate
sacarificación de la madera/Holzverzuckerung
sacarimetría/Saccharimetrie
sacarina/Saccharin
sacarosa/Saccharose
Saccharomyces/Saccharomyces
sacuayamicinas/Saquayamycine
safflorita/Safflorit
saframicina/Saframycine
safranal/Safranal
safraninas/Safranine
safrola/Safrol
sagó/Sago
sake/Sake
sal/Salz
– AH/AH-Salz
– crepitante/Knistersalz
– crujiente/Knistersalz
– de Carlsbad/Karlsbader Salz
– de cocina/Kochsalz
– de dieta/Kochsalz-Ersatzmittel
– de fermentación/Gärsalz
– de Fremy/Fremys Salz
– de Graham/Grahamsches Salz
– de Kissingen/Kissinger Salz
– de Magnus/Magnus-Salz
– de mesa/Speisesalz
– de mesa yodada/Iodiertes Speisesalz
– de Monsel/Monsels Salz
– de Reinecke/Reinecke-Salz
– de Zeise/Zeise-Salz
– disódica/Chromotropsäure Dinatrium-Salz
– dura/Hartsalz
– fundida/Gütesalze, Härtesalze
– gema/Steinsalz
– nitroso-R/Nitroso-R-Salz
– para esparcir (descongelar)/Streusalz
– pobre en sodio/Kochsalz-Ersatzmittel
– sólida de tintura/Diazoechtsalze
– verde/Grünsalz
salacetamida/Salacetamid
salación/Einsalzen
saladura separativa/Aussalzen
salamandra motcada/Feuersalamander
salazón/Pökeln
salbostatina/Salbostatin
salbutamol/Salbutamol
salcomina/Salcomin
saléeita/Saléeit
salep/Salep
sales/Salze
– de aminas/Ammin-Salze
– de arsonio/Arsonium-Salze
– de benciltrimetilamonio/Benzyltrimethylammonium-Salze
– de Bunte/Bunte-Salze
– de escombreras/Abraumsalze
– de estibonio/Stibonium-Salze
– de fosfonio/Phosphonium-Salze
– de fosgeno-iminio/Phosgen-Iminium-Salze
– de fusión para queso/Käseschmelzsalze
– de hidrazinio/Hydrazinium-Salze
– de hidroxilamonio/Hydroxylammonium-Salze
– de Meerwein/Meerwein-Salze
– de óxidos/Oxidsalze
– de oxocarbenio/Oxocarbenium-Salze
– de oxonio/Oxonium-Salze
– de pirilio/Pyrylium-Salze
– de potasa/Kalisalze
– de Roussin/Roussinsche Salze
– de tetrabutilamonio/Tetrabutylammonium-Salze
– de tetraetilamonio/Tetraethylammonium-Salze
– de tetrametilamonio/Tetramethylammonium-Salze
– de tetramincobre(II)/Tetraaminkupfer(II)-Salze
– de tetrazolio/Tetrazolium-Salze
– de tiazolio/Thiazolium-Salze
– de triglicina/Triglycin-Salze
– de Tutton/Tutton-Salze
– de uronio/Uronium-Salze
– de Wurster/Wurster-Salze
– dobles/Doppelsalze
– fundidas/Salzschmelzen
– neutras/Neutralsalze
– potásicas/Kalisalze
– púrpuras/Purpureosalze
– triples/Tripelsalze
– violeo/Violeosalze
– volátiles (olorosas)/Riechsalze
– xanto/Xanthosalze
salicil.../Salicyl...
salicildoxima/Salicylaldoxim
salicilamida/Salicylamid
– del ácido O-acético/Salicylamid-O-essigsäure
salicilato de hidroxietilo/Hydroxyethylsalicylat
– de sodio/Natriumsalicylat
salicilatos/Salicylsäureester
salicilo/Salicil

saliciloil.../Salicyloyl...
salida de emergencia/Notausgang
salificación/Einsalzen
salinidad/Salinität
salinomicina/Salinomycin
salitre/Kalisalpeter, Salpeter
– amónico-potásico/Kaliammonsalpeter
– de Chile/Chilesalpeter
– explosivo/Sprengsalpeter
saliva/Speichel
salmeterol/Salmeterol
salmina/Salmin
salmonelas/Salmonellen
salmuera/Lake, Sole
– nítrica/Nitritpökelsalz
salsa bearnesa/Sauce béarnaise
– de Worcester/Worcester-Sauce
salsalato/Salsalat
saltamontes/Heuschrecken
saluréticos/Saluretika
salvado/Kleie
– (afrecho) de trigo/Weizenkleie
salvia/Salbei
samario/Samarium
samarskita/Samarskit
samos/Samos
sandwich/Sandwich
saneamiento de basureras abandonadas/Altlastensanierung
sangramiento/Ausbluten
sangre/Blut
– de dragón/Drachenblut
sangría/Abstich
sanguinaria mayor/Vogelknöterich
sanguinarina/Sanguinarin
santalenos/Santalene
santaloles/Santalole
santonica/Zitwer
santónico/Wurmkraut
santonina/Santonin
sapogeninas/Sapogenine
– esteroides/Steroid-Sapogenine
saponificación/Verseifung
saponina/Saponin
– de quillay/Quillajasaponin
saponinas/Saponine
– de los equinodermos/Stachelhäuter-Saponine
– esteroides/Steroid-Saponine
– triterpénicas/Triterpen-Saponine
saponita/Saponit, Seifenstein
saprobidad/Saprobie
saprobiontes/Saprobionten
saprobios/Saprobien, Saprobionten
saprobióticos/Saprobien
saprofitas/Saprophyten
sapropel/Faulschlamm
saprotrofo/Saprotroph
saquinavir/Saquinavir
saralasina/Saralasin
saratrodast/Seratrodast
α-sarcina/α-Sarcin
sarcinaxantina/Sarcinaxanthin
sarcodictyinas/Sarcodictyine
sarcófagos/Sarkophag
sarcómeros/Sarkomere
sarcomicina A/Sarkomycin A
sarcoína/Sarkosin
sarcosinatos de ácidos grasos/Fettsäuresarcosinate
sardinas/Sardinen
sardónica/Sardonyx
sarin/Sarin
sarpagina/Sarpagin
sarro dentario/Zahnstein
sassolita/Sassolin
satinado/Satinage
sativana/Sativan
sativeno/Sativen

satratoxinas/Satratoxine
saturación/Absättigung
– de luz/Lichtsättigung
saturado/Gesättigt
saúco/Flieder, Holunder
saudina/Saudin, Saudinolid
saudinolida/Saudin, Saudinolid
saussureaminas/Saussureamine
sauzgatillo/Mönchspfeffer
saxitoxinas/Saxitoxin
scaso de fallo/Störfall
scenedesmus/Scenedesmus
scheelita/Scheelit
scholzita/Scholzit
schultenita/Schultenit
sclericólico/Sklerikol
...scopía/...skop, ...skopie
...scopio/...skop, ...skopie
screening/Screening
sebacatos/Sebacinsäureester
sebo/Talg
– bovino/Rindertalg
seborrea/Seborrhoe
secado/Trocknen
– al horno/Darren
– por congelación/Gefriertrocknung
– por pulverización/Sprühtrocknung
– por rayos infrarrojos/Infrarottrocknung
secadores/Sikkative
secantes/Sikkative, Trockenstoffe
secbutabarbital/Secbutabarbital
sección eficaz/Wirkungsquerschnitt
– eficaz de absorción/Absorptionsquerschnitt
seco/Dry, Trocken
seco.../Seco...
secobarbital/Secobarbital
seco[e]steroides/Secosteroide
secologanina/Secologanin
secreción/Sekretion
secretina/Secretin
secuencia de consenso/Consensus-Sequenz
– de reconocimiento/Erkennungssequenz
– de Shine y Dalgarno/ Shine-Dalgarno-Sequenz
secuenciador de aminoácidos/Aminosäure-Sequenzer
– de péptidos/Peptid-Sequencer
secuencias de anillos/Ringsequenzen
– de inserción/Insertionssequenzen
– líder/Leader-Sequenz
secundario/Sekundär
seda/Seide
– al colodión/Chardonnet-Seide
– artificial al cobre/Kupferseide
– celulósica/Zellseide
– chardonnet/Chardonnet-Seide
sedantes/Sedativa
sedas artificiales/Kunstseiden
sedimentación/Sedimentation
– sanguínea/Blutsenkung
sedimento latericio/Ziegelmehl
sedimentos/Sedimente, Sinter, Trub, Weingeläger
sedo.../Sedo...
sedoheptulosa/Sedoheptulose
segmentos no rígidas/Weichsegmente
segregaciones/Seigerungen
segundo/Sekunde
– mensajero/Second messenger
seguridad/Sicherheit
– en el trabajo/Arbeitssicherheit
seguro de accidente/Unfallversicherung

seicheleno/Seychellen
selección/Selektion
seleccionador de células/Zellsortierer
selectinas/Selectine
selectivo/Selektiv
selector Wien/Wien-Filter
selegilina/Selegilin
selenio/Selen
selenita/Gips
selenito de sodio/Natriumselenit
selenitos/Selenite
seleniuro de cadmio/Cadmiumselenid
– de hidrógeno/Selenwasserstoff
– de indio/Indiumselenid
– de plomo/Bleiselenid
seleniuros/Selenide
selenocisteína/Selenocystein
selenofitas/Selenophyten
selinenos/Selinene
sello de salomón/Salomonssiegel
semi.../Semi...
semiacetales/Halbacetale
semibulvaleno/Semibullvalen
semicarbazida/Semicarbazid
semiconductores/Halbleiter
semicuantitativo/Halbquantitativ
semihidratos/Hemihydrate
semilana/Halbwolle
semilla de cebadilla/Sabadillsamen
semillas/Saatgut, Samen
– de lino/Leinsamen
semimetales/Halbmetalle
semimicroanálisis/Halbmikroanalyse
semipasta/Halbstoff
semipila/Halbzelle
semiproducto/Halbzeug, Stahlerzeugnisse
semiquinonas/Semichinone
semivida/Halbwertszeit
sémola/Grieß
sempervirina/Sempervirin
señal/Signal
senarmontita/Senarmontit
senescencia/Seneszenz
señoras de compañía moleculares/Chaperone
senósidos/Sennoside
senoxepina/Senoxepin
sensibilidad/Empfindlichkeit
– química múltiple/MCS
sensibilización/Sensibilisation
sensibilizadores/Sensibilisatoren
sensores/Sensoren
– de gas/Gassensoren
sensórica/Sensorik
sentina/Bilge
separación/Abscheidung, Scheiden, Trennen
– de células/Zellfraktionierung
– de gases/Gaszerlegung
– de isótopos/Isotopentrennung
– de microfases/Mikrophasentrennung
– por congelación/Ausfrieren
– por disgregación/Ausschwimmen
separador/Abscheider
– de aceite; separación de aceite/Ölabscheider
– de agua/Wasserabscheider
– de espuma/Schaumseparator
– o decantador por niebla/Nebelabscheider
– por vía húmeda/Naßabscheider
separar por centrifugación/Separieren
sepiolita/Sepiolith
sepsis/Sepsis
septi.../Septi...

septicemia/Sepsis
septo/Septum
ser humano/Mensch
serbal de cazadores/Eberesche
sericina/Sericin
serie de Balmer/Balmer-Serie
– de colores/Bunte Reihe
– de diluciones/Verdünnungsreihe
– de Fourier/Fourier-Reihe
– de tensiones/Spannungsreihe
– electromotriz/Spannungsreihe
– iónica de Hofmeister/Hofmeistersche Reihen
– principal/Hauptserie
series/Serien
serigrafía/Siebdruck
serina/Serin
– -proteinasas/Serin-Proteasen
sermorelín/Sermorelin
seroalbúmina/Serumalbumin
serodiagnóstico/Serodiagnostik
serología/Serologie
serotipos/Serotypen
serotonina/Serotonin
serpenteno/Serpenten
serpentina/Serpentin
serpientes faraónicas/Pharaoschlangen
serpinas/Serpine
serrapeptasa/Serrapeptase
serricornina/Serricornin
serrín/Holzmehl
– para barrer/Kehrpulver
sertaconazol/Sertaconazol
sertindol/Sertindol
sertralina/Sertralin
servicio antiplagas/Pflanzenschutzdienst
– de protección de plantas/Pflanzenschutzdienst
– fitosanitario/Pflanzenschutzdienst
sesbanimidas/Sesbanimide
sesqui.../Sesqui...
sesquifulvalenos/Sesquifulvalene
sesquiterpenos/Sesquiterpene
sester.../Sester...
sesterterpenos/Sesterterpene
seston/Seston
setas/Pilze
setoxidima/Sethoxydim
sets (hongos) comestibles/Speisepilze
severina/Severin
sevicios de información permanente/Schnellinformationsdienste
sevoflurano/Sevofluran
sexi.../Sexi...
shecogenina/Hecogenin
sherardización/Sherardisieren
shiconina/Shikonin
shigella/Shigella
shock/Schock
shop primer/Shop-Primer
showdomicina/Showdomycin
sialil-transferasas/Sialyltransferasen
siamil.../Siamyl...
siastatina B/Siastatin B
sibrafibán/Sibrafiban
sibutramina/Sibutramin
sicanina/Siccanin
SIDA/AIDS
sideraminas/Sideramine
siderita/Siderit
sider(o).../Sider(o)...
siderocromos/Siderochrome
siderofilinas/Siderophiline
sideróforos/Siderophore
sideromicinas/Sideromycine
siderotrofia/Siderotrophie
siderurgia/Eisenhüttenkunde

sidnonas/Sydnone
sidra/Cidre
siemens/Siemens
siemprevira/Immergrün
sienita/Syenit
– nefelínica/Nephelinsyenit
sievert/Sievert
sífilis/Syphilis
sigmatropo/Sigmatrop
signatura/Signatur
sila.../Sil(a)...
silafluofén/Silafluofen
silandiil.../Silandiyl...
silanols/Silanole
silanos/Silane
silatianos/Silathiane
silatranos/Silatrane
silazanos/Silazane
sildenafil/Sildenafil
silenos/Silene
sílex/Feuerstein, Kieselgesteine
silfa/Aaskäfer
silibina/Silybin
silicato de aluminio y litio/Lithiumaluminiumsilicat
– de aluminio y sodio/Natriumaluminiumsilicat
– de circonio/Zirkoniumsilicat
– de magnesio y aluminio/Magnesiumaluminiumsilicat
silicatos/Silicate
– de aluminio/Aluminiumsilicate
– de calcio/Calciumsilicate
– de cinc/Zinksilicate
– de etilo/Ethylsilicate
– de magnesio/Magnesiumsilicate
– de potasio/Kaliumsilicate
– de sodio/Natriumsilicate
sílice/Kieselerde
– fundida/Quarzgut
silicio/Silicium
– amorfo/Amorphes Silicium
siliciuro de magnesio/Magnesiumsilicid
– de tungsteno/Wolframsilicid
siliciuros/Silicide
– de calcio/Calciumsilicide
– de hierro/Eisensilicide
siliconas/Silicone
silicosis/Silicose
silicotermia/Silicothermie
silil.../Silyl...
sililación/Silylierung
sililtio.../Silylthio...
silimanita/Sillimanit
silomelana/Romanechit
siloxanos/Siloxane
siloxeno/Siloxen
siloxi.../Siloxy...
silvanita/Sylvanit
silvina/Sylvin
sim.../sym-
simazina/Simazin
simbiosis/Symbiose
símbolo de Pearson/Pearson-Symbol
símbolos de peligrosidad/Gefahrensymbole
– del medio ambiente/Umweltzeichen
– químicos/Chemische Zeichensprache
simeticona/Simethicon
simetría/Symmetrie
simientes/Saatgut
simpaticolíticos/Sympath(ik)olytika
simpaticomiméticos/Sympath(ik)omimetika
simpático/Sympatrisch
simport/Symport
simulación en computadoras/Computersimulation

Español

simvastatina/Simvastatin
sin…/Syn…
sin-/syn-
sinalexín/Sinalexin
sinantropía/Synanthropie
sinapina/Sinapin
sinapsinas/Synapsine
sinapsis/Synapsen
sinaptofisina/Synaptophysin
sinaptosomas/Synaptosomen
sinaptotagmina/Synaptotagmine
sincronización/Modenkopplung
- de células/Synchronisierung von Zellen
sincrotrón/Synchrotron
sindicato/Gewerkschaft, Industriegewerkschaft
sinecia/Synökie
sinecología/Synökologie
sinefrina/Synephrin
sinemina/Synemin
sinensales/Sinensal
sinergética/Synergetik
sinergismo/Synergismus
sinergistas/Synergisten
singenita/Syngenit
singulete/Singulett
sinhalita/Sinhalit
sinmetales/Synmetals
sinónimos/Synonyme
sinopsis/Synopsis
sinovia/Synovialflüssigkeit
sintasas/Synthase
sintaxinas/Syntaxine
sinterizado/Sintern
sinters/Sinter
síntesis/Synthese
- a altas presiones/Hochdrucksynthesen
- asimétrica/Asymmetrische Synthese
- de aldehídos de Gattermann/Gattermannsche Aldehyd-Synthese
- de Chichibabin/Tschitschibabin-Synthesen
- de Erlenmeyer/Erlenmeyer-Synthese
- de Fischer-Tropsch/Fischer-Tropsch-Synthese
- de Gabriel/Gabriel-Synthese
- de Hantzsch/Hantzsch-Synthese
- de Houben-Hoesch/Houben-Hoesch-Synthese
- de Kiliani/Kiliani-Synthese
- de Knoop/Knoop-Synthese
- de Knorr/Knorr-Synthesen
- de Koch (de ácidos carboxílicos)/Kochsche Carbonsäure-Synthese
- de Kolbe/Kolbe-Synthese
- de Patterson/Patterson-Synthese
- de péptidos/Peptid-Synthese
- de Pfau-Plattner/Pfau-Plattner-Synthese
- de Pschorr/Pschorr-Synthese
- de Reppe/Reppe-Synthesen
- de Skraup/Skraupsche Synthese
- de Strecker/Strecker-Synthese
- de Traube/Traube-Synthese
- de Williamson/Williamsonsche Ethersynthese
- de Wurtz/Wurtz-Synthese
- del ADN/DNA-Synthese
- del ARN/RNA-Synthese
- enantioselectivas/Enantioselektive Synthese
- estereoselectiva/Stereoselektive Synthese
- hidrotermal/Hydrothermalsynthese
- letal/Letale Synthese
- malónica/Malonester-Synthese
- oxo/Oxo-Synthese
- peptídica/Peptid-Synthese
- split/Split-Synthese
- total/Totalsynthese
sintetasas/Synthetase
sintético/Synthetisch
sintetizador de péptidos/Peptid-Synthesizer
sintol/Synthol
síntoma/Symptom
sintones/Synthone
sirenina/Sirenin
siringaldehído/Syringaaldehyd
siringolidas/Syringolide
sirosingopina/Syrosingopin
sisomicina/Sisomicin
sistema/System
- armonizado/Harmonisiertes System
- combinado/Verbundsysteme
- de administración de la información de laboratorios/LIMS
- de Boughton/Boughton-System
- de Hantzsch-Widman/Hantzsch-Widman-System
- de Hill/Hillsches System
- de oocitos/Oocyten-System
- de pesas avoirdupois/Avoirdupois
- de pulverización de alta presión/Hochdruckzerstäubungssystem
- de Richter/Richtersches System
- de saprobios/Saprobiensystem
- de Schoenflies/Schönflies-System
- de Stelzner/Stelzner-System
- de Stock/Stock-System
- decimal/Dezimalsystem
- de perfusión/Perfusionssystem
- Ewens-Bassett/Ewens-Bassett-System
- experto/Expertensysteme
- HLB/HLB-System
- inmunitario/Immunsystem
- MKS/MKS-System
- Munsell/Munsell-System
- nervioso/Nervensystem
- nervioso parasimpático/Parasympathikus
- nervioso simpático/Sympathikus
- periódico (de los elementos)/Periodensystem
- pila-cebra/Zebra-Batteriesystem
- reticuloendotelial/Retikuloendotheliales System
- solar/Sonnensystem
sistemas binarios/Binäre Systeme
- cíclicos/Ringsysteme
- cíclicos condensados/Kondensierte Ringsysteme
- cristalinos/Kristallsysteme
- de electrones π (pi)/Pi-Elektronensysteme
- de liberación controlada/Therapeutische Systeme
- de reparación/Reparatursysteme
- homogéneos/Homogene Systeme
- redox/Redoxsysteme
- termodinámicos/Thermodynamische Systeme
- ternarios/Ternäre Systeme
sistémico/Systemisch
sistemina/Systemin
sitio de adhesión/attachment-site
- tetraédrico/Tetraederlücke
sitofiluro/Sitophilur
β-sitosterol/β-Sitosterin
skarn/Skarn
sklodowskita/Sklodowskit
skutterudita/Skutterudit
smithsonita/Galmei, Smithsonit
smog/Smog
smythita/Smythit
sobreenfriamiento/Unterkühlung
sobresaturación/Übersättigung
sobretensión/Überspannung
socavón en estéril/Minette
sociedad de bienes y raíces/Holdinggesellschaft
- minera/Gewerkschaft
soda/Sprudel
sodalita/Sodalith
soddyita/Soddyit
sodio/Natrium
soffiones/Soffionen
soforina/Sophorin
software/Software
sol/Sol, Sonne
- de sílice/Kieselsol
solado/Estrich
solanáceas/Solanaceen
soldadura/Lote, Schweißen
- Arcatom/Arcatom-Verfahren
- autógena/Autogenes Schweißen
- de arco con electrodos tungsteno en gas inerte/WIG-Schweißen
- de Grimm/Grimmlot
- de orfebre/Goldlote
- de plásticos/Kunststoff-Schweißen
- electrorápida Linde/Ellira-Verfahren
- Ellira/Ellira-Verfahren
- fuerte/Hartlote
- por arco sumergido (bajo polvo)/Unterpulver-Schweißen
- por explosión/Explosionsschweißen
- por presión en frío/Kaltpreßschweißung
soldar/Löten
- fuerte/Hartlöten
soldeo autógeno o con gas o con soplete/Gasschmelzschweißen
solenopsinas/Solenopsine
solera/Trub
solidensación/Solidensation
solidez a la intemperie/Wetterechtheit
- a la luz/Lichtechtheit
- al avivado/Avivierechtheit
solidificación/Erstarren
sólidos/Festkörper
- activos/Aktivstoffe
solitón/Soliton
solubilización/Solubilisation
solubilizantes/Lösungsvermittler
solución adhesiva/Kleblack
- de clerici/Clericis Lösung
- de cloruro de cinc y yodo/Chlorzinkiod-Lösung
- de coloración de Papanicolaou/Papanicolaous Farblösung
- de Eder/Edersche Lösung
- de Fehling/Fehlingsche Lösung
- de Hayem/Hayemsche Lösung
- de Lugol/Lugols Lösung
- de potasa cáustica/Kalilauge
- de sulfuro de cal/Schwefelkalkbrühe
- de Thiel-Stoll/Thiel-Stoll-Lösung
- de Toulet/Thoulets Lösung
- de Tyrode/Tyrode-Lösung
- de Wackenroder/Wackenroder-Lösung
- de Weigert/Weigert-Lösung
- de West/West-Lösung
- de Wickersheimer/Wickersheimer-Lösung
- de yodo y yoduro potásico/Iod-Kaliumiodid-Lösung
- de York/York-Lösung
- de Zart/Zart-Lösung
- de Zenker/Zenker-Lösung
- madre/Mutterlauge, Stammlösung
- Ringer/Ringer-Lösung
- salina fisiológica/Physiologische Kochsalzlösung
- sólida/Mischkristalle
- valorante/Titrans
soluciones/Lösungen
- calóricas/Kalorische Lösungen
- equimol(ecul)ares/Äquimol(ekul)are Lösungen
- hipertónicas/Hypertonische Lösungen
- hipotónicas/Hypotonische Lösungen
- isopiésticas/Isopiestische Lösungen
- isotónicas/Isotonische Lösungen
- normales/Normallösungen
- nutritivas/Nährlösungen
- sólidas/Feste Lösungen
solvatación/Solvatation
solvatocromía/Solvatochromie
solventes/Lösemittel
solventnaphta/Solvent Naphtha
solvolisis/Solvolyse
soman/Soman
somatolactina/Somatolactin
somatostatina/Somatostatin
somatotropina/Somatotropin
somníferos/Schlafmittel
sondas génicas/Gensonden
sonido/Schall
sonoluminiscencia/Sonolumineszenz
sonoquímica/Ultraschallchemie
soplete/Gebläsebrenner
- de espejo/Spiegelbrenner
- de plasma/Plasmabrenner
- oxhídrico/Knallgasgebläse
sopletes/Brenner
soporíficos/Schlafmittel
soporte lógico/Software
soportes/Stative, Träger
sorafenos/Soraphene
sorangicina/Sorangicine
sorbato de calcio/Calciumsorbat
- de potasio/Kaliumsorbat
sorbatos/Sorbate
sorbitanos/Sorbitane
sorbitol/D-Sorbit
sorbosa/Sorbose
sorción/Sorption
sordarina/Sordarin
sordidín/Sordidin
sorgo/Sorghum
sorivudina/Sorivudin
sosa/Natriumcarbonat
- cáustica/Natriumhydroxid, Natronlauge, Seifenstein
- de blanqueo/Bleichsoda
sotalol/Sotalol
sotolona/Sotolon
spato calcáreo/Calcit
sperrylita/Sperrylith
spin/Spin
- nuclear/Kernspin
sprays/Sprays
sputtering/Sputtering
Src/Src
standoil/Standöle
…stasa/…stase
STAT/STAT
…statina/…statin
sterano/Steran
stishovita/Stishovit
stokes/Stokes
storax/Styrax
stout/Stout

stress/Streß
stromeyerita/Stromeyerit
strunzita/Strunzit
styrax/Styrax
suatancias tóxicas para la reproducción/Fortpflanzungsgefährdend
suavizantes/Weichmacher, Weichpfleger
sub…/Sub…
subenfriamiento/Unterkühlung
suberoil…/Suberoyl…
sublimación/Sublimation
sublimador/Sublimationsapparatur
subóxido de carbono/Kohlensuboxid
subóxidos/Suboxide
subproducto/Nebenprodukt
subproductos de la carbonización/Kohlenwertstoffe
substancia/Substanz
– nociva/Schadstoff
– P/Substanz P
substancias activas/Wirkstoffe
– de reserva/Reservestoffe
– fétidas/Stinkstoffe
– irritantes/Reizend
– minerales/Mineralstoffe
– mucilaginosas/Schleimstoffe
– nocivas para el medio ambiente/Umweltschadstoffe
– odorantes (odoríferas, aromáticas)/Riechstoffe
– para esnifar/Schnüffelstoffe
– patrón/Urtitersubstanzen
– peligrosas del agua/Wassergefährdende Stoffe
– residuales/Reststoff
substantividad/Substantivität
substitución/Substitution
substitutivo (sucedáneo) de la sangre/Blutersatzmittel
substituyente/Substituent
substrato/Substrat
substratos suicidas/Suizid-Substrate
subtilina/Subtilin
subtilisinas/Subtilisine
succinato de sodio/Natriumsuccinat
– -deshidrogenasa/Succinat-Dehydrogenase
succinatos/Bernsteinsäureester, Succinate
succinil…/Succinyl…
succinimida/Succinimid
succinonitrilo/Bernsteinsäuredinitril
sucedáneo/Surrogat
– de café/Kaffee-Ersatz
– de la sal/Kochsalz-Ersatzmittel
– de té/Tee-Ersatz
– (substituto) de la esencia de trementina/Terpentinöl-Ersatz
sucedáneos del azúcar/Zuckeraustauschstoffe
sucesión/Sukzession
sucralfato/Sucralfat
sucralosa/Sucralose
sucrosa/Saccharose
suculentas/Sukkulenten
sudoíta/Sudoit
sudor/Schweiß
suelo/Boden
suelos industriales/Industriefußböden
sueño/Schlaf
suero/Serum
– (lácteo)/Molke
– de leche desgrasada/Buttermilch
sufentanil/Sufentanil

sufijos/Suffixe
suilina/Suillin
sulbactam/Sulbactam
sulbentina/Sulbentin
sulcotriona/Sulcotrion
sulfa…/Sulfa…
sulfabenzamida/Sulfabenzamid
sulfacarbamida/Sulfacarbamid
sulfacetamida/Sulfacetamid
sulfación/Sulfierung
sulfadiazina/Sulfadiazin
sulfadicramida/Sulfadicramid
sulfadimidina/Sulfadimidin
sulfadoxina/Sulfadoxin
sulfaetidol/Sulfaethidol
sulfafenazol/Sulfaphenazol
sulfafurazol/Sulfafurazol
sulfaguanidina/Sulfaguanidin
sulfaguanol/Sulfaguanol
sulfaleno/Sulfalen
sulfamato de amonio/Ammoniumsulfamat
– de níquel/Nickel(II)-sulfamat
sulfamatos/Sulfamate
sulfamerazina/Sulfamerazin
sulfametizol/Sulfamethizol
sulfametoxazol/Sulfamethoxazol
sulfametoxidiazina/Sulfametoxydiazin
sulfametoxipiridazina/Sulfamethoxypyridazin
sulfametrol/Sulfametrol
sulfamida/Sulfamid
sulfamidas/Sulfonamide
sulfamoil…/Sulfamoyl…
sulfamoxol/Sulfamoxol
sulfanilamida/Sulfanilamid
sulfanilil…/Sulfanilyl…
sulfanos/Sulfane
sulfaperina/Sulfaperin
sulfapiridina/Sulfapyridin
sulfaproxilina/Sulfaproxylin
sulfasalazina/Sulfasalazin
sulfatación/Sulfatierung
sulfatasas/Sulfatasen
sulfatiazol/Sulfathiazol
sulfatidas/Sulfatide
sulfatiourea/Sulfathiourea
sulfatización/Sulfatisierung
sulfato…/Sulfato(2–)
sulfato de aluminio/Aluminiumsulfat
– de amonio/Ammoniumsulfat
– de amonio y hierro(II)/Ammoniumeisen(II)-sulfat
– de amonio y hierro(III)/Ammoniumeisen(III)-sulfat
– de bario/Bariumsulfat
– de cadmio/Cadmiumsulfat
– de calcio/Calciumsulfat
– de cinc/Zinksulfat
– de circonio(IV)/Zirconium(IV)-sulfat
– de cobalto(II)/Cobalt(II)-sulfat
– de cobre(II)/Kupfer(II)-sulfat
– de cromo(III)/Chrom(III)-sulfat
– de dietilo/Diethylsulfat
– de dimetilo/Dimethylsulfat
– de estaño(II)/Zinn(II)-sulfat
– de estroncio/Strontiumsulfat
– de etilo/Diethylsulfat
– de hidroxilamina/Hydroxylaminsulfat
– de litio/Lithiumsulfat
– de magnesio/Magnesiumsulfat
– de 4-(metilamino)fenol/4-(Methylamino)phenol-sulfat
– de níquel(II)/Nickel(II)-sulfat
– de níquel(II) y amonio/Nickel(II)-ammoniumsulfat
– de plata/Silbersulfat
– de plomo/Bleisulfat
– de potasio/Kaliumsulfat

– de sodio/Natriumsulfat
sulfatolamida/Sulfatolamid
sulfatos/Sulfate
– de ácidos grasos/Fettalkoholsulfate
– de alquilo/Alkylsulfate, Fettalkoholsulfate
– de condroitina/Chondroitinsulfate
– de dextrano/Dextransulfate
– de hidrazinio/Hydraziniumsulfate
– de hierro/Eisensulfate
– de manganeso/Mangansulfate
– de mercurio/Quecksilbersulfate
– de monoglicéridos/Monoglyceridsulfate
– de talio/Thalliumsulfate
– de titanio/Titansulfate
– poliglicólicos de alcoholes grasos/Fettalkoholpolyglykolethersulfate
sulfenamidas/Sulfenamide
sulfeno…/Sulfeno…
sulfenos/Sulfene
sulfentrazona/Sulfentrazon
sulfhidratos/Sulfhydrate
sulfido/Sulfido…
sulfimida/Sulfimid
sulfimidas/Sulfimide
sulfinas/Sulfine
sulfinatos/Sulfinate
sulfinil/Sulfinyl…
sulfinimidas/Sulfinimide
sulfinpirazona/Sulfinpyrazon
sulfisomidina/Sulfisomidin
sulfito de calcio/Calciumsulfit
– de potasio/Kaliumsulfit
– de sodio/Natriumsulfit
sulfitos/Sulfite
sulfo…/Sulfo…
sulfoamino…/Sulfoamino…
sulfobetaínas/Sulfobetaine
sulfobituminatos/Bituminosulfonate
sulfocloración/Sulfochlorierung
sulfoguayacol/Sulfogaiacol
sulfolano/Sulfolan
3-sulfoleno/3-Sulfolen
sulfometuron-metil/Sulfometuron-methyl
sulfonación/Sulfonierung
sulfonal/Sulfonal
sulfonamidas/Sulfonamide
…sulfonamido…/…sulfonamido…
sulfonas/Sulfone
sulfonato de 4-diazoniobenceno/4-Diazoniobenzolsulfonat
– de tetrapropilenbenceno/Tetrapropylenbenzolsulfonat
sulfonatos/Sulfonate
– de ésteres/Estersulfonate
– de éteres/Ethersulfonate
– de petróleo/Petroleumsulfonate
– de xileno/Xylolsulfonate
sulfonazo III/Sulfonazo III
…sulfonil…/…sulfonyl…
sulfonilureas/Sulfonylharnstoffe
sulfopropil…/3-Sulfopropyl…
sulforafeno/Sulforaphen
sulforidazina/Sulforidazin
sulfosales/Sulfosalze
sulfosuccinamatos/Sulfosuccinamate
sulfosuccinatos/Sulfosuccinate
sulfosulfurón/Sulfosulfuron
sulfotep/Sulfotep
sulfotransferasas/Sulfotransferasen
sulfoxidación/Sulfoxidation
(R)-sulfóxido de (+)-S-((E)-1-propenil)-L-cisteína/(+)-S-((E)-

1-Propenyl)-L-cystein-(R)-sulfoxid
sulfóxidos/Sulfoxide
sulfoxilatos/Sulfoxylate
sulfoximidas/Sulfoximide
sulfuración/Sulfidierung, Sulfurierung
sulfuranos/Sulfurane
sulfuril…/Sulfuryl…
sulfuro de amonio/Ammoniumsulfid
– de bario/Bariumsulfid
– de bis(2-cloroetilo)/Bis(2-chlorethyl)sulfid
– de cadmio/Cadmiumsulfid
– de calcio/Calciumsulfid
– de carbonilo/Kohlenoxidsulfid
– de cinc/Zinksulfid
– de dimetilo/Dimethylsulfid
– de etileno/Ethylensulfid
– de hidrógeno/Schwefelwasserstoff
– de mercurio(II)/Quecksilber(II)-sulfid
– de plata/Silbersulfid
– de plomo/Bleisulfid
sulfuros/Sulfide
– de antimonio/Antimonsulfide
– de arsénico/Arsensulfide
– de cobre/Kupfersulfide
– de estaño/Zinnsulfide
– de fósforo/Phosphorsulfide
– de hierro/Eisensulfide
– de manganeso/Mangansulfide
– de níquel/Nickelsulfide
– de polifenileno/Polyphenylensulfide
– de polipropileno/Polypropylensulfide
– de potasio/Kaliumsulfide
– de sodio/Natriumsulfide
– de tungsteno/Wolframsulfide
sulindac/Sulindac
sulisobenzona/Sulisobenzon
sulpirida/Sulpirid
sulprofos/Sulprofos
sulprostona/Sulproston
sultamas/Sultame
sultamicilina/Sultamicillin
sultiamo/Sultiam
sultonas/Sultone
sulvanita/Sulvanit
suma de estados/Zustandssumme
sumatripán/Sumatriptan
sunn/Sunn
super…/Super…
super slurper/Super slurper
superácidos/Supersäuren
superactínoides/Superactinoide
superaleación/Superlegierungen
superantígenos/Superantigene
superbases/Superbasen
superconductividad/Supraleitung
superconductores a alta temperatura/Hochtemperatur-Supraleiter
superestructura/Überstruktur
superficie/Flor
superficies límite/Grenzflächen
superfluidez/Supraflüssigkeit
superfosfato/Superphosphat
superintercambio/Superaustausch
supermoléculas/Übermolekeln
superóxido-dismutasas/Superoxid-Dismutasen
superóxidos/Superoxide
superpolímeros/Superpolymere
superposición/Überlappung
supositorios/Suppositorien
supraconductividad/Supraleitung
suprasteroles/Suprasterine
supresión/Suppression
supresor de humo/Rauchunterdrücker

Español

supresores/Suppressantien
suramina sódica/Suramin-Natrium
surfactante/Surfactant
– pulmonar/Lungen-Surfaktans
surimi/Surimi
surugatoxina/Surugatoxin
susceptibilidad magnética/Magnetische Suszeptibilität
suspensión/Aufschlämmen
suspensiones/Suspensionen
sustancia cerebral/Hirnsubstanz
– de las abejas reinas/Königinnensubstanz
– soporte/Builder
sustancias alorosas/Duftstoffe
– cancerígenas/Krebserzeugende Stoffe
– de alarma/Alarmstoffe
– de contraste para rayos X/Röntgenkontrastmittel
– de crecimiento/Pflanzenwuchsstoffe
– de los grupos sanguíneos/Blutgruppensubstanzen
– de relleno/Füllstoffe
– depositables/Absetzbare Stoffe
– fácilmente inflamables/Leichtentzündliche Stoffe
– ferroeléctricas/Ferroelektrika
– ferromagnéticas/Ferromagnetika
– hipolipidemiantes/Lipidsenker
– macromoleculares/Makromolekulare Stoffe
– mejorantes del suelo/Bodenverbesserungsmittel
– naturales/Naturstoffe
– no degradables/Abbauresistente Substanzen
– nocivas/Gesundheitsschädliche Stoffe
– odoríferas esteroides/Steroid-Geruchsstoffe
– para atracción sexual/Sexuallockstoffe
– paramagnéticas/Paramagnetika
– peligrosas/Gefahrstoffe
– pilomotrices/Pilomotorika
– (químicas) (notificadas como) nuevas/Neustoff
– tóxicas para el/Entwicklungsschädigend
sustitución nucleofílica/Nucleophile Substitution
suxibuzona/Suxibuzon
svedberg/Svedberg
swainsonina/Swainsonin

T

2,4,5-T/2,4,5-T
taaffeíta/Taaffeit
tabaco/Tabak
– de mascar/Kautabak
tábanos/Bremsen
tabernantina/Tabernanthin
tabique Rabitz/Rabitz-Wände
tabla fluorescente UV/Transilluminatoren
tabletas/Tabletten
tabtoxina/Tabtoxin
tabun/Tabun
tacalcitol/Tacalcitol
tacrina/Tacrin
tacticidad/Taktizität
taddoles/Taddole
taette/Tätte
D-tagatosa/D-Tagatose
taladracorchos/Korkbohrer
talaromicinas/Talaromycine
talasemia/Thalassämie
talco/Talk
talidomida/Thalidomid

talina/Talin
talinolol/Talinolol
talio/Thallium
talo-/talo-
talol/Tallöl
D-talosa/D-Talose
talsaclidina/Talsaclidin
tamaño de granulación/Korngröße
– de partícula/Korngröße
– del grano/Korngröße
tamarindo/Chutney
tamarindos/Tamarinden
TAME/TAME
tamices moleculares/Molekularsiebe
tamizado/Sichten, Sieben
– biológico/Biologisches Screening
– de productos naturales/Naturstoff-Screening
– fisicoquímico/Physikochemisches Screening
– químico/Chemisches Screening
tamoxifeno/Tamoxifen
tampones/Puffer
tamsulosín/Tamsulosin
tanaceto/Rainfarn
tanasas/Tannasen
tangerinas/Tangerinen
taninos/Gerbstoffe, Tannine
tanque de decantación/Absetzbecken
tanques/Behälter
tantalatos(V)/Tantalate(V)
tantalio/Tantal
tantalita/Tantalit
tántalo/Tantal
tantazoles/Tantazole
tanzanita/Tansanit
taoxoides/Taoxide
TAP/TAP
tapa Kapsenberg/Kapsenberg-Kappen
tapaporos/Porenfüller
tapices/Teppiche
tapioca/Tapioka
tapiolita/Tapiolit
tapón/Stopfen
tapones/Tampons
tapsigargina/Thapsigargin
taqu(i)…/Tach(y)…
taquifilaxis/Tachyphylaxie
taquihidrita/Tachyhydrit
taquilita/Tachylit
taquiquininas/Tachykinine
taquisteroles/Tachysterine
tara/Tara
taranakita/Taranakit
taro/Taro
tártaro emético/Brechweinstein
tartrato de sodio/Natriumtartrat
– de sodio y potasio/Kaliumnatrium-(R,R)-tartrat
tartratos/Tartrate
tartrazina/Tartrazin
tasa de crecimiento específica/Wachstumsrate, spezifische
– de mutación/Mutationsrate
tasmanita/Tasmanit
tatuaje/Tätowierung
taumasita/Thaumasit
taumatina/Thaumatin
tauril…/Tauryl…
taurina/Taurin
taurolidina/Taurolidin
taururos de ácidos grasos/Fettsäuretauride
tautomería/Tautomerie
– ceto-enólica/Keto-Enol-Tautomerie
tautomicina/Tautomycin
taxanos/Taxane

taxígeno/Taxigen
taxis/Taxis
taxodiona/Taxodion
taxol(es)/Taxol
taxonomía/Taxonomie
taxuspinas/Taxuspine
tazarotén/Tazaroten
tazobactam/Tazobactam
TCA/TCA-Na
TCD/TCD
té/Tee
– de Arabia/Kat
– de Java/Orthosiphon
– Oolong/Oolong-Tee
teaflavinas/Theaflavine
teanina/Theanin
tearubígenos/Thearubigene
teaspiranos/Theaspirane
tebacón/Thebacon
tebaína/Thebain
tebuconazol/Tebuconazol
tebufenosida/Tebufenozid
tebufenpirad/Tebufepyrad
tebupirimifos/Tebupirimifos
tebutiurona/Tebuthiuron
tecnecio/Technetium
técnica/Technik
– de bajas temperaturas/Tieftemperaturtechnik
– de Berk y Sharp/Berk-Sharp-Methode
– de climatización/Klimatechnik
– de espacios limpios/Reinraumtechnik
– de fase sólida/Festphasen-Technik
– de hibridoma/Hybridoma-Technik
– de la cánula/Kanülentechnik
– de Merrifield/Merrifield-Technik
– de pulverización de laca en caliente/Heißlackier-Spritztechnik
– de vacío/Vakuumtechnik
– del aire acondicionado/Klimatechnik
– del horno anular de Weisz/Weisz-Ringofen-Technik
– frigorífica/Kältetechnik
– (ingeniería) de procesos/Verfahrenstechnik
– medioambiental (del medio ambiente)/Umwelttechnik
– nuclear/Kerntechnik
– patch clamp/Patch-Clamp-Technik
– Schlenk/Schlenk-Technik
técnicas de acoplamiento/Kopplungstechniken
técnico/Techniker
– de laboratorio de física/Physikalisch-technischer Assistent
– de medidas y control/Meß- u. Regeltechniker
– químico/Chemikant, Chemotechniker
tecnología/Technologie
– alimentaria/Lebensmitteltechnologie
– química/Chemische Technologie
tecnologías claves/Schlüsseltechnologie
tecnoplásticos/Techno-Thermoplaste
tectinas/Tektine
tectitas/Tektite
tecto…/Tect(o)…
tect(o)…/Tekt(o)…
tectónica/Tektonik
– de placas/Plattentektonik
teflubenzurona/Teflubenzuron
teflurano/Tefluran

teflutrín/Tefluthrin
tefrita/Tephrit
tefroíta/Tephroit
tefrosina/Tephrosin
tegafur/Tegafur
teicoplanina(s)/Teicoplanin(e)
teinoquímica/Teinochemie
tejas/Ziegel
tejeduría/Weben
– de géneros de punto de urdimbre/Wirken
tejido/Gewebe
(tejido de) ortiga/Nessel
tejido de rizo/Frottee
tejidos no tejidos/Textilverbundstoffe
tejo/Eibe
tela de lino/Leinwand
– encerada/Wachstuch
telas no tejidas/Textilverbundstoffe, Vliesstoffe
teleocidinas/Teleocidine
telmisartano/Telmisartan
telomerización/Telomerisation
telómeros/Telomere
teluluro de hidrógeno/Tellurwasserstoff
teluluros/Telluride
teluratos/Tellurate
telurito de potasio/Kaliumtellurit
teluro/Tellur
telururo de cadmio/Cadmiumtellurid
– de plomo/Bleitellurid
temafloxacina/Temafloxacin
temazepam/Temazepam
temocilina/Temocillin
temoe lawak/Temoe Lawak
temperatura/Temperatur
– absoluta/Absolute Temperatur
– ambiente/Zimmertemperatur
– crítica/Kritische Temperatur
– de Curie/Curie-Temperatur
– de deformabilidad por calor/Wärmeformbeständigkeitstemperatur
– de escurrimiento/Pourpoint
– de explosión/Explosionstemperatur
– de ignición/Zündtemperatur
– de inflamación/Entzündungstemperatur
– de límite máximo/Ceiling-Temperatur
– de recristalización/Rekristallisationstemperatur
– de transformación/Umwandlungstemperatur
– de transición vítrea/Glasübergangstemperatur
– del cuerpo/Körpertemperatur
– Martens/Martens-Temperatur
– theta/Theta-Temperatur
templabilidad/Härtbar
templado/Härten
– del acero/Härtung von Stahl
– por nitruración/Nitrierhärtung
templar/Abbrennen
– a la llama/Flammhärten
temple de transformación/Umwandlungshärtung
– por immersión/Tauchhärtung
– y revenido/Vergüten
tenacidad/Festigkeit, Reißfestigkeit
– a la rotura/Bruchzähigkeit
tenalidina/Thenalidin
tenascinas/Tenascine
tenería/Gerberei
tenidap/Tenidap
teñido de productos textiles/Textilfärbung
tenil…/Thenyl…

tenildiamina/Thenyldiamin
teniposido/Teniposid
tenoil.../Thenoyl...
tenorita/Tenorit
tenoxicam/Tenoxicam
tensioactivos (a base) de azúcar/ Zuckertenside
– anfóteros/Amphotenside
– aniónicos/Aniontenside
– catiónicos/Kationtenside
– de silicio/Silicium-Tenside
– fluorados/Fluor-Tenside
– poliméricos/Polymertenside
– proteicos/Eiweiß-Tenside
tensión anular/Ringspannung
– de Baeyer/Baeyer-Spannung
– de descomposición/Zersetzungsspannung
– de elemento (célula)/Zellspannung
– de Pitzer/Pitzer-Spannung
– interfacial/Grenzflächenspannung
– sanguínea/Blutdruck
– superficial/Oberflächenspannung
– transanular/Transannulare Spannung
tensiones residuales/Restspannungen
tensor/Tensor
– de la polarizabilidad/Polarisierbarkeitstensor
tentoxina/Tentoxin
tentredínidos/Blattwespen
teo.../The(o)...
teobromina/Theobromin
teodrenalina/Theodrenalin
teofilina/Theophyllin
teonela/Theonella
teonelamidas/Theonellamide
teorema/Theorem
– de Brillouin/Brillouin-Theorem
– de Ehrenfest/Ehrenfestsches Theorem
– de Koopmans/Koopmans-Theorem
– del virial/Virialsatz
teoría ácido-base/Säure-Base-Begriff
– cuántica/Quantentheorie
– de Debye-Hückel(-Onsager)/ Debye-Hückel-Onsager-Theorie
– de Flory-Huggins/Flory-Huggins-Theorie
– de grupos/Gruppentheorie
– de la coordinación/Koordinationslehre
– de la relatividad/Relativitätstheorie
– de las dos películas/Zweifilmmodell
– de las perturbaciones/Störungstheorie
– de los funcionales de la densidad/Dichtefunktionaltheorie
– de los orbitales moleculares de Hückel/HMO-Theorie
– de Sachse-Mohr/Sachse-Mohr-Theorie
– del campo de los ligandos/Ligandenfeldtheorie
– del par de electrones/Elektronenpaartheorien
– DLVO/DLVO-Theorie
– OM (orbital molecular)/MO-Theorie
tequila/Tequila
ter.../Ter...
terapéuticos coronarios/Koronartherapeutika
terapia/Therapie
– estimulante/Reizkörpertherapie

– génica/Gentherapie
– neural/Neuraltherapie
teratogénesis/Teratogenese
teratógenos/Teratogene
terazosina/Terazosin
terbacil/Terbacil
terbinafina/Terbinafin
terbio/Terbium
terbufos/Terbufos
terbumetona/Terbumeton
terbutalina/Terbutalin
terbutilazina/Terbuthylazin
terbutrina/Terbutryn
terc-/tert-
terciario/Tertiär
terciopelo/Samt, Velours
terconazol/Terconazol
tereftalato de dimetilo/Dimethylterephthalat
tereftalatos de polialquileno/Polyalkylenterephthalate
– de polibutileno/Polybutylenterephthalate
terfenadina/Terfenadin
terfenilos/Terphenyle
– policlorados/PCT
terfenilquinonas/Terphenylchinone
teríaco/Theriak
terizidona/Terizidon
terlipresina/Terlipressin
termalización/Thermalisierung
térmico/Thermisch
terminación/Termination
terminador/Terminator
terminal/Terminal
término/Term
terminología/Terminologie
termistor/Thermistoren
– enzimático/Enzym-Thermistor
termitas/Termiten
termitasa/Thermitase
termoanálisis/Thermoanalyse
termobarometría/Thermobarometrie
termobombas/Wärmepumpen
termocopia/Thermokopie
termocromismo/Thermochromie
termodifusión/Thermodiffusion
termodinámica/Thermodynamik
termoelásticos/Thermoelaste
termoelectricidad/Thermoelektrizität
termoelementos/Thermoelemente
termofilia/Thermophilie
termofractografía/Thermofraktographie
termografía/Thermographie
termogravimetría/Thermogravimetrie
termoimpresora/Thermodrucker
termolisina/Thermolysin
termólisis/Thermolyse
termoluminiscencia/Thermolumineszenz
termometría/Thermometrie
termómetro de Beckmann/Beckmann-Thermometer
termómetros/Thermometer
– de resistencia/Widerstandsthermometer
termonas/Termone
termoplásticos/Thermoplaste
– fluorados/Fluor-Thermoplaste
termoquímica/Thermochemie
termorresistencia/Warmfestigkeit
termorresistencia/Hitzeresistenz
termosellables/Hotmelts
termostabilizadores/Thermostabilisatoren
termostatos/Thermostate
termotropía/Thermotropie
ternario/Ternär

terodilina/Terodilin
terpenoides/Terpen(oid)e
terpenos/Terpen(oid)e
terpestacina/Terpestacin
terpín/Terpin
terpineno/Terpinen
terpineol/Terpineol
terpinoleno/Terpinolen
2,2′:6′,2″-terpiridina/2,2′:6′,2″-Terpyridin
terpolímeros/Terpolymere
terprenina/Terprenin
terra sigillata/Terra sigillata
terracota/Terrakotta
terrazzo/Terrazzo
terreína/Terrein
terrenos contaminados/Altlasten
tertatolol/Tertatolol
tertienilos/Terthienyle
tesauro/Thesaurus
tesis/Dissertation
test/Test
testolactona/Testolacton
testosterona/Testosteron
tetania/Tetanie
tétano/Tetanus
tetra/Tetra
tetr(a).../Tetr(a)...
3,3′,4,4′-tetraaminobifenilo/ 3,3′,4,4′-Tetraaminobiphenyl
tetraaminoetilenos/Tetraaminoethylene
tetraasterano/Tetraasteran
tetraborano(10)/Tetraboran(10)
tetraboratos/Tetraborate
tetrabromobisfenol A/Tetrabrombisphenol A
1,1,2,2-tetrabromoetano/1,1,2,2-Tetrabromethan
5,5′,7,7′-tetrabromoíndigo/ 5,5′,7,7′-Tetrabromindigo
tetrabromometano/Tetrabrommethan
tetracaína/Tetracain
7,7,8,8-tetraciano-1,4-quinodimetano/7,7,8,8-Tetracyano-1,4-chinodimethan
tetracianoetileno/Tetracyanoethylen
tetracianomercuriato(II) de potasio/Kaliumtetracyanomercurat(II)
tetracianoplatinato(II) de bario/Bariumtetracyanoplatinat(II)
tetraciclina/Tetracyclin
tetraciclo[...].../Tetracyclo[...]...
tetraclorobencenos/Tetrachlorbenzole
2,3,7,8-tetraclorodibenzo[1,4]dioxina/2,3,7,8-Tetrachlordibenzo[1,4]dioxin
1,1,2,2-tetracloroetano/1,1,2,2-Tetrachlorethan
tetracloroetileno/Tetrachlorethylen
tetraclorvinfos/Tetrachlorvinphos
tetraconazol/Tetraconazol
tetracont(a).../Tetracont(a)...
tetracos(a).../Tetracos(a)...
tetracosactida/Tetracosactid
tetracosano/Tetracosan
tétrada/Tetrade
tetradec(a).../Tetradec(a)...
tetradecano/Tetradecan
1-tetradecanol/1-Tetradecanol
tetradecil.../Tetradecyl...
tetradifona/Tetradifon
tetradimita/Tetradymit
tetraedrita/Fahlerze
tetraedro/Tetraeder
–/tetrahedro-
tetraetilenglicol/Tetraethylenglykol

tetraetilenpentamina/Tetraethylenpentamin
tetraetilo de plomo/Bleitetraethyl
tetrafenilborato de sodio/Natriumtetraphenylborat
tetrafenilmetano/Tetraphenylmethan
tetrafluoroborato de potasio/Kaliumtetrafluoroborat
– de sodio/Natriumtetrafluoroborat
tetrafluoroetileno/Tetrafluorethylen
tetrahidrocannabinoles/Tetrahydrocannabinole
tetrahidrofurano/Tetrahydrofuran
tetrahidrometanopterina/Tetrahydromethanopterin
tetrahidropalmatina/Tetrahydropalmatin
tetrahidropirano/Tetrahydropyran
tetrahidrotiofeno/Tetrahydrothiophen
tetrahidroxi-1,4-benzoquinona/ Tetrahydroxy-1,4-benzochinon
tetraiodomercurato(II) de bario/Bariumtetraiodomercurat(II)
tetrakis/Tetrakis...
tetralonas/Tetralone
tetrámeros/Tetramere
N,N,N',N'-tetrametil-p-fenilendiamina/N,N,N',N'-Tetramethyl-p-phenylendiamin
2,2,6,6-tetrametil-3,5-heptanodiona/2,2,6,6-Tetramethyl-3,5-heptandion
tetrametilbencenos/Tetramethylbenzole
3,3′,5,5′-tetrametilbencidina/ 3,3′,5,5′-Tetramethylbenzidin
tetrametileno.../Tetramethylen...
tetrametilsilano/Tetramethylsilan
tetrametilurea/Tetramethylharnstoff
tetrametoxietileno/Tetramethoxyethylen
tetrametrina/Tetramethrin
tetramisol/Tetramisol
tetranitrato de eritritol/Erythrittetranitrat
– de pentaeritritol/Pentaerythrittetranitrat
– de torio/Thoriumtetranitrat
tetranitrometano/Tetranitromethan
tetraoxano/Tetraoxan
tetr(a)óxido de osmio/Osmiumtetroxid
tetrapirroles/Tetrapyrrole
tetraquinanos/Tetraquinane
tetrasacáridos/Tetrasaccharide
tetraterpenos/Tetraterpene
tetratiafulvaleno/Tetrathiafulvalen
tetratioantimoniato(V) de sodio/Natrium(tetra)thioantimonat(V)
tetrationato de potasio/Kaliumtetrathionat
tetrayodometano/Tetraiodmethan
tetrazen/Tetrazen
tetrazenos/Tetrazene
tetrazepam/Tetrazepam
tetrazinas/Tetrazine
tetrazoles/Tetrazole
tetritoles/Tetrite
tetrizolina/Tetryzolin
tetrodotoxina/Tetrodotoxin
...tetrol/...tetrol
tetronasín/Tetronasin
tetrosas/Tetrosen

Español

tetroxanos/Tetroxane
tetroxoprima/Tetroxoprim
tetryl/Tetryl
tex/Tex
texil.../Thexyl...
texilborano/Thexylboran
textiles/Textilien
textura/Gefüge, Textur
texturación/Texturierung
texturizado/Texturierung
thenardita/Thenardit
thomsonita/Thomsonit
thortveitita/Thortveitit
thucolito/Thucholith
tia/Ti(a)...
ti(a).../Thi(a)...
tiabendazol/Thiabendazol
tiadiazinas/Thiadiazine
tiadiazoles/Thiadiazole
tiagabín/Tiagabin
...tial/...thial
tiamazol/Thiamazol
tiamenidina/Tiamenidin
tiamfenicol/Thiamphenicol
tiamina/Thiamin
tiamulina/Tiamulin
tiangazol/Thiangazol
tiantrenos policlorados/PCTA
tiaprida/Tiaprid
tiazaflurón/Thiazafluron
tiazidas/Thiazide
tiazinas/Thiazine
tiazoles/Thiazole
1-(2-tiazolilazo)-2-naftol/1-(2-Thiazolylazo)-2-naphthol
tiazopir/Thiazopyr
tibi/Tibi
ticarcilina/Ticarcillin
ticlopidina/Ticlopidin
tidiazurona/Thidiazuron
tiemannita/Tiemannit
tiempo/Zeit
– de duplicación/Generationszeit
– de estado líquido/Topfzeit
– de extinción/Abklingzeit
– de residencia/Verweilzeit
tienamicinas/Thienamycine
tienil.../Thienyl...
tieno.../Thieno...
tiepinas/Thiepine
tierra/Erde
– de batán/Fuller-Erden
– de batanes/Walkerden
– de blanqueo/Fuller-Erden
– de infusorios/Kieselgur
– de moler/Moler(erde)
– de Santorin/Santorinerde
– de Siena/Terra di Siena
– silícea/Kieselerde
– verde/Grünerde
tierras ceríticas/Ceriterden
– curativas/Heilerden
– de Cassel/Kasseler Braun
– de Florida/Floridin-Erden
– de floridina/Floridin-Erden
– de la cerita/Ceriterden
– decolorantes/Bleicherden
– ítricas/Yttererden
– raras/Seltene Erden
tietanos/Thietane
tietilperazina/Thiethylperazin
tifensulfuron-metil/Thifensulfuron-methyl
tifluzamida/Thifluzamid
tifus/Typhus
tiiranos/Thiirane
tila/Lindenblüten
tilidina/Tilidin
tillandsia/Tillandsia
tilorona/Tiloron
tilosina/Tylosin
tiloxapol/Tyloxapol

timerfonato de sodio/Natriumtimerfonat
timidilato-sintasa/Thymidylat-Synthase
timidina/Thymidin
– -fosfatos/Thymidinphosphate
timina/Thymin
timo/Thymus
tim(o).../Thym(o)...
timocitos/Thymocyten
timoestimulina/Thymostimulin
timol/Thymol
timolépticos/Thymoleptika
timolftaleína/Thymolphthalein
timolol/Timolol
timopentina/Thymopentin
timopoietina/Thymopoietin
timosina/Thymosin
timulina/Thymulin
tina/Küpe
tinción con plata/Silberfärbung
– de cuero/Lederfärbung
– de Feulgen/Feulgen-Färbung
– de Giemsa/Giemsa-Färbung
– de Gram/Gram-Färbung
tinidazol/Tinidazol
tinta china/Tusche
– de agallas/Eisengallustinte
– de base/Grundfarben
– de galata de hierro/Eisengallustinte
– para marcar la piel/Hauttinte
– para marcar la ropa/Wäsche(zeichen)tinte
tintas/Tinten
– de bolígrafo/Kugelschreiberpasten
– de imprenta/Druckfarben
– de timbrar (sellar)/Stempelfarben
– ink-jet/Ink-Jet-Tinten
– invisibles/Geheimtinten
– para vidrio/Glastinten
– simpáticas/Geheimtinten
tintura/Färben
– de fondo/Fonds
– de yodo/Iod-Tinktur
– en la masa de hilatura/Spinnfärbung
– en tina/Küpenfärberei
– jet/Jet-Färberei
tinturas/Tinkturen
tinzaparina de sodio/Tinzaparin-Natrium
tio.../Thi(o)...
ti(o).../Ti(o)...
5-tio-D-glucosa/5-Thio-D-glucose
tioacetales/Thioacetale
tioacetamida/Thioacetamid
tioacetazona/Thioacetazon
tioácidos/Thiosäuren
tioaldehídos/Thioaldehyde
tioamidas/Thioamide
tiobencarb/Thiobencarb
tiobios/Thiobios
tiobutabarbital/Thiobutabarbital
tiocarbamatos/Thiocarbamate
tiocarbamoil.../Thiocarbamoyl...
tiocarbonil.../Thiocarbonyl...
tiocarboxi.../Thiocarboxy...
tiocetenas/Thioketene
tiocetonas/Thioketone
tiocianato.../Thiocyanato...
tiocianato de amonio/Ammoniumthiocyanat
– de calcio/Calciumthiocyanat
– de cobre(I)/Kupfer(I)-thiocyanat
– de hierro(III)/Eisen(III)-thiocyanat
– de mercurio(II)/Quecksilber(II)-thiocyanat
– de plomo/Bleithiocyanat

– de potasio/Kaliumthiocyanat
– de sodio/Natriumthiocyanat
tiocianatos/Thiocyanate
tioconazol/Tioconazol
tiodi.../Thiodi...
tiodicarb/Thiodicarb
2,2'-tiodietanol/2,2'-Thiodiethanol
tioéteres/Thioether
tiofanato-metil/Thiophanat-methyl
tiofanox/Thiofanox
tiofeno/Thiophen
tiofeno.../Thiopheno...
tiofenol/Thiophenol
tioflavina/Thioflavin
tioformil.../Thioformyl...
tiofosfatos/Thiophosphate
tiofosforil.../Thiophosphoryl...
tiofosgeno/Thiophosgen
tioglicolato de calcio/Calciumthioglykolat
– de sodio/Natriumthioglykolat
tioglicoles/Thioglykole
tioguanina/Tioguanin
tiohidroxilamina/Thiohydroxylamin
tioíndigo/Thioindigo
...tiol/...thiol
tiolación/Thiolierung
tiolactamas/Thiolactame
tiolactomicina/Thiolactomycin
tiolactonas/Thiolactone
tiolatos/Thiolate
tioles/Thiole
tiomarinoles/Thiomarinole
tiomersal/Thiomersal
tiomesterona/Tiomesteron
tiometón/Thiometon
...tiona.../...thion
tionalida/Thionalid
tionil.../Thionyl...
tionina/Thionin
tioninas/Thionine
tiopental sódico/Thiopental
tiopirano/Thiopyran
tioplásticos/Thioplaste
tiopronina/Tiopronin
tiopropazato/Thiopropazat
tioproperazina/Thioproperazin
tioridazina/Thioridazin
tiorredoxinas/Thioredoxine
tiosemicarbazida/Thiosemicarbazid
tiosulfato de amonio/Ammoniumthiosulfat
– de plata/Silberthiosulfat
– de sodio/Natriumthiosulfat
tiosulfatos/Thiosulfate
tiosulfonatos/Thiosulfonate
tiotepa/Thiotepa
tiotixeno/Tiotixen
tiotropicina/Thiotropocin
2-tiouracil/2-Thiouracil
tiourea/Thioharnstoff
tioureido.../Thioureido...
tioxo.../Thioxo...
tioxolona/Tioxolon
tipo de apareamiento/Paarungstyp
– salvaje/Wildtyp
tipranavir/Tipranavir
tiram/Thiram
tiramina/Tyramin
tirandamicinas/Tirandamycine
tiratrón/Thyratron
tirilazad/Tirilazad
tiristor/Thyristor
tirocidinas/Tyrocidine
tirofibán/Tirofiban
tiroglobulina/Thyroglobulin
tiroliberina/Thyroliberin
tiron/Tiron
tironina/Thyronin

tiropramida/Tiropramid
tirosina/Tyrosin
tirosinasa/Tyrosinase
tirotricina/Tyrothricin
tirotropina/Thyrotropin
L-tiroxina/L-Thyroxin
tirsiferol/Thyrsiferol
titanato de bario/Bariumtitanat
– de estroncio/Strontiumtitanat
titanatos/Titansäureester
titanatos(IV)/Titanate(IV)
titanio/Titan
titanita/Titanit
titina/Titin
titración/Titration
– de alta frecuencia/Hochfrequenztitration
titulación/Titration
título/Titer
tiurames/Thiurame
tixocortol/Tixocortol
tixotropía/Thixotropie
tiza/Schulkreide
tizanidina/Tizanidin
tizas de aceite/Ölkreiden
– grasas/Ölkreiden
tizera/Tizera
toba/Zahnstein
tobera/Düsen
– binaria/Zweistoffdüse
– Laval/Laval-Düse
– ranurada/Schlitzstrahler
tobermorita/Tobermorit
tobramicina/Tobramycin
tocainida/Tocainid
tocoferoles/Tocopherole
tocones/Stubben
todorokita/Todorokit
tokamak/Tokamak
tolano/Tolan
tolazolina/Tolazolin
tolazamida/Tolazamid
tolbutamida/Tolbutamid
tolcapón/Tolcapon
tolciclato/Tolciclat
tolclofos-metil/Tolclofos-methyl
tolerancia/Toleranz
– ecológica/Ökologische Potenz
tolicaína/Tolycain
tolil.../Tolyl...
tolilen.../Tolylen...
tolilfluanida/Tolylfluanid
toliprolol/Toliprolol
tolmetina/Tolmetin
tolnaftato/Tolnaftat
tolperisona/Tolperison
tolpropamina/Tolpropamin
tolterodina/Tolterodin
tolualdehídos/Tolualdehyde
tolueno/Toluol
– -3,4-ditiol/Toluol-3,4-dithiol
toluenosulfonamidas/Toluolsulfonamide
p-toluenosulfonato de metilo/p-Toluolsulfonsäuremethylester
toluenosulfonil.../Toluolsulfonyl...
toluidida.../toluidid
toluidinas/Toluidine
toluidino.../Toluidino...
toluil.../Toluyl...
tolunitrilos/Tolunitrile
toluoil.../Toluoyl...
toma de muestras/Probenahme
tomates/Tomaten
tomillo/Thymian
tomografía/Tomographie
tonalidad/Farbton, Tönung
tonelada/Tonne
toner/Toner
tónicos/Tonika
– estomacales/Stomachika

topacio/Topas
topicidad/Topizität
...tópico/...top
topiramato/Topiramat
...topo/...top
topo.../Topo...
topografía subterránea/Markscheidewesen
topoisomerasas/Topoisomerasen
topología/Topologie
topomerización/Topomerisierung
topoquímica/Topochemie
topotecano/Topotecan
torasemida/Torasemid
torbernita/Torbernit
torcida/Docht
toremifeno/Toremifen
torianita/Thorianit
torina/Thorin
torio/Thorium
torita/Thorit
tornasol/Lackmus
torón/Thoron
toronja/Grapefruit
torpex/Torpex
torr/Torr
torre de lavado/Waschturm
torrefacción/Rösten
– licuación/Darren
Torula/Torula
torzal/Zwirn
tos ferina/Keuchhusten
tosil.../Tosyl...
tostación clorurante/Chlorierende Röstung
toxafeno/Camphechlor
toxicidad/Toxizität
– de peces/Fischgiftigkeit
tóxico/Giftig
toxicolas/Toxicole
toxicología/Toxikologie
– alimentaria/Lebensmitteltoxikologie
toxicomanía/Arzneimittelsucht, Sucht
tóxicos/Gifte
C-toxiferina I/C-Toxiferin I
toxiferinas/Toxiferine
toxina de la ciguatera/Ciguatera-Toxine
– del cólera/Choleratoxin
– diftérica/Diphtherie-Toxin
– HC/HC-Toxine
– pertussis/Pertussis-Toxin
– PR/PR-Toxin
– shiga/Shiga-Toxin
– -T-2/T-2-Toxin
toxinas/Toxine
– bacterianas/Bakterien-Toxine
– de algas/Algentoxine
– de conchas/Muscheltoxine
– de Gymnodinium breve/Gymnodinium breve-Toxine
– de los anfibios/Amphibiengifte
toxoflavina/Toxoflavin
toxoplasmosis/Toxoplasmose
trabajas de tablas/Tabellenwerke
trabajo de los metales/Metallbearbeitung
– de vidrio/Glasarbeiten
trabajos peligrosos/Gefährliche Arbeiten
traducción in vitro/In vitro-Translation
tragacanto/Tragant
tralcoxidima/Tralkoxydim
tralometrina/Tralomethrin
tramadol/Tramadol
tramazolina/Tramazolin
trámite de autorización/Genehmigungsverfahren
trampa de Barber/Barberfalle
– de iones/Ionenfalle
– de Paul/Paul-Falle
– de Penning/Penning-Falle
– fría/Kühlfalle
trancriptasa inversa/Reverse Transcriptase
trandolapril/Trandolapril
tranilcipromina/Tranylcypromin
tranquilizantes/Tranquilizer
trans-/trans-
transacilasas/Transacylasen
transactinoides/Transactinoide
transaldolasa/Transaldolase
transaminación/Transaminierung
transaminasas/Transaminasen
transanular/Transannular
transcetolasa/Transketolase
transcripción/Transkription
– in vitro/In vitro-Transkription
transducción/Transduktion
– señal/Signaltransduktion
transducina/Transducin
transesterificación/Umesterung
transferasas/Transferasen
transferencia/Transfer
– de calor/Wärmeübertragung
– de electrón único/Single electron transfer
– de energía/Energieübertragung
– lineal de la energía/LET
transferrina/Transferrin
transflutrín/Transfluthrin
transformación/Transformation, Umwandlung
– asimétrica/Asymmetrische Umwandlung
– de alto rendimiento/Hochleistungsumformung
– de Fourier/Fourier-Transformation
– de Fourier de impulsos/Puls-Fourier-Transformation
– de Fourier rápida/FFT
– directa de energía/Energie-Direktumwandlung
– unitaria/Unitäre Transformation
transformaciones nucleares/Kernumwandlungen
transición/Transition, Umwandlung
– hélice-entrecruzado/Helix-Knäuel-Übergang
transiluración/Umylidierung
transistor/Transistor
– de efecto de campo selectivo de iones/Ionenselektive Feldeffekt-Transistoren
transitor de efecto de campo con un metal-óxido semiconductor/MOS-FET
transitorio/Transient
translación/Translation
transmetalación/Transmetallierung
transmisión/Transmission
transmutación/Transmutation
transparencia/Transparenz
transpeptidasas/Transpeptidasen
transportadores/Carrier
– de glucosa/Glucose-Transporter
transporte/Transport, Überführung
– activo/Aktiver Transport
– de desechos/Abfalltransport
– membranar/Membrantransport
transposición/Umlagerungen
– alílica/Allyl-Umlagerung
– bencidínica/Benzidin-Umlagerung
– bencílica/Benzilsäure-Umlagerung
– de Amadori/Amadori-Umlagerung
– de Beckmann/Beckmann-Umlagerung
– de Büchi/Büchi-Umlagerung
– de Claisen/Claisen-Umlagerung
– de Cope/Cope-Umlagerung
– de Curtius/Curtius-Umlagerung
– de Favorskii/Favorskii-Umlagerung
– de Fries/Fries-Umlagerung
– de Ireland-Claisen/Ireland-Claisen-Umlagerung
– de Meisenheimer/Meisenheimer-Umlagerung
– de Meyer-Schuster/Meyer-Schuster-Umlagerung
– de Mislow/Mislow-Umlagerung
– de Neber/Neber-Umlagerung
– de Pummerer/Pummerer-Umlagerung
– de Semidin/Semidin-Umlagerung
– de Smiles/Smiles-Umlagerung
– de Sommelet/Sommelet-Umlagerung
– de Stevens/Stevens-Umlagerung
– de Tafel/Tafel-Umlagerung
– de Tiffeneau/Tiffeneau-Umlagerung
– de Wagner-Meerwein/Wagner-Meerwein-Umlagerung
– de Walk/Walk-Umlagerung
– de Westphalen-Lettré/Westphalen-Lettré-Umlagerung
– de Wittig/Wittig-Umlagerung
– de Wolff/Wolff-Umlagerung
– del neopentilo/Neopentyl-Umlagerung
– pinacol-pinacolona/Pinakol-Pinakolon-Umlagerung
– propargilo-alenílica/Propargyl-Allenyl-Umlagerung
– retropinacólica/Retro-Pinakolon-Umlagerung
transposón/Transposon
transuránicos/Transurane
transversión/Transversion
trapidil/Trapidil
trapos/Hadern
traquitas/Trachyte
traslación por ruptura de cadena/Nick-Translation
trass/Traß
trastuzumab/Trastuzumab
tratado de Budapest/Budapester Vertrag
tratamiento/Aufbereitung
– antirreflejos/Vergüten
– de desechos/Abfallbehandlung
– de la harina/Mehlbehandlung
– de las aguas residuales/Abwasserbehandlung
– de lodos activados/Klärschlammaufbereitung
– de lodos de clarificación/Klärschlammbehandlung
– de residuos/Abfallentsorgung
– del agua potable/Trinkwasseraufbereitung
– del cabello/Haarbehandlung
– del producto/Produktaufbereitung
– desulfurante/Süßung des Benzins
– fisico-quimico/Chemisch-physikalische Behandlung
– por chorro con perdigones/Oberflächenverfestigung
– químico de aguas residuales/Chemische Abwasserbehandlung
– térmico/Temperaturbehandlung, Wärmebehandlung
– ulterior o posterior/Nachbehandlung
tráustica/Thraustik
trayectoria/Trajektorie
trazadores/Tracer
– (indicadores) radioactivos/Radioindikatoren
trazas nucleares/Kernspaltspuren
trazodona/Trazodon
trébol/Klee
trehaloestatina/Trehalostatin
trehalosa/Trehalose
treíta/Threit
treitol/Threit
trematodos/Trematoden
trementina/Terpentin
tremolita/Tremolit
tren/tren
trenbolona/Trenbolon
treo-/threo-
L-treonina/L-Threonin
treosa/Threose
treosulfano/Treosulfan
trestatinas/Trestatine
tretamina/Tretamin
tretinoína/Tretinoin
tri.../Tri...
2,4,6-tri(2-piridil)-1,3,5-triazina/2,4,6-Tri(2-pyridyl)-1,3,5-triazin
triacetato/Triacetat
triacetildifenolisatina/Triacetyldiphenolisat
1,1,1-triacetoxi-1,1-dihidro-1,2-benziodoxol-3(1H)-ona/1,1,1-Triacetoxy-1,1-dihydro-1,2-benziodoxol-3(1H)-on
(triacilglicerol)lipasa/Triacylglycerol-Lipase
triacont(a).../Triacont(a)...
1-triacontanol/1-Triacontanol
triacsinas/Triacsine
tríada/Triade
triadimefona/Triadimefon
triadimenol/Triadimenol
triadora/Trieur
trialato/Triallat
trialquilaminas/Trialkylamine
triamcinolona/Triamcinolon
triamida del ácido hexametilfosfórico/Hexamethylphosphorsäuretriamid
triamtereno/Triamteren
triangulo-/triangulo-
triapentenol/Triapenthenol
triasterano/Triasteran
triasulfurona/Triasulfuron
triazamato/Triazamat
triazenos/Triazene
triazicuona/Triaziquon
triazinas/Triazine
triazofos/Triazophos
triazolam/Triazolam
triazoles/Triazole
triazolinas/Triazoline
triazonas/Triazone
triazoxido/Triazoxid
tribencilamina/Tribenzylamin
tribenosido/Tribenosid
tribenuron-metil/Tribenuron-methyl
tribocorrosión/Schwingungsverschleiß
triboelectricidad/Triboelektrizität
tribología/Tribologie
triboluminiscencia/Tribolumineszenz
tribopulimento/Läppen
triboquímica/Tribochemie
2,4,6-tribromofenol/2,4,6-Tribromphenol
tribromsalán/Tribromsalan
tribromuro de boro/Bortribromid
tributilaluminio/Tributylaluminium

Español 5436

tributilamina/Tributylamin
tributirina/Tributyrin
triciclazol/Tricyclazol
tricicleno/Tricyclen
triciclo[...].../Tricyclo[...]...
tricina/Tricin
triclocarbán/Triclocarban
triclofenidina/Trichlophenidin
triclopyr/Triclopyr
triclorfón/Trichlorfon
triclormetiazida/Trichlormethiazid
$N,2,6$-tricloro-1,4-benzoquinon-4-imina/$N,2,6$-Trichlor-1,4-benzochinon-4-imin
1,1,1-tricloro-2-metil-2-propanol/1,1,1-Trichlor-2-methyl-2-propanol
tricloroacetato de sodio/TCA-Na
triclorobencenos/Trichlorbenzole
2,2,2-tricloroetanol/2,2,2-Trichlorethanol
tricloroetanos/Trichlorethane
tricloroetileno/Trichlorethylen
triclorofenoles/Trichlorphenole
1,2,3-tricloropropano/1,2,3-Trichlorpropan
tricloruro de arsénico/Arsentrichlorid
– de boro/Bortrichlorid
triclosán/Triclosan
trico.../Trich(o)...
tricocromos/Trichochrome
tricodieno/Trichodien
tricofitas/Trichophyten
tricolomeninas/Tricholomenine
tricomonas/Trichomonaden
tricorovinas/Trichorovine
tricos(a).../Tricos(a)...
tricosano/Tricosan
tricosatina/Trichosanthin
tricostatina/Trichostatine
tricotado/Wirken
tricotecenos/Trichothecene
tridec(a).../Tridec(a)...
tridecanal/Tridecanal
tridecano/Tridecan
1-tridecanol/1-Tridecanol
tridecil.../Tridecyl...
tridemorf/Tridemorph
tridentatolas/Tridentatole
tridentoquinona/Tridentochinon
tridimita/Tridymit
trienos/Triene
triestearina/Tristearin
trietazina/Trietazin
trietilamina/Triethylamin
trietilenglicol/Triethylenglykol
trietilentetraamina/Triethylentetramin
trietioduro de galamina/Gallamintriethiodid
trifenilamina/Triphenylamin
trifenileno/Triphenylen
trifenilfosfano/Triphenylphosphan
trifenilmetano/Triphenylmethan
trifenilmetanol/Triphenylmethanol
trifenilmetilo/Triphenylmethyl
trifilina/Triphylin
triflumizol/Triflumizol
triflumurona/Triflumuron
trifluoperazina/Trifluoperazin
4,4,4-trifluoro-1-(2-tienil)-1,3-butandiona/4,4,4-Trifluor-1-(2-thienyl)-1,3-butan-dion
trifluoroacetato de talio(III)/Thallium(III)-trifluoracetat
trifluoroacetil.../Trifluoracetyl...
trifluorometil(...)/Trifluormethyl(...)
trifluoruro de boro/Bortrifluorid

trifluperidol/Trifluperidol
triflupromazina/Triflupromazin
trifluralina/Trifluralin
trifluridina/Trifluridin
triflusulfuron-metil/Triflusulfuron-methyl
triforina/Triforin
5′-trifosfato de adenosina/Adenosin-5′-triphosphat
trifosfatos/Triphosphate
triglicéridos/Triglyceride
– de cadena media/MCT
trigo/Weizen
– de vaca/Wachtelweizen
– envenengado/Giftgetreide
– sarraceno/Buchweizen
trigonelina/Trigonellin
trihexifenidilo/Trihexyphenidyl
trillo/Trillo
trillón/Trillion
trimazosina/Trimazosin
trimerización/Trimerisation
trimetadiona/Trimethadion
2,2,4-trimetil-1,3-pentanodiol/2,2,4-Trimethyl-1,3-pentandiol
2,4,4-trimetil-1-penteno/2,4,4-Trimethyl-1-penten
trimetilamina/Trimethylamin
trimetilbencenos/Trimethylbenzole
2,2,3-trimetilbutano/2,2,3-Trimethylbutan
trimetilenmetano/Trimethylenmethan
trimetilen(o).../Trimethylen...
trimetiloletano/Trimethylolethan
trimetilolpropano/Trimethylolpropan
1-(trimetilsilil)-1H-imidazol/1-(Trimethylsilyl)-1H-imidazol
trimetilsililazida/Trimethylsilylazid
trimetilsililo/Trimethylsilyl...
trimetoprima/Trimethoprim
3,4,5-trimetoxibenzaldehído/3,4,5-Trimethoxybenzaldehyd
3,4,5-trimetoxifenil.../3,4,5-Trimethoxyphenyl...
trimetozina/Trimetozin
trimetrexato/Trimetrexat
trimipramina/Trimipramin
trinexapac-etil/Trinexapac-ethyl
trinitrato de glicerina/Glycerintrinitrat
– de trimetilpropano/Trimethylolpropantrinitrat
2,4,6-trinitro-m-cresol/2,4,6-Trinitro-m-kresol
1,3,5-trinitrobenceno/1,3,5-Trinitrobenzol
2,4,6-trinitrotolueno/2,4,6-Trinitrotoluol
...triol/...triol
trioleína/Triolein
triosa-fosfato-isomerasa/Triosephosphat-Isomerase
triosarreductona/Trioseredukton
triosas/Triosen
1,3,5-trioxano/1,3,5-Trioxan
trióxido de arsénico/Arsenik, Giftmehl
– de azufre/Schwefeltrioxid
– de boro/Bortrioxid
– de molibdeno/Molybdäntrioxid
tripalmitina/Tripalmitin
tripanosomas/Trypanosomen
tripanosomiasis/Schlafkrankheit
triparsamida/Tryparsamid
tripelenamina/Tripelennamin
tripéptidos/Tripeptide
triplete/Triplett
triplicación de frecuencia/Frequenzverdreifachung

triplita/Triplit
trípode/Dreifuß
trípoli/Tripel
tripolita/Tripel
triprolidina/Triprolidin
tripsina/Trypsin
tripsinógeno/Trypsinogen
triptamina/Tryptamin
tripticeno/Triptycen
triptil.../Triptyl...
triptofanasa/Tryptophanase
triptófano/Tryptophan
triptofitos/Tryptophyten
triptón/Tripton
triptorelina/Triptorelin
triquinanos/Triquinane
triquiona/Trichion
tris.../Tris...
tris(2-chloretil)-amino/Tris(2-chlorethyl)-amin
trisacáridos/Trisaccharide
trishomobencenos/Trishomobenzole
trisomía/Trisomie
triterpenos/Triterpene
tritianos/Trithiane
triticale/Triticale
triticenos/Triticene
triticonas/Triticone
triticonazola/Triticonazol
tritil.../Trityl(...)
tritio/Tritium
tritiofosfato de S,S,S-tributilo/S,S,S-Tributyltrithiophosphat
tritionas/Trithione
tritocualina/Tritoqualin
tritonación/Tritonierung
trituración/Trituration, Zerkleinern
– de materiales duros/Hartzerkleinerung
triturador cilíndrico/Walzenbrecher
trituradoras/Brecher
trivalente/Tervalent
3,3′,5-triyodo-L-tironina/3,3′,5-Triiod-L-thyronin
...trofo/...troph
trofofase/Trophophase
trofosfamida/Trofosfamid
troglitazona/Troglitazon
troilita/Troilit
troleandomicina/Troleandomycin
trolnitrato/Trolnitrat
tromantadina/Tromantadin
trombina/Thrombin
trombocitos/Thrombocyten
tromboflebitis/Thrombophlebitis
trombomodulina/Thrombomodulin
tromboplastina/Thromboplastine
trombopoietina/Thrombopoietin
trombosis/Thrombose
trombospondinas/Thrombospondine
tromboxanos/Thromboxane
trometamol/Trometamol
trompas de agua/Wasserstrahlpumpen
trona/Trona
troostita/Troostit
trop.../Trop...
tropalpina/Tropalpin
3α-tropanol/3α-Tropanol
tropeolina/Tropäolin
tropicamida/Tropicamid
tropilio/Tropylium
tropina/...tropin
tropisetrona/Tropisetron
...tropismo/...tropismus
...tropo/...trop
α-tropolona/α-Tropolon

tropomiosina/Tropomyosin
troponina/Troponin
trovafloxacín/Trovafloxacin
troxerutina/Troxerutin
trufa/Trüffel
tuaminoheptano/Tuaminoheptan
tuberculina/Tuberkulin
tuberculinización/Tuberkulin-Test
tuberculosis/Tuberkulose
tuberculostáticos/Tuberkulostatika
tuberina/Tuberin
tuberosa/Tuberose
tubitos de combustión/Glühröhrchen
tubo calorífico/Heat Pipe
– de agar inclinado/Schrägagar-Röhrchen
– de bolas/Kugelrohr
– de rayos X/Röntgenröhren
– de Ullmann/Ullmann-Rohr
– de Venturi/Venturi-Düse
– de vórtice (torbellino)/Wirbelrohr
tubocurarina/Tubocurarin
tubos/Rohre, Tuben
– cerrados/Einschmelzrohre
– de ensayo/Reagenzgläser
– (de) neón/Neonröhren
– de vacío/Vakuum-Röhren
– detectores/Prüfröhrchen
– flexibles/Schläuche
– Geissler/Geißler Röhren
– Schlenk/Schlenkrohre
tubulina/Tubulin
tufo/Tuffe
tuftsina/Tuftsin
tujamunita/Tjujamunit
tules/Bobinets
tulio/Thulium
tulobuterol/Tulobuterol
tumbaga amarilla/Gelbtombak
tumor/Tumore(n)
tungstato (volframato) de sodio/Natriumwolframat
tungstenatos/Wolframate
tungsteno/Wolfram
– hexacarbonilo/Wolframhexacarbonyl
tungstita/Wolframocker
tunicado/Tunicate
tunicamicina(s)/Tunicamycine
tunicina/Tunicin
tuniclorina/Tunichlorin
tunicromos/Tunichrome
tupinambo/Topinambur
turanosa/Turanose
turba/Torf
turbidimetría/Trübungsmessung
turbiditas/Turbidite
turbidostato/Turbidostat
turbulencia/Turbulenz
turgencia/Turgor
turgorinas/Turgorine
turmalina/Turmalin
turmerona/Turmeron
turquesa/Türkis
tusílago/Huflattich
tutina/Tutin
tuyano/Thujan
tuyaplicinas/Thujaplicine
tuyona/Thujon
twistano/Twistan
twitchina/Twitchin
tysonita/Tysonit

U

ubiquinonas/Ubichinone
ubiquitina/Ubiquitin
ulapuálidos/Ulapualide
úlcera/Ulcus, ulcera
ulcus/Ulcus, ulcera
ulexita/Ulexit

uliciclamida/Ulicyclamid
ullmannita/Ullmannit
...ulosa/...ulose
ultracentrífugas/Ultrazentrifugen
ultrafiltración/Ultrafiltration
ultramarinos/Ultramarine
ultramicroanálisis/Ultramikroanalyse
ultramicroscopio/Ultramikroskop
ultrasonidos/Ultraschall
umami/Umami
umbelíferas/Umbelliferae
umbeliferona/Umbelliferon
umbra/Umbra
un.../Un...
uña de caballo/Huflattich
uñas/Fingernägel
undec(a).../Undec(a)...
undecanal/Undecanal
undecano/Undecan
2-undecanona/2-Undecanon
10-undecenal/10-Undecenal
undecil.../Undecyl...
ungüentos/Salben
unidad Angström/Ångström-Einheit
- asimétrica/Asymmetrische Einheit
- atómica/Atomare Einheiten
- configuracional/Konfigurative Einheit
- de protesa/Protease-Einheit
- de repetición constitucional/Konstitutionelle Repetiereinheit
- Debye/Debye
- del nueve/Neuner
- Dobson/Dobson-Einheit
- Einstein/Einstein
- electrostática/Elektrostatische Einheit
- (elemento) estructural/Struktureinheit, -element
- legal/Gesetzliche Einheiten
- pan/Brot-Einheit
unidades/Einheiten
- básicas/Basiseinheiten
- eléctricas/Elektrische Einheiten
- funcionales moleculares/Molekulare Funktionseinheiten
- fundamentales/Grundeinheiten
- internacionales/Internationale Einheiten
unión de polímeras/Verschmelzen von Polymeren
uniones adherentes/Adhärenz-Verbindungen
uniporte/Uniport
unitiol/Unitiol
univalente/Univalent
universidades/Hochschulen
upas/Upas
uperización/Uperisation
uperoleína/Uperolein
uracilo/Uracil
uramilo/Uramil
uranatos(VI)/Uranate(VI)
uraninita/Uranpecherz
uranio/Uran
- micáceo/Uranglimmer
uranocircita/Uranocircit
uranofana/Uranophan
urao/Trona
urapidil/Urapidil
urdamicinas/Urdamycine
urea/Harnstoff
ureasa/Urease
ureido.../Ureido...
ureidos/Ureide
ureileno.../Ureylen...
ureinas/Ureine
urémie/Urämie
ureotelia/Ureotelie
uretano/Urethan

uretanos/Urethane
uricasa/Uricase
uricostáticos/Urikostatika
uricotelia/Urikotelie
uridina/Uridin
- -fosfatos/Uridinphosphate
...uro/...id, ...ür
urobilina/Urobilin
urocanasa/Urocanase
urocinasa/Urokinase
urocortina/Urocortin
urofolotropina/Urofollitropin
urogonadotropina/Urogonadotropin
uroguanilina/Uroguanylin
uroporfirinas/Uroporphyrine
uroquinasa/Urokinase
ursano/Ursan
urticaria/Nesselfieber
urushioles/Urushiole
uteroferrina/Uteroferrin
uteroglobina/Uteroglobin
utilización/Verwenden
- del agua/Gewässer(be)nutzung
- neta de proteínas/NPU-Wert
uva/Weintrauben
- espina (de San Pedro)/Stachelbeeren
uvaduz/Bärentraube
uvas de gato/Mauerpfeffer
uzarina/Uzarin

V

vacío/Vakuum
vacuna/Vaccine
- contra la meningitis meningocócica/Meningokokken-Impfstoff
vacunación/Impfen
vacunas/Impfstoffe
vainilil.../Vanillyl...
vainilla/Vanille
vainillina/Vanillin
vainiloil.../Vanilloyl...
valaciclovir/Valaciclovir
valanimicina/Valanimycin
valenceno/Valencen
valencia/Valenz, Wertigkeit
- electroquímica/Elektrochemische Wertigkeit
valencias parciales (secundarias, residuales)/Partialvalenzen
valentinita/Valentinit
valepotriatos/Valepotriate
valeriana/Baldrian
valeril.../Valeryl...
validación/Validierung
validamicinas/Validamycine
valienamina/Valienamin
valilactona/Valilacton
valina/Valin
valinomicina/Valinomycin
valleri(í)ta/Valleriit
valonia/Valonea
valor calorífico fisiológico/Physiologischer Brennwert
- de referencia diario/Daily Reference Value
- de tolerancia biológica en el puesto de trabajo/Biologischer Arbeitsstofftoleranzwert
- de vigilancia (control)/Überwachungswert
- diario admisible/Duldbare tägliche Aufnahme
- equivalente de toxicidad/Toxizitätsäquivalent
- esperado/Erwartungswert
- G/G-Wert
- indicador/Zeigerwert
- k/K-Wert
- K_La/K_La-Wert
- lambda/Lambda-Wert

- límite de inmisión/Immissionsgrenzwert
- límite de la CE/EG-Grenzwert
- límite indicativo/ILV-Werte
- límite umbral/TLV-Werte
- nutritivo/Nährwert
- pK/pK-Wert
- promedio del peso molecular/Zahlenmittel
- R_f/R_f-Wert
- umbral/Schwellenwert
- umbral del ozono/Ozon-Schwellenwert
- Z/Z-Wert
valoración/Titration
- ácido-base/Säure-Base-Titration
- con polielectrolitos/Polyelektrolyt-Titration
- de Epton/Epton-Titration
- de Reinhardt-Zimmermann/Reinhardt-Zimmermann-Titration
- por retroceso/Rücktitration
- potenciométrica de corriente controlada/Voltametrie
- termométrica/Thermometrische Titration
- turbidimétrica/Trübungstitration
valoradores (tituladores) automáticos/Titrierautomaten
valores indicativos/Richtwert
- limite/Grenzwerte
valsartán/Valsartan
válvula de Bunsen/Bunsen-Ventil
válvulas/Ventile
vamidotion/Vamidothion
vanadato de amonio/Ammoniumvanadat
vanadatos(V)/Vanadate(V)
vanadatos de sodio/Natriumvanadate
vanadinita/Vanadinit
vanadio/Vanadium
vancomicina/Vancomycin
vapor/Dampf
- de agua/Wasserdampf
vapores nitrosos/Nitrose Gase
vaporización/Verdampfung
vaporizar/Zerstäuben
vara de Esculapio/Äskulapstab
- de oro/Goldrute
varacina/Varacin
varas de ignición/Zündstäbe
variabilina/Variabilin
varices/Varizen
varillas indicadoras/Teststäbchen
vasectomía/Vasektomie
vaselina/Vaselin(e)
vasoconstrictores/Vasokonstriktoren
vasodilatadores/Vasodilatatoren
vasopresina/Vasopressin
vasos de precipitados/Bechergläser
- Dewar/Dewar-Gefäße
- Philips/Philipsbecher
vaterita/Vaterit
vatio/Watt
vector YRp/YRp-Vektor
vectores/Vektoren
- ARN/RNA-Vektoren
- lambda/Lambda-Vektor
- suicidas/Suizid-Vektoren
- transportadores/Shuttle-Vektoren
vegetación/Vegetation
vegetales/Pflanzen
vejigas/Blasen
velas/Kerzen
- mágicas/Wunderkerzen
veleral/Velleral
velludillo/Vesikum
velocidad de flujo/Strömungsgeschwindigkeit

- de la luz/Lichtgeschwindigkeit
- de reacción/Reaktionsgeschwindigkeit
- superior a la de la luz/Überlichtgeschwindigkeit
- superlumínica/Überlichtgeschwindigkeit
velours/Velours
velutinal/Velutinal
veneno de abeja/Bienengift
- de avispa/Wespengift
- de avispón/Hornissengift
- del catalizador/Katalysatorgift
venenos/Gifte
- de animales/Tiergifte
- de cobra/Kobratoxine
- de equinodermos/Stachelhäuter-Gifte
- de escorpiones/Skorpiongifte
- de flechas/Pfeilgifte
- de insectos/Insektengifte
- de los arácnidos/Spinnengifte
- de los sapos/Krötengifte
- de ortiga/Nesselgifte
- de peces/Fischgifte
- de serpientes/Schlangengifte
- medioambientales/Umweltgifte
- respiratorios/Atemgifte
- vegetales/Pflanzengifte
venenoso/Giftig
venlafaxina/Venlafaxin
ventana lambda/Lambda-Fenster
ventilación/Lüftung
ventiladores/Ventilatoren
ventiles/Kegelhähne
verapamil/Verapamil
veratril.../Veratryl...
veratroil.../Veratroyl...
verbasco/Königskerzen
verbena/Eisenkraut
verbenol/Verbenol
verdazilos/Verdazyle
verde al pigmento B/Oralithgrün B
- claro/Lichtgrün
- de bromocresol/Bromkresolgrün
- de cinc/Zinkgrün
- de cobalto/Cobaltgrün
- de Marte/Marsgrün
- de metilo/Methylgrün
- de Schweinfurth/Schweinfurter Grün
- diamina/Diamingrün B
- esmeralda/Emerardgrün, Smaragdgrün
- Janus/Janusgrün B
- malaquita/Malachitgrün
- manganeso/Mangangrün
- para lana/Wollgrün S
- patente/Patentgrün
verdete/Grünspan
verduras/Gemüse
verificador de metal noble/Edelmetallprüfer
vermeil/Vermeil
vermiculita/Vermiculit
vermut/Vermouth
vernolato/Vernolat
vernolepina/Vernolepin
verotoxinas/Verotoxine
verrucarinas/Verrucarine
verruculotoxina/Verruculotoxin
verrugas/Warzen
versamidas/Versamide
vertebrados/Vertebraten
vertedero de residuos subterráneo/Untertage-Deponie
vertederos de residuos/Deponie
vertido/Einleiten, Verklappung
vesicantes/Vesikantien
vesículas/Blasen, Vesikeln
vespariona/Vesparion

Español

vestimenta protectora/Schutzkleidung
vesubianita/Vesuvian
vesubina/Vesuvin
vetrabutina/Vetrabutin
vezas/Wicken
Vi antígeno/Vi-Kapselpolysaccharid typhi
– polisacárido capsular/Vi-Kapselpolysaccharid typhi
vía (línea) de comunicación (de tráfico)/Verkehrsweg
vibración/Schwingung
– armónica/Harmonische Schwingung
– de inversión/Inversionsschwingung
viburnolas/Viburnole
vic-/vic-
vicilina/Vicilin
vicina/Vicin
vida media/Lebensdauer
vidriado/Glasur
vidriar/Glasieren
vidrio/Glas
– acrílico/Acrylglas
– ceramificado/Glaskeramik
– con óxido de cobalto/Smalte
– de celulosa/Zellglas
– de cobalto/Cobalt-Glas
– de cuarzo/Quarzglas
– de desecho/Altglas
– de seguridad/Sicherheitsglas
– duro/Hartglas
– esponjoso/Schaumglas
– flint/Flintglas
– fritado (sinterizado)/Sinterglas
– poroso/Poröses Glas
– soluble/Wasserglas
– templado/Hartglas
vidrios antisolares/Sonnenschutzgläser
– de borosilicato/Borosilicatgläser
– de espín/Spingläser
– de polímeros cristalinos liquidos/LCP-Gläser
– de reloj/Uhrgläser
– fosfatados/Phosphat-Gläser
– fototropos (fototrópicos)/Phototrope Gläser
– ópticos/Optische Gläser
– orgánicos/Organische Gläser
– para soldar/Glaslote
– PC/PC-Glas
– poliméricos/Organische Gläser
– polímeros/Kunstgläser
vigabatrín/Vigabatrin
vilina/Villin
viloxazina/Viloxazin
vimentína/Vimentin
vinagre/Essig
– de vino/Weinessig
vinamidinas/Vinamidine
vinblastina/Vinblastin
vincamina/Vincamin
vincarubina/Vincarubin
vinclozolina/Vinclozolin
vincristina/Vincristin
vindesina/Vindesin
vindolina/Vindolin
vinigrol/Vinigrol
vinil…/Vinyl…
1-vinil-2-pirrolid(in)ona/1-Vinyl-2-pyrrolid(in)on
vinilación/Vinylierung
vinilbital/Vinylbital
9-vinilcarbazol/9-Vinylcarbazol
vinilen…/Vinylen…
4-vinilguajacol/4-Vinylguajacol
viniliden…/Vinyliden…
vinílogo/Vinylog
vinilpiridinas/Vinylpyridine
viniltoluenos/Vinyltoluole

vinion/Vinyon
vino/Wein
– chispeante/Perlwein
– de Oporto/Portwein
– de palma/Palmwein
– dulce/Süßwein
– espumoso/Schaumwein
– (espumoso) de fruta/Obst-(schaum)wein
– mezclado con sifón (agua mineral)/Schorle
– -mosto/Sauser
– perlado/Perlwein
vinorelbina/Vinorelbin
vinos de Tokay/Tokayer
vinpocetina/Vinpocetin
violaceína/Violacein
violanina/Violanin
violaxantina/Violaxanthin
violeta/Veilchen
– cristal/Kristallviolett
– de carbazol/Carbazolviolett
– de genciana/Gentianaviolett
– de metilo/Methylviolett
viológenos/Viologene
viomicina/Viomycin
viquidil/Viquidil
virado/Tonung
viraje/Tonung
virgaurea/Goldrute
virgen/Gediegen
virginiamicinas/Virginiamycine
viridicatumtoxina/Viridicatumtoxin
viridina/Viridin
virología/Virologie
virostáticos/Virostatika
virotoxinas/Virotoxine
virucidas/Viruzide
viruela/Pocken
virus/Viren
– de Epstein-Barr/Epstein-Barr-Virus
– del mono 40/Affenvirus 40
– del papiloma/Papilloma-Viren
– del sarcoma de Rous/Rous-Sarkom-Virus
– mosaico del tabaco/Tabakmosaikvirus
– papova/Papova-Viren
virutas de hierro/Stahlwolle
visamminol/Visamminol
viscoelasticidad/Viskoelastizität
viscoplasticidad/Viskoplastizität
viscosa/Viskose
viscosidad/Viskosität
– estructural/Strukturviskosität
viscosilla/Zellwolle
viscosimetría/Viskosimetrie
viscoso/Viskos
viscotoxina/Viscotoxin
visnadina/Visnadin
vitaminas/Vitamine
vitelina/Vitellin
vitilaina/Schneeball
vitíligo/Vitiligo
vitispiranos/Vitispirane
vitrina (de tiro)/Abzug
vitriolos/Vitriole
vitrocerámica/Glaskeramik
vitroides/Vitroide
vitronectina/Vitronectin
vivero de aguas residuales/Abwasserfischteich
vivianita/Vivianit
vocabularios/Wörterbücher
vodka/Wodka
volatilidad/Flüchtigkeit
volbortita/Volborthit
volcanes/Vulkane
volframato (tungstato) de calcio/Calciumwolframat
volframatos/Wolframate

volframio/Wolfram
volt/Volt
voltametría/Voltammetrie
voltio/Volt
volumen/Volumen
– aparente/Schüttvolumen
– atómico/Atomvolumen
– en condiciones normales/Normvolumen
– en el cero absoluto/Nullpunktsvolumen
– molar/Molvolumen
– por compactación/Stampfvolumen
volutina/Volutin
vorozola/Vorozol
vulcanismo/Vulkanismus
vulcanita/Vulkanite
vulcanización/Vulkanisation
– en caliente/Heißvulkanisation
vulcanizado/Vulkanisat
vulgamicina/Vulgamycin

W

wairol/Wairol
warfarín/Warfarin
wash primer/Haftgrundmittel
watt/Watt
wavelita/Wavellit
waver/Waver
weber/Weber
wedelolactona/Wedelolacton
whewellita/Whewellit
whiskers/Whiskers
whisky/Whisky
wiedendioles/Wiedendiole
wikstromol/Wikstromol
willardiina/Willardiin
willemita/Willemit
winterina/Winterin
winterización/Winterisierung
wistarina/Wistarin
withanólidos/Withanolide
witherita/Witherit
wittichenita/Wittichenit
wolframita/Wolframit
wollastonita/Wollastonit
wortmannina/Wortmannin
wulfenita/Wulfenit
wurtzita/Wurtzit

X

xantano/Xanthan
xantatos de potasio/Kaliumxanthate
– de sodio/Natriumxanthate
xanteno/Xanthen
xantidrol/Xanthydrol
xantina/Xanthin
– -oxidasa/Xanthin-Oxidase
xanto…/Xanth(o)…
xantocilina/Xantocilline
xantodermina/Xanthodermin
xantofilas/Xanthophylle
xant(ogen)ación/Xanthogenierung
xantogenato de celulosa/Cellulosexanthogenat
xant(ogen)atos/Xanthogenate
xantona/Xanthon
xantopterina/Xanthopterin
xantosina/Xanthosin
xantotoxina/Xanthotoxin
xantoxina/Xanthoxin
xemilfibán/Xemilofiban
xenil…/Xenyl…
xenobióticos/Xenobiotika
xenol/Xenol
xenón/Xenon
xenorhabdinas/Xenorhabdine
xenotima/Xenotim
xero…/Xero…
xerodermía/Xerodermie

xerófitas/Xerophyten
xerografía/Xerographie
xerulina/Xerulin
xestoesponginas/Xestospongine
xilanos/Xylane
xilaral/Xylaral
xilema/Xylem
xilenos/Xylole
…xilidida/…xylidid
xilidinas/Xylidine
xilidino…/Xylidino…
xilil…/Xylyl…
xililen…/Xylylen(…)
xilita/Xylit
xilitol/Xylit
xilo-/xylo-
xilocandinas/Xylocandine
xilometazolina/Xylometazolin
D-xilosa/D-Xylose
xilosa-isomerasa/Xylose-Isomerase
xilotilo/Xylotil
xipamida/Xipamid
xonotlita/Xonotlit

Y

yace/Jackfrucht
yacimientos/Lagerstätten
yame/Yam, Yams
yaro/Aasblumen
yedra/Efeu
yesca/Zunder
yeso de mármol/Marmorgips
yessotoxina/Yessotoxin
yodación/Iodierung
yodargirita/Jodargyrit
yodato de potasio/Kaliumiodat
– de sodio/Natriumiodat
yodatos/Iodate
yodil…/Iodyl…
yodilbenceno/Iodylbenzol
yodo/Iod
yodo…/Iod…
yodoaminoácidos/Iodaminosäuren
yodobenceno/Iodbenzol
yodofenfos/Iodfenphos
yodoformo/Iodoform
yodóforos/Iodophore
yodoftaleína sódica/Iodophthalein-Natrium
yodometría/Iodometrie
yodopsina/Iodopsin
yodosil…/Iodosyl…
yodosilbenceno/Iodosylbenzol
N-yodosuccinimida/N-Iodsuccinimid
yodotrimetilsilano/Iodtrimethylsilan
yoduro de amonio/Ammoniumiodid
– de cadmio/Cadmiumiodid
– de calcio/Calciumiodid
– de ditiazanina/Dithiazaniniodid
– de ecotiopato/Ecothiopatiodid
– de etilo/Ethyliodid
– de hidrógeno/Iodwasserstoff
– de isopropamida/Isopropamidiodid
– de litio/Lithiumiodid
– de metileno/Methyleniodid
– de metilo/Methyliodid
– de nitrógeno/Iodstickstoff
– de pinacianol/Pinacyanoliodid
– de plata/Silberiodid
– de plomo/Bleiiodid
– de potasio/Kaliumiodid
– de sodio/Natriumiodid
yoduros/Iodide
– de cobre/Kupferiodide
– de mercurio/Quecksilberiodide
– de talio/Thalliumiodide
yogur/Joghurt

yohimbina/Yohimbin
yuca/Yucca
– brava/Maniok
yugawartalita/Yugawaralith
yute/Jute

Z

zacatón/Zakaton
zafirina/Sapphirin
zafirlukast/Zafirlukast
zafiro/Saphir
zalcitabina/Zalcitabin
zanahorias/Möhren
zanamivir/Zanamivir
zarzamoras/Brombeeren
zearalenona/Zearalenon
zeatina/Zeatin
zeaxantina/Zeaxanthin
zedoaria/Zitwer
zeína/Zein
zeofilita/Zeophyllit
zeolitas/Zeolithe
zeranol/Zeranol
zeta-cipermetrina/Zeta-Cypermethrin
zeugmatografía/Zeugmatographie
zeunerita/Zeunerit
zidovudina/Zidovudin
zigosporinas/Zygosporine
zigoto/Zygote
zileutona/Zileuton
zimasa/Zymase
zimo…/Zym(o)…
zimógenos/Zymogene
zimosán/Zymosan
zinc/Zink
zincita/Zinkit
zinckenita/Zinckenit
zincoforina/Zincophorin
zincografía/Chemigraphie
zincón/Zincon
zineb/Zineb
zingerona/Zingeron
zingibereno/Zingiberen
zinnwaldita/Zinnwaldit
zippeíta/Zippeit
ziprasidona/Ziprasidon
ziram/Ziram
zixina/Zyxin
zoantoxantina/Zoanthoxanthin
zoisita/Zoisit
zolmitriptano/Zolmitriptan
zolpidem/Zolpidem
zomepiraco/Zomepirac
zona/Zone
– de Brillouin/Brillouin-Zone
– de circulación o de tráfico/Verkehrsbereich
– de oxidación/Oxidationszone
– medioambiental/Umweltzone
– prohibida/Verbotene Zone
zonas climáticas/Klimazonen
– de polución/Belastungsgebiet
– de Weiss/Weiss'sche Bezirke
zooesteroles/Zoosterine
zoógeno/Zoogen
zoología/Zoologie
zoonosis/Zoonosen
zopiccona/Zopiclon
zorubicina/Zorubicin
zotepina/Zotepin
zouas de aire puro/Reinluftgebiete
zuclopentixol/Zuclopenthixol
zumaque/Sumach
zumo de fruta sin fermentar/Süßmost
– de naranja/Orangensaft
– de uva/Traubensaft
zumos de frutas/Fruchtsäfte
zurrón de pastor/Hirtentäschel
zwiebelanos/Zwiebelane
zwitteriones/Zwitterionen

Lang Kurt

Verzeichnis der Abkürzungen

E  Explosions-gefährlich   O Brand-fördernd   F Leichtent-zündlich   F+ Hochent-zündlich   C Ätzend

[α]	spezifische Drehung	G	Gefahrenklasse
a	Jahr	gasf.	gasförmig
a.	auch, andere(n, m) in Zusammensetzungen wie: s.a., u.a.	geb.	geboren
		GefStoffV	Gefahrstoffverordnung
		gegr.	gegründet
Abb.	Abbildung	Ges.	Gesellschaft
Abk.	Abkürzung	gesätt.	gesättigt
Abl.	Amtsblatt	Geschw.	Geschwindigkeit
abs.	absolut	Gew.	Gewicht
ADI	acceptable daily intake = annehmbare tägliche Aufnahme	ggf.	gegebenenfalls
		Ggw.	Gegenwart
allg.	allgemein	h	Stunde
Anw.	Anwendung	H.	Härte nach Mohs
Aufl.	Auflage	Hdb.	Handbuch, Handbook
B.	Bezugsquelle	Herst.	Herstellung
BAT	Biologischer Arbeitsstoff Toleranzwert	Hrsg.	Herausgeber
		HS	Harmonisiertes System
BGBl.	Bundesgesetzblatt	HWZ	Halbwertszeit
Bd.	Band, Bände	*I*	italienische Bezeichnung
Beisp.	Beispiel	i.m.	intramuskulär
bes.	besonders, besondere(r, s)	Ind.	Industrie
Bez.	Bezeichnung	Inst.	Institut(ion)
Btm	Betäubungsmittel	i.p.	intraperitoneal
CAS	Chemical Abstracts Service-Nr.	i.Tr.	in der Trockenmasse
ChemG	Chemikaliengesetz	IZ	Iod-Zahl
d	Tag	i.v.	intravenös
D.	Dichte	Jh.	Jahrhundert
Darst.	Darstellung	KBwS	Klassifizierung durch Kommission zur Bewertung wassergefährdender Stoffe beim BMU
Dest.	Destillation		
dest.	destilliert		
dgl.	dergleichen	Koeff.	Koeffizient
Diss.	Dissertation	Konz.	Konzentration
E	englische Bezeichnung	konz.	konzentriert
EC	Enzyme Commission	Krist.	Kristallisation, Kristall
ehem.	ehemals, ehemalig	krist.	kristallisiert, kristallin
Erg.	Ergänzung	Kurzz.	Kurzzeichen
et al.	et alii = und andere	LD	letale Dosis
F	französische Bezeichnung	Leg.	Legierung
f., ff.	die nächst folgende Seite, die folgenden Seiten	Lit.	Literatur
		lösl.	löslich
FP.	Flammpunkt	Lsg.	Lösung